WÖRTERBUCH
FÜR DIE BERUFLICHE PRAXIS
DEUTSCH ▸ENGLISCH
ENGLISCH ▸DEUTSCH
GERMAN ▸ENGLISH
ENGLISH ▸GERMAN
DICTIONARY

COLLINS

Wörterbuch für
die berufliche Praxis

DEUTSCH ▶ ENGLISCH
ENGLISCH ▶ DEUTSCH

NEUBEARBEITUNG 1998

Handwörterbuch
Ernst Klett Verlag
Stuttgart · Düsseldorf · Leipzig

COLLINS

GERMAN ▶ ENGLISH
ENGLISH ▶ GERMAN
DICTIONARY

Third Edition

HarperCollins*Publishers*

Third edition 1998

HarperCollins Publishers
P.O. Box, Glasgow G4 ONB, Great Britain

ISBN 0 00 470709-5

10 East 53rd Street, New York, NY 10022

ISBN 0-06-270817-1

First HarperCollins edition published 1995

Library of Congress Cataloging-in-Publication Data

Collins German-English, English-German dictionary. – 3rd ed. /
prepared by Eva Vennebusch, Robin Sawers with Horst Kopleck. p.   cm.
     ISBN 0-06-270817-1
     1. German language–Dictionaries–English. 2. English
language–Dictionaries–German.   I. Vennebusch, Eva. II. Sawers, Robin.
III. Kopleck, Horst.
     PF3640.C68 1998
433'.21–dc21

97-44986
CIP

98 99 00 01 02 TBP 10 9 8 7 6 5 4 3 2 1

Die Deutsche Bibliothek - CIP-Einheitsaufnahme

PONS Collins Wörterbuch für die berufliche Praxis : deutsch–
englisch, englisch-deutsch ; Handwörterbuch. - 3. Aufl., Neubearb. /
[bearb. von Eva Vennebusch ; Robin Sawers]. - Glasgow ; New York,
NY : HarperCollins ; Stuttgart ; Düsseldorf ; Leipzig : Klett, 1998
     Nebent.: Collins German concise
     2. Aufl. u.d.T.: Collins German-English, English-German dictionary
     ISBN 3-12-517929-7 (Klett)
     ISBN 0-00-470709-5 (HarperCollins, Glasgow)

Lizenzausgabe für Ernst Klett Verlag für Wissen und Bildung GmbH, Stuttgart 1995
Alle Rechte vorbehalten

3. Auflage 1998
Ernst Klett Verlag für Wissen und Bildung GmbH, Stuttgart
ISBN 3-12-517929-7

Computer typeset by Morton Word Processing Ltd., Scarborough
Printed and bound in Great Britain by Caledonian International
Book Manufacturing Ltd, Glasgow, G64

SECOND AND THIRD EDITIONS   **ZWEITE UND DRITTE AUFLAGE**

Prepared by / Bearbeitet von
Eva Vennebusch
Robin Sawers

with / mit
Horst Kopleck

Editorial Staff / Verlagsangestellte
Joyce Littlejohn
Christine Bahr
Nicola Cooke

FIRST EDITION   **ERSTE AUSGABE**
Peter Terrell   Horst Kopleck

Assistant Editors / Bearbeitung
Jimmy Burnett   Philip Ladd
Andrea Ender   Reinhold Trott

Copy Editor / Redaktionsassistentin
Daphne Trotter

based on / auf der Basis von
Collins German Dictionary
by / von
Peter Terrell   Veronika Calderwood-Schnorr
Wendy V.A. Morris   Roland Breitsprecher

prepared for Collins by / Projektleitung

LEXUS

Warenzeichen

Trademarks

INHALT

CONTENTS

Einleitung

Dieses Wörterbuch ist insbesondere für Benutzer geeignet, die bereits Grundkenntnisse in der Fremdsprache besitzen und ein handliches Wörterbuch mittlerer Größe benötigen, welches ihnen jedoch eine umfassende Darstellung der modernen englischen und deutschen Alltagssprache bieten soll. Dieses Ziel wird erreicht, indem der Schwerpunkt auf den heutigen Sprachgebrauch — ob Umgangssprache oder förmlichere Ausdrucksweise — gelegt wird und alle Sachbereiche, die in der Welt von heute wichtig sind, wie z.B. Handel, Computertechnik und Sport, ausführlich abgedeckt werden. Aus diesem Grund ist dieses Wörterbuch gleichermaßen für Büro und Geschäftswelt, für die Schule, die Universität, sowie zum allgemeinen Gebrauch zu Hause geeignet.

Dieses Wörterbuch soll jedoch nicht nur ein Verständnis der Fremdsprache vermitteln, sondern dem Benutzer darüber hinaus ihren sicheren Gebrauch in Wort und Schrift ermöglichen. Zu diesem Zweck wird die Verwendungsweise der angegebenen Übersetzungen auf vielfache Art aufgezeigt, z.B. durch Indikatoren zur Unterscheidung verschiedener Bedeutungen, durch Angabe typischer Subjekte und

Introduction

This dictionary is intended especially for users who already have a grasp of the basics of the language and who require a handy dictionary of medium size, which will nonetheless provide them with a comprehensive survey of modern everyday German and English. It achieves this by placing the emphasis on current usage — from the colloquial to the more formal — and by giving extensive treatment of subjects such as commerce, computer technology and sport which are relevant to the modern world. Hence the dictionary is equally suitable for the business person at the office, the student both at school and at college, and the interested general reader at home.

However, the dictionary is designed to enable the user not only to understand the foreign language, but also to write and speak it with confidence. To this end there are numerous features which show how the translations given are used, such as the guiding system of indicating words to distinguish between alternatives, the typical subjects and objects for verbs and nouns that go with adjectives, and the rich store of examples, all of which show how usage and hence translation vary according to context. Also the basic,

Objekte bei Verben sowie typischer Substantive, die gemeinsam mit Adjektiven verwendet werden; daneben wird eine Fülle von Beispielen gegeben, die Verwendungs- und Übersetzungsvarianten je nach Kontext aufzeigen. Überdies werden elementare, am häufigsten verwendete Wörter besonders ausführlich behandelt, da gerade sie häufig Schwierigkeiten bei der Kommunikation und Ausdrucksweise in der Fremdsprache bereiten. Alle von der Rechtschreibreform betroffenen Wörter, die im deutsch-englischen Teil des Wörterbuches als Stichwörter erscheinen, sind mit dem Symbol △ gekennzeichnet. Die neuen Schreibungen werden im Anhang (S. 1198-1213) in Form einer alphabetischen Liste gegeben, in der jeweils die alte der neuen Schreibweise gegenübergestellt wird. Erläuterungen zu Art und Umfang der deutschen Rechtschreibreform sind ebenfalls im Anhang (S. 1193-1197) enthalten.

Die dritte Auflage des PONS-Collins Handwörterbuches Englisch präsentiert sich in neuer Aufmachung und ermöglicht Ihnen eine noch effektvollere Handhabung Ihrer Texte. Eine der wichtigsten Neuerungen dieser Auflage sind die Querverweise aus dem Wörterbuchtext in die „Satzbausteine" in der Mitte des Buches. Diese innovative Zusammenstellung von authentischen Beispielsätzen greift auf unsere gegenwärtig mehr als 370 Millionen Wörter umfassende Textdatenbanken des heutigen Englisch und Deutsch zurück. Die „Bank of English" sowie die „Deutsche Textbörse" enthalten Artikel aus Zeitungen und Zeitschriften, literarische Texte, Gesprächsmitschnitte und vieles mehr. In „Sprache Aktiv" finden Sie weiterhin nützliche Tips zum Telefonieren in der Fremdsprache, und Geschäfts- und Privatbriefe helfen Ihnen in vielen Situationen - von der Bewerbung bis zur Hochzeitseinladung. „Sprache Aktiv" mit Hunderten von thematisch geordneten Mustersätzen ist damit ein umfassender und kompakter Ratgeber für alle wichtigen Sprechhandlungen.

Unsere erkärenden Einträge zu wichtigen kulturellen Aspekten des Alltags, der Literatur, in Politik, Geschichte, Bildungswesen sowie verschiedenen Organisationen in Deutschland, Großbritannien und den USA sollen zum besseren Verständnis kultureller Unterschiede zwischen diesen Nationen beitragen. Die Einträge erscheinen jeweils in der Muttersprache desjenigen Wörterbuchbenutzers, für den diese Hinweise gedacht sind. Daher werden deutsche Besonderheiten auf Englisch, britische und amerikanische jedoch auf Deutsch beschrieben. Der Inhalt dieses Wörterbuchs basiert auf unserem berühmten Großwörterbuch, dem Maßstab, an dem andere gemessen werden. Diese Ausgabe besitzt dieselben Vorzüge wie das Großwörterbuch, darunter eine außergewöhnlich klare Anordnung der Einträge und eine moderne Sprachauffassung.

most frequently used words are treated in depth, as these so often cause problems when trying to communicate or express oneself in the foreign language. Words which have been affected by the Spelling Reform are marked on the German-English side of the dictionary with the △ symbol. The new spelling forms are listed alphabetically in the supplement (pp 1198-1213) with their corresponding old spelling form given alongside. The supplement also gives explanations on the extent of the Spelling Reform and the ways words are affected by it (pp 1193-1197).

The new-look third edition of the Collins Concise German Dictionary helps you make even more effective use of the text. One of its most innovative features is the way the main text of the dictionary is linked to the Sentence Builder supplement in the middle of the book. This completely new section draws on the wealth of lexicographic information to be found in our databases of authentic German and English, both written and spoken, from such diverse sources as contemporary literature, press articles and recordings of real-life conversations currently totalling over 370 million words. We have also included sections on the telephone, business and personal correspondence with authentic sample letters which cover every situation from applying for a job to accepting a wedding invitation. Together they provide a comprehensive guide to self-expression in German, with hundreds of example phrases grouped thematically to help you communicate in fluent, natural German.

Our encyclopaedic entries on key aspects of German, British and American culture such as everyday life, literature, politics, history, education and organization attempt to bridge the gap between the differing cultures. These entries are written in the native language of the user they are designed to benefit; this means that entries on German items are in English and entries on British and American items are in German. The content of the dictionary is based on our famous large edition which has become the market leader and the standard by which others are judged. This dictionary shares the outstanding features of the larger edition, including exceptional clarity of layout and modernity of approach.

Benutzungshinweise

„Ich werde einen Lammsattel haben und für Wüste eine Apfelnutte"

Zugegeben — es ist unwahrscheinlich, daß jemand in einem deutschen Restaurant auf so groteske Weise eine Bestellung aufzugeben versucht, es sei denn, es handelt sich um einen Briten oder Amerikaner mit minimalen Deutschkenntnissen und ohne Erfahrung mit Wörterbüchern. Dieses Beispiel veranschaulicht jedoch die Gefahr, Bedeutungen zu verwechseln, da man auch mit einem guten Wörterbuch nachlässig umgehen kann und im Falle eines schlechten Wörterbuchs Bedeutungsunterschiede unter Umständen gar nicht oder nur unzulänglich aufgezeigt werden. In unserem Beispiel wurde **I'll have** mit „ich werde haben" übersetzt — ohne auf den Kontext zu achten. Wenn Sie sich die Beispiele (unter **have**) in diesem Wörterbuch ansehen, werden Sie einen ähnlichen Satz finden: **I'll have the steak**, übersetzt mit „ich möchte gern das Steak"; dies ist offensichtlich der hier gewünschte Zusammenhang. Bestellt werden sollte ein Lammrücken (**saddle** ist sowohl ein Pferde- oder Bergsattel als auch — abgegrenzt durch einen entsprechenden Bedeutungshinweis — ein Rücken bei Fleischgerichten) sowie ferner zum Nachtisch (**dessert** (Nachtisch) und **desert** (Wüste) kann man beim schnellen Nachschlagen leicht verwechseln) ein Stück Apfelkuchen. Besonders peinlich ist hier die Verwechslung von zwei völlig unterschiedlichen Bedeutungen des Wortes **tart**. Die Moral ist, daß es verheerende Folgen haben kann, einfach die erste Übersetzung zu verwenden, auf die der Blick fällt.

Wie findet man das richtige Wort?

Das obige Beispiel klingt vielleicht etwas weit hergeholt, aber ähnliche Fehler werden ständig gemacht. Nehmen wir zum Beispiel ein einfaches englisches Wort: **to cut**. Sie werden sagen: „Ich weiß, wie das auf deutsch heißt: **schneiden**". Wenn Sie jedoch im Wörterbuch nachsehen, finden Sie dort zunächst einen ganzen Absatz, der mit **1** *n* beginnt. Dies sind Übersetzungen für das Substantiv; da Sie aber nach einer Übersetzung für **to cut** suchen, sind Sie hier falsch. **2** *adj* kann auch nicht stimmen, da Adjektive lediglich beschreibend sind.

Bei **3** *vt* sind Sie am richtigen Ort; *vt* bedeutet transitives Verb, also ein Verb, das ein Objekt hat — bei **to cut** z.B. in den Ausdrücken **to cut the grass, to cut one's hair, to cut prices** und so weiter. Hier finden Sie natürlich „schneiden", jedoch daneben noch viele weitere Übersetzungen. Kein Grund zur Verzweiflung — solange Sie das zugehörige Objekt kennen, wird Ihnen das Wörterbuch die richtige Übersetzung nennen. Die Objekte sind jeweils vor der Übersetzung angegeben, z.B. **to cut the grass** = „das Gras mähen"; **to cut the cake** = „den Kuchen anschneiden" und so weiter.

Verschiedene Bedeutungen von **to cut** werden dann aufgelistet, unterteilt in Absätze, die jeweils mit einem Buchstaben in Klammern beginnen, gefolgt von einem ebenfalls eingeklammerten Wort, das die Bedeutung wiedergibt. Sucht man nach einer Übersetzung für **to cut prices**, so ist die entsprechende Bedeutung *reduce* (reduzieren), d.h. Absatz **(g)** *(reduce)* enthält die richtige Übersetzung: „senken". Ist das gewünschte Objekt jedoch nicht *prices*, sondern *salary*, so ist das korrekte Wort im Deutschen „kürzen".

Schließlich gibt es noch den Absatz **4** *vi. vi* bedeutet intransitives Verb, also ein Verb, das kein Objekt hat. Hier sind ebenfalls Hinweise in Klammern angegeben, doch diesmal sind dies Substantive wie z.B. (*knife, scissors*). Diese bezeichnen offensichtlich nicht die jeweilige Bedeutung des Verbs, sondern sind typische Subjekte. In Absatz **(b)** finden wir eine Kombination von Verb und Substantiven: „(*intersect: lines, roads*) sich schneiden". Dies bedeutet, daß hier eine Bedeutung wie etwa in dem Satz **the lines cut at right angles** gemeint ist — also **to cut** im Sinne von **to intersect** mit *lines* als Subjekt. Die korrekte Übersetzung ist „sich schneiden" (im ganzen Satz also: „die Linien schneiden sich im rechten Winkel").

Wie findet man die richtige Wendung?

Wenn Sie eine Redensart oder eine feststehende Wendung übersetzen möchten, ist es oft nicht einfach, zu entscheiden, wo genau diese im Wörterbuch aufgeführt ist. Die Grundregel ist, unter dem ersten bedeutungstragenden Wort nachzusehen (d.h. nicht in Einträgen wie **der, das, ein** oder Präpositionen) bzw. unter dem ersten Wort der gewünschten Wendung, welches stets unverändert bleibt, auch wenn andere Teile des Satzes variiert werden können. So findet man z.B. die Redensart *sich aufs Ohr legen* unter **Ohr**, aber *jemandem reinen Wein einschenken* unter **Wein**, da man ja ebenfalls sagen kann *jemandem klaren Wein einschenken*.

Einige sehr häufig verwendete Verben wurden hierbei nicht als bedeutungstragend eingestuft, da sie in so vielen Wendungen vorkommen, daß sie als Wörterbucheinträge unüberschaubar wären. Hierzu zählen im Englischen **be, get, have, make** und **put** und im Deutschen **bringen, haben, geben, machen** und

tun. Die Wendung *to make hay while the sun shines* ist also unter **hay** zu finden und *to give somebody something for safe-keeping* unter **safe-keeping**.

Wie aus diesen Beispielen ersichtlich ist, werden Wendungen im allgemeinen im Infinitiv aufgeführt. Im Englischen ist dies am **to** zu erkennen. Ausnahmen bilden Sprichwörter und andere Wendungen, die nur in einer Form existieren (z.B. *the early bird catches the worm* unter **early**), und natürlich Beispielsätze.

Was ist der Unterschied zwischen einer Wendung und einem Beispielsatz? Beispielsätze sind im Prinzip dazu da, zu zeigen, wie ein Stichwort verwendet wird und wie es in Verbindung mit anderen Wörtern zu übersetzen ist, *wobei diese Wörter veränderbar sind*; eine Wendung dagegen besteht aus einer mehr oder weniger festen Wortkombination. Beispielsätze sollen also auch dort helfen, wo der gesuchte Wortlaut von dem tatsächlich aufgeführten Beispiel abweicht, wie wir oben in dem Beispiel *I'll have the steak* sahen, übersetzt mit „ich möchte gern das Steak"; dieser Beispielsatz liefert die korrekte Übersetzung von **I'll have**, was auch immer bestellt werden soll. Es lohnt sich, die jeweils angegebenen Beispiele durchzugehen, um mit Bezug auf den zu übersetzenden Satz einen ähnlichen oder parallelen Wortlaut herauszusuchen. Auf den Seiten xii–xviii sind weitere Informationen zur Benutzung des Wörterbuchs enthalten.

How to use the dictionary

"I receive a lamb club and my woman pig's sidewhiskers"

Admittedly it's unlikely that you'll hear anything as grotesque as this in a British or American restaurant, unless not only the speaker but the writer of the menu is a German with minimal English and no idea of how to use a dictionary. But it does illustrate the pitfalls of careless use of even a good dictionary — and of any use of a bad dictionary which fails to distinguish adequately between the translations given. The German in the above example has simply translated *ich bekomme* by taking the main translation given in most dictionaries ("I receive"), but if one looks at the examples under "bekommen" in our dictionary there is a similar one: *ich bekomme bitte ein Glas Wein* translated as "I'll have a glass of wine", which is obviously the right phrase here. Then the speaker has in mind for himself leg of lamb (**Keule** means both the sort of club you hit people with and — distinguished by a (*Cook*) label — a leg if it's for eating), and for his wife (the second meaning of **Frau**, shown by the fuller form **Ehefrau**), pork chops (**Kotelette** is the word for sidewhiskers, which is easily confused with **Kotelett** meaning "chop"). The moral of this is that it can be disastrous simply to take the first translation you come across.

Finding the right word

The above example may sound a bit far-fetched, but similar mistakes are made all the time. So let's look at a nice simple English word: **to cut**. Of course, you say, I know that in German it's **schneiden**. But if you look in the dictionary you will find first a whole section marked **1** *n*. These are the translations for the noun, and as you want to say **to cut** something you know that isn't right. **2** *adj* can't be right either, as an adjective always describes something. **3** *vt* is what you want, as *vt* stands for transitive verb, a verb which has an object: *to cut the grass, one's hair, prices* and so on. Here you find "schneiden", but many other translations as well. Don't despair; as long as you know what you want to cut, this dictionary will give you the right word. The object in each case is given before the translations: *to cut the grass* is "das Gras mähen", *to cut the cake* is "den Kuchen anschneiden" and so on.

Different senses of **to cut** then follow in sections starting with a letter in brackets, and a word in brackets, which gives you the sense in question. *To cut prices* means to reduce prices, so we find this in section **(g)** (*reduce*). The right word is "senken", but if it's your *salary* that is being cut, you want "kürzen".

Finally there is a section **4** *vi*, standing for intransitive verb — verbs that do not take an object. Here there are also words in brackets, but this time they are nouns (*knife, scissors*), so obviously not signposts for the sense of the verb. They are in fact typical subjects. In **1 (b)** we even have a combination of a verb and a noun: "(*intersect: lines, roads*) sich schneiden". This means that in an example such as *the lines cut at right angles*, i.e. cut in the sense of intersect with lines as the subject, the translation is "sich schneiden" ("die Linien schneiden sich im rechten Winkel").

Finding the right phrase

When you want to translate a phrase or idiom, it is often difficult to know where to find it in the dictionary. The general rule is to look under the first significant word, (i.e. not "a" or "the" or a preposition for instance), or the first word in the phrase which does not change even when other parts of it do. Thus *to throw out the baby with the bathwater* is included under **baby**, whereas *to lend somebody a hand* is treated under **hand** because it is equally possible to say *to give somebody a hand.*

Certain very common verbs have not been counted as significant words for this purpose, since they occur in so many phrases that their entries would otherwise become enormous. These include **be, get, have, make, put**, and, in German, **bringen, haben, geben, machen**, and **tun**. So *to make hay while the sun shines* is under **hay** and *to give somebody something for safe-keeping* is under **safe-keeping**.

As you will have noticed from the above examples, phrases are usually given in the infinitive with **to**. The same applies in German, but German word order puts the verb in the infinitive at the end (*etwas in Gang bringen* under **Gang**). Exceptions are proverbs and any other phrases which only exist in one form (*the early bird catches the worm* under **early**) and of course examples of usage.

What is the difference between a phrase and an example? Basically an example is there to show how the head-word functions and is translated in combination with other words *where these words may vary*, while a phrase contains a more or less set combination of words. So examples may help to translate different words combinations from the one they give, as we saw above with *ich bekomme bitte ein Glas Wein* translated by "I'll have a glass of wine, please" which gives us the right translation for **ich bekomme** whatever one wants to order. The trick is to look through the examples to see if there is one parallel or similar to what one wants to translate or to say.

See pages xii-xviii for further information on how to use the dictionary.

---

cut [kʌt] (*vb: pret, ptp* ~) **1** *n* **a** Schnitt *m* ► *to make a ~ in sth* einen Einschnitt in etw (*acc*) machen; *the ~ and thrust of politics* das Spannungsfeld der Politik; *the ~ and thrust of the debate* die Hitze der Debatte. **b** (*reduction*) (*in gen*) (*in prices*) Senkung *f*; (*in wages etc*) Kürzung *f*; (*in production, output*) Einschränkung *f* ► *he had to take a ~ in (his) salary* er mußte eine Gehaltskürzung hinnehmen. **c** (*of meat*) Stück *nt*. **d** (*col: share*) Anteil *m*. **e** (*short route*) Abkürzung *f*. **f** (*Elec*) Unterbrechung *f* (*in gen*) ► *power ~* Stromausfall *m*. **g** (*Cards*) *it's your ~* du hebst ab. **h** *he's a ~ above the rest of them* er ist den anderen um einiges überlegen.

2 *adj usu attr flowers* Schnitt-; *bread* geschnitten; *grass* gemäht; *prices* herabgesetzt.

3 *vt* **a** schneiden; *grass* mähen; *cake* anschneiden; (*~ out*) *fabric, suit* zuschneiden; (*~ off*) abschneiden ► *to ~ one's finger* (*with knife etc*) sich (*dat*) in den Finger schneiden; *to ~ one's nails* sich (*dat*) die Nägel schneiden; *to ~ sth in half/three* etw halbieren/dritteln; *to ~ to pieces* zerstückeln; *to get one's hair ~* sich (*dat*) die Haare schneiden lassen; *to ~ sb free/loose* jdn losschneiden.

b (*shape*) *steps* schlagen; *channel, trench* ausheben; *figure* (*in wood*) schnitzen (*in aus*); (*in stone*) hauen (*in aus*); *diamond* schleifen; *key* anfertigen ► *to ~ one's coat according to or to suit one's cloth* (*fig*) sich nach der Decke strecken.

c (*fig: break off*) *electricity* abstellen; *ties, links* abbrechen ► *to ~ a long story short, ...* der langen Rede kurzer Sinn ist ....

d *person* schneiden ► *to ~ sb dead* jdn wie Luft behandeln.

e *class* schwänzen (*col*).

f (*intersect*) schneiden.

g (*reduce*) *prices* senken; *expenses, salary* kürzen; *production, output* einschränken.

h *part of text* streichen; *part of film* herausschneiden.

i (*cause pain to*) *it ~ me to the quick* es schnitt mir ins Herz.

j *to ~ a tooth* einen Zahn bekommen.

k (*Cards*) *to ~ the cards/the pack* abheben.

l *aren't you ~ting it a bit fine?* ist das nicht ein bißchen knapp?

4 *vi* **a** (*knife, scissors*) schneiden ► *to ~ both ways* (*fig*) auch umgekehrt zutreffen; (*have disadvantages too*) ein zweischneidiges Schwert sein. **b** (*intersect: lines, roads*) sich schneiden. **c** (*Cards*) abheben. **d** *to ~ and run* abhauen (*col*).

◆**cut away** *vt sep* wegschneiden.

◆**cut back** **1** *vi* **a** (*go back*) zurückgehen/-fahren. **b** (*reduce expenditure etc*) sich einschränken ► *to ~ ~ on smoking* weniger rauchen. **2** *vt sep* **a** *plants, shrubs* zurückschneiden. **b** *production* zurückschrauben.

◆**cut down** **1** *vt sep* **a** *tree* fällen. **b** *number, expenses* einschränken ► *to ~ sb ~ to size* jdn auf seinen Platz verweisen. **2** *vi* (*reduce intake, expenditure etc*) sich einschränken ► *to ~ ~ on sth* etw einschränken.

◆**cut in** *vi* **a** (*interrupt*) sich einschalten. **b** (*Aut*) *to ~ ~ in front of sb* jdn schneiden.

◆**cut into** *vi +prep obj savings* ein Loch reißen in (+*acc*).

◆**cut off** *vt sep* **a** (*lit, fig*) abschneiden; *allowance* sperren ► *to ~ ~ the enemy's retreat* dem Feind den Rückzug abschneiden; *we're very ~ ~ out here* wir leben hier draußen sehr abgeschieden. **b** (*disinherit*) enterben ► *to ~ sb ~ without a penny* jdn völlig enterben. **c** (*disconnect*) *telephone etc* abstellen ► *operator, I've been ~ ~* wir sind unterbrochen worden.

◆**cut out** **1** *vi* (*engine*) aussetzen. **2** *vt sep* **a** (*remove by cutting*) ausschneiden; *malignant growth etc* herausschneiden. **b** *dress* zuschneiden. **c** (*delete*) (heraus)streichen; (*not bother with*) verzichten auf (+*acc*); *smoking, swearing etc* aufhören mit ► *~ it ~!* (*col*) laß das (sein)! (*col*). **d** (*fig*) *to be ~ ~ for sth* zu etw gemacht sein. **e** *to have one's work ~ ~* alle Hände voll zu tun haben.

◆**cut up** **1** *vi to ~ ~ rough* Krach schlagen (*col*). **2** *vt sep* **a** *meat* aufschneiden; *wood* spalten. **b** *pass* (*col: upset*) *he was very ~ ~ about it* das hat ihn schwer getroffen. **c** (*Aut col*) schneiden.

Layout and order

1.1 Alphabetical order is followed throughout. Where a letter occurs in brackets in a headword, this letter is counted for the alphabetical order, eg **Beamte(r)** will be found in the place of **Beamter, vierte(r, s)** in the place of **vierter**.

1.2 Abbreviations, acronyms and **proper nouns** will be found in their alphabetical place in the word list.

1.3 Superior numbers are used to differentiate between words spelt the same way.

rowing¹, rowing²; durchsetzen¹, durchsetzen².

1.4 Compounds will be found in their alphabetical place in the word list. The term "compound" is taken to cover not only those written in one word or hyphenated (eg **Bettwäsche, large-scale**) but also attributive uses of English nouns (eg **defence mechanism**) and other set word combinations (eg **long jump**). Where the alphabetical order permits, compounds are run on in blocks with the first element printed in boldface type at the beginning of each block. Where possible a general translation has been given for the first element.

Silber- *in cpds* silver.

From this the user can derive the translation for compounds not given in the word list.

1.5 Phrasal verbs (marked ◆) will be found immediately after the main headword entry.

Explanatory material

General explanatory notes or 'signposts' in the dictionary are printed *in italics* and take the following forms:

2.1 Indicators in brackets:

2.1.1 synonyms and partial definitions

gefühlvoll *adj (empfindsam)* sensitive; *(ausdrucksvoll)* expressive; *(liebevoll)* loving.

2.1.2 within verb entries, typical subjects of the headword

peel 3 *vi (wallpaper)* sich lösen; *(paint)* abblättern; *(skin, person)* sich schälen *or* pellen *(col)*.

2.1.3 within noun entries, typical noun complements of the headword

Schar *f* **-en** crowd, throng *(liter)*; *(von Vögeln)* flock; *(von Insekten etc)* swarm.

2.2 Collocators or typical complements, not in brackets:

2.2.1 in transitive verb entries, typical objects of the headword

Aufbau und Anordnung der Einträge

1.1 Die alphabetische Anordnung der Einträge ist durchweg gewahrt. In Klammern stehende Buchstaben in einem Stichwort unterliegen ebenfalls der Alphabetisierung, so findet man z.B. **Beamte(r)** an der Stelle von **Beamter, vierte(r, s)** unter **vierter**.

1.2 Abkürzungen, Akronyme und **Eigennamen** sind in alphabetischer Ordnung im Wörterverzeichnis zu finden.

1.3 Hochgestellte Ziffern werden verwendet, um zwischen Wörtern gleicher Schreibung zu unterscheiden.

1.4 Zusammengesetzte Wörter stehen an ihrer Stelle im Alphabet. Der Begriff „zusammengesetzte Wörter" bezeichnet nicht nur zusammengeschriebene oder durch Bindestrich verbundene Komposita (z.B. **Bettwäsche, large-scale**) sondern auch die attributive Verwendung englischer Substantive (z.B. **defence mechanism**) und andere feste Verbindungen (z.B. **long jump**). Wo die alphabetische Ordnung es gestattet, werden die Zusammensetzungen in Blöcken angeordnet, wobei der erste Bestandteil am Anfang jedes Blocks in Fettdruck erscheint. Wo immer möglich, ist für das erste Element eine allgemeine Übersetzung angegeben.

Daraus kann der Benutzer die Übersetzung hier nicht angegebener Zusammensetzungen erschließen.

1.5 *Phrasal verbs* (feste Verb-Partikel-Verbindungen im Englischen, durch ◆ gekennzeichnet) folgen unmittelbar auf das Hauptstichwort.

Erklärende Zusätze

Allgemeine erklärende Zusätze im Wörterbuch sind *kursiv* gedruckt und erscheinen in folgender Form:

2.1 Indikatoren, in Klammern stehend:

2.1.1 Synonyme und Teildefinitionen

2.1.2 bei Verben: typische Substantiv-Ergänzungen

2.1.3 bei Substantiven: typische Substantiv-Ergänzungen des Stichworts

2.2 Kollokatoren oder typische Ergänzungen, ohne Klammern stehend:

2.2.1 bei transitiven Verben: typische Objekte des Stichworts

dent 2 *vt car* eindellen, verbeulen; *(col) pride* anknacksen *(col).*

2.2.2 in adjective entries, typical nouns modified by the headword

2.2.2 bei Adjektiven: typische, durch das Stichwort näher bestimmte Substantive

neu *adj* new; *Kräfte, Hoffnung auch* fresh; *Wäsche* clean; *Wein* young.

2.2.3 in adverb entries, typical verbs or adjectives modified by the headword

2.2.3 bei Adverbien: typische, durch das Stichwort näher bestimmte Verben oder Adjektive

vaguely *adv* vage; *remember also* dunkel; *speak also* unbestimmt; *understand* ungefähr, in etwa.

2.3 Field labels are used:

2.3 Sachbereichsangaben werden verwendet:

2.3.1 to differentiate various meanings of the headword

2.3.1 um die verschiedenen Bedeutungen des Stichworts zu unterscheiden

Jungfrau f virgin; *(Astrol)* Virgo.

2.3.2 when the meaning in the source language is clear but may be ambiguous in the target language

2.3.2 wenn die Bedeutung in der Ausgangssprache klar ist, jedoch in der Zielsprache mehrdeutig sein könnte

Virgo *n (Astrol)* Jungfrau *f.*

A list of the field labels used in this dictionary is given on pages xxiv–xxvi.

Eine Liste dieser Sachbereichsangaben befindet sich auf den Seiten xxiv-xxvi.

2.4 Style labels are used to mark all words and phrases which are not neutral in style level or which are no longer current in the language. This labelling is given for both source and target languages and serves primarily as an aid to the non-native speaker.

2.4 Stilangaben werden verwendet zur Kennzeichnung aller Wörter und Wendungen, die keiner neutralen Stilebene oder nicht mehr dem modernen Sprachgebrauch angehören. Die Angaben erfolgen sowohl in der Ausgangs- als auch in der Zielsprache und sollen in erster Linie dem Nicht-Muttersprachler helfen.

When a style label is given at the beginning of an entry or category it covers all meanings and phrases in that entry or category.

Stilangaben zu Beginn eines Eintrages oder einer Kategorie beziehen sich auf alle Bedeutungen und Wendungen innerhalb dieses Eintrages oder dieser Kategorie.

Style labels used in this dictionary are explained on pages xxiv-xxvi.

In diesem Wörterbuch verwendete Stilangaben werden auf den Seiten xxiv-xxvi erläutert.

2.5 *also, auch* used after explanatory material denotes that the translation(s) following it can be used in addition to the first translation given in the respective entry, category or phrase.

2.5 *also, auch* nach erklärenden Zusätzen gibt an, daß die folgende(n) Übersetzung(en) zusätzlich zu der ersten Übersetzung, die in dem Eintrag oder der Kategorie angegeben ist, benutzt werden kann/können.

Grammatical Information

Grammatische Angaben

Gender

Geschlecht

3.1 All German **nouns** are marked for gender in both sections of the dictionary.

3.1 Alle deutschen **Substantive** sind in beiden Teilen des Wörterbuchs mit der Geschlechtsangabe versehen.

3.2 Where two or more German nouns of the same gender are given consecutively as interchangeable translations, the gender is given only after the last translation.

3.2 Wo mehrere deutsche Substantive gleichen Geschlechts als austauschbare Übersetzungen hintereinander stehen, wird das Geschlecht nur nach der letzten Übersetzung angegeben.

computer *n* Computer, Rechner *m*.

3.3 Where a German translation consists of an adjective plus a noun, the adjective is given in the indefinite form which shows gender and therefore no gender is given for the noun.

3.3 Wenn eine deutsche Übersetzung aus einem Adjektiv und einem Substantiv besteht, wird das Adjektiv in der unbestimmten Form angegeben, die das Geschlecht erkennen läßt. Für das Substantiv erfolgt daher keine Geschlechtsangabe.

große Pause; zweites Frühstück.

3.4 Nouns listed in the form **Reisende(r)** *mf decl as adj* can be either masculine or feminine and take the same endings as adjectives.

3.4 Substantive nach dem Muster **Reisende(r)** *mf decl as adj* können sowohl männlich wie weiblich sein und haben die gleichen Deklinationsendungen wie Adjektive.

m der Reisende, ein Reisender, die Reisenden *pl*
f die Reisende, eine Reisende, die Reisenden *pl*

3.5 Nouns listed in the form **Beamte(r)** *m decl as adj* take the same endings as adjectives.

3.5 Substantive nach dem Muster **Beamte(r)** *m decl as adj* haben die gleichen Deklinationsendungen wie Adjektive.

der Beamte, ein Beamter, die Beamten *pl*

3.6 Adjectives listed in the form **letzte(r, s)** do not exist in an undeclined form and are only used attributively.

3.6 Adjektive nach dem Muster **letzte(r, s)** haben keine unflektierte Form und werden nur attributiv verwendet.

der letzte Mann, ein letzter Mann
die letzte Frau, eine letzte Frau
das letzte Kind, ein letztes Kind

3.7 Nouns listed in the form **Schüler(in** *f)* *m* are only used in the bracketed form in the feminine.

3.7 Substantive nach dem Muster **Schüler(in** *f)* *m* werden nur im Femininum in der eingeklammerten Form benutzt.

der/ein Schüler
die/eine Schülerin

3.8 The **feminine forms** are shown, where relevant, for all German noun headwords; unless otherwise indicated, the English translation will be the same as for the masculine form.

3.8 Für alle deutschen Substantive, die ein natürliches Geschlecht haben, wird die **weibliche** neben der **männlichen Form** angegeben. Wenn nicht anders angegeben, lautet die englische Form für beide gleich.

Where there is no distinction between the translations given for the masculine and feminine forms and yet the context calls for a distinction, the user should prefix the translation with "male/female *or* woman *or* lady ..."

Wo die für die männliche und die für die weibliche Form angegebene Übersetzung dieselbe ist, im entsprechenden Zusammenhang aber betont werden soll, daß es sich um einen Mann bzw. eine Frau handelt, sollte der Benutzer der Übersetzung „male/female *or* woman *or* lady" voranstellen.

Lehrer(in) = male teacher/female *or* woman *or* lady teacher

Nouns

Substantive

4.1 Nouns marked *no pl* are not normally used in the plural or with an indefinite article or with numerals.

4.1 Substantive mit der Angabe *no pl* werden im allgemeinen nicht im Plural, mit dem unbestimmten Artikel oder mit Zahlwörtern verwendet.

4.2 Nouns marked *no art* are not normally used with either a definite or an indefinite article except when followed by a relative clause.

4.3 The **plural endings** are given for all German noun headwords except for those with certain regular noun endings. A complete list of these is given on page xxii, which also includes genitive endings. Rules for the formation of these are given on page xxiii.

The plural endings of German compound nouns are only given where the final element does not exist as a headword in its own right.

4.4 Irregular plural forms of English nouns are given on the English-German side.

4.4.1 Most English nouns take *-s* in the plural.

bed -s, site -s, key -s, roof -s

4.4.2 Nouns ending in *-s, -z, -x, -sh, -ch* take *-es*

gas -es, box -es, patch -es

4.4.3 Nouns ending in *-y* preceded by a consonant change the *-y* to *ie* and add *-s* in the plural, except in the case of proper nouns.

lady — ladies,   berry — berries
Henry — two Henrys

Adjectives and adverbs

5.1 As a general rule, adjective translations consisting of more than one word should be used after the noun, not before it.

ordnungsgemäß *adj* in accordance with the rules

5.2 On the German-English side of the dictionary adverbs have only been treated as separate grammatical entries distinct from adjective entries:
(a) when their use is purely adverbial

höchst, wohl, sehr

(b) when the adverbial use is as common as the adjectival use

schön

(c) when the English translation of the adverbial use cannot be derived from the adjectival translations by the rules of adverb formation

---

4.2 Mit *no art* bezeichnete Substantive stehen im allgemeinen weder mit dem unbestimmten noch mit dem bestimmten Artikel, außer wenn ein Relativsatz von ihnen abhängig ist.

4.3 Bei allen deutschen Substantiv-Stichwörtern ist **der Plural** angegeben, mit Ausnahme von Substantiven, die bestimmte regelmäßige Endungen haben. Diese sind in einer vollständigen Liste auf Seite xxii erfaßt, wo auch Genitivendungen angegeben werden. Regeln für die Bildung des Genitivs werden auf Seite xxiii gegeben.

Der Plural ist bei zusammengesetzten Substantiven nur dann angegeben, wenn das letzte Element der Zusammensetzung nicht als Einzelwort vorkommt.

4.4 Unregelmäßige Pluralformen englischer Substantive sind im englisch-deutschen Teil angegeben.

4.4.1 Die meisten englischen Substantive bilden den Plural durch Anhängen von *-s*.

4.4.2 Substantive, die auf *-s, -z, -x, -sh, -ch* enden, erhalten die Endung *-es*.

4.4.3 Substantive, die auf Konsonant + *-y* enden, verwandeln im Plural das auslautende *-y* in *-ie*, auf das die Pluralendung *-s* folgt. Ausnahmen bilden Eigennamen.

Adjektive und Adverbien

5.1 Grundsätzlich sollten Übersetzungen von Adjektiven, die aus mehreren Wörtern bestehen, nur nachgestellt oder adverbial gebraucht und nicht dem Substantiv vorangestellt werden.

5.2 Im deutsch-englischen Teil des Wörterbuchs sind Adverbien als selbständige grammatische Einträge von Adjektiven nur dann unterschieden worden:
(a) wenn es sich um echte Adverbien handelt

(b) wenn der adverbiale Gebrauch genauso häufig ist wie der adjektivische

(c) wenn die englische Übersetzung eines adverbial verwendeten Adjektivs nicht mit Hilfe der Regeln erschlossen werden kann, nach denen im Englischen Adverbien aus Adjektiven gebildet werden

Where no separate entry is given for the adverbial use of a German adjective, the user should form the English adverb from the translations given according to the rules given on page xxi.

Wo für den adverbialen Gebrauch eines deutschen Adjektivs kein gesonderter Eintrag vorliegt, ist es dem Benutzer selbst überlassen, aus den angegebenen Übersetzungen die englischen Adverbien nach den auf Seite xxi angeführten Regeln zu bilden.

5.3 On the English-German side of the dictionary adverbs have not been entered in every case alongside the related adjective. Normally the German translation of an English adverb takes the same form as the translation of the related adjective. For example:

5.3 Im englisch-deutschen Teil des Wörterbuchs sind Adverbien nicht immer als gesonderte Einträge aufgenommen worden. Normalerweise ist die deutsche Übersetzung eines englischen Adverbs gleichlautend mit der des entsprechenden Adjektivs. Zum Beispiel:

he is astute er ist scharfsinnig
..., he remarked astutely ..., bemerkte er scharfsinnig

Verbs

Verben

6.1 All German verbs which form the past participle without *ge-* are marked with an asterisk in the text.

6.1 Alle Verben im Deutschen, die das 2. Partizip ohne *ge-* bilden, sind in Text durch Sternchen gekennzeichnet.

umarmen* *vt insep ptp* **umarmt**
manövrieren* *vti ptp* **manövriert**

6.2 All German verbs beginning with a prefix which can be separable are marked *sep* or *insep* as appropriate.

6.2 Alle deutschen Verben, die mit einer trennbaren Vorsilbe beginnen, werden durch *sep* oder *insep* (= trennbar/untrennbar) bezeichnet.

unterliegen *vi insep* es unterliegt keinem Zweifel, daß ...
umschalten *vti sep* wir schalten jetzt um nach Hamburg

Verbs beginning with the prefixes *be-, er-, ver-, zer-* are always inseparable.

Verben mit den Vorsilben *be-, er-, ver-, zer-* sind immer untrennbar.

6.3 All German verbs which form their perfect, pluperfect and future perfect tenses with "sein" as the auxiliary are marked *aux sein.*

6.3 Alle deutschen Verben, die die zusammengesetzten Zeiten mit dem Hilfsverb „sein" bilden, sind durch *aux sein* gekennzeichnet.

gehen *pret* **ging**, *ptp* **gegangen** *aux sein* **er ist gegangen** he went.

Where the auxiliary is not stated, "haben" is used.

Erfolgt keine Angabe, ist „haben" zu verwenden.

6.4 German **irregular verbs** composed of prefix and verb are marked *irreg,* and the forms can be found under the simple verb. For example, the irregular forms of "eingehen" will be found under "gehen".

6.4 Zusammengesetzte **unregelmäßige** Verben im Deutschen sind durch *irreg* bezeichnet, ihre Stammformen sind beim Simplex angegeben. So sind beispielsweise die Stammformen von „eingehen" unter „gehen" zu finden.

6.5 If the present or past participle of a verb occurs simply as an adjective it is treated as a separate headword in its alphabetical place.

6.5 Wenn 1. oder 2. Partizip eines Verbs den Status eines Adjektivs haben, werden sie als eigenständige Stichwörter in alphabetischer Reihenfolge aufgeführt.

gereift *adj (fig)* mature.
growing *adj (lit, fig)* wachsend; *child* heranwachsend.

Phrasal verbs

Phrasal verbs

7.1 Phrasal verbs are covered in separate entries marked ◆ following the main headword.

7.1 *Phrasal verbs* (feste Verb-Partikel-Verbindungen) sind in eigenen Einträgen abgehandelt. Sie sind durch ◆ gekennzeichnet und folgen dem Stichworteintrag für das Verb.

7.2 Phrasal verbs are treated in four grammatical categories:

7.2.1 *vi* (intransitive verb)

◆ **grow apart** *vi (fig)* sich auseinanderentwickeln.

7.2.2 *vi +prep obj*
This indicates that the verbal element is intransitive but that the particle requires an object.

◆ **hold with** *vi +prep obj (col)* **I don't ~ ~ that** ich bin gegen so was *(col)*.

7.2.3 *vt*
This indicates that the verbal element is transitive. In most cases the object can be placed

either before or after the particle; these cases are marked *sep*.

◆ **hand in** *vt sep* abgeben; *forms, resignation* einreichen.

In some cases the object must precede the particle; these cases are marked *always separate*.

◆ **get over with** *vt always separate* hinter sich *(acc)* bringen.
let's ~ it ~ (~) bringen wir's hinter uns.

Occasionally the object must come after the particle, these cases are marked *insep*.

◆ **strike up** *vt insep* **(a)** *(band) tune* anstimmen.
(b) *friendship* schließen; *conversation* anfangen.

7.2.4 *vt +prep obj*
This indicates that both the verbal element and the particle require an object.

◆ **take upon** *vt +prep obj* **he has taken it ~ himself to ...**
er hat die Verantwortung auf sich genommen, zu ...

In cases where a prepositional object is optional its translation is covered under *vi* or *vt*.

◆ **get off** *vi (from bus, train etc)* aussteigen *(prej obj aus)*;
(from bicycle, horse) absteigen *(prep obj von)*.
◆ **go down** *vi* hinuntergehen *(prep obj acc)*.

For example:

he got off er stieg aus/ab
he got off the bus er stieg aus dem Bus aus
he got off his bicycle er stieg von seinem Fahrrad ab
she went down sie ging hinunter
she went down the street sie ging die Straße hinunter

7.2 Phrasal verbs werden unter vier grammatischen Kategorien abgehandelt:

7.2.1 *vi* (intransitives Verb)

7.2.2 *vi +prep obj*
Hiermit soll gezeigt werden, daß das Verbelement intransitiv ist, daß aber die Partikel ein Objekt erfordert.

7.2.3 *vt*
Dies gibt an, daß das Verbelement transitiv ist. In den meisten Fällen kann das Objekt vor

oder hinter der Partikel stehen; diese Fälle sind mit *sep* bezeichnet.

In einigen Fällen muß das Objekt der Partikel vorangehen; solche Fälle sind durch *always separate* bezeichnet.

Gelegentlich muß das Objekt der Partikel nachgestellt werden; solche Fälle sind durch *insep* bezeichnet.

7.2.4 *vt +prep obj*
Hiermit wird gezeigt, daß *sowohl* das Verbelement als auch die Partikel ein Objekt verlangen.

In Fällen, wo ein Präpositionalobjekt, möglich, aber nicht nötig ist, findet man die entsprechende Übersetzung unter *vi* oder *vt*.

Zum Beispiel:

8.1 Punctuation and Symbols

between translations indicates that the translations are interchangeable; between alternative phrases to be translated indicates that the phrases have the same meaning.

between translations indicates a difference in meaning which is clarified by explanatory material unless:
> **(a)** the distinction has already been made within the same entry;
> **(b)** the distinction is self-evident.

between a headword and a phrase indicates that the headword is normally only used in that phrase.

is used within an entry to represent the headword whenever it occurs in an unchanged form.
In German headwords of the form **Reisende(r)** *mf decl as adj*, and **höchste(r, s)** *adj* it only replaces the element outside the bracket.
In blocks of German compounds it represents the first element exactly as given at the beginning of the block. If it is given there with a capital, any subsequent occurence in a compound or phrase where it requires a small letter is clearly shown eg **Wochen-:** ...; **w~lang** *adj, adv* ...

separates two speakers

indicates that the translation is approximate or the cultural equivalent of the term and may not have exactly the same sense; in the case of institutions, they are those of the country indicated and obviously not the same.

after a German verb indicates that the past participle is formed without *ge-*.

8.1 Satzzeichen und Symbole

, zwischen Übersetzungen zeigt an, daß die Übersetzungen gleichwertig sind; zwischen Wendungen in der Ausgangssprache zeigt an, daß die Wendungen die gleiche Bedeutung haben.

; zwischen Übersetzungen zeigt einen Bedeutungsunterschied an, der durch erklärende Zusätze erläutert ist, außer:
> **(a)** wenn die Unterscheidung innerhalb desselben Eintrags schon gemacht worden ist;
> **(b)** wenn die Unterscheidung offensichtlich ist.

: zwischen Stichwort und Wendung gibt an, daß das Stichwort im allgemeinen nur in der aufgeführten Wendung vorkommt.

~ wird innerhalb von Einträgen verwendet, um das unveränderte Stichwort zu ersetzen.
Bei deutschen Stichwörtern des Typs **Reisende(r)** *mf decl as adj* und **höchste(r, s)** *adj* ersetzt der Strich den außerhalb der Klammer stehenden Teil des Wortes.
In deutschen Komposita-Blöcken ersetzt der Strich das erste Element der Zusammensetzung genau, wie es am Anfang des Blocks erscheint. Soll von Großschreibung auf Kleinschreibung übergegangen werden, ist dies angegeben, z.B. **Wochen-:** ...; **w~lang** *adv, adv* ...

— unterscheidet zwischen zwei Sprechern.

≃ weist darauf hin, daß die Übersetzung eine Entsprechung ist oder auf Grund kultureller Unterschiede nicht genau die gleiche Bedeutung hat. Bei Institutionen werden die des jeweiligen Landes angegeben, die natürlich nicht identisch sind.

* nach einem deutschen Verb gibt an, daß das 2. Partizip ohne *ge-* gebildet wird.

Zeichen der Lautschrift   Phonetic Symbols

Die Lautschrift wird für alle Hauptstichwörter im englisch-deutschen Teil angegeben, außer dann, wenn Wörter in Schreibweise und Aussprache genau übereinstimmen. Im deutsch-englischen Teil wird die Lautschrift nur dann angegeben, wenn die Aussprache von den auf Seite xx gegebenen Regeln abweicht.

Phonetic transcriptions in square brackets are given for all headwords in the English-German section, apart from compounds and from words spelt the same way and with the same pronunciation. In the German-English section, phonetics are only given where the pronunciation is not in accordance with the rules listed on page xx.

Vokale/Vowels

matt	[a]	
Fahne	[aː]	
Vater	[ɐ]	
	[ɑː]	calm, part
	[æ]	sat
Chanson	[ã]	
Chance	[ɑ̃]	
	[ɑ̃ː]	double entendre
Etage	[e]	egg
Seele, Mehl	[eː]	
Wäsche, Bett	[ɛ]	
zählen	[ɛː]	
Teint	[ɛ̃ː]	
mache	[ə]	above
	[ɜː]	burn, earn
Kiste	[ɪ]	pit, awfully
Vitamin	[i]	
Ziel	[iː]	peat
Oase	[o]	
oben	[oː]	
Fondue	[õ]	
Chanson	[õː]	
Most	[ɔ]	
	[ɒ]	cot
	[ɔː]	born, jaw
ökonomisch	[ø]	
blöd	[øː]	
Götter	[œ]	
Parfum	[œ̃ː]	
	[ʌ]	hut
zuletzt	[u]	
Mut	[uː]	pool
Mutter	[ʊ]	put
Typ	[y]	
Kübel	[yː]	
Sünde	[ʏ]	

Diphthonge/Diphthongs

weit	[ai]	
	[aɪ]	buy, die, my
Haus	[au]	
	[aʊ]	house, now
	[eɪ]	pay, mate
	[ɛə]	pair, mare
	[əʊ]	no, boat
	[ɪə]	mere, shear
Heu, Häuser	[ɔy]	
	[ɔɪ]	boy, coin
	[ʊə]	tour, poor

Konsonanten/Consonants

Ball	[b]	ball
mich	[ç]	
	[tʃ]	child
fern	[f]	field
gern	[g]	good
Hand	[h]	hand
ja, Million	[j]	yet, million
	[dʒ]	just
Kind	[k]	kind, catch
links, Pult	[l]	left, little
matt	[m]	mat
Nest	[n]	nest
lang	[ŋ]	long
Paar	[p]	put
rennen	[r]	run
fast, fassen	[s]	sit
Chef, Stein, Schlag	[ʃ]	shall
Tafel	[t]	tab
	[θ]	thing
	[ð]	this
wer	[v]	very
	[w]	wet
Loch	[x]	loch
fix	[ks]	box
singen	[z]	pods, zip
Zahn	[ts]	
genieren	[ʒ]	measure

Andere Zeichen/Other signs

ǀ	glottal stop/Knacklaut
[ʳ]	[r] pronounced before a vowel/vor Vokal ausgesprochenes [r]
[ˈ]	main stress/Hauptton
[ˌ]	secondary stress/Nebenton

NB: Vokale und Konsonanten, die häufig elidiert (nicht ausgesprochen) werden, sind *kursiv* dargestellt:

Vowels and consonants which are frequently elided (not spoken) are given in *italics*:

convention [kən'venʃən]
attempt [ə'tempt]

The Pronunciation of German

German pronunciation is largely regular, and a knowledge of the basic patterns is assumed.

Stress

1. The stress and the length of the stressed vowel are shown for every German headword.
2. The stressed vowel is usually marked in the headword, either with a dot if it is a short vowel:
   sofọrt, Mạtte

or a dash if it is a long vowel or diphthong:
   hochmütig, kaufen

Glottal Stop

1. A glottal stop *(Knacklaut)* occurs at the beginning of any word starting with a vowel.
2. A glottal stop always occurs in compounds between the first and second elements when the second element begins with a vowel.
3. When a glottal stop occurs elsewhere it is marked by a hairline before the vowel:
   Be|amte(r)

Vowel length

1. When phonetics are given for the headword a long vowel is indicated in the transcription by the length mark after it:
   Chemie [çe'miː]

2. Where no phonetics are given a short stressed vowel is marked with a dot in the headword:
   Mụtter

and a long stressed vowel is marked with a dash:
   Vater

3. Unstressed vowels are usually short; if not, phonetics are given for that vowel:
   Ạlmosen [-oː-]

Diphthongs and double vowels

1. Where phonetics are not given, vowel combinations which represent a stressed diphthong or a stressed long vowel are marked with an unbroken dash in the headword:
   beiderlei, Haar, sieben

2. **ie**
Stressed **ie** pronounced [iː] is marked by an unbroken dash:
   sieben

When the plural ending **-n** is added, the pronunciation changes to [-iːən]:
   Allegorie, *pl* Allegorien [-iːən]

When **ie** occurs in an unstressed syllable the pronunciation of that syllable is given:
   Hortẹnsie [-iə]

3. **ee** is pronounced [eː]
When the plural ending **-n** is added the change in pronunciation is shown:
   Allee *f* **-n** [-eːən]

Consonants

Where a consonant is capable of more than one pronunciation the following rules have been assumed:

1. **v**
(i) **v** is generally pronounced [f]:
   Vater ['faːtɐ]

Where this is not the case phonetics are given:
   Sklave ['sklaːvə]
(ii) Words ending in **-iv** are pronounced [iːf] when undeclined, but when an ending is added the pronunciation changes to [iːv]:
   aktiv [ak'tiːf]
   aktive (as in **der aktive Sportler**) [ak'tiːvə]

2. **ng**
(i) **ng** is generally pronounced [ŋ]:
   Finger ['fɪŋɐ]

Where this is not the case phonetics are given:
   Angora [aŋ'goːra]

(ii) In compound words where the first element ends in **-n** and the second element begins with **g-** the two sounds are pronounced individually:
   Eingang ['aingaŋ]
   ungeheuer ['ʊngəhɔyɐ]

3. **tion** is always pronounced [-tsioːn] at the end of a word and [-tsion-] in the middle of a word:
   Nation [na'tsioːn]
   national [natsio'naːl]

4. **st, sp**
(i) Where **st** or **sp** occurs in the middle or at the end of a word the pronunciation is [st], [sp]:
   Fest [fɛst], **Wespe** ['vɛspə]

(ii) At the beginning of a word or at the beginning of the second element of a compound word the standard pronunciation is [ʃt], [ʃp]:
   Stand [ʃtant], **sperren** ['ʃpɛrən]
   Abstand ['ap-ʃtant], **absperren** ['ap-ʃpɛrən]

5. **ch**
(i) **ch** is pronounced [ç] after *ä-, e-, i-, ö-, ü-, y-, ai-, ei-, äu, eu-* and after consonants:
   ich [ɪç], **Milch** [mɪlç]

(ii) **ch** is pronounced [x] after *a-, o-, u-, au-*:
   doch [dɔx], **Bauch** [baux]

Phonetics are given for all words beginning with **ch**.

6. **ig** is pronounced [ɪç] at the end of a word:
   König ['køːnɪç]

When an ending beginning with a vowel is added, it is pronounced [ig]:
   Könige ['køːnɪgə]

7. **h** is pronounced [h]:
(i) at the beginning of a word

(ii) between vowels in interjections:
   oho [o'hoː]

(iii) in words such as **Ahorn** ['aːhɔrn] and **Uhu** ['uːhu]

It is mute in the middle and at the end of non-foreign words:
   leihen ['laiən], **weh** [veː]

Where **h** is pronounced in words of foreign origin, this is shown in the text.

8. **th** is pronounced [t].

9. **qu** is pronounced [kv].

10. **z** is pronounced [ts].

Phonetics are given where these rules do not apply and for foreign words which do not follow the German pronunciation patterns.

Adjektive und Adverbien

Adverbialbildung im Englischen

1 Die meisten Adjektive bilden das Adverb durch Anhängen von *-ly*:
strange -ly, odd -ly, beautiful -ly

2 Adjektive, die auf Konsonant +*y* enden, wandeln das auslautende -*y* in -*i* um und erhalten dann die Endung *-ly*:
happy — happily
merry — merrily

3 Adjektive, die auf -*ic* enden, bilden normalerweise das Adverb durch Anhängen vom *-ally*:
scenic -ally
linguistic -ally

Steigerung der englischen Adjektive und Adverbien

Adjektive und Adverbien, deren Komparativ und Superlativ im allgemeinen durch Flexionsen-dungen gebildet werden, sind im Text durch (+*er*) bezeichnet, z.B.
young *adj* **(+er)**
Komparativ und Superlativ aller nicht durch (+*er*) bezeichneten Adjektive und Adverbien sind mit *more* und *most* zu bilden. Das gilt auch für alle auf -*ly* endenden Adverbien, z.B.
grateful — more grateful — most grateful
fully — more fully — most fully
Unregelmäßige Formen des Komparativs und Superlativs sind im Text angegeben, z.B.
bad *adj comp* **worse,** *superl* **worst**
well *adv comp* **better,** *superl* **best**
Die flektierten Formen des Komparativs und Superlativs werden nach folgenden Regeln gebildet:

1 Die meisten Adjektive und Adverbien fügen -*er* zur Bildung des Komparativs und -*est* zur Bildung des Superlativs an:
small — smaller — smallest

2 Bei auf Konsonant +*y* endenden Adjektiven und Adverbien wird das auslautende -*y* in -*i* umgewandelt, bevor die Endung -*er* bzw. -*est* angefügt wird:
happy — happier — happiest

3 Mehrsilbige Adjektive auf -*ey* wandeln diese Endsilbe in -*ier*, -*iest* um:
homey — homier — homiest

4 Bei Adjektiven und Adverbien, die auf stummes -*e* enden, entfällt dieser Auslaut:
brave — braver — bravest

5 Bei Adjektiven und Adverbien, die auf -*ee* enden, entfällt das zweite -*e*:
free — freer — freest

6 Adjektive und Adverbien, die auf einen Konsonanten nach einfachem betontem Vokal enden, verdoppeln den Konsonanten im Auslaut:
sad — sadder — saddest
Nach Doppelvokal wird der auslautende Konsonant nicht verdoppelt:
loud — louder — loudest

Adjectives and Adverbs

Declension of German adjectives

Adjectives ending in -*abel*, -*ibel*, -*el* drop the -*e*- when declined.

miserable	**ein miserabler Stil**
	eine miserable Handschrift
	ein miserables Leben
heikel	**ein heikler Fall**
	eine heikle Frage
	ein heikles Problem

Adjectives ending in -*er*, -*en* usually keep the -*e*- when declined, except:

1 in language of an elevated style level
finster   **seine finstren Züge**

2 in adjectives of foreign origin
makaber   **eine makabre Geschichte**
integer   **ein integrer Beamter**
Adjectives ending in -*auer*, -*euer* usually drop the -*e*- when declined.
teuer   **ein teures Geschenk**
sauer   **saure Gurken**

German adverbs

German adverbs are in most cases identical in form to the adjective, so except where there is a particular problem of translation the adverbial usage does not receive separate treatment in this dictionary.

Comparison of German adjectives and adverbs

Irregular comparative and superlative forms are given in the text, including those of adjectives and adverbs with the vowels *a*, *o*, *u* which take an umlaut:

hoch *adj comp* **höher,** *superl* **höchste(r, s)** *or*
(adv) **am höchsten**

Where no forms are given in the text, the comparative and superlative are formed according to the following rules:

1 Both adjectives and adverbs add -*er* for the comparative before the declensional endings:
schön — schöner
eine schöne Frau — eine schönere Frau

2 Most adjectives add -*ste(r, s)* for the superlative:
schön — schönste(r, s)
ein schöner Tag — der schönste Tag

3 Most adverbs form the superlative according to the following pattern:
schön — am schönsten
schnell — am schnellsten

4 Adjectives and adverbs of one syllable or with the stress on the final syllable add -*e* before the superlative ending:
(i)   always if they end in -*s*, -*ß*, -*st*, -*tz*, -*x*, -*z*
(ii)   usually if they end in -*d*, -*t*, -*sch*
spitz   *adj* **spitzeste(r, s)**
            adv **am spitzesten**
gerecht   *adj* **gerechteste(r, s)**
            adv **am gerechtesten**

The same applies if they are used with a prefix or in compounds, regardless of where the stress falls:
unsanft   *adj* **unsanfteste(r, s)**
            adv **am unsanftesten**

Regular German Noun Endings

The genitive and plural of a large number of German nouns are formed according to regular patterns. These patterns are:

nom		gen	pl
-ade	f	-ade	-aden
-ant	m (wk)	-anten	-anten
-anz	f	-anz	-anzen
-ar	m	-ars	-are
-är	m	-ärs	-äre
-at	nt	-at(e)s	-ate
-atte	f	-atte	-atten
-chen	nt	-chens	-chen
-ei	f	-ei	-eien
-elle	f	-elle	-ellen
-ent	m (wk)	-enten	-enten
-enz	f	-enz	-enzen
-esse	f	-esse	-essen
-ette	f	-ette	-etten
-eur	m	-eurs	-eure
-eurin	f	-eurin	-eurinnen
-euse	f	-euse	-eusen
-graph	m (wk)	-graphen	-graphen
-heit	f	-heit	-heiten
-ie	f	-ie	-ien
-ik	f	-ik	-iken
-in	f	-in	-innen
-ine	f	-ine	-inen
-ion	f	-ion	-ionen
-ist	m (wk)	-isten	-isten
-ium	nt	-iums	-ien
-ius	m	-ius	-iusse
-ive	f	-ive	-iven
-ivum	nt	-ivums	-iva
-keit	f	-keit	-keiten
-lein	nt	-leins	-lein
-ling	m	-lings	-linge
-ment	nt	-ments	-mente
-mus	m	-mus	-men
-nis	f	-nis	-nisse
-nis	nt	-nisses	-nisse
-nom	m (wk)	-nomen	-nomen
-oge	m (wk)	-ogen	-ogen
-or	m	-ors	-oren
-rich	m	-richs	-riche
-schaft	f	-schaft	-schaften
-sel	nt	-sels	-sel
-tät	f	-tät	-täten
-tiv	nt, m	-tivs	-tive
-tum	nt	-tums	-tümer
-ung	f	-ung	-ungen
-ur	f	-ur	-uren

General rules for forming the genitive

Genitive endings are formed

for masculine and neuter nouns by adding **-s** or **-es**

        der Mann: *(gen)* **des Mann(e)s**
        das Rad: *(gen)* **des Rad(e)s**

for feminine nouns: no change

        die Frau: *(gen)* **der Frau**

Masculine or neuter nouns ending in **-s, -ß, -x** and **-z** always take the full form of **-es** for the genitive

        das Glas: *(gen)* **des Glases**
        das Maß: *(gen)* **des Maßes**
        der Komplex: *(gen)* **des Komplexes**
        der Geiz: *(gen)* **des Geizes**

Masculine or neuter nouns ending in **-sch** or **-st** normally take the full form of **-es**, as do those ending in a double consonant

        der Wunsch: *(gen)* **des Wunsches**
        der Gast: *(gen)* **des Gastes**
        das Feld: *(gen)* **des Feldes**
        der Kampf: *(gen)* **des Kampfes**

Masculine or neuter nouns ending in **-en, -em, -el, -er** and **-ling** always take the short form of **-s**

        der Regen: *(gen)* **des Regens**
        der Atem: *(gen)* **des Atems**
        der Mantel: *(gen)* **des Mantels**
        der Sänger: *(gen)* **des Sängers**
        der Flüchtling: *(gen)* **des Flüchtlings**

Masculine or neuter nouns ending in **-ß** preceded by a short vowel will change the **ß** to **ss**

        der Fluß: *(gen)* **des Flusses**

If the genitive is not formed according to these patterns it will be shown in the entry after the gender and before the plural ending

        Herz *nt* **-ens, en**
        Klerus *m* -, *no pl*

Plural endings

We have not shown plural endings where the regular patterns shown on page xxii apply. All other plural endings are shown in the entry after the gender and the genitive ending (where given). If only one ending is given this will be the plural, unless otherwise indicated.

Weak nouns

Weak nouns (marked as *wk*) have the same **-en** ending in the accusative, genitive and dative cases in both singular and plural forms

        der Mensch: *(acc)* **den Menschen**
                      (gen) **des Menschen**
                      (dat) **dem Menschen**

Abkürzungen   # Abbreviations

Abkürzung	**abbr**	abbreviation
Akkusativ	**acc**	accusative
Adjektiv	**adj**	adjective
Verwaltung	**Admin**	administration
Adverb	**adv**	adverb
Landwirtschaft	**Agr**	agriculture
Anatomie	**Anat**	anatomy
Archäologie	**Archeol**	arch(a)eology
Architektur	**Archit**	architecture
Artikel	**art**	article
Kunst	**Art**	art
Astrologie	**Astrol**	astrology
Astronomie	**Astron**	astronomy
attributiv	**attr**	attributive
österreichisch	**Aus**	Austrian
australisch	**Austral**	Australian
Kraftfahrzeugwesen	**Aut**	automobiles
Hilfsverb	**aux**	auxiliary
Luftfahrt	**Aviat**	aviation
Kindersprache	**baby-talk**	
biblisch	**Bibl**	biblical
Biologie	**Biol**	biology
Botanik	**Bot**	botany
Bundesrepublik Deutschland	**BRD**	Federal Republic of Germany
britisch	**Brit**	British
Hoch- und Tiefbau	**Build**	building
Kartenspiel	**Cards**	
Chemie	**Chem**	chemistry
Schach	**Chess**	
umgangssprachlich	**col**	colloquial
derb	**col!**	potentially offensive
anstößig	**col!!**	highly offensive
Handel	**Comm**	commerce
Komparativ	**comp**	comparative
Computer	**Comp**	computers
Konjunktion	**conj**	conjunction
Zusammenziehung	**contr**	contraction
Kochen	**Cook**	cooking
Kompositum	**cpd**	compound
Dativ	**dat**	dative
altmodisch	**dated**	
Deutsche Demokratische Republik (1949–90)	**DDR**	German Democratic Republic (1949–90)
dekliniert	**decl**	declined
bestimmt	**def**	definite
demonstrativ	**dem**	demonstrative
Dialekt	**dial**	dialect
Verkleinerung	**dim**	diminutive
Akkusativobjekt	**dir obj**	direct object
kirchlich	**Eccl**	ecclesiastical
Volkswirtschaft	**Econ**	economics
Elektrizität	**Elec**	electricity
betont	**emph**	emphatic
besonders	**esp**	especially
etwas	**etw**	something
Euphemismus	**euph**	euphemism
Femininum	**f**	feminine
Mode	**Fashion**	
übertragen	**fig**	figurative
Finanzen	**Fin**	finance
Fischerei	**Fishing**	
Forstwesen	**Forest**	forestry
förmlich	**form**	formal
Fußball	**Ftbl**	football
gehoben	**geh**	elevated
Genitiv	**gen**	genitive
Geographie	**Geog**	geography

Abkürzungen   Abbreviations

Geologie	*Geol*	geology
Grammatik	*Gram*	grammar
Heraldik	*Her*	heraldry
Geschichte	*Hist*	history
Gartenbau	*Hort*	horticulture
scherzhaft	*hum*	humorous
Jagd	*Hunt*	hunting
Imperativa	*imper*	imperative
unpersönlich	*impers*	impersonal
Industrie	*Ind*	industry
unbestimmt	*indef*	indefinite
Dativobjekt	*indir obj*	indirect object
Infinitiv	*infin*	infinitive
untrennbar	*insep*	inseparable
Versicherungswesen	*Insur*	insurance
Interjektion	*interj*	interjection
interrogativ	*interrog*	interrogative
unveränderlich	*inv*	invariable
irisch	*Ir*	Irish
ironisch	*iro*	ironical
unregelmäßig	*irreg*	irregular
jemand, jemandes,	*jd, jds*	somebody,
jemandem, jemanden	*jdm, jdn*	somebody's
Rechtswesen	*Jur*	law
Sprachwissenschaft	*Ling*	linguistics
wörtlich	*lit*	literal
literarisch	*liter*	literary
Literatur	*Liter*	literature
Maskulinum	*m*	masculine
Mathematik	*Math*	mathematics
Maß	*Measure*	
Mechanik	*Mech*	mechanics
Medizin	*Med*	medicine
Meteorologie	*Met*	meteorology
Metallurgie	*Metal*	metallurgy
militärisch	*Mil*	military
Bergbau	*Min*	mining
Mineralogie	*Miner*	mineralogy
Straßenverkehr	*Mot*	motoring and transport
Musik	*Mus*	music
Mythologie	*Myth*	mythology
Substantiv	*n*	noun
nautisch	*Naut*	nautical
verneint	*neg*	negative
nordenglisch	*N Engl*	Northern English
norddeutsch	*N Ger*	North German
Nationalsozialismus	*NS*	Nazism
Neutrum	*nt*	neuter
Zahlwort	*num*	numeral
Objekt	*obj*	object
obsolet	*obs*	obsolete
veraltet	*old*	
Optik	*Opt*	optics
Vogelkunde	*Orn*	ornithology
Parlament	*Parl*	parliament
Passiv	*pass*	passive
pejorativ	*pej*	pejorative
persönlich/Person	*pers*	personal/person
Pharmazie	*Pharm*	pharmacy
Philosophie	*Philos*	philosophy
Phonetik	*Phon*	phonetics
Fotografie	*Phot*	photography
Physik	*Phys*	physics
Physiologie	*Physiol*	physiology
Plural	*pl*	plural
poetisch	*poet*	poetic
Dichtung	*Poet*	poetry

Abkürzungen   Abbreviations

Politik	*Pol*	politics
Possessiv-	*poss*	possessive
prädikativ	*pred*	predicative
Vorsilbe	*pref*	prefix
Präposition	*prep*	preposition
Präsens	*pres*	present
Presse	*Press*	
Präteritum,	*pret*	preterite,
Imperfekt		imperfect
Pronomen	*pron*	pronoun
sprichwörtlich	*prov*	proverbial
Sprichwort	*Prov*	proverb
Partizip Präsens	*prp*	present participle
Psychologie	*Psych*	psychology
Partizip Perfekt	*ptp*	past participle
Warenzeichen	®	trademark
Rundfunk	*Rad*	radio
Eisenbahn	*Rail*	railways
selten	*rare*	
regelmäßig	*reg*	regular
Relativ-	*rel*	relative
Religion	*Rel*	religion
jemand(em, -en)	*sb*	somebody
Schulwesen	*Sch*	school
Naturwissenschaften	*Sci*	science
schottisch	*Scot*	Scottish
Bildhauerei	*Sculpt*	sculpture
trennbar, veränderbare Folge	*sep*	separable
Handarbeiten	*Sew*	sewing
süddeutsch	*S Ger*	South German
Singular	*sing*	singular
Skisport	*Ski*	skiing
Slang, Jargon	*sl*	slang
Sozialwissenschaften	*Sociol*	social sciences
Raumfahrt	*Space*	space flight
Fachausdruck	*spec*	specialist term
Börse	*St Ex*	Stock Exchange
etwas	*sth*	something
Konjunktiv	*subjunc*	subjunctive
Nachsilbe	*suf*	suffix
Superlativ	*superl*	superlative
Landvermessung	*Surv*	surveying
schweizerisch	*Sw*	Swiss
Technik	*Tech*	technology
Nachrichtentechnik	*Telec*	telecommunications
Textilien	*Tex*	textiles
Theater	*Theat*	theatre,
		theater
Fernsehen	*TV*	television
Typographie,	*Typ*	typography
Buchdruck		and printing
Hochschule	*Univ*	university
(nord)amerikanisch	*US*	(North) American
gewöhnlich	*usu*	usually
Verb	*vb*	verb
Tiermedizin	*Vet*	veterinary medicine
intransitives Verb	*vi*	intransitive verb
reflexives Verb	*vr*	reflexive verb
transitives Verb	*vt*	transitive verb
schwache	*wk*	weak
Deklination		declension
Zoologie	*Zool*	zoology
Partizip Perfekt	*	past participle
ohne ge-		without ge-

A, a

A, a [a:] *nt* -, - A, a ▸ *das A und O* the be-all and end-all; (*eines Wissensgebietes*) the basics *pl*; *von A bis Z* (*fig col*) from beginning to end; *wer A sagt, muß auch B sagen* (*prov*) in for a penny, in for a pound (*prov*); *A wie Anton* ≈ A for Andrew, A for Able (*US*).

A *f* = **Autobahn** ≈ M (*Brit*).

à [a] *prep* (*esp Comm*) at.

AA[1] [a:'|a:] *nt no pl* = **Auswärtiges Amt** ≈ FO (*Brit*).

AA[2] [a:'|a:] *m* -s = **Anonyme Alkoholiker** AA.

Aal *m* -e eel ▸ *sich winden wie ein* ~ to wriggle like an eel.

aalen *vr* (*col*) to stretch out ▸ *sich in der Sonne* ~ to bask in the sun.

aalglatt *adj* (*pej*) slippery (as an eel), slick.

a.a.O. = **am angegebenen** *or* **angeführten Ort** loc. cit.

Aas *nt* -e [a] (*Tierleiche*) carrion, rotting carcass. [b] *pl* **Äser** (*col: Luder*) bugger (*col!*) ▸ *kein* ~ not a single bloody person (*col*).

aasen *vi* (*col*) to be wasteful ▸ *mit etw* ~ to waste sth.

Aasgeier *m* (*lit, fig*) vulture.

ab [ap] [1] *prep* +*dat* (*räumlich*) from; (*zeitlich auch*) as of ▸ *Kinder* ~ *14 Jahren* children from (the age of) 14; *Soldaten* ~ *Gefreitem* soldiers from private up; ~ *Werk* (*Comm*) ex works; ~ *sofort* as of now/then.

[2] *adv* off ▸ *die nächste Straße rechts* ~ the next street off to the right; *München* ~ *12²⁰ Uhr* (*Rail*) leaving Munich 12.20; ~ *wann?* from when?, as of when?; ~ *nach Hause* off home with you; ~ *ins Bett mit euch!* off to bed with you; *Tell* ~ (*Theat*) exit Tell; *N und M* ~ (*Theat*) exeunt N and M; ~ *durch die Mitte!* (*col*) beat it! (*col*), hop it! (*col*); ~ *und zu* from time to time, now and then.

ab|ändern *vt sep* to alter (*in* +*acc* to); *Gesetzentwurf* to amend (*in* +*acc* to); *Strafe, Urteil* to revise (*in* +*acc* to).

Ab|änderung *f siehe vt* alteration (*gen* to); amendment; revision.

Ab|änderungsantrag *m* (*Parl*) proposed amendment ▸ *einen* ~ *einbringen* to submit an amendment.

ab|arbeiten *sep* [1] *vt Schuld* to work off.
[2] *vr* to slave (away).

Ab|art *f* variety (*auch Biol*); (*Variation*) variation (*gen* on).

ab|artig [1] *adj* [a] abnormal, deviant. [b] (*widersinnig*) perverse.
[2] *adv* (*col*) *das tut* ~ *weh* that hurts like hell (*col*).

Abb. = **Abbildung** fig.

Abbau *m no pl* [a] (*von Personal, Produktion etc*) reduction (*gen* in, of), cutback (*gen* in). [b] (*von Kohlen etc*) mining. [c] (*Chem*) decomposition. [d] (*lit, fig: Demontage*) dismantling.

abbaubar *adj biologisch* ~ biodegradable.

abbauen *sep* [1] *vt* [a] (*demontieren*) *Gerüst, System* to dismantle; *Gerüst auch, Zelt* to take down; *Lager* to break, to strike. [b] (*verringern*) *Produktion, Personal, Bürokratie* to cut back, to reduce ▸ *Arbeitsplätze* ~ to make job cuts. [c] *Kohle etc* to mine. [d] (*Chem*) to break down, to decompose.
[2] *vi* (*col: erlahmen*) to flag, to wilt.

abbeißen *sep irreg* [1] *vt* to bite off.
[2] *vi* to take a bite.

abbeizen *vt sep Farbe* to strip.

Abbeizmittel *nt* paint stripper *or* remover.

abbekommen* *vt sep irreg* to get ▸ *etwas* ~ to get some (of it); (*beschädigt werden*) to get damaged; (*verletzt werden*) to get hurt; *das Auto/er hat dabei ganz schön was* ~ (*col*) the car/he really copped it (*col*); *nichts* ~ not to get any (of it); (*nicht beschädigt werden*) not to get damaged; (*nicht verletzt werden*) to come off unscathed; *sein(en) Teil* ~ (*lit, fig*) to get one's fair share.

abberufen* *vt sep irreg Diplomaten etc* to recall ▸ *(von Gott)* ~ *werden* (*euph*) to be called to one's maker.

Abberufung *f* recall.

abbestellen* *vt sep* to cancel; *jdn* to put off.

Abbestellung *f* cancellation.

abbetteln *vt sep jdm etw* ~ to scrounge sth off *or* from sb (*col*).

abbezahlen* *vt sep Raten, Auto etc* to pay off.

abbiegen *sep irreg* [1] *vt* [a] to bend; (*abbrechen*) to break off. [b] (*col: verhindern*) *Frage, Thema* to head off, to avoid ▸ *das Gespräch* ~ to change the subject.
[2] *vi aux sein* to turn off (*in* +*acc* into); (*Straße*) to bend ▸ *nach rechts* ~ to turn (off to the) right.

Abbiegespur *f* (*Mot*) turning lane.

Abbild *nt* (*Kopie*) copy, reproduction; (*Spiegelbild*) reflection; (*Wiedergabe*) picture, portrayal ▸ *er ist das genaue* ~ *seines Vaters* he's the spitting image of his father.

abbilden *vt sep* (*lit, fig*) to depict, to portray; (*wiedergeben*) to reproduce.

Abbildung *f* [a] (*Illustration*) illustration; (*Schaubild*) diagram. [b] (*Wiedergabe*) reproduction.

abbinden *vt sep irreg* [a] (*losbinden*) to undo, to untie. [b] (*Med*) *Arm, Bein etc* to ligature.

Abbitte *f* apology ▸ *(bei jdm wegen etw)* ~ *tun or leisten* to make *or* offer one's apologies (to sb for sth).

abblasen *vt sep irreg* (*col*) *Veranstaltung, Feier, Streik* to call off.

abblättern *vi sep aux sein* (*Putz, Farbe*) to flake (off).

abblenden *sep* [1] *vt Lampe* to shade, to screen; (*Aut*) *Scheinwerfer* to dip (*Brit*), to dim (*US*).
[2] *vi* (*Aut*) to dip (*Brit*) *or* dim (*US*) one's headlights.

Abblend-: ~*licht* *nt* (*Aut*) dipped (*Brit*) *or* dimmed (*US*) headlights *pl*; ~*schalter* *m* (*Aut*) dipswitch (*Brit*), dimmer (switch) (*US*).

abblitzen *vi sep aux sein* (*col*) to be sent packing (*bei* by) (*col*) ▸ *jdn* ~ *lassen* to send sb packing.

abblocken *vt sep* (*Sport, fig*) to block.

abbrausen *vt sep* to give a shower ▸ *sich* ~ to have *or* take a shower.

abbrechen *sep irreg* [1] *vt* [a] to break off ▸ *etw von etw* ~ to break sth off sth; *sich* (*dat*) *einen* ~ (*col*) (*Umstände machen*) to make heavy weather of it (*col*); (*sich sehr anstrengen*) to bust a gut (*col*). [b] *Zelt* to take down; *Lager* to strike; (*niederreißen*) to demolish, to pull down. [c] (*beenden*) to break off; *Raumflug, Experiment, (Comp) Operation* to abort; *Streik* to call off; *Schwangerschaft* to terminate.
[2] *vi* [a] *aux sein* to break off; (*Bleistift, Fingernagel*) to break. [b] (*aufhören*) to break off, to stop.

abbremsen *vti sep* to brake, to slow down; (*fig*) to

⚠: for details of spelling reform, see supplement

curb.

abbrennen sep irreg ❶ vt Gehöft, Dorf to burn down; Feuerwerk, Rakete to let off; Kerze etc to burn ▶ **ein Feuerwerk ~** to have a fireworks display.
❷ vi aux sein to burn down.

abbringen vt sep irreg **jdn davon ~, etw zu tun** to stop sb doing sth; (abraten auch) to persuade sb not to do sth; **jdn von etw ~** to make sb change his/her mind about sth; **jdn vom Rauchen ~** to get sb to stop smoking.

abbröckeln vi sep aux sein to crumble away; (fig) to fall off ▶ **der Ruf der Firma ist am A~** the firm's reputation is gradually declining.

Abbruch m no pl ⓐ (das Niederreißen) demolition. ⓑ (Beendigung) breaking off; (von Schwangerschaft) termination; (von Raumflug etc) abortion, aborting; (von Veranstaltung etc) stopping ▶ **es kam zum ~ des Kampfes** the fight had to be stopped. ⓒ (Schaden) harm, damage ▶ **einer Sache** (dat) **~ tun** to do (some) harm or damage to sth.

Abbruch-: **~arbeiten** pl demolition work; **a~reif** adj only fit for demolition; **~unternehmer** m demolition contractor.

abbrühen vt sep to scald; siehe **abgebrüht**.

abbuchen vt sep (im Einzelfall) to debit (von to, against); (durch Dauerauftrag) to pay by standing order (von from).

Abbuchung f siehe vt debit; (payment by) standing order.

abbürsten vt sep Staub to brush off (von etw sth); Schuhe to brush.

abbüßen vt sep Strafe to serve.

Abc [aːbeːˈtseː] nt -, - (lit, fig) ABC ▶ **Namen nach dem ~ ordnen** to put names in alphabetical order.

abchecken [ˈaptʃɛkn] vt sep to check.

Abc-Schütze m (hum) school-beginner.

ABC-Waffen pl atomic, biological and chemical weapons.

Abdampf m exhaust steam.

abdampfen vi sep aux sein (fig col: losgehen, -fahren) to hit the road (col).

abdanken vi sep to resign; (König etc) to abdicate.

Abdankung f (Thronverzicht) abdication; (Rücktritt) resignation.

abdecken vt sep ⓐ (freilegen) Tisch to clear; Bett to turn down; Haus to tear the roof off. ⓑ (zudecken) Grab, Loch to cover (over). ⓒ (ausgleichen, einschließen) to cover. ⓓ (fig) Bereich, Thema to cover.

Abdecker m - knacker.

Abdeckung f cover.

abdichten vt sep (isolieren) to insulate; Loch, Leck, Rohr to seal (up); Ritzen to stop up ▶ **gegen Luft/Wasser ~** to make airtight/watertight.

Abdichtung f (Isolierung) insulation; (Verschluß, Dichtung) seal.

abdienen vt sep (Mil: ableisten) to serve.

abdrängen vt sep to push away (von from) ▶ **einen Spieler vom Ball ~** to push a player off the ball.

abdrehen sep ❶ vt ⓐ Gas, Wasser, Hahn to turn off; Licht, Radio auch to switch off. ⓑ Film to shoot, to film. ⓒ Hals to wring ▶ **jdm den Hals ~** to wring sb's neck (col); (col: ruinieren) to bankrupt sb.
❷ vi aux sein or haben (Richtung ändern) to change course ▶ **nach Osten ~** to turn east.

abdriften vi sep aux sein (Naut, Aviat, fig) to drift off.

abdrosseln vt sep Motor to throttle down; (fig) Produktion to cut down (on).

Abdruck¹ m, pl **Abdrücke** imprint, impression; (Stempel~) stamp; (Finger~, Fuß~) print ▶ **einen ~ machen** to take or make an impression.

Abdruck² m -e (Kopie) copy; (Nachdruck) reprint.

abdrucken vt sep to print ▶ **wieder ~** to reprint.

abdrücken sep ❶ vt ⓐ Gewehr to fire. ⓑ Vene to constrict ▶ **jdm die Luft ~** (col) (lit) to squeeze all the breath out of sb; (fig) to force sb into bankruptcy, to squeeze the lifeblood out of sb.
❷ vi to pull or squeeze the trigger.

abdunkeln vt sep Lampe to dim; Zimmer auch to darken.

abduschen vt sep = **abbrausen**.

ab|ebben vi sep aux sein to die or fade away.

Abend m -e evening ▶ **am ~** in the evening; (jeden ~) in the evening(s); **am ~ des 4. April** on the evening or night of April 4th; **gegen ~** towards (the) evening; **~ für ~** every evening or night, night after night; **eines ~s** one evening; **den ganzen ~ (über)** the whole evening; **guten ~** good evening; **letzten ~** yesterday evening, last night; **zu ~ essen** to have supper or dinner; **je später der ~, desto schöner or netter die Gäste** (prov) the best guests always come late; **man soll den Tag nicht vor dem ~ loben** (Prov) don't count your chickens before they're hatched (Prov).

⚠ **abend** adv **gestern/morgen/Mittwoch ~** yesterday/ tomorrow/Wednesday evening, last/tomorrow/Wednesday night.

Abend-: **~andacht** f evening service; **~anzug** m dinner jacket, DJ (col), tuxedo (US); **~blatt** nt evening (news)paper; **~brot** nt supper; **~brot essen** to have (one's) supper; **~dämmerung** f dusk, twilight; **~essen** nt (supper, evening meal); (größer) dinner; **mit dem ~essen auf jdn warten** to wait with supper or dinner for sb; **a~füllend** adj taking up the whole evening; Film, Stück full-length; **~gymnasium** nt night school; **~kasse** f (Theat) box office; **~kleid** nt evening dress or gown; **~kurs(us)** m evening classes pl (für in); **~land** nt no pl (geh) West, western world; **a~ländisch** (geh) adj western, occidental (liter).

abendlich adj no pred evening attr ▶ **die ~e Stille** the quiet of the evening; **es war schon um drei Uhr ~ kühl** at three there was already an evening chill.

Abend-: **~mahl** nt (Eccl) (Holy) Communion; **das Letzte ~mahl** the Last Supper; **~mahlzeit** f evening meal; **~programm** nt (Rad, TV) evening('s) programmes (Brit) or programs (US) pl; **~rot** nt sunset.

abends adv in the evening; (jeden Abend) in the evening(s) ▶ **spät ~** late in the evening; **~ um neun** at nine in the evening.

Abend-: **~schule** f night school; **~schüler** m night-school student; **~stern** m evening star; **~stunde** f evening (hour); **sich bis in die ~stunden hinziehen** to go on (late) into the evening; **~vorstellung** f evening performance; **~zeitung** f evening paper.

Abenteuer nt - adventure; (Liebes~ auch) affair ▶ **ein militärisches ~** a military venture; **auf ~ aussein** to be looking for adventure.

abenteuerlich adj ⓐ adventurous; (erlebnishungrig auch) adventuresome. ⓑ (phantastisch) bizarre; Erzählung auch fantastic.

Abenteuer-: **~lust** f thirst for adventure; **~roman** m adventure story; **~spielplatz** m adventure playground; **~urlaub** m adventure holiday.

Abenteurer m - adventurer (auch pej).

Abenteu(r)erin f (female) adventurer.

aber ❶ conj ⓐ but ▶ **~ dennoch or trotzdem** but still; **schönes Wetter heute, was? — ja, ~ etwas kalt** nice weather, eh? — yes, a bit cold though; **da er ~ nicht wußte ...** however, since he didn't know ...; **oder ~** or else. ⓑ (zur Verstärkung) **~ ja!** oh, yes!; (sicher) but of course; **~ selbstverständlich!** but of course; **~ nein!** oh, no!; (selbstverständlich nicht) of course not!; **~ Renate!** but Renate!; **~, ~!** tut, tut!; **das ist ~ schrecklich!** but that's awful!; **das mach' ich ~ nicht!** I will not do that!;

das ist ~ heiß/schön! that's really hot/nice; *du hast ~ einen schönen Ball* you've got a nice ball, haven't you?; *bist du ~ braun!* aren't you brown!; *das geht ~ zu weit!* that's really going too far!
boxed 2 *adv (liter) tausend und ~ tausend* thousands upon thousands.
Aber *nt - or (col)* **-s** but ► *kein ~!* no buts (about it); *die Sache hat ein ~* there's just one snag.
Aberglaube(n) *m* superstition; (*fig auch*) myth.
abergläubisch *adj* superstitious.
ab|erkennen* *vt sep or (rare) insep irreg jdm etw ~* to strip sb of sth.
Ab|erkennung *f* deprivation, stripping.
aber-: **~malig** *adj attr* repeated; **~mals** *adv* once more.
ab|ernten *vti sep* to harvest.
Abertausende *pl* thousands upon thousands *pl*.
aberwitzig adj (*liter*) *siehe* **wahnwitzig.**
Abessinien [-iən] *nt* Abyssinia.
Abessinier(in *f*) [-iɐ, -iərın] *m* - Abyssinian.
abessinisch *adj* Abyssinian.
Abf. (*Rail*) = **Abfahrt** dep.
abfackeln *vt Gas* to burn off.
abfahrbereit *adj* ready to leave.
abfahren *sep irreg aux sein* boxed 1 *vi* boxed a to leave, to depart (*form*); (*Schiff auch*) to sail ► *der Zug fährt um 8⁰⁰ von Bremen ab* the train leaves Bremen at 8 o'clock; *der Zug ist abgefahren* (*lit*) the train has left; (*fig*) we've/you've *etc* missed the boat. boxed b (*col: abgewiesen werden*) *jdn ~ lassen* to tell sb to get lost (*col*). boxed c (*col: mögen*) *auf jdn/etw ~* to go for sb/sth in a big way (*col*). boxed 2 *vt* boxed a *Stück von Mauer etc* to knock off ► *der Traktor hat ihm ein Bein abgefahren* the tractor severed his leg. boxed b *aux sein or haben Strecke (bereisen)* to cover; (*Polizei etc*) to patrol ► *wir mußten die ganze Strecke noch einmal ~, um ... zu suchen* we had to go over the whole stretch again to look for ... boxed c (*abnutzen*) (*völlig*) to wear out; (*teilweise*) to wear; (*benutzen*) *Fahrkarte* to use ► *abgefahrene Reifen/Schienen* worn tyres/rails. boxed d (*Film, TV*) *Kamera* to roll; *Film* to start ► *bitte ~!* roll 'em!
boxed 3 *vr* (*Reifen etc*) to wear.
Abfahrt *f* boxed a (*von Zug, Bus etc*) departure ► *bis zur ~ sind es noch fünf Minuten* there's still five minutes before the train/bus goes; *Vorsicht bei der ~ des Zuges!* stand clear, the train is about to leave! boxed b (*Ski*) (*Talfahrt*) descent; (*~sstrecke*) (ski-)run. boxed c (*Autobahn~*) exit ► *die ~ Gießen* the exit for Gießen.
Abfahrts-: **~lauf** *m* (*Ski*) downhill; **~tafel** *f* departure board; **~zeit** *f* departure time.
Abfall *m, pl* **Abfälle** boxed a refuse; (*Haus~*) rubbish (*esp Brit*), garbage (*esp US*); (*Straßen~*) litter. boxed b *no pl* (*Lossagung*) break (*von* with). boxed c *no pl* (*Rückgang*) drop (*gen* in), fall (*gen* in); (*Verschlechterung auch*) deterioration.
Abfall-: **~beseitigung** *f* refuse *or* garbage (*US*) disposal; **~eimer** *m* rubbish bin, trashcan (*US*).
abfallen *vi sep irreg aux sein* boxed a (*herunterfallen*) to fall *or* drop off; (*Blätter, Blüten etc*) to fall. boxed b (*col: herausspringen*) *wieviel fällt bei dem Geschäft für mich ab?* how much do I get out of the deal? boxed c (*fig: übrigbleiben*) to be left (over). boxed d (*schlechter werden*) to go downhill; (*Sport: zurückbleiben*) to drop back. boxed e *alle Unsicherheit/Furcht fiel von ihm ab* all his uncertainty/fear left him. boxed f (*Fraktion: von Partei etc*) to break away (*von* from) ► *vom Glauben ~* to leave the faith. boxed g (*sich senken: Gelände*) to fall away; (*sich vermindern: Druck, Temperatur*) to fall.
Abfallentsorgung *f* waste management.
abfällig *adj Bemerkung, Kritik* disparaging; *Lächeln* derisive; *Urteil* adverse ► *über jdn ~ reden/sprechen* to be

disparaging about sb.
Abfall-: **~produkt** *nt* waste-product; (*von Forschung*) by-product, spin-off; **~tourismus** *m* international trade in (hazardous) waste; **~verwertung** *f* waste utilization.
abfälschen *vti sep* (*Sport*) to deflect.
abfangen *vt sep irreg* boxed a *Flugzeug, Funkspruch, Brief, Ball* to intercept; *Menschen auch* to catch (*col*); *Schlag* to block; (*col: anlocken*) *Kunden* to lure away. boxed b (*bremsen*) *Fahrzeug* to bring under control; *Flugzeug auch* to pull out; *Aufprall* to absorb; *Trend* to check.
Abfangjäger *m* (*Mil*) interceptor fighter.
abfärben *vi sep* boxed a (*Wäsche*) to run ► *paß auf, die Wand färbt ab!* be careful, the paint comes off the wall. boxed b (*fig*) *auf jdn ~* to rub off on sb.
abfassen *vt sep* (*verfassen*) to write; *Entwurf* to draft.
abfaulen *vi sep aux sein* to rot away *or* off.
abfeiern *vt sep* (*col*) *Überstunden ~* to take time off in lieu of overtime pay.
abfeilen *vt sep* to file off *or* (*glättend*) down.
abfertigen *vt sep* boxed a (*versandfertig machen*) *Pakete, Waren* to prepare for dispatch, to process; *Gepäck* to check (in); (*be- und entladen*) *Flugzeug* to make ready for take-off. boxed b (*bedienen*) *Kunden etc* to attend to; (*col: Sport*) *Gegner* to deal with ► *jdn kurz ~* (*col*) to snub sb. boxed c (*kontrollieren*) *Waren, Reisende* to clear.
Abfertigung *f* boxed a *siehe vt* (*a*) making ready for dispatch, processing (*form*); checking; making ready for take-off. boxed b (*Bedienung*) (*von Kunden*) service; (*von Antragstellern*) dealing with. boxed c (*von Waren, Reisenden*) clearance ► *die ~ an der Grenze* customs clearance at the border. boxed d (*~sstelle*) (*für Waren*) dispatch office; (*im Flughafen*) check-in.
abfeuern *vt sep* to fire.
abfinden *sep irreg* boxed 1 *vt* to pay off; *Gläubiger auch* to settle with; (*entschädigen*) to compensate ► *er wurde von der Versicherung mit 20.000 DM abgefunden* he was paid 20,000 marks (in) compensation by the insurance company; *jdn mit leeren Versprechungen ~* to fob sb off with empty promises.
boxed 2 *vr sich mit jdm/etw ~* to come to terms with sb/sth; *er konnte sich nie damit ~, daß ...* he could never accept the fact that ...
Abfindung *f* (*von Gläubigern*) paying off; (*Entschädigung*) compensation; (*bei Entlassung*) severance pay; (*wegen Rationalisierung*) redundancy payment.
abflachen *sep* boxed 1 *vt* to level (off), to flatten (out). boxed 2 *vr* (*Land*) to flatten out. boxed 3 *vi aux sein* (*fig: sinken*) to decline.
abflauen *vi sep aux sein* boxed a (*Wind*) to die down ► *nach (dem) A~ des Windes* when the wind had died down. boxed b (*fig*) (*Erregung*) to die away; (*Interesse auch*) to wane; (*Börsenkurse*) to drop; (*Geschäfte, Konjunktur*) to fall off.
abfliegen *sep irreg* boxed 1 *vi aux sein* (*Aviat*) to take off (*nach* for); (*Zugvögel*) to migrate ► *sie sind gestern nach München abgeflogen* they flew off to Munich yesterday.
boxed 2 *vt Gelände* to fly over.
abfließen *vi sep irreg aux sein* (*wegfließen*) to drain *or* flow away; (*durch ein Leck*) to leak away ► *ins Ausland ~* (*Geld*) to flow out of the country.
Abflug *m* take-off, departure; (*von Zugvögeln*) migration ► *~Inland* domestic departures.
Abflug-: **~anzeige** *f* departure board; **a~bereit** *adj* ready for take-off; **~halle** *f* departure lounge; **~schalter** *m* check-in desk; **~zeit** *f* departure time.
⚠ **Abfluß** *m* boxed a (*Abfließen*) draining away; (*durch ein Leck*) leakage ► *der ~ von Kapital ins Ausland* the flow of capital out of the country. boxed b (*~stelle*) drain; (*von Teich etc*) outlet; (*~rohr*) drainpipe; (*von sanitären Anlagen*)

wastepipe.

Abfluß-: ~rinne △ f gutter; **~rohr** △ nt outlet; (im Gebäude) wastepipe; (außen am Gebäude) drainpipe; (unterirdisch) drain.

Abfolge f (geh) sequence, succession.

abfordern vt sep jdm etw ~ to demand sth from sb.

Abfrage f (Comp) query.

abfragen vt sep [a] (esp Sch) jdn etw ~ to question sb on sth; (Lehrer) to test sb orally on sth. [b] (Comp) Information to call up; Datenbank to query, to interrogate.

abfrieren sep irreg [1] vi aux sein **abgefroren sein** (Körperteil) to be frostbitten; **ihm sind die Füße abgefroren** his feet got frostbite.
[2] vt sich (dat) einen ~ (col) to freeze to death (col).

Abfuhr f -en [a] no pl (Abtransport) removal. [b] (col: Zurückweisung) snub, rebuff ► jdm eine ~ erteilen to snub or rebuff sb; (Sport) to thrash sb (col); **sich** (dat) eine ~ holen to meet with a snub.

abführen sep [1] vt [a] (wegführen) to lead away; (ableiten) Gase etc to draw off ► ~! away with him/her etc! [b] (abgeben) Betrag to pay (an +acc to).
[2] vi [a] (wegführen) **der Weg führt hier (von der Straße) ab** the path leaves the road here; **das würde vom Thema ~** that would take us off the subject. [b] (den Darm anregen) to have a laxative effect.

abführend adj laxative no adv ► ~ **wirken** to have a laxative effect.

Abführmittel nt laxative.

Abfüll-: ~anlage f bottling plant; **~betrieb** m bottling factory.

abfüllen vt sep [a] (in Flaschen) to bottle; Flasche to fill ► Wein in Flaschen ~ to bottle wine. [b] jdn ~ (col) to get sb pickled (col) or sloshed (col).

Abgabe f [a] no pl (Abliefern) handing in; (von Gepäck auch) depositing; (Übergabe: von Brief etc) delivery ► zur ~ von etw aufgefordert werden to be told to hand sth in. [b] no pl (Verkauf) sale. [c] no pl (von Wärme etc) giving off; (von Schuß, Salve) firing; (von Erklärung etc) giving; (von Stimme) casting. [d] (Sport: Abspiel) pass. [e] (Steuer) tax; (auf Tabak etc auch) duty; (soziale ~) contribution.

abgabe(n)-: ~frei adj, adv tax-free, exempt from tax; **~pflichtig** adj liable to taxation.

Abgabetermin m closing date; (für Dissertation etc) submission date.

Abgang m no pl [a] (Absendung) dispatch ► vor ~ der Post before the post goes. [b] (Abfahrt) departure. [c] (aus einem Amt) departure; (Schul~) leaving ► seit seinem ~ vom Gymnasium since he left the grammar school. [d] (Theat, fig) exit.

Abgangszeugnis nt leaving certificate.

Abgas nt exhaust no pl, exhaust fumes pl, waste gas (esp Tech) ► Luftverschmutzung durch ~e exhaust gas pollution.

Abgas-: a~arm adj Fahrzeug low-emission; **a~frei** adj Fahrzeug exhaust-free; **~reinigung** f (Aut) exhaust emission control; **~sonderuntersuchung** f (Aut) compulsory annual test of a car's emission levels; **~wolke** f cloud of exhaust fumes.

ABGB ['a:be:ge:'be:] nt (Aus) = **Allgemeines Bürgerliches Gesetzbuch** Austrian Civil code.

abge|arbeitet adj (verbraucht) workworn; (erschöpft) exhausted.

abgeben sep irreg [1] vt [a] (abliefern) to hand in; Gepäck to deposit; (übergeben) to deliver; (weggeben) to give away; (gegen Gebühr) to sell; (an einen anderen Inhaber) to hand over; (überlassen) Auftrag to pass on (an +acc to); (abtreten) Posten to hand over (an +acc to) ► Kinderwagen abzugeben pram for sale; jdm etw von

seinem Kuchen ~ to give sb some of one's cake. [b] (Sport) Punkte, Rang to concede; (abspielen) to pass. [c] Schuß, Salve to fire; Erklärung to give; Stimmen to cast. [d] Rahmen, Hintergrund, Stoff, Material etc to provide; (verkörpern) to make ► den Vermittler ~ (col) to act as mediator.
[2] vr sich mit jdm/etw ~ (sich beschäftigen) to bother oneself with sb/sth; (sich einlassen) to associate with sb/sth.
[3] vi (Sport) to pass.

abgebrannt adj pred (col) broke (col).

abgebrochen adj (nicht beendet) Studium incomplete ► er ist ~er Mediziner (col) he broke off his medical studies.

abgebrüht adj (col: skrupellos) hard-boiled (col), hardened.

abgedroschen adj (col) hackneyed, well-worn; Witz auch corny (col) ► eine ~e Phrase a cliché.

abgefeimt adj cunning, wily.

abgegriffen adj Buch (well-)worn; (fig) Phrasen etc hackneyed.

abgehackt adj clipped ► ~ sprechen to clip one's words.

abgehangen adj (gut) ~ (Fleisch) well-hung.

abgehärmt adj careworn.

abgehärtet adj tough, hardy; (fig) hardened ► gegen Erkältungen ~ sein to be immune to colds.

abgehen sep irreg aux sein [1] vi [a] (abfahren) to leave, to depart (form) (nach for). [b] (Theat: abtreten) to exit. [c] (ausscheiden) to leave ► von der Schule ~ to leave school. [d] (sich lösen: Knopf etc) to come off; (herausgehen: Farbe etc auch) to come out. [e] (abgesandt werden) to be sent or dispatched; (Funkspruch) to be sent ► etw ~ lassen to dispatch sth. [f] (col: fehlen) jdm geht Verständnis/Taktgefühl ab sb lacks understanding/tact. [g] (abgezogen werden) (von etw) ~ (von Preis) to be taken off (sth); (von Verdienst auch) to be deducted (from sth); davon gehen 5% ab 5% is taken off that. [h] (abzweigen) to branch off; (bei Gabelung auch) to fork off. [i] (abweichen) von einem Plan/einer Forderung ~ to give up a plan/demand; von seiner Meinung ~ to change one's opinion. [j] (verlaufen) to go ► es ging nicht ohne Streit ab there was an argument. [k] (col) das geht gut ab that's really great.
[2] vt (entlanggehen) to walk along; (Mil) Gelände to patrol.

abgehetzt adj out of breath.

abgekämpft adj exhausted.

abgekartet adj (col) eine ~e Sache, ein ~es Spiel a put-up job (col).

abgeklärt adj serene, tranquil.

abgelagert adj Wein mature; Holz, Tabak seasoned.

abgelegen adj (entfernt) Dorf, Land remote; (einsam) isolated.

abgeleiert adj (pej) banal, trite.

abgelten vt sep irreg Ansprüche to satisfy.

abgemacht [1] interj OK, that's settled; (bei Kauf) it's a deal.
[2] adj eine ~e Sache a fix (col).

abgemagert adj (sehr dünn) thin; (ausgemergelt) emaciated.

abgemergelt adj emaciated.

abgemessen adj Schritt, Worte measured, deliberate.

abgeneigt adj averse pred (dat to) ► ich wäre gar nicht ~ (col) actually I wouldn't mind.

abgenutzt adj worn, shabby; Besen worn out; Reifen worn; (völlig) worn out; (fig) Klischees well-worn.

Abge|ordnete(r) mf decl as adj (elected) representative; (von Parlament) member of parliament.

abgerissen adj Kleidung tattered; Worte, Gedanken disjointed.

Abgesandte(r) *mf decl as adj* envoy.

abgeschieden *adj (geh: einsam)* secluded ▸ ~ *leben/ wohnen* to live in seclusion.

Abgeschiedenheit *f* seclusion.

abgeschlafft *adj (col)* whacked *(col)*.

abgeschlagen *adj* a *(besiegt)* defeated; *(zurück)* behind ▸ *weit ~ liegen* to be way behind; *er landete ~ auf dem 8. Platz* he finished up way down in 8th place. b *(erschöpft)* shattered *(col)*.

abgeschlossen *adj (einsam)* isolated; *(attr: geschlossen) Wohnung* self-contained.

Abgeschlossenheit *f* isolation.

abgeschmackt *adj* tasteless; *Witz auch* corny; *Worte* fatuous.

abgeschnitten *adj* isolated ▸ *von der Außenwelt ~* cut off from the outside world.

abgesehen 1 *ptp of* **absehen** ▸ *es auf jdn ~ haben* to have it in for sb *(col)*; *(interessiert sein)* to have one's eye on sb; *du hast es nur darauf ~, mich zu ärgern* you're only trying to annoy me.
2 *adv:* ~ *von jdm/etw* apart from sb/sth; ~ *davon, daß ...* apart from the fact that ...

abgespannt *adj* weary, tired.

Abgespanntheit *f* weariness, tiredness.

abgespielt *adj Schallplatte* worn.

abgestanden *adj Luft, Wasser* stale; *Bier, Limonade etc* flat.

abgestorben *adj Glieder* numb; *Pflanze, Ast, Gewebe* dead.

abgestumpft *adj (gefühllos) Person* insensitive; *Gefühle, Gewissen* dulled.

abgetakelt *adj (pej col)* seedy.

abgetan *adj pred* finished with ▸ *damit ist die Sache ~* that settles the matter.

abgetragen *adj* worn ▸ *~e Kleider* old clothes.

abgewinnen *vt sep irreg* a *(lit) jdm etw ~* to win sth from sb. b *(fig) jdm ein Lächeln ~* to persuade sb to smile; *dem Meer Land ~* to reclaim land from the sea; *einer Sache keinen Reiz ~ können* to be unable to see anything attractive in sth.

abgewogen *adj Urteil, Worte* balanced.

abgewöhnen *vt sep jdm etw ~* to cure sb of sth; *das Rauchen, Trinken* to get sb to give up sth; *sich (dat) das Trinken ~* to give up drinking; *noch einen zum A~ (hum)* one last one; *(von Alkohol auch)* one for the road; *das/die ist ja zum A~ (col)* that/she is enough to put anyone off.

abgewrackt *adj (abgetakelt) Mensch* broken down, washed up *(esp US col)*.

abgezehrt *adj* emaciated.

abgießen *vt sep irreg* a *Flüssigkeit* to pour off; *Kartoffeln* to strain. b *(Art, Metal)* to cast.

Abglanz *m* reflection *(auch fig)* ▸ *nur ein schwacher or matter ~ (fig)* a pale reflection.

abgleichen *vt sep irreg (fig) Termine, Vorgehensweise* to coordinate; *Dateien, Einträge* to compare.

abgleiten *vi sep irreg aux sein (geh: abrutschen)* to slip; *(Gedanken)* to wander; *(Fin: Kurs)* to drop, to fall ▸ *von etw ~* to slip off sth.

Abgott *m*, **Abgöttin** *f* idol ▸ *jdn zum ~ machen* to idolize sb.

abgöttisch *adj* idolatrous ▸ *jdn ~ lieben* to idolize sb.

abgraben *vt sep irreg Erdreich* to dig away ▸ *jdm das Wasser ~ (fig col)* to take away sb's livelihood.

abgrasen *vt sep Feld* to graze; *(fig col) Geschäfte* to scour, to comb; *Thema* to do to death *(col)*.

abgrenzen 1 *vt Gelände* to fence off; *(fig) Rechte, Befugnisse, Begriff* to delimit *(gegen, von* from) ▸ *etw durch einen Zaun/eine Mauer/Hecke ~* to fence/

wall/hedge sth off. 2 *vr* to dissociate oneself *(gegen* from).

Abgrenzung *f* a *no pl siehe vt* fencing/walling/hedging off; *(fig)* delimitation. b *siehe vr* dissociation *(gegen* from). c *(Zaun)* fencing *no pl.*

Abgrund *m* precipice; *(Schlucht, fig)* abyss, chasm ▸ *sich am Rande eines ~es befinden (fig)* to be on the brink of disaster; *in einen ~ von Verrat blicken (fig)* to stare into a bottomless pit of treachery.

abgründig *adj Humor, Ironie* cryptic.

abgrundtief *adj Haß, Verachtung* profound.

abgucken *vti sep* to copy ▸ *jdm etw ~* to copy sth from sb; *bei jdm (etw) ~ (Sch)* to copy (sth) from *or* off *(col)* sb.

△ **Abguß** *m* a *(Art, Metal) (Vorgang)* casting; *(Form)* cast. b *(dial: Ausguß)* sink.

abhaben *vt sep irreg (col)* a *Brille, Hut* to have off; *(abgemacht haben)* to have got off. b *(abbekommen)* to have ▸ *willst du ein Stück ~?* do you want a bit?

abhacken *vt sep* to chop off, to hack off; *siehe* **abgehackt.**

abhaken *vt sep (markieren)* to tick *or (esp US)* check off; *(fig)* to cross off.

abhalten *vt sep irreg* a *Kälte, Hitze, Fliegen* to keep off. b *(hindern)* to stop, to prevent ▸ *jdn von etw/von der Arbeit ~* to keep sb from sth/from working; *jdn davon ~, etw zu tun* to prevent sb from doing sth; *laß dich nicht ~!* don't let me/us *etc* stop you. c *(veranstalten)* to hold.

Abhaltung *f no pl (Durchführung)* holding.

abhandeln *vt sep* a *Thema* to treat, to deal with. b *(abkaufen) jdm etw ~* to do a deal with sb for sth. c *jdm 8 Mark ~* to beat sb down 8 marks.

abhanden *adv:* ~ *kommen* to get lost; *jdm ist etw ~ gekommen* sb has lost sth.

Abhandlung *f* treatise, discourse *(über +acc* (up)on).

Abhang *m* slope, incline.

▼ **abhängen** *sep irreg* 1 *vt* a *Bild* to take down; *(Rail) Wagen* to uncouple; *Anhänger* to unhitch. b *(col: hinter sich lassen) jdn* to shake off *(col)*.
2 *vi* a *irreg (Fleisch etc)* to hang; *siehe* **abgehangen.** b *irreg von etw ~* to depend on sth, to be dependent on sth; *das hängt ganz davon ab* it all depends. c *(Telec col)* to hang up *(col)*.

abhängig *adj* dependent *(auch euph: süchtig); Satz auch* subordinate; *Rede* indirect ▸ *von etw ~ sein* to be dependent on sth; *(Gram)* to be governed by sth; *voneinander ~ sein* to be dependent on each other.

Abhängigkeit *f* a *no pl (Bedingtheit)* dependency *no pl (von* on); *(Gram: von Sätzen)* subordination *(von* to). b *(Angewiesensein, euph: Sucht)* dependence *(von* on) ▸ *gegenseitige ~* interdependence.

abhärten 1 *vt* to toughen up. 2 *vi das härtet ab* that toughens you up. 3 *vr* to toughen oneself up ▸ *sich gegen etw ~* to toughen oneself against sth; *(fig)* to harden oneself to sth; *siehe* **abgehärtet.**

Abhärtung *f siehe vb* toughening up; hardening.

abhauen *sep irreg* 1 *vi aux sein (col)* to clear out, to vamoose *(US col)*; *(verschwinden auch)* to push off ▸ *hau ab!* beat it! *(col)*.
2 *vt Kopf* to chop off; *Baum* to chop down; *Verputz, Schicht* to knock off.

abheben *sep irreg* 1 *vti* a *(anheben)* to lift (up), to raise; *(abnehmen)* to take off; *Telefonhörer* to pick up, to lift; *Telefon* to answer; *(beim Stricken) Masche* to slip. b *Geld* to withdraw ▸ *wenn Sie ~ wollen* if you wish to make a withdrawal.
2 *vi* a *(Flugzeug)* to take off; *(Rakete)* to lift off. b *(Cards: vor Spielbeginn etc)* to cut.

---

3 *vr* **sich von jdm/etw** *or* **gegen jdn/etw** ~ to stand out from/against sb/sth; **sich wohltuend gegen etw** ~ to contrast pleasantly with sth.

abheften *vt sep* **a** *Rechnungen etc* to file away. **b** (*Sew*) to tack, to baste.

abhelfen *vi sep irreg* +*dat* to remedy; *einem Fehler auch* to rectify.

abhetzen *sep* **1** *vt Tiere* to exhaust, to tire out ► **hetz' mich nicht so ab!** (*col*) stop hustling me like that! (*col*). **2** *vr* to wear *or* tire oneself out; *siehe* **abgehetzt**.

abheuern *sep* (*Naut*) **1** *vi* to be paid off. **2** *vt* to pay off.

Abhilfe *f no pl* remedy, cure ► ~ **schaffen** to take remedial action.

abholen *vt sep* to collect (*bei* from); *Bestelltes auch* to call for (*bei* at); *Fundsache* to claim (*bei* from); *jdn* to call for; (*mit dem Wagen auch*) to pick up ► **jdn am Bahnhof/Flughafen** ~ to meet sb at the station/airport; (*mit dem Wagen auch*) to pick sb up from the station/airport; *etw* ~ *lassen* to have sth collected; *„Geldbörse gefunden, abzuholen bei ..."* "purse found, claim from ...".

Abholgebuhr *f* (*Comm*) collection rate, collection charge.

Abholung *f* collection.

abholzen *vt sep Wald* to clear, to deforest.

Abhör- *in cpds* bugging; **~aktion** *f* bugging operation; **~anlage** *f* bugging system.

abhorchen *vt sep* to sound, to listen to ► **einen Patienten** ~ to listen to a patient's chest.

abhören *vt sep* **a** (*auch vi: überwachen*) *Gespräch* to bug; (*mithören*) to listen in on; *Telefon* to tap ► **abgehört werden** (*col*) to be bugged. **b** (*zuhören*) *Band etc* to listen to. **c** (*Med*) to sound, to listen to ► **einen Patienten** ~ to listen to a patient's chest. **d** (*Sch: abfragen*) **einem Schüler etw** ~ to test a pupil orally on sth.

Abhör-: **~gerät** *nt* bugging device; **a~sicher** *adj* bugproof.

abhungern *vr sep* **er mußte sich** (*dat*) **sein Studium** ~ he had to starve his way through college *etc*; **sich** (*dat*) **10 Kilo** ~ to lose 10 kilos by going on a starvation diet.

Abi *nt* -s (*Sch col*) = **Abitur**.

ab|irren *vi sep aux sein* (*geh*) to lose one's way; (*fig: Gedanken*) to wander ► **vom Weg(e)** ~ to wander off the path.

Abitur *nt* -e *school-leaving exam and university entrance qualification*, ≈ A-levels *pl* (*Brit*) ► **(das)** ~ **machen** to take one's school-leaving exam, ≈ to take one's A-levels (*Brit*).

┌─────ABITUR─────┐

ⓘ The **Abitur** is the German school-leaving examination which is taken at the age of 18 or 19, after 12 or 13 years of school, by pupils at a **Gymnasium**. It is taken in four subjects and is necessary for entry to a university education.

Abiturient(in *f*) *m person who is doing/has done the Abitur*.

Abiturzeugnis *nt certificate of having passed the Abitur*, ≈ A-level certificate (*Brit*), high-school graduation certificate (*US*).

abjagen *vt sep* **jdm etw** ~ to get sth off sb.

Abk. = **Abkürzung** abbr.

abkämmen *vt sep* (*fig*) to comb, to scour.

abkämpfen *vr sep* to fight hard; *siehe* **abgekämpft**.

abkanzeln *vt sep* (*col*) **jdn** ~ to give sb a dressing-down.

abkapseln *vr sep* (*fig*) to cut oneself off.

abkarten *vt sep* (*col*) to rig (*col*), to fix ► **die Sache war von vornherein abgekartet** the whole thing was a put-up job (*col*); *siehe* **abgekartet**.

abkassieren* *vti sep* (*col*) to cash up (*col*) ► **bei jdm** ~ to get sb to pay; **darf ich (bei Ihnen)** ~? could I ask you to pay now?

abkauen *vt sep Fingernägel* to bite; *Bleistift* to chew.

abkaufen *vt sep* **jdm etw** ~ to buy sth from sb; (*col: glauben*) to buy sth (*col*).

Abkehr *f no pl* turning away (*von* from); (*von Glauben etc*) renunciation (*von* of).

abkehren *sep* **1** *vt* (*geh*) *Blick, Gesicht* to avert, to turn away. **2** *vr* (*fig*) to turn away (*von* from).

abklappern *vt sep* (*col*) *Läden, Straße* to scour, to comb (*nach* for); *Kunden, Museen etc* to do the rounds of (*col*).

abklären *sep* **1** *vt* (*klarstellen*) to clear up, to clarify. **2** *vr* **a** (*sich setzen*) to clarify. **b** (*sich beruhigen*) to calm down; *siehe* **abgeklärt**.

Abklatsch *m* -e (*Art*) cast, casting; (*fig pej*) poor imitation *or* copy.

abklemmen *vt sep Nabelschnur, Leitung* to clamp.

abklingen *vi sep irreg aux sein* **a** (*leiser werden*) to die *or* fade away. **b** (*nachlassen*) to wear off, to abate; (*Erregung, Fieber auch*) to subside.

abklopfen *vt sep* **a** *Staub etc* to brush off; *Putz* to knock off; *Teppich, Polstermöbel* to beat. **b** (*beklopfen*) to tap; (*Med*) to sound, to percuss (*spec*).

abknabbern *vt sep* (*col*) to nibble off; *Knochen* to gnaw at.

abknallen *vt sep* (*col*) to shoot down (*col*).

abknappen, abknapsen *vt sep* (*col*) **sich** (*dat*) **jeden Pfennig** ~ **müssen** to have to scrimp and save; **er hat mir 20 Mark abgeknapst** he got 20 marks off me.

abknicken *sep* **1** *vt* (*abbrechen*) to break *or* snap off; (*einknicken*) to break. **2** *vi aux sein* (*abzweigen*) to fork *or* branch off.

abknöpfen *vt sep* **a** (*lit*) to unbutton. **b** (*col: ablisten*) **jdm etw** ~ to get sth off sb.

abknutschen *vt sep* (*col*) to canoodle with (*col*) ► **sich** ~ to canoodle (*col*).

abkochen *vt sep* (*keimfrei machen*) to sterilize (by boiling).

abkommandieren* *vt sep* (*Mil*) (*zu Einheit*) to post; (*zu bestimmtem Dienst*) to detail (*zu* for).

abkommen *vi sep irreg aux sein* **a** **von etw** ~ (*abirren*) to wander off sth; **vom Kurs** ~ to deviate from one's course; (*vom Thema*) ~ to get off the subject, to digress. **b** (*aufgeben*) **von etw** ~ to drop sth; (*von Angewohnheit*) to give sth up; (*von Idee, Plan*) to abandon sth; **von einer Meinung** ~ to revise one's opinion.

Abkommen *nt* - agreement (*auch Pol*).

abkömmlich *adj* available ► **nicht** ~ **sein** to be unavailable.

Abkömmling *m* (*Nachkomme*) descendant; (*fig*) adherent.

abkönnen *vt sep irreg* (*col*) **a** (*trinken*) **er kann nicht viel ab** he can't take much (drink). **b** (*mögen*) **das kann ich nicht ab** I can't stand it.

abkoppeln *vt sep* (*Rail*) to uncouple; *Anhänger* to unhitch; *Pferd* to untie; *Raumfähre* to undock.

abkratzen *sep* **1** *vt Schmutz etc* to scratch off; (*mit einem Werkzeug*) to scrape off. **2** *vi aux sein* (*col: sterben*) to kick the bucket (*col*).

abkriegen *vt sep* (*col*) *siehe* **abbekommen**.

abkühlen *sep* **1** *vt* to cool; *Speise auch* to cool down. **2** *vi aux sein* to cool down. **3** *vr* to cool down; (*Beziehungen*) to become cool(er).

Abkühlung *f* cooling.

Abkunft *f no pl* (*liter*) descent, origin; (*Nationalität auch*) extraction.

abkupfern *vt sep* (*col*) to crib (*col*), to copy.

abkürzen *sep* 1 *vt* a (*abschneiden*) **den Weg ~** to take a short cut. b (*verkürzen*) to cut short; *Verfahren* to shorten; *Aufenthalt, Urlaub auch* to curtail. c *Namen* to abbreviate.
2 *vi* (*verkürzt schreiben*) to use abbreviations.

Abkürzung *f* a (*Weg*) short cut. b (*von Wort*) abbreviation.

abküssen *vt sep* to smother with kisses.

abladen *vti sep irreg Last, Wagen* to unload; *Schutt* to dump; (*esp Comm*) *Passagiere, Ware* to off-load; (*fig col*) *Ärger auch* to vent (*bei jdm* on sb).

Ablage *f* **-n** a (*Gestell*) place to keep/put sth ▶ *wir brauchen eine ~ für die Akten* we need somewhere for our files; *etw als ~ benutzen* (*für Akten, Bücher etc*) to use sth for storage. b (*Aktenordnung*) filing.

Ablagekorb *m* filing tray.

ablagern *sep* 1 *vt* (*deponieren*) to leave, to store.
2 *vi aux sein or haben* (*ausreifen*) to mature; (*Holz auch*) to season ▶ *~ lassen* to allow to mature; *Holz auch* to (allow to) season.
3 *vr* to be deposited.

Ablagerung *f* (*abgelagerter Stoff*) deposit.

ablandig *adj* (*Naut*) *Wind* offshore.

ablassen *sep irreg* 1 *vt* a (*herauslaufen lassen*) *Flüssigkeit, Luft* to let out; *Wasser, Motoröl auch* to drain; *Dampf* to let off. b (*ermäßigen*) to knock off (*col*) ▶ *er hat mir 20 Mark abgelassen* he knocked 20 marks off for me (*col*).
2 *vi* (*liter*) a (*mit etw aufhören*) to desist ▶ *von einem Vorhaben etc ~* to abandon a plan *etc*. b (*jdn in Ruhe lassen*) *von jdm ~* to leave sb alone.

Ablativ *m* **-e** (*Gram*) ablative (case).

Ablauf *m* a (*Abfluß*) drain; (*Rinne*) drainage channel. b (*Verlauf*) course; (*von Verbrechen*) sequence of events (*gen* in); (*von Handlung in Buch etc*) development ▶ *der ~ der Ereignisse* the course of events; *es gab keinerlei Störungen im ~ des Programms* the programme went off without any disturbances. c (*von Zeitraum, Frist etc*) expiry ▶ *nach ~ von 4 Stunden* after 4 hours (have/had passed *or* gone by); *nach ~ des Jahres/dieser Zeit* at the end of the year/this time.

Ablaufbrett *nt* (*an Spüle*) draining board.

ablaufen *sep irreg* 1 *vt* a (*abnutzen*) *Schuhsohlen, Schuhe* to wear out; *Absätze* to wear down ▶ *sich* (*dat*) *die Beine or Hacken nach etw ~* (*col*) to walk one's legs off looking for sth. b *aux sein or haben* (*entlanglaufen*) *Strecke* to go *or* walk over; *Stadt, Straßen, Geschäfte* to comb, to scour.
2 *vi aux sein* a (*abfließen: Flüssigkeit*) to drain *or* run away; (*trocken werden: Geschirr*) to dry off. b (*vonstatten gehen*) to go off. c *~ lassen* (*abspulen, abspielen*) *Platte, Tonband* to play; *Film*, (*Comp*) *Programm* to run. d (*ungültig werden: Paß etc*) to expire, to run out; (*enden: Frist, Vertrag etc auch*) to run out, to be up. e (*Zeitraum*) to pass, to go by.

Ableben *nt no pl* (*form*) demise (*form*).

ablecken *vt sep* to lick; *Teller* to lick (clean).

ablegen *sep* 1 *vt* a (*niederlegen*) to put down; *Last, Waffen auch* to lay down; (*Zool*) *Eier* to lay. b *Schriftwechsel* to file (away); (*Comp*) *daten* to store. c (*ausziehen*) *Kleider* to take off, to remove. d (*nicht mehr tragen*) *Anzug, Kleid* to discard, to cast off ▶ *abgelegte Kleider* cast-off clothes. e (*aufgeben*) *Mißtrauen, Scheu, Stolz* to lose, to shed; *Namen* to give up. f *Schwur, Eid* to swear; *Gelübde auch* to make; *Zeugnis* to give; *Bekenntnis, Beichte* to make; *Prüfung* to take, to sit; (*erfolgreich*) to pass.
2 *vi* a (*Schiff*) to cast off; (*Space*) to separate. b (*Garderobe ~*) to take one's things off.

Ableger *m* **-** (*Bot*) layer; (*fig: Zweigunternehmen*) branch, subsidiary.

▼ **ablehnen** *vt sep* a *auch vi* (*zurückweisen, nein sagen*) to decline; *Antrag, Vorschlag, Bewerber* to reject; (*Parl*) *Gesetzentwurf* to throw out ▶ *eine ~de Antwort* a negative answer; *ein ~der Bescheid* a rejection; *dankend ~* to decline with thanks. b (*mißbilligen*) to disapprove of ▶ *jede Form von Gewalt ~* to be against any form of violence.

Ablehnung *f* a (*Zurückweisung*) refusal; (*von Antrag etc*) rejection. b (*Mißbilligung*) disapproval ▶ *auf ~ stoßen* to meet with disapproval.

ableiern *vt sep* (*col*) *Gedicht etc* to reel off.

ableisten *vt sep* (*form*) *Zeit* to serve; *Wehrdienst* to do.

ableiten *sep vt* a (*herleiten*) to derive; (*logisch folgern auch*) to deduce (*aus* from). b (*umleiten*) *Fluß* to divert; (*herausleiten*) *Rauch, Flüssigkeit* to draw off *or* out; (*ablenken*) *Blitz* to conduct.

Ableitung *f* a *siehe vt* derivation; deduction; diversion; drawing off *or* out; conduction. b (*Wort, Math*) derivative.

ablenken *sep* 1 *vt* a (*ab-, wegleiten*) to deflect (*auch Phys*), to turn aside. b *er ließ sich durch nichts ~* he wouldn't let anything distract him; *das lenkt mich ab* (*zerstreut mich*) it takes my mind off things; *jdn von seinem Schmerz/seinen Sorgen ~* to take sb's mind off his pain/worries. c (*abbringen*) to divert; *Verdacht* to avert.
2 *vi* a (*vom Thema*) *~* to change the subject. b *das lenkt ab* (*zerstreut*) it takes your mind off things; (*stört*) it's distracting.
3 *vr* to take one's mind off things.

Ablenkung *f* a (*Ab-, Wegleitung*) deflection (*auch Phys*). b (*Zerstreuung*) diversion, distraction ▶ *~ brauchen* to need something to take one's mind off things.

Ablenkungsmanöver *nt* diversionary tactic; (*um von Thema abzulenken auch*) red herring.

ablesen *vt sep irreg* a (*auch vi: vom Blatt*) to read ▶ *er muß (alles/seine Rede) ~* he has to read everything/his speech (from notes *etc*); *(jdm) etw von den Lippen ~* to lip-read sth (that sb says). b (*auch vi: registrieren*) *Meßgeräte, Barometer, Strom* to read ▶ *nächste Woche wird abgelesen* the meter(s) will be read next week. c (*herausfinden, erkennen, folgern*) to see ▶ *jdm etw vom Gesicht ~* to read sth in sb's face; *das konnte man ihr vom Gesicht ~* it was written all over her face; *jdm jeden Wunsch von den Augen ~* to anticipate sb's every wish.

ableugnen *vt sep Schuld, Tat* to deny.

Ableugnung *f* denial.

ablichten *vt sep* (*form*) to photocopy; (*fotografieren*) to photograph.

Ablichtung *f* (*form*) *siehe vt* photocopy; photograph.

abliefern *vt sep* to hand in (*bei* to); (*liefern*) to deliver (*bei* to); (*col*) *Kinder* to deposit (*col*) (*bei* with).

Ablieferung *f* (*von Waren*) delivery.

abliegen *vi sep irreg* (*entfernt sein*) *das Haus liegt weit ab* the house is quite a distance away; *siehe* **abgelegen**.

ablisten *vt sep jdm etw ~* to trick sb out of sth.

ablocken *vt sep jdm etw ~* to get sth out of sb.

ablöschen *vt sep* a (*mit dem Löschblatt*) to blot. b (*Cook*) to add water to.

ablösen *sep* 1 *vt* a (*abmachen*) to take off, to remove; *Etikett etc auch* to detach. b (*Fin*) *Schuld, Hypothek* to pay off, to redeem. c (*ersetzen*) *Wache* to relieve; *Amtsinhaber* to replace. d (*fig: an Stelle treten von*) to take the place of; (*Methode, System*) to supersede.
2 *vr* a (*abgehen*) to come off; (*Lack etc auch*) to peel off. b (*auch einander ~*) to take turns; (*Fahrer, Kollegen auch, Wachen*) to relieve each other.

Ablösesumme f (Sport) transfer fee.

Ablösung f a (von Hypothek, Schuld) paying off, redemption. b (Wache) relief; (Entlassung) replacement ▶ **bei dieser Arbeit braucht man alle zwei Stunden eine ~** you need relieving every two hours in this work.

abluchsen vt sep (col) **jdm etw ~** to get or wangle (col) sth out of sb.

Abluft f no pl (Tech) used air.

ablutschen vt sep to lick.

ABM [a:be:'|ɛm] = a **Antiballistic Missile** ABM. b **Arbeitsbeschaffungsmaßnahme**.

abmachen vt sep (col) a (entfernen) to take off. b (vereinbaren) Termin etc to agree (on). c (besprechen) to settle ▶ **etw mit sich allein ~** to sort sth out for oneself.

Abmachung f agreement.

abmagern vi sep aux sein to get thinner, to lose weight.

Abmagerung f no pl emaciation.

Abmagerungskur f diet ▶ **eine ~ machen** to be on a diet, to be dieting; (anfangen) to go on a diet.

abmahnen vt sep (form) to caution.

Abmahnung f (form) caution.

abmalen vt sep (abzeichnen) to paint; (nach Vorlage) to copy.

Abmarsch m departure; (von Soldaten auch) march-off ▶ **beim ~** when marching off; **zum ~ antreten** (Mil) to fall in ready to march off.

abmarschbereit adj ready to move off.

abmarschieren* vi sep aux sein to move off.

abmelden sep 1 vt a Telefon to have disconnected; (bei Verein) jdn to cancel the membership of ▶ **sein Auto ~** to take one's car off the road; **ein Kind von einer Schule ~** to take a child away from a school. b (col) **er/sie ist bei mir abgemeldet** I don't want anything to do with him/her.

2 vr to ask for permission to be absent; (im Hotel) to check out ▶ **sich bei jdm ~** to tell sb that one is leaving; **sich (beim Einwohnermeldeamt) ~** to notify the local authorities that one is moving away.

Abmeldung f (von Telefon) disconnection; (beim Einwohnermeldeamt) cancellation of one's registration ▶ **seit der ~ meines Autos** since I took my car off the road.

abmergeln vr sep to slave away.

abmessen vt sep irreg a to measure; (fig) Worte to weigh. b (abteilen) to measure off.

Abmessung f usu pl measurement; (Ausmaß) dimension.

abmildern vt sep Geschmack, Worte to tone down; Aufprall to cushion, to soften; Schock to lessen.

abmontieren* vt sep Räder, Teile to remove (von etw from sth); Maschine to dismantle.

ABM-Stelle [a:be:'|ɛm-] f temporary post (obtained through a job creation scheme).

abmühen vr sep to struggle (away).

abmustern sep (Naut) 1 vt Besatzung to pay off.

2 vi to sign off, to leave the ship.

abnabeln sep 1 vt **ein Kind ~** to cut a baby's umbilical cord.

2 vr to cut oneself loose, to make the break ▶ **sich vom Elternhaus ~** to leave the parental home, to leave the nest (col).

abnagen vt sep to gnaw off; Knochen to gnaw.

Abnäher m - (Sew) dart.

Abnahme f -n a (Wegnahme) removal; (Amputation) amputation. b (Verringerung) decrease (gen in); (bei Anzahl, Menge auch) drop (gen in); (von Kräften, Energie, Interesse, Nachfrage) decline (gen in). c (von Prüfung) holding; (von Neubau, Fahrzeug etc) inspection. d (Comm) purchase ▶ **bei ~ von 50 Exemplaren** if you/

we etc purchase or take 50 copies; **keine/gute ~ finden** not to sell/to sell well.

abnehmbar adj removable, detachable.

abnehmen sep irreg 1 vt a (herunternehmen) to take off, to remove; Hörer to lift, to pick up; Obst to pick; (lüften) Hut to raise; Vorhang, Bild, Wäsche to take down; Maschen to decrease; (amputieren) to amputate.

b (an sich nehmen) **jdm etw ~** to take sth from sb; (fig) Arbeit, Sorgen to relieve sb of sth; **darf ich Ihnen den Mantel ~?** can I take your coat?; **kann ich dir etwas ~?** (tragen) can I take something for you?; (helfen) can I do anything for you?; **jdm die Beichte ~** to hear confession from sb; **jdm ein Versprechen ~** to make sb promise something.

c (wegnehmen) to take away (jdm from sb); (rauben, abgewinnen) to take (jdm off sb).

d (begutachten) Gebäude, Auto to inspect; (abhalten) Prüfung to hold.

e (abkaufen) to take (dat off), to buy (dat from, off).

f (fig col: glauben) to buy (col) ▶ **dieses Märchen nimmt dir keiner ab!** nobody'll buy that!

g Fingerabdrücke to take.

2 vi a (sich verringern) to decrease; (Niveau, Kräfte) to decline; (Fieber) to go down; (Mond) to wane; (beim Stricken) to decrease ▶ **(an Gewicht) ~** to lose weight. b (Telec) to answer.

Abnehmer m - (Comm) buyer, customer ▶ **viele/ wenige ~ finden** to sell well/badly.

Abneigung f dislike (gegen of); (Widerstreben) aversion (gegen to).

abnorm, abnormal adj abnormal.

Abnormität f abnormality.

abnötigen vt sep (geh) **jdm etw ~** to force sth from sb; **jdm Respekt ~** to gain sb's respect.

abnutzen vtr sep to wear; (völlig) to wear out.

Abnutzung f wear; (Verschleiß) wear and tear.

Abnutzungserscheinung f sign of wear.

Abo nt -s (col) = **Abonnement**.

Abonnement [abɔnə'mã:] nt -s or -e a (Zeitungs~) subscription ▶ **eine Zeitung im ~ beziehen** to subscribe to a newspaper. b (Theater~) subscription series ticket.

Abonnementfernsehen, Abonnenten-Fernsehen nt subscription television, pay TV.

Abonnent(in f) m (Zeitungs~) subscriber; (Theater~) subscription holder.

abonnieren* 1 vt Zeitung to subscribe to; Konzertreihe etc to have a subscription ticket to.

2 vi **auf eine Zeitung/Konzertreihe abonniert sein** to have a subscription for a newspaper/a ticket for a subscription concert series.

ab|ordnen vt sep to delegate.

Ab|ordnung f delegation.

Abort¹ m -e (dated) lavatory, toilet.

Abort² m -e (Fehlgeburt) miscarriage; (Abtreibung) abortion.

abpacken vt sep to pack ▶ **ein abgepacktes Brot** a wrapped loaf.

abpassen vt sep a (abwarten) Gelegenheit, Zeitpunkt to wait for ▶ **den richtigen Zeitpunkt ~** to bide one's time; **etw gut ~** to time sth well. b (auf jdn warten) to catch; (jdm auflauern) to waylay.

abpausen vt sep to make a tracing of.

abperlen vi sep aux sein to run off (von etw sth).

abpfeifen sep irreg (Sport) 1 vi (Schiedsrichter) to blow one's whistle.

2 vt **das Spiel/die erste Halbzeit ~** to blow the whistle for the end of the game/for half-time.

Abpfiff m (Sport) final whistle ▶ **~ zur Halbzeit** half-time whistle.

abpflücken vt sep to pick.

⚠: Informationen zur Rechtschreibreform im Anhang

abplagen vr sep to struggle (away).

abplatzen vi sep aux sein (Lack, Ölfarbe) to flake or crack off; (Knopf) to fly or burst off.

abprallen vi sep aux sein **von** or **an etw** (dat) ~ (Ball) to bounce or (Kugel) to ricochet off sth; **an jdm** ~ (fig) to make no impression on sb.

Abpraller m - (Sport) rebound.

abpumpen vt sep Wasser, Öl to pump off; Muttermilch to express.

abputzen sep vt to clean; Schmutz to clean off ▶ **sich** (dat) **die Nase/den Hintern** ~ to wipe one's nose/bottom; **putz dir die Schuhe ab!** wipe your feet!

abquälen sep 1 vr to struggle (away).
2 vt **sich** (dat) **ein Lächeln** ~ to force a smile.

abqualifizieren* vt sep to dismiss, to write off.

abquetschen vt sep to crush ▶ **sich** (dat) **den Arm** ~ to get one's arm crushed.

abrackern vr sep (col) to slave away ▶ **sich mit etw** ~ to struggle with sth.

abrasieren* vt sep to shave off; (col) Gebäude to flatten.

abraten vti sep irreg **jdm (von) etw** ~ to advise sb against sth.

Abraum m (Min) overburden.

abräumen vti sep to clear up or away ▶ **den Tisch** ~ to clear the table.

abreagieren* sep 1 vt Spannung, Wut to work off, to get rid of ▶ **seinen Ärger an anderen** ~ to take it out on others.
2 vr to work it off ▶ **er war ganz wütend, aber jetzt hat er sich abreagiert** he was furious, but he's simmered down now.

abrechnen sep 1 vi (a) (Kasse machen) to cash up ▶ **darf ich ~?** would you like your bill (Brit) or check (US) now? (b) **mit jdm** ~ to settle up with sb; (fig) to get even with sb.
2 vt (abziehen) to deduct.

Abrechnung f (a) (Aufstellung) statement (über +acc for); (Rechnung) bill, invoice; (Bilanz) balancing; (Buchführung) accounts pl; (fig: Rache) revenge ▶ **der Tag der** ~ (fig) the day of reckoning. (b) (Abzug) deduction ▶ **nach** ~ **von** after (the deduction of); **in** ~ **stellen** (form) to deduct.

Abrechnungszeitraum m accounting period.

Abrede f etw in ~ **stellen** to deny or dispute sth.

abregen vr sep (col) to calm or cool down ▶ **reg dich ab!** relax!, cool it! (col).

abreiben vt sep irreg Schmutz, Rost to clean or rub off; (trocknen) to rub down.

Abreibung f (col: Prügel) hiding, thrashing.

Abreise f departure (nach for) ▶ **bei meiner** ~ on my departure.

abreisen vi sep aux sein to leave (nach for).

abreißen sep irreg 1 vt (a) (abtrennen) to tear off; Tapete, Blätter auch to strip (off) ▶ **er hat sich** (dat) **den Knopf abgerissen** he's torn his button off; **er wird dir nicht (gleich) den Kopf** ~ (col) he won't bite your head off (col). (b) (niederreißen) Gebäude to pull down.
2 vi aux sein (sich lösen) to come off; (fig: unterbrochen werden) to break off ▶ **das reißt nicht ab** (fig) there is no end to it; **den Kontakt etc nicht** ~ **lassen** to stay in touch.

Abreißkalender m tear-off calendar.

abrichten vt sep to train ▶ **der Hund ist auf Einbrecher abgerichtet** the dog is trained to go for burglars.

Abrichtung f training.

abriegeln vt sep (verschließen) Tür to bolt; (absperren) Straßen, Gebiet to cordon off.

abringen vt sep irreg **jdm etw** ~ to wring or force sth out of sb; **sich** (dat) **ein Lächeln** ~ to force a smile; **dem**

Meer Land ~ (liter) to wrest land from the sea (liter).

⚠ **Abriß** m (a) (Abbruch) demolition. (b) (Übersicht) outline, summary. (c) (von Eintrittskarte etc) tear-off part.

abrollen sep 1 vt (abwickeln) to unwind; Papier, Stoff to unroll.
2 vi aux sein (a) (abfahren: Züge, Waggons) to roll off or away. (b) (col: vonstatten gehen) (Programm) to run; (Veranstaltung) to go off; (Ereignisse) to unfold ▶ **mein ganzes Leben rollte noch einmal vor meinen Augen ab** my whole life passed before me again.

abrücken sep 1 vt (wegschieben) to move away.
2 vi aux sein (a) (fig: sich distanzieren) to dissociate oneself (von from). (b) (Mil etc) to move out.

Abruf m (a) **sich auf** ~ **bereit halten** to be ready to be called (for); **auf** ~ **zur Verfügung stehen** to be available on call. (b) (Comm) **etw auf** ~ **bestellen/kaufen** to order/buy sth (to be delivered) on call. (c) (Comp) retrieval ▶ **auf** ~ **bereit** readily retrievable.

abruf-: **~bar** adj (a) (Comp) daten retrievable; (b) (Fin) ready on call; (c) (fig) accessible; **~bereit** adj (a) Arzt etc on call; (abholbereit) ready to be called for; (b) (Comm, Fin) ready on call.

abrufen vt sep irreg (a) (wegrufen) to call away. (b) (Comm) to request delivery of; (Fin: abheben) to withdraw. (c) Daten, Informationen to call up, to retrieve.

abrunden vt sep (lit, fig) to round off ▶ **eine Zahl nach unten** ~ to round a number down.

Abrundung f (lit, fig) rounding off ▶ **zur** ~ **von etw** to round sth off.

abrupt adj abrupt.

abrüsten sep vi (Mil, Pol) to disarm.

Abrüstung f no pl (Mil, Pol) disarmament.

Abrüstungsgespräche pl disarmament talks.

abrutschen vi sep aux sein (abgleiten) to slip; (fig) (Leistungen) to go downhill; (moralisch) to let oneself go.

ABS [a:be:'|ɛs] nt no pl (Aut) = **Antiblockiersystem** ABS.

Abs. = (a) **Absatz** par., para. (b) **Absender**.

absäbeln vt sep (col) to hack or chop off.

absacken vi sep aux sein (sinken) to sink; (Boden, Gebäude auch) to subside; (fig col: nachlassen) to fall off; (verkommen) to go to pot (col).

Absage f -n refusal; (auf Einladung auch) negative reply ▶ **das ist eine** ~ **an die Demokratie** that's a denial of democracy; **jdm/einer Sache eine** ~ **erteilen** to reject sb/sth.

absagen sep 1 vt (rückgängig machen) Veranstaltung, Besuch to cancel, to call off; (ablehnen) Einladung to decline.
2 vi to decline ▶ **jdm** ~ to tell sb that one can't come; **in letzter Minute** ~ to cry off at the last minute.

absägen vt sep (a) (abtrennen) to saw off. (b) (fig col) to chuck or sling out (col); Minister, Beamten to oust, to give the chop (col); Schüler to make fail.

absahnen sep (fig col) 1 vt Geld to rake in; (sich verschaffen) to cream off.
2 vi to make a killing (col).

absatteln vti sep to unsaddle.

Absatz m, pl **Absätze** (a) (Abschnitt) paragraph; (Jur) section ▶ **einen** ~ **machen** to start a new paragraph. (b) (Treppen~) half-landing. (c) (Schuh~) heel ▶ **spitze Absätze** stiletto heels; **auf dem** ~ **kehrtmachen** to turn on one's heel. (d) (Verkauf) sales pl ▶ **guten** ~ **finden** to sell well.

Absatz-: **~analyse** f sales analysis; **~bericht** m sales report; **a~fähig** adj marketable, saleable; **~flaute** f slump in sales; **~gebiet** nt sales area; **~markt** m market; **~prognose** f sales forecast; **~schwierigkeiten** pl sales problems pl; **~steigerung** f increase in sales.

absaufen vi sep irreg aux sein (col) (ertrinken) to drown;

(*Motor*) to flood; (*Schiff etc*) to go down.

absaugen *vt sep Flüssigkeit* to suck out *or* off; *Teppich, Sofa* to hoover ® (*Brit*), to vacuum.

ABS-Bremse *f* ABS brakes *pl*.

abschaben *vt sep* to scrape off.

abschaffen *sep vt* [a] to abolish, to do away with. [b] (*nicht länger halten*) to get rid of.

Abschaffung *f* abolition.

abschälen *vtr sep* to peel off.

abschalten *sep* [1] *vt* to switch off. [2] *vi* (*fig*) to unwind. [3] *vr* to switch itself off.

abschätzen *vt sep* to estimate; *Menschen, Fähigkeiten* to assess ▶ **seine Lage** ~ to take stock of one's position; **ein** ~**der Blick** an appraising look.

abschätzig *adj* disparaging ▶ **sich** ~ **über jdn äußern** to make disparaging remarks about sb.

Abschaum *m no pl* scum ▶ **der** ~ **der Menschheit** the scum of the earth.

abscheiden *vt sep irreg* (*ausscheiden*) to give off, to produce; (*Biol auch*) to secrete.

Abscheu *m or f no pl* repulsion, abhorrence (*vor +dat* at) ▶ **vor jdm/etw** ~ **haben** *or* **empfinden** to loathe sb/sth.

abscheuerregend *adj* repulsive, loathsome.

abscheuern *vt sep* [a] *Schmutz* to scrub off. [b] (*abschürfen*) *Haut* to rub *or* scrape off. [c] *Kleidung* to wear thin ▶ **abgescheuerte Knie** threadbare knees.

abscheulich *adj* abominable, loathsome; *Verbrechen auch* heinous; *Anblick auch* repulsive ▶ **wie** ~**!** how awful!; ~ **kalt** hideously cold.

Abscheulichkeit *f* (*Untat*) atrocity, abomination; (*no pl: Widerwärtigkeit*) loathsomeness; (*von Verbrechen auch*) heinousness; (*von Geschmack, Anblick*) repulsiveness.

abschicken *vt sep* to send; *Paket, Brief* to send off, to dispatch.

Abschiebehaft *f* (*Jur*) remand pending deportation.

abschieben *sep irreg* [1] *vt* [a] (*wegschieben*) to push away (*von* from); (*fig*) *Verantwortung, Schuld* to shift (*auf +acc* onto). [b] (*ausweisen*) *Ausländer* to deport. [c] (*col: loswerden*) to get rid of ▶ **jdn in eine andere Abteilung** ~ to shunt sb off to another department (*col*). [2] *vi aux sein* (*col*) to clear off (*col*).

Abschiebung *f* (*Ausweisung*) deportation.

Abschied *m* -**e** [a] (*Trennung*) farewell, parting ▶ **von jdm/etw** ~ **nehmen** to say goodbye to sb/sth, to take one's leave of sb/sth; **ein ... zum** ~ a farewell ...; **es war ein** ~ **für immer** it was goodbye for ever; **beim** ~ **meinte er, ...** as he was leaving he said ...; **ihr** ~ **von der Bühne/vom Film** her farewell from the stage/from film; (*letzte Vorstellung*) her farewell performance; **der** ~ **von der Vergangenheit** the break with the past. [b] (*von Beamten*) resignation; (*von Offizieren*) discharge ▶ **seinen** ~ **nehmen** to hand in one's resignation/to apply for a discharge.

Abschieds-: ~**besuch** *m* farewell visit; ~**brief** *m* farewell letter; ~**feier** *f* farewell party; ~**geschenk** *nt* (*für Kollegen etc*) leaving present; (*für Freund*) going-away present; ~**gruß** *m* farewell; ~**kuß** △ *m* farewell kiss; ~**schmerz** *m* pain of parting; ~**stunde** *f* hour of parting; ~**szene** *f* farewell scene.

abschießen *vt sep irreg* [a] (*auf +acc* at) *Geschoß, Gewehr* to fire; *Pfeil* to shoot; *Rakete* to launch; (*auf ein Ziel*) to fire. [b] (*außer Gefecht setzen*) *Flugzeug* to shoot down. [c] (*totschießen*) *Wild* to shoot. [d] (*fig col: abschieben*) to get rid of.

abschinden *vr sep irreg* (*col*) to slave away (*col*).

Abschirmdienst *m* (*Mil*) counter-espionage service.

abschirmen *sep* [1] *vt* to shield; (*schützen auch*) to pro-

tect; (*vor Licht auch*) to screen. [2] *vr* to shield oneself (*gegen* from); (*sich schützen*) to protect oneself (*gegen* from *or* against); (*sich isolieren*) to cut oneself off (*gegen* from).

Abschirmung *f no pl* [a] (*Schutz*) protection. [b] (*fig: Isolierung*) isolation.

abschlachten *vt sep* to slaughter.

Abschlachtung *f* slaughter.

abschlaffen *vi sep aux sein* (*col*) to flag.

Abschlag *m* [a] (*Preisnachlaß*) reduction. [b] (*Zahlung*) part payment (*auf +acc* of).

abschlagen *vt sep irreg* [a] (*mit Hammer etc*) to knock off; (*mit Beil etc*) to chop off; *Baum* to chop down; (*herunterschlagen*) to knock down. [b] (*ablehnen*) to refuse; *Einladung, Bitte auch, Antrag* to turn down ▶ **jdm etw** ~ to refuse sb sth. [c] (*zurückschlagen*) *Angriff, Feind* to drive off; *Konkurrenten* to wipe out. [d] *siehe* **abgeschlagen**.

abschlägig *adj* negative ▶ **jdn/etw** ~ **bescheiden** (*form*) to turn sb/sth down.

Abschlag(s)zahlung *f* part payment.

abschleifen *sep irreg* [1] *vt Unebenheiten* to grind down; *Holzboden* to sand (down). [2] *vr* (*fig*) (*Angewohnheit etc*) to wear off; (*Mensch*) to have the rough edges taken off ▶ **das schleift sich (noch) ab** (*fig*) that'll wear off.

Abschleppdienst *m* breakdown service (*Brit*), (vehicle) recovery service.

abschleppen *sep* [1] *vt* [a] *Fahrzeug, Schiff* to tow, to take in tow; (*bei widerrechtlichem Parken*) to tow away. [b] (*col*) *Menschen* to drag along; (*aufgabeln*) to pick up (*col*). [2] *vr* **sich mit etw** ~ (*col*) to struggle with sth.

Abschlepp-: ~**fahrzeug** *nt* breakdown (*Brit*) *or* recovery vehicle, wrecker (*US*); ~**seil** *nt* towrope. ~**stange** *f* towbar (*for towing a vehicle*); ~**wagen** *m* = ~**fahrzeug**.

abschließbar *adj* lockable.

abschließen *sep irreg* [1] *vt* [a] (*zuschließen*) to lock. [b] (*beenden*) *Sitzung, Vortrag etc* to conclude, to bring to a close; *Kursus* to complete ▶ **sein Studium** ~ to graduate; **mit abgeschlossenem Studium** with a degree. [c] (*vereinbaren*) *Geschäft* to transact; *Versicherung* to take out; *Wette* to place ▶ **einen Vertrag** ~ (*Pol*) to conclude a treaty; (*Jur, Comm*) to conclude a contract. [2] *vr* (*sich isolieren*) to cut oneself off ▶ **sich von der Außenwelt** ~ to shut oneself off from the outside world; *siehe* **abgeschlossen**. [3] *vi* [a] (*zuschließen*) to lock up ▶ **sieh mal nach, ob auch abgeschlossen ist** will you see if everything's locked? [b] (*enden*) to come to a close. [c] (*Comm: Vertrag schließen*) to conclude the deal. [d] (*Schluß machen*) to finish, to end ▶ **mit der Vergangenheit** ~ to break with the past.

abschließend [1] *adj* concluding. [2] *adv* in conclusion, finally.

△**Abschluß** *m* [a] (*Beendigung*) end; (*col: ~prüfung*) final examination; (*Univ*) degree ▶ **zum** ~ **möchte ich ...** finally *or* to conclude I would like ...; **zum** ~ **kommen** to come to an end; **etw zum** ~ **bringen** to finish sth. [b] *no pl* (*Vereinbarung*) conclusion ▶ **bei** ~ **des Vertrages** on completion of the contract. [c] (*Rand etc*) border.

Abschluß-: ~**feier** △ *f* (*Sch*) school-leavers' ceremony; ~**prüfung** △ *f* (*Sch*) final examination; (*Univ auch*) finals *pl*; ~**rechnung** △ *f* final account; ~**zeugnis** △ *nt* (*Sch*) leaving certificate, diploma (*US*).

abschmecken *vt sep* (*kosten*) to taste; (*würzen*) to season.

abschmettern *vt sep* (*col*) (*Sport*) to smash; (*fig: zurückweisen*) to throw out.

abschmieren *sep* [1] *vt* [a] (*Tech*) *Auto* to grease. [b]

(col: abschreiben) to crib *(col)*. 2 *vi aux sein (Aviat)* to go down.

abschminken *vt sep* a *Gesicht, Haut* to remove the make-up from ▸ *sich* ~ to remove one's make-up. b *(col: aufgeben)* **sich** *(dat)* **etw** ~ to get sth out of one's head.

abschmirgeln *vt sep* to sand down.

abschnallen *sep* 1 *vt* to unfasten, to undo. 2 *vr* to unfasten one's seat belt. 3 *vi (col)* a *(nicht mehr folgen können)* to give up. b *(fassungslos sein)* to be staggered *(col)* ▸ *da schnallste ab!* it's unbelievable!

abschneiden *sep irreg* 1 *vt (lit, fig)* to cut off; *Blumen, Fingernägel, Haar* to cut ▸ *jdm das Wort* ~ to cut sb short. 2 *vi bei etw gut/schlecht* ~ *(col)* to come off well/ badly in sth.

Abschnitt *m* a section; *(Math)* segment; *(Mil)* sector, zone; *(Geschichts~, Zeit~)* period. b *(Kontroll~) (von Scheck etc)* counterfoil; *(von Karte)* section; *(von Papier)* slip.

abschnitt(s)weise *adv* in sections.

abschnüren *vt sep* to cut off *(von* from) ▸ *jdm das Blut* ~ to cut off sb's circulation; *jdm die Luft* ~ *(lit)* to take sb's breath away; *(fig)* to ruin sb.

abschöpfen *vt sep Fett* to skim off; *(fig) Dank, Ruhm* to reap ▸ *den Rahm or das Fett* ~ *(fig)* to cream off the best part; *den Gewinn* ~ to siphon off the profits.

abschotten *vt sep sich gegen etw* ~ *(fig)* to cut oneself off from sth; *etw* ~ *(fig)* to shield *or* screen sth.

abschrägen *vt sep* to slope; *Holz, Brett* to bevel ▸ *ein abgeschrägtes Dach* a sloping roof.

abschrauben *vt sep* to unscrew.

abschrecken *sep* 1 *vt* a *(fernhalten)* to deter, to put off; *(verjagen: Hund, Vogelscheuche)* to scare off ▸ *ich lasse mich dadurch nicht* ~ I won't be deterred by that. b *(abkühlen) Stahl* to quench; *(Cook)* to rinse with cold water. 2 *vi (Strafe)* to act as a deterrent.

abschreckend *adj (warnend)* deterrent ▸ *ein ~es Beispiel* a warning; *eine ~e Wirkung haben, ~ wirken* to act as a deterrent.

Abschreckung *f (das Fernhalten, Mil)* deterrence; *(~smittel)* deterrent.

Abschreckungs-: ~**mittel** *nt* deterrent; ~**waffe** *f* deterrent (weapon).

abschreiben *sep irreg* 1 *vt* a to copy *(bei, von* from); *(kopieren)* to copy out. b *(Comm: absetzen, abziehen)* to deduct. c *(verloren geben)* to write off ▸ *er ist bei mir abgeschrieben* I'm finished with him. 2 *vi* a *(Sch)* to copy, to crib *(col)*. b *jdm* ~ to write to sb to tell him/her that one cannot come.

Abschreibung *f (Steuer~)* tax write-off; *(Comm)* deduction; *(Wertverminderung)* depreciation.

Abschreibungsprojekt *nt* tax avoidance scheme.

abschreiten *vt sep irreg (entlanggehen) Gelände* to patrol; *(inspizieren) Front* to inspect.

Abschrift *f* copy.

abschrubben *vt sep (col) Schmutz* to scrub off; *Rücken, Fußboden* to scrub (down).

abschuften *vr sep (col)* to slog one's guts out *(col)*.

abschürfen *vt sep* to graze.

Abschürfung *f (Wunde)* graze.

⚠ **Abschuß** *m* a *(das Abfeuern)* firing, shooting; *(von Rakete)* launch(ing). b *(das Außer-Gefecht-Setzen)* shooting down; *(von Panzer)* knocking out ▸ *die Luftwaffe erzielte zwölf Abschüsse* the air force shot down twelve planes. c *(von Wild)* shooting ▸ *Fasanen sind jetzt zum* ~ *freigegeben* pheasant-shooting is now permitted; *zum* ~ *freigegeben sein (fig)* to be fair game.

abschüssig *adj* sloping ▸ *eine sehr ~e Straße* a steep road.

Abschuß-: ~**liste** ⚠ *f (col)* hit list *(col)*; *er steht auf der ~liste* his days are numbered; ~**rampe** ⚠ *f* launch(ing) pad.

abschütteln *vt sep (lit, fig)* to shake off.

abschütten *vt sep Flüssigkeit etc* to pour off; *(Cook)* to drain off; *Kartoffeln etc* to drain.

abschwächen *sep* 1 *vt* to weaken; *Formulierung* to tone down. 2 *vr* to fall off, to diminish; *(Lärm)* to decrease; *(Preisauftrieb, Andrang)* to ease off.

Abschwächung *f siehe vb* weakening; toning down; decrease; easing off.

abschwatzen *vt sep (col) jdm etw* ~ to talk sb into giving one sth.

abschweifen *vi sep aux sein (lit, fig) (von* from) to stray, to wander (off); *(Redner auch)* to digress.

Abschweifung *f* digression.

abschwellen *vi sep irreg aux sein (Entzündung, Fluß)* to go down; *(Lärm)* to die away.

abschwenken *sep* 1 *vi aux sein* to turn away; *(Kamera)* to pan ▸ *er ist nach links abgeschwenkt (lit)* he turned off to the left; *(fig)* he swung (over) to the left; *(nach rechts)* ~ *(Mil)* to wheel (right). 2 *vt (Cook)* to drain (off).

abschwindeln *vt sep jdm etw* ~ to swindle sb out of sth.

abschwirren *vi sep aux sein* to whirr off; *(fig col: weggehen)* to buzz off *(col)*.

abschwören *vi sep irreg (old, liter)* to renounce *(dat* sth) ▸ *dem Glauben/Teufel* ~ to renounce one's faith/ the devil; *dem Alkohol* ~ *(col)* to give up drinking.

Abschwung *m (Sport)* dismount; *(Econ)* downward trend, recession.

absegnen *vt sep (col)* to give one's blessing to.

absehbar *adj* foreseeable ▸ *in ~er/auf ~e Zeit* in/for the foreseeable future; *die Folgen sind noch gar nicht* ~ there's no telling what the consequences will be.

absehen *sep irreg* 1 *vt* a *(abgucken) (bei) jdm etw* ~ to pick sth up from sb. b *(voraussehen)* to foresee ▸ *es ist ganz klar abzusehen, daß ...* it's easy to see that ...; *das Ende läßt sich noch nicht* ~ the end is not yet in sight; *siehe* **abgesehen 1.** 2 *vi von etw* ~ *(verzichten)* to refrain from sth; *(nicht berücksichtigen)* to disregard sth; *davon* ~, *etw zu tun* to dispense with doing sth; *siehe* **abgesehen 2.**

abseifen *vt sep* to soap down.

abseilen *sep* 1 *vt* to lower down on a rope. 2 *vr (Bergsteiger)* to abseil (down).

⚠ **absein** *vi sep irreg aux sein (col)* a *(weg sein)* to be off ▸ *die Farbe/der Knopf ist ab* the paint/button has come off. b *(abgelegen sein)* to be far away.

abseits *adv (abgelegen)* out of the way, remote; *(Sport)* offside ▸ ~ *vom Wege* off the beaten track; ~ *stehen (fig)* to be on the outside; *(Sport)* to be offside; ~ *bleiben, sich* ~ *halten (fig)* to keep to oneself.

Abseits *nt -* *(Sport)* offside ▸ *im* ~ *stehen* to be offside; *im* ~ *leben (fig)* to live in the shadows; *ins politische* ~ *geraten* to end up in the political wilderness.

Abseits- *(Sport)* ~**falle** *f* offside trap; ~**position,** ~**stellung** *f* offside position; ~**tor** *nt* offside goal.

absenden *vt sep* to send; *(mit der Post auch)* to post *(Brit)*, to mail *(esp US)*.

Absender(in *f)* *m -* sender; *(Adresse)* (sender's) address.

absenken *sep* 1 *vt Grundwasserstand* to lower; *Fundamente* to sink. 2 *vr* to subside.

abservieren* *sep* 1 *vi* to clear the table. 2 *vt* a *Geschirr, Tisch* to clear. b *(col: entlassen,*

⚠: for details of spelling reform, see supplement

kaltstellen) **jdn ~** to push sb out, to get rid of sb. **c** (*col: umbringen*) to do in (*col*). **d** (*Sport col: besiegen*) to thrash (*col*).

absetzbar *adj Ware* saleable; *Betrag* deductible.

absetzen *sep* **1** *vt* **a** (*abnehmen*) *Hut, Brille* to take off; (*hinstellen*) *Gepäck, Glas* to set *or* put down. **b** (*aussteigen lassen*) *Fahrgast* to drop. **c** *Theaterstück* to take off; *Fußballspiel, Versammlung, Termin* to cancel. **d** (*entlassen*) to dismiss; *König* to depose. **e** (*Med*) *Medikament* to stop taking; *Behandlung* to discontinue. **f** (*Comm*) *Waren* to sell ▶ **sich gut ~ lassen** to sell well. **g** (*abziehen*) *Betrag* to deduct ▶ **das kann man ~** that is tax-deductible.
2 *vr* **a** (*Chem, Geol*) to be deposited; (*Feuchtigkeit, Staub etc*) to collect. **b** (*col: weggehen*) to get *or* clear out (*aus* of) (*col*); (*Sport: Abstand vergrößern*) to pull ahead ▶ **sich nach Brasilien ~** to make off to Brazil.
3 *vi* **er trank das Glas aus, ohne abzusetzen** he emptied his glass in one gulp.

Absetzung *f* **a** (*Entlassung*) (*von Beamten*) dismissal; (*von König*) deposing, deposition. **b** (*Fin: Abschreibung*) deduction. **c** (*von Theaterstück etc*) withdrawal; (*von Fußballspiel, Termin etc*) cancellation.

absichern *sep* **1** *vt* to safeguard; (*garantieren*) to cover; *Bauplatz, Gefahrenstelle* to make safe; (*Comp*) *Daten* to store; (*schützen*) to protect.
2 *vr* (*sich schützen*) to protect oneself; (*sich versichern*) to cover oneself.

▼ **Absicht** *f* **-en** (*Vorsatz*) intention; (*Zweck*) purpose; (*Jur*) intent ▶ **in der besten ~** with the best of intentions; **die ~ haben, etw zu tun** to intend to do sth; **eine ~ mit etw verfolgen** to have something in mind with sth; **ernste ~en haben** (*col*) to have serious intentions; **das war nicht meine ~!** I didn't intend that; **etw mit/ohne ~ tun** to do/not to do sth deliberately *or* on purpose.

absichtlich *adj* deliberate, intentional ▶ **etw ~ tun** to do sth on purpose *or* deliberately.

Absichts-: **~erklärung** *f* declaration of intent, letter of intent; **a~los** *adj* unintentional.

absingen *vt sep irreg* (*vom Blatt*) to sight-read.

absinken *vi sep irreg aux sein* (*Schiff*) to sink; (*Boden auch*) to subside; (*Interesse, Leistungen*) to fall *or* drop off; (*fig: moralisch ~*) to go downhill.

absitzen *sep irreg* **1** *vt* **a** (*verbringen*) *Zeit* to sit out; (*verbüßen*) *Strafe* to serve. **b** (*abnutzen*) *Hose etc* to wear thin.
2 *vi aux sein* **(vom Pferd) ~** to dismount (from a horse).

absolut *adj* absolute; (*völlig auch*) complete, total ▶ **~ nicht/nichts** absolutely not/nothing; **das ist ~ unmöglich** that's quite *or* absolutely impossible.

Absolutheits|anspruch *m* claim to absolute right ▶ **einen ~ vertreten** to claim absoluteness.

Absolution *f* (*Eccl*) absolution ▶ **jdm die ~ erteilen** to grant *or* give sb absolution.

Absolvent(in *f*) [apzɔl'vɛnt(ɪn)] *m* (*Univ*) graduate ▶ **die ~en eines Lehrgangs** the students who have completed a course.

absolvieren* [apzɔl'viːrən] *vt insep Studium, Probezeit* to complete; *Schule* to finish, to graduate from (*US*); *Prüfung* to pass.

absonderlich *adj* peculiar, strange.

absondern *sep* **1** *vt* **a** (*trennen*) to separate; (*isolieren*) to isolate. **b** (*ausscheiden*) to secrete.
2 *vr* (*Mensch*) to cut oneself off ▶ **sie sondert sich immer sehr ab** she always keeps herself very much to herself.

Absonderung *f* **a** *siehe vt* separation; isolation; secretion. **b** (*abgeschiedener Stoff*) secretion.

absorbieren* *vt insep* (*lit, fig*) to absorb.

Absorption *f* absorption.

abspalten *vtr sep* to split off; (*Chem*) to separate (off).

Abspann *m* **-e** (*TV, Film*) final credits *pl*.

abspannen *sep* **1** *vt Pferd, Wagen* to unhitch.
2 *vi* (*fig: entspannen*) to relax; *siehe* **abgespannt**.

Abspannung *f* (*Ermüdung*) weariness, tiredness.

absparen *vt sep* **sich** (*dat*) **ein Auto vom Lohn ~** to save up for a car from one's wages; **sich** (*dat*) **etw vom Munde ~** to scrimp and save for sth.

abspecken *sep* (*col*) **1** *vt* to shed; (*fig: verkleinern*) to slim down, to trim.
2 *vi* to lose weight.

abspeisen *vt sep* (*fig: abfertigen*) **jdn mit etw ~** to fob sb off with sth.

abspenstig *adj* **jdm jdn/etw ~ machen** to lure sb/sth away from sb; **jdm die Freundin ~ machen** to pinch sb's girlfriend (*col*).

absperren *sep* **1** *vt* **a** (*versperren*) to block off. **b** *Strom etc* to turn *or* shut off. **c** (*zuschließen*) to lock.
2 *vi* to lock up.

Absperrung *f* **a** (*Abriegelung*) blocking *or* closing off. **b** (*Sperre*) barrier.

Abspiel *nt* (*Sport*) pass.

abspielen *sep* **1** *vt* **a** *Tonband etc* to play; (*vom Blatt*) *Musik* to sight-read; *siehe* **abgespielt**. **b** (*Sport*) *Ball* to pass.
2 *vr* (*sich ereignen*) to happen.

absplittern *vti sep* (*vi: aux sein*) to chip off; *Holz auch* to splinter off.

Absprache *f* arrangement ▶ **ohne vorherige ~** without prior consultation.

absprechen *sep irreg* **1** *vt* **a** **jdm ein Recht ~** (*verweigern*) to deny sb a right; **jdm seine Begabung ~** (*in Abrede stellen*) to question sb's talent; **er ist wirklich sehr klug, das kann man ihm nicht ~** there's no denying that he's very clever. **b** (*verabreden*) *Termin* to arrange.
2 *vr* **sich mit jdm ~** to make an arrangement with sb; **die beiden hatten sich vorher abgesprochen** they had agreed on what to do/say in advance.

abspringen *vi sep irreg aux sein* **a** (*herunterspringen*) to jump down (*von* from); (*herausspringen*) to jump out (*von* of); (*Aviat*) to jump (*von* from); (*bei Gefahr*) to bale out. **b** (*sich lösen*) to come off; (*Farbe, Lack auch*) to flake *or* peel off. **c** (*fig col: sich zurückziehen*) to get out; (*von Partei, Kurs etc*) to back out.

abspritzen *vt sep* **etw/jdn ~** to spray sth/sb down; *Schmutz* to spray off (*von etw* sth).

Absprung *m* jump (*auch Aviat*), leap; (*Sport*) take-off ▶ **den ~ schaffen** (*fig*) to make the break (*col*); **er hat den ~ gewagt** (*fig*) he took the leap.

abspulen *vt sep Kabel, Garn* to unwind.

abspülen *sep* **1** *vt Hände, Geschirr* to rinse; *Fett etc* to rinse off.
2 *vi* to wash up.

abstammen *vi sep no ptp* to be descended (*von* from).

Abstammung *f* descent; (*Abkunft auch*) origin, extraction ▶ **ehelicher/unehelicher ~** (*Jur*) of legitimate/illegitimate birth; **französischer ~** of French extraction *or* descent.

Abstammungslehre *f* theory of evolution.

Abstand *m* **a** (*Zwischenraum*) distance; (*kürzer*) gap, space; (*Zeit~*) interval; (*fig: Distanz*) distance ▶ **mit ~** by far, far and away; **~ von etw gewinnen** (*fig*) to distance oneself from sth; **in Abständen von 10 Minuten** at 10 minute intervals; **~ halten** to keep one's distance; **mit großem ~ führen** to lead by a wide margin. **b** (*form: Verzicht*) **davon ~ nehmen, etw zu tun** to refrain from doing sth.

Abstandssumme *f* (*form*) indemnity.

abstatten *vt sep* (*form*) *jdm einen Besuch* ~ to pay sb a visit; *jdm seinen Dank* ~ to give thanks to sb.

abstauben *vti sep* **a** *Möbel etc* to dust. **b** (*col*) (*wegnehmen*) to nick (*col*); (*schnorren*) to cadge (*von, bei, dat* off, from).

Abstauber *m* - (*Ftbl col*) **a** (*auch* ~*tor*) easy goal. **b** (*Spieler*) goal-hanger (*col*).

abstechen *sep irreg* **1** *vt* **a** *ein Tier* ~ to cut an animal's throat. **b** (*abtrennen*) *Torf* to cut; *Rasen* to trim (the edges of).
2 *vi* to stand out (*gegen, von* against).

Abstecher *m* - (*Ausflug*) trip; (*Umweg*) detour, side-trip.

abstecken *vt sep* **a** (*lit, fig*) *Gelände, Verhandlungsposition* to mark out. **b** *Kleid, Naht* to pin.

abstehen *sep irreg* **1** *vi* (*entfernt stehen*) to be a distance away (*von* from); (*nicht anliegen*) to stick out ▸ ~*de Ohren* ears that stick out; *siehe* **abgestanden**.
2 *vt* (*col*) *sich* (*dat*) *die Beine* ~ to stand for hours.

Absteige *f* -**n** cheap hotel.

absteigen *vi sep irreg aux sein* **a** (*heruntersteigen*) to get off (*von etw* sth). **b** (*abwärts gehen*) to make one's way down; (*Bergsteiger auch*) to climb down ▸ *in* ~*der Linie* in the line of descent; *auf dem* ~*den Ast sein* (*col*) to be going downhill, to be on the decline. **c** (*einkehren*) to stay; (*im Hotel auch*) to put up (*in* +*dat* at). **d** (*Sport: Mannschaft*) *aus der ersten Liga* ~ to be relegated from the first division.

Absteiger *m* - (*Sport*) relegated team.

abstellen *vt sep* **a** (*hinstellen*) to put down. **b** (*unterbringen*) to put; (*Aut: parken auch*) to park. **c** (*abrücken, entfernt stellen*) to put away from. **d** (*abkommandieren*) to order off, to detail; *Offizier auch* to second. **e** (*abdrehen*) to turn off. **f** (*sich abgewöhnen*) to give up, to stop. **g** (*unterbinden*) *Mangel, Unsitte etc* to bring to an end ▸ *das läßt sich nicht/läßt sich* ~ nothing/something can be done about that.

Abstell-: ~*gleis* *nt* siding; *jdn aufs* ~*gleis schieben* (*fig*) to put sb out to grass; ~*kammer* *f* boxroom; ~*raum* *m* storeroom.

abstempeln *vt sep* to stamp; *Post* to postmark; (*fig*) to brand (*zu, als* as).

absterben *vi sep irreg aux sein* (*eingehen, Med, fig*) to die; (*gefühllos werden: Glieder*) to go *or* grow numb; *siehe* **abgestorben**.

Abstieg *m* -**e** (*das Absteigen*) way down, descent; (*Niedergang*) decline; (*Sport*) relegation.

abstillen *sep* **1** *vt Kind* to wean, to stop breastfeeding.
2 *vi* to stop breastfeeding.

abstimmen *sep* **1** *vi* to take a vote ▸ *über etw* (*acc*) ~ to vote on sth; *über etw* (*acc*) ~ *lassen* to put sth to the vote; *geheim* ~ to have a secret ballot.
2 *vt Instrumente* to tune (*auf* +*acc* to); *Radio* to tune (in) (*auf* +*acc* to); *Farben, Kleidung* to match (*auf* +*acc* with); *Termine* to coordinate (*auf* +*acc* with); (*anpassen*) to suit (*auf* +*acc* to) ▸ *gut auf etw* (*acc*)/*aufeinander abgestimmt sein* (*Instrumente*) to be in tune with sth/with each other; (*Farben, Speisen etc*) to go well with sth/to go well together; (*Termine*) to fit in well with sth/with each other; (*einander angepaßt sein*) to be well-suited to sth/to each other; *etw miteinander* ~ (*vereinbaren*) to settle sth amongst ourselves/themselves *etc*.
3 *vr sich* (*mit mit jdm/miteinander*) ~ to come to an agreement (with sb/amongst ourselves/themselves *etc*).

Abstimmung *f* (*Stimmabgabe*) vote; (*geheime* ~) ballot ▸ *eine* ~ *durchführen* to take a vote.

Abstimmungs-: ~*ergebnis* *nt* result of the vote; ~*niederlage* *f eine* ~*niederlage erleiden* to be defeated in a/the vote; ~*sieg* *m einen* ~*sieg erringen* to win a/the vote.

abstinent *adj* teetotal.

Abstinenz *f no pl* teetotalism, abstinence.

Abstinenzler(in *f*) *m* - teetotaller (*Brit*), teetotaler (*US*).

abstoppen *vti sep* (*auch Sport*) to stop; (*mit Stoppuhr*) to time.

Abstoß *m* (*Ftbl*) goal kick; (*nach Fangen des Balls*) clearance.

abstoßen *sep irreg* **1** *vt* **a** (*wegstoßen*) *Boot* to push off *or* out; (*abschlagen*) *Ecken* to knock off. **b** (*zurückstoßen*) to repel; (*Comm*) *Ware, Aktien* to sell off; (*Med*) *Organ* to reject; (*fig: anwidern*) to repel ▸ *dieser Stoff stößt Wasser ab* this material is water-repellent; *sich von etw abgestoßen fühlen* to find sth repulsive. **c** (*Ftbl*) *den Ball* ~ to take the goal kick; (*nach Fangen*) to clear the ball.
2 *vr* (*esp Sport: Mensch*) *sich mit den Füßen vom Boden* ~ to push oneself off.
3 *vi* (*anwidern*) to be repulsive.

abstoßend *adj Aussehen, Äußeres* repulsive.

Abstoßung *f* (*Phys*) repulsion; (*Med*) rejection.

abstottern *vt sep* (*col*) to pay off.

abstrahieren* [apstra'hiːrən] *vti insep* to abstract (*aus* from).

abstrahlen *vt sep Wärme etc* to emit.

abstrakt [ap'strakt] *adj* abstract.

Abstraktum [-st-] *nt, pl* **Abstrakta** (*Begriff*) abstract (concept); (*Ling: Substantiv*) abstract noun.

abstrampeln *vr sep* (*fig col*) to sweat (away) (*col*).

abstreichen *vt sep irreg* (*wegstreichen*) to wipe off.

abstreifen *vt sep* **a** (*abtreten*) *Schuhe, Füße* to wipe. **b** (*abziehen*) *Kleidung, Schmuck* to take off, to slip off; (*entfernen*) *Haut* to shed; (*fig*) *Gewohnheit, Fehler* to get rid of.

abstreiten *vt sep irreg* (*leugnen*) to deny ▸ *das kann man ihm nicht* ~ you can't deny it.

Abstrich *m* **a** (*Kürzung*) cutback ▸ ~*e machen* to cut back (*an* +*dat* on); (*weniger erwarten etc*) to lower one's sights. **b** (*Med*) swab; (*Gebärmutter*~) smear ▸ *einen* ~ *machen* to take a swab/smear.

abstrus [ap'struːs] *adj* (*geh*) abstruse.

abstufen *vt sep Gelände* to terrace; *Farben* to shade; *Gehälter, Steuern, Preise* to grade.

Abstufung *f* (*Nuance*) shade; (*Stufe*) grade.

abstumpfen *sep* **1** *vt Menschen* to dull; *siehe* **abgestumpft**.
2 *vi aux sein* (*fig: Geschmack etc*) to become dulled ▸ *diese Arbeit stumpft ab* this work dulls the mind.

Absturz *m siehe vi* crash; fall ▸ *ein Flugzeug zum* ~ *bringen* to bring a plane down.

abstürzen *vi sep aux sein* (*Flugzeug*) to crash; (*Bergsteiger*) to fall.

abstützen *sep* **1** *vt* to support (*auch fig*); *Haus, Mauer auch* to shore up.
2 *vr* to support oneself.

absuchen *vt sep* to search; *Gegend auch* to comb, to scour; *Himmel* to scan; (*Scheinwerfer*) to sweep.

absurd *adj* absurd ▸ ~*es Drama or Theater* theatre of the absurd.

Absurdität *f* absurdity (*auch Philos*).

△ **Abszeß** *m* -**sse** abscess.

Abt *m* ¨-**e** abbot.

Abt. = **Abteilung** dept.

abtakeln *vt sep Schiff* to unrig; *siehe* **abgetakelt**.

abtasten *vt sep* to feel; (*Elec*) to scan; (*bei Durchsuchung*) to frisk (*auf* +*acc* for).

abtauchen *vi sep aux sein* **a** (*U-Boot*) to dive. **b** (*col*) to go underground.

abtauen *sep* **1** *vt* to thaw out; *Kühlschrank* to defrost.
2 *vi aux sein* to thaw.

Abtei *f* abbey.

Abteil *nt* -e compartment.

abteilen *vt sep* (*abtrennen*) to divide off.

Abteilung *f* (*in Firma, Kaufhaus*) department; (*in Krankenhaus, Jur*) section; (*Mil*) unit, section.

Abteilungsleiter *m* head of department.

abtelefonieren* *vi sep* to telephone to say one cannot come.

abtippen *vt sep* (*col*) to type out.

Äbtissin *f* abbess.

abtönen *vt sep Farbe* to tone down.

Abtönung *f* (*Farbton*) tone, shade.

abtöten *vt sep* (*lit, fig*) to destroy, to kill (off); *Nerv* to deaden.

abtragen *vt sep irreg* [a] (*abbauen*) *Gebäude, Mauer* to take down; (*Fluß*) *Ufer* to erode. [b] (*abbezahlen*) *Schulden* to pay off. [c] (*abnutzen*) *Kleider* to wear out; *siehe* **abgetragen**.

abträglich *adj* detrimental (*dat* to, for); *Kritik etc* adverse.

Abtragung *f* (*Geol*) erosion.

abtrainieren* *vt sep* (*Übergewicht*) to work off (by training).

Abtransport *m* transportation; (*aus Katastrophengebiet*) evacuation ▸ *beim ~ der Gefangenen* when the prisoners were being taken away.

abtransportieren* *vt sep* to transport; (*aus Katastrophengebiet*) to evacuate.

abtreiben *sep irreg* [1] *vt* [a] *vom Kurs ~* to carry off course. [b] *Kind* to abort ▸ *sie hat das Kind abgetrieben or ~ lassen* she had an abortion. [2] *vi* [a] *aux sein (vom Kurs) ~* to be carried off course. [b] (*Abort vornehmen*) to carry out an abortion; (*Abort vornehmen lassen*) to have an abortion.

Abtreibung *f* abortion ▸ *eine ~ vornehmen lassen* to have an abortion.

Abtreibungs-: *~gegner* *m* anti-abortionist; *~paragraph* ⚠ *m* abortion laws *pl*; *~pille* *f* abortion pill; *~versuch* *m* attempted abortion.

abtrennen *vt sep* [a] (*lostrennen*) to detach; *Knöpfe, Besatz etc* to remove; *Bein, Finger etc* (*durch Unfall*) to sever, to cut off ▸ *„hier ~"* "detach here". [b] (*abteilen*) to separate off; (*mit Zwischenwand etc auch*) to partition off.

abtreten *sep irreg* [1] *vt* [a] *Teppich* to wear (out); *Schnee, Schmutz* to stamp off ▸ *sich* (*dat*) *die Füße ~* to wipe one's feet. [b] (*überlassen*) (*jdm or an jdn* to sb) to hand over; *Gebiet, Land auch* to cede; *Ansprüche* to transfer.
[2] *vi aux sein* (*Theat*) to go off(stage); (*Mil*) to dismiss; (*col: zurücktreten*) (*Politiker*) to resign; (*Monarch*) to abdicate ▸ *~!* (*Mil*) dismiss!

Abtreter *m* - (*Fuß~*) doormat.

Abtretung *f* (*an +acc* to) transfer; (*von Ansprüchen auch, von Gebiet*) ceding, cession.

Abtritt *m* (*Theat*) exit; (*Rücktritt*) (*von Minister*) resignation; (*von Monarch*) abdication.

abtrocknen *sep* [1] *vt* to dry.
[2] *vi* to dry up, to do the drying-up.

abtropfen *vi sep aux sein* to drip; (*Geschirr*) to drain ▸ *etw ~ lassen* to let sth drain.

abtrotzen *vt sep jdm etw ~* (*geh*) to wring sth out of sb.

abtrünnig *adj* renegade; (*rebellisch*) rebel ▸ *jdm/einer Gruppe ~ werden* to desert sb/a group.

Abtrünnige(r) *mf decl as adj siehe adj* renegade; rebel.

abtun *vt sep irreg* (*fig: beiseite schieben*) to dismiss ▸ *etw mit einem Achselzucken/einem Lachen ~* to shrug/laugh sth off; *etw kurz ~* to brush sth aside; *siehe* **abgetan**.

abtupfen *vt sep Tränen* to dab away; *Gesicht, Wunde* to dab.

ab|urteilen *vt sep* to pass sentence *or* judgement on.

abverlangen* *vt sep siehe* **abfordern**.

abwägen *vt sep irreg* to weigh up; *Worte* to weigh ▸ *er wog beide Möglichkeiten gegeneinander ab* he weighed up the two possibilities; *siehe* **abgewogen**.

Abwahl *f* voting out ▸ *es kam zur ~ des gesamten Vorstands* the whole committee was voted out.

abwählen *vt sep* to vote out (of office); (*Sch*) *Fach* to give up.

abwälzen *vt sep Schuld, Verantwortung* to shift (*auf +acc* onto); *Arbeit* to unload (*auf +acc* onto); *Kosten* to pass on (*auf +acc* to) ▸ *die Schuld von sich ~* to shift the blame onto somebody else.

abwandeln *vt sep Melodie* to adapt; *Thema auch* to modify.

abwandern *vi sep aux sein* to move (away) (*aus* from); (*Kapital*) to be transferred (*aus* out of) ▸ *viele Spieler/ Abonnenten etc wandern ab* a lot of players/ subscribers *etc* are transferring.

Abwandlung *f* adaptation, variation; (*von Thema etc auch*) modification.

Abwärme *f* waste heat.

abwarten *sep* [1] *vt* to wait for ▸ *das Gewitter ~* to wait till the storm is over; *er kann es nicht mehr ~* he can't wait any longer; *das bleibt abzuwarten* that remains to be seen.
[2] *vi* to wait ▸ *warten Sie ab!* just wait a bit!; *~ und Tee trinken* (*col*) to wait and see; *eine ~de Haltung einnehmen* to play a waiting game.

abwärts *adv* down; (*nach unten auch*) downwards ▸ *„~!"* (*im Fahrstuhl*) "going down!".

⚠ **abwärtsgehen** *vi impers sep aux sein* (*fig*) *mit ihm/ dem Land geht es abwärts* he/the country is going downhill.

Abwärtstrend *m* downward *or* downhill trend.

Abwasch *m no pl* washing-up (*Brit*), dirty dishes *pl* ▸ *den ~ machen* to do the washing-up (*Brit*), to wash the dishes; *dann kannst du das auch machen, das ist (dann) ein ~* (*col*) then you could do that as well and kill two birds with one stone (*prov*).

abwaschbar *adj Tapete* washable.

abwaschen *sep irreg* [1] *vt Geschirr* to wash; *Schmutz* to wash off; *Auto* to wash down ▸ *den Schmutz (vom Gesicht) ~* to wash the dirt off (one's face).
[2] *vi* to wash up (*Brit*), to do the washing-up (*Brit*), to wash the dishes.

Abwaschwasser *nt* washing-up water (*Brit*), dishwater; (*fig col*) dishwater (*col*).

Abwasser *nt* sewage *no pl*.

Abwasser-: *~aufbereitung* *f* reprocessing of sewage; *~kanal* *m* sewer.

abwechseln *vir sep* to alternate ▸ *sich or einander ~* to alternate; (*Menschen auch*) to take turns; *sich mit jdm ~* to take turns with sb.

abwechselnd *adv* alternately ▸ *er war ~ fröhlich und traurig* he alternated between being happy and sad.

Abwechslung *f* change; (*Zerstreuung*) diversion ▸ *eine angenehme/schöne ~* a pleasant/nice change; *zur ~* for a change; *für ~ sorgen* to provide variety *or* (*Unterhaltung*) entertainment; *eine kleine ~* a bit of a change; (*bei Arbeit etc*) a little light relief; *hier haben wir wenig ~* there's not much variety in our life here.

abwechslungs-: *~halber* *adv* for a change; *~los* *adj* monotonous; *~reich* *adj* varied.

Abweg ['apveːk] *m jdn auf ~e führen* to lead sb astray (*auch moralisch*); *auf ~e geraten or kommen* to go astray; (*moralisch auch*) to stray from the straight and narrow.

abwegig ['apveːgɪç] *adj* (*geh*) erroneous; (*bizarr*) eccentric; *Verdacht* groundless.

Abwehr *f no pl* 〔a〕 defence (*Brit*), defense (*US*) (*gen* against); (*~truppen*) defence (*Brit*) *or* defense (*US*) troops; (*Spionage~*) counter-intelligence (service); (*Schutz*) protection (*gen* against) ▸ *der ~ von etw dienen* to provide *or* give protection against sth. 〔b〕 (*Zurückweisung*) repulse; (*Abweisung*) rejection ▸ *die ~ des Feindes* repelling the enemy; *auf ~ stoßen* to be repulsed.

abwehrbereit *adj* (*Mil*) ready for defence (*Brit*) *or* defense (*US*).

abwehren *sep* 〔1〕 *vt* 〔a〕 *Gegner* to fend *or* ward off; *Ball* to clear; *Schlag* to parry, to ward off. 〔b〕 (*fernhalten*) to keep away; *Krankheitserreger* to protect against; *Gefahr, üble Folgen* to avert. 〔c〕 (*abweisen*) *Anschuldigung* to dismiss ▸ *eine ~de Geste* a dismissive wave of the hand. 〔2〕 *vi* (*Sport*) to clear; (*Torwart auch*) to make a save ▸ *mit dem Kopf ~* to head clear; *zur Ecke ~* to clear and concede a corner.

Abwehr-: *~kampf* *m* (*Mil, Sport*) defence (*Brit*), defense (*US*); *~kräfte* *pl* (*Physiol*) (the body's) defences; *~reaktion* *f* (*Psych*) defence (*Brit*) *or* defense (*US*) reaction; *~spieler* *m* defender; *~stoff* *m* (*Med*) antibody.

abweichen *vi sep irreg aux sein* (*sich entfernen*) to deviate; (*sich unterscheiden*) to differ ▸ *voneinander ~* (*Theorien*) to diverge, to differ; *vom Kurs ~* to deviate *or* depart from one's course; *vom Thema ~* to digress; *vom rechten Weg ~* (*fig*) to wander off the straight and narrow; *ich weiche erheblich von seiner Meinung ab* I hold quite a different view from him; *~des Verhalten* (*Psych, Sociol*) deviant behaviour.

Abweichler(in *f*) *m* - deviant.

abweichlerisch *adj* (*Pol*) deviant.

Abweichung *f siehe vi* deviation; difference; (*von Theorien*) divergence ▸ *zulässige ~* (*Tech*) tolerance; (*zeitlich, zahlenmäßig*) allowance.

abweisen *vt sep irreg* to turn down; (*wegschicken*) to turn away; (*Jur*) *Klage* to dismiss ▸ *er läßt sich nicht ~* he won't take no for an answer.

abweisend *adj Ton, Blick* cold, chilly.

abwenden *sep reg or irreg* 〔1〕 *vt* 〔a〕 (*zur Seite wenden*) to turn away; *Blick* to avert; *Kopf* to turn. 〔b〕 (*verhindern*) *Unheil* to avert. 〔2〕 *vr* to turn away.

abwerben *vt sep irreg* to woo away (*dat* from); (*Spitzenkräfte*) to head-hunt.

Abwerbung *f* wooing away; (*von Spitzenkräften*) head-hunting.

abwerfen *sep irreg* 〔1〕 *vt* to throw off; *Reiter* to throw; *Bomben, Flugblätter etc* to drop; *Ballast* to jettison; *Blätter, Nadeln* to shed; (*Cards*) to discard; (*Comm*) *Gewinn* to yield. 〔2〕 *vti* (*Sport*) *Ball* to throw out; *Latte* to knock off *or* down.

abwerten *vt sep* 〔a〕 *auch vi* (*Fin*) to devalue. 〔b〕 (*fig*) *Ideale* to debase, to cheapen.

abwertend *adj* pejorative.

Abwertung *f* (*Fin*) devaluation.

abwesend *adj* absent; (*iro: zerstreut auch*) far away; *Blick* absent-minded ▸ *die A~en* the absentees.

Abwesenheit *f* absence ▸ *in ~* (+*gen*) in the absence of; *durch ~ glänzen* (*iro*) to be conspicuous by one's absence.

abwetzen *vt sep Hose, Ärmel* to wear thin.

abwickeln *sep* 〔1〕 *vt* 〔a〕 (*abspulen*) to unwind; *Verband auch* to remove. 〔b〕 (*fig: erledigen*) to deal with, to handle; (*abschließen*) to conclude. 〔2〕 *vr* to unwind; (*vonstatten gehen*) to go *or* pass off.

Abwicklung *f* (*Erledigung*) handling; (*Abschluß*) completion, conclusion ▸ *die Polizei sorgte für eine reibungslose ~ der Veranstaltung* the police made sure that the event went *or* passed off smoothly.

abwiegeln *sep* 〔1〕 *vt* to appease. 〔2〕 *vi* to calm things down.

abwiegen *vt sep irreg* to weigh out.

abwimmeln *vt sep* (*col*) *jdn* to get rid of; *Auftrag* to get out of ▸ *seine Sekretärin hat mich abgewimmelt* his secretary found an excuse to get rid of me; *laß dich nicht ~* don't let yourself be fobbed off.

abwinken *sep* 〔1〕 *vi* (*col*) (*abwehrend*) to wave it/him *etc* aside; (*fig: ablehnen*) to say no ▸ *als er merkte, wovon ich reden wollte, winkte er gleich ab* when he realized what I wanted to talk about he immediately put me off. 〔2〕 *vti ein Rennen ~* to wave the chequered (*Brit*) *or* checkered (*US*) flag.

abwirtschaften *vi sep* (*col*) to go downhill ▸ *abgewirtschaftet haben* to have reached rock bottom.

abwischen *vt sep Staub, Schmutz etc* to wipe off *or* away; *Augen, Tränen* to dry.

abwracken *vt sep Schiff, Auto, technische Anlage* to break (up); *siehe* **abgewrackt**.

Abwurf *m* throwing off; (*von Reiter*) throw; (*von Bomben etc*) dropping; (*von Ballast*) jettisoning; (*Sport: von Speer etc*) throwing ▸ *ein ~ vom Tor* a goal-throw, a throw-out.

abwürgen *vt sep* (*col*) to scotch; *Motor* to stall ▸ *etw von vornherein ~* to nip sth in the bud.

abzahlen *vt sep* to pay off.

abzählen *vt sep* to count ▸ *das läßt sich an den (fünf) Fingern ~* (*fig*) any fool can see that (*col*); *abgezähltes Geld* exact money; *das Fahrgeld abgezählt bereithalten* to have the exact fare ready.

Abzählreim *m* counting rhyme (*such as "eeny meeny miney mo", for choosing a person*).

Abzahlung *f* 〔a〕 (*Rückzahlung*) repayment, paying off. 〔b〕 (*Ratenzahlung*) hire purchase (*Brit*), HP (*Brit*), installment plan (*US*); (*Rate*) (re)payment, instalment ▸ *etw auf ~ kaufen* to buy sth on HP (*Brit*) *or* on hire purchase (*Brit*) *or* on the installment plan (*US*).

Abzahlungsgeschäft *nt* hire purchase (*Brit*), HP (*Brit*), installment plan (*US*).

abzapfen *vt sep jdm Blut ~* to take blood from sb; *jdm Geld ~* to get some money out of sb.

abzäunen *vt sep* to fence off.

Abzäunung *f* fencing.

Abzeichen *nt* badge; (*Mil*) insignia *pl*.

abzeichnen *sep* 〔1〕 *vt* 〔a〕 to draw; (*nach Vorlage*) to copy. 〔b〕 (*signieren*) to initial. 〔2〕 *vr* to stand out; (*fig*) (*deutlich werden*) to emerge, to become apparent; (*drohend bevorstehen*) to loom (on the horizon).

Abziehbild *nt* transfer, decal (*US*).

abziehen *sep irreg* 〔1〕 *vt* 〔a〕 to skin; *Fell, Haut* to remove, to strip off. 〔b〕 *Bett* to strip. 〔c〕 *Ring etc* to take off. 〔d〕 *Schlüssel* to take out, to remove. 〔e〕 (*zurückziehen*) *Kapital* to withdraw; *Truppen auch* to pull out; (*subtrahieren*) *Zahlen* to take away, to subtract; *Steuern* to deduct ▸ *DM 20 vom Preis ~* to take 20 marks off the price. 〔f〕 (*Typ: vervielfältigen*) to run off; (*Phot*) *Bilder* to make prints of, to print ▸ *etw zwanzigmal ~* to run off twenty copies of sth. 〔g〕 (*schleifen*) to sharpen; *Parkett* to sand (down). 〔2〕 *vi* 〔a〕 *aux sein* (*sich verflüchtigen: Rauch*) to escape; (*Hoch, Tief*) to move away. 〔b〕 *aux sein* (*Soldaten*) to pull out (*aus* of), to withdraw (*aus* from); (*col: weggehen*) to go off *or* away ▸ *zieh ab!* (*col*) clear off! (*col*). 〔c〕 (*abdrücken*) to pull the trigger, to fire.

abzielen *vi sep auf etw* (*acc*) *~* (*Mensch*) to aim at sth;

(*in Rede*) to get at sth; (*Bemerkung, Maßnahme etc*) to be aimed *or* directed at sth.

Abzug ['aptsuːk] *m* **a** *no pl* (*von Truppen, Kapital etc*) withdrawal ▶ *jdm freien ~ gewähren* to give *or* grant sb safe conduct. **b** (*usu pl: vom Lohn etc*) deduction; (*Rabatt*) discount. **c** (*Typ*) copy; (*Korrekturfahne*) proof; (*Phot*) print. **d** (*Öffnung für Rauch, Gas*) flue. **e** (*am Gewehr*) trigger.

abzüglich *prep +gen* (*Comm*) minus, less.

Abzugs-: a~fähig *adj* allowable; **~haube** *f* cooker *or* extractor hood; **~rohr** *nt* flue (pipe).

Abzweig *m* junction.

abzweigen *sep* **1** *vi aux sein* to branch off.
2 *vt* (*col*) to set *or* put on one side.

Abzweigung *f* junction, turn-off; (*Gabelung*) fork.

abzwingen *vt sep irreg jdm Respekt etc ~* to enforce sb's respect *etc*; *er zwang sich* (*dat*) *ein Lächeln ab* he forced a smile.

Accessoires [aksɛ'soaːɐ(s)] *pl* (*Fashion*) accessories *pl*.

ach [ax] *interj* oh ▶ *~ nein!* oh no!; (*überrascht*) no!, really!; (*ablehnend*) no, no!; *~ so!* I see!; *~ was or wo!* of course not; *~ was or wo, das ist doch nicht so schlimm!* come on now, it's not that bad; *~ wirklich?* oh really?

Ach *nt: mit ~ und Krach* (*col*) by the skin of one's teeth (*col*).

Achat *m* -e agate.

Achillesferse *f* Achilles heel.

Achse ['aksə] *f* -n **a** axis. **b** (*Tech*) axle ▶ *auf ~ sein* (*col*) to be out and about.

Achsel ['aksl] *f* -n **a** shoulder ▶ *die ~n or mit den ~n zucken* to shrug (one's shoulders). **b** (*~höhle*) armpit.

Achsel-: ~haare *pl* underarm hair; **~höhle** *f* armpit; **~klappe** *f*, **~stück** *nt* epaulette; **~zucken** *nt* shrug; *mit einem ~zucken* with a shrug (of one's shoulders); **a~zuckend** *adj er stand a~zuckend da* he stood there shrugging his shoulders; *er nahm es a~zuckend zur Kenntnis* he acknowledged it with a shrug of his shoulders.

Achsen-: ~bruch *m* broken axle; **~kreuz** *nt* coordinate system; **~mächte** *pl* (*Hist*) Axis powers *pl*.

Achs-: ~lager *nt* axle bearing; **~last** *f* axle weight.

acht¹ *num* eight ▶ *für or auf ~ Tage* for a week; *heute/morgen in ~ Tagen* a week today/tomorrow, today/tomorrow week; *heute vor ~ Tagen war ich ...* a week ago today I was ...; *siehe* **vier**.

▼ **acht²:** *sich in ~ nehmen* to take care, to look out; *etw außer ~ lassen* to disregard sth.

Acht¹ *f* -en eight; (*beim Eislaufen etc*) figure (of) eight; *siehe* **Vier**.

Acht² *f no pl* (*Hist*) outlawry, proscription.

achtbar *adj* (*geh*) worthy; (*Leute*) respectable; (*Leistung*) creditable.

Acht|eck *nt* octagon.

acht|eckig *adj* octagonal, eight-sided.

achtel *adj* eighth; *siehe* **viertel**.

Achtel *nt* - eighth.

Achtel-: ~finale *nt* round before the quarterfinal; *ins ~finale kommen* to get a place in the last sixteen; **~note** *f* (*Mus*) quaver, eighth note (*US*).

achten **1** *vt* to respect.
2 *vi auf etw* (*acc*) *~* to pay attention to sth; *auf die Kinder ~* to keep an eye on the children; *darauf ~, daß ...* to see that ..., to take care that ...

ächten *vt* (*Hist*) to outlaw, to proscribe; (*fig*) to ostracize.

achtenswert *adj Person* worthy; *Bemühungen, Handlung auch* commendable.

achte(r, s) *adj* eighth; *siehe* **vierte(r, s)**.

Achte(r) *mf decl as adj* eighth; *siehe* **Vierte(r)**.

Achter *m* - (*Rudern*) eight.

Achter-: ~bahn *f* big dipper (*Brit*), roller coaster; **~deck** *nt* (*Naut*) afterdeck.

achtern *adv* (*Naut*) aft, astern ▶ *nach ~ gehen* to go aft; *von ~* from astern.

achtfach *adj* eightfold; *siehe* **vierfach**.

achtgeben *vi sep irreg* to take care, to be careful (*auf +acc* of); (*aufmerksam sein*) to pay attention (*auf +acc* to) ▶ *auf jdn/etw ~* (*beaufsichtigen*) to keep an eye on sb/sth, to look after sb/sth.

acht-: ~hundert *num* eight hundred; **~kantig** *adj ~kantig rausfliegen* (*col*) to be flung out on one's ear (*col*).

achtlos *adj* careless, thoughtless ▶ *viele gehen ~ daran vorbei* many people just pass by without noticing.

Achtlosigkeit *f* carelessness, thoughtlessness.

achtmal *adv* eight times.

achtsam *adj* (*sorgfältig*) careful ▶ *mit etw ~ umgehen* to be careful with sth.

Acht-: ~stundentag *m* eight hour day; **a~tägig** *adj* lasting a week, week-long.

Achtung *f no pl* **a** *~!* watch out!, look out!; (*Mil: Befehl*) attention!; *~, ~!* (your) attention please!; *„~ Hochspannung!"* "danger, high voltage"; *„~ Stufe!"* "mind the step"; *~, fertig, los!* ready, steady, go! **b** (*Wertschätzung*) respect (*vor +dat* for) ▶ *die ~ vor sich selbst* one's self-respect; *bei aller ~ vor jdm/etw* with all due respect to sb/sth; *jdm ~ einflößen* to command *or* gain sb's respect; *sich* (*dat*) *~ verschaffen* to make oneself respected; *alle ~!* good for you/him *etc*!

Ächtung *f no pl* (*fig: gesellschaftlich*) ostracism.

Achtungserfolg *m* reasonable success.

achtzehn *num* eighteen; *siehe* **vierzehn**.

achtzig *num* eighty ▶ *jdn auf ~ bringen* (*col*) to make sb's blood boil (*col*); *auf ~ sein* (*col*) to be livid, to be hopping mad (*col*); *siehe* **vierzig**.

ächzen *vi* to groan (*vor +dat* with) ▶ *~ und stöhnen* to moan and groan.

Acker *m* ⁻ (*Feld*) field ▶ *den ~/die ⁻ bestellen* to till the soil/plough the fields.

Acker-: ~bau *m no pl* agriculture, farming; *~bau betreiben* to farm the land; *~bau und Viehzucht* farming; **~furche** *f* furrow; **~gaul** *m* (*pej*) farm horse; **~gerät** *nt* agricultural implement; **~krume** *f* topsoil; **~land** *nt* arable land.

ackern *vi* (*col*) to slog away (*col*).

a conto *adv* (*Comm*) on account.

Acryl *nt* acrylic.

Action ['ækʃən] *f no pl* action.

Actionfilm *m* (*col*) action film.

A.D. [aːˈdeː] = **Anno Domini** AD.

a.D. = **außer Dienst** retd.

a.d. = **an der** (*in place names*).

ad absurdum *adv ~ führen Argument etc* to reduce to absurdity.

ADAC [aːdeːaːˈtseː] = **Allgemeiner Deutscher Automobil-Club** *German motoring organization* ≃ AA (*Brit*), RAC (*Brit*), AAA (*US*).

ad acta *adv: etw ~ legen* (*fig*) to consider sth finished; *Frage, Problem* to consider sth closed.

Adam *m* Adam ▶ *seit ~s Zeiten* (*col*) since the year dot (*col*); *bei ~ und Eva anfangen* (*col*) to start right from scratch (*col*) *or* from square one (*col*).

Adams-: ~apfel *m* (*col*) Adam's apple; **~kostüm** *nt* (*col*) *im ~kostüm* in one's birthday suit (*col*).

Adapter *m* - adapter, adaptor.

adaptieren* *vt* to adapt.

adäquat *adj* (*geh*) *Belohnung, Übersetzung* adequate; *Stellung, Verhalten* suitable; *Kritik* valid ▶ *einer Sache* (*dat*) *~ sein* to be adequate to sth.

addieren* *vti* to add (up).
Addis Abeba *nt* Addis Ababa.
Addition *f* addition.
Additiv *nt* **-e** additive.
ade *interj* (*old, S Ger*) farewell (*old, liter*).
Adel *m no pl* (*Geschlecht, Stand*) nobility; (*Brit auch*) peerage; (*hoher auch*) aristocracy ▶ *von ~ sein* to be a member of the nobility; *er stammt aus altem ~* he comes from an old aristocratic family; *~ verpflichtet* noblesse oblige.
adelig *adj* = **adlig**.
Adelige(r) *mf decl as adj* = **Adlige(r)**.
adeln *vt* (*lit, fig*) to ennoble; (*den Titel „Sir" verleihen*) to knight; (*niedrigen Adel verleihen*) to give a title to.
Adels-: **~prädikat** *nt* mark of nobility (*in a name*); **~stand** *m* nobility; (*Brit auch*) peerage; (*hoher auch*) aristocracy; *in den ~stand erheben siehe* **adeln**; **~titel** *m* title.
Aden *nt Golf von ~* Gulf of Aden.
Ader *f* **-n** vein; (*fig: Veranlagung*) bent ▶ *eine ~ für etw haben* to have feeling for sth; *eine poetische/ musikalische ~ haben* to have a feeling for poetry/ music, to have a poetic/musical bent; *jdn zur ~ lassen* (*old, fig col*) to bleed sb.
⚠**Aderlaß** *m* **-lässe** (*old Med*) blood-letting (*auch fig*), bleeding.
Adhäsion *f* (*Phys*) adhesion.
⚠**Adhäsionsverschluß** *m* adhesive seal.
ad hoc *adv* (*geh*) ad hoc.
Adjektiv *nt* adjective.
Adjutant *m* adjutant; (*von general*) aide(-de-camp).
Adler *m* - eagle.
Adler-: **~auge** *nt* (*fig*) **~augen haben** to have eyes like a hawk, to be eagle-eyed; **~blick** *m* (*fig*) eagle eye; **~horst** *m* eyrie; **~nase** *f* aquiline nose.
adlig *adj* (*lit, fig*) noble ▶ *~ sein* to be of noble birth.
Adlige(r) *mf decl as adj* member of the nobility, nobleman/-woman; (*hoher auch*) aristocrat.
Administration *f* administration.
administrativ *adj* administrative.
Admiral *m, pl* **-e** *or* **Admiräle** ⓐ admiral. ⓑ (*Zool*) red admiral.
Admiralität *f* ⓐ (*die Admirale*) admirals *pl*. ⓑ (*Marineleitung*) admiralty.
adoptieren* *vt* to adopt.
Adoption *f* adoption.
Adoptiv-: **~eltern** *pl* adoptive parents *pl*; **~kind** *nt* adopted child.
Adr. = **Adresse** add.
Adrenalin *nt no pl* adrenalin.
⚠**Adreßbuch** *nt* directory; (*privat*) address book.
Adresse *f* **-n** (*Anschrift, Comp*) address ▶ *eine Warnung an jds ~* (*acc*) *richten* (*fig*) to address a warning to sb; *dieser Vorwurf geht an Ihre ~* this reproach is aimed *or* directed at you (personally); *an der falschen ~ sein* (*col*) to have gone/come to the wrong person.
Adressen-: **~aufkleber** *m* address label; **~verwaltung** *f* (*Comp*) address filing system.
adressieren* *vt* to address (*an +acc* to).
adrett *adj* (*dated*) neat.
Adria *f* Adriatic (Sea).
Adriatisches Meer *nt* (*form*) Adriatic Sea.
Advent [at'vɛnt] *m* **-e** Advent ▶ *erster/vierter ~* first/ fourth Sunday in Advent.
Advents-: **~kalender** *m* Advent calendar; **~kranz** *m* Advent wreath; **~sonntag** *m* Sunday in Advent; **~zeit** *f* Advent.
Adverb [at'vɛrp] *nt* **-ien** adverb.
adverbial *adj* adverbial.
Advokat [atvo'ka:t] *m* (*wk*) **-en, -en** (*old Jur, fig*) advo-
cate.
Aerobic *nt* aerobics *sing*.
Aero-: **~dynamik** *f* aerodynamics; **a~dynamisch** *adj* aerodynamic.
Affäre *f* **-n** ⓐ (*Angelegenheit*) affair, business *no pl*; (*Liebesabenteuer*) affair ▶ *in eine ~ verwickelt sein* to be mixed up in *or* involved in an affair; *sich aus der ~ ziehen* (*col*) to get (oneself) out of it. ⓑ (*Zwischenfall*) incident, episode.
Affe *m* (*wk*) **-n, -n** ⓐ monkey; (*Menschen~*) ape ▶ *der Mensch stammt vom ~n ab* man is descended from the apes; *klettern wie ein ~* to climb like a monkey. ⓑ (*col: Kerl*) clown (*col*), berk (*Brit col*).
Affekt *m* **-e** emotion, affect (*form*) ▶ *im ~ handeln* to act in the heat of the moment.
Affekthandlung *f* act committed under emotional stress.
affektiert *adj* (*pej*) affected ▶ *sich ~ benehmen* to be affected, to behave affectedly.
Affektiertheit *f* affectation, affectedness.
Affen-: **a~artig** *adj* like a monkey; (*wie ein Menschenaffe*) apelike; *mit a~artiger Geschwindigkeit* (*col*) like greased lightning (*col*), in a flash (*col*); **a~geil** *adj* (*col!*) wicked (*col!*), right on (*col!*) *pred*, right-on *attr*; **~haus** *nt* ape house; **~hitze** *f* (*col*) sweltering heat; **~käfig** *m* monkey's/ape's cage; **~liebe** *f* blind adoration (*zu* of); **~schande** *f* (*col*) crying shame (*col*); **~tempo** *nt* (*col*) *in* or *mit einem ~tempo* at breakneck speed (*col*); (*fahren auch*) like the clappers (*col*); **~theater** *nt* (*col*) carry-on (*col*), fuss; *ein ~theater aufführen* to make a fuss; **~zahn** *m* (*col*) *siehe* **~tempo**.
affig *adj* (*col*) (*eitel*) stuck-up (*col*), conceited; (*geziert*) affected; (*lächerlich*) ridiculous, ludicrous.
Äffin *f* female monkey/ape.
Affront [a'frõ:] *m* **-s** (*geh*) affront, insult (*gegen* to).
Afghane *m* (*wk*) **-n, -n**, **Afghanin** *f* Afghan.
afghanisch *adj* Afghan ▶ *~er Windhund* Afghan (hound).
Afghanistan *nt* Afghanistan.
Afrika *nt* Africa.
Afrikaander(in *f*) *m* Afrika(a)ner.
Afrikaans *nt* Afrikaans.
Afrikaner(in *f*) *m* - African.
afrikanisch *adj* African.
Afro-: **~amerikaner** *m* Afro-American; **a~amerikanisch** *adj* Afro-American; **~asiat** *m* Afro-Asian; **a~asiatisch** *adj* Afro-Asian; **~-Look** *m* Afro-look.
After *m* - (*form*) anus.
AG [a:'ge:] *f* **-s** = **Aktiengesellschaft** ≈ plc (*Brit*), corp., inc. (*US*).
Ägäis [ɛ'gɛːɪs] *f* Aegean (Sea).
ägäisch [ɛ'gɛːɪʃ] *adj* Ä~es Meer Aegean Sea.
Agent(in *f*) *m* agent.
Agenten-: **~netz** *nt* spy network; **~ring** *m* spy ring; **~tätigkeit** *f* espionage; *seine ~tätigkeit* his activity as an agent.
Agentur *f* agency.
Agenturbericht *m* (news) agency report.
Aggregat *nt* (*Geol*) aggregate; (*Tech*) unit, set of machines.
Aggregatzustand *m* state.
Aggression *f* aggression (*gegen* towards) ▶ *~en gegen jdn empfinden* to feel aggressive *or* aggression towards sb.
Aggressions-: **a~geladen** *adj* charged with aggression; **~trieb** *m* (*Psych*) aggressive impulse.
aggressiv *adj* aggressive.
Aggressivität *f* aggression, aggressiveness.
Aggressor *m* aggressor.
agieren* *vi* to operate, to act; (*Theat*) to act ▶ *als jd ~*

**(*Theat*) to act *or* play the part of sb.

agil *adj* (*körperlich*) agile, nimble ▸ **(*geistig*) ~ sharp,** mentally agile.

Agitation *f* (*Pol*) agitation ▸ **~ treiben** to agitate.

Agitator(in *f*) [-'to:rɪn] *m* (*Pol*) agitator.

agitatorisch *adj* (*Pol*) *Rede* inflammatory, agitating *attr*.

agitieren* *vi* to agitate.

agnostisch *adj* agnostic.

Agonie *f* (*lit, fig geh*) death throes *pl* ▸ **in (der) ~ liegen** to be in the throes of death.

Agrar-: **~land** *nt* agrarian country; **~politik** *f* agricultural policy; **~staat** *m* agrarian state.

Ägypten *nt* Egypt.

Ägypter(in *f*) *m* - Egyptian.

ägyptisch *adj* Egyptian.

ah [aː] ah, oh.

äh [ɛː] *interj* (*beim Sprechen*) er, um; (*Ausdruck des Ekels*) ugh.

aha *interj* aha; (*verstehend auch*) I see.

Aha-Erlebnis *nt* sudden insight.

Ahn *m* (*wk*) **-en, -en** (*geh*) ancestor, forefather (*liter*).

ahnden *vt* (*geh*) *Freveltat, Verbrechen* to avenge; *Übertretung, Verstoß* to punish.

Ahndung *f siehe vt* avenging; punishment.

Ahne *f* **-n** (*geh: weiblicher Vorfahr*) ancestress.

▼ **ähneln** *vi* +*dat* to resemble ▸ **sich** *or* **einander** (*geh*) ~ to resemble one another; **in diesem Punkt ähnelt sie sehr ihrem Vater** she's very like her father in this respect.

ahnen *vt* (*voraussehen*) to foresee, to know; *Gefahr, Tod etc* to have a presentiment *or* premonition of; (*vermuten*) to suspect; (*erraten*) to guess ▸ **das kann ich doch nicht ~!** how am I expected to know that!; **nichts Böses ~** to be unsuspecting; **nichts Böses ~d** unsuspectingly; **ohne es zu ~** without suspecting; **davon habe ich nichts geahnt** I didn't have the slightest inkling of it.

Ahnen-: **~forschung** *f* genealogy; **~galerie** *f* ancestral portrait gallery; **~reihe** *f* ancestral line.

Ahn-: **~frau** *f* (*liter*) ancestress; **~herr** *m* (*liter*) ancestor.

ähnlich *adj* similar (+*dat* to) ▸ **ein dem Rokoko ~er Stil** a style similar to rococo; **~ wie er/sie** like him/her; **sie sind sich ~** they are similar *or* alike; **ein ~ aussehender Gegenstand** a similar-looking object; **ich denke ~** I think likewise; **jdm ~ sehen** to be like sb, to resemble sb; **das sieht ihm (ganz) ~!** (*col*) that's just like him!, that's him all over! (*col*); **(etwas) Ä~es** something similar, something like it/that.

Ähnlichkeit *f* similarity (*mit* to) ▸ **mit jdm/etw ~ haben** to resemble sb/sth, to be like sb/sth.

Ahnung *f* **a** (*Vorgefühl*) hunch, presentiment; (*düster*) foreboding, premonition. **b** (*Vorstellung, Wissen*) idea; (*Vermutung*) suspicion ▸ **keine ~!** (*col*) no idea! (*col*), I haven't a clue! (*col*); **er hat keine blasse** *or* **nicht die geringste ~** he hasn't the faintest idea (*col*); **ich hatte keine ~, daß ...** I had no idea that ...; **hast du eine ~, wo er sein könnte?** have you any idea where he could be?; **du hast keine ~, wie schwierig das ist** you have no idea how difficult it is; **hast du eine ~!** (*iro col*) a (fat) lot you know (about it)! (*col*).

Ahnungs-: **a~los** *adj* (*nichtsahnend*) unsuspecting; (*unwissend*) clueless (*col*); **~losigkeit** *f* (*Unwissenheit*) ignorance; **a~voll** *adj* (*geh*) full of presentiment *or* (*Böses ahnend*) foreboding.

ahoi [a'hɔy] *interj* (*Naut*) *Schiff* **~!** ship ahoy!

Ahorn *m* **-e** maple.

Ahornblatt *nt* maple leaf.

Ähre *f* **-n** ear; (*allgemeiner, Gras~*) head.

Aids [eɪdz] *nt* **-**, *no pl* Aids.

Aids- *in cpds* Aids; **~-Erreger** *m* Aids virus; **~infizierte(r)** *mf decl as adj* person infected with Aids; **~kran-**

ke(r) *mf* Aids victim.

Airbag ['ɛːɐbɛːg] *m* **-s** (*Aut*) airbag.

Airbus ['ɛːɐbʊs] *m* (*Aviat*) airbus.

ais, Ais ['aːɪs] *nt* - A sharp.

Ajatollah *m* **-s** ayatollah.

Akad. = **Akademie.**

akad. = **akademisch.**

Akademie *f* academy; (*Fachschule*) college.

Akademiker(in *f*) *m* - person with a university education; (*Student*) (university) student; (*Hochschulabsolvent*) (university) graduate; (*Universitätslehrkraft*) academic.

akademisch *adj* (*lit, fig*) academic ▸ **das ~e Proletariat** (the) jobless graduates *pl*; **~ gebildet sein** to have (had) a university education.

Akazie [-iə] *f* acacia.

Akelei *f* columbine.

Akk. = **Akkusativ.**

Akklamation *f* (*form*) **Wahl per** *or* **durch ~** election by acclamation.

akklimatisieren* *vr* (*lit, fig*) to become acclimatized (*in* +*dat* to).

Akkord *m* **-e** **a** (*Mus*) chord. **b** (*Stücklohn*) piece rate ▸ **im ~ arbeiten** to do piecework.

Akkord-: **~arbeit** *f* piecework; **~arbeiter** *m* pieceworker.

Akkordeon [-ɛɔn] *nt* **-s** accordion.

Akkord-: **~lohn** *m* piece wages *pl*, piece rate; **~zuschlag** *m* piece rate bonus.

akkreditieren* *vt* (*Pol*) to accredit (*bei* to, at).

Akkreditierung *f* (*Pol*) accrediting, accreditation (*bei* to, at).

Akkreditiv *nt* **a** (*Pol*) credentials *pl*. **b** (*Fin*) letter of credit.

Akku ['aku] *m* **-s** (*col*) = **Akkumulator.**

Akkumulation *f* accumulation.

Akkumulator *m* accumulator, storage battery.

akkumulieren* *vt ir* to accumulate.

akkurat *adj* precise; (*sorgfältig auch*) meticulous.

Akkusativ *m* accusative.

Akkusativ|objekt *nt* accusative *or* direct object.

Akne *f* **-n** acne.

Akontozahlung *f* payment on account.

Akquisition [akvizitsi'oːn] *f* (*old*) acquisition; (*Comm*) canvassing.

Akribie *f no pl* (*geh*) meticulousness.

akribisch *adj* (*geh*) meticulous.

Akrobat(in *f*) *m* (*wk*) **-en, -en** acrobat.

Akrobatik *f no pl* acrobatics *pl*.

akrobatisch *adj* acrobatic.

Akt *m* **-e** **a** (*Tat*) act; (*Zeremonie*) ceremony. **b** (*Theat, Zirkus~*) act. **c** (*Art: ~bild*) nude. **d** (*Geschlechts~*) sexual act, coitus *no art* (*form*).

Akt|aufnahme *f* **-n** nude (photograph).

Akte *f* **-n** file, record ▸ **die ~ Schmidt** the Schmidt file; **das kommt in die ~n** this goes on file *or* record; **etw zu den ~n legen** to put sth on file.

Akten-: **~deckel** *m* folder; **~koffer** *m* attaché case; **a~kundig** *adj* on record; **~mappe** *f* **a** (*Umschlag*) folder, file; **b** *siehe* **~tasche**; **~notiz** *f* memo(randum); **~ordner** *m* file; **~schrank** *m* filing cabinet; **~tasche** *f* briefcase, portfolio; **~zeichen** *nt* reference.

Akteur(in *f*) [ak'tøːr, -tøːrɪn] *m* (*geh*) participant, protagonist.

Aktfoto *nt* nude (photograph).

Aktie ['aktsiə] *f* share; (*~nschein*) share certificate ▸ **~n** shares, stock *sing*; **die ~n fallen/steigen** share prices are falling/rising; **die ~n stehen gut** shares are buoyant; **wie stehen die ~n?** (*hum col*) how are things?

Aktien-: **~bank** *f* joint-stock bank; **~besitz** *m* shareholdings *pl*; **~emission** *f* share issue; **~gesell-**

schaft *f* public limited company (*Brit*); joint-stock company; **~index** *m* share index; **~kapital** *nt* share capital; **~kurs** *m* share price; **~markt** *m* stock market.
Aktion *f* (*Handlung*) action (*auch Mil*); (*Kampagne*) campaign; (*Werbe~*) promotion; (*geplantes Unternehmen, Einsatz*) operation (*auch Mil*) ▸ **in ~** in action.
Aktionär(in *f*) *m* shareholder, stockholder (*esp US*).
Aktionärsversammlung *f* shareholders' meeting.
Aktions-: **~einheit** *f* (*Pol*) working unity; **a~fähig** *adj* capable of action; **~preis** *m* (*Werbung*) promotional price; **~radius** *m* (*Aviat, Naut*) range; (*fig: Wirkungsbereich*) scope.
aktiv *adj* active; (*Econ*) *Bilanz* positive; (*Mil*) *Soldat etc* on active service ▸ **sich ~ an etw** (*dat*) **beteiligen** to take an active part in sth.
Aktiv *nt* (*Gram*) active.
Aktiva *pl* assets *pl* ▸ **~ und Passiva** assets and liabilities.
Aktive(r) *mf decl as adj* (*Sport*) active participant.
aktivieren* [akti'viːrən] *vt* to activate; (*fig*) *Arbeit, Kampagne* to step up; *Mitarbeiter* to get moving.
Aktivist(in *f*) *m* activist.
Aktivität *f* activity.
Aktiv-: **~posten** *m* (*lit, fig*) asset; **~saldo** *m* credit balance; **~seite** *f* assets side.
Aktmodell *nt* nude model.
aktualisieren* *vt* to make topical; *Datei, Nachschlagewerk* to update.
Aktualisierung *f* updating.
Aktualität *f* relevance (to the current situation), topicality ▸ **~en** *pl* (*geh: neueste Ereignisse*) current events.
aktuell *adj* relevant (to the current situation); *Frage auch* topical; *Buch, Film auch* of topical interest; *Problem, Theorie* current; (*Fashion: modern*) *Mode* latest *attr*, current ▸ **von ~em Interesse/~er Bedeutung** of topical interest/of relevance to the present situation; **dieses Problem ist nicht mehr ~** this is no longer a problem; **eine ~e Sendung** (*Rad, TV*) a current-affairs programme.
Aktzeichnung *f* nude (drawing).
akupunktieren* 1 *vt* to acupuncture.
2 *vi* to perform acupuncture.
Akupunktur *f* acupuncture.
Akustik *f no pl* acoustics *pl*.
akustisch *adj* acoustic ▸ **ich habe dich rein ~ nicht verstanden** I simply didn't catch what you said (properly).
akut *adj* (*Med, fig*) acute; *Frage auch* pressing.
AKW [aːkaːˈveː] *nt* **-s** = **Atomkraftwerk.**
Akzent *m* **-e** accent; (*Betonung*) stress; (*Zeichen*) stress mark ▸ **den ~ auf etw** (*acc*) **legen** (*lit*) to stress sth; **~e setzen** (*fig*) to bring out *or* emphasize the main points.
akzentfrei *adj* without an accent.
akzentuieren* *vt* to articulate, to enunciate; (*betonen*) to stress; (*fig: hervorheben*) to accentuate.
Akzentverschiebung *f* (*fig*) shift of emphasis.
akzeptabel *adj* acceptable.
akzeptieren* *vt* to accept.
Akzeptierung *f* acceptance.
AL [aːˈʔɛl] *f* **-s** = **Alternative Liste.**
à la [a la] *adv* à la.
Alabaster *m* - alabaster.
Alarm *m* **-e** (*Warnung*) alarm; (*Flieger~*) air-raid warning; (*Zustand*) alert ▸ **~!** fire! *etc*; **~ schlagen** to give *or* raise the alarm.
Alarm-: **~anlage** *f* alarm system; **a~bereit** *adj* on the alert; **~bereitschaft** *f* alert; **in ~bereitschaft sein** *or* **stehen** to be on the alert; **in ~bereitschaft versetzen** to put on the alert, to alert; **~glocke** *f* alarm bell.
alarmieren* *vt* *Polizei etc* to alert; (*fig: beunruhigen*) to alarm ▸ **~d** (*fig*) alarming.
Alarm-: **~ruf** *m* warning cry; **~signal** *nt* alarm signal;

~stufe *f* alert stage; **höchste ~stufe** maximum alert; **~übung** *f* practice exercise *or* drill; **~zustand** *m* alert; **im ~zustand sein** to be on the alert.
Alaska *nt* Alaska.
Albaner(in *f*) *m* - Albanian.
Albanien [-iən] *nt* Albania.
albanisch *adj* Albanian.
Albatros *m* **-se** albatross.
Alben *pl of* **Album.**
albern *adj* silly ▸ **sich ~ benehmen** to act silly; **~es Zeug** (silly) nonsense.
Albernheit *f* [a] *no pl* silliness, foolishness. [b] (*Tat*) silly prank; (*Bemerkung*) inanity.
Albino *m* **-s** albino.
Album *nt, pl* **Alben** album.
Alchemie (*esp Aus*), **Alchimie** *f* alchemy.
alert *adj* (*geh*) vivacious, lively.
Aleuten *pl* **die ~** the Aleutians, the Aleutian Islands.
Alge *f* **-n** alga.
Algebra *f no pl* algebra.
Algerien [-iən] *nt* Algeria.
Algerier(in *f*) [-iɐ, -iərin] *m* - Algerian.
algerisch *adj* Algerian.
Algier [ˈalʒiːɐ] *nt* **-s** Algiers.
Algorithmus *m* algorithm.
alias *adv* alias, also *or* otherwise known as.
Alibi *nt* **-s** (*Jur, fig*) alibi.
Alibi- *in cpds* alibi; **~frau** *f* token woman; **~funktion** *f* (*fig*) **~funktion haben** to be used as an alibi.
Alimente *pl* maintenance *sing.*
alkalisch *adj* alkaline.
Alkohol [ˈalkohoːl, alkoˈhoːl] *m* **-e** alcohol; (*Getränke auch*) drink ▸ **seinen Kummer im ~ ertränken** to drown one's sorrows; **unter ~ stehen** to be under the influence (of alcohol).
Alkohol-: **a~arm** *adj* low in alcohol, low-alcohol; **~ausschank** *m* sale of alcohol; **~einfluß** △ *m* **unter ~einfluß** under the influence of alcohol; **a~frei** *adj* non-alcoholic, alcohol-free; *Getränk auch* soft; **~gehalt** *m* alcohol(ic) content; **~genuß** △ *m* consumption of alcohol; **a~haltig** *adj* alcoholic.
Alkoholika *pl* alcoholic drinks *pl*.
Alkoholiker(in *f*) *m* - alcoholic.
alkoholisch *adj* alcoholic.
Alkoholismus *m* alcoholism.
Alkohol-: **~konsum** *m* consumption of alcohol; **~kontrolle** *f* drink-driving check; **~mißbrauch** △ *m* alcohol abuse; **~spiegel** *m* *jds* **~spiegel** the level of alcohol in sb's blood; **~steuer** *f* duty *or* tax on alcohol; **~sünder** *m* (*col*) drunk(en) driver; **~test** *m* breath test; **~verbot** *nt* ban on alcohol; **der Arzt hat ihm ~verbot verordnet** the doctor told him not to touch alcohol; **~vergiftung** *f* alcohol(ic) poisoning.
all *indef pron* **all mein/sein Geld** all my/his money.
All *nt no pl* (*Sci, Space*) space *no art*; (*außerhalb unseres Sternsystems*) outer space *no art*; (*liter, geh*) universe ▸ **Spaziergang im ~** space walk.
all-: **~abendlich** 1 *adj* regular evening; 2 *adv* every evening; **~bekannt** *adj* universally known.
alle 1 *pron siehe* **alle(r, s).**
2 *adv* (*col*) all gone ▸ **die Milch ist ~** the milk's all gone, there's no milk left; **etw/jdn ~ machen** (*col*) to finish sth/sb off.
alledem *pron* **bei/trotz** *etc* **~** with/in spite of *etc* all that; **von ~ stimmt kein Wort** there's not a word of truth in any of it; **zu ~** moreover.
Allee *f* **-n** [-eːən] avenue.
Allegorie *f* allegory.
allegorisch *adj* allegorical.
allein 1 *adj pred* alone; *Gegenstand, Wort auch* by itself,

on its own; (*ohne Begleitung, Hilfe auch*) by oneself, on one's own; (*einsam*) lonely ► *von* ~ by oneself/itself; *ganz* ~ (*einsam*) all alone; (*ohne Begleitung, Hilfe*) all by oneself, all on one's own.

2 *adv* (*nur*) alone ► *das ist* ~ *seine Verantwortung* that is his responsibility alone; ~ *schon der Gedanke* the very *or* mere thought ..., the thought alone ...; *das Porto* ~ *kostet* ... the postage alone costs ..., just the postage is ...

Allein-: ~**erbe** *m* sole *or* only heir; **a~erziehend** △ *adj* Mutter, Vater single; ~**erziehende(r)** △ *mf decl as adj* single parent; ~**gang** *m* (*col*) (*Sport*) solo run; (*von Bergsteiger*) solo climb; (*fig: Tat*) solo effort; *etw im* ~**gang machen** (*fig*) to do sth on one's own; ~**herrscher** *m* autocrat, absolute dictator.

alleinig *adj attr* sole, only.

Allein-: ~**recht** *nt* exclusive right; ~**sein** *nt* being on one's own *no def art,* solitude; (*Einsamkeit*) loneliness; **a~stehend** △ *adj* living alone; (*nicht verheiratet*) single; ~**stehende(r)** △ *mf decl as adj* single person; ~**unterhalter** *m* solo entertainer; ~**verdiener** *m* sole earner; ~**verkaufsrecht** *nt* (*Comm*) exclusivity; ~**vertretung** *f* (*Comm*) sole agency.

allemal *adv* (*ohne Schwierigkeit*) without any problem *or* trouble ► *was er kann, kann ich noch* ~ anything he can do I can do too; *ein für* ~ once and for all.

allenfalls *adv* (*nötigenfalls*) if need be; (*höchstens*) at most; (*bestenfalls*) at best.

alle(r, s) 1 *indef pron* **a** *attr* all; (*bestimmte Menge, Anzahl*) all the ► ~ *Kinder unter 10 Jahren* all children under 10; *im Geschäft war* ~s *Brot ausverkauft* all the bread in the shop was sold out; *wir haben* ~n *Haß vergessen* we have forgotten all (our) hatred; ~ *Anwesenden* all those present; *mit* ~m *Nachdruck* with all possible emphasis; *trotz* ~r *Mühe* in spite of every effort; *ohne* ~n *Grund* without any reason, with no reason at all; *mit* ~r *Deutlichkeit* quite distinctly; *in* ~r *Unschuld* in all innocence; *ohne* ~n *Zweifel* without any doubt.

b (*substantivisch*) ~s *sing* everything; ~ *pl* all; (*alle Menschen*) all, everybody, everyone; ~s, *was* ... all *or* everything that/everybody *or* everyone who ...; *das* ~s all that; ~s *Schöne* everything beautiful; ~s *Gute* all the best; ~s *und jedes* anything and everything; *in* ~m (*in jeder Beziehung*) in everything; ~s *in* ~m all in all; *trotz* ~m in spite of everything; *vor* ~m above all; *das ist* ~s, *das wäre* ~s that's all, that's it (*col*); *das ist* ~s *andere als* ... that's anything but ...; *es hat* ~s *keinen Sinn mehr* nothing makes sense any more; *was habt ihr* ~s *gemacht?* what did you get up to?; *wer war* ~s *da?* who was there?; *was er (nicht)* ~s *weiß!* the things he knows!; *die haben mir* ~ *nicht gefallen* I didn't like any of them; ~ *beide/drei* both of them/all three of them; ~ *diejenigen, die* ... all (those) who ...; *diese* ~ all (of) these; *der Kampf* ~r *gegen* ~ the free-for-all; ~ *für einen und einer für* ~ all for one and one for all; *sie kamen* ~ they all came, all of them came; *sie haben* ~ *kein Geld mehr* none of them has any money left.

c (*mit Zeit-, Maßangaben*) *usu pl* every ► ~ *fünf Minuten/fünf Meter* every five minutes/five metres; ~ *Jahre wieder* year after year.

2 *adv siehe* **alle.**

aller-: a~beste(r, s) *adj* very best, best ... of all; *ich wünsche Dir das A~beste* (I wish you) all the best; *der/ die/das A~beste* the very best/the best of all; ~**dings** *adv* **a** (*einschränkend*) though, mind you; *das ist* ~**dings wahr, aber** ... that may be true, but ...; **b** (*bekräftigend*) certainly; ~**erste(r, s)** *adj* very first; ~**frühestens** *adv* at the very earliest.

Allergie *f* (*Med, fig*) allergy ► *eine* ~ *gegen etw haben*

to be allergic to sth (*auch fig hum*); (*fig auch*) to have an aversion to sth.

allergisch *adj* (*Med, fig*) allergic (*gegen* to) ► *auf etw* (*acc*) ~ *reagieren* to be allergic to sth.

Aller-: a~hand *adj inv* (*substantivisch*) (*allerlei*) all kinds of things; (*ziemlich viel*) rather a lot; (*attributiv*) all kinds *or* sorts of; rather a lot of; *das ist ja a~hand!* (*zustimmend*) that's quite something!, not bad at all! (*col*); (*empört*) that's too much! ~**heiligen** *nt* All Saints' Day.

┌─ **ALLERHEILIGEN** ─────────────────────────────┐

i ◆ **Allerheiligen** (All Saints' Day) is a public holiday in Germany and in Austria. It is a day in honour of all the saints. **Allerseelen** (All Souls' Day) is celebrated on November 2nd in the Roman Catholic Church. It is customary to visit cemeteries and place lighted candles on the graves of deceased relatives and friends.

└──┘

Aller-: a~höchste(r, s) *adj von a~höchster Stelle* from the very highest authority; *es wird a~höchste Zeit, daß* ... it's really high time that ...; **a~höchstens** *adv* at the very most; **a~lei** *adj inv* (*substantivisch*) all sorts *or* kinds of things; (*attributiv*) all sorts *or* kinds of; **a~letzte(r, s)** *adj* very last; (*a~neueste*) very latest; (*col: unmöglich*) most awful *attr* (*col*); *der/das ist das* ~**letzte** (*col*) he's/it's the pits! (*col*); ~**liebste(r, s)** *adj es wäre mir das a~liebste or am a~liebsten, wenn* ... I would much prefer it if ...; **a~meiste(r, s)** *adj* most ... of all; *die* ~**meisten** the vast majority; **a~nächste(r, s)** *adj* (*in Folge*) very next; (*räumlich*) nearest; *Verwandte* very closest; *in a~nächster Zeit* in the very near future; **a~neu(e)ste(r, s)** *adj* very latest; ~**seelen** *nt* All Souls' Day; **a~seits** *adv* on all sides, on every side; *guten Abend a~seits!* good evening everybody; **a~spätestens** *adv* at the very latest.

Allerwelts- *in cpds* (*Durchschnitts-*) common; (*nichtssagend*) commonplace; ~**kerl** *m* jack of all trades.

Aller-: a~wenigstens *adv* at the very least; **a~wenigste(r, s)** *adj* least ... of all; (*pl*) fewest ... of all; (*äußerst wenig*) very little; (*pl*) very few; *die a~wenigsten Menschen wissen das* very few people know that; *das ist doch das* ~**wenigste, was man erwarten könnte** but that's the very least one could expect; *das am a~wenigsten!* least of all that!; ~**werteste(r)** *m decl as adj* (*hum*) posterior (*hum*).

alles *indef pron siehe* **alle(r, s).**

allesamt *adv* all (of them/us *etc*) ► *ihr seid* ~ *Betrüger!* you're all cheats!

Alles-: ~fresser *m* omnivore; ~**kleber** *m* all-purpose adhesive; ~**wisser** *m* - (*iro*) know-all (*col*), know-it-all (*US col*).

Allgefahrenpolice *f* (*Insur*) all-risks policy.

allgegenwärtig *adj* omnipresent, ubiquitous.

allgemein 1 *adj* general; *Feiertag* public; *Wahlrecht* universal; *Wehrpflicht* compulsory ► *im* ~**en** in general, generally; *im* ~**en Interesse** in the common interest; *auf* ~**en Wunsch** by popular request; *die* ~**e Meinung** the general opinion; *zur* ~**en Überraschung** to everyone's surprise; *A~es Zoll- und Handelsabkommen* General Agreement on Tariffs and Trade.

2 *adv* generally; (*ausnahmslos von allen*) universally; (*nicht spezifisch*) in general terms ► *es ist* ~ *bekannt* it's common knowledge; *es ist* ~ *üblich* it's the general rule; ~ *verbreitet* widespread; ~ *zugänglich* open to all.

Allgemein-: ~befinden *nt* general condition; ~**bildung** *f* general *or* all-round education; **a~gültig** △ *adj attr* general, universal; ~**heit** *f* (*no pl: Öffentlichkeit*) general public; (*alle*) everyone, everybody; ~**medizin** *f* general medicine; *Arzt für* ~**medizin** general practitioner,

┌───┐
│ △: Informationen zur Rechtschreibreform im Anhang │
└───┘

GP; **a~verständlich** ⚠ *adj no pred* generally intelligible; **~wissen** *nt* general knowledge; **~wohl** *nt* public good *or* welfare.

Allheilmittel *nt* cure-all, panacea (*esp fig*).

Allianz *f* [a] alliance. [b] (*NATO*) Alliance.

Alligator *m* alligator.

Alliierte(r) *mf decl as adj* ally ▶ *die ~n* (*im 2. Weltkrieg*) the Allies.

Alliteration *f* (*Poet*) alliteration.

All-: a~jährlich *adj* annual, yearly; **~macht** *f* (*esp von Gott*) omnipotence; **a~mächtig** *adj* all-powerful, omnipotent; **~mächtige(r)** *m decl as adj* (*Gott*) *der ~mächtige* Almighty God, the Almighty; **~mächtiger!** good Lord!

allmählich [1] *adj attr* gradual.

[2] *adv* gradually; (*col: endlich*) at last ▶ *es wird ~ Zeit* (*col*) it's about time; *ich werde (ganz) ~ müde* (*col*) I'm beginning to get tired; *wir sollten ~ gehen* (*col*) we should be thinking of going.

allmonatlich *adj* monthly.

Allotria *nt no pl* (*col*) (*Unfug*) monkey business (*col*) no indef art; (*Lärm*) racket (*col*), din.

Allrad|antrieb *m* all-wheel drive.

allseitig *adj* (*allgemein*) general; (*ausnahmslos*) universal; (*vielseitig*) all-round *attr* ▶ *~ begabt sein* to be an all-rounder; *zur ~en Zufriedenheit* to the satisfaction of all *or* everyone.

allseits *adv* (*überall*) everywhere, on all sides; (*in jeder Beziehung*) in every respect.

Alltag *m* (*fig*) everyday life ▶ *der ~ der Ehe* the mundane *or* day-to-day side of married life.

alltäglich *adj* [a] (*tagtäglich*) daily. [b] (*üblich*) everyday *attr*, ordinary; *Gesicht, Mensch* ordinary ▶ *es ist ganz ~* it's nothing unusual.

alltags *adv* on weekdays.

Alltags- *in cpds* everyday.

all|umfassend *adj* all-embracing, global.

Allüren *pl* odd behaviour (*Brit*) *or* behavior (*US*); (*geziertes Verhalten*) affectations *pl*; (*eines Stars etc*) airs and graces *pl*.

all-: A~wetter- *in cpds* all-weather; **~wissend** *adj* omniscient; **A~wissenheit** *f* omniscience; **~wöchentlich** *adj* weekly; **~zeit** *adv* (*geh*) always.

allzu *adv* all too; (*+neg*) too ▶ *~ viele Fehler* far too many mistakes.

allzu-: ~gern ⚠ *adv mögen* only too much; (*bereitwillig*) only too willingly; *nicht ~gern* not all that much/willingly, not too much/willingly; *er ißt Muscheln nur ~gern* he's only too fond of mussels; **~oft** ⚠ *adv* all too often; **~sehr** ⚠ *adv* too much; *mögen* all too much; *sich freuen* only too; *versuchen* too hard; *sich ärgern, enttäuscht sein* too; *nicht ~sehr mögen/enttäuscht sein* not to like too much/not to be too disappointed; **~viel** ⚠ *adv* too much; **~viel ist ungesund** (*Prov*) you can have too much of a good thing (*prov*).

Allzweck- *in cpds* all-purpose.

Alm *f* **-en** alpine pasture.

Almosen [-oː-] *nt* - (*geh: Spende*) alms *pl* (*old*) ▶ *~ pl* (*fig*) charity.

Alpaka *nt* **-s** alpaca.

⚠ **Alpdruck** *m* (*lit, fig*) nightmare ▶ *wie ein ~ auf jdm lasten* to weigh sb down, to oppress sb.

Alpen *pl die ~* the Alps *pl*.

Alpen-: ~glühen *nt* - alpenglow; **~paß** ⚠ *m* alpine pass; **~rose** *f* Alpine rose; **~veilchen** *nt* cyclamen; **~vorland** *nt* foothills *pl* of the Alps.

Alphabet *nt* **-e** alphabet ▶ *nach dem ~* alphabetically, in alphabetical order.

alphabetisch *adj* alphabetical ▶ *~ geordnet* arranged in alphabetical order.

alphabetisieren* *vt* to make literate.

⚠ **alphanumerisch** *adj* (*Comp*) alphanumeric.

Alphastrahlen *pl* alpha rays *pl*.

Alphorn *nt* alp(en)horn.

alpin *adj* alpine.

Alpinist(in *f*) *m* alpinist.

⚠ **Alptraum** *m* (*lit, fig*) nightmare.

als *conj* [a] (*nach comp*) than ▶ *ich kam später ~ er* I came later than he (did) *or* him.

[b] (*bei Vergleichen*) *soviel/soweit ~ möglich* as much/far as possible; *nichts/niemand/nirgend anders ~* nothing/nobody/nowhere but; *eher or lieber ... ~* rather ... than; *anders sein ~* to be different from; *das machen wir anders ~ ihr* we do it differently from you; *alles andere ~* anything but.

[c] *es sieht aus, ~ würde es bald schneien* it looks as if *or* though it will snow soon; *~ ob ich das nicht wüßte!* as if I didn't know!

[d] *sie ist zu alt, ~ daß sie das noch verstehen könnte* she is too old to understand that; *die Zeit war zu knapp, ~ daß wir ...* the time was too short for us to ...

[e] (*in Temporalsätzen*) when; (*gleichzeitig*) as ▶ *damals, ~* (in the days) when; *gerade, ~* just as.

[f] (*in der Eigenschaft*) as ▶ *~ Beweis* as proof; *~ Antwort/Warnung* as an answer/a warning; *sich ~ wahr/falsch erweisen* to prove to be true/false; *~ Kind/Mädchen etc* as a child/girl etc.

alsbaldig *adj* (*form*) immediate ▶ *„zum ~en Verbrauch bestimmt"* "for immediate use (only)".

also [1] *conj* (*folglich*) so, therefore.

[2] *adv* so; (*nach Unterbrechung anknüpfend*) well; (*zusammenfassend, erklärend*) that is ▶ *~ doch* so ... after all; *du machst es ~?* so you'll do it then?; *~ wie ich schon sagte* well (then), as I said before.

[3] *interj* well ▶ *na ~!* there you are!, you see?; *~ gut or schön* well all right then; *~ so was/so eine Frechheit!* well (I never)/what a cheek!

Alster(wasser) *nt* (*N Ger*) shandy (*Brit*), beer and lemonade.

alt *adj, comp* ⁻**er**, *superl* ⁻**este(r, s)** *or* (*adv*) **am** ⁻**esten** [a] old; (*sehr ~*) *Sage, Aberglaube auch, Griechen, Geschichte* ancient; *Sprachen* classical ▶ *das ~e Rom* ancient Rome; *das A~e Testament* the Old Testament; *die A~ Welt* the Old World; *~ und jung* (everybody) old and young; *ein drei Jahre ~es Kind* a three-year-old child; *wie ~ bist du?* how old are you?; *etw ~ kaufen* to buy sth second-hand; *ich werde heute nicht ~ (werden)* (*col*) I won't last long today/tonight *etc* (*col*); *~e Liebe rostet nicht* (*Prov*) true love never dies (*prov*).

[b] (*dieselbe, gewohnt*) same old ▶ *sie ist ganz die ~e (Ingrid)* she's the same old Ingrid; *er ist nicht mehr der ~e* he's not the man he was; *alles beim ~en lassen* to leave everything as it was. [c] *~ aussehen* (*col: dumm dastehen*) to look stupid.

Alt *m* **-e** (*Mus*) alto; (*von Frau auch*) contralto.

Altar *m*, *pl* **Altäre** altar.

Alt-: a~backen *adj* [a] stale; [b] (*fig*) *Mensch, Ansichten* old-fashioned; **~bau** *m* old building; **~bauwohnung** *f* flat in an old building; **a~bekannt** *adj* well-known; **a~bewährt** *adj Methode etc* well-tried; *Tradition etc* long-standing; **~bier** *nt top-fermented German dark beer*; **~bundeskanzler** *m* former German/Austrian Chancellor; **a~deutsch** *adj* old German; *Möbel, Stil* German Renaissance.

Alte *siehe* **Alte(r), Alte(s)**.

Alt-: a~ehrwürdig *adj* venerable; *Bräuche* time-honoured (*Brit*), time-honored (*US*); **a~eingesessen** *adj* old-established; **~eisen** *nt* scrapmetal.

Alten-: ~heim *nt* old people's home; **~pfleger** *m* old people's nurse; **~tagesstätte** f old people's day home; **~teil** nt sich aufs ~teil setzen or zurückziehen (fig) to retire from public life; **~wohnheim** nt = **~heim**.

Alte(r) mf decl as adj (alter Mann, col: Ehemann, Vater) old man; (alte Frau, col: Ehefrau, Mutter) old woman; (col: Vorgesetzter) boss ▶ **die ~n** (Eltern) the folk(s) pl (col); (Tiereltern) the parents pl; (ältere Generation) the old people pl or folk pl.

Alter nt - age; (letzter Lebensabschnitt) old age ▶ **im ~** in one's old age; **in deinem ~** at your age; **er ist in deinem ~** he's your age; **im ~ von 18 Jahren** at the age of 18; **45, das ist doch kein ~** (col) 45, that's not old.

älter adj [a] comp of **alt** older; Bruder, Tochter etc auch elder ▶ **werden Frauen ~ als Männer?** do women live longer than men?; **Holbein der Ä~e** Holbein the Elder. [b] attr (nicht ganz jung) elderly.

altern vi aux sein to age; (Wein) to mature.

alternativ adj alternative ▶ **~ leben** to live an alternative lifestyle; **A~e Liste** (Pol) electoral pact of alternative political groupings.

Alternativ- in cpds alternative.

Alternative f alternative (etw zu tun of doing sth).

Alternative(r) mf decl as adj person with alternative views.

alternierend adj alternate; Strom, Verse alternating.

alt|erprobt adj well-tried.

alters adv (geh): **von** or **seit ~ (her)** from time immemorial.

Alters-: **a~bedingt** adj related to a particular age; related to or caused by old age; **~erscheinung** f sign of old age; **~forschung** f gerontology; **~fürsorge** f care of the elderly; **~genosse** m contemporary; **~grenze** f age limit; (Rentenalter) retirement age; **flexible ~grenze** flexible retirement age; **~gründe** pl **aus ~gründen** for reasons of age; **~gruppe** f age-group; **~heim** nt old people's home; **~klasse** f (Sport) age-group; **~präsident** m president by seniority; **~prozeß** ⚠ m ageing process; **~rente** f old age pension; **~ruhegeld** nt retirement pension; **a~schwach** adj Mensch old and infirm; Auto, Möbel decrepit; **~schwäche** f siehe adj infirmity; decrepitude; **~sitz** m: **sein ~sitz war München** he spent his retirement in Munich; **~stufe** f age group; (Lebensabschnitt) age; **~versorgung** f provision for (one's) old age; (Rente) old age pension; **betriebliche ~versorgung** occupational pension scheme; **~werk** nt late works pl; (einzelnes Werk) late work.

Altertum nt no pl antiquity no art.

Altertümer pl antiquities pl.

altertümlich adj (aus dem Altertum) ancient; (veraltet) antiquated.

Altertums-: **~forscher** m archaeologist; **~forschung** f archaeology; **~wert** m: **das hat schon ~wert** (hum) it has antique value (hum).

Alte(s) nt decl as adj **das ~** (das Gewohnte, Traditionelle) the old; (alte Dinge) old things pl; **er hängt sehr am ~n** he clings to the past.

Älteste(r) mf decl as adj oldest; (Sohn, Tochter auch) eldest.

älteste(r, s) adj superl of **alt** oldest; Bruder etc auch eldest.

Alt-: **a~gedient** adj long-serving; **~glas** nt used glass; **~glascontainer** m bottle bank (Brit); **~griechisch(e)** nt classical or ancient Greek; **a~hergebracht** adj traditional; **~herrenmannschaft** f (Sport) team of players over thirty; **~hochdeutsch(e)** nt Old High German.

Altist(in f) m (Mus) alto.

Alt-: **a~jüngferlich** adj old-maidish; **a~klug** adj precocious; **~lasten** pl (Ökologie) legacy of dangerous waste.

ältlich adj oldish.

Alt-: **~material** nt scrap; **~meister** m doyen; (Sport) ex-champion; **~metall** nt scrap metal; **a~modisch** adj old-fashioned; (rückständig) outmoded; **~papier** nt wastepaper; **~philologe** m classical scholar; **~philologie** f classical studies pl; **a~rosa** adj dark pink, old rose; **~schlüssel** m (Mus) alto clef; **~schnee** m old snow; **~stadt** f old town; **die Ulmer ~stadt** the old part of Ulm; **~steinzeit** f Palaeolithic Age, Old Stone Age; **~stimme** f (Mus) alto; (von Frau auch) contralto; **a~testamentarisch** adj Old Testament attr; **a~väterlich** adj Bräuche ancestral; (altmodisch) old-fashioned no adv; Erscheinung etc patriarchal; **~waren** pl second-hand goods pl; **~warenhändler** m second-hand dealer.

Altweiber-: **~geschwätz** nt old woman's talk; **~sommer** m (Nachsommer) Indian summer.

Alu nt (col) = **Aluminium**.

Alufolie f tinfoil, kitchen foil.

Aluminium nt no pl aluminium (Brit), aluminum (US).

Aluminiumfolie f tinfoil.

Alzheimer-Krankheit f Alzheimer's disease.

am prep = **an dem** [a] (zur Bildung des Superlativs) **er war ~ tapfersten** he was (the) bravest; **er hat ~ tapfersten gekämpft** he fought (the) most bravely; **sie war ~ schönsten** she was (the) most beautiful; **~ besten machen wir das morgen** it would be best to do it tomorrow; **~ seltsamsten war ...** the strangest thing was ... [b] (als Zeitangabe) on ▶ **~ letzten Sonntag** last Sunday; **~ 8. Mai** on the eighth of May, on May (the Brit) eighth; (geschrieben) on May 8th; **~ Morgen/Abend** in the morning/evening. [c] (als Ortsangabe) on the; (bei Gebirgen) at the foot of the. [d] (col: als Verlaufsform) **ich war gerade ~ Schlafen** I was just sleeping.

Amalgam nt -e almalgam.

Amateur [-'tøːɐ] m amateur.

Amateur- [ama'tøːɐ]: **~funker** m radio amateur or ham (col); **a~haft** adj amateurish.

Amazonas m (River) Amazon.

Amber m -(n) ambergris.

Ambiente nt no pl ambience.

Ambition f (geh) ambition ▶ **~en auf etw** (acc) **haben** to have aspirations to sth.

ambivalent [-va'lɛnt] adj ambivalent.

Ambivalenz [-va'lɛnts] f ambivalence.

⚠ **Amboß** m -sse anvil.

ambulant adj (Med) Versorgung, Behandlung out-patient attr ▶ **~e Patienten** out-patients.

Ambulanz f (Klinikstation) out-patient department, out-patients sing.

Ambulanzwagen m ambulance.

Ameise f -n ant.

Ameisen-: **~bär** m anteater; **~haufen** m anthill; **~säure** f formic acid; **~staat** m ant colony.

amen interj amen.

Amen nt - amen ▶ **sein ~ zu etw geben** to give one's blessing to sth; **das ist so sicher wie das ~ in der Kirche** (col) you can bet your bottom dollar on that (col).

Amerika nt America.

Amerikaner(in f) m - [a] American. [b] (Gebäck) flat iced cake.

amerikanisch adj American.

amerikanisieren* vt to Americanize.

Amerikanisierung f Americanization.

Amerikanismus m -men Americanism.

Amerikanistik f American studies pl.

Amethyst m -e amethyst.

Ami m -s (col) Yank (col); (Soldat) GI (col).

Amme f -n (old) foster-mother; (Nährmutter) wet nurse.

Ammenmärchen nt fairy tale or story.

Ammoniak nt no pl ammonia.

Amnesie f (Med) amnesia.

Amnestie f amnesty.

⚠: Informationen zur Rechtschreibreform im Anhang

amnestieren* vt to grant an amnesty to.
Amöbe f -n (Biol) amoeba.
Amok m: ~ **laufen** to run amok or amuck.
Amok-: **~fahrer** m mad or lunatic driver; **~läufer** m madman; **~schütze** m crazed gunman.
Amor m - Cupid.
Amortisation f (Econ) amortization.
amortisieren* vr to pay for itself.
amourös [amuˈrøːs] adj (geh) amorous.
Ampel f -n [a] (Verkehrs~) (traffic) lights pl (Brit), (traffic) light (US). [b] (Hängeblumentopf) hanging (flower) basket.
Ampelphase f traffic light sequence ▶ **die langen ~n an dieser Kreuzung** the length of time the lights take to change at this junction.
Ampere [amˈpɛːɐ] nt - amp.
Amperemeter [amˈpɛːɐ-] nt ammeter.
Amphetamin nt -e amphetamine.
Amphibie [-iə] f (Zool) amphibian.
Amphibienfahrzeug nt amphibious vehicle.
amphibisch adj amphibious.
Amphitheater nt amphitheatre (Brit), amphitheater (US).
Ampulle f -n (Behälter) ampoule.
Amputation f amputation.
amputieren* vt to amputate ▶ **jdm den Arm ~** to amputate sb's arm.
Amsel f -n blackbird.
Amsterdam nt Amsterdam.
Amt nt ¨er [a] (Stellung) office; (Posten) post ▶ **im ~ sein** to be in office; **jdm aus einem ~ entfernen** to remove sb from office. [b] (Aufgabe) duty, task ▶ **seines ~es walten** (geh) to carry out or discharge (form) one's duties. [c] (Behörde) (Einwohnermelde~, Finanz~) registration/tax office; (Stadtverwaltung) council offices pl ▶ **zum zuständigen ~ gehen** to go to the relevant authority; **von ~s wegen** (auf behördliche Anordnung hin) officially. [d] (Telefon~) operator; (Zentrale) exchange. [e] (Eccl: Messe) High Mass.
amtieren* vi [a] (Amt innehaben) to be in office ▶ **~d** incumbent; **der ~de Bürgermeister/Weltmeister** the (present) mayor/the reigning world champion; **als Außenminister ~** to hold the post of foreign minister. [b] (fungieren) **als ...** ~ to act as ...
amtlich adj official; (wichtig) Miene, Gebaren officious ▶ **~es Kennzeichen** registration (number), license number (US).
Amtmann m, pl -männer or -leute, **Amtmännin** f (Admin) senior civil servant.
Amts-: **~anmaßung** f unauthorized assumption of authority; **~arzt** m medical officer; **a~ärztlich** adj Zeugnis from the medical officer; **a~ärztlich untersucht werden** to have an official medical examination; **~bereich** m area of competence; **~dauer** f term of office; **~deutsch(e)** nt (German) officialese; **~eid** m oath of office; **den ~eid ablegen** to be sworn in, to take the oath of office; **~einsetzung** f inauguration; **~enthebung** f dismissal from office; **~geheimnis** nt [a] (geheime Sache) official secret; [b] (Schweigepflicht) official secrecy; **~gericht** nt county (Brit) or district (US) court; **~geschäfte** pl official duties pl; **~handlung** f official duty; **~hilfe** f cooperation between authorities; **~leitung** f (Telec) exchange line; **~mißbrauch** ⚠ m abuse of one's position; **~periode** f term of office; **~person** f official; **~richter** m ≃ county (Brit) or district (US) court judge; **~schimmel** m (hum) officialdom; **der ~schimmel wiehert** officialdom rears its ugly head; **~sitz** m official residence; (von Behörde) offices pl; **~sprache** f official language; **~träger** m office bearer or holder (US); **~vorstand, ~vorsteher** m head or chief of

a/the department etc; **~weg** m **auf dem ~weg** through official channels; **~zeichen** nt (Telec) dialling tone (Brit), dial tone (US); **~zeit** f period of office; **~zimmer** nt office.
Amulett nt -e amulet, charm.
amüsant adj amusing.
Amüsement [amyzəˈmãː] nt -s (geh) amusement, entertainment.
amüsieren* [1] vt to amuse ▶ **amüsiert zuschauen** to look on with amusement.
[2] vr (sich vergnügen) to have a good time, to have fun ▶ **sich über etw** (acc) ~ to find sth funny; (unfreundlich) to make fun of sth.
Amüsierviertel nt nightclub district.
an [1] prep +dat [a] (räumlich: wo?) at; (~ etw dran) on ▶ **am Haus/Bahnhof** at the house/station; **am Fenster sitzen** to sit at or by the window; **am Tatort** at the scene of the crime; ~ **der Tür/Wand** on the door/wall; ~ **der Donau/Autobahn/am Ufer** by or (direkt ~ gelegen) on the Danube/motorway/bank; **zu nahe ~ etw stehen** to be too near to sth; **jdn ~ der Hand nehmen** to take sb by the hand; **unten am Fluß** down by the river; **sie wohnen Tür ~ Tür** they live next door to one another; **sich** (dat) **die Hand am Tuch abwischen** to wipe one's hand on the cloth.
[b] (zeitlich) on ▶ ~ **diesem Abend** (on) that evening; ~ **dem Abend, als ich ...** the evening I ...; siehe **am**.
[c] **jung** ~ **Jahren sein** to be young in years; **fünf** ~ **der Zahl** five in number; ~ **etw arbeiten/schreiben/kauen** to be working on/writing/chewing sth; ~ **etw sterben** to die of sth; **arm/reich** ~ **Rohstoffen** short of/rich in resources; **was haben Sie** ~ **Weinen da?** what wines do you have?; ~ **der ganzen Sache ist nichts** there is nothing in it; **es** ~ **der Leber** etc **haben** (col) to have liver etc trouble; **das gefällt mir nicht** ~ **ihm** that's what I don't like about him; **sie hat etwas** ~ **sich, das ...** there is something about her that ...; **es ist** ~ **ihm, etwas zu tun** (geh) it's up to him to do something.
[2] prep +acc [a] (räumlich: wohin?) to; (gegen) on, against ▶ **etw** ~ **die Wand/Tafel schreiben** to write sth on the wall/blackboard; **etw** ~ **etw hängen** to hang sth on sth; **A~ den Vorsitzenden ...** (bei Anschrift) The Chairman ... [b] (zeitlich: woran?) ~ **die Zukunft/Vergangenheit denken** to think of the future/past; **bis** ~ **mein Lebensende** to the end of my days. [c] ~ **die Arbeit gehen** to get down to work; **ich habe eine Bitte/Frage** ~ **Sie** I have a request to make of you/question to ask you; **ein Gruß/eine Frage** ~ **jdn** greetings/a question to sb; ~ **(und für) sich** actually.
[3] adv [a] (ungefähr) about ▶ ~ **(die) hundert** about a hundred. [b] (Ankunftszeit) **Frankfurt ~: 18.30** (Rail) arriving Frankfurt 18.30. [c] **von diesem Ort ~** from here onwards; **von diesem Tag/heute ~** from this day/today on(wards). [d] (col: angeschaltet, angezogen) on ▶ **Licht ~!** lights on!; **ohne etwas ~** with nothing on.
anabol adj anabolic ▶ ~**e Steroide** anabolic steroids.
Anabolikum nt -bolika anabolic steroid.
Anachronismus [-kr-] m (geh) anachronism.
anachronistisch [-kr-] adj (geh) anachronistic.
Anagramm nt (Liter) anagram.
analog adj [a] analogous (+dat, zu to). [b] (Comp, Elec) analog.
Analogie f analogy.
Analog-: **~rechner** m analog computer; **~uhr** f analogue clock.
Analphabet(in f) m (wk) -en, en illiterate (person).
Analphabetentum nt illiteracy.
Analyse f -n analysis (auch Psych).
analysieren* vt to analyse.
Analytiker(in f) m - analyst.

analytisch *adj* analytical.
Anämie *f* anaemia (*Brit*), anemia (*US*).
Ananas *f* - *or* **-se** pineapple.
Anarchie *f* anarchy.
anarchisch *adj* anarchic.
Anarchismus *m* anarchism.
Anarchist(in *f*) *m* anarchist.
anarchistisch *adj* anarchistic.
Anästhesie *f* anaesthesia (*Brit*), anesthesia (*US*).
Anästhesist(in *f*) *m* anaesthetist (*Brit*), anesthesiologist (*US*).
Anatolien [-iən] *nt* Anatolia.
Anatomie *f* [a] anatomy. [b] (*Institut*) anatomical institute.
anatomisch *adj* anatomical.
anbahnen *sep* [1] *vt* to initiate.
 [2] *vr* (*sich andeuten*) to be in the offing; (*Unangenehmes*) to be looming; (*Möglichkeiten, Zukunft etc*) to be opening up ▶ *zwischen den beiden bahnt sich etwas an* (*Liebesverhältnis*) there is the beginnings of something going on between those two.
Anbahnung *f* initiation (*von, gen* of).
anbandeln (*S Ger, Aus*), **anbändeln** *vi sep* to start flirting (*mit* with).
Anbau[1] *m no pl* (*Anpflanzung*) cultivation, growing.
Anbau[2] *m* **-ten** (*Nebengebäude*) extension; (*freistehend*) annexe.
anbauen *sep* [1] *vt* [a] to grow. [b] (*Build*) to add, to build on ▶ *etw ans Haus ~* to build sth onto the house. [2] *vi* to build an extension.
Anbau-: **~fläche** *f* (area of) cultivable land; **~gebiet** *nt* *ein gutes ~gebiet für etw* a good area for growing sth; **~möbel** *pl* unit furniture.
Anbeginn *m* (*geh*) beginning.
anbehalten* *vt sep irreg* to keep on.
anbei *adv* (*form*) enclosed ▶ *~ schicken wir Ihnen ...* please find enclosed ...
anbeißen *sep irreg* [1] *vi* (*Fisch*) to bite; (*fig auch*) to take the bait.
 [2] *vt Apfel etc* to bite into ▶ *ein angebissener Apfel* a half-eaten apple; *sie sieht zum A~ aus* (*col*) she looks nice enough to eat.
anbelangen* *vt sep* to concern ▶ *was das/mich anbelangt ...* as far as that is/I am concerned ...
anbellen *vt sep* to bark at.
anberaumen* *vt sep or insep* (*form*) to arrange, to fix.
anbeten *vt sep* to worship; *Menschen auch* to adore.
▼ **Anbetracht** *m: in ~* (+*gen*) in consideration *or* view of; *in ~ dessen, daß ...* in consideration *or* view of the fact that ...
anbetreffen* *vt sep irreg siehe* **anbelangen**.
anbetteln *vt sep jdn ~* to beg from sb; *jdn um etw ~* to beg sth from sb.
Anbetung *f siehe vt* worship; adoration.
anbiedern *vr sep* (*pej*) *sich (bei jdm) ~* to get pally (with sb) (*col*).
anbieten *sep irreg* [1] *vt* to offer (*jdm etw* sb sth).
 [2] *vr* [a] (*Mensch*) *sich (als etw) ~* to offer one's services (as sth); *sich ~, die Arbeit zu tun* to offer to do the work; *der Ort bietet sich für die Konferenz an* that is the obvious place for the conference. [b] (*in Betracht kommen: Gelegenheit*) to present itself ▶ *das bietet sich als Lösung an* that would provide a solution.
Anbieter *m* - supplier.
anbinden *vt sep irreg* (*an* +*acc or dat* to) [a] to tie (up); *Pferd auch* to tether. [b] (*verbinden*) to connect; *siehe* **angebunden**.
Anbindung *f* (*Verbindung*) connection.
Anblick *m* sight ▶ *beim ersten ~* at first sight; *du bist ein ~ für die Götter* you really look hilarious.

anblicken *vt sep* to look at ▶ *jdn lange/feindselig ~* to gaze/glare at sb.
anblinzeln *vt sep* [a] (*blinzelnd ansehen*) to squint at. [b] (*zublinzeln*) to wink at.
anbraten *vt sep irreg* to brown.
anbrechen *sep irreg* [1] *vt Packung, Flasche etc* to open; *Vorrat, Ersparnisse, Geldsumme* to break into; *siehe* **angebrochen**.
 [2] *vi aux sein* (*Epoche etc*) to dawn; (*Tag auch*) to break; (*Nacht*) to fall; (*Jahreszeit*) to begin; (*Winter*) to close in.
anbrennen *vi sep irreg aux sein* to catch fire; (*Holz, Kohle etc*) to catch light; (*Essen*) to burn; (*Stoff*) to get scorched ▶ *mir ist das Essen angebrannt* I burnt the food; *siehe* **angebrannt**.
anbringen *vt sep irreg* [a] (*befestigen*) to fix, to fasten (*an* +*dat* (on)to); (*aufstellen, aufhängen*) to put up; *Telefon, Feuermelder etc* to put in, to install. [b] (*äußern*) *Bemerkung, Beschwerde* to make (*bei* to); *Kenntnisse, Wissen* to display; *Argument* to use ▶ *er konnte seine Kritik/seinen Antrag nicht mehr ~* he couldn't get his criticism/motion in; *siehe* **angebracht**. [c] (*col: loswerden*) *Ware* to get rid of.
Anbruch *m no pl* (*geh: Anfang*) beginning; (*von Zeitalter, Epoche*) dawn(ing) ▶ *bei ~ des Tages/Morgens* at daybreak, at break of day; *bei ~ der Nacht/Dunkelheit* at nightfall.
anbrüllen *vt sep* (*Löwe etc*) to roar at; (*col: Mensch*) to shout *or* bellow at.
Anchovis [an'ço:vis, an'ʃo:vis] *f* - anchovy.
Andacht *f* **-en** [a] *no pl* (*das Beten*) (silent) prayer *or* worship. [b] (*Gottesdienst*) prayers *pl*. [c] (*Versenkung*) rapt interest; (*Ehrfurcht*) reverence ▶ *in tiefe(r) ~ versunken sein* to be completely absorbed.
andächtig *adj* [a] (*im Gebet*) in prayer. [b] (*versunken*) rapt; (*ehrfürchtig*) reverent.
Andalusien [-iən] *nt* Andalusia.
andauern *vi sep* to continue; (*anhalten*) to last ▶ *das dauert noch an* that is still going on; *der Regen dauert noch an* the rain hasn't stopped.
andauernd *adj* (*ständig*) continuous; (*anhaltend*) continual ▶ *wenn du mich ~ unterbrichst ...* if you keep on interrupting me ...
Anden *pl die ~* the Andes.
Andenken *nt no pl* [a] memory ▶ *zum ~ an jdn/etw* (*an Verstorbenen etc*) in memory *or* remembrance of sb/sth; (*an Freunde/Urlaub etc*) as a reminder of sb/sth. [b] (*Reise~*) souvenir (*an* +*acc* of); (*Erinnerungsstück*) memento, keepsake (*an* +*acc* from).
ander(e)n-: **~falls** *adv* otherwise; **~orts** *adv* (*geh*) elsewhere.
andere(r, s) *indef pron* [1] (*adjektivisch*) different; (*weiterer*) other ▶ *ein ~r Mann/ein ~s Auto/eine ~ Frau* a different man/car/woman; (*ein weiterer etc*) another man/car/woman; *jede ~ Frau hätte ...* any other woman would have ...; *das machen wir ein ~s Mal* we'll do that another time; *er ist ein ~r Mensch geworden* he is a changed man.
 [2] (*substantivisch*) [a] (*Ding*) *ein ~r* a different one; (*noch einer*) another one; *etwas ~s* something *or* (*in Fragen*) anything else; *alle ~n* all the others; *das ist etwas ganz ~s* that's something quite different; *hast du etwas ~s gedacht?* did you think otherwise?; *ich habe ~s zu tun* I've other things to do; *nichts ~s* nothing else; *nichts ~s als ...* nothing but ...; *es blieb mir nichts ~s übrig, als selbst hinzugehen* I had no alternative but to go myself; *alles ~ als zufrieden* anything but pleased, far from pleased; *unter ~m* among other things; *es kam eins zum ~n* one thing led to another; *sie hat sich eines ~n besonnen* she changed her mind; *von einem Tag zum ~n* overnight.

b (*Person*) **ein ~r/eine ~** a different person; (*noch einer*) another person; **jeder ~/kein ~r** anyone/no-one else; **niemand ~s** no-one else; **das haben mir ~ auch schon gesagt** other people *or* others have told me that too; **die ~n** the others; **alle ~n** all the others, everyone else; **jemand ~s** somebody *or* (*in Fragen*) anybody else; **sie hat einen ~n** she has someone else; **der eine oder (der) ~ von unseren Kollegen** one or other of our colleagues; **einer nach dem ~n** one after the other; **eine schöner als die ~** each one more beautiful than the next.

and(e)rerseits *adv* on the other hand.

andermal *adv:* **ein ~** some other time.

ändern **1** *vt* to change, to alter; (*Kleidungsstück*) to alter ▶ **ich kann es nicht ~** I can't do anything about it; **das ändert nichts an der Tatsache, daß ...** that doesn't alter the fact that ...
2 *vr* **a** to change, to alter. **b** (*Mensch*) to change; (*sich bessern*) to change for the better ▶ **wenn sich das nicht ändert ...** if things don't improve ...

andern- *in cpds siehe* **ander(e)n-.**

anders *adv* **a** (*sonst*) else ▶ **jemand/niemand ~** somebody *or* anybody/nobody else; **wer/wo ~?** who/where else?; **irgendwo ~** somewhere else. **b** (*verschieden*) differently; (*andersartig*) *sein, aussehen, klingen, schmecken* different (*als* to) ▶ **~ als jd denken/reagieren/aussehen** to think/react differently/look different from sb; **~ als jd** (*geh: im Gegensatz zu*) unlike sb; **~ ausgedrückt** to put it another way; **das machen wir so und nicht ~** we'll do it this way and no other; **wie nicht ~ zu erwarten** as was to be expected; **sie ist ~ geworden** she has changed; **wie könnte es ~ sein?** how could it be otherwise?; **es geht nicht ~** there's no other way; **ich kann nicht ~** (*kann es nicht lassen*) I can't help it; (*muß leider*) I have no choice.

Anders-: **a~artig** *adj no comp* different; **~denkende(r)** △ *mf decl as adj* dissident, dissenter; **a~farbig** *adj* of a different colour (*Brit*) *or* color (*US*); **a~gläubig** △ *adj* of a different faith *or* religion; **a~(he)rum** *adv* the other way around; **a~lautend** △ *adj attr* (*form*) contrary; **a~lautende Berichte** reports to the contrary; **a~wo** *adv* elsewhere; **a~woher** *adv* from elsewhere; **a~wohin** *adv* elsewhere.

anderthalb *num* one and a half ▶ **~ Pfund Kaffee** a pound and a half of coffee.

Änderung *f* change, alteration (*an +dat, gen* in, to); (*an Kleid, Gebäude*) alteration (*an +dat* to).

Änderungs-: **~antrag** *m* (*Parl*) amendment; **~schneider** *m* tailor (who does alterations); **~vorschlag** *m* suggested change *or* alteration; **einen ~vorschlag machen** to suggest a change *or* an alteration.

anderweitig **1** *adj attr* (*andere, weitere*) other. **2** *adv* (*anders*) otherwise; (*an anderer Stelle*) elsewhere ▶ **~ vergeben/besetzt werden** to be given to/filled by someone else; **etw ~ verwenden** to use sth for a different purpose.

andeuten *sep* **1** *vt* (*zu verstehen geben*) to hint, to intimate (*jdm etw* sth to sb); (*kurz erwähnen*) *Problem* to mention briefly; (*erkennen lassen*) to indicate. **2** *vr* to be indicated; (*Gewitter*) to be in the offing.

Andeutung *f* (*Anspielung, Anzeichen*) hint; (*flüchtiger Hinweis*) brief mention; (*Spur*) sign, trace ▶ **eine ~ machen** to hint (*über +acc* at), to drop a hint (*über +acc* about).

andeutungsweise *adv* (*als Anspielung, Anzeichen*) by way of a hint; (*als flüchtiger Hinweis*) in passing ▶ **jdm ~ zu verstehen geben, daß ...** to hint to sb that ...

andichten *vt sep* **jdm etw ~** (*col*) *Fähigkeiten* to credit sb with sth.

Andorra *nt* Andorra.

Andorraner(in *f*) *m* Andorran.

andorranisch *adj* Andorran.

Andrang *m no pl* (*Zustrom, Gedränge*) crowd, crush.

andrehen *vt sep* **a** (*anstellen*) to turn on. **b** **jdm etw ~** (*col*) to palm sth off on sb.

androhen *vt sep* to threaten (*jdm etw* sb with sth).

Androhung *f* threat ▶ **unter ~ von Gewalt** with the threat of violence; **unter ~** (*Jur*) under penalty (*von, gen* of).

Andruck *m* (*Typ*) proof.

andünsten *vti sep* (*Cook*) to braise lightly.

an|ecken *vi sep aux sein* (*col*) **bei jdm/allen ~** to rub sb/everyone up the wrong way.

an|eignen *vr sep sich* (*dat*) **etw ~** (*etw erwerben*) to acquire sth; (*etw wegnehmen*) to appropriate sth; (*sich mit etw vertraut machen*) to learn sth.

An|eignung *f siehe vr* acquisition; appropriation; learning.

an|einander *adv* **~ denken** to think of each other; **sich ~ gewöhnen** to get used to each other; **~ vorüber-/vorbeigehen** to go past each other; **~ befestigen** to stick together; **zu dicht ~** too close together.

an|einander- *in cpds* together; **~fügen** △ *vt* to put together; **~geraten*** △ *vi sep irreg aux sein* to come to blows (*mit* with); (*streiten*) to have words (*mit* with); **~grenzen** △ *vi sep* to border on each other; **~hängen** △ *vi sep irreg* **a** (*zusammenhängen*) to be linked (together); **b** (*fig: Menschen*) to be attached to each other; **~kleben** △ *sep* **1** *vt* to stick together; **2** *vi* to be stuck together; (*col: unzertrennlich sein*) to be glued together (*col*); **~reihen** △ *vt sep* to string together.

Anekdote *f* **-n** anecdote.

an|ekeln *vt sep* (*anwidern*) to disgust, to nauseate.

Anemone *f* **-n** anemone.

an|erkannt *adj* recognized; *Tatsache auch* established; *Werk* standard; *Experte* acknowledged.

an|erkennen* *vt sep or insep irreg Staat, König, Rekord* to recognize; *Forderung auch* to accept; *Vaterschaft* to accept, to acknowledge; (*würdigen*) *Leistung, Bemühung* to appreciate ▶ **...**, **das muß man ~** (*zugeben*) ... you can't argue with that; (*würdigen*) ... you have to grant him/ her *etc* that; **als gleichwertiger Partner anerkannt sein** to be accepted as an equal partner.

an|erkennend *adj* (*Blick*) appreciative.

an|erkennenswert *adj* commendable.

An|erkennung *f siehe vt* recognition; acceptance; acknowledgement; appreciation.

an|erziehen* *vt insep irreg:* **jdm etw ~** (*Kindern*) to instil sth into sb.

an|erzogen *adj* acquired ▶ **das ist alles ~** this is all the result of upbringing.

anfachen *vt sep* (*geh*) **a** (*Glut, Feuer*) to fan. **b** (*fig*) to arouse.

anfahren *sep irreg* **1** *vi aux sein* (*losfahren*) to start (up) ▶ **angefahren kommen** (*Wagen, Fahrer*) to drive up; (*Zug*) to pull up; **beim A~** when starting (up); **das A~ am Berg üben** to practise a hill start. **2** *vt* **a** (*liefern*) *Kohlen, Kartoffeln* to deliver. **b** (*ansteuern*) *Ort* to stop *or* call at; *Hafen auch* to put in at. **c** (*anstoßen*) *Passanten, Baum etc* to run into, to hit.

Anfahrt *f* (*~sweg, ~szeit*) journey; (*Zufahrt*) approach.

Anfall *m* **a** attack; (*Wut~, epileptisch*) fit ▶ **einen ~ haben/bekommen** (*lit*) to have an attack *or* a fit; (*fig col*) to have *or* throw a fit (*col*); **in einem ~ von** (*fig*) in a fit of. **b** (*Ertrag, Nebenprodukte*) yield (*an +dat* of); (*von Zinsen auch*) accrual. **c** (*von Reparaturen, Kosten*) amount (*an +dat* of); (*form: Anhäufung*) accumulation ▶ **bei ~ von Reparaturen** if repairs are necessary.

anfallen *sep irreg* **1** *vt* (*überfallen*) to attack; (*Sitten-*

strolch etc) to assault.
2 *vi aux sein* (*Zinsen*) to accrue; (*Nebenprodukte*) to be obtained; (*sich anhäufen*) to accumulate ▶ *die ~den Kosten/Reparaturen* the costs/repairs incurred; *die ~de Arbeit* the work which comes up.

anfällig *adj* (*nicht widerstandsfähig*) delicate; *Motor, Maschine* temperamental ▶ *für etw/eine Krankheit ~ sein* to be susceptible to sth/prone to an illness.

Anfälligkeit *f siehe adj* delicateness; temperamental nature; susceptibility; proneness.

Anfang *m, pl* **Anfänge** (*Beginn*) beginning, start; (*Ursprung*) beginnings *pl*, origin ▶ *zu or am ~* to start with; (*anfänglich*) at first; *~ Fünfzig* in one's early fifties; *~ Juni/1992 etc* at the beginning of June/1992 *etc*; *von ~ an* (right) from the beginning *or* start; *von ~ bis Ende* from start to finish; *den ~ machen* to start *or* begin; (*den ersten Schritt tun*) to make the first move; *einen neuen ~ machen* to make a new start; *aller ~ ist schwer* (*Prov*) the first step is always the most difficult; *das ist der ~ vom Ende* it's the beginning of the end.

anfangen *sep irreg* **1** *vt* **a** (*beginnen*) to start, to begin; *Streit* to start. **b** (*anstellen, machen*) to do ▶ *das mußt du anders ~* you'll have to go about it differently; *nichts mit sich/jdm anzufangen wissen* not to know what to do with oneself/sb; *damit kann ich nichts ~* (*nützt mir nichts*) that's no good to me; (*verstehe ich nicht*) it doesn't mean a thing to me; *mit dir ist heute (aber) gar nichts anzufangen!* you're no fun at all today!
2 *vi* to begin, to start ▶ *du hast angefangen!* (*bei Streit*) you started it!; *es fing zu regnen an or an zu regnen* it started raining *or* to rain; *das fängt ja schön an!* (*iro*) that's a good start!; *jetzt fängt das Leben erst an* life is only just beginning; *mit etw ~* to start sth; *bei einer Firma ~* to start working for a firm.

Anfänger(in *f*) *m -* beginner; (*Neuling*) novice; (*Aut*) learner; (*col: Nichtskönner*) rank amateur (*pej*).

Anfängerkurs(us) *m* beginners' course.

anfänglich **1** *adj attr* initial.
2 *adv* at first, initially.

anfangs **1** *adv* at first, initially ▶ *wie ich schon ~ erwähnte* as I mentioned at the beginning.
2 *prep +gen* ▶ *der zwanziger Jahre/des Monats* in the early twenties/at the beginning of the month.

Anfangs-: *~buchstabe m* first letter; *kleine/große ~buchstaben* small/capital initials; *~gehalt nt* starting salary; *~kurs m* (*St Ex*) opening price; *~stadium nt* initial stage; *meine Versuche sind schon im ~stadium steckengeblieben* my attempts never really got off the ground.

anfassen *sep* **1** *vt* **a** (*berühren*) to touch. **b** (*bei der Hand nehmen*) *jdn ~* to take sb's hand *or* sb by the hand; *sich ~* to take each other by the hand. **c** (*fig: anpacken*) *Problem* to tackle, to go about.
2 *vi* **a** (*berühren*) to feel ▶ *nicht ~!* don't touch! **b** (*mithelfen*) *mit ~* to give a hand. **c** *zum A~* accessible; (*Mensch auch*) approachable.

anfauchen *vt sep* (*Katze*) to spit at; (*fig col*) to snap at.

anfechtbar *adj* contestable.

anfechten *vt sep irreg* (*nicht anerkennen*) to contest; *Aussage auch* to challenge; *Urteil* to appeal against; *Vertrag* to dispute.

Anfechtung *f* **a** *siehe vt* (*a*) contesting; challenging; appeal (*gen* against); disputing. **b** (*Versuchung*) temptation.

anfeinden *vt sep* to treat with hostility.

Anfeindung *f* hostility ▶ *trotz aller ~en* in spite of all the hostility.

anfertigen *vt sep* to make; *Schriftstück* to draw up;

Hausaufgaben to do; *Protokoll* to take down ▶ *sich* (*dat*) *einen Anzug etc ~ lassen* to have a suit *etc* made.

Anfertigung *f siehe vt* making; drawing up; taking down.

anfeuchten *vt sep* to moisten.

anfeuern *vt sep* (*fig: ermutigen*) to spur on.

Anfeuerung *f* (*fig*) spurring on.

Anfeuerungsruf *m* cheer.

anflehen *vt sep* to beseech, to implore (*um* for) ▶ *ich flehe dich an, tu das nicht!* I beg you, don't!

anfliegen *sep irreg* **1** *vi aux sein* (*auch angeflogen kommen*) (*Flugzeug*) to come in to land; (*Vogel, Geschoß*) to come flying up.
2 *vt* (*Flugzeug*) *Flughafen,* (*Mil*) *Stellung* to approach; (*landen*) to land (*in/auf* in/on) ▶ *diese Fluggesellschaft fliegt Bali an* this airline flies to Bali.

Anflug *m* **a** (*Flugweg*) flight; (*das Heranfliegen*) approach ▶ *wir befinden uns im ~ auf Paris* we are now approaching Paris. **b** (*Spur*) trace.

anfordern *vt sep* to request; *Waren* to order.

Anforderung *f* **a** *no pl* (*das Anfordern*) request (*gen,* *von* for) ▶ *bei der ~ von Ersatzteilen* when ordering spare parts. **b** (*Anspruch*) requirement; (*Belastung*) demand ▶ *große ~en an jdn/etw stellen* to make great demands on sb/sth.

Anfrage *f* (*auch Comp*) inquiry; (*Parl*) question.

anfragen *vi sep* to inquire (*bei jdm* of sb), to ask (*bei jdm* sb).

anfressen *vt sep irreg* **a** (*Maus*) to nibble at; (*Vogel*) to peck (at). **b** (*zersetzen*) to eat away.

anfreunden *vr sep* to make *or* become friends ▶ *sich mit etw ~* (*fig*) to get to like sth.

anfügen *vt sep* to add.

anfühlen *sep* **1** *vt* to feel.
2 *vr* to feel ▶ *sich glatt/weich etc ~* to feel smooth/ soft *etc*.

Anfuhr *f* *-en* transport(ation).

anführen *vt sep* **a** (*vorangehen, befehligen*) to lead. **b** (*zitieren*) to quote, to cite; *Tatsachen, Beispiel auch* to give; *Grund, Beweis* to give, to offer; (*benennen*) *jdn* to name, to cite. **c** *jdn ~* (*col*) to have sb on (*col*), to take sb for a ride (*col*).

Anführer(in *f*) *m* leader; (*pej: Anstifter*) ringleader.

Anführung *f* **a** leadership; (*Befehligung auch*) command ▶ *unter ~ von ...* under the leadership of ... **b** (*Zitat*) quotation.

Anführungs-: *~strich m, ~zeichen nt* quotation mark, inverted comma; *~striche or ~zeichen unten/ oben* quote/unquote.

anfüllen *vt sep* to fill (up) ▶ *mit etw angefüllt sein* to be full of sth, to be filled with sth.

Angabe ['anga:-] *f* *-n* **a** *usu pl* (*Aussage*) statement; (*Zahl, Detail*) detail ▶ *~n über etw* (*acc*) *machen* to give details about sth; *laut ~n* (*+gen*) according to; *nach Ihren eigenen ~n* by your own account; *~n zur Person* (*form*) personal details *or* particulars. **b** (*Nennung*) giving ▶ *wir bitten um ~ der Einzelheiten/Preise* please give *or* quote details/prices; *ohne ~ von Gründen* without giving any reasons. **c** *no pl* (*col: Prahlerei*) showing-off; (*Reden auch*) boasting. **d** (*Sport: Aufschlag*) service, serve ▶ *wer hat (die) ~?* whose service *or* serve is it?

angeben ['ange:-] *sep irreg* **1** *vt* **a** (*nennen*) to give; (*als Zeugen*) to name, to cite; (*erklären*) to explain; (*beim Zoll*) to declare; (*anzeigen*) *Temperatur etc* to indicate; (*aussagen*) to state; (*behaupten*) to maintain. **b** (*bestimmen*) *Tempo, Kurs* to set; (*Mus*) *Tempo, Note* to give ▶ *den Takt ~* (*klopfen*) to beat time.
2 *vi* (*prahlen*) to show off; (*durch Reden auch*) to boast, to brag (*mit* about).

Angeber(in *f***)** ['ange:-] *m* (*Prahler*) show-off, poser (*col*); (*durch Reden auch*) boaster.
Angeberei [ange:-] *f no pl* (*Prahlerei*) showing-off, posing (*col*) (*mit* about); (*verbal auch*) boasting, bragging (*mit* about).
angeberisch ['ange:-] *adj Reden* boastful; *Benehmen, Tonfall* pretentious, showy.
angeblich ['ange:-] ⚀ *adj attr* so-called, alleged.
⚁ *adv* supposedly, allegedly ▶ *er ist ~ Musiker* he's supposed to be a musician.
angeboren ['angə-] *adj* innate, inherent; (*Med, fig col*) congenital (*bei* with).
Angebot ['angə-] *nt* ⓐ offer; (*bei Auktion*) bid; (*Comm: Offerte auch*) tender (*über* +*acc, für* for); (*: Kostenvoranschlag auch*) quote. ⓑ *no pl* (*Comm, Fin*) supply (*an* +*dat, von* of); (*Auswahl*) selection (*an* +*dat* of) ▶ *~ und Nachfrage* supply and demand; *im ~* (*col*) on special offer.
Angebotspreis *m* asking price; (*Sonder~*) offer price.
angebracht ['angə-] *adj* appropriate; (*sinnvoll*) reasonable.
angebrannt ['angə-] *adj* burnt ▶ *es riecht hier so ~* there's a smell of burning here.
angebrochen ['angə-] *adj Packung, Flasche* open(ed) ▶ *was machen wir mit dem ~en Abend?* what shall we do with the rest of the evening?; *das Parken kostet für jede ~e Stunde eine Mark* parking costs one mark for every hour or part of an hour.
angebunden ['angə-] *adj kurz ~ sein* (*col*) to be abrupt *or* curt.
angegossen ['angə-] *adj wie ~ sitzen or passen* to fit like a glove.
angegraut ['angə-] *adj* grey; *Haar auch* greying.
angegriffen ['angə-] *adj Gesundheit* weakened; *Mensch, Aussehen* frail; (*nervlich*) strained.
angehalten ['angə-] *adj ~ sein, etw zu tun* to be required *or* obliged to do sth.
angehaucht ['angə-] *adj links/rechts ~ sein* to have left-/right-wing tendencies *or* leanings.
angeheiratet ['angə-] *adj* related by marriage ▶ *ein ~er Cousin* a cousin by marriage.
angeheitert ['angə-] *adj* (*col*) merry (*col*), tipsy.
angehen ['ange:-] *sep irreg* ⚀ *vi aux sein* ⓐ (*col: beginnen*) (*Feuer*) to start burning, to catch; (*Licht*) to come on, to go on. ⓑ (*entgegentreten*) *gegen jdn/etw ~* to fight sb/sth; *gegen etw ~ Mißstände, Zustände* to take measures against sth.
⚁ *vt* ⓐ *aux haben or* (*S Ger*) *sein* (*anpacken*) *Aufgabe* to tackle. ⓑ *aux haben or* (*S Ger*) *sein* (*bitten*) to ask (*jdn um etw* sb for sth). ⓒ *aux sein* (*in bezug auf Personen*), *aux haben* (*in bezug auf Sachen*) (*betreffen*) to concern ▶ *was mich angeht* as far as I'm concerned; *das geht ihn gar nichts an* that's none of his business.
⚂ *vi impers aux sein das geht nicht/keinesfalls an* that's quite out of the question.
angehend ['ange:-] *adj Musiker, Künstler* budding; *Lehrer, Ehemann, Vater* prospective.
angehören* ['angə-] *vi sep* +*dat* to belong to; (*einer Partei, einer Familie auch*) to be a member of.
Angehörige(r) ['angə-] *mf decl as adj* ⓐ (*Mitglied*) member. ⓑ (*Familien~*) relative, relation ▶ *der nächste ~* the next of kin.
Angeklagte(r) ['angə-] *mf decl as adj* accused, defendant.
angeknackst ['angə-] *adj* (*col*) *Mensch* uptight (*col*); *Selbstbewußtsein* weakened ▶ *er/seine Gesundheit ist ~* he is in bad shape.
angekratzt ['angə-] *adj* (*col*) seedy (*col*).
Angel ['aŋəl] *f -n* ⓐ (*Tür~, Fenster~*) hinge ▶ *die Welt aus den ~n heben* (*fig*) to turn the world upside down.

ⓑ (*Fischfanggerät*) fishing rod, fishing pole (*US*) ▶ *die ~ auswerfen* to cast (the line).
Angelegenheit ['angə-] *f* matter; (*politisch, persönlich*) affair; (*Aufgabe*) concern ▶ *das ist nicht meine ~* that's not my concern *or* business.
angelegt ['angə-] *adj* calculated (*auf* +*acc* for).
angelernt ['angə-] *adj Arbeiter* semi-skilled.
Angel-: *~gerät nt* fishing tackle *no pl*; *~haken m* fishhook.
angeln ['angə-] ⚀ *vi* ⓐ to fish ▶ *~ gehen* to go angling *or* fishing. ⓑ (*zu greifen, hervorziehen*) to fish ▶ *nach etw ~* to fish (around) for sth.
⚁ *vt Fisch* to fish for; (*fangen*) to catch ▶ *sich* (*dat*) *einen Mann ~* (*col*) to hook a man (*col*).
Angel-: *~punkt m* crucial *or* central point; (*Frage*) key *or* central issue; *~rute f* fishing rod, fishing pole (*US*).
Angelsachse *m decl as adj*, **Angelsächsin** *f* Anglo-Saxon.
angelsächsisch *adj* Anglo-Saxon.
Angel-: *~schein m* fishing permit; *~schnur f* fishing line.
angemessen ['angə-] *adj* (*passend*) appropriate (*dat* to, for); (*adäquat*) adequate (*dat* for); *Preis* reasonable, fair ▶ *eine der Leistung ~e Bezahlung* payment commensurate with input.
angenehm ['angə-] *adj* pleasant, agreeable ▶ *das wäre mir sehr ~* I should greatly appreciate it; *es ist mir gar nicht ~, daß er mich besuchen will* I don't like the idea of him wanting to visit me; *wenn Ihnen das ~er ist* if you prefer; *(sehr) ~!* (*form*) delighted (to meet you); *das A~e mit dem Nützlichen verbinden* to combine business with pleasure.
angenommen ['angə-] ⚀ *adj* assumed; *Kind* adopted.
⚁ *conj* assuming.
⚠ **angepaßt** ['angə-] *adj* conformist.
⚠ **Angepaßtheit** ['angə-] *f* conformism.
angeregt ['angə-] *adj* lively, animated ▶ *~ diskutieren* to have a lively *or* an animated discussion.
angereichert ['angə-] *adj Uran* enriched.
angeschlagen ['angə-] *adj* (*col*) *Mensch, Aussehen, Nerven* shattered (*col*); *Gesundheit* poor.
angeschlossen ['angə-] *adj* affiliated (*dat* to *or* with), associated (*dat* with).
angeschmiert ['angə-] *adj pred* (*col*) in trouble ▶ *der/die A~e sein* to have been had (*col*).
angeschmutzt ['angə-] *adj* soiled; (*Comm*) shop-soiled.
angeschrieben ['angə-] *adj* (*col*) *bei jdm gut/schlecht ~ sein* to be in sb's good/bad books.
angesehen ['angə-] *adj* respected.
Angesicht ['angə-] *nt -er* (*geh*) face ▶ *von ~ zu ~* face to face; *im ~* +*gen* (*fig*) in the face of.
angesichts ['angə-] *prep* +*gen* in the face of; (*im Hinblick auf*) in view of.
angespannt ['angə-] *adj Nerven, Lage* tense, strained; *Aufmerksamkeit* close, keen; (*Comm*) *Markt, Lage* tight, overstretched.
angestammt ['angə-] *adj* (*überkommen*) traditional; (*ererbt*) *Rechte* hereditary; *Besitz* inherited.
angestellt ['angə-] *adj pred ~ sein* to be an employee *or* on the staff (*bei* of); *fest ~ sein* to be a permanent employee.
Angestellte(r) ['angə-] *mf decl as adj* (salaried) employee; (*Büro~*) office-worker, white-collar worker.
Angestellten- ['angə-]: *~gewerkschaft f* white-collar union; *~versicherung f* (salaried) employee's insurance.
angestrengt ['angə-] *adj Gesicht* strained ▶ *~ arbeiten/denken* to work/think hard; *~ diskutieren* to have an intense discussion.
angetan ['angətan] *adj pred* ⓐ *von jdm/etw ~ sein* to

be taken with sb/sth. **b** *dazu ~ sein, etw zu tun* (*geh*) to be suitable for doing sth; (*Atmosphäre, Benehmen etc*) to be apt to do sth.

angetrunken ['angə-] *adj* inebriated.

angewandt ['angə-] *adj attr Wissenschaft etc* applied.

angewidert ['angə-] *adj* nauseated, disgusted.

angewiesen ['angə-] *adj auf jdn/etw ~ sein* to have to rely on sb/sth, to be dependent on sb/sth; *auf sich selbst ~ sein* to be left to one's own devices; *darauf bin ich nicht ~* I don't need it.

angewöhnen* ['angə-] *vt sep jdm etw ~* to get sb used to sth, to accustom sb to sth; *sich* (*dat*) *etw ~/es sich* (*dat*) *~, etw zu tun* to get into the habit of sth/of doing sth.

Angewohnheit ['angə-] *f* habit.

angewurzelt ['angə-] *adj wie ~ dastehen* to be rooted to the spot.

angiften ['angɪ-] *vt sep* (*pej inf*) to snap at.

Angina [aŋ'giːna] *f, pl* **Anginen** (*Med*) angina ► *~ pectoris* angina (pectoris).

angleichen ['angl-] *sep irreg* **1** *vt* to bring into line, to align (*dat, an +acc* with).
2 *vr* (*gegenseitig: Kulturen, Geschlechter, Methoden*) to grow closer together ► *sich jdm/einer Sache ~* (*einseitig*) to become like sb/sth.

Angleichung *f* alignment (*an +acc* with).

Angler(in *f*) *m* - angler.

angliedern ['angl-] *vt sep* (*dat, an +acc* to) (*Verein, Partei*) to affiliate; *Land* to annex.

Angliederung *f siehe vt* affiliation; annexation.

Anglikaner(in *f*) [aŋgli-] *m* Anglican.

anglikanisch [aŋgli-] *adj* Anglican ► *die A~e Kirche* the Anglican Church, the Church of England.

anglisieren* [aŋgli-] *vt* to anglicize.

Anglist(in *f*) [aŋ'glɪ-] *m* English specialist, Anglicist; (*Student*) student of English; (*Professor etc*) lecturer/professor of English.

Anglistik [aŋ'glɪ-] *f* English (language and literature).

Anglizismus [aŋgli-] *m* anglicism.

Anglo- [aŋglo-]: *~-Amerikaner* *m* member of the English-speaking community; *~amerikaner* *m* Anglo-American; *a~phil* *adj* anglophil(e).

Angola [aŋ'goːla] *nt* Angola.

Angolaner(in *f*) [aŋgo-] *m* Angolan.

angolanisch [aŋgo-] *adj* Angolan.

Angora- [aŋ'goːra]: *~katze* *f* Angora cat; *~wolle* *f* Angora (wool).

angreifbar ['angr-] *adj* open to attack.

angreifen ['angr-] *sep irreg* **1** *vt* **a** to attack. **b** (*schwächen*) *Organismus, Nerven* to weaken; *Gesundheit, Pflanzen* to affect; *siehe* **angegriffen.**
2 *vi* to attack.

Angreifer(in *f*) ['angr-] *m* - attacker (*auch Sport, fig*).

angrenzen ['angr-] *vi sep an etw* (*acc*) *~* to border on sth, to adjoin sth.

angrenzend *adj attr* adjacent (*an +acc* to), adjoining (*an etw* (*acc*) sth).

Angriff ['angr-] *m* (*Mil, Sport, fig*) attack (*gegen, auf +acc* on); (*Luft~*) (air) raid ► *~ ist die beste Verteidigung* (*prov*) attack is the best means of defence; *etw in ~ nehmen* to tackle sth.

Angriffs-: *~fläche* *f* target; *jdm/einer Sache eine ~fläche bieten* (*lit, fig*) to provide sb/sth with a target; *~krieg* *m* war of aggression; *~lust* *f* aggressiveness, aggression; *a~lustig* *adj* aggressive; *~spiel* *nt* (*Sport*) aggressive or attacking game; *~spieler* *m* (*Ftbl*) forward.

angrinsen ['angr-] *vt sep* to grin at.

Angst *f* ⁻e (*innere Unruhe, Psych*) anxiety (*um* about); (*Sorge*) worry (*um* about); (*Befürchtung*) fear (*um* for, *vor +dat* of); (*Existenz~*) angst ► *(vor etw dat) ~ haben* to

be afraid *or* scared (of sth); *~ um jdn/etw haben* to be anxious *or* worried about sb/sth; *~ bekommen* *or* *kriegen* to become afraid *or* scared; *aus ~, etw zu tun* for fear of doing sth; *keine ~!* don't worry; *jdm ~ einflößen* *or* *einjagen* to frighten sb.

angst *adj pred ihr wurde ~ (und bange)* she became worried *or* anxious; *jdm ~ (und bange) machen* to worry sb, to make sb anxious.

Angsthase *m* (*col*) scaredy-cat (*col*), chicken.

ängstigen **1** *vt* to frighten; (*unruhig machen*) to worry.
2 *vr* to be afraid; (*sich sorgen*) to worry ► *sich vor etw* (*dat*) *~* to be afraid of sth; *sich wegen etw ~* to worry about sth.

ängstlich *adj* (*verängstigt*) anxious, apprehensive; (*schüchtern*) timid, timorous ► *~ darauf bedacht sein, etw zu tun* to be at pains to do sth.

Ängstlichkeit *f siehe adj* anxiety, apprehension; timidity, timorousness.

Angst-: *~macher* *m* (*col*) scaremonger; *~schrei* *m* cry of fear; *~schweiß* *m* cold sweat; *mir brach der ~schweiß aus* I broke out in a cold sweat; *a~voll* *adj* apprehensive, fearful; *~zustand* *m* state of panic; *~zustände bekommen* to get into a state of panic.

angucken ['angʊ-] *vt sep* to look at.

angurten ['angʊ-] *vtr sep* = **anschnallen.**

Anh. = **Anhang** app.

anhaben *vt sep irreg* **a** (*angezogen haben*) to have on, to wear ► *sie hatte ein schwarzes Kleid an* she was wearing a black dress, she had on a black dress. **b** (*zuleide tun*) to do harm ► *jdm etw ~ wollen* to want to harm sb; *die Kälte kann mir nichts ~* the cold doesn't worry *or* bother me. **c** (*am Zeug flicken*) *Sie können/die Polizei kann mir nichts ~!* (*col*) you/the police can't touch me.

anhaften *vi sep* **a** (*lit*) to stick (*an +dat* to). **b** (*fig*) *+dat* to stick to, to stay with.

anhalten *sep irreg* **1** *vi* **a** (*stehenbleiben*) to stop. **b** (*fortdauern*) to last. **c** (*werben*) *um die Hand eines Mädchens ~* to ask for a girl's hand in marriage.
2 *vt* **a** (*stoppen*) to stop. **b** (*anleiten*) to urge, to encourage; *jdn zur Arbeit/Höflichkeit ~* to get sb to work/teach sb to be polite; *siehe* **angehalten.**

anhaltend *adj* continuous, incessant.

Anhalter(in *f*) *m* - hitch-hiker ► *per ~ fahren* to hitch-hike, to hitch (*col*).

Anhaltspunkt *m* (*Vermutung*) clue (*für* about); (*für Verdacht*) grounds *pl* ► *ich habe keinerlei ~e* I have no idea.

anhand, an Hand *prep +gen siehe* **Hand (d).**

Anhang *m, pl* **Anhänge** **a** (*Nachtrag*) appendix. **b** *no pl* (*Gefolgschaft*) following; (*Angehörige*) family.

anhängen *sep* **1** *vt* **a** (*an +acc* to) (*ankuppeln*) to attach; (*Rail auch*) to couple on; *Anhänger* to hitch up; (*Comp*) to append; (*fig: anfügen*) to add (*dat, an +acc* to). **b** (*col*) *jdm etw ~* (*nachsagen, anlasten*) to blame sb for sth, to blame sth on sb; *schlechten Ruf, Spitznamen* to give sb sth; *Verdacht, Schuld* to pin sth on sb (*col*).
2 *vi irreg* (*fig*) **a** (*anhaften*) *jdm ~* to stay with sb; (*schlechter Ruf, Gefängnisstrafe auch*) to stick with sb. **b** (*sich zugehörig fühlen*) *+dat* to adhere to, to subscribe to.

Anhänger *m* - **a** supporter; (*von Sportart auch*) fan; (*von Partei auch*) follower. **b** (*Wagen*) trailer. **c** (*Schmuckstück*) pendant. **d** (*Koffer~ etc*) tag, label.

Anhängerin *f* = **Anhänger (a).**

Anhänger-: *~kupplung* *f* towbar; *~schaft* *f siehe* **Anhänger (a)** supporters *pl*; fans *pl*; followers *pl*.

anhängig *adj* (*Jur*) sub judice ► *etw ~ machen* to start legal proceedings over sth.

anhänglich *adj Kind, Freund* clinging; *Haustier* devoted.

Anhänglichkeit *f siehe adj* tendency to cling to one;

⚠: Informationen zur Rechtschreibreform im Anhang

devotion.

Anhängsel nt [a] (*Überflüssiges, Mensch*) appendage (*an +dat* to). [b] (*Schildchen*) tag; (*an Kette*) pendant.

anhauchen vt sep to breathe on; *siehe* **angehaucht.**

anhauen vt sep (*col: ansprechen*) to accost (*um* for) ► **jdn um etw ~** to (try to) touch sb for sth (*col*).

anhäufen sep [1] vt to accumulate, to amass; *Vorräte, Geld* to hoard.
[2] vr to pile up, to accumulate; (*Zinsen*) to accumulate, to accrue.

Anhäufung f *siehe* vt accumulation, amassing; hoarding.

anheben vt sep irreg [a] (*hochheben*) to lift (up); *Glas* to raise. [b] (*erhöhen*) to raise.

Anhebung f increase (*gen, von* in).

anheften vt sep to fasten (on) (*an +acc or dat* to).

anheimelnd adj (*geh*) homely; *Klänge* familiar.

anheimfallen vi sep irreg aux sein *+dat* (*liter*) to pass or fall to; *einem Betrug* to fall victim to.

anheimstellen vt sep *+dat* (*geh*) **jdm etw ~** to leave sth to sb's discretion.

anheizen vt sep [a] *Ofen* to light. [b] (*fig col*) *Wirtschaft* to stimulate; (*verschlimmern*) *Krise* to aggravate.

anheuern vti sep (*Naut, fig*) to sign on or up.

Anhieb m: **auf ~** (*col*) straight or right away, first go (*col*); **das kann ich nicht auf ~ sagen** I can't say off-hand.

anhimmeln vt sep (*col*) to idolize, to worship.

Anhöhe f hill.

anhören sep [1] vt [a] to hear; *CD, Konzert* to listen to. [b] (*zufällig mithören*) to overhear ► **ich kann das nicht mehr mit ~** I can't listen to that any longer. [c] (*anmerken*) **man konnte ihr/ihrer Stimme die Verzweiflung ~** one could hear the despair in her voice.
[2] vr [a] **sich** (*dat*) **etw ~** to listen to sth; **das höre ich mir nicht mehr länger mit an** I'm not going to listen to that any longer. [b] (*klingen*) to sound ► **das hört sich ja gut an** (*col*) that sounds good.

Anhörung f hearing.

animalisch adj animal; (*pej auch*) bestial, brutish.

Animierdame f nightclub or bar hostess.

animieren* vt [a] (*anregen*) to encourage ► **jdn zum Kaufen ~** to encourage sb to buy; to put sb up to a trick; **durch das schöne Wetter animiert** prompted by the good weather. [b] (*Film*) to animate.

Animier-: **~lokal** nt hostess bar, clipjoint (*pej*); **~mädchen** nt nightclub or bar hostess.

Animosität f (*geh: Feindseligkeit*) animosity, hostility (*gegen* towards).

Anis [a'niːs] m **-e** (*Gewürz*) aniseed; (*Pflanze*) anise.

Anisett m **-s** m anisette, aniseed liqueur.

Ank. (*Rail*) = **Ankunft** arr.

ankämpfen vi sep **gegen etw ~** to fight (against) sth; *gegen Wind, Strömung* to battle against sth.

Ankara nt Ankara.

ankarren vt sep (*col*) to cart along.

Ankauf m purchase ► **An- und Verkauf von ...** we buy and sell ...

ankaufen vti sep to purchase, to buy.

Anker m - (*Naut, Archit, fig*) anchor ► **vor ~ gehen** to drop anchor; **vor ~ liegen** to lie or ride at anchor; **den/die ~ lichten** to weigh anchor.

ankern vi (*Anker werfen*) to anchor; (*vor Anker liegen*) to be anchored.

Anker-: **~platz** m anchorage; **~winde** f capstan.

anketten vt sep to chain up (*an +acc or dat* to) ► **angekettet sein** (*fig*) to be tied up.

ankläffen vt sep (*pej*) to bark at; (*kleiner Hund*) to yap at.

Anklage f [a] (*Jur*) charge; (*~vertretung*) prosecution ►

gegen jdn ~ erheben to bring or prefer charges against sb; **(wegen etw) unter ~ stehen** to have been charged (with sth). [b] (*fig*) (*Beschuldigung*) accusation; (*Anprangerung*) indictment (*an +acc* of).

Anklagebank f dock ► **auf der ~ (sitzen)** (*lit, fig*) (to be) in the dock.

anklagen vt sep (*Jur*) to charge, to accuse ► **jdn einer Sache** (*gen*) or **wegen etw ~** to charge sb with sth; (*fig: beschuldigen*) to accuse sb of sth.

anklagend adj *Ton* accusing; *Blick* reproachful.

Anklagepunkt m charge.

Ankläger m - (*Jur*) prosecutor.

Anklage-: **~schrift** f indictment; **~vertreter** m (public) prosecutor, counsel for the prosecution; **~verzinsung** f (*Fin*) return on investments.

anklammern sep [1] vt (*mit Büroklammer*) to clip (*an +acc or dat* (on)to); (*mit Heftmaschine*) to staple (*an +acc or dat* on(to), to).
[2] vr **sich an jdn/etw** (*acc or dat*) **~** to cling to sb/sth.

Anklang m [a] no pl (*Beifall*) approval ► **~ (bei jdm) finden** to meet with (sb's) approval; **großen/wenig/keinen ~ finden** to be very well/poorly/badly received. [b] (*Reminiszenz*) **Anklänge an etw** (*acc*) **enthalten** to be reminiscent of sth.

ankleben vt sep to stick up (*an +acc or dat* on) ► **Plakate ~ verboten** stick no bills.

Ankleidekabine f changing cubicle.

ankleiden vtr sep (*geh*) to dress.

Ankleideraum m dressing-room; (*im Schwimmbad, Geschäft*) changing room.

anklicken vti sep (*Comp*) to click on.

anklingeln vti sep (*col*) to give a ring (*Brit col*), to call up (*US*).

anklingen vi sep aux sein (*erinnern*) to be reminiscent (*an +acc* of); (*angeschnitten werden*) to be touched (up)on.

anklopfen vi sep to knock (*an +acc or dat* at, on).

anknabbern vt sep (*col*) (*annagen*) to gnaw or nibble (at) ► **zum A~ (aussehen)** (*fig*) (to look) good enough to eat.

anknacksen vt sep (*col*) *Knochen* to crack; *Fuß, Gelenk etc* to crack a bone in.

anknipsen vt sep to switch on; *Schalter* to flick.

anknüpfen sep [1] vt *Beziehungen* to establish; *Gespräch* to start up.
[2] vi **an etw** (*acc*) **~** to take sth up.

Anknüpfung f (*fig*) siehe vt establishing; starting up ► **in ~ an etw** (*acc*) following on from sth.

Anknüpfungspunkt m link.

ankommen sep irreg aux sein [1] vi [a] to arrive ► **bist du gut angekommen?** did you arrive safely or get there all right?; **bei etw angekommen sein** to have reached sth, to have got to sth; **das Kind soll in 6 Wochen ~** the baby is due (to arrive) in 6 weeks. [b] (*Anklang, Resonanz finden*) (*bei* with) to go down well; (*Mode, Neuerungen*) to catch on ► **damit kommst du bei ihm nicht an!** you won't get anywhere with him like that; **er kommt bei seinen Schülern ausgezeichnet an** he is a great success with his pupils. [c] (*sich durchsetzen*) **gegen etw ~** *gegen Gewohnheit, Sucht etc* to be able to fight sth; **er ist zu stark, ich komme gegen ihn nicht an** he's too strong, I'm no match for him.
[2] vi impers [a] (*wichtig sein*) **es kommt auf etw** (*acc*) **an** sth matters; **es kommt darauf an, daß wir ...** what matters is that we ...; **darauf soll es mir/uns etc nicht ~** that doesn't matter. [b] (*abhängig sein*) to depend (*auf +acc* on) ► **es kommt darauf an** it (all) depends; **es käme auf einen Versuch an** we'd have to give it a try. [c] (*col*) **es darauf ~ lassen** to chance it; **laß es nicht drauf ~!** don't push your luck! (*col*); **er ließ es auf ein-**

en Streit/einen Versuch ~ he was prepared to argue about it/to give it a try.

ankoppeln *vt sep* (*Rail*) to couple up (*an* +*acc* to); (*Space*) to link up (*an* +*acc* with, to).

ankotzen *vt sep* (*col: anwidern*) to make sick (*col*).

ankratzen *vt sep* (*fig*) *jds Ruf etc* to damage; *siehe* **angekratzt.**

ankreiden *vt sep* (*fig*) *jdm etw (dick or übel)* ~ to hold sth against sb.

ankreuzen *vt sep* to mark with a cross.

ankündigen *sep* [1] *vt* [a] (*ansagen, anmelden*) to announce; (*auf Plakat, in Zeitung etc*) to advertise. [b] (*auf etw hindeuten*) to be a sign of.
[2] *vr* (*fig*) to be heralded (*durch* by) ► *der Frühling kündigt sich an* spring is in the air.

Ankündigung *f* announcement; (*vorherige Benachrichtigung*) advance notice.

Ankunft *f, pl* **Ankünfte** arrival ► ~ *Inland* domestic arrivals.

Ankunfts-: ~**halle** *f* arrival lounge; ~**zeit** *f* time of arrival.

ankuppeln *vt sep* = **ankoppeln.**

ankurbeln *vt sep Maschine* to wind up; (*fig*) *Wirtschaft, Konjunktur* to boost, to reflate.

Ankurbelung *f* (*fig*) reflation.

Anl. = **Anlage** encl.

anlächeln *vt sep* to smile at.

anlachen *vt sep* to smile at ► *sich* (*dat*) *jdn* ~ (*col*) to pick sb up (*col*).

Anlage *f* -n [a] (*Fabrik~*) plant. [b] (*Grün~, Park~*) (public) park; (*um ein Gebäude herum*) grounds *pl*. [c] (*Einrichtung*) (*Mil, Elec*) installation(s); (*Sport~ etc*) facilities *pl*. [d] (*col: Stereo~*) (stereo) system *or* equipment; (*EDV~*) system. [e] (*usu pl: Veranlagung*) aptitude, gift (*zu* for); (*Neigung*) predisposition, tendency (*zu* to). [f] (*Kapital~*) investment. [g] (*Beilage zu einem Schreiben*) enclosure ► *als* ~ *or in der* ~ *erhalten Sie* ... please find enclosed ...

Anlage-: ~**berater** *m* investment consultant; ~**kapital** *nt* investment capital.

Anlagenabschreibung *f* capital allowance.

Anlagepapier *nt* long-term investment bond.

Anlageverzinsung *f* (*Fin*) return on investments.

anlangen *sep* [1] *vi aux sein* (*an einem Ort*) to arrive ► *am Gipfel angelangt sein* to have reached the summit.
[2] *vt* = **anbelangen.**

⚠ **Anlaß** *m, pl* **Anlässe** [a] (*Veranlassung*) (immediate) cause (*zu* for) ► *welchen* ~ *hatte er, das zu tun?* what prompted him to do that?; *es besteht kein* ~ ... there is no reason ...; *etw zum* ~ *nehmen, zu* ... to use sth as an opportunity to ...; *beim geringsten/bei jedem* ~ for the slightest reason/at every opportunity. [b] (*Gelegenheit*) occasion ► *aus gegebenem* ~ in view of the occasion; *aus diesem* ~ on this occasion.

anlassen *sep irreg* [1] *vt* [a] *Motor* to start (up). [b] (*col*) *Mantel* to keep on; *Wasserhahn, Motor, Licht, Radio* to leave on.
[2] *vr sich gut/schlecht* ~ to get off to a good/bad start.

Anlasser *m* - (*Aut*) starter.

⚠ **anläßlich** *prep* +*gen* on the occasion of.

anlasten *vt sep jdm etw* ~ to blame sb for sth; *jdm etw als Schwäche* ~ to regard *or* see sth as a weakness on sb's part.

Anlauf *m, pl* **Anläufe** [a] (*Sport*) run-up ► *mit/ohne* ~ with a run-up/from standing; ~ *nehmen* to take a run-up. [b] (*fig: Versuch*) attempt, try ► *beim ersten/zweiten* ~ at the first/second attempt.

anlaufen *sep irreg* [1] *vi aux sein* [a] (*beginnen*) to begin, to start; (*Saison auch, Film*) to open; (*Motor*) to start. [b] *rot/blau* ~ to turn *or* go red/blue. [c] (*Sport: Anlauf*

nehmen) to take a run-up.
[2] *vt* (*Naut*) *Hafen etc* to put into, to call at.

Anlauf-: ~**stelle** *f* shelter, refuge; ~**zeit** *f* (*fig*) time to get going *or* started.

anläuten *vti sep* (*dial: anrufen*) *jdn* or *bei jdm* ~ to ring sb (up) (*Brit*), to call sb up (*US*).

Anlegebrücke *f* landing stage, jetty.

anlegen *sep* [1] *vt* [a] *Leiter* to put up (*an* +*acc* against); *Brett, Karte* to lay (down) (*an* +*acc* next to, beside); *Lineal* to position, to set ► *das Gewehr* ~ to raise the gun to one's shoulder; *strengere Maßstäbe* ~ to lay down *or* to impose stricter standards (*bei* in). [b] *Kartei, Akte* to start; *Vorräte* to lay in; *Garten etc* to lay out. [c] (*investieren*) *Geld* to invest; (*ausgeben*) to spend (*für* on). [d] *es darauf* ~, *daß* ... to be determined that ...; *siehe* **angelegt.**
[2] *vi* [a] (*Naut*) to berth, to dock. [b] (*Gewehr* ~) to aim (*auf* +*acc* at).
[3] *vr sich mit jdm* ~ to pick an argument with sb.

Anlegeplatz *m* berth.

Anleger(in *f*) *m* - (*Fin*) investor.

Anlegestelle *f* mooring.

anlehnen *sep* [1] *vt* to lean *or* rest (*an* +*acc* against) ► *angelehnt sein* (*Tür*) to be ajar; (*Fenster*) to be slightly open.
[2] *vr* (*lit*) to lean (*an* +*acc* against) ► *sich an etw* (*acc*) ~ (*fig*) to follow sth.

Anlehnung *f* [a] (*Anschluß*) dependence (*an* +*acc* on) ► ~ *an jdn suchen* to seek sb's support. [b] (*Imitation*) *in* ~ *an jdn/etw* following sb/sth.

Anlehnungs-: ~**bedürfnis** *nt* need of loving care; **a~bedürftig** *adj* needing loving care.

anleiern *vt sep* (*col: in die Wege leiten*) to get going.

Anleihe *f* -n (*Fin*) loan; (*Wertpapier*) bond ► *eine* ~ *aufnehmen* to take out a loan; *bei jdm eine* ~ *machen* to borrow (money) from sb.

anleinen *vt sep* (*festmachen*) to tie up ► *den Hund* ~ to put the dog's lead on.

anleiten *vt sep* [a] (*unterweisen*) to teach, to instruct. [b] (*erziehen*) *jdn zu etw* ~ to teach sb sth.

Anleitung *f* (*Erklärung, Hilfe*) instructions *pl* ► *unter der* ~ *seines Vaters* under his father's guidance *or* direction.

anlernen *vt sep* (*ausbilden*) to train; *siehe* **angelernt.**

Anlernling *m* trainee.

anlesen *vt sep irreg* (*aneignen*) *sich* (*dat*) *etw* ~ to learn sth by reading.

anliefern *vt sep* to deliver.

Anlieferung *f* delivery.

Anliegen *nt* - [a] (*Bitte*) request. [b] (*wichtige Angelegenheit*) matter of concern.

anliegen *vi sep irreg* [a] (*anstehen, vorliegen*) to be on. [b] (*Kleidung*) to fit closely *or* tightly (*an etw* (*dat*) sth); (*Haar*) to lie flat (*an* +*dat* against, on).

anliegend *adj* [a] *Ohren* flat ► (*eng*) ~ *Kleidung* tight- *or* close-fitting. [b] (*in Briefen*) enclosed. [c] *Grundstück* adjacent.

Anlieger *m* - neighbour (*Brit*), neighbor (*US*); (*Anwohner*) (local) resident ► ~ *frei* no thoroughfare — residents only.

Anlieger-: ~**staat** *m die ~staaten des Schwarzen Meers* the countries bordering (on) the Black Sea; ~**verkehr** *m* (local) residents' vehicles.

anlocken *vt sep* to attract; *Tiere auch* to lure.

Anlockung *f* attraction.

anlügen *vt sep irreg* to lie to, to tell lies to.

Anm. = **Anmerkung.**

Anmache *f no pl* (*col*) pick-up (*col*); (*Belästigung*) harassment.

anmachen *vt sep* [a] (*col: befestigen*) to put up (*an* +*acc or dat* on). [b] (*zubereiten*) to mix; *Salat* to dress. [c]

(*anstellen*) *Radio, Licht, Heizung etc* to put *or* turn on; *Feuer* to light. **d** (*col: ansprechen*) to chat up (*col*); (*belästigen*) to harass ▶ **mach mich nicht an** leave me alone. **e** (*col: begeistern*) to drive wild; (*sexuell*) to turn on (*col*) ▶ **das Publikum ~** to get the audience going.

anmahnen *vt sep* to send a reminder about.

anmalen *sep* [1] *vt* to paint.

[2] *vr* (*pej: schminken*) to paint one's face *or* oneself.

Anmarsch *m no pl* (*Mil*) advance ▶ *im ~ sein* to be advancing (*auf +acc* on); (*hum*) to be on the way.

anmarschieren* *vi sep aux sein* (*Mil*) to advance.

anmaßen *vr sep* **sich** (*dat*) **etw ~** *Befugnis, Recht* to claim sth (for oneself); *Titel, Macht, Autorität* to assume sth; **sich** (*dat*) **ein Urteil über etw** (*acc*) **~** to presume to pass judgement on sth.

anmaßend *adj* presumptuous.

Anmaßung *f* presumption, presumptuousness ▶ *es ist eine ~ zu meinen, ...* it is presumptuous to maintain that ...

Anmeldeformular *nt* application form.

anmelden *sep* [1] *vt* **a** (*ankündigen*) *Besuch* to announce. **b** (*bei Schule, Kurs etc*) to enrol (*bei at, zu* for). **c** (*eintragen lassen*) *Patent* to apply for; *neuen Wohnsitz, Auto* to register (*bei* at); *Fernseher* to get a licence (*Brit*) *or* license (*US*) for ▶ **Konkurs ~** to declare oneself bankrupt. **d** (*Telec*) **ein Gespräch nach Deutschland ~** to book a call to Germany. **e** (*geltend machen*) *Recht, Ansprüche,* (*zu Steuerzwecken*) to declare ▶ **ich melde starke Bedenken an** I have serious doubts about that.

[2] *vr* **a** (*ankündigen: Besucher*) to announce one's arrival. **b** (*an Schule, zu Kurs etc*) to enrol (oneself) (*an +dat* at, *zu* for) ▶ **sich (beim Einwohnermeldeamt) ~** to register with the local authorities. **c** (*sich einen Termin geben lassen*) to make an appointment.

anmeldepflichtig *adj Krankheit* notifiable.

Anmeldung *f* (*an Schule, zu Kurs etc*) enrolment (*an +dat* at, *zu* for); (*beim Einwohnermeldeamt*) registration ▶ **nur nach vorheriger ~** by appointment only.

anmerken *vt sep* (*sagen*) to say; (*als Fußnote*) to note ▶ **jdm seine Verlegenheit** *etc* **~** to notice sb's embarrassment *etc,* **sich** (*dat*) **etw ~ lassen** to let sth show.

Anmerkung *f* note.

anmieten *vt sep* to rent.

anmustern *vti* (*Naut*) to sign on.

Anmut *f no pl* grace; (*Grazie auch*) gracefulness; (*Schönheit*) beauty, loveliness.

anmuten *sep* [1] *vt* (*geh*) to appear, to seem (*jdn* to sb). [2] *vi* **eine eigenartig ~de Geschichte** a story that strikes one as odd.

anmutig *adj* (*geh*) (*geschmeidig*) *Bewegung* graceful; (*hübsch anzusehen*) lovely, charming.

annageln *vt sep* to nail on (*an +acc or dat* -to) ▶ **er stand wie angenagelt da** he stood there rooted to the spot.

annagen *vt sep* to gnaw (at).

annähen *vt sep* to sew on (*an +acc or dat* -to); *Saum* to sew up.

annähern *sep* [1] *vt* to bring closer (*dat, an +acc* to). [2] *vr* **a** (*lit, fig: sich nähern*) to approach (*einer Sache* (*dat*) sth). **b** (*sich angleichen, näherkommen*) to come closer (*dat, an +acc* to).

annähernd [1] *adj* (*ungefähr*) approximate, rough. [2] *adv* (*etwa*) roughly; (*fast*) almost ▶ **nicht ~ soviel** not nearly as much.

Annäherung *f* (*lit, fig*) approach (*an +acc* towards); (*von Standpunkten*) convergence (*dat, an +acc* with) ▶ **die ~ zwischen Ost und West** the rapprochement of East and West.

Annäherungsversuch *m* overtures *pl.*

Annahme *f* -n **a** (*Vermutung, Voraussetzung*) assumption ▶ **in der ~, daß ...** on the assumption that ...; *von einer ~ ausgehen* to work on an assumption. **b** *siehe* **annehmen 1** (**a**) acceptance; taking; approval; passing; adoption ▶ **~ an Kindes Statt** (child) adoption.

Annahme-: **~frist** *f* **~frist bis zum 17. Juli** closing date 17th July; **die ~frist einhalten** to meet the deadline; **~schluß** △ *m* closing date; **~stelle** *f* (*für Pakete, Telegramme*) counter; (*für Lotto etc*) (national lottery etc) agency; (*für Reparaturen*) reception; (*für Material*) delivery point; **~verweigerung** *f* refusal.

Annalen *pl* annals *pl* ▶ **in die ~ eingehen** (*fig*) to go down in the annals *or* in history.

annehmbar *adj* acceptable; (*nicht schlecht*) reasonable, not bad.

▼ **annehmen** *sep irreg* [1] *vt* **a** to accept; *Nahrung, einen Rat, Telefonat* to take; (*billigen*) to approve; *Gesetz* to pass; *Resolution* to adopt. **b** (*vermuten, voraussetzen*) to assume ▶ **von jdm etw ~** (*erwarten*) to expect sth of sb; (*glauben*) to believe sth of sb; *siehe* **angenommen.** **c** (*sich aneignen*) to adopt; *Gewohnheit etc auch* to pick up; *Staatsangehörigkeit auch* to take on; *Gestalt, Namen* to assume, to take on ▶ **jdn an Kindes Statt ~** to adopt sb.

[2] *vr* **sich jds/einer Sache ~** to look after a person/a matter.

Annehmlichkeit *f* (*Bequemlichkeit*) convenience ▶ **~en** *pl* comforts *pl.*

annektieren* *vt* to annex.

Annektierung, Annexion *f* annexation.

anno *adj* in the year ▶ **von ~ dazumal** (*col*) *or* **Tobak** (*col*) from the year dot (*col*); **ein Überbleibsel von ~ dazumal** (*col*) a hangover from the olden days.

Anno Domini *adv* in the year of Our Lord.

Annonce [a'nõ:sə] *f* -n advertisement.

annoncieren* [anõ'si:rən] *vti* to advertise.

annullieren* *vt* (*Jur*) to annul.

Annullierung *f* annulment.

Anode *f* -n anode.

an|öden *vt sep* (*col: langweilen*) to bore stiff.

anomal *adj* (*regelwidrig*) unusual, abnormal; (*nicht normal*) strange, odd.

Anomalie *f* anomaly.

anonym *adj* anonymous ▶ **A~e Alkoholiker** Alcoholics Anonymous.

Anonymität *f* anonymity.

Anorak *m* -s anorak (*Brit*), parka.

an|ordnen *vt sep* **a** (*befehlen, festsetzen*) to order. **b** (*nach Plan ordnen, aufstellen*) to arrange; (*systematisch*) to order.

An|ordnung *f* **a** (*Befehl*) order ▶ **laut (polizeilicher) ~** by order (of the police); **auf ~ des Arztes** on doctor's orders; **~en treffen** to give orders. **b** (*Aufstellung*) arrangement; (*systematische ~*) order; (*Formation*) formation.

Anorexie *f no pl* anorexia (nervosa).

an|organisch *adj* (*Chem*) inorganic.

anormal *adj* (*col*) = **anomal.**

anpacken *sep* (*col*) [1] *vt* **a** (*anfassen*) to take hold of, to grab. **b** (*handhaben, beginnen*) to tackle, to set about. **c** (*umgehen mit*) *jdn* to treat. [2] *vi* (*helfen: auch mit ~*) to lend a hand.

anpassen *sep* [1] *vt* **a** *Kleidung* to fit (*dat* on). **b** (*abstimmen*) **etw einer Sache** (*dat*) **~** to suit sth to sth. **c** (*angleichen*) **etw einer Sache** (*dat*) **~** to bring sth into line with sth.

[2] *vr* to adapt (oneself) (*dat* to); (*einer Situation etc*) to adjust (*dat* to); (*gesellschaftlich*) to conform ▶ **wir mußten uns (ihren Wünschen) ~** we had to fit in with their wishes *or* them; *siehe* **angepaßt.**

     ➤ SATZBAUSTEINE: **annehmen: 1a** → 15.3

Anpassung *f* (*an* +*acc* to) adaptation; (*an Gesellschaft, Normen etc*) adjustment.

Anpassungs-: a~fähig *adj* adaptable; **~fähigkeit** *f* adaptability; **~schwierigkeiten** *pl* difficulties *pl* in adapting; **~vermögen** *nt* adaptability.

anpeilen *vt sep* (*mit Radar, Funk etc*) to take a bearing on ▶ *etw ~* (*fig inf*) to have one's sights on sth.

anpeitschen *vt sep* to drive on, to push (hard).

anpfeifen *sep irreg* (*Sport*) ⊡ *vi* to blow the whistle. ② *vt das Spiel ~* to start the game (by blowing one's whistle).

Anpfiff *m* (*Sport*) (starting) whistle; (*Spielbeginn*) kick-off.

anpflanzen *vt sep* (*bepflanzen*) to plant; (*anbauen*) to grow.

Anpflanzung *f* ⓐ *siehe vt* planting; growing. ⓑ (*Fläche*) cultivated area.

anpirschen *vr sep* to creep up (*an* +*acc* on).

anpöbeln *vt sep* (*col*) to abuse.

Anprall *m* impact ▶ *beim ~ gegen* on impact with.

anprallen *vi sep aux sein* to crash (*an or gegen jdn/etw* into sb/against sth).

anprangern *vt sep* to denounce.

anpreisen *vt sep irreg* to extol (*jdm etw* sth to sb) ▶ *sich (als etw) ~* to sell oneself as sth.

Anprobe *f* ⓐ fitting. ⓑ (*~raum*) fitting room.

anprobieren* *vt sep* to try on.

anpumpen *vt sep* (*col*) to borrow from ▶ *jdn um 50 Mark ~* to touch sb for 50 marks (*col*).

anquatschen *vt sep* (*col*) to speak to; *Mädchen* to chat up (*col*).

Anrainer *m* - neighbour (*Brit*), neighbor (*US*) ▶ *die ~ der Nordsee* the countries bordering (on) the North Sea.

anraten *vt sep irreg jdm etw ~* to recommend sth to sb; *auf A~ des Arztes* on the doctor's advice *or* recommendation.

anrechnen *vt sep* ⓐ (*in Rechnung stellen*) to charge for (*jdm* sb). ⓑ (*gutschreiben*) to count, to take into account (*jdm* for sb) ▶ *das alte Auto rechnen wir (Ihnen) mit DM 500 an* we'll allow (you) 500 marks for the old car. ⓒ (*bewerten*) *jdm etw hoch ~* to think highly of sb for sth; *jdm etw als Fehler ~* (*Lehrer*) to count sth as a mistake; (*fig*) to consider sth as a fault on sb's part; *ich rechne es ihm als Verdienst an, daß ...* I think it is greatly to his credit that ...

Anrecht *nt* (*Anspruch*) right, entitlement (*auf* +*acc* to) ▶ *ein ~ auf etw* (*acc*) *haben* to be entitled to sth, to have a right to sth.

Anrede *f* form of address; (*Brief~ auch*) salutation (*form*).

anreden *vt sep* to address ▶ *jdn mit „du" ~* to address sb as "du"; *jdn mit seinem Titel ~* to address sb by his title.

anregen *vt sep* ⓐ (*ermuntern*) to prompt (*zu* to) ▶ *jdn zum Denken ~* to make sb think. ⓑ (*geh: vorschlagen*) *Verbesserung* to propose, to suggest. ⓒ (*beleben*) to stimulate; *Appetit auch* to whet, to sharpen ▶ *Kaffee regt an* coffee has a stimulating effect; *siehe* **angeregt**.

anregend *adj* stimulating.

Anregung *f* ⓐ (*Antrieb, Impuls*) stimulus. ⓑ (*Vorschlag*) idea ▶ *auf ~ von or* +*gen* at or on the suggestion of. ⓒ (*Belebung*) stimulation.

Anregungsmittel *nt* stimulant.

anreichen *vt sep* to pass, to hand.

anreichern *vt sep* (*gehaltvoller machen*) to enrich.

Anreise *f* ⓐ (*Anfahrt*) journey there/here ▶ *die ~ zu diesem abgelegenen Ort ist sehr mühsam* it is very difficult to get to this remote place. ⓑ (*Ankunft*) arrival.

anreisen *vi sep aux sein* ⓐ (*ein Ziel anfahren*) to make

a/the journey *or* trip (there/here) ▶ *mit dem eigenen PKW ~* to travel (there/here) in one's own car. ⓑ (*eintreffen*) (*auch* **angereist kommen**) to arrive.

anreißen *vt sep irreg* ⓐ (*kurz zur Sprache bringen*) to touch on. ⓑ (*pej col*) *Kunden* to attract.

Anreiz *m* incentive ▶ *ein ~ zum Lernen* a learning incentive.

anreizen *sep* ⓐ *vt* (*anspornen*) to encourage. ② *vi* to act as an incentive (*zu* to); (*Menge*) to cheer on.

anrempeln *vt sep* (*anstoßen*) to bump into; (*absichtlich*) *Menschen* to jostle.

anrennen *vi sep irreg aux sein gegen etw ~ gegen Wind etc* to run against sth; (*Mil*) to storm sth; *angerannt kommen* (*col*) to come running.

Anrichte *f* -n (*Schrank*) dresser; (*Büfett*) sideboard.

anrichten *vt sep* ⓐ *Speisen* to prepare ▶ *es ist angerichtet* (*form*) dinner/luncheon is served (*form*). ⓑ (*fig*) *Unheil etc* to cause, to bring about ▶ *da hast du aber etwas angerichtet!* (*col*) (*verursacht*) you've started something there all right; (*angestellt*) you've really made a mess there.

anrollen *vi sep aux sein* (*zu rollen beginnen*) to start to roll; (*heranrollen*) to roll up; (*Aviat*) to taxi; (*fig: beginnen*) to start.

anrosten *vi sep aux sein* to get (a bit) rusty.

anrüchig *adj* (*von üblem Ruf*) of ill repute; *Lokal etc* notorious.

anrücken *vi sep aux sein* (*Truppen*) to advance; (*Polizei etc*) to move in.

Anruf *m* call; (*Mil: eines Wachtpostens*) challenge ▶ *etw auf ~ tun* to do sth when called.

▼ **Anrufbe|antworter** *m* (telephone) answering machine, answerphone.

▼ **anrufen** *sep irreg* ⊡ *vt* ⓐ to shout to; (*Telec*) to call, to phone, to ring (*Brit*); (*Mil: Posten*) to challenge ▶ *darf ich dich ~?* is it all right if I call you *or* I give you a ring (*Brit*)?; *kann man Sie ~?* are you on the phone? ⓑ (*fig: appellieren an*) to appeal to (*um* for). ② *vi* (*telefonieren*) to phone *col* ▶ *bei jdm ~* to phone sb.

Anrufer(in *f*) *m* caller.

Anrufung *f* (*Gottes, der Heiligen etc*) invocation; (*Jur*) appeal (*gen* to).

anrühren *vt sep* ⓐ (*berühren, sich befassen mit*) to touch; (*fig*) *Thema* to touch on ▶ *er rührt kein Fleisch/keinen Alkohol an* he doesn't touch meat/alcohol. ⓑ (*mischen*) *Farben* to mix; *Sauce* to blend; (*verrühren*) to stir.

ans = **an das.**

Ansage *f* -n announcement; (*Cards*) bid.

ansagen *sep* ⊡ *vt* ⓐ to announce ▶ *jdm den Kampf ~* to declare war on sb. ⓑ (*Cards*) to bid; (*Skat*) to declare. ⓒ (*col*) *angesagt sein* (*modisch sein*) to be in; (*erforderlich sein*) to be called for; (*auf dem Programm stehen*) to be the order of the day. ② *vr* (*Besuch ankündigen*) to say that one is coming.

Ansager(in *f*) *m* - (*Rad etc*) announcer.

ansammeln *sep* ⊡ *vt* ⓐ (*anhäufen*) to accumulate. ⓑ (*zusammenkommen lassen*) to gather together; *Truppen* to concentrate. ② *vr* ⓐ (*sich versammeln*) to gather, to collect. ⓑ (*aufhäufen*) to accumulate; (*Staub, Wasser auch*) to collect; (*Druck, fig: Wut*) to build up; (*Zinsen*) to build up.

Ansammlung *f* ⓐ (*Anhäufung*) accumulation; (*Sammlung*) collection; (*von Druck, Wut*) build-up; (*Haufen*) pile. ⓑ (*Auflauf*) gathering, crowd; (*von Truppen*) concentration.

ansässig *adj* (*form*) resident ▶ *alle in diesem Ort A~en* all local residents.

Ansatz *m* ⓐ (*von Hals, Arm, Henkel etc*) base. ⓑ (*Tech*)

➤ SATZBAUSTEINE: **Anrufbeantworter** → 15.6   **anrufen:** 2 → 9.2, 15.1, 15.2, 15.3, 15.4, 15.7

(*Zusatzstück*) attachment; (*zur Verlängerung*) extension; (*Naht*) join. **c** (*erstes Anzeichen, Beginn*) first sign(s *pl*), beginning(s *pl*); (*Ausgangspunkt*) starting-point.

Ansatz-: **~punkt** *m* starting-point; **~stück** *nt* (*Tech*) attachment; (*zur Verlängerung*) extension; **a~weise** *adv* to some extent.

ansaugen *vt sep* to suck *or* draw in.

anschaffen *sep* **1** *vt* (*sich dat*) *etw* ~ to get oneself sth; (*kaufen*) to buy sth; **sich** (*dat*) **Kinder** ~ (*col*) to have children.
2 *vi* (*col: durch Prostitution*) ~ **gehen** to be on the game (*col*).

Anschaffung *f* acquisition ▸ **ich habe mich zur ~ eines Autos entschlossen** I have decided to buy a car; **~en machen** to acquire things; (*kaufen*) to make purchases.

Anschaffungs-: **~kosten** *pl* cost *sing* of purchase; **~preis** *m* purchase price.

anschalten *vt sep* to switch on.

anschauen *vt sep* to look at; (*prüfend*) to examine ▸ **sich** (*dat*) **etw** ~ to have a look at sth.

anschaulich *adj* clear; (*lebendig, bildhaft*) vivid; *Beschreibung* graphic; *Beispiel* concrete ▸ **etw ~ machen** to illustrate sth.

Anschauung *f* (*Ansicht, Auffassung*) view; (*Meinung*) opinion ▸ **nach neuerer ~** according to the current way of thinking; **aus eigener ~** from one's own experience.

Anschauungs-: **~material** *nt* illustrative material, visual aids *pl*; **~unterricht** *m* visual instruction.

Anschein *m* appearance; (*Eindruck*) impression ▸ **allem ~ nach** to all appearances, apparently; **den ~ erwecken, als ...** to give the impression that ...; **es hat den ~, als ob ...** it appears that *or* seems as if ...

anscheinend *adv* apparently.

anscheißen *vt sep irreg* (*fig col!*) **jdn** ~ (*betrügen*) to do the dirty on sb (*col*); (*beschimpfen*) to give sb a bollocking (*col!*).

anschicken *vr sep* **sich ~, etw zu tun** (*geh: im Begriff sein*) to be about to do sth.

anschieben *vt sep irreg* *Fahrzeug* to push.

anschießen *sep irreg* **1** *vt* **a** (*verletzen*) to shoot (and wound); *Vogel* (*in Flügel*) to wing; *siehe* **angeschossen.** **b** (*col: kritiseren*) to hit out at (*col*).
2 *vi aux sein* (*col*) (*heranrasen*) to shoot up ▸ **angeschossen kommen** to come shooting along *or* (*auf einen zu*) up.

anschimmeln *vi sep aux sein* to (start to) go mouldy.

⚠ **Anschiß** *m* **-sse** (*col*) bollocking (*col!*).

Anschlag *m* **a** (*Plakat*) poster; (*Bekanntmachung*) notice ▸ **einen ~ machen** to put up a poster/notice. **b** (*Überfall*) attack (*auf +acc on*); (*Attentat*) attempt on sb's life ▸ **einem ~ zum Opfer fallen** to be assassinated. **c** (*von Klavier|spieler*), *Schreibmaschine*) touch ▸ **200 Anschläge in der Minute** ≈ 40 words per minute. **d** (*bei Hebel, Knopf etc*) stop ▸ **etw bis zum ~ durchdrücken** to push sth right down. **e** (*Mil*) **ein Gewehr im ~ haben** to have a rifle at the ready.

Anschlagbrett *nt* notice-board (*Brit*), bulletin board (*US*).

anschlagen *sep irreg* **1** *vt* **a** (*befestigen*) to fix on (*an +acc -to*); (*mit Nägeln*) to nail on (*an +acc -to*); (*aushängen*) *Plakat* to put up, to post (*an +acc on*). **b** *Taste, accord* to strike ▸ **eine schnellere Gangart ~** (*fig*) to speed up; **einen anderen Ton ~** (*fig*) to change one's tune. **c** (*beschädigen, verletzen*) *Geschirr* to chip. **d** (*aufnehmen*) *Maschen* to cast on.
2 *vi* **a** (*Welle*) to beat (*an +acc against*). **b** (*Laut geben*) (*Hund*) to give a bark; (*Vogel*) to give a screech. **c** (*wirken: Arznei etc*) to work, to take effect.

anschlagfrei *adj Drucker* non-impact.

anschleichen *sep irreg* **1** *vi aux sein* to creep along *or*

(*auf einen zu*) up ▸ **angeschlichen kommen** (*col*) to come creeping along/up.
2 *vr* **sich an jdn/etw** ~ to creep up on sb/sth; (*sich anpirschen*) to stalk sth.

anschleppen *vt sep* **a** *Auto* to tow-start. **b** (*col: unerwünscht mitbringen*) to bring along; (*nach Hause*) to bring home; *Freund etc auch* to turn up with (*col*).

anschließen *sep irreg* **1** *vt* **a** (*an +acc etc*) (*Tech, Elec, Telec etc: verbinden*) to connect; (*in Steckdose*) to plug in; (*Waschmaschine etc*) to plumb in. **b** (*fig: hinzufügen*) to add; *siehe* **angeschlossen.**
2 *vr* **sich jdm** *or* **an jdn** ~ (*folgen*) to follow sb; (*zugesellen*) to join sb; (*beipflichten*) to side with sb; **sich einer Sache** (*dat*) *or* **an etw** (*acc*) ~ (*folgen*) to follow sth; (*beitreten, sich beteiligen*) to join sth; (*beipflichten*) to endorse sth; (*angrenzen*) to adjoin sth; **sich an ein Datennetz** ~ to link up with a data network.
3 *vi* **an etw** (*acc*) ~ to follow sth.

anschließend **1** *adv* afterwards.
2 *adj* following ▸ **Essen mit ~em Tanz** dinner with a dance afterwards.

⚠ **Anschluß** *m* **a** (*Verbindung*) connection; (*Beitritt*) entry
▼ (*an +acc into*); (*an Klub*) joining (*an +acc of*) ▸ **~ haben nach** (*Rail*) to have a connection to; **den ~ verpassen** (*Rail etc*) to miss one's connection; (*fig*) to miss the boat (*col*); **ihm gelang der ~ an die Spitze** (*Sport*) he managed to catch up with the leaders. **b** (*Telec, Elec, Comp*) connection; (*Comp auch*) port; (*weiterer Apparat*) extension; (*Wasser~*) supply point; (*für Waschmaschine*) point connection ▸ **~ bekommen** to get through; **kein ~ unter dieser Nummer** number unobtainable. **c** **im ~ an** (*+acc*) (*nach*) subsequent to, following. **d** (*fig: Kontakt*) contact (*an +acc with*) ▸ **~ finden** to make friends (*an +acc with*); **er sucht ~** he wants to make friends.

Anschluß-: **~flug** ⚠ *m* connecting flight; **~stelle** ⚠ *f* (*Mot*) junction; **~zug** ⚠ *m* (*Rail*) connecting train, connection.

anschmiegen *vr sep* **sich an jdn/etw** ~ (*Kind, Hund*) to snuggle *or* nestle up to *or* against sb/sth; (*Kleidung*) to cling to sb/sth.

anschmiegsam *adj Wesen* affectionate; *Material* smooth.

anschmieren *vt sep* **a** (*bemalen*) to smear. **b** (*col*) (*betrügen*) to con (*col*); (*Streiche spielen*) to play tricks on; *siehe* **angeschmiert.**

anschnallen *sep* **1** *vt Rucksack* to strap on; *Skier* to clip on.
2 *vr* (*Aviat, Aut*) to fasten one's seat belt ▸ **bitte ~!** fasten your seat belts, please!

Anschnallpflicht *f obligatory wearing of seat belts* ▸ **für Kinder besteht ~** children must wear seat belts.

anschnauzen *vt sep* (*col*) to yell at.

anschneiden *vt sep irreg* **a** *Brot etc* to (start to) cut. **b** (*fig*) *Frage, Thema* to touch on. **c** (*Aut*) *Kurve*, (*Sport*) *Ball* to cut.

Anschnitt *m* (*Schnittfläche*) cut part; (*erstes Stück*) first slice.

Anchovis [anˈʃoːvɪs] *f* - anchovy.

anschrauben *vt sep* to screw on (*an +acc -to*).

anschreiben *sep irreg* **1** *vt* **a** (*aufschreiben*) to write up (*an +acc on*) ▸ **etw mit Kreide** ~ to chalk sth up; *siehe* **angeschrieben.** **b** (*col: in Rechnung stellen*) to chalk up. **c** *Behörde, Versandhaus etc* to write to. **2** *vi* (*col*) **sie läßt immer** ~ she always buys on tick (*col*).

anschreien *vt sep irreg* to shout *or* yell at.

Anschrift *f* address.

Anschriftenliste *f* mailing list.

anschuldigen *vt sep* to accuse (*gen* of).

⚠: for details of spelling reform, see supplement   ➤ SATZBAUSTEINE: **b** → 15.7

Anschuldigung *f* accusation.

anschwärzen *vt sep* (*fig col*) *jdn* ~ to blacken sb's name (*bei* with).

anschweigen *vt sep irreg* to say nothing to ▶ *sich* (*gegenseitig*) ~ to say nothing (to each other).

anschweißen *vt sep* to weld on (*an* +*acc* -to).

anschwellen *vi sep irreg aux sein* to swell (up); (*Lärm*) to rise ▶ *dick angeschwollen* very swollen.

anschwemmen *vt sep* to wash up *or* ashore.

anschwimmen *sep irreg* ① *vt* to swim towards. ② *vi aux sein gegen etw* ~ to swim against sth.

anschwindeln *vt sep* (*col*) *jdn* ~ to tell sb fibs (*col*).

ansehen *vt sep irreg* ⓐ (*betrachten*) to look at ▶ *er sah mich ganz böse an* he gave me an angry look; *hübsch etc anzusehen* pretty *etc* to look at; *sieh mal einer an!* (*col*) well, I never! (*col*).

ⓑ (*fig*) to regard, to look upon (*als, für* as) ▶ *ich sehe es als meine Pflicht an* I consider it to be my duty; *siehe* **angesehen**.

ⓒ (*sich dat*) *etw* ~ to (have a) look at sth; *Fernsehsendung* to watch sth; *Film, Stück, Veranstaltung* to see sth; *sich* (*dat*) *jdn/etw gründlich* ~ (*lit, fig*) to take a close look at sb/sth.

ⓓ *das sieht man ihm an/nicht an* he looks it/ doesn't look it; *man kann ihm die Strapazen der letzten Woche* ~ he's showing the strain of the past week; *man sieht ihm sein Alter nicht an* he doesn't look his age; *jdm etw an den Augen* or *an der Nasenspitze* (*hum*) ~ to tell *or* guess sth by looking at sb.

ⓔ *etw (mit)* ~ to watch sth, to see sth happening; *ich kann das nicht länger mit* ~ I can't stand it any more.

Ansehen *nt no pl* ⓐ (*Aussehen*) appearance ▶ *jdn vom* ~ *kennen* to know sb by sight. ⓑ (*guter Ruf*) good reputation, standing ▶ *großes* ~ *genießen* to enjoy a good reputation; *an* ~ *verlieren* to lose credit *or* standing. ⓒ (*Jur*) *ohne* ~ *der Person* without respect of person.

ansehnlich *adj* (*beträchtlich*) considerable; *Leistung* impressive.

anseilen *vt sep jdn/sich* ~ to rope sb/oneself up.

⚠ **ansein** *vi sep irreg aux sein* (*col*) to be on.

ansetzen *sep* ① *vt* ⓐ (*anfügen*) to attach (*an* +*acc* to); (*annähen*) to sew on. ⓑ (*in Stellung bringen*) to place in position ▶ *das Glas* ~ to raise the glass to one's lips; *an welcher Stelle muß man den Wagenheber* ~? where should the jack be put *or* placed? ⓒ (*festlegen*) *Kosten, Termin* to fix (*mit* at, *auf* +*acc* for). ⓓ (*einsetzen*) *jdn auf jdn/etw* ~ to put sb on(to) sb/sth. ⓔ (*entstehen lassen*) *Blätter etc* to put on ▶ *Fett* ~ to put on weight; *Rost* ~ to get rusty. ⓕ (*Cook*) (*vorbereiten*) to prepare; (*auf den Herd setzen*) to put on.

② *vr* (*Rost*) to form; (*Kalk etc*) to be deposited.

③ *vi* ⓐ (*beginnen*) to start, to begin ▶ *zur Landung* ~ (*Aviat*) to come in to land; *zum Sprung/Spurt* ~ to get ready to jump/to start one's spurt. ⓑ (*Cook: sich festsetzen*) to stick.

▼ **Ansicht** *f* -en ⓐ view ▶ ~ *von hinten/vorn* rear/front view; ~ *von oben/unten* view from above/below, top/ bottom view (*Tech*). ⓑ (*das Betrachten, Prüfen*) inspection ▶ *zur* ~ (*Comm*) for (your/our *etc*) information; *jdm Waren zur* ~ *schicken* (*Comm*) to send sb goods on approval. ⓒ (*Meinung*) opinion, view ▶ *nach* ~ +*gen* in the opinion of; *meiner* ~ *nach* in my opinion or view; *anderer/der gleichen* ~ *sein* to be of a different/the same opinion, to disagree/agree; *ich bin ganz Ihrer* ~ I entirely agree with you; *die* ~*en sind geteilt* opinions differ, opinion is divided.

Ansichts-: ~*karte* *f* picture postcard; ~*sache* *f das ist* ~*sache* that is a matter of opinion.

ansiedeln *sep* ① *vt* to settle; *Tierart* to introduce. ② *vr* to settle; (*Industrie etc*) to become established.

Ansiedlung *f* settlement.

Ansinnen *nt* (*dated, geh: Vorschlag*) suggestion.

ansonsten *adv* otherwise.

anspannen *vt sep* ⓐ (*straffen*) to tauten, to tighten; *Muskeln* to tense. ⓑ (*anstrengen*) to strain, to tax; *Geduld, Mittel auch* to stretch ▶ *alle seine Kräfte* ~ to strain every nerve; *siehe* **angespannt**. ⓒ *Wagen, Pferd* to hitch up.

Anspannung *f* (*fig*) strain; (*körperliche Anstrengung auch*) effort.

ansparen *vt* to save.

Anspiel *nt* (*Sport*) start of play ▶ *das* ~ *haben* to start play; (*Ftbl*) to kick off.

anspielen *sep* ① *vt* (*Sport*) to play the ball *etc* to; *Spieler* to pass to. ② *vi auf jdn/etw* ~ to allude to sb/sth; *worauf wollen Sie* ~? what are you driving at?, what are you insinuating?

Anspielung *f* allusion (*auf* +*acc* to); (*böse*) insinuation, innuendo (*auf* +*acc* regarding).

anspitzen *vt sep Bleistift etc* to sharpen.

Ansporn *m no pl* incentive.

anspornen *vt sep* (*fig*) to spur on, to encourage (*zu* to); *Menge* to cheer on.

Ansprache *f* (*Rede*) address, speech ▶ *eine* ~ *halten* to make a speech.

ansprechbar *adj* ⓐ *er ist beschäftigt/wütend und zur Zeit nicht* ~ he's so busy/angry it's no use talking to him just now. ⓑ *Patient* responsive.

ansprechen *sep irreg* ① *vt* ⓐ (*anreden*) to speak to; (*belästigend*) to accost ▶ *jdn auf etw* (*acc*) ~ to ask *or* approach sb about sth; *damit sind Sie alle angesprochen* this is directed at all of you. ⓑ (*gefallen*) to appeal to; (*Eindruck machen auf*) to make an impression on. ② *vi* (*auf* +*acc* to) (*reagieren*) (*Patient, Gaspedal etc*) to respond; (*Meßgerät auch*) to react ▶ *diese Tabletten sprechen bei ihr nicht an* these tablets don't have any effect on her.

ansprechend *adj* (*reizvoll*) *Äußeres, Verpackung etc* attractive, appealing; *Umgebung etc* pleasant.

Ansprechpartner *m* (*form*) contact.

Ansprechzeit *f* (*Comp*) response time.

anspringen *sep irreg* ① *vt* (*anfallen*) to jump; (*Raubtier*) to pounce on; (*Hund: hochspringen*) to jump up at. ② *vi aux sein* (*Motor*) to start ▶ *das Auto springt nicht an* the car won't start.

Anspruch *m, pl* **Ansprüche** ⓐ (*esp Jur*) claim; (*Recht*) right (*auf* +*acc* to) ▶ ~ *auf Schadenersatz erheben/ haben* to make a claim for damages/to be entitled to damages. ⓑ (*Anforderung*) demand; (*Standard*) standard, requirement ▶ *große* or *hohe Ansprüche stellen* to be very demanding; (*hohes Niveau verlangen*) to demand high standards; *den Ansprüchen gerecht werden* to meet the requirements. ⓒ (*Behauptung*) claim ▶ *diese Theorie erhebt keinen* ~ *auf Unwiderlegbarkeit* this theory does not claim to be irrefutable. ⓓ *etw in* ~ *nehmen Recht* to claim sth; *jds Hilfe* to enlist sth; *Möglichkeiten, Kantine etc* to take advantage of sth; *Zeit, Kräfte* to take up sth; *darf ich Ihre Aufmerksamkeit in* ~ *nehmen?* may I have your attention?; *das nimmt mich sehr in* ~ it keeps me very busy.

anspruchslos *adj* (*bescheiden*) modest, unassuming; (*wenig Pflege etc erfordernd*) undemanding; *Literatur, Musik* lowbrow; *Produkte* downmarket.

anspruchsvoll *adj* (*viel verlangend*) demanding; (*übertrieben* ~) hard to please, fastidious; (*hohe Ansprüche stellend*) *Stil, Buch* ambitious; *Geschmack, Musik* highbrow; (*kultiviert*) sophisticated; (*hochwertig*) upmarket.

anspucken *vt sep* to spit at *or* on.

anspülen *vt sep* to wash up *or* ashore.

anstacheln *vt sep* to spur (on); (*antreiben*) to drive *or* goad on.

Anstalt *f* **-en** [a] institution (*auch euph*); (*Institut*) institute. [b] **~en** *pl* (*Maßnahmen*) measures *pl*; (*Vorbereitungen*) preparations *pl*; **~en/keine ~en machen, etw zu tun** to make a/no move to do sth.

Anstand *m no pl* (*Schicklichkeit*) decency, propriety; (*Manieren*) (good) manners *pl* ▶ **keinen ~ haben** to have no sense of decency/no manners.

anständig [1] *adj* decent; *Witz auch* clean; (*ehrbar*) respectable; (*col: beträchtlich*) sizeable, large ▶ **das war nicht ~ von ihm** that was pretty bad of him; **eine ~e Tracht Prügel** (*col*) a good hiding. [2] *adv* decently ▶ **sich ~ benehmen** to behave oneself; **sich ~ hinsetzen** to sit properly.

Anständigkeit *f* decency; (*Ehrbarkeit*) respectability.

Anstands-: **~besuch** *m* formal call; (*aus Pflichtgefühl*) duty visit; **~dame** *f* chaperon(e); **~formen** *pl* manners *pl*; **a~halber** *adv* out of politeness; **a~los** *adv* without difficulty.

anstarren *vt sep* to stare at.

anstatt [1] *prep +gen* instead of. [2] *conj* **~ zu arbeiten** instead of working.

anstauen *vr sep* to accumulate; (*Blut in Adern etc*) to congest; (*fig auch: Gefühle*) to build up ▶ **angestaute Wut** pent-up rage.

anstechen *vt sep irreg* to make a hole in, to pierce; *Kartoffeln, Fleisch* to prick; *Reifen* to puncture; *Faß* to tap, to broach.

anstecken *sep* [1] *vt* [a] (*befestigen*) to pin on; *Ring* to put *or* slip on. [b] (*anzünden*) to light; (*in Brand stecken*) to set fire to. [c] (*Med, fig*) to infect. [2] *vr* **sich (mit etw) ~** to catch sth (*bei* from). [3] *vi* (*Med, fig*) to be infectious *or* catching; (*durch Berührung, fig*) to be contagious.

ansteckend *adj* (*Med, fig*) infectious, catching *pred* (*col*); (*durch Berührung, fig*) contagious.

Anstecknadel *f* pin, badge.

Ansteckung *f* (*Med*) infection; (*durch Berührung*) contagion.

Ansteckungsgefahr *f* risk of infection.

anstehen *vi sep irreg* [a] (*in Schlange*) to queue (up) (*Brit*), to stand in line (*nach* for). [b] (*Verhandlungspunkt*) to be on the agenda ▶ **~de Probleme** problems that have arisen.

ansteigen *vi sep irreg aux sein* to rise; (*Temperatur, Preis, Zahl auch*) to go up, to increase.

anstelle *prep +gen* instead of, in place of.

anstellen *sep* [1] *vt* [a] to place; (*anlehnen*) to lean (*an +acc* against). [b] (*beschäftigen*) to employ, to take on; *siehe* **angestellt**. [c] (*anmachen, andrehen*) to turn on; (*in Gang setzen auch*) to start. [d] *Betrachtung, Vermutung etc* to make; *Vergleich auch* to draw. [e] (*machen, unternehmen*) to do; (*fertigbringen*) to manage. [f] (*col: Unfug treiben*) to get up to ▶ **etwas ~** to get up to mischief; **was hast du da wieder angestellt!** what have you done now?, what have you been up to now? [2] *vr* [a] (*Schlange stehen*) to queue (up) (*Brit*), to stand in line. [b] (*col: sich verhalten*) to act, to behave ▶ **sich dumm/ungeschickt ~** to act stupid/clumsily, to be stupid/clumsy. [c] (*col: sich zieren*) to make a fuss, to act up (*col*) ▶ **stell dich nicht so an!** don't make such a fuss!

Anstellung *f* employment; (*Stelle*) position.

ansteuern *vt sep* to make *or* steer *or* head (*auch hum*) for.

Anstich *m* (*von Faß*) tapping, broaching.

Anstieg *m* **-e** [a] (*Aufstieg*) climb, ascent; (*Weg*) ascent. [b] (*von Temperatur, Kosten, Preisen etc*) rise, increase (*gen* in).

anstiften *vt sep* (*anzetteln*) to instigate; (*verursachen*) to cause ▶ **jdn zu etw ~** to incite sb to (do) sth, to put sb up to sth (*col*).

Anstifter(in *f*) *m* instigator (*+gen, zu* of).

Anstiftung *f* (*von Mensch*) incitement (*zu* to); (*von Tat*) instigation.

anstimmen *vt sep* [a] (*singen*) to begin singing; (*Chorleiter*) *Grundton* to give; (*Kapelle*) to strike up, to start playing. [b] (*fig*) **ein Geschrei/Proteste** *etc* **~** to start crying/protesting *etc*.

Anstoß *m* [a] impetus, impulse ▶ **den (ersten) ~ zu etw geben** to initiate sth, to get sth going; **den ~ zu etw bekommen** to be prompted *or* encouraged to do sth; **es bedurfte eines neuen ~es** new impetus was needed. [b] (*Ftbl*) kick-off. [c] (*Ärgernis*) annoyance (*für* to) ▶ **~ erregen** to cause offence (*bei* to); **~ nehmen an** (*+Dat*) to take offence at; **ein Stein des ~es** (*umstrittene Sache*) a bone of contention.

anstoßen *sep irreg* [1] *vi* [a] *aux sein* **an etw** *acc* **~** to bump into sth. [b] (*mit den Gläsern*) **~** to clink glasses; **auf jdn/etw ~** to drink to sb/sth. [c] (*Ftbl*) to kick off. [d] (*angrenzen*) **an etw** (*acc*) **~** to adjoin sth; (*Land auch*) to border on sth. [2] *vt jdn* to knock (into); (*mit dem Fuß*) to kick; (*in Bewegung setzen*) to give a push.

anstößig *adj* offensive; *Kleidung* indecent.

Anstößigkeit *f siehe adj* offensiveness; indecency.

anstrahlen *vt sep* to floodlight; (*im Theater*) to spotlight; (*strahlend ansehen*) to beam at.

anstreben *vt sep* to strive for.

anstreichen *vt sep irreg* [a] (*mit Farbe etc*) to paint. [b] (*markieren*) to mark ▶ (*jdm*) **etw als Fehler ~** to mark sth wrong.

Anstreicher(in *f*) *m* - (house) painter.

anstrengen *sep* [1] *vt* [a] to strain; *Muskel, Geist* to exert; (*strapazieren*) *jdn* to tire out; *esp Patienten* to fatigue ▶ **das viele Lesen strengt meine Augen/mich an** all this reading puts a strain on my eyes/is a strain (for me); *siehe* **angestrengt**. [b] (*Jur*) **eine Klage ~** to initiate *or* institute proceedings (*gegen* against). [2] *vr* to make an effort; (*körperlich auch*) to exert oneself ▶ **sich mehr ~** to make more of an effort.

anstrengend *adj* (*körperlich*) strenuous; (*geistig*) demanding; (*erschöpfend*) exhausting, tiring ▶ **das ist ~ für die Augen** it's a strain on the eyes.

Anstrengung *f* effort; (*Strapaze*) strain ▶ **große ~en machen** to make every effort.

Anstrich *m* (*das Anmalen, Tünchen*) painting; (*Farbüberzug*) paint; (*fig: Anflug*) touch ▶ **ein zweiter ~** a second coat (of paint).

Ansturm *m* onslaught; (*auf Kaufhaus etc*) rush; (*auf Bank*) run; (*Menschenmenge*) crowd.

anstürmen *vi sep aux sein* **gegen etw ~** (*Mil*) to attack *or* storm sth; (*Wellen, Wind*) to pound sth; (*fig: ankämpfen*) to attack sth.

ansuchen *vi sep* (*form, Aus*) **bei jdm um etw ~** (*bitten um*) to request sth from sb; (*beantragen*) to apply to sb for sth.

Ansuchen *nt* - (*form, Aus*) request; (*Gesuch*) application.

Antagonismus *m* antagonism.

antanzen *vi sep aux sein* (*col*) to turn *or* show up (*col*).

Antarktika *f no pl* Antarctica.

Antarktis *f no pl* Antarctic.

antarktisch *adj* antarctic.

antasten *vt sep* [a] *Ehre, Würde* to offend; *Rechte* to infringe. [b] (*berühren*) to touch.

Ạnteil m -e [a] share. [b] (*Beteiligung*) ~ **an etw** (*dat*) **haben** (*beitragen*) to contribute to sth; (*teilnehmen*) to take part in sth. [c] (*Teilnahme: an Leid etc*) sympathy (*an* +*dat* with) ▸ **an etw** (*dat*) ~ **nehmen** *an Leid etc* to be deeply sympathetic over sth; *an Freude etc* to share in sth. [d] (*Interesse*) interest (*an* +*dat* in), concern (*an* +*dat* about) ▸ **regen ~ an etw** (*dat*) **nehmen** to take a lively interest in sth.

ạnteilig, ạnteilmäßig *adj* proportionate, proportional.

Ạnteilnahme f *no pl* [a] (*Beileid*) sympathy (*an* +*dat* with). [b] (*Beteiligung*) participation (*an* +*dat* in).

ạntelefonieren* *vti sep* (*col*) to phone ▸ **bei jdm ~** to phone sb up.

Antẹnne f -n (*Rad, TV*) aerial, antenna (*US*); (*Zool*) feeler, antenna ▸ **eine/keine ~ für etw haben** (*fig inf*) to have a/no feeling for sth.

Anthologie f anthology.

Anthrazịt m -e anthracite.

anthrazịt(farben) *adj* charcoal-grey, charcoal.

Anthropolọge m, **Anthropolọgin** f anthropologist.

Anthropologie f anthropology.

anthropolọgisch *adj* anthropological.

Anthroposophie f anthroposophy.

Anti- *pref* anti; **~alkohọliker** m teetotaller (*Brit*), teetotaler (*US*); **~amerikanịsmus** m *no pl* anti-Americanism; **a~autoritär** *adj* anti-authoritarian; **~bạbypille** f (*col*) (contraceptive)pill; **~biọtikum** nt, pl **~biọtika** antibiotic; **~blockiersystem** nt (*Aut*) anti-lock braking system; **a~demokrạtisch** *adj* antidemocratic; **~faschịsmus** m antifascism; **~faschịst** m antifascist; **a~faschịstisch** *adj* antifascist; **~held** m antihero; **~heldin** f antiheroine; **~histamịn** nt -e antihistamine.

antịk *adj* (*Hist*) ancient; (*Comm, col*) antique.

Antịke f *no pl* antiquity ▸ **die Kunst der ~** the art of the ancient world.

Anti-: **~kommunịsmus** m anticommunism; **~körper** m (*Med*) antibody.

Antịllen *pl* **die ~** the Antilles *pl*.

Antilọpe f -n antelope.

Anti-: **~pathie** f antipathy (*gegen* to); **~pọde** m (*wk*) -n, -n antipodean; **die Engländer sind die ~poden Australiens** the English live on the opposite side of the world from Australia.

ạntippen *vt sep* to tap; *Pedal, Bremse* to touch; (*fig*) *Thema* to touch on.

Antiquạr(in f) m antiquarian *or* (*von moderneren Büchern*) second-hand bookseller.

Antiquariạt nt antiquarian *or* (*modernerer Bücher*) second-hand bookshop (*Brit*) *or* bookstore (*US*) ▸ **modernes ~** remainder bookshop (*Brit*) *or* bookstore (*US*).

antiquạrisch *adj* antiquarian; (*von moderneren Büchern*) second-hand ▸ **ein Buch ~ kaufen** to buy a book second-hand.

antiquiert *adj* (*pej*) antiquated.

Antiquität f *usu pl* antique.

Antiquitäten-: **~geschäft** nt antique shop (*Brit*) *or* store (*US*); **~handel** m antique business *or* trade; **~händler** m antique dealer.

Anti-: **~(raketen) rakete** f anti(-missile)-missile; **~semịt** m antisemite; **a~semịtisch** *adj* antisemitic; **~semitịsmus** m antisemitism; **a~septisch** *adj* antiseptic; **a~stạtisch** *adj* antistatic; **~teilchen** nt (*Phys*) antiparticle.

Antitẹrror- *in cpds* antiterrorist.

Antithẹse f antithesis.

Anti-Vịren-Software f (*Comput*) anti-virus software.

Ạntlitz nt -e (*poet*) countenance (*liter*), face.

Ạntrag m, pl **Ạnträge** [a] (*auf* +*acc* for) application;

(*Gesuch auch*) request; (*Formular*) application form ▸ **einen ~ auf etw** (*acc*) **stellen** to make an application for sth. [b] (*Jur*) petition; (*bei Gericht*) claim ▸ **einen ~ auf etw** (*acc*) **stellen** to file a petition/claim for sth. [c] (*Parl*) motion.

ạntragen *vt sep irreg* (*geh*) **jdm etw ~** to offer sb sth.

Ạntragsformular nt application form; (*Insur*) proposal form.

Ạntragsteller(in f) m - applicant; (*für Beihilfe*) claimant.

antrẹffen *vt sep irreg* to find; *Situation auch* to meet ▸ **er ist schwer anzutreffen** it's difficult to catch him in; **ich habe ihn in guter Laune angetroffen** I found him in a good mood.

antreiben *vt* [a] (*vorwärtstreiben*) *Tiere, Gefangene* to drive; (*fig*) to urge ▸ **jdn zur Eile/Arbeit ~** to urge sb to hurry up/to work; **ich lasse mich nicht ~** I won't be pushed. [b] (*bewegen*) *Rad etc* to drive; (*mit Motor auch*) to power.

Ạntreiber m (*pej*) slave-driver (*pej*).

ạntreten *sep irreg* [1] *vt Reise, Strafe* to begin; *Stellung, Amt* to take up; *Erbe, Erbschaft* to come into ▸ **den Beweis ~, daß ...** to prove that ...; **seine Lehrzeit ~** to start one's apprenticeship. [2] *vi aux sein* [a] (*sich aufstellen*) to line up; (*Mil*) to fall in. [b] (*erscheinen*) to assemble; (*bei einer Stellung*) to start; (*zum Dienst*) to report. [c] (*zum Wettkampf*) to compete.

Ạntrieb m [a] impetus *no pl*; (*innerer*) drive ▸ **aus eigenem ~** on one's own initiative, off one's own bat (*col*). [b] (*Triebkraft*) drive ▸ **Auto mit elektrischem ~** electrically driven *or* powered car.

Ạntriebs-: **~kraft** f (*Tech*) power; **~rad** nt drive wheel; **~welle** f driveshaft.

antrinken *vt sep irreg* (*col*) to start drinking ▸ **sich** (*dat*) **einen (Rausch/Schwips) ~** to get (oneself) drunk/tipsy; **sich** (*dat*) **Mut ~** to give oneself Dutch courage; **eine angetrunkene Flasche** an opened bottle; *siehe* **angetrunken.**

Ạntritt m *no pl* (*Beginn*) beginning ▸ **bei ~ der Reise** when beginning one's journey; **nach ~ der Stellung** after taking up the post.

antun *vt sep irreg* [a] (*erweisen*) **jdm (große) Ehre ~** to pay (great) tribute to sb. [b] (*zufügen*) **jdm etw ~** to do sth to sb ▸ **sich** (*dat*) **ein Leid ~** to injure oneself; **jdm Schaden/Unrecht ~** to do sb an injury/injustice. [c] (*Sympathie erregen*) **es jdm ~** to appeal to sb; **sie hat es ihm angetan** he has fallen for her; *siehe* **angetan.**

anturnen ['antœrnən] *sep* (*col*) [1] *vt* (*Drogen, Musik*) to turn on (*col*). [2] *vi* to turn you on (*col*).

Antwẹrpen nt Antwerp.

Ạntwort f -en [a] answer, reply; (*Lösung, bei Examen*) answer ▸ **sie gab mir keine ~ auf die Frage** she didn't reply to *or* answer my question; **in ~ auf etw** (*acc*) (*form*) in reply to sth; **um umgehende ~ wird gebeten** please reply by return. [b] (*Reaktion*) response ▸ **als ~ auf etw** (*acc*) in response to sth.

▼ **ạntworten** *vti* [a] to answer, to reply ▸ **jdm ~** to answer sb, to reply to sb; **was soll ich ihm ~?** what should I tell him?; **mit Ja/Nein ~** to answer yes/no. [b] (*reagieren*) to respond (*auf* +*acc* to, *mit* with).

Ạntwort-: **~schein** m (international) reply coupon; **~schreiben** nt reply, answer.

anvertrauen* *sep* [1] *vt* **jdm etw ~** (*übergeben*) to entrust sth to sb *or* sb with sth; (*vertraulich erzählen*) to confide sth to sb. [2] *vr* **sich jdm ~** (*sich mitteilen*) to confide in sb.

Ạnverwandte(r) *mf decl as adj* (*geh*) relative, relation.

anvisieren* ['anvi-] *vt sep* (*fig*) to set one's sights on.

---

anwachsen vi sep irreg aux sein [a] (festwachsen) to grow on; (Pflanze etc) to take root. [b] (zunehmen) (auf +acc to) to increase, to grow.

Anwachsen nt increase, growth ▸ im ~ sein to be on the increase, to be growing.

anwählen vt sep to dial; jdn to call.

Anwalt m, pl **Anwälte**, **Anwältin** f [a] = **Rechtsanwalt.** [b] (fig: Fürsprecher) advocate.

Anwaltsbüro nt [a] lawyer's office. [b] (Firma) firm of lawyers or solicitors (Brit).

Anwalts-: ~**kammer** f professional association of lawyers ≃ Law Society (Brit); ~**kosten** pl legal expenses pl; ~**praxis** f legal practice; (Räume) lawyer's office.

Anwandlung f (Laune) mood; (Drang) impulse ▸ aus einer ~ heraus on (an) impulse; in einer ~ von etw in a fit of sth.

anwärmen vt sep to warm up.

Anwärter(in f) m (Kandidat) candidate (auf +acc for); (Sport) contender (auf +acc for); (Thron~) heir (auf +acc to).

anwehen vt sep Sand to blow; Schnee to drift.

anweisen vt sep irreg [a] (anleiten) Schüler to instruct; (befehlen auch) to order. [b] (zuweisen) (jdm etw sb sth) to allocate; Zimmer auch to give ▸ jdm einen Platz ~ to show sb to a seat. [c] Geld to transfer. [d] siehe **angewiesen.**

Anweisung f [a] (Fin) payment; (auf Konto etc) transfer. [b] (Anordnung) instruction, order. [c] (Zuweisung) allocation. [d] (Anleitung) instructions pl.

anwendbar adj Theorie, Regel applicable (auf +acc to) ▸ das ist in der Praxis nicht ~ that is not practicable.

anwenden vt sep auch irreg [a] (gebrauchen) to use (auf +acc on). [b] Theorie, Prinzipien to apply (auf +acc to); Erfahrung, Einfluß to use, to bring to bear (auf +acc on) ▸ sich auf etw (acc) ~ lassen to be applicable to sth; siehe **angewandt.**

Anwender(in f) m (esp Comp) user.

Anwender-: (Comp) ~**programm** nt user or application program; ~**software** f user or application software.

Anwendung f siehe vt use; application ▸ etw zur ~ bringen (form) to use/apply sth.

Anwendungs-: ~**möglichkeit** f possible application; ~**vorschrift** f instructions pl for use.

anwerben vt sep irreg to recruit (für to).

Anwerbung f recruitment.

anwerfen vt sep irreg (Tech) to start up.

Anwesen nt - (geh) estate.

anwesend adj (form) present ▸ ich war nicht ganz ~ (hum col) I wasn't quite with it (col).

Anwesende(r) mf decl as adj person present ▸ die ~n those present.

Anwesenheit f presence ▸ in ~ +gen or von in the presence of.

Anwesenheitsliste f attendance list.

anwidern vt sep jdn ~ (Essen, Anblick) to make sb feel sick; es/er widert mich an I can't stand it/him; siehe **angewidert.**

anwinkeln vt sep to bend.

Anwohner m - resident ▸ die ~ des Rheins the people who live along or on the Rhine.

Anzahl f no pl number ▸ eine ganze ~ quite a number.

anzahlen vt sep Ware to pay a deposit on, to make a down payment on ▸ 100 DM ~ to pay 100 marks down or as a deposit.

Anzahlung f deposit, down payment (für, auf +acc on); (erste Rate) first instalment (Brit) or installment (US) ▸ eine ~ machen or leisten (form) to pay a deposit.

anzapfen vt sep Faß to broach; Telefon, elektrische Leitung to tap ▸ jdn (um Geld) ~ (col) to touch sb (for money) (col); jdn ~ (col: Telec) to tap sb's phone.

Anzeichen nt sign; (Med auch) symptom ▸ alle ~ deuten darauf hin, daß ... all the signs are that ...

Anzeige f [a] (bei Behörde) report (wegen of); (bei Gericht) legal proceedings pl ▸ ~ gegen jdn/wegen etw erstatten to report sb/sth (to the police); jdn/etw zur ~ bringen (form) (bei Polizei) to report sb/sth to the police; (bei Gericht) to take sb/bring sth to court. [b] (Bekanntgabe) (Karte, Brief) announcement; (in Zeitung auch) notice; (Inserat, Reklame) advertisement. [c] (~tafel etc, Comp) display.

anzeigen vt sep [a] jdn ~ (bei der Polizei) to report sb (to the police); (bei Gericht) to institute legal proceedings against sb. [b] (bekanntgeben) Heirat etc to announce. [c] (angeben) Temperatur, Zeit, Geschwindigkeit to indicate, to show. [d] (Comp) to display.

Anzeigen-: ~**blatt** nt advertiser, free newspaper; ~**kampagne** f advertising campaign; ~**preise** pl advertising rates pl; ~**teil** m advertisement section; ~**werbung** f newspaper and magazine advertising.

anzeigepflichtig adj notifiable.

Anzeiger m (Tech) indicator.

Anzeigetafel f indicator board; (Sport) scoreboard.

anzetteln vt sep to instigate.

anziehen sep irreg [1] vt [a] Kleidung to put on ▸ sich (dat) etw ~ to put sth on. [b] (straffen) to pull (tight); Bremse (betätigen) to apply, to put on; Zügel to pull; Schraube to tighten. [c] (Magnet, fig) to attract; Geruch, Feuchtigkeit to absorb ▸ sich von jdm/etw angezogen fühlen to feel attracted to sb/sth.
[2] vi [a] (beschleunigen) to accelerate. [b] (Chess etc) to make the first move. [c] (Fin: Preise) to rise.
[3] vr [a] (sich kleiden) to get dressed. [b] (fig: Gegensätze) to attract each other.

anziehend adj (ansprechend) attractive.

Anziehung f attraction.

Anziehungskraft f (Phys) force of attraction; (fig) attraction, appeal ▸ eine große ~ auf jdn ausüben to attract sb strongly.

Anzug m, pl **Anzüge** [a] (Herren~) suit. [b] (das Heranrücken) approach ▸ im ~ sein to be coming; (Gewitter, Gefahr) to be in the offing; (Krankheit) to be coming on. [c] (Chess etc) opening move ▸ Weiß ist als erster im ~ white has first move.

anzüglich adj lewd, suggestive ▸ ~ werden to get personal.

Anzüglichkeit f lewdness, suggestiveness ▸ ~en lewd or suggestive remarks.

anzünden vt sep Feuer to light ▸ das Haus ~ to set fire to the house, to set the house on fire.

Anzünder m lighter.

anzweifeln vt sep to question, to doubt.

AOK [a:o:'ka:] f -s = **Allgemeine Ortskrankenkasse.**

ℹ️ The **AOK** (Allgemeine Ortskrankenkasse) forms part of a compulsory medical insurance scheme for people who are not members of a private scheme. The AOK has an office in every large town.

Aorta f, pl **Aorten** aorta.

apart adj distinctive, unusual; Mensch, Aussehen, Kleidungsstück auch striking.

Apartheid [a'pa:ethait] f no pl apartheid.

Apartment [a'partmənt] nt -s flat (Brit), apartment (esp US).

Apathie f apathy; (von Patienten) listlessness.

Apenninen pl die ~ the Apennines pl.

apathisch adj apathetic; Patient listless.

Aperitif m -s or -e aperitif.

Apfel m ⁻ apple ▸ in den sauren ~ beißen (fig col) to

grasp the nettle; *etw für einen ~ und ein Ei kaufen* (*col*) to buy sth dirt cheap (*col*) *or* for a song (*col*); *der ~ fällt nicht weit vom Stamm* (*Prov*) it's in the blood; like father, like son.

Apfel-: **~baum** *m* apple tree; **~blüte** *f* [a] apple blossom; [b] (*das Blühen*) blossoming of the apple trees; **~kompott** *nt* stewed apples; **~kuchen** *m* apple cake; **~mus** *nt* apple purée *or* (*als Beilage*) sauce; **~presse** *f* cider press; **~saft** *m* apple juice; **~schimmel** *m* dapple-grey (horse).

Apfelsine *f* orange.

Apfel-: **~strudel** *m* apfelstrudel; **~tasche** *f* apple turnover; **~wein** *m* cider.

APO, Apo ['a:po] *f no pl* (*Hist*) = **außerparlamentarische Opposition** extraparliamentary opposition.

> ☐ APO ☐
>
> ⓘ The *APO* was an extraparliamentary opposition group formed in West Germany in the late 1960s by those who felt that their interests were not being sufficiently represented in parliament. It was disbanded in the 1970s. Some of its members then formed the RAF, a terrorist organisation. Some formed the Green Party (*die Grünen*).

Apokalypse *f* -n apocalypse.

apokalyptisch *adj* apocalyptic.

apolitisch *adj* non-political, apolitical.

Apostel *m* - apostle.

Apostel-: **~brief** *m* epistle; **~geschichte** *f* Acts of the Apostles *pl*.

Apostroph *m* -e apostrophe.

Apotheke *f* -n dispensing chemist's (*Brit*), pharmacy (*US*).

> ☐ APOTHEKE ☐
>
> ⓘ The *Apotheke* is a pharmacy selling medicines that are available only on prescription, as well as some everyday non-prescription medicines like aspirin. You can also buy sticking plasters, thermometers etc, and toiletries from the Apotheke. The pharmacist is qualified to give advice on medicines and treatment.

apothekenpflichtig *adj* available only at a chemist's (*Brit*) *or* pharmacy (*US*).

Apotheker(in *f*) *m* - pharmacist, (dispensing) chemist (*Brit*).

App. = **Apparat** (*Telefon*) ext.

Appalachen *pl die ~* the Appalachians *pl*, the Appalachian Mountains *pl*.

▼ **Apparat** *m* -e [a] apparatus *no pl*, appliance; (*kleineres, technisches, mechanisches Gerät auch*) device, gadget; (*Röntgen~ etc*) machine. [b] (*Radio*) radio; (*Fernseher*) set; (*Foto~*) camera. [c] (*Telefon*) (tele)phone; (*Anschluß*) extension ▸ *am ~* on the phone; (*als Antwort*) speaking; *wer war am ~?* who did you speak to?; *bleiben Sie am ~!* hold the line. [d] (*Personen und Hilfsmittel*) set-up; (*Verwaltungs~, Partei~*) machinery, apparatus; (*technischer etc*) equipment, apparatus.

Apparatur *f* equipment *no pl*, apparatus *no pl*.

Appartement [apartə'mãː] *nt* -s [a] *siehe* **Apartment.** [b] (*Zimmerflucht*) suite.

Appell *m* -e [a] (*Aufruf*) appeal (*an +acc* to, *zu* for) ▸ *einen ~ an jdn richten* to (make an) appeal to sb. [b] (*Mil*) roll call ▸ *zum ~ antreten* to line up for roll call.

appellieren* *vi* to appeal (*an +acc* to).

Appetit *m no pl* (*lit, fig*) appetite ▸ *~ auf etw* (*acc*) *haben* to feel like sth; *guten ~!* enjoy your meal!; *jdm den ~ verderben* to spoil sb's appetite.

Appetit-: **a~anregend** *adj Speise etc* appetizing; **~hap-**

pen *m* canapé; **a~lich** *adj* (*lit, fig*) appetizing; **~losigkeit** *f* lack of appetite; **~zügler** *m* - appetite suppressant.

applaudieren* *vti* to applaud.

Applaus *m no pl* applause.

apportieren* *vti* to retrieve, to fetch.

Appretur *f* (*Mittel*) finish; (*Tex*) starch; (*Wasserundurchlässigkeit*) waterproofing.

approbiert *adj Arzt* registered, certified.

Apr. = **April** Apr.

Après-Ski [apre'ʃiː] *nt* -s après-ski.

Aprikose *f* -n apricot.

Aprikosenmarmelade *f* apricot jam.

April *m* -e April ▸ *~, ~!* April fool!; *der erste ~* April Fool's Day; *jdn in den ~ schicken* to make an April fool of sb; *siehe* **März.**

April-: **~scherz** *m* April fool's trick; *das ist doch wohl ein ~scherz* (*fig*) it's got to be a joke; **~wetter** *nt* April weather.

apropos [apro'po:] *adv* by the way, that reminds me ▸ *~ Afrika* talking about Africa.

Aquädukt *nt* -e aqueduct.

Aqua-: **~marin** *nt* -e aquamarine; **~planing** *nt no pl* (*Aut*) aquaplaning.

Aquarell *nt* -e watercolour (*Brit*), watercolor (*US*).

Aquarell-: **~farbe** *f* watercolour (*Brit*); watercolor (*US*); **~maler** *m* watercolourist (*Brit*), water colorist (*US*); **~malerei** *f* watercolour (*Brit*) *or* watercolor (*US*) painting.

Aquarium *nt* aquarium; (*im Haus*) fish tank.

Äquator *m no pl* equator.

äquatorial *adj* equatorial.

Aquavit [akva'viːt] *m* -e aquavit.

Äquivalent [ɛkviva'lɛnt] *nt* -e equivalent; (*Ausgleich*) compensation.

äquivalent *adj* equivalent.

Äquivalenz [ɛkviva'lɛnts] *f* equivalence.

Ar *nt or m* -e (*Measure*) are (*100 m²*).

Ära *f*, *pl* **Ären** era ▸ *die ~ Adenauer* the Adenauer era.

Araber *m* - (*auch Pferd*), **Araberin** *f* Arab.

Arabien [-iən] *nt* Arabia.

arabisch *adj* Arab; *Ziffer, Sprache etc* Arabic; (*Geog: Meer, Wüste*) Arabian ▸ *die A~e Halbinsel* the Arabian Peninsula, Arabia.

Arabisch(e) *nt* Arabic; *siehe* **Deutsch(e).**

Arbeit *f* [a] work; (*~sstelle, Aufgabe*) job; (*Pol, Econ, ~skosten*) labour (*Brit*), labor (*US*) ▸ *~ und Kapital* capital and labour; *Tag der ~* Labour Day; *die ~en an der Autobahn* the work on the motorway; *viel ~ machen* to be a lot of work (*jdm* for sb); *das ist/kostet viel ~* it's a lot of work *or* a big job; *an or bei der ~ sein* to be working; *sich an die ~ machen, an die ~ gehen* to get down to work, to start working; *an die ~!* to work!; *etw ist in ~* work on sth is in progress; *erst die ~, dann das Vergnügen* (*prov*) business before pleasure (*prov*); *ganze or gründliche ~ leisten* (*lit, fig iro*) to do a good job.
[b] *no pl* (*Mühe*) trouble, bother ▸ *jdm ~ machen* to put sb to trouble; *machen Sie sich keine ~!* don't go to any trouble *or* bother; *einer (geregelten) ~ nachgehen* to have a (steady) job; *ohne ~ sein* to be out of work; *zur ~ gehen/von der ~ kommen* to go to/come back from work; *seine ~ besteht darin, zu ...* his job is to ...
[c] (*Produkt*) work; (*handwerkliche*) piece of work; (*Prüfungs~*) (examination) paper; (*wissenschaftliche*) paper; (*Sch*) test ▸ *~en korrigieren* to mark test papers; *eine ~ schreiben/schreiben lassen* to do/set a test.

arbeiten ① *vi* to work (*an +dat* on) ▸ *die Zeit arbeitet für/gegen uns* time is on our side/against us; *er arbeitet für zwei* (*col*) he does the work of two; *die Anlage arbeitet elektrisch/mit Kohle* the plant runs on electricity/coal; *bei einer Firma/Zeitung* ~ to work for a firm/newspaper; *die ~de Bevölkerung* the working population. ② *vr* |a| *sich zu Tode* ~ to work oneself to death. |b| (*sich fortbewegen*) to work oneself (*in +acc* into, *durch* through, *zu* to) ▶ *sich nach oben/an die Spitze* ~ (*fig*) to work one's way up/to the top. |c| *impers es arbeitet sich gut/schlecht* you can/can't work well.

Arbeiter(in *f*) *m* - worker; (*im Gegensatz zum Angestellten*) blue-collar worker; (*auf Bau, Bauernhof*) labourer (*Brit*), laborer (*US*); (*bei Straßenbau, im Haus*) workman ▶ ~ *und ~innen* male and female workers.

Arbeiter-: ~**bewegung** *f* labour (*Brit*) *or* labor (*US*) movement; ~**familie** *f* working-class family; ~**führer** *m* (*Pol*) leader of the working classes; ~**gewerkschaft** *f* blue-collar (trade) union, labor union (*US*); ~**jugend** *f* young workers *pl*; ~**kind** *nt* child from a working-class family; ~**klasse** *f* working class(es *pl*); ~**lied** *nt* workers' song; ~**partei** *f* workers' party; ~**schaft** *f* workforce; ~**-und-Bauern-Staat** *m* (*DDR*) workers' and peasants' state; ~**unruhen** *pl* unrest among the workers; ~**viertel** *nt* working-class area; ~**wohlfahrt** *f* workers' welfare association.

Arbeitgeber(in *f*) *m* employer.

Arbeitgeber-: ~**anteil** *m* employer's contribution; ~**haftpflicht** *f* employer's liability; ~**verband** *m* employers' federation.

Arbeitnehmer(in *f*) *m* employee.

Arbeitnehmer-: ~**anteil** *m* employee's contribution; ~**schaft** *f* employees *pl*.

Arbeits|ablauf *m* work routine; (*von Fabrik*) production *no art*.

arbeitsam *adj* industrious, hard-working.

Arbeitsamkeit *f* industriousness.

Arbeits-: ~**amt** *nt* employment exchange, job centre (*Brit*); ~**anzug** *m* working suit; ~**atmosphäre** *f* work(ing) atmosphere, work climate; ~**auffassung** *f* attitude to work; ~**aufwand** *m* expenditure of energy; (*Ind*) use of labour (*Brit*) *or* labor (*US*); *mit geringem/großem ~aufwand* with little/a lot of work; ~**ausfall** *m* loss of working hours; ~**bedingungen** *pl* working conditions *pl*; ~**beginn** *m* start of work; ~**belastung** *f* workload; ~**beschaffung** *f* (*Arbeitsplatzbeschaffung*) job creation; ~**beschaffungsmaßnahme** *f* (*Admin*) job creation scheme; ~**besuch** *m* working visit; ~**eifer** *m* enthusiasm for one's work; ~**erlaubnis** *f* work permit; ~**erleichterung** *f* *das bedeutet eine große ~erleichterung* that makes the work much easier; ~**essen** *nt* (*esp Pol*) working lunch/dinner; ~**exemplar** *nt* desk copy; **a~fähig** *adj Person* able to work; (*gesund*) fit to work; ~**friede(n)** *m* peaceful labour (*Brit*) *or* labor (*US*) relations *pl, no art*; ~**gang** *m* (*Abschnitt*) operation; ~**gebiet** *nt* field of work; ~**gemeinschaft** *f* team; (*Sch, Univ*) study-group; ~**genehmigung** *f* work permit; ~**gericht** *nt* industrial tribunal (*Brit*), labor court (*US*); ~**gruppe** *f* team; ~**haltung** *f* attitude to work; **a~intensiv** *adj* labour-intensive (*Brit*), labor-intensive (*US*); ~**kampf** *m* industrial action; ~**kleidung** *f* working clothes *pl*; ~**klima** *nt* work climate, work(ing) atmosphere; ~**kollege** *m* (*bei Angestellten etc*) colleague; (*bei Arbeitern*) fellow worker, workmate; ~**kosten** *pl* labor (*Brit*) *or* labour (*US*) costs *pl*; ~**kraft** *f* |a| *no pl* capacity for work; *seine ~kraft verkaufen* to sell one's labour (*Brit*) *or* labor (*US*); |b| (*Arbeiter*) worker; ~**kräftemangel** *m* labour shortage; ~**kreis** *m* = ~**gemeinschaft**; ~**lager** *nt* labour (*Brit*) *or* labor (*US*) camp; ~**leistung** *f* (*quantitativ*) output; (*qualitativ*) performance; ~**lohn** *m* wages *pl*.

arbeitslos *adj* unemployed, out of work ▶ ~ *werden* to lose one's job.

Arbeitslosen-: ~**geld** *nt* unemployment benefit; ~**hilfe** *f* supplementary benefit; ~**quote** *f* unemployment rate; ~**unterstützung** *f* unemployment benefit, dole money (*Brit col*); ~**versicherung** *f* compulsory insurance against unemployment; ~**zahlen** *pl*, ~**ziffer** *f* unemployment figures *pl*.

Arbeitslose(r) *mf decl as adj* unemployed person/man/woman *etc* ▶ *die ~n* the unemployed; *die Zahl der ~n* the number of unemployed *or* of people out of work.

Arbeitslosigkeit *f* unemployment.

Arbeits-: ~**mangel** *m* lack of work; ~**markt** *m* job market; ~**material** *nt* material for one's work; (*Sch*) teaching aids *pl*; ~**methode** *f* method of working; ~**minister** *m* Employment Secretary (*Brit*), Labor Secretary (*US*); ~**mittel** *nt siehe* ~**material**; ~**moral** *f* attitude to work; (*in Betrieb*) work climate; ~**niederlegung** *f* walk-out; ~**papiere** *pl* cards, employment papers (*form*) *pl*.

arbeitsparend *adj* labour-saving (*Brit*), labor-saving (*US*).

Arbeits: ~**platte** *f* worktop; ~**platz** *m* |a| (~*stätte*) place of work, workplace; (*im Büro*) workspace; (*im Großraumbüro*) work station; *am ~platz* at work; |b| (*Stelle*) job; *freie ~plätze* vacancies.

Arbeitsplatz-: ~**beschreibung** *f* job specification; ~**computer** *m* personal computer; ~**garantie** *f* job security; ~**sicherung** *f* safeguarding of jobs; ~**teilung** *f* job sharing.

Arbeits-: ~**probe** *f* sample of one's work; ~**prozeß** △ *m* work process; ~**raum** *m* workroom; (*für geistige Arbeit*) study; ~**rechner** *m* (*Comput*) workstation; ~**recht** *nt* industrial law, employment law; ~**rhythmus** *m* work rhythm; **a~scheu** *adj* work-shy; ~**schluß** △ *m* end of work; *nach ~schluß* after work; ~**schutz** *m* maintenance of industrial health and safety standards; **a~sparend** *adj* = **arbeitsparend**; ~**speicher** *m* (*Comp*) main memory; ~**stätte** *f* place of work; ~**stelle** *f* |a| place of work; |b| (*Stellung*) job; ~**stil** *m* work-style, style of working; ~**suche** *f* search for work *or* a job; *auf ~suche sein* to be looking for a job, to be job-hunting; ~**tag** *m* workday; ~**takt** *m* (*Tech*) |a| (*von Motor*) power stroke; |b| (*bei Fließbandarbeit*) time for an/the operation, phase time; ~**tätigkeit** *f* work; ~**technik** *f* technique of working; ~**teilung** *f* division of labour (*Brit*) *or* labor (*US*); ~**tempo** *nt* rate of work; ~**tier** *nt* (*fig*) glutton for work; (*Geistesarbeiter auch*) workaholic (*col*); ~**tisch** *m* work-table; (*für geistige Arbeit*) desk; (*für handwerkliche Arbeit*) workbench; ~**überlastung** *f* (*von Mensch*) overworking.

Arbeit-: ~**suche** *f* = **Arbeitssuche**; ~**suchende(r)** △ *mf decl as adj* person *etc* looking for a job.

Arbeits-: **a~unfähig** *adj* unable to work; (*krank*) unfit for work; ~**unfähigkeit** *f siehe adj* inability to work; unfitness for work; ~**unfall** *m* industrial accident, occupational accident; **a~unwillig** *adj* reluctant *or* unwilling to work; ~**verhältnis** *nt* employee-employer relationship; *ein ~verhältnis eingehen* to enter employment; ~**verhältnisse** *pl* working conditions *pl*; ~**vermittlung** *f* (*Amt*) employment exchange; (*privat*) employment agency; ~**vertrag** *m* contract of employment; ~**vorgang** *m* work process; ~**weise** *f* (*Praxis*) way or method of working; (*von Maschine*) mode of operation; *die ~weise dieser Maschine* the way this machine works; ~**welt** *f* working world; *die industrielle ~welt* the world of industry; **a~willig** *adj* willing to work; ~**wut** *f* work mania; *ihn hat die ~wut gepackt* he's turned into a workaholic (*col*); **a~wütig** *adj* ~*wütig sein* to be a workaholic (*col*); ~**zeit** *f* working hours *pl*; *während der ~zeit* in *or* during working hours; *5 Stunden ~zeit* 5 hours' labour; ~**zeitverkürzung** *f* re-

---

⚠: for details of spelling reform, see supplement

duction in working hours; **~zeugnis** *nt* reference from one's employer; **~zimmer** *nt* study.
archaisch *adj* archaic.
Archäologe *m*, **Archäologin** *f* archaeologist.
Archäologie *f* archaeology.
archäologisch *adj* archaeological.
Arche *f* **-n** *die* **~** *Noah* Noah's Ark.
Archipel *m* **-e** archipelago.
Architekt(in *f*) *m* (*wk*) **-en, -en** (*lit, fig*) architect.
architektonisch *adj* architectural.
Architektur *f* architecture (*auch Comp*).
Archiv *nt* archives *pl*; (*Comp*) archive.
Archivar(in *f*) [-'vaːɐ, -'vaːrɪn] *m* archivist.
archivieren* [-'viːrən] *vt* to archive.
ARD ['aːʔɛr'deː] *f no pl* = **Arbeitsgemeinschaft der Rundfunkanstalten Deutschlands** German Broadcasting Association.

┌─ ARD ─────────────────────────────┐

ⓘ The **ARD** *(Arbeitsgemeinschaft der öffentlich-rechtlichen Rundfunkanstalten der Bundesrepublik Deutschland) is the name of the German broadcasting corporation founded as a result of several mergers after 1945. It is financed by licence fees and advertising and transmits the First Programme nationwide as well as the Third and other regional programmes. News and educational programmes make up about a third of its transmissions.*

└───────────────────────────────────┘

Areal *nt* **-e** area.
Arena *f, pl* **Arenen** (*lit, fig*) arena; (*Zirkus~, Stierkampf~*) ring.
arg *comp* ⁻**er**, *superl* ⁻**ste(r, s)** *or* (*adv*) **am** ⁻**sten** ① *adj* (*esp S Ger*) (*schlimm*) bad; *Wetter auch, Gestank, Katastrophe, Verlust, Blamage, Verlegenheit, Schicksal* terrible; *Enttäuschung* bitter ▸ *sein* ⁻*ster Feind* his worst enemy; *etw liegt im* **~en** sth is in a bad way. ② *adv* ⓐ (*schlimm*) badly ▸ *er hat sich* **~** *vertan* (*col*) he's made a bad mistake; *es zu* **~** *treiben* to go too far. ⓑ (*col: sehr*) very.
Argentinien [-iən] *nt* Argentina, the Argentine.
Argentinier(in *f*) [-iɐ, -iərɪn] *m* - Argentinian.
argentinisch *adj* Argentine, Argentinian.
Ärger *m no pl* ⓐ annoyance; (*stärker*) anger ▸ *wenn ihn der* **~** *packt* when he gets annoyed/angry. ⓑ (*Unannehmlichkeiten*) trouble; (*Erlebnisse auch*) bother ▸ *jdm* **~** *machen or bereiten* to cause sb a lot of trouble or bother; **~** *bekommen or kriegen* (*col*) to get into trouble; *mach keinen* **~!** (*col*) don't cause any trouble!; *so ein* **~!** (*col*) what a nuisance!; *es gibt* **~** (*col*) there'll be trouble.
ärgerlich *adj* ⓐ (*verärgert*) annoyed, cross ▸ **~** *über or auf jdn/über etw* (*acc*) *sein* to be annoyed with sb/about sth. ⓑ (*unangenehm*) annoying; (*stärker*) maddening, infuriating.
ärgern ① *vt* to annoy, to irritate; (*stärker*) to make angry ▸ *jdn krank/zu Tode* **~** to drive sb mad. ② *vr* (*ärgerlich sein/werden*) to be/get annoyed; (*stärker*) to be/get angry (*über jdn/etw* with sb/about sth) ▸ *über so etwas könnte ich mich krank/zu Tode* **~** that sort of thing drives me mad.
Ärgernis *nt* ⓐ *no pl* (*Anstoß*) offence, outrage ▸ *wegen Erregung öffentlichen* **~***ses angeklagt werden* to be charged with offending public decency. ⓑ (*etwas Anstößiges*) outrage; (*etwas Ärgerliches*) terrible nuisance.
Arglist *f no pl* (*Hinterlist*) cunning, craftiness; (*Boshaftigkeit*) malice; (*Jur*) fraud.
arglistig *adj* cunning, crafty; (*böswillig*) malicious ▸ **~***e Täuschung* fraud.

arglos *adj* innocent; (*ohne Täuschungsabsicht*) guileless.
Arglosigkeit *f siehe adj* innocence; guilelessness.
Argument *nt* argument.
Argumentation *f* argument; (*Darlegung*) argumentation *no pl*.
argumentieren* *vi* to argue.
Argus|auge *nt* (*geh*) eagle eye ▸ *mit* **~n** eagle-eyed.
Argwohn *m no pl* suspicion ▸ *jds* **~** *erregen* to arouse sb's suspicions; **~** *gegen jdn hegen* to be suspicious of sb; *mit or voller* **~** suspiciously.
argwöhnen *vt insep* (*geh*) to suspect.
argwöhnisch *adj* suspicious.
Arie [-iə] *f* (*Mus*) aria.
Aristokrat(in *f*) *m* (*wk*) **-en, -en** aristocrat.
Aristokratie *f* aristocracy.
aristokratisch *adj* aristocratic.
Aristoteles *m* - Aristotle.
Arithmetik *f no pl* arithmetic.
arithmetisch *adj* arithmetic(al).
Arkade *f* (*Bogen*) arch(way) ▸ **~n** *pl* (*Bogengang*) arcade.
Arktis *f no pl* Arctic.
arktisch *adj* arctic.
arm *adj, comp* ⁻**er**, *superl* ⁻**ste(r, s)** *or* (*adv*) **am** ⁻**sten** (*lit, fig*) poor ▸ *die A~en* the poor *pl*; *du machst mich noch mal* **~** (*col*) you'll be the ruin of me; **~** *an etw* (*dat*) *sein* to be somewhat lacking in sth; *der Boden ist* **~** *an Nährstoffen* the soil is poor in nutrients; **~** *an Vitaminen* low in vitamins; *um jdn/etw* ⁻*er werden/sein* to lose/have lost sb/sth; *um 55 Mark* ⁻*er sein* to be 55 marks worse off *or* poorer; *ach, du/Sie A~er!* (*iro*) you poor thing!; **~** *dran sein* (*col*) to have a hard time of it.
Arm *m* **-e** (*Anat, Tech, fig*) arm; (*Fluß~ auch*) branch; (*Ärmel*) sleeve ▸ **~** *in* **~** arm in arm; *jdn im* **~** *or in den* **~en** *halten* to hold sb in one's arms; *jdn in die* **~e** *nehmen* to take sb in one's arms; *sich in den* **~en** *liegen* to lie in each other's arms; *jdn auf den* **~** *nehmen* (*fig col*) to pull sb's leg (*col*); *jdm unter die* **~e** *greifen* (*fig*) to help sb out; *jdn mit offenen* **~en** *empfangen* (*fig*) to welcome sb with open arms; *der* **~** *des Gesetzes* the long arm of the law; *einen langen/den längeren* **~** *haben* (*fig*) to have a lot of/more pull (*col*) *or* influence.
Armada *f, pl* **-s** *or* **Armaden** (*lit, fig*) armada.
Armaturen *pl* (*Tech*) (*Hahn, Leitung etc*) fittings; (*Instrument*) instruments.
Armaturenbrett *nt* instrument panel; (*Aut*) dashboard.
Arm-: **~band** *nt* bracelet; (*von Uhr*) (watch)strap; **~banduhr** *f* wristwatch; **~beuge** *f* ⓐ inside of one's elbow; ⓑ (*Sport*) arm bend; **~binde** *f* armband; (*Med*) sling; **~bruch** *m* (*Med*) broken arm; **~brust** *f* crossbow.
Armee *f* **-n** [-eːən] (*Mil, fig*) army; (*Gesamtheit der Streitkräfte*) (armed) forces *pl*.
Ärmel *m* - sleeve ▸ *sich* (*dat*) *die* **~** *hochkrempeln* (*lit, fig*) to roll up one's sleeves; *etw aus dem* **~** *schütteln* to produce sth just like that.
Ärmelkanal *m* (English) Channel.
ärmellos *adj* sleeveless.
Armenhaus *nt* (*old*) poorhouse.
Armenien [-iən] *nt* Armenia.
Armenier(in *f*) [-iɐ, -iərɪn] *m* Armenian.
armenisch *adj* Armenian.
Armen-: **~recht** *nt* (*Jur*) legal aid; **~viertel** *nt* poor district *or* quarter.
Arm-: **~gelenk** *nt* elbow joint; **a~lang** *adj* arm-length; **~lehne** *f* armrest; **~leuchter** *m* (*pej col:Dummkopf*) twit (*Brit col*), fool; (*euph: Arschloch*) bastard (*col!*).
ärmlich *adj* (*lit, fig*) poor; *Kleidung, Wohnung* shabby; *Verhältnisse* humble ▸ *einen* **~en** *Eindruck machen* to look poor/shabby; *aus* **~en** *Verhältnissen* from a poor

family.

armselig *adj* (*dürftig*) miserable; (*mitleiderregend*) pathetic, pitiful; *Summe, Ausrede* paltry.

Armsessel *m*, **Armstuhl** (*old*) *m* armchair.

Armut *f no pl* (*lit, fig*) poverty ▶ *charakterliche ~* lack of character; *geistige ~* intellectual poverty.

Armuts-: **~falle** *f* poverty trap; **~grenze** *f no pl* poverty line; **~zeugnis** *nt* (*fig*) *jdm/sich ein ~zeugnis ausstellen* to show sb's/one's shortcomings; *das ist ein ~zeugnis für ihn* that shows him up.

Aroma *nt, pl* **Aromen** *or* **-s** [a] (*Geruch*) aroma. [b] (*Geschmack*) flavour (*Brit*), flavor (*US*). [c] *no pl* flavouring (*Brit*), flavoring (*US*).

Aromatherapie *f* aromatherapy.

aromatisch *adj* aromatic; (*wohlschmeckend*) savoury (*Brit*), savory (*US*).

Arrangement [arãʒə'mãː] *nt* **-s** arrangement.

arrangieren* [arã'ʒiːrən] [1] *vti* to arrange (*jdm* for sb). [2] *vr* *sich mit jdm ~* to come to an arrangement with sb; *sich mit etw ~* to come to terms with sth.

Arrest *m* **-s** (*Mil, Jur*) detention.

Arrestzelle *f* detention cell.

arretieren* *vt* (*Tech*) to lock (in place).

Arretierung *f* [a] locking. [b] (*Vorrichtung*) locking mechanism.

arriviert [-'viːɐt] *adj* successful; (*pej*) upstart.

arrogant *adj* arrogant.

Arroganz *f no pl* arrogance.

Arsch *m* ⁼e (*col!*) arse (*col!*), ass (*US col!*) ▶ *auf den ~ fallen* (*fig: scheitern*) to fall flat on one's face; *leck mich am ~!* (*laß mich in Ruhe*) get stuffed! (*col*), fuck off! (*col!!*); *jdm in den ~ kriechen* to lick sb's arse (*col!*); *am ~ der Welt* (*col*) in the back of beyond; *im or am ~ sein* to be screwed up (*col*).

Arsch-: **~backe** *f* (*col!*) buttock, cheek; **~kriecher** *m* (*col!*) arse-licker (*col!*); **~loch** *nt* (*col!*) (*Mensch*) bastard (*col!*); (*Dummkopf*) stupid bastard (*col!*).

Arsen *nt no pl* arsenic.

Arsenal *nt* **-e** (*lit, fig*) arsenal.

Art *f* **-en** [a] kind, sort, type; (*von Pflanze, Insekt etc auch*) variety; (*Biol*) species ▶ *diese ~ Leute/Buch* that kind *or* sort of person/book; *ein Heuchler schlimmster ~* the worst type *or* kind of hypocrite; *einzig in seiner ~ sein* to be one of a kind, to be unique; *aus der ~ schlagen* not to take after anyone in the family; (*pej*) to be the black sheep of the family. [b] (*Methode*) way; (*Stil*) style ▶ *die einfachste ~, etw zu tun* the simplest way to do sth *or* of doing sth; *auf diese ~ und Weise* in this way; *es entspricht nicht meiner ~* it's not my nature; *das ist eigentlich nicht seine ~* it's not like him; *Schnitzel nach ~ des Hauses* schnitzel à la maison. [c] (*Benehmen*) behaviour (*Brit*), behavior (*US*) ▶ *das ist doch keine ~!* that's no way to behave!

Art. = **Artikel.**

arten *vi aux sein* (*geh*) *nach jdm ~* to take after sb; *siehe* **geartet**.

Artenschutz *m* protection of endangered species.

Arterie [-iə] *f* artery.

arteriell *adj* arterial.

Arterienverkalkung [-iən-] *f* (*col*) hardening of the arteries.

Arteriosklerose *f* arteriosclerosis.

Art-: **~genosse** *m* animal/plant of the same species; (*Mensch*) person of the same type; **a~gleich** *adj* of the same species; *Mensch* of the same type.

Arthritis *f, pl* **Arthritiden** arthritis.

arthritisch *adj* arthritic.

Arthrose *f* **-n** arthrosis.

artig *adj* *Kind, Hund etc* good, well-behaved *no adv* ▶ *sei schön ~* be a good boy/dog etc!, be good!

Artikel *m* **-** (*auch Gram*) article; (*Comm auch*) item.

artikulieren* *vti* to articulate.

Artillerie *f* artillery.

Artillerist *m* artilleryman.

Artischocke *f* **-n** (globe) artichoke.

Artist(in *f*) *m* (circus/variety) artiste *or* performer.

Artistik *f* artistry; (*Zirkus-, Varietékunst*) circus/variety performing.

artistisch *adj* [a] *sein ~es Können* his ability as a performer; *eine ~e Glanzleistung* a feat of circus *etc* artistry. [b] (*geschickt*) masterly *no adv*. [c] (*formalkünstlerisch*) artistic.

Artus *m* **-** (*Hist, Myth*) (King) Arthur.

Arznei *f* (*lit, fig*) medicine.

Arzneimittel *nt* medicine, drug.

Arzt *m* ⁼e doctor ▶ *praktischer ~* general practitioner, GP *abbr*.

Ärzte-: **~kammer** ≃ General Medical Council (*Brit*), State Medical Board of Registration (*US*); **~schaft** *f* medical profession; **~zentrum** *nt* health centre (*Brit*) *or* center (*US*).

Arzthelferin *f* (doctor's) receptionist; nurse.

Ärztin *f* woman doctor; *siehe* **Arzt**.

ärztlich *adj* medical ▶ *er ließ sich ~ behandeln* he got medical treatment.

Arzt-: **~praxis** *f* doctor's practice; (*Räume*) doctor's surgery (*Brit*) *or* office (*US*); **~rechnung** *f* doctor's bill.

As¹ *nt* **-se** (*lit, fig*) ace.

As² *nt* (*Mus*) A flat.

Asbest *nt no pl* asbestos.

aschblond *adj* ashblonde.

Asche *f* ash(es *pl*); (*von Zigarette, Vulkan*) ash; (*sterbliche Überreste*) ashes *pl* ▶ *zu ~ werden* to turn to dust.

Aschen-: **~bahn** *f* cinder track; **~becher** *m* ashtray; **~brödel**, **~puttel** *nt* **-** (*Liter, fig*) Cinderella.

Aschermittwoch *m* Ash Wednesday.

asch-: **~fahl** *adj* ashen; **~grau** *adj* ash-grey.

äsen (*Hunt*) *vir* to graze, to browse.

Aserbaidschan *nt* Azerbaijan.

Aserbaidschane *m* (*wk*) **-n**, **-n**, **Aserbaidschanin** *f* Azerbaijani.

aserbaidschanisch *adj* Azerbaijani.

Asiat(in *f*) *m* (*wk*) **-en**, **-en** Asian.

asiatisch *adj* Asian, Asiatic.

Asien [-iən] *nt* Asia.

Asket *m* (*wk*) **-en**, **-en** ascetic.

asketisch *adj* ascetic.

asozial *adj* antisocial.

Asoziale(r) *mf decl as adj* (*pej*) antisocial man/woman *etc* ▶ *~ pl* antisocial elements.

Aspekt *m* **-e** aspect ▶ *unter diesem ~ betrachtet* looking at it from this aspect; *einen neuen ~ bekommen* to take on a different complexion.

Asphalt *m* **-e** asphalt.

Asphaltdecke *f* asphalt surface.

asphaltieren* *vt* to asphalt, to tarmac.

asphaltiert *adj* asphalt, tarmac; surfaced.

Asphaltstraße *f* asphalt *or* tarred *or* surfaced road.

Aspik *m* **-e** aspic.

Aspirant(in *f*) *m* (*geh*) candidate (*auf +acc* for).

aß *pret of* **essen**.

Ass. = [a] **Assessor(in)**. [b] **Assistent(in)** asst.

Assel *f* **-n** woodlouse.

Assemblersprache *f* (*Comp*) assembly language.

Assessor(in *f*) *m* *graduate civil servant who has completed his/her traineeship*.

Assistent(in *f*) [-st-] *m* assistant.

Assistenz [-st-] *f* assistance.

Assistenz|arzt [-st-] *m* houseman (*Brit*), intern (*US*).

assistieren* [-st-] *vi* to assist (*jdm* sb).

Assoziation f association.
assoziieren* vt (geh) to associate ▶ *mit Grün assoziiere ich Ruhe* I associate green with peace.
Ast m ⁼e [a] branch ▶ *den ~ absägen, auf dem man sitzt* (fig) to dig one's own grave. [b] (im Holz) knot. [c] (col) *sich (dat) einen ~ lachen* to double up (with laughter).
AStA ['asta] m, pl **Asten** (Univ) = **Allgemeiner Studentenausschuß** ≃ student union.
Aster f -n ˙aster, Michaelmas daisy.
Astgabel f fork (in a branch).
Ästhet(in f) m (wk) -en, -en aesthete (Brit), esthete (US).
Ästhetik f aesthetics (Brit), esthetics (US) sing; (eines Bildes) aesthetics pl; (Schönheitssinn) aesthetic sense.
ästhetisch adj aesthetic (Brit), esthetic (US).
Asthma nt no pl asthma.
Asthmatiker(in f) m - asthmatic.
Astloch nt knothole.
astral adj astral.
astrein adj (col) [a] (fig col: moralisch einwandfrei) straight (col), on the level (col). [b] (fig: echt) genuine. [c] (prima) fantastic.
Astro-: ~**loge** m, ~**login** f astrologer; ~**logie** f astrology; **a~logisch** adj astrological; ~**naut(in** f) m (wk) -en, -en astronaut; ~**nom(in** f) m astronomer; ~**nomie** f astronomy; **a~nomisch** adj (lit) astronomical; (fig auch) astronomic; ~**physik** f astrophysics sing; ~**physiker(in** f) m astrophysicist.
ASU ['asu] f no pl = **Abgassonderuntersuchung**.
ASW [aːlɛsˈveː] no art, no pl = **außersinnliche Wahrnehmung** ESP.
Asyl nt -e (politisch) (political) asylum no art; (geh: Schutz) sanctuary no art ▶ *um ~ bitten* to ask for (political) asylum; *jdm ~ gewähren* to grant sb (political) asylum.
Asylant(in f) m person seeking (political) asylum, asylum-seeker.
Asyl-: ~**antrag** m application for (political) asylum; ~**bewerber(in** f) m applicant for (political) asylum; ~**recht** nt (Pol) right of (political) asylum.
asymmetrisch adj asymmetrical.
asynchron [-kroːn] adj asynchronous (form, Comp).
at ['aːteː] (Phys) = **Atmosphäre**.
A.T. = **Altes Testament** OT.
Atelier [-'lieː] nt -s studio.
Atelierwohnung f studio apartment.
Atem m no pl [a] (das Atmen) breathing ▶ *den ~ anhalten* (lit, fig) to hold one's breath; *mit angehaltenem ~* (lit) holding one's breath; (fig) with bated breath; *wieder zu ~ kommen* to get one's breath back; *den längeren ~ haben* (fig) to have more staying power; *jdn in ~ halten* to keep sb in suspense or on tenterhooks; *das verschlug mir den ~* it took my breath away. [b] (lit, fig: ~luft) breath ▶ *~ holen or schöpfen* (lit) to take a breath; (fig) to get one's breath back.
Atem-: **a~beraubend** adj breathtaking; ~**beschwerden** pl trouble in breathing; **a~los** adj (lit, fig) breathless; ~**losigkeit** f breathlessness; ~**not** f difficulty in breathing; ~**pause** f (fig) breathing space; *eine ~pause einlegen/brauchen* to take/need a breather; ~**wege** pl (Anat) respiratory tracts pl; ~**zug** m breath; *in einem/im selben ~zug* (fig) in one/the same breath.
Atheismus m atheism.
Atheist(in f) m atheist.
atheistisch adj atheist(ic).
Athen nt Athens.
Athener(in f) m Athenian.
athenisch adj Athenian.
Äther m no pl [a] ether. [b] (Rad) air.
ätherisch adj (Liter, Chem) ethereal.

Ätherwellen pl (Rad) radio waves pl.
Äthiopien [ɛ'tioːpiən] nt Ethiopia.
Äthiopier(in f) [-piɛ, -iərɪn] m - Ethiopian.
äthiopisch adj Ethiopian.
Athlet(in f) m (wk) -en, -en athlete.
Athletik f no pl athletics sing.
athletisch adj athletic.
Atlantik m Atlantic.
atlantisch adj Atlantic ▶ *der A~e Ozean* the Atlantic Ocean.
Atlas¹ m, pl **Atlanten** or -se atlas.
Atlas² m - (Geog) Atlas Mountains pl.
atmen vi to breathe ▶ *frei ~* (fig) to breathe freely.
Atmosphäre f -n (Phys, fig) atmosphere.
atmosphärisch adj atmospheric ▶ *~e Störungen* atmospherics pl.
Atmung f no pl breathing; (Med) respiration.
Atmungs|organe pl respiratory organs pl.
Atoll nt -e atoll.
Atom nt -e atom.
Atom- in cpds atomic; siehe auch **Kern-**; ~**angriff** m nuclear attack; ~**antrieb** m nuclear propulsion; *ein U-Boot mit ~antrieb* a nuclear-powered submarine.
atomar adj atomic, nuclear; Struktur atomic; Drohung nuclear.
Atom-: ~**bombe** f atomic or atom bomb; **a~bombensicher** adj atomic or nuclear blast-proof; ~**bombenversuch** m atomic or nuclear test; ~**bunker** m atomic or nuclear blast-proof bunker; ~**energie** f nuclear energy; **a~getrieben** adj nuclear-powered; ~**industrie** f nuclear industry; ~**kern** m atomic nucleus; ~**kraft** f nuclear power or energy; ~**kraftwerk** nt atomic or nuclear power station; ~**krieg** m atomic or nuclear war; ~**macht** f nuclear power; ~**meiler** m nuclear reactor; ~**müll** m nuclear or radioactive waste; ~**physik** f nuclear physics sing; ~**physiker** m nuclear physicist; ~**pilz** m mushroom cloud; ~**rakete** f nuclear-powered rocket; (Waffe) nuclear missile; ~**reaktor** m atomic or nuclear reactor; ~**rüstung** f nuclear armament; ~**spaltung** f nuclear fission; *die erste ~spaltung* the first splitting of the atom; ~**sprengkopf** m atomic or nuclear warhead; ~**strahlung** f nuclear radiation; ~**streitmacht** f nuclear capability; ~**strom** m (col) electricity generated by nuclear power; ~**test** m nuclear test; ~**teststopp** m no pl nuclear test ban; ~**-U-Boot** nt nuclear submarine; ~**waffe** f nuclear or atomic weapon; **a~waffenfrei** adj nuclear-free; ~**waffensperrvertrag** m nuclear or atomic weapons non-proliferation treaty; ~**zeitalter** nt atomic or nuclear age.
Atrium nt atrium.
ätsch interj (col) ha-ha.
Attaché [ata'ʃeː] m -s attaché.
Attacke f -n (Angriff) attack ▶ *eine ~ gegen jdn/etw reiten* (fig) to attack sb/sth.
attackieren* vt (angreifen) to attack.
Attentat [-taːt] nt -e (gelungen) assassination; (~versuch) assassination attempt ▶ *ein ~ auf jdn verüben* to make an attempt on sb's life.
Attentäter(in f) m - (bei gelungenem Versuch) assassin; (bei gescheitertem Versuch) would-be assassin.
Attest nt -e certificate.
attestieren* vt (form) to certify.
Attraktion f attraction.
attraktiv adj attractive.
Attraktivität f attractiveness.
Attrappe f -n dummy; (fig: Schein) sham ▶ *bei ihr ist alles ~* everything about her is false.
Attribut nt -e (geh, Gram) attribute.
atypisch adj (geh) atypical.
ätzen vti [a] to etch. [b] (Säure) to corrode.

ätzend *adj* **a** (*lit*) *Säure* corrosive. **b** *Geruch* pungent; *Spott* caustic. **c** (*col*) (*furchtbar*) lousy (*col*); (*toll*) magic (*col*).

au, aua *interj* ow, ouch.

Aubergine [obɛr'ʒiːnə] *f* aubergine, eggplant.

auch *adv* **a** (*zusätzlich, gleichfalls*) also, too, as well ▶ ~ *nicht* not ... either; *das ist* ~ *nicht richtig* that's not right either; *er kommt — ich* ~ he's coming — so am I, me too; *ich mag das nicht — ich* ~ *nicht* I don't like that — nor *or* neither do I; *nicht nur ..., sondern* ~ not only ... but also ...; ~ *das noch!* that's all I needed!

  b (*tatsächlich*) too, as well ▶ *du siehst müde aus — das bin ich* ~ you look tired — (so) I am; *so ist es* ~ (so) it is.

  c (*sogar*) even ▶ ~ *wenn du Vorfahrt hast* even if you (do) have right of way; *ohne* ~ *nur zu fragen* without even asking.

  d (*emph*) *so was Ärgerliches aber* ~*!* it's really too annoying!; *wozu* ~*?* whatever for?

  e (~ *immer*) *wie dem* ~ *sei* be that as it may; *was er* ~ *sagen mag* whatever he might say; *so schnell er* ~ *laufen mag* however fast he runs *or* may run, no matter how fast he runs.

Audienz *f* audience (*bei* with).

Audimax *nt no pl* (*Univ col*) main lecture hall.

audiovisuell *adj* audiovisual.

Auditorium *nt* **a** (*Hörsaal*) lecture hall. **b** (*geh: Zuhörerschaft*) audience.

Auerhahn *m* capercaillie.

Auer|ochse *m* aurochs.

Auf *nt inv: das* ~ *und Ab* the up and down; (*fig*) the ups and downs.

auf **1** *prep* **a** +*dat* on ▶ ~ (*der Insel*) *Skye* on the Isle of Skye; ~ *See* at sea; ~ *meinem Zimmer* in my room; ~ *der Bank/Post/Party* at the bank/post office/party; *mein Geld ist* ~ *der Bank* my money is in the bank; ~ *der Straße* on *or* in the street; *etw* ~ *der Geige spielen* to play sth on the violin; ~ *einem Ohr taub/einem Auge kurzsichtig sein* to be deaf in one ear/shortsighted in one eye; *was hat es damit* ~ *sich?* what does it mean?; ~ *der Fahrt/dem Weg etc* on the journey/way *etc*.

  b +*acc* on, onto ▶ *etw* ~ *etw stellen* to put sth on(to) sth *or* on top of sth; *sich* ~ *etw setzen/legen* to sit/lie (down) on sth; *er fiel* ~ *den Rücken* he fell on(to) his back; *etw* ~ *einen Zettel schreiben* to write sth on a piece of paper; *er ist* ~ *die Orkneyinseln gefahren* he has gone to the Orkney Islands; *geh mal* ~ *die Seite* go to the side; ~ *sein Zimmer/die Post/eine Party etc gehen* to go to one's room/the post office/a party *etc*; ~*s Gymnasium gehen* to go to the grammar school (*Brit*) *or* high school (*US*); *die Uhr* ~ *10 stellen* to put the clock to 10; *die Sitzung* ~ *morgen verschieben* to postpone the meeting until tomorrow.

  c +*acc* ~ *10 km/drei Tage* for 10 km/three days; ~ *eine Tasse Kaffee/eine Zigarette(nlänge)* for a cup of coffee/a smoke; *ein Manuskript* ~ *Fehler prüfen* to check a manuscript for errors; ~ *seinen Vorschlag (hin)* at his suggestion; ~ *meinen Brief hin* because of *or* on account of my letter.

  d *es geht* ~ *Weihnachten zu* Christmas is approaching; *er kam* ~ *mich zu und sagte ...* he came up to me and said ...; *die Nacht (von Montag)* ~ *Dienstag* Monday night; ~ *einen Polizisten kommen 1.000 Bürger* there is one policeman to every 1,000 citizens; ~ *den Millimeter/die Sekunde genau* to within one millimetre/second; ~ *ein glückliches Gelingen etc!* here's to a great success *etc*!; *die Dauer* ~ *ein Jahr reduzieren* to reduce the duration to one year.

  2 *adv* **a** (*offen*) open ▶ *Mund/Fenster* ~*!* open your mouth/the window. **b** (*hinauf*) up ▶ ~ *und ab* or *nieder* (*geh*) up and down. **c** *Helm* ~*!* helmets on; *ich war die halbe Nacht* ~ I've been up half the night; ~ *nach Chicago!* let's go to Chicago; ~ *geht's!* let's go!; ~ *und davon* up and away, off; ~*, an die Arbeit!* come on, let's get on with it; *siehe* **aufsein**.

  3 *conj* (*old, liter*) ~ *daß* that (*old, liter*).

auf|arbeiten *vt sep* **a** (*erneuern*) to refurbish, to do up; *Möbel etc auch* to recondition. **b** (*erledigen*) *Korrespondenz etc* to catch up with. **c** (*Phys*) *Brennelemente* to reprocess.

Auf|arbeitung *f siehe vt* refurbishing; reconditioning; catching up; reprocessing.

auf|atmen *vi sep* (*lit, fig*) to breathe *or* heave a sigh of relief ▶ *ein A*~ a sigh of relief.

aufbacken *vt sep* to warm *or* crisp up.

aufbahren *vt sep Sarg* to lay on the bier; *Leiche* to lay out ▶ *einen Toten feierlich* ~ to put a person's body to lie in state.

Aufbau *m* **a** *no pl* (*das Aufbauen*) construction, building; (*das Wiederaufbauen*) reconstruction ▶ *der wirtschaftliche* ~ the building up of the economy. **b** *no pl* (*Struktur*) structure.

aufbauen *sep* **1** *vt* **a** (*errichten*) to put up; (*hinstellen*) *Ausstellungsstücke, Brettspiel etc* to set *or* lay out. **b** (*fig: gestalten*) *Organisation, Angriff, Spannung* to build up; *Zerstörtes* to rebuild; *Theorie* to construct ▶ *sich* (*dat*) *eine* (*neue*) *Existenz* ~ to build a new life for oneself. **c** (*fig: fördern*) *Gesundheit* to build up; *Star etc auch* to promote; *Beziehung* to build. **d** (*fig: gründen*) *etw auf etw* (*dat or acc*) ~ to base sth on sth. **e** (*strukturieren*) to construct; *Aufsatz, Rede auch, Komposition* to structure.

  2 *vi* (*sich gründen*) to be based (*auf* +*dat or acc* on).

  3 *vr* **a** (*inf: sich postieren*) to take up position ▶ *sich vor jdm* ~ to draw oneself up to one's full height in front of sb. **b** (*sich bilden*) to build up. **c** (*sich gründen*) *sich auf etw* (*dat or acc*) ~ to be based on sth.

aufbäumen *vr sep* (*Tier*) to rear ▶ *sich gegen jdn/etw* ~ (*fig*) to rebel *or* revolt against sb/sth.

aufbauschen *vt sep* (*fig*) to blow up, to exaggerate.

aufbegehren* *vi sep* (*geh*) to rebel (*gegen* against).

aufbehalten* *vt sep irreg Hut, Brille etc* to keep on.

aufbekommen* *vt sep irreg* (*col*) **a** (*öffnen*) to get open. **b** *Aufgabe* to get as homework.

aufbereiten* *vt sep* to process; *Trinkwasser auch* to purify; *Daten* to edit; *Text etc* to work up.

Aufbereitungs|anlage *f* processing plant.

aufbessern *vt sep* to improve; *Gehalt etc auch* to increase.

Aufbesserung *f siehe vt* improvement; increase.

aufbewahren* *vt sep* to keep; (*in Lager*) to store; (*behalten*) *alte Zeitungen etc auch* to save ▶ *kann ich hier mein Gepäck* ~ *lassen?* can I leave my luggage here?

Aufbewahrung *f siehe vt* keeping; storage; saving ▶ *einen Koffer in* ~ *geben* to deposit a suitcase (at the left-luggage (*Brit*) *or* checkroom (*US*)).

aufbieten *vt sep irreg Menschen, Mittel* to muster; *Kräfte auch* to summon (up); *Polizei* to call in.

Aufbietung *f unter* ~ *aller Kräfte ...* summoning (up) all his/her *etc* strength ...

aufbinden *vt sep irreg* **a** *Schuh etc* to undo, to untie. **b** *laß dir doch so etwas nicht* ~ (*fig*) don't fall for that.

aufblähen *sep* **1** *vt* to blow out; (*fig*) to inflate. **2** *vr* to blow out; (*Segel auch*) to billow out; (*Med*) to become swollen; (*fig pej*) to puff oneself up.

aufblasbar *adj* inflatable.

aufblasen *vt sep irreg* to blow up; *siehe* **aufgeblasen**.

aufbleiben vi sep irreg aux sein [a] to stay up. [b] (geöffnet bleiben) to stay open.

aufblenden vi sep (Phot) to increase the aperture; (Aut) to turn the headlights on full (beam).

aufblicken vi sep to look up ▸ zu jdm/etw ~ (lit, fig) to look up to sb/sth.

aufblitzen vi sep (Licht) to flash.

aufblühen vi sep aux sein (lit, fig) to blossom (out); (Blume auch) to bloom; (Kultur etc auch) to (begin to) flourish.

aufbocken vt sep Auto to jack up.

aufbrauchen vt sep to use up.

aufbrausen vi sep aux sein [a] (Brandung etc) to surge; (fig: Beifall, Jubel) to break out. [b] (fig: Mensch) to flare up, to fly off the handle (col).

aufbrausend adj Temperament irascible; Mensch auch quick-tempered, liable to flare up.

aufbrechen sep irreg [1] vt to break or force open; Tresor auch, Auto to break into; Boden, Oberfläche to break up.
[2] vi aux sein [a] (sich öffnen) to open; (Straßenbelag etc) to break up. [b] (fig: Konflikte etc) to break out. [c] (sich auf den Weg machen) to start or set out or off.

aufbringen vt sep irreg [a] (beschaffen) to find; Geld auch to raise; Kraft, Mut auch to summon up ▸ Verständnis für etw ~ to be able to understand sth. [b] (erzürnen) to make angry ▸ jdn gegen jdn/etw ~ to set sb against sb/sth; siehe aufgebracht. [c] (Naut) Schiff to seize.

Aufbruch m no pl (Abreise, das Losgehen) departure ▸ das Zeichen zum ~ geben to give the signal to set out or off.

aufbrühen vt sep to brew up.

aufbrummen vt sep (col) jdm die Kosten ~ to land sb with the costs (col); eine Haftstrafe aufgebrummt bekommen to get a sentence.

aufbügeln vt sep [a] Kleidungsstück to iron out. [b] Flicken, Bild etc to iron on.

aufbürden vt sep (geh) jdm etw ~ (fig) to encumber sb with sth; jdm die Schuld für etw ~ to put the blame for sth on sb.

aufdecken vt sep [a] jdn to uncover; Bett(decke) to turn down; Spielkarten to show. [b] (fig) Wahrheit etc to uncover; Verbrechen auch to expose; Schwäche to lay bare; Geheimnis to solve.

Aufdeckung f siehe vt (b) uncovering; exposure; laying bare; solving.

aufdonnern vr sep (pej col) to tart oneself up (pej col); siehe aufgedonnert.

aufdrängen sep irreg [1] vt jdm etw ~ to impose or force sth on sb.
[2] vr to impose ▸ sich jdm ~ (Mensch) to impose oneself on sb; (fig: Erinnerung) to come involuntarily to sb's mind; dieser Gedanke/Verdacht drängte sich mir auf I couldn't help thinking/suspecting that.

aufdrehen sep [1] vt [a] Wasserhahn to turn on; Ventil to open; Schraubverschluß to unscrew; Radio etc to turn up. [b] Haar to put in rollers.
[2] vi (col: beschleunigen) to open up; siehe aufgedreht.

aufdringlich adj Benehmen, Tapete obtrusive; Geruch, Parfüm powerful; Farbe auch loud; Mensch insistent, pushy (col).

Aufdringlichkeit f siehe adj obtrusiveness; powerfulness; loudness; insistence, pushiness.

Aufdruck m (Aufgedrucktes) imprint.

aufdrucken vt sep etw auf etw (acc) ~ to print sth on sth.

aufdrücken vt sep [a] etw auf etw (acc) ~ to press or (mit Stempel etc) stamp sth on sth. [b] (öffnen) Tür etc to push open.

auf|einander adv [a] on (top of) each other or one another. [b] sich ~ verlassen können to be able to rely on each other or one another; ~ zufahren to drive towards each other.

auf|einander-: ~folgen △ vi sep aux sein to follow each other; ~folgend △ adj successive; drei schnell ~folgende Tore three goals in quick succession; ~legen △ vt sep to lay on top of each other; ~passen △ vi sep to fit on top of each other; ~prallen △ vi sep aux sein (Autos etc) to collide; (Truppen, Meinungen) to clash; ~stellen △ vt sep to put on top of each other; ~stoßen △ vi sep irreg aux sein to bump into each other, to collide; ~treffen △ vi sep irreg aux sein (Mannschaften, Gruppen etc) to meet; (Meinungen) to clash; (Kugeln, Gegenstände etc) to hit each other.

Aufenthalt m -e [a] stay; (das Wohnen) residence. [b] (esp Rail) stop; (bei Anschluß) wait ▸ wie lange haben wir ~? how long do we stop for?

Aufenthalts-: ~erlaubnis f, ~genehmigung f residence permit; ~ort m whereabouts sing or pl; (Jur) residence; ~raum m day room; (in Betrieb) recreation room; (in Flughafen) lounge.

auf|erlegen* vt sep or insep (geh) to impose (jdm etw sth on sb).

auf|erstehen* vi sep or insep irreg aux sein to rise from the dead ▸ Christus ist auferstanden Christ is risen.

Auf|erstehung f resurrection.

auf|essen sep irreg [1] vt to eat up.
[2] vi to eat (everything) up.

auffädeln vt sep to thread or string (together).

auffahren sep irreg [1] vi aux sein [a] (aufprallen) auf jdn/etw ~ to run or drive into sb/sth; auf eine Sandbank ~ to run aground on a sandbank. [b] (näher heranfahren) to drive up ▸ zu dicht ~ to drive too close behind (the car in front). [c] (auf Autobahn) to enter. [d] (aufschrecken) to start ▸ aus dem Schlaf ~ to awake with a start. [e] (aufbrausen) to flare up, to fly into a rage.
[2] vt (herbeischaffen) Truppen etc to bring up; (col) Speisen etc to serve up.

Auffahrt f approach road; (Autobahn~ auch) slip road; (bei Haus etc) drive.

Auffahr|unfall m (von zwei Autos) (nose-to-tail) collision; (von mehreren Autos) pile-up.

auffallen vi sep irreg aux sein [a] (sich abheben) to stand out; (unangenehm ~) to attract attention; (sich hervortun) to be remarkable (durch for) ▸ er ist schon früher als Extremist aufgefallen he has already got a reputation for being an extremist; angenehm/unangenehm ~ to make a good/bad impression; nur nicht ~! just keep a low profile. [b] (bemerkt werden) jdm fällt etw auf sb notices sth, sth strikes sb; fällt es auf? does it show?; das muß dir doch aufgefallen sein! surely you must have noticed (it).

auffallend adj conspicuous, noticeable; Schönheit, Ähnlichkeit, Farbe, Kleider striking ▸ er ist ~ intelligent he is remarkably intelligent; stimmt ~! (hum) too true!, how right you are!

auffällig adj conspicuous; Farbe, Kleidung loud.

auffangen vt sep irreg [a] Ball, Gesprächsfetzen to catch; (Telec) Nachricht to pick up. [b] (abfangen) Aufprall etc to cushion, to absorb; Faustschläge to block; (fig) Preissteigerung etc to offset. [c] (sammeln) Regenwasser etc to collect, to catch; (fig) Flüchtlinge etc to assemble.

Auffanglager nt reception camp or centre.

auffassen vt sep to interpret, to understand ▸ etw als etw (acc) ~ to take sth as sth; etw falsch/richtig ~ to take sth the wrong way/in the right way.

Auffassung f view ▸ nach meiner/christlicher ~ in my view/according to Christian belief.

Auffassungs-: ~**gabe** f intelligence, grasp; ~**sache** f (col) question of interpretation; (Ansichtssache) matter of opinion.

auffegen vt sep to sweep up.

auffindbar adj **es ist nicht** ~ it can't be found.

auffinden vt sep irreg to find, to discover.

auffischen vt sep to fish up; (col) Schiffbrüchige to fish out.

aufflackern vi sep aux sein (lit, fig) to flare up.

aufflammen vi sep aux sein (lit, fig: Feuer, Unruhen etc) to flare up.

auffliegen vi sep irreg aux sein [a] (hochfliegen) to fly up. [b] (fig col) (Konferenz etc) to break up; (Rauschgiftring etc) to be busted (col) ▶ **einen Schmugglerring/ eine Konferenz ~ lassen** to bust a ring of smugglers (col)/to break up a meeting.

auffordern vt sep [a] to ask ▶ **wir fordern Sie auf, ...** you are required to ... [b] (bitten) to ask, to invite; (zum Wettkampf etc) to challenge. [c] (zum Tanz bitten) to ask to dance.

auffordernd adj inviting.

Aufforderung f request; (nachdrücklicher) demand.

aufforsten vt sep Gebiet to reafforest; Wald to restock.

Aufforstung f siehe vt reafforestation; restocking.

auffressen vt sep irreg (lit, fig) to eat up ▶ **er wird dich nicht gleich ~** (col) he's not going to eat you (col).

auffrischen sep [1] vt to freshen (up); Anstrich auch to brighten up; (ergänzen) Vorräte to replenish; (fig) Erinnerungen to refresh; Kenntnisse to brush up; persönliche Beziehungen to renew; Impfung to boost. [2] vi aux sein or haben (Wind) to freshen. [3] vi impers aux sein to get fresher.

Auffrischung f siehe vt freshening (up); replenishment; refreshing; brushing up; renewal; boosting.

Auffrischungs-: ~**impfung** f booster; ~**kurs** m refresher course.

aufführen sep [1] vt [a] to put on; Drama, Oper auch to stage, to perform. [b] (auflisten) to list; (nennen) Zeugen to cite; Beispiel to give ▶ **einzeln ~** to itemize. [2] vr to behave.

Aufführung f performance.

Aufführungsrecht nt performing rights pl.

auffüllen vt sep [a] (vollständig füllen) to fill up; (nachfüllen) to top up. [b] (ergänzen) Flüssigkeit to dilute; Vorräte to replenish; Öl to top up.

Aufgabe f [a] (Arbeit, Pflicht) job, task ▶ **es ist nicht ~ der Regierung, ...** it is not the job or task of the government to ...; **sich** (dat) **etw zur ~ machen** to make sth one's job or business. [b] (Zweck, Funktion) purpose, job. [c] (esp Sch) (Problem) question; (Math auch) problem; (zur Übung) exercise; (usu pl: Haus~) homework no pl. [d] (von Koffer, Postsendung) handing in; (Aviat) checking-in. [e] (Verzicht auf weiteren Kampf etc) (Sport) retirement; (Mil etc) surrender ▶ **die Polizei forderte die Geiselnehmer zur ~ auf** the police appealed to the hostage-takers to give themselves up or to surrender. [f] (von Gewohnheit, Geschäft) giving up; (von Plänen, Forderungen auch) dropping; (von Hoffnung, Studium) abandoning.

aufgabeln vt sep (fig col) jdn to pick up (col).

Aufgabenbereich m area of responsibility.

Aufgang m [a] (von Sonne, Mond) rising; (von Stern auch) ascent. [b] (Treppen~) staircase.

▼ **aufgeben** sep irreg [1] vt [a] Hausaufgaben to give; Problem to pose (jdm for sb) ▶ **jdm viel/nichts ~** (Sch) to give sb a lot of/no homework. [b] Koffer, Gepäck to hand in; (Aviat) to check in; Brief to post (esp Brit), to mail; Anzeige, Bestellung to place. [c] Kampf, Hoffnung, Arbeitsstelle, Patienten etc to give up ▶ **gib's auf!** why

don't you give up? [2] vi (sich geschlagen geben) to give up or in.

aufgeblasen adj (fig) puffed up, self-important.

Aufgebot nt [a] (zur Eheschließung) **das ~ bestellen** to give notice of one's intended marriage; (Eccl) to put up the banns. [b] (Ansammlung) (von Menschen) contingent; (von Material etc) array.

aufgebracht adj outraged, incensed.

aufgedonnert adj (pej col) tarted up (pej col).

aufgedreht adj (col) in high spirits.

aufgedunsen adj swollen, bloated; Gesicht auch puffy.

aufgehen vi sep irreg aux sein [a] (Sonne, Mond, Sterne) to come up, to rise. [b] (sich öffnen) to open; (Theat: Vorhang) to go up; (Knopf, Knoten etc) to come undone. [c] (aufkeimen) to come up. [d] (Cook) to rise. [e] (klarwerden) **jdm geht etw auf** sb realizes sth, sth dawns on sb. [f] (Math, fig) to work out ▶ **20 durch 6 geht nicht auf** 20 divided by 6 doesn't go. [g] **in etw** (dat) ~ (fig) to be wrapped up in sth, to be taken up with sth; **in Flammen ~** to go up in flames.

aufgehoben adj: **(bei jdm) gut/schlecht ~ sein** to be/ not to be in good hands (with sb).

aufgeilen vt sep (col) to get worked up (col).

aufgekratzt adj (col) in high spirits, full of beans (col).

aufgelegt adj **gut/schlecht ~** in a good/bad mood.

aufgelöst adj [a] (außer sich) beside oneself (vor +dat with), distraught; (bestürzt) upset ▶ **in Tränen ~** in tears. [b] (erschöpft) exhausted.

aufgeräumt adj (geh: gutgelaunt) light-hearted.

aufgeregt adj (erregt) excited; (nervös) nervous; (durcheinander) flustered.

Aufgeregtheit f no pl siehe adj excitement; nervousness; flustered state.

aufgeschlossen adj (nicht engstirnig) open-minded (für, gegenüber about, as regards); (empfänglich) receptive, open (für, gegenüber to).

Aufgeschlossenheit f no pl siehe adj open-mindedness; receptiveness, openness.

aufgeschmissen adj pred (col) in a fix, stuck.

aufgeschwemmt adj bloated, swollen.

aufgetakelt adj (pej) dressed to the nines (col).

aufgeweckt adj bright, quick, sharp.

aufgewühlt adj (geh) agitated, in a turmoil pred; Gefühle auch, Meer turbulent.

aufgießen vt sep irreg [a] **etw (auf etw** acc) ~ to pour sth on (sth). [b] Kaffee, Tee to make.

aufgliedern sep [1] vt (in +acc into) to split up, to (sub)divide; (in Kategorien auch) to break down. [2] vr (in +acc into) to (sub)divide, to break down.

aufgreifen vt sep irreg [a] (festnehmen) to pick up, to apprehend. [b] Thema to take up.

▼ **aufgrund** prep +gen, **auf Grund** siehe **Grund.**

⚠**Aufguß** m brew, infusion; (fig pej) rehash.

⚠**Aufgußbeutel** m sachet (containing coffee/herbs etc) for brewing; (Teebeutel) tea bag.

aufhaben sep irreg [1] vt [a] Hut, Brille to have on. [b] Tür, Augen to have open. [c] (Sch: als Hausaufgabe) **ich habe heute viel auf** I've got a lot of homework today. [2] vi (Laden etc) to be open.

aufhalsen vt sep (col) **jdm/sich etw ~** to saddle or land sb/oneself with sth (col).

aufhalten sep irreg [1] vt [a] Fahrzeug, Entwicklung to stop, to halt; (verlangsamen) to hold up, to delay; (abhalten, stören) (bei from) to hold back, to keep back ▶ **ich will dich nicht länger ~** I don't want to keep or hold you back any longer. [b] (col: offenhalten) to keep open ▶ **die Hand ~** to hold one's hand out. [2] vr [a] (an einem Ort bleiben) to stay. [b] (sich befassen) **sich bei etw ~** to dwell on sth.

aufhängen sep [1] vt [a] to hang up; (Aut) Rad to sus-

pend. **b** (*töten*) to hang (*an* +*dat* from).
2 *vr* (*sich töten*) to hang oneself (*an* +*dat* from).
Aufhänger *m* tag, loop ▶ *ein ~ für etw* (*fig col*) a peg to hang sth on.
Aufhängung *f* (*Tech*) suspension.
aufhäufen *vtr sep* to pile up, to accumulate.
aufheben *sep irreg* **1** *vt* **a** (*vom Boden*) to pick up; *größeren Gegenstand auch* to lift up. **b** (*nicht wegwerfen*) to keep ▶ *jdm etw ~* to keep sth for sb; *siehe* **aufgehoben**. **c** (*ungültig machen*) to abolish, to do away with; *Urteil* to reverse, to quash. **d** (*beenden*) *Blockade, Belagerung* to raise, to lift; *Beschränkung* to remove, to lift. **e** (*ausgleichen*) to offset, to make up for; *Schwerkraft* to neutralize, to cancel out.
2 *vr* (*sich ausgleichen*) to cancel each other out (*auch Math*), to offset each other.
Aufheben *nt no pl* fuss ▶ *viel ~(s) (von etw) machen* to make a lot of fuss (about *or* over sth).
Aufhebung *f* **a** *siehe vt* (*c*) abolition; reversal, quashing. **b** *siehe vt* (*d*) raising, lifting; removal.
aufheitern *sep* **1** *vt jdn* to cheer up; *Rede, Leben* to brighten up (*jdm* for sb).
2 *vr* (*Himmel, Wetter*) to clear up, to brighten up.
Aufheiterung *f usu pl* (*Met*) bright period.
aufheizen *sep* **1** *vt* to heat (up) ▶ *die Stimmung ~* to stir up feelings.
2 *vr* to heat up; (*fig*) to hot up (*col*), to intensify.
aufhelfen *vi sep irreg* (*lit: beim Aufstehen*) to help up (*jdm* sb).
aufhellen *sep* **1** *vt* to brighten (up); *Haare* to lighten; (*fig: klären*) to throw *or* shed light upon.
2 *vr* (*Himmel, Wetter, fig: Miene*) to brighten (up).
aufhetzen *vt sep* to stir up, to incite ▶ *jdn gegen jdn/ etw ~* to stir up sb *or* incite sb against sb/sth; *jdn zu etw ~* to incite sb to (do) sth.
aufhetzerisch *adj* inflammatory.
Aufhetzung *f* incitement, agitation.
aufheulen *vi sep* to howl (*vor* with); (*Sirene*) to (start to) wail; (*Motor*) to (give a) roar.
aufholen *sep* **1** *vt Zeit, Vorsprung* to make up; *Lernstoff* to catch up on.
2 *vi* (*Mannschaft, Schüler, Arbeiter*) to catch up.
aufhorchen *vi sep* to prick up one's ears, to sit up (and take notice).
aufhören *vi sep* to stop; (*bei Firma*) to finish; (*Musik, Lärm auch, Freundschaft*) to (come to an) end ▶ *hör doch endlich auf!* (will you) stop it!; *mit etw ~* to stop sth; *da hört sich doch alles auf!* (*col*) that's the (absolute) limit!
aufjagen *vt sep* to disturb.
aufjauchzen *vi sep vor Freude ~* to give a shout of joy.
Aufkauf *m* (*Comm*) acquisition.
aufkaufen *vt sep* to buy up.
Aufkäufer *m* buyer.
aufkeimen *vi sep aux sein* to germinate, to sprout; (*fig*) (*Hoffnung, Liebe*) to burgeon (*liter*), to form; (*Zweifel*) to (begin to) take root.
aufklappbar *adj Verdeck* folding.
aufklappen *vt sep* to open up; *Klappe* to let down; *Verdeck* to put down; *Messer* to unclasp; *Fenster, Buch* to open; (*hochschlagen*) *Kragen* to turn up.
aufklaren *vi sep* (*Met*) to clear (up).
aufklären *sep* **1** *vt* **a** *Mißverständnis, Irrtum* to clear up; *Verbrechen* to solve; *Ereignis, Vorgang* to throw light upon. **b** *jdn* to enlighten ▶ *Kinder ~* (*sexuell*) to tell children the facts of life; (*in der Schule*) to give children sex education; *jdn über etw* (*acc*) *~* to inform sb about sth.
2 *vr* (*Irrtum, Geheimnis*) to be cleared up; (*Himmel*) to clear up; (*fig: Gesicht*) to brighten (up).

Aufklärung *f* **a** (*Philos*) *die ~* the Enlightenment. **b** *siehe vt* (*a*) clearing up; solution; (*von Vorgang*) elucidation. **c** (*Information*) enlightenment. **d** (*sexuelle*) *~* (*in Schulen*) sex education ▶ *die ~ von Kindern* explaining the facts of life to children. **e** (*Mil*) reconnaissance.
Aufklärungs-: *~arbeit* *f* educational work; *~film* *m* sex education film; *~flugzeug* *nt* reconnaissance aircraft; *~kampagne* *f* information campaign; *~schiff* *nt* (*Mil*) reconnaissance ship.
aufkleben *vt sep* (*auf* +*acc* to) to stick on; (*mit Leim, Klebstoff auch*) to glue on.
Aufkleber *m* sticker.
aufknacken *vt sep Nüsse etc*, (*col*) *Tresor* to crack; *Auto* to break into.
aufknöpfen *vt sep* (*öffnen*) to unbutton, to undo.
aufknoten *vt sep* to untie, to undo.
aufknüpfen *vt sep* **a** to hang (*an* +*dat* from), to string up (*col*) (*an* +*dat* on). **b** (*aufknoten*) to untie, to undo.
aufkochen *vt sep* to bring to the boil.
aufkommen *vi sep irreg aux sein* **a** (*lit, fig: entstehen*) to arise; (*Nebel*) to come down; (*Wind*) to spring *or* get up; (*auftreten: Mode etc auch*) to appear (on the scene) ▶ *etw ~ lassen* (*fig*) *Zweifel, Kritik* to give rise to sth; *endlich kam Stimmung auf* at last things livened up. **b** *~ für* (*Kosten tragen*) to bear the costs of, to pay for; (*Haftung tragen*) to be liable for; *für die Kinder ~* (*finanziell*) to pay for the children's upkeep; *für die Kosten ~* to bear the costs; *für den Schaden ~* to pay for the damage.
Aufkommen *nt* **a** *no pl* (*das Auftreten*) appearance; (*von Methode, Mode etc auch*) advent, emergence. **b** (*Fin*) (*Summe, Menge*) amount; (*von Steuern*) revenue (*aus* from).
aufkratzen *vt sep* (*zerkratzen*) to scratch; (*öffnen*) *Wunde* to scratch open; *siehe* **aufgekratzt**.
aufkreischen *vi sep* (*Mensch*) to scream, to shriek; (*Bremsen, Maschine*) to screech.
aufkrempeln *vi sep* (*sich dat*) *die Ärmel/Hose ~* to roll up one's sleeves/trousers.
aufkreuzen *vi sep aux sein* (*col: erscheinen*) to turn *or* show up.
aufkriegen *vt sep* (*col*) *siehe* **aufbekommen**.
aufkündigen *vt sep Vertrag etc* to terminate.
Aufl. = **Auflage**.
auflachen *vi sep* to (give a) laugh.
aufladbar *adj* chargeable; (*neu ~*) rechargeable.
aufladen *sep irreg* **1** *vt* **a** *etw (auf etw acc) ~* to load sth on(to) sth; *jdm/sich etw ~* (*fig*) to saddle sb/oneself with sth. **b** (*elektrisch*) to charge; (*neu ~*) to recharge ▶ *emotional aufgeladen* (*fig*) emotionally charged.
2 *vr* (*Batterie etc*) to be charged; (*neu*) to be recharged.
Auflage *f* **a** (*Ausgabe*) edition; (*Druck*) printing, impression; (*~höhe*) number of copies printed; (*von Zeitung*) circulation. **b** (*Bedingung*) condition ▶ *jdm etw zur ~ machen* to impose sth on sb as a condition; *jdm zur ~ machen, etw zu tun* to make it a condition for sb to do sth; *die ~ haben, etw zu tun* to be obliged to do sth. **c** (*Überzug*) plating *no pl*, coating.
Auflage(n)-: *~höhe* *f* (*von Buch*) number of copies printed, printrun; (*von Zeitung*) circulation; *~ziffer* *f* circulation (figures *pl*); (*von Buch*) number of copies printed, printrun.
auflandig *adj* (*Naut*) *Wind* onshore.
auflassen *vt sep irreg* (*col*) (*offenlassen*) to leave open; (*aufbehalten*) *Hut* to keep *or* leave on ▶ *die Kinder länger ~* to let the children stay up (longer).
auflauern *vi sep* +*dat* to lie in wait for.
Auflauf *m* **a** (*Menschen~*) crowd. **b** (*Cook*) (baked) pudding (*sweet or savoury*).
auflaufen *vi sep irreg aux sein* **a** (*auf Grund laufen:*

Schiff) to run aground (*auf* +*acc or dat* on); (*fig*) to run into trouble.

b (*aufprallen*) **auf jdn/etw ~** to run into sb/sth, to collide with sb/sth; **jdn ~ lassen** (*Ftbl*) to bodycheck sb; (*col*) to drop sb in it (*col*).

Auflaufform *f* (*Cook*) ovenproof dish.

aufleben *vi sep aux sein* to revive; (*munter, lebendig werden*) to liven up, to come to life again; (*neuen Lebensmut bekommen*) to find a new lease of life ► **Erinnerungen wieder ~ lassen** to revive memories.

auflecken *vt sep* to lick up.

▼ **auflegen** *sep* **1** *vt* **a** to put on; *Gedeck* to lay; *Hörer* to put down, to replace. **b** *Buch* (*herausgeben*) to publish; (*drucken*) to print ► **ein Buch neu ~** to reprint a book; (*neu bearbeitet*) to bring out a new edition of a book. **2** *vi* (*Telec*) to hang up.

auflehnen *vr sep* **sich gegen jdn/etw ~** to revolt *or* rebel against sb/sth.

Auflehnung *f* revolt, rebellion.

auflesen *vt sep irreg* (*lit, fig col*) to pick up ► **jdn/etw von der Straße ~** to pick sb/sth up off the street.

aufleuchten *vi sep aux sein or haben* (*lit, fig*) to light up.

aufliegen *vi sep irreg* **a** to lie *or* rest on top. **b** = **ausliegen**.

auflisten *vt sep* to list.

Auflistung *f* (*auch Comp*) listing; (*Liste auch*) list.

auflockern *sep* **1** *vt* **a** *Boden* to break up, to loosen (up). **b** *Unterricht, Stoff, Vortrag* to make less monotonous, to give relief to (*durch* with). **c** (*entspannen*) to make relaxed; *Atmosphäre auch* to ease ► **in aufgelockerter Stimmung** in a relaxed mood. **2** *vr* **a** (*Sport*) to limber *or* loosen up. **b** (*Bewölkung*) to break up.

Auflockerung *f* **a** (*von Boden*) breaking up, loosening (up) ► **zur ~ der gespannten Atmosphäre** in order to ease the tense atmosphere. **b** (*von Bewölkung*) breaking up.

auflodern *vi sep aux sein* (*Flammen, fig*) to flare up; (*lodernd brennen*) to blaze.

auflösen *sep* **1** *vt* **a** (*in Flüssigkeit*) to dissolve; (*in Bestandteile zerlegen*) to break down (*in* +*acc* into); (*Math*) *Gleichung* to (re)solve; *siehe* **aufgelöst**. **b** (*aufklären*) *Widerspruch etc* to clear up, to resolve; *Rätsel* to solve. **c** (*zerstreuen*) *Wolken, Versammlung* to disperse, to break up. **d** (*aufheben*) to dissolve (*auch Parl*); *Einheit, Gruppe* to disband; *Firma* to wind up; *Verlobung* to break off; *Vertrag* to cancel; *Konto* to close; *Haushalt* to break up. **2** *vr* **a** (*in Flüssigkeit*) to dissolve; (*Zweifel, Probleme*) to disappear. **b** (*sich zerstreuen*) to disperse; (*Wolken auch*) to break up; (*Nebel auch*) to lift. **c** (*auseinandergehen*) (*Verband*) to disband; (*Firma*) to cease trading; (*formell: esp Parl*) to dissolve.

Auflösung *f* *siehe vt* **a** dissolving; breaking down; (re)solving. **b** clearing up, resolving; solving; (*fertige Lösung: von Rätsel etc*) solution. **c** dispersal. **d** dissolving; disbanding; winding up; breaking off; cancellation; closing; breaking up; (*Mus, von Parlament*) dissolution. **e** (*von Bildschirm*) resolution.

Auflösungszeichen *nt* (*Mus*) natural.

aufmachen *sep* **1** *vt* **a** (*öffnen*) to open; (*lösen, aufknöpfen etc*) to undo. **b** (*eröffnen, gründen*) *Geschäft, Unternehmen* to open (up). **c** (*gestalten*) *Buch, Zeitung* to make up; (*in Presse*) *Ereignis, Prozeß etc* to feature. **2** *vi* (*Tür öffnen*) to open the door; (*Geschäft* (*er*)*öffnen*) to open (up). **3** *vr* **a** (*sich zurechtmachen*) to get oneself up. **b** (*sich anschicken*) to get ready, to make preparations; (*aufbrechen*) to set out.

Aufmacher *m* (*Press*) lead (story).

Aufmachung *f* **a** (*Kleidung*) turn-out ► **in großer ~ erscheinen** to turn up dressed to the nines (*col*). **b** (*Gestaltung*) presentation, style; (*von Buch*) presentation, make-up; (*Press etc*) layout.

aufmalen *vt sep* to paint on (*auf etw* (*acc*) sth).

Aufmarsch *m* (*Mil*) marching; (*Parade*) marchpast; (*in Stellung, Kampflinie*) deployment.

aufmarschieren* *vi sep aux sein* (*heranmarschieren*) to march up; (*Mil: in Stellung gehen*) to deploy; (*vorbeimarschieren*) to march past.

aufmerksam *adj* **a** *Zuhörer, Beobachter, Schüler* attentive; *Blicke auch, Augen* keen; (*scharf beobachtend*) observant ► **jdn auf etw** (*acc*) **~ machen** to draw sb's attention to sth; **auf etw** (*acc*) **~ werden** to become aware of sth. **b** (*zuvorkommend*) attentive ► **(das ist) sehr ~ von Ihnen** (that's) most kind of you.

Aufmerksamkeit *f* **a** *no pl* attention, attentiveness ► **das ist meiner ~ entgangen** it escaped my attention. **b** *no pl* (*Zuvorkommenheit*) attentiveness. **c** (*Geschenk*) token (gift).

aufmischen *vt sep* (*col: provozieren*) to stir up.

aufmöbeln *vt sep* (*col*) *Gegenstand* to do up (*col*); *jdn* (*beleben*) to buck up (*col*), to pep up (*col*).

aufmotzen *sep* (*col*) **1** *vt* to zap up (*col*). **2** *vi* to get cheeky (*esp Brit*) *or* fresh (*esp US*).

aufmucken, aufmucksen *vt sep* (*col*) to protest (*gegen* at, against).

aufmuntern *vt sep* (*aufheitern*) to cheer up; (*beleben*) to liven up.

Aufmunterung *f siehe vt* cheering up; livening up.

aufmüpfig *adj* (*col*) rebellious.

aufnähen *vt sep* to sew on (*auf* +*acc* to).

Aufnahme *f* **-n** **a** (*Empfang, fig: Reaktion*) reception ► **bei jdm freundliche ~ finden** (*lit, fig*) to meet with a warm reception from sb; **die ~ in ein Krankenhaus** admission to hospital; **wie war die ~ beim Publikum?** how did the audience receive it *or* react? **b** (*in Verein*) admission (*in* +*acc* to). **c** *no pl* (*lit, fig: Absorption*) absorption. **d** *no pl* (*von Kapital etc*) raising. **e** *no pl* (*Beginn: von Gespräch etc*) start, commencement. **f** (*Foto*) photo(graph); shot (*col*); (*Film~*) take. **g** (*auf Tonband etc*) recording.

Aufnahme-: **~antrag** *m* application for membership *or* admission; **a~bereit** *adj Kamera* ready to shoot; (*fig*) receptive, open (*für* to); **~bereitschaft** *f* (*fig*) receptiveness; **a~fähig** *adj* **für etw a~fähig sein** to be able to take sth in; **~gebühr** *f* enrolment fee; (*in Verein*) admission fee; **~lager** *nt* reception camp; **~leiter** *m* (*Film*) production manager; (*Rad, TV*) producer; **~prüfung** *f* entrance examination; **~stopp** *m* (*für Flüchtlinge etc*) freeze on immigration; **~studio** *nt* (*film/recording*) studio.

aufnehmen *vt sep irreg* **a** (*vom Boden*) to pick up. **b** (*lit: empfangen, fig: reagieren auf*) to receive. **c** (*unterbringen*) to take (in); (*fassen*) to take, to hold; *Einwanderer* to absorb. **d** (*in Verein*) to admit (*in* +*acc* to); (*Schule auch*) to take on. **e** (*absorbieren*) to absorb, to take up; (*fig: eindringen lassen*) *Eindrücke* to take in; (*begreifen auch*) to grasp. **f** (*mit einbeziehen*) to include, to incorporate; (*aufgreifen*) *Thema* to take up. **g** (*esp Ftbl*) *Ball* to take, to receive. **h** (*beginnen*) *Beziehung* to establish; *Tätigkeit, Studium* to begin, to take up ► **den Kampf ~** to commence battle; (*fig auch*) to take up the struggle. **i** *Hypothek etc* to raise; *Kredit auch* to get. **j** (*niederschreiben*) *Protokoll, Diktat* to take down; *Personalien* to take (down); *Telegramm* to take. **k** (*fotografieren*) to take (a photograph of), to photograph; (*filmen*) to film, to shoot (*col*). **l** (*auf Tonband usw.*) to record. **m** (*beim Stricken*) *Maschen* to increase, to make. **n** **es mit jdm/etw ~ können** to be a match for sb/sth.

aufnötigen vt sep jdm etw ~ to force sth on sb.
auf|oktroyieren* vt sep jdm etw ~ (geh) to impose or force sth on sb.
auf|opfern vr sep to sacrifice oneself.
auf|opfernd adj self-sacrificing.
Auf|opferung f [a] (Aufgabe) sacrifice. [b] (Selbst~) self-sacrifice.
aufpäppeln vt sep (col) (mit Nahrung) to feed up (col); (durch Pflege) to nurse back to health.
aufpassen vi sep [a] (beaufsichtigen) auf jdn/etw ~ to keep an eye on sb/sth. [b] (aufmerksam sein, achtgeben) to pay attention ▶ paß auf!, aufgepaßt! look, watch; (sei aufmerksam) pay attention; (Vorsicht) look out, watch out, mind (out).
Aufpasser(in f) m - (pej: Aufseher, Spitzel) spy (pej), watchdog (col); (für VIP etc) minder; (Beobachter) supervisor; (Wächter) guard.
aufpeitschen vt sep Meer, Wellen to whip up; (fig) Sinne to inflame, to fire; Menschen to work up; (stärker) to whip up into a frenzy.
aufpeppen vt sep (col) to jazz up (col).
aufpflanzen sep [1] vt (Mil) Bajonett to fix.
  [2] vr sich vor jdm ~ to plant oneself in front of sb.
aufpicken vt sep (Vogel) to peck up.
aufplatzen vi sep aux sein to burst open.
aufplustern sep [1] vt Federn to ruffle up.
  [2] vr (Vogel) to ruffle (up) its feathers; (Mensch) to puff oneself up.
aufpolieren* vt sep (lit, fig) to polish up.
aufprägen vt sep jdm/einer Sache seinen Stempel ~ (fig) to leave one's mark on sb/sth.
Aufprall m -e impact.
aufprallen vi sep aux sein auf etw (acc) ~ to strike or hit sth; (Fahrzeug auch) to collide with sth.
Aufpreis m extra or additional charge ▶ gegen ~ for an extra or additional charge.
aufpulvern vt sep (col) to pep or buck up (col).
aufpumpen vt sep to pump up, to inflate; Fahrrad to pump up the tyres (Brit) or tires (US) of.
aufputschen sep [1] vt [a] (aufwiegeln) to rouse; Gefühle, öffentliche Meinung to stir up. [b] (durch Reizmittel) to stimulate ▶ ~de Mittel stimulants.
  [2] vr to pep oneself up (col), to dope oneself (Sport col).
Aufputschmittel nt stimulant.
aufquellen vi sep irreg aux sein (anschwellen) to swell (up) ▶ aufgequollen swollen; etw ~ lassen to soak sth (to allow it to swell up).
aufraffen sep [1] vr to force oneself to do sth ▶ sich zu einer Entscheidung ~ to force oneself to make a decision.
  [2] vt Papiere, Eigentum to gather up; (schnell aufheben) to snatch up.
aufragen vi sep aux sein or haben (in die Höhe ~) to rise; (sehr hoch, groß auch) to tower (up) (über +dat above, over) ▶ die hoch ~den Türme the soaring towers.
aufrappeln vr sep (col) [a] siehe aufraffen 1. [b] (wieder zu Kräften kommen) to recover, to get over it.
aufrauchen vt sep (zu Ende rauchen) to finish (smoking).
⚠ **aufrauhen** vt sep to roughen; (Tex) Stoff to nap.
aufräumen sep [1] vt to tidy or clear up; (wegräumen auch) to clear or put away.
  [2] vi mit etw ~ to do away with sth; siehe aufgeräumt.
Aufräumungs|arbeiten pl clearing-up operations pl.
aufrechnen vt sep etw gegen etw ~ to offset sth against sth.
aufrecht adj (lit, fig) upright; Körperhaltung, Gangart auch erect.
aufrecht|erhalten* vt sep irreg to maintain; Kontakt,

Bräuche auch to keep up; Behauptung auch to stick to; (moralisch) jdn to keep going.
Aufrecht|erhaltung f siehe vt maintenance, maintaining; keeping up; sticking (gen to); keeping going.
aufregen sep [1] vt (ärgerlich machen) to irritate, to annoy; (nervös machen) to make nervous; (beunruhigen) to agitate; (bestürzen) to upset; (erregen) to excite ▶ du regst mich auf! you're getting on my nerves.
  [2] vr to get worked up (col) or excited (über +acc about); siehe aufgeregt.
aufregend adj exciting.
Aufregung f excitement no pl; (Beunruhigung) agitation no pl ▶ nur keine ~! don't get excited, don't get worked up (col); jdn in ~ versetzen to get sb in a state (col).
aufreiben vt sep irreg [a] Haut etc to chafe, to rub sore. [b] (fig: zermürben) to wear down. [c] (Mil: völlig vernichten) to wipe out, to annihilate.
aufreibend adj (fig) wearing, trying; (stärker) stressful.
aufreihen sep [1] vt (in Linie) to line up; Perlen to string.
  [2] vr to line up.
aufreißen* sep irreg [1] vt [a] (aufbrechen) to tear or rip open; Straße to tear or rip up. [b] Tür, Fenster to fling open; Augen, Mund to open wide. [c] (col) Mädchen to pick up (col).
  [2] vi aux sein (Naht) to split, to burst; (Hose) to tear, to rip; (Wunde) to tear open; (Wolkendecke) to break up.
aufreizen vt sep (herausfordern) to provoke; (aufwiegeln) to incite.
aufreizend adj provocative.
aufrichten sep [1] vt [a] Gegenstand to put upright; jdn to help up; Oberkörper to straighten (up). [b] (fig: moralisch) to put new heart into.
  [2] vr (gerade stehen) to stand up (straight); (gerade sitzen) to sit up (straight); (aus gebückter Haltung) to straighten up ▶ sich im Bett ~ to sit up in bed.
aufrichtig adj sincere (zu, gegen towards); (ehrlich auch) honest.
Aufrichtigkeit f siehe adj sincerity; honesty.
aufrollen vt sep [a] (zusammenrollen) to roll up; Kabel to coil or wind up. [b] (entrollen) to unfurl; Fahne to unfurl; Kabel to uncoil, to unwind. [c] (fig) Problem to go into ▶ einen Fall/Prozeß wieder ~ to reopen a case/trial.
aufrücken vi sep aux sein (lit, fig) to move up ▶ zum Geschäftsleiter ~ to be promoted to manager.
Aufruf m [a] appeal (an +acc to). [b] (von Namen) nach ~ when called. [c] (Comp, Aviat) call.
aufrufen sep irreg [1] vt [a] Namen to call ▶ Sie werden aufgerufen your name or you will be called; einen Schüler ~ to ask a pupil (to answer) a question. [b] jdn zu etw ~ (zu Mithilfe, Unterstützung etc) to appeal to or call upon sb for sth. [c] (Jur) Zeugen to summon. [d] (Comp) to call up.
  [2] vi zum Streik etc ~ to call for a strike etc.
Aufruhr m -e [a] (Auflehnung) revolt, rebellion, uprising. [b] (Bewegtheit, fig: Erregung) tumult, turmoil ▶ in ~ sein to be in a turmoil; jdn in ~ versetzen to throw sb into a turmoil.
aufrühren vt sep (lit, fig) to stir up.
Aufrührer(in f) m - rabble-rouser.
aufrührerisch adj [a] Rede, Pamphlet rabble-rousing, inflammatory. [b] attr (in Aufruhr) rebellious; (meuternd) mutinous.
aufrunden vt sep Zahl to round up (auf +acc to).
aufrüsten vti sep to arm.
Aufrüstung f armament ▶ atomare ~ nuclear armament.
aufrütteln vt sep to rouse (aus from) ▶ jdn/jds Gewissen ~ to stir sb/sb's conscience.

---

aufs = auf das.
aufsagen vt sep Gedicht etc to recite, to say.
aufsammeln vt sep (lit, fig) to pick up.
aufsässig adj rebellious.
Aufsässigkeit f rebelliousness.
Aufsatz m [a] (Abhandlung) essay; (Schul~ auch) composition. [b] (oberer Teil) top or upper part.
aufsaugen vt sep irreg Flüssigkeit to soak up; (fig) to absorb ▶ etw mit dem Staubsauger ~ to vacuum sth up.
aufschauen vt sep (dial) = aufblicken.
aufscheuchen vt sep to startle.
aufscheuern vt sep to rub sore, to chafe.
aufschichten vt sep to stack, to pile up; Stapel to build up.
aufschieben vt sep irreg Fenster, Tür to slide open; Riegel to push or slide back; (fig: verschieben) to put off, to postpone ▶ aufgeschoben ist nicht aufgehoben (prov) putting something off does not mean it's cancelled.
Aufschlag m [a] (das Aufschlagen) impact. [b] (Tennis etc) service, serve ▶ sie hat ~ it's her service or serve. [c] (Preis~) surcharge, extra charge. [d] (Ärmel~) cuff; (Hosen~) turn-up (Brit), cuff (US); (Mantel~ etc) lapel.
Aufschlag- in cpds (Sport) service.
aufschlagen sep irreg [1] vi [a] aux sein (auftreffen) auf etw (dat) ~ to hit sth; mit dem Kopf etc auf etw (acc or dat) ~ to hit one's head etc on sth. [b] aux haben or sein (Waren, Preise) to rise, to go up (um by). [c] (Tennis etc) to serve.
[2] vt [a] (durch Schlagen öffnen) to crack ▶ jdm/sich den Kopf ~ to crack sb's/one's head open. [b] (aufklappen) to open ▶ schlagt Seite 111 auf open your books at page 111. [c] Augen to open. [d] (aufbauen) Bett, Liegestuhl to put up; Zelt auch to pitch; Lager to set up, to pitch. [e] (Comm) Preise to put up.
aufschließen sep irreg [1] vt (öffnen) to unlock ▶ jdm die Tür etc ~ to unlock the door etc for sb; siehe aufgeschlossen.
[2] vi [a] (öffnen) (jdm) ~ to unlock the door (for sb). [b] (heranrücken) to close up; (Sport) to catch up (zu with).
aufschlitzen vt sep to rip open; (mit Messer auch) to slit open.
aufschluchzen vi sep (geh) to give a deep sob.
⚠ **Aufschluß** m (Aufklärung) information no pl ▶ (jdm) ~ über etw (acc) geben to give (sb) information about sth.
aufschlüsseln vt sep to break down (nach into); (klassifizieren) to classify (nach according to).
⚠ **aufschlußreich** adj informative, instructive.
aufschnappen vt sep to catch; (col) Wort etc to pick up.
aufschneiden sep irreg [1] vt [a] to cut open; Braten to carve. [b] (in Scheiben schneiden) to slice.
[2] vi (col: prahlen) to brag, to boast.
Aufschneider m (col) boaster, show-off (col).
Aufschnitt m no pl (assorted) sliced cold meats, cold cuts.
aufschnüren vt sep (lösen) to untie, to undo; Schuh auch to unlace.
aufschrauben vt sep Schraube etc to unscrew; Flasche etc to take the top off.
aufschrecken sep [1] vt to startle, (aus Gleichgültigkeit) to jolt (aus out of).
[2] vi aux sein to start (up), to be startled ▶ aus dem Schlaf ~ to wake up with a start.
Aufschrei m yell; (schrill) scream, shriek ▶ ein ~ der Empörung (fig) an outcry.
aufschreiben vt sep irreg [a] (niederschreiben) etw ~ to write or note sth down. [b] (notieren) sich (dat) etw ~ to make a note of sth.

aufschreien vi sep irreg to yell out; (schrill) to scream or shriek out.
Aufschrift f inscription; (Etikett) label.
Aufschub m (Verzögerung) delay; (Vertagung) postponement ▶ die Sache duldet keinen ~ (geh) the matter must not be delayed; jdm ~ gewähren to grant sb an extension.
aufschürfen vt sep sich (dat) die Haut/das Knie ~ to graze or scrape oneself/one's knee.
aufschütteln vt sep Kissen to shake or plump up.
aufschütten vt sep [a] Flüssigkeit to pour on ▶ Kaffee ~ to make coffee. [b] Kohle to put on (the fire). [c] Damm, Deich to throw up.
aufschwatzen vt sep (col) jdm etw ~ to talk sb into taking sth.
aufschwingen vr sep irreg to swing oneself up; (Vogel) to soar (up) ▶ sich zu etw ~ (sich aufraffen) to bring oneself to do sth.
Aufschwung m [a] (Antrieb) lift; (der Wirtschaft etc) upturn, upswing (gen in). [b] (Turnen) swing-up.
aufsehen vi sep irreg = aufblicken.
Aufsehen nt no pl sensation ▶ großes ~ erregen to cause a sensation or stir; ich möchte jedes ~ vermeiden I want to avoid any fuss.
⚠ **aufsehen|erregend** adj sensational.
Aufseher(in f) m (allgemein) supervisor; (Gefängnis~) warder (Brit), guard (US); (Park~, Museums~ etc) attendant.
⚠ **aufsein** vi sep irreg aux sein [a] (aufgestanden sein) to be up. [b] (geöffnet sein) to be open.
aufsetzen sep [1] vt [a] Brille etc, Miene etc to put on; Fuß to put down. [b] (verfassen) to draft.
[2] vr to sit up.
[3] vi (Flugzeug) to touch down, to land.
Aufsetzer m - (Sport) bouncing ball.
aufseufzen vi sep (tief) ~ to heave a (deep) sigh.
Aufsicht f no pl (Überwachung) supervision (über +acc of); (Obhut) charge ▶ die ~ haben or führen to be in charge; unter jds ~ (dat) under the supervision of sb; bei einer Prüfung ~ führen to invigilate an examination; jdn ohne ~ lassen to leave sb unsupervised.
⚠ **aufsichtführend** adj attr Behörde supervisory; Beamter supervising.
Aufsichts-: ~beamte(r) m (in Museum, Zoo etc) attendant; **~rat** m (supervisory) board; (Mitglied) member of the board, executive director.
aufsitzen vi sep irreg [a] (aufgerichtet sitzen) to sit up. [b] aux sein (auf Reittier) to mount; (auf Fahrzeug) to get on. [c] aux sein (col: hereinfallen) jdm/einer Sache ~ to be taken in by sb/sth.
aufspalten vtr sep to split; (fig auch) to split up.
aufspannen vt sep [a] Netz, Sprungtuch to stretch or spread out; Schirm to put up, to open. [b] (aufziehen) Leinwand to stretch (auf +acc onto); Saite to put on (auf etw (acc) sth).
aufsparen vt sep to save (up), to keep.
aufsperren vt sep Tür, Schnabel to open wide ▶ die Ohren ~ to prick up one's ears.
aufspielen sep [1] vi (dated) to play; (anfangen) to strike up.
[2] vr (col) [a] (sich wichtig tun) to give oneself airs. [b] sich als etw ~ to set oneself up as sth; sich als Boß ~ to play the boss.
aufspießen vt sep to spear; (durchbohren) to run through; (mit Hörnern) to gore; Fleisch (mit Spieß) to skewer.
aufsplittern vti sep (vi: aux sein) (Holz) to splinter; (Gruppe) to split (up).
aufspringen vi sep irreg aux sein [a] (hochspringen) to jump up ▶ auf etw (acc) ~ to jump onto sth. [b]

⚠: for details of spelling reform, see supplement

(*auftreffen*) to bounce. [c] (*sich öffnen*) (*Tür*) to burst open; (*platzen*) to burst; (*Haut, Lippen etc*) to crack, to chap.

aufspüren *vt sep* (*lit, fig*) to track down.

aufstacheln *vt sep* = **anstacheln**.

aufstampfen *vi sep* to stamp ▶ **mit dem Fuß ~** to stamp one's foot.

Aufstand *m* rebellion, revolt ▶ **den ~ proben** (*fig*) to flex one's muscles.

aufständisch *adj* rebellious, insurgent.

Aufständische(r) *mf decl as adj* rebel, insurgent.

aufstapeln *vt sep* to stack *or* pile up.

aufstauen *sep* [1] *vt Wasser* to dam ▶ **etw in sich** (*dat*) **~** (*fig*) to bottle sth up inside (oneself). [2] *vr* to collect; (*fig: Ärger*) to be bottled up.

aufstechen *vt sep irreg* to puncture; (*Med*) to lance.

aufstecken *sep* [1] *vt* [a] (*auf etw stecken*) to put on (*auf +acc -to*). [b] (*mit Nadeln*) to pin up; *Haar auch* to put up. [2] *vi* (*col: aufgeben*) to pack it in (*col*); (*bei Rennen etc*) to drop out.

aufstehen *vi sep irreg aux sein* [a] (*sich erheben*) to get *or* stand up; (*morgens aus dem Bett*) to get up ▶ **~ dürfen** (*Kranker*) to be allowed (to get) up; **da mußt du früher** *or* **eher ~!** (*fig col*) you'll have to do better than that! [b] (*col: offen sein*) to be open. [c] (*sich auflehnen*) to rise (in arms).

aufsteigen *vi sep irreg aux sein* [a] (*auf Berg, Leiter*) to climb (up); (*Flugzeug*) to climb; (*Nebel, Gefühl*) to rise; (*Gewitter, Wolken*) to gather ▶ **einen Ballon ~ lassen** to release a balloon; **an die Oberfläche ~** to rise to the surface; **in jdm ~** (*Haß, Verdacht, Erinnerung etc*) to well up in sb. [b] (*auf Fahrrad etc*) to get on (*auf etw* (*acc*) (*-to*) sth). [c] (*fig: im Rang etc*) to rise (*zu* to); (*beruflich, Sport*) to be promoted (*in +acc* to).

Aufsteiger *m* [a] (*Sport*) promoted team. [b] (*auch ~in f*) (*sozialer*) ~ social climber; **ein ~ sein** to be upwardly mobile.

aufstellen *sep* [1] *vt* [a] (*aufrichten*) to put up (*auf +dat* on); *Maschine* to install; *Falle* to set; (*Mil*) to deploy; (*postieren*) *Wachposten* to post. [b] *Truppe* to raise; *Spieler, Mannschaft* to select; *Kandidaten* to nominate. [c] (*erzielen*) *Rekord* to set (up). [d] *Forderung, Behauptung* to put forward; *System* to establish; *Programm, Rechnung, Liste* to draw up. [e] *Essen etc* (*auf Herd*) to put on. [2] *vr* (*sich postieren*) to stand; (*hintereinander*) to line up; (*Soldaten*) to fall into line ▶ **sich im Karree/Kreis etc ~** to form a square/circle *etc*.

Aufstellung *f siehe vt* [a] putting up; installation; setting; deployment; posting. [b] raising; selecting; nomination; (*Mannschaft*) line-up (*col*), team. [c] setting. [d] putting forward; establishing; drawing up; (*Liste*) list; (*Tabelle*) table.

aufstemmen *vt sep* to force open.

Aufstieg *m -e* [a] *no pl* (*auf Berg*) climb, ascent; (*von Flugzeug, Rakete*) climb; (*von Ballon*) ascent. [b] (*fig*) rise; (*Sport, beruflich*) promotion (*in +acc* to) ▶ **den ~ ins Management schaffen** to work one's way up into the management. [c] (*Weg*) way up (*auf etw* (*acc*) sth), ascent (*auf +acc* of).

Aufstiegs:- ~chance, ~möglichkeit *f* prospect of promotion.

aufstöbern *vt sep Wild* to flush; (*col: entdecken*) to run to earth.

aufstocken *vt sep Vorräte* to build up.

aufstöhnen *vi sep* to give a loud groan.

aufstoßen *sep irreg* [1] *vt* (*öffnen*) to push open; (*mit dem Fuß*) to kick open. [2] *vi* [a] *aux sein* **auf etw** (*acc*) **~** to hit (on *or* against)

sth. [b] *aux haben* (*rülpsen*) to burp.

Aufstoßen *nt no pl* burping, flatulence.

aufstrebend *adj* (*fig*) aspiring; (*Stadt, Land*) up-and-coming.

Aufstrich *m* (*auf Brot*) spread.

aufstülpen *vt sep* to put on; *Ärmel, Kragen* to turn up.

aufstützen *sep* [1] *vt Kranken etc* to prop up; *Arme* to rest (*auf +acc* or *dat* on) ▶ **den Kopf ~** to rest one's head on one's hand. [2] *vr* to support oneself; (*im Bett, beim Essen*) to prop oneself up.

aufsuchen *vt sep Bekannten* to call on; *Arzt, Ort, Toilette* to go to.

auftakeln *vt sep* (*Naut*) to rig up ▶ **sich ~** (*pej col*) to tart oneself up (*col*); *siehe* **aufgetakelt**.

Auftakt *m* [a] (*Beginn*) start ▶ **den ~ zu etw bilden** to mark the beginning of sth. [b] (*Mus*) upbeat.

auftanken *vti sep* to fill up; (*Aviat*) to refuel ▶ **Benzin ~** to fill up with petrol (*Brit*) *or* gas (*US*).

auftauchen *vi sep aux sein* [a] (*aus dem Wasser*) to surface; (*Taucher etc auch*) to come up. [b] (*fig*) (*sichtbar werden*) to appear; (*aus Nebel etc auch*) to emerge; (*Zweifel, Problem*) to arise. [c] (*gefunden werden, kommen*) to turn up.

auftauen *sep* [1] *vi aux sein* to thaw; (*fig auch*) to unbend. [2] *vt* to thaw; *Tiefkühlkost* to thaw (out).

aufteilen *vt sep* [a] (*aufgliedern*) to divide *or* split up (*in +acc* into). [b] (*verteilen*) to share out (*an +acc* between).

Aufteilung *f siehe vt* division; sharing out.

auftischen *vt sep* to serve up; (*fig col*) to come up with.

Auftrag *m, pl* **Aufträge** [a] *no pl* (*Anweisung*) orders *pl*, instructions *pl*; (*zugeteilte Arbeit*) job, task; (*Jur*) brief ▶ **einen ~ ausführen** to carry out an order; **ich habe den ~, Ihnen mitzuteilen ...** I have been instructed to tell you ...; **in jds ~** (*dat*) (*für jdn*) on sb's behalf; (*auf jds Anweisung*) on sb's instructions; **im ~** *or* **i.A.: J. Burnett** *pp* J. Burnett. [b] (*über +acc* for) (*Comm*) order; (*bei Künstlern etc*) commission ▶ **etw in ~ geben** to order/commission sth (*bei* from).

auftragen *sep irreg* [1] *vt* [a] (*servieren*) to serve. [b] *Farbe, Salbe* to apply, to put on ▶ **etw auf etw** (*acc*) **~** to apply sth to sth. [c] *jdm etw ~* (*form*) to instruct sb to do sth. [d] *Kleider* to wear out. [2] *vi* (*übertreiben*) **dick ~** (*col*) to lay it on thick (*col*).

Auftraggeber(in *f*) *m* client, customer.

Auftrags-: ~bestätigung *f* confirmation of order; **a~gemäß** *adj, adv* as instructed; (*Comm*) as per order; **~nummer** *f* job number; **~rückgang** *m* drop in orders.

auftreffen *vi sep irreg aux sein* **auf etw** (*dat or acc*) **~** to hit *or* strike sth.

auftreiben *vt sep irreg* (*col: ausfindig machen*) to find, to get hold of (*col*).

auftrennen *vt sep* to undo.

auftreten *sep irreg* [1] *vi aux sein* [a] (*lit*) to tread. [b] (*erscheinen, Theat*) to appear ▶ **als Zeuge ~** to appear as a witness; **gegen jdn/etw ~** to stand up *or* speak out against sb/sth; **geschlossen ~** to put up a united front. [c] (*fig: eintreten*) to occur; (*Schwierigkeiten etc*) to arise. [d] (*sich benehmen*) to behave ▶ **bescheiden/arrogant ~** to have a modest/an arrogant manner. [e] (*handeln*) **als Vermittler etc ~** to act as intermediary *etc*. [2] *vt Tür etc* to kick open.

Auftreten *nt no pl* [a] (*Erscheinen*) appearance. [b] (*Benehmen*) manner. [c] (*Vorkommen*) occurrence.

Auftrieb *m no pl* [a] (*Phys*) buoyancy; (*Aviat*) lift. [b] (*fig*) impetus; (*Preis~*) upward trend (*gen* in); (*Ermunterung*) lift ▶ **das wird ihm ~ geben** that will give him a lift.

Auftritt m entrance; (Theat: Szene) scene.

auftrumpfen vi sep (seine Leistungstärke zeigen) to show how good one is.

auftun sep irreg ① vt (col: ausfindig machen) to find. ② vr (sich öffnen) to open (up).

auftürmen sep ① vt to pile up. ② vr (Gebirge etc) to tower up; (Schwierigkeiten) to pile up.

aufwachen vi sep aux sein (lit, fig) to wake up ▶ aus einer Narkose ~ to come out of an anaesthetic.

aufwachsen vi sep irreg aux sein to grow up.

aufwallen vi sep aux sein to bubble up; (Cook) to boil up; (Leidenschaft etc) to surge up.

Aufwand m no pl ⓐ (von Geld) expenditure (an +dat of) ▶ das erfordert einen großen ~ an Zeit/Energie/Geld that requires a lot of time/energy/money. ⓑ (Luxus, Prunk) extravagance ▶ (großen) ~ treiben to be (very) extravagant.

Aufwands|entschädigung f expense allowance.

aufwärmen sep ① vt to heat or warm up; (col: wieder erwähnen) to bring up. ② vr to warm up.

aufwarten vi sep (zu bieten haben) mit etw ~ to offer sth.

aufwärts adv up, upward(s); (bergauf) uphill ▶ den Fluß ~ upstream.

Aufwärts-: ~entwicklung f upward trend (gen in); a~gehen ⚠ vi impers sep irreg aux sein mit dem Staat/der Firma geht es a~ things are improving for the country/firm; ~haken m (Boxen) uppercut; a~kompatibel adj (Comput) upward compatible; ~trend m upward trend.

Aufwartung f (geh: Besuch) jdm seine ~ machen to pay one's respects to sb.

aufwecken vt sep to wake (up); (fig) to rouse; siehe aufgeweckt.

aufweichen sep ① vt to soften; Brot to soak. ② vi aux sein to become soft.

aufweisen vt sep irreg to show; (haben) to have ▶ das Buch weist einige Fehler auf the book has some mistakes in it; etwas aufzuweisen haben to have something to show for oneself.

aufwenden vt sep irreg to use; Energie to expend; Geld, Zeit to spend ▶ viel Mühe/Zeit ~, etw zu tun to take a lot of trouble/spend a lot of time doing sth.

⚠**aufwendig** adj lavish; (teuer) costly.

Aufwendungen pl expenditure.

aufwerfen vt sep irreg ⓐ (aufhäufen) to pile up. ⓑ Frage, Probleme to raise, to bring up.

aufwerten vt sep ⓐ (auch vi) Währung to revalue. ⓑ (fig) to increase the value of.

Aufwertung f (von Währung) revaluation; (fig) increase in value.

aufwickeln vt sep ⓐ (aufrollen) to roll up; (col) Haar to put in curlers. ⓑ (lösen) to untie; Windeln, Verband to take off.

aufwiegeln vt sep to stir up ▶ jdn zum Streik/Widerstand ~ to incite sb to strike/resist.

aufwiegen vt sep irreg (fig) to offset ▶ das ist nicht mit Geld aufzuwiegen that can't be measured in terms of money.

Aufwiegler(in f) m - agitator; (Anstifter) instigator.

aufwieglerisch adj seditious; Rede, Artikel auch inflammatory.

Aufwind m (Aviat) upcurrent ▶ neuen ~ bekommen (fig) to get new impetus.

aufwirbeln vti sep (vi: aux sein) to swirl or whirl up ▶ (viel) Staub ~ (fig) to cause a (big) stir.

aufwischen vti sep to mop up.

aufwühlen vt sep ⓐ (lit) Erde, Meer to churn (up). ⓑ

(geh) Gefühle to stir; siehe aufgewühlt.

aufzählen vt sep to list; (aufführen auch) to enumerate.

Aufzählung f siehe vt list; enumeration.

aufzeichnen vt sep ⓐ Plan etc to draw, to sketch. ⓑ (notieren, Rad, TV) to record.

Aufzeichnung f ⓐ usu pl (Notiz) note; (Niederschrift auch) record. ⓑ (Tonband~, Film~) recording.

aufzeigen vt sep to show.

aufziehen sep irreg ① vt ⓐ (hochziehen) to pull or draw up; Flagge, Segel to hoist. ⓑ (öffnen) Reißverschluß to undo; Schublade to (pull) open; Gardinen to draw (back). ⓒ (aufspannen) Saite, Reifen to put on. ⓓ (spannen) Feder, Uhr etc to wind up. ⓔ (großziehen) to raise; Kind auch to bring up; Tier auch to rear. ⓕ (col: veranstalten) to set up; Fest to arrange. ⓖ (verspotten) jdn ~ (col) to tease sb (mit about). ② vi aux sein (Wolke) to come up; (Gewitter, Wolken auch) to gather; (aufmarschieren) to march up.

Aufzucht f no pl (das Großziehen) rearing, raising.

Aufzug m ⓐ (Fahrstuhl) lift (Brit), elevator (US); (Güter~) hoist. ⓑ (von Gewitter etc) gathering. ⓒ (Theat) act. ⓓ no pl (pej col: Kleidung) get-up (col).

aufzwingen sep irreg ① vt jdm etw/seinen Willen ~ to force sth on sb/impose one's will on sb. ② vr das zwingt sich einem doch förmlich auf it's the only possible conclusion.

Aug. = August Aug.

Aug|apfel m eyeball ▶ jdn/etw wie seinen ~ hüten to cherish sb/sth like life itself.

Auge nt -n ⓐ eye ▶ gute/schlechte ~n haben to have good/bad eyesight; mit den ~n zwinkern/blinzeln to wink/blink; jdn mit or aus großen ~n ansehen to look at sb wide-eyed; mit bloßem ~ with the naked eye; mit verbundenen ~n (lit, fig) blindfold; etw im ~ haben (fig) to have one's eye on sth; ein sicheres ~ für etw haben to have a good eye for sth; ich kann doch meine ~n nicht überall haben I can't see everything at once; er machte große ~n his eyes popped out of his head (col); ich konnte kaum aus den ~n sehen I could hardly see straight; geh mir aus den ~n! get out of my sight!; unter jds ~n (dat) (fig) before sb's very eyes; vor aller ~n in front of everybody, for all to see; jdn/etw mit anderen ~n (an)sehen to see sb/sth in a different light; seine ~n waren größer als sein Magen (col) his eyes were bigger than his stomach; aus den ~n, aus dem Sinn (Prov) out of sight, out of mind (Prov); das ~ des Gesetzes the law; soweit das ~ reicht as far as the eye can see; er hatte nur ~n für sie he only had eyes for her; ich habe kein ~ zugetan I didn't sleep a wink; da blieb kein ~ trocken (hum) there wasn't a dry eye in the place; ein ~ auf jdn/etw geworfen haben to have one's eye on sb/sth; jdm ein ~ aufs ~ drücken (col) to force or impose sth on sb; ein ~/beide ~n zudrücken (col) to turn a blind eye; etw im ~ behalten to keep or bear sth in mind; sie ließen ihn nicht aus den ~n they didn't let him out of their sight; jdn/etw aus den ~n verlieren to lose sight of sb/sth; (fig) to lose touch with sb/sth; das springt einem gleich ins ~ it hits you right in the face (col); jdm etw vor ~n führen (fig) to make sb aware of sth; etw ins ~ fassen to contemplate sth; etw noch genau or lebhaft vor ~n haben to remember sth clearly or vividly; jdm die ~n öffnen (fig) to open sb's eyes; ein ~ riskieren (hum) to have a peep (col); das kann leicht ins ~ gehen (fig col) it might easily go wrong; in meinen ~n in my opinion or view; mit einem lachenden und einem weinenden ~ with mixed feelings; ~ in ~ face to face; ~ um ~, Zahn um Zahn (Bibl) an eye for an eye and a tooth for a tooth; dem Tod ins ~ sehen to look death in the face. ⓑ (bei Kartoffel) eye.

c (*Punkt bei Spielen*) point.
d (*von Hurrikan*) eye.
äugen *vi* to look.
Augen-: **~arzt** *m* eye specialist, ophthalmologist; **~aufschlag** *m* look.
Augenblick *m* moment ▶ **jeden ~** any time *or* moment; **einen ~, bitte** one moment please!; **~ mal!** (*col*) just a minute *or* second! (*col*); **im ~** at the moment; **im ersten ~** for a moment.
augenblicklich **1** *adj* (*sofortig*) immediate; (*gegenwärtig*) present, current.
2 *adv* (*sofort*) immediately; (*zur Zeit*) at the moment.
Augen-: **~braue** *f* eyebrow; **~entzündung** *f* inflammation of the eyes; **~farbe** *f* colour (*Brit*) *or* color (*US*) of eyes; **ihre ~farbe** the colour of her eyes; **~höhe** *f*: **in ~höhe** at eye level; **~höhle** *f* eye socket; **~klappe** *f* **a** eye patch; **b** (*für Pferde*) blinker, blinder (*US*); **~krankheit** *f* eye disease; **~licht** *nt no pl* (eye)sight; **~lid** *nt* eyelid; **~maß** *nt* eye; (*für Entfernungen*) eye for distance(s); (*fig*) perceptiveness; **nach ~maß** by eye; **ein gutes/schlechtes ~maß haben** to have a good eye/no eye for distance(s); **~merk** *nt no pl* (*Aufmerksamkeit*) attention; **jds/sein ~merk auf etw** (*acc*) **lenken** to direct sb's/one's attention to sth; **~operation** *f* eye operation; **~optiker** *m* optician; **~paar** *nt* pair of eyes; **~ränder** *pl* rims of the/one's eyes; **~schein** *m no pl* **a** (*Anschein*) appearance; **dem ~schein nach** by all appearances; **b** **jdn/etw in ~schein nehmen** to have a close look at sb/sth; **a~scheinlich** *adj* obvious, evident; **~tropfen** *pl* eyedrops *pl*; **~weide** *f* feast *or* treat for the eyes; **~wimper** *f* eyelash; **~winkel** *m* corner of the/one's eye; **~wischerei** *f* (*fig*) eyewash; **~zeuge** *m* eyewitness (*bei* to); **~zeugenbericht** *m* eyewitness account; **~zwinkern** *nt no pl* winking; **a~zwinkernd** *adj* winking *attr*; (*fig*) sly.
August *m -e* August; *siehe* **März**.
Auktion *f* auction.
Auktionator(in *f*) [-'toːrɪn] *m* auctioneer.
Auktionshaus *nt* auction house, auctioneers *pl*.
Aula *f, pl* **Aulen** (*Sch, Univ*) (assembly) hall.
Au-pair- [oˈpɛːɐ]: **~-Mädchen** *nt* au-pair (girl); **~-Stelle** *f* au-pair job.
Aura *f no pl* aura.
aus **1** *prep +dat* **a** (*räumlich*) from; (*aus dem Inneren von*) out of ▶ **~ dem Fenster/der Tür** out of the window/door; **~ unserer Mitte** from our midst.
b (*Herkunft, Quelle bezeichnend*) from ▶ **~ dem Deutschen** from (the) German; **~ guter Familie** from a good family; **~ dem Barock** from the Baroque period.
c (*auf Ursache deutend*) out of ▶ **~ Haß/Mitleid** out of hatred/sympathy; **~ Erfahrung** from experience; **~ Furcht vor/Liebe zu** for fear/love of; **~ dem Grunde, daß ...** for the reason that ...; **~ Spaß** for fun; **~ Versehen** by mistake; **~ sich heraus** of one's own accord.
d (*beschaffen ~*) (made) of ▶ **ein Herz ~ Stein** a heart of stone.
e **einen anständigen Menschen ~ jdm machen** to make sb into a decent person; **was ist ~ ihm/dieser Sache geworden?** what has become of him/this?; **~ ihm wird einmal ein guter Arzt** he'll make a good doctor one day.
f **~ dem Gleichgewicht** out of balance; **~ der Mode** out of fashion.
2 *adv siehe auch* **aussein** **a** (*col: vorbei, zu Ende*) over ▶ **~ und vorbei** over and done with. **b** (*gelöscht*) out; (*an Geräten*) off ▶ **Licht ~!** lights out! **c** (*Sport*) out, out of play. **d** (*in Verbindung mit von*) **von München ~** from Munich; **von sich** (*dat*) **~** of one's own accord; **von jdm ~** as far as he's concerned; **ok, von mir ~** OK, if you like.

Aus *nt* **a** *no pl* (*Sport*) touch *no art.* **b** (*Ende*) end.
aus|arbeiten *vt sep* to work out; (*vorbereiten*) to prepare.
Aus|arbeitung *f siehe vt* working out; preparation.
aus|arten *vi sep aux sein* (*Party etc*) to get out of control ▶ **~ in** (+*acc*) *or* **zu** to degenerate into.
aus|atmen *vti sep* to breathe out, to exhale.
ausbaden *vt sep* (*col*) to carry the can for (*col*).
Ausbau *m -ten siehe vt* removal; extension (*zu* into); conversion (*zu* (in)to); improvement; building up.
ausbauen *vt sep* **a** (*herausmontieren*) to remove (*aus* from). **b** (*lit, fig: erweitern*) to extend (*zu* into); (*umbauen*) to convert (*zu* (in)to); *Straße* to improve; *Freundschaft* to build up; *siehe* **ausgebaut**.
ausbaufähig *adj Position* with good prospects; *Produktion, Markt, Computer* expandable; *Beziehungen* that can be built up.
ausbedingen *vr sep irreg* **sich** (*dat*) **etw ~** to insist on sth.
ausbeißen *vr sep irreg* **sich** (*dat*) **an etw** (*dat*) **die Zähne ~** (*fig*) to have a tough time of it with sth.
ausbessern *vt sep* to repair; *Wäsche etc auch* to mend.
Ausbesserung *f siehe vt* repair; mending.
Ausbesserungs-: **~arbeiten** *pl* repair work *sing*, **a~bedürftig** *adj* in need of repair *etc*.
ausbeulen *vt sep Auto* to knock the dent(s) out of; *Kleidung* to make baggy; *siehe* **ausgebeult**.
Ausbeute *f* (*Gewinn*) profit, gain; (*Ertrag einer Grube etc*) yield (*an* +*dat* in); (*fig*) result(s); (*Einnahmen*) proceeds *pl*.
ausbeuten *vt sep* (*lit, fig*) to exploit.
Ausbeuter(in *f*) *m* - exploiter.
Ausbeutung *f* exploitation.
ausbezahlen* *vt sep Geld* to pay out.
ausbilden *vt sep* to train; (*unterrichten auch*) to instruct; (*akademisch*) to educate; *Fähigkeiten* to develop ▶ **sich in etw** (*dat*)/**als** *or* **zu etw ~ lassen** (*esp Arbeiter, Lehrling*) to train in sth/as sth; **ein ausgebildeter Übersetzer** a qualified translator.
Ausbilder(in *f*) *m* - instructor, instructress.
Ausbildung *f siehe vt* training; instruction; education; development ▶ **er ist noch in der ~** he's still a trainee; he hasn't finished his education.
Ausbildungs-: **~beihilfe, ~förderung** *f* grant; **~platz** *m* (*Stelle*) training vacancy; **~stand** *m* level of training; **~zeit** *f* training period.
ausbitten *vr sep irreg* **sich** (*dat*) **(von jdm) etw ~** (*geh*) to request sth (from sb) (*form*); **ich bitte mir Ruhe aus!** I will have silence!
ausblasen *vt sep irreg* to blow out; *Ei* to blow.
ausbleiben *vi sep irreg aux sein* (*fortbleiben*) to stay out; (*nicht erscheinen: Gäste*) to fail to appear; (*nicht eintreten: Erwartung etc*) to fail to materialize; (*aufhören: Puls, Atmung etc*) to stop ▶ **es konnte nicht ~, daß ...** it was inevitable that ...
ausblenden *vti sep* (*TV etc*) to fade out; (*plötzlich*) to cut out.
Ausblick *m* **a** view (*auf* +*acc* of). **b** (*fig*) prospect, outlook (*auf* +*acc* for).
ausblicken *vi sep* (*geh*) **nach jdm ~** to look for sb.
ausbooten *vt sep* (*col*) *jdn* to kick *or* boot out (*col*).
ausbrechen *sep irreg* **1** *vt* (*herausbrechen*) *Steine* to break off (*aus* from).
2 *vi aux sein* **a** (*lit, fig: sich befreien*) to break out (*aus* of) (*auch Mil*), to escape (*aus* from). **b** (*Richtung ändern: Pferd, Wagen*) to swerve; (*Auto auch*) to get into a skid. **c** (*Krieg, Feuer, Schweiß etc*) to break out; (*Jubel, Zorn etc*) to erupt, to explode; (*Vulkan*) to erupt ▶ **in Gelächter/Tränen/Jubel ~** to burst out laughing/crying/cheering.

Ausbrecher(in *f)* m - (*col: Gefangener*) escaped prison-er, escapee.

ausbreiten *sep* ☐ *vt* to spread (out); *Arme* to stretch out; (*ausstellen, fig: zeigen*) to display; *Licht, Wärme* to spread.
☐ *vr* ⓐ (*sich verbreiten*) to spread. ⓑ (*col: sich breitmachen*) to spread oneself out. ⓒ *sich über etw* (*acc*) ~ (*fig*) to dwell on sth.

Ausbreitung *f* spread, spreading.

ausbrennen *sep irreg* ☐ *vi aux sein* ⓐ (*zu Ende brennen*) to burn out. ⓑ (*völlig verbrennen*) to be burnt out, to be gutted ► *er ist ausgebrannt* (*fig*) he's burnt out.
☐ *vt* (*Med*) to cauterize.

ausbringen *vt sep irreg Trinkspruch* to propose.

Ausbruch m ⓐ (*aus* from) (*aus Gefängnis*) break-out (*auch Mil*), escape (*auch fig*). ⓑ (*Beginn*) outbreak; (*von Vulkan*) eruption ► *zum ~ kommen* to break out. ⓒ (*fig: Gefühls~*) outburst.

ausbrüten *vt sep* to hatch; (*esp in Brutkasten*) to incubate; (*fig col*) *Plan etc* to cook up (*col*).

Ausbuchtung *f* bulge; (*von Strand*) (small) cove.

ausbügeln *vt sep* to iron out; (*col*) *Fehler, Verlust* to make good.

ausbuhen *vt sep* (*col*) to boo ► *ausgebuht werden* to be booed off the stage.

Ausbund m *no pl: ein ~ an* or *von Tugend/ Sparsamkeit* a paragon of virtue/a model of thrift.

ausbürgern *vt sep jdn* ~ to expatriate sb.

Ausbürgerung *f* expatriation.

Ausdauer *f no pl* staying power, stamina; (*Beharrlich-keit*) perseverance.

ausdauernd *adj* (*Mensch*) with staying power, with stamina; (*im Ertragen*) with endurance; (*beharrlich*) persevering; *Bemühungen etc* untiring.

ausdehnbar *adj* expandable; (*fig*) extendable (*auf +acc* to).

ausdehnen *sep* ☐ *vt* ⓐ (*vergrößern*) to expand. ⓑ (*fig*) to extend; (*zeitlich auch*) to prolong (*auf +acc* to).
☐ *vr* ⓐ (*größer werden*) to expand; (*sich erstrecken*) to extend, to stretch (*bis* as far as) ► *der Krieg dehnte sich über das ganze Land aus* the war spread over the whole country. ⓑ (*fig*) to extend (*über +acc* over, *bis* as far as, to); (*zeitlich*) to go on (*bis* until); *siehe* **ausgedehnt**.

Ausdehnung *f* ⓐ *siehe vt* expansion; extension; prolongation. ⓑ (*Umfang*) expanse.

ausdenken *vt sep irreg sich* (*dat*) *etw* ~ (*erfinden*) to think sth up; (*in Einzelheiten*) to think sth out; *Wunsch* to think of sth; *Überraschung* to plan sth; (*sich vorstellen*) to imagine sth; *eine ausgedachte Geschichte* a made-up story; *das ist nicht auszudenken* (*unvorstellbar*) it's inconceivable.

ausdienen *vi sep ausgedient haben* (*fig col*) to have had its day.

ausdiskutieren* *vt sep Thema* to discuss fully.

ausdrehen *vt sep* (*ausschalten*) to turn or switch off; *Licht auch* to turn out.

Ausdruck¹ m, *pl* **Ausdrücke** ⓐ *no pl* expression ► *als ~ meiner Dankbarkeit* as an expression of my gratitude; *mit dem ~ des Bedauerns* (*form*) expressing regret; *etw zum ~ bringen* to express sth, to give expression to sth. ⓑ (*Wort*) expression; (*Fach~ auch*) term ► *sich im ~ vergreifen* to use the wrong word.

Ausdruck² m **-e** (*Comp*) printout.

ausdrucken *vt sep* (*Comp*) to print out.

ausdrücken *sep* ☐ *vt* ⓐ to press out, to squeeze out; *Pickel* to squeeze; *Zigarette* to stub out. ⓑ (*zum Ausdruck bringen*) to express (*jdm* to sb) ► *anders ausgedrückt* in other words; *einfach ausgedrückt* put simply.

☐ *vr* (*Mensch*) to express oneself ► *er drückt sich gut aus* he is very articulate; *in ihrem Gesicht/Verhalten drückte sich Verzweiflung aus* her face/behaviour showed her despair.

ausdrücklich ☐ *adj attr Wunsch* express, explicit.
☐ *adv* explicitly; (*besonders*) particularly.

Ausdrucks-: a~fähig *adj* expressive; (*gewandt*) articulate; **~fähigkeit** *f siehe adj* expressiveness; articulateness; **a~los** *adj* inexpressive; *Gesicht, Blick auch* expressionless; **~losigkeit** *f siehe adj* inexpressiveness; lack of expression; **~mittel** *nt* means of expression; **a~voll** *adj* expressive; **~weise** *f* way of expressing oneself.

ausdünnen *vt sep Pflanzen, Haare* to thin out.

ausdünsten *vt sep Geruch* to give off.

Ausdünstung *f* (*Dampf*) vapour (*Brit*), vapor (*US*); (*Geruch*) smell.

aus|einander *adv* (*getrennt*) apart ► *weit* ~ far apart; *Meinungen* very different; *etw* ~ *schreiben* to write sth as two words; *die beiden sind* (*im Alter*) *ein Jahr* ~ there is a year between the two of them; ~ *sein* (*col: Paar*) to have split up.

aus|einander-: ~brechen △ *sep irreg* ☐ *vt* to break in two; ☐ *vi aux sein* (*lit, fig*) to break up; **~fallen** △ *vi sep irreg aux sein* (*zerfallen*) to fall apart; (*fig auch*) to collapse; ~ **gehen** △ *vi sep irreg aux sein* ⓐ (*lit, fig: sich trennen*) (*Menschen*) to part, to separate; (*Menge*) to disperse; (*Versammlung, Ehe etc*) to break up; ⓑ (*sich verzweigen: Weg etc*) to divide; (*zwei Wege*) to diverge; (*fig: Ansichten etc*) to differ; **~halten** △ *vt sep irreg* to keep apart; (*unterscheiden*) *Begriffe* to distinguish between; *esp Zwillinge etc* to tell apart; **~klaffen** △ *vi sep aux sein* to gape open; (*fig: Meinungen*) to be far apart, to diverge (*wildly*); **~laufen** △ *vi sep irreg aux sein* ⓐ (*zerlaufen*) to melt; (*Farbe*) to run; ⓑ (*col: sich trennen*) to break up; (*Menge*) to disperse; **~leben** △ *vr sep* to drift apart; **~nehmen** △ *vt sep irreg* to take apart; *Maschine etc auch* to dismantle; (*kritisch*) to tear apart or to pieces; **~setzen** △ *sep* ☐ *vt* (*fig*) (*jdm* to sb) to explain; (*schriftlich auch*) to set out; ☐ *vr sich mit etw ~setzen* (*sich befassen*) to work on; *sich kritisch mit etw ~setzen* to have a critical look at sth; *sich mit jdm ~setzen* to talk or (*sich streiten*) to argue with sb.

Aus|einandersetzung *f* ⓐ (*Diskussion*) discussion, debate (*über +acc* about, on); (*Streit*) argument; (*feindlicher Zusammenstoß*) clash (*wegen* over). ⓑ (*das Befassen*) examination (*mit* of); (*kritisch*) analysis (*mit* of).

aus|erkoren *adj* (*liter*) chosen, selected.

aus|erlesen *adj* (*ausgesucht*) select; *Speisen, Weine auch* choice *attr*.

aus|ersehen* *vt sep irreg* (*geh*) *dazu* ~ *sein, etw zu tun* to be chosen to do sth.

Aus|erwählte(r) *mf decl as adj* (*geh*) chosen one.

ausfahrbar *adj* extendable; *Antenne, Fahrgestell* retractable.

ausfahren *sep irreg* ☐ *vi aux sein* ⓐ (*spazierenfahren*) to go for a ride or (*im Auto auch*) drive. ⓑ (*abfahren*) (*Zug*) to pull out (*aus* of), to leave ► *aus dem Hafen* ~ (*Schiff*) to leave harbour.
☐ ⓐ (*ausliefern*) *Waren* to deliver. ⓑ *ein Auto etc* (*voll*) ~ to drive a car *etc* flat out. ⓒ (*Tech*) to extend; (*Aviat*) *Fahrgestell* to lower.

Ausfahrt *f* ⓐ (*auch Autobahn~*) exit ► ~ *Gütersloh* Gütersloh exit; „~ *freihalten"* "Keep clear". ⓑ *no pl* (*Abfahrt*) departure ► *der Zug hat keine* ~ the train has not been cleared for departure. ⓒ (*Spazierfahrt*) drive, ride.

Ausfall m ⓐ (*Verlust*) loss; (*das Versagen*) (*Tech, Med*) failure; (*von Motor*) breakdown; (*Produktionsstörung*) stoppage. ⓑ *no pl* (*von Sitzung, Unterricht etc*) cancella-

ausfallen vi sep irreg aux sein [a] (*herausfallen*) to fall out ▶ *mir fallen die Haare aus* my hair is falling out. [b] (*nicht stattfinden*) to be cancelled ▶ *etw ~ lassen* to cancel sth; *die Schule fällt morgen aus* there's no school tomorrow. [c] (*nicht funktionieren*) to fail; (*Motor*) to break down. [d] (*wegfallen: Verdienst*) to be lost. [e] (*ausscheiden*) to drop out. [f] *gut/schlecht etc ~* to turn out well/badly *etc*; *die Bluse fällt zu eng aus* the blouse is too tight. [g] *siehe* **ausgefallen**.

ausfallend, ausfällig adj abusive.

ausfällen vi sep (*Chem*) to precipitate.

Ausfallstraße f arterial road.

Ausfallzeit f (*von Maschine, Computer*) downtime.

ausfechten vt sep irreg (*fig*) to fight (out).

ausfegen vt sep Zimmer to sweep out.

ausfeilen vt sep to file (out); *siehe* **ausgefeilt**.

ausfertigen vt sep (*form*) Dokument to draw up; Rechnung etc to make out; Paß to issue.

Ausfertigung f (*form*) [a] *no pl siehe vt* drawing up; making out; issuing. [b] (*Abschrift*) copy ▶ *in doppelter/dreifacher ~* in duplicate/triplicate.

ausfetten vt sep to grease.

ausfindig adj: *~ machen* to find; (*Aufenthaltsort feststellen*) to trace.

ausfliegen sep irreg [1] vi aux sein *ausgeflogen sein* (*fig col*) to have gone out; *der Vogel ist ausgeflogen* (*fig col*) the bird has flown.

[2] vt (*Aviat*) Verwundete etc to fly out (*aus* from).

ausfließen vi sep irreg aux sein (*herausfließen*) to flow out (*aus* of); (*auslaufen: Öl etc*) to leak (*aus* out of); (*Eiter etc*) to be discharged.

ausflippen vi sep aux sein (*col*) to freak out (*col*); *siehe* **ausgeflippt**.

ausflocken vti sep (*Chem*) to precipitate.

Ausflucht f, pl **Ausflüchte** excuse ▶ *Ausflüchte machen* to make excuses.

Ausflug m trip, outing; (*esp mit Reisebüro*) excursion; (*Betriebs~, Schul~*) outing; (*Wanderung*) walk, hike ▶ *einen ~ machen* to go on a trip *etc*.

Ausflügler(in f) m - tripper.

Ausflugs-: *~dampfer* m pleasure steamer; *~lokal* nt tourist café; (*am Meer*) seaside café; *~verkehr* m (*an Feiertagen*) holiday traffic; (*am Wochenende*) weekend holiday traffic; *~ziel* nt destination (of one's outing).

⚠ **Ausfluß** m [a] (*das Herausfließen*) outflow. [b] (*~stelle*) outlet. [c] (*Med*) discharge.

ausforschen vt sep [a] Sache to find out; (*erforschen*) to investigate. [b] jdn to question.

ausfragen vt sep to question, to quiz (*col*) (*nach* about); (*strenger*) to interrogate.

ausfransen vi sep aux sein to fray.

ausfressen vt sep irreg (*col: anstellen*) *etwas ~* to get up to something; *was hat er denn wieder ausgefressen?* what's he done now? (*col*).

Ausfuhr f -en no pl (*das Ausführen*) export; (*~handel*) exports pl.

Ausfuhr- in cpds export; *siehe auch* **Export-**.

ausführbar adj [a] Plan feasible, practicable ▶ *schwer ~* difficult to carry out. [b] (*Comm*) exportable.

ausführen vt sep [a] jdn to take out; Hund auch to take for a walk. [b] (*durchführen*) to carry out; Gesetz to implement; (*Comp*) to execute; (*Sport*) Freistoß to take ▶ *die ~de Gewalt* (*Pol*) the executive. [c] (*erklären*) to explain; (*darlegen*) to set out; (*argumentierend*) to argue. [d] (*Comm*) Waren to export.

Ausfuhr-: *~genehmigung* f export licence; *~güter* pl export goods pl, exports pl; *~hafen* m port of exportation.

ausführlich [1] adj detailed, full.

[2] adv in detail, in full ▶ *sehr ~* in great detail.

Ausführlichkeit f detail, fullness ▶ *in aller ~* in (great) detail, in full.

Ausführung f [a] no pl siehe vt (b) carrying out; implementation; taking ▶ *zur ~ gelangen* to be carried out. [b] (*Erklärung*) explanation; (*von Thema etc*) exposition. [c] (*von Waren*) design; (*Tech: äußere ~*) finish; (*Qualität*) quality; (*Modell*) model.

Ausfuhrverbot nt export ban.

Ausfuhrzoll m export duty.

ausfüllen vt sep to fill; Platz to take up; Formular to fill out ▶ *jdn (ganz) ~* (*Zeit in Anspruch nehmen*) to take (all) sb's time; *ein ausgefülltes Leben* a full life.

Ausg. = **Ausgabe** ed.

Ausgabe f -n [a] no pl (*Austeilung*) (*von Proviant etc*) distribution, giving out; (*von Befehl, Fahrkarten etc*) issuing; (*von Essen*) serving. [b] (*Schalter*) counter. [c] (*von Buch etc*) edition; (*von Zeitschrift auch, von Aktien*) issue. [d] (*Ausführung*) version. [e] (*Geldaufwand*) expense, expenditure no pl ▶ *~n* pl (*Geldverbrauch*) expenditure sing (*für* on); (*Kosten*) expenses pl, costs pl. [f] (*Comp*) output; (*mit Drucker*) printout.

Ausgabe- in cpds (*Comp*) output; *~gerät* nt output device.

Ausgang m [a] (*Auslaß, Weg nach draußen*) exit, way out (*gen, von* from); (*Aviat*) gate. [b] (*Erlaubnis zum Ausgehen*) permission to go out; (*Mil*) pass ▶ *~ haben* to have the day off or (*am Abend*) the evening off; (*Mil*) to have a pass. [c] no pl (*Ende*) end; (*von Epoche auch*) close; (*von Roman, Film auch*) ending; (*Ergebnis*) outcome, result ▶ *ein Unfall mit tödlichem ~* a fatal accident. [d] no pl (*Ausgangspunkt*) starting point; (*Anfang*) beginning.

Ausgangs-: *~basis* f basis, starting point; *~lage, ~position* f initial or starting position; *~punkt* m starting point; *~sperre* f ban on going out; (*esp bei Belagerungszustand*) curfew; (*für Soldaten*) confinement to barracks; *~sperre haben* to be forbidden to go out; (*Mil*) to be confined to barracks; *~sprache* f source language; *~stellung* f (*Sport*) starting position; (*Mil*) initial position.

ausgebaut adj gut ~ Schul-, Verkehrssystem etc fully developed.

ausgeben vt sep irreg [a] (*austeilen*) Proviant etc to distribute, to give out; (*aushändigen*) Dokumente, Fahrkarten, Aktien etc to issue; Befehl to issue, to give; Essen to serve; (*Cards*) to deal; (*ausdrucken*) Text to print out. [b] Geld to spend (*für* on) ▶ *eine Runde ~* to stand a round; *ich gebe heute abend einen aus* (*col*) it's my treat this evening; *darf ich dir einen Whisky ~?* would you like a whisky? [c] jdn/etw als or für jdn/etw ~ to pass sb/sth off as sb/sth; *sich als jd/etw ~* to pose as sb/sth.

ausgebeult adj Kleidung baggy; Hut battered.

ausgebombt adj bombed out.

ausgebucht adj Reise etc booked up, fully booked.

ausgebufft adj (*col: trickreich*) shrewd, fly (*col*).

Ausgeburt f (*pej*) (*der Phantasie etc*) monstrous product ▶ *eine ~ der Hölle* a fiendish monster.

ausgedehnt adj (*breit, groß, fig: weitreichend*) extensive; (*zeitlich*) lengthy; Spaziergang long.

ausgedörrt adj dried up; Boden, Kehle parched; Pflanzen shrivelled; Land, Gebiet arid.

ausgefallen adj (*ungewöhnlich*) unusual; (*übertrieben*) extravagant.

ausgefeilt adj (*fig*) polished.

ausgeflippt adj (*col*) freaky (*col*), freaked-out (*col*) ▶ *~er Typ* freak (*col*); (*aus der Gesellschaft*) drop-out (*col*).

ausgefuchst adj (*col*) clever; (*listig*) crafty (*col*).

ausgeglichen adj balanced; Spiel, Klima even; Torver-

hältnis equal.

Ausgeglichenheit *f siehe adj* balance; evenness.

ausgehen *vi sep irreg aux sein* [a] (*weggehen*) to go out; (*spazierengehen auch*) to go (out) for a walk. [b] (*ausfallen: Haare, Federn, Zähne*) to fall out. [c] (*seinen Ausgang nehmen*) to start (*von* at); (*herrühren: Idee etc*) to come (*von* from). [d] (*abgeschickt werden: Post*) to be sent off ▸ *die ~de Post* the outgoing mail. [e] (*zugrunde legen*) to start out (*von* from) ▸ *gehen wir einmal davon aus, daß ...* let us assume that ... [f] *auf etw* (*acc*) *~* to be intent on sth. [g] (*enden*) to end ▸ *gut/schlecht ~* to turn out well/badly; (*Film etc*) to have a happy/sad ending; (*Abend, Spiel*) to end well/badly; *leer ~* (*col*) to come away empty-handed. [h] (*zu Ende sein: Vorräte etc*) to run out ▸ *ihm ist die Luft or der Atem ausgegangen* (*lit*) he ran out of breath; (*fig col*) he ran out of steam (*col*). [i] (*aufhören zu brennen*) to go out.

Ausgeh|erlaubnis *f* permission to go out; (*Mil*) pass.

ausgehungert *adj* starved; (*abgezehrt*) *Mensch etc* emaciated.

Ausgeh-: *~uniform f* walking-out uniform; *~verbot nt siehe* **Ausgangssperre**.

ausgeklügelt *adj* (*col*) ingenious.

ausgekocht *adj* (*pej col: durchtrieben*) cunning.

ausgelassen *adj* (*heiter*) lively; *Stimmung* happy; (*wild*) *Kinder, Stimmung, Party* wild.

Ausgelassenheit *f siehe adj* liveliness; happiness; wildness.

ausgelastet *adj Mensch* fully occupied; *Maschine, Anlage* working to capacity.

ausgeleiert *adj Gummiband etc* worn.

ausgemacht *adj* [a] (*abgemacht*) agreed ▸ *es ist eine ~e Sache, daß ...* it is agreed that ... [b] *attr* (*col: vollkommen*) complete, utter.

ausgemergelt *adj Gesicht* emaciated, gaunt.

ausgenommen *conj* except, apart from, aside from (*esp US*) ▸ *alle, du or dich ~* everyone except (for) or apart from you; *Anwesende ~* present company excepted.

ausgepowert [-paʊɐt] *adj* (*col*) washed out (*col*), done in (*col*).

ausgeprägt *adj Gesicht* distinctive; *Eigenschaft* distinct; *Interesse* marked, pronounced.

ausgerechnet *adv ~ du/er etc* you/he *etc* of all people; *~ heute/gestern* today/yesterday of all days; *~ jetzt kommt er* he would have to come just now.

ausgereift *adj* mature.

ausgeruht *adj* (well) rested.

ausgeschlossen *adj pred* (*unmöglich*) impossible; (*nicht in Frage kommend*) out of the question ▸ *es ist nicht ~, daß ...* it's just possible that ...; *jeder Irrtum ist ~* there is no possibility of a mistake.

ausgeschnitten *adj Bluse, Kleid* low-cut ▸ *ein tief ~es Kleid* a dress with a plunging neckline.

ausgesorgt *adj siehe* **aussorgen**.

ausgesprochen [1] *adj Schönheit* outstanding; *Vorliebe* definite; *Begabung* particular; *Ähnlichkeit auch* marked ▸ *~es Pech haben* to be really unlucky. [2] *adv* really.

ausgestorben *adj Tierart* extinct; (*fig*) deserted ▸ *der Park war wie ~* the park was deserted.

Ausgestoßene(r) *mf decl as adj* outcast.

ausgesucht [1] *adj* (*erlesen*) *Wein* choice, select; *Gesellschaft* select; *Worte* well-chosen. [2] *adv* (*überaus*) extremely.

ausgetreten *adj Schuhe, Stufe* well-worn; *Pfad auch* well-trodden.

ausgewachsen *adj* fully-grown; (*col*) *Skandal* full-blown.

ausgewählt *adj* select; *Satz etc* well-chosen; *Werke* selected.

ausgewogen *adj* balanced; *Maß* equal ▸ *ein ~es Kräfteverhältnis* an equal balance of powers.

Ausgewogenheit *f* balance.

ausgezeichnet *adj* excellent ▸ *es geht mir ~* I'm feeling marvellous.

ausgiebig [1] *adj Mahlzeit etc* substantial, large; *Mittagsschlaf* long; *Gebrauch* extensive. [2] *adv ~ frühstücken* to have a substantial breakfast; *~ schlafen* to have a good (long) sleep; *etw ~ gebrauchen* to use sth extensively.

ausgießen *vt sep irreg* (*aus einem Behälter*) to pour out; (*weggießen*) to pour away; *Behälter* to empty.

Ausgleich *m -e* [a] (*Gleichgewicht*) balance; (*von Konto*) balancing; (*von Schulden*) settling; (*von Verlust, Fehler*) compensation; (*von Unterschieden*) balancing out; (*von Konflikten etc*) reconciliation ▸ *zum/als ~ für etw* in order to compensate for sth; *er treibt zum ~ Sport* he does sport for exercise. [b] *no pl* (*Ballspiele*) equalizer; (*Tennis*) deuce.

ausgleichen *sep irreg* [1] *vt Unterschiede* to even out; *Unebenheit* to level out; *Konto* to balance; *Schulden* to settle; *Fehler* to make good; *Verlust, Mangel* to offset, to compensate for; *Konflikte etc* to reconcile ▸ *~de Gerechtigkeit* poetic justice; *siehe* **ausgeglichen**. [2] *vi* (*Sport*) to equalize ▸ *zum 1:1 ~* to equalize to make it 1 all. [3] *vr* to balance out; (*Einnahmen und Ausgaben*) to balance.

Ausgleichs-: *~sport m* keep-fit activity; *als ~sport* to keep fit; *~tor nt, ~treffer m* equalizer.

ausgraben *vt sep irreg* (*lit, fig*) to dig up; *Grube* to dig out; *Altertümer auch* to excavate; (*hervorholen*) to dig out; *alte Geschichten* to dig up.

Ausgrabung *f* excavation, dig; (*Fund*) find.

ausgrenzen *vt sep* to exclude.

Ausgrenzung *f* exclusion.

Ausguck *m -e* lookout.

⚠ **Ausguß** *m* (*Becken*) sink; (*Abfluß*) drain.

aushaben *sep irreg* (*col*) [1] *vt* (*fertig sein mit*) *Buch etc* to have finished; (*ausgezogen haben*) to have taken off. [2] *vi* (*Schule etc: beendet sein*) to finish.

aushaken *sep* [1] *vt* to unhook. [2] *vi* (*col*) *es hat bei ihm ausgehakt* (*er begriff nicht*) he gave up (*col*); (*er wurde wild*) something in him snapped (*col*).

aushalten *vt sep irreg* [a] to bear, to stand ▸ *es läßt sich ~* it's bearable; *das ist nicht auszuhalten* or *zum A~* it's unbearable; *ich halte es vor Hitze/zu Hause nicht mehr aus* I can't stand the heat/being at home any longer; *wie kann man es bei der Firma bloß ~?* how can anyone stand working for that firm?; *er hält viel/nicht viel aus* he can take a lot/can't take much. [b] *Ton* to hold. [c] (*col: unterhalten*) to keep ▸ *sich von jdm ~ lassen* to be kept by sb.

aushandeln *vt sep* to negotiate.

aushändigen *vt sep jdm etw/einen Preis ~* to hand sth over to sb/give sb a prize.

Aushändigung *f* handing over.

Aushang *m, pl* **Aushänge** notice, announcement; (*das Aushängen*) posting ▸ *etw durch ~ bekanntgeben* to put up a notice about sth.

aushängen *sep* [1] *vt* [a] (*bekanntmachen*) *Nachricht etc* to put up. [b] (*herausheben*) *Tür* to unhinge. [2] *vi irreg am Schwarzen Brett ~* to be on the noticeboard (*Brit*) or bulletin board (*US*).

Aushängeschild *nt* sign; (*fig: Reklame*) advertisement.

ausharren *vi sep* (*geh*) to wait ▸ *auf seinem Posten ~* to stand by one's post.

ausheben vt sep irreg **[a]** Tür etc to take off its hinges. **[b]** Erde to dig out; Graben to dig. **[c]** (fig) Diebesnest to raid; Bande to make a raid on.
aushecken vt sep (col) Plan to cook up (col).
ausheilen sep **[1]** vt Krankheit to cure; Organ, Wunde to heal. **[2]** vi aux sein (Krankheit) to be cured; (Organ, Wunde) to heal.
aushelfen vi sep irreg to help out (jdm sb).
Aushilfe f **[a]** help, aid ▸ jdn zur ~ haben to have sb to help out. **[b]** (Mensch) temporary worker; (esp im Büro auch) temp (col) ▸ als ~ arbeiten to help out; (im Büro auch) to temp (col).
Aushilfs-: ~kraft f temporary worker; (esp im Büro auch) temp (col); ~lehrer m supply teacher; ~personal nt temporary staff; a~weise adv on a temporary basis.
aushöhlen vt sep to hollow out; (fig: untergraben) to undermine.
Aushöhlung f **[a]** (ausgehöhlte Stelle) hollow. **[b]** no pl siehe vt hollowing out; undermining.
ausholen vi sep (zum Schlag) to raise one's hand/arm etc; (zum Wurf) to reach back ▸ weit ~ (zum Schlag, beim Tennis) to take a big swing; (fig: Redner) to go far afield; zum Gegenschlag ~ (lit, fig) to prepare for a counter-attack.
aushorchen vt sep jdn to sound out.
aushungern vt sep to starve out; siehe **ausgehungert**.
auskennen vr sep irreg (an einem Ort) to know one's way around; (auf einem Gebiet) to know a lot (auf or in +dat about) ▸ man kennt sich bei ihm nie aus you never know where you are with him.
auskippen vt sep (col) to empty (out).
ausklammern vt sep Problem to leave on one side.
Ausklang m (geh) conclusion, end.
ausklappbar adj folding ▸ dieser Tisch ist ~ this table can be opened out.
auskleiden sep **[1]** vt **[a]** (beziehen) to line. **[b]** (geh: entkleiden) to undress. **[2]** vr (geh) to get undressed.
ausklingen vi sep irreg aux sein (Feier etc) to end.
ausklinken sep **[1]** vt Bombe to release. **[2]** vi to release; (col: durchdrehen) to flip one's lid (col). **[3]** vr to release (itself).
ausklopfen vt sep Teppich to beat; Pfeife to knock out.
ausknobeln vt sep (col) Plan to figure out (col).
ausknöpfbar adj Futter detachable.
auskochen vt sep to boil; (Med) to sterilize (in boiling water); (fig col: sich ausdenken) to cook up (col); siehe **ausgekocht**.
auskommen vi sep irreg aux sein **[a]** (genügend haben, zurechtkommen) to get by (mit on), to manage (mit on, with) ▸ ohne jdn/etw ~ to manage or do without sb/sth. **[b]** mit jdm (gut) ~ to get on or along well with sb.
Auskommen nt no pl (Einkommen) livelihood ▸ sein ~ haben/finden to get by; mit ihm ist kein ~ he's impossible to get on with.
auskosten vt sep (genießen) to make the most of; Leben to enjoy to the full.
auskramen vt sep (col) to dig out, to unearth; (fig) alte Geschichten etc to dig up.
auskratzen vt sep (auch Med) to scrape out ▸ jdm die Augen ~ to scratch sb's eyes out.
auskugeln vr sep sich (dat) den Arm/die Schulter ~ to dislocate one's arm/shoulder.
auskühlen sep **[1]** vt to cool down. **[2]** vi aux sein (abkühlen) to cool down; (Körper, Menschen) to chill through ▸ etw ~ lassen to leave sth to cool.
auskundschaften vt sep to find out; Versteck to spy out; (esp Mil) to reconnoitre.

▼ **Auskunft** f, pl **Auskünfte** **[a]** (Mitteilung) information no pl (über +acc about) ▸ nähere ~ further details; eine detaillierte ~ a detailed piece of information; jdm eine ~ erteilen or geben to give sb some information. **[b]** (Schalter) information office/desk; (am Bahnhof auch) enquiry office/desk; (Telec) directory enquiries no art (Brit), directory assistance no art (US).
Auskunfts-: ~beamte(r) m information officer; (am Bahnhof) information clerk; ~person f informer; (Beamter) information clerk; ~schalter m information desk.
auskuppeln vi sep to disengage the clutch.
auskurieren* vt sep (col) to cure; Krankheit auch to get rid of (col).
auslachen vt sep jdn to laugh at.
ausladen vt sep irreg **[a]** Ware, Ladung to unload. **[b]** (col) jdn ~ to tell sb not to come.
ausladend adj Gebärden, Bewegung sweeping.
Auslage f **[a]** (von Waren) display; (Schaufenster) window; (Schaukasten) showcase. **[b]** usu pl expense ▸ seine ~n für Essen his outlay for food.
auslagern vt sep Kunstgegenstände etc to evacuate.
Ausland nt no pl foreign countries pl; (fig: die Ausländer) foreigners pl ▸ ins/im ~ abroad; aus dem or vom ~ from abroad; wie hat das ~ darauf reagiert? what was the reaction abroad?; Handel mit dem ~ foreign trade.
Ausländer(in f) m - foreigner; (Admin, Jur) alien.
Ausländerbeauftragte(r) mf official looking after foreign immigrants.
ausländerfeindlich adj hostile to foreigners.
Ausländerfeindlichkeit f hostility to foreigners, xenophobia.
ausländisch adj attr foreign; Erzeugnisse, Freunde etc auch from abroad.
Auslands-: ~aufenthalt m stay abroad; ~deutsche(r) mf expatriate German; ~geschäft nt foreign business or trade; ~gespräch nt international call; ~investition f foreign investment; ~korrespondent m foreign correspondent; ~reise f journey or trip abroad; ~schulden pl foreign exchange debts; ~schutzbrief m international motoring cover; ~vertretung f agency abroad; (von Firma) foreign branch.
auslassen sep irreg **[1]** vt **[a]** (weglassen, übergehen) to leave or miss out; (versäumen) Chance to miss. **[b]** (abreagieren) to vent (an +dat on) ▸ seine Gefühle ~ to let off steam (col). **[c]** Butter, Fett to melt. **[d]** Kleider etc to let out; Saum to let down. **[e]** siehe **ausgelassen**. **[2]** vr to talk (über +acc about) ▸ sich über jdn/etw ~ (pej) to go on about sb/sth (pej).
Auslassung f **[a]** (Weglassen) omission. **[b]** ~en pl (pej: Äußerungen) remarks pl.
Auslassungszeichen nt apostrophe.
auslasten vt sep **[a]** Fahrzeug to make full use of; Maschine auch to use to capacity. **[b]** jdn to occupy fully; siehe **ausgelastet**.
Auslauf m, pl **Ausläufe** **[a]** no pl (für Kinder, Tiere) room to run about. **[b]** no pl (das Auslaufen) discharge; (das Lecken) leakage.
auslaufen vi sep irreg aux sein **[a]** (Flüssigkeit) to run out (aus of); (Behälter) to empty; (undicht sein) to leak. **[b]** (Naut: Schiff) to sail. **[c]** (enden) (Modell, Serie) to be discontinued; (Vertrag etc) to run out. **[d]** (zum Stillstand kommen: Rad etc) to come to a stop. **[e]** (Farbe) to run.
Ausläufer m **[a]** (Met) (von Hoch) ridge; (von Tief) trough. **[b]** (Vorberg) foothill usu pl.
auslaugen vt sep (lit, fig) to exhaust.
ausleben sep **[1]** vr (Mensch) to live it up. **[2]** vt (geh) to realize.
auslecken vt sep to lick out.

ausleeren *vt sep Gefäß* to empty.

auslegen *vt sep* [a] (*ausbreiten*) to lay out; *Waren etc auch* to display; *Köder* to put down. [b] (*bedecken*) to cover; (*auskleiden*) to line ▶ *den Boden/das Zimmer (mit Teppichen)* ~ to carpet the floor/room. [c] (*deuten*) to interpret ▶ *etw falsch* ~ to misinterpret sth. [d] *Geld* to lend (*jdm etw* sb sth) ▶ *sie hat die 5 Mark für mich ausgelegt* she paid the 5 marks for me.

Ausleger *m* - [a] (*von Kran etc*) jib, boom. [b] (*Deuter*) interpreter.

Auslegung *f* (*Deutung*) interpretation ▶ *falsche* ~ misinterpretation.

ausleiern *vti sep* (*col*) to wear out; *siehe* **ausgeleiert.**

Ausleihe *f* (*Schalter*) issue desk ▶ *eine* ~ *ist nicht möglich* it is not possible to lend out anything.

ausleihen *vt sep irreg* (*verleihen*) to lend (*jdm, an jdn* to sb); (*von jdm leihen*) to borrow.

auslernen *vi sep* (*Lehrling*) to finish one's apprenticeship ▶ *man lernt nie aus* (*prov*) you live and learn (*prov*).

Auslese *f* -n [a] *no pl* (*Auswahl*) selection ▶ *natürliche* ~ natural selection; *eine* ~ *treffen or vornehmen* to make a selection. [b] (*Wein*) *high-quality wine made from selected grapes.*

auslesen *vti sep irreg* (*col*) *Buch* to finish reading.

ausliefern *vt sep* [a] *Waren* to deliver. [b] *jdn* to hand over (*an +acc* to); (*an anderen Staat*) to extradite (*an +acc* to); (*fig: preisgeben*) to leave (*jdm* in the hands of) ▶ *jdm/einer Sache ausgeliefert sein* to be at sb's mercy/the mercy of sth.

Auslieferung *f siehe vt* [a] delivery. [b] handing over; (*von Gefangenen*) extradition.

Auslieferungs|abkommen *nt* extradition treaty.

ausliegen *vi sep irreg* (*zur Ansicht*) to be displayed; (*Zeitschriften etc*) to be available (to the public); (*Liste*) to be up.

auslöffeln *vt sep* ~ *müssen, was man sich eingebrockt hat* (*col*) to have to take the consequences.

ausloggen *vi sep* (*Comp*) to log off.

auslöschen *vt sep* [a] *Feuer etc* to put out, to extinguish. [b] (*auswischen*) *Spuren, Erinnerung* to wipe out; *Schrift* to erase (*an +dat* from).

auslosen *vt sep* to draw lots for; *Preis, Gewinner* to draw.

auslösen *vt sep Mechanismus, Alarm* to trigger off; *Kameraverschluß* to release; (*fig*) *Wirkung* to produce; *Begeisterung etc* to arouse.

Auslöser *m* - [a] trigger; (*für Bombe*) release button; (*Phot*) shutter release. [b] (*Anlaß*) cause.

Auslosung *f* draw.

Auslösung *f siehe vt* triggering off; release; producing; arousing.

ausloten *vt sep* (*Naut*) *Tiefe* to sound; (*fig geh*) to plumb.

auslutschen *vt sep* (*col*) *Orange, Zitrone etc* to suck; *Saft* to suck out; (*fig*) to suck dry.

▼ **ausmachen** *vt sep* [a] *Feuer, Kerze, Zigarette* to put out; *elektrisches Licht auch, Radio, Gas* to turn off. [b] (*ermitteln, sichten*) to make out. [c] (*vereinbaren*) to agree ▶ *etw mit sich selbst* ~ (*müssen*) to (have to) sort sth out for oneself; *siehe* **ausgemacht.** [d] (*bewirken, darstellen*) (to go) to make up ▶ *all der Luxus, der ein angenehmes Leben ausmacht* all the luxuries which go to make up a pleasant life. [e] (*bedeuten*) *viel/wenig or nicht viel* ~ to make a big/not much difference; *das macht nichts aus* that doesn't matter. [f] (*stören*) to matter (*jdm* to) ▶ *macht es Ihnen etwas aus, wenn ...?* would you mind if ...?

ausmalen *sep* [1] *vt* (*darstellen*) to describe. [2] *vr sich* (*dat*) *etw* ~ to imagine sth.

ausmanövrieren* *vt sep* to outmanoeuvre (*Brit*), to outmaneuver (*US*).

Ausmaß *nt* (*Größe: von Gegenstand, Fläche*) size; (*Umfang: von Katastrophe*) extent ▶ *ein Verlust in diesem* ~ a loss on this scale.

ausmerzen *vt sep Unkraut, Fehler* to eradicate.

ausmessen *vt sep irreg* to measure (out).

ausmisten *vt sep Stall* to muck out; (*fig col*) *Schrank etc* to tidy out; *Zimmer* to clean out.

ausmustern *vt sep Maschine, Fahrzeug etc* to take out of service; (*Mil: entlassen*) to invalid out.

Ausnahme *f* -n exception ▶ *mit* ~ *von Horst* with the exception of Horst; *~n bestätigen die Regel* (*prov*) the exception proves the rule (*prov*).

Ausnahme-: *~erscheinung* *f* exception; *~fall* *m* exception, exceptional case; *~genehmigung* *f* special (case) authorization; *~situation* *f* special or exceptional situation; *~zustand* *m* (*Pol*) state of emergency; *den ~zustand verhängen* to declare a state of emergency.

ausnahmslos [1] *adv* without exception. [2] *adj Bewilligung, Zustimmung* unanimous.

ausnahmsweise *adv darf ich das machen?* — ~ may I do that? — just this once; *er darf heute* ~ *früher von der Arbeit weggehen* as an exception he may leave work earlier today.

ausnehmen *sep irreg* [1] *vt* [a] *Fisch, Kaninchen* to gut; *Geflügel* to draw. [b] (*ausschließen*) *jdn* to make an exception of. [c] (*col*) *jdn* to fleece; (*beim Kartenspiel*) to clean out. [2] *vr* (*geh: wirken*) *sich schön or gut/schlecht* ~ to look good/bad.

ausnehmend *adj* (*geh*) exceptional ▶ *das gefällt mir* ~ *gut* I like that very much indeed.

ausnüchtern *vti sep* to sober up.

Ausnüchterung *f* sobering up.

Ausnüchterungszelle *f* drying-out cell.

ausnutzen, ausnützen (*esp S Ger, Aus*) *vt sep* to make use of; (*ausbeuten*) to exploit; *Gelegenheit* to make the most of; *jds Gutmütigkeit etc* to take advantage of.

Ausnutzung *f* use; (*Ausbeutung*) exploitation.

auspacken *sep* [1] *vti Koffer* to unpack; *Geschenk* to unwrap. [2] *vi* (*col: alles sagen*) to talk (*col*).

auspeitschen *vt sep* to whip.

auspfeifen *vt sep irreg* to boo.

ausplaudern *vt sep* to let out.

ausposaunen* *vt sep* (*col*) to tell the world about (*col*).

auspowern [-pauɐn] *vi sep* (*ausbeuten*) *Massen, Boden* to exploit; *siehe* **ausgepowert.**

ausprägen *vr sep* (*Begabung, Charaktereigenschaft etc*) to reveal or show itself; *siehe* **ausgeprägt.**

Ausprägung *f no pl* (*von Charakter*) shaping.

auspressen *vt sep Saft, Schwamm etc* to squeeze out; *Zitrone etc* to squeeze.

ausprobieren* *vt sep* to try out.

Auspuff *m* -e exhaust.

Auspuff-: *~gase* *pl* exhaust fumes *pl*; *~rohr* *nt* exhaust pipe; *~topf* *m* silencer (*Brit*), muffler (*US*).

auspumpen *vt sep* to pump out.

ausputzen *vi sep* (*Ftbl*) to clear (the ball); (*Ausputzer sein*) to play sweeper.

Ausputzer *m* - (*Ftbl*) sweeper.

ausquartieren* *vt sep* to move out.

ausquetschen *vt sep Zitrone etc* to squeeze; (*col: ausfragen*) to grill (*col*); (*aus Neugier*) to pump (*col*).

ausradieren* *vt sep* to rub out, to erase; (*fig: vernichten*) to wipe out.

ausrangieren* *vt sep Kleider* to throw out; *Maschine, Auto* to scrap ▶ *ein altes ausrangiertes Auto* an old

---

➤ SATZBAUSTEINE: **ausmachen: f → 1.2, 8.1, 12.1**

scrap car.

ausrasten *sep* $\boxed{1}$ *vi aux sein* $\boxed{a}$ (*Tech*) to come out. $\boxed{b}$ (*col: zornig werden*) to blow one's top (*col*). $\boxed{2}$ *vi impers* (*col*) **es rastete bei ihm aus** something snapped in him (*col*).

ausrauben *vt sep* to rob.

ausraufen *vt sep* **ich könnte mir die Haare ~** I could kick myself.

ausräumen *vt sep* to clear out; (*fig*) *Mißverständnisse, Konflikt* to clear up; *Vorurteile, Bedenken* to dispel; (*col: ausrauben*) to clean out (*col*).

ausrechnen *vt sep* to work out; (*ermitteln*) *Gewicht, Länge auch* to calculate ► **sich** (*dat*) **große Chancen ~** to reckon that one has a good chance; *siehe* **ausgerechnet.**

Ausrede *f* excuse.

ausreden *sep* $\boxed{1}$ *vi* to finish speaking ► **er hat mich nicht mal ~ lassen** he didn't even let me finish (speaking). $\boxed{2}$ *vt jdm etw ~* to talk sb out of sth.

ausreichen *vi sep* to be sufficient *or* enough ► **die Zeit reicht nicht aus** there is not sufficient time.

ausreichend $\boxed{1}$ *adj* adequate; (*Sch*) satisfactory. $\boxed{2}$ *adv* adequately.

Ausreise *f* **bei der ~** on leaving the country; (*Grenzübertritt*) on crossing the border; **jdm die ~ verweigern** to prohibit sb from leaving the country.

Ausreise-: **~antrag** *m* application for an exit visa; **~erlaubnis** *f*, **~genehmigung** *f* exit permit.

ausreisen *vi sep aux sein* to leave (the country).

Ausreisevisum *nt* exit visa.

ausreißen *sep irreg* $\boxed{1}$ *vt Haare, Blatt* to tear out; *Zahn* to pull out; *Blumen* to pull up ► **er hat sich** (*dat*) **kein Bein ausgerissen** (*col*) he didn't exactly overstrain himself. $\boxed{2}$ *vi aux sein* (*+dat* from) (*col: davonlaufen*) to run away; (*Sport*) to break away.

Ausreißer(in *f*) *m* - (*col*) runaway; (*Sport*) runner/ cyclist who breaks away.

ausreiten *vi sep irreg aux sein* to go riding.

ausrenken *vt sep* to dislocate ► **sich** (*dat*) **(fast) den Hals ~** (*col*) to crane one's neck.

▼ **ausrichten** *vt sep* $\boxed{a}$ (*aufstellen*) to line up ► *jdn/etw auf etw* (*acc*) *~* (*abstellen*) to gear sb/sth to sth. $\boxed{b}$ (*veranstalten*) to organize. $\boxed{c}$ (*erreichen*) to achieve ► **ich konnte bei ihr nichts ~** I couldn't get anywhere with her. $\boxed{d}$ (*übermitteln*) to tell; *Nachricht* to pass on ► **kann ich etwas ~?** can I take a message?; **bitte richten Sie ihm einen Gruß aus** please give him my regards.

Ausrichtung *f siehe vt* $\boxed{a}$ lining up. $\boxed{b}$ organization. $\boxed{c}$ (*fig*) (*auf Ideologie etc*) orientation (*auf +acc* towards); (*auf Bedürfnisse etc*) gearing (*auf +acc* to).

Ausritt *m* ride (out).

ausrollen *vt sep Teig, Teppich* to roll out.

ausrotten *vt sep* to wipe out; *Volk auch, Ungeziefer* to exterminate; *Religion, Ideen auch* to stamp out.

Ausrottung *f siehe vt* wiping out; extermination; stamping out.

ausrücken *vi sep aux sein* $\boxed{a}$ (*Mil*) to move out; (*Polizei, Feuerwehr*) to turn out. $\boxed{b}$ (*col: ausreißen*) to make off; (*von zu Hause*) to run away.

Ausruf *m* (*Ruf*) cry, shout.

ausrufen *vt sep irreg* to exclaim; *Schlagzeilen* to shout out; (*verkünden*) to call out; *Haltestellen, Streik* to call ► **jdn zum König ~** to proclaim sb king; **jdn ~ (lassen)** (*über Lautsprecher etc*) to page sb.

Ausrufezeichen *nt* exclamation mark (*Brit*) *or* point (*US*).

Ausrufung *f* proclamation ► **die ~ eines Streiks** a strike call.

ausruhen *vtir sep* to rest; (*Mensch auch*) to have a rest; *siehe* **ausgeruht.**

ausrüsten *vt sep* (*lit, fig*) to equip ► **ein Fahrzeug mit etw ~** to fit a car with sth.

Ausrüstung *f* (*~sgegenstände*) equipment; (*esp Kleidung*) outfit.

Ausrüstungsgegenstand *m* piece of equipment.

ausrutschen *vi sep aux sein* to slip; (*Fahrzeug*) to skid ► **das Messer/die Hand ist mir ausgerutscht** my knife/ my hand slipped.

Ausrutscher *m* - (*col: lit, fig*) slip.

Aussaat *f no pl* (*das Säen*) sowing.

aussäen *vt sep* (*lit, fig*) to sow.

Aussage *f* **-n** statement; (*Behauptung*) opinion; (*Bericht*) report; (*Jur*) (*eines Angeklagten*) statement; (*Zeugen~*) evidence *no pl* ► **eine eidliche/schriftliche ~** a sworn/ written statement; **der Zeuge verweigerte die ~** the witness refused to give evidence; **eine ~ machen** to make a statement.

aussagekräftig *adj* meaningful.

aussagen *sep* $\boxed{1}$ *vt* to say (*über +acc* about); (*behaupten*) to state; (*unter Eid*) to testify. $\boxed{2}$ *vi* (*Jur*) (*Zeuge*) to give evidence; (*Angeklagter*) to make a statement; (*unter Eid auch*) to testify ► **für/ gegen jdn ~** to give evidence for/against sb.

Aussatz *m no pl* (*Med*) leprosy.

Aussätzige(r) *mf decl as adj* (*lit, fig*) leper.

aussaugen *vt sep Saft etc* to suck out; *Wunde* to suck the poison out of; (*fig: ausbeuten*) to drain dry ► **jdn bis aufs Blut ~** to bleed sb white.

ausschaben *vt sep* to scrape out; (*Med auch*) to curette.

Ausschabung *f* (*Med*) curettage.

ausschachten *vt sep* to dig, to excavate.

Ausschachtung *f* excavation.

Ausschaltautomatik *f* auto *or* automatic stop.

ausschalten *vt sep* $\boxed{a}$ (*abstellen*) to switch *or* turn off. $\boxed{b}$ (*fig*) to eliminate.

Ausschaltung *f siehe vt* switching off; elimination.

Ausschank *m*, *pl* **Ausschänke** bar; (*no pl: Getränkeausgabe*) sale of drinks.

Ausschank|erlaubnis *f* licence (*Brit*), license (*US*).

Ausschau *f no pl:* **~ halten** to look out (*nach* for).

ausschauen *vi sep* (*geh*) to be on the lookout (*nach* for).

ausscheiden *sep irreg* $\boxed{1}$ *vt* (*aussondern*) to take out; (*Physiol*) to excrete. $\boxed{2}$ *vi aux sein* $\boxed{a}$ (*aus einem Amt*) to retire (*aus* from); (*aus Firma*) to leave (*aus etw* sth); (*Sport*) to be eliminated; (*wegen Verletzung etc*) to drop out. $\boxed{b}$ (*nicht in Betracht kommen: Möglichkeit etc*) to be ruled out ► **das/ er scheidet aus** that/he has to be ruled out.

Ausscheidung *f* $\boxed{a}$ *no pl* (*das Aussondern*) removal; (*Physiol*) excretion. $\boxed{b}$ (*Sport*) elimination; (*Vorkampf*) qualifying contest.

Ausscheidungs-: **~kampf** *m* qualifying contest; (*Leichtathletik, Schwimmen*) heat; **~organ** *nt* excretory organ; **~spiel** *nt* qualifying match *or* game.

ausschenken *vti sep* to pour (out); (*am Ausschank*) to serve.

ausscheren *vi sep aux sein* (*Fahrzeug*) to pull out.

ausschicken *vt sep* to send out.

ausschiffen *vt sep* to disembark; *Ladung, Waren* to unload.

Ausschiffung *f siehe vt* disembarkation; unloading.

ausschildern *vt sep* to signpost.

ausschimpfen *vt sep* to tell off.

ausschlachten *vt sep* $\boxed{a}$ to gut, to dress. $\boxed{b}$ (*fig*) *Fahrzeuge, Maschinen etc* to cannibalize. $\boxed{c}$ (*fig col: ausnutzen*) *Skandal, Ereignis* to exploit.

ausschlafen *sep irreg* [1] *vt Rausch etc* to sleep off. [2] *vir* to have a good sleep.

Ausschlag *m* [a] (*Med*) rash. [b] (*von Zeiger etc*) swing; (*von Kompaßnadel*) deflection. [c] (*fig*) **den ~ geben** to be the decisive factor; **die Stimme des Vorsitzenden gibt den ~** the chairman has the casting vote.

ausschlagen *sep irreg* [1] *vt* [a] (*herausschlagen*) to knock out. [b] *Feuer* to beat out. [c] (*auskleiden*) to line. [d] (*ablehnen*) to turn down ▸ *jdm etw ~* to refuse sb sth. [2] *vi* [a] *aux sein or haben* (*Baum, Strauch*) to start to bud. [b] (*Pferd*) to kick. [c] *aux sein or haben* (*Zeiger etc*) to swing; (*Kompaßnadel*) to be deflected.

ausschlaggebend *adj* decisive; *Stimme auch* deciding ▸ *das ist von ~er Bedeutung* that is of prime importance.

ausschließen *vt sep irreg* [a] (*aussperren*) to lock out. [b] (*ausnehmen*) to exclude; (*aus Gemeinschaft*) to expel; (*vorübergehend*) to suspend; (*Sport*) to disqualify; *Fehler, Möglichkeit etc* to rule out ▸ *das eine schließt das andere nicht aus* the one does not exclude the other; *die Öffentlichkeit ~* (*Jur*) to exclude the public; *siehe* **ausgeschlossen**.

ausschließlich *adj attr* exclusive.

ausschlüpfen *vi sep aux sein* to slip out; (*aus Ei, Puppe*) to hatch out.

Ausschluß *m siehe* **ausschließen (b)** exclusion; expulsion; suspension; disqualification ▸ *unter ~ der Öffentlichkeit stattfinden* to be closed to the public.

ausschmücken *vt sep* to decorate; (*fig*) *Erzählung* to embellish.

Ausschmückung *f siehe vt* decoration; embellishment.

ausschneiden *vt sep irreg* (*herauschneiden*) to cut out; *siehe* **ausgeschnitten**.

Ausschnitt *m* [a] (*Zeitungs~*) cutting, clipping. [b] (*Kleid~*) neck ▸ *ein tiefer ~* a low neckline. [c] (*fig: Teil*) part; (*aus Film*) clip.

ausschöpfen *vt sep* [a] *Wasser etc* to ladle out (*aus* of). [b] (*leeren*) to empty; (*fig*) to exhaust.

ausschreiben *vt sep irreg* [a] to write out; (*ungekürzt schreiben*) to write (out) in full. [b] *Rechnung etc* to make out. [c] (*bekanntmachen*) to announce; *Wahlen to* call; *Stelle* to advertise.

Ausschreibung *f* (*Bekanntmachung*) (*von Wahlen*) calling; (*von Stelle*) advertising.

Ausschreitung *f usu pl* (*Aufruhr*) rioting *no pl*.

⚠**Ausschuß** *m.* [a] (*Komitee*) committee. [b] *no pl* (*Comm*) rejects *pl*; (*fig col*) trash.

ausschütteln *vt sep* to shake out.

ausschütten *vt sep* [a] (*auskippen*) to tip out; *Eimer, Glas* to empty ▸ *jdm sein Herz ~* (*fig*) to pour out one's heart to sb. [b] (*Fin*) *Dividende etc* to distribute.

Ausschüttung *f* (*Fin*) distribution.

ausschwärmen *vi sep aux sein* (*Bienen, Menschen*) to swarm out; (*Mil*) to fan out.

ausschweifend *adj Leben* dissipated; *Phantasie* wild.

Ausschweifung *f* (*Maßlosigkeit*) excess; (*in Lebensweise*) dissipation.

ausschweigen *vr sep irreg* to remain silent (*über +acc, zu* about).

ausschwenken *vi sep aux sein* [a] (*Mil*) to wheel. [b] (*Kran etc*) to swing out.

ausschwitzen *vt sep* to sweat out.

▼ **aussehen** *vi sep irreg* to look ▸ *gut ~* to look good; (*hübsch*) to be good-looking; (*gesund*) to look well; *gesund/elend ~* to look healthy/wretched; *es sieht nach Regen aus* it looks like rain; *wie jd/etw ~* to look like sb/sth; *wie sieht's aus?* (*col: wie steht's*) how's things? (*col*); *es soll nach etwas ~* it's got to look good; *es sieht danach or so aus, als ob ...* it looks as if ...; *so*

siehst du aus! (*col*) that's what you think!; *es sieht nicht gut mit ihm aus* things don't look good for him.

Aussehen *nt no pl* appearance ▸ *dem ~ nach* by the look of it; *etw dem ~ nach beurteilen* to judge sth by appearances.

⚠**aussein** *sep irreg aux sein.* [1] *vi* (*col*) [a] (*zu Ende sein*) (*Schule*) to finish; (*Krieg, Stück*) to have ended; (*nicht ansein*) (*Feuer, Ofen*) to be out; (*Radio, Fernseher etc*) to be off ▸ *die Schule ist aus* school has finished *or* is out. [b] *auf etw* (*acc*) *~* to be (only) interested in sth; *auf jdn ~* to be after sb (*col*). [2] *vi impers es ist aus* (*und vorbei*) *zwischen uns* it's (all) over between us; *es ist aus mit ihm* he is finished, he has had it (*col*).

außen *adv* [a] *~ bemalt* painted on the outside; *~ an der Windschutzscheibe* on the outside of the windscreen (*Brit*) *or* windshield (*US*); *von ~ sieht es gut aus* on the outside it looks good; *das Fenster geht nach ~ auf* the window opens outwards; *nach ~ hin* (*fig*) outwardly. [b] *~ vor sein* to be left out.

Außen-: **~antenne** *f* outdoor aerial (*Brit*) *or* antenna (*US*); **~arbeiten** *pl* work on the exterior; **~aufnahme** *f* outdoor shot; *bei ~aufnahmen sein* to be on location; **~bahn** *f* outside lane; **~bezirk** *m* outlying district; **~bordmotor** *m* outboard motor.

aussenden *vtr sep irreg* to send out.

Außen-: **~dienst** *m* external duty; *im ~dienst sein* to work outside the office; **~dienstmitarbeiter** *m* sales representative; **~handel** *m* foreign trade; **~minister** *m* foreign minister, foreign secretary (*Brit*), secretary of state (*US*); **~ministerium** *nt* foreign ministry, foreign office (*Brit*), state department (*US*); **~politik** *f* (*Gebiet*) foreign politics *sing*; (*bestimmte*) foreign policy/policies; **~politiker** *m* foreign affairs politician; **a~politisch** *adj* foreign policy *attr*, *Sprecher* on foreign affairs; **~seite** *f* outside.

Außenseiter(in *f*) *m* - (*Sport, fig*) outsider.

Außenseiterrolle *f* role as an outsider ▸ *eine ~ spielen* to play the role of an outsider.

Außen-: **~spiegel** *m* (*Aut*) outside mirror; **~stände** *pl* (*esp Comm*) outstanding debts *pl*, arrears *pl*; **~stehende(r)** *mf decl as adj* outsider; **~stelle** *f* branch; **~stürmer** *m* (*Ftbl*) wing; **~temperatur** *f* outside temperature; **~wand** *f* outer wall; **~welt** *f* outside world.

außer [1] *prep +dat or* (*rare*) *gen* [a] (*räumlich*) out of ▸ *~ Sicht* out of sight; *~ sich* (*acc*) *geraten* to go wild; *~ sich* (*dat*) *sein* to be beside oneself; *~ Haus sein/essen* to be/eat out; *~ Atem* out of breath. [b] (*ausgenommen*) except (for); (*abgesehen von*) apart from, aside from ▸ *alle ~ mir* everyone except (for) me. [c] (*zusätzlich zu*) in addition to. [2] *conj* except ▸ *~ daß ...* except that ...; *~ wenn ...* unless ...

außerdem *adv* besides; (*dazu*) in addition, as well; (*überdies*) anyway.

außerdienstlich *adj* (*nicht dienstlich*) *Angelegenheit* private; (*außerhalb der Arbeitszeit*) social.

außer|ehelich [1] *adj* extramarital; *Kind* illegitimate. [2] *adv* outside marriage.

äußere(r, s) *adj* (*außerhalb gelegen, Geog*) outer; *Verletzung* external; *Schein, Eindruck* outward.

Äußere(s) *nt decl as adj* exterior; (*fig: Aussehen auch*) outward appearance.

außer-: **~europäisch** *adj attr* non-European; **~fahrplanmäßig** *adj* unscheduled; **~gewöhnlich** [1] *adj* unusual, out of the ordinary; [2] *adv* (*sehr*) extremely.

außerhalb [1] *prep +gen* outside ▸ *~ der Stadt* outside the town, out of town. [2] *adv* (*außen*) outside; (*~ der Stadt*) out of town ▸ *~ stehen* (*fig*) to be on the outside.

⚠: for details of spelling reform, see supplement

▶ SATZBAUSTEINE: **aussehen** → 7.1, 13.2

außer|irdisch *adj* extraterrestrial.

Außerkraftsetzung *f* repeal.

äußerlich *adj* [a] external. [b] (*fig*) (*oberflächlich*) superficial; (*scheinbar*) outward ▶ *„nur zur ~en Anwendung"* for external use only; *rein ~ betrachtet* on the face of it.

Äußerlichkeit *f* (*fig*) triviality; (*Oberflächlichkeit*) superficiality; (*Formalität*) formality ▶ *~en* (outward) appearances.

▼ **äußern** [1] *vt* (*sagen*) to say; *Wunsch etc* to express; *Worte* to utter; *Kritik* to voice ▶ *seine Meinung ~* to give one's views.
[2] *vr* (*Mensch*) to speak; (*Krankheit, Symptom*) to show itself ▶ *sich zu etw ~* to comment on sth.

außer-: *~ordentlich* [1] *adj* extraordinary; (*ungewöhnlich auch*) exceptional; (*bemerkenswert auch*) remarkable; *Professor* associate; [2] *adv* (*sehr*) exceptionally, extremely; *~parlamentarisch adj* extraparliamentary; *~planmäßig adj Besuch, Treffen* unscheduled; *~sinnlich adj ~sinnliche Wahrnehmung* extrasensory perception.

äußerst *adv* extremely, exceedingly.

⚠ **außerstande** *adv* (*unfähig*) incapable; (*nicht in der Lage*) unable ▶ *~ sein, etw zu tun* to be incapable of doing sth.

äußerstenfalls *adv* at most.

äußerste(r, s) *adj* (*räumlich*) furthest; *Schicht* outermost; *Norden etc* extreme; (*zeitlich*) latest possible; (*fig*) utmost ▶ *mein ~s Angebot* my final offer; *im ~n Falle* if the worst comes to the worst; *mit ~r Kraft* with all one's strength.

Äußerste(s) *nt decl as adj bis zum ~n gehen* to go to extremes; *er hat sein ~s gegeben* he gave his all.

außertariflich *adj Regelung* non-union; *Zuschlag* supplementary to agreed union rates.

Äußerung *f* (*Bemerkung*) remark, comment; (*Behauptung*) statement; (*Zeichen*) expression.

aussetzen *sep* [1] *vt* [a] *Kind, Haustier* to abandon; *Pflanzen* to plant out; (*Naut*) *Passagiere* to put ashore. [b] *jdn/etw einer Sache* (*dat*) *~* to expose sb/ sth to sth; *jdm/einer Sache ausgesetzt sein* (*ausgeliefert*) to be at the mercy of sb/sth. [c] *Belohnung, Preis* to offer. [d] (*unterbrechen*) to interrupt; *Debatte, Prozeß* to adjourn. [e] (*vertagen*) *Verfahren* to suspend. [f] *an jdm/etw etwas auszusetzen haben* to find fault with sb/sth; *daran ist nichts auszusetzen* there is nothing wrong with it; *was haben Sie daran auszusetzen?* what's your objection to it?
[2] *vi* (*aufhören*) to stop; (*bei Spiel*) to sit out; (*Herz*) to stop (beating); (*Motor auch*) to fail ▶ *mit der Pille/Behandlung ~* to stop taking the pill/to interrupt the treatment; *ohne auszusetzen* without a break.

Aussetzung *f* [a] *siehe vt* (*a*) abandonment; planting out; putting ashore. [b] (*Jur: von Verfahren*) suspension.

Aussicht *f* [a] (*Blick*) view (*auf +acc* of) ▶ *mit ~ auf den Park* overlooking the park. [b] (*fig*) prospect (*auf +acc* of) ▶ *die ~, daß etw geschieht* the chances of sth happening; *unser Plan hat große ~en auf Erfolg* our plan has every chance of succeeding; *etw in ~ haben* to have good prospects of sth; *jdm etw in ~ stellen* to promise sb sth; *das sind ja schöne ~en!* (*iro col*) what a prospect!

Aussichts-: *a~los adj* hopeless; (*zwecklos*) pointless; (*völlig hoffnungslos*) desperate; *~losigkeit f siehe adj* hopelessness; pointlessness; desperateness; *~punkt m* vantage point; *a~reich adj* promising; *Stellung* with good prospects; *~turm m* lookout tower.

aussieben *vt sep* (*lit, fig*) to sift out.

aussiedeln *vt sep* to resettle.

Aussiedler(in *f*) *m* (*Auswanderer*) emigrant.

Aussiedlung *f* resettlement.

aussöhnen *sep* [1] *vt jdn mit jdm/etw ~* to reconcile sb with sb/to sth.
[2] *vr sich mit jdm/etw ~* to become reconciled with sb/to sth; *wir haben uns wieder ausgesöhnt* we have made it up again.

Aussöhnung *f* reconciliation (*mit jdm* with sb, *mit etw* to sth).

aussondern *vt sep* to select; *Schlechtes* to separate out.

aussorgen *vi sep: ausgesorgt haben* to have no more money worries, to be set up for life.

aussortieren* *vt sep* to sort out.

ausspannen *sep* [1] *vt* [a] *Tuch, Netz* to spread out; *Schnur, Leine* to put up. [b] *Pferd* to unhitch; (*aus Schreibmaschine*) *Bogen* to take out. [c] (*fig col*) *jdm die Freundin etc ~* to pinch sb's girlfriend *etc* (*col*).
[2] *vi* (*sich erholen*) to have a break.

aussparen *vt sep* (*fig*) to omit.

Aussparung *f* (*Lücke*) gap.

aussperren *vt sep* to lock out.

Aussperrung *f* (*Ind*) lockout.

ausspielen *sep* [1] *vti* [a] *Karte* to play ▶ *ausgespielt haben* (*fig*) to be finished. [b] (*fig*) *jdn/etw gegen jdn/etw ~* to play sb/sth off against sb/sth. [c] *Gewinne* to give as a prize/as prizes.
[2] *vi* (*Cards*) to lead ▶ *wer spielt aus?* whose lead is it?

Ausspielung *f* (*im Lotto*) draw.

ausspionieren* *vt sep Pläne etc* to spy out; *Person* to spy on.

Aussprache *f* [a] pronunciation; (*Akzent*) accent. [b] (*Meinungsaustausch*) discussion, talks *pl*.

aussprechen *sep irreg* [1] *vt Wörter, Urteil etc* to pronounce; *Scheidung* to grant; (*äußern*) to express (*jdm* to sb); *Verdächtigung* to voice; *Warnung* to give ▶ *der Regierung das Vertrauen ~* to pass a vote of confidence in the government.
[2] *vr* (*Partner*) to talk things out; (*sein Herz ausschütten*) to say what's on one's mind ▶ *sich für/gegen etw ~* to come out in favour of/against sth.
[3] *vi* (*zu Ende sprechen*) to finish (speaking); *siehe ausgesprochen.*

Ausspruch *m* remark; (*geflügeltes Wort*) saying.

ausspucken *sep* [1] *vt* to spit out.
[2] *vi* to spit.

ausspülen *vt sep* to rinse (out).

ausstaffieren* *vt sep* (*col*) to rig out; (*herausputzen*) to dress up.

Ausstand *m* [a] (*Streik*) strike, industrial action ▶ *in den ~ treten* to (go on) strike, to take industrial action. [b] *seinen ~ geben* to hold a leaving party.

ausstatten *vt sep* to equip; (*versorgen*) to provide; (*möblieren*) to furnish ▶ *mit Humor ausgestattet sein* to be endowed with a sense of humour.

Ausstattung *f* [a] *siehe vt* equipping; provision. [b] (*Ausrüstung*) equipment; (*Tech auch*) fittings *pl*; (*von Zimmer etc*) furnishings *pl*; (*Theat*) décor and costumes.

ausstechen *vt sep irreg* [a] *Torf, Plätzchen etc* to cut out. [b] *Augen* to gouge out. [c] (*fig*) *jdn* (*übertreffen*) to outdo, to outshine.

▼ **ausstehen** *sep irreg* [1] *vt* (*ertragen*) to endure; *Sorge,*

Angst to go through, to suffer ▸ *ich kann ihn/so etwas nicht ~* I can't stand him/anything like that. ☑ *vi* ⓐ to be due; (*Antwort*) to be still to come; (*Entscheidung*) to be still to be taken. ⓑ (*Schulden*) to be outstanding.

aussteigen *vi sep irreg* ⓐ *aux sein* to get out (*aus* of); (*aus Bus, Zug etc auch*) to get off (*aus* sth) ▸ *alles ~!* everybody out!; (*von Schaffner*) all change! ⓑ (*col*) (*aus Geschäft etc*) to get out (*aus* of); (*aus Gesellschaft*) to drop *or* opt out (*aus* of).

Aussteiger(in *f*) *m* - (*col*) drop-out ▸ *er ist ein ~* he has opted out.

ausstellen *vt sep* ⓐ (*zur Schau stellen*) to display; (*auf Messe, in Museum etc*) to exhibit. ⓑ (*ausschreiben*) to make out (*jdm* to sb); (*behördlich ausgeben*) to issue (*jdm etw* sb with sth) ▸ *einen Scheck auf jdn ~* to make out a cheque to sb. ⓒ (*ausschalten*) *Gerät* to turn off.

Aussteller(in *f*) *m* - ⓐ (*auf Messe*) exhibitor. ⓑ (*von Scheck*) drawer.

Ausstellung *f* ⓐ (*Kunst~, Messe*) exhibition. ⓑ *no pl* (*von Scheck etc*) making out; (*behördlich*) issuing.

Ausstellungs-: *~datum* *nt* date of issue; *~gelände* *nt* exhibition site; *~halle* *f* exhibition hall; *~stück* *nt* (*in Ausstellung*) exhibit; (*in Schaufenster etc*) display item.

Aussterben *nt no pl* extinction ▸ *vom ~ bedroht sein* to be threatened by extinction; *eine vom ~ bedrohte Art* an endangered species.

aussterben *vi sep irreg aux sein* to die out; (*esp Spezies, Geschlecht auch*) to become extinct; *siehe* **ausgestorben**.

Aussteuer *f* -n dowry.

aussteuern *vt sep Verstärker etc* to control the level of.

Ausstieg *m* -e ⓐ (*Ausgang*) exit. ⓑ (*fig*) dropping *or* opting out (*aus* of) ▸ *der ~ aus der Kernenergie* the abandonment of nuclear energy.

ausstopfen *vt sep Kissen etc, Tiere* to stuff.

Ausstoß *m* ⓐ (*esp Phys, Tech: das Ausstoßen*) expulsion, discharge. ⓑ (*Produktion*) output.

ausstoßen *vt sep irreg* ⓐ (*herausstoßen*) to discharge; *Atem* to expel; (*herstellen*) *Teile, Stückzahl* to turn out, to produce. ⓑ (*ausschließen*) (*aus Verein, Armee etc*) to expel (*aus* from); (*verbannen*) to banish (*aus* from). ⓒ (*äußern*) to utter; *Schrei* to give.

ausstrahlen *sep* ① *vt* to radiate (*auch fig*); *esp Licht, Wärme auch* to give off; (*Rad, TV*) to transmit, to broadcast.
② *vi aux sein* to radiate; (*Schmerz*) to spread (*bis in +acc* as far as).

Ausstrahlung *f* radiation; (*Rad, TV*) transmission, broadcasting; (*fig: von Ort*) aura; (*von Mensch*) charisma.

ausstrecken *sep* ① *vt* to extend (*nach* towards); *Fühler auch* to put out; *Hand auch, Beine etc* to stretch out.
② *vr* to stretch (oneself) out.

ausstreuen *vt sep* to scatter; (*fig*) *Gerücht* to spread.

ausströmen *sep* ① *vi aux sein* ⓐ (*herausfließen*) to stream out (*aus* of); (*entweichen*) to escape (*aus* from). ⓑ (*ausstrahlen*) *etw strömt von jdm/etw aus* (*fig*) sb/sth radiates sth.
② *vt Duft, Gas* to give off; *Wärme, Ruhe etc* to radiate.

aussuchen *vt sep* (*auswählen*) to choose; (*esp iro*) to pick; *siehe* **ausgesucht**.

Austausch *m* exchange; (*von Gedanken etc auch*) interchange; (*Ersatz*) replacement; (*Sport*) substitution ▸ *im ~ für or gegen* in exchange for.

austauschbar *adj* (ex)changeable; (*untereinander ~*) interchangeable; (*ersetzbar*) replaceable.

austauschen *vt sep* (*lit, fig*) to exchange (*gegen* for); (*untereinander ~*) to interchange; (*ersetzen*) to replace

(*gegen* with).

Austausch-: *~motor* *m* replacement engine; *~schüler* *m* exchange student *or* pupil; *~student* *m* exchange student.

austeilen *vt sep* to distribute (*an +acc* among); (*aushändigen auch*) to hand out (*an +acc* to); *Spielkarten* to deal (out); *Essen* to serve; *Befehle* to give, to issue.

Austeilung *f* distribution; (*Aushändigung auch*) handing out; (*von Essen etc*) serving.

Auster *f* -n oyster.

austoben *vr sep* (*Mensch*) to let off steam; (*sich müde machen*) to tire oneself out ▸ *ein Garten, wo sich die Kinder ~ können* a garden where the children can romp about.

austragen *sep irreg vt* ⓐ *Waren, Post etc* to deliver. ⓑ *Duell, Wettkampf etc* to hold ▸ *einen Streit mit jdm ~* to have it out with sb. ⓒ *ein Kind ~* (*nicht abtreiben*) to have a child. ⓓ (*löschen*) *Zahlen, Daten* to take out ▸ *jdn ~* (*aus Liste*) to cancel sb's name.
② *vr* to sign out; (*in Hotel*) to check out.

Austräger(in *f*) *m* delivery man/boy *etc*; (*von Zeitungen etc*) newspaper man/boy *etc*.

Austragung *f* (*Sport*) holding.

Austragungs|ort *m* (*Sport*) venue.

Australien [-iən] *nt* Australia.

Australier(in *f*) [-iɐ, -iərɪn] *m* - Australian.

australisch *adj* Australian.

ausräumen *vt sep* *sein Traum von Reichtümern ist ausgeträumt* his dreams of riches are over.

austreiben *sep irreg* ① *vt* (*vertreiben*) to drive out; *Teufel etc auch* to exorcize, to cast out (*esp old, liter*) ▸ *jdm etw ~* to cure sb of sth; (*esp durch Schläge*) to knock sth out of sb.
② *vi* (*sprießen*) to sprout.

austreten *sep irreg* ① *vi aux sein* ⓐ (*herauskommen*) to come out (*aus* of); (*Gas etc*) to escape (*aus* from, through). ⓑ (*col: zur Toilette gehen*) to go to the loo *or* john (*US*) (*col*); (*Sch auch*) to be excused (*euph*). ⓒ (*ausscheiden*) to leave (*aus etw* sth).
② *vt Pfad, Feuer etc* to tread out; *Schuhe* to wear out; *siehe* **ausgetreten**.

austricksen *vt sep* (*col: Sport, fig*) to outsmart.

austrinken *vti sep irreg* to finish ▸ *trink (deine Milch) aus!* drink (your milk) up.

Austritt *m* ⓐ *no pl* (*von Flüssigkeit*) outflow; (*das Entweichen*) escape; (*von Blut*) issue. ⓑ (*das Ausscheiden*) leaving *no art* (*aus etw* sth).

austrocknen *sep* ① *vi aux sein* to dry out; (*Fluß etc*) to dry up; (*Kehle*) to become parched.
② *vt* to dry out; (*trockenlegen*) *Sumpf auch* to drain.

austüfteln *vt sep* (*col*) to work out; (*ersinnen*) to think up.

aus|üben *vt sep* ⓐ *Beruf, Kunst* to practise (*Brit*), to practice (*US*); *Gewerbe auch* to carry on; *Aufgabe, Funktion* to perform; (*innehaben*) *Amt* to hold. ⓑ *Druck, Einfluß* to exert (*auf +acc* on); *Macht, Recht* to exercise; *Wirkung* to have (*auf +acc* on).

Aus|übung *f siehe vt* ⓐ practice; performance ▸ *in ~ seines Dienstes/seiner Pflicht* (*form*) in the execution of his duty. ⓑ exertion; exercise.

aus|ufern *vi sep aux sein* (*fig*) to get out of hand; (*Konflikt etc*) to escalate (*zu* into).

Ausverkauf *m* (clearance) sale; (*wegen Schließung*) closing-down sale; (*fig: Verrat*) sell-out.

ausverkaufen* *vt sep* to sell off, to clear.

ausverkauft *adj* sold out ▸ *vor ~em Haus spielen* to play to a full house.

auswachsen *sep irreg* ① *vi aux sein das ist (ja) zum A~* (*col*) it's enough to drive you crazy (*col*); *siehe* **ausgewachsen**.

---

[2] *vr* *sich zu etw ~* (*fig: Streit etc*) to turn into sth.

Auswahl *f no pl* selection (*an +dat* of); (*Angebot auch*) range; (*Wahl*) choice; (*die Besten*) pick ▶ *viele Sachen zur ~ haben* to have many things to choose from; *eine ~ treffen* to make a choice; (*mehrere auswählen*) to make a selection.

auswählen *vt sep* to select, to choose (*unter +dat* from among); *siehe* **ausgewählt**.

Auswahl-: ~mannschaft *f* representative team; **~möglichkeit** *f* choice.

Auswanderer *m*, **Auswanderin** *f* emigrant.

auswandern *vi sep aux sein* to emigrate (*nach, in +acc* to); (*Volk*) to migrate.

Auswanderung *f* emigration; (*Massen~*) migration.

auswärtig *adj attr* **[a]** (*nicht ansässig*) non-local; *Schüler, Mitglied* from out of town. **[b]** (*Pol*) foreign ▶ *das A~e Amt* the Foreign Office (*Brit*), the State Department (*US*).

auswärts *adv* (*außerhalb der Stadt*) out of town; (*Sport*) away ▶ *~ essen* to eat out; *von ~ anrufen* to call long distance.

Auswärtsspiel *nt* (*Sport*) away (game).

auswaschen *vt sep irreg* to wash out; (*spülen*) to rinse (out).

auswechselbar *adj* (ex)changeable; (*untereinander*) interchangeable; (*ersetzbar*) replaceable.

auswechseln *vt sep* to change; (*esp gegenseitig*) to exchange; (*ersetzen*) to replace; (*Sport*) to substitute (*gegen* for) ▶ *er ist wie ausgewechselt* (*fig*) he's a changed *or* different person.

Auswechselspieler *m* substitute.

Ausweg *m* way out; (*fig: Lösung auch*) solution ▶ *der letzte ~* the last resort.

Ausweg-: a~los *adj* (*fig*) hopeless; **~losigkeit** *f* (*fig*) hopelessness.

ausweichen *vi sep irreg aux sein* to get out of the way (*+dat* of); (*fig*) to evade the point/issue *etc* ▶ *jdm/einer Begegnung ~* to avoid sb/a meeting; *eine ~de Antwort* an evasive answer; *auf etw* (*acc*) *~* (*fig*) to switch to sth.

Ausweich-: ~manöver *nt* evasive action; **~möglichkeit** *f* (*lit*) possibility of getting out of the way; (*fig*) alternative; **~strecke** *f* alternative route.

ausweinen *vr sep sich bei jdm ~* to have a cry on sb's shoulder; *sich* (*dat*) *die Augen ~* to cry one's eyes out (*nach* over).

Ausweis *m -e* (*Mitglieds~/Leser~/Studenten~ etc*) (membership/library/student *etc*) card; (*Personal~*) identity card; (*Berechtigungsnachweis*) pass ▶ *~, bitte* your papers please.

ausweisen *sep irreg* **[1]** *vt* (*aus Land*) to expel, to deport.
[2] *vr* to identify oneself ▶ *können Sie sich ~?* do you have any means of identification?

Ausweis-: ~karte *f* = **Ausweis**; **~kontrolle** *f* identity check; **~papiere** *pl* identity papers *pl.*

Ausweisung *f* expulsion, deportation.

ausweiten *sep* **[1]** *vt* to widen; (*fig*) to expand (*zu* into).
[2] *vr* to widen; (*esp Dehnbares*) to stretch; (*fig*) (*Thema, Bewegung*) to expand (*zu* into); (*sich verbreiten*) to spread.

Ausweitung *f* widening; (*Ausdehnung*) stretching; (*fig*) expansion; (*Verbreitung*) spreading.

auswendig *adv* by heart, from memory ▶ *etw ~ können/lernen* to know/learn sth (off) by heart.

auswerfen *vt sep irreg* **[a]** *Anker, Netz* to cast. **[b]** (*hinausschleudern*) *Lava, Asche* to throw out.

auswerten *vt sep* (*bewerten*) to evaluate; (*analysieren*) to analyse.

Auswertung *f siehe vt* evaluation; analysis.

auswickeln *vt sep Paket, Bonbon etc* to unwrap.

auswiegen *vt sep irreg* to weigh (out); *siehe* **ausgewogen.**

auswirken *vr sep* to have an effect (*auf +acc* on) ▶ *sich negativ ~* to have a negative effect.

Auswirkung *f* (*Folge*) consequence; (*Wirkung*) effect; (*Rückwirkung*) repercussion.

auswischen *vt sep* to wipe out ▶ *jdm eins ~* (*col*) to get one over on sb (*col*); (*aus Rache*) to get one's own back on sb.

auswringen *vt sep irreg* to wring out.

Auswuchs *m* **[a]** (out)growth; (*Mißbildung*) deformity. **[b]** (*fig*) (*Erzeugnis*) product; (*Mißstand, Übersteigerung*) excess.

auswuchten *vt sep Räder* to balance.

Auswurf *m no pl* (*Med*) sputum.

auszahlen *sep* **[1]** *vt Geld etc* to pay out; *Arbeiter, Gläubiger* to pay off.
[2] *vr* (*sich lohnen*) to pay (off).

auszählen *sep* **[1]** *vt Stimmen* to count (up); (*Boxen*) to count out.
[2] *vi* (*bei Kinderspielen*) to count out.

Auszahlung *f siehe vt* paying out; paying off.

Auszählung *f* (*von Stimmen etc*) counting (up), count.

auszeichnen *sep* **[1]** *vt* **[a]** (*mit Preisschild versehen*) to price. **[b]** (*ehren*) to honour (*Brit*), to honor (*US*) ▶ *jdn mit einem Orden ~* to decorate sb (with a medal); *jdn mit einem Preis/Titel ~* to award a prize/title to sb. **[c]** (*hervorheben*) to distinguish (from all others); (*kennzeichnen*) to be a feature of.
[2] *vr* to stand out (*durch* due to) ▶ *der Wagen zeichnet sich durch ... aus* one of the car's best features is ...; *siehe* **ausgezeichnet.**

Auszeichnung *f* **[a]** *no pl* (*das Auszeichnen*) (*von Waren*) pricing; (*mit Orden*) decoration. **[b]** (*Markierung: an Ware*) ticket. **[c]** (*Ehrung*) honour (*Brit*), honor (*US*), distinction; (*Orden*) decoration; (*Preis*) award, prize ▶ *mit ~ bestehen* to pass with distinction.

Auszeit *f* (*Sport*) time-out.

ausziehbar *adj* extendible; *Antenne* telescopic ▶ *ein ~er Tisch* a pull-out table.

ausziehen *sep irreg* **[1]** *vt* **[a]** (*herausziehen*) to pull out; (*verlängern auch*) to extend. **[b]** *Kleider* to take off; *jdn* to undress.
[2] *vr* (*sich entkleiden*) to undress, to take off one's clothes.
[3] *vi aux sein* (*aufbrechen, abreisen*) to set out; (*aus einer Wohnung*) to move (*aus* out of).

Auszubildende(r) *mf decl as adj* trainee; (*als Handwerker auch*) apprentice.

Auszug *m* **[a]** (*das Weggehen*) departure; (*aus der Wohnung*) move. **[b]** (*Ausschnitt*) excerpt; (*aus Buch auch*) extract; (*Konto~*) statement.

autark *adj* self-sufficient (*auch fig*), autarkic (*Econ*).

Autarkie *f* self-sufficiency (*auch fig*), autarky (*Econ*).

authentisch *adj* authentic.

Auto *nt -s* car, automobile (*esp US, dated*) ▶ *~ fahren* (*selbst*) to drive (a car); (*als Mitfahrer*) to go by car; *mit dem ~ fahren* to go by car.

Auto|atlas *m* road atlas.

Autobahn *f* motorway (*Brit*), expressway (*US*).

┌─── AUTOBAHN ───┐

(i) *Autobahn* *is the German for a motorway. In the former West Germany there is a widespread network but in the former* **DDR** *the motorways are somewhat less extensive. There is no overall speed limit but a limit of 130 km per hour is recommended and there are lower mandatory limits on certain stretches of road. As yet*

⚠ : Informationen zur Rechtschreibreform im Anhang

there are no tolls payable on German Autobahnen. However, a yearly toll is payable in Switzerland and tolls have recently been introduced in Austria.

Autobahn-: **~ausfahrt** *f* motorway (*Brit*) *or* expressway (*US*) exit; **~dreieck** *nt* motorway (*Brit*) *or* expressway (*US*) junction; **~kreuz** *nt* motorway (*Brit*) *or* expressway (*US*) intersection; **~raststätte** *f* motorway (*Brit*) *or* expressway (*US*) services *pl*; **~zubringer** *m* motorway (*Brit*) *or* expressway (*US*) approach road.

Auto-: **~batterie** *f* car battery; **~biographie** △ *f* autobiography; **a~biographisch** △ *adj* autobiographical; **~bombe** *f* car bomb; **~bus** *m* bus; (*Reiseomnibus*) coach (*Brit*), bus; **~didakt(in** *f*) *m* **-en** self-educated person, autodidact (*form*); **~diebstahl** *m* car theft; **~fähre** *f* car ferry; **~fahren** *nt* driving (a car); (*als Mitfahrer*) going by car; **~fahrer** *m* (car) driver; **~fahrt** *f* drive; **~fokus** *m* (*Phot*) autofocus; **~friedhof** *m* (*col*) car dump.

autogen *adj* autogenous ▶ **~es Training** (*Psych*) relaxation through self-hypnosis.

Autogramm *nt* **-e** autograph.

Autogramm-: **~jäger** *m* autograph hunter; **~stunde** *f* autograph(ing) session.

Auto-: **~industrie** *f* car *or* automobile (*esp US*) industry; **~karte** *f* road map; **~kino** *nt* drive-in cinema (*Brit*) *or* movie theater (*US*); **~knacker** *m* (*col*) car thief; **~krat** *m* (*wk*) **-en**, **-en** autocrat; **~marke** *f* make (of car).

Automat *m* (*wk*) **-en**, **-en** (*auch fig: Mensch*) machine; (*Verkaufs~*) vending machine; (*Spiel~*) slot-machine.

Automatenkarte *f* cash card.

Automatic, Automatik[1] *m* **-s** (*Aut*) (car with) automatic.

Automatik[2] *f* automatic mechanism (*auch fig*); (*Gesamtanlage*) automatic system; (*Aut*) automatic transmission.

Automatik-: **~getriebe** *nt* automatic transmission; **~gurt** *m* inertia(-reel) seat belt; **~schaltung** *f* automatic transmission; **~wagen** *m* (car with) automatic.

automatisch *adj* automatic.

automatisieren* *vt* to automate.

Automatisierung *f* automation.

Automechaniker *m* motor (*Brit*) *or* auto (*US*) mechanic.

Automobil-: **~ausstellung** *f* motor (*Brit*) *or* auto (*US*)

show; **~club** *m* automobile association.

Auto-: **a~nom** *adj* autonomous (*auch fig*); **~nome(r)** *mf* *decl as adj* (*Pol*) independent; **~nomie** *f* autonomy (*auch fig*); **~nummer** *f* (car) number.

Autopsie *f* (*Med*) autopsy.

Autor *m* author.

Auto-: **~radio** *nt* car radio; **~reifen** *m* car tyre (*Brit*) *or* tire (*US*); **~reisezug** *m* ≃ motorail train; **~rennbahn** *f* motor-racing circuit; **~rennen** *nt* (motor) race.

Autorin *f* authoress.

autorisieren* *vt* to authorize.

autoritär *adj* authoritarian.

Autorität *f* authority.

Auto-: **~schalter** *m* drive-in bank counter; **~schlange** *f* queue (*Brit*) *or* line of cars; **~schlosser** *m* panel beater; **~schlosserei** *f* body shop; **~skooter** *m* dodgem, bumper car; **~stellplatz** *m* (car) parking space; **~stop(p)** *m* (*esp S Ger*) hitch-hiking; **per ~stop(p) fahren** to hitch(-hike); **~strich** *m* (*col: Gegend*) kerb-crawling area (*col*); **~telefon** *nt* car phone; **~unfall** *m* car accident; **~verkehr** *m* motor traffic; **~verleih** *m*, **~vermietung** *f* car hire (*Brit*) *or* rental; (*Firma*) car hire (*Brit*) *or* rental firm; **~werkstatt** *f* garage, car repair shop (*US*); **~zoom** [-'zuːm] *nt* (*Phot*) automatic zoom (lens); **~zubehör** *nt* motor (*Brit*) *or* auto (*US*) accessories *pl*.

autsch *interj* (*col*) ouch, ow.

auweh, auwei(a) *interj* oh dear.

avancieren* [avãˈsiːrən] *vi aux sein* (*dated, geh*) to advance (*zu* to).

Avant- [avã]: **~garde** *f* (*geh*) (*Art*) avant-garde; (*Pol*) vanguard; **a~gardistisch** *adj* avant-garde.

AvD [aːfaʊˈdeː] = **Automobilclub von Deutschland** ≃ AA (*Brit*), RAC (*Brit*), AAA (*US*).

Avocado, Avocato [avoˈkaːdo, -to] *f* **-s** avocado.

Axiom *nt* **-e** axiom.

Axt *f* **=e** axe (*Brit*), ax (*US*) ▶ **die ~ im Haus erspart den Zimmermann** (*Prov*) self-help is the best help; **die ~ an etw/an die Wurzel einer Sache legen** (*fig*) to strike at the very roots of sth.

Azalee [-ˈleːə] *f* **-n** (*Bot*) azalea.

Azoren *pl* (*Geog*) Azores *pl*.

Azteke *m* (*wk*) **-n**, **-n**, **Aztekin** *f* Aztec.

Azubi [aˈtsuːbi] *m* **-s** (*col*) = **Auszubildende(r)**.

azurblau *adj* azure.

B

B, b [be:] *nt* -, - B, b ▶ *B-dur/b-Moll* (the key of) B flat major/minor; *B wie Bertha* ≃ B for Benjamin, B for Baker (*US*).

B *f* = **Bundesstraße** ≃ A (*Brit*).

Baby ['be:bi] *nt* **-s** baby.

Baby-: ~**ausstattung** *f* layette; ~**nahrung** *f* baby food; **b~sitten** *vi insep* to babysit; ~**sitter(in** *f)* *m* - babysitter; ~**speck** *m* (*col*) puppy fat; ~**tragetasche** *f* carrycot.

Bach *m* ⁻e (*lit, fig*) stream.

Bachstelze *f* -n wagtail.

Backblech *nt* baking tray.

Backbord *nt no pl* (*Naut*) port (side).

backbord(s) *adv* (*Naut*) on the port side.

Backe *f* -n [a] cheek ▶ *mit vollen ~n kauen* to eat away with bulging cheeks. [b] (*col: Hinter~*) buttock, cheek.

backen *vt* to bake; *Brot, Kuchen auch* to make; (*dial: braten*) *Fisch, Eier etc* to fry ▶ *frisch/knusprig gebackenes Brot* fresh/crusty bread; *gebackener Fisch* fried fish; (*im Ofen*) baked fish.

Backen-: ~**bart** *m* sideboards *pl,* sideburns *pl;* ~**knochen** *m* cheekbone; ~**zahn** *m* molar.

Bäcker(in *f)* *m* - baker.

Bäckerei *f* baker's (*Brit*), baker (*US*); (*Backstube*) bakery.

Bäcker-: ~**junge** *m* (*Lehrling*) baker's apprentice; ~**laden** *m* baker's (*Brit*), baker (*US*); ~**meister** *m* master baker.

Back-: **b~fertig** *adj* oven-ready; ~**fett** *nt* cooking fat; ~**fisch** *m* [a] fried fish; [b] (*dated*) teenager; ~**form** *f* baking tin; ~**hähnchen** *nt* fried chicken in breadcrumbs; ~**mischung** *f* cake mix; ~**obst** *nt* dried fruit; ~**ofen** *m* oven (*auch fig*); ~**pflaume** *f* prune; ~**pinsel** *m* pastry brush; ~**pulver** *nt* baking powder.

Backstein *m* brick.

Back-: ~**stube** *f* bakery; ~**waren** *pl* bread, cakes and pastries *pl.*

Bad *nt* ⁻er [a] (*Wannen~, Phot*) bath; (*das Baden*) bathing ▶ *ein ~ nehmen* to have *or* take a bath; *ein ~ in der Menge nehmen* (*fig*) to go on a walkabout. [b] (*im Meer*) bathe, swim; (*das Baden*) bathing, swimming. [c] (*Badezimmer*) bathroom ▶ *Zimmer mit ~* room with (private) bath. [d] (*Schwimm~*) (swimming) pool *or* baths ▶ *die städtischen ⁻er* the public baths. [e] (*Heil~*) spa; (*See~*) (seaside) resort.

Bade-: ~**anstalt** *f* (public) swimming baths *pl;* ~**anzug** *m* swimsuit, bathing suit; ~**gast** *m* [a] (*im Kurort*) spa visitor; [b] (*im Schwimmbad*) bather, swimmer; ~**handtuch** *nt* bath towel; (*größer*) bath sheet; ~**hose** *f* swimming trunks *pl;* ~**kappe** *f* swimming cap; ~**mantel** *m* bathrobe, dressing gown (*Brit*); ~**matte** *f* bathmat; ~**meister** *m* (*im Schwimmbad*) (pool) attendant; (*am Strand*) lifeguard; ~**mütze** *f* = ~**kappe.**

baden [1] *vi* [a] to have a bath. [b] (*im Meer, Schwimmbad etc*) to swim, to bathe ▶ *~ gehen* to go swimming. [c] (*col*) *~ gehen* to come a cropper (*col*); *wenn das passiert, gehe ich ~* I'll be for it if that happens (*col*).
[2] *vt* [a] *Kind etc* to bath. [b] *Augen, Wunde etc* to bathe.

Baden-Württemberg *nt* Baden-Württemberg.

Bade-: ~**ort** *m* (*Kurort*) spa; (*Seebad*) (seaside) resort;

~**sachen** *pl* swimming things *pl;* ~**saison** *f* swimming season; (*in Kurort*) spa season; ~**salz** *nt* bath salts *pl;* ~**strand** *m* (bathing) beach; ~**tuch** *nt* = ~**handtuch;** ~**wanne** *f* bath(tub); ~**wasser** *nt* bath water; ~**zimmer** *nt* bathroom.

baff *adj pred* (*col*) *~ sein* to be flabbergasted.

Bafög ['ba:føk] *nt no pl* = **Bundesausbildungsförderungsgesetz** *German grant system for students* ▶ *er bekommt ~* he gets a grant.

┌─ BAFÖG ──────────────────────────────┐
ⓘ *Bafög is the system which awards grants for living expenses to students at universities and certain training colleges. The amount is based on parental income. Part of the grant must be paid back a few years after graduating.*
└──────────────────────────────────────┘

Bagage [ba'ga:ʒə] *f no pl* (*dated col: Gesindel*) crowd (*col*).

Bagatelle *f* trifle, bagatelle.

Bagatellsache *f* (*Jur*) minor case.

Bagdad *nt* Baghdad.

Bagger *m* - excavator, digger; (*für Schlamm*) dredger.

baggern *vti Graben* to excavate; *Fahrrinne* to dredge.

Baggersee *m* (flooded) gravel pit.

Bahamas *pl* **die ~** the Bahamas *pl.*

Bahn *f* -en [a] (*lit, fig*) path; (*von Fluß*) course; (*Astron auch*) orbit ▶ *jdm/einer Sache die ~ frei machen* (*fig*) to clear the way for sb/sth; *die ~ ist frei* (*fig*) the way is clear; *sich* (*dat*) *~ brechen* (*fig*) to make headway; (*Mensch*) to forge ahead; *in gewohnten ~en verlaufen* (*fig*) to continue as before; *von der rechten ~ abkommen* (*geh*) to stray from the straight and narrow; *jdn auf die rechte ~ bringen* (*fig*) to put sb on the straight and narrow; *jdn aus der ~ werfen* (*fig*) to shatter sb.
[b] (*Eisen~*) railway (*Brit*), railroad (*US*); (*Straßen~*) tram, streetcar (*US*); (*Zug*) train; (*Verkehrsnetz, Verwaltung*) railway (*Brit*) *usu pl,* railroad (*US*) ▶ *mit der ~* by train *or* rail/tram; *frei ~* (*Comm*) carriage free to station of destination.
[c] (*Sport*) track; (*für Pferderennen auch*) course; (*für einzelne Läufer, Schwimmer etc*) lane.
[d] (*Stoff~, Tapeten~*) length, strip.

Bahn-: ~**arbeiter** *m* railworker; ~**beamte(r)** *m* railway (*Brit*) *or* railroad (*US*) official; **b~brechend** *adj* pioneering; ~**brechendes leisten** to pioneer new developments; ~**bus** *m* railway (*Brit*) *or* railroad (*US*) bus.

Bahndamm *m* (railway (*Brit*) *or* railroad (*US*)) embankment.

bahnen *vt jdm/einer Sache den/einen Weg ~* (*fig*) to pave the way for sb/sth; *sich* (*dat*) *einen Weg ~* to fight one's way through.

Bahn-: ~**fahrt** *f* rail journey; ~**fracht** *f* rail freight.

Bahnhof *m* station ▶ *am or auf dem ~* at the station; *~ Schöneberg* Schöneberg station; *ich verstehe nur ~* (*hum col*) it's all Greek to me (*col*); *er wurde mit großem ~ empfangen* he was given the red carpet treatment.

Bahnhofs- *in cpds* station; ~**gaststätte** *f* station restaurant; **~halle** f (station) concourse; **~mission** f charitable organization for helping rail travellers in difficulties, traveller's aid.

BAHNHOFSMISSION

ⓘ The **Bahnhofsmission** is a charitable organization set up by and run jointly by various churches. At railway stations in most big cities they have an office to which people in need of advice and help can go.

Bahnhofs-: ~vorsteher m stationmaster; **~wirtschaft** f station restaurant.

Bahn-: b~lagernd adj (Comm) to be collected from the station; **~linie** f railway (Brit) or railroad (US) line or track; **~polizei** f railway (Brit) or railroad (US) police; **~schranke** f level (Brit) or grade (US) crossing barrier; **~steig** m platform; **~steigkarte** f platform ticket; **~übergang** m level (Brit) or grade (US) crossing; beschrankter/unbeschrankter **~übergang** crossing with gates/unguarded crossing; **~verbindung** f rail (Brit) or train connection; **~wärter** m gatekeeper.

Bahrain, Bahrein nt Bahrain.

Bahre f -n (Kranken~) stretcher; (Toten~) bier.

Baiser [bɛ'zeː] nt -s meringue.

Baisse ['bɛːs(ə)] f -n (St Ex) fall; (plötzliche) slump.

Bajonett nt -e bayonet.

Bajuware m (wk) -n, -n, **Bajuwarin** f (old, hum) Bavarian.

Bake f -n (Verkehrszeichen) distance warning signal; (an Autobahn auch) countdown marker.

Bakterie [-riə] f -n usu pl germ ► **~n** germs pl, bacteria pl.

bakteriell adj bacterial, bacteria attr.

Bakteriologe m, **Bakteriologin** f bacteriologist.

bakteriologisch adj bacteriological; Krieg biological.

Balance [ba'lãːs(ə)] f -n balance, equilibrium ► die **~** halten/verlieren to keep/lose one's balance.

Balance|akt [ba'lãːs(ə)-] m (lit, fig) balancing act.

balancieren* [balã'siːrən] ① vi aux sein to balance ► über etw (acc) **~** to work one's way across sth, keeping one's balance.
② vt to balance.

bald ① adv, comp eher, superl **am ehesten** ⓐ soon ► er kommt **~** he'll be coming soon; **~** darauf soon afterwards; so **~** wie möglich, möglichst **~** as soon as possible; wird's **~?** get a move on; bis **~!** see you soon. ⓑ (fast) almost, nearly ► sie platzt **~** vor Neugier she's just about dying with curiosity.
② conj (geh) **~** hier, **~** da now here, now there; **~** so, **~** so now this way, now that.

baldig adj attr, no comp quick, speedy; Antwort, Wiedersehen early.

baldmöglichst adv as soon as possible.

Baldrian m -e valerian.

Baldriantropfen pl valerian (drops pl).

Balearen pl die **~** the Balearics pl.

Balg¹ m ¨e ⓐ (Tierhaut) pelt, skin. ⓑ (Blase~) bellows pl.

Balg² m or nt ¨er (pej col: Kind) brat (pej col).

balgen vr to scrap (um over).

Balgerei f scrap, tussle.

Balkan m (~länder) der **~** the Balkans pl; auf dem **~** in the Balkans.

Balkanländer pl Balkan States.

Balken m - ⓐ (Holz~, Schwebe~) beam; (Stütz~) prop; (Quer~) joist, crossbeam ► lügen, daß sich die **~** biegen (col) to tell a pack of lies. ⓑ (Strich) bar; (Uniformstreifen) stripe. ⓒ (an Waage) beam.

Balkendiagramm nt bar chart.

Balkon [bal'kɔŋ, bal'koːn] m -s or -e balcony; (Theat)

(dress) circle.

Balkon-: ~möbel pl garden furniture sing (for the balcony); **~tür** f French window(s).

Ball¹ m ¨e ball ► **~** spielen to play ball; am **~** sein (lit) to have the ball; immer am **~** sein (fig) to be on the ball; am **~** bleiben (lit) to keep (possession of) the ball; (fig) to stay on the ball; bei jdm am **~** bleiben (fig) to keep in with sb; jdm den **~** zuspielen (lit) to pass (the ball) to sb; jdm/sich gegenseitig die ¨e zuspielen (fig) to feed sb/each other lines.

Ball² m ¨e (Tanzfest) ball ► auf dem **~** at the ball.

Ballade f ballad.

Ballast [auch -'-] m (rare) -e (Naut, Aviat) ballast; (fig) burden, encumbrance ► **~** abwerfen (lit) to discharge ballast; (fig) to get rid of a burden.

Ballaststoffe pl (Med) roughage sing.

Ballen m - ⓐ bale; (Kaffee~) sack ► in **~** verpacken to bale. ⓑ (Anat: an Daumen, Zehen) ball; (an Pfote) pad.

ballen vt Faust to clench; siehe **geballt**.

Ballerei f (col) shoot-out (col).

Ballerina f, pl **Ballerinen** ballerina.

ballern vi (col) to shoot, to fire.

Ballett nt -e ballet ► beim **~** sein (col) to be a ballet dancer.

⚠ **Ballettänzer(in** f) m ballet dancer.

Ballführung f (Sport) ball control.

Ballistik f no pl ballistics sing.

ballistisch adj ballistic.

Ball-: ~junge m (Tennis) ball boy; **~kleid** nt ball gown; **~mädchen** nt (Tennis) ball girl.

Ballon [ba'lɔŋ, ba'loːn] m -s or -e balloon.

Ball-: ~saal m ballroom; **~spiel** nt ball game.

Ballung f concentration; (von Truppen auch) massing.

Ballungs-: ~gebiet nt, **~raum** m conurbation; **~zentrum** nt centre (Brit) or center (US) (of population, industry etc).

Ballwechsel m (Sport) rally.

Balsam m -e balsam; (fig) balm.

balsamieren* vt = **einbalsamieren**.

Balte m (wk) -n, -n, **Baltin** f er/sie ist **~** he/she comes from the Baltic.

Baltikum nt das **~** the Baltic States pl.

baltisch adj Baltic attr.

Balz f -en ⓐ (Paarungsspiel) courtship display. ⓑ (Paarungszeit) mating season.

Balz-: ~ruf m mating call; **~zeit** f mating season.

Bambus m -ses or -, -se bamboo.

Bambus-: ~rohr nt bamboo cane; **~sprossen** pl bamboo shoots pl.

Bammel m no pl (col) (einen) **~** vor jdm/etw haben to be scared of sb/sth.

banal adj banal, trite.

banalisieren* vt to trivialize.

Banalität f banality.

Banane f -n banana.

Bananen-: ~dampfer m banana boat; **~republik** f (Pol pej) banana republic; **~schale** f banana skin; **~stecker** m jack plug.

Banause m (wk) -n, -n (pej) peasant (col); (Kultur~ auch) philistine.

band pret of **binden**.

Band¹ nt ¨er ⓐ (Seiden~ etc) ribbon; (Isolier~, Maß~, Ziel~) tape; (Haar~, Hut~) band; (Schürzen~) string. ⓑ (Ton~) tape ► etw auf **~** aufnehmen to tape or record sth. ⓒ (Fließ~) conveyor belt; (als Einrichtung) production line; (Montage~) assembly line ► am **~** arbeiten to work on the production line; am laufenden **~** (fig) non-stop, continuously. ⓓ (Rad) auf dem 44m-**~** on the 44 meter band. ⓔ (Anat) usu pl ligament.

Band² nt -e (liter) das **~** der Freundschaft/Liebe etc the

Band

bonds *or* ties of friendship/love *etc.*

Band³ *m* -̈e (*Buch*~) volume ▸ *darüber könnte man ~̈e schreiben/erzählen* you could write a book about it; *das spricht ~̈e* that speaks volumes.

Band⁴ [bɛnt] *f* -s (*Mus*) band.

Bandage [-'daːʒə] *f* -n bandage ▸ *mit harten ~n* (*fig col*) with no holds barred.

bandagieren* [-'ʒiːrən] *vt* to bandage (up).

Band-: **~aufnahme** *f* tape-recording; **~breite** *f* (*Rad*) bandwidth, frequency range; (*fig*) range.

Bande¹ *f* -n gang; (*col: Gruppe*) bunch (*col*).

Bande² *f* -n (*Sport*) (*von Eisbahn*) barrier; (*Billiard*) cushion.

Banden-: **~chef** *m* (*col*) gang-leader; **~diebstahl** *m* (*Jur*) gang robbery; **~führer** *m* = **~chef**.

Banderole *f* -n tax *or* revenue seal.

Bänder-: (*Med*) **~riß** ⚠ *m* torn ligament; **~zerrung** *f* pulled ligament.

bändigen *vt* to control; (*zähmen*) to tame.

Bändigung *m no pl siehe vt* controlling; taming.

Bandit *m* (*wk*) -en, -en bandit; (*fig pej*) brigand.

Band-: **~laufwerk** *nt* (*Comp*) tape streamer; **~maß** *nt* tape measure; **~nudeln** *pl* tagliatelle *pl*, ribbon noodles *pl*; **~säge** *f* band saw; **~scheibe** *f* (*Anat*) disc; **~scheibenschaden** *m* slipped disc; **~wurm** *m* tapeworm.

bang(e) *adj* [a] (*ängstlich*) scared, frightened ▸ *jdm ~ machen* to scare *or* frighten sb; *mir ist ~e vor ihm* I'm scared *or* frightened of him. [b] (*geh: beklommen*) uneasy (*um* about) ▸ *es wurde ihr ~ ums Herz* her heart sank.

Bange *f no pl* (*esp N Ger*) *nur keine ~!* (*col*) don't worry.

Bange-: **~machen** *nt* scaremongering; **~macher** *m* scaremonger.

bangen *vi* (*geh*) *um jds Leben etc ~* to fear for sb's life *etc.*

Bangkok *nt* Bangkok.

Bangladesch *nt* Bangladesh.

Banjo ['bɛndʒo, 'bandʒo] *nt* -s banjo.

Bank¹ *f* -̈e [a] bench; (*Kirchen*~) pew; (*Anklage*~) dock ▸ *auf or in der ersten/letzten ~* on the front/back bench *etc*; *(alle) durch die ~* (*col*) every single one; *etw auf die lange ~ schieben* (*col*) to put sth off. [b] (*Arbeitstisch*) (work) bench.

Bank² *f* -en [a] (*Comm*) bank ▸ *Geld auf der ~ liegen haben* to have money in the bank; *bei der ~* at the bank. [b] (*bei Glücksspielen*) bank ▸ *(die) ~ halten* (*col*) to be banker; *die ~ sprengen* to break the bank.

Bank-: **~angestellte(r)** *mf* bank employee; **~anweisung** *f* banker's order; **~auskunft** *f* banker's reference; **~automat** *m* cash dispenser; **~direktor** *m* director of a/the bank; **~einbruch** *m* bank raid; **~einlage** *f* bank deposit.

Bänkelsänger *m* ballad-singer, minstrel.

Bankett¹ *nt* -e (*an Straßen*) verge (*Brit*), shoulder.

Bankett² *nt* -e (*Festessen*) banquet.

Bank-: **~fach** *nt* [a] (*Beruf*) banking [b] (*Schließfach*) safe-deposit box; **~gebühr** *f* bank charge; **~geheimnis** *nt* confidentiality in banking; **~geschäft** *nt no pl* (*~wesen*) banking world; **~guthaben** *nt* bank balance; **~halter** *m* (*bei Glücksspielen*) banker.

Bankier [-'kieː] *m* -s banker.

Bank-: **~kauffrau** *f*, **~kaufmann** *m* (qualified) bank clerk; **~konto** *nt* bank account; **~leitzahl** *f* (bank) sort code; **~note** *f* banknote, bill (*US*); **~raub** *m* bank robbery; **~räuber** *m* bank robber.

bankrott *adj* (*lit, fig*) bankrupt ▸ *~ gehen* to go bankrupt; *jdn ~ machen* to bankrupt sb.

Bankrott *m* -e (*lit, fig*) bankruptcy ▸ *~ machen* to go

bankrupt; *den ~ anmelden or erklären* to declare oneself bankrupt.

Bankrott|erklärung *f* declaration of bankruptcy; (*fig*) sellout (*col*).

Bank-: **~tratte** *f* banker's draft; **~überfall** *m* bank raid; **~überweisung** *f* bank transfer; **~verbindung** *f* banking arrangements *pl*; **~wesen** *nt* banking.

Bann *m* -e [a] *no pl* (*geh*) spell ▸ *im ~ eines Menschen/einer Sache stehen or sein* to be under sb's spell/the spell of sth; *sie zog or zwang ihn in ihren ~* she cast her spell over him. [b] (*Hist: Kirchen*~) excommunication.

bannen *vt* [a] (*geh: bezaubern*) to bewitch, to entrance ▸ *(wie) gebannt* fascinated; (*stärker*) spellbound. [b] *Geister* to exorcize; *Gefahr* to ward off.

Banner *nt* - (*geh*) banner.

Bannmeile *f* inviolable precincts *pl* (*of city, Parliament etc*).

Bantamgewicht *nt* bantamweight.

Bantu *m* -(s) Bantu.

Baptist(in *f*) *m* Baptist.

bar *adj no comp* [a] cash ▸ *~es Geld* cash; *(in) ~ bezahlen* to pay (in) cash; *~ auf die Hand* cash on the nail; *etw für ~e Münze nehmen* (*fig*) to take sth at face value. [b] *attr Unsinn* absolute. [c] *pred +gen* (*liter*) *~ aller Hoffnung* devoid of hope, completely without hope. [d] (*liter: bloß*) bare ▸ *~en Hauptes* bareheaded.

Bar *f* -s bar.

Bär *m* (*wk*) -en, -en bear ▸ *stark wie ein ~* (*col*) (as) strong as an ox; *der Große/Kleine ~* (*Astron*) the Great/Little Bear, Ursa Major/Minor; *jdm einen ~en aufbinden* (*col*) to have sb on (*col*).

Baracke *f* -n hut, shack; (*pej: kleines Haus*) hovel.

Barbar(in *f*) *m* (*wk*) -en, -en (*pej*) barbarian.

Barbarei *f* (*pej*) barbarity; (*no pl: Kulturlosigkeit*) barbarism.

barbarisch *adj* [a] (*pej*) barbaric, barbarous. [b] (*col: fürchterlich*) terrible.

bärbeißig *adj* (*col*) grouchy (*col*), grumpy.

Barbestand *m* cash-in-hand.

Bardame *f* barmaid.

Barde *m* (*wk*) -n, -n (*Liter*) bard; (*iro*) minstrel.

Bären-: **~dienst** *m* *jdm einen ~dienst erweisen* to do sb a disservice; **~hunger** *m* (*col*) *einen ~hunger haben* to be famished (*col*); **~jagd** *f* bear hunt/hunting; **~kräfte** *pl* the strength of an ox; **b~stark** *adj* strapping, strong as an ox; (*fig col*) terrific.

Barett *nt* -e *or* -s cap; (*für Richter etc*) biretta.

barfuß *adj pred* barefoot(ed) ▸ *~ gehen* to go/walk barefoot.

barfüßig *adj* barefooted.

barg *pret of* **bergen**.

Bar-: **~geld** *nt* cash; **b~geldlos** [1] *adj* cashless; *b~geldloser Zahlungsverkehr* non-cash *or* credit transactions *pl*; [2] *adv* without using cash; **~geldreserven** *pl* cash reserves; **b~häuptig** *adj* (*geh*) bareheaded; **~hocker** *m* (bar) stool.

Bärin *f* (she-)bear.

Bariton [-tɔn] *m* -e [-toːnə] baritone.

Barium *nt no pl* barium.

Barkasse *f* -n launch; (*Beiboot auch*) longboat.

Barkauf *m* cash purchase.

Barke *f* -n (*Naut*) skiff; (*liter*) barque (*liter*).

Barkeeper ['baːki:pɐ] *m* - barman, bartender.

Barkredit *m* cash loan.

barmherzig *adj* (*liter, Rel*) merciful; (*mitfühlend*) compassionate.

Barmherzigkeit *f* (*liter, Rel*) mercy, mercifulness; (*Mitgefühl*) compassion.

Barmittel *pl* cash (reserves *pl*).

barock adj baroque; (fig) ornate; Sprache florid.
Barock nt or m no pl baroque.
Barock- in cpds baroque; **~zeit** f baroque period.
Barometer nt - (lit, fig) barometer ▶ **das ~ steht auf Sturm** (fig) there's trouble brewing.
Baron(in f) m -e baron/baroness.
⚠ **Baroneß** f -ssen (dated), **Baronesse** f baroness.
Barras m no pl (col) army.
Barren m - a (Metall~) bar; (esp Gold~) ingot. b (Sport) parallel bars pl.
Barriere f-n (lit, fig) barrier.
Barrikade f barricade ▶ **auf die ~n gehen** (lit, fig) to go to the barricades.
Barsch m -e perch.
barsch adj brusque, curt; Befehl auch peremptory ▶ **jdn ~ anfahren** to snap at sb.
Barschaft f no pl **meine ganze ~ bestand aus 10 Mark** all I had on me was 10 marks.
Barscheck m uncrossed cheque (Brit) or check (US).
barst pret of **bersten**.
Bart m -e a beard; (von Katze, Robbe etc) whiskers pl. b (fig col) **(sich dat) etw in den ~ murmeln** to mutter sth in one's beard (col); **jdm um den ~ gehen** to butter sb up (col); **der Witz hat einen ~** that's an old chestnut (col). c (Schlüssel~) bit.
Barthaar nt facial hair; (Bart auch) beard.
bärtig adj bearded.
Bart-: **b~los** adj beardless; (glattrasiert) clean-shaven; **~nelke** f sweet william; **~stoppeln** pl stubble sing; **~wuchs** m beard; (esp weiblicher) facial hair no indef art; **er hat starken ~wuchs** he has a heavy growth of beard.
Bar-: **~verkauf** m cash sale; **~vermögen** nt liquid assets pl; **~zahlung** f cash payment; **(Verkauf) nur gegen ~zahlung** cash (sales) only; **~zahlungspreis** m cash price.
Basar m -e bazaar.
Base¹ f-n (old, dial) cousin.
Base² f-n (Chem) base.
Baseball ['be:sbo:l] m no pl baseball.
Basel nt Basle.
basieren* vi to be based (auf +dat on).
Basilika f, pl **Basiliken** basilica.
Basilikum nt no pl basil.
Basis f, pl **Basen** basis; (Archit, Mil, Math) base ▶ **auf breiter ~** on a broad basis; **~ und Überbau** (Pol, Sociol) foundation and superstructure; **die ~** (col) the grass roots.
Basis|arbeit f (Pol) groundwork.
basisch adj (Chem) basic.
Basis-: **~demokratie** f grass-roots democracy; **~gruppe** f action group.
Baske m (wk) -n, -n, **Baskin** f Basque.
Basken-: **~land** nt Basque region; **~mütze** f beret.
Basketball m no pl basketball.
baskisch adj Basque.
Baskisch(e) nt decl as adj Basque; siehe **Deutsch(e)**.
⚠ **Baß** m -sse a bass. b (Instrument) double bass.
⚠ **Baßbariton** m bass baritone.
⚠ **Baßgeige** f (col) (double) bass.
Bassin [ba'sɛ:] nt -s (Schwimm~) pool; (von Brunnen) fountain.
Bassist(in f) m a (Sänger) bass. b (im Orchester etc) (double) bass player.
Baß-: **~schlüssel** ⚠ m bass clef; **~stimme** ⚠ f bass (voice); (Partie) bass (part).
Bast m (rare) -e (zum Binden, Flechten) raffia.
basta interj **(und damit) ~!** (and) that's that.
Bastard m -e a (pej) bastard. b (Tier) cross.
Bastel|arbeit f piece of handicraft.

Bastelei f (col) handicraft; (pej) botched job (col).
basteln 1 vi a (als Hobby) to make things with one's hands ▶ **sie kann gut ~** she is good with her hands. b **an etw** (dat) **~** to work on sth; (bauen) to make sth; (an etw herumbasteln) to tinker with sth; **mit Holz** etc **~** to make things out of wood etc. 2 vt to make; Geräte etc auch to build.
Basteln nt no pl handicraft.
Bastion f (lit, fig) bastion.
Bastler(in f) m - (von Modellen etc) modeller; (von Möbeln etc) do-it-yourself enthusiast ▶ **ein guter ~ sein** to be clever with one's hands.
BAT ['be:|a:'te:] = **Bundesangestelltentarif** German salary scale for employees.
bat pret of **bitten**.
Bataillon [batal'jo:n] nt -e (Mil, fig) battalion.
Batik f or m -en batik.
Batist m -e batiste, cambric.
Batterie f (Elec, Mil) battery; (Reihe von Flaschen etc auch) row.
Batterie-: **b~betrieben** adj battery-powered; **~gerät** nt battery-powered radio etc.
Batzen m - (col) **ein ~ Geld** a tidy sum (col).
Bau n a no pl (das Bauen) building, construction ▶ **im ~** under construction; **der ~ des Hauses dauerte ein Jahr** it took a year to build the house. b no pl (Auf~) structure; (von Satz, Apparat auch) construction; (Körper~) build ▶ **von kräftigem ~ sein** to be powerfully built. c no pl (~stelle) building site ▶ **auf dem ~ arbeiten** to work on a building site. d pl **-ten** (Gebäude) building. e pl -e (Erdhöhle) burrow, hole; (Biber~) lodge; (Fuchs~) den; (Dachs~) set(t). f no pl (Mil sl) guardhouse ▶ **4 Tage ~** 4 days in the guardhouse.
Bau-: **~arbeiten** pl building or construction work sing; (Straßen~) roadworks pl (Brit), roadwork sing (US); **~arbeiter** m building or construction worker; **~bude** f site hut.
Bauch m, pl **Bäuche** a (von Mensch) stomach, belly (col); (Anat) abdomen; (Fett~) paunch ▶ **ihm tat der ~ weh** he had stomach-ache; **sich** (dat) **den ~ vollschlagen** (col) to stuff oneself (col); **sich** (dat) (vor Lachen) **den ~ halten** (col) to split one's sides (laughing); **einen ~ ansetzen** to get a paunch; **mit etw auf den ~ fallen** (col) to come a cropper with sth (col). b (Hohlraum: von Schiff etc) belly, bowels pl.
Bauch-: **~ansatz** m beginning of a paunch; **~fell** nt peritoneum; **~fell|entzündung** f peritonitis; **~flosse** f pelvic fin; **~höhle** f abdomen.
bauchig adj Gefäß bulbous.
Bauch-: **~laden** m vendor's tray; **~landung** f (col) (Aviat) belly landing; (bei Sprung ins Wasser) belly-flop.
bäuchlings adv on one's front.
Bauch-: **~muskel** m stomach muscle; **~nabel** m navel, belly-button (col); **~redner** m ventriloquist; **~schmerzen** pl stomach-ache; **~speck** m (Cook) belly of pork; **~speicheldrüse** f pancreas; **~tanz** m belly-dance/dancing; **~tänzerin** f belly-dancer; **~weh** nt stomach-ache.
Baud nt (Telec, Comp) baud.
Baudenkmal nt historical monument.
bauen 1 vt a to build, to construct; (anfertigen auch) to make; Höhle to dig ▶ **seine Hoffnung auf jdn/etw ~** to pin one's hopes on sb/sth; **die Betten ~** (esp Mil) to make the beds; siehe **gebaut**. b (col: verursachen) Unfall to cause ▶ **da hast du Mist gebaut** (col) you really messed that up (col). c (col: machen, ablegen) Prüfung etc to pass ▶ **seinen Doktor ~** to get one's doctorate. 2 vi a to build ▶ **wir haben neu gebaut** we built a new house; **hier wird viel gebaut** there is a lot of building going on around here. b (vertrauen) **auf jdn/etw ~**

to rely or count on sb/sth.

Bauer m (wk) **-n, -n** [a] (Landwirt) farmer; (als Vertreter einer Klasse) peasant; (pej) yokel ▸ **die dümmsten ~n haben die dicksten Kartoffeln** (prov col) fortune favours fools (prov). [b] (Chess) pawn; (Cards) jack.

Bäuerchen nt (baby-talk) burp ▸ **(ein) ~ machen** to burp.

Bäuerin f farmer's wife; (Landwirtin) farmer; (als Vertreterin einer Klasse) peasant (woman).

bäuerlich adj rural; (ländlich) Fest, Sitten rustic, country attr.

Bauern-: **~brot** nt coarse rye bread; **~dorf** nt farming or country village; **~fängerei** f (col) con (col); **~frühstück** nt bacon and potato omelette (Brit) or omelet (US); **~haus** nt farmhouse; **~hof** m farm; **~kriege** pl (Hist) Peasant War(s); **~regel** f country saying; **~schläue** f native cunning.

Bauersfrau f farmer's wife.

Bau-: **b~fällig** adj dilapidated; Decke, Gewölbe unsafe; **~fälligkeit** f dilapidation; **~firma** f building contractor; **~genehmigung** f planning permission; **~gerüst** nt scaffolding; **~grube** f excavation; **~handwerk** nt building trade; **~handwerker** m (trained) building worker; **~herr** m client (for whom sth is being built); **~holz** nt building timber; **~industrie** f building industry; **~ingenieur** m civil engineer.

Bauj. = **Baujahr.**

Bau-: **~jahr** nt year of construction; (von Auto) date (of manufacture); **ein VW ~jahr 90** a 1990 VW; **~kasten** m construction kit; (mit Holzklötzen) box of bricks; **~klotz** m, **~klötzchen** nt (building) block; **~klötze(r) staunen** (col) to gape (in astonishment); **~kolonne** f gang of building workers or (bei Straßenbau) navvies; **~kosten** pl building or construction costs pl; **~land** nt building land; (für Stadtplanung) development area; **~leiter** m site manager; **b~lich** adj structural; **in gutem b~lichem Zustand** structurally sound; **~löwe** m building speculator; **~lücke** f undeveloped building plot.

Baum m, pl **Bäume** tree ▸ **auf dem ~** in the tree; **heute könnte ich ~e ausreißen** I feel full of energy today.

Baumarkt m property market; (Geschäft) builder's merchant's; (für Heimwerker) DIY superstore.

baumeln vi to dangle (an +dat from).

Baum-: **~grenze** f tree line; **~krone** f treetop; **b~lang** adj **ein b~langer Kerl** (col) a beanpole (col); **~rinde** f tree bark; **~schule** f tree nursery; **~stamm** m tree-trunk; **~sterben** nt loss of trees (due to pollution); **~stumpf** m tree stump.

Baumwolle f cotton ▸ **ein Hemd aus ~** a cotton shirt.

Bau-: **~plan** m building plans pl; **~platz** m site (for building); **~polizei** f building control department; **~ruine** f (col) unfinished building; **~sachverständige(r)** mf decl as adj quantity surveyor; **~satz** m construction kit.

Bausch m, pl **Bäusche** or **-e** (Watte~) ball ▸ **in ~ und Bogen** lock, stock and barrel.

bauschen [1] vr (Segel) to billow (out); (Bluse etc) to bunch (up).
[2] vt Segel, Vorhänge to fill.

bausparen vi sep to save with a building society (Brit) or building and loan association (US).

Bausparer m saver with a building society (Brit) or building and loan association (US).

Bauspar-: **~kasse** f building society (Brit), building and loan association (US); **~vertrag** m savings contract with a building society (Brit) or building and loan association (US).

Bau-: **~stein** m stone (for building); (Spielzeug) (building) brick or block; (fig: Bestandteil) building block; (Tech) module; **~stelle** f building or construction site;

(bei Straßenbau) roadworks pl (Brit), roadwork sing (US); (bei Gleisbau) railway (Brit) or railroad (US) construction site; **~stil** m architectural style; **~stoff** m building material; **~stoffhändler** m builder's merchant; **~substanz** f fabric, structure; **~technisch** adj structural; **~unternehmen** nt (Firma) building contractor; **~unternehmer** m building contractor, builder; **~weise** f type of construction; (Stil) style; **~werk** nt construction; (Gebäude auch) edifice, building.

Bauxit m **-e** bauxite.

Bau-: **~zaun** m hoarding, fence; **~zeit** f time taken for building or construction; **die ~zeit betrug drei Jahre** it took three years to build.

Bayer(in f) ['baiɐ, -ərɪn] m (wk) **-n, -n** Bavarian.

bay(e)risch ['bai(ə)rɪʃ] adj Bavarian.

Bayern ['baiɐn] nt Bavaria.

Bazillus m, pl **Bazillen** [a] bacillus, microbe; (Krankheitserreger auch) germ. [b] (fig) cancer, growth.

Bd. = **Band** vol.

BDA[1] [be:de:'|a:] f = **Bundesvereinigung der Arbeitgeberverbände** ≃ CBI (Brit).

BDA[2] m = **Bund deutscher Architekten** ≃ RIBA (Brit).

Bde. = **Bände** vols.

▼ **be|absichtigen*** vti to intend ▸ **eine Reise ~** (form) to intend to go on a journey; **das hatte ich nicht beabsichtigt** I didn't intend that to happen.

be|achten* vt [a] (befolgen) to observe; Gebrauchsanweisung to follow. [b] (berücksichtigen) to take into consideration. [c] (Aufmerksamkeit schenken) jdn to notice, to pay attention to ▸ **jdn nicht ~** to ignore sb, to take no notice of sb.

be|achtenswert adj noteworthy, remarkable.

be|achtlich adj [a] (beträchtlich) considerable; Erfolg notable. [b] (bedeutend) Ereignis significant; Leistung considerable, excellent ▸ **er hat im Leben/Beruf B~es geleistet** he has achieved a considerable amount in life/his job.

Be|achtung f siehe vt [a] observance; following ▸ **unter ~ der Vorschriften** in accordance with the rules. [b] consideration. [c] notice, attention (gen to) ▸ **~ finden** to receive attention; **jdm keine ~ schenken** to take no notice of sb.

Be|amten-: **~anwärter** m civil service trainee; **~apparat** m bureaucracy; **~laufbahn** f career in the civil service; **die ~laufbahn einschlagen** to enter the civil service; **~tum** nt no pl civil service; **~verhältnis** nt **im ~verhältnis stehen** to be a civil servant.

Be|amte(r) m decl as adj official; (Staats~) civil servant; (Zoll~ auch, Polizei~) officer; (dated: Büro~, Schalter~) clerk ▸ **er ist ein typischer ~r** he is a typical bureaucrat.

be|amtet adj (form) appointed on a permanent basis (by the state).

Be|amtin f siehe **Beamte(r).**

be|ängstigend adj alarming ▸ **sein Zustand ist ~** his condition is giving cause for concern.

be|anspruchen* vt [a] (fordern) to claim ▸ **etw ~ können** to be entitled to sth. [b] (erfordern) to take; Zeit, Platz auch to take up. [c] (in Anspruch nehmen) to use; jds Geduld to demand; jds Hilfe to ask for; jdn to keep busy ▸ **etw stark ~** to use sth a great deal.

Be|anspruchung f [a] (Forderung) claim (gen to). [b] (Ausnutzung: von jds Geduld etc) demand (gen on). [c] (Belastung) use; (von Beruf) demands pl.

be|anstanden* vt to object to; Rechnung to query; Ware to complain about ▸ **er hat an allem etwas zu ~** he complains about everything.

Be|anstandung f complaint (gen about).

be|antragen* vt to apply for (bei to); (Jur) Strafe to demand, to ask for; (vorschlagen: in Debatte etc) to move, to propose ▸ **er beantragte, versetzt zu werden** he applied for a transfer.

Be|antragung f siehe vt application (gen for); demand (gen for); proposal.

be|antworten* vt to answer; Anfrage, Brief auch to reply to; Gruß, Beleidigung auch to respond to.

Be|antwortung f siehe vt (gen to) answer; reply; response.

be|arbeiten* vt [a] (behandeln) to work on; Stein, Holz to work, to dress. [b] (sich befassen mit) to deal with; Fall auch to handle; Bestellungen etc to process. [c] (redigieren) to edit; (neu ~) to revise; (umändern) Roman etc to adapt; Musik to arrange. [d] (col: einreden auf) jdn to work on. [e] Land to cultivate.

Be|arbeiter(in f) m siehe vt (c) editor; reviser; adapter; arranger.

Be|arbeitung f siehe vt [a] working (on); dressing. [b] dealing with; handling; processing ▶ die ~ meines Antrags hat lange gedauert they took a long time to deal with my claim. [c] editing; revising; adapting; arranging; (bearbeitete Ausgabe etc) edition; revision; adaptation; arrangement ▶ neue ~ (von Film etc) new version; die deutsche ~ the German version. [d] (von Land) cultivation.

Be|arbeitungsgebühr f handling charge.

be|argwöhnen* vt to be suspicious of.

Beat [biːt] m no pl [a] (Musik) beat or pop music. [b] (Rhythmus) beat.

be|atmen* vt jdn (künstlich) ~ to give sb artificial respiration.

Be|atmung f künstliche ~ artificial respiration.

Be|atmungsgerät nt respirator.

Beatmusik ['biːt-] f beat or pop music.

be|aufsichtigen* vt to supervise; Kind to mind; Prüfung to invigilate at.

Be|aufsichtigung f siehe vt supervision; minding; invigilation.

be|auftragen* vt [a] (heranziehen) jdm mit etw ~ to give sb the job of doing sth; (geschäftlich) to commission sb to do sth. [b] (anweisen) Untergebenen etc to instruct.

Be|auftragte(r) mf decl as adj representative.

be|äugen* vt (col) to gaze or look at.

bebauen* vt [a] Grundstück to build on, to develop. [b] (Agr) to cultivate; Land to farm.

Bebauung f no pl [a] (Vorgang) building (gen on); (von Gelände) development. [b] (Agr) cultivation; (von Land) farming.

beben vi to tremble.

Beben nt - trembling; (Erd~) earthquake.

bebildern* vt Buch, Vortrag to illustrate.

Becher m - cup; (esp Porzellan~, Ton~ auch) mug; (Plastik~ auch) beaker; (ohne Henkel) tumbler.

bechern vi (hum col) to have a few (col).

Becken nt - [a] (Wasch~, Geol) basin; (Abwasch~) sink; (Toiletten~) bowl, pan; (Schwimm~) pool. [b] (Anat) pelvis ▶ ein breites ~ broad hips. [c] (Mus) cymbal.

Becken- (Anat, Med) pelvic; **~bruch** m fractured pelvis; **~knochen** m hip-bone.

bedacht adj [a] (überlegt) cautious. [b] darauf ~ sein, etw zu tun to be concerned about doing sth.

Bedacht m no pl (geh) mit ~ (vorsichtig) prudently, carefully; (absichtlich) deliberately; ohne ~ without thinking.

bedächtig adj Schritt, Sprache measured no adv, deliberate; (besonnen) thoughtful.

bedanken* vr to say thank you ▶ sich bei jdm (für etw) ~ to thank sb (for sth); ich bedanke mich herzlich thank you very much; dafür können Sie sich bei Herrn Weitz ~ (iro col) you can thank Mr Weitz for that (iro); dafür wird er sich ~ (iro) he'll just love that (iro).

Bedarf m no pl [a] (Bedürfnis) need (an +dat for);

(~smenge) requirements pl ▶ bei ~ as required; Dinge des täglichen ~s basic or everyday necessities; alles für den häuslichen ~ all household requirements; seinen ~ an Wein/Lebensmitteln etc einkaufen to buy the wine/food etc one needs; an etw (dat) ~ haben to need sth, to be in need of sth. [b] (Comm: Nachfrage) demand (an +dat for) ▶ (je) nach ~ according to demand; den ~ übersteigen to exceed demand; über ~ in excess of demand.

Bedarfs-: **~deckung** f satisfaction of the/sb's needs; **~fall** m (form) im ~fall if necessary; (wenn gebraucht) as necessary or required; **~güter** pl consumer goods pl; **~haltestelle** f request stop (Brit), flag stop (US).

bedauerlich adj regrettable, unfortunate.

bedauerlicherweise adv regrettably, unfortunately.

▼ **bedauern*** vt [a] etw to regret ▶ wir ~, Ihnen mitteilen zu müssen, ... we regret to have to inform you ...; er schüttelte ~d den Kopf he shook his head regretfully; (ich) bedau(e)re! I'm sorry. [b] (bemitleiden) jdn to feel sorry for ▶ er ist zu ~ he is to be pitied.

▼ **Bedauern** nt no pl regret ▶ (sehr) zu meinem ~ (much) to my regret.

▼ **bedauernswert** adj Mensch pitiful; Zustand deplorable.

bedecken* [1] vt to cover.

[2] vr [a] (sich zudecken) to cover oneself ▶ sich bedeckt halten (fig) to keep a low profile. [b] (Himmel) to become overcast, to cloud over.

bedeckt adj [a] covered. [b] (bewölkt) overcast, cloudy ▶ bei ~em Himmel when the sky is overcast or cloudy.

Bedeckung f covering; (Mil) guard.

bedenken* vt irreg [a] (überlegen) to consider, to think about ▶ wenn man es recht bedenkt, ... if you think about it properly ... [b] (in Betracht ziehen) Umstand, Folgen etc to consider ▶ das hättest du vorher ~ sollen you should have thought about that before; ich gebe zu ~, daß ... (geh) I would ask you to consider that ... [c] (geh: beschenken) jdn mit einem Geschenk ~ to give sb a present; jdn reich ~ to be generous to sb; mit etw bedacht werden to receive sth (as a gift).

Bedenken nt - [a] usu pl (Zweifel, Einwand) doubt, reservation, misgiving ▶ moralische ~ moral scruples; ~ haben to have one's doubts (bei about); ohne ~ without hesitation; ihm kommen ~ he is having second thoughts. [b] no pl (das Überlegen) consideration (gen of) ▶ nach langem ~ after much thought.

bedenkenlos adj [a] (ohne Zögern) unhesitating. [b] (skrupellos) thoughtless.

Bedenkenlosigkeit f no pl [a] (Bereitwilligkeit) readiness, promptness. [b] (Skrupellosigkeit) unscrupulousness.

bedenkenswert adj worth considering.

Bedenkenträger m doubter ▶ alle ~ gegen den Beschluß all those with misgivings about the decision.

bedenklich adj [a] (zweifelhaft) dubious, questionable. [b] (besorgniserregend) serious. [c] (besorgt) apprehensive, anxious ▶ jdn ~ stimmen to make sb apprehensive.

Bedenkzeit f um ~ bitten to ask for time to think about it.

bedeppert adj (col) dazed, stunned; (trottelig) dopey (col).

bedeuten* vt [a] to mean ▶ das hat nichts zu ~ it doesn't mean anything; (macht nichts aus) it doesn't matter; das bedeutet nichts Gutes that means trouble; Geld bedeutet mir nichts money means nothing to me. [b] (geh: einen Hinweis geben) to indicate ▶ man bedeutete mir, daß ... I was given to understand that ...

bedeutend [1] adj [a] (wichtig) Persönlichkeit important, eminent; Leistung, Rolle major. [b] (groß) Summe, Erfolg considerable.

➤ SATZBAUSTEINE: **bedauern:** a → 5.4   **Bedauern** → 5.4   **bedauernswert** → 4.2

2 adv (beträchtlich) considerably.

bedeutsam adj significant; (vielsagend auch) meaningful.

Bedeutsamkeit f siehe adj significance; meaningfulness.

Bedeutung f **a** (Sinn, Wortsinn) meaning. **b** (Wichtigkeit) importance, significance ▶ von ~ sein to be of significance.

Bedeutungs-: ~lehre f (Ling) semantics sing; **b~los** adj **a** (unwichtig) insignificant, unimportant; **b** (nichts besagend) meaningless; ~losigkeit f insignificance, unimportance; zur ~losigkeit verurteilt sein to be condemned to insignificance; **b~voll** adj = **bedeutsam**.

bedienbar adj leicht/schwer ~ easy/hard to operate.

Bedienbarkeit f no pl usability ▶ leichte ~ ease of operation.

bedienen* **1** vt **a** to serve; (Kellner auch) to wait on ▶ werden Sie schon bedient? are you being served?; hier wird man gut bedient the service is good here; er läßt sich gern ~ he likes to be waited on; damit sind Sie sehr gut bedient that should serve you very well; ich bin bedient! (col) I've had enough. **b** (handhaben) Maschine etc to operate. **c** (Cards) eine Farbe/Karo ~ to follow suit/to follow suit in diamonds. **2** vi **a** to serve. **b** (Cards) du mußt ~ you must follow suit; falsch ~ to fail to follow suit. **3** vr **a** bitte ~ Sie sich please help or serve yourself. **b** (geh: gebrauchen) sich jds/einer Sache ~ to use sb/sth.

Bediener m - (Comp) operator.

Bedieneroberfläche f (Comput) = **Benutzeroberfläche.**

Bedienstete(r) mf decl as adj public employee.

Bedienung f **a** no pl (in Restaurant etc) service; (von Maschinen) operation ▶ die ~ der Kunden serving the customers; mit ~ (Tankstelle) with forecourt service; (Restaurant) with waiter service. **b** (~sgeld) service (charge). **c** (~spersonal) staff; (Kellner etc) waiter/waitress.

Bedienungs-: ~anleitung f operating instructions pl; ~komfort m (Comput, Tech) ease of operation; ~zuschlag m service charge.

bedingen vt **a** (bewirken) to cause; (notwendig machen) to necessitate; (bestimmen: auch Psych, Physiol) to condition ▶ sich gegenseitig ~ to be mutually dependent. **b** (voraussetzen, verlangen) to call for, to demand.

bedingt adj **a** (eingeschränkt) limited; Lob auch qualified ▶ (nur) ~ gelten to be (only) partially valid; ~ tauglich (Mil) fit for limited duties. **b** (an Bedingung geknüpft) Straferlaß conditional.

Bedingung f condition; (Erfordernis) requirement ▶ mit or unter der ~, daß ... on condition that ...; unter keiner ~ on no condition; es zur ~ machen, daß ... to make it a condition that ...; zu günstigen ~en (Comm) on favourable terms.

bedingungslos adj Kapitulation unconditional; Hingabe, Gehorsam unquestioning.

Bedingungssatz m conditional clause.

bedrängen* vt Feind to attack; gegnerische Mannschaft, Schuldner to put pressure on; (belästigen) to plague ▶ sich in einer bedrängten Lage befinden to be in difficulties.

Bedrängnis f (geh: seelisch) distress, torment ▶ in ~ geraten to get into difficulties.

bedrohen* vt to threaten; (gefährden) to endanger ▶ vom Tode/von Überschwemmung bedroht in mortal danger/in danger of being flooded.

bedrohlich adj (gefährlich) dangerous, alarming; (unheilverkündend) ominous, menacing.

Bedrohung f threat (gen to) ▶ in ständiger ~ leben to live under a constant threat.

bedrucken* vt to print on ▶ bedruckter Stoff print, printed fabric.

bedrücken* vt to depress ▶ was bedrückt dich? what's getting you down?

bedrückend adj depressing.

bedrückt adj (niedergeschlagen) depressed, dejected; Schweigen oppressive.

Bedrückung f siehe adj depression, dejection; oppressiveness.

Beduine m (wk) -n, -n, **Beduinin** f Bedouin.

bedürfen vi irreg +gen (geh) to need, to require ▶ es bedarf einiger Mühe it needs or requires some effort; ohne daß es eines Hinweises bedurft hätte, ... without having to be asked ...

Bedürfnis nt need; (no pl: form: Anliegen) wish ▶ die ~se des täglichen Lebens everyday needs; ich hatte das dringende ~, das zu tun I felt an urgent need to do it; das ~ nach Schlaf haben to be in need of sleep.

Bedürfnis-: ~anstalt f (dated form, hum) public convenience (Brit), comfort station (US); ~befriedigung f satisfaction of one's/sb's needs; **b~los** adj Mensch etc undemanding, modest in one's needs.

bedürftig adj (hilfs~) needy, in need ▶ die B~en the needy pl.

Bedürftigkeit f no pl need.

Beefsteak ['biːfsteːk] nt steak ▶ deutsches ~ ≃ beefburger.

be|ehren* vt (iro, geh) to honour (Brit), to honor (US).

be|eiden* vt (beschwören) Aussage to swear to.

be|eilen* vr to hurry (up), to get a move on (col).

Be|eilung interj (col) get a move on (col).

▼ **be|eindrucken*** vt to impress ▶ davon lasse ich mich nicht ~ I won't be impressed by that.

be|eindruckend adj impressive.

△ **be|einflußbar** adj impressionable, suggestible ▶ er ist nur schwer ~ he is hard to influence.

be|einflussen* vt jdn to influence ▶ er ist leicht/schwer zu ~ he is easily influenced/hard to influence.

Be|einflussung f (das Beeinflussen) influencing; (Einfluß) influence (durch of).

be|einträchtigen* vt (stören) to spoil; Konzentration auch to disturb; Rundfunkempfang to interfere with; (vermindern) Sehvermögen, Reaktionen, Leistung to impair ▶ jdn in seiner Freiheit ~ to restrict sb's freedom.

Be|einträchtigung f siehe vt spoiling; disturbance; interference (gen with); impairment.

be|end(ig)en* vt to end; Arbeit, Studium etc to finish, to complete ▶ etw vorzeitig ~ to cut sth short.

Be|end(ig)ung f no pl ending; (Ende) end; (Fertigstellung) completion; (Schluß) conclusion.

be|engen* vt (fig) to stifle, to inhibit ▶ ~de Kleidung restricting clothing.

be|engt adj cramped; (fig) stifled ▶ ~ wohnen to live in cramped conditions.

Be|engtheit f (von Räumen) cramped conditions pl.

be|erben* vt jdn ~ to be sb's heir.

be|erdigen* vt to bury.

Be|erdigung f burial; (~sfeier) funeral ▶ auf der falschen ~ sein (hum) to have come to the wrong place.

Be|erdigungs- in cpds siehe auch **Bestattungs-** funeral; ~feier f funeral service.

Beere f -n berry; (Wein~) grape ▶ ~n sammeln to go berry-picking.

Beeren-: ~auslese f wine made from specially selected grapes; ~obst nt soft fruit.

Beet nt -e (Blumen~) bed; (Gemüse~) patch.

befähigen* vt (jdn zu etw sb to do sth) to enable; (Ausbildung) to qualify, to equip.

befähigt adj capable, competent; (durch Ausbildung) qualified ► **zu etw ~ sein** to be capable of doing sth.

Befähigung f no pl [a] **die ~ zum Richteramt** the qualifications to become a judge. [b] (Können, Eignung) capability, ability (zu etw to do sth).

befahl pret of **befehlen**.

befahrbar adj Straße passable; Seeweg, Fluß navigable ► **~ sein** (Straße) to be open to traffic; **nicht ~ sein** (Straße, Weg) to be closed (to traffic); (wegen Schnee etc auch) to be impassable.

befahren¹* vt irreg [a] Straße, Weg to use ► **der Paß kann nur im Sommer ~ werden** the pass is only open to traffic in summer; **diese Straße wird stark/wenig ~** this road is used a lot/isn't used much. [b] (Schiff, Seemann) Meer to sail; Fluß, Seeweg to navigate.

befahren² adj **eine viel** or **stark/wenig ~e Straße** a much/little used road.

Befahren nt no pl use (gen of).

Befall m no pl attack; (mit Schädlingen) infestation.

befallen¹* vt irreg [a] (geh: überkommen) to overcome; (Angst auch) to grip; (Fieber, Krankheit) to strike. [b] (angreifen, infizieren) to affect; (Schädlinge, Ungeziefer) to infest.

befallen² adj affected (von by); (von Schädlingen) infested (von with).

befangen adj [a] Lächeln bashful; Schweigen awkward. [b] Richter, Zeuge prejudiced, bias(s)ed; **jdn als ~ ablehnen** (Jur) to object to sb on grounds of interest.

Befangenheit f no pl siehe adj [a] bashfulness, awkwardness. [b] bias, prejudice; (Jur) interest.

befassen* [1] vr sich **~ mit** to deal with; mit Forschungsbereich to work on; **sie hat keine Zeit, sich mit ihren Kindern zu ~** she has no time for her children. [2] vt (form) **mit etw befaßt sein** to be dealing with sth.

Befehl m -e [a] (Anordnung) order, command (an +acc to, von from); (Comp) command ► **wir hatten den ~, ...** we had orders or were ordered to ...; **auf seinen ~ (hin)** on his orders; **auf ~ handeln** to act under orders; **auf höheren ~** on orders from above; **zu ~, Herr Hauptmann** (Mil) yes, sir; **~ ausgeführt!** mission accomplished; **~ ist ~** orders are orders; **dein Wunsch ist mir ~** (hum) your wish is my command. [b] (Befehlsgewalt) command ► **den ~ haben** or **führen** to be in command (über +acc of).

befehlen pret **befahl**, ptp **befohlen** [1] vi to order; (Befehle erteilen) to give orders; (den Befehl haben) to be in command (über +acc of) ► **er befahl, den Mann zu erschießen** he ordered the man to be shot. [2] vt to order ► **du hast mir gar nichts zu ~** I won't take orders from you; **wie Sie ~** as you wish.

befehligen* vt (Mil) to be in command of.

Befehls-: **~empfänger** m **~empfänger sein** to follow orders (gen from); **~form** f (Gram) imperative; **b~gemäß** adj as ordered; **~gewalt** f (Mil) command; **~gewalt haben** to be in command (über +acc over); **~haber** m - commander; **~notstand** m (Jur) obligation to obey orders; **~sprache** f (Comp) command language; **~ton** m peremptory tone; **~verweigerung** f (Mil) refusal to obey orders.

befestigen* vt [a] (an +dat to) (anbringen) to fasten; Boot to tie up ► **etw durch Nähen/Kleben etc ~** to sew/glue etc sth. [b] (fest, haltbar machen) Böschung, Deich to reinforce; Fahrbahn, Straße to make up. [c] (Mil) to fortify.

Befestigung f [a] (das Befestigen) fastening; (das Festmachen auch) securing; (von Boot) tying up. [b] (das Haltbarmachen) reinforcement. [c] (Mil) fortification.

Befestigungsanlage f fortification.

befeuchten* vt to moisten; Wäsche to dampen.

befeuern* vt [a] (beheizen) to fuel. [b] (lit, fig: mit Geschossen) to bombard.

befinden* irreg [1] vr [a] (sein) to be; (liegen auch) to be situated; (esp in Maschine, Körper etc auch) to be located ► **unter ihnen befanden sich einige, die ...** there were some amongst them who ... [b] (form: sich fühlen) to feel. [2] vt (form: erachten) to deem (form), to find ► **etw für nötig/gut ~** to deem or find sth (to be) necessary/good; **jdn für schuldig ~** to find sb guilty. [3] vi (geh: entscheiden) to decide (über +acc about) ► **darüber hat der Arzt zu ~** that is for the doctor to decide.

Befinden nt no pl [a] (form: Gesundheitszustand) (state of) health; (eines Kranken) condition. [b] (geh: Meinung) **nach meinem ~** in my view.

befindlich adj usu attr (form) Gebäude, Park situated, located; (in Behälter) contained ► **der hinter dem Haus ~e Garten** the garden (situated) behind the house; **das im Umbau ~e Hotel** the hotel which is being renovated.

befingern* vt (col) to finger.

beflaggen* vt Häuser to decorate with flags; Schiff to dress.

beflecken* vt [a] (lit) to stain ► **er hat sich mit Blut befleckt** (fig) he has blood on his hands. [b] (fig geh) Ruf, Ehre to besmirch.

befleißigen* vr (geh) **sich einer Sache** (gen) **~** to cultivate sth; **sich ~, etw zu tun** to make a great effort to do sth.

beflissen adj (geh) (bemüht) zealous, keen; (pej: unterwürfig) obsequious.

Beflissenheit f siehe adj zeal, keenness; obsequiousness.

beflügeln* vt (geh) to inspire.

befohlen ptp of **befehlen**.

befolgen* vt to follow; Vorschrift auch to comply with.

Befolgung f siehe vt following (gen sth); compliance (gen with).

befördern* vt [a] Waren to transport, to carry; Personen to carry ► **etw mit der Post/per Bahn ~** to send sth by post/rail. [b] (beruflich) to promote ► **er wurde zum Major befördert** he was promoted to major.

Beförderung f siehe vt [a] transportation; carriage ► **die ~ eines Briefes dauert 3 Tage** a letter takes 3 days (to arrive). [b] promotion.

Beförderungs-: **~bedingungen** pl conditions pl of carriage; **~kosten** pl transport costs pl; **~mittel** nt means of transport.

befrachten* vt (lit, fig geh) to load.

befragen* vt [a] (über +acc, zu about) to question; Zeugen auch to examine ► **auf B~** when questioned. [b] (um Stellungnahme bitten) to consult (über +acc, nach about).

Befragte(r) mf decl as adj person asked; (in Umfrage auch) interviewee ► **alle ~n** all those asked.

Befragung f siehe vt [a] questioning; examining. [b] consultation (gen with or of). [c] (Umfrage) survey.

befreien* vt [a] (frei machen) to free, to set free ► **jdn aus einer schwierigen Lage ~** to rescue sb from a tricky situation. [b] (freistellen) (von from) to excuse; (von Militärdienst, Steuern) to exempt. [c] (reinigen) (von of) (von Ungeziefer etc) to rid; (von Schnee, Eis) to free. [2] vr [a] (Volk, Land) to free oneself; (entkommen) to escape (von, aus from). [b] (erleichtern) to rid oneself of), to free oneself (von from).

Befreier(in f**)** m - liberator.

befreit adj (erleichtert) relieved.

Befreiung f siehe vt [a] freeing, setting free. [b] excusing; exemption ► **um ~ von etw bitten** to ask to be excused/exempted from sth. [c] ridding; freeing. [d] (Erleichterung) relief.

⚠: for details of spelling reform, see supplement

Befreiungs-: **~bewegung** f liberation movement; **~front** f liberation front; **~kampf** m struggle for liberation; **~krieg** m war of liberation; **~organisation** f liberation organization; **~versuch** m escape attempt.

befremden* vt to disconcert ▶ **es befremdete mich, daß ...** I was taken aback that ...

Befremden nt no pl disconcertment.

befremdet adj disconcerted, taken aback.

befremdlich adj disconcerting.

befreunden* vr to make or become friends; (fig: mit einem Gedanken etc) to get used to.

befreundet adj on friendly terms (with one another) ▶ **wir sind schon lange (miteinander) ~** we have been friends for a long time; **gut** or **eng ~ sein** to be good or close friends; **alle ~en Familien** all the families we etc are friendly with; **ein ~er Staat** a friendly nation.

befrieden* vt (geh) to pacify.

befriedigen* [1] vt to satisfy; Gelüste auch to gratify. [2] vi to be satisfactory. [3] vr **sich (selbst) ~** to masturbate.

befriedigend adj satisfactory; Verhältnisse, Leistung, Antwort auch adequate; Gefühl satisfying.

befriedigt adj satisfied.

Befriedigung f siehe vt satisfaction; gratification ▶ **sexuelle ~** sexual satisfaction.

befristen* vt to limit, to restrict (auf +acc to).

befristet adj Genehmigung, Visum restricted; Arbeitsverhältnis, Anstellung temporary ▶ **~ sein/auf zwei Jahre ~ sein** (Paß etc) to be valid for a limited period/for two years.

befruchten* vt (lit) Eizelle to fertilize; Blüte to pollinate; (fig: geistig anregen) to stimulate.

Befruchtung f siehe vt fertilization; pollination; stimulation ▶ **künstliche ~** artificial insemination.

Befugnis f (form) authority no pl ▶ **eine ~ erhalten/ erteilen** to receive/give authority.

befugt adj (form) authorized ▶ **~ sein(, etw zu tun)** to have the authority (to do sth).

befühlen* vt to feel.

Befund m -e results pl, findings pl ▶ **ohne ~** (Med) (results) negative.

befürchten* vt to fear ▶ **es ist zu ~, daß ...** it is (to be) feared that ...; **das ist nicht zu ~** there is no fear of that.

▼ **Befürchtung** f fear usu pl ▶ **die schlimmsten ~en haben** to fear the worst.

▼ **befürworten*** vt to approve.

Befürworter(in f) m - supporter; (von Idee auch) advocate.

Befürwortung f approval; (von Idee) advocacy.

begabt adj talented; (esp geistig, musisch auch) gifted ▶ **für etw ~ sein** to be talented at sth; **vielseitig ~ sein** to be versatile, to have many talents.

Begabte(r) mf decl as adj talented or gifted person.

Begabung f (Anlage) talent; (esp geistig, musisch auch) gift ▶ **er hat ~ zum Lehrer** he has a gift for teaching; **mangelnde ~** a lack of talent.

begann pret of **beginnen**.

begatten* (esp Zool) [1] vt to mate with. [2] vr to mate; (geh, hum) to copulate.

Begattung f (esp Zool) mating; (geh, hum) copulation.

begeben vr irreg [a] (geh) to go ▶ **sich nach Hause ~** to make one's way home; **sich auf eine Reise ~** to go on a journey; **sich zu Bett/zur Ruhe ~** to retire; **sich in ärztliche Behandlung ~** to take medical treatment; **sich an die Arbeit ~** to commence work; **sich in Gefahr ~** to expose oneself to danger. [b] (old liter: geschehen) to come to pass (old liter).

Begebenheit f (geh) occurrence, event.

begegnen* vi aux sein +dat [a] (treffen) to meet ▶ **sich** or **einander** (geh) **~** to meet. [b] (stoßen auf) to encoun-

ter. [c] (widerfahren) **es war mir schon einmal begegnet, daß ...** it had happened to me once already that ... [d] (geh: entgegentreten) einer Krankheit, der Not to combat; Angriff to resist; einer Gefahr, Schwierigkeiten to meet, to face ▶ **man begegnete mir nur mit Spott** I only met with derision.

Begegnung f encounter; (Treffen auch) meeting; (Sport auch) match.

Begegnungsstätte f meeting place.

begehen* vt irreg [a] (verüben) Verbrechen, Ehebruch to commit; Fehler to make ▶ **einen Mord an jdm ~** to murder sb; **eine Dummheit/Unvorsichtigkeit ~** to do something stupid/careless; **an jdm ein Unrecht ~** to wrong sb; **Verrat an jdm/etw ~** to betray sb/sth. [b] (entlanggehen) Weg to use. [c] (geh: feiern) to celebrate.

begehren* vt (geh, old) to desire.

Begehren nt - [a] (geh: Verlangen) desire (nach for). [b] (old: Wunsch, Forderung) wish.

begehrenswert adj desirable.

begehrlich adj (geh) covetous.

begehrt adj much sought-after; Partner etc auch, Ferienziel popular; Junggeselle eligible; Posten auch desirable.

Begehung f (form: eines Verbrechens) committing.

begeistern* [1] vt to fill with enthusiasm ▶ **er ist für nichts zu ~** you can't get him interested in anything. [2] vr to get enthusiastic (an +dat, für about).

begeisternd adj inspiring; Rede auch stirring.

begeistert adj enthusiastic (von about).

Begeisterung f no pl enthusiasm (über +acc about, für for) ▶ **in ~ geraten** to become enthusiastic.

Begeisterungs-: **b~fähig** adj Publikum etc quick to show one's enthusiasm; **~fähigkeit** f capacity for enthusiasm; **~sturm** m storm of enthusiasm.

Begierde f -n (geh) desire (nach for); (Sehnsucht) longing, yearning ▶ **vor ~ brennen, etw zu tun** to be longing to do sth.

begierig adj (voll Verlangen) hungry, greedy; (gespannt) eager, keen.

begießen* vt irreg [a] (mit Wasser) to pour water on; Blumen, Beet to water; (mit Fett) Braten etc to baste; siehe **begossen**. [b] (fig col) freudiges Ereignis etc to celebrate ▶ **das muß begossen werden!** that calls for a drink!

Beginn m no pl beginning, start ▶ **zu ~** at the beginning.

beginnen pret **begann**, ptp **begonnen** vti to start, to begin ▶ **mit der Arbeit ~** to start or begin work; **es beginnt zu regnen** it's starting to rain; **eine ~de Erkältung** the beginnings of a cold.

beglaubigen* vt [a] Testament, Unterschrift to witness; Abschrift to authenticate; Echtheit, Übersetzung to certify. [b] Botschafter to accredit (bei to).

Beglaubigung f siehe vt [a] witnessing, authentication; certification. [b] accrediting.

Beglaubigungsschreiben nt credentials pl.

begleichen* vt irreg (lit, fig) to settle ▶ **mit Ihnen habe ich noch eine Rechnung zu ~** (fig) I've a score to settle with you.

Begleichung f settlement.

Begleitbrief m covering letter.

begleiten* vt to accompany (auch Mus).

Begleiter(in f) m - [a] companion; (zum Schutz) escort. [b] (Mus) accompanist.

Begleit-: **~erscheinung** f concomitant (form); (Med) side-effect; **~musik** f accompaniment; (in Film etc) incidental music; **~papiere** pl (Comm) accompanying documents pl; **~person** f escort; **~schein** m dispatch note; **~schreiben** nt covering letter; (für Waren auch) advice note; **~umstände** pl attendant circumstances pl.

Begleitung f [a] no pl company ▶ **in ~ seines Vaters**

accompanied by his father; *ich bin in ~ hier* I'm with someone. [b] (*Begleiter*) companion; (*zum Schutz*) escort ► *ohne* ~ unaccompanied. [c] (*Mus: Begleitmusik*) accompaniment.

beglücken* *vt jdn* ~ to make sb happy; *er hat uns gestern mit seinem Besuch beglückt* (*iro*) he honoured (*Brit*) *or* honored (*US*) us with a visit yesterday; *ein ~des Gefühl* a wonderful feeling.

beglückt *adj* happy.

beglückwünschen* *vt* to congratulate.

begnadet *adj* gifted.

begnadigen* *vt* to pardon.

Begnadigung *f* pardon.

begnügen* *vr sich mit etw* ~ to be content *or* satisfied with sth; *sich damit ~, etw zu tun* to be content *or* satisfied to do sth.

Begonie [-niə] *f* begonia.

begonnen *ptp of* beginnen.

begossen *adj er stand da wie ein ~er Pudel* (*col*) he looked so sheepish.

begraben* *vt irreg* [a] to bury ► *dort möchte ich nicht ~ sein* (*col*) I wouldn't like to be stuck in that hole (*col*); *damit kannst du dich ~ lassen* (*col*) you can stuff that (*col!*). [b] (*aufgeben*) *Hoffnung* to abandon; (*beenden*) *Streit etc* to end.

Begräbnis *nt* burial; (*~feier*) funeral.

begradigen* *vt* to straighten.

Begradigung *f* straightening.

begreifbar *adj* conceivable.

begreifen* *irreg* [1] *vti* to understand ► ~, *daß* ... (*einsehen*) to realize that ...; *es ist kaum zu* ~ it's quite incomprehensible; *schnell/langsam* ~ to be quick/slow on the uptake; *siehe* **begriffen**. [2] *vr* to be understandable.

begreiflich *adj* understandable ► *jdm etw* ~ *machen* to make sth clear to sb; *ich kann mich ihm nicht* ~ *machen* I can't make myself clear to him; *es ist mir nicht* ~, *warum* ... I cannot understand why ....

begreiflicherweise *adv* understandably.

begrenzen* *vt* [a] (*Grenze sein von*) to mark the boundary of; *Straße etc* to line. [b] (*beschränken*) to restrict, to limit (*auf +acc* to).

begrenzt *adj* (*beschränkt*) restricted, limited.

Begrenztheit *f no pl* (*von Möglichkeiten, Talent*) limited nature; (*von Menschen*) limitations *pl*.

Begrenzung *f* [a] (*das Begrenzen*) (*von Gebiet, Straße etc*) demarcation; (*von Geschwindigkeit, Redezeit*) restriction. [b] (*Grenze*) boundary.

Begrenzungsleuchte *f* (*Aut*) sidelight.

Begriff *m* -e [a] concept; (*Terminus*) term ► *etw in ~e fassen* to put sth into words; *sein Name ist mir ein/kein* ~ his name means something/doesn't mean anything to me. [b] (*Vorstellung, Eindruck*) idea ► *sich* (*dat*) *einen ~ von etw machen* to imagine sth; *du machst dir keinen ~ (davon)* (*col*) you've no idea (*col*); *für meine ~e* in my opinion. [c] *im ~ sein, etw zu tun* to be on the point of doing sth, to be about to do sth. [d] *schwer von ~ sein* (*col*) to be slow on the uptake.

begriffen *adj ein noch in der Entwicklung ~er Plan* a plan still in the process of being developed.

begrifflich *adj* conceptual.

Begriffs-: *~bestimmung* *f* definition; *b~stutzig adj* (*col*) dense (*col*); *~vermögen* *nt* understanding.

begründen* *vt* [a] (*Gründe anführen für*) to give reasons for; (*rechtfertigend*) *Forderung, Ansicht* to justify; *Verhalten* to account for; *Verdacht, Behauptung* to substantiate ► *etw näher* ~ to give specific reasons for sth; *siehe* **begründet**. [b] (*beginnen, gründen*) to establish; *Geschäft etc auch* to found.

Begründer *m* founder.

begründet *adj* well-founded; (*berechtigt*) justified ► *es besteht ~e Hoffnung, daß* ... there is reason to hope that ...; *sachlich* ~ founded on fact.

Begründung *f* [a] grounds *pl* (*für, gen* for) ► *etwas zur or als* ~ *sagen* to say something in explanation. [b] (*Gründung*) establishment; (*von Geschäft etc auch*) foundation.

begrünen* *vt* Hinterhöfe, Plätze to plant with trees and grass, to landscape.

Begrünung *f* planting with trees and grass, landscaping.

begrüßen* *vt* [a] to greet; (*als Gastgeber auch*) to welcome. [b] *Kritik, Entschluß etc* to welcome.

begrüßenswert *adj* welcome.

Begrüßung *f* greeting; (*der Gäste*) welcoming; (*Zeremonie*) welcome.

⚠ **Begrüßungs-** *in cpds* welcoming.

begucken* *vt* (*col*) to (have a) look at.

begünstigen* *vt* to favour (*Brit*), to favor (*US*); *Wachstum, Handel* to encourage; *Pläne, Beziehungen* to further; (*Jur*) to aid and abet ► *durch die Dunkelheit begünstigt* assisted by the darkness.

Begünstigung *f* [a] (*Jur*) aiding and abetting. [b] (*Bevorzugung*) preferential treatment. [c] (*Förderung*) favouring (*Brit*), favoring (*US*); (*von Wachstum, Handel*) encouragement; (*von Plänen, Beziehungen*) furthering.

begut|achten* *vt* to give expert advice about; *Kunstwerk etc* to examine; *Projekte, Leistung* to judge; (*col: ansehen*) to have a look at.

Begut|achtung *f* (expert) assessment.

begütert *adj* (*reich*) wealthy, affluent.

begütigend *adj Worte etc* soothing ► ~ *auf jdn einreden* to calm sb down.

behaart *adj* hairy ► *dicht ~* (thickly) covered with hair.

Behaarung *f* hairs *pl* (*+gen, an +dat* on).

behäbig *adj Mensch* portly; (*phlegmatisch, geruhsam*) stolid; (*fig*) *Leben* comfortable; *Sprache, Ton* complacent.

Behäbigkeit *f no pl siehe adj* portliness; stolidity; comfortableness; complacency.

behaftet *adj: mit etw ~ sein* mit Krankheit etc to be afflicted with sth; *mit Fehlern* to be full of sth; *mit Makel* to be tainted with sth.

Behagen *nt no pl* contentment ► *mit ~ essen* to eat with relish.

behagen* *vi etw behagt jdm* sth pleases sb; *das/er behagt mir gar nicht* I don't like it/him at all.

behaglich *adj* cosy; (*bequem*) comfortable ► *es sich* (*dat*) ~ *machen* to make oneself comfortable.

Behaglichkeit *f no pl siehe adj* cosiness; comfortableness.

behalten *vt irreg* to keep; (*nicht vergessen*) to remember ► ~ *Sie (doch) Platz!* please don't get up!; *den Hut auf dem Kopf ~* to keep one's hat on; *im Gedächtnis/im Kopf ~* to remember; *ich habe seine Adresse nicht ~* I've forgotten his address; *etw für sich ~* to keep sth to oneself.

Behälter *m* - container.

behämmert *adj* (*col*) screwy (*col*).

behandeln* *vt* to treat; *Thema, Frage etc* to deal with; (*umgehen mit*) to handle ► *er weiß, wie man Kinder/die Maschine ~ muß* he knows how to handle children/the machine; *der ~de Arzt* the doctor in attendance.

Behandlung *f* treatment ► *wir sind jetzt bei der ~ dieses Themas* we are now dealing with this subject; *die schlechte ~ seiner Frau und Kinder* the maltreatment of his wife and children; *in (ärztlicher) ~ sein* to be receiving (medical) treatment; *bei wem sind Sie in ~?* who's treating you?

Behandlungs-: *b~bedürftig adj* in need of treatment; *~kosten pl* cost *sing* of treatment; *~methode f* (method of) treatment; **~raum** m treatment room; **~stuhl** m doctor's/dentist's chair; **~weise** f treatment.

Behang m ¨e (*Vorhang*) curtain; (*Wand~*) hanging; (*Schmuck*) decorations pl.

behängen* vt to decorate; *Wände auch* to hang.

beharren* vi (*hartnäckig sein*) to insist (*auf +dat* on); (*nicht aufgeben*) to persist (*bei, auf +dat* in).

Beharren nt no pl siehe vi insistence (*auf* on); persistence (*bei, auf* in).

beharrlich adj (*hartnäckig*) insistent; (*ausdauernd*) persistent ▶ **~ fortfahren, etw zu tun** to persist in doing sth.

Beharrlichkeit f siehe adj insistence; persistence.

behauen* vt irreg Holz to hew; Stein to cut; (*mit dem Meißel*) to carve.

behaupten* 1 vt a to claim, to maintain ▶ **von jdm ~, daß ...** to say (of sb) that ... b Stellung, Recht to maintain.

2 vr to assert oneself; (*bei Diskussion*) to hold one's own (*gegenüber, gegen* against) ▶ **sich auf dem Markt ~** to establish itself/oneself on the market.

Behauptung f a claim; (*esp unerwiesene ~*) assertion. b (*Aufrechterhaltung*) assertion; (*von Stellung*) successful defence (*Brit*) or defense (*US*).

Behausung f (*geh, hum: Wohnung*) dwelling.

beheben* vt irreg (*beseitigen*) to remove; Mißstände to remedy; Schaden to repair; Störung to clear.

Behebung f no pl siehe vt removal; remedying; repairing; clearing.

beheimatet adj (*Mensch*) resident (*in +dat* in); (*Pflanzen, Tiere*) native (*in +dat* to).

beheizbar adj heatable; Heckscheibe heated.

beheizen* vt to heat.

Behelf m substitute; (*Notlösung*) makeshift.

behelfen* vr irreg to manage.

Behelfs- in cpds temporary; **b~mäßig** adj makeshift; (*zeitlich begrenzt*) temporary; **b~weise** adj temporarily.

behelligen* vt to bother.

behend(e) adj (*geh*) (*flink*) swift, quick; (*gewandt*) nimble, agile.

Behendigkeit f no pl siehe adj swiftness, quickness; nimbleness, agility.

beherbergen* vt (*lit, fig*) to house; Gäste to accommodate; Flüchtlinge to give shelter to.

beherrschen* 1 vt a (*herrschen über*) to rule, to govern; (*fig: dominieren*) to dominate. b (*zügeln*) to control. c Handwerk, Tricks to master; Fahrzeug, Situation to have control of ▶ **er beherrscht drei Sprachen/das Klavier** he has a command of three languages/he's a skilled pianist.

2 vr to control oneself ▶ **ich kann mich ~!** (*iro col*) not likely! (*col*).

beherrscht adj (*fig*) self-controlled.

Beherrschtheit f no pl (*fig*) self-control.

Beherrschung f no pl control; (*Selbst~*) self-control; (*des Markts*) domination; (*eines Fachs*) mastery ▶ **die ~ verlieren** to lose one's temper.

beherzigen* vt to take to heart, to heed.

beherzt adj (*geh*) courageous, brave.

Beherztheit f no pl (*geh*) courage, bravery.

behilflich adj helpful ▶ **jdm (bei etw) ~ sein** to help sb (with sth).

behindern* vt to hinder; Sicht to impede; (*bei Sport, im Verkehr*) to obstruct.

behindert adj handicapped; (*stärker, esp körperlich*) disabled.

behindertengerecht adj adapted to the needs of the handicapped ▶ **etw ~ umbauen/gestalten** to alter/ design sth to fit the needs of the handicapped.

Behinderte(r) mf decl as adj siehe adj handicapped/ disabled person ▶ **die ~n** the handicapped/disabled pl.

Behinderung f hindrance; (*im Sport, Verkehr*) obstruction; (*körperlich, Nachteil*) handicap ▶ **mit ~en muß gerechnet werden** delays or hold-ups are likely to occur.

Behörde f -n authority usu pl; (*Amtsgebäude*) office usu pl.

behördlich adj official ▶ **~ genehmigt** officially approved.

behüten* vt to look after ▶ **jdn vor etw** (*dat*) **~** to save or protect sb from sth; **(Gott) behüte!** (*col*) God forbid!; **behütet** (*Jugend etc*) sheltered.

behutsam adj cautious, careful; (*zart auch*) gentle ▶ **man muß es ihr ~ beibringen** it will have to be broken to her gently.

Behutsamkeit f no pl care(fulness), cautiousness; (*Zartheit auch*) gentleness.

bei prep +dat a (*in der Nähe von*) near; (*zum Aufenthalt*) at, with; (*Tätigkeitsbereich angebend, in Institutionen*) at; (*in Werken*) in; (*jdn betreffend*) with; (*Teilnahme bezeichnend*) at; (*unter, zwischen Menge*) among ▶ **die Schlacht ~ Leipzig** the battle of Leipzig; **dicht ~ dem Ort, wo ...** very near the place where ...; **der Wert liegt ~ tausend Mark** the value is around a thousand marks; **~ uns** at our place; **~ seinen Eltern wohnen** to live with one's parents; **ich war ~ meiner Tante** I was at my aunt's; **~ Müller** (*auf Briefen*) c/o Müller; **sie sind ~ uns eingeladen** they're invited to our house; **er ist** or **arbeitet ~ der Post** he works for the post office; **~m Militär** in the army; **~m Fleischer** at the butcher's (*Brit*), at the butcher; **~ Collins erschienen** published by Collins; **das war ~ ihm der Fall** that was the case with him; **~ einer Hochzeit sein** to be at a wedding; **jdn ~ sich haben** to have sb with one; **ich habe kein Geld ~ mir** I have no money on me.

b (*Zeitspanne: während*) during; (*Zeitpunkt*) (up)on, at ▶ **~m letzten Gewitter** during the last storm; **~ meiner Ankunft** on my arrival; **~m Erscheinen der Königin ...** when the queen appeared ...; **ich habe ihm ~ der Arbeit geholfen** I helped him with the work; **~ der Arbeit** when I'm etc working; **~ dem Zugunglück** in the train crash; **er verliert ~m Kartenspiel immer** he always loses at cards.

c (*Zustand, Umstand bezeichnend*) in ▶ **~ Kerzenlicht** by candlelight; **etw ~ einer Flasche Wein bereden** to discuss sth over a bottle of wine; **~ guter Gesundheit sein** to be in good health; **~ zehn Grad unter Null** when it's ten degrees below zero; **~ offenem Fenster schlafen** to sleep with the window open; **~ Feuer Scheibe einschlagen** in case of fire break glass; **~ Nebel und Glatteis** when there is fog and ice; **~ solcher Hitze/solchem Wind** in such heat/such a wind; **~ seinem Talent** with his talent; **~ aller Vorsicht** in spite of all one's caution; **~ Gott** by God.

beibehalten* vt sep irreg to keep; Bräuche, Regelung auch to retain; Leitsatz, Richtung to keep to; Gewohnheit to keep up.

Beibehaltung f no pl siehe vt keeping; retention; keeping; keeping up.

Beiboot nt (*Naut*) dinghy.

beibringen vt sep irreg a (*unterweisen in*) to teach (*jdm etw* sb sth). b **jdm etw ~** (*mitteilen*) to break sth to sb; (*zu verstehen geben*) to get sth across to sb. c (*zufügen*) Wunde, Niederlage to inflict (*jdm etw* sth on sb). d (*herbeischaffen*) to produce; Beweis, Geld etc to furnish, to supply.

Beichte f -n confession ▶ **zur ~ gehen** to go to confession.

beichten vti (*lit, fig*) to confess (*jdm etw* sth to sb) ▶ **~ gehen** to go to confession.

Beicht-: **~geheimnis** nt seal of the confessional; **~stuhl** m confessional; **~vater** m father confessor.

⚠: Informationen zur Rechtschreibreform im Anhang

beide *pron* [a] (*adjektivisch*) (*ohne Artikel*) both; (*mit Artikel*) two ▸ *alle ~n Teller* both plates; *seine ~n Brüder* both his brothers, his two brothers; *ihr ~(n)/ euch ~* you two; *euch ~n herzlichen Dank* many thanks to both of you. [b] (*substantivisch*) (*ohne Artikel*) both (of them); (*mit Artikel*) two (of them) ▸ *alle ~* both (of them); *keiner/keines etc von ~n* neither of them; *ich habe ~ nicht gesehen* I haven't seen either of them. [c] *~s* both; (*alles*) *~s ist erlaubt* both are permitted.

beidemal *adv* both times.

beider-: *~lei adj attr inv* both; *~lei Geschlechts* of both sexes; *~seitig adj* (*auf beiden Seiten*) on both sides; (*gegenseitig*) *Vertrag etc* bilateral; *Einverständnis etc* mutual; *~seits* [1] *adv* on both sides; [2] *prep +gen* on both sides of.

beidhändig *adj* ambidextrous.

beidrehen *vi sep* (*Naut*) to heave to.

beidseitig *adj* (*auf beiden Seiten*) on both sides; (*gegenseitig*) mutual.

bei|einander *adv* together.

bei|einander-: *~haben* △ *vt sep irreg* (*col*): *du hast sie nicht alle ~* you can't be all there (*col*); *~halten* △ *vt sep irreg* to keep together; *~sein* △ *vi sep irreg aux sein* (*col*) (*gut*) *~sein* (*gesundheitlich*) to be in good shape (*col*); (*geistig*) to be all there (*col*).

Beifahrer *m* (*Aut*) (front-seat) passenger; (*beim Motorrad*) pillion passenger; (*berufsmäßiger Mitfahrer, Sport*) co-driver.

Beifahrerairbag *m* (*Aut*) passenger airbag.

Beifahrersitz *m* passenger seat; (*auf Motorrad*) pillion.

Beifall *m no pl* (*Zustimmung*) approval; (*Händeklatschen*) applause; (*Zuruf*) cheering, cheers *pl* ▸ *~ finden* to meet with approval; *~ spenden/klatschen* to applaud.

beifällig *adj* approving ▸ *~e Worte* words of approval.

Beifalls-: *~äußerung f* expression of (one's) approval; *~ruf m* cheer; *~sturm m* storm of applause.

Beifilm *m* supporting film.

beifügen *vt sep* (*mitschicken*) to enclose (*dat* with).

Beigabe *f* addition ▸ *unter ~ eines Löffels Senf* adding a spoonful of mustard.

beige [be:ʃ, 'be:ʒə] *adj* beige.

beigeben *sep irreg* [1] *vt* (*zufügen*) to add (*dat* to); (*mitgeben*) *jdn* to assign (*jdm* to sb). [2] *vi*: *klein ~* (*col*) to give in.

Beigeschmack *m* (accompanying) taste; (*fig: von Worten*) flavour (*Brit*), flavor (*US*).

Beiheft *nt* supplement.

beiheften *vt sep* to append, to attach.

Beihilfe *f* [a] (*finanziell*) financial assistance *no indef art*; (*Zuschuß*) allowance; (*Studien~*) grant; (*Subvention*) subsidy. [b] *wegen ~ zum Mord* (*Jur*) as an accessory to murder.

Beiklang *m* (*fig*) overtone *usu pl*.

beikommen *vi sep irreg aux sein jdm ~* (*zu fassen bekommen*) to get hold of sb; (*fertig werden mit*) to get the better of sb; *einer Sache* (*dat*) *~* (*bewältigen*) to deal with sth.

Beil *nt* -e axe (*Brit*), ax (*US*); (*kleiner*) hatchet; (*Fleischer~*) cleaver; (*Fall~*) blade (of a/the guillotine).

Beilage *f* -n [a] (*Gedrucktes*) insert; (*Beiheft*) supplement. [b] (*das Beilegen*) enclosure; (*in Buch*) insertion. [c] (*Cook*) side-dish.

beiläufig *adj* casual; *Bemerkung auch* passing *attr* ▸ *etw ~ erwähnen* to mention sth in passing.

Beiläufigkeit *f* (*von Bemerkung etc*) casualness; (*Nebensächlichkeit*) triviality ▸ *~en pl* trivia *pl*.

beilegen *vt sep* [a] (*hinzulegen*) to insert (*dat* in); (*einem Brief*) to enclose (*dat* with, in). [b] (*schlichten*) to settle. [c] = **beimessen**.

Beilegung *f siehe vt* [a] insertion; enclosure. [b] settle-ment.

beileibe *adv ~ nicht!* certainly not!; *das darf ~ nicht passieren* that mustn't happen under any circumstances; *er ist ~ kein Heiliger* he is by no means a saint, he is certainly no saint.

Beileid *nt no pl* condolences *pl* ▸ *jdm sein ~ aussprechen* to offer sb one's condolences.

Beileids- *in cpds* of condolence; *~bekundung f*, *~bezeigung f*, *~bezeugung f* expression of sympathy; *~karte f* sympathy *or* condolence card.

beiliegend *adj* enclosed ▸ *~ senden wir Ihnen ...* please find enclosed ...

beim = **bei dem**.

beimengen *vt sep* to add (*dat* to).

beimessen *vt sep irreg jdm/einer Sache Bedeutung ~* to attach importance to sb/sth.

beimischen *vt sep* to add (*dat* to).

Bein *nt* -e leg ▸ *sich kaum auf den ~en halten können* to be hardly able to stay on one's feet; *er ist noch gut auf den ~en* he's still sprightly; *jdm ein ~ stellen* (*lit, fig*) to trip sb up; *jdm wieder auf die ~e helfen* (*lit, fig*) to help sb back on his feet; *auf den ~en sein* (*nicht krank*) to be on one's feet; *wir sollten uns auf die ~e machen* (*col*) we ought to be making tracks (*col*); *jdm ~e machen* (*col*) (*antreiben*) to make sb get a move on (*col*); (*wegjagen*) to make sb clear off (*col*); *~e bekommen* (*col: verschwinden*) to vanish, to do a vanishing trick (*col*); *die ~e in die Hand nehmen* (*col*) to take to one's heels; *sich* (*dat*) *die ~e in den Bauch stehen* (*col*) to stand about until one is fit to drop; *mit beiden ~en auf der Erde stehen* (*fig*) to have both feet firmly on the ground; *mit einem ~ im Grab/im Gefängnis stehen* (*fig*) to have one foot in the grave/to be likely to end up in jail; *auf eigenen ~en stehen* (*fig*) to be able to stand on one's own two feet; *auf einem ~ kann man nicht stehen!* (*fig col*) you can't stop at one!; *etw auf die ~e stellen* (*fig*) to get sth off the ground.

beinah(e) *adv* almost, nearly.

Beiname *m* epithet; (*Spitzname*) nickname.

Beinbruch *m* fracture of the leg ▸ *das ist kein ~* (*fig col*) it could be worse (*col*).

be|inhalten* *vt* to contain.

Beinschiene *f* (*Sport*) shin pad; (*Med*) splint.

Beipackzettel *m* instruction leaflet.

beipflichten *vi sep jdm/einer Sache* (*in etw dat*) *~* to agree with sb/sth (on sth).

Beiprogramm *nt* supporting programme (*Brit*) *or* program (*US*).

Beirat *m* advisory council *or* committee.

be|irren* *vt* to disconcert ▸ *sich in etw* (*dat*) *nicht ~ lassen* to pursue sth doggedly; *er läßt sich nicht ~* he won't be put off.

Beirut *nt* Beirut.

beisammen *adv* together.

beisammen- *pref* together; *~haben vt sep irreg* (*col*) *Geld, Leute* to have got together; *seinen Verstand ~haben* to have all one's wits about one; *er hat (sie) nicht alle ~* he's not all there; *~sein* △ *vi sep irreg aux sein* (*fig*) (*körperlich*) to be in good shape; (*geistig*) to be all there; *B~sein nt* get-together.

Beischlaf *m* (*Jur*) sexual intercourse.

Beisein *nt* presence ▸ *in/ohne jds ~* in sb's presence/ without sb being present.

beiseite *adv* aside (*auch Theat*) ▸ *Spaß ~!* joking apart!; *jdn/etw ~ schaffen* to get rid of sb/sth; *etw ~ legen* to put sth aside, (*sparen*) to put sth by; *etw ~ sprechen* (*Theat*) to say sth in an aside.

beisetzen *vt sep* (*beerdigen*) to bury; *Urne* to install (in its resting place).

Beisetzung *f* funeral; (*von Urne*) installing in its resting place.

Beisitzer(in *f*) *m* - (*Jur*) assessor; (*bei Prüfung*) observer.

Beispiel *nt* -e example ► *zum ~* for example *or* instance; *wie zum ~* such as; *jdm ein ~ geben* to set sb an example; *sich* (*dat*) *ein ~ an jdm/etw nehmen* to take a leaf out of sb's book/to take sth as an example; *mit gutem ~ vorangehen* to set a good example.

beispiel-: *~haft adj* exemplary; *~los adj* unprecedented; (*unerhört*) outrageous.

beispielsweise *adv* for example *or* instance.

beispringen *vi sep irreg aux sein jdm ~* to rush to sb's aid; (*mit Geldbeträgen*) to help sb out.

beißen *pret* **biß,** *ptp* **gebissen** 1 *vti* to bite; (*brennen*: *Geschmack, Schmerzen*) to sting ► *in den Apfel ~* to take a bite out of the apple; *der Hund hat mich ins Bein gebissen* the dog has bitten my leg *or* me in the leg; *der Rauch beißt in den Augen* the smoke makes your eyes sting; *etwas/nichts zu ~* (*col: essen*) something/nothing to eat; *an etw* (*dat*) *zu ~ haben* (*fig*) to have sth to chew over.
2 *vr* (*Farben*) to clash.

beißend *adj* (*lit, fig*) biting; *Bemerkung* cutting; *Geschmack, Geruch* pungent, sharp; *Schmerz* gnawing; *Ironie, Spott* bitter.

Beißzange *f* (pair of) pincers *or* pliers.

Beistand *m* ⁼e a no *pl* help, assistance; (*moralisch*) support; (*von Priester*) presence ► *jdm ~ leisten* to give sb assistance/give sb one's support. b (*Jur*) legal adviser.

Beistands-: *~pakt, ~vertrag m* mutual assistance agreement.

beistehen *vi sep irreg jdm ~* to stand by sb.

Beistell- *in cpds* side; *~tisch m* occasional table.

beisteuern *vt sep* to contribute.

beistimmen *vi sep* = **zustimmen.**

Beistrich *m* comma.

Beitrag *m* ⁼e a (*Anteil*) contribution; (*Aufsatz auch*) article ► *einen ~ zu etw leisten* to make a contribution to sth. b (*Betrag*) contribution; (*Versicherungs~*) premium; (*Mitglieds~*) fee.

beitragen *vti sep irreg* to contribute (*zu* to).

Beitrags-: *b~frei adj* non-contributory; *b~pflichtig adj* contributory; *b~pflichtig sein* (*Mensch*) to have to pay contributions; *~satz m* membership rate; *~zahlende(r) mf decl as adj* fee-paying member.

beitreiben *vt sep irreg* to collect; (*esp Jur*) to enforce (the) payment of.

beitreten *vi sep irreg aux sein +dat* to join; *einem Pakt* to enter into; *einem Vertrag* to accede to.

Beitritt *m siehe* **beitreten** joining (*zu etw* sth); entering into (*zu etw* sth); accession (*zu* to) ► *seinen ~ erklären* to become a member.

Beitritts|erklärung *f* confirmation of membership.

Beiwagen *m* (*beim Motorrad*) sidecar.

Beiwerk *nt* additions *pl*; (*modisch*) accessories *pl.*

beiwohnen *vi sep +dat* (*geh: dabeisein*) to be present at.

Beize *f* -n (*Beizmittel*) corrosive fluid; (*Metall~*) pickling solution; (*Holz~*) stain.

beizeiten *adv* in good time.

beizen *vt* to steep in corrosive fluid; *Metall* to pickle; *Holz* to stain.

Beizmittel *nt* = **Beize.**

bejahen* *vti* to answer in the affirmative; (*gutheißen*) to approve of.

bejahend *adj* positive; *Antwort* affirmative.

bejahrt *adj* elderly, advanced in years.

Bejahung *f* affirmative answer (*gen* to); (*Gutheißung*) approval.

bejammern* *vt* to lament.

bejammernswert *adj* deplorable, lamentable; *Mensch,*

Schicksal pitiable.

bejubeln* *vt* to cheer; *Ereignis* to rejoice at.

bekakeln* *vt* (*col*) to talk over.

bekämpfen* *vt* to fight; (*fig auch*) to combat; *Ungeziefer* to control.

Bekämpfung *f* fight, battle (*von, gen* against); (*von Ungeziefer*) controlling ► *zur ~ der Terroristen* to fight *or* combat the terrorists.

bekannt *adj* a well-known (*wegen* for); *Mensch auch* famous ► *die ~eren Spieler* the better-known players; *sie/das ist mir ~* I know her/about that; *es ist allgemein ~, daß ...* it is common knowledge that ... b (*nicht fremd*) familiar ► *jdn/sich mit etw ~ machen* to familiarize sb/oneself with sth; *jdn (mit jdm) ~ machen* to introduce sb (to sb); *wir sind miteinander ~* we already know each other.

Bekanntenkreis *m* circle of acquaintances.

Bekannte(r) *mf decl as adj* friend; (*entfernter ~*) acquaintance.

bekanntermaßen *adv* as is known.

Bekanntgabe *f* announcement.

⚠**bekanntgeben** *vt sep irreg* to announce.

Bekanntheit *f* fame ► *wegen seiner ~* because he is well-known.

Bekanntheitsgrad *m* degree of fame.

bekanntlich *adv* *es ist ~ ...* it is well known that it is ...; *~ gibt es ...* it is known that there are ...; *er hat ~ eine Schwäche für Frauen* he is well known to have a weakness for women.

⚠**bekanntmachen** *vt sep* to announce; (*der Allgemeinheit mitteilen*) to publicize; *siehe* **bekannt (b).**

Bekanntmachung *f* a *siehe vt* announcement; publicizing. b (*Anschlag etc*) announcement.

Bekanntschaft *f* acquaintance; (*mit Materie, Gebiet*) knowledge (*mit* of) ► *jds ~ machen* to make sb's acquaintance; *mit etw ~ machen* to come into contact with sth; *meine ganze ~* (*col*) all my friends.

⚠**bekanntwerden** *vi sep irreg aux sein* to become known; (*Geheimnis*) to leak out.

bekehren* *vt* to convert (*zu* to).

Bekehrung *f* conversion.

bekennen *irreg* 1 *vt* to confess, to admit; *Sünde* to confess.
2 *vr sich (für) schuldig ~* to admit *or* confess one's guilt; *sich als ... ~* to declare oneself to be a ...; *sich zu einem Glauben ~* to profess a faith; *sich zu jdm/etw ~* to declare one's support for sb/sth.

Bekenner-: *~brief m* letter claiming responsibility; *~geist m, ~mut m* courage of one's convictions.

Bekenntnis *nt* a confession (*zu* of) ► *sein ~ zum Sozialismus* his declared belief in socialism; *ein ~ zur Demokratie ablegen* to declare one's belief in democracy. b (*Rel: Konfession*) denomination.

Bekenntnis-: *~freiheit f* freedom of religious belief; *~schule f* denominational school.

beklagen* 1 *vt* to lament; *Tod, Verlust* to mourn ► *Menschenleben sind nicht zu ~* there are no casualties.
2 *vr* to complain (*über +acc, wegen* about) ► *sich bei jdm ~* to complain to sb; *ich kann mich nicht ~* I can't complain.

beklagenswert *adj Mensch* pitiful; *Zustand* lamentable, deplorable; *Unfall* terrible.

Beklagte(r) *mf decl as adj* (*Jur*) defendant.

beklatschen* *vt* (*applaudieren*) to clap.

bekleben* *vt etw mit Papier/Plakaten etc ~* to stick paper/posters *etc* on sth.

beklecken* (*col*) 1 *vt* to stain.
2 *vr sich mit Saft etc ~* to spill juice *etc* all over oneself; *er hat sich nicht gerade mit Ruhm bekleckert* (*iro*) he didn't exactly cover himself with glory.

bekleiden* vt (geh) [a] (anziehen) to dress (mit in). [b] Amt etc to occupy, to hold.

Bekleidung f [a] clothes pl, clothing; (Aufmachung) dress. [b] (form: eines Amtes) tenure.

beklemmend adj oppressive.

Beklemmung f usu pl feeling of oppressiveness; (Gefühl der Angst) feeling of apprehension.

beklommen adj apprehensive, anxious.

Beklommenheit f apprehensiveness.

bekloppt adj (col) (Mensch) crazy (col); (Sache) lousy (col), stupid (col).

beknackt adj (col) = bekloppt.

beknien* vt (col) jdn to beg.

bekommen irreg [1] vt [a] to get; Geschenk, Brief, Lob, Belohnung auch to receive; Zug, Krankheit auch to catch; gutes Essen, Schlaganfall, ein Kind, Besuch to have; Spritze, Tadel auch to be given ▶ wir ~ anderes Wetter the weather is changing; wir ~ Regen/Schnee we're going to have or get rain/snow; einen Stein/Ball an den Kopf ~ to be hit on the head by a stone/ball; kann ich das schriftlich ~? can I have that in writing?; ich bekomme bitte ein Glas Wein I'll have a glass of wine, please; was ~ Sie dafür/von mir? how much is that/ how much do I owe you?; er bekam es einfach nicht über sich, ... he just could not bring himself to ...

[b] Flecken/Risse ~ to get or become spotty/ cracked, to develop spots/cracks; Heimweh ~ to get or become homesick; graue Haare/eine Glatze ~ to go grey/bald; Hunger/Durst/Angst ~ to get or become hungry/thirsty/afraid.

[c] etw zu sehen ~ to get to see sth; es mit jdm zu tun ~ to get into trouble with sb; wenn ich ihn zu fassen bekomme ... if I get my hands on him ...; etw gemacht ~ to get or have sth done; seine Arbeit fertig ~ to get one's work finished.

[2] vi aux sein +dat (zuträglich sein) jdm (gut) ~ to do sb good; das Essen ist mir gut ~ I enjoyed the meal; jdm nicht or schlecht ~ not to do sb any good; (Essen) not to agree with sb; wie bekommt ihm die Ehe? how is he enjoying married life?; wohl bekomm's! your health!

bekömmlich adj Mahlzeit, Speisen (easily) digestible; Klima beneficial ▶ schwer ~ sein to be difficult to digest.

Bekömmlichkeit f siehe adj digestibility; beneficial quality.

beköstigen* vt to cater for.

Beköstigung f catering (gen for); (Kost) food.

bekräftigen* vt to confirm; Vorschlag to back up ▶ etw nochmals ~ to reaffirm sth.

Bekräftigung f confirmation ▶ zur ~ seiner Worte to reinforce his words.

bekreuzigen* vr to cross oneself.

bekriegen* vt to wage war on; (fig) to fight.

bekritteln* vt to find fault with.

bekümmern* vt to worry.

bekümmert adj worried (über +acc about).

bekunden* vt to show, to express ▶ ~, daß ... (Jur) to testify that ...

Bekundung f expression, manifestation; (Jur) testimony.

belabern* vt (col) jdn ~ to keep on at sb; (überreden) to talk sb into it.

belächeln* vt to smile at.

belachen* vt to laugh at.

beladen* irreg [1] vt to load; (fig: mit Sorgen etc) to burden.

[2] vr (mit Gepäck etc) to load oneself up ▶ sich mit Verantwortung ~ to take on responsibilities.

[3] adj loaded; (fig: Mensch) burdened.

Belag m ̄e coating; (Schicht) layer; (auf Pizza, Brot) topping; (auf Tortenboden, zwischen Brotscheiben) filling;

(auf Zahn) plaque; (Zungen~) fur; (Fußboden~) covering; (Straßen~) surface.

Belagerer m - besieger.

belagern* vt (Mil, fig) to besiege.

Belagerung f siege.

Belagerungszustand m state of siege.

Belang m -e [a] (no pl: Wichtigkeit) von/ohne ~ (für jdn/etw) sein to be of importance/of no importance (to sb/sth). [b] ~e pl interests.

belangen* vt (Jur) to prosecute (wegen for); (wegen Beleidigung, Verleumdung) to sue.

belanglos adj inconsequential, trivial ▶ das ist für das Ergebnis ~ that is irrelevant to the result.

Belanglosigkeit f [a] no pl inconsequentiality, triviality. [b] (Bemerkung) triviality.

belassen* vt irreg to leave ▶ wir wollen es dabei ~ let's leave it at that.

belastbar adj [a] bis zu 500 kg ~ sein to take a maximum load of 500 kg. [b] (fig: beanspruchbar) resilient ▶ die Umwelt/der Steuerzahler ist nicht unbegrenzt ~ there's a limit to what the environment/the taxpayer can stand. [c] wie hoch ist mein Konto ~? what is the limit on my account?; der Etat ist nicht unbegrenzt ~ the budget is not unlimited.

Belastbarkeit f [a] (von Brücke, Aufzug) load-bearing capacity. [b] (von Menschen, Nerven) ability to take stress. [c] (von Stromnetz etc) maximum capacity; (von Menschen, Organ) maximum resilience.

belasten* [1] vt [a] (lit) etw mit 50 Tonnen ~ to put a 50 ton load on sth; die Brücke/das Fahrzeug zu sehr ~ to put too great a load on the bridge/to overload the vehicle. [b] (fig) jdn mit etw ~ mit Arbeit to load sb with sth; mit Verantwortung, Sorgen to burden sb with sth; von Sorgen belastet weighed down with cares. [c] (beanspruchen) Stromnetz, Leitung to load (mit with); Umwelt to pollute; (Med) Körper, Menschen to put a strain on, to strain; Steuerzahler to burden ▶ jdn/etw zu sehr or stark ~ to overstrain sb/overload sth. [d] (Jur) Angeklagten to incriminate. [e] (Fin) Konto to debit ▶ steuerlich belastet taxed; etw (mit einer Hypothek) ~ to mortgage sth; jdn mit den Kosten ~ to charge the costs to sb.

[2] vr [a] sich mit etw ~ to take sth on; mit Sorgen to burden oneself with sth. [b] (Jur) to incriminate oneself.

belastend adj (Jur) incriminating.

belästigen* vt to bother; (zudringlich werden) to harass; (mit Fragen etc) to pester; (körperlich) to molest.

Belästigung f annoyance; (durch Lärm etc) irritation; (Zudringlichkeit) harassment; (mit Fragen etc) pestering; (körperlich) molesting ▶ etw als eine ~ empfinden to find sth annoying; sexuelle ~ sexual harassment.

Belastung f [a] (Last) weight; (von Fahrzeug etc) load; (fig: Bürde) burden. [b] (von Nerven, Körper) strain (gen on); (von Umwelt) pollution (gen of); (von Stromnetz) load (gen on). [c] (Jur) incrimination. [d] (Fin) (von Etat, steuerlich) burden (gen on); (mit Hypothek) mortgage (gen on).

Belastungs-: ~grenze f (seelisch, physisch) limit; ~material nt (Jur) incriminating evidence; ~probe f endurance test; ~zeuge m (Jur) witness for the prosecution.

belaubt adj dicht ~ sein to have thick foliage.

belauern* vt to eye; Wild to observe secretly.

belaufen* vr irreg sich auf etw (acc) ~ to amount to sth.

belauschen* vt to eavesdrop on.

beleben* [1] vt [a] (anregen) to liven up; (neu ~) to revive; Konjunktur, jds Hoffnungen to stimulate. [b] (zum Leben erwecken) to bring to life.

[2] vr (Konjunktur) to be stimulated; (Augen, Gesicht) to

⚠: for details of spelling reform, see supplement

light up; (*Natur, Stadt*) to come to life. **3** *vi das belebt* it livens you up.

belebend *adj* invigorating.

belebt *adj Straße etc* busy.

Belebung *f* revival; (*der Konjunktur*) stimulation.

Beleg *m* -e **a** (*Beweis*) piece of evidence; (*Quellennachweis*) reference. **b** (*Quittung*) receipt.

belegbar *adj* verifiable.

belegen* *vt* **a** (*bedecken*) to cover; *Brote, Tortenboden* to fill ▶ *etw mit Fliesen/Teppich* ~ to tile/carpet sth; *siehe* **belegt**. **b** (*besetzen*) *Wohnung, Hotelbett* to occupy; (*reservieren*) to reserve; (*Univ*) *Fach* to take; *Vorlesung* to enrol for ▶ *den fünften Platz* ~ to come fifth. **c** (*beweisen*) to verify ▶ *mit Beispielen* ~ to illustrate.

Belegschaft *f* (*Beschäftigte*) staff; (*esp in Fabriken etc*) workforce.

belegt *adj Zunge* furred; *Stimme* hoarse; *Zimmer* occupied ▶ ~*e Brote* open sandwiches.

belehren* *vt* (*unterweisen*) to teach, to instruct; (*aufklären*) to inform (*über* +acc of) ▶ *jdn eines anderen/Besseren* ~ to teach sb otherwise; *er ist nicht zu* ~ he won't be told; *ich bin belehrt!* I've learned my lesson.

Belehrung *f* explanation, lecture (*col*); (*Anweisung*) instruction (*über* +acc about); (*von Zeugen, Angeklagten*) caution.

beleibt *adj* stout, portly.

beleidigen* *vt jdn* to insult; (*Verhalten, Anblick*) to offend; (*Jur*) (*mündlich*) to slander; (*schriftlich*) to libel.

beleidigt *adj* insulted; (*gekränkt*) offended ▶ ~ *weggehen* to go off in high dudgeon; *die* ~*e Leberwurst spielen* (*col*) to be in a huff (*col*); *bist du jetzt* ~? have I offended you?

Beleidigung *f* insult; (*Jur*) (*mündliche*) slander; (*schriftliche*) libel ▶ *etw als* ~ *auffassen* to take offence at sth.

beleihen* *vt irreg* (*Comm*) to lend money on.

⚠**belemmert** *adj* (*col*) (*betreten*) sheepish; (*niedergeschlagen*) miserable; (*scheußlich*) lousy (*col*).

belesen *adj* well-read.

Belesenheit *f* wide reading.

beleuchten* *vt* to light up, to illuminate; *Straße, Bühne etc* to light; (*fig: betrachten*) to examine.

Beleuchter(in *f*) *m* - lighting technician.

Beleuchtung *f* **a** lighting; (*fig*) examination. **b** (*Licht*) light; (*Lichter*) lights *pl*.

beleumdet, beleumundet *adj gut/schlecht* ~ *sein* to have a good/bad reputation.

Belfast *nt* Belfast.

Belgien [-iən] *nt* Belgium.

Belgier(in *f*) [-iɐ, -iərin] *m* - Belgian.

belgisch *adj* Belgian.

Belgrad *nt* Belgrade.

belichten* *vt* (*Phot*) to expose.

Belichtung *f* (*Phot*) exposure.

Belichtungs-: ~**automatik** *f* automatic exposure; ~**messer** *m* exposure meter; ~**zeit** *f* exposure (time).

Belieben *nt no pl nach* ~ just as you/they *etc* like.

belieben* **1** *vi impers* (*geh*) *wie es Ihnen beliebt* as you wish. **2** *vt er beliebt zu scherzen* (*iro*) he must be joking.

beliebig **1** *adj any* ▶ *eine/jede* ~*e Farbe* any colour at all, any colour you like; *in* ~*er Reihenfolge* in any order whatever; *die Auswahl ist* ~ the choice is free. **2** *adv* as you *etc* like ▶ *Sie können* ~ *lange bleiben* you can stay as long as you like.

beliebt *adj* popular (*bei* with).

Beliebtheit *f* popularity.

beliefern* *vt* to supply.

Belieferung *f* supplying.

Belize *nt* Belize.

bellen *vi* to bark.

bellend *adj Husten* hacking; *Stimme* gruff.

Belletristik *f* fiction and poetry.

belobigen* *vt* (*form*) to commend.

Belobigung *f* (*form*) commendation.

belohnen* *vt* to reward.

Belohnung *f* reward; (*das Belohnen*) rewarding ▶ *zur or als* ~ *(für)* as a reward (for).

belüften* *vt* to ventilate.

Belüftung *f* ventilation.

belügen* *vt irreg* to lie to ▶ *sich selbst* ~ to deceive oneself.

belustigen* **1** *vt* to amuse. **2** *vr* (*geh*) *sich über jdn/etw* ~ to make fun of sb/sth.

belustigt **1** *adj* amused. **2** *adv* in amusement.

Belustigung *f* amusement.

bemächtigen* *vr* (*geh*) *sich eines Menschen* ~ to seize hold of sb; (*Gefühl, Gedanke*) to come over sb.

bemäkeln* *vt* (*col*) to find fault with.

bemalen* **1** *vt* to paint. **2** *vr* (*pej: schminken*) to put on one's war paint (*col*).

Bemalung *f* painting.

bemängeln* *vt* to find fault with, to fault.

bemannen* *vt U-Boot, Raumschiff* to man.

Bemannung *f* manning; (*Mannschaft*) crew.

bemänteln* *vt* to cover up.

bemerkbar *adj* noticeable, perceptible ▶ *sich* ~ *machen* (*sich zeigen*) to make itself felt, to become noticeable; (*auf sich aufmerksam machen*) to draw attention to oneself.

bemerken* *vt* **a** (*wahrnehmen*) to notice. **b** (*äußern*) to remark, to comment (*zu* on) ▶ *nebenbei bemerkt* by the way.

bemerkenswert *adj* remarkable.

Bemerkung *f* remark, comment (*zu* on).

bemessen* *irreg* **1** *vt* (*zuteilen*) to allocate; (*einteilen*) to calculate ▶ *meine Zeit ist knapp* ~ my time is limited. **2** *vr* (*form*) to be proportionate (*nach* to).

bemitleiden* *vt* to pity, to feel sorry for ▶ *er ist zu* ~ he is to be pitied; *sich selbst* ~ to feel sorry for oneself.

bemitleidenswert *adj* pitiable, pitiful.

bemittelt *adj* well-to-do, well-off.

bemogeln* *vt* (*col*) to cheat.

Bemühen *nt no pl* (*geh*) endeavours *pl* (*Brit*), endeavors *pl* (*US*) (*um* for).

bemühen* **1** *vt* to trouble, to bother; *Rechtsanwalt etc* to engage ▶ *jdn zu sich* ~ to call in sb. **2** *vr* **a** to try hard, to endeavour (*Brit*), to endeavor (*US*) ▶ *sich um eine Stelle* ~ to try to get a job; *sich um jdn* ~ to look after sb; (*um jds Gunst*) to court sb; *bitte* ~ *Sie sich nicht* please don't trouble yourself. **b** (*geh: gehen*) *sich zu jdm* ~ to go to sb.

bemüht *adj* (*darum*) ~ *sein, etw zu tun* to endeavour (*Brit*) or endeavor (*US*) or be at pains to do sth.

Bemühung *f* effort ▶ *vielen Dank für Ihre* ~*en* thank you for your efforts *or* trouble.

bemüßigt *adj sich* ~ *fühlen/sehen, etw zu tun* to feel it incumbent on one to do sth; (*geh, usu iro*) to feel called upon.

bemuttern* *vt* to mother.

benachbart *adj* neighbouring (*Brit*), neighboring (*US*); *Haus, Familie auch* next door.

benachrichtigen* *vt* to inform (*von* of); (*amtlich auch*) to notify (*von* of).

Benachrichtigung *f* notification; (*Comm*) advice note.

benachteiligen* *vt* to put at a disadvantage; (*wegen Geschlecht, Rasse, Glauben etc*) to discriminate against;

(*körperliches Leiden auch*) to handicap. **benachteiligt sein** to be at a disadvantage/discriminated against/handicapped.

Benachteiligung *f siehe vt* (*das Benachteiligen*) disadvantaging; discrimination (*gen* against); (*Zustand*) disadvantage; discrimination *no pl*.

benebeln* *vt* (*col*) **jdn/jds Sinne ~** to make sb's head swim; **benebelt sein** to be feeling dazed *or* (*von Alkohol auch*) muzzy (*col*).

Benediktiner *m* - (*Eccl auch ~in f*) Benedictine.

Benefiz-: **~konzert** *nt* benefit (concert); **~spiel** *nt* benefit (match); **~vorstellung** *f* charity performance.

Benehmen *nt no pl* behaviour (*Brit*), behavior (*US*) ▶ **kein ~ haben** to have no manners.

benehmen* *vr irreg* to behave ▶ **benimm dich!** behave yourself!; **sich gut ~** to behave oneself, to behave well; **sich schlecht ~** to behave (oneself) badly, to misbehave; *siehe* **benommen**.

beneiden* *vt* to envy ▶ **jdn um etw ~** to envy sb sth; **er ist nicht zu ~** I don't envy him.

beneidenswert *adj* enviable.

Benelux-: **~länder, ~staaten** *pl* Benelux countries *pl*.

benennen* *vt irreg* to name ▶ **jdn/etw nach jdm ~** to name sb/sth after *or* for (*US*) sb.

Benennung *f* (*das Benennen*) naming; (*Bezeichnung*) name, designation (*form*).

Bengale *m* (*wk*) **-n, -n, Bengalin** *f* Bengali.

Bengalen *nt* Bengal.

bengalisch *adj* Bengali ▶ **~er Tiger** Bengal tiger; **~e Beleuchtung** Bengal lights.

Bengel *m* **-(s)** boy, lad; (*frecher Junge*) rascal.

Benimm *m no pl* (*col*) manners *pl*.

Benin *nt* Benin.

benommen *adj* dazed.

Benommenheit *f* daze, dazed state.

benoten* *vt* to mark.

benötigen* *vt* to need, to require ▶ **das benötigte Geld** the necessary money, the money needed.

Benotung *f* mark; (*das Benoten*) marking.

benutzbar *adj* usable; *Weg* passable.

benutzen* *vt* to use.

Benutzer(in *f*) *m* - user; (*von Leihbücherei*) borrower.

Benutzer-: **b~freundlich** *adj* user-friendly; **~freundlichkeit** *f* user-friendliness; **~handbuch** *nt* user's guide; **~oberfläche** *f* (*Comp*) user *or* system interface.

Benutzung *f* use ▶ **jdm etw zur ~ überlassen** to put sth at sb's disposal.

Benzin *nt* **-e** petrol (*Brit*), gas(oline) (*US*); (*Reinigungs~*) benzine; (*Feuerzeug~*) lighter fuel.

Benzin-: **~einspritzung** *f* fuel injection; **~feuerzeug** *nt* petrol (*Brit*) *or* gasoline (*US*) lighter; **~gutschein** *m* petrol (*Brit*) *or* gasoline (*US*) coupon; **~kanister** *m* petrol (*Brit*) *or* gasoline (*US*) can; **~motor** *m* petrol (*Brit*) *or* gasoline (*US*) engine; **~pumpe** *f* fuel pump; **~uhr** *f* fuel gauge; **~verbrauch** *m* petrol (*Brit*) *or* gasoline (*US*) consumption.

be|obachten* *vt* to observe; (*bemerken auch*) to notice, to see; (*genau verfolgen, betrachten auch*) to watch ▶ **etw an jdm ~** to notice sth in sb; **jdn ~ lassen** (*Polizei etc*) to put sb under surveillance.

Be|obachter(in *f*) *m* - observer.

Be|obachtung *f* observation; (*polizeilich*) surveillance ▶ **die ~ habe ich oft gemacht** I've often noticed that.

Be|obachtungs-: **~gabe** *f* powers *pl* of observation; **er hat eine gute ~gabe** he has a very observant eye; **~posten** *m* observation post; **~station** *f* [a] (*Med*) observation ward; [b] (*Met*) weather station.

be|ordern* *vt* to order ▶ **jdn zu sich ~** to send for sb.

bepacken* *vt* to load (up).

bepflanzen* *vt* to plant.

Bepflanzung *f* [a] (*das Bepflanzen*) planting. [b] (*die Pflanzen*) plants *pl* (*gen* in).

bepinkeln* (*col*) [1] *vt* to pee on (*col*). [2] *vr* to wet oneself.

bequatschen* *vt* (*col*) [a] **etw** to talk over. [b] (*überreden*) to persuade.

bequem *adj* comfortable; *Weg, Methode* easy; *Ausrede* convenient; (*träge*) *Mensch* idle ▶ **es sich** (*dat*) **~ machen** to make oneself comfortable; **machen Sie es sich ~** make yourself at home.

bequemen* *vr* **sich (dazu) ~, etw zu tun** to bring oneself to do sth.

Bequemlichkeit *f no pl* (*Behaglichkeit*) comfort; (*Trägheit*) idleness.

berappen* *vti* (*col*) **er mußte schwer ~** he had to fork out a lot (*col*).

▼ **beraten*** *irreg* [1] *vt* [a] **jdn ~** to advise sb; **gut/schlecht ~ sein** to be well-/ill-advised; **sich von jdm ~ lassen(, wie ...)** to ask sb's advice (on how ...), to consult sb (about how...). [b] (*besprechen*) to discuss. [2] *vir* to discuss ▶ **sich mit jdm ~** to consult (with) sb (*über +acc* about).

beratend *adj* advisory, consultative ▶ **jdm ~ zur Seite stehen** to act in an advisory capacity to sb.

Berater(in *f*) *m* - adviser, consultant.

Beratervertrag *m* consultancy contract.

beratschlagen* *vti insep* to discuss.

Beratung *f* [a] (*das Beraten*) advice; (*geschäftlich: bei Rechtsanwalt, Arzt etc*) consultation. [b] (*Besprechung*) discussion.

Beratungs-: **~dienst** *m* advice *or* advisory service; **~stelle** *f* advice centre.

berauben* *vt* to rob ▶ **jdn einer Sache** (*gen*) **~** to rob sb of sth; **seines Rechtes** to deprive sb of sth.

berauschen* [1] *vt* (*lit, fig*) to intoxicate; (*Droge auch*) to make euphoric. [2] *vr* **sich an etw** (*dat*) **~** (*lit, fig*) to become intoxicated with sth.

berauschend *adj* intoxicating ▶ **das war nicht sehr ~** (*iro*) that wasn't very exciting.

Berber *m* - [a] Berber. [b] (*auch ~teppich*) Berber carpet.

berechenbar *adj Kosten* calculable; *Verhalten* predictable.

Berechenbarkeit *f siehe adj* calculability; predictability.

berechnen* *vt* [a] (*ausrechnen*) to calculate. [b] (*in Rechnung stellen*) to charge ▶ **jdm zu viel ~** to overcharge sb. [c] (*vorsehen*) to intend, to mean.

berechnend *adj* (*pej*) *Mensch* calculating.

Berechnung *f siehe vt* [a] calculation ▶ **meiner ~ nach, nach meiner ~** according to my calculations; **aus ~ handeln** to act in a calculating manner. [b] charge ▶ **ohne ~** without any charge.

berechtigen* *vti* to entitle ▶ **(jdn) zu etw ~** to entitle sb to sth; **das berechtigt zu der Annahme, daß ...** this justifies the assumption that ...

berechtigt *adj* justifiable; *Frage, Hoffnung, Anspruch* legitimate; *Vorwurf auch* just; *Forderung, Einwand auch* justified ▶ **~ sein, etw zu tun** to be entitled to do sth.

berechtigterweise *adv* legitimately, justifiably.

Berechtigung *f* [a] (*Befugnis*) entitlement; (*Recht*) right ▶ **die ~/keine ~ haben, etw zu tun** to be entitled/not to be entitled to do sth. [b] (*Rechtmäßigkeit*) legitimacy, justifiability.

bereden* *vt* [a] (*auch vr: besprechen*) to discuss, to talk over. [b] (*überreden*) **jdn zu etw ~** to talk sb into sth.

beredsam *adj* (*liter*) eloquent; (*iro: redefreudig*) talkative.

⚠️: for details of spelling reform, see supplement   ➤ SATZBAUSTEINE: **beraten: 1a** → 9.2

Beredsamkeit f (*liter*) eloquence; (*iro*) talkativeness.
beredt adj (*geh*) eloquent.
Beredtheit f (*geh*) eloquence.
Bereich m -e [a] area ► *im ~ der Innenstadt* in the town centre area. [b] (*Einfluß~, Aufgaben~*) sphere; (*Sach~*) area, field; (*Sektor*) sector ► *im ~ des Möglichen liegen* to be within the bounds of possibility.
bereichern* [1] vt (*lit, fig*) to enrich; *Sammlung etc* to enlarge.
[2] vr to make a lot of money (*an +dat* out of) ► *sich auf Kosten anderer ~* to feather one's nest at the expense of other people.
Bereicherung f [a] (*das Bereichern*) enrichment; (*von Sammlung*) enlargement. [b] (*Gewinn*) boon ► *eine wertvolle ~* a valuable addition.
bereifen* vt (*Aut*) to put tyres (*Brit*) or tires (*US*) on.
Bereifung f (*Aut*) set of tyres (*Brit*) or tires (*US*) ► *die ~ bei diesem Auto* the tyres on this car.
bereinigen* vt to clear up; (*Meinungsverschiedenheiten*) to settle.
Bereinigung f siehe vt clearing up; settlement.
bereisen* vt ein Land to travel around; (*Comm*) Gebiet to travel, to cover ► *die Welt/fremde Länder ~* to travel the world/in foreign countries.
bereit adj usu pred [a] (*fertig*) ready; (*vorbereitet auch*) prepared ► *sich ~ machen* to get ready. [b] (*willens*) willing, prepared ► *sich ~ erklären, etw zu tun* to agree to do sth.
bereiten vt [a] (*zu~*) to prepare (*dat* for). [b] (*verursachen*) to cause; *Überraschung, Empfang, Freude, Kopfschmerzen* to give ► *einer Sache* (*dat*) *ein Ende ~* to put an end to sth.
bereit-: ~halten sep [1] vt irreg Fahrkarten etc to have ready; (*für den Notfall*) to keep ready; *Überraschung* to have in store; [2] vr to stand by; **~legen** vt sep to lay out ready; **~liegen** vi sep irreg to be ready; **~machen** vtr sep to get ready.
bereits adv already ► *~ vor drei Wochen* even three weeks ago; *das haben wir ~ gestern gemacht* we did that yesterday; *~ am nächsten Tage* on the very next day.
Bereitschaft f [a] no pl readiness; (*Bereitwilligkeit auch*) willingness ► *in ~ sein, ~ haben* (*Polizei, Soldaten etc*) to be on stand-by; (*Arzt*) to be on call. [b] (*Mannschaft*) squad.
Bereitschafts-: ~arzt m doctor on call; (*im Krankenhaus*) duty doctor; **~dienst** m emergency service; **~dienst haben** siehe **Bereitschaft**; **~polizei** f riot police.
Bereit-: b~stehen vi sep irreg to be ready; (*Flugzeug auch, Truppen*) to stand by; *Ihr Wagen steht b~* your car is waiting; **b~stellen** vt sep to provide, to supply; **~stellung** f provision, supply.
Bereitung f preparation.
Bereit-: b~willig adj willing; **~willigkeit** f willingness.
bereuen* vt to regret; *Schuld, Sünden* to repent of ► *~, etw getan zu haben* to regret having done sth; *das wirst du noch ~!* you'll regret it!
Berg m -e [a] mountain; (*esp kleiner auch*) hill ► *~e versetzen (können)* to (be able to) move mountains; *mit etw hinterm ~ halten* (*fig*) to keep quiet about sth; *in die ~e fahren* to go to the mountains; *über den ~ sein* (*col*) to be out of the woods; *über alle ~e sein* (*col*) to be miles away (*col*); *da stehen einem ja die Haare zu ~e* it's enough to make your hair stand on end. [b] (*große Menge*) heap, pile; (*von Sorgen*) mass.
Berg- in cpds mountain; (*Bergbau-*) mining; **b~ab** adv downhill; *es geht mit ihm b~ab* (*fig*) he is going downhill; **~arbeiter** m miner; **b~auf** adv uphill; *es geht wieder b~auf* (*fig*) things are getting better or looking up;

~bahn f mountain railway; (*Seilbahn auch*) cable railway; **~bau** m mining.
bergen pret **barg**, ptp **geborgen** vt [a] (*retten*) Menschen to save, to rescue; *Leichen* to recover; *Ladung, Fahrzeug* to salvage ► *aus dem Wasser tot/lebend geborgen werden* to be brought out of the water dead/alive. [b] (*geh: enthalten*) to hold ► *diese Möglichkeit birgt die Gefahr in sich, daß ...* this possibility involves the danger that ... [c] siehe **geborgen**.
Berg-: ~fried m keep; **~führer** m mountain guide; **~gipfel** m mountain top or peak; **~hang** m mountain slope; **b~hoch** adj Wellen mountainous; **~hütte** f mountain hut.
bergig adj mountainous.
Berg-: ~kamm m mountain ridge; **~kette** f mountain range; **~kristall** m rock crystal; **~kuppe** f (round) mountain top; **~land** nt mountainous region; *das walisische ~land* the Welsh mountains.
Bergmann m, pl -leute miner.
bergmännisch adj miner's attr.
Berg-: ~not f in ~not sein/geraten to be in/get into difficulties while climbing; **~predigt** f (*Bibl*) Sermon on the Mount; **~rettungsdienst** m mountain rescue service; **~rücken** m mountain ridge; **~rutsch** m landslide (*auch fig*), landslip; **~schuh** m climbing boot; **~spitze** f mountain peak; **b~steigen** vi sep irreg aux sein or haben to go mountain climbing or mountaineering; *(das) ~steigen* mountaineering; **~steiger(in** f) m mountaineer; **~steigerei** f (*col*) mountaineering; **~-und-Tal-Bahn** f big dipper, roller-coaster; **~-und-Tal-Fahrt** f ride on the big dipper.
Bergung f no pl siehe **bergen** [a] saving, rescue; recovery; salvage, salvaging.
Bergungs-: ~mannschaft f, **~trupp** m rescue team.
Berg-: ~wacht f mountain rescue service; **~wand** f mountain face; **~wanderung** f walk or hike in the mountains; **~werk** nt mine; *im ~werk arbeiten* to work down the mines; **~wiese** f mountain pasture.
Bericht m -e report (*über +acc* about, on, *von* on); (*Erzählung auch*) account; (*Zeitungs~ auch*) story ► *jdm über etw* (*acc*) *~ erstatten* to give sb a report (on sth).
berichten* vti to report; (*erzählen*) to tell ► *jdm über etw* (*acc*) *~* to report to sb about sth; to tell sb about sth; *mir ist (darüber) berichtet worden, daß ...* I have received reports that ...; *er berichtete von der Reise* he gave an account of his journey; *uns wird soeben berichtet, daß ...* (*Rad, TV*) news is just coming in that ...
Bericht-: ~erstatter(in f) m reporter; (*Korrespondent*) correspondent; **~erstattung** f reporting; *die ~erstattung über diese Vorgänge in der Presse* press coverage of these events.
berichtigen* vt to correct; *Fehler auch,* (*Jur*) to rectify.
Berichtigung f siehe vt correction; rectification.
berieseln* vt [a] to spray with water etc; (*durch Sprinkleranlage*) to sprinkle. [b] (*fig col*) *von etw berieselt werden* (*fig*) to be exposed to a constant stream of sth.
Berieselung f watering ► *die ~ mit or durch etw* (*fig*) the constant stream of sth.
Berieselungsanlage f sprinkler (system).
Bering-: ~meer nt Bering Sea; **~straße** f Bering Straits pl.
beritten adj mounted, on horseback.
Berlin nt Berlin.
Berliner[1] adj attr Berlin.
Berliner[2] m - (*Cook*) jam doughnut.
Berliner(in f) m - Berliner.
berlinerisch adj (*col*) Dialekt Berlin attr.
berlinern* vi (*col*) to speak in the Berlin dialect.

⚠: Informationen zur Rechtschreibreform im Anhang

Bermuda-Dreieck *nt* Bermuda triangle.
Bermudas *pl auf den* ~ in Bermuda.
Bermudashorts *pl* Bermuda shorts *pl*.
Bern *nt* Berne.
Bernhardiner *m* - Saint Bernard (dog).
Bernstein *m no pl* amber.
bernsteinfarben *adj* amber(-coloured).
Berserker *m* - *wie ein* ~ *arbeiten/kämpfen* to work/ fight like mad *or* fury.
bersten *pret* **barst**, *ptp* **geborsten** *vi aux sein* (*geh*) to crack; (*auf~, zerbrechen*) to break; (*zerplatzen*) to burst ▶ *vor Neugier/Zorn etc* ~ to be bursting with curiosity/anger *etc*; *zum B~voll* full to bursting.
berüchtigt *adj* notorious, infamous.
berückend *adj* charming, enchanting.
berücksichtigen* *vt* (*beachten, bedenken*) to take into account *or* consideration; (*in Betracht ziehen*) *Antrag, Bewerber* to consider ▶ *das ist zu* ~ that must be taken into account *or* consideration.
Berücksichtigung *f* consideration ▶ *in or unter* ~ *der Tatsache, daß ...* in view of the fact that ...
Beruf *m* **-e** occupation; (*akademischer auch*) profession; (*handwerklicher*) trade; (*Stellung*) job ▶ *was sind Sie von ~?* what is your occupation *etc?*, what do you do for a living?; *von* ~ *Arzt/Bäcker/Hausfrau sein* to be a doctor by profession/baker by trade/housewife by occupation; *seinen* ~ *verfehlt haben* to have missed one's vocation; *im* ~ *stehen* to be working; *von ~s wegen* on account of one's job.
berufen* *irreg* [1] *vt* [a] (*ernennen, einsetzen*) to appoint ▶ *zum Minister/auf einen Lehrstuhl* ~ *werden* to be appointed minister/to a chair. [b] = **beschreien**. [2] *vr sich auf jdn/etw* ~ to refer to sb/sth. [3] *adj* [a] *Kritiker* competent, capable; *aus ~em Munde* from an authoritative source. [b] (*ausersehen*) *zu etw* ~ *sein* to have a vocation for sth; (*esp Rel*) to be called to sth.
beruflich *adj* (*esp auf akademische Berufe bezüglich*) professional ▶ *sein ~er Werdegang* his career; *sich* ~ *weiterbilden* to undertake further professional training; ~ *ist sie sehr erfolgreich* she is very successful in her career; *er ist* ~ *viel unterwegs* he is away a lot on business.
Berufs- *in cpds* professional; **~ausbildung** *f* vocational training; **~aussichten** *pl* job prospects *pl*; **b~bedingt** *adj* occupational; **~berater** *m* careers adviser; **~beratung** *f* careers guidance; **~bezeichnung** *f* job title; **~boxen** *nt* professional boxing; **~erfahrung** *f* (professional) experience; **~feuerwehr** *f* fire service; **~fußball** *m* professional football; **~geheimnis** *nt* professional secret; (*Schweigepflicht*) professional secrecy, confidentiality; **~heer** *nt* professional *or* regular army; **~kleidung** *f* working clothes *pl*; **~krankheit** *f* occupational disease; **~leben** *nt* working *or* professional life; *im ~leben stehen* to be working *or* in employment; **b~mäßig** *adj* professional; *etw b~mäßig betreiben* to do sth on a professional basis; **~risiko** *nt* occupational hazard; **~schule** *f* vocational school, ≃ technical college (*Brit*); **~schüler** *m* student at vocational school *etc*; **~soldat** *m* regular *or* professional soldier; **~sport** *m* professional sport; **~sportler** *m* professional sportsman; **b~tätig** *adj* working; **b~tätig sein** to be working, to work; **~tätige(r)** *mf decl as adj* working person; **b~unfähig** *adj* unable to work; **~unfähigkeit** *f* inability to work; **~unfall** *m* occupational accident; **~verband** *m* professional/trade organization; **~verbot** *nt* exclusion from a profession; *jdm ~verbot erteilen* to ban sb from his/her profession; *einem Arzt, Anwalt* to strike sb off; **~verbrecher** *m* professional criminal; **~verkehr** *m* commuter traffic; **~wahl** *f* choice of occupation; **~wechsel** *m* change of occupa-

tion.
Berufung *f* [a] (*Jur*) appeal ▶ *in die* ~ *gehen/* ~ *einlegen* to appeal (*bei* to). [b] (*in ein Amt etc*) appointment (*auf or an +acc* to). [c] (*innerer Auftrag*) vocation; (*Rel auch*) calling. [d] (*form*) *unter* ~ *auf etw* (*acc*) with reference to sth.
Berufungs-: **~frist** *f* period in which an appeal must be lodged; **~gericht** *nt* appeal court, court of appeal; **~klage** *f* appeal; **~kläger** *m* appellant.
beruhen* *vi* to be based *or* founded (*auf + dat* on) ▶ *das beruht auf Gegenseitigkeit* (*col*) the feeling is mutual; *etw auf sich* ~ *lassen* to let sth rest.
beruhigen* [1] *vt* to calm (down); *Baby* to quieten; (*trösten*) to comfort; (*versichern*) to reassure; *Magen* to settle; *Nerven auch* to soothe; *Gewissen* to appease ▶ *na, dann bin ich ja beruhigt* well I must say I'm quite relieved; **~d** soothing; (*tröstlich*) reassuring. [2] *vr* to calm down; (*Krise auch*) to ease off; (*Verkehr, Kämpfe*) to subside; (*Börse, Magen*) to settle down; (*Sturm*) to die down, to abate.
Beruhigung *f no pl* [a] *siehe vt* calming (down); quietening; comforting; reassuring; settling; soothing; appeasement ▶ *zu Ihrer* ~ *kann ich sagen ...* you'll be reassured to know that ... [b] *siehe vr* calming down, easing off; subsiding; settling down.
Beruhigungs-: **~mittel** *nt* sedative, tranquillizer; **~pille** *f* sedative (pill), tranquillizer; **~spritze** *f* sedative (injection).
berühmt *adj* famous ▶ *das war nicht* ~ (*col*) it was nothing to write home about (*col*).
berühmt-berüchtigt *adj* infamous, notorious.
Berühmtheit *f* [a] fame ▶ ~ *erlangen* to become famous; *zu trauriger* ~ *gelangen* to achieve notoriety. [b] (*Mensch*) celebrity.
berühren* [1] *vt* [a] to touch; (*erwähnen*) *Thema, Punkt* to touch on ▶ *B~ verboten* do not touch. [b] (*seelisch bewegen*) to move; (*auf jdn wirken*) to affect; (*betreffen*) to affect, to concern ▶ *das berührt mich gar nicht!* that's nothing to do with me; *von etw peinlich berührt sein* to be embarrassed by sth. [2] *vr* to touch.
Berührung *f* touch; (*von Drähten etc, menschlich*) contact; (*Erwähnung*) mention ▶ *mit jdm/etw in* ~ *kommen* to come into contact with sb/sth.
Berührungs-: **~angst** *f usu pl* fear of involvement; **~bildschirm** *m* touch screen; **~punkt** *m* point of contact.
bes. = **besonders** esp.
besagen* *vt* to say; (*bedeuten*) to mean, to imply.
besagt *adj attr* (*form*) said (*form*).
besaiten* *vt* to string ▶ *etw neu* ~ to restring sth.
besamen* *vt* to fertilize; (*künstlich*) to inseminate.
Besamung *f siehe vt* fertilization; insemination.
besänftigen* *vt* to soothe; *Menge auch* to pacify.
Besänftigung *f siehe vt* soothing; pacifying.
besät *adj* covered; (*mit Blättern etc*) strewn.
Besatz *m* -̈e edging, trimming.
Besatzer *m* - (*pej col*) occupying forces *pl*.
Besatzung *f* [a] (*Mannschaft*) crew; (*Verteidigungstruppe*) garrison. [b] (*~truppen*) occupying forces *pl*.
Besatzungs-: **~armee** *f* army of occupation; **~macht** *f* occupying power; **~truppen** *pl* occupying forces *pl*; **~zone** *f* occupied zone.
besaufen* *vr irreg* (*col*) to get plastered (*col*).
Besäufnis *nt* (*col*) booze-up (*col*).
beschädigen* *vt* to damage ▶ *beschädigt* damaged.
Beschädigung *f* damage (*von* to).
beschaffen* [1] *vt* to get (hold of), to obtain (*jdm etw* sth for sb).

Beschaffenheit

[2] *adj* (*form*) *so ~ sein wie ...* to be the same as ...; *das ist so ~, daß ...* that is such that ...

Beschaffenheit *f no pl* composition; (*körperlich*) constitution; (*Art, seelisch*) nature, qualities *pl* ▶ *je nach ~ der Lage* according to the situation.

Beschaffung *f no pl* obtaining.

Beschaffungskriminalität *f* drug-related crime.

beschäftigen* [1] *vr sich mit etw ~* to occupy oneself with sth; (*sich befassen, abhandeln*) to deal with sth; *sich mit Literatur ~* to study literature; *sich mit jdm ~* to devote one's attention to sb. [2] *vt* [a] (*innerlich*) *jdn ~* to be on sb's mind. [b] (*anstellen*) to employ. [c] (*eine Tätigkeit geben*) to keep occupied ▶ *jdn mit etw ~* to give sb sth to do.

beschäftigt *adj* [a] busy ▶ *mit Nähen/jdm ~ sein* to be busy sewing/with sb; *mit sich selbst ~ sein* to be preoccupied with oneself. [b] (*angestellt*) employed (*bei* by).

Beschäftigte(r) *mf decl as adj* employee.

Beschäftigung *f* [a] work *no indef art*, job; (*Anstellung, Angestelltsein*) employment ▶ *einer ~ nachgehen* (*form*) to be employed. [b] (*Tätigkeit*) activity, occupation ▶ *jdm eine ~ geben* to give sb something to do. [c] (*geistige ~*) preoccupation; (*mit Frage*) consideration (*mit* of).

Beschäftigungs-: b~los *adj* unoccupied; (*arbeitslos*) unemployed; **~programm** *nt* job creation scheme; **~therapie** *f* occupational therapy.

beschämen* *vt* to put to shame ▶ *es beschämt mich, zu sagen ...* I feel ashamed to have to say ...

beschämend *adj* shaming; (*schändlich*) shameful.

beschämt *adj* ashamed.

Beschämung *f* shame.

beschatten* *vt* [a] (*überwachen*) to shadow, to tail. [b] (*Sport*) to mark closely. [c] (*geh: Schatten geben*) to shade.

Beschatter *m* - (*Polizist etc*) tail; (*Sport*) marker.

Beschattung *f siehe vt* [a] tailing. [b] marking.

beschaulich *adj* *Leben, Abend* quiet, tranquil; *Charakter, Mensch* pensive, contemplative.

Beschaulichkeit *f siehe adj* quietness, tranquillity; pensiveness.

Bescheid *m* -e [a] (*Auskunft*) information; (*Nachricht*) notification; (*Entscheidung auf Antrag etc*) decision ▶ *jdm (über etw (acc) or von etw) ~ sagen/geben* to let sb know (about sth), to tell sb (about sth); *jdm ordentlich ~ sagen* (*col*) to tell sb where to go (*col*). [b] (*über etw (acc) or in etw (dat)) ~ wissen* to know (about sth); *er weiß schon ~* he knows all about it.

bescheiden¹* *irreg* [1] *vt* [a] (*form: entscheiden*) to decide upon ▶ *etw abschlägig ~* to turn sth down. [b] (*geh*) *es war ihr nicht beschieden, ...* it was not to be her lot to ... [2] *vr* (*geh*) to be content.

bescheiden² *adj* modest ▶ *~e Verhältnisse* modest circumstances; *darf ich mal ~ fragen, ob ...* may I venture to ask whether ...; *eine ~e Frage* one small question.

Bescheidenheit *f* modesty ▶ *nur keine falsche ~* no false modesty now.

bescheinen* *vt irreg* to shine on ▶ *vom Mond/von der Sonne beschienen* moonlit/sunlit.

bescheinigen* *vt* to certify; *Empfang* to confirm, to acknowledge; (*durch Quittung*) to give a receipt for ▶ *hiermit wird bescheinigt, daß ...* this is to certify that ...; *jdm äußerste Kompetenz ~* to confirm sb's extreme competence.

Bescheinigung *f siehe vt* (*das Bescheinigen*) certification; confirmation; (*Schriftstück*) certificate; written confirmation; (*Quittung*) receipt.

bescheißen* *vt irreg* (*col!*) *jdn* to cheat (*um* out of).

beschenken* *vt jdn* to give presents/a present to ▶ *jdn mit etw ~* to give sb sth (as a present).

bescheren* *vti* [a] *jdm* to give sb a Christmas present/Christmas presents; *jdm eine Überraschung ~* to give sb a nice surprise. [b] (*zuteil werden lassen*) *jdm etw ~ Glück, Kinder* to bless sb with sth.

Bescherung *f* [a] giving out of Christmas presents. [b] (*iro col*) *das ist ja eine schöne ~!* this is a nice mess; *da haben wir die ~!* what did I tell you!

bescheuert *adj* (*col*) stupid.

beschichten* *vt* (*Tech*) to coat, to cover.

Beschichtung *f* (*Tech*) coating.

beschicken* *vt* [a] *eine Ausstellung mit jdm/etw ~* to send sb/sth to an exhibition. [b] *Hochofen* to charge.

beschickert *adj* (*col*) tipsy.

beschießen* *vt irreg* to shoot *or* fire at; (*mit Geschützen, Phys*) to bombard.

Beschießung *f siehe vt* shooting (*gen* at), firing (*gen* on, at); bombardment (*gen* of).

beschildern* *vt* to put a sign/signs on; (*mit Verkehrsschildern*) to signpost.

Beschilderung *f siehe vt* putting a sign (*von* on); signposting; (*Schilder*) signs *pl*; signposts *pl*.

beschimpfen *vt jdn* to swear at.

Beschimpfung *f* [a] swearing (*gen* at). [b] (*Schimpfwort*) insult.

beschirmen* *vt* (*geh: beschützen*) to shield.

⚠ **Beschiß** *m no pl* (*col!*) swindle, rip-off (*col*).

beschissen *adj* (*col!*) bloody awful (*Brit col*), lousy (*col*).

Beschlag *m* ⁼e [a] (*an Koffer, Truhe*) fitting; (*an Tür, Möbelstück*) mounting; (*von Pferd*) shoes *pl*. [b] (*auf Glas, Spiegel etc*) condensation. [c] *jdn/etw in ~ nehmen* to monopolize sb/sth; *mit ~ belegt sein* to be occupied.

beschlagen* *irreg* [1] *vt* [a] *Möbel, Türen* to put (metal) fittings on; *Huftiere* to shoe; *Schuhe* to put metal tips on. [b] (*anlaufen lassen: Dampf*) to steam up. [2] *vir* (*vi: aux sein*) (*Brille, Glas, Fenster*) to steam up, to mist up; (*Wand*) to get covered in condensation. [3] *adj* (*erfahren*) *in etw (dat) (gut) ~ sein* to be (well-)versed in sth.

Beschlagenheit *f no pl* sound knowledge *or* grasp (*in +dat* of).

Beschlagnahme *f* -n confiscation, seizure.

beschlagnahmen* *vt insep* [a] to confiscate, to seize. [b] (*col: in Anspruch nehmen*) (*Mensch*) to monopolize, to hog (*col*); (*Arbeit*) *Zeit* to take up.

Beschlagnahmung *f* = Beschlagnahme.

beschleunigen* [1] *vtr* to accelerate, to speed up; *Tempo auch* to increase; *Verfall* to hasten, to accelerate. [2] *vi* (*Fahrzeug, Fahrer*) to accelerate.

Beschleuniger *m* - (*Phys*) accelerator.

beschleunigt *adj* faster.

Beschleunigung *f* acceleration (*auch Aut, Phys*), speeding up; (*von Tempo auch*) increase; (*von Verfall etc*) hastening.

beschließen* *irreg* [1] *vt* [a] to decide on; *Gesetz* to pass ▶ *~, etw zu tun* to decide to do sth. [b] (*beenden*) to end. [2] *vi über etw (acc) ~* to decide on sth.

beschlossen *adj* (*entschieden*) decided, agreed ▶ *das ist ~e Sache* that's settled.

⚠ **Beschluß** *m* ⁼sse decision, resolution ▶ *einen ~ fassen* to pass a resolution; *auf ~ des Gerichts* by order of the court.

Beschluß-: b~fähig ⚠ *adj b~fähig sein* to have a quorum; **~fähigkeit** ⚠ *f no pl* quorum; **~fassung** ⚠ *f* (passing of a) resolution; **b~unfähig** ⚠ *adj b~unfähig sein* not to have a quorum.

⚠: Informationen zur Rechtschreibreform im Anhang

beschmeißen* vt irreg (col: lit, fig) to bombard.

beschmieren* ① vt Kleidung to smear; Wand to be-daub; Tafel to scribble or scrawl all over.
② vr to get (all) dirty.

beschmutzen* ① vt to (make or get) dirty, to soil; (fig) Ruf, Namen to besmirch.
② vr to make or get oneself dirty.

beschneiden* vt irreg ⓐ (stutzen) to trim; Sträucher etc to prune. ⓑ (Med, Rel) to circumcise. ⓒ (fig: beschränken) to cut back, to curtail.

Beschneidung f no pl siehe vt ⓐ trimming; pruning. ⓑ circumcision. ⓒ (von Unterstützung etc) cut-back; (von Rechten) curtailing.

beschneit adj snow-covered; Berge auch snow-capped.

beschnüffeln*, beschnuppern* ① vt to sniff at; (fig col) to sniff out; jdn to size up.
② vr (Hunde) to sniff each other; (fig col) to size each other up.

beschönigen* vt to gloss over ► ~der Ausdruck euphemism.

Beschönigung f glossing over.

beschränken* ① vt (auf +acc to) to limit, to restrict.
② vr (auf +acc to) to be limited or restricted; (esp Jur, Rede, Aufsatz etc auch) to confine oneself; (sich einschränken) to restrict oneself.

beschrankt adj Bahnübergang with gates.

beschränkt adj ⓐ (eingeschränkt, knapp) limited; Ge-brauch auch restricted ► wir sind zeitlich/finanziell ~ we have only a limited amount of time/money; Gesell-schaft mit ~er Haftung limited company (Brit), corpora-tion (US). ⓑ (pej) (geistig) Mensch dim; Intelligenz lim-ited; (engstirnig auch) narrow-minded.

Beschränktheit f siehe adj ⓐ limited nature. ⓑ limit-ed intelligence; narrow-mindedness.

Beschränkung f limitation, restriction ► jdm ~en auf-erlegen to impose restrictions on sb.

beschreiben* vt irreg ⓐ (auch Kreis) to describe ► sein Glück/Schmerz war nicht zu ~ his happiness/pain was indescribable; ich kann dir nicht ~, wie ... I can't tell you how ... ⓑ (vollschreiben) to write on ► ein eng beschriebenes Blatt a closely written sheet.

Beschreibung f ⓐ description. ⓑ (Gebrauchs-anweisung) instructions pl.

beschreien* vt irreg (col) ich will es nicht ~, aber ... I don't want to tempt fate, but ...

beschreiten* vt irreg (lit geh, fig) to follow.

beschriften* vt to write on; (mit Aufschrift) to label.

Beschriftung f ⓐ (das Beschriften) labelling. ⓑ (Aufschrift) writing; (Etikett) label.

beschuldigen* vt to accuse; (esp Jur auch, liter) to charge ► jdn einer Sache (gen) ~ to accuse sb of sth; to charge sb with sth.

Beschuldigte(r) mf decl as adj accused.

Beschuldigung f accusation; (esp Jur auch, liter) charge.

beschummeln* vt (col) to cheat ► jdn um etw ~ to cheat or diddle (col) sb out of sth.

⚠ **Beschuß** m no pl (Mil) fire; (Phys) bombarding ► jdn/ etw unter ~ nehmen (Mil) to (start to) bombard or shell sb/sth; Stellung auch to fire on sth; (fig) to attack sb/ sth; unter ~ geraten (Mil, fig) to come under fire.

beschützen* vt to protect (vor +dat from) ► ~de Werkstätte sheltered workshop; ~d protective.

Beschützer(in f) m - protector.

Beschützer|instinkt m protective instinct.

beschwatzen* vt (col) ⓐ (überreden) to talk over. ⓑ (bereden) to chat about.

Beschwerde f -n ⓐ (Mühe) hardship. ⓑ ~n pl (Lei-den) trouble; das macht mir immer noch ~n it's still giving me trouble. ⓒ (Klage) complaint; (Jur) appeal ►

~ einlegen (form) to lodge a complaint.

Beschwerde-: b~frei adj fit and healthy; **~frist** f (Jur) period of time during which an appeal may be lodged.

beschweren* ① vt (mit Gewicht) to weigh(t) down; (fig) (Kummer) to weigh on; (Mensch) to burden.
② vr (sich beklagen) to complain.

beschwerlich adj arduous.

Beschwerlichkeit f difficulty; (von Reise, Aufgabe auch) arduousness no pl.

beschwichtigen* vt jdn to appease, to pacify; Kinder, jds Zorn, Gewissen to soothe.

Beschwichtigung f siehe vt appeasement, pacification; soothing.

beschwindeln* vt (col) ⓐ (belügen) jdn ~ to tell sb a lie or a fib (col). ⓑ (betrügen) to swindle.

beschwingt adj lively; (Mensch) elated.

Beschwingtheit f siehe adj liveliness; elation.

beschwipst adj (col) tipsy.

beschwören* vt irreg ⓐ (beeiden) to swear to; (Jur auch) to swear on oath. ⓑ (anflehen) to implore, to be-seech. ⓒ (Geister, Erinnerung) to conjure up; Schlangen to charm.

Beschwörung f ⓐ (das Flehen) entreaty. ⓑ siehe vt (c) conjuring up; charming.

beseelen* vt (erfüllen) neuer Mut beseelte ihn he was filled with fresh courage.

besehen* vt irreg to (take a) look at.

beseitigen* vt ⓐ (entfernen) to remove, to get rid of; Atommüll, Abfall to dispose of; Schwierigkeiten auch to sort out; Fehler auch to eliminate; Mißstände to get rid of, to do away with. ⓑ (euph: umbringen) to get rid of.

Beseitigung f no pl siehe vt ⓐ removal, getting rid of; disposal; sorting out; elimination; getting rid of, doing away with. ⓑ getting rid of.

Besen m - ⓐ broom ► ich fresse einen ~, wenn das stimmt (col) if that's right, I'll eat my hat (col); neue ~ kehren gut (Prov) a new broom sweeps clean (Prov). ⓑ (pej col: Frau) old bag (col).

Besen-: ~kammer f, **~schrank** m broom cupboard; **~stiel** m broom-stick; er ist steif wie ein ~stiel he's as stiff as a ramrod.

besessen adj (von bösen Geistern) possessed (von by); (von einer Idee etc) obsessed (von with) ► wie ~ like one possessed.

Besessene(r) mf decl as adj one possessed no art ► die ~n the possessed.

Besessenheit f no pl siehe adj possession; obsession.

besetzen* vt ⓐ (dekorieren) to trim; (mit Edelsteinen) to stud. ⓑ (belegen) to occupy; (reservieren) to reserve; (füllen) Plätze, Stühle to fill ► ist dieser Platz besetzt? is this place taken?; siehe besetzt. ⓒ (esp Mil) to occupy; (Hausbesetzer) to squat in. ⓓ Stelle to fill; (Theat) Rolle to cast ► eine Stelle neu ~ to find a new person for a job.

Besetzer(in f) m (Haus~) squatter.

▼ **besetzt** adj (belegt) Leitung engaged (Brit), busy; WC occupied, engaged (Brit); Abteil, Tisch full (up); (vorgebucht) booked; Abteil etc taken.

Besetztzeichen nt (Telec) engaged (Brit) or busy tone.

Besetzung f ⓐ (von Stelle) filling; (von Rolle) casting; (Theat: Schauspieler) cast; (Sport: Mannschaft) team ► die Nationalelf in der neuen ~ the new line-up for the national team; zweite ~ (Theat) understudy. ⓑ (esp Mil) occupation.

besichtigen* vt (ansehen) Stadt, Kirche to have a look at, to visit; Betrieb to tour; (zur Prüfung) Haus to view; Ware, Truppen to inspect.

Besichtigung f (von Sehenswürdigkeiten) sight-seeing tour; (von Museum etc) tour; (zur Prüfung) (von Haus) viewing; (von Truppen) inspection.

► SATZBAUSTEINE: besetzt → 15.3

besiedeln

84

besiedeln* *vt* (*ansiedeln*) to populate, to settle (*mit with*); (*kolonisieren*) to colonize ▶ *dicht/dünn besiedelt* densely/thinly populated.

Besied(e)lung *f no pl siehe vt* settlement; colonization ▶ *dichte/dünne ~* dense/thin population.

besiegeln* *vt* to seal.

besiegen* *vt* (*schlagen*) to defeat, to beat; (*überwinden*) to overcome.

Besiegte(r) *mf decl as adj* loser.

besingen* *vt irreg* [a] *Schallplatte* to record. [b] (*rühmen*) *jdn/etw ~* to sing the praises of sb/sth.

besinnen* *vr irreg* (*überlegen*) to reflect, to think; (*erinnern*) to remember (*auf jdn/etw* sb/sth); (*es sich anders überlegen*) to have second thoughts ▶ *sich anders ~* to change one's mind; *sich eines Besseren ~* to think better of sth; *ohne sich zu ~* without a moment's thought *or* hesitation.

besinnlich *adj* thoughtful, contemplative.

Besinnlichkeit *f no pl* thoughtfulness, contemplativeness.

Besinnung *f no pl* [a] consciousness ▶ *bei/ohne ~ sein* to be conscious/unconscious; *die ~ verlieren* to lose consciousness; (*fig*) to lose one's head; *zur ~ kommen* to regain consciousness; (*fig*) to come to one's senses; *jdn zur ~ bringen* (*fig*) to bring sb to his senses. [b] (*das Sich-Besinnen*) contemplation (*auf +acc* of).

Besinnungs-: b~los *adj* unconscious; (*fig*) blind; **~losigkeit** *f no pl* (*lit*) unconsciousness.

Besitz *m no pl* [a] possession ▶ *im ~ von etw sein* to be in possession of sth; *etw in ~ nehmen* to take possession of sth; *von etw ~ ergreifen* to seize possession of sth; *in privatem ~* in private ownership. [b] (*Eigentum*) property; (*Landgut*) estate.

Besitz-: ~anspruch *m* claim of ownership; (*Jur*) title; *seine ~ansprüche (auf etw acc) anmelden* to lay claim to sth; **b~anzeigend** *adj* (*Gram*) possessive.

besitzen* *vt irreg* to possess, to own; *Führerschein, Wertpapiere auch* to hold; *Narbe, grüne Augen* to have; *Fähigkeiten* to have, to possess ▶ *die ~den Klassen* the propertied classes.

Besitzer(in *f)* *m* - owner; (*von Wertpapieren auch, von Führerschein etc*) holder; (*Laden~, Hotel~ etc auch*) proprietor ▶ *den ~ wechseln* to change hands.

Besitz-: ~ergreifung *f* seizure; **b~los** *adj* having no possessions; **~nahme** *f no pl* seizure; **~stand** *m* (*form*) assets *pl*; (*fig*) vested rights; **~tum** *nt* (*Eigentum*) property *no pl*; (*Grundbesitz*) estate(s *pl*), property.

Besitzung *f* (*privater Landbesitz*) estate(s *pl*).

besoffen *adj* (*col*) (*betrunken*) plastered (*Brit col*), smashed (*col*).

Besoffene(r) *mf decl as adj* (*col*) drunk.

besohlen* *vt* to sole; (*neu ~*) to resole.

besolden* *vt* to pay.

Besoldung *f* pay.

besondere(r, s) *adj* special; (*bestimmt*) particular; (*hervorragend*) *Qualität, Schönheit etc* exceptional ▶ *eine ganz ~ Anstrengung* a quite exceptional effort; *unser ~s Interesse gilt ...* we are particularly *or* (e)specially interested in ...; *ohne ~ Begeisterung* without any particular enthusiasm; *im ~n* (*im einzelnen*) in particular cases; (*vor allem*) in particular.

Besondere(s) *nt decl as adj etwas/nichts ~s* something/nothing special; *das ~ daran* what is special about it.

Besonderheit *f* special feature; (*besondere Eigenschaft*) peculiarity.

besonders *adv* particularly, (e)specially ▶ *nicht ~ viel Geld* not a particularly large amount of money; *das Essen/der Film war nicht ~* (*col*) the food/film was nothing special *or* nothing to write home about (*col*);

wie geht's dir? — nicht ~ (*col*) how are you? — not too hot (*col*).

besonnen *adj* considered, level-headed ▶ *ihre ruhige, ~e Art* her calm and collected way.

Besonnenheit *f no pl* level-headedness, calm.

besonnt *adj* sunny.

besorgen* *vt* [a] (*kaufen, beschaffen etc*) to get; (*euph col: stehlen*) to acquire (*euph col*) ▶ *jdm/sich etw ~* to get sth for sb/oneself. [b] (*erledigen*) to attend *or* see to. [c] (*versorgen*) to take care of, to look after. [d] (*col*) *es jdm ~* to sort sb out (*col*), to fix sb (*col*). [e] (*col!: sexuell*) *es jdm ~* to have it off with sb (*col*).

Besorgnis *f* anxiety, worry.

besorgnis\|erregend *adj* alarming, worrying.

besorgt *adj* [a] (*voller Sorge*) anxious, worried (*wegen* about). [b] *um jdn/etw ~ sein* to be concerned about sb/sth.

Besorgtheit *f no pl* concern.

Besorgung *f* [a] (*das Kaufen*) purchase. [b] *die ~ des Haushaltes* looking after the house. [c] (*Einkauf*) *~en machen* to do some shopping.

bespannen* *vt* [a] (*mit Material*) to cover; (*mit Saiten, Fäden*) to string. [b] *Wagen* to harness up.

Bespannung *f* [a] *no pl* covering; (*mit Saiten etc*) stringing; (*mit Pferden*) harnessing. [b] (*Material*) covering; (*Saiten, Fäden etc*) strings *pl*.

bespielbar *adj Rasen etc* playable.

bespielen* *vt* [a] *Tonband* to record on ▶ *das Band ist mit klassischer Musik bespielt* the tape has a recording of classical music on it. [b] (*Sport*) to play on.

bespitzeln* *vt* to spy on.

Bespitz(e)lung *f* spying.

besprechen* *irreg* [1] *vt* [a] to discuss, to talk about ▶ *wie besprochen* as arranged. [b] (*rezensieren*) to review. [c] *Tonband* to make a recording on. [2] *vr sich mit jdm ~* to confer with sb (*über +acc* about).

Besprechung *f* [a] discussion, talk; (*Konferenz*) meeting ▶ *er ist bei einer ~, er hat eine ~* he's in a meeting. [b] (*Rezension*) review, notice.

Besprechungs-: ~exemplar *nt* review copy; **~zimmer** *nt* conference room.

besprengen* *vt* to sprinkle.

bespringen* *vt irreg* (*Tier*) to mount, to cover.

bespritzen* *vt* to spray; (*beschmutzen*) to spatter.

besprühen* *vt* to spray.

bespucken* *vt* to spit at.

▼ **besser** *adj, adv, comp of* gut better ▶ *~e Leute* a better class of people; *er hat ~e Tage gesehen* (*iro*) he has seen better days; *du willst wohl etwas B~es sein!* (*col*) I suppose you think you're better than other people; *~ ist ~* (it is) better to be on the safe side; *um so ~!* (*col*) so much the better!; *~ (gesagt)* or rather; *sie will immer alles ~ wissen* she always thinks she knows better; *das ist auch ~ so* it's better that way; *B~es zu tun haben* to have better things to do; *das solltest du ~ nicht tun* you had better not do that; *dann geh ich ~* then I'd better go; *das Essen war nur ein ~er Imbiß* the meal was just a glorified snack.

bessergehen *vi impers sep irreg aux sein es geht jdm besser* sb is feeling better; *jetzt geht's der Firma wieder besser* the firm is doing better again now.

bessern [1] *vt* to improve, to make better; *Verbrecher etc* to reform. [2] *vr* (*moralisch, im Benehmen*) to mend one's ways.

besser-: ~stehen *vr sep irreg* (*col*) to be better off; **~stellen** *vt sep jdn ~stellen* to improve sb's financial position.

Besserung *f no pl* improvement; (*von Verbrecher etc*) reformation; (*genesung*) recovery ▶ *gute ~!* I hope you

➤ SATZBAUSTEINE: **besser** → 1.4, 7.2, 9.2, 9.3   ⚠: Informationen zur Rechtschreibreform im Anhang get better soon; *auf dem Wege der ~ sein* to be getting better, to be improving; (*Patient auch*) to be on the road to recovery.

Besser-: **~wessi** m (*col*) snooty West German *(who treats Germans from the former GDR condescendingly)*; **~wisser** m - (*col*) know-all, know-it-all (*US*); **b~wisserisch** adj (*col*) know-all *etc attr*.

Bestand m ᵗe ⓐ (*Fortdauer*) continued existence, continuance ► *von ~ sein/~ haben* to be permanent, to endure. ⓑ (*vorhandene Menge, Tiere*) stock (*an +dat* of) ► *~ aufnehmen* to take stock.

bestanden adj ⓐ *mit Bäumen* **~e** *Alleen/Abhänge* tree-lined avenues/tree-covered slopes. ⓑ *nach ~er Prüfung* after passing the/an exam; *bei nicht ~er Prüfung* if you *etc* don't pass the exam.

beständig adj ⓐ no pred (*dauernd*) constant, continual. ⓑ (*gleichbleibend*) constant; *Mitarbeiter* steady; *Wetter* settled. ⓒ no adv (*widerstandsfähig*) resistant (*gegen* to); (*dauerhaft*) *Freundschaft* lasting.

Beständigkeit f no pl siehe adj ⓐ continual nature. ⓑ constancy; steadiness; settledness. ⓒ resistance; lastingness.

Bestands|aufnahme f stock-taking.

Bestandteil m component, part; (*fig*) integral part ► *sich in seine ~e auflösen* to fall to pieces.

bestärken* vt to confirm ► *jdn in seinem Vorsatz/ Wunsch ~* to confirm sb in his intention/desire.

Bestärkung f confirmation.

bestätigen* ① vt ⓐ to confirm; (*beurkunden auch*) to certify; (*Jur*) *Urteil* to uphold ► *sich in etw* (*dat*) *bestätigt finden* to be confirmed in sth; *... sagte er ~d ...* he said in confirmation; *jdn (im Amt) ~* to confirm sb's appointment. ⓑ (*Comm*) *Empfang, Brief* to acknowledge (receipt of).
② vr to be confirmed, to be proved true.

Bestätigung f siehe vt ⓐ confirmation; upholding. ⓑ acknowledgement (of receipt).

bestatten* vt to bury ► *wann wird er bestattet* when is the funeral (service)?

Bestatter m - undertaker, mortician (*US*).

Bestattung f burial; (*Feuer~*) cremation; (*Feier auch*) funeral.

Bestattungs-: **~institut**, **~unternehmen** nt undertaker's, mortician (*US*); **~unternehmer** m undertaker, mortician (*US*).

bestäuben* vt to dust; (*Bot*) to pollinate.

Bestäubung f dusting; (*Bot*) pollination.

bestaunen* vt to marvel at, to gaze at in wonder.

beste siehe **beste(r, s)**.

bestechen* irreg ① vt ⓐ to bribe ► *ich lasse mich nicht ~* I'm not open to bribery. ⓑ (*beeindrucken*) to captivate.
② vi (*Eindruck machen*) to be impressive (*durch* because of).

bestechend adj *Schönheit, Eindruck* captivating; *Angebot* tempting.

bestechlich adj bribable, corruptible.

Bestechlichkeit f no pl corruptibility.

Bestechung f bribery; (*von Beamten etc auch*) corruption.

Bestechungs-: **~geld** nt usu pl, **~summe** f bribe; **~versuch** m attempted bribery.

Besteck nt -e ⓐ (*Eß~*) knives and forks pl, cutlery sing; (*Set, für ein Gedeck*) set of cutlery. ⓑ (*Instrumentensatz*) set of instruments ► *chirurgisches ~* (set of) surgical instruments.

Besteckkasten m cutlery canteen.

▼ **bestehen*** irreg ① vt ⓐ *Examen, Probe* to pass; siehe **bestanden**. ⓑ *Schicksalsschläge* to withstand; *Gefahr* to overcome; *Kampf* to win.

② vi ⓐ (*existieren*) to exist ► *die Universität besteht seit hundert Jahren* the university has been in existence or has existed for a hundred years; *es besteht die Hoffnung/der Verdacht, daß ...* there is (a) hope/a suspicion that ... ⓑ (*Bestand haben*) to continue to exist; (*Zweifel, Problem etc auch*) to persist. ⓒ (*sich zusammensetzen*) to consist (*aus* of) ► *in etw* (*dat*) *~* to consist in sth; (*Aufgabe*) to involve sth; *seine einzige Chance besteht darin, zu ...* his only chance is to ...; *die Schwierigkeit/das Problem besteht darin, daß ...* the difficulty/problem lies in the fact that ..., the difficulty/problem is that ... ⓓ (*standhalten, sich bewähren*) to hold one's own (*in +dat* in) ► *vor etw* (*dat*) *~* to stand up against sth. ⓔ (*bei Prüfung etc*) to pass. ⓕ *auf etw* (*dat*) *~* to insist on sth; *ich bestehe darauf* I insist.

Bestehen nt no pl ⓐ existence ► *seit ~ der Firma* ever since the firm came into existence. ⓑ (*Beharren*) insistence (*auf +dat* von). ⓒ (*von Prüfung etc*) passing.

⚠ **bestehenbleiben** vi sep irreg aux sein to last, to endure; (*Frage, Hoffnung*) to remain.

bestehend adj existing; *Gesetze* auch, *Preise* present, current.

bestehlen* vt irreg to rob (*um etw* of sth).

besteigen* vt irreg *Berg, Leiter* to climb; *Fahrrad, Pferd* to mount, to get or climb on(to); *Bus, Flugzeug* to get on; *Auto* to get into; *Thron* to ascend.

Besteigung f climbing, ascent.

bestellen* ① vt ⓐ (*anfordern, in Restaurant*) to order ► *sich* (*dat*) *etw ~* to order sth; *das Material ist bestellt* the material has been ordered or is on order. ⓑ (*reservieren*) to book, to reserve. ⓒ (*ausrichten*) *bestell ihm (von mir), daß ...* tell him (from me) that ...; *soll ich irgend etwas ~?* can I take a message?; *~ Sie ihm schöne Grüße von mir* give him my regards; *er hat hier nicht viel/nichts zu ~* he doesn't have much/any say here. ⓓ (*kommen lassen*) *jdn* to send for, to summon ► *ich bin für 10 Uhr bestellt* I have an appointment for or at 10 o'clock; *wie bestellt und nicht abgeholt dastehen* (*hum col*) to stand there looking stupid or like orphan Annie (*col*). ⓔ (*einsetzen, ernennen*) to nominate, to appoint. ⓕ (*bearbeiten*) *Land* to till. ⓖ (*fig*) *es ist schlecht um ihn bestellt* he is in a bad way.
② vi (*in Restaurant*) to order.

Besteller m - customer.

Bestell-: **~menge** f order quantity; **~nummer** f order number; **~schein** m order form.

Bestellung f ⓐ (*Anforderung, das Angeforderte*) order; (*das Bestellen*) ordering; (*Comm*) purchase order. ⓑ (*Reservierung*) booking, reservation. ⓒ (*Ernennung*) nomination, appointment. ⓓ (*von Land*) tilling.

besten adv: *am ~* siehe **beste(r, s) 2**.

bestenfalls adv at best.

bestens adv (*sehr gut*) very well.

▼ **beste(r, s)** ① adj, superl of **gut** ⓐ attr best ► *im ~n Fall* at (the) best; *in ~n Händen* in the best of hands. ⓑ *das ~ wäre, wir ...* the best thing would be for us to...; *es steht nicht zum ~n* it does not look too promising or good; *jdn zum ~n halten* to pull sb's leg, to have sb on (*col*); *etw zum ~n geben* (*erzählen*) to tell sth. ⓒ *der/die/das B~* the best; *ich will nur dein B~s* I've your best interests at heart; *sein B~s geben* to give of one's best.
② adv *am ~n* best; *am ~n gehe ich jetzt* I'd or I had best be going now.

Beste(s) nt siehe **beste(r, s) 1 (c)**.

besteuern* vt to tax.

Besteuerung f taxation; (*Steuersatz*) tax.

Bestform f (*esp Sport*) top or best form.

bestialisch adj bestial; (*col*) awful, beastly (*col*).

► SATZBAUSTEINE: **bestehen:** 2f → 6.1, 11   **beste(r, s):** 2 → 1.1, 1.4

Bestialität *f* bestiality.
besticken* *vt* to embroider.
Bestie [-tiə] *f* beast; (*fig*) animal.
bestimmen* [1] *vt* [a] to determine; *Zeitpunkt etc auch* to fix, to set; (*entscheiden auch*) to decide; *Landschaft etc* to characterize; *Pflanze, Funde* to classify. [b] (*vorsehen*) to intend, to mean (*für* for) ▶ *er ist zu Höherem bestimmt* he is destined for higher things; *wir waren füreinander bestimmt* we were meant for each other.
[2] *vi* to decide (*über +acc* on) ▶ *du hast hier nicht zu ~* you don't make the decisions here; *er kann über sein Geld allein ~* it is up to him what he does with his money.
bestimmend *adj Faktor, Einfluß* determining, decisive ▶ *für etw ~ sein* to be characteristic of sth; (*entscheidend*) to have a determining influence on sth.
▼ **bestimmt** [1] *adj* [a] definite; (*gewiß*) certain; (*festgesetzt*) *Preis, Tag* set, fixed ▶ *suchen Sie etwas B~es?* are you looking for anything in particular? [b] (*entschieden*) *Auftreten, Ton* firm, decisive.
[2] *adv* [a] (*sicher*) definitely, certainly ▶ *ich weiß ganz ~, daß ...* I know for sure *or* for certain that ...; *ich komme ganz ~* I'll definitely come. [b] (*wahrscheinlich*) no doubt ▶ *das hat er ~ verloren* he's bound to have lost it.
Bestimmtheit *f* [a] (*Sicherheit*) certainty ▶ *ich weiß aber mit ~, daß ...* but I know for sure *or* for certain that ... [b] (*Entschiedenheit*) firmness ▶ *in or mit aller ~* quite categorically.
Bestimmung *f* [a] (*Vorschrift*) regulation. [b] *no pl* (*Zweck*) purpose ▶ *eine Anlage ihrer ~ übergeben* to officially open a new plant. [c] (*Schicksal*) destiny. [d] (*das Bestimmen*) determining; (*von Zeit etc*) fixing, setting; (*von Pflanze, Funden*) classification.
Bestimmungs-: **~bahnhof** *m* (station of) destination; **b~gemäß** *adj* as agreed; **~hafen** *m* (port of) destination; **~land** *nt,* **~ort** *m* destination.
Best-: **~leistung** *f* (*esp Sport*) best performance; *seine persönliche ~leistung* his personal best; **b~möglich** *adj no pred* best possible.
Best.-Nr. = **Bestellnummer.**
bestrafen* *vt* to punish; (*Jur*) *jdn* to sentence (*mit* to); (*Sport*) *Spieler, Foul* to penalize.
Bestrafung *f siehe vt* punishment, sentencing; penalization.
bestrahlen* *vt* to shine on; (*beleuchten*) *Gebäude, Bühne* to light up, to illuminate; (*Med*) to give radiotherapy to; (*mit Höhensonne*) to give ultra-violet treatment to.
Bestrahlung *f* illumination; (*Med*) radiotherapy; (*mit Höhensonne*) ultra-violet treatment.
Bestreben *nt no pl* endeavour (*Brit*), endeavor (*US*).
bestrebt *adj* ~ *sein, etw zu tun* to endeavour (*Brit*) *or* endeavor (*US*) to do sth.
bestreichen* *vt irreg* to spread; (*mit Farbe*) to paint ▶ *etw mit Butter/Fett/Öl ~* to butter/grease/oil sth.
bestreiken* *vt* to black ▶ *bestreikt* strikebound; *die Fabrik wird zur Zeit bestreikt* there's a strike on in the factory at the moment.
▼ **bestreiten*** *vt irreg* [a] (*abstreiten*) to dispute, to challenge; (*leugnen*) to deny ▶ *jdm das Recht auf ... ~* to dispute *etc* sb's right to ...; *das will ich nicht ~* I'm not disputing *or* denying it. [b] (*finanzieren*) to pay for, to finance; *Kosten* to carry. [c] *er hat das ganze Gespräch allein bestritten* he did all the talking; *die Mannschaft hat fünf Spiele in zwei Wochen bestritten* the team has played five games in two weeks.
bestreuen* *vt* to cover (*mit* with); (*Cook*) to sprinkle.
Bestseller ['best-] *m* - best-seller.

Bestseller-: **~autor** *m* best-selling author; **~liste** *f* best-seller list.
bestücken* *vt* to fit, to equip; (*Mil*) to arm; *Lager* to stock.
Bestuhlung *f* seating *no indef art.*
bestürmen* *vt* to storm; (*mit Fragen, Bitten*) to bombard; (*mit Briefen, Anrufen*) to inundate.
bestürzen* *vt* to fill with consternation, to dismay.
bestürzend *adj* alarming.
bestürzt *adj* filled with consternation, dismayed ▶ *er sah mich ~ an* he looked at me in consternation.
Bestürzung *f* consternation.
Bestzeit *f* (*esp Sport*) best time.
Besuch *m* **-e** [a] visit (*gen* to); (*von Schule, Veranstaltung*) attendance (*gen* at) ▶ *bei jdm zu ~ sein* to be visiting sb; *(von jdm) ~ erhalten* to have *or* get a visit (from sb). [b] (*Besucher*) visitor; visitors *pl* ▶ *er hat ~* he has visitors/a visitor.
besuchen* *vt jdn* to visit. *Vortrag, Schule, Kino etc* to go to.
Besucher(in *f*) *m* - visitor; (*pl: Publikum*) audience ▶ *etwa 1000 ~ waren zu der Veranstaltung gekommen* about 1,000 people attended the event.
Besuchs-: **~erlaubnis** *f* (*für Land*) visa; *~erlaubnis haben* to be allowed to receive visitors; **~zeit** *f* visiting time.
besucht *adj gut/schlecht ~ sein* to be well/badly attended.
besudeln* *vt* (*geh*) *Wände* to smear; *Kleidung, Hände* to soil; (*fig*) *Namen, Ehre* to sully.
betagt *adj* (*geh*) aged, advanced in years.
betanken* *vt Fahrzeug* to fill up; *Flugzeug* to refuel.
betasten* *vt* to feel.
Betastrahlen *pl* beta rays *pl.*
betätigen* [1] *vt* to operate; *Muskeln, Gehirn* to activate; *Bremse auch* to apply.
[2] *vr* to busy oneself; (*körperlich*) to get some exercise ▶ *sich als jd/etw ~* to act as sb/sth; *sich politisch ~* to be active in politics; *sich literarisch/künstlerisch ~* to do some writing/painting.
Betätigung *f* [a] (*Tätigkeit*) activity. [b] *siehe vt* (*a*) operation; activation; application.
betäuben* *vt* (*unempfindlich machen*) to deaden; (*durch Narkose*) to anaesthetize (*Brit*), to anesthetize (*US*); (*fig: benommen machen*) to stun ▶ *seinen Kummer mit Alkohol ~* to drown one's sorrows (in drink); *~der Lärm* deafening noise; *ein ~der Duft* an overpowering scent.
Betäubung *f* (*Narkose*) anaesthetic (*Brit*), anesthetic (*US*) ▶ *örtliche ~* local anaesthetic.
Betäubungsmittel *nt* anaesthetic (*Brit*), anesthetic (*US*).
Bete *f* **-n** beet ▶ *rote ~* beetroot.
beteiligen* [1] *vt jdn an etw* (*dat*) *~* to involve sb in sth; (*finanziell*) to give sb a share in sth.
[2] *vr* to take part, to participate (*an +dat* in); (*finanziell*) to have a share (*an +dat* in) ▶ *sich an den Unkosten ~* to contribute to the expenses.
beteiligt *adj an etw* (*dat*) *~ sein/werden* to be involved in sth, to have a part in sth; (*finanziell*) to have a share in sth.
Beteiligte(r) *mf decl as adj* person involved; (*an Diskussion auch*) participant; (*Teilhaber*) partner; (*Jur*) party.
Beteiligung *f no pl* (*Teilnahme*) (*an +dat* in) participation; (*finanziell*) share; (*an Unfall*) involvement.
Beteiligungsgesellschaft *f* (*Econ*) associated company.
beten [1] *vi* to pray (*um, für* for, *zu* to), to say one's prayers; (*bei Tisch*) to say grace.

▶ SATZBAUSTEINE: **bestimmt: 1a → 1.5 2 → 13.1, 14.3** **bestreiten: a → 13.1**

$\boxed{2}$ *vt* to say.
beteuern* *vt* to declare; *Unschuld auch* to protest.
Beteuerung *f siehe vt* declaration; protestation.
Bethlehem *nt* Bethlehem.
betiteln* *vt* to entitle; (*anreden*) to address as; (*col: beschimpfen*) to call.
Beton [be'tɔŋ, be'toː] *m* -s concrete.
betonen* *vt* to stress; (*hervorheben*) to emphasize; *siehe* **betont**.
betonieren* *vti* to concrete ▸ *betoniert* concrete.
Beton-: **~klotz** *m* concrete block; **~mischmaschine** *f* concrete-mixer.
betont *adj Höflichkeit* emphatic, deliberate; *Kühle, Sachlichkeit* pointed ▸ *sich ~ einfach kleiden* to dress with pronounced simplicity.
Betonung *f* $\boxed{a}$ *no pl siehe vt* stressing; emphasis. $\boxed{b}$ (*Akzent, fig: Gewicht*) stress, emphasis.
Betonungszeichen *nt* stress mark.
Betonwüste *f* (*pej*) concrete jungle.
betören* *vt* to bewitch, to beguile.
Betr. = **Betreff** re, ref.
betr. = **betreffend** regarding, re.
Betracht *m no pl etw außer ~ lassen* to leave sth out of consideration, to disregard sth; *in ~ kommen* to be considered; *nicht in ~ kommen* to be out of the question; *jdn/etw in ~ ziehen* to take sb/sth into consideration.
betrachten* *vt* $\boxed{a}$ (*sehen, beurteilen*) to look at ▸ *so/ objektiv betrachtet* from this/an objective point of view; *bei näherem B~* on closer examination. $\boxed{b}$ *als jdn/etw ~* to regard *or* look upon *or* consider as sb/sth.
Betrachter(in *f*) *m* - observer.
beträchtlich *adj* considerable.
Betrachtung *f* $\boxed{a}$ (*das Betrachten*) contemplation ▸ *bei näherer ~* on closer examination. $\boxed{b}$ (*Überlegung*) reflection ▸ *über etw* (*acc*) *~en anstellen* to reflect on *or* contemplate sth.
Betrachtungsweise *f er hat eine andere ~* he has a different way of looking at things.
Betrag *m* -̈e amount, sum.
betragen* *irreg* $\boxed{1}$ *vi* to be; (*Kosten, Rechnung auch*) to come to, to amount to ▸ *der Unterschied beträgt 100 DM* the difference is *or* amounts to 100 marks. $\boxed{2}$ *vr* to behave.
Betragen *nt no pl* behaviour (*Brit*), behavior (*US*); (*esp im Zeugnis*) conduct.
betrauen* *vt jdn mit etw ~* to entrust sb with sth.
betrauern* *vt* to mourn.
beträufeln* *vt den Fisch mit Zitrone ~* to sprinkle lemon juice on the fish.
Betreff *m* -e (*form*) *~: Ihr Schreiben vom ...* re *or* reference your letter of ...
betreffen* *vt irreg* (*angehen*) to concern ▸ *von dieser Regelung werde ich nicht betroffen* this rule does not concern *or* affect me; *was mich betrifft ...* as far as I'm concerned ...; *„Betrifft:"* "re:"; *siehe* **betroffen**.
betreffend *adj attr* (*erwähnt*) in question; (*zuständig, für etw relevant*) relevant ▸ *das ~e Wort richtig einsetzen* to insert the appropriate word in the right place.
betreffs *prep +gen* (*form*) concerning, regarding.
betreiben* *vt irreg* $\boxed{a}$ (*vorantreiben*) to push ahead ▸ *auf jds B~* (*acc*) *hin* at sb's instigation. $\boxed{b}$ *Gewerbe, Handwerk* to carry on; *Handel auch* to do; *Politik* to pursue. $\boxed{c}$ (*Tech*) to operate.
betreten¹* *vt irreg* to enter, to go/come into; *Spielfeld, Bühne, Brücke* to step onto; (*fig*) *Zeitalter etc* to enter ▸ *„B~ (des Rasens) verboten!"* "Keep off (the grass)".
betreten² *adj* embarrassed.
Betretenheit *f* embarrassment.
betreuen* *vt* to look after.
Betreuer(in *f*) *m* carer; (*Kinder~*) child-minder ▸ *wir*

suchen noch ~ für ... we are still looking for people to look after ...
Betreuung *f* looking after; (*von Patienten, Tieren etc*) care ▸ *er wurde mit der ~ der Gruppe beauftragt* he was put in charge of the group.
Betrieb *m* -e $\boxed{a}$ (*Firma*) business, concern; (*Fabrik*) factory, works *sing or pl.* $\boxed{b}$ (*Tätigkeit*) work; (*von Maschine, Fabrik*) working, operation ▸ *er hält die ganzen ~ auf* he's holding everything up; *außer ~* out of order; *die Maschinen sind in ~* the machines are running; *eine Maschine in/außer ~ setzen* to start a machine up/to stop a machine; *eine Maschine/Fabrik in ~ nehmen* to put a machine/factory into operation. $\boxed{c}$ (*Betriebsamkeit*) bustle ▸ *in den Geschäften herrscht großer ~* the shops are very busy.
betrieblich *adj attr* company *attr* ▸ *eine Sache ~ regeln* to settle a matter within the company.
Betriebs- *in cpds* (*Fabrik-*) factory, works; (*Firmen-*) company.
betriebsam *adj* busy, bustling *no adv.*
Betriebsamkeit *f* bustle; (*von Mensch*) active nature.
Betriebs-: **~angehörige(r)** *mf* employee; **~anleitung** *f* operating instructions *pl*; **~ausflug** *m* staff outing; **b~bereit** *adj* operational; **b~blind** *adj b~blind sein* to have become blind to organizational faults at work; **b~eigen** *adj* company *attr*; **~ferien** *pl* (annual) company holiday, vacation close-down (*US*); **~führung** *f* management; **~geheimnis** *nt* trade secret; **~gewinn** *m* operating profit; **b~intern** *adj* in-house; internal company *attr*, *etw b~intern regeln* to settle sth within the company; **~klima** *nt* working atmosphere; **~kosten** *pl* (*von Firma etc*) overheads *pl*; (*von Maschine*) running costs *pl*; **~leiter** *m* (works *or* factory) manager; **~leitung** *f* management; **~prüfung** *f* (government) audit; **~rat** *m* $\boxed{a}$ (*Gremium*) works council. $\boxed{b}$ (*col: Person*) works council member; **~schluß** △ *m* (*von Firma*) end of business hours; (*von Fabrik*) end of factory hours; *nach ~schluß* after business/factory hours; **b~sicher** *adj* safe (to operate); **~störung** *f* breakdown; **~system** *nt* (*Comp*) operating system; **~unfall** *m* industrial accident; (*hum col*) accident; **~unkosten** *pl* plant cost; **~vereinbarung** *f* in-house agreement; **~versammlung** *f* staff meeting; **~wirt** *m* management expert; **~wirtschaft** *f* business management; **~wirtschafts-lehre** *f* business management.
betrinken* *vr irreg* to get drunk; *siehe* **betrunken**.
betroffen *adj* $\boxed{a}$ affected (*von* by). $\boxed{b}$ (*bestürzt*) taken aback; *Schweigen* awkward.
Betroffene(r) *mf decl as adj* person affected.
Betroffenheit *f* consternation.
betrüben* *vt* to sadden, to distress.
betrüblich *adj* sad, distressing; *Zustände* deplorable.
betrübt *adj* saddened, distressed.
Betrug *m no pl* deceit, deception; (*Jur*) fraud ▸ *das ist ja (alles) ~* it's (all) a cheat *or* fraud.
betrügen* *vt irreg* to deceive; (*geschäftlich auch*) to cheat; *Freund(in), Ehepartner auch* to be unfaithful to; (*Jur*) to defraud ▸ *jdn um etw ~* to cheat sb out of sth; (*Jur*) to defraud sb of sth; *ich fühle mich betrogen* I feel betrayed; *sich um etw betrogen sehen* to feel deprived of sth.
Betrüger(in *f*) *m* - (*beim Spiel*) cheat; (*geschäftlich*) swindler; (*Jur*) defrauder.
Betrügerei *f* deceit; (*geschäftlich*) cheating *no pl*, swindling *no pl*; (*von Ehepartner*) deceiving *no pl*; (*Jur*) fraud.
betrügerisch *adj* deceitful; (*Jur*) fraudulent ▸ *in ~er Absicht* with intent to defraud.
betrunken *adj* drunk *no adv*, drunken *attr*. *Fahren in ~em Zustand* drunk driving.
Betrunkene(r) *mf decl as adj* drunk.

⚠: for details of spelling reform, see supplement

Bett

Bett nt -en bed ▸ an jds ~ (dat) sitzen to sit at sb's bedside or by sb's bed; im ~ in bed; jdn ins or zu ~ bringen to put sb to bed; ins or zu ~ gehen to go to bed; mit jdm das ~ teilen to share sb's bed; er hat sich ins gemachte ~ gelegt (fig) he had everything handed to him on a plate.

Bett-: ~bezug m quilt cover; ~couch f bed settee; ~decke f blanket; (gesteppt) (continental) quilt, duvet.

Bettel-: b~arm adj destitute; ~brief m begging letter.

Bettelei f begging.

Bettelmönch m mendicant or begging monk.

betteln vi to beg ▸ (bei jdm) um etw ~ to beg (sb) for sth.

Bettelstab m: jdn an den ~ bringen to reduce sb to beggary.

betten vt (legen) to make a bed for, to bed down; Kopf to lay ▸ wie man sich bettet, so liegt man (Prov) as you make your bed so you must lie on it (Prov); er hat sich weich gebettet (fig) he's feathered his nest.

Bett-: ~feder f bedspring; ~federn pl (Daunen) bed feathers; ~geflüster nt pillow talk; ~genosse m (dated, iro) bedfellow; ~gestell nt bedstead; ~hupferl nt - (SGer) bedtime sweet; ~kante f edge of the bed; ~kasten m linen drawer; b~lägerig adj bedridden, confined to bed; ~laken nt sheet; ~lektüre f bedtime reading.

Bettler(in f) m - beggar.

Bett-: ~nässen nt no pl bed-wetting; ~nässer m - bedwetter; ~pfanne f bedpan; ~pfosten m bedpost; ~rand m edge of the bed; ~ruhe f bed rest; ~schwere f (col) die nötige ~schwere haben/bekommen to be/get tired enough to sleep; ~sofa nt sofa bed.

⚠ **Bettuch** nt sheet.

Bett-: ~vorleger m bedside rug; ~wäsche f bed linen; ~zeug nt bedding.

betucht adj (col) well-to-do.

betulich adj [a] (übertrieben besorgt) fussing attr, Redeweise twee. [b] (beschaulich) leisurely no adv.

betupfen* vt to dab; (Med) to swab.

Beuge f -n bend; (Rumpf~) forward bend; (seitlich) sideways bend; (Knie~) knee-bend.

Beugehaft f (Jur) coercive detention.

beugen [1] vt [a] to bend; (Phys) Wellen to diffract; Strahlen, Licht to deflect; (fig) Stolz, Starrsinn to break ▸ das Recht ~ to pervert the course of justice; vom Alter gebeugt bent or bowed by age; von Kummer/Gram gebeugt bowed down with grief/sorrow; siehe gebeugt. [b] (Gram) to decline; Verb to conjugate. [2] vr to bend; (fig) to submit, to bow (dat to) ▸ sich aus dem Fenster ~ to lean out of the window; er beugte sich zu mir herüber he leant across to me.

Beugung f siehe vt [a] bending, diffraction; deflection; breaking. [b] declension; conjugation.

Beule f -n (von Stoß etc) bump; (Delle) dent.

be|unruhigen* [1] vt to worry ▸ über etw (acc) beunruhigt sein to be worried about sth. [2] vr to worry (oneself) (über +acc, wegen about).

Be|unruhigung f concern.

be|urkunden* vt to certify; Vertrag to record; Geschäft to document.

Be|urkundung f [a] siehe vt certification; recording; documentation. [b] (Dokument) documentation.

be|urlauben* vt to give leave; (von Pflichten) to excuse (von from) ▸ beurlaubt sein to be on leave; (suspendiert sein) to have been relieved of one's duties; sich ~ lassen to take leave.

Be|urlaubung f granting of leave (gen to); (Beurlaubtsein) leave.

be|urteilen* vt to judge (nach by, from); Leistung, Wert to assess ▸ etw richtig/falsch ~ to judge sth correctly/

to misjudge sth.

Be|urteilung f siehe vt judgement; assessment.

Be|urteilungs-: ~gespräch nt appraisal interview; ~maßstab m criterion.

Beute f no pl [a] (Kriegs~, fig hum) spoils pl; (Diebes~) haul, loot; (von Raubtieren etc) prey; (Jagd~) bag ▸ ~ machen (Dieb) to make a haul. [b] (liter: Opfer) prey ▸ eine ~ einer Sache (gen) sein/werden to have fallen prey/to fall prey to sth; eine leichte ~ sein to be a sitting target.

Beutel m - [a] bag; (Tabaks~, Zool) pouch. [b] (col: Geld~) (von Frau) purse; (von Mann) wallet (Brit), billfold (US).

Beuteltier nt marsupial.

Beute-: ~stück nt booty; ~zug m raid (auch fig).

bevölkern* [1] vt [a] (bewohnen) to inhabit; (beleben) to crowd, to fill ▸ schwach/stark bevölkert sparsely/densely populated. [b] (besiedeln) to populate. [2] vr to become inhabited; (fig) to fill up.

Bevölkerung f (die Bewohner) population.

Bevölkerungs-: ~dichte f population density; ~explosion f population explosion; ~schicht f social stratum; ~zahl f (total) population.

▼ **bevollmächtigen*** vt to authorize (zu etw to do sth).

Bevollmächtigte(r) mf decl as adj authorized representative.

Bevollmächtigung f authorization (durch from).

bevor conj before ▸ ~ Sie (nicht) die Rechnung bezahlt haben until you pay the bill.

bevormunden* vt jdn ~ to treat sb like a child; (für jdn entscheiden) to make sb's decisions (for him/her).

Bevormundung f unsere ~ durch den Staat the State's making up our minds for us.

bevorstehen vi sep irreg to be imminent; (Winter etc) to approach ▸ jdm ~ to be in store for sb; das Schlimmste steht uns noch bevor the worst is still to come.

bevorstehend adj forthcoming; Gefahr, Krise imminent; Winter approaching.

bevorzugen* vt to prefer; (begünstigen) to favour (Brit), to favor (US), to give preferential treatment to.

bevorzugt [1] adj preferred; Behandlung preferential; (privilegiert) privileged. [2] adv jdn ~ behandeln etc to give sb preferential treatment; etw ~ abfertigen etc to give sth priority.

Bevorzugung f preference (gen for); (vorrangige Behandlung) preferential treatment (bei in).

bewachen* vt to guard; (Sport) Spieler to mark.

Bewacher(in f) m - guard; (Sport: von Spieler) marker.

bewachsen adj overgrown (mit in, with).

Bewachung f guarding; (Wachmannschaft) guard; (Sport) marking.

bewaffnen* [1] vt to arm. [2] vr (lit, fig) to arm oneself.

bewaffnet adj armed ▸ bis an die Zähne ~ armed to the teeth.

Bewaffnung f arming; (Waffen) weapons pl.

bewahren* vt [a] (beschützen) to protect (vor +dat from) ▸ (Gott) bewahre! (col) heaven or God forbid! [b] (beibehalten) to keep, to retain.

bewähren* vr to prove oneself/itself; (Methode, Sparsamkeit, Fleiß) to pay off; (Auto, Gerät etc) to prove a good investment ▸ sich im Leben ~ to make something of one's life; es bewährt sich immer, das zu tun it's always worth doing that; ihre Freundschaft hat sich bewährt their friendship stood the test of time; siehe bewährt.

bewahrheiten* vr to prove (to be) well-founded; (Prophezeiung) to come true.

bewährt adj proven, tried and tested.

Bewährung f siehe vt protection; retention.

➤ SATZBAUSTEINE: **bevollmächtigen** → 12.2   ⚠: Informationen zur Rechtschreibreform im Anhang

Bewährung f [a] *bei ~ der Methode* if the method proves (to be) workable *or* valid. [b] (*Jur*) probation ▸ *eine Strafe zur ~ aussetzen* to impose a suspended sentence; *ein Jahr Gefängnis mit ~* a suspended sentence of one year with probation.

Bewährungs-: **~frist** f (*Jur*) probation(ary) period; **~helfer** m probation officer; **~probe** f test; *etw einer ~probe* (*dat*) *unterziehen* to put sth to the test; **~zeit** f time spent on probation.

bewaldet *adj* wooded.

bewältigen* *vt Schwierigkeiten* to cope with; *Arbeit, Aufgabe auch, Strecke* to manage; *Erlebnis etc* to get over; (*erledigen, beenden*) to deal with.

Bewältigung f *die ~ der Schwierigkeiten/der Arbeit/eines Erlebnisses* coping with the difficulties/managing the work/getting over an experience.

bewandert *adj* well-versed.

Bewandtnis f *damit hat es eine andere ~* there's another reason *or* explanation for that; *damit hat es folgende ~* the fact of the matter is this.

bewässern* *vt* to irrigate; (*mit Sprühanlage*) to water.

Bewässerung f *siehe vt* irrigation; watering.

Bewässerungs- *in cpds* irrigation.

bewegen¹* [1] *vt* [a] to move ▸ *dieser Gedanke bewegt mich seit langem* this has been on my mind a long time; *~d* moving *siehe* **bewegt**. [b] (*bewirken, ändern*) to change.
[2] *vr* [a] to move. [b] (*Bewegung haben: Mensch*) to get some exercise. [c] (*fig: schwanken*) to vary, to range (*zwischen* between) ▸ *der Preis bewegt sich um die 50 Mark* the price is about 50 marks. [d] (*sich ändern*) to change ▸ *es bewegt sich etwas* things are beginning to happen.

bewegen² *pret* **bewog**, *ptp* **bewogen** *vt jdn zu etw ~* to induce *or* persuade sb to do sth; *sich dazu ~ lassen, etw zu tun* to let oneself be persuaded to do sth.

Beweggrund m motive.

beweglich *adj* [a] (*bewegbar*) movable; *Truppe* mobile. [b] (*wendig*) agile; *Fahrzeug* manoeuvrable (*Brit*), maneuverable (*US*) ▸ *mit dem Fahrrad ist man in der Stadt ~er* you can get around more easily in town on a bicycle.

Beweglichkeit f *no pl siehe adj* [a] movability; mobility. [b] agility; manoeuvrability (*Brit*), maneuverability (*US*).

bewegt *adj* [a] *Wasser, See* choppy; *Zeiten, Leben* eventful. [b] *Stimme, Worte* emotional.

Bewegung f [a] movement; (*Hand~ auch*) gesture; (*Sci, Tech auch*) motion ▸ *keine ~!* don't move!; *in ~ sein* (*Fahrzeug*) to be moving, to be in motion; (*Menge*) to mill around; *sich in ~ setzen* to start moving; *etw in ~ setzen* to set sth in motion. [b] (*körperliche ~*) exercise ▸ *sich* (*dat*) *~ verschaffen* to get some exercise. [c] (*Entwicklung*) progress ▸ *etw kommt in ~* sth gets moving. [d] (*Ergriffenheit*) emotion. [e] (*Pol, Art etc*) movement.

Bewegungs-: **~freiheit** f freedom of movement; (*fig*) freedom of action; **b~los** *adj* motionless, immobile; **~losigkeit** f motionlessness, immobility; **b~unfähig** *adj* unable to move; (*gehunfähig*) unable to get about.

beweihräuchern* *vt* (*fig*) to praise to the skies.

beweinen* *vt* to mourn (for), to weep for.

Beweis m -e proof (*für* of); (*Zeugnis*) evidence *no pl* ▸ *als or zum ~* as proof *or* evidence; *ein eindeutiger ~* clear evidence; *den ~ antreten or führen* to offer evidence *or* proof; *den ~ für etw erbringen* to produce evidence *or* proof of sth.

Beweis-: **~aufnahme** f (*Jur*) taking *or* hearing of evidence; **b~bar** *adj* provable, demonstrable.

beweisen* *vt irreg* to prove ▸ *was zu ~ war* QED; *was*

noch zu ~ wäre that remains to be seen.

Beweis-: **~führung** f (*Jur*) presentation of one's case; (*Math*) proof; (*Argumentation*) argumentation, reasoning; **~grund** m argument; **~kraft** f value as evidence; **~lage** f (*Jur*) body of evidence; **~last** f (*Jur*) onus, burden of proof; **~material** nt (body of) evidence; **~not** f (*Jur*) lack of evidence; **~pflicht** f (*Jur*) onus, burden of proof; **~stück** nt exhibit.

bewenden *vt impers: wir wollen es dabei ~ lassen* let's leave it at that.

bewerben* *vr irreg* to apply (*bei* to, *um* for, *als* for the post/job of); (*bei Wahl*) to stand; (*Comm: um Auftrag*) to quote.

Bewerber(in f) m - applicant; (*Pol*) candidate; (*Sport*) contender.

Bewerbung f application; (*Pol*) candidacy.

Bewerbungs-: **~bogen** m application form; **~gespräch** nt (job) interview; **~schreiben** nt (letter of) application; **~unterlagen** pl application documents pl.

bewerfen* *vt irreg jdn/etw mit etw ~* to throw sth at sb/sth.

bewerkstelligen* *vt* to manage; *Geschäft* to bring off ▸ *es ~, daß jd etw tut* to manage *or* contrive to get sb to do sth.

bewerten* *vt jdn* to judge; *Gegenstand* to put a value on; *Leistung auch, Schularbeit* to assess ▸ *etw mit der Note 5 ~* to give sth a mark of 5.

Bewertung f *siehe vt* judgement; valuation; assessment.

bewilligen* *vt* to allow; *Etat etc* to approve; *Geld etc auch* to grant; *Stipendium* to award.

Bewilligung f *siehe vt* allowing; approval; granting; awarding ▸ *die ~ für einen Kredit bekommen* to be allowed *or* granted credit.

bewirken* *vt* [a] (*verursachen*) to cause, to bring about ▸ *~, daß etw passiert* to cause sth to happen. [b] (*erreichen*) to achieve.

bewirten* *vt* to entertain; *jdn mit Kaffee und Kuchen ~* to serve sb coffee and cakes.

bewirtschaften* *vt Land* to farm, to cultivate.

Bewirtschaftung f (*von Land*) farming, cultivation.

Bewirtung f (*das Bewirten*) hospitality; (*im Hotel*) (food and) service ▸ *die ~ so vieler Gäste* catering for so many guests.

bewog *pret of* **bewegen²**.

bewogen *ptp of* **bewegen²**.

bewohnbar *adj* habitable.

Bewohnbarkeit f habitability.

bewohnen* *vt* to live in; *Haus, Bau, Nest auch* to occupy; (*Volk*) to inhabit; *siehe* **bewohnt**.

Bewohner(in f) m - (*von Land, Gebiet*) inhabitant; (*von Haus etc*) occupier.

bewohnt *adj* inhabited; *Haus etc auch* occupied.

bewölken* *vr* (*lit, fig*) to cloud over.

bewölkt *adj* cloudy.

Bewölkung f clouding over; (*Wolken*) cloud.

Bewölkungs-: **~auflockerung** f break-up of the cloud; **~zunahme** f increase in cloud.

Bewuchs m *no pl* vegetation.

Bewund(e)rer(in f) m - admirer.

bewundern* *vt* to admire (*wegen* for).

bewundernswert *adj* admirable.

Bewunderung f admiration.

△**bewußt** [1] *adj* [a] conscious ▸ *sich* (*dat*) *einer Sache* (*gen*) *~ sein/werden* to be/become aware *or* conscious of sth, to realize sth; *es wurde ihm allmählich ~, daß ...* he gradually realized (that) ... [b] (*willentlich*) deliberate, intentional; *Lüge* deliberate. [c] (*bekannt, besagt*) *die ~e Kreuzung* the crossroads in question.
[2] *adv* [a] consciously ▸ *~ leben* to live in total awareness. [b] (*willentlich*) deliberately, intentionally.

bewußtlos

Bewußt-: b~los ⚠ *adj* unconscious; **b~los werden** to become unconscious; **~lose(r)** ⚠ *mf decl as adj* unconscious man/woman/person *etc*; **~losigkeit** ⚠ *f* unconsciousness; **bis zur ~losigkeit** (*col*) ad nauseam; **b~machen** ⚠ *vt sep jdm etw b~machen* to make sb conscious of sth, to make sb realize sth; *sich* (*dat*) *etw b~machen* to realize sth.

⚠ **Bewußtsein** *nt no pl* [a] (*Wissen*) awareness, consciousness ▶ *etw kommt jdm zu(m) ~* sb becomes aware *or* conscious of sth; *jdm etw zu ~ bringen/ins ~ rufen* to make sb conscious *or* aware of sth; *im ~, daß ...* in the knowledge that ...; *er tat es mit (vollem) ~* he was (fully) aware of what he was doing. [b] (*Philos, Psych, Med*) consciousness ▶ *das ~ verlieren/ wiedererlangen* to lose/regain consciousness; *bei ~ sein* to be conscious; *bei vollem ~* fully conscious.

Bewußtseins-: ~bildung ⚠ *f* (*Pol*) shaping of political ideas; **b~erweiternd** ⚠ *adj* **b~erweiternde Drogen** mind-expanding drugs; **~erweiterung** ⚠ *f* consciousness raising; **~spaltung** ⚠ *f* schizophrenia; **~veränderung** ⚠ *f* change in outlook.

bez. = [a] **bezahlt** pd. [b] **bezüglich** re.

Bez. = **Bezirk**.

bezahlbar *adj* affordable.

bezahlen* [1] *vt* [a] to pay. [b] *Sache, Leistung* to pay for ▶ *etw bezahlt bekommen/für etw nichts bezahlt bekommen* to get/not to get paid for sth; *er hat seinen Fehler mit seinem Leben bezahlt* he paid for his mistake with his life. [2] *vi* to pay.

bezahlt *adj* paid ▶ *sich ~ machen* to pay off.

Bezahlung *f* [a] *siehe vt* payment; paying for (*einer Sache* (*gen*)) sth). [b] (*Lohn, Gehalt*) pay; (*für Dienste*) payment ▶ *ohne/gegen or für ~* without/ for payment.

bezähmen* [1] *vt* (*fig geh*) *Begierden etc* to control, to curb. [2] *vr* to control *or* restrain oneself.

bezaubern* *vt* (*fig*) to charm, to captivate.

bezaubernd *adj* enchanting, charming.

bezeichnen* *vt* [a] (*kennzeichnen*) to mark; *Takt, Tonart* to indicate. [b] (*genau beschreiben*) to describe. [c] (*benennen*) to call, to describe ▶ *ich weiß nicht, wie man das bezeichnet* I don't know what it's called. [d] (*bedeuten*) to mean, to denote.

bezeichnend *adj* (*für* of) characteristic, typical.

bezeichnenderweise *adv* typically (enough).

Bezeichnung *f* [a] *siehe vt* (*a, b*) marking; indication; description. [b] (*Ausdruck*) expression, term.

bezeugen* *vt* to attest, to testify to ▶ *~, daß ...* to attest the fact that ..., to testify that ...

bezichtigen* *vt* to accuse (*einer Sache* (*gen*)) of sth).

beziehbar *adj* [a] *Wohnung etc* ready to move into. [b] *Waren etc* obtainable.

beziehen* *irreg* [1] *vt* [a] (*überziehen*) *Polster* to cover ▶ *die Betten frisch ~* to change the beds. [b] (*einziehen in*) *Wohnung* to move into. [c] *Stellung, Standpunkt* to take up. [d] (*erhalten*) to get. [e] (*in Beziehung setzen*) *etw auf jdn/etw ~* to apply sth to sb/sth; *siehe* **bezogen**. [2] *vr* [a] (*Himmel*) to cloud over. [b] *sich auf jdn/etw ~* to refer to sb/sth.

Bezieher(in *f*) *m* - (*Abonnent*) subscriber; (*von Waren*) purchaser; (*von Einkommen*) drawer.

Beziehung *f* [a] (*Verhältnis*) relationship. [b] *usu pl* (*Kontakt*) relations *pl* ▶ *diplomatische ~en* diplomatic relations. [c] (*Zusammenhang*) connection (*zu* with), relation ▶ *etw in ~ zu etw setzen* to relate sth to sth; *etw hat keine ~ zu etw* sth has no bearing on sth *or* no relationship to sth. [d] *usu pl* (*Verbindung*) connections *pl* (*zu* with) ▶ *seine ~en spielen lassen* to pull strings. [e]

(*Sympathie*) feeling, affinity (*zu* for) ▶ *er hat überhaupt keine ~ zu seinen Kindern* he just doesn't relate to his children. [f] *in einer/keiner ~* in one/no respect *or* way; *in jeder/mancher ~* in every respect/some respects.

Beziehungs-: ~kiste *f* (*col*) relationship; **b~los** *adj* unrelated, unconnected.

beziehungsweise *conj* [a] (*oder aber*) or. [b] (*im anderen Fall*) and ... respectively ▶ *zwei Briefmarken, die 50 ~ 70 Pfennig kosten* two stamps costing 50 and 70 Pfennig respectively. [c] (*genauer gesagt*) or rather, or that is to say.

beziffern* [1] *vt* (*angeben*) to estimate (*auf* +*acc, mit* at). [2] *vr sich ~ auf* (+*acc*) to amount to.

Bezirk *m* -e [a] (*Gebiet*) district. [b] (*Admin*) (*Stadt*) ≈ district; (*von Land*) ≈ region.

Bezirks-: ~klasse, ~liga *f* (*Sport*) regional league; **~regierung** *f* regional administration; **~stadt** *f* ≈ county town.

bezirzen* *vt* (*col*) to bewitch.

bezogen *adj auf jdn/etw ~* referring to sb/sth.

Bezogene(r) *mf decl as adj* (*Fin*) (*von Scheck*) drawee; (*von Wechsel*) acceptor.

⚠ **bezug** *siehe* **Bezug (g)**.

Bezug *m* ⁼e [a] (*für Kissen, Polster etc*) cover; (*für Kopfkissen*) pillow-case, pillow-slip. [b] (*Erwerb*) buying, purchase; (*von Zeitung*) taking ▶ *beim regelmäßigen ~ der Zeitung ...* if you take the newspaper on a regular basis ... [c] (*von Einkommen, Rente etc*) drawing. [d] ⁼e *pl* (*Einkünfte*) income, earnings *pl*. [e] (*Zusammenhang*) = **Beziehung (c)**. [f] (*form: Berufung*) reference ▶ *~ nehmen auf* (+*acc*) to refer to; *mit or unter ~ auf* (+*acc*) with reference to. [g] *in b~ auf* (+*acc*) regarding, with regard to, concerning.

bezüglich *prep* +*gen* (*form*) regarding, with regard to, re (*Comm*).

Bezugnahme *f* -n (*form*) reference ▶ *unter ~ auf* (+*acc*) with reference to.

Bezugs-: b~bereit, b~fertig *adj Haus etc* ready to move into; **~person** *f die wichtigste ~person des Kleinkindes* the person to whom a small child relates most closely; **~punkt** *m* (*lit, fig*) point of reference; **~quelle** *f* source of supply; **~schein** *m* (ration) coupon.

bezuschussen* *vt* to subsidize.

Bezuschussung *f* subsidizing; (*Betrag*) subsidy.

bezwecken* *vt* to aim at ▶ *etw mit etw ~* (*Mensch*) to intend sth by sth; *was soll das ~?* what's the point of that?

▼ **bezweifeln*** *vt* to doubt ▶ *das ist nicht zu ~* there's no doubt about it.

bezwingen* *vt irreg* to conquer; *Feind auch* to defeat, to overcome; (*Sport*) to beat, to defeat.

Bezwinger(in *f*) *m* - (*von Berg, Feind*) conqueror; (*Sport*) winner (*gen* over).

Bf = **Bahnhof**.

BGB ['beːgeːˈbeː] *nt* -, *no pl* = **Bürgerliches Gesetzbuch**.

BGH [beːgeːˈhɑː] *m* = **Bundesgerichtshof**.

BH [beːˈhɑː] *m* -(s) = **Büstenhalter** bra.

Bhf = **Bahnhof**.

Biathlon *m* -s (*Sport*) biathlon.

bibbern *vi* (*col*) (*vor Angst*) to tremble, to shake; (*vor Kälte*) to shiver.

Bibel *f* -n (*lit*) Bible; (*fig*) bible.

Bibel-: b~fest *adj* well versed in the Bible; **~spruch** *m* quotation from the Bible; **~wort** *nt, pl* **~worte** biblical saying.

Biber *m* - (*Tier, Pelz*) beaver. [b] *auch nt* (*Tuch*) flannelette.

Biber-: **~bettuch** *nt* flannelette sheet; **~pelz** *m* beaver (fur).

⚠ **Bibliographie** *f* bibliography.

Bibliothek *f* **-en** (*auch Comp*) library.

Bibliothekar(in *f)* *m* librarian.

biblisch *adj* biblical ▶ *ein* **~es** *Alter* a great age, a ripe old age.

Bidet [bi'de:] *nt* **-s** bidet.

bieder *adj* [a] (*rechtschaffen*) honest; *Mensch, Leben auch* upright. [b] (*pej*) conventional.

Bieder-: **~mann** *m, pl* **~männer** (*pej geh*) petty bourgeois; **b~männisch** *adj* (*pej geh*) petty bourgeois; *Geschmack, Gesinnung auch* philistine; **~meier** *nt no pl* Biedermeier period.

Biege *f* **-n** (*dial*) bend, curve ▶ *die* **~** *machen* (*col*) to make oneself scarce (*col*).

biegen *pret* **bog,** *ptp* **gebogen** [1] *vt* to bend; (*fig: manipulieren*) to wangle (*col*) ▶ *auf B~ oder Brechen* (*col*) by hook or by crook (*col*). [2] *vi aux sein* (*Mensch, Wagen*) to turn; (*Weg, Straße auch*) to curve. [3] *vr to bend*; (*Holz, Plastik*) to warp; (*Metall*) to buckle ▶ *sich vor Lachen* **~** (*fig*) to double up with laughter.

biegsam *adj* flexible; *Holz auch* pliable; *Metall auch* malleable; *Glieder, Körper* supple.

Biegsamkeit *f siehe adj* flexibility; pliability; malleability; suppleness.

Biegung *f* bend, curve ▶ *der Fluß/die Straße macht eine* **~** the river/road curves or bends.

Biene *f* **-n** [a] bee. [b] (*dated col: Mädchen*) bird (*Brit col*), chick (*esp US col*).

Bienen-: **b~fleißig** *adj* industrious; **~honig** *m* real or natural honey; **~königin** *f* queen bee; **~korb** *m* (bee)hive; **~schwarm** *m* swarm (of bees); **~stich** *m* (*Cook*) cake coated with sugar and almonds filled with custard or cream; **~stock** *m* (bee)hive; **~volk** *nt* bee colony; **~wachs** *nt* beeswax; **~zucht** *f* beekeeping; **~züchter** *m* beekeeper.

Bier *nt* **-e** beer ▶ *zwei* **~,** *bitte!* two beers, please; *das ist mein* **~** (*fig col*) that's my business.

Bier- *in cpds* beer; **~bauch** *m* (*col*) beer belly (*col*); **~brauerei** *f* (beer-)brewing; (*Betrieb*) brewery; **~deckel** *m* beer mat; **~dose** *f* beer can; **~ernst** *m* (*col*) deadly seriousness; **~faß** ⚠ keg; **~filz** *m* beer mat; **~flasche** beer bottle; **~kasten** beer crate; **~keller** *m* beer cellar; **~krug** *m* tankard, beer mug; (*aus Steingut*) (beer) stein; **~leiche** *f* (*col*) drunk; **~ruhe** *f* (*col*) cool (*col*); **~schinken** *m* = **~wurst;** **~seidel** *nt* tankard; **b~selig** *adj Mensch* boozed up (*col*); **~wurst** *f* ham sausage; **~zelt** *nt* beer tent.

Biest *nt* **-er** (*pej col*) [a] (*Tier*) creature; (*Insekt auch*) bug. [b] (*Mensch*) (little) wretch; (*Frau*) bitch (*col!*).

biestig *adj* (*col*) beastly (*col*); (*schlechter Laune*) ratty (*col*).

bieten *pret* **bot,** *ptp* **geboten** [1] *vt* [a] to offer (*jdm etw* sb sth, sth to sb); (*bei Auktion*) to bid (*auf +acc* for); *Gelegenheit auch* to give ▶ *jdm die Hand* **~** to offer sb one's hand; *wer bietet mehr?* (*bei Auktion*) any more bids?; *diese Stadt hat nichts zu* **~** this town has nothing to offer. [b] (*haben, aufweisen*) to have; *Problem, Schwierigkeit* to present ▶ *das Hochhaus bietet fünfzig Familien Wohnung* the tower block provides accommodation for fifty families. [c] (*zeigen, darbieten*) *Anblick, Bild* to present; *Film* to show; *Leistung* to give ▶ *die Mannschaft bot ein hervorragendes Spiel* the team played an excellent game. [d] (*zumuten*) *sich* (*dat*) *etw* **~** lassen to put up with sth; *so etwas könnte man mir nicht* **~** I wouldn't stand for that sort of thing; *siehe* **geboten.** [2] *vi* (*Cards*) to bid.

[3] *vr* (*Gelegenheit, Anblick etc*) to present itself (*jdm* to sb).

Bieter(in *f)* *m* - bidder.

Bigamie *f* bigamy.

Bigamist(in *f)* *m* bigamist.

bigott *adj* overly pious; (*scheinheilig*) hypocritical.

Bikini *m* **-s** bikini.

Bilanz *f* [a] balance; (*Abrechnung*) balance sheet ▶ *eine* **~** *aufstellen* to draw up a balance sheet. [b] (*fig: Ergebnis*) end result ▶ *(die)* **~** *ziehen* to take stock (*aus* of).

Bilanzeinheit *f* profit centre.

Bilanzprüfer *m* auditor.

bilateral *adj* bilateral.

Bild *nt* **-er** [a] (*lit, fig*) picture; (*Film*) frame ▶ *ein* **~** *machen* to take a photo or picture; *ein* **~** *des Elends* a picture of misery. [b] (*Abbild*) image; (*Spiegel~ auch*) reflection ▶ *sie ist das* **~** *ihrer Mutter* she is the image of her mother. [c] (*Anblick, Ansicht*) sight ▶ *das äußere* **~** *der Stadt* the outward impression created by the town. [d] (*Theat: Szene*) scene. [e] (*Metapher*) metaphor, image ▶ *im* **~** *bleiben* to use the same metaphor. [f] (*Erscheinungs~*) character ▶ *sie gehören zum* **~** *dieser Stadt* they are part of the scene in this town. [g] (*fig: Vorstellung*) image, picture ▶ *im* **~e** *sein* to be in the picture (*über +acc* about); *jdn ins* **~** *setzen* to put sb in the picture; *sich* (*dat*) *von jdm/etw ein* **~** *machen* to get an idea of sb/sth; *das* **~** *des Deutschen* the image of the German.

Bild-: **~archiv** *nt* picture library; **~atlas** *m* pictorial atlas; **~auflösung** *f* (*TV, Comp*) resolution; **~ausfall** *m* (*TV*) loss of vision; **~band** *m* illustrated book; **~beschreibung** *f* (*Sch*) description of a picture.

bilden [1] *vt* [a] to form; (*fig*) *Charakter auch* to shape, to mould; *Vermögen* to acquire; (*ausmachen*) *Höhepunkt, Ausnahme, Gefahr etc* to constitute ▶ *sich* (*dat*) *eine Meinung* **~** to form an opinion. [b] (*erziehen*) to educate. [2] *vr* [a] (*entstehen*) to form, to develop. [b] (*lernen*) to educate oneself; (*durch Lesen etc*) to improve one's mind; (*durch Reisen etc*) to broaden one's mind. [3] *vi siehe vr* (*b*) to be educational; to improve the mind; to broaden the mind.

bildend *adj die* **~e** *Kunst* (plastic) art; **~er** *Künstler* artist.

Bilderbogen *m* illustrated broadsheet ▶ *ein musikalischer* **~** a musical medley.

Bilderbuch *nt* picture book ▶ *eine Landschaft wie im* **~** a picturesque landscape.

Bilderbuch- *in cpds* (*fig*) perfect; **~landung** *f* textbook landing.

Bilder-: **~geschichte** *f* picture story; (*in Comic, Zeitung*) strip cartoon; **~rahmen** *m* picture-frame; **~rätsel** *nt* picture-puzzle; **b~reich** *adj Buch etc* full of pictures; (*fig*) *Sprache* rich in imagery.

Bild-: **~fläche** *f* [a] (*Leinwand*) projection surface; [b] (*fig col*) *auf der* **~fläche** *erscheinen* to appear on the scene; *von der* **~fläche** *verschwinden* to disappear (from the scene); **~geschichte** *f* strip cartoon; **b~haft** *adj* pictorial; *Beschreibung, Sprache* vivid; **~hauer** *m* sculptor; **~hauerei** *f* sculpture; **~hauerin** *f* sculptress; **b~hübsch** *adj Mädchen* (as) pretty as a picture; *Kleid, Garten* really lovely.

bildlich *adj* pictorial; *Ausdruck etc* figurative ▶ *sich* (*dat*) *etw* **~** *vorstellen* to picture sth in one's mind's eye.

Bildnis *nt* (*liter*) portrait.

Bild-: **~platte** *f* video disc; **~plattenspieler** *m* video disc player; **~punkt** *m* (*Comp*) pixel; **~qualität** *f* (*TV, Film*) picture quality; (*Phot*) print quality; **~reporter** *m* photojournalist; **~röhre** *f* (*TV*) picture tube; **~schärfe** *f*

---

definition *no indef art.*

Bildschirm *m* (*TV, Comp*) screen.

Bildschirm-: **~arbeiter** *m* VDU operator; **~gerät** *nt* visual display unit, VDU, monitor; **~schoner** *m* (*Comput*) screen saver; **~speicher** *m* screen memory; **~text** *m* viewdata ®.

Bild-: **b~schön** *adj* beautiful; **~text** *m* caption.

Bildung *f* [a] (*Erziehung*) education; (*Kultur*) culture ▶ **~ haben** to be cultured. [b] *no pl* (*das Formen*) formation, forming; (*fig: von Charakter etc auch*) shaping; (*von Vermögen*) acquisition ▶ **zur ~ des Passivs** to form the passive.

Bildungs-: **~chancen** *pl* educational opportunities *pl*; **~einrichtung** *f* educational institution; (*Kulturstätte*) cultural institution; **~gang** *m* school (and university/college) career; **~grad** *m* level of education; **~gut** *nt* **das gehört zum deutschen ~gut** that is part of the German cultural heritage; **~lücke** *f* gap in one's education; **~politik** *f* education policy; **~reise** *f* educational trip; **~roman** *m* (*Liter*) Bildungsroman, *novel concerned with the intellectual or spiritual development of the main character*; **~stand** *m*, **~stufe** *f* level of education; **~urlaub** *m* educational holiday; (*in Firma*) study leave; **~weg** *m* **jds ~weg** the course of sb's education; **auf dem zweiten ~weg** through night school/the Open University *etc*; **~wesen** *nt* education system.

Bild-: **~unterschrift** *f* caption; **~werfer** *m* projector; **~wörterbuch** *nt* pictorial *or* picture dictionary; **~zuschrift** *f* reply enclosing photograph.

Bilge *f* **-n** (*Naut*) bilge.

Billard ['bɪljart] *nt* (*Spiel*) billiards *sing*.

Billard-: **~kugel** *f* billiard ball; **~stock** *m* billiard cue; **~tisch** *m* billiard table.

Billett [bɪl'jɛt] *nt* **-e** *or* **-s** (*dated*) ticket.

Billiarde *f* **-n** thousand billion (*Brit*), thousand trillion (*US*).

billig *adj* [a] cheap ▶ **~ abzugeben** going cheap; **~ davonkommen** (*col*) to get off lightly. [b] (*pej: primitiv*) cheap; *Ausrede* feeble.

billigen *vt* to approve ▶ **etw stillschweigend ~** to condone sth; **~, daß jd etw tut** to approve of sb's doing sth.

Billig-: **~flagge** *f* (*Naut, Comm*) flag of convenience; **~flug** *m* cheap flight; **~land** *nt* country with low production costs; **~lohnland** *nt* low-wage country; **~preis** *m* low price; **~tarif** *m* (*Telec*) cheap rate.

Billigung *f* approval ▶ **jds ~ finden** to meet with sb's approval.

Billion *f* billion (*Brit*), trillion (*US*).

bimbam *interj* ding-dong.

Bimmel *f* **-n** (*col*) bell.

bimmeln *vi* (*col*) to ring.

Bimsstein *m* pumice stone.

bin *1. pers sing pres of* **sein.**

binär *adj* binary.

Binärcode [-ko:d] *m* binary code.

Binde *f* **-n** [a] (*Med*) bandage. [b] (*Arm~*) armband; (*Augen~*) blindfold. [c] (*Monats~*) (sanitary) towel *or* napkin (*US*). [d] (*dated: Krawatte*) tie ▶ **sich** (*dat*) **einen hinter die ~ gießen** *or* **kippen** (*col*) to put a few drinks away.

Binde-: **~gewebe** *nt* (*Anat*) connective tissue; **~glied** *nt* connecting link; **~hautentzündung** *f* conjunctivitis; **~mittel** *nt* binder.

binden *pret* **band,** *ptp* **gebunden** [1] *vt* [a] (*zusammen~*) to tie; (*fest~*) to bind; (*fig geh*) to bind, to unite. [b] (*Buch etc*) to bind; *Strauß, Kranz* to make up; *Knoten, Schal* to tie; *Krawatte* to tie ▶ **sich** (*dat*) **die Schuhe ~** to tie (up) one's shoelaces. [c] (*fesseln, befestigen*) (*an +acc* to) to tie (up); *Menschen auch* to bind; (*fig*) (*an einen Ort*) to tie; (*Versprechen, Vertrag,*

Eid etc) to bind ▶ **jdm die Hände auf den Rücken ~** to tie sb's hands behind his back; **mir sind die Hände gebunden** (*fig*) my hands are tied; **nichts bindet mich an Glasgow** I have no special ties in Glasgow. [d] (*festhalten*) *Staub, Erdreich* to bind; (*Chem*) (*aufnehmen*) to absorb; (*sich verbinden mit*) to combine with; (*Cook*) *Soße* to bind.

[2] *vr* (*sich verpflichten*) to commit oneself (*an +acc* to).

bindend *adj* binding (*für* on); *Zusage* definite.

Binder *m* **-** (*Krawatte*) tie, necktie (*US*).

Binde-: **~strich** *m* hyphen; **~wort** *nt* conjunction.

Bindfaden *m* string ▶ **es regnet ~** (*col*) it's sheeting down (*col*).

Bindung *f* [a] tie (*an +acc* with); (*Beziehung zu einem Partner*) relationship (*an +acc* with); (*Verpflichtung: an Beruf etc, durch Vertrag*) commitment (*an +acc* to). [b] (*Ski~*) binding.

binnen *prep +dat* *or* (*geh*) *gen* (*form*) within ▶ **~ kurzem** shortly.

Binnen-: **~gewässer** *nt* inland water; **~hafen** *m* river port; **~handel** *m* domestic trade; **~land** *nt* (*Landesinneres*) interior; **b~ländisch** *adj* inland; **~markt** *m* home market; **Europäischer ~markt** single European market; **~meer** *nt* inland sea; **~schiffahrt** *f* inland navigation; **~see** *m* lake; **~staat** *m* landlocked country *or* state.

Binse *f* **-n** *usu pl* rush ▶ **in die ~n gehen** (*fig col*) (*mißlingen*) to be a washout (*col*); (*verlorengehen*) to go west (*col*); (*kaputtgehen*) to give out (*col*).

Binsen-: **~wahrheit, ~weisheit** *f* truism.

Bio- *in cpds* bio-; **~aktiv** *adj Waschmittel* biological; **~chemie** *f* biochemistry; **b~dynamisch** *adj* biodynamic; **~gas** *nt* methane gas.

⚠ **Biograph(in** *f*) *m* biographer.

⚠ **Biographie** *f* biography.

⚠ **biographisch** *adj* biographical.

Bioladen *m* (*col*) health food shop (*Brit*) *or* store (*US*).

┌─── BIOLADEN ───┐

ⓘ A **Bioladen** *is a shop which specializes in selling environmentally-friendly products such as phosphate-free washing powders, recycled paper and organically-grown vegetables.*

└──────────────┘

Biologe *m*, **Biologin** *f* biologist.

Biologie *f* biology.

biologisch *adj* biological ▶ **~-dynamisch** *Anbau etc* organic; **~e Vielfalt** biodiversity.

Bio-: **~masse** *f no pl* (*Chem*) organic substances *pl*; **~physik** *f* biophysics *sing*; **~technik** *f* biotechnology; **~top** *nt* **-e** biotope; **~-Waschmittel** *nt* biological washing powder.

BIP [be:li'pe:] *nt* = **Bruttoinlandsprodukt** GDP.

Birke *f* **-n** birch.

Birma *nt* Burma.

Birmane *m* **-n, Birmanin** *f* Burmese.

birmanisch *adj* Burmese.

Birnbaum *m* (*Baum*) pear tree; (*Holz*) pear-wood.

Birne *f* **-n** [a] pear. [b] (*Glühlampe*) (light) bulb. [c] (*col: Kopf*) nut (*col*).

birnenförmig *adj* pear-shaped.

bis [1] *prep +acc* [a] (*zeitlich*) until, till; (*bis spätestens, nicht später als*) by ▶ **~ Ende Mai bin ich noch in London** I'll be in London up to *or* until the end of May; **~ Ende Mai bin ich damit fertig** I'll have finished it by the end of May; **~ dahin ist er längst weg** he will have gone long before then; **~ wann gilt der Fahrplan/ist das fertig?** up to when is the timetable valid/when will that be finished by?; **~ wann?** till/by when?; **~ wann bleibt ihr hier?** how long are you staying here?; **~**

dann! see you then!; *von ... ~ (einschließlich) ...* from ... to *or* till *or* through (*US*) ...

　b (*räumlich*) to; (*in Buch, Film etc auch*) up to ► *ich fahre nur ~ München* I'm only going to *or* as far as Munich; *~ dorthin sind es nur 8 km* it's only 5 miles (to get) there; *~ hierher und nicht weiter* (*lit, fig*) this far and no further; *~ mindestens Carlisle* at least as far as Carlisle.

　c (*bei Zahlen*) up to; (*bis zu einer unteren Grenze von*) (down) to ► *Kinder ~ sechs Jahre* children up to the age of six.

　2 *adv* **a** (*zeitlich*) until, till; (*bis spätestens*) by ► *~ zu diesem Zeitpunkt* up to this time; *das sollte ~ zum nächsten Sommer fertig sein* that should be finished by next summer; *~ auf weiteres* until further notice.

　b (*räumlich*) to; *durch, über, unter* right ► *~ an unser Grundstück* (right *or* up) to our plot; *es sind noch 16 km ~ nach Schlüchtern* it's another 10 miles to Schlüchtern; *~ ins letzte/kleinste* (right) down to the last/smallest detail.

　c (*bei Zahlen*) *~ zu* up to; (*bis zu einer unteren Grenze von*) (down) to; *Gefängnis ~ zu 8 Jahren* a maximum of 8 years' imprisonment.

　d *~ auf* (+*acc*) (*außer*) except (for); (*einschließlich*) (right) down to.

　3 *conj* **a** (*beiordnend*) to ► *zehn ~ zwanzig Stück* ten to twenty; *bewölkt ~ bedeckt* cloudy *or* overcast. **b** (*unterordnend: zeitlich*) until, till; (*nicht später als*) by the time ► *ich warte noch, ~ es dunkel wird* I'll wait until *or* till it gets dark; *~ es dunkel wird, möchte ich zu Hause sein* I want to get home before it gets dark.

Bisam *m* -e *or* -s (*Pelz*) musquash.

Bisamratte *f* muskrat (beaver).

Bischof *m* ̈-e bishop.

bischöflich *adj* episcopal.

bisexuell *adj* bisexual.

bisher *adv* until *or* till now; (*und immer noch*) up to now ► *~ nicht* not until *or* till now, not before; (*und immer noch nicht*) not as yet; *das wußte ich ~ nicht* I didn't know that before; *~ habe ich es ihm nicht gesagt* I haven't told him as yet; *ein ~ unbekannter Stern* a hitherto unknown star.

bisherig *adj attr* (*vorherig*) previous; (*momentan*) present, up to now ► *in meiner ~en Karriere* in my career up to now.

Biskaya [bɪsˈkaːjɑ] *f Golf von ~* Bay of Biscay.

Biskuit [bɪsˈkviːt] *nt or m* -s *or* -e sponge.

Biskuit-: *~gebäck nt* sponge cake/cakes; *~rolle f* Swiss roll; *~teig m* sponge mixture.

bislang *adv* = **bisher**.

Bison *m* -s bison.

⚠ **biß** *pret of* **beißen**.

⚠ **Biß** *m* -sse bite; (*fig*) vigour, spirit.

⚠ **bißchen** **1** *adj inv ein ~ Geld/Liebe/Wärme* a bit of *or* a little money/love/warmth; *das ~ Geld, das wir haben* what little money we have; *ich habe kein ~ Hunger* I'm not a bit hungry. **2** *adv ein ~* a bit, a little; *ein ~ (zu) wenig* rather (too) little; *ein ~ mehr/viel/teuer etc* a bit more/much/expensive *etc*.

Bissen *m* - mouthful; (*Imbiß*) bite (to eat) ► *er will keinen ~ anrühren* he won't eat a thing; *sich* (*dat*) *jeden ~ vom or am Munde absparen* to watch every penny one spends.

bissig *adj* **a** vicious; *Bemerkung* caustic ► *~ sein* to bite; *„Vorsicht, ~er Hund"* "Beware of the dog". **b** (*übellaunig*) snappy.

⚠ **Bißwunde** *f* bite.

bist *2. pers sing pres of* **sein**.

Bistum [ˈbɪstuːm] *nt* diocese, bishopric.

bisweilen *adv* (*geh*) from time to time.

Bit *nt* -s (*Comp*) bit.

Bittbrief *m* petition.

Bitte *f* -n request; (*inständig*) plea ► *ich habe eine große ~ an dich* I have a big favour to ask you; *er kann ihr keine ~ abschlagen* he can't refuse her anything.

▼ **bitte** *interj* **a** (*bittend, auffordernd*) please ► *~ schön* please; *~ nicht!* no, please!, please don't; *ja ~!* yes please. **b** (*bei höflicher Frage etc*) *~ schön?* (*in Geschäft*) can I help you?; (*in Gaststätte*) what would you like?; *~(, Sie wünschen)?* what can I do for you?; *ja ~?* yes?; *~(, nehmen Sie doch Platz)!* (*form*) please *or* do sit down; *Entschuldigung! — ~!* I'm sorry! — that's all right; *aber ~!* sure (*col*); *na ~!* there you are! **c** (*sarkastisch: nun gut*) all right ► *~, wie du willst* (all right) just as you like. **d** (*Dank erwidernd*) *~ (sehr or schön)* you're welcome, not at all; *aber ~!* there's no need to thank me. **e** (*nachfragend*) *(wie) ~?* (I beg your) pardon? (*auch iro*), pardon me (*US*), sorry?

▼ **bitten** *pret* **bat**, *ptp* **gebeten** **1** *vt* **a** to ask; (*inständig*) to beg ► *jdn um etw ~* to ask/beg sb for sth; *jdn (darum) ~, etw zu tun* to ask *etc* sb to do sth; *darf ich Sie um Ihren Namen ~?* might I ask your name?; *er läßt sich nicht (lange) ~* you don't have to ask him twice; *aber ich bitte dich!* not at all; *wenn ich ~ darf* (*form*) if you please, if you wouldn't mind; *ich bitte darum* (*form*) if you wouldn't mind; *ich muß doch (sehr) ~!* well I must say! **b** (*einladen*) to ask, to invite ► *jdn auf ein Glas Wein ~* to invite sb to have a glass of wine. **c** (*bestellen*) *jdn zu sich ~* to ask sb to come and see one.

　2 *vi* **a** to ask; (*inständig*) to plead, to beg ► *um etw ~* to ask (for) *or* request sth; to plead *or* beg for sth; *bei jdm um etw ~* to ask sb for sth. **b** (*einladen*) *ich lasse ~* would you ask him/her to come in now?; *darf ich (um den nächsten Tanz) ~?* may I have the pleasure (of the next dance)?

Bitten *nt no pl* pleading ► *auf ~ von* at the request of.

bittend *adj* pleading.

bitter *adj* bitter; *Schokolade* plain; (*fig*) *Wahrheit, Lehre, Verlust* hard, painful; *Zeit, Schicksal* hard; *Ernst* deadly; *Hohn, Spott* cruel; *Not, Notwendigkeit* dire; *Leid, Unrecht* grievous ► *bis zum ~en Ende* to the bitter end; *jdn ~ machen* to embitter sb, to make sb bitter; *etw ~ nötig haben* to be in dire need of sth; *solche Fehler rächen sich ~* one pays dearly for mistakes like that.

Bitter-: *b~böse adj* furious; *b~ernst adj* deadly serious; *damit ist es mir b~ernst* I am deadly serious *or* in deadly earnest; *b~kalt adj attr* bitterly cold; *~keit f* (*lit, fig*) bitterness; *b~lich adv* bitterly; *b~süß adj* (*lit, fig*) bittersweet.

Bitt-: *~gesuch nt*, *~schrift f* petition; *~steller(in f) m* - petitioner.

Biwak *nt* -s *or* -e bivouac.

bizarr *adj* bizarre.

Bizeps *m* -e biceps.

Bj. = **Baujahr**.

Blabla *nt no pl* (*col*) waffle (*col*).

Blag *nt* -en, **Blage** *f* -n (*pej col*) brat.

blähen **1** *vt* to swell; *Anorak, Gardine* to fill; *Nüstern* to flare.

　2 *vr* to swell; (*Segel auch, Anorak, Gardine*) to billow; (*Nüstern*) to flare.

　3 *vi* (*Speisen*) to cause flatulence *or* wind.

blähend *adj* (*Med*) flatulent.

Blähung *f usu pl* (*Med*) wind *no pl*, flatulence *no pl*.

blamabel *adj* shameful.

Blamage [blaˈmaːʒə] *f* -n disgrace.

blamieren* **1** *vt* to disgrace.

　2 *vr* to make a fool of oneself.

⚠**blanchieren*** [blãˈʃiːrən] vt (Cook) to blanch.

blank adj [a] shiny, shining ▸ etw ~ **polieren** to polish sth till it shines. [b] (nackt) bare; Schwert naked; (col: ohne Geld) broke; (Cards: einzeln) single ▸ **eine Karte ~ haben** to have only one card of a suit. [c] (rein) pure, sheer; Hohn utter.

Blanko- in cpds blank; **~kredit** m unsecured loan; **~scheck** m blank cheque (Brit) or check (US); **~vollmacht** f carte blanche.

Bläschen [ˈblɛːsçən] nt (Med) small blister.

Blase f -n [a] (Seifen~, Luft~) bubble. [b] (Med) blister ▸ **sich** (dat) **~n laufen** etc to get blisters from walking etc. [c] (Anat) bladder. [d] (pej col: Clique) gang (col), mob (col).

Blasebalg m (pair of) bellows.

blasen pret **blies**, ptp **geblasen** [1] vi to blow ▸ **zum Rückzug ~** (lit, fig) to sound the retreat; **zum Aufbruch ~** (fig) to say it's time to go; **es bläst** (col) it's blowy (col) or windy. [2] vt [a] to blow. [b] Posaune etc to play. [c] (col) **dir/ihm werd ich was ~!** I'll give you/him a piece of my mind.

Blasen-: **~entzündung** f, **~katarrh** ⚠ m cystitis; **~leiden** nt bladder trouble no art.

Bläser(in f) m - (Mus) wind player ▸ **die ~** the wind (section).

blasiert adj (pej geh) blasé.

Blasiertheit f (pej geh) blasé character; (von Mensch) blasé attitude.

Blas-: **~instrument** nt wind instrument; **~kapelle** f brass band; **~musik** f brass band music.

Blasphemie f blasphemy.

blasphemisch adj blasphemous.

⚠**blaß** adj [a] Haut, Farbe, Licht pale ▸ **~ werden** to grow or go pale, to pale; (vor Schreck auch) to blanch; **~ vor Neid werden** (fig) to go green with envy. [b] (fig) Ahnung, Vorstellung faint, vague; Ausdruck weak, insipid.

⚠**blaß-** in cpds pale.

Blässe f -n paleness, pallor.

Blatt nt ⁼er [a] (Bot) leaf ▸ **kein ~ vor den Mund nehmen** not to mince one's words. [b] (Papier etc) sheet ▸ **ein ~ Papier** a sheet of paper; **(noch) ein unbeschriebenes ~ sein** (unerfahren) to be inexperienced; (ohne Image) to be an unknown quantity; **vom ~ singen/spielen** to sight-read. [c] (Seite) page ▸ **das steht auf einem anderen ~** (fig) that's another story. [d] (Zeitung) paper. [e] (von Säge, Ruder) blade. [f] (Cards) hand; (Einzelkarte) card ▸ **das ~ hat sich gewendet** (fig) the tables have been turned.

blätt(e)rig adj Teig flaky; Farbe etc flaking.

blättern [1] vi [a] **in einem Buch ~** to leaf through a book. [b] (Comp) to scroll. [2] vt Geldscheine, Spielkarten to put down one by one.

Blätterteig m puff pastry.

Blatt-: **~feder** f (Tech) leaf spring; **~gemüse** nt greens pl; **ein ~gemüse** a leaf vegetable; **~gold** nt gold leaf; **~grün** nt chlorophyll; **~laus** f greenfly, aphid; **b~los** adj leafless; **~pflanze** f foliage plant; **~salat** m green salad; **~schuß** ⚠ m (Hunt) shot through the shoulder to the heart; **~silber** nt silver leaf; **~werk** nt no pl foliage.

blau adj [a] blue ▸ **Forelle** etc ~ (Cook) trout etc au bleu; **ein ~es Auge** (col) a black eye; **mit einem ~en Auge davonkommen** (fig) to get off lightly; **~es Blut** blue blood; **ein ~er Brief** (Sch) letter informing parents that their child is likely to have to repeat a year; **ein ~er Fleck** a bruise; **er wird sein ~es Wunder erleben** (col) he won't know what's hit him (col). [b] usu pred (col: betrunken) drunk, tight (col).

Blau nt - or (col) **-s** blue.

Blau-: **b~äugig** adj blue-eyed; (fig) naïve; **~äugigkeit** f (fig) naïvety; **~beere** f bilberry, blueberry (esp US); **b~blütig** adj blue-blooded.

Blaue nt no pl [a] das **~ vom Himmel (herunter) lügen** (col) to tell a pack of lies; **jdm das ~ vom Himmel (herunter) versprechen** (col) to promise sb the moon. [b] (ohne Ziel) **ins ~ hinein** (col) at random; **eine Fahrt ins ~** a mystery tour.

Bläue f no pl blueness; (des Himmels auch) blue.

Blaue(r) m decl as adj (col) hundred mark note.

blau-: **~grau** adj blue-grey; **~grün** adj blue-green; **B~helm** m (col) UN soldier.

bläulich adj bluish, bluey.

Blau-: **~licht** nt (von Polizei etc) flashing blue light; (Lampe) blue light; **mit ~licht** Krankenwagen etc with its blue light flashing; **b~machen** sep (col) [1] vi to skip work, to skive (Brit col); [2] vt **den Freitag/zwei Tage b~machen** to skip work on Friday/for two days; **~mann** m, pl **~männer** (col) boilersuit; **~meise** f bluetit; **~pause** f blueprint; **~säure** f prussic acid; **~strumpf** m bluestocking; **~tanne** f colorado spruce; **~wal** m blue whale.

Blech nt -e [a] no pl (sheet) metal. [b] (Blechstück) metal plate. [c] (Backblech) (baking) tray. [d] no pl (col: Blechinstrumente) brass. [e] no pl (col: Unsinn) rubbish no art (col) ▸ **red' kein ~** don't talk crap (col!).

Blech-: **~bläser** m brass player; **die ~bläser** the brass (section); **~blasinstrument** nt brass instrument; **~büchse** f, **~dose** f tin (Brit), can.

blechen vti (col) to cough up (col).

blechern adj [a] attr metal. [b] Geräusch tinny.

Blech-: **~instrument** nt brass instrument; **~kanister** m metal can; **~kiste** f (pej col) (old) crate (col); **~lawine** f (pej col) endless queue (Brit) or line of cars; **~napf** m metal bowl; **~schaden** m damage to the bodywork; **~schere** f (pair of) metal shears; **~trommel** f tin drum.

blecken vt **die Zähne ~** to bare one's teeth.

Blei nt -e [a] no pl (Metall) lead ▸ **jdm wie ~ in den Gliedern** or **Knochen liegen** (Schreck) to paralyze sb; (Depression) to weigh sb down. [b] (Lot) plumb, (plumb-)bob.

Bleibe f -n place to stay ▸ **eine/keine ~ haben** to have somewhere/nowhere to stay.

bleiben pret **blieb**, ptp **geblieben** vi aux sein [a] to stay, to remain ▸ **unbeachtet ~** to go unnoticed; **unbeantwortet ~** to be left or to remain unanswered; **in Übung/Form ~** to keep in practice/form; **wach ~** to stay or keep awake; **wenn das Wetter so bleibt** if the weather stays or keeps like this; **sitzen/stehen ~** to remain seated/standing; **bitte, ~ Sie doch sitzen** please don't get up; **von etw ~** to stay or keep away from sth; **wo bleibst du so lange?** (col) what's keeping you?; **wo sind denn all die alten Häuser geblieben?** what happened to all the old houses?

[b] (fig) **bei etw ~** to keep or stick (col) to sth; **das bleibt unter uns** that's (just) between ourselves; **wir möchten unter uns ~** we want to keep ourselves to ourselves.

[c] (übrigbleiben) to be left, to remain ▸ **es blieb keine andere Wahl** there was no other choice; **es bleibt abzuwarten** it remains to be seen; **es bleibt zu hoffen, daß ...** I/we can only hope that ...

[d] (col: versorgt werden) **und wo bleibe ich?** and what about me?; **sieh zu, wo du bleibst!** that's your problem!

bleibend adj Wert, Erinnerung etc lasting; Schaden, Zähne permanent.

⚠**bleibenlassen** vt sep irreg (col) [a] (unterlassen) **etw ~** to give sth a miss (col); **das wirst du ganz schön ~** you'll do nothing of the sort! [b] (aufgeben) to give up.

⚠: Informationen zur Rechtschreibreform im Anhang

bleich adj pale ▶ ~ *wie der Tod* deathly pale.
bleichen vt to bleach.
Bleich-: ~**gesicht** nt [a] (col: blasser Mensch) pasty-face (col); [b] (Weißer) paleface; **b~gesichtig** adj (col) pasty-faced (col); ~**mittel** nt bleach.
bleiern adj [a] attr (aus Blei) lead ▶ wie eine ~e Ente schwimmen (hum) to swim like a brick. [b] (fig) lead-en; Verantwortung onerous ▶ es lag ihr ~ in den Gliedern her limbs were like lead.
Blei-: **b~frei** adj Benzin etc lead-free, unleaded; **b~frei fahren** to drive on unleaded petrol; ~**gehalt** m lead content; ~**gießen** nt New Year's Eve custom of telling fortunes by the shapes made by molten lead dropped into cold water; **b~haltig** adj Benzin etc leaded; **b~haltig sein** to contain lead; ~**kristall** nt lead crystal; ~**satz** m (Typ) hot-metal setting; **b~schwer** adj = **bleiern (b)**; ~**soldat** m ≈ tin soldier.
Bleistift m pencil; (zum Malen) crayon.
Bleistift-: ~**absatz** m stiletto heel; ~**mine** f pencil lead; ~**spitzer** m pencil sharpener.
Bleivergiftung f lead poisoning.
Blende f -n [a] (Lichtschutz) shade, screen; (an Fenster) blind. [b] (Phot) (Öffnung) aperture; (Einstellungsposition) f-stop; (Vorrichtung) diaphragm ▶ die ~ schließen to stop down; bei or mit ~ 2,8 at (an aperture of) f2.8. [c] (Film, TV) fade. [d] (Sew) trim.
blenden [1] vt [a] (lit, fig: bezaubern) to dazzle; (fig: täuschen) to blind, to hoodwink. [b] (blind machen) to blind.
[2] vi to dazzle.
blendend adj splendid; Pianist, Schüler etc brilliant; Stimmung sparkling ▶ ~ aussehen to be extremely good-looking; sich ~ amüsieren to have a splendid or wonderful time; es geht mir ~ I feel wonderful.
blendfrei adj dazzle-free; Glas, Bildschirm non-reflective.
Blesse f -n (Fleck) blaze.
bleu [blø:] adj inv (Fashion) light blue.
Blick m -e [a] look; (flüchtiger ~) glance ▶ auf den ersten ~ at first glance; Liebe auf den ersten ~ love at first sight; auf den zweiten ~ when one looks again; mit einem ~ at a glance; jds ~ (dat) ausweichen to avoid sb's eye; jds ~ erwidern to return sb's gaze; jdn mit seinen ~en verschlingen to devour sb with one's eyes; sie zog alle ~e auf sich everybody's eyes were drawn to her; einen ~ auf etw (acc) werfen to throw a glance at sth; jdm keinen ~ schenken not to spare sb a glance; wenn ~e töten könnten! if looks could kill!; mein ~ fiel auf sein leeres Glas I noticed his empty glass; den ~ heben to look up; den ~ senken to look down.
[b] (Augenausdruck) look in one's eyes ▶ den bösen ~ haben to have the evil eye.
[c] (Ausblick) view ▶ ein Zimmer mit ~ auf den Park a room overlooking the park.
[d] (Verständnis) seinen ~ für etw schärfen to increase one's awareness of sth; einen (guten) ~ für etw haben to have an eye for sth; er hat keinen ~ dafür he doesn't see or notice that sort of thing.
blickdicht adj Strümpfe opaque.
blicken vi (auf +acc at) to look; (flüchtig ~) to glance ▶ sich ~ lassen to put in an appearance; laß dich hier ja nicht mehr ~! don't show your face here again!; laß dich doch mal wieder ~! why don't you drop in some time?; das läßt tief ~ that's very revealing.
Blick-: ~**fang** m eye-catcher; als ~fang to catch the eye; ~**feld** nt field of vision; ins ~feld (der Öffentlichkeit) treten to become the focus of (public) attention; ~**kontakt** m visual contact; ~**punkt** m [a] (fig) limelight; im ~punkt der Öffentlichkeit stehen to be in the public eye; [b] (Standpunkt) point of view; ~**richtung** f line of vision; (fig) outlook; ~**winkel** m (fig) viewpoint.

blieb pret of **bleiben**.
blies pret of **blasen**.
blind adj [a] (lit, fig) blind (für to); Zufall pure; Alarm false ▶ jdm ~ gehorchen to obey sb blindly; ein ~es Huhn findet auch mal ein Korn (Prov) anyone can be lucky now and again; ~er Fleck (Physiol) blind spot; ~e Gewalt brute force; ~er Eifer schadet nur (Prov) it's not a good thing to be over-enthusiastic; etw ~ herausgreifen to pick sth at random. [b] (getrübt) dull; Spiegel etc clouded. [c] (Archit) false; Fenster blind, false. [d] ein ~er Passagier a stowaway.
Blinddarm m (Anat) appendix.
Blinddarm-: ~**entzündung** f appendicitis; ~**operation** f appendectomy; ~**reizung** f grumbling appendix.
Blindekuh f no art ~ spielen to play blind man's buff.
Blinden-: ~**hund** m guide-dog; ~**schrift** f braille; ~**stock** m white stick.
Blinde(r) mf decl as adj blind person/man/woman etc. die ~n the blind; das sieht doch ein ~r (col) any fool can see that.
Blind-: ~**flug** m blind flight; ~**gänger** m (Mil, fig) dud; ~**heit** f (lit, fig) blindness; mit ~heit geschlagen (fig) blind; **b~lings** adv blindly; ~**schleiche** f slow-worm; **b~schreiben** △ vti sep irreg to touch-type; **b~wütig** adj in a blind rage.
blinken [1] vi [a] (funkeln) to gleam. [b] (Leuchtturm) to flash; (Aut) to indicate.
[2] vt Signal to flash ▶ rechts/links ~ to indicate right/left.
Blinker m - (Aut) indicator, turn signal (US).
Blinklicht nt flashing light.
blinzeln vi to blink; (zwinkern) to wink; (geblendet) to squint.
Blitz m -e [a] (das Blitzen) lightning no pl, no indef art; (~strahl) flash of lightning; (Lichtstrahl) flash (of light) ▶ vom ~ getroffen/erschlagen werden to be struck by lightning; wie vom ~ getroffen (fig) thunderstruck; einschlagen wie ein ~ (fig) to come as a bombshell; wie ein ~ aus heiterem Himmel (fig) like a bolt from the blue; wie der ~ (col) like lightning. [b] (Phot col) flash; (Blitzlichtgerät auch) flashgun.
Blitz-: ~**ableiter** m lightning conductor; ~**aktion** f lightning operation; ~**angriff** m (Mil) lightning attack; **b~artig** = **b~schnell**; **b~(e)blank** adj (col) spick and span.
blitzen [1] vi impers es blitzt there's lightning; es blitzt und donnert there's thunder and lightning; es fing an zu ~ lightning began.
[2] vi [a] (strahlen) to flash, to sparkle ▶ vor Sauberkeit ~ to be sparkling clean. [b] (Phot col) to use a flash.
Blitz-: ~**gerät** nt (Phot) flash (unit); ~**karriere** f eine ~karriere machen to have a meteoric rise; ~**krieg** m blitzkrieg; ~**licht** nt (Phot) flash(light); **b~sauber** adj spick and span; ~**schlag** m flash of lightning; vom ~schlag getroffen struck by lightning; **b~schnell** [1] adj lightning attr, [2] adv like lightning; (plötzlich) verschwinden in a flash; ~**sieg** m lightning victory; ~**strahl** m flash of lightning; ~**umfrage** f quick poll; ~**würfel** m (Phot) flashcube.
Block m =e [a] block (von, aus of) ▶ etw im ~ kaufen to buy sth in bulk. [b] pl auch -s (Häuser~) block. [c] pl -s (Rail) block. [d] (Pol) (Staaten~) bloc; (Fraktion) faction. [e] (Comp) block.
Blockade f (Absperrung) blockade.
Block-: ~**bildung** f (Pol) formation of blocs/factions; ~**buchstabe** m block letter or capital.
blocken vti (Rail, Sport, Comp) to block.
Block-: ~**flöte** f recorder; **b~frei** adj non-aligned; ~**freiheit** f non-alignment; ~**haus** nt log cabin; ~**heizkraftwerk** nt block heating and generating plant;

~hütte f = **~haus**.

blockieren* [1] vt [a] to block. [b] (*mit Blockade*) to blockade.
[2] vi to jam.

Blockierung f *siehe* vt blocking; blockade.

Block-: **~politik** f joint policy; **~satz** m (*Typ*) justified print; **~schokolade** f *no pl* cooking chocolate; **~schrift** f block capitals *pl or* letters *pl*; **~stunde** f (*Sch*) double period.

blöd(e) adj (*col*) silly, stupid; (*ärgerlich*) *Sache, Situation* stupid; *Gefühl* funny ► *das B~e daran ist, daß ...* the silly thing about it is that ...

blödeln vi (*col*) to fool around; (*Witze machen*) to make jokes.

Blödhammel m (*pej col*) idiot (*col*).

Blödheit f [a] (*Dummheit*) stupidity. [b] (*blödes Verhalten*) stupid thing; (*alberne Bemerkung*) silly *or* stupid remark. [c] (*Med*) imbecility.

Blödian m -e (*col*), **Blödmann** m, *pl* -männer (*col*) idiot.

Blödsinn m *no pl* nonsense ► *das ist doch ~* that's nonsense; **~ machen** to fool about.

blödsinnig adj stupid, idiotic.

blöken vi (*Schaf*) to bleat.

blond adj (*blondhaarig*) fair(-haired); (*bei Frauen auch*) blonde; (*bei Männern auch*) blond ► **~es Gift** (*hum col*) blonde bombshell (*col*).

blond-: **~gefärbt** ⚠ adj dyed blonde/blond; **~gelockt** ⚠ adj with fair curly hair; *Haar* fair curly *attr;* **~haarig** adj fair-haired, blonde/blond.

blondieren* vt to bleach.

Blondine f blonde.

▼ **bloß** [1] adj [a] (*unbedeckt*) bare ► *etw auf der ~en Haut tragen* to wear sth next to the skin; *mit ~en Füßen* barefoot(ed); *mit der ~en Hand* with one's bare hand; *mit ~em Auge* with the naked eye. [b] *attr* (*alleinig*) mere; *Neid, Dummheit* sheer; *Gedanke, Anblick* very ► *er kam mit dem ~en Schrecken davon* he got off with no more than a fright.
[2] adv only ► *wie kann so etwas ~ geschehen?* how on earth can something like that happen?; *tu das ~ nicht wieder!* don't you dare do that again; *geh mir ~ aus dem Weg* just get out of my way.

Blöße f -n (*geh*) bareness; (*Nacktheit*) nakedness ► *sich* (*dat*) *eine ~ geben* (*fig*) to reveal a weak spot.

Bloß-: **b~legen** vt *sep* to uncover; (*ausgraben auch, Med*) to expose; (*fig*) *Geheimnis* to reveal; *Hintergründe* to bring to light; **b~liegen** vi *sep irreg aux sein* to be uncovered; (*Ausgegrabenes auch, Med*) to be exposed; **b~stellen** *sep* [1] vt *jdn* to show up; *Lügner, Betrüger* to unmask, to expose; [2] vr to show oneself up; *sich als Lügner b~stellen* to show oneself to be a liar; **~stellung** f *siehe* vt showing up; unmasking, exposing; **b~strampeln** vr *sep* to kick one's covers off.

Blouson [blu'zõ:] m *or* nt -s blouson, bomber jacket.

blubbern vi (*col*) [a] to bubble. [b] (*Blödsinn reden*) to waffle (*col*).

Blücher m: *er geht ran wie ~* (*col*) he doesn't hang about (*col*).

Bluff m -s bluff.

bluffen vti to bluff.

blühen vi [a] (*Blume*) to flower, to bloom; (*Bäume*) to be in blossom, to blossom. [b] (*col: bevorstehen*) to be in store (*jdm* for sb) ► *... dann blüht dir aber was* ... then you'll be in for it (*col*).

blühend adj *Baum* blossoming; *Aussehen, Pflanze* blooming; *Garten* full of flowers; (*fig*) *Geschäft etc* flourishing, thriving; *Unsinn* absolute; *Phantasie* vivid, lively ► *wie das ~e Leben aussehen* to look the very picture of health.

Blume f -n [a] flower; (*Topfblume*) pot plant ► *jdm etw durch die ~ sagen* to say sth in a roundabout way to sb. [b] (*von Wein*) bouquet; (*von Bier*) head.

Blumen- *in cpds* flower; **~bank** f stand for plants; **~beet** nt flowerbed; **~erde** f potting compost; **~geschäft** nt florist's (shop); **~kasten** m window box; **~kohl** m *no pl* cauliflower; **~kübel** m flower tub; **~meer** nt sea of flowers; **~muster** nt floral pattern; **b~reich** adj full of flowers; (*fig*) *Sprache etc* flowery; **~strauß** m bouquet, bunch of flowers; **~topf** m flowerpot; (*größer*) plant pot; *damit ist kein ~topf zu gewinnen* (*col*) that's nothing to write home about (*col*); **~vase** f (flower) vase; **~zucht** f flower growing; **~zwiebel** f bulb.

blümerant adj *Gefühl* queer ► *mir ist/wird ~* I am feeling/feel queer.

blumig adj (*lit, fig*) flowery.

Bluse f -n blouse.

Blut nt *no pl* (*lit, fig*) blood ► *er lag in seinem ~* he lay in a pool of blood; *es ist viel ~ geflossen* there was a lot of bloodshed; *er kann kein ~ sehen* he can't stand the sight of blood; *~ geleckt haben* (*fig*) to have tasted blood; *böses ~ machen or schaffen* to cause bad blood; *jdm steigt das ~ in den Kopf* the blood rushes to sb's head; *ihnen stockte or gefror or gerann das ~ in den Adern* their blood froze; *heißes or feuriges ~ haben* to be hot-blooded; *kaltes ~ bewahren* to remain unmoved; *(nur) ruhig ~* keep your shirt on (*col*); *jdn/sich bis aufs ~ bekämpfen* to fight sb/fight ferociously; *frisches ~* (*fig*) new blood; *~ und Wasser schwitzen* (*col*) to sweat blood; *das liegt mir/ihm im ~* it's in my/his blood.

Blut-: **~ader** f vein; **~alkohol(gehalt)** m blood alcohol level; **~apfelsine** f blood orange; **b~arm** adj (*Med, fig*) anaemic (*Brit*), anemic (*US*); **~armut** f (*Med*) anaemia (*Brit*), anemia (*US*); **~austausch** m (*Med*) exchange transfusion; **~bad** nt bloodbath; **~bahn** f bloodstream; **~bank** f blood bank; **b~befleckt** adj bloodstained; **b~beschmiert** adj smeared with blood; **~bild** nt blood count; **~buche** f copper beech; **~druck** m blood pressure.

Blüte f -n [a] flower, bloom; (*von Baum*) blossom ► *eine ~ seiner Phantasie* a figment of his imagination. [b] (*das Blühen, Blütezeit*) flowering; (*von Baum*) blossom ► *in (voller) ~ stehen* to be in (full) flower/blossom; (*Kultur, Geschäft*) to be flourishing; *sich zur vollen ~ entfalten* to come into full flower; (*Mädchen, Kultur*) to blossom; *seine ~ erleben* (*Kultur etc*) to reach its peak; *in der ~ seiner Jahre* in the prime of his life. [c] (*col: gefälschte Note*) dud (*col*).

Blut|egel m leech.

bluten vi to bleed (*an +dat, aus* from) ► *mir blutet das Herz* my heart bleeds.

Blüten-: **~blatt** nt petal; **~honig** m honey (*made from flowers*); **~kelch** m calyx; **~staub** m pollen; **b~weiß** adj sparkling white.

Blut|entnahme f taking a blood sample.

Bluter m - (*Med*) haemophiliac (*Brit*), hemophiliac (*US*).

⚠ **Blut|erguß** m haematoma (*spec*); (*blauer Fleck*) bruise.

Bluterkrankheit f haemophilia (*Brit*), hemophilia (*US*).

Blütezeit f [a] flowering (period); (*von Baum*) blossom(-time) ► *während der ~ der Kirschbäume* while the cherries were in blossom. [b] (*fig*) heyday; (*von Mensch*) prime.

Blut-: **~farbstoff** m haemoglobin (*Brit*), hemoglobin (*US*); **~fleck** m bloodstain; **~gefäß** nt blood vessel; **~gerinnsel** nt blood clot; **~gruppe** f blood group; **~hochdruck** m high blood pressure; **~hund** m (*lit, fig*) bloodhound.

blutig adj [a] (*lit, fig*) bloody ► *er hat ihn ~ geschlagen* he hit him and made him bleed. **b** (col) *Anfänger* absolute; *Ernst* deadly.

Blut-: **b~jung** adj very young; **~konserve** f unit of (stored) blood; **~körperchen** nt blood corpuscle; **~krebs** m leukaemia; **~kreislauf** m blood circulation; **~lache** f pool of blood; **b~leer** adj bloodless; **~leere** f no pl lack of blood; **b~los** adj bloodless; (fig) anaemic (Brit), anemic (US); **~orange** f blood orange; **~probe** f blood test; **~rache** f blood feud; **~rausch** m frenzy; **b~rot** adj (liter) blood-red; **b~rünstig** adj bloodthirsty; **~sauger** m (lit, fig) bloodsucker; (Vampir) vampire.

Blutsbruder m blood brother.

Blut-: **~schande** f incest; **~senkung** f (Med) sedimentation of the blood; *eine* **~senkung** *machen* to test the sedimentation rate of the blood; **~spenden** nt giving blood no art; **~spender** m blood donor; **~spur** f trail of blood; **b~stillend** adj styptic.

Blutstropfen ['bluːts-] m drop of blood.

Blutsturz m haemorrhage (Brit), hemorrhage (US).

Bluts-: **b~verwandt** adj related by blood; **~verwandte(r)** mf decl as adj blood relation; **~verwandtschaft** f blood relationship.

Blut-: **~tat** f bloody deed; **~transfusion** f blood transfusion; **b~überströmt** adj streaming with blood; **~übertragung** f blood transfusion.

Blutung f bleeding no pl; (monatliche) period.

Blut-: **b~unterlaufen** adj suffused with blood; *Augen* bloodshot; **~untersuchung** f blood test; **~vergießen** nt no pl bloodshed no indef art; **~vergiftung** f blood-poisoning no indef art; **~verlust** m loss of blood; **~wurst** f blood pudding (US), black pudding (Brit); **~zuckerspiegel** m blood sugar level; **~zufuhr** f blood supply.

BLZ [beː|el'tseːt] f -s = **Bankleitzahl.**

BND [beː|ɛn'deː] m = **Bundesnachrichtendienst.**

Bö f -en gust (of wind); (stärker, mit Regen) squall.

Boa f -s (Schlange, Schal) boa.

Bob m -s bob(sleigh).

Bob-: **~bahn** f bob(sleigh) run; **~fahrer** m bobber.

Boccia ['bɔtʃa] nt or f no pl bowls sing.

Bock m -̈e **a** (Reh~, Kaninchen~) buck; (Schafs~) ram; (Ziegen~) he-goat, billy-goat ▸ *alter* ~ (col) old goat (col); *sturer/geiler* ~ (col) stubborn old devil (col)/ randy (Brit) or horny old goat (col); *den* ~ *zum Gärtner machen* (fig) to choose the worst possible person for the job; *einen* ~ *schießen* (fig col) to boob (Brit col), to goof (US col). **b** (Gestell) stand; (Stützgerät) support; (für Auto) ramp; (aus Holzbalken, mit Beinen) trestle; (Säge~) sawhorse. **c** (Sport) buck. **d** (col: Lust) *null ~!* can't be bothered (col); *̈e o (einen)* ~ *haben, etw zu tun* to fancy doing sth.

Bockbier nt bock (beer) (type of strong beer).

bocken vi **a** (Zugtier etc) to refuse to move; (nicht springen wollen: Pferd) to refuse ▸ *vor einer Hürde* ~ to refuse to jump. **b** (col: Auto, Mensch) to play up.

bockig adj (col) stubborn, awkward.

Bockmist m (col: dummes Gerede) bullshit (col!); ~ *machen* to make a balls-up (col!).

Bocks-: **~beutel** m wide, rounded bottle used for Franconian wine; **~horn** nt: *sich von jdm ins* **~horn** *jagen lassen* to let sb upset one.

Bock-: **~springen** nt leapfrog; (Sport) vaulting; **~sprung** m leapfrog; (Sport) vault; **~wurst** f bockwurst (large frankfurter).

Boden m -̈ **a** ground; (Erdreich auch) soil; (Fuß~) floor; (no pl: Terrain) soil ▸ *auf spanischem* ~ on Spanish soil; *zu* ~ *fallen* to fall to the ground; *festen* ~ *unter den Füßen haben* to be on firm ground, to be on terra firma; *den* ~ *unter den Füßen verlieren* (lit) to lose one's footing; (fig: in Diskussion) to get out of one's depth; *ihm*

wurde der ~ *(unter den Füßen) zu heiß* (fig) things were getting too hot for him; *ich hätte (vor Scham) in den* ~ *versinken können* (fig) I was so ashamed that I wished the ground would swallow me up; *am* ~ *zerstört sein* (col) to be shattered (col); *(an)* ~ *gewinnen/ verlieren* (fig) to gain/lose ground; ~ *gutmachen* (fig) to make up ground; *etw aus dem* ~ *stampfen* (fig) to conjure sth up out of nothing; *Häuser* to build overnight; *auf fruchtbaren* ~ *fallen* (fig) to fall on fertile ground; *jdm/einer Sache den* ~ *bereiten* (fig) to prepare the ground for sb/sth.

b (unterste Fläche) bottom; (Torten~) base. **c** (Dach~, Heu~) loft. **d** (fig: Grundlage) *auf dem* ~ *der Tatsachen stehen* to base oneself on fact; *auf dem* ~ *der Tatsachen bleiben* to stick to the facts; *sich auf unsicherem* ~ *bewegen* to be on shaky ground; *einer Sache* (dat) *den* ~ *entziehen* to knock the bottom out of sth.

Boden-: **~belag** m floor covering; **~ertrag** m (Agr) crop yield; **~fläche** f (Agr) area of land; (von Zimmer) floor space or area; **~frost** m ground frost; **~haftung** f (Aut) adhesion (of tyres (Brit) or tires (US)) no indef art; **~heizung** f underfloor heating; **~kammer** f attic; **~kontrolle** f (Space) ground control; **b~los** adj bottomless; (col: unerhört) indescribable, incredible; **~nebel** m ground mist; **~personal** nt (Aviat) ground personnel pl; **~reform** f land reform; **~satz** m sediment; (von Kaffee auch) grounds pl; **~schätze** pl mineral resources pl; **~schicht** f layer of soil; (Geol) stratum; **~schwelle** f speed bump; **~see** m: *der* **~see** Lake Constance; **~spekulation** f land speculation; **b~ständig** adj native (in +dat to); (fig) rooted in the soil; **~station** f (Space) ground station; **~turnen** nt floor exercises pl.

Böe f -n = **Bö.**

bog pret of **biegen.**

Bogen m - or -̈ **a** curve, bend; (Math) arc; (Mus) tie; (bei verschiedenen Noten) slur; (Ski) turn ▸ *einen* ~ *fahren* (Ski) to do a turn; *den* ~ *heraushaben* (col) to have got the hang of it (col); *einen* ~ *machen* (Fluß etc) to curve; *einen großen* ~ *um jdn/etw machen* (meiden) to give sb/sth a wide berth; *jdn in hohem* ~ *hinauswerfen* (col) to fling sb out. **b** (Archit) arch. **c** (Waffe, Mus: Geigen~ etc) bow ▸ *den* ~ *überspannen* (fig) to go too far. **d** (Papier~) sheet (of paper).

Bogen-: **~fenster** nt arched window; **b~förmig** adj arched; **~gang** m (Archit) arcade; **~schießen** nt archery; **~schütze** m archer, bowman.

Bohle f -n (thick) board.

Böhme m -n, **Böhmin** f Bohemian (inhabitant of Bohemia).

Böhmen nt Bohemia.

böhmisch adj Bohemian ▸ *das sind für mich* ~e *Dörfer* (col) that's all Greek to me (col).

Bohne f -n bean ▸ *dicke/grüne/weiße* ~n broad/green or French or runner/haricot beans; *blaue* ~ (col) bullet; *nicht die* ~ (col) not one little bit; *du hast wohl* ~n *in den Ohren* (col) are you deaf or something?

Bohnen-: **~eintopf** m bean stew; **~kaffee** m real coffee; *gemahlener* **~kaffee** ground coffee; **~kraut** nt savory; **~stange** f (fig col) beanpole (col); **~stroh** nt: *dumm wie* **~stroh** (col) (as) thick as two (short) planks (col); **~suppe** f bean soup.

bohnern vti to polish.

Bohnerwachs nt floor polish or wax.

bohren **1** vt to bore; (mit Bohrer auch) to drill; (hineindrücken) Pfahl, Schwert etc to sink (in +acc into). **2** vi **a** (Zugtier etc) to drill (nach for) ▸ *in einem Zahn* ~ to drill a tooth; *in der Nase* ~ to pick one's nose. **b** (fig) (drängen) to keep on; (peinigen: Schmerz, Zweifel etc) to gnaw.

3 *vr* **sich in/durch etw** (*acc*) ~ to bore its way into/through sth.

bohrend *adj* (*fig*) *Blick* piercing; *Schmerz, Zweifel* gnawing; *Frage* probing.

Bohrer *m* - (*elektrisch*) drill; (*Hand*~) gimlet.

Bohr-: ~**insel** *f* drilling rig; (*für Öl auch*) oilrig; ~**loch** *nt* borehole; (*in Holz, Metall etc*) drill-hole; ~**maschine** *f* drill; ~**turm** *m* derrick.

Bohrung *f* a *siehe vt* boring; drilling; sinking. b (*Loch*) bore(-hole); (*in Metall etc*) drill-hole.

böig *adj siehe* **Bö** gusty; squally.

Boiler ['bɔylɐ] *m* - hot-water heater.

Boje *f* -n buoy.

Bolivianer(in *f*) [bolivi'aːnɐ, -ərɪn] *m* Bolivian.

bolivianisch [bolivi'aːnɪʃ] *adj* Bolivian.

Bolivien [bo'liːviən] *nt* Bolivia.

Böller *m* - (small) cannon (*for ceremonial use*).

⚠ **Böllerschuß** *m* gun salute.

Bollwerk *nt* (*lit, fig*) bulwark.

Bolschewismus *m* Bolshevism.

Bolzen *m* - a (*Tech*) pin; (*esp mit Gewinde*) bolt. b (*Geschoß*) bolt.

bolzen (*col*) 1 *vi* to kick about. 2 *vt Ball* to slam.

Bombardement [bɔmbardə'mãː] *nt* -s bombardment; (*mit Bomben*) bombing ▸ *ein* ~ *von* (*fig*) a deluge of.

bombardieren* *vt* (*lit*) to bomb; (*fig*) to bombard.

Bombardierung *f* bombing; (*fig*) bombardment.

bombastisch *adj* bombastic.

Bombe *f* -n bomb; (*Sport col: Schuß*) cracker (*col*) ▸ *wie eine* ~ *einschlagen* to come as a (real) bombshell; *eine* ~ *platzen lassen* (*fig*) to drop a bombshell.

Bomben- *in cpds* (*Mil*) bomb; (*col: hervorragend*) fantastic (*col*), great (*col*); ~**alarm** *m* bomb scare; ~**angriff,** ~**anschlag** *m* bomb attack; ~**erfolg** *m* (*col*) smash hit (*col*); ~**flugzeug** *nt* bomber; ~**geschäft** *nt* (*col*) *ein* ~**geschäft sein** to be a gold mine; *ein* ~**geschäft machen** to do a roaring trade (*col*) (*mit* in); ~**hitze** *f* (*col*) sweltering heat *no indef art*; ~**leger(in** *f*) *m* bomber; ~**krater** *m* bomb crater; ~**räumexperte** *m* bomb disposal expert; **b~sicher** *adj* a (*Mil*) bombproof; b (*col*) dead certain (*col*); ~**splitter** *m* bomb fragment; ~**stimmung** *f* tremendous atmosphere; ~**teppich** *m* *einen* ~**teppich legen** to blanket-bomb an/the area; ~**trichter** *m* bomb crater.

Bomber *m* - bomber.

Bommel *f* -n bobble.

Bon [bɔŋ] *m* -s voucher; (*Kassenzettel*) receipt.

Bonbon [bɔŋ'bɔŋ] *nt or m* -s sweet (*Brit*), candy (*US*).

⚠ **Bonbonniere** [bɔŋbɔ'niɛːrə] *f* -n box of chocolates.

Bongo [bɔŋɡo] *nt or f* -s bongo (drum).

Bonität *f no pl* (*Fin*) financial standing, creditworthiness.

Bonn *nt* Bonn.

Bonner *adj attr* Bonn.

Bonsai *nt* bonsai.

Bonus *m* - *or* -se bonus; (*Univ, Sport: Punktvorteil*) bonus points *pl*.

Bonze *m* -n big shot (*col*).

Boot *nt* -e boat ▸ ~ *fahren* to go out in a boat; *wir sitzen alle in einem* ~ (*fig*) we're all in the same boat.

Boots-: ~**bau** *m* boat-building; ~**bauer** *m* boatbuilder; ~**fahrt** *f* boat trip; ~**flüchtlinge** *pl* boat people; ~**haus** *nt* boathouse; ~**mann** *m, pl* ~**leute** (*Naut*) bo'sun, boatswain; (*Dienstgrad*) petty officer; ~**steg** *m* landing-stage; ~**verleih** *m* boat hire.

Bord[1] *m no pl an* ~ *– (eines Schiffes)* aboard *or* on board (a ship); *alle Mann an* ~*!* all aboard!; *an* ~ *gehen* to go aboard; *Mann über* ~*!* man overboard!; *über* ~ *gehen* to go overboard; (*fig*) to go by the board; *über* ~ *werfen* (*lit, fig*) to throw overboard, to jettison; *von* ~ *gehen* to

leave the ship/the plane; (*esp Passagiere am Ziel*) to disembark.

Bord[2] *nt* -e (*Wandbrett*) shelf.

Bord-: ~**buch** *nt* log(book); ~**computer** *m* on-board computer.

Bordell *nt* -e brothel.

Bord-: ~**funk** *m* (*Naut*) (ship's) radio; (*Aviat*) (aircraft) radio equipment; ~**funker** *m* (*Naut, Aviat*) radio operator; ~**karte** *f* boarding pass *or* card; ~**personal** *nt* cabin crew; ~**stein(kante** *f*) *m* kerb (*Brit*), curb (*US*).

Bordüre *f* -n edging, border.

borgen *vti* a (*erhalten*) to borrow (*von* from). b (*geben*) to lend, to loan (*jdm etw* sb sth, sth to sb).

Borke *f* -n bark.

borniert *adj* bigoted, narrow-minded.

Borneo *nt* Borneo.

Börse *f* -n a (*Geld*~) purse; (*für Männer*) wallet (*Brit*), billfold (*US*). b (*Fin*) stock market, stock exchange.

Börsen-: ~**bericht** *m* stock market report; ~**einführung** *f* flotation on the stock exchange; ~**geschäft** *nt* (*Wertpapierhandel*) stockbroking; (*Transaktion*) stock market transaction; ~**krach** *m* stock market crash; ~**kurs** *m* stock market price; ~**makler** *m* stockbroker; **b~notiert** *adj Firma* listed; ~**notierung** *f* quotation (on the stock exchange); ~**spekulation** *f* speculation on the stock market; ~**tendenz** *f* stock market trend.

Borste *f* -n bristle.

Borstenvieh *nt* (*hum col*) pigs *pl*, swine *pl*.

borstig *adj* (*lit, fig*) bristly.

Borte *f* -n braid trimming.

bös *adj* = **böse**.

bös|artig *adj* malicious, nasty; *Tier* vicious; (*Med*) malignant.

Bös|artigkeit *f siehe adj* maliciousness, nastiness; viciousness; malignancy.

Böschung *f* embankment; (*von Straße auch*) bank.

böse *adj* a bad; (*stärker*) evil, wicked; (*col: unartig auch*) naughty; *Überraschung, Geschichte, Wunde* nasty ▸ *ein* ~*r Geist* an evil spirit; *das war keine* ~ *Absicht* there was no harm intended; *das war nicht* ~ *gemeint* I/he *etc* didn't mean it nastily; ~ *Folgen* dire consequences; ~ *Zeiten* bad times; *das/es sieht* ~ *aus* things look/it looks bad. b (*verärgert*) angry (+*dat, auf* +*acc, mit* with) ▸ *im* ~*n auseinandergehen* to part on bad terms.

Böse(s) *nt decl as adj* evil; (*Schaden, Leid*) harm ▸ *jdm* ~*s antun* to do sb harm; *ich will dir doch nichts* ~*s* I don't mean you any harm; *ich dachte an* or *ahnte gar nichts* ~*s, als ...* I was quite unsuspecting when ...

Bösewicht *m* -e *or* -er (*old, hum*) villain.

Bos-: **b~haft** *adj* malicious; ~**haftigkeit** *f* maliciousness; ~**heit** *f* malice; (*Bemerkung, Hand-lung*) malicious remark/thing to do.

Bosnien *nt* Bosnia.

Bosnien-Herzegowina *nt* Bosnia-Herzegovina.

Bosnier(in *f*) *m* Bosnian.

bosnisch *adj* Bosnian.

Boß *m* -sse (*col*) boss (*col*).

böswillig *adj* malicious; (*Jur auch*) wilful ▸ *in* ~*er Absicht* with malicious intent.

Böswilligkeit *f* malice, maliciousness.

bot *pret of* **bieten**.

Botanik *f* botany.

Botaniker(in *f*) *m* - botanist.

botanisch *adj* botanic.

Bote *m* (*wk*) -n, -n a messenger; (*Kurier*) courier; (*Post*~) postman (*Brit*), mailman (*US*). b (*fig: Anzeichen*) herald.

Botengang *m* errand ▸ *einen* ~ *machen* to run an errand.

⚠: Informationen zur Rechtschreibreform im Anhang

Botin *f siehe* **Bote (a)** messenger; courier; postwoman (*Brit*), mailwoman (*US*).

Botschaft *f* [a] (*Mitteilung*) message; (*esp amtlich*) communication ▸ *eine freudige ~* good news; *die Frohe ~* the Gospel. [b] (*Pol: Vertretung*) embassy.

Botschafter(in *f*) *m* - ambassador.

Botswana *nt* Botswana.

Bottich *m* -e tub.

Bottnischer Meerbusen *m* Gulf of Bothnia.

Bouillon [bʊlˈjɔŋ, bʊlˈjõː] *f* -s stock; (*auf Speisekarte*) bouillon, consommé.

Bouillonwürfel *m* stock cube.

Boulevard- [buləˈvaːɐ-]: ~**blatt** *nt* (*col*) tabloid; ~**presse** *f* (*col*) popular press; ~**stück** *nt* light play/comedy; ~**theater** *nt* light theatre (*Brit*) *or* theater (*US*); ~**zeitung** *f* tabloid.

Bouquet [buˈkeː] *nt* -s = **Bukett**.

Bourgeoisie [bʊrʒoaˈziː] *f* (*geh*) bourgeoisie.

Boutique [buˈtiːk] *-n* boutique.

Bowle ['boːlə] *f* -n (*Getränk*) punch.

Bowling ['boːlɪŋ] *nt* -s (tenpin) bowling ▸ *~ spielen gehen* to go bowling.

Bowlingbahn *f* bowling alley.

Box *f* -en [a] (*Behälter*) box. [b] (*für Pferde*) box; (*in Großgarage*) parking space; (*für Rennwagen*) pit. [c] (*Lautsprecher~*) speaker.

Boxen *nt no pl* (*Sport*) boxing.

boxen [1] *vi* to box; (*zur Übung*) to spar; (*mit Fäusten zuschlagen*) to hit out, to punch ▸ *gegen jdn ~* to fight sb.
[2] *vt jdn* to punch, to hit.
[3] *vr* [a] (*col: sich schlagen*) to have a punch-up (*col*) *or* a fight. [b] (*sich einen Weg bahnen*) to fight one's way.

Boxer *m* - (*Sportler, Hund*) boxer.

Boxer-: ~**motor** *m* (*Tech*) opposed cylinder engine; ~**nase** *f* boxer's nose, broken nose.

Box-: ~**handschuh** *m* boxing glove; ~**kalf** *nt no pl* box calf; ~**kampf** *m* fight, (boxing) match; ~**ring** *m* boxing ring; ~**sport** *m* boxing.

Boykott [bɔyˈkɔt] *m* -e *or* -s boycott.

boykottieren* [bɔykɔˈtiːrən] *vt* to boycott.

brabbeln *vi* (*col*) to mumble, to mutter; (*Baby*) to babble.

brach *pret of* **brechen**.

brachial *adj mit ~er Gewalt* with brute force.

Brach-: ~**land** *nt* fallow (land); **b~liegen** *vi sep irreg* (*lit, fig*) to lie fallow; ~**vogel** *m* curlew.

brachte *pret of* **bringen**.

brackig *adj* brackish.

Brackwasser *nt* brackish water.

Branche ['brãːʃə] *f* -n (*Gewerbe*) trade; (*Wirtschaftszweig*) industry ▸ *in welcher ~ sind Sie tätig?* what line (of business) are you in?

Branchen-: ~**führer** *m* market leader; ~**kenntnis** *f* knowledge of the trade/industry; **b~üblich** *adj* usual in the trade/industry; ~**verzeichnis** *nt* trade *or* (*Telec*) classified directory.

Brand *m* -̈e [a] (*Feuer*) fire; (*lodernd auch*) blaze ▸ *in ~ geraten* to catch fire; *in ~ stehen* to be on fire; *etw in ~ stecken* to set fire to sth. [b] (*von Porzellan etc*) firing. [c] (*fig col: großer Durst*) raging thirst. [d] (*Pflanzenkrankheit*) blight.

Brand-: **b~aktuell** *adj* (*col*) Thema, Frage red-hot (*col*); Buch hot from the presses; ~**anschlag** *m* arson attack; ~**bekämpfung** *f* firefighting; **b~beschädigt** *adj* fire-damaged; ~**blase** *f* (burn) blister; ~**bombe** *f* incendiary bomb *or* device; **b~eilig** *adj* (*col*) extremely urgent; ~**eisen** *nt* branding iron.

Brandenburg *nt* Brandenburg ▸ *~er Tor* Brandenburg Gate.

Brand-: ~**fleck** *m* burn; ~**gefahr** *f* danger of fire; ~**geruch** *m* smell of burning; ~**herd** *m* source of the fire; (*fig*) source; ~**katastrophe** *f* fire disaster; ~**mal** *nt* -e brand; (*fig auch*) stigma; **b~marken** *vt insep* (*fig*) *jdn als etw b~marken* (*fig*) to brand sb (as) sth; ~**meister** *m* fire chief; **b~neu** *adj* (*col*) brand-new; ~**opfer** *nt* [a] (*Rel*) burnt offering; [b] (*Mensch*) fire victim; ~**rede** *f* harangue; ~**salbe** *f* ointment for burns; ~**satz** *m* incendiary device; ~**schaden** *m* fire damage; ~**schutz** *m* fire protection; ~**schutzbestimmungen** *pl* fire regulations; ~**stelle** *f* fire, blaze; (*verbrannte Stelle*) burnt patch; ~**stifter** *m* arsonist; ~**stiftung** *f* arson; ~**teig** *m* choux pastry.

Brandung *f* surf, breakers *pl*.

Brand-: ~**ursache** *f* cause of a/the fire; ~**wunde** *f* burn; ~**zeichen** *nt* brand.

brannte *pret of* **brennen**.

Branntwein *m* spirits *pl* ▸ *Whisky ist ein ~* whisky is a (type of) spirit.

Branntwein-: ~**brenner** *m* distiller; ~**brennerei** *f* distillery; ~**steuer** *f* tax on spirits.

Brasil *f* -(s) Brazil cigar.

Brasilianer(in *f*) *m* - Brazilian.

brasilianisch *adj* Brazilian.

Brasilien [-iən] *nt* Brazil.

Brat|apfel *m* baked apple.

braten *pret* **briet**, *ptp* **gebraten** [1] *vti* to roast; (*ohne Fett*) to bake; (*in der Pfanne*) to fry.
[2] *vi* (*col: in der Sonne*) to roast.

Braten *m* - roast ▸ *kalter ~* cold meat; *ein fetter ~* (*fig*) a prize catch; *den ~ riechen* (*col*) to smell a rat (*col*).

Braten-: ~**fleisch** *nt* meat for roasting/frying; ~**saft** *m* meat juices *pl*; ~**soße** *f* gravy; ~**wender** *m* - ≈ fishslice.

Brat-: **b~fertig** *adj* oven-ready; ~**fett** *nt* fat for frying/roasting; ~**fisch** *m* fried fish; ~**hähnchen**, ~**hendl**, -(n) (*Aus, S Ger*) *nt* roast chicken; ~**hering** *m* fried herring; ~**huhn** *nt* roast chicken; (*zum Braten*) roasting chicken; ~**kartoffeln** *pl* fried potatoes; ~**ofen** *m* oven; ~**pfanne** *f* frying pan, skillet (*US*); ~**röhre** *f* oven; ~**rost** *m* grill.

Bratsche *f* -n viola.

Brat-: ~**spieß** *m* spit; ~**wurst** *f* (fried) sausage.

Brauch *m, pl* **Bräuche** custom, tradition ▸ *das ist bei uns so ~* (*col*) that's traditional with us.

brauchbar *adj* [a] (*benutzbar*) usable; Plan workable; (*nützlich*) useful. [b] (*ordentlich*) Mensch, Idee reasonable.

Brauchbarkeit *f* usefulness; (*von Plan*) workability.

brauchen [1] *vt* [a] (*nötig haben*) to need (*für, zu* for) ▸ *es braucht alles seine Zeit* everything takes time; *wie lange braucht man, um ...?* how long does it take to ...? [b] (*benutzen*) to use ▸ *wir können das/ihn nicht ~* (*col*) we've no use for that/him. [c] (*col: verbrauchen*) to use (up).
[2] *aux* to need ▸ *du brauchst es ihm nicht (zu) sagen* you needn't tell *or* don't need to tell him that; *du hättest das nicht (zu) tun ~* you needn't have done that, you didn't need to do that; *du brauchst nur an(zu)rufen* you only have *or* need to call; *es braucht nicht gleich zu sein* it doesn't need to be done immediately; *es hätte nicht sein ~* there was no need for that; (*hätte nicht geschehen müssen*) that needn't have happened.

Brauchtum *nt* customs *pl*, traditions *pl*.

Braue *f* -n (eye)brow.

brauen *vti* Bier to brew; (*col*) Tee to brew up; Kaffee to make.

Brauer *m* - brewer.

Brauerei *f* brewery.

braun *adj* brown; (*col*: ~**haarig**) brown-haired; (*pej*) Nazi ▸ *~ werden* (*Mensch*) to get a (sun)tan, to go *or* get

---

brown.

Braun nt - brown.

Braun-: b~äugig adj brown-eyed; **~bär** m brown bear. **Bräune** f no pl brown(ness); (Sonnen~) (sun)tan.

bräunen [1] vt (Cook) to brown; (Sonne etc) to tan.
[2] vi (Cook) to go or turn brown; (Mensch) to tan, to go brown; (Sonne) to tan ▸ **sich in der Sonne ~ lassen** to get a (sun)tan.

Braun-: b~gebrannt ⚠ adj attr (sun)tanned, brown; **b~haarig** adj brown-haired; Frau auch brunette; **~kohle** f brown coal.

bräunlich adj brownish, browny.

Braunschweig nt Brunswick.

Bräunung f browning; (von Haut) bronzing ▸ **eine tiefe ~ der Haut** a deep (sun)tan.

Brause f -n [a] shower ▸ **sich unter die ~ stellen** to have a shower. [b] (~aufsatz) shower attachment; (an Schlauch, Gießkanne) rose, sprinkler. [c] (Getränk) pop; (Limonade) (fizzy) lemonade; (~pulver) lemonade powder.

brausen [1] vi [a] (tosen) to roar; (sprudeln: Wasser, Brandung) to foam ▸ **~der Beifall** thunderous applause. [b] aux sein (rasen, rennen) to race. [c] auch vr (duschen) to (have a) shower. [2] vt Körperteil, Kinder to put under the shower.

Brause-: ~pulver nt sherbet; **~tablette** f effervescent tablet.

Braut f, pl **Bräute** bride; (dated: Verlobte) fiancée.

Brautführer m person who gives away the bride.

Bräutigam m -e (bride)groom; (dated: Verlobter) fiancé.

Braut-: ~jungfer f bridesmaid; **~kleid** nt wedding dress; **~leute** pl, **~paar** nt bridal couple; (dated: Verlobte) engaged couple; **~schau** f: auf **~schau sein** to be looking for a wife; **~schleier** m wedding or bridal veil.

brav adj [a] Kind good, well-behaved ▸ **sei schön ~!** be a good boy/girl. [b] (rechtschaffen) worthy (auch iro); (bieder) Frisur, Kleid plain ▸ **~ seine Pflicht tun** to do one's duty virtuously. [c] (dated: tapfer) brave.

bravo ['bra:vo] interj well done!; (für Künstler) bravo.

Bravoruf m cheer.

⚠ **Bravour** [bra'vu:ɐ] f no pl (geh) bravura.

⚠ **bravourös** [bravu'rø:s] adj (meisterhaft) brilliant.

BRD [be:|ɛr'de:] f = **Bundesrepublik Deutschland** FRG ▸ **die alte ~** former West Germany.

┌─── BRD ───────────────────────────────────┐
│ ⓘ The **BRD** (Bundesrepublik Deutschland) is the official name for the Federal Republic of Germany. It comprises 16 **Länder** (see **Land**). It was originally the name given to the former West Germany as opposed to East Germany (the **DDR**). The two Germanies were reunited on 3rd October 1990. │
└──┘

Brech-: b~bar adj breakable; **~bohne** f French bean; **~eisen** nt crowbar; (von Dieb) jemmy, jimmy (US).

brechen pret **brach**, ptp **gebrochen** [1] vt [a] to break; (geh: pflücken) Blumen to pluck ▸ **sich/jdm den Arm ~** to break one's/sb's arm; **das wird ihm den Hals ~** (fig) that will be his downfall. [b] (erbrechen) to bring up. [2] vi [a] aux sein to break ▸ **mir bricht das Herz** it breaks my heart; **mit jdm/etw ~** to break with sb/sth; **~d voll sein** to be full to bursting. [b] (sich erbrechen) to be sick, to throw up. [3] vr (Wellen) to break; (Lichtstrahl) to be refracted; (Schall) to rebound (an +dat off).

Brecher m - (Welle) breaker; (Tech) crusher.

Brech-: ~mittel nt emetic; **er/das ist das reinste ~mittel** he/it makes me feel ill; **~reiz** m nausea; **~stange** f crowbar.

Brechung f (der Wellen) breaking; (des Lichts) refrac-

tion; (des Schalls) rebounding.

Brei m -e mush, paste; (für Kinder, Kranke) mash; (Hafer~) porridge; (Grieß~) semolina; (Reis~) rice pudding; (Papier~) pulp ▸ **jdn zu ~ schlagen** (col) to beat sb to a pulp (col); **um den heißen ~ herumreden** (col) to beat about the bush (col).

breiig adj mushy.

breit [1] adj broad; (esp bei Maßangabe) wide; Bekanntenkreis, Publikum, Interessen auch wide; Schrift broadly spaced ▸ **etw ~er machen** to broaden or widen sth; **die ~e Masse** the masses pl. [2] adv **~ gebaut** sturdily built; **sich ~ hinsetzen** to sit down and spread oneself.

breitbeinig adj with one's legs apart.

Breite f -n [a] breadth; (von Dialekt, Aussprache) broadness; (esp bei Maßangaben) width ▸ **der ~ nach** widthways; **etw in aller ~ erklären** to explain sth in great detail; **in die ~ gehen** (col: dick werden) to put it on a bit (col). [b] (Geog) latitude; (Gebiet) part of the world ▸ **es liegt 20° nördlicher ~** it lies 20° north.

breiten vtr to spread.

Breiten-: ~grad m (degree of) latitude; **~kreis** m parallel; **~sport** m popular sport; **~wirkung** f widespread impact.

Breit-: b~gefächert ⚠ adj **ein b~gefächertes Angebot** a wide range; **b~machen** ⚠ vr sep (col) **mach dich doch nicht so b~!** don't take up so much room; **b~schlagen** vt sep irreg (col) **sich b~schlagen lassen** to let oneself be talked round; **b~schult(e)rig** adj broad-shouldered; **~seite** f (Naut) broadside; **eine ~seite abgeben** to fire a broadside; **b~treten** vt sep irreg (col) to go on about; Thema, Witz to flog to death (col); **~wand** f wide screen; **~wandfilm** m film for the wide screen.

Bremen nt Bremen.

Bremer adj attr, **bremisch** adj Bremen attr.

Brems-: ~backe f brake shoe; **~belag** m brake lining.

Bremse[1] f -n brake ▸ **auf die ~(n) treten/steigen** (col) to put on or apply/slam on the brake(s).

Bremse[2] f -n (Insekt) horsefly.

bremsen [1] vi to brake ▸ **der Wind bremst** the wind slows you etc down; **mit etw ~** (col) to cut down (on) sth. [2] vt [a] Fahrzeug to brake. [b] (fig) to restrict, to limit; Entwicklung to slow down ▸ **er ist nicht zu ~** (col) there's no stopping him. [3] vr (Wellen) **ich kann mich ~** not likely!

Brems-: ~flüssigkeit f brake fluid; **~klotz** m brake pad; **~kraft** f braking power; **~kraftverstärker** m brake servo; **~leistung** f braking efficiency; **~licht** nt brake light; **~pedal** nt brake pedal; **~schuh** m brake shoe; **~spur** f skid mark usu pl.

Bremsung f braking.

Bremsweg m braking distance.

Brenn-: b~bar adj combustible, inflammable ▸ **leicht b~bar** highly inflammable; **~element** nt fuel element.

brennen pret **brannte**, ptp **gebrannt** [1] vi to burn; (Haus, Wald auch) to be on fire; (Glühbirne etc) to be on; (Zigarette) to be alight; (Stich) to sting; (Füße) to hurt, to be sore ▸ **das Streichholz brennt nicht** the match won't light; **auf der Haut ~** to burn the skin; **das Licht ~ lassen** to leave the light on; **es brennt!** fire!, fire!; (fig) it's urgent; **wo brennt's denn?** (col) what's the panic?; **darauf ~, etw zu tun** to be dying to do sth. [2] vt to burn; Branntwein to distil; Porzellan, Ziegel to fire, to bake; Tier to brand; siehe **gebrannt**.

brennend adj (lit, fig) burning; Zigarette lighted; Durst raging; Haß consuming ▸ **das interessiert mich ~** (col) I would be extremely interested.

Brenner m - [a] (Tech) burner. [b] (Branntwein~) dis-

tiller.
Brennerei f distillery.
⚠ **Brennessel** f stinging nettle.
Brenn-: **~holz** nt firewood; **~kammer** f combustion chamber *(of jet engine)*; **~material** nt fuel (for heating); **~ofen** m kiln; **~punkt** m *(Math, Opt)* focus; *im ~punkt des Interesses stehen* to be the focus of attention; **~raum** m combustion chamber *(of petrol or diesel engine)*; **~schere** f curling tongs pl; **~spiritus** m methylated spirits *sing or* pl; **~stab** m fuel rod; **~stoff** m fuel.
brenzlig adj *(col)* Situation etc precarious ► *die Lage wurde ihm zu* ~ things got too hot for him.
Bresche f -n breach, gap ► *in die* ~ *springen* (fig) to step into the breach; *für jdn/etw eine* ~ *schlagen* (fig) to stand up for sb/sth.
Bretagne [breˈtanjə] f *die* ~ Brittany.
Bretone m (wk) -n, **Bretonin** f Breton.
bretonisch adj Breton.
Brett nt -er ⓐ board; *(länger und dicker)* plank; *(Regal)* shelf ► *hier ist die Welt mit ~ern vernagelt* this is a parochial little place; *er hat ein* ~ *vor dem Kopf* (col) he's really thick. ⓑ *~er* pl (fig) *(Bühne)* boards pl; *(Boden des Boxrings)* floor, canvas; *(Skier)* planks pl (col); *die ~er, die die Welt bedeuten* the stage.
Bretter-: **~bude** f booth; *(pej)* shack; **~zaun** m wooden fence; *(an Baustellen auch)* hoarding.
Brettspiel nt board game.
Brezel f -n pretzel.
Brief m -e ⓐ letter; *(Bibl)* epistle ► *etw als* ~ *schicken* to send sth (by) letter post; *jdm* ~ *und Siegel auf etw (acc) geben* to give sb one's word. ⓑ *(St Ex: ~kurs)* selling rate.
Brief- in cpds letter; **~beschwerer** m - paperweight; **~block** m writing pad; **~bogen** m (sheet of) writing paper; **~bombe** f letter bomb.
Briefchen nt *ein ~ Streichhölzer* a book of matches; *ein ~ Nadeln* a packet of needles/pins.
Brief-: **~drucksache** f circular; **~fach** nt pigeon-hole; **~freund(in** f) m penfriend, penpal; **~freundschaft** f *eine ~freundschaft mit jdm haben* to be penfriends with sb; **~geheimnis** nt privacy of the post; **~karte** f correspondence card.
Briefkasten m letter box, mail box (US).
Briefkasten-: **~adresse, ~firma** f accommodation address; **~tante** f (col) agony aunt.
Brief-: **~kopf** m letterhead; **~kurs** m (St Ex) selling rate; **~lich** adj by letter; *mit jdm ~lich verkehren* to correspond with sb.
Briefmarke f stamp.
Briefmarken- in cpds stamp; **~automat** m stamp machine; **~kunde** f philately; **~sammler** m stamp collector, philatelist; **~sammlung** f stamp collection.
Brief-: **~öffner** m letter opener, paper knife; **~papier** nt letter paper, notepaper; **~porto** nt *(Gebühr)* letter rate; **~qualität** f *(Comp)* letter quality; **~sendung** f item sent by letter post; **~tasche** f wallet *(Brit)*, billfold *(US)*; **~taube** f carrier pigeon; **~träger(in** f) m postman/-woman, mailman/-woman (US); **~umschlag** m envelope; **~verkehr** m correspondence; **~waage** f letter scales pl; **~wahl** f *per ~wahl wählen* to use one's postal vote; **~wähler** m postal voter; **~wechsel** m correspondence.
Bries nt -e *(Cook)* sweetbread.
briet pret of **braten**.
Brigade f ⓐ *(Mil)* brigade. ⓑ *(DDR)* (work) team or group.
Brikett nt -s briquette.
Brikettzange f fire tongs pl.
brillant [brɪlˈjant] adj brilliant.
Brillant [brɪlˈjant] m diamond.

Brillantschmuck m diamonds pl.
Brille f -n ⓐ glasses pl, spectacles pl; *(Schutz ~)* goggles pl ► *eine* ~ a pair of glasses or spectacles; goggles; *eine* ~ *tragen* to wear glasses. ⓑ *(Klosett~)* (toilet) seat.
Brillen-: **~etui** nt glasses or spectacle case; **~gestell** nt (spectacle) frame; **~glas** nt lens; **~schlange** f *(hum)* four-eyes *(hum)*, woman who wears glasses; **~träger(in** f) m *er ist ~träger* he wears glasses.
Brimborium nt *(col)* fuss.
bringen pret **brachte**, ptp **gebracht** vt ⓐ *(her~)* to bring; *(holen auch)* to get *(jdm* for sb); *(mitnehmen, weg~)* to take ► *der Besuch hat mir Blumen gebracht* my visitor(s) brought me flowers; *wir haben der Gastgeberin Blumen gebracht* we took our hostess flowers; *jdn zum Bahnhof/nach Hause* ~ to take sb to the station/home; *das Essen auf den Tisch* ~ to serve the food; *er bringt es nicht übers Herz or über sich* he can't bring himself to do it; *etw an sich (acc)* ~ to acquire sth; *etw mit sich* ~ to involve sth; *etw hinter sich (acc)* ~ to get sth over and done with.
   ⓑ *(ein~)* Gewinn to bring in; *(Boden etc)* to produce; Ärger to cause; *Freude, Vorteile* to give ► *das bringt nichts* (fig col) it's pointless.
   ⓒ *(lenken, bewirken)* to bring ► *das bringt dich vors Gericht/ins Gefängnis* you'll end up in court/prison if you do that; *das Gespräch auf etw (acc)* ~ to bring the conversation around to sth; *jdn in Gefahr* ~ to put sb in danger; *jdn zum Lachen/Weinen* ~ to make sb laugh/cry; *jdn zur Verzweiflung* ~ to drive sb to despair; *jdn zur Vernunft* ~ to bring sb to his senses; *jdn auf eine Idee* ~ to give sb an idea; *jdn dazu* ~, *etw zu tun* to get sb to do sth; *jdn um etw* ~ to make sb lose sth, to do sb out of sth; *jdn ums Leben* ~ to kill sb.
   ⓓ *(leisten, erreichen)* es *auf 80 Jahre* ~ to reach the age of 80; *das Auto bringt 200 km/h* (col) the car can do 125 mph; *es zu etwas/nichts* ~ to get somewhere/nowhere; *es weit* ~ to do very well, to get far; *er hat es bis zum Direktor gebracht* he made it to director.
   ⓔ *(senden)* Bericht etc to broadcast; *(im Fernsehen auch)* to show ► *was bringt das Fernsehen/Radio heute abend?* what's on television/the radio tonight?
   ⓕ *(veröffentlichen)* to print, to publish ► *alle Zeitungen brachten es auf der ersten Seite* all the papers had it on the front page.
   ⓖ *(aufführen)* Stück to do.
   ⓗ *(col: schaffen, können)* das *bringt er nicht* he's not up to it; *er/das bringt's* he's got what it takes/it does the business *(col)*; *das bringt's doch nicht!* that's no damn use! *(col)*.
brisant adj *(fig)* highly controversial.
Brisanz f *(fig)* highly controversial nature.
Brise f -n breeze.
Brite m (wk) -n, -n, **Britin** f Briton, Britisher (US) ► *er ist* ~ he is British; *die* ~n the British.
britisch adj British ► *die B~en Inseln* the British Isles.
bröckelig adj crumbly; Mauer crumbling.
bröckeln vti to crumble.
Brocken m - lump, chunk; *(fig: Bruchstück)* scrap; *(col: Person)* lump *(col)* ► *ein paar* ~ *Spanisch* a smattering of Spanish; *ein harter* ~ a tough nut to crack.
brocken vt Brot to break.
brodeln vi *(Wasser, Suppe)* to bubble ► *es brodelt* (fig) there is seething unrest.
Brokat m -e brocade.
Brokkoli pl broccoli sing.
Brom nt no pl bromine.
Brombeere f blackberry, bramble.
Bronchie [-iə] f usu pl bronchial tube.
Bronchitis f, pl **Bronchitiden** bronchitis.
Bronze [ˈbrõːsə] f -n bronze.

Bronze-: **~medaille** f bronze medal; **~zeit** f no pl Bronze Age.

Brosche f -n brooch.

broschiert adj Ausgabe paperback.

Broschüre f -n brochure; (Heft) booklet.

Brösel m -n crumb.

bröselig adj crumbly.

bröseln vi to crumble.

Brot nt -e bread; (Laib) loaf (of bread); (Scheibe) slice (of bread); (Sandwich) sandwich; (fig: Unterhalt) daily bread (hum), living ▶ **ein ~ mit Käse** a slice of bread and cheese; **das ist ein hartes ~** (fig) that's a hard way to earn one's living.

Brot-: **~aufstrich** m spread (for bread); **~belag** m topping (for bread).

Brötchen nt roll ▶ **kleine ~ backen** (col) to set one's sights lower.

Brötchengeber m (hum) employer, provider (hum).

Brot-: **~erwerb** m (way of earning one's) living; **~kasten** m bread bin; **~korb** m bread basket; **jdm den ~korb höher hängen** (fig) to keep sb short; **~krume** f, **~krümel** m breadcrumb; **~kruste** f crust; **b~los** adj unemployed, out of work; **~maschine** f bread slicer; **~messer** nt bread knife; **~rinde** f crust; **~schnitte** f slice of bread; **~zeit** f (S Ger: Pause) break (for a snack); (Essen) snack (of sandwiches, beer etc); **~zeit machen** to have a snack.

BRT = **Bruttoregistertonne**.

Bruch m ⁻e ⒜ (~stelle) break; (in Porzellan etc auch) crack; (das Brechen) breaking ▶ **zu ~ gehen** to get broken; **~ machen** (col) to smash (mit etw sth). ⒝ (fig) (mit Vergangenheit, Partei, im Stil etc) break; (von Gesetz) breaking, infringement; (von Vertrag) breach ▶ **in die ⁻e gehen** (Ehe, Freundschaft) to break up; **es kam zum ~ zwischen ihnen** they broke up. ⒞ (zerbrochene Ware) broken biscuits/chocolate etc; (Porzellan) breakage. ⒟ (Knochen~) fracture, break; (Eingeweide~) hernia, rupture ▶ **sich** (dat) **einen ~ heben** to rupture oneself. ⒠ (Math) fraction. ⒡ (col: Einbruch) break-in.

Bruch-: **~band** nt truss; **~bude** f (pej) hovel; **b~fest** adj unbreakable.

brüchig adj brittle, fragile; Gestein, Ehe, Moral crumbling; Leder, (fig) Stimme cracked ▶ **~ werden** (Gestein, Macht etc) to (begin to) crumble; (Ehe, Verhältnisse auch) to (begin to) break up; (Leder) to crack or split.

Bruch-: **~landung** f crashlanding; **~rechnung** f fractions sing or pl; (Aufgabe) sum with fractions; **~stelle** f break; (von Knochen auch) fracture; **~strich** m (Math) line (of a fraction); **~stück** nt fragment; (von Lied, Rede etc auch) snatch; **b~stückhaft** adj fragmentary; **~teil** m fraction; **im ~teil einer Sekunde** in a fraction of a second; **~zahl** f (Math) fraction.

Brücke f -n ⒜ (lit, fig, Naut, Zahn~) bridge ▶ **alle ~n hinter sich** (dat) **abbrechen** (fig) to burn one's bridges behind one; **jdm goldene ~n bauen** to make things easy for sb; **~n schlagen** (fig) to forge links. ⒝ (Turnen) crab; (Teppich) rug.

Brücken-: **~kopf** m (Mil, fig) bridgehead; **~schlag** m (fig) **das war der erste ~schlag** that forged the first link.

Bruder m ⁻ ⒜ brother ▶ **unter ⁻n** (col) between friends. ⒝ (Mönch) friar, brother. ⒞ (col: Mann) guy (col) ▶ **ein warmer ~** (dated) a pansy (col); **euch ⁻ kenn' ich** (pej) I know you lot.

Bruder-: **~krieg** m war between brothers; **~kuß** △ m (fig) fraternal kiss.

brüderlich adj fraternal, brotherly no adv ▶ **~ teilen** to share and share alike.

Brüderlichkeit f no pl brotherliness.

Bruder-: **~mord** m fratricide; **~mörder** m fratricide; **~schaft** f (Eccl) brotherhood; **mit jdm ~schaft trinken** to agree to use the familiar du (over a drink).

Brügge nt Bruges.

Brühe f -n (Suppe) (clear) soup; (als Suppengrundlage) stock; (pej) (schmutzige Flüssigkeit) sludge; (Getränk) dishwater (col), muck (col).

brühen vt ⒜ to blanch. ⒝ Tee to brew; Kaffee to make (in the jug or pot).

Brüh-: **b~heiß** adj scalding (hot); **b~warm** adj (col) hot from the press (col); **er hat das sofort b~warm weitererzählt** he promptly spread it around; **~würfel** m stock cube; **~wurst** f sausage (to be heated in water).

brüllen vti to shout, to roar; (pej: laut weinen) to yell, to bawl; (Stier) to bellow; (Elefant) to trumpet ▶ **das ist zum B~** (col) it's a scream (col).

Brummbär m (col) crosspatch (col).

brummeln vti (col) to mumble, to mutter.

brummen vti ⒜ (Insekt) to buzz; (Bär) to growl; (Motor, singen) to drone; (Kreisel etc) to hum ▶ **mir brummt der Kopf** my head is throbbing. ⒝ (murren) to grumble. ⒞ (col: in Haft sein) to be locked up (col).

Brummer m - (col) ⒜ fly; wasp; bee. ⒝ (Lastwagen) large truck, juggernaut (Brit).

Brummi m -s (col: Lastwagen) lorry (Brit), truck.

brummig adj grumpy.

Brumm-: **~kreisel** m (col) humming-top; **~schädel** m (col) thick head (col).

brünett adj dark(-haired) ▶ **sie ist ~** she is a brunette.

Brünette f brunette.

Brunft f ⁻e (Hunt) = **Brunst**.

Brunnen m - ⒜ well; (fig liter) fountain. ⒝ (Spring~) fountain. ⒞ (Heilquelle) spring.

Brunnen-: **~kresse** f watercress; **~schacht** m well shaft; **~vergifter(in** f) m - (fig pej) (political) troublemaker; **~wasser** nt well water.

Brunst f ⁻e (von männlichen Tieren) rut; (von weiblichen Tieren) heat; (~zeit) rutting season.

Brunst-: **~schrei** m mating call; **~zeit** f rutting season.

brüsk adj brusque, curt.

brüskieren* vt to snub.

Brüskierung f snub.

Brüssel nt Brussels.

Brüsseler adj attr Brussels.

Brust f ⁻e ⒜ chest; (fig: Inneres, Cook) breast ▶ **einen zur ~ nehmen** (col) to have a quick drink or quickie (col); **sich in die ~ werfen** (fig) to puff oneself up; **mit geschwellter ~** (fig) as proud as a peacock; **schwach auf der ~ sein** (col) to have a weak chest; (hum: an Geldmangel leiden) to be a bit short (col). ⒝ (weibliche ~) breast ▶ **einem Kind die ~ geben** to breastfeed a baby. ⒞ (~schwimmen) breast-stroke.

Brust-: **~bein** nt breastbone, sternum; **~beutel** m money bag (worn around the neck); **~bild** nt half-length portrait.

brüsten vr to boast, to brag (mit about).

Brust-: **~fellentzündung** f pleurisy; **~höhe** f: **in ~höhe** chest high; **~kasten** (col), **~korb** m rib cage, thorax; **~krebs** m breast cancer, cancer of the breast; **~schwimmen** nt breast-stroke; **b~schwimmen** vi infin only to swim or do the breast-stroke; **~stimme** f chest-voice; **~stück** nt (Cook) breast; **~tasche** f breast pocket; (Innentasche) inside (breast) pocket; **~ton** m im **~ton der Überzeugung** in a tone of utter conviction; **~umfang** m chest measurement; (von Frau) bust measurement.

Brüstung f parapet; (Balkon~ etc auch) balustrade; (Fenster~) breast.

Brust-: **~warze** f nipple; **~weite** f = **~umfang**.

Brut f -en ⒜ no pl (das Brüten) incubating. ⒝ (die Jungen) brood; (pej) lot, mob (col).

brutal adj brutal; (gewalttätig auch) violent ▶ **das tut ~**

weh (col) that hurts like hell (col).
Brutalität f [a] no pl siehe adj brutality; violence. [b] (Gewalttat) act of violence or brutality.
brüten [1] vi to incubate; (fig) to ponder (über +dat over) ▸ **~de Hitze** oppressive or stifling heat. [2] vt (künstlich) to incubate; (Tech) to breed.
brütendheiß adj attr sweltering.
Brüter m - (Tech) breeder (reactor) ▸ **schneller ~** fast-breeder (reactor).
Brut-: ~kasten m (Med) incubator; **~reaktor** m breeder (reactor); **~stätte** f (lit, fig) breeding ground (gen for).
brutto adv gross.
Brutto- in cpds gross; **~einkommen** nt gross income; **~inlandsprodukt** nt gross domestic product; **~registertonne** f register ton; **~sozialprodukt** nt gross national product, GNP.
Brutzeit f incubation (period).
brutzeln (col) [1] vi to sizzle (away). [2] vt to fry (up).
BSE [beː|ɛs|eː] = **Bovine Spongiforme Enzephalopathie** BSE.
BSP [beː|ɛs|peː] nt = **Bruttosozialprodukt** GNP.
Btx [beːteː|ɪks] m -, no pl = **Bildschirmtext**.
Bub m (wk) **-en, -en** (S Ger, Aus, Sw) boy, lad.
Bube m (wk) **-n, -n** (Cards) jack, knave.
Bubikopf m bobbed hair no pl, bob.
Buch nt ⁻er [a] book; (Band) volume; (Dreh~) script ▸ **er redet wie ein ~** (col) he never stops talking; **ein Gentleman, wie er im ~e steht** a perfect example of a gentleman; **ein Tor, wie es im ~e steht** a textbook goal; **ein ~ mit sieben Siegeln** (fig) a closed book. [b] usu pl (Comm: Geschäfts~) books pl, accounts pl ▸ **über etw** (acc) **~ führen** to keep a record of sth; **zu ~(e) schlagen** to make a (significant) difference.
Buch-: ~besprechung f book review; **~binder(in** f) m bookbinder; **~druck** m no pl letterpress (printing); **~drucker** m printer; **~druckerei** f (Betrieb) printery.
Buche f -n beech (tree).
Buch|ecker f -n beechnut.
buchen vt [a] (Comm) to enter; (Kasse, fig: registrieren) to register ▸ **etw als Erfolg ~** to put sth down as a success. [b] (vorbestellen) to book.
Buchen-: ~holz nt beech(wood); **~wald** m beech wood.
Bücher-: ~bord, ~brett nt bookshelf.
Bücherei f (lending) library.
Bücher-: ~freund m book-lover; **~gestell** nt bookcase; **~gutschein** m book token; **~narr** m book-freak (col); **~regal** nt bookshelf; **~schrank** m bookcase; **~verzeichnis** nt bibliography; **~wand** f wall of bookshelves; **~wurm** m (lit, fig hum) bookworm.
Buchfink m chaffinch.
Buch-: ~führung f book-keeping, accounting; **~halter(in** f) m book-keeper; **~haltung** f [a] = **~führung**; [b] (Abteilung) accounts department; **~gemeinschaft** f book club; **~handel** m book trade; **im ~handel erhältlich** available in bookshops (Brit) or bookstores (US); **~händler** m bookseller; **~handlung** f bookshop (Brit), bookstore (US); **~laden** m bookshop (Brit), bookstore (US); **~macher** m bookmaker, bookie (col); **~messe** f book fair; **~prüfer** m auditor; **~prüfung** f audit; **~rücken** m spine.
Buchs [bʊks] m -e, **Buchsbaum** m box (tree).
Buchsbaumhecke f box hedge.
Buchse [ˈbʊksə] f -n (Elec) socket; (Tech) (von Zylinder) liner; (von Lager) bush.
Büchse [ˈbʏksə] f -n [a] tin; (Konserven~) can, tin (Brit); (Sammel~) collecting box. [b] (Gewehr) rifle, (shot)gun.
Büchsen-: ~fleisch nt canned or tinned (Brit) meat; **~milch** f tinned (Brit) or evaporated milk; **~öffner** m

can or tin (Brit) opener.
Buchstabe m **-n** letter; (esp Druck~) character ▸ **kleiner ~** small letter; **großer ~** capital (letter); **Betrag in ~n** amount in words; **dem ~n nach** (fig) literally; **auf den ~n genau** (fig) to the letter; **nach dem ~n des Gesetzes** according to the letter of the law.
buchstabieren* vt to spell.
buchstäblich adv literally.
Buchstütze f bookend.
Bucht f -en bay.
Buchung f (Comm) entry; (Reservierung) booking.
Buchweizen m buckwheat.
Buchwert m (Comm) book value.
Buckel m - [a] hump(back), hunchback; (col: Rücken) back ▸ **einen ~ machen** (Katze) to arch its back; **er kann mir den ~ (he)runterrutschen** (col) he can (go and) take a running jump (col); **80 Jahre auf dem ~ haben** (col) to be 80 (years old). [b] (col: Auswölbung) bulge, hump.
buck(e)lig adj hunchbacked; (col) Straße bumpy.
buckeln vi (pej) to bow and scrape.
bücken vr sich nach etw ~ to bend down or to stoop to pick sth up; siehe **gebückt**.
Bückling m [a] (Cook) smoked herring. [b] (hum col: Verbeugung) bow.
Budapest nt Budapest.
buddeln vti (col) to dig.
Buddhismus m Buddhism.
Buddhist(in f) m Buddhist.
buddhistisch adj Buddhist(ic).
Bude f -n [a] hut; (Markt~, Verkaufs~) stall, booth; (Zeitungs~) kiosk. [b] (pej col: Laden, Lokal etc) dump (col). [c] (col) (Zimmer) room; (von Untermieter auch) digs pl (col); (Wohnung) pad (col) ▸ **Leben in die ~ bringen** to liven the place up; **jdm die ~ einrennen** to pester sb; **jdm auf die ~ rücken** to come around.
Budget [byˈdʒeː] nt **-s** budget.
Buenos Aires nt Buenos Aires.
Büfett nt **-e** or **-s** [a] (Geschirrschrank) sideboard. [b] (Schanktisch) bar; (Verkaufstisch) counter. [c] **kaltes ~** cold buffet.
Büffel m - buffalo.
Büffelei f (col) swotting (col), cramming (col).
büffeln (col) [1] vi to swot (col), to cram (col). [2] vt Lernstoff to swot up (col).
Buffet, Büffet [byˈfeː] nt **-s** = **Büfett**.
Bug m ⁻e or **-e** (Schiffs~) bow; (Flugzeug~) nose.
Bügel m - [a] (Kleider~) (coat-)hanger. [b] (Steig~) stirrup. [c] (Brillen~) side or ear-piece.
Bügel-: ~brett nt ironing board; **~eisen** nt iron; **~falte** f crease in one's trousers; **b~fertig** adj ready for ironing; **b~frei** adj non-iron.
bügeln [1] vt to iron; Hose to press. [2] vi to iron.
bugsieren* vt [a] (Naut) to tow. [b] (col) Möbelstück etc to edge ▸ **jdn aus dem Zimmer ~** to manoeuvre (Brit) or maneuver (US) sb out of the room.
buh interj boo.
buhen vi (col) to boo.
buhlen vi (pej: werben) **um jds Gunst ~** to woo or court sb's favour.
Buhmann m, pl **-männer** (col) bogeyman (col).
Bühne f -n [a] (lit, fig) stage; (von Aula etc auch) platform ▸ **über die ~ gehen** (col) to go (off); **etw über die ~ bringen** (col) to bring sth off; (unangenehmes) to get sth over (with); **hinter der ~** (lit, fig) behind the scenes; **von der ~ abtreten** to make one's exit. [b] (Theater) theatre (Brit), theater (US); (als Beruf) stage ▸ **zur ~ gehen** to go on the stage.
Bühnen-: ~anweisung f stage direction; **~arbeiter** m

stagehand; **~ausstattung** *f* props *pl*; **~autor** *m* playwright, dramatist; **~bearbeitung** *f* stage adaptation; **~bild** *nt* (stage) set; **~bildner** *m* set-designer; **~erfolg** *m* success; (*Stück auch*) (stage) hit; **~personal** *nt* theatre (*Brit*) *or* theater (*US*) staff; **b~reif** *adj* ready for the stage; **~stück** *nt* (stage) play; **~techniker** *m* stage technician.

Buhruf *m* boo, catcall.

Bukarest *nt* Bucharest.

Bukett *nt* **-s** *or* **-e** (*geh: Blumen~, von Wein*) bouquet.

Bulette *f* (*dial*) meat ball.

Bulgare *m* (*wk*) **-n, -n, Bulgarin** *f* Bulgarian.

Bulgarien [-iən] *nt* Bulgaria.

bulgarisch *adj* Bulgarian.

Bulimie *f no pl* (*Med*) bulimia.

Bullauge *nt* (*Naut*) porthole.

Bulldogge *f* bulldog.

Bulldozer ['buldo:zɐ] *m* - bulldozer.

Bulle *m* (*wk*) **-n, -n** [a] bull. [b] (*col: starker Mann*) great ox of a man. [c] (*pej: Polizist*) cop (*col*) ▶ **die ~n** the fuzz (*pej*), the cops (*col*).

Bullenhitze *f* (*col*) sweltering heat.

bullern *vi* (*col*) (*Wasser*) to bubble; (*Ofen*) to roar.

bullig *adj* (*col*) [a] brawny, beefy (*col*). [b] *Hitze* sweltering, boiling (*col*).

bum *interj* bang; (*tiefer*) boom.

Bumerang *m* **-s** *or* **-e** (*lit, fig*) boomerang.

Bummel *m* - stroll; (*Lokal ~*) pub-crawl ▶ **einen ~ durch die Stadt machen** to go for a stroll around (the) town.

Bummelant(in *f*) *m* (*wk*) (*col*) [a] (*Trödler*) slowcoach (*Brit col*), slowpoke (*US col*). [b] (*Faulenzer*) loafer (*col*), idler.

Bummelei *f* (*col*) (*Trödelei*) dawdling; (*Faulenzerei*) loafing about (*col*), idling.

bummeln *vi* [a] *aux sein* (*spazierengehen*) to stroll; (*ausgehen*) to go out on the town. [b] (*trödeln*) to dawdle. [c] (*faulenzen*) to laze around.

Bummel-: **~streik** *m* go-slow (*Brit*), slowdown (*US*); **~zug** *m* (*col*) slow *or* stopping train.

Bummler(in *f*) *m* - [a] (*Spaziergänger*) stroller. [b] = Bummelant(in).

Bums *m* **-e** (*col: Schlag*) bang, thump.

bumsen [1] *vi impers* (*col: dröhnen*) **es bumste, als ...** there was a thump *or* thud when ...; **es hat gebumst** (*von Fahrzeugen*) there's been a crash. [2] *vi* [a] (*schlagen*) to thump. [b] *aux sein* (*prallen, stoßen*) to bump, to bang. [c] (*col: koitieren*) to have it off (*col*), to have a screw (*col!*). [3] *vt* (*col*) *jdn ~* to lay sb (*col*), to screw sb (*col!*); **gebumst werden** to get laid (*col*).

Bumslokal *nt* (*pej col*) (low) dive.

Bund¹ *m* **¨e** [a] (*Bündnis*) alliance; (*Organisation*) association ▶ **den ~ fürs Leben schließen** to take the marriage vows. [b] (*Pol: Bundesstaat*) Federal Government. [c] (*BRD col: Bundeswehr*) **der ~** the army. [d] (*an Kleidern*) waistband.

Bund² *nt* **-e** (*von Stroh, Reisig etc*) bundle; (*von Radieschen, Spargel etc*) bunch.

Bündchen *nt* (*Hals~*) neckband; (*am Ärmel*) sleeveband.

Bündel *nt* - bundle, sheaf; (*Stroh~*) sheaf; (*von Radieschen etc*) bunch; (*fig: von Problemen etc*) cluster ▶ **sein ~ schnüren** to pack one's bags.

bündeln *vt* *Zeitungen* to bundle up; *Stroh* to sheave; *Karotten etc* to tie into bunches/a bunch.

bündelweise *adv* by the bundle, in bundles.

Bundes- *in cpds* federal; **~amt** *nt* Federal Office; **~bahn** *f* Federal Railway(s *pl*); **~bank** *f* Federal bank; **~behörde** *f* Federal authority; **~bürger** *m* German citi-

zen; (*before 1990*) West German citizen; **~deutsche(r)** *mf* German; (*before 1990*) West German; **~gebiet** *nt* federal territory; **~genosse** *m* ally, confederate; **~gerichtshof** *m* Federal Supreme Court; **~grenzschutz** *m* Federal Border Guard; **~hauptstadt** *f* Federal capital; **~kabinett** *nt* Federal cabinet; **~kanzler** *m* German/Austrian Chancellor.

┌─ **BUNDESKANZLER** ─────────────────┐

ⓘ The **Bundeskanzler,** *head of the German government, is elected for 4 years and determines government guidelines. He is formally proposed by the* **Bundespräsident** *but needs a majority in parliament to be elected to office.*

└────────────────────────────────┘

Bundes- **~land** *nt* state; **~liga** *f* (*Sport*) national league; **~minister** *m* Federal Minister; **~mittel** *pl* Federal funds *pl*; **~nachrichtendienst** *m* Federal Intelligence Service; **~post** *f: die (Deutsche) ~post* the (German) Federal Post (Office); **~präsident** *m* (Federal) President; (*Sw*) President of the Federal Council.

┌─ **BUNDESPRÄSIDENT** ───────────────┐

ⓘ The **Bundespräsident** *is the head of state of the Federal Republic of Germany who is elected every 5 years by the members of the* **Bundesversammlung,** *a body formed specially for this purpose. His role is that of a figurehead who represents Germany at home and abroad. No one can be elected more than twice. In Switzerland the Bundespräsident is the head of the government, known as the* **Bundesrat.**

└────────────────────────────────┘

┌─ **BUNDESRAT** ─────────────────────┐

ⓘ The **Bundesrat** *is the Upper House of the German Parliament whose 68 members are not elected but nominated by the parliaments of the individual* **Länder.** *Its most important function is the approval of federal laws which concern jurisdiction of the Länder. It can raise objections to all other laws but can be outvoted by the Bundestag.*

└────────────────────────────────┘

Bundes- **~rat** *m* Bundesrat (*upper house of the German Parliament*); (*Sw*) Council of Ministers; **~regierung** *f* Federal Government; **~republik** *f* Federal Republic; **~republik Deutschland** Federal Republic of Germany; **~staat** *m* federal state; **~straße** *f* trunk road (*Brit*), main highway (*US*).

Bundestag *m* Bundestag (*lower house of the German Parliament*).

┌─ **BUNDESTAG** ─────────────────────┐

ⓘ The **Bundestag** *is the Lower House of the German Parliament, elected by the people. There are 672 MPs, half of them elected directly from the first vote* (**Erststimme**)*, and half from the regional list of parliamentary candidates resulting from the second vote* (**Zweitstimme**)*, and giving proportional representation to the parties. The Bundestag exercises parliamentary control over the government.*

└────────────────────────────────┘

Bundestags-: **~abgeordnete(r)** *mf* member of the German Parliament *or* Bundestag; **~fraktion** *f* group *or* faction in the Bundestag; **~präsident** *m* President of the German Parliament *or* Bundestag; **~wahl** *f* (federal) parliamentary elections *pl*.

Bundes-: **~trainer** *m* (*Sport*) national coach; **~verfassungsgericht** *nt* Federal Constitutional Court; **~wehr** *f* (German *or* (*before 1990*) West German) army, armed forces *pl*.

BUNDESWEHR

i The **Bundeswehr** *is the name for the German armed forces. It was established in 1955, first of all for volunteers, but since 1956 there has been compulsory military service for all able-bodied young men of 18 (see* **Wehrdienst**). *In peacetime the Defence Minister is the head of the Bundeswehr, but in wartime, the* **Bundeskanzler** *takes over. The Bundeswehr comes under the jurisdiction of NATO.*

---

bundesweit *adj* nationwide.
Bund-: **~faltenhose** *f* pleated trousers *pl*; **~hose** *f* knee breeches *pl*.
bündig *adj* [a] (*schlüssig*) conclusive; (*kurz, bestimmt*) concise, succinct. [b] (*in gleicher Ebene*) flush *pred*, level.
Bündnis *nt* alliance.
Bundweite *f* waist measurement.
Bungalow ['bʊŋgalo] *m* **-s** bungalow, ranch house (*US*).
Bungee-Springen ['bʌndʒi-] *nt* bungee-jumping.
Bunker *m* - [a] bunker; (*Luftschutz~*) air-raid shelter. [b] (*Sammelbehälter*) bin; (*Kohlen~*) bunker; [c] (*Mil sl: Gefängnis*) guardhouse.
Bunsenbrenner *m* Bunsen burner.
bunt *adj* [a] (*farbig*) coloured (*Brit*), colored (*US*); (*mehrfarbig*) colourful (*Brit*), colorful (*US*); (*vielfarbig*) multi-coloured (*Brit*), multi-colored (*US*); (*gefleckt*) mottled, spotted ▸ **~ gestreift** *pred* brightly striped; **~e Farben** bright colours; **~es Glas** stained glass; **etw ~ anstreichen** to paint sth a bright colour/in bright colours; **~ fotografieren** (*col*) to take colour photos. [b] (*fig: abwechslungsreich*) varied ▸ **eine ~e Menge** a motley crowd; **ein ~es Bild** a colourful picture. [c] **jetzt wird's mir aber zu ~!** (*col*) that's going too far!
Bunt-: **b~bemalt** △ *adj attr* brightly painted; **~film** *m* (*col*) colour (*Brit*) *or* color (*US*) film; **~glasfenster** *nt* stained-glass window; **b~gemischt** △ *adj attr* Programm varied; **b~gestreift** △ *adj attr* brightly striped; **~papier** *nt* coloured (*Brit*) *or* colored (*US*) paper; **~specht** *m* spotted woodpecker; **~stift** *m* coloured (*Brit*) *or* colored (*US*) pencil; **~wäsche** *f* coloureds *pl* (*Brit*), coloreds *pl* (*US*).
Bürde *f* **-n** (*lit, fig*) burden.
Burg *f* **-en** castle.
Bürge *m* (*wk*) **-n, -n** guarantor; (*fig*) guarantee (*für* of) ▸ **für jdn ~ sein** to be sb's guarantor.
bürgen *vi* **für etw ~** to guarantee sth; **für jdn ~** (*Fin*) to stand surety for sb; (*fig*) to vouch for sb.
Bürger *m* -, **Bürgerin** *f* citizen; (*Sociol, pej*) bourgeois.
Bürger-: **~block** *m* conservative alliance; **~initiative** *f* citizens' initiative *or* action group; **~krieg** *m* civil war.
bürgerlich *adj* [a] civil; *Pflicht* civic ▸ **B~es Gesetzbuch** Civil Code. [b] (*dem Bürgerstand angehörend*) middle-class (*auch pej*), bourgeois (*esp pej*); (*Hist*) bourgeois ▸ **~es Essen/Küche** good plain food/cooking; **~es Trauerspiel** (*Liter*) domestic tragedy.
Bürgerliche(r) *mf decl as adj* commoner.
Bürger-: **~meister(in** *f*) *m* mayor; **b~nah** *adj* populist; **~nähe** *f* populism; **~pflicht** *f* civic duty; **~recht** *nt usu pl* civil rights *pl*; **~rechtler** *m* - civil rights campaigner; **~rechtsbewegung** *f* civil rights movement; **~schaft** *f* citizens *pl*; (*Vertretung*) City Parliament; **~schreck** *m* bogey of the middle classes; **~steig** *m* pavement (*Brit*), sidewalk (*US*); **~tum** *nt no pl* (*Hist*) bourgeoisie (*Hist*); **~wehr** *f* vigilantes *pl*, vigilance committee (*US*).
Burgfriede(n) *m* (*fig*) truce.
Bürgin *f siehe* **Bürge.**
Bürgschaft *f* (*Jur*) (*gegenüber Gläubigern*) security, surety; (*Haftungssumme*) penalty ▸ **~ für jdn leisten** to stand surety for sb.
Burgund *nt* Burgundy.
Burgunder *m* - (*auch:* **~wein**) burgundy.
Büro *nt* **-s** office.
Büro- *in cpds* office; **~angestellte(r)** *mf* office worker, office staff *pl*; **~artikel** *pl* office supplies; **~bedarf** *m* office supplies *pl*; **~gebäude** *nt* office building *or* block; **~gehilfe** *m* (office) junior; **~kauffrau** *f*, **~kaufmann** *m* office administrator; **~klammer** *f* paper clip; **~kraft** *f* (office) clerk.
Bürokrat *m* (*wk*) **-en, -en** bureaucrat.
Bürokratie *f* bureaucracy.
bürokratisch *adj* bureaucratic.
Bürokratismus *m no pl* bureaucracy.
Büro-: **~leiter** *m* office manager; **~raum** *m* office space; **~schluß** △ *m* office closing time; **nach ~schluß** after office hours; **~stunden** *pl* office hours *pl*; **~tätigkeit** *f* office work; **~technik** *f* office technology.
Bursche *m* (*wk*) **-n, -n** [a] (*col: Kerl*) fellow, guy (*col*) ▸ **ein übler ~** a bad lot. [b] (*Lauf~*) boy.
Burschen-: **~schaft** *f* student fraternity; **~schaft(l)er** *m* - member of a student fraternity.
burschikos *adj* [a] (*jungenhaft*) (tom)boyish. [b] (*unbekümmert*) casual.
Bürste *f* **-n** brush.
bürsten *vt* to brush.
Bürsten(haar)schnitt *m* crew cut.
Bus *m* **-ses, -se** bus; (*Reise~ auch*) coach (*Brit*).
Busbahnhof *m* bus/coach (*Brit*) station.
Busch *m* -̈e bush ▸ **etwas ist im ~** (*col*) there's something up; **mit etw hinter dem ~ halten** (*col*) to keep sth quiet; **bei jdm auf den ~ klopfen** (*col*) to sound sb out; **sich in die -̈e schlagen** (*col*) to slip away.
Büschel *nt* - (*von Gras, Haaren*) tuft; (*von Heu, Stroh*) bundle.
buschig *adj* bushy.
Busch-: **~messer** *nt* machete; **~werk** *nt* bushes *pl*; **~windröschen** *nt* (wood) anemone.
Busen *m* - (*von Frau*) bust, bosom.
Busen-: **b~frei** *adj* topless; **~freund** *m* (*iro*) bosom friend.
Bus-: **~fahrer(in** *f*) *m* bus/coach (*Brit*) driver; **~fahrpreis** *m* bus fare; **~fahrschein** *m* bus ticket; **~fahrt** *f* bus/coach (*Brit*) ride; **~haltestelle** *f* bus stop.
Business-Class *f* business class.
Buslinie *f* bus route ▸ **welche ~ fährt zum Bahnhof?** which bus goes to the station?
Bussard *m* **-e** buzzard.
Buße *f* **-n** [a] (*Rel*) repentance, penitence; (*Auflage*) penance; (*tätige ~*) atonement ▸ **~ tun** to do penance. [b] (*Jur: Geldstrafe*) fine.
büßen [1] *vt* to pay for ▸ **das sollst du mir ~** I'll make you pay for that. [2] *vi* **für etw ~** (*auch Rel*) to atone for sth; **für Leichtsinn** *etc* to pay for sth.
Büßer(in *f*) *m* - penitent.
Bußgeld *nt* fine.
Bußgeldbescheid *m* notice of payment due (*for traffic offence etc*).
Busspur *f* bus lane, busway (*US*).
Buß-: **~tag, ~- und Bettag** *m* day of prayer and repentance.
Büste *f* **-n** bust; (*Schneider~*) tailor's dummy.
Büstenhalter *m* bra.
Busverbindung *f* bus service.
Butan *nt* **-e, Butangas** *nt* butane (gas).
Bütten(papier) *nt no pl* handmade paper (*with deckle edge*).
Büttenrede *f* carnival speech.

Butter f no pl butter ► *alles (ist) in ~* (col) everything is fine or hunky-dory (col); *jdm die ~ auf dem Brot nicht gönnen* (fig col) to begrudge sb the very air he breathes; *wir lassen uns nicht die ~ vom Brot nehmen* (col) we're going to stick up for our rights.

Butter- in cpds butter; **~berg** m (col) butter mountain; **~blume** f buttercup; **~brot** nt piece of bread and butter; (*Sandwich*) sandwich; *für ein ~brot* (col) for next to nothing; *das mußt du mir nicht ständig aufs ~brot schmieren* there's no need to keep rubbing it in; **~brotpapier** nt greaseproof paper (*Brit*), oil paper (*US*); **~creme** f butter cream; **~cremetorte** f cream cake; **~dose** f butter dish.

Butter-: **~keks** m ≃ Rich Tea ℝ biscuit; **~milch** f buttermilk.

buttern vt a̲ Brot to butter. b̲ (*col: investieren*) to put

(*in +acc* into).

butterweich adj beautifully soft; (*Sport*) Aufschlag gentle.

Button ['batn] m -s badge.

Butzenscheibe f bull's-eye (window pane).

Buxtehude nt *aus/nach* ~ (col) from/to the back of beyond (col).

BVG [be:fau'ge:] nt = **Bundesverfassungsgericht.**

b.w. = **bitte wenden** pto.

BWL [be:ve:'lel] f - = **Betriebswirtschaftslehre.**

Byte [bait] nt -s (*Comp*) byte.

Byzantiner(in f) m Byzantine.

byzantinisch adj a̲ Byzantine. b̲ (*üppig*) extravagant.

Byzanz nt Byzantium.

bzgl. = **bezüglich.**

bzw. = **beziehungsweise.**

C

C, c [tseː] *nt* -, - C, c ▶ *C-Schlüssel m* alto *or* C clef; **C wie Cäsar** ≈ C for Charlie.
C = **Celsius.**
ca. = **circa** approx.
Cabriolet [-'leː] *nt* -s (*Aut*) convertible.
CAD [kat] *nt no pl* = **computer-aided design** CAD.
Café [ka'feː] *nt* -s café.
Cafeteria *f* -s cafeteria, coffee shop.
cal = **(Gramm)kalorie** cal.
Calais [ka'leː] *nt* **die Straße von** ~ the Straits of Dover.
Callgirl ['kɔːlgøːɐl] *nt* -s callgirl.
Calvados [kalva'doːs] *m* -, - calvados.
Calypso *m* -s calypso.
CAM [kam] *nt no pl* = **computer-aided manufacture** CAM.
Camcorder *m* - camcorder.
Camembert ['kamɐmbeːɐ] *m* -s Camembert.
Camp [kɛmp] *nt* -s camp.
campen ['kɛmpn] *vi* to camp.
Camper(in *f*) ['kɛmpɐ, -ərɪn] *m* - camper.
Camping ['kɛmpɪŋ] *nt no pl* camping *no art* ▶ **zum** ~ **fahren** to go camping.
Camping- *in cpds* camping; **~artikel** *m* piece of camping equipment; *pl* camping equipment *sing*, **~bus** *m* camper; **~platz** *m* camp site.
Campus *m* -, *no pl* (*Univ*) campus.
Cannabis *m* -, *no pl* cannabis.
Cape [keːp] *nt* -s cape.
Caravan ['ka(ː)ravan] *m* -s [a] (*Kombiwagen*) estate car (*Brit*), station wagon. [b] (*Wohnwagen*) caravan (*Brit*), trailer (*US*).
⚠**Cashewnuß** ['kɛʃu-] *f* cashew (nut).
Cash-flow ['kɛʃfloː] *m no pl* cashflow.
Cash-flow-Aufstellung *f* cash-flow statement.
Castor ® *m* -, **Castor-Behälter** *m* spent fuel rod container.
catchen ['kɛtʃn] *vi* to do all-in wrestling *or* catch-wrestling.
Catcher(in *f*) ['kɛtʃɐ, -ərɪn] *m* - all-in wrestler, catch wrestler.
Caterer ['keːtərɐ] *m* - caterer.
Cayennepfeffer [ka'jɛn-] *m* cayenne (pepper).
CB ['tseː'beː] = **Citizen-Band** CB.
CB-Funk *m no pl* citizens' band, CB radio.
cbm = **Kubikmeter** cubic metre.
ccm = **Kubikzentimeter** cc.
CD [tseː'deː] *f* -s = **Compact Disc** CD.
CD- *in cpds* CD; **~-ROM** [-rɔm] *abbr* CD-ROM; **~-ROM-Laufwerk** *nt* CD-ROM drive; **~-Spieler** *m* CD player.
CDU ['tseː'deː'|uː] *f* = **Christlich-Demokratische Union.**

┌─── CDU ───────────────────────────
ⓘ **The CDU** *(Christlich-Demokratische Union) is a Christian and conservative political party founded in 1945. It operates in all the Länder apart from Bavaria*

where its sister party the **CSU** is active. In the **Bundestag** *the two parties form a coalition. It is the second largest party in Germany after the SPD, the Social Democratic Party.*
└────────────────────────────────────

Cedille [se'diːj(ə)] *f* -n cedilla.
Cellist(in *f*) [tʃɛ'lɪst(ɪn)] *m* (*wk*) cellist.
Cello ['tʃɛlo] *nt* -s *or* **Celli** cello.
Cellophan ® [tsɛlo'faːn] *nt no pl* Cellophane ®.
Celsius ['tsɛlziʊs] *no art, inv* centigrade.
Celsiusskala *f* centigrade scale.
Cembalo ['tʃɛmbalo] *nt* -s cembalo, harpsichord.
ces, Ces [tsɛs] *nt, gen* - (*Mus*) C flat.
Ceylon ['tsailɔn] *nt* (*old*) Ceylon.
Chamäleon [ka'mɛːleɔn] *nt* -s (*lit, fig*) chameleon.
Champagner [ʃam'panjɐ] *m* - champagne.
Champignon ['ʃampɪnjɔn] *m* -s mushroom.
Chance ['ʃãːs] *f* -n chance; (*bei Wetten*) odds *pl* ▶ **keine** ~ **haben** not to have *or* stand a chance; **im Beruf** ~**n haben** to have good career prospects.
Chancengleichheit ['ʃãːsən-] *f* equal opportunities *pl*.
changieren* [ʃã'ʒiːrən] *vi* (*schillern*) to be iridescent ▶ ~**de Seide** shot silk.
Chanson [ʃã'sõː] *nt* -s (satirical) song.
Chaos ['kaːɔs] *nt* -, *no pl* chaos.
Chaot(in *f*) [ka'oːt(ɪn)] *m* (*wk*) -en, -en [a] (*Pol pej*) anarchist (*pej*). [b] (*col*) (*schusseliger Mensch*) scatterbrain (*pej*); (*verrückter Mensch*) nutter (*col*) ▶ **du bist vielleicht ein** ~ you're so disorganized/crazy.
chaotisch [ka'oːtɪʃ] *adj* chaotic ▶ ~**e Zustände** a state of (utter) chaos.
Charakter [ka'raktɐ] *m* -e [-'teːrə] character ▶ **ein Mann von** ~ a man of character; **der vertrauliche** ~ **dieses Gespräches** the confidential nature of this conversation.
Charakter-: ~**darsteller** *m* actor of complex parts; ~**eigenschaft** *f* character trait; **c~fest** *adj* of strong character; ~**festigkeit** *f* strength of character.
charakterisieren* [ka-] *vt* to characterize.
Charakterisierung [ka-] *f* characterization.
Charakteristik [ka-] *f* description; (*typische Eigenschaften*) characteristics *pl*.
Charakteristikum [ka-] *nt, pl* **Charakteristika** (*geh*) characteristic.
charakteristisch [ka-] *adj* characteristic (*für* of).
Charakter-: c~lich [1] *adj* (of) character, personal; **c~liche Stärke/Mängel** strength of character/character defects; [2] *adv* in character; **jdn c~lich stark prägen** to have a strong influence on sb's character; **c~los** *adj* [a] (*niederträchtig*) unprincipled; **c~los handeln** to act in an unprincipled way; [b] (*ohne Prägung*) characterless; *Spiel, Vortrag* insipid; ~**losigkeit** *f* (*Niederträchtigkeit*) lack of principle; (*Handlung*) unprincipled behaviour (*Brit*) *or* behavior (*US*) *no pl*; ~**merkmal** *nt* characteristic; ~**rolle** *f* complex part; ~**schwäche** *f* weakness of character; ~**stärke** *f* strength of character; **c~voll** *adj*

(*ausgeprägt*) full of character; **~zug** *m* characteristic.
Charge ['ʃarʒə] *f* **-n** a (*Mil, fig*) rank. b (*Theat*) bit part.
Charisma ['çaːrɪsma] *nt, pl* **Charismen** *or* **Charismata** charisma.
charismatisch [ça-] *adj* charismatic.
charmant [ʃar'mant] *adj* charming.
Charme [ʃarm] *m no pl* charm.
Charta ['karta] *f* **-s** charter.
Charter- ['tʃartɐ]: **~flug** *m* charter flight; **~(flug)gesellschaft** *f* charter (flight) company; **~maschine** *f* charter plane.
chartern ['tʃartɐn] *vt Schiff, Flugzeug* to charter.
Chassis [ʃa'siː] *nt* **-, -** [-iːs] chassis.
Chauffeur [ʃɔ'føːɐ] *m* chauffeur.
chauffieren* [ʃɔ-] *vti* to chauffeur.
Chaussee [ʃo'seː] *f* **-n** [-eːən] (*dated*) high road.
Chauvi ['ʃoːvi] *m* **-s** (*col*) male chauvinist pig (*pej col*).
Chauvinismus [ʃovi-] *m* chauvinism; (*männlicher ~*) male chauvinism.
Chauvinist(in *f*) [ʃovi-] *m* chauvinist; (*männlicher ~*) male chauvinism.
chauvinistisch [ʃovi-] *adj* chauvinist(ic) ▸ **er ist sehr ~** he is a real chauvinist.
checken ['tʃɛkn] 1 *vt* a (*überprüfen*) to check. b (*col: verstehen*) to get (*col*).
2 *vti* (*Eishockey*) to block; (*anrempeln*) to barge.
Check- ['tʃɛk-]: **~liste** *f* checklist; **~point** [-pɔynt] *m* **-s** checkpoint.
Chef(in *f*) [ʃɛf] *m* **-s** boss; (*von Bande, Delegation etc*) leader; (*von Organisation, col: Schuldirektor*) head; (*der Polizei*) chief; (*Mil: von Kompanie*) commander ▸ **er ist der ~ vom ganzen** he's the boss here.
Chef-: **~arzt** *m* senior consultant; **~etage** *f* executive floor; **~koch** *m* chef, head cook; **~redakteur** *m* editor-in-chief; (*einer Zeitung*) editor; **~redaktion** *f* a (*Aufgabe*) (chief) editorship; b (*Büro*) main editorial office; **~sekretärin** *f* personal assistant/secretary; **~visite** *f* (*Med*) consultant's round.
Chemie [çe'miː] *f no pl* (*lit, fig*) chemistry; (*col: Chemikalien*) chemicals *pl*.
Chemie-: **~arbeiter** *m* chemical worker; **~baukasten** *m* chemistry set; **~fabrik** *f* chemical plant; **~faser** *f* synthetic fibre (*Brit*) *or* fiber (*US*).
Chemikalie [çemi'kaːliə] *f* **-n** *usu pl* chemical.
Chemiker(in *f*) ['çeː-] *m* - chemist.
chemisch ['çeː-] *adj* chemical.
Chemo- ['çeːmo-]: **~technik** *f* chemical engineering; **~techniker** *m* chemical engineer; **~therapie** *f* chemotherapy.
chic [ʃik] *adj* = **schick**.
⚠ **Chicorée** ['ʃikoreː] *f or m no pl* chicory.
Chiffon ['ʃifõ(ː)] *m* **-s** chiffon.
Chiffre ['ʃifrə] *f* **-n** a cipher. b (*in Zeitung*) box number.
chiffrieren* [ʃif-] *vti* to encipher, to code ▸ **chiffriert** coded.
Chile ['tʃiːle] *nt* Chile.
Chilene [tʃi'leːnə] *m (wk)* **-n, -n, Chilenin** *f* Chilean.
chilenisch [tʃi-] *adj* Chilean.
Chili ['tʃiːli] *m no pl* chil(l)i.
China ['çiːna] *nt* China.
China-: **~kohl** *m* Chinese leaves *pl*; **~restaurant** *nt* Chinese restaurant.
Chinese [çi-] *m (wk)* **-n, -n** Chinaman; (*heutig auch*) Chinese.
Chinesin [çi-] *f* Chinese woman; (*heutig auch*) Chinese.
chinesisch [çi-] *adj* Chinese ▸ **die C~e Mauer** the Great Wall of China.
Chinesisch(e) [çi-] *nt decl as adj* Chinese.

Chinin [çi'niːn] *nt no pl* quinine.
Chip [tʃɪp] *m* **-s** a (*Spiel~, Comp*) chip. b *usu pl* (*Kartoffel~*) (potato) crisp (*Brit*), potato chip (*US*).
Chipkarte *f* smart card.
Chirurg(in *f*) [çi'rʊrg(ɪn)] *m (wk)* **-en, -en** surgeon.
Chirurgie [çɪrʊr'giː] *f* surgery.
chirurgisch [çi-] *adj* surgical ▸ **ein ~er Eingriff** surgery *no indef art.*
Chlor [kloːɐ] *nt no pl* chlorine.
chloren [kloː-] *vt* to chlorinate.
Chloro- [kloro-]: **~form** *nt no pl* chloroform; **~phyll** *nt no pl* chlorophyll.
Choke [tʃoːk] *m* **-s** choke.
Cholera ['koːlera] *f no pl* cholera.
Choleriker(in *f*) [ko-] *m* - hot-tempered person.
cholerisch [ko-] *adj* choleric.
Cholesterin [ko-] *nt no pl* cholesterol.
Cholesterinspiegel [ko-] *m* cholesterol level.
Chor [koːɐ] *m* **-e** a choir; (*Theat*) chorus ▸ **im ~ sprechen/rufen** to speak/shout in chorus. b (*Archit: Altarraum*) chancel, choir.
Choral [ko'raːl] *m, pl* **Choräle** (*Kirchenlied*) chorale.
Choreo- [koreo-]: **~graph(in** ⚠ *f*) *m* choreographer; **~graphie** ⚠ *f* choreography.
Chor- ['koːɐ]: **~gesang** *m* (*Lied*) choral music; (*das Singen*) choral singing; **~gestühl** *nt* choir stalls *pl*.
Chorist(in *f*) [ko-] *m* = **Chorsänger(in)**.
Chor- ['koːɐ]: **~knabe** *m* choirboy; **~leiter** *m* choirmaster; **~sänger(in** *f*) *m* member of a choir; (*im Kirchenchor*) chorister.
Chose ['ʃoːzə] *f* **-n** (*col: Angelegenheit*) thing.
Chr. = **Christus.**
Christ [krɪst] *m (wk)* **-en, -en** Christian.
Christbaum *m* Christmas tree.
Christbaum-: **~kugel** *f* Christmas tree ball; **~schmuck** *m* Christmas tree decorations *pl*.
Christ- ['krɪst-]: **~demokrat** *m* Christian Democrat; **c~demokratisch** *adj* Christian Democratic.
Christen- ['krɪstn-]: **~heit** *f* Christendom; **~pflicht** *f* (one's) Christian duty; **~tum** *nt no pl* Christianity.
Christi *gen of* **Christus.**
Christianisierung [krɪ-] *f* conversion to Christianity.
Christin ['krɪstɪn] *f* Christian.
Christkind ['krɪst-] *nt no pl* infant Jesus, Christ Child; (*das Geschenke bringt*) ≈ Father Christmas.
christlich ['krɪ-] 1 *adj* Christian ▸ **C~er Verein Junger Männer** Young Men's Christian Association.
2 *adv* as a Christian.
Christ-: **~messe** *f* Midnight Mass; **~mette** *f* (*katholisch*) Midnight Mass; (*evangelisch*) Midnight Service.
Christus ['krɪstʊs] *m, gen* **Christi** Christ; (*~figur auch*) figure of Christ ▸ **vor Christi Geburt, vor ~** before Christ, BC; **nach Christi Geburt, nach ~** AD, Anno Domini; **Christi Himmelfahrt** Ascension Day.
Chrom [kroːm] *nt no pl* chrome.
chromatisch [kro-] *adj* (*Mus, Opt*) chromatic.
Chromosom [kro-] *nt* **-en** chromosome.
Chronik ['kroː-] *f* chronicle.
chronisch ['kroː-] *adj* (*Med, fig*) chronic.
Chronist(in *f*) [kro-] *m* chronicler.
Chronologie [kronolo'giː] *f* chronology.
chronologisch [kro-] *adj* chronological.
Chrysantheme [kryzan'teːmə] *f* **-n** chrysanthemum.
Chuzpe ['xʊtspə] *f no pl* (*col*) chutzpa(h) (*col*).
cif [tseːliː'ɛf] *adv* (*Comm*) = **Kosten, Versicherung und Fracht inklusive** CIF.
Cineast(in *f*) [sine'ast(ɪn)] *m (wk)* **-en, -en** cineaste; (*Filmemacher*) film maker.
circa ['tsɪrka] *adv* = **zirka.**

Circulus vitiosus ['tsɪrkulʊs vi'tsioːzʊs] *m, pl* **Circuli vitiosi** (*geh: Teufelskreis*) vicious circle.

cis, Cis [tsɪs] *nt, gen* - (*Mus*) C sharp.

City ['sɪti] *f* -s city centre.

cl = **Zentiliter** cl.

Clan [klaːn] *m* -s (*lit, fig*) clan.

clean [kliːn] *adj pred* (*Drogen sl*) off drugs.

Clearing ['kliːrɪŋ] *nt* -s (*Econ*) clearing.

Clematis *f* - (*Bot*) clematis.

clever ['klɛvɐ] *adj* clever; (*gerissen*) crafty.

Clinch [klɪntʃ] *m no pl* (*Boxen, fig*) clinch ► *jdn in den ~ nehmen* (*lit*) to go into a clinch with sb; (*fig*) to get stuck into sb (*col*); *mit jdm im ~ liegen* to be at loggerheads with sb.

Clip *m* -s clip; (*Ohr~*) (clip-on) earring.

Clique ['klɪkə] *f* -n group; (*pej*) clique.

Cliquen-: **~bildung** *f* no pl forming of cliques; **~wirtschaft** *f* (*pej inf*) cliquey set-up (*inf*).

Clochard [klɔ'ʃaːr] *m* -s tramp.

Clou [kluː] *m* -s (*von Geschichte*) (whole) point; (*von Show*) highlight, high spot ► *das ist doch gerade der ~* but that's just it, but that's the whole point.

Clown [klaun] *m* -s (*lit, fig*) clown ► *den ~ spielen* to clown around, to play the fool; *sich/jdn zum ~ machen* to make a clown of oneself/sb.

Clownerie [klaunə'riː] *f* clowning (around) no pl.

Club *m* -s = **Klub**.

cm = **Zentimeter** cm.

Co. = **Kompanie** Co.

Coach [koːtʃ] *m* -s (*Sport*) coach.

Cockpit *nt* -s cockpit.

Cocktail ['kɔkteːl] *m* -s cocktail.

Cocktail-: **~kleid** *nt* cocktail dress; **~party** *f* cocktail party; **~tomate** *f* cherry tomato.

Code [koːt] *m* -s = **Kode**.

Cognac ® ['kɔnjak] *m* -s cognac.

Coiffeur [koa'føːɐ] *m,* **Coiffeuse** [koa'føːzə] *f* (*geh*) hair stylist.

Cola *f* -s (*col*) Coke ® (*col*).

Collage [kɔ'laːʒə] *f* -n (*Art, fig*) collage.

Collie *m* -s collie.

Combo *f* -s combo.

Comeback [kam'bɛk] *nt* -(s), -s comeback.

Comic *m* comic strip.

Comic-: **~figur** *f* cartoon character; **~heft** *nt* comic.

Compact Disc *f* - -s compact disc.

Computer [kɔm'pjuːtɐ] *m* - computer.

Computer- *in cpds* computer-; **~generation** *f* computer generation; **c~gerecht** *adj* (ready) for the computer; **c~gesteuert** *adj* computer-controlled; **~grafik** *f* computer graphics *pl.*

computerisieren* [kɔmpjutəri'ziːrən] *vti* to computerize.

Computer-: **~kriminalität** *f* computer crime; **~satz** *m* computer typesetting; **~spiel** *nt* computer game; **~technik** *f* computer technology; **~tomogramm** *nt* (*Med*) computer tomogram; **~tomograph** ⚠ *m* (*Med*) computer tomograph.

Conférencier [kõferã'sieː] *m* -s compère, MC.

Container [kɔn'teːnɐ] *m* - container; (*für Schutt etc*) skip.

Container- *in cpds* container; **~bahnhof** *m* container depot; **~schiff** *nt* container ship; **~terminal** *m or nt* container terminal; **~verkehr** *m* container traffic.

Contergankind *nt* (*col*) thalidomide baby.

cool [kuːl] *adj* (*col: gefaßt*) cool.

Copyright ['kɔpirait] *nt* -s copyright.

Cord *m* -e *or* -s (*Tex*) cord, corduroy.

Cord- *in cpds* cord, corduroy; **~hose** *f,* **~jeans** *pl* cords *pl.*

Cordon bleu [kɔrdõ'bløː] *nt* - -, -s -s (*Cook*) veal cordon bleu.

Cornichon [kɔrni'ʃõː] *nt* -s gherkin.

Corpus delicti *nt, pl* **Corpora** - corpus delicti; (*hum*) culprit (*col*).

cos. = **Kosinus** cos.

Costa Rica *nt* Costa Rica.

Couch [kautʃ] *f* -(e)s *or* (*col*) -en couch.

Couch-: **~garnitur** *f* three-piece suite; **~tisch** *m* coffee table.

Couleur [ku'løːɐ] *f* -s (*geh*) kind, sort.

Coup [kuː] *m* -s coup ► *einen ~ (gegen jdn/etw) landen* to bring off a coup (against sb/sth).

⚠ **Coupé** [ku'peː] *nt* -s coupé.

Coupon [ku'põː] *m* -s coupon, voucher.

Courage [ku'raːʒə] *f* no pl (*geh*) courage.

couragiert [kura'ʒiːɐt] *adj* (*geh*) courageous.

Courtage [kʊr'taːʒə] *f* -n (*Fin*) commission.

Cousin [ku'zɛ̃ː] *m* -s, **Cousine** [ku'ziːnə] *f* cousin.

Cover ['kavɐ] *nt* -s cover.

Crack¹ [kræk] *m* -s (*Sportler*) ace.

Crack² [kræk] *nt* no pl (*Droge*) crack.

Cracker ['krɛkɐ] *m* -(s) **[a]** cracker. **[b]** (*Feuerwerkskörper*) banger (*Brit*), fire-cracker (*US*).

Creme [kreːm] *f* -s (*Haut~, Cook, fig*) cream ► *die ~ der Gesellschaft* the cream of society.

cremefarben *adj* cream.

cremig *adj* creamy.

Creutzfeldt-Jakob-Krankheit *f* Creutzfeldt-Jakob disease.

Crew [kruː] *f* -s crew.

Cromargan ® [kro-] *nt* no pl stainless steel.

Croupier [kru'pieː] *m* -s croupier.

Crux *f* no pl (*Schwierigkeit*) trouble, problem.

CSU [tseːɛs'uː] *f* = **Christlich-Soziale Union.**

───── CSU ─────

ⓘ The *CSU* (*Christlich-Soziale Union*) is a party founded in 1945 in Bavaria. Like its sister party the *CDU* it is a Christian, right-wing party.

cum laude *adv* (*Univ*) cum laude (*form*), with distinction.

Cup [kap] *m* -s (*Sport*) cup.

Curling ['køːɐlɪŋ] *nt* no pl curling.

Curriculum *nt, pl* **Curricula** (*geh*) curriculum.

Curry ['kari] *m or nt* no pl curry.

Currywurst *f* curried sausage.

Cursor [*auch:* 'køːɐsɐ] *m* -s (*Comp*) cursor.

Cut [kœt] *m* -s (*dated*) cutaway.

Cutter(in *f*) ['katɐ, -ərɪn] *m* - (*Film, Rad, TV*) editor.

CVJM [tseːfauʔoːt'ɛm] *m* = **Christlicher Verein Junger Männer** YMCA.

D

D, d [de:] *nt* -, - D, d ▸ *D wie Dora* ≈ D for David, D for Dog (*US*).

▼ **da** ① *adv* ⓐ (*örtlich*) (*dort*) there; (*hier*) here ▸ **~ draußen** out there; **hier und ~, ~ und dort** here and there; **he, Sie ~!** hey, you there!; **~ bin ich/sind wir** here I am/we are; **~ bist du ja!** there you are!; **~ kommt er ja** here he comes; **~, wo ...** where ...; **ach, ~ war der Brief!** so that's where the letter was; **~ hast du dein Geld!** (here you are,) there's your money; **~ siehst du, was du angerichtet hast** now see what you've done.
ⓑ (*zeitlich: dann, damals*) then ▸ **ich ging gerade aus dem Haus, ~ schlug es zwei** I was just going out of the house when the clock struck two; **~ kommen Sie mal gleich mit** (*col*) you just come along with me.
ⓒ (*daraufhin*) **sagen to that; lachen at that** ▸ **sie weinte, ~ ließ er sich erweichen** when she started to cry he softened.
ⓓ (*folglich*) so ▸ **es war niemand im Zimmer, ~ habe ich ...** there was nobody in the room, so I ...
ⓔ (*col*) **there** ▸ **~ haben wir aber Glück gehabt!** we were lucky there!; **was gibt's denn ~ zu lachen/fragen?** what's so funny about that?/what is there to ask?; **~ kann man nichts machen** nothing can be done about it; **~ kann man nur lachen/sich nur wundern** you can't help laughing/being amazed.
② *conj* ⓐ (*weil*) as, since, seeing that. ⓑ (*liter: als*) when.

d.Ä. = **der Ältere.**

DAAD [de:ǀaːǀaːˈdeː] *m* = **Deutscher Akademischer Austauschdienst** German Academic Exchange Service.

dabehalten* *vt sep irreg* to keep (here/there); *Schüler* to keep behind.

dabei *adv* ⓐ (*örtlich*) with it; (*bei Gruppe von Menschen, Dingen*) there.
ⓑ (*zeitlich*) (*gleichzeitig*) at the same time; (*währenddessen, dadurch*) in the course of this ▸ **warum arbeiten Sie im Stehen? Sie können doch auch ~ sitzen** why are you working standing up? you can sit down while you're doing it; **... orkanartige Winde, ~ kam es zu schweren Schäden** ... gale-force winds, which have resulted in serious damage.
ⓒ (*außerdem*) **sie ist schön und ~ auch noch klug** she's pretty, and clever as well.
ⓓ (*wenn, während man etw tut*) in the process; *ertappen, erwischen* at it ▸ **hast du ~ etwas gelernt?** did you learn anything from it?; **~ darf man nicht vergessen, daß ...** it shouldn't be forgotten that ...; **die ~ entstehenden Kosten** the expenses arising from this/that; **wir haben ihn ~ ertappt, wie er über den Zaun stieg** we caught him in the act of climbing over the fence.
ⓔ (*in dieser Angelegenheit*) **das Schwierigste ~** the most difficult part of it; **mir ist nicht ganz wohl ~** I don't really feel happy about it; **er hat ~ einen Fehler gemacht** he's made a mistake; **es kommt doch nichts ~ heraus** nothing will come of it.
ⓕ (*einräumend: obwohl*) (and) yet ▸ **er hat mich geschlagen, ~ hatte ich gar nichts gemacht** he hit me

and I hadn't even done anything.
ⓖ **es bleibt ~, daß ihr morgen alle mitkommt** we'll stick to that, you're all coming tomorrow; **ich bleibe ~** I'm not changing my mind; **lassen wir es ~** let's leave it at that!; **was ist schon ~?** so what? (*col*), what of it? (*col*); **was ist schon ~, wenn man das tut?** what harm is there in doing that?; **ich finde gar nichts ~** I don't see any harm in it; **was hast du dir denn ~ gedacht?** what were you thinking of?

dableiben *vi sep irreg aux sein* to stay *or* stick (*col*) with it; (*bei Firma*) to stay on; *siehe* **dabei (g).**

dabeihaben *vt sep irreg* (*col*) to have with one.

⚠ **dabeisein** *vi sep irreg aux sein* ⓐ to be there (*bei* at); (*mitmachen*) to be involved (*bei* in) ▸ **ich bin dabei!** count me in!; **er will überall ~** he wants to be in on everything. ⓑ (*im Begriff sein*) **~, etw zu tun** to be just doing sth; **ich bin (gerade) dabei** I'm just doing it.

dabeisitzen *vi sep irreg* to sit there ▸ **bei einer Besprechung ~** to sit in on a discussion.

dabeistehen *vi sep irreg* to stand there.

dableiben *vi sep irreg aux sein* to stay (on); *(jetzt wird) dageblieben!* (you just) stay right there!

Dach *nt* ⁻er ⓐ roof ▸ **mit jdm unter einem ~ wohnen** to live under the same roof as sb; **unterm ~ wohnen** (*col*) to live in an attic; (*im obersten Stock*) to live right on the top floor; **unter ~ und Fach sein** (*abgeschlossen*) to be in the bag (*col*); (*Vertrag, Geschäft auch*) to be signed and sealed; (*in Sicherheit*) to be safe; (*Ernte*) to be safely in. ⓑ (*fig col*) **jdm eins aufs ~ geben** (*schlagen*) to bash sb over the head (*col*); (*ausschimpfen*) to give sb a (good) talking to; **jdm aufs ~ steigen** (*col*) to get onto sb (*col*).

Dach- *in cpds* roof; **~boden** *m* attic, loft; **~decker** *m* - roofer; (*mit Ziegeln*) tiler; **~deckerarbeiten** *pl* roofing; (*mit Ziegeln*) tiling; **~fenster** *nt* skylight; (*ausgestellt*) dormer window; **~first** *m* ridge of the roof; **~garten** *m* roof garden; **~gepäckträger** *m* (*Aut*) roof rack; **~geschoß** ⚠ *nt* attic storey; (*oberster Stock*) top floor *or* storey; **~giebel** *m* gable; **~kammer** *f* attic room; **~luke** *f* skylight; **~organisation** *f* umbrella *or* (*Comm*) parent organization; **~pappe** *f* roofing felt; **~rinne** *f* gutter.

Dachs *m* -e ⓐ badger. ⓑ **ein junger ~** (*col*) a young whippersnapper.

Dachsbau *m* badger's sett.

Dach-: **~schaden** *m* ⓐ (*lit*) damage to the roof; ⓑ (*col*) **einen ~schaden haben** to have a screw loose (*col*); **~schindel** *f* (roof) shingle; **~stube** *f* attic (room); **~stuhl** *m* roof truss.

dachte *pret of* **denken.**

Dach-: **~terrasse** *f* roof terrace; **~verband** *m* umbrella organization; **~wohnung** *f* attic flat (*Brit*) *or* apartment; **~ziegel** *m* roof tile; **~zimmer** *nt* attic (room).

Dackel *m* - dachshund.

dadurch *adv* (*emph* **dadurch**) ⓐ (*örtlich*) through there; (*wenn Bezugsobjekt vorher erwähnt*) through it. ⓑ (*kausal*) (*form*) thereby; (*aus diesem Grund auch*) because of this/that; (*auf diese Weise*) in this/that way ▸ **was willst du ~ gewinnen?** what do you hope to gain by that?; **meinst du, ~ wird alles wieder gut?** do you

⚠: Informationen zur Rechtschreibreform im Anhang

think that will make everything all right again?; **~, daß er das tat, hat er ...** by doing that he ...

dafür adv (emph **dafür**) **a** (für das, diese Tat etc) for that/it ▸ **~ war er nicht zu haben** it wasn't his scene (col); (erlaubte es nicht) he wouldn't have it; **~ ist er immer zu haben** he never says no to that; **ich bin nicht ~ verantwortlich, was mein Bruder macht** I'm not responsible for what my brother does; **~ bin ich ja hier** that's what I'm here for; **er ist ~ bestraft worden, daß er frech zum Lehrer war** he was punished for being cheeky to the teacher.
    b (Zustimmung) for that/it, in favour (of that/it) ▸ **ich bin (ganz) ~, daß wir das machen** I'm (all) for doing that.
    c (als Ersatz) instead, in its place; (bei Tausch) in exchange; (als Gegenleistung) in return.
    d (zum Ausgleich) **in Mathematik ist er schlecht, ~ kann er gut Fußball spielen** he's very bad at maths but he makes up for it at football.
    e (im Hinblick darauf) **~, daß er erst drei Jahre ist, ist er sehr klug** seeing or considering that he's only three he's very clever.

dafür-: ~halten △ vi sep irreg (geh) to be of the opinion; **nach meinem D~halten** in my opinion; **~können** △ vt sep irreg **er kann nichts ~** he can't help it; **er kann nichts ~, daß er dumm ist** he can't help being stupid.

DAG [de:ʔaːˈgeː] f = **Deutsche Angestellten-Gewerkschaft** German union for white-collar workers.

▼ **dagegen** **1** adv (emph **dagegen**) **a** (örtlich) against it. **b** (als Einwand, Ablehnung) against that/it ▸ **~ sein** to be against it; **etwas/nichts ~ haben** to object/not to object; **was hat er ~, daß wir früher anfangen?** what has he got against us starting earlier?; **haben Sie was ~, wenn ich rauche?** do you mind if I smoke?; **sollen wir ins Kino gehen? — ich hätte nichts ~ (einzuwenden)** shall we go to the cinema? — that's okay by me (col). **c** (als Gegenmaßnahme) unternehmen about it; (Medikamente einnehmen etc) for it ▸ **läßt sich nichts machen** nothing can be done about it. **d** (verglichen damit) in comparison. **e** (als Ersatz) eintauschen for that/it/them.
    2 conj (im Gegensatz dazu) on the other hand, however.

dagegen-: ~halten vt sep irreg **a** (vergleichen) to compare it/them with; **b** (fig: einwenden) to object; **~setzen** vt sep (fig) **er setzte ~, daß ...** he put forward the objection that ...; **~sprechen** vi sep irreg to be against it; **was spricht ~, daß wir es so machen?** what is there against us doing it that way?; **es spricht nichts ~, es so zu machen** there's no reason not to do it that way.

dagewesen adj siehe **dasein**.

dahaben vt sep irreg to have here/there; (in Geschäft etc) to have in stock.

daheim adv at home; (nach prep) home ▸ **bei uns ~** back home; **~ sein** (lit, fig) to be at home; (nach Reise) to be home; **wo bist du ~?** where's your home?

Daheim nt no pl home.

▼ **daher** **1** adv (auch **daher**) **a** (von dort) from there. **b** (durch diesen Umstand) that is why ▸ **~ weiß ich das** that's how or why I know that; **~ die große Eile** hence all the hurry; **~ kommt es, daß ...** that is (the reason) why ...; **das kommt ~, daß ...** that is because ... **2** conj (deshalb) that is why.

daher-: ~gelaufen adj jeder **~gelaufene Kerl** any Tom, Dick or Harry; **~kommen** vi sep irreg aux sein to come along; **~reden** sep **1** vi to talk away; **red doch nicht so (dumm) ~!** don't talk such rubbish!; **2** vt to say without thinking; **was er alles ~redet** the things he

comes out with! (col); **das war nur so ~geredet** I/he etc just said that.

dahin **1** adv (emph **dahin**) **a** (räumlich) there; (hierhin) here ▸ **kommst du auch ~?** are you coming too?; **bis ~** as far as there, up to that point; **ist es noch weit bis ~?** is it far still? **b** (fig: so weit) **~ kommen** to reach such a state; **du wirst es ~ bringen, daß ...** you'll bring things to such a state that ... **c** (in dem Sinne) **er äußerte sich ~ gehend, daß ...** he said something to the effect that ...; **eine ~ gehende Aussage** a statement to that effect; **er hat den Bericht ~ (gehend) interpretiert, daß ...** he interpreted the report as saying ...; **wir haben uns ~ geeinigt, daß ...** we have agreed that ...; **seine Meinung geht ~, daß ...** he tends to the opinion that ...
    2 adj pred **~ sein** to have gone; **das Auto ist ~** (hum col) the car has had it (col).

dahin-: ~dämmern vi sep aux sein to lie/sit there in a semi-conscious state; **~eilen** vi sep aux sein (liter) to hurry along; (Zeit) to pass swiftly.

dahingegen adv on the other hand.

dahingehen vi sep aux sein (geh: Zeit etc) to pass.

dahingehend adv siehe **dahin 1 (c)**.

dahin-: ~gestellt adj **~gestellt sein lassen, ob ...** to leave it open whether ...; **es bleibt** or **sei ~gestellt, ob ...** it is an open question whether ...; **~leben** vi sep to exist, to vegetate (pej); **~sagen** vt sep to say without (really) thinking; **~schleppen** vr sep (lit: sich fortbewegen) to drag oneself along; (fig: Verhandlungen, Zeit) to drag on; **~schwinden** vi sep irreg aux sein (geh) (Geld, Kraft) to dwindle (away); (vergehen: Zeit) to go past; **~stehen** vi sep irreg to be debatable.

dahinten adv (emph **dahinten**) over there.

dahinter adv (emph **dahinter**) behind (it/that/him etc) ▸ **(da ist) nichts ~** (fig) there's nothing behind it.

dahinter-: ~klemmen △ **~knien** △ vr sep (col) to put one's back into it; **~kommen** △ vi sep irreg aux sein (col) to find out; **~stecken** △ vi sep (col) to be behind it/that; **~stehen** △ vi sep irreg (unterstützen) to back it/that, to be behind it/that.

dahinvegetieren vi sep to vegetate.

Dahlie [-iə] f **-n** dahlia.

DAK [de:ʔaˈkaː] f = **Deutsche Angestellten-Krankenkasse** German Employees' Health Insurance.

Dakapo nt **-s** encore.

da-: ~lassen vt sep irreg to leave (here/there); **~liegen** vi sep irreg to lie there.

dalli adv (col) **~**, **~!** on the double! (col); **mach ein bißchen ~!** get a move on! (col).

Dalmatiner m - (Hund) dalmatian.

damalig adj attr at that time; Sitten auch in those days ▸ **der ~e Kanzler** the then Chancellor.

damals adv at that time, then ▸ **seit ~** since then; **von ~** of that time; **~, als ...** at the time when ...

Damaskus nt Damascus.

Damast m **-e** damask.

Dame f **-n a** lady ▸ **meine ~n und Herren!** ladies and gentlemen!; **Hundert-Meter-Staffel der ~n** women's 100 metre relay. **b** (Spiel) draughts sing (Brit), checkers sing (US); (Doppelstein) king; (Cards, chess) queen.

Damebrett nt draught(s)board, checkerboard (US).

Dämel m - (col) jerk (col).

Damen- in cpds ladies'; **~bart** m facial hair; **~begleitung** f: **in ~begleitung** in the company of a lady; **~bekanntschaft** f female acquaintance (col); **eine ~bekanntschaft machen** to make the acquaintance of a lady; **~besuch** m female visitor/visitors; **~fahrrad** nt ladies' bicycle; **~gesellschaft** f hen party (col); (gesellige Runde) ladies' gathering; **d~haft** adj ladylike no adv; **sich d~haft benehmen** to behave in a ladylike way; **~ober-**

bekleidung *f* ladies' wear; **~rad** *nt* ladies' bicycle; **~salon** *m* ladies' hairdressing salon; **~sattel** *m* im *~sattel reiten* to ride side-saddle; **~toilette** *f* (*WC*) ladies' toilet *or* restroom (*US*); **~wahl** *f* ladies' excuse-me.

Damhirsch *m* fallow deer.

damit ① *adv* (*emph auch* **damit**) ⓐ with it/that/them ▸ *was soll ich ~?* what am I meant to do with that?; *ist Ihre Frage ~ beantwortet?* does that answer your question?; *meint er mich ~?* does he mean me?; *was ist ~?* what about it?; *wie wäre es ~?* how about it?; *wie sieht es ~ aus?* what's happening about it?; *muß er denn immer wieder ~ ankommen?* must he keep on about it?; *~ ist nichts* (*col*) it's no go (*col*); *hör auf ~!* (*col*) lay off! (*col*); *~ hat es noch Zeit* there's no hurry for that; *was willst du ~ sagen?* what's that supposed to mean?; *~ will ich nicht sagen, daß* ... I don't mean to say that ...; *~ fing der Streit an* that's how the argument started; *der Streit fing ~ an, daß er behauptete ...* the argument started when he said ... ⓑ (*bei Befehlen*) with it ▸ *weg ~!* away with it; *her ~!* give it here! (*col*). ⓒ (*begründend*) because of that ▸ *~ ist es klar, daß er es war* from that it's clear that it was him. ② *conj* so that ▸ *~ er nicht fällt* so that he does not fall.

dämlich *adj* (*col*) stupid.

Dämlichkeit *f* stupidity.

Damm *m* -̈e ⓐ (*Deich*) dyke; (*Stau~*) dam; (*Hafen~*) wall; (*Ufer~, Straßen~*) embankment; (*fig*) barrier. ⓑ (*fig col*) *wieder auf dem ~ sein* to be back to normal; *nicht recht auf dem ~ sein* to be a bit under the weather (*col*).

Dammbruch *m* breach in a/the dyke *etc*.

dämmen *vt* ⓐ (*geh*) (*lit*) to dam; (*fig*) to check. ⓑ (*Tech*) *Wärme* to keep in; *Schall* to absorb.

dämm(e)rig *adj Licht* dim, faint; *Stunden* twilight *attr*. *es wird ~* (*abends*) dusk is falling; (*morgens*) dawn is breaking.

Dämmerlicht *nt* twilight; (*abends auch*) dusk; (*Halbdunkel*) half-light.

dämmern ① *vi* ⓐ (*Tag, Morgen*) to dawn; (*Abend*) to fall ▸ *als der Tag or Morgen/Abend dämmerte ...* as dawn was breaking/dusk was falling; *es dämmerte ihm, daß ...* (*col*) it dawned on him that ... ⓑ (*im Halbschlaf sein*) to doze ▸ *vor sich hin ~* (*Kranker*) to be semiconscious. ② *vi impers* *es dämmert* (*morgens*) dawn is breaking; (*abends*) dusk is falling; *jetzt dämmert's (bei) mir!* (*col*) now it's dawning (on me)!

Dämmer-: **~schein** *m* (*liter*) glow; **~schoppen** *m* early evening drink; **~stunde** *f* twilight, dusk.

Dämmerung *f* twilight; (*Abend~ auch*) dusk; (*Morgen~ auch*) dawn; (*Halbdunkel*) half-light ▸ *in der ~* at dusk/dawn.

Dämmerzustand *m* (*Halbschlaf*) dozy state; (*Bewußtseinstrübung*) semi-conscious state.

Dämmung *f* insulation.

Dämon *m*, *pl* **Dämonen** demon.

dämonisch *adj* demonic.

Dampf *m* -̈e ⓐ steam ▸ *~ ablassen* (*lit, fig*) to let off steam. ⓑ (*col: Wucht, Schwung*) force ▸ *jdm ~ machen* (*col*) to make sb get a move on (*col*); *~ dahinter machen* to get a move on (*col*); *mit ~* (*col*) at full tilt.

Dampf- *in cpds* steam; **~antrieb** *m* steam drive; **~bügeleisen** *nt* steam iron.

dampfen *vi* ⓐ to steam ▸ *ein ~des Bad* a steaming hot bath. ⓑ *aux sein* (*Zug, Schiff*) to steam.

dämpfen *vt* ⓐ (*abschwächen*) to muffle; *Geräusch, Schall auch* to deaden; *Farbe* to mute; *Licht, Stimme* to lower; *Wut* to calm; *Freude, Stimmung* to dampen; *Auf-*

prall to deaden; *siehe* **gedämpft**. ⓑ (*Cook*) to steam.

Dampfer *m* - steamer, steamship ▸ *auf dem falschen ~ sein* (*fig col*) to have got the wrong idea.

Dämpfer *m* - (*Mus*) (*bei Klavier*) damper; (*bei Geige, Trompete*) mute ▸ *dadurch hat er einen ~ bekommen* that dampened his spirits.

Dampf-: **~kessel** *m* (*Tech*) steam-boiler; **~kochtopf** *m* pressure cooker; **~lokomotive, ~lok** (*col*) *f* steam engine *or* locomotive; **~maschine** *f* steam(-driven) engine; **~schiff** *nt* steamship, steamer; **~walze** *f* steamroller.

Damwild *nt* fallow deer.

danach *adv* (*emph auch* **danach**) ⓐ (*zeitlich*) after that/it; (*nachher auch*) afterwards ▸ *zehn Minuten ~ war sie schon wieder da* ten minutes later she was back. ⓑ (*in der Reihenfolge*) (*örtlich*) behind (that/it/him *etc*); (*zeitlich*) after that/it/him *etc*. ⓒ (*dementsprechend*) accordingly; (*laut diesem*) according to that ▸ *~ sein* (*Wetter, Stimmung etc*) to be right; *er hat den Aufsatz in zehn Minuten geschrieben — ~ ist er auch* (*col*) he wrote the essay in ten minutes — it looks like it too; *~ sieht nicht ~ aus* she doesn't look (like) it; (*als ob sie so etwas getan hätte*) she doesn't look the type; *~ zu urteilen* judging by that; *mir war nicht ~* (*col*) *or ~ zumute* I didn't feel like it. ⓓ (*in bestimmte Richtung*) towards it ▸ *er griff schnell ~* he grabbed at it. ⓔ *sie sehnte sich ~, ihren Sohn wiederzusehen* she longed to see her son again; *~ kann man nicht gehen* you can't go by that; *wenn es ~ ginge, was mir Spaß macht, dann ...* if it were a matter of what I enjoy, then ...

Dandy ['dɛndi] *m* -s dandy.

Däne *m* (*wk*) -n, -n Dane, Danish man/boy.

daneben *adv* (*emph auch* **daneben**) ⓐ (*räumlich*) next to him/her/that/it *etc*; *links/rechts ~* to the left/right of sb/sth; *wir wohnen im Haus ~* we live in the house next door. ⓑ (*verglichen damit*) in comparison. ⓒ (*außerdem*) as well (as that); (*gleichzeitig*) at the same time.

daneben-: **~benehmen*** *vr sep irreg* (*col*) to make an exhibition of oneself; **~gehen** *vi sep irreg aux sein* ⓐ (*verfehlen: Schuß etc*) to miss; ⓑ (*col: scheitern*) to go wrong; **~geraten*** *vi sep irreg aux sein* to go wrong; (*Übersetzung*) not to hit the mark; **~greifen** *vi sep irreg* to miss, (*fig col: mit Schätzung etc*) to be wide of the mark; *im Ton ~greifen* to strike the wrong note; **~hauen** *vi sep irreg* ⓐ (*beim Schlagen*) to miss; ⓑ (*col: sich irren*) to be wide of the mark; **~liegen** *vi sep irreg* (*col: sich irren*) to be way out (*col*); **~raten** *vi sep irreg* (*col*) to guess wrong; **~schießen** *vi sep irreg* to miss; (*absichtlich*) to shoot to miss; **~sein** ⚠ *vi sep irreg aux sein* (*col*) (*verwirrt sein*) to be completely confused; (*sich nicht wohl fühlen*) to be feeling out of sorts; **~treffen** *vi sep irreg* to miss; **~zielen** *vi sep* to aim to miss.

Dänemark *nt* Denmark.

Dänin *f* Dane, Danish woman/girl.

dänisch *adj* Danish.

Dänisch(e) *nt decl as adj* Danish.

▾ **Dank** *m no pl* thanks *pl* ▸ *herzlichen or vielen ~* many thanks, thank you very much, thanks a lot (*col*); *vielen herzlichen/tausend ~!* many/very many thanks!, thanks a million! (*col*); *jdm für etw ~ sagen* (*liter*) to express one's *or* give (*esp Eccl*) thanks to sb for sth; *jdm zu ~ verpflichtet sein* (*form*) to owe sb a debt of gratitude; *mit bestem ~ zurück!* many thanks for the loan; (*iro: Retourkutsche*) thank you - the same to you!; *das ist der ~ dafür* that's all the thanks you get; *zum ~ (dafür)* as a way of saying thank you.

▾ **dank** *prep +gen or dat* thanks to.

➤ SATZBAUSTEINE: **Dank** →8.1   **dank** →6.1

⚠: Informationen zur Rechtschreibreform im Anhang

▼ **dankbar** *adj* [a] (*dankerfüllt*) grateful; (*erleichtert, froh*) thankful; *Publikum, Zuhörer* appreciative ▶ *jdm ~ sein* to be grateful to sb (*für* for); *sich ~ erweisen* to show one's gratitude (*gegenüber* to). [b] (*lohnend*) *Aufgabe, Rolle* rewarding; (*haltbar*) hard-wearing.

Dankbarkeit *f* gratitude (*gegen, gegenüber* to).

Dankbrief *m* thank-you letter.

danke *interj* thank you, thanks (*col*), ta (*Brit col*); (*ablehnend*) no thank you ▶ *~ ja, ja, ~* yes please; *~ nein, nein, ~* no thank you; *~ schön* or *sehr* thank you *or* thanks (*col*) very much; *~ vielmals* many thanks.

danken [1] *vi* [a] to express one's thanks ▶ *jdm ~* to thank sb (*für* for); *danke!* yes please!; (*ablehnend*) no thank you, no thanks (*col*); *man dankt* (*col*) thanks (*col*); *jdm ~ lassen* to send sb one's thanks; *nichts zu ~* don't mention it; *na, ich danke* (*iro*) no thank you; *~d erhalten* (*Comm*) received with thanks; *~d ablehnen* to decline with thanks. [b] (*ablehnen*) to decline. [2] *vt* [a] (*geh: verdanken*) *ihm danke ich es, daß ...* I owe it to him that ... [b] *jdm etw ~* to thank sb for sth; *man hat es mir schlecht gedankt, daß ich das getan habe* I got small thanks for doing it.

dankenswert *adj Bemühung* commendable; *Hilfe* kind; (*lohnenswert*) *Aufgabe, Arbeit* rewarding.

Dankeschön *nt no pl* thank-you.

Dankesworte *pl* words *pl* of thanks; (*von Redner*) vote *sing* of thanks.

Dank-: *~gottesdienst m* service of thanksgiving; *~sagung f* (*Brief*) note of thanks; *~schreiben nt* letter of thanks.

dann *adv* [a] then ▶ *~ und ~* about then; *~ und wann* now and then; *gerade ~, wenn ...* just when ...; *was ~?* what happens then?; *bis ~!* see you then! [b] (*unter diesen Umständen*) then ▶ *wenn ..., ~* if ..., (then); *nein, selbst ~ nicht* no, not even then; *selbst ~/selbst ~ nicht, wenn ...* even/not even if ...; *erst ~, wenn ...* only when ...; *ja, ~!* (oh) well then!; *wenn er seine Gedichte selbst nicht versteht, wer ~?* if he can't understand his own poems, who can?; *~ eben nicht* well, in that case (there's no more to be said); *~ erst recht nicht!* in that case no way (*col*); *~ will ich lieber gehen* well, I'd better be getting along (then); *also ~ bis morgen* see you tomorrow then. [c] (*außerdem*) *~ ... noch* on top of that.

dannen *adv: von ~* (*liter: weg*) away.

daran *adv* (*auch* **daran**) [a] (*räumlich*) *hängen* on it/that; *schieben, lehnen, stellen* against it/that; *legen* next to it/that; *kleben, machen* to it/that ▶ *nahe* or *dicht ~* right up against it; *nahe ~ sein, etw zu tun* to be on the point of doing sth; *zu nahe ~* too close (to it); *~ vorbei* past it; *~ kommen* to touch it/that. [b] (*zeitlich: danach*) *im Anschluß ~* following that/this. [c] (*col*) = **dran (b, c)**. [d] *arbeiten* on it/that; *sterben, erinnern, Bedarf, Mangel* of it/that; *sich beteiligen, arm, reich* in it/that; *sich klammern* to it/that ▶ *wird sich etwas ~ ändern?* will that change at all?; *wir können nichts ~ machen* we can't do anything about it; *~ sieht man, wie ...* there you (can) see how ...; *das Beste/Schönste etc ~* the best/nicest *etc* thing about it; *es ist nichts ~* (*ist nicht fundiert*) there's nothing in it; (*ist nichts Besonderes*) it's nothing special.

daran-: *~gehen vi sep irreg aux sein* to set about it; *~gehen, etw zu tun* to set about doing sth; *~machen vr sep* (*col*) to set about it; *sich ~machen, etw zu tun* to set about doing sth; *~setzen sep* [1] *vt seine ganzen Kräfte ~setzen, etw zu tun* to spare no effort to do sth; [2] *vr* (*sich ~machen*) to get down to it.

darauf *adv* (*emph* **darauf**) [a] (*räumlich*) on it/that/ them *etc*; (*in Richtung*) towards it/that/them *etc*; *schießen, zielen, losfahren* at it/that/them *etc*, (*fig*) basieren, aufbauen on it/that; *zurückführen, beziehen* to it/that ▶ *er schlug mit dem Hammer ~* he hit it with the hammer; *seine Behauptungen stützen sich ~, daß ...* his claims are based on the supposition that ...

[b] (*Reihenfolge*) after that ▶ *die Tage, die ~ folgten* the days which followed; *~ folgte ...* that was followed by ..., after that came ...; *am Tag ~* the next day; *kurz ~* shortly afterwards.

[c] (*als Reaktion*) *sagen, reagieren* to that ▶ *~ antworten* to answer that; *eine Antwort ~* an answer to that.

[d] *bestehen, verlassen, wetten, Zeit/Mühe verschwenden, Einfluß* on that/it; *hoffen, warten, sich vorbereiten, gefaßt sein* for that/it; *trinken* to that/it; *stolz sein* of that/it ▶ *ich bin stolz ~, daß sie gewonnen hat* I'm proud that she won; *ich bestehe ~, daß du kommst* I insist that you come; *wir freuen uns schon ~, daß du bald kommst* we're looking forward to your *or* you coming; *wir kamen auch ~ zu sprechen* we talked about that too; *wie kommst du ~?* what makes you think that?; *~ willst du also hinaus!* so that's what you're getting at!

⚠ **darauffolgend** *adj attr* after him/it/that *etc*; *Tag etc* following; *Wagen etc* behind *pred*.

daraufhin *adv* (*emph* **daraufhin**) (*danach*) after that, thereupon; (*aus diesem Anlaß, deshalb*) as a result (of that/this); (*im Hinblick darauf*) with regard to that/this. *wir müssen es ~ prüfen, ob ...* we must test it to see whether ...

daraus *adv* (*emph auch* **daraus**) out of that/it/them; (*aus dieser Angelegenheit*) from that/it/them ▶ *was ist ~ geworden?* what became of it?; *~ ergibt sich, daß ...* it follows from this that ...

darben *vi* (*geh: hungern*) to starve.

darbieten *sep irreg* (*geh*) [1] *vt* [a] (*vorführen*) *Tänze etc* to perform; (*vortragen*) *Lehrstoff* to present. [b] (*anbieten*) to offer; *Speisen* to serve. [2] *vr* to present itself.

Darbietung *f* performance; (*das Dargebotene*) act.

darbringen *vt sep irreg* (*geh*) *Opfer* to offer.

darein *adv* (*emph auch* **darein**) (*räumlich: hinein*) in there; (*wenn Bezugsobjekt vorher erwähnt*) in it/them.

darein- *pref siehe auch* **drein-**; *~finden vr sep irreg* (*geh*) to come to terms with it.

darin *adv* (*emph auch* **darin**) [a] (*räumlich*) in there; (*wenn Bezugsobjekt vorher erwähnt*) in it/them. [b] (*in dieser Beziehung*) in that respect ▶ *~ ist er ganz groß* (*col*) he's very good at that; *die beiden unterscheiden sich ~, daß ...* the two of them differ in that ...; *der Unterschied liegt ~, daß ...* the difference is that ...

darlegen *vt sep* to explain (*jdm* to sb); *Theorie, Ansichten auch* to expound (*jdm* to sb).

Darlegung *f* explanation.

Darleh(e)n *nt* - loan ▶ *als ~* as a loan.

Darm *m* ⁼e intestine(s *pl*), bowel(s *pl*); (*für Wurst*) (sausage) skin; (*für Saiten, Schläger etc*) gut.

Darm- *in cpds* intestinal; *~ausgang m* anus; *~grippe f* gastric influenza; *~krebs m* cancer of the intestine; *~saite f* gut string; *~tätigkeit f* peristalsis *no art*; *die ~tätigkeit fördern* to stimulate the movement of the bowels; *~trägheit f* under-activity of the intestines.

Darre *f* -n drying kiln *or* oven; (*Hopfen~*) oast.

darreichen *vt sep* (*liter: anbieten*) to offer (*jdm etw* sb sth, sth to sb).

darstellbar *adj* (*in Literaturwerk etc*) portrayable; (*durch Diagramm etc*) representable; (*beschreibbar*) describable ▶ *schwer/leicht ~* hard/easy to portray/show/ describe.

darstellen *sep* [1] *vt* [a] to show; (*ein Bild entwerfen von*) to portray, to depict; (*Theat*) to play; (*beschreiben*)

---

to describe ► *etw kurz* ~ to give a short description of sth; *die* ~*den Künste* (*Theater*) the performing arts; (*Malerei, Plastik*) the visual arts; *er stellt nichts dar* (*fig*) he's nothing special. **b** (*bedeuten*) to constitute, to represent. **2** *vr* (*Eindruck vermitteln*) to appear (*jdm* to sb); (*sich erweisen*) to show oneself.

Darsteller *m* - (*Theat*) actor ► *der* ~ *des Hamlet* the actor playing Hamlet.

Darstellerin *f* (*Theat*) actress.

darstellerisch *adj* dramatic ► *eine* ~*e Höchstleistung* a magnificent piece of acting.

Darstellung *f* portrayal; (*in Buch, Bild auch*) depiction; (*durch Diagramm etc*) representation; (*Beschreibung*) description; (*Bericht*) account ► *graphische* ~ diagram, graph (*Math*); *eine falsche* ~ *der Fakten* a misrepresentation of the facts; *er gab eine großartige* ~ *des Hamlet* his performance as Hamlet was superb.

darüber *adv* (*emph* **darüber**) **a** (*räumlich*) over that/it/them; (*höher als etw*) above (there/it/them); (*direkt auf etw*) on top (of it/them) ► ~ *hinweg sein* (*fig*) to have got over it; ~ *hinaus* over and above that, in addition; ~ *hinaus belog sie mich* on top of that she lied to me. **b** (*deswegen, in dieser Beziehung*) about that/it ► *sich* ~ *beschweren/beklagen, daß* ... to complain/moan that ... **c** (*davon*) about that/it ► *sie führt eine Liste* ~ she keeps a list of it. **d** (*mehr, höher*) above *or* over that ► *21 Jahre und* ~ 21 years and above *or* over; ~ *hinaus* over and above that.

darüber-: ~*fahren* △ *vi sep irreg aux sein* (*fig*) to run over it; *wenn du mit der Hand* ~*fährst, ...* if you run your hand over it ...; ~*liegen* △ *vi sep irreg* (*fig*) to be higher; ~*stehen* △ *vi sep irreg* (*fig*) to be above such things.

darum *adv* (*emph* **darum**) *siehe auch* **drum** **a** (*räumlich*) around that/it/him/her/them ► ~ *herum* around (it/him/her/them). **b** (*um diese Angelegenheit*) *es geht* ~, *daß* ... the thing is that ...; ~ *geht es mir/geht es mir nicht* that's my point/that's not the point for me; *es geht mir* ~, *Ihnen das klarzumachen* I'm trying to make it clear to you; *ich gäbe viel* ~, *die Wahrheit zu erfahren* I would give a lot to learn the truth. **c** (*deshalb*) that's why, because of that ► *eben* ~ that is exactly why; *warum willst du nicht mitkommen?* — ~! (*col*) why don't you want to come? — I just don't.

darunter *adv* (*emph auch* **darunter**) **a** (*räumlich*) under that/it/them ► ~ *hervorkommen* to appear from underneath; *ein Stockwerk* ~ one floor below (it). **b** (*weniger*) under that ► *Leute im Alter von 35 Jahren und* ~ people aged 35 and under; ~ *macht sie's nicht* (*col*) she won't do it for less. **c** (*dabei*) among them ► ~ *waren viele Ausländer* there were a lot of foreigners among them. **d** *was verstehen Sie* ~? what do you understand by that/it?; ~ *kann ich mir nichts vorstellen* that doesn't mean anything to me.

darunter-: ~*bleiben* △ *vi sep irreg aux sein* (*fig*) to be lower; ~*fallen* △ *vi sep irreg aux sein* (*fig*) (*dazugerechnet werden*) to be included; (*davon betroffen werden*) to come under it/them; ~*liegen* △ *vi sep irreg* (*fig*) to be lower; ~*mischen* △ *sep* **1** *vt Mehl* to mix in; **2** *vr* (*Mensch*) to mingle with them; ~*setzen* △ *vt sep Unterschrift* to put to it.

das *art etc siehe* **der**[2].

Dasein *nt no pl* existence; (*Anwesendsein*) presence.

△ **dasein** *vi sep irreg aux sein* to be there ► *noch* ~ to be still there; (*übrig sein auch*) to be left; *wieder* ~ to be back; *ich bin gleich wieder da* I'll be right back; *ist Post für mich da?* is there any mail for me?; *war der Briefträger schon da?* has the postman been yet?; *sie ist* *nur für ihren Mann da* she lives for her husband; *ein Arzt, der immer für seine Patienten da ist* a doctor who always has time for his patients; *voll* ~ (*col*) to be all there (*col*); *es ist alles schon mal dagewesen* it's all been done before; *ein nie dagewesener Erfolg* an unprecedented success.

Daseins-: ~*berechtigung* *f* right to exist; ~*kampf* *m* struggle for survival.

dasitzen *vi sep irreg* to sit there ► *ohne einen Pfennig* ~ (*col*) to be left without a penny.

dasjenige *dem pron siehe* **derjenige**.

△ **daß** *conj* that ► *ich bin überzeugt,* ~ *du das Richtige getan hast* I'm sure (that) you have done the right thing; *ich bin dagegen,* ~ *ihr alle kommt* I'm against you all coming; *das liegt daran,* ~ *...* that is because ...; ~ *du es mir nicht verlierst!* see that you don't lose it!

dasselbe *dem pron siehe* **derselbe**.

dastehen *vi sep irreg aux haben or sein* **a** to stand there ► *steh nicht so dumm da!* don't just stand there looking stupid. **b** (*fig*) *gut/schlecht* ~ to be in a good/bad position; *allein* ~ to be on one's own; *einzig* ~ to be unique *or* unparalleled; *jetzt stehe ich als Lügner da* now I'm left looking like a liar; *wie stehe ich jetzt da!* (*Selbstlob*) just look at me now!; (*Vorwurf*) I look a proper fool!

Dat. = **Dativ**.

Datei *f* (*Comp*) file.

Datei-: ~*name* *m* file name; ~*verwaltung* *f* file management.

Daten **a** *pl of* **Datum**. **b** (*Comp etc*) data *usu sing*.

Daten- (*Comp*) *in cpds* data; ~*abruf* *m* data retrieval; ~*autobahn* *f* information highway; ~*bank* *f* database; (*größer*) data bank; ~*erfassung* *f* data capture; ~*satz* *m* record; ~*schutz* *m* data protection *no art*; ~*sichtgerät* *nt* visual display unit; ~*technik* *f* computer science; ~*träger* *m* data carrier; ~*typist(in f)* *m* keyboarder; ~*übertragung* *f* data transmission; ~*verarbeitung* *f* data processing; ~*verarbeitungsanlage* *f* data processing equipment.

datieren* *vti* to date ► *dieser Brief datiert vom 1. Januar* this letter is dated January 1st.

Dativ *m* (*Gram*) dative (case).

Dativ|objekt *nt* (*Gram*) indirect object.

dato *adv: bis* ~ (*Comm, col*) to date.

Dattel *f* -*n* date.

Dattelpalme *f* date palm.

Datum *nt, pl* **Daten** **a** date ► *was für ein* ~ *haben wir heute?* what is the date today?; *das heutige* ~ today's date; *ein Brief ohne* ~ an undated letter; *ein Nachschlagewerk neueren* ~*s* a recent reference work. **b** (*usu pl*) (*Statistik, Comp etc*) piece of data.

Datums-: ~*grenze* *f* (*Geog*) (international) date line; ~*stempel* *m* date stamp.

Dauer *f no pl* (*das Andauern*) duration; (*Zeitspanne*) period, term; (*Länge: einer Sendung etc*) length ► *während der* ~ *des Vertrages/Krieges* for the duration of the contract/war; *für die* ~ *eines Monats* for a period of one month; *seine Begeisterung war nicht von* ~ his enthusiasm was short-lived; *von langer/kurzer* ~ *sein* to last a long time/not to last long; *auf die* ~ in the long run; *das kann auf die* ~ *nicht so weitergehen* it can't go on like that indefinitely; *auf* ~ permanently.

Dauer- *in cpds* permanent; ~*arbeitslose(r)* *mf* long-term unemployed person; *die* ~*arbeitslosen* the long-term unemployed; ~*auftrag* *m* (*Fin*) standing order; ~*belastung* *f* continual pressure *no indef art*; (*von Maschine*) constant load; ~*beschäftigung* *f* (*Stellung*) permanent position; ~*brenner* *m* (*Ofen*) slow burning stove; **b** (*col: Dauererfolg*) long runner; *ein* ~*brenner sein* to run and run; ~*erfolg* *m* long-running suc-

cess; **~gast** m permanent guest; (häufiger Gast) regular visitor, permanent fixture (hum).
dauerhaft adj Zustand, Farbe permanent; Frieden, Beziehung lasting; Stoff durable.
Dauerhaftigkeit f permanence; (von Material) durability.
Dauer-: **~karte** f season ticket; **~lauf** m (Sport) jog; (das Laufen) jogging; **im ~lauf** at a jog or trot; **einen ~lauf machen** to go jogging; **~lutscher** m lollipop (Brit), popsicle ⓇÙ (US); **~mieter** m long-term tenant.
dauern vi ⓐ (an~) to last, to go on ▸ **die Verhandlungen ~ schon drei Wochen** the negotiations have already been going on for three weeks. ⓑ (Zeit benötigen) to take a while; (lange) to take a long time ▸ **das dauert noch** (col) it'll be some time yet; **es dauerte lange, bis er sich befreit hatte** it took him a long time to get free; **das dauert mir zu lange** I can't wait that long; **es dauert jetzt nicht mehr lange** it won't take much longer.
dauernd ① adj Regelung lasting; Wohnsitz permanent; (fortwährend) Unterbrechung constant, perpetual. ② adv etw ~ tun to keep (on) doing sth.
Dauer-: **~obst** nt fruit suitable for storing; **~parker** m - long-stay parker; **~redner** m (pej) interminable speaker; **~regen** m continuous rain; **~schlaf** m prolonged sleep; **~speicher** m (Comp) permanent memory; **~stellung** f permanent position; **~ton** m continuous tone; **~welle** f permanent wave, perm (col); **~wirkung** f (long-)lasting effect; **~wurst** f German salami; **~zustand** m permanent state of affairs.
Däumchen nt dim of **Daumen**.
Daumen m - thumb ▸ **jdm die ~ drücken** to keep one's fingers crossed for sb; **~ drehen** to twiddle one's thumbs; **den ~ auf etw** (acc) **halten** (col) to hold on to sth.
Daumen-: **~abdruck** m thumbprint; **~nagel** m thumbnail; **~register** nt thumb index; **~schraube** f jdm die **~schrauben anlegen** (fig, col) to put the (thumb)screws on sb.
Daune f -n down feather ▸ **~n** down sing.
Daunen-: **~bett** nt, **~decke** f (down-filled) duvet; **~jacke** f quilted jacket; **d~weich** adj soft as down.
davon adv (emph **davon**) ⓐ (räumlich) from there; (wenn Bezugsobjekt vorher erwähnt) from it/them; (mit Entfernungsangabe) away (from there/it/them) ▸ **weg ~!** (col) get away from there/it/them.
ⓑ (fig) **ich bin weit ~ entfernt, Ihnen Vorwürfe machen zu wollen** the last thing I want to do is reproach you; **wenn wir ~ absehen, daß ...** if we overlook the fact that ...; **und ~ kommt die rote Farbe** and that's where the red comes from; **das kommt ~!** that's what you get!; **~ hat man nur Ärger** you get nothing but trouble with it; **~ wird man müde** it makes you tired; **was habe ich ~?** what do I get out of it?
ⓒ (mit Passiv) **~ betroffen werden** to be affected by it/them.
ⓓ (Anteil) of that/it/them ▸ **nehmen Sie doch noch etwas ~!** do have some more!; **das Doppelte ~** twice that.
ⓔ (darüber) hören, wissen, sprechen about that/it/them; verstehen, halten of that/it/them ▸ **genug ~!** enough of this!
davon-: **~bleiben** vi sep irreg aux sein (col) to keep away; (nicht anfassen) to keep one's hands off; **~fahren** vi sep irreg aux sein to drive away; (auf Fahrrad etc) to ride away; (Zug) to pull away; **~fliegen** vi sep irreg aux sein to fly away; **~gehen** vi sep irreg aux sein (geh) to walk away; **~jagen** vt sep to chase off or away; **~kommen** vi sep irreg aux sein (entkommen) to get away, to escape; (nicht bestraft werden) to get away

with it; **mit dem Schrecken/dem Leben/einer Geldstrafe ~kommen** to escape with no more than a shock/ with one's life/to get off with a fine; **~lassen** vt sep irreg **die Finger ~lassen** (col) to keep one's hands off (it/them); **~laufen** vi sep irreg aux sein to run away (jdm/vor jdm from sb); (verlassen) to walk out (jdm on sb); **es ist zum D~laufen!** (col) it's all too much!; **die Preise sind den Löhnen ~gelaufen** prices have outstripped wages; **~machen** vr sep to make off; **~schleichen** vir sep irreg (vi: aux sein) to creep away or off; **~stehlen** vr sep irreg (geh) to steal away; **~tragen** vt sep irreg ⓐ (wegtragen) to carry away; Preis to carry off; Sieg, Ruhm to win; ⓑ Schaden, Verletzung to suffer; **~ziehen** vi sep irreg aux sein (liter) to leave; (Sport col) to pull away (jdm from sb).
davor adv (emph **davor**) ⓐ (räumlich) in front (of that/ it/them); (wenn Bezugsobjekt vorher erwähnt) in front of it/them. ⓑ (zeitlich) before that; (bevor man etw tut) beforehand. ⓒ bewahren, schützen from that/it; warnen about that/it; Angst haben of that/it; sich ekeln by that/ it ▸ **ich habe Angst ~, daß der Hund beißen könnte** I'm afraid that the dog might bite.
davor-: **~stehen** ⚠ vi sep irreg aux haben or sein to stand in front of it/them; **~stellen** ⚠ sep ① vt to put in front of it/them; ② vr to stand in front of it/them.
DAX [daks] m = Deutscher Aktienindex German share index.
dazu adv (emph **dazu**) ⓐ (dabei, damit) with it ▸ **er ist dumm und ~ auch noch faul** he's stupid and lazy with it or into the bargain (col); **... und ~ nicht unintelligent** ... and not unintelligent either; **noch ~** as well, too; **~ serviert man am besten Reis** it's best to serve rice with it.
ⓑ (dahin) to that/it ▸ **das führt ~, daß weitere Forderungen gestellt werden** that will lead to further demands being made; **wie konnte es nur ~ kommen?** how could that happen?; **wie komme ich ~?** (empört) why on earth should I?; **... aber ich bin nicht ~ gekommen** ... but I didn't get around to it.
ⓒ (dafür, zu diesem Zweck) for that/it ▸ **ich bin zu alt ~, noch tanzen zu gehen** I'm too old to go dancing; **ich habe ihm ~ geraten** I advised him to (do that); **~ bereit sein, etw zu tun** to be prepared to do sth; **~ ist er da** that's what he's there for; **das Recht ~** the right to do it.
ⓓ (darüber, zum Thema) about that/it ▸ **was meinst du ~?** what do you think about that?
ⓔ im Gegensatz/Vergleich ~ in contrast to/ comparison with that.
dazu-: **~geben** vt sep irreg to add; **~gehören*** vi sep to belong (to it/us etc); (als Ergänzung) to go with it/them; (eingeschlossen sein) to be included (in it/them); **das gehört ~** (versteht sich von selbst) it's all part of it; **es gehört schon einiges ~, das zu tun** it takes a lot to do that; **~gehörig** adj attr which goes/go with it/them; Schlüssel etc belonging to it/them; Werkzeuge, Material necessary; **~kommen** vi sep irreg aux sein ⓐ (ankommen) to arrive (on the scene); ⓑ (hinzugefügt werden) to be added; **kommt noch etwas ~?** will there be anything else?; **es kommt noch ~, daß er faul ist** added to that he's lazy; **~lernen** vt sep viel/nichts **~lernen** to learn a lot more/nothing new; **schon wieder was ~gelernt!** you learn something (new) every day!
dazumal adv (old) in those days ▸ siehe auch **anno**.
dazu-: **~rechnen** vt sep Betrag to add on; **~schreiben** vt sep irreg to add; **~setzen** vr sep to join him/us etc; **~tun** vt sep irreg (col) to add; **er hat es ohne dein D~tun geschafft** he managed it without your doing/ saying etc anything.

dazwischen *adv* in between; (*in der betreffenden Menge, Gruppe*) amongst them, in with them ▶ *der Unterschied* ~ the difference between them.

dazwischen-: **~fahren** *vi sep irreg aux sein* [a] (*eingreifen*) to intervene; [b] (*unterbrechen*) to interrupt; **~funken** *vi sep* (*col: eingreifen*) to put one's oar in (*col*); **~kommen** *vi sep irreg aux sein* (*störend erscheinen*) to get in the way; *... wenn nichts ~kommt!* ... if all goes well; *mir ist leider etwas ~gekommen, ich kann nicht dabeisein* something has come *or* cropped up, I'm afraid I can't be there; **~liegend** *adj attr* **die ~liegenden Monate** the intervening months; **~reden** *vi sep* to interrupt (*jdm* sb); **~rufen** *vti sep irreg* to yell out; **~stehen** *vi sep irreg aux haben or sein* [a] (*lit*) to be amongst *or* (*zwischen zweien*) between them; [b] (*zwischen den Parteien*) to be neutral; [c] (*geh: hindernd*) to be in the way; **~treten** *vi sep irreg aux sein* to intervene; (*störend*) to come between them.

DB [de:'be:] *f* = **Deutsche Bahn**.

dB = **Dezibel** dB.

DDR [de:de:'ɛr] *f* (*Hist*) = **Deutsche Demokratische Republik** GDR, East Germany *no art*.

┌─── DDR ───

ⓘ The *DDR (Deutsche Demokratische Republik) was the name by which the former Communist German Democratic Republic was known. It was founded in 1949 from the Soviet-occupied zone. After the building of the Berlin Wall in 1961 it was virtually sealed off from the West until mass demonstrations and demands for reform forced the opening of the borders in 1989. It then merged in 1990 with the BRD.*

DDR-Bürger *m* (*Hist*) East German.

DDT ® [de:de:'te:] *nt* - DDT.

Deal [di:l] *m* **-s** (*Geschäft etc, col: Drogen*) deal.

dealen ['di:lən] (*col*) [1] *vt Drogen* to push. [2] *vi mit Kokain* ~ to deal in *or* to push cocaine; *er dealt* he is a dealer.

Dealer(in *f*) ['di:lɐ, -ərɪn] *m* - (*col*) drug peddler *or* pusher.

Debakel *nt* - debacle ▶ *ein* ~ *erleiden* (*Stück etc*) to be a debacle.

Debatte *f* **-n** debate ▶ *etw zur* ~ *stellen* to put sth up for discussion *or* (*Parl*) debate; *das steht hier nicht zur* ~ that's not the issue.

debattieren *vti* to debate (*über etw* sth).

Debet *nt* **-s** (*Fin*) debits *pl*.

Debüt [de'by:] *nt* **-s** debut ▶ *sein* ~ *als etw geben* to make one's debut as sth.

Debütant(in *f*) *m* (*wk*) person making his/her debut.

debütieren *vi* (*Theat, fig*) to make one's debut.

Dechant *m* (*Eccl*) dean.

dechiffrieren [deʃɪ'fri:rən] *vt* to decode, to decipher.

Deck *nt* **-s** deck; (*in Parkhaus*) level ▶ *an* ~ *gehen* to go on deck; *alle Mann an* ~! all hands on deck!

Deck-: **~adresse** *f* accommodation *or* cover (*US*) address; **~anstrich** *m* top coat; **~bett** *nt* feather quilt; **~blatt** *nt* (*von Zigarre*) wrapper; (*Schutzblatt*) cover.

Decke *f* **-n** [a] (*lit, fig*) blanket; (*Tisch~*) cloth; (*Stepp~*) quilt ▶ *sich nach der* ~ *strecken* (*fig*) to cut one's coat according to one's cloth; *mit jdm unter einer* ~ *stecken* (*fig*) to be hand in glove with sb. [b] (*Zimmer~*) ceiling ▶ *an die* ~ *gehen* (*col*) to hit the roof (*col*); *vor Freude an die* ~ *springen* (*col*) to jump for joy; *mir fällt die* ~ *auf den Kopf* (*fig col*) I feel really claustrophobic. [c] (*Schicht*) layer; (*Straßen~*) surface.

Deckel *m* - lid; (*von Schachtel auch, von Flasche*) top; (*Buch~*) cover ▶ *du kriegst gleich eins auf den* ~ (*col*) you're going to catch it (*col*).

decken [1] *vt* [a] (*zu~, Fin, begatten*) to cover; (*Ftbl auch*) to mark; *Komplizen* to cover up for ▶ *ein Dach mit Ziegeln* ~ to tile a roof; *mein Bedarf ist gedeckt* I have all I need; (*fig col*) I've had enough. [b] *Tisch, Tafel* to set, to lay (*Brit*) ▶ *sich an einen gedeckten Tisch setzen* (*fig*) to be handed everything on a plate; *ein Tuch über etw* (*acc*) ~ to cover sth with a cloth. [2] *vi* to cover; (*Boxen*) to guard; (*Ftbl auch*) to mark. [3] *vr* [a] (*Interessen, Begriffe*) to coincide; (*Aussagen*) to correspond, to agree. [b] (*Boxer etc*) to cover oneself.

Deck-: **~farbe** *f* opaque water colour; **~hengst** *m* stud(horse), stallion; **~mantel** *m* (*fig*) mask; *unter dem ~mantel von ...* under the guise of ...; **~name** *m* assumed name; (*Mil*) code name; **~offizier** *m* (*Naut*) ≈ warrant officer; **~platte** *f* (*Build*) slab; **~schicht** *f* surface layer; (*von Straße*) surface; (*Geol*) top layer.

Deckung *f* [a] (*Schutz*) cover; (*Ftbl, Chess*) defence; (*Boxen etc*) guard ▶ *in* ~ *gehen* to take cover. [b] (*Verheimlichung*) *die* ~ *von etw* covering up for sth. [c] (*Comm, Fin*) (*von Scheck, Wechsel*) cover; (*das Decken*) covering; (*das Begleichen*) meeting ▶ *zur* ~ *seiner Schulden* to meet his debts. [d] *eine* ~ *der Nachfrage ist unmöglich* demand cannot possibly be met. [e] (*Übereinstimmung*) *lassen sich diese Standpunkte zur* ~ *bringen?* can these points of view be reconciled?

Deckungs-: **~fehler** *m* (*Ftbl*) defensive error; **~feuer** *nt* (*Mil*) covering fire; **d~gleich** *adj* (*Math*) congruent; *d~gleich sein* (*fig*) to coincide; (*Aussagen*) to agree; **~zusage** *f* (*von Versicherung*) cover note.

Deckweiß *nt* opaque white.

Decoder [de'ko:dɐ, dɪ'koʊdə] *m* - decoder.

decodieren* *vt* to decode.

dediziert *adj* (*esp Comp*) dedicated.

Deduktion *f* deduction.

deduzieren* *vt* to deduce (*aus* from).

de facto *adv* de facto.

Defätismus *m no pl* defeatism.

defätistisch *adj* defeatist *no adv*.

defekt *adj Gerät etc* faulty, defective.

Defekt *m* **-e** fault, defect; (*Med*) deficiency.

defensiv *adj* defensive ▶ *sich* ~ *verhalten* to be on the defensive.

Defensive [-'zi:və] *f no pl* defensive ▶ *in der* ~ on the defensive; *jdn in die* ~ *drängen* to force sb onto the defensive.

defilieren* *vi aux haben or sein* (*Mil*) to march past; (*fig*) to parade past.

definierbar *adj* definable.

definieren* *vt* to define ▶ *etw neu* ~ to redefine sth.

Definition *f* definition.

definitiv *adj* definite.

Defizit *nt* **-e** deficit; (*Mangel*) deficiency (*an* +*dat* of).

defizitär *adj* in deficit ▶ *eine* ~*e Haushaltspolitik führen* to follow an economic policy which can only lead to deficit.

Deflation *f* (*Econ*) deflation.

deflationär *adj* deflationary *no adv*.

deflorieren* *vt* to deflower.

Deformation *f* deformation, distortion; (*Mißbildung*) deformity; (*Entstellung*) disfigurement.

deformieren* *vt* (*lit, fig: mißbilden*) to deform; (*entstellen*) to disfigure ▶ *eine deformierte Nase* a misshapen nose.

Defroster *m* - (*Aut*) demister, defroster (*US*); (*Sprühmittel*) de-icer.

deftig *adj* [a] *Witz, Humor* ribald. [b] *Lüge* whopping (*col*), huge; *Mahlzeit* solid; *Wurst etc* substantial, good solid *attr, Ohrfeige* cracking (*col*).

Degen *m* - (*Sportfechten*) épée.

degenerieren* *vi aux sein* to degenerate (*zu* into).

─────────────────────────────
△: Informationen zur Rechtschreibreform im Anhang

degeneriert *adj* degenerate.
degradieren* *vt* (*Mil*) to demote (*zu* to); (*fig: herabwürdigen*) to degrade ▸ *jdn/etw zu etw ~* (*fig*) to lower sb/sth to the level of sth.
Degradierung *f* (*Mil*) demotion (*zu* to); (*fig*) degradation.
dehnbar *adj* (*lit, fig*) elastic.
Dehnbarkeit *f no pl* elasticity.
dehnen ① *vt* to stretch; (*Med auch*) to dilate; *Laut, Silbe* to lengthen.
② *vr* (*auch Ozean etc*) to stretch.
Dehnung *f siehe vt* stretching; dilation; lengthening.
Deich *m* -e dyke, dike (*esp US*).
Deichsel [-ks-] *f* -n shaft; (*Doppel~*) shafts *pl*.
deichseln [-ks-] *vt* (*col*) to wangle (*col*) ▸ *das werden wir schon* ~ we'll wangle it somehow.
dein *poss pron* (*adjektivisch*) (*in Briefen: D~*) your ▸ *herzliche Grüße, D~e Elke* with best wishes, yours *or* (*herzlicher*) love Elke.
deiner *pers pron gen* of **du** (*geh*) of you ▸ *wir werden ~ gedenken* we will remember you.
deine(r, s) *poss pron* (*substantivisch*) yours ▸ *der/die/ das* ~ (*geh*) yours; *die D~n* (*geh*) your family; *das D~* (*geh: Besitz*) what is yours.
deinerseits *adv* (*auf deiner Seite*) for your part; (*von deiner Seite*) on your part.
deinesgleichen *pron inv* people like you.
deinet-: **~wegen** *adv* (*wegen dir*) because of you, on account of you; (*dir zuliebe*) for your sake; (*um dich*) about you; (*für dich*) on your behalf; **~willen** *adv* *um ~willen* for your sake.
deinige *poss pron* (*old, geh*) *der/die/das* ~ yours; *tu du das* ~ you do your share.
deins *poss pron* yours.
de jure *adv* de jure.
Dekade *f* (*10 Tage*) ten days; (*10 Jahre*) decade.
dekadent *adj* decadent.
Dekadenz *f no pl* decadence.
Dekan *m* -e (*Univ, Eccl*) dean.
Dekanat *nt* (*Univ*) office of dean; (*Eccl*) deanery.
Deklamation *f* declamation ▸ *~en* (*pej*) (empty) rhetoric *sing*.
deklamieren* *vti* to declaim.
Deklaration *f* declaration.
deklarieren* *vt* to declare.
deklassieren* *vt* ⓐ (*Sociol, herabsetzen*) to downgrade. ⓑ (*Sport: übertreffen*) to outclass.
Deklination *f* (*Gram*) declension.
deklinieren* *vt* (*Gram*) to decline.
△ Dekolleté [dekɔl'teː] *nt* -s low-cut *or* décolleté neckline.
dekolletiert [dekɔl'tiːɐt] *adj Kleid* low-cut, décolleté.
Dekor *m or nt* -s *or* -e decoration; (*von Raum auch, Theat, Film etc*) décor *no pl*.
Dekorateur(in *f*) [dekora'tøːɐ, -øːrɪn] *m* interior designer; (*Schaufenster~*) window-dresser.
Dekoration *f* ⓐ *no pl* (*das Ausschmücken*) decorating, decoration. ⓑ (*Einrichtung*) décor *no pl*; (*Fenster~*) window-dressing; (*Theat: Bühnenbild*) set ▸ *zur ~ dienen* to be decorative. ⓒ (*Ordensverleihung*) decoration.
Dekorations-: **~maler** *m* (interior) decorator; (*Theat*) scene-painter; **~stoff** *m* (*Tex*) furnishing fabric; **~stück** *nt* piece of the décor; *das ist nur ein ~stück* that's just for decoration.
dekorativ *adj* decorative.
dekorieren* *vt* to decorate; *Schaufenster* to dress.
Dekostoff *m* (*Tex*) furnishing fabric.
Dekret *nt* -e decree.
dekretieren* *vt* to decree.
Delegation *f* delegation.

delegieren* *vt* to delegate (*an +acc* to).
Delegierte(r) *mf decl as adj* delegate.
delikat *adj* ⓐ (*wohlschmeckend*) exquisite, delicious. ⓑ (*behutsam*) delicate. ⓒ (*heikel*) *Problem* delicate, sensitive; (*gewagt*) risqué.
△ Delikateß- *in cpds* top-quality, fine.
Delikatesse *f* (*Leckerbissen, fig*) delicacy.
Delikatessengeschäft *nt* delicatessen *sing*, deli (*esp US col*).
Delikt *nt* -e (*Jur*) offence; (*schwerer*) crime.
Delinquent [delɪŋ'kvɛnt] *m* (*geh*) offender.
Delirium *nt* delirium ▸ *im ~ sein* to be delirious; (*col: betrunken*) to be paralytic (*col*).
Delle *f* -n (*col: eingedrückte Stelle*) dent.
△ Delphin¹ *m* -e (*Zool*) dolphin.
△ Delphin² *nt no pl, Delphinschwimmen △** *nt* butterfly.
Delta *nt, pl* -s *or* **Delten** (*Geog*) delta.
dem ① *dat of def art* **der, das** ⓐ to the; (*mit Präposition*) the. ⓑ *wenn ~ so ist* if that is the way it is; *wie ~ auch sei* be that as it may.
② *dat of dem pron* **der, das** ⓐ *attr* to that; (*mit Präposition*) that. ⓑ (*substantivisch*) to that one; that one; (*Menschen*) to him; him.
③ *dat of rel pron* **der, das** to whom, that *or* who(m) ... to; (*mit Präposition*) who(m); (*von Sachen*) to which, which *or* that ... to; (*mit Präposition*) which.
Demagoge *m* demagogue.
demagogisch *adj Rede etc* demagogic.
Demarkationslinie *f* (*Pol, Mil*) demarcation line.
demaskieren* ① *vt* to unmask, to expose.
② *vr* to take off one's mask.
Dementi *nt* -s denial.
dementieren* ① *vt* to deny.
② *vi* to deny it.
dem|entsprechend ① *adv* correspondingly; (*demnach*) accordingly.
② *adj* appropriate.
dem-: **~gegenüber** *adv* (*wohingegen*) on the other hand; (*im Vergleich dazu*) in contrast; **~gemäß** *adv, adj* = **~entsprechend**.
demilitarisieren* *vt* to demilitarize.
Demission *f* (*Pol: Rücktritt*) resignation.
dem-: **~nach** *adv* therefore; (*~entsprechend*) accordingly; **~nächst** *adv* soon.
Demo *f* -s (*col*) demo (*col*).
△ Demographie *f* demography.
△ demographisch *adj* demographic.
Demokrat(in *f*) *m* (*wk*) -en, -en democrat.
Demokratie *f* democracy.
Demokratieverständnis *nt* understanding of (the meaning of) democracy.
demokratisch *adj* democratic.
demokratisieren* *vt* to democratize, to make democratic.
Demokratisierung *f* democratization.
demolieren* *vt* to wreck, to smash up; (*Rowdy auch*) to vandalize.
Demonstrant(in *f*) *m* (*wk*) demonstrator.
Demonstration *f* demonstration.
Demonstrations-: **~material** *nt* teaching material; **~objekt** *nt* teaching aid; **~recht** *nt* right to demonstrate; (*Gesetz*) law on demonstrations; **~zug** *m* demonstration.
demonstrativ *adj* demonstrative (*auch Gram*); *Beifall* acclamatory; *Protest, Fehlen* pointed ▸ *der Botschafter verließ ~ den Saal* the ambassador pointedly left the room.
demonstrieren* *vti* to demonstrate.
Demontage [-'taːʒə] *f* -n (*lit, fig*) dismantling.

△: for details of spelling reform, see supplement

demontieren* vt (lit, fig) to dismantle; *Räder* to take off.

demoralisieren* vt to demoralize.

Demoskop(in f) m (wk) -en -en (opinion) pollster.

Demoskopie f no pl (public) opinion research.

demoskopisch adj ~es Institut (public) opinion research institute; **alle ~en Voraussagen waren falsch** all the predictions in the opinion polls were wrong; **eine ~e Untersuchung** a (public) opinion poll.

demselben dat of **derselbe, dasselbe**.

Demut f no pl humility ▶ **in ~** with humility.

demütig adj Bitte, Blick humble.

demütigen ⒈ vt Besiegten, Volk to humiliate; stolzen Menschen etc to humble.
⒉ vr to humble oneself (vor +dat before).

Demütigung f humiliation.

demzufolge adv therefore.

den ⒈ ⓐ acc of def art **der** the. ⓑ dat pl of def art **der, die, das** the; to the.
⒉ acc of dem pron **der** ⓐ attr that. ⓑ (substantivisch) that one; (Menschen) him.
⒊ acc of rel pron **der** who(m), that; (von Sachen) which, that.

denen ⒈ dat pl of dem pron **der, die, das** to them; (mit Präposition) them.
⒉ dat pl of rel pron **der, die, das** to whom, that or who(m) ... to; (mit Präposition) whom; (von Sachen) to which, that or which ... to; which.

Denk-: ~ansatz m starting point; ~anstoß m jdm ~anstöße geben to give sb food for thought; ~art f way of thinking; d~bar ⒈ adj conceivable; es ist durchaus d~bar, daß er kommt it's quite likely that he'll come; ⒉ adv extremely; der d~bar schlechteste Eindruck the worst possible impression.

Denken nt no pl thinking.

▼ **denken** pret dachte, ptp gedacht ⒈ vi to think (über +acc about, of) ▶ bei sich ~ to think to oneself; wo ~ Sie hin! what an idea!; ich denke schon I think so; der Mensch denkt, Gott lenkt (Prov) man proposes, God disposes (Prov); das gibt mir/einem zu ~ it makes you think; wie ~ Sie darüber? what do you think about it?; kleinlich ~ to be petty-minded; alle, die damals liberal gedacht haben,... all those who were thinking along liberal lines ...; an jdn/etw ~ to think of sb/sth; daran ist gar nicht zu ~ that's (quite) out of the question; ich denke nicht daran! no way! (col), not on your life!; ich denke nicht daran, das zu tun there's no way I'm going to do that (col); solange ich ~ kann (for) as long as I can remember; denk daran! don't forget!; an das Geld habe ich gar nicht mehr gedacht I had forgotten all about the money; die viele Arbeit, ich darf gar nicht daran ~ all that work, it doesn't bear thinking about.
⒉ vt to think ▶ was denkst du jetzt? what are you thinking?; ich denke gar nichts I'm not thinking about anything; (nur) Schlechtes/Gutes von jdm ~ to think ill/well of sb; wer hätte das (von ihr) gedacht! who'd have thought it (of her)!; was sollen bloß die Leute ~! what will people think!; ich denke schon I think so; ich denke nicht I don't think so, I think not; für jdn/etw gedacht sein to be intended or meant for sb/sth; so war das nicht gedacht it wasn't meant that way.
⒊ vr a (vorstellen) das kann ich mir ~ I can imagine; ich habe mir das so gedacht: ... this is what I had in mind: ...; das habe ich mir gedacht I thought so; dachte ich mir's doch! I knew it! ⓑ (beabsichtigen) sich (dat) etw bei etw ~ to mean sth by sth; ich habe mir nichts Böses dabei gedacht I meant no harm (in it).

Denker(in f) m - thinker ▶ das Volk der Dichter und ~ the nation of poets and philosophers.

Denkerstirn f (hum) lofty brow.

Denk-: d~fähig adj capable of thinking; als d~fähiger Mensch as an intelligent person; ~fähigkeit f ability to think, intelligence; d~faul adj (mentally) lazy; ~fehler m flaw in the/one's reasoning; ~horizont m mental horizon.

Denkmal [-ma:l] nt ⁼er or (geh) -e (lit, fig) monument (für to); (Standbild) statue ▶ er hat sich (dat) ein ~ gesetzt he has earned himself a place in history.

Denkmalschutz m protection of historical monuments ▶ etw unter ~ stellen to place sth under a preservation order; unter ~ stehen to be listed or under a preservation order.

Denk-: ~pause f eine ~pause einlegen to have a break to think things over; ~prozeß △ m thought-process; ~schema nt thought pattern; ~schrift f memorandum; ~sport m mental exercise; ~sportaufgabe f brainteaser.

denkste interj (col) that's what you think.

Denk-: ~vermögen nt intellectual capacity; ~weise f way of thinking; d~würdig adj memorable, notable; ~würdigkeit f memorability, notability; ~zettel m (col) warning; jdm einen ~zettel verpassen to give sb a warning.

denn ⒈ conj ⓐ (kausal) because, for (esp liter). ⓑ (geh: vergleichend) than ▶ schöner ~ je more beautiful than ever. ⓒ (konzessiv) es sei ~, (daß) unless.
⒉ adv (verstärkend) wann/wie/wo ~? when/how/where?; warum ~ nicht? why not?; was soll das ~? what's all this then?

dennoch adv nevertheless, nonetheless ▶ und ~, ... and yet ...

denselben ⒈ acc of **derselbe**.
⒉ dat of **dieselben**.

dental adj (Med, Ling) dental.

Denunziant(in f) m (wk) (pej) informer.

Denunziation f (pej) informing no pl (von on, against); (Anzeige) denunciation (von of).

denunzieren* vt (pej) to inform on or against, to denounce (bei to).

Deo nt -s, **Deodorant** nt -s or -e deodorant.

Deospray nt or m deodorant spray.

Dependance [depã'dã:s] f -n (Hotel~) annexe.

Depesche f -n (dated) dispatch.

△ **deplaziert** adj out of place.

Deponie f dump, disposal site.

deponieren* vt (geh) to deposit.

Deportation f deportation.

deportieren* vt to deport.

Depot [de'po:] nt -s depot; (Aufbewahrungsort auch) depository; (in Bank) strong room; (Schließfach) safe-deposit box.

Depp m -e(n) (dial pej) twit (col).

Depression f depression ▶ ~en haben to suffer from depression.

depressiv adj depressive; (Econ) depressed.

deprimieren* vt to depress.

deprimierend adj depressing.

deprimiert adj depressed.

der¹ ⒈ ⓐ gen of def art **die** sing, pl of the. ⓑ dat of def art **die** sing to the; (mit Präposition) the.
⒉ dat of dem pron **die** sing ⓐ (adjektivisch) to that; (mit Präposition) that. ⓑ (substantivisch) to her; her.
⒊ dat of rel pron **die** sing to whom, that or who(m) ... to; (mit Präposition) who(m); (von Sachen) to which, which ... to; which.

der², **die**, **das**, pl **die** ⒈ def art the ▶ die Engländer the English (pl); der Hans (col)/der Faust Hans/Faust; der Rhein the Rhine; der Michigansee Lake Michigan; die „Bismarck" the "Bismarck"; der Lehrer/die Frau (im allgemeinen) teachers pl/women pl; der Tod/die

Liebe/das Leben death/love/life; *das Rauchen* smoking; *das Viktorianische England* Victorian England; *in dem England, das ich kannte* in the England (that *or* which) I knew; *er hat sich den Fuß verletzt* he has hurt his foot; *10 Mark die Stunde* 10 marks an *or* per hour; *der und der Wissenschaftler* such and such a scientist. **2** *dem pron* **a** (*attr*) (*jener, dieser*) that; *pl* those. **b** (*substantivisch*) he/she/it; *pl* those ▶ *der/die war es* it was him/her; *der/die mit der großen Nase* the one with *or* him/her (*col*) with the big nose; *der und schwimmen?* swimming?, (what) him?; *der und der/ die und die* so-and-so; *das und das* such and such. **3** *rel pron* (*Mensch*) who, that; (*Gegenstand, Tier*) which, that.

der|art *adv* **a** (*Art und Weise*) in such a way ▶ *sein Benehmen war ~, daß ...* his behaviour was so bad that ... **b** (*Ausmaß*) (*vor adj*) so; (*vor vb*) so much, to such an extent ▶ *ein ~ unzuverlässiger Mensch* such an unreliable person, so unreliable a person.

der|artig 1 *adj bei ~en Versuchen* in such tests, in tests of that kind; *(etwas) D~es* something like that *or* of the kind. **2** *adv* = **derart**.

derb *adj* **a** (*kräftig*) strong; *Kost* coarse. **b** (*grob*) coarse; *Sprache, Humor auch* earthy, crude (*pej*).

Derbheit *f siehe adj* **a** strength; coarseness. **b** coarseness; earthiness, crudeness.

Derby ['dɛrbi] *nt* -s derby.

Deregulierung *f* deregulation.

der|einst *adv* (*liter*) **a** (*in der Zukunft*) one day. **b** (*früher*) at one time, once.

deren 1 *gen pl of dem pron* **der, die, das** their. **2** **a** *gen sing of rel pron* **die** whose. **b** *gen pl of rel pron* **der, die, das** whose, of whom; (*von Sachen*) of which.

derent-: ~wegen *adv* (*weswegen*) because of whom, on whose account; because of which, on account of which; **~willen** *adv um ~willen* (*rel*) for whose sake; (*von Sachen*) for the sake of which.

dergestalt *adv* (*geh*) in such a way.

dergleichen *dem pron inv* **a** (*adjektivisch*) *~ Dinge* things of that kind. **b** (*substantivisch*) that sort of thing ▶ *er tat nichts ~* he did nothing of the kind; *und ~ (mehr)* and suchlike.

Derivat [-'vaːt] *nt* (*Chem, Ling*) derivative.

derjenige, diejenige, dasjenige, *pl* **diejenigen** *dem pron* **a** (*substantivisch*) the one; *pl* those ▶ *du warst also derjenige, welcher!* (*col*) so you're the one! **b** (*adjektivisch*) the; *pl* those.

derlei *dem pron inv* = **dergleichen**.

dermaßen *adv* (*mit adj*) so; (*mit vb*) so much ▶ *ein ~ dummer Kerl* such a stupid fellow.

Dermato-: ~loge *m*, **~login** *f* dermatologist; **~logie** *f* dermatology.

derselbe, dieselbe, dasselbe, *pl* **dieselben** *dem pron* the same; *es sind immer dieselben* it's always the same ones *or* the same people; *ein und derselbe Mensch* one and the same person.

derweil(en) *adv* in the meantime, meanwhile.

derzeit *adv* (*jetzt*) at present, at the moment.

derzeitig *adj attr* (*jetzig*) present, current.

des[1] *gen of def art* **der[2], das** of the.

des[2], Des *nt no pl* (*Mus*) D flat.

Desaster [de'zastɐ] *nt* - disaster.

Deserteur(in *f*) [-'tøːɐ, -'tøːərɪn] *m* (*Mil, fig*) deserter.

desertieren* *vi aux sein or haben* (*Mil, fig*) to desert.

Desertion *f* (*Mil, fig*) desertion.

desgleichen *adv* (*ebenso*) likewise, also.

▼ **deshalb** *adv, conj* therefore; (*aus diesem Grunde*) because of that ▶ *ich bin ~ hergekommen, weil ich dich*

sprechen wollte the reason I came here was that I wanted to speak to you; *~ muß er nicht dumm sein* that does not necessarily mean he is stupid; *~ frage ich ja* that's exactly why I'm asking.

Design [di'zaɪn] *nt* -s design.

Designer(in *f*) [di'zaɪnɐ, -ərɪn] *m* - designer.

Designerdroge *f* designer drug.

designiert [dezɪ'gniːɐt] *adj attr der ~e Vorsitzende/ Nachkomme* the chairman designate/prospective successor.

des|illusionieren* *vt* to disillusion.

Des|infektion *f* disinfection.

Des|infektionsmittel *nt* disinfectant.

des|infizieren* *vt* to disinfect.

Des|infizierung *f* disinfection.

Des|information *f* (*Pol*) disinformation *no pl*.

Des|interesse *nt* lack of interest (*an* +*dat* in).

des|interessiert *adj* uninterested.

deskriptiv *adj* descriptive.

desodorierend *adj* deodorant.

desolat *adj* (*geh*) desolate; *Zustand, wirtschaftliche Lage* desperate.

Des|organisation *f* disorganization; (*Auflösung auch*) disruption ▶ *auf der Tagung herrschte eine völlige ~* there was complete chaos at the conference.

des|organisieren* *vt* to disorganize.

des|orientieren* *vt* to disorient(ate).

Despot [dɛs'poːt] *m* (*wk*) -en, -en despot.

despotisch [dɛs'poːtɪʃ] *adj* despotic.

Despotismus [dɛspo-] *m no pl* despotism.

desselben *gen of* **derselbe, dasselbe.**

dessen 1 *gen of dem pron* **der[2], das** his; (*von Sachen, Tieren*) its. **2** *gen of rel pron* **der[2], das** whose; (*von Sachen*) of which, which ... of.

dessent- = **derent-**.

dessen|unge|achtet *adv* (*geh*) nevertheless.

Dessert [dɛ'seːɐ] *nt* -s dessert.

Dessin [dɛ'sɛ̃ː] *nt* -s (*Tex*) pattern, design.

destabilisieren* *vt* to destabilize.

Destillation [dɛstɪla'tsioːn] *f* **a** (*Chem*) distillation. **b** (*Branntweinbrennerei*) distillery.

destillieren* [dɛstɪ'liːrən] *vt* to distil.

desto *conj ~ mehr/besser* all the more/better; *~ wahrscheinlicher ist es, daß wir ...* that makes it all the more probable that we ...; *siehe* **je**.

destruktiv [dɛstrʊk'tiːf] *adj* destructive.

deswegen *adv* = **deshalb**.

Detail [de'tai] *nt* -s detail; (*Filmeinstellung*) close-up ▶ *ins ~ gehen* to go into detail(s); *im ~* in detail; *bis ins kleinste ~* (right) down to the smallest detail; *in allen ~s* in the greatest detail.

Detail-: ~frage *f* question of detail; **~kenntnis** *f usu pl* detailed knowledge *no pl*.

detaillieren* [deta'jiːrən] *vt* to specify.

detailliert [deta'jiːɐt] *adj* detailed.

Detektei *f* (*private*) detective agency.

Detektiv(in *f*) *m* private detective.

Detektiv-: ~büro *nt* detective agency; **~roman** *m* detective novel.

Detektor *m* (*Tech*) detector.

determinieren* *vt* to determine.

Detonation *f* explosion, blast ▶ *etw zur ~ bringen* to detonate sth.

detonieren* *vi aux sein* to explode, to go off.

Deut *m (um) keinen ~* not one iota *or* jot; *seine Ratschläge sind keinen ~ wert* his advice is not worth tuppence; *du bist keinen ~ besser* you're not one jot *or* whit better.

deutbar *adj* interpretable ▶ *nicht/schwer ~*

---

deuteln vi (geh) to quibble, to cavil ▸ *daran gibt es nichts zu ~!* there are no ifs and buts about it!

deuten 1 vt (auslegen) to interpret; *Zukunft* to read ▸ *etw falsch ~* to misinterpret sth.

2 vi a *(mit dem Finger) auf etw (acc) ~* to point (one's finger) at sth. b *(fig: hinweisen)* to indicate ▸ *alles deutet darauf, daß ...* all the indications are that ...

deutlich adj clear ▸ *~ sichtbar* clearly visible; *ich fühle ~, daß ...* I have the distinct feeling ...; *jdm etw ~ vor Augen führen* or *zu verstehen geben* to make sth perfectly clear or plain to sb; *muß ich ~er werden?* have I not made myself clear or plain enough?

Deutlichkeit f clarity ▸ *etw mit aller ~ sagen* to make sth perfectly clear or plain.

deutsch adj German ▸ *~e Schrift* Gothic script; *~er Schäferhund* Alsatian (Brit), German shepherd; *~e Gründlichkeit* etc German or Teutonic efficiency etc; *D~e Mark* deutschmark, German mark; *sich (auf) ~ unterhalten* to speak (in) German; *auf ~ heißt das ...* in German it means ...; *mit jdm ~ reden* (fig col: deutlich) to speak bluntly with sb; *auf gut ~ (gesagt)* (fig col) ≈ in plain English.

Deutsch nt no pl German ▸ *gut(es) ~ sprechen* to speak good German.

Deutsch-: *~amerikaner* m German American; *d~-amerikanisch* adj German-American; *d~-d~* adj (Hist) intra-German.

Deutsch(e) nt -en, no pl (Sprache) German ▸ *aus dem ~en/ins ~e übersetzt* translated from (the)/into German.

Deutsche Demokratische Republik f (Hist) German Democratic Republic, East Germany no art.

deutsch-|englisch adj a (Pol) Anglo-German. b (Ling) German-English.

Deutsche(r) mf decl as adj *er ist ~r* he is (a) German; *die ~n* the Germans.

Deutsch-: *d~feindlich* adj anti-German, Germanophobic; *d~-französisch* adj a (Pol) Franco-German; *der D~-Französische Krieg* the Franco-Prussian war; b (Ling) German-French; *d~freundlich* adj pro-German, Germanophile.

Deutschland nt Germany.

Deutschland-: *~frage* f (Pol) German question; *~lied* nt German national anthem; *~politik* f home or domestic policy; *(von fremdem Staat)* policy towards Germany.

Deutsch-: *~lehrer* m German teacher; *~schweiz* f *die ~schweiz* German-speaking Switzerland; *~schweizer* m German Swiss; *d~schweizerisch* adj German-Swiss; *d~sprachig* adj Bevölkerung, Gebiete German-speaking; Zeitung, Ausgabe German-language; Literatur German; *d~sprachlich* adj German(-language); *d~sprechend* ⚠ adj German-speaking; *d~stämmig* adj of German origin; *~stunde* f German lesson; *~tum* nt no pl Germanness; *~tümelei* f (pej) hyper-Germanness.

Deutung f interpretation ▸ *eine falsche ~* a misinterpretation.

Devise [de'vi:zə] f -n a (Wahlspruch) motto. b (Fin) *~n* pl foreign exchange or currency.

Devisen-: in cpds foreign exchange; *~ausgleich* m foreign exchange offset; *~bestimmungen* pl foreign exchange control regulations pl; *~börse* f foreign exchange market; *~geschäft* nt foreign exchange dealing; *~handel* m foreign currency or exchange dealings pl; *~händler(in* f) foreign exchange dealer; *~kontrolle* f exchange control; *~kurs* m exchange rate, rate of exchange; *~markt* m foreign exchange market, currency market.

devot [de'vo:t] adj (pej geh: unterwürfig) obsequious.

Dez. = **Dezember** Dec.

Dezember m - December; siehe **März.**

dezent adj discreet.

dezentral adj decentralized.

dezentralisieren* vt to decentralize.

Dezentralisierung f decentralization.

Dezernat nt (Admin) department.

Dezernent(in f) m (Admin) head of department.

Dezibel ['de:tsibɛl, -'bɛl] nt - decibel.

dezidiert adj (geh) firm, determined.

Deziliter m or nt decilitre (Brit), deciliter (US).

dezimal adj decimal.

Dezimale f -n decimal.

Dezimal-: *~rechnung* f decimals pl; *~stelle* f *auf zwei ~stellen genau* correct to two decimal places; *~system* nt decimal system; *~zahl* f decimal number.

dezimieren* (fig) 1 vt to decimate. 2 vr to be decimated.

Dezimierung f (fig) decimation.

DFB [de:ʔɛf'be:] m = **Deutscher Fußball-Bund** German Football Association.

DGB [de:geː'be:] m = **Deutscher Gewerkschaftsbund** Federation of German Trade Unions.

dgl = **dergleichen, desgleichen** the like.

d.Gr. = **der/die Große.**

d.h. = **das heißt** i.e.

Di. = **Dienstag** Tue(s).

Dia nt -s (Phot) slide, transparency.

Diabetes [dia'be:tɛs] m no pl diabetes.

Diabetiker(in f) m - diabetic.

diabetisch adj diabetic.

diabolisch adj (geh) diabolical.

Diadem nt -e diadem.

Diagnose f -n diagnosis ▸ *eine ~ stellen* to make a diagnosis.

Diagnosezentrum nt diagnostic centre.

diagnostizieren* vti (Med, fig) to diagnose.

diagonal adj diagonal ▸ *ein Buch ~ lesen* (col) to flick through a book.

Diagonale f -n diagonal.

Diagramm nt -e diagram.

Diakon m -e(n) (Eccl) deacon.

Diakonie f (Eccl) social welfare work.

Diakonisse f -n (Eccl) deaconess.

Dialekt m -e dialect.

Dialekt|ausdruck m dialect expression or word.

dialektfrei adj free from dialect.

Dialektik f (Philos) dialectics sing or pl.

dialektisch adj (Philos) dialectical.

Dialog m -e dialogue.

Dialog-: *~betrieb* m (Comp) conversation mode; *~regie* f (Film) script supervision.

Dialyse f -n (Med) dialysis.

Diamant m (wk) -en, -en diamond.

diamanten adj attr diamond.

Diamant-: *~nadel* f a diamond brooch; b (an Tonarm) diamond (stylus); *~schleifer* m diamond polisher; *~schmuck* m diamonds pl.

diametral adj *~ entgegengesetzt* (fig) diametrically opposed.

Diaphragma [dia'fragma] nt, pl **Diaphragmen** diaphragm.

Dia- (Phot): *~positiv* nt slide, transparency; *~projektor* m slide projector.

⚠ **diät** adv kochen, essen according to a diet; leben on a special diet.

Diät f -en (Med) diet ▸ *~ halten* to keep to a strict diet; *nach einer ~ leben* to be on a diet or (wegen Krankheit) special diet; *jdn auf ~ setzen* (col) to put sb on a diet.

Diät|assistent(in f) m dietician.

Diäten pl (Parl) parliamentary allowance.

⚠: Informationen zur Rechtschreibreform im Anhang

Diät-: **~kost** *f* dietary foods; **~kost bekommen** to be on a special diet; **~kur** *f* dietary *or* dietetic treatment.

Diavortrag *m* slide show.

dich ☐1 *pers pron acc of* **du** you.

☐2 *refl pron* yourself ▶ *wie fühlst du ~?* how do you feel?

dicht ☐1 *adj* ⓐ *Gefieder, Haar, Hecke* thick; *Laub, Nebel auch, Wald, Gewühl* dense; *Verkehr auch* heavy; *Gewebe* close; (*fig: konzentriert*) *Programm* full ▶ *in ~er Folge* in quick succession. ⓑ (*undurchlässig*) watertight; airtight; *Vorhänge* thick, heavy ▶ *~ machen* to seal; *~ schließen* to shut tightly; *nicht ~ sein* to leak; *er ist nicht ganz ~* (*col*) he's crackers (*col*). ⓒ (*col: zu*) shut, closed.

☐2 *adv* ⓐ (*nahe*) closely ▶ (*~ an*) *~ stehen* to stand close together; *~ gefolgt von* closely followed by. ⓑ (*sehr stark*) *bevölkert* densely; *~ behaart sein* to be very hairy. ⓒ (*mit Präpositionen*) *~ an/bei* close to; *~ dahinter/davor* right behind/in front; *~ hintereinander* right behind one another; *~ beieinander* close together.

dicht-: **~auf** *adv* closely; **~auf folgen** to follow close behind; **~behaart** ⚠ *adj attr* (very) hairy; **~besiedelt,** **~bevölkert** ⚠ *adj attr* densely populated.

Dichte *f* -n ⓐ *no pl siehe adj* (a) thickness; denseness; heaviness; closeness; fullness. ⓑ (*Phys*) density. ⓒ (*Comp*) *Diskette mit einfacher/doppelter ~* single-density/double-density diskette.

dichten¹ ☐1 *vt* to write.

☐2 *vi* to write poems.

dichten² *vt* (*undurchlässig machen*) to seal, to make watertight/airtight.

Dichter *m* - poet; (*Schriftsteller*) writer, author.

Dichterin *f* poet(ess); (*Schriftstellerin*) writer, author(ess).

dichterisch *adj* poetic; (*schriftstellerisch*) literary ▶ *~e Freiheit* poetic licence (*Brit*) *or* license (*US*).

Dichter-: **~kreis** *m* circle of poets; **~lesung** *f* reading (*by a poet/writer from his/her own works*); **~wort** *nt* -e (literary) quotation.

dicht-: **~gedrängt** ⚠ *adj attr* closely packed; **~halten** *vi sep irreg* (*col*) to keep one's mouth shut (*col*).

Dichtkunst *f* art of poetry; (*Schriftstellerei*) creative writing.

dichtmachen *vti sep* (*col*) *Laden* to shut up, to close; *Fabrik, Betrieb* to close down ▶ (*den Laden*) *~* to shut up shop.

Dichtung¹ *f* ⓐ *no pl* literature; (*in Versform*) poetry ▶ *~ und Wahrheit* (*fig*) fact and fantasy. ⓑ (*Dichtwerk*) poem, poetic work; literary work.

Dichtung² *f* (*Tech*) seal; (*in Wasserhahn etc*) washer; (*Mech*) gasket.

Dichtungsmasse *f* sealant.

dick *adj* ⓐ thick; *Mensch, Körperteil, Buch, Brieftasche* fat; *Baum, Stamm* big, thick; (*col*) *Gehalt, Rechnung, Gewinn* big, fat; (*col*) *Tränen, Geschäft, Fehler, Auto* big; *Zigarre* big fat ▶ *ein ~er Brocken* (*col*) a tough nut (to crack); *~ machen* (*Speisen*) to be fattening; *er hat es ~(e)* (*col*) (*satt*) he's had enough of it; (*viel*) he's got enough and to spare; *das ist ein ~es Lob* that's high praise; *das ist ein ~er Hund* (*col*) that's a bit much (*col*); *das ~e Ende kommt noch* (*prov*) the worst is yet to come; *eine ~e Suppe* (*col: Nebel*) a real pea-souper (*col*); *durch ~ und dünn* through thick and thin. ⓑ (*geschwollen*) swollen; *Beule* big. ⓒ (*col*) *Freundschaft, Freund* close ▶ *mit jdm ~ befreundet sein* to be thick with sb (*col*).

Dick-: **d~bauchig** *adj Vase* bulbous; **d~bäuchig** *adj Mensch* potbellied; **~darm** *m* (*Anat*) colon.

Dicke *f* -n ⓐ thickness. ⓑ (*von Menschen, Körperteilen*) fatness.

Dicke(r) *mf decl as adj* (*col*) fatty (*col*), fatso (*col*).

dick-: **~fellig** *adj* (*col*) thick-skinned; **~flüssig** *adj* thick, viscous; **~häutig** *adj* thick-skinned.

Dickicht *nt* -e thicket; (*fig*) jungle.

Dick-: **~kopf** *m* ⓐ (*Starrsinn*) obstinacy, stubbornness; *einen ~kopf haben* to be obstinate *or* stubborn; ⓑ (*Mensch*) obstinate so-and-so (*col*); **d~köpfig** *adj* (*fig*) stubborn; **d~leibig** *adj Buch* massive; *Mensch* corpulent; **d~lich** *adj* plump; **~milch** *f* (*Cook*) sour milk; **~schädel** *m* (*col*) = **~kopf**; **~wanst** *m* (*pej col*) fatso (*col*).

Didaktik *f* teaching methods *pl*.

didaktisch *adj* didactic.

die *art etc siehe* **der²**.

Dieb(in *f*) *m* -e thief ▶ *haltet den ~!* stop thief!

Diebes-: **~bande** *f* gang of thieves; **~gut** *nt* stolen goods *pl*; **d~sicher** *adj* thief-proof.

diebisch *adj* ⓐ (*lit*) *Gesindel etc* thieving *attr*. ⓑ (*col*) *Freude, Vergnügen* impish.

Diebstahl ['di:pʃta:l] *m* ¨-e theft ▶ *einfacher/schwerer ~* petty/grand larceny; *bewaffneter ~* armed robbery; *geistiger ~* plagiarism.

Diebstahl-: **d~sicher** *adj* theft-proof; **~sicherung** *f* (*Aut*) anti-theft system/device; **~versicherung** *f* insurance against theft.

diejenige *dem pron siehe* **derjenige**.

Diele *f* -n ⓐ floorboard. ⓑ (*Vorraum*) hall.

Dielenbrett *nt* floorboard.

dienen *vi* ⓐ to serve (*jdm* sb, *einer Sache* (*dat*) sth); *dem Fortschritt, der Erforschung* to aid; *dem Verständnis* to promote; (*nützlich sein*) to be of use *or* service (*jdm* to sb) ▶ *es dient einer guten Sache* it is in a good cause; *womit kann ich Ihnen ~?* what can I do for you?; (*im Geschäft auch*) can I help you?; *damit ist mir wenig gedient* that's no use *or* good to me; *als/zu etw ~* to serve as/for sth. ⓑ (*Militärdienst leisten*) to do (one's) military service.

Diener *m* - ⓐ servant. ⓑ (*col: Verbeugung*) bow.

Dienerin *f* maid.

dienern *vi* (*fig pej*) to bow and scrape (*vor* +*dat* to).

Dienerschaft *f* servants *pl*, domestic staff.

dienlich *adj* useful, helpful ▶ *jdm/einer Sache ~ sein* to help sb/sth, to be of help to sb/sth.

Dienst *m* -e ⓐ service; (*Arbeitsstelle*) position ▶ *in jds ~(en)* (*dat*) *stehen* to be in sb's service; *Oberst außer ~* retired colonel; *~ mit der Waffe* (*Mil*) armed service; *im ~(e) der Menschheit* in the service of humanity; *jdm einen schlechten ~ erweisen* to do sb a disservice; *jdm gute ~e leisten* or *tun* to serve sb well; *~ am Kunden* customer service; *etw in ~ stellen* to put sth into service; *jdm zu ~en stehen* to be at sb's disposal. ⓑ (*Berufsausübung, Amtspflicht*) duty; (*Arbeit, Arbeitszeit*) work ▶ *~ haben* (*Arzt etc*) to be on duty; (*Apotheke*) to be open; *im ~ sein* (*Angestellter etc*) to be working; *nach ~* after work; *~ tun* to serve (*bei* in, *als* as); *~ nach Vorschrift* work-to-rule.

Dienst|abteil *nt* (*Rail*) ≈ guard's compartment, conductor's car (*US*).

Dienstag *m* Tuesday ▶ *~ abend/morgen* (on) Tuesday evening/morning; *~ abends/vormittags* on Tuesday evenings/mornings; *am ~* on Tuesday; *hast du ~ Zeit?* have you time on Tuesday?; *alle ~e* every Tuesday; *eines ~s* one Tuesday; *die Nacht von ~ auf Mittwoch* the night of Tuesday to Wednesday; *den (ganzen) ~ über* all (day) Tuesday, the whole of Tuesday; *~ in acht Tagen* or *in einer Woche* a week on Tuesday, Tuesday week; *~ vor einer Woche* or *acht Tagen* a week (ago) last Tuesday.

dienstags *adv* on Tuesdays, on a Tuesday ▶ *~ abends* on Tuesday evenings.

⚠: for details of spelling reform, see supplement

Dienst-: ~**alter** nt length of service; ~**älteste(r)** mf (most) senior member of staff; ~**antritt** m assumption of one's duties; (jeden Tag) commencement of work; ~**anweisung** f instructions pl, regulations pl; **d~bar** adj **d~bare Geister** willing hands; **sich** (dat) **etw d~bar machen** to utilize sth; **d~beflissen** adj zealous; **d~bereit** adj a Apotheke open pred; Arzt on duty; b (hilfsbereit) obliging; ~**bezüge** pl salary sing; ~**bote** m servant; ~**boteneingang** m tradesmen's or service entrance; ~**eid** m oath of service; ~**eifer** m zeal; **d~eifrig** adj zealous, assiduous; **d~frei** adj free; **d~frei haben/ bekommen** to have/be given time off; ~**gebrauch** m (Mil, Admin) **nur für den ~gebrauch** for official use only; ~**geheimnis** nt official secret; ~**gespräch** nt business call; (von Beamten) official call; ~**grad** m (Mil: Rangstufe) rank; **d~habend** ⚠ adj attr Arzt, Offizier duty attr, on duty; ~**herr** m employer; ~**jahr** nt usu pl (Mil, Admin) year of service; ~**leistung** f service; ~**leistungsabend** m late opening evening; ~**leistungsbetrieb** m service industry business; ~**leistungsbranche** f service industry; ~**leistungsgewerbe** nt service industries (sector); ~**leistungssektor** m service sector; tertiary sector; **d~lich** 1 adj Angelegenheiten business attr, Schreiben, Befehl official; **d~lich werden** (col) to become businesslike; 2 adv on business; **wir haben hier d~lich zu tun** we have business here; ~**mädchen** nt maid; ~**ordnung** f (Admin) official regulations pl; (Mil) service regulations pl; **d~pflichtig** adj (esp Mil) liable for compulsory service; ~**pistole** f service gun; ~**plan** m duty rota; ~**programm** nt (Comp) utility (program); ~**rang** m grade; (Mil) rank; ~**reise** f business trip; **auf ~reise** on a business trip; ~**schluß** ⚠ m end of work; **nach ~schluß** (von Arbeiter etc) after work; ~**stelle** f (Admin) department; ~**stunden** pl working hours pl; **d~tauglich** adj (Mil) fit for service; **d~tuend** ⚠ adj Arzt duty attr, on duty; **d~unfähig** adj unfit for work; (Mil) unfit for duty; **d~untauglich** adj (Mil) unfit for service; ~**vergehen** nt breach of duty; ~**wagen** m company car; (von Beamten) official car; ~**weg** m **auf dem ~weg** through official channels; ~**wohnung** f police/ army etc house; ~**zeit** f a period of service; b (Arbeitszeit) working hours pl; (Mil) hours pl of duty; ~**zeugnis** nt testimonial.

dies dem pron inv this; pl these ▶ ~ **sind** these are; siehe **dieser**.

diesbezüglich adj (form) regarding this.

diese dem pron siehe **dieser**.

Diesel m - diesel.

dieselbe dem pron siehe **derselbe**.

Diesel-: ~**kraftstoff** m diesel fuel; ~**lok(omotive)** f diesel locomotive; ~**motor** m diesel engine; ~**öl** nt diesel oil.

dieser, diese, dies(es), pl **diese** dem pron this; (~ dort, da) that; pl these; (~ dort, da) those ▶ **diese(r, s) hier** this (one); **diese(r, s) da** that (one); **dieser ..., jener ...** the latter ..., the former ...; **dies und das, dieses und jenes** this and that; **diese Nacht** tonight; **dies alles** all this/that.

diesig adj Wetter, Luft misty, hazy.

dies-: ~**jährig** adj attr **die ~jährige Ernte** this year's harvest; ~**mal** adv this time; ~**malig** adj attr **der ~malige Preis** the price this time; ~**seitig** adj Ufer etc near(side) attr, (on) this side; ~**seits** prep +gen on this side of; **D~seits** nt no pl **das D~seits** this life.

Dietrich m -e picklock.

diffamieren* vt to defame.

diffamierend adj defamatory.

Diffamierung f defamation (of character); (Bemerkung etc) defamatory statement.

Diffamierungskampagne f smear campaign.

⚠**Differential** [-'tsia:l] nt -e (Aut: auch ~**getriebe** nt) differential (gear).

⚠**Differential-** in cpds (Tech, Math) differential; ~**rechnung** ⚠ f (Math) differential calculus.

Differenz f difference; (Abweichung) discrepancy.

Differenzbetrag m difference, balance.

differenzieren* vti to make distinctions/a distinction (zwischen +dat between, bei in); (abändern) to make changes/a change in, to modify; (den Unterschied verstehen) to differentiate (zwischen +dat between, bei in) ▶ **genau ~** to make a precise distinction.

differenziert adj subtly differentiated; (verfeinert) sophisticated; Charakter, Mensch complex.

differieren* vi to differ.

diffus adj Gedanken etc confused.

digital adj digital.

Digital- in cpds digital; ~**anzeige** f digital display; ~**aufnahme** f digital recording.

digitalisieren vt to digitize.

Digitalrechner m (Comp) digital computer.

Diktat nt a dictation ▶ **etw nach ~ schreiben** to write sth from dictation. b (fig: Gebot) dictate; (Pol auch) diktat.

Diktator m dictator.

diktatorisch adj dictatorial.

Diktatur f dictatorship.

diktieren* vt Brief, (fig) Bedingungen to dictate.

Diktiergerät nt dictating machine.

Diktion f style.

Dilemma nt -s dilemma.

Dilettant(in f) m (wk) amateur, dilettante (pej).

dilettantisch adj amateurish.

Dill m -e (Bot, Cook) dill.

Dimension f dimension.

Dimmer m - dimmer (switch).

DIN ® [dın, di:n] f no pl = **Deutsche Industrie-Norm** German Industrial Standard ▶ ~ A4 A4.

Diner [di'ne:] nt -s (form) (Mittagessen) luncheon; (Abendessen) dinner.

Ding nt -e or (col) -er thing ▶ **das ist ein ~ der Unmöglichkeit** that is totally impossible; **guter ~e sein** (geh) to be in good spirits; **jedes ~ hat zwei Seiten** (Prov) there are two sides to everything; **gut ~ will Weile haben** (Prov) it takes time to do a thing well; **vergangene/ berufliche ~e** past events/professional matters; **so wie die ~e liegen, nach Lage der ~e** as things are; **über den ~en stehen** to be above things; **vor allen ~en** above all (things), first and foremost; **es müßte nicht mit rechten ~en zugehen, wenn ...** it would be more than a little strange if ...; **das ~(s) da** (col) that thing (over) there; **das ist ein ~!** now there's a thing! (col); **da hast du dir aber ein ~ geleistet** that was quite something you got up to (col); **was macht ihr bloß für ~er?** the things you do! (col).

dingfest adj **jdn ~ machen** to arrest sb.

Dingi ['dıŋgi] nt -s dinghy.

dinglich adj material.

Dings, Dingsbums, Dingsda nt no pl (col) thingummyjig (col).

dinieren* vi (geh) to dine (form).

Dinosaurier m dinosaur.

Diode f -n diode.

Dioptrie f -n (Opt) dioptre (Brit), diopter (US).

Diözese f -n diocese.

Diphtherie [dıfte'ri:] f diphtheria.

Dipl. = Diplom Dip.

Dipl. Ing. = Diplomingenieur academically qualified engineer.

Diplom nt -e diploma ▶ **ein ~ machen** to take or do

⚠: Informationen zur Rechtschreibreform im Anhang

one's diploma.

Diplom- *in cpds* (*vor Berufsbezeichnung*) qualified; **~arbeit** *f* dissertation.

Diplomat(in *f*) *m* (*wk*) **-en, -en** diplomat.

Diplomatie *f* (*lit, fig*) diplomacy.

diplomatisch *adj* (*Pol, fig*) diplomatic.

diplomiert *adj* qualified.

dir *pers pron dat of* **du** to you; (*nach Präpositionen*) you.

direkt ① *adj* direct; *Erledigung* immediate; (*genau*) *Hinweis* plain; *Auskunft* clear ▸ *eine ~e Verbindung* (*Zug*) a through train; (*Flug*) a direct flight.
② *adv* ⓐ (*unmittelbar*) directly; (*geradewegs auch*) straight; *übertragen* live; *telefonieren* direct ▸ *~ von/nach* straight or direct from/to; *~ an/unter* directly or right by/under; ⓑ (*unverblümt*) bluntly ▸ *jdm etw ~ ins Gesicht sagen* to tell sb sth (straight) to his face; *~ fragen* to ask outright or straight out. ⓒ (*col: geradezu*) really.

Direktheit *f no pl* directness.

Direktion *f* management; (*Direktionsbüro*) manager's office.

Direktive *f* (*geh*) directive.

Direktmandat *nt* (*Pol*) direct mandate.

Direktor *m*, **Direktorin** *f* director; (*von Gefängnis*) governor, warden (*US*); (*von Hochschule*) principal; (*von Schule*) head (teacher), principal (*esp US*); (*von Firma*) company director.

Direktorat *nt* ⓐ (*Amt*) directorship; (*von Schule*) headship, principalship (*esp US*). ⓑ (*Diensträume: von Schule*) head (teacher)'s or principal's (*esp US*) study or room.

Direktorium *nt* board of directors, directorate.

Direkt-: **~übertragung** *f* (*Rad, TV*) live transmission; **~verbindung** *f* (*Rail*) through train; (*Aviat*) direct flight; **~zugriff** *m* (*Comp*) direct access; **~zugriffsspeicher** *m* (*Comp*) random access memory, RAM.

Dirigent(in *f*) *m* (*wk*) (*Mus*) conductor.

dirigieren* *vt* ⓐ (*auch vi*) (*Mus*) to conduct; (*fig*) to lead. ⓑ *Verkehr etc* to direct.

Dirndl *nt* - (*auch ~kleid*) dirndl.

Dirne *f* **-n** (*Prostituierte*) prostitute.

dis, Dis *nt* -, - (*Mus*) D sharp.

Disco *f* **-s** disco.

Discount- [dis'kaunt] *in cpds* discount; **~händler** *m* discount dealer; **~laden** *m* discount shop or store.

Disharmonie *f* (*lit, fig*) discord.

disharmonisch *adj* (*lit, fig*) discordant.

Diskant *m* **-e** (*Stimmlage*) treble; (*Gegenstimme*) descant.

Diskette *f* (floppy) disk, diskette.

Diskettenlaufwerk *nt* disk drive.

Diskjockey ['dɪskdʒɔke] *m* **-s** disc jockey, DJ.

Diskont *m* **-e** (*Fin*) discount.

Diskontsatz *m* (*Fin*) discount rate.

Diskothek *f* **-en** discotheque.

diskreditieren* *vt* (*geh*) to discredit.

Diskrepanz *f* discrepancy.

diskret *adj* discreet; *Gespräch* confidential.

Diskretion *f* discretion; (*vertrauliche Behandlung*) confidentiality ▸ *strengste ~ wahren* to preserve the strictest confidence.

diskriminieren* *vt* to discriminate against.

diskriminierend *adj* discriminatory.

Diskriminierung *f* discrimination.

Diskus *m*, *pl* **-se** or **Disken** discus.

Diskussion *f* discussion ▸ *zur ~ stehen* to be under discussion; *etw zur ~ stellen* to put sth up for discussion.

Diskussions-: **~beitrag** *m* contribution to the discussion; **~teilnehmer** *m* participant (in a discussion).

Diskus-: **~werfen** *nt no pl* throwing the discus;

~werfer(in *f*) *m* discus-thrower.

diskutabel *adj* worth discussing.

diskutieren* *vti* to discuss ▸ *über etw* (*acc*) *~* to discuss sth; *darüber läßt sich ~* that sounds like something we could talk about.

dispensieren* [dɪspɛn'ziːrən] *vt jdn* to excuse (*von* from).

Dispersionsfarbe *f* emulsion paint.

disponibel *adj* available.

disponieren* [dɪspo'niːrən] *vi* (*geh*) ⓐ (*verfügen*) *ich kann nicht über sie ~* I can't tell her what to do; *über etw* (*acc*) *(frei) ~* to do as one wishes with sth. ⓑ (*planen*) to make arrangements.

disponiert [dɪspo'niːɐt] *adj* (*geh*) *gut/schlecht ~ sein* to be in good/bad form.

Disposition [dɪspozi'tsioːn] *f* (*geh*) ⓐ (*Verfügung*) *jdm zur* or *zu jds ~ stehen* to be at sb's disposal; *jdm etw zur ~ stellen* to place sth at sb's disposal. ⓑ (*Anordnung*) arrangement ▸ *seine ~en treffen* to make (one's) arrangements.

Dispositionskredit *m* (*Fin*) overdraft facility.

Disput [dɪs'puːt] *m* **-e** (*geh*) dispute.

disqualifizieren* *vt* to disqualify.

Disqualifizierung *f* disqualification.

Dissertation *f* (*Doktorarbeit*) thesis.

Dissident(in *f*) *m* (*wk*) dissident.

dissonant *adj* dissonant.

Dissonanz *f* (*Mus*) dissonance; (*fig*) (note of) discord.

Distanz *f* distance (*auch Sport*); (*fig*) (*Abstand, Entfernung*) detachment; (*Zurückhaltung*) reserve ▸ *~ halten* or *wahren* (*lit, fig*) to keep one's distance; *auf ~ gehen* (*fig*) to become distant.

distanzieren* ① *vr sich von jdm/etw ~* to dissociate oneself from sb/sth. ② *vt* (*Sport*) to outdistance.

distanziert *adj Verhalten* distant.

Distel *f* **-n** thistle.

distinguiert [dɪstɪŋ'giːɐt] *adj* (*geh*) distinguished.

Distrikt *m* **-e** district.

Disziplin *f* **-en** discipline (*auch Sport*).

disziplinarisch *adj* disciplinary ▸ *jdn ~ bestrafen* to take disciplinary action against sb.

Disziplinar-: **~strafe** *f* punishment; *eine ~strafe bekommen* to be disciplined; **~verfahren** *nt* disciplinary proceedings *pl*.

disziplinieren* *vt* to discipline.

Disziplin-: **d~los** ① *adj* undisciplined; ② *adv* in an undisciplined manner; **~losigkeit** *f* lack *no pl* of discipline.

dito *adv* (*Comm, hum*) ditto.

Diva ['diːva] *f* **-s** star; (*Film*) screen goddess.

divergieren* [dɪvɛr'giːrən] *vi* to diverge.

divers [di'vɛrs] *adj attr* various ▸ *„D~es"* "miscellaneous".

Diversifikation *f* diversification.

diversifizieren* *vt* to diversify.

Dividende [divi'dɛndə] *f* **-n** (*Fin*) dividend.

dividieren* [divi'diːrən] *vti* to divide (*durch* by).

Division [divi'zioːn] *f* (*Math, Mil*) division.

Diwan *m* **-e** divan.

d.J. = ⓐ *der Jüngere.* ⓑ *dieses Jahres* of this year.

DJH [deːjɔt'haː] *nt* = **Deutsches Jugendherbergswerk** German Youth Hostel Association.

DKP [deːkaː'peː] *f* = **Deutsche Kommunistische Partei.**

dl = **Deziliter** dl.

DM ['deː|'ɛm] *no art* - = **Deutsche Mark.**

d.M. = **dieses Monats.**

dm = **Dezimeter** dm.

D-Mark ['deːmark] *f* - deutschmark, German mark.

DNS [deː|ɛn|'ɛs] *f* = **Desoxyribonukleinsäure** DNA.

⚠: for details of spelling reform, see supplement

Do. = **Donnerstag** Thurs.

Dobermann m, pl -**männer** Doberman (pinscher).

doch [1] conj (aber, allein) but; (jedoch, trotzdem) but still, yet ► **und ~ hat er es getan** but he still did it, but still he did it.

[2] adv [a] (betont: dennoch) after all; (trotzdem, sowieso) anyway ► **jetzt ist er ~ nicht gekommen** now he hasn't come after all; **du weißt es ja ~ besser** you know better than I do anyway; **und ~, ...** and yet ...

[b] (betont: tatsächlich) really ► **also ~!** so it is/so he did! etc; **er hat es gestohlen — also ~!** he stole it — so it was him!; **es ist ~ so, wie ich vermutet hatte** so it (really) is as I thought; **das ist er ~!** (why,) that is him!

[c] (als bejahende Antwort) yes I do/it does etc ► **hat es dir nicht gefallen? — (~,) ~!** didn't you like it? — (oh) yes I did!

[d] (auffordernd) nicht übersetzt, aber emphatisches „do" wird oft gebraucht ► **komm ~** do come; **seid ~ endlich still!** do keep quiet!, keep quiet, can't you?; **laß ihn ~!** just leave him!; **nicht ~!** don't (do that)!

[e] **sie ist ~ noch so jung** but she's still so young; **das ist ~ wohl nicht wahr?** that's not true, is it?; **du hast ~ nicht etwa ...?** you haven't ..., have you?, surely you haven't ...(, have you)?; **es war ~ ganz interessant** it was really or actually quite interesting; **Sie wissen ~, wie das so ist** (well,) you know how it is, don't you?; **wenn ~** if only.

Docht m -e wick.

Dock nt -s dock.

docken* vti to dock.

Docker m - docker.

Dogge f -n mastiff ► **deutsche ~** great Dane.

Dogma nt, pl **Dogmen** dogma.

dogmatisch adj (Rel, fig) dogmatic.

Dohle f -n (Orn) jackdaw.

Doktor m (auch col: Arzt) doctor ► **den ~ machen** (col) to do a doctorate or PhD.

Doktorand(in f) m (wk) -en, -en PhD student.

Doktor-: ~**arbeit** f doctoral or PhD thesis; ~**grad** m doctorate, PhD; ~**hut** m (fig) doctorate.

Doktorin f doctor.

Doktor-: ~**prüfung** f examination for a/one's doctorate; ~**titel** m doctorate; ~**vater** m supervisor; ~**würde** f doctorate.

Doktrin f -en doctrine.

doktrinär adj doctrinal; (pej: stur) doctrinaire.

Dokument nt document; (fig: Zeugnis) record.

Dokumentar- in cpds documentary; ~**film** m documentary (film).

dokumentarisch [1] adj documentary.

[2] adv **etw ~ belegen/festhalten** to provide documentary evidence for or of sth/to document sth.

Dokumentarspiel nt docudrama.

Dokumentation f documentation.

Dokumententratte f documentary bill of exchange.

dokumentieren* vt to document; (fig: zu erkennen geben) to reveal, to show.

Dolch m -e dagger; (col: Messer) knife.

Dolchstoß (esp fig) m stab (auch fig) ► **ein ~ (von hinten)** (fig) a stab in the back.

Dollar m -s dollar.

Dollbord nt (Naut) gunwale.

Dolle f - (Naut) rowlock, oarlock (US).

dolmetschen vti to interpret.

Dolmetscher(in f) m - interpreter.

Dolmetscherschule f school of interpreting.

Dolomiten pl (Geog) **die ~** the Dolomites pl.

Dom m -e cathedral.

Domäne f -n (fig) domain, province.

domestizieren* vt to domesticate.

dominant adj dominant (auch Biol), dominating.

Dominante f -n [a] (Mus) dominant. [b] (wichtigster Faktor) dominant or dominating feature.

Dominanz f (Biol, Psych) dominance.

dominieren* [1] vi (vorherrschen) to predominate; (Mensch) to dominate.

[2] vt to dominate.

dominierend adj dominating, dominant.

Dominikaner(in f) m - (Eccl, Geog) Dominican.

dominikanisch adj (Eccl, Geog) Dominican ► **die D~e Republik** the Dominican Republic.

Domino nt -s (Spiel) dominoes sing.

Domino-: ~**spiel** nt dominoes sing; ~**stein** m [a] domino; [b] square chocolate containing layers of marzipan, gingerbread and jelly.

Domizil nt -e (geh, hum) domicile (form).

Dompfaff m (Orn) bullfinch.

Dompteur [dɔmp'tøːɐ] m, **Dompteuse** [-'tøːzə] f trainer; (von Raubtieren) tamer.

Donau f **die ~** the Danube.

Döner(Kebab) m -(s), -, **Dönerkebab** m doner kebab.

Donner m (lit, fig) thunder no indef art, no pl; (~schlag) clap of thunder ► **wie vom ~ gerührt** (fig col) thunderstruck.

donnern [1] vi impers to thunder ► **es donnerte in der Ferne** there was (the sound of) thunder in the distance.

[2] vi aux haben or (bei Bewegung) sein to thunder ► **gegen etw ~** (schlagen) to hammer on sth; (schimpfen) to inveigh or vituperate against sth.

[3] vt (col: schleudern, schlagen) to slam, to crash.

donnernd adj (fig) Beifall thunderous.

Donnerschlag m clap of thunder, thunderclap ► **die Nachricht traf mich wie ein ~** the news left me thunderstruck.

Donnerstag m Thursday; siehe **Dienstag**.

donnerstags adv on Thursdays.

Donner-: ~**stimme** f thunderous voice; ~**wetter** nt (fig col: Schelte) row; ~**wetter!** (col) (anerkennend) my word!; (zornig) blast (it)! (col).

doof adj (col) stupid, daft (col); Mensch auch thick (col).

Doofi m -s (col) thickie, dumbo (col).

dopen (Sport) [1] vt to dope.

[2] vir to take drugs.

Doping nt -s (Sport) doping.

Dopingkontrolle f (Sport) dope check.

Doppel nt - [a] (Duplikat) duplicate (copy) (gen, zu of). [b] (Tennis etc) doubles sing.

Doppel- in cpds double; ~**agent** m double agent; ~**band** m (von doppeltem Umfang) double-sized volume; (zwei Bände) two volumes pl; ~**belastung** f double burden (gen on); steuerliche ~**belastung** double taxation; ~**beschluß** ⚠ m (Pol) two-track or twin-track decision; ~**bett** nt double bed; (zwei Betten) twin beds pl; **d~bödig** adj Koffer etc double-bottomed, false-bottomed; (d~deutig) ambiguous; ~**decker** m - [a] (Aviat) biplane; [b] (Bus) double-decker (bus); **d~deutig** adj ambiguous; ~**deutigkeit** f ambiguity; ~**fenster** nt double window; (~verglasung) double glazing; ~**gänger(in** f) m - double, doppelgänger (esp Liter); **ein ~gänger von Boris Becker** a Boris Becker lookalike; ~**haus** nt semi-detached house, semi (Brit col), duplex (house) (US); **er bewohnt eine Hälfte eines ~hauses** he lives in a semi(-detached house); ~**haushälfte** f semi-detached house; ~**kinn** nt double chin; ~**korn** m type of schnaps; **d~läufig** adj double-barrelled; ~**moral** f double standards pl; ~**name** m (Nachname) double-barrelled name; ~**paß** ⚠ m (Ftbl) one-two; ~**punkt** m colon; ~**rolle** f (Theat, fig) dual role; ~**seite** f double-page spread; **d~seitig** adj double-sided; Lungenentzündung double; *d~seitige Anzeige* double page spread; **~sinn** *m* double meaning; **d~sinnig** *adj* ambiguous; **~spiel** *nt* [a] (*Tennis*) doubles *sing*; [b] (*fig*) double game; **~stecker** *m* two-way adaptor; **d~stöckig** *adj Haus* two-storey; **~strategie** *f* dual strategy; **~stunde** *f* (*Sch*) double period.

doppelt [1] *adj* double; (*verstärkt*) *Enthusiasmus* redoubled; (*mit zwei identischen Teilen*) twin *attr*; (*zweimal soviel*) twice; (*Comm*) *Buchführung* double-entry; *Staatsbürgerschaft* dual ▶ *die ~e Freude/Menge* double *or* twice the pleasure/amount; **~er Boden** false *or* double bottom; **~e Moral** double standards *pl*; *in ~er Hinsicht* in two respects; *ein ~es Spiel treiben* to play a double game.
[2] *adv sehen, zählen* double; (*zweimal*) twice; (*direkt vor Adjektiv*) doubly ▶ *~ so schön/soviel etc* twice as nice/much *etc*; *sie ist ~ so alt wie ich* she is twice as old as I am; *die Karte habe ich ~* I have two of these cards; *~ gemoppelt* (*col*) saying the same thing twice over; *sich ~ in acht nehmen* to be doubly careful; *~ genäht hält besser* (*prov*) better safe than sorry (*prov*).

Doppelte(r) *m decl as adj* (*col*) double.

Doppelte(s) *nt decl as adj* double ▶ *das ~ bezahlen* to pay twice as much; *etw um das ~ erhöhen* to double sth.

Doppel-: **~verdiener** *m sie sind ~verdiener* they have two incomes; **~verglasung** *f* double glazing; **~zentner** *m* 100 kilos; **~zimmer** *nt* double room; **d~züngig** *adj* two-faced; *d~züngig reden* to say one thing and mean another; **~züngigkeit** *f no pl* two-facedness.

Dorado *nt* -s (*fig*) eldorado.

Dorf *nt* ̈er village; (*fig*) backwater ▶ *das Leben auf dem ~e* village life.

Dorf- *in cpds* village; **~bewohner** *m* villager; **~jugend** *f* young people *pl* of the village; **~krug** *m* village inn *or* pub (*Brit*).

dörflich *adj* village *attr*; (*ländlich*) rustic, rural.

Dorn *m* -en [a] (*Bot, fig*) thorn ▶ *das ist mir ein ~ im Auge* (*fig*) it's a thorn in my flesh; (*Anblick*) I find it an eyesore. [b] *pl* -e (*Sport*) spike; (*von Schnalle*) tongue; (*Tech: Werkzeug*) awl.

Dornbusch *m* briar, thornbush.

Dornen-: **~hecke** *f* thorn(y) hedge; **~krone** *f* (*Bibl*) crown of thorns; **d~reich** *adj* thorny.

dornig *adj* thorny.

Dorn-: **~röschen** *nt* Sleeping Beauty; **~röschenschlaf** *f* (*fig*) slumber; *aus seinem ~röschenschlaf erwachen* to awake from one's slumbers.

dörren [1] *vt* to dry.
[2] *vi aux sein* to dry; (*austrocknen*) to dry up.

Dörr-: **~fleisch** *nt* dried meat; **~obst** *nt* dried fruit; **~pflaume** *f* prune.

Dorsch *m* -e *type of cod*.

dort *adv* there; *siehe* **da 1 (a)**.

dort-: **~her** *adv von ~her* from there; **~hin** *adv* there; *bis ~hin* as far as there; **~hinauf** *adv* up there; **~hinaus** *adv* out there; *frech bis ~hinaus* (*col*) insolent in the extreme; *das ärgert mich bis ~hinaus* (*col*) that really gets me (*col*); **~hinein** *adv* in there; **~hinunter** *adv* down there.

dortig *adj die ~en Behörden* the authorities there.

Dose *f* -n [a] (*Blech~*) tin; (*Konserven~*) can, tin (*Brit*); (*Bier~*) can; (*esp aus Holz*) box; (*mit Deckel*) jar; (*Pillen~, für Schmuck*) box; (*Zucker~*) bowl ▶ *in ~n* (*Konserven*) canned, tinned (*Brit*). [b] (*Elec*) socket.

dösen *vi* (*col*) to doze.

Dosen- *in cpds* canned, tinned (*Brit*); **~bier** *nt* canned beer; **~milch** *f* evaporated milk; **~öffner** *m* can-opener, tin-opener (*Brit*).

dosieren* *vt* (*lit, fig*) to measure out.

Dosierung *f* (*Dosis*) dosage, dose.

dösig *adj* (*col*) dozy (*col*).

Dosis *f, pl* **Dosen** (*lit, fig*) dose.

Dossier [dɔ'sie:] *nt* **-s** dossier.

dotieren* *vt Posten* to remunerate; *Preis* to endow.

Dotierung *f* endowment; (*von Posten*) remuneration.

Dotter *m or nt* - yolk.

doubeln ['du:bln] [1] *vt jdn* to stand in for; *Szene* to shoot with a stand-in ▶ *ein Stuntman hat die Szene für ihn gedoubelt* a stuntman doubled for him in the scene.
[2] *vi* to stand in; (*als Double arbeiten*) to work as a stand-in.

Double ['du:bl] *nt* **-s** (*Film etc*) stand-in.

down [daʊn] *adj pred* (*col*) *~ sein* to be down.

Dozent(in *f*) *m* (*wk*) lecturer (*für* in), (assistant) professor (*US*) (*für* of).

Dozentur *f* lectureship (*für* in), (assistant) professorship (*US*) (*für* of).

dozieren* *vi* (*Univ*) to lecture (*über* +acc on, *an* +dat at); (*pej auch*) to pontificate (*über* +acc about).

dpa ['de:pe:'|a:] *f* = **Deutsche Presse-Agentur**.

Dr. ['dɔktɔr] = **Doktor** ▶ *Dr.rer.nat./rer.pol./phil.* PhD; *Dr. theol./jur.* DD/LLD; *Dr. med.* M.D.

Drache *m* (*wk*) **-n, -n** (*Myth*) dragon.

Drachen *m* - [a] (*Papier~*) kite; (*Sport: Fluggerät*) hang-glider ▶ *einen ~ steigen lassen* to fly a kite. [b] (*pej col: zänkisches Weib*) dragon (*col*).

Drachen-: **~fliegen** *nt* (*Sport*) hang-gliding; **~flieger** *m* (*Sport*) hang-glider.

Dragée [dra'ʒe:] *nt* **-s** [a] (*Bonbon*) sugar-coated chocolate sweet. [b] (*Pharm*) dragee, sugar-coated pill.

Dragoner *m* - (*Hist*) dragoon; (*pej: Frau*) battleaxe, dragon.

Draht *m* ̈e wire ▶ *auf ~ sein* (*col*) to be on the ball (*col*); *du bist wohl heute nicht ganz auf ~* (*col*) you're not quite with it today (*col*).

Draht- *in cpds* wire; **~bürste** *f* wire brush; **~esel** *m* (*hum*) trusty bicycle; **~gitter** *nt* wire netting; **~haardackel** *m* wire-haired dachshund; **d~haarig** *adj* wire-haired.

drahtig *adj Haar, Mensch* wiry.

Draht-: **d~los** *adj Telegrafie* wireless; *Telefon, Nachrichtenübermittlung* cordless; **~schere** *f* wire cutters *pl*.

Drahtseil *nt* wire rope, cable ▶ *Nerven wie ~e* (*col*) nerves of steel.

Drahtseil-: **~akt** *m* (*lit, fig*) balancing act; **~bahn** *f* cable railway; **~künstler** *m* (*Seiltänzer*) tightrope walker.

Draht-: **~verhau** *m or nt* wire entanglement; **~zaun** *m* wire fence; **~zieher(in** *f*) *m* (*fig*) wire-puller.

drakonisch *adj* draconian.

drall *adj Mädchen, Arme* strapping, sturdy.

Drall *m* -e [a] (*von Kugel, Ball*) spin; (*Abweichung von Bahn*) swerve; (*col: von Auto*) pull ▶ *einen ~ nach links haben* (*Auto*) to pull to the left. [b] (*fig: Hang*) tendency.

Drama *nt, pl* **Dramen** (*lit, fig*) drama.

Dramatik *f* (*lit, fig*) drama.

Dramatiker(in *f*) *m* - dramatist.

dramatisch *adj* (*lit, fig*) dramatic.

dramatisieren* *vt* (*lit, fig*) to dramatize.

Dramaturg(in *f*) *m* (*wk*) **-en, -en** artistic director; (*TV*) drama producer.

dramaturgisch *adj* dramatic; *Abteilung* drama *attr*.

dran *adv* (*col*) [a] (*an der Reihe*) *jetzt bist du ~* it's your turn now; *(wenn er erwischt wird,) dann ist er ~* (if he gets caught) he'll be for it (*col*). [b] *schlecht ~ sein* to be in a bad way; *gut ~ sein* to be well-off; *früh/spät ~ sein* to be early/late. [c] *an ihm ist nichts ~* he doesn't have much going for him; *was ist an ihm ~, daß ...?*

---

what is there about him that ...?; **da ist alles ~!** that's got everything; **da wird schon etwas (Wahres) ~ sein** there must be something in that; **ich weiß nicht, wie ich (bei ihm) ~ bin** I don't know where I stand (with him).

dr̠anbleiben vi sep irreg aux sein (col) to stay close; (am Apparat) to hang on ▸ **am Gegner ~** to stick to one's opponent.

Dr̠ang m ̈e (Antrieb) urge (auch Physiol); (Sehnsucht) yearning (nach for) ▸ **~ nach Wissen** thirst for knowledge.

dr̠ang pret of **dringen**.

dr̠angeben vt sep irreg (col: opfern) to give up ▸ **sein Leben für etw ~** to give one's life for sth.

dr̠angehen vi sep irreg aux sein (col) [a] (berühren etc) to touch (an etw (acc) sth). [b] (in Angriff nehmen) **~, etw zu tun** to get down to doing sth.

Dr̠ängel̠ei f (col) pushing, jostling.

dr̠ängeln (col) [1] vi to push, to jostle.
[2] vr **sich nach vorne ~** to push one's way to the front.

dr̠ängen [1] vi [a] (in Menge) to push. [b] (fordern) to press (auf +acc for) ▸ **auf Antwort ~** to press for an answer; **er drängte zur Eile** he urged us/them etc to hurry. [c] **die Zeit drängt** time presses.
[2] vt [a] (drücken, schieben) to push. [b] (auffordern) to press.
[3] vr (Menge) to throng; (fig: Termine etc) to mount up ▸ **sich nach vorn ~** to push or force one's way to the front; siehe **gedrängt**.

Dr̠ängen nt no pl urging; (Bitten) requests pl; (Bestehen) insistence.

dr̠ängend adj pressing, urgent.

drangsali̠eren* vt to pester, to plague.

dr̠anhalten vr sep irreg (col: sich beeilen) to get a move on (col).

dr̠anhängen sep (col) [1] vt **viel Zeit** etc **~, etw zu tun** to put a lot of time etc into doing sth.
[2] vr (verfolgen) to stay close behind.

dr̠ankommen vi sep irreg aux sein (col: an die Reihe kommen) to have one's turn; (Sch: beim Melden) to be called; (Frage, Aufgabe etc) to come up ▸ **jetzt kommst du dran** now it's your turn.

dr̠ankriegen vt sep (col) **jdn ~** to get sb (col); (zu einer Arbeit) to get sb to do sth/it.

dr̠anmachen sep (col) [1] vr = **daranmachen**.
[2] vt **etw (an etw acc) ~** to put sth on (sth).

dr̠annehmen vt sep irreg (col) Schüler to ask.

dr̠ansetzen vtr sep (col) = **daransetzen**.

drapi̠eren* vt to drape.

dr̠astisch adj drastic; (deutlich) graphic.

drauf adv (col) siehe auch **darauf** ▸ **~ und dran sein, etw zu tun** to be on the point of doing sth; **etw ~ haben** (col) (können) to be able to do sth just like that (col); Kenntnisse to be well up on sth (col); Witze, Sprüche to have sth off pat (col); **160 Sachen ~ haben** (col) to be doing 100.

Drauf-: **~gänger** m go-getter; **d~gängerisch** adj go-getting; (negativ) reckless; **d~geben** vt irreg sep [a] jdm **eins d~geben** (col) to give sb a smack; [b] (dazugeben) **noch etwas d~geben** to add some extra (col); **d~gehen** vi sep irreg aux sein (col); (verbraucht werden) to be used up; (kaputtgehen) to be smashed up; (sterben) to bite the dust (col); **dabei gehen mindestens zwei Tage d~** that'll take at least two days; **d~haben** vt sep irreg (col) Sprüche, Antwort to come out with; **zeigen, was man d~hat** to show what one is made of; **d~halten** vt sep irreg (als Ziel) to aim for it; **d~kommen** vi sep irreg aux sein (col) (sich erinnern) to remember; (begreifen) to catch on, to get it (col); jdm **d~kommen** to get on to sb (col); **d~kriegen** vt sep

(col) **etw (auf etw acc) d~kriegen** to get or fit sth on (to sth); **eins d~kriegen** to catch it (col); **d~legen** vti sep (col) **20 Mark d~legen** to lay out an extra 20 marks.

drauflos adv **immer feste ~!** (just) keep at it!

drauflos̠-: **~arbeiten** vi sep (col) to work away, to beaver away (col); **~gehen** vi sep irreg aux sein (col: auf ein Ziel) to make straight for it; **~reden** vi sep (col) to talk away; (anfangen) to start talking.

drauf-: **~machen** vt sep (col) **einen ~machen** to make a night of it (col); **~sein** ⚠ vi sep irreg aux sein (col) **schlecht/gut ~sein** to be in a bad/good mood; **D~sicht** f view from above; **~stehen** vi sep irreg (col) **auf etw** (dat) **~stehen** to stand on sth; (Aufschrift) to be on sth; **~zahlen** sep (col) [a] vti = **~legen**; [b] vi (fig: Einbußen erleiden) to pay the price.

draus adv = **daraus**.

dr̠außen adv outside; (im Freien auch) outdoors; (da ~, weit weg von hier) out there ▸ **auf dem Lande/im Garten** out in the country/garden; **hier ~** out here; **nach ~** outside; **weit ~** far out.

dr̠echseln vt to turn (on a wood lathe).

Drechsler(in f) m - (wood) turner.

Dr̠eck m no pl [a] dirt; (Schlamm) mud; (Kot) muck; (fig) (Schund) rubbish; (Schmutz, Obszönes) dirt, filth ▸ **~ machen** to make a mess; **mit ~ und Speck** (ungewaschen) unwashed; **im ~ sitzen** (col) to be in a mess or jam (col); **aus dem größten ~ heraus sein** (col) to be past the worst; **jdn wie den letzten ~ behandeln** (col) to treat sb like dirt; **der letzte ~ sein** (pej col: Mensch) to be the lowest of the low; **~ am Stecken haben** (fig) to have a skeleton in the cupboard; **etw in den ~ ziehen** (fig) to drag sth through the mud. [b] (col) (Kram) business, stuff (col); (Kleinigkeit) little thing ▸ **sich einen ~ um jdn/etw kümmern** not to give a damn about sb/sth (col); **mach deinen ~ alleine!** do it yourself; **das geht ihn einen ~ an** that's none of his business.

Dr̠eck|arbeit f (col) [a] (lit, fig) dirty work. [b] (pej: niedere Arbeit) donkey work.

dr̠eckig adj (lit, fig) dirty; (stärker) filthy ▸ **~ lachen** to give a dirty laugh; **es geht mir ~** (col) I'm having a dreadful time.

Dr̠eck-: **~loch** nt (pej) hole (col); **~pfoten** pl (col) (lit, fig) dirty paws pl; **~sack** m (pej col) dirty thing (col); **~sau** f (col!) filthy swine (col!); **~schleuder** f (pej) (Mensch) foul-mouthed person; (Kraftwerk, Auto) pollution-belcher; **~schwein** nt (col) dirty pig (col!).

Dr̠eckskerl m (col!) dirty swine (col!).

Dr̠eckspatz m (col: Kind) mucky pup (col).

Dr̠eck(s)zeug nt (col) damn stuff (col) ▸ **das ist doch ein ~** damn this stuff (col).

Dr̠eh m -s or -e (List) dodge; (Kunstgriff) trick ▸ **den ~ heraushaben** to have got the hang of it; **so um den ~** (col) or thereabouts.

Dr̠eh-: **~arbeiten** pl (Film) shooting sing; **~bank** f lathe; **d~bar** adj rotating, revolving attr; **d~bar sein** to rotate or revolve; **~beginn** m (Film) start of shooting; **~bleistift** m propelling (Brit) or mechanical (US) pencil; **~brücke** f swing bridge; **~buch** nt (Film) screenplay, (film) script; **~buchautor** m scriptwriter, screenplay writer; **~bühne** f revolving stage.

dr̠ehen [1] vt to turn (auch Tech: auf Drehbank); (um eine Achse auch) to rotate, to revolve; Kreisel to spin; Zigaretten to roll; Film to shoot; (fig: verdrehen) to twist; (col: schaffen) to fix (col) ▸ **das Gas hoch/auf klein ~** to turn the gas up high/down low; **Fleisch durch den Wolf ~** to put meat through the mincer; **ein Ding ~** (col) to play a prank; (Verbrecher) to pull a job (col); **wie man es auch dreht und wendet** no matter how you look at it.

boxed2 *vi* to turn; (*Wind*) to shift, to change; (*Film*) to shoot, to film; (*Zigaretten* ~) to roll one's own ▶ **am Radio ~** to keep turning the tuning knob on the radio.

boxed3 *vr* boxeda (*lit*) to turn (*um* about); (*um Achse auch*) to rotate, to revolve; (*Kreisel*) to spin; (*Wind*) to shift, to change ▶ **sich um sich (selbst) ~** to revolve on its own axis; **mir dreht sich alles im Kopf** my head is spinning; **sich ~ und winden** (*fig*) to twist and turn. boxedb (*fig*) **sich um etw ~** (*betreffen*) to concern sth, to be about sth; (*um zentrale Frage*) to centre (*Brit*) *or* center (*US*) on sth; **alles dreht sich um sie** she's the focus of attention; **es dreht sich darum, daß ...** the point is that ...

Dreher(in) *f*/ *m* - lathe operator.

Dreh-: **~gelenk** *nt* swivel; **~knopf** *m* knob; **~kran** *m* revolving crane; **~kreuz** *nt* turnstile; **~moment** *nt* torque; **~orgel** *f* barrel-organ; **~orgelspieler** *m* organgrinder; **~ort** *m* (*Film*) location; **~punkt** *m* pivot; **~restaurant** *nt* revolving restaurant; **~scheibe** *f* boxeda (*Rail*) turntable; boxedb (*Töpferscheibe*) potter's wheel; **~stuhl** *m* swivel-chair; **~tür** *f* revolving door.

Drehung *f* turn; (*um eigene Achse auch*) rotation, revolution ▶ **eine ~ um 180°** a 180° turn; **80 ~en pro Minute** 80 revolutions per minute.

Drehwurm *m* (*col*): **einen ~ kriegen/haben** to get/be giddy.

Drehzahl *f* number of revolutions *or* (*col*) revs ▶ **bei hohen ~en** at high revolution *or* high revs (*col*).

Drehzahlmesser *m* rev counter (*col*).

drei *num* three ▶ **aller guten Dinge sind ~!** (*prov*) all good things/all disasters come in threes!; (*nach zwei mißglückten Versuchen*) third time lucky!; **sie sieht aus, als ob sie nicht bis ~ zählen könnte** (*col*) she looks as thick as two planks (*col*); *siehe* **vier.**

Drei *f* -en three; (*Sch*) ≈ C; *siehe* **Vier.**

Drei-D- [draiˈdeː] *in cpds* 3-D.

dreidimensional *adj* three-dimensional.

Drei|eck *nt* -e triangle.

drei|eckig *adj* triangular.

Drei|ecks-: **~tuch** *nt* triangular shawl; (*Med*) triangular bandage; **~verhältnis** *nt* eternal triangle.

Drei|einigkeit *f* Trinity.

Dreier-, dreier- *in cpds siehe* **Vierer-, vierer-.**

dreifach boxed1 *adj* triple ▶ **die ~e Menge** three times *or* triple *or* treble the amount; **ein ~es Hoch!** three cheers! boxed2 *adv* three times ▶ **~ abgesichert** trebly secure; *siehe* **vierfach.**

Dreifache(s) *nt decl as adj* **das ~** triple *or* treble the amount, three times as much; **etw um das ~ vermehren** to multiply sth by three.

Dreifachstecker *m* three-way adapter.

Drei-: **~fuß** *m* tripod; (*Schemel*) three-legged stool; **~gangrad** *nt* three-speed bike; **~gangschaltung** *f* three-speed gear; **d~hundert** *num* three hundred; **~käsehoch** *m* -s (*col*) tiny tot (*col*); **~klang** *m* triad; **~königstag** *m* feast of Epiphany; **d~mal** *adv* three times; *siehe* **viermal; ~meilenzone** *f* three-mile zone.

drein-: **~blicken** *vi sep* (*col*) traurig *etc* **~blicken** to look sad *etc*; **~reden** *vi sep* (*col*) (*dazwischenreden*) to interrupt; (*sich einmischen*) to interfere (*bei* in, with); **ich lasse mir da von niemandem ~reden** I won't have anyone interfering (with this); **~schauen** *vi sep* = **~blicken.**

Drei-: **d~polig** *adj* Kabel three-core; Steckdose, Stecker three-pin; **~punktgurt** *m* (*Aut*) lap and diagonal seatbelt; **~rad** *nt* tricycle; **~satz** *m* (*Math*) rule of three; **~springer** *m* triple-jumper; **~sprung** *m* triple jump, hop, step and jump.

dreißig *num* thirty; *siehe auch* **vierzig.**

dreißig- *in cpds siehe auch* **vierzig-; ~jährig** *adj* der **~jährige Krieg** the Thirty Years' War.

dreist *adj* bold, audacious.

Dreistigkeit *f* boxeda *no pl* boldness, audacity. boxedb (*Handlung*) bold *or* audacious act.

dreiteilig *adj* Kostüm *etc* three-piece *attr*.

△**dreiviertel** [ˈdraiˈfɪrtl] *siehe auch* **viertel** boxed1 *adj* threequarter ▶ **eine ~ Stunde** three quarters of an hour. boxed2 *adv* threequarters.

Dreiviertel-: **d~lang** *adj* three-quarter length; **~literflasche** *f* three-quarter litre (*Brit*) *or* liter (*US*) bottle; **~mehrheit** *f* three-quarters majority; **~stunde** *f* three quarters of an hour *no indef art*; **~takt** *m* **im ~takt** in three-four time.

Dreiweg- *in cpds* (*Tech, Elec*) three-way; **~stecker** *m* three-way adapter.

drei-: **~wöchentlich** boxed1 *adj attr* three-weekly; boxed2 *adv* every three weeks; **~wöchig** *adj attr* three-week; **~zehn** *adj num* thirteen; **jetzt schlägt's aber ~zehn** (*col*) that's a bit much; *siehe* **vierzehn.**

Dresche *f no pl* (*col*) **~ kriegen** to get a thrashing.

dreschen *pret* **drosch,** *ptp* **gedroschen** boxed1 *vt* boxeda Korn to thresh ▶ **Skat ~** (*col*) to play skat. boxedb (*col: prügeln*) to thrash. boxed2 *vr* (*col: sich prügeln*) to have a fight.

Dresch-: **~flegel** *m* flail; **~maschine** *f* threshing machine.

Dresden *nt* Dresden.

△**Dreß** *m* -sse (*Sport*) (sports) kit; (*einer Fußballmannschaft*) strip (*Brit*).

Dresseur [-ˈsøːɐ] *m* trainer.

dressieren* *vt* boxeda to train ▶ **zu etw dressiert sein** to be trained *etc* to do sth. boxedb Geflügel to dress.

Dressman [ˈdrɛsmən] *m, pl* **Dressmen** male model.

Dressur *f* training; (*für ~reiten*) dressage.

dribbeln *vi* to dribble ▶ **mit dem Ball ~** to dribble the ball.

Dribbling *nt* -s dribbling ▶ **ein ~** a piece of dribbling.

Drift *f* -en (*Naut*) drift.

driften *vi aux sein* (*Naut, fig*) to drift.

Drill *m no pl* (*Mil, fig*) drill; (*Sch auch*) drills *pl*.

drillen *vti* to drill ▶ **auf etw** (*acc*) **gedrillt sein** (*fig col*) to be practised at doing sth.

Drillich *m* -e (*Tex*) drill.

Drilling *m* boxeda triplet. boxedb (*Jagdgewehr*) triple-barrelled shotgun.

drin *adv* (*col*) *siehe auch* **darin, drinnen** boxeda in it ▶ **er/es ist da ~** he/it is in there; **in der Flasche ist noch etwas ~** there's still something in the bottle. boxedb (*col*) **bei ihm ist alles ~** anything's possible with him; **bis jetzt ist noch alles ~** everything is still quite open; **das ist doch nicht ~** (*geht nicht*) that's not on (*col*).

dringen *pret* **drang,** *ptp* **gedrungen** *vi* boxeda *aux sein* (*durch etw*) **~** to penetrate (sth); **an die Öffentlichkeit ~** to leak *or* get out. boxedb (*geh*) *aux sein* **in jdn ~** to press *or* urge sb; **mit Bitten/Fragen in jdn ~** to ply *or* press sb with requests/questions. boxedc **auf etw** (*acc*) **~** to insist on sth.

dringend *adj* (*eilig, wichtig*) urgent, pressing; (*nachdrücklich, zwingend*) strong; Gründe compelling ▶ **ein ~er Fall** (*Med*) an emergency; **~ verdächtig** strongly suspected; **~ empfehlen** to recommend strongly.

dringlich *adj* urgent, pressing.

Dringlichkeit *f* urgency.

Dringlichkeits-: **~antrag** *m* (*Parl*) emergency motion; **~stufe** *f* priority; **~stufe 1** top priority.

drinnen *adv* inside; (*im Haus auch*) indoors ▶ **hier/dort ~** in here/there; **ich gehe nach ~** (*col*) I'm going in(side).

drinstecken *vi sep* (*col*) **da steckt eine Menge Geld/ Arbeit** etc **drin** a lot of money/work *etc* has gone into it; **er steckt bis über die Ohren drin** he's up to his ears in it; **da steckt man nicht drin** you never can tell (what will happen).

dritt *adv* **wir kommen zu ~** three of us are coming together.

dritt- *in cpds* third; **~älteste(r, s)** *adj* third oldest.

Drittel *nt* - third; *siehe* **Viertel¹**.

drittens *adv* thirdly.

Dritte(r) *mf decl as adj* third person, third man/woman *etc*; *(Unbeteiligter)* third party ► **in dieser Angelegenheit ist er der lachende ~** he comes out of this best; *im Beisein ~r* in the presence of a third party; *siehe* **Vierte(r)**.

dritte(r, s) *adj* third ► **von ~r Seite** from a third party; **die D~ Welt** the Third World; *siehe* **vierte(r, s)**.

Dritte-Welt- *in cpds* third world; **~-Laden** *m charity shop raising money for third world countries*.

dritt-: **~größte(r, s)** *adj* third-biggest; **d~klassig** *adj* third-rate *(pej)*, third-class; **d~letzte(r, s)** *adj* third from last; **d~rangig** *adj* third-rate.

DRK ['deː|ɛr'kaː] *nt* = **Deutsches Rotes Kreuz**.

droben *adv (old, dial)* up there.

Droge *f* -n drug.

Drogen-: **d~abhängig** *adj* addicted to drugs; **~abhängige(r)** *mf decl as adj* drug addict; **~abhängigkeit** *f* drug addiction *no art*; **~händler** *m* drug peddler *or* pusher; **~konsum** *m* drug-taking; **d~süchtig** *adj* addicted to drugs; **~süchtige(r)** *mf decl as adj* drug addict; **~szene** *f* drug scene.

Drogerie *f* chemist's *(Brit)*, drugstore *(US)*.

|DROGERIE|

ⓘ The **Drogerie** as opposed to the **Apotheke** sells medicines not requiring a prescription as well as alternative remedies, such as herbal medicines. It tends to be cheaper and also sells cosmetics, perfume and toiletries.

Drogist(in *f)* *m* chemist *(Brit)*, druggist *(US)*.

Drohbrief *m* threatening letter.

drohen *vi* to threaten *(jdm sb)* ► **er droht mit Selbstmord** he threatens to commit suicide; **jdm droht etw** sb is being threatened by sth; **jdm droht Gefahr** sb is in danger; **es droht ein Streik** there is the threat of a strike; **das Schiff drohte zu sinken** the ship was in danger of sinking.

drohend *adj* threatening, menacing; *(bevorstehend)* Gefahr, Krieg imminent, impending.

Drohgebärde *f* threatening gesture.

Drohne *f* -n drone.

dröhnen *vi* to roar; *(Donner)* to rumble; *(Musik, Stimme)* to boom; *(Raum etc)* to resound, to echo ► **mir dröhnt der Kopf** my head is ringing.

Drohung *f* threat.

drollig *adj* comical, droll; Kätzchen etc cute.

Dromedar [auch: 'droː-] *nt* -e dromedary.

Drops *m or nt* - fruit drop.

drosch *pret of* **dreschen**.

Droschke *f* -n *(Pferde~)* (hackney) cab, hackney-carriage; *(dated: Taxi)* (taxi-)cab.

Droschkenkutscher *m* cab driver.

Drossel *f* -n *(Orn)* thrush.

drosseln *vt* Motor etc to throttle; Heizung to turn down; Strom, Tempo, Produktion to cut down.

Drosselung *f siehe vt* throttling, turning down; cutting down.

drüben *adv* over there; *(auf der anderen Seite, Hist col: auf DDR/BRD bezogen)* on the other side ► **hier/dort** *or* **da ~** over here/there; **nach/von ~** over/from over there.

drüber *adv (col)* = **darüber**.

Druck¹ *m* ̈-e *(Phys, fig)* pressure ► **unter ~ stehen** *(lit,*

fig) to be under pressure; **jdn unter ~ setzen** *(fig)* to put pressure on sb, to pressurize sb; **durch einen ~ auf den Knopf** by pressing the button.

Druck² *m* -e [a] *(das Drucken)* printing; *(Art des Drucks, Schriftart)* print; *(Druckwerk)* copy ► **das Buch ist im ~** the book is being printed; **in ~ gehen** to go to press. [b] *(Kunst~)* print.

Druck-: **~ausgleich** *m* pressure balance; **~buchstabe** *m* printed character *or* letter; **in ~buchstaben schreiben** to print.

Drückeberger *m* - *(pej col)* shirker.

Drückebergerei *f no pl (pej col)* shirking.

druck|empfindlich *adj* sensitive (to pressure).

drucken *vti (Typ, Tex)* to print; *siehe* **gedruckt**.

drücken [1] *vt* [a] Hand, Hebel to press; Knopf auch to push ► **jdm etw in die Hand ~** to press *or* slip sth into sb's hand; **jdn ~** to squeeze sb; *(umarmen)* to hug sb; **jdn zur Seite ~** to push sb aside. [b] *(Schuhe, Korsett etc)* to pinch, to nip ► **mich drückt der Magen** my stomach feels heavy. [c] *(verringern)* Leistung, Niveau to lower; Steuern to bring down. [d] *(Gewichtheben)* to press. [e] *(col)* Heroin to shoot.
[2] *vi* [a] to press; *(Wetter, Hitze)* to be oppressive; *(Brille, Schuhe etc)* to pinch ► **auf die Stimmung ~** to dampen one's mood. [b] *(drängeln, stoßen)* to push. [c] *(col: Heroin injizieren)* to shoot.
[3] *vr* [a] *(sich quetschen)* to squeeze ► **sich aus dem Zimmer ~** to slip out of the room. [b] *(col)* **sich vor etw** *(dat)* **~** to shirk sth; *(vor Militärdienst)* to dodge sth; **sich (um etw) ~** to get out of (doing) sth.

drückend *adj* Last, Steuern heavy; Sorgen serious; Armut grinding; Wetter, Hitze oppressive, close ► **es ist ~ heiß** it's oppressively hot.

Drucker *m* - printer.

Drücker *m* - *(Knopf)* (push) button; *(Türklinke)* handle; *(col: von Pistole etc)* trigger ► **am ~ sein** *or* **sitzen** *(fig col)* to be the key person; **auf den letzten ~** *(fig col)* at the last minute.

Druckerei *f* printing works *pl*, printery.

Druckerin *f* printer.

Drucker-: **~presse** *f* printing press; **~schwärze** *f* printer's ink.

Druck-: **d~fähig** *adj* printable; **~fahne** *f* galley (proof); **~fehler** *m* misprint; **d~fertig** *adj* ready to print; **d~fest** *adj* Werkstoff pressure-resistant; **~knopf** *m (Sew)* press-stud *(Brit)*, snap fastener *(US)*; *(Tech)* push button; **~kopf** *m (Comp)* print head; **~legung** *f* printing; **~luft** *f* compressed air; **~luftbremse** *f* air-brake; **~messer** *m* - pressure gauge; **~mittel** *nt (fig)* form of pressure; **~platte** *f* printing plate; **~pumpe** *f* pressure pump; **d~reif** *adj* ready for printing, passed for press; *(fig)* polished; **~sache** *f* printed matter; **~schrift** *f* [a] *(Schriftart)* printed (hand)writing; **in ~schrift schreiben** to print; [b] *(gedrucktes Werk)* pamphlet.

drucksen *vi (col)* to hum and haw *(col)*.

Druck-: **~stelle** *f (auf Obst, Haut)* bruise; **~taste** *f* push button; **~verband** *m (Med)* pressure bandage; **~vorlage** *f* setting copy; *(kamerafertig)* camera-ready copy; **~welle** *f* shock wave.

drum *adv (col) siehe auch* **darum** around ► **~ (he)rumreden** to beat about the bush; **da wirst du nicht ~ (he)rumkommen** there's no getting out of it; **sei's ~!** *(geh)* never mind; **das D~ und Dran** the paraphernalia; *(Begleiterscheinungen)* the fuss and bother; **mit allem D~ und Dran** with all the bits and pieces *(col)*; *(Mahlzeit)* with all the trimmings.

Drumherum *nt no pl* trappings *pl*.

drunten *adv (old, dial)* down there.

drunter *adv siehe auch* **darunter** under(neath) ► **~ und drüber** upside down, topsy-turvy.

⚠: Informationen zur Rechtschreibreform im Anhang

Drüse f -n gland.
Drüsenfieber nt glandular fever.
DSB [de:ǀes'be:] m = **Deutscher Sportbund** German Sports Association.
Dschungel m - (lit, fig) jungle.
Dschungel-: ~**fieber** nt yellow fever; ~**krieg** m jungle war/warfare.
Dschunke f (Naut) -n junk.
DSD [de:ǀes'de:] nt = **Duales System Deutschland** German waste collection and recycling service.

┌─── DSD ───┐

🛈 The **DSD** (Duales System Deutschland) is a scheme introduced in Germany for separating domestic refuse into two types so as to reduce environmental damage. Normal refuse is disposed of in the usual way by burning or dumping at land-fill sites; packets and containers with a green spot (**grüner Punkt**) imprinted on them are kept separate and are then collected for recycling.

└──┘

DSG [de:ǀes'ge:] f = **Deutsche Schlafwagen- und Speisewagen-Gesellschaft**.
dt. = **deutsch**.
DTP [de:te:'pe] = **Desktop Publishing** DTP.
Dtzd. = **Dutzend**.
du pers pron (familiar form of address) you ▸ **D~** (in Briefen) you; **jdn mit ~ anreden** to say "du" to sb; **mit jdm auf ~ und ~ stehen** to be pally with sb; **mit jdm per ~ sein** to be on familiar terms with sb; **~ bist es** it's you; **~, ich muß jetzt aber gehen** listen, I have to go now; **~, ~!** (hum: drohend) naughty, naughty.
Du nt -(s) **jdm das ~ anbieten** to suggest that sb uses "du" or the familiar form of address.
Dualsystem nt (Math) binary system.
Dübel m - plug; (Holz~) dowel.
dübeln vti to plug.
dubios adj (geh) dubious.
Dublette f [a] duplicate. [b] (Boxen) one-two.
Dublin ['dablin] nt Dublin.
ducken [1] vr to duck; (fig pej) to cringe, to cower ▸ **sich in eine Ecke ~** to duck or dodge into a corner; siehe **geduckt**.
[2] vi (fig pej) to cower.
Duckmäuser m - (pej) wimp (col).
Duckmäusertum nt (pej) spinelessness.
dudeln vti (pej col) to tootle ▸ **das Radio dudelt schon den ganzen Tag** the (damn) radio's been playing all day.
Dudelsack m bagpipes pl.
Dudelsack-: ~**pfeifer**, ~**spieler** m (bag)piper.
Duell nt -e (lit, fig) duel (um over).
Duellant [due'lant] m (wk) dueller, duellist.
duellieren* [duɛ'li:rən] vr to (fight a) duel.
Duett nt -e [a] (Mus, fig) duet ▸ **(etw) im ~ singen** to sing (sth as) a duet. [b] (fig col: Paar) duo (col).
Duft m ⁻e (pleasant) smell, scent; (von Blumen, Parfüm auch) fragrance; (von Essen) smell, aroma.
dufte adj, adv (dated col) great (col).
duften vi to smell (nach of) ▸ **das duftet** that smells nice; **nicht ~** (Blume) to have no scent.
duftend adj attr nice-smelling; Parfüm, Blumen etc fragrant.
duftig adj Kleid, Stoff light, gossamery.
Duft-: ~**marke** f scent mark; ~**note** f (von Parfüm) scent; ~**stoff** m scent; (für Parfüm, Waschmittel etc) fragrance; ~**wasser** nt, pl ~**wässer** toilet water; ~**wolke** f (iro) cloud of perfume.
dulden vt [a] (zulassen) to tolerate ▸ **etw stillschweigend ~** to connive at sth; **er ist hier nur geduldet** he's only here on sufferance. [b] (geh:

erdulden) to suffer.
duldsam adj tolerant (gegenüber of, jdm gegenüber towards sb).
Duldsamkeit f tolerance.
Duldung f toleration ▸ **mit stillschweigender ~ der Behörden** with the (tacit) connivance of the authorities.
dumm adj comp ⁻er, superl ⁻ste(r, s) or (adv) **am ⁻sten**
[a] stupid, dumb (esp US); Mensch auch thick (col); (unklug, unvernünftig auch) silly, foolish ▸ **der ~e August** (col) the clown; **~e Gans** silly goose; **~es Zeug (reden)** (to talk) nonsense or rubbish; **ein ~es Gesicht machen, ~ gucken** to look stupid; **jdn wie einen ~en Jungen behandeln** (col) to treat sb like a child; **du willst mich wohl für ~ verkaufen** you must think I'm stupid; **ich lasse mich nicht für ~ verkaufen** I'm not stupid (col); **sich ~ stellen** to act stupid; **~ fragen** to ask a silly question/silly questions; **~ dastehen** to look stupid; **der D~ sein** to be left to carry the can (col); **sich ~ und dämlich reden** (col) to talk till one is blue in the face (col); **sich ~ und dämlich verdienen** to earn the earth (col); **jetzt wird's mir zu ~** I've had enough.
[b] (ärgerlich) annoying; Gefühl nasty; Sache, Geschichte auch silly ▸ **es ist zu ~, daß er nicht kommen kann** it's too bad that he can't come; **jdm ~ kommen** to get funny with sb (col); **so etwas D~es** how stupid; (wie ärgerlich) what a nuisance.
dummdreist adj insolent.
Dummejungenstreich m silly or childish prank.
dummerweise adv unfortunately.
Dummheit f [a] no pl stupidity; (Unvernunft) foolishness. [b] (dumme Handlung) stupid thing.
Dummkopf m (col) idiot, fool.
dümmlich adj silly, stupid.
dumpf adj [a] Geräusch, Ton muffled ▸ **~ aufschlagen** to land with a thud. [b] Geruch, Geschmack etc musty; (fig) Atmosphäre stifling. [c] Gefühl, Ahnung vague; Schmerz dull.
Dumpfheit f no pl siehe adj muffled nature; mustiness; stifling nature; dullness.
Dumpingpreis ['dampɪŋ-] m give-away price.
Düne f -n (sand-)dune.
Dung m no pl dung, manure.
Düngemittel nt fertilizer.
düngen [1] vt to fertilize.
[2] vi **im Garten ~** to put fertilizer on the garden.
Dünger m - fertilizer.
Düngung f (das Düngen) fertilizing.
dunkel adj [a] dark ▸ **im D~n** in the dark; **im Zimmer ~ machen** (col) to darken the room; **sich ~ kleiden** to dress in dark colours. [b] (tief) Stimme, Ton deep. [c] (unbestimmt, unklar) vague ▸ **in dunkler Vorzeit** in the dim and distant past; **im ~n tappen** (fig) to be in the dark. [d] (pej: zwielichtig) shady (col), dubious.
Dunkel nt no pl (lit, fig) darkness ▸ **im ~ der Nacht** at dead of night.
Dünkel m no pl (pej geh) conceit, arrogance.
dunkel- in cpds dark; ~**blond** adj light brown; ~**haarig** adj dark-haired.
dünkelhaft adj (pej geh) arrogant, conceited.
Dunkel-: **d~häutig** adj dark-skinned; ~**heit** f (lit, fig) darkness; **bei Einbruch der ~heit** at nightfall; ~**kammer** f (Phot) darkroom; ~**mann** m, pl ~**männer** (pej) shady character.
dunkeln vi impers **es dunkelt** (geh) darkness is falling, it is growing dark.
Dunkel-: **d~rot** adj dark red, maroon; ~**ziffer** f estimated number of unreported/undetected cases.
dünken pret **dünkte** or (obs) **deuchte**, ptp **gedünkt** or (obs) **gedeucht** vti impers (old, geh) **das dünkt mir gut zu sein** it seems good to me.

dünn

dünn adj thin; (Kaffee, Tee) watery, weak; (fein) Schleier, Strümpfe fine; Besiedlung auch sparse ▸ ~ **gesät** (fig) few and far between; **sich ~ machen** (hum) to squeeze up; siehe **dünnmachen**.

Dünn-: **d~besiedelt** ⚠ adj attr sparsely populated; **~darm** m small intestine; **d~flüssig** adj thin; Teig, Honig runny; **d~gesät** ⚠ adj attr sparse; **d~häutig** adj (lit, fig) thin-skinned; **d~machen** vr sep (col) to make oneself scarce; **~pfiff** (col), **~schiß** ⚠ (col) m the runs (col).

Dunst m ‑e mist, haze; (Dampf) steam; (Smog) smog; (Zigaretten~) fug; (Geruch) smell ▸ **jdm blauen ~ vormachen** (col) to tell sb stories (col); **keinen (blassen) ~ von etw haben** to have not a clue or not the faintest idea about sth.

Dunst|abzugshaube f extractor hood.

dünsten vt (Cook) to steam; Obst to stew.

Dunstglocke f haze; pall of smog.

dunstig adj hazy, misty; (verräuchert) smoky.

Dunst-: **~kreis** m atmosphere; (von Mensch) sphere of influence; **~schleier** m veil of mist; **~wolke** f cloud of smog.

Dünung f (Naut) swell.

Duo nt ‑s duo.

düpiert adj duped.

Duplikat nt duplicate (copy).

Dur nt no pl (Mus) major ▸ **in G~** in G major.

durch [1] prep +acc [a] through ▸ ~ **den Fluß waten** to wade across the river; ~ **die ganze Welt reisen** to travel all over the world. [b] (mittels) through, by (means of); (in Passivkonstruktion: von) by ▸ **Tod ~ den Strang** death by hanging; **Tod ~ Herzschlag** death from a heart attack; ~ **die Post** by post; **etw ~ die Zeitung bekanntgeben** to announce sth in the press. [c] (aufgrund, infolge von) due to, owing to.
[2] adv [a] (hin~) through ▸ **die ganze Nacht** ~ all through the night, throughout the night; **es ist 4 Uhr** ~ it's past 4 o'clock; ~ **und** ~ **kennen** through and through; verlogen, überzeugt completely, utterly; ~ **und** ~ **naß** wet through; **das geht mir** ~ **und** ~ that goes right through me. [b] (Cook col) (gut) ~ well-done ▸ **das Fleisch ist noch nicht** ~ the meat isn't done yet.

durch|ackern sep (col) [1] vt to plough through.
[2] vr **sich durch etw** ~ to plough (one's way) through sth.

durch|arbeiten sep [1] vti to work through.
[2] vr **sich durch etw** ~ to work (one's way) through sth.

durch|atmen vi sep to breathe deeply.

durch|aus adv (emph auch **durch|aus**) [a] (unbedingt) **wenn du das ~ willst** if you insist, if you absolutely must; **das ist ~ nötig** that is absolutely necessary; **er will ~ recht haben** he (absolutely) insists that he is right. [b] (bekräftigend) quite; verständlich, richtig, möglich auch perfectly; gefallen really ▸ **das läßt sich ~ machen** that sounds perfectly feasible; **ich bin ~ Ihrer Meinung** I quite or absolutely agree with you; **es ist ~ anzunehmen, daß sie kommt** it's highly likely that she'll be coming. [c] (in verneinten Sätzen) ~ **nicht** (als Verstärkung) by no means; (als Antwort) not at all; (stärker) absolutely not; **etw ~ nicht tun wollen** to refuse absolutely to do sth; **das ist ~ kein Witz** that's no joke at all; **er ist ~ kein schlechter Mensch** he is by no means a bad person.

durchbacken vt sep Kuchen to bake through.

durchbeißen sep irreg [1] vt to bite through.
[2] vr (col) to struggle through (durch etw sth).

durchblättern vt sep Buch to leaf through.

Durchblick m vista (auf +acc of); (Ausblick) view (auf +acc of) ▸ **den ~ haben** (fig col) to know what's what

(col).

durchblicken vi sep [a] (lit) to look through (durch etw sth). [b] (fig) **etw ~ lassen** to hint at sth. [c] (col: verstehen) to understand ▸ **blickst du da durch?** do you get it? (col).

durchbluten vt insep to supply with blood.

Durchblutung f circulation (of blood) (gen to).

durchbohren[1]* vt insep to drill through; (mit Schwert) to run through; (Kugel) to go through ▸ **jdn mit Blicken ~** (fig) to look piercingly at sb.

durchbohren[2] sep [1] vt **etw durch etw ~** Loch, Tunnel to drill sth through sth.
[2] vr to bore (one's way) through (durch etw sth).

durchbohrend adj piercing.

durchboxen vr sep (fig col) to fight (one's way) through (durch etw sth).

durchbraten vti sep irreg to cook through ▸ **durchgebraten** well done.

durchbrechen[1] sep irreg [1] vt to break (in two).
[2] vi aux sein [a] (in zwei Teile) to break (in two). [b] (Knospen) to appear; (Sonne auch) to break through (durch etw sth). [c] (Med: Blinddarm etc) to burst, to perforate.

durchbrechen[2]* vt insep irreg to break; Mauer, Blockade etc to break through.

durchbrennen vi sep irreg aux sein (Sicherung etc) to blow; (col: davonlaufen) to run away ▸ **jdm ~** (col) to run away from sb.

durchbringen vt sep irreg [a] (durch etw sth) to get through; (durch Krankheit) to pull through; (für Unterhalt sorgen) to provide for. [b] Geld to get through.

Durchbruch m [a] (Mil, fig) breakthrough ▸ **jdm/etw zum ~ verhelfen** to help sb/sth on the road to success. [b] (von Sonne) breaking through (durch etw sth); (von Charakter) revelation ▸ **zum ~ kommen** (fig: Charakter etc) to show itself.

durchdenken* vt irreg insep to think out or through ▸ **gut durchdacht** well thought out.

durchdrehen sep [1] vt Fleisch etc to mince.
[2] vi [a] (Aut: Räder) to spin. [b] (col) to go mad; (nervlich) to crack up (col) ▸ **ganz durchgedreht sein** (col) to be wound up (col) or (verwirrt) confused.

durchdringen[1] vi sep irreg aux sein [a] to penetrate (durch etw sth); (Sonne) to come through (durch etw sth) ▸ **bis zu jdm ~** (fig) to get as far as sb. [b] (sich verständlich machen) **zu jdm ~** to get through to sb.

durchdringen[2]* vt insep irreg Materie, Dunkelheit etc to penetrate; siehe **durchdrungen**.

durchdringend adj piercing; Kälte, Wind auch biting; Geruch pungent.

durchdrücken vt sep [a] (durch Presse) to press through; Creme, Teig to pipe. [b] (fig) Gesetz, Reformen etc to push through; seinen Willen to get. [c] Knie, Kreuz etc to straighten.

durchdrungen adj pred imbued (von with) ▸ **ganz von einer Idee ~ sein** to be taken with an idea.

durchdürfen vi sep irreg (col) to be allowed through ▸ **darf ich mal durch?** can I get through?; **Sie dürfen hier nicht durch** you can't come through here.

durch|einander [1] adv muddled up, in a muddle ▸ **Gemüse ~** vegetable stew; **alles ~ essen/trinken** to eat/drink indiscriminately.
[2] adj pred ~ **sein** (col) (Mensch) to be confused or (aufgeregt) in a state (col); (Zimmer etc) to be in a mess or muddle.

Durch|einander nt no pl (Unordnung) mess, muddle; (Wirrwarr) confusion.

durch|einander-: **~bringen** ⚠ vt sep irreg to muddle or mix up; (verwirren) jdn to confuse; **~geraten*,** ⚠ **~kommen** ⚠ vi sep irreg aux sein to get mixed or muddled up; **~laufen** ⚠ *vi sep irreg aux sein* to run about *or* around all over the place; **~reden** ⚠ *vi sep* to all talk at once; **~werfen** ⚠ *vt sep irreg* to muddle up.

durchfahren¹ *vi sep irreg aux sein* [a] to go through (*durch etw* sth). [b] (*nicht anhalten/umsteigen*) to go straight through ▶ *er ist bei Rot durchgefahren* he jumped the lights; *die Nacht* ~ to travel through the night.

durchfahren²* *vt insep irreg* to travel through; (*fig: Schreck etc*) to shoot through ▶ *ein Gedanke durchfuhr ihn blitzartig* a (sudden) thought flashed through his mind.

Durchfahrt *f* way through ▶ *auf der* ~ *sein* to be passing through; ~ *bitte freihalten!* please keep access free; ~ *verboten!* no through road.

Durchfahrts-: **~straße** *f* through road; **~verbot** *nt seit wann besteht hier* **~verbot?** since when has this been a no through road?

Durchfall *m* [a] (*Med*) diarrhoea *no art* (*Brit*), diarrhea *no art* (*US*). [b] (*Mißerfolg*) failure.

durchfallen *vi sep irreg aux sein* [a] to fall through (*durch etw* sth). [b] (*col: nicht bestehen*) to fail; (*Theaterstück auch*) to flop; (*Wahlkandidat*) to be defeated ▶ *jdn* ~ *lassen* to fail sb; *beim Publikum* ~ to be a flop with the public.

Durchfallquote *f* failure rate.

durchfeiern *vi sep* to celebrate all night.

durchfinden *vir sep irreg* (*lit, fig*) to find one's way through (*durch etw* sth) ▶ *ich finde (mich) hier nicht mehr durch* (*fig*) I am simply lost.

durchfliegen¹ *vi sep irreg aux sein* [a] to fly through (*durch etw* sth); (*ohne Landung*) to fly non-stop *or* direct. [b] (*col: in Prüfung*) to fail (*durch etw, in etw* (*dat*) sth).

durchfliegen²* *vt insep irreg* *Luft, Wolken* to fly through; *Land* to fly over; *Strecke* to cover; (*flüchtig lesen*) to skim through.

durchfließen* *vt insep irreg* (*lit, fig*) to flow through.

Durchflug *m* flight through ▶ *Passagiere auf dem* ~ transit passengers.

durchfluten* *vt insep* (*geh: Fluß*) to flow through; (*fig: Licht, Sonne*) to flood.

durchforschen* *vt insep* *Gegend* to search; *Land, Fachgebiet* to explore; *Akten* to search through.

durchforsten* *vt insep* (*fig*) *Akten* to go through.

durchfragen *vr sep* to ask one's way.

durchfressen *vr sep irreg* (*durch etw* sth) (*Säure etc, Tier*) to eat (its way) through ▶ *sich (bei jdm)* ~ (*pej col*) to live on sb's hospitality.

durchfroren *adj* frozen stiff.

Durchfuhr *f* transit.

durchführbar *adj* practicable, feasible.

Durchführbarkeit *f* feasibility, practicability.

durchführen *sep* [1] *vt* [a] (*durchleiten*) (*durch etw* sth) *jdn* to take through; *Leitung* to run through. [b] (*verwirklichen*) to carry out; *Gesetz* to implement; (*unternehmen*) *Expedition* to undertake; *Messung* to take; *Kursus* to run; *Wahl, Prüfung* to hold. [2] *vi zwischen/unter etw* (*dat*) ~ (*Straße etc*) to go between/under sth.

Durchführung *f siehe vt* [a] taking through; running through. [b] carrying out; implementation; undertaking; taking; running; holding.

durchfüttern *vt sep* (*col*) to feed ▶ *sich von jdm* ~ *lassen* to live off sb.

Durchgabe *f* announcement; (*telefonisch*) message (over the telephone).

Durchgang *m* [a] passage. [b] (*das Durchgehen*) ~ *verboten!* no right of way; *beim* ~ *durch das Tal* going through the valley. [c] (*von Wahl, Sport*) round; (*beim Rennen*) heat.

durchgängig *adj* universal, general.

Durchgangs-: **~handel** *m* transit trade; **~lager** *nt* transit camp; **~stadium** *nt* transition stage; **~straße** *f* through road; **~verkehr** *m* through traffic; (*Transitverkehr*) transit traffic.

durchgeben *vt sep irreg* (*Rad, TV*) *Hinweis, Wetter* to give; *Nachricht, Lottozahlen* to announce ▶ *jdm etw telefonisch* ~ to telephone sth to sb; *es wurde im Radio durchgegeben* it was announced on the radio.

durchgefroren *adj* *Mensch* frozen stiff.

durchgehen *sep irreg aux sein* [1] *vi* [a] to go through (*durch etw* sth). [b] (*toleriert werden*) *jdm etw* ~ *lassen* to let sb get away with sth; *das lasse ich nochmal* ~ I'll let it pass. [c] (*gehalten werden für*) *für etw* ~ to pass for sth, to be taken for sth. [d] (*ohne Unterbrechung*) to go straight through; (*Flug, Zug*) to be direct. [e] (*Pferd*) to bolt ▶ *seine Frau ist ihm durchgegangen* his wife has run off and left him; *mit etw* ~ to run *or* make off with sth. [f] (*außer Kontrolle geraten*) *mit jdm* ~ (*Temperament*) to get the better of sb. [2] *vt* (*durchsprechen etc*) to go *or* run through.

durchgehend [1] *adj* *Öffnungszeiten* round-the-clock *attr*, continuous; *Straße* straight; *Verkehrsverbindung* direct; *Zug, Fahrkarte* through *attr*. [2] *adv* throughout, right through ▶ ~ *geöffnet* open right through; open 24 hours.

durchgeschwitzt *adj* soaked in sweat.

durchgreifen *vi sep irreg* to reach through (*durch etw* sth); (*fig*) to take (strong) action.

durchgucken *vi sep* (*Mensch*) to look through (*durch etw* sth).

durchhaben *vt sep irreg* (*col*) *etw* ~ to have got sth through (*durch etw* sth); (*durchgelesen etc haben*) to have got through sth.

durchhalten *sep irreg* [1] *vt* *Zeit, Kampf etc* to survive; *Streik* to see through; *Belastung* to stand; (*Sport*) *Tempo* to keep up ▶ *das Rennen* ~ to stay the course. [2] *vi* to hold out.

Durchhalte-: **~parole** *f* rallying call (*to hold out at all costs*); **~vermögen** *nt* staying power.

durchhängen *vi sep irreg* (*lit, fig*) to sag.

durchhauen *vt sep* to chop in two; (*spalten*) to split ▶ *jdn* ~ (*col*) to give sb a walloping (*col*).

durchhecheln *vt sep* (*col*) to gossip about.

durchhelfen *vi sep irreg* *jdm (durch etw)* ~ to help sb through (sth).

durchhungern *vr sep* to scrape by.

durchkämmen *vt sep* [a] *Haare* to comb out. [b] (*auch* **durchkämmen*** *insep*) (*absuchen*) to comb (through).

durchkämpfen *sep* [1] *vt* to push through. [2] *vr* to battle one's way through (*durch etw* sth).

durchkauen *vt sep* *Essen* to chew (thoroughly); (*col: besprechen*) to go over *or* through.

durchklingen *vi sep irreg aux haben or sein* (*durch etw* sth) to sound through; (*fig*) to come through ▶ *etw* ~ *lassen* to hint at sth.

durchkommen *vi sep irreg aux sein* (*durch etw* sth) to come through; (*durchgelangen, telefonisch, in Prüfung*) to get through; (*Patient*) to pull through; (*finanziell*) to get by; (*im Radio*) to be announced ▶ *mit etw* ~ (*mit Forderungen*) to succeed with sth; (*mit Betrug*) to get away with sth; *er kam mit seiner Stimme nicht durch* he couldn't make his voice heard; *damit kommt er bei mir nicht durch* he won't get away with that with me.

durchkönnen *vi sep irreg* (*col*) to be able to get through (*durch etw* sth).

durchkreuzen* *vt insep* [a] *Wüste, Ozean* to cross. [b] (*fig*) *Pläne etc* to thwart.

durchladen *vi sep irreg* *Gewehr* to reload.

⚠ **Durchlaß** *m, pl* **Durchlässe** (*Durchgang*) passage, way through; (*für Wasser*) duct.

durchlassen *vt sep irreg* (*durch etw* sth) to let through; (*eindringen lassen*) to let in.

durchlässig *adj Material* permeable; *Zelt, Schuh* leaky; *Grenze* open ▸ *eine ~e Stelle* (*lit, fig*) a leak.

Durchlässigkeit *f* permeability.

Durchlaucht *f* **-en** *(Euer) ~* Your Highness.

Durchlauf *m* [a] (*das Durchlaufen*) flow. [b] (*Comp*) run. [c] (*Sport*) heat.

durchlaufen¹ *sep irreg* [1] *vt Schuhe* to go through, to wear out.
[2] *vi aux sein* (*durch etw* sth) to go through; (*Flüssigkeit auch*) to run through; (*Kaffee*) to filter.

durchlaufen²* *vt insep irreg Gebiet* to run through; *Strecke* to cover, to run; (*Astron*) *Bahn* to describe; *Schule, Phase* to go through.

Durchlauf-: **~erhitzer** *m* - continuous-flow water heater; **~zeit** *f* (*Comp*) length of a/the run.

durchleben* *vt insep* to experience; *Jugend* to have.

durchlesen *vt sep irreg* to read through ▸ *sich (dat) etw ~* to read sth thoroughly.

durchleuchten* *vt insep* to X-ray; (*fig*) *Sache* to investigate ▸ *sich ~ lassen* to have an X-ray.

Durchleuchtung *f* (*Med*) X-ray examination; (*fig: von Angelegenheit etc*) investigation.

durchliegen *vt sep irreg Matratze* to wear down (in the middle).

durchlöchern* *vt insep* to make holes in; (*fig*) to undermine completely ▸ *(mit Schüssen) ~* to riddle with bullets.

durchlüften *vti sep* to air thoroughly.

durchmachen *sep* [1] *vt* (*erdulden, durchlaufen*) to go through; *Krankheit* to have; *Lehre* to serve; (*fig*) *Entwicklung* to undergo ▸ *er hat viel durchgemacht* he has been or gone through a lot; *eine ganze Nacht ~* (*col: durchfeiern*) to make a night of it.
[2] *vi* (*col*) (*durcharbeiten*) to work right through; (*durchfeiern*) to keep going all night/day *etc*.

Durchmarsch *m der ~ durch die Stadt* the march through the town.

durchmarschieren* *vi sep aux sein* to march through (*durch etw* sth).

Durchmesser *m* - diameter ▸ *120 cm im ~* 120 cm in diameter.

durchmischen *vt sep* to mix thoroughly.

durchmogeln *vr sep* (*col*) to wangle (*col*) or fiddle (*col*) one's way through.

durchmüssen *vi sep irreg* (*col*) (*durch etw* sth) to have to get through; (*durch Unangenehmes*) to have to go through with ▸ *da mußt du eben durch* (*fig*) you'll just have to see it through.

durchnässen* *vt insep* to soak, to drench ▸ *völlig durchnäßt* wet through, drenched.

durchnehmen *vt sep irreg* (*Sch*) to do.

⚠ **durchnumerieren*** *vt sep* to number consecutively.

durch|organisieren* *vt sep* to organize down to the last detail.

durchpauken *vt sep* (*col*) [a] *Lernstoff* to swot up (*col*). [b] *Gesetz, Schüler* to push through.

durchpausen *vt sep* to trace.

durchpeitschen *vt sep* to flog; (*fig*) to rush through.

durchpressen *vt sep* to press through.

durchprobieren *vt sep* to try one after the other.

durchprügeln *vt sep* to thrash, to beat.

durchqueren* *vt insep* to cross.

durchrasen *vi sep aux sein*, **durchrasen*** *vt insep* to race or tear through.

durchrechnen *vt sep* to calculate.

durchregnen *vi sep impers es regnet durchs Dach durch* the rain is coming through the roof; *es hat die*

Nacht durchgeregnet it rained all through the night.

Durchreiche *f* **-n** (serving) hatch (*Brit*), pass-through (*US*).

durchreichen *vt sep* to pass through (*durch etw* sth).

Durchreise *f* journey through ▸ *auf der ~ sein* to be passing through.

durchreisen *vi sep aux sein*, **durchreisen*** *vt insep* to travel through.

Durchreisende(r) *mf decl as adj* traveller (passing through), transient (*US*).

Durchreisevisum *nt* transit visa.

durchreißen *vti sep irreg* (*vi: aux sein*) to tear in two.

durchringen *vr sep irreg sich dazu ~, etw zu tun* to bring or force oneself to do sth.

durchrosten *vi sep aux sein* to rust through.

durchrufen *vi sep irreg* (*col*) to ring (*bei jdm* sb).

durchrühren *vt sep* to mix thoroughly.

durchrutschen *vi sep aux sein* (*lit*) to slip through (*durch etw* sth).

durchs = **durch das**.

Durchsage *f* announcement ▸ *eine ~ der Polizei* a police announcement.

durchsagen *vt sep* = **durchgeben**.

durchsägen *vt sep* to saw through.

Durchsatz *m* (*Ind, Comp*) throughput.

durchsausen *vi sep aux sein* (*col*) [a] to rush through. [b] (*col: nicht bestehen*) to fail, to flunk (*col*) (*durch etw, in etw* (*dat*)) (in) sth).

durchschaubar *adj* (*fig*) *Plan, Ereignisse* clear; *Lüge* transparent ▸ *eine leicht ~e Lüge* a lie that is easy to see through; *schwer ~er Charakter* inscrutable character.

durchschauen¹* *vt insep Absichten, Lüge, jdn* to see through; (*begreifen*) to understand ▸ *du bist durchschaut!* you've been found out.

durchschauen² *vti sep* = **durchsehen**.

durchscheinen *vi sep irreg* (*durch etw* sth) (*lit, fig*) to shine through; (*Farbe*) to show through.

durchscheinend *adj* transparent.

durchscheuern *vt sep* to wear through ▸ *sich (dat) die Haut ~* to graze one's skin.

durchschieben *vt sep irreg* to push or shove (*col*) through (*durch etw* sth).

durchschießen¹ *vi sep irreg durch etw ~* to shoot through sth.

durchschießen²* *vt insep irreg* (*lit, fig*) to shoot through ▸ *ein Gedanke durchschoß mich* a thought flashed through my mind.

durchschimmern *vi sep* (*durch etw* sth) to shimmer through; (*Farbe, fig*) to show through.

durchschlafen *vi sep irreg* to sleep through.

Durchschlag *m* [a] (*Kopie*) carbon (copy). [b] (*Küchengerät*) sieve, strainer.

durchschlagen¹ *sep irreg* [1] *vt etw ~* (*entzweischlagen*) to chop through sth; (*Cook*) to sieve sth.
[2] *vi* [a] *aux sein* (*durchkommen*) (*durch etw* sth) to come through; (*fig: Charakter, Eigenschaft*) to show through ▸ *bei ihm schlägt der Vater durch* you can see his father in him. [b] *aux sein* (*Wirkung haben*) to catch on ▸ *auf etw* (*acc*) *~* to make one's/its mark on sth; *auf jdn ~* to rub off on sb. [c] *aux sein* (*Sicherung*) to blow, to go.
[3] *vr* to fight through; (*im Leben*) to struggle through or along.

durchschlagen²* *vt insep irreg* to blast a hole in.

durchschlagend *adj Sieg* sweeping; *Erfolg* tremendous; *Beweis* decisive, conclusive ▸ *eine ~e Wirkung haben* to be totally effective.

Durchschlagpapier *nt* copy paper, flimsy;

(*Kohlepapier*) carbon paper.

Durchschlagskraft *f* (*von Geschoß*) penetration; (*fig: von Argument*) decisiveness.

durchschlängeln *vr sep* (*durch etw* sth) (*Fluß*) to wind (its way) through, to meander through; (*Mensch*) to thread one's way through; (*fig*) to manoeuvre (*Brit*) or maneuver (*US*) one's way through.

durchschleusen *vt sep* [a] *ein Schiff* ~ to pass a ship through a lock. [b] (*fig: durch schmale Stelle*) to guide through (*durch etw* sth).

Durchschlupf *m, pl* **Durchschlüpfe** way through.

durchschlüpfen *vi sep aux sein* to slip through (*durch etw* sth).

durchschmecken *vt sep* to taste ▶ *man kann den Essig* ~ the taste of vinegar comes through.

durchschneiden[1] *vt sep irreg* to cut in two.

durchschneiden[2]* *vt insep irreg* to cut through; (*Schiff*) *Wellen* to plough through ▶ *jdm die Kehle* ~ to cut or slit sb's throat.

Durchschnitt *m* average; (*in Statistik*) mean ▶ *der* ~ (*normale Menschen*) the average person; (*die Mehrheit*) the majority; *im* ~ on average; *im* ~ *100 km/h fahren* to average 62 mph; *über/unter dem* ~ above/below average; *guter* ~ *sein* to be a good average.

durchschnittlich [1] *adj* average; *Wert auch* mean *attr.* [2] *adv* (*im Durchschnitt*) *verdienen, essen etc* on average ▶ ~ *begabt/groß* of average ability/height; *die Mannschaft hat sehr* ~ *gespielt* the team played a very average game.

Durchschnitts- *in cpds* average; **~alter** *nt* average age; **~geschwindigkeit** *f* average speed; **~gesicht** *nt* ordinary or nondescript (*pej*) face; **~mensch** *m* average person; **~wert** *m* average or mean (*Math*) value.

durchschreiben *vt sep irreg* to make a (carbon) copy of.

durchschreiten* *vt insep irreg* (*geh*) to stride through.

Durchschrift *f* (carbon) copy.

⚠ **Durchschuß** *m* [a] (*Loch*) bullet hole ▶ *ein* ~ *durch den Darm* a gunshot wound right through the intestine. [b] (*Typ*) leading.

durchschütteln *vt sep Mischung* to shake thoroughly; (*in Auto, Bus etc*) *jdn* to shake about.

durchschwimmen[1] *vi sep irreg aux sein* to swim through.

durchschwimmen[2] *vt insep irreg Fluß* to swim across; *Ärmelkanal* to swim.

durchschwitzen *vt sep* to soak with sweat.

durchsegeln[1] *vi sep aux sein* [a] (*Schiff*) to sail through (*durch etw* sth). [b] (*col: nicht bestehen*) to fail, to flunk (*col*) (*durch etw, bei etw* sth).

durchsegeln[2]* *vt insep Meer* to sail across.

durchsehen *sep irreg* [1] *vi* [a] (*hindurchschauen*) to look through (*durch etw* sth) ▶ *ein Stoff, durch den man* ~ *kann* see-through material. [b] (*col: verstehen*) = **durchblicken (c).** [2] *vt* (*überprüfen*) *etw* ~ to have a look through sth (*auf +acc* for).

⚠ **durchsein** *vi sep irreg aux sein* (*col*) to be through (*durch etw* sth); (*vorbeigekommen sein*) to have gone; (*Cook: Steak, Gemüse*) to be done.

durchsetzen[1] *sep* [1] *vt Maßnahmen* to put through; *Forderung* to push through; *Vorschlag, Plan* to carry through; *Ziel* to achieve ▶ *etw bei jdm* ~ to get sb to agree to sth; *seinen Willen (bei jdm)* ~ to get one's (own) way (with sb). [2] *vr* [a] (*Mensch*) to assert oneself (*bei jdm* with sb); (*Partei etc*) to be successful ▶ *sich gegen etw* ~ to win through against sth; *sich mit etw* ~ to be successful with sth; *sich im Leben* ~ to make a success of one's life. [b] (*Idee, Neuheit*) to be accepted, to catch on.

durchsetzen[2]* *vt insep* **mit etw durchsetzt** interspersed with sth; **mit subversiven Elementen durchsetzt** infiltrated by subversive elements.

Durchsetzung *f siehe* **durchsetzen**[1] **1** putting through; pushing through; carrying through; achievement.

Durchsetzungsvermögen *nt* self-assertion.

durchseuchen* *vt insep* (*Gebiet*) to infect completely.

Durchsicht *f* examination, inspection ▶ *jdm etw zur* ~ *geben* to give sb sth to check through; *bei* ~ *der Bücher* on checking the books.

durchsichtig *adj* (*lit, fig*) transparent.

Durchsichtigkeit *f no pl* (*lit, fig*) transparency.

durchsickern *vi sep aux sein* (*lit, fig*) to trickle through; (*fig: trotz Geheimhaltung*) to leak out ▶ *Informationen* ~ *lassen* to leak information.

durchsieben[1] *vt sep* to sieve, to sift; (*fig*) *Bewerber etc* to sift through.

durchsieben[2]* *vt insep* (*col*) **von Kugeln durchsiebt** riddled with bullets.

durchsitzen *vt sep irreg Sessel etc* to wear out (the seat of).

durchspielen *vt sep* to go or run through.

durchsprechen *vt sep irreg Problem, Möglichkeiten* to talk over or through.

durchspülen *vt sep* to rinse (out) thoroughly.

durchstarten *vi sep* (*Aviat*) to abort a landing manoeuvre (*Brit*) or maneuver (*US*) (*and start climbing again*); (*Aut*) to accelerate off again; (*beim Anfahren*) to rev up.

durchstechen[1] *sep irreg* [1] *vt Nadel, Spieß* to stick through (*durch etw* sth). [2] *vi* to pierce.

durchstechen[2]* *vt insep irreg* to pierce; (*mit Degen etc*) to run through; (*mit Nadel*) to prick.

durchstecken *vt sep* to put or stick (*col*) through (*durch etw* sth).

durchstehen *vt sep irreg Zeit, Prüfung, Situation* to get through; *Krankheit* to get over; *Tempo, Qualen* to stand; *Abenteuer* to have.

Durchstehvermögen *nt* staying power.

durchsteigen *vi sep irreg aux sein* [a] to climb through (*durch etw* sth). [b] (*col: verstehen*) = **durchblicken (c).**

▼ **durchstellen** *vt sep* (*Telec*) to put through ▶ *ich stelle durch* I'll put you through.

durchstöbern* *insep*, **durchstöbern** *sep vt* to hunt or rummage through (*nach* for); (*durchwühlen*) to ransack (*nach* looking for).

Durchstoß *m* breakthrough.

durchstoßen[1]* *vt insep irreg* to break through.

durchstoßen[2] *vti sep irreg* (*vi: aux sein*) to break through (*auch Mil*) ▶ *etw (durch etw)* ~ to push sth through (sth).

durchstreichen *vt sep irreg* to cross out.

durchstreifen* *vt insep* (*geh*) to roam through.

durchströmen* *vt insep* (*lit, fig*) to flow through.

durchstylen [-stailən] *vt sep* to give a consistent style to ▶ *durchgestylt* with a consistent style.

durchsuchen* *vt insep* (*nach* for) to search (through); *jdn* to search, to frisk.

Durchsuchung *f* search (*auf +dat* for).

Durchsuchungsbefehl *m* search warrant.

durchtrainieren* *vt sep Sportler, Körper* to get fit ▶ *(gut) durchtrainiert* in superb condition.

durchtränken* *vt insep* to soak, to saturate.

durchtrennen *sep*, **durchtrennen*** *insep vt* (*schneiden*) to cut (through); *Nerv, Sehne* to sever.

durchtreten *sep irreg* [1] *vt* [a] *Pedal* to step on; *Starter* to kick. [b] (*abnutzen*) *Schuh, Sohle* to go or wear through. [2] *vi aux sein* (*durchsickern*) to come through (*durch etw*

sth) ▶ **bitte weiter ~** (form: weitergehen) pass along
please.
durchtrieben adj cunning, sly.
Durchtriebenheit f no pl cunning, slyness.
durchwachen* vt insep **die Nacht ~** to stay awake all
through the night.
durchwachsen adj a (lit) Speck streaky; Fleisch,
Schinken with fat running through it. b pred (hum col:
mittelmäßig) so-so (col).
Durchwahl f (Telec) direct dialling; (Anschluß) direct
dialling number.
▼ **durchwählen** vi sep (Telec) to dial direct ▶ **nach
London ~** to dial London direct.
Durchwahlnummer f dialling code (Brit), dial code
(US); (Anschluß) direct dialling number.
durchwandern* vt insep Gegend to walk through;
(hum) Zimmer, Straßen etc to wander through.
durchwaschen vt sep irreg to wash through.
durchweben* vt insep irreg to interweave (mit, von
with).
durchweg adv without exception ▶ **~ gut** good in every
way.
durchweichen sep 1 vi aux sein to get wet through;
(weich werden: Karton, Boden) to go soggy.
2 vt to soak; Boden, Karton to make soggy.
durchwetzen vtr sep to wear through.
durchwinden vr sep irreg = **durchschlängeln**.
durchwühlen sep, **durchwühlen*** insep vt to rummage through (nach for); Zimmer auch to ransack (nach
looking for).
durchwursteln vr sep (col) to muddle through.
durchzählen vt sep to count.
durchzechen[1] vi sep to carry on drinking.
durchzechen[2]* vt insep **die Nacht ~** to spend the night
drinking; **eine durchzechte Nacht** a night of drinking.
durchziehen[1] sep irreg 1 vt a to pull through (durch
etw sth). b (col: erledigen) etw ~ to get sth through.
2 vi aux sein a (durchkommen) to pass through (durch
etw sth). b (Cook) to soak.
3 vr to run through (durch etw sth).
durchziehen[2]* vt insep irreg (durchwandern) to pass
through, to go/come through; (Straße, Fluß, fig: Thema)
to run through; (Geruch) to fill, to pervade.
durchzucken* vt insep (Blitz) to flash across; (fig:
Gedanke) to flash through.
Durchzug m a no pl (Luftzug) draught (Brit), draft
(US). b (durch ein Gebiet) passage; (von Truppen)
march through.
durchzwängen sep (durch etw sth) 1 vt to force or
squeeze through.
2 vr to force one's way through, to squeeze (one's
way) through.
▼ **dürfen** pret **durfte**, ptp **gedurft** or (modal aux) **dürfen**
vi a (Erlaubnis haben) **etw tun ~** to be allowed to do
sth, to be permitted to do sth; **darf ich? — ja, Sie ~** may
I? — yes, you may; **darf ich ins Kino?** may I go to the
cinema?
b (verneint) **man darf etw nicht (tun)** (sollte, muß
nicht) one must not or mustn't do sth; (hat keine
Erlaubnis) one isn't allowed to do sth, one may not do
sth; **er durfte das nicht** he wasn't allowed to; **hier darf
man nicht rauchen** smoking is prohibited here; **du
darfst ihm das nicht übelnehmen** you must not hold it
against him; **das darf doch nicht wahr sein!** that can't
be true!; **da darf er sich nicht wundern** that shouldn't
surprise him.
c (in Höflichkeitsformeln) **Ruhe, wenn ich bitten
darf!** quiet, (if you) please!; **darf ich Sie bitten, das zu
tun?** may or could I ask you to do that?; **was darf es
sein?** can I help you?; **dürfte ich bitte Ihren Paß sehen**

may or might I see your passport, please.
d (Veranlassung haben, können) **wir freuen uns,
Ihnen mitteilen zu ~** we are pleased to be able to tell
you; **man darf doch wohl fragen** one can or may ask,
surely?; **das ~ Sie mir glauben** you can or may take my
word for it.
e **das dürfte ...** (als Annahme) that must ...; (sollte)
that should ..., that ought to ...; (könnte) that could ...;
das dürfte wohl das Beste sein that is probably the best
thing.
dürftig adj a (ärmlich) wretched, miserable; Bekleidung
poor. b (pej: unzureichend) miserable, pathetic (col);
Kenntnisse scanty; Ausrede auch feeble; Ersatz poor attr.
dürr adj a dry; Boden arid, barren; Ast, Strauch withered. b (pej: mager) scrawny, scraggy.
Dürre f -n a (Zeit der ~) drought. b no pl
(Trockensein) dryness; (von Boden) aridity.
Dürre-: **~jahr** nt year of drought; **~katastrophe** f
drought disaster; **~periode** f drought.
Durst m no pl (lit, fig) thirst (nach for) ▶ **~ haben** to be
thirsty; **~ bekommen** to get thirsty; **den ~ löschen** to
quench one's thirst; **einen über den ~ getrunken
haben** (col) to have had one too many.
dursten vi (geh) to be thirsty, to thirst (liter).
dürsten 1 vt impers (liter) **mich dürstet** I thirst (liter);
es dürstet ihn nach Rache he is thirsting for revenge.
2 vi (fig) to thirst (nach for).
durstig adj thirsty ▶ **diese Arbeit macht ~** this is thirsty
work (col), this work makes you thirsty.
Durst-: **d~löschend, d~stillend** adj thirst-quenching;
~strecke f hard times pl.
Durtonleiter f major scale.
Duschbad nt shower(-bath); (Gel) shower gel.
Dusche f -n shower ▶ **unter der ~ sein** to be in the
shower; **unter die ~ gehen, eine ~ nehmen** to have or
take a shower; **das war eine kalte ~** (fig) that really
brought him/her etc down to earth with a bump.
duschen vir to have or take a shower, to shower ▶
(sich) kalt ~ to have or take a cold shower.
Dusch-: **~gel** nt shower gel; **~gelegenheit** f shower facilities pl; **~kabine** f shower (cubicle); **~raum** m shower room, showers pl; **~vorhang** m shower curtain.
Düse f -n nozzle; (Mech auch) jet.
Dusel m no pl (col) a (Glück) luck ▶ **da hat er (einen)
~ gehabt** he was lucky. b (Trancezustand) daze,
dream; (durch Alkohol) fuddle.
duselig adj (schläftrunken) drowsy; (benommen) dizzy;
(esp durch Alkohol) befuddled.
düsen vi aux sein (col) to dash.
Düsen-: **~antrieb** m jet propulsion; **~bomber** m jet
bomber; **~flugzeug** nt jet aircraft, jet; **d~getrieben** adj
jet-propelled; **~jäger** m (Mil) jet fighter; **~triebwerk** nt
jet power-unit.
Dussel m - (col) twit (Brit col), twerp (col).
dusselig, dußlig △ adj (col) stupid.
Dusseligkeit, Dußligkeit △ f (col) stupidity.
düster adj gloomy; Bild, Gedanken sombre (Brit), somber
(US), dismal; (unheimlich) Gestalten sinister.
Düsterkeit f gloominess; (Dunkelheit) gloom,
dark(ness).
Dutt m -s or -e (dial) bun.
Dutzend nt -e dozen ▶ **ein halbes ~** half-a-dozen, a
half-dozen; **zwei/drei ~** two/three dozen; **~e** pl (col)
dozens pl.
Dutzend-: **d~mal** adv (col) **(ein) d~mal** dozens of
times; **~ware** f (pej) (cheap) mass-produced item;
d~weise adv in dozens, by the dozen.
duzen vt jdn/sich ~ to use the familiar form (of address) to sb/each other; **wir ~ uns** we call one another
"du".

➤ SATZBAUSTEINE: **durchwählen** → 15.1, 15.3   **dürfen: a** → 12.1, 12.2 **b** → 5.2, 12.3 **c** → 9.2, 12.1

DUZEN
---

*i There are two different forms of address in German: du and Sie. **Duzen** means addressing someone as 'du' and **siezen** means addressing someone as 'Sie'. 'Du' is used to address children, family and close friends. Students almost always use 'du' to each other. 'Sie' is used for all grown-ups and older teenagers.*

Duzfreund *m* close friend (*whom one addresses as "du"*).
DV [deːˈfau] *f* = **Datenverarbeitung** DP.
Dynamik *f no pl* **a** (*Phys*) dynamics. **b** (*fig*) dynamism.

dynamisch *adj* (*Phys, fig*) dynamic; *Renten* ≃ index-linked.
Dynamit *nt no pl* (*lit, fig*) dynamite.
Dynamo *m* -s dynamo.
Dynastie *f* dynasty.
dz = **Doppelzentner**.
dz. = **derzeit**.
D-Zug [ˈdeːtsuːk] *m* fast train; (*hält nur in großen Städten*) through train ▸ *ein alter Mann ist doch kein* ~ (*col*) I am going as fast as I can.
D-Zug-Tempo *nt* (*col*) fantastic speed (*col*) ▸ *im* ~ like greased lightning (*col*).

E

E, e [e:] *nt* -, - E, e ► *E wie Emil* ≃ E for Edward, E for Easy (*US*).

E = a **Europastraße.** b **Eilzug.**

Ebbe *f* -n a ebb tide; (*Niedrigwasser*) low tide ► *~ und Flut* ebb and flow; *bei ~ baden* to swim when the tide is going out; (*bei Niedrigwasser*) to swim at low tide; *es ist ~* the tide is going out; (*es ist Niedrigwasser*) it's low tide, the tide is out. b (*fig*) *in meinem Geldbeutel ist ~* my finances are at a pretty low ebb at the moment.

eben 1 *adj* (*glatt*) smooth; (*gleichmäßig*) even; (*gleich hoch*) level; (*flach*) flat ► *zu ~er Erde* at ground level.
2 *adv* a *just* ► *mein Bleistift war doch ~ noch da* my pencil was there (just) a minute ago; *ich gehe ~ zur Bank* I'll just go to the bank; *das reicht so* or *nur ~ aus* it's only just enough. b *das ist ~ so* that's just the way it is; *dann bleibst du ~ zu Hause* then you'll just have to stay at home. c (*gerade or genau das*) exactly, precisely ► *das ist es ja ~!* that's just or precisely it!; *nicht ~ billig* not exactly cheap.

Ebenbild *nt* image ► *das genaue ~ seines Vaters* the spitting image of his father.

ebenbürtig *adj* (*gleichwertig*) equal; *Gegner* evenly matched ► *jdm an Kraft ~ sein* to be sb's equal in strength.

eben-: ~**da** *adv* (*gerade dort*) ~**da will auch ich hin** that is exactly where I am going too; ~**darum** *adv* for that very reason; ~**der**, ~**die**, ~**das** *pron* he; she; it; ~**deshalb**, ~**deswegen** *adv* that is exactly why; ~**diese(r, s)** *adj* this very.

Ebene *f* -n plain; (*Hoch~*) plateau; (*Math, Phys*) plane; (*fig*) level ► *auf höchster/der gleichen ~* (*fig*) at the highest/the same level.

eben-: ~**erdig** *adj* at ground level; ~**falls** *adv* as well, likewise; *er hat ~falls nichts davon gewußt* he knew nothing about it either.

Ebenholz *nt* ebony.

Ebenmaß *nt* (*von Gestalt etc*) perfect proportions *pl*; (*von Versen*) even flow.

ebenmäßig *adj Gestalt etc* perfectly proportioned; *Verse* evenly flowing.

ebenso *adv* (*genauso*) just as; (*auch, ebenfalls*) as well ► *das kann doch ~ eine Frau machen* a woman can do that just as well; *er hat ein ~ großes Zimmer wie wir* he has just as big a room as we have.

ebenso-: ~**gern** ⚠ *adv ich mag sie ~gern* I like her just as much; *ich komme ~gern morgen* I'd just as soon come tomorrow; ~**gut** ⚠ *adv* (just) as well; ~**lang(e)** ⚠ *adv* just as long; ~**oft** ⚠ *adv* just as often; ~**sehr** ⚠ *adv* just as much; ~**viel** ⚠ *adv* just as much; ~**wenig** ⚠ *adv* just as little.

Eber *m* - boar.

Eber|esche *f* rowan, mountain ash.

ebnen *vt* to level (off), to make level ► *jdm den Weg ~* (*fig*) to smooth the way for sb.

EC [e:'tse:] *m* -, -s (*Rail*) = **Eurocity-Zug** European Intercity train.

Echo *nt* -s echo; (*fig*) response (*auf +acc* to) ► *ein lebhaftes ~ finden* (*fig*) to meet with a lively response (*bei* from).

Echolot *nt* (*Naut*) echo-sounder, sonar; (*Aviat*) sonic al-

timeter.

Echse ['ɛksə] *f* -n (*Zool*) lizard.

echt 1 *adj*, *adv* a real, genuine; *Haar, Perlen, Gold* real; *Unterschrift, Geldschein, Gemälde* genuine. b (*typisch*) typical ► *ein ~er Bayer* a real or typical Bavarian; *~ englisch* typically English.
2 *adv* (*col*) really ► *ich hab' ~ keine Zeit* I really don't have any time.

Echtheit *f* genuineness; (*von Unterschrift, Dokument auch*) authenticity.

Echtzeit *f* (*Comp*) real time.

Eck *nt* -e a (*esp Aus, S Ger*) = **Ecke.** b *über ~* diagonally across or opposite.

Eck- *in cpds* corner; ~**ball** *m* (*Sport*) corner; ~**bank** *f* corner seat.

Ecke *f* -n a corner (*auch Sport*); (*Kante*) edge; (*von Kragen*) point ► *Kantstraße ~ Goethestraße* at the corner of Kantstraße and Goethestraße; *gleich um die ~* just around the corner; *jdn in die ~ drängen* (*fig*) to push sb into the background; *an allen ~n und Enden sparen* to pinch and scrape (*col*); *jdn um die ~ bringen* (*col*) to bump sb off (*col*); *mit jdm um ein paar ~n herum verwandt sein* (*col*) to be distantly related to sb, to be sb's second cousin twice removed (*hum col*). b (*Käse~, Kuchen~*) wedge. c (*col: Gegend*) corner, area ► *aus welcher ~ kommst du?* what part of the world are you from? d (*col: Strecke*) way ► *eine ~* (*fig: viel*) quite a bit; *eine ganze ~ entfernt* quite a (long) way away; *eine (ganze) ~ älter/billiger/größer* quite a bit older/cheaper/bigger.

Eck-: ~**fahne** *f* (*Sport*) corner flag; ~**haus** *nt* corner house.

eckig *adj* angular; *Klammer* square; (*spitz*) sharp.

Eck-: ~**kneipe** *f* (*col*) pub on the corner (*Brit*); ~**lohn** *m* basic rate of pay; ~**pfeiler** *m* (*fig*) cornerstone; ~**pfosten** *m* corner post; ~**schrank** *m* corner cupboard; ~**stoß** *m* (*Ftbl*) corner kick; ~**wert** *m* (*Econ*) benchmark figure; (*fig*) basis; ~**zahn** *m* canine tooth; ~**zins** *m* (*Fin*) minimum lending rate.

Economyklasse [i'kɔnəmi-] *f* economy class.

Ecu [e:'ku:] *m* -**(s)**, -**(s)** ecu.

Ecuador [ekua'do:ɐ] *nt* Ecuador.

ecuadorianisch *adj* Ecuadorian.

edel *adj* noble; (*hochwertig*) precious; (*col: vornehm*) swish (*col*); *Wein, Speisen* fine.

Edel-: ~**fäule** *f* (*bei Weintrauben*) noble rot; ~**frau** *f* (*Hist*) noblewoman; ~**gas** *nt* rare gas; ~**holz** *nt* precious wood; ~**mann** *m*, *pl* ~**leute** (*Hist*) noble(man); ~**metall** *nt* precious metal; ~**mut** *m* (*liter*) magnanimity; **e~mütig** *adj* (*liter*) magnanimous; ~**pilzkäse** *m* blue (vein) cheese; ~**rost** *m* patina; ~**stahl** *m* high-grade steel; ~**stein** *m* precious stone; (*geschliffener auch*) jewel, gem; ~**tanne** *f* noble fir; ~**weiß** *nt* -e edelweiss.

Eden *nt no pl der Garten ~* (*Bibl*) the Garden of Eden.

Edinburg(h) *nt* Edinburgh.

editieren* *vt* to edit.

Edition *f* (*das Herausgeben*) editing; (*die Ausgabe*) edition.

Editor(in *f***)** [-'to:rɪn] *m* editor.

EDV [e:de:'fau] *f* = **elektronische Datenverarbeitung**

⚠: Informationen zur Rechtschreibreform im Anhang

EDP.
EDV-Anlage f EDP or computer system.
EEG [eːeːˈgeː] nt -(s), -(s) = **Elektroenzephalogramm** EEG.
Efeu m no pl ivy.
Eff|eff nt no pl (col) **etw aus dem ~ können** to be able to do sth standing on one's head (col); **etw aus dem ~ kennen** to know sth inside out.
Effekt m -e effect.
Effekten pl (Fin) stocks and bonds pl.
Effekten-: ~**börse** f stock exchange; ~**handel** m stockbroking; ~**händler** m jobber.
Effekthascherei f (col) showmanship ▸ **das ist reine ~** it's just done for effect.
effektiv [1] adj [a] effective. [b] (tatsächlich) actual. [2] adv actually ▸ **~ kein** absolutely no.
Effektivität f effectiveness.
Effektivlohn m actual wage.
effektvoll adj effective.
Effet [ɛˈfeː] m -s spin ▸ **den Ball mit ~ schießen** to put spin on a ball.
effizient adj efficient.
EFTA f = **Europäische Freihandelszone** EFTA.
EG [eːˈgeː] f = **Europäische Gemeinschaft** EC.
▾ **egal** adj, adv [a] pred **das ist ~** that doesn't matter, that doesn't make any difference; **das ist mir ganz ~** it's all the same to me; **~ wo/wie** it doesn't matter where/how, no matter where/how. [b] (col: gleichartig) the same, identical.
egalitär adj (geh) egalitarian.
Egge f -n (Agr) harrow.
EG-: ~**-Kommission** f EC Commission; ~**-Ministerrat** m (EC) Council of Ministers.
Ego nt -s (Psych) ego.
Egoismus m ego(t)ism.
Egoist(in f) m (wk) ego(t)ist.
egoistisch adj ego(t)istical.
Ego-: ~**trip** m (col) ego-trip (col): ~**zentriker(in** f) m - egocentric; **e~zentrisch** adj egocentric.
EG-Staat m EC country.
eh [1] interj hey. [2] adv [a] **seit ~ und je** for ages, since the year dot (col); **wie ~ und je** just as before. [b] (col: sowieso) anyway ▸ **ich komme ~ nicht dazu** I won't get around to it anyway.
ehe conj (bevor) before ▸ **~ (daß) ich mich auf andere verlasse, mache ich lieber alles selbst** rather than rely on others, I would prefer to do everything myself.
Ehe f -n marriage ▸ **er versprach ihr die ~** he promised to marry her; **die ~ eingehen** (form) to enter into matrimony (form); **eine unglückliche ~ führen** to have an unhappy marriage; **die ~ brechen** (form) to commit adultery; **sie hat drei Kinder aus erster ~** she has three children from her first marriage.
Ehe-: **e~ähnlich** adj (form) **in einer e~ähnlichen Gemeinschaft leben** to cohabit (form); ~**anbahnungsinstitut** nt marriage bureau; ~**beratung** f marriage guidance; ~**bett** nt double bed; (fig) marital bed; ~**brecher** m - adulterer; ~**brecherin** f adulteress; **e~brecherisch** adj adulterous; ~**bruch** m adultery.
ehedem adv (old) formerly.
Ehe-: ~**frau** f wife; ~**gatte** m, ~**gattin** f (form) spouse (form); ~**gemeinschaft** f (form) wedlock (form), matrimony; ~**glück** nt married bliss; ~**krach** m marital row; ~**leben** nt married life; ~**leute** pl (form) married couple; (in Briefadresse) Mr and Mrs.
ehelich adj marital; Pflichten, Rechte auch conjugal; Kind legitimate.
ehelichen vt (dated, hum) to wed (old).
ehelos adj unmarried, single.

Ehelosigkeit f no pl unmarried state; (Rel) celibacy.
ehemalig adj attr former ▸ **~er Häftling** ex-convict; **mein E~er/meine E~e** (hum col) my ex (col).
ehemals adv (form) formerly, previously.
Ehe-: ~**mann** m, pl ~**männer** married man; (Partner) husband; ~**paar** nt (married) couple; ~**partner(in** f) m husband; wife; **beide ~partner** both partners (in the marriage).
eher adv [a] (früher) earlier, sooner ▸ **je ~, je** or **desto lieber** the sooner the better; **nicht ~ als** not before. [b] (lieber) rather, sooner; (wahrscheinlicher) more likely; (leichter) more easily ▸ **um so ~, als** the more so because; **das ist ~ möglich** that is more likely or probable. [c] (vielmehr) more ▸ **er ist ~ faul als dumm** he's more lazy than stupid, he's lazy rather than stupid.
Ehe-: ~**ring** m wedding ring; ~**scheidung** f divorce; ~**schließung** f marriage ceremony, wedding.
Ehestand m no pl matrimony, marriage ▸ **in den ~ treten** (form) to enter into matrimony.
ehestens adv **~ morgen** tomorrow at the earliest.
eheste(r, s) [1] adj **bei ~r Gelegenheit** at the earliest opportunity. [2] adv **am ~n** (am liebsten) best· of all; (am wahrscheinlichsten) most likely; (am leichtesten) the easiest; **am ~n würde ich mir ein Auto kaufen** what I'd like best (of all) would be to buy myself a car; **das geht wohl am ~n** that's probably the best way.
Ehe-: ~**streit** m marital argument; ~**vermittlung** f (Büro) marriage bureau; ~**versprechen** nt (Jur) promise to marry.
ehrbar adj (achtenswert) respectable; (ehrenhaft) honourable (Brit), honorable (US); Beruf auch reputable.
Ehre f -n honour (Brit), honor (US); (Ruhm) glory ▸ **etw in ~n halten** to treasure or cherish sth; **jdm ~/wenig ~ machen** to do sb credit/not do sb any credit; **auf ~ und Gewissen** on my/his etc honour; **etw um der ~ willen tun** to do sth for the honour of it; **seine Kenntnisse in allen ~n, aber ...** I don't doubt his expertise, but ...; **sich** (dat) **etw zur ~ anrechnen** to count sth an honour; **das rechne ich ihm zur ~ an** I consider that as being to his credit; **mit wem habe ich die ~?** (iro, form) with whom do I have the honour of speaking? (form); **um der Wahrheit die ~ zu geben ...** (geh) to be perfectly honest ...; **wir geben uns die ~, Sie zu ... einzuladen** (form) we request the honour of your company at ... (form); **zu ~n** (+gen) in honour of; **~, wem ~ gebührt** (prov) give credit where credit is due (prov).
ehren vt to honour (Brit), to honor (US) ▸ **etw ehrt jdn** sth does sb credit or honour; **Ihr Vertrauen ehrt mich** I am honoured by your trust; **jdm ein ~des Andenken bewahren** to treasure sb's memory; siehe **geehrt**.
Ehren-: ~**amt** nt honorary office or post; **e~amtlich** [1] adj honorary; [2] adv in an honorary capacity.
Ehrenbürger m freeman.
Ehrenbürgerrecht nt **die Stadt verlieh ihr das ~** she was given the freedom of the city.
Ehren-: ~**doktor** m honorary doctor; ~**doktorwürde** f: **ihm wurde die ~doktorwürde verliehen** he was made an honorary doctor or given an honorary doctorate; ~**garde** f guard of honour (Brit) or honor (US); ~**gast** m guest of honour (Brit) or honor (US); ~**gericht** nt tribunal; **e~haft** adj honourable (Brit), honorable (US); ~**haftigkeit** f honourableness (Brit), honorableness (US); **e~halber** adv **er wurde e~halber zum Vorsitzenden auf Lebenszeit ernannt** he was made honorary president for life; ~**legion** f legion of honour (Brit) or honor (US); ~**mal** nt memorial; ~**mann** m, pl ~**männer** man of honour (Brit) or honor (US); ~**mitglied** nt honorary member; ~**mitgliedschaft** f honorary membership; ~**platz** m (lit) place of honour

(*Brit*) *or* honor (*US*); (*fig*) special place; **~preis** *m*
(*Auszeichnung*) prize; (*bei Wettbewerb*) special prize;
~rechte *pl* (*Jur*) civil rights *pl*; **~rettung** *f zu seiner
~rettung sei gesagt, daß ...* in his favour (*Brit*) *or* favor
(*US*) it must be said that ...; **e~rührig** *adj* defamatory;
~runde *f* (*Sport*) lap of honour (*Brit*) *or* honor (*US*);
~sache *f* matter of honour (*Brit*) *or* honor (*US*);
~sache! (*col*) you can count on me; **~tag** *m*
(*Geburtstag*) birthday; (*großer Tag*) big day; **~titel** *m*
honorary title; **~tor** *nt* (*Sport*) consolation goal; **~tri-
büne** *f* VIP rostrum; **~urkunde** *f* certificate; **e~voll** *adj*
honourable (*Brit*), honorable (*US*); **~vorsitzende(r)** *mf*
honorary chairman/chairwoman; **~wache** *f* guard of
honour (*Brit*) *or* honor (*US*); **e~wert** *adj Mensch* honourable (*Brit*), honorable (*US*); *die E~werte Gesellschaft* (*hum*) the Mafia; **~wort** *nt* word of honour (*Brit*)
or honor (*US*); *~wort!* (*col*) cross my heart! (*col*);
Urlaub auf ~wort parole; **e~wörtlich** *adj Versprechen*
solemn, faithful.

Ehr-: **e~erbietig** *adj* respectful, deferential; **~erbietung**
f respect, deference.

Ehrfurcht *f no pl* deep respect (*vor +dat* for); (*Scheu*)
reverence (*vor +dat* for).

⚠ **ehrfurchtgebietend** *adj Stimme* auth... tative.

ehrfürchtig *adj* reverent.

Ehrgefühl *nt* sense of honour (*Brit*) *or* l... or (*US*).

Ehrgeiz *m no pl* ambition.

ehrgeizig *adj* ambitious.

ehrlich [1] *adj, adv* honest; *Name* good; *Wunsch* sincere
▶ *eine ~e Haut* (*col*) an honest soul; *er hat ~e
Absichten* (*col*) his intentions are honourable (*Brit*) *or*
honorable (*US*); *~ verdientes Geld* hard-earned money;
~ gesagt ... quite frankly *or* honestly ...; *~ währt am
längsten* (*Prov*) honesty is the best policy (*Prov*).
[2] *adv* (*wirklich*) honestly ▶ *~!* honestly!, really!

Ehrlichkeit *f no pl* honesty; (*von Gefühlen etc*) sincerity.

Ehr-: **e~los** *adj* dishonourable (*Brit*), dishonorable (*US*);
~losigkeit *f* dishonourableness (*Brit*), dishonorableness
(*US*); (*Schlechtigkeit*) infamy.

Ehrung *f* honour (*Brit*), honor (*US*); (*Sieger~ etc*) hon-
ouring (*Brit*), honoring (*US*).

ehrwürdig *adj* venerable ▶ *~e Mutter/~er Vater* (*Eccl*)
Reverend Mother/Father.

ei *interj* (*zärtlich*) there (there); (*old*) (*spöttisch*) well;
(*bekräftigend*) oh.

Ei *nt* **-er** [a] egg; (*Physiol auch*) ovum ▶ *das ~ des
Kolumbus finden* to come up with just the thing; *das ~
will klüger sein als die Henne* you're trying to teach
your grandmother to suck eggs (*prov*); *jdn wie ein
rohes ~ behandeln* (*fig*) to handle sb with kid gloves;
wie auf ~ern gehen (*col*) to step gingerly; *wie aus dem
~ gepellt aussehen* (*col*) to look spruce; *sie gleichen
sich wie ein ~ dem anderen* they are as alike as two
peas (in a pod); *das sind ungelegte ~er!* (*col*) we'll
cross that bridge when we come to it. [b] *~er pl* (*col:
Geld*) marks. [c] *~er pl* (*col!: Hoden*) balls *pl* (*col!*).

Eibe *f* **-n** (*Bot*) yew.

Eich|amt *nt* ≃ Weights and Measures Office (*Brit*).

Eiche *f* **-n** oak.

Eichel *f* **-n** [a] (*Bot*) acorn. [b] (*Anat*) glans.

Eichelhäher *m* jay.

eichen *vt* to calibrate; (*prüfen auch*) to check against official specifications ▶ *darauf bin ich geeicht!* (*col*) that's
right up my street (*col*).

Eichenholz *nt* oak ▶ *ein Tisch aus ~* an oak table.

Eichhörnchen *nt* squirrel.

Eich-: **~maß** *nt* standard measure; (*Gewicht*) standard
weight; **~strich** *m* line measure.

Eichung *f* calibration; (*Prüfung auch*) official verification.

Eid *m* **-e** oath ▶ *einen ~ leisten or schwören* to take *or*

swear an oath (*auf etw* (*acc*) on sth); *ich nehme es auf
meinen ~, daß ...* I would be prepared to swear that ...;
unter ~ under oath; *eine Erklärung an ~es Statt
abgeben* (*Jur*) to make a statutory declaration.

Eidechse ['aidεksə] *f* **-n** (*Zool*) lizard.

Eidesformel *f* wording of the oath ▶ *die ~ nachsprechen* to repeat the oath.

eidesstattlich *adj* solemn ▶ *eine ~e Erklärung
abgeben* to make a statutory declaration.

Eid-: **~genosse** *m*, **~genossin** *f* (*Schweizer*) Swiss citizen; **~genossenschaft** *f Schweizerische ~genossen-
schaft* Swiss Confederation; **e~genössisch** *adj*
(*schweizerisch*) Swiss.

Eidotter *m or nt* egg yolk.

Eier-: **~becher** *m* eggcup; **~farbe** *f* egg paint;
~handgranate *f* (*Mil*) (pineapple) hand grenade;
~kopf *m* (*col*) egghead (*col*); **~kuchen** *m* pancake;
(*Omelette*) *omelette made with a mixture containing flour;*
~laufen *nt* egg and spoon race; **~likör** *m* ≃ advocaat;
~löffel *m* eggspoon.

eiern *vi* (*col*) to wobble.

Eier-: **~schale** *f* eggshell; **e~schalenfarben** *adj* cream,
off-white; **~speise** *f* egg dish; **~stock** *m* (*Anat*) ovary;
~tanz *m einen ~tanz aufführen* (*fig col*) to go through
all kinds of contortions; **~uhr** *f* egg timer.

Eifer *m no pl* (*Begeisterung*) enthusiasm; (*Eifrigkeit*) eagerness, keenness ▶ *in ~ geraten* to get agitated; *mit
großem ~ bei der Sache sein* to put one's heart into it;
im ~ des Gefechts (*fig col*) in the heat of the moment.

Eiferer *m* **-** (*liter*) fanatic; (*Rel auch*) zealot.

eifern *vi* (*liter*) [a] *gegen jdn/etw ~* to inveigh against
sb/sth. [b] (*streben*) *nach etw ~* to strive for sth.

Eifersucht *f* jealousy (*auf +acc* of).

eifersüchtig *adj* jealous (*auf +acc* of).

Eifersuchtsszene *f* *ihr Mann hat ihr eine ~ gemacht*
her husband's jealousy caused a scene.

eiförmig *adj* egg-shaped, oval.

eifrig *adj* eager; *Leser, Sammler* keen, avid; (*begeistert*)
enthusiastic; (*emsig*) zealous ▶ *sie diskutierten ~* they
carried on an animated discussion.

Eigelb *nt* egg yolk.

eigen *adj* [a] own; (*selbständig*) separate ▶ *seine ~e
Wohnung haben* to have a flat of one's own, to have
one's own flat; *etw sein ~ nennen können* (*geh*) to be
the proud owner of sth; *sich* (*dat*) *etw zu ~ machen* to
adopt sth; *ich möchte kurz in ~er Sache sprechen* I
would like to say something on my own account. [b]
(*typisch*) typical ▶ *das ist ihm ~* that is typical of him;
der ihm ~e Zynismus his characteristic cynicism. [c]
(*seltsam*) strange, peculiar. [d] (*ordentlich*) particular;
(*übergenau*) fussy ▶ *in Gelddingen ist er sehr ~* he is
very particular about money matters.

Eigen|art *f* (*Besonderheit*) peculiarity; (*Eigenschaft*) char-
acteristic; (*Eigentümlichkeit von Personen*) idiosyncrasy.

eigen|artig *adj* peculiar; (*sonderbar auch*) strange.

Eigen-: **~bau** *m no pl er fährt ein Fahrrad Marke ~bau*
(*hum col*) he rides a home-made bike; **~bedarf** *m* (*von
Mensch*) personal use; (*von Staat*) domestic requirements *pl*; *der Hausbesitzer machte ~bedarf geltend*
the landlord claimed that he needed the house/flat for
himself; **~blut** *nt* (*Med*) own blood; *dem Patienten
wird vorher ~blut abgenommen* some of the patient's
own blood is taken beforehand; **~brötler(in** *f*) *m* **-** (*col*)
loner, lone wolf; (*komischer Kauz*) oddball (*col*);
e~brötlerisch *adj* (*col*) solitary; (*komisch*) eccentric;
~dynamik *f* momentum; *eine ~dynamik entwickeln*
to gather momentum; **~gewicht** *nt* (*Comm*) net
weight; (*Sci*) dead weight; **e~händig** *adj Unterschrift
etc* in one's own hand, handwritten; *Übergabe* personal;
eine Arbeit e~händig machen to do a job oneself;

~heim nt one's own home; **~heit** f = **~art**; **~initiative** f initiative of one's own; **~kapital** nt personal captial; (von Firma) company capital; **~leben** nt no pl one's own life; (selbständige Existenz) independent existence; **ein ~leben entwickeln** to develop a life of its own; **~leistung** f (bei Hausbau) (borrower's) own funding; **~lob** nt self-praise; (**~lob stinkt!** (prov) don't blow your own trumpet! (prov); **e~mächtig** [1] adj (selbstherrlich) high-handed; (e~verantwortlich) taken/done etc on one's own authority; (unbefugt) unauthorized; [2] adv high-handedly; (entirely) on one's own authority; without any authorization; **~mächtigkeit** f (Selbstherrlichkeit) high-handedness no pl; (unbefugtes Handeln) unauthorized behaviour (Brit) or behavior (US) no pl; **~name** m proper name; **~nutz** m no pl self-interest; **e~nützig** adj selfish.

eigens adv specially.

Eigenschaft f (Attribut) quality; (Chem, Phys etc) property; (Merkmal) characteristic, feature; (Funktion) capacity.

Eigenschaftswort nt adjective.

Eigen-: **~sinn** m no pl stubbornness, obstinacy; **e~sinnig** adj stubborn, obstinate; **e~ständig** adj independent; **~ständigkeit** f independence.

eigentlich [1] adj real, actual.
    [2] adv actually; (überhaupt) anyway ► **was willst du ~ hier?** what do you want here anyway?; **wissen Sie ~, wer ich bin?** do you know who I am?; **~ müßtest du das wissen** you should really know that.

Eigentor nt (Sport, fig) own goal.

Eigentum nt no pl property.

Eigentümer(in f) m - owner.

eigentümlich adj [a] curious, odd. [b] (geh: typisch) **jdm/einer Sache ~ sein** to be characteristic of sb/sth.

eigentümlicherweise adv oddly enough.

Eigentümlichkeit f [a] (Kennzeichen) characteristic. [b] (Eigenheit) peculiarity.

Eigentums-: **~anspruch** m claim of ownership; **einen ~anspruch auf etw** (acc) **geltend machen** to claim ownership of sth; **~delikt** nt (Jur: Diebstahl) theft; **~recht** nt right of ownership; **~urkunde** f title deed; **~wohnung** f owner-occupied flat (Brit) or apartment; **er kaufte sich** (dat) **eine ~wohnung** he bought a flat (of his own).

Eigen-: **e~verantwortlich** [1] adj autonomous; [2] adv on one's own authority; **e~willig** adj with a mind of one's own; (e~sinnig) self-willed; (unkonventionell) unconventional.

eignen vr to be suitable (für, zu for, als as) ► **er eignet sich nicht zum Lehrer** he's not suited to teaching; siehe **geeignet**.

Eigner(in f) m - (form) owner.

Eignung f suitability; (Befähigung) aptitude.

Eignungs-: **~prüfung** f, **~test** m aptitude test.

Eiland nt -e (liter) isle (liter).

Eil-: **~bote** m messenger; **per** or **durch ~boten** express; **~brief** m express letter.

Eile f no pl hurry ► **in ~ sein** to be in a hurry; **das hat keine ~** there is no hurry, it's not urgent; **in der/meiner ~** in the hurry/my haste; **in aller ~** hurriedly, hastily; **nur keine ~!** don't rush!

Eileiter m (Anat) Fallopian tube.

eilen vi [a] aux sein to hurry ► **er eilte dem Ertrinkenden zu Hilfe** he rushed to help the drowning man; **eile mit Weile** (Prov) more haste less speed (Prov). [b] **eilt!** (auf Briefen etc) urgent; **es eilt** it's urgent.

eilends adv hurriedly; hastily.

Eilgut nt express freight ► **etw als ~ senden** to send sth express freight.

eilig adj [a] (schnell) quick, hurried ► **es ~ haben** to be

in a hurry or rush; **nur nicht so ~!** don't be in such a hurry or rush! [b] (dringend) urgent.

Eil-: **~paket** nt express parcel; **~sendung** f express delivery item; **~tempo** nt: **etw im ~tempo machen** to do sth in a rush; **~zug** m semi-fast stopping train; **~zustellung** f express or (Brit) special delivery.

Eimer m - bucket; (Müll~) (rubbish) bin ► **ein ~ (voll) Wasser** a bucket(ful) of water; **es gießt wie aus ~n** (col) it's bucketing down (col); **im ~ sein** (col) to be up the spout (col) or be ruined.

ein¹ adv (an Geräten) **E~/Aus** on/off; **er geht bei uns ~ und aus** he is always round at our place; **ich weiß nicht mehr ~ noch aus** I'm at my wits' end.

ein², **eine**, **ein** [1] num one ► **~ für allemal** once and for all; **er ist ihr ~ und alles** he means everything to her; siehe **eins**.
    [2] indef art a; (vor Vokalen) an ► **~ Europäer** a European; **~ Hotel** a or an hotel; **der Sohn ~es Lehrers** the son of a teacher, a teacher's son; **was für ~ Wetter!** this is some weather!

Ein|akter m - (Theat) one-act play.

einander pron one another, each other.

ein|arbeiten sep [1] vr to get used to the work.
    [2] vt jdn to train.

Ein|arbeitungszeit f training period.

ein|armig adj one-armed.

ein|äschern vt sep Leichnam to cremate; Stadt etc to reduce to ashes.

Ein|äscherung f (von Leichnam) cremation.

ein|atmen vti sep to breathe in.

ein|äugig adj one-eyed.

Einbahnstraße f one-way street.

einbalsamieren* vt sep to embalm.

Einbalsamierung f embalming.

Einband m book cover.

einbändig adj one-volume attr.

Einbau m -ten installation.

einbauen vt sep to install, to put in ► **eingebaut** built-in.

Einbauküche f (fully-)fitted kitchen.

Einbaum m dug-out (canoe).

Einbau-: **~möbel** pl built-in or fitted furniture; (Schränke) fitted cupboards pl; **~schrank** m built-in or fitted cupboard.

einbegriffen adj included.

einbehalten* vt sep irreg to keep back.

einbeinig adj one-legged.

einberechnen* vt sep to allow for (in one's calculations) ► **~, daß ...** to allow for the fact that ...

einberufen* vt sep irreg Parlament to summon; Versammlung to convene, to call; (Mil) to call up, to draft (US).

Einberufung f [a] (einer Versammlung) calling; (des Parlaments) summoning. [b] (Mil) conscription; (~sbescheid) call-up.

Einberufungs-: **~bescheid**, **~befehl** m (Mil) call-up or draft (US) papers pl.

einbetten vt sep (also Comp) to embed (in +acc in); Rohr, Kabel to lay (in +acc in); siehe **eingebettet**.

Einbettzimmer nt single room.

einbeziehen* vt sep irreg to include (in +acc in).

Einbeziehung f inclusion ► **unter ~ von etw** including sth.

einbiegen vi sep irreg aux sein to turn (off) (in +acc into) ► **links ~** to turn (off to the) left.

einbilden vr sep [a] **sich** (dat) **etw ~** to imagine sth; **er bildet sich** (dat) **ein, daß ...** he's got hold of the idea that ...; **das bildest du dir nur ein** that's just your imagination; **was bildest du dir eigentlich ein?** what's got into you? [b] (stolz sein) **sich** (dat) **viel auf etw** (acc) **~**

to be conceited about sth; **darauf können Sie sich etwas ~!** that's something to be proud of!; **darauf brauchst du dir nichts einzubilden** that's nothing special; *siehe* **eingebildet.**

Einbildung *f* [a] (*Vorstellung*) imagination; (*irrige Vorstellung*) illusion ▶ **das sind ~en** that's pure imagination. [b] (*Dünkel*) conceit.

Einbildungskraft *f* (powers *pl* of) imagination.

einbinden *vt sep irreg Buch* to bind; (*fig: einbeziehen*) to integrate.

Einbindung *f* (*fig*) integration.

einblenden *sep* (*Film, TV, Rad*) [1] *vt* to insert, to slot in; (*nachträglich*) *Musik etc* to dub on. [2] *vr* **sich in etw** (*acc*) **~** to link up with sth.

Einblendung *f siehe vt* insert; (*das Einblenden*) insertion, dubbing (on).

⚠**einbleuen** *vt sep* (*col*) **jdm etw ~** (*einschärfen*) to drum sth into sb.

Einblick *m* (*fig: Kenntnis*) insight ▶ **~ in etw** (*acc*) **gewinnen** to gain an insight into sth; **~ in die Akten nehmen** to examine the files; **jdm ~ in etw** (*acc*) **gewähren** to allow sb to look at sth.

einbrechen *vi sep irreg aux sein* [a] (*einstürzen*) to fall or cave in ▶ **er ist (auf dem Eis) eingebrochen** he fell through the ice. [b] *aux sein or haben* (*Einbruch verüben*) to break in ▶ **bei mir ist eingebrochen worden** I've been burgled *or* burglarized (*US*); **in neue Absatzmärkte** *etc* **~** to break into new markets *etc.* [c] (*Dämmerung etc*) to fall; *Winter* to set in ▶ **bei ~der Nacht** at nightfall.

Einbrecher(in *f*) *m* - burglar.

einbringen *sep irreg* [1] *vt Geld, Ernte, Schiff* to bring in; *Ruhm, Nachteil* to bring; *Zinsen* to earn; (*Parl*) to introduce ▶ **das bringt nichts ein** there's no money in it; (*fig*) it's not worth it; **etw in die Ehe ~** to bring sth into the marriage. [2] *vr* **sich (in eine Diskussion) ~** to involve oneself (in a discussion).

einbrocken *vt sep* (*col*) **jdm/sich etwas ~** to land sb/oneself in it (*col*); **da hast du dir etwas Schönes eingebrockt!** you've really let yourself in for it there.

Einbruch *m* [a] (*~diebstahl*) burglary, break-in (*in +acc* in) ▶ **der ~ in die Bank** the break-in at the bank. [b] (*von Wasser*) penetration. [c] (*Einsturz*) collapse ▶ **~ der Kurse/der Konjunktur** (*Fin*) stock exchange/economic crash. [d] (*des Winters*) onset ▶ **bei/vor ~ der Nacht/Dämmerung** at/before nightfall/dusk.

Einbruch(s)-: ~diebstahl *m* (*Jur*) burglary, breaking and entering (*form*); **e~sicher** *adj* burglar-proof.

einbuchten *vt sep* (*col*) to put away (*col*), to lock up.

Einbuchtung *f* indentation; (*Bucht*) inlet, bay.

einbürgern *sep* [1] *vt Person* to naturalize; *Fremdwort, Gewohnheit* to introduce. [2] *vr* (*Person*) to become *or* be naturalized; (*Brauch, Tier*) to become established ▶ **das hat sich so eingebürgert** (*Brauch*) it's just the way we/they *etc* have come to do things.

Einbürgerung *f siehe vt* naturalization; introduction.

Einbuße *f* loss (*an +dat* in).

einbüßen *sep vt* to lose; (*durch eigene Schuld*) to forfeit.

einchecken ['-tʃɛkn] *vti sep* to check in (*an +dat* at).

eincremen *vt sep* to put cream on.

eindämmen *vt sep Fluß* to dam; (*fig*) to check, to contain.

Eindämmung *f* [a] (*Damm*) dam. [b] *siehe vt* damming; checking, containing.

eindecken *sep* [1] *vr* **sich (mit etw) ~** to stock up (with sth). [2] *vt* (*col: überhäufen*) **mit Arbeit eingedeckt sein** to be inundated with work.

eindeutig *adj* clear; (*nicht zweideutig*) unambiguous; *Witz* explicit ▶ **jdm etw ~ sagen** to tell sb sth quite plainly.

eindeutschen *vt sep Fremdwort* to Germanize.

Eindeutschung *f* Germanization.

eindicken *vti sep* (*vi: aux sein*) to thicken.

eindimensional *adj* one-dimensional.

eindösen *vi sep aux sein* (*col*) to doze off.

eindrängen *vr sep* to crowd in (*in +acc* -to); (*fig*) to intrude (*in +acc* upon).

eindrehen *vt sep* [a] to screw in (*in +acc* -to). [b] *Haar* to put in rollers.

eindringen *vi sep irreg aux sein* [a] (*einbrechen*) **in etw** (*acc*) **~** to force one's way into sth; **in unsere Linien/das Land ~** (*Mil*) to penetrate our lines/to enter the country. [b] **in etw** (*acc*) **~** (*Messer, Wasser*) to penetrate sth; (*Fremdwort etc*) to find its way into sth. [c] (*bestürmen*) **auf jdn ~** to go for sb, to attack sb (*mit* with); (*mit Fragen, Bitten etc*) to besiege sb.

eindringlich *adj* (*nachdrücklich*) insistent; (*dringend auch*) urgent; *Schilderung* vivid ▶ **ich habe ihn ~ gebeten ...** I urged him ...

Eindringlichkeit *f siehe adj* insistence; urgency; vividness.

Eindringling *m* intruder.

▼ **Eindruck** *m* ⁼e impression ▶ **den ~ erwecken, als ob** *or* **daß ...** to give the impression that ...; **großen ~ auf jdn machen** to make a big impression on sb; **er will ~ (bei ihr) machen** *or* **schinden** (*col*) he's out to impress (her).

eindrücken *vt sep* to push in; *Fenster* to break; *Tür, Mauer* to push down; (*Sturm, Explosion*) to blow in/down; (*einbeulen*) to dent; *Brustkorb* to crush; *Nase* to flatten.

eindrucksvoll *adj* impressive.

eine *siehe* **ein²**, **eine(r, s).**

ein|ebnen *vt sep* (*lit*) to level (off); (*fig*) to level out.

Ein|ehe *f* monogamy.

ein|eiig *adj Zwillinge* identical.

ein|einhalb *num* one and a half; *siehe* **anderthalb.**

Ein|eltern(teil)familie *f* single-parent family.

einen *vtr* (*geh*) to unite.

ein|engen *vt sep* (*lit*) to constrict; (*fig*) to restrict ▶ **jdn in seiner Freiheit ~** to restrict sb's freedom.

Ein|engung *f* (*lit*) constriction; (*fig*) restriction.

eine(r, s) *indef pron adj* [a] one; (*jemand*) somebody, someone ▶ **der/die/das ~** the one; **das ~ Gute war ...** the one good thing was ...; **er denkt immer nur an das ~** he only thinks of one thing; **sein ~r Sohn** (*col*) one of his sons; **die ~n sagen so, die anderen ...** some (people) say one thing and others ...; **~r für alle, alle für ~n** (*prov*) all for one and one for all (*prov*); **du bist mir vielleicht ~(r)!** (*col*) you're a fine one (*col*); **sieh mal ~r an!** (*iro*) well what do you know! (*col*); **in ~m fort, in ~r Tour** (*col*) non-stop. [b] (*man*) one (*esp form*), you ▶ **wie kann ~r nur so dumm sein!** how could anybody be so stupid! [c] **~s** (*auch eins*) one thing; **~s sag' ich dir** I'll tell you one thing; **noch ~s, bevor ich's vergesse** (there's) one other thing before I forget; **es kam ~s zum anderen** it was (just) one thing after another. [d] (*col*) **sich** (*dat*) **~n genehmigen** to have a quick one (*col*); **jdm ~ kleben** to thump sb one (*col*).

Einer *m* - [a] (*Math*) unit. [b] (*Ruderboot*) single scull.

einerlei *adj pred inv* (*gleichgültig*) **das ist mir ganz ~** it's all the same to me; **~, was/wer ...** no matter what/who ...

Einerlei *nt no pl* monotony.

einerseits *adv* **~ ... andererseits ...** on the one hand ... on the other hand ...

einfach [1] *adj* [a] simple; *Mensch* ordinary; *Essen* plain. [b] (*nicht doppelt*) *Knoten* simple; *Fahrkarte, Fahrt* single

(*Brit*), one-way; *Buchführung* single-entry.
[2] *adv* simply ▶ **~ gemein** downright mean; **das ist doch ~ dumm** that's (just) plain stupid.
Einfachheit *f siehe adj* simplicity; ordinariness; plainness ▶ **der ~ halber** for the sake of simplicity.
einfädeln *sep* [1] *vt* [a] *Nadel, Faden* to thread (*in +acc* through). [b] (*col*) *Plan etc* to engineer.
[2] *vr* **sich in eine Verkehrskolonne ~** to filter into a stream of traffic.
einfahren *sep irreg* [1] *vi aux sein* (*Zug, Schiff*) to come in (*in +acc* -to).
[2] *vt* [a] (*kaputtfahren*) *Mauer, Zaun* to knock down. [b] *Ernte* to bring in. [c] *Fahrgestell etc* to retract. [d] *Wagen* to run in (*Brit*), to break in (*US*); *siehe* **eingefahren**.
Einfahrt *f* [a] *no pl* (*das Einfahren*) entry (*in +acc* to); (*Min*) descent ▶ **Vorsicht bei (der) ~ des Zuges!** stand well back, the train is arriving. [b] (*Eingang*) entrance; (*von Autobahn*) sliproad.
Einfall *m* [a] idea; (*Grille, Laune*) notion ▶ **es war nur so ein ~** it was just an idea. [b] (*Mil*) invasion (*in +acc* of).
einfallen *vi sep irreg aux sein* [a] to collapse; *siehe* **eingefallen**. [b] (*eindringen*) **in ein Land ~** to invade a country. [c] (*Licht*) to fall; (*in ein Zimmer etc*) to come in (*in +acc* -to). [d] (*mitsingen, mitreden*) to join in; (*dazwischenreden*) to break in (*in +acc* on). [e] (*Gedanke*) **jdm ~** to occur to sb; **hast du dir etwas ~ lassen?** have you had any ideas?, have you thought of anything?; **da mußt du dir schon etwas Besseres ~ lassen!** you'll really have to think of something better; **was fällt Ihnen ein!** what are you thinking of!; **dabei fällt mir mein Onkel ein, der ...** that reminds me of my uncle, who ...; **es fällt mir jetzt nicht ein** I can't think of it *or* it won't come to me at the moment; **es wird Ihnen schon wieder ~** it will come back to you.
Einfalls-: **e~los** *adj* unimaginative; **~losigkeit** *f* lack of imagination; **e~reich** *adj* resourceful; (*phantasievoll*) imaginative; **~reichtum** *m* resourcefulness; (*Phantasie*) imaginativeness.
Einfalt *f no pl* naivety.
einfältig *adj* naive.
Einfaltspinsel *m* (*col*) simpleton.
Einfamilienhaus *nt* single-occupier family house; (*freistehend*) detached house.
einfangen *vt sep irreg* (*lit, fig*) to catch, to capture.
einfärben *vt sep Stoff, Haar* to dye.
einfarbig *adj* one colour (*Brit*) *or* color (*US*), plain; *Stoff* self-coloured (*Brit*), self-colored (*US*).
einfassen *vt sep Beet, Kleid* to edge; *Edelstein* to set ▶ **ein Grundstück (mit einem Zaun) ~** to put a fence around a plot of land.
Einfassung *f* (*von Beet*) border; (*von Edelstein*) setting.
einfetten *vt sep* to grease; *Leder, Schuhe* to dubbin; *Haut, Gesicht* to rub cream into.
einfinden *vr sep irreg* to come; (*eintreffen*) to arrive.
einflechten *vt sep irreg* to twine; (*fig: ins Gespräch etc*) to work in (*in +acc* -to).
einfliegen *vt sep irreg Proviant, Truppen* to fly in (*in +acc* -to).
einfließen *vi sep irreg aux sein* to flow in ▶ **er ließ nebenbei ~, daß ...** he let it drop that ...
einflößen *vt sep jdm etw ~* to pour sth down sb's throat; *Medizin auch* to give sb sth; *Ehrfurcht, Mut etc* to instil sth into sb.
Einflugschneise *f* (*Aviat*) approach path.
⚠**Einfluß** *m* [a] influence ▶ **unter dem ~ von jdm/etw stehen** to be under the influence of sb/sth; **~ auf jdn haben/ausüben** to have/exert an influence on sb; **~ nehmen** to bring an influence to bear. [b] (*von Luft*) influx.
Einfluß-: **~bereich** ⚠ *m* sphere of influence;

~möglichkeit ⚠ *f* influence; **~nahme** ⚠ *f* exertion of influence (*gen* by); **e~reich** ⚠ *adj* influential.
einflüstern *vt sep jdm etw ~* to whisper sth to sb; (*fig*) to insinuate sth to sb.
einfordern *vt sep Schulden* to demand payment of.
einförmig *adj* uniform; (*eintönig*) monotonous.
Einförmigkeit *f siehe adj* uniformity; monotony.
einfrieren *sep irreg* [1] *vi aux sein* to freeze; (*Wasserleitung*) to freeze up.
[2] *vt Nahrungsmittel, Löhne etc* to freeze; (*Pol*) *Beziehungen* to suspend.
einfügen *sep* [1] *vt Steine etc* to fit (*in +acc* into); (*Comp*) to insert (*in +acc* in); (*nachtragen*) to add (*in +acc* to).
[2] *vr* to fit in (*in +acc* -to); (*sich anpassen*) to adapt (*in +acc* to).
Einfügung *f* insertion, addition.
einfühlen *vr sep* **sich in jdn ~** to empathize with sb; **sich in etw** (*acc*) **~** *in Situation, jds Probleme* to understand sth, to sympathize with sth; *in Gedicht, Rolle* to feel one's way into sth.
einfühlsam *adj* sensitive; *Mensch auch* understanding.
Einfühlungsvermögen *nt* empathy ▶ **mit großem ~** with a great deal of sensitivity.
Einfuhr *f* -**en** import; (*das Einführen auch*) importing.
Einfuhr- *in cpds* import; **~artikel** *m* import.
einführen *vt sep* [a] to introduce (*in +acc* into); *Mode, Sitte* to start; (*hineinstecken auch*) to insert ▶ **jdn in sein Amt ~** to install sb (in office). [b] (*Comm*) *Waren* to import.
Einfuhr-: **~genehmigung** *f* import permit; **~hafen** *m* port of entry; **~kontingent** *nt* import quota; **~land** *nt* importing country; **~sperre** *f,* **~stopp** *m* ban on imports.
Einführung *f* introduction (*in +acc* to); (*Amts~*) installation.
Einführungs- *in cpds* introductory.
Einfuhr-: **~verbot** *nt* ban on imports; **~zoll** *m* import duty.
einfüllen *vt sep* to pour in.
Einfüllstutzen *m* (*Aut*) filler pipe.
Eingabe *f* [a] (*form: Gesuch*) petition (*an +acc* to). [b] (*Comp*) input.
Eingabe- *in cpds* (*Comp*) input; **~gerät** *nt* input device.
Eingang *m* [a] entrance (*in +acc* to); (*Zutritt, Aufnahme*) entry ▶ **„kein ~!"** "no entrance"; **in etw** (*acc*) **~ finden** to find one's way into sth. [b] (*Comm: Waren-, Post~*) delivery; (*Erhalt*) receipt ▶ **wir bestätigen den ~ Ihres Schreibens vom ...** we acknowledge receipt of your letter of the ...; **den ~** *or* **die ~̈e bearbeiten** to deal with the incoming mail.
eingängig *adj Melodie, Spruch* catchy.
eingangs [1] *adv* at the beginning.
[2] *prep +gen* (*form*) at the beginning of.
Eingangs-: **~bestätigung** *f* (*Comm*) acknowledgement of receipt; **~datum** *nt* date of receipt; **~halle** *f* entrance hall; **~stempel** *m* (*Comm*) receipt stamp; **~tür** *f* entrance, door.
eingeben *vt sep irreg* [a] (*verabreichen*) to give. [b] (*einspeichern*) *Daten* to input ▶ **dem Computer etw ~** to feed *or* enter sth into the computer.
eingebettet *adj* **in** *or* **zwischen Hügeln ~** nestling among the hills.
eingebildet *adj* [a] (*hochmütig*) conceited. [b] (*imaginär*) imaginary ▶ **ein ~er Kranker** a hypochondriac.
eingeboren *adj* (*einheimisch*) native; (*angeboren*) innate, inborn (*dat* in).
Eingeborene(r) *mf decl as adj* native (*auch hum*).
Eingebung *f* inspiration.

⚠: for details of spelling reform, see supplement

eingedenk

142

eingedenk (*old, liter*) *prep +gen* bearing in mind ▸ **~ dessen, daß ...** bearing in mind that ...

eingefahren *adj Verhaltensweise* well-worn ▸ **die Diskussion bewegte sich in ~en Gleisen** the discussion covered the same old well-worn topics.

eingefallen *adj Wangen* hollow; *Gesicht* gaunt.

eingefleischt *adj attr* (*überzeugt*) confirmed; (*unverbesserlich*) dyed-in-the-wool ▸ **~er Junggeselle** (*hum*) confirmed bachelor.

eingehen *sep irreg aux sein* **1** *vi* **a** (*Aufnahme finden: Wort, Sitte*) to be adopted (*in +acc* in) ▸ **in die Geschichte ~** to go down in history. **b** (*ankommen: Briefe, Waren etc*) to arrive ▸ **eingegangene Post/Spenden** mail/donations received. **c** (*sterben: Tiere, Pflanze*) to die (*an +dat* of); (*col: Firma etc*) to fold ▸ **bei dieser Hitze/Kälte geht man ja ein!** (*col*) this heat/cold is just too much (*col*). **d** (*behandeln*) **auf etw** (*acc*) **~** *auf Frage etc* to go into sth; **niemand ging auf meine Frage ein** nobody took any notice of my question; **auf jdn/etw ~** to give (one's) time and attention to sb/sth. **e** (*zustimmen*) **auf einen Vorschlag/Plan ~** to go along with a suggestion/plan. **2** *vt* (*abmachen, abschließen*) to enter into; *Risiko* to take; *Wette* to make.

eingehend *adj* detailed, in-depth.

eingekeilt *adj* hemmed in; (*fig*) trapped.

Eingemachte(s) *nt decl as adj* bottled fruit/vegetables; (*Marmelade*) preserves *pl*; (*col: Erspartes*) one's own resources *pl* ▸ **ans ~ gehen** (*fig col*) to get down to the nitty-gritty (*col*).

eingemeinden* *vt sep Ort, Gebiet* to incorporate (*in +acc, nach* into).

eingenommen *adj* **für jdn/etw ~ sein** to be taken with sb/sth; **gegen jdn/etw ~ sein** to be biased against sb/sth; **er ist sehr von sich selbst ~** he really fancies himself.

eingeschnappt *adj* (*col*) cross ▸ **~ sein** to be in a huff (*col*).

eingeschossig ['aɪŋəʃɔsɪç] *adj Haus* single-storey (*Brit*), single-story (*US*).

eingeschränkt *adj* (*eingeengt*) restricted, limited; (*sparsam*) careful.

eingeschrieben *adj Mitglied, Brief* registered.

eingeschworen *adj* confirmed; *Gemeinschaft* close ▸ **auf etw** (*acc*) **~ sein** to swear by sth; **auf eine Politik ~ sein** to be committed to a policy.

eingesessen *adj Familie* old-established.

eingespannt *adj* busy.

eingespielt *adj Mannschaft, Team* (well-)adjusted to playing/working together ▸ **aufeinander ~ sein** to be used to one another.

Eingeständnis *nt* admission, confession.

eingestehen* *vt sep irreg* to admit, to confess.

eingestellt *adj* **fortschrittlich ~ sein** to be progressively minded; **links/rechts ~ sein** to have leanings to the left/right; **wer so ~ ist wie er** anyone who thinks as he does; **gegen jdn ~ sein** to be set against sb; **ich bin im Moment nicht auf Besuch ~** I'm not prepared for visitors.

eingetragen *adj Verein, Warenzeichen* registered.

Eingeweide *nt - usu pl* entrails *pl*, innards *pl*.

Eingeweihte(r) *mf decl as adj* initiate ▸ **ein paar ~** a chosen few.

eingewöhnen* *vr sep* to settle down *or* in (*in +dat* in).

Eingewöhnung *f* settling down.

eingießen *vt sep irreg* (*hineinschütten*) to pour in (*in +acc* -to); (*einschenken*) to pour.

eingipsen *vt sep Arm, Bein* to put in plaster.

eingleisig *adj* single-track ▸ **er denkt sehr ~** (*fig*) he has a one-track mind.

eingliedern *sep* **1** *vt* to integrate (*in +acc* into). **2** *vr* to integrate oneself (*in +acc* into).

Eingliederung *f* integration.

eingraben *sep irreg* **1** *vt* to bury (*in +acc* in); *Pflanze etc* to dig in (*in +acc* -to). **2** *vr* to dig oneself in (*auch Mil*) ▸ **dieses Erlebnis hat sich seinem Gedächtnis eingegraben** this experience has engraved itself on his memory.

eingravieren* *vt sep* to engrave (*in +acc* in).

eingreifen *vi sep irreg* (*einschreiten, Mil*) to intervene ▸ **in jds Rechte** (*acc*) **~** to intrude (up)on sb's rights.

Eingreifen *nt no pl* intervention.

eingrenzen *vt sep* to enclose; (*fig*) *Problem* to delimit.

Eingriff *m* **a** (*Med*) operation. **b** (*Übergriff*) intervention ▸ **ein ~ in jds Rechte** an intrusion (up)on sb's rights.

einhaken *sep* **1** *vt* to hook in (*in +acc* -to). **2** *vi* (*col: Punkt aufgreifen*) to intervene; (*in Unterhaltung auch*) to break in. **3** *vr* **sie hakte sich bei ihm ein** she put *or* slipped her arm through his; **eingehakt gehen** to walk arm in arm.

Einhalt *m no pl* **jdm/einer Sache ~ gebieten** to stop sb/sth.

einhalten *vt sep irreg* (*beachten*) to keep; *Spielregeln* to follow; *Diät, Vertrag* to keep to; *Verpflichtungen* to carry out ▸ **die Zeit ~** to keep to time *or* schedule.

Einhaltung *f siehe vt* keeping; following; keeping to; carrying out.

einhämmern *vt sep Nagel etc* to hammer in (*in +acc* -to) ▸ **jdm etw ~** (*fig*) to hammer sth into sb.

einhandeln *vt sep* **a** (*gegen, für* for) to trade. **b** (*bekommen*) **sich** (*dat*) **etw ~** (*col*) to get sth.

einhändig *adj* one-handed.

einhändigen *vt sep* (*form*) to hand in, to submit (*form*).

einhängen *sep* **1** *vt Tür* to hang; *Fenster* to put in; (*Telec*) *Hörer* to put down. **2** *vi* (*Telec*) to hang up.

einheften *vt sep* **a** (*Sew*) to tack in. **b** *Akten etc* to file.

einheimisch *adj* native, indigenous; *Produkt, Mannschaft* local.

Einheimische(r) *mf decl as adj* local.

einheimsen *vt sep* (*col*) to collect; *Erfolg, Ruhm auch* to walk off with; *Geld auch* to rake in (*col*).

Einheirat *f* marriage (*in +acc* into).

einheiraten *vi sep* **in einen Betrieb ~** to marry into a business.

Einheit *f* **a** unity; (*das Ganze*) whole ▸ **eine geschlossene ~ bilden** to form an integrated whole. **b** (*Mil, Sci*) unit.

einheitlich *adj* (*gleich*) the same, uniform; (*genormt*) standard(ized); (*in sich geschlossen*) unified ▸ **~ gekleidet** dressed alike *or* the same way; **wir müssen ~ vorgehen** we must present a united front.

Einheitlichkeit *f siehe adj* uniformity; standardization; unity.

Einheits-: **~format** *nt* standard format; **~front** *f* (*Pol*) united front; (*Volksfront*) popular front; **~gewerkschaft** *f* unified trade (*Brit*) *or* labor (*US*) union; **~kleidung** *f* uniform; **~liste** *f* (*Pol*) single list of candidates; **~preis** *m* standard price; **~staat** *m* (*Pol*) united state; **~tarif** *m* flat rate.

einheizen *sep* **1** *vi* to put the heating on ▸ **jdm (tüchtig) ~** (*col*) (*die Meinung sagen*) to haul sb over the coals; (*zu schaffen machen*) to make things hot for sb. **2** *vt Zimmer* to heat (up).

einhellig *adj* unanimous.

einhergehen *vi sep irreg aux sein* to walk ▸ **mit etw ~** (*fig*) to be accompanied by sth.

einholen *vt sep* **a** *Boot, Netz* to pull in; *Fahne, Segel* to lower. **b** *Rat, Erlaubnis* to get. **c** (*erreichen*) *Laufenden* to catch up with; *Vorsprung, Zeit* to make up ► *der Alltag/die Vergangenheit hat mich eingeholt* the daily routine/the past has caught up with me. **d** *auch vi =* **einkaufen**.

Einholung *f* **a** (*von Fahne*) lowering. **b** (*von Rat etc*) obtaining.

Einhorn *nt* unicorn.

einhüllen *vt sep* to wrap (up) (*in +acc* in) ► *in Wolken eingehüllt* shrouded in clouds.

einhundert *num siehe* **hundert**.

einig *adj* **a** (*geeint*) united. **b** (*einer Meinung*) agreed, in agreement (*über +acc* on, about, *in +dat* on) ► *sich* (*dat*) *über etw* (*acc*) *~ werden* to agree on sth; *wir sind uns ~, daß ...* we are agreed that ...; *wir werden schon miteinander ~ werden* we will manage to come to an agreement.

einige *indef pron siehe* **einige(r, s)**.

einigemal *adv* a few times.

einigen **1** *vt Volk etc* to unite; *Streitende* to reconcile. **2** *vr* to reach (an) agreement (*über +acc* about) ► *sich auf einen Kompromiß ~* to agree to a compromise.

einige(r, s) *indef pron* **a** *sing* (*etwas*) some; (*ziemlich viel*) (quite) some ► *in ~r Entfernung* some distance away; *das wird ~s kosten* that will cost something; *dazu ist noch ~s zu sagen* there are still one or two things to say about that; *mit ~m guten Willen* (*mit Anstrengung*) with a bit of effort. **b** *pl* some; (*mehrere*) several; (*ein paar auch*) a few ► *mit Ausnahme ~r weniger* with a few exceptions; *~ hundert Menschen* a few hundred people; *in ~n Tagen* in a few days; *vor ~n Tagen* the other day, a few days ago.

einigermaßen *adv* rather, somewhat; (*vor adj*) fairly; (*ungefähr*) to some extent ► *~ Bescheid wissen* to have a fair idea; *wie geht's dir? — ~* how are you? — all right, not too bad.

einiges *indef pron siehe* **einige(r, s)**.

einiggehen *vi sep irreg aux sein* to agree, to be agreed (*in +dat* on).

Einigkeit *f no pl* unity; (*Übereinstimmung*) agreement.

Einigung *f* **a** (*Pol*) unification. **b** (*Übereinstimmung*) agreement ► *über etw* (*acc*) *~ erzielen* to come to or reach agreement on sth.

Einigungsvertrag *m* (*Pol*) unification treaty.

ein|impfen *vt sep jdm etw ~* to inoculate sb with sth; (*fig*) to din sth into sb.

einjagen *vt sep jdm Furcht/einen Schrecken ~* to give sb a fright.

einjährig *adj Kind, Tier* one-year-old; *Pflanze* annual ► *nach ~er Pause* after a break of one year.

einkalkulieren* *vt sep* to reckon on; *Kosten* to take into account.

einkassieren* *vt sep* **a** *Geld, Schulden* to collect. **b** (*col: wegnehmen*) to take; *Dieb* to nab (*col*).

Einkauf *m* **a** (*das Einkaufen*) buying, purchase ► *Einkäufe machen* to go shopping; *ich muß noch ein paar Einkäufe machen* I still have a few things to buy. **b** (*usu pl: Gekauftes*) purchase. **c** *no pl* (*Comm: Abteilung*) purchasing (department).

einkaufen *sep* **1** *vt* to buy. **2** *vi* to shop; (*Comm*) to buy ► *~ gehen* to go shopping; *bei Müller/im Supermarkt ~* to shop at Müllers/the supermarket.

Einkäufer *m* (*Comm*) buyer.

Einkaufs- *in cpds* shopping; *~bummel m einen ~bummel machen* to go on a shopping spree; *~korb m* shopping basket; (*im Geschäft*) basket; *~leiter m* (*Comm*) chief buyer; *~netz nt* string bag; *~passage f* shopping arcade; *~preis m* trade price; *~tasche f* shopping bag; *~wagen m* shopping trolley (*Brit*) or cart (*US*);

~zentrum nt shopping centre (*Brit*) or mall (*esp US*); *~zettel m* shopping list.

Einkehr *f no pl* (*geh: Besinnung*) self-examination, reflection.

einkehren *vi sep aux sein* **a** (*in Gasthof*) to (make a) stop (*in +dat* at). **b** (*geh: Ruhe, Frühling*) to come.

einkellern *vt sep* to store in a cellar.

einkerben *vt sep* to cut a notch/notches in.

Einkerbung *f* notch.

einkerkern *vt sep* to incarcerate.

einkesseln *vt sep* to encircle.

einklagen *vt sep Schulden* to sue for (the recovery of).

einklammern *vt sep* to put in brackets.

Einklang *m* **a** (*Mus*) unison. **b** (*geh: Übereinstimmung*) harmony ► *in ~ bringen* to harmonize; *im ~ mit etw stehen* to be in accord with sth.

einkleben *vt sep* to stick in (*in +acc* -to).

einkleiden *vt sep* to fit out ► *jdn/sich völlig neu ~* to buy sb/oneself a completely new wardrobe.

einklemmen *vt sep* **a** (*quetschen*) to jam ► *er hat sich die Hand in der Tür eingeklemmt* he caught his hand in the door. **b** (*festdrücken*) to clamp.

einknicken *sep* **1** *vt Papier* to crease; *Streichholz, Äste* to snap. **2** *vi aux sein* (*Strohhalm*) to get bent; (*Äste*) to snap; (*Knie*) to give way, to buckle.

einkochen *vt sep Gemüse* to preserve; *Obst auch, Marmelade* to bottle.

einkommen *vi sep irreg aux sein* to come in.

Einkommen *nt -* income.

Einkommens-: *~ausfall m* loss of income; *~klasse f* income bracket; *e~schwach adj* low-income *attr*; *e~stark adj* high-income *attr*.

Einkommen(s)steuer *f* income tax.

Einkommen(s)steuer-: *~erklärung f* income tax return; *e~pflichtig adj* liable to income tax.

Einkommensverhältnisse *pl* (level of) income.

einkreisen *vt sep Feind, Wild* to surround; (*fig*) *Problem* to consider from all sides.

Einkreisung *f* (*von Feind etc*) surrounding; (*Pol*) isolation.

einkriegen *sep* (*col*) **1** *vt* to catch up. **2** *vr sie konnte sich gar nicht mehr darüber ~, daß ...* she couldn't get over the fact that ...; *krieg dich mal wieder ein!* control yourself!

Einkünfte *pl* income *sing*; (*einer Firma auch*) receipts.

einkuppeln *vi sep* (*Aut*) to let the clutch in.

einladen *vt sep irreg* **a** to invite ► *jdn zu einer Party ~* to ask sb to a party; *jdn auf ein Bier ~* to invite sb for a beer; *laß mal, ich lade dich ein* come on, this is on me; *wir sind heute abend eingeladen* we've been invited out this evening. **b** *Waren* to load (*in +acc* into).

einladend *adj* inviting; *Speisen* appetizing.

Einladung *f* invitation.

Einlage *f* **a** (*in Brief etc*) enclosure. **b** (*Schuh~*) insole; (*zum Stützen*) (arch) support. **c** (*Sew*) padding; (*Versteifung*) interfacing. **d** (*Zahn~*) temporary filling. **e** (*Cook*) noodles, egg etc added to a clear soup. **f** (*Zwischenspiel*) interlude. **g** (*Fin: Kapital~*) investment; (*Spar~ auch*) deposit.

einlagern *vt sep* to store.

Einlagerung *f* storage.

⚠ **Einlaß** *m -sses, ⁻sse* **a** *no pl* (*Zutritt*) admission ► *jdm ~ gewähren* to admit sb. **b** (*Tech*) inlet.

einlassen *sep irreg* **1** *vt* to let in (*in +acc* -to); *Person auch* to admit; *Wasser* to run (*in +acc* into). **2** *vr* **a** *sich auf etw* (*acc*) *~* to get involved in sth; (*sich zu etw verpflichten*) to let oneself in for sth; *sich auf einen Kompromiß ~* to agree to a compromise; *ich lasse mich auf keine Diskussion ein* I'm not having any discussion about it. **b** *sich mit jdm* ~ (*pej: Umgang pflegen mit*) to get mixed up *or* involved with sb; *sie läßt sich mit jedem ein* she'll go with anyone.

Einlauf m **a** *no pl* (*Sport*) (*am Ziel*) finish; (*ins Stadion etc*) entry ▸ *beim* ~ *in die Zielgerade* ... coming into the final straight ... **b** (*Med*) enema ▸ *jdm einen* ~ *machen* to give sb an enema.

einlaufen *sep irreg* **1** *vi aux sein* **a** to come in (*in +acc* -to); (*ankommen auch*) to arrive (*in +acc* in); (*Wasser*) to run in (*in +acc* -to). **b** (*eingehen: Stoff*) to shrink. **2** *vt Schuhe* to wear in. **3** *vr* (*Motor, Maschine*) to be run in, to be broken in (*US*).

einläuten *vt sep neues Jahr* to ring in; (*Sport*) *Runde* to sound the bell for.

Einlege|arbeit f inlay *no pl* ▸ *Tisch mit* ~ inlaid table.

einlegen *vt sep* **a** (*hineintun*) to insert (*in +acc* in), to put in (*in +acc* -to); *Film auch* to load (*in +acc* into); (*in Brief*) to enclose (*in +acc* in). **b** *Sonderschicht, Spurt* to put on; *Pause* to have; (*Aut*) *Gang* to engage. **c** (*in Holz etc*) to inlay. **d** (*fig*) *Protest* to register ▸ *ein gutes Wort für jdn* ~ to put in a good word for sb (*bei* with); *sein Veto* ~ to use one's veto. **e** (*Cook*) *Heringe etc* to pickle. **f** *Haare* to set, to put in rollers.

Einlegesohle f insole.

einleiten *vt sep* **a** (*in Gang setzen*) to initiate; *Maßnahmen auch, Schritte* to introduce, to take; *neues Zeitalter* to mark the start of, to inaugurate; (*Jur*) *Verfahren* to institute; (*Med*) *Geburt* to induce. **b** (*beginnen*) to start; (*eröffnen*) to open. **c** *Abwässer etc* to discharge (*in +acc* into).

einleitend *adj* introductory ▸ *er sagte* ~, *daß* ... he said by way of introduction that ...

Einleitung f **a** *siehe vt* (*a*) initiation; introduction; inauguration; institution; induction. **b** (*Vorwort*) introduction; (*Mus*) prelude. **c** (*von Abwässern*) discharge (*in +acc* into).

einlenken *vi sep* (*fig*) to yield, to give way.

einlesen *sep irreg* **1** *vr sich in ein Gebiet* ~ to get into a subject. **2** *vt Daten* to read in (*in +acc* -to).

einleuchten *vi sep* to be clear (*jdm* to sb) ▸ *ja, das leuchtet mir ein!* yes, I see that.

einleuchtend *adj* reasonable, plausible.

einliefern *vt sep Waren* to deliver ▸ *jdn ins Krankenhaus* ~ to admit sb to hospital; *jdn ins Gefängnis* ~ to put sb in prison.

Einlieferung f (*von Waren*) delivery; (*ins Krankenhaus*) admission (*in +acc* to); (*ins Gefängnis*) committal (*in +acc* to).

Einlieferungsschein m certificate of posting.

einlochen *vt sep* (*col: einsperren*) to lock up.

einloggen *sep* (*Comput*) **1** *vi* to log on. **2** *vr* to log in *or* on ▸ *sich in das System* ~ to log into the system.

einlösen *vt sep Pfand* to redeem; *Scheck, Wechsel* to cash (in); (*fig*) *Wort, Versprechen* to keep.

Einlösung f *siehe vt* redemption; cashing (in); keeping.

einlullen *vt sep* (*fig col*) *jdn mit schönen Worten* ~ to soft-talk sb.

einmachen *vt sep* to preserve; (*in Gläser auch*) to bottle.

Einmach-: ~**glas** nt bottling jar; ~**zucker** m preserving sugar.

einmal *adv* **a** (*ein einziges Mal*) once; (*erstens*) first of all, firstly ▸ ~ *sagt er dies,* ~ *das* sometimes he says one thing, sometimes another; *auf* ~ (*plötzlich*) all at once; (*zugleich*) at once; ~ *mehr* once again; ~ *und nie wieder* once and never again; *noch* ~ again; *wenn sie da ist, ist es noch* ~ *so schön* it's twice as nice when she's

there; ~ *ist keinmal* (*Prov*) once doesn't count. **b** (*früher, vorher*) once; (*später, in Zukunft*) one day ▸ *waren Sie schon* ~ *in Rom?* have you ever been to Rome?; *es war* ~ ... once upon a time there was ...; *das war* ~! that was then. **c** *nicht* ~ not even; *wieder* ~ again; *sag* ~, *ist das wahr?* tell me, is it true?; *nehmen wir* ~ *an* just let's suppose; *gib mir* ~ *das Buch* give me the book.

Einmal|eins nt *no pl* (multiplication) tables *pl*; (*fig*) ABC, basics *pl* ▸ *das* ~ *lernen* to learn one's tables; *das kleine/große* ~ (multiplication) tables up to ten/over ten.

Einmalhandtuch nt disposable towel.

einmalig *adj* unique; *Anschaffung, Zahlung* one-off; (*col: hervorragend*) fantastic, amazing.

Einmaligkeit f uniqueness.

Einmannbetrieb m **a** one-man business *or* band (*col*). **b** *etw auf* ~ *umstellen* to convert sth for one-man operation.

Einmarkstück nt one-mark piece.

Einmarsch m entry (*in +acc* into); (*in ein Land*) invasion (*in +acc* of).

einmarschieren* *vi sep aux sein* to march in (*in +acc* -to).

einmauern *vt sep* (*ummauern*) to wall in (*in +acc* in).

einmieten *vr sep sich bei jdm* ~ to take lodgings with sb.

einmischen *vr sep* to interfere (*in +acc* in).

Einmischung f interference (*in +acc* in).

einmonatig *adj attr* one-month.

einmontieren* *vt sep* to fit in (*in +acc* -to).

einmotorig *adj Flugzeug* single-engined.

einmotten *vt sep Kleider etc* to put in mothballs; (*fig auch*) to mothball.

einmumme(l)n *vt sep* (*col*) to muffle up.

einmünden *vi sep aux sein in etw* (*acc*) ~ (*Fluß*) to flow into sth; (*Straße*) to run *or* lead into sth.

Einmündung f (*von Fluß*) confluence; (*von Straße*) junction.

einmütig *adj* unanimous.

Einmütigkeit f unanimity.

einnähen *vt sep* to sew in (*in +acc* -to); (*enger machen*) to take in.

Einnahme f **-n** **a** (*Mil*) seizure, capture. **b** ~*n pl* income *sing*, (*Geschäfts~*) takings *pl*; (*aus Einzelverkauf*) proceeds *pl*; (*eines Staates*) revenue *sing*, ~*n und Ausgaben* income and expenditure.

Einnahmequelle f source of income; (*eines Staates*) source of revenue.

einnehmen *vt sep irreg* **a** to take; (*lit, fig*) *Platz etc* to take (up), to occupy; *Stelle* (*innehaben*) to have, to occupy; *Haltung, Standpunkt etc* to take up; *Steuern* to collect ▸ *die eingenommenen Gelder* the takings. **b** *er nahm uns alle für sich ein* he won us all over; *jdn gegen sich* ~ to set sb against oneself.

einnehmend *adj* likeable, charming ▸ *er hat ein* ~*es Wesen* he's a likeable character; (*hum col*) he has taking ways (*hum col*).

einnicken *vi sep aux sein* (*col*) to nod off.

einnisten *vr sep* (*lit*) to nest; (*Parasiten, Ei*) to lodge; (*fig*) to park oneself (*bei* on).

Einöde f barren waste.

einölen *sep* **1** *vt* to oil. **2** *vr* to rub oneself with oil.

einordnen *sep* **1** *vt* **a** *Bücher etc* to (put in) order; *Akten* to file. **b** (*klassifizieren*) to classify. **2** *vr* **a** (*in Gemeinschaft*) to fit in (*in +acc* -to). **b** (*Aut*) to get in(to) lane ▸ *„bitte* ~" "get in lane".

einpacken *sep* **1** *vt* **a** (*einwickeln*) to wrap up (*in +acc* in) (*auch fig*). **b** (*hineintun*) to pack (*in +acc* in).

② *vi* to pack ▸ *dann können wir ~* (*col*) in that case we may as well give up (*col*).

einparken *vti sep* to park ▸ *(in eine Parklücke) ~* to get into a parking space.

Einparteien- *in cpds* one-party.

einpassen *vt sep* to fit in (*in +acc* -to).

einpauken *vt sep* (*col*) *jdm etw ~* to drum sth into sb.

einpendeln *vr sep* (*fig*) to settle down; (*Preise etc*) to level off.

einpennen *vi sep aux sein* (*col*) to drop off (*col*).

Einpfennigstück *nt* one-pfennig piece.

einpferchen *vt sep Vieh* to pen in (*in +acc* -to); (*fig*) to coop up (*in +acc* in).

einpflanzen *vt sep* to plant (*in +dat* in); (*Med*) to implant (*jdm* in(to) sb).

einplanen *vt sep* to plan (on), to include in one's plans; *Verzögerungen, Verluste* to allow for.

einpökeln *vt sep Fisch, Fleisch* to salt.

einprägen *sep* ① *vt Muster, Spuren* to imprint, to impress; *Inschrift* to stamp ▸ *sich* (*dat*) *etw ~* to remember sth; (*auswendig lernen*) to memorize sth, to commit sth to memory.

② *vr sich jdm ~* to make an impression on sb.

einprägsam *adj* easily remembered; *Slogan, Melodie auch* catchy.

einprogrammieren* *vt sep Daten* to input.

einprügeln *sep* (*col*) ① *vt jdm etw ~* to din sth into sb (*col*).

② *vi auf jdn ~* to lay into sb (*col*).

einquartieren* *sep* ① *vt* to quarter; (*Mil auch*) to billet ▸ *Gäste bei Freunden ~* to put visitors up with friends.

② *vr* to be quartered (*bei* with); (*Mil auch*) to be billeted (*bei* on); (*Gäste*) to stop (*bei* with) (*col*).

einquetschen *vt sep* = **einklemmen** (a).

einrahmen *vt sep* (*lit, fig*) to frame.

einrammen *vt sep Pfahl etc* to ram in.

einrasten *vti sep* (*vi: aux sein*) to engage.

einräuchern *vt sep* to envelop in smoke; (*col*) *Zimmer* to fill with smoke.

einräumen *vt sep* ⓐ *Wäsche, Bücher etc* to put away; *Schrank, Regal etc* to fill. ⓑ (*zugestehen*) to concede, to admit; *Freiheiten etc* to allow; *Frist, Kredit* to grant; to allow ▸ *jdm das Recht ~, etw zu tun* to give *or* grant sb the right to do sth.

einrechnen *vt sep* to include ▸ *ihn (mit) eingerechnet* including him.

einreden *sep* ① *vt jdm/sich etw ~* to talk sb/oneself into believing sth, to persuade sb/oneself of sth; *das redest du dir nur ein!* you're only imagining it.

② *vi auf jdn ~* to keep on and on at sb.

einregnen *vr es hat sich eingeregnet* the rain has set in.

einreiben *vt sep irreg er rieb sich* (*dat*) *das Gesicht mit Creme ein* he rubbed cream into his face.

einreichen *vt sep Antrag, Unterlagen* to submit (*bei* to); (*Jur*) *Klage* to file; (*bitten um*) *Versetzung, Pensionierung* to apply for, to request.

einreihen *sep* ① *vt* (*einordnen, einfügen*) to put in (*in +acc* -to); (*klassifizieren*) to classify.

② *vr sich in etw* (*acc*) *~* to join sth.

Einreiher *m* - single-breasted suit/jacket/coat.

einreihig *adj Anzug etc* single-breasted.

Einreise *f* entry (*in +acc* into, to) ▸ *bei der ~ in die USA* when entering the USA, on entry to the USA.

Einreise-: *~bestimmungen pl* entry regulations; *~erlaubnis, ~genehmigung f* entry permit.

einreisen *vi sep aux sein* to enter the country ▸ *er reiste in die Schweiz ein* he entered Switzerland.

Einreise-: *~verbot nt* refusal of entry; *~verbot haben*

to have been refused entry; *~visum nt* entry visa.

einreißen *sep irreg* ① *vt* ⓐ *Papier, Nagel* to tear. ⓑ *Zaun etc* to tear *or* pull down.

② *vi aux sein* (*Papier*) to tear; (*fig col: Unsitte etc*) to catch on (*col*), to get to be a habit (*col*).

einreiten *sep irreg* ① *vt Pferd* to break in.

② *vi aux sein* to ride in (*in +acc* -to).

einrenken *sep* ① *vt Gelenk, Knie* to put back in place; (*fig col*) to sort out.

② *vr* (*fig col*) to sort itself out.

einrennen *vt sep irreg* (*col*) *Tür* to break down.

einrichten *sep* ① *vt* ⓐ (*möblieren*) *Wohnung* to furnish; (*ausstatten*) *Hobbyraum* to fit out; *Praxis, Labor* to equip, to fit out ▸ *eine Wohnung modern ~* to furnish a flat in a modern style. ⓑ (*gründen, eröffnen*) to set up; *Konto* to open. ⓒ (*fig: arrangieren*) to arrange, to fix ▸ *ich werde es ~, daß wir um zwei Uhr da sind* I'll arrange for us to be there at two.

② *vr* ⓐ (*sich möblieren*) to furnish one's house *etc*. ⓑ (*sich der Lage anpassen*) to get along *or* by, to manage; (*sparsam sein*) to cut down. ⓒ *sich auf etw* (*acc*) *~* to prepare oneself for sth; *auf Tourismus eingerichtet sein* to be geared to tourism.

Einrichtung *f* ⓐ (*das Einrichten*) (*von Wohnung*) furnishing; (*von Hobbyraum*) fitting-out; (*von Labor, Praxis*) equipping. ⓑ (*Wohnungs~*) furnishings *pl*; (*Geschäfts~ etc*) fittings *pl*; (*Labor~ etc*) equipment *no pl*. ⓒ (*Gründung, Eröffnung*) setting-up; (*von Konto*) opening. ⓓ (*behördlich, wohltätig*) institution; (*öffentliche ~*) facility. ⓔ (*Gewohnheit*) *zur ständigen ~ werden* to become an institution.

Einrichtungsgegenstand *m* item of furniture.

einritzen *vt sep* to carve in (*in +acc* -to).

einrollen *vt sep* (*einwickeln*) to roll up (*in +acc* in) ▸ *sich* (*dat*) *die Haare ~* to put one's hair in rollers.

einrosten *vi sep aux sein* to rust up; (*fig: Glieder*) to stiffen up; (*Kenntnisse etc*) to get rusty.

einrücken *sep* ① *vi aux sein* (*Mil: in ein Land*) to move in (*in +acc* -to).

② *vt Zeile* to indent; *Anzeige* (*in Zeitung*) to insert.

einrühren *vt sep* to stir *or* mix in (*in +acc* -to).

eins *num* one ▸ *es ist ~* it's one (o'clock); *~ zu ~* (*Sport*) one all; *~ mit jdm sein* (*übereinstimmen*) to be in agreement with sb; *das ist doch alles ~* (*col*) it's all one *or* all the same; *sehen und handeln waren ~* the moment he/she *etc* saw it he/she *etc* acted; *~ a* (*col*) first-rate (*col*); *siehe* **eine(r, s)** **(c), vier**.

Eins *f* **-en** one; (*Sch*) ≃ A.

einsacken¹ *vt sep* (*col: erbeuten*) to grab (*col*); *Geld, Gewinne* to rake in (*col*).

einsacken² *vi sep aux sein* (*einsinken*) to sink; (*Boden etc auch*) to subside.

einsalzen *vt sep irreg Fisch, Fleisch* to salt.

einsam *adj* ⓐ lonely; (*einzeln*) solitary ▸ *~ leben* to live a lonely/solitary life. ⓑ (*abgelegen*) *Haus, Insel* secluded; *Dorf* isolated; (*menschenleer*) empty. ⓒ (*col*) *~e Klasse/Spitze* absolutely fantastic (*col*), awesome (*col*).

Einsamkeit *f siehe adj* ⓐ loneliness; solitariness ▸ *er liebt die ~* he likes solitude. ⓑ seclusion; isolation; emptiness.

einsammeln *vt sep* to collect (in).

Einsatz *m* ⓐ (*~teil*) insert; (*Schubladen~, Koffer~*) tray; (*Topf~*) compartment. ⓑ (*Spiel~*) stake; (*Kapital~*) investment ▸ *den ~ erhöhen* to raise the stakes. ⓒ (*Mus*) entry ▸ *der Dirigent gab dem Orchester den ~* the conductor brought in the orchestra. ⓓ (*Verwendung*) use; (*esp Mil*) deployment; (*von Arbeitskräften*) employment ▸ *im ~* in use; *die Ersatzspieler kamen nicht zum ~* the reserves weren't used; *unter ~ aller Kräfte* by making a supreme effort. ⓔ (*Aktion*) operation; (*Mil* *also*) action; (*esp von Fliegern*) mission ▶ **im ~** in action; **zum ~ kommen** to go into action; **bei seinem ersten ~** the first time he saw action; **sich zum ~ melden** to report for duty. **[f]** (*Hingabe*) commitment ▶ **etw unter ~ seines Lebens tun** to risk one's life to do sth.

Einsatz-: **~befehl** *m* order to go into action; **e~bereit** *adj* ready for use; (*Mil*) ready for action; *Rakete etc* operational; **e~fähig** *adj* fit for use; (*Mil*) fit for action; *Sportler* fit; **~kommando** (*Mil*) *nt* task force; **~leiter** *m* head of operations; **~plan** *m* plan of action; **~wagen** *m* (*bei Straßenbahn, Bus*) extra tram/bus.

einschalten *sep* [1] *vt* [a] (*in Betrieb setzen*) to switch on; *Sender* to tune in to. [b] (*einfügen*) to interpolate. [c] *jdn ~* to bring sb in. [2] *vr* [a] (*Heizung etc*) to switch itself on. [b] (*eingreifen*) to intervene.

Einschaltquote *f* (*TV*) viewing figures *pl*, ratings *pl*.

einschärfen *vt sep jdm etw ~* to impress sth (up)on sb.

einschätzen *vt sep* to assess (*auch Fin*), to evaluate ▶ *falsch ~* to misjudge; *wie ich die Lage einschätze* as I see the situation; *jdn hoch/niedrig ~* to have a high/low opinion of sb; *etw zu hoch/niedrig ~* to overestimate/underestimate sth.

Einschätzung *f* assessment, evaluation ▶ *falsche ~* misjudgement; *nach meiner ~* in my estimation.

einschenken *vt sep* to pour (out) ▶ *darf ich Ihnen noch Wein ~?* can I give you some more wine?

einscheren *vi sep aux sein* to get back (into lane).

einschicken *vt sep* to send in (*an +acc* to).

einschieben *vt sep irreg* to put in (*in +acc* -to) ▶ *eine Pause ~* to have a break.

einschießen *sep irreg* [1] *vt Scheibe* (*mit Ball etc*) to smash (in). [2] *vi* [a] (*Sport*) to score ▶ *er schoß zum 1:0 ein* he scored to make it 1-0. [b] *auf jdn ~* to shoot at sb.

einschiffen *sep* [1] *vt* to ship. [2] *vr* to embark.

Einschiffung *f* (*von Personen*) boarding, embarkation; (*von Gütern*) loading.

einschl. = einschließlich incl.

einschlafen *vi sep irreg aux sein* to fall asleep, to go to sleep; (*Bein, Arm*) to go to sleep; (*euph: sterben*) to pass away; (*fig: Freundschaft*) to peter out ▶ *ich kann nicht ~* I can't get to sleep; *vor dem E~ zu nehmen* (*Medizin*) to be taken before retiring.

einschläfern *vt sep* (*schläfrig machen*) to make sleepy; *Gewissen* to soothe; (*narkotisieren*) to give a soporific; (*töten*) *Tier* to put to sleep.

einschläfernd *adj* soporific; (*langweilig*) monotonous ▶ *~ wirken* to have a soporific effect.

Einschlag *m* [a] (*von Geschoß*) impact ▶ *beim ~ des Blitzes* when the lightning strikes; *der ~ der Granate war deutlich zu sehen* the place where the grenade had landed was clearly visible. [b] (*Aut: des Lenkrads*) lock ▶ *bei vollem ~* at full lock. [c] (*Zusatz, Beimischung*) element ▶ *ein südländischer ~* a hint of the Mediterranean.

einschlagen *sep irreg* [1] *vt* [a] *Nagel* to hammer *or* knock in; *Pfahl* to drive in. [b] (*zertrümmern*) to smash in; *Zähne* to knock out. [c] (*einwickeln*) *Ware* to wrap up. [d] (*Aut*) *Räder* to turn. [e] (*wählen*) *Weg* to take; *Kurs* to follow; *Laufbahn etc* to enter on ▶ *das Schiff änderte den eingeschlagenen Kurs* the ship changed course (from its previous course). [2] *vi* [a] (*in etw acc*) *~* (*Blitz*) to strike (sth); (*Geschoß etc auch*) to hit (sth); *es muß irgendwo eingeschlagen haben* something must have been struck by lightning; *gut ~* (*col*) to go down well, to be a big hit (*col*). [b] *auf jdn/etw ~* to hit out at sb/sth. [c] (*zur Bekräftigung*) to shake on it.

einschlägig *adj* appropriate; *Literatur, Paragraph auch* relevant ▶ *er ist ~ vorbestraft* (*Jur*) he has a previous conviction for a similar offence.

einschleichen *vr sep irreg* (*lit, fig*) to creep in (*in +acc* -to) ▶ *sich in jds Vertrauen ~* (*fig*) to worm one's way into sb's confidence.

einschleifen *vt sep irreg* to cut in (*in +acc* -to) ▶ *das hat sich (bei ihm) eingeschliffen* it's become a habit (with him).

einschleppen *vt sep* (*fig*) *Krankheit etc* to bring in.

einschleusen *vt sep* to smuggle in (*in +acc* -to).

einschließen *vt sep irreg* [a] to lock up (*in +acc* in) ▶ *er schloß sich in seinem Zimmer ein* he locked himself (up) in his room. [b] (*umgeben*) to surround. [c] (*fig: beinhalten*) to include.

einschließlich [1] *prep +gen* including, inclusive of. [2] *adv bis S. 205 ~* up to and including p.205; *vom 1. bis ~ 31. Oktober* from 1st to 31st October inclusive.

einschlummern *vi sep aux sein* (*geh*) to fall asleep.

△**Einschluß** *m mit or unter ~ von* (*form*) including.

einschmeicheln *vr sep sich bei jdm ~* to ingratiate oneself with sb; *~de Stimme* silky voice.

einschmelzen *vt sep* to melt down.

einschmieren *vt sep* (*mit Fett*) to grease; (*mit Öl*) to oil; *Gesicht* (*mit Creme*) to put cream on.

einschmuggeln *vt sep* to smuggle in (*in +acc* -to) ▶ *er hat sich in den Saal eingeschmuggelt* he sneaked into the hall.

einschnappen *vi sep aux sein* [a] (*Schloß, Tür*) to click shut. [b] (*col: beleidigt sein*) to take offence (*Brit*) *or* offense (*US*), to get into a huff (*col*); *siehe* **eingeschnappt.**

einschneiden *vt sep irreg* to cut ▶ *tief eingeschnittene Felsen* steep cliffs.

einschneidend *adj* (*fig*) drastic, radical.

einschneien *vi sep aux sein* to get snowed in ▶ *eingeschneit sein* to be snowed in *or* snowbound.

Einschnitt *m* cut; (*Med*) incision; (*im Tal, Gebirge*) cleft; (*im Leben*) decisive point.

einschnüren *vt sep* [a] (*einengen*) to cut into ▶ *dieser Kragen schnürt mir den Hals ein* this collar is strangling me. [b] *Paket* to tie up.

einschränken *sep* [1] *vt* to cut back; *Bewegungsfreiheit, Recht* to limit, to restrict; *Wünsche* to moderate; *Behauptung* to qualify ▶ *~d möchte ich sagen, daß ...* I'd like to qualify that by saying ...; *das Rauchen ~* to cut down on smoking. [2] *vr* (*sparen*) to economize ▶ *sich im Trinken ~* to cut down on one's drinking; *siehe* **eingeschränkt.**

Einschränkung *f siehe vt* cutting back; limitation, restriction; moderation; qualification; (*Vorbehalt*) reservation.

einschrauben *vt sep* to screw in (*in +acc* -to).

Einschreib(e)brief *m* registered letter.

einschreiben *sep irreg* [1] *vt* (*eintragen*) to enter; *siehe* **eingeschrieben.** [2] *vr* (*für Abendkurse etc*) to enrol; (*Univ*) to register.

Einschreiben *nt* registered letter/parcel ▶ *einen Brief als ~ schicken* to send a letter by registered mail.

Einschreibung *f* enrolment; (*Univ*) registration.

einschreiten *vi sep irreg aux sein* to take action (*gegen* against); (*dazwischentreten*) to intervene, to step in.

Einschreiten *nt no pl* intervention.

einschrumpfen *vi sep aux sein* to shrivel (up).

Einschub *m* insertion.

einschüchtern *vt sep* to intimidate.

Einschüchterung *f* intimidation.

einschulen *vti sep* to send to school ▶ *eingeschult werden* (*Kind*) to start school.

Einschulung *f* first day at school ▶ *die ~ findet im*

Alter von 6 Jahren statt children start school at the age of 6.

⚠️**Einschuß** *m* [a] (*~stelle*) bullet hole; (*Med*) point of entry. [b] (*Ftbl*) (shot into) goal.

einschütten *vt sep* to tip in (*in +acc -to*); *Flüssigkeiten* to pour in (*in +acc -to*) ▸ *er hat sich* (*dat*) *noch etwas Kaffee eingeschüttet* he poured himself (out) some more coffee.

einschweißen *vt sep* (*Tech*) to weld in (*in +acc -to*); (*in Plastikfolie*) to shrink-wrap.

Einschweißfolie *f* shrink-wrapping.

einschwenken *vi sep aux sein* to turn *or* swing in (*in +acc -to*) ▸ *auf etw* (*acc*) *~* (*fig*) to go along with sth.

einsehen *vt sep irreg* to see; (*prüfen auch*) to inspect; *Fehler, Schuld auch* to recognize ▸ *das sehe ich nicht ein* I don't see why.

Einsehen *nt: ein ~ haben* to have some understanding (*mit, für* for); (*Vernunft, Einsicht*) to see reason; *hab doch ein ~!* be reasonable!

einseifen *vt sep* to soap; (*col: betrügen*) to con (*col*).

einseitig *adj* one-sided; *Ernährung* unbalanced; (*Jur, Pol*) *Erklärung, Kündigung* unilateral; (*Comp*) *Diskette* single-sided ▸ *~e Lähmung* paralysis of one side of the body.

Einseitigkeit *f* one-sidedness; (*von Ernährung*) imbalance.

einsenden *vt sep irreg* to send in, to submit (*an +acc* to).

Einsender(in *f*) *m* sender; (*bei Preisausschreiben*) competitor.

⚠️**Einsendeschluß** *m* closing date (for entries).

Einsendung *f* [a] (*bei Wettbewerb etc*) entry. [b] *no pl* (*das Einsenden*) sending in, submission.

einsetzen *sep* [1] *vt* [a] (*einfügen*) to put in (*in +acc -to*); *Maschinenteil auch* to insert (*in +acc into*), to fit in (*in +acc -to*); (*schreiben auch*) to enter (*in +acc in*) ▸ *jdm einen Goldzahn ~* to give sb a gold tooth. [b] (*ernennen*) to appoint; *Nachfolger* to name ▸ *jdn in ein Amt ~* to appoint sb to an office. [c] (*verwenden*) to use; *Truppen, Polizei* to deploy; *Busse, Sonderzüge* to put on. [d] (*beim Glücksspiel*) to stake; *Leben* to risk. [2] *vi* (*beginnen*) to start, to begin; (*Mus*) to come in. [3] *vr sich* (*voll*) *~* to show (complete) commitment (*in +dat* to); *sich für jdn/etw ~* to support sb/sth; *ich werde mich dafür ~, daß ...* I will do what I can to see that ...

Einsetzung *f* appointment (*in +acc* to).

Einsicht *f* [a] (*in Akten, Bücher*) inspection (*in +acc* of) ▸ *~ in etw* (*acc*) *haben/verlangen* to look/ask to look at sth. [b] (*Vernunft*) sense, reason; (*Erkenntnis*) insight ▸ *zur ~ kommen* to come to one's senses; *zu der ~ kommen, daß ...* to recognize that ...; *haben Sie doch ~!* have a heart!; (*seien Sie vernünftig*) be reasonable!; *jdn zur ~ bringen* to bring sb to his/her senses.

einsichtig *adj* [a] (*vernünftig*) reasonable; (*verständnisvoll*) understanding. [b] (*verständlich, begreiflich*) understandable ▸ *jdm etw ~ machen* to make sb understand *or* see sth.

Einsichtnahme *f* -n (*form*) inspection ▸ *er bat um ~ in die Akten* he asked to inspect *or* see the files; *„zur ~"* "for attention".

einsickern *vi sep aux sein* to seep in (*in +acc -to*); (*fig*) to filter in (*in +acc -to*).

Einsiedler(in *f*) *m* hermit; (*fig auch*) recluse.

einsilbig *adj* monosyllabic; (*Mensch*) uncommunicative.

Einsilbigkeit *f* (*von Mensch*) uncommunicativeness.

einsinken *vi sep irreg aux sein* (*im Morast, Schnee*) to sink in (*in +acc or dat -to*); (*Boden etc*) to subside, to cave in ▸ *eingesunkene Wangen* sunken *or* hollow cheeks.

Einsitzer *m* - single-seater.

einspannen *vt sep* [a] (*in Schraubstock*) to clamp in (*in +acc -to*). [b] (*in Schreibmaschine*) to insert (*in +acc in, into*). [c] *Pferde* to harness. [d] (*fig: arbeiten lassen*) to rope in (*für etw to do sth*) ▸ *jdn für seine Zwecke ~* to use sb for one's own ends; *siehe eingespannt*.

einsparen *vt sep* to save, to economize on; *Kosten* to cut down on; *Posten* to eliminate.

Einsparung *f* [a] economy. [b] *siehe vt* saving; cutting down (*von* on); elimination.

einspeichern *vt sep Daten* to feed in, to enter (*in +acc -to*).

einspeisen *vt sep* to feed in (*in +acc -to*).

einsperren *vt sep* to lock up (*in +acc or dat in*).

einspielen *sep* [1] *vr* (*Mus, Sport*) to warm up; (*Regelung, Arbeit*) to work out ▸ *aber das spielt sich alles noch ein* but things should sort themselves out all right; *sich aufeinander ~* to become attuned to one another; *siehe eingespielt*. [2] *vt* (*Film etc*) to bring in, to gross; *Kosten* to recover.

einsprachig *adj* monolingual.

einspringen *vi sep irreg aux sein* (*col: aushelfen*) to stand in; (*mit Geld etc*) to help out.

Einspritz- *in cpds* (*Aut, Med*) injection; **~düse** *f* injector.

einspritzen *vt sep* (*Aut, Med*) to inject ▸ *er spritzte ihr Insulin ein* he gave her an insulin injection.

Einspritz- (*Aut*): **~motor** *m* injection engine; **~pumpe** *f* injection pump.

Einspruch *m* objection (*auch Jur*) ▸ *~ einlegen* (*Admin*) to file an objection; *gegen etw ~ erheben* to raise an objection to sth.

Einspruchs-: **~frist** *f* (*Jur*) period for filing an objection; **~recht** *nt* right to object.

einspurig *adj* (*Rail*) single-track; (*Aut*) single-lane ▸ *die Straße ist nur ~ befahrbar* the road is reduced to one lane.

einst *adv* (*geh*) [a] (*früher*) once. [b] (*in ferner Zukunft*) one day.

einstampfen *vt sep Bücher* to pulp (down).

Einstand *m* [a] *er hat gestern seinen ~ gegeben* yesterday he celebrated starting his new job. [b] (*Tennis*) deuce.

einstanzen *vt sep* to stamp in (*in +acc -to*).

einstechen *vt sep irreg* to pierce; *Nadel* to put *or* stick in (*in +acc -to*); (*Cook*) to prick.

einstecken *vt sep* [a] (*in etw stecken*) to put *or* stick in (*in +acc -to*); *Gerät* to plug in. [b] (*in die Tasche etc*) (*sich dat*) *etw ~* to take sth; *hast du deinen Paß eingesteckt?* have you got your passport with you? [c] (*in den Briefkasten*) to post, to mail (*esp US*). [d] (*col*) *Kritik etc* to take; (*verdienen*) *Geld, Profit* to pocket (*col*) ▸ *der Boxer mußte viel ~* the boxer had to take a lot of punishment; *er steckt sie alle ein* he puts them all in the shade.

einstehen *vi sep irreg aux sein* [a] (*sich verbürgen*) *für jdn/etw ~* to vouch for sb/sth; *ich stehe dafür ein, daß ...* I will vouch that ... [b] (*Ersatz leisten*) *für etw ~* to make good sth.

einsteigen *vi sep irreg aux sein* [a] (*in ein Fahrzeug etc*) to get in (*in +acc -to*); (*in Zug auch, in Bus*) to get on (*in +acc -to*) ▸ *~!* (*Rail etc*) all aboard! [b] (*in Haus etc*) to climb *or* get in (*in +acc -to*). [c] (*col*) *in die Politik/ ins Verlagsgeschäft ~* to go into politics/publishing.

Einsteiger(in *f*) *m* (*col*) beginner.

einstellbar *adj* adjustable.

einstellen *sep* [1] *vt* [a] (*hineinstellen*) to put in ▸ *Bücher ins Regal ~* to put books away on the shelves. [b] (*anstellen*) *Arbeitskräfte* to take on. [c] (*beenden*) to stop; (*endgültig auch*) to discontinue; *Expedition, Suche* to call off; (*Mil*) *Feuer* to cease. [d] (*regulieren*) to adjust (*auf*

+acc to); Fotoapparat (auf Entfernung) to focus (auf +acc on); Wecker to set (auf +acc for); Sender to tune in to. [e] (Sport) Rekord to equal.
[2] vr [a] sich auf jdn/etw ~ (sich richten nach) to adapt oneself to sb/sth; (sich vorbereiten auf) to prepare oneself for sb/sth; siehe eingestellt. [b] (erscheinen) to appear; (Fieber, Regen) to set in; (Wort, Gedanke) to come to mind; (Jahreszeiten) to come, to arrive.
einstellig adj Zahl single-digit.
Einstellplatz m (auf Hof) carport; (in Großgarage) (covered) parking space.
Einstellung f [a] (Anstellung) employment. [b] (Beendigung) siehe vt (c) stopping; discontinuation; calling-off; cessation ▸ der Sturm zwang uns zur ~ der Suche the storm forced us to call off the search. [c] (Film: Szene) take. [d] (Gesinnung, Haltung) attitude; (politisch, religiös etc) views pl.
Einstellungs-: ~gespräch nt (job) interview; ~stopp m halt in recruitment; ~termin m starting date.
Einstich m puncture, prick.
Einstieg m -e [a] no pl (das Einsteigen) getting in; (in Bus) getting on; (von Dieb: in Haus etc) entry; (fig: zu einem Thema etc) lead-in (zu to) ▸ kein ~ no entrance. [b] (von Bus, Bahn) door.
Einstiegsdroge f starter drug.
einstig adj attr former.
einstimmen sep [1] vi (in ein Lied etc) to join in. [2] vt (Mus) Instrument to tune ▸ jdn/sich auf etw (acc) ~ (fig) to get sb/oneself in the mood for sth.
einstimmig [1] adv singen, rufen in unison. [2] adj (einmütig) unanimous.
Einstimmigkeit f unanimity.
Einstimmung f für die richtige ~ der Zuhörer sorgen to get the audience in the right mood.
einstöckig adj Haus two-storey (Brit), two-story (US).
einstöpseln vt sep (Elec) to plug in (in +acc -to).
einstoßen vt sep irreg Tür to break down; Scheibe to push in.
einstreichen vt sep irreg (col) Geld, Gewinn to pocket (col).
einstreuen vt sep to sprinkle in (in +acc -to); (fig) Bemerkung etc to slip in (in +acc -to).
einströmen vi sep aux sein to flood in (in +acc -to); (Licht, fig auch) to stream in (in +acc -to) ▸ ~de Kaltluft a stream of cold air.
einstudieren* vt sep Rolle to study; Theaterstück to rehearse.
Einstudierung f (Theat) production.
einstufen vt sep to classify ▸ in eine Kategorie etc ~ to put into a category etc.
Einstufung f classification ▸ nach seiner ~ in eine höhere Gehaltsklasse after he was put on a higher salary grade.
einstündig adj attr one-hour.
einstürmen vi sep aux sein auf jdn ~ (Mil) to assault sb; (fig) to assail sb.
Einsturz m collapse.
einstürzen vi sep aux sein to collapse ▸ auf jdn ~ (fig) to overwhelm sb.
Einsturzgefahr f danger of collapse.
einstweilen adv in the meantime; (vorläufig) temporarily.
einstweilig adj attr temporary ▸ ~e Verfügung (Jur) temporary or interim injunction.
eintägig adj attr one-day.
Eintagsfliege f (Zool) mayfly; (fig) nine-day wonder.
eintauchen [1] vt to dip (in +acc in, into); (völlig) to immerse (in +acc in). [2] vi aux sein (Schwimmer) to dive in; (U-Boot) to dive.
Eintausch m exchange, swap (col) ▸ im ~ gegen or für

etw in exchange for sth.
eintauschen vt sep to exchange, to swap (col) (gegen, für for); (umtauschen) Devisen to change.
eintausend num siehe tausend.
einteilen vt sep [a] to divide (up) (in +acc into). [b] (sinnvoll aufteilen) Zeit, Arbeit to plan (out), to organize; Geld to budget. [c] (dienstlich verpflichten) to detail (zu for) ▸ er ist als Aufseher eingeteilt he has been assigned the job of supervisor.
einteilig adj Badeanzug one-piece attr.
Einteilung f siehe vt [a] division. [b] planning, organization; budgeting. [c] assignment.
eintippen vt sep to key or type in (in +acc -to).
eintönig adj monotonous.
Eintönigkeit f monotony.
Eintopf(gericht nt) m stew.
Eintracht f no pl harmony, concord.
einträchtig adj peaceable.
Eintrag m -̈e (schriftlich) entry (in +acc in).
eintragen sep irreg [1] vt [a] (in Liste etc) to enter; (amtlich) to register; siehe eingetragen. [b] jdm Gewinn ~ to bring sb profit; das trägt nur Schaden ein that will only do harm. [2] vr to sign; (im Hotel) to check in ▸ er trug sich in die Warteliste ein he put his name down on the waiting list.
einträglich adj profitable.
Eintragung f entry (in +acc in).
eintreffen vi sep irreg aux sein [a] (ankommen) to arrive. [b] (fig: wahr werden) to come true.
eintreiben vt sep irreg [a] Vieh to drive in (in +acc -to). [b] Geldbeträge to collect.
Eintreibung f (von Geldbeträgen) collection.
eintreten sep irreg [1] vi [a] aux sein in etw (acc) ~ to enter sth; (in Zimmer etc auch) to go/come into sth; (in Verein etc) to join sth. [b] auf jdn ~ to kick sb. [c] aux sein (sich ereignen) (Tod) to occur; (Zeitpunkt) to come; (beginnen) (Dunkelheit, Nacht) to fall; (Tauwetter) to set in. [d] aux sein für jdn/etw ~ to stand up for sb/sth. [2] vt (zertrümmern) to kick in.
eintrichtern vt sep (col) jdm etw ~ to drum sth into sb.
Eintritt m [a] (das Eintreten) entry (in +acc (in)to); (ins Zimmer etc auch) entrance; (in Verein etc) joining (in +acc of) ▸ beim ~ ins Zimmer on entering the room; der ~ ins Geschäftsleben getting into the business world. [b] (~sgeld) admission (in +acc to) ▸ ~ frei admission free; „~ verboten" "no admittance". [c] bei ~ eines solchen Falles in such an event; der ~ des Todes the moment when death occurs.
Eintritts-: ~geld nt entrance money, admission charge; ~karte f (entrance) ticket; ~preis m admission charge.
eintrocknen vi sep aux sein to dry up.
eintrudeln vi sep aux sein (col) to drift in (col).
eintunken vt sep Brot to dunk (in +acc in).
ein|üben vt sep to practise (Brit), to practice (US); Theaterstück etc to rehearse.
einverleiben* vt sep and insep [a] Gebiet, Land to annex (dat to). [b] (hum col) sich (dat) etw ~ (essen, trinken) to put sth away (col).
Einvernehmen nt no pl (Eintracht) harmony; (Übereinstimmung) agreement ▸ in gutem ~ leben to live together in harmony; im ~ mit jdm in agreement with sb.
einvernehmlich adj (form) Regelung joint.
▼ **einverstanden** adj ~! okay!, agreed!; ~ sein to agree; ich bin mit deinem Verhalten gar nicht ~ I don't approve of your behaviour; sich mit etw ~ erklären to give one's agreement to sth.
Einverständnis nt agreement; (Zustimmung) consent ▸ wir haben uns in gegenseitigem ~ scheiden lassen we

were divorced by mutual consent; *im ~ mit jdm handeln* to act with sb's consent.

Einwaage *f no pl* (*Comm: Reingewicht*) *weight of contents of can or jar excluding juice etc.*

einwachsen¹ *vt sep Boden, Skier* to wax.

einwachsen² *vi sep* (*Finger-, Zehennagel*) to become in-grown.

▼ **Einwand** *m ⁻e* objection ▶ *einen ~ erheben* to raise an objection.

Einwanderer *m* immigrant.

einwandern *vi sep aux sein* to immigrate (*nach, in +acc* to).

Einwanderung *f* immigration (*nach, in +acc* to).

Einwanderungs- *in cpds* immigration.

einwandfrei *adj* ⓐ (*ohne Fehler*) perfect; *Sprache, Arbeit auch* faultless; *Benehmen* impeccable ▶ *er spricht ein ~es Spanisch* he speaks perfect Spanish. ⓑ (*unzweifelhaft*) indisputable; *Beweis auch* definite ▶ *etw ~ beweisen* to prove sth beyond doubt.

einwärts *adv* inwards.

einwechseln *vt sep Geld* to change (*in +acc, gegen* into); (*Sport*) *Spieler* to substitute.

einwecken *vt sep* to preserve; *Obst auch* to bottle.

Einweckglas *nt* preserving jar.

Einweg- [ˈaɪnveːk]: **~flasche** *f* non-returnable bottle; **~spritze** *f* disposable syringe; **~verpackung** *f* disposable wrapping.

einweichen *vt sep* to soak.

einweihen *vt sep* ⓐ (*feierlich eröffnen*) to open (officially); (*fig*) to christen. ⓑ *jdn in etw* (*acc*) *~* to initiate sb into sth; *er ist eingeweiht* he knows all about it; *siehe* **Eingeweihte(r)**.

Einweihung(sfeier) *f* (official) opening.

einweisen *vt sep irreg* ⓐ (*in Krankenhaus*) to admit (*in +acc* to). ⓑ (*in Arbeit unterweisen*) *jdn ~* to introduce sb to his job *or* work. ⓒ (*Aut*) to guide in (*in +acc* -to).

Einweisung *f siehe vt* ⓐ admission (*in +acc* to). ⓑ *die ~ der neuen Mitarbeiter übernehmen* to assume responsibility for introducing new employees to their jobs *or* work. ⓒ guiding in.

einwenden *vt sep irreg etwas/nichts gegen etw einzuwenden haben* to have an objection/no objection to sth, to object/not to object to sth; *er hat immer etwas einzuwenden* he always has some objection to make.

Einwendung *f* objection (*auch Jur*).

einwerfen *sep irreg* ① *vt* ⓐ *Fensterscheibe etc* to break, to smash. ⓑ *Brief* to post, to mail (*esp US*); *Münze* to insert. ⓒ (*fig*) *Bemerkung* to throw in. ② *vi* (*Sport*) to throw in, to take the throw-in.

einwickeln *vt sep* ⓐ to wrap (up). ⓑ (*col: überreden*) to take in; (*durch Schmeicheleien*) to butter up (*col*).

einwilligen *vi sep* (*in +acc* to) to consent, to agree.

Einwilligung *f* (*in +acc* to) consent, agreement.

einwinken *vt sep* to guide *or* direct in.

einwirken *vi sep auf jdn/etw ~* to have an effect on sb/sth; (*beeinflussen*) to influence sb/sth; *etw ~ lassen* (*Med*) to let sth work in.

Einwirkung *f* influence; (*einer Sache auch*) effect ▶ *unter (der) ~ von Drogen etc* under the influence of drugs *etc*; *unter (der) ~ eines Schocks stehen* to be suffering from shock.

einwöchig *adj* one-week *attr*.

Einwohner(in *f*) *m* - inhabitant.

Einwohner-: **~meldeamt** *nt residents' registration office*; *sich beim ~meldeamt (an)melden* ≈ to register with the police; **~schaft** *f no pl* population, inhabitants *pl*; **~zahl** *f* population.

Einwurf *m* ⓐ (*von Münze*) insertion; (*von Brief*) posting, mailing (*esp US*). ⓑ (*Sport*) throw-in. ⓒ (*Schlitz*) slot; (*von Briefkasten*) slit. ⓓ (*fig*) interjection; (*Einwand*) ob-

jection.

Einzahl *f* singular.

einzahlen *vt sep* to pay in ▶ *Geld auf ein Konto ~* to pay money into an account.

Einzahlung *f* payment; (*auf Sparkonto auch*) deposit.

Einzahlungs- *in cpds* paying-in; **~beleg** *m* deposit slip, pay-in slip; **~frist** *f* payment deadline.

einzäunen *vt sep* to fence in.

Einzäunung *f* fence, fencing; (*das Umzäunen*) fencing-in.

einzeichnen *vt sep* to draw in ▶ *ist der Ort eingezeichnet?* is the place marked?

Einzel *nt* - (*Tennis*) singles *sing*.

Einzel-: **~aktion** *f* independent action; **~anfertigung** *f* custom-made item, one-off; **~aufstellung** *f* (*Comm*) itemized list; **~ausgabe** *f* separate edition; **~band** *m* individual *or* single volume; **~behandlung** *f* individual treatment; **~bett** *nt* single bed; **~blatteinzug** *m* cut-sheet feed; **~erscheinung** *f* isolated occurrence; **~fahrschein** *m* single (*Brit*) *or* one-way ticket; **~fall** *m* individual case; (*Sonderfall*) isolated *or* one-off case; **~gänger(in** *f*) *m* - loner; **~haft** *f* solitary (confinement).

Einzelhandel *m* retail trade ▶ *im ~ erhältlich* available retail.

Einzelhandels- *in cpds* retail; **~preis** *m* retail price.

Einzel-: **~händler** *m* retailer; **~heit** *f* detail, particular; *etw in allen ~heiten schildern* to describe sth right down to the last detail; **~kind** *nt* only child.

Einzeller *m* - (*Biol*) single-celled organism.

einzeln *adj* ⓐ individual; (*getrennt*) separate; (*von Paar*) *Schuh etc* odd ▶ *bitte ~ eintreten* please come in one (person) at a time; *die ~en Städte, die wir besucht haben* the individual cities which we visited; *~ aufführen* to list separately *or* individually; *~ angeben* to specify. ⓑ (*alleinstehend*) *Baum, Haus* single, solitary. ⓒ (*mit pl n: einige, vereinzelte*) some ▶ *~e Besucher kamen schon früher* one *or* two visitors came earlier. ⓓ (*substantivisch*) *der/die ~e* the individual; *ein ~er* an individual, a single person; (*ein einziger Mensch*) one single person; *~e* some (people), a few (people); *jeder ~e* (each and) every one of you/them *etc*; *~es* some; *~es hat mir gefallen* I liked some of it; *das ~e* the particular; *jedes ~e* each one; *etw im ~en besprechen* to discuss sth in detail; *bis ins ~e* right down to the last detail.

Einzel-: **~person** *f* single person; **~preis** *m* (individual) price, unit price (*Comm*); **~radaufhängung** *f* (*Aut*) independent suspension; **~reisende(r)** *mf* single traveller; **~stück** *nt ein schönes ~stück* a beautiful piece; *~stücke verkaufen wir nicht* we don't sell them singly; **~teil** *nt* individual *or* separate part; (*Ersatzteil*) spare part; *etw in seine ~teile zerlegen* to take sth to pieces; **~unterricht** *m* one-to-one tuition; **~wesen** *nt* individual; **~zelle** *f* single cell (*auch Biol*); **~zimmer** *nt* single room.

einzementieren* *vt sep Stein* to cement.

einziehen *sep irreg* ① *vt* ⓐ (*einfügen*) *Faden* to thread; (*in einen Bezug etc*) to put in; (*Build: einbauen*) *Wand etc* to put in; (*Kopiergerät etc*) *Papier* to take in. ⓑ (*zurückziehen*) *Krallen, Fahrgestell* to retract, to draw in; *Bauch, Netz* to pull in; *Flagge, Segel* to lower, to take down ▶ *den Kopf ~* to duck (one's head); *der Hund zog den Schwanz ein* the dog put his tail between his legs. ⓒ (*Mil*) (*zu into*) *Personen* to call up, to draft (*esp US*); *Fahrzeuge etc* to requisition. ⓓ (*einfordern*) *Steuern* to collect; *Banknoten* to withdraw (from circulation); *Führerschein* to take away; *Vermögen* to confiscate; (*fig*) *Erkundigungen* to make (*über +acc* about). ② *vi aux sein* ⓐ (*in Haus*) to move in. ⓑ (*auch Mil: einmarschieren*) to march in (*in +acc* -to). ⓒ (*einkehren*) to come (*in* +*dat* to) ▸ **wenn der Friede im Lande einzieht** when peace comes to our country. **[d]** (*eindringen*) to soak in (*in* +*acc* -to).

Einziehung *f* **[a]** (*Mil*) (*von Personen*) call-up, drafting (*esp US*); (*von Fahrzeugen*) requisitioning. **[b]** (*Einforderung*) (*von Vermögen*) confiscation; (*von Banknoten, Führerschein etc*) withdrawal; (*von Steuern etc*) collection.

einzig **[1]** *adj* **[a]** *attr* only, sole ▸ **ich sehe nur eine ~e Möglichkeit** I can see only one (single) possibility; **kein ~es Mal** not once, not one single time. **[b]** (*emph*) absolute ▸ **dieses Fußballspiel war eine ~e Schlammschlacht** this football match was just one big mudbath. **[c]** *pred* (*~artig*) unique. **[d]** (*substantivisch*) **der/die ~e** the only one; **das ~e** the only thing; **kein ~er** nobody, not a single person.
[2] *adv* (*allein*) only, solely ▸ **die ~ mögliche Lösung** the only possible solution; **~ und allein** solely; **das ~ Wahre** the only thing; (*das beste*) the real McCoy.
einzig|artig *adj* unique.
Einzig|artigkeit *f* uniqueness.
Einzimmer- *in cpds* one-room.
Einzug *m* **[a]** (*in Haus etc*) move (*in* +*acc* into). **[b]** (*Einmarsch*) entry (*in* +*acc* into). **[c]** (*fig: von Stimmung, Winter etc*) advent ▸ **der Frühling etc hält seinen ~** spring *etc* is coming. **[d]** (*von Steuern*) collection; (*von Banknoten*) withdrawal.
Einzugs-: **~auftrag** *m* (*Fin*) direct debit; **~bereich** *m* catchment area; **~feier** *f* house-warming (party); **~verfahren** *nt* (*Fin*) direct debit.
einzwängen *vt sep* (*lit*) to squeeze *or* jam in; (*fig*) *jdn* to constrict.
Eis *nt* - **[a]** *no pl* ice ▸ **zu ~ gefrieren** to freeze, to turn to ice; **das ~ brechen** (*fig*) to break the ice; **etw auf ~ legen** (*fig col*) to put sth on ice *or* into cold storage. **[b]** (*Speise~*) ice(-cream) ▸ **~ am Stiel** ice-lolly (*Brit*), popsicle ® (*US*).
Eis-: **~bahn** *f* ice rink; **~bär** *m* polar bear; **~becher** *m* sundae; **e~bedeckt** *adj* ice-covered; **~bein** *nt* (*Cook*) knuckle of pork; **~berg** *m* iceberg; **die Spitze des ~bergs** (*fig*) the tip of the iceberg; **~beutel** *m* ice pack; **e~blau** *adj* ice-blue; **~block** *m* block of ice; **~blume** *f usu pl* frost pattern; **~brecher** *m* icebreaker; **~café** *nt* = **~diele**.
Eischnee *m* (*Cook*) beaten white of egg.
Eis-: **~creme** *f* ice(-cream); **~decke** *f* sheet of ice; **~diele** *f* ice-cream parlour (*Brit*) *or* parlor (*US*).
Eisen *nt* - iron ▸ **mehrere ~ im Feuer haben** (*fig*) to have more than one iron in the fire; **zum alten ~ gehören** (*fig*) to be on the scrap heap; **man muß das ~ schmieden, solange es heiß ist** (*Prov*) strike while the iron is hot (*Prov*).
Eisenbahn *f* railway (*Brit*), railroad (*US*); (*~wesen*) railways (*Brit*) *pl*, railroad (*US*); (*col: Zug*) train; (*Spielzeug~*) train set ▸ **es ist (aller)höchste ~** (*col*) it's getting late.
Eisenbahn-: **~abteil** *nt* compartment; **~brücke** *f* railway (*Brit*) *or* railroad (*US*) bridge.
Eisenbahner(in *f*) *m* - railwayman (*Brit*), railway employee (*Brit*), railroader (*US*).
Eisenbahn-: **~fähre** *f* train ferry; **~fahrkarte** *f* rail *or* train ticket; **~fahrt** *f* train *or* rail ride; **~netz** *nt* rail network; **~schaffner** *m* (railway) guard (*Brit*), (railroad) conductor (*US*); **~strecke** *f* railway line (*Brit*), railroad (*US*); **~überführung** *f* footbridge; **~wagen** *m* railway (*Brit*) *or* railroad (*US*) carriage; **~waggon** *m* (*Güter~*) goods wagon.
Eisen-: **~erz** *nt* iron ore; **e~haltig** *adj* *Gestein* iron-bearing; **das Wasser ist e~haltig** the water contains iron; **~hütte** *f* ironworks *pl or* sing, iron foundry; **~mangel** *m* iron deficiency; **~oxyd** *nt* ferric oxide;

~präparat *nt* (*Med*) iron tonic/tablets *pl*; **~stange** *f* iron bar; **e~verarbeitend** ⚠ *adj attr* iron processing; **~waren** *pl* ironmongery *sing* (*Brit*), hardware *sing* (*US*); **~warenhandlung** *f* ironmonger's (*Brit*), hardware store (*US*); **~zeit** *f* Iron Age.
eisern *adj* **[a]** *attr* (*aus Eisen*) iron ▸ **der E~e Vorhang** the Iron Curtain; **~e Lunge** (*Med*) iron lung. **[b]** *Disziplin, Wille* iron *attr*, *Energie* unflagging; *Ruhe* unshakeable ▸ **~e Gesundheit** iron constitution; **er schwieg ~** he remained resolutely silent; **er ist ~ bei seinem Entschluß geblieben** he stuck firmly to his decision; **mit ~er Faust** with an iron hand; **in etw** (*dat*) **~ sein** to be adamant about sth; **mit ~em Besen kehren** to make a clean sweep; **~ sparen** to save resolutely. **[c]** *attr Reserve* emergency; *Ration auch* iron.
Eiseskälte *f* icy cold.
Eis-: **~fach** *nt* freezer compartment, ice-box; **~fläche** *f* (surface of the) ice; **e~frei** *adj* free of ice *pred*; **e~gekühlt** *adj* chilled; **~glätte** *f* black ice; **~hockey** *nt* ice hockey, hockey (*US*).
eisig *adj* (*lit, fig*) icy.
Eis-: **~kaffee** *m* iced coffee; **e~kalt** *adj* **[a]** icy-cold; **[b]** (*fig*) (*abweisend*) icy, cold; (*kalt und berechnend*) cold-blooded, cold and calculating; (*dreist*) cool; **~kappe** *f* ice cap; **~kunstlauf** *m* figure skating; **~kunstläufer** *m* figure skater; **~lauf** *m* ice-skating; **e~laufen** ⚠ *vi sep irreg aux sein* to ice-skate; **~läufer** *m* ice-skater; **~meer** *nt* polar sea; **Nördliches/Südliches ~meer** Arctic/Antarctic Ocean; **~pickel** *m* ice axe (*Brit*) *or* ax (*US*), ice pick.
Eisprung *m* (*Physiol*) ovulation *no art.*
Eis-: **~regen** *m* sleet; **~revue** *f* ice revue, ice show; **~schießen** *nt* curling; **~schmelze** *f* thaw; **~schnellauf** *m* speed skating; **~schnelläufer** *m* speed skater; **~schokolade** *f* iced chocolate; **~scholle** *f* ice floe; **~schrank** *m* refrigerator; **~stadion** *nt* ice rink; **~stockschießen** *nt* curling; **~tanz** *m* ice-dancing; **~torte** *f* ice-cream cake; **~verkäufer** *m* ice-cream seller *or* man (*col*); **~vogel** *m* (*Orn*) kingfisher; **~würfel** *m* ice cube; **~zapfen** *m* icicle; **~zeit** *f* Ice Age.
eitel *adj* vain; (*eingebildet auch*) conceited.
Eitelkeit *f* vanity.
Eiter *m no pl* pus.
eit(e)rig *adj Ausfluß* purulent; *Wunde* festering.
eitern *vi* to discharge pus, to suppurate.
Eiweiß *nt* (egg-)white, white of egg; (*Chem*) protein.
Eiweiß-: **e~arm** *adj* low in protein; **e~arme Kost** a low-protein diet; **~gehalt** *m* protein content; **e~haltig** *adj Fleisch ist sehr e~haltig* meat is high in protein *or* contains a lot of protein; **~mangel** *m* protein deficiency; **~präparat** *nt* protein preparation; **e~reich** *adj* high in protein; **e~reiche Kost** a high-protein diet.
Eizelle *f* (*Biol*) egg cell.
Ejakulation *f* ejaculation.
EKD [e:ka:'de:] *f* - = **Evangelische Kirche in Deutschland**.
Ekel[1] *m no pl* disgust, revulsion; (*Übelkeit*) nausea ▸ **vor jdm/etw einen ~ haben** to loathe sb/sth; **dabei empfinde ich ~** it gives me a feeling of disgust *etc*; **er hat das Essen vor ~ ausgespuckt** he spat out the food in disgust.
Ekel[2] *nt* - (*col*) obnoxious person, horror (*col*).
⚠ **ekel|erregend** *adj* nauseating, revolting.
ekelhaft, ek(e)lig *adj* disgusting, revolting; (*col*) *Problem, Chef* nasty (*col*), horrible.
ekeln **[1]** *vt* to disgust, to revolt.
[2] *vt impers* **es ekelt mich vor diesem Anblick** the sight of it fills me with disgust *or* revulsion.
[3] *vr* to feel disgusted ▸ **sich vor etw** (*dat*) **~** to find sth disgusting.

⚠: Informationen zur Rechtschreibreform im Anhang

EKG [eːkaːˈgeː] *nt* -s = **Elektrokardiogramm** ECG.
Eklat [eˈklaː(t)] *m* -s *(geh: Aufsehen)* sensation.
eklatant *adj Fall* sensational; *Beispiel* striking; *Verletzung* flagrant.
eklig *adj* = **ek(e)lig**.
Eklipse *f* -n eclipse.
Ekstase *f* -n ecstasy ▸ *in ~ geraten* to go into ecstasies; *jdn in ~ versetzen* to send sb into ecstasies.
ekstatisch *adj* ecstatic.
Ekzem *nt* -e *(Med)* eczema.
Elan *m no pl* élan, zest.
elastisch *adj* elastic; *Gang, Metall, Holz* springy; *(fig) Muskel, Mensch* strong and supple; *(flexibel)* flexible, elastic.
Elastizität *f siehe* **elastisch** elasticity; springiness; flexibility ▸ *die ~ seines Körpers* the supple strength of his body.
Elch *m* -e elk.
Elefant *m* elephant ▸ *wie ein ~ im Porzellanladen (col)* like a bull in a china shop *(prov)*.
Elefanten-: **~bulle** *m* bull elephant; **~kuh** *f* cow elephant.
elegant *adj* elegant.
Eleganz *f* elegance.
Elegie *f* elegy.
elegisch *adj* elegiac.
elektrifizieren* *vt* to electrify.
Elektrifizierung *f* electrification.
Elektrik *f (Anlagen)* electrics *pl*.
Elektriker(in *f)* *m* - electrician.
elektrisch *adj* electric; *Entladung, Widerstand* electrical ▸ *~e Geräte* electrical appliances; *~er Schlag/Strom* electric shock/current; *der ~e Stuhl* the electric chair; *wir kochen/heizen ~* we cook/heat by electricity.
Elektrische *f* -n *(dated)* tram, streetcar *(US)*.
elektrisieren* ① *vt (lit, fig)* to electrify ▸ *ich habe mich elektrisiert* I got an electric shock; *wie elektrisiert* (as if) electrified.
② *vi* to give an electric shock.
Elektrizität *f* electricity.
Elektrizitätswerk *nt* power station; *(Gesellschaft)* electric power company, electricity board *(Brit)*.
Elektro- [eˈlɛktro] *in cpds* electro- *(auch Sci)*, electric; **~antrieb** *m* electric power; **~artikel** *m* electrical appliance; **~auto** *nt* electric car.
Elektrode *f* -n electrode.
Elektro-: **~fahrzeug** *nt* electric vehicle; **~gerät** *nt* electrical appliance; **~geschäft** *nt* electrical shop *(Brit)* or store *(US)*; **~herd** *m* electric cooker; **~ingenieur** *m* electrical engineer; **~installateur** *m* electrician; **~kardiogramm** *nt (Med)* electrocardiogram; **~lok** *f* electric locomotive; **~magnet** *m* electromagnet; **~mechaniker** *m* electrician; **e~mechanisch** *adj* electromechanical; **~motor** *m* electric motor.
Elektron [elɛkˈtroːnən] *nt* -en electron.
Elektronen-: **~blitz(gerät** *nt)* *m (Phot)* electronic flash; **~(ge)hirn** *nt* electronic brain; **~mikroskop** *nt* electron microscope; **~rechner** *m* (electronic) computer; **~röhre** *f* valve, electron tube *(US)*.
Elektronik *f* electronics *sing*; *(Teile)* electronics *pl*.
elektronisch *adj* electronic ▸ *~er Geldverkehr* electronic banking; *~e Post* electronic mail, E-mail; *~er Briefkasten* electronic mailbox.
Elektro-: **~rasierer** *m* electric shaver *or* razor; **~schock** *m (Med)* electric shock, electroshock; **~smog** *m* electromagnetic radiation; **~technik** *f* electrical engineering; **~techniker** *m (Ingenieur)* electrical engineer; **e~technisch** *adj* electrical.
Element *nt* element; *(Elec)* cell ▸ *kriminelle ~e (pej)* criminal elements; *in seinem ~ sein* to be in one's element.
elementar *adj (grundlegend)* elementary; *Gewalt, Trieb* elemental.
Elementar-: **~begriff** *m* elementary *or* basic concept; **~kenntnisse** *pl* elementary knowledge; **~teilchen** *nt (Phys)* elementary particle.
elend *adj* ⓐ wretched, miserable; *(krank)* wretched, awful ▸ *mir ist ganz ~* I feel really awful. ⓑ *(col: furchtbar)* Hunger, Wetter awful ▸ *ich habe ~ gefroren* I was miserably cold.
Elend *nt no pl (Unglück, Not)* misery, distress; *(Verwahrlosung)* squalor; *(Armut)* poverty ▸ *(wie) ein Häufchen ~ (col)* (looking) a picture of misery; *da kann man das heulende ~ kriegen (col)* it's enough to make you scream *(col)*.
elendig(lich) *adv (geh)* wretchedly ▸ *~ zugrunde gehen* to come to a wretched end.
Elends-: **~quartier** *nt* slum dwelling; **~viertel** *nt* slum area.
elf *num* eleven; *siehe* **vier**.
Elf *f* -en *(Sport)* team, eleven.
Elfe *f* -n elf.
Elfenbein *nt* ivory.
elfenbeine(r)n *adj* ivory.
Elfenbein-: **~küste** *f* Ivory Coast; **~turm** *m (fig)* ivory tower.
elfmal *adv* eleven times; *siehe* **viermal**.
Elfmeter *m (Ftbl)* penalty (kick) *(für* to, for) ▸ *einen ~ schießen* to take a penalty.
Elfmeter-: **~punkt** *m (Ftbl)* penalty spot; **~schießen** *nt (Ftbl)* penalty shoot-out; *durch ~schießen entschieden* decided on penalties; **~schütze** *m (Ftbl)* penalty-taker.
Elftel *nt* - eleventh.
elfte(r, s) *adj* eleventh; *siehe* **vierte(r, s)**.
eliminieren* *vt* to eliminate.
Eliminierung *f* elimination.
elitär ① *adj* elitist.
② *adv* in an elitist fashion.
Elite *f* -n elite.
Elite-: **~denken** *nt* elitism; **~truppe** *f (Mil)* crack *or* elite troops *pl*.
Elixier *nt* -e elixir *(liter)*, tonic.
Elle *f* -n *(Anat)* ulna *(spec)* ▸ *alles mit der gleichen ~ messen (fig)* to measure everything by the same yardstick.
Ell(en)bogen *m* - elbow ▸ *die ~ gebrauchen (fig)* to be pushy *(col)* or ruthless.
Ell(en)bogen-: **~freiheit** *f (fig)* elbow room; **~gesellschaft** *f* dog-eat-dog society.
ellenlang *adj (fig col)* incredibly long *(col)*; *Kerl* incredibly tall *(col)*.
Ellipse *f* -n *(Math)* ellipse.
elliptisch *adj (Math)* elliptic(al).
⚠ **Elsaß** *nt, gen - or* -sses *das ~* Alsace.
Elsässer(in *f)* *m* - Alsatian, inhabitant of Alsace.
Elsässer, elsässisch *adj* Alsatian.
Elster *f* -n magpie ▸ *eine diebische ~ sein (fig)* to be a thief.
elterlich *adj* parental.
Eltern *pl* parents *pl* ▸ *nicht von schlechten ~ sein (col)* to be quite something *(col)*.
Eltern-: **~abend** *m (Sch)* parents' evening; **~beirat** *m (Sch)* parents' association; **~haus** *nt (lit, fig)* (parental) home; **e~los** *adj* orphaned; **~sprechtag** *m* open day (for parents); **~teil** *m* parent; **~urlaub** *m unpaid leave given to a new mother or father*.
E-Mail *f no pl (Comput)* E-mail, e-mail.
Email [eˈmai] *nt* -s, **Emaille** [eˈmaljə] *f* -n enamel.
emaillieren* [emaˈjiːrən] *vt* to enamel.
Emanze *f* -n *(usu pej)* women's libber *(col)*.

Emanzipation f emancipation.
emanzipatorisch adj emancipatory.
emanzipieren* vr to emancipate oneself.
emanzipiert adj emancipated, Frau auch liberated.
Embargo nt -s embargo.
Emblem nt -e emblem; (Firmen~) logo.
Embolie f (Med) embolism.
Embryo m -s or -nen [-y'o:nən] embryo.
embryonal adj attr (Biol, fig) embryonic.
Emigrant(in f) m emigrant; (politisch) émigré.
Emigration f emigration ► **in der ~ leben** to live in self-imposed exile.
emigrieren* vi aux sein to emigrate.
eminent adj (geh) Person eminent ► **von ~er Bedeutung** of the utmost significance.
Eminenz f (Eccl) **(Seine) ~** (His) Eminence.
Emir m -e emir.
Emirat nt emirate.
Emission f [a] (Fin) issue. [b] (Phys) emission.
Emissionsbank f issuing bank.
emittieren vt [a] (Fin) to issue. [b] (Phys) to emit.
Emotion f emotion.
emotional adj emotional; Ausdrucksweise emotive.
emotions-: **~geladen** adj emotionally-charged; **~los** adj free of emotion, unemotional.
empfahl pret of **empfehlen.**
empfand pret of **empfinden.**
Empfang m ⁻e reception (auch Rad, TV); (von Brief, Ware etc) receipt ► **etw in ~ nehmen** to receive sth; (Comm) to take delivery of sth; **(zahlbar) nach/bei ~** (+gen) (payable) on receipt (of).
empfangen pret empfing, ptp ~ [1] vt to receive (auch Rad, TV); (begrüßen) to greet, to receive (form); (herzlich) to welcome; (abholen) Besuch to meet. [2] vti (schwanger werden) to conceive.
Empfänger(in f) m - recipient, receiver (auch Rad, TV); (Adressat) addressee; (Waren~) consignee ► **~ unbekannt** (auf Briefen) not known at this address.
empfänglich adj (aufnahmebereit) receptive (für to); (anfällig) susceptible (für to).
Empfänglichkeit f siehe adj receptivity; susceptibility.
Empfängnis f conception.
Empfängnis-: **e~verhütend** adj contraceptive; **e~verhütende Mittel** pl contraceptives pl; **~verhütung** f contraception.
Empfangs-: **~bereich** m (Rad, TV) reception area; **~bestätigung** f (acknowledgement of) receipt; **~chef** m (von Hotel) head porter; **~dame** f receptionist; **~gerät** nt (radio/TV) set, receiver; **~störung** f (Rad, TV) interference no pl; **~zimmer** nt reception room.
▼ **empfehlen** pret empfahl, ptp empfohlen [1] vt (jdm) etw/jdn ~ to recommend sth/sb (to sb); jdm ~, etw zu tun to recommend or advise sb to do sth; ich würde dir Vorsicht/Geduld ~ I would recommend caution/patience.
[2] vr [a] to recommend itself/oneself ► **sich als Experte** etc ~ to offer one's services as an expert etc; **es empfiehlt sich, das zu tun** it is advisable to do that. [b] (dated, hum: sich verabschieden) to take one's leave. **ich empfehle mich!** I'll take my leave.
empfehlenswert adj to be recommended.
Empfehlung f recommendation; (Referenz) reference; (form: Gruß) regards pl ► **auf ~ von** on the recommendation of; **mit freundlichen ~en** (am Briefende) with best regards.
Empfehlungsschreiben nt letter of recommendation, testimonial.
empfinden pret empfand, ptp empfunden vt to feel ► **etw als Beleidigung ~** to find sth insulting; **jdn als Störenfried ~** to see sb as a troublemaker.

Empfinden nt no pl feeling ► **meinem ~ nach** to my mind.
empfindlich adj [a] sensitive (auch Phot, Tech); Gesundheit, Stoff delicate; (leicht reizbar) touchy (col) ► **~ reagieren** to be sensitive (auf +acc to); **~e Stelle** (lit) sensitive spot; (fig auch) sore point. [b] Verlust, Kälte, Strafe severe ► **deine Kritik hat ihn ~ getroffen** your criticism cut him to the quick.
Empfindlichkeit f siehe adj (a) sensitivity (auch Phot, Tech); delicateness; touchiness (col).
empfindsam adj Mensch sensitive.
Empfindsamkeit f sensitivity.
Empfindung f feeling; (Sinnes~ auch) sensation.
empfindungslos adj lit, fig insensitive (für, gegen to); Glieder numb, without sensation.
empfing pret of **empfangen.**
empfohlen ptp of **empfehlen.**
empfunden ptp of **empfinden.**
empirisch adj empirical.
empor adv (liter) upwards, up.
empor-: **~arbeiten** vr sep (geh) to work one's way up; **~blicken** vi sep (liter: lit, fig) to look up (zu to).
Empore f -n (Archit) gallery.
empören* [1] vt to outrage; siehe empört. [2] vr to be indignant or outraged (über +acc at).
empörend adj outrageous.
Empor-: **e~heben** vt sep irreg (geh) to raise; **e~kommen** vi sep irreg aux sein (geh) to rise (up); (fig) (aufkommen) to come to the fore; (vorankommen) to go up in the world; **~kömmling** m (pej) upstart; **e~ragen** vi sep aux haben or sein (geh: lit, fig) to tower (über +acc above); **e~steigen** vti sep irreg aux sein (geh) to climb (up); (fig: Karriere machen) to climb, to rise.
empört adj indignant, outraged (über +acc at).
Empörung f no pl (Entrüstung) indignation (über +acc at) ► **über etw in ~ geraten** to get indignant about sth.
emsig adj busy, industrious; Treiben bustling.
Emsigkeit f siehe adj industriousness; bustle.
Emu m -s emu.
Emulation f (esp Comp) emulation.
Emulsion f emulsion.
E-Musik f serious music.
End- in cpds final; **~abnehmer** m buyer; **~abrechnung** f final account; **~bahnhof** m terminus; **~benutzer** m end-user; **~betrag** m final amount.
Ende nt -n end; (Ergebnis) outcome, result; (Ausgang eines Films, Romans etc) ending ► **~ Mai/der Woche** at the end of May/the week; **er ist ~ vierzig** he is in his late forties; **er wohnt am ~ der Welt** (col) he lives at the back of beyond; **bis ans ~ der Welt** to the ends of the earth; **letzten ~es** in the end, at the end of the day; **einer Sache** (dat) **ein ~ machen** to put an end to sth; **damit muß es jetzt ein ~ haben** there has to be an end to this now, this must stop now; **ein ~ nehmen** to come to an end; **ein böses ~ nehmen** to come to a bad end; **... und kein ~** ... with no end in sight, ... without end; **es ist noch ein gutes or ganzes ~** (col) there's still quite a way to go (yet); **am ~** at the end; (schließlich) in the end; (col: möglicherweise) perhaps; **am ~ sein** (fig) to be at the end of one's tether; **ich bin mit meiner Weisheit am ~** I'm at my wits' end; **meine Geduld ist am ~** my patience is at an end; **zu ~** finished, over; **etw zu ~ führen** to finish (off) sth; **ein Buch zu ~ lesen** to finish (reading) a book; **zu ~ gehen** to come to an end; (Vorräte) to run out; **~ gut, alles gut** (Prov) all's well that ends well (Prov).
End|effekt m: **im ~** (col) in the final analysis, at the end of the day.
enden vi to end, to finish; (Zug) to terminate; (sterben) to meet one's end ► **auf etw** (acc) **~** (Wort) to end with

sth; *der Streit endete vor Gericht* the quarrel ended up in court; *wie wird das noch mit ihm ~?* what will become of him?; *das wird böse ~!* no good will come of it!

End|ergebnis *nt* final result.

endgültig *adj* final; *Antwort* definite; *Fassung* definitive.

Endivie [-viə] *f* endive.

End-: **~lager** *nt* (*für Atommüll etc*) permanent (waste) disposal site; **~lagerung** *f* (*von Atommüll etc*) permanent (waste) disposal; **~lauf** *m* final.

endlich [1] *adv* finally, at last; (*am Ende*) eventually, in the end ► *hör ~ damit auf!* will you stop that!; *komm doch ~!* come on!
[2] *adj* (*Math, Philos*) finite.

endlos *adj* endless ► *ich mußte ~ lange warten* I had to wait for an eternity *or* interminably.

Endlosformular *nt* continuous stationery.

Endlosigkeit *f* endlessness.

Endlospapier *nt no pl* continuous paper.

End-: **~phase** *f* final stage(s *pl*); **~produkt** *nt* end *or* final product; **~punkt** *m* (*lit, fig*) end.

Endrunde *f* (*Sport*) finals *pl*; (*fig*) final round.

Endrunden-: **~spiel** *nt* final (match); **~teilnehmer** *m* finalist.

End-: **~spiel** *nt* (*Sport*) final; (*Chess*) end game; **~spurt** *m* (*Sport, fig*) final spurt; *er hat einen starken ~spurt* (*Sport*) he's got a good finish; **~stadium** *nt* final *or* (*Med*) terminal stage; **~station** *f* (*Rail etc*) terminus; (*fig*) end of the line; **~stufe** *f* final stage; **~summe** *f* (sum) total.

Endung *f* (*Gram*) ending.

End-: **~verbraucher** *m* consumer, end-user; **~ziel** *nt* ultimate goal; **~zweck** *m* ultimate purpose.

Energie *f* (*Sci, fig*) energy ► *mit ganzer ~* with all one's energy.

Energie-: **~bedarf** *m* energy requirement; **~bündel** *nt* (*col*) fireball; **~gewinnung** *f* generation of energy; **~haushalt** *m* (*Physiol*) energy balance; **~knappheit** *f* energy shortage; **~krise** *f* energy crisis; **e~los** *adj* lacking in energy; **~politik** *f* energy policy/politics *sing or pl*; **~quelle** *f* energy source; **e~sparend** △ *adj* energy-saving; **~sparlampe** *f* energy-saving bulb; **~sparmaßnahmen** *pl* energy-saving measures; **~träger** *m* source of energy; **~verbrauch** *m* energy consumption; **~versorgung** *f* supply of energy; **~wirtschaft** *f* energy industry; **~zufuhr** *f* energy supply.

energisch *adj* (*entschlossen, streng*) forceful, firm; *Protest* energetic, strong ► *~ durchgreifen* to take vigorous *or* firm action; *etw ~ verteidigen* to defend sth vigorously; *etw ~ dementieren* to deny sth strenuously.

eng *adj* [a] (*lit, fig*) narrow; *Raum* cramped; *Kleidung* tight, close-fitting ► *ein Kleid ~er machen* to take a dress in; *im ~eren Sinne* in the narrow sense; *in die ~ere Wahl kommen* to be short-listed; *das darfst du nicht so ~ sehen* (*fig col*) don't take it so seriously. [b] (*nah, vertraut*) close ► *~ nebeneinander* close together; *eine Feier im ~sten Kreise* a small party for close friends; *mit jdm ~ befreundet sein* to be a close friend of sb.

Engadin *nt* Engadine.

Engagement [ãgaʒə'mã:] *nt* **-s** [a] *no pl* commitment (*für* to). [b] (*Theat*) engagement.

engagieren* [ãga'ʒi:rən] [1] *vt* to engage.
[2] *vr* to be/become committed (*für* to); (*in einer Bekanntschaft*) to become involved ► *er hat sich sehr dafür engagiert, daß ...* he completely committed himself to ...; *ein engagierter Film* a (socially/politically) committed film.

engagiert [ãga'ʒi:ɐt] *adj* committed.

Enge *f* **-n** [a] *no pl* (*lit, fig*) narrowness; (*von Wohnung*)

cramped conditions, lack of space (+*gen* in); (*Gedrängtheit*) crush; (*von Kleid*) tightness. [b] (*Engpaß*) pass, defile ► *jdn in die ~ treiben* (*fig*) to drive sb into a corner.

Engel *m* - (*lit, fig*) angel ► *ein guter ~* (*fig*) a guardian angel; *wir sind alle keine ~* (*prov*) none of us is perfect.

Engelmacher(in *f*) *m* (*euph col*) backstreet abortionist.

Engels-: **~geduld** *f* *sie hat eine ~geduld* she has the patience of a saint; **~haar** *nt* angel's hair, *type of Christmas tree decoration;* **~zungen** *pl:* *(wie) mit ~zungen reden* to use all one's powers of persuasion.

Eng-: **e~herzig** *adj* petty, hidebound; **~herzigkeit** *f* pettiness.

England *nt* England.

Engländer *m* - [a] Englishman; (*Junge*) English boy ► *die ~ pl* the English, the Britishers (*US*); *er ist ~* he's English. [b] (*Tech*) adjustable spanner, monkey wrench.

Engländerin *f* Englishwoman; (*Mädchen*) English girl.

englisch [1] *adj* English; *siehe* **deutsch**.
[2] *adv* (*Cook*) rare.

Englisch(e) *nt* English; *siehe* **Deutsch(e)**.

englisch-: **~deutsch** *etc adj* Anglo-German *etc*; *Wörterbuch* English-German *etc*; **~sprachig** *adj* *Gebiet* English-speaking.

Eng-: **e~maschig** △ *adj* close-meshed; **~paß** △ *m* (narrow) pass, defile; (*Mot, fig*) bottleneck.

en gros [ã'gro] *adv* wholesale.

engstirnig *adj* narrow-minded.

Enkel *m* - (*~kind*) grandchild; (*~sohn*) grandson; (*Nachfahr*) descendant; (*fig*) heir.

Enkelin *f* granddaughter.

Enkel-: **~kind** *nt* grandchild; **~sohn** *m* grandson; **~tochter** *f* granddaughter.

Enklave [ɛn'klaːvə] *f* **-n** enclave.

en masse [ã'mas] *adv* en masse.

enorm *adj* enormous; (*col: herrlich, kolossal*) tremendous (*col*) ► *er verdient ~ viel (Geld)* (*col*) he earns an enormous amount (of money).

en passant [ãpa'sã] *adv* en passant, in passing.

Ensemble [ã'sãbl] *nt* **-s** ensemble; (*Besetzung*) cast.

ent|arten* *vi aux sein* to degenerate (*zu* into).

ent|artet *adj* degenerate.

Ent|artung *f* degeneration.

entbehren* [1] *vt* (*vermissen*) to miss; (*auch vi: verzichten*) to do without; (*zur Verfügung stellen*) to spare ► *wir können ihn heute nicht ~* we cannot spare him today.
[2] *vi einer Sache* (*gen*) *~* (*geh*) to lack sth.

entbehrlich *adj* dispensable.

Entbehrung *f* privation, deprivation ► *~en auf sich* (*acc*) *nehmen* to make sacrifices.

entbehrungs-: **~reich, ~voll** *adj* *Zeit, Leben* (full) of privation.

entbinden* *irreg* [1] *vt* [a] *Frau* to deliver. [b] (*von Amt etc*) to release (*von* from).
[2] *vi* (*Frau*) to give birth.

Entbindung *f* delivery, birth; (*von Amt etc*) release.

Entbindungsstation *f* maternity ward.

entblößen* *vt* (*form*) to expose (*auch Mil*); *Kopf* to bare; (*fig*) *sein Innenleben* to lay bare.

entblößt *adj* bare.

entbrennen* *vi irreg aux sein* (*liter*) (*Kampf, Streit*) to flare up; (*Liebe*) to be aroused.

entbürokratisieren* *vt* to free of *or* from bureaucracy.

entdecken* *vt* to discover; *Fehler auch* to detect; (*erspähen*) to spot.

Entdecker(in *f*) *m* - discoverer.

Entdeckung *f* discovery; (*von Fehler auch*) detection.

Ente *f* **-n** [a] duck. [b] (*col*) (*Falschmeldung*) hoax, false report; (*Aut*) Citroën 2CV, deux-chevaux.

ent|ehren* *vt* to dishonour (*Brit*), to dishonor (*US*).

ent|eignen* *vt* to dispossess; *Besitz* to expropriate.

Ent|eignung *f siehe vt* dispossession; expropriation.

ent|eisen* *vt* to de-ice; *Kühlschrank* to defrost.

Enten-: ~braten *m* roast duck; ~ei *nt* duck's egg; ~teich *m* duckpond.

ent|erben* *vt* to disinherit.

Enterhaken *m* grappling iron *or* hook.

Enterich *m* drake.

entern (*Naut*) *vti Schiff* to board.

Enter-Taste *f* (*Comp*) enter key.

entfachen* *vt* (*geh*) *Feuer* to kindle; *Krieg, Streit* to provoke.

entfahren* *vi irreg aux sein jdm* ~ to escape sb's lips.

entfallen* *vi irreg aux sein +dat* [a] *der Name ist mir* ~ the name has slipped my mind. [b] (*nicht in Betracht kommen*) not to apply; (*wegfallen*) to be dropped. [c] *auf jdn/etw* ~ (*Geld, Kosten*) to be allotted to sb/sth; *auf jeden* ~ *100 Mark* each person will receive/pay 100 marks.

entfalten* [1] *vt* [a] (*lit*) to unfold. [b] (*fig*) (*entwickeln*) to develop; (*darlegen*) *Plan* to unfold; (*zeigen*) *Pracht* to display.

[2] *vr* (*Knospe, Blüte*) to open, to unfold; (*fig*) to develop; (*Schönheit*) to blossom (out) ► *hier kann ich mich nicht* ~ I can't make full use of my abilities here.

Entfaltung *f* unfolding (*auch von Plan*); (*Entwicklung*) development; (*von Schönheit*) blossoming; (*von Prunk, Tatkraft*) display ► *zur* ~ *kommen* to develop; (*Schönheit*) to blossom.

entfärben* *vt* to take the colour (*Brit*) *or* color (*US*) out of.

Entfärber *m*, Entfärbungsmittel *nt* colour *or* dye remover.

entfernen* [1] *vt* to remove (*von, aus* from) ► *das entfernt uns (weit) vom Thema* that takes us a long way from our subject.

[2] *vr sich (von or aus etw)* ~ (*weggehen*) to go away (from sth), to leave (sth); *sich unerlaubt von der Truppe* ~ (*Mil*) to go absent without leave; *sich zu weit* ~ to go too far away; *sich von jdm* ~ (*fig*) to become estranged from sb.

entfernt [1] *adj Ort, Verwandter* distant; *Ähnlichkeit* remote ► *16 km* ~ *von* 10 miles (away) from; *16 km* ~ 10 miles away.

[2] *adv* remotely, slightly ► ~ *verwandt* distantly related; *das hat nur* ~ *mit dieser Angelegenheit zu tun* that is only vaguely related with this matter; *nicht im ~esten!* not in the slightest.

Entfernung *f* [a] distance ► *aus kurzer/großer* ~ (*schießen*) (*to fire*) from close/long range; *aus einiger* ~ from a distance; *in einiger* ~ at a distance. [b] (*das Entfernen*) removal ► *unerlaubte* ~ *von der Truppe* absence without leave.

Enfernungsmesser *m* - (*Phot*) rangefinder.

entfesseln* *vt* (*fig*) to unleash.

entfesselt *adj* unleashed; *Trieb* unbridled; *Naturgewalten* raging ► *vor Begeisterung* ~ wild with enthusiasm.

Entfesselungskünstler *m* escape artist.

entfetten* *vt* to degrease; *Milch* to skim.

Entfettungskur *f* weight-reducing course.

entflammbar *adj* inflammable.

entflammen* [1] *vt* (*fig*) to (a)rouse.

[2] *vi aux sein* to burst into flames; (*fig*) (*Streit*) to flare up; (*Leidenschaft*) to be (a)roused *or* inflamed ► *in Liebe* ~ to fall passionately in love.

entflechten* *vt irreg Konzern, Kartell etc* to break up.

Entflechtung *f* (*von Konzern, Kartell*) breaking up.

entfliegen* *vi irreg aux sein* to fly away, to escape (*dat or aus* from).

entfliehen* *vi irreg aux sein* (*geh*) to escape, to flee (*dat or aus* from).

entfremden* [1] *vt* to alienate (*auch Sociol, Philos*), to estrange ► *jdn einer Person/Sache* (*dat*) ~ to alienate *or* estrange sb from sb/sth.

[2] *vr* to become alienated *or* estranged (*dat* from).

Entfremdung *f* alienation, estrangement.

entfrosten* *vt* to defrost.

Entfroster *m* - defroster.

entführen* *vt jdn* to abduct, to kidnap; *Beute etc* to carry off; *Flugzeug* to hijack; (*hum col: wegnehmen*) to make off with.

Entführer(in *f*) *m* abductor, kidnapper; (*Flugzeug*~ *etc*) hijacker.

Entführung *f siehe vt* abduction, kidnapping; hijack(ing).

entgegen [1] *adv* (*liter*) *der Sonne/der Zukunft etc* ~! on towards the sun/future *etc*!

[2] *prep +dat* ~ *meiner Bitte* contrary to my request.

entgegenbringen *vt sep irreg jdm etw* ~ (*fig*) *Achtung, Verständnis etc* to show sth for sb.

entgegengehen *vi sep irreg aux sein +dat* to go towards, to approach; (*um jdn zu treffen*) to go to meet; (*fig*) *einer Gefahr, dem Tode, der Zukunft* to face ► *dem Ende* ~ (*Leben, Krieg*) to approach its end; *Schwierigkeiten* ~ to be heading for difficulties.

entgegengesetzt *adj Richtung etc* opposite ► *einander* ~*e Interessen/Meinungen* opposing *or* conflicting interests/views; *genau* ~ *denken/handeln* to think/do exactly the opposite.

entgegenhalten *vt sep irreg +dat* [a] (*lit*) *jdm etw* ~ to hold sth out towards sb. [b] (*fig*) *einer Sache* ~, *daß* ... to object to sth that ...; *dem hielt sie entgegen, daß* ... she made the objection that ...

entgegenkommen *vi sep irreg aux sein +dat* to come towards, to approach; (*fig*) to accommodate ► *das kommt unseren Plänen sehr entgegen* that fits in very well with our plans; *können Sie uns preislich etwas* ~? can you accommodate us a little on price?

Entgegenkommen *nt* (*Gefälligkeit*) obligingness; (*Zugeständnis*) concession.

entgegenkommend *adj Verkehr* oncoming; (*fig*) obliging, accommodating.

entgegenlaufen *vi sep irreg aux sein +dat* to run towards; (*fig*) to run contrary *or* counter to.

Entgegennahme *f no pl* (*form*) (*Empfang*) receipt; (*Annahme*) acceptance.

entgegennehmen *vt sep irreg* (*empfangen*) to receive; (*annehmen*) to accept.

entgegensehen *vi sep irreg* (*fig*) *einer Sache* (*dat*) ~ to await sth; (*freudig*) to look forward to sth; *einer Sache* ~ *müssen* to have to expect sth.

entgegensetzen *vt sep +dat etw einer Sache* ~ to set sth against sth; *wir können diesen Forderungen nichts* ~ we have nothing to counter these claims with; *dem habe ich entgegenzusetzen, daß* ... against that I'd like to say that ...; *jdm/einer Sache Widerstand* ~ to put up resistance to sb/sth; *siehe* **entgegengesetzt**.

entgegenstehen *vi sep irreg +dat* (*fig*) to stand in the way of, to be an obstacle to ► *dem steht nichts entgegen* there's no objection to that.

entgegenstellen *sep +dat* [1] *vt* = **entgegensetzen**.

[2] *vr sich jdm/einer Sache* ~ to oppose sb/sth.

entgegentreten *vi sep irreg aux sein +dat einer Politik* to oppose; *Behauptungen* to counter; *einer Gefahr, Unsitten* to take steps against.

entgegenwirken *vi sep +dat* to counteract.

entgegnen* *vti* to reply; (*kurz, barsch*) to retort (*auf*

⚠: Informationen zur Rechtschreibreform im Anhang

+*acc* to).

Entgegnung *f* reply; (*kurz, barsch*) retort.

entgehen* *vi irreg aux sein +dat* [a] (*entkommen*) to escape; *Verfolgern, dem Feind* to escape from. [b] (*fig: nicht bemerkt werden*) **dieser Fehler ist mir entgangen** I missed this mistake; **ihr entgeht nichts** she doesn't miss a thing; **sich** (*dat*) **etw ~ lassen** to miss sth.

entgeistert *adj* dumbfounded.

Entgelt *nt no pl* (*form*) remuneration (*form*) ▶ **gegen ~** for a fee.

entgelten *vt irreg* (*geh*) **jdm etw ~** to repay sb for sth.

entgiften *vt* to decontaminate; (*Med*) to detoxify.

Entgiftung *f* decontamination; (*Med*) detoxification.

entgleisen* *vi aux sein* [a] (*Rail*) to be derailed. [b] (*fig: Mensch*) to misbehave.

Entgleisung *f* derailment; (*fig*) faux pas, clanger (*col*).

entgleiten *vi irreg aux sein +dat* to slip ▶ **jdm ~** to slip from sb's grasp; (*fig*) to slip away from sb.

entgräten* *vt Fisch* to fillet, to bone.

enthaaren* *vt* to remove unwanted hair from.

Enthaarungs-: **~creme** *f* depilatory cream; **~mittel** *nt* depilatory.

enthalten* *irreg* [1] *vt* to contain ▶ **(mit) ~ sein in** (+*dat*) to be included in.

[2] *vr* [a] (*geh*) **sich einer Sache** (*gen*) **~** to abstain from sth; **sich einer Bemerkung nicht ~ können** to be unable to refrain from making a remark. [b] **sich (der Stimme) ~** to abstain.

enthaltsam *adj* abstemious; (*geschlechtlich*) chaste.

Enthaltsamkeit *f siehe adj* abstemiousness; chastity.

Enthaltung *f* abstinence; (*Stimm~*) abstention.

enthärten* *vt Wasser* to soften; *Metall* to anneal.

enthaupten* *vt* to decapitate; (*als Hinrichtung auch*) to behead.

Enthauptung *f siehe vt* decapitation; beheading.

enthäuten* *vt* to skin.

entheben* *vt irreg jdn einer Sache* (*gen*) **~** to relieve sb of sth.

enthemmen* *vti jdn ~* to make sb lose his inhibitions; **Alkohol wirkt ~d** alcohol has a disinhibiting effect.

enthemmt *adj* uninhibited.

Enthemmung *f* loss of inhibitions.

enthüllen* *vt* to reveal; *Skandal, Lüge auch* to expose; *Denkmal* to unveil.

Enthüllung *f siehe vt* revealing; exposure; unveiling ▶ **noch eine sensationelle ~** another sensational revelation *or* disclosure.

Enthüllungsjournalismus *m* investigative journalism.

Enthusiasmus *m* enthusiasm.

Enthusiast(in *f*) *m* enthusiast.

enthusiastisch *adj* enthusiastic.

entjungfern* *vt* to deflower.

entkalken* *vt* to decalcify.

entkernen* *vt Orangen etc* to remove the pips from; *Kernobst* to core; *Steinobst* to stone.

entkleiden* *vtr* (*geh*) to undress.

entkoffe|iniert *adj* decaffeinated.

entkommen* *vi irreg aux sein* to escape, to get away (+*dat, aus* from).

Entkommen *nt* escape.

entkorken* *vt Flasche* to uncork.

entkräften* *vt* (*schwächen*) to weaken; (*erschöpfen*) to exhaust; (*fig: widerlegen*) *Behauptung* to invalidate.

Entkräftung *f* (*Erschöpfung*) exhaustion; (*Widerlegung*) invalidation.

entkrampfen* *vt* (*fig*) to relax, to ease.

Entkrampfung *f* (*fig*) relaxation, easing.

entladen* *irreg* [1] *vt* to unload; *Batterie etc* to discharge.

[2] *vr* (*Gewitter*) to break; (*elektrische Spannung, Batterie, Waffe*) to discharge; (*Sprengladung*) to explode; (*fig*) (*Emotion*) to vent itself; (*Spannung*) to release itself.

Entladung *f* [a] (*das Entladen*) unloading. [b] *siehe vr* breaking; discharge; explosion; venting; release.

entlang [1] *prep* along ▶ **~ dem Fluß, den Fluß ~** along the river.

[2] *adv* along ▶ **hier ~** this way.

entlang- *pref* along; **~gehen** *vti sep irreg aux sein* to walk along, to go along.

entlarven* *vt* (*fig*) to expose.

Entlarvung *f* exposure.

entlassen* *vt irreg* (*aus* from) (*kündigen*) to dismiss; (*nach Stellenabbau*) to make redundant; *Patienten, Soldaten* to discharge; (*aus dem Gefängnis, aus Verpflichtungen*) to release ▶ **aus der Schule ~ werden** to leave school.

Entlassung *f siehe vt* dismissal; making redundant; discharge; release ▶ **es gab 20 ~en** there were 20 redundancies.

Entlassungs-: **~feier** *f* school-leaving *or* (*US*) graduation ceremony; **~gesuch** *nt* (letter of) resignation; **ein ~gesuch stellen** to tender one's resignation; **~zeugnis** *nt* (*Sch*) school leaving certificate.

entlasten* *vt* to relieve the strain *or* load (*Tech*) on; (*Mil, Rail*) to relieve; *Gewissen, Verkehr* to ease; (*Arbeit abnehmen*) to take some of the load off; (*Jur*) *Angeklagten* to exonerate; (*Comm*) *Vorstand* to approve the activities of; (*von Verpflichtungen*) *jdn* to release.

Entlastung *f* relief (*auch Mil, Rail etc*); (*von Achse etc, Herz*) relief of the strain *or* load (*Tech*) (+*gen* on); (*Jur*) exoneration; (*Comm: des Vorstands*) approval; (*von Verpflichtungen etc*) release ▶ **zu seiner ~ führte der Angeklagte an, daß ...** in his defence (*Brit*) *or* defense (*US*) the defendant stated that ...

Entlastungs-: **~material** *nt* (*Jur*) evidence for the defence (*Brit*) *or* defense (*US*); **~zeuge** *m* (*Jur*) defence (*Brit*) *or* defense (*US*) witness; **~zug** *m* relief (*Brit*) *or* extra train.

entlaufen* *vi irreg aux sein* to run away (*dat, von* from) ▶ **ein ~es Kind** a runaway child; **ein ~er Sträfling** an escaped convict; **ein ~er Hund** a lost dog.

entledigen* (*form*) *vr* **sich einer Person/Sache** (*gen*) **~** to rid oneself of sb/sth; **sich seiner Kleidung ~** to remove one's clothes.

entleeren* *vt* to empty; *Darm* to evacuate.

entlegen *adj* remote.

entlehnen* *vt* (*fig*) to borrow (*dat, von* from).

entleihen* *vt irreg* to borrow (*von, aus* from).

Entleiher *m* - borrower.

Entlein *nt* duckling.

entloben* *vr* to break off one's engagement.

entlocken* *vt jdm/einer Sache etw ~* to elicit sth from sb/sth.

entlohnen* *vt* to pay; (*fig*) to reward.

Entlohnung *f* pay(ment); (*fig*) reward.

entlüften* *vt* to ventilate, to air; *Bremsen* to bleed.

Entlüfter *m* - ventilator.

Entlüftung *f siehe vt* ventilation, airing; bleeding.

entmachten* *vt* to deprive of power; (*stürzen*) to topple.

entmannen* *vt* to castrate.

Entmannung *f* castration.

entmenscht *adj* bestial, inhuman.

entmilitarisieren *vt* to demilitarize.

entmündigen* *vt* (*Jur*) to (legally) incapacitate, to declare incapable of managing one's own affairs; (*wegen Geisteskrankheit auch*) to certify.

Entmündigung *f siehe vt* (*Jur*) (legal) incapacitation; certification.

entmutigen* vt to discourage, to dishearten ► *sich nicht ~ lassen* not to be discouraged.
Entmutigung f discouragement.
Entnahme f -n (form) removal; (von Blut) extraction; (von Geld) withdrawal.
entnehmen* vt irreg (aus, dat) to take (from); (aus Kasse) *Geld* to withdraw (from); (fig: folgern) to infer (from) ► *wie ich Ihren Worten entnehme, ...* I gather from what you say that ...
entnerven* vt to unnerve ► *~d* nerve-racking.
entpuppen* vr *sich als Betrüger etc ~* to turn out to be a cheat etc.
entrahmen* vt Milch to skim.
enträtseln* vt to solve; Sinn, Schrift to decipher.
entrechten* vt jdn ~ to deprive sb of his/her rights.
entreißen* vt irreg jdm etw ~ (lit, fig) to snatch sth (away) from sb.
entrichten* vt (form) to pay.
Entrichtung f (form) payment.
entrinnen* vi irreg aux sein (geh) +dat to escape from; dem Tod to escape ► *es gibt kein E~* there is no escape.
entrosten* vt to derust.
entrückt adj (geh verzückt) enraptured ► *der Wirklichkeit ~ sein* to live in a world of one's own.
entrümpeln* vt to clear out.
Entrümp(e)lung f clear-out.
entrüsten* [1] vt (empören) to fill with indignation, to outrage.
[2] vr *sich ~ über* (+acc) (sich empören) to be outraged at.
entrüstet adj indignant, outraged.
Entrüstung f indignation (über +acc at).
Entsafter m - juice extractor.
entsagen* vi +dat (geh) *der Welt ~* to renounce the world.
Entsagung f (geh) renunciation (of wordly things).
entsagungsvoll adj (geh) Leben (full) of privation; Blick resigned.
entsalzen* vt irreg to desalinate.
Entsatz m no pl (Mil) relief.
entschädigen* vt (für for) (lit, fig) to compensate, to recompense; (Kosten erstatten) to reimburse ► *das Theaterstück entschädigte uns für das lange Warten* the play made up for the long wait.
Entschädigung f siehe vt compensation, recompense; reimbursement.
Entschädigungssumme f compensation.
entschärfen* vt (lit, fig) to defuse.
Entscheid m -e (Sw, form) = **Entscheidung.**
entscheiden* irreg [1] vti to decide ► *~ Sie, wie es gemacht werden soll!* you decide how it is to be done; *den Kampf (um etw) für sich ~* to secure victory in the struggle (for sth); *über etw* (acc) *~* to decide (on) sth; *es ist noch nichts entschieden* nothing has been decided (as) yet; *darüber habe ich nicht zu ~* that is not for me to decide.
[2] vr (Mensch) to decide, to make up one's mind; (Angelegenheit) to be decided ► *sich für jdn/etw ~* to decide in favour of sb/sth.
entscheidend adj decisive; Augenblick, Fehler auch crucial ► *die ~e Stimme* (bei Wahlen etc) the deciding or casting vote; *der alles ~e Augenblick* the critical decisive moment; *das E~e* the decisive or deciding factor.
Entscheidung f decision ► *eine ~ treffen* to make a decision; *etw steht vor der* or *kommt zur ~* sth is about to be decided; *wie ist die ~ ausgefallen?* which way did the decision go?
Entscheidungs-: ~befugnis f decision-making powers pl; ~findung f decision-making; ~freiheit f freedom of decision-making; e~freudig adj able to make decisions,

decisive; ~hilfe f aid to decision-making; ~kampf m show-down (auch fig); (Sport) decider; ~schlacht f decisive battle; (fig) show-down (col); ~spiel nt decider, play-off; ~träger m decision-maker; ~unfähigkeit f inability to make decisions.
entschieden adj [a] (entschlossen) determined, resolute; Befürworter staunch ► *etw ~ ablehnen* to reject sth firmly. [b] no pred (eindeutig) decided, distinct ► *das geht ~ zu weit* that's definitely going too far.
Entschiedenheit f (Entschlossenheit) determination, resolution ► *etw mit aller ~ dementieren* to deny sth categorically.
entschlacken* vt (Med) Körper to purify.
entschlafen* vi irreg aux sein (geh) to fall asleep; (euph: sterben) to pass away.
entschleiern* vt (lit, fig) to unveil.
▼ **entschließen*** vr irreg to decide (für, zu on) ► *ich entschloß mich zum Kauf dieses Hauses* I decided to buy this house; *sich zu nichts ~ können* to be unable to make up one's mind; *ich bin fest entschlossen* I am absolutely determined; *zu allem entschlossen sein* to be ready for anything; *kurz entschlossen* on the spur of the moment.
Entschließung f resolution.
Entschließungsantrag m (Pol) resolution proposal.
entschlossen adj determined, resolute ► *~ handeln* to act resolutely or with determination.
Entschlossenheit f determination, resolution.
entschlüpfen* vi aux sein (dat from) to escape, to slip away; (fig: Wort etc) to slip out.
⚠**Entschluß** m decision; (Vorsatz) resolution, resolve ► *aus eigenem ~ handeln* to act on one's own initiative; *es ist mein fester ~ ...* it is my firm intention ...
entschlüsseln* vt to decipher; Funkspruch auch to decode.
Entschlüsselung f siehe vt deciphering; decoding.
Entschluß-: e~freudig ⚠ adj decisive; ~kraft ⚠ f decisiveness; e~los ⚠ adj indecisive.
entschuldbar adj excusable, pardonable.
▼ **entschuldigen*** [1] vt to excuse ► *etw mit etw ~* to excuse sth as due to sth; *das ist durch nichts zu ~!, das läßt sich nicht ~!* that is inexcusable!; *jdn bei jdm ~* to make sb's excuses or apologies to sb; *einen Schüler ~ (lassen)* to ask for a pupil to be excused; *ich bitte mich zu ~* I beg to be excused.
[2] vi *~ Sie (bitte)!* excuse me; (Verzeihung auch) sorry; (bei Frage etc) sorry, pardon me (esp US).
[3] vr *sich (bei jdm) ~* to excuse oneself; (um Verzeihung bitten) to apologize (to sb) (wegen etw (gen) for sth); *sich ~ lassen* to send one's apologies.
entschuldigend adj apologetic.
▼ **Entschuldigung** f (Grund) excuse; (Bitte um ~) apology; (Sch: Brief) note ► *~!* excuse me; (Verzeihung auch) sorry; *(jdn) (wegen einer Sache) um ~ bitten* to apologize (to sb) (for sth); *ich bitte vielmals um ~ (, daß ich mich verspätet habe)!* I do apologize (for being late).
entschwefeln* vt to desulphurize.
Entschwef(e)lung f desulphurization.
entschwinden* vi irreg aux sein (geh: lit, fig) to vanish.
entsenden* vt irreg or reg (geh) to dispatch.
entsetzen* [1] vt [a] to horrify, to appal. [b] (Mil) to relieve.
[2] vr *sich über jdn/etw ~* to be horrified or appalled at sb/sth; siehe **entsetzt.**
Entsetzen nt no pl horror; (Erschrecken) terror ► *mit ~ sehen, daß ...* to be horrified/terrified to see that ...
entsetzlich adj dreadful, appalling.
entsetzt adj horrified, appalled (über +acc at, by) ► *ein ~er Schrei* a cry of horror.
entseuchen* vt to decontaminate.

► SATZBAUSTEINE: **entschließen** → 10.2 **entschuldigen: 1** → 8.1 **Entschuldigung** → 5.1

Entseuchung f decontamination.
entsichern* vt to release the safety catch of.
entsinnen* vr irreg (einer Sache (gen), an etw (acc) sth) to remember, to recall ▸ **wenn ich mich recht entsinne** if my memory serves me correctly.
entsorgen* vt Atomkraftwerk to remove the waste from ▸ **eine Stadt ~** to dispose of a town's refuse and sewage.
Entsorgung f waste disposal ▸ **die ~ von Chemikalien** the disposal of chemicals.
Entsorgungspark m (nuclear) waste dump.
entspannen* ① vt Muskeln, Nerven etc to relax; (fig) Lage auch to ease.
② vr to relax (auch fig); (ausruhen) to rest; (nach der Arbeit etc) to unwind; (Lage etc) to ease.
entspannt adj relaxed.
Entspannung f relaxation (auch fig); (Pol) détente, easing of tension (+gen in).
Entspannungs-: **~politik** f policy of détente; **~übungen** pl (Med etc) relaxation exercises.
entspiegeln* vt Brillengläser to put an anti-reflective coating on.
entspr. = **entsprechend.**
▼ **entsprechen*** vi irreg +dat to correspond to; Vorschriften to be in accordance with; (genügen) Anforderungen to meet; Erwartungen to come up to; einer Beschreibung to answer, to fit; einer Bitte, einem Wunsch etc to meet, to comply with ▸ **sich ~** to correspond, to tally.
entsprechend ① adj corresponding; (zuständig) relevant; (angemessen) appropriate.
② adv accordingly; (ähnlich, gleich) correspondingly ▸ **er wurde ~ bestraft** he was suitably or appropriately punished.
③ prep +dat in accordance with, according to; (ähnlich, gleich) corresponding to ▸ **ein der Leistung ~es Gehalt** a salary commensurate with performance.
Entsprechung f equivalent; (Analogie) parallel; (Übereinstimmung) correspondence.
entspringen* vi irreg aux sein ① (Fluß) to have its source. ② (+dat: sich herleiten von) to spring from.
entstaatlichen* vt to denationalize.
entstammen* vi aux sein +dat to stem or come from.
entstehen* vi irreg aux sein (ins Dasein treten) to come into being; (seinen Ursprung haben) to originate; (sich entwickeln) to arise (aus, durch from); (hervorkommen) to emerge (aus, durch from); (verursacht werden) to result (aus, durch from); (Kunstwerk: geschrieben/gebaut etc werden) to be written/built etc ▸ **wir wollen nicht den Eindruck ~ lassen, ...** we don't want to give rise to the impression that ...; **für ~den** or **entstandenen Schaden** for damages incurred.
Entstehung f (das Werden) genesis, coming into being; (das Hervorkommen) emergence; (Ursprung) origin; (Bildung) formation.
Entstehungs-: **~geschichte** f genesis; **~ort** m place of origin; **~zeit** f date of origin.
entsteinen* vt to stone.
entstellen* vt (lit, fig) to distort; (verunstalten) Gesicht to disfigure ▸ **etw entstellt wiedergeben** to distort or misrepresent sth.
Entstellung f siehe vt distortion; disfigurement.
Entstickung f denitrification.
entstören* vt Radio, Telefon to free from interference; Auto, Elektrogerät to suppress.
enttarnen* vt Spion to blow the cover of (col).
Enttarnung f exposure.
▼ **enttäuschen*** ① vt to disappoint; Vertrauen to betray ▸ **enttäuscht sein über** (+acc)/**von** to be disappointed at/by.

② vi **unsere Mannschaft hat sehr enttäuscht** our team was very disappointing.
Enttäuschung f disappointment ▸ **jdm eine ~ bereiten** to disappoint sb.
entthronen* vt (lit, fig) to dethrone.
entvölkern* vt to depopulate.
entwachsen* vi irreg aux sein +dat ① to outgrow, to grow out of. ② (geh: herauswachsen aus) to spring from.
entwaffnen* vt (lit, fig) to disarm.
entwaffnend adj (fig) disarming.
Entwaffnung f disarming; (eines Landes) disarmament.
Entwaldung f deforestation.
entwarnen* vi to sound the all-clear.
Entwarnung f all-clear.
entwässern* vt to drain.
Entwässerung f drainage.
entweder [auch: 'ɛntweːdɐ] conj **~ ... oder ...** either ... or ...; **~ oder!** yes or no.
entweichen* vi irreg aux sein to escape (+dat, aus from).
entweihen* vt to desecrate.
entwenden* vt (form) **jdm etw ~** to steal or purloin (hum, form) sth from sb.
entwerfen* vt irreg Zeichnung to sketch; Muster, Modell to design; Gesetz, Schreiben etc to draft, to draw up; Plan to devise, to draw up; (fig) Bild to draw; (in Umrissen darstellen) to outline.
entwerten* vt ① (im Wert mindern) to devalue. ② (ungültig machen) to make invalid; Briefmarke, Fahrschein to cancel.
Entwerter m - (ticket-)cancelling machine.
Entwertung f siehe vt devaluation; invalidation; cancellation.
entwickeln* ① vt to develop (auch Phot); Gas etc to produce, to generate; Mut, Energie to show, to display. **etw zu etw ~** to develop sth into sth.
② vr to develop (zu into); (Gase etc) to be produced or generated ▸ **das Projekt entwickelt sich gut** the project is coming along or progressing nicely.
Entwickler m - (Phot) developer.
Entwicklung f development; (von Gasen etc) production, generation; (von Mut, Energie) show, display; (Phot) developing ▸ **in der ~** at the development stage; (Jugendliche etc) still developing.
Entwicklungs-: **~dienst** m voluntary service overseas (Brit), VSO (Brit), Peace Corps (US); **e~fähig** adj capable of development; **diese Stelle ist e~fähig** this position has prospects; **~gebiet** nt development area; **~geschichte** f evolution; **~helfer** m VSO worker (Brit), Peace Corps worker (US); **~hilfe** f development or foreign aid; **~jahre** pl adolescent or formative (auch fig) years, adolescence; **~land** nt developing or third-world country; **~stadium** nt, **~stufe** f stage of development; **~zeit** f period of development; (Phot) developing time.
entwirren* vt (lit, fig) to disentangle, to unravel.
entwischen* vi aux sein (col) to escape, to get away (dat, aus from).
entwöhnen* vt jdn **~** to break sb of the habit (+dat, von of), to cure sb (+dat, von of); Säugling, Jungtier to wean.
Entwöhnung f siehe vt cure, curing; weaning.
entwürdigen* ① vt to degrade.
② vr to degrade oneself.
entwürdigend adj degrading.
Entwürdigung f degradation.
Entwurf m -e ① (Skizze, Abriß) outline, sketch; (Design) design; (Archit, fig) blueprint. ② (Vertrags~, von Plan) draft; (Gesetz~) bill.
entwurzeln* vt (lit, fig) to uproot.
entzerren* vt to correct.

▸ SATZBAUSTEINE: **entsprechen** → 7.1   **enttäuschen: 1** → 4.2

entziehen* *irreg* [1] *vt* (+*dat* from) to withdraw, to take away; *Gunst etc* to withdraw; *Flüssigkeit,* (*Chem*) to extract ▸ *jdm Alkohol/Nikotin ~* to deprive sb of alcohol/nicotine; *jdm die Erlaubnis etc ~* to take sb's permit *etc* away; *dem Redner das Wort ~* to ask the speaker to stop.
[2] *vr sich jdm/einer Sache ~* to evade *or* elude sb/sth; *sich seiner Verantwortung ~* to shirk one's responsibilities; *das entzieht sich meiner Kenntnis* that is beyond my knowledge; *sich jds Blicken ~* to be hidden from sight.

Entziehung *f* withdrawal; (*Behandlung*) treatment for drug addiction/alcoholism.

Entziehungskur *f* cure for drug addiction/alcoholism.

entzifferbar *adj siehe vt* decipherable; decodable.

entziffern* *vt* to decipher; *Funkspruch auch* to decode.

entzücken* *vt* to delight ▸ *von jdm/über etw* (*acc*) *entzückt sein* to be delighted by sb/at sth.

Entzücken *nt no pl* delight, joy ▸ *in ~ geraten* to go into raptures.

entzückend *adj* delightful, charming.

Entzug *m no pl* (*einer Lizenz etc, Med*) withdrawal.

Entzugs|erscheinung *f* withdrawal symptom.

entzündbar *adj* (*lit, fig*) inflammable ▸ *leicht ~* highly inflammable; (*fig*) easily roused.

entzünden* [1] *vt Feuer* to light; (*fig*) *Streit etc* to spark off; *Haß* to inflame.
[2] *vr* [a] to catch fire; (*fig*) (*Streit*) to be sparked off; (*Haß*) to be inflamed. [b] (*Med*) to become inflamed ▸ *entzündet* inflamed.

entzündlich *adj Gase, Brennstoff* inflammable; (*Med*) inflammatory.

Entzündung *f* [a] (*Med*) inflammation. [b] ignition (*esp Sci, Tech*) ▸ *Funken führten zur ~ des Heus* sparks led to the hay catching fire.

Entzündungs- (*Med*): **e~hemmend** *adj* anti-inflammatory; **~herd** *m* focus of inflammation.

entzwei *adj pred* in two, in half; (*kaputt*) broken; (*zerrissen*) torn.

entzweien* *vt* to turn against each other.

entzweigehen *vi sep irreg aux sein* to break (in two *or* half).

Enzian ['ɛntsiaːn] *m* **-e** gentian; (*Branntwein*) *spirit distilled from the roots of gentian.*

Enzyklika *f, pl* **Enzykliken** (*Eccl*) encyclical.

Enzyklopädie *f* encyclop(a)edia.

enzyklopädisch *adj* encyclop(a)edic.

Enzym *nt* **-e** enzyme.

Epen *pl of* **Epos**.

Epidemie *f* (*Med, fig*) epidemic.

epidemisch *adj* (*Med, fig*) epidemic.

Epik *f* epic poetry.

Epilepsie *f* epilepsy.

Epileptiker(in *f*) *m* - epileptic.

epileptisch *adj* epileptic.

Epilog *m* **-e** epilogue.

episch *adj* (*lit, fig*) epic.

Episode *f* **-n** episode.

Epitaph *nt* **-e** (*liter*) epitaph.

Epizentrum *nt* epicentre.

Epoche *f* **-n** epoch.

⚠ **epochemachend** *adj* epoch-making.

Epos *nt, pl* **Epen** epic (poem).

Equipe [e'kɪp] *f* **-n** team.

er *pers* he; (*von Dingen*) it; (*von Hund etc*) it, he ▸ *wenn ich ~ wäre* if I were him *or* he (*form*); *~ ist es* it's him, it is he (*form*); *sie ist größer als ~* she is taller than he is *or* than him.

er|achten* *vt* (*geh*) *jdn/etw für or als etw ~* to consider sb/sth (to be) sth.

Er|achten *nt no pl:* *meines ~s* in my opinion.

er|arbeiten* *vt* [a] *Vermögen etc* to work for; *Wissen etc* to acquire. [b] *Entwurf etc* to work out.

Erb-: **~anlage** *f usu pl* hereditary factor(s *pl*); **~anspruch** *m* claim to an/the inheritance.

erbarmen* [1] *vt jdn ~* to arouse sb's pity; *es kann einen ~* it's pitiable; *er sieht zum E~ aus* he's a pitiful sight.
[2] *vr* (+*gen*) to take pity (on) (*auch hum col*) ▸ *Herr, erbarme dich (unser)!* Lord, have mercy (upon us)!

Erbarmen *nt no pl* (*Mitleid*) pity, compassion (*mit* on); (*Gnade*) mercy (*mit* on) ▸ *aus ~* out of pity; *ohne ~* pitiless(ly), merciless(ly); *er kennt kein ~* he knows no mercy.

erbarmenswert *adj* pitiable, wretched, pitiful.

erbärmlich *adj* (*erbarmenswert, pej: dürftig*) pitiful, wretched; (*gemein, schlecht*) wretched, miserable.

Erbärmlichkeit *f* (*Elend*) wretchedness, misery; (*fig: Dürftigkeit, Gemeinheit etc*) wretchedness, miserableness.

Erbarmungs-: **e~los** *adj* (*lit, fig*) pitiless, merciless; **~losigkeit** *f* (*lit, fig*) pitilessness, mercilessness; **e~voll** *adj* compassionate, full of pity.

erbauen* *vt* [a] (*lit, fig: errichten*) to build. [b] (*fig: seelisch*) to edify, to uplift ▸ *er ist von meinem Plan nicht besonders erbaut* (*col*) he isn't particularly enthusiastic about my plan.

Erbauer(in *f*) *m* - builder; (*fig auch*) architect.

erbaulich *adj* edifying (*auch iro*), uplifting.

Erbauung *f siehe vt* building; edification.

Erb-: **~bauzins** *m* ground rent; **e~berechtigt** *adj* entitled to inherit; **e~biologisch** *adj* (*Jur*) **e~biologisches Gutachten** blood test (*to establish paternity*).

Erbe[1] *m* (*wk*) **-n, -n** (*lit, fig*) heir (*einer Person* (*gen*) of *or* to sb, *einer Sache* (*gen*) to sth) ▸ *jdn zum or als ~n einsetzen* to make sb one's/sb's heir.

Erbe[2] *nt no pl* inheritance; (*fig*) heritage; (*esp Unerwünschtes*) legacy.

erbeben *vi aux sein* (*geh*) to shudder.

erben [1] *vt* (*lit, fig*) to inherit (*von* from); (*col: geschenkt bekommen*) to get, to be given ▸ *bei ihm ist nichts zu ~* (*col*) you won't get anything out of him.
[2] *vi* to inherit.

erbetteln* *vt* to get by begging.

erbeuten* *vt* (*Tier*) *Opfer* to carry off; (*Dieb*) to get away with; (*im Krieg*) to capture.

Erb-: **~faktor** *m* (*Biol*) hereditary factor, gene; **~feind** *m* traditional *or* arch enemy; **~folge** *f* (line of) succession; **~gut** *nt* (*Biol*) genotype, genetic make-up.

erbieten* *vr irreg* (*geh*) *sich ~, etw zu tun* to offer to do sth.

Erbin *f* heiress.

erbitten* *vt irreg* to ask for, to request.

erbittern* *vt* to enrage, to incense.

erbittert *adj Widerstand, Kampf, Gegner etc* fierce.

Erbitterung *f* rage.

Erbkrankheit *f* hereditary disease.

erblassen* *vi aux sein* to (go) pale, to blanch ▸ *vor Neid ~* to go green with envy.

Erblasser(in *f*) *m* - (*Jur*) person who leaves an inheritance.

erbleichen* *vi aux sein* (*geh*) to (go) pale, to blanch.

erblich *adj* hereditary ▸ *er ist ~ (vor)belastet* it runs in his family.

erblicken* *vt* (*geh*) to see; (*erspähen*) to spot.

erblinden* *vi aux sein* to go blind.

Erblindung *f* loss of sight.

erblühen* *vi aux sein* (*geh*) to bloom, to blossom.

Erbmasse *f* estate; (*Biol*) genetic make-up.

erbosen* (*geh*) [1] *vt* to infuriate.
[2] *vr sich ~ über* (+*acc*) to become infuriated at.

⚠: Informationen zur Rechtschreibreform im Anhang

erb_ost *adj* furious.
Erbpacht *f* hereditary lease(hold).
erbrechen* *vtir irreg (sich)* ~ (*Med*) to vomit, to be sick (*Brit*) (*nicht vt*); *etw bis zum E~ tun* (*fig*) to do sth ad nauseam.
Erbrecht *nt* law of inheritance.
erbringen* *vt irreg* to produce, to furnish.
Erbschaft *f* inheritance ► *eine ~ machen* to come into an inheritance.
Erbschaftssteuer *f* estate *or* death duties *pl.*
Erbschleicher(in *f)* *m* legacy-hunter.
Erbse *f* -n pea.
Erbsensuppe *f* pea soup.
Erb-: ~**stück** *nt* heirloom; ~**sünde** *f* (*Rel*) original sin; ~**teil** *nt* (*Jur: auch m*) (share of an/the) inheritance.
Erd|achse *f* earth's axis.
erd_acht *adj Geschichte* made-up.
Erd-: ~**anziehungskraft** *f* gravitational pull (of the earth); ~**apfel** *m* (*Aus, S Ger*) potato; ~**arbeiten** *pl* excavation(s *pl*), earthworks *pl*; ~**atmosphäre** *f* earth's atmosphere; ~**ball** *m* (*liter*) globe, world.
Erdbeben *nt* earthquake.
erdbebensicher *adj* earthquake-proof.
Erdbeere *f* strawberry.
Erdboden *m* ground, earth ► *etw dem ~ gleichmachen* to level sth, to raze sth to the ground; *als hätte ihn der ~ verschluckt* as if the earth had swallowed him up.
Erde *f* -n [a] (*Welt*) earth, world ► *auf der ganzen ~* all over the world. [b] (*Boden*) ground ► *unter der ~* underground, below ground; *du wirst mich noch unter die ~ bringen* (*col*) you'll be the death of me (*col*); *über der ~* above ground. [c] (*Erdreich, Bodenart*) soil, earth (*auch Chem*). [d] (*Elec: Erdung*) earth (*Brit*), ground (*US*).
erden *vt* (*Elec*) to earth (*Brit*), to ground (*US*).
erdenklich *adj attr* conceivable, imaginable ► *sich* (*dat*) *alle ~e Mühe geben* to take the greatest possible pains; *alles E~e tun* to do everything conceivable *or* imaginable.
Erd-: ~**gas** *nt* natural gas; ~**geschoß** ⚠ *nt* ground floor (*Brit*), first floor (*US*); *im ~geschoß* on the ground/first floor; ~**hörnchen** *nt* ground squirrel; ~**innere(s)** *nt* interior *or* bowels *pl* of the earth; ~**kruste** *f* earth's crust; ~**kugel** *f* earth, globe; ~**kunde** *f* geography; ~**nuß** ⚠ *f* peanut, groundnut; ~**oberfläche** *f* earth's surface; ~**öl** *nt* (mineral) oil, petroleum.
erdolchen* *vt* to stab (to death) ► *jdn mit Blicken ~* to look daggers at sb.
Erdöl-: e~**exportierend** ⚠ *adj attr* oil-exporting; ~**leitung** *f* oil pipeline; ~**verarbeitung** *f* processing of crude oil.
Erdreich *nt* soil, earth.
erdreisten* *vr sich ~, etw zu tun* to have the audacity to do sth; *wie können Sie sich ~!* how dare you!
erdrosseln* *vt* to strangle, to throttle.
erdrücken* *vt* to crush (to death); (*fig: überwältigen*) to overwhelm ► ~*de Übermacht/~des Beweismaterial* overwhelming superiority/evidence; *die Schuld erdrückte ihn* the sense of guilt weighed heavily upon him.
Erd-: ~**rutsch** *m* landslide, landslip; ~**schicht** *f* layer (of the earth), stratum; ~**stoß** *m* (seismic) shock; ~**teil** *m* continent.
erdulden* *vt* to endure, to suffer.
Erd-: ~**umdrehung** *f* rotation *or* revolution of the earth; ~**umlaufbahn** *f* earth orbit.
Erdung *f* (*Elec*) earth(ing) (*Brit*), ground(ing) (*US*).
er|eifern* *vr* to get worked up (*über +acc* over).
er|eignen* *vr* to occur, to happen.
Er|eignis *nt* event; (*Vorfall auch*) incident.

er|eignis-: ~**los** *adj* uneventful; ~**reich** *adj* eventful.
Erektion *f* (*Physiol*) erection.
Eremit *m* (*wk*) -en, -en hermit.
er|erben* *vt* to inherit.
erfahren¹* [1] *vt irreg* [a] *Nachricht etc* to learn, to find out; (*hören*) to hear (*von* about, of) ► *etw ~* to find out about sth; *darf man Ihre Absichten ~?* might one inquire as to your intentions? [b] (*erleben*) to experience; (*empfangen*) *Verständnis* to receive.
[2] *vi irreg* to hear (*von* about, of).
erfahren² *adj* experienced.
Erfahrenheit *f* experience.
Erfahrung *f* experience ► *aus (eigener) ~* from (one's own) experience; *nach meiner ~* in my experience; ~*en sammeln* to gain experience; *die ~ hat gezeigt, daß ...* experience has shown that ...; *etw in ~ bringen* to learn *or* find out sth; *eine ~ machen* to have an experience; *ich habe die ~ gemacht, daß ...* I have found that ...; *mit dieser neuen Mitarbeiterin haben wir nur gute ~en gemacht* we have found this new employee (to be) completely satisfactory; *ich habe mit der Ehe nur schlechte ~en gemacht* I've had a very bad experience of marriage.
Erfahrungs-: ~**austausch** *m* (*Pol*) exchange of experiences; e~**gemäß** *adv* e~*gemäß ...* as experience shows ...
⚠ **erfaßbar** *adj* ascertainable.
erfassen* *vt* [a] (*mitreißen: Auto, Strömung*) to catch. [b] (*Furcht, Verlangen etc*) to seize ► *Angst erfaßte sie* she was seized by fear. [c] (*begreifen*) to grasp. [d] (*registrieren*) to record, to register; *Daten* to capture ► *alle Fälle werden statistisch erfaßt* statistics of all cases are being recorded.
Erfassung *f* registration, recording; (*von Daten*) capture.
erfinden* *vt irreg* to invent ► *das hat sie glatt erfunden* she made it all up; *frei erfunden* completely fictitious.
Erfinder(in *f)* *m* - inventor.
erfinderisch *adj* inventive; (*findig auch*) ingenious.
Erfindung *f* invention; (*Erdichtung, Lüge auch*) fabrication.
Erfindungs-: ~**gabe** *f,* ~**reichtum** *m* inventiveness.
Erfolg *m* -e success; (*Ergebnis, Folge*) result, outcome ► *mit/ohne ~* successfully/without success *or* unsuccessfully; ~/*keinen ~ haben* to be successful/unsuccessful; *sie warnte mich mit dem ~, daß ...* the result of her warning me was that ...; *viel ~!* good luck.
erfolgen* *vi aux sein* (*form*) (*vollzogen werden*) to be effected (*form*) *or* carried out; (*stattfinden*) to take place ► *nach erfolgter Zahlung* when payment has been made; *es erfolgte keine Antwort* no answer was forthcoming.
Erfolg-: e~**los** *adj* unsuccessful, without success; ~**losigkeit** *f* lack of success, unsuccessfulness; e~**reich** *adj* successful.
Erfolgs-: ~**aussicht** *f* prospect of success; ~**druck** *m* pressure to succeed; ~**erlebnis** *nt* feeling of success, sense of achievement; ~**leiter** *f* (*fig*) ladder to success; ~**mensch** *m* success, successful person; ~**rezept** *nt* recipe for success; ~**serie** *f* string of successes.
⚠ **erfolgversprechend** *adj* promising.
erforderlich *adj* necessary, requisite ► *unbedingt ~* (absolutely) essential *or* imperative.
erfordern* *vt* to require, to call for.
Erfordernis *nt* requirement.
erforschen* *vt Land* to explore; *Probleme auch* to investigate; *Meinung, Wahrheit* to find out ► *sein Gewissen ~* to examine one's conscience.
Erforscher *m* (*eines Landes*) explorer; (*in Wissenschaft*) investigator.
Erforschung *f siehe vt* exploration; investigation (+*gen* into); finding out.

⚠: for details of spelling reform, see supplement

erfragen* vt Weg to ask; Einzelheiten etc to obtain.

erfreuen* [1] vt to please, to delight; Herz to gladden ► sehr erfreut! (form) pleased to meet you!; ja, sagte er erfreut yes, he said delightedly.
[2] vr sich einer Sache (gen) ~ (geh) to enjoy sth; sich an etw (dat) ~ to enjoy sth, to take pleasure in sth.

erfreulich adj pleasant; Neuerung, Besserung etc welcome; (befriedigend) gratifying ► es ist wenig ~, daß wir ... it's not very satisfactory that we ...; es wäre ~, wenn die Regierung ... it would be good if the government ...; sehr ~! very nice!; wir haben ~ viel geleistet it's very encouraging how much we've done.

erfreulicherweise adv happily.

erfrieren* [1] vi irreg aux sein to freeze to death; (Pflanzen) to be killed by frost ► erfrorene Glieder frostbitten limbs.
[2] vt sich (dat) die Füße ~ to suffer frostbite in one's feet.

Erfrierung f usu pl frostbite no pl.

erfrischen* [1] vti to refresh.
[2] vr to refresh oneself; (sich waschen) to freshen up.

erfrischend adj (lit, fig) refreshing.

Erfrischung f refreshment.

Erfrischungs-: ~getränk nt refreshing drink; ~raum m refreshment room; ~tuch nt towelette.

erfüllen* [1] vt [a] Raum etc to fill ► Haß/Liebe etc erfüllte ihn he was filled with hate/love etc; es erfüllt mich mit Genugtuung, daß ... it gives me great satisfaction to see that ...; ein erfülltes Leben a full life. [b] (ausführen, einhalten) to fulfil (Brit), to fulfill (US); Bedingungen auch to meet, to comply with; Wunsch, Pflicht auch to carry out; Erwartungen auch to come up to; (Jur) Soll to achieve; Plan to carry through; Zweck to serve ► ihr Wunsch wurde erfüllt her/their wish came true.
[2] vr (Wunsch, Voraussagung) to be fulfilled, to come true.

Erfüllung f fulfilment (Brit), fulfillment (US); (einer Aufgabe auch) performance; (eines Solls) achievement; (eines Plans) execution ► in ~ gehen to be fulfilled.

ergänzen* vt to supplement; (vervollständigen) to complete; Fehlendes to supply; Vorräte to replenish; Bericht auch to add (sth) to; Worte to add; Gesetz to amend ► sich ~ to complement one another; ~d hinzufügen to add (zu to).

Ergänzung f [a] (das Ergänzen) supplementing; (Vervollständigung) completion; (von Fehlendem) supply(ing); (eines Berichts) addition (+gen to); (von Gesetz) amendment; (von Lager, Vorräten) replenishment. [b] (Zusatz, zu Buch etc) supplement; (Hinzugefügtes, Person) addition; (zu einem Gesetz) amendment.

ergattern* vt (col) to get hold of.

ergeben* irreg [1] vt to yield, to produce; (zum Ergebnis haben) to result in; Summe to amount to.
[2] vr [a] (kapitulieren) (dat) to surrender, to capitulate ► sich in etw (acc) ~ to submit to sth. [b] (folgen) to result, to arise (aus from) ► daraus können sich Nachteile ~ this could turn out to be disadvantageous. [c] (sich herausstellen) to come to light ► es ergab sich, daß unsere Befürchtungen ... it turned out that our fears ...
[3] adj (hingegeben, treu) devoted; (demütig) humble; (unterwürfig) submissive ► jdm treu ~ sein to be loyally devoted to sb.

Ergebenheit f (Hingabe, Treue) devotion; (Demut) humility; (Unterwürfigkeit) submissiveness.

▼ **Ergebnis** nt result; (Sport auch) score; (Auswirkung auch) consequence, outcome ► die Verhandlungen führten zu keinem ~ the negotiations were inconclu-

sive; zu einem ~ kommen to come to or reach a conclusion.

ergebnislos adj unsuccessful, fruitless ► ~ bleiben/verlaufen to come to nothing.

ergehen* irreg [1] vi aux sein [a] (form) to go out (an +acc to); (Gesetz) to be enacted ► ~ lassen to issue, to send; to enact. [b] sie ließ seine Vorwürfe über sich (acc) ~ she let his reproaches simply wash over her; sie ließ seine Zärtlichkeiten über sich (acc) ~ she submitted to his intimacies.
[2] vi impers aux sein es ist ihm schlecht/gut ergangen he fared badly/well; es wird ihm schlecht ~ he will suffer.
[3] vr (fig) sich in etw (dat) ~ to indulge in sth; sich (in langen Reden) über ein Thema ~ to hold forth at length on a subject.

Ergehen nt no pl (geh) (state of) health.

ergiebig adj (lit, fig) productive; Geschäft profitable, lucrative; (fruchtbar) fertile; (sparsam im Verbrauch) economical.

ergießen* vr irreg (geh) to pour forth (liter) or out (auch fig).

ergo conj therefore, ergo (liter, hum).

Ergonomie f ergonomics sing.

ergonomisch adj ergonomic.

ergötzen* (geh) [1] vt to delight.
[2] vr sich an etw (dat) ~ to take delight in sth.

ergrauen* vi aux sein to go grey (Brit) or gray (US).

ergreifen* vt irreg (lit, fig) to seize; (fassen auch) to grasp, to grip; Beruf to take up; Maßnahmen to take; (innerlich bewegen) to move ► von Furcht etc ergriffen werden to be seized with fear etc; er ergriff das Wort he began to speak; (Parl, bei Versammlung etc) he took the floor.

ergreifend adj (fig) moving.

ergriffen adj (fig) moved.

Ergriffenheit f emotion.

ergründen* vt Sinn etc to fathom; Ursache, Motiv to discover.

⚠ **Erguß** m ̈-sse effusion; (Samen~) ejaculation; (fig) outpouring.

erh. = **erhalten** recd.

erhaben adj [a] Gedanken, Stil lofty, elevated; Schönheit, Anblick sublime; Augenblick solemn. [b] (überlegen) superior ► ~ lächeln to smile in a superior way; über etw (acc) ~ (sein) (to be) above sth; über jeden Verdacht ~ sein to be above suspicion.

Erhalt m no pl receipt; (das Erhalten) preservation ► bei/nach ~ on receipt.

erhalten* irreg [1] vt [a] to get, to receive; Resultat, Genehmigung to obtain, to get ► das Wort ~ to receive permission to speak. [b] (bewahren) to preserve; Gesundheit etc auch to maintain ► jdn am Leben ~ to keep sb alive; ich hoffe, daß du uns noch lange ~ bleibst I hope you'll be with us for a long time yet; er hat sich (dat) seinen Optimismus ~ he retained his optimism; gut ~ in good condition; Antiquitäten, hum: Mensch well preserved.
[2] vr (Brauch etc) to last.

erhältlich adj obtainable, available ► schwer ~ difficult to obtain, hard to come by.

Erhaltung f (Bewahrung) preservation.

erhängen* vt to hang ► Tod durch E~ death by hanging; sich ~ to hang oneself.

erhärten* [1] vt to harden; (fig) Behauptung etc to corroborate.
[2] vr (fig: Verdacht) to harden.

erhaschen* vt to catch (auch fig).

erheben* irreg [1] vt [a] to raise ► jdn in den Adelsstand ~ to raise or elevate sb to the peerage. [b]

Gebühren to charge, to levy; *Steuern* (*auferlegen*) to impose.

[2] *vr* [a] (*aufstehen*) to get up, to rise. [b] (*sich auflehnen*) to rise (up), to revolt. [c] (*aufragen*) to rise (*über* +*dat* above).

erhebend *adj* elevating, uplifting; (*beeindruckend*) impressive.

erheblich *adj* (*beträchtlich*) considerable; *Verletzung* serious; (*relevant*) pertinent.

Erhebung *f* [a] (*Boden~*) elevation. [b] (*Aufstand*) uprising, revolt. [c] (*von Gebühren*) levying. [d] (*amtliche Ermittlung*) investigation, inquiry; (*Umfrage*) survey.

erheitern* [1] *vt* to cheer (up); (*belustigen*) to amuse. [2] *vr* to be amused (*über* +*acc* by).

Erheiterung *f* amusement.

erhellen* [1] *vt* to illuminate; (*fig: klären auch*) to elucidate. [2] *vr* (*lit, fig*) to brighten; (*plötzlich*) to light up.

Erhellung *f* (*fig*) elucidation.

erhitzen* [1] *vt* to heat (*auf* +*acc* to) ▶ *die Gemüter ~* to whip up feeling. [2] *vr* to get hot, to heat up; (*fig: sich erregen*) to become heated (*an* +*dat* over) ▶ *die Gemüter erhitzten sich* feelings were running high.

Erhitzung *f* heating up; (*fig: Erregung*) excitement.

erhoffen* *vt* to hope for ▶ *was erhoffst du dir davon?* what do you hope to gain from it?

erhöhen* [1] *vt* to raise; *Preise auch, Produktion, Wirkung, Spannung* to increase ▶ *jdn im Rang ~* to promote sb; *erhöhte Temperatur haben* to have a temperature. [2] *vr* to rise, to increase.

Erhöhung *f* [a] raising; (*von Produktion, Wirkung*) increase; (*von Spannung*) heightening. [b] (*Lohn~*) rise (*Brit*), raise (*US*); (*Preis~*) increase. [c] (*Hügel*) hill, elevation.

Erhöhungszeichen *nt* (*Mus*) sharp (sign).

erholen* *vr* (*von* from) to recover; (*sich entspannen auch*) to relax, to have a rest; (*fig: Preise, Aktien auch*) to rally, to pick up ▶ *du siehst sehr erholt aus* you look very rested.

erholsam *adj* restful, refreshing.

Erholung *f siehe vr* recovery (*auch fig*); relaxation, rest ▶ *zur ~ in die Schweiz fahren* to go to Switzerland for a relaxing holiday (*esp Brit*) *or* vacation (*US*) and a rest; *er braucht dringend ~* he badly needs a rest.

Erholungs-: **e~bedürftig** *adj* in need of a rest, rundown; **~heim** *nt* holiday (*Brit*) *or* vacation (*US*) area; **~heim** *nt* convalescent home; (*Ferienheim*) holiday (*Brit*) *or* vacation (*US*) home; **~kur** *f* rest cure; **~ort** *m* spa, health resort; **~pause** *f* break; **~reise** *f* holiday (*Brit*) *or* vacation (*US*) trip.

erhören* *vt Gebet etc* to hear; *Bitte* to yield to.

Erika *f, pl* **Eriken** (*Bot*) heather.

▼ **er|innern*** [1] *vt jdn an etw* (*acc*) *~* to remind sb of sth; *jdn daran ~, daß ...* to remind sb that ... [2] *vr sich an jdn/etw ~* to remember *or* recall sb/sth; *soweit ich mich ~ kann* as far as I remember; *wenn ich mich recht erinnere* if I remember rightly. [3] *vi ~ an* (+*acc*) to be reminiscent of.

Er|innerung *f* (*an* +*acc* of) memory, recollection; (*euph: Mahnung*) reminder; (*Andenken*) memento ▶ *~en pl* (*Lebens~*) reminiscences *pl*; (*Liter*) memoirs *pl*; *zur ~ an* (+*acc*) in memory of; (*an Ereignis*) in commemoration of; (*als Andenken*) as a memento of; *jdn/etw in guter ~ behalten* to have pleasant memories of sb/sth.

Er|innerungs-: **~lücke** *f* gap in one's memory; **~schreiben** *nt* (*Comm*) reminder; **~stück** *nt* keepsake; **~wert** *m* sentimental value.

Eritrea *nt* Eritrea.

Eritreer(in *f*) *m* - Eritrean.

erkalten* *vi aux sein* (*lit, fig*) to cool (down).

erkälten* *vr* to catch (a) cold ▶ *sich* (*dat*) *die Blase ~* to catch a chill in one's bladder.

erkältet *adj* **~ sein** to have a cold; *wir sind alle ~* we all have colds.

Erkältung *f* cold; (*leicht*) chill ▶ *eine ~ bekommen* to catch a cold/chill.

Erkältungskrankheiten *pl* colds and coughs *pl*.

erkämpfen* *vt* to win, to secure ▶ *sich* (*dat*) *etw ~* to win sth; *er hat sich* (*dat*) *seine Position hart erkämpft* he fought hard for his position.

erkaufen* *vt* (*fig*) to buy ▶ *etw teuer ~* to pay dearly for sth; *den Erfolg mit seiner Gesundheit ~* to achieve success at the price of one's health.

erkennbar *adj* (*wieder~*) recognizable; (*sichtbar*) visible; (*ersichtlich*) discernible.

erkennen* *irreg* [1] *vt* (*wieder~, einsehen*) to recognize (*an* +*dat* by); (*wahrnehmen*) to see, to make out; *Unterschied* to see ▶ *er hat erkannt, daß das nicht stimmte* he realized that it wasn't right; *jdm zu ~ geben, daß ...* to give sb to understand that ...; *sich zu ~ geben* to reveal oneself (*als* to be); *~ lassen* to show, to reveal; *du bist erkannt!* I see what you're after, I know your game. [2] *vi ~ auf* (+*acc*) (*Jur*) *Freispruch* to grant; *Strafe* to impose; (*Sport*) *Freistoß* to give, to award.

erkenntlich *adj sich* (*für etw*) *~ zeigen* to show one's gratitude *or* appreciation (for sth).

Erkenntlichkeit *f* gratitude; (*Gegenleistung*) token of one's gratitude *or* appreciation.

Erkenntnis *f* (*Wissen*) knowledge *no pl*; (*das Erkennen*) recognition, realization; (*Entdeckung*) discovery ▶ *zu der ~ kommen, daß ...* to come to the realization that ..., to realize that ...

Erkennungs-: **~dienst** *m* police records department; **e~dienstlich** *adv jdn e~dienstlich behandeln* to fingerprint and photograph sb; **~marke** *f* identity disc; **~melodie** *f* theme tune; (*esp Rad*) signature tune; **~zeichen** *nt* identification; (*Mil: Abzeichen*) badge.

Erker *m* - bay; (*kleiner Vorbau*) oriel.

Erker-: **~fenster** *nt* bay window; **~zimmer** *nt* room with a bay window.

erklärbar *adj* explicable, explainable ▶ *leicht ~* easily explained; *schwer ~* hard to explain.

erklären* [1] *vt* [a] (*erläutern*) to explain (*jdm etw* sth to sb) ▶ *ich kann mir nicht ~, warum ...* I can't understand why ... [b] (*bekanntgeben*) to declare (*als* to be); *Rücktritt* to announce; (*Politiker, Pressesprecher etc*) to say ▶ *einem Staat den Krieg ~* to declare war on a country; *eine Ausstellung etc für eröffnet ~* to declare an exhibition etc open; *jdn für schuldig etc ~* to pronounce sb guilty *etc*. [2] *vr* [a] (*Sache*) to be explained ▶ *das erklärt sich daraus, daß ...* it can be explained by the fact that ...; *das erklärt sich (von) selbst* that's self-explanatory. [b] (*Mensch*) to declare oneself ▶ *er erklärte sich für gesund* he said that he was in good health.

erklärend *adj* explanatory ▶ *einige ~e Worte* a few words of explanation.

erklärlich *adj* [a] = **erklärbar**. [b] (*verständlich*) understandable.

erklärt *adj attr Ziel* professed; *Gegner auch* avowed; *Favorit, Liebling* acknowledged.

Erklärung *f* [a] explanation. [b] (*Bekanntgabe*) declaration; (*eines Politikers etc*) statement.

erklecklich *adj* considerable.

erklimmen* *vt irreg* (*geh*) to scale; (*fig*) *Spitze, höchste Stufe* to climb to.

erklingen* *vi irreg* (*geh*) *aux sein* to ring out ▶ *ein Lied ~ lassen* to burst (forth) into song.

erkranken* *vi aux sein* to be taken ill (*an* +*dat* with);

(*Organ, Pflanze, Tier*) to become diseased (*an* +*dat* with) ▶ **erkrankt sein** to be ill/diseased.

Erkrankung *f* illness; (*von Organ, Pflanze, Tier*) disease.

erkunden* *vt* (*esp Mil*) *Gelände etc* to reconnoitre; (*feststellen*) to find out.

erkundigen* *vr* **sich nach etw/jdm ~** to ask about sth/after sb; **ich werde mich ~** I'll find out.

Erkundigung *f* inquiry; (*Nachforschung auch*) investigation ▶ **~en einholen** to make inquiries.

Erkundung *f* (*Mil*) reconnaissance.

erlahmen* *vi aux sein* (*lit, fig*) to flag.

erlangen* *vt* to attain, to achieve.

⚠ **Erlaß** *m* **-sse** [a] decree, enactment. [b] (*Straf~ etc*) remission.

erlassen* *vt irreg* [a] *Verfügung* to pass; *Gesetz* to enact. [b] *Strafe etc* to remit; *Gebühren* to waive ▶ **jdm etw ~ Schulden etc** I am not allowed *or* permitted to do that; **Gebühren** to waive sth for sb; **jdm die Strafarbeit ~** to let sb off a punishment.

erlauben* [1] *vt* to allow, to permit ▶ **jdm etw ~** to allow *or* permit sb (to do) sth; **es ist mir nicht erlaubt, das zu tun** I am not allowed *or* permitted to do that; **~ Sie?** may I?; **~ Sie, daß ich das Fenster öffne?** do you mind if I open the window?; **~ Sie, daß ich mich vorstelle** allow me *or* permit me to introduce myself; **~ Sie mal!** do you mind!; **soweit es meine Zeit erlaubt** (*form*) time permitting.

[2] *vr* **sich** (*dat*) **etw ~** (*gestatten, sich gönnen*) to allow *or* permit oneself sth; (*wagen*) *Bemerkung* to venture sth; (*sich leisten*) to afford sth; **sich** (*dat*) **~, etw zu tun** (*so frei sein*) to take the liberty of doing sth; (*sich leisten*) to afford to do sth; **was ~ Sie sich (eigentlich)!** how dare you!

▼ **Erlaubnis** *f* permission; (*Schriftstück*) permit ▶ **(jdn) um ~ bitten** to ask (sb) (for) permission.

erläutern* *vt* to explain, to elucidate; *Text* to comment on ▶ **~d** explanatory; **~d fügte er hinzu** he added in explanation.

Erläuterung *f siehe vt* explanation, elucidation; commentary ▶ **zur ~** in explanation.

Erle *f* **-n** alder.

erleben* *vt* to experience; (*noch lebend erreichen*) to live to see; (*durchmachen*) *schwere Zeiten* to go through; *Abenteuer, Enttäuschung, Erfolg* to have; *Jahrhundertwende* to see ▶ **im Urlaub habe ich viel erlebt** I had an eventful time on holiday (*Brit*) *or* vacation (*US*); **was haben Sie im Ausland erlebt?** what sort of experiences did you have abroad?; **er hat schon viel Schlimmes erlebt** he's had a lot of bad times *or* experiences; **ich habe es oft erlebt** I've often seen it happen; **so wütend habe ich ihn noch nie erlebt** I've never seen *or* known him so furious; **das werde ich nicht mehr ~** I shan't live to see that; **er möchte mal etwas ~** he wants to have a good time; **das muß man erlebt haben** you've got to have experienced it for yourself; **na, der kann was ~!** (*col*) he'll be for it! (*col*).

Erlebnis *nt* experience; (*Abenteuer*) adventure.

erlebnisreich *adj* eventful.

erledigen* [1] *vt* [a] to deal with; *Akte etc* to process; (*ausführen*) *Auftrag* to carry out; *Sache* to settle ▶ **Einkäufe ~** to do some shopping; **ich habe noch einiges in der Stadt zu ~** I've still got a few things to do in town; **das ist erledigt** that's taken care of, that's been done. [b] (*col*) (*ermüden*) to wear out; (*ruinieren*) to finish, to ruin; (*töten*) to do in (*col*); (*k.o. schlagen*) to finish off. [2] *vr* **das hat sich erledigt** that's all settled; **sich von selbst ~** to take care of itself.

erledigt *adj* (*col*) (*erschöpft*) shattered (*col*), done in *pred* (*col*); (*ruiniert*) finished, ruined.

Erledigung *f* (*Ausführung*) execution, carrying out;

(*Durchführung, Beendung*) completion; (*einer Sache*) settlement ▶ **die ~ meiner Korrespondenz** dealing with my correspondence; **einige ~en in der Stadt** a few things to do in town; **in ~ Ihrer Anfrage** (*form*) further to your inquiry (*form*).

erlegen* *vt Wild* to shoot, to bag (*Hunt*).

erleichtern* *vt* (*einfacher machen*) to make easier; (*fig*) *Last, Los* to lighten; (*lindern*) *Not, Schmerz etc* to relieve ▶ **sein Herz/Gewissen ~** to unburden one's heart/conscience; **jdn um etw ~** (*hum*) to relieve sb of sth; **erleichtert aufatmen** to breathe a sigh of relief.

Erleichterung *f* (*von Last etc*) lightening; (*Linderung*) relief ▶ **das trägt zur ~ meiner Aufgabe bei** it makes my task easier.

erleiden* *vt irreg* to suffer.

erlernbar *adj* learnable ▶ **leicht ~** easy to learn.

erlernen* *vt* to learn.

erlesen *adj* exquisite ▶ **ein ~er Kreis** a select circle.

erleuchten* *vt* to light (up), to illuminate.

Erleuchtung *f* (*Eingebung*) inspiration.

erliegen* *vi irreg aux sein* +*dat* (*lit, fig*) to succumb to; *einem Irrtum* to be the victim of ▶ **zum E~ kommen** to come to a standstill.

erlogen *adj* made-up.

Erlös *m* **-e** proceeds *pl* (+*gen* from).

erlöschen* *vi irreg aux sein* (*Feuer*) to go out; (*Gefühle, Interesse*) to die; (*Anspruch etc*) to expire, to lapse; (*Firma*) to be dissolved ▶ **ein erloschener Vulkan** an extinct volcano.

erlösen* *vt* (*retten*) to save, to rescue (*aus, von* from); (*Rel*) to redeem, to save; (*von Sünden, Qualen*) to deliver (*esp Bibl*), to release.

erlösend *adj* relieving, liberating ▶ **sie sprach das ~e Wort** she spoke the magic word.

Erlöser(in *f*) *m* **-** (*Rel*) Redeemer; (*Befreier*) saviour.

Erlösung *f* release, deliverance; (*Erleichterung*) relief; (*Rel*) redemption.

ermächtigen* *vt* to authorize, to empower (*zu etw* to do sth).

Ermächtigung *f* authorization.

ermahnen* *vt* to exhort, to urge; (*warnend*) to warn; (*Jur*) to caution ▶ **jdn zur Aufmerksamkeit ~** to admonish sb to be attentive; **jdn im Guten ~** to give sb a friendly warning.

Ermahnung *f* exhortation, urging; (*warnend*) warning; (*Jur*) caution.

Ermang(e)lung *f*: **in ~** +*gen* because of the lack of.

ermannen* *vr* to pluck up courage.

ermäßigen* [1] *vt* to reduce. [2] *vr* to be reduced.

Ermäßigung *f* reduction; (*Steuer~*) relief.

ermattet *adj* (*geh*) exhausted, weary.

ermessen* *vt irreg* (*einschätzen*) *Größe, Wert* to estimate; (*begreifen können*) to appreciate.

Ermessen *nt no pl* (*Urteil*) judgement; (*Gutdünken*) discretion ▶ **nach meinem ~** in my judgement; **nach menschlichem ~** as far as anyone can judge; **nach eigenem ~ handeln** to act on one's own discretion; **in jds ~** (*dat*) **liegen** to be at sb's discretion.

Ermessens-: ~entscheidung *f* (*Jur*) discretionary decision; **~frage** *f* matter of discretion; **~spielraum** *m* discretionary powers *pl*.

ermitteln* [1] *vt* to determine (*auch Chem, Math*), to ascertain; *Person* to trace; *Tatsache* to establish. [2] *vi* to investigate ▶ **gegen jdn ~** to investigate sb; **in einem Fall ~** to investigate a case.

Ermittlung *f* [a] *no pl siehe vt* determination, ascertaining; tracing; establishing. [b] (*esp Jur: Erkundigung*) investigation, inquiry ▶ **~en anstellen** to make inquiries (*über* +*acc* about).

Ermittlungs-: **~ausschuß** ⚠ *m* committee of inquiry; **~beamte(r)** *m* investigating officer; **~richter** *m* (*Jur*) examining magistrate; **~stand** *m* stage of the investigation; **~verfahren** *nt* (*Jur*) preliminary proceedings *pl.*

ermöglichen* *vt* to facilitate, to make possible ▶ *jdm das Studium* ~ to make it possible for sb to study.

ermorden* *vt* to murder; (*Pol*) to assassinate.

Ermordung *f* murder; (*Pol*) assassination.

ermüden* ① *vt* to tire.

② *vi aux sein* to tire, to become tired; (*Tech*) to fatigue.

ermüdend *adj* tiring.

Ermüdung *f* fatigue (*auch Tech*), tiredness.

Ermüdungs|erscheinung *f* sign of fatigue.

ermuntern* *vt* (*ermutigen*) to encourage (*jdn zu etw* sb to do sth); (*aufmuntern*) to cheer up.

Ermunterung *f siehe vt* encouragement, cheering-up.

ermutigen* *vt* (*ermuntern*) to encourage; (*Mut geben*) to give courage.

Ermutigung *f* encouragement.

ernähren* ① *vt* to feed; (*unterhalten*) to support, to keep ▶ *schlecht/gut ernährt* undernourished/well-fed.

② *vr* to eat ▶ *sich von etw* ~ to live on sth; *sich von Übersetzungen* ~ to earn one's living by doing translations.

Ernährer(in *f*) *m* - breadwinner, provider.

Ernährung *f* feeding; (*Nahrung*) food, nourishment, nutrition (*esp Med*) ▶ *die* ~ *einer großen Familie* feeding a big family; *falsche/richtige/pflanzliche* ~ the wrong/a proper/a vegetarian diet.

Ernährungs-: **~gewohnheiten** *pl* eating habits *pl*; **~weise** *f* diet; **~wissenschaft** *f* dietetics *sing.*

ernennen* *vt irreg* to appoint (*jdn zu etw* sb sth).

Ernennung *f* appointment (*zu* as).

erneuerbar *adj* renewable ▶ *~e Energien* renewables *pl.*

erneuern* *vt* to renew; (*renovieren*) to renovate; (*restaurieren*) to restore; (*auswechseln*) *Maschinenteile* to replace; (*wiederbeleben*) to revive.

Erneuerung *f siehe vt* renewal; renovation; restoration; replacement; revival.

erneut ① *adj attr* renewed.

② *adv* (once) again.

erniedrigen* ① *vt* (*demütigen*) to humiliate; (*herabsetzen*) to degrade.

② *vr* to humble oneself; (*pej*) to lower oneself.

Erniedrigung *f siehe vt* humiliation; degradation.

Erniedrigungszeichen *nt* (*Mus*) flat (sign).

Ernst *m no pl* seriousness ▶ *im* ~ seriously; *allen ~es* in all seriousness, quite seriously; *ist das Ihr ~?* are you (really) serious?; *das kann doch nicht dein* ~ *sein!* you can't be serious!; *es ist mir ~ damit* I'm serious about it, I'm in earnest; *mit einer Drohung ~ machen* to carry out a threat; *der ~ des Lebens* the serious side of life; *mit ~ bei der Sache sein* to do sth seriously.

ernst *adj* serious ▶ *es (mit jdm/etw)* ~ *meinen* to be serious (about sb/sth); *jdn/etw* ~ *nehmen* to take sb/sth seriously; *es steht* ~ *um ihn* things don't look too good for him.

Ernst-: **~fall** *m* emergency; *im ~fall* in case of emergency; **e~gemeint** ⚠ *adj attr* serious; **e~haft** *adj* serious; (*eindringlich, eifrig*) earnest; **~haftigkeit** *f siehe adj* seriousness; earnestness; **e~lich** *adj* serious.

Ernte *f* -n ⓐ harvest (*an* +*dat* of); (*von Äpfeln, fig*) crop ▶ *die* ~ *seines Fleißes* the fruits of his labour. ⓑ (*das Ernten*) (*von Getreide*) harvest(ing); (*von Kartoffeln*) digging; (*von Äpfeln etc*) picking.

Ernte-: **~arbeiter** *m* harvester; (*von Kartoffeln, Obst*) picker; **~ausfall** *m* crop failure; **~(dank)fest** *nt* harvest festival.

ernten *vt Getreide* to harvest, to reap; *Kartoffeln* to get in;

Äpfel, Erbsen to pick; (*fig*) *Früchte, Unfrieden* to reap; (*Un*)*dank, Spott* to get.

ernüchtern* *vt* to sober up; (*fig*) to bring down to earth ▶ *~d* sobering; *ich war sehr ernüchtert* my illusions were shattered.

Ernüchterung *f* sobering-up; (*fig*) disillusionment.

Er|oberer *m* -, **Er|oberin** *f* conqueror.

er|obern* *vt* to conquer; *Festung, Stadt* to capture; (*fig*) *Sympathie, neue Märkte etc* to win; (*col: ergattern*) to get hold of ▶ *im Sturm* ~ (*Mil, fig*) to take by storm.

Er|oberung *f* (*lit, fig*) conquest; (*einer Festung, Stadt*) capture.

er|öffnen* ① *vt* to open; *Konkursverfahren* to institute ▶ *jdm etw* ~ (*hum, geh*) to disclose or reveal sth to sb.

② *vr* (*Aussichten etc*) to open up.

③ *vi* (*Währungskurs*) to open (*mit* at).

Er|öffnung *f siehe vt* opening; institution; disclosure, revelation.

Er|öffnungs-: **~ansprache** *f* inaugural or opening address; **~feier** *f* opening ceremony; **~kurs** *m* opening price.

erogen *adj* erogenous.

er|örtern* *vt* to discuss (in detail).

Er|örterung *f* discussion.

Erosion *f* (*Geol, Med*) erosion.

Erotik *f* eroticism.

erotisch *adj* erotic.

Erpel *m* - drake.

erpicht *adj auf etw* (*acc*) ~ *sein* to be keen on sth.

erpressen* *vt* to blackmail; *Geld etc* to extort.

Erpresser(in *f*) *m* - blackmailer; (*bei Entführung*) kidnapper.

erpresserisch *adj Methode* blackmailing *attr.*

Erpressung *f* blackmail; (*von Geld etc*) extortion.

erproben* *vt* (*lit, fig*) to test ▶ *erprobt* tried and tested.

erquicken* *vt* (*old, liter*) to refresh.

erraten* *vt irreg* to guess.

errechnen* *vt* to calculate, to work out.

erregbar *adj* excitable; (*sexuell*) easily aroused; (*empfindlich*) sensitive.

Erregbarkeit *f siehe adj* excitability; ability to be aroused; sensitivity.

erregen* ① *vt* ⓐ (*aufregen*) *jdn, Nerven etc* to excite; (*erzürnen*) to infuriate ▶ *er war vor Wut ganz erregt* he was in a rage; *erregte Diskussionen* heated discussions; *freudig erregt* excited. ⓑ (*erzeugen*) to arouse; *Aufsehen, Heiterkeit* to cause, to create; *Aufmerksamkeit* to attract.

② *vr* to get worked up or excited (*über* +*acc* about, over); (*sich ärgern*) to get annoyed (*über* +*acc* at).

Erreger *m* - (*Med*) cause.

Erregung *f* excitement; (*sexuell auch*) arousal; (*Beunruhigung*) agitation; (*Wut*) rage ▶ *in* ~ *geraten* to get excited/aroused/agitated/into a rage.

erreichbar *adj* reachable; (*nicht weit*) within reach; *Ziel* attainable ▶ *leicht* ~ easily reached/within easy reach/easily attainable; *schwer* ~ *sein* (*Ort*) not to be very accessible; (*Mensch*) to be difficult to get hold of; *der Direktor ist nie* ~ the director is never available.

erreichen* *vt* to reach; *Zug* to catch; *Zweck* to achieve; (*einholen*) to catch up with ▶ *ein hohes Alter* ~ to live to a great age; *vom Bahnhof leicht zu* ~ within easy reach of the station; *wann kann ich Sie morgen* ~*?* when can I get in touch with you tomorrow?; *wir haben nichts erreicht* we achieved nothing.

erretten* *vt* (*liter, esp Rel*) to save, to deliver (*liter*).

errichten* *vt* to erect, to put up; (*fig: gründen*) to set up.

Errichtung *f no pl* erection, construction; (*fig: Gründung*) setting-up.

---

erringen* vt irreg to gain.

erröten* vi aux sein to blush.

Errungenschaft f achievement; (col: Anschaffung) acquisition.

Ersatz m no pl substitute (auch Sport); (für Altes, Mitarbeiter) replacement; (Mil: ~truppen) replacements pl; (das Ersetzen) replacement, substitution; (von Kosten) reimbursement ▶ **als** or **zum** ~ as a substitute/replacement; **als ~ für jdn einspringen** to stand in for sb; **für etw ~ leisten** (Jur) to pay compensation for sth.

Ersatz-: ~**befriedigung** f vicarious satisfaction; ~**dienst** m (Mil) community service (for conscientious objectors); ~**kasse** f private health insurance; **e~los** adj **e~los gestrichen** cancelled (with no alternative); ~**mann** m, pl ~**männer** or ~**leute** replacement; (Sport) substitute; ~**spieler** m (Sport) substitute; ~**teil** nt spare (part); **e~weise** adv as an alternative.

ersaufen* vi irreg aux sein (col) to drown; (Aut) to flood.

ersäufen* vt to drown.

erschaffen vt irreg to create.

Erschaffung f creation.

erschaudern* vi aux sein (geh) to shudder (bei at).

erschauern* vi aux sein (geh) (vor Kälte) to shiver; (vor Ehrfurcht) to tremble.

erscheinen* vi irreg aux sein to appear; (Buch auch) to come out ▶ **es erscheint (mir) wünschenswert** it seems or appears desirable (to me).

Erscheinen nt no pl appearance; (von Buch auch) publication ▶ **um rechtzeitiges ~ wird gebeten** you are kindly requested to attend punctually.

Erscheinung f a no pl (das Erscheinen) appearance ▶ **in ~ treten** (Merkmale) to appear; (Gefühle) to show themselves. b (äußere ~) appearance; (Natur~, Vorkommnis) phenomenon; (Krankheits~, Alters~) symptom; (Zeichen) sign. c (Gestalt) figure. d (Geister~) apparition; (Traumbild) vision.

Erscheinungs-: ~**bild** nt appearance; ~**form** f manifestation; ~**jahr** nt (von Buch) year of publication.

erschießen* irreg 1 vt to shoot (dead). 2 vr to shoot oneself; siehe **erschossen**.

Erschießung f shooting; (als Todesstrafe) execution.

Erschießungskommando nt firing squad.

erschlaffen* vi aux sein (ermüden) to tire; (schlaff werden) to go limp; (Interesse) to flag.

Erschlaffung f siehe vi tiredness; limpness; flagging.

erschlagen* vt irreg to kill. 2 adj ~ **sein** (col) (todmüde) to be worn out or dead beat (col); (erstaunt) to be flabbergasted (col).

erschleichen* vt irreg **(sich** dat) **etw** ~ to obtain sth by devious means; **sich** (dat) **jds Vertrauen** ~ to worm oneself into sb's confidence.

erschließen* irreg 1 vt Gebiet, Absatzmarkt to develop, to open up; Bodenschätze to tap. 2 vr **sich jdm** ~ (verständlich werden) to become clear to sb.

Erschließungskosten pl development costs pl.

erschlossen adj Gebiet developed.

erschöpfen* 1 vt to exhaust. 2 vr a (körperlich) to exhaust oneself. b (fig) **sich in etw** (dat) ~ to amount to nothing more than sth.

erschöpfend adj a (ermüdend) exhausting. b (ausführlich) exhaustive.

Erschöpfung f exhaustion ▶ **bis zur ~ arbeiten** to work to the point of exhaustion.

erschossen adj (col) **(völlig) ~ sein** to be whacked (col), to be dead (beat) (col).

erschrecken* 1 vt to frighten, to scare; (bestürzen) to startle. 2 pret auch **erschrak,** ptp auch **erschrocken** vir (vi:

aux sein) to be frightened (vor +dat by); (bestürzt sein) to be startled ▶ **sie erschrak beim Gedanken, daß** ... the thought that ... gave her a start or a scare; **sie erschrak bei dem Knall** the bang made her jump; siehe **erschrocken**.

erschreckend adj alarming, frightening ▶ ~ **wenig Leute** alarmingly few people.

erschrocken adj frightened, scared; (bestürzt) startled.

erschüttern* vt to shake; Glaubwürdigkeit to cast doubt on; Gesundheit to upset ▶ **über etw** (acc) **erschüttert sein** to be shaken or shattered by sth; **ihn kann nichts** ~ he is unflappable.

erschütternd adj shattering.

Erschütterung f (des Bodens etc) tremor, vibration; (seelische Ergriffenheit) emotion, shock ▶ **ihr Tod löste allgemeine ~ aus** her death shocked everyone.

erschweren* vt to make more difficult ▶ ~**de Umstände** (Jur) aggravating circumstances; **es kommt noch** ~**d hinzu, daß** ... to compound matters ...

Erschwerung f obstruction (gen to) ▶ **das bedeutet eine ~ meiner Arbeit** that will make my job more difficult.

erschwindeln* vt to obtain by fraud.

erschwinglich adj Preise affordable.

ersehen* vt irreg **etw aus etw** ~ to see sth from sth.

ersehnt adj longed-for.

ersetzen* vt to replace; Unkosten to reimburse ▶ **jdm einen Schaden** ~ to compensate sb for damages.

Ersetzung f no pl replacing; (von Unkosten) reimbursement.

ersichtlich adj obvious, clear.

ersinnen* vt irreg to devise, to think up.

ersparen* vt Vermögen, Zeit, Kummer to save ▶ **jdm/sich etw** ~ to spare or save sb/oneself sth; **ich kann mir jeglichen Kommentar** ~ I don't think I need to comment; **ihr blieb auch nichts erspart** she was spared nothing; **das Ersparte** the savings pl.

Ersparnis f a no pl (an Zeit etc) saving (an +dat of). b usu pl savings pl.

erst adv a first ▶ **mach ~ (ein)mal die Arbeit fertig** finish your work first; **wenn du das ~ einmal hinter dir hast** once you've got that behind you. b (nicht früher als, nicht mehr als, bloß) only; (nicht früher als auch) not until ▶ **gerade** ~ just; ~ **gestern** only yesterday; ~ **jetzt verstehe ich** I have only just understood; ~ **morgen** not until tomorrow; **wir fahren** ~ **später** we're not going until later; ~ **als** only when, not until. c **da ging's** ~ **richtig los** then it really got going; **da fange ich** ~ **gar nicht an** I simply won't bother to begin; **jetzt** ~ **recht/recht nicht!** that makes me all the more determined (to do it/not to do it); **wäre er doch** ~ **zurück!** if only he were back!; **diese Gerüchte darf man gar nicht** ~ **aufkommen lassen** these rumours mustn't even be allowed to start.

erstarren* vi aux sein (Finger) to grow stiff; (Flüssigkeit) to solidify; (Gips, Zement etc) to set; (fig: Blut) to freeze, to run cold; (Lächeln) to freeze; (vor Entsetzen) to be paralysed (Brit) or paralyzed (US) (vor +dat with).

erstatten* vt a Unkosten to refund. b (form) **(Straf)anzeige gegen jdn** ~ to report sb; **Bericht** ~ to (give a) report (über +acc on).

Erstattung f no pl (von Unkosten) reimbursement.

Erst-: ~**aufführung** f (Theat, Mus) first performance; ~**auflage** f first printing.

erstaunen* vti to astonish, to amaze; siehe **erstaunt**.

Erstaunen nt no pl astonishment, amazement ▶ **jdn in** ~ **(ver)setzen** to astonish or amaze sb.

erstaunlich adj astonishing, amazing.

erstaunt adj astonished, amazed (über +acc about) ▶ **er sah mich** ~ **an** he looked at me in astonishment or amazement.

Erst-: **~ausgabe** *f* first edition; **e~beste(r, s)** *adj attr* siehe **erste(r, s) (b)**.

erstechen* *vt irreg* to stab to death.

erstehen* *irreg* ① *vt* (*col*) to buy.

② *vi aux sein* (*form*) to arise; (*Bibl: auf~*) to rise.

Erste-Hilfe-Leistung *f* administering first aid.

ersteigen* *vt irreg* to climb.

ersteigern* *vt* to buy at an auction.

Ersteigung *f* ascent.

Erst|einsatz *m* (*von Atomwaffen*) first strike.

erstellen* *vt* ⓐ (*bauen*) to construct. ⓑ *Liste etc* to draw up.

⚠ **erstemal** *adv das* ~ the first time.

erstens *adv* first(ly), in the first place.

erste(r, s) *adj* ⓐ first; *Seite der Zeitung* front ▶ ~ **Etage** first floor (*Brit*), second floor (*US*); **der** ~ **Rang** (*Theat*) the dress-circle, the (first) balcony (*US*); ~ **Qualität** top quality; **E~ Hilfe** first aid; **der/die E~ in der Klasse sein** to be top of the class; **als ~s** first of all; **fürs** ~ for the time being; **in ~r Linie** first and foremost; **zum ~n, zum zweiten, zum dritten** (*bei Auktionen*) going, going, gone!; *siehe* **vierte(r, s)**. ⓑ **er hat den ~n besten Kühlschrank gekauft** he bought the first fridge he saw.

Erste-Klasse-Abteil *nt* first class compartment.

erstere(r, s) *adj* the former.

erst-: **~geboren** *adj attr* first-born; **~genannt** *adj attr* first-mentioned.

ersticken* ① *vt jdn* to suffocate, to smother; *Feuer* to smother; (*fig*) *Aufruhr* to suppress ▶ **mit erstickter Stimme** in a choked voice.

② *vi aux sein* to suffocate; (*Feuer*) to go out ▶ **an etw** (*dat*) ~ to be suffocated by sth; **an einer Gräte** ~ to choke (to death) on a bone; **vor Lachen** ~ to choke with laughter; **in der Arbeit** ~ (*col*) to be snowed under with work.

Erstickung *f* suffocation, asphyxiation.

Erstickungs-: **~gefahr** *f* danger of suffocation; **~tod** *m* death by suffocation, asphyxia.

Erst-: **e~klassig** *adj* first-class, first-rate; **~kommunion** *f* first communion.

Erstling *m* first (child); (*Werk*) first work.

Erstlingswerk *nt* first work.

erst-: **~malig** ① *adj* first; ② *adv* for the first time; **~mals** *adv* for the first time.

erstrahlen* *vi aux sein* (*liter*) to shine.

erstrangig ['eːrˌʃtraŋɪç] *adj* first-rate.

erstreben* *vt* to strive for.

erstrebenswert *adj* worthwhile; *Beruf* desirable.

erstrecken* *vr* to extend (*auf, über +acc* over); (*räumlich auch*) to stretch (*auf, über +acc* over); (*zeitlich auch*) to last (*auf, über +acc* for).

Erst-: **~schlag** *m* (*mit Atomwaffen*) first strike; **~schlagwaffe** *f* first-strike weapon; **~stempel** *m* date stamp on a first-day cover; **~stimme** *f* first vote.

┌─── ERSTSTIMME ───┐

ⓘ The **Erststimme** and **Zweitstimme** *(first and second vote) system is used to elect MPs to the* **Bundestag**. *Each elector is given two votes. The first is to choose a candidate in his constituency; the candidate with the most votes is elected MP. The second is to choose a party. All the second votes in each* **Land** *are counted and a proportionate number of MPs from each party is sent to the Bundestag.*

└─────────────────┘

Erst-: **~tagsbrief** *m* first-day cover; **~täter** *m* first offender.

erstunken *adj:* **das ist** ~ **und erlogen** (*col*) that's a pack of lies.

erstürmen* *vt* (*Mil*) to (take by) storm; *Gipfel* to conquer.

Erstwähler *m* first-time voter.

ersuchen* *vt* (*form*) to request (*jdn um etw* sth of sb).

Ersuchen *nt* - (*form*) request.

ertappen* *vt* to catch ▶ **ich habe ihn dabei ertappt** I caught him at it.

erteilen* *vt* to give; *Lizenz* to issue; *Auftrag auch* to place (*jdm* with sb) ▶ **jdm einen Verweis** ~ to reproach sb.

Erteilung *f siehe vt* giving; issue; placing.

ertönen* *vi aux sein* (*geh*) to sound, to ring out ▶ ~ **lassen** to sound.

Ertrag *m* ¨-e (*von Acker*) yield; (*Einnahmen*) return.

ertragen* *vt irreg* to bear; (*esp in Frage auch*) to stand ▶ **wie erträgst du nur seine Launen?** how can you put up with his moods?

erträglich *adj* bearable, endurable; (*leidlich*) tolerable.

ertragreich *adj Geschäft* profitable, lucrative.

ertränken* ① *vt* to drown.

② *vr* to drown oneself.

erträumen* *vt* to dream of, to imagine.

ertrinken* *vi irreg aux sein* to drown, to be drowned.

Ertrinken *nt no pl* drowning.

Ertüchtigung *f* (*geh*) getting in trim ▶ **körperliche** ~ physical training.

er|übrigen* ① *vt Zeit, Geld* to spare.

② *vr* to be unnecessary *or* superfluous.

eruieren* *vt* (*form*) to investigate, to find out.

erwachen* *vi aux sein* to awake, to wake (up); (*aus Ohnmacht etc*) to come around (*aus* from); (*fig: Verdacht*) to be aroused ▶ **ein böses E~** (*fig*) a rude awakening.

erwachsen* ① *vi irreg aux sein* (*geh*) to arise, to develop; (*Vorteil, Kosten etc*) to result ▶ **daraus erwuchsen ihm Unannehmlichkeiten** that caused him some trouble.

② *adj* grown-up, adult ▶ ~ **sein** (*Mensch*) to be grownup *or* an adult.

Erwachsenenbildung *f* adult education.

Erwachsene(r) *mf decl as adj* adult, grown-up.

erwägen* *vt irreg* to consider.

Erwägung *f* consideration ▶ **etw in** ~ **ziehen** to take sth into consideration.

erwähnen* *vt* to mention, to refer to.

erwähnenswert *adj* worth mentioning.

Erwähnung *f* mention (*gen* of), reference (*gen* to).

erwärmen* ① *vt* to warm.

② *vr* to warm up ▶ **sich für jdn/etw** ~ (*fig*) to take to sb/sth; **ich kann mich für Goethe nicht** ~ Goethe leaves me cold.

erwarten* *vt* to expect ▶ **etw von jdm** ~ to expect sth from *or* of sb; **ein Kind** ~ to be expecting (a baby); **das war zu** ~ that was to be expected; **etw sehnsüchtig** ~ to long for sth; **sie kann den Sommer kaum noch** ~ she's really looking forward to the summer; **was mich da wohl erwartet?** I wonder what awaits me there; **über E~** beyond expectation.

Erwartung *f* expectation; (*Spannung, Ungeduld*) anticipation ▶ **in** ~ **Ihrer baldigen Antwort** (*form*) in anticipation of your early reply.

erwartungs-: **~gemäß** *adv* as expected; **~voll** *adj* expectant.

erwecken* *vt* ⓐ (*liter: aus Schlaf etc*) to rouse ▶ **etw zu neuem Leben** ~ to resurrect sth. ⓑ (*fig*) *Begeisterung etc* to arouse; *Hoffnungen, Zweifel* to raise; *Erinnerungen* to bring back.

erwehren* *vr* (+*gen*) (*geh*) to ward off ▶ **er konnte sich kaum der Tränen** ~ he could hardly hold back his tears.

erweichen* *vt* to soften; (*fig: überreden auch*) to move

► *sich nicht ~ lassen* to be unmoved.

erweisen* *irreg* [1] *vt* [a] *(nachweisen)* to prove ► *eine erwiesene Tatsache* a proven fact. [b] *(zuteil werden lassen)* to show ► *jdm einen Dienst ~* to do sb a service. [2] *vr sich als etw ~* to prove to be sth, to turn out to be sth; *sich jdm gegenüber dankbar ~* to show one's gratitude to sb.

erweiterbar *adj (auch Comp)* expandable.

erweitern* *vtr* to widen, to enlarge; *Geschäft* to expand; *Kleid* to let out; *(Med)* to dilate; *(fig) Kenntnisse* to broaden; *Macht* to extend.

Erweiterung *f siehe vtr* widening, enlargement; expansion; letting out; dilation; broadening; extension.

Erwerb *m no pl* acquisition; *(Kauf)* purchase ► *beim ~ eines Autos* when buying a car.

erwerben* *vt irreg* to acquire; *Ehre, Vertrauen, (Sport) Titel* to win, to gain; *(käuflich)* to purchase ► *sich (dat) etw ~* to acquire *etc* sth; *er hat sich (dat) große Verdienste um die Firma erworben* he has done the firm great services.

Erwerbs-: *e~fähig adj (form)* capable of gainful employment; **~fähigkeit** *f (form)* fitness for work; **~leben** *nt* working life; **e~los** *adj* = **arbeitslos**; **~quelle** *f* source of income; **e~tätig** *adj* (gainfully) employed; **~tätigkeit** *f* gainful employment; **e~unfähig** *adj* unable to work; **~unfähigkeit** *f* inability to work.

Erwerbung *f* acquisition.

erwidern* *vt* [a] to reply *(auf +acc* to). [b] *Besuch, Grüße, Blick, (Mil) Feuer* to return; *Gefühle* to reciprocate.

Erwiderung *f (Antwort)* reply, answer ► *in ~ Ihres Schreibens vom ... (form)* in reply to your letter of the ...

erwiesen *adj* proven.

erwiesenermaßen *adv* as has been proved *or* shown.

erwirtschaften* *vt Gewinn etc* to make by good management ► *Gewinne ~* to make profits.

erwischen* *vt (col)* to catch ► *jdn beim Stehlen ~* to catch sb stealing; *du darfst dich nicht ~ lassen* you mustn't get caught; *ihn hat's erwischt! (verliebt)* he's got it bad *(col)*; *(krank)* he's got it; *(gestorben)* he's had it *(col)*.

erwünscht *adj Wirkung etc* desired; *Eigenschaft, Kenntnisse* desirable; *(willkommen)* welcome.

erwürgen* *vt* to strangle, to throttle.

Erz *nt* -e ore.

erzählen* *vti* [a] to tell ► *er hat den Vorfall erzählt* he told (us *etc*) about the incident; *jdm etw ~* to tell sb sth; *man erzählt sich, daß ...* people say that ...; *wem ~ Sie das! (col)* you're telling me!; *das kannst du einem anderen ~ (col)* pull the other one *(col)*; *mir kannst du nichts ~ (col)* don't give *or* tell me that! *(col)*; *dem werd' ich was ~! (col)* I'll have something to say to him; *er kann gut ~* he's a good story-teller. [b] *(Liter)* to narrate ► *~de Dichtung* narrative fiction.

Erzähler(in *f) m* - narrator *(auch Liter)*; *(Geschichten~)* story-teller; *(Schriftsteller)* narrative writer.

erzählerisch *adj* narrative.

Erzählung *f (Liter)* story, tale; *(das Erzählen)* narration; *(Bericht)* account.

Erz-: *~bergbau m* ore mining; *~bischof m* archbishop; *~bistum nt* archbishopric; *~engel m* archangel.

erzeugen* *vt* to produce; *Strom auch* to generate; *(fig: bewirken)* to give rise to, to create.

Erzeuger *m* - *(Comm)* producer; *(Vater)* father.

Erzeuger-: *~land nt* country of origin; *~preis m* manufacturer's price.

Erzeugnis *nt* product; *(Agr)* produce *no indef art, no pl*.

Erzeugung *f no pl* production; *(von Strom auch)* generation; *(geistige, künstlerische)* creation.

Erz-: *~feind m* arch-enemy; *~grube f* ore mine; *~hütte f* smelting works *sing or pl*.

erziehbar *adj Kind* educable; *Tier* trainable ► *ein Heim für schwer ~e Kinder* a home for difficult children.

erziehen* *vt irreg Kind* to bring up; *Tier, Körper* to train; *(ausbilden)* to educate ► *ein Kind zur Sauberkeit ~* to bring a child up to be clean; *gut/schlecht erzogen* well/badly brought-up.

Erzieher(in *f) m* - educator, teacher; *(in Kindergarten)* nursery school teacher.

erzieherisch *adj* educational.

Erziehung *f no pl* upbringing; *(Ausbildung)* education; *(das Erziehen)* bringing up; *(von Tieren, Körper)* training.

Erziehungs-: *~anstalt f* approved school, reformatory *(US)*; *~beratung f* educational guidance *or* counselling; *e~berechtigt adj* having parental authority; *~berechtigte(r) mf* parent or (legal) guardian; *~geld nt* subsidy for new parents; *~heim nt* = *~anstalt*; *~methode f* educational method; *~urlaub m* paid leave for a new parent; *~wesen nt* educational system.

erzielen* *vt Erfolg, Ergebnis* to achieve; *Kompromiß, Geschwindigkeit* to reach; *Gewinn* to make, to realize; *(Gegenstand) Preis* to fetch; *(Sport) Tor, Punkte* to score; *Rekord* to set.

erzittern* *vi aux sein (liter)* to tremble.

erzkonservativ *adj* ultraconservative.

erzürnen* *vt (geh)* to anger, to incense.

erzwingen* *vt irreg* to force ► *etw von jdm ~* to force sth out of sb.

es *pers pron* it; *(auf männliches Wesen bezogen) (nom)* he; *(acc)* him; *(auf weibliches Wesen bezogen) (nom)* she; *(acc)* her ► *wer ist da? — ich bin ~* who's there? — it's me; *sie ist klug, er ist ~ auch* she is clever, so is he; *wer ist die Dame? — ~ ist meine Frau* who's the lady? — it's *or* she's my wife; *alle dachten, daß das ungerecht war, aber niemand sagte ~* everyone thought it was unjust, but nobody said so; *ich hoffe ~* I hope so; *~ sitzt sich bequem hier* it's comfortable sitting here; *~ wurde getanzt* there was dancing; *~ kamen viele Leute* a lot of people came; *~ lebe der König!* long live the king!

Es *nt* - *(Mus: Dur)* E flat.

Escape-Taste [ɛs'keːp-] *f (Comp)* escape key.

Esche *f* -n ash-tree.

Esel *m* - donkey; *(col: Dummkopf)* (silly) ass ► *ich ~!* silly me!; *störrisch wie ein ~* as stubborn as a mule.

Eselin *f* she-ass.

Esels-: *~brücke f (Gedächtnishilfe)* mnemonic, aide-mémoire; *~ohr nt (fig)* dog-ear; *ein Buch mit ~ohren* a dog-eared book.

Eskalation *f* escalation.

eskalieren* *vti (vi: aux sein)* to escalate.

Eskapade *f (fig)* escapade.

Eskimo *m* -s Eskimo.

Eskorte *f* -n *(Mil)* escort.

eskortieren* *vt* to escort.

esoterisch *adj* esoteric.

Espe *f* -n aspen.

Espenlaub *nt* aspen leaves *pl* ► *zittern wie ~* to shake like a leaf.

Esperanto *nt no pl* Esperanto.

Espresso *m* -s espresso.

Esprit [ɛs'priː] *m no pl* wit.

Eß-: *e~bar △ adj* edible, eatable; *Pilz* edible; *habt ihr irgend etwas ~bares im Haus?* have you got anything to eat in the house?; *nicht e~bar* inedible, uneatable; *~besteck △ nt* set of cutlery; *~ecke f* dining area.

essen *pret* aß, *ptp* gegessen *vti* to eat ► *gut/schlecht ~ (Appetit haben)* to have a good/poor appetite; *in dem Restaurant kann man gut ~* the food's good in that restaurant; **warm/kalt** ~ to have a hot/cold meal; **etw zum Frühstück** ~ to have *or* eat sth for breakfast; ~ **Sie gern Äpfel?** do you like apples?; **beim E~ sein** to be in the middle of a meal; ~ **gehen** (*auswärts*) to eat out; **nach dem Kino gingen wir noch** ~ after the cinema we went for a meal; **das Thema ist schon lange gegessen** (*fig col*) the subject is dead and buried.

Essen *nt* - (*Mahlzeit*) meal; (*Nahrung*) food; (*Küche*) cooking ▸ **bleib doch zum** ~ stay for lunch/supper, stay for a meal; **das** ~ **kochen** *or* **machen** (*col*) to get the meal; **jdn zum** ~ **einladen** to invite sb for a meal.

Essen(s)-: **~ausgabe** *f* serving of meals; (*Stelle*) serving counter; **~marke** *f* meal voucher; **~zeit** *f* mealtime; **bei uns ist um 12 ~zeit** we have lunch at 12.

⚠ **essentiell** [ɛsɛn'tsiɛl] *adj* (*geh*) essential.

Essenz *f* essence.

Esser *m* - **ein guter/schlechter** ~ a good/poor eater.

Eßgeschirr *nt* dinner service.

Essig *m* -e vinegar ▸ **damit ist es** ~ (*col*) it's all off.

Essig-: **~essenz** *f* vinegar concentrate; **~gurke** *f* (pickled) gherkin; **~säure** *f* acetic acid.

Eßkastanie ⚠ *f* sweet chestnut.

Eßl. = **Eßlöffel**.

Eß-: **~löffel** ⚠ *m* soup/dessert spoon; (*in Rezept*) tablespoon; **~lokal** *nt* eating place; **~stäbchen** ⚠ *pl* chopsticks *pl*; **~tisch** ⚠ *m* dining table; **~waren** ⚠ *pl* food; **~zimmer** ⚠ *nt* dining room.

Este *m* -n, **Estin** *f* Estonian.

Estland *nt* Estonia.

estnisch *adj* Estonian.

Estragon *m no pl* tarragon.

Estrich *m* -e concrete floor.

etablieren* ① *vt* (*dated*) to establish. ② *vr* to establish oneself; (*Comm*) to set up.

etabliert *adj* established ▸ **die ~e Oberschicht** the upper echelons of the establishment.

Etablissement [etablɪsə'mãː] *nt* -s establishment.

Etage [e'taːʒə] *f* -n floor ▸ **in** *or* **auf der 2.** ~ on the 2nd (*Brit*) *or* 3rd (*US*) floor.

Etagen-: **~bett** *nt* bunk bed; **~heizung** *f heating system which covers one floor of a building;* **~wohnung** *f flat occupying the whole of one floor of a building.*

Etappe *f* -n ⓐ stage; (*einer Strecke auch*) leg. ⓑ (*Mil*) communications zone.

Etappen-: **~sieg** *m* (*Sport*) stage-win; (*fig*) partial victory; **e~weise** *adv* step by step, stage by stage.

Etat [e'taː] *m* -s budget.

Etat-: **~jahr** *nt* financial year; **~posten** *m* item in the budget.

etc. = **et cetera** [ɛt'tseːtera] etc.

etepetete [eːtəpe'teːtə] *adj pred* (*col*) fussy, pernickety (*col*).

Ethik *f* ethics *pl* (*als Fach sing*).

Ethikunterricht *m* (*Sch*) (teaching of) ethics.

ethisch *adj* ethical.

ethnisch *adj* ethnic ▸ **~e Säuberung** ethnic cleansing.

Ethos ['eːtɔs] *nt no pl* ethos; (*Berufs~*) professional ethics *pl*.

Etikett *nt* -e (*lit, fig*) label.

Etikette *f* etiquette.

etikettieren* *vt* (*lit, fig*) to label.

etliche(r, s) *indef pron* ⓐ *sing attr* quite a lot of. ⓑ *etliche pl* (*substantivisch*) quite a few, several people/things; (*attr*) several, quite a few. ⓒ **~s** *sing* (*substantivisch*) quite a lot.

Etüde *f* -n (*Mus*) étude.

Etui [ɛt'viː, e'tyiː] *nt* -s case.

etwa *adv* ⓐ (*ungefähr, annähernd*) about, approximately ▸ **so ~, ~ so** more or less like this. ⓑ (*zum Beispiel*) for instance. ⓒ (*entrüstet, erstaunt*) **hast du ~ schon wie-**

der kein Geld dabei? don't tell me you've come out without any money again!; **willst du ~ schon gehen?** (surely) you don't want to go already! ⓓ (*zur Bestätigung*) **Sie kommen doch, oder ~ nicht?** you are coming, aren't you?; **sind Sie ~ nicht einverstanden?** do you mean to say that you don't agree?; **ist das ~ wahr?** (surely) it's not true! ⓔ (*in Gegenüberstellung, einschränkend*) **nicht ~, daß ...** (it's) not that ...; **ich wollte dich nicht ~ beleidigen** I certainly didn't intend to insult you.

etwaig ['ɛtwaːɪç] *adj attr* possible ▸ **~e Unkosten** any costs which might arise.

etwas *indef pron* ⓐ (*substantivisch*) something; (*fragend, bedingend auch, verneinend*) anything; (*unbestimmter Teil einer Menge*) some; any ▸ **kannst du mir ~ (davon) leihen?** can you lend me some (of it)?; **ohne ~ zu erwähnen** without saying anything; ~ **sein** (*col*) to be somebody (*col*); **aus ihm wird nie ~** (*col*) he'll never get anywhere; **er kann ~** he's good; **sein Wort gilt ~ beim Chef** what he says counts for something with the boss; **das ist sicher, wie nur ~** (*col*) that's as sure as (sure) can be (*col*); ~ **Kaltes** something cold. ⓑ (*adjektivisch*) some; (*fragend, bedingend auch*) any ▸ ~ **Salz?** some salt? ⓒ (*adverbial*) ~ **besser** somewhat better, a little better.

Etwas *nt no pl* **das gewisse** ~ that certain something.

Etymologie *f* etymology.

etymologisch *adj* etymological.

EU *f* = **Europäische Union** EU.

euch *pers pron dat, acc of* **ihr** (*in Briefen: E~*) you; (*dat auch*) to/for you; (*refl*) yourselves ▸ **ein Freund von** ~ a friend of yours; **wascht ~!** wash yourselves; **setzt ~!** sit down!

Eucharistie *f* (*Eccl*) Eucharist.

euer ① *poss pron* (*in Briefen: E~*) your ▸ **E~** (*Briefschluß*) yours. ② *pers pron gen of* **ihr** ▸ ~ **aller heimlicher Wunsch** the secret wish of all of you.

Eukalyptus *m, pl* **Eukalypten** eucalyptus.

Eule *f* -n owl ▸ **~n nach Athen tragen** (*prov*) to carry coals to Newcastle (*prov*).

Euphemismus *m* euphemism.

Euphorie *f* euphoria.

euphorisch *adj* euphoric.

Eurasien [-iən] *nt* Eurasia.

Eurasier(in *f*) [-iɐ,-iərɪn] *m* - Eurasian.

eurasisch *adj* Eurasian.

eure(r, s) *poss pron* yours ▸ **der/die/das** ~ (*geh*) yours.

eurerseits *adv* (*von eurer Seite*) on your part.

euresgleichen *pron inv* people like you.

euretwegen *adv* (*wegen euch*) because of you, on your account; (*euch zuliebe auch*) for your sake.

Euro *m* -, - (*Währung*) euro.

Euro- *in cpds* Euro-; **~cheque** *m* Eurocheque; **~dollar** *m* Eurodollar; **~krat(in** *f*) *m* Eurocrat.

Europa *nt* Europe.

Europaabgeordnete(r *f*) *m* Euro MP.

Europacup [-kap] *m* = **Europapokal**.

Europäer(in *f*) *m* - European.

Europaflagge *f* European flag.

europäisch *adj* European ▸ **E~e Freihandelszone** European Free Trade Area; **das E~e Parlament** the European Parliament; **E~e Union** European Union; **E~es Währungssystem** European Monetary System; **E~e Währungsunion (EWU)** European Monetary Union (EMU); **E~e (Wirtschafts)gemeinschaft** European (Economic) Community, Common Market; **E~er Wirtschaftsraum** European Economic Area.

europäisieren* *vt* to Europeanize.

Europa-: **~meister** *m* European champion; (*Team,*

⚠ : for details of spelling reform, see supplement

Land) European champions *pl*; **~meisterschaft** *f* European championship; **~parlament** *nt* European Parliament; **~pokal** *m* (*Sport*) European cup; **~rat** *m* Council of Europe; **~straße** *f* Euroroute; **~tunnel** *m* (*Kanaltunnel*) Channel Tunnel; **~wahlen** *pl* European elections; **e~weit** *adj* Europe-wide.

Euro-: **~scheck** *m* Eurocheque; **~scheckkarte** *f* Eurocheque card; **~vision** *f* Eurovision; **~währung** *f* Eurocurrency.

Euter *nt* - udder.

Euthanasie *f* euthanasia.

ev. = evangelisch.

e.V. = eingetragener Verein.

evakuieren* [evaku'iːrən] *vt* to evacuate.

Evakuierung [evaku'iːrʊŋ] *f* evacuation.

evangelisch [evaŋ'geːlɪʃ] *adj* Protestant.

Evangelist [evaŋe'lɪst] *m* evangelist.

Evangelium [evaŋ'geːliʊm] *nt* Gospel; (*fig*) gospel.

Eva(s)kostüm *nt* (*dated hum*) **im ~** in her birthday suit (*hum*).

Eventualfall [evɛntu'aːl-] *m,* **Eventualität** [evɛntuali'tɛːt] *f* eventuality.

Eventualverbindlichkeiten *fpl* contingent liabilities.

eventuell [evɛntu'ɛl] **[1]** *adj attr* possible.
[2] *adv* possibly, perhaps ► **~ rufe ich Sie später an** I may possibly call you later.

Evolution [evolu'tsioːn] *f* evolution.

evolutionär *adj* evolutionary.

Evolutionstheorie *f* theory of evolution.

evtl. = eventuell.

EWG [eːveː'geː] *f* = **Europäische Wirtschaftsgemeinschaft** EEC.

ewig **[1]** *adj* eternal; *Eis, Schnee* perpetual; (*col*) *Nörgelei etc auch* never-ending.
[2] *adv* for ever, eternally ► **auf ~** for ever; **das dauert ja ~, bis ...** it'll take ages until ...; **~ dankbar** eternally grateful; **ich habe Sie ~ lange nicht gesehen** (*col*) I haven't seen you for ages.

Ewigkeit *f* eternity ► **in die ~ eingehen** to go to eternal rest; **bis in alle ~** for ever; **eine ~** (*col*) ages (*col*).

EWR [eːveː'ɛr] *m* = **Europäischer Wirtschaftsraum** EEA.

EWS [eːveː'ɛs] *nt* = **Europäisches Währungssystem** EMS.

EWU [eːveː'uː] *f* = **Europäische Währungsunion** EMU.

ex *adv* (*col*) **etw ~ trinken** to drink sth down in one.

Ex- *in cpds* ex.

exakt *adj* exact ► **~ arbeiten** to work accurately.

exaltiert *adj* exaggerated, effusive.

Examen *nt, pl* - *or* **Examina** exam, examination; (*Univ*) finals *pl* ► **~ machen** to do *or* take one's exams *or* finals.

Examens-: **~angst** *f* exam nerves *pl*; **~arbeit** *f* dissertation; **~kandidat** *m* candidate (for an examination).

examinieren* *vt* (*geh*) to examine.

exekutieren* *vt* (*form*) to execute.

Exekution *f* execution.

Exekutionskommando *nt* firing squad.

Exekutive [-'tiːvə] *f* executive.

Exempel *nt* **die Probe aufs ~ machen** to put it to the test.

Exemplar *nt* -e specimen; (*Buch*~) copy.

exemplarisch *adj* exemplary ► **jdn ~ bestrafen** to punish sb as an example (to others).

exerzieren* *vti* to drill; (*fig*) to practise (*Brit*), to practice (*US*).

Exerzierplatz *m* (*Mil*) parade ground.

Exhibitionismus [ɛkshibɪtsio'nɪsmʊs] *m* exhibitionism.

Exhibitionist(in *f*) [ɛkshibɪtsio'nɪst(ɪn)] *m* exhibi-

tionist.

exhumieren* *vt* to exhume.

Exhumierung *f* exhumation.

Exil *nt* -e exile ► **im (amerikanischen) ~ leben** to live in exile (in America); **ins ~ gehen** to go into exile.

Exilregierung *f* government in exile.

existent *adj* (*geh*) existing, existent.

⚠ **Existentialismus** [ɛksɪstɛntsia'lɪsmʊs] *m* existentialism.

⚠ **existentialistisch** [-tsia'lɪstɪʃ] *adj* existential(ist).

⚠ **existentiell** [ɛksɪstɛn'tsiɛl] *adj* (*geh*) existential ► **von ~er Bedeutung** of vital significance.

Existenz *f* existence; (*Lebensgrundlage*) livelihood; (*pej col: Person*) character, customer (*col*) ► **eine gescheiterte ~** (*col*) a failure; **sich eine ~ aufbauen** to make a life for oneself.

Existenz-: **~berechtigung** *f* right to exist; **e~fähig** *adj* able to exist; *Firma* viable; **~grundlage** *f* basis of one's livelihood; **~kampf** *m* struggle for survival; **~minimum** *nt* subsistence level; (*Lohn*) minimal living wage; **das Gehalt liegt noch unter dem ~minimum** that is not even a living wage.

existieren* [ɛksɪs'tiːrən] *vi* to exist.

exkl. = exklusiv(e) excl.

exklusiv *adj* exclusive.

Exklusivbericht *m* (*Press*) exclusive (report).

exklusive [-'ziːvə] *prep* +*gen* exclusive of, excluding.

Exklusivität [-zivi'tɛːt] *f* exclusiveness.

Exkommunikation *f* (*Eccl*) excommunication.

exkommunizieren* *vt* to excommunicate.

Exkrement *nt usu pl* (*geh*) excrement *no pl*, excreta *pl*.

Exkurs *m* -e digression.

Exkursion *f* (study) trip.

Exmatrikulation *f* (*Univ*) being taken off the university register ► **bei seiner ~** when he left university.

exmatrikulieren* *vt* (*Univ*) to take off the university register ► **sich ~ lassen** to withdraw from the university register.

exorzieren* *vt* to exorcize.

Exorzismus *m* exorcism.

Exot(e) *m* (*wk*) **-en, -en, Exotin** *f* (*Tier, Pflanze*) exotic *or* tropical animal/plant; (*Mensch*) exotic foreigner.

exotisch *adj* exotic.

Expander *m* - (*Sport*) chest-expander.

expandieren* *vi* to expand.

Expansion *f* (*Phys, Pol*) expansion.

expansiv *adj* expansionist; *Wirtschaftszweig* expanding.

Expedition *f* (*Forschungs~, Mil*) expedition.

Experiment *nt* experiment.

experimentell *adj* experimental.

experimentieren* *vi* to experiment.

Experte *m* (*wk*) **-n, -n, Expertin** *f* expert (*für* in).

Experten-: **~kommission** *f* panel of experts; (*für ein bestimmtes Sachgebiet*) think-tank; **~system** *nt* (*Comp*) expert system.

explizit *adj* explicit.

explodieren* *vi aux sein* (*lit, fig*) to explode.

Explosion *f* explosion ► **etw zur ~ bringen** to detonate *or* explode sth.

Explosions-: **e~artig** *Geräusch* like an explosion; *Wirkung* explosive; **~gefahr** *f* danger of explosion.

explosiv *adj* (*lit, fig*) explosive.

Exponent *m* (*Math, fig*) exponent.

exponieren* *vt* (*herausheben*) to expose ► **an exponierter Stelle stehen** to be in an exposed position.

Export *m* -e export (*an* +*dat* of); (~*waren*) exports *pl*.

Export- *in cpds* export; **~abteilung** *f* export department; **~artikel** *m* export.

Exporteur [ɛkspɔr'tøːɐ] *m* exporter.

Export-: **~geschäft** *nt,* **~handel** *m* export trade.

exportieren* vti (also Comp) to export.

Exportkaufmann m exporter.

Exportrechnung f export invoice.

⚠**Exposé** [ɛkspoˈzeː] nt -s (für Film etc) outline.

Expreß-: ~**brief** ⚠ m express letter; ~**gut** ⚠ nt express goods pl.

Expressionismus m expressionism.

Expressionist(in f) m expressionist.

expressionistisch adj expressionist no adv.

exquisit adj exquisite.

extensiv adj extensive.

extern adj (Sch, Comp) external.

extra adv (besonders) extra, (e)specially; (eigens, ausschließlich) (e)specially, just; (gesondert) separately; (zusätzlich) extra, in addition; (col: absichtlich) on purpose ▸ jetzt tu ich's ~! (col) just for that I will do it!

Extra-: ~**ausgabe** f special edition; ~**ausstattung** f extras pl; ~**blatt** nt special edition; ~**tour** f (fig col) sich (dat) ~touren leisten to do one's own thing (col).

extravagant [-vaˈgant] adj extravagant; Kleidung auch flamboyant.

Extravaganz [-vaˈgants] f siehe adj extravagance; flamboyance.

Extrawurst f (col: Sonderwunsch) special favour (Brit) or favor (US) ▸ er will immer eine ~ (gebraten haben) he always wants something different.

extrem adj extreme; Belastung excessive ▸ ~ schlecht/gut extremely badly/well; die Lage hat sich ~ verschlechtert the situation has deteriorated enormously; ich habe mich ~ beeilt I hurried as much as I could.

Extrem nt -e extreme ▸ von einem ~ ins andere fallen to go from one extreme to the other.

Extremfall m extreme (case).

Extremist(in f) m extremist.

extremistisch adj extremist.

Extremität f usu pl extremity usu pl.

Extremsport m extreme sport.

extrovertiert [-verˈtiːɐt] adj extrovert.

Exzellenz f Excellency.

exzentrisch adj (Math, fig) eccentric.

Exzentrizität f eccentricity.

⚠**Exzeß** m -sse excess ▸ bis zum ~ to excess.

E-Zug [ˈeːtsuːk] m = **Eilzug**.

F

F, f [ɛf] *nt* -, - F, f ▶ *nach Schema F* (*col*) in the same old way; according to a set routine; *F wie Friedrich* ≈ F for Frederick, F for Fox (*US*).
F = **Fahrenheit** F.
f (*Mus*) = **forte** f.
f. = **und folgende (Seite)** f.
Fa. = **Firma.**
Fabel *f* -n [a] fable. [b] (*col*) fantastic story.
Fabel-: f~haft *adj* splendid, magnificent; **~tier, ~wesen** *nt* mythical creature.
Fabrik *f* -en factory.
Fabrik|anlage *f* plant; (*Fabrikgelände*) factory site.
Fabrikant(in *f*) *m* [a] industrialist. [b] (*Hersteller*) manufacturer.
Fabrikarbeiter *m* factory worker.
Fabrikat *nt* [a] (*Marke*) make; (*von Nahrungs- und Genußmitteln*) brand. [b] (*Produkt*) product; (*Ausführung*) model.
Fabrikation *f* manufacture, production.
Fabrikationsfehler *m* manufacturing fault.
Fabrik- *in cpds* factory; **~besitzer** *m* factory owner; **~direktor** *m* managing director (of a factory); **~gelände** *nt* factory site.
fabrizieren* *vt* [a] (*dated: industriell*) to produce. [b] (*col*) *Möbelstück etc* to put together; *geistiges Produkt* to produce; *Geschichte* to concoct, to fabricate.
fabulieren* *vi* (*geh*) (*erzählen*) to spin a yarn.
⚠ **Facette** [fa'sɛtə] *f* facet.
Fach *nt* ⁻er [a] compartment; (*in Handtasche etc auch*) pocket; (*in Schrank, Regal etc*) shelf; (*für Briefe etc*) pigeonhole. [b] (*Wissens-, Sachgebiet*) subject; (*Gebiet*) field; (*Handwerk*) trade ▶ *ein Mann vom ~* an expert; *sein ~ verstehen* to know one's stuff (*col*) or one's subject/trade.
Fach-: ~arbeiter *m* skilled worker; **~arzt** *m* specialist (*für in*); **~ausbildung** *f* specialist training; **~ausdruck** *m* technical *or* specialist term; **~bereich** *m* [a] (special) field; [b] (*Univ*) school, faculty; **f~bezogen** *adj* specialized; **~buch** *nt* reference book; *wasserbautechnische ~bücher* specialist books on hydraulic engineering.
fächeln (*geh*) *vt* to fan.
Fächer *m* - fan; (*fig*) range, array.
fächer-: ~artig, ~förmig [1] *adj* fan-shaped; [2] *adv* like a fan.
Fach-: ~frau *f* expert; **~gebiet** *nt* (special) field; **f~gemäß, f~gerecht** *adj* expert; *Ausbildung* specialist *attr*; **~geschäft** *nt* specialist shop (*Brit*) *or* store (*US*); **~geschäft für Lederwaren** leather shop; **~handel** *m* specialist shops *pl* (*Brit*) *or* stores *pl* (*US*); **~händler** *m* specialist supplier; **~hochschule** *f* university college (*specializing in a particular subjects*); **~idiot** *m* (*col*) narrow-minded specialist; **~jargon** *m* technical jargon; **~kenntnisse** *pl* specialized knowledge; **~kraft** *f* qualified employee; **~kreise** *pl*: *in ~kreisen* among experts; **f~kundig** *adj* informed *no adv*, (*erfahren*) with a knowledge of the subject; (*fachmännisch*) proficient; *jdn f~kundig beraten* to give sb informed advice; **~lehrer** *m* specialist subject teacher.
fachlich *adj* technical; *Ausbildung* specialist *attr*; (*beruflich*) professional ▶ *~ hochqualifiziert* highly qualified in one's field.
Fach-: ~literatur *f* specialist literature; **~mann** *m*, *pl* **~leute** expert; **f~männisch** *adj* expert; **f~männisch ausgeführt** professionally *or* expertly done; **~personal** *nt* qualified staff; **~presse** *f* trade press; **~richtung** *f* subject area; **~schule** *f* technical college; **f~simpelei** *f* (*col*) shoptalk; **f~simpeln** *vi insep* (*col*) to talk shop; **f~spezifisch** *adj* technical, subject-specific; **~sprache** *f* technical terminology; **f~sprachlich** [1] *adj* technical; [2] *adv* in technical terminology; **f~übergreifend** *adj* inter-disciplinary; **~verband** *m* trade association; **~welt** *f* experts *pl*; **~werk** *nt no pl* half-timbering; **~werkhaus** *nt* half-timbered house; **~wissen** *nt* (specialized) knowledge of the/one's subject; **~wort** *nt* specialist term; **~wörterbuch** *nt* specialist dictionary; (*technisches auch*) technical dictionary; **~zeitschrift** *f* specialist journal; (*für Berufe*) trade journal.
Fackel *f* -n (*lit, fig*) torch.
fackeln *vi* (*col*) *da wird nicht lange gefackelt* there won't be any shilly-shallying.
Fackel-: ~schein *m* torchlight; **~zug** *m* torchlight procession.
fad(e) *adj* [a] *Geschmack* insipid; *Essen auch* tasteless. [b] (*fig: langweilig*) dull.
Faden¹ *m* ⁻ (*lit, fig*) thread; (*Bohnen~, an Marionetten*) string; (*Med*) stitch ▶ *der rote ~* (*fig*) the central theme; *den ~ verlieren* (*fig*) to lose the thread; *alle ⁻ laufen hier zusammen* this is the nerve centre (*Brit*) *or* center (*US*) of the whole business; *er hält alle ⁻ in der Hand* he holds the reins; *sein Leben hing an einem ~* his life was hanging by a thread.
Faden² *m* - (*Naut*) fathom.
Faden-: ~kreuz *nt* crosshair; **~nudeln** *pl* vermicelli *pl*; **f~scheinig** *adj* (*fig*) flimsy; *Argument auch, Moral* threadbare *no adv*.
Fagott *nt* -e bassoon.
Fagottist(in *f*) *m* bassoonist.
fähig *adj* capable, competent, able ▶ *sie ist ein ~er Kopf* she has an able mind; *(dazu) ~ sein, etw zu tun* to be capable of doing sth; *zu allem ~ sein* to be capable of anything.
Fähigkeit *f* ability; (*praktisches Können*) skill ▶ *die ~ haben, etw zu tun* to be capable of doing sth; *bei deinen ~en ...* with your talents ...
fahl *adj* pale.
Fähnchen *nt* [a] (*Wimpel*) pennant. [b] (*pej col*) flimsy dress.
fahnden *vi* to search (*nach* for).
Fahndung *f* search.
Fahndungs-: ~aktion *f* search; **~buch** *nt*, **~liste** *f* wanted (persons) list.
Fahne *f* -n [a] flag; (*von Verein etc auch*) banner; (*Mil auch*) colours *pl* (*Brit*), colors *pl* (*US*) ▶ *die ~ hochhalten* (*fig*) to keep the flag flying; *etw auf seine ~ schreiben* (*fig*) to take up the cause of sth; *mit fliegenden ~n zu jdm/etw überlaufen* to go over to sb/sth. [b] (*col*) *eine ~ haben* to reek of alcohol. [c] (*Typ*) galley (proof).
Fahnen-: ~eid *m* oath of allegiance; **~flucht** *f* (*Mil, fig*) desertion; **f~flüchtig** *adj f~flüchtig sein* (*Mil, fig*) to be

a deserter; **~flüchtige(r)** *mf* (*Mil, fig*) deserter; **~mast** *m*, **~stange** *f* flagpole; **~träger** *m* standard-bearer.

Fähnrich *m* (*Mil*) officer cadet; (*Hist*) ensign ▸ **~ zur See** midshipman.

Fahr-: **~ausweis** *m* (*form*) ticket; **~bahn** *f* carriageway (*Brit*), highway (*US*); (*Fahrspur*) lane; **~bahn-markierung** *f* road marking; **f~bar** *adj* on castors; *Kran* mobile; **f~barer Untersatz** (*hum*) wheels *pl* (*hum*); **f~bereit** *adj* in running order.

Fähre *f* **-n** ferry.

fahren *pret* **fuhr**, *ptp* **gefahren** ①① *vi aux sein* ⓐ (*Fahrzeug, Fahrgast*) to go; (*reisen*) to travel; (*Fahrer*) to drive; (*Schiff*) to sail; (*Kran, Rolltreppe etc*) to move ▸ *mit dem Zug/Motorrad/Taxi ~* to go by train/motorbike/taxi; *mit dem Aufzug ~* to take the lift, to ride the elevator (*US*); *wollen wir ~ oder zu Fuß gehen?* shall we go by car/bus *etc* or walk?; *links/rechts ~* to drive on the left/right; *wie lange fährt man von hier nach Basel?* how long does it take to get to Basle from here?; *gegen einen Baum ~* to drive *or* go into a tree.

ⓑ (*losfahren*) to go, to leave.

ⓒ (*verkehren*) *es ~ täglich zwei Fähren* there are two ferries a day; *die U-Bahn fährt alle fünf Minuten* the underground goes *or* runs every five minutes.

ⓓ *blitzartig fuhr es ihm durch den Kopf, daß ...* the thought suddenly flashed through his mind that ...; *was ist (denn) in dich gefahren?* what's got (*Brit*) *or* gotten (*US*) into you?; *in seine Kleider ~* to fling on one's clothes; *der Blitz fuhr in die Eiche* the lightning struck the oak; *sich* (*dat*) *mit der Hand über die Stirn ~* to pass one's hand over one's brow; *einen ~ lassen* (*col*) to fart (*col*).

ⓔ (*zurechtkommen*) *(mit jdm/etw) gut/schlecht ~* to get on all right/not very well (with sb/sth); *(bei etw) gut/schlecht ~* to do well/badly (with sth).

② *vt* ⓐ (*lenken*) *Auto, Bus etc* to drive; *Fahrrad, Motorrad* to ride. ⓑ *aux sein Straße, Strecke, Buslinie etc* to take ▸ *welche Strecke fährt der 59er?* which way does the 59 go?; *ich fahre lieber Autobahn als Landstraße* I prefer (driving on) motorways to ordinary roads. ⓒ (*benutzen*) *Kraftstoff etc* to use. ⓓ (*befördern*) to take; (*hierher~*) to bring; (*Lastwagen, Taxi: gewerbsmäßig*) to carry ▸ *ich fahre dich nach Hause* I'll take *or* drive you home, I'll give you a lift home. ⓔ *aux sein Geschwindigkeit* to do. ⓕ *aux haben or sein* (*Sport*) *Rennen* to take part in; *Runde etc* to do; *Zeit, Rekord etc* to clock up. ⓖ (*Tech*) (*steuern, betreiben*) to run; (*durchführen*) *Sonderschicht* to put on; *Überstunden* to do, to work.

③ *vr der neue Wagen fährt sich gut* the new car is nice to drive.

fahrend *adj* itinerant; *Zug, Auto* in motion ▸ **~es Volk** travelling people; *ein ~er Sänger* a wandering minstrel.

⚠**fahrenlassen***** *vt sep irreg Hoffnung* to abandon.

Fahrer(in *f*) *m* **-** ⓐ driver. ⓑ (*Sport col*) (*Rad~*) cyclist; (*Motorrad*) motorcyclist.

Fahrerflucht *f* hit-and-run driving ▸ **~ begehen** to be involved in a hit-and-run.

Fahr|erlaubnis *f* (*form*) driving licence (*Brit*), driver's license (*US*).

Fahrersitz *m* driver's seat.

Fahr-: **~gast** *m* passenger; **~geld** *nt* fare; **~gelegenheit** *f* transport *no indef art*; **~gemeinschaft** *f* car pool; **~geschwindigkeit** *f* (*form*) speed; **~gestell** *nt* ⓐ (*Aut*) chassis. ⓑ **= ~werk (a).**

Fährhafen *m* ferry terminal.

fahrig *adj* nervous; (*unkonzentriert*) distracted.

Fahrkarte *f* ticket; (*fig*) passport (*nach* to).

Fahrkarten-: **~ausgabe** *f* ticket office; **~automat** *m*

ticket machine; **~kontrolle** *f* ticket inspection; **~schalter** *m* ticket office.

Fahr-: **f~lässig** *adj* negligent (*auch Jur*); **f~lässig handeln** to be guilty of negligence; **~lässigkeit** *f* negligence (*auch Jur*); **~lehrer** *m* driving instructor.

Fährmann *m*, *pl* **-männer** *or* **-leute** ferryman.

Fahr-: **~plan** *m* timetable, schedule (*US*); (*fig*) schedule; **f~planmäßig** ① *adj* scheduled; ② *adv* on schedule; *verlaufen* according to schedule; **~praxis** *f no pl* driving experience *no indef art*; **~preis** *m* fare; **~prüfung** *f* driving test.

Fahrrad *nt* bicycle, bike (*col*).

Fahrrad-: **~fahrer** *m* cyclist; **~geschäft** *nt* cycle shop (*Brit*) *or* store (*US*); **~händler** *m* bicycle dealer; (*Geschäft*) cycle shop (*Brit*) *or* store (*US*); **~ständer** *m* (bi)cycle stand; **~weg** *m* cycle path.

Fahr-: **~rinne** *f* (*Naut*) shipping channel, fairway; **~schein** *m* ticket; **~scheinautomat** *m* ticket machine; **~scheinentwerter** *m* ticket stamping machine (*in bus/tram etc*); **~schule** *f* driving school; **~schüler** *m* learner driver (*Brit*), student driver (*US*); **~spur** *f* lane; **~stil** *m* style of driving/riding/skiing *etc*; **~streifen** *m* lane; **~stuhl** *m* lift (*Brit*), elevator (*US*); **~stunde** *f* driving lesson.

Fahrt *f* **-en** journey; (*Aut auch*) drive; (*Ausflug*) trip; (*Naut*) voyage; (*Über~*) crossing ▸ **nach zwei Stunden ~** after travelling for two hours; *was kostet eine ~ nach London?* how much is it to London?; *gute ~!* safe journey!; *volle ~ voraus!* (*Naut*) full speed ahead!; *jdn in ~ bringen* (*col*) to get sb going; *in ~ sein* (*col*) to have got going; (*wütend*) to be mad (*col*).

Fahr-: **f~tauglich** *adj* fit to drive; **~tauglichkeit** *f* fitness to drive.

Fährte *f* **-n** tracks *pl*; (*Witterung*) scent; (*Spuren*) trail ▸ *auf der richtigen/falschen ~ sein* (*fig*) to be on the right/wrong track; *jdn auf eine falsche ~ locken* (*fig*) to put sb off the scent.

Fahrtechnik *f* driving technique.

Fahrten-: **~buch** *nt* driver's log; **~messer** *nt* sheath knife; **~schreiber** *m* tachograph.

Fahrtest *m* road test.

Fahrt-: **~kosten** *pl* travelling (*Brit*) *or* traveling (*US*) expenses *pl*; **~richtung** *f* direction of travel; (*im Verkehr*) direction of the traffic; *entgegen der/in ~richtung* (*im Zug*) with one's back to the engine/facing the engine; (*im Bus etc*) facing backwards/the front; *die Autobahn ist in ~richtung Norden gesperrt* the northbound section of the motorway is closed; **~richtungsanzeiger** *m* (*Aut*) direction indicator.

Fahr-: **f~tüchtig** *adj* fit to drive; *Wagen etc* roadworthy; **~tüchtigkeit** *f* driving ability; roadworthiness.

Fahrtwind *m* airstream.

Fahr-: **f~untauglich** *adj* unfit to drive; *Wagen etc* unroadworthy; **~verbot** *nt* driving ban; *jdn mit ~verbot belegen* to ban sb from driving; *~verbot für Privatwagen* ban on private vehicles; **~verhalten** *nt* (*von Fahrer*) behaviour (*Brit*) *or* behavior (*US*) behind the wheel; (*von Wagen*) road manners *pl*; **~wasser** *nt* ⓐ (*Naut*) = **~rinne**; ⓑ (*fig*) *in jds ~wasser geraten* to get in with sb; *in ein gefährliches ~wasser geraten* to get on to dangerous ground; **~weise** *f seine ~weise* his driving; **~werk** *nt* ⓐ (*Aviat*) undercarriage, landing gear; ⓑ (*Aut*) chassis; **~zeit** *f* time for the journey; *bei einer ~zeit von fünf Stunden* on a five-hour journey.

Fahrzeug *nt* vehicle; (*Luft~*) aircraft; (*Wasser~*) vessel.

Fahrzeug-: **~brief** *m* registration document; **~führer** *m* (*form*) driver of a vehicle; **~halter** *m* vehicle keeper; **~papiere** *pl* vehicle documents *pl*; **~park** *m* fleet (of vehicles).

Faible ['fɛ:bl] *nt* **-s** (*geh*) liking; (*Schwäche auch*) weakness; (*Vorliebe auch*) penchant.

fair [fɛːɐ] **1** *adj* fair (*gegen* to).
2 *adv* fairly ► **~ spielen** (*Sport*) to play fairly; (*fig*) to play fair.

Fäkalien [-iən] *pl* faeces *pl*.

Faksimile [fak'ziːmilə] *nt* **-s** facsimile.

faktisch 1 *adj attr* actual, real.
2 *adv* **a** in reality. **b** (*esp Aus col: praktisch*) more or less.

Faktor *m* factor (*auch Math*).

Faktum *nt, pl* **Fakten** fact.

fakturieren* *vt* (*Comm*) to invoice.

Fakultät *f* (*Univ*) faculty.

Falke *m* **-n** falcon; (*fig*) hawk.

Falkland-Inseln *pl* Falkland Islands *pl*, Falklands *pl*.

Falkner(in *f*) *m* - falconer.

▼ **Fall** *m* ⁼e **a** (*Sturz*) fall; (*fig: von Menschen, Regierung auch*) downfall ► **zu ~ kommen** (*lit, geh*) to fall; **über die Affäre ist er zu ~ gekommen** (*fig*) the affair was his downfall; **zu ~ bringen** (*lit geh*) to trip up; (*fig*) *Menschen, Regierung* to cause the downfall of; *Gesetz, Plan etc* to thwart.
b (*Umstand, Jur, Med, Gram*) case ► **gesetzt den ~** assuming (that); **für den ~, daß ich ... in case I ...; für alle ⁼e** just in case; **auf jeden/keinen ~** at any rate/on no account; **das mache ich auf keinen ~** there's no way I'm going to do that; **im ~(e)** +*gen* in the event of; **auf alle ⁼e** in any case, anyway; **für solche ⁼e** for such occasions; **im äußersten ~(e)** if the worst comes to the worst; **im günstigsten/schlimmsten ~(e)** at best/worst; **in diesem ~** in this case *or* instance; **jds ~ sein** (*col*) to be sb's cup of tea (*col*); **klarer ~!** (*col*) sure thing! (*col*), you bet! (*col*); **der erste/zweite/dritte/vierte ~** (*Gram*) the nominative/genitive/dative/accusative case.

Fallbeil *nt* guillotine.

Falle *f* **-n** (*lit, fig*) trap ► **in eine ~ geraten** *or* **gehen** (*lit*) to get caught in a trap; (*fig*) to fall into a trap; **jdm in die ~ gehen** to walk *or* fall into sb's trap; **in der ~ sitzen** to be trapped; **jdm eine ~ stellen** (*fig*) to set a trap for sb. **b** (*col: Bett*) bed ► **in die ~ gehen** to hit the hay (*col*).

fallen *pret* **fiel**, *ptp* **gefallen** *vi aux sein* **a** to fall ► **etw ~ lassen** to drop sth; **über etw** (*acc*) **~** to fall over sth; **durch eine Prüfung ~** to fail an exam.
b (*abfallen, sinken*) to drop, to fall; (*Aktien, Barometer*) to fall; (*Nachfrage, Ansehen*) to fall off ► **im Preis/Wert ~** to drop *or* fall in price/value.
c (*im Krieg*) to fall, to be killed ► **mein Mann ist gefallen** my husband was killed in the war.
d (*erobert werden: Festung, Stadt etc*) to fall.
e (*sich ereignen: Datum etc*) to fall (*auf* +*acc* on); (*gehören*) to come (*unter* +*acc* under, *in* +*acc* within, under) ► **in eine Zeit ~** to belong to an era.
f (*zufallen: Erbschaft etc*) to go (*an* +*acc* to) ► **das Elsaß fiel an Frankreich** Alsace fell *or* (*nach Verhandlungen*) went to France.
g (*gemacht werden*) (*Entscheidung*) to be made; (*Urteil*) to be passed; (*Schuß*) to be fired; (*Sport: Tor*) to be scored; (*Wort*) to be uttered *or* spoken; (*Name*) to be mentioned; (*Bemerkung*) to be made.

fällen *vt* **a** *Baum* to fell. **b** (*fig*) *Entscheidung* to make; *Urteil* to pass.

⚠ **fallenlassen*** *vt sep irreg* to drop.

Fallensteller *m* - (*Hunt*) trapper.

fällig *adj* due *pred*; *Rechnung, Betrag auch* payable; *Wechsel* mature(d) ► **längst ~** long overdue; **die ~en Zinsen** the interest due; **~ werden** to become *or* fall due; (*Wechsel*) to mature.

Fälligkeit *f* (*Fin*) settlement date; (*von Wechseln*) maturity.

Fall|obst *nt* windfalls *pl*.

Fallout [fɔ:'laut] *m* **-s** fallout.

Fallrückzieher *m* (*Ftbl*) overhead kick, bicycle kick.

falls *conj* (*wenn*) if; (*für den Fall, daß*) in case.

Fallschirm *m* parachute ► **mit dem ~ abspringen** to parachute; **etw mit dem ~ abwerfen** to drop sth by parachute.

Fallschirm-: **~absprung** *m* parachute jump; **~abwurf** *m* parachute drop; **~jäger** *m* (*Mil*) paratrooper; **~springen** *nt* parachuting; **~springer** *m* parachutist; **~truppe** *f* (*Mil*) paratroops, paras *pl*.

Fall-: **~strick** *m* (*fig*) trap, snare; **~studie** *f* case study; **~tür** *f* trapdoor.

Fällung *f no pl* **a** (*von Bäumen*) felling. **b** (*Jur: eines Urteils*) passing; (*einer Entscheidung*) reaching.

fallweise *adv* from case to case.

▼ **falsch** *adj* **a** wrong ► **richtig/wahr oder ~** right or wrong/true or false; **alles ~ machen** to do everything wrong; **wie man's macht, ist es ~** (*col*) whatever one does, it always seems to be wrong; **~er Alarm** (*lit, fig*) false alarm; **etw ~ verstehen** to misunderstand sth, to get sth wrong; **etw ~ schreiben/aussprechen** to spell/pronounce sth wrongly, to misspell/mispronounce sth; **die Uhr geht ~** the clock is wrong; **~ spielen** (*Mus*) to play the wrong note/notes; (*unrein*) to play off key *or* out of tune; (*Cards*) to cheat; **~ singen** to sing out of tune *or* off key; **Sie sind hier ~** you're in the wrong place; **da sind Sie bei mir an den F~en geraten** you've picked the wrong person (in me); **~ liegen** (*col*) to be wrong (*bei, in* +*dat* about, *mit* in); **am ~en Ort** *or* **Platz sein** to have come to the wrong place; **~ verbunden sein** to have the wrong number.
b (*unecht*) *Zähne etc* false; *Geld* forged; *Paß* fake.
c (*unaufrichtig*) *Gefühl, Freund etc* false ► **ein ~es Spiel (mit jdm) treiben** to play (sb) false.

Falsch|aussage *f* (*Jur*) (*uneidliche*) ~ false statement *or* evidence.

fälschen *vt* to forge, to fake; *Tatsachen* to falsify; *siehe* **gefälscht**.

Fälscher(in *f*) *m* - forger.

Falsch-: **~fahrer** *m* ghost-driver (*esp US col*), person driving in the wrong direction; **~geld** *nt* counterfeit *or* forged money; **~heit** *f no pl* falsity, falseness; (*dial: von Menschen*) nastiness.

fälschlich 1 *adj* false.
2 *adv* wrongly, falsely; (*versehentlich*) by mistake.

fälschlicherweise *adv* wrongly, falsely.

Falsch-: **~meldung** *f* (*Press*) false report; **~münzer(in** *f*) *m* - forger, counterfeiter; **~münzerei** *f* forgery, counterfeiting; **~parker(in** *f*) *m* - parking offender; **f~spielen** *vi sep* (*Cards*) to cheat; **~spieler** *m* (*Cards*) cheat; (*professional*) cardsharp(er).

Fälschung *f* forgery.

fälschungssicher *adj* forgery-proof.

Falsett *nt* **-e** falsetto.

Falt-: **~blatt** *nt* leaflet; (*in Zeitschrift etc*) insert; **~boot** *nt* collapsible boat.

Falte *f* **-n** fold; (*Knitter~*) crease; (*in Haut*) wrinkle ► **die Stirn in ~n legen** to knit one's brow.

falten *vtr* to fold ► **die Stirn ~** to knit one's brow.

Falten-: **f~los** *adj* *Haut* unlined; **f~reich** *adj* *Haut* wrinkled; **~rock** *m* pleated skirt.

Falter *m* - (*Tag~*) butterfly; (*Nacht~*) moth.

faltig *adj* (*zerknittert*) creased; (*in Falten gelegt*) hanging in folds; *Gesicht, Haut* wrinkled.

Falz *m* **-e** (*Kniff, Faltlinie*) fold.

falzen *vt* *Papierbogen* to fold.

Fam. = **Familie**.

familiär *adj* **a** family *attr*. **b** (*zwanglos*) informal; (*pej: plump-vertraulich*) familiar ► **mit jdm ~ verkehren** to be on familiar terms with sb.

Familie [fa'miːliə] *f* family ▶ ~ *Müller* the Müller family; ~ *Otto Francke* (*als Anschrift*) Mr. & Mrs. Otto Francke and family; ~ *haben* (*col*) to have a family; *aus guter ~ sein* to come from a good family; *es liegt in der ~* it runs in the family; *zur ~ gehören* to be one of the family; *es bleibt in der ~* it'll stay in the family; *das kommt in den besten ~n vor* (*hum*) that can happen in the best of families.

Familien- [-ɪən-] *in cpds* family; **~ähnlichkeit** *f* family resemblance; **~angehörige(r)** *mf* dependant; **~angelegenheit** *f* family affair *or* matter; **~anschluß** ⚠ *m*: *Unterkunft mit ~anschluß* accommodation where one is treated as one of the family; **~anzeigen** *pl* personal announcements *pl*; **~besitz** *m* family property; *in ~besitz sein* to be owned by the family; **~betrieb** *m* family business; **~feier** *f* family party; **~kreis** *m* family circle; **~leben** *nt* family life; **~mitglied** *nt* member of the family; **~name** *m* surname, family name (*US*); **~oberhaupt** *nt* head of the family; **~packung** *f* family(-size) pack; **~planung** *f* family planning; **~stand** *m* marital status; **~vater** *m* father of a family; **~verhältnisse** *pl* family circumstances; **~vorstand** *m* (*form*) head of the family.

famos *adj* (*dated col*) capital (*dated col*), splendid.

Fan [fɛn] *m* **-s** fan.

Fanal *nt* **-e** (*liter*) signal (*gen* for).

Fanatiker(in *f)* *m* - fanatic.

fanatisch *adj* fanatical.

Fanatismus *m* fanaticism.

Fanclub ['fɛn-] *m* fan club.

fand *pret of* **finden**.

Fanfare *f* **-n** (*Mus*) fanfare.

Fang *m* ̈e **a** *no pl* (*das Fangen*) hunting; (*Fischen*) fishing. **b** *no pl* (*Beute*) (*lit, fig*) catch; (*fig: von Gegenständen*) haul. **c** *usu pl* (*Hunt: Kralle*) talon ▶ *in den ̈en* +gen (*fig*) in the clutches of.

fangen *pret* **fing,** *ptp* **gefangen** **1** *vti* to catch; *Verbrecher, Soldat etc auch* to capture; *siehe* **gefangen**. **2** *vr* **a** (*in einer Falle etc*) to get caught. **b** (*das Gleichgewicht wiederfinden*) to steady oneself; (*beim Reden etc*) to compose oneself; (*seelisch*) to get on an even keel again.

Fänger *m* - (*Tier~*) hunter; (*Sport*) catcher.

Fang-: **~flotte** *f* fishing fleet; **~frage** *f* catch *or* trick question; **~gründe** *pl* fishing grounds *pl*; **~quote** *f* (fishing) quota; **~schiff** *nt* fishing boat; (*mit Netzen*) trawler.

Fantasie *f* (*Mus*) fantasia.

fantastisch *adj* fantastic.

f.a.q. [ɛf|aː|'kuː] *adv* (*Comm*) = **frei Längsseite Kai** FAQ.

Farb- *in cpds* colour (*Brit*), color (*US*); **~aufnahme** *f* colour (*Brit*) *or* color (*US*) photo(graph); **~bad** *nt* dye-bath; **~band** *nt* (*von Schreibmaschine*) (typewriter) ribbon; **~bild** *nt* = **~aufnahme**.

Farbe *f* **-n** **a** colour (*Brit*), color (*US*) ▶ ~ *bekommen* to get a bit of colour; ~ *verlieren* to go pale. **b** (*Maler~*) paint; (*für Farbbad*) dye; (*Druck~*) ink. **c** (*Cards*) suit ▶ ~ *bekennen* (*fig*) to nail one's colours to the mast.

farb|echt *adj* colourfast (*Brit*), colorfast (*US*).

Färbemittel *nt* dye.

farb|empfindlich *adj* (*Phot*) colour-sensitive (*Brit*), color-sensitive (*US*).

färben **1** *vt* to colour (*Brit*), to color (*US*); *Stoff, Haar* to dye; *siehe* **gefärbt**. **2** *vi* (*ab~*) to run. **3** *vr* to change colour ▶ *sich grün/blau* ~ to turn green/blue.

Farben- *in cpds* colour (*Brit*), color (*US*); **f~blind** *adj*

colour-blind (*Brit*), color-blind (*US*); **f~freudig, f~froh** *adj* colourful (*Brit*), colorful (*US*); **f~prächtig** *adj* gloriously colourful (*Brit*) *or* colorful (*US*); **~reichtum** *m* wealth of colours (*Brit*) *or* colors (*US*); **~sinn** *m* sense of colour (*Brit*) *or* color (*US*) (*auch Biol*).

Farb-: **~fernsehen** *nt*, **~fernseher** *m* colour (*Brit*) *or* color (*US*) television; **~film** *m* colour (*Brit*) *or* color (*US*) film; **~foto** *nt* = **~aufnahme**; **~fotografie** *f* colour (*Brit*) *or* color (*US*) photography; **~gebung** *f* colouring (*Brit*), coloring (*US*).

farbig *adj* coloured (*Brit*), colored (*US*); (*fig*) *Schilderung* vivid, colourful (*Brit*), colorful (*US*) ▶ ~ *kennzeichnen* to colour-code (*Brit*), color code (*US*).

Farbige(r) *mf decl as adj* coloured (*Brit*) *or* colored (*US*) man/woman/person *etc* ▶ *die* ~*n* coloured people *pl*.

Farb-: **~kasten** *m* paintbox; **~kopierer** *m* colour (*Brit*) *or* color (*US*) copier; **f~lich** *adj* colour (*Brit*), color (*US*); *zwei Sachen f~lich aufeinander abstimmen* to match two things up for colour; **f~los** *adj* (*lit, fig*) colourless (*Brit*), colorless (*US*); **~losigkeit** *f* (*lit, fig*) colourlessness (*Brit*), colorlessness (*US*); **~stift** *m* coloured (*Brit*) *or* colored (*US*) pen; (*Buntstift*) crayon; **~stoff** *m* (*Lebensmittel~*) (artificial) colouring (*Brit*) *or* coloring (*US*); (*Haut~*) pigment; (*für Textilien*) dye; **~ton** *m* shade; (*Tönung*) tint.

Färbung *f* colouring (*Brit*), coloring (*US*); (*Tönung*) tinge; (*fig*) slant, bias.

Farce ['farsə] *f* **-n** (*Theat, fig*) farce.

Farm *f* **-en** farm.

Farmer *m* - farmer.

Farn *m* **-e, Farnkraut** *nt* fern.

Färöer *pl* Faeroes *pl*, Faeroe Islands *pl*.

f.a.s. [ɛf|aː|'es] *adv* (*Comm*) = **frei Längsseite Schiff** FAS.

Fasan *m* **-e** *or* **-en** pheasant.

Fasching *m* **-e** *or* **-s** Shrovetide carnival.

Faschismus *m* fascism.

Faschist(in *f)* *m* fascist.

faschistisch *adj* fascist.

faseln (*pej*) **1** *vi* to drivel (*col*). **2** *vt Blödsinn* ~ to talk drivel.

Faser *f* **-n** fibre (*Brit*), fiber (*US*).

fas(e)rig *adj* fibrous; *Fleisch, Spargel* stringy (*pej*); (*zerfasert*) frayed.

fasern *vi* to fray.

Faser-: **~optik** *f* fibre (*Brit*) *or* fiber (*US*) optics *sing*; **~pflanze** *f* fibre (*Brit*) *or* fiber (*US*) plant; **~platte** *f* fibreboard (*Brit*), fiberboard (*US*); **~schreiber** *m* felt-tip (pen).

⚠ **Faß** *nt, pl* **Fässer** barrel; (*kleines Bier~*) keg; (*zum Gären, Einlegen*) tub; (*zum Buttern*) churn; (*für Öl, Benzin etc*) drum ▶ *vom* ~ on tap; *Bier* on draught (*Brit*) *or* draft (*US*); *Bier vom* ~ draught beer; *ein* ~ *ohne Boden* (*fig*) a bottomless pit; *das schlägt dem* ~ *den Boden aus* (*col*) that's the last straw!

Fassade *f* (*lit, fig*) façade.

Faß-: **f~bar** ⚠ *adj* comprehensible; *das ist doch nicht f~bar!* that's incomprehensible!; **~bier** ⚠ *nt* draught (*Brit*) *or* draft (*US*) beer.

⚠ **Fäßchen** *nt dim of* **Faß**.

fassen **1** *vt* **a** (*ergreifen*) to take hold of; (*hastig, kräftig*) to grab, to seize; (*festnehmen*) *Einbrecher etc* to apprehend, to seize ▶ *jdn am Arm* ~ to take/grab sb by the arm; *faß!* seize! **b** (*fig*) *Entschluß* to make, to take; *Mut* to take ▶ *den Gedanken* ~, *etw zu tun* to form the idea of doing sth. **c** (*begreifen*) to grasp ▶ *es ist nicht zu* ~ it's unbelievable. **d** (*enthalten*) to hold. **e** (*fig: ausdrücken*) to express ▶ *in Verse/Worte* ~ to put into verse/words; *etw weit/eng* ~ to interpret sth broadly/narrowly.

2 *vi* (*greifen*) **an/in etw** (*acc*) ~ to feel sth; (*berühren*) to touch sth; **faß mal unter den Tisch** feel under the table.

3 *vr* (*sich beherrschen*) to compose onself ► **sich in Geduld** ~ to exercise patience; **sich kurz** ~ to be brief; *siehe* **gefaßt.**

Fasson [fa'sõ:] *f* **-s** style; (*Art und Weise*) way ► **aus der ~ geraten** (*lit*) to lose its shape; **jeder soll nach seiner ~ selig werden** (*prov*) everyone has to find his own salvation.

Fassonschnitt [fa'sõ:-] *m* (*für Herren*) short back and sides.

Fassung *f* **a** (*von Juwelen*) setting; (*von Brille, Bild*) frame; (*Elec*) holder. **b** (*Bearbeitung*) version ► **ein Film in deutscher** ~ a film with German dubbing. **c** *no pl* (*Ruhe, Besonnenheit*) composure ► **etw mit ~ tragen** to take sth calmly; **völlig außer ~ geraten** to lose all self-control; **jdn aus der ~ bringen** to disconcert *or* throw (*col*) sb.

Fassungs-: f~los *adj* aghast, stunned; **~losigkeit** *f* complete bewilderment; **~vermögen** *nt* capacity; **das übersteigt mein ~vermögen** that is beyond me.

fast *adv* almost, nearly ► **~ nie** hardly ever.

fasten *vi* to fast.

Fastenzeit *f* (*Eccl*) Lent.

Fastnacht *f no pl* Shrovetide carnival.

Fastnachtszeit *f* carnival period.

Faszination *f* fascination.

faszinieren* *vti* to fascinate (*an* +*dat* about) ► **~d** fascinating.

fatal *adj* (*geh*) (*verhängnisvoll*) fatal, fateful; (*peinlich*) embarrassing, awkward.

Fatalismus *m* fatalism.

Fatalist(in *f)* *m* fatalist.

fatalistisch *adj* fatalistic.

Fata Morgana *f* **- -s** (*lit, fig*) Fata Morgana (*liter*), mirage.

Fatzke *m* **-s** (*col*) stuck-up twit (*col*).

fauchen *vti* to hiss.

faul *adj* **a** (*verfault*) bad; *Eier, Obst auch, Holz* rotten; *Geschmack, Geruch auch, Wasser* foul; *Laub* rotting. **b** (*träge*) lazy, idle. **c** (*verdächtig*) fishy (*col*), suspicious; *Ausrede* feeble; *Kompromiß* uneasy; (*dumm*) *Witz* bad ► **hier ist etwas ~** (*col*) there's something fishy here (*col*).

faulen *vi aux sein or haben* to rot; (*Zahn*) to decay; (*Lebensmittel*) to go bad.

faulenzen *vi* to laze *or* loaf (*esp pej col*) about.

Faulenzer *m* **-** layabout.

Faulenzerei *f* lazing *or* loafing (*esp pej col*) about.

Faulheit *f* laziness, idleness.

faulig *adj* going bad; *Geruch, Geschmack* foul.

Fäulnis *f no pl* rot; (*von Zahn*) decay ► **in ~ übergehen** to go rotten.

Faul-: ~pelz *m* (*col*) lazybones *sing* (*col*); **~tier** *nt* sloth; (*col: Mensch*) lazybones *sing* (*col*).

Fauna *f, pl* **Faunen** fauna.

Faust *f, pl* **Fäuste** fist ► **jdm mit der ~ ins Gesicht schlagen** to punch sb in the face; **mit der ~ auf den Tisch schlagen** (*lit*) to thump the table (with one's fist); (*fig*) to take a hard line; **die ~ in der Tasche ballen** (*fig*) to choke back one's anger; **das paßt wie die ~ aufs Auge** (*paßt nicht*) it's all wrong; (*Farbe*) it clashes horribly; (*paßt gut*) it's just the job (*col*); **auf eigene ~** (*fig*) on one's own initiative, off one's own bat (*col*); *reisen, fahren* under one's own steam.

Faustball *m form of volleyball.*

Fäustchen *nt: sich* (*dat*) **ins ~ lachen** to laugh up one's sleeve.

faustdick *adj* (*col*) **eine ~e Lüge** a whopper (*col*), a whopping (great) lie (*col*); **er hat es ~ hinter den**

Ohren he's a crafty one (*col*).

fausten *vt Ball* to punch.

Faust-: f~groß *adj* as big as a fist; **~handschuh** *m* mitt(en).

Faustkampf *m* fist-fight.

Fäustling *m* mitt(en).

Faust-: ~pfand *nt* security; **~recht** *nt no pl* law of the jungle; **~regel** *f* rule of thumb; **~schlag** *m* punch.

Fauxpas [fo'pa] *m* **-, -** gaffe, faux pas.

Favorit(in *f)* [favo'ri:t(ın)] *m* (*wk*) **-en, -en** favourite (*Brit*), favorite (*US*).

Fax *nt* **-, -e** fax.

Faxen *pl* **~ machen** to fool around.

faxen *vt* to fax, to send by fax.

Faxgerät *nt* fax machine.

Fazit *nt* **-s** *or* **-e** *das* **~ der Untersuchungen war ...** on balance the result of the investigations was ...; **wenn wir aus diesen vier Jahren das ~ ziehen** if we take stock of these four years.

FCKW [ɛftse:ka:'ve:] *m* = **Fluorchlorkohlenwasserstoff** CFC.

f.D. [ɛf'de:] *adj* (*Comm*) = **frei Dock** FD.

FDP [ɛfde:'pe:] *f* = **Freie Demokratische Partei.**

┌─── **FDP** ───

(i) The *FDP (Freie Demokratische Partei)* was founded in 1948 and is Germany's centre party. It is a liberal party which has formed governing coalitions with both the *SPD* and the *CDU/CSU* at times, both in the regions and in the *Bundestag*.

Feature ['fi:tʃɐ] *nt* **-s** (*Rad, TV, Press*) feature.

Febr. = **Februar** Feb.

Februar *m* **-e** February; *siehe* **März.**

fechten *pret* **focht,** *ptp* **gefochten** *vi* (*Sport*) to fence; (*geh: kämpfen*) to fight ► **das F~** fencing.

Fechter(in *f)* *m* **-** fencer.

Fecht-: ~hieb *m* (fencing) cut; **~sport** *m* fencing.

Feder *f* **-n** **a** (*Vogel~*) feather ► **~n lassen müssen** (*col*) not to escape unscathed; **in den ~n liegen** (*col*) to be/ stay in one's bed *or* pit (*Brit col*). **b** (*Schreib~*) quill; (*an ~halter*) nib ► **ich greife zur ~ ...** I take up my pen ... **c** (*Tech*) spring.

Feder-: ~ball *m* (*Ball*) shuttlecock; (*Spiel*) badminton; **~besen** *m* feather duster; **~bett** *nt* continental quilt (*Brit*), comforter (*US*); **~fuchser** *m* ̃ (*pej*) petty-minded pedant (*pej*); **f~führend** *adj Behörde* in overall charge (*für* of); **~führung** *f unter der ~führung* +*gen* under the overall control of; **die ~führung haben** to be in overall charge; **~gewicht** *nt* (*Sport*) featherweight; **~halter** *m* (dip) pen; (*Füll~*) (fountain) pen; **~kernmatratze** *f* interior sprung mattress, innerspring mattress (*US*); **~kiel** *m* quill; **~kissen** *nt* feather cushion; (*in Bett*) feather pillow; **~krieg** *m* (*fig*) war of words; **f~leicht** *adj* light as a feather; **~lesen** *nt: nicht viel ~lesens mit jdm/etw machen** to make short work of sb/sth; **ohne langes ~lesen** without any further ado; **~mäppchen** *nt* pencil case.

federn *vi* **a** (*als Eigenschaft*) to be springy. **b** (*zurück~ etc*) to spring back; *siehe* **gefedert.**

federnd *adj* (*Tech*) sprung ► **einen ~en Gang haben** to have a springy step.

Federstrich *m* **mit einem ~** with a single stroke of the pen.

Federung *f* springs *pl*; (*Aut*) suspension.

Feder-: ~vieh *nt* (*col*) poultry; **~waage** *f* spring balance; **~weiße(r)** *m decl as adj* (*dial*) new wine; **~zeichnung** *f* pen-and-ink drawing.

Fee *f* **-n** ['fe:ən] fairy.

Fegefeuer *nt* *das* **~** purgatory.

⚠: Informationen zur Rechtschreibreform im Anhang

fegen $\boxed{1}$ *vt* to sweep; (*auf~*) to sweep up.
$\boxed{2}$ *vi* $\boxed{a}$ to sweep (up). $\boxed{b}$ *aux sein* (*col: jagen*) to sweep.

Fehde *f* **-n** (*Hist*) feud ► *mit jdm eine ~ ausfechten* to feud *or* carry on a feud with sb.

fehl *adj: ~ am Platz(e)* out of place.

Fehl-: **~anzeige** *f* (*col*) dead loss (*col*); **~anzeige!** wrong!; **f~bar** *adj* fallible; **~besetzung** *f* miscasting; **~betrag** *m* deficit; **~deutung** *f* misinterpretation; **~diagnose** *f* wrong diagnosis; **~einschätzung** *f* false estimation; (*der Lage*) misjudgement.

fehlen $\boxed{1}$ *vi* $\boxed{a}$ (*mangeln*) to be lacking; (*nicht vorhanden sein*) to be missing; (*in der Schule etc*) to be away *or* absent (*in +dat* from) ► *jdm fehlt etw* sb lacks sth, sb doesn't have sth; (*wird schmerzlich vermißt*) sb misses sth; *mir fehlt Geld* I'm missing some money; *mir ~ 20 Pfennig am Fahrgeld* I'm 20 pfennigs short for my fare; *mir ~ die Worte* words fail me; *du fehlst mir sehr* I miss you a lot; *der/das hat mir gerade noch gefehlt!* (*col*) he/that was all I needed (*iro*). $\boxed{b}$ *was fehlt dir?* what's the matter (with you)?; *mir fehlt nichts* there's nothing the matter (with me); *weit gefehlt!* (*fig*) you're way out! (*col*); (*ganz im Gegenteil*) far from it!
$\boxed{2}$ *vi impers* **es fehlt an etw** (*dat*) there is a lack of sth; (*völlig*) there is no sth, sth is missing; *es ~ drei Messer* there are three knives missing; *es fehlt jdm an etw* (*dat*) sb lacks sth; *wo fehlt es?* what's the trouble?, what's up? (*col*); *es fehlte nicht viel, und ich hätte ihn verprügelt* I almost hit him.

Fehl|entscheidung *f* wrong decision.

▼ **Fehler** *m* **-** $\boxed{a}$ (*Irrtum*) mistake, error; (*Sport*) fault ► *ihr ist ein ~ unterlaufen* she made a mistake. $\boxed{b}$ (*Mangel*) fault, defect ► *einen ~ aufweisen* to prove faulty; *einen ~ an sich* (*dat*) *haben* to have a fault; *in den ~ verfallen, etw zu tun* to make the mistake of doing sth.

Fehler-: **f~frei** *adj* perfect; *Arbeit, Aussprache etc* auch faultless, flawless; *Messung, Rechnung* correct; **f~frei** *Lauf/Sprung* (*Sport*) clear round/jump; **~grenze** *f* margin of error; **f~haft** *adj* (*Tech*) faulty, defective; *Ware* substandard, imperfect; *Messung, Rechnung* incorrect; *Arbeit, Aussprache* poor; **f~los** *adj* = **f~frei**; **~meldung** *f* (*Comp*) error message; **~quote** *f* error rate.

Fehl-: **~farbe** *f* (*Cards*) missing suit; (*Nicht- Trumpf*) plain *or* side suit; **~geburt** *f* miscarriage; **f~gehen** *vi sep irreg aux sein* (*geh: sich irren*) to be wrong *or* mistaken; **~griff** *m* mistake; **~information** *f* incorrect information *no pl*; **~investition** *f* bad investment; **~konstruktion** *f* bad design; *der Stuhl ist eine ~konstruktion* this chair is badly designed; **~leistung** *f* slip, mistake; **~paß** △ *m* (*Ftbl*) bad pass; **~planung** *f* bad planning; *eine ~planung* a piece of bad planning; **~schlag** *m* (*fig*) failure; **f~schlagen** *vi sep irreg aux sein* to go wrong; (*Hoffnung*) to come to nothing; **~schluß** △ *m* false conclusion; **~start** *m* false start; (*Space*) faulty launch; **~tritt** *m* (*geh*) false step; (*fig*) (*Vergehen*) slip, lapse; (*Affäre*) indiscretion; **~urteil** *nt* miscarriage of justice; **~verhalten** *nt* inappropriate behaviour (*Brit*) *or* behavior (*US*); (*Psych*) abnormal behaviour (*Brit*) *or* behavior (*US*); **~versuch** *m* unsuccessful attempt; **~zündung** *f* misfire; (*im Auspuff*) backfire.

Feier *f* **-n** celebration; (*Party*) party; (*Zeremonie*) ceremony ► *zur ~ von etw* to celebrate sth.

Feier|abend *m* (*Arbeitsschluß*) end of work; (*Geschäftsschluß*) closing time ► *~ machen* to finish work, to knock off (*col*); (*Geschäfte*) to close; *ich mache jetzt ~* I think I'll call it a day (*col*); *nach ~* after work; *jetzt ist aber ~!* (*fig col*) enough is enough; *schönen ~!* have a nice evening!

feierlich *adj* (*ernsthaft, würdig*) solemn; (*festlich*) festive; (*förmlich*) ceremonial ► *das ist ja nicht mehr ~* (*col*)

that's beyond a joke (*col*).

Feierlichkeit *f* $\boxed{a}$ *siehe adj* solemnity; festiveness; ceremony. $\boxed{b}$ *usu pl* celebrations *pl*.

feiern $\boxed{1}$ *vt* $\boxed{a}$ to celebrate; *Party, Orgie* to hold ► *das muß gefeiert werden!* that calls for a celebration. $\boxed{b}$ (*umjubeln*) to fête.
$\boxed{2}$ *vi* to celebrate.

Feier-: **~schicht** *f* cancelled shift; **~stunde** *f* ceremony; **~tag** *m* holiday.

feig(e) $\boxed{1}$ *adj* cowardly.
$\boxed{2}$ *adv* in a cowardly way ► *er zog sich ~ zurück* he retreated like a coward.

Feige *f* **-n** fig.

Feigen-: **~baum** *m* fig tree; **~blatt** *nt* fig leaf; *ein ~blatt für etw* (*fig*) a front to hide sth; *als demokratisches ~blatt* (*fig*) to give a veneer of democracy.

Feigheit *f* cowardice.

Feigling *m* coward.

feilbieten *vt sep irreg* (*old*) to offer for sale.

Feile *f* **-n** file.

feilen *vti* to file ► *an etw* (*dat*) *~* (*fig*) to perfect sth.

feilschen *vi* (*pej*) to haggle (*um* over).

fein *adj* $\boxed{a}$ fine; *Humor, Ironie* delicate. $\boxed{b}$ (*erlesen*) excellent, choice; *Geruch, Geschmack* delicate; (*prima*) great (*col*), fine ► *ein ~er Kerl* a great guy (*col*); *das ist etwas F~es* that's really something (*col*); *~ (he)raussein* to be sitting pretty. $\boxed{c}$ *Gehör etc* sensitive, keen. $\boxed{d}$ (*vornehm*) refined, fine (*esp iro*), posh (*col*) ► *(jdm) nicht ~ genug sein* not to be good enough (for sb); *sich ~ machen* to get all dressed up; *dazu ist sie sich* (*dat*) *zu ~* that's beneath her.

Fein- *in cpds* fine; **f~abstimmen** *vt* to fine-tune; **~abstimmung** *f* fine tuning; **~arbeit** *f* precision work.

Feind(in *f*) *m* **-e** enemy ► *jdn zum ~ haben* to have sb as an enemy; *sich* (*dat*) *jdn zum ~ machen* to make an enemy of sb.

Feind- *in cpds* enemy; **~berührung** *f* contact with the enemy; **~bild** *nt* image of an/the enemy.

feindlich *adj* (*Mil*) enemy; (*feindselig*) hostile ► *jdm/ einer Sache ~ gegenüberstehen* to be hostile to sb/sth.

Feindschaft *f* hostility ► *sich* (*dat*) *jds ~ zuziehen* to make an enemy of sb.

feindselig *adj* hostile.

Feindseligkeit *f* hostility.

Fein-: **f~fühlig** *adj* sensitive; **~gefühl** *nt no pl* sensitivity; **~gold** *nt* refined gold.

Feinheit *f* *siehe adj* $\boxed{a}$ fineness; delicacy. $\boxed{b}$ excellence; delicateness. $\boxed{c}$ keenness. $\boxed{d}$ **~en** *pl* niceties *pl*; (*Nuancen*) subtleties *pl*.

Fein-: **~kost** *f* „*~kost*" "Delicatessen"; **~kostgeschäft** *nt* delicatessen; **~mechaniker** *m* precision engineer; **~schmecker** *m* - gourmet; (*fig*) connoisseur; **~schnitt** *m* (*Tabak*) fine cut; **~silber** *nt* refined silver; **f~sinnig** *adj* sensitive; **~strumpfhose** *f* sheer tights (*esp Brit*) or pantyhose (*US*); **~wäsche** *f* delicates *pl*; **~waschmittel** *nt* mild(-action) detergent.

feist *adj* fat; *Mensch auch* obese.

feixen *vi* (*col*) to smirk.

Feld *nt* **-er** field; (*Sport: Spiel~* auch) pitch; (*auf Spielbrett*) square; (*offenes Gelände*) open country ► *auf freiem ~* in the open country; *gegen jdn/etw zu ~e ziehen* (*fig*) to crusade against sb/sth; *Argumente ins ~ führen* to bring arguments to bear; *das ~ räumen* (*fig*) to bow out; *jdm das ~ überlassen* to give way to sb; (*freiwillig*) to hand over to sb.

Feld- *in cpds* field; **~arbeit** *f* (*Agr*) work in the fields; (*Sci, Sociol*) fieldwork; **~arbeiter** *m* fieldworker; **~besteck** *nt* eating irons *pl*; **~bett** *nt* campbed; **~blume** *f* wild flower; **~flasche** *f* canteen (*Mil*), water bottle; **~herr** *m* (*old*) commander; **~jäger** *m* (*Mil*) mili-

---

tary policeman; *die ~jäger* the military police; **~küche** *f* (*Mil*) field kitchen; **~lazarett** *nt* (*Mil*) field hospital; **~marschall** *m* (*old*) field marshal; **~maus** *f* field mouse; **~salat** *m* lamb's lettuce; **~spieler** *m* (*Sport*) player; **~stecher** *m* - (pair of) binoculars *or* field glasses; **~versuch** *m* field test; **~verweis** *m* sending-off.

Feld-Wald-und-Wiesen- *in cpds* (*col*) common-or-garden.

Feld-: **~webel** *m* sergeant; **~weg** *m* track across the fields; **~zug** *m* (*Mil, fig*) campaign.

Felge *f* -n (*Tech*) (wheel) rim.

Fell *nt* -e fur; (*von Schaf*) fleece; (*von toten Tieren*) skin, fell ▶ *einem Tier das ~ abziehen* to skin an animal; *ihm sind die ~e weggeschwommen* (*fig*) all his hopes were dashed; *ein dickes ~ haben* to be thick-skinned, to have a thick skin; *jdm das ~ über die Ohren ziehen* to pull the wool over sb's eyes.

Fels *m* (*wk*) -en, -en = Felsen.

Fels-: **~block, ~brocken** *m* boulder.

Felsen *m* - rock; (*Klippe*) cliff.

felsenfest *adj* firm ▶ *~ überzeugt sein* to be firmly convinced; *sich ~ auf jdn verlassen* to put one's complete trust in sb.

felsig *adj* rocky.

Fels-: **~massiv** *nt* rock massif; **~spalte** *f* crevice; **~vorsprung** *m* ledge; **~wand** *f* rock face.

feminin *adj* feminine; (*pej*) effeminate.

Femininum *nt, pl* **Feminina** (*Gram*) feminine noun.

Feminismus *m* feminism.

Feminist(in *f*) *m* (*wk*) -en,-en feminist.

feministisch *adj* feminist.

Fenchel *m* no pl fennel.

Fenster *nt* - window (*auch Comp*) ▶ *weg vom ~* (*col*) out of the game (*col*), finished; *Geld zum ~ hinauswerfen* (*col*) to chuck money down the drain.

Fenster- *in cpds* window; **~bank** *f*, **~brett** *nt* windowsill, window ledge; **~flügel** *m* side of a casement window; **~glas** *nt* window glass; (*in Brille*) plain glass; **~heber** *m* (*Aut*) (*esp elektronisch*) window mechanism; **~kreuz** *nt* mullion and transom; **~laden** *m* shutter; **~leder** *nt* chamois, shammy (leather); **f~los** *adj* windowless; **~platz** *m* window seat; **~putzer** *m* window cleaner; **~rahmen** *m* window frame; **~scheibe** *f* window pane; **~sims** *m* window ledge, windowsill; **~umschlag** *m* window envelope.

Ferien ['fe:riən] *pl* holidays *pl* (*Brit*), vacation *sing* (*US, Univ*); (*Parlaments~, Jur*) recess *sing* ▶ *die großen ~* the summer holidays (*Brit*), the long vacation (*US, Univ*); *~ haben* to be on holiday *or* vacation; *~ machen* to take a holiday; *in die ~ fahren* to go on holiday.

Ferien- *in cpds* holiday (*Brit*), vacation (*US*); **~gast** *m* holidaymaker (*Brit*), vacationist (*US*); (*Besuch*) person staying on holiday (*Brit*) *or* vacation (*US*); **~haus** *nt* holiday (*Brit*) *or* vacation (*US*) home; **~kolonie** *f* children's holiday (*Brit*) *or* vacation (*US*) camp; **~kurs** *m* holiday (*Brit*) *or* vacation (*US*) course; **~ort** *m* holiday (*Brit*) *or* vacation (*US*) resort; **~reise** *f* holiday (*Brit*) *or* vacation (*US*) trip; **~wohnung** *f* holiday flat (*Brit*), vacation apartment (*US*); **~zeit** *f* holiday (*Brit*) *or* vacation (*US*) period.

Ferkel *nt* - piglet; (*fig*) pig.

Ferment *nt* -e enzyme.

fern *adj* a (*räumlich*) distant, faraway ▶ *~ von hier* a long way (away) from here; *von ~(e) betrachtet* seen from a distance; *der F~e Osten* the Far East; *von ~(e) kennen* (*fig*) to know (only) slightly. b (*zeitlich*) far-off ▶ *nicht zu ~er Zeit* in the not-too-distant future; *der Tag ist nicht mehr ~, wo ...* the day is not far off when ...

Fern-: **f~ab** *adv* far away; **~amt** *nt* (telephone) exchange; **~bedienung** *f* remote control; **f~bleiben** *vi sep irreg aux sein* to stay away (*dat, von* from); **~bleiben** *nt no pl* absence.

Ferne *f* -n a (*räumlich*) distance ▶ *aus der ~* from a distance. b (*zeitlich*) *in weiter ~ liegen* to be in the distant future.

ferner *adj, adv* further ▶ *für die ~e Zukunft* for the long term; *unter ~ liefen rangieren* (*col*) to be an also-ran.

Fern-: **~fahrer** *m* long-distance lorry (*Brit*) *or* truck driver; **f~gelenkt** *adj* = f~gesteuert; **~gespräch** *nt* long-distance call; **f~gesteuert** *adj* remote-controlled; *Rakete* guided; (*fig*) manipulated (*von* by); **~glas** *nt* (pair of) binoculars; **f~halten** ⚠ *vt sep irreg* to keep away; **~heizung** *f* district heating; **~kopie** *f* (*Telec*) fax; **f~kopieren** *vti* to fax; **~kopierer** *m* fax (machine); **~kurs(us)** *m* correspondence course; **~laster** *m* long-distance lorry (*Brit*) *or* truck; **~lastverkehr** *m* long-distance goods traffic; **~leitung** *f* (*Telec*) trunk (*Brit*) *or* long-distance line(s); (*Röhren*) pipeline; **~lenkung** *f* remote control; **~licht** *nt* (*Aut*) full *or* high beam; *mit ~licht fahren* to drive on full beam; **f~liegen** ⚠ *vi sep irreg* (*fig*) *(jdm) f~liegen* to be far from sb's thoughts *or* mind; *es liegt mir f~, das zu tun* far be it from me to do that; *nichts liegt mir f~er* nothing could be further from my mind.

Fernmelde- *in cpds* telecommunications; (*Mil*) signals; **~gebühren** *pl* telephone charges *pl*.

Fernmelder *m* (*Mil col*) signaller (*Brit*), signaler (*US*).

Fernmelde-: **~satellit** *m* communications satellite; **~technik** *f* telecommunications *sing*, **~wesen** *nt* telecommunications *sing*.

Fern-: **~mündlich** 1 *adj* telephone *attr*; 2 *adv* by telephone; **~ost** *no art aus./in ~ost* from/in the Far East; **~östlich** *adj* Far Eastern *attr*, **~rohr** *nt* telescope; **~ruf** *m* (*form*) telephone number; **~schreiben** *nt* telex; **~schreiber** *m* teleprinter; (*Comm*) telex; **f~schriftlich** *adj* by telex.

Fernseh- *in cpds* television, TV; **~ansager** *m* television announcer; **~anstalt** *f* television company; **~apparat** *m* television *or* TV (set).

fernsehen *vi sep irreg* to watch television *or* TV.

Fernsehen *nt no pl* television, TV ▶ *vom ~ übertragen werden* to be televised; *im ~* on television *or* TV.

Fernseher *m* - (*col*) (*Gerät*) television, TV, telly (*Brit col*); (*Zuschauer*) (television) viewer.

Fernseh-: **~gebühr** *f* television licence (*Brit*) *or* license (*US*) fee; **~gerät** *nt* television *or* TV set; **~programm** *nt* a (*Kanal*) television channel *or* station (*US*); b (*Sendung*) television programme (*Brit*) *or* program (*US*); (*Sendefolge*) television programmes *pl* (*Brit*) *or* programs *pl* (*US*); c (*~zeitschrift*) (television) programme (*Brit*) *or* program (*US*) guide; **~satellit** *m* TV satellite; **~schirm** *m* television *or* TV screen; **~sendung** *f* television programme (*Brit*) *or* program (*US*); **~spiel** *nt* television play; **~teilnehmer** *m* (*form*) television viewer; **~turm** *m* television tower; **~zeitschrift** *f* TV guide; **~zuschauer** *m* (television) viewer.

Fernsicht *f (eine) gute ~ haben* to be able to see a long way.

Fernsprech- *in cpds* (*form*) *siehe auch* **Telefon-** telephone; **~apparat** *m* telephone; **~auskunft** *f* directory enquiries; **~buch** *nt* telephone directory.

Fernsprecher *m* - (*form*) (public) telephone.

Fernsprech-: **~gebühren** *pl* telephone charges *pl*; **~teilnehmer** *m* telephone subscriber; **~zelle** *f* (tele)phone box *or* booth (*US*), callbox.

Fern-: **f~stehen** ⚠ *vi sep irreg. jdm/etw f~stehen* to have no connection with sb/sth; *ich stehe ihm ziemlich f~* I'm not on very close terms with him; **f~steuern** *vt sep* to operate by remote control; *siehe*

---

f~gesteuert; **~steuerung** *f* remote control; **~straße** *f* major road, highway (*US*); **~studium** *nt* multi-media course, ≈ Open University course (*Brit*).

┌─────[FERNSTUDIUM]─────────────────────────────────┐

ⓘ **Fernstudium** *is a distance-learning degree course where students do not go to university but receive their tuition by letter, television or radio programmes. There is no personal contact between student and lecturer. The first Fernstudium was founded in 1974. Students are free to practise their career or to bring up a family at the same time as studying.*

└───┘

Fern-: **~universität** *f* ≃ Open University (*Brit*); **~unterricht** *m* = **~studium**; **~verkehr** *m* long-distance traffic; **~wärme** *f* district heating; **~weh** *nt* wanderlust; **~ziel** *nt* long-term goal; **~zug** *m* long-distance train.

Ferse *f* -n heel ▶ *jdm (dicht) auf den ~n bleiben* to stay hard on sb's heels.

Fersengeld *nt*: *~ geben* to take to one's heels.

fertig *adj* [a] (*zu Ende, vollendet*) finished; (*ausgebildet*) qualified; (*reif*) *Mensch, Charakter* mature ▶ *etw ~ kaufen* to buy sth ready-made; *Essen* to buy sth ready-cooked; *~ ausgebildet* fully qualified; *mit etw ~ sein* to have finished sth; *~ essen/lesen* to finish eating/reading; *mit jdm ~ sein* (*fig*) to be finished with sb; *mit jdm/etw ~ werden* to cope with sb/sth; *ich werde damit nicht ~* I can't cope with it. [b] (*bereit*) ready ▶ *~ zur Abfahrt* ready to leave. [c] (*col*) shattered (*col*); (*ruiniert*) finished ▶ *mit den Nerven ~ sein* to be at the end of one's tether.

Fertig- *in cpds* finished; (*Build*) prefabricated; **~bau** *m* -ten prefabricated building; **f~bekommen*** ⚠ *vt sep irreg* to get finished; **f~bringen** ⚠ *vt sep irreg* [a] (*vollenden*) to get done; [b] (*imstande sein*) to manage; (*iro*) to be capable of; *ich brachte es nicht f~, ihr die Wahrheit zu sagen* I couldn't bring myself to tell her the truth; *er bringt das f~* (*iro*) I wouldn't put it past him.

fertigen *vt* (*form*) to manufacture.

Fertig-: **~gericht** *nt* ready-to-serve meal; **~haus** *nt* prefabricated house.

Fertigkeit *f* skill.

Fertig-: **f~machen** ⚠ *vt sep* [a] (*vollenden*) to finish; [b] (*bereit machen*) to get ready; *sich f~machen* to get ready; [c] (*col*) *jdn f~machen* (*erledigen*) to do for sb; (*ermüden*) to take it out of sb; (*deprimieren*) to get sb down; (*abkanzeln*) to lay into sb (*col*); **f~stellen** ⚠ *vt sep* to complete; **~stellung** *f* completion.

Fertigung *f* production.

Fertigungs- *in cpds* production; **~straße** *f* production line.

Fertigware *f* finished product.

Fes, fes *nt* - (*Mus*) F flat.

fesch *adj* (*col*) (*modisch*) smart; (*hübsch*) attractive.

Fessel *f* -n [a] (*lit, fig*) bond, fetter; (*Kette*) chain ▶ *jdm ~n anlegen* to fetter sb. [b] (*Anat*) (*von Huftieren*) pastern; (*von Menschen*) ankle.

fesseln *vt* [a] to tie (up), to bind; (*mit Handschellen*) to handcuff; (*mit Ketten*) to chain (up) ▶ *ans Bett gefesselt* (*fig*) confined to bed; *jdn an sich ~* (*fig*) to bind sb to oneself. [b] (*faszinieren*) to grip.

fesselnd *adj* gripping.

fest *adj* [a] (*hart*) solid ▶ *~e Nahrung* solid food, solids *pl*. [b] (*stabil*) solid; *Gewebe, Schuhe* strong, sturdy; (*Comm, Fin*) stable. [c] (*sicher, entschlossen*) firm ▶ *~ versprechen* to promise faithfully; *eine ~e Meinung von etw haben* to have definite views on sth; *etw ist ~* sth is definite; *~ entschlossen sein* to be absolutely de-

termined. [d] (*kräftig*) firm; *Schlag* hard ▶ *~ zuschlagen* to hit hard. [e] (*nicht locker*) tight; *Griff* firm; (*fig*) *Schlaf* sound ▶ *~ packen* to grip firmly; *die Tür ~ schließen* to shut the door tight; *~ schlafen* to sleep soundly. [f] (*ständig*) regular; *Freund(in)* steady; *Bindung, Stellung, Mitarbeiter* permanent; *Kosten, Einkommen* fixed ▶ *~ befreundet sein* to be good friends; (*Freund und Freundin*) to be going steady.

Fest *nt* -e [a] (*Feier*) celebration; (*Party*) party ▶ *man soll die ~e feiern, wie sie fallen* (*prov*) make hay while the sun shines (*Prov*). [b] (*Weihnachts~*) Christmas.

Fest-: **~akt** *m* ceremony; **f~angestellt** ⚠ *adj* employed on a permanent basis; **f~beißen** *vr sep irreg* (*Hund etc*) to get a firm grip (*an* +*dat* on); (*fig: nicht weiterkommen*) to get bogged down (*an* +*dat* in); **~beleuchtung** *f* festive lights *pl*; (*col: im Haus*) blazing lights *pl*; **f~binden** *vt sep irreg* to tie up (*an* +*dat* to); **~essen** *nt* banquet; **f~fahren** *vr sep irreg* (*lit, fig*) to get bogged down; **f~fressen** *vr sep irreg* to seize (up); **~geld** *nt* (*Fin*) time deposit; **~halle** *f* assembly hall.

festhalten *sep irreg* [1] *vt* [a] to keep hold of, to hold on to. [b] (*inhaftieren*) to hold, to detain. [c] (*speichern*) to record; *Atmosphäre etc* to capture ▶ *etw schriftlich ~* to record sth.

[2] *vi an etw* (*dat*) *~* to hold *or* stick (*col*) to sth.

[3] *vr* to hold on (*an* +*dat* to) ▶ *halt dich fest!* (*lit*) hold tight!; *halt dich fest, und hör dir das an!* (*col*) brace yourself and listen to this!

festigen [1] *vt* to strengthen.

[2] *vr* to become stronger.

Festiger *m* - (*Haar~*) setting lotion.

Festigkeit *f no pl* strength; (*fig*) steadfastness.

Festigung *f* strengthening.

Festival ['fɛstivəl, 'fɛstival] *nt* -s festival.

Festivität [fɛstivi'tɛːt] *f* (*old, hum col*) celebration, festivity.

Fest-: **f~klammern** *vr sep* to cling (*an* +*dat* to); **f~kleben** *vti sep* (*vi: aux sein*) to stick (firmly) (*an* +*dat* (on)to); **~kleid** *nt* formal dress; **f~klemmen** *sep* [1] *vt* to wedge fast; (*mit Klammer*) to clip; [2] *vir* (*vi: aux sein*) to jam; **~komma** *nt* (*Comp*) fixed point; **f~krallen** *vr sep* (*Tier*) to dig one's claws in (*an* +*dat* -to); (*Mensch*) to dig one's nails in (*an* +*dat* -to); (*fig*) to cling (*an* +*dat* to).

Festland *nt* mainland; (*nicht Meer*) dry land.

festlegen *sep* [1] *vt* [a] (*festsetzen*) *Termin etc* to fix (*auf* +*acc, bei* for); *Regelung, Arbeitszeiten* to lay down ▶ *etw schriftlich ~* to put sth down in writing. [b] *jdn auf etw* (*acc*) *~* (*festnageln*) to tie sb (down) to sth; (*verpflichten*) to commit sb to sth. [c] *Geld* to tie up.

[2] *vr sich darauf ~, etw zu tun* to commit oneself to doing sth.

Festlegung *f siehe vt* (*a, b*) [a] fixing; laying-down. [b] tying-down; commitment.

festlich *adj* festive; (*feierlich*) solemn; (*prächtig*) magnificent ▶ *etw ~ begehen* to celebrate sth.

Festlichkeit *f* celebration; (*Stimmung*) festiveness.

Fest-: **f~liegen** *vi sep irreg* [a] (*f~gesetzt sein*) to have been fixed *or* definitely decided; [b] (*Fin: Geld*) to be tied up; [c] (*nicht weiterkönnen*) to be stuck; (*Naut*) to be aground; **f~machen** *sep* [1] *vt* [a] (*befestigen*) to fix on (*an* +*dat* -to), to fasten (*an* +*dat* (on)to); (*Naut*) to moor; [b] (*vereinbaren*) to arrange; *ein Geschäft f~machen* to clinch a deal; [2] *vi* (*Naut*) to moor; **~mahl** *nt* (*geh*) banquet, feast; **f~nageln** *vt sep* (*lit*) to nail (down/up/on); (*fig col*) *jdn* to nail down (*auf* +*acc* to); **~nahme** *f* -n arrest; **f~nehmen** *vt sep irreg* to arrest; *vorläufig f~nehmen* to take into custody; *Sie sind ~genommen* you are under arrest; **~platte** *f* (*Comp*) hard disk; **~preis** *m* (*Comm*) fixed price; **~rede** *f* speech (for a big

┌──┐
│ ⚠: for details of spelling reform, see supplement │
└──┘

occasion); **die ~rede halten** to give the main speech; **~saal** m (large) function room; (Tanzsaal) ballroom; **f~schrauben** vt sep to screw (on) tight; **f~schreiben** vt sep irreg (fig) to establish; (Jur) to enact; **~schrift** f commemorative publication; (Univ) festschrift.

festsetzen sep ① vt ⓐ to fix (bei, auf +acc at); Ort, Termin auch to arrange (auf +acc, bei for). ⓑ (inhaftieren) to detain.
② vr (Staub, Schmutz) to collect; (fig: Gedanke) to take root.

Festsetzung f ⓐ siehe vt (a) fixing; arrangement. ⓑ (Inhaftierung) detention.

festsitzen vi sep irreg to be stuck; (Schmutz) to cling.

Festspeicher m (Comp) permanent memory.

Festspiele pl festival sing.

fest-: ~stecken sep ① vt to pin (an +dat (on)to, in +dat in); Haare to pin up; ② vi (steckenbleiben) to be stuck; **~stehen** vi sep irreg (sicher sein) to be certain; (beschlossen sein) to have been settled or fixed; **~stehend** adj ⓐ (Mech) fixed; ⓑ attr (bestimmt) definite; Redewendung set; **~stellbar** adj (herauszufinden) ascertainable.

feststellen vt sep ⓐ (Mech) to lock (fast). ⓑ (ermitteln) to ascertain, to find out; Personalien, Ursache auch to establish; Schaden to assess; Krankheit to diagnose ► der Arzt konnte nur noch seinen Tod ~ the doctor found him to be dead. ⓒ (erkennen) to tell (an +dat from); Fehler to find, to detect; (bemerken) to discover; (einsehen) to realize ► ich mußte entsetzt/überrascht ~, daß ... I was horrified/surprised to find that ... ⓓ (aussprechen) to stress, to emphasize.

Feststellung f ⓐ siehe vt (a) ascertainment; establishment; assessment; diagnosis. ⓑ (Erkenntnis) conclusion. ⓒ (Wahrnehmung) observation ► die ~ machen, daß ... to realize that ...; ist das eine Frage oder eine ~? is that a question or a statement (of fact)? ⓓ (Bemerkung) remark, observation ► die ~ machen, daß ... to remark or observe that ...

Festtag m ⓐ (Ehrentag) special day. ⓑ (Feiertag) holiday, feast(day) (Eccl).

fest-: ~treten sep irreg ① vt to tread down; (in Teppich etc) to tread in (in +acc -to); ② vr to get trodden down/in; **~umrissen** adj attr clear-cut.

Festung f fortress; (Burgfeste) castle.

Fest-: f~verwurzelt ⚠ adj attr deep-rooted; **f~verzinslich** adj fixed-interest attr; **~vortrag** m lecture (for a big occasion); **~wertspeicher** m (Comp) read-only memory; **~wiese** f (für Volksfest) fairground; **~woche** f festival week; **die ~wochen** the festival sing; **~zelt** nt carnival marquee; **~zins** m fixed interest.

Fete, Fête ['fe:tə, 'fɛːtə] f -n party.

Fetisch m -e fetisch.

Fetischist m (wk) fetishist.

fett adj ⓐ (~haltig) Speisen fatty ► ~ essen to eat fatty food; ein ~er Brocken (fig) a lucrative deal. ⓑ (dick) fat; (Typ) bold ► ~ gedruckt sein to be (in) bold. ⓒ (üppig) Boden, Weide rich; Beute, Gewinn fat; Geschäft lucrative ► ~e Jahre fat years.

Fett nt -e fat; (zum Schmieren) grease ► ~ ansetzen to put on weight; (Tiere) to fatten up; sein ~ bekommen (col) to get one's comeuppance (col).

Fett-: f~arm adj low-fat; **f~arm essen** to eat low-fat foods; **~auge** nt globule of fat; **~creme** f enriched skin cream; **~druck** m (Typ) bold type.

fetten vt to grease.

Fett-: ~fleck(en) m grease spot, greasy mark; **f~frei** adj fat-free; Milch low-fat; Kost non-fatty; Creme non-greasy; **f~gedruckt** adj attr (Typ) bold; **~gehalt** m fat content; **f~haltig** adj fatty.

fettig adj greasy; Haut auch oily.

Fettigkeit f siehe adj greasiness; oiliness.

Fett-: ~kloß m (pej) fatty (col); **f~leibig** adj (geh) obese, corpulent; **~leibigkeit** f (geh) obesity, corpulence; **f~los** adj fat-free; **~näpfchen** nt (col): ins ~näpfchen treten to put one's foot in it (bei jdm with sb); **~polster** nt (hum col) flab no pl; **~polster haben** to be well-padded; **~presse** f grease gun; **f~reich** adj high-fat; **f~reich essen** to eat foods with a high fat content; **~sack** m (pej) fatso (col); **~schicht** f layer of fat; **~stift** m lip salve; **~sucht** f no pl (Med) obesity; **f~süchtig** adj (Med) obese; **~wanst** m (pej) potbelly; (Mensch) fatso (col).

Fetzen m - shred; (Papier~, Gesprächs~) scrap; (Kleidung) rag ► das Kleid ist in ~ gegangen the dress has fallen to pieces; etw in ~/in tausend ~ (zer)reißen to tear sth to shreds/into a thousand pieces; ..., daß die ~ fliegen (col) ... like mad (col).

fetzen vi aux sein (col: rasen) to tear.

fetzig adj (col) wild, crazy; (Musik auch) hot.

feucht adj damp; Lippen moist; (feuchtheiß) Klima humid; Hände sweaty; Tinte, Farbe wet ► sie hatte ~e Augen her eyes were moist; ein ~er Abend (hum) a boozy night; eine ~e Aussprache haben (hum col) to splutter when one speaks; das geht dich einen ~en Kehricht or Dreck an (col!) it's none of your damn business (col).

Feucht-: f~fröhlich adj (hum) boozy; **~gebiet** nt marshland; **f~heiß** adj muggy.

Feuchtigkeit f no pl ⓐ siehe adj dampness; moistness; humidity; sweatiness; wetness. ⓑ (Flüssigkeit) moisture; (Luft~) humidity.

Feuchtigkeits-: ~creme f moisturizer; **~gehalt, ~grad** m moisture content.

feuchtwarm adj muggy, humid.

feudal adj (Pol, Hist) feudal; (col) plush (col).

Feudal- in cpds feudal; **~herrschaft** f feudalism; **~system** nt feudal system.

Feudalismus m feudalism.

Feuer nt - ⓐ (Flamme, Kamin~) fire ► am ~ by the fire; ~ machen to light a/the fire; ~ hinter etw (acc) machen (fig) to chase sth up; jdm ~ unter dem Hintern machen (col) to put a bomb under sb (col); du spielst mit dem ~ (fig) you're playing with fire; sie sind wie ~ und Wasser they're as different as chalk and cheese; ~ legen to start a fire; ~ fangen to catch fire; für jdn durchs ~ gehen to go through fire and water for sb; haben Sie ~? do you have a light?; jdm ~ geben to give sb a light. ⓑ (Naut, Funk~) beacon; (von Leuchtturm) light. ⓒ das/sie hat bei ihm ~ gefangen he was really taken with it/her; ~ und Flamme sein (col) to be dead keen (col) (für on). ⓓ (Schießen) fire ► ~! fire!; ~ frei! open fire!; das ~ eröffnen to open fire; das ~ einstellen to cease fire; etw unter ~ (acc) nehmen to open fire on sth.

Feuer- in cpds fire; **~alarm** m fire alarm; **~anzünder** m firelighter; **~ball** m fireball; **~befehl** m (Mil) order to fire; **~bekämpfung** f fire-fighting; **f~beständig** adj fire-resistant; **~bestattung** f cremation; **~eifer** m zeal; **~einstellung** f cessation of fire; (Waffenstillstand) ceasefire; **f~fest** adj fireproof; Geschirr heat-resistant; **~gefahr** f fire hazard or risk; bei ~gefahr in the event of fire; **f~gefährlich** adj inflammable; **~haken** m poker; **~leiter** f (am Haus) fire escape; **~löscher** m - fire extinguisher; **~meer** nt (liter) sea of flames; **~melder** m - fire alarm.

feuern ① vi ⓐ (heizen) mit Öl/Holz ~ to have oil heating/use wood for one's heating. ⓑ (Mil) to fire. ② vt ⓐ Ofen to light. ⓑ (col) (werfen) to fling; (Ftbl) Ball to slam; (ins Tor) to slam in. ⓒ (col: entlassen) to fire (col).

⚠: Informationen zur Rechtschreibreform im Anhang

Feuer-: **~pause** *f* break in the firing; (*vereinbart*) ceasefire; **f~polizeilich** *adj* Bestimmungen laid down by the fire authorities; **~probe** *f die ~probe bestehen* (*fig*) to pass the (acid) test; **f~rot** *adj* fiery red.

Feuersbrunst *f* (*geh*) conflagration.

Feuer-: **~schein** *m* glow of the fire; **~schiff** *nt* lightship; **~schlucker** *m* - fire-eater; **~schutz** *m* [a] (*Vorbeugung*) fire prevention; [b] (*Mil: Deckung*) covering fire; **f~speiend** △ *adj attr Drache* fire-breathing; *Berg* belching flames; **~spritze** *f* fire hose; **~stein** *m* flint; **~stelle** *f* campfire site; (*Herd*) fireplace; **~taufe** *f die ~taufe bestehen/erhalten* to go through/have a baptism of fire; **~treppe** *f* fire escape; **~tür** *f* fire door.

Feuerung *f* heating; (*Brennstoff*) fuel.

Feuer-: **~versicherung** *f* fire insurance; **~wache** *f* fire station; **~waffe** *f* firearm; **~wechsel** *m* exchange of fire.

Feuerwehr *f* fire brigade (*Brit*) or department (*US*) ► *fahren wie die ~* (*col*) to drive like the clappers (*Brit col*), to drive flat out.

Feuerwehr-: **~auto** *nt* fire engine; **~frau** *f* firewoman; **~mann** *m* fireman.

Feuer-: **~werk** *nt* fireworks *pl*; (*fig*) cavalcade; **~werkskörper** *m* firework; **~zangenbowle** *f* red wine punch containing rum which has been flamed off; **~zeug** *nt* (cigarette) lighter.

Feuilleton [fœjaˈtõ, ˈfœjətõ] *nt* **-s** (*Press*) feature section; (*Artikel*) feature (article).

feurig *adj* fiery.

Fez *m no pl* (*dated col: Spaß*) larking about (*col*).

ff. = **folgende Seiten** ff.

Fiaker *m* - (*Aus*) (*Kutsche*) (hackney) cab; (*Kutscher*) cab driver, cabby (*col*).

Fiasko *nt* **-s** (*col*) fiasco.

Fibel *f* **-n** (*Sch*) primer.

Fiber *f* **-n** fibre (*Brit*), fiber (*US*).

Fiche [fiːʃ] *m or nt* **-s** (micro)fiche.

Fichte *f* **-n** (*Bot*) spruce.

Fichten- *in cpds* spruce; **~zapfen** *m* spruce cone.

ficken *vti* (*col!!*) to fuck (*col!!*).

fidel *adj* (*dated col*) jolly, merry.

Fidel *f* **-n** fiddle.

Fidschi|inseln *pl* Fiji (Islands).

Fieber *nt* - temperature; (*Krankheit*) fever ► *~ haben* to have a temperature; to be feverish; *40° ~ haben* to have a temperature of 40; *(jdm) das ~ messen* to take sb's temperature; *im ~ seiner Leidenschaft* in a fever of passion.

Fieber- *in cpds* feverish; **f~haft** *adj* (*lit, fig*) feverish.

fieb(e)rig *adj* feverish.

Fieberkurve *f* temperature curve.

fiebern *vi* to have a temperature; (*schwer*) to be feverish ► *vor Ungeduld* (*dat*) *~* (*fig*) to be in a fever of impatience.

Fieber-: **f~senkend** △ *adj* fever-reducing; **~thermometer** *nt* thermometer.

Fiedel *f* **-n** (*old, pej: Geige*) fiddle.

fiedeln *vti* (*hum, pej*) to fiddle.

fiel *pret of* **fallen**.

fiepen *vi* to whimper; (*Vogel*) to cheep.

fies *adj* (*col*) nasty, horrible.

Fifa, FIFA *f* FIFA.

Figur *f* figure; (*Roman~, Film~ etc*) character; (*von Männern*) physique ► *auf seine ~ achten* to watch one's figure; *eine gute/schlechte/traurige ~ abgeben* to cut a good/poor/sorry figure.

figurbetont *adj* figure-hugging.

Fiktion *f* fiction.

fiktiv *adj* fictitious.

Filet [fiˈleː] *nt* **-s** (*Cook*) fillet; (*Rinder~*) fillet steak; (*zum*

Braten) piece of sirloin or tenderloin (*US*).

filetieren* *vt* to fillet.

Filet- [fiˈleː-]: **~steak** *nt* fillet steak; **~stück** *nt* piece of sirloin or tenderloin (*US*).

Filiale *f* **-n** branch.

Filialleiter *m* branch manager.

Filipino *m* **-s** Filipino.

Filius *m* **-se** (*hum*) son, offspring (*hum*).

Film *m* **-e** [a] film; (*Spiel~ auch*) movie (*esp US*) ► *in einen ~ gehen* to go and see a film (*Brit*) or movie (*US*); *da ist bei mir der ~ gerissen* (*col*) I had a mental blackout (*col*). [b] (*~branche*) films *pl*, the movies *pl* (*esp US*) ► *zum ~ gehen* to go into films.

Film- *in cpds* film, movie (*esp US*); **~atelier** *nt* film studio; **~bewertungsstelle** *f* ≃ board of film classification; **~biographie** *f* biopic; **~diva** *f* (*dated*) screen goddess.

Filmemacher(in *f*) *m* film-maker.

filmen *vti* to film.

Film-: **~festspiele** *pl* film festival; **~geschäft** *nt* film or movie (*esp US*) industry; **~geschichte** *f* history of the cinema; **~geschichte machen** to make cinema history; **~gesellschaft** *f* film company; **~größe** *f* great star of the screen; **~held** *m* screen or movie (*esp US*) hero.

filmisch *adj* cinematic.

Film-: **~kamera** *f* film or movie (*esp US*) camera; (*Schmalfilmkamera*) cine-camera (*Brit*); **~kritik** *f* film criticism; (*Artikel*) film review; (*Kritiker*) film critics *pl*; **~kulisse** *f* film set; **~material** *nt* film, footage; **~musik** *f* film music; *die originale ~musik* the original soundtrack; **~preis** *m* film or movie (*esp US*) award; **~produzent** *m* film or movie (*esp US*) producer; **~regie** *f* direction of a/the film; **~regisseur** *m* film or movie (*esp US*) director; **~riß** △ *m* (*lit*) tear in a film; (*col*) mental blackout (*col*); **~rolle** *f* (*Spule*) spool of film; (*für Fotoapparat*) roll of film; (*Part*) film part; **~schaffende(r)** *mf decl as adj* film-maker; **~schauspieler(in** *f*) *m* film or movie (*esp US*) actor/actress; **~star** *m* filmstar, movie star (*esp US*); **~sternchen** *nt* starlet; **~theater** *nt* (*form*) cinema (*Brit*), movie theater (*US*); **~trick** *m* film stunt; **~verleih** *m* film distributors *pl*; **~vorführer** *m* projectionist; **~vorführung, ~vorstellung** *f* film show.

Filou [fiˈluː] *m* **-s** (*dated col*) devil (*col*).

Filter *m or* (*esp Tech*) *nt* - filter ► *eine Zigarette mit/ohne ~* a filter-tipped/plain cigarette.

Filterkaffee *m* filter or drip (*US*) coffee.

filtern *vti* to filter.

Filter-: **~papier** *nt* filter paper; **~tüte** *f* filter bag.

Filterung *f* filtering.

Filterzigarette *f* filter-tipped cigarette.

filtrieren* *vt* to filter.

Filz *m* **-e** (*Tex*) felt.

filzen *vt* (*col*) (*durchsuchen*) jdn to frisk, to search; *Gepäck etc* to search; (*berauben*) to do over (*col*).

Filzhut *m* felt hat.

Filzokratie *f* (*hum*) web of patronage and nepotism.

Filz-: **~pantoffel** *m* (carpet) slipper; **~schreiber, ~stift** *m* felt-tip (pen).

Fimmel *m* - (*col*) obsession (*mit* about) ► *du hast wohl einen ~!* you're crazy (*col*).

Finale *nt* **-s** *or* - (*Mus*) finale; (*Sport*) final.

Finalist *m* finalist.

Finanz- *in cpds* financial; **~amt** *nt* tax office; **~beamte(r)** *mf* tax official; **~behörde** *f* tax authority; **~buchhalter(in** *f*) *m* financial accountant.

Finanzen *pl* finances *pl* ► *das übersteigt meine ~* that's beyond my means.

finanziell *adj* financial.

finanzieren* *vt* to finance, to fund ► *frei ~* to finance privately; *ich kann meinen Urlaub nicht ~* I can't afford a holiday.

Finanzierung *f* financing ▶ *zur ~ von etw* to finance sth.

Finanzierungs-: **~gesellschaft** *f* finance company; **~plan** *m* financing plan *or* scheme.

Finanz-: **~jahr** *nt* financial year; **f~kräftig** *adj* financially strong; **~minister** *m* minister of finance; **~politik** *f* financial policy; **f~schwach** *adj* financially weak; **~spritze** *f* capital injection; **f~stark** *adj* financially strong; **~wesen** *nt* financial system.

Findelkind *nt* (*old*) foundling (*old*).

finden *pret* **fand**, *ptp* **gefunden** 1 *vt* a to find; *Anklang, Zustimmung auch, Beifall* to meet with; *Berücksichtigung, Beachtung* to receive ▶ *ich finde es nicht* I can't find it; *es war nicht/nirgends zu ~* it was not/nowhere to be found; *es ließ sich niemand ~* we/they *etc* couldn't find anybody; *etwas an jdm ~* to see something in sb; *nichts dabei ~* to think nothing of it. b (*ansehen, betrachten*) to think ▶ *es kalt/warm/ganz erträglich ~* to find it cold/warm/quite tolerable; *etw gut/zu teuer/eine Frechheit ~* to think (that) sth is good/too expensive/a cheek; *jdn blöd/nett ~* to think (that) sb is stupid/nice; *wie findest du das?* what do you think?; *~ Sie?* do you think so?; *ich finde, wir sollten ...* I think we should ...; *ich fände es besser, wenn ...* I think it would be better if ...

2 *vi* (*lit, fig: den Weg ~*) to find one's way ▶ *er findet nicht nach Hause* he can't find his way home; *ich finde schon allein hinaus* I can see myself out; *zu sich selbst ~* to sort oneself out.

3 *vr* a (*zum Vorschein kommen*) to be found; (*wiederauftauchen auch*) to turn up; (*sich befinden auch*) to be. b (*in Ordnung kommen: Angelegenheit etc*) to sort itself out; (*Mensch: zu sich ~*) to sort oneself out. c (*sich fügen*) *sich in etw* (*acc*) *~* to reconcile oneself to sth. d (*sich treffen*) (*lit, fig*) to find each other.

Finder(in *f*) *m* - finder.

Finderlohn *m* reward for the finder.

findig *adj* resourceful.

Findigkeit *f* resourcefulness.

Finesse *f* a (*Feinheit*) refinement; (*Kunstfertigkeit*) finesse *no pl* ▶ *mit allen ~n* with all the refinements. b (*Trick*) trick.

fing *pret of* **fangen**.

Finger *m* - finger ▶ *jdm mit dem ~ drohen* to wag one's finger at sb; *jdm auf die ~ hauen* (*lit*)/*klopfen* (*fig*) to give sb a rap on the knuckles; *mit ~n auf jdn zeigen* (*fig*) to look askance at sb; *sich* (*dat*) *nicht die ~ schmutzig machen* (*lit, fig*) not to get one's hands dirty; *das kann sich jeder an den (fünf) ~n abzählen* (*col*) it sticks out a mile (*col*); *das läßt er nicht mehr aus den ~n* he won't let it out of his hands; *jdn/etw in die ~ bekommen* to get one's hands on sb/sth; *er hat überall seine ~ drin* (*col*) he has a finger in every pie (*col*); *wenn man ihm den kleinen ~ gibt, nimmt er (gleich) die ganze Hand* (*prov*) give him an inch and he'll take a mile (*col*); *lange ~ machen* (*hum col*) to be light-fingered; *jdm in die ~ geraten* to fall into sb's hands *or* clutches; *die ~ von etw lassen* (*col*) to keep away from sth; *jdn (scharf) auf die ~ sehen* (*col*) to keep an eye on sb; *sich* (*dat*) *etw aus den ~n saugen* to conjure sth up; *sich* (*dat*) *die ~ nach etw lecken* (*col*) to be dying for sth; *keinen ~ krumm machen* (*col*) not to lift a finger (*col*); *mir juckt es in den ~n(, etw zu tun)* (*col*) I'm itching to (do sth); *jdn um den kleinen ~ wickeln* to twist sb around one's little finger; *etw im kleinen ~ haben* to have a natural feel for sth.

Finger-: **~abdruck** *m* fingerprint; **f~breit** *adj* the width of a finger; **~farbe** *f* finger paint; **f~fertig** *adj* nimble-fingered, dexterous; **~fertigkeit** *f* dexterity; **~hakeln** *nt*

finger-wrestling; **~handschuh** *m* glove; **~hut** *m* a (*Sew*) thimble; b (*Bot*) foxglove; **~knöchel** *m* knucklebone; **~kuppe** *f* fingertip; **~ling** *m* fingerstall.

fingern *vi* *an etw* (*dat*) *~* to fiddle with sth; *nach etw ~* to fumble (around) for sth.

Finger-: **~nagel** *m* fingernail; **~spitze** *f* fingertip; *das muß man in den ~spitzen haben* you have to have a feel for it; **~spitzengefühl** *nt no pl* sensitivity; **~zeig** *m* -e hint.

fingieren* [fɪŋˈɡiːrən] *vt* (*vortäuschen*) to fake; (*erdichten*) to fabricate ▶ **fingiert** (*vorgetäuscht*) bogus; (*erfunden*) fictitious.

Finish [ˈfɪnɪʃ] *nt* -s a (*Endverarbeitung*) finish. b (*Sport: Endspurt*) final spurt.

Fink *m* (*wk*) **-en, -en** finch.

Finne *m* (*wk*) **-n, -n**, **Finnin** *f* Finn.

finnisch *adj* Finnish; *siehe* **deutsch**.

Finnisch(e) *nt* **-n** Finnish; *siehe* **Deutsch(e)**.

Finnland *nt* Finland.

finster *adj* a (*lit, fig*) dark; *Zimmer, Wald, Nacht* dark (and gloomy) ▶ *im F~n* in the dark; *es sieht ~ aus* (*fig*) things look bleak. b (*dubios*) shady. c (*mürrisch, düster*) grim; *Wolken* dark, black ▶ *~ entschlossen sein* to be grimly determined; *jdn ~ ansehen* to give sb a black look. d (*unheimlich*) *Gestalt, Blick, Gedanken* sinister.

Finsternis *f* a darkness. b (*Astron*) eclipse.

Finte *f* **-n** a (*Sport*) feint. b (*List*) ruse.

Firlefanz *m no pl* (*col*) a (*Kram*) frippery. b (*Albernheit*) *~ machen* to clown around.

firm *adj pred* *in etw* (*dat*) *~ sein* to have a sound knowledge of sth.

Firma *f*, *pl* **Firmen** company, firm ▶ *die ~ Wahlster* Messrs Wahlster, Wahlster(s); *die ~ Lexomat* Lexomat; *die ~ dankt* (*hum*) much obliged (to you).

Firmament *nt no pl* (*poet*) firmament (*liter*).

firmen *vt* (*Rel*) to confirm.

Firmen-: **~gründung** *f* formation of a company; **~image** *nt* corporate image *or* identity; **~inhaber** *m* owner of a/the company; **~logo** *nt* corporate logo; **~name** *m* company name; **~register** *nt* register of companies; **~schild** *nt* company sign; **~übernahme** *f* takeover; **~verzeichnis** *nt* trade directory; **~wagen** *m* company car; **~zeichen** *nt* trademark.

firmieren* *vi*: *als ... ~* (*Comm, fig*) to trade under the name of ...

Firmung *f* (*Rel*) confirmation ▶ *jdm die ~ erteilen* to confirm sb.

Firnis *m* **-se** varnish.

First *m* **-e** (*Dach~*) (roof) ridge.

Fis *nt* - (*Mus*) F sharp ▶ *in ~/f~* in F sharp major/minor.

Fisch *m* **-e** a fish ▶ *~e/drei ~e fangen* to catch fish/three fish(es); *das sind kleine ~e* (*fig col*) that's child's play (*col*); *ein großer ~* (*fig col*) a big fish; *ein kleiner ~* one of the small fry; *sich wohl fühlen wie ein ~ im Wasser* to be in one's element; *stumm wie ein ~ sein* to be as silent as a post; *weder ~ noch Fleisch* neither fish nor fowl. b *~e pl* (*Astrol*) Pisces.

Fisch- *in cpds* fish; **~auge** *nt* (*Phot*) fish-eye lens; **~becken** *nt* fishpond; **~bestand** *m* fish population; **~dampfer** *m* trawler.

fischen *vti* (*lit, fig*) to fish ▶ *mit (dem) Netz ~* to trawl; *Heringe ~* to fish for herring.

Fischer *m* - fisherman.

Fischer-: **~boot** *nt* fishing boat; **~dorf** *nt* fishing village.

Fischerei *f* a fishing. b (*~gewerbe*) fishing industry, fisheries *pl*.

Fischerei- *in cpds* fishing; **~grenze** *f* fishing limit.

Fischernetz *nt* fishing net.

Fischfang *m no pl* *vom ~ leben* to live by fishing; *zum ~ auslaufen* to set off for the fishing grounds.

Fischfanggebiet nt fishing grounds pl.
Fisch-: **~filet** nt fish fillet; **~frikadelle** f fishcake;
~geruch m smell of fish, fishy smell; **~geschäft** nt fishmonger's (shop); **~gräte** f fish bone; **~grätenmuster**
nt herringbone (pattern); **~gründe** pl fishing grounds
pl, fisheries pl; **~händler** m fishmonger; (Großhändler)
fish merchant; **~konserve** f canned fish; **~kutter** m
fishing cutter; **~laden** m fishmonger; **~markt** m fish
market; **~mehl** nt fish meal; **~otter** m otter; **~schuppe**
f (fish) scale; **~schwarm** m shoal of fish; **~stäbchen** nt
fish finger (Brit), fish stick (US); **~sterben** nt death of
fish; **~zucht** f fish-farming; (Betrieb) fish farm; **~zug** m
(fig: Beutezug) raid, foray.
Fisimatenten pl (col) (Ausflüchte) excuses pl;
(Umstände) fuss; (Albernheiten) nonsense.
Fiskalpolitik f fiscal policy.
Fiskus m no pl (fig: Staatskasse) Treasury.
Fistelstimme f falsetto.
fit adj pred fit ▸ **sich ~ halten** to keep fit.
Fitness, Fitneß △ f no pl physical fitness.
Fitnesscenter nt health or fitness centre.
Fittich m -e (liter) wing ▸ **jdn unter seine ~e nehmen**
(hum) to take sb under one's wing.
Fitzelchen nt (col) little bit.
fix adj **a** (col: flink) quick ▸ **mach ~!** look lively! **b**
(col) **~ und fertig sein** to be all finished; (bereit) to be
all ready; (erschöpft, emotional) to be shattered (col); **jdn
~ und fertig machen** (nervös machen) to drive sb mad;
(erschöpfen, emotional) to shatter sb (col). **c** **~e Idee**
obsession.
fixen vi to mainline.
Fixer(in f) m - (col) fixer (col).
Fixerstube f (col) junkies' centre (col).
Fixierbad nt (Phot) fixer.
fixieren* vt **a** (anstarren) **jdn/etw ~** to stare at sb/sth.
b (festlegen) to specify; (schriftlich niederlegen) to record ▸ **er ist zu stark auf seine Mutter fixiert** (Psych) he
has a mother fixation. **c** (Phot) to fix.
Fixierung f (Festlegung) siehe vt (b) specification; recording; (Psych) fixation.
Fix-: **~kosten** pl fixed costs pl; **~stern** m fixed star.
Fixum nt, pl **Fixa** basic salary.
Fjord m -e fiord.
FKK [ɛfkaː'kaː] no art = **Freikörperkultur.**
FKK-: **~-Anhänger** m **~-Anhänger sein** to be a nudist;
~-Strand m nudist beach.
flach adj **a** flat; Gebäude low; Abhang gentle; Gewässer
shallow ▸ **~ liegen** to lie flat; **die ~e Hand** the flat of
one's hand; **eine ~e Brust** a hollow chest; (Busen) a flat
chest; **auf dem ~en Land** in the middle of the country.
b (fig) flat; Geschmack insipid; (oberflächlich) shallow
▸ **~ atmen** to take shallow breaths.
Flachdach nt flat roof.
Fläche f -n (auch Math) area; (Ober~) surface; (Gelände,
Land~, Wasser~) expanse.
Flächen-: **~bombardierung** f carpet bombing; **~brand**
m extensive fire; **sich zu einem ~brand ausweiten** (fig)
to spread to epidemic proportions; **~inhalt** m area;
~maß nt square measure.
Flach-: **f~fallen** vi sep irreg aux sein (col) not to come
off; (Regelung) to end; **f~land** nt lowland; **f~legen** sep
(col) **1** vt to lay out; **2** vr to lie down; **f~liegen** vi sep
irreg (col) to be laid up; **~mann** m, pl **~männer** (col)
hipflask.
Flachs [flaks] m no pl **a** (Bot, Tex) flax. **b** (col:
Neckerei, Witzelei) kidding (col) ▸ **jetzt mal ganz ohne
~** joking or kidding (col) apart.
flachsblond ['flaks-] adj flaxen-haired; (Haar) flaxen.
flachsen ['flaksn] vi (col) to kid around (col).
Flachzange f flat-nosed pliers pl.

flackern vi (lit, fig) to flicker.
Fladen m - **a** (Cook) round flat dough-cake. **b** (col:
Kuh~) cowpat.
Fladenbrot nt unleavened bread.
Flagge f -n flag ▸ **die ~ streichen** (fig) to capitulate; **~
zeigen** to nail one's colours (Brit) or colors (US) to the
mast.
flaggen vi **geflaggt haben** to fly flags/a flag.
Flaggenmast m flagpole.
Flagg-: **~offizier** m flag officer; **~schiff** nt (lit, fig) flag-
ship.
flagrant adj flagrant; siehe **in flagranti.**
Flair [flɛːɐ] nt no pl (geh) atmosphere; (Nimbus) aura.
Flak f - or **-s** = **Flug(zeug)abwehrkanone** anti-aircraft
gun; (Einheit) anti-aircraft unit.
Flakon [fla'kõː] nt or m **-s** bottle, flacon.
flambieren* vt (Cook) to flambé.
Flame m (wk) **-n, -n, Flämin** f Fleming.
Flamingo [fla'mɪŋgo] m **-s** flamingo.
flämisch adj Flemish.
Flämisch(e) nt Flemish; siehe **Deutsch(e).**
Flamme f -n (lit, fig) flame ▸ **in ~n stehen/aufgehen** to
be in flames/go up in flames.
flammend adj fiery ▸ **mit ~em Gesicht** blazing.
flammendrot adj (geh) flame red, blazing red.
Flammen-: **~meer** nt sea of flames; **~werfer** m flame-
thrower.
Flandern nt Flanders sing.
Flanell m -e flannel.
flanieren* vi to stroll, to saunter.
Flanke f -n (Anat, Mil) flank; (Sport) (Turnen) flank-vault;
(Ftbl) cross; (Spielfeldseite) wing.
flanken vi (Ftbl) to centre (Brit), to center (US).
Flanken-: **~angriff** m (Mil) flank attack; **~ball** m (Ftbl)
cross; **~deckung** f (Mil) flank defence (Brit) or defense
(US).
flankieren* vt (Mil, fig) to flank ▸ **~de Maßnahmen**
supporting measures.
Flansch m -e flange.
flapsig adj (col) Benehmen cheeky; Bemerkung offhand.
Flasche f -n **a** bottle ▸ **mit der ~ aufziehen** to bottle-
feed; **eine ~ Wein/Bier** a bottle of wine/beer; **zur ~
greifen** (fig) to hit the bottle. **b** (col: Versager) dead
loss (col).
Flaschen-: **~bier** nt bottled beer; **f~grün** adj bottle-
green; **~hals** m neck of a bottle; (fig) bottleneck; **~kind**
nt bottle-fed baby; **~milch** f bottled milk; **~öffner** m
bottle-opener; **~pfand** nt deposit on a/the bottle;
~post f message in a/the bottle; **per ~post** in a bottle;
~wein m wine by the bottle; **~zug** m block and tackle.
Flatter-: **f~haft** adj fickle; **~haftigkeit** f fickleness.
flatt(e)rig adj fluttery; Puls fluttering.
flattern vi bei Richtungsangabe aux sein (lit, fig) to flutter; (mit den Flügeln schlagen) to flap its wings; (Fahne,
Segel) to flap; (Haar) to fly; (col: Mensch) to be in a flap
(col) ▸ **ein Brief flatterte mir auf den Schreibtisch** a letter arrived on my desk.
Flattersatz m (Typ) unjustified print.
flau adj **a** Brise, Wind slack. **b** Stimmung flat. **c** (übel)
queasy; (vor Hunger) faint ▸ **mir ist ~ (im Magen)** I feel
queasy. **d** (Comm) slack ▸ **in meiner Kasse sieht es ~
aus** (col) my finances aren't too healthy (col).
Flaum m no pl fluff, down.
Flaum-: **~bart** m downy beard; **~feder** f down feather.
flaumig adj downy.
Flausch m -e fleece.
flauschig adj fleecy; (weich) soft.
Flausen pl (col) **a** (Unsinn) nonsense; (Illusionen) fancy ideas pl (col) ▸ **~ im Kopf haben** to have fancy ideas.
b (Ausflüchte) excuses pl.

⚠: for details of spelling reform, see supplement

Flaute f -n a (Naut) calm ► das Schiff geriet in eine ~ the ship was becalmed. b (fig) slack period.

fläzen vr (col) to sprawl (in +acc in).

Flechte f -n (Bot, Med) lichen.

flechten pret flocht, ptp geflochten vt Haar to plait; Kranz, Korb to weave.

Flechtwerk nt = Geflecht.

Fleck m -e or -en a (Schmutz~) mark ► dieses Zeug macht ~en this stuff stains (in/auf etw (acc) sth); einen ~ auf der Weste haben (fig) to have blotted one's copybook. b (Farb~) patch. c (Stelle) spot, place ► auf demselben ~ in the same place; sich nicht vom ~ rühren not to budge; nicht vom ~ kommen not to get any further; vom ~ weg on the spot.

Fleckchen nt ein schönes ~ (Erde) a lovely little spot.

flecken vi (dial) to stain.

Flecken m - a (old: Markt~) small town. b = Fleck (a, b).

Flecken|entferner m stain remover.

fleckenlos adj (lit, fig) spotless.

Fleckenwasser nt stain remover.

Fleckfieber nt typhus fever.

fleckig adj marked; Obst blemished; Tierfell speckled; Gesichtshaut blotchy.

Fledermaus f bat.

Flegel m - (Lümmel) lout, yob (col); (Kind) brat (col).

Flegel|alter nt awkward adolescent phase.

Flegelei f uncouthness no pl.

Flegel-: f~haft adj uncouth; ~haftigkeit f uncouthness; ~jahre pl = ~alter.

flegeln vr to loll, to sprawl.

flehen vi (geh) to plead (um +acc for, zu with).

flehentlich adj imploring, pleading ► jdn ~ bitten to plead with sb.

Fleisch nt no pl a flesh ► vom ~ fallen (col) to lose (a lot of) weight; sich (dat or acc) ins eigene ~ schneiden to cut off one's nose to spite one's face (prov); sein eigen ~ und Blut (liter) his own flesh and blood; jdm in ~ und Blut übergehen to become second nature to sb. b (Nahrungsmittel) meat; (Frucht~) flesh.

Fleisch- in cpds (Cook) meat; (Anat) flesh; ~beschau f a meat inspection; b (hum col) cattle market (col); ~beschauer(in f) m meat inspector; ~brocken m lump of meat; ~brühe f meat stock; (Gericht) bouillon.

Fleischer m - butcher.

Fleischerei f butcher's (shop).

Fleischer-: ~haken m meat hook; ~handwerk nt butcher's trade; ~hund m (lit, fig) brute of a dog; ein Gemüt wie ein ~hund haben (col) to be a callous brute; ~laden m butcher's (shop); ~messer nt butcher's knife.

Fleisch-: f~farben, f~farbig adj flesh-coloured (Brit), flesh-colored (US); f~fressend △ adj carnivorous; ~fresser m (Zool) carnivore; ~gericht nt meat dish.

fleischig adj fleshy.

Fleisch-: ~käse m meat loaf; ~klopfer m steak hammer; ~kloß m, ~klößchen nt a meatball; b (pej col) mountain of flesh; f~lich adj attr Kost meat; (old liter: Begierden) carnal; f~los adj a (ohne Fleisch) meatless; Kost, Ernährung vegetarian; f~los essen/kochen to eat no meat/to cook without meat; b (mager) thin, lean; ~saft m meat juices pl; ~salat m diced meat salad with mayonnaise; ~tomate f beef tomato; f~verarbeitend △ adj attr meat-processing; ~vergiftung f food poisoning (from meat); ~waren pl meat products pl; ~wolf m mincer, meat grinder (esp US); ~wunde f flesh wound; ~wurst f pork sausage.

Fleiß m no pl industriousness ► ~ aufwenden to apply oneself; mit ~ kann es jeder zu etwas bringen anybody can succeed if he works hard; mit ~ bei der Sache sein to work hard; ohne ~ kein Preis (Prov) success never comes easily.

fleißig adj hard-working no adv, industrious; Sammler keen ► ~ studieren/arbeiten to study/work hard; ~ wie die Bienen sein to work like beavers; ein ~er Arbeiter a hard worker.

flektieren* vt to inflect.

flennen vi (pej col) to blubb(er).

fletschen vti: die Zähne or mit den Zähnen ~ to bare one's teeth.

Fleurop ® ['flɔyrɔp] f ≈ Interflora ®.

flexibel adj (lit, fig) flexible.

Flexibilität f flexibility.

flicken vt to mend; (mit Flicken) to patch.

Flicken m - patch ► eine Jacke mit ~ a patched jacket.

Flicken-: ~decke f patchwork quilt; ~teppich m rag rug.

Flick-: ~schuster m (old) cobbler; (fig pej) bungler (col); ~schusterei f das ist ~schusterei (fig pej) that's a patch-up job; ~werk nt die Reform war reinstes ~werk the reform had been carried out piecemeal; ~zeug nt (Nähzeug) sewing kit; (für Reifen) (puncture) repair outfit.

Flieder m - lilac.

flieder-: ~farben, ~farbig adj lilac.

Fliege f -n a fly ► sie fielen um wie die ~n they were dropping like flies; sie starben wie die ~n they fell like flies; er tut keiner ~ etwas zuleide (fig) he wouldn't hurt a fly; zwei ~n mit einer Klappe schlagen (prov) to kill two birds with one stone (prov); ihn stört die ~ an der Wand every little thing irritates him; die or ~ machen (col) to beat it (col). b (Schlips) bow tie.

fliegen pret flog, ptp geflogen 1 vi aux sein to fly ► nach Köln fliegt man zwei Stunden it's a two-hour flight to Cologne; ich kann doch nicht ~! I haven't got wings (col); auf jdn/etw ~ (col) to be mad about sb/sth (col); von der Leiter ~ (col) to fall off the ladder; durchs Examen ~ (col) to fail one's exam; aus der Firma ~ (col) to get the sack (col); ~der Puls racing pulse; geflogen kommen to come flying; in den Papierkorb ~ to go into the wastepaper basket; ein Schuh flog ihm an den Kopf he had a shoe flung at him; aus der Kurve ~ to skid off the bend.
2 vt to fly.

fliegend adj attr Fische, Untertasse, Start flying ► in ~er Eile in a tremendous hurry; ~e Hitze hot flushes pl.

Fliegen-: ~draht m wire mesh; ~fänger m (Klebestreifen) fly-paper; ~fenster nt wire-mesh window; ~gewicht nt (Sport, fig) flyweight; ~gewichtler m - (Sport) flyweight; ~gitter nt fly screen; ~klatsche f fly-swat(ter); ~pilz m fly agaric.

Flieger m - airman; (col: Flugzeug) plane.

Flieger- (Mil): ~alarm m air-raid warning; ~angriff m air raid; ~horst m (Mil) military airfield; ~jacke f bomber jacket.

fliehen pret floh, ptp geflohen vi aux sein to flee; (entkommen) to escape (aus from) ► vor jdm/der Polizei ~ to flee from sb/the police; aus dem Lande ~ to flee the country.

fliehend adj Kinn receding; Stirn sloping.

Fliehkraft f centrifugal force.

Fliese f -n tile ► etw mit ~n auslegen to tile sth.

fliesen vt to tile.

Fliesenleger m tiler.

Fließ-: ~band nt conveyor belt; am ~band arbeiten to work on the assembly or production line; ~bandarbeit f work on the assembly line; ~bandfertigung f assembly-line production.

fließen pret floß, ptp geflossen vi aux sein to flow; (Fluß auch, Tränen) to run ► es ist genug Blut geflossen enough blood has been shed.

fließend *adj* flowing; *Leitungswasser* running; *Verkehr* moving; *Übergang* fluid ▶ *sie spricht ~ Französisch* she speaks fluent French.

Fließ-: *~heck* *nt* (*Aut*) fastback; *~komma* *nt* (*Comp*) floating point.

Flimmer-: *~kasten* *m*, *~kiste* *f* (*col*) box (*col*).

flimmern *vi* to shimmer; (*TV*) to flicker ▶ *es flimmert mir vor den Augen* everything is swimming in front of my eyes.

flink *adj* (*geschickt*) nimble; *Zunge* quick ▶ *ein bißchen ~!* (*col*) get a move on!; *mit etw ~ bei der Hand sein* to be quick (off the mark) with sth.

Flinkheit *f siehe adj* nimbleness; quickness.

Flinte *f* -n (*Schrot~*) shotgun ▶ *die ~ ins Korn werfen* (*fig*) to throw in the sponge.

Flipper *m* -, **Flipperautomat** *m* pinball machine.

flippern *vi* to play pinball.

flippig *adj* (*col*) *Typ, Klamotten* hip (*col*).

Flirt [flœrt] *m* -s (*Flirten*) flirtation.

flirten ['flœrtn] *vi* to flirt.

Flittchen *nt* - (*pej col*) slut.

Flitter *m* - [a] (*~schmuck*) sequins *pl*. [b] *no pl* (*pej: Tand*) trumpery.

flittern *vi* to glitter, to sparkle.

Flitterwochen *pl* honeymoon *sing* ▶ *in den ~ sein* to be on honeymoon.

Flitz(e)bogen *m* bow and arrow ▶ *ich bin gespannt wie ein ~* (*col*) the suspense is killing me.

flitzen *vi aux sein* (*col*) to whizz (*col*), to dash.

Flitzer *m* - (*col*) (*Fahrzeug*) sporty little job (*col*); (*Schnelläufer*) streak of lightning (*col*).

floaten ['floːtn] *vti* (*Fin*) to float ▶ *~ (lassen)* to float.

Flocke *f* -n [a] flake; (*Schaum~*) blob (of foam). [b] *~n pl* (*col: Geld*) dough (*col*).

flockig *adj* fluffy.

flog *pret of* **fliegen**.

floh *pret of* **fliehen**.

Floh *m* ̈e [a] (*Zool*) flea ▶ *es ist leichter, einen Sack ̈e zu hüten, als ... ...* is absolutely impossible; *jdm einen ~ ins Ohr setzen* (*col*) to put an idea into sb's head. [b] (*col: Geld*) ̈*e pl* dough (*col*).

Floh-: *~biß* ⚠ *m* flea bite; *~halsband* ⚠ *nt* flea collar; *~kino* *nt* (*col*) fleapit (*Brit col*); *~markt* *m* jumble sale; (*ständige Einrichtung*) flea market.

Flop *m* flop (*col*).

Flor *m* -e [a] (*dünnes Gewebe*) gauze; (*Trauer~*) crêpe. [b] (*Teppich~*) pile.

Flora *f pl* **Floren** flora.

Florentiner(in *f*) *m* - Florentine.

florentinisch *adj* Florentine.

Florenz *nt* Florence.

Florett *nt* -e (*Waffe*) foil.

florieren* *vi* to flourish, to bloom.

Florist(in *f*) *m* (*wk*) -en, -en florist.

Floskel *f* -n set phrase ▶ *eine abgedroschene ~* a hackneyed phrase.

floskelhaft *adj* cliché-ridden, stereotyped.

⚠ **floß** *pret of* **fließen**.

Floß *nt* ̈e raft.

Flosse *f* -n (*Fisch~, Aviat*) fin; (*Wal~, Robben~, Taucher~*) flipper; (*col: Hand*) paw (*col*).

flößen *vti* to raft.

Flöte *f* -n [a] pipe; (*Quer~*) flute; (*Block~*) recorder; (*Pikkolo~*) piccolo. [b] (*Kelchglas*) flute glass. [c] (*Cards*) flush.

flöten *vti* (*Vogel, hum*) to warble.

Flöten-: *f~gehen* ⚠ *vi sep aux sein* (*col*) to go west (*col*) *or* for a burton (*Brit col*); *~spieler* *m* piper; flautist; *~ton* *m* sound of flutes/a flute; *jdm die ~töne bei-*

bringen (*col*) to teach sb what's what (*col*).

Flötist(in *f*) *m* (*wk*) -en, -en flautist; piccolo player.

flott *adj* [a] (*zügig*) *Fahrt* quick; *Tempo* brisk; *Bedienung* speedy (*col*); *Tänzer* good; (*flüssig*) *Stil, Artikel* racy (*col*); (*schwungvoll*) *Musik* lively; *Auto* sporty ▶ *aber ein bißchen ~!* and look lively! [b] (*schick*) smart. [c] (*lebenslustig*) fun-loving, fast-living ▶ *ein ~es Leben führen* to be a fast liver. [d] *pred wieder ~ werden* (*Schiff*) to be refloated; (*fig col*) (*Auto etc*) to get back on the road; (*Unternehmen*) to get back on its feet.

Flotte *f* -n (*Naut*) fleet.

Flotten-: *~basis* *f*, *~stützpunkt* *m* naval base; *~verband* *m* naval unit.

flottmachen *vt sep Schiff* to float off; (*fig col*) *Auto etc* to get on the road.

Flöz *nt* -e (*Min*) seam.

Fluch *m* ̈e curse ▶ *ein ~ lastet auf diesem Haus* there is a curse on this house.

fluchen *vi* to curse (*auf or über jdn/etw* (*acc*) sb/sth).

Flucht *f* -en [a] (*Fliehen*) flight; (*geglückt auch*) escape ▶ *die ~ ergreifen* to take flight; *ihm glückte die ~* he succeeded in escaping; *auf der ~ sein* to be fleeing; (*Dieb*) to be on the run; *jdn/etw in die ~ schlagen* to put sb/sth to flight; *die ~ nach vorn antreten* to take the bull by the horns. [b] (*Häuser~*) row. [c] (*Zimmer~*) suite.

flucht|artig *adj* hasty ▶ *in ~er Eile* in great haste.

flüchten *vi* [a] *aux sein* (*davonlaufen*) to flee; (*erfolgreich auch*) to escape ▶ *vor der Wirklichkeit ~* to escape reality; *sich in Alkohol ~* to take refuge in alcohol; *sich in Ausreden ~* to resort to excuses. [b] *auch vr* (*vi: aux sein*) (*Schutz suchen*) to take refuge.

Flucht-: *~fahrzeug* *nt* escape vehicle; (*von Dieb*) getaway vehicle; *~gefahr* *f* risk of escape; *~hilfe* *f* *~hilfe leisten* to aid an escape.

flüchtig *adj* [a] (*geflüchtet*) *~ sein* to be at large. [b] (*kurz*) fleeting. [c] (*oberflächlich*) cursory ▶ *etw ~ lesen* to skim through sth; *jdn ~ kennen* to have met sb briefly. [d] (*Chem*) volatile. [e] (*Comp*) *~er Speicher* volatile memory.

Flüchtigkeit *f* [a] (*Kürze*) briefness. [b] (*Oberflächlichkeit*) cursoriness. [c] (*Chem*) volatility.

Flüchtigkeitsfehler *m* careless mistake.

Flüchtling *m* refugee.

Flüchtlings- *in cpds* refugee; *~hilfe* *f* aid to refugees; *~lager* *nt* refugee camp.

Flucht-: *~linie* *f* alignment; *~punkt* *m* vanishing point; *~verdacht* *m bei ~verdacht* if an attempt to abscond is thought likely; *~versuch* *m* escape attempt *or* bid; *~weg* *m* escape route.

Flug *m* ̈e flight; (*Ski~*) jump ▶ *im ~(e)* in the air; *einen ~ antreten* to take off (*nach* for); *wie im ~(e)* (*fig*) in a flash; *das Wochenende verging wie im ~(e)* the weekend flew past.

Flug-: *~abwehr* *f* air defence; *~bahn* *f* flight path; (*von Rakete auch*) trajectory; (*Kreisbahn*) orbit; *~ball* *m* (*Tennis etc*) volley; *~begleiter(in* *f*) *m* flight attendant; *f~bereit* *adj* ready for take-off; *~blatt* *nt* leaflet, flier; *~dauer* *f* flying time.

Flügel *m* - [a] wing; (*von Hubschrauber*) blade; (*Windmühlen~*) sail, vane; (*Altar~*) sidepiece; (*Fenster~*) casement; (*Mil*) flank ▶ *einem Vogel/jdm die ~ stutzen* to clip a bird's/sb's wings. [b] (*Konzert~*) grand piano.

Flügel-: *~fenster* *nt* casement window; *~schraube* *f* wing bolt; *~spannweite* *f* wingspan; *~stürmer* *m* (*Sport*) wing forward; *~tür* *f* double door.

Flug-: *f~fähig* *adj* able to fly; *Flugzeug* (*in Ordnung*) airworthy; *~gast* *m* (airline) passenger.

flügge *adj* fully-fledged; (*fig*) *Jugendlicher* independent ▶ *~ werden* (*lit*) to be able to fly; (*fig*) to leave the nest.

Flug-: *~gelände* *nt* airfield; *~geschwindigkeit* *f* flying

---

⚠: for details of spelling reform, see supplement

speed; **~gesellschaft** *f* airline; **~hafen** *m* airport; **~hafenbus** *m* shuttle (*to/from airport*); **~hafengebühr** *f* airport tax; **~höhe** *f* flying height, altitude; *unsere ~höhe beträgt 10.000 Meter* we are flying at an altitude of 10,000 metres; **~kapitän** *m* captain; **~karte** *f* (*Tikket*) plane ticket; **~körper** *m* projectile; **~lärm** *m* aircraft noise; **~leitung** *f* air-traffic *or* flight control; **~linie** *f* [a] (*Strecke*) air route; [b] (*~gesellschaft*) airline; **~lotse** *m* air-traffic *or* flight controller; **~minute** *f*: *30 ~minuten von hier* 30 minutes by air from here; **~netz** *nt* network of air routes; **~objekt** *nt*: *ein unbekanntes ~objekt* an unidentified flying object, a UFO; **~personal** *nt* flight personnel *pl*; **~plan** *m* flight schedule; **~platz** *m* airfield; (*größer*) airport; **~preis** *m* air fare; **~reise** *f* flight; *eine ~reise machen* to travel by air; **~reisende(r)** *mf* (airline) passenger; **~route** *f* air-route.

flugs [flʊks] *adv* (*dated*) without delay, speedily.

Flug-: **~sand** *m* drifting sand; **~schein** *m* [a] pilot's licence (*Brit*) *or* license (*US*); [b] (*~karte*) plane ticket; **~schreiber** *m* flight recorder; **~schrift** *f* pamphlet; **~sicherung** *f* air traffic control; **~steig** *m* gate; **~strecke** *f* [a] flying distance; [b] (*Route*) route; **~stunde** *f* [a] flying hour; *zehn ~stunden entfernt* ten hours away by air; [b] (*Unterricht*) flying lesson; **f~technisch** *adj* aeronautical; *Erfahrung, Fehler* flying *attr*; **f~tüchtig** *adj* airworthy; **~tüchtigkeit** *f* airworthiness; **~verbindung** *f* air connection; **~verkehr** *m* air traffic; **~wesen** *nt no pl* aviation *no art*; **~zeit** *f* flying time.

Flugzeug *nt* -e aircraft, (aero)plane (*Brit*), airplane (*US*).

Flugzeug- *in cpds* aircraft; **~absturz** *m* air crash; **~besatzung** *f* aircrew; **~entführer** *m* hijacker; **~entführung** *f* hijacking; **~führer** *m* (aircraft) pilot; **~halle** *f* (aircraft) hangar; **~katastrophe** *f* air disaster; **~träger** *m* aircraft carrier; **~unglück** *nt* air crash.

fluktuieren* *vi* to fluctuate.

Flunder *f* -n flounder.

Flunkerei *f* (*col*) [a] (*no pl: Flunkern*) story-telling. [b] (*kleine Lüge*) story.

flunkern (*col*) [1] *vi* to tell stories. [2] *vt* to make up.

Flunsch *m* -e (*col*) pout ▸ *einen ~ ziehen* to pout.

Fluor *nt no pl* (*Chem*) fluorine; (*~verbindung*) fluoride.

Flur¹ *m* -e corridor; (*in Privathaus*) hall; (*oben in Privathaus*) landing.

Flur² *f* -en (*geh*) open fields *pl* ▸ *durch Wald/Feld und ~* through woods/fields and meadows; *allein auf weiter ~ stehen* (*fig*) to be out on a limb.

⚠ **Fluß** *m* ̈-sse [a] river ▸ *unten am ~* down by the river(side). [b] (*von Verkehr, Rede, Strom*) flow ▸ *etw in ~* (*acc*) *bringen* to get sth moving; *im ~ sein* (*sich verändern*) to be in a state of flux; (*im Gange sein*) to be in progress.

⚠ **Fluß-** *in cpds* river; **f~ab(wärts)** ⚠ *adv* downstream, downriver; **f~aufwärts** ⚠ *adv* upstream, upriver; **~bett** ⚠ *nt* riverbed; **~diagramm** ⚠ *nt* flow chart.

flüssig *adj* [a] liquid; *Honig, Lack* runny; *Glas, Metall auch* molten. [b] *Stil, Spiel* flowing, fluid ▸ *~ lesen* to read fluently; *den Verkehr ~ halten* to keep the traffic flowing. [c] *Geld* available ▸ *~es Vermögen* liquid assets *pl*; *Wertpapiere ~ machen* to realize securities; *ich bin im Moment nicht ~* (*col*) I'm out of funds at the moment.

Flüssigkeit *f* [a] liquid; (*esp Anat*) fluid. [b] *no pl* (*von Metall*) liquidity; (*von Geldern*) availability; (*von Stil*) fluidity.

Flüssigkristallanzeige *f* liquid-crystal display, LCD.

flüssigmachen *vt sep* to realize.

Fluß-: **~lauf** ⚠ *m* course of a/the river; **~mündung** ⚠ *f* estuary; **~pferd** ⚠ *nt* hippopotamus; **~ufer** ⚠ *nt* riv-

er bank.

Flüstergalerie *f* whispering gallery.

flüstern *vti* to whisper ▸ *das kann ich dir ~* (*col*) take it from me (*col*); *dem werde ich was ~* (*col*) I'll tell him a thing or two (*col*).

Flüster-: **~propaganda** *f* whispering campaign; **~stimme** *f* whisper; **~ton** *m* whisper; *sich im ~ton unterhalten* to talk in whispers.

Flut *f* -en [a] incoming *or* flood tide; (*Zustand*) high tide ▸ *die ~ kommt* the tide's coming in; *die ~ geht zurück* the tide has started to go out. [b] *usu pl* (*Wassermasse*) waters *pl*. [c] (*fig: Menge*) flood ▸ *eine ~ von Tränen* floods of tears.

fluten *vi aux sein* (*geh: lit, fig*) to flood.

Flutlicht *nt* floodlight.

flutschen *vi* (*col*) [a] *aux sein* (*rutschen*) to slide. [b] (*funktionieren*) to go well.

Flutwelle *f* tidal wave.

Föderalismus *m* federalism.

Föderation *f* federation.

föderativ *adj* federal.

Fohlen *nt* - foal; (*männlich auch*) colt; (*weiblich auch*) filly.

Föhn *m* -e *warm dry Alpine wind*, foehn.

Föhre *f* -n Scots pine (tree).

Fokus *m* -, -se focus.

Folge *f* -n [a] sequence; (*Cards auch*) run; (*Fortsetzung*) instalment (*Brit*), installment (*US*); (*TV, Rad*) episode ▸ *in rascher ~* in quick succession; *in der or für die ~* (*form*) in future. [b] (*Ergebnis*) consequence ▸ *dies hatte seine Entlassung zur ~* this resulted in his dismissal; *die ~n werden nicht ausbleiben* there will be repercussions. [c] (*form*) *einem Befehl/einer Einladung ~ leisten* to obey an order/to accept an invitation.

Folge|erscheinung *f* result, consequence.

folgen *vi* [a] *aux sein* to follow (*jdm/einer Sache sb/sth*) ▸ *auf jdn (im Rang) ~* to come after sb; *~ Sie mir (bitte)!* come with me please; *wie folgt* as follows; *daraus folgt, daß ...* it follows from this that ...; *können Sie mir ~?* do you follow (me)? [b] (*gehorchen*) to obey.

folgend *adj* following ▸ *~es* the following; *im ~en* in the following; (*schriftlich auch*) below.

folgendermaßen *adv* like this, as follows.

folgen-: **~los** *adj* without consequences; *das konnte nicht ~los bleiben* that was bound to have serious consequences; **~schwer** *adj* serious; *die Maßnahme erwies sich als ~schwer* the measure had serious consequences.

Folge-: **f~richtig** *adj* (logically) consistent; **~richtigkeit** *f* logical consistency.

folgern *vti* to conclude ▸ *daraus läßt sich ~, daß ...* we can conclude from this that ...

Folgerung *f* conclusion.

Folgezeit *f* following period.

▼ **folglich** *adv, conj* consequently, therefore.

folgsam *adj* obedient.

Folgsamkeit *f* obedience.

Folie ['fo:liə] *f* (*Plastik~*) film; (*Metall~*) foil.

Folklore *f no pl* folklore; (*Volksmusik*) folk music.

folkloristisch *adj* folkloric; *Kleidung* ethnic.

Folter *f* -n (*lit, fig*) torture ▸ *jdn auf die ~ spannen* (*fig*) to keep sb on tenterhooks.

Folterbank *f* rack.

Folterer *m* - torturer.

Folterkammer *f* torture chamber.

foltern [1] *vt* to torture; (*quälen auch*) to torment. [2] *vi* to use torture.

Folterung *f* torture.

⚠ **Fön** ® *m* -e hair dryer.

Fond [fõ:] *m* -s [a] (*geh: Wagen~*) back. [b] (*Hintergrund*)

background. [c] (*Cook: Fleischsaft*) meat juices *pl.*
Fonds [fõː] *m* - [a] (*lit, fig*) fund. [b] (*Fin: Schuldverschreibung*) government bond.
Fondue [fõˈdyː] *nt* **-s** fondue.
⚠ **fönen** *vt* to blow-dry.
Fontäne *f* **-n** jet (of water); (*Springbrunnen*) fountain.
foppen *vt* (*col*) **jdn ~** (*necken*) to pull sb's leg (*col*).
forcieren* [fɔrˈsiːrən] *vt* to push; *Tempo* to force; *Konsum, Produktion* to push *or* force up.
forciert [fɔrˈsiːɐt] *adj* forced.
Förder-: **~anlage** *f* conveyor; **~band** *nt* conveyor belt.
Förderer *m* -, **Förderin** *f* sponsor; (*Gönner*) patron.
Förder-: **~klasse** *f* (*Sch*) remedial class; **~korb** *m* (*Min*) cage; **~leistung** *f* (*Min*) output.
förderlich *adj* beneficial (*dat* to) ▸ **guten Beziehungen ~ sein** to be conducive to good relations.
fordern [1] *vt* [a] (*verlangen*) to demand; *Preis* to ask; (*in Aufrufen*) to call for; (*Anspruch erheben auf*) to claim ▸ **viel von jdm ~** to ask *or* demand a lot of sb. [b] (*fig: kosten*) *Opfer* to claim. [c] (*fig: herausfordern*) to challenge. [d] (*Sport*) to make demands on.
[2] *vi* to make demands.
fördern *vt* [a] (*unterstützen*) to support; (*propagieren*) to promote; (*finanziell*) *bestimmtes Projekt* to sponsor; *jds Talent, Neigung* to encourage, to foster; *Verdauung* to aid; *Appetit* to stimulate; *Untersuchung, Wahrheitsfindung, Wachstum* to further; *Verbrauch* to boost ▸ **jdn beruflich ~** to help sb in his career. [b] *Bodenschätze* to extract.
Förder-: **~plattform** *f* production platform; **~schacht** *m* winding shaft; **~stufe** *f* (*Sch*) mixed ability class(es) (*intended to foster the particular talents of each pupil*); **~turm** *m* (*Min*) winding tower; (*auf Bohrstelle*) derrick.
Forderung *f* [a] (*Verlangen*) demand (*nach* for); (*Lohn~ etc*) claim; (*in Aufrufen etc*) call ▸ **eine ~ nach etw erheben** to call for sth; **jds ~ erfüllen** to meet sb's demands/claim. [b] (*Comm: Anspruch*) claim (*an +acc* on); accounts receivable. [c] (*Herausforderung*) challenge.
Förderung *f* [a] *siehe* **fördern (a)** support; promotion; sponsorship; encouragement, fostering; aid; stimulation; furtherance; boosting. [b] (*Gewinnung*) extraction.
Forelle *f* trout.
forensisch *adj Medizin* forensic.
Form *f* **-en** [a] form; (*Gestalt, Umriß*) shape ▸ **in ~ von Dragees** in the form of pills; **seine ~ verlieren/aus der ~ geraten** to lose its shape; **einer Sache** (*dat*) **~ (und Gestalt) geben** (*lit, fig*) to give sth shape; **feste ~ annehmen** (*fig*) to take shape; **gewalttätige ~en annehmen** (*fig*) to become violent. [b] (*Umgangs~en*) **~en** *pl* manners *pl*; **die ~ wahren** to observe the proprieties; **der ~ wegen** for the sake of form; **in aller ~** formally. [c] (*Kondition*) form ▸ **in ~ bleiben/kommen** to keep/get (oneself) in shape; **groß in ~** in great form; **außer ~** off form. [d] (*Gieß~*) mould; (*Kuchen~*) baking tin (*Brit*) *or* pan (*US*); (*Hut~, Schuh~*) block.
formal *adj* formal; *Besitzer, Grund* technical.
Formaldehyd *m no pl* formaldehyde.
formalisieren* *vt* to formalize.
Formalität *f* formality ▸ **alle ~en erledigen** to go through all the formalities.
Format *nt* **-e** [a] format. [b] (*Persönlichkeit*) stature. [c] (*fig: Niveau*) class (*col*), quality.
formatieren *vti* (*Comp*) to format.
Formation *f* formation; (*Gruppe*) group.
Form-: **f~bar** *adj* (*lit, fig*) malleable; **f~beständig** *adj f~beständig sein** to hold its shape; **~blatt** *nt* form.
Formel *f* **-n** formula; (*von Eid etc*) wording; (*Floskel*) set phrase ▸ **~ Eins** (*Sport*) Formula One; **etw auf eine ~ bringen** to reduce sth to a formula.

formelhaft *adj Sprache, Stil* stereotyped ▸ **~ reden** to talk in set phrases.
formell *adj* formal.
formen *vt* to form, to shape; *Eisen* to mould; *Wörter* to articulate.
formenreich *adj* with a great variety of forms.
Form-: **~fehler** *m* irregularity; (*gesellschaftlich*) breach of etiquette; **~gebung** *f* (*geh*) design.
formieren* [1] *vt Truppen* to draw up; *Kolonne, Zug* to form (into); (*bilden*) to form.
[2] *vr* to form up.
Formierung *f* formation; (*von Truppen*) drawing-up.
förmlich *adj* [a] (*formell*) formal. [b] (*regelrecht*) positive ▸ **ich hätte ~ weinen können** I really could have cried; **er strahlte ~ vor Freude** he was positively beaming with joy.
Förmlichkeit *f* formality ▸ **bitte keine ~en!** please don't stand on ceremony.
formlos *adj* [a] shapeless. [b] (*zwanglos*) informal, casual. [c] (*Admin*) *Antrag* unaccompanied by a form/any forms.
Form-: **~sache** *f* formality; **f~schön** *adj* beautifully shaped, elegantly proportioned; **~schönheit** *f* elegant proportions *pl*; **~tief** *nt* loss of form; **sich in einem ~tief befinden** to be badly off form.
Formular *nt* **-e** form.
formulieren* *vt* to word, to phrase ▸ **... wenn ich es mal so ~ darf** ... if I might put it like that.
Formulierung *f* wording ▸ **eine bestimmte ~** a particular phrase.
Formung *f* [a] *no pl* (*das Formen*) forming, shaping; (*von Eisen*) moulding; (*von Wörtern*) articulation. [b] (*Form*) shape.
formvollendet *adj* perfect; *Vase etc* perfectly formed.
forsch *adj* dynamic.
forschen *vi* to search (*nach* for); (*Forschung betreiben*) to research (*über +acc* on *or* into).
forschend *adj* inquiring; (*musternd*) searching.
Forscher(in *f*) *m* - [a] researcher; (*in Naturwissenschaften*) research scientist. [b] (*Forschungsreisender*) explorer.
Forschung *f* research *no pl* ▸ **verschiedene ~en** various studies; **~ und Lehre** research and teaching; **~ und Entwicklung** research and development, R & D.
Forschungs- *in cpds* research; **~auftrag** *m* research assignment; **~reise** *f* expedition; **~reisende(r)** *mf decl as adj* explorer.
Forst *m* **-e(n)** forest.
Forst|amt *nt* forestry office.
Förster(in *f*) *m* - forest warden *or* ranger (*US*).
Forstwirtschaft *f* forestry.
Fort [foːɐ] *nt* **-s** fort.
fort *adv* [a] (*weg*) away; (*verschwunden*) gone ▸ **~ mit ihm/damit!** away with him/it!; **er ist ~** he has left *or* gone; **weit ~** far away. [b] (*weiter*) on ▸ **und so ~** and so on; **in einem ~** incessantly.
fort- *pref in cpd vbs* (*weg*) away; *siehe* **weg-**.
Fort-: **f~begeben*** *vr sep irreg* (*geh*) to depart; **~bestand** *m no pl* continued existence; (*von Gattung etc*) survival; **f~bestehen*** *vi sep irreg* to continue to exist; **f~bewegen*** *vtr sep* to move; **~bewegung** *f no pl* locomotion; **f~bilden** *vt sep* **jdn/sich f~bilden** to continue sb's/one's education; **~bildung** *f no pl* further education; **berufliche ~bildung** further vocational training; **~bildungskurs(us)** *m* in-service training course; **f~bleiben** *vi sep irreg aux sein* to stay away; **~bleiben** *nt no pl* absence; **f~bringen** *vt sep irreg* to take away; (*zur Reparatur, Reinigung etc*) to take in; *Brief, Paket etc* to post; **~dauer** *f* continuance, continuation; **f~dauern** *vi sep* to continue; **f~dauernd** [1] *adj* continuing; (*in*

der Vergangenheit) continued; **2** *adv* constantly, continuously; **f~entwickeln*** *vtr sep* to continue to develop; **~entwicklung** *f no pl* further development; **f~fahren** *sep* **1** *vi* **a** *aux sein* (*wegfahren*) to go away; (*Fahrer*) to drive off; (*abfahren*) to leave, to go; (*einen Ausflug machen*) to go out; **b** *aux haben or sein* (*weitermachen*) to continue; **f~fahren, etw zu tun** to continue doing sth *or* to do sth; **2** *vt Wagen* to drive away; **~fall** *m* loss; (*von Beihilfe etc*) discontinuance; **f~fallen** *vi sep irreg aux sein* (*ausgelassen werden*) to be omitted; (*Bedenken etc*) to vanish; (*Zuschuß etc*) to be discontinued; **f~führen** *vt sep* **a** (*fortsetzen*) to continue, to carry on; **b** (*wegführen*) to take away; **~führung** *f* continuation; **~gang** *m no pl* **a** (*Weggang*) departure (*aus* from); **b** (*Verlauf*) progress; **f~gehen** *vi sep aux sein* to go away, to leave; **f~geschritten** *adj* advanced; **er kam zu f~geschrittener Stunde** he came at a late hour; **~geschrittenenkurs(us)** *m* advanced course; **f~gesetzt** *adj* constant; *Betrug etc* repeated; **f~jagen** *sep* **1** *vt* to chase out (*aus, von* of); (*hinauswerfen*) to throw out (*aus, von* of); **2** *vi aux sein* to race off; **~kommen** *nt* (*lit, fig*) progress; **f~kommen** *vi aux sein* **a** to get away; **mach, daß du f~kommst!** be off! **b** (*vorankommen*) to get on (well); **f~lassen** *vt sep* **a** (*weggehen lassen*) **jdn f~lassen** to let sb go; **b** (*auslassen*) to leave out, to omit; **f~laufen** *vi sep irreg aux sein* to run away; **f~laufend** *adj Handlung* ongoing *no adv*, *Zahlungen* regular; (*andauernd*) continual; **f~laufend numeriert** consecutively numbered; **f~machen** *vr sep* (*col*) to clear out (*col*); **f~nehmen** *vt sep irreg* to take away (*jdm* from sb); **f~pflanzen** *vr sep* (*Mensch*) to reproduce; (*Schall, Licht*) to travel; **~pflanzung** *f no pl* reproduction; **f~räumen** *vt sep* to clear away; **f~reißen** *vt sep irreg* to tear away; (*Menge, Flut, Strom*) to sweep *or* carry away; (*fig*) to carry away; **jdn/etw mit sich f~reißen** (*lit*) to carry *or* sweep sb/sth along.

Forts. = **Fortsetzung.**

fort-: **~schaffen** *vt sep* to remove; **~scheren** *vr sep* (*col*) to clear off (*aus* out of) (*col*); **~schicken** *vt sep* to send away; **~schreiten** *vi sep irreg aux sein* to progress, to advance; (*Zeit*) to march on; *siehe* **~geschritten**; **~schreitend** *adj* progressive; *Alter, Wissenschaft* advancing.

Fortschritt *m* advance, progress *no pl* ▸ **gute ~e machen** to make good progress; **dem ~ dienen** to further progress.

fortschrittlich *adj* progressive (*auch Pol*); *Mensch, Ideen auch* forward-looking.

fortschrittsgläubig *adj*: **~ sein** to believe in progress.

Fort-: **f~setzen** *sep* **1** *vt* to continue; (*nach Unterbrechung auch*) to resume; **2** *vr* (*zeitlich*) to continue; (*räumlich*) to extend; **~setzung** *f* **a** continuation; (*nach Unterbrechung auch*) resumption; **b** (*Rad, TV*) episode; (*eines Romans*) instalment (*Brit*), installment (*US*); *„~setzung folgt"* "to be continued"; **~setzungsroman** *m* serialized novel; **f~stehlen** *vr sep irreg* (*geh*) to steal away; **f~währen** *vi sep* (*geh*) to continue, to persist; **f~während** *adj no pred* constant, continual; **f~wirken** *vi sep* to continue to have an effect; **f~ziehen** *sep irreg* **1** *vt* to pull away, to drag away; **2** *vi aux sein* **a** to move on; **b** (*von einem Ort*) to move away (*aus* from).

Forum *nt, pl* **Foren** forum.

Forumsdiskussion *f* forum (discussion).

Fossil *nt* **-ien** [-iən] fossil.

Foto *nt* **-s** photo(graph), snap(shot) (*col*) ▸ **ein ~ machen** to take a photo(graph).

Foto- *in cpds* photo; **~album** *nt* photograph album; **~amateur** *m* amateur photographer; **~apparat** *m* camera; **~atelier** *nt* (photographic) studio; **~ecke** *f* (photo

or mounting) corner; **~gelegenheit** *f* photo opportunity.

fotogen *adj* photogenic.

Fotograf *m* photographer.

Fotografie *f* **a** photography. **b** (*Bild*) photo(graph).

fotografieren* **1** *vt* to photograph, to take a photo(graph) of ▸ **sich ~ lassen** to have one's photo(graph) taken. **2** *vi* to take photo(graph)s.

Fotografin *f* photographer.

fotografisch *adj* photographic.

Foto-: **~journalist** *m* photojournalist; **~kopie** *f* photocopy; **~kopierer** (*col*) *m*, **~kopiergerät** *nt* photocopier; **f~kopieren*** *vt insep* to photocopy; **~labor** *nt* darkroom; **~modell** *nt* photographic model; **~reporter** *m* press photographer; **~safari** *f* photographic safari; **~termin** *m* photo call.

Fötus *m* **-, Föten** foetus, fetus (*esp US*).

Foul [faul] *nt* **-s** (*Sport*) foul.

Foulelfmeter ['faul-] *m* (*Ftbl*) penalty (kick).

foulen ['faulən] *vti* (*Sport*) to foul.

Foulspiel ['faul-] *nt* (*Sport*) foul play.

Fox *m* **-e** **a** (*auch ~terrier*) fox-terrier. **b** (*auch ~trott*) foxtrot.

Foyer [foa'je:] *nt* **-s** foyer; (*in Hotel auch*) lobby.

FPÖ = **Freiheitliche Partei Österreichs** Austrian Freedom Party.

Fr. = **a** **Frau** Mrs, Ms; (*unverheiratet*) Miss, Ms. **b** **Freitag** Fri. **c** **Franken** fr.

Fracht *f* **-en** freight *no pl*; (*von Flugzeug, Schiff auch*) cargo; (*~preis auch*) freightage *no pl* ▸ **zahlt Empfänger** carriage forward.

Frachtbrief *m* consignment note, waybill.

Frachter *m* **-** freighter.

Fracht-: **f~frei** *adj* carriage paid *or* free; **~gut** *nt* freight *no pl*; **~kosten** *pl* freight charges *pl*; **~raum** *m* hold; (*Ladefähigkeit*) cargo space; **~schiff** *nt* cargo ship, freighter; **~versicherung** *f* freight insurance .

Frack *m* **⸚e** tails *pl*, tail coat ▸ **im ~** in tails.

Frack-: **~hemd** *nt* dress shirt; **~sausen** *nt*: **~sausen haben** (*col*) to be in a funk (*col*); **~weste** *f* waistcoat (*Brit*) *or* vest (*US*) worn with tails; **~zwang** *m* requirement to wear tails; *„~zwang"* "tails".

▼ **Frage** *f* **-n** question ▸ **eine ~ zu etw** a question on sth; **jdm eine ~ stellen** to ask sb a question; **auf eine dumme ~ bekommt man eine dumme Antwort** (*prov*) ask a silly question (get a silly answer) (*prov*); **das ist (doch sehr) die ~** that's (just) the question; **das ist die große ~** that's the sixty-four thousand dollar question (*col*); **das ist gar keine ~, das steht außer ~** there's no question about it; **ohne ~** without question *or* doubt; **in ~ kommen** to be possible; **sollte er für diese Stelle in ~ kommen, ...** if he should be considered for this post ...; **für jdn/etw nicht in ~ kommen** to be out of the question for sb/sth; **in ~ kommend** possible; *Bewerber* worth considering; **etw in ~ stellen** to question sth; **eine ~ der Zeit** a question *or* matter of time.

Fragebogen *m* questionnaire; (*Formular*) form.

▼ **fragen** **1** *vti* to ask ▸ **nach** *or* **wegen** (*col*) **jdm ~** to ask for sb; (*nach jds Befinden*) to ask after sb; **ich fragte sie nach den Kindern** I asked her how the children were doing; **nach Arbeit/Post ~** to ask whether there is/was any work/mail; **nach den Ursachen ~** to inquire as to the causes; **nicht nach den Folgen ~** not to care about the consequences; **wegen etw ~** to ask about sth; **das frage ich dich!** I could ask you the same; **da fragst du noch?** you still have to ask?; **frag nicht so dumm!** don't ask silly questions; **da fragst du mich zuviel** (*col*) I really couldn't say; **man wird ja wohl noch ~ dürfen** (*col*) I only asked (*col*); **wenn ich (mal) ~ darf?** if I might ask?;

ohne lange zu ~ without asking a lot of questions. [2] *vr* to wonder ▶ *das/da frage ich mich* I wonder; *das frage ich mich auch* that's just what I was wondering; *es/man fragt sich, ob …* it's questionable/one wonders whether …; *da muß man sich ~, ob …* you can't help wondering if …

fragend *adj* questioning, inquiring.

Frager(in *f) m* - questioner.

Fragerei *f* questions *pl.*

Frage-: *~steller(in f) m* - questioner; (*Interviewer*) interviewer; *~stellung f* [a] formulation of a/the question; [b] (*Frage*) question; *~stunde f* (*Parl*) question time; *~zeichen nt* question mark (*auch fig*); *dastehen/ dasitzen wie ein ~zeichen* (*col*) to slouch.

fraglich *adj* [a] doubtful, questionable. [b] *attr* (*betreffend*) in question.

fraglos *adv* undoubtedly, unquestionably.

Fragment *nt* fragment.

fragmentarisch *adj* fragmentary.

fragwürdig *adj* dubious.

Fragwürdigkeit *f* dubiousness.

Fraktion *f* [a] (*Pol*) ≈ parliamentary *or* congressional (*US*) party; (*Sondergruppe*) group, faction. [b] (*Chem*) fraction.

Fraktions- *in cpds* (*Pol*) party; *f~los adj* independent; *~mitglied nt* member of a parliamentary *etc* party; *~sitzung f* party meeting; *~vorsitzende(r) mf* party whip; *~zwang m* requirement to follow the party whip.

Fraktur *f* [a] (*Typ*) Gothic print ▶ *~ reden* (*col*) to be blunt. [b] (*Med*) fracture.

Franc [frã:] *m* -, -s franc.

Franchisegeber(in *f) m* franchiser.

Franchisenehmer(in *f) m* franchisee.

frank *adv.* *~ und frei* frankly, openly.

Franken¹ *nt* Franconia.

Franken² *m* - *(Schweizer)* ~ (Swiss) franc.

frankieren* *vt* to stamp; (*mit Maschine*) to frank.

Frankiermaschine *f* franking machine.

Frankierung *f* franking.

fränkisch *adj* Franconian.

franko *adj inv* (*Comm*) carriage paid; (*von Postsendungen*) post-free, post-paid.

Frankreich *nt* France.

Franse *f -n* (loose) thread; (*von Haar*) strand of hair ▶ *~n* (*als Besatz*) fringe; (*Pony*) fringe (*Brit*), bangs *pl* (*US*).

fransen *vi* to fray (out).

Franz *m -' or -ens* Francis.

Franzbranntwein *m* alcoholic liniment.

Franzose *m -n* Frenchman; (*Junge*) French boy.

Französin *f* Frenchwoman; (*Mädchen*) French girl.

französisch *adj* French ▶ *die ~e Schweiz* French-speaking Switzerland; *~es Bett* double bed; *sich (auf) ~ empfehlen* (*col*) to leave without saying good-bye/paying; *siehe* **deutsch**.

Französisch(e) *nt decl as adj* French; *siehe* **Deutsch(e)**.

frappant *adj* striking.

frappieren* *vt* (*verblüffen*) to astound.

frappierend *adj* striking.

Fräse *f -n* (*Werkzeug*) milling cutter; (*für Holz*) moulding cutter; (*Boden~*) rotary hoe.

fräsen *vt* to mill; *Holz* to mould.

fraß *pret of* **fressen**.

Fraß *m -e* [a] *etw einem Tier zum ~ vorwerfen* to feed sth to an animal; *jdn den Kritikern zum ~ vorwerfen* to leave sb to the mercy of the critics. [b] (*pej col: Essen*) muck (*col*) *no indef art.* [c] (*Abfressen*) *vom ~ befallen* eaten away.

fraternisieren* *vi* to fraternize.

Fratze *f -n* (*Grimasse*) grimace; (*col: Gesicht*) mug (*col*);

(*fig: Zerrbild*) caricature ▶ *jdm eine ~ schneiden* to pull *or* make a face at sb.

Frau *f -en* [a] woman; (*Ehe~*) wife ▶ *jdn zur ~ haben* to be married to sb. [b] (*Anrede, mit Namen*) Mrs, Ms; (*für eine unverheiratete ~*) Miss, Ms ▶ *~ Doktor* doctor; *~ Vorsitzende* Madam Chairman.

Frauchen *nt dim of* **Frau** (*col*) [a] (*Ehefrau*) little woman. [b] (*Herrin von Hund*) mistress.

Frauen- *in cpds* women's; (*einer bestimmten Frau*) woman's; (*Sport auch*) ladies'; *~arbeit f* female labour (*Brit*) *or* labor (*US*); *~arzt m* gynaecologist (*Brit*), gynecologist (*US*); *~beruf m* career for women; *f~bewegt adj* feminist; *~bewegung f* feminist movement; *f~feindlich adj* anti-women *pred*; *Mensch, Verhalten auch* misogynous; *~haus nt* women's refuge; *~heilkunde f* gynaecology (*Brit*), gynecology (*US*); *~held m* lady-killer; *~klinik f* gynaecological (*Brit*) *or* gynecological (*US*) clinic; *~kloster nt* convent; *~rechtlerin f* feminist; *f~rechtlerisch adj* feminist; *sich f~rechtlerisch betätigen* to be involved in women's rights *or* (*in der heutigen Zeit auch*) women's lib; *~wahlrecht nt* vote for women; *~zeitschrift f* women's magazine; *~zentrum nt* women's advice centre; *~zimmer nt* (*old*) woman; (*hum, pej*) female (*col*), broad (*US col*).

Fräulein *nt - or -s* [a] young lady ▶ *ein altes or älteres ~* an elderly spinster. [b] (*Anrede*) Miss. [c] (*Verkäuferin*) assistant (*Brit*), sales clerk (*US*); (*Kellnerin*) waitress ▶ *"~!"* "Miss!"; *das ~ vom Amt* (*dated*) the switchboard girl.

fraulich *adj* feminine; (*reif*) womanly *no adv.*

frech *adj* cheeky (*esp Brit*), fresh (*esp US*); *Lüge* barefaced *no adv* ▶ *~ wie Oskar sein* (*col*) to be a little monkey (*col*).

Frechdachs *m* (*col*) cheeky monkey (*col*).

Frechheit *f* [a] *no pl* impudence, cheek (*esp Brit*) ▶ *die ~ besitzen, zu …* to have the impudence to … [b] (*Äußerung, Handlung*) piece of cheek (*esp Brit*) *or* impudence ▶ *sich* (*dat*) *einige ~en erlauben* to be a bit cheeky (*esp Brit*) *or* fresh (*esp US*).

Freesie [ˈfreːziə] *f* freesia.

Fregatte *f* frigate.

Fregattenkapitän *m* commander.

frei *adj* [a] free; *Blick* clear ▶ *~e Hand haben* to have a free hand; *aus der ~en Hand zeichnen* to draw freehand; *jdm zur ~en Verfügung stehen* to be completely at sb's disposal; *aus ~en Stücken* *or* *~em Willen* of one's own free will; *~ nach …* based on …; *~ nach Goethe* (*Zitat*) to adapt a phrase of Goethe's; *ich bin so ~* (*form*) may I?; *von Kiel nach Hamburg hatten wir ~e Fahrt* we had a clear run from Kiel to Hamburg; *für etw ~e Fahrt geben* (*fig*) to give sth the go-ahead; *der ~e Fall* (*Phys*) free fall; *der Film ist ~ ab 16 (Jahren)* the film may be seen by people over (the age of) 16; *sich von etw ~ machen* to free onself from sth.

[b] *Schriftsteller etc* freelance; (*nicht staatlich*) private ▶ *~er Beruf* independent profession; *als ~er Mitarbeiter arbeiten* to work freelance; *~er Markt* open market; *~e Marktwirtschaft* free market economy; *die ~e Wirtschaft* private enterprise.

[c] (*ohne Hilfsmittel*) *Rede* extemporary ▶ *~ schwimmen* to swim unaided *or* on one's own; *~ in der Luft schweben* to hang in mid-air; *ein Vortrag in ~er Rede* a talk given without notes; *~ sprechen* to extemporize.

[d] (*verfügbar*) *Mittel, Geld* available; *Zeit, Mensch* free ▶ *morgen/Mittwoch ist ~* tomorrow/Wednesday is a holiday; *einen Tag ~ nehmen/haben* to take/have a day off; *ist hier or ist dieser Platz noch ~?* is this seat free?; *„Zimmer ~"* "vacancies"; *eine Stelle wird ~* a position is becoming vacant; *einen Platz ~ machen*

(*aufstehen*) to vacate a seat; **einen Platz für jdn ~ lassen** to leave a seat for sb.
[e] (*offen*) open ▶ **unter ~em Himmel** in the open (air); **im ~en Raum** (*Astron*) in (outer) space; **eine Frage im ~en Raum stehenlassen** to leave a question hanging; **auf ~er Strecke** (*Rail*) between stations; (*Aut*) on the road.
[f] (*unbekleidet*) bare ▶ **sich ~ machen** (*beim Arzt*) to take one's clothes off, to strip; **~ lassen** to leave bare.
Frei-: **~bad** *nt* open-air swimming pool, lido; **f~bekommen*** *vt sep irreg* [a] **jdn f~bekommen** to get sb freed *or* released; [b] **einen Tag f~bekommen** to get a day off; **~berufler(in** *f*) *m* - self-employed person; **f~beruflich** *adj* self-employed; **~betrag** *m* tax allowance; **~bier** *nt* free beer; **~brief** *m* (*fig*) licence (*Brit*), license (*US*).
Freier *m* - [a] (*dated, hum*) suitor. [b] (*col: von Dirne*) (prostitute's) client, john (*US col*).
Freie(s) *nt decl as adj* **im ~n** in the open (air); **ins ~ gehen** to go outside.
Frei-: **~exemplar** *nt* free copy; **~fahrschein** *m* free ticket; **~flug** *m* free flight; **~frau** *f* baroness (*by marriage*); **~gabe** *f siehe* **~geben** release; lifting of controls (*gen on*); opening; passing; **f~geben** *sep irreg* [1] *vt* to release (*an +acc* to); *Preise* to lift controls on; *Straße, Strecke* to open; *Film* to pass; **etw zum Verkauf f~geben** to allow sth to be sold on the open market; **jdm den Weg f~geben** to let sb past; [2] *vi* **jdm f~geben** to give sb a holiday; **f~gebig** *adj* generous; **~gebigkeit** *f* generosity; **~gehege** *nt* open-air enclosure; **~gepäck** *nt* baggage allowance; **f~haben** *vi sep irreg* to have a holiday; **eine Stunde f~haben** (*Sch*) to have a free period; **~hafen** *m* free port; **f~halten** *sep irreg* [1] *vt* [a] (*nicht besetzen*) to keep free *or* clear; [b] (*reservieren*) to keep, to save; [c] (*bezahlen*) to pay for; **sich von jdm f~halten lassen** to let sb pay for one; [2] *vr* **sich von etw f~halten** to avoid sth; *von Verpflichtungen* to keep oneself free of sth; **~handel** *m* free trade; **~handelszone** *f* free trade area; **f~händig** *adj* *Zeichnung* freehand; **f~händig radfahren** to ride with no hands; **f~hängend** *adj attr* suspended.
Freiheit *f* freedom; (*Pol auch*) liberty ▶ **in ~** (*dat*) **sein** to be free; **jdn in ~ setzen** to set sb free; **jdm die ~ schenken** to give sb his/her *etc* freedom; **dichterische ~** poetic licence (*Brit*) *or* license (*US*); **alle ~en haben** to have all the freedom possible; **die ~ haben, etw zu tun** to be free *or* at liberty to do sth; **sich** (*dat*) **die ~ nehmen, etw zu tun** to take the liberty of doing sth.
freiheitlich *adj* liberal; *Verfassung* based on the principle of liberty; *Demokratie* free ▶ **~-demokratisch** free democratic.
Freiheits-: **~beraubung** *f* (*Jur*) wrongful deprivation of personal liberty; **~bewegung** *f* freedom movement; **~drang** *m no pl* urge *or* desire for freedom; **~entzug** *m* imprisonment; **~kampf** *m* fight for freedom; **~kämpfer** *m* freedom-fighter; **~rechte** *pl* civil rights and liberties *pl*; **~statue** *f* Statue of Liberty; **~strafe** *f* prison sentence.
Frei-: **f~heraus** *adv* candidly, frankly; **~herr** *m* baron; **~karte** *f* free *or* complimentary ticket; **f~kaufen** *vt sep* **jdn/sich f~kaufen** to buy sb's/one's freedom; **~klettern** *nt* free climbing; **f~kommen** *vi sep irreg aux sein* (*entkommen*) to get out (*aus* of); (*befreit werden*) to be released *or* freed (*aus, von* from); **~körperkultur** *f no pl* nudism; **~landgemüse** *nt* outdoor vegetables; **f~lassen** *vt sep irreg* to set free, to free; (*aus Haft auch*) to release; *Hund* to let off the lead; **~lassung** *f* release; (*von Sklaven*) setting free; **~lauf** *m* (*Tech*) neutral; (*bei Fahrrad*) freewheel; **f~laufen** *vr sep irreg* (*Sport*) to get free; **f~laufend** *adj* *Huhn* free-range; *Eier von*

f~laufenden Hühnern free-range eggs; **f~lebend** *adj* living free; **f~legen** *vt sep* to expose; *Ruinen, Trümmer* to uncover; **~legung** *f siehe vt* exposure; uncovering.
freilich *adv* [a] (*allerdings*) admittedly. [b] (*esp S Ger: natürlich*) of course.
Freilicht- *in cpds* open-air; **~bühne** *f* open-air theatre (*Brit*) *or* theater (*US*).
Frei-: **f~machen** *sep* [1] *vt* to stamp; (*mit Frankiermaschine*) to frank; [2] *vi* to take time off; **ich habe eine Woche f~gemacht** I took a week off; [3] *vr* to take time off; **~maurer** *m* Mason, Freemason.
Freimut *m no pl* frankness, honesty.
freimütig *adj* frank, honest.
Freimütigkeit *f* frankness, honesty.
Frei-: **~raum** *m* (*fig*) freedom *no art* (*zu* for); **die Universität ist kein gesellschaftlicher ~raum** university isn't a social vacuum; **f~schaffend** *adj attr* freelance; **~schaffende(r)** *mf decl as adj* freelance; **~schärler** *m* - guerrilla; **f~setzen** *vt sep* to release; (*euph*) *Arbeitskräfte* to make redundant; (*vorübergehend*) to lay off; **~setzung** *f* release; (*euph*) dismissal; (*vorübergehend*) laying off; **f~sprechen** *vt sep irreg* to acquit; **jdn von einem Verdacht f~sprechen** to clear sb of suspicion; **~spruch** *m* acquittal; **es ergeht ~spruch** the verdict is "not guilty"; **f~stehen** *vi sep irreg* [a] **es steht jdm f~, etw zu tun** sb is free to do sth; **das steht Ihnen völlig f~** that is completely up to you; [b] (*leerstehen*) to stand empty; **~stehend** *adj* *Haus* detached; **f~stellen** *vt sep* [a] (*anheimstellen*) **jdm etw f~stellen** to leave sth (up) to sb; [b] (*befreien*) to exempt.
Freistil- *in cpds* freestyle.
Frei-: **~stoß** *m* (*Ftbl*) free kick; **~stunde** *f* free hour; (*Sch*) free period.
Freitag *m* Friday; *siehe* **Dienstag**.
freitags *adv* on Fridays.
Frei-: **~tod** *m* suicide; **f~tragend** *adj* self-supporting; *Brücke* cantilever; **~übung** *f* exercise; **~umschlag** *m* reply-paid envelope, prepaid envelope.
freiweg ['fraɪ'vɛk] *adv* openly; (*freiheraus*) straight out, frankly.
Frei-: **~wild** *nt* (*fig*) fair game; **f~willig** *adj* voluntary; *Versicherung, Unterricht* optional; **sich f~willig melden** to volunteer (*zu, für* for); **~willige(r)** *mf decl as adj* volunteer; **~zeichen** *nt* (*Telec*) ringing tone.
Freizeit *f* [a] free *or* leisure time. [b] (*Zusammenkunft*) weekend/holiday course.
Freizeit-: **~beschäftigung** *f* leisure activity; **~droge** *f* recreational drug; **~gestaltung** *f* organization of one's leisure time; **~kleidung** *f* casual clothes *pl*; (*Warengattung*) leisurewear *no pl*.
Frei-: **f~zügig** *adj* [a] (*reichlich*) *Gebrauch* liberal; [b] (*moralisch*) permissive; **~zügigkeit** *f siehe adj* [a] liberalness; [b] permissiveness; [c] (*Ortsungebundenheit*) freedom of movement.
fremd *adj* [a] (*unbekannt*) strange; (*ausländisch*) foreign; *Planeten* other; *Welt* different ▶ **jdm ~ sein** to be foreign *or* alien to sb; **es ist mir ~, wie ...** I don't understand how ...; **ich bin hier ~** I'm a stranger here; **sich** (*dat*) **~ werden** to become strangers; **sich ~ fühlen** to feel like a stranger. [b] (*andern gehörig*) someone else's; *Bank, Firma* different; (*Comm, Pol*) outside *attr* ▶ **unter ~em Namen** under an assumed name; **in ~e Hände übergehen** to come under outside control.
Fremd-: **f~artig** *adj* strange; (*exotisch*) exotic; **~artigkeit** *f siehe adj* strangeness; exoticism; **~bestäubung** *f* cross-fertilization.
Fremde *f no pl* (*liter*) **die ~** foreign parts *pl*; **in die ~ gehen** to go to foreign parts.
Fremden-: **f~feindlich** *adj* xenophobic; **~führer** *m* (tourist) guide; (*Buch*) guide(book); **~legion** *f* Foreign

Legion; **~verkehr** m tourism no def art; **~zimmer** nt guest room; „**~zimmer**" "rooms to let" (Brit), "rooms for rent" (US).

Fremde(r) mf decl as adj stranger; (Ausländer) foreigner; (Admin, Pol) alien; (Tourist) visitor.

Fremd-: f~gehen vi sep irreg aux sein (col) to be unfaithful; **~kapital** nt outside capital; **~körper** m foreign body; (fig) alien element; **f~ländisch** adj foreign no adv; (exotisch) exotic.

Fremdling m (liter) stranger.

Fremdsprache f foreign language.

Fremdsprachen-: ~korrespondentin, ~sekretärin f bilingual secretary; **~unterricht** m language teaching.

Fremd-: f~sprachig adj in a foreign language; **f~sprachlich** adj f~sprachlicher Unterricht (foreign) language teaching; **~wort** nt foreign word; Rücksichtnahme ist für ihn ein **~wort** (fig) he's never heard of the word consideration.

frenetisch adj frenetic, frenzied.

Frequenz f frequency; (Stärke) numbers pl.

Fresko nt, pl **Fresken** fresco.

Fressalien [-ian] pl (col) grub sing (col).

Fresse f -n (col!) (Mund) gob (col!); (Gesicht) mug (col) ► **die ~ halten** to shut one's face (col!).

fressen pret **fraß**, ptp **gefressen** [1] vi [a] to feed, to eat; (col!: Menschen) to eat; (gierig) to guzzle ► **jdm aus der Hand ~** (fig col) to eat out of sb's hand. [b] (zerstören) to eat away (an etw (dat)) sth.
[2] vt (Tier, col!: Mensch) to eat; (sich ernähren von) to feed on; (col!: gierig essen) to guzzle, to scoff; (col: verbrauchen) Benzin, Ersparnisse to eat up ► **Kilometer ~** to burn up the miles; **ein Loch in den Geldbeutel ~** to make a big hole in one's pocket; **ich habe dich zum F~ gern** (col) you're good enough to eat (col); **jdn/etw gefressen haben** (col) to have had one's fill of sb/sth; **jetzt hat er es endlich gefressen** (col) he's got it at last (col); **einen Narren an jdm/etw gefressen haben** to dote on sb/sth.
[3] vr [a] (sich bohren) to eat one's way (in +acc into). [b] **sich voll/satt ~** to gorge oneself.

Fressen nt - [a] no pl food; (col!) grub (col). [b] (col!: Gelage) blow-out (col).

Fresser m - (Tier) eater; (col!: gieriger Mensch) pig (col), greedyguts (col).

Fresserei f no pl (col) (übermäßiges Essen) guzzling; (Gefräßigkeit) gluttony.

Freß-: ~gier △ f voraciousness; (pej: von Menschen) gluttony; **~napf** △ m feeding bowl; **~paket** △ nt (col) food parcel; **~sack** △ m (col!) greedyguts (col); **~sucht** △ f (col) gluttony; (krankhaft) craving for food.

Frettchen nt ferret.

Freude f -n pleasure; (innig) joy (über +acc at) ► **~ an etw** (dat) **haben** to get or derive pleasure from sth; **~ am Leben haben** to enjoy life; **es ist mir eine ~, zu ...** it's a real pleasure for me to ...; **es macht ihnen keine/wenig ~** they don't enjoy it (at all)/much; **jdm eine ~ machen** or **bereiten** to make sb happy; **zu meiner großen ~** to my great delight; **aus Spaß an der ~** (col) for the fun or hell (col) of it; **mit ~n** with pleasure; **da kommt ~ auf** this is where the fun starts.

Freuden-: ~fest nt celebration; **~feuer** nt bonfire; **~haus** nt (dated, hum) house of ill repute; **~mädchen** nt (dated, hum) lady of easy virtue (euph), prostitute; **~tanz** m **einen ~tanz aufführen** to dance with joy; **~taumel** m ecstasy; **~tränen** pl tears of joy.

freudestrahlend adj no pred beaming with delight.

freudig adj joyful; (begeistert) enthusiastic ► **jdn ~ stimmen** to raise sb's spirits; **etw ~ erwarten** to look forward to sth with great pleasure; **~ überrascht sein** to have a delightful surprise.

Freud-: f~los adj joyless, cheerless; **~losigkeit** f no pl joylessness, cheerlessness.

Freudsch adj attr Freudian ► **~e Fehlleistung, ~er Versprecher** Freudian slip.

freuen [1] vr [a] to be glad or pleased (über +acc about) ► **sich über ein Geschenk ~** to be pleased with a present; **er freut sich sehr an seinen Kindern** his children give him a lot of pleasure; **sich mit jdm ~** to share sb's happiness; **sich seines Lebens ~** to enjoy life. [b] **sich auf jdn/etw ~** to look forward to seeing sb/to sth; **sich zu früh ~** to get one's hopes up too soon.
[2] vt impers to please ► **es freut mich/ihn, daß ...** I'm/he's pleased or glad that ...; **es freut mich sehr, Ihre Bekanntschaft zu machen** (form) (I'm) pleased to meet you.

Freund m -e friend; (Liebhaber) boyfriend ► **ein ~ der Kunst** an art-lover; **ein ~ der alten Musik** an early music enthusiast; **er ist kein ~ vieler Worte** he's a man of few words; **ich bin kein ~ von so etwas** I'm not one for that sort of thing.

Freundchen nt (col) my friend (iro) ► **~! ~!** just watch it!

Freundeskreis m circle of friends.

Freundin f (woman/girl) friend; (Liebhaberin) girlfriend.

freundlich adj [a] friendly no adv; Wetter etc pleasant; Zimmer, Farben cheerful; (Fin, Comm: günstig) favourable (Brit), favorable (US) ► **jdm ~ behandeln** to be friendly towards sb; **bitte recht ~!** smile please! [b] (liebenswürdig) kind (zu to) ► **würden Sie bitte so ~ sein und das tun?** would you be so kind as to do that?

freundlicherweise adv kindly.

Freundlichkeit f [a] no pl siehe adj friendliness; pleasantness; cheerfulness; favourableness (Brit), favorableness (US) ► **würden Sie (wohl) die ~ haben, das zu tun?** would you be kind enough to do that? [b] (Handlung, Gefälligkeit) kindness ► **jdm ein paar ~en sagen** to say a few kind words to sb.

Freundschaft f friendship ► **in aller ~** in all friendliness; **da hört die ~ auf** (col) friendship doesn't go that far.

freundschaftlich adj friendly no adv ► **jdm ~ gesinnt sein** to feel friendly towards sb; **jdm ~ auf die Schulter klopfen** to give sb a friendly slap on the back.

Freundschafts-: ~besuch m (Pol) goodwill visit; **~dienst** m: **jdm einen ~dienst erweisen** to do sb a favour; **~preis** m (special) price for a friend; **~spiel** nt (Sport) friendly match, friendly; **~vertrag** m (Pol) treaty of friendship.

Frevel m - (geh) sin (gegen against); (fig) crime (an +dat against).

frevelhaft adj (geh) sinful; Leichtsinn wanton.

Frevler(in f) m - (liter) sinner.

Friede m -ns, -n (old) peace ► **~ auf Erden** peace on earth; **~, Freude, Eierkuchen** (col) everything in the garden is lovely (col).

Frieden m - peace ► **im ~** in peacetime; **im ~ leben** to live in peace; **~ schließen** to make one's peace; (Pol) to make peace; **~ stiften** to make peace; **jdn in ~ lassen** to leave sb in peace; **um des lieben ~s willen** (col) for the sake of peace and quiet; **ich traue dem ~ nicht** (col) something (fishy) is going on (col).

Friedens- in cpds peace; **~bemühung** f usu pl effort to achieve peace; **f~bewegt** adj pacifist; **~bewegung** f peace movement; **~kämpfer** m peace campaigner; **~nobelpreis** m Nobel peace prize; **~pfeife** f pipe of peace, peace pipe; **~politik** f policy of peace; **~richter** m justice of the peace, JP; **~schluß** △ m peace agreement; **~sicherung** f peacekeeping; Maßnahmen zur **~sicherung** peacekeeping measures; **~stifter** m peacemaker; **~taube** f dove of peace; **~truppen** pl peace-

---

△: for details of spelling reform, see supplement

keeping force; **~verhandlungen** *pl* peace talks *pl*; **~vertrag** *m* peace treaty.

friedfertig *adj* peaceable.

Friedfertigkeit *f* peaceableness.

Friedhof *m* cemetery; (*Kirchhof*) graveyard.

friedlich *adj* peaceful; (*friedfertig*) *Mensch* peaceable; *Charakter, Art* placid ▶ *etw auf ~em Wege lösen* to solve sth by peaceful means; *damit er endlich ~ ist* (*col*) to keep him happy; *nun sei doch endlich ~!* (*col*) give it a rest! (*col*).

friedliebend *adj* peace-loving.

Friedrich *m* Frederick ▶ *seinen ~ Wilhelm unter etw* (*acc*) *setzen* (*col*) to put one's signature *or* name to sth.

frieren *pret* **fror**, *ptp* **gefroren** ① *vi* ⓐ *auch vt impers* (*sich kalt fühlen*) to be/get cold ▶ *ich friere, es friert mich* I'm cold; *ich friere an den Zehen* my toes are cold. ⓑ *aux sein* (*gefrieren*) to freeze. ② *vi impers* to freeze ▶ *heute nacht hat es gefroren* it was below freezing last night.

Fries *m* **-e** (*Archit, Tex*) frieze.

Friese *m* (*wk*) **-n, -n, Friesin** *f* Fri(e)sian.

frigid(e) *adj* frigid.

Frigidität *f* frigidity.

Frikadelle *f* (*Cook*) rissole.

Frikassee *nt* **-s** (*Cook*) fricassee.

frisch *adj* ⓐ fresh; (*feucht*) *Farbe, Fleck* wet ▶ *~e Eier* new-laid eggs; *~ gestrichen* newly painted; (*auf Schild*) wet paint; *~ gewaschen* clean; *das Bett ~ beziehen* to change the bed; *sich ~ machen* to freshen up; *mit ~en Kräften* with renewed strength; *das ist mir noch ~ in Erinnerung* that is still fresh in my memory; *jdn auf ~er Tat ertappen* to catch sb red-handed *or* in the act. ⓑ (*munter*) *Wesen, Art* bright, cheery; (*gesund*) *Aussehen* fresh ▶ *~ und munter sein* (*col*) to be bright and cheery; *~ gewagt ist halb gewonnen* (*Prov*) a good start is half the battle. ⓒ (*kühl*) cool, chilly; *Luft, Wind auch* fresh.

Frische *f no pl* ⓐ freshness ▶ *in alter ~* (*col*) as always. ⓑ (*Kühle*) coolness, chilliness; (*von Luft, Wind auch*) freshness.

Frisch-: f~gebacken ⚠ *adj* (*col*) *Ehepaar* newly wed; **~hebeutel** *m* airtight bag; **~haltefolie** *f* cling film; **~käse** *m* cream cheese; **~luft** *f* fresh air; **~milch** *f* fresh milk; **~wasser** *nt* fresh water; **f~weg** *adv* (*munter*) straight out (*col*).

Friseur(in *f*) [fri'zøːɐ, -'zøːrɪn] *m* hairdresser.

Friseursalon *m* hairdresser's (*Brit*), hairdressing salon.

Friseuse [fri'zøːzə] *f* hairdresser.

Frisiercreme *f* haircream.

frisieren* ① *vt* ⓐ *jdn ~, jdm das Haar ~* to do sb's hair; *sie ist stets gut frisiert* her hair is always beautifully done. ⓑ (*col*) *Abrechnung* to fiddle; *Bericht* to doctor (*col*) ▶ *die Bilanzen ~* to cook the books (*col*). ⓒ *Auto* to tune, to soup up (*col*). ② *vr* to do one's hair.

Frisier-: ~spiegel *m* dressing (table) mirror; **~tisch** *m* dressing table.

Frisör *m* **-e, Frisöse** *f* **-n** hairdresser.

Frist *f* **-en** (*Zeitraum*) period; (*Zeitpunkt*) deadline (*zu* for); (*bei Rechnung*) last date for payment ▶ *eine ~ einhalten/verstreichen lassen* to meet a deadline/to let a deadline pass; (*bei Rechnung*) to pay/not to pay within the period stipulated; *innerhalb kürzester ~* without delay; *jdm eine ~ von vier Tagen geben* to give sb four days grace.

fristen *vt ein kümmerliches Dasein ~* to eke out a miserable existence; (*Partei, Institution*) to exist on the fringes.

Fristen-: ~lösung, ~regelung *f law allowing the termination of a pregnancy within the first three months.*

Frist-: f~gerecht *adj* within the period stipulated; **f~los** *adj* without notice; *jdn f~los entlassen* to dismiss sb without notice; **~verlängerung** *f* extension.

Frisur *f* hairstyle.

⚠ **Friteuse** [fri'tøːzə] *f* chip pan (*Brit*), deep fat fryer.

⚠ **fritieren*** *vt* to (deep-)fry.

Fritten *pl* (*col*) chips *pl* (*Brit*), fries *pl* (*esp US col*).

Frittenbude *f* (*col*) chip shop (*Brit*), chippie (*Brit col*).

frivol [fri'voːl] *adj* frivolous; (*anzüglich*) *Witz, Bemerkung* risqué.

Frivolität [frivoli'tɛːt] *f no pl* frivolity; (*von Witz etc*) suggestiveness.

Frl. = **Fräulein** Miss, Ms.

froh *adj* happy; (*dankbar auch*) glad; (*erfreut auch*) glad, pleased ▶ *über etw* (*acc*) *~ sein* to be pleased with sth; *um etw ~ sein* to be grateful for sth; *seines Lebens nicht (mehr) ~ werden* not to enjoy life any more.

frohgestimmt *adj* (*geh*) happy, joyful (*liter*).

fröhlich ① *adj* cheerful, merry. ② *adv* (*unbekümmert*) blithely, gaily.

Fröhlichkeit *f no pl* happiness; (*gesellige Stimmung*) merriment, gaiety.

Froh-: f~locken* *vi* (*geh*) to rejoice (*über +acc* over, at); **~natur** *f* (*geh: Mensch*) happy *or* cheerful soul; **~sinn** *m no pl* cheerfulness; **f~sinnig** *adj* cheerful.

fromm *adj* ⓐ (*gläubig*) religious; *Christ, Leben* devout, pious; (*scheinheilig*) sanctimonious ▶ *~e Sprüche* pious words. ⓑ (*old: gehorsam*) docile ▶ *~ wie ein Lamm sein* to be as gentle as a lamb.

Frömmelei *f* (*pej*) false piety, sanctimoniousness.

Frömmigkeit *f siehe* **fromm (a)** religiousness; devoutness, piousness; sanctimoniousness.

frömmlerisch *adj* (*pej*) sanctimonious.

frönen *vi +dat* (*geh*) to indulge in.

Fronleichnam *no art no pl* Corpus Christi.

Front *f* **-en** front ▶ *die hintere/rückwärtige ~* the back/the rear; *auf breiter ~* along a wide front; *an der ~* at the front; *klare ~en schaffen* (*fig*) to clarify the position; *~ gegen jdn/etw machen* to make a stand against sb/sth; *in ~ liegen/gehen* (*Sport*) to be in/take the lead.

frontal ① *adj no pred* frontal; *Zusammenstoß* head-on. ② *adv* frontally; *zusammenstoßen* head-on.

Frontal-: ~angriff *m* frontal attack; **~zusammenstoß** *m* head-on collison.

Front-: ~antrieb *m* (*Aut*) front-wheel drive; **~motor** *m* front (mounted) engine.

fror *pret of* **frieren.**

Frosch *m* **⁻e** frog ▶ *einen ~ im Hals haben* (*col*) to have a frog in one's throat; *sei kein ~!* (*col*) be a sport!

Frosch-: ~hüpfen *nt* leapfrog; **~könig** *m* Frog Prince; **~mann** *m* frogman; **~maul** *nt* (*fig col*) pout; **~perspektive** *f etw aus der ~perspektive sehen* to get a worm's eye view of sth; **~schenkel** *m* frog's leg.

Frost *m* **⁻e** ⓐ frost ▶ *bei eisigem ~* in heavy frost; *~ (ab)bekommen* (*Hände, Ohren*) to get frostbitten. ⓑ (*Med: Schüttel~*) fit of shivering.

Frost-: f~beständig *adj* frost-resistant; **~beule** *f* chilblain.

frösteln ① *vi* to shiver. ② *vt impers es fröstelte mich* I shivered.

Froster *m* **-** freezer.

frostig *adj* (*lit, fig*) frosty.

Frost-: f~klar *adj* clear and frosty; **~schaden** *m* frost damage; **~schutz** *m* protection against frost; **~schutzmittel** *nt* (*Aut*) antifreeze.

Frottee [frɔ'teː] *nt or m* **-s** terry towelling.

Frottee-: ~(hand)tuch *nt* (terry) towel; **~kleid** *nt* towelling dress.

frottieren* *vt Haut* to rub; *jdn, sich* to rub down.

⚠: Informationen zur Rechtschreibreform im Anhang

Frottier(hand)tuch nt (terry) towel.
Frotzelei f (col) teasing.
frotzeln vti (col) to tease ▶ **über jdn ~** to make fun of sb.
Frucht f ¨e (Bot, fig) fruit; (Embryo) foetus; (no pl: Getreide) crops pl ▶ **¨e** (Obst) fruit sing, **¨e tragen** (lit, fig) to bear fruit.
fruchtbar adj (lit, fig) fruitful; Boden fertile ▶ **etw für jdn ~ machen** to use sth to benefit sb.
Fruchtbarkeit f siehe adj fruitfulness; fertility.
Fruchtbarmachung f (von Wüste) reclamation.
Frucht-: **~becher** m fruit sundae; **~bonbon** m or nt fruit drop; **f~bringend** adj (geh) fruitful.
Früchtchen nt (col) (Tunichtgut) good-for-nothing; (Kind) rascal (col) ▶ **du bist mir ein sauberes** or **nettes ~** (iro) you're a right one (col).
fruchten vi to bear fruit ▶ **nichts ~** to be fruitless.
Fruchtfleisch nt flesh (of a fruit).
fruchtig adj fruity.
Frucht-: **~joghurt** m or nt fruit yog(h)urt; **f~los** adj (fig) fruitless; **~losigkeit** f fruitlessness; **~saft** m fruit juice.
früh 1 adj early ▶ **am ~en Morgen** in the early morning; **ein Werk des ~en Picasso** an early work by Picasso. 2 adv a early; (in jungen Jahren) at an early age; (in Entwicklung) early on ▶ **es ist noch ~ am Tag** it is still early in the day; **von ~ bis spät** from morning till night. b **morgen ~** tomorrow morning; **heute ~** this morning.
Früh- in cpds early; **f~auf** ⚠ adv **von f~auf** from an early age; **~aufsteher** m - early riser, early bird (col); **~dienst** m early shift; **~dienst haben** to be on early shift.
Frühe f no pl (Morgen) **in der ~** early in the morning; **in aller ~** at the crack of dawn.
früher comp of **früh** 1 adj a earlier ▶ **in ~en Jahren/Zeiten** in the past; **in ~em Alter** when he/she etc was younger. b (ehemalig) former, previous ▶ **der Kontakt zu seinen ~en Freunden ist abgebrochen** he lost contact with his old friends. 2 adv a earlier ▶ **~ geht's nicht** that's the soonest possible; **das hättest du ~ sagen müssen** you should have said that before or sooner; **~ oder später** sooner or later. b (in vergangenen Zeiten) **Herr X, ~ Direktor eines ...** Herr X, formerly director of a ...; **ich habe ihn ~ mal gekannt** I used to know him; **~ habe ich so etwas nie gemacht** I never used to do that kind of thing; **~ stand hier eine Kirche** there used to be a church here; **Erzählungen von/Erinnerungen an ~** stories/memories of times gone by; **ich kannte/kenne ihn von ~** I knew him before/I've known him some time.
Früh|erkennung f (Med) early diagnosis.
frühestens adv at the earliest ▶ **wann kann das ~ fertig sein?** when's the earliest it can be ready?
frühestmöglich adj attr earliest possible.
Frühgeburt f premature birth; (Kind) premature baby.
Frühjahr nt spring.
Frühjahrs-: **~müdigkeit** f springtime lethargy; **~putz** m spring-cleaning; **in etw** (dat) **~putz machen** to spring-clean sth.
Frühling m spring ▶ **es wird ~, der ~ kommt** spring is coming; **im ~** in spring; **einem neuen ~ entgegengehen** (fig) to start to flourish again; **seinen zweiten ~ erleben** to go through one's second adolescence.
Frühlings- in cpds spring; **~anfang** m first day of spring; **f~haft** adj springlike.
Früh-: **~messe** f early mass; **f~morgens** adv early in the morning; **~nebel** m early morning mist; **f~reif** adj precocious; (körperlich) mature at an early age;

~rentner m person who has retired early; **~schicht** f early shift; **~schoppen** m morning/lunchtime drink; **~sport** m early morning exercise.
Frühstück nt -e breakfast; (~spause) morning or coffee break ▶ **zweites ~** ≃ elevenses (Brit col), midmorning snack.
frühstücken insep 1 vi to have breakfast. 2 vt **etw ~** to have sth for breakfast.
Frühstücks-: **~buffet** nt breakfast buffet; **~fernsehen** nt breakfast television; **~fleisch** nt luncheon meat; **~pause** f morning or coffee break.
Früh-: **~warnsystem** nt early warning system; **~werk** nt early work; **~zeit** f early days pl; **f~zeitig** ⚠ 1 adj early; (vorzeitig auch) premature; 2 adv early; (vorzeitig) prematurely; (ziemlich am Anfang) early on.
Frust m no pl (col) frustration.
frusten vti (col): **von etw gefrustet sein** to be frustrated by sth; **das frustet** it's frustrating.
Frustration f frustration.
frustrieren* vt to frustrate; (col: enttäuschen) to upset.
FU [ɛfˈuː] f = Freie Universität (Berlin).
Fuchs [fʊks] m ¨e a (Tier, Fell, fig) fox ▶ **er ist ein schlauer ~** (col) he's a cunning old devil (col) or fox (col); **wo sich die ~e or wo sich Hase und ~ gute Nacht sagen** (hum) in the back of beyond. b (Pferd) chestnut; (mit hellerem Schwanz und Mähne) sorrel; (col: Mensch) redhead.
fuchsen [ˈfʊksn] vt (col) to annoy.
Fuchsie [ˈfʊksiə] f (Bot) fuchsia.
fuchsig [ˈfʊksɪç] adj (col: wütend) mad (col).
Füchsin [ˈfʏksɪn] f vixen.
Fuchs-: **~jagd** f fox-hunt/-hunting; **f~rot** adj Fell red; Pferd chestnut; Haar ginger; **~schwanz** m a fox's tail; b (Säge) handsaw; **f~teufelswild** adj (col) hopping mad (col).
Fuchtel f -n (fig col) **unter jds ~** under sb's control or thumb.
fuchteln vi (col) **(mit den Händen) ~** to wave one's hands about (col).
fuchtig adj (col) (hopping) mad (col).
Fug m: **mit ~ und Recht** (geh) with complete justification.
Fuge f -n a joint; (Ritze) gap, crack ▶ **in allen ~n krachen** to creak at the joints; **aus den ~n gehen** to come apart at the seams. b (Mus) fugue.
fügen 1 vt a (setzen) to put, to place; (geh) Worte, Satz to formulate. b (geh: bewirken) to ordain. 2 vr to obey ▶ **sich jdm/einer Sache** (geh) **~** to bow to sb/sth; einem Befehl etc to comply with sth; **es fügte sich, daß ...** (geh) it so happened that ...
fügsam adj Mensch obedient.
Fügsamkeit f obedience.
Fügung f **eine glückliche ~** a stroke of good fortune; **göttliche ~** divine providence; **eine ~ des Schicksals** an act of fate.
fühlbar adj (spürbar) perceptible.
fühlen vtir to feel ▶ **sich krank/verantwortlich ~** to feel ill/responsible; **wie ~ Sie sich?** how do you feel?; **da hat er sich aber gefühlt** (col) he felt really great (col).
Fühler m - (Zool) feeler; (von Schnecke) horn ▶ **seine ~ ausstrecken** (col) to put out feelers.
Fühlerlehre f feeler gauge.
Fühlung f contact ▶ **mit jdm in ~ bleiben/stehen** to stay/be in contact or touch with sb.
fuhr pret of **fahren**.
Fuhre f -n (Ladung) load.
führen 1 vt a (hin~, herum~) to take ▶ **eine alte Dame über die Straße ~** to help an old lady over the road; **~ Sie mich zum Geschäftsführer!** take me to the manager!; **eine Klasse zum Abitur ~** to see a class

through to A-levels; *der Hinweis führte die Polizei auf die Spur des Diebes* that tip put the police on the trail of the thief; *was führt Sie zu mir?* (*form*) what brings you to me?; *ein Land ins Chaos* ~ to reduce a country to chaos.

  |b| (*an*~) to lead; *Firma etc* to run; *Armee etc* to command.

  |c| (*handhaben*) *Pinsel, Kamera etc* to wield ▶ *das Glas an die Lippen* ~ to raise one's glass to one's lips.

  |d| (*haben, mit*~) to carry; *Autokennzeichen, Namen* to have, to bear ▶ *Geld/seine Papiere bei sich* ~ (*form*) to carry money/one's papers on one's person; *der Fluß führt Hochwasser* the river is running high.

  |e| (*Laden: im Angebot haben*) to stock.

  |2| *vi* |a| (*in Führung liegen*) to lead ▶ *die Mannschaft führt mit 10 Punkten Vorsprung* the team has a lead of 10 points. |b| (*verlaufen*) (*Straße*) to go; (*Kabel, Pipeline etc*) to run; (*Spur*) to lead ▶ *die Brücke führt über die Elbe* the bridge crosses the Elbe. |c| (*als Ergebnis haben*) *zu etw* ~ to lead to sth; *das führt zu nichts* that will come to nothing; *es führte zu dem Ergebnis, daß er entlassen wurde* it resulted in or led to his being dismissed; *wohin soll das alles nur* ~*?* where is it all leading (us)?

  |3| *vr* (*form: sich benehmen*) to conduct oneself.

führend *adj* leading *attr*, *Rolle, Persönlichkeit auch* prominent ▶ *diese Firma ist im Stahlbau* ~ that is one of the leading firms in steel construction; *die Amerikaner sind im Schach* ~ the Americans lead the world in chess.

Führer(in *f)* *m* - |a| (*Leiter*) leader; (*Oberhaupt*) head. |b| (*Fremden*~, *Berg*~) guide. |c| (*form: Lenker*) driver; (*von Flugzeug*) pilot; (*von Kran, Fahrstuhl*) operator. |d| (*Buch*) guide.

Führer-: ~**haus** *nt* cab; **f~los** *adj* leaderless *no adv*, *Wagen* driverless *no adv*, ~**schein** *m* (*für Auto*) driving licence (*Brit*), driver's license (*US*); *den* ~*schein machen* (*Aut*) to learn to drive; (*die Prüfung ablegen*) to take one's (driving) test; *ihm wurde der* ~*schein entzogen* he lost his licence; ~**scheinentzug** *m* loss of one's licence, disqualification from driving.

Fuhr-: ~**mann** *m, pl* ~**leute** carter; ~**park** *m* fleet (of vehicles).

Führung *f* |a| *no pl* direction; (*von Partei, Expedition etc*) leadership; (*Mil*) command; (*eines Unternehmens etc*) management. |b| *no pl* (*die Führer*) leaders *pl*, leadership *sing*, (*Mil*) commanders *pl*; (*eines Unternehmens etc*) directors *pl*. |c| (*Besichtigung*) guided tour (*durch* of). |d| *no pl* (*Vorsprung*) lead ▶ *in* ~ *gehen/liegen* to go into/be in the lead. |e| *no pl* (*Betragen*) conduct. |f| (*form: Lenken*) *zur* ~ *eines Kraftfahrzeugs berechtigt sein* to be licensed to drive a motor vehicle. |g| *no pl* (*Betreuung*) running ▶ *die* ~ *der Akten/Bücher* keeping the files/books.

Führungs-: ~**anspruch** *m* claim to leadership; *seinen* ~*anspruch anmelden* to make a bid for the leadership; ~**kraft** *f* executive; ~**qualität** *f usu pl* leadership qualities *pl*; ~**schicht** *f* ruling classes *pl*; ~**spitze** *f* highest echelon of the leadership; (*eines Unternehmens*) top management; ~**stab** *m* (*Mil*) command *no pl*; (*Comm*) top management; ~**stil** *m* style of leadership; (*Comm auch*) management style.

Fuhr-: ~**unternehmen** *nt* haulage business; ~**unternehmer** *m* haulier, haulage contractor; ~**werk** *nt* wag(g)on; (*mit Pferden*) horse and cart; **f~werken** *vi insep* (*col*) *in der Küche f~werken* to bustle around in the kitchen.

Fülle *f no pl* |a| (*Körpermasse*) corpulence, portliness. |b| (*Stärke*) fullness. |c| (*Menge*) wealth.

füllen |1| *vt* to fill; (*Cook*) to stuff ▶ *etw in Flaschen* ~ to bottle sth; *etw in Säcke* ~ to put sth into sacks.

|2| *vr* (*Theater, Badewanne*) to fill up.

Füllen *nt* - foal.

Füller *m* -, **Füllfederhalter** *m* fountain pen.

Füll-: ~**gewicht** *nt* (*Comm*) weight at time of packing; (*auf Dosen*) net weight; ~**horn** *nt* (*liter*) cornucopia.

füllig *adj Mensch* corpulent, portly; *Figur* ample.

Füllung *f* filling; (*Fleisch*~, *Polster*~) stuffing; (*Tür*~) panel; (*von Pralinen*) centre (*Brit*), center (*US*).

Füllwort *nt* (*Ling*) filler (word).

Fummel *m* - (*col*) rag.

Fummelei *f* (*col*) fidgeting, fiddling; (*col: Petting*) petting, groping (*col*).

fummeln *vi* (*col*) to fiddle; (*hantieren*) to fumble; (*bei Petting*) to pet, to grope (*col*).

Fund *m* -e find; (*das Entdecken*) discovery, finding.

Fundament *nt* (*lit, fig*) foundation (*usu pl*) ▶ *das* ~ *zu etw legen* to lay the foundations for sth.

fundamental *adj* fundamental.

Fundamentalist(in *f)* *m* fundamentalist.

Fund-: ~**büro** *nt* lost property office (*Brit*), lost and found (*US*); ~**grube** *f* (*fig*) treasure trove.

fundieren* *vt* (*fig*) to back up.

fundiert *adj* sound ▶ *schlecht* ~ unsound.

fündig *adj* (*Min*) rich ▶ ~ *werden* to make a strike; (*fig*) to strike it lucky.

Fund-: ~**ort** *m der* ~*ort von etw* (the place) where sth is/was found; ~**sachen** *pl* lost property *sing*, ~**stätte**, ~**stelle** *f* = ~**ort**.

fünf *num* five ▶ *seine* ~ *Sinne beisammen haben* to have all one's wits about one; ~*(e) gerade sein lassen* (*col*) to turn a blind eye; *siehe* **vier.**

Fünf- *in cpds* five; ~**eck** *nt* pentagon; **f~eckig** *adj* pentagonal, five-cornered.

Fünfer *m* - (*col*) five-pfennig piece; five-marks.

Fünf-: **f~fach** *adj* fivefold; **f~hundert** *num* five hundred; ~**jahr(es)plan** *m* five-year plan; **f~jährig** *adj* Frist, Plan five-year; *Kind* five-year-old; ~**kampf** *m* (*Sport*) pentathlon; ~**ling** *m* quintuplet; **f~mal** *adv* five times; ~**prozentklausel** *f* five-percent rule, *clause debarring parties with less than 5% of the vote from Parliament.*

  |*FÜNFPROZENTKLAUSEL*|

i The **Fünfprozentklausel** *is a rule in German Federal elections whereby only those parties who collect at least 5% of the second vote (**Zweitstimme**) receive a parliamentary seat. This is to avoid the parliament being made up of a large number of very small parties which, in the Weimar Republic, led to political instability.*

Fünf-: ~**tagewoche** *f* five-day week; **f~tägig** *adj* five-day *attr*, **f~tausend** *num* five thousand.

Fünftel *nt* - fifth.

fünfte(r, s) *adj* fifth; *siehe* **vierte(r, s).**

fünfzehn *num* fifteen.

fünfzig *num* fifty.

Fünfziger *m* - (*col*) (*Mensch*) fifty-year-old; (*Geld*) fifty.

fungieren* [fʊŋ'giːrən] *vi* to function (*als* as a).

Funk *m no pl* radio, wireless ▶ *über* ~ by radio.

Funk-: ~**amateur** *m* radio ham; ~**ausstellung** *f* radio and television exhibition.

Funke *m* -ns, -n *pl* (*lit, fig*) spark ▶ ~*n sprühen* to spark; *arbeiten, daß die* ~*n fliegen* (*col*) to work like mad (*col*); *zwischen den beiden sprang der* ~ *über* (*col*) something clicked between the two of them (*col*). |b| (*ein bißchen*) scrap; (*von Hoffnung auch*) glimmer; (*von Anstand auch*) spark.

funkeln *vi* to sparkle; (*Sterne*) to twinkle; (*Augen*) (*vor Freude*) to gleam; (*vor Zorn*) to flash; (*Edelmetall*) to gleam.

funkelnagelneu *adj* (*col*) brand-new.

△: Informationen zur Rechtschreibreform im Anhang

Funken *m* - = Funke.
funken [1] *vti* to radio ▸ *SOS* ~ to send out *or* radio an
SOS.
[2] *vi impers* **endlich hat es bei ihm gefunkt** (*col*) the
light finally dawned (on him).
Funker *m* - radio *or* wireless operator.
Funk- *in cpds* radio; **~gerät** *nt* [a] *no pl* radio equipment; [b] (*Sprechfunkgerät*) radio set, walkie-talkie;
~haus *nt* broadcasting studios *pl*; **~kolleg** *nt* educational radio broadcasts *pl*; **~kontakt** *m* radio contact;
~meßgerät △ *nt* radar (equipment) *no pl*;
~sprechgerät *nt* (*tragbar*) walkie-talkie; **~sprech-
verkehr** *m* radiotelephony; **~spruch** *m* radio signal;
(*Mitteilung*) radio message; **~stille** *f* radio silence; (*fig*)
silence; **~streife** *f* police radio patrol; **~taxi** *nt* radio
taxi; **~telefon** *nt* cellphone.
Funktion *f* (*Zweck, Math*) function; (*no pl: Tätigkeit*)
functioning; (*Amt*) office; (*Stellung*) position ▸ *in* ~
treten/sein to come into/be in operation; *etw außer* ~
setzen to stop sth functioning.
Funktionär(in *f*) *m* functionary, official.
funktionell *adj* functional.
funktionieren* *vi* to work; (*Maschine etc auch*) to
function, to operate.
Funktions-: f~fähig *adj* operational; *Maschine* working
pred; **~störung** *f* (*Med*) malfunction; **~taste** *f* (*Comp*)
function key, hot key; **f~tüchtig** *adj* in working order.
Funk-: ~turm *m* radio tower; **~verbindung** *f* radio contact.
Funzel *f* -n (*col*) dim light, gloom.
Für *nt*: *das* ~ *und Wider* the pros and cons *pl*.
für *prep* +*acc* for ▸ ~ *was ist denn dieses Werkzeug?*
(*col*) what is this tool for?; ~ *zwei arbeiten* (*fig*) to do
the work of two people; **~s erste** for the moment; **~s
nächstemal** next time; *sich* ~ *etw entscheiden* to decide in favour (*Brit*) *or* in favor (*US*) of sth; *was Sie da
sagen, hat etwas* ~ *sich* there's something in what
you're saying; *er hat was* ~ *sich* he's not a bad person;
Tag ~ *Tag* day after day; *Schritt* ~ *Schritt* step by step.
Fürbitte *f* (*Eccl, fig*) intercession.
Furche *f* -n furrow; (*Wagenspur*) rut.
furchen *vt* to furrow ▸ *eine gefurchte Stirn* a furrowed
brow.
Furcht *f no pl* fear ▸ *aus* ~ *vor jdm/etw* for fear of sb/
sth; ~ *vor jdm/etw haben* to be afraid of sb/sth; *jdn in
~ versetzen, jdm* ~ *einflößen* to frighten *or* scare sb.
furchtbar *adj* terrible, awful ▸ *ich habe einen ~en
Hunger* I'm ever so hungry (*col*).
△ **furcht|einflößend** *adj* terrifying, fearful.
fürchten [1] *vt jdn/etw* ~ to be afraid of sb/sth, to fear
sb/sth; *es war schlimmer, als ich gefürchtet hatte* it
was worse than I had feared.
[2] *vr* to be afraid (*vor* +*dat* of).
[3] *vi für or um etw* ~ to fear for sth; *zum F~ aussehen*
to look a fright (*col*); *da kannst du das F~ lernen* it will
scare you stiff.
fürchterlich *adj* terrible, awful.
Furcht-: f~erregend △ *adj* terrifying, fearful. **f~los** *adj*
fearless; **~losigkeit** *f* fearlessness; **f~sam** *adj* timorous;
~samkeit *f* timorousness.
für|einander *adv* for each other, for one another.
Furie ['fu:riə] *f* (*Myth*) fury; (*fig*) hellcat.
Furnier *nt* -e veneer.
furnieren* *vt* to veneer.
Furore *f or nt no pl* sensation ▸ ~ *machen* (*col*) to cause
a sensation.
Fürsorge *f no pl* [a] (*Betreuung*) care; (*Sozial~*) welfare.
[b] (*col: Sozialamt*) welfare (*col*) ▸ *der* ~ *zur Last fallen*
to be a burden on the state. [c] (*col: Sozialunterstützung*)
social security (*Brit*), welfare (*US*) ▸ *von der* ~ *leben* to

live on social security (*Brit*) *or* the welfare (*US*).
fürsorgend *adj* caring ▸ *jdn* ~ *betreuen* to care for sb.
Fürsorger(in *f*) *m* - (church) welfare worker.
fürsorglich *adj* caring ▸ *jdn sehr* ~ *behandeln* to lavish
care on sb.
Fürsorglichkeit *f* care.
Fürsprache *f* recommendation ▸ *für jdn* ~ *einlegen* to
put in a word of recommendation for sb (*bei* with).
Fürsprecher(in *f*) *m* advocate.
Fürst *m* (*wk*) -en, -en prince; (*Herrscher*) ruler ▸ *wie ein
~ leben* to live like a lord.
Fürsten-: ~haus *nt* royal house; **~tum** *nt* principality.
Fürstin *f* princess; (*Herrscherin*) ruler.
fürstlich *adj* (*lit, fig*) princely *no adv* ▸ *jdn* ~ *bewirten* to
entertain sb right royally; ~ *leben* to live like a lord.
Furt *f* -en ford.
Furunkel *nt or m* - boil.
Fürwort *nt* ¨-er (*Gram*) pronoun.
Furz *m* ¨-e (*col!*) fart (*col*).
furzen *vi* (*col!*) to fart (*col*).
Fusel *m* - (*pej*) rotgut (*col*), hooch (*US col*).
Fusion *f* amalgamation; (*von Unternehmen*) merger; (*von
Atomkernen, Zellen*) fusion.
fusionieren* *vti* to amalgamate; (*Unternehmen*) to
merge.
Fuß *m* ¨-e [a] foot ▸ *zu* ~ on foot; *er ist gut/schlecht zu
~* he has no difficulty/has difficulty walking; *sich jdm
zu* ¨*en werfen* to prostrate oneself before sb; *jdm zu
¨en fallen/liegen* to fall/lie at sb's feet; *das Publikum
lag ihm zu ¨en* he had the audience at his feet; *den* ~
in die Tür stellen to get one's foot in the door; *kalte* ¨*e
bekommen* (*lit, fig*) to get cold feet; *bei* ~! heel!; *jdm
etw vor die* ¨*e werfen* (*lit*) to throw sth at sb; (*fig*) to
tell sb to keep sth; *jdn/etw mit* ¨*en treten* (*fig*) to walk
all over sb/sth; (*festen*) ~ *fassen* (*lit, fig*) to gain a foot-
hold; (*sich niederlassen*) to settle down; *auf eigenen
¨en stehen* (*fig*) to be able to stand on one's own two
feet; *auf großem* ~ *leben* to live the high life; *mit jdm
auf gutem* ~ *stehen* to be on good terms with sb.
[b] (*von Gegenstand*) base; (*Tisch-, Stuhlbein*) leg; (*von
Schrank, Gebirge*) foot ▸ *auf schwachen/tönernen* ¨*en
stehen* to be built on sand.
[c] *pl* - (*Längenmaß*) foot.
Fuß-: ~abdruck *m* footprint; **~angel** *f* (*lit*) mantrap;
(*fig*) catch, trap; **~bad** *nt* foot bath.
Fußball *m* football; (*Sportart auch*) soccer.
Fußballer(in *f*) *m* - (*col*) footballer.
Fußball-: ~mannschaft *f* football team; **~platz** *m* football *or* soccer pitch; **~schuh** *m* football boot; **~spiel** *nt*
football *or* soccer match; (*Sportart*) football; **~spieler** *m*
football *or* soccer player; **~toto** *m or nt* football pools *pl*;
~verein *m* football club.
Fuß-: ~bank *f* footstool; **~boden** *m* floor;
~bodenbelag *m* floor covering, flooring;
~bodenheizung *f* underfloor heating; **~bremse** *f*
footbrake; **~eisen** *nt* mantrap.
Fussel *f* -n fluff *no pl* ▸ *eine* ~ a bit of fluff.
fusselig *adj* fluffy ▸ *sich* (*dat*) *den Mund* ~ *reden* (*col*)
to talk till one is blue in the face.
fusseln *vi* (*Stoff, Kleid etc*) to make fluff.
fußen *vi* to rest, to be based (*auf* +*dat* on).
Fuß-: ~ende *nt* (*von Bett*) foot; **~fehler** *m* (*Tennis*) foot
fault.
Fußgänger(in *f*) *m* - pedestrian.
Fußgänger-: ~brücke *f* footbridge; **~insel** *f* traffic island; **~übergang, ~überweg** *m* pedestrian crossing
(*Brit*), crosswalk (*US*); (*auch* **~überführung**) pedestrian
bridge; **~unterführung** *f* underpass, pedestrian subway
(*Brit*); **~zone** *f* pedestrian precinct.
Fuß-: ~gelenk *nt* ankle; **~leiste** *f* skirting board (*Brit*),

baseboard (*US*).

fußlig *adj* = **fusselig.**

Fuß-: **~marsch** *m* walk; (*Mil*) march; **~matte** *f* doormat; **~nagel** *m* toenail; **~note** *f* footnote; **~pflege** *f* chiropody, podiatry (*US*); **~pfleger** *m* chiropodist, podiatrist (*US*); **~pilz** *m* (*Med*) athlete's foot *no art*; **~sohle** *f* sole of the foot; **~spitze** *f* toes *pl*; *sich auf die ~spitzen stellen* to stand on tiptoe; **~spur** *f* footprint; **~stapfen** *m* footprint; *in jds ~stapfen treten* (*fig*) to follow in sb's footsteps; **~stütze** *f* footrest; **~tritt** *m* (*Stoß*) kick; *jdm einen ~tritt geben* to kick sb, to give sb a kick; *einen ~tritt bekommen* (*fig*) to be kicked out; **~volk** *nt* ⓐ (*Mil old*) footmen *pl*; ⓑ (*fig*) *das ~volk* the rank and file; **~wanderung** *f* hike; **~weg** *m* ⓐ footpath; ⓑ *es sind nur 15 Minuten ~weg* it's only 15 minutes' walk; **~zeile** *f* (*Comp*) footer.

futsch *adj pred* (*col: weg*) gone, vanished.

Futter *nt* - ⓐ *no pl* food, feed; (*für Kühe, Pferde etc auch*) fodder ▸ *gut im ~ sein* to be well-fed. ⓑ (*Kleider~, Briefumschlag~*) lining.

Futteral *nt* -e case.

Futter-: **~häuschen** *nt* bird box; **~krippe** *f* manger; *an der ~krippe sitzen* (*col*) to be well-placed.

futtern (*hum col*) ① *vi* to stuff oneself (*col*). ② *vt* to scoff.

füttern *vt* ⓐ to feed ▸ *„F~ verboten"* "do not feed the animals". ⓑ *Kleidungsstück* to line.

Futter-: **~napf** *m* bowl; **~neid** *m* (*fig*) material envy, jealousy; **~pflanze** *f* forage plant; **~stoff** *m* lining (material); **~trog** *m* feeding trough.

Fütterung *f* feeding.

Futur *nt* -e (*Gram*) (*erstes*) ~ future (tense); *zweites ~* future perfect.

futuristisch *adj* futuristic.

G

G, g [ge:] nt -, - G, g ▶ *G wie Gustav* ≈ G for Geroge.

g = **Gramm** g.

gab pret of **geben**.

Gabardine ['gabardi:n] m or f no pl gabardine.

Gabe f **-n** [a] (dated: Geschenk) gift, present (gen of, from). [b] (Begabung) gift ▶ *die ~ haben, etw zu tun* to have a gift for doing sth.

Gabel f **-n** fork; (Heu~, Mist~) pitchfork; (Telec) rest, cradle.

Gabel-: **g~förmig** adj forked no adv; **~frühstück** nt mid-morning light lunch.

gabeln vtr to fork.

Gabelstapler m - fork-lift truck.

Gabelung f fork.

Gabentisch m table for Christmas or birthday presents.

Gabun nt Gabon.

gackern vi (lit, fig) to cackle.

gaffen vi to gape, to stare (nach at).

Gaffer(in f) m - *die neugierigen ~ bei einem Unfall* the nosy people standing gaping at an accident.

Gag [gɛk] m **-s** (Film~) gag; (Werbe~) gimmick.

Gage ['ga:ʒə] f **-n** (esp Theat) fee.

gähnen vi (lit, fig) to yawn ▶ *~de Leere* total emptiness; *ein ~der Abgrund* a yawning abyss; *ein G~* a yawn; *das G~ unterdrücken* to stop oneself (from) yawning.

GAL [ge:|ɑ:'|ɛl] f = **Grün-Alternative Liste** electoral pact of Greens and alternative parties.

Gala f no pl formal dress ▶ *sich in ~ werfen* to get all dressed up.

Gala- in cpds formal; (Mil) full ceremonial; (Theat) gala; **~abend** m gala evening; **~anzug** m formal dress; (Mil) full dress; **~ empfang** m grand reception.

galaktisch adj galactic.

galant adj (dated) gallant.

Galanterie f (dated) gallantry.

Galapagosinseln pl Galapagos Islands pl.

Gala-: **~uniform** f (Mil) (full) dress uniform; **~vorstellung** f (Theat) gala performance.

Galeere f **-n** galley.

Galerie f gallery ▶ *auf der ~* in the gallery.

Galgen m - gallows pl; (Film) boom ▶ *jdn an den ~ bringen* to bring sb to the gallows.

Galgen-: **~frist** f (col) reprieve; *jdm eine ~frist geben* to give sb a reprieve, to reprieve sb; **~humor** m gallows humour (Brit) or humor (US); **~strick, ~vogel** m (col) gallows bird (col).

Galionsfigur f figurehead.

gälisch adj Gaelic.

Galle f **-n** gall; (Organ) gallbladder; (Flüssigkeit auch) bile ▶ *seine ~ verspritzen* (fig) to pour out one's venom; *jdm kommt die ~ hoch* sb's blood begins to boil; *die ~ läuft ihm über* (col) he's livid.

galle(n)bitter adj bitter; Bemerkung caustic.

Gallen- in cpds gall; **~blase** f gall-bladder; **~kolik** f bilious attack; **~stein** m gallstone.

gallig adj bitter; (fig) caustic.

gallisch adj Gallic.

Gallizismus m (Ling) Gallicism.

Galopp m **-s** or **-e** gallop ▶ *im ~* (lit) at a gallop; (fig) at top speed; *langsamer ~* canter.

galoppieren* vi aux haben or sein to gallop.

galt pret of **gelten**.

galvanisieren* [galvani'zi:rən] vt to galvanize.

Gamasche f **-n** gaiter.

Gambia nt (the) Gambia.

Gambier(in f) m Gambian.

gambisch adj Gambian.

Gammastrahl m gamma ray.

Gammel m no pl (col) junk (col), rubbish.

gamm(e)lig adj (col) Lebensmittel old, ancient; Kleidung tatty (col).

gammeln vi (col) to laze or loaf (col) about.

Gammler(in f) m - long-haired layabout.

gang adj: *~ und gäbe sein* to be the usual thing.

Gang¹ m **¨e** [a] (no pl: ~art) walk, way of walking, gait; (eines Pferdes) gait ▶ *einen leichten/schnellen ~ haben* to be light on one's feet/to be a fast walker; *seinen ~ verlangsamen/beschleunigen* to slow down/to speed up.

[b] (Besorgung) errand; (Spazier~) walk ▶ *einen ~ machen* to go on an errand/to go for a walk; *einen ~ zum Anwalt machen* to pay a visit to one's lawyer; *einen schweren ~ tun* to do something difficult; *das war für ihn immer ein schwerer ~* it was always hard for him; *den ~ nach Canossa antreten* (fig) to eat humble pie.

[c] (Ablauf) course; (eines Dramas) development ▶ *der Motor hat einen leisen ~* the engine runs quietly; *seinen gewohnten ~ gehen* (fig) to run its usual course; *etw in ~ bringen* or *setzen* to get sth going; *etw in ~ halten* (lit, fig) to keep sth going; *in ~ kommen* to get going; *in ~ sein* to be going; (fig) to be off the ground; *in vollem ~* in full swing; *es ist etwas im ~(e)* (col) something's up (col).

[d] (Arbeits~) operation; (eines Essens) course ▶ *ein Essen mit vier ¨en* a four-course meal.

[e] (Verbindungs~) passage(way); (Rail, in Gebäuden) corridor; (Hausflur) (offen) passage(way); (hinter Eingangstür) hallway; (im oberen Stock) landing; (Theat, Aviat, in Kirche) aisle; (Aviat, in Stadion) gangway; (in einem Bergwerk) tunnel, gallery; (Anat) duct; (Min: Erz~) vein; (Tech: eines Gewindes) thread.

[f] (Mech) gear ▶ *den ersten ~ einlegen* to engage first (gear); *auf* or *in den dritten ~ schalten* to change or shift (US) into third (gear).

Gang² [gɛŋ] f **-s** gang.

Gang|art f walk, way of walking, gait; (von Pferd) gait ▶ *eine schnellere ~ vorlegen* to walk faster; *eine harte ~ einlegen* (fig) to take a tough line.

gangbar adj (lit) Weg, Brücke passable; (fig) practicable ▶ *nicht ~* impassable/impracticable.

Gängelband nt: *jdn am ~ führen* (fig) (Lehrer etc) to spoon-feed sb; (Mutter) to keep sb tied to one's apron strings.

gängeln vt (fig) *jdn ~* to treat sb like a child; (Mutter) to keep sb tied to one's apron strings.

gängig adj [a] (üblich) common; (aktuell) current; (vertretbar) possible. [b] (gut gehend) Waren popular ▶ *die ~ste Ausführung* the best-selling model.

Gangschaltung f gears pl.

Gangster ['gɛŋstɐ] *m* - gangster.
Gangster-: **~boß** ⚠ *m* gang boss; **~braut** *f* (gangster's) moll (*col*); **~methoden** *pl* strong-arm tactics *pl*.
Gangway ['gɛnweɪ] *f* **-s** (*Naut*) gangway; (*Aviat*) steps *pl*.
Ganove [ga'noːvə] *m* **-n** (*col*) crook.
Ganoven-: **~ehre** *f* honour (*Brit*) *or* honor (*US*) among(st) thieves; **~sprache** *f* underworld slang.
Gans *f* **-e** goose.
Gänschen ['gɛnsçən] *nt* gosling; (*fig col*) little goose (*col*).
Gänse- *in cpds* goose; **~blümchen** *nt* daisy; **~braten** *m* roast goose; **~blümchen** *pl* (*col*) inverted commas *pl*; **~haut** *f* (*fig*) goose-pimples *pl*, goose-flesh; **~marsch** *m*: *im ~marsch* in single *or* Indian file.
Gänserich *m* **-e** gander.
ganz ① *adj* ⓐ whole, entire; (*vollständig*) complete; *Wahrheit* whole ▶ *eine ~e Zahl* a whole number; *eine ~e Note* (*Mus*) a semi-breve (*Brit*), a whole note (*US*); *~ England/London* the whole of England/London, all England/London; *die ~e Zeit* all the time, the whole time; *sein ~es Geld/Vermögen* all his money/fortune, his entire *or* whole fortune; *seine ~e Kraft* all his strength; *ein ~er Mann* a real *or* proper man; *etw im~en kaufen* to buy sth as a whole; *im (großen und) ~en (genommen)* on the whole, all in all. ⓑ (*col: unbeschädigt*) intact ▶ *etw wieder ~ machen* to mend sth; *wieder ~ sein* to be mended. ⓒ (*col: nicht mehr als*) *~e 200 Mark im Monat* all of 200 marks a month.
② *adv* (*völlig, ziemlich*) quite; (*ausnahmslos*) completely; (*sehr*) really; (*genau*) exactly, just ▶ *~ hinten/vorn* right at the back/front; *nicht ~* not quite; *~ gewiß!* absolutely; *ein ~ gutes Buch* (*ziemlich*) quite a good book; (*sehr gut*) a very *or* really good book; *ein ~ billiger Trick* a really cheap trick; *er hat ~ recht* he's quite *or* absolutely right; *~ allein* all alone; *du bist ja ~ naß* you're all wet; *~ Aufmerksamkeit etc sein* to be all attention *etc*; *etwas ~ Verrücktes* something really mad; *eine Zeitschrift ~ lesen* to read a magazine right through *or* from cover to cover; *~ und gar* completely, utterly; *~ und gar nicht* not at all, not in the least; *noch nicht ~ zwei Uhr* not quite two o'clock yet; *ein ~ klein wenig* just a tiny bit; *das mag ich ~ besonders gerne* I'm particularly fond of that; *sie ist ~ die Mutter* she's just *or* exactly like her mother; *man sollte es ~ oder gar nicht machen* one should do it properly or not at all.
Gänze *f no pl* (*form*) entirety.
Ganze(s) *nt decl as adj das ~* the whole; (*alle Sachen zusammen*) the (whole) lot; (*ganzer Satz, ganze Ausrüstung*) the complete set ▶ *etw als ~s sehen* to see sth as a whole; *das ~ kostet ...* altogether it costs ...; *das ~ gefällt mir gar nicht* I don't like it at all; *aufs ~ gehen* (*col*) to go all out; *es geht ums ~* everything's at stake.
Ganzheit *f* (*Einheit*) unity; (*Vollständigkeit*) entirety ▶ *in seiner ~* in its entirety.
ganzheitlich *adj* integral.
Ganzheitsmethode *f* look-and-say method.
ganzjährig *adj* all-year *attr* ▶ *~ geöffnet* open all year (round).
gänzlich *adv* completely, totally.
ganzseitig *adj Anzeige etc* full-page.
ganztägig *adj* all-day *attr.*
ganztags *adv arbeiten* full-time.
Ganztags-: **~beschäftigung** *f* full-time occupation; **~schule** *f* all-day schooling *no pl or* schools *pl*; (*Gebäude*) all-day school; **~stelle** *f* full-time job.
Ganzton *m* (*Mus*) (whole) tone.
gar ① *adv* ⓐ (*überhaupt*) at all; (*ganz*) quite ▶ *~ keines* not a single one, none whatsoever *or* at all; *~ kein*

Grund no reason whatsoever *or* at all; *~ nichts* nothing at all; *~ nicht schlecht* not bad at all, not at all bad. ⓑ *er wäre ~ zu gern noch länger geblieben* he would really have liked to stay longer; *ein ~ feiner Mensch* (*old*) a really splendid person. ⓒ (*sogar*) even ▶ *wie alt ist er? — 70, wenn nicht ~ 80* how old is he? — 70, if not 80.
② *adj Speise* done *pred*, cooked ▶ *etw ~ kochen* to cook sth (until it is done).
Garage [ga'raːʒə] *f* **-n** garage; (*Hoch~, Tief~*) car park (*Brit*), parking garage (*US*).
Garantie *f* (*lit, fig*) guarantee ▶ *die Uhr hat ein Jahr ~* the watch is guaranteed for a year *or* has a year's guarantee; *das fällt noch unter die ~* that's covered by the guarantee.
Garantie-: **~frist** *f* guarantee period; **~lohn** *m* guaranteed minimum wage.
garantieren* ① *vt* to guarantee (*jdm etw* sb sth) ▶ *er konnte mir nicht ~, daß ...* he couldn't guarantee that ...
② *vi* to give a guarantee ▶ *für etw ~* to guarantee sth.
garantiert *adv wasserdicht etc* guaranteed ▶ *er kommt garantiert nicht* (*col*) he's bound not to come.
Garantieschein *m* guarantee.
Garaus *m*: (*col*) *jdm den ~ machen* to do sb in (*col*), to bump sb off (*col*).
Garbe *f* **-n** (*Korn~*) sheaf; (*Mil: Schuß~*) burst of fire ▶ *zu ~n binden* to bind into sheaves.
Garde *f* **-n** guard ▶ *bei der ~* in the Guards; *die alte ~* (*fig*) the old guard.
Gardemaß *nt*: *~ haben* (*hum*) to be as tall as a tree.
Garderobe *f* **-n** ⓐ (*Kleiderbestand*) wardrobe. ⓑ (*Kleiderablage*) hall-stand; (*im Theater, Kino etc*) cloak-room (*Brit*), checkroom (*US*). ⓒ (*Theat: Umkleideraum*) dressing-room.
Garderoben-: **~frau** *f* cloakroom (*Brit*) *or* checkroom (*US*) attendant; **~haken** *m* coat hook; **~marke** *f* cloak-room (*Brit*) *or* checkroom (*US*) number; **~schein** *m* cloakroom (*Brit*) *or* checkroom (*US*) ticket; **~ständer** *m* hat-stand, hat tree (*US*).
Gardine *f* curtain, drape (*US*); (*Tüll~*) net curtain.
Gardinen-: **~leiste** *f* curtain rail; **~predigt** *f* (*col*) *jdm eine ~predigt halten* to give sb a talking-to; **~stange** *f* curtain rail; (*zum Ziehen*) curtain rod.
garen (*Cook*) *vti* to cook.
gären ① *vi aux haben or sein* to ferment; (*fig: Gefühle etc*) to seethe ▶ *die Wut gärte in ihm* he was seething with anger.
② *vt* to ferment.
Garn *nt* **-e** thread; (*Baumwoll~ auch*) cotton; (*Häkel~, fig: Seemanns~*) yarn ▶ *ein ~ spinnen* (*fig*) to spin a yarn; *jdm ins ~ gehen* (*fig*) to fall into sb's snare.
Garnele *f* **-n** (*Zool*) prawn, shrimp.
garnieren* *vt Kuchen, Kleid* to decorate; *Gericht,* (*fig*) *Reden etc* to garnish.
Garnierung *f siehe vt* decoration; garnishing.
Garnison *f* (*Mil*) garrison.
Garnison(s)- *in cpds* garrison.
Garnitur *f* (*Satz*) set; (*Unterwäsche*) set of underwear ▶ *die erste ~* (*fig*) the pick of the bunch; *erste/zweite ~ sein* to be first-rate/second-rate.
Garnrolle *f* spool; (*von Baumwolle, Nähgarn*) cotton reel.
garstig *adj* nasty, horrible.
Garten *m* **-** garden; (*Obst~*) orchard ▶ *botanischer/ zoologischer ~* botanic/zoological gardens *pl*; *im ~ arbeiten* to do some gardening; *das ist nicht in seinem ~ gewachsen* (*fig col: Ideen*) he didn't think of that himself.
Garten- *in cpds* garden; **~arbeit** *f* gardening *no pl*; **~bau** *m* horticulture; **~fest** *nt* garden party; **~gerät** *nt*

⚠: Informationen zur Rechtschreibreform im Anhang

gardening tool; **~haus** nt summer house; **~laube** f (~häuschen) summer house; **~lokal** nt beer garden; (Café) garden café; **~möbel** pl garden furniture; **~schere** f secateurs pl (Brit), pruning shears pl; **~schlauch** m garden hose; **~zwerg** m garden gnome; (pej col: Mensch) little squirt (col).

Gärtner(in f) m gardener.

Gärtnerei f (Baumschule, für Setzlinge) nursery; (für Obst, Gemüse, Schnittblumen) market garden (Brit), truck farm (US).

gärtnerisch adj attr gardening ▸ **wenn man sich ~ betätigt** if you do some gardening.

gärtnern vi to do gardening.

Gärung f fermentation; (fig) ferment, turmoil.

Gas nt -e gas; (Aut: ~pedal) accelerator, gas pedal (esp US) ▸ **~ geben** (Aut) to accelerate, to step on the gas (col); **~ wegnehmen** (Aut) to decelerate.

Gas- in cpds gas; **g~beheizt** adj gas-heated; **~feuerzeug** nt gas lighter; **~flasche** f bottle of gas, gas cylinder; **g~förmig** adj gaseous; **~geruch** m smell of gas; **~hahn** m gas tap; **~heizung** f gas central heating; **~herd** m gas cooker; **~kammer** f gas chamber; **~kocher** m camping stove; **~kraftwerk** nt gas-fired power station; **~laterne** f gas (street) lamp; **~leitung** f (Rohr) gas pipe; **~licht** nt gaslight; (Beleuchtung) gas lighting; **~maske** f gasmask; **~ofen** m (Heizofen) gas fire or heater; **~pedal** nt (Aut) accelerator (pedal), gas pedal (esp US).

Gasse f -n lane; (Durchgang) alley(way); (S Ger, Aus: Straße) street.

Gassen-: **~hauer** m (old, col) popular melody; **~junge** m (pej) street urchin or arab.

Gassi adv (col) **mit einem Hund ~ gehen** to take a dog for walkies (col).

Gast m ̈-e guest; (Besucher auch, Tourist) visitor; (in einer ~stätte) customer; (Theat) guest (star) ▸ **vor geladenen ̈en** before an invited audience; **wir haben heute abend ̈e** we're having people around this evening; **bei jdm zu ~ sein** to be sb's guest(s); **in einem anderen Ort zu ~ sein** to visit another place.

Gast|arbeiter m immigrant or foreign worker.

Gäste-: **~bett** nt spare or guest bed; **~buch** nt visitors' book; **~handtuch** nt guest towel; **~haus** nt guest house; **~zimmer** nt guest or spare room.

Gast-: **g~freundlich** adj hospitable; **~freundlichkeit,** **~freundschaft** f hospitality; **~geber** m host; **~geberin** f hostess; **~haus** nt, **~hof** m inn; **~hörer(in** f) m (Univ) observer, auditor (US).

gastieren* vi to make a guest appearance.

Gast-: **~land** nt host country; **g~lich** adj hospitable; **~lichkeit** f hospitality; **~professor** m visiting professor.

Gastritis f, pl **Gastritiden** gastritis.

Gastrolle f (Theat) **eine ~ spielen** (lit) to make a guest appearance; (fig) to put in a fleeting appearance.

Gastronom(in f) m (Gastwirt) restaurateur.

Gastronomie f (Kochkunst) gastronomy; (form: Gaststättengewerbe) catering trade.

gastronomisch adj gastronomic.

Gast-: **~spiel** nt (Theat) guest performance; **ein ~spiel geben** (lit) to give a guest performance; (fig col) to put in a brief appearance; **~spielreise** f (Theat) tour; **~stätte** f (Speise~) restaurant; (Trinklokal) pub (Brit), bar; **~stube** f lounge; **~wirt(in** f) m (Besitzer) restaurant owner; (Pächter) restaurant manager/manageress; (von Trinklokal) landlord/landlady; **~wirtschaft** f = **~stätte.**

Gas-: **~uhr** f gas meter; **~verbrauch** m gas consumption; **~vergiftung** f gas poisoning; **~versorgung** f (System) gas supply (gen to); **~werk** nt gasworks sing or pl; (Verwaltung) gas board; **~zähler** m gas meter; **~zentralheizung** f gas central heating.

GATT [gat] nt GATT.

Gatte m -n (form) husband, spouse (form).

Gatter nt - (Tür) gate; (Zaun) fence; (Rost) grating, grid.

Gattin f (form) wife, spouse (form).

Gattung f (Biol) genus; (Liter, Mus, Art) genre, form; (fig: Sorte) type, kind.

Gattungsbegriff m generic concept.

GAU [gau] m = **größter anzunehmender Unfall** maximum credible accident, MCA.

Gaube f -, **-n** dormer window.

Gaudi nt or (S Ger, Aus) f no pl (col) fun.

Gaukler m - (liter) travelling (Brit) or traveling (US) entertainer.

Gaul m, pl **Gäule** (pej) nag, hack.

Gaumen m - palate (auch fig), roof of the/one's mouth ▸ **die Zunge klebte ihm vor Durst am ~** his tongue was hanging out (with thirst).

Gauner m - rogue, rascal; (Betrüger) crook; (hum col: Schelm auch) scamp.

Gaunerbande f bunch of rogues/crooks.

Gaunerei f swindling no pl, cheating no pl.

gaunerhaft adj rascally no adv.

gaunern vi (col) (betrügen) to swindle, to cheat; (stehlen) to thieve ▸ **er hat sich durchs Leben gegaunert** he cheated his way through life.

Gaunersprache f underworld jargon.

Gaze ['gaːzə] f -n gauze.

Gazelle f gazelle.

Ge|ächtete(r) mf decl as adj outlaw.

ge|artet adj **gutmütig/freundlich ~ sein** to be good-natured/have a friendly nature; **sie ist ganz anders ~** she has a completely different nature.

Ge|äst nt no pl branches pl.

geb. = ☐a **geboren** b. ☐b **geborene** née.

Gebäck nt -e (Kekse) biscuits pl (Brit), cookies pl (US); (Teilchen) pastries pl.

gebacken ptp of **backen**.

Gebälk nt -e timberwork no pl, timbers pl.

geballt adj (fig: konzentriert) concentrated.

gebannt adj spellbound ▸ **wie ~** as if spellbound.

gebar pret of **gebären**.

Gebärde f -n gesture; (lebhafte auch) gesticulation.

gebärden* vr to behave, to conduct oneself (form).

Gebärdenspiel nt no pl gestures pl, gesticulation(s).

Gebaren nt no pl behaviour (Brit), behavior (US); (Geschäfts~) conduct.

gebären pret **gebar**, ptp **geboren** ☐1 vt to give birth to; (fig liter: erzeugen) to breed ▸ **geboren werden** to be born; **wo sind Sie geboren?** where were you born?; **aus der Not geborene Ideen** ideas springing from necessity; siehe **geboren**. ☐2 vi to give birth.

Gebärmutter f (Anat) womb, uterus.

gebauchpinselt adj (hum col) **sich ~ fühlen** to be tickled pink (col), to feel flattered.

Gebäude nt - building; (fig: Gefüge) structure.

Gebäude-: **~komplex** m (building) complex; **~reinigung** f (das Reinigen) commercial cleaning; (Firma) cleaning contractors pl; **~versicherung** f (Insur) house insurance.

gebaut adj built ▸ **gut/stark ~ sein** to be well-built/sturdily built.

gebefreudig adj generous, open-handed.

Gebeine pl (geh) bones pl, mortal remains pl (liter).

Gebell nt no pl barking.

geben pret **gab**, ptp **gegeben** ☐1 vt ☐a (auch vi) to give ▸ **wer hat dir das gegeben?** who gave you that?; **gib's mir!** give it to me!, give me it!; **sich** (dat) **(von jdm) etw ~ lassen** to ask sb for sth; **was darf ich Ihnen ~?** what can I get you?; **~ Sie mir bitte zwei Flaschen Bier** I'd like two bottles of beer, please; *ich gebe dir das Auto für 100 Mark* I'll let you have the car for 100 marks; *ein gutes Beispiel ~* to set a good example; *jdn/etw verloren ~* to give sb/sth up as lost; *~ Sie mir bitte Herrn Braun* (*Telec*) can I speak to Mr Braun please?; *Gott gebe, daß ...* God grant that ...; *es war ihm nicht gegeben, seine Eltern lebend wiederzusehen* he was not to see his parents alive again; *in die Post ~* to post; *ein Auto in Reparatur ~* to have a car repaired; *ein Kind in Pflege ~* to put *or* place a child in care; *2 + 2 gibt 4* 2+2 makes 4; *das gibt keinen Sinn* that doesn't make sense; *Rotwein gibt Flecken* red wine leaves stains; *was wird heute im Theater gegeben?* what's on at the theatre today?; *er gibt Englisch* he teaches English.

  [b] *viel/nicht viel auf etw* (*acc*) *~* to set great store/not much store by sth; *ich gebe nicht viel auf seinen Rat* I don't think much of his advice; *etw von sich ~ Laut, Worte, Flüche* to utter sth.

  2 *vi* (*auch vt*) (*Cards*) to deal; (*Tennis: Aufschlag haben*) to serve ▶ *wer gibt?* whose deal/serve is it?

  3 *vt impers es gibt* (+*acc*) what's the matter?, what's up?; *was gibt's zum Mittagessen?* what's for lunch?; *freitags gibt es bei uns immer Fisch* we always have fish on Fridays; *heute gibt's noch Regen* it's going to rain today; *dafür gibt es 10% Rabatt* you get 10% discount for it; *das gibt's doch nicht!* I don't believe it!; *da gibt's nichts* (*col*) there are no two ways about it (*col*); *gleich gibt's was!* (*col*) there'll be trouble in a minute!

  4 *vr* **[a]** (*nachlassen*) to ease off, to let up; (*sich erledigen*) to sort itself out; (*aufhören*) to stop ▶ *sich geschlagen ~* to admit defeat; *sich gefangen ~* to give oneself up; *das wird sich schon ~* it'll all work out. **[b]** (*sich benehmen*) to behave.

Geber *m* - giver; (*Cards*) dealer.
Gebet *nt* -e prayer ▶ *sein ~ verrichten* to say one's prayers; *jdn ins ~ nehmen* (*fig*) to take sb to task.
Gebetbuch *nt* prayer book, missal (*US*).
gebeten *ptp of* **bitten.**
gebeugt *adj Haltung* stooped; *Kopf* bowed; *Schultern* sloping ▶ *~ sitzen/stehen* to sit/stand hunched up.
Gebiet *nt* -e area, region; (*Fläche*) area; (*Staats~*) territory; (*fig: Fach*) field; (*Teil~*) branch ▶ *auf diesem ~* in this field.
gebieten* *irreg* **1** *vti* (*verlangen*) to demand; (*befehlen*) to command ▶ *jdm etw ~* to command sb to do sth. **2** *vi* (*liter: herrschen*) to have command (*über* +*acc* over) ▶ *über ein Land/Volk ~* to have dominion over a country/nation.
Gebieter *m* - (*old*) master.
Gebieterin *f* (*old*) mistress.
gebieterisch *adj* (*geh*) imperious; (*herrisch*) domineering; *Ton* peremptory.
Gebiets-: *~anspruch m* territorial claim; *~hoheit f* territorial sovereignty.
Gebilde *nt* - thing, construction.
gebildet *adj* educated; (*gelehrt*) learned, erudite; (*kultiviert*) cultured.
Gebirge *nt* - mountains *pl*, mountain range ▶ *im/ins ~* in/into the mountains.
gebirgig *adj* mountainous.
Gebirgs- *in cpds* mountain; *~ausläufer pl* foothills *pl*; *~bahn f* mountain railway *crossing a mountain range*; *~kette f* mountain chain; *~rücken m* mountain ridge; *~straße f* mountain road; *~zug m* mountain range.
⚠ **Gebiß** *nt* -sse (*die Zähne*) (set of) teeth; (*künstliches ~*) dentures *pl*.
gebissen *ptp of* **beißen.**
Gebläse *nt* - fan, blower.

geblasen *ptp of* **blasen.**
geblichen *ptp of* **bleichen.**
geblieben *ptp of* **bleiben.**
geblümt *adj* flowered.
Geblüt *nt no pl* (*geh: Abstammung*) descent, lineage ▶ *von edlem ~* of noble blood.
gebogen **1** *ptp of* **biegen.** **2** *adj Nase* Roman.
geboren **1** *ptp of* **gebären.** **2** *adj* born ▶ *blind ~ sein* to have been born blind; *er ist blind ~* he was born blind; *~er Engländer sein* to be English by birth; *er ist der ~e Erfinder* he's a born inventor; *Hanna Schmidt ~e or geb. Müller* Hanna Schmidt, née Müller.
geborgen **1** *ptp of* **bergen.** **2** *adj sich ~ fühlen/ ~ sein* to feel/be secure *or* safe.
Geborgenheit *f* security.
geborsten *ptp of* **bersten.**
Gebot *nt* -e **[a]** (*Gesetz*) law; (*Regel, Vorschrift*) rule; (*Bibl*) commandment; (*moralisch*) precept; (*geh: Erfordernis*) requirement ▶ *das ~ der Stunde* the needs of the moment; *das ~ der Vernunft* the dictates of reason. **[b]** (*Verfügung*) command ▶ *jdm zu ~e stehen* to be at sb's command *or* (*Geld etc*) disposal. **[c]** (*Comm: bei Auktionen*) bid.
geboten **1** *ptp of* **bieten, gebieten.** **2** *adj* (*geh*) (*ratsam*) advisable; (*notwendig*) necessary; (*dringend ~*) imperative ▶ *bei aller ~en Achtung* with all due respect.
Gebr. = **Gebrüder** Bros.
gebracht *ptp of* **bringen.**
gebrannt **1** *ptp of* **brennen.** **2** *adj ein ~es Kind scheut das Feuer* (*Prov*) once bitten twice shy (*Prov*).
gebraten *ptp of* **braten.**
Gebräu *nt* -(e)s, -e brew; (*pej*) strange concoction.
Gebrauch *m, pl* **Gebräuche** (*Benutzung*) use; (*eines Wortes auch*) usage; (*Anwendung*) application; (*Brauch*) custom ▶ *falscher ~* misuse; misapplication; *von etw ~ machen* to make use of sth; *etw in ~* (*dat*) *haben* to use sth; *allgemein in ~* (*dat*) in general use; *zum äußerlichen/innerlichen ~* to be taken externally/internally; *vor ~ (gut) schütteln* shake (well) before use.
gebrauchen* *vt* (*benutzen*) to use; (*anwenden*) to apply ▶ *sich zu etw ~ lassen* to be useful for sth; (*ausnutzen*) to be used as sth; *nicht mehr zu ~ sein* to be no longer any use; *er/das ist zu nichts zu ~* he's/that's (of) no use to anybody; *das kann ich gut ~* I can really use that; *ich könnte ein neues Kleid ~* I could do with a new dress.
gebräuchlich *adj* (*verbreitet*) common; (*gewöhnlich*) usual, customary ▶ *nicht mehr ~* (*Ausdruck etc*) no longer used.
Gebrauchs-: *~anweisung f* (*für Arznei*) directions *pl*; (*für Geräte etc*) instructions *pl*; *~artikel pl* (*esp Comm*) basic consumer goods *pl*; *g~fähig adj* in working order, usable; *etw g~fähig machen* to put sth into working order; *g~fertig adj* ready for use; *Nahrungsmittel* instant; *~gegenstand m* utilitarian object; (*Gerät*) utensil.
gebraucht *adj* second-hand, used ▶ *etw ~ kaufen* to buy sth second-hand.
Gebrauchtwagen *m* used *or* second-hand car.
gebräunt *adj* (*braungebrannt*) (sun-)tanned.
Gebrechen *nt* - (*geh*) affliction.
gebrechlich *adj* frail.
Gebrechlichkeit *f* frailty.
gebrochen **1** *ptp of* **brechen.** **2** *adj* broken ▶ *~en Herzens* broken-hearted; *~ Deutsch sprechen* to speak broken German.
Gebrüder *pl* (*old*) brothers *pl*; *~ Müller* (*Comm*) Müller Brothers.

⚠: Informationen zur Rechtschreibreform im Anhang

Gebrüll *nt no pl (von Rind)* bellowing; *(von Mensch)* yelling.

gebückt *adj eine ~e Haltung* a stoop; *~ gehen* to stoop.

Gebühr *f* **-en** a charge; *(Post~)* postage *no pl*; *(Honorar)* fee; *(Studien~)* fees *pl*; *(Vermittlungs~)* commission; *(Rad, TV)* licence *(Brit)*, license *(US)* ▸ *~en erheben* to make a charge, to charge postage/a fee *etc*; *zu ermäßigter ~* at a reduced rate; *~ (be)zahlt Empfänger* postage to be paid by addressee. b *(Angemessenheit) nach ~* suitably, properly; *über ~* excessively.

gebühren* *(geh)* 1 *vi* to be due *(dat* to) ▸ *ihm gebührt Anerkennung* he deserves *or* is due recognition. 2 *vr* to be proper *or* fitting ▸ *wie es sich gebührt* as is proper.

gebührend *adj (verdient)* due; *(angemessen)* suitable; *(geziemend)* proper.

Gebühren-: ~einheit *f (Telec)* (tariff) unit; **~erhöhung** *f* increase in charges/fees; **g~frei** *adj* free of charge; *Brief, Paket* post-free; **g~frei anrufen** to call freefone; **g~pflichtig** *adj* chargeable; **g~pflichtige Verwarnung** *(Jur)* fine; *jdn g~pflichtig verwarnen* to fine sb; **g~pflichtige Autobahn** toll motorway *(Brit)*, turnpike *(US)*.

gebunden 1 *ptp of* **binden.** 2 *adj* tied *(an +acc* to sth); *Kapital* tied up; *Preise* controlled; *(Ling, Phys)* bound; *(Buch)* cased, hardback; *Wärme* latent; *(Mus)* legato ▸ *vertraglich ~ sein* to be bound by contract; *anderweitig ~ sein* to be otherwise engaged.

Geburt *f* **-en** *(lit, fig)* birth ▸ *von ~* by birth; *von ~ an* from birth; *das war eine schwere ~!* *(fig col)* that took some doing *(col)*.

Geburten-: ~kontrolle, ~regelung *f* birth control; **~rückgang** *m* drop in the birth rate; **g~schwach** *adj Jahrgang* with a low birth rate; **g~stark** *adj Jahrgang* with a high birth rate; **~zahlen** *pl*, **~ziffer** *f* birth rate.

gebürtig *adj ~er Londoner sein* to have been born in London, to be a native Londoner.

Geburts-: ~anzeige *f* birth announcement; **~datum** *nt* date of birth; **~fehler** *m* congenital defect; **~helfer(in** *f)* *m (Arzt)* obstetrician; *(Hebamme)* midwife; **~hilfe** *f (als Fach)* obstetrics *sing*, *(von Hebamme auch)* midwifery; **~jahr** *nt* year of birth; **~land** *nt* native country; **~ort** *m* birth place.

Geburtstag *m* birthday ▸ *herzlichen Glückwunsch zum ~!* happy birthday!, many happy returns (of the day)!; *jdm zum ~ gratulieren* to wish sb (a) happy birthday *or* many happy returns (of the day); *heute habe ich ~* it's my birthday today; *~ feiern* to celebrate one's/sb's birthday; *jdm etw zum ~ schenken* to give sb sth for his/her birthday.

Geburtstags- *in cpds* birthday.

Geburts-: ~urkunde *f* birth certificate; **~wehen** *pl* labour *(Brit)* or labor *(US)* pains *pl*.

Gebüsch *nt* **-e** bushes *pl*; *(Unterholz)* undergrowth.

gedacht 1 *ptp of* **denken, gedenken.** 2 *adj Linie, Fall* imaginary.

Gedächtnis *nt* memory; *(Andenken auch)* remembrance ▸ *etw aus dem ~ hersagen* to recite sth from memory; *wenn mich mein ~ nicht trügt* if my memory serves me right; *zum ~ an die Toten* in memory *or* remembrance of the dead.

Gedächtnis-: ~feier *f* commemoration; **~hilfe** *f* memory aid, mnemonic; **~lücke** *f* gap in one's memory; **~schwund** *m* amnesia, loss of memory; **~stütze** *f* = **~hilfe**; **~verlust** *m* loss of memory.

gedämpft *adj Geräusch* muffled; *Farben, Instrument, Stimmung* muted; *Optimismus* cautious; *Licht, Freude* subdued ▸ *mit ~er Stimme* in a low voice.

▼ **Gedanke** *m* **-n** thought *(über +acc* on, about); *(Idee, Plan, Einfall)* idea; *(Konzept)* concept; *(Betrachtung)* reflection *(über +acc* on) ▸ *der bloße ~ an ...* the mere thought of ...; *da kam mir ein ~* then I had an idea; *in ~n vertieft/verloren sein* to be deep/lost in thought; *jdn auf andere ~n bringen* to take sb's mind off things; *sich (dat) über etw (acc) ~n machen* to think about sth; *(sich sorgen)* to worry about sth; *etw ganz in ~n (dat) tun* to do sth without thinking; *jds ~n lesen* to read sb's mind *or* thoughts; *auf einen ~n kommen* to have *or* get an idea; *auf dumme ~n kommen (col)* to get up to mischief; *jdn auf den ~n bringen, etw zu tun* to give sb the idea of doing sth.

Gedanken-: ~austausch *m* exchange of ideas; **~freiheit** *f* freedom of thought; **~gang** *m* train of thought; **~lesen** *nt* mind-reading; **g~los** *adj (unüberlegt)* unthinking; *(zerstreut)* absent-minded; *(rücksichtslos)* thoughtless; *etw g~los tun* to do sth without thinking, **~losigkeit** *f siehe adj* lack of thought; absentmindedness; thoughtlessness; **~sprung** *m* mental leap; **~strich** *m* dash; **~übertragung** *f* telepathy *(auch fig)*, thought transference; **g~verloren** *adj* lost in thought; **g~voll** *adj (nachdenklich)* thoughtful, pensive.

gedanklich *adj* intellectual; *(vorgestellt)* imaginary.

Gedärme *pl* intestines *pl*.

Gedeck *nt* **-e** *(Tisch~)* cover; *(Menü)* set meal, table d'hôte; *(in Lokal)* cover charge; *set drink served with cover charge* ▸ *ein ~ auflegen* to set a place.

gedeckt *adj Farben* muted; *Gang* covered.

Gedeih *m: auf ~ und Verderb* for better or (for) worse.

gedeihen *pret* **gedieh**, *ptp* **gediehen** *vi aux sein* to thrive, to flourish; *(geh: sich entwickeln)* to develop; *(fig: vorankommen)* to make progress ▸ *die Sache ist so weit gediehen, daß...* the matter has reached the point *or* stage where ...

Gedeihen *nt no pl (Gelingen)* success.

Gedenken *nt no pl* memory ▸ *zum ~ an jdn/etw* in memory *or* remembrance of sb/sth.

gedenken* *vi irreg +gen* a *(geh: denken an)* to remember, to think of; *(feierlich)* to commemorate. b *~, etw zu tun* to propose to do sth.

Gedenk-: ~feier *f* commemoration; **~minute** *f* minute's silence; **~stätte** *f* memorial; **~stein** *m* memorial stone; **~stunde** *f* hour of commemoration; **~tafel** *f* plaque; **~tag** *m* commemoration day.

Gedicht *nt* **-e** poem ▸ *die ~e Enzensbergers* Enzensberger's poetry *or* poems; *dieses Kleid ist ein ~ (fig col)* this dress is a dream *(col)*.

gediegen *adj* a *Metall* pure. b *(von Qualität)* high-quality; *(geschmackvoll)* tasteful; *(rechtschaffen)* upright; *Verarbeitung* solid; *Kenntnisse* sound.

Gediegenheit *f siehe adj* purity; high quality; tastefulness; uprightness; solidity; soundness.

gedieh *pret of* **gedeihen.**

gediehen *ptp of* **gedeihen.**

gedr. = **gedruckt.**

Gedränge *nt no pl (Menschenmenge)* crowd, crush; *(Drängeln)* jostling ▸ *ins ~ kommen or geraten (fig)* to get into a fix.

gedrängt *adj* packed; *(fig) Stil* terse ▸ *~ voll* packed full, jam-packed *(col)*.

gedroschen *ptp of* **dreschen.**

gedruckt *adj lügen wie ~ (col)* to lie through one's teeth.

gedrückt *adj* depressed, dejected ▸ *~er Stimmung sein* to be in low spirits, to feel depressed.

gedrungen 1 *ptp of* **dringen.** 2 *adj Gestalt* sturdy, stocky.

geduckt *adj Haltung, Mensch* crouching; *Kopf* lowered.

Gedudel *nt no pl (col) (von Klarinette etc)* tootling; *(von*

Radio) noise.
Geduld *f no pl* patience ▶ *mit jdm/etw ~ haben* to be patient *or* have patience with sb/sth; *mir reißt die ~, ich verliere die ~* my patience is wearing thin, I'm losing my patience.
gedulden* *vr* to be patient.
geduldig *adj* patient ▶ *~ wie ein Lamm* meek as a lamb.
Gedulds-: *~faden m jetzt reißt mir aber der ~faden!* (*col*) I'm just about losing patience; *~probe f* trial of (one's) patience; *~spiel nt* puzzle.
gedungen *adj* (*pej geh*) *Mörder* hired.
gedurft *ptp of* **dürfen**.
ge|ehrt *adj* honoured (*Brit*), honored (*US*) ▶ *Sehr ~e Damen und Herren!* Ladies and Gentlemen!; (*in Briefen*) Dear Sirs; Dear Sir or Madam; *Sehr ~er Herr Kurz!* Dear Mr Kurz.
ge|eignet *adj* (*passend*) suitable; (*richtig*) right ▶ *sie ist für diesen Posten nicht ~* she's not the right person for this job; *im ~en Augenblick* at the right moment; *er wäre zum Lehrer gut/schlecht ~* he would/wouldn't make a good teacher.
Gefahr *f* -en ⓐ danger (*für* to, for); (*Bedrohung*) threat (*für* to, for) ▶ *die ~en des Verkehrs/dieses Berufs* the dangers *or* perils *or* hazards of the traffic/this job; *in ~ sein/schweben* to be in danger *or* jeopardy; *außer ~* (*nicht gefährdet*) not in danger; (*nicht mehr gefährdet*) out of danger; (*Patient*) off the danger list; *sich einer ~ aussetzen* to put oneself in danger; *es besteht die ~, daß ...* there's a risk *or* the danger that ... ⓑ (*Wagnis, Risiko*) risk (*für* to, for) ▶ *auf eigene ~* at one's own risk *or* (*stärker*) peril; *~ laufen, etw zu tun* to run the risk of doing sth.
gefährden* *vt* to endanger; *Chancen etc auch* to jeopardize; (*bedrohen*) to threaten.
gefährdet *adj Tierart etc* endangered; *Ehe, Jugendliche etc* at risk.
Gefährdung *f no pl* ⓐ *siehe vt* endangering; jeopardizing. ⓑ (*Gefahr*) danger (*gen* to).
gefahren *ptp of* **fahren**.
Gefahren-: *~herd m* danger area; *~quelle f* source of danger; *~stelle f* danger spot; *~zone f* danger zone *or* area; *~zulage f* danger money, hazard pay (*US*).
gefährlich *adj* dangerous; (*gewagt auch*) risky.
Gefährlichkeit *f siehe adj* dangerousness; riskiness.
Gefahr-: *g~los adj* safe; *~losigkeit f* safety.
Gefährt *nt* -(e)s, e (*dated*) wagon, carriage; (*hum*) jalopy (*col*).
Gefährte *m* (*wk*) -n, -n, **Gefährtin** *f* (*geh: lit, fig*) companion.
Gefälle *nt* - (*Neigung*) (*von Fluß*) drop, fall; (*von Land, Straße*) slope; (*Neigungsgrad*) gradient; (*fig: Unterschied*) difference ▶ *das Gelände hat ein starkes ~* the land slopes down steeply; *„starkes ~!"* steep hill.
▼ **gefallen***[1] *vi irreg* to please (*jdm* sb) ▶ *es gefällt mir (gut)* I like it (very much *or* a lot); *es gefällt ihm, wie sie spricht* he likes the way she talks; *das gefällt mir gar nicht* I don't like it at all; *das könnte dir so ~!* (*col*) no way! (*col*); *sich* (*dat*) *etw ~ lassen* (*dulden*) to put up with sth.
gefallen[2] ① *ptp of* **fallen**, **gefallen**[1].
② *adj* (*Mil*) killed in action.
Gefallen[1] *nt no pl* (*geh*) pleasure ▶ *an etw* (*dat*) *~ finden* to derive pleasure from sth; *an jdm ~ finden* to take to sb.
Gefallen[2] *m* - favour (*Brit*), favor (*US*) ▶ *jdn um einen ~ bitten* to ask a favour of sb; *tun Sie mir den ~ und schweigen Sie* would you do me a favour and be quiet; *ihm zu ~* to please him.
Gefallene(r) *mf decl as adj* soldier killed in action.

gefällig *adj* ⓐ (*hilfsbereit*) helpful, obliging. ⓑ (*ansprechend*) pleasing; (*freundlich*) pleasant. ⓒ *sonst noch etwas ~?* (*iro*) will there be anything else?
Gefälligkeit *f* ⓐ (*Gefallen*) favour (*Brit*), favor (*US*) ▶ *jdm eine ~ erweisen* to do sb a favour. ⓑ *no pl* (*gefälliges Wesen*) pleasantness ▶ *etw aus ~ tun* to do sth out of the kindness of one's heart.
gefälligst *adv* (*col*) kindly ▶ *sei ~ still!* will you kindly keep your mouth shut! (*col*).
gefangen ① *ptp of* **fangen**.
② *adj* (*~genommen*) captured; (*fig*) captivated ▶ *sich ~ geben* to give oneself up, to surrender.
Gefangenen-: *~austausch m* exchange of prisoners; *~lager nt* prison camp; *~wärter m* prison officer, (*prison*) warder.
Gefangene(r) *mf decl as adj* prisoner ▶ *500 ~ machen* (*Mil*) to take 500 prisoners.
Gefangen-: *g~halten* ⚠ *vt sep irreg* to hold prisoner; *Tiere* to keep in captivity; (*fig*) to captivate; *~nahme f* -n capture; (*Verhaftung*) arrest; *g~nehmen* ⚠ *vt sep irreg Mensch* to take captive *or* prisoner; (*verhaften*) to arrest; (*fig*) to captivate; *~schaft f* captivity; *in ~schaft geraten* to be taken prisoner.
Gefängnis *nt* prison, jail; (*~strafe*) imprisonment ▶ *im ~ sitzen* (*col*) to be in prison; *ins ~ kommen* to be sent to prison; *zwei Jahre ~ bekommen* to get two years' imprisonment.
Gefängnis- *in cpds* prison; *~aufseher m* warder (*Brit*), guard (*US*), prison officer; *~direktor m* prison governor, prison warden (*esp US*); *~insasse m* inmate; *~strafe f* prison sentence; *er wurde zu einer ~strafe verurteilt* he was sent to prison, he was given a prison sentence; *~wärter m siehe ~aufseher;* *~zelle f* prison cell.
gefärbt *adj* coloured (*Brit*), colored (*US*); *Haar, Stoff* dyed; *Lebensmittel* artificially coloured (*Brit*) *or* colored (*US*); (*fig*) *Bericht* biased.
Gefasel *nt no pl* (*pej*) drivel (*col*).
Gefäß *nt* -e vessel (*auch Anat, Bot*); (*Behälter*) receptacle.
⚠ **gefaßt** *adj* (*ruhig*) composed, calm ▶ *auf etw* (*acc*) *~ sein* to be prepared *or* ready for sth; *er kann sich auf etwas ~ machen* (*col*) he'll be in for it.
Gefecht *nt* -e (*lit, fig*) battle; (*Mil*) engagement; (*Scharmützel*) skirmish ▶ *ein hartes ~* fierce fighting; *jdn/etw außer ~ setzen* (*lit, fig*) to put sb/sth out of action; *Argumente ins ~ führen* to advance arguments; *im Eifer des ~s* (*fig*) in the heat of the moment.
gefechtsbereit *adj* ready for action; (*einsatzfähig*) (fully) operational.
gefedert *adj* (*Matratze*) sprung.
gefeiert *adj* celebrated.
gefeit *adj gegen etw ~ sein* to be immune to sth.
gefestigt *adj Tradition* established; *Charakter* steadfast.
Gefieder *nt* - plumage, feathers *pl*.
gefiedert *adj* feathered.
Gefilde *nt* - (*old, liter*) realm ▶ *heimatliche ~* (*hum*) home pastures.
Geflecht *nt* -e (*lit, fig*) network; (*Gewebe*) weave; (*Rohr-*) wickerwork.
gefleckt *adj* spotted; *Blume, Vogel* speckled; *Haut* blotchy.
Geflimmer *nt no pl* shimmering; (*Film, TV*) flicker(ing); (*heiße Luft*) heat-haze.
geflissentlich *adj* (*geh*) deliberate.
geflochten *ptp of* **flechten**.
geflogen *ptp of* **fliegen**.
geflohen *ptp of* **fliehen**.
geflossen *ptp of* **fließen**.
Geflügel *nt no pl* (*Zool, Cook*) poultry *no pl*.
Geflügel- *in cpds* poultry; *~händler m* poulterer, poultry dealer; *~schere f* poultry shears *pl*.

► SATZBAUSTEINE: **gefallen**[1] → 1.1, 1.2, 1.3, 1.4, 4.2, 6.1, 13.1

geflügelt adj winged ▶ **~e Worte** familiar quotations.
Geflügelzucht f poultry farming.
Geflüster nt no pl whispering.
gefochten ptp of **fechten**.
Gefolge nt - retinue; (Trauer~) cortège ▶ **im ~** in the wake (+gen of); **etw im ~ haben** (fig) to bring sth in its wake.
Gefolgschaft f (die Anhänger) following; (Hist: Gefolge) retinue.
gefragt adj in demand pred.
gefräßig adj gluttonous; (fig geh) voracious.
Gefräßigkeit f gluttony.
Gefreite(r) mf decl as adj (Mil) lance corporal (Brit), private first class (US).
gefressen ptp of **fressen** ▶ **jdn ~ haben** (col) to be sick of sb (col).
gefrieren* vi irreg aux sein (lit, fig) to freeze.
Gefrier-: **~fach** nt freezer compartment; **g~getrocknet** adj freeze-dried; **~punkt** m freezing point; **~schrank** m (upright) freezer; **~truhe** f freezer, deep freeze.
gefroren ptp of **frieren**, **gefrieren**.
Gefüge nt - (lit, fig) structure.
gefügig adj submissive; (gehorsam) obedient ▶ **jdn ~ machen** to make sb bend to one's will.
Gefühl nt -e feeling; (~sregung auch) emotion ▶ **etw im ~ haben** to have a feel for sth; **etw nach ~ tun** to do sth by instinct; **ich habe ein ~, als ob ...** I feel as though ...; **ein ~ für Zahlen/Musik** a feeling for figures/music; **ein ~ für Gerechtigkeit/Anstand** a sense of justice/decency.
gefühllos adj insensitive, unfeeling; Bein numb.
Gefühllosigkeit f insensitivity; numbness.
Gefühls-: **g~arm** adj unemotional; **~ausbruch** m emotional outburst; **g~betont** adj emotional; Rede, Äußerung auch emotive; **~duselei** f (pej) mawkishness; **g~kalt** adj cold; **~kälte** f coldness; **~leben** nt emotional life; **g~mäßig** adj instinctive; **~mensch** m emotional person; **~regung** f stir of emotion; (seelische Empfindung) feeling.
gefühlvoll adj (empfindsam) sensitive; (ausdrucksvoll) expressive; (liebevoll) loving.
gefüllt adj (Cook) stuffed; Pralinen with soft centres (Brit) or centers (US); Brieftasche full.
gefunden ① ptp of **finden**.
② adj **das war ein ~es Fressen für ihn** that was handing it to him on a plate.
gefürchtet adj dreaded usu attr.
Gegacker nt no pl (lit, fig) cackle, cackling.
gegangen ptp of **gehen**.
gegeben ① ptp of **geben**.
② adj given; (Philos: real) factual ▶ **unter den ~en Umständen** given the circumstances; **bei den ~en Tatsachen** given these facts; **etw als ~ voraussetzen** to assume sth; **zu ~er Zeit** in due course.
gegebenenfalls adv should the situation arise.
Gegebenheit f usu pl (actual) fact; (Zustand) condition.
gegen prep +acc ① (wider) against ▶ **X ~ Y** (Sport, Jur) X versus Y; **seinen Befehl** contrary to or against his orders; **haben Sie ein Mittel ~ Schnupfen?** do you have anything for colds?; **nichts ~ jdn/etw haben** to have nothing against sb/sth. ② (in Richtung auf) towards (esp Brit), toward; (nach) to; (an) against ▶ **~ einen Baum fahren** to drive into a tree; **etw ~ das Licht halten** to hold sth to or against the light; **~ Osten fahren** to travel to(wards) the east; **es wird ~ Abend kühler** it grows cooler towards evening. ③ (ungefähr) round about, around ▶ **ich komme ~ Abend vorbei** I'll come around early this evening. ④ (gegenüber) towards (esp Brit), toward, to ▶ **gerecht ~ alle** fair to all. ⑤ (im Austausch für) for ▶ **~ bar** for cash; **~ Quittung** against a receipt; **~**

Bezahlung in exchange for payment. ⑥ (verglichen mit) compared with.
Gegen-: **~angriff** m (Mil, fig) counterattack; **~argument** nt counterargument; **~beispiel** nt counterexample; **~besuch** m return visit; **jdm einen ~besuch machen** to return sb's visit; **~bewegung** f (Tech, fig) countermovement; **~beweis** m **den ~beweis zu etw erbringen** to produce evidence against sth.
Gegend f -en area; (geographisches Gebiet, Körper~) region ▶ **die ~ von London** the London area; **hier in der ~** around here; **die ganze ~ spricht davon** the whole neighbourhood (Brit) or neighborhood (US) is talking about it.
Gegendarstellung f (Press) reply.
gegen|einander adv against each other; (im Austausch) for each other; (zueinander) to(wards) each other.
gegen|einander-: **~halten** ⚠ vt sep irreg (lit) to hold together; (fig) to compare; **~stehen** ⚠ vi sep irreg (fig) to be on opposite sides; (Aussagen) to conflict; **~stoßen** ⚠ vi sep irreg aux sein to bump into each other; (kollidieren) to collide.
Gegen-: **~entwurf** m alternative plan; **~erklärung** f counterstatement; (Dementi) denial, disclaimer; **~fahrbahn** f opposite carriageway or (Spur) lane; **~frage** f counterquestion; **jdm eine ~frage stellen** to ask sb a question in reply (to his); **~gerade** f (Sport) back straight; **~gewicht** nt counterbalance (auch fig), counterweight; **~gift** nt antidote (gegen to); **~kandidat** m rival candidate; **~kurs** m (lit, fig) opposite course; **einen ~kurs steuern** to take an opposing course of action; **g~läufig** adj (fig) Tendenz contrary, opposite; **~leistung** f service in return; **als ~leistung für etw** in return for sth; **g~lenken** vi sep (Aut) to steer in the opposite direction; **~licht** nt **etw bei** or **im ~ aufnehmen** (Phot) to take a backlit photograph of sth; **~lichtaufnahme** f backlit photograph; **~liebe** f requited love; (fig: Zustimmung) approval; **der Vorschlag stieß auf wenig ~liebe** the suggestion was hardly welcomed with open arms; **~maßnahme** f countermeasure; **~maßnahmen zur Bekämpfung der Inflation** measures to counter inflation; **~meinung** f opposite opinion; **~mittel** nt (Med) antidote (gegen to); **~partei** f other side; (Sport) opposing side; (Jur) opposing party; **~probe** f crosscheck; **~reaktion** f counter-reaction; **~rede** f (Antwort) reply; (Widerrede) contradiction; **~richtung** f opposite direction.
Gegensatz m ⸚e opposite; (Kontrast) contrast; (Unvereinbarkeit) conflict; (Unterschied) difference ▶ **im ~ zu** unlike, in contrast to; **einen krassen ~ zu etw bilden** to contrast sharply with sth; **⸚e ausgleichen** to even out differences.
gegensätzlich adj (konträr) contrasting; (widersprüchlich) opposing; (unterschiedlich) different; (unvereinbar) conflicting ▶ **eine ~e Meinung** a conflicting view.
Gegen-: **~schlag** m (Mil) reprisal; (fig) retaliation no pl; **zum ~schlag ausholen** to prepare to retaliate; **~seite** f (lit, fig) other side; **g~seitig** adj mutual; **sie beschuldigten sich g~seitig** they (each) accused one another or each other; **sich g~seitig ausschließen** to be mutually exclusive; **in g~seitigem Einverständnis** by mutual agreement; **~seitigkeit** f mutuality; **ein Vertrag auf ~seitigkeit** a reciprocal treaty; **~sinn** m **im ~sinn** in the opposite direction; **~spieler** m opponent; (bei Mannschaftsspielen auch) opposite number; **~sprechanlage** f (two-way) intercom.
Gegenstand m ⸚e (Ding) object, thing; (Thema) subject; (der Neugier etc, Philos) object ▶ **~ des Gespötts** laughing stock.
gegenständlich adj concrete; (Philos) objective; (Art)

representational.

gegenstandslos adj (grundlos) groundless; (hinfällig) irrelevant.

Gegen-: ~stimme f (Parl) vote against; **~stoß** m (Mil, Sport) counterattack; **~stück** nt opposite; (passendes ~stück) counterpart.

Gegenteil nt opposite (von of); (Umkehrung) reverse (von of) ▶ **im ~!** on the contrary!; **ganz im ~** quite the reverse; **das ~ bewirken** to have the opposite effect; (Mensch) to achieve the exact opposite; **ins ~ umschlagen** to swing to the other extreme.

gegenteilig adj Ansicht, Wirkung opposite, contrary ▶ **eine ~e Meinung** a different opinion; **ich habe nichts G~es gehört** I've heard nothing to the contrary.

Gegentor nt (esp Ftbl) **ein ~ hinnehmen müssen** to concede a goal; **ein ~ erzielen** to score.

gegen|über² prep +dat **a** (örtlich) opposite ▶ **er wohnt mir ~** he lives opposite me; **er saß mir schräg ~** he sat diagonally across from me. **b** (zu) to; (in bezug auf) with regard to, towards (esp Brit), toward; (angesichts, vor) in the face of; (im Vergleich zu) in comparison with ▶ **mir ~ hat er das nicht geäußert** he didn't say that to me; **er ist allem Neuen ~ wenig aufgeschlossen** he's not very open-minded about anything new.
2 adv opposite ▶ **der Park ~** the park opposite; **die Leute von ~** (col) the people opposite.

Gegen|über nt - (bei Kampf) opponent; (bei Diskussion) opposite number ▶ **mein ~ im Zug** the person opposite me in the train.

gegen|über-: ~liegen sep irreg **1** vi +dat to be opposite, to face; **2** vr sich (dat) **~liegen** to face each other; **~liegend** adj attr opposite; **~sehen** vr sep irreg +dat **sich einer Aufgabe ~sehen** to be faced or confronted with a task; **~sitzen** vi sep irreg to sit opposite or facing; **~stehen** vi sep irreg +dat to be opposite, to face; **jdm feindlich/freundlich ~stehen** to have a hostile/friendly attitude towards sb; **einer Gefahr ~stehen** to be faced with a danger; **~stellen** vt sep (konfrontieren mit) to confront (dat with); (fig: vergleichen) to compare (dat with); **G~stellung** f confrontation; (fig: Vergleich) comparison; **~treten** vi sep irreg aux sein **jdm ~treten** to face sb.

Gegen-: ~verkehr m oncoming traffic; **~vorschlag** m counter-proposal.

Gegenwart f no pl **a** present; (Gram) present (tense) ▶ **die Musik der ~** contemporary music; **die Probleme der ~** the problems of today. **b** (Anwesenheit) presence ▶ **in ~ von** in the presence of.

gegenwärtig 1 adj **a** attr (jetzig) present; (heutig auch) current, present-day. **b** (geh: anwesend) present pred.
2 adv (augenblicklich) at present; (heutzutage auch) currently.

Gegenwarts-: g~bezogen adj Roman etc relevant to present times; **~bezug** m relevance (to present times); **g~nah(e)** adj relevant (to the present).

Gegen-: ~wehr f resistance; **~wert** m equivalent; **Ware im ~wert von DM800** goods worth or to the value of 800 marks; **~wind** m headwind; **g~zeichnen** vt sep to countersign; **~zeuge** m witness for the other side; **~zug** m **im ~zug zu etw** as a countermove to sth.

gegessen ptp of **essen**.

geglichen ptp of **gleichen**.

gegliedert adj jointed; (fig) structured.

geglitten ptp of **gleiten**.

geglommen ptp of **glimmen**.

geglückt adj successful; Überraschung real.

Gegner(in f) m - opponent (auch Sport), adversary; (Rivale) rival; (Feind) enemy.

gegnerisch adj attr opposing; (Mil: feindlich) enemy attr, hostile; Übermacht of the enemy.

Gegnerschaft f opposition.

gegolten ptp of **gelten**.

gegoren ptp of **gären**.

gegossen ptp of **gießen**.

gegr. = **gegründet** established, est.

gegraben ptp of **graben**.

gegriffen ptp of **greifen**.

Gehabe nt no pl (col) affected behaviour (Brit) or behavior (US).

gehabt ptp of **haben**.

Gehackte(s) nt decl as adj mince (Brit), minced or ground (US) meat.

Gehalt¹ m -e content ▶ **der ~ an Eiweiß** the protein content.

Gehalt² nt -̈er salary.

gehalten 1 ptp of **halten**.
2 adj: **~ sein, etw zu tun** (form) to be required to do sth.

gehaltlos adj Nahrung unnutritious; (fig) empty.

Gehalts-: ~abrechnung f salary statement; **~anspruch** m salary claim; **~empfänger** m salary earner; **~empfänger sein** to receive a salary, to be salaried; **~erhöhung** f salary increase; (regelmäßig) increment; **~gruppe** f, **~klasse** f salary bracket; **~konto** nt current (Brit) or checking (US) account; **~kürzung** f cut in salary; **~streifen** m payslip; **~wunsch** m salary requirement; **~zulage** f (~erhöhung) salary increase; (regelmäßig) increment; (Extrazulage) bonus.

gehaltvoll adj Speise nutritious, nourishing; Mahlzeit substantial; (fig) rich in content.

gehandikapt [gə'hɛndikɛpt] adj handicapped.

Gehänge nt - garland; (Ohr~) drop, pendant.

gehangen ptp of **hängen**.

geharnischt adj (fig) Brief, Abfuhr etc strong; Antwort etc sharp.

gehässig adj spiteful.

Gehässigkeit f spite, spitefulness.

gehäuft 1 adj Löffel heaped.
2 adv in large numbers.

Gehäuse nt - **a** case, casing; (Lautsprecher~) enclosure. **b** (Schnecken~) shell. **c** (Obst~) core.

gehbehindert adj disabled.

Gehege nt - reserve; (im Zoo) enclosure, compound; (Wild~) preserve ▶ **jdm ins ~ kommen** (fig col) to get under sb's feet (col); (ein Recht streitig machen) to poach on sb's preserves.

geheiligt adj Brauch, Recht sacred.

geheim adj secret ▶ **seine ~sten Gefühle/Wünsche** his innermost or most private feelings/wishes; **streng ~** top secret; **~ abstimmen** to vote by secret ballot; **im ~en** secretly.

Geheim-: ~bund m secret society; **~dienst** m secret service; **~fach** nt secret compartment; **g~halten** ⚠ vt sep irreg **etw (vor jdm) g~halten** to keep sth a secret (from sb); **~haltung** f secrecy ▶ **zur ~ von etw verpflichtet sein** to be sworn to secrecy about sth.

Geheimnis nt secret; (rätselhaftes ~) mystery ▶ **das ~ der Schönheit/des Erfolgs** the secret of beauty/success; **aus etw ein/kein ~ machen** to make a big secret about sth/no secret of sth.

Geheimnis-: ~krämer m (col) secretive type (col), mystery-monger (col); **~krämerei** f (col), **~tuerei** f secretiveness; **g~tuerisch** adj secretive; **g~voll** adj mysterious; **g~voll tun** to be mysterious.

Geheim-: ~nummer f secret number; (für Geldautomaten) PIN number; **~polizei** f secret police; **~rat** m privy councillor; **~ratsecken** pl (col) **er hat ~ratsecken** he is going bald at the temples; **~rezept** nt secret recipe; **~schrift** *f* code, secret writing; **~tip** ⚠ *m* (personal) tip; **~waffe** *f* secret weapon.

Geheiß *nt no pl* (*geh*) **auf jds ~** (*acc*) at sb's behest.

geheißen *ptp of* **heißen.**

gehemmt *adj Mensch* inhibited.

▼ **gehen** *pret* **ging,** *ptp* **gegangen** *aux sein* **1** *vi* **a** to go; (*zu Fuß*) to walk; (*abfahren, ausscheiden auch*) to leave; (*blicken: Fenster*) to look out (*auf +acc, nach* onto) ▶ **über die Straße ~** to cross the road; **auf die andere Seite ~** to cross (over) to the other side; **zu jdm ~** to go to see sb; **er ging im Zimmer auf und ab** he walked or paced up and down the room; **wie lange geht man bis zum Bus?** how long a walk is it to the bus?; **wie geht man dorthin?** how do you get there?; **das Kind lernt ~** the baby is learning to walk; **wo er geht und steht** wherever he goes or is; **schwimmen/schlafen ~** to go swimming/to bed; **mit jdm ~** (*befreundet sein*) to go out with sb, to be with sb; **mit der Zeit/Mode ~** to move with the times/follow the fashion; **in sich** (*acc*) **~** to think things over; **nach einer Regel ~** to follow a or go by a rule; **das geht gegen meine Überzeugung** that goes or runs against my convictions; **er ging so weit, zu behaupten ...** (*fig*) he went so far as to claim ...; **das geht zu weit** (*fig*) that's going too far; **wie geht das Lied/Gedicht?** how does the song/poem go?; **heute geht ein scharfer Wind** there's a biting wind today; **die See geht hoch** there's a high sea, the sea is running high; **die Reise geht über Dresden** the route goes via Dresden; **~ wir!** let's go; **das Schiff geht nach Harwich** the boat is going to or is bound for Harwich; **jdm aus dem Weg ~** to get or move out of sb's way.

b (*funktionieren*) to work; (*Auto, Uhr*) to go ▶ **die Uhr geht falsch/richtig** the clock is wrong/right.

c (*dauern*) to go on ▶ **wie lange geht das denn noch?** how much longer is it going to go on?

d (*reichen*) to go ▶ **der Rock geht ihr bis zum Knie** the skirt reaches to her knees; **in die Tausende ~** to run into (the) thousands.

e (*Teig*) to rise; (*vor dem Backen auch*) to prove.

f (*urteilen*) **nach etw ~** to go by sth.

g (*sich kleiden*) **in etw** (*dat*) **~** to wear sth; **als etw ~** (*sich verkleiden*) to go as sth.

h (*ertönen: Klingel*) to go, to ring.

i **wie ~ die Geschäfte?** how's business?; **wieviele Leute ~ in deinen Wagen?** how many people can you get in your car?; **in diese Schachtel ~ 20 Stück** this packet holds 20; **das Buch ging um ...** the book was about ...; **mein Vorschlag geht dahin, daß ...** my suggestion is that ...; **diese Schublade geht schwer** this drawer is very stiff; **nichts geht über** (+acc) **...** there's nothing to beat ..., there's nothing better than ...; **in die Politik ~** to go into politics; **in die Gewerkschaft/Partei ~** to join the union/party; **unter die Künstler/Säufer ~** (*usu hum*) to join the ranks of the artists/alcoholics; **als Putzfrau ~** (*arbeiten*) to work as a cleaner; **das geht doch nicht** (*ist nicht möglich*) that's not on; **Dienstag geht auch nicht** (*col*) Tuesday is no good either; **was geht hier vor sich?** what's going on here?

2 *vi impers* **a** (*gesundheitlich*) **wie geht es Ihnen?** how are you?; (*zu Patient*) how are you feeling?; **(danke,) es geht** (*col*) all right or not too bad (, thanks) (*col*); **es geht ihm gut/schlecht** he's quite well/not at all well; **sonst geht's dir gut?** (*iro*) are you sure you're feeling quite all right? (*iro*).

b (*ergehen*) **wie geht's?** how are things?; (*bei Arbeit etc*) how's it going?; **es geht** not too bad, so-so; **mir ist es genauso gegangen** (*ich habe dasselbe erlebt*) it was just the same with me; (*ich habe dasselbe empfunden*) I felt the same way; **laß es dir gut ~** look after yourself, take care of yourself.

c **es geht** (*läßt sich machen*) it's all right or OK (*col*); **solange es geht** as long as possible; **geht es?** (*ohne Hilfe*) can you manage?; **es geht nicht** (*ist nicht möglich*) it can't be done, it's impossible; (*kommt nicht in Frage*) it's not on; **so geht das, das geht so** that/this is how it's done; **so geht es or das (eben)** (*so ist das Leben*) that's how it goes; **morgen geht es nicht** tomorrow's no good.

d (*betreffen*) **ich weiß nicht, worum es geht** I don't know what this is about; **es geht um seinen Vertrag** it's about or it concerns his contract; **es geht um meine Ehre** my honour is at stake; **es geht ihm nur um eins** he's only interested in one thing; **darum geht es mir nicht** that's not the point; (*spielt keine Rolle*) that's not important to me; **wenn es nach mir ginge ...** if it were or was up to me ..., if I had my way ...

e (*führen*) **dann geht es immer geradeaus** (*Straßenrichtung*) then it's just straight on.

3 *vt* **er ging einen Kilometer** he walked a kilometre; **ich gehe immer diese Straße** I always walk along or take this road.

Gehen *nt no pl* (*Zu-Fuß-~, Sport*) walking; (*Abschied*) leaving.

⚠ **gehenlassen*** *sep irreg* **1** *vt* (*col: in Ruhe lassen*) to leave alone.

2 *vr* **a** to lose one's self-control. **b** (*nachlässig sein*) to let oneself go.

Geher(in *f*) *m* - (*Sport*) walker.

gehetzt *adj* harassed.

geheuer *adj* **nicht ~** (*beängstigend*) scary (*col*); (*spukhaft*) creepy (*col*); (*verdächtig*) fishy; (*unwohl*) uneasy; **es ist mir nicht ganz ~** I find it a bit scary (*col*); it gives me the creeps (*col*); it seems a bit fishy to me; I feel uneasy about it.

Geheul(e) *nt no pl* howling.

Gehilfe *m* (*wk*) **-n, -n, Gehilfin** *f* (*kaufmännischer ~*) trainee; (*Jur*) accomplice.

Gehirn *nt* **-e** brain; (*Geist*) mind.

Gehirn-: **~chirurg** *m* brain surgeon; **~erschütterung** *f* concussion; **~schlag** *m* stroke; **~tumor** *m* brain tumour (*Brit*) or tumor (*US*); **~wäsche** *f* brainwashing no pl; **jdn einer ~wäsche unterziehen** to brainwash sb.

gehoben **1** *ptp of* **heben.**

2 *adj Ausdrucksweise* elevated, lofty; (*anspruchsvoll*) sophisticated; *Stellung* senior; *Stimmung* elated ▶ **~er Dienst** professional and executive levels of the civil service.

Gehöft *nt* **-e** farm.

geholfen *ptp of* **helfen.**

Gehölz *nt* **-e** (*geh*) copse; (*Dickicht*) undergrowth.

Gehör *nt* **-e** hearing; (*Mus*) ear ▶ **kein musikalisches ~ haben** to have no ear for music; **ein schlechtes ~ haben** to be hard of hearing; **nach dem ~ spielen** to play by ear; **absolutes ~** perfect pitch; **das ~ verlieren** to go deaf; **~ finden** to gain a hearing; **er fand kein ~** he was not given a hearing; **jdm ~/kein ~ schenken** to listen/not to listen to sb; **sich** (*dat*) **~ verschaffen** to gain attention; (*bei Behörde*) to obtain a hearing.

gehorchen* *vi* to obey (*jdm* sb); (*Wagen, Maschine etc*) to respond (*jdm/einer Sache* to sb/sth) ▶ **seine Stimme gehorchte ihm nicht mehr** he lost control of his voice.

gehören* **1** *vi* **a** **jdm ~** to belong to sb, to be sb's.

b (*den richtigen Platz haben*) to belong; (*Gegenstand auch*) to go ▶ **das gehört nicht hierher** (*Vorschlag*) that is irrelevant here; **das gehört nicht zur Sache** that's irrelevant; **er gehört ins Bett** he should be in bed. **c** **~ zu** (*zählen zu*) to be one of; (*Bestandteil sein von*) to be part of; (*Mitglied sein von*) to belong to; **es gehört zu seinen Pflichten** it's one of his duties; **zur Familie ~** to be one of the family; **dazu gehört Mut** that takes courage; **dazu gehört (schon) einiges** or **etwas** that takes some doing (*col*).

➤ SATZBAUSTEINE: **gehen: 1a** → 1.2, 6.1, 8.1, 8.2, 10.1, 11, 12.3

2 *vr* to be (right and) proper ▸ *das gehört sich einfach nicht* that's just not done.

gehörig *adj* **a** (*geh*) *nicht zur Sache* ~ irrelevant. **b** *attr, adv* (*gebührend*) proper ▸ *mit dem ~en Respekt* with proper respect. **c** (*col: beträchtlich, groß*) good *attr*, well and truly *adv* ▸ *eine ~e Achtung vor jdm haben* to have a healthy respect for sb.

gehörlos *adj* (*form*) deaf.

Gehörlose(r) *mf decl as adj* (*form*) deaf person.

gehorsam *adj* obedient.

Gehorsam *m no pl* obedience ▸ *jdm den ~ verweigern* to refuse to obey sb.

Gehorsamkeit *f* obedience.

Gehorsamsverweigerung *f* (*Mil*) insubordination.

Gehörsinn *m* sense of hearing.

Gehsteig *m* pavement (*Brit*), sidewalk (*US*).

Gehweg *m* **a** = **Gehsteig**. **b** footpath.

Geier *m* - (*lit, fig*) vulture ▸ *weiß der ~* (*col*) God knows (*col*).

Geifer *m no pl* slaver; (*fig pej*) venom.

geifern *vi* to slaver; (*Schaum vor dem Mund haben*) to foam at the mouth ▸ *gegen jdn/etw ~* to revile sb/sth.

Geige *f* -n violin ▸ *die erste/zweite ~ spielen* (*lit*) to play first/second violin; (*fig*) to call the tune/play second fiddle.

geigen **1** *vi* to play the violin. **2** *vt Lied* to play on the violin.

Geigen-: *~bauer* *m* violin-maker; *~bogen* *m* violin bow; *~kasten* *m* violin-case.

Geiger(in *f)* *m* - violinist.

Geigerzähler *m* Geiger counter.

geil *adj* **a** randy, horny; (*pej: lüstern*) lecherous. **b** (*col: prima*) brilliant, wicked (*col*).

Geilheit *f siehe adj* randiness, horniness; lecherousness.

Geisel *f* -n hostage ▸ *jdn als ~ nehmen* to take sb hostage.

Geisel-: *~drama* *nt* hostage crisis; *~nahme* *f* -n hostage-taking; *~nehmer(in** *f)* *m* hostage-taker.

Geiß *f* -en (*Ziege*) (nanny-)goat.

Geißbock *m* billy-goat.

Geißel *f* -n (*lit, fig*) scourge; (*dial: Peitsche*) whip.

geißeln *vt* (*anprangern*) to castigate.

Geist *m* -er **a** *no pl* (*Denken, Vernunft*) mind ▸ *~ und Materie* mind and matter; *etw im ~(e) vor sich sehen* to see sth in one's mind's eye; *sich im ~(e) als etw/an einem Ort sehen* to picture oneself as sth/in a place.

b (*Rel: Seele, außerirdisches Wesen*) spirit; (*Gespenst*) ghost ▸ *~ und Körper* mind and body; *seinen ~ aufgeben* to give up the ghost; *der Heilige ~* the Holy Ghost *or* Spirit; *der ~ Gottes* the Spirit of God; *von allen guten ~ern verlassen sein* (*col*) to have taken leave of one's senses (*col*); *jdm auf den ~ gehen* (*col*) to get on sb's nerves.

c (*no pl: Intellekt*) intellect, mind; (*fig: Denker, Genie*) mind ▸ *~ haben* to have a good mind *or* intellect; (*Witz*) to be witty; *hier scheiden sich die ~er* this is where opinions differ; *sie sind verwandte ~er* they are kindred spirits.

d *no pl* (*Wesen, Gesinnung*) spirit ▸ *in jds ~ handeln* to act in the spirit of sb.

Geister-: *~bahn* *f* ghost train; *~fahrer* *m* (*col*) ghost-driver (*US col*), *person driving in the wrong direction*; *g~haft* *adj* ghostly; *~hand* *f: wie von ~hand* as if by magic.

geistern *vi aux sein* to wander like a ghost ▸ *der Gedanke geisterte durch sein Hirn* the thought haunted him.

Geister-: *~stadt* *f* ghost town; *~stimme* *f* ghostly voice; *~stunde* *f* witching hour.

Geistes-: *g~abwesend* *adj* absent-minded;

~abwesenheit *f* absent-mindedness; *~arbeiter* *m* brain-worker (*col*); *~armut* intellectual poverty; *~blitz* *m* brainwave (*Brit*), brainstorm (*US*); *~gabe* *f* intellectual gift; *~gegenwart* *f* presence of mind; **g~gegenwärtig** *adj* quick-witted; *g~gegenwärtig duckte er sich unter das Steuer* with great presence of mind he ducked below the steering wheel; **g~gestört** *adj* mentally disturbed *or* (*stärker*) deranged; *~größe* *f* **a** *no pl* (*Genialität*) greatness of mind; **b** (*genialer Mensch*) great mind, genius; *~haltung* *f* mental attitude; **g~krank** *adj* mentally ill; *~kranke(r)* *mf* mentally ill person; *die ~kranken* the mentally ill; *~krankheit* *f* mental illness; (*Wahnsinn*) insanity; **g~schwach** *adj* mentally deficient; *~verfassung* *f* frame of mind; **g~verwandt** *adj* *die beiden sind g~verwandt* they are kindred spirits; *~wissenschaft* *f* arts subject; *die ~wissenschaften* the arts; (*als Studium*) the humanities; *~wissenschaftler* *m* arts scholar; (*Student*) arts student; **g~wissenschaftlich** *adj Fach* arts *attr*; *~zustand* *m* mental condition; *jdn auf seinen ~zustand untersuchen* to give sb a psychiatric examination.

geistig *adj* **a** (*unkörperlich*) spiritual ▸ *~-moralisch* spiritual and moral; *~-seelisch* mental and spiritual. **b** (*intellektuell*) intellectual; (*Psych*) mental ▸ *~e Arbeit* intellectual work; *~ anspruchsvoll/anspruchslos* intellectually demanding/undemanding, highbrow/lowbrow; *~er Diebstahl* plagiarism; *~es Eigentum* intellectual property; *~ behindert/zurückgeblieben* mentally handicapped/retarded; *etw vor seinem ~en Auge sehen* to see sth in one's mind's eye. **c** *attr* (*alkoholisch*) spirituous.

geistlich *adj* spiritual; (*religiös*) religious ▸ *~es Amt/~er Orden* religious office/order; *~es Recht* canon law; *der ~e Stand* the clergy.

Geistliche *f* (*wk*) -n, -n woman priest; (*von Freikirchen*) woman minister.

Geistliche(r) *m decl as adj* clergyman; (*Priester*) priest; (*von Freikirchen*) minister; (*Gefängnis~, Militär~ etc*) chaplain.

Geistlichkeit *f siehe* **Geistliche(r)** clergy; priesthood; ministry.

Geist-: **g~los** *adj* stupid; (*langweilig*) dull; (*einfallslos*) unimaginative; *~losigkeit* *f* **a** *no pl siehe adj* stupidity; dullness; unimaginativeness; **b** (*Äußerung*) stupid remark; **g~reich** *adj* (*witzig*) witty; (*klug*) intelligent; (*einfallsreich*) ingenious; *Beschäftigung, Gespräch* intellectually stimulating; **g~tötend** *adj* soul-destroying; **g~voll** *adj Mensch, Äußerung* wise; *Buch, Beschäftigung* intellectual.

Geiz *m no pl* meanness.

geizen *vi* to be mean; (*mit Worten, Zeit*) to be sparing.

Geizhals *m* miser.

geizig *adj* mean, stingy (*col*).

Geizkragen *m* (*col*) skinflint (*col*).

gekannt *ptp of* **kennen**.

Gekicher *nt no pl* giggling.

Gekläff *nt no pl* yapping.

Geklapper *nt no pl* clatter(ing).

gekleidet *adj* dressed ▸ *weiß ~* dressed in white.

Geklimper *nt no pl* (*col*) (*Klavier~*) tinkling; (*stümperhaft*) plonking (*col*); (*von Geld*) jingling.

Geklirr(e) *nt no pl* clinking; (*von Fensterscheiben*) rattling; (*von Ketten etc*) clanking; (*von Waffen*) clashing.

geklungen *ptp of* **klingen**.

Geknatter *nt no pl* (*von Motorrad*) rat-tat-tat.

geknickt *adj* (*col*) glum, dejected.

gekniffen *ptp of* **kneifen**.

Geknister *nt no pl* crackling; (*von Papier etc*) rustling.

gekommen *ptp of* **kommen**.

gekonnt **1** *ptp of* **können**.

2 adj neat; (*meisterhaft*) masterly.
Gekrakel nt no pl (*col*) scrawl.
gekräuselt adj ruffled.
Gekreisch(e) nt no pl screeching.
Gekritzel nt no pl (*Gekritzeltes*) scribble.
gekrochen ptp of **kriechen**.
gekühlt adj chilled.
gekünstelt adj artificial; *Sprache, Benehmen auch* affected.
Gel nt -e gel.
Gelaber(e) nt no pl (*col*) jabbering (*col*).
Gelächter nt - laughter ► *in ~ ausbrechen* to burst out laughing; *jdn dem ~ preisgeben* (*geh*) to make sb a laughing stock.
gelackmeiert adj (*col*) conned (*col*).
geladen 1 ptp of **laden**.
  2 adj loaded; (*Phys*) charged; (*col: wütend*) hopping mad (*col*).
Gelage nt - feast, banquet.
gelagert adj *in anders/ähnlich ~en Fällen* in different/similar cases.
gelähmt adj paralyzed.
Gelände nt - a (*Land*) open country; (*Mil: Terrain*) ground ► *offenes ~* open country; *schwieriges ~* difficult terrain *or* country. b (*Gebiet*) area. c (*Grundstück*) grounds pl; (*Bau~*) site.
Gelände-: **~fahrt** f cross-country drive; **~fahrzeug** nt cross-country *or* all-terrain vehicle; **g~gängig** adj *Fahrzeug* suitable for cross-country work, all-terrain; **~lauf** m cross-country run.
Geländer nt - railing(s pl); (*Treppen~*) bannister(s pl).
Geländewagen m cross-country *or* all-terrain vehicle.
gelang pret of **gelingen**.
gelangen* vi aux sein *an/auf etw* (*acc*)*/zu etw ~* (*lit, fig*) to reach sth; (*fig: mit Mühe*) to attain sth; (*erwerben*) to acquire sth; *zum Ziel ~* to reach one's goal; *in jds Besitz ~* to come into sb's possession; *in die richtigen/falschen Hände ~* to fall into the right/ wrong hands; *zu Ruhm ~* to achieve fame; *zu einer Überzeugung ~* to become convinced; *zur Durchführung ~* (*form*) to be carried out; *an die Macht ~* to come to power.
gelangweilt adj bored no adv.
gelassen 1 ptp of **lassen**.
  2 adj calm ► *etw ~ hinnehmen* to take sth calmly.
Gelassenheit f calmness.
Gelatine [ʒela'tiːnə] f no pl gelatine.
gelaufen ptp of **laufen**.
geläufig adj common; (*vertraut*) familiar ► *das ist mir nicht ~* I'm not familiar with that.
gelaunt adj pred *gut/schlecht ~* good-/bad-tempered; (*vorübergehend*) in a good/bad mood; *wie ist er ~?* what sort of mood is he in?
gelb adj yellow; (*bei Verkehrsampel*) amber (*Brit*); *G~e Seiten* Yellow Pages ®.
Gelb nt - *or* (*col*) -s yellow; (*von Verkehrsampel*) amber (*Brit*).
Gelbe(s) nt decl as adj (*vom Ei*) yolk ► *das war nicht gerade das ~ vom Ei* (*col*) that wasn't exactly brilliant.
Gelbfieber nt yellow fever.
gelbgrün adj yellowish-green.
gelblich adj yellowish; *Gesichtsfarbe* sallow.
Gelb-: **~sucht** f jaundice; **g~süchtig** adj jaundiced.
Geld nt -er a money ► *bares/großes/kleines ~* cash/ notes pl (*Brit*), bills pl (*US*)/change; *~ und Gut* wealth and possessions; *zu ~ aufnehmen* to raise money; *zu ~ machen* to sell off; (*mit etw*) *~ machen* (*col*) to make money (from sth); *etw für teures ~ kaufen* to pay a lot for sth; *er hat ~ wie Heu* (*col*) he's stinking rich (*col*); *mit ~ um sich werfen* to chuck one's money around

(*col*); *jdm das ~ aus der Tasche ziehen* to squeeze money out of sb; *am ~ hängen or kleben* to be tight with money; *hinterm ~ hersein* (*col*) to be out of money; *das ist nicht für ~ zu haben* (*col*) that can't be bought; *sie/das ist nicht mit ~ zu bezahlen* (*col*) she/ that is priceless; *nicht für ~ und gute Worte* (*col*) not for love nor money; *~ oder Leben!* your money or your life!; *~ stinkt nicht* (*Prov*) there's nothing wrong with money; *~ regiert die Welt* (*Prov*) money makes the world go round (*prov*).
  b (*~summen*) **~er** pl money, monies pl; *staatliche ~er* state funds pl *or* money.
  c (*St Ex: ~kurs*) buying rate.
Geld-: **~angelegenheit** f financial matter; *jds ~angelegenheiten* sb's financial affairs; **~anlage** f (financial) investment; **~automat** m cash dispenser, automatic teller (*US*) **~automatenkarte** f cash card; **~beutel** m, **~börse** f purse; *tief in den ~beutel greifen* (*col*) to dig deep (into one's pocket) (*col*); **~dinge** pl financial *or* money matters pl; **~einwurf** m slot; *beim ~einwurf* when inserting the money; **~geber(in** f) m financial backer; (*esp Rad, TV*) sponsor; (*hum: Arbeitgeber*) employer; **~geschäft** nt financial transaction; **~gier** f avarice; **g~gierig** adj avaricious; **~institut** nt financial institution; **~kassette** f cash box; **~knappheit** f shortage of money; **~kurs** m (*St Ex*) buying rate.
geldlich adj financial.
Geld-: **~mangel** m lack of money; **~markt** m money market; **~menge** f money supply; **~mittel** pl funds pl; **~quelle** f source of income; **~schein** m banknote (*Brit*), bill (*US*); **~schrank** m safe; **~schwierigkeiten** pl financial difficulties pl; **~sorgen** pl *in ~sorgen sein* to have financial worries; **~spende** f donation, gift of money; **~strafe** f fine; *jdn zu einer ~strafe verurteilen* to fine sb; **~stück** nt coin; **~umlauf** m circulation of money; **~verkehr** m transactions pl; **~verleiher** m money-lender; **~verschwendung** f waste of money; **~waschanlage** f money-laundering outfit; **~wäsche** f money laundering; **~wechsel** m exchange of money; *„~wechsel"* "bureau de change"; **~wechsler** m (*Automat*) change machine; **~wert** m cash value; (*Fin: Kaufkraft*) currency value.
geleckt adj *wie ~ aussehen* to be neat and tidy.
Gelee [ʒe'leː] m *or* nt -s jelly.
gelegen 1 ptp of **liegen**.
  2 adj a (*befindlich*) *Haus* situated. b (*passend*) *zu ~er Zeit* at a convenient time; *das kommt mir sehr ~* that's most convenient. c pred (*wichtig*) *mir ist viel/ nichts daran ~* it matters a great deal/doesn't matter to me.
Gelegenheit f a (*günstiger Umstand*) opportunity ► *bei ~* some time (or other); *bei passender/der ersten (besten) ~* when I get the opportunity/at the first opportunity. b (*Anlaß*) occasion ► *bei dieser ~* on this occasion. c (*~skauf*) bargain.
Gelegenheits-: **~arbeit** f a casual work no pl; b (*eines Autors*) minor work; **~arbeiter** m casual labourer (*Brit*) *or* laborer (*US*); **~kauf** m bargain; **~raucher** m occasional smoker; **~trinker** m occasional drinker.
gelegentlich 1 adj attr occasional.
  2 adv (*manchmal*) occasionally, now and again; (*bei Gelegenheit*) some time (or other) ► *lassen Sie ~ etwas von sich hören!* keep in touch.
gelehrig adj quick to learn ► *sich bei etw ~ anstellen* to be quick to grasp sth.
Gelehrsamkeit f (*geh*) learning, erudition.
gelehrt adj learned, erudite; (*wissenschaftlich*) scholarly.
Gelehrte(r) mf decl as adj scholar.
Geleit nt -e (*Hist: Gefolge*) retinue; (*Begleitung, Mil*) es-

---

⚠: for details of spelling reform, see supplement

cort; (*Leichenzug*) cortège ▶ *freies or sicheres* ~ safe conduct; *jdm das* ~ *geben* to escort *or* accompany sb.

geleiten* *vt* (*geh*) to escort.

Geleitschutz *m* escort ▶ *jdm* ~ *gewähren or geben* to give sb an escort; (*persönlich*) to escort sb.

Gelenk *nt* -e joint; (*Hand~*) wrist; (*Fuß~*) ankle; (*Ketten~*) link; (*Scharnier~*) hinge.

gelenkig *adj* supple.

Gelenkigkeit *f* suppleness.

gelernt *adj* trained; *Arbeiter* skilled.

gelesen *ptp of* **lesen**.

geliebt *adj* dear, beloved (*liter, Eccl*).

Geliebte *f decl as adj* sweetheart; (*Mätresse*) mistress, lover.

Geliebte(r) *m decl as adj* sweetheart; (*Liebhaber*) lover.

geliefert *adj* ~ *sein* (*col*) to have had it (*col*).

geliehen *ptp of* **leihen**.

gelieren* [ʒeˈliːrən] *vi* to gel.

gelind(e) *adj* (*geh*) gentle; (*mild*) *Urteil, Schmerz, Ausdruck* mild ▶ ~ *gesagt* to put it mildly.

gelingen *pret* **gelang**, *ptp* **gelungen** *vi aux sein* to succeed, to be successful ▶ *es gelang ihm, das zu tun* he succeeded in doing it; *es gelang ihm nicht, das zu tun* he failed to do it, he didn't succeed in doing it; *dein Plan wird dir nicht* ~ you won't succeed with your plan; *es will mir nicht* ~ I can't seem to manage it.

Gelingen *nt no pl* (*geh*) (*Glück*) success; (*erfolgreiches Ergebnis*) successful outcome ▶ *gutes* ~ *für Ihren Plan!* good luck with your plan!; *auf gutes* ~*!* to success!

gelitten *ptp of* **leiden**.

gell, gelle *interj* (*S Ger, Sw*) = **gelt**.

gellen *vi* to shrill; (*von lauten Tönen erfüllt sein*) to ring ▶ *der Lärm gellt mir in den Ohren* the noise makes my ears ring.

gellend *adj* shrill, piercing.

geloben* *vt* (*geh*) to vow, to swear ▶ *das Gelobte Land* (*Bibl*) the Promised Land.

Gelöbnis *nt* (*geh*) vow.

gelockt *adj Haar* curly; *Mensch* curly-haired.

gelogen *ptp of* **lügen**.

gelöst *adj* relaxed.

gelt *interj* (*S Ger*) right ▶ *schön,* ~*?* nice, isn't it?

gelten *pret* **galt**, *ptp* **gegolten** ⟦1⟧ *vi* ⟦a⟧ (*gültig sein*) to be valid; (*Gesetz*) to be in force; (*Preise*) to be effective; (*zählen*) to count ▶ *die Wette gilt!* it's a bet!; *das gilt nicht!* that doesn't count!; (*nicht erlaubt*) that's not allowed!; *das Gesetz gilt für alle* the law applies to everyone. ⟦b⟧ +*dat* (*bestimmt sein für*) to be meant for *or* aimed at. ⟦c⟧ (*zutreffen*) *für jdn/etw* ~ to hold (good) for sb/sth, to go for sb/sth; *das gleiche gilt auch für ihn* the same goes for him too. ⟦d⟧ ~ *als* to be regarded as; *es gilt als sicher, daß* ... it's certain that ... ⟦e⟧ ~ *lassen* to accept; *das lasse ich* ~*!* I'll agree to that!, I accept that!; *für diesmal lasse ich es* ~ I'll let it go this time.

⟦2⟧ *vti impers* (*geh*) *es gilt, ... zu ...* it is necessary to ...; *jetzt gilt es, zusammenzuhalten* it is now a question of sticking together.

⟦3⟧ *vt* (*wert sein*) to be worth ▶ *was gilt die Wette?* what do you bet?

geltend *adj attr Preise* current; *Gesetz* in force; *Meinung etc* prevailing ▶ ~ *machen* (*form*) to assert; *einen Einwand* ~ *machen* to raise an objection; ~*es Recht sein* to be the law of the land.

Geltung *f* (*Gültigkeit*) validity; (*Ansehen*) prestige ▶ ~ *haben* to be valid; (*Gesetz*) to be in force; (*Preise*) to be effective; (*Einfluß haben*) to carry weight; (*angesehen sein*) to be recognized; *an* ~ *verlieren* to lose prestige; *einer Sache* (*dat*) ~ *verschaffen* to enforce sth; *sich* (*dat*) ~ *verschaffen* to establish one's position; *etw zur*

~ *bringen* to show sth off to advantage; (*durch Kontrast*) to set sth off; *zur* ~ *kommen* to show to advantage; (*durch Kontrast*) to be set off.

Geltungs-: ~**bedürfnis** *nt no pl* need for admiration; **g~bedürftig** *adj* needing admiration; ~**bereich** *m der* ~*bereich einer Fahrkarte/eines Gesetzes* the area within which a ticket is valid/a law is operative; ~**dauer** *f no pl* period of validity; ~**drang** *m no pl* need for admiration; ~**sucht** *f no pl* craving for admiration; **g~süchtig** *adj* craving admiration.

Gelübde *nt* - (*Rel, geh*) vow ▶ *ein/das* ~ *ablegen* to take a vow.

gelungen ⟦1⟧ *ptp of* **gelingen**.

⟦2⟧ *adj attr* ⟦a⟧ (*geglückt*) successful ▶ *eine nicht so recht* ~*e Überraschung* a surprise that didn't quite come off. ⟦b⟧ (*col: drollig*) funny, priceless.

Gelüst *nt* -e (*geh*) desire.

gelüsten* *vt impers* (*liter, iro*) *mich gelüstet nach ...* I have a craving for ...

Gemach *nt* ⁻er (*geh*) chamber (*old, form*).

gemächlich *adj* leisurely *no adv*; *Mensch* unhurried ▶ *ein* ~ *fließender Strom* a gently flowing river.

gemacht *adj* ⟦a⟧ *für etw* ~ *sein* to be made for sth; *das ist für ihn wie* ~ it's made for him; *ein* ~*er Mann sein* to be made. ⟦b⟧ (*gewollt, gekünstelt*) false, contrived.

Gemahl *m* -e (*geh, form*) spouse (*old, form*), husband; (*Prinz~*) consort.

Gemahlin *f* (*geh, form*) spouse (*old, form*), wife; (*von König auch*) consort.

Gemälde *nt* - painting; (*fig: Schilderung*) portrayal.

Gemäldegalerie *f* picture gallery.

gemasert *adj Holz* grained.

gemäß ⟦1⟧ *prep* +*dat* in accordance with.

⟦2⟧ *adj* appropriate (*dat* to) ▶ *eine ihren Fähigkeiten* ~*e Arbeit* a job suited to her abilities.

gemäßigt *adj* moderate; *Klima, Zone* temperate; *Optimismus etc* qualified.

Gemäuer *nt* - (*geh*) masonry, walls *pl*.

Gemauschel *nt no pl* (*pej col*) scheming.

Gemecker *nt no pl* (*von Ziegen*) bleating; (*col: Nörgelei*) moaning.

gemein *adj* ⟦a⟧ (*niederträchtig*) mean; (*roh, unverschämt auch*) nasty; *Verräter, Lüge* contemptible ▶ *ein* ~*er Streich* a dirty *or* rotten trick. ⟦b⟧ (*ordinär*) vulgar; *Bemerkung, Witz auch* dirty, coarse. ⟦c⟧ (*col: unangenehm*) horrible, awful ▶ *die Prüfung war* ~ *schwer* the exam was horribly difficult. ⟦d⟧ *etw* ~ *mit jdm/etw haben* to have sth in common with sb/sth; *das ist beiden* ~ it is common to both of them. ⟦e⟧ *das* ~*e Volk* the common people; *der* ~*e Mann* the ordinary man.

Gemeinbesitz *m* common property.

Gemeinde *f* -n ⟦a⟧ (*Kommune*) municipality; (*~bewohner auch*) community. ⟦b⟧ (*Pfarr~*) parish; (*beim Gottesdienst*) congregation.

Gemeinde-: ~**abgaben** *pl* local taxes *pl*; ~**amt** *nt* local authority; (*Gebäude*) local administrative office; ~**beamte(r)** *m* local government officer; ~**ordnung** *f* bylaws *pl*, ordinances *pl* (*US*); ~**rat** *m* district council; (*Mitglied*) district councillor (*Brit*), councilman (*US*); ~**schwester** *f* district nurse; ~**steuer** *f* local tax, ≈ council tax (*Brit*); ~**verwaltung** *f* local administration; ~**wahl** *f* local election; ~**zentrum** *nt* community centre.

Gemein|eigentum *nt* common property.

Gemein-: **g~gefährlich** *adj Verbrecher* dangerous; *er/das ist g~gefährlich* he/it is a public menace; ~**gefährlichkeit** *f* danger to the public; ~**gut** *nt* (*lit, fig*) common property.

Gemeinheit *f* ⟦a⟧ *no pl* (*Niedertracht*) meanness. ⟦b⟧

(*Tat*) mean *or* dirty trick; (*Worte*) mean thing ▶ *das war eine ~* that was a mean thing to do/say.

Gemein-: g~hin *adv* generally; **~kosten** *pl* overheads *pl* (*Brit*), overhead (*US*); **~nutz** *m* public *or* common good; **g~nützig** *adj* of benefit to the public; (*wohltätig*) charitable; **~nützigkeit** *f die ~nützigkeit einer Organisation* the charitable status of an organization; **~platz** *m* platitude, commonplace.

gemeinsam ⟦1⟧ *adj* common; *Freund* mutual; *Konto, Aktion, Ausflug* joint ▶ *ihnen ist vieles ~* they have a great deal in common; *die Firma ist ~es Eigentum der beiden Brüder* the two brothers are joint owners of the firm; *unser ~es Leben* our life together; *der G~e Markt* the Common Market; *mit jdm ~e Sache machen* (*pej*) to make common cause with sb.
⟦2⟧ *adv* together ▶ *etw ~ haben* to have sth in common; *es gehört den beiden ~* it belongs jointly to the two of them.

Gemeinsamkeit *f* (*gemeinsame Interessen, Eigenschaft etc*) common ground *no pl* ▶ *die ~en zwischen ihnen sind sehr groß* they have a great deal in common.

Gemeinschaft *f* community; (*Gruppe*) group; (*Zusammensein*) company ▶ *in ~ mit* jointly with; *eheliche ~* (*Jur*) matrimony; *~ Unabhängiger Staaten* Commonwealth of Independent States.

gemeinschaftlich *adj* = **gemeinsam**.

Gemeinschafts-: ~antenne *f* party aerial (*Brit*) *or* antenna (*US*); **~arbeit** *f* teamwork; **~aufgabe** *f* joint task; **~gefühl** *nt* sense of community; **~küche** *f* communal kitchen; (*Kantine*) canteen; **~kunde** *f* social studies *pl*; **~leistung** *f* collective achievement; **~praxis** *f* group practice; **~raum** *m* common room; **g~schädigend** *adj* *Verhalten* antisocial; **~schule** *f* interdenominational school; **~wohnung** *f* shared house/apartment *etc*.

Gemein-: ~sinn *m* public spirit; **g~verständlich** *adj* generally comprehensible *no adv*; *sich g~verständlich ausdrücken* to make oneself generally understood; **~wesen** *nt* community; **~wohl** *nt* public welfare; *das dient dem ~wohl* it is in the public interest.

Gemenge *nt* - ⟦a⟧ (*Mischung*) mixture (*aus* of); (*Durcheinander*) jumble (*aus* of). ⟦b⟧ (*Gewühl*) bustle; (*Hand~*) scuffle.

gemessen ⟦1⟧ *ptp of* **messen**.
⟦2⟧ *adj* (*würdevoll*) measured.

Gemetzel *nt* - bloodbath.

gemieden *ptp of* **meiden**.

Gemisch *nt* -e ⟦a⟧ (*auch Aut*) mixture (*aus* of). ⟦b⟧ *no pl* (*Durcheinander*) jumble (*aus* of).

gemischt *adj* mixed; (*Schule auch*) coeducational; (*col: nicht sehr gut auch*) patchy. *mit ~en Gefühlen* with mixed feelings.

Gemischt-: g~rassig *adj* of mixed race; (*mit mehreren Rassen*) multi-racial; **~warenhandlung** *f* (*dated*) general store.

gemocht *ptp of* **mögen**.

gemolken *ptp of* **melken**.

△ **Gemse** *f* -n chamois.

Gemunkel *nt no pl* rumours; (*Klatsch*) gossip.

Gemurmel *nt no pl* murmuring.

Gemüse *nt* - vegetables *pl* ▶ *frisches ~* fresh vegetables; *ein ~* a vegetable; *junges ~* (*hum col*) youngsters *pl*.

Gemüse-: ~beet *nt* vegetable bed *or* patch; **~beilage** *f* vegetables *pl*; **~eintopf** *m* vegetable stew; **~garten** *m* vegetable *or* kitchen garden; **~händler** *m* greengrocer; **~handlung** *f*, **~laden** *m* greengrocer's (*Brit*), greengrocer; **~markt** *m* vegetable market; **~platte** *f* (*Cook*) *eine ~platte* assorted vegetables *pl*; **~suppe** *f* vegetable soup.

△ **gemußt** *ptp of* **müssen**.

gemustert *adj* patterned.

Gemüt *nt* -er ⟦a⟧ (*Geist*) mind; (*Charakter*) nature, disposition; (*Seele*) soul; (*Gefühl*) feeling ▶ *viel ~ haben* to be very warm-hearted; *etwas fürs ~* (*hum*) something for the soul; (*Film, Buch etc*) something sentimental; *sich* (*dat*) *etw zu ~e führen* (*beherzigen*) to take sth to heart; (*hum col*) *Speise, Buch etc* to indulge in sth. ⟦b⟧ (*fig: Mensch*) person; (*pl*) people ▶ *die ~er erregen* to cause a stir; *wir müssen warten, bis sich die ~er beruhigt haben* we must wait until feelings have cooled down.

gemütlich *adj* ⟦a⟧ (*behaglich*) comfortable; (*freundlich*) friendly *no adv*; (*zwanglos*) informal; (*klein und intim*) cosy (*Brit*), cozy (*US*) ▶ *wir verbrachten einen ~en Abend* we spent a very pleasant evening; *es sich* (*dat*) *~ machen* to make oneself comfortable; *langsam wurde es ~* gradually the atmosphere became more relaxed. ⟦b⟧ *Mensch* good-natured, pleasant; (*gelassen*) easy-going *no adv*, relaxed *no adv* ▶ *in ~em Tempo* at a leisurely speed.

Gemütlichkeit *f siehe adj* ⟦a⟧ comfortableness; friendliness; informality; cosiness. ⟦b⟧ good-naturedness, pleasantness; easy-going nature ▶ *da hört doch die ~ auf!* (*col*) that's going too far; *in aller ~* (*gemächlich*) at one's leisure.

Gemüts-: ~art *f* disposition, nature; **~bewegung** *f* emotion; **g~krank** *adj* emotionally disturbed; **~krankheit** *f* emotional disorder; **~lage** *f* mood; **~mensch** *m* good-natured, phlegmatic person; **~ruhe** *f* calmness; (*Kaltblütigkeit*) composure; (*Phlegma*) placidness; *in aller ~ruhe* (*col*) (as) cool as a cucumber (*col*); (*gemächlich*) at a leisurely pace; **~zustand** *m* frame of mind.

gemütvoll *adj* sentimental; (*warmherzig*) warm-hearted.

gen *prep* +*acc* (*old, liter*) toward ▶ *~ Norden* northwards.

Gen *nt* -e gene.

Gen- = ⟦a⟧ **Genitiv** gen. ⟦b⟧ **General** Gen.

genannt *ptp of* **nennen**.

genas *pret of* **genesen**.

▼ **genau** ⟦1⟧ *adj* exact, precise ▶ *haben Sie die ~e Zeit?* have you got the right time?; *G~eres* further details *pl*; *man weiß nichts G~es über ihn* no-one knows anything definite about him.
⟦2⟧ *adv ~!* (*col*) exactly!, precisely!, quite! *~ das Gegenteil* just *or* exactly the opposite; *~ in der Mitte* right in the middle; *ich kenne ihn ~* I know just what he's like; *etw ~ wissen* to know sth for certain; *er nimmt es sehr ~* he's very particular (*mit etw* about sth); *einen Entschluß ~ überlegen* to think a decision over very carefully; *meine Uhr geht ~* my watch keeps accurate time; *~ auf die Minute* exactly on time; *so ~ wollte ich es gar nicht wissen!* (*iro*) you can spare me the details.

△ **genaugenommen** *adv* strictly speaking.

Genauigkeit *f* exactness, precision.

genauso *adv* (*vor Adjektiv*) just as; (*alleinstehend*) just *or* exactly the same.

△ **genauso-** = **ebenso-**.

Gendarm [ʒanˈdarm] *m* -en, en (*old, Aus*) gendarme.

genehm *adj* (*geh*) suitable, acceptable ▶ *jdm ~ sein* to suit sb.

genehmigen* *vt Baupläne etc* to approve; (*erlauben*) to sanction; (*Lizenz erteilen*) to license; *Aufenthalt* to authorize; (*zugestehen*) to grant ▶ *sich* (*dat*) *einen ~* (*hum col*) to have a little drink.

Genehmigung *f siehe vt* approval; sanction; licence (*Brit*), license (*US*); authorization; (*Schein*) permit ▶ *mit freundlicher ~ von* by kind permission of.

genehmigungspflichtig *adj* (*form*) requiring official approval; (*mit Visum, Stempel*) requiring official authorization.

geneigt *adj* (*geh*) *Zuhörer, Publikum* willing; *Aufmerksam-*

---

keit kind ► **~ sein, etw zu tun** to be inclined to do sth.
General *m* **-e** *or* **-e** (*Mil*) general ► *Herr* **~** General.
General-: **~amnestie** *f* general amnesty; **~angriff** *m* (*Mil, fig*) general attack; **~direktor** *m* chairman (*Brit*), president (*US*); **~intendant** *m* (*Theat, Mus*) director; **~konsulat** *nt* consulate general; **~major** *m* major general, brigadier-general (*US*); **~probe** *f* (*Theat, fig*) dress rehearsal; (*Mus*) final rehearsal; **~sekretär** *m* secretary general; **~stab** *m* general staff; **~streik** *m* general strike; **g~überholen*** *vt infin and ptp only etw g~überholen* to give sth a complete overhaul; **~überholung** *f* complete overhaul; **~versammlung** *f* general meeting; **~vertretung** *f* sole agency; **~vollmacht** *f* general *or* full power of attorney.
Generation *f* generation.
Generationskonflikt *m* generation gap.
Generator *m* generator.
generell *adj* general.
genesen *pret* **genas,** *ptp* **~** *vi aux sein* (*geh*) to convalesce; (*fig*) to recuperate.
Genesende(r) *mf decl as adj* convalescent.
Genesung *f* convalescence, recovery (*auch fig*) ► *auf dem Wege der* **~** on the road to recovery.
Genesungs-: **~prozeß** △ *m* convalescence; **~urlaub** *m* convalescent leave.
Genetik *f* genetics *sing.*
genetisch *adj* genetic; **~er Fingerabdruck** genetic fingerprint.
Genf *nt* Geneva.
Genfer *adj attr der* **~** *See* Lake Geneva; **~** *Konvention* f Geneva Convention.
genial *adj Entdeckung, Mensch* brilliant; *Künstler, Stil auch* inspired; (*erfinderisch*) ingenious ► *ein ~er Mensch* a genius; *ein ~es Werk* a work of genius.
Genialität *f* genius; (*Erfindungsreichtum*) ingenuity.
Genick *nt* **-e** neck ► *sich* (*dat*) *das* **~** *brechen* to break one's neck; *jdm/einer Sache das* **~** *brechen* (*fig*) to finish sb/sth.
Genick-: **~schuß** △ *m* shot in the neck; **~starre** *f* stiffness of the neck; **~starre haben** (*col*) to have a stiff neck.
Genie [ʒe'niː] *nt* **-s** genius.
genieren* [ʒe'niːrən] *vr* to be embarrassed ► *sich vor Fremden* **~** to be shy with strangers; *ich geniere mich, das zu sagen* I don't like to say it; *er genierte sich (gar) nicht, das zu tun* it didn't bother him (at all) to do that.
genießbar *adj* (*eßbar*) edible; (*trinkbar*) drinkable ► *er ist heute nicht* **~** (*fig col*) he is unbearable today.
genießen *pret* **genoß,** *ptp* **genossen** *vt* **a** (*lit, fig*) to enjoy ► *den Wein muß man* **~** you must savour (*Brit*) *or* savor (*US*) the wine; *er ist heute nicht zu* **~** (*fig col*) he is unbearable today. **b** (*essen*) to eat; (*trinken*) to drink ► *das Essen ist kaum zu* **~** the meal is scarcely edible.
Genießer(in *f*) *m* **-** (*des Lebens*) pleasure-lover; (*Feinschmecker*) gourmet; (*Kenner*) connoisseur.
genießerisch *adj* appreciative ► **~** *zog er an seiner Zigarre* he puffed at his cigar with relish.
Geniestreich [ʒe'niː-] *m* stroke of genius.
Genitalien [-iən] *pl* genitals *pl.*
Genitiv *m* genitive.
Genius *m, pl* **Genien** ['geːniən] genius.
genommen *ptp of* **nehmen.**
genoß *pret of* **genießen.**
Genosse *m* (*wk*) **-n, -n** comrade; (*pej: Kumpan*) mate (*Brit col*), buddy (*US col*).
genossen *ptp of* **genießen.**
Genossen-: **~schaft** *f* co-operative; **g~schaftlich** *adj* co-operative; **g~schaftlich organisiert** organized as a co-operative.
Genossenschafts-: **~bank** *f* co-operative bank;

~betrieb *m* co-operative.
Genossin *f siehe* **Genosse.**
genötigt *adj* **~** *sein, etw zu tun* to be obliged to do sth; *sich* **~** *sehen, etw zu tun* to feel obliged to do sth.
Genre ['ʒãːrə] *nt* **-s** genre.
Gent *nt* Ghent.
Gen-: **~technik, ~technologie** *f* genetic engineering; **~therapie** *f* gene therapy.
Genua *nt* Genoa.
genug *adj inv* enough ► *das ist wenig* **~** that's precious little; *und damit noch nicht* **~** and that's not/that wasn't all; *sie sind jetzt* **~,** *um ...* there are enough of them now to ...; *jetzt ist('s) aber* **~!** that's enough!; *(von etw)* **~** *haben* to have enough (of sth); (*überdrüssig sein*) to have had enough (of sth).
Genüge *f no pl* **zur ~** enough; *etw zur* **~** *kennen* to know sth well enough; (*abwertender*) to know sth only too well; *jdm* **~** *tun* (*geh*) to satisfy sb.
genügen* *vi* **a** (*ausreichen*) to be enough *or* sufficient (*dat* for) ► *das genügt (mir)* that's enough (for me). **b** *Anforderungen* to satisfy; *Erwartungen* to fulfil (*Brit*), to fulfill (*US*).
genügend **1** *adj* **a** *inv* (*ausreichend*) enough, sufficient. **b** (*befriedigend*) satisfactory. **2** *adv* (*reichlich*) enough, sufficiently.
genügsam *adj* (*anspruchslos*) *Tier, Pflanze* undemanding; *Mensch auch* modest ► *ein ~es Leben führen* to live modestly.
Genügsamkeit *f* simple needs *pl.*
Genugtuung *f* satisfaction (*über +acc* at) ► *ich hörte mit ~, daß ...* it gave me great satisfaction to hear that ....
Genus *nt, pl* **Genera** (*Gram*) gender.
△ **Genuß** *m* **-sse** **a** *no pl* (*das Zusichnehmen*) consumption; (*von Drogen*) taking, use; (*von Tabak*) smoking ► *nach dem* **~** *der Pilze* after eating the mushrooms. **b** (*Vergnügen*) pleasure ► *etw mit* **~** *essen* to eat sth with relish. **c** *no pl* (*Nutznießung*) *in den* **~** *von etw kommen* (*von Vergünstigungen*) to enjoy sth; (*von Rente, Prämie etc*) to be in receipt of sth.
△ **genüßlich** *adj* pleasurable ► *er schmatzte* **~** he smacked his lips with relish.
Genuß-: **~mittel** △ *nt semi-luxury food or tobacco*; **g~reich** △ *adj* enjoyable; **g~süchtig** △ *adj* hedonistic.
△ **Geograph(in** *f*) *m* geographer.
△ **Geographie** *f* geography.
△ **geographisch** *adj no pred* geographic(al).
Geologe *m,* **Geologin** *f* geologist.
Geologie *f* geology.
geologisch *adj no pred* geological.
Geometrie *f* geometry.
geometrisch *adj* geometric.
Geophysik *f* geophysics *sing.*
ge|ordnet *adj Leben, Zustände* well-ordered ► *in ~en Verhältnissen leben* to live a well-ordered life; *~e Verhältnisse schaffen* to put things on an orderly basis.
Georgien [ge'ɔrgiən] *nt* Georgia.
Georgier(in *f*) *m* Georgian.
georgisch *adj* Georgian.
Georgisch(e) *nt* Georgian; *siehe* **Deutsch(e).**
Gepäck *nt no pl* luggage *no pl* (*esp Brit*), baggage *no pl*; (*Mil: Marsch~*) baggage; (*von Soldat, Pfadfinder etc*) kit; (*von Bergsteiger*) pack ► *mit leichtem* **~** *reisen* to travel light.
Gepäck-: **~abfertigung** *f* (*Stelle*) (*am Bahnhof*) baggage office; (*am Flughafen*) baggage check-in; **~ablage** *f* baggage rack (*Brit*); **~annahme** *f* (*am Bahnhof*) (*zur Beförderung*) (in-counter of the) baggage office; (*zur Aufbewahrung*) (in-counter of the) left-luggage office

(*Brit*) *or* checkroom (*US*); (*am Flughafen*) baggage check-in; **~aufbewahrung** *f* left-luggage office (*Brit*), baggage checkroom (*US*); **~aufkleber** *m* baggage sticker; **~ausgabe** *f* (*am Bahnhof*) (*zur Beförderung*) (out-counter of the) baggage office; (*zur Aufbewahrung*) (out-counter of the) left-luggage office (*Brit*) *or* baggage checkroom (*US*); (*am Flughafen*) baggage reclaim; **~kontrolle** *f* baggage control *or* check; **~netz** *nt* baggage *or* luggage (*Brit*) rack; **~raum** *m* baggage compartment; (*Aviat*) baggage hold; **~schein** *m* baggage ticket *or* (*US*) check; **~schließfach** *nt* baggage locker; **~stück** *nt* piece of baggage; **~träger** *m* [a] (*Person*) porter (*Brit*), baggage handler; [b] (*am Fahrrad*) carrier; **~wagen** *m* luggage van (*Brit*), baggage car (*US*).

Gepard *m* -e cheetah.

gepfeffert *adj* (*col*) Preise steep; Fragen, Prüfung tough; Kritik biting.

gepfiffen *ptp of* **pfeifen**.

gepflegt [1] *adj* [a] (*nicht vernachlässigt*) well looked after; Mensch, Hund, Aussehen well-groomed. [b] (*col: kultiviert*) civilized; Atmosphäre sophisticated; Ausdrucksweise cultured; Sprache cultured, refined. [c] (*erstklassig*) Speisen, Weine excellent.
[2] *adv* (*kultiviert*) **sich ~ unterhalten** to have a civilized conversation; **sich ~ ausdrücken** to have a cultured way of speaking; **sehr ~ wohnen** to live in style.

Gepflogenheit *f* (*geh*) (*Gewohnheit*) habit; (*Verfahrensweise*) practice; (*Brauch*) custom, tradition.

Geplänkel *nt* - skirmish; (*fig*) squabble.

Geplapper *nt no pl* babbling; (*fig: Geschwätz auch*) chatter(ing).

Geplärr(e) *nt no pl* bawling; (*von Radio*) blaring.

geplättet *adj pred* (*col*) flabbergasted (*col*).

Geplauder *nt no pl* (*geh*) chatting.

Gepolter *nt no pl* (*Krach*) din; (*an Tür etc*) banging.

Gepräge *nt no pl* (*fig: Eigentümlichkeit*) character; (*Aura*) aura ▶ **das hat den 60er Jahren ihr ~ gegeben** it gave the sixties their particular identity.

gepriesen *ptp of* **preisen**.

gepuffert *adj* (*Comp*) buffered.

gepunktet *adj* Linie dotted; Stoff, Kleid spotted.

gequält *adj* Lächeln forced; Miene, Ausdruck pained; Gesang, Stimme strained.

Gequatsche *nt no pl* (*pej col*) gabbing (*col*); (*Blödsinn*) twaddle (*col*).

gequollen *ptp of* **quellen**.

gerade, grade (*col*) [1] *adj* straight; Zahl even; (*aufrecht*) Haltung upright ▶ **~ gewachsen sein** (*Mensch*) to be clean-limbed; (*Baum*) to be straight; **das ~ Gegenteil** the very opposite, just the opposite; **~ sitzen/stehen** to sit up/stand up straight.
[2] *adv* [a] (*im Augenblick, soeben*) just ▶ **wenn Sie ~ Zeit haben** if you have time just now; **wo Sie ~ da sind** while you're here; **er wollte ~ aufstehen** he was just about to get up; **~ erst** only just; **da wir ~ von Geld sprechen, ...** talking of money ...
[b] (*knapp*) just ▶ **~ so viel, daß er davon leben kann** just enough for him to live on; **~ noch** only just; **das hat ~ noch gefehlt!** (*iro*) that's all we wanted!
[c] (*genau*) just; (*direkt*) right ▶ **~ zur rechten Zeit** at exactly the right time, just at the right time; **~ deshalb** that's just *or* exactly why; **das ist es ja ~!** that's just it!
[d] (*speziell, besonders*) especially ▶ **~, weil ...** just because ...; **~ du solltest dafür Verständnis haben** you especially should understand; **sie ist nicht ~ eine Schönheit** she's not exactly a beauty; **warum ~ das?** why that of all things?; **warum ~ heute/ich?** why today of all days/me of all people?
[e] (*col: erst recht*) **nun ~!** you try and stop me now! (*col*); **jetzt ~ nicht!** I'll be damned if I will! (*col*).

Gerade *f* (*wk*) **-n, -n** [a] (*Math*) straight line. [b] (*Sport*) (*von Renn-, Laufbahn*) straight, straightaway (*US*); (*beim Boxen*) **linke/rechte ~** straight left/right.

gerade-: ~aus *adv* straight ahead; gehen, fahren auch straight on; **~biegen** *vt sep irreg* (*lit, fig*) to straighten out; **~halten** △ *sep irreg* [1] *vt* to hold straight; [2] *vr* to hold oneself (up) straight; **~heraus** (*col*) [1] *adj pred* forthright, frank; [2] *adv* frankly; **~heraus gesagt** quite frankly; **~richten** △ *vt sep* to straighten up; (*horizontal*) to straighten out.

gerädert *adj* (*col*) **wie ~ sein, sich wie ~ fühlen** to be *or* feel (absolutely) whacked (*col*).

gerade-: ~so *adv* = **ebenso**; **~sogut** △ *adv* (just) as well; **~soviel** △ *adv* just as much; **~stehen** *vi sep irreg aux haben or sein* [a] (*aufrecht stehen*) to stand up straight; [b] **für jdn/etw ~stehen** (*fig*) to be answerable for sb/sth; **~wegs** *adv* straight; **~zu** (*beinahe*) virtually, almost; **das ist doch ~zu Selbstmord** that's nothing short of suicide; **das ist ja ~zu lächerlich!** that is absolutely ridiculous!

geradlinig *adj* straight; Abstammung direct; Entwicklung etc linear; (*fig: aufrichtig*) straight.

gerammelt *adv:* **~ voll** (*col*) (jam-)packed (*col*).

Gerangel *nt no pl* (*Balgerei*) scrapping; (*fig: zäher Kampf*) wrangling.

Geranie [-ɪə] *f* geranium.

gerannt *ptp of* **rennen**.

Geraschel *nt no pl* rustle, rustling.

Gerät *nt* -e [a] piece of equipment; (*Apparat*) gadget; (*elektrisches ~*) appliance; (*Radio~, Fernseh~*) set; (*Meß~*) instrument; (*Werkzeug, Garten~*) tool. [b] *no pl* (*Ausrüstung*) equipment *no pl*; (*von Handwerker*) tools *pl*.

geraten¹ [1] *vi irreg aux sein* [a] (*zufällig gelangen*) to get (*in* +acc into) ▶ **an jdn ~** (*jdn kennenlernen*) to come across sb; **an etw** (*acc*) **~** to get sth, to come by sth; **an den Richtigen/Falschen ~** to come to the right/wrong person; **das Schiff ist in einen Sturm ~** the boat got caught in a storm; **unter schlechten Einfluß ~** to come under a bad influence. [b] (*sich entwickeln, ausfallen*) to turn out ▶ **ihm gerät einfach alles** everything he does is a success.
[2] *adj* (*geh: ratsam*) advisable.

geraten² *ptp of* **raten, geraten¹**.

Geräte-: ~schuppen *m* toolshed; **~turnen** *nt* apparatus gymnastics *no pl*.

Geratewohl *nt:* **aufs ~** on the off-chance; auswählen etc at random.

Gerätschaften *pl* (*Ausrüstung*) equipment *sing*; (*Werkzeug*) tools *pl*.

Geratter *nt no pl* clatter(ing); (*von Maschinengewehr*) chatter(ing).

geraum *adj attr* **vor ~er Zeit** some time ago; **seit ~er Zeit** for some time.

geräumig *adj* spacious, roomy.

Geräumigkeit *f no pl* spaciousness, roominess.

Geräusch *nt* -e sound; (*esp unangenehm*) noise.

Geräusch-: g~arm *adj* quiet; **g~empfindlich** *adj* sensitive to noise; **~kulisse** *f* background noise; (*Film, Rad, TV*) sound effects *pl*; **g~los** *adj* silent; **~losigkeit** *f no pl* silence; **~pegel** *m* sound level; **g~voll** *adj* (*laut*) loud; (*lärmend*) noisy.

gerben *vt* to tan.

Gerber *m* - tanner.

Gerberei *f* tannery.

gerecht *adj* just; (*unparteiisch auch*) fair; (*rechtschaffen*) upright ▶ **~ gegen jdn sein** to be fair *or* just to sb; **~er Lohn für alle Arbeiter!** fair wages for all workers!; **den Schlaf des G~en schlafen** (*usu hum*) to sleep the sleep of the just; **~er Zorn** righteous anger; **jdm/einer Sache**

~ werden to do justice to sb/sth; **den Bedingungen ~ werden** to fulfil (*Brit*) *or* fulfill (*US*) the conditions.
gerechtfertigt *adj* justified.
Gerechtigkeit *f* justice; (*das Gerechtsein*) justness; (*Unparteilichkeit*) fairness; (*Rechtschaffenheit*) righteousness ▸ *jdm ~ widerfahren lassen* to be just to sb; (*fig*) to do justice to sb.
Gerechtigkeits-: ~gefühl *nt*, **~sinn** *m* sense of justice.
Gerede *nt no pl* talk; (*Klatsch*) gossip(ing) ▸ *jdn ins ~ bringen* to get sb talked about.
geregelt *adj* Arbeit, Mahlzeiten regular; Leben well-ordered; Katalysator computer-controlled.
gereichen* *vi* (*geh*) *jdm zur Ehre ~* to redound to sb's honour (*form*); *zum Vorteil ~* to be an advantage to sb.
gereift *adj* (*fig*) mature.
gereizt *adj* (*verärgert*) irritated; (*reizbar*) irritable, touchy; (*nervös*) edgy ▸ *im Zimmer herrschte ~e Stimmung* there was a strained atmosphere in the room.
Gereiztheit *f siehe adj* irritation; irritability; touchiness; edginess; strainedness.
Gericht[1] *nt* **-e** (*Speise*) dish.
Gericht[2] *nt* **-e** (*Behörde*) court (of justice); (*Gebäude*) court(house), law courts *pl*; (*die Richter*) court, bench ▸ *vor ~ erscheinen/aussagen* to appear/testify in court; *vor ~ stehen* to stand trial; *jdn/einen Fall vor ~ bringen* to take sb/sth to court; *das Jüngste ~* the Last Judgement; *über jdn zu ~ sitzen* (*fig*) to sit in judgement on sb; *mit jdm (scharf) ins ~ gehen* (*fig*) to judge sb harshly.
gerichtlich *adj attr* judicial; Entscheidung etc court; Medizin forensic; Verhandlung legal ▸ *laut ~em Beschluß* according to the decision of a/the court; *ein ~es Nachspiel haben* to finish up in court; *~ gegen jdn vorgehen* to take legal proceedings against sb; *eine Sache ~ klären* to settle a matter in court.
Gerichts-: ~akten *pl* court records *pl*; **~arzt** *m* court doctor; **~barkeit** *f* jurisdiction; **~beschluß** △ *m* court decision; **~diener** *m* (*old*) court usher; **~entscheid** *m*, **~entscheidung** *f* court decision; **~ferien** *pl* court vacation, recess; **~hof** *m* court (of justice), law court; **~kosten** *pl* court costs *pl*; **~medizin** *f* forensic medicine; **~mediziner** *m* forensic doctor; **g~medizinisch** *adj* forensic medical *attr*; **~reporter** *m* legal correspondent; **~saal** *m* courtroom; **~schreiber** *m* clerk of the court; **~stand** *m* (*form*) court of jurisdiction; **~termin** *m* date of a/the trial; (*für Zivilsachen*) date of a/the hearing; **~verfahren** *nt* court *or* legal proceedings *pl*; *ein ~verfahren gegen jdn einleiten* to institute legal proceedings against sb; **~verhandlung** *f* trial; (*zivil*) hearing; **~vollzieher** *m* bailiff; **~weg** *m auf dem ~weg* through the courts.
gerieben[1] *ptp of* **reiben**.
[2] *adj* (*fig col*) smart, sharp; (*verschlagen auch*) sly, fly (*col*) ▸ *der ist verdammt ~* there are no flies on him (*col*).
geriet *pret of* **geraten**[1].
gering *adj* [a] (*niedrig*) low; Menge small; Wert little *attr*; (*kurz*) Zeit, Entfernung short ▸ *Berge von ~er Höhe* low hills; *seine Leistung erhielt eine zu ~e Bewertung* his performance wasn't rated highly enough. [b] (*unbedeutend, unerheblich*) slight; Chance auch small, slim; Bedeutung, Rolle minor ▸ *das ist meine ~ste Sorge* that's the least of my worries; *die Kosten sind nicht ~* the costs are not inconsiderable; *nicht im ~sten* not in the least *or* slightest; *nichts G~eres als ...* nothing less than; *kein G~erer als Freud ...* no less a person than Freud. [c] (*unzulänglich*) Qualität, Kenntnisse poor; (*abschätzig*) Meinung low, poor.
△ **gering|achten** *vt sep* = **geringschätzen**.
geringelt *adj* Muster ringed; Socken hooped.

Gering-: g~fügig *adj* (*unwichtig*) insignificant; Unterschied slight; Vergehen, Verletzung minor; Betrag small; *sein Zustand hat sich g~fügig gebessert* his condition is marginally improved; **~fügigkeit** *f* [a] insignificance; slightness; *ein Verfahren wegen ~fügigkeit einstellen* (*Jur*) to dismiss a case because of the trifling nature of the offence; [b] (*Kleinigkeit*) small thing, trifle; **g~schätzen** △ *vt sep* (*verachten*) Menschen, Leistung to have a low opinion of; (*mißachten*) Gefahr, Folgen to disregard; **g~schätzig** *adj* contemptuous; **~schätzung** *f no pl* (*Ablehnung*) disdain; (*schlechte Meinung*) low opinion (*für, gen* of); (*für menschliches Leben*) low regard (*für, gen* for).
gerinnen* *vi irreg aux sein* to coagulate; (*Blut auch*) to clot; (*Milch auch*) to curdle ▸ *mir gerann das Blut in den Adern* (*fig*) my blood ran cold.
Gerinnsel *nt* (*Blut~*) clot.
Gerinnung *f siehe vi* coagulation; clotting; curdling.
Gerippe *nt* - skeleton; (*von Schirm, Gebäude*) frame; (*fig: Grundplan*) framework ▸ *er ist nur noch ein ~* he's nothing but skin and bones.
gerippt *adj* ribbed *no adv*.
gerissen [1] *ptp of* **reißen**.
[2] *adj* crafty, cunning.
Gerissenheit *f* cunning.
geritten *ptp of* **reiten**.
geritzt *adj pred* (*col*) *die Sache ist ~* everything's fixed up *or* settled.
Germane *n* (*wk*) **-n, -n, Germanin** *f* Teuton.
germanisch *adj* Germanic.
germanisieren* *vt* to Germanize.
Germanist(in *f*) *m* Germanist; (*Student auch*) German student; (*Wissenschaftler auch*) German specialist.
Germanistik *f* German (studies *pl*) ▸ *~ studieren* to study German (language and literature).
▼ **gern(e)** *adv, comp* **lieber,** *superl* **am liebsten** [a] (*freudig*) with pleasure; (*bereitwillig auch*) willingly, readily ▸ *(aber) ~!* of course!; *kommst du mit? — ja, ~* are you coming too? — oh yes, I'd like to; *~ geschehen!* you're welcome!, not at all!; *von mir aus kann er ja ~ älter sein* I don't mind if he's older; *etw ~ tun* to like doing sth *or* to do sth (*esp US*); *etw ~ essen/trinken* to like sth; *sie ißt am liebsten Spargel* asparagus is her favourite (*Brit*) *or* favorite (*US*) food; *er sieht or hat es nicht ~, wenn wir zu spät kommen* he doesn't like us coming too late; *ein ~ gesehener Gast* a welcome visitor; *das glaube ich ~* I can quite *or* well believe it; *jdn/etw ~ haben or mögen* to like sb/sth, to be fond of sb/sth; *jdn/etw am liebsten haben or mögen* to like sb/sth best *or* most; *ich hätte or möchte ~ ...* I would like ...; *du kannst mich mal ~ haben!* (*col*) (you can) go to hell! (*col*); *siehe* **lieber**.
[b] (*gewöhnlich, oft*) *etw ~ tun* to tend to do sth; *morgens läßt er sich ~ viel Zeit* he likes to leave himself a lot of time in the mornings.
Gernegroß *m* **-, -e** (*hum*) *er war schon immer ein kleiner ~* he always did like to act big (*col*).
gerochen *ptp of* **riechen**.
Geröll *nt* **-e** detritus *no pl*; (*größer*) boulders *pl*.
geronnen *ptp of* **rinnen, gerinnen**.
Gerste *f* **-n** barley.
Gersten-: ~korn *nt* [a] barleycorn; [b] (*Med*) stye; **~saft** *m* (*hum*) John Barleycorn (*hum*), beer.
Gerte *f* **-n** switch; (*Reit~ auch*) crop.
gertenschlank *adj* slim and willowy.
Geruch *m* **ᵉe** [a] smell (*nach* of); (*Duft auch*) fragrance (*nach* of); (*von Speise etc auch*) aroma (*nach* of). [b] *no pl* (*~ssinn*) sense of smell. [c] *no pl* (*fig: Ruf*) reputation ▸ *in den ~ von etw kommen* to get a reputation for sth.

---

geruchlos *adj* odourless (*Brit*), odorless (*US*); (*duftlos*) scentless.
Geruch(s)-: **~organ** *nt* organ of smell, olfactory organ (*spec*); **~sinn** *m* sense of smell.
Gerücht *nt* -e rumour (*Brit*), rumor (*US*) ▶ *das halte ich für ein ~* (*col*) I have my doubts about that.
gerüchtweise *adv* **etw ~ hören** to hear sth rumoured (*Brit*) *or* rumored (*US*); **~ ist bekanntgeworden, daß ...** rumour (*Brit*) *or* rumor (*US*) has it that ...
gerufen *ptp of* **rufen.**
geruhen* *vt* **~, etw zu tun** (*dated form, iro*) to be so gracious as to do sth.
geruhsam *adj* peaceful; *Spaziergang etc* leisurely *no adv* ▶ **~ essen** to eat in peace (and quiet).
Gerümpel *nt no pl* junk.
Gerundium *nt* gerund.
gerungen *ptp of* **ringen.**
Gerüst *nt* -e scaffolding *no pl*; (*Gestell*) trestle; (*fig: Gerippe*) framework (*zu* of).
ges, Ges *nt* - (*Mus*) G flat.
gesalzen *adj* (*fig col*) *Preis, Rechnung* steep, stiff.
gesammelt *adj Aufmerksamkeit, Kraft* collective; *Werke* collected.
gesamt *adj attr* whole, entire ▶ *die ~e Familie* the whole family; *die ~en Kosten* the total costs.
Gesamt-: **~auflage** *f* (*von Zeitung etc*) total circulation; (*von Buch*) total edition; **~ausgabe** *f* complete edition; **~betrag** *m* total (amount); **g~deutsch** *adj* all-German; **~eindruck** *m* general impression; **~ergebnis** *nt* overall result; **~erlös** *m* total proceeds; **~fläche** *f* total area; **~gewicht** *nt* total weight.
Gesamtheit *f* totality ▶ *die ~ der ...* all the ...; (*die Summe*) the totality of ...; *die ~ (der Bevölkerung)* the population (as a whole); *in seiner ~* in its entirety; *das Volk in seiner ~* the nation as a whole.

┌─── **GESAMTHOCHSCHULE** ───┐

ⓘ A *Gesamthochschule is an institution combining several different kinds of higher education organizations eg. a university, teacher training college and institute of applied science. Students can study for various degrees within the same subject area and it is easier to change course than it is in an individual institution.*

Gesamt-: **~hochschule** *f* polytechnic; **~kosten** *pl* total costs *pl*; **~lage** *f* general situation; **~masse** *f* (*Comm*) total assets *pl*; **~note** *f* (*Sch*) overall mark; **~schaden** *m* total damage; *ein ~schaden von 5.000 Mark* damage totalling (*Brit*) *or* totaling (*US*) 5,000 marks; **~schule** *f* comprehensive school.

┌─── **GESAMTSCHULE** ───┐

ⓘ The *Gesamtschule is a comprehensive school teaching pupils who have different aims. Traditionally pupils would go to one of three different schools, the Gymnasium, Realschule or Hauptschule, depending on ability. The Gesamtschule seeks to avoid the elitist element prevalent in many Gymnasien, but in Germany these schools are still very controversial. Many parents still prefer the traditional system.*

Gesamt-: **~sieger** *m* (*Sport*) overall winner; **~summe** *f* total (amount); **~übersicht** *f* general survey (*über* +*acc* of); **~umsatz** *m* total turnover; **~werk** *nt* complete works *pl*; **~wert** *m* total value; *im ~wert von ...* totalling (*Brit*) *or* totaling (*US*) ... in value; **~wertung** *f* (*Sport*) overall placings *pl*; *er liegt in der ~wertung vorn* he has the overall lead; **~zahl** *f* total number; **~zusammenhang** *m* general view.

gesandt *ptp of* **senden**[1].
Gesandte(r) *mf decl as adj* envoy; (*col: Botschafter*) ambassador.
Gesandtschaft *f* legation; (*col: Botschaft*) embassy.
Gesang *m* -̈e [a] (*Lied, Vogel~*) song ▶ *geistliche ~e* religious hymns and chants. [b] *no pl* (*das Singen*) singing.
Gesang-: **~buch** *nt* (*Eccl*) hymnbook; **~lehrer** *m* singing teacher.
gesanglich *adj* vocal; *Begabung* for singing.
Gesangverein *m* choral society.
Gesäß *nt* -e seat, bottom, posterior (*hum*).
Gesäßtasche *f* back pocket.
gesättigt *adj* (*Chem*) saturated.
gesch. = **geschieden.**
Geschädigte(r) *mf decl as adj* victim.
Geschäft *nt* -e [a] (*Gewerbe, Handel*) business *no pl*; (*~sabschluß*) (business) deal *or* transaction ▶ *wie geht das ~?* how's business?; *mit jdm ins ~ kommen* to do business with sb; *im ~ sein* to be in business; *ein ~ tätigen* to carry out a transaction; *ein gutes/schlechtes ~ machen* to make a good/bad deal; *dabei hat er ein ~ gemacht* he made a profit out of it; *das war für mich ein/kein ~* that was a good/bad bit of business for me; *~e mit etw machen* to make money out of sth. [b] (*Aufgabe*) duty ▶ *seinen ~en nachgehen* to go about one's business. [c] (*Firma*) business; (*Laden*) shop (*Brit*), store (*US*) ▶ *im ~* at work; (*im Laden*) in the shop. [d] (*baby-talk: Notdurft*) *ein ~ machen* to do a job (*baby-talk*); *sein ~ verrichten* to do one's business (*euph*).
Geschäfte-: **g~halber** *adv verreist* on business; *verhindert* because of business; **~macher** *m* (*pej*) wheeler-dealer; **~macherei** *f* (*pej*) wheeling and dealing.
geschäftig *adj* (*betriebsam*) busy ▶ **~es Treiben** hustle and bustle.
Geschäftigkeit *f* (*geschäftiges Treiben*) hustle and bustle.
geschäftlich [1] *adj* (*das Geschäft betreffend*) business *attr*; (*sachlich*) *Ton* businesslike ▶ *ich habe mit ihm etwas G~es zu besprechen* I have some business to discuss with him.
[2] *adv verreist* on business; *verhindert* because of business ▶ *~ unterwegs* away on business.
Geschäfts-: **~abschluß** △ *m* business deal *or* transaction; **~aufgabe, ~auflösung** *f* closure of a/the business; **~bank** *f* commercial bank; **~bedingungen** *pl* terms of business *pl*; **~bereich** *m* (*Parl*) responsibilities *pl*; *Minister ohne ~bereich* minister without portfolio; **~bericht** *m* report; (*einer Gesellschaft*) company report; **~beziehungen** *pl* business connections *pl* (*zu* with); **~brief** *m* business letter; **~bücher** *pl* books *pl*, accounts *pl*; **~essen** *nt* business lunch; **~frau** *f* businesswoman; **~freund** *m* business associate; **g~führend** *adj attr* executive; (*stellvertretend*) acting; *Regierung* caretaker; **~führer** *m* (*von Laden*) manager; (*von Firma*) managing director; (*von Verein*) secretary; (*von Partei*) whip; **~führung** *f* management; **~geheimnis** *nt* trade secret; **~haus** *nt* [a] (*Gebäude*) business premises *pl*; (*von Büros*) office block; [b] (*Firma*) house, firm; **~inhaber(in** *f*) *m* owner; **~jahr** *nt* financial year; **~kapital** *nt* working capital; **~kosten** *pl* business expenses *pl*; *das geht alles auf ~kosten* it's all on expenses; **~lage** *f* [a] (*Wirtschaftslage*) trading situation; [b] *in erstklassiger ~lage* in a good business location; **~leitung** *f* management; **~mann** *m, pl* **~leute** businessman; **g~mäßig** *adj* businesslike *no adv*; **~ordnung** *f* standing orders *pl*; *eine Frage zur ~ordnung* a question on a point of order; **~partner** *m* business associate; **~räume** *pl* (*business*) premises *pl*; (*Büroräume*) offices *pl*; **~reise** *f* business trip; *auf ~reise sein* to be on a business trip; **g~schädigend** *adj* bad for business; **g~schädigendes**

Verhalten conduct *no art* injurious to the interests of the company (*form*); **~schluß** ⚠ *m* close of business; (*von Läden*) closing-time; *nach* **~schluß** after working hours/closing-time; **~sinn** *m* business sense *or* acumen; **~stelle** *f* offices *pl*; **~straße** *f* shopping street; **~stunden** *pl* office hours *pl*; (*von Läden*) opening hours *pl*; **~tätigkeit** *f* business activity; **g~tüchtig** *adj* business-minded; **~wagen** *m* company car; **~welt** *f* business world; **~zeiten** *pl* = **~stunden; ~zimmer** *nt* office.

geschah *pret of* **geschehen.**

geschęckt *adj* spotted; *Pferd* skewbald, pinto (*US*).

geschehen *pret* **geschah,** *ptp* **~** *vi aux sein* to happen (*jdm* to sb); (*ausgeführt werden*) to be done; (*Verbrechen*) to be committed ▸ *es ist nun einmal ~* what's done is done; *es wird ihm nichts ~* nothing will happen to him; *das geschieht ihm (ganz) recht* it serves him (jolly well *col*) right; *was soll mit ihm/damit ~?* what is to be done with him/it?; *als er sie sah, war es um ihn ~* he was lost the moment he set eyes on her; *da war es um meine Seelenruhe ~* that was an end to my peace of mind.

Geschehen *nt* - events *pl*, happenings *pl*.

gescheit *adj* clever; *Mensch, Idee auch* bright; (*vernünftig*) sensible ▸ *du bist wohl nicht recht ~?* you must be out of your mind *or* off your head; *sei ~!* be sensible.

Geschęnk *nt* -e present, gift; (*Schenkung*) gift ▸ *jdm ein ~ machen* to give sb a present; *das war ein ~ des Himmels* it was a godsend.

Geschęnk- *in cpds* gift; **~artikel** *m* gift; **~gutschein** *m* gift token, gift voucher; **~packung** *f* gift pack *or* box; (*von Pralinen*) gift box; **~papier** *nt* gift-wrap(ping paper); **~sendung** *f* gift parcel.

Geschichte *f* -n [a] *no pl* (*Historie*) history ▸ *Alte/ Neuere ~* ancient/modern history; *~ machen* to make history; *das ist längst ~* that's ancient history. [b] (*Erzählung, Lügen~*) story; (*Märchen, Fabel etc auch*) tale; (*Kurz~*) short story ▸ *~n erzählen* to tell stories. [c] (*col: Angelegenheit, Sache*) affair, business *no pl* ▸ *das sind alte ~n* that's old hat (*col*); *alte ~n wieder aufwärmen* to rake up the past; *eine schöne ~!* (*iro*) a fine how-do-you-do! (*col*); *die ~ mit seinem Magen* the business with his stomach; *mach keine ~n!* don't be silly! (*col*); (*Dummheiten*) don't get up to anything silly!

Geschichten|erzähler *m* (*lit, fig*) storyteller.

geschichtlich *adj* (*historisch*) historical; (*bedeutungsvoll*) historic ▸ *~ belegt or nachgewiesen sein* to be a historical fact.

Geschichts-: **~buch** *nt* history book; **~fälschung** *f* falsification of history; **~forscher** *m* historian; **~forschung** *f* historical research; **~kenntnis** *f* historical knowledge *no pl*; **~lehrer** *m* history teacher; **~schreiber** *m* historian; **~schreibung** *f* historiography.

Geschick¹ *nt* -e (*geh*) (*Schicksal*) fate; (*usu pl: politische etc Entwicklung*) fortune ▸ *ein gütiges ~* good fortune, providence.

Geschick² *nt no pl* (*~lichkeit*) skill.

Geschicklichkeit *f siehe* **geschickt** skill; cleverness; agility ▸ *für etw ~ haben* to be clever at sth.

Geschicklichkeitsspiel *nt* game of skill.

geschickt *adj* skilful (*Brit*), skillful (*US*); (*taktisch auch*) clever; (*beweglich*) agile.

Geschicktheit *f* = **Geschicklichkeit.**

geschieden *ptp of* **scheiden.**

Geschiedene(r) *mf decl as adj* divorcee.

geschienen *ptp of* **scheinen.**

Geschirr *nt* -e [a] *no pl* (*Teller etc*) crockery (*Brit*), tableware; (*Küchen~*) pots and pans *pl*, kitchenware; (*Porzellan*) china ▸ *(das) ~ spülen* to wash *or* do the dishes, to wash up (*Brit*); *feuerfestes ~* ovenware. [b] (*Service*) (dinner/tea *etc*) service; (*Gläser*) set of glasses; (*feuerfestes ~*) set of ovenware. [c] (*von Zugtieren*) harness.

Geschirr-: **~schrank** *m* china cupboard; **~spülen** *nt* washing-up; **~spüler** *m*, **~spülmaschine** *f* dishwasher; **~spülmittel** *nt* washing-up liquid (*Brit*); dishwashing liquid (*US*); **~tuch** *nt* tea towel (*Brit*), dishtowel (*US*).

geschissen *ptp of* **scheißen.**

geschlafen *ptp of* **schlafen.**

geschlagen *ptp of* **schlagen.**

Geschlęcht *nt* -er [a] sex; (*Gram*) gender ▸ *Jugendliche beiderlei ~s* young people of both sexes; *das andere ~* the opposite sex. [b] *no pl* (*geh: Geschlechtsteil*) sex (*liter*). [c] (*liter*) (*Gattung*) race; (*Sippe*) house; (*Abstammung*) lineage ▸ *das menschliche ~* the human race.

geschlęchtlich *adj* sexual ▸ *~e Erziehung* sex education; *mit jdm ~ verkehren* to have sexual intercourse with sb.

Geschlęchtlichkeit *f* sexuality.

Geschlęchts-: **~akt** *m* sex act; **~erziehung** *f* sex education; **g~krank** *adj* suffering from VD; *g~krank sein* to have VD; **~krankheit** *f* venereal disease; **~leben** *nt* sex life; **g~los** *adj* asexual (*auch Biol*), sexless; **~losigkeit** *f* asexuality (*auch Biol*), sexlessness; **~merkmal** *nt* sex(ual) characteristic; **~organ** *nt* sex organ; **g~reif** *adj* sexually mature; **~reife** *f* sexual maturity; **g~spezifisch** *adj* (*Sociol*) sex-specific; **~teil** *nt* genitals *pl*; **~trieb** *m* sex drive; **~umwandlung** *f* sex change; **~verkehr** *m* sexual intercourse; **~wort** *nt* (*Gram*) article.

geschlichen *ptp of* **schleichen.**

geschliffen [1] *ptp of* **schleifen².** [2] *adj Manieren* polished, refined; *Sätze* polished.

geschlossen [1] *ptp of* **schließen.** [2] *adj* closed; (*vereint*) unified ▸ *in sich (dat) ~* self-contained; *Mensch, Charakter* well-rounded; *Handlung* well-knit; *ein ~es Ganzes* a unified whole; *~e Gesellschaft* (*Fest*) private function; *~e Ortschaft* built-up area. [3] *adv* *~ für etw sein/stimmen* to be/vote unanimously in favour of sth; *~ hinter jdm stehen* to stand solidly behind sb.

Geschlossenheit *f* unity.

geschlungen *ptp of* **schlingen.**

Geschmack *m* ⸚e *or* (*hum, col*) ⸚er (*lit, fig*) taste; (*Aroma*) flavour (*Brit*), flavor (*US*); (*no pl: ~ssinn*) sense of taste ▸ *je nach ~* to one's own taste; *Salz (je) nach ~ hinzufügen* add salt to taste; *an etw (dat) ~ finden* to acquire a taste for sth; *auf den ~ kommen* to acquire a taste for it; *er hat einen guten ~* (*fig*) he has good taste; *das ist nicht mein ~ or nach meinem ~* that's not to my taste; *die ⸚er sind verschieden* tastes differ; *über ~ läßt sich (nicht) streiten* (*Prov*) there's no accounting for taste(s) (*prov*).

geschmącklich *adj* (*lit, fig*) as regards taste.

geschmącklos *adj* (*lit, fig*) tasteless.

Geschmącklosigkeit *f* [a] *no pl* (*lit, fig*) tastelessness, lack of taste; (*Taktlosigkeit auch*) bad taste. [b] (*Beispiel der ~*) example of bad taste; (*Bemerkung*) remark in bad taste.

Geschmącks-: **~frage** *f* question of (good) taste; **~richtung** *f* taste; (*von Speisen etc*) flavour (*Brit*), flavor (*US*); **~sache** *f* matter of taste; *das ist ~sache* it's (all) a matter of taste; **~sinn** *m* sense of taste; **~verirrung** *f* *unter ~verirrung leiden* (*iro*) to have no taste.

geschmąckvoll *adj* tasteful.

Geschmeide *nt* - (*geh*) jewellery *no pl*.

geschmeidig *adj* [a] *Haar, Leder, Haut* supple; *Fell* sleek; (*weich*) *Handtuch, Haar* soft; *Teig* workable. [b]

⚠: Informationen zur Rechtschreibreform im Anhang

(*fig*) (*anpassungfähig*) flexible; (*wendig*) adroit.

Geschmeidigkeit *f no pl siehe adj* [a] suppleness; sleekness; softness. [b] flexibility, adroitness.

Geschmier(e) *nt no pl* (*col*) mess; (*Geschriebenes*) scribble, scrawl.

geschmissen *ptp of* **schmeißen**.

geschmolzen *ptp of* **schmelzen**.

Geschmorte(s) *nt decl as adj* (*Cook*) braised meat.

Geschnatter *nt no pl* (*lit*) cackling; (*fig*) jabbering.

Geschnetzelte(s) *nt decl as adj* (*Cook*) *meat cut into strips stewed to produce a thick sauce.*

geschniegelt *adj* (*pej*) flashy.

geschnitten *ptp of* **schneiden**.

geschoben *ptp of* **schieben**.

gescholten *ptp of* **schelten**.

Geschöpf *nt* -e (*Geschaffenes*) creation; (*Lebewesen*) creature.

geschoren *ptp of* **scheren**[1].

⚠ **Geschoß**[1] *nt* -sse projectile (*form*); (*Wurf~, Rakete etc auch*) missile; (*Kugel auch*) bullet.

⚠ **Geschoß**[2] *nt* -sse (*Stockwerk*) floor, storey (*Brit*), story (*US*).

⚠ **Geschoßbahn** *f* trajectory.

geschossen *ptp of* **schießen**.

geschraubt *adj* (*pej*) *Stil, Redeweise* pretentious.

Geschrei *nt no pl* shouts *pl*, shouting; (*von Verletzten, Babys, Popfans*) screams *pl*, screaming; (*fig: Aufhebens*) fuss, to-do (*col*) ▶ *viel ~ um etw machen* to make a big fuss about sth.

geschrieben *ptp of* **schreiben**.

geschrie(e)n *ptp of* **schreien**.

geschritten *ptp of* **schreiten**.

geschunden *ptp of* **schinden**.

Geschütz *nt* -e gun ▶ *schweres ~* heavy artillery; *schweres ~ auffahren* (*fig*) to bring up one's big guns.

Geschütz-: **~feuer** *nt* shell fire; **~rohr** *nt* gun barrel.

geschützt *adj Winkel, Ecke* sheltered; *Pflanze, Tier* protected ▶ *~er Sex* safe sex.

Geschw. = **Geschwister**.

Geschwader *nt* - squadron.

Geschwafel *nt no pl* (*pej col*) waffle (*col*).

Geschwätz *nt no pl* (*pej*) prattle; (*Klatsch*) tittle-tattle (*col*), gossip.

geschwätzig *adj* talkative; (*klatschsüchtig*) gossipy.

Geschwätzigkeit *f no pl siehe adj* talkativeness; gossipy nature.

geschweift *adj* [a] curved. [b] *Stern* with a tail.

geschweige *conj* ~ *(denn)* let alone.

geschwiegen *ptp of* **schweigen**.

geschwind *adj* quick, fast *no adv.*

Geschwindigkeit *f* speed; (*Phys: von Masse*) velocity ▶ *mit einer ~ von ...* at a speed of ...; *mit höchster ~* at top speed.

Geschwindigkeits-: **~begrenzung, ~beschränkung** *f* speed limit; *gegen die ~begrenzung verstoßen* to exceed the speed limit; **~kontrolle** *f* speed check; **~messer** *m* - tachometer; (*Aut auch*) speedometer; **~überschreitung** *f* exceeding the speed limit *no art*, speeding *no art*.

Geschwister *pl* brothers and sisters *pl* ▶ *haben Sie noch ~?* do you have any brothers or sisters?

geschwisterlich [1] *adj* brotherly/sisterly. [2] *adv* in a brotherly/sisterly way.

Geschwister-: **~liebe** *f* brotherly/sisterly love; (*gegenseitig*) love between a brother and a sister; **~paar** *nt* brother and sister *pl.*

geschwollen [1] *ptp of* **schwellen**. [2] *adj* (*pej*) turgid.

geschwommen *ptp of* **schwimmen**.

geschworen *ptp of* **schwören**.

Geschworene(r) *mf decl as adj* juror ▶ *die ~n* the jury *sing or pl.*

Geschwulst *f* ⁼e growth; (*Hirn~, Krebs~ etc auch*) tumour (*Brit*), tumor (*US*).

geschwunden *ptp of* **schwinden**.

geschwungen [1] *ptp of* **schwingen**. [2] *adj* curved.

Geschwür *nt* -e ulcer; (*Furunkel*) boil; (*fig*) ulcer.

gesegnet *adj* (*geh*) *mit etw ~ sein* to be blessed with sth; *~es Neues Jahr!* Happy New Year; *einen ~en Schlaf haben* to be a sound sleeper.

gesehen *ptp of* **sehen**.

Geselle *m* (*wk*) **-n, -n** [a] (*Handwerks~*) journeyman. [b] (*dated col: Bursche*) fellow.

gesellen* *vr sich zu jdm ~* to join sb.

Gesellen-: **~brief** *m* journeyman's certificate; **~prüfung** *f* examination to become a journeyman.

gesellig *adj* sociable, convivial; *Tier* gregarious; *Verkehr* social ▶ *~es Beisammensein* social gathering.

Geselligkeit *f* [a] *no pl* sociability; (*geselliges Leben*) social intercourse ▶ *die ~ lieben* to be sociable. [b] (*Veranstaltung*) social gathering.

Gesellschaft *f* [a] (*Sociol, Vereinigung*) society; (*Comm*) company ▶ *die ~ verändern* to change society; *~ mit beschränkter Haftung* private limited company; *eingetragene ~* registered company. [b] (*Abend~*) reception, party; (*Gäste*) guests *pl*, party ▶ *geschlossene ~* private function. [c] (*Umgang, Begleitung*) company ▶ *in schlechte ~ geraten* to get into bad company; *jdm ~ leisten* to keep sb company; *darf ich Ihnen ~ leisten?* may I join you? [d] (*Kreis von Menschen*) group of people; (*pej*) crowd (*col*) ▶ *wir waren eine bunte ~* we were a mixed bunch.

Gesellschafter(in *f*) *m* - [a] (*Unterhalter*) companion ▶ *ein guter ~ sein* to be good company. [b] (*Comm*) (*Teilhaber*) shareholder; (*Partner*) partner ▶ *stiller ~* sleeping (*Brit*) *or* silent (*US*) partner.

gesellschaftlich *adj* social ▶ *er ist ~ erledigt* he's ruined socially.

Gesellschafts-: **~anzug** *m* formal dress; **g~fähig** *adj Verhalten* socially acceptable; *Mensch, Aussehen auch* presentable; **~form** *f* social system; **~kapital** *nt* (*Comm*) authorized capital; **~klasse** *f* (*Sociol*) social class; **~klatsch** *m* society gossip; **~kleidung** *f* formal dress; **~kritik** *f* social criticism; **g~kritisch** *adj* critical of society; *g~kritisch denken* to have a critical attitude towards society; **~ordnung** *f* social system; **~politik** *f* social policy; **~recht** *nt* company law; **~reise** *f* group tour; **~roman** *m* social novel; **~schicht** *f* social stratum; **~spiel** *nt* party game; **~stück** *nt* (*Theat*) comedy of manners; (*Art*) genre painting; **~system** *nt* social system; **~tanz** *m* ballroom dance; **~vertrag** *m* articles of association; **~wissenschaften** *pl* social sciences.

Gesenk *nt* -e (*Tech*) die.

gesessen *ptp of* **sitzen**.

Gesetz *nt* -e (*Jur, Natur~, Prinzip*) law; (*~buch*) statute book; (*Parl*) act; (*Vorlage*) bill; (*Satzung, Regel*) rule ▶ *das Copyright-~* the Copyright Act; *nach dem ~* under the law (*über +acc* on); *vor dem ~* in (the eyes of the) law; *im Sinne des ~es* within the meaning of the act; *steht etwas davon im ~?* is there any law about it?; *das ~ der Schwerkraft* the law of gravity; *das oberste ~ (der Wirtschaft etc)* the golden rule (of industry *etc*); *ein ungeschriebenes ~* an unwritten rule.

Gesetz-: **~blatt** *nt* law gazette; **~buch** *nt* statute book; *Bürgerliches ~buch* Civil Code; **~entwurf** *m* (draft) bill.

Gesetzes-: **~brecher(in** *f*) *m* - law-breaker; **~hüter** *m* (*iro*) guardian of the law; **~lücke** *f* legal loophole; **~novelle** *f* amendment; **~text** *m* wording of a/the law;

g~treu adj law-abiding; **~treue** f law-abiding character; **~übertretung** f infringement of a/the law; **~vorlage** f (draft) bill.
Gesetz-: g~gebend adj attr legislative, law-making; **die g~gebende Gewalt** the legislature; **~geber** m legislator, lawmaker; **~gebung** f legislation no pl.
gesetzlich [1] adj Bestimmungen, Vertreter, Zahlungsmittel legal; Feiertag, Reglungen statutory; (rechtmäßig) lawful, legitimate.
[2] adv legally; (durch Gesetze auch) by law; (rechtmäßig) lawfully, legitimately ▶ **~ geschützt** registered.
Gesetzlichkeit f no pl (Gesetzmäßigkeit) legality.
Gesetz-: g~los adj lawless; **~losigkeit** f lawlessness; **g~mäßig** adj (gesetzlich) legal; (rechtmäßig) lawful, legitimate; **~mäßigkeit** f siehe adj legality; lawfulness, legitimacy.
gesetzt [1] adj (reif) sedate, sober ▶ **ein Herr im ~en Alter** a man of mature years.
[2] conj **~ den Fall, ...** assuming (that) ...
Gesetz-: g~widrig adj illegal; (unrechtmäßig) unlawful; **~widrigkeit** f siehe adj illegality; unlawfulness no pl.
ges. gesch. = gesetzlich geschützt reg'd.
gesichert adj Einkommen, Existenz secure.
Gesicht nt -er [a] face ▶ **ein trauriges/böses/wütendes ~ machen** to look sad/cross/angry; **ein langes ~ machen** to pull a long face; **was machst du denn heute für ein ~?** what's up with you today?; **jdm ins ~ sehen** to look sb in the face; **den Tatsachen ins ~ sehen** to face facts; **jdm etw ins ~ sagen** to tell sb sth to his face; **mir schien die Sonne ins ~** the sun was (shining) in my eyes; **es stand ihm im ~ geschrieben** it was written all over his face; **jdm ins ~ springen** (fig col) to go for sb; **sein wahres ~ zeigen** to show (one's true) one's true colours (Brit) or colors (US); **jdm wie aus dem ~ geschnitten sein** to be the spitting image of sb; **das/sein ~ verlieren** to lose face; **das ~ wahren** to save face.
[b] (fig) (Aussehen) look, appearance; (geh: Charakter) character ▶ **die Sache bekommt ein anderes ~** the matter takes on a different complexion.
[c] no pl das Zweite ~ second sight; **etw aus dem ~ verlieren** (lit, fig) to lose sight of sth; **jdn/etw zu ~ bekommen** to set eyes on sb/sth.
Gesichts-: ~ausdruck m (facial) expression; (Mienenspiel auch) face; **einen ängstlichen ~ausdruck haben** to look scared; **~creme** f face cream; **~farbe** f complexion; **~feld** nt field of vision; **~haut** f facial skin; **~kreis** m [a] (dated: Umkreis) field of vision; **jdn aus dem/seinem ~kreis verlieren** to lose sight of sb; [b] (fig) horizons pl, outlook; **g~los** adj (fig) faceless; **~packung** f face pack; **~pflege** f facial care; **~puder** m face powder; **~punkt** m (Betrachtungsweise) point of view; (Einzelheit) point; **unter diesem ~punkt betrachtet** looked at from this standpoint; **~verlust** m loss of face; **~wasser** nt face lotion; **~winkel** m visual angle; (fig) angle; **aus** or **unter diesem ~winkel betrachtet** looked at from this angle; **~züge** pl features pl.
Gesindel nt no pl (pej) riff-raff pl.
gesinnt adj usu pred **jdm gut/übel ~ sein** to be well/ill disposed to(wards) sb; **jdm freundlich/feindlich ~ sein** to be friendly/hostile to sb; **sozial ~ sein** to be socially minded; **er ist anders ~ als wir** his views are different from ours.
Gesinnung f (Charakter) cast of mind; (Ansichten) views pl, basic convictions pl; (Einstellung) fundamental attitude; (Denkart) way of thinking; (einer Gruppe) ethos ▶ **seine wahre ~ zeigen** to show (oneself in) one's true colours (Brit) or colors (US).
Gesinnungs-: ~genosse m like-minded person; **g~los** adj (pej) unprincipled; **sich g~los verhalten** to show a

total lack of principle; **~losigkeit** f lack of principle; **~schnüffelei** f (pej) **~schnüffelei betreiben** to pry into people's political convictions; **~täter** m person motivated by political/moral convictions; **g~treu** adj true to one's convictions; **~wandel** m conversion.
gesittet adj [a] (wohlerzogen) well-mannered, well-behaved. [b] (zivilisiert) civilized.
Gesocks nt no pl (pej) riff-raff pl.
Gesöff nt -e (pej) muck (col); (Bier) piss (col!).
gesoffen ptp of saufen.
gesogen ptp of saugen.
gesondert adj separate.
gesonnen [1] ptp of sinnen.
[2] adj **~ sein, etw zu tun** to be of a mind to do sth.
gespalten adj Bewußtsein split; Lippe cleft; Zunge forked.
Gespann nt -e (Pferde~) horse and cart; (zur Personenbeförderung) horse and carriage; (fig col: Paar) pair ▶ **ein gutes ~ abgeben** to make a good team.
gespannt adj [a] Seil, Schnur taut. [b] (fig) tense; Beziehungen auch strained ▶ **seine Nerven waren aufs äußerste ~** his nerves were at breaking point. [c] (neugierig) curious; (begierig) eager; Aufmerksamkeit rapt ▶ **in ~er Erwartung** in eager anticipation; **~ zuhören** to listen with rapt attention; **ich bin ~, wie er darauf reagiert** I wonder how he'll react to that; **ich bin auf seine Reaktion sehr ~** I'm dying to see how he'll react to that; **ich bin ~ wie ein Flitz(e)bogen** (hum col) I'm on tenterhooks; **da bin ich aber ~!** I'm looking forward to that; (iro) that I'd like to see!
Gespanntheit f no pl siehe adj [a] tension. [b] tension; strain. [c] curiosity; eagerness.
Gespenst nt -er ghost; (fig: Gefahr) spectre (Brit), specter (US) ▶ **~er sehen** (fig col) to imagine things.
Gespenster-: ~geschichte f ghost story; **g~haft** adj ghostly no adv; (fig) eerie, eery; **das Licht flackerte g~haft** the light flickered eerily; **~stunde** f witching hour.
gespenstisch adj = gespensterhaft.
gespie(e)n ptp of speien.
Gespiele m -n, -n (old liter, hum), **Gespielin** f (old liter, hum) playmate.
gespielt adj feigned ▶ **mit ~em Interesse** with a pretence (Brit) or pretense (US) of being interested.
Gespinst nt -e (fig geh) web; (der Phantasie) product, fabrication.
gesponnen ptp of spinnen.
Gespött nt no pl mockery; (Gegenstand des Spotts) laughing stock ▶ **sich zum ~ der Leute machen** to make oneself a laughing stock.
▼ **Gespräch** nt -e [a] (Unterhaltung) conversation; (Diskussion) discussion; (Dialog) dialogue ▶ **~e** (Pol) talks; **ein ~ unter vier Augen** a confidential or private talk; **im ~ sein** to be under discussion; **mit jdm ins ~ kommen** to get into conversation with sb; (fig) to establish a dialogue with sb. [b] (~sstoff) **das ~ des Tages** the topic of the hour; **das ~ der Stadt** the talk of the town; **zum ~ werden** to become a talking point. [c] (Telec: Anruf) (telephone) call.
gesprächig adj talkative; (mitteilsam) communicative.
Gesprächs-: g~bereit adj (esp Pol) ready to talk; **~einheit** f (Telec) unit; **~gegenstand** m topic; **~partner** m **~partner bei der Diskussion sind die Herren X, Y und Z** taking part in the discussion are Mr X, Mr Y and Mr Z; **mein ~partner bei den Verhandlungen** my opposite number at the talks; **wer war dein ~partner?** who did you talk with?; **~pause** f break in a/the conversation; **~stoff** m topics pl; (Diskussionsstoff) topics to discuss; **~thema** nt talking point, topic.
gespreizt adj (fig) affected, unnatural.

➤ SATZBAUSTEINE: **Gespräch: c** → 15.2, 15.3, 15.5 | ⚠: Informationen zur Rechtschreibreform im Anhang

gesprenkelt *adj* speckled.
Gespritzte(r) *n decl as adj* (*S Ger, Aus*) spritzer, *wine with soda water.*
gesprochen *ptp of* **sprechen.**
gesprossen *ptp of* **sprießen.**
gesprungen *ptp of* **springen.**
Gespür *nt no pl* feel(ing).
gest. = **gestorben,** d.
Gestalt *f* **-en** [a] (*lit, fig*) form; (*Umriß auch*) shape ▶ *in ~ von* (*fig*) in the form of; *(feste) ~ annehmen* to take shape; *einer Sache* (*dat*) *~ geben* to shape sth; *sich in seiner wahren ~ zeigen* (*fig*) to show (oneself in) one's true colours (*Brit*) *or* colors (*US*). [b] (*Wuchs*) build. [c] (*Persönlichkeit, Traum~*) figure; (*Liter auch, pej: Mensch*) character.
gestalten* [1] *vt* to shape, to form (*zu* into); *Wohnung* to lay out; *Programm, Abend* to arrange; *Schaufenster* to dress; *Freizeit* to structure ▶ *ich gestalte mein Leben so, wie ich will* I organize my life the way I want to; *etw interessanter etc ~* to make sth more interesting *etc; schöpferisches G~* creative expression.
[2] *vr* (*werden*) to become; (*sich entwickeln*) to develop (*zu* into).
Gestalter(in *f*) *m* - creator.
gestalterisch *adj* formal, creative.
gestaltlos *adj* formless, shapeless.
Gestaltung *f siehe vt* shaping, forming (*zu* into); layout; arrangement; dressing; structuring.
Gestammel *nt no pl* stammering, stuttering.
gestanden [1] *ptp of* **stehen, gestehen.**
[2] *adj attr ein ~er Mann* a mature and experienced man.
geständig *adj ~ sein* to have confessed.
Geständnis *nt* confession ▶ *jdm ein ~ machen* to make a confession to sb.
Gestänge *nt* - (*von Gerüst*) bars *pl*, struts *pl*; (*von Zelt*) frame; (*von Maschine*) linkage.
Gestank *m no pl* stink, stench.
▼ **gestatten*** *vti* to allow, to permit; (*einwilligen in*) to agree *or* consent to ▶ *jdm ~, etw zu tun* to allow *or* permit sb to do sth; *~ Sie, daß ich ...?* may I ...?; *wenn Sie ~ ...* with your permission ...; *sich* (*dat*) *etw ~* to permit *or* allow oneself sth; *wenn ich mir eine Bemerkung ~ darf* (*geh*) if I might be permitted a comment.
Geste ['gɛstə, 'geːstə] *f* **-n** (*lit, fig*) gesture.
Gesteck *nt* -e flower arrangement.
gestehen *vti irreg* to confess (*jdm etw* sth to sb) ▶ *offen gestanden* quite frankly.
Gestein *nt* -e rock(s); (*Schicht*) rock stratum.
Gesteins-: ~brocken *m* rock; **~masse** *f* mass of rock.
Gestell *nt* -e [a] stand; (*Regal*) shelf; (*Ablage*) rack; (*Bett~, Brillen~*) frame; (*Fahr~*) chassis. [b] (*fig col: Beine*) pins (*col*) *pl* ▶ *langes ~* beanpole (*col*).
gestellt *adj* (*unecht*) posed.
gestelzt *adj* stilted.
gestern *adv* yesterday ▶ *~ abend* (*früh*) yesterday evening; (*spät*) last night; *die Zeitung von ~* yesterday's paper; *Ansichten von ~* outdated views; *er ist nicht von ~* (*col*) he wasn't born yesterday.
gestiefelt *adj der G~e Kater* Puss-in-Boots; *~ und gespornt* (*fig col*) ready and waiting.
gestiegen *ptp of* **steigen.**
Gestik ['gɛstɪk] *f no pl* gestures *pl.*
gestikulieren* [gɛstiku'liːrən] *vi* to gesticulate.
gestimmt *adj froh/düster ~* in a cheerful/sombre mood.
Gestirn *nt* -e star, heavenly body.
gestoben *ptp of* **stieben.**
Gestöber *nt* - (*Schnee~*) snowstorm.
gestochen [1] *ptp of* **stechen.**

[2] *adj Handschrift* clear, neat ▶ *~ scharfe Fotos* needle-sharp photographs.
gestohlen [1] *ptp of* **stehlen.**
[2] *adj der/das kann mir ~ bleiben* (*col*) he/it can get lost (*col*).
gestorben *ptp of* **sterben.**
▼ **gestört** *adj* disturbed; *Rundfunkempfang* poor, with a lot of interference ▶ *~er Kreislauf* circulation problems; *Kinder aus ~en Familien* children from problem families.
gestoßen *ptp of* **stoßen.**
Gestotter *nt no pl* stuttering, stammering.
Gesträuch *nt* -e shrubbery, bushes (*pl*).
gestreift *adj* striped ▶ *eine rot-grün ~e Bluse* a red and green striped blouse.
gestrichen [1] *ptp of* **streichen.**
[2] *adj* [a] *frisch ~!* wet paint. [b] (*genau voll*) *~ voll* level; (*sehr voll*) full to the brim; *ein ~er Teelöffel (voll)* a level teaspoon(ful); *er hat die Hosen ~ voll* (*col*) he's shitting himself (*col!*); *ich habe die Nase ~ voll* (*col*) I'm fed up to the back teeth with it (*col*).
gestrig *adj attr* yesterday's ▶ *unser ~es Schreiben* our letter of yesterday; *am ~en Tage* (*geh*) yesterday; *die ewig G~en* the stick-in-the-muds.
gestritten *ptp of* **streiten.**
Gestrüpp *nt* -e undergrowth, brushwood; (*fig*) jungle.
gestunken *ptp of* **stinken.**
Gestüt *nt* -e stud; (*Anlage auch*) stud farm.
Gesuch *nt* -e petition (*auf +acc, um* for); (*Antrag*) application (*auf +acc, um* for) ▶ *ein ~ einreichen* to lodge a petition/an application.
gesucht *adj* (*begehrt*) sought after ▶ *sehr ~* (very) much sought after.
gesund *adj, comp* ⁼er, *superl* ⁼este(r, s) *or adv* **am** ⁼**esten** healthy; (*leistungsfähig*) fit; *Unternehmen, Politik auch* sound ▶ *~ und munter* hale and hearty; *ich fühle mich nicht ganz ~* I don't feel too well; *~ leben* to live a healthy life; *jdn ~ schreiben* to certify sb (as) fit; *jdn ~ pflegen* to nurse sb back to health; *sonst bist du ~?* (*iro col*) are you feeling all right? (*iro*); *wieder ~ werden* to recover.
Gesund-: g~beten *vt sep* to heal through prayer; **~beter** *m* faith-healer.
gesunden* *vi aux sein* (*geh*) to recover (*auch fig*), to regain one's health.
Gesundheit *f no pl siehe adj* health; fitness; soundness; (*von Klima, Lebensweise etc*) healthiness ▶ *bei guter ~* in good health; *~!* bless you; *auf Ihre ~!* your (very good) health.
gesundheitlich *adj ~ geht es mir nicht besonders* my health is not particularly good; *aus ~en Gründen* for health reasons.
Gesundheits-: ~amt *nt* public health department; **~apostel** *m* (*iro*) health freak (*col*); **~attest** *nt* health certificate; **~behörde** *f* health authorities *pl*; **g~fördernd** *adj* healthy, good for the health; **~fürsorge** *f* health care; **g~gefährdend** *adj* **g~gefährdend sein** to be a danger to health; **~pflege** *f* hygiene; *öffentliche ~pflege* public health (care); **~schaden** *m* health defect; **~schäden** damage to one's health; **g~schädlich** *adj* unhealthy, damaging to (one's) health; **~wesen** *nt* health service; **~zeugnis** *nt* health certificate; **~zustand** *m no pl* state of health.
gesund-: ~schrumpfen *sep* [1] *vt* (*fig*) to trim down; [2] *vr* to be trimmed down *or* streamlined; **~stoßen** *vr sep irreg* (*col*) to line one's pockets (*col*).
Gesundung *f no pl* (*lit, fig*) recovery; (*Genesung*) convalescence, recuperation.
gesungen *ptp of* **singen.**
gesunken *ptp of* **sinken.**

➤ SATZBAUSTEINE: **gestatten** → 5.4, 12.2, 12.3   **gestört** → 15.7

getan *ptp of* **tun** ▸ *nach ~er Arbeit* when the day's work is done.

Getier *nt no pl* [a] (*Tiere, esp Insekten*) creatures *pl.* [b] (*einzelnes*) creature.

getigert *adj* (*mit Streifen*) striped; (*mit Flecken*) piebald.

Getöse *nt no pl* din, racket; (*von Auto, Beifall etc*) roar ▸ *mit ~* with a din.

getragen *adj* [a] *Kleidung* second-hand. [b] (*fig*) *Melodie, Tempo etc* stately *no adv.*

Getrampel *nt no pl* trampling; (*Beifalls~, Protest~*) stamping.

Getränk *nt* -e drink, beverage (*form*).

Getränke-: **~automat** *m* drinks machine *or* dispenser; **~dose** *f* drinks can; **~karte** *f* (*in Café*) list of beverages; (*in Restaurant*) wine list; **~markt** *m* drinks cash-and-carry; **~steuer** *f* alcohol tax.

getrauen* *vr* to dare ▸ *getraust du dich das?* do you dare do that?

Getreide *nt* - grain, cereal.

Getreide-: **~(an)bau** *m* cultivation of grain *or* cereals; **~ernte** *f* grain harvest; **~feld** *nt* grain field, cornfield (*Brit*); **~pflanze** *f* cereal (plant); **~speicher** *m* granary; (*~silo*) grain silo.

getrennt *adj* separate ▸ *~ leben* to be separated, to live apart; *~ schlafen* not to sleep together.

getreten *ptp of* **treten**.

getreu *adj* [a] (*genau, entsprechend*) faithful, true *no adv.* [b] *pred* +*dat* true to.

Getriebe *nt* - [a] (*Tech*) gears *pl*; (*Kraftübertragung*) transmission; (*~kasten*) gearbox (*Brit*), transmission (*US*); (*Antrieb*) drive; (*von Uhr*) movement, works *pl.* [b] (*lebhaftes Treiben*) bustle, hurly-burly.

getrieben *ptp of* **treiben**.

Getriebeschaden *m* gearbox (*Brit*) *or* transmission (*US*) trouble *no indef art.*

getroffen *ptp of* **treffen**.

getrogen *ptp of* **trügen**.

getrost *adv* with confidence ▸ *du kannst dich ~ auf ihn verlassen* you need have no fears about relying on him.

getrübt *adj* (*lit*) cloudy; (*fig*) *Verhältnis* disturbed.

getrunken *ptp of* **trinken**.

Getto *nt* -s ghetto.

Getue [gə'tuːə] *nt no pl* (*pej*) to-do (*col*), fuss ▸ *ein ~ machen* to make a to-do (*col*) *or* fuss.

Getümmel *nt no pl* turmoil ▸ *sich ins ~ stürzen* to plunge into the tumult *or* hurly-burly.

getupft *adj* *Stoff, Kleid* spotted.

Getuschel *nt no pl* whispering.

ge|übt *adj* *Auge, Ohr, Griff* practised (*Brit*), practiced (*US*); *Fahrer, Segler etc* proficient ▸ *im Reden ~ sein* to be a proficient talker.

GEW [geːeː'veː] *f* = **Gewerkschaft Erziehung und Wissenschaft** ≃ NUT (*Brit*).

Gewächs *nt* -e [a] (*Pflanze*) plant. [b] (*Med*) growth.

gewachsen [1] *ptp of* **wachsen**¹. [2] *adj* [a] (*von allein entstanden*) evolved. [b] *einer Sache* (*dat*) *~ sein* to be up to sth; *er ist seinem Bruder (an Stärke/Intelligenz) durchaus ~* he is his brother's equal in strength/intelligence.

Gewächshaus *nt* greenhouse; (*Treibhaus*) hothouse.

gewagt *adj* [a] (*kühn*) daring; (*gefährlich*) risky. [b] (*moralisch bedenklich*) risqué.

gewählt *adj* *Sprache* refined *no adv*, elegant.

gewahr *adj pred* *eine(r) Sache ~ werden* to become aware of sth.

Gewähr *f no pl* guarantee ▸ *dadurch ist die ~ gegeben, daß ...* that guarantees that ...; *die Angabe erfolgt ohne ~* we accept no liability for the accuracy of this information; *„ohne ~"* (*auf Fahrplan, Preisliste*) "subject to alteration"; (*bei Lottozahlen*) "no liability assumed".

gewähren* *vt* to grant; *Rabatt, Vorteile* to give; *Sicherheit, Schutz* to afford, to give ▸ *jdm Unterstützung ~* to provide sb with support; *jdn ~ lassen* (*geh*) to let sb do as they like.

gewährleisten* *vt insep* to ensure (*jdm etw* sb sth); (*garantieren*) to guarantee (*jdm etw* sb sth).

Gewährleistung *f* guarantee ▸ *zur ~ der Sicherheit* to ensure safety.

Gewahrsam *m no pl* [a] (*Verwahrung*) safekeeping ▸ *etw in ~ nehmen* to take sth into safekeeping. [b] (*Haft*) custody ▸ *jdn in ~ nehmen* to take sb into custody.

Gewährsmann *m, pl* -**männer** *or* -**leute** source.

Gewährung *f no pl siehe vt* granting; giving; affording.

Gewalt *f* -en [a] (*Macht, Herrschaft*) power ▸ *die ausübende/gesetzgebende/richterliche ~* the executive/legislature/judiciary; *elterliche ~* parental authority; *jdn/etw in seine ~ bringen* to gain control of sb/sth; *unter jds ~* (*dat*) *stehen* to be under sb's control. [b] *no pl* (*Zwang*) force; (*~tätigkeit*) violence ▸ *~ anwenden* to use force; *höhere ~* acts/an act of God; *nackte ~* brute force; *mit ~* by force; *etw mit aller ~ wollen* (*col*) to want sth desperately; *jdm/einer Sache ~ antun* to do violence to sb/sth; *einer Frau ~ antun* to violate a woman. [c] *no pl* (*Heftigkeit, Wucht*) force; (*elementare Kraft auch*) power.

Gewalt-: **~akt** *m* act of violence; **~androhung** *f* threat of violence; **~anwendung** *f* use of force *or* violence.

Gewaltenteilung *f* separation of powers.

Gewalt-: **~herrschaft** *f no pl* tyranny; **~herrscher** *m* tyrant.

gewaltig *adj* [a] (*heftig*) *Sturm etc* violent. [b] (*groß, riesig*) colossal, immense; *Anblick* tremendous; *Stimme* powerful; (*col: sehr groß*) *Unterschiede, Hitze etc* tremendous, colossal (*col*) ▸ *sich ~ irren* to be very much mistaken.

Gewalt-: **g~los** [1] *adj* non-violent; [2] *adv* without force/violence; **~losigkeit** *f no pl* non-violence; **~marsch** *m* forced march; (*fig*) marathon; **~maßnahme** *f* (*fig*) drastic measure; **g~sam** [1] *adj* forcible; *Tod* violent; [2] *adv* forcibly, by force; **~tat** *f* act of violence; **~täter** *m* violent criminal; **g~tätig** *adj* violent; **~tätigkeit** *f* (*no pl: Brutalität*) violence; (*Handlung*) act of violence; **~verbrechen** *nt* crime of violence; **~verbrecher** *m* violent criminal; **~verzicht** *m* non-aggression.

Gewand *nt* ¨-er (*geh: Kleidungsstück*) garment; (*weites, langes*) robe, gown; (*Eccl*) vestment, robe; (*fig: Äußeres*) look; (*fig: Maske*) guise.

gewandt [1] *ptp of* **wenden**. [2] *adj* skilful (*Brit*), skillful (*US*); (*körperlich*) nimble; *Auftreten, Stil* elegant.

Gewandtheit *f no pl siehe adj* skilfulness; nimbleness; elegance.

gewann *pret of* **gewinnen**.

Gewäsch *nt no pl* (*pej col*) twaddle (*col*).

gewaschen *ptp of* **waschen**.

Gewässer *nt* - stretch of water ▸ *~ pl* inshore waters *pl*, lakes, rivers and canals *pl*; *ein fließendes/stehendes ~* a stretch of running/standing water.

Gewässerschutz *m* prevention of water pollution.

Gewebe *nt* - (*Stoff*) fabric, material; (*~art*) weave; (*Biol*) tissue; (*fig*) web.

Gewehr *nt* -e (*Flinte*) rifle; (*Schrotbüchse*) shotgun ▸ *~ ab!* (*Mil*) order arms!; *das ~ über!* (*Mil*) shoulder arms!; *präsentiert das ~!* (*Mil*) present arms!; *~ bei Fuß stehen* (*Mil*) to stand at order arms; (*fig col*) to be at the ready; *ran an die ~e!* (*dated col*) let's get started.

Gewehr-: **~kolben** *m* rifle butt; **~kugel** *f* rifle bullet; **~lauf** *m* rifle barrel; barrel of a shotgun.

Geweih *nt* -e (set of *sing*) antlers *pl.*

⚠: Informationen zur Rechtschreibreform im Anhang

Gewẹrbe nt - trade ▸ *Handel und ~* trade and industry; *das älteste ~ der Welt* (hum) the oldest profession in the world (hum); *ein ~ (be)treiben* to carry on a trade.

Gewẹrbe-: **~aufsichtsamt** nt ≃ health and safety inspectorate; **~betrieb** m commercial enterprise; **~gebiet** nt industrial area or district; (eigens angelegt) trading estate; **~ordnung** f trading regulations pl; **~schein** m trading licence (Brit) or license (US); **~steuer** f trade tax; **~treibende(r)** mf decl as adj trader.

gewẹrblich adj commercial; (industriell) industrial ▸ *die ~e Wirtschaft* industry; *diese Räume dürfen nicht ~ genutzt werden* these rooms are not to be used for commercial purposes.

gewẹrbsmäßig [1] adj professional ▸ *~e Unzucht* (form) prostitution.
[2] adv professionally, for gain.

Gewẹrkschaft f (trade or labor US) union.
Gewẹrkschaft(l)er(in f) m - trade or labor (US) unionist.

gewẹrkschaftlich adj (trade or labor US) union attr ▸ *wir haben uns ~ organisiert* we organized ourselves into a union.

Gewẹrkschafts- in cpds (trade or labor US) union; **~bewegung** f (trade or labor US) union movement; **~bund** m federation of trade or labor (US) unions, ≃ Trades Union Congress (Brit), ≃ Federation of Labor (US); **~führer** m trade or labor (US) union leader; **~mitglied** nt (trade or labor US) union member; **~tag** m trade or labor (US) union conference.

gewesen [1] ptp of **sein¹**.
[2] adj attr former.

gewịchen ptp of **weichen**.

gewịchst [gə'vɪkst] adj (col) fly (col), crafty.

Gewịcht nt -e no pl (lit, fig) weight ▸ *dieser Stein hat ein ~ von 100 kg* this rock weighs 2 cwt; *spezifisches ~* specific gravity; *~ haben* (lit) to be heavy; (fig) to carry weight; *ins ~ fallen* to be crucial; *nicht ins ~ fallen* to be of no consequence; *einer Sache* (dat) *~ beimessen* to set (great) store by sth.

gewịchten* vi (Statistik) to weight; (fig) to evaluate.

Gewịcht-: **~heben** nt no pl (Sport) weightlifting; **~heber** m - weightlifter.

gewịchtig adj (fig) (wichtig) weighty; (einflußreich) influential.

Gewịchts-: **~klasse** f (Sport) weight (category); **~kontrolle** f weight check; **g~los** adj weightless; (fig) lacking substance; **~verlust** m weight loss; **~zunahme** f increase in weight.

gewịeft adj (col) fly (col), crafty (in +dat at).

gewịesen ptp of **weisen**.

gewịllt adj *~ sein, etw zu tun* to be willing to do sth; (entschlossen) to be determined to do sth.

Gewịmmel nt no pl swarm; (Menge) crush, throng.

Gewịnde nt - (Tech) thread.

Gewịnde- (Tech): **~bohrer** m (screw) tap; **~bolzen** m threaded bolt.

Gewịnn m -e [a] (Ertrag) profit ▸ *~ abwerfen* to make a profit; *aus etw ~ schlagen* (col) to make a profit out of sth; *etw mit ~ verkaufen* to sell sth at a profit. [b] (Preis, Treffer) prize; (bei Glücksspiel) winnings pl ▸ *jedes Los ist ein ~* every ticket wins a prize. [c] no pl (fig: Vorteil) gain ▸ *das ist ein großer ~ (für mich)* that is of great benefit (to me).

Gewịnn-: **~anteil** m [a] (Comm) dividend; [b] (beim Wetten etc) share; **~ausschüttung** f prize draw; **~beteiligung** f (Ind) profit-sharing; **g~bringend** ⚠ adj (lit, fig) profitable; **~chance** f chance of winning; **~chancen** (beim Wetten) odds.

gewịnnen pret **gewann**, ptp **gewonnen** [1] vt [a] to win ▸ *jdn (für etw) ~* to win sb over (to sth); *jdn für*

sich ~ to win sb over (to one's side); *jdn zum Freund ~* to win sb as a friend; *den Eindruck ~, daß ...* to gain the impression that ...; *Zeit ~* to gain time; *was ist damit gewonnen?* what good is that?; *wie gewonnen, so zerronnen* (prov) easy come easy go (prov). [b] (als Profit) to make (a profit of). [c] (erzeugen) to produce, to obtain; *Erze etc* to mine, to extract; (aus Altmaterial) to reclaim.

[2] vi [a] to win (bei, in +dat at). [b] (profitieren) to gain ▸ *an Bedeutung ~* to gain (in) importance; *an Geschwindigkeit ~* to gain speed.

gewịnnend adj (fig) winning, winsome.

Gewịnner(in f) m - winner.

Gewịnn-: **~schwelle** f break-even point; **~spanne** f profit margin; **~streben** nt pursuit of profit; **~sucht** f profit-seeking; **g~süchtig** adj profit-seeking attr; **g~trächtig** adj profitable.

Gewịnn-und-Verlust-Rechnung f income and expenditure account; profit and loss account.

Gewịnnung f no pl (von Kohle, Öl) extraction; (von Energie, Plutonium) production.

Gewịnnzahl f winning number.

Gewịrr nt no pl tangle; (fig: Durcheinander) jumble; (von Paragraphen, Straßen) maze; (von Stimmen) confusion, babble.

⚠**gewịß** [1] adj [a] (sicher) certain, sure (+gen of) ▸ *(ja) ~!* certainly, sure (esp US); *ich bin dessen ~* (geh) I'm certain or sure of it. [b] attr certain ▸ *ein gewisser Herr Müller* a certain Herr Müller; *in gewissem Maße* to a certain extent.
[2] adv (geh) certainly ▸ *ich weiß es ganz ~* I'm certain of it.

Gewịssen nt no pl conscience ▸ *ein schlechtes ~* a guilty or bad conscience; *jdn/etw auf dem ~ haben* to have sb/sth on one's conscience; *jdm ins ~ reden* to have a serious talk with sb; *das mußt du vor deinem ~ verantworten* you'll have to answer to your own conscience for that.

Gewịssen-: **g~haft** adj conscientious; **~haftigkeit** f no pl conscientiousness; **g~los** adj unprincipled; *g~los sein* to have no conscience; **~losigkeit** f lack of principle.

Gewịssens-: **~bisse** pl pangs of conscience pl; *mach dir deswegen keine ~bisse!* there's nothing for you to feel guilty about; *~bisse bekommen* to get a guilty conscience; **~entscheidung, ~frage** f matter of conscience; **~freiheit** f freedom of conscience; **~gründe** pl reasons of conscience pl; **~konflikt** m moral conflict; **~not** f moral dilemma.

gewịssermaßen adv (sozusagen) so to speak, as it were; (auf gewisse Weise) in a way, to an extent.

⚠**Gewịßheit** f certainty ▸ *mit ~* with certainty; *wissen für certain or sure; sich* (dat) *~ verschaffen* to find out for certain.

Gewịtter nt - thunderstorm; (fig) storm.

Gewịtterluft f thundery atmosphere.

gewịttern* vi impers *es gewittert* it's thundering.

Gewịtter-: **~regen, ~schauer** m thundery shower; **~wolke** f thundercloud; (fig col) storm-cloud.

gewịttrig adj thundery.

gewịtzt adj crafty, cunning.

gewọben ptp of **weben**.

gewọgen [1] ptp of **wiegen²**.
[2] adj (geh) well-disposed (+dat towards).

gewöhnen* [1] vt *jdn an etw* (acc) *~* to accustom sb to sth; *an jdn/etw gewöhnt sein, jdn/etw gewöhnt sein* (col) to be used to sb/sth; *daran gewöhnt sein, etw zu tun* to be used to doing sth.
[2] vr *sich an jdn/etw ~* to get used to sb/sth; *sich daran ~, etw zu tun* to get used or accustomed to doing

sth.

Gewohnheit *f* habit ▸ *aus (lauter)* ~ from (sheer) force of habit; *die ~ haben, etw zu tun* to have a habit of doing sth; *das ist ihm zur ~ geworden* it's become a habit with him; *sich* (*dat*) *etw zur ~ machen* to make a habit of sth.

Gewohnheits-: **g~mäßig** ① *adj* habitual; ② *adv* (*ohne nachzudenken*) automatically; **~mensch** *m* creature of habit; **~recht** *nt* (*Jur*) common law; **~tier** *nt* (*col*) creature of habit; **~trinker** *m* habitual drinker; **~verbrecher** *m* persistent offender.

gewöhnlich ① *adj* ⓐ *attr* (*allgemein, üblich*) usual; (*normal*) normal; (*alltäglich*) everyday ▸ *ein ~er Sterblicher* an ordinary mortal. ⓑ (*pej: ordinär*) common. ② *adv* normally, usually ▸ *wie ~* as usual.

Gewöhnlichkeit *f* (*pej*) commonness.

gewohnt *adj* usual ▸ *etw* (*acc*) *~ sein* to be used to sth.

gewohntermaßen *adv* usually.

Gewöhnung *f no pl* (*das Sich-Gewöhnen*) habituation (*Sucht*), habit, addiction (*form*) ▸ *die ~ an etw* getting used to sth.

Gewölbe *nt* - (*Decken~*) vault; (*Keller~ auch*) vaults *pl*.

gewölbt *adj Stirn* domed; *Himmel, Decke* vaulted.

gewollt *adj* forced, artificial.

gewonnen *ptp of* **gewinnen.**

geworben *ptp of* **werben.**

geworden *ptp of* **werden.**

geworfen *ptp of* **werfen.**

gewrungen *ptp of* **wringen.**

Gewühl *nt no pl* (*Gedränge*) crowd, throng; (*Verkehrs~*) chaos, snarl-up (*col*).

gewunden ① *ptp of* **winden.** ② *adj Weg, Fluß etc* winding; *Erklärung* roundabout *no adv*, tortuous.

gewunken (*dial*) *ptp of* **winken.**

gewürfelt *adj* check(ed).

Gewürz *nt* -e spice; (*Kräutersorte*) herb; (*Pfeffer, Salz*) seasoning.

Gewürz-: **~bord** *nt* spice rack; **~gurke** *f* pickled gherkin; **~nelke** *f* clove; **~regal** *nt* spice rack; **~ständer** *m* cruet (set).

⚠ **gewußt** *ptp of* **wissen.**

Geysir ['gaizir] *m* -e geyser.

gez. = gezeichnet sgd.

gezackt *adj Fels* jagged; *Blatt* serrated.

gezähnt *adj* serrated; (*Tech*) cogged; *Briefmarke* perforated.

gezeichnet *adj* marked; (*als Straffälliger auch*) branded ▸ *vom Tode ~ sein* to have the mark of death on one.

Gezeiten *pl* tides *pl*.

Gezeiten-: **~kraftwerk** *nt* tidal power station; **~wechsel** *m* turn of the tide.

Gezeter *nt no pl* (*col: Schimpfen*) nagging.

gezielt *adj* purposeful; *Schuß* well-aimed; *Frage, Maßnahme etc* specific; *Werbung* selective, targetted; *Hilfe* well-directed ▸ *~ schießen* to shoot to kill.

geziemend *adj* proper.

geziert *adj* affected.

Geziertheit *f* affectedness.

gezogen *ptp of* **ziehen.**

Gezwitscher *nt no pl* chirruping, twitter(ing).

gezwungen ① *ptp of* **zwingen.** ② *adj* (*nicht entspannt*) forced; *Atmosphäre* strained; *Stil, Benehmen* stiff.

gezwungenermaßen *adv* of necessity ▸ *etw ~ tun* to be forced to do sth, to do sth of necessity.

GG = Grundgesetz.

ggf. = gegebenenfalls.

Ghana *nt* Ghana.

Ghanaer(in *f*) *m* - Ghanaian.

ghanaisch *adj* Ghanaian.

Gicht *f no pl* (*Med*) gout.

Giebel *m* - gable; (*Tür~, Fenster~*) pediment.

Giebel-: **~dach** *nt* gabled roof; **~fenster** *nt* gable window; **~haus** *nt* gabled house; **~wand** *f* gable end *or* wall.

Gier *f no pl* (*nach* for) greed; (*Lüsternheit*) lust.

gierig *adj* greedy; (*nach Geld*) avaricious; (*lüstern*) lustful ▸ *~ nach etw sein* to be greedy for sth; (*nach Macht auch, sexuell*) to lust for sth.

Gießbach *m* (mountain) torrent.

gießen *pret* **goß,** *ptp* **gegossen** ① *vt* ⓐ to pour; (*verschütten*) to spill; *Pflanzen* to water. ⓑ *Metall* to cast (*zu* into). ② *vi impers* to pour ▸ *es gießt in Strömen* it's pouring down.

Gießer *m* - (*Metall*) caster, founder.

Gießerei *f* (*Werkstatt*) foundry.

Gieß-: **~kanne** *f* watering can; **~kannenprinzip** *nt no pl* (*col*) principle of indiscriminate all-round distribution.

Gift *nt* -e (*lit, fig*) poison; (*Schlangen~, fig: Bosheit*) venom ▸ *~ nehmen* to poison oneself; (*fig*) *~ für ihn* (*col*) that is very bad for him; *darauf kannst du ~ nehmen* (*col*) you can bet your life on it (*col*); *~ und Galle spucken* (*col*) to be fuming.

giften *vi* (*col*) to be vitriolic (*gegen* about).

Gift-: **g~frei** *adj* non-toxic; **~gas** *nt* poison gas; **g~grün** *adj* bilious green; **g~haltig** *adj* poisonous, toxic.

giftig *adj* ⓐ (*Gift enthaltend*) poisonous; *Chemikalien etc auch* toxic. ⓑ (*fig*) (*boshaft*) venomous; (*zornig*) vitriolic. ⓒ (*grell*) bilious.

Giftigkeit *f* toxicity.

Gift-: **~mischer(in** *f*) *m* - preparer of poison; (*fig*) troublemaker; **~müll** *m* toxic waste; **~pfeil** *m* poisoned arrow; **~pilz** *m* poisonous toadstool; **~schlange** *f* poisonous snake; **~stoff** *m* toxic substance; **~wolke** *f* poisonous cloud; **~zahn** *m* fang; **~zwerg** *m* (*col*) spiteful little devil (*col*).

Giga- *pref* giga-.

Gigant *m* giant.

gigantisch *adj* gigantic, colossal.

Gilde *f* -n guild.

Gin [dʒin] *m* -s gin ▸ *~ tonic* gin and tonic.

ging *pret of* **gehen.**

Ginseng ['ginzɛŋ, 'ʒinzɛŋ] *m* -s ginseng.

Ginster *m* - (*Bot*) broom; (*Stech~*) gorse.

Gipfel *m* - ⓐ (*Berg~*) summit; (*Spitze*) peak. ⓑ (*fig: Höhepunkt*) height; (*des Ruhms, der Karriere auch*) peak ▸ *das ist der ~!* (*col*) that's the limit. ⓒ (*~konferenz*) summit.

Gipfel-: **~konferenz** *f* (*Pol*) summit conference; **~leistung** *f* crowning achievement.

gipfeln *vi* to culminate (*in* +*dat* in).

Gipfel-: **~punkt** *m* (*lit*) zenith; (*fig*) high point; **~stürmer** *m* (*liter*) conqueror of a/the peak; **~treffen** *nt* (*Pol*) summit (meeting).

Gips *m* -e plaster ▸ *einen Arm in ~ legen* to put an arm in plaster.

Gips- *in cpds* plaster; **~abdruck, ~abguß** ⚠ *m* plaster cast; **~bein** *nt* (*col*) leg in plaster.

gipsen *vt* to plaster; *Arm, Bein* to put in plaster.

Gipser *m* - plasterer.

Gips-: **~figur** *f* plaster (of Paris) figure; **~verband** *m* (*Med*) plaster cast.

Giraffe *f* -n giraffe.

Girlande *f* -n garland (*aus* of).

Giro ['ʒiːro] *nt* -s (*Fin*) (bank) giro; (*Indossament*) endorsement ▸ *durch ~* by giro.

Giro-: **~bank** *f* giro bank; **~konto** *nt* current (*Brit*) *or* checking (*US*) account; **~verkehr** *m* giro system; (*~ge-*

schäft) giro transfer (business).
girren *vi* (*lit, fig*) to coo.
Gis *nt* - (*Mus*) G sharp.
Gischt *m* -e *or f* -en spray.
Gitarre *f* -n guitar.
Gitarrespieler(in *f*) *m*, **Gitarrist(in** *f*) *m* guitarist.
Gitter *nt* - bars *pl*; (*vor Schaufenstern etc*) grille; (*in Fußboden, Straßendecke*) grid, grating; (*feines Draht~*) (wire) mesh.
Gitter-: ~**bett** *nt* cot (*Brit*), crib (*US*); ~**fenster** *nt* barred window; ~**stab** *m* bar; ~**zaun** *m* paling; (*mit gekreuzten Stäben*) lattice fence.
Glacéhandschuh [gla'se:-] *m* kid glove ▸ *jdn mit ~en anfassen* to handle sb with kid gloves.
Gladiator *m* gladiator.
Gladiole *f* -n (*Bot*) gladiolus.
Glanz *m no pl* gleam; (*von Oberfläche auch*) shine; (*Funkeln, von Augen*) sparkle; (*von Haaren, Seide*) sheen; (*von Farbe*) gloss; (*blendend: von Sonne*) glare; (*fig*) (*der Schönheit, Jugend*) radiance; (*von Ruhm*) glory; (*Pracht*) splendour (*Brit*), splendor (*US*) ▸ *mit ~ und Gloria* (*iro col*) in grand style; *eine Prüfung mit ~ bestehen* (*col*) to pass an exam with flying colours (*Brit*) *or* colors (*US*).
Glanz|abzug *m* (*Phot*) glossy *or* gloss print.
glänzen *vi* (*lit, fig*) to shine; (*glitzern*) to glisten; (*funkeln*) to sparkle; (*blenden*) to glare; (*Nase*) to be shiny ▸ *vor jdm ~ wollen* to want to shine in front of sb; *durch Abwesenheit ~* (*iro*) to be conspicuous by one's absence.
glänzend *adj* shining; (*strahlend*) radiant; (*blendend*) dazzling; (*glitzernd*) glistening; (*funkelnd*) sparkling; *Papier* glossy, shiny; *Stoff, Nase* shiny; (*fig*) brilliant; *Aussehen, Fest* dazzling; (*erstklassig*) splendid ▸ *in Form* (*col*) in splendid form; *wir haben uns ~ amüsiert* we had a wonderful time; *mir geht es ~* I'm just fine.
Glanz-: ~**lack** *m* gloss (paint); ~**leistung** *f* brilliant achievement; **g~los** *adj* (*lit, fig*) dull; *Lack, Oberfläche* matt; ~**nummer** *f* big number, pièce de résistance; ~**papier** *nt* glossy paper; ~**punkt** *m* (*fig*) highlight, high spot; ~**stück** *nt* pièce de résistance; **g~voll** *adj* (*fig*) brilliant; (*prachtvoll*) glittering; ~**zeit** *f* heyday.
Glas *nt* -er *or* (*als Maßangabe*) - **a** (*Stoff, Gefäß*) glass; (*Konserven~*) jar ▸ *ein ~ Milch* a glass of milk; *ein ~ Marmelade* a jar of jam; *zwei ~ Wein* two glasses of wine; *zu tief ins ~ schauen* (*col*) to have one too many. **b** (*Brillen~*) lens *sing*; (*Fern~*) binoculars *pl*.
Glas- *in cpds* glass; ~**bläser** *m* glassblower; ~**bruch** *m* broken glass.
Gläschen ['glɛːsçən] *nt dim of* **Glas** (*Getränk*) little drink.
Glascontainer *m* bottle bank.
Glaser *m* - glazier.
Glaserei *f* **a** *no pl* (*Handwerk*) glasswork. **b** (*Werkstatt*) glazier's workshop.
gläsern *adj* glass; (*fig: durchschaubar*) transparent.
Gläsertuch *nt* glasscloth.
Glas-: ~**fabrik** *f* glassworks *sing or pl*; ~**faser** *f* fibreglass (*Brit*), fiberglass (*US*); ~**faserkabel** *nt* optical fibre (*Brit*) *or* fiber (*US*) cable; ~**faseroptik** *f* fibre (*Brit*) *or* fiber (*US*) optics; ~**fenster** *nt* glass window; ~**fiber** *f* = ~**faser**; ~**fiberstab** *m* (*Sport*) fibreglass (*Brit*) *or* fiberglass (*US*) pole; ~**form** *f* glass mould; (*Backform*) glass *or* Pyrex ® dish; ~**geschirr** *nt* glassware; ~**haus** *nt* greenhouse; (*in botanischen Gärten etc*) glasshouse; *wer (selbst) im ~haus sitzt, soll nicht mit Steinen werfen* (*Prov*) people who live in glass houses shouldn't throw stones (*Prov*).
glasieren* *vt* to glaze; *Kuchen* to ice, to frost (*US*).
glasig *adj Blick* glassy; (*Cook*) *Kartoffeln* waxy; *Speck, Zwiebeln* transparent.

Glas-: ~**kasten** *m* glass case; (*in Fabrik, Büro*) glass box; **g~klar** *adj* (*lit*) clear as glass; (*fig*) crystal-clear; ~**kugel** *f* glass ball; (*Murmel*) marble.
Glasnost *f no pl* glasnost.
Glas-: ~**perle** *f* glass bead; ~**platte** *f* glass top; ~**scheibe** *f* sheet of glass; (*Fenster~*) pane of glass; ~**scherbe** *f* piece of broken glass; ~**scherben** broken glass; ~**schneider** *m* glass cutter; ~**schrank** *m* glass-fronted cupboard; ~**splitter** *m* splinter of glass.
Glasur *f* glaze; (*Metall*) enamel; (*Zuckerguß*) icing, frosting (*US*).
Glas-: ~**waren** *pl* glassware *sing*; ~**wolle** *f* glass wool.
glatt *comp* -er *or* =er, *superl* -este(r, s) *or* =este(r, s) *or* (*adv*) am -esten *or* =esten **1** *adj* **a** (*eben*) smooth; *Haar* straight; (*Med*) *Bruch* clean; (*faltenlos*) *Stoff* uncreased. **b** (*schlüpfrig*) slippery. **c** (*fig*) *Landung, Ablauf* smooth. **d** *attr* (*col: klar, eindeutig*) outright; *Lüge, Unsinn etc auch* downright. **e** (*pej: allzu gewandt*) smooth, slick.
2 *adv* **a** smoothly ▸ *er hat sich ~ aus der Affäre gezogen* he wriggled neatly out of the whole affair. **b** (*ganz, völlig*) completely; *leugnen, ablehnen* flatly ▸ *die Rechnung ist ~ aufgegangen* the sum works out exactly.
Glätte *f no pl* smoothness (*auch fig*); (*von Haar*) sleekness; (*Schlüpfrigkeit*) slipperiness.
Glatt|eis *nt* ice ▸ *„Vorsicht ~!"* "danger, black ice"; *sich auf ~ begeben* (*fig*) to be skating on thin ice; *jdn aufs ~ führen* (*fig*) to take sb for a ride (*col*).
glätten **1** *vt* (*glattmachen*) to smooth out; (*glattstreichen*) *Haar, Tuch* to smooth. **2** *vr* to smooth out; (*Wellen, fig*) to subside.
glatt-: ~**gehen** ⚠ *vi sep irreg aux sein* to go smoothly; ~**hobeln** ⚠ *vt sep* to plane smooth; ~**kämmen** ⚠ *vt sep* to comb straight; ~**rasiert** ⚠ *adj Mann, Kinn* cleanshaven; *Beine* shaved; ~**schleifen** ⚠ *vt sep irreg* to rub smooth; *Diamanten etc* to grind smooth; ~**schneiden** ⚠ *vt sep irreg* to cut straight; ~**streichen** ⚠ *vt sep irreg* to smooth out; *Haare* to smooth (down); ~**weg** ['glatvɛk] *adv* (*col*) simply, just; *das ist ~weg erlogen* that's a blatant lie.
Glatze *f* -n bald head ▸ *eine ~ bekommen/haben* to go/be bald.
Glatz-: ~**kopf** *m* bald head; (*col: Mann mit Glatze*) baldie (*col*); **g~köpfig** *adj* bald(-headed).
Glaube(n) *m no pl* (*Vertrauen, Rel*) faith (*an +acc* in); (*Überzeugung*) belief (*an +acc* in) ▸ *in gutem ~n* in good faith; (*bei jdm*) *~n finden* to be believed (by sb); *den ~n an jdn/etw verlieren* to lose faith in sb/sth; *jdm ~n schenken* to give credence to sb.
▼ **glauben** *vti* to believe (*an +acc* in); (*meinen, vermuten*) to think ▸ *jdm ~* to believe sb; *das glaube ich dir nicht* I don't believe you; *glaube es mir* believe me; *jdm (etw) aufs Wort ~* to take sb's word (for sth); *d(a)ran ~ müssen* (*col*) to cop it (*col*); (*sterben auch*) to buy it (*col*); (*etw Unangenehmes machen müssen*) to draw the short straw; *das glaubst du doch selbst nicht!* you can't be serious; *ob du es glaubst oder nicht, ...* believe it or not ...; *wer's glaubt, wird selig* (*iro*) a likely story (*iro*); *wer hätte das je geglaubt!* who would have thought it?; *er glaubte sich unbeobachtet* he thought nobody was watching him; *es ist nicht zu ~* it's incredible *or* unbelievable; *ich glaube, ja* I think so; *ich glaube, nein* I don't think so.
Glaubens-: ~**bekenntnis** *nt* creed; ~**eifer** *m* religious zeal; ~**frage** *f* question of faith; ~**freiheit** *f* religious freedom; ~**gemeinschaft** *f* religious sect; (*christliche auch*) denomination; ~**kampf** *m* religious battle; ~**satz** *m* dogma, doctrine; ~**streit** *m* religious controversy.
glaubhaft *adj* credible, believable; (*einleuchtend*) plau-

➤ SATZBAUSTEINE: **glauben** → 2.2, 3

sible ▸ *(jdm) etw ~ machen* to satisfy sb of sth.
Glaubhaftigkeit *f no pl* credibility; (*Evidenz*) plausibility.
gläubig *adj* religious; (*vertrauensvoll*) trusting.
Gläubige(r) *mf decl as adj* believer ▸ *die ~n* the faithful.
Gläubiger(in *f) m -* (*Comm*) creditor.
glaublich *adj: kaum ~* scarcely credible.
glaubwürdig *adj* credible ▸ *~e Quellen* reliable sources.
Glaubwürdigkeit *f no pl* credibility.
Glaukom *nt -e* (*Med*) glaucoma.
gleich ⊡ *adj* (*identisch, ähnlich*) same; (*~wertig, ~berechtigt, Math*) equal ▸ *die/das ~e ... wie* the same ... as; *in ~em Abstand* at an equal distance; *zu ~en Teilen* in equal parts; *in ~er Weise* in the same way; *mit ~er Post* with the same post; *das ~e, aber nicht dasselbe Auto* the same (type of) car, but not the identical one; *wir wollten alle das ~e* we all wanted the same thing; *es waren die ~en, die ...* it was the same ones who/which ...; *zwei mal zwei (ist) ~ vier* two times two equals *or* is four; *jdm (an etw dat) ~ sein* to be sb's equal (in sth); *ihr Männer seid doch alle ~!* you men are all the same!; *es ist mir (alles or ganz) ~* it's all the same to me; *ganz ~ wer/was etc* no matter who/what *etc*, *G~es mit G~em vergelten* to repay like with like; *~ und ~ gesellt sich gern* (*Prov*) birds of a feather flock together (*Prov*).
⊡ *adv* ⓐ (*ebenso*) equally; (*auf ~e Weise*) alike, the same ▸ *sie sind ~ groß/alt* they are the same size/age.
ⓑ (*räumlich*) immediately, just ▸ *~ hinter dem Haus* just behind the house.
ⓒ (*sofort*) immediately, right away; (*bald*) in a minute ▸ *~ zu or am Anfang* at the very beginning; *~ danach* right after(wards); *ich komme ~* I'm just coming; *es ist ~ drei Uhr* it's very nearly three o'clock; *das habe ich mir ~ gedacht* I thought that straight away; *warum nicht ~ so?* why didn't you say/do that in the first place?; *wann machst du das? — ~!* when are you going to do it? — in just a moment; *so wirkt das Bild ~ ganz anders* that immediately makes the picture look quite different; *er ging ~ in die Küche* he went straight into the kitchen; *bis ~!* see you in a while.
ⓓ (*in Fragesätzen*) again ▸ *wie war doch ~ Ihr Name?* what was your name again?
Gleich-: g~altrig *adj* (of) the same age; **g~artig** ⊡ *adj* of the same kind (+*dat* as); (*ähnlich*) similar (+*dat* to); ⊡ *adv* in the same way; similarly; **~artigkeit** *f* similarity; **g~auf** *adv* (*esp Sport*) equal; **g~auf liegen** to be lying equal; **g~bedeutend** *adj* synonymous (*mit* with); (*so gut wie*) tantamount (*mit* to); **~behandlung** *f* equal treatment; **g~berechtigt** *adj* with equal rights; **g~berechtigt sein** to have equal rights; **~berechtigung** *f* equal rights *sing or pl*, equality (+*gen, von* for); **g~bleiben** ⚠ *sep irreg aux sein* ⊡ *vi* to remain the same; ⊡ *vr sich* (*dat*) **g~bleiben** (*Mensch*) to remain the same; *das bleibt sich g~* it doesn't matter; **g~bleibend** ⚠ *adj* constant, steady; *bei g~bleibendem Gehalt* when one's salary stays the same; *g~bleibend gute Qualität* consistent(ly) good quality.
gleichen *pret* glich, *ptp* geglichen *vi jdm/einer Sache ~* to be like sb/sth; *sich ~* to be alike.
gleichermaßen *adv* equally.
Gleich-: g~falls *adv* (*ebenfalls*) likewise; (*auch*) also; *danke g~falls!* thank you, (and) the same to you; **g~farbig** *adj* (of) the same colour (*Brit*) *or* color (*US*); **g~förmig** *adj* (*einheitlich, fig: eintönig*) uniform (*auch Phys*); **~förmigkeit** *f* uniformity; **g~geschlechtig** *adj* (*Biol, Zool*) of the same sex, same-sex *attr*; **g~geschlechtlich** *adj* ⓐ homosexual; ⓑ =

g~geschlechtig; **g~gesinnt** ⚠ *adj* like-minded; **g~gestellt** ⚠ *adj* equal (+*dat* to, with), on a par (+*dat* with); *rechtlich g~gestellt* equal in law.
Gleichgewicht *nt no pl* (*lit, fig*) balance, equilibrium ▸ *das ~ verlieren* to lose one's balance; (*fig*) to be thrown off balance; *das ~ (be)halten* (*lit*) to keep one's balance; (*fig*) to retain one's equilibrium; *jdn aus dem ~ bringen* to throw sb off balance.
gleichgewichtig *adj* balanced.
Gleichgewichts-: ~organ *nt* organ of equilibrium; **~sinn** *m* sense of balance; **~störung** *f* impaired balance.
gleichgültig *adj* indifferent (*gegenüber* to, towards); (*uninteressiert*) apathetic (*gegenüber* towards); (*unwesentlich*) trivial ▸ *Politik ist ihm ~* he doesn't care about politics; *~, was er tut* no matter what he does; *er war ihr nicht ~ geblieben* he did mean something to her.
Gleichgültigkeit *f* indifference (*gegenüber* to, towards); (*Desinteresse*) apathy (*gegenüber* towards).
Gleichheit *f* ⓐ *no pl* (*gleiche Stellung*) equality; (*Identität*) identity; (*Übereinstimmung*) uniformity; (*Ind*) parity. ⓑ (*Ähnlichkeit*) similarity.
Gleichheits-: ~grundsatz *m*, **~prinzip** *nt* principle of equality; **~zeichen** *nt* (*Math*) equals sign.
Gleich-: ~klang *m* (*fig*) harmony, accord; **g~kommen** *vi sep irreg aux sein* +*dat* ⓐ *niemand kommt ihm an Dummheit g~* no-one can equal him for stupidity; ⓑ (*g~bedeutend sein mit*) to be tantamount *or* equivalent to; **~lauf** *m no pl* (*Tech*) synchronization; **g~laufend** *adj* parallel (*mit* to); (*Tech*) synchronized; **g~lautend** ⚠ *adj* identical; **~macherei** *f* (*pej*) levelling down (*pej*), egalitarianism; **~maß** *nt no pl* ⓐ (*Ebenmaß*) evenness; (*von Proportionen*) symmetry; ⓑ (*Eintönigkeit*) monotony (*pej*), regularity; **g~mäßig** *adj* even, regular; *Puls auch* steady; *Abstände* regular; *etw g~mäßig verteilen* to distribute sth equally; *die Farbe g~mäßig auftragen* to apply the paint evenly; **~mäßigkeit** *f siehe adj* evenness, regularity; steadiness; regularity; **~mut** *m* equanimity, serenity.
Gleichnis *nt* ⓐ (*Liter*) simile. ⓑ (*Allegorie*) allegory; (*Bibl*) parable.
Gleich-: g~rangig *adj Beamte etc* equal in rank (*mit* to), at the same level (*mit* as); *Probleme etc* equally important; **g~richten** *vt sep* (*Elec*) to rectify; **~richter** *m* (*Elec*) rectifier.
gleichsam *adv* (*geh*) as it were ▸ *~, als ob* just as if.
Gleich-: g~schalten *vt sep* (*pej*) to bring into line; **~schaltung** *f* (*pej*) bringing into line; **g~schenk(e)lig** *adj Dreieck* isosceles; **~schritt** *m no pl* (*Mil*) marching in step; *im ~schritt* (*lit, fig*) in step; *im ~schritt, marsch!* forward march!; **g~seitig** *adj Dreieck* equilateral; **g~setzen** *vt sep* (*als dasselbe ansehen*) to equate (*mit* with); (*als gleichwertig ansehen*) to treat as equivalent (*mit* to); **~stand** *m no pl* ⓐ (*Sport*) *den ~stand erzielen* to draw level; *das Spiel wurde beim ~stand von 4:4 beendet* the game ended in a four-all draw; ⓑ (*Pol*) equal stage of development; **g~stellen** *vt sep* ⓐ (*rechtlich etc*) to treat as equal; *siehe* **gleichgestellt**; ⓑ = **g~setzen**; **~stellung** *f no pl* (*rechtlich etc*) equality (+*gen* of, for), equal status (+*gen* of, for); **~strom** *m* (*Elec*) direct current, DC; **g~tun** *vt impers sep irreg es jdm g~tun* to equal *or* match sb.
Gleichung *f* equation.
Gleich-: g~viel *adv* (*geh*) nonetheless; **g~viel ob** no matter whether; **g~wertig** *adj* of the same value; (*gleich zu bewerten*) *Leistung, Qualität* equal (+*dat* to); *Gegner* evenly matched; **g~wohl** (*geh*) *adv* nevertheless, nonetheless; **g~zeitig** *adj* simultaneous; *ihr sollt nicht alle g~zeitig reden* you mustn't all speak at the same

---

time; **~zeitigkeit** *f* simultaneity; **g~ziehen** *vi sep irreg* (*col*) to catch up (*mit* with).

Gleis *nt* **-e** (*Rail*) line, track; (*einzelne Schiene*) rail; (*Bahnsteig*) platform ▶ **~ 6** platform *or* track (*US*) 6; *aus dem ~ springen* to jump the rails; *aus dem ~ kommen* (*fig*) to go off the rails (*col*); *jdn aus dem ~ bringen* (*fig*) to put sb off his/her stroke; *wieder ins richtige ~ kommen* (*fig*) to get back on the rails (*col*); *in ausgefahrenen ~en* (*fig*) in a rut.

Gleis-: **~arbeiten** *pl* work on the line; **~bau** *m no pl* railway (*Brit*) *or* railroad (*US*) construction; **~kettenfahrzeug** *nt* caterpillar vehicle; **~körper** *m* railway (*Brit*) *or* railroad (*US*) track.

gleißen *vi* (*liter*) to gleam, to glisten.

gleiten *pret* **glitt**, *ptp* **geglitten** *vi aux sein* [a] to glide; (*Blick*) to pass; (*Hand auch*) to slide ▶ *ein Lächeln glitt über ihr Gesicht* a smile flickered across her face. [b] (*rutschen*) to slide; (*Auto*) to skid; (*ent~: Gegenstand*) to slip ▶ *ins G~ kommen* to start to slide *or* slip.

gleitend *adj* **~e Löhne** sliding wage scale; **~e Arbeitszeit** flexible working hours *pl*, flex(i)time.

Gleit-: **~flug** *m* glide; *im ~flug niedergehen* to glide down; **~klausel** *f* (*Comm*) escalator clause; **~komma** *nt* (*Maths*) floating point; **~schirm** *m* hang-glider; **~zeit** *f* flex(i)time.

Gletscher *m* - glacier.

Gletscher-: **~bach** *m* glacial stream; **~spalte** *f* crevasse; **~wasser** *nt* glacier water.

glich *pret of* **gleichen**.

Glied *nt* **-er** [a] (*Körperteil*) limb; (*Finger~, Zehen~*) joint ▶ *seine ~er recken* to stretch (oneself); *das steckt ihr noch in den ~ern* she still hasn't got over it. [b] (*Penis*) penis. [c] (*Ketten~, fig*) link. [d] (*Teil*) section, part. [e] (*Mil*) rank ▶ *ins ~ zurücktreten* to step back into the ranks.

gliedern [1] *vt* [a] (*ordnen*) to order, to organize. [b] (*unterteilen*) to (sub)divide (*in +acc* into). [2] *vr sich ~ in* (*+acc*) to (sub)divide into.

Glieder-: **~puppe** *f* jointed doll; (*Marionette*) (string) puppet, marionette; **~reißen** *nt*, **~schmerz** *m* rheumatic pains *pl*.

Gliederung *f* [a] (*das Gliedern*) organization; (*das Unterteilen*) subdivision. [b] (*Aufbau*) structure.

Glied-: **~maßen** *pl* limbs *pl*; **~satz** *m* (*Ling*) subordinate clause; **~staat** *m* member state.

glimmen *pret* **glomm**, *ptp* **geglommen** *vi* to glow.

⚠ **Glimmstengel** *m* (*hum col*) fag (*Brit col*), cigarette, butt (*US col*).

glimpflich *adj* (*mild*) mild, light ▶ **~ davonkommen** to get off lightly; **~ ablaufen** *or* **verlaufen** to pass off without serious consequences.

glitschen *vi aux sein* (*col*) to slip (*aus* out of).

glitschig *adj* (*col*) slippery, slippy (*col*).

glitt *pret of* **gleiten**.

glitzern *vi* to glitter; (*Stern auch*) to twinkle.

global *adj* [a] (*weltweit*) global, worldwide. [b] (*ungefähr, pauschal*) general.

Globetrotter *m* - globetrotter.

Globus *m*, *pl* **Globen** *or* **-se** globe; (*col: Kopf*) nut (*col*).

Glöckchen *nt* (little) bell.

Glocke *f* **-n** (*auch Blüte*) bell; (*Käse~ etc*) cover; (*Taucher~*) (diving) bell ▶ *etw an die große ~ hängen* (*col*) to shout sth from the rooftops.

Glocken-: **~blume** *f* bellflower, campanula; **g~förmig** *adj* bell-shaped; **~geläut(e)** *nt* (peal of) bells; **~klöppel** *m* clapper; **~läuten** *nt* (peal of) bells; **~schlag** *m* stroke (of a/the bell); (*von Uhr auch*) chime; **~spiel** *nt* (*in Turm*) carillon; (*automatisch auch*) chimes *pl*; (*Instrument*) glockenspiel; **~strang** *m* bell rope; **~stuhl** *m* bell cage; **~ton** *m* sound of a/the bell; **~turm** *m* belfry.

Glöckner *m* - bellringer.

glomm *pret of* **glimmen**.

glorifizieren* *vt* to glorify.

Glorifizierung *f* glorification.

glorreich *adj* glorious ▶ *seine Laufbahn ~ beenden* to bring one's career to a glorious conclusion.

Glossar *nt* **-e** glossary.

Glosse *f* **-n** [a] (*Press, Rad etc*) satirical commentary. [b] (*col*) *seine ~n über jdn/etw machen* (*col*) to make snide comments about sb/sth (*col*).

glossieren* *vt* (*Press, Rad etc*) to do a satirical commentary on.

Glotzaugen *pl* (*col*) goggle eyes ▶ **~ machen** to stare (goggle-eyed), to gawp.

Glotze *f* **-n** (*col*) goggle-box (*col*).

glotzen *vi* (*pej col*) to gape (*auf, in +acc* at).

Glück *nt no pl* [a] luck ▶ *ein ~!* how lucky!, what a stroke of luck!; *~/kein ~ haben* to be lucky/unlucky; *er hat das ~ gehabt, zu ...* he was lucky enough to ...; *auf gut ~* (*aufs Geratewohl*) on the off-chance; (*unvorbereitet*) trusting to luck; (*wahllos*) at random; *du hast ~ im Unglück gehabt* it could have been a great deal worse (for you); *viel ~ (bei...)!* good luck *or* the best of luck (with ...)!; *~ bei Frauen haben* to be successful with women; *jdm zum Geburtstag ~ wünschen* to wish sb (a) happy birthday; *zum ~* luckily, fortunately; *das ist dein ~!* that's lucky for you!; *mehr ~ als Verstand haben* to have more luck than brains; *sie weiß noch nichts von ihrem ~* (*iro*) she doesn't know what she's in for; *damit wirst du bei ihr kein ~ haben* you won't have any joy with her (with that) (*col*); *sein ~ machen* to make one's fortune; *sein ~ probieren* to try one's luck; *er kann von ~ sagen, daß ...* he can count himself lucky that ...; *das hat mir gerade noch zu meinem ~ gefehlt!* (*iro*) that was all I wanted; *manche Leute muß man zu ihrem Glück zwingen* some people need persuading of their own luck; *man kann niemanden zu seinem ~ zwingen* (*prov*) you can lead a horse to water but you can't make him drink (*prov*).

[b] (*Freude*) happiness ▶ *eheliches ~* wedded *or* marital bliss; *er ist ihr ganzes ~* he means the world to her.

Glück-: **~auf** *nt no pl* (cry of) "good luck"; **g~bringend** ⚠ *adj* lucky, propitious (*form*).

Glucke *f* **-n** (*Bruthenne*) broody hen; (*mit Jungen*) mother hen.

glucken *vi* (*brüten*) to brood; (*fig col*) to sit around.

glücken *vi aux sein* to be successful ▶ *nicht ~* to be a failure; *ihm glückt alles/nichts* everything/nothing goes right for him; *es wollte nicht ~* it wouldn't go right.

gluckern *vi* to glug.

glücklich [1] *adj* [a] (*froh*) happy ▶ *ein ~es Ende* a happy ending; **~ machen** to bring happiness. [b] (*erfolgreich, vom Glück begünstigt*) lucky, fortunate; (*vorteilhaft, erfreulich*) happy ▶ *~e Reise!* have a pleasant journey! [2] *adv* [a] (*froh, selig*) happily. [b] (*mit Glück*) by luck; (*vorteilhaft, erfreulich*) happily. [c] (*col: endlich, zu guter Letzt*) finally, eventually.

glücklicherweise *adv* luckily, fortunately.

glücklos *adj* hapless, luckless.

Glücks-: **~bote** *m* bearer of (the) glad tidings; **~bringer** *m* - (*Talisman*) lucky charm.

glückselig *adj* blissful.

Glückseligkeit *f* bliss, rapture.

glucksen *vi* [a] (*Kleinkind*) to gurgle; (*Erwachsener*) to chortle. [b] (*gluckern*) to glug.

Glücks-: **~fall** *m* stroke of luck; *durch einen ~fall* by a lucky chance; **~gefühl** *nt* feeling of happiness; **~kind** *nt* lucky person, child of fortune (*liter*); **~klee** *m* four-leaf clover; **~pilz** *m* lucky beggar (*col*); **~rad** *nt* wheel of fortune; **~ritter** *m* adventurer; **~sache** *f das ist ~sache* it's a matter of luck; *das war reine ~sache* it was pure luck *or* a pure fluke (*col*); **~spiel** *nt* game of chance; **~spieler** *m* gambler; **~stern** *m* lucky star; **~strähne** *f* lucky streak; **~tag** *m* lucky day.

glückstrahlend *adj* beaming (with happiness).

Glücks-: ~treffer *m* stroke of luck; (*beim Schießen, Ftbl*) lucky shot, fluke (*col*); **~zahl** *f* lucky number.

Glückwunsch *m* ¨e congratulations *pl* (*zu* on) ► *herzlichen ~* congratulations; *herzlichen ~ zum Geburtstag!* happy birthday, many happy returns (of the day).

Glüh- (*Elec*): **~birne** *f* (electric) light bulb; **~draht** *m* filament.

glühen 1 *vi* to glow ► *vor Fieber ~* to be flushed with fever.
2 *vt* to heat until red-hot.

glühend *adj* glowing; (*heiß~*) *Metall* red-hot; *Hitze* blazing; (*fig: leidenschaftlich*) ardent; *Haß* burning; *Wangen* flushed, burning.

Glüh-: ~faden *m* (*Elec*) filament; **~lampe** *f* (*form*) electric light bulb; **~wein** *m* glühwein, mulled wine; **~würmchen** *nt* glow-worm; (*fliegend*) firefly.

Glukose *f* -n glucose.

Glut *f* -en a (*glühende Masse, Kohle*) embers *pl*; (*Tabaks~*) burning ash; (*Hitze*) heat. b (*fig liter*) (*glühende Farbe, Hitze*) glow; (*Leidenschaft*) ardour (*Brit*), ardor (*US*).

Glut-: ~hitze *f* sweltering heat; **g~rot** *adj* (*liter*) fiery red.

Glyzerin *nt no pl* (*Chem*) glycerin(e).

Glyzinie [-iə] *f* wisteria.

GmbH [ge:ɛmbe:'ha:] *f* -s = **Gesellschaft mit beschränkter Haftung** limited company, Ltd (*Brit*), Inc (*US*).

Gnade *f* -n (*Barmherzigkeit*) mercy; (*Rel*) grace; (*Gunst*) favour (*Brit*), favor (*US*); (*Verzeihung*) pardon ► *um ~ bitten* to ask for mercy; *bei jdm ~ finden* to find favour with sb; *~ vor Recht ergehen lassen* to temper justice with mercy; *ohne ~* without mercy; *~!* mercy!; *Euer ~n!* (*Hist*) Your Grace; *die ~ haben, etw zu tun* (*iro*) to graciously consent to do sth.

gnaden *vi: (dann) gnade dir Gott!* (then) God *or* heaven help you!

Gnaden-: ~akt *m* act of mercy; **~brot** *nt no pl jdm/ einem Tier das ~brot geben* to keep sb/an animal in his/her/its old age; *einem Pferd das ~brot geben* to put a horse out to grass; **~frist** *f* (temporary) reprieve; *eine ~frist von 24 Stunden* 24 hours' grace; **~gesuch** *nt* plea for clemency; **g~los** *adj* merciless; **~losigkeit** *f* mercilessness; **~schuß** ⚠ *m einem Tier den ~schuß geben* to put an animal out of its misery; **~stoß** *m* coup de grâce (*with sword etc, fig*); **~tod** *m* (*geh*) mercy killing, euthanasia.

gnädig *adj* (*barmherzig*) merciful; (*herablassend*) gracious; *Strafe* lenient; (*freundlich*) kind ► *~es Fräulein* (*dated*) madam; (*jüngere Dame*) miss; *~e Frau* (*form*) madam, ma'am; *~er Gott!* (*col*) merciful heavens! (*col*); *Gott sei uns ~!* (*geh*) Lord preserve us; *sei doch so ~, und mach mal Platz!* (*iro*) would you be so good as to make some room?; *es ~ machen* to show leniency.

Gnom *m* (*wk*) -en, -en gnome.

Gnu *nt* -s (*Zool*) gnu.

Gobelin [gobə'lɛ̃] *m* -s tapestry, Gobelin.

Gockel *m* - (*esp S Ger*) cock; (*fig*) old goat (*col*).

Go-Kart *m* -s kart, go-cart.

Gold *nt no pl* (*lit, fig*) gold ► *nicht mit ~ zu bezahlen or aufzuwiegen sein* to be worth one's weight in gold; *ein Herz aus ~* a heart of gold; *er hat ~ in der Kehle* he has a golden voice; *es ist nicht alles ~, was glänzt* (*Prov*) all

that glitters is not gold (*Prov*).

Gold- *in cpds* gold; (*von Farbe*) golden; **~ader** *f* vein of gold; **~barren** *m* gold ingot; **~barsch** *m* (*Rotbarsch*) rosefish; **g~blond** *adj* golden blond.

golden *adj attr* (*lit, fig*) golden; (*aus Gold*) gold ► *~e Schallplatte* gold disc; *~er Humor* irrepressible sense of humour; *~e Worte* words of wisdom; *ein ~es Herz haben* to have a heart of gold; *die ~e Mitte wählen* to strike a happy medium; *~e Hochzeit* golden wedding (anniversary); *das G~e Zeitalter* (*Myth, fig*) the golden age; *der Tanz ums G~e Kalb* (*fig*) the worship of Mammon.

Gold-: g~farben, g~farbig *adj* golden, gold-coloured (*Brit*), gold-colored (*US*); **~fisch** *m* goldfish; **~gräber(in** *f*) *m* gold-digger; **~grube** *f* (*lit, fig*) goldmine; **~hamster** *m* (golden) hamster.

goldig *adj* (*fig col: allerliebst*) sweet, cute (*col*) ► *du bist vielleicht ~!* (*iro*) the ideas you get!

Gold-: ~junge *m* (*col*) golden boy (*col*); **~klumpen** *m* gold nugget; **~lack** *m* a (*Bot*) wallflower; b (*Glanzlack*) gold lacquer.

Goldmedaille *f* gold medal.

Goldmedaillengewinner *m* gold medallist (*Brit*) *or* medalist (*US*).

Gold-: ~mine *f* gold mine; **~rausch** *m* gold fever; **~regen** *m* (*Bot*) laburnum; (*Feuerwerkskörper*) Roman candle; (*fig*) riches *pl*; **~reserve** *f* (*Fin*) gold reserves *pl*; **g~richtig** *adj* (*col*) absolutely *or* dead (*col*) right; *Mensch* all right (*col*); **~schatz** *m* gold treasure; (*von Geld*) hoard of gold; **~schmied** *m* goldsmith; **~schnitt** *m no pl* gilt edging; **~stück** *nt* piece of gold; (*fig col*) treasure; **~sucher(in** *f*) *m* gold-hunter; **~waage** *f* gold *or* bullion balance; *jedes Wort auf die ~waage legen* (*sich vorsichtig ausdrücken*) to weigh one's words; (*überempfindlich sein*) to be hypersensitive; **~währung** *f* gold standard; **~zahn** *m* gold tooth.

Golf[1] *m* -e (*Meerbusen*) gulf.

Golf[2] *nt no pl* (*Sport*) golf.

Golfer(in *f*) *m* - (*col*) golfer.

Golf- *in cpds* (*Sport*) golf; **~krieg** *m* Gulf War; **~platz** *m* golf course; **~schläger** *m* golf club; **~spieler** *m* golfer; **~staaten** *pl die ~staaten* the Gulf States *pl*; **~strom** *m* (*Geog*) Gulf Stream.

Gondel *f* -n gondola.

gondeln *vi aux sein* (*col*) (*reisen*) to travel around; (*herumfahren*) to drive around ► *durch die Welt ~* to go globetrotting (*col*).

Gondoliere [gɔndo'lieːrə] *m*, *pl* **Gondolieri** gondolier.

Gong *m* -s gong; (*bei Boxkampf etc*) bell.

Gongschlag *m* stroke of the gong.

gönnen *vt jdm etw ~* not to begrudge sb sth; (*zuteil werden lassen*) to allow sb sth; *jdm etw nicht ~* to begrudge sb sth; not to allow sb sth; *sich* (*dat*) *etw ~* to allow oneself sth; *er gönnte mir keinen Blick* he didn't spare me a single glance; *ich gönne ihm diesen Erfolg von ganzem Herzen* I'm delighted for him that he's had this success; *das sei ihm gegönnt* I don't begrudge him that.

Gönner(in *f*) *m* - patron.

Gönner-: g~haft *adj* (*pej*) patronizing; *g~haft tun* to play the big benefactor; **~miene** *f* (*pej*) patronizing air.

gor *pret of* **gären.**

Gör *nt* -en (*N Ger col*) a (*kleines Kind*) brat (*pej col*), kid (*col*). b (*auch Göre: Mädchen*) (cheeky *or* saucy) little miss.

Gorilla *m* -s gorilla; (*col: Leibwächter*) heavy (*col*).

Gosche *f* -n (*esp S Ger pej*) gob (*col*), mouth ► *halt die ~!* shut your mouth *or* gob (*col*).

⚠ **goß** *pret of* **gießen.**

Gosse *f* -n (*Rinnstein, fig*) gutter ► *in der ~ enden or*

---

landen to end up in the gutter.

Gossensprache *f* gutter language.

Gote *m (wk)* -n, -n, **Gotin** *f* Goth.

Gotik *f no pl (Art)* Gothic (style); *(Epoche)* Gothic period.

gotisch *adj* Gothic.

Gott *m* ̈-er [a] god; *(als Name)* God ▶ ~ *der Herr* the Lord God; ~ *der Allmächtige* Almighty God; *der liebe* ~ the dear Lord; *er ist ihr* ~ she worships him like a god; *bei* ~ *schwören* to swear by Almighty God.

[b] *dein Schicksal liegt in ~es Hand* your fate is in God's hands; *dem lieben* ~ *den Tag stehlen* to laze the day(s) away; *den lieben* ~ *einen guten Mann sein lassen* (*col*) to take things as they come; *wie* ~ *ihn geschaffen hat* (*hum col*) as naked as the day he was born; *ein Bild für die* ̈*er* (*hum col*) a sight for sore eyes; *das wissen die* ̈*er* (*col*) God (only) knows; *ich bin weiß* ~ *nicht prüde, aber ...* God knows I'm no prude but ...; *so* ~ *will* (*geh*) God willing, D.V.; ~ *und die Welt* (*fig*) everybody; *über* ~ *und die Welt reden* (*fig*) to talk about everything under the sun; *leider ~es* alas; *wie* ~ *in Frankreich leben* (*col*) to be in clover.

[c] *grüß* ~! (*esp S Ger, Aus*) hello, good morning/afternoon/evening; ~ *hab' ihn selig!* God have mercy on his soul; *in* ~*es Namen!* for heaven's sake!; *ach (du lieber)* ~! (*col*) oh Lord! (*col*); *großer* ~! good God!; *bei* ~! by God!; ~ *behüte or bewahre!, da sei* ~ *vor!* God or Heaven forbid!; *um* ~*es willen!* for heaven's or God's sake!; ~ *sei Dank!* thank God!

Gott|erbarmen *nt zum* ~ (*col*) pitiful(ly), pathetic(ally) (*col*).

Götter-: **g~gleich** *adj* godlike; **~speise** *f* (*Cook*) jelly (*Brit*), jello (*US*).

Gottes-: **~anbeterin** *f* (*Zool*) praying mantis; **~beweis** *m* proof of the existence of God; **~dienst** *m* service; *zum ~dienst gehen* to go to church; **g~fürchtig** *adj* God-fearing; **~gabe** *f* gift from God; **~haus** *nt* place of worship; **~lästerer** *m* blasphemer; **~lästerung** *f* blasphemy; **~lohn** *m no pl etw für einen ~lohn tun* to do sth for love; **~mutter** *f* Mother of God; **~sohn** *m* Son of God; **~urteil** *nt* trial by ordeal.

gott-: **~gegeben** *adj* god-given; **~gewollt** *adj* willed by God.

Gottheit *f* (*Göttergestalt*) deity ▶ *jdn wie eine* ~ *verehren* to worship sb like a god.

Göttin *f* goddess.

göttlich *adj* (*lit, fig*) divine.

Gott-: **g~lob** *interj* thank heavens; **g~los** *adj* godless; (*verwerflich*) ungodly; **~losigkeit** *f no pl* godlessness; **~vater** *m no pl* God the Father; **g~verdammt** *adj attr* (*col!*) goddamn(ed) (*col!*), damn(ed) (*col!*); **g~verlassen** *adj* godforsaken; **~vertrauen** *nt* trust in God.

Götze *m (wk)* -n, -n (*lit, fig*) idol.

Götzen-: **~bild** *nt* idol, graven image (*Bibl*); **~dienst** *m*, **~verehrung** *f* idolatry.

Götzzitat *nt das* ~ ≈ the V-sign (*Brit*), the finger (*US*).

Goulasch [ˈɡʊlaʃ] *m or nt* = **Gulasch**.

Gourmet [ɡʊrˈmeː] *m* -s gourmet.

Gouvernante [ɡʊvɛrˈnantə] *f* -n (*dated*) governess.

Gouverneur(in *f*) [ɡʊvɛrˈnøːɐ̯, -ˈnøːrin] *m* governor.

Grab *nt* ̈-er grave; (*Gruft*) tomb; (*fig: Untergang*) end, ruination ▶ *jdn zu* ~*e tragen* to bear sb to his grave; *ein Geheimnis mit ins* ~ *nehmen* to take a secret with one to the grave; *verschwiegen wie ein* ~ (as) silent as the grave; *er würde sich im* ~*e umdrehen, wenn ...* he would turn in his grave if ...; *du bringst mich noch ins* ~! you'll send me to an early grave!; *sich* (*dat*) *sein eigenes* ~ *schaufeln* (*fig*) to dig one's own grave; *seine Hoffnungen etc zu* ~*e tragen* (*geh*) to abandon one's

hopes *etc.*

graben *pret* **grub**, *ptp* **gegraben** [1] *vti* to dig ▶ *nach Gold/Erz* ~ to dig for gold/ore.

[2] *vr sich in etw* (*acc*) ~ (*Zähne, Krallen*) to sink into sth; *das hat sich mir tief ins Gedächtnis gegraben* (*geh*) it has imprinted itself firmly on my memory.

Graben *m* ̈- ditch; (*trockener* ~, *Mil*) trench; (*Sport*) ditch; (*Sport: Wasser~*) water-jump ▶ *im* ~ *liegen* (*Mil*) to be in the trenches.

Grabenkrieg *m* (*Mil*) trench warfare.

Gräber *pl of* **Grab.**

Gräberfeld *nt* cemetery, burial ground.

Grabes- (*liter*): **~stille** *f* deathly hush; **~stimme** *f* sepulchral voice.

Grab-: **~inschrift** *f* epitaph, inscription (*on gravestone etc*); **~kammer** *f* burial chamber; **~legung** *f* burial; **~mal** *nt, pl* -mäler *or* (*geh*) -e monument; (~*stein*) gravestone; **~platte** *f* memorial slab; **~rede** *f* funeral oration; **~schänder(in** *f*) *m* - defiler of the grave(s)/of graves; **~schändung** *f* defilement of graves; **~stätte** *f* grave; (*Gruft*) tomb; **~stein** *m* gravestone, tombstone; **~stelle** *f* (burial) plot.

Grabung *f* (*Archeol*) excavation.

Gracht *f* -en canal (*in a Dutch town*).

Grad *m* -e (*Sci, Univ, fig*) degree; (*Mil*) rank ▶ *ein Winkel von 45* ~ an angle of 45 degrees; *auf dem 32.* ~ *nördlicher Breite* latitude 32 degrees north; *null* ~ zero; *es kocht bei 100* ~ boiling occurs at 100 degrees; *ein Verwandter zweiten/dritten* ~*es* a relative once/twice removed; *Verbrennungen ersten* ~*es* (*Med*) first-degree burns; *bis zu einem gewissen* ~*e* to a certain degree *or* extent; *in hohem* ~*(e)* to a large extent; *im höchsten* ~*(e)* extremely.

Grad-, grad- = Gerad-, gerade-.

grad(e) *adj* (*col*) = gerade.

Grad-: **~einteilung** *f* calibration, graduation; **~messer** *m* (*fig*) gauge (*gen, für* of); **~netz** *nt* (*Geog*) latitude and longitude grid.

graduell *adj* (*allmählich*) gradual; (*gering*) slight.

graduieren* [1] *vi* (*Univ*) to graduate ▶ *graduierter Ingenieur* engineering graduate.

[2] *vt* (*in Grade einteilen*) to calibrate, to graduate.

Graduierte(r) *mf decl as adj* graduate.

Graf *m (wk)* -en, -en count; (*als Titel*) Count; (*britischer* ~) earl; (*als Titel*) Earl.

Grafengeschlecht *nt* dynasty of counts (*Brit*) earls.

Graffiti *nt* = -s graffiti.

Grafik *f* [a] *no pl* (*Art*) graphic arts *pl*; (*Technik, Comp*) graphics. [b] (*Art: Darstellung*) graphic; (*Druck*) print; (*Schaubild*) illustration; (*technisches Schaubild*) diagram.

Grafiker(in *f*) *m* - graphic artist; (*Illustrator*) illustrator.

Grafikprogramm *nt* graphics program.

Gräfin *f* countess.

grafisch *adj* graphic; (*schematisch*) diagrammatic, schematic.

gräflich *adj* count's; (*Brit*) earl's.

Grafschaft *f* land of a count; (*Brit*) earldom; (*Admin*) county.

Grahambrot *nt* (type of) wholemeal (*Brit*) *or* wholewheat (*US*) bread.

Gralshüter *m* (*fig*) guardian.

Gram *m no pl* (*geh*) grief, sorrow ▶ *vom* ~ *gebeugt* bowed down with grief *or* sorrow.

grämen [1] *vr sich über jdn/etw* ~ to grieve over sb/sth; *sich zu Tode* ~ to die of grief *or* sorrow.

[2] *vt* to grieve.

grämlich *adj* morose.

Gramm *nt* -e *or* (*nach Zahlenangabe*) - gram ▶ *100* ~ *Mehl* 100 grams of flour.

Grammatik *f* grammar.

---

grammatikalisch adj grammatical.
grammatisch adj grammatical.
△ **Grammophon** ® [gramo'foːn] nt -e gramophone.
Granat m -e (Miner) garnet.
Granatapfel m pomegranate.
Granate f -n (Mil) (Geschoß) shell; (Hand~) grenade; (Ftbl sl: Schuß aufs Tor) cannonball shot (col).
Granat-: ~**feuer** nt shelling, shellfire; ~**splitter** m shell/grenade splinter; ~**trichter** m shell crater; ~**werfer** m mortar.
grandios adj magnificent, superb.
Granit m -e granite ► auf ~ beißen (bei ...) to bang one's head against a brick wall (with ...).
grantig adj (col) grumpy.
Granulat nt granules pl.
Grapefruit ['greːpfruːt] f -s grapefruit.
△ **Graphik** = **Grafik**.
△ **graphisch** = **grafisch**.
Grapho-: ~**loge** △ m, ~**login** △ f graphologist; ~**logie** △ f graphology.
grapschen (col) 1 vt (sich dat) etw ~ to grab sth. 2 vi nach etw ~ to make a grab at sth.
Gras nt ⁼er a grass ► ins ~ beißen (col) to bite the dust (col); das ~ wachsen hören (zuviel hineindeuten) to read too much into things; über etw (acc) ~ wachsen lassen (fig) to let the dust settle on sth; wo er zuschlägt, wächst kein ~ mehr (col) he packs quite a punch. b gen -, no pl (Drogen sl: Marihuana) grass.
Gras- in cpds grass; **g~bewachsen** adj grassy, grass-covered; ~**büschel** nt tuft of grass.
grasen vi to graze.
Gras-: ~**fläche** f grassland; (Rasen) patch of grass; **g~grün** adj grass-green; ~**halm** m blade of grass; ~**hüpfer** m - (col) grasshopper; ~**land** nt no pl grassland; ~**mücke** f (Orn) warbler; ~**narbe** f turf; ~**samen** m grass seed.
grassieren* vi to be rife.
△ **gräßlich** adj a hideous. b (intensiv, unangenehm) dreadful; Mensch horrible.
△ **Gräßlichkeit** f a hideousness. b (gräßliche Tat etc) atrocity.
Grat m -e (Berg~) ridge; (Archit) hip (of roof); (fig) (dividing) line, border.
Gräte f -n (fish-)bone ► ich brech' dir alle ~n einzeln! (col) I'll break every bone in your body.
Gratifikation f bonus.
gratis adv free; (Comm) free (of charge).
Gratis- in cpds free; ~**probe** f free sample.
Grätsche f -n (Sport) straddle.
grätschen 1 vi aux sein to do a straddle (vault). 2 vt Beine to straddle, to put apart.
Gratulant(in f) m well-wisher.
Gratulation f congratulations pl.
Gratulations-: ~**cour** [-kuːɐ] f congratulatory reception; ~**schreiben** nt letter of congratulation.
gratulieren* vi jdm (zu einer Sache) ~ to congratulate sb (on sth); jdm zum Geburtstag ~ to wish sb many happy returns (of the day); (ich) gratuliere! congratulations!
Gratwanderung f (fig) tightrope walk.
grau adj grey (Brit), gray (US); (trostlos) bleak ► ~e Haare bekommen, ~ werden (col) to go grey; er malte die Lage ~ in ~ (fig) he painted a bleak picture of the situation; ~e Eminenz éminence grise; die (kleinen) ~en Zellen (hum) the little grey cells; der ~e Alltag drab reality; in ~er Vorzeit (fig) in the dim and distant past; das ist bloß ~e Theorie that's all very well in theory.
Grau nt -(s) grey (Brit), gray (US); (fig) dullness, drabness.

Grau-: **g~äugig** adj grey-eyed (Brit), gray-eyed (US); **g~blau** adj grey-blue (Brit), gray-blue (US); **g~braun** adj greyish (Brit) or grayish (US) brown; ~**brot** nt siehe Mischbrot.
grauen vi impers mir graut vor etw (dat) I dread sth; mir graut vor ihm I'm terrified of him.
Grauen nt no pl a horror (vor of). b (grauenhaftes Ereignis) horror.
grauen-: ~**haft**, ~**voll** adj terrible, atrocious.
Grau-: ~**gans** f grey(lag) (Brit) or gray(lag) (US) goose; **g~grün** adj grey-green (Brit), gray-green (US); **g~haarig** adj grey-haired (Brit), gray-haired (US); **g~meliert** △ adj attr greying (Brit), graying (US).
Graupe f -n usu pl grain of pearl barley ► ~n pearl barley sing.
Graupel f -n (small) hailstone ► ~n soft hail sing.
Graupel-: ~**regen** m, ~**schauer** m sleet.
Graupensuppe f barley broth or soup.
Graus m no pl (old) horror ► es war ein ~ zu sehen, wie ... it was terrible to see how ...
grausam adj (gefühllos, roh) cruel (gegen, zu to) ► sich ~ für etw rächen to take (a) cruel revenge for sth.
Grausamkeit f a no pl cruelty. b (grausame Tat) (act of) cruelty; (stärker) atrocity.
Grauschimmel m (Pferd) grey (Brit) or gray (US) (horse).
grausen vi impers siehe grauen.
Grausen nt no pl horror (vor of) ► da kann man das kalte ~ kriegen (col) it's enough to give you the creeps (col).
grausig adj terrible, atrocious.
Grau-: ~**stufe** f shade of grey (Brit) or gray (US); ~**ton** m grey colour (Brit), gray color (US); ~**zone** f (fig) grey (Brit) or gray (US) area.
Graveur(in f) [gra'voːɐ, -øːrɪn] m engraver.
gravieren* [gra'viːrən] vt to engrave.
gravierend [gra'viːrənt] adj serious, grave.
Gravitation [gravita'tsioːn] f gravitation.
gravitätisch [gravi'tɛːtɪʃ] adj grave, solemn.
Gravur [gra'vuːɐ] f engraving.
Grazie [-iə] f no pl (Liebreiz) grace(fulness).
grazil adj (delicately) slender ► ~ gebaut sein to have a delicate figure.
graziös adj graceful; (lieblich) charming.
Gregorianisch adj Gregorian ► G~er Gesang Gregorian chant, plainsong.
greifbar adj (konkret) tangible, concrete; (erreichbar) ready to hand; (verfügbar) available; Ware available, in stock pred ► in g~barer Nähe within easy reach.
greifen pret **griff**, ptp **gegriffen** 1 vt (nehmen, packen) to take hold of, to grasp; (grapschen) to seize, to grab; (fangen) to catch; Akkord to strike ► diese Zahl ist zu niedrig gegriffen (fig) this figure is too low; zum G~ nahe sein (Sieg) to be within reach; die Gipfel waren zum G~ nahe you could almost touch the peaks; aus dem Leben gegriffen taken from life; sich (dat) jdn/etw ~ to grab sb/sth. 2 vi a um sich ~ (fig) to spread, to gain ground; unter etw (acc) ~ to reach under sth; nach einer Sache ~ to reach for sth; (um zu halten) to clutch or (hastig) grab at sth; an etw (acc) ~ (fassen) to grasp sth; (berühren) to touch sth; zu etw ~ to reach for sth; zu Methoden, Mitteln to resort to sth; in die Saiten/Tasten ~ to strike up a tune; zu den Waffen ~ to take up arms; zum Äußersten ~ to resort to extremes; nach der Macht ~ to try to seize power. b (nicht rutschen, einrasten) to grip. c (fig) (wirksam werden) to take effect; (zum Ziel führen) to achieve its ends; (Vergleich) to hold.
Greifer m - (Tech) grab.

△: Informationen zur Rechtschreibreform im Anhang

Greifvogel m bird of prey.

Greis m -e old man.

greis adj aged; (ehrwürdig) venerable; (altersgrau) grey (Brit), gray (US), hoary (liter, hum) ▸ **sein ~es Haupt schütteln** (usu iro) to shake one's wise old head.

Greisen-: **~alter** nt extreme old age; **g~haft** adj very old, aged attr; (von jüngerem Menschen) like an old man/woman.

Greisin f old lady.

grell adj Stimme, Ton shrill, piercing; Licht glaring; Farbe garish, loud; Gegensatz sharp; (stärker) glaring; (fig) Szene lurid.

Gremium nt body; (Ausschuß) committee.

Grenada nt Grenada.

Grenader(in f) m Grenadian.

Grenadier m -e (Mil: Infanterist) infantryman.

grenadisch adj Grenadian.

Grenz- in cpds border, frontier; **~beamte(r)** m border official; **~bereich** m frontier or border zone or area; (fig) limits pl; **im ~bereich liegen** (fig) to lie at the limits.

Grenze f -n border; (Landes~ auch) frontier; (Stadt~, zwischen Grundstücken) boundary; (fig: zwischen Begriffen) dividing line, boundary; (fig: äußerstes Maß) limits pl, bounds pl ▸ **die ~ zwischen Spanien und Frankreich** the Spanish-French border or frontier; **die ~ zu Österreich** the Austrian border; **über die ~ gehen/ fahren** to cross the border; **einer Sache** (dat) **~n setzen** to set a limit or limits to sth; **keine ~n kennen** (fig) to know no bounds; **seine ~n kennen** to know one's limitations; **seiner Großzügigkeit sind keine ~n gesetzt** there is no limit to his generosity; **hart an der ~ des Erlaubten** bordering on the limits of what is permitted; **sich in ~n halten** (fig) to be limited; **die oberste/ unterste ~** (fig) the upper/lower limit; **alles hat seine ~n** there are limits to everything.

grenzen vi **an etw** (acc) **~** (lit) to border (on) sth; (fig) to border or verge on sth.

Grenzen-: **g~los** [1] adj (lit, fig) boundless; [2] adv boundlessly; (fig) immensely; **~losigkeit** f boundlessness; (fig) immensity.

Grenzer m - (col) (Zöllner) customs man; (Grenzsoldat) border or frontier guard.

Grenz- in cpds border, frontier; **~fall** m borderline case; **~gänger** m - (Arbeiter) international commuter (across a local border); **~gebiet** nt (lit, fig) border area; **~konflikt** m border or frontier dispute; **~kontrolle** f border or frontier control; **~linie** f border; (Sport) line; **~situation** f borderline situation; **~stadt** f border town; **~stein** m boundary stone; **~streitigkeit** f boundary dispute; (Pol) border or frontier dispute; **~übergang** m [a] border or frontier crossing(-point); [b] **~übertritt** m; **g~überschreitend** adj cross-border; **~übertritt** m crossing of the border; **~verkehr** m border or frontier traffic; **~verlauf** m boundary line (between countries); **~wert** m limit; **~zwischenfall** m border incident.

Gretchenfrage f (fig) crunch question (col), sixty-four-thousand-dollar-question (col).

⚠ **Greuel** m - (no pl: Abscheu) horror; (~tat) atrocity ▸ **~ vor etw haben** to have a horror of sth; **er/es ist mir ein ~** I loathe or detest him/it; **die Prüfung ist mir ein ~** I'm really dreading the exam.

Greuel-: **~märchen** ⚠ nt horror story; **~propaganda** ⚠ f atrocity propaganda; **~tat** ⚠ f atrocity.

⚠ **greulich** adj siehe **gräßlich**.

Griebe f -n usu pl ≃ crackling no indef art, no pl.

Griebenschmalz nt dripping with greaves or crackling.

Grieche m (wk) -n, -n, **Griechin** f Greek.

Griechenland nt Greece.

griechisch adj Greek; Architektur, Vase, Stil auch Gre-

cian ▸ **die ~e Tragödie** Greek tragedy; **~-orthodox** Greek Orthodox ▸ **~-römisch** Graeco-Roman.

Griechisch(e) nt Greek; siehe **Deutsch(e)**.

Griesgram m -e grouch (col), misery.

griesgrämig adj grumpy, grouchy (col).

Grieß m -e (Cook) semolina.

Grieß-: **~brei** m semolina; **~pudding** m semolina pudding.

Griff m -e [a] (das Greifen) der **~ nach etw** reaching for sth; **einen tiefen ~ in den Geldbeutel tun** (fig) to dig deep in one's pocket; **der ~ nach der Flasche** taking to the bottle; **der ~ nach der Macht** the bid for power. [b] (Handgriff) grip, grasp; (beim Ringen etc) hold ▸ **mit festem ~** firmly; **jdn/etw in den ~ bekommen** (fig) to gain control of sb/sth; (geistig) to get a grasp of sth; (mit jdm/etw) **einen guten** or **glücklichen ~ tun** to make a wise choice (with sb/sth). [c] (Stiel, Knauf) handle; (Pistolen~) butt; (Schwert~) hilt; (an Saiteninstrumenten) neck. [d] usu pl (Hunt: Kralle) talon.

griff pret of **greifen**.

griffbereit adj ready to hand, handy.

Griffel m - (Schreibstift) slate pencil; (Bot) style.

griffig adj Fahrbahn etc giving a good grip; (fig) Ausdruck useful, handy; Slogan auch catchy.

Grill m -s grill; (Aut: Kühler~) grille.

Grille f -n [a] (Zool) cricket. [b] (dated col: Laune) silly notion or idea.

grillen [1] vt to grill.
[2] vr **sich (in der Sonne) ~ (lassen)** (col) to roast (in the sun).
[3] vi to have a barbecue.

Grillfest nt barbecue party.

Grimasse f -n grimace ▸ **~n schneiden** to make faces.

grimmig adj [a] (zornig) furious ▸ **~ lächeln** to smile grimly; **~er Humor** grim humour. [b] (sehr groß, heftig) Kälte etc severe.

Grind m -e (Schorf) scab.

grinsen vi to grin; (höhnisch auch) to smirk.

Grinsen nt no pl siehe vi grin; smirk.

Grippe f -n influenza (form), flu (col); (Erkältung) cold.

Grippe- in cpds influenza (form), flu (col); **~welle** f wave of flu.

Grips m -e (col) nous (Brit col), sense ▸ **nun strengt mal euren ~ an** use your common sense.

Grislybär, Grizzlybär ['grɪsli-] m grizzly (bear).

grob adj comp **-̈er**, superl **-̈ste(r, s)** or (adv) **am -̈sten** [a] (nicht fein) coarse; Arbeit dirty attr. [b] (ungefähr) rough ▸ **~ geschätzt** at a rough estimate. [c] (schlimm) gross (auch Jur) ▸ **den -̈sten Schmutz habe ich schon weggeputzt** I have already cleaned off the worst of the dirt; **ein ~er Fehler** a bad mistake; **wir sind aus dem G-̈sten heraus** we're out of the woods (now). [d] (brutal, derb) rough; (fig: derb) coarse; (unhöflich) ill-mannered ▸ **~ gegen jdn werden** to become offensive (towards sb).

Grobe(s) nt (fig) dirty work ▸ **ein Mann fürs ~** (col) someone to do the dirty work.

Grob- in cpds coarse; **g~gemahlen** ⚠ adj attr coarse-ground; **~heit** f [a] no pl (lit, fig) coarseness; (Brutalität) roughness; (fig: Unhöflichkeit) ill-manneredness; [b] (Beschimpfung) foul language no pl, no indef art.

Grobian m -e brute.

grobkörnig adj coarse-grained.

gröblich adj (geh) gross ▸ **jdn ~ beschimpfen** to call sb rude names.

Grob-: **g~maschig** adj large-meshed; (~gestrickt) loose-knit attr; **g~schlächtig** adj coarse; Mensch heavily built; **~schnitt** m (Tabak) coarse cut.

Grog m -s grog.

groggy ['grɔgi] adj pred (Boxen) groggy; (col: erschöpft)

⚠: for details of spelling reform, see supplement

all-in (col).

grölen vti (pej) to bawl ▶ **~de Menge** raucous crowd.

Groll m no pl (geh: Zorn) anger, wrath (liter); (Erbitterung) resentment ▶ **einen ~ gegen jdn hegen** to harbour (Brit) or harbor (US) a grudge against sb.

grollen vi (geh) **a** (Donner etc) to rumble, to roll. **b** (jdm) ~ (old) to be filled with wrath (against sb) (liter).

Grönland nt Greenland.

Grönländer(in f) m - Greenlander.

grönländisch adj Greenland attr.

Gros [groː] nt - [groːs] greater part, bulk.

Groschen m (col) 10-pfennig piece; (Aus) groschen; (fig) penny, cent (US) ▶ **der ~ ist gefallen** (hum col) the penny has dropped (col).

Groschen-: **~grab** nt (hum) (Spielautomat) one-armed bandit; **diese Parkuhr ist ein richtiges~grab** this parking meter just swallows up your money; **~heft** nt (pej) pulp magazine; (Krimi auch) penny dreadful (dated); **~roman** m (pej) cheap or dime (US) novel.

groß comp ⁻er, superl ⁻te(r, s) or (adv) **am ⁻ten** **1** adj big; Fläche, Haus, Hände, Summe auch, Dose, Packung etc large; Erfolg, Interesse, Schreck, Hoffnung auch, Freude, Leid, Höhe, Breite great; Buchstabe auch capital; Pause, Rede auch long; (hoch, hochgewachsen) tall; (bedeutend) Werk, Persönlichkeit etc great; Lärm a lot of; Geschwindigkeit high ▶ **wie ~ bist du?** how tall are you?; **du bist ~ geworden** you've grown; **ein ganz ~es Haus/Buch** a great big house/book; **die Wiese ist 10.000 m² ~** the field is 10,000 square metres in area; **die ~e Masse** (fig) the vast majority; **ich habe nur ~es Geld** I haven't any change on me; **im ~en und ganzen (gesehen)** (taken) by and large; **die ~en Ferien** the long holidays; **die G~en** (Erwachsene) the grown-ups; **mit etw ~ geworden sein** to have grown up with sth; **~ und klein** young and old (alike); **~e Worte machen** to use big words; **~en Hunger haben** to be very hungry; **eine der ⁻eren Firmen** one of the major companies; **ich habe ~e Lust zu etw** I would really like sth; **ich habe keine ~e Lust** I don't particularly want to; **~e Mode sein** to be all the fashion; **er ist kein ~er Esser** (col) he's not a big eater; **ich bin kein ~er Redner** (col) I'm no great speaker; **jds ~e Stunde** sb's big moment; **einen ~en Namen haben** to be a big name; **er hat G~es geleistet** he has achieved great things; **Friedrich der G~e** Frederick the Great; **G~-Paris** Greater Paris; **der G~e Ozean** the Pacific; **die G~en Seen** pl the Great Lakes pl. **2** adv **jdn ~ anblicken** to give sb a hard stare; **was soll man da schon ~ machen/sagen?** (col) you can't really do/say anything, can you?; **~ daherreden** (col) to talk big (col); **~ und breit** (fig col) at great or enormous length; **~ machen** (baby-talk) to do number two (baby-talk); **ein Wort ~ schreiben** to write a word with a capital; **ganz ~ rauskommen** (col) to make the big time (col).

Groß- pref Great; (vor Städtenamen) Greater.

Groß-: **~abnehmer** m (Comm) bulk buyer; **~aktionär** m major or principal shareholder; **~alarm** m red alert; **g~angelegt** △ adj attr large-scale, on a large scale; **~angriff** m large-scale attack; **g~artig** adj tremendous; (prächtig) Bauwerk etc magnificent; **er hat ~artiges geleistet** he has achieved great things; **~artigkeit** f (Pracht) magnificence; **~aufnahme** f (Phot, Film) close-up; **~bank** f big bank; **~betrieb** m large concern; (Agr) big farm; **~brand** m major fire; **~britannien** nt (Great) Britain; **~buchstabe** m capital (letter), upper case letter (Typ); **~computer** m = **~rechner**; **~demonstration** f big demonstration; **~druck** m large print.

Größe f -n **a** size ▶ **nach der ~** according to size. **b** no pl (Höhe, Körper~) height; (Flächeninhalt) area; (Maße) dimensions pl; (Math, Phys) quantity ▶ **eine**

unbekannte ~ (lit, fig) an unknown quantity. **c** no pl (Ausmaß) extent; (Bedeutsamkeit) significance. **d** no pl (Erhabenheit) greatness. **e** (bedeutender Mensch) important figure.

Groß-: **~einkauf** m bulk purchase; **~einsatz** m **~einsatz der Polizei** etc large-scale operation by the police etc; **~eltern** pl grandparents pl; **~enkel** m great-grandchild; (Junge) great-grandson; **~enkelin** f great-granddaughter.

Größen-: **~klasse** f (Comm) (size) class; **~ordnung** f scale; (Größe) magnitude; (Math) order (of magnitude); **in dieser ~ordnung** of this magnitude or order.

großenteils adv for the most part.

Größen-: **~unterschied** m (im Format) difference in size; (in der Höhe) difference in height; **~verhältnis** nt proportions pl (gen between); (Maßstab) scale; **im ~verhältnis 1:100** on the scale 1:100; **~wahn(sinn)** m megalomania, delusions pl of grandeur; **g~wahnsinnig** adj megalomaniac; **g~wahnsinnig sein** to be a megalomaniac.

größer comp of **groß**.

Groß-: **~fahndung** f large-scale manhunt; **~familie** f extended family; **~feuer** nt major fire; **g~flächig** adj extensive; **~format** nt large size; (bei Büchern, Fotos auch) large format; **g~formatig** adj large-size; Bücher, Fotos auch large-format; **~grundbesitzer** m big landowner.

Großhandel m wholesale trade no art ▶ **etw im ~ kaufen** to buy sth wholesale.

Großhandels- in cpds wholesale.

Groß-: **~händler** m wholesaler; **~handlung** f wholesale business; **g~herzig** adj generous, magnanimous; **~herzigkeit** f generosity, magnanimity; **~hirn** nt cerebrum; **~industrielle(r)** mf major industrialist.

Grossist m wholesaler.

Groß-: **g~jährig** adj (dated) of age; **g~jährig werden** to come of age; **~kapital** nt das **~kapital** big business; **~kapitalist** m business tycoon; **~konzern** m large combine; **g~kotzig** adj (pej col) swanky (col); **~küche** f canteen kitchen; **~kundgebung** f mass rally.

Großmacht f (Pol) big or great power.

Großmachtpolitik f power politics.

Groß-: **~mannssucht** f no pl (pej) craving for status; **~markt** m hypermarket; **g~maschig** adj = **grobmaschig**; **~maul** nt (pej col) big-mouth (col); **g~mäulig** adj (pej col) big-mouthed attr (col); **~mut** f magnanimity; **g~mütig** adj magnanimous; **~mutter** f grandmother; **das kannst du deiner ~mutter erzählen!** (col) who do you think you're kidding? (col); **g~mütterlich** adj attr **a** (von der ~mutter) of one's grandmother; **im g~mütterlichen Haus wohnen** to live in one's grandmother's house; **b** (in der Art einer ~mutter) grandmotherly; **~offensive** f (Mil) major offensive; **~onkel** m great-uncle; **~produktion** f large-scale production.

Großraum m (einer Stadt) **der ~ München** the Munich area or conurbation, Greater Munich.

Großraum-: **~abteil** nt (Rail) open-plan carriage; **~büro** nt open-plan office.

Groß-: **g~räumig** adj **a** (geräumig) roomy, spacious; **b** (über g~e Flächen) extensive; **c** (im g~en Umkreis) **g~räumiges Umfahren eines Gebietes** making a large detour around an area; **~razzia** f large-scale raid; **~rechner** m (Comp) mainframe; **~reinemachen** nt thorough cleaning, ≈ spring-cleaning; **g~schnäuzig** adj (pej col) big-mouthed attr (col); **g~schreiben** vt sep irreg **g~geschrieben werden** (fig col) to be stressed; **~schreibung** f capitalization; **g~sprecherisch** adj (pej) boastful; **g~spurig** adj (pej) flashy (col).

Großstadt f city.

△: Informationen zur Rechtschreibreform im Anhang

Großstädter *m* city-dweller.
großstädtisch *adj* big-city *attr.*
Großstadt- *in cpds* city; **~mensch** *m* city-dweller.
Groß-: **~tante** *f* great-aunt; **~tat** *f* great feat; **~teil** *m*
large part; *zum ~teil* for the most part.
größtenteils *adv* in the main, for the most part.
größte(r, s) *superl of* **groß.**
Größt-: **~maß** *nt* maximum amount (*an* +*dat* of);
g~möglich *adj attr* greatest possible.
Groß-: **g~tuerisch** [-tuːərɪʃ] *adj* (*pej*) boastful, bragging;
g~tun *sep irreg* (*pej*) *vi* to boast, to show off;
~unternehmen *nt* large concern.
Großvater *m* grandfather.
großväterlich *adj* **a** (*vom Großvater*) of one's grandfather ▶ *das ~e Erbe* one's inheritance from one's
grandfather. **b** (*in der Art eines Großvaters*) grandfather-
ly.
Groß-: **~veranstaltung** *f* big event; (*~kundgebung*)
mass rally; **~verbraucher** *m* large-scale consumer;
~verdiener *m* big earner.
Großwild *nt* big game.
Großwild-: **~jagd** *f* big-game hunting; *eine ~jagd* a
big-game hunt; **~jäger** *m* big-game hunter.
Groß-: **g~ziehen** *vt sep irreg* to raise; *Tier* to rear;
g~zügig *adj* generous; (*weiträumig*) spacious; *Plan*
large-scale, ambitious; **~zügigkeit** *f siehe adj* generosity;
spaciousness; (large) scale, ambitiousness.
grotesk *adj* grotesque.
Groteske *f* -n grotesque; grotesque play/novel.
Grotte *f* -n grotto.
grub *pret of* **graben.**
Grübchen *nt* dimple.
Grube *f* -n (*auch Min*) pit; (*kleine*) hole, hollow ▶ *wer
andern eine ~ gräbt(, fällt selbst hinein)* (*Prov*) you can
easily fall into your own trap.
Grübelei *f* brooding *no pl.*
grübeln *vi* to brood (*über* +*acc* about, over).
Gruben-: **~arbeiter** *m* miner, mineworker; **~gas** *nt*
firedamp; **~unglück** *nt* pit *or* mine disaster.
Grübler(in *f*) *m* - brooder, brooding type.
grüblerisch *adj* pensive, brooding.
Gruft *f* ̈e tomb, vault; (*in Kirchen*) crypt.
Grufti *m* -s (*sl*) **a** (*älterer Mensch*) old fogy (*col*). **b**
(*Okkultist*) ≈ gothic.
grün *adj* green; (*Pol auch*) ecologist ▶ **~e Heringe** fresh
herrings; **~er Salat** lettuce; *die G~e Insel* the Emerald
Isle; *ein ~er Junge* (*col*) a greenhorn (*col*); **~es Licht**
(*für etw*) *geben* (*fig*) to give the go-ahead *or* green light
(for sth); *vom ~en Tisch aus* from a bureaucratic ivory
tower; **~e Minna** (*col*) police van, ≈ Black Maria (*Brit
col*), paddy wagon (*US col*); *sich ~ und blau or gelb
ärgern* (*col*) to be furious; *jdn ~ und blau schlagen*
(*col*) to beat sb black and blue; *G~e Karte* (*Mot Insur*)
green card; *der ~e Punkt* *symbol indicating recyclability of
packaging*; **~e Welle** phased traffic lights; **~e Welle bei 60
km/h** traffic lights phased for 37 mph; *auf keinen ~en
Zweig kommen* (*fig col*) to get nowhere; *die beiden
sind sich gar nicht ~* (*col*) there's no love lost between
them.

| GRÜNER PUNKT |

*The **grüner Punkt** is the green spot symbol which
appears on packaging that should not be thrown into the
normal household refuse but kept separate to be recycled
through the **DSD** system. The recycling is financed by
licences bought by the manufacturer from the DSD and
the cost of this is often passed on to the consumer.*

Grün *nt* - *or* (*col*) **~s** green; (*~flächen*) green spaces ▶
das ist dasselbe in G~ (*col*) it's the same thing; *siehe*

auch **Grüne(r), Grüne(s).**
Grün- *in cpds* green; **~anlage** *f* green space *or* area;
g~äugig *adj* green-eyed; **g~blau** *adj* greenish blue.
▼ **Grund** *m* ̈e **a** *no pl* (*Erdboden, ~fläche*) ground ▶ *~
und Boden* land; *in ~ und Boden* (*fig*) *sich blamieren,
schämen* utterly; *verdammen* outright; *bis auf den ~ zerstören* to raze to the ground.
b *no pl* (*von Gefäßen, Becken etc*) bottom ▶ *auf ~
laufen* (*Naut*) to run aground; *das Glas bis auf den ~
leeren* to drain the glass.
c *no pl* (*lit, fig: Fundament*) foundation(s *pl*); (*das
Innerste*) depths *pl* ▶ *von ~ auf* entirely, completely;
von ~ auf neu gebaut rebuilt from scratch; *einer Sache*
(*dat*) *auf den ~ gehen* (*fig*) to get to the bottom of sth;
im ~e (genommen) basically, fundamentally.
d (*Ursache*) reason; (*Beweg~ auch*) grounds *pl* ▶ *aus
gesundheitlichen etc ~en* for health *etc* reasons; *ohne
~* without reason; *auf ~ von* on the basis of; *auf ~ von
Zeugenaussagen* on the strength of the witnesses' testi-
monies; *auf ~ einer Verwechslung* owing to a mistake;
ich habe ~ zu der Annahme, daß ... I have reason to
believe that ...; *einen ~ zum Feiern haben* to have
good cause for (a) celebration; *du hast keinen ~ zum
Klagen* you have no cause for complaint; *ich habe
berechtigten ~ zu glauben, daß ...* I have good reason
to believe that ...; *aus diesem ~* for this reason; *mit
gutem ~* with good reason; *aus ~en* (+*gen*) for reasons
(of).
Grund- *in cpds* basic; **~anstrich** *m* first coat; **~begriff** *m*
basic concept; **~besitz** *m* land, property; (*das Besitzen*)
ownership of land *or* property; **~besitzer** *m* landowner;
~buch *nt* land register; **g~ehrlich** *adj* thoroughly honest; **~eigentum** *nt* = **~besitz.**
gründen **1** *vt* to found; *Argument etc* to base (*auf* +*acc*
on); *Geschäft* to set up ▶ *gegründet 1857* established *or*
founded in 1857; *eine Familie ~* to get married (and
have a family).
2 *vi* to be based *or* founded (*in* +*dat* on).
3 *vr sich auf etw* (*acc*) *~* to be based *or* founded on
sth.
Gründer(in *f*) *m* - founder.
Grund-: **g~falsch** *adj* utterly wrong; **~farbe** *f* primary
colour (*Brit*) *or* color (*US*); (*Grundton*) ground colour
(*Brit*) *or* color (*US*); **~festen** *pl* (*fig*) foundations *pl*; *etw
bis in die ~festen erschüttern* to shake sth to its very
foundations; **~fläche** *f* (*Math*) base; **~form** *f* basic form;
(*Gram*) infinitive; **~freibetrag** *m* tax-free allowance;
~gebühr *f* basic charge; **~gedanke** *m* basic idea.
Grundgesetz *nt* (*BRD Pol*) *das ~* the Constitution.
grundgesetzwidrig *adj* contrary to the Constitution,
unconstitutional.
Grundhaltung *f* basic position.
grundieren* *vt* to undercoat.
Grundierung *f* **a** *no pl* (*das Grundieren*) undercoating.
b (*Farbe, Fläche*) undercoat.
Grund-: **~kapital** *nt* share capital; (*Anfangskapital*) initial
capital; **~kenntnisse** *pl* basic knowledge (*in* +*dat* of);
~kurs *m* basic course; **~lage** *f* basis; *als ~lage für etw
dienen* to serve as a basis for sth; *auf der ~lage* +*gen or
von* on the basis of; *die ~lagen einer Wissenschaft* the
fundamental principles of a science; *jeder ~lage entbehren* to be completely unfounded; **g~legend** *adj* fundamental, basic (*für* to); *Werk* standard.
gründlich **1** *adj* thorough; *Arbeit auch* painstaking.
2 *adv* thoroughly ▶ *jdm ~ die Meinung sagen* to give
sb a piece of one's mind; *da haben Sie sich ~ getäuscht*
you're completely mistaken there.
Gründlichkeit *f no pl* thoroughness.
Grund-: **~linie** *f* (*Math, Sport*) baseline; **g~los** **1** *adj*
a *Tiefe etc* bottomless; **b** (*fig: unbegründet*) ground-

➤ SATZBAUSTEINE: **Grund:** d → 6.1

less, unfounded; [2] *adv* (*fig*) without reason; **~mauer** *f* foundation wall; *bis auf die ~mauern niederbrennen* to be gutted; **~nahrungsmittel** *nt* basic food(stuff).

Gründonnerstag [gryːn-] *m* Maundy Thursday.

Grund-: **~ordnung** *f* basic order; **~pfeiler** *m* (*Archit*) supporting pier; (*fig*) cornerstone, keystone; **~rechenart** *f* basic arithmetical operation; **~recht** *nt* basic *or* constitutional right; **~regeln** *pl* ground rules *pl*; **~riß** ⚠ *m* (*von Gebäude*) ground plan; (*Abriß*) outline, sketch.

Grundsatz *m* principle ▸ *aus ~* on principle; *ein Mann mit Grundsätzen* a man of principle.

grundsätzlich [1] *adj* fundamental; *Frage* of principle. [2] *adv* (*allgemein, im Prinzip*) in principle; (*aus Prinzip*) on principle; (*immer*) always ▸ *ihre Meinungen sind ~ verschieden* their views are fundamentally different; *das ist ~ verboten* it is absolutely forbidden.

Grundsatz|urteil *nt* judgement that establishes a principle.

Grund-: **~schuld** *f* mortgage; **~schule** *f* primary (*Brit*) *or* elementary school.

┌─────────────────────┐
│ ⓘ **GRUNDSCHULE** │
└─────────────────────┘

ⓘ The **Grundschule** is a primary school which children attend for 4 years from the age of 6 to 10. There are no formal examinations in the Grundschule but parents receive a report on their child's progress twice a year. Many children attend a **Kindergarten** from 3-6 years before going to the Grundschule, but no formal instruction takes place in the Kindergarten.

Grund-: **~schüler** *m* primary (*Brit*) *or* elementary(-school) pupil; **~schullehrer** *m* primary (*Brit*) *or* elementary(-school) teacher; **~stein** *m* (*lit, fig*) foundation stone; *den ~stein zu etw legen* (*lit*) to lay the foundation stone of sth; (*fig*) to lay the foundations for sth; **~stellung** *f* (*Turnen, Chess*) starting position; **~steuer** *f* (local) property tax, ≃ council tax (*Brit*); **~stimmung** *f* prevailing mood; **~stock** *m* basis, foundation; **~stoff** *m* (*Rohstoff*) raw material; (*Chem*) element.

Grundstück *nt* plot (of land); (*Anwesen*) estate; (*Bau- auch*) site; (*bebaut*) property.

Grundstücksmakler *m* estate agent (*Brit*), realtor (*US*).

Grund-: **~studium** *nt* (*Univ*) basic course; **~stufe** *f* first stage; (*Sch*) ≃ junior (*Brit*) *or* grade (*US*) school; **~ton** *m* (*Mus*) (*eines Akkords*) root; (*einer Tonleiter*) tonic key-note; (*~farbe*) ground colour (*Brit*) *or* color (*US*).

Gründung *f* founding, foundation; (*von Heim, Geschäft*) setting up ▸ *die ~ einer Familie* starting a family.

Grund-: **g~verkehrt** *adj* completely wrong; **g~verschieden** *adj* totally *or* entirely different; **~wasser** *nt* ground water; **~wasserspiegel** *m* water table, ground-water level; **~wehrdienst** *m* national (*Brit*) *or* selective (*US*) service; **~wert** *m* (*Philos*) fundamental value; **~zug** *m* essential feature *or* trait; *etw in seinen ~zügen darstellen* to outline (the essentials of) sth.

grünen *vi* (*geh*) to turn green; (*fig: Liebe, Hoffnung*) to blossom (forth).

┌─────────────────────┐
│ ⓘ **DIE GRÜNEN** │
└─────────────────────┘

ⓘ Die Grünen is the name given to the Green or ecological party in Germany which was founded in 1980. Since 1993 they have been allied with the originally East German party, Bündnis 90.

Grüne(r) *m decl as adj* [a] (*Pol*) ecologist, Green ▸ *die ~n* (*als Partei*) the Greens, the Green Party. [b] (*dated col: Polizist*) cop (*col*).

Grüne(s) *nt decl as adj* (*Gemüse*) greens *pl*, green vegetables *pl* ▸ *ins ~ fahren* to go to the country.

Grün-: **~fläche** *f* green space *or* area; **~futter** *nt* green fodder, greenstuff; **g~gelb** *adj* greenish yellow; **~gürtel** *m* green belt; **~kohl** *m* (curly) kale; **g~lich** *adj* greenish; **~schnabel** *m* (*col*) (little) whippersnapper (*col*); (*Neuling*) greenhorn (*col*); **~span** *m no pl* verdigris; **~streifen** *m* central reservation (*Brit*), median (strip) (*US*); (*am Straßenrand*) grass verge.

grunzen *vti* to grunt.

Gruppe *f* **-n** group; (*von Mitarbeitern auch*) team; (*Mil*) ≃ squad; (*Klasse, Kategorie auch*) class.

Gruppen- *in cpds* group; **~arbeit** *f* teamwork; **~bild** *nt* group portrait; **~führer** *m* group leader; (*Mil*) squad leader; **~reise** *f* group travel *no pl*; **~sex** *m* group sex; **~sieg** *m* (*Sport*) *den ~sieg erringen* to win in one's group; **~sieger** *m* (*Sport*) group winnner; **g~spezifisch** *adj* group specific; **~therapie** *f* group therapy; **g~weise** *adv* in groups; (*Ind, Comm, Sport auch*) in teams; (*Mil*) in squads.

gruppieren* *vtr* to group.

Gruppierung *f* grouping; (*Gruppe*) group; (*Pol auch*) faction.

Gruselfilm *m* horror film.

grus(e)lig *adj* horrifying, gruesome.

gruseln [1] *vti impers* **mich** *or* **mir gruselt auf Friedhöfen** cemeteries give me the creeps. [2] *vr* **hier würde ich mich ~** a place like this would give me the creeps.

Gruß *m* ¨**e** [a] greeting; (*~geste, Mil*) salute ▸ *er ging ohne ~ an mir vorbei* he walked past me without saying hello; *viele ¨e* best wishes (*an* +*acc* to); *sag ihm einen schönen ~* say hello to him (from me); *einen (schönen) ~ an Ihre Gattin!* my regards to your wife. [b] (*als Briefformel*) *mit bestem ~* or *besten ¨en* yours; *mit freundlichem ~* or *freundlichen ¨en* (*bei Anrede Mr/Mrs/Miss/Ms X*) Yours sincerely, Yours truly (*esp US*); (*bei Anrede Sir(s)/Madam*) Yours faithfully, Yours truly (*esp US*).

Gruß-: **~adresse, ~botschaft** *f* message of greeting.

grüßen [1] *vt* [a] to greet; (*Mil*) to salute ▸ *grüß dich!* (*col*) hello there!, hi! (*col*). [b] (*Grüße übermitteln*) *~ Sie ihn von mir* give him my regards; *Otto läßt dich (schön) ~* Otto sends his regards. [2] *vi* to say hello; (*Mil*) to salute ▸ *Otto läßt ~* Otto sends his regards.

Gruß-: **~formel** *f* form of greeting; (*am Briefanfang*) salutation; (*am Briefende*) complimentary close, ending; **~telegramm** *nt* greetings telegram; (*Pol*) goodwill telegram; **~wort** *nt* greeting.

Grütze *f* **-n** [a] groats *pl*, grits (*US*); (*Brei*) gruel ▸ *rote ~* (type of) red fruit jelly. [b] *no pl* (*col: Verstand*) brains (*col*).

Guatemala *nt* Guatemala.

Guatemalteke *m*, **Guatemaltekin** *f* Guatemalan.

guatemaltekisch *adj* Guatemalan.

gucken ['gʊkn, (*N Ger*) 'kʊkn] [1] *vi* (*sehen*) to look (*zu* at); (*heimlich auch*) to peep, to peek; (*hervorschauen*) to peep (*aus* out of) ▸ *laß mal ~!* let's have a look. [2] *vt* (*col*) *Fernsehen ~* to watch television *or* telly (*Brit col*).

Gucker *m* **-** (*col*) [a] (*Fernglas*) telescope; (*Opernglas*) opera glass(es). [b] *pl* (*Augen*) optics (*col*), peepers (*col*).

Guck-: **~kasten** *m* (*col: Fernseher*) telly (*Brit col*), tube (*US col*); **~loch** *nt* peephole.

Guerilla¹ [ge'rɪlja] *f* **-s** [a] (*~krieg*) guerilla warfare. [b] (*~einheit*) guerilla unit.

Guerilla² [ge'rɪlja] *m* **-s** (*~kämpfer*) guerilla.

Guerillero [geril'jeːro] *m* **-s** guerilla fighter.

Guinea [gi'neːa] *nt* Guinea.

┌───┐
│ ⚠: Informationen zur Rechtschreibreform im Anhang │
└───┘

Gulasch *nt or m* **-e** *or* **-s** goulash.
Gulasch-: **~kanone** *f* (*Mil sl*) field kitchen; **~suppe** *f*
goulash soup.
Gulden *m* - (*niederländisch*) g(u)ilder, gulden.
Gully ['guli] *m or nt* **-s** drain.
gültig *adj* valid ▶ **nach den ~en Bestimmungen** accord-
ing to current regulations; **ab wann ist der Fahrplan ~?**
when does the timetable come into force?; **~ werden** to
become valid; (*Gesetz, Vertrag*) to come into effect;
(*Münze*) to become legal tender.
Gültigkeit *f no pl* validity; (*von Gesetz*) legal force ▶ **das**
Fünfmarkstück verliert im Herbst seine ~ the five
mark piece ceases to be legal tender in the autumn.
Gummi *nt or m* **-s** (*Material*) rubber; (*Radier~*) rubber
(*Brit*), eraser; (*~band*) rubber *or* elastic (*Brit*) band; (*in*
Kleidung etc) elastic; (*col: Kondom*) rubber (*col*), Durex
®.
Gummi- *in cpds* rubber; **g~artig** [1] *adj* rubbery; [2] *adv*
like rubber; **~band** *nt* rubber *or* elastic (*Brit*) band; (*in*
Kleidung) elastic; **~bärchen** *nt* jelly baby; **~baum** *m*
rubber plant; **~boot** *nt* rubber dinghy.
gummieren* *vt* to gum.
Gummierung *f* (*gummierte Fläche*) gum.
Gummi-: **~geschoß** △ *nt* rubber bullet; **~knüppel** *m*
rubber truncheon (*Brit*) *or* billy (*US*); **~linse** *f* (*Phot*)
zoom lens; **~paragraph** △ *m* (*col*) ambiguous clause;
~reifen *m* rubber tyre (*Brit*) *or* tire (*US*); **~schlauch** *m*
rubber hose; (*bei Fahrrad etc*) inner tube; **~stiefel** *m*
rubber boot, wellington (boot) (*Brit*); **~strumpf** *m* elastic stocking; **~wuchtgeschoß** △ *nt* rubber bullet;
~zelle *f* padded cell; **~zug** *m* (piece of) elastic.
Gunst *f no pl* favour (*Brit*), favor (*US*); (*Wohlwollen auch*)
goodwill; (*des Schicksals etc*) benevolence ▶ **zu**
meinen/deinen ~en in my/your favour; **jdm eine ~**
erweisen (*geh*) to do sb a kindness; **in jds ~** (*dat*)
stehen to be in favour with sb.
günstig *adj* favourable (*Brit*), favorable (*US*); (*zeitlich,*
bei Reisen etc) convenient; *Angebot, Preis etc* reasonable,
good ▶ **jdm/einer Sache ~ gesinnt sein** (*geh*) to be favourably disposed towards sb/sth; **bei ~er Witterung**
weather permitting; **die Stadt liegt ~ (für)** the town is
well situated (for); **wie komme ich am ~sten nach ...?**
what's the best *or* easiest way to get to ...?; **im ~sten**
Fall(e) at best; **etw ~ kaufen/verkaufen** to buy/sell sth
for a good price; **DM 30?, das war aber ~** 30 marks?,
that was a bargain.
günstigstenfalls *adv* at the very best.
Günstling *m* (*pej*) favourite (*Brit*), favorite (*US*).
Günstlingswirtschaft *f* (*pej*) favouritism (*Brit*), favoritism (*US*).
Gurgel *f* **-n** throat; (*Schlund*) gullet ▶ **jdm die ~ zu-**
drücken *or* **abschnüren** (*lit, fig*) to strangle sb; **dann**
springt sie mir an die ~! (*col*) she'll kill me for that
(*col*).
gurgeln *vi* [a] (*den Rachen spülen*) to gargle. [b] (*Wasser,*
Laut) to gurgle.
Gurke *f* **-n** [a] cucumber; (*Essig~*) gherkin ▶ **saure ~n**
pickled gherkins. [b] (*hum col: Nase*) hooter (*col*).
Gurken-: **~hobel** *m* slicer; **~salat** *m* cucumber salad.
gurren *vi* (*lit, fig*) to coo.
Gurt *m* **-e** (*Gürtel, Sicherheits~*) belt; (*Riemen*) strap.
Gürtel *m* - belt ▶ **den ~ enger schnallen** (*lit, fig*) to
tighten one's belt.
Gürtel-: **~linie** *f* waist; **ein Schlag unter die ~linie** (*lit*)
a punch/blow *etc* below the belt; **das war ein Schlag**
unter die ~linie (*fig*) that really was below the belt;
~reifen *m* radial (tyre (*Brit*) *or* tire *US*); **~rose** *f* (*Med*)
shingles *sing or pl*; **~tier** *nt* armadillo.
Guru *m* **-s** (*lit, fig*) guru.
GUS [ge:|u:|'|es] *f* = **Gemeinschaft Unabhängiger**

Staaten CIS.
Guß *m, pl* **Güsse** [a] (*Metal*) (*no pl: das Gießen*) casting,
founding; (*~stück*) cast ▶ **(wie) aus einem ~ sein** (*fig*)
to be a unified whole. [b] (*Strahl*) stream, gush; (*col:*
Regen~) cloudburst, downpour. [c] (*Zucker~*) icing,
frosting (*US*); (*durchsichtig*) glaze.
Guß-: **~eisen** [a] *nt* cast iron; **g~eisern** △ *adj* cast-iron;
~form △ *f* mould (*Brit*), mold (*US*).
gut *comp* **besser,** *superl* **beste(r, s)** *or* (*adv*) **am besten**
[1] *adj* good ▶ **probieren Sie unsere ~en Weine/**
Speisen! try our fine wines/food; **er ist in der Schule/**
in Spanisch sehr ~ he's very good at school/Spanish;
das ist ~ gegen *or* **für** (*col*) **Husten** it's good for coughs;
wozu ist das ~? (*col*) what's that for?; **sei so ~ (und)**
gib mir das would you mind giving me that; **dafür ist er**
sich zu ~ he wouldn't stoop to that sort of thing; **sind**
die Bilder ~ geworden? did the pictures turn out all
right?; **es wird alles wieder ~!** everything will be all
right; **wie ~, daß ...** how fortunate that ...; **~, daß du**
das endlich einsiehst it's a good thing you realize it at
last; **ich will es damit ~ sein lassen** I'll leave it at that;
laß mal ~ sein! that'll do; **jetzt ist aber ~!** (*col*) that's
enough; **das ist ja alles ~ und schön, aber ...** that's all
very well but ...; **ein ~es Pfund Reis** a good pound of
rice; **~!** good; (*in Ordnung*) (all) right, OK; **also ~!** all
right *or* OK then; **du bist ~!** (*col*) you're a fine one!
[2] *adv* well ▶ **~ schmecken/riechen** to taste/smell
good; **sie spricht ~ Schwedisch** she speaks good Swedish; **er hat es in seiner Jugend nicht ~ gehabt** he had
a hard time (of it) when he was young; **du hast es ~!**
you've got it made; **das kann ~ sein** that may well be;
so ~ wie nichts next to nothing; **so ~ wie nicht** hardly,
scarcely; **so ~ wie verloren** as good as lost; **so ~ ich**
kann as well as I can; **es dauert ~ drei Stunden** it lasts
a good three hours; **~ und gern** easily; **paß ~ auf!** be
very careful; **ich kann ihn jetzt nicht ~ im Stich lassen**
I can't very well let him down now.
Gut *nt* **-̈er** [a] (*Eigentum*) property; (*lit, fig: Besitztum*)
possession ▶ **irdische ̈er** worldly goods. [b] *no pl* (*das*
Gute) good ▶ **~ und Böse** good and evil. [c] (*Ware,*
Fracht~) item ▶ **̈er** goods; (*Fracht~*) freight *sing*, goods
(*esp Brit*). [d] (*Land~*) estate.
Gut-: **~achten** *nt* - expert opinion, report; **~achter(in** *f*)
m - expert; (*Schätzer auch*) valuer, valuator; (*Jur: Prozeß*)
expert witness; **g~artig** *adj Kind, Hund etc* good-
natured; *Geschwür* benign; **g~aussehend** △ *adj* good-
looking; **g~bezahlt** △ *adj attr* well-paid; **g~bürgerlich**
adj solid middle-class; *Küche* homely, good plain;
~dünken *nt no pl* discretion; **nach (eigenem) ~dünken**
at one's own discretion.
Güte *f no pl* [a] (*Herzens~, Freundlichkeit*) goodness,
kindness ▶ **würden Sie die ~ haben, zu ...** (*form, iro*)
would you have the goodness *or* kindness to ...; **ein Vor-**
schlag zur ~ a conciliatory proposal; **ach du liebe** *or*
meine ~! (*col*) goodness me! [b] (*einer Ware*) quality.
Güteklasse *f* (*Comm*) grade.
Gute(r) *mf decl as adj* **der/die ~** the dear kind soul;
(*mitleidig*) the poor soul; **die ~n und die Bösen** the
good and the bad; (*col: in Filmen etc*) the goodies and
the baddies (*col*).
Güter-: **~abfertigung** *f* [a] *no pl* dispatch of freight *or*
goods (*esp Brit*); [b] (*Abfertigungsstelle*) freight *or* goods
(*esp Brit*) office; **~bahnhof** *m* freight *or* goods (*esp Brit*)
depot; **~fernverkehr** *m* long-distance haulage;
~trennung *f* (*Jur*) separation of property; **in ~trennung**
leben to have separation of property; **~verkehr** *m*
freight *or* goods (*esp Brit*) traffic; **~wagen** *m* (*Rail*)
freight car (*US*), goods truck (*Brit*); **~zug** *m* freight *or*
goods (*esp Brit*) train.
Gute(s) *nt decl as adj* **~s tun** to do good; **alles ~!** all the

---

△: for details of spelling reform, see supplement

best!; *das führt zu nichts ~m* it'll lead to no good; *das ist des ~n zuviel* that is too much of a good thing; *das ~ daran* the good thing about it; *das ~ im Menschen* the good in man; *sich im g~n einigen* to reach an amicable agreement; *ich sage es dir noch einmal im g~n* I'm telling you this just once more.

Güte-: **~siegel** *nt* (*Comm*) stamp of quality; **~zeichen** *nt* mark of quality; (*fig auch*) hallmark.

Gut-: **g~gehen** △ *sep irreg aux sein* [1] *vi impers es geht ihm g~* he is doing well *or* nicely; (*er ist gesund*) he is well; *sonst geht's dir g~!* (*iro*) are you in your right mind?; [2] *vi* to go (off) well; *das ist noch einmal g~gegangen* it turned out all right; **g~gehend** △ *adj attr* thriving; **g~gelaunt** △ *adj* cheerful, in a good mood; **g~gemeint** △ *adj attr* well-meant; **g~gläubig** *adj* trusting; (*vertrauensselig auch*) credulous; **~gläubigkeit** *f siehe adj* trusting nature; credulity; **g~haben** *vt sep irreg etw g~haben* to have sth coming (to one) (*col*) (*bei* from); **~haben** *nt* - (*Fin, Bank~*) credit; *auf meinem Konto ist ein ~haben von DM 500* my account is 500 marks in credit; *eingefrorenes ~haben* frozen assets; **g~heißen** *vt sep irreg* to approve of; (*genehmigen*) to approve; **g~herzig** *adj* kind-hearted; **~herzigkeit** *f* kind-heartedness.

gütig *adj* kind; (*edelmütig*) gracious.

gütlich *adj* amicable ► *sich an etw* (*dat*) *~ tun* to make free with sth.

Gut-: **g~machen** *vt sep* [a] (*in Ordnung bringen*) *Fehler* to put right, to correct; *Schaden* to make good; [b] (*gewinnen*) to make (*bei* out of, on); **g~mütig** *adj* good-natured; **~mütigkeit** *f* good-naturedness; **g~nachbarlich** [1] *adj* neighbourly(*Brit*), neighborly (*US*); [2] *adv* as good neighbours (*Brit*) *or* neighbors (*US*).

Gutsbesitzer(in *f*) *m* lord of the manor; (*als Klasse*) landowner.

Gut-: **~schein** *m* voucher, coupon; (*für Umtausch*) credit note; **g~schreiben** *vt sep irreg* to credit (*dat* to); **~schrift** *f* (*Bescheinigung*) credit note; (*Betrag*) credit (item).

Guts-: **~haus** *nt* manor (house); **~herr** *m* squire, lord of the manor; **~herrin** *f* lady of the manor; **~hof** *m* estate.

gut-: **~situiert** △ *adj attr* well-off; **~tun** △ *vi sep irreg jdm ~tun* to do sb good; *das tut ~* that's good; **~unterrichtet** △ *adj attr* well-informed; **~verdienend** △ *adj attr* with a good salary, high-income; **~willig** *adj* willing; (*nicht böswillig*) well-meaning.

GuV [ge:|u:'fau] *f* (*Comm*) = **Gewinn- und Verlust-Rechnung** P&L.

Guyana *nt* Guyana.

Gymnasiallehrer ≃ grammar school teacher (*Brit*), high school teacher (*US*).

Gymnasiast(in *f*) *m* (*wk*) **-en, -en** ≃ grammar school pupil (*Brit*), high school student (*US*).

Gymnasium *nt* (*Sch*) ≃ grammar school (*Brit*), high school (*US*).

GYMNASIUM

i The *Gymnasium* is a selective secondary school. There are nine years of study at a *Gymnasium* leading to the **Abitur** which gives access to higher education. Pupils who successfully complete six years automatically gain the **mittlere Reife**.

Gymnastik *f* keep-fit exercises *pl*; (*Turnen*) gymnastics *sing* ► *~ machen* to do keep-fit (exercises)/gymnastics.

Gymnastikanzug *m* leotard.

gymnastisch *adj* gymnastic.

Gynäkologe *m*, **Gynäkologin** *f* gynaecologist (*Brit*), gynecologist (*US*).

Gynäkologie *f* gynaecology (*Brit*), gynecology (*US*).

gynäkologisch *adj* gynaecological (*Brit*), gynecological (*US*).

Gyros ['giros] *nt no pl* ≃ doner kebab.

H

H, h [ha:] *nt* -, - H, h; (*Mus*) B ▶ *H wie Heinrich* ≈ H for Harry, H for How (*US*).
h = **hora/horae** (*Stunde/Stunden*) h.
ha = **Hektar** hectare.
Haag *m Den* ~ The Hague.
Haar *nt* **-e** hair ▶ *sie hat schönes ~ or schöne ~e* she has nice hair; *~e auf den Zähnen haben* to be a tough customer (*Brit*) *or* cookie (*US*); *~e lassen (müssen)* to come off badly; *jdm kein ~ krümmen* not to harm a hair of sb's head; *darüber laß dir keine grauen ~e wachsen* don't lose any sleep over it; *das aufs ~ gleichen* to be the spitting image of sb; *das ist an den ~en herbeigezogen* that's rather far-fetched; *an jdm kein gutes ~ lassen* to pull sb to pieces; *sich* (*dat*) *in die ~e kriegen* (*col*) to quarrel; *sich* (*dat*) *in den ~en liegen* to be at loggerheads; *jdm die ~e vom Kopf fressen* (*col*) to eat sb out of house and home; *um ein ~* very nearly.
Haar-: **~ansatz** *m* hairline; **~ausfall** *m* hair loss; **~breit** *nt um kein ~breit* not an inch; **~bürste** *f* hairbrush; **~büschel** *nt* tuft of hair.
haaren *vi* (*auch vr: Tier*) to moult (*Brit*), to molt (*US*); (*Pelz, Teppich*) to shed.
Haar|ersatz *m* (*form*) hairpiece; (*Perücke*) wig.
Haaresbreite *f inv um ~* almost, very nearly; *verfehlen by a hair's breadth; *er wich nicht um ~ von seiner Meinung ab* he did not change his opinion one iota.
Haar-: **~farbe** *f* hair colour; **~festiger** *m* - (hair) setting lotion; **h~genau** *adj* exact; *jdm etw h~genau erklären* to explain sth to sb in great detail; *das trifft h~genau zu* that's absolutely right.
haarig *adj* hairy; (*col*) (*heikel*) tricky; (*gefährlich*) hairy (*col*); (*schwierig*) nasty.
Haar-: **~klammer** *f* hairgrip (*Brit*), barrette (*US*); **h~klein** *adv* in minute detail; **~klemme** *f* = **~klammer**; **~mode** *f* hairstyle; **~nadel** *f* hairpin; **~nadelkurve** *f* hairpin bend; **~netz** *nt* hairnet; **~pflege** *f* hair care; **h~scharf** *adj Beschreibung* exact; *das hat ihn h~scharf verfehlt* it only missed him by a hair's breadth; **~schleife** *f* bow, hair ribbon; **~schnitt** *m* haircut; **~schopf** *m* mop *or* shock of hair; **~sieb** *nt* fine sieve; **~spalter(in** *f*) *m* - pedant, hairsplitter; **~spalterei** *f* splitting hairs *no indef art, no pl*; **h~spalterisch** *adj* hairsplitting; **~spange** *f* hair slide, barrette (*US*); **~spitze** *f* end (of a hair); **~spray** *nt or m* hair spray; **~strähne** *f* strand *or* (*dünner*) wisp of hair; **h~sträubend** *adj* hair-raising; (*unglaublich*) *Frechheit* incredible; **~teil** *nt* hairpiece; **~töner** *m* - hair-tinting lotion; **~trockner** *m* - hair dryer; **~waschmittel** *nt* shampoo; **~wasser** *nt* hair lotion; **~wuchs** *m* growth of hair; *einen kräftigen ~wuchs haben* to have a thick head of hair; **~wuchsmittel** *nt* hair restorer.
Hab *nt* - *und Gut sing* possessions *pl*, belongings *pl*, worldly goods *pl*.
Habe *f no pl* (*geh*) possessions *pl*, belongings *pl*.
haben *pret* **hatte**, *ptp* **gehabt** 1 *vt* to have, to have got (*esp Brit*) ▶ *ich habe eine Idee* I have *or* I've got (*esp Brit*) an idea; *ein Meter hat 100 cm* there are 100 cm in a metre; *da hast du 10 Mark* there's 10 marks; *die ~'s (ja)* (*col*) they can afford it; *wie hätten Sie es gern?* how would you like it?; *ich kann das nicht ~* (*col*) I can't

stand it; *Ferien ~* to be on holiday; *Hunger/Angst/Sorgen ~* to be hungry/afraid/worried; *was hat er denn?* what's the matter with him?; *hast du was?* are you all right?, is (there) something the matter with you?; *was ~ wir heute für ein Wetter?* what's the weather like today?; *heute ~ wir 10°* it's 10° today; *es gut/schön ~* to have it good/nice; *sie hat es warm in ihrem Zimmer* it's warm in her room; *er hat es nicht leicht mit ihr* he has a hard time (of it) with her; *es am Herzen ~* (*col*) to have heart trouble; *es in den Beinen ~* (*col*) to have trouble with one's legs; *er hat es mit dem Malen* (*col*) he has a thing about painting (*col*); *du hast zu gehorchen* (*müssen*) you must obey; *ich habe zu tun* I'm busy; *etw auf dem Boden liegen ~* to have sth lying on the floor; *etw ist zu ~* (*erhältlich*) sth is to be had; *er/sie ist zu ~* (*col*) (*nicht verheiratet*) he/she is single; (*sexuell*) he/she is available; *für etw zu ~ sein* to be keen on sth; *für ein gutes Essen ist er immer zu ~* he's always willing to have a good meal; *ich hab's* (*col*) I've got it, I know; *du kannst mich gern ~!* (*col*) get lost! (*col*); *da hast du's/~ wir's!* (*col*) there you/we are; *woher hast du denn das?* where did you get that from?; *wie gehabt!* (*wie gewöhnlich*) as usual; *wie gehabt!* some things don't change; *sie hat eine nette Art an sich* (*dat*) she has a nice way with her; *sie werden schon merken, was sie an ihm ~* they'll see how valuable he is; *etwas mit jdm ~* (*col*) to have a thing with sb (*col*); *das hast du jetzt davon* now see what's happened (as a result); *etwas/nichts von etw ~* (*col*) to get something/nothing out of sth; *nichts von etw ~* (*col*) to get nothing out of sth; *die blonden Haare hat sie von ihrem Vater* she gets her blond hair from her father; *er hat etwas von einem Charmeur (an sich dat)* there's something of the charmer about him; *dieses Werk von Braque hat viel von Picasso* this work by Braque owes much to Picasso.
2 *vr* (*col: sich anstellen*) to make a fuss ▶ *was hast du dich denn so?* what are you making such a fuss about?
3 *vr impers* (*col*) *und damit hat es sich* and that's that; *die Sache hat sich* (*ist erledigt*) that's done.
4 *aux ich habe/hatte gerufen* I have/had called, I've/I'd called; *ich habe gestern angerufen* I called yesterday; *du hättest den Brief früher schreiben können* you could have written the letter earlier; *etw getan ~* to have done sth.
Haben *nt no pl* credit ▶ *im ~ stehen* to be on the credit side.
Habenichts *m* **-e** (*pej*) have-not.
Haben-: **~seite** *f* credit side; **~zinsen** *pl* interest on credit *sing*.
Hab-: **~gier** *f* greed, acquisitiveness; **h~gierig** *adj* greedy, acquisitive; **h~haft** *adj* (*geh*) *jds/einer Sache h~haft werden* to get hold of sb/sth.
Habicht *m* **-e** hawk.
Habilitation *f* (*Lehrberechtigung*) postdoctoral lecturing qualification.
habilitieren* *vr* to qualify as a university lecturer.
Habit *nt or m* **-e** (*Ordenskleid*) habit.
Hab-: **~schaft** *f*, **~seligkeiten** *pl* belongings *pl*; **~sucht** *f* greed, acquisitiveness; **h~süchtig** *adj* greedy, acquisi-

tive.

Hachse ['haksə] *f* -n = **Haxe**.

Hack-: **~beil** *nt* chopper, cleaver; **~block** *m* chopping block; **~braten** *m* meat loaf; **~brett** *nt* [a] chopping board; [b] (*Mus*) dulcimer.

Hacke¹ *f* -n (*Ferse, Absatz*) heel.

Hacke² *f* -n (*Pickel*) pickaxe (*Brit*), pickax (*US*); (*Garten~*) hoe.

hacken [1] *vt* (*zerkleinern*) to chop; (*im Fleischwolf*) to mince (*Brit*), to grind (*US*); Garten to hoe; Loch to hack; (*Vogel*) to peck.
[2] *vi* [a] to hack (*nach* at); (*Vogel*) to peck (*nach* at); (*im Garten*) to hoe. [b] (*Comp*) to hack (*in +acc* into).

Hacker *m* - (*Comp*) hacker.

Hack-: **~fleisch** *nt* mince (*Brit*), minced (*Brit*) *or* ground (*US*) meat; **aus jdm ~fleisch machen** (*col*) to make mincemeat of sb (*col*); **~klotz** *m* chopping block; **~ordnung** *f* (*lit, fig*) pecking order.

Häcksel *nt or m no pl* chaff.

hadern *vi* (*dated, geh*) (*streiten*) to quarrel; (*unzufrieden sein*) to be at odds.

Hafen *m* ⁼ [a] harbour (*Brit*), harbor (*US*); (*Handels~*) port; (*~anlagen*) docks *pl* ▸ **in den ~ einlaufen** to put into harbour/port. [b] (*fig*) haven ▸ **in den ~ der Ehe einlaufen** to enter the state of matrimony.

Hafen- *in cpds* harbour (*Brit*), harbor (*US*); port; **~anlagen** *pl* docks *pl*; **~arbeiter** *m* dockworker, docker; **~gebühren** *pl* harbour (*Brit*) *or* harbor (*US*) dues *pl*; **~polizei** *f* harbour (*Brit*) *or* harbor (*US*) police; **~rundfahrt** *f* (boat-)trip round the harbour (*Brit*) *or* harbor (*US*); **~stadt** *f* port; (*am Meer auch*) seaport; **~viertel** *nt* dock area.

Hafer *m* - oats *pl* ▸ **ihn sticht der ~** (*col*) he's a bit cocky (*col*), he's feeling his oats (*US col*).

Hafer-: **~brei** *m* porridge; **~flocken** *pl* rolled oats *pl*; **~korn** *nt* (oat) grain; **~mehl** *nt* oatmeal; **~schleim** *m* gruel.

Haff *nt* -s *or* -e lagoon.

Haft *f no pl* (*vor dem Prozeß*) custody; (*~strafe*) imprisonment; (*~zeit*) prison sentence; (*politisch*) detention ▸ **sich in ~ befinden** to be in custody/prison/detention; **eine schwere ~ verhängen** to impose a long term of imprisonment; **in ~ nehmen** to take into custody, to detain.

Haft-: **~anstalt** *f* detention centre (*Brit*) *or* center (*US*); **h~bar** *adj* (*für jdn*) legally responsible; (*für etw*) (legally) liable; **~befehl** *m* warrant; **einen ~befehl gegen jdn ausstellen** to issue a warrant for sb's arrest; **~dauer** *f* term of imprisonment.

haften¹ *vi* (*Jur*) **für jdn ~** to be (legally) responsible for sb; **für etw ~** to be (legally) liable for sth; **die Versicherung hat für den Schaden nicht gehaftet** the insurance company did not accept liability (for the damage); **für Garderobe kann nicht gehaftet werden** all articles are left at owner's risk.

haften² *vi* (*lit, fig*) to stick (*an +dat* to); (*Reifen, Phys*) to adhere (*an +dat* to); (*Rauch, Geruch*) to cling (*an +dat* to); (*Blick*) to become fixed.

⚠ **haftenbleiben** *vi sep irreg aux sein* (*lit, fig*) to stick (*an or auf +dat* to); (*Geruch*) to cling; (*Phys*) to adhere.

Häftling *m* prisoner; (*politisch auch*) detainee.

Haft-: **~pflicht** *f* (*Schadenersatzpflicht*) (legal) liability; **h~pflichtig** *adj* liable; **h~pflichtversichert** *adj* **h~pflichtversichert sein** to have personal *or* public (*US*) liability insurance; (*Aut*) ≃ to have third-party insurance; **~pflichtversicherung** *f* personal *or* public (*US*) liability insurance *no indef art*; (*Aut*) ≃ third-party insurance; **~richter** *m* magistrate; **~schalen** *pl* contact lenses *pl*; **~strafe** *f* prison sentence; **h~unfähig** *adj* (*Jur*) not fit enough to be kept in prison.

Haftung *f* [a] (*Jur*) (legal) liability; (*für Personen*) (legal) responsibility. [b] (*Tech, Phys, von Reifen*) adhesion.

Hage-: **~butte** *f* -n rose hip; **~dorn** *m* hawthorn.

Hagel *m no pl* (*lit, fig*) hail.

Hagelkorn *nt* hailstone.

hageln [1] *vi impers* **es hagelt** it's hailing.
[2] *vi etw hagelt auf jdn* (*lit, fig*) sth hails down on sb.
[3] *vt impers* (*lit*) to hail (down) ▸ **es hagelte etw** (*fig*) sth hailed down.

Hagel-: **~schauer** *m* (short) hailstorm; **~schlag** *m* (*Met*) hail; **~sturm** *m* hailstorm.

hager *adj* gaunt, thin.

Häher *m* - jay.

Hahn *m* ⁼e [a] (*männlicher Vogel*) cock; (*jünger*) cockerel ▸ **~ im Korb sein** (*col*) to be cock of the walk; **danach kräht kein ~ mehr** (*col*) no one cares two hoots about that any more (*col*). [b] *pl auch* -en (*Tech*) tap, faucet (*US*). [c] (*Abzug*) trigger.

Hähnchen *nt* (*Cook*) chicken.

Hahnen-: **~fuß** *m* (*Bot*) buttercup; **~schrei** *m* cockcrow; **beim ersten ~schrei** (*fig*) at cockcrow.

Hai(fisch) *m* -e (*lit, fig*) shark.

Hain *m* -(e)s, -e (*poet, geh*) grove (*liter*).

Haiti [ha'i:ti] *nt* Haiti.

Häkchen *nt* [a] (*Sew*) (small) hook. [b] (*Zeichen*) tick, check (*US*).

häkeln *vti* to crochet.

Häkelnadel *f* crochet hook.

haken [1] *vi* (*klemmen*) to stick ▸ **es hakt** (*fig*) there's a hold-up; **es hakt (bei jdm)** (*col: nicht verstehen*) sb is stuck.
[2] *vt* (*befestigen*) to hook (*an +acc* to).

Haken *m* - [a] hook (*auch Boxen*) ▸ **die Sache hat einen ~** (*col*) there's a snag *or* a catch; **einen ~ schlagen** to dart sideways. [b] (*Zeichen*) tick, check (*US*).

Haken-: **~kreuz** *nt* swastika; **~nase** *f* hooked nose; **h~nasig** *adj* hook-nosed.

halb [1] *adj* half ▸ **ein ~er Meter** *etc* half a metre *etc*; **der ~e Tag** *etc* half the day *etc*; **eine ~e Stunde** half an hour; **alle ~e Stunde** every half hour; **ein ~es Jahr** six months *pl*; **auf ~em Wege** *or* **~er Strecke** halfway; **zum ~en Preis** (at) half price; **Kleid mit ~em Arm** dress with half-length sleeves; **eine ~e Note** (*Mus*) a minim (*Brit*), a half-note (*US*); **ein ~er Ton** (*Mus*) a semitone; **~e Pause** (*Mus*) minim/half-note rest; **~ zehn** half past nine, half nine (*col*); **fünf (Minuten) vor/nach ~ zwei** twenty-five (minutes) past one/to two; **~e Arbeit leisten** to do a bad job; **die ~e Wahrheit** half of the truth; **nichts H~es und nichts Ganzes** neither one thing nor the other; **mit ~em Ohr** with half an ear; **sich nur wie ein ~er Mensch fühlen** to feel only half a person; **keine ~en Sachen machen** not to do things by halves; **die ~e Stadt/Welt** half the town/world; **sie ist schon eine ~e Schottin** she is already half Scottish; **(noch) ein ~es Kind sein** to be scarcely more than a child.
[2] *adv* half; (*beinahe*) almost ▸ **die Zeit ist ~ vorbei** half the time has already gone; **~ so gut** half as good; **etw nur ~ verstehen** to only half understand something; **ich hörte nur ~ zu** I was only half listening; **das ist ~ so schlimm** it's not as bad as all that; (*Zukünftiges*) that won't be too bad; **etw nur ~ machen** to only half do sth (*col*); **wir haben uns ~ totgelacht** we almost died laughing; **mit jdm ~e-~e machen** (*col*) to go halves with sb; **gefällt es dir? — ~ und ~** do you like it? — sort of (*col*).

Halb- *in cpds* half; **h~amtlich** *adj* semi-official; **~bildung** *f* smattering of knowledge (*pej*); **h~bitter** *adj* Schokolade semi-sweet; **~blut** *nt no pl* (*Mensch*) half-breed; (*Tier*) crossbreed; **~bruder** *m* half-brother; **~dunkel** *nt* semi-darkness; (*Dämmerung*) twilight;

~**edelstein** *m* semi-precious stone.

Halbe(r) *m or f decl as adj* (*col*) half a litre (*Brit*) *or* liter (*US*) (of beer).

halber *prep* +*gen* (*nachgestellt*) (*dated*, *geh*) (*wegen*) on account of; (*um ... willen*) for the sake of.

Halb-: h~fertig ⚠ *adj attr* half-finished; (*fig*) immature; **h~fest** *adj attr Zustand, Materie* semi-solid; *Gelee* half-set; **h~fett** *adj* 🅰 (*Typ*) semibold, secondary bold; 🅱 *Käse* medium-fat; ~**finale** *nt* semi-final; **h~gar** ⚠ *adj attr* half-cooked; ~**gott** *m* (*Myth, fig*) demigod; ~**götter in Weiß** (*iro*) doctors; ~**heit** *f* (*pej*) half-measure; *er ist nicht für* ~**heiten** he is not one for half-measures; **h~herzig** *adj* half-hearted.

halbieren* *vt* to halve; (*schneiden*) to cut in half.

Halbierung *f* halving.

Halb-: ~**insel** *f* peninsula; ~**jahr** *nt* half-year (*auch Comm*), six months; **h~jährig** *adj attr Kind* six-month-old; *Lehrgang etc* six-month; **h~jährlich** 🔟 *adj* half-yearly (*auch Comm*), six-monthly; 🔟 *adv* every six months, twice yearly; ~**kreis** *m* semicircle; ~**kugel** *f* hemisphere; *nördliche/südliche* ~**kugel** northern/southern hemisphere; **h~lang** *adj Rock* mid-calf length; *Haar* chin-length; *(nun) mach mal h~lang!* (*col*) now wait a minute!; **h~laut** 🔟 *adj* low; 🔟 *adv* in a low voice; **h~leer** *adj* half-empty; **h~leinen** *adj attr Stoff* fifty per cent linen; ~**leiter** *m* (*Phys*) semiconductor; **h~links** ⚠ *adv* (*Sport*) spielen (at) inside left; *h~links abbiegen* to fork left; *das Auto kam von h~links* the car came at an angle from the left; **h~mast** *adv* at half-mast; **h~matt** *adj* (*Phot*) semimatt; ~**messer** *m* radius; ~**metall** *nt* semi-metal; ~**mond** *m* half-moon; (*Symbol*) crescent; *wir haben* ~**mond** there's a half-moon; **h~nackt** ⚠ *adj attr* half-naked; **h~offen** ⚠ *adj attr* half-open; ~**pension** *f* half-board (*Brit*), European plan (*US*); **h~rechts** ⚠ *adv* (*Sport*) spielen (at) inside right; *h~rechts abbiegen* to fork right; *das Auto kam von h~rechts* the car came at an angle from the right; **h~reif** *adj attr* half-ripe; **h~rund** *adj attr* semicircular; ~**rund** *nt* semicircle, half circle; *im* ~**rund** in a semicircle; ~**schatten** *m* half shadow; ~**schlaf** *m* light sleep, doze; *im* ~**schlaf sein** to be half asleep; ~**schuh** *m* shoe; ~**schwergewichtler** *m* light-heavyweight; ~**schwester** *f* half-sister; ~**seide** *f* fifty per cent silk; **h~seiden** *adj* (*lit*) fifty per cent silk; (*fig*) *Dame* fast; (*homosexuell*) gay; **h~seidenes Milieu** demimonde; **h~seitig** *adj Anzeige* half-page; **h~seitig gelähmt** hemiplegic; ~**starke(r)** *m decl as adj* hooligan, rowdy; **h~stündlich** *adj, adv* half-hourly; **h~tags** *adv* in the mornings/afternoons; *h~tags arbeiten* to work part-time.

Halbtags-: ~**arbeit**, ~**beschäftigung** *f* part-time job; ~**kraft** *f* part-time employee.

Halb-: ~**ton** *m* half-tone; (*Mus*) semitone; **h~trocken** *adj Wein* medium dry; **h~voll** ⚠ *adj attr* half-filled; *Behälter auch* half-full; **h~wach** ⚠ *adj attr* half awake; *in h~wachem Zustand* half awake; ~**wahrheit** *f* half truth; ~**waise** *f* child/person who has lost one parent; **h~wegs** *adv* partly; *gut* reasonably; *annehmbar* halfway; *wenn es dir wieder h~wegs besser geht* when you're feeling a bit better; ~**welt** *f* demimonde; ~**wert(s)zeit** *f* half-life; ~**wissen** *nt* (*pej*) superficial knowledge; **h~wüchsig** *adj* adolescent; ~**wüchsige(r)** *mf decl as adj* adolescent; ~**zeit** *f* (*Sport*) (*Hälfte*) half; (*Pause*) half-time.

Halde *f* -n 🅰 (*Abfall~*) mound, heap; (*Min: Abbau~*) slagheap ▸ *etw auf* ~ *legen Ware, Vorräte* to stockpile sth. 🅱 (*geh: Abhang*) slope.

half *pret of* **helfen**.

Hälfte *f* -n half ▸ *die* ~ *der Kinder war abwesend* half the children were absent; *die* ~ *von etw* half (of) sth;

die ~ *ist gelogen* half of it is lies; *Rentner zahlen die* ~ pensioners pay half price; *um die* ~ *steigen* to increase by half; *es ist zur* ~ *fertig* it is half finished; *das werde ich zur* ~ *bezahlen* I will pay half (of it); *meine bessere* ~ (*hum col*) my better half (*hum col*); *auf der* ~ *des Weges* halfway.

Halfter¹ *m or nt* - (*für Tiere*) halter.

Halfter² *f* -**n** *or nt* - (*Pistolen~*) holster.

Hall *m* -**e** echo.

Halle *f* -**n** hall; (*Hotel~*) lobby; (*Fabrik~*) shed; (*Sport~*) (sports) hall, gym(nasium); (*Flugzeug~*) hangar ▸ *Fußball in der* ~ indoor football.

halleluja(h) *interj* halleluja(h).

hallen *vi* to reverberate, to echo (*auch fig*).

Hallen- *in cpds* (*Sport*) indoor; ~**(schwimm)bad** *nt* indoor swimming pool.

hallo [ˈhalo, haˈloː] *interj* hello.

Hallo *nt* cheer *usu pl*; (*Gruß*) hello ▸ *mit großem* ~ with loud cheering.

Halluzination *f* hallucination.

Halm *m* -**e** stalk, stem; (*Gras~*) blade of grass; (*Stroh~, zum Trinken*) straw.

Halogen *nt* -**e** halogen.

Halogenscheinwerfer *m* halogen headlamp.

Hals *m* ¨**e** 🅰 neck ▸ *sich* (*dat*) *nach jdm/etw den* ~ *verrenken* (*col*) to crane one's neck to see sb/sth; *jdm um den* ~ *fallen* to fling one's arms around sb's neck; *sich jdm an den* ~ *werfen* (*fig col*) to throw oneself at sb; *das wird ihm noch den* ~ *brechen* (*col*) it'll ruin him; ~ *über Kopf abreisen* to leave in a rush; *ihm steht das Wasser bis zum* ~ (*fig*) he is up to his neck in it (*col*); *jdn auf dem* ~ *am* ~ *haben* (*col*) to be lumbered *or* saddled with sb (*col*); *jdn jdm auf den* ~ *hetzen* (*col*) to put sb onto sb; *jdm mit etw vom* ~**(e)** *bleiben* (*col*) not to bother sb with sth (*col*); *sich jdn/etw vom* ~**e** *schaffen* (*col*) to get sb/sth off one's back (*col*). 🅱 (*Kehle, Rachen*) throat ▸ *sie hat es im* ~ (*col*) she has a sore throat; *aus vollem* ~**(e)** at the top of one's voice; *es hängt mir zum* ~ *heraus* (*col*) I'm sick and tired of it; *sie hat es in den falschen* ~ *bekommen* (*col*) (*sich verschlucken*) it went down the wrong way; (*falsch verstehen*) she took it wrongly; *etw bleibt jdm im* ~ *stecken* (*lit, fig*) sth sticks in sb's throat; *er kann den* ~ *nicht voll (genug) kriegen* (*fig col*) he is never satisfied.

Hals-: ~**abschneider** *m* - (*pej col*) shark (*col*); **h~abschneiderisch** *adj* (*pej col*) *Preise* extortionate; *Mensch* cutthroat (*col*); ~**ausschnitt** *m* neck(line); ~**band** *nt* (*Hunde~*) collar; **h~brecherisch** *adj* dangerous; *Tempo* breakneck; *Fahrt* hair-raising; ~**entzündung** *f* sore throat; ~**kette** *f* (*Schmuck*) necklace; ~**krause** *f* ruff.

Hals-Nasen-Ohren-Arzt *m* ear, nose and throat specialist.

Hals-: ~**schlagader** *f* carotid (artery); ~**schmerzen** *pl* sore throat *sing*; **h~starrig** *adj* stubborn; ~**starrigkeit** *f* stubbornness; ~**tuch** *nt* scarf; ~- *und* **Beinbruch** *interj* good luck; ~**weh** *nt* sore throat; ~**weite** *f* neck size; ~**wirbel** *m* cervical vertebra.

Halt *m* -**e** 🅰 (*für Füße, Hände*) hold; (*lit, fig: Stütze*) support; (*fig: innerer* ~) security *no art* ▸ ~ *haben* (*Ding*) to hold; *jdm/einer Sache* ~ *geben* to support sb/sth; *keinen* ~ *haben* to have no hold/support; to be insecure; *ohne inneren* ~ insecure. 🅱 (*geh: Anhalten*) stop.

halt¹ *interj* stop.

halt² *adv* (*dial*) siehe **eben 2 (b)**.

haltbar *adj* 🅰 ~ *sein* to keep (well); ~**e** *Lebensmittel* food which keeps (well); *etw* ~ *machen* to preserve sth; ~ *bis 6.11.* use by 6 Nov. 🅱 (*widerstandsfähig*) durable; *Stoff, Kleider* hard-wearing. 🅲 *Theorie* tenable.

Haltbarkeit f [a] (von Lebensmitteln) **eine längere ~ haben** to keep longer; **Lebensmittel von kurzer ~** perishable food. [b] siehe adj (b) durability; hard-wearing quality.

Haltbarkeitsdatum nt best-before date.

Haltegriff m (grab) handle; (in Bus) strap; (an Badewanne) handgrip.

▼ **halten** pret **hielt,** ptp **gehalten** [1] vt [a] (festhalten) to hold; (zurückhalten) to stop; (behalten, besitzen) Haustier, Vorsprung, Versprechen to keep; Rekord, Kurs, Position to hold; Auto to run; (beibehalten) Temperatur, Tempo to keep up ▸ **den Mund ~** (col) to keep one's mouth shut (col); **einen Fuß ins Wasser ~** to put one's foot into the water; **ich konnte ihn/es gerade noch ~** I just managed to grab hold of him/it; **sie ist nicht zu ~** (fig) there's no holding her; **es hält mich hier nichts mehr** there's nothing to keep me here any more; **es hält dich niemand** nobody's stopping you; **die Wärme ~** to retain heat; **sich** (dat) **jdn/etw ~** to keep sb/sth; **den Ton ~** to stay in tune; **die These läßt sich nicht länger ~** this thesis is no longer tenable; **(mit jdm) Verbindung ~** to keep in touch (with sb).

[b] (abhalten) Vorlesung to give; Rede auch to make; Gottesdienst to hold; Wache to keep ▸ **Mittagsschlaf ~** to have an afternoon nap.

[c] (Sport) Ball to save.

[d] **er hält seine Kinder sehr streng** he's very strict with his children; **es mit etw so/anders ~** to handle sth like this/differently; **das kannst du ~ wie du willst** that's completely up to you; **etw einfach ~** to keep sth simple; **der Film hält nicht, was er verspricht** the film doesn't live up to expectations; **jdn/etw für jdn/etw ~** to take sb/sth for sb/sth; **jdn für ehrlich ~** to think or consider sb is honest; **wofür ~ Sie mich?** what do you take me for?; **etw von jdm/etw ~** to think sth of sb/sth; **ich halte nichts davon, das zu tun** I don't think much of the idea of doing that; **nicht viel vom Sparen ~** not to be a great one for saving (col); **etw für nötig/ratsam ~** to judge sth to be necessary/advisable.

[2] vi [a] (festhalten, zusammenhalten) to hold ▸ **kannst du mal 'n Moment ~?** can you just hold that (for) a moment? [b] (bestehenbleiben, haltbar sein) to last; (Stoff) to wear well. [c] (stehenbleiben, anhalten) to stop ▸ **zum H~ bringen** to bring to a stop or standstill. [d] (Sport) to make a save. [e] **Sport hält jung** sport keeps you young; **auf etw** (acc) **~** (zielen) to aim at sth; (steuern) to head for sth; **etwas mehr nach links ~** to keep more to the left; (zielen) to aim more to the left; **zu jdm ~** to stand or stick by sb; **(sehr) auf etw** (acc) **~** (Wert legen) to attach (a lot of) importance to sth; **auf sich** (acc) **~** (auf Äußeres achten) to take a pride in oneself.

[3] vr [a] (sich festhalten) to hold on (an +dat -to). [b] (sich nicht verändern) to keep; (Wetter) to last; (Preise) to hold; (nicht verschwinden) to last; (Geruch etc) to stay; (seine Position behaupten) to hold on ▸ **er hat sich gut gehalten** (col) he's well-preserved; **sich auf den Beinen ~** to stay on one's feet; **sich gut ~** (in Prüfung, Spiel etc) to make a good showing, to do well; **er hält sich sehr aufrecht** he holds or carries himself very erect; **der Autofahrer hielt sich ganz rechts** the driver kept to the right; **sich an ein Versprechen ~** to keep a promise; **sich an den Text ~** to keep or stick to the text; **sich an jdn ~** (sich wenden an) to ask sb; **sich an jdn/etw ~** (bleiben bei) to stick with sb/sth; (sich richten nach) to follow sb/sth; **sich nicht ~ können** to be unable to control oneself. [c] **er hält sich für besonders klug** he thinks he's very clever.

Halter m - [a] (Haltevorrichtung) holder. [b] (Jur: Tier~) owner; (Fahrzeug~) keeper.

Halterin f = Halter (b).

Halterung f mounting; (für Regal etc) support.

Halte-: **~schild** nt stop or halt sign; **~signal** nt (Rail) stop signal; **~stelle** f stop; **~verbot** nt (absolutes) **~verbot** no stopping; (Bereich) no stopping zone; **eingeschränktes ~verbot** no waiting; (Bereich) no waiting zone.

Halt-: **h~los** adj (schwach) insecure; (hemmungslos) unrestrained; (unbegründet) groundless; **~losigkeit** f siehe adj lack of security; uninhibitedness; groundlessness; **h~machen** △ vi sep to stop; **vor nichts h~machen** (fig) to stop at nothing; **vor niemandem h~machen** (fig) to spare no-one.

Haltung f [a] (Körper~) posture; (Stellung) position ▸ **~ annehmen** (esp Mil) to stand to attention. [b] (fig) (Auftreten) manner; (Einstellung) attitude. [c] no pl (Beherrschtheit) composure ▸ **~ bewahren** to keep one's composure. [d] no pl (von Tieren, Fahrzeugen) keeping.

Halunke m (wk) **-n, -n** scoundrel.

Hamburg nt Hamburg.

Hamburger(in f) m - native of Hamburg.

hämisch adj malicious, spiteful ▸ **er hat sich ~ gefreut** he gloated.

Hammel m - [a] (Zool) wether. [b] no pl (Cook) mutton. [c] (fig pej) ass, donkey.

Hammel-: **~beine** pl jdm die **~beine langziehen** (hum col) to give sb a dressing-down; **~fleisch** nt mutton; **~keule** f (Cook) leg of mutton; **~sprung** m (Parl) division.

Hammer m ¨ hammer ▸ **das ist ein ~!** (col) (unerhört) that's absurd!; (prima) that's fantastic! (col).

hämmern [1] vi (lit, fig) to hammer; (col: beim Klavierspielen etc) to pound. [2] vt to hammer; Metallgefäße, Schmuck etc to beat ▸ **jdm etw ins Bewußtsein ~** (col) to hammer sth into sb's head (col).

Hammerwerfen nt no pl hammer(-throwing).

Hammond|orgel ['hæmənd-] f electric organ.

Hämoglobin nt no pl haemoglobin, hemoglobin (US).

△ **Hämorrhoiden** [hɛmɔrɔ'iːdən] pl piles pl, haemorrhoids (Brit) pl, hemorrhoids (US) pl.

Hampelmann m, pl **-männer** [a] jumping jack. [b] (col: willenloser Mensch) **er ist nur ein ~** he just lets people walk all over him.

hampeln vi to jump about; (zappeln) to fidget.

Hamster m - hamster.

Hamsterer(in f) m - (col) hoarder.

Hamsterkauf m panic-buying no pl ▸ **Hamsterkäufe machen** to buy in order to hoard; (bei Knappheit) to panic-buy.

hamstern vti (speichern) to hoard; (Hamsterkäufe machen) to panic-buy.

Hand f ¨e [a] hand ▸ **jdm die ~ geben** to give sb one's hand; **jdn an die or bei der ~ nehmen** to take sb by the hand; **jdm etw aus der ~ nehmen** to take sth off sb (auch fig); **mit der ~, von ~** by hand; **von ~ geschrieben/genäht** handwritten/handsewn.

[b] no pl (Sport: ~spiel) handball.

[c] (Besitz, Obhut) possession, hands ▸ **aus privater ~** privately; **etw aus der ~ geben** to let sth out of one's sight; **etw geht in jds ¨e über** sth passes into sb's hands; **zu ¨en von jdm** for the attention of sb.

[d] ¨e hoch! hands up!; ¨e weg! hands off!; **~ aufs Herz** cross your/my heart; **eine ~ wäscht die andere** (Prov) if you scratch my back I'll scratch yours; **ich wasche meine ¨e in Unschuld** (geh) I wash my hands of it; **bei etw die or seine ~ im Spiel haben** to have a hand in sth; **er hat überall seine ~ im Spiel** he has a finger in every pie; **etw hat weder ~ noch Fuß** sth doesn't make sense; **sich mit ¨en und Füßen gegen etw wehren** to fight sth tooth and nail; **rechter/linker**

~ on the right-/left-hand side; *eine ruhige/sichere* ~ a steady hand; *eine lockere* ~ *haben* (*hum col*) to let fly at the slightest provocation; *bei etw eine glückliche* ~ *haben* to have a lucky touch with sth; *in festen ~en sein* to be spoken for; *mit leeren/vollen ~en* empty-handed/open-handedly; *alle ~e voll zu tun haben* to have one's hands full; *sich die* ~ *fürs Leben reichen* (*geh*) to tie the knot; *die* ~ *für jdn ins Feuer legen* to vouch for sb; *jdn auf ~en tragen* to cherish sb; *(bei etw) mit* ~ *anlegen* to lend a hand (with sth); ~ *an jdn legen* (*geh*) to lay a hand on sb; *die* ~ *auf etw* (*dat*) *halten* to keep a tight rein on sth; *das liegt auf der* ~ (*col*) that's obvious; *an* ~ *eines Beispiels* by means of an example; *an* ~ *dieses Berichts* from this report; *aus erster/zweiter* ~ first-/second-hand; *etw zur* ~ *haben* to have sth to hand; *Ausrede, Erklärung* to have sth ready; *mit etw schnell bei der* ~ *sein* (*col*) to be ready with sth; *jdm in die ~e arbeiten* to play into sb's hands; *jdm in die ~e fallen or geraten* to fall into sb's hands; *jdn/etw in die ~e kriegen or bekommen* to get one's hands on sb/sth; *jdn (fest) in der* ~ *haben* to have sb (well) in hand; *von der* ~ *in den Mund leben* to live from hand to mouth; *ich habe diese Entscheidung nicht in der* ~ this isn't for me to decide; *etwas gegen jdn in der* ~ *haben* to have some hold on sb; *in jds* ~ *sein* to be in sb's hands; *etw in die* ~ *nehmen* to pick sth up; (*fig*) to take sth in hand; *jdm etw in die ~e spielen* to pass sth on to sb; *hinter vorgehaltener* ~ on the quiet; *etw geht jdm flott/leicht von der* ~ sb does sth quickly/finds sth easy; *es ist nicht von der* ~ *zu weisen* it cannot be denied; *zur* ~ *sein* to be at hand; *jdm zur* ~ *gehen* to lend sb a helping hand.

Hand|arbeit *f* work done by hand; (*Gegenstand*) handmade article; (*körperliche Arbeit*) manual work; (*Nähen, Sticken etc, als Schulfach*) needlework *no pl*; (*Stricken*) knitting *no pl*; (*Häkeln*) crochet(ing) *no pl* ▶ *etw in* ~ *herstellen* to make sth by hand; *diese Tischdecke ist* ~ this tablecloth is handmade.

hand|arbeiten *vi insep* to do needlework/knitting/crocheting.

Hand|arbeitsgeschäft *nt* needlework and wool shop (*Brit*) or store (*US*).

Hand-: ~**auflegen** *nt no pl* laying on of hands; ~**ausgabe** *f* (*Buch*) concise edition; ~**ball** *m or* (*col*) *nt* (*Spiel*) handball; ~**bedienung** *f* [a] (*Geräte*) hand controls *pl*, [b] = ~**betrieb**; ~**besen** *m* hand brush; ~**betrieb** *m* manual operation; *mit* ~**betrieb** hand-operated; ~**bewegung** *f* (*Geste, Zeichen*) gesture; ~**bibliothek** *f* reference library (*with open shelves*); ~**bohrer** *m* gimlet; ~**bohrmaschine** *f* (hand) drill; ~**breit** *f* - *eine* ~**breit** ≃ four inches; ~**bremse** *f* brake; (*Aut*) handbrake (*Brit*), parking brake (*US*); ~**buch** *nt* handbook; (*technisch*) manual; ~**creme** *f* hand cream.

Hände-: ~**druck** *m* handshake; ~**klatschen** *nt* clapping.

Handel¹ *m no pl* (*das Handeln*) trade; (*esp illegal*) traffic; (*Wirtschaftszweig auch*) commerce; (*Warenmarkt*) market; (*Abmachung*) deal ▶ ~ *mit etw* trade in sth; *im* ~ *sein* to be on the market; *etw in den* ~ *bringen/aus dem* ~ *ziehen* to put sth on/take sth off the market; *(mit jdm)* ~ *treiben* to trade (with sb).

Handel² *m - usu pl* quarrel, argument.

handeln [1] *vi* [a] to trade ▶ *er handelt mit Gemüse* he trades or deals in vegetables; *er handelt mit Drogen* he traffics in drugs. [b] (*feilschen*) to bargain, to haggle (*um* about, over); *ich lasse mit mir* ~ I'm open to persuasion; (*in bezug auf Preis*) I'm open to offers. [c] (*tätig werden*) to act. [d] *von etw* ~ to be about sth.

[2] *vr impers es handelt sich dabei um ein Versehen* this is an error; *sich um etw* ~ to be about sth, to concern sth; *es handelt sich nur ums Überleben* it's simply

a question of survival.

[3] *vt* to sell (*für* at, for); (*an der Börse*) to trade.

Handeln *nt no pl* [a] (*Feilschen*) bargaining, haggling. [b] (*das Handeltreiben*) trading. [c] (*Verhalten*) behaviour (*Brit*), behavior (*US*). [d] (*das Tätigwerden*) action.

handelnd *adj die* ~**en** *Personen in einem Drama* the characters in a drama.

Handels-: ~**abkommen** *nt* trade agreement; ~**bank** *f* merchant bank (*Brit*), commercial bank; ~**beziehungen** *pl* trade relations *pl*; ~**bilanz** *f* balance of trade; *aktive/passive* ~**bilanz** balance of trade surplus/deficit; ~**brauch** *m* commercial practice; ~**defizit** *nt* trade deficit; **h~einig** *adj pred* **h~einig werden** to agree terms; ~**flagge** *f* (*Naut*) merchant flag; ~**flotte** *f* merchant fleet; ~**gesellschaft** *f* commercial company; ~**gesetz** *nt* commercial law; ~**gewerbe** *nt* commerce *no art*; ~**gut** *nt* commodity; ~**hafen** *m* trading port; ~**kammer** *f* chamber of commerce; ~**klasse** *f* grade; ~**krieg** *m* trade war; ~**marine** *f* merchant navy, merchant marine (*US*); ~**marke** *f* trade name; ~**minister** *m* ≃ Trade Secretary (*Brit*), Secretary of Commerce (*US*); ~**mission** *f* trade mission; ~**name** *m* trade name; ~**niederlassung** *f* branch; ~**organisation** *f* trading organization; ~**partner** *m* trading partner; ~**politik** *f* trade or commercial policy; ~**recht** *nt* commercial law *no def art*; **h~rechtlich** [1] *adj* of/about commercial law; [2] *adv* according to commercial law; ~**register** *nt* register of companies; ~**reisende(r)** *mf decl as adj* commercial traveller (*Brit*) or traveler (*US*); ~**schiffahrt** *f* merchant shipping *no def art*; ~**schranke** *f usu pl* trade barrier; ~**schule** *f* commercial college; ~**spanne** *f* profit margin; ~**sperre** *f* trade embargo (*gegen* on); ~**straße** *f* (*Hist*) trade route; **h~üblich** *adj* customary; ~**unternehmen** *nt* commercial enterprise; ~**verkehr** *m* trade; ~**vertrag** *m* trade agreement; ~**vertreter** *m* commercial traveller (*Brit*) or traveler (*US*); ~**vertretung** *f* trade mission; ~**ware** *f* commodity; *„keine* ~**ware"* "no commercial value"; ~**waren** *pl* commodities *pl*, merchandise *sing*; ~**wert** *m* market value; ~**zweig** *m* branch.

⚠ **handeltreibend** *adj attr* trading.

Hände-: **h~ringend** *adv* wringing one's hands; (*fig*) imploringly; ~**schütteln** *nt no pl* handshaking; *mit* ~**schütteln** with a handshake; ~**trockner** *m* hand dryer.

Hand-: ~**feger** *m* hand brush; ~**fertigkeit** *f* dexterity; **h~fest** *adj* [a] (*kräftig*) *Mensch* sturdy, robust; *Essen* substantial; [b] (*fig*) *Schlägerei* violent; *Skandal* huge; *Beweis* solid, tangible; *Lüge, Betrug* flagrant, blatant; ~**fläche** *f* palm or flat (of the/one's hand); **h~gearbeitet, h~gefertigt** *adj* handmade; *Stickerei etc* handworked; ~**gelenk** *nt* wrist; *aus dem* ~**gelenk** (*col*) (*ohne Mühe*) effortlessly; (*improvisiert*) off the cuff; **h~gemacht** *adj* handmade; **h~gemalt** *adj* hand-painted; ~**gemenge** *nt* scuffle, fight; **h~genäht** *adj* handsewn; ~**gepäck** *nt* hand baggage *no pl*; **h~geschrieben** *adj* handwritten; **h~gesteuert** *adj* (*Tech*) hand-operated; ~**gestrickt** *adj* hand-knitted; (*fig*) homespun; ~**granate** *f* hand grenade; **h~greiflich** *adj Streit* violent; **h~greiflich werden** to become violent; ~**greiflichkeit** *f usu pl* violence *no pl*; ~**griff** *m* [a] (*Bewegung*) movement; *mit einem* ~**griff** with one flick of the wrist; (*schnell*) in no time; [b] (*an Gegenstand*) handle; ~**habe** *f* (*fig*) *ich habe gegen ihn keine* ~**habe** I have no hold on him; *etw als* ~**habe** *(gegen jdn) benutzen* to use sth as a lever (against sb); **h~haben*** *vt insep* to handle; *Maschine auch* to operate; *Gesetz* to implement; ~**habung** *f siehe vt* handling; operation; implementation.

Handikap ['hɛndikɛp] *nt* -**s** (*Sport, fig*) handicap.

Hand-: ~**kante** *f* side of the/one's hand;

~kantenschlag *m* karate chop; **~käse** *m strong-smelling round German cheese*; **~koffer** *m* (small) suitcase; **~kuß** ⚠ *m* kiss on the hand; *mit ~kuß (fig col)* with pleasure; **~langer** *m* - odd-job man, handyman; *(fig: Untergeordneter)* dogsbody *(col)*; *(fig pej: Gehilfe)* henchman; **~langerarbeit** *f (pej)* donkey work *no pl.*

Händler(in *f) m* - trader, dealer; *(Ladenbesitzer)* shopkeeper, store owner *(US)* ▶ *fliegender ~* street trader.

Händler-: **~preis** *m* trade price; **~rabatt** *m* trade discount.

handlich *adj Gerät, Form* handy; *Gepäckstück* manageable.

Handlichkeit *f no pl* handiness; manageability.

Handliniendeutung *f (die) ~* palmistry.

Handlung *f* action; *(Tat)* act; *(von Drama)* plot ▶ *der Ort der ~* the scene of the action.

Handlungs-: **~ablauf** *m* plot; **~bedarf** *m* need for action; **~bevollmächtigte(r)** *mf* authorized agent, proxy; **h~fähig** *adj Regierung* able to act; *(Jur)* empowered to act; *eine h~fähige Mehrheit* a working majority; **~fähigkeit** *f (von Regierung)* ability to act; *(Jur)* power to act; **~freiheit** *f* freedom of action; **~reisende(r)** *m (Comm)* commercial traveller, traveling salesman *(US)*; **~spielraum** *m* scope (for action); **h~unfähig** *adj Regierung* unable to act; *(Jur)* without power to act; **~unfähigkeit** *f (von Regierung)* inability to act; *(Jur)* lack of power to act; **~vollmacht** *f* proxy; **~weise** *f* way of behaving; *eine selbstlose ~weise* unselfish behaviour *(Brit)* or behavior *(US)*.

Hand-: **~pflege** *f* care of one's hands; **~puppe** *f* glove puppet; **~puppenspiel** *nt (Stück)* glove puppet show; **~rücken** *m* back of the/one's hand; **~säge** *f* hand-saw; **~schelle** *f usu pl* handcuff; *jdm ~schellen anlegen* to handcuff sb; **~schlag** *m* [a] *(Händedruck)* handshake; *ein Geschäft durch ~schlag abschließen* to shake on a deal; [b] *keinen ~schlag tun* not to do a stroke (of work); **~schrift** *f* [a] handwriting; *(fig)* (trade)mark; *etw trägt/verrät jds ~schrift (fig)* sth bears *or* has sb's (trade)mark *or* stamp; [b] *(Hist: Text)* manuscript; **h~schriftlich** [1] *adj* handwritten; [2] *adv korrigieren, einfügen* by hand.

Handschuh *m (Finger~)* glove; *(Faust~)* mitten.

Handschuhfach *nt (Aut)* glove compartment.

Hand-: **h~signiert** *adj* signed; **~spiel** *nt no pl (Sport)* handball; **~stand** *m (Sport)* handstand; **~steuerung** *f* manual control; **~streich** *m im ~streich* in a surprise coup; **~tasche** *f* handbag, purse *(US)*; **~teller** *m* palm (of the/one's hand); **~tuch** *nt* towel; *das ~tuch werfen (fig)* to throw in the towel; **~umdrehen** *nt (fig)*: *im ~umdrehen* in the twinkling of an eye; **~voll** ⚠ *f* - *(lit, fig)* handful; **~wagen** *m* handcart; **~wäsche** *f* washing by hand; *(Wäschestücke)* hand wash.

Handwerk *nt* trade; *(Kunst~)* craft; *(fig: Tätigkeit)* business ▶ *sein ~ verstehen (fig)* to know one's job; *jdm ins ~ pfuschen (fig)* to interfere in sb's job; *jdm das ~ legen (fig)* to put a stop to sb's game *(col)*.

Handwerker(in *f) m* - (skilled) manual worker; *(Kunst~)* craftsman; craftswoman ▶ *wir haben seit Wochen die ~ im Haus* we've had workmen in the house for weeks.

handwerklich *adj Ausbildung* as a manual worker/craftsman; *(fig)* technical ▶ *~er Beruf* skilled trade; *~es Können* craftsmanship; *~e Fähigkeiten* manual skills.

Handwerks-: **~beruf** *m* skilled trade; **~betrieb** *m* workshop; **~kammer** *f* trade corporation; **~zeug** *nt no pl* tools *pl*; *(fig)* tools of the trade *pl*.

Handwörterbuch *nt* concise dictionary.

Handy *nt -s, -s (Telec)* mobile (phone).

Hand-: **~zeichen** *nt* signal; *(Geste auch)* sign; *(bei Abstimmung)* show of hands; *durch ~zeichen* by a show of hands; **~zettel** *m* leaflet, handbill.

hanebüchen *adj (dated, geh)* outrageous.

Hanf *m no pl (Pflanze, Faser)* hemp.

Hang *m* ¨e [a] *(Abhang)* slope. [b] *no pl (Neigung)* tendency.

Hangar [ˈhaŋaːɐ] *m -s* hangar.

Hänge-: **~bauch** *m* paunch, drooping belly *(col)*; **~brücke** *f* suspension bridge; **~gleiter** *m (Sport)* hang-glider; **~lampe** *f* drop-light.

hangeln *vir (vi: aux sein or haben) er hangelte (sich) an einem Tau über den Fluß* he moved hand over hand along a rope over the river.

Hängemappe *f* suspension file.

Hängematte *f* hammock.

Hängen *nt mit ~ und Würgen (col)* by the skin of one's teeth.

hängen [1] *vi pret* **hing,** *ptp* **gehangen** [a] to hang; *(sich festhalten)* to hang on *(an +dat* to); *(angeschlossen sein)* to be connected (up) *(an +dat* to); *(kleben)* to be stuck *(an +dat* on) ▶ *die Gardinen ~ schon* the curtains are already up; *mit ~den Schultern* with drooping shoulders; *die Blumen ließen die Köpfe ~* the flowers hung their heads; *den Kopf ~ lassen (fig)* to be downcast; *das Kleid hing ihr am Leib (col)* the dress hung on her; *das Bild hängt an der Wand* the picture is hanging on the wall; *sie hing ihm am Hals* she hung around his neck; *der Patient hängt an der künstlichen Niere/am Tropf* the patient is on the kidney machine/on the drip; *ihre Blicke hingen an dem Sänger* her eyes were fixed on the singer; *sie hängt dauernd am Telefon (col)* she's always on the phone; *er hängt den ganzen Tag vorm Fernseher (col)* he spends all day in front of the telly *(col)*.
[b] *(lieben) an jdm/etw ~* to be very attached to sb/sth; *er hängt am Leben* he clings to life.
[c] *daran hängt viel Arbeit* there's a lot of work involved in that; *der Schrank hängt voller Kleider* the cupboard is full of clothes; *der Baum hängt voller Früchte* the tree is laden with fruit; *die ganze Sache hängt an ihm* it all depends on him.
[2] *vt pret* **hängte,** *ptp* **gehängt** *(aufhängen, henken)* to hang; *(anschließen)* to connect *(an +acc* to); *(befestigen) Wohnwagen etc* to hitch up ▶ *er hängte den Telefonhörer in die Gabel* he hung up.
[3] *vr pret* **hängte,** *ptp* **gehängt** *sich an etw (acc) ~* to hang on to sth; *er hängte sich ans Telefon* he got on the phone; *sich an jdn ~ (sich anschließen)* to latch on to sb *(col)*; *(gefühlsmäßig binden)* to become attached to sb; *(verfolgen)* to pursue sb; *(Polizist)* to tail sb.

⚠ **hängenbleiben** *vi sep irreg aux sein* [a] to get caught *(an +dat* on). [b] *(Sport) (zurückbleiben)* to get left behind; *(nicht durch-, weiterkommen)* not to get through. [c] *(Sch col: nicht versetzt werden)* to stay down. [d] *(sich aufhalten)* to stay on ▶ *bei einer Nebensächlichkeit ~* to get bogged down with a side issue. [e] *(haftenbleiben)* to get stuck *or* caught *(in, an +dat* on) ▶ *es bleibt ja doch alles an mir hängen (fig col)* (in the end) it's all down to me anyhow *(col)*; *der Verdacht ist an ihm hängengeblieben* suspicion rested on him; *vom Lateinunterricht ist bei ihm nicht viel hängengeblieben (fig col)* not much of his Latin stuck *(col)*.

hängend *adj* hanging ▶ *mit ~em Kopf (fig)* in low spirits; *mit ~er Zunge kam er angelaufen (fig)* he came running up panting.

⚠ **hängenlassen** *sep irreg, ptp* **hängen(ge)lassen** [1] *vt* [a] *(vergessen)* to leave behind. [b] *(col: im Stich lassen)* to let down.
[2] *vr* to let oneself go.

Hänge-: **~pflanze** *f* trailing plant; **~schloß** ⚠ *nt* padlock; **~schrank** *m* wall-cupboard.

⚠: Informationen zur Rechtschreibreform im Anhang

Hanglage *f* sloping site ► *in* ~ situated on a slope.
Hannover [ha'noːfɐ] *nt* Hanover.
Hannoveraner(in *f*) [hanovəˈraːnɐ, -ərɪn] *m* - Hanoverian.
hannoverisch [ha'noːfərɪʃ] *adj* Hanoverian.
Hansdampf *m* -e Jack-of-all-trades (and master of none) ► *er ist ein* ~ *in allen Gassen* he knows everybody and everything.
Hanse *f no pl* (*Hist*), **Hansebund** *m* (*Hist*) Hanseatic League.
Hänselei *f* teasing *no pl.*
hänseln *vt* to tease.
Hansestadt *f* Hanseatic *or* Hanse town.
Hanswurst *m* -e *or* (*hum*) -̈e clown.
Hantel *f* -n (*Sport*) dumb-bell.
hantieren* *vi* [a] (*arbeiten*) to be busy. [b] (*umgehen mit*) *mit etw* ~ to handle sth. [c] (*herum*~) to tinker about (*an* +*dat* with, on).
hapern *vi impers* (*col*) *es hapert an etw* (*dat*) (*fehlt*) there is a lack of sth; *es hapert bei jdm mit etw* (*fehlt*) sb is short of sth; *mit der Grammatik hapert es bei ihm* he's poor at grammar.
Häppchen *nt dim of* **Happen** morsel; (*Appetithappen*) titbit.
häppchenweise *adv* (*col: lit, fig*) bit by bit.
Happen *m* - (*col*) mouthful, morsel; (*kleine Mahlzeit*) bite ► *ein fetter* ~ (*fig*) a good catch; *ich habe heute noch keinen* ~ *gegessen* I haven't had a bite to eat all day.
happig *adj* (*col*) steep (*col*).
Hardware ['haːdwɛə] *f* (*Comp*) hardware.
Harem *m* -s (*auch hum col*) harem.
Harfe *f* -n harp.
Harfenist(in *f*) *m*, **Harfenspieler** *m* harpist.
Harke *f* -n (*esp N Ger*) rake ► *jdm zeigen, was eine* ~ *ist* (*fig col*) to show sb what's what (*col*).
harken *vti* (*esp N Ger*) to rake.
harmlos *adj* [a] (*ungefährlich*) harmless; *Berg, Piste* easy; *Schnupfen, Entzündung etc* slight. [b] (*arglos*) innocent; (*friedlich*) harmless ► *er ist ein* ~*er Mensch* he's harmless (enough).
Harmlosigkeit *f no pl siehe adj* [a] harmlessness; easiness; slightness. [b] innocence; harmlessness ► *in aller* ~ in all innocence.
Harmonie *f* (*Mus, fig*) harmony.
harmonieren* *vi* (*Mus, fig*) to harmonize; (*farblich auch*) to match.
Harmonika *f* -s *or* **Harmoniken** harmonica; (*Mund*~ *auch*) mouth organ; (*Zieh*~) accordion.
harmonisch *adj* harmonious; (*Mus, Math*) harmonic.
harmonisieren* *vt* *Musik, Steuern* to harmonize; (*fig*) to coordinate.
Harmonium *nt* harmonium.
Harn *m* -e urine ► ~ *lassen* to pass water.
Harnblase *f* bladder.
Harnisch *m* -e armour (*Brit*), armor (*US*) ► *jdn in* ~ *bringen* (*fig*) to get sb up in arms; *wenn sie das sieht, gerät sie in* ~ it gets her hackles up when she sees that.
Harpune *f* -n harpoon.
harpunieren* *vti* to harpoon.
harren *vi* (*geh*) *jds/einer Sache* ~, *auf jdn/etw* ~ to await sb/sth, to wait for sb/sth.
Harsch *m no pl* frozen snow.
harsch *adj* [a] harsh. [b] *Schnee* frozen.
hart *comp* -̈er, *superl* -̈este(r, s) *or* (*adv*) *am* -̈esten [1] *adj* [a] hard; *Winter auch, Strafe* severe; *Auseinandersetzung* violent; *Wind* strong; *Ei* hard-boiled; (*stabil*) *Währung* stable; (*fig*) *Getränk, Droge* hard; *Verlust* cruel; *Wirklichkeit* harsh ► ~ *werden* to get

hard, to harden; *Eier* ~ *kochen* to hard-boil eggs; *er hat einen* ~*en Schädel or Kopf* (*fig*) he's obstinate; *ein* ~*es Herz haben* (*fig*) to have a hard heart, to be hard-hearted; *in* ~*en Dollars* in hard dollars; *der* ~*e Kern einer Vereinigung* the hard core of an organization; ~ *bleiben* to stand firm; ~ *mit jdm sein* to be hard on sb; *es geht* ~ *auf* ~ it's a tough fight. [b] (*rauh*) *Spiel, Gegner* rough; (*robust*) tough ► *kalte Duschen machen* ~ cold showers make you tough; *er ist* ~ *im Nehmen* he's tough, he can take it. [c] (*scharf*) *Konturen,* (*Phot*) *Negativ* sharp; *Klang, Akzent* harsh; *Gesichtszüge* hard. [2] *adv* [a] hard; (*scharf*) *konstrastiert* sharply; (*heftig, rauh*) roughly ► ~ *klingen* to sound harsh; ~ *aneinandergeraten* to get into a fierce argument; *jdn* ~ *anfahren* to bite sb's head off (*col*); *jdm* ~ *zusetzen* to press sb hard; *etw trifft jdn* ~ (*lit, fig*) sth hits sb hard; ~ *spielen* (*Sport*) to play rough; ~ *durchgreifen* to take tough *or* rigorous action; *jdn* ~ *anfassen* to be hard on sb. [b] (*nahe*) close (*an* +*dat* to) ► *das ist* ~ *an der Grenze* that's almost going too far; *wir fuhren* ~ *am Abgrund vorbei* (*fig*) we were on the brink of disaster.
Härte *f* -n *siehe adj* [a] hardness; severity; toughness; violence; strength; stability; cruelty; harshness ► *soziale* ~*n* social hardships. [b] roughness; toughness. [c] sharpness; harshness; hardness.
Härte-: ~*fall* *m* case of hardship; (*col: Mensch*) hardship case; ~*grad* *m* degree of hardness, ~*klausel* *f* hardship clause.
härten *vtir* to harden.
Härtetest *m* endurance test; (*fig*) acid test.
Hart-: ~*faserplatte* *f* hardboard, fiberboard (*US*); **h**~*gefroren* ⚠ *adj attr* frozen hard *pred*; **h**~*gekocht* ⚠ *adj attr* hard-boiled; ~*geld* *nt* hard cash; **h**~*gesotten* *adj* (*fig*) hard-boiled; **h**~*herzig* *adj* hard-hearted; ~*herzigkeit* *f* hard-heartedness; ~*holz* *nt* hardwood; ~*käse* *m* hard cheese; **h**~*näckig* *adj* stubborn; ~*näckigkeit* *f* stubbornness.
Härtung *f* (*Tech*) hardening.
Hartwurst *f* salami-type sausage.
Harz¹ *nt* -e resin; (*Mus*) rosin.
Harz² *m* (*Geog*) Harz Mountains *pl.*
Haschee *nt* -s (*Cook*) hash.
haschen (*dated, geh*) [1] *vt* to catch. [2] *vi nach Beifall/Lob etc* ~ to fish for applause/praise *etc.*
Häschen ['hɛsçən] *nt dim of* **Hase** young hare, leveret; (*col: Kaninchen*) bunny (*col*).
Haschisch *nt or m no pl* hashish.
Hase *m* (*wk*) -n, -n hare; (*dial: Kaninchen, Oster*~, *in Märchen*) rabbit ► *falscher* ~ (*Cook*) meat loaf; *wissen, wie der* ~ *läuft* (*fig col*) to know which way the wind blows; *alter* ~ (*fig col*) old hand; *da liegt der* ~ *im Pfeffer* (*col*) that's the crux of the matter; *mein Name ist* ~(*, ich weiß von nichts*) I don't know anything about anything.
Hasel-: ~*maus* *f* dormouse; ~*nuß* ⚠ *f* hazelnut; ~(*nuß*)*strauch* *m* hazel-bush.
Hasen-: **h**~*füßig* *adj* (*dated col*) chicken-hearted (*col*); ~*pfeffer* *m* (*Cook*) ≈ jugged hare; ~*scharte* *f* (*Med*) hare-lip.
Haspel *f* -n [a] (*Förderwinde*) windlass. [b] (*Garn*~) reel.
Haß *m no pl* [a] hatred, hate (*auf* +*acc, gegen* of). [b] (*col: Wut*) *einen* ~ (*auf jdn*) *haben* (*col*) to be really mad (with sb) (*col*).
▼ **hassen** *vti* to hate ► *etw* ~ *wie die Pest* (*col*) to detest sth.
hassenswert *adj* hateful, odious.
⚠ **haß|erfüllt** *adj* full of hate *or* hatred.
⚠ **häßlich** *adj* [a] (*auch Vorfall etc*) ugly ► ~ *wie die Nacht* (as) ugly as sin. [b] (*gemein*) nasty, mean ► ~ *über jdn*

sprechen to be nasty *or* mean about sb.

⚠ **Häßlichkeit** *f siehe adj* ⓐ ugliness *no pl.* ⓑ nastiness *no pl,* meanness *no pl;* (*Bemerkung*) nasty remark.

⚠ **Haßliebe** *f* love-hate relationship (*für* with).

Hast *f no pl* haste ▸ *ohne* ~ without haste, without rushing; *mit einer solchen* ~ in such a hurry *or* rush.

haste (*col*) = **hast du ▸** (*was*) ~ *was kannste* as quick *or* fast as possible; ~ *was, biste was* (*prov*) money brings status.

hasten *vi aux sein* (*geh*) to hasten (*form*), to hurry.

hastig *adj* hasty; *Essen auch, Worte* hurried ▸ *nicht so* ~! not so fast!

hätscheln *vt* (*liebkosen*) to pet, to fondle; (*zu weich behandeln*) to mollycoddle; (*bevorzugen*) to pamper.

hatschi *interj* atishoo.

hatte *pret of* **haben.**

Hatz *f* -en ⓐ (*Hunt, fig*) hunt. ⓑ (*fig, esp S Ger, Aus*) rush.

Haube *f* -n ⓐ bonnet; (*von Krankenschwester etc*) cap ▸ *jdn unter die* ~ *bringen* (*hum*) to marry sb off; *unter der* ~ *sein/unter die* ~ *kommen* (*hum*) to be/get married. ⓑ (*bei Vögeln*) crest. ⓒ (*Bedeckung*) cover; (*Trocken*~) (hair) dryer, drying hood (*US*); (*für Kaffee-, Teekanne*) cosy; (*Motor*~) bonnet (*Brit*), hood (*US*).

Haubitze *f* -n howitzer.

Hauch *m* -e ⓐ (*geh, poet*) (*Atem*) breath. ⓑ (*Luftzug*) breath of air, breeze. ⓒ (*Duft*) smell. ⓓ (*Andeutung*) hint, touch.

hauchdünn *adj* extremely thin; *Scheiben* wafer-thin; *Strümpfe* sheer; (*fig*) *Mehrheit* extremely narrow.

hauchen *vti* to breathe ▸ *jdm etw* (*acc*) *ins Ohr* ~ (*liter*) to whisper sth in sb's ear.

hauch-: ~*fein* *adj* extremely fine; ~*zart* *adj* very delicate.

Haudegen *m* (*fig*) old campaigner.

Haue *f no pl* (*col: Prügel*) (good) hiding (*col*).

hauen *pret* **haute,** *ptp* **gehauen** ⓵ *vt* ⓐ (*col*) (*schlagen*) to hit, to clout (*col*); (*verprügeln*) to hit, to thump (*col*) ▸ *hau(t) ihn!* let him have it! (*col*). ⓑ (*meißeln*) *Figur* to carve; *Stufen, Loch* to cut. ⓒ (*col: stoßen*) *jdn, Gegenstand* to shove (*col*); *Körperteil* to bang, to knock (*an* +*acc* on, against) ▸ *das haut einen vom Stuhl* it really knocks you sideways (*col*). ⓓ (*col: werfen*) to chuck (*col*), to fling. ⓔ (*dial*) *Baum* to chop (down); *Holz, Fleisch* to chop (up).
⓶ *vi* (*col: schlagen*) to hit ▸ *jdm auf die Schulter* ~ to slap sb on the shoulder.
⓷ *vr* (*col*) ⓐ (*sich prügeln*) to scrap, to fight. ⓑ (*sich setzen, legen*) to fling oneself.

Hauer *m* - ⓐ (*Min*) face-worker. ⓑ (*Zool*) tusk; (*hum: großer Zahn*) fang.

Häufchen *nt dim of* **Haufen** small pile ▸ *ein* ~ *Unglück or Elend* a picture of misery.

Haufen *m* - ⓐ heap, pile ▸ *jdn über den* ~ *rennen/fahren etc* (*col*) to knock sb down; *etw* (*acc*) *über den* ~ *werfen* (*col*) (*verwerfen*) to chuck sth out (*col*); (*durchkreuzen*) to mess sth up (*col*); *soviel Geld habe ich noch nie auf einem* ~ *gesehen* (*col*) I've never seen so much money in one place before. ⓑ (*col*) *ein* ~ *Arbeit/Geld* a load *or* heap of work/money, piles *or* loads of work/money (*all col*); *ein* ~ *Unsinn* a load of nonsense (*col*); *er hat einen ganzen* ~ *Freunde* he has loads of friends (*col*). ⓒ (*Schar*) crowd ▸ *dem* ~ *folgen* (*pej*) to follow the crowd; *der große* ~ (*pej*) the common herd.

häufen ⓵ *vt* to pile up, to heap up ▸ *ein gehäufter Teelöffel Salz* a heaped teaspoonful of salt.
⓶ *vr* (*lit, fig: sich ansammeln*) to mount up; (*zahlreicher werden: Unfälle, Fehler etc*) to occur increasingly often ▸ *das kann schon mal vorkommen, es darf sich nur*

nicht ~ these things happen, just as long as they don't happen too often.

haufenweise *adv* (*col*) *etw* ~ *haben* to have piles *or* heaps *or* loads of sth (*all col*).

häufig ⓵ *adj* frequent.
⓶ *adv* often, frequently.

Häufigkeit *f* frequency.

Häufung *f* ⓐ (*fig: das Anhäufen*) accumulation. ⓑ (*das Sich-Häufen*) increasing number.

Haupt *nt, pl* **Häupter** ⓐ (*geh: Kopf*) head ▸ *entblößten* ~*es* bareheaded; *gesenkten/erhobenen* ~*es* with one's head bowed/raised. ⓑ (*zentrale Figur*) head.

Haupt- *in cpds* main, principal, chief; ~**akteur** *m* (*lit, fig*) leading light; (*pej*) main figure; ~**aktionär** *m* principal *or* main shareholder; ~**akzent** *m* (*fig*) *auf etw* (*acc*) *den* ~*akzent legen* to put the main emphasis on sth; **h**~**amtlich** ⓵ *adj* full-time; ⓶ *adv* (on a) full-time (basis); ~**anteil** *m* main part; ~**bahnhof** *m* main *or* central station; ~**beruf** *m* main occupation; **h**~**beruflich** ⓵ *adj Lehrer, Gärtner etc* full-time; ⓶ *adv* full-time; *er ist h*~*beruflich als Lehrer tätig* his main occupation is teaching; ~**beschäftigung** *f* main occupation; ~**betrieb** *m* ⓐ headquarters *sing or pl;* ⓑ (*geschäftigste Zeit*) peak period; ~**buch** *nt* (*Comm*) ledger; ~**darsteller(in** *f*) *m* principal actor/actress, leading man/lady; ~**eingang** *m* main entrance; ~**fach** *nt* (*Sch, Univ*) main subject, major (*US*); *etw im* ~*fach studieren* to study sth as one's main subject, to major in sth (*US*); ~**figur** *f* (*Liter*) central character; (*fig*) central figure; ~**film** *m* main film; ~**gericht** *nt* main course.

Hauptgeschäft *nt* ⓐ (*Zentrale*) head office, headquarters *sing or pl.* ⓑ (*Hauptverdienst*) major part of one's business.

Hauptgeschäfts-: ~**führer** *m* general manager; ~**stelle** *f* head office, headquarters *sing or pl;* ~**straße** *f* main shopping street; ~**zeit** *f* peak (shopping) period.

Haupt-: ~**gewicht** *nt* (*fig*) main emphasis; ~**gewinn** *m* first prize; ~**grund** *m* main reason; ~**hahn** *m* mains cock; ~**last** *f* main load; (*fig*) main burden; ~**leitung** *f* mains *pl.*

Häuptling *m* chief(tain); (*esp von Dorf*) headman.

Haupt-: ~**mahlzeit** *f* main meal; ~**mann** *m, pl* -**leute** (*Mil*) captain; ~**merkmal** *nt* main feature; ~**motiv** *nt* ⓐ (*Beweggrund*) primary *or* main motive; ⓑ (*Art, Liter, Mus*) main *or* principal motif; ~**nahrungsmittel** *nt* staple food; ~**niederlassung** *f* head office, headquarters *sing or pl;* ~**person** *f* (*lit, fig*) central figure; ~**platine** *f* (*Comp*) motherboard; ~**post** *f* (*col*), ~**postamt** *nt* main post office; ~**quartier** *nt* (*Mil, fig*) headquarters *sing or pl;* ~**reisezeit** *f* peak travelling (*Brit*) *or* traveling (*US*) time(s *pl*); ~**rolle** *f* (*Film, Theat*) main role, lead; *die* ~*rolle spielen* (*fig*) to be all-important; (*wichtigste Person sein*) to play the main role; ~**sache** *f* main thing; (*in Brief, Rede etc*) main point; *in der* ~*sache* in the main, mainly; ~*sache, es klappt* the main thing is that it works; **h**~**sächlich** ⓵ *adv* mainly, principally; ⓶ *adj* main, principal; ~**saison** *f* peak *or* high season; ~**satz** *m* (*Gram*) main clause; ~**schalter** *m* (*Elec*) master switch; ~**schlagader** *f* aorta; ~**schlüssel** *m* master key; ~**schuld** *f* main blame, main guilt (*esp Jur*); ~**schuldige(r)** *mf* person mainly to blame, main offender (*esp Jur*); ~**schule** *f* ≈ secondary modern (school) (*Brit*), junior high (school) (*US*).

┌─────────────────┐
│ *HAUPTSCHULE* │
└─────────────────┘

ⓘ The ***Hauptschule*** *is a non-selective school which pupils attend after the* ***Grundschule.*** *They complete five years of study and most go on to do some training in a practical subject or trade.*

⚠: Informationen zur Rechtschreibreform im Anhang

Haupt-: **~sendezeit** f (TV) prime time; **~sicherung** f (Elec) main fuse; **~sitz** m head office, headquarters sing or pl; **~speicher** m (Comp) main memory; **~stadt** f capital (city); **~straße** f main or major road; (im Stadtzentrum etc) main street; **~teil** m main part; (größter Teil auch) major part; **~thema** nt main topic; (Mus, Liter) main theme; **~tribüne** f main stand; (Sport auch) grandstand.

Hauptverkehrs-: **~straße** f (in Stadt) main street; (Durchgangsstraße) main thoroughfare; (zwischen Städten) main highway, trunk road (Brit); **~zeit** f peak traffic times pl; (in Stadt, bei Pendlern auch) rush hour.

Haupt-: **~versammlung** f general meeting; **~wäsche** f, **~waschgang** m main wash; **~wohnsitz** m main place of residence; **~wort** nt (Gram) noun.

hau ruck interj heave-ho.

Haus nt, pl **Häuser** [a] (Wohn~) house; (Firmengebäude) building ▶ **ins/im ~** indoors; **mit jdm ~ an ~ wohnen** to live next door to sb; **von ~ zu ~ gehen** to go from door to door or from house to house; **vor vollem ~ spielen** to play to a full house.
[b] (Zuhause, Heim) home ▶ **~ und Hof** (fig) house and home; **etw ins/frei ~ liefern** (Comm) to deliver sth to the door/to deliver sth carriage paid; **wir liefern frei ~** we offer free delivery; **jdm das ~ verbieten** not to allow sb in the house; **aus dem ~ sein** to be away from home; **außer ~ essen** to eat out; **ins ~ stehen** (fig) to be coming up, to be forthcoming; **jdm steht etw ins ~** (fig) sth is in store for sb; **nach ~e** (lit, fig) home; **zu ~e** at home (auch Sport); **bei jdm zu ~e** at sb's (place), in sb's house or home; **bei uns zu ~e** at home; **für niemanden zu ~e sein** to be at home to nobody; **irgendwo zu ~e sein** (Mensch, Tier) to live somewhere; (sich heimisch fühlen) to be at home somewhere; **sich wie zu ~e fühlen** to feel at home; **fühl dich wie zu ~e!** make yourself at home!
[c] (Bewohnerschaft eines ~es) household ▶ **ein Freund des ~es** a friend of the family; **der Herr/die Dame des ~es** (form) the master/the lady of the house.
[d] (geh: Herkunft) **aus gutem/bürgerlichem ~(e)** from a good/middle-class family; **von ~e aus** (ursprünglich) originally; (von Natur aus) naturally.
[e] **das ~ Windsor/Siemens** the house of Windsor/Siemens; **das erste ~ am Platze** the best hotel in town; (Kaufhaus) the best store in town; **Hohes ~!** (form) ≃ honourable members (of the House)!; **dieses hohe ~** the or this House.
[f] (von Schnecke) shell, house (col).
[g] **grüß dich, altes ~!** (col) hallo, old chap (col).

Haus-: **~angestellte(r)** mf domestic servant; **~anzug** m leisure suit; **~apotheke** f medicine chest; **~arbeit** f [a] housework no pl; [b] (Sch) homework no indef art, no pl; **~arrest** m (im Internat) detention; (Jur) house arrest; **Fritz hat heute ~arrest** Fritz is being kept in (by his parents) today; **~arzt** m family doctor, GP; **~aufgaben** pl homework no indef art, no pl; **seine ~aufgaben machen** (auch fig) to do one's homework; **h~backen** adj (fig) drab, homely (US); **~bau** m house building; (das Bauen) building of a/the house; **~besetzer** m squatter; **~besetzung** f squat; **~besitzer(in** f) m home-owner; (Hauswirt) landlord/landlady; **~besuch** m home visit; (von Arzt) house call; **~bewohner** m (house) occupant or occupier; **~boot** nt houseboat.

Häuschen ['hɔysçən] nt [a] dim of **Haus.** [b] (fig col) **ganz aus dem ~ sein** to be out of one's mind (with excitement/fear etc) (col).

Haus-: **h~eigen** adj belonging to a/the hotel/firm etc; **~eigentümer** m home-owner; (Hauswirt) landlord/landlady.

hausen vi [a] (pej: wohnen) to live. [b] (wüten) (übel or schlimm) ~ to wreak or create havoc; **wie die Wandalen ~** to act like vandals.

Häuser-: **~block** m block (of houses); **~front** f front of a row of houses; **~makler** m estate agent (Brit), realtor (US); **~reihe, ~zeile** f row of houses; (aneinandergebaut) terrace.

Hausflur f (entrance) hall.

Hausfrau f housewife.

Hausfrauenart f **Wurst** etc **nach ~** sausage etc (in) home-made style.

hausfraulich adj housewifely.

Haus-: **~freund** m [a] friend of the family; [b] (euph col) man friend; **~friede(n)** m domestic peace; **~friedensbruch** m (Jur) trespass (in sb's house); **~gebrauch** m **für den ~gebrauch** (Gerät) for domestic or household use; **sein Französisch reicht für den ~gebrauch** (col) his French is good enough to get by; **~geburt** f home birth; **~gehilfin** f home help; **h~gemacht** adj home-made; **~gemeinschaft** f household.

Haushalt m -e [a] household; (~sführung) housekeeping ▶ **den ~ führen** to run the household; **jdm den ~ führen** to keep house for sb. [b] (fig: Biol etc) balance. [c] (Etat) budget.

⚠ **haushalten** vi sep irreg [a] **mit etw ~** to be economical with sth. [b] (den Haushalt führen) to keep house.

Haushälter(in f) m - housekeeper.

Haushalts- in cpds household; (Pol) budget; **~artikel** m household article; **~buch** nt housekeeping book; **~debatte** f (Parl) budget debate; **~defizit** nt (Pol) budget deficit; **~führung** f housekeeping; **~geld** nt housekeeping money; **~gerät** nt household appliance; **~hilfe** f domestic or home help; **~jahr** nt (Pol, Econ) financial or fiscal year; **~kasse** f household budget; **~loch** nt budget deficit; **das ~loch stopfen** to cure the budget deficit; **~mittel** pl (Pol) budgetary funds pl; **~plan** m (Pol) budget; **~politik** f (Pol) budgetary policy; **h~politisch** adj concerning budgetary policy; **~waren** pl household goods pl.

Haus-: **~haltung** f (das Haushaltführen) housekeeping; **~herr** m [a] head of the household; (Gastgeber) host; [b] (Jur) householder; **~herrin** f lady of the house; (Gastgeberin) hostess; **h~hoch** [1] adj (as) high as a house/houses; (fig) Sieg crushing; **der h~hohe Favorit** the hot favourite (col); [2] adv high (in the sky); **h~hoch gewinnen** to win hands down or by miles (col); **jdm h~hoch überlegen sein** to be head and shoulders above sb; **h~hohe(r, s)** adj siehe **h~hoch.**

hausieren* vi to hawk, to peddle (mit etw sth) ▶ **mit etw ~ gehen** (fig) mit Plänen to hawk sth about.

Hausierer(in f) m - hawker, peddler.

Haus-: **h~intern** adj in-house; **~kleid** nt house dress; **~lehrer(in** f) m (private) tutor.

häuslich adj domestic; Mensch domesticated; (das Zuhause liebend) home-loving ▶ **der ~e Herd** the family home; **sich ~ einrichten** or **niederlassen** to settle in.

Häuslichkeit f domesticity.

Hausmacherart f **Wurst** etc **nach ~** sausage etc (in) home-made-style.

Haus-: **~mann** m, pl **~männer** (den Haushalt versorgender Mann) househusband; **~mannskost** f plain cooking; **~marke** f (eigene Marke) own brand; (bevorzugte Marke) favourite (Brit) or favorite (US) brand; **~meister** m caretaker, janitor; **~mitteilung** f internal memo; **~mittel** nt household remedy; **~müll** m domestic waste; **~musik** f home music-making; **~nummer** f house number; **~ordnung** f house rules pl; **~putz** m house cleaning; **~putz machen** to clean the house; **~rat** m no pl household equipment; **~ratsversicherung** f (household) contents insurance;

~recht nt right(s pl) as a householder (to forbid sb entrance); **~sammlung** f house-to-house or door-to-door collection; **~schlüssel** m front-door key, house key; **~schuh** m slipper; **~schwamm** m dry rot.

Hausse ['hoːs(ə)] f -n (Econ) boom (an +dat in); (St Ex) bull market.

Haus-: **~segen** m bei ihnen hängt der ~segen schief (hum) they're a bit short on domestic bliss (col); **~stand** m household, home; **einen ~stand gründen** to set up house or home; **~suchung** f house search; **~suchungsbefehl** m search warrant; **~tier** nt domestic animal; (aus Liebhaberei gehalten) pet; **~tür** f front door; **gleich vor der ~tür** (fig col) right on one's doorstep; **~verbot** nt jdm **~verbot erteilen** to ban sb from the house; **in einem Lokal ~verbot haben** to be barred or banned from a bar; **~verwalter** m (house) supervisor; **~verwaltung** f property management; **~wirt** m landlord; **~wirtin** f landlady.

Hauswirtschaft f [a] housekeeping. [b] (Sch) home economics sing.

hauswirtschaftlich adj domestic.

Hauswirtschafts-: **~raum** m utility room; **~schule** f domestic science college.

Haut f, pl **Häute** skin; (dick, esp von größerem Tier) hide ► naß bis auf die ~ soaked to the skin; **nur ~ und Knochen sein** to be nothing but skin and bones; **mit ~ und Haar(en)** (col) completely; **das geht unter die ~** (col) that gets under your skin; **in seiner ~ möchte ich nicht stecken** (col) I wouldn't like to be in his shoes; **ihm ist nicht wohl in seiner ~** (col) (unzufrieden) he's (feeling) rather unsettled; (unbehaglich) he feels uneasy; **er kann nicht aus seiner ~ heraus** (col) he can't change the way he is, a leopard can't change its spots (prov); **aus der ~ fahren** (col) to go through the roof (col); **sich auf die faule ~ legen** (col) to sit back and do nothing; **seine ~ zu Markte tragen** (col) to risk one's neck; **seine eigene ~ retten** (col) to save one's own skin; **sich seiner ~ wehren** (col) to defend oneself.

Haut- in cpds skin; **~abschürfung** f graze; **~arzt** m skin specialist, dermatologist; **~ausschlag** m (skin) rash.

Häutchen nt - dim of **Haut** (auf Flüssigkeit) skin; (Anat, Bot) membrane.

Hautcreme [-kreːm] f skin cream.

häuten [1] vt Tiere to skin.
[2] vr (Tier) to shed its skin; (hum: Mensch) to peel.

haut|eng adj skintight.

Hautevolee [(h)oːtvo'leː] f no pl upper crust, glitterati pl.

Haut-: **~farbe** f skin colour (Brit) or color (US); (Teint) complexion; **h~farben** adj flesh-coloured (Brit), flesh-colored (US); **~krebs** m skin cancer; **h~nah** adj (very) close; Schilderung, Szene vivid, graphic; **~pflege** f skin care; **~wunde** f skin wound.

Havanna nt Havana.

Havarie [hava'riː] f (Naut, Aviat) (Unfall) accident; (Schaden) damage no indef art, no pl.

havarieren* vi [a] to be damaged. [b] (Aus: Fahrzeug) to crash.

Hawaii [ha'vaii] nt Hawaii.

Haxe f -n (Cook) leg (joint); (S Ger col) (Fuß) foot; (Bein) leg.

Hbf = **Hauptbahnhof.**

H-Bombe ['haː-] f H-bomb.

h.c. [haː'tseː] = **honoris causa** ► **Dr.** ~ honorary doctor.

he interj hey; (fragend) eh.

Hebamme f -n midwife.

Hebe-: **~balken** m lever; **~bühne** f hydraulic ramp.

Hebel m - lever ► **den ~ ansetzen** to position the lever; (fig col) to tackle it; **alle ~ in Bewegung setzen** (col) to

move heaven and earth; **am längeren ~ sitzen** (col) to have the whip hand.

Hebel-: **~kraft, ~wirkung** f leverage.

heben pret **hob**, ptp **gehoben** [1] vt [a] to lift; Arm, Fernglas auch, Augenbraue, Wrack to raise; Schatz to dig up ► **die Stimme ~** to raise one's voice; **einen ~ gehen** (col) to go for a drink; **er hebt gern einen** (col) he likes a drink; **heb deine Füße!** pick your feet up!; siehe **gehoben.** [b] (steigern) to increase; Stimmung, Wohlstand to improve; Geschmack, jds Ansehen to enhance ► **das hebt den Mut** it's good for morale.
[2] vr [a] to rise; (Nebel, Deckel) to lift. [b] (verbessern, steigern) to improve ► **da hob sich seine Stimmung** that cheered him up.
[3] vi (Sport) to do weightlifting.

Hebräer(in f) m - Hebrew.

hebräisch adj Hebrew.

Hebung f [a] (von Schatz, Wrack etc) recovery, raising. [b] no pl (fig: Verbesserung) improvement; (von Effekt, Selbstbewußtsein) heightening; (von Lebensstandard, Niveau) rise.

hecheln vi (keuchen) to pant.

Hecht m -e (Zool) pike; (col: Bursche) guy (col) ► **er ist (wie) ein ~ im Karpfenteich** (fig) (sehr aktiv) he certainly shakes people up; (sorgt für Unruhe) he's a stirrer (col).

hechten vi aux sein (col) to dive.

Hechtsprung m (beim Schwimmen) racing dive; (beim Turnen) forward dive; (Ftbl col) dive.

Heck nt -e or -s (Naut) stern; (Aviat) tail, rear; (Aut) rear, back.

Heck|antrieb m (Aut) rear-wheel drive.

Hecke f -n hedge; (am Wegrand) hedgerow.

Hecken-: **~rose** f dogrose, wild rose; **~schere** f garden shears; (elektrisch) hedge-trimmer; **~schütze** m sniper.

Heck-: (Aut) **~fenster** nt rear window; **~flosse** f tail fin; **~klappe** f tailgate.

Heckmeck m no pl (col) (dummes Gerede) nonsense, rubbish; (Umstände) fuss, palaver (col).

Heck-: **~motor** m (Aut) rear engine; **~scheibe** f (Aut) rear window; **~tür** f (Aut) tailgate.

Hedonismus m hedonism.

Hedonist(in f) m hedonist.

hedonistisch adj hedonistic.

Heer nt -e (lit, fig) army ► **beim ~** in the army.

Heeresleitung f command.

Hefe f -n yeast.

Hefe-: **~gebäck** nt yeast-risen pastry; **~pilz** m yeast plant; **~teig** m yeast dough.

Heft¹ nt -e (von Werkzeug, Messer) handle; (von Dolch, Schwert) hilt ► **das ~ in der Hand haben** (fig) to hold the reins; **jdm das ~ aus der Hand nehmen** (fig) to seize control/power from sb.

Heft² nt -e (Schreib~) exercise book; (Zeitschrift) magazine; (Comic~) comic; (Nummer) number, issue; (geheftetes Büchlein) booklet.

Heftchen nt [a] dim of **Heft².** [b] (pej) (billiger Roman) cheap novel (in magazine format); (Comic~) rag (pej col). [c] (Fahrkarten~, Briefmarken~) book of tickets/stamps.

heften [1] vt [a] (nähen) Saum to tack (up); Buch to sew, to stitch; (klammern) to clip (an +acc to); (mit Heftmaschine auch) to staple (an +acc to). [b] (befestigen) to pin, to fix ► **den Blick auf jdn/etw ~** to stare at sb/sth.
[2] vr **sich an jds Fersen** or **Sohlen ~** (fig) to dog sb's heels.

Hefter m - (loose-leaf) file.

heftig adj violent; Schmerz, Liebe intense; Erkältung, Fieber severe; Weinen bitter; Kampf, Wind, Widerstand fierce; Regen, Frost heavy ► **ein ~er Regenguß** a downpour; **er hat sich ~ in sie verliebt** he has fallen passionately in love with her; **~ nicken/rühren** to nod/stir vigorously.

Heftigkeit *f no pl siehe adj* violence; intensity; severity; bitterness; ferocity; heaviness.

Heft-: **~klammer** *f* staple; **~maschine** *f* stapler; **~pflaster** *nt* (sticking) plaster, adhesive tape (*US*); **~roman** *m* cheap paperback novel, dime novel (*US*); **~zwecke** *f* drawing pin (*Brit*), thumb tack (*US*).

hegen *vt* [a] *Wild, Pflanzen* to care for, to tend ▸ *jdn ~ und pflegen* to lavish care and attention on sb. [b] *Groll, Verdacht* to harbour (*Brit*), to harbor (*US*); *Mißtrauen, Abneigung* to feel; *Zweifel* to entertain; *Hoffnung, Wunsch* to cherish ▸ *ich hege den starken Verdacht, daß ...* I have a strong suspicion that ...

Hehl *nt or m:* **kein** *or* **keinen ~ aus etw machen** to make no secret of sth.

Hehler(in *f*) *m* - receiver (of stolen goods), fence (*col*).

Hehlerei *f no pl* receiving (stolen goods).

hehr *adj* (*liter*) noble, sublime.

Heia *f no pl* (*baby-talk*) **ab in die ~** off to bye-byes (*baby-talk*); **h~ machen** to have a little nap.

Heide[1] *m* (*wk*) **-n, -n, Heidin** *f* heathen, pagan.

Heide[2] *f* **-n** moor, heath.

Heide-: **~kraut** *nt* heather; **~land** *nt* moorland, heathland.

Heidelbeere *f* bilberry, blueberry (*esp US*).

Heiden- (*col*) **~angst** *f:* **eine ~angst vor etw** (*dat*) **haben** to be scared stiff of sth (*col*); **~arbeit** *f* real slog (*col*); **~geld** *nt* packet (*col*); **~krach, ~lärm** *m* unholy din (*col*); **~respekt** *m* healthy respect; **~spaß** *m* terrific fun; **einen ~spaß haben** to have a whale of a time (*col*); **~spektakel** *m* awful row; (*Schimpfen*) awful fuss.

Heidentum *nt no pl* paganism.

Heidin *f siehe* **Heide**[1].

heidnisch *adj* heathen, pagan.

heikel *adj* [a] *Situation, Thema* tricky, delicate. [b] (*dial*) *Mensch* particular, pernickety (*col*), persnickety (*US col*) (*in bezug auf +acc* about).

heil *adj* [a] (*unverletzt*) *Mensch* unhurt; *Glieder* unbroken; *Haut* undamaged ▸ *wieder ~ sein/werden* (*wieder gesund*) to be/get better again; (*Wunde*) to have healed/to heal up; **~ nach Hause kommen** to get home safe and sound; **etw ~ überstehen** *Unfall* to come through sth without a scratch; *Prüfung* to get through sth; **mit ~er Haut davonkommen** to escape unscathed. [b] (*col: ganz*) intact; *Kleidungsstück* decent (*col*) ▸ **eine ~e Welt** an ideal world (*without problems etc*).

Heil [1] *nt no pl* [a] (*Wohlergehen*) well-being, good. [b] (*Eccl, fig*) salvation ▸ **sein ~ in der Flucht suchen** to flee for one's life. [2] *interj* **Ski/Petri ~!** good skiing/fishing!

Heiland *m* **-e** (*Rel*) Saviour, Redeemer.

Heil-: **~anstalt** *f* nursing home; (*für Sucht- oder Geisteskranke*) home; **~bad** *nt* (*Bad*) medicinal bath; (*Ort*) spa; **h~bar** *adj* curable; **h~bringend** *adj* (*Rel*) redeeming; *Wirkung* beneficial; *Kräuter* medicinal.

Heilbutt *m* **-e** halibut.

heilen [1] *vi aux sein* to heal (up). [2] *vt* to cure; *Wunde,* (*Rel*) to heal ▸ **als geheilt entlassen werden** to be discharged with a clean bill of health; **jdn von etw ~** (*lit, fig*) to cure sb of sth; **von jdm/etw geheilt sein** (*fig*) to have got over sb/sth.

heilend *adj* healing.

heilfroh *adj pred* (*col*) jolly glad (*col*).

heilig *adj* [a] holy; (*bei Namen von Heiligen*) Saint; **jdm ~ sein** (*lit, fig*) to be sacred to sb; **H~er Abend** Christmas Eve; **H~e Maria** Holy Mary; **der H~e Geist** the Holy Spirit *or* Ghost; **der H~e Stuhl** the Holy See; **die H~en Drei Könige** the Three Wise Men; **die H~e Schrift** the Holy Scriptures *pl.* [b] *Pflicht* sacred; *Zorn* righteous;

Stille, Schauer awed ▸ **es ist mein ~er Ernst** I am deadly serious. [c] (*col: groß*) incredible (*col*); *Respekt auch* healthy.

Heilig|abend *m* Christmas Eve.

heiligen *vt* to hallow; *Sonntag etc* to keep holy ▸ **der Zweck heiligt die Mittel** the end justifies the means.

Heiligen-: **~bild** *nt* holy picture; **~schein** *m* halo; **jdn mit einem ~schein umgeben** (*fig*) to put sb on a pedestal.

Heilige(r) *mf decl as adj* (*lit, fig*) saint ▸ **ein sonderbarer ~r** (*col*) a queer fish (*col*).

Heilig-: **~keit** *f* holiness; **Seine ~keit** his Holiness; **h~sprechen** ⚠ *vt sep irreg* to canonize; **~sprechung** *f* canonization; **~tum** *nt* (*Stätte*) shrine; (*Gegenstand*) (holy) relic; **jds ~tum sein** (*col*) (*Zimmer*) to be sb's sanctum; (*Gegenstand etc*) to be sacrosanct (*to sb*).

Heil-: **~kraft** *f* healing power; **h~kräftig** *adj Pflanze, Tee* medicinal; **~kraut** *nt usu pl* medicinal herb; **~kunde** *f* medicine; **~kundige(r)** *mf decl as adj* healer; **h~los** *adj* unholy (*col*); *Schreck* terrible; **~methode** *f* cure; **~mittel** *nt* (*lit, fig*) remedy, cure; (*Medikament*) medicine; **~pflanze** *f* medicinal plant; **~praktiker** *m* non-medical practitioner; **~quelle** *f* medicinal spring; **h~sam** *adj Erfahrung, Strafe* salutary; *Wirkung* beneficial; (*dated: heilend*) healing.

Heils|armee *f* Salvation Army.

Heilung *f* (*von Wunde*) healing; (*von Krankheit, Kranken*) curing.

⚠ **Heilungsprozeß** *m* healing process.

heim *adv* home.

Heim *nt* **-e** home; (*Studentenwohn~*) hall of residence, hostel.

Heim- *in cpds* home; **~arbeit** *f* (*Ind*) homework, outwork *both no indef art*; **~arbeiter** *m* (*Ind*) homeworker.

Heimat *f* **-en** home ▸ **die ~ verlassen** to leave one's home.

Heimat- *in cpds* home; **~dichter** *m* regional writer; **~erde** *f* native soil; **~film** *m sentimental film in idealized regional setting*; **~kunde** *f* (*Sch*) local history; **~land** *nt* native country; **h~lich** *adj* native; *Bräuche, Dialekt* local; *Gefühle* nostalgic; *Klänge* of home; **h~los** *adj* homeless; **~lose(r)** *mf decl as adj* homeless person; **~museum** *nt* local history museum; **~ort** *m* home town/village; **~vertriebene(r)** *mf decl as adj* displaced person.

heim-: **~begeben*** *vr sep irreg* to make one's way home; **~begleiten*** *vt sep* **jdn ~begleiten** to see sb home; **~bringen** *vt sep irreg* (*nach Hause bringen*) to bring home; (*~begleiten*) to take home.

Heimchen *nt* **~ (am Herd)** (*pej: Frau*) housewife.

Heimcomputer *m* home computer.

heimelig *adj* cosy, homely.

Heim-: **h~fahren** *vti sep irreg* (*vi: aux sein!*) to drive home; **~fahrt** *f* journey home; (*Naut*) return voyage; **h~finden** *vi sep irreg* to find one's way home; **h~gehen** *vi sep irreg aux sein* to go home; **h~holen** *vt sep* to fetch home; **Gott hat ihn h~geholt** he has been called to his Maker.

heimisch *adj* [a] (*einheimisch*) indigenous, native (*in +dat* to); (*national*) home; (*ortsansässig*) local; (*regional*) regional. [b] (*vertraut*) familiar ▸ **sich ~ fühlen** to feel at home; **~ werden** to become acclimatized (*an, in +dat* to).

Heim-: **~kehr** *f no pl* homecoming; **h~kehren** *vi sep aux sein* to return home (*aus* from); **~kehrer(in** *f*) *m* homecomer; **~kind** *nt* child brought up in a home; **h~kommen** *vi sep irreg aux sein* to come home; **~leiter** *m* warden of a/the home/ hostel; **h~leuchten** *vi sep* (*fig col*) **jdm h~leuchten** to give sb a piece of one's mind.

heimlich [1] *adj* secret.

2 adv secretly; lachen inwardly ▸ er blickte sie ~ an he stole a glance at her; sich ~ entfernen to sneak away; ~, still und leise (col) quietly, on the quiet.

Heimlichkeit f secrecy; (Geheimnis) secret ▸ in aller ~ secretly, in secret.

Heimlich-: ~tuer(in f) m - secretive person; ~tuerei f secrecy; h~tun vi sep irreg to be secretive (mit about).

Heim-: ~reise f homeward journey; (Naut) homeward voyage; h~reisen vi sep aux sein to travel home; h~schicken vt sep to send home; ~spiel nt (Sport) home match; ~statt f home.

heimsuchen vt sep to strike; (für längere Zeit) to plague; (Gespenst) to haunt; (Krankheit, Alpträume) to afflict; (col: besuchen) to descend on (col) ▸ von Dürre/Krieg heimgesucht drought-stricken/war-torn.

Heimtrainer m **a** (Person) personal trainer. **b** (Gerät) exercise machine; (Trimmrad) exercise bike.

heimtückisch adj insidious; (boshaft) malicious; Glatteis, Maschine treacherous.

Heim-: h~wärts adv homewards; ~weg m way home; sich auf den ~weg machen to head for home; ~weh nt homesickness no art; ~weh haben to be homesick (nach for); ~werker m handyman; h~zahlen vt sep jdm etw h~zahlen to pay sb back for sth.

Heini m -s (pej col) guy (col) ▸ blöder ~ silly idiot.

Heinzelmännchen nt die ~ the little people.

Heirat f -en marriage.

heiraten **1** vt to marry.

2 vi to get married, to marry ▸ in eine reiche Familie ~ to marry into a rich family.

Heirats-: ~annonce f = ~anzeige (b); ~antrag m proposal (of marriage); jdm einen ~antrag machen to propose to sb; ~anzeige f **a** (Bekanntgabe) announcement of a forthcoming marriage; **b** (zur Partnersuche) advertisement for a marriage partner; h~fähig adj marriageable; ~schwindler m person who makes a marriage proposal in order to obtain money; ~urkunde f marriage certificate; ~vermittler m marriage broker; ~vermittlung f matchmaking no pl; (Büro) marriage bureau.

heiser adj hoarse.

Heiserkeit f hoarseness.

heiß adj (lit, fig) hot; Zone torrid; Thema hotly disputed; Diskussion, Kampf heated, fierce; Begierde, Liebe, Wunsch burning ▸ jdm wird ~ sb is getting hot; sie hat einen ~en Kopf she has a burning forehead; etw ~ machen to heat sth up; es wird nichts so ~ gegessen, wie es gekocht wird (prov) things are never as bad as they seem; es ging ~ her things got heated; die Stadt ist ~ umkämpft the town is being fiercely fought over; jdn/etw ~ und innig lieben to love sb/sth madly; ~e Tränen weinen to cry one's heart out; sich (dat) die Köpfe ~ reden to talk till one is blue in the face; jdn ~ machen (col) to turn sb on (col); ein ~es Eisen a hot potato (fig col); ein ~es Eisen anfassen (col) to grasp the nettle (fig); ~er Draht hot line; ~e Spur firm lead.

heißblütig adj hot-blooded.

heißen pret hieß, ptp geheißen **1** vi **a** to be called (Brit) or named ▸ wie ~ Sie/heißt die Straße? what's your name/the name of the street?; ich heiße Müller I'm called or my name is Müller; sie heißt jetzt anders she has changed her name; eigentlich heißt es richtig X actually the correct word is X; ... und wie sie alle ~ ... and the rest of them. **b** (bestimmte Bedeutung haben) to mean ▸ was heißt "gut" auf englisch? what is the English for "gut"?; soll/will ~ (am Satzanfang) in other words; was soll das ~? what does that mean?; das will schon etwas ~ that's quite something. **c** das heißt that is; (in anderen Worten) that is to say.

2 vt (geh) **a** (nennen) to call. **b** (auffordern) to tell ▸

jdn willkommen ~ to bid sb welcome.

3 vi impers es heißt, daß ... they say that ...; in der Bibel/in seinem Brief heißt es, daß ... the Bible/his letter says that ...; es heißt hier ... it says here ...; nun heißt es handeln now we must do something.

Heiß-: h~ersehnt △ adj attr much longed for; h~geliebt △ adj dearly beloved; ~hunger m voracious appetite; etw mit ~hunger verschlingen (lit, fig) to devour sth; h~hungrig adj ravenous, voracious; h~laufen vi sep irreg aux sein (Motor) to run hot; ~luft f hot air; ~luftballon m hot-air balloon; ~luftherd m fan(-assisted) oven; ~mangel f (Gerät) rotary iron; (Geschäft) laundry specializing in ironing sheets etc; h~umkämpft △ adj attr hotly disputed; h~umstritten △ adj attr hotly debated; ~wasserbereiter m water-heater.

heiter adj (fröhlich) cheerful; (ausgeglichen) serene; (amüsant) Geschichte amusing; (hell, klar) Farbe, Himmel, Tag bright; Wetter fine; (Met) fair ▸ ~ werden to become cheerful; (Wetter) to clear up; das kann ja ~ werden! (iro) that sounds great (iro); aus ~em Himmel (fig) out of the blue.

Heiterkeit f no pl siehe adj cheerfulness; serenity; amusingness; brightness, fineness; (heitere Stimmung) merriment.

Heiz-: h~bar adj heated; schwer h~bar difficult to heat; ~(bett)decke f electric blanket.

heizen **1** vi to have the heating on ▸ der Ofen heizt gut the stove gives off a good heat; mit Holz/Strom ~ to use wood/electricity for heating.

2 vt (warm machen) to heat; (verbrennen) to burn.

Heizer m - (von Hochofen) boilerman; (von Lokomotive, Schiff) stoker.

Heiz-: ~gerät nt heater; ~kissen nt electric heat pad; ~körper m (Gerät) heater; (von Zentralheizung) radiator; ~kosten pl heating costs pl; ~lüfter m fan heater; ~material nt (heating) fuel; ~ofen m heater; ~öl nt heating or fuel oil; ~sonne f electric fire.

Heizung f heating; (Heizkörper) heater.

Heizungs-: ~anlage f heating system; ~keller m boiler room; ~monteur m heating engineer; ~rohr nt heating pipe.

Hektar nt or m -e hectare.

Hektik f no pl hectic rush; (von Großstadt etc) hustle and bustle; (von Leben etc) hectic pace ▸ sie arbeitet mit einer solchen ~ she works at such a hectic pace; nur keine ~ take it easy.

hektisch adj hectic.

Hektoliter m or nt hectolitre (Brit), hectoliter (US).

Held m (wk) -en, -en hero ▸ der ~ des Tages the hero of the hour; kein ~ in etw (dat) sein not to be very brave about sth; (in Schulfach etc) to be no great shakes at sth (col); du bist mir ein schöner ~! (iro) some hero you are!

Helden-: ~dichtung f heroic poetry; h~haft, h~mütig adj heroic; ~tat f heroic deed; ~tum nt no pl heroism.

Heldin f heroine.

▼ **helfen** pret half, ptp geholfen vi to help (jdm sb) ▸ jdm bei etw ~ to help sb with sth, to lend sb a hand with sth; ihm ist nicht zu ~ (fig) he is beyond help; ich kann mir nicht ~, ich muß es tun I can't help doing it; ich werd' ihm (schon) ~! (col) I'll give him what for (col); ich werde dir ~, die Tapeten zu beschmieren I'll teach you to mess up the wallpaper; sich (dat) zu ~ wissen to be resourceful; man muß sich (dat) nur zu ~ wissen (prov) you just have to use your head; er weiß sich (dat) nicht mehr zu ~ he is at his wits' end; diese Arznei hilft gegen or bei Kopfweh this medicine is good for headaches; es hilft nichts it's no use or no good; da hilft alles nichts ... there's nothing for it ...; was hilft's?

△: Informationen zur Rechtschreibreform im Anhang

what's the use?

Helfer(in f) m - helper; (Mitarbeiter) assistant; (von Verbrecher) accomplice ▸ **ein ~ in der Not** a friend in need.

Helfershelfer m accomplice.

Helgoland nt Heligoland.

hell adj [a] (optisch) light; Licht, Himmel bright; Haar, Haut fair ▸ **es wird ~** it's getting light; **~ bleiben** to stay light; **am ~en Tage** in broad daylight; **in ~en Flammen** in flames, ablaze; **~es Bier** ≈ lager. [b] Ton etc high(-pitched). [c] (col: klug) bright; Augenblicke lucid ▸ **er ist ein ~er Kopf** he has brains. [d] attr (stark, groß) great; Verzweiflung, Unsinn sheer, utter; Neid pure ▸ **von etw ~ begeistert sein** to be very enthusiastic about sth; **in ~en Scharen** in great numbers.

hell- in cpds (esp auf Farben bezüglich) light; **~auf** adv completely, utterly; **~blond** adj very fair, blonde.

Helle f no pl = **Helligkeit**.

helle adj pred (col) bright, clever.

Heller m - **darauf geb ich keinen (roten) ~** I wouldn't give you tuppence (Brit) or a red cent (US) for it; **auf ~ und Pfennig** to the last penny.

Helle(s) nt decl as adj ≈ lager.

hell-: ~haarig adj fair-haired; **~häutig** adj fair-skinned; **~hörig** adj (Archit) poorly sound proofed; **~hörig sein** (fig: Mensch) to have sharp ears; **jdn ~hörig machen** to make sb prick up their ears.

⚠ **hellicht** adj **am ~en Tage** in broad daylight.

Helligkeit f no pl siehe **hell** [a] lightness; brightness; fairness; (helles Licht) light; (Phys, Astron) luminosity.

hell-: ~sehen vi infin only **~sehen können** to be clairvoyant; **H~seher(in** f) m (lit, fig) clairvoyant; **~seherisch** adj attr clairvoyant; **~wach** adj (lit, fig) wide-awake; **H~werden** nt no pl daybreak.

Helm m -e helmet.

Helsinki nt Helsinki.

Hemd nt -en shirt; (Unter~) vest (Brit), undershirt (US) ▸ **etw wie sein ~ wechseln** (fig) to change sth with monotonous regularity; **für dich gebe ich mein letztes ~ her** (col) I'd give you the shirt off my back (col); **naß bis aufs ~** wet through; **jdn bis aufs ~ ausziehen** (fig col) to have the shirt off sb's back (col).

Hemdbluse f shirt(-blouse), shirtwaist (US).

Hemds-: ~ärmel m **in ~ärmeln** in one's shirt sleeves; **h~ärmelig** adj shirt-sleeved; (fig col: salopp) pally (col); Ausdrucksweise casual.

Hemisphäre f -n hemisphere.

hemmen vt Entwicklung to hinder; Lauf der Dinge, Maschine to check; (verlangsamen) to slow down; Wasserlauf to stem; (Psych) to inhibit.

Hemmnis nt hindrance, impediment (für to).

Hemm-: ~schuh m (fig) hindrance, impediment (für to); **~schwelle** f (Psych) inhibition threshold.

Hemmung f [a] (Psych) inhibition; (Bedenken) scruple ▸ **da habe ich ~en** I've got scruples about that; **keine ~en kennen** to have no inhibitions; **nur keine ~en** don't feel inhibited. [b] siehe vt hindering; check (gen to); slowing down; stemming.

Hemmungs-: h~los adj (rückhaltlos) unrestrained; (skrupellos) unscrupulous; **~losigkeit** f siehe adj lack of restraint; unscrupulousness.

Hengst m -e stallion; (Kamel~, Esel~) male.

Hengst-: ~fohlen, ~füllen nt (male) foal, colt.

Henkel m - handle.

Henkel- in cpds with a handle; **~mann** m, pl **~männer** (col) canteen.

henken vt (dated) to hang.

Henker m - hangman; (Scharfrichter) executioner ▸ **was zum ~** (col) what the devil (col); **scher dich zum ~!** (col) go to the devil! (col).

Henkersmahl(zeit f) nt last meal before one's execution; (hum col) last slap-up meal (before an examination etc).

Henna nt no pl henna ▸ **mit ~ färben** to henna.

Henne f -n hen.

Hepatitis f, pl **Hepatitiden** hepatitis.

her adv [a] **von Frankreich/dem Meer ~** from France/the sea; **~ zu mir!** (col) come here (to me); **um mich ~** (all) around me; **von weit ~** from a long way off; **~ damit!** (col) give me that; **immer ~ damit!** (col) let's have it/them (then). [b] **von der Idee/Form ~** as far as the idea/form goes; **vom finanziellen Standpunkt ~** from the financial point of view. [c] (zeitlich) **ich kenne ihn von früher ~** I know him from before; **von der Schule/meiner Kindheit ~** since school/my childhood; siehe **hersein (a)**.

herab adv down ▸ **die Treppe ~** down the stairs; **von oben ~** from above.

herab- pref down; **~blicken** vi sep (lit, fig) to look down (auf +acc on); **~hängen** vi sep irreg to hang down; **~lassen** sep irreg [1] vt to let down, to lower; [2] vr (lit, fig) to lower oneself; **sich zu etw ~lassen** to condescend or deign to do sth; **~lassend** adj condescending; **H~lassung** f condescension; **~mindern** vt sep (schlechtmachen) Leistung etc to belittle; (reduzieren) Geschwindigkeit, Niveau to reduce; **~sehen** vi sep irreg (lit, fig) to look down (auf +acc on); **~setzen** vt sep Ware, Preise to reduce; Niveau to lower; (schlechtmachen) Leistungen, jdn to belittle; **zu stark ~gesetzten Preisen** at greatly reduced prices; **~sinken** vi sep irreg aux sein to sink (down); **~stürzen** sep [1] vt to push off (von etw sth); [2] vi aux sein to fall off (von etw sth); (Felsbrocken) to fall down (von from); [3] vr to jump off (von etw sth); **~würdigen** sep [1] vt to disparage; [2] vr to lower oneself.

heran adv **bis an etw** (acc) **~** right beside sth; (mit Bewegungsverb) right up to sth.

heran-: ~bilden vt sep to train (up); (in der Schule) to educate; **~bringen** vt sep irreg (herbringen) to bring over; **die Schüler an diese Probleme ~bringen** to introduce the pupils to these problems; **~eilen** vi sep aux sein to hurry over; **~fahren** vti sep irreg aux sein to drive up (an +acc to); **~führen** sep [1] vt jdn to lead up; **jdn an etw** (acc) **~führen** to introduce sb to sth; [2] vi **an etw** (acc) **~führen** (lit, fig) to lead to sth; **~gehen** vi sep irreg aux sein to go up (an +acc to); **ich würde nicht näher ~gehen** I wouldn't go any nearer; **an etw ~gehen** an Problem, Aufgabe to tackle sth; **~kommen** vi sep irreg aux sein [a] to draw near (an +acc to), to approach (an etw (acc) sth); **auf 1:3 ~kommen** to pull back to 1-3; **er läßt alle Probleme an sich ~kommen** he always adopts a wait-and-see attitude; **an den Chef/Motor kommt man nicht ~** you can't get hold of the boss/get at the engine; [b] (sich messen können) **an jdn/etw ~kommen** to be up to the standard of sb/sth; **~lassen** vt sep irreg **jdn an etw** (acc) **~lassen** to let sb near sth; **er läßt keinen an sich ~** he won't let anyone near him; **~machen** vr sep (col) **sich an etw** (acc) **~machen** to get down to sth; **sich an jdn ~machen** to approach sb; an Frau to chat sb up (col); **~nahen** vi sep aux sein (geh) to approach; **~reichen** vi sep **an jdn/etw ~reichen** (lit) to reach sb/sth; (fig: sich messen können) to come near sb/sth; **~reifen** vi sep aux sein (geh) to ripen; (fig) to mature; **~rücken** sep [1] vi aux sein (sich nähern) to approach (an etw (acc) sth); (dicht aufrücken) to come up nearer (an +acc to); [2] vt to pull/push up (an +acc to); **~tragen** vt sep irreg to bring (over); **etw an jdn ~tragen** (fig) to take/bring sth to sb; **~treten** vi sep irreg aux sein (lit) to come/go up (an +acc to); **näher ~treten** to come/go nearer; **mit etw an jdn ~treten**

(*sich wenden an*) to approach sb with sth; **~wachsen** *vi sep irreg aux sein* (*geh*) to grow; (*Kind*) to grow up; *die ~wachsende Generation* the rising generation; **H~wachsende(r)** *mf decl as adj* adolescent; **~wagen** *vr sep* to venture near; *sich an etw* (*acc*) *~wagen* to venture to tackle sth; **~winken** *vt sep* to beckon *or* wave over; *Taxi* to hail; **~ziehen** *vt sep irreg* a to draw near (*an +acc* to); b (*zu Hilfe holen*) to call in; *Literatur* to consult; *etw zum Vergleich ~ziehen* to use sth by way of comparison; c *Arbeitskräfte, Kapital* to bring in.

herauf 1 *adv* up ▶ *vom Tal ~* up from the valley; *von unten ~* up from below.
2 *prep +acc* up ▶ *den Berg/die Treppe ~* up the mountain/stairs.

herauf- *pref* up; **~arbeiten** *vr sep* (*lit, fig*) to work one's way up; **~beschwören*** *vt sep irreg Vergangenheit* to evoke; *Unglück, Krise* to cause; **~bringen** *vt sep irreg* to bring up; **~führen** *sep* 1 *vt Pferd etc* to lead up; *jdn* to show up; 2 *vi* (*Weg etc*) to lead up; **~kommen** *vi sep irreg aux sein* to come up; **~setzen** *vt sep Preise etc* to increase; **~steigen** *vi sep irreg aux sein* to climb up; (*Rauch*) to rise; (*Erinnerungen*) to well up (*in jdm* in sb); **~ziehen** *sep irreg* 1 *vt* to pull up; 2 *vi aux sein* (*Gewitter, Unheil etc*) to approach.

heraus *adv* out ▶ *~ damit!* (*col: gib her*) hand it over!; *~ mit der Sprache* out with it! (*col*); *zum Fenster ~* out of the window; *nach vorn ~ wohnen* to live at the front; *aus dem Wunsch ~ ...* out of a desire to ...

heraus- *pref* out; **~arbeiten** *vt sep* (*aus Stein, Holz*) to carve (*aus* out of); (*fig*) to bring out; **~bekommen*** *vt sep irreg* a *Fleck, Nagel etc* to get out (*aus* of); b (*ermitteln*) *Täter, Geheimnis* to find out (*aus jdm* from sb); *Lösung, Aufgabe* to work out; c *Wechselgeld* to get back; **~bilden** *vr sep* to form, to develop (*aus* out of); **~boxen** *vt sep* (*aus* of) *Ball* to punch out; (*col*) *jdn* to bail out (*col*); **~bringen** *vt sep irreg* a to bring out (*aus* of); b = **~bekommen (a, b)**; c (*auf den Markt bringen*) to bring out; *jdn/etw ganz groß ~bringen* (*col*) to give sb/sth a big build-up; d (*col: hervorbringen*) *Worte* to say; *aus ihm war kein Wort ~zubringen* they couldn't get a single word out of him; **~drehen** *vt sep Birne, Schraube* to unscrew (*aus* from); **~drücken** *vt sep* to squeeze out (*aus* of); **~fahren** *irreg* 1 *vi aux sein* to come out (*aus* of); 2 *vt* a *Auto* to drive out (*aus* of); b (*Sport*) *eine gute Zeit ~fahren* to record a good time; **~finden** *sep irreg* 1 *vt Fehler, Täter etc* to find out; (*~lesen*) *Gesuchtes* to pick out (*aus* from); 2 *vir* to find one's way out (*aus* of).

Herausforderer *m* - challenger.

herausfordern *sep* 1 *vt* to challenge (*zu* to); (*provozieren*) to provoke (*zu etw* to do sth); *Kritik, Protest* to invite; *Gefahr, Unglück* to court ▶ *das Schicksal ~* to tempt providence.
2 *vi zu etw ~* (*provozieren*) to invite sth.

herausfordernd *adj* provocative; (*Auseinandersetzung suchend*) *Haltung, Blick* challenging.

Herausforderung *f* challenge; (*Provokation*) provocation.

Herausgabe *f* a return; (*von Personen*) handing over. b (*von Buch etc*) publication.

herausgeben *sep irreg* 1 *vt* a (*zurückgeben*) to return, to give back; *Gefangene etc* to hand over. b (*veröffentlichen*) to issue; *Buch, Zeitung* to publish; (*bearbeiten*) to edit. c (*Wechselgeld geben*) *Betrag* to give as change ▶ *wieviel hat er dir herausgegeben?* how much change did he give you? d (*herausreichen*) to hand out (*aus* of).
2 *vi* (*Wechselgeld geben*) to give change (*auf +acc* for) ▶ *können Sie (mir) ~?* can you give me change?; *falsch ~* to give the wrong change.

Herausgeber(in *f*) *m* (*Verleger*) publisher; (*Redakteur*) editor.

heraus-: **~gehen** *vi sep irreg aux sein* (*aus* of) to go out; (*Fleck, Korken etc*) to come out; *aus sich ~gehen* (*fig*) to come out of one's shell; **~greifen** *vt sep irreg* to pick out (*aus* of); *Beispiel* to take; **~haben** *vt sep irreg* (*col*) a *ich will ihn aus der Firma ~haben* I want him out of the firm; b *Rätsel, Aufgabe* to have solved; *Geheimnis* to have found out; **~halten** *sep irreg* 1 *vt* a *Hand, Gegenstand* to put out (*aus* of); b (*fernhalten*) *Tiere, Eindringlinge* to keep out (*aus* of); 2 *vr* to keep out of it; *sich aus etw ~halten* to keep out of sth; **~hängen** *vti sep irreg* to hang out (*aus* of); **~heben** *vt sep irreg* 1 to lift out (*aus* of); (*fig: betonen*) to bring out; 2 *vr* to stand out; **~holen** *vt sep* a (*aus* of) to get out; (*~bringen*) to bring out; b (*fig col*) *Antwort, Geheimnis* to get out (*aus* of); *Vorteil, Sieg* to gain (*aus* from); *Zeit* to make up; *Ergebnis* to get; **~hören** *vt sep* (*wahrnehmen*) to hear; (*fühlen*) to detect (*aus* in); **~kehren** *vt sep* (*lit*) to sweep out (*aus* of); (*fig: betonen*) to parade; *den Vorgesetzten ~kehren* to act the boss.

herauskommen *vi sep irreg aux sein* a (*lit, fig*) to come out (*aus* of); (*Schwindel etc*) to come to light ▶ *er ist nie aus seinem Dorf herausgekommen* he has never been out of his village; *aus sich ~* to come out of one's shell; *er kam aus dem Staunen nicht heraus* he couldn't get over his astonishment; *aus einer schwierigen Lage ~* to get out of a difficult situation; *aus seinen Schwierigkeiten ~* to get over one's difficulties. b (*Resultat haben*) *bei etw ~* to come of sth; *und was soll dabei ~?* and what is that supposed to achieve?, and where is that supposed to get us?; *es kommt auf dasselbe heraus* it comes (down) to the same thing. c (*Cards*) to lead.

heraus-: **~kriegen** *vt sep* (*col*) = **~bekommen**; **~lesen** *vt sep irreg* (*erkennen*) to gather (*aus* from); **~locken** *vt sep* to entice out (*aus* of); *etw aus jdm ~locken* (*ablisten*) to get sth out of sb; **~machen** *sep* (*col*) 1 *vt* (*aus* of) to take out; *Fleck* to get out; 2 *vr* (*sich gut entwickeln*) to come on (well); (*nach Krankheit*) to pick up; **~nehmbar** *adj* removable; **~nehmen** *vt sep irreg* a to take out (*aus* of); *Kind* (*aus der Schule etc*) to take away (*aus* from); *sich* (*dat*) *die Mandeln ~nehmen lassen* to have one's tonsils out; *den Gang ~nehmen* (*Aut*) to put the car into neutral; b (*col: sich erlauben*) *sich* (*dat*) *Freiheiten ~nehmen* to take liberties; *Sie nehmen sich zuviel ~* you're going too far; **~platzen** *vi sep aux sein* (*col*) (*spontan sagen*) to blurt it out; (*lachen*) to burst out laughing; **~putzen** *vt sep jdn* to dress up; *Stadt, Wohnung etc* to deck out; *sich ~putzen* to get dressed up; **~ragen** *vi sep siehe* **hervorragen**; **~reden** *vr sep* to talk one's way out of it (*col*); **~reißen** *vt sep irreg* a (*lit*) (*aus* of) to tear out; *Zahn, Baum* to pull out; b *jdn aus etw ~reißen* (*aus Umgebung*) to tear sb away from sth; (*aus Schlaf*) to startle sb out of sth; (*col: aus Schwierigkeiten*) to get sb out of sth (*col*); **~rücken** *sep* 1 *vt* to push out (*aus* of); (*col: hergeben*) *Geld* to cough up (*col*); *Beute, Gegenstand* to hand over; 2 *vi aux sein* a (*lit*) to move out; b (*col: hergeben*) *mit etw ~rücken* (*mit Geld*) to cough sth up (*col*); (*mit Beute*) to hand sth over; (*col: aussprechen*) to come out with sth; **~rutschen** *vi sep aux sein* (*lit, fig*) to slip out (*aus* of); *das ist mir nur so ~gerutscht* it just slipped out somehow; **~schauen** *vi sep* (*dial*) a (*Mensch*) to look out (*aus, zu* of); b (*zu sehen sein*) to show; c (*col*) = **springen (c)**; **~schinden** *vt sep irreg* (*col*) = **~schlagen 1(b)**; **~schlagen** *sep irreg* 1 *vt* a (*lit*) to knock out (*aus* of); b (*col*) *Geld* to make; *Gewinn, Vorteil* to get; *Zeit* to gain; 2 *vi aux sein* (*Flammen*) to shoot out; **~schleudern** *vt sep* (*werfen*) to hurl out (*aus* of); *Piloten* to eject; (*fig*) *Fragen, Vorwürfe* to burst out with; **~schmecken** *vt sep* to detect the taste of, to taste; **~schmeißen** *vt sep irreg* (*col: lit, fig*) to chuck out (*aus* of) (*col*).

⚠ **her<u>au</u>ssein** *vi sep irreg aux sein* (*col*) to be out; (*bekannt sein*) to be known; (*entschieden sein*) to have been settled; (*Gesetz*) to be in force ▸ *aus dem Gröbsten ~* to be over the worst.

her<u>au</u>s-: **~springen** *vi sep irreg aux sein* (*aus* of) [a] (*lit*) to jump *or* leap out; [b] (*sich lösen*) to come out; [c] (*col*) *was springt für mich dabei ~?* what's in it for me?; **~stellen** *sep* [1] *vt* [a] (*lit*) to put outside; [b] (*fig: hervorheben*) to emphasize, to underline; *jdn* to give prominence to; [2] *vr* (*Wahrheit*) to come to light; *sich als falsch/richtig ~stellen* to prove to be wrong/ correct; *es stellte sich ~, daß ...* it turned out *or* emerged that ...; *das muß sich erst ~stellen* that remains to be seen; **~strecken** *vt sep* to stick out (*zu, aus* of); **~streichen** *vt sep irreg* [a] *Fehler etc* to cross out, to delete (*aus* in); [b] (*betonen*) *Verdienste etc* to stress; **~stürzen** *vi sep aux sein* (*eilen*) to rush out (*aus* of); **~suchen** *vt sep* to pick out; **~treten** *vi sep irreg aux sein* to come out (*aus* of), to emerge (*aus* from); (*Adern etc*) to stand out; **~wachsen** *vi sep irreg aux sein* to grow out (*aus* of); **~winden** *vr sep irreg* (*fig*) *sich aus etw ~winden* to wriggle out of sth; **~wirtschaften** *vt sep* to make (*aus* out of); **~wollen** *vi sep* to want to get out (*aus* of); *nicht mit etw ~wollen* (*col: sagen wollen*) not to want to come out with sth (*col*); **~ziehen** *vt sep irreg* to pull out (*aus* of); (*~schleppen*) to drag out (*aus* of).

h<u>e</u>rb *adj Geruch* sharp; *Parfüm* tangy; *Wein* dry; *Enttäuschung, Verlust* bitter; *Worte, Kritik* harsh.

herb<u>ei</u>-: **~bringen** *vt sep irreg* to bring over; **~eilen** *vi sep aux sein* to hurry *or* rush over; **~führen** *vt sep* to bring about; **~holen** *vt sep* to bring; *Arzt, Polizisten* to fetch; **~laufen** *vi sep irreg aux sein* to come running up; **~rufen** *vt sep irreg* to call over; *Verstärkung* to call in; *Arzt, Polizei* to call; **~schaffen** *vt sep* to bring; *Geld* to get hold of; *Beweise* to produce; **~sehnen** *vt sep* to long for; **~strömen** *vi sep aux sein* to come flocking.

herbem<u>ü</u>hen* *sep* (*geh*) [1] *vt jdn ~* to trouble sb to come here.
[2] *vr* to take the trouble to come here.

H<u>e</u>rberge *f* -n [a] *no pl* lodging *no indef art.* [b] (*Jugend~*) (youth) hostel.

H<u>e</u>rbergs-: **~mutter** *f*, **~vater** *m* (youth hostel) warden.

h<u>e</u>r-: **~bestellen*** *vt sep* (*col*) to send for; **~bitten** *vt sep irreg* to ask to come; **~bringen** *vt sep irreg* to bring (here).

H<u>e</u>rbst *m* -e autumn, fall (*US*) ▸ *im ~* in autumn, in the fall (*US*).

H<u>e</u>rbst- *in cpds* autumn, fall (*US*); **~anfang** *m* beginning of autumn *or* fall (*US*); **~ferien** *pl* autumn *or* fall (*US*) holiday(s); (*Sch*) half-term holiday(s); **h~lich** *adj* autumn *attr*, fall *attr* (*US*); (*wie im Herbst auch*) autumnal; *das Wetter ist h~lich kühl* there's an autumnal chill in the air.

H<u>e</u>rd *m* -e [a] (*Küchen~*) cooker, stove; (*Kohle~*) range. [b] (*Krankheits~*) focus; (*von Erdbeben*) epicentre (*Brit*), epicenter (*US*); (*fig: von Rebellion etc*) seat.

H<u>e</u>rde *f* -n (*lit*) herd; (*von Schafen*) flock ▸ *der ~ folgen* (*pej*) to follow the herd.

H<u>e</u>rden-: **~tier** *nt* gregarious animal; **~trieb** *m* (*lit, fig pej*) herd instinct.

H<u>e</u>rdplatte *f* (*von Elektroherd*) hotplate.

her<u>ei</u>n *adv* in ▸ *~!* come in!; *hier ~!* in here!; *von (dr)außen ~* from outside.

her<u>ei</u>n- *pref* in; **~bekommen** *vt sep irreg* (*col*) *Waren* to get in; *Radiosender* to receive; *Unkosten etc* to recover; **~bitten** *vt sep irreg* to ask (to come) in; **~brechen** *vi sep irreg aux sein* (*Wasser, Flut*) to gush in; *das Unglück brach über ihn ~* misfortune overtook him; **~bringen** *vt sep irreg* [a] to bring in; [b] (*col*) *Geldverlust* to make good; *Zeit-, Produktionsverlust* to make up for; **~drängen** *vir sep* to push one's way in; **~dringen** *vi sep irreg aux sein* (*Licht, Wasser*) to come in (*in +acc* -to); *ein Geräusch drang ins Zimmer ~* a sound was heard in the room; **~dürfen** *vi sep irreg* (*col*) to be allowed in; **~fallen** *vi sep irreg aux sein* [a] to fall in (*in +acc* -to); [b] (*col*) to fall for it (*col*); (*betrogen werden*) to be had (*col*); *auf jdn/etw ~fallen* to be taken in by sb/sth; *mit jdm/ etw ~fallen* to have a bad deal with sb/sth; **~führen** *vt sep* to show in; **~holen** *vt sep* to bring in (*in +acc* -to); **~kommen** *vi sep irreg aux sein* to come in (*in +acc* -to); *wie ist er ~gekommen?* how did he get in?; **~lassen** *vt sep irreg* to let in (*in +acc* -to); **~legen** *vt sep* (*col*) *jdn ~legen* to take sb for a ride (*col*); **~platzen** *vi sep aux sein* (*col*) to burst in (*in +acc* -to); *bei jdm ~platzen* to burst in on sb; **~regnen** *vi impers sep es regnet ~* the rain is coming in; **~schauen** *vi sep* (*dial*) = **~sehen**; **~schneien** *sep* [1] *vi impers es schneit ~* the snow's coming in; [2] *vi aux sein* (*col*) to drop in (*col*); **~sehen** *vi sep irreg* to look in (*in +acc* -to); *bei jdm ~sehen* (*col*) to look sb up; **~spazieren*** *vi sep aux sein* to breeze in (*in +acc* -to); **~spaziert!** come right in!; (*Schausteller*) walk up! **~strömen** *vi sep aux sein* (*in +acc* -to) to stream in; **~stürmen** *vi sep aux sein* to storm in (*in +acc* -to); **~stürzen** *vi sep aux sein* to rush in (*in +acc* -to).

H<u>e</u>r-: **h~fahren** *sep irreg* [1] *vi aux sein* to come here; *hinter jdm h~fahren* to drive along behind sb; [2] *vt* to drive here; **~fahrt** *f* journey here; **h~fallen** *vi sep irreg aux sein* *über jdn h~fallen* to attack sb; (*kritisieren*) to pull sb to pieces; *über etw* (*acc*) *h~fallen* to descend upon sth; *über Eßbares etc* to pounce upon sth; **h~finden** *vi sep irreg* (*col*) to find one's way here.

H<u>e</u>rgang *m no pl* (*von Ereignissen*) course ▸ *der ~ des Unfalls* the way the accident happened.

h<u>e</u>r-: **~geben** *sep irreg* [1] *vt* (*weggeben*) to give away; (*aushändigen*) to hand over; (*zurückgeben*) to give back; *gib das ~!* give me that; *viel/wenig ~geben* (*col: erbringen*) to be a lot of use/not to be much use; *das Thema gibt viel/nichts ~* there's a lot/nothing to this topic; *was seine Beine ~gaben* as fast as his legs would carry him; *seinen Namen für etw ~geben* to lend one's name to sth; [2] *vr sich zu etw ~geben* to be a party to sth; **~gebracht** *adj in ~gebrachter Weise* in the traditional way; **~gehen** *sep irreg aux sein* [1] *vi* [a] *hinter/ neben jdm ~gehen* to walk along behind/beside sb; [b] *~gehen und etw tun* (*einfach tun*) just to go and do sth; [2] *vi impers* (*col: zugehen*) *es ging heiß ~* things got heated; *hier geht es hoch ~* there's plenty going on here; **~gehören*** *vi sep* to belong here; **~gelaufen** *adj attr* (*pej*) *siehe* **dahergelaufen**; **~haben** *vt sep irreg* (*col*) *wo hat er das ~?* where did he get that from?; **~halten** *vi sep irreg für etw ~halten* to pay for sth; *als Entschuldigung für etw ~halten* to be used as an excuse for sth; **~holen** *vt sep* (*col*) to fetch; **~holen lassen** to send for; *weit ~geholt sein* (*fig*) to be far-fetched; **~hören** *vi sep* (*col*) to listen; *alle mal ~hören!* everybody listen.

H<u>e</u>ring *m* -e [a] herring; (*fig col: Schwächling*) weakling ▸ *wie die ~e zusammengedrängt* packed in like sardines. [b] (*Zeltpflock*) (tent) peg (*Brit*) *or* stake (*US*).

h<u>e</u>r-: **~kommen** *vi sep irreg aux sein* to come here; (*sich nähern*) to come, to approach; (*~stammen*) to come from; **~kömmlich** *adj* conventional.

H<u>e</u>rkunft *f no pl* origin; (*soziale*) background ▸ *er ist britischer* (*gen*) *~* he is of British origin.

⚠: for details of spelling reform, see supplement

Herkunftsland nt (Comm) country of origin.

her-: ~laufen vi sep irreg aux sein to come running; *hinter jdm ~laufen* (lit, fig) to run after sb; **~leiten** sep [1] vt (folgern) to derive (aus from); [2] vr *sich von etw ~leiten* to be derived from sth; **~locken** vt sep to entice, to lure; **~machen** sep (col) [1] vr *sich über etw* (acc) **~machen** (in Angriff nehmen) Arbeit, Essen to get stuck into sth (col); (Besitz ergreifen) to pounce (up)on sth; *sich über jdn ~machen* to lay into sb (col); [2] vt *viel ~machen* to look impressive.

Hermelin m -e (Pelz) ermine.

hermetisch adj hermetic ▶ ~ *abgeriegelt* completely sealed off.

her-: ~müssen vi sep irreg (col) [a] *das muß ~* I/we have to have it; [b] (kommen müssen) to have to come (here); *hinter jdm ~müssen* to have to go after sb; **~nehmen** vt sep irreg (beschaffen) to get, to find ▶ *wo soll ich das ~nehmen?* where am I supposed to get that from?

Heroin [hero'i:n] nt no pl heroin.

heroisch [he'ro:ɪʃ] adj (geh) heroic.

Herold m -e (Hist) herald.

Herpes m no pl (Med) herpes.

Herr m (wk) -(e)n, -en [a] (Gebieter) lord, master; (Herrscher) ruler (über +acc of); (von Hund) master ▶ *die ~en der Schöpfung* (hum: Männer) the gentlemen; *sein eigener ~ sein* to be one's own master or boss; *~ der Lage bleiben* to remain master of the situation; *über jdn/etw ~ werden* to master sb/sth; *niemand kann zwei ~en dienen* (prov) no man can serve two masters (prov). [b] (Gott, Christus) Lord ▶ *Gott, der ~* the Lord God. [c] (feiner ~, Mann) gentleman ▶ *„~en"* (Toilette) "gentlemen" (Brit), "men's room" (US). [d] (vor Eigennamen) Mr ▶ *mein ~!* sir!; *der ~ wünscht?* what can I do for you, sir?; *ja, ~ Doktor/Professor* yes, Doctor/Professor; *~ Präsident/Vorsitzender* Mr President/Chairman; *der ~ Präsident/Vorsitzende* the President/Chairman; *lieber ~ A, sehr geehrter ~ A* (in Brief) Dear Mr A; *sehr geehrte ~en* (in Brief) Dear Sirs.

Herrchen nt (col: von Hund) master.

Herren- in cpds men's; (auf einzelnes Exemplar bezüglich) man's; **~abend** m stag night; **~ausstatter** m - men's outfitter; **~begleitung** f in ~begleitung in the company of a gentleman; **~bekanntschaft** f male acquaintance; *eine ~bekanntschaft machen* to get to know a man; **~bekleidung** f menswear; **~besuch** m male visitor/visitors; **~friseur** m men's hairdresser, barber; **~haus** nt manor house; **h~los** adj abandoned; Hund etc stray; **~salon** m barber's; **~toilette** f men's room (US), gents sing (Brit).

Herrgott m (dated col) (Anrede) God, Lord ▶ *der ~* the Lord (God); *~ noch mal!* (col) damn it all! (col).

Herrgottsfrüh(e) f: *in aller ~* (col) at the crack of dawn.

herrichten sep [1] vt [a] (vorbereiten) to get ready (dat, für for); Bett to make; Tisch to set. [b] (instand setzen) to do up (col). [2] vr (dial) to get dressed up.

Herrin f (Hist) female ruler; (von Hund) mistress.

herrisch adj overbearing, imperious.

herrje, herrjemine interj goodness gracious.

herrlich adj marvellous (Brit), marvelous (US); Kleid gorgeous, lovely ▶ *wir haben uns ~ amüsiert* we had marvellous fun.

Herrlichkeit f [a] no pl (Pracht) magnificence, splendour (Brit), splendor (US) ▶ *die ~ Gottes* the glory of God. [b] usu pl (Gegenstand) treasure.

Herrschaft f [a] (Macht) power; (Staatsgewalt) rule; (Kontrolle) control ▶ *sich der ~ bemächtigen* to seize power; *unter der ~* under the rule (gen, von of);

während der ~ (+gen) in the reign of; *er verlor die ~ über sein Auto* he lost control of his car. [b] *die ~en* (Damen und Herren) the ladies and gentlemen; *(meine) ~en!* ladies and gentlemen.

herrschaftlich adj (vornehm) grand.

Herrschafts-: ~anspruch m claim to power; **~bereich** m territory; **~form** f form or type of rule; **~system** nt system of rule.

herrschen [1] vi [a] (über etw (acc) sth) to rule; (König) to reign; (fig: Mensch) to dominate. [b] (vor~) (Angst, Ungewißheit) to prevail; (Krankheit) to be rampant ▶ *überall herrschte Freude* there was joy everywhere; *im Zimmer herrschte bedrückende Stille* it was oppressively quiet in the room; *hier ~ ja Zustände!* things are in a pretty state around here! [2] vi impers *es herrscht schlechtes Wetter* we're having bad weather; *es herrscht Ungewißheit darüber, ob ...* there is uncertainty about whether ...

herrschend adj Partei, Klasse ruling; König reigning; Verhältnisse, Meinungen prevailing; Mode current.

Herrscher(in f) m - ruler (über +acc of).

Herrscher-: ~geschlecht nt ruling dynasty; **~haus** nt ruling house.

Herrschsucht f domineering nature.

herrschsüchtig adj domineering.

her-: ~rufen vt sep irreg to call (over); **~rühren** vi sep *von etw ~rühren* to be due to sth, to stem from sth; **~sagen** vt sep to recite; **~sehen** vi sep irreg [a] to look this way; [b] hinter jdm/etw ~sehen to follow sb with one's eyes; **~sein** △ vi sep irreg aux sein [a] *das ist schon 5 Jahre ~* that was 5 years ago; *wie lange ist es ~?* how long ago was it?; [b] (~stammen) to come from; *mit jdm/etw ist es nicht weit ~* (col) sb/sth is not up to much (col); [c] hinter jdm/etw ~sein to be after sb/sth; **~stammen** vi sep [a] *wo stammst du ~?* where do you come from?; [b] (~rühren) von etw ~stammen to stem from sth.

herstellen vt sep [a] (erzeugen) to produce; (industriell auch) to manufacture ▶ *in Deutschland hergestellt* made in Germany. [b] (zustande bringen) to establish; (Telec) Verbindung to make; Stromkreis to complete. [c] (gesundheitlich) jdn to restore to health ▶ *er ist wieder ganz hergestellt* he has quite recovered.

Hersteller(in f) m - (Produzent) manufacturer.

Herstellung f no pl siehe vt [a] production; manufacture. [b] establishment; making; completion.

Herstellungs-: ~kosten pl manufacturing or production costs pl; **~land** nt country of manufacture.

hertragen vt sep irreg (col) (an bestimmten Ort) to carry here ▶ *etw hinter jdm ~* to carry sth behind sb.

herüber adv (hierher) over here; (über Straße, Grenze) across.

herüber- pref over; (über Straße, Grenze) across; siehe auch hinüber-; **~fahren** sep irreg [1] vi aux sein *er ist gestern ~gefahren* he came or (mit Auto) drove across yesterday; [2] vt Fahrgast, Güter to take over/across; **~holen** vt sep to fetch; **~kommen** vi sep irreg aux sein to come over/across (über etw (acc) sth); (col: zu Nachbarn) to pop round (col); **~reichen** sep [1] vt to pass (über +acc over); [2] vi to reach across (über etw (acc) sth); **~retten** vt sep etw in die Gegenwart ~retten to preserve sth; **~wechseln** vi sep aux sein or haben in unsere Partei ~wechseln to swap over to our party; **~ziehen** sep irreg (über etw (acc) sth) [1] vt to pull over/across; (fig) to win over; [2] vi aux sein (Truppen, Wolken) to move over/across.

herum adv um Ulm ~ around Ulm; um 50 ~ around 50; *links/rechts ~* around to the left/right; *hier/dort ~* around here/there; *oben ~* (über Gegenstand, Berg) over the top; (in bezug auf Körper) around the top; *unten ~*

(*unter Gegenstand*) underneath; (*um Berg, in bezug auf Körper*) around the bottom.

herụm- *pref* around; *siehe auch* **umher-**; **~albern** *vi sep* (*col*) to fool or lark (*col*) around; **~ärgern** *vr sep* (*col*) *sich mit jdm/etw ~ärgern* to keep struggling with sb/sth; **~basteln** *vi sep* (*col*) to tinker about (*an* +*dat* with); **~bekommen** *vt sep irreg* (*col*) *jdn* to talk round; **~blättern** *vi sep (in einem Buch)* **~blättern** to browse through a book; **~bummeln** *vi sep* (*col*) [a] (*trödeln*) to mess about (*col*); [b] *aux sein* (*spazieren*) to stroll around (*in etw* (*dat*) sth); **~doktern** *vi sep* (*col*) *an jdm/einer Krankheit* ~*doktern* to try to cure sb/an illness; *an etw* (*dat*) *~doktern* (*fig*) to fiddle or tinker (about) with sth; **~drehen** *sep* [1] *vt* to turn; *jdm das Wort im Mund* ~*drehen* to twist sb's words; [2] *vr* to turn around; (*im Liegen*) to turn over; [3] *vi* (*col*) *an etw* (*dat*) *~drehen* to fiddle about with sth; **~drücken** *vr sep* [a] (*sich aufhalten*) to hang around (*col*) (*um etw* sth); [b] (*vermeiden*) *sich um etw ~drücken* to dodge sth; **~drucksen** *vi sep* (*col*) to hum and haw (*col*); **~erzählen*** *vt sep* *erzähl das nicht ~* don't spread it around; **~fahren** *sep irreg* [1] *vi aux sein* [a] to travel or (*mit Auto*) drive around; [b] (*sich rasch umdrehen*) to spin around; [2] *vt* to drive around; **~fragen** *vi sep* (*col*) to ask around (*bei* among); **~fuchteln** *vi sep* (*col*) *(mit den Händen)* ~*fuchteln* to wave one's hands around; **~führen** *sep* [1] *vt* to lead around (*um etw* sth); (*bei Besichtigung*) to take or show around; [2] *vi* *um etw ~führen* to go around sth; **~fuhrwerken** *vi sep* (*col*) to bustle about; **~fummeln** *vi sep* (*col*) (*an* +*dat* with) to fiddle about; (*basteln*) to tinker (about); **~gammeln** *vi sep* (*col*) to bum around (*col*); **~gehen** *vi sep irreg aux sein* (*col*) [a] to go around (*um etw* sth); [b] (*ziellos*) to wander around (*in etw* (*dat*) sth); *es ging ihm im Kopf ~* it went round and round in his head; [c] (*~gereicht werden*) to be passed around; *etw ~gehen lassen* to circulate sth; [d] *Zeit* to pass; **~geistern** *vi sep aux sein* (*col*) (*Gespenster etc*) to haunt (*in etw* (*dat*) sth); (*Mensch*) to wander around; **~hacken** *vi sep* (*col*) *auf jdm ~hacken* to pick on sb (*col*); **~hängen** *vi sep irreg* (*col*) [a] to hang around; [b] (*sich lümmeln*) to loll about; [c] (*ständig zu finden sein*) to hang out (*col*); **~irren** *vi sep aux sein* to wander around; **~kommandieren*** *vt sep* (*col*) to order about, to boss about or around (*col*); **~kommen** *vi sep irreg aux sein* (*col*) [a] (*um eine Ecke etc*) to come around (*um etw* sth); [b] (*~gehen können*) to get around (*um etw* sth); [c] (*vermeiden können*) *um etw ~kommen* to get out of sth; [d] *er ist viel ~gekommen* he has been around a lot; **~kriegen** *vt sep* (*col*) *jdn* to talk round; **~laufen** *vi sep irreg aux sein* (*col*) to run or (*gehen*) walk around (*um etw* sth); **~liegen** *vi sep irreg* (*col*) to lie around or (*um etw* sth); **~lungern** *vi sep* (*col*) to hang around; **~machen** *sep* (*col*) [1] *vi an etw* (*dat*) *~machen* (*sich beschäftigen*) to fuss about sth; (*~fingern*) to pick at sth; [2] *vt* to put around (*um etw* sth); **~nörgeln** *vi sep* *an jdm/etw ~nörgeln* to find fault with sb/sth; **~quälen** *vr sep* (*col*) to struggle; *sich mit Rheuma ~quälen* to be plagued by rheumatism; **~reden** *vi sep* (*col*) to chat away; *um etw ~reden* (*ausweichend*) to talk around sth; **~reichen** *vt sep* to pass round; **~reißen** *vt sep irreg* to swing around (hard); *das Steuer ~reißen* (*fig*) to change course; **~reiten** *vi sep irreg* (*fig col*) *auf jdm/etw ~reiten* to keep on at sb/about sth; **~schlagen** *sep irreg* [1] *vt Papier, Tuch* to wrap around (*um etw* sth); [2] *vr* (*col*) *sich mit jdm/etw ~schlagen* (*fig*) to struggle with sb/sth; **~schleppen** *vt sep* (*col*) *Sachen* to lug around (*col*); *jdn* to drag around; *etw mit sich ~schleppen Sorge, Problem* to be troubled by sth; *Krankheit* to have sth; **~schnüffeln** *vi sep* (*col*) to sniff around (*in etw* (*dat*) sth); (*fig*) to snoop around

(*in* +*dat* in); **~schreien** *vi sep irreg* (*col*) to shout out loud; **~sein** ⚠ *vi sep irreg aux sein* (*col*) [a] (*vorüber sein*) to be past or over; [b] (*in jds Nähe sein*) *um jdn ~sein* to be around sb; **~sitzen** *vi sep irreg aux haben or sein* to sit around (*um jdn/etw* sb/sth); **~sprechen** *vr sep irreg* to get about; **~stehen** *vi sep irreg aux haben or sein* (*Sachen*) to be lying around; (*Menschen*) to stand around (*um jdn/etw* sb/sth); **~stochern** *vi sep* (*col*) to poke about; *im Essen ~stochern* to pick at one's food; **~streiten** *vr sep irreg* (*col*) to squabble; **~toben** *vi sep aux haben or sein* (*col*) to romp around or about; **~tragen** *vt sep irreg* (*col*) [a] to carry about; *Sorgen mit sich ~tragen* to have worries; [b] (*weitererzählen*) to spread around; **~treiben** *vr sep irreg* (*col*) (*sich aufhalten*) to hang around (*in* +*dat* in) (*col*); (*liederlich leben*) to hang around in bad places/company.

Herụmtreiber(in *f*) *m* - (*pej*) tramp.

herụm-: **~wälzen** *vr sep* to roll around; *sich (schlaflos) im Bett ~wälzen* to toss and turn; **~werfen** *sep irreg* [1] *vt* [a] (*col*) to throw around (*in etw* (*dat*) sth); [b] *Kopf* to turn (quickly); *Steuer* to throw around; [2] *vr sich (im Bett) ~werfen* to toss and turn (in bed); **~wursteln** *vi sep* (*col*) to fiddle around (*an* +*dat* with) (*col*); **~ziehen** *sep irreg* [1] *vi aux sein* to move around; *in der Welt ~ziehen* to roam the world; [2] *vt etw mit sich ~ziehen* to take sth around with one.

herụnter [1] *adv* down ▶ **~!** get down!; *~ mit ihm* get him down; *~ damit* get it down; (*in bezug auf Kleider*) get it off.

[2] *prep* +*acc den Berg ~* down the mountain.

herụnter- *pref* down; *siehe auch* **herab-**; **~bekommen** *vt sep irreg* = **~kriegen**; **~bringen** *vt sep irreg* [a] to bring down; [b] (*col*) = **~kriegen**; **~drücken** *vt sep* to press down; *Preise* to force down; *Niveau* to lower; **~fallen** *vi sep irreg aux sein* to fall down; *von etw ~fallen* to fall off sth; **~gehen** *vi sep irreg aux sein* to go down; (*Temperatur, Preise auch*) to drop; *mit den Preisen ~gehen* to lower one's prices; **~gekommen** *adj Haus* dilapidated; *Stadt* run-down; *Mensch* down-at-heel; **~handeln** *vt sep* (*col*) *Preis* to beat down; *etw um 20 Mark ~handeln* to get 20 marks knocked off sth; **~hängen** *vi sep irreg* to hang down; **~hauen** *vt sep irreg* (*col*) *jdm eine ~hauen* to give sb a clip around the ear (*col*); **~holen** *vt sep* to fetch down; (*col*) *Vogel, Flugzeug* to bring down; **~klappen** *vt sep Kragen* to turn down; *Sitz* to fold down; *Deckel* to close; **~kommen** *vi sep irreg aux sein* [a] to come down; [b] (*fig col: verfallen*) (*Stadt, Firma, Wirtschaft*) to go downhill; (*gesundheitlich*) to become run-down; *siehe* **~gekommen**; **~können** *vi sep irreg* to be able to get down; **~kriegen** *vt sep* (*col*) (*~holen, schlucken können*) to get down; (*abmachen können*) to get off; **~lassen** *sep irreg vt Gegenstand* to let down; *Rolladen, Ladung etc* to lower; *Hose* to take down; **~leiern** *vt sep* (*col*) to reel off; **~machen** *vt sep* (*col*) [a] (*schlechtmachen*) to run down, to knock (*col*); [b] (*zurechtweisen*) to tell off; [c] (*abmachen*) to take down; *Farbe, Dreck* to take off; **~nehmen** *vt sep irreg* to take down; (*col: von Schule*) to take away; **~putzen** *vt sep* (*col*) *jdn ~putzen* to tear sb off a strip (*col*); **~rasseln** *vt sep* (*col*) to rattle off; **~reißen** *vt sep irreg* [a] to pull down; [b] (*abreißen*) to pull off; **~schlucken** *vt sep* to swallow; **~schrauben** *vt sep* (*lit*) *Deckel* to screw off; (*fig*) *Ansprüche, Niveau* to lower; **~sehen** *vi sep irreg* (*lit, fig*) to look down (*auf* +*acc* on); **~sein** ⚠ *vi sep irreg aux sein* (*col*) [a] to be down; (*abgeschnitten sein*) to be cut) off; [b] *mit den Nerven/der Gesundheit ~sein* to be at the end of one's tether/to be run-down; **~setzen** *vt sep* (*col*) *siehe* **herabsetzen**; **~spielen** *vt sep* (*col*) *Problem,*

Vorfall to play down; **~wirtschaften** *vt sep* (*col*) to bring to the brink of ruin; **~wollen** *vi sep* (*col*) to want to get down; **~ziehen** *vt sep irreg* to pull down.

hervor *adv aus etw ~* out of sth; *hinter dem Tisch ~* out from behind the table.

hervor-: **~bringen** *vt sep irreg* [a] *Blüten* to produce; *Worte* to utter; [b] (*verursachen*) to create; **~gehen** *vi sep irreg aux sein* [a] (*geh: entstammen*) to come (*aus* from); [b] *daraus geht ~, daß ...* from this it follows that ...; [c] *als Sieger ~gehen* to emerge victorious; **~heben** *vt sep irreg* to emphasize; **~ragen** *vi sep* to jut out, to project; (*fig: sich auszeichnen*) to stand out; **~ragend** *adj* (*ausgezeichnet*) outstanding; *er hat H~ragendes geleistet* his achievement was outstanding; *das hat ~ragend geklappt* it worked beautifully; **~rufen** *vt sep irreg* [a] *jdn ~rufen* to call sb out; (*Theat etc*) to call for sb; [b] (*bewirken*) *Bewunderung* to arouse; *Reaktion, Krankheit* to cause; *Eindruck* to create; **~stechen** *vi sep irreg aux sein* (*lit, fig*) to stand out; **~stechend** *adj* striking; **~stehen** *vi sep irreg aux sein* to project; (*Nase, Ohren etc*) to stick out; **~stoßen** *vt sep irreg Worte* to gasp (out); **~treten** *vi sep irreg aux sein* [a] (*heraustreten*) to emerge (*hinter +dat* from behind); (*Backenknochen*) to protrude; (*Adern*) to bulge; [b] (*sichtbar werden*) to stand out; **~tun** *vr sep irreg* to distinguish oneself; (*col: sich wichtig tun*) to show off (*mit etw* sth); **~wagen** *vr sep* to dare to come out; **~zaubern** *vt sep* (*lit, fig*) to conjure up; **~ziehen** *vt sep irreg* to pull out (*unter +dat* from under).

Herweg *m* way here.

Herz *nt* **-ens, -en** [a] (*lit, fig*) heart ▶ *mir schlug das ~ bis zum Hals* my heart was pounding; *die ~en höher schlagen lassen* to make people's hearts beat faster; *ein goldenes ~* a heart of gold; *schweren ~ens* with a heavy heart; *es gab mir einen Stich ins ~* it hurt me; *seinem ~en Luft machen* to give vent to one's feelings; *sich* (*dat*) *etw vom ~en reden* to get sth off one's chest; *du sprichst mir aus dem ~en* that's just what I feel; *jdm das ~ schwer machen* to sadden sb; *im Grund seines ~ens* in his heart of hearts; *aus tiefstem ~en* from the bottom of one's heart; *mit ganzem ~en* wholeheartedly; *ich weiß, wie es dir ums ~ ist* I know how you feel; *jdm sein ~ schenken* to give sb one's heart; *dieser alte Hund ist mir ans ~ gewachsen* I have grown fond of this old dog; *er hat sie in sein ~ geschlossen* he has grown fond of her; *ein ~ für jdn/etw haben* to have a heart for sb/sth; *sein ~ an jdn/etw hängen* to commit oneself heart and soul to sb/sth; *sich* (*dat*) *ein ~ fassen* to take heart; *ihm rutschte das ~ in die Hose* (*col*) his heart sank; *ein ~ und eine Seele sein* to be bosom friends; *alles, was das ~ begehrt* everything one's heart desires; *er hat das ~ auf dem rechten Fleck* his heart is in the right place; *es liegt mir am ~en* I am very concerned about it; *jdm etw ans ~ legen* to entrust sth to sb; *etw auf dem ~en haben* to have sth on one's mind; *jdn/etw auf ~ und Nieren prüfen* to examine sb/sth very thoroughly; *eine schwere Last fiel ihr vom ~en* a heavy load was lifted from her mind; *von ~en* with all one's heart; *etw von ~en gern tun* to love doing sth; *von ~en kommend* heartfelt; *sich* (*dat*) *etw zu ~en nehmen* to take sth to heart.
[b] *pl* - (*Cards*) (*no pl: Farbe*) hearts *pl*; (*Karte*) heart.

Herz- *in cpds* (*Anat, Med*) cardiac; **~anfall** *m* heart attack; **h~beklemmend** *adj* oppressive; **~beschwerden** *pl* heart trouble *sing*; **h~bewegend** *adj* heart-rending.

Herzchen *nt* (*col: Kosewort*) darling.

Herzegowina *nt* Herzegovina.

herzeigen *vt sep* to show ▶ *zeig (mal) her!* let's see; *das kann man ~* that's worth showing off.

herzen *vt* (*dated*) to hug.

Herzens-: **~bedürfnis** *nt* (*dated*) *es ist mir ein ~bedürfnis* it is a matter dear to my heart; **~brecher** *m* - (*fig col*) heartbreaker; **h~gut** *adj* good-hearted; **~lust** *f nach ~lust* to one's heart's content; **~wunsch** *m* dearest wish.

Herz-: **h~erfrischend** *adj* refreshing; **h~ergreifend, h~erweichend** *adj* heart-rending; **~fehler** *m* heart defect; **h~förmig** *adj* heart-shaped; **h~haft** *adj* (*kräftig*) hearty; *Händedruck,Griff* firm; *Geschmack* strong; *alle langten h~haft zu* everyone got stuck in (*col*); *das schmeckt h~haft* that's tasty.

herziehen *sep irreg* [1] *vt* to pull closer ▶ *jdn/etw hinter sich* (*dat*) *~* to pull sb/sth (along) behind one. [2] *vi aux sein* [a] *hinter jdm ~* to march along behind sb. [b] *über jdn/etw ~* (*col*) to pull sb/sth to pieces (*col*).

herzig *adj* adorable, sweet.

Herz-: **~infarkt** *m* heart attack; **~kammer** *f* ventricle; **~klappe** *f* (heart) valve; **~klopfen** *nt no pl ich hatte/ bekam ~klopfen* my heart was/started pounding; (*durch Kaffee etc*) I had/got palpitations; *mit ~klopfen* with a pounding heart; **h~krank** *adj* suffering from a heart condition; **~kranzgefäß** *nt usu pl* coronary (blood) vessel; **~leiden** *nt* heart condition.

herzlich [1] *adj Empfang, Mensch* warm; *Lachen* hearty; *Bitte* sincere ▶ *~e Grüße an ...* remember me to ...; *mit ~en Grüßen* best wishes; *~en Dank!* thank you very much; *~es Beileid!* you have my deepest sympathy. [2] *adv* (*sehr*) *~ gern!* with the greatest of pleasure!; *~ schlecht* pretty awful; *~ wenig* precious little; *ich habe es ~ satt* I'm sick and tired of it.

Herzlichkeit *f siehe adj* warmth; heartiness; sincerity.

Herz-: **h~los** *adj* heartless; **~losigkeit** *f* heartlessness *no pl*; **~mittel** *nt* cardiac drug.

Herzog ['hɛrtso:k] *m* -̈e duke.

Herzogin ['hɛrtso:gɪn] *f* duchess.

Herzogtum *nt* dukedom, duchy.

Herz-: **~schlag** *m* (*einzelner*) heartbeat; (*~tätigkeit*) heart rate; (*~stillstand*) heart failure *no indef art*; **~schrittmacher** *m* pacemaker; **~schwäche** *f an ~schwäche leiden* to have a weak heart; **h~stärkend** *adj ein h~stärkendes Mittel* a cardiac stimulant; **~stillstand** *m* cardiac arrest; **~stück** *nt* (*fig*) heart, core; **~versagen** *nt* heart failure; **h~zerreißend** *adj* heartbreaking.

Hesse *m* (*wk*) **-n, -n** **Hessin** *f* Hessian.

Hessen *nt* Hesse.

hessisch *adj* Hessian.

hetero-: **~gen** *adj* (*geh*) heterogeneous; **~sexuell** *adj* heterosexual; **H~sexuelle(r)** *mf decl as adj* heterosexual.

Hetze *f no pl* [a] (*Hast*) (mad) rush, hurry. [b] (*pej: Hetzkampagne*) smear campaign.

hetzen [1] *vt* [a] (*lit, fig: jagen*) to hound ▶ *die Hunde auf jdn ~* to set the dogs on sb. [b] (*col: antreiben*) to rush, to hurry. [2] *vr* to hurry oneself. [3] *vi* [a] *auch aux sein* to rush. [b] (*pej: Haß schüren*) to stir up hatred (*gegen* against); (*col: lästern*) to say malicious things ▶ *bei jdm gegen jdn ~* to try to set sb against sb.

Hetzer(in *f)* *m* - rabble-rouser, agitator.

Hetzerei *f* [a] *no pl* (*Hast*) (mad) rush. [b] (*das Haßschüren*) rabble-rousing, agitation.

Hetz-: **~jagd** *f* (*lit, fig*) hounding (*auf +acc* of); **~kampagne** *f* smear campaign.

Heu *nt no pl hay* ▶ *Geld wie ~ haben* (*col*) to have pots of money (*col*).

Heuboden *m* hayloft.

Heuchelei *f* hypocrisy.

⚠: Informationen zur Rechtschreibreform im Anhang

heucheln [1] *vi* to be a hypocrite. [2] *vt Mitleid etc* to feign.

Heuchler(in *f*) *m* - hypocrite.

heuchlerisch *adj* hypocritical.

heuer *adv* (*S Ger, Aus, Sw*) this year.

Heuer *f* **-n** (*Naut*) pay.

heuern *vt* to sign on, to hire.

Heu-: **~gabel** *f* pitchfork, hayfork; **~haufen** *m* haystack.

heulen *vi* to howl; (*Motor*) to roar; (*Sirene*) to wail ► *ich hätte ~ können* I could have wept; *es ist einfach zum H~* it's enough to make you weep.

Heulen *nt no pl siehe vi* howling; roaring; wailing.

Heul-: (*col*) **~peter** *m*, **~suse** *f* cry-baby (*col*); **~ton** *m* (*von Sirene*) wail.

heureka *interj* eureka.

heurig *adj attr* (*S Ger, Aus*) this year's.

Heurige(r) *m decl as adj* (*esp Aus*) new wine.

Heu-: **~schnupfen** *m* hay fever; **~schober** *m* (*S Ger, Aus*) haystack; **~schrecke** *f* **-n** grasshopper; (*in heißen Ländern*) locust; **~speicher** *m* barn.

heute *adv* today ► *~ morgen* this morning; *~ abend* this evening, tonight; *~ früh* this morning; *~ nacht* tonight; *bis ~* (*bisher*) to this day; *~ in einer Woche* a week today, today week; *lieber ~ als morgen* the sooner the better; *von ~ auf morgen* (*fig: plötzlich*) overnight, from one day to the next; *der Mensch von ~* modern man.

heutig *adj attr* today's; (*gegenwärtig*) modern, contemporary ► *am ~en Abend* this evening; *unser ~es Schreiben* (*Comm*) our letter of today('s date); *bis zum ~en Tage* to this day.

heutzutage *adv* nowadays.

Hexa-: ['hɛksa-] *in cpds* hexa-.

Hexe *f* **-n** witch; (*col: altes Weib*) old hag.

hexen *vi* to do witchcraft ► *ich kann doch nicht ~* (*col*) I'm not a magician.

Hexen-: **~häuschen** *nt* gingerbread house; **~jagd** *f* witch hunt; **~kessel** *m* (*fig*) pandemonium *no indef art*; **~meister** *m* sorcerer; **~schuß** △ *m* (*Med*) lumbago.

Hexerei *f* witchcraft *no pl*; (*Zaubertricks*) magic *no pl*.

HG = **Handelsgesellschaft**.

hg. = **herausgegeben** ed.

hibbelig *adj* (*dial*) jittery.

Hickhack *m or nt* **-s** (*col*) squabbling *no pl*.

Hieb *m* **-e** [a] (*Schlag*) stroke, blow; (*Peitschen~*) lash; (*Fechten*) cut. [b] (*~wunde*) gash, slash. [c] *~e pl* (*col: Prügel*) *~e bekommen* to get a hiding.

hieb- und stichfest *adj* (*fig*) watertight.

hielt *pret of* **halten**.

hier *adv* here ► *dieser ~* this one (here); *~ draußen* out here; *~ herum* hereabouts, around here; *er ist von ~* he's a local (man); *Tag Klaus, ~ (spricht) Hans* (*Telec*) hello Klaus, it's Hans; *~ spricht Dr. Müller* (*Telec*) this is Dr Müller (speaking); *~ und da* (every) now and then.

hieran *adv* here ► *~ erkenne ich es* I recognize it by this.

Hierarchie *f* hierarchy.

hierarchisch *adj* hierarchical.

hier-: **~auf** *adv* on this; (*daraufhin*) hereupon; **~aufhin** *adv* hereupon; **~aus** *adv* out of/from this, from here; *~aus folgt daß ...* from this it follows that ...; **~behalten** △ *vt sep irreg* to keep here; **~bei** *adv* (*bei dieser Gelegenheit*) on this occasion; (*in diesem Zusammenhang*) in this connection; **~bleiben** △ *vi sep irreg aux sein* to stay here; **~geblieben!** stop!; **~durch** *adv* (*lit*) through here; (*fig*) through this; **~durch teilen wir Ihnen mit, daß ...** we hereby inform you that ...; **~für** *adv* for this; **~her** *adv* here

△**hierhergehören*** *vi sep* to belong here; (*fig: relevant sein*) to be relevant ► *nicht ~de Bemerkungen* irrel-evant remarks.

hier-: **~hin** *adv* here; *bis ~hin* up to here; **~in** *adv* (*lit, fig*) in this; **~lassen** △ *vt sep irreg* to leave here; **~mit** *adv* with this, herewith (*form*); *~mit ist der Fall erledigt* this settles the matter; *~mit erkläre ich ...* (*form*) I hereby declare ... (*form*); **~nach** *adv* after this, afterwards; (*daraus folgend*) according to this; **~sein** △ *vi sep irreg aux sein* to be here; *während meines H~seins* during my stay; **~über** *adv* (*fig*) about this; *~über ärgere ich mich* this makes me angry; **~um** *adv* (*fig*) about *or* concerning this; *~um handelt es sich nicht* this isn't the issue; **~unter** *adv* (*lit*) under this *or* here; (*fig*) by this *or* that; (*in dieser Kategorie*) among these; *~unter fallen auch die Sonntage* this includes Sundays; **~von** *adv* from this; *~von habe ich nichts gewußt* I knew nothing about this; **~von abgesehen** apart from this; **~vor** *adv* in front of this *or* here; **~vor ekele ich mich** it revolts me; *~vor hat er großen Respekt* he has a great respect for this; **~zu** *adv* (*dafür*) for this; (*dazu*) with this; (*außerdem*) in addition to this, moreover; (*zu diesem Punkt*) about this; **~zu gehören auch die Katzen** this also includes the cats; **~zulande** △ *adv* in these parts; (*in diesem Land*) in this country.

hiesig *adj attr* local ► *meine ~en Verwandten* my relatives here; *er ist kein H~er* he is not a local (man).

hieß *pret of* **heißen**.

Hi-Fi-Anlage ['haifi-] *f* hi-fi system.

Highlife ['hailaif] *nt no pl* high life ► *~ machen* (*col*) to live it up (*col*).

High-Tech- [haɪ'tɛk] *in cpds* high-tech.

hihi *interj* heehee.

Hilfe *f* **-n** [a] *no pl* help; (*für Notleidende*) aid, relief ► *(zu) ~!* help!; *jdm zu ~ kommen* to come to sb's aid *or* assistance; *jdm ~ leisten* to help sb; *bei jdm ~ suchen* to seek sb's help *or* assistance; *mit ~* with the help *or* aid (*gen* of); *etw zu ~ nehmen* to use sth; *ohne fremde ~ gehen* to walk unaided. [b] (*Hilfsmittel*) aid ► *du bist mir eine schöne ~!* (*iro*) a fine help you are!

Hilfe-: **~leistung** *f* aid, assistance; *unterlassene ~leistung* (*Jur*) denial of assistance; **~-Menü** *nt* (*Comput*) help menu; **~ruf** *m* call for help; **~stellung** *f* (*Sport, fig*) support; **h~suchend** △ *adj* seeking help; *Blick* beseeching.

Hilf-: **h~los** *adj* helpless; **~losigkeit** *f* helplessness; **h~reich** *adj* helpful.

Hilfs-: **~aktion** *f* relief action; **~arbeiter** *m* labourer (*Brit*), laborer (*US*); (*in Fabrik*) unskilled worker; **h~bedürftig** *adj* in need of help; (*notleidend*) needy, in need *pred*; **h~bereit** *adj* helpful, ready to help *pred*; **~bereitschaft** *f* helpfulness, readiness to help; **~dienst** *m* emergency service; **~kraft** *f* assistant; (*Aushilfe*) temporary worker; **~maßnahme** *f* relief action *no pl*; (*zur Rettung*) rescue action *no pl*; **~mittel** *nt* aid; **~organisation** *f* relief organization; **~programm** *nt* relief programme (*Brit*) *or* program (*US*); **~schule** *f* (*dated*) school for backward children; **~verb** *nt* auxiliary (verb); **~werk** *nt* relief organization.

Himalaja *m der ~* the Himalayas *pl*.

Himbeere *f* raspberry.

Himmel *m* **-** [a] sky ► *am ~* in the sky; *zwischen ~ und Erde* in midair; *jdn/etw in den ~ heben* *or* *loben* to praise sb/sth to the skies; *ihr hängt der ~ voller Geigen* everything in the garden is lovely for her; *so was fällt nicht einfach vom ~* things like that don't grow on trees. [b] (*Rel*) heaven ► *im ~* in heaven; *in den ~ kommen* to go to heaven; *das schreit zum ~* it's a scandal; *es stinkt zum ~* (*col*) it stinks to high heaven (*col*); *(ach) du lieber ~!* (*col*) good Heavens! (*col*); *um ~s willen* (*col*) for Heaven's sake (*col*).

Himmel-: **~bett** *nt* four-poster (bed); **h~blau** *adj* sky-blue.

Himmelfahrt f [a] *Christi* ~ the Ascension of Christ; *Mariä* ~ the Assumption of the Virgin Mary. [b] (*no art: Feiertag*) Ascension Day.

Himmelfahrts-: ~**kommando** nt (*Mil col*) suicide squad; (*Unternehmen*) suicide mission; ~**tag** m Ascension Day.

Himmel-: h~**hoch** [1] *adj* sky-high; [2] *adv* high into the sky; *h~hoch jauchzend, zu Tode betrübt* up one minute and down the next; ~**reich** nt no pl (*Rel*) Kingdom of Heaven; **h~schreiend** *adj* outrageous, appalling.

Himmels-: ~**karte** f star map or chart; ~**körper** m heavenly or celestial body; ~**richtung** f direction; *die vier ~richtungen* the four points of the compass.

himmelweit *adj ein ~er Unterschied* a world of difference; *wir sind noch ~ davon entfernt* we're still nowhere near it.

himmlisch *adj* (*lit, fig*) heavenly; *Geduld* infinite ▸ *der ~e Vater* our Heavenly Father.

hin *adv* [a] (*räumlich*) *nach außen* ~ (*fig*) outwardly; *~ fahre ich mit dem Zug, zurück ...* on the way out I'll take the train, coming back ...; *~ und her* (*räumlich*) to and fro, back and forth; *etw ~ und her überlegen* to agonize over sth; *das H~ und Her* the comings and goings pl; *nach langem H~und Her* eventually; *Feiertag ~, Feiertag her* holiday or no holiday, whether it's a holiday or not; *~ und zurück* there and back; *einmal London ~ und zurück* a return to London (*Brit*), a roundtrip ticket to London (*US*); *~ und wieder* (every) now and again.

[b] (*zeitlich*) *es sind nur noch drei Tage ~* it's only three days from now; *gegen Mittag ~* towards midday; *über die Jahre ~* over the years.

[c] *auf meine Bitte/meinen Vorschlag ~* at my request/suggestion; *auf meinen Brief ~* as a result of my letter; *auf sein Versprechen/seinen Rat ~* on the basis of his promise/his advice; *etw auf etw* (*acc*) *~ untersuchen* to inspect sth for sth; *nichts wie ~* (*col*) let's go then!; *wo ist es/sie ~?* where has it/she gone?

hinab *adv, pref siehe* **hinunter.**

hin|arbeiten vi sep: *auf etw* (*acc*) ~ (*auf Ziel*) to work towards sth.

hinauf *adv* up ▸ *den Berg ~* up the mountain.

hinauf- *pref* up; ~**arbeiten** vr sep (*lit, fig*) to work one's way up; ~**führen** vti sep to lead up; ~**gehen** vi sep irreg aux sein to go up; *mit dem Preis ~gehen* to put up the price; ~**reichen** sep [1] vi to reach up; [2] vt to pass up; ~**steigen** vi sep irreg aux sein to climb up; ~**ziehen** vt sep irreg to pull up.

hinaus *adv* [a] (*räumlich*) out ▸ ~ (*mit dir*)! (get) out!, out you go!; *über* (+*acc*) ~ beyond, over; *hier/dort* ~ this/that way out; *hinten/vorn* ~ at the back/front; *zur Straße* ~ facing the street. [b] (*zeitlich*) *auf Jahre ~* for years to come; *bis weit über die Siebzig ~* until well over seventy; *über Mittwoch ~* until after Wednesday. [c] (*fig*) *über* (+*acc*) *...* ~ over and above ...; *darüber ~* over and above this.

hinaus- *pref* out; siehe auch **heraus-**; ~**befördern*** vt sep (*col*) jdn to kick out (*col*) (*aus* of); ~**drängen** sep (*aus* of) [1] vt to force out; (*eilig*) to hustle out; [2] vi aux sein to push one's way out; ~**fahren** sep irreg [1] vi aux sein [a] *aus etw ~fahren* to go out of sth, to leave sth; [b] (*reisen*) to go out; *aufs Meer ~fahren* to put out to sea; [2] vt Wagen to drive out (*aus* of); ~**finden** vi sep irreg to find the way out (*aus* of); ~**fliegen** vi sep irreg aux sein [a] to fly out (*aus* of); [b] (*col: ~geworfen werden*) to get kicked out (*col*); ~**führen** sep [1] vi [a] to lead out (*aus* of); [b] *über etw* (*acc*) *~führen* (*lit, fig*) to go beyond sth; [2] vt to lead out (*aus* of); (*Weg, Reise*) to take (*über* +*acc* beyond); ~**gehen** sep irreg aux sein

[1] vi [a] to go out(side); [b] *auf etw* (*acc*) *~gehen* (*Tür*) to open onto sth; (*Fenster auch*) to look onto sth; [c] (*fig: überschreiten*) *über etw* (*acc*) *~gehen* to go beyond sth; *das geht über meine Kräfte ~* it's too much for me; [2] vi impers *wo geht es ~?* where's the way out?; ~**kommen** vi sep irreg aux sein [a] to come out(side); [b] (*fig: ~laufen*) *das kommt auf dasselbe ~* it boils down to or comes to the same thing; ~**komplimentieren*** vt sep (*hum*) to usher out (*aus* of); ~**laufen** vi sep irreg aux sein (*aus* of) [a] (*lit*) to run out; [b] (*fig*) *es läuft auf dasselbe ~* it amounts or comes to the same thing; ~**lehnen** vr sep to lean out (*aus* of); ~**nehmen** vt sep irreg to take out (*aus* of); ~**ragen** vi sep aux sein to jut out (*über* +*acc* beyond); *über jdn/etw ~ragen* (*fig*) to tower above sb/sth; ~**schaffen** vt sep to take out (*aus* of); ~**schieben** vt sep irreg [a] Gegenstand to push out (*aus* of); [b] (*fig*) to put off, to postpone; ~**schießen** vi sep irreg aux sein (*~rennen*) to shoot out (*aus* of); *über das Ziel ~schießen* (*fig*) to overshoot the mark; ~**schmeißen** vt sep irreg (*col*) to kick or chuck out (*col*) (*aus* of); ~**sehen** vi sep irreg to look out (*aus* of); ~**sein** ⚠ vi sep irreg aux sein *über etw* (*acc*) *~sein über Kindereien, ein Alter* to be past sth; *über Enttäuschungen* to have got over sth; ~**setzen** vt sep to put out(side); *jdn ~setzen* (*col*) to kick sb out (*col*); ~**stellen** vt sep to put out(side); *Sportler* to send off; ~**strecken** vt sep to stick or put out (*aus* of); ~**stürzen** vi sep aux sein (*aus* of) [a] (*~fallen*) to fall out; [b] (*~eilen*) to rush out; ~**tragen** vt sep irreg [a] to carry out (*aus* of); [b] *etw in alle Welt ~tragen* to spread sth abroad; ~**wachsen** vi sep irreg aux sein *über etw* (*acc*) *~wachsen* (*fig*) to outgrow sth; *er wuchs über sich selbst ~* he surpassed himself; ~**weisen** sep irreg [1] vt *jdn ~weisen* to show sb the door; [2] vi to point out(wards); ~**werfen** vt sep irreg (*aus* of) [a] to throw out; *einen Blick ~werfen* to take a look out(side); [b] (*col: entfernen*) to chuck or kick out (*col*); ~**wollen** vi sep to want to get out (*aus* of); *worauf willst du ~?* (*fig*) what are you getting or driving at?; *hoch ~wollen* to aim high; ~**ziehen** sep irreg [1] vt [a] (*nach draußen ziehen*) to pull out (*aus* of); [b] (*fig*) Verhandlungen etc to protract, to drag out; Urlaub etc to prolong; [2] vi aux sein to go out (*aus* of); *aufs Land ~ziehen* to move out into the country; [3] vr (*Verhandlungen etc*) to drag on; (*Abfahrt etc*) to be delayed; ~**zögern** sep [1] vt to delay, to put off; [2] vr to be delayed, to be put off.

hin-: ~**bekommen*** vt sep irreg (*col*) = ~**kriegen**; ~**biegen** vt sep irreg (*fig col*) *das/ihn werden wir schon ~biegen* we'll sort it out somehow/lick him into shape (*col*); ~**blättern** vt sep (*col*) Geld to fork out (*col*); *H~blick m: im* or *in H~blick auf* (+*acc*) (*angesichts*) in view of; (*mit Bezug auf*) with regard to; ~**blicken** vi sep to look (*auf* +*acc, nach* at, towards); ~**bringen** vt sep irreg [a] to take there; [b] (*fig*) Zeit to spend; [c] = ~**kriegen**; ~**denken** vi sep irreg *wo denkst du ~?* whatever are you thinking of!

hinderlich *adj ~ sein* to be in the way; *jds Karriere* (*dat*) *~ sein* to be a hindrance to sb's career; *jdm ~ sein* to get in sb's way.

hindern [1] vt [a] Wachstum to impede; jdn to hinder (*bei* in). [b] (*abhalten von*) to prevent (*an* +*dat* from), to stop ▸ *ich will Sie nicht ~* I shan't stand in your way. [2] vi to be a hindrance (*bei* to).

Hindernis nt [a] (*lit, fig*) obstacle; (*beim Sprechen*) impediment ▸ *sie empfand das Kind als ~ für ihre Karriere* she saw the child as a hindrance to her career. [b] (*beim ~lauf*) jump.

Hindernis-: ~**lauf** m, ~**rennen** nt steeplechase; (*fig*) obstacle race; ~**strecke** f obstacle course.

⚠: Informationen zur Rechtschreibreform im Anhang

Hinderungsgrund *m* obstacle.
hindeuten *vi sep* to point (*auf* +acc, *zu* at) ▶ *es deutet alles darauf hin, daß ...* everything indicates that ...
Hindi *nt* Hindi.
hindrehen *vt sep* (*fig col*) to sort out.
Hindu *m* -(s), -(s) Hindu.
Hinduismus *m* Hinduism.
hinduistisch *adj* Hindu.
hindurch *adv* through ▶ *mitten* ~ straight through; *das ganze Jahr* ~ throughout the year; *die ganze Zeit* ~ all the time; *Jahre* ~ for years.
hindurchgehen *vi sep irreg aux sein* (*lit, fig*) to go through (*durch etw* sth).
hindürfen *vi sep irreg* to be allowed to go (*zu* to).
hinein *adv* in ▶ ~ *mit dir!* (*col*) in you go!; *in etw* (*acc*) ~ into sth; *bis tief in die Nacht* ~ well into the night.
hinein- *pref* in; *siehe auch* **ein-, herein-**; **~bekommen*** *vt sep irreg* (*col*) to get in (*in* +acc to); **~blicken** *vi sep* to look in (*in* +acc -to); **~bringen** *vt sep irreg* (~*tragen*) to bring/take in (*in* +acc -to); **~denken** *vr sep irreg sich in ein Problem ~denken* to think oneself into a problem; *sich in jdn ~denken* to put oneself in sb's position; **~fallen** *vi sep irreg aux sein* to fall in (*in* +acc -to); **~finden** *vr sep irreg* (*fig*) (*sich vertraut machen*) to find one's feet; (*sich abfinden*) to come to terms with it; **~fressen** *vt sep irreg* (*col*) *etw in sich* (*acc*) ~*fressen* (*lit*) to wolf sth (down) (*col*); (*fig*) *Kummer etc* to suppress sth; **~gehen** *vi sep irreg aux sein* ⓐ to go in; *in etw* (*acc*) ~*gehen* to go into *or* enter sth; ⓑ (~*passen*) to go in (*in* +acc to); **~geraten*** *vi sep irreg aux sein in etw* (*acc*) ~*geraten* to get involved in sth; **~knien** *vr sep* (*fig col*) *sich in etw* (*acc*) ~*knien* to get down to sth (*col*); **~kommen** *vi sep irreg aux sein* (*in* +acc -to) ⓐ to come in; ⓑ (*lit, fig*: ~*gelangen können*) to get in; **~kriegen** *vt sep* (*col*) to get in (*in* +acc -to); **~legen** *vt sep* (*lit, fig*) to put in (*in* +acc -to); **~lesen** *vt sep irreg etw in etw* (*acc*) ~*lesen* to read sth into sth; **~passen** *vi sep in etw* (*acc*) ~*passen* to fit into sth; (*fig*) to fit in with sth; **~platzen** *vi sep aux sein* (*fig col*) to burst in (*in* +acc -to); **~reden** *vi sep* (*lit: unterbrechen*) to interrupt (*jdm* sb); *jdm* ~*reden* (*fig: sich einmischen*) to interfere in sb's affairs; **~schlagen** *vt sep irreg* (*in* +acc -to) *Nagel* to knock in; **~schlingen** *vt sep irreg etw (gierig) in sich* ~*schlingen* to devour sth (greedily); **~schütten** *vt sep* to pour in (*in* +acc -to); *etw in sich* ~*schütten* (*col*) to knock sth back (*col*); **~setzen** *sep* ⓵ *vt* to put in (*in* +acc -to); ⓶ *vr* (*in Fahrzeug*) to get into (*in etw* (*acc*) sth); (*in Sessel*) to sit (oneself) down (*in* +acc in)); **~spielen** *vi sep* (*beeinflussen*) to have a part to play (*in* +acc in); **~stecken** *vt sep* (*in* +acc -to) to put in; *Geld/Arbeit in etw* (*acc*) ~*stecken* to put money/some work into sth; **~steigern** *vr sep* to get worked up; *sich in seinen Ärger ~steigern* to work oneself up into a temper; *sie hat sich in die Vorstellung ~gesteigert, daß ...* she has managed to convince herself that ...; **~stopfen** *vt sep* to stuff *or* cram in (*in* +acc -to); *Essen in sich* (*acc*) ~*stopfen* to stuff oneself with food; **~stürzen** *sep* ⓵ *vi aux sein* to plunge in (*in* +acc -to); (~*eilen*) to rush in (*in* +acc -to); ⓶ *vt* to throw *or* hurl in (*in* +acc -to); ⓷ *vr* to plunge in (*in* +acc -to); *sich in die Arbeit ~stürzen* to throw oneself into one's work; *sich ins Vergnügen ~stürzen* to plunge in and start enjoying oneself, to let it all hang out (*col*); **~tun** *vt sep irreg* to put in (*in* +acc -to); *einen Blick in etw* (*acc*) ~*tun* to take a look in sth; *ins Buch etc* to take a look at sth; **~versetzen*** *vr sep sich in jdn* or *in jds Lage ~versetzen* to put oneself in sb's position; *sich in eine Rolle ~versetzen* to empathize with a part; **~wachsen** *vi sep irreg aux sein in etw* (*acc*) ~*wachsen* (*lit, fig*) to grow into sth; **~wollen** *vi sep* (*col*) to want to get in (*in* +acc

-to); **~ziehen** *vt sep irreg* to pull *or* drag in (*in* +acc -to); *jdn in eine Angelegenheit ~ziehen* to drag sb into an affair.
hin-: **~fahren** *sep irreg* ⓵ *vi aux sein* to go there; (*mit Fahrzeug auch*) to drive there; ⓶ *vt* to drive *or* take there; **H~fahrt** *f* outward journey; (*Naut*) voyage out; **~fallen** *vi sep irreg aux sein* to fall (down).
hinfällig *adj* ⓐ frail. ⓑ (*fig: ungültig*) invalid.
hin-: **~finden** *vir sep irreg* (*col*) to find one's way there; **~fliegen** *vi sep irreg aux sein* to fly there; (*col: ~fallen*) to fall over; **H~flug** *m* outward flight.
hinführen *vti sep* to lead there ▶ *wo soll das ~?* (*fig*) where is this leading to?
hing *pret of* **hängen**.
Hingabe *f no pl* (*fig*) (*Begeisterung*) dedication; (*Selbstlosigkeit*) devotion ▶ *mit ~ tanzen/singen etc* to put everything into one's dancing/singing.
hingeben *sep irreg* ⓵ *vt* to give up. ⓶ *vr sich einer Sache* (*dat*) ~ *der Arbeit* to devote oneself to sth; *dem Laster, der Verzweiflung* to abandon oneself to sth; *sich Hoffnungen/einer Illusion* ~ to cherish hopes/to labour (*Brit*) *or* labor (*US*) under an illusion; *sie gab sich ihm hin* she gave herself to him.
hingebungsvoll ⓵ *adj* (*selbstlos*) devoted. ⓶ *adv* devotedly; (*begeistert*) with abandon; *lauschen* raptly.
hingegen *conj* however.
hin-: **~gehen** *vi sep irreg aux sein* ⓐ (*dorthin gehen*) to go (there); *gehst du auch ~?* are you going too?; *wo geht es hier ~?* where does this go?; ⓑ (*fig: tragbar sein*) *das geht gerade noch* ~ that will just about do; **~gehören*** *vi sep* to belong; **~gelangen*** *vi sep aux sein* to go there; **~geraten*** *vi sep irreg aux sein irgendwo ~geraten* to get somewhere; *wo bin ich denn hier ~geraten?* (*col*) what kind of place is this then?; **~gerissen** *adj* enraptured; **~gerissen lauschen** to listen with rapt attention; *ich bin ganz ~- und hergerissen* (*iro*) oh great (*iro*); **~halten** *vt sep irreg* ⓐ *lit* to hold out (*jdm* to sb); ⓑ (*fig*) *jdn* to put off, to stall; **H~haltetaktik** *f* stalling *or* delaying tactics.
hinhauen *sep irreg* (*col*) ⓵ *vt* ⓐ (*nachlässig machen*) to knock off (*col*). ⓑ (*hinwerfen*) to slam down. ⓶ *vi* ⓐ (*zuschlagen*) to hit hard. ⓑ *aux sein* (*fallen*) to fall flat. ⓒ (*gutgehen*) *das wird schon* ~ it will be OK (*col*) *or* all right. ⓓ (*klappen*) to work. ⓔ (*ausreichen*) to do. ⓷ *vr* (*col*) (*sich schlafen legen*) to crash out (*col*).
hinhören *vi sep* to listen.
hinken *vi* ⓐ to limp. ⓑ (*fig: Beispiel, Vergleich*) to be inappropriate.
hin-: **~knien** *vir sep* (*vi: aux sein*) to kneel (down); **~kommen** *vi sep irreg aux sein* ⓐ (*da*) ~*kommen* to get there; *wie komme ich zu dir ~?* how do I get to your place?; ⓑ (*an bestimmten Platz gehören*) to go; *wo ist das Buch ~gekommen?* where has the book got to?; *wo kämen wir denn ~, wenn ...* (*col*) where would we be if ...; ⓒ (*col: auskommen*) to manage; *wir kommen* (*damit*) ~ we'll manage; ⓓ (*col: ausreichen, stimmen*) to be right; **~kriegen** *vt sep* (*col*) ⓐ (*fertigbringen*) to do, to manage; *das hast du gut ~gekriegt* you've made a good job of it; *wie kriegt sie das bloß immer ~?* I don't know how she does it; ⓑ (*in Ordnung bringen*) to mend, to fix; (*gesundheitlich*) to cure; **~langen** *vi sep* (*col*) (*zupacken*) to grab him/her *etc*; (*anfassen*) to touch; (*zuschlagen*) to take a (good) swipe (*col*); **~länglich** ⓵ *adj* adequate; ⓶ *adv* adequately; (*zu Genüge*) sufficiently; **~laufen** *vi sep irreg aux sein* ⓐ to run there; ⓑ (*col: nicht fahren*) to walk; **~legen** *sep* ⓵ *vt* ⓐ to put down; *Zettel* to leave (*jdm* for sb); *Verletzten etc* to lay down; (*col: bezahlen müssen*) to fork

out (*col*); **b** (*col: glänzend darbieten*) to give; **2** *vr* to lie down; *sich der Länge nach ~legen* (*col: hinfallen*) to fall flat; **~machen** *sep* **1** *vt* (*anbringen*) to put on; **2** *vi* (*col: Notdurft verrichten*) to do one's/it's *etc* business (*euph*); **~nehmen** *vt sep irreg* (*ertragen*) to take; **~neigen** *sep* **1** *vr* (*zu* towards) (*Mensch*) to lean; (*fig*) to incline; **2** *vi* (*fig*) *zu etw ~neigen* to incline towards sth; **~passen** *vi sep* to fit (in); (*gut aussehen*) to go (well); **~reichen** *vi sep* **a** (*ausreichen*) to be enough; **b** (*sich erstrecken*) *bis zu etw ~reichen* to stretch to sth; **~reichend** *adj* (*ausreichend*) adequate; (*genug*) sufficient; (*reichlich*) ample; **H~reise** *f* journey out, outward journey; (*mit Schiff*) outward voyage; **~reißen** *vt sep irreg* (*fig: begeistern*) to thrill; *sich ~reißen lassen* to let oneself get carried away; *siehe* **~gerissen**; **~reißend** *adj Landschaft, Anblick* enchanting; *Schönheit, Mensch* captivating; **~richten** *vt sep* to execute; **H~richtung** *f* execution; **~sagen** *vt sep* to say without thinking; **~schaffen** *vt sep etw zu jdm ~schaffen* to get sth to sb; **~schauen** *vi sep siehe* **~sehen**; **~schicken** *vt sep* to send; **~schleppen** *sep* **1** *vt* to carry, to lug (*col*); (*col: mitnehmen*) to drag along; **2** *vr* (*Mensch*) to drag oneself along; (*fig*) to drag on; **~schmeißen** *vt sep irreg* (*col*) (*hinwerfen*) to fling down (*col*); (*fig: aufgeben*) *Arbeit etc* to chuck in (*col*), to pack in (*Brit col*); **~schreiben** *sep irreg* **1** *vt* to write; (*flüchtig*) to scribble down (*col*); **2** *vi* (*col*) to write; **~sehen** *vi sep irreg* to look; *ich kann (gar) nicht ~sehen* I can't bear to look; *bei genauerem H~sehen* on closer inspection.

⚠ **hinsein** *vi sep irreg aux sein* (*col*) **a** (*kaputt sein*) to have had it (*col*). **b** (*verloren sein*) to be lost; (*Ruhe*) to be gone; (*ruiniert sein*) to be in ruins. **c** (*col: tot sein*) to have kicked the bucket (*col*). **d** (*begeistert sein*) *(von etw)* ~ to be mad about sth (*col*). **e** *bis dahin ist es noch lange hin* it's a long time till then.

hinsetzen *sep* **1** *vt* to put or set down. **2** *vr* to sit down.

▼ **Hinsicht** *f no pl in dieser* ~ in this respect; *in mancher or gewisser* ~ in some or many respects or ways; *in finanzieller/wirtschaftlicher* ~ financially/economically; *in beruflicher* ~ job-wise.

▼ **hinsichtlich** *prep +gen* (*bezüglich*) with regard to; (*in Anbetracht*) in view of.

hin-: **~sollen** *vi sep* (*col*) *wo soll ich/das Buch ~?* where do I/does the book go?; **H~spiel** *nt* (*Sport*) first leg; **~stellen** *sep* **1** *vt* **a** to put down; (*col*) *Gebäude* to put up; (*abstellen*) *Fahrzeug* to put; **b** *jdn/etw als jdn/etw ~stellen* to make sb/sth out to be sb/sth; **2** *vr* to stand; (*Fahrer*) to park; **~strecken** *sep* **1** *vt Hand, Gegenstand* to hold out; **2** *vr* to stretch out.

hint|an-: **~setzen**, **~stellen** *vt sep* (*zurückstellen*) to put last; (*vernachlässigen*) to neglect.

hinten *adv* **a** behind; (*am rückwärtigen Ende*) at the back ▸ *ein Blick nach* ~ a look behind; *von weit* ~ from the very back; ~ *im Buch/auf der Liste* at the back of the book/at the end of the list; *sich* ~ *anstellen* to join the end of the queue (*Brit*) or line (*US*); ~ *im Bild* in the back of the picture; *etw* ~ *anfügen* to add sth at the end; *von* ~ from behind; ~ *im Auto* in the back of the car; *nach* ~ *fallen, ziehen* backwards; *ich sehe ihn am liebsten von* ~ (*col*) I am always glad to see the back of him; *ein nach* ~ *gelegenes Zimmer* a room facing the back; *das Auto da* ~ the car back there; *sie waren ziemlich weit* ~ they were quite far back.

b (*fig*) ~ *und vorn betrügen* left, right and centre (*Brit*) or center (*US*); *bedienen* hand and foot; *das stimmt* ~ *und vorn nicht* that is absolutely untrue; *das reicht* ~ *und vorn nicht* that's nowhere near enough; *ich weiß nicht mehr, wo* ~ *und vorn ist* I don't know whether I'm coming or going.

hinten-: **~dran** *adv* (*col*) at the back; **~herum** *adv* **a** from the back; *kommen Sie ~herum* come around the back; **b** (*fig col*) (*auf Umwegen*) in a roundabout way; (*illegal*) under the counter; **~über** *adv er fiel ~über* he fell over backwards.

hinter *prep +dat or* (*mit Bewegungsverben*) *+acc* **a** behind; (*über ... hinaus*) beyond; ~ *jdm/etw her* behind sb/sth; ~ *die Wahrheit kommen* to get to the truth; *sich* ~ *jdn stellen* (*fig*) to support sb; ~ *jdm/etw stehen* (*lit, fig*) to be behind sb/sth; ~ *der Tür hervor* (out) from behind the door; *jdn weit* ~ *sich* (*dat*) *lassen* to leave sb a long way behind; *acht Kilometer* ~ *der Grenze* five miles the other side of the border. **b** *etw* ~ *sich* (*dat*) *haben* (*zurückgelegt haben*) to have got through sth; *Strecke* to have covered sth; (*überstanden haben*) to have got sth over with; *anstrengende Tage* to have had sth; *Studium* to have completed sth; *sie hat viel* ~ *sich* she has been through a lot; *etw* ~ *sich* (*acc*) *bringen* to get sth over with; *Strecke* to cover sth; *Arbeit* to get sth done.

Hinter-: **~achse** *f* rear axle; **~ausgang** *m* back or rear exit; **~backe** *f usu pl* buttock; *sich auf die ~backen setzen* (*fig col*) to get down to it; **~bänkler** *m -* (*Pol pej*) backbencher; **~bein** *nt sich auf die ~beine stellen or setzen* (*fig col: sich anstrengen*) to pull one's socks up (*col*).

Hinterbliebene(r) *mf decl as adj* surviving dependant ▸ *die ~n* the bereaved family.

hinterbringen* *vt insep irreg jdm etw* ~ to pass sth on to sb.

hinter|einander *adv* one behind the other; (*nicht gleichzeitig*) one after the other ▸ ~ *hereinkommen* to come in one by one; *zwei Tage* ~ two days running; *dreimal* ~ three times in a row.

hinter|einander-: **~her** *adv* behind one another; **~schalten** ⚠ *vt sep* (*Elec*) to connect in series.

Hinter|eingang *m* rear entrance.

hintere(r, s) *adj* back; (*von Tier, Gebäude, Zug auch*) rear ▸ *der/die/das H~* the one at the back.

Hinter-: **h~fragen*** *vt insep* to analyze; *Brauch, Recht etc* to question; **~gedanke** *m* ulterior motive; **h~gehen*** *vt insep irreg* (*betrügen*) to deceive; (*umgehen*) *Gesetze* to circumvent.

Hintergrund *m* (*von Bild, fig*) background; (*von Saal*) back; (*Theat: Kulisse*) backcloth ▸ *im* ~ in the background; *im* ~ *der Bühne* at the back of the stage; *vor dem* ~ (*lit, fig*) against the background; *in den* ~ *treten* (*fig*) to retreat into the background.

hintergründig *adj* cryptic, enigmatic.

Hintergrund-: **~information** *f* piece of background information; **~programm** *nt* (*Comp*) background program.

Hinter-: **~halt** *m* **a** ambush; *jdn aus dem ~halt überfallen* to ambush sb; *im ~halt lauern* to lie in wait; **b** (*col*) *etw im ~halt haben* to have sth in reserve; **h~hältig** *adj* underhand(ed), devious; **~hältigkeit** *f* underhandedness, deviousness.

hinterher *adv* behind; (*zeitlich*) afterwards.

hinterher-: **~hinken** *vi sep aux sein* (*fig*) to lag behind (*hinter etw* (*dat*) sth, *mit* with, in); **~kommen** *vi sep irreg aux sein* **a** (*räumlich*) to follow (behind); (*zeitlich*) **b** (*als letzter kommen*) to come after; **~laufen** *vi sep irreg aux sein* to run behind (*jdm* sb); *jdm ~laufen* (*fig col: sich bemühen um*) to run around after sb; **~sein** ⚠ *vi sep irreg aux sein* (*col*) to be after (*jdm* sb); **~sein, daß ...** (*fig*) to see to it that ...

Hinter-: **~hof** *m* backyard; **~kopf** *m* back of one's head; *etw im ~kopf haben/behalten* (*col*) to have/keep sth in the back of one's mind; **~land** *nt* hinterland; **h~lassen*** *vt insep irreg* to leave; (*jdm etw* sb sth);

h~lassene   Werke/Schriften posthumous   works;
~lassenschaft f estate; (*literarisch, fig*) legacy;
h~legen* vt insep to deposit; (*als Pfand*) to leave;
~legung f deposit.
Hinterlist f no pl [a] *siehe adj* craftiness, cunning; deceitfulness. [b] (*Trick, List*) ruse, trick.
hinterlistig adj (*tückisch*) crafty, cunning; (*betrügerisch*)
deceitful.
Hintermann m, pl ⁓er [a] person/car behind (one) ▸
mein ~ the person/car behind me. [b] (*Gewährsmann*)
contact ▸ **die ⁓er des Skandals** the men behind the
scandal.
Hintern m - (*col*) bottom, backside (*col*) ▸ **jdm den ~
versohlen** to smack sb's bottom; **ein paar auf den ~
bekommen** to get one's bottom smacked; **sich auf den
~ setzen** (*eifrig arbeiten*) to buckle down to work; **jdm
in den ~ kriechen** to suck up to sb.
Hinter-: **~rad** nt rear or back wheel; **~radantrieb** m
rear wheel drive; **h~rücks** adv from behind; (*fig:
heimtückisch*) behind sb's back; **~seite** f back;
h~sinnig adj cryptic.
hinterste(r, s) adj superl of **hintere(r, s)** very back;
(*entlegenste*) remotest.
Hinter-: ⁓**teil** nt [a] (*col*) backside (*col*); (*von Tier*) hindquarters pl; [b] auch m back or rear part; **~treffen** nt
im ~treffen sein to be at a disadvantage; **ins ~treffen
geraten** to fall behind; **h~treiben*** vt insep irreg (*fig*) to
foil, to thwart; *Gesetz* to block; ⁓**treppe** f back stairs pl;
⁓**tür** f back door; (*fig col*) loophole; **durch die ~tür**
(*fig*) through the back door; **sich** (*dat*) **eine ~tür** or **ein
~türchen offenhalten** (*fig*) to leave oneself a loophole
or a way out; ~**wäldler** m - (*col*) backwoodsman, hillbilly (*esp US*); ~**wäldlerisch** adj (*col*) backwoods attr;
h~ziehen* vt insep irreg *Steuern* to evade; *Material* to
appropriate; ~**ziehung** f siehe vt evasion; appropriation;
⁓**zimmer** nt back room.
hintun vt sep irreg (*col*) to put ▸ **ich weiß nicht, wo ich
ihn ~ soll** (*fig*) I can't (quite) place him.
hinüber adv over; (*über Straße auch*) across.
hinüber- pref across; *siehe auch* **herüber-**; ~**fahren** sep
irreg [1] vt (*über etw* (*acc*)) sth) to take across; *Auto* to
drive across; [2] vi aux sein to travel or go across; **über
den Fluß ~fahren** to cross the river; ~**führen** sep [1] vt
jdn (über die Straße) ~führen to take sb across (the
street); [2] vi *Straße, Brücke* to go across (*über etw* (*acc*))
sth); ~**gehen** vi sep irreg aux sein to go across or over;
~**kommen** vi sep irreg aux sein (*über etw* (*acc*) sth) to
come across; (*über Hindernis, zu Besuch*) to come over;
(~**können**) to get across/over; ~**reichen** sep [1] vt to
pass across; (*über Zaun etc*) to pass over (*jdm* to sb, *über
etw* (*acc*) sth); [2] vi to reach across (*über etw* (*acc*) sth);
(*fig*) to extend (*in +acc* into); ~**sein** △ vi sep irreg aux
sein (*col*) (*verdorben sein*) to be off (*Brit*) or bad; (*unbrauchbar, tot sein*) to have had it (*col*); ~**wechseln** vi
sep aux haben or sein to change over (*zu, in +acc* to);
~**ziehen** sep irreg [1] vt to pull across (*über etw* (*acc*)
sth); (*fig: umstimmen*) to win over (*auf +acc* to); [2] vi
aux sein *Wolken etc* to move across (*über etw* (*acc*) sth).
hin- und her-: ~**bewegen*** vtr sep to move to and fro;
~**fahren** sep irreg [1] vi aux sein to travel to and fro or
back and forth; [2] vt to drive to and fro or back and
forth.
Hin- und Rück-: ~**fahrt** f return journey, round trip
(*US*); ~**flug** m return flight; ~**weg** m round trip.
hinunter [1] adv down ▸ **bis ~ zu** down to.
[2] prep +acc **den Berg** ~ down the mountain.
hinunter- pref down; *siehe auch* **herunter-**; ~**bringen**
vt sep irreg to take down; **das bringe ich nicht ~** (*col:
schlucken*) I can't get that stuff down; ~**gehen** vi sep
irreg aux sein to go down; (*Flugzeug*) to descend (*auf

+acc* to); ~**gießen** vt sep irreg, ~**kippen** vt sep (*col*) *Getränke* to knock back (*col*); ~**schlingen** vt sep irreg (*col*)
to gulp down; *Essen* to gobble down; ~**schlucken** vt
sep to swallow (down); (*fig*) *Beleidigung* to swallow;
Kritik to take; *Ärger, Tränen* to choke back; ~**spülen** vt
sep [a] to flush away; [b] *Essen, Tablette* to wash down;
(*fig*) *Ärger* to soothe; ~**stürzen** [1] vi aux sein [a]
(~*fallen*) to tumble down; [b] (*eilig ~laufen*) to rush
down; [2] vt jdn to throw or hurl down; *Getränk* to gulp
down; [3] vr to throw or fling oneself down.
Hinweg m way there ▸ **auf dem ~** on the way there.
hinweg adv [a] (*old: fort*) away. [b] **über jdn ~** (*fig*)
over sb's head; **über eine Zeit/zwei Jahre ~** over a period of time/over (a period of) two years.
hinweg- pref away; ~**bringen** vt sep irreg (*fig*) jdn über
etw (*acc*) ~**bringen** to help sb to get over sth; ~**gehen**
vi sep irreg aux sein über etw (*acc*) ~**gehen** (*fig*) to pass
over sth; ~**helfen** vi sep irreg (*fig*) jdm über etw (*acc*)
~**helfen** to help sb get over sth; ~**kommen** vi sep irreg
aux sein (*fig*) über etw (*acc*) ~**kommen** to get over sth;
ich komme nicht darüber ~, daß ... (*col*) I can't get
over the fact that ...; ~**sehen** vi sep irreg über jdn/etw
~**sehen** (*fig*) to ignore sb/sth; **darüber ~sehen, daß ...**
to overlook the fact that ...; ~**setzen** vr sep (*fig*) **sich
über etw** (*acc*) ~**setzen** to disregard sth; ~**täuschen** vt
sep **darüber ~täuschen, daß ...** to hide the fact that ...;
sich nicht darüber ~täuschen lassen, daß ... not to
blind oneself to the fact that ...; ~**trösten** vt sep jdn
über etw (*acc*) ~**trösten** to console sb about sth.
Hinweis m -e [a] (*Rat*) tip, piece of advice; (*amtlich*) notice ▸ **darf ich mir den ~ erlauben, daß ...?** may I point
out that ...?; **~e für den Benutzer** notes for the user. [b]
(*Verweis*) reference ▸ **unter ~ auf** (+*acc*) with reference
to. [c] (*Anhaltspunkt*) indication ▸ **sachdienliche ~e** relevant information.
hinweisen sep irreg [1] vt jdn auf etw (*acc*) ~ to point
sth out to sb.
[2] vi auf jdn/etw ~ to point to sb/sth; (*verweisen*) to
refer to sb/sth; **darauf ~, daß ...** to point out that ...;
(*nachdrücklich*) to stress that ...; (*anzeigen*) to indicate
that ...
Hinweis-: ~**schild** nt, ~**tafel** f sign.
hin-: ~**wenden** vtr sep irreg to turn (*zu, nach* towards);
H~wendung f (*fig*) turn (*zu* toward); ~**werfen** sep
irreg [1] vt [a] to throw down; **jdm etw ~werfen** to
throw sth to sb; [b] *Bemerkung* to let fall; *Wort* to say
casually; **eine ~geworfene Bemerkung** a casual remark;
[c] (*col: aufgeben*) *Arbeit, Stelle* to chuck (in) (*col*); [2] vr
to throw or fling oneself down; ~**wirken** vi sep auf etw
(*acc*) ~**wirken** to work towards sth.
Hinz m: **~ und Kunz** (*col*) every Tom, Dick and Harry
(*col*).
hin-: ~**zaubern** vt sep (*fig*) to rustle or whip up (*col*);
~**ziehen** sep irreg [1] vt [a] (*zu sich ziehen*) to draw or
pull (*zu* towards); (*fig: anziehen*) to attract (*zu* to); [b]
(*fig: in die Länge ziehen*) to drag out; [2] vi aux sein [a]
to move (*über +acc* across, *zu* towards); [b] *Wolken,
Rauch* to drift, to move (*an +dat* across); [3] vr [a] (*lange
dauern*) to drag on; [b] (*sich erstrecken*) to stretch, to extend; ~**zielen** vi sep auf etw (*acc*) ~**zielen** to aim at sth.
hinzu adv (*obendrein*) besides, in addition.
hinzu-: ~**fügen** vt sep to add (*dat* to); (*beilegen*) to enclose; **H~fügung** f addition; **unter H~fügung von etw**
(*form*) by adding sth; ~**kommen** vi sep irreg aux sein [a]
sie kam gerade ~, als ... she happened to come on the
scene when ...; **es werden später noch mehrere
~kommen** more people will be joining us later; [b]
(*zusätzlich eintreten*) to ensue; (*beigefügt werden*) to be
added; **es kommt noch ~, daß ...** there is also the fact
that ...; **kommt sonst noch etwas ~?** will there be any-

thing else?; **~nehmen** *vt sep irreg* to include; **~treten** *vi sep irreg aux sein* [a] (*herantreten*) to come up; **zu den anderen ~treten** to join the others; [b] (*zusätzlich eintreten*) to ensue; **~tun** *vt sep irreg* (*col*) to add; **~zählen** *vt sep* to add; **~ziehen** *vt sep irreg* to consult.

Hiobsbotschaft *f* bad news *no pl.*

Hippie *m* hippie, hippy.

Hirn *nt* **-e** [a] (*Anat*) brain. [b] (*col*) (*Kopf*) head; (*Verstand*) brains *pl,* mind ▸ **sich** (*dat*) **das ~ zermartern** to rack one's brain(s); **streng einmal dein ~ an** think hard. [c] (*Cook*) brains *pl.*

Hirn- *siehe auch* **Gehirn-**; **h~geschädigt** *adj* brain-damaged; **~gespinst** *nt* fantasy; **~hautentzündung** *f* (*Med*) meningitis; **h~los** *adj* brainless, braindead (*col*); **h~rissig** *adj* hare-brained; **~tod** *m* (*Med*) brain death; **h~tot** *adj* braindead; **~tumor** *m* brain tumour; **h~verbrannt** *adj* hare-brained.

Hirsch *m* **-e** deer; (*Rot~*) red deer; (*männlicher Rot~*) stag; (*Cook*) venison.

Hirsch-: **~geweih** *nt* antlers *pl;* **~käfer** *m* stag-beetle; **~kuh** *f* hind; **~leder** *nt* buckskin, deerskin.

Hirse *f* **-n** millet.

Hirt *m* (*wk*) **-en, -en** herdsman; (*Schaf~*) shepherd.

Hirte *m* **-n** [a] = Hirt. [b] (*Eccl*) shepherd ▸ **der Gute ~** the Good Shepherd.

Hirtenhund *m* sheepdog.

Hirtin *f* herdswoman; (*Schaf~*) shepherdess.

hissen *vt* to hoist.

Historiker(in *f*) *m* - historian.

historisch *adj* historical; (*bedeutsam*) *Ereignis* historic ▸ **das ist ~ belegt** there is historical evidence for this.

Hit *m* **-s** (*Mus, fig col*) hit.

Hit-: **~liste** *f* charts *pl;* **~parade** *f* hit parade.

Hitze *f* **-n** [a] heat; (*~welle*) heat wave ▸ **vor ~ umkommen** to be dying of heat *or* sweltering; **bei starker/mäßiger ~ backen** (*Cook*) bake in a hot/moderate oven. [b] (*fig*) passion ▸ **in ~/leicht in ~ geraten** to get heated/to get worked up easily; **sich in ~ reden** to get oneself all worked up; **in der ~ des Gefecht(e)s** (*fig*) in the heat of the moment.

Hitze-: **h~beständig** *adj* heat-resistant; **~beständigkeit** *f* heat resistance; **h~empfindlich** *adj* sensitive to heat; **h~frei** *adj* **h~frei haben** to have time off from school on account of excessively hot weather; **~welle** *f* heat wave.

hitzig *adj* [a] *Mensch* hot-headed; *Streit, Debatte* heated; *Temperament* passionate ▸ **~ werden** (*Mensch*) to flare up; (*Debatte*) to grow heated; **nicht so ~!** don't get excited! [b] (*Zool*) on heat.

Hitzigkeit *f* *siehe adj* (a) hot-headedness; heatedness; passionateness.

Hitz-: **~kopf** *m* hothead; **h~köpfig** *adj* hot-headed; **~schlag** *m* (*Med*) heat-stroke.

HIV [ha:|i:'fau] = **Human Immunodeficiency Virus** HIV.

HIV-negativ *adj* HIV-negative.

HIV-positiv *adj* HIV-positive.

hl. = [a] **heilig;** [b] **Hektoliter** hl.

Hl. = **Heilige(r)** St.

H-Milch ['ha:-] *f* long-life milk, UHT milk.

HNO-Arzt [ha:|ɛn'|o:-] *m* ENT specialist.

hob *pret of* **heben.**

Hobby *nt* **-s** hobby.

Hobel *m* - (*Tech*) plane; (*Cook*) slicer.

Hobel-: **~bank** *f* carpenter's bench; **~maschine** *f* planer, planing machine.

hobeln *vt* *auch vi* (*Tech*) to plane (*an etw* (*dat*) sth) ▸ **wo gehobelt wird, da fallen Späne** (*Prov*) you can't make an omelette (*Brit*) *or* omelet (*US*) without breaking eggs (*Prov*). [b] (*Cook*) to slice.

Hobelspan *m* (wood) shaving.

Hoch *nt* **-s** [a] **ein ~ dem Brautpaar** here's to the bride and groom. [b] (*Met, fig*) high.

hoch *attr* **hohe(r, s),** *comp* **höher,** *superl* **-ste(r, s)** *or* (*adv*) **am -sten** [1] *adj* high; *Baum, Leiter* tall; *Betrag* large; *Strafe, Gewicht* heavy; *Profit, Verlust auch,* *Lotteriegewinn* big; *Gut, Glück, Alter* great; *Schaden* extensive; *Persönlichkeit* distinguished; *Besuch, Feiertag* important; *Offizier* high-ranking ▸ **das Hohe Haus** (*Parl*) the House; **ein hohes Tier** (*col*) a big fish (*col*); **das Hohe C** top C; **ein hohes Alter erreichen** to live to a ripe old age; **das ist mir zu ~** (*col*) that's above my head; **hohe Flut** spring tide; **der hohe Norden** the far North.

[2] *adv* [a] (*nach oben*) up; (*in einiger Höhe*) high ▸ **er sah zu uns ~** he looked up to us; **~ emporragend** towering (up); **die Nase ~ tragen** (*col*) to go around with one's nose in the air (*col*); **~ oben** high up; **die Sonne steht ~** the sun is high in the sky; **~ werfen/wachsen** to throw high/grow tall.

[b] *verehren, versichern, begabt* highly; *verlieren* heavily; *gewinnen* handsomely; *verschuldet* deeply; *erfreut* very ▸ **das rechne ich ihm ~ an** (I think) that is very much to his credit; **~ hinauswollen** to aim high, to be ambitious; **drei Mann ~** (*col*) three of them; **wenn es ~ kommt** (*col*) at (the) most, at the outside; **~ setzen** *or* **spielen** (*im Spiel*) to play for high stakes.

[c] (*Math*) **7 ~ 3** 7 to the power of 3, 7 to the 3rd.

[d] (*col*) **es ging ~ her** there were lively goings-on (*col*); **~ und heilig versprechen** to promise faithfully; **~ und heilig schwören** to swear blind (*col*).

hoch- *pref* (*in Verbindung mit Bewegungsverb*) up; *versichert, begabt etc* highly; *zufrieden, erfreut, elegant etc* very; *besteuert* heavily; *verschuldet* deeply.

Hoch-: **h~achten** ⚠ *vt sep* to respect highly; **~achtung** *f* deep respect; **bei aller ~achtung vor jdm/etw** with all due respect to sb/sth; **mit vorzüglicher ~achtung** (*form: Briefschluß*) yours faithfully; **h~achtungsvoll** *adv* (*Briefschluß*) yours faithfully; **~adel** *m* high nobility; **h~aktuell** *adj* highly topical; **~amt** *nt* (*Eccl*) High Mass; **h~angesehen** *adj* *attr* highly regarded; **h~arbeiten** *vr sep* to work one's way up; **h~auflösend** *adj* (*Comp, TV*) high-resolution; **~bahn** *f* elevated railway *or* railroad (*US*); **~bau** *m* *no pl* structural engineering; *siehe* **~- und Tiefbau;** **h~begabt** ⚠ *adj attr* highly talented; **h~betagt** *adj* aged *attr,* advanced in years; **~betrieb** *m* peak period; (*im Verkehr*) rush hour; **~betrieb haben** to be at one's/its busiest; **h~bringen** *vt sep irreg* (*col*) [a] to bring *or* take up; [b] (*col: h~heben können*) to get up; [c] (*fig: leistungsfähig machen*) to get going; *Kranken* to get back on his *etc* feet; **~burg** *f* (*fig*) stronghold; **h~deutsch** *adj* High German; **~deutsch(e)** *nt* standard *or* High German; **h~dotiert** ⚠ *adj attr* *Arbeit* highly paid.

Hochdruck *m* [a] (*Met, Phys*) high pressure ▸ **mit ~ arbeiten** to work at full stretch. [b] (*Med*) high blood pressure. [c] (*Typ*) relief print.

Hoch-: **~ebene** *f* plateau; **h~empfindlich** ⚠ *adj* (*Tech*) *Material, Instrumente* highly sensitive; *Film* fast; *Stoff* very delicate; **h~entwickelt** ⚠ *adj attr* *Kultur, Land* highly developed; *Geräte, Methoden* sophisticated; **h~fahren** *sep irreg* [1] *vi aux sein* [a] to go up; (*in Auto auch*) to drive up; [b] (*erschreckt*) to jump; [2] *vt* to take up; (*in Auto auch*) to drive up; **h~fahrend** *adj* (*überheblich*) arrogant; **~finanz** *f* high finance; **h~fliegen** *vi sep irreg aux sein* to fly up; (*hochgeschleudert werden*) to be thrown up; **h~fliegend** *adj* ambitious; (*übertrieben*) high-flown; **~form** *f* top form; **~format** *nt* portrait *or* vertical format; **~frequenz** *f* (*Elec*) high frequency; **~gebirge** *nt* high mountains *pl;* **~gefühl** *nt* elation; **h~gehen** *vi sep irreg aux sein* [a] to rise; **b** (col: hinaufgehen) to go up; **c** (col: explodieren) to blow up; (Bombe) to go off; **etw h~gehen lassen** to blow sth up; **d** (col: wütend werden) to go through the roof (col); **e** (col: gefaßt werden) to get caught; **jdn h~gehen lassen** to bust sb (col); **h~geistig** adj highly intellectual, highbrow no adv, **h~gelegen** adj attr **ein h~gelegener Ort** a place situated high up; **~genuß** △ m great or special treat; (großes Vergnügen) great pleasure; **h~geschätzt** △ adj attr Mensch highly esteemed; Sache greatly valued; **h~geschlossen** adj Kleid etc high-necked; **~geschwindigkeitszug** m high-speed train; **h~gespannt** adj (fig) Erwartungen extreme; **~gesteckt** adj (fig) Ziele ambitious; **h~gestellt** △ adj **a** (Typ) superscript; **b** (fig) Persönlichkeit high-ranking; **h~gestochen** adj Reden high-flown; Stil pompous; (eingebildet) stuck-up; **h~gewachsen** △ adj tall; **h~gezüchtet** adj Motor souped-up (col); Geräte fancy (col); Tiere, Pflanzen overbred.

Hochglanz m high polish; (Phot) gloss ▶ **etw auf ~ polieren** or **bringen** to polish sth until it shines.

hochglänzend adj very shiny; Fotoabzug very glossy; Möbel highly polished.

Hochglanz-: **~papier** nt high gloss paper; **~politur** f mirror polish or finish; (Poliermittel) (furniture) polish.

Hoch-: **h~gradig** adj no pred extreme; **h~hackig** adj Schuhe high-heeled; **h~halten** vt sep irreg to hold up; (fig) to uphold; **~haus** nt high-rise or multi-storey building; **h~heben** vt sep irreg Hand to hold up; Last to lift up; **h~intelligent** adj highly intelligent; **h~interessant** adj very interesting; **h~jagen** vt sep (col) **a** (aufscheuchen) Menschen to get up; **b** (sprengen) to blow up; **c** Motor to rev up; **h~jubeln** vt sep (col) Künstler, Film etc to build up, to hype (col); **h~kant** adv **a** **h~kant stellen** to put on end; **b** (fig col) **jdn h~kant hinauswerfen** to chuck sb out on his/her ear (col); **h~klappen** vt sep Tisch to fold up; Sitz to tip up; Deckel to lift up; Kragen to turn up; **h~kommen** vi sep irreg aux sein **a** (col) to come up; **b** (col) **das Essen ist ihm h~gekommen** he threw up (his meal) (col); **c** (aufstehen können) to (manage to) get up; (fig: gesund werden) to get back on one's feet; **d** (col: gesellschaftlich) to come up in the world; **~konjunktur** f boom; **h~krempeln** vt sep to roll up; **~kultur** f (very) advanced civilization; **~land** nt highland; **das schottische ~land** the Scottish Highlands pl; **h~leben** vi sep **jdn h~leben lassen** to give three cheers for sb; **er lebe h~!** three cheers (for him)!; **h~legen** vt sep Beine etc to put up.

Hochleistungs- in cpds high-performance; **~motor** m high-performance engine; **~sport** m top-level sport.

Hoch-: **h~modern** adj very modern, ultra-modern; **~moor** nt moor; **~mut** m arrogance; **h~mütig** adj arrogant; **h~näsig** adj (col) snooty (col); **~nebel** m (low) stratus; **h~nehmen** vt sep irreg **a** to lift; Kind to pick or lift up; **b** jdn **h~nehmen** (col) (necken) to pull sb's leg; (schröpfen) to fleece sb (col); (verhaften) to pick sb up; **~ofen** m blast furnace; **~parterre** nt raised ground floor; **h~prozentig** adj Getränke high-proof; Lösung highly concentrated; **h~qualifiziert** △ adj attr highly qualified; **~rad** nt penny-farthing; **h~rechnen** vt sep to project; **~rechnung** f projection; **h~rot** adj bright red; **mit h~rotem Gesicht** with one's face as red as a beetroot (Brit), with a bright red face; **~ruf** m cheer; **h~rüsten** vt sep **ein Land h~rüsten** to increase the weaponry of a country; **~saison** f high season; **h~schlagen** sep irreg **1** vt Kragen to turn up; **2** vi aux sein (Wellen) to surge up; (Flammen) to leap up; **h~schrauben** △ vt sep (fig) Preise to force up; Erwartungen to raise; Forderungen to increase.

Hochschul-: **~abschluß** △ m degree; **~absolvent** m

graduate; **~(aus)bildung** f university education.

Hochschule f college; (Universität) university.

Hochschüler(in f) m student.

Hochschul-: **~lehrer** m college/university teacher, lecturer (Brit); **~reife** f **er hat (die) ~reife** ≃ he's got his A-levels (Brit), he's graduated from high school (US); **~studium** nt higher education.

hochschwanger adj very pregnant (col), well advanced in pregnancy.

Hochsee-: **~fischerei** f deep-sea fishing; **~schiffahrt** f ocean-going shipping.

Hoch-: **~seil** nt high wire, tightrope; **h~sensibel** adj highly sensitive; **~sicherheitstrakt** m high-security wing; **~sitz** m (Hunt) (raised) hide; **~sommer** m height of the summer; **h~sommerlich** adj very summery.

Hochspannung f (Elec, fig) high tension.

Hochspannungs-: **~leitung** f high tension line, power line; **~mast** m pylon.

Hoch-: **h~spielen** vt sep (fig) to blow up; **~sprache** f standard language; **~sprung** m high jump.

höchst adv (überaus) highly, extremely.

Höchst- in cpds (obere Grenze angebend) (mit n) maximum; (mit adj) siehe **Hoch-**; (mit adj: Intensität ausdrückend) extremely, most, **~alter** nt maximum age.

Hoch-: **~stapelei** f (Jur) fraud; (einzelner Fall) confidence trick; **h~stapeln** vi sep to be fraudulent; (fig) to put one over (col); **~stapler** m - confidence trickster, con man (col); (fig) fraud.

Höchst-: **~betrag** m maximum amount; **~bietende(r)** mf decl as adj highest bidder.

hoch-: **~stecken** vt sep to pin up; Haare auch to put up; **~stehend** adj (gesellschaftlich) of high standing; (geistig) highly intellectual; (entwicklungsmäßig) superior; **~stellen** vt sep **a** Stühle etc to put up; **b** Heizung etc, Kragen to turn up.

höchstenfalls adv at (the) most.

höchstens adv **a** at the most. **b** (außer) except.

höchste(r, s) **1** adj, superl of **hoch** highest; Wuchs, Baum tallest; Betrag, Summe largest; Strafe, Gewicht heaviest; Lotteriegewinn biggest; Schaden most expensive; (maximal) Verdienst, Temperatur, Geschwindigkeit etc maximum attr, Fest most important; Offizier highest-ranking; Genuß, Glück, Freude, Ehre, Gut greatest; Gefahr, Wichtigkeit utmost, greatest; Konzentration extreme ▶ **zu meiner ~n Zufriedenheit** to my great satisfaction; **im ~n Grade/Maße** extremely; **im ~n Fall(e)** at the most; **die ~ Instanz** (Jur) the supreme court of appeal; **~ Zeit** high time; **aufs ~ erfreut** etc extremely or highly pleased etc; Gespräche auf ~r Ebene top-level talks.

2 adv **am ~n** highest; schätzen, versichern most; besteuert, verlieren (the) most heavily; verschuldet (the) most deeply; **in der Rangordnung am ~n stehen** to be the most senior in the hierarchy; **am ~n stehen** (Kurse, Temperatur) to be at its highest.

Höchste(s) nt decl as adj (fig) highest good ▶ **nach dem ~n streben** to aspire to perfection.

Höchst-: **~fall** m **im ~fall** at the most; **~form** f (Sport) top form; **~geschwindigkeit** f top or maximum speed; **~gewicht** nt weight limit; **~grenze** f upper limit.

Hochstimmung f high spirits pl.

▼**Höchst-**: **~leistung** f top performance; (bei Produktion) maximum output; **~maß** nt maximum amount (an +dat of); **h~persönlich** adv personally; **es ist der Prinz h~persönlich** it's the prince in person; **~satz** m maximum rate; **~stand** m highest level; **~tarif** m (Telec) peak rate; **h~wahrscheinlich** adv most probably.

Hoch-: **~tal** nt high-lying valley; **~technologie** f high technology; **~töner** m tweeter; **~tour** f **auf ~touren laufen/arbeiten** to be working flat out (col); **h~tourig**

adj Motor high-revving; **h~tourig laufen** to run at high revs; **h~trabend** *adj (pej)* pompous; **h~treiben** *vt sep irreg* to drive up; (*fig*) *Preise* to force up; **~- und Tiefbau** *m* structural and civil engineering; **h~verehrt** *adj attr* highly esteemed; **h~verehrter Herr Präsident!** Mr President, Sir!; **~verrat** *m* high treason; **~verräter** *m* traitor; **h~verschuldet** *adj attr* deep in debt; **~wald** *m* timber forest; **~wasser** *nt* high tide; (*in Flüssen*) high water; (*Überschwemmung*) flood; (*Wassermassen*) flood water; **~wasser haben** (*Fluß*) to be in flood; **h~wertig** *adj* high-quality; *Nahrungsmittel* highly nutritious; *Stahl* high-grade; **~würden** *m no pl* (*Eccl: Anrede*) Reverend Father; **~zahl** *f* exponent.

Hochzeit *f* **-en** wedding ▶ **~ feiern** to get married; **man kann nicht auf zwei ~en tanzen** (*prov*) you can't have your cake and eat it (*prov*).

Hochzeits- *in cpds* wedding; **~feier** *nt* wedding celebrations *pl*; (*Empfang*) wedding reception; **~fest** *nt* wedding celebrations *pl*; **~reise** *f* honeymoon; **~tag** *m* wedding day; (*Jahrestag*) wedding anniversary.

hochziehen *sep irreg* **1** *vt* **a** to pull up; *Fahne* to run up; *Augenbrauen* to raise. **b** (*bauen*) *Wand* to put up (*col*).
2 *vr* to pull oneself up.

Hocke *f* **-n** squatting position; (*Übung*) squat; (*beim Turnen*) squat vault; (*beim Skilaufen*) crouch.

hocken **1** *vi* **a** to squat, to crouch. **b** (*col: sitzen*) to sit; (*auf Hocker*) to perch.
2 *vr* **a** to squat. **b** (*col: sich setzen*) to sit down.

Hocker *m* **-** (*Stuhl*) stool.

Höcker *m* **-** (*von Kamel, col: Buckel*) hump.

Hockey ['hɔke] *nt no pl* hockey (*Brit*), field hockey (*US*).

Hoden *m* **-** testicle.

Hodensack *m* scrotum.

Hof *m* ⁻**e** **a** (*Platz*) yard; (*Innen~*) courtyard. **b** (*Bauern~*) farm. **c** (*Fürsten~*) court ▶ **bei ~e** at court; **am ~e Ludwigs XIV** at the court of Louis XIV. **d** *einem Mädchen den ~ machen* (*dated*) to court a girl (*dated*). **e** (*um Sonne, Mond*) halo.

▼ **hoffen** **1** *vi* to hope ▶ **auf jdn ~** to set one's hopes on sb; **auf etw ~** (*acc*) to hope for sth; **da bleibt nur zu ~** one can only hope; **ich will nicht ~, daß er das macht** I hope he doesn't do that.
2 *vt* to hope for ▶ **~ wir das Beste!** let's hope for the best!; **ich hoffe es** I hope so; **das will ich (doch wohl) ~** I should hope so; **ich will es nicht ~** I hope not.

hoffentlich *adv* hopefully ▶ **~!** I hope so; **~ nicht** I/we hope not.

Hoffnung *f* hope; (*auf Gott*) trust (*auf +acc in*) ▶ **sich** (*dat*) **~en machen** to have hopes; **sich** (*dat*) **keine ~en machen** not to hold out any hopes; **er macht sich ~en bei ihr** (*col*) he fancies his chances with her (*col*); **mach dir keine ~(en)!** don't build up your hopes; **jdm ~en machen** to raise sb's hopes; **jdm auf etw** (*acc*) **~en machen** to lead sb to expect sth; **die ~aufgeben/verlieren** to abandon/lose hope; **sich falschen ~en hingeben** to delude oneself; **guter ~ sein** (*euph: schwanger*) to be expecting.

Hoffnungs-: **h~los** *adj* hopeless; **~losigkeit** *f no pl* hopelessness; (*Verzweiflung*) despair; **~schimmer** *m* glimmer of hope; **h~voll** **1** *adj* hopeful; (*vielversprechend*) promising; **2** *adv* full of hope.

⚠ **hofhalten** *vi sep irreg* (*lit, fig*) to hold court.

Hofhund *m* watchdog.

hofieren* *vt* to court.

höflich *adj* polite.

Höflichkeit *f* **a** *no pl* politeness ▶ **jdm etw mit aller ~ sagen** to tell sb sth very politely. **b** (*höfliche Bemerkung*) compliment.

Höflichkeits-: **~besuch** *m* courtesy visit; **~floskel** *f*

polite phrase; **h~halber** *adv* out of courtesy.

Höfling *m* courtier.

hohe *adj siehe* **hoch.**

Höhe *f* **-n** **a** height; (*Flug~, Berg~ auch*) altitude; (*von Schnee, Wasser*) depth ▶ **in die/der ~** (up) into/in the air; **in einer ~ von** at a height/an altitude of; **in die ~ gehen/treiben** (*fig: Preise etc*) to go up/force up; **er geht immer gleich in die Höhe** (*col*) he always flares up.

b (*An~*) hill; (*Gipfel*) top, summit; (*fig: ~punkt, Blütezeit etc*) height ▶ **auf der ~ sein** (*fig col*) (*leistungsfähig*) to be at one's best; (*gesund*) to be fighting fit (*col*); **nicht auf der ~ sein** (*fig col*) to feel below par; **die ~n und Tiefen des Lebens** the ups and downs of life; **das ist doch die ~!** (*fig col*) that's the limit!

c (*von Preisen, Temperatur, Geschwindigkeit, Strafe*) level; (*von Summe, Gewinn, Verlust, Geldstrafe*) size; (*von Wert, Druck*) amount; (*von Schaden*) extent ▶ **in ~ von** amounting to; **ein Betrag in ~ von** the sum of; **ein Scheck in ~ von** a cheque (*Brit*) *or* check (*US*) for (the sum of); **Zinsen in ~ von** interest at the rate of; **bis zu einer ~ von** up to a maximum of.

d (*Mus*) pitch; (*Rad: Ton~*) treble *no pl.*

e (*Naut, Geog: Breitenlage*) latitude ▶ **die beiden Schwimmer liegen auf gleicher ~** the two swimmers are level with each other.

Hoheit *f* **a** *no pl* (*Staats~*) sovereignty (*über +acc* over). **b** member of a/the royal family; (*als Anrede*) Highness.

Hoheits-: **~bereich** *m* (*Rechtsbereich*) jurisdiction; **~gebiet** *nt* sovereign territory; **~gewalt** *f* (national) jurisdiction; **~gewässer** *pl* territorial waters *pl*; **h~voll** *adj* majestic; **~zeichen** *nt* national emblem.

Höhen-: **~angabe** *f* altitude reading; (*auf Karte*) altitude mark; **~angst** *f* fear of heights; **~flug** *m* high-altitude flight; **geistiger ~flug** intellectual flight; **~krankheit** *f* (*Med*) altitude sickness; **~lage** *f* altitude; **~leitwerk** *nt* (*Aviat*) tailplane; **~luft** *f* mountain air; **~messer** *m* - (*Aviat*) altimeter; **~sonne** *f* mountain sun; (*Lampe*) sunray lamp; **~unterschied** *m* difference in altitude; **~zug** *m* range of hills.

Hohepriester *m* **Hohenpriesters, -** (*lit, fig*) high priest.

Höhepunkt *m* height, peak; (*des Tages, des Lebens, einer Veranstaltung*) high spot; (*eines Stücks, Orgasmus*) climax ▶ **auf dem ~ ...** at the peak (*gen* of); **den ~ erreichen** to reach a climax; (*Krankheit*) to reach a crisis; **den ~ überschreiten** to pass the peak.

hohe(r, s) *adj siehe* **hoch.**

höher *adj comp of* **hoch** (*lit, fig*) higher; *Macht* superior; *Klasse* upper; *Auflage* bigger; (*Comp*) *Programmiersprache* high-level ▶ **~e Schule** secondary school, high school (*esp US*); **~e Gewalt** an act of God; **in ~em Maße** to a greater extent; **sich ~ versichern** to increase one's insurance; **sich zu H~em berufen fühlen** to feel called to higher things.

⚠ **höhergestellt** *adj attr* higher, more senior.

hohl *adj* (*lit, fig*) hollow; *Geschwätz etc* empty, shallow; *Blick* empty, vacant ▶ **ein ~es Kreuz** a hollow back; **in der ~en Hand** in the hollow of one's hand.

Höhle *f* **-n** cave; (*Hohlraum*) cavity, hollow; (*Tierbehausung*) cave, den; (*fig: schlechte Wohnung*) hovel, hole (*col*).

Höhlen- *in cpds* cave; **~forschung, ~kunde** *f* speleology; **~malerei** *f* cave painting; **~mensch** *m* caveman.

Hohl-: **~kopf** *m* (*pej*) numskull (*col*); **~körper** *m* hollow body; **~kreuz** *nt* (*Med*) hollow back; **~maß** *nt* measure of capacity; **~raum** *m* hollow (space), (*esp Tech*) cavity; **~saum** *m* (*Sew*) hemstitch; **~spiegel** *m* concave mirror.

Höhlung *f* hollow.

⚠: Informationen zur Rechtschreibreform im Anhang

Hohn m no pl scorn ▶ nur ~ und Spott ernten to receive nothing but scorn and derision; das ist der reine ~ it's sheer mockery.
höhnen vi to jeer, to scoff (über +acc at).
Hohngelächter nt scornful laughter.
höhnisch adj scornful.
Hokuspokus m no pl (Zauberformel) hey presto; (fig) (Täuschung) hocus-pocus (col), jiggery-pokery (col); (Drumherum) palaver (col), fuss.
hold adj (poet, dated) fair, sweet ▶ das Glück war ihm ~ fortune smiled upon him.
holen vt to get; (abholen) to fetch, to pick up; Sieg, Preis auch to win; Krankheit auch to catch ▶ gestern hat ihn die Polizei geholt the police came to take him away yesterday; jdn ~ lassen to send for sb; sich (dat) eine Erkältung ~ to catch a cold; dabei ist nichts zu ~ (col) there's nothing in it; bei ihm ist nichts zu ~ (col) you etc won't get anything out of him.
Holland nt Holland.
Holländer¹ m - Dutchman ▶ die ~ the Dutch (people).
Holländer² m no pl Dutch cheese.
Holländerin f Dutchwoman, Dutch girl.
holländisch adj Dutch.
Hölle f -n hell ▶ die ~ auf Erden hell on earth; in die ~ kommen to go to hell; ich werde ihm die ~ heiß machen (col) I'll give him hell (col); es war die (reinste) ~ (col) it was (pure) hell (col).
Höllen- in cpds of hell, infernal; (col: groß) hellish (col), infernal (col); ~angst f terrible fear; eine ~angst haben to be scared stiff (col); ~lärm m infernal noise; ~qual f (fig col) absolute agony; ~qualen ausstehen to suffer agonies.
höllisch adj [a] attr infernal, of hell. [b] (col: groß) dreadful, hellish (col) ▶ es tut ~ weh it hurts like hell (col); die Prüfung war ~ schwer the exam was hellish(ly) difficult (col).
Holm m -e [a] (von Barren) bar; (von Geländer) rail; (von Leiter) side rail. [b] (Griff) shaft.
Holocaust ['hɔlǝkɔ:st] m holocaust.
Hologramm nt hologram.
holp(e)rig adj Weg bumpy; Rede clumsy.
holpern vi to bump, to jolt.
holterdiepolter adv helter-skelter.
Holunder m - elder; (Früchte) elderberries pl.
Holunder-: ~beere f elderberry; ~busch, ~strauch m elder bush.
Holz nt ⁻er [a] wood; (zum Bauen, Schreinern auch) timber, lumber (US) ▶ ein ~ a piece of wood or timber; (~art) a wood; aus ~ made of wood, wooden; ~ fällen to fell trees; aus einem anderen/demselben ~ geschnitzt sein (fig) to be cast in a different/the same mould (Brit) or mold (US); aus hartem ~ geschnitzt sein (fig) to be made of sterner stuff. [b] (Kegel) skittle, ninepin ▶ gut ~! have a good game!
Holz- in cpds wood; (aus ~ auch) wooden; (Build, Comm etc) timber; ~apfel m crab apple; ~bearbeitung f woodworking; (im Sägewerk) timber processing; ~bein nt wooden leg; ~bestand m stock of wood or timber; ~bläser m woodwind player; ~blasinstrument nt woodwind instrument; ~block m block of wood; ~bündel nt bundle of wood.
Hölzchen nt small piece of wood; (Streichholz) match.
holzen vi (esp Ftbl col) to hack.
hölzern adj (lit, fig) wooden.
Holz-: ~fällen nt no pl tree-felling, lumbering; ~fäller m - woodcutter, lumberjack; ~faserplatte f (wood) fibreboard (Brit) or fiberboard (US); h~frei adj Papier woodfree; ~hacken nt no pl chopping wood; h~haltig adj Papier woody; ~hammer m mallet; jdm etw mit dem ~hammer beibringen to hammer sth into sb (col);

~hammermethode f (col) sledgehammer method (col); ~haufen m pile of wood; ~haus nt wooden or timber house.
holzig adj woody; Spargel auch stringy, tough.
Holz-: ~klotz m block of wood; (Spielzeug) wooden brick; er saß da wie ein ~klotz (col) he sat there like a block or lump of wood; ~kohle f charcoal; ~kopf m (fig col) blockhead (col); ~löffel m wooden spoon; ~scheit nt piece of (fire)wood, log; ~schnitt m woodcut; ~schnitzer m wood carver; ~schnitzerei f wood carving; ~schuh m wooden shoe, clog; ~schutzmittel nt wood preservative; ~span m wood chip; ~stoß m pile of wood; ~verarbeitung f wood-processing; ~weg m auf dem ~weg sein (fig col) to be on the wrong track (col); ~wirtschaft f timber industry; ~wolle f woodwool; ~wurm m woodworm.
homo- in cpds homo; ~gen adj homogeneous; ~genisieren* vt to homogenize.
Homöo-: ~path m (wk) -en, -en homoeopath (Brit), homeopath (US); ~pathie f no pl homoeopathy (Brit), homeopathy (US); h~pathisch adj homoeopathic (Brit), homeopathic (US).
Homo-: ~sexualität f homosexuality; h~sexuell adj homosexual; ~sexuelle(r) mf decl as adj homosexual.
Honduras nt Honduras.
Hongkong nt Hong Kong.
Honig m no pl honey ▶ sie schmierte ihm ~ ums Maul (col) she buttered him up (col).
Honig-: ~biene f honey bee; ~kuchen m honeycake; ~kuchenpferd nt (col) grinsen wie ein ~kuchenpferd to grin like a Cheshire cat; ~lecken nt (fig) das ist kein ~lecken it's no picnic; ~melone f honeydew melon; h~süß adj as sweet as honey; (fig) Worte, Ton honeyed; Lächeln sickly sweet; ~wabe f honeycomb.
Honorar nt -e fee; (Autoren~) royalty.
Honoratioren [honoraˈtsioːrǝn] pl dignitaries pl.
honorieren* vt (Comm) to honour (Brit), to honor (US), to meet; (fig: anerkennen) to reward ▶ meine Arbeit wird schlecht honoriert my work is poorly remunerated.
Hopfen m - (Bot) hop; (beim Brauen) hops pl ▶ bei ihm ist ~ und Malz verloren (col) he's a dead loss (col).
hoppeln vi aux sein (Hase) to lollop.
hoppla interj whoops ▶ ~, jetzt komm' ich! look out, here I come!
hops adj pred (col) ~ gehen (verlorengehen) to get lost; (entzweigehen) to get broken; (verhaftet werden) to get nabbed (col); (sterben) to kick the bucket (col); jdn ~ nehmen (verhaften) to nab sb (col); ~ sein (verloren) to be lost; (Geld) to be down the drain (col); (entzwei) to be kaputt (col).
hopsen vi aux sein (col) to hop, to skip.
Hopser m (col: kleiner Sprung) (little) jump.
hörbar adj audible ▶ sich ~ machen to speak up.
horchen vi to listen (dat, auf +acc to); (heimlich) to eavesdrop.
Horcher m - eavesdropper.
Horde f -n (lit, fig) horde.
hören vti [a] to hear ▶ ich höre dich nicht I can't hear you; ich hörte ihn kommen I heard him coming; gut/schlecht ~ to have good/bad hearing; schwer ~ to be hard of hearing; du hörst wohl schlecht! (col) you must be deaf!; das läßt sich ~ (fig) that doesn't sound bad; ich habe es sagen ~ I've heard it said; er hört sich gern reden he likes the sound of his own voice; na hör mal!, na ~ Sie mal! wait a minute!, look here!; von etw ~ to hear about or of sth; von jdm gehört haben to have heard of sb; von jdm ~ (Nachricht bekommen) to hear from sb; Sie werden noch von mir ~ (Drohung) you'll be hearing from me; man hörte nie mehr etwas von

ihm he was never heard of again; *laß mal ~!* (*col*) tell us; *etwas/nichts von sich ~ lassen* to get/not to get in touch; *lassen Sie von sich ~* keep in touch; *ich lasse von mir ~* I'll be in touch; *er kommt, wie ich höre* I hear he's coming; *man höre und staune!* would you believe it!; *ich will davon nichts gehört haben* I don't want to know anything about it.

b (*anhören*) *Vortrag, Radio* to listen to; *Berichte, Sänger* to hear.

c *auf jdn/etw ~* to listen to sb/sth; *er will nicht ~* he won't listen; *der Hund hört auf den Namen Joe* the dog answers to the name of Joe.

Hören *nt no pl* hearing; (*Radio~*) listening ▶ *das ~ von Musik* listening to music; *es verging ihm ~ und Sehen* he didn't know whether he was coming or going (*col*).

Hörensagen *nt: vom ~* from hearsay.

hörenswert *adj* worth listening to.

Hörer(in *f*) *m -* (*Rad*) listener; (*Univ*) student (attending lectures); (*Telec*) receiver.

Hörerschaft *f* (*Rad*) listeners *pl*, audience.

Hör-: **~fehler** *m* (*Med*) hearing defect; *das war ein ~fehler* I/he *etc* must have misheard; **~funk** *m* radio; **~gerät** *nt* hearing aid.

hörig *adj* enslaved; (*Hist*) in bondage ▶ *sie ist ihm (sexuell) ~* he has (sexual) power over her.

Horizont *m -e* (*lit, fig*) horizon ▶ *am ~* on the horizon; *das geht über meinen ~* (*fig*) that is beyond me; *er hat einen beschränkten ~* he has limited horizons.

horizontal *adj* horizontal.

Horizontale *f -(n)* (*Math*) horizontal (line).

Hormon *nt -e* hormone.

hormonell *adj* hormone *attr*, hormonal ▶ *jdn ~ behandeln* to give sb hormone treatment.

Hormonersatztherapie *f* hormone replacement therapy.

Hörmuschel *f -n* (*Telec*) earpiece.

Horn *nt* ¨-er (*von Tieren, Mus*) horn; (*fig col: Beule*) bump ▶ *jdn mit den ¨ern aufspießen* to gore sb; *sich* (*dat*) *die ¨er abstoßen* (*col*) to sow one's wild oats; *den Stier bei den ¨ern packen* (*fig*) to take the bull by the horns; *jdm ~ aufsetzen* (*col*) to cuckold sb; *ins gleiche/in jds ~ blasen* to chime in.

Hornbrille *f* horn-rimmed spectacles *pl*.

Hörnchen *nt -* **a** little horn. **b** (*Gebäck*) croissant. **c** (*Zool*) squirrel.

Hornhaut *f* callous; (*des Auges*) cornea.

Hornisse *f -n* hornet.

Hornist *m* horn player.

Hornochs(e) *m* (*fig col*) blockhead (*col*), idiot.

Horoskop *nt -e* horoscope.

horrend *adj* horrendous.

Hörrohr *nt* ear trumpet; (*Med*) stethoscope.

Horror *m no pl* horror (*vor +dat* of).

Horror- *in cpds* horror; **~film** *m* horror film; **~video** *nt* video nasty.

Hör-: **~saal** *m* (*Univ*) lecture theatre; **~spiel** *nt* (*Rad*) radio play.

Horst *m -e* (*Nest*) nest; (*Adler~*) eyrie.

Hörsturz *m* hearing loss.

Hort *m -e* **a** (*Kinder~*) day home for schoolchildren in the afternoon. **b** (*old, poet: Schatz*) hoard, treasure. **c** (*geh: Zuflucht*) refuge, shelter.

horten *vt* *Geld, Vorräte etc* to hoard; *Rohstoffe etc* to stockpile.

Hortensie [-iə] *f* hydrangea.

Hör-: **~vermögen** *nt* hearing; **~weite** *f* *in/außer ~weite* within/out of hearing *or* earshot.

Höschen ['hœːsçən] *nt* **a** (*Kinderhose*) (pair of) trousers *or* pants. **b** (*Unterhose*) (pair of) panties *pl or* knickers *pl*.

Hose *f -n* trousers *pl*, pants *pl* (*esp US*); (*Damen~ auch*) slacks *pl*; (*Bade~*) swimming trunks *pl*; (*Unter~*) underpants *pl*, pants *pl* (*Brit*); *ich brauche eine neue ~* I need a new pair of trousers *or* pants, I need some new trousers *or* pants; *die ~n anhaben* (*fig col*) to wear the trousers (*Brit*) *or* pants (*US*); *die ~n voll haben* to be wetting oneself (*col*); *in die ~ gehen* (*col*) to be a complete flop (*col*).

Hosen-: **~anzug** *m* trouser suit (*Brit*), pantsuit (*US*); **~bein** *nt* trouser leg; **~boden** *m* seat (of the trousers); *den ~boden vollkriegen* (*col*) to get a smacked bottom; *sich auf den ~boden setzen* (*col*) to get stuck in (*col*); **~bund** *m* waistband; **~klammer** *f* cycle clip; **~rock** *m* culottes *pl*, divided skirt; **~schlitz** *m* flies *pl*, fly; **~tasche** *f* trouser pocket; **~träger** *pl* (a pair of) braces *pl* (*Brit*) *or* suspenders *pl* (*US*).

Hospital *nt -e or* **Hospitäler** (*dated: Krankenhaus*) hospital.

hospitieren* *vi* (*Sch, Univ*) to sit in on lectures/classes (*bei jdm* with sb).

Hospiz *nt -e* hospice.

Hostess, Hosteß △ *f, pl* **Hostessen** hostess.

Hostie ['hɔstiə] *f* (*Eccl*) host.

Hotel *nt -s* hotel.

Hotel- *in cpds* hotel; **~fach** *nt* hotel management; **~führer** *m* hotel guide.

Hotel garni *nt* bed and breakfast hotel.

Hotelgewerbe *nt* hotel trade *or* industry.

Hotelier [-'lieː] *m* hotelier.

Hotelzimmer *nt* hotel room.

Hotline *f -s* (*Telec: Informationsdienst, Sorgentelefon*) hot line ▶ *eine ~ einrichten* to set up a hot line.

Hr. = **Herr** Mr.

Hrsg. = **Herausgeber** ed.

Hub *m* ¨-e **a** (*Kolben~*) (piston) stroke. **b** (*bei Kränen: Leistung*) hoisting capacity.

Hubbel *m -* (*col*) bump.

hubb(e)lig *adj* (*col*) bumpy.

hüben *adv* over here, (on) this side ▶ *~ und drüben* on both sides.

Hub-: **~kraft** *f* lifting *or* hoisting capacity; **~raum** *m* (*Aut*) cubic capacity.

hübsch *adj* pretty; *Geschenk, Wohnung* nice ▶ *sich ~ machen* to make oneself look pretty; *er macht das schon ganz ~* he's doing it very nicely; *na, ihr beiden H~en* (*col*) well, you two; *eine ~e Geschichte/Bescherung* (*iro*) a pretty kettle of fish; *das kann ja ~ werden* (*col*) that'll be just great; *ein ~es Vermögen* a tidy sum; *eine ~e Strecke* quite a distance; *ganz ~ viel bezahlen* to pay quite a bit; *das wirst du ~ sein lassen* (*col*) you'll do nothing of the kind; *immer ~ langsam!* (*col*) nice and easy.

Hubschrauber *m -* helicopter.

Hubschrauber-: **~flugplatz, ~landeplatz** *m* heliport.

Hucke *f -n* *jdm die ~ vollhauen* (*col*) to give sb a good hiding.

huckepack *adv* piggyback (*auch Comp*) ▶ *jdm ~ nehmen* to give sb a piggyback.

Huf *m -e* hoof ▶ *einem Pferd die ~e beschlagen* to shoe a horse.

Huf-: **~eisen** *nt* horseshoe; **~nagel** *m* horseshoe nail; **~schmied** *m* blacksmith.

Hüft-: **~bein** *nt* hip-bone; **~bruch** *m* fractured hip.

Hüfte *f -n* hip; (*von Tieren*) haunch ▶ *bis an die ~n reichen* to come up to the waist.

Hüft-: **~gelenk** *nt* hip joint; **~gürtel, ~halter** *m* girdle, garter belt (*US*); **h~hoch** *adj* *Pflanzen etc* waist-high; *Wasser etc* waist-deep.

Huftier *nt* hoofed animal.

Hüft-: **~knochen** *m* hip-bone; **~schmerz** *m* pain in the

hip; **~weite** *f* hip size.
Hügel *m* - hill; (*Erdhaufen*) mound.
hüg(e)lig *adj* hilly.
Hügel-: **~kette** *f* range *or* chain of hills; **~land** *nt* hilly country.
Huhn *nt* ̈**er** chicken (*auch Cook*); (*Henne auch*) hen; (*Gattung*) fowl ▶ *da lachen ja die ̈er* (*col*) it's enough to make a cat laugh (*col*); *sie sah aus wie ein gerupftes* **~** (*col*) she looked as though she'd been dragged through a hedge backwards (*col*); *ein verrücktes* **~** a queer fish (*col*); *ein dummes* (*col*) **~** a silly goose.
Hühnchen *nt* (young) chicken, pullet ▶ *mit jdm ein* **~** *zu rupfen haben* (*col*) to have a bone to pick with sb (*col*).
Hühner-: **~auge** *nt* (*Med*) corn; **~brühe** *f* (clear) chicken broth; **~ei** *nt* hen's egg; **~futter** *nt* chicken feed; **~klein** *nt no pl* (*Cook*) chicken trimmings *pl*; **~stall** *m* henhouse, hen coop; **~stange** *f* perch, (chicken) roost; **~suppe** *f* chicken soup.
huldigen *vi* +*dat* (*geh*) *einem Künstler* to pay homage to; *einer Ansicht* to subscribe to; *einem Glauben* to embrace; *einem Laster* to indulge in.
Huldigung *f* homage.
Hülle *f* **-n** cover; (*für Ausweiskarten etc auch*) holder; (*Cellophan~*) wrapping; (*liter, hum: Kleidung*) clothes *pl*, piece of clothing ▶ *die* **~** *fallen lassen* to strip off; *die sterbliche* **~** the mortal remains *pl*; *in* **~** *und Fülle* in abundance; *Whisky/Sorgen in* **~** *und Fülle* whisky/worries galore.
hüllen *vt* (*geh*) to wrap ▶ *in Nebel gehüllt* shrouded in mist; *sich in seinen Mantel* **~** to wrap oneself up in one's coat; *sich (über etw acc) in Schweigen* **~** to remain silent (about sth).
hüllenlos *adj* unclothed.
Hülse *f* **-n** [a] (*Schale*) hull, husk; (*Schote*) pod. [b] (*Kapsel*) case; (*für Film*) cartridge.
Hülsenfrucht *f usu pl* pulse.
human *adj* humane; (*verständnisvoll auch*) considerate.
Humanismus *m* humanism.
Humanist(in *f*) *m* humanist; (*Altsprachler*) classicist.
humanistisch *adj siehe n* humanist(ic); classical ▶ **~** *gebildet* educated in the classics *or* humanities; **~es** *Gymnasium* secondary school with bias on Latin and Greek; ≈ grammar school (*Brit*).
humanitär *adj* humanitarian.
Humanität *f no pl* humaneness, humanity.
Humanmedizin *f* (human) medicine.
Humbug *m no pl* (*col*) humbug (*col*).
Hummel *f* **-n** bumble-bee.
Hummer *m* - lobster.
Humor *m* - humour (*Brit*), humor (*US*); (*Sinn für* **~**) sense of humour ▶ *er hat keinen (Sinn für)* **~** he has no sense of humour; *er nahm die Bemerkung mit* **~** *auf* he took the remark in good humour; *er hat einen eigenartigen* **~** he has a strange sense of humour; *er verliert nie den* **~** he never loses his sense of humour.
humorig *adj* (*geh*) humorous, genial.
Humorist(in *f*) *m* humorist (*Brit*), humorist (*US*); (*Komiker*) comedian.
humoristisch *adj* humorous.
Humor-: **h~los** *adj* humourless (*Brit*), humorless (*US*); **h~voll** *adj* humorous, amusing; *er kann sehr h~voll erzählen* he is a very amusing talker.
humpeln *vi* [a] *aux sein* to hobble. [b] (*ständig hinken*) to have a limp.
Humpen *m* - tankard, mug; (*aus Ton*) stein.
Humus *m* -, *no pl* humus.
Hund *m* **-e** dog; (*Jagd~ auch*) hound; (*col!: Schurke*) bastard (*col!*) ▶ *junger* **~** puppy, pup; **~e, *die bellen, beißen nicht*** empty vessels make most noise (*Prov*); *wie*

~ *und Katze leben* to live like cat and dog; *damit kann man keinen* **~** *hinterm Ofen hervorlocken* (*col*) that's not going to tempt anybody; *er ist bekannt wie ein bunter* **~** (*col*) everybody knows him; *da liegt der* **~** *begraben* (*col*) that's the problem; *er ist ein armer* **~** he's a poor devil (*col*); *er ist völlig auf dem* **~** (*col*) he's really gone to the dogs (*col*); *auf den* **~** *kommen* (*col*) to go to the dogs (*col*); *vor die* **~e** *gehen* (*col*) to go to the dogs (*col*); (*sterben*) to die a miserable death.
Hunde-: **~arbeit** *f* (*fig col*) *eine* **~arbeit** an awful job; **h~elend** *adj* (*col*) *mir ist h~elend* I feel lousy (*col*); **~futter** *nt* dog food; **~halsband** *nt* dog collar; **~halter(in** *f*) *m* (*form*) dog owner; **~hütte** *f* (*lit, fig*) (dog) kennel; **h~kalt** *adj* (*col*) freezing cold; **~kuchen** *m* dog biscuit; **~leben** *nt* (*col*) dog's life (*col*); **~leine** *f* dog lead *or* leash; **~marke** *f* dog licence disc (*Brit*), dog tag (*US*); **h~müde** *adj pred, adv* (*col*) dog-tired; **~narr** *m* (*col*) fanatical dog lover, dog freak (*col*); **~rasse** *f* breed (of dog); **~rennen** *nt* greyhound *or* dog racing *no art*.
hundert *num* a *or* one hundred ▶ *einige* **~** *Menschen* a few hundred people.
Hundert *nt* **-e** hundred ▶ *es geht in die* **~e** it runs into the hundreds; *einer unter* **~en** one out of hundreds; *zu* **~en** in (their) hundreds.
Hunderter *m* - hundred; (*col: Geldschein*) hundred (mark *etc* note).
Hundert-: **h~fach** [1] *adj* hundredfold; *die h~fache Menge* a hundred times the amount; [2] *adv* a hundred times; **h~fünfzigprozentig** *adj* (*iro*) fanatical; **~jahrfeier** *f* centenary, centennial (*US*); **h~jährig** *adj attr* (one-)hundred-year-old; **h~mal** *adv* a hundred times; **~meterlauf** *m* (*Sport*) *der/ein* **~meterlauf** the/a 100 metres (*Brit*) *or* meters (*US*) *sing*; **h~prozentig** *adj* (a *or* one) hundred per cent; *Alkohol* pure; *ein h~prozentiger Konservativer etc* an out-and-out conservative *etc*; *Sie haben h~prozentig recht* you're absolutely right.
Hundertstel *nt* - hundredth.
hundertste(r, s) *adj* hundredth ▶ *vom H~n ins Tausendste kommen* (*fig*) to get carried away.
hunderttausend *num* a *or* one hundred thousand ▶ *H~e von Menschen* hundreds of thousands of people.
Hunde-: **~salon** *m* dog parlour (*Brit*) *or* parlor (*US*); **~sohn** *m* (*pej liter*) cur; **~steuer** *f* dog licence (*Brit*) *or* license (*US*) fee; **~wetter** *nt* (*col*) filthy weather; **~zucht** *f* dog breeding.
Hündin *f* bitch.
Hunds-: **h~gemein** *adj* (*col*) mean; (*schwierig*) fiendishly difficult; *es tut h~gemein weh* it hurts like hell (*col*); **h~miserabel** *adj* (*col*) lousy (*col*); **~tage** *pl* dog days *pl*.
Hüne *m* (*wk*) **-n, -n** giant ▶ *ein* **~** *von Mensch* a giant of a man.
Hünen-: **~grab** *nt* megalithic grave; **h~haft** *adj* gigantic.
Hunger *m no pl* (*lit, fig*) hunger (*nach* for); (*Hungersnot auch*) famine; (*nach Sonne etc*) yearning ▶ **~** *bekommen/haben* to get/be hungry; **~** *auf etw* (*acc*) *haben* to feel like (eating) sth; *ich habe* **~** *wie ein Wolf or Bär* (*col*) I could eat a horse (*col*); *vor* **~** *sterben* to die of hunger *or* starvation, to starve to death; *ich sterbe vor* **~** (*col*) I'm starving (*col*).
Hunger-: **~gefühl** *nt* hungry feeling; **~künstler** *m ich bin doch kein* **~künstler** I'm not on a starvation diet; **~kur** *f* starvation diet; **~lohn** *m* (*fig*) pittance.
hungern [1] *vi* [a] to go hungry, to starve ▶ *jdn* **~** *lassen* to let sb go hungry. [b] (*fasten*) to go without food. [c] (*fig geh: verlangen*) to hunger (*nach* for). [2] *vr sich zu Tode* **~** to starve oneself to death; *sich schlank* **~** to go on a starvation diet.

hungernd *adj, no comp* hungry, starving.

Hungersnot *f* famine.

Hunger-: **~streik** *m* hunger strike; **~tod** *m* death from starvation; **~tuch** *nt* **am ~tuch nagen** (*fig*) to be starving.

hungrig *adj* (*lit, fig*) hungry (*nach* for) ▶ **~ nach** *or* **auf** (*acc*) **etw sein** to feel like (eating) sth.

Hupe *f* **-n** horn ▶ **auf die ~ drücken** to press/sound the horn.

hupen *vi* to sound the horn, to hoot.

hüpfen *vi aux sein* to hop; (*Ball*) to bounce ▶ **vor Freude ~** to jump for joy; **das ist gehüpft wie gesprungen** (*col*) it's six of one and half a dozen of the other (*col*); **H~spielen** to play hopscotch.

Hup-: **~konzert** *nt* (*col*) barrage of hooting (*of car horns*); **~signal, ~zeichen** *nt* (*Aut*) hoot.

Hürde *f* **-n** [a] (*Sport, fig*) hurdle ▶ **eine ~ nehmen** to take a hurdle. [b] (*Viehzaun*) fold, pen.

Hürdenlauf *m* (*Sportart*) hurdling; (*Wettkampf*) hurdles *pl or sing.*

Hure *f* **-n** whore.

huren *vi* (*col*) to go whoring.

Hurensohn *m* (*pej col!*) bastard (*col!*), son of a bitch (*US col!*).

hurra [hʊˈraː, ˈhʊra] *interj* hurray, hurrah.

Hurra *nt* **-s** cheers *pl.*

Hurra-: **~geschrei** *nt* cheering; **~patriotismus** *m* jingoism, chauvinism; **~ruf** *m* cheer.

Hurrikan *m* **-e** *or* **-s** hurricane.

hurtig *adj* nimble; (*schnell*) quick.

husch *interj* (*aufscheuchend*) shoo; (*schnell*) quick, quickly now ▶ **und ~, weg war er** and whoosh! he was gone.

huschen *vi aux sein* to dart; (*Mäuse etc auch*) to scurry; (*Lächeln*) to flash.

hüsteln *vi* to give a little cough.

husten [1] *vi* to cough ▶ **auf etw** (*acc*) **~** (*col*) not to give a damn for sth (*col*).

[2] *vt* to cough (up) ▶ **denen werde ich was ~** (*col*) I'll tell them where they can get off (*col*).

Husten *m no pl* cough ▶ **~ haben** to have a cough.

Husten-: **~anfall** *m* coughing fit; **~bonbon** *m or nt* cough drop; **~mittel** *nt* cough medicine/drop; **~reiz** *m* irritation of the throat; **~saft** *m* cough mixture; **h~stillend** ⚠ *adj* **das wirkt h~stillend** it relieves coughs; **~tropfen** *pl* cough drops *pl.*

Hut¹ *m* **⁻e** hat ▶ **den ~ aufsetzen/abnehmen** (*geh*) to put on/take off one's hat; **vor jdm den ~ abnehmen** (*fig*) to take off one's hat to sb; **~ ab vor solcher Leistung!** I take my hat off to that; **das kannst du dir an den ~ stecken!** (*col*) you can keep it; **unter einen ~ bringen** (*col*) to reconcile; *Termine* to fit in; **da geht einem der ~ hoch** (*col*) it's enough to make you blow your top (*col*); **seinen ~ nehmen (müssen)** (*col*) to (have to) go; **das ist doch ein alter ~!** (*col*) that's old hat! (*col*); **damit/mit ihm habe ich nichts am ~** (*col*) I don't want to have anything to do with that/him.

Hut² *f no pl* [a] (*geh*) protection, keeping ▶ **unter** *or* **in meiner ~** in my keeping; (*Kinder*) in my care. [b] **auf**

der ~ sein to be on one's guard (*vor* +*dat* against).

hüten [1] *vt* to look after, to mind; *Geheimnisse* to keep ▶ **das Bett/Haus ~** to stay in bed/indoors; **hüte deine Zunge!** (*geh*) watch your tongue!

[2] *vt* to guard (*vor* +*dat* against), to beware (*vor* +*dat* of) ▶ **sich ~, etw zu tun** to take care not to do sth; **ich werde mich ~!** not likely!; **ich werde mich ~, ihm das zu erzählen** there's no chance of me telling him that.

Hüter(in *f*) *m* - guardian, keeper.

Hut-: **~krempe** *f* brim (of a hat); **~macher(in** *f*) *m* hatter; (*für Damen auch*) milliner; **~nadel** *f* hat pin; **~schachtel** *f* hatbox; **~schnur** *f* **das geht mir über die ~schnur** (*col*) that's going too far; **~ständer** *m* hatstand.

Hütte *f* **-n** [a] hut; (*schäbiges Häuschen auch*) shack; (*Holz~, Block~*) cabin. [b] (*Tech: Hüttenwerk*) iron and steel works *pl or sing.*

Hütten-: **~arbeiter** *m* worker in an iron and steel works; **~industrie** *f* iron and steel industry; **~käse** *m* cottage cheese; **~schuh** *m* slipper-sock; **~werk** *nt siehe* **Hütte (b).**

hutz(e)lig *adj Obst* dried; *Mensch* wizened.

Hyäne *f* **-n** hyena; (*fig*) wildcat.

Hyazinthe [hyaˈtsɪntə] *f* **-n** hyacinth.

Hydrant *m* hydrant.

Hydraulik *f* hydraulics *sing*; (*Antrieb, Anlage*) hydraulics *pl.*

hydraulisch *adj* hydraulic.

Hydro-: **~kultur** *f* (*Bot*) hydroculture; **~meter** *nt* hydrometer.

Hygiene [hyˈgiːnə] *f no pl* hygiene.

hygienisch [hyˈgiːnɪʃ] *adj* hygienic.

Hymne [ˈhʏmnə] *f* **-n** hymn; (*National~*) (national) anthem.

hyper-: **~modern** *adj* (*col*) ultramodern; **~sensibel** *adj* hypersensitive.

Hypnose *f* **-n** hypnosis ▶ **jdn in ~ versetzen** to put sb under hypnosis.

hypnotisch *adj* hypnotic.

Hypnotiseur [hɪpnotiˈzøːɐ] *m* hypnotist.

hypnotisieren* *vt* to hypnotize.

Hypothek *f* **-en** mortgage; (*fig: Belastung*) burden of guilt ▶ **eine ~ aufnehmen** to raise a mortgage; **etw mit einer ~ belasten** to mortgage sth.

Hypotheken-: **~bank** *f bank specializing in mortgages*; **~brief** *m* mortgage certificate; **~darlehen** *nt* mortgage (loan); **h~frei** *adj* unmortgaged; **~gläubiger(in** *f*) *m* mortgagee; **~schuldner(in** *f*) *m* mortgagor; **~zahlung** *f* mortgage repayment.

Hypothese *f* **-n** hypothesis.

hypothetisch *adj* hypothetical.

Hysterektomie *f* hysterectomy.

Hysterie *f* hysteria.

Hysteriker(in *f*) *m* - hysterical person.

hysterisch *adj* hysterical ▶ **einen ~en Anfall bekommen** (*fig*) to have hysterics.

Hz = **Hertz** Hz.

I

I, i [iː] *nt* -, - I, i ▸ *das Tüpfelchen auf dem* ~ (*fig*) the final touch; *I wie Ida* ≃ I for Isaac, I for Item (*US*).

i [iː] *interj* (*col*) ugh (*col*).

i.A. = **im Auftrag** pp.

IAO [iː|aː|oː] *f* = **Internationale Arbeitsorganisation** ILO.

ib(d) = **ibidem** ibid.

iberisch *adj* Iberian ▸ *die I~e Halbinsel* the Iberian Peninsula.

IC [iː'tseː] *m* **-s** = **Intercity-Zug**.

ICE [iːtseː'|eː] *m* **-s** = **Intercity-Express-Zug** high-speed train.

ich *pers pron* I ▸ *ich bin's!* it's me!; *immer* ~! it's always me!; ~ *Idiot!* what an idiot I am!; *und* ~ *Idiot habe es gemacht* and idiot that I am, I did it; ~ *nicht!* not me!; ~ *selbst* I myself; *wer hat gerufen?* — ~! who called? — (it was) me, I did.

Ich *nt* **-(s)** self; (*Psych*) ego ▸ *das eigene* ~ one's (own) self/ego; *mein zweites* ~ (*selbst*) my other self; (*andere Person*) my alter ego.

Ich-: **i~bezogen** *adj* egocentric; **~form** *f* first person; **~-Roman** ⚠ *m* novel in the first person.

ideal *adj* ideal.

Ideal *nt* **-e** ideal ▸ *sie ist mein* ~ *einer Frau* she's my ideal woman.

Ideal- *in cpds* ideal; **~bild** *nt* ideal; **~fall** *m* ideal case; *im* **~fall** ideally, in an ideal world; **~gewicht** *nt* ideal weight.

idealisieren* *vt* to idealize.

Idealismus *m* idealism.

Idealist(in *f)* *m* idealist.

idealistisch *adj* idealistic.

Ideal-: **~typ(us)** *m* (*Sociol*) ideal type; **~vorstellung** *f* ideal.

▼ **Idee** *f* **-n** [i'deːən] **a** idea ▸ *die* ~ *zu etw* the idea for sth; *wie kommst du denn auf die ~?* whatever gave you that idea?; *ich kam auf die* ~, *Andrea zu fragen* I hit on the idea of asking Andrea; *jdn auf die* ~ *bringen, etw zu tun* to give sb the idea of doing sth. **b** (*ein wenig*) shade, trifle ▸ *eine* ~ *Salz* a touch of salt; *keine* ~ *besser* not a whit better.

ideell *adj* Wert, Ziele non-material; *Bedürfnisse, Unterstützung* spiritual.

ideen- [i'deːən-]: **~arm** *adj* lacking in ideas; **~los** *adj* devoid of ideas; **~reich** *adj* full of ideas.

Identifikation *f* identification.

Identifikationsfigur *f* role model.

identifizieren* **1** *vt* to identify. **2** *vr sich* ~ *mit* to identify with.

Identifizierung *f* identification.

identisch *adj* identical (*mit* with).

Identität *f* identity.

Ideologe *m*, **Ideologin** *f* ideologist.

Ideologie *f* ideology.

ideologisch *adj* ideological.

Idiom *nt* **-e** idiom.

idiomatisch *adj* idiomatic.

Idiot *m* (*wk*) **-en**, **-en** idiot.

Idioten-: **~hügel** *m* (*hum col*) beginners' *or* nursery (*Brit*) slope; **i~sicher** *adj* (*col*) foolproof *no adv*.

Idiotie *f* idiocy.

Idiotin *f* idiot.

idiotisch *adj* idiotic.

Idol *nt* **-e** idol.

Idylle *f* **-n** idyll.

idyllisch *adj* idyllic.

IG [iː'geː] *f* **-s** = **Industriegewerkschaft**.

IGB [iːgeː'beː] *m* = **Internationaler Gewerkschaftsbund** International Trades Union Congress.

Igel *m* - (*Zool*) hedgehog.

IGH [iːgeː'haː] *m* = **Internationaler Gerichtshof** ICJ.

igitt(igitt)! *interj* ugh! (*col*).

Iglu ['iːglu] *m or nt* **-s** igloo.

Ignorant *m* ignoramus.

Ignoranz *f* ignorance.

ignorieren* *vt* to ignore.

IHK [iːhaː'kaː] *f* = **Industrie- und Handelskammer**.

ihm *pers pron dat of* **er, es** (*bei Personen*) to him; (*bei Tieren und Dingen*) to it; (*nach Präpositionen*) him/ it ▸ *ich gab es* ~ I gave it (to) him/it; *es war* ~, *als ob er träumte* he felt as though he were dreaming; *es ist* ~ *nicht gut* he doesn't feel well; *sie schnitt* ~ *die Haare* she cut his hair (for him); *ein Freund von* ~ a friend of his, one of his friends; *wir gingen zu* ~ (*nach Hause*) we went to his place; *sie hat* ~ *einen Pulli gestrickt* she knitted him a sweater.

ihn *pers pron acc of* **er** him; (*bei Tieren, Dingen*) it.

ihnen *pers pron dat of* **sie** *pl* to them; (*nach Präpositionen*) them; *siehe* **ihm**.

Ihnen *pers pron dat of* **Sie** to you; (*nach Präpositionen*) you; *siehe* **ihm**.

ihr *pers pron* **1** *pers pl nom* you. **2** *dat of* **sie** *sing* (*bei Personen*) to her; (*bei Tieren und Dingen*) to it; (*nach Präpositionen*) her/it; *siehe* **ihm**.
2 *poss pron* **a** (*einer Person*) her; (*eines Tiers, Dings*) its. **b** (*von mehreren*) their.

Ihr *poss pron* your ▸ ~ *Franz Müller* (*Briefschluß*) yours, Franz Müller.

ihrer *pers pron* **a** *gen of* **sie** *sing* (*bei Personen*) of her ▸ *wir werden* ~ *gedenken* (*geh*) we will remember her. **b** *gen of* **sie** *pl* of them.

Ihrer *pers pron gen of* **Sie** of you.

ihre(r, s) *poss pron* (*substantivisch*) **a** (*einer Person*) hers; (*eines Tiers*) its ▸ *I~ Majestät* Her Majesty; *sie und die I~n* (*geh: Familie*) she and her family. **b** (*von mehreren*) theirs ▸ *sie taten das* ~ (*geh*) they did their bit.

Ihre(r, s) *poss pron sing and pl* (*substantivisch*) yours ▸ *tun Sie das* ~ (*geh*) you do your bit.

ihrerseits *adv* (*bei einer Person*) for her part; (*bei mehreren*) for their part; (*von ihrer Seite*) on her/their part.

Ihrerseits *adv* for your part; (*von Ihrer Seite*) on your part.

ihresgleichen *pron inv* (*von einer Person*) people like her; (*von mehreren*) people like them; (*von Dingen*) others like it ▸ *eine Frechheit, die* ~ *sucht!* an incredible cheek!

Ihresgleichen *pron inv* people like you.

ihret-: **~halben** (*dated*), **~wegen**, **~willen** *adv* (*bei*

Personen) (*wegen ihr/ihnen*) (*sing*) because of her; (*pl*) because of them; (*für sie*) on her/their behalf; (*bei Dingen und Tieren*) (*sing*) because of it; (*pl*) because of them; **sie sagte, ~wegen könnten wir gehen** she said that, as far as she was concerned, we could go.

Ihret-: ~halben (*dated*), **~wegen, ~willen** *adv* because of you; (*für Sie*) on your behalf.

ihrige *poss pron* (*old, geh*) **der/die/das ~** (*von einer Person*) hers; (*von mehreren*) theirs.

Ihrige *poss pron* **der/die/das ~** yours.

i.J. = **im Jahre**.

Ikon *nt* **-e** (*Comp*) icon.

Ikone *f* **-n** icon.

illegal *adj* illegal.

Illegalität *f* illegality.

illegitim *adj* illegitimate.

Illusion *f* illusion ▶ **sich** (*dat*) **~en machen** to delude oneself; **darüber macht er sich keine ~en** he doesn't have any illusions about it.

illusionär *adj* illusionary.

illusorisch *adj* illusory ▶ **es ist völlig ~, zu glauben ...** it's a complete illusion to believe ...

Illustration *f* illustration ▶ **zur ~ von etw** to illustrate sth.

Illustrator *m* illustrator.

illustrieren* *vt* to illustrate (*jdm etw* sth for sb).

Illustrierte *f* (*wk*) **-n, -n** magazine.

Iltis *m* **-se** polecat.

im *prep* = **in dem** [a] in the ▶ **~ zweiten Stock** on the second floor; **~ Kino/Theater** at the cinema/theatre; **~ Bett** in bed; **~ „Faust"** in "Faust"; **~ Mai** in May; **~ Alter von 91 Jahren** at the age of 91; **~ nächsten Jahr** next year. [b] **nicht ~ geringsten** not in the slightest; **~ Kommen/Gehen sein** to be coming/going; **etw ~ Liegen/Stehen tun** to do sth lying down/standing up; **~ Trab/Laufschritt** at a trot/run.

I.M. = **Ihre(r) Majestät** HM.

Image ['ɪmɪtʃ] *nt* **-s** image.

Imagepflege *f* image-building.

Imagewerbung *f* image promotion ▶ **~ betreiben** to promote one's image.

imaginär *adj* imaginary.

⚠ **Imbiß** *m* **-sse** snack.

Imbiß-: ~halle ⚠ *f* snack bar; **~stube** ⚠ *f* cafe.

Imitation *f* imitation.

Imitator *m*, **Imitatorin** *f* imitator; (*von einem Bild*) copyist.

imitieren* *vt* to imitate.

Imker *m* - beekeeper.

immanent *adj* inherent, intrinsic ▶ **einer Sache** (*dat*) **~ sein** to be inherent in sth.

Immatrikulation *f* matriculation (*form*), registration (*at university*).

immatrikulieren* *vr* to matriculate (*form*), to register (*at university*).

immens *adj* immense.

immer *adv* [a] always ▶ **schon ~** always; **für ~** for ever, for always; **~ diese Probleme!** all these problems!; **~, wenn ...** whenever ...; **~ mal** (*col*) from time to time; **~ geradeaus gehen** to keep going straight on; **~ und ewig** (*liter*) for ever and ever; **~ noch** still; **~ noch nicht** still not; **~ wieder** again and again; **etw ~ wieder tun** to keep on doing sth; **wie ~** as always. [b] (*+comp*) **~ besser** better and better; **~ häufiger** more and more often; **~ größer werdende Schulden** constantly increasing debts. [c] **wer/wie/wann/wo/was** (*auch*) **~** whoever/however/whenever/wherever/whatever. [d] (*col: jeweils*) **gib mir ~ drei Bücher auf einmal** give me three books at a time; **~ am dritten Tag** every

third day.

immer-: ~fort *adv* the whole time; **~grün** *adj attr* (*lit, fig*) evergreen; **~hin** *adv* anyhow, at any rate; (*wenigstens*) at least; (*schließlich*) after all; **~während** ⚠ *adj attr* perpetual; **~zu** *adv* the whole time.

Immigrant(in *f*) *m* immigrant.

Immigration *f* immigration.

immigrieren* *vi aux sein* to immigrate.

Immobilien [-'biːliən] *pl* real estate *sing*; (*in Zeitungsannoncen*) property *sing*.

Immobilien-: ~händler *m*, **~makler** *m* estate agent (*Brit*), realtor (*US*); **~markt** *m* property market.

immun *adj* immune (*gegen* to).

immunisieren* *vt* to immunize (*gegen* against).

Immunisierung *f* immunization (*gegen* against).

Immunität *f* immunity.

Immun- (*in cpds*) (*Med*) immune; **~schwäche** *f* immunodeficiency; **~schwächekrankheit** *f* immune deficiency syndrome; **~system** *nt* immune system.

Imperativ *m* (*Gram*) imperative.

Imperfekt *nt* **-e** (*Gram*) imperfect (tense).

Imperialismus *m* imperialism.

Imperialist(in *f*) *m* imperialist.

imperialistisch *adj* imperialistic.

impfen *vt* to vaccinate, to inoculate.

Impf-: ~paß ⚠ *m* vaccination card; **~pistole** *f* vaccination gun; **~schein** *m* vaccination certificate; **~schutz** *m* protection given by vaccination; **~stoff** *m* vaccine, serum.

Impfung *f* vaccination, inoculation.

Impfzwang *m* compulsory vaccination.

Implantat *nt* implant.

implizieren* *vt* to imply.

implizit *adv* by implication, implicitly.

implodieren* *vi aux sein* to implode.

imponieren* *vi* to impress (*jdm* sb) ▶ **das imponiert mir** it's impressive.

imponierend *adj* impressive.

Imponiergehabe *nt* (*Zool*) display pattern; (*fig pej*) exhibitionism.

Import *m* **-e** import ▶ **der ~ sollte den Export nicht übersteigen** imports should not exceed exports.

Importeur(in *f*) [ɪmpɔr'tøːɐ, -'tøːrɪn] *m* importer.

Import- *in cpds* import; **~geschäft** *nt* (*Handel*) import trade; (*Firma*) import business.

importieren* *vt* (*also Comp*) to import.

Importland *nt* importing country.

imposant *adj* imposing; *Leistung* impressive.

impotent *adj* impotent.

Impotenz *f* impotence.

imprägnieren* *vt* to impregnate; (*wasserdicht machen*) to waterproof.

Imprägnierung *f* impregnation; (*von Geweben*) waterproofing.

Impressionismus *m* impressionism.

Impressionist *m* impressionist.

impressionistisch *adj* impressionistic.

Impressum *nt*, *pl* **Impressen** imprint; (*von Zeitung*) masthead.

Improvisation [ɪmproviza'tsioːn] *f* improvization.

improvisieren* [-vi'ziːrən] *vti* to improvize.

Impuls *m* **-e** impulse ▶ **etw aus einem ~ heraus tun** to do sth on impulse; **einer Sache** (*dat*) **neue ~e geben** to give sth new impetus.

impulsiv *adj* impulsive ▶ **~ handeln** to act impulsively.

Impulsivität *f* impulsiveness.

⚠ **imstande** *adj pred* **~ sein, etw zu tun** (*fähig*) to be capable of doing sth; (*in der Lage*) to be in a position to do sth; **er ist zu allem ~** he's capable of anything.

in [1] *prep siehe auch* **im, ins** [a] (*räumlich*) (*wo? +dat*) in;

⚠: Informationen zur Rechtschreibreform im Anhang

(*wohin? +acc*) in, into ▶ *sind Sie schon ~ Deutschland gewesen?* have you ever been to Germany?; *~ die Schule gehen* to go to school; *er ist ~ der Schule* he's at *or* in school. |b| (*zeitlich*) (*wann? +dat*) in; (*bis +acc*) into ▶ *~ diesem Jahr* (*laufendes Jahr*) this year; (*jenes Jahr*) in that year; *heute ~ zwei Wochen* two weeks today; *bis ~s 18. Jahrhundert* into *or* up to the 18th century. |c| *~ Englisch steht er sehr schwach* he's very weak in *or* at English; *das ist ~ Englisch* it's in English; *~ die Hunderte gehen* to run into (the) hundreds; *es ~ sich haben* (*col*) (*Text*) to be tough; (*Whisky*) to have quite a kick; (*Torte*) to be very rich. |2| *adj pred* (*col*) *~ sein* to be in (*col*).

in|**aktiv** *adj* inactive; *Mitglied* non-active.

In|**angriffnahme** *f no pl* (*form*) commencement.

In|**anspruchnahme** *f no pl* (*form*) |a| (*Beanspruchung*) demands *pl* ▶ *die ~ durch meinen Beruf* the demands made on me by my job. |b| (*eines Kredits*) taking out; (*von Rechten*) exertion ▶ *im Falle einer ~ der Arbeitslosenunterstützung* where unemployment benefit has been sought.

Inbegriff *m* perfect example; (*der Schönheit, des Bösen etc*) epitome.

inbegriffen *adj pred* included.

Inbetriebnahme *f* -**n** (*form*) commissioning; (*von Gebäude, U-Bahn etc*) inauguration.

inbrünstig *adj* fervent, ardent.

Inbusschlüssel ® *m* (*Tech*) Allen key ®.

indem *conj* |a| (*während*) while; (*in dem Augenblick*) as. |b| (*dadurch, daß*) *~ man etw macht* by doing sth.

Inder(in *f*) *m* - Indian.

indessen *adv* |a| (*inzwischen*) meanwhile, (in the) meantime. |b| (*jedoch*) however.

Index *m* -**e** index (*auch Comp*) ▶ *auf dem ~ stehen* (*fig*) to be banned.

Indianer(in *f*) *m* - (American) Indian.

indianisch *adj* (American) Indian.

Indien ['ɪndiən] *nt* India.

indifferent *adj* (*geh*) indifferent (*gegenüber* to).

indigniert *adj* (*geh*) indignant.

Indikation *f* (*Med*) indication (*Jur*) ▶ *medizinische/ soziale ~* (*Jur*) medical/social grounds for the termination of pregnancy.

Indikativ *m* (*Gram*) indicative.

Indikator *m* indicator.

Indio *m* -**s** (Central/ South American) Indian.

indirekt *adj* indirect.

indisch *adj* Indian ▶ *I~er Ozean* Indian Ocean.

indiskret *adj* indiscreet.

Indiskretion *f* indiscretion.

indiskutabel *adj* out of the question.

indisponiert *adj* (*geh*) indisposed.

Individualismus [ɪndividua'lɪsmʊs] *m* individualism.

Individualist [ɪndividua'lɪst] *m* individualist.

individualistisch [ɪndividua'lɪstɪʃ] *adj* individualistic.

Individualität [ɪndividuali'tɛːt] *f no pl* individuality.

individuell [ɪndivi'duɛl] *adj* individual ▶ *etw ~ gestalten* to give sth a personal touch; *es ist ~ verschieden* it differs from person to person.

Individuum [ɪndi'viːduəm] *nt*, *pl* **Individuen** [ɪndi'viːduən] individual.

Indiz *nt* -**ien** [-iən] |a| (*Jur*) clue; (*als Beweismittel*) piece of circumstantial evidence ▶ *alles beruht nur auf ~ien* everything rests only on circumstantial evidence. |b| (*Anzeichen*) sign, indication (*für* of).

Indizienbeweis *m* circumstantial evidence *no pl*; piece of circumstantial evidence.

indizieren* *vt* (*Med*) to indicate; (*Eccl*) to put on the Index; (*Comp*) to index.

Indochina *nt* Indochina.

indogermanisch *adj* Indo-Germanic.

Indoktrination *f* indoctrination.

indoktrinieren* *vt* to indoctrinate.

Indonesien [-iən] *nt* Indonesia.

Indonesier(in *f*) [-iɐ, -iərɪn] *m* - Indonesian.

indonesisch *adj* Indonesian.

Indossament *nt* (*Comm*) endorsement.

Induktion *f* induction.

industrialisieren* *vt* to industrialize.

Industrialisierung *f* industrialization.

Industrie *f* industry ▶ *in der ~ arbeiten* to be in industry.

Industrie- *in cpds* industrial; **~anlage** *f* industrial plant; **~betrieb** *m* industrial firm; **~design** *nt* industrial design; **~erzeugnis** *nt* industrial product; **~espionage** *f* industrial espionage; **~gebiet** *nt* industrial area; **~gelände** *nt* industrial estate (*Brit*), industrial park (*US*); **~gewerkschaft** *f* industrial trade union *or* labor union (*US*); **~kaufmann** *m* industrial manager; **~land** *nt* industrialized country.

industriell *adj* industrial.

Industrielle(r) *mf decl as adj* industrialist.

Industrie-: **~müll** *m* industrial waste; **~roboter** *m* industrial robot; **~staat** *m* industrial nation; **~- und Handelskammer** *f* chamber of commerce; **~zweig** *m* branch of industry.

in|**einander** *adv* sein, liegen *etc* in each other; *legen, hängen etc* into each other ▶ *~ übergehen* to merge (into each other); *sich ~ verlieben* to fall in love with each other.

in|**einander-:** **~fließen** ⚠ *vi sep irreg aux sein* to merge; **~fügen** ⚠ *vt sep* to fit into each other; **~greifen** ⚠ *vi sep irreg* (*lit*) to interlock; (*Zahnräder*) to mesh; (*fig: Ereignisse etc*) to overlap; **~passen** ⚠ *vi sep* to fit into each other.

infam *adj* infamous.

Infanterie *f* infantry.

Infanterist *m* infantryman.

infantil *adj* infantile.

Infarkt *m* -**e** (*Herz~*) coronary.

Infektion *f* infection.

Infektions-: **~gefahr** *f* danger of infection; **~herd** *m* focus of infection; **~krankheit** *f* infectious disease.

Inferno *nt no pl* (*lit, fig*) inferno.

Infiltration *f* infiltration.

infiltrieren* *vt* to infiltrate.

Infinitiv *m* infinitive.

infizieren* |1| *vt* to infect. |2| *vr* to be infected (*bei* by).

in flagranti *adv* in the act, red-handed.

Inflation *f* inflation.

inflationär [ɪnflatsio'nɛːɐ] *adj* inflationary ▶ *sich ~ entwickeln* to become inflated.

Inflations-: **i~hemmend** *adj* anti-inflationary; **~rate** *f* rate of inflation; **i~sicher** *adj* inflation-proof.

inflatorisch *adj* inflationary.

Info *nt* -**s** (*col*) leaflet.

infolge *prep +gen or von* as a result of.

infolgedessen *adv* consequently.

Informant(in *f*) *m* informant.

Informatik *f* information science, informatics *sing*.

Informatiker(in *f*) *m* - computer *or* information scientist.

▼ **Information** *f* |a| information *no pl* (*über +acc* about, on) ▶ *eine ~* (a piece of) information; *zu Ihrer ~* for your information. |b| (*~sstelle*) information desk. |c| **~en** *pl* (*Comp*) data.

informationell [ɪnfɔrmatsio'nɛl] *adj* informational.

Informations-: **~abruf** *m* information retrieval; **~austausch** *m* exchange of information; **~blatt** *nt*

---

leaflet, factsheet; **~büro** *nt* information bureau; **~fluß** ⚠ *m no pl* flow of information; **~gesellschaft** *f* information society; **~material** *nt* informative material; **~quelle** *f* source of information; **~schalter** *m* information desk; **~stand** *m* a information stand; b *no pl nach dem neuesten ~stand* according to the latest information; **~technik** *f* information technology; **~theorie** *f* information theory; **~verarbeitung** *f* information processing.

informativ *adj* informative.

informell *adj* informal.

informieren* 1 *vt* to inform (*über +acc, von* about) ▸ *da bist du falsch informiert* you've been misinformed. 2 *vr* to find out.

Infra-: **i~rot** *adj* infra-red; **~rotstrahler** *m* - infra-red lamp; **~struktur** *f* infrastructure.

Infusion *f* infusion.

Ing. = **Ingenieur**.

Ingenieur(in *f*) [ɪnʒe'niøːɐ, -iøːrɪn] *m* engineer.

Ingenieur-: **~büro** *nt* engineer's office; **~schule** *f* school of engineering.

Ingwer *m no pl* ginger.

Inh. = **Inhaber** prop.; = **Inhalt** cont.

Inhaber(in *f*) *m* - (*von Geschäft*) owner; (*von Konto, Lizenz, Rekord*) holder; (*von Scheck, Paß*) bearer.

inhaftieren* *vt insep* to take into custody.

Inhalationsapparat *m* inhaler.

inhalieren* *vti insep* (*Med, col*) to inhale.

Inhalt *m* -e a contents *pl*; (*von Buch, Begriff auch*) content; (*des Lebens*) meaning ▸ *was hatte das Gespräch zum ~?* what was the content of the discussion?; *über ~e diskutieren* to discuss the real issues; *ein Brief des ~s, daß ...* (*form*) a letter to the effect that ... b (*Math*) (*Flächen~*) area; (*Raum~*) volume.

inhaltlich *adj* as regards content.

Inhalts-: **~angabe** *f* summary, précis (*esp Sch*); **i~los** *adj* empty; *Buch, Vortrag* lacking in content; **i~reich** *adj* full; **~verzeichnis** *nt* list of contents; (*Comp*) directory.

inhuman *adj* (*unmenschlich, brutal*) inhuman.

Initiale [ini'tsiaːlə] *f* -**n** (*geh*) initial.

initialisieren* [initsiali'ziːrən] *vt* (*Comp*) to initialize.

Initialisierung [initsiali'ziːrʊŋ] *f* (*Comp*) initialization.

Initiative [initsia'tiːvə] *f* initiative ▸ *aus eigener ~* on one's own initiative; *die ~ ergreifen* to take the initiative.

Initiator(in *f*) [ini'tsiaːtɔr, -'toːrɪn] *m* (*geh*) initiator.

Injektion *f* injection.

injizieren* [ɪnji'tsiːrən] *vt* (*form*) to inject (*jdm etw* sb with sth).

Inka *m* -**s** Inca.

Inkarnation *f* incarnation.

Inkassobüro *nt* debt collection agency.

Inkaufnahme *f no pl* (*form*) acceptance ▸ *unter ~ finanzieller Verluste* accepting the inevitable financial losses.

inkl. = **inklusive** incl.

inklusive [-ziːvə] 1 *prep +gen* inclusive of. 2 *adv* inclusive.

inkognito *adv* incognito.

inkompetent *adj* incompetent.

Inkompetenz *f* incompetence.

inkonsequent *adj* inconsistent.

inkorrekt *adj* incorrect.

Inkrafttreten *nt no pl bei ~ von etw* when sth comes/came *etc* into effect.

Inkubationszeit *f* incubation period.

Inland *nt no pl* a (*als Staatsgebiet*) home ▸ *im ~ hergestellte Waren* home-produced goods; *im In- und Ausland* at home and abroad. b (*Inneres eines Landes*) inland ▸ *im ~* inland.

Inland- *in cpds* (*Comm*) home, domestic; (*Geog*) inland; **~flug** *m* domestic *or* internal flight.

inländisch *adj* home *attr*, domestic; (*Geog*) inland.

Inlands-: **~gespräch** *nt* inland call; **~markt** *m* home *or* domestic market; **~porto** *nt* inland postage.

Inline-Skates ['ɪnlaɪnskeːts] *pl* rollerblades *pl*.

inmitten 1 *prep +gen* in the middle of. 2 *adv ~ von* amongst, surrounded by.

innehaben *vt sep irreg* (*form*) *Amt etc* to hold.

innehalten *vi sep irreg* to pause, to stop ▸ *in der Rede ~* to pause.

innen *adv* inside ▸ *~ und außen* inside and out(side); *nach ~* inwards; *tief ~ tut es doch weh* deep down inside it really hurts; *das Band befördert die Kohle nach ~* the conveyor belt carries the coal inside; *von ~* from the inside.

Innen-: **~antenne** *f* indoor aerial (*Brit*) *or* antenna (*US*); **~architekt** *m* interior designer; **~aufnahme** *f* indoor photo(graph); (*Film*) indoor shot; **~ausstattung** *f* interior décor *no pl*; (*das Ausstatten*) interior decoration and furnishing; (*von Auto*) interior fittings *pl*; **~bahn** *f* (*Sport*) inside lane; **~dienst** *m* office duty; *im ~dienst sein* to work in the office; **~einrichtung** *f* interior furnishing; **~hof** *m* inner courtyard; **~kurve** *f* inside bend; **~leben** *nt no pl* (*col*) a (*seelisch*) emotional life; b (*körperlich*) insides *pl*; c (*col: eines Geräts etc*) inner workings *pl*; **~leuchte** *f* (*Aut*) courtesy *or* interior light; **~minister** *m* minister of the interior; (*in GB*) Home Secretary; (*in den USA*) Secretary of the Interior; **~ministerium** *nt* ministry of the interior; (*in GB*) Home Office; (*in den USA*) Department of the Interior; **~politik** *f* domestic policy/policies *pl*; **i~politisch** *adj* domestic, home *attr*, *auf i~politischem Gebiet* in the field of home affairs; **~raum** *m* a inner room; b *no pl* room inside; (*von Wagen auch*) interior; (*von Stadion*) central area; *mit großem ~raum* with a lot of room inside; **~seite** *f* inside; **~spiegel** *m* (*Aut*) interior mirror; **~stadt** *f* town/city centre (*Brit*) *or* center (*US*); **~tasche** *f* inside pocket; **~temperatur** *f* (*in Gebäude*) indoor temperature; **~welt** *f* inner world.

inner-: **~betrieblich** *adj* in-house; *etw ~betrieblich regeln* to settle sth in-house; **~deutsch** *adj* (*before 1990*) intra-German; **~deutscher Handel** (*before 1990*) trade between the two Germanies.

Innereien *pl* innards *pl*.

innere(r, s) *adj* inner; (*im Körper befindlich, inländisch*) internal ▸ *Facharzt für ~ Krankheiten* internist; *eine ~ Uhr* (*col*) an internal *or* a biological clock; *vor meinem ~n Auge* in my mind's eye; *~ Führung* (*Mil*) moral leadership.

Innere(s) *nt decl as adj* a inside; (*von Wagen, Schloß auch*) interior; (*Mitte*) middle ▸ *das ~ nach außen kehren* to turn something inside out. b (*fig: Gemüt, Geist*) heart ▸ *ich wußte, was in seinem ~n vorging* I knew what was going on inside him.

innerhalb 1 *prep +gen* inside, within ▸ *~ dieser Regelung* within this ruling. 2 *adv* inside.

innerlich *adj* a (*körperlich*) internal ▸ *dieses Medikament ist ~ anzuwenden* this medicine is to be taken internally. b (*geistig, seelisch*) inward, inner *no adv*; *Mensch* inward; *Hemmung* inner ▸ *ein ~ gefestigter Mensch* a person of inner strength.

Innerlichkeit *f* (*liter*) inwardness.

inner-: **~örtlich** *adj* in built-up areas; **~parteilich** *adj* within the party; **~parteiliche Demokratie** democracy (with)in the party structure.

innerste(r, s) *adj superl of* **innere(r, s)** innermost.

Innerste(s) *nt decl as adj* (*lit, fig*) heart ▸ *bis ins ~ getroffen* hurt to the quick.

innewohnen *vi sep* +*dat* to be inherent in.
innig *adj Grüße, Beileid* heartfelt; *Vergnügen* deep; *Freundschaft* intimate ▶ *mein ~ster Wunsch* my dearest wish; *jdn ~ lieben* to love sb deeply.
Innigkeit *f* (*von Empfindung*) depth; (*von Liebe*) intensity; (*von Freundschaft*) intimacy.
Innovation *f* innovation.
innovativ *adj* innovative.
Innung *f* (trade) guild ▶ *du blamierst die ganze ~* (*hum col*) you're letting the whole side down.
in|offiziell *adj* unofficial.
Input ['ɪnpʊt] *m or nt* -**s** input.
Inquisition *f* Inquisition.
ins = **in das** ▶ *~ Rollen geraten* to start rolling.
Insasse *m* (*wk*) -**n**, -**n**, **Insassin** *f* (*eines Fahrzeuges*) passenger; (*einer Anstalt*) inmate.
Insassenversicherung *f* passenger insurance.
insbesondere *adv* particularly.
Inschrift *f* inscription.
Insekt *nt* -**en** insect.
Insekten-: **~bekämpfung** *f* insect control; **~bekämpfungsmittel, ~gift** *nt* insecticide; **~plage** *f* plague of insects; **~pulver** *nt* insect powder; **~schutzmittel** *nt* insect repellent; **~stich** *m* (*von Mücken, Flöhen*) insect bite; (*von Bienen, Wespen*) (insect) sting; **~vertilgungsmittel** *nt* insecticide.
Insel *f* -**n** (*lit, fig*) island.
Insel-: **~bewohner** *m* islander; **~gruppe** *f* archipelago, group of islands; **~staat** *m* island state; **~volk** *nt* island race; **~welt** *f* island world; *die ~welt Mittelamerikas* the world of the Central American islands.
Inserat *nt* advert (*Brit col*), ad (*col*), advertisement.
Inserent *m* advertiser.
inserieren* *vti* to advertise.
insgeheim *adv* secretly, in secret.
insgesamt *adv* (*alles zusammen*) altogether; (*im großen und ganzen*) all in all ▶ *die Kosten belaufen sich auf ~ 1.000 DM* the costs amount to a total of DM 1,000.
Insider ['ɪnsaɪdɐ] *m* - insider ▶ *der Witz war nur für ~ verständlich* that was an in-joke.
Insiderhandel *m* (*Fin*) insider trading *or* dealing.
Insignien [ɪn'zɪgniən] *pl* insignia *pl.*
insofern [1] *adv* in this respect ▶ *~ als* in so far as, inasmuch as.
[2] [ɪnzo'fɛrn] *conj* (*wenn*) if.
Insolvenz ['ɪnzɔlvɛnts] *f* (*Comm*) insolvency.
insoweit [ɪn'zo:vaɪt] *adv*, [ɪnzo'vaɪt] *conj siehe* **insofern.**
in spe [ɪn'spe:] *adj* (*col*) *unser Schwiegersohn ~* our son-in-law to be, our future son-in-law.
Inspekteur [ɪnspɛk'tø:ɐ] *m* (*Mil*) Chief of Staff.
Inspektion *f* inspection; (*Aut*) service ▶ *ich habe mein Auto zur ~ gebracht* I've taken my car in for a service.
Inspektionsreise *f* tour of inspection.
Inspektor(in *f*) [ɪn'spɛktɔr, -'to:rɪn] *m* inspector.
Inspiration [ɪnspira'tsio:n] *f* inspiration.
inspirieren* [ɪnspi'ri:rən] *vt* to inspire ▶ *sich von etw ~ lassen* to get one's inspiration from sth.
Inspizient(in *f*) [ɪnspi'tsiɛnt, -ɪn] *m* (*Theat*) stage manager.
inspizieren* [ɪnspi'tsi:rən] *vt* to inspect.
instabil ['ɪnstabi:l] *adj* unstable.
Installateur [ɪnstala'tø:ɐ] *m* plumber; (*Elektro~*) electrician; (*Gas~*) gas-fitter.
Installation [ɪnstala'tsio:n] *f* installation.
installieren* [ɪnsta'li:rən] *vt* to install (*auch fig, Comp*).
instand *adj etw ~ halten* to keep sth in good condition; *etw ~ setzen* to get sth into good order; (*funktionsfähig*) to get sth into working order; (*restaurieren*) to restore.

⚠ instandbesetzen* *vt sep* (*col*) *ein Haus ~* to squat in a house (and do it up).
Instandhaltung *f* maintenance.
inständig *adj* urgent ▶ *~ bitten* to beg; *~ hoffen* to hope fervently.
Instandsetzung *f* (*von Gerät*) overhaul; (*von Gebäude*) restoration.
Instanz [ɪn'stants] *f* [a] (*Behörde*) authority. [b] (*Jur*) court ▶ *Verhandlung in erster/zweiter ~* hearing in a lower/higher court; *er ging von einer ~ zur anderen* he went through all the courts.
Instinkt [ɪn'stɪŋkt] *m* -**e** (*lit, fig*) instinct.
instinktiv [ɪnstɪŋk'ti:f] *adj* instinctive.
instinktlos *adj* insensitive.
Institut [ɪnsti'tu:t] *nt* -**e** institute.
Institution [ɪnstitu'tsio:n] *f* institution.
institutionalisieren* [ɪnstitutsio-] *vt* to institutionalize.
instruieren* [ɪnstru'i:rən] *vt* to instruct; (*über Unternehmen, Plan etc*) to brief.
Instruktion [ɪnstrʊk'tsio:n] *f* instruction.
Instrument [ɪnstru'mɛnt] *nt* instrument.
instrumental [ɪnstrumɛn'ta:l] *adj* (*Mus*) instrumental.
Instrumental- *in cpds* instrumental.
Instrumentarium [ɪnstrumɛn'ta:riʊm] *nt* instruments *pl*; (*fig*) apparatus.
Instrumentenflug *m* instrument flight; (*das Fliegen auch*) flying on instruments.
Insulaner(in *f*) *m* - (*usu hum*) islander.
Insulin *nt no pl* insulin.
inszenieren* *vt* [a] (*Theat*) to direct; (*TV*) to produce. [b] (*fig*) to stage-manage ▶ *einen Streit ~* to start an argument.
Inszenierung *f* production.
intakt *adj* intact.
integer *adj* (*geh*) *ein integrer Mensch* a person of integrity.
Integral-: **~helm** *m* full-face helmet; **~rechnung** *f* integral calculus.
Integration *f* integration.
integrieren* *vt* to integrate (*auch Math*).
integriert *adj* integrated ▶ *~e Schaltung* integrated circuit; *~e Gesamtschule* comprehensive school (*Brit*).
Integrität *f* integrity.
Intellekt *m no pl* intellect.
intellektuell *adj* intellectual.
Intellektuelle(r) *mf decl as adj* intellectual.
intelligent *adj* intelligent.
Intelligenz *f* intelligence; (*Personengruppe*) intelligentsia *pl.*
Intelligenz-: **~bestie** *f* (*pej col*) egghead (*col*); **~leistung** *f* display of intelligence; **~quotient** *m* IQ; **~test** *m* intelligence test; *einen ~test mit jdm machen* to test sb's IQ.
Intendant *m* director; theatre manager (*Brit*), theater manager (*US*).
intendieren* *vt* (*geh*) to intend.
Intensität *f* intensity.
intensiv *adj Arbeit, Forschung* intensive; *Farbe, Gefühl* intense; *Geruch* powerful.
intensivieren* [-'vi:rən] *vt* to intensify.
Intensivierung *f* intensification.
Intensiv-: **~kurs** *m* intensive course; **~station** *f* intensive care unit; *auf der ~station* in intensive care.
Intention *f* (*geh*) intention.
Inter- *in cpds* inter; **i~aktiv** *adj* interactive; **~city-Expreß** *m* -**Expresse** high-speed inter-city (train) (*Brit*); **~city(-Zug)** *m* inter-city (train).
interessant *adj* interesting ▶ *zu diesem Preis ist das nicht ~ für uns* (*Comm*) we are not interested at that

price; *sich ~ machen* to attract attention.
interessanterweise *adv* interestingly enough.
▼ **Interesse** *nt* **-n** interest ▶ *~ an jdm/etw or für jdn/etw haben* to be interested in sb/sth; *aus ~* out of interest; *es liegt in Ihrem eigenen ~* it's in your own interest(s); *sein ~ gilt ...* his interest lies in ...; *das ist für uns nicht von ~* that's of no interest to us.
Interesse-: **i~halber** *adv* out of interest; **i~los** *adj* indifferent; **~losigkeit** *f* indifference.
Interessen-: **~gebiet** *nt* field of interest; **~gegensatz** *m* clash of interests; **~gemeinschaft** *f* interest group; **~gruppe** *f* pressure group; (*Lobby*) lobby; **~konflikt** *m* conflict of interests.
Interessent(in *f)* *m* interested party ▶ *es haben sich mehrere ~en gemeldet* several people have shown interest.
Interessenvertretung *f* representation of interests; (*Personen*) group representing one's interests.
▼ **interessieren*** 1 *vt* to interest (*für, an +dat* in) ▶ *das interessiert mich nicht!* I'm not interested.
2 *vr* to be interested (*für* in).
interessiert *adj* interested (*an +dat* in) ▶ *~ zuhören* to listen with interest; *vielseitig ~ sein* to have a wide range of interests; *politisch ~* interested in politics.
Interims- *in cpds* interim; **~regierung** *f* caretaker government.
Interjektion *f* interjection.
Inter-: **i~konfessionell** *adj* interdenominational; **~kontinentalrakete** *f* intercontinental (ballistic) missile.
Intermezzo [-'mɛtso] *nt* **-s** *or* **Intermezzi** (*Mus*) intermezzo; (*fig*) interlude.
intern *adj* internal ▶ *diese Maßnahmen müssen ~ bleiben* these measures must be kept private.
Internat *nt* boarding school.
international [ɪntɐnatsio'naːl] *adj* international ▶ *I~e Handelskammer* International Chamber of Commerce; *I~er Gerichtshof* International Court of Justice; *I~e Arbeitsorganisation* International Labour Organization; *I~er Währungsfonds* International Monetary Fund.
Internationale [ɪntɐnatsio'naːlə] *f* **-n** Internationale.
Internatsschüler *m* boarder.
Internet *nt* **-** *no pl* (*Comput*) internet ▶ *Anschluß ans ~ haben* to be connected to the internet; *im ~ surfen* to surf the internet.
Internet-Knoten *m* point of presence, POP.
internieren* *vt* to intern.
Internierte(r) *mf decl as adj* internee.
Internierung *f* internment.
Internierungslager *nt* internment camp.
Internist(in *f)* *m* internist.
Internspeicher *m* (*Comp*) (internal) memory.
Interpol *f* Interpol.
Interpret *m* (*wk*) **-en, -en** interpreter (*of music, art etc*) ▶ *Lieder verschiedener ~en* songs interpreted by various singers.
Interpretation *f* interpretation.
interpretieren* *vt* to interpret ▶ *etw falsch ~* to misinterpret sth.
Interpretin *f siehe* **Interpret**.
Interpunktion *f* punctuation.
interrogativ *adj* interrogative.
Interrogativ- *in cpds* interrogative.
Intershop ['ɪntɐʃɔp] *m* **-s** (*DDR*) international shop.
Intervall [-'val] *nt* **-e** interval.
intervenieren* [-ve'niːrən] *vi* to intervene.
Intervention [-vɛn'tsioːn] *f* intervention.
Interview ['ɪntɐvjuː] *nt* **-s** interview.
interviewen* [-'vjuːən] *vt* to interview (*jdn zu etw* sb about sth).

Interviewer(in *f)* [-'vjuːɐ, -vjuːərɪn] *m* - interviewer.
intim *adj* intimate ▶ *~e Beziehungen* (*euph: sexuell*) intimate relations; *ein ~er Kenner von etw sein* to have an intimate knowledge of sth.
Intim-: **~bereich** *m* (*Anat*) genital area; **~feind** *m* best enemy; **~hygiene** *f* personal hygiene.
Intimität *f* intimacy ▶ *zwischen den beiden kam es zu ~en* they became intimate with each other.
Intim-: **~sphäre** *f* private life; *jds ~sphäre verletzen* to invade sb's privacy; **~verkehr** *m* intimacy; **~verkehr mit jdm haben** to be intimate with sb.
intolerant *adj* intolerant (*jdm/einer Sache gegenüber* of sb/sth).
Intoleranz *f* intolerance.
Intonation *f* intonation.
intonieren* *vt* a *einen Satz falsch ~* to give a sentence the wrong intonation. b (*Mus*) *Melodie* to sing; (*Kapelle*) to play; *Ton* to give.
intransitiv *adj* intransitive.
Intrigant(in *f)* *m* schemer, intriguer.
Intrige *f* **-n** intrigue.
intrigieren* *vi* to intrigue, to scheme.
introvertiert [-vɛr'tiːɐt] *adj* introverted ▶ *~ sein* to be an introvert.
Intuition [ɪntui'tsioːn] *f* intuition.
intuitiv [ɪntui'tiːf] *adj* intuitive.
intus *adj* (*col*) *etw ~ haben* (*wissen*) to have got sth into one's head (*col*); *Essen, Alkohol* to have sth down one (*col*).
Invalide [ɪnva'liːdə] *m* (*wk*) **-n, -n** disabled person, invalid.
Invalidenrente *f* disability pension.
Invalidität [ɪnvalidi'tɛːt] *f* disability.
Invasion [ɪnva:'zioːn] *f* (*lit, fig*) invasion.
Inventar [ɪnvɛnta:ɐ] *nt* **-e** a (*Einrichtung*) fittings *pl*; (*Maschinen*) equipment *no pl*, plant *no pl*. b (*Verzeichnis*) inventory; (*Comm*) assets and liabilities *pl* ▶ *er gehört schon zum ~* (*hum*) he's part of the furniture.
Inventur [ɪnvɛn'tu:ɐ] *f* stocktaking ▶ *~ machen* to stocktake.
investieren* [ɪnvɛs'tiːrən] *vti* (*Comm, fig*) to invest ▶ *Gefühle in jdn ~* (*col*) to become emotionally involved with sb.
Investition [ɪnvɛst-] *f* investment.
Investitions-: **~anreiz** *m* investment incentive; **~güter** *pl* items of capital expenditure; **~zuschuß** *m* investment grant.
Investment [ɪn'vɛstmənt] *nt* **-s** investment.
inwendig *adj* inside ▶ *jdn/etw in- und auswendig kennen* (*col*) to know sb/sth inside out.
inwiefern, inwieweit *adv* to what extent ▶ *~?* in what way?
Inzest *m* **-e** incest *no pl*.
inzestuös *adj* incestuous.
Inzucht *f* inbreeding.
inzwischen *adv* in the meantime, meanwhile ▶ *er ist ~ 18 geworden* he's now 18.
IOK [i:|o:'ka:] *nt* = **Internationales Olympisches Komitee** IOC.
Ion [io:n] *nt* **-en** ion.
ionisch ['io:nɪʃ] *adj I~es Meer* Ionian Sea.
IQ = **Intelligenzquotient** IQ.
i.R. [i:'|ɛr] = **im Ruhestand** retd.
IRA [i:ɛr'|a:] *f* = **Irisch-Republikanische Armee** IRA.
Irak [i'ra:k, 'i:rak] *m* (*der*) *~* Iraq.
Iraker(in *f)* *m* - Iraqi.
irakisch *adj* Iraqi.
Iran *m* (*der*) *~* Iran.
Iraner(in *f)* *m* - Iranian.
iranisch *adj* Iranian.

---

irden *adj* earthenware, earthen.

irdisch *adj* earthly *no adv* ▶ *den Weg alles I~en gehen* to go the way of all flesh.

Ire *m* (*wk*) **-n, -n** Irishman; Irish boy ▶ *die ~n* the Irish; *er ist ~* he is Irish.

irgend ① *adv wenn ~ möglich* if it's at all possible; *was ich ~ kann* whatever I can; *wer (es) ~ kann* whoever can; *so lange ich ~ kann* as long as I possibly can; *wo es ~ geht* wherever possible.

② *mit indef pron ~ jemand* somebody; (*fragend, verneinend, bedingend*) anybody; *ich bin nicht ~ jemand* I'm not just anybody; *~ etwas* something; (*fragend, verneinend, bedingend*) anything; *was zieh' ich an? — ~ etwas* what shall I wear? — anything, any old thing (*col*); *~ so ein Tier* some animal.

irgend|ein *indef pron* some; (*fragend, verneinend, bedingend*) any ▶ *haben Sie noch ~en Wunsch?* is there anything else you would like?; *das kann ~ anderer machen* someone else can do it.

irgend|eine(r, s) *indef pron* (*nominal*) (*bei Personen*) somebody; (*bei Dingen*) something; (*fragend, verneinend, bedingend*) anybody/anything ▶ *welchen wollen Sie? — ~n* which one do you want? — any one, any old one (*col*).

irgend|einmal *adv* sometime; (*fragend, bedingend*) ever.

irgendwann *adv* sometime ▶ *~ einmal* some time; (*fragend, bedingend*) ever.

irgendwas *indef pron* (*col*) *siehe* **irgend 2.**

irgendwelche(r, s) *indef pron* some; (*fragend, verneinend, bedingend, jede beliebige*) any.

irgendwer *indef pron* (*col*) *siehe* **irgend 2.**

irgendwie *adv* somehow (or other) ▶ *ist es ~ möglich?* is it at all possible?

irgendwo *adv* somewhere; (*fragend, verneinend, bedingend*) anywhere.

irgendwoher *adv* from somewhere; (*fragend, verneinend, bedingend*) from anywhere.

irgendwohin *adv* somewhere; (*fragend, verneinend, bedingend*) anywhere.

Irin *f* Irishwoman; Irish girl ▶ *sie ist ~* she is Irish.

Iris *f* - iris.

irisch *adj* Irish ▶ *I~e See* Irish Sea.

IRK [iː|ɛrˈkaː] *nt* = **Internationales Rotes Kreuz** International Red Cross.

Irland *nt* Ireland; (*Republik ~*) Eire.

Irländer(in *f*) *m* - *siehe* **Ire, Irin.**

Ironie *f* irony.

ironisch *adj* ironic, ironical.

ironisieren* *vt* to treat ironically.

irrational [ˈɪratsionaːl] *adj* irrational.

irr(e) ① *adj* ⓐ (*geistesgestört*) crazy, insane ▶ *das macht mich ganz ~* it's driving me crazy; *wie ~* (*fig col*) like crazy (*col*). ⓑ *pred* (*verwirrt, unsicher*) confused. ⓒ (*col*) *Party, Hut* wild (*col*), crazy (*col*).

② *adv* (*verrückt*) insanely; (*col: sehr*) incredibly (*col*) ▶ *~ gut* (*col*) brilliant (*col*).

Irre *f*: *jdn in die ~ führen* (*lit, fig*) to lead sb astray.

irreal *adj* unreal.

irre-: i~führen *vt sep* to mislead; *sich i~führen lassen* to be misled; **i~führend** *adj* misleading; **~führung** *f* misleading.

irregulär *adj* irregular.

irrelevant [ˈɪrelevant] *adj* irrelevant (*für* for, to).

irremachen *vt sep* to confuse, to muddle.

irren ① *vi aux sein* (*umher~*) to wander.

② *vir* to be mistaken *or* wrong ▶ *I~ ist menschlich* (*Prov*) to err is human (*Prov*); *jeder kann sich mal ~* anyone can make a mistake; *wenn ich mich nicht sehr irre ...* unless I'm very much mistaken ...

Irren-: ~anstalt *f* (*dated*), **~haus** *nt* (*dated, pej*) lunatic asylum (*dated*); *hier geht es zu wie im ~haus* (*col*) this place is an absolute madhouse.

irreparabel *adj* irreparable.

Irre(r) *mf decl as adj* lunatic; (*col auch*) madman ▶ *ein armer ~r* (*hum col*) a poor fool.

Irr-: ~fahrt *f* wandering; **~garten** *m* maze; **~glaube(n)** *m* (*Rel, fig*) heresy; (*irrige Ansicht*) mistaken belief.

irrig *adj* incorrect, wrong.

irritieren* *vt* (*verwirren*) to confuse, to muddle; (*ärgern*) to irritate.

Irr-: ~lehre *f* heresy; **~licht** *nt* will-o'-the-wisp.

Irrsinn *m no pl* madness, insanity ▶ *so ein ~!* that's madness!

irrsinnig *adj* mad, crazy ▶ *wie ein I~er* like a madman; *ein ~er Verkehr* (*col*) an incredible amount of traffic; *~ komisch* incredibly funny.

Irrtum *m* mistake, error ▶ *ein ~ von ihm* a mistake on his part; *im ~ sein* to be wrong *or* mistaken; *~!* wrong!; *~ vorbehalten* errors excepted.

irrtümlich ① *adj attr* mistaken, erroneous.

② *adv* mistakenly; (*aus Versehen*) by mistake.

irrtümlicherweise *adv* mistakenly; (*aus Versehen*) by mistake.

Irrweg *m* (*fig*) *auf dem ~ sein* to be on the wrong track; *zu studieren erwies sich für ihn als ~* going to university proved to be a mistake for him.

ISBN [iː|ɛsbeːˈʔɛn] *f* = **Internationale Standard-Buchnummer** ISBN.

Ischias *m or nt no pl* sciatica.

Ischiasnerv *m* sciatic nerve.

Islam *m no pl* Islam.

islamisch *adj* Islamic.

Island *nt* Iceland.

Isländer(in *f*) *m* - Icelander.

isländisch *adj* Icelandic.

isländisch(e) *nt* Icelandic; *siehe* **Deutsch(e).**

Isobare *f* -n isobar.

Isolation *f* ⓐ isolation; (*von Häftlingen*) solitary confinement. ⓑ (*Elec, gegen Lärm, Kälte etc*) insulation.

Isolationismus *m* isolationism.

Isolations-: ~folter (*pej*), **~haft** *f* solitary confinement.

Isolator *m* insulator.

Isolierband *nt* insulating tape (*Brit*), friction tape (*US*).

isolieren* ① *vt* ⓐ to isolate ▶ *völlig isoliert leben* to live in complete isolation. ⓑ *elektrische Leitungen, Häuser, Fenster* to insulate.

② *vr* to isolate oneself (from the world).

Isolier-: ~haft *f* solitary confinement; **~kanne** *f* thermos ® flask; **~station** *f* isolation ward.

Isolierung *f* = **Isolation.**

isotonisch *adj* isotonic ▶ *~e Getränke* isotonic drinks.

Israel [ˈɪsraɛl] *nt* Israel.

Israeli *m* **-(s)** Israeli.

israelisch *adj* Israeli.

△ **iß** *imper sing of* **essen.**

ist 3. *pers sing pres of* **sein¹** is.

Istanbul *nt* Istanbul.

Ist-: ~-Bestand △ *m* (*Geld*) cash in hand; (*Waren*) actual stock; **~-Stärke** *f* (*Mil*) effective strength, **~-Wert** *m* actual value.

Italien [-iən] *nt* Italy.

Italiener(in *f*) [-ˈliːnɐ, -ərɪn] *m* - Italian.

italienisch [-ˈliːnɪʃ] *adj* Italian ▶ *die ~e Schweiz* Italian-speaking Switzerland.

Italienisch(e) [-ˈliːnɪʃ(ə)] *nt* Italian; *siehe* **Deutsch(e).**

i.V. = **in Vertretung** pp.

IWF [iːveːˈʔɛf] *m* = **Internationaler Währungsfonds** IMF.

J

J, j [jɔt] *nt* -, - J, j ▶ *J wie Julius* J for Jack, J for Jig (*US*).

ja *adv* [a] yes; (*bei Trauung*) I do ▶ *kommst du morgen?* — ~ are you coming tomorrow? — yes(, I am); *haben Sie das gesehen?* — ~ did you see it? — yes(, I did); *ich glaube* ~ (yes) I think so; ~ *und amen zu allem sagen* (*col*) to accept everything without question.
[b] (*fragend, zweifelnd*) ~? really?; *ich habe gekündigt* — ~? I've given my notice — have you?
[c] *aber* ~! yes, of course; *das ist also abgemacht*, ~? that's agreed then, OK?; *ach* ~! oh yes; *nun* ~ oh well; ~ *doch* yes, of course; *kann ich reinkommen?* — ~ *bitte* can I come in? — yes, do; *sei* ~ *vorsichtig!* do be careful; *vergessen Sie es ja* nicht! don't forget, whatever you do!; *sie ist* ~ *erst fünf* (after all) she's only five; *das ist* ~ *richtig, aber ...* that's (certainly) right, but ...; *das ist gut,* ~ *sogar sehr gut* it's good, in fact it's (even) very good; *da haben wir's* ~ there you are (then); *da kommt er* ~ here he comes; *das sag' ich* ~! that's just what I'm saying; *das wissen wir* ~ *alle* we all know that (anyway); *Sie wissen* ~, *daß ...* as you know ...; *Sie wissen* ~, *wie das so ist* you know how it is; *das ist* ~ *fürchterlich* that's (really) terrible.

Ja *nt* -(s) yes ▶ *mit* ~ *antworten/stimmen* to answer/ vote yes; *ein* ~ *zum Kind/Frieden* a positive attitude to children/a vote for peace.

Jacht *f* -en yacht.

Jachthafen *m* yacht harbour, marina.

Jacke *f* -n jacket, coat (*esp US*); (*Woll*~) cardigan ▶ *das ist* ~ *wie Hose* (*col*) it's six of one and half a dozen of the other (*col*).

Jacken-: ~**kleid** *nt* (*Kleid und Jacke*) two-piece; ~**tasche** ⚠ *f* jacket *or* coat (*esp US*) pocket.

Jacketkrone ['dʒɛkt-] *f* (*Zahnheilkunde*) jacket crown.

Jackett [ʒa'kɛt] *nt* -s jacket, coat (*esp US*).

Jade *m or f no pl* jade.

Jagd *f* -en hunt; (*Ausführung der* ~) hunting; (*fig: Verfolgung*) hunt (*nach* for), chase (*nach* after); (*Wettlauf*) race ▶ *die* ~ *auf Rotwild* deer-hunting; *auf die* ~ (*nach etw*) *gehen* (*lit, fig*) to go hunting (for sth); *auf jdn/etw* ~ *machen* (*lit, fig*) to hunt for sb/sth; *die* ~ *nach Geld* the pursuit of money.

Jagd-: *j*~**bar** *adj ... sind j*~*bar ...* may be hunted, ... are fair game; ~**beute** *f* bag; ~**bomber** *m* (*Mil*) fighter-bomber; ~**flieger** *m* (*Mil*) fighter pilot; ~**flugzeug** *nt* (*Mil*) fighter aircraft; ~**gebiet** *nt* hunting ground; ~**gesellschaft** *f* hunting party; ~**gewehr** *nt* hunting rifle; ~**horn** *nt* hunting horn; ~**hund** *m* hunting dog; ~**revier** *nt* shoot; ~**schein** *m* hunting licence (*Brit*) *or* license (*US*); *einen* ~*schein haben* (*hum col*) to be certified (*col*); ~**wild** *nt* game; ~**wurst** *f* smoked sausage; ~**zeit** *f* hunting season.

jagen [1] *vt* to hunt; (*hetzen*) to chase, to drive ▶ *jdn in die Flucht* ~ to put sb to flight; *ein Unglück jagte das andere* one misfortune followed on the other; *mit diesem Essen kannst du mich* ~ (*col*) I wouldn't eat this if you paid me.
[2] *vi* [a] (*auf die Jagd gehen*) to hunt, to go hunting. [b] *aux sein* (*rasen*) to race ▶ *nach etw* ~ to chase after sth.

Jäger *m* - [a] hunter, huntsman. [b] (*Mil: Flugzeug*) fighter.

Jägerei *f no pl* hunting.

Jägerin *f* huntress, huntswoman.

Jäger-: ~**latein** *nt* (*col*) hunters' tales *pl*; ~**schnitzel** *nt* (*Cook*) cutlet served with mushroom sauce; ~**zaun** *m* (rustic) lattice fence.

Jaguar *m* -e jaguar.

jäh *adj* (*geh*) [a] (*plötzlich*) sudden. [b] (*steil*) sheer ▶ *der Abhang fällt* ~ *herab* the slope falls sharply.

Jahr *nt* -e year ▶ *ein halbes* ~ six months *sing or pl*; *ein dreiviertel* ~ nine months *sing or pl*; *anderthalb* ~*e* one and a half years *sing*, eighteen months *sing or pl*; *zwei* ~*e Garantie* a two-year guarantee; *im* ~*(e) 1066* in (the year) 1066; *die sechziger* ~*e* the sixties *sing or pl*; *alle zehn* ~*e* every ten years; *auf* ~*e hinaus* for years ahead; *auf* ~ *und Tag* to the very day; *einmal im* ~*(e)* once a year; *das Buch des* ~*es* the book of the year; *nach* ~ *und Tag* after (many) years; *mit den* ~*en* as the years go by; *zwischen den* ~*en* (*col*) between Christmas and New Year; *er ist zehn* ~*e (alt)* he is ten years old; *mit dreißig* ~*en* at the age of thirty; *in die* ~*e kommen* (*col*) to be getting on (in years); *in den besten* ~*en sein* to be in the prime of one's life.

jahr|aus *adv*: ~, *jahrein* year in, year out.

Jahrbuch *nt* yearbook; (*Kalender*) almanac.

jahrelang [1] *adj attr* lasting for years ▶ ~*es Warten/*~*e Forschungen* years of waiting/research.
[2] *adv* for years ▶ *und dann dauerte es noch* ~, *bevor ...* and then it took years until ...

jähren *vr heute jährt sich der Tag, an dem ...* it's a year ago today that ...

Jahres- *in cpds* annual, yearly; ~**abonnement** *nt* annual subscription; ~**abschluß** ⚠ *m* (*Comm*) annual accounts *pl*; ~**beginn** *m* beginning of a/ the new year; ~**beitrag** *m* annual subscription; ~**bericht** *m* annual report; ~**bestzeit** *f* (*Sport*) best time of the year; ~**bilanz** *f* (*Comm*) annual balance sheet; ~**einkommen** *nt* annual income; ~**ende** *nt* end of the year; ~**frist** *f binnen/nach* ~*frist* within/after (a period of) one year; ~**gehalt** *nt* annual salary; ~**hauptversammlung** *f* (*Comm*) annual general meeting, AGM; ~**karte** *f* annual season ticket; ~**ring** *m* (*an Baum*) (annual) ring; ~**tag** *m* anniversary; ~**umsatz** *m* (*Comm*) yearly turnover; ~**urlaub** *m* annual holiday *or* leave; ~**wagen** *m* one-year-old car; ~**wechsel** *m*, ~**wende** *f* new year; ~**zahl** *f* date, year; ~**zeit** *f* season; ~**zinssatz** *m* annual percentage rate, APR.

Jahr-: ~**gang** *m* [a] (*Sch, Univ*) year; *er ist* ~*gang 1950* he was born in 1950; [b] (*einer Zeitschrift*) year's issues *pl*; [c] (*von Wein*) vintage, year; ~**hundert** *nt* -e century.

jahrhunderte-: ~**alt** *adj* centuries-old; ~**lang** [1] *adj* lasting for centuries; [2] *adv* for centuries.

Jahrhundert-: ~**feier** *f* centenary; (*Feierlichkeiten*) centenary celebrations; ~**wende** *f* turn of the century.

jährlich [1] *adj* annual, yearly.
[2] *adv* annually, yearly; (*Comm*) per annum ▶ *zweimal* ~ twice a year.

Jahrmarkt *m* fair, funfair (*Brit*).

Jahr-: ~**tausend** *nt* -e millennium, a thousand years; ~**tausende** thousands of years; ~**zehnt** *nt* -e decade;

---

j~zehntelang [1] *adj* lasting for decades; [2] *adv* for decades.

Jähzorn *m* violent temper.

jähzornig *adj* bad-tempered.

Jakarta [dʒa'ka:ta] *nt* Djakarta.

Jakob *m* ≃ James.

Jalousie [ʒalu'zi:] *f* venetian blind.

Jamaika *nt* Jamaica.

Jamaikaner(in *f)* *m* - Jamaican.

jamaikanisch *adj* Jamaican.

Jammer *m no pl* (*Elend*) misery, wretchedness; (*Klage*) wailing, lamentation ► *es wäre ein ~, wenn ...* (*col*) it would be a crying shame if ... (*col*).

Jammer-: **~bild** *nt* picture of misery; **~gestalt** *f* wretched figure; **~lappen** *m* (*pej col*) wet (*col*).

jämmerlich [1] *adj* wretched; *Zustand auch* deplorable. [2] *adv* (*col: sehr*) terribly (*col*).

jammern *vi* to wail (*über +acc* over); (*sich beklagen auch*) to moan.

jammer-: **~schade** *adj* *es ist ~schade* (*col*) it's a crying shame (*col*); **~voll** *adj* = **jämmerlich**.

Jan. = **Januar** Jan.

Januar *m* -e January; *siehe* **März**.

Japan *nt* Japan.

Japaner(in *f)* *m* - Japanese.

japanisch *adj* Japanese; *siehe* **deutsch**.

Japanisch(e) *nt* Japanese; *siehe* **Deutsch(e)**.

japsen *vi* (*col*) to pant.

Jargon [ʒar'gõ:] *m* -s jargon.

Jasager *m* - (*pej*) yes-man.

Jasmin *m* -e jasmine.

Jastimme *f* vote in favour (of); (*Parl auch*) aye (*Brit*), yea (*US*).

jäten *vti* to weed ► *Unkraut ~* to weed.

Jauche *f* -n liquid manure; (*pej col*) (*Getränk*) piss (*col!*); (*Abwasser*) sewage.

Jauchegrube *f* cesspool, cesspit.

jauchzen *vi* (*geh*) to rejoice (*liter*); (*Publikum*) to cheer.

Jauchzer *m* - jubilant cheer *or* shout.

jaulen *vi* (*lit, fig*) to howl.

Jause *f* -n (*Aus*) break (for a snack); (*Proviant*) snack.

Java ['ja:va] *nt* Java.

jawohl, jawoll (*hum col*) *adv* yes; (*Mil*) yes, sir; (*Naut*) aye, aye, sir.

Jawort *nt* *jdm das ~ geben* to consent to marry sb; (*bei Trauung*) to say "I do".

Jazz [dʒæz, jats] *m no pl* jazz.

Jazzkeller *m* jazz club.

je [1] *adv* [a] (*jemals*) ever. [b] (*jeweils*) every, each ► *für ~ drei Stück zahlst du eine Mark* you pay one mark for (every) three; *~ zwei Schüler aus jeder Klasse* two children from each class; *sie zahlten ~ eine Mark* they paid one mark each.
[2] *prep +acc* (*pro*) per ► *~ Person zwei Stück* two per person.
[3] *conj* [a] *~ eher, desto* or *um so besser* the sooner the better; *~ länger, ~ lieber* the longer the better. [b] *~ nach* depending on; *~ nachdem* it all depends; *~ nachdem, wie/ob ...* depending on how/whether ...

Jeans [dʒi:nz] *pl* jeans.

Jeans- *in cpds* denim; **~anzug** *m* denim suit; **~hose** *f* pair of jeans; **~stoff** *m* denim.

jedenfalls *adv* anyhow, in any case; (*zumindest*) at least, at any rate ► *er ist nicht reif zum Studieren, ~ jetzt noch nicht* he's not mature enough to go to university, at least not yet.

jede(r, s) *indef pron* [a] (*adjektivisch*) (*einzeln*) each; (*von zweien auch*) either; (*~r von allen*) every; (*~r beliebige*) any ► *ohne ~ Anstrengung* without any effort; *es kann ~n Augenblick passieren* it might happen

any minute; *fern von ~r Kultur* far from all civilization. [b] (*substantivisch*) (*einzeln*) each (one); (*~ Person*) everyone, everybody; (*~ beliebige Person*) anyone, anybody ► *~r von uns* each (one)/every one/any one of us; *~r zweite* every other one; *~r für sich* everyone for himself; *das kann nicht ~r* not everyone can do that; *er spricht nicht mit ~m* he doesn't speak to just anybody.

jedermann *indef pron* everyone, everybody; (*jeder beliebige auch*) anyone, anybody ► *das ist nicht ~s Sache* it's not everyone's cup of tea (*col*).

jederzeit *adv* at any time ► *du kannst ~ kommen* you can come any time (you like).

jedesmal *adv* every *or* each time ► *~, wenn sie ...* every time she ..., whenever she ...

jedoch *conj, adv* however ► *er verlor ~ die Nerven* he lost his nerve however.

Jeep ® [dʒi:p] *m* -s jeep ®.

jegliche(r, s) *indef pron* (*adjektivisch*) any.

jeher ['je:he:ɐ] *adv:* *von* or *seit ~* always; *das ist schon seit ~ so* it has always been like that.

jein *adv* (*hum*) yes and no.

jemals *adv* ever.

jemand *indef pron* somebody, someone; (*bei Fragen, bedingenden Sätzen auch, Negation*) anybody, anyone ► *ist da ~?* is anybody *or* somebody there?; *ohne ~en zu fragen* without asking anyone; *~ anderes/Neues* somebody else/new.

Jemen *m (der) ~* (the) Yemen.

Jemenit(in *f)* *m* Yemeni.

jemenitisch *adj* Yemeni.

Jenaer Glas ® ['je:naɐ-] *nt* Pyrex ®, heatproof glass.

jene(r, s) *dem pron* (*geh*) [a] (*adjektivisch*) that; *pl* those; (*der Vorherige, die Vorherigen*) the former ► *in ~r Zeit* at that time. [b] (*substantivisch*) that one; *pl* those (ones); (*der Vorherige, die Vorherigen*) the former; *siehe* **diese(r, s)**.

jenseitig *adj attr* *Ufer* opposite ► *das ~e Leben* the life after death.

jenseits [1] *prep +gen* on the other side of ► *2km ~ der Grenze* 2 kms beyond the border.
[2] *adv* *~ von* on the other side of; *~ von Gut und Böse* beyond good and evil; (*hum col*) past it (*col*).

Jenseits *nt no pl* hereafter ► *jdn ins ~ befördern* (*col*) to send sb to kingdom come (*col*).

Jerusalem *nt* Jerusalem.

Jesuit *m* (*wk*) **-en, -en** Jesuit.

Jesus *m gen* **Jesu** Jesus ► *~ Christus* Jesus Christ.

Jet [dʒɛt] *m* -s (*col*) jet.

Jeton [ʒə'tõ:] *m* -s chip.

jetten ['dʒɛtn] *vi aux sein* (*col*) to fly, to jet (*col*).

jetzig *adj attr* present *attr*, current ► *in der ~en Zeit* in our time.

jetzt *adv* now; (*heutzutage auch*) nowadays ► *bis ~* so far; *ich bin ~ (schon) fünf Tage hier* I have been here five days now; *~ gleich* right now; *~ schon?* already?

jeweilig *adj attr* respective; (*vorherrschend*) *Verhältnisse* prevailing ► *die ~e Regierung* the government of the day.

jeweils *adv* at any one time; (*jedesmal*) each time; (*jeder einzelne*) each ► *~ zwei zusammen* two at a time; *~ am Monatsletzten* on the last day of each month; *die ~ größten aus einer Gruppe* the biggest from each group.

Jg. = **Jahrgang**.

Jh. = **Jahrhundert** c.

jiddisch *adj* Yiddish.

Job [dʒɔp] *m* -s (*col, Comp*) job.

jobben ['dʒɔbn] *vi* (*col*) to take a job; (*mehrere Arbeiten*) to do odd jobs.

Joch *nt* -e (*lit, fig*) yoke.

Jochbein *nt* cheekbone.

Jockei ['jɔke], **Jockey** ['dʒɔki] *m* -**s** jockey.
Jod *nt no pl* iodine.
jodeln *vti* to yodel.
Jodler(in *f)* *m* - yodeller (*Brit*), yodeler (*US*).
Joga *m or nt no pl* yoga.
joggen ['dʒɔgn] *vi* to jog.
Jogger(in *f)* ['dʒɔgɐ, -ərɪn] *m* - jogger.
Jogging ['dʒɔgɪŋ] *nt no pl* jogging.
Jogging- *in cpds* jogging; **~anzug** *m* tracksuit.
⚠ **Joghurt** *m or nt* -**(s)** yog(h)urt.
Johann, Johannes *m* ≈ John.
Johannis-: **~beere** *f* *rote/schwarze* *~beere* redcurrant/ blackcurrant; **~brot** *nt* carob; **~nacht** *f* Midsummer's Eve.
johlen *vi* to howl.
Joint [dʒɔɪnt] *m* -**s** (*col*) joint (*col*).
Jojo *nt* -**s** yo-yo.
Joker ['joːkɐ, 'dʒoːkɐ] *m* - (*Cards*) joker.
Jolle *f* -**n** (*Naut*) jolly-boat, dinghy.
Jongleur [ʒõ'gløːɐ] *m* juggler.
jonglieren* [ʒõ'gliːrən] *vi* (*lit, fig*) to juggle.
Jordanien [-iən] *nt* Jordan.
Jordanier(in *f)* [-iɐ, -iərɪn] *m* - Jordanian.
jordanisch *adj* Jordanian.
Jota *nt* -**s** iota ▸ *kein ~* not a jot *or* one iota.
Joule [dʒuːl] *nt* - joule.
Journal [ʒʊr'naːl] *nt* -**e** journal; (*dated: Zeitschrift*) magazine.
Journalismus [ʒʊrna'lɪsmʊs] *m no pl* journalism.
Journalist(in *f)* [ʒʊrna'lɪst, -ɪstɪn] *m* journalist.
journalistisch [ʒʊrna'lɪstɪʃ] *adj* journalistic.
jovial [jo'viaːl] *adj* jovial.
jr. = **junior** jr., jr.
Jubel *m no pl* jubilation; (*~rufe auch*) cheering ▸ *~, Trubel, Heiterkeit* laughter and merriment.
Jubeljahr *nt* *alle ~e (einmal)* (*col*) once in a blue moon (*col*).
jubeln *vi* to cheer ▸ *vor Freude ~* to shout with joy.
Jubel-: **~paar** *nt* couple celebrating a special anniversary; **~ruf** *m* (triumphant) cheer.
Jubilar(in *f)* *m* person celebrating an anniversary.
Jubiläum *nt*, *pl* **Jubiläen** jubilee; (*Jahrestag*) anniversary.
Jubiläums- *in cpds* jubilee.
juchhe *interj* hurrah, whoopee.
juchzen *vi* to shriek with delight.
jucken ☐ *vti* to itch ▸ *der Rücken juckt mir* my back itches; *der Stoff juckt mich* this material makes me itch; *es juckt mich, das zu tun* (*col*) I'm itching to do it (*col*); *das juckt mich doch nicht* (*col*) I don't care; *ihm juckt das Fell* (*col*) he's asking for a good hiding. ☒ *vt* (*kratzen*) to scratch.
Juck-: **~pulver** *nt* itching powder; **~reiz** *m* itching.
Judas *m* -, -**se** (*fig liter*) Judas.
Judaslohn *m* (*liter*) blood money.
Jude *m* (*wk*) -**n**, -**n** Jew ▸ *er ist ~* he is a Jew, he is Jewish.
Juden-: **j~feindlich** *adj* anti-Semitic; **~stern** *m* star of David; **~tum** *nt* (*Gesamtheit der ~*) Jews *pl*, Jewry *no art*; (*jüdisches Wesen*) Jewishness; **~verfolgung** *f* persecution of the Jews.
Jüdin *f* Jew, Jewish woman.
jüdisch *adj* Jewish.
Judo *nt no pl* judo.
Jugend *f no pl* ☐ (*~zeit*) youth ▸ *frühe ~* early youth, adolescence; *von ~ an or auf* from one's youth. ☒ (*junge Menschen*) youth, young people *pl* ▸ *die heutige ~* the youth of today.
Jugend-: **~alter** *nt* adolescence; **~amt** *nt* youth welfare department; **~arbeit** *f no pl* (*~fürsorge*) youth work;

~arbeitslosigkeit *f* youth unemployment; **~arrest** *m* (*Jur*) youth custody *(up to four weeks);* **~bild** *nt* portrait (of sb) as a young man/woman; **~bilder Churchills** pictures of the young Churchill; **~buch** *nt* book for the younger reader; **~erinnerung** *f* youthful memory; **j~frei** *adj* suitable for young people; *Film* U(-certificate), G (*US*); **~freund** *m* friend of one's youth; **~fürsorge** *f* youth welfare; **j~gefährdend** *adj* liable to corrupt the young; **~gericht** *nt* juvenile court; **~gruppe** *f* youth group; **~herberge** *f* youth hostel; **~hilfe** *f* (*Admin*) = **~fürsorge**; **~jahre** *pl* days of one's youth *pl*; **~klub** *m* youth club; **~kriminalität** *f* juvenile crime *or* delinquency.
jugendlich *adj* (*jung*) young; (*jung wirkend*) youthful ▸ *er kleidet sich immer sehr ~* he always wears very youthful clothes; *~e Banden* gangs of youths; *ein ~er Täter* a young offender.
Jugendliche(r) *mf decl as adj* young person; (*männlicher ~ auch*) youth.
Jugendlichkeit *f* youthfulness.
Jugend-: **~liebe** *f* (*Geliebter*) love of one's youth; **~literatur** *f* literature for younger readers; **~mannschaft** *f* youth team; **~organisation** *f* youth organization; **~pflege** *f* youth welfare; **~pfleger** *m* youth (welfare) worker; **~recht** *nt* law relating to young persons; **~richter** *m* (*Jur*) magistrate *in a juvenile court;* **~schutz** *m* protection of children and young people; **~stil** *m* (*Art*) Art Nouveau; **~strafanstalt** *f* (*form*) youth custody centre; **~strafe** *f* youth custody; **~sünde** *f* youthful misdeed; **~traum** *m* youthful dream; **~verband** *m* youth organization; **~verbot** *nt* *für einen Film ~verbot aussprechen* to ban a film for young people; **~zeit** *f* younger days *pl*; **~zentrum** *nt* youth centre (*Brit*) *or* center (*US*).
Jugoslawe *m* (*wk*) -**n**, -**n**, **Jugoslawin** *f* (*Hist*) Yugoslav.
Jugoslawien [-iən] *nt* (*Hist*) Yugoslavia.
jugoslawisch *adj* (*Hist*) Yugoslav(ian).
Jul. = **Juli** Jul.
Juli *m* -**s** July; *siehe* **März**.
Jun. = **Juni** Jun.
jun. = **junior** jun.
jung *adj*, *comp* ⁻**er**, *superl* ⁻**ste(r, s)** *or* (*adv*) **am** ⁻**sten** (*lit, fig*) young ▸ *~ und alt* (both) young and old; *von ~ auf* from one's youth; *sie ist 18 Jahre ~* (*hum*) she's 18 years young (*hum*); *~ heiraten/sterben* to marry/die young.
Junge *m* (*wk*) -**n**, -**n** *or* (*col*) **Jungs** boy; (*Cards col*) jack, knave ▸ *~, ~!* (*col*) boy oh boy (*col*); *alter ~* (*col*) my old pal (*col*); *unsere Jungs haben gewonnen* our lads won.
Jungen-: **j~haft** *adj* boyish; *sie ist ein j~haftes Mädchen* she's a bit of a tomboy; **~schule** *f* boys' school; **~streich** *m* boyish prank.
jünger *adj* ☐ *comp of* **jung** younger ▸ *sie ist eine ~e Frau* she's a fairly young woman; *Holbein der J~e* the younger Holbein. ☒ *Geschichte etc* recent.
Jünger *m* - (*Bibl, fig*) disciple.
Jüngerin *f* (female) disciple.
Junge(s) *nt decl as adj* (*Zool*) young one; (*von Hund*) pup(py); (*von Katze*) kitten; (*von Wolf, Löwe, Bär*) cub; (*von Vogel*) young bird ▸ *die ~n* the young.
Jungfer *f* -**n** (*old, hum: ledige Frau*) spinster ▸ *eine alte ~* an old maid.
Jungfern-: **~fahrt** *f* maiden voyage; **~flug** *m* maiden flight; **~häutchen** *nt* (*Anat*) hymen, maidenhead; **~inseln** *pl* *die ~inseln* the Virgin Islands *pl*; **~rede** *f* (*Parl*) maiden speech.
Jungfrau *f* virgin; (*Astrol*) Virgo *no art* ▸ *ich bin ~* I am a virgin; (*Astrol*) I am a) Virgo; *die ~ Maria* the Virgin

Mary; *dazu bin ich gekommen wie die* ~ *zum Kind(e)* it just fell into my hands.

jungfräulich *adj* virgin; (*liter*) *Seele* pure.

Jungfräulichkeit *f siehe adj* virginity; purity.

Junggeselle *m* bachelor.

Junggesellen-: **~bude** *f* (*col*) bachelor pad (*col*); **~wohnung** *f* bachelor flat (*Brit*) *or* apartment (*US*); **~zeit** *f* bachelor days *pl.*

Junggesellin *f* single woman.

Junglehrer *m* student teacher.

Jüngling *m* (*liter, hum*) youth.

Jungsozialist *m* (*BRD Pol*) Young Socialist.

jüngst *adv* (*geh*) recently, lately.

jüngste(r, s) *adj* ⓐ *superl of* **jung** youngest. ⓑ *Werk, Ereignis* latest, (most) recent; *Zeit, Vergangenheit* recent ▶ *in der ~n Zeit* recently; *das J~ Gericht* the Last Judgement; *der J~ Tag* Doomsday, the Day of Judgement; *sie ist auch nicht mehr die J~* she's no chicken (*col*).

Jung-: **~verheiratete(r)** *mf decl as adj* newly-wed; **~wähler** *m* young voter.

Juni *m* **-s** June; *siehe* **März.**

junior *adj Franz Schulz* ~ Franz Schulz, Junior.

Junior *m* ⓐ (*usu hum: Sohn*) junior. ⓑ (*Comm: auch* **~chef**) son of the chairman/boss. ⓒ *usu pl* (*Sport*) junior.

Juniorin *f* = **Junior (c).**

Junta ['xʊnta, 'jʊnta] *f, pl* **Junten** (*Pol*) junta.

Jupiter *m* Jupiter.

Jura *no art* (*Univ*) law; (*science*) jurisprudence.

Jurastudium *nt* study of law.

Jurist(in *f*) *m* lawyer; (*Student*) law student.

Juristen-: **~deutsch** *nt,* **~sprache** *f no pl* legalese (*pej*), legal jargon.

juristisch *adj* legal ▶ *die J~e Fakultät* the Faculty of Law; *eine ~e Person* a legal entity.

Juror(in *f*) ['juːrɔr, -'roːrɪn] *m* juror; (*bei Wettbewerb*) judge.

Jury [ʒy'riː, 'ʒyːriː] *f* **-s** jury *sing or pl*; (*bei Wettbewerb auch*) judges *pl.*

Juso *m* **-s** (*BRD Pol*) = **Jungsozialist.**

just *adv* (*old, hum*) precisely, just.

justieren* *vt Waage* to adjust; (*Typ, Comp*) to justify.

Justiz [jʊs'tiːts] *f no pl* (*als Prinzip*) justice; (*als Institution*) judiciary; (*die Gerichte*) courts *pl.*

Justiz-: **~beamte(r)** *m* judicial officer; **~irrtum** *m* miscarriage of justice; **~minister** *m* minister of justice, ≃ Attorney General (*US*), ≃ Lord (High) Chancellor (*Brit*); **~ministerium** *nt* ministry of justice, ≃ Department of Justice (*US*); **~mord** *m* judicial murder; **~vollzugsanstalt** *f* (*form*) place of detention.

Jute *f no pl* jute.

Juwel [ju'veːl] *nt* **-en** *or* (*fig*) **-e** jewel, gem.

Juwelier *m* **-e** jeweller (*Brit*), jeweler (*US*).

Juwelier-: **~geschäft** *nt,* **~laden** *m* jeweller's (shop), jewelry store (*US*).

Jux *m* **-e** (*col*) *etw aus* ~ *tun/sagen* to do/say sth in fun; *sich* (*dat*) *einen* ~ *aus etw machen* to make a joke (out) of sth.

juxen *vi* (*col*) to joke.

jwd [jɔtweː'deː] *adv* (*hum*) in the back of beyond.

K

K, k [ka:] *nt* -, - K, k ▶ *K wie Kaufmann* ≃ K for King.
Kabarett *nt* -e *or* -s cabaret ▶ *ein politisches* ~ a satirical political revue.
Kabarettist(in *f*) *m* cabaret artist.
kabarettistisch *adj Darbietung* cabaret; *Stil* revue *attr.*
Kabbelei *f*(*col*) bickering, squabbling.
kabbeln *vir*(*col*) to bicker, to squabble.
Kabel *nt* - cable; (*Draht*) wire; (*Telefon*~) flex, cord.
Kabel-: ~**anschluß** △ *m* (*TV*) cable connection; ~**anschluß haben** to have cable TV; ~**fernsehen** *nt* cable television.
Kabeljau *m* -e *or* -s cod.
kabeln *vti* to cable.
Kabine *f* cabin; (*Umkleide*~, *Dusch*~) cubicle; (*Telec*) booth; (*Seilbahn*~) car.
Kabinett[1] *nt* -e (*Pol*) cabinet.
Kabinett[2] *m* -e *high quality German white wine.*
Kabinetts-: ~**beschluß** △ *m* cabinet decision; ~**mitglied** *nt* cabinet member; ~**sitzung** *f* cabinet meeting; ~**umbildung** *f* cabinet reshuffle.
Kabinettstück *nt* (*old: einer Sammlung*) pièce de résistance; (*fig*) masterstroke.
Kabrio *nt* -s (*col*), **Kabriolett** [kabrio'lɛt, (*Aus, S Ger*) kabrio'le:] *nt* -s (*Aut*) convertible.
Kachel *f* -n (glazed) tile.
kacheln *vt* to tile.
Kachel|ofen *m* tiled stove.
Kacke *f no pl* (*col!*) crap (*col!*).
kacken *vi* (*col!*) to crap (*col!*).
Kadaver [ka'da:vɐ] *m* - carcass.
Kadavergehorsam *m* (*pej*) blind obedience.
Kadenz *f* cadence; (*Improvisation*) cadenza.
Kader *m* - (*Mil, Pol*) cadre; (*Sport*) squad; (*DDR, Sw: Fachleute*) group of specialists.
Kaderschmiede *f no pl* (*pej*) élite school.
Kadett *m* (*wk*) -en, -en (*Mil*) cadet.
Kadettenanstalt *f* cadet school.
Kadi *m* -s (*col*) beak (*col*) ▶ *jdn vor den ~ schleppen* to take sb to court.
Kadmium *nt* cadmium.
Käfer *m* - (*auch col: VW*) beetle.
Kaff *nt* -s *or* -e (*col*) dump (*col*), hole (*col*).
Kaffee [*or* ka'fe:] *m* -s [a] coffee ▶ *zwei ~, bitte!* two coffees please; *~ mit Milch* white coffee (*Brit*), coffee with milk; *~ kochen* to make coffee; *das ist kalter ~* (*col*) that's old hat (*col*). [b] *no pl* (*Nachmittags*~) afternoon coffee ▶ *~ und Kuchen* (afternoon) coffee and cakes.
Kaffee-: ~**bohne** *f* coffee bean; **~-Extrakt** △ *m* coffee essence; ~**fahrt** *f* day trip; (*Verkaufsfahrt*) promotional trip; ~**filter** *m* coffee filter; (*col: Filterpapier*) filter (paper); ~**geschirr** *nt* coffee set; ~**haus** *nt* coffee house, café; ~**kanne** *f* coffeepot; ~**klatsch** (*col*) *m no pl,* ~**kränzchen** *nt* coffee circle, coffee klatsch (*US*); ~**löffel** *m* coffee spoon; ~**maschine** *f* coffee maker; ~**mühle** *f* coffee grinder; ~**pause** *f* coffee break; ~**satz** *m* coffee grounds *pl; aus dem ~satz lesen* to tell fortunes from the coffee grounds; ~**service** *nt* coffee set; ~**strauch** *m* coffee tree; ~**tante** *f* (*hum*) coffee addict; (*in Café*) old biddy; ~**tasse** *f* coffee cup; ~**tisch** *m*

(*Frühstückstisch*) breakfast table; (*nachmittags*) (afternoon) tea table; ~**wärmer** *m* - cosy (for coffee pot).
Käfig *m* -e cage.
Kaftan *m* -e caftan.
kahl *adj Mensch, Kopf* bald; (~*geschoren*) shaven, shorn; *Wand, Raum, Baum* bare; *Landschaft* barren ▶ *eine ~e Stelle* a bald patch; *~ werden* (*Mensch*) to go bald; (*Baum*) to lose its leaves.
Kahl-: **k~fressen** △ *vt sep irreg* to strip bare; **k~geschoren** △ *adj Kopf* shaven; ~**heit** *f siehe adj* baldness; bareness; barrenness; ~**kopf** *m* bald head; (*Mensch*) bald person; **k~köpfig** *adj* bald(-headed); ~**schlag** *m* (*Forest*) clearing.
Kahn *m* -̈e [a] (small) boat ▶ *~ fahren* to go for a row. [b] (*Lastschiff*) barge ▶ *ein alter ~* (*col*) an old tub (*col*).
Kahnfahrt *f* row.
Kai *m* -e *or* -s quay; (*Uferdamm auch*) waterfront.
Kai|anlage *f* quayside.
Kaimauer *f* quay wall.
Kairo *nt* Cairo.
Kaiser *m* - emperor ▶ *sich um des ~s Bart streiten* (*fig*) to split hairs.
Kaiserin *f* empress.
kaiserlich *adj* imperial.
Kaiser-: ~**reich** *nt* empire; ~**schmarr(e)n** *m* - (*Cook*) *sugared, cut-up pancake with raisins;* ~**schnitt** *m* Caesarean *or* Cesarean (*US*) (section).
Kajak *m or nt* -s kayak.
Kajüte *f* -n cabin; (*größer auch*) stateroom.
Kakadu *m* -s cockatoo.
Kakao [*auch* ka'kau] *m* -s cocoa ▶ *jdn/etw durch den ~ ziehen* (*col*) (*veralbern*) to make fun of sb/sth; (*boshaft reden*) to run sb/sth down.
Kakerlak *m* -en cockroach.
Kaktee *f* -n [-e:ən], **Kaktus** *m* -, **Kakteen** [-e:ən] *or* (*col*) -se cactus.
Kalauer *m* - corny joke; (*Wortspiel*) corny pun.
kalauern *vi* (*col*) to joke; to pun.
Kalb *nt* -̈er calf; (*von Rehwild auch*) fawn.
kalben *vi* (*Kuh*) to calve.
Kalbfleisch *nt* veal.
Kalbs-: ~**braten** *m* roast veal; ~**hachse**, ~**haxe** *f* (*Cook*) knuckle of veal; ~**leber** *f* calves' liver; ~**leder** *nt* calfskin; ~**schnitzel** *nt* veal cutlet.
Kaleidoskop *nt* -e kaleidoscope.
Kalender *m* - calendar; (*Taschen*~) diary.
Kalender-: ~**blatt** *nt* page of a/the calendar; ~**jahr** *nt* calendar year; ~**monat** *m* calendar month; ~**spruch** *m* calendar motto.
Kali *nt* -s potash.
Kaliber *nt* - (*lit, fig*) calibre (*Brit*), caliber (*US*).
Kalifornien [-iən] *nt* -s California.
Kalifornier(in *f*) *m* Californian.
kalifornisch *adj* Californian.
Kalium *nt no pl* potassium.
Kalk *m* -e lime; (*zum Tünchen*) whitewash; (*Anat*) calcium ▶ *gebrannter/gelöschter ~* quicklime/slaked lime; *bei ihm rieselt schon der ~* (*col*) he's going a bit gaga (*col*).
kalken *vt* (*tünchen*) to whitewash; (*Agr*) to lime.

Kalk-: **~grube** *f* lime pit; **k~haltig** *adj Boden* chalky; *Wasser* hard; **~mangel** *m* (*Med*) calcium deficiency; (*von Boden*) lime deficiency; **~ofen** *m* lime kiln; **~stein** *m* limestone.

Kalkül *m or nt* **-e** (*geh*) calculation *usu pl.*

Kalkulation *f* calculation; (*Kostenrechnung*) costing.

kalkulieren* *vt* to calculate ▸ *ein kalkuliertes Risiko eingehen* to take a calculated risk.

Kalkutta *nt* Calcutta.

Kalorie *f* calorie.

Kalorien- [-iən]: **k~arm** *adj* low-calorie; **k~bewußt** *adj* calorie-conscious; **~bombe** *f* (*col*) mass of calories; **~gehalt** *m* calorie content; **k~reich** *adj* high-calorie; **k~reduziert** *adj* (*Kost, Mahlzeit*) reduced calorie; **k~reduzierte Kost** reduced calorie food.

kalt *adj comp* **⁻er**, *superl* **⁻este(r, s)** *or* (*adv*) *am* **⁻esten** cold ▸ *mir ist/wird* ~ I am/I'm getting cold; *im K~en* in the cold; *~e Platte* cold meal; *abends essen wir* ~ we have a cold meal in the evening; *etw* ~ *stellen* to put sth to chill; *die Wohnung kostet* ~ *480 DM* the flat costs 480 marks without heating; *jdm die ~e Schulter zeigen* to give sb the cold shoulder, to cold-shoulder sb; *da kann ich nur* ~ *lächeln* (*col*) that makes me laugh; *es überlief ihn* ~ cold shivers ran through him; *der ~e Krieg* the Cold War; *ein ~er Staatsstreich* a bloodless coup.

Kalt-: **k~bleiben** ⚠ *vi sep irreg aux sein* (*fig*) to remain unmoved; **~blüter** *m* - (*Zool*) cold-blooded animal; **k~blütig** *adj* (*Zool, fig*) cold-blooded; (*gelassen*) cool; **~blütigkeit** *f siehe adj* cold-bloodedness; cool(ness).

Kälte *f no pl* coldness; (*Wetter*) cold; (*~periode*) cold spell ▸ *5 Grad* ~ 5 degrees below freezing; *vor* ~ *zittern* to shiver with cold; *bei dieser* ~ in this cold.

Kälte-: **k~beständig** *adj* cold-resistant; **~einbruch** *m* cold spell; **k~empfindlich** *adj* sensitive to cold; **~grad** *m* degree of frost; **~technik** *f* refrigeration technology; **~welle** *f* cold spell.

Kalt-: **k~herzig** *adj* cold-hearted; **k~lächelnd** ⚠ *adv* (*iro*) cool as you please; **k~lassen** ⚠ *vt sep irreg* (*fig*) *jdn k~lassen* to leave sb cold; **~luft** *f* (*Met*) cold air; **k~machen** *vt sep* (*col*) to do in (*col*); **~miete** *f* rent exclusive of heating; **~schale** *f* (*Cook*) cold sweet soup; **k~schnäuzig** *adj* (*col*) (*gefühllos*) cold, callous; (*unverschämt*) insolent; **k~stellen** *vt sep* (*col*) *jdn* to put out of harm's way (*col*).

Kalzium *nt no pl* calcium.

kam *pret of* **kommen**.

Kambodscha *nt* Cambodia.

Kambodschaner(in *f)* *m* Cambodian.

kambodschanisch *adj* Cambodian.

Kamel *nt* **-e** **ⓐ** camel. **ⓑ** (*col*) clot (*col*) ▸ *ich* ~*!* silly me!

Kamelhaar *nt* (*Tex*) camel hair.

Kamelie [-iə] *f* camellia.

Kameltreiber *m* camel driver; (*pej: Orientale*) wog (*pej*).

Kamera *f* **-s** camera.

Kamerad(in *f)* *m* (*wk*) **-en**, **-en** (*Mil etc*) comrade; (*Freund*) friend.

Kameradschaft *f* comradeship, camaraderie.

kameradschaftlich *adj* comradely.

Kamera-: **~einstellung** *f* take; **~frau** *f* camerawoman; **~führung** *f* camera work; **~mann** *m, pl* **~männer** cameraman; **~team** *nt* film crew.

Kamerun *nt* the Cameroons *pl.*

Kamille f **-n** camomile.

Kamillentee *m* camomile tea.

Kamin *m* **-e** (*Schornstein*) chimney; (*Abzugsschacht*) flue; (*offene Feuerstelle*) fireplace ▸ *wir saßen am* ~ we sat in front of the fire.

Kamin-: **~feger** *m* - (*dial*) chimney sweep; **~feuer** *nt* open fire; **~kehrer** *m* - (*dial*) chimney sweep; **~sims** *m or nt* mantelpiece.

Kamm *m* **⁻e** **ⓐ** comb ▸ *alle/alles über einen* ~ *scheren* (*fig*) to lump everyone/everything together. **ⓑ** (*von Vogel*) comb. **ⓒ** (*Cook*) neck. **ⓓ** (*Gebirgs~, Wellen~*) crest.

kämmen **①** *vt* to comb. **②** *vr* to comb one's hair.

Kammer *f* **-n** **ⓐ** chamber; (*Parl auch*) house; (*Ärzte~, Anwalts~*) professional association; (*Herz~*) ventricle. **ⓑ** (*Zimmer*) small room.

Kammer-: **~diener** *m* valet; **~gericht** *nt* ≃ Supreme Court; **~jäger** *m* (*Schädlingsbekämpfer*) pest controller; **~konzert** *nt* chamber concert.

Kämmerlein *nt* chamber ▸ *im stillen* ~ in private.

Kammer-: **~musik** *f* chamber music; **~orchester** *nt* chamber orchestra; **~spiele** *pl* studio theatre (*Brit*) or theater (*US*); **~ton** *m* concert pitch; **~zofe** *f* chambermaid.

Kamm-: **~garn** *nt* worsted; **~stück** *nt* (*Cook*) shoulder.

Kampagne [kam'panjə] *f* **-n** campaign.

Kampf *m* **⁻e** fight, struggle (*um* for); (*Gefecht*) battle; (*Box~*) fight, contest ▸ *jdm/einer Sache den* ~ *ansagen* (*fig*) to declare war on sb/sth; *es kam zum* ~ fighting broke out; *auf in den* ~*!* (*hum*) once more unto the breach! (*hum*); *er ist im* ~ *gefallen* he fell in action *or* battle; *der* ~ *ums Dasein* the struggle for existence; *der* ~ *um die Macht* the battle *or* struggle for power; *ein* ~ *auf Leben und Tod* a fight to the death; *innere* **⁻e** inner conflicts.

Kampf-: **~abstimmung** *f* vote; *es kam zur* **~abstimmung** they put it to the vote; **~ansage** *f* declaration of war; (*Sport*) announcement; **~bahn** *f* sports stadium, arena; **k~bereit** *adj* ready for battle.

kämpfen **①** *vi* to fight, to struggle (*um, für* for) ▸ *gegen etw* ~ to fight (against) sth; *mit den Tränen* ~ to fight back one's tears; *ich habe lange mit mir* ~ *müssen, ehe* ... I had a long battle with myself before ... **②** *vt* (*usu fig*) *Kampf* to fight.

Kampfer *m no pl* camphor.

Kämpfer(in *f)* *m* - fighter.

kämpferisch *adj* aggressive.

Kampf-: **k~erprobt** *adj* battle-tried; **k~fähig** *adj* (*Mil*) fit for action; *Boxer* fit to fight; **~flugzeug** *nt* fighterbomber; **~gas** *nt* poison gas; **~geist** *m* fighting spirit; **~handlung** *f usu pl* clash *usu pl*; **~kraft** *f* fighting strength; **k~los** *adj* *sich k~los ergeben* to surrender without a fight; **k~lustig** *adj* belligerent, pugnacious; **~maßnahme** *f* offensive measure; **~maßnahmen ergreifen** to go onto the offensive; **~platz** *m* battlefield; (*Sport*) arena, stadium; **~richter** *m* (*Sport*) referee; **~schrift** *f* broadsheet; **~sport** *m* combat sport; **~stärke** *f* (*Mil*) combat strength; **~stoff** *m* nuclear, chemical or biological weapon; **k~unfähig** *adj* (*Mil*) unfit for battle; (*Sport*) unfit; *ein Schiff k~unfähig machen* to put a ship out of action.

kampieren* *vi* to camp (out) ▸ *im Wohnzimmer* ~ (*col*) to doss down in the sitting room (*col*).

Kampuchea *nt* Kampuchea.

Kanada *nt* Canada.

Kanadier [-iɐ] *m* - Canadian; (*Sport*) Canadian canoe.

Kanadierin [-iərɪn] *f* Canadian (woman/girl).

kanadisch *adj* Canadian.

Kanake *m* **-n** (*pej: Ausländer*) wop (*pej*).

Kanal *m, pl* **Kanäle** **ⓐ** (*Schiffahrtsweg*) canal; (*Wasserlauf*) channel; (*zur Entwässerung*) drain; (*für Abwässer*) sewer ▸ *der (Ärmel)~* the (English) Channel; *den* ~ *voll haben* (*col*) (*betrunken sein*) to be canned (*col*); (*es satt haben*) to have had a bellyful (*col!*). **ⓑ**

(*Radio, TV, fig: Weg*) channel ▶ *dunkle Kanäle* dubious channels.

Kanal-: **~arbeiter** *m* sewerage worker; **~deckel** *m* drain cover; **~fähre** *f* cross-channel ferry; **~inseln** *pl* Channel Islands.

Kanalisation *f* (*Abwasserkanäle*) sewerage system, sewers *pl*.

kanalisieren* ①*vt* (*fig*) *Energie etc* to channel. ②*vti* to lay sewers (in).

Kanaltunnel *m* Channel Tunnel.

Kanapee *nt* **-s** (*old, hum*) sofa, settee.

Kanarienvogel [-iən-] *m* canary.

Kanarische Inseln *pl* Canaries *pl*, Canary Islands *pl*.

Kandare *f* **-n** (curb) bit ▶ *jdn an die ~ nehmen* (*fig*) to take sb in hand.

Kandidat(in *f*) *m* (*wk*) **-en, -en** candidate; (*bei Bewerbung auch*) applicant ▶ *jdn als ~en aufstellen* to nominate sb.

Kandidatur *f* candidature, candidacy.

kandidieren* *vi* (*Pol*) to stand, to run (*für* for).

kandiert *adj Frucht* candied.

Kandis(zucker) *m* rock candy.

⚠ **Känguruh** ['kɛŋguru] *nt* **-s** kangaroo.

Kaninchen *nt* rabbit.

Kaninchen-: **~bau** *m* rabbit warren; **~stall** *m* rabbit hutch.

Kanister *m* - can.

Kännchen *nt* pot; (*für Milch*) jug.

Kanne *f* **-n** can; (*Tee~, Kaffee~*) pot; (*Milch~*) churn; (*Gieß~*) watering can.

kanneliert *adj* (*Archit*) fluted.

Kannibale *m* (*wk*) **-n, -n, Kannibalin** *f* cannibal.

kannibalisch *adj* cannibalistic; (*brutal*) brutal.

Kannibalismus *m* cannibalism.

kannte *pret of* **kennen**.

Kanon *m* **-s** canon.

Kanonade *f* (*Mil*) barrage; (*fig auch*) tirade.

Kanone *f* **-n** ⓐ gun; (*Hist*) cannon; (*col: Pistole*) shooter (*col*) ▶ *mit ~n auf Spatzen schießen* (*col*) to take a sledgehammer to crack a nut. ⓑ (*fig col: Könner*) ace (*col*). ⓒ (*col*) *das ist unter aller ~* that defies description.

Kanonen-: **~boot** *nt* gunboat; **~donner** *m* rumbling of guns; **~futter** *nt* (*col*) cannon fodder; **~kugel** *f* cannon ball; **~rohr** *nt* gun barrel; *heiliges ~rohr!* (*col*) good grief (*col*).

Kantate *f* **-n** (*Mus*) cantata.

Kante *f* **-n** (*Ecke*) edge; (*Rand, Borte*) border; (*Web~*) selvedge ▶ *Geld auf die hohe ~ legen* (*col*) to put money by.

kantig *adj Holz* edged; *Gesicht* angular.

Kantine *f* canteen.

Kanton *m* **-e** canton.

Kantor *m* choirmaster.

Kanu *nt* **-s** canoe.

Kanusport *m* canoeing.

Kanute *m* **-n** canoeist.

Kanzel *f* **-n** ⓐ pulpit. ⓑ (*Aviat*) cockpit.

Kanzlei *f* (*Dienststelle*) office; (*Büro eines Notars etc*) chambers *pl*.

Kanzler *m* - chancellor.

Kanzler-: **~amt** *nt* chancellery; (*Posten auch*) chancellorship; **~kandidat** *m* candidate for the chancellorship.

Kap *nt* **-s** cape ▶ *das ~ der guten Hoffnung* the Cape of Good Hope; *~ Hoorn* Cape Horn.

Kap. = **Kapitel** ch.

Kapazität *f* capacity; (*fig: Experte*) expert, authority.

Kapelle *f* ⓐ (*Kirche*) chapel. ⓑ (*Mus*) band, orchestra.

Kapellmeister *m* director of music; (*Mil, von Tanzkapelle etc*) bandmaster, bandleader.

Kaper *f* **-n** (*Bot, Cook*) caper.

kapern *vt* (*Naut*) to seize; (*fig col*) to grab.

kapieren* *vti* (*col*) to get (*col*), to understand ▶ *kapiert?* got it? (*col*); *er hat schnell kapiert* he caught on quick (*col*).

Kapital *nt* **-e** *or* **-ien** [-iən] ⓐ (*Fin*) capital *no pl*; (*pl: angelegtes ~*) capital investments *pl* ▶ *arbeitendes ~* capital employed. ⓑ (*fig*) asset ▶ *aus etw ~ schlagen* (*pej: lit, fig*) to make capital out of sth.

Kapital-: **~anlage** *f* capital investment; **~anlagegesellschaft** *f* investment fund; **~aufwand** *m* capital expenditure; **~einlage** *f* capital contribution; **~ertrag** *m* capital gains; **~ertragssteuer** *f* capital gains tax; **~flucht** *f* flight of capital; **~gesellschaft** *f* (*Comm*) joint-stock company; **k~intensiv** *adj* capital-intensive.

Kapitalismus *m* capitalism.

Kapitalist *m* capitalist.

kapitalistisch *adj* capitalist.

Kapital-: **k~kräftig** *adj* wealthy; **~markt** *m* money market; **~verbrechen** *nt* serious crime; (*mit Todesstrafe*) capital crime; **~verkehrsbilanz** *f* capital account; **~verkehrssteuer** *f* capital transfer tax; **~vermögen** *nt* capital assets *pl*.

Kapitän *m* **-e** captain ▶ *~ zur See* Captain.

Kapitel *nt* - ⓐ chapter; (*fig auch*) period; (*Angelegenheit*) chapter of events, story ▶ *ein trauriges ~* a sad story; *das ist ein anderes ~* that's another story. ⓑ (*Eccl: Dom~*) chapter.

Kapitulation *f* surrender, capitulation (*auch fig*) (*vor +dat* to).

kapitulieren* *vi* to capitulate; (*Mil also*) to surrender ▶ *ich kapituliere, das ist zu schwierig* I give up, it's too difficult.

Kaplan *m*, *pl* **Kapläne** (*in Pfarrei*) curate; (*mit besonderen Aufgaben*) chaplain.

Kappe *f* **-n** cap; (*von Flasche etc*) top ▶ *das nehme ich auf meine ~* (*fig col*) I'll take the responsibility for that.

kappen *vt* (*Naut*) *Tau, Leine* to cut.

Käppi *nt* **-s** cap.

Kapriole *f* **-n** (*fig*) caper ▶ *~n machen* to cut capers.

kapriziös *adj* (*geh*) capricious.

Kapsel *f* **-n** capsule; (*Etui*) container; (*an Flasche*) cap, top.

Kapstadt *nt* Cape Town.

kaputt *adj* (*col*) broken; *Maschine, Auto* broken down; *Maschine auch, Glühbirne etc* kaput (*col*); (*erschöpft*) *Mensch, Nerven* shattered (*col*); *Beziehungen, Gesundheit* ruined; *Firma* bust *pred* (*col*) ▶ *irgend etwas muß an deinem Auto ~ sein* something must be wrong with your car; *der Fernseher ist ~* the TV's not working; *meine Hose ist ~* my trousers have had it (*col*); *ein ~er Typ* (*col*) a wreck (*col*).

kaputt-: **~fahren** *vt sep irreg* (*col*) *Auto* to drive into the ground; (*durch Unfall*) to smash up; **~gehen** *vi sep irreg aux sein* (*col*) to break; (*esp Maschine*) to break down; (*Ehe*) to break up (*an +dat* because of); (*Beziehungen, Nerven*) to be ruined; (*Firma*) to go bust (*col*); (*Kleidung*) to come to pieces; (*zerrissen werden*) to tear; (*Blumen*) to die off; *er ist am Alkohol ~gegangen* alcohol was his downfall; **~kriegen** *vt sep* (*col*) *das Auto ist nicht ~zukriegen* this car just goes on for ever; *wie hast du denn das ~gekriegt?* how did you manage to break it?; **~lachen** *vr sep* (*col*) to die laughing (*col*); **~machen** *sep* (*col*) ① *vt* to ruin; *Zerbrechliches* to break; *Brücke, Sandburg* to knock down; (*erschöpfen*) *jdn* to wear out; *diese Arbeit macht mich ~* this job will be the death of me (*col*); ② *vr* (*sich überanstrengen*) to wear oneself out; **~schlagen** *vt sep irreg* (*col*) to smash.

Kapuze *f* **-n** hood; (*Mönchs~*) cowl.

Kapuziner(kresse *f*) *m* - (*Bot*) nasturtium.

Karabiner m - (Gewehr) carbine.
Karacho nt no pl: **mit ~** (col) hell for leather (col).
Karaffe f -n carafe; (mit Stöpsel) decanter.
Karambolage [karambo'la:ʒə] f -n (Aut) collision, crash; (Billard) cannon.
⚠**Karamel** m no pl caramel no pl.
Karamelbonbon nt, **Karamelle** f caramel (toffee).
Karat nt -e or (bei Zahlenangabe) - carat.
Karate nt no pl karate.
Karatehieb m karate chop.
Karawane f -n caravan.
Kardan-: **~gelenk** nt universal joint; **~welle** f (Aut) prop(eller) shaft.
Kardinal m, pl **Kardinäle** (Eccl) cardinal.
Kardinal-: **~fehler** m cardinal error; **~tugend** f (Philos, Rel) cardinal virtue; **~zahl** f cardinal (number).
Kardio-: **~gramm** nt cardiogram; **~logie** f cardiology; **k~logisch** adj cardiological.
Karenz-: **~tag** m unpaid day of sick leave; **~zeit** f waiting period.
Karfiol m no pl (Aus) cauliflower.
Karfreitag m Good Friday.
karg adj Vorrat, Gehalt meagre (Brit), meager (US) ▶ **etw ~ bemessen** to be mean with sth.
Kargheit f meagreness (Brit), meagerness (US).
kärglich adj meagre (Brit), meager (US); Mahl frugal.
Kargo m -s cargo.
Karibik f **die ~** the Caribbean.
karibisch adj Caribbean ▶ **das K~e Meer** the Caribbean Sea.
kariert adj Stoff, Muster checked, checkered (esp US); Papier squared.
Karies ['ka:riɛs] f no pl caries.
Karikatur f caricature.
Karikaturist(in f) m cartoonist.
karikieren* vt to caricature.
kariös adj Zahn decayed.
Karitas f no pl charity.
karitativ adj charitable.
Karl m ≃ Charles ▶ **~ der Große** Charlemagne.
karmin(rot) adj carmine (red).
Karneval ['karnəval] m -e or -s carnival.

┌─── **KARNEVAL** ───────────────────────┐

ⓘ **Karneval** is the name given to the days immediately before Lent when people gather to sing, dance, eat, drink and generally make merry before the fasting begins. **Rosenmontag**, the day before Shrove Tuesday, is the most important day of Karneval on the Rhine. Most firms take a day's holiday on that day to enjoy the parades and revelry. In South Germany Karneval is called Fasching.

└─────────────────────────────────────┘

Karnevalszug m carnival procession.
Karnickel nt - (col) rabbit.
Karo nt -s (Quadrat) square; (auf der Spitze stehend) diamond, lozenge; (Muster) check; (diagonal) diamond; (Cards) (Farbe) diamonds pl; (Karte) diamond.
Karomuster nt checked or checkered (esp US) pattern.
Karosse f -n (Prachtkutsche) (state) coach.
Karosserie f (Aut) bodywork.
Karosserie-: **~bauer** m coachbuilder; **~schaden** m damage to the bodywork; **~werkstatt** f body (repair) shop.
Karotte f -n carrot.
Karpaten pl Carpathians pl.
Karpfen m - carp.
Karre f -n ⓐ siehe **Karren**. ⓑ (col: Auto) (old) crate (col).
Karree nt -s square; (Häuserblock) block ▶ **einmal ums ~ gehen** to walk around the block.

Karren m - ⓐ (Wagen) cart; (esp für Garten, Baustelle) (wheel)barrow; (für Gepäck etc) trolley (Brit), cart (US). ⓑ (fig col) **jdm an den ~ fahren** to take sb to task; **jdn vor seinen ~ spannen** to use sb; **den ~ in den Dreck fahren** to get things in a mess; **den ~ aus dem Dreck ziehen** to get things sorted out.
karren vt to cart.
Karriere f -n (Laufbahn) career ▶ **~ machen** to make a career for oneself.
Karriere-: **~frau** f career woman; **~macher** m careerist.
Karsamstag m Easter Saturday.
Karst m -e (Geog, Geol) karst, barren landscape.
Karte f -n ⓐ card ▶ **jdm die ~n lesen** to tell sb's fortune from the cards; **mit offenen ~n spielen** (fig) to put one's cards on the table; **er spielt mit verdeckten ~n** (fig) he's playing his cards very close to his chest; **alle ~n in der Hand halten** (fig) to hold all the cards; **es ist unmöglich, ihm in die ~n zu sehen** (fig) it's impossible to know what he's up to; **alles auf eine ~ setzen** to put all one's eggs in one basket (prov); **schlechte/gute ~n haben** to have a bad/good hand; (fig) to be in a difficult/strong position. ⓑ (Fahr-, Eintritts~) ticket; (Einladungs~) invitation (card) ▶ **die ~n, bitte!** tickets, please! ⓒ (Land~) map; (See~) chart. ⓓ (Speise~) menu; (Wein~) wine list.
Kartei f card index.
Kartei-: **~karte** f file or index card; **~kasten** m file-card box; **~leiche** f (col) non-active member; **~schrank** m filing cabinet.
Kartell nt -e cartel.
Kartell-: **~amt** nt monopolies commission; **~gesetzgebung** f anti-trust legislation.
Karten-: **~haus** nt ⓐ house of cards; **wie ein ~haus (in sich) zusammenfallen** to collapse like a house of cards; ⓑ (Naut) chart room; **~kunststück** nt card trick; **~legen** nt fortune-telling (using cards); **~spiel** nt ⓐ card-playing; (ein Spiel) card game; **beim ~spiel** when playing cards; ⓑ (Karten) pack or deck (of cards); **~telefon** nt card phone; **~vorverkauf** m advance sale of tickets.
Kartoffel f -n potato ▶ **rein in die ~n, raus aus den ~n** (col) first it's one thing, then it's another; **jdn/etw fallenlassen wie eine heiße ~** (col) to drop sb/sth like a hot brick (col).
Kartoffel- in cpds potato; **~brei** m mashed potatoes pl; **~chips** pl potato crisps pl (Brit), potato chips pl (US); **~käfer** m Colorado beetle; **~puffer** m potato fritter; **~püree** nt mashed potatoes pl; **~salat** m potato salad; **~schalen** pl potato peel(ings); **~schäler** m potato peeler.
⚠**Kartograph(in** f) m cartographer.
Karton [kar'tɔŋ, kar'tõ:] m -s ⓐ (Pappe) card, cardboard. ⓑ (Schachtel) cardboard box.
kartoniert adj Bücher hardback.
Karussell nt -s or -e merry-go-round, roundabout (Brit) ▶ **~ fahren** to have a ride on the merry-go-round or (Brit) roundabout.
Karwoche f (Eccl) Holy Week.
Karzinogen nt -e carcinogen.
karzinogen adj (Med) carcinogenic.
Karzinom nt -e (Med) carcinoma.
kaschieren* vt to conceal.
Kaschmir¹ nt (Geog) Kashmir.
Kaschmir² m -e (Tex) cashmere.
Käse m - ⓐ cheese. ⓑ (col: Unsinn) rubbish, twaddle (col).
Käse- in cpds cheese; **~blatt** nt (col) rag (col); **~brot** nt bread and cheese; **~gebäck** nt cheese savouries (Brit) or savories (US) pl; **~glocke** f cheese cover; **~kuchen** m cheesecake; **~platte** f cheeseboard.

┌───┐
│ ⚠: for details of spelling reform, see supplement │
└───┘

Kaserne f -n barracks pl.
Kasernenhof m barrack square.
kasernieren* vt Truppen to quarter in barracks.
Käse-: ~torte f cheesecake; **k~weiß** adj (col) white (as a sheet).
käsig adj [a] (fig col) Gesicht, Haut pasty, pale; (vor Schreck) white. [b] (lit) cheesy.
Kasino nt -s [a] (Spielbank) casino. [b] (Offiziers~) (officers') mess; (Speiseraum) dining room.
Kaskade f cascade.
Kaskoversicherung f (Aut) comprehensive insurance.
Kasper m - (im Puppenspiel) Punch; (col) clown (col).
Kasperl(e)-: ~figur f glove puppet; ~theater nt Punch and Judy (show).
Kaspisches Meer nt Caspian Sea.
Kassandraruf m gloomy prediction.
Kassapreis m (Fin) spot price.
Kasse f -n [a] cashdesk, cash point; (in Supermarkt auch) checkout; (Zahlraum) cashier's office; (Theat etc) box office ▶ **an der ~** (in Geschäft) at the desk. [b] (Geldkasten) cashbox; (in Läden) cash register, till; (bei Spielen) kitty; (in einer Spielbank) bank ▶ **die ~n klingeln** the money is really rolling in; **unsere ~ ist leer** the coffers are empty. [c] (Bargeld) cash ▶ **bei ~ sein** (col) to be flush (col); **knapp/gut/schlecht bei ~ sein** (col) to be short of cash/well off/badly off; **~ machen** to cash up; (col: gut verdienen) to make a bomb (col); **die ~ führen** to be in charge of the money; **die ~ stimmt!** (col) the money's OK (col); **zur ~ bitten** to ask for money; **jdn zur ~ bitten** to ask sb to pay up.
Kasseler nt - lightly smoked pork loin.
Kassen-: ~arzt m = National Health doctor (Brit), panel doctor (US); ~beleg m sales receipt or check (US); ~bericht m financial report; ~bestand m cash in hand; ~bon m sales slip; ~buch nt cashbook; ~erfolg, ~füller m (Theat etc) box-office hit; ~konto nt cash account; ~magnet m (Theat etc) big draw; ~patient m = National Health patient (Brit); ~preis m cash price; ~prüfung f audit; ~schlager m (col) (Theat etc) box-office hit; (Ware) big seller; ~stunden pl hours of business; ~sturz m (Comm) cashing-up; ~sturz machen to check one's finances; (Comm) to cash up; ~wart m -e treasurer; ~zettel m sales slip.
Kasserolle f -n saucepan; (mit Henkeln) casserole.
Kassette f [a] cassette; (Phot) cartridge. [b] (Kästchen) case, box; (Geschenk~) gift set.
Kassetten-: ~deck nt cassette deck; ~recorder m cassette recorder.
Kassiber m - secret message.
kassieren* [1] vt [a] Gelder etc to collect; (col) Abfinudung, Finderlohn to pick up (col); Summe to make. [b] (col: wegnehmen) to take away, to confiscate. [2] vi bei jdm ~ to collect the money from sb; **darf ich ~, bitte?** would you like to pay now?; **bei diesem Geschäft hat er ganz schön kassiert** he made a packet on the deal (col).
Kassierer(in f) m - cashier; (Bank~) clerk; (eines Klubs) treasurer.
Kastagnette [kastan'jɛtə] f castanet.
Kastanie [-iə] f chestnut ▶ **für jdn die ~n aus dem Feuer holen** (fig) to pull sb's chestnuts out of the fire.
Kastanien- [-iən]: ~baum m chestnut tree; **k~braun** adj maroon; Pferd, Haar chestnut.
Kästchen nt [a] small box; (für Schmuck) case, casket. [b] (auf kariertem Papier) square.
Kaste f -n caste.
Kasten m - [a] box (auch Sport); (Kiste) crate; (Brief~) postbox, letterbox; (Brot~) breadbin. [b] (col) (Gebäude) barn (col); (Auto) crate (col); (Schiff) tub (col); (Fernseher) box (Brit col), tube (US col); (Ftbl: Tor) goal

▶ **er hat was auf dem ~** (col) he's brainy (col).
Kasten-: ~drachen m box kite; ~form f (Cook) (square) baking tin; ~wagen m (Aut) van, panel truck (US).
Kastilien [-iən] nt Castile.
Kastrat m (wk) -en, -en eunuch; (Mus) castrato.
Kastration f castration.
kastrieren* vt (lit, fig) to castrate.
Kasus m -, - (Gram) case.
Kat m = Katalysator.
Katakombe f -n catacomb.
Katalog m -e catalogue.
katalogisieren* vt to catalogue.
Katalysator m (lit, fig) catalyst; (Aut) catalytic converter.
Katalysator-: ~auto nt car fitted with a catalytic converter; ~modell nt model with a catalytic converter.
Katamaran m -e catamaran.
Katapult nt or m -e catapult.
katapultieren* [1] vr to catapult. [2] vr to catapult oneself; (Pilot) to eject.
Katapultsitz m ejector seat.
Katar nt Qatar.
⚠ **Katarrh** m -e catarrh.
Kataster m or nt - land register.
Kataster|amt nt land registry.
katastrophal adj disastrous, catastrophic ▶ **das sind ja ~e Zustände** it's a terrible state of affairs.
Katastrophe f -n disaster, catastrophe.
Katastrophen-: ~alarm m emergency alert; ~dienst m emergency service; ~einsatz m im ~einsatz on emergency duty; ~gebiet nt disaster area; ~schutz m emergency services; (vorbeugend) disaster prevention.
Kate f -n (N Ger) cottage.
Katechismus m catechism.
Kategorie f category ▶ **er gehört zur ~ derer, die ...** he's one of those who ...
kategorisch adj categorical, absolute; Ablehnung auch flat.
kategorisieren* vt to categorize.
Kater m - [a] tom(cat) ▶ **wie ein verliebter ~** like an amorous tomcat. [b] (col: Katzenjammer) hangover.
Kater-: ~frühstück nt breakfast (of pickled herring etc) to cure a hangover; ~stimmung f depression, the blues pl (col).
kath. = katholisch.
Katheder m or nt - (in Schule) teacher's desk; (in Universität) lectern.
Kathedrale f -n cathedral.
Katheter m - (Med) catheter.
Kathode f -n (Phys) cathode.
Kathoden-: ~strahlen pl (Phys) cathode rays pl; ~strahlröhre f (TV etc) cathode ray tube.
Katholik(in f) m (wk) -en, -en (Roman) Catholic.
katholisch adj (Roman) Catholic ▶ **sie ist streng ~** she's a strict Catholic.
Katholizismus m (Roman) Catholicism.
Kattun m -e (old) calico.
katzbuckeln vi (pej col) to bow and scrape.
Kätzchen nt [a] kitten. [b] (Bot) catkin.
Katze f -n cat ▶ **sie ist eine falsche ~** she's two-faced; **meine Arbeit war für die Katz** (fig) my work was a waste of time; **Katz und Maus mit jdm spielen** to play cat and mouse with sb; **die ~ aus dem Sack lassen** (col) to let the cat out of the bag; **die ~ im Sack kaufen** to buy a pig in a poke (prov); **die ~ läßt das Mausen nicht** (Prov) the leopard cannot change its spots (Prov); **bei Nacht sind alle ~n grau** everything looks the same in the dark.
Katzen-: ~auge nt (Rückstrahler) reflector; **k~haft** adj

⚠: Informationen zur Rechtschreibreform im Anhang

catlike, feline; **~hai** m dogfish; **~jammer** m (col) (Kater) hangover; (jämmerliche Stimmung) depression, the blues pl (col); **~musik** f (fig) caterwauling; **~sprung** m (col) stone's throw; **~streu** f cat litter; **~tisch** m (hum) children's table; **~wäsche** f (hum col) a lick and a promise (col).

Kauderwelsch nt no pl (pej) gibberish, double Dutch (Brit col).

kauen vti to chew; Nägel to bite ▶ **an etw** (dat) **~** to chew (on) sth; **an den Nägeln ~** to bite one's nails; **daran hatte ich lange zu ~** (fig) it took me a long time to get over it.

kauern vir (vi auch aux sein) to crouch (down); (ängstlich) to cower.

Kauf m, pl **Käufe** purchase ▶ **das war ein günstiger ~** that was a good buy; **beim ~ eines Autos** when buying a car; **etw zum ~ anbieten** to offer sth for sale; **einen ~ tätigen** (form) to complete a purchase; **etw in ~ nehmen** (fig) to accept sth.

kaufen 1 vt a (auch sich (dat) ~) to buy, to purchase (esp form) ▶ **ich habe (mir) einen neuen Anzug gekauft** I bought (myself) a new suit; **etw für teures Geld ~** (col) to pay a lot (of money) for sth; **diese Zigaretten werden viel/nicht gekauft** a lot of people buy/nobody buys these cigarettes; **dafür kann ich mir nichts ~** (iro) what use is that to me! b (bestechen) jdn to bribe, to buy off; Stimmen to buy ▶ **der Sieg war gekauft** it was fixed. c **sich** (dat) **jdn ~** (col) to give sb a piece of one's mind (col); (tätlich) to fix sb (col). 2 vi to buy; (Einkäufe machen) to shop.

Käufer(in f) m - buyer, purchaser (esp form); (Kunde) customer, shopper.

Kauf-: ~frau f businesswoman; **~haus** nt department store; **~kraft** f purchasing power; **k~kräftig** adj Währung with good purchasing power; Kunde with money to spend; **~laden** m (Spielzeug) play shop.

käuflich adj a for sale ▶ **Glück ist nicht ~** happiness cannot be bought; **etw ~ erwerben** (form) to purchase sth. b (fig) venal ▶ **~ sein** (Mensch) to be open to bribery; **ich bin nicht ~** you can't buy me!; **~e Liebe** (geh) prostitution.

Käuflichkeit f (fig) corruptibility.

Kauf-: ~lust f desire to buy things; (St Ex) buying; **k~lustig** adj in a buying mood; **in den Straßen drängten sich die ~lustigen** the streets were thronged with shoppers.

Kaufmann m, pl **-leute** a businessman; (Händler) trader. b (dated: Einzelhandels~) small shopkeeper, grocer (dated) ▶ **zum ~ gehen** to go to the grocer's (Brit) or grocer.

kaufmännisch adj commercial, business attr ▶ **~er Angestellter** business employee; **~e Lehre** commercial training; **er wollte einen ~en Beruf ergreifen** he wanted to make a career in business; **er übt einen ~en Beruf aus** he is in business; **~ denken** to think in business terms; **sie ist ~ tätig** she is in business or is a businesswoman.

Kauf-: ~preis m purchase price; **~rausch** m spending spree; **im ~rausch sein** to be on a spending spree; **~vertrag** m bill of sale; **~wert** m market value; **~zwang** m obligation to buy; **kein/ohne ~zwang** no/without obligation.

Kaugummi m chewing gum.

Kaukasier(in f) [-iɐ, -iərɪn] m - Caucasian.

kaukasisch adj Caucasian.

Kaukasus m der **~** (the) Caucasus.

Kaulquappe f tadpole.

kaum 1 adv hardly, scarcely ▶ **~ jemand/jemals** hardly or scarcely anyone/ever; **wir hatten ~ noch Benzin** we had hardly any petrol left; **wohl ~/ich glaube ~** I hardly

think so; **das wird wohl ~ stimmen** surely that can't be right; **das wird ~ passieren** that's hardly likely to happen. 2 conj hardly, scarcely ▶ **~ hatte er das gesagt, da ...** hardly had he said that when ...

Kaumuskel m jaw muscle.

kausal adj causal.

Kausalzusammenhang m causal connection.

Kautabak m chewing tobacco.

Kaution f a (Jur) bail ▶ **er stellte 1000 Mark ~** he put up 1000 marks (as) bail; **gegen ~** on bail; **jdn gegen ~ freibekommen** to bail sb out. b (Comm) security. c (für Miete) deposit.

Kautschuk m **-e** (india)rubber.

Kauz m, pl **Käuze** a screech owl. b (Sonderling) oddball (col) ▶ **ein komischer ~** an odd bird.

Käuzchen nt dim of **Kauz** a.

kauzig adj odd, cranky.

Kavalier [kava'liːɐ] m **-e** gentleman ▶ **er ist immer ~** he's always a gentleman.

Kavaliersdelikt nt trivial offence.

Kavalkade [kaval'kaːdə] f cavalcade.

Kavallerie [kavalə'riː] f (Mil) cavalry.

Kaviar ['kaːviar] m **-e** caviar.

KB [kaː'beː] n **-(s)** = **Kilobyte** K.

Kcal = **Kilokalorie**.

keck adj (dated) a (frech) cheeky, saucy. b (flott) pert, saucy. c (kühn) bold.

Kefir m no pl kefir, milk product similar to yoghurt.

Kegel m - a (Spielfigur) skittle; (bei Bowling) pin. b (Geometrie) cone; (Berg~) peak. c (Licht~) beam (of light).

Kegel-: ~bahn f (bowling) lane; (Anlage) skittle-alley; (automatisch) bowling alley; **~bruder** m (col) member of a skittle/bowling club; **k~förmig** adj conical; **~klub** m skittle club; (für Bowling) bowling club.

kegeln vi **~ (gehen)** to play skittles; (bei Bowling) to go bowling.

Kegelschwester f (col) (female) member of a skittle/bowling club.

Kegler(in f) m - skittle-player; (bei Bowling) bowler.

Kehle f **-n** (Gurgel) throat ▶ **er hat das in die falsche ~ bekommen** (lit) it went down the wrong way; (fig) he took it the wrong way; **eine trockene ~ haben** to be dry; **er hat Gold in der ~** (col) his voice is/could be a real gold mine; **aus voller ~** at the top of one's voice.

kehlig adj Sprechweise guttural; Lachen etc throaty.

Kehlkopf m larynx.

Kehlkopf-: ~entzündung f laryngitis; **~krebs** m cancer of the throat.

Kehllaut m guttural (sound).

Kehr-: ~aus m -, no pl last dance; (fig: Abschiedsfeier) farewell celebration; **~besen** m broom; **~blech** nt shovel.

Kehre f **-n** (sharp) bend.

kehren[1] vt to turn ▶ **in sich** (acc) **gekehrt** (versunken) pensive; (verschlossen) introspective, introverted.

kehren[2] vti (fegen) to sweep ▶ **jeder kehre vor seiner Tür!** (Prov) everyone should first put his own house in order.

Kehricht m or nt no pl (old, form) sweepings pl.

Kehr-: ~maschine f (Straßen~) roadsweeper; (Teppich~) carpet-sweeper; **~reim** m chorus, refrain; **~schaufel** f shovel; **~seite** f (von Münze) reverse; (col: Rücken) back; (hum: Gesäß) backside (col); (fig: Nachteil) drawback; (fig: Schattenseite) other side; **die ~seite der Medaille** the other side of the coin.

kehrt interj (Mil) about turn!

Kehrt-: k~machen vi sep to do an about-turn; (zurückgehen) to turn back; **~wendung** f about-turn.

keifen vi to bicker.
Keil m -e (lit, fig) wedge.
Keile pl (col) thrashing, hiding.
Keiler m - (male) wild boar.
Keilerei f (col) punch-up (col).
Keil-: **k~förmig** adj wedge-shaped; **~hosen** pl (tapering) slacks pl, ski pants pl; **~riemen** m (Aut) V-belt.
Keim m -e shoot, sprout; (Embryo, fig) embryo; (Krankheits~) germ; (fig: des Hasses etc) seed usu pl ▸ etw im ~ ersticken to nip sth in the bud; den ~ zu etw legen to sow the seeds of sth.
keimen vi to germinate; (fig: Verdacht) to be aroused.
Keim-: **k~frei** adj germ-free; (Med auch, fig) sterile; **k~frei machen** to sterilize; **k~tötend** adj germicidal; **~zelle** f germ cell; (fig) nucleus.
kein, keine, kein indef pron [a] (adjektivisch) no ▸ ~ Mann/~e Häuser/~ Whisky no man/houses/whisky; ich sehe da ~en Unterschied I see no difference, I don't see any difference; da sind ~e Häuser there are no houses there, there aren't any houses there; ~e schlechte Idee not a bad idea; das ist ~e Antwort auf unsere Frage that's not an answer to our question; ~ bißchen not a bit; ich habe ~ bißchen Lust I've absolutely no desire to; ich bin doch ~ Kind mehr! I am not a child any longer; in ~ster Weise (col) not in the least. [b] (nicht einmal) ~e Stunde/drei Monate less than an hour/three months.
keine(r, s) indef pron (niemand) nobody, no-one; (von Gegenstand) not one, none ▸ es war ~r da there was nobody there, there wasn't anybody there; (Gegenstand) there wasn't one there; es waren ~ da (Gegenstände) there weren't any there, there were none there; ich habe ~s I haven't got one; ~r von uns/von uns (beiden) none/neither of us; (betont) not one of us; ~s der (beiden) Kinder neither of the children; ~s der sechs Kinder none of the six children; (betont) not one of the six children; ist Bier da? — nein, ich habe ~s gekauft is there any beer? — no, I didn't buy any.
keinerlei adj attr inv no ... whatever.
keinesfalls adv under no circumstances.
keineswegs adv not at all.
keinmal adv never once, not once.
keins = **keines** siehe **keine(r, s)**.
Keks m -e biscuit (Brit), cookie (US) ▸ jdm auf den ~ gehen (col) to get on sb's nerves.
Kelch m -e [a] goblet; (liter) cup. [b] (Bot) calyx.
Kelle f -n (Suppen~ etc) ladle; (Schaumlöffel) strainer; (Maurer~) trowel; (Signalstab) signalling disc.
Keller m - cellar; (Geschoß) basement.
Keller|assel f woodlouse.
Kellerei f wine cellars pl; (Firma) wine producer.
Keller-: **~geschoß** ⚠ nt basement; (Keller) cellars pl; **~lokal** nt cellar bar; **~wohnung** f basement flat (Brit) or apartment.
Kellner m - waiter.
Kellnerin f waitress.
kellnern vi (col) to work as a waiter/waitress.
Kelte m (wk) -n, -n, **Keltin** f Celt.
Kelter f -n winepress; (Obst~) press.
keltern vt Trauben, Wein to press.
keltisch adj Celtic.
Kenia nt Kenya.
Kenianer(in f) m - Kenyan.
kenianisch adj Kenyan.
kennen pret **kannte**, ptp **gekannt** vt to know; (geh: er~) to recognize ▸ er kennt keine Müdigkeit he doesn't know what tiredness is; kein Erbarmen/Mitleid etc ~ to know no mercy/pity etc; so was ~ wir hier nicht! we don't have that sort of thing here; das ~ wir gar nicht anders it's always been like that; jdn als etw

~ to know sb to be sth; ~ Sie sich schon? do you know each other (already)?; ~ Sie den (schon)? (Witz) have you heard this one?; kennst du mich noch? do you remember me?; wie ich ihn kenne ... if I know him (at all) ...; da kennst du mich aber schlecht you don't know me.
kennenlernen vt sep to get to know; (zum ersten Mal treffen) to meet ▸ sich ~ to get to know each other; to meet each other; ich freue mich, Sie kennenzulernen (form) (I am) pleased to meet you or to make your acquaintance (form); der wird mich noch ~ (col) he'll have me to reckon with (col); bei näherem K~ erwies er sich als ... on closer acquaintance he proved to be ...
Kenner(in f) m - expert (von or gen on), authority (von or gen on); (Wein~ etc) connoisseur.
Kennerblick m expert's eye.
kennerhaft adj mit ~em Blick/Griff with an expert eye/touch.
Kennermiene f connoisseur's expression ▸ mit ~ betrachtete er ... he looked at ... like a connoisseur.
kenntlich adj (zu erkennen) recognizable (an +dat by); (deutlich) clear ▸ etw ~ machen to identify sth (clearly).
Kenntnis f [a] (Wissen) knowledge no pl ▸ über ~ von etw verfügen to have a knowledge of sth; gute ~se in Mathematik haben to have a good knowledge of mathematics. [b] no pl (form) etw zur ~ nehmen to take note of sth; jdn von etw in ~ setzen to inform or advise (Comm, form) sb about sth.
Kenntnis-: **~nahme** f no pl (form) zur ~nahme an ... for the attention of ...; **~stand** m no pl nach dem neuesten ~stand according to the latest information.
Kenn-: **~wort** nt, pl **~wörter** (Chiffre) code name; (Losungswort) password, code word; **~zeichen** nt [a] (Aut) (amtliches/polizeiliches) ~zeichen registration number (Brit), license number (US); [b] (Markierung, Erkennungszeichen) mark, sign; (Eigenart) characteristic (für, gen of); (für Qualität) hallmark; unveränderliche ~zeichen distinguishing marks; **k~zeichnen** vt insep [a] to mark; (durch Etikett auch) to label; [b] (charakterisieren) to characterize; jdn als etw k~zeichnen to show sb to be sth; **k~zeichnend** adj typical, characteristic (für of); **~ziffer** f (code) number; (Comm) reference number.
kentern vi aux sein (Schiff) to capsize.
Keramik f [a] no pl (Art) ceramics pl; (Gebrauchsgegenstände auch) pottery. [b] (Kunstgegenstand) ceramic.
keramisch adj ceramic.
Kerbe f -n notch ▸ in die gleiche ~ hauen or schlagen (fig col) to take the same line.
Kerbholz nt: etwas auf dem ~ haben (col) to have done something bad.
Kerker m (Hist, geh) dungeon; (Strafe) imprisonment.
Kerl m -e or -s (col) fellow (col), guy (col); (pej) character ▸ du gemeiner ~! you swine (col); ein ganzer ~ a real man; sie ist ein netter ~ she's a nice girl.
Kern m -e (von Obst) pip, seed; (von Steinobst) stone; (Nuß~) kernel; (Phys, Biol) nucleus; (von Reaktor) core; (fig) crux, core; (von Stadt) centre (Brit), center (US) ▸ der harte ~ (fig) the hard core.
Kern- in cpds (Nuklear-) nuclear; **~arbeitszeit** f core time; **~energie** f nuclear energy; **~fach** nt (Sch) core subject; **~forschung** f nuclear research; **~frage** f central question; **~fusion** f nuclear fusion; **~gedanke** m central idea; **~gehäuse** nt core; **k~gesund** adj as fit as a fiddle.
kernig adj (fig) Ausspruch pithy; (urwüchsig) earthy; (kraftvoll) robust, powerful.
Kernkraft f no pl nuclear power.
Kernkraft-: in cpds nuclear power; **~werk** nt nuclear power station.

⚠: Informationen zur Rechtschreibreform im Anhang

Kern-: **~land** nt heartland; **k~los** adj seedless, pipless; **~obst** nt fruit with core and pips such as apples; **~physik** f nuclear physics; **~problem** nt central problem; **~punkt** m central point, crux; **~reaktor** m nuclear reactor; **~satz** m key sentence, key phrase; **~schmelze** f meltdown; **~seife** f washing soap; **~spaltung** f nuclear fission; die erste ~spaltung the first splitting of the atom; **~stück** nt (fig) main item; (von Theorie etc) central part, core; **k~technisch** adj k~technische Anlage nuclear plant; **~waffe** f nuclear weapon; **k~waffenfrei** adj nuclear-free; **~zeit** f core time.

Kerze f -n (Wachs~) candle; (Aut) (spark) plug; (Turnen) shoulder-stand.

Kerzen-: **~beleuchtung** f candlelight; **k~gerade** adj (as) straight as a die; **~halter**, **~leuchter** m candlestick; **~licht** nt no pl, **~schein** m candlelight; **~schlüssel** m (spark) plug spanner.

Kescher m - fishing-net.

⚠ **keß** adj saucy.

Kessel m - a (Tee~) kettle; (für offenes Feuer) cauldron; (esp in Brauerei) vat; (Dampf~) boiler; (Behälter für Flüssigkeiten etc) tank. b (Mulde) basin.

Kessel-: **~haus** nt boiler house; **~pauke** f kettle-drum; **~stein** m scale, fur; **~treiben** nt (fig) witchhunt.

⚠ **Ketchup** ['kɛtʃap] m or nt -s ketchup.

Kette f -n (lit, fig) chain; (an Kettenfahrzeug) chain track; (von Truppen, Fahrzeugen) line; (Tex) warp ▶ eine ~ aus Perlen etc a string of pearls etc; einen Hund an die ~ legen to chain up a dog; seine ~n sprengen (fig) to throw off one's chains.

ketten vt to chain (an +acc to) ▶ jdn an sich ~ (fig) to bind sb to oneself.

Ketten-: **~antrieb** m chain drive; **~fahrzeug** nt tracked vehicle; **~glied** nt (chain-)link; **~hund** m guard-dog; **~karussell** nt merry-go-round (with gondolas suspended on chains); **~rad** nt sprocket(wheel); **~raucher** m chainsmoker; **~reaktion** f chain reaction; **~säge** f chainsaw; **~schaltung** f dérailleur gear; **~schutz** m chain guard; **~stich** m (Sew) chain stitch.

Ketzer(in f) m - (Eccl, fig) heretic.

Ketzerei f heresy.

keuchen vi to pant, to puff; (Asthmatiker etc) to wheeze.

Keuchhusten m whooping cough.

Keule f -n club; (Sport) (Indian) club; (Cook) leg.

Keulen-: **~hieb**, **~schlag** m blow with a club; es traf ihn wie ein ~schlag (fig) it hit him like a thunderbolt.

keusch adj (lit, fig) chaste.

Keuschheit f chastity.

kfm = **kaufmännisch**.

Kfz [kaˌɛfˈtsɛt] nt -(s) (form) = **Kraftfahrzeug** motor vehicle.

kg = **Kilogramm** kg.

KG [kaˈgeː] f -s = **Kommanditgesellschaft** limited partnership.

khaki adj pred khaki.

KHz = **Kilohertz** kHz.

Kibbuz m, pl **Kibbuzim** or -e kibbutz.

Kicher|erbse f chickpea.

kichern vi to giggle.

kicken (Ftbl) 1 vt to kick. 2 vi to play football; (den Ball ~) to kick.

Kicker m - (Ftbl sl) player.

kidnappen ['kɪtnɛpn] vt insep to kidnap.

Kidnapper(in f) ['kɪtnɛpɐ, -ərɪn] m - kidnapper.

Kidnapping ['kɪtnɛpɪŋ] nt -s kidnapping.

Kiebitz m -e (Orn) lapwing.

Kiefer¹ f -n pine (tree); (Holz) pine(wood).

Kiefer² m - jaw; (~knochen) jawbone.

Kiefern-: **~holz** nt pine(wood); **~nadel** f pine needle; **~zapfen** m pinecone.

Kieferorthopäde m orthodontist.

Kieker m jdn auf dem ~ haben (col) to have it in for sb (col).

Kiel m -e (Schiffs~) keel; (Feder~) quill ▶ ein Schiff auf ~ legen to lay down a ship.

Kielwasser nt wake, wash ▶ in jds ~ segeln (fig) to follow in sb's wake.

Kieme f -n gill.

Kies m -e gravel; (am Strand) shingle.

Kiesel m -, **Kieselstein** m pebble.

Kies-: **~grube** f gravel pit; **~weg** m gravel path.

Kiew ['kiːɛf] nt Kiev.

kiffen vi (col) to smoke pot (col) or grass (col).

kikeriki interj cock-a-doodle-do.

Killer(in f) m - (col) killer, murderer; (gedungener) hit man (col).

Kilo nt -(s) kilo.

Kilo- in cpds kilo-; **~byte** [-'baɪt] nt (Comp) kilobyte; **~gramm** nt kilogram(me); **~hertz** nt kilohertz.

Kilometer m kilometre (Brit), kilometer (US) ▶ 80 ~ fahren (col) to be doing 50 (mph).

Kilometer-: **~fresser** m (col) long-haul driver; **~geld** nt mileage allowance; **k~lang** 1 adj miles long; ein k~langer Stau a hold-up several miles/kilometres long; 2 adv for miles (and miles), for miles on end; **~pauschale** f mileage allowance (against tax); **~stand** m ≃ mileage; **~stein** m ≃ milestone; **k~weit** 1 adj miles long; 2 adv for miles (and miles); **~zähler** m ≃ mileometer (Brit), odometer (US).

Kilo-: **~watt** nt kilowatt; **~wattstunde** f kilowatt hour.

Kimme f -n (von Gewehr) back sight.

Kimono m -s kimono.

Kind nt -er child, kid (col); (Kleinkind) baby; (esp Psych, Med) infant ▶ ein ~ erwarten/bekommen to be expecting a baby/to have a baby or child; von ~ auf from childhood; ein ~ seiner Zeit sein to be a child of one's time; sich freuen wie ein ~ to be as pleased as Punch; das weiß doch jedes ~! any five-year-old would tell you that!; das ist nichts für kleine ~er (fig col) that's not for your ears/eyes; mit ~ und Kegel (hum col) with the whole family; das ~ mit dem Bade ausschütten to throw out the baby with the bathwater (prov); ~er, ~er! good heavens!

Kindbett nt im ~ in confinement.

Kinder-: **~arbeit** f child labour (Brit) or labor (US); **~arzt** m paediatrician (Brit), pediatrician (US); **~bekleidung** f children's wear; **~besteck** nt child's cutlery; **~bett** nt child's bed; **~buch** nt children's book; **~chor** m children's choir.

Kinderei f childishness no pl.

Kinder-: **~erziehung** f bringing up of children; (durch Schule) education of children; **~fahrkarte** f child's ticket; **k~feindlich** adj hostile to children, anti-children; Architektur, Planung not catering for children; **~feindlichkeit** f anti-children attitude; (von Architektur) failure to cater for children; **~freibetrag** m child allowance; **k~freundlich** 1 adj Mensch fond of children; Gesellschaft child-orientated; Möbel, Architektur etc child-friendly; 2 adv with children in mind; **~funk** m children's radio; **~garten** m kindergarten.

┌─ KINDERGARTEN ─┐

ⓘ A **Kindergarten** is a nursery school for children aged between 3 and 6 years. The children sing, play and do handicrafts. They are not taught the three Rs at this stage. Most Kindergärten are financed by the town or the church and not by the state. Parents pay a monthly contribution towards the cost.

Kinder-: **~gärtner(in** f) m kindergarten teacher; **~geld**

⚠: for details of spelling reform, see supplement

nt child allowance *or* benefit; **~gesicht** *nt* baby face; **~heim** *nt* children's home; **~hort** *m* day nursery (*Brit*), daycare center (*US*); **~kleidung** *f* children's clothes *pl*; **~klinik** *f* children's clinic; **~krankenhaus** *nt* children's hospital; **~krankheit** *f* children's disease; (*fig*) teething troubles *pl*; **~kriegen** *nt no pl* having children; **~krippe** *f* crèche; **~laden** *m* (alternative) playgroup; **~lähmung** *f* poliomyelitis, polio; **k~leicht** *adj* childishly simple, dead easy (*col*); **es ist k~leicht** it's child's play; **k~lieb** *adj* fond of children; **~lied** *nt* nursery rhyme; **k~los** *adj* childless; **~losigkeit** *f* childlessness; **~mädchen** *nt* nanny; **~mund** *m* (*fig*) children's talk; **~narr** *m er ist ein ~narr* he adores children; **~pflegerin** *f* child minder; **k~reich** *adj* with many children; *Familie* large; **~reichtum** *m* an abundance of children; **~reim** *m* nursery rhyme; **~sachen** *pl* (*Kleidung*) children's clothes *pl*; (*Spielsachen*) toys *pl*; **~schreck** *m* bog(e)yman; **~schuh** *m* child's shoe; *etw steckt noch in den ~schuhen* (*fig*) sth is still in its infancy; *den ~schuhen entwachsen sein* (*fig*) (*Mensch*) to have grown up; (*Technik etc*) to be no longer in its infancy; **~schutz** *m* protection of children; **~schutzbund** *m* child protection league; **~schwester** *f* children's nurse; **k~sicher** *adj* childproof; **~sitz** *m* child's seat; **~spiel** *nt* children's game; (*fig*) child's play *no art*; **~spielplatz** *m* children's playground; **~spielzeug** *nt* (children's) toys *pl*; **~sprache** *f* children's language; (*verniedlichend von Erwachsenen*) baby talk *no art*; **~sterblichkeit** *f* infant mortality; **~stube** *f* (*fig*) upbringing; **~stuhl** *m* child's chair; (*Hochstuhl*) high chair; **~tagesstätte** *f* day nursery (*Brit*), daycare center (*US*); **~teller** *m* (*in Restaurant*) children's dish; **~wagen** *m* pram (*Brit*), baby carriage (*US*); (*Sportwagen*) pushchair (*Brit*), stroller (*US*); **~zimmer** *nt* child's/children's room; (*esp für Kleinkinder*) nursery; **~zulage** *f*, **~zuschlag** *m* child allowance.

Kindes-: **~alter** *nt* childhood; *seit frühestem ~alter* from infancy; **~annahme** *f* adoption; **~beine** *pl: von ~beinen an* from childhood; **~entführung** *f* kidnapping (of a child/children); **~mißhandlung** ⚠ *f* child abuse.

kindgemäß *adj* suitable for a child/children.

Kindheit *f* childhood; (*früheste ~heit*) infancy.

Kindheits-: **~erinnerung** *f* childhood memory; **~traum** *m* childhood dream.

kindisch *adj* (*pej*) childish ► *sich ~ über etw* (*acc*) *freuen* to be as pleased as Punch about sth.

kindlich **1** *adj* childlike; (*pej*) childish. **2** *adv* like a child.

Kinds- *in cpds siehe* **Kindes-**; **~kopf** *m* (*col*) big kid (*col*).

Kinkerlitzchen *pl* (*col*) knicknacks *pl* (*col*); (*dumme Streiche*) tomfoolery *sing* (*col*).

Kinn *nt* -e chin.

Kinn-: **~haken** *m* hook to the chin; **~lade** *f* jaw(bone); **~riemen** *m* chinstrap.

Kino *nt* -s cinema (*Brit*), movie theater (*US*) ► *ins ~ gehen* to go to the cinema *or* pictures (*Brit*) *or* movies (*esp US*); *das ~ der zwanziger Jahre* the cinema (*Brit*) *or* movies (*esp US*) of the twenties.

Kino- *in cpds* cinema (*Brit*), movie (*esp US*); **~besucher**, **~gänger** *m* cinemagoer (*Brit*), movie-goer (*US*); **~karte** *f* cinema (*Brit*) *or* movie theater (*US*) ticket; **~kasse** *f* cinema (*Brit*) *or* movie theater (*US*) box office; **~programm** *nt* film programme; (*Übersicht*) film guide.

Kintopp *m or nt* (*dated*) cinema (*Brit*), movie theater (*US*).

Kiosk *m* -e kiosk.

Kippe *f* -n **a** *auf der ~ stehen* (*Gegenstand*) to be balanced precariously; *sie steht auf der ~* (*fig*) it's touch and go with her. **b** (*col: Zigarettenstummel*) cigarette

stub, fag end (*Brit col*). **c** (*Müll~*, *Min*) tip.

kippen **1** *vt* **a** *Behälter*, *Fenster* to tilt; *Ladefläche*, *Tisch* to tip *or* tilt (up) ► *„bitte nicht ~"* "please do not tilt". **b** (*schütten*) to tip. **2** *vi aux sein* to tip over, to topple over ► *aus den Latschen ~* (*fig col*) (*überrascht sein*) to fall through the floor (*col*); (*ohnmächtig werden*) to pass out.

Kipper *m* - (*Aut*) tipper, dump(er) truck.

Kipp-: **~fenster** *nt* tilt window; **~lore** *f* tipper wagon; **~schalter** *m* toggle switch.

Kirche *f* -n church ► *in die or zur ~ gehen* to go to church; *die ~ im Dorf lassen* not to get carried away.

Kirchen- *in cpds* church; **~austritt** *m* leaving the Church *no art*; **~bank** *f* pew; **~besuch** *m* church attendance; **~buch** *nt* parish register; **~chor** *m* church choir; **k~feindlich** *adj* anticlerical; **~fest** *nt* religious *or* church festival; **~gemeinde** *f* parish; **~jahr** *nt* church *or* ecclesiastical year; **~licht** *nt*: *kein (großes) ~licht sein* (*fig col*) to be not very bright; **~lied** *nt* hymn; **~maus** *f*: *arm wie eine ~maus* poor as a church mouse; **~recht** *nt* canon law; **k~rechtlich** *adj* canonical; **~schiff** *nt* (*Längsschiff*) nave; (*Querschiff*) transept; **~steuer** *f* church tax; **~tag** *m* church congress.

Kirch-: **~gang** *m* going to church *no art*; **~gänger(in** *f*) *m* - churchgoer; **~hof** *m* churchyard; (*Friedhof*) graveyard.

kirchlich *adj* church *attr*, *Zustimmung*, *Mißbilligung* by the church; *Gebot, Gericht* ecclesiastical ► *sich ~ trauen lassen* to have a church wedding; *~ bestattet werden* to have a religious funeral.

Kirch-: **~turm** *m* church tower; (*mit Turmspitze*) church steeple; **~turmspitze** *f* church spire; **~weih** *f* -en fair, kermis (*US*).

Kirmes *f* -sen (*dial*) fair, kermis (*US*).

Kirsch *m* - kirsch.

Kirsch- *in cpds* cherry; **~baum** *m* cherry tree; (*Holz*) cherry (wood); **~blüte** *f* cherry blossom.

Kirsche *f* -n cherry ► *mit ihm ist nicht gut ~n essen* (*col*) it's best not to tangle with him.

Kirsch-: **~kern** *m* cherry stone; **~likör** *m* cherry brandy; **k~rot** *adj* cherry red; **~torte** *f*: *Schwarzwälder ~torte* Black Forest gateau; **~wasser** *nt* kirsch.

Kissen *nt* - cushion; (*Kopf~*) pillow; (*Stempel~*, *an Heftpflaster*) pad.

Kissen-: **~bezug** *m* cushion cover; (*Kopf~*) pillow case; **~schlacht** *f* pillow fight.

Kiste *f* -n **a** box; (*für Wein etc*) case; (*Latten~*) crate; (*Truhe*) chest; (*col: Auto*) crate (*col*); (*col: Fernsehen*) box (*Brit col*), tube (*US col*) ► *in die ~ gehen* (*col: Bett*) to hit the hay (*col*). **b** (*col: Angelegenheit*) affair.

kistenweise *adv* by the box/case *etc*.

Kita *f* = **Kindertagesstätte.**

Kitsch *m no pl* kitsch.

kitschig *adj* kitschy.

Kitt *m* -e (*Fenster~*) putty; (*für Porzellan, Stein etc*) cement; (*fig*) bond.

Kittchen *nt* (*col*) clink (*col*).

Kittel *m* - (*Arbeits~*) overall; (*von Arzt, Laborant etc*) (white) coat; (*blusenartig*) smock.

kitten *vt* to cement; *Fenster* to putty; (*füllen*) to fill; (*fig*) to patch up.

Kitz *nt* -e kid; (*Reh~*) fawn.

Kitzel *m* - tickle; (*fig*) thrill.

kitz(e)lig *adj* (*lit, fig*) ticklish.

kitzeln *vti* (*lit, fig*) to tickle.

Kiwi¹ *f* -s kiwi (fruit).

Kiwi² *m* -s (*Orn*) kiwi.

KKW [ka:ka:''ve:] *nt* -s = **Kernkraftwerk.**

Klacks *m* -e (*col*) (*von Kartoffelbrei, Sahne etc*) dollop (*col*); (*von Senf, Farbe etc*) blob (*col*) ► *das ist ein ~*

that's nothing (*col*).

klacksen (*col*) *vt Sahne etc* to dollop (*col*); *Farbe* to splash.

Kladde *f* **-n** (*Sch*) rough book; (*Notizbuch*) notebook; (*Block*) scribbling pad.

klaffen *vi* to gape ▶ *da klafft eine Wunde* there is a gaping wound; *zwischen uns beiden klafft ein Abgrund* (*fig*) we are poles apart.

kläffen *vi* (*pej, fig*) to yap.

klaffend *adj* gaping; (*fig*) irreconcilable; *Widerspruch* blatant.

Kläffer *m* - (*lit, fig: pej*) yapper.

Klage *f* **-n** a (*Beschwerde*) complaint ▶ *(bei jdm) über jdn/etw ~ führen* to lodge a complaint (with sb) about sb/sth; *~n (über jdn/etw) vorbringen* to make complaints (about sb/sth); *Grund zur ~* reason for complaint. b (*in Trauer*) lament(ation) (*um, über +acc* for); (*~laut*) plaintive cry. c (*Jur*) action, suit; (*Scheidungs~ auch*) petition; (*~schrift*) charge ▶ *eine ~ gegen jdn einreichen/erheben* to institute proceedings against sb.

Klage-: *~erhebung* *f* (*Jur*) institution of proceedings; *~frist* *f* (*Jur*) period for instituting proceedings; *~laut* *m* plaintive cry; *~lied* *nt* lament; *ein ~lied über jdn/etw anstimmen* (*fig*) to complain about sb/sth; *~mauer* *f* *die ~mauer* The Wailing Wall.

klagen 1 *vi* a (*jammern*) to moan, to wail; (*Tiere*) to cry; (*Trauer äußern*) to lament (*um jdn/etw* sb/sth). b (*sich beklagen*) to complain (*über +acc* about) ▶ *ohne zu ~* without complaining; *ich kann nicht ~* (*col*) I can't complain, (I) mustn't grumble (*col*). c (*Jur*) to sue (*auf +acc* for).
2 *vt jdm sein Leid/seine Not ~* to pour out one's sorrow/distress to sb.

klagend *adj* lamenting; *Blick, Ton* plaintive; *Gesicht* sorrowful; (*jammernd*) complaining.

Kläger(in *f*) *m* - (*Jur*) (*im Zivilrecht*) plaintiff; (*in Scheidung*) petitioner; (*im Strafrecht auch*) prosecuting party.

Klage-: *~ruf* *m* plaintive cry; *~schrift* *f* (*Jur*) charge; (*bei Scheidung*) petition; *~weg* *m* (*Jur*) *auf dem ~weg(e)* by legal action; *den ~weg beschreiten* to take legal action.

kläglich 1 *adj* pitiful; *Rest* miserable; *Niederlage, Verhalten* despicable; (*pej: dürftig*) pathetic.
2 *adv* (*in beschämender Weise*) miserably.

klaglos *adv* uncomplainingly.

Klamauk *m no pl* (*col*) (*Alberei*) tomfoolery; (*Theater*) slapstick ▶ *~ machen* to fool about.

klamm *adj* (*steif vor Kälte*) numb; (*naß und kalt*) clammy.

Klamm *f* **-en** gorge.

Klammer *f* **-n** a (*Wäsche~*) peg (*Brit*), pin (*US*); (*Hosen~, Med*) clip; (*Büro~*) paperclip; (*Heft~*) staple; (*Haar~*) (hair)grip (*Brit*), barrette (*US*); (*für Zähne*) brace; (*Bau~*) clamp. b (*in Text*) bracket ▶ *~ auf/zu* open/close brackets; *in ~n* in brackets.

klammern 1 *vt* (*an +acc* to) *Papier etc* to staple; (*Tech*) to clamp; (*Med*) *Wunde* to clip; *Zähne* to brace.
2 *vr sich an jdn/etw ~* (*lit, fig*) to cling to sb/sth.
3 *vi* (*Sport*) to clinch.

klammheimlich (*col*) 1 *adj* secret.
2 *adv* on the quiet ▶ *~ aus dem Haus gehen* to sneak out of the house.

Klamotte *f* **-n** a *~n pl* (*col*) (*Kleidung*) clothes *pl*, togs *pl* (*col*); (*Zeug*) clobber (*Brit col*), stuff *no pl*. b (*pej: Film etc*) rubbishy old film *etc* ▶ *das sind doch alte ~n* (*col*) that's old hat (*col*).

Klampfe *f* **-n** (*col*) guitar.

klang *pret of* **klingen**.

Klang *m* **¨e** sound; (*Tonqualität*) tone ▶ *¨e* (*Musik*) sounds, tones.

Klang-: *~farbe* *f* tone colour (*Brit*) *or* color (*US*); *k~lich*

1 *adj* *k~liche Unterschiede* differences in sound; (*von Tonqualität*) tonal difference; 2 *adv* *k~lich gut sein* (*Musik, Stimme*) to sound good; (*Instrument, Gerät*) to have a good tone; *~regler* *m* (*Rad etc*) tone control; *k~treu* *adj Wiedergabe* faithful; *Empfänger* high-fidelity; *Ton* true; *k~voll* *adj Stimme* sonorous; (*fig*) *Titel, Name* fine-sounding.

Klappbett *nt* folding bed.

Klappe *f* **-n** a flap; (*an Lastwagen*) tailboard; (*seitlich*) sidegate; (*an Kombiwagen*) tailgate; (*von Tisch*) leaf; (*von Ofen*) shutter, flap; (*Klappdeckel*) (hinged) lid; (*an Oboe etc*) key; (*Falltür*) trapdoor; (*Film*) clapperboard; (*Herz~*) valve. b (*Schulter~*) strap; (*Hosen~, an Tasche*) flap; (*Augen~*) patch. c (*Fliegen~*) (fly) swat. d (*col: Mund*) *die ~ halten* to shut one's trap (*col*); *eine große ~ haben* to have a big mouth (*col*).

klappen 1 *vt etw nach oben/unten ~ Sitz, Bett* to fold sth up/down; *Kragen* to turn sth up/down; *Deckel* to lift sth/to lower sth; *etw nach vorn/hinten ~ Sitz* to tip sth forward/back; *Deckel* to lift sth forward/back.
2 *vi* a to bang. b (*fig col*) to work; (*Aufführung, Abend*) to go smoothly ▶ *hat es mit den Karten/dem Job geklappt?* did you get the tickets/job OK (*col*)?

Klappentext *m* (*Typ*) (jacket) blurb.

Klapper *f* **-n** rattle.

Klapperkiste *f* (*pej*) rattletrap (*hum col*), clunker (*US col*).

klappern *vi* to clatter; (*Klapperschlange, Fenster*) to rattle ▶ *er klapperte vor Kälte mit den Zähnen* his teeth were chattering with cold.

Klapper-: *~schlange* *f* (*Zool*) rattlesnake; *~storch* *m* stork; *er glaubt noch an den ~storch* ≈ he still thinks babies are found under the gooseberry bush.

Klapp-: *-fahrrad* *nt* folding bicycle; *~messer* *nt* flick knife; *~rad* *nt* folding bike.

klapprig *adj* shaky; *Auto etc* ramshackle.

Klapp-: *~sitz* *m* folding seat; *~stuhl* *m* folding chair; *~tisch* *m* folding table.

Klaps *m* **-e** (*Schlag*) smack, slap ▶ *einen ~ haben* (*col*) to have a screw loose (*col*).

Klapsmühle *f* (*pej col*) loony bin (*col*).

klar *adj* clear; (*fertig*) ready ▶ *~ zum Gefecht* (*Mil*) ready for action; *~ Schiff machen* (*lit, fig*) to clear the decks; *~er Fall!* (*col*) sure thing (*col*); *alles ~?* everything OK? (*col*); *jetzt ist mir alles ~!* now I understand; *bei ~em Verstand sein* to be in full possession of one's faculties; *etw ~ und deutlich sagen* to spell sth out; *jdm etw ~ und deutlich sagen* to tell sb sth straight (*col*); *etw ~ zum Ausdruck bringen* to make sth clear; *~ zutage treten* to become obvious; *sich* (*dat*) *über etw* (*acc*) *im ~en sein* to be aware of sth; *sich* (*dat*) *darüber im ~en sein, daß ...* to realize that ...; *ins ~e kommen* to get things straight.

Klär|anlage *f* sewage plant; (*von Fabrik*) purification plant.

klären 1 *vt* to clear; *Wasser, Luft* to purify; *Abwasser* to treat; *Fall* to clarify, to clear up; *Frage* to settle.
2 *vi* (*Sport*) to clear (the ball).
3 *vr* (*Wasser, Himmel*) to clear; (*Wetter*) to clear up; (*Meinungen, Sachlage*) to become clear; (*Streitpunkte*) to be clarified; (*Frage*) to be settled.

Klare(r) *m decl as adj* (*col*) schnaps.

klargehen *vi sep irreg aux sein* (*col*) to be all right *or* OK (*col*).

Klarheit *f* (*lit: Reinheit*) clearness; (*fig: Deutlichkeit*) clarity; (*geistige ~*) lucidity ▶ *sich* (*dat*) *~ über etw* (*acc*) *verschaffen* to get sth straight, to get sth clear in one's mind.

Klarinette *f* clarinet.

Klarinettist(in *f*) *m* clarinettist.

Klar-: k~kommen *vi sep irreg aux sein* (*col*) to manage, to get by; *mit jdm/etw k~kommen* to be able to cope with sb/sth; **k~kriegen** *vt sep* (*col*) to sort out; **k~legen** *vt sep* to make clear; **k~machen** *sep* [1] *vt* to make clear; *Schiff* to make ready; *Flugzeug* to clear; *jdm etw k~machen* to make sth clear to sb; *sich* (*dat*) *etw k~machen* to get sth clear in one's mind; [2] *vi* (*Naut*) to make ready; *zum Gefecht k~machen* to clear the decks for action; **~schriftleser** *m* (*optischer*) **~schriftleser** optical character reader; **k~sehen** △ *vi sep irreg* to see clearly; *in etw* (*dat*) *k~sehen* to have understood sth; **~sichtfolie** *f* transparent film; **~sichtpackung** *f* see-through pack; **k~stellen** *vt sep* (*klären*) to clear up, to clarify; *ich möchte k~stellen, daß ...* I want to make it clear that ...; **~stellung** *f* clarification; **~text** *m im ~text* in clear; (*fig col*) in plain English.

Klärung *f* (*lit*) purification; (*fig*) clarification.

△ **klarwerden** *sep irreg aux sein* [1] *vr sich* (*dat*) *(über etw acc)* ~ to get (sth) clear in one's mind.

　[2] *vi jetzt wird mir das klar* now it's clear, now I see.

klasse *adj inv* (*col*) great (*col*).

Klasse *f -n* class; (*Spiel~*) league; (*Steuer~ auch*) bracket; (*Güter~*) grade; (*Sch: ~nzimmer*) classroom ▶ *ein Fahrschein erster/zweiter ~* a first-/second-class ticket; *das ist (große) ~!* (*col*) that's great (*col*).

Klasse- *in cpds* (*col*) top-class; **~frau** *f* fantastic woman.

Klassen- *in cpds* class; **~arbeit** *f* (written) class test; **~beste(r)** *mf er ist ~beste(r)* he is top of the class; **~bewußtsein** △ *nt* class consciousness; **~buch** *nt* (class-)register; **~feind** *m* (*Pol*) class enemy; **~gegensatz** *m usu pl* (*Sociol*) class difference; **~gesellschaft** *f* class society; **~haß** △ *m* (*Sociol*) class hatred; **~justiz** *f* (*Pol*) legal system with class bias; **~kamerad** *m* classmate; **~kampf** *m* class struggle; **~krieg** *m* class warfare; **~lehrer**, **~leiter** *m* class *or* form teacher; **k~los** *adj Gesellschaft* classless; *Krankenhaus* one-class; **~sprecher(in** *f*) *m* (*Sch*) class spokesperson; **~treffen** *nt* (*Sch*) class reunion; **~unterschied** *m* class difference; **~ziel** *nt* (*Sch*) *das ~ziel nicht erreichen* not to reach the required standard (for the year); (*fig*) not to make the grade; **~zimmer** *nt* classroom.

klassifizieren* *vt* to classify.

Klassifizierung *f* classification.

Klassik *f no pl* classical period.

Klassiker(in *f*) *m* - classic ▶ *ein ~ des Jazz* a jazz classic; *die antiken ~* the classics.

klassisch *adj* classical; (*typisch, zeitlos*) classic.

Klassizismus *m* classicism.

Klatsch *m -e* [a] splash; (*bei Schlag, Aufprall*) smack. [b] *no pl* (*pej col: Tratsch*) gossip.

Klatsch-: **~base** *f* (*pej col*) gossip; **~blatt** *nt* (*col*) gossipy magazine.

klatschen [1] *vi* [a] to clap ▶ *in die Hände ~* to clap one's hands. [b] (*einen Klaps geben*) to slap ▶ *sich* (*dat*) *auf die Schenkel ~* to slap one's thighs. [c] *aux sein* (*aufschlagen*) (*harte Gegenstände*) to go smack; (*Flüssigkeiten*) to splash. [d] (*pej col: tratschen*) *über jdn/etw ~* to gossip about sb/sth.

　[2] *vt* [a] to clap ▶ *jdm Beifall ~* to applaud *or* clap sb. [b] (*knallen*) to smack, to slap; (*werfen*) to throw.

Klatschen *nt no pl* (*Beifall~*) applause; (*col: Tratschen*) gossiping.

Klatsch-: **~mohn** *m* (corn) poppy; **k~naß** △ *adj* (*col*) sopping wet (*col*); **~spalte** *f* (*col*) gossip column; **~sucht** *f* passion for gossip; **k~süchtig** *adj ein k~süchtiger Mensch* a compulsive gossip; **~tante** *f* (*pej col*), **~weib** *nt* (*pej col*) gossip(monger).

Klaue *f -n* [a] claw ▶ *in den ~n der Verbrecher etc* in the clutches of the criminals *etc*. [b] (*pej col: Schrift*) scrawl (*pej*).

klauen (*col*) [1] *vt* to pinch (*col*) (*jdm etw* sth from sb). [2] *vi* to steal, to pinch things (*col*).

Klausel *f -n* clause; (*Vorbehalt*) proviso.

Klausur *f* [a] (*Univ*) exam, paper. [b] *no pl* (*Abgeschlossenheit*) seclusion ▶ *eine Arbeit in ~ schreiben* to write a piece of work under examination conditions.

Klausur-: **~arbeit** *f* examination paper; **~tagung** *f* convention, conference.

Klaviatur [klavia'tuːɐ] *f* keyboard.

Klavier [-'viːɐ] *nt -e* piano.

Klavier- *in cpds* piano; **~auszug** *m* piano score; **~begleitung** *f* piano accompaniment; **~spieler** *m* pianist; **~stimmer** *m* piano tuner.

Klebe-: **~band** *nt* adhesive tape (*Brit*), sticky tape; **~etikett** *nt* adhesive label; **~mittel** *nt* adhesive.

kleben [1] *vi* to stick ▶ *an etw* (*dat*) ~ (*lit*) to stick to sth; *an seinen Händen klebt Blut* (*fig*) he has blood on his hands.

　[2] *vt* to stick; (*mit Klebstoff auch*) to glue; *Film, Tonband* to splice ▶ *Marken ~* (*col: Insur*) to pay stamps; *jdm eine ~* (*col*) to belt sb one (*col*).

klebenbleiben *vi sep irreg aux sein* to stick (*an +dat* to); (*fig col: nicht wegkommen*) to get stuck.

Klebepflaster *nt* sticking plaster.

Kleber *m* - (*im Mehl*) gluten; (*col: Klebstoff*) glue.

Klebe-: **~stelle** *f* join; (*an Film*) splice; **~streifen** *m* adhesive tape; **~zettel** *m* gummed label.

klebrig *adj* sticky; (*klebfähig*) adhesive.

Kleb-: **~stoff** *m* adhesive; **~streifen** *m* adhesive tape.

kleckern [1] *vt* to spill.

　[2] *vi* [a] to make a mess. [b] (*tropfen*) to spill. [c] (*col: stückchenweise arbeiten*) to fiddle about ▶ *nicht ~, sondern klotzen* (*col*) to do things in a big way (*col*).

kleckerweise *adv* in dribs and drabs.

Klecks *m -e* (*Tinten~*) (ink)blot; (*Farb~*) blob.

klecksen *vi* (*mit Tinte*) to make blots/a blob.

Klee *m no pl* clover ▶ *jdn/etw über den grünen ~ loben* to praise sb/sth to the skies.

Kleeblatt *nt* cloverleaf; (*fig: Menschen*) threesome, trio ▶ *vierblättriges ~* four-leaf clover.

Kleid *nt -er* [a] (*Damen~*) dress ▶ *ein zweiteiliges ~* a two-piece (suit). [b] ~*er pl* (*Kleidung*) clothes *pl*; ~*er machen Leute* (*Prov*) fine feathers make fine birds (*Prov*). [c] (*liter*) (*Feder~*) plumage; (*Pelz*) coat; (*fig: von Natur, Bäumen etc*) mantle (*liter*).

kleiden [1] *vr* to dress.

　[2] *vt* [a] (*lit, fig*) to clothe ▶ *etw in schöne Worte ~* to dress sth up in fancy words. [b] *jdn ~* (*jdm stehen*) to suit sb.

Kleider-: **~bügel** *m* coathanger; **~bürste** *f* clothes brush; **~haken** *m* coat hook; **~schrank** *m* wardrobe; **~ständer** *m* coat-stand.

kleidsam *adj* flattering.

Kleidung *f no pl* clothes *pl*, clothing.

Kleidungsstück *nt* garment ▶ ~*e pl* clothes *pl*.

Kleie *f no pl* bran.

klein *adj* [a] little, small; *Finger* little; *Format, Gehalt, Zahl,* (*Hand*)*schrift, Buchstabe* small; *Pause, Vortrag* short; (*Mus*) *Terz* minor ▶ *der K~e Bär* the Little Bear, Ursa Minor; *haben Sie es nicht ~er?* haven't you got anything smaller?; *ein ~ bißchen or wenig* a little (bit); *ein ~ bißchen or wenig Salat* a little (bit of) salad; *ein ~es Bier, ein K~es* (*col*) ≈ half a pint, a half; *mein ~er Bruder* my little brother; *er ist ~er als sein Bruder* he's smaller than his brother; *er schreibt sehr ~* his writing is very small; *sich ~ machen* to bend down low; to curl up tight; *macht euch ein bißchen ~er!* squeeze up closer; ~*, aber oho!* (*col*) good things come in small packages; **~, aber fein!** small is beautiful; **ein Wort ~ schreiben** to write a word with small initial letters; **im ~en** in miniature; **bis ins ~ste** in minute detail; **von ~ an** or **auf** (von Kindheit an) from his/her childhood; (von Anfang an) from the very beginning; **~en Augenblick, bitte!** just one moment, please; **einen Kopf ~er als jd sein** to be a head shorter than sb; **beim ~sten Schreck** at the slightest or smallest shock; **das ~ere Übel** the lesser evil; **ein paar ~ere Fehler** a few minor mistakes. ▸ **b** (unbedeutend) petty (pej); Leute ordinary; (armselig) Verhältnisse humble ▸ **er ist ein ~er Geist** he is small-minded; **der ~e Mann** the ordinary citizen, the man in the street; **ein ~er Ganove** a small-time crook; **sein Vater war (ein) ~er Beamter** his father was a minor civil servant; **~ anfangen** to start off in a small way.

Klein-: **~anzeige** f small ad (Brit col), classified ad; **~arbeit** f detailed work; **in zäher/mühseliger ~arbeit** with rigorous/painstaking attention to detail; **~asien** nt Asia Minor; **~bauer** m small farmer, smallholder; **~betrieb** m small business; **~bildkamera** f 35mm camera; **~buchstabe** m small letter; **~bürger** m petty bourgeois; **~bürgerlich** adj lower middle-class, petty bourgeois (pej); **~bürgertum** nt (Sociol) lower middle class, petty bourgeoisie; **~bus** m minibus.

Kleine(r) mf decl as adj **a** little one; little boy/girl; baby ▸ **unser ~r** (Jüngster) our youngest (child); **die lieben ~n** (iro) the dear little things. **b** (col: auch **~s:** Liebling) baby (col).

Klein-: **~familie** f small family, nuclear family (Sociol); **~format** nt small format; **im ~format** in miniature; **~garten** m allotment (Brit); **~gärtner** m allotment holder (Brit); **k~gedruckt** ⚠ adj in small print; **~gedruckte(s)** nt small print; **~geld** nt (small) change; **das nötige ~ geld haben** (fig) to have the necessary or the wherewithal (col); **k~gemustert** ⚠ adj small-patterned; **k~gewachsen** adj short, small; Baum small; **k~gläubig** adj (zweiflerisch) timid; **k~gläubig sein** to lack conviction; **k~hacken** ⚠ vt sep to chop up small; **~heit** f smallness, small size; **~holz** nt no pl firewood; **aus etw ~holz machen** (hum col) to smash sth to pieces; **~holz aus jdm machen** (col) to make mincemeat of sb (col).

Kleinigkeit f **a** little or small thing; (Bagatelle) trivial matter, trifle; (Einzelheit) minor detail ▸ **ich habe noch ein paar ~en in der Stadt zu erledigen** I still have a few little things to attend to in town; **es war nur eine ~ zu reparieren** there was only something minor to be repaired; **die Reparatur/Prüfung war eine ~** the repair job/exam was no trouble at all; **eine ~ essen** to have a bite to eat; **wegen** or **bei jeder ~** for the slightest reason; **großen Wert auf ~en legen** to be a stickler for detail(s). **b** (ein bißchen) **eine ~** a little (bit), a trifle; **eine ~ zu groß** a little (bit) etc too big.

Kleinigkeitskrämer m (pej) pedant.

Klein-: **~kaliber** nt small bore; **k~kariert** adj (fig) small-time (col); **k~kariert denken** to think small; **~kind** nt small child, infant (Psych); **~kram** m (col) odds and ends pl; (Trivialitäten) trivia pl; **~kredit** m personal loan; **~krieg** m (fig) ein ständiger **~krieg** a constant battle; **einen ~krieg mit jdm führen** to be fighting a running battle with sb.

kleinkriegen vt sep **a** (lit) Holz to chop (up); Nuß to break. **b** (col: kaputtmachen) to smash, to break. **c** (col) (gefügig machen) to bring into line (col); (unterkriegen) to get down; (körperlich) to tire out ▸ **er ist einfach nicht kleinzukriegen** he refuses to be beaten.

Klein-: **~kunst** f cabaret; **k~laut** adj subdued; **dann wurde er ganz k~laut** that made him shut up; **k~laut um Verzeihung bitten** to apologize rather sheepishly.

kleinlich adj petty; (knauserig) mean, stingy (col); (engstirnig) narrow-minded.

Kleinlichkeit f siehe adj pettiness; meanness, stinginess (col); narrow-mindedness.

⚠ **kleinmachen** vt sep **a** to chop or cut up. **b** (col) Geld to change.

Klein-: **~mut** m faintheartedness, timidity; **k~mütig** adj fainthearted, timid; **k~schneiden** ⚠ vt sep irreg to cut up small; **k~schreiben** vt sep irreg (fig) **k~geschrieben werden** to count for (very) little; **~schreibung** f use of small initial letters; **~staat** m small state; **~stadt** f small town; **k~städtisch** adj provincial, small-town attr.

kleinste(r, s) superl of **klein**.

kleinstmöglich adj smallest possible.

Klein-: **~tier** nt small animal; **~vieh** nt: **~vieh macht auch Mist** (prov) every little helps; **~wagen** m small car.

Kleister m - (Klebstoff) paste.

kleistern vti (zusammenkleben) to paste.

Klematis f - clematis.

Klementine f clementine.

Klemme f -n **a** (Haar~, für Papiere etc) clip; (Elec) crocodile clamp; (Med) clamp. **b** (fig col) **in der ~ sitzen** or **sein** to be in a fix (col); **jdm aus der ~ helfen** to help sb out of a fix (col).

klemmen **1** vt Draht etc to clamp, to clip; (in Spalt) to wedge, to jam ▸ **sich** (dat) **den Finger (in etw dat) ~** to catch one's finger (in sth); **sich** (dat) **etw unter den Arm ~** to tuck sth under one's arm. **2** vr to catch oneself (in +dat in) ▸ **sich hinter etw** (acc) **~** (col) to get stuck into sth (col); **sich hinter jdn ~** (col) to get to work on sb. **3** vi (Tür, Schloß etc) to stick, to jam.

Klempner m - plumber.

Klempnerei f **a** no pl plumbing. **b** (Werkstatt) plumber's workshop.

Kleptomane m, **Kleptomanin** f kleptomaniac.

Kleriker m - cleric.

Klerus m -, no pl clergy.

Klette f -n (Bot) burdock; (Blütenkopf) bur(r); (pej: lästiger Mensch) nuisance ▸ **sich wie eine ~ an jdn hängen** to cling to sb like a limpet.

Kletterer m - climber.

Klettergerüst nt climbing frame.

klettern vi aux sein to climb; (mühsam) to clamber ▸ **auf Bäume ~** to climb trees.

Kletter-: **~partie** f climbing trip; **~pflanze** f climbing plant; **~rose** f rambling rose; **~tour** f = **~partie**.

⚠ **Klettverschluß** m Velcro ® fastener.

klicken vi to click.

Klient(in f) [kli'ɛnt(ɪn)] m (wk) **-en, -en** client.

Klima nt -s or **-te** [kli'maːtə] (lit, fig) climate.

Klima|anlage f air conditioning ▸ **mit ~** air-conditioned.

Klimakatastrophe f climatic disaster.

klimatisch adj no pred climatic.

klimatisieren* vt to air-condition.

klimatisiert adj air-conditioned.

Klima-: **~wechsel** m (lit, fig) change in the climate; **~zone** f (climatic) zone.

Klimbim m no pl (col) odds and ends pl; (Umstände) fuss.

Klimmzug m (Sport) pull-up.

klimpern vi to tinkle; (stümperhaft) to plonk away (col); (auf Banjo) to twang; (Münzen) to jingle.

Klinge f -n blade.

Klingel f -n bell.

Klingelknopf m bell push.

klingeln vi to ring (nach for); (Motor) to pink, to knock ▸ **es hat schon geklingelt** (in Schule) the bell has already gone; *es hat geklingelt* (*an Tür*) somebody just rang the doorbell; *immer wenn es an der Tür klingelt ... whenever the doorbell rings ...*

klingen *pret* **klang,** *ptp* **geklungen** *vi* to sound; (*Glocke, Ohr*) to ring; (*Glas*) to clink; (*Metall*) to clang ▸ *nach etw* ~ to sound like sth.

Klinik *f* -en clinic; (*Universitäts~*) (university) hospital.

klinisch *adj* clinical ▸ ~ *tot* clinically dead.

Klinke *f* -n (*Tür~*) (door) handle.

Klinkenputzer *m* (*col*) (*Hausierer*) hawker; (*Vertreter*) door-to-door salesman.

Klinker *m* - (*Ziegelstein*) clinker (brick).

klipp *adv*: ~ *und klar* clearly; (*offen*) frankly.

Klippe *f* -n (*Fels~*) cliff; (*im Meer*) rock; (*fig*) obstacle ▸ *~n umschiffen* (*lit, fig*) to negotiate obstacles.

Klips *m* -e = **Clip.**

klirren *vi* to clink; (*Fensterscheiben*) to rattle; (*Lautsprecher, Mikrofon*) to crackle; (*Eis*) to crunch ▸ *~de Kälte* (*liter*) crisp cold.

Klischee *nt* -s (*Typ*) plate; (*fig: Phrase*) cliché.

Klischeevorstellung *f* cliché, stereotype.

Klitoris *f* - clitoris.

klitzeklein *adj* (*col*) teeny-weeny (*col*).

Klo *nt* -s (*col*) loo (*Brit col*), john (*US col*).

Klo- *in cpds* toilet, loo (*Brit col*); *siehe auch* **Klosett-.**

Kloake *f* -n sewer.

klobig *adj* hefty (*col*); *Mensch* hulking great (*col*).

Klon *m* -e clone.

klonen *vti* to clone.

Klopapier *nt* (*col*) toilet *or* loo (*Brit col*) paper.

klopfen 1 *vt* to knock; *Fleisch, Teppich* to beat; *Steine* to knock down ▸ *den Takt* ~ to beat time.

2 *vi* to knock; (*Herz*) to beat; (*vor Aufregung, Anstrengung auch*) to pound; (*Puls*) to throb; (*Motor*) to knock, to pink (*Brit*) ▸ *es hat geklopft* there's someone knocking at the door; *jdm auf die Schulter/den Rücken* ~ to tap sb on the shoulder/to pat sb on the back; (*heftig*) to slap sb on the shoulder/back; *jdm auf die Finger* ~ (*lit, fig*) to rap sb on the knuckles; *mit ~dem Herzen* with beating *or* pounding heart.

Klopfer *m* - (*Tür~*) (door) knocker; (*Fleisch~*) (meat) mallet; (*Teppich~*) carpet beater.

Klöppel *m* - (*Glocken~*) clapper; (*Spitzen~*) bobbin; (*Trommel~*) stick.

Klöppelei *f* (pillow) lace making.

klöppeln *vi* to make (pillow) lace.

Klöppelspitze *f* pillow lace.

Klops *m* -e (*Cook*) meatball.

Klosett *nt* -e *or* -s lavatory.

Klosett-: *~brille* *f* toilet seat. *~bürste* *f* lavatory brush; *~deckel* *m* lavatory seat lid; *~frau* *f* lavatory attendant; *~papier* *nt* toilet paper.

Kloß *m* ˉe dumpling; (*Fleisch~*) meatball; (*Bulette*) rissole ▸ *einen ~ im Hals haben* (*fig*) to have a lump in one's throat.

Kloßbrühe *f*: *klar wie* ~ as clear as day; (*iro*) as clear as mud.

Kloster *nt* ˉ cloister; (*Mönchs~ auch*) monastery; (*Nonnen~ auch*) convent ▸ *ins* ~ *gehen* to become a monk/nun.

Klosterschule *f* monastic/convent school.

Klotz *m* ˉe (*Holz~*) block (of wood); (*pej: Beton~*) concrete block; (*col: Person*) great lump (*col*) ▸ *jdm ein* ~ *am Bein sein* to be a hindrance to sb.

klotzen *vi* (*col: protzig auftreten*) to show off; *siehe* **kleckern.**

klotzig *adj* (*col*) huge, massive.

Klub *m* -s club.

Klub-: *~abend* *m* club night; *~garnitur* *f* (three-piece) suite; *~jacke* *f* blazer; *~sessel* *m* clubchair.

Kluft *f* ˉe [a] (*Erdspalte*) cleft; (*in Bergen*) crevasse; (*Abgrund*) chasm. [b] (*fig*) gulf, gap ▸ *in der Partei tat sich eine tiefe* ~ *auf* a deep rift opened up in the party. [c] *no pl* (*Uniform*) uniform; (*col: Kleidung*) gear (*col*).

klug *adj, comp* ˉ*er,* *superl* ˉ*ste(r, s)* clever, intelligent; (*vernünftig*) *Entscheidung, Rat* sound; *Überlegung* prudent; *Geschäftsmann* shrewd ▸ *es wird am* ˉ*sten sein, wenn ...* it would be most sensible if ...; *es wäre politisch* ~ *...* it would make good political sense ...; *ein ~er Kopf* a capable person; *in ~er Voraussicht* shrewdly; *ich werde daraus nicht* ~ I can't make head or tail of it; *aus ihm werde ich nicht* ~ I can't make him out; *~e Reden halten* (*iro*) to make fine-sounding speeches; *~e Bemerkungen/Ratschläge* (*iro*) clever *or* helpful remarks/advice (*iro*); *nun bin ich genau so* ~ *wie vorher* I am still none the wiser.

klugerweise *adv* (very) cleverly, (very) wisely.

Klugheit *f siehe adj* cleverness, intelligence; soundness; prudence; shrewdness ▸ *aus* ~ (very) wisely.

Klug-: *~redner* *m* know-all, know-it-all (*US*); *~scheißer* *m* (*col!*) smart-ass (*col!*).

Klumpen *m* - lump; (*Gold~*) nugget; (*Blut~*) clot ▸ ~ *bilden* (*Mehl etc*) to go lumpy.

klumpen *vi* (*Sauce etc*) to go lumpy.

Klumpfuß *m* club foot.

klumpig *adj* lumpy.

Klüngel *m* - (*col: clique*) clique.

Klunker *m* - (*col: Edelstein*) rock (*col*).

km = **Kilometer** km.

km/h = **Kilometer pro Stunde** kph.

knabbern *vti* to nibble ▸ *nichts zu* ~ *haben* (*col*) to have nothing to eat.

Knabe *m* (*wk*) -n, -n (*liter*) boy, lad.

Knaben-: *~chor* *m* boys' choir; *k~haft* *adj* boyish.

Knäckebrot *nt* crispbread.

knacken 1 *vt* (*lit, fig*) to crack; (*col*) *Auto* to break into. 2 *vi* (*brechen*) to crack; (*Dielen, Stuhl*) to creak; (*knistern: Holz*) to crackle ▸ *daran wird er zu* ~ *haben* (*col*) that'll give him something to think about; (*darüber hinwegkommen*) he'll have a rough time getting over it.

Knacker *m* [a] *type of frankfurter.* [b] (*pej col*) *alter* ~ old fog(e)y (*col*).

knackig *adj* crisp; (*col*) *Mädchen* luscious (*col*).

Knacklaut *m* glottal stop.

Knacks *m* -e (*Sprung*) crack ▸ *der Fernseher hat einen* ~ (*col*) there is something wrong with the television.

Knackwurst *f type of frankfurter.*

Knall *m* -e bang; (*mit Peitsche*) crack; (*von Korken*) pop; (*col: Krach*) trouble ▸ ~ *auf Fall* (*col*) just like that (*col*); *einen* ~ *haben* (*col*) to be crazy (*col*) *or* crackers (*Brit col*).

Knall|effekt *m* (*col*) bombshell (*col*).

knallen 1 *vi* [a] to bang, to explode; (*Schuß*) to ring out; (*Pfropfen*) to (go) pop; (*Peitsche*) to crack; (*Tür etc*) to bang, to slam; (*Auspuff*) to backfire; (*aux sein: auftreffen*) to bang ▸ *mit der Tür* ~ to bang *or* slam the door; *draußen knallte es* there was a shot/were shots outside; *sei nicht so frech, sonst knallt's* (*col*) don't be so cheeky, or there'll be trouble. [b] (*col: Sonne*) to blaze down.

2 *vt* to bang; *Tür, Buch auch* to slam; *Schüsse* to fire (off); *Peitsche* to crack ▸ *den Hörer auf die Gabel* ~ (*col*) to slam *or* bang down the receiver; *jdm eine* ~ (*col*) to clout sb (*col*).

Knall-: *~frosch* *m* jumping jack; *k~gelb* *adj* (*col*) bright yellow; *k~hart* *adj* (*col*) really hard; *Film* brutal; *Porno* hard-core; *Job, Truppen, Mensch* really tough; *Schuß, Schlag* really hard.

knallig *adj* (*col*) *Farben* loud, gaudy.

Knall-: *~kopf* *m* (*col*) dickhead (*col*); *~körper* *m* fire-

---

⚠: Informationen zur Rechtschreibreform im Anhang

cracker; **k~rot** adj (col) bright red.

knapp adj a (nicht ausreichend) scarce, in short supply; Gehalt low ▶ **mein Geld ist ~** I'm short of money; **mein Geld wird ~** I am running short of money; **das Essen wird ~** we/they etc are running short of food; **mein Geld/meine Zeit ist ~ bemessen** I am short of money/time. b (gerade noch ausreichend) Zeit, Geld just enough; Mehrheit, Sieg narrow; Kleidungsstück etc (eng) tight; (kurz) short; Bikini scanty ▶ **eine ~e Sache** a close-run thing; **wir haben ~ verloren/gewonnen** we only just lost/won. c (nicht ganz) almost ▶ **ein ~es Pfund Mehl** just under a pound of flour. d Stil, Worte concise; Geste terse; Antwort pithy. e (gerade so eben) just ▶ **mit ~er Not** only just.

⚠ **knapphalten** vt sep irreg jdn ~ to keep sb short (mit of).

Knappheit f shortage; (fig: des Ausdrucks) conciseness.

Knarre f -n (col: Gewehr) gun, shooter (col).

knarren vi to creak ▶ **eine ~de Stimme** a grating voice.

Knast m no pl (col) clink (col), can (US col).

Knatsch m no pl (col) trouble.

knatschig adj (col) whingeing (col).

knattern vi (Motorrad) to bang away; (Preßlufthammer) to hammer; (Maschinengewehr) to rattle; (Schüsse) to rattle out.

Knäuel m or nt - ball; (wirres) tangle; (von Menschen) group, knot.

Knauf m, pl **Knäufe** (Tür~) knob.

knauserig adj (col) mean, stingy (col).

knausern vi (col) to be mean or stingy (col) (mit with).

knautschen vti (col) to crumple (up).

Knautschzone f (Aut) crumple zone.

Knebel m - (Mund~) gag; (Paket~) (wooden) handle; (an Mänteln) toggle.

knebeln vt jdn, Presse to gag.

Kneb(e)lung f no pl (lit, fig) gagging.

Knecht m -e servant; (beim Bauern) (farm)worker; (Stall~) stableboy; (fig: Sklave) slave (gen to).

knechten vt (geh) to subjugate, to oppress.

Knechtschaft f slavery.

kneifen pret **kniff**, ptp **gekniffen** 1 vti to pinch ▶ **jdn or jdm in den Arm ~** to pinch sb's arm. 2 vi (col: ausweichen) to back out (vor +dat of).

Kneifer m - (Brille) pince-nez.

Kneifzange f pliers pl; (kleine) pincers pl ▶ **eine ~** (a pair of) pliers/(a pair of) pincers.

Kneipe f -n (col: Lokal) pub (Brit), bar.

Kneipen-: **~bummel** m pub crawl (Brit), bar hop (US); **~wirt** m (col) landlord (Brit), barkeeper (US).

Kneippkur f Kneipp cure, type of hydropathic treatment combined with diet, rest etc.

Knete f no pl (col) dough (col).

kneten vt to knead; Ton to work; Figuren to model.

Knet-: **~gummi** m or nt plasticine ®; **~masse** f modelling (Brit) or modeling (US) clay.

Knick m -e or -s (Falte) crease; (Biegung) (sharp) bend; (bei Draht) kink ▶ **einen ~ machen** to bend sharply.

knicken vti (vi: aux sein) to snap; Papier to fold ▶ „**nicht ~!**" "do not bend".

knick(e)rig adj (col) stingy (col), mean.

Knicks m -e (col) bob; (tiefer) curts(e)y ▶ **einen ~ machen** to curts(e)y (vor +dat to).

knicksen vi to curts(e)y (vor +dat to).

Knie nt - a knee ▶ **auf ~n** on bended knee; **auf die ~ fallen** to drop to one's knees; **jdm auf ~n danken** to go down on one's knees and thank sb; **in die ~ gehen** to kneel; (fig) to be brought to one's knees; **jdn in or auf die ~ zwingen** to force sb to his knees; **jdn übers ~ legen** (col) to put sb across one's knee; **etw übers ~ brechen** (fig) to rush sth. b (Fluß~) sharp bend; (in Rohr)

elbow.

Knie-: **~beuge** f (Sport) knee bend; **~bundhose** f knee breeches; **~fall** m **einen ~fall vor jdm machen** (lit, fig) to kneel before sb; **~gelenk** nt knee joint; **~hose** f knee breeches pl; **~kehle** f back of the knee; **k~lang** adj knee-length.

knien [kniːn, 'kniːən] 1 vi to kneel ▶ **im K~** kneeling. 2 vr to kneel (down) ▶ **sich in die Arbeit ~** (fig) to get down to one's work.

Knie-: **~scheibe** f kneecap; **~schützer** m - kneepad; **~strumpf** m knee-length sock; **k~tief** adj knee-deep.

kniff pret of **kneifen**.

Kniff m -e a (col) trick ▶ **den ~ bei etw heraushaben** to have the knack of sth (col). b (Falte) crease, fold.

kniff(e)lig adj (col) fiddly; (heikel) tricky.

knipsen 1 vt a (Phot col) to snap (col). b Fahrschein to punch, to clip. 2 vi a (Phot col) to take pictures. b **mit den Fingern ~** to snap one's fingers.

Knirps m -e a (Junge) whippersnapper. b ® ≈ telescopic umbrella.

knirschen vi (Sand, Schnee) to crunch; (Getriebe) to grind ▶ **mit den Zähnen ~** to grind one's teeth.

knistern vi (Feuer) to crackle; (Papier, Seide) to rustle ▶ **mit Papier** etc ~ to rustle paper etc.

knitterfrei adj Stoff, Kleid crease-resistant.

knittern vti to crease, to crush.

knobeln vi (würfeln) to play dice; (um eine Entscheidung) to toss for it (col).

Knoblauch m no pl garlic.

Knoblauch- in cpds garlic; **~presse** f garlic press; **~zehe** f clove of garlic.

Knöchel m - a (Fuß~) ankle ▶ **bis über die ~** up to the ankles. b (Finger~) knuckle.

knöcheltief adj ankle-deep.

Knochen m - bone ▶ **Fleisch mit/ohne ~** meat on/off the bone; **er ist bis auf die ~ abgemagert** he is just skin and bones; **ihm steckt die Grippe/Angst in den ~** (col) he's got flu/he's scared stiff (col); **naß bis auf die ~** (col) soaked to the skin; **der Schreck fuhr ihm in die ~** he was paralyzed with fright; **sich bis auf die ~ blamieren** (col) to make a proper fool of oneself (col).

Knochen-: **~arbeit** f hard graft; **~bau** m bone structure; **~bruch** m fracture; **~gerüst** nt skeleton; **k~hart** adj (col) rock-hard; **~mark** nt bone marrow; **~mehl** nt bone meal; **~schinken** m ham on the bone; **k~trocken** adj (col) bone dry; (fig) Humor etc very dry.

knöchern adj (aus Knochen) bone.

knochig adj bony.

Knödel m - dumpling.

Knöllchen nt (col: Strafzettel) (parking) ticket.

Knolle f -n (Bot) tubercule; (von Kartoffel) tuber.

knollig adj Wurzel tuberous; Auswuchs knobbly; Nase bulbous.

Knopf m ⸚e a button ▶ **das kannst du an den ⸚en abzählen** you might as well toss a coin for it. b (an Tür, Stock) knob; (Sattel~, Degen~) pommel. c (col) (Kind) little chap/little lass; (Kerl) chap, fellow.

Knopfdruck m touch of a button.

knöpfen vt to button (up).

Knopfloch nt buttonhole.

Knorpel m - (Anat) cartilage; (Cook) gristle.

knorpelig adj (Anat) cartilaginous; Fleisch gristly.

knorrig adj Baum gnarled; Holz knotty; (fig) alter Mann rugged; (eigenwillig) Mensch surly, gruff.

Knospe f -n ▶ **~n ansetzen** to bud.

knospen vi to bud ▶ **~d** (lit, fig liter) budding.

Knoten m - knot (auch Naut); (Med: Geschwulst) lump; (Haar auch) bun.

knoten vt Seil etc to tie a knot in ▶ **etw an etw ~** to tie sth to sth.

Knotenpunkt m (Mot) (road) junction (Brit), intersection; (Rail) junction; (fig) centre (Brit), center (US).

knotig adj knotted, full of knots; Äste, Finger gnarled.

knuffen vti (col) to poke (col); (mit Ellbogen) to nudge.

knüllen vti to crumple, to crease (up).

Knüller m - (col) sensation; (Press) scoop.

knüpfen 1 vt Knoten, Band to tie; Teppich to knot; Netz to mesh; Freundschaft to form ▶ jdn an den Galgen ~ (col) to string sb up (col); große Erwartungen an etw (acc) ~ to have great expectations of sth.
2 vr sich an etw (acc) ~ to be linked to sth.

Knüppel m - a stick; (Waffe) cudgel, club; (Polizei~) truncheon (Brit), night stick (US) ▶ jdm ~ zwischen die Beine werfen (fig) to put a spoke in sb's wheel. b (Aviat) joystick; (Aut) gear lever (Brit), gearshift (US).

Knüppel-: k~dick (col) 1 adj Steak, Schicht very thick; 2 adv bei ihm kam es k~dick he had one problem after the other; ~schaltung f (Aut) floor-mounted gear lever (Brit) or gearshift (US); k~voll adj (col) jam-packed.

knurren 1 vi (Hund etc) to growl; (Magen) to rumble; (fig: sich beklagen) to groan (über +acc about). 2 vti (mürrisch sagen) to growl.

Knurren nt no pl siehe vi growl(ing); rumbling; groaning.

knurrig adj grumpy; Angestellte etc disgruntled.

knusprig adj Braten crisp; Gebäck auch crunchy; (fig) Mädchen scrumptious (col).

Knute f -n unter jds ~ (dat) stehen to be completely dominated by sb.

knutschen (col) 1 vt to neck with (col). 2 vir to neck (col).

k. o. [ka:'|o:] adj pred (Sport) knocked out; (fig col) whacked (col) ▶ jdn ~ schlagen to knock sb out.

Koala, Koalabär m koala (bear).

koalieren* vi (esp Pol) to form a coalition.

Koalition f (esp Pol) coalition.

Koalitions- in cpds coalition; ~partner m coalition partner; ~regierung f coalition government.

Kobalt nt no pl cobalt.

Kobold m -e goblin, imp.

Kobra f -s cobra.

Koch m ⁼e cook; (von Restaurant auch) chef ▶ viele ⁼e verderben den Brei (Prov) too many cooks spoil the broth (Prov).

Koch-: ~apfel m cooking apple; ~buch nt cookery book, cookbook; k~echt adj Farbe fast; Wäsche etc that may be boiled.

kochen 1 vi a (Flüssigkeit, Speise) to boil ▶ etw zum K~ bringen to bring sth to the boil; jdn zum K~ bringen (fig col) to make sb's blood boil; das Auto kocht (col) the car is overheating; er kochte vor Wut (col) he was seething. b (Speisen zubereiten) to cook; (als Koch fungieren) to do the cooking ▶ er kocht gut he's a good cook; er kocht scharf/pikant his cooking is highly seasoned/spiced. 2 vt a Nahrungsmittel, Wäsche to boil ▶ etw auf kleiner Flamme ~ to simmer sth over a low heat. b (zubereiten) Essen to cook; Kaffee, Tee to make ▶ etw gar/weich ~ to cook sth until it is done/soft; Eier weich/hart ~ to soft-boil/hard-boil eggs.

kochend adj boiling ▶ ~ heiß sein to be boiling hot; (Suppe etc) to be piping hot.

⚠ **kochendheiß** adj attr boiling hot; Suppe etc piping hot.

Kocher m - (Herd) cooker, stove.

Köcher m - (für Pfeile) quiver.

Koch-: ~feld nt ceramic hob; k~fertig adj ready-to-cook; ~gelegenheit f cooking facilities pl; ~herd m cooker.

Köchin f cook; (von Restaurant auch) chef.

Koch-: ~kunst f cooking; (Gastronomie) cuisine; ~kurs(us) m cookery course; ~löffel m cooking spoon; ~nische f kitchenette; ~platte f (Herdplatte) hotplate; ~rezept nt recipe; ~salz nt cooking salt; ~topf m (cooking) pot; (mit Stiel) saucepan; ~wäsche f washing that can be boiled; ~zeit f cooking time.

Kode [ko:t, 'ko:də] m -s code.

Köder m - bait; (fig auch) lure.

ködern vt (lit) to lure; (fig) to tempt ▶ jdn zu ~ versuchen to woo sb; jdn für etw ~ to rope sb in for sth (col); sich von jdm/etw nicht ~ lassen not to be tempted by sb/sth.

Kodewort nt code word.

kodieren* vt to encode.

Kodierer m -, **Kodiergerät** nt encoder.

Ko|edukation f co-education.

Ko|existenz f coexistence.

Koffein nt no pl caffeine.

koffeinfrei adj decaffeinated.

Koffer m - (suit)case, bag; (Schrank~) trunk; (Arzt~) bag; (für Schreibmaschine, Kosmetika etc) case ▶ die ~ pl (Gepäck) the luggage or baggage or bags pl; die ~ packen (lit, fig) to pack one's bags.

Koffer-: ~gerät nt portable (set); ~kuli m (luggage) trolley (Brit), cart (US); ~radio nt portable radio; ~raum m (Aut) boot (Brit), trunk (US); (Volumen) luggage space.

Kognak ['kɔnjak] m -s or -e brandy.

Kohl m -e a cabbage ▶ das macht den ~ auch nicht fett (col) that's not much help. b (col: Unsinn) nonsense.

Kohldampf m no pl (col) ~ haben to be famished.

Kohle f -n a coal; (Stück ~) (lump of) coal ▶ wir haben keine ~n mehr we have no coal left; zwei ~n two lumps of coal; (wie) auf glühenden or heißen ~n sitzen to be like a cat on hot bricks. b (Verkohltes, Holz~, Art) charcoal. c (Tech) carbon. d (col: Geld) dough (col), cash (col) ▶ die ~n stimmen the money's right.

Kohle-: ~filter m charcoal filter; ~hydrat nt carbohydrate; ~kraftwerk nt coal-fired power station.

Kohlen- in cpds coal; ~bergbau m coal-mining; ~bergwerk nt coalmine, pit, colliery; ~dioxid, ~dioxyd nt carbon dioxide; ~grube f coalmine, pit; ~halde f pile of coal; ~händler m coal merchant; ~heizung f coal heating; ~herd m range; ~kasten m coal-box; ~keller m coal cellar; ~lager nt (Vorrat) coal depot; (im Stollen, Berg) coal seam; ~monoxid, ~monoxyd nt carbon monoxide; ~ofen m (coal-burning) stove; ~säure f (Chem) carbonic acid; ein Getränk ohne ~säure a non-fizzy or still drink; ~schaufel f coal shovel; ~stoff m carbon; ~wasserstoff m hydrocarbon.

Kohle-: ~papier nt carbon paper; ~stift m (Art) (piece of) charcoal; ~tablette f (Med) charcoal tablet; ~zeichnung f charcoal drawing.

Kohl-: ~kopf m cabbage; ~meise f great tit; k~(pech)rabenschwarz adj Haar jet black; Nacht pitch-black; ~rabi m -(s) kohlrabi; ~rübe f turnip; k~schwarz adj Haare, Augen jet black; Gesicht, Hände black as coal.

Koitus ['ko:itus] m -, - or -se coitus.

Koje f -n (esp Naut) bunk; (col: Bett) bed.

Kokain nt no pl cocaine.

kokett adj coquettish, flirtatious.

kokettieren* vi to flirt ▶ mit seinem Alter ~ to play on one's age; mit einem Gedanken ~ to toy with an idea.

Kokos- in cpds coconut; ~flocken pl desiccated coconut; ~milch f coconut milk; ~nuß ⚠ f coconut; ~palme f coconut palm.

Koks m -e coke.

⚠: Informationen zur Rechtschreibreform im Anhang

Koksheizung f coke heating.
Kolben m - (Tech) piston; (Gewehr~) butt; (Chem: Destillier~) retort; (von Lötapparat) bit.
Kolben-: k~förmig adj club-shaped; **~ring** m piston ring.
Kolibri m **-s** humming bird.
Kolik f **-en** colic.
Kollaborateur(in f) [-'tøːɐ, -'tøːrɪn] m (Pol) collaborator.
Kollage [kɔ'laːʒə] f **-n** (Art, fig) collage.
Kollaps m **-e** (Med) collapse.
Kolleg nt **-s** or **-ien** [-iən] (Univ: Vorlesung) lecture; (Vorlesungsreihe) (course of) lectures.
Kollege m (wk) **-n, -n, Kollegin** f colleague ▶ **seine ~n vom Fach** his professional colleagues, his fellow doctors/teachers etc; **meine ~n** the people I work with; **Herr ~!** Mr X/Y.
kollegial adj cooperative ▶ **sich ~ verhalten** to be co-operative.
Kollegialität f cooperativeness.
Kollegin siehe **Kollege**.
Kollegium nt (Lehrer~ etc) staff; (Ausschuß) working party.
Kollegmappe f document case.
Kollekte f **-n** (Eccl) collection.
Kollektion f collection; (Sortiment) range.
kollektiv adj collective.
Kollektiv nt collective.
Kollektiv-: ~schuld f collective guilt; **~strafe** f collective punishment; **~wirtschaft** f (Econ) collective economy.
Koller m - (col) (Anfall) funny mood; (Wutanfall) rage; (Tropen~, Gefängnis~) tropical/prison madness ▶ **seinen ~ bekommen/haben** to get into/to be in one of one's silly or funny moods; **einen ~ haben/bekommen** to be in/fly into a rage.
kollidieren* vi (geh) a aux sein (Fahrzeuge) to collide. b aux sein or haben (fig) to clash.
Kollier [kɔ'liːeː] **-s** necklace.
Kollision f (geh) (Zusammenstoß) collision; (Streit) conflict, clash.
Kollisionskurs m **auf ~ gehen** (fig) to be heading for trouble.
Kolloquium nt colloquium.
Köln nt Cologne.
Kölner adj attr Cologne.
kölnisch adj Cologne.
Kölnischwasser, Kölnisch Wasser △ nt eau de Cologne, cologne.
Kolonialismus m no pl colonialism.
Kolonial-: ~macht f colonial power; **~warenhändler** m (dated) grocer (dated); **~zeit** f colonial era.
Kolonie f colony; (Ferien~) camp.
kolonisieren* vt Land to colonize.
Kolonnade f colonnade.
Kolonne f **-n** column; (Autoschlange) queue (Brit), line; (Arbeits~) gang ▶ **„Achtung ~!"** "convoy"; **~ fahren** to drive in (a) convoy.
△ **Koloß** m **-sse** colossus.
kolossal 1 adj colossal, enormous. 2 adv (col) enormously.
Kolumbianer(in f) m - Colombian.
kolumbianisch adj Colombian.
Kolumbien [-iən] nt Colombia.
Kolumne f **-n** (Typ, Press) column.
Koma nt **-s** or **-ta** (Med) coma.
Kombi m **-s** (Aut) estate (car) (Brit), station wagon (esp US).
Kombination f a (Verbindung, Zahlen~) combination; (Sport: Zusammenspiel) (piece of) team work. b

(Schlußfolgerung) deduction; (Vermutung) conjecture. c (Kleidung) suit, ensemble; (Hemdhose) combinations pl; (Arbeitsanzug) overalls pl, boilersuit (Brit); (Flieger~) flying suit.
△ **Kombinationsschloß** nt combination lock.
kombinieren* 1 vt to combine. 2 vi (folgern) to deduce; (vermuten) to suppose ▶ **gut ~ können** to be good at deduction.
Kombi-: ~wagen m estate (car) (Brit), station wagon (esp US); **~zange** f combination pliers pl.
Komet m (wk) **-en, -en** comet; (fig) meteor.
kometenhaft adj (fig) Aufstieg meteoric.
Komfort [kɔm'foːɐ] m no pl (von Hotel etc) luxury; (von Möbel etc) comfort; (von Auto) luxury features pl; (von Gerät) extras pl; (von Wohnung) amenities pl.
komfortabel adj luxurious, luxury attr; (bequem) Sessel, Bett comfortable.
Komik f no pl (das Komische) comic; (komische Wirkung) comic effect; (lustiges Element) comic element.
Komiker m - (lit, fig) comedian, comic.
komisch adj a (spaßig) funny, comical; (Theat) comic. b (seltsam) funny, strange, odd ▶ **das K~e daran ist ...** the funny or strange or odd thing about it is ...; **mir ist so ~** (col) I feel funny.
komischerweise adv funnily enough.
Komitee nt **-s** committee.
Komma nt **-s** or **-ta** comma; (Math) decimal point ▶ **fünf ~ drei** five point three.
Kommandant m (Mil) commanding officer; (Naut) captain; (von Stadt) commandant.
Kommandeur [kɔman'døːɐ] m commander.
kommandieren* 1 vt a (befehligen) to command, to be in command of. b (befehlen) **jdn an einen Ort ~** to order sb to a place. 2 vi a (Befehlsgewalt haben) to be in command ▶ **~der General** commanding general. b (Befehle geben) to give orders.
Kommanditgesellschaft f limited partnership.
Kommando nt **-s** a (Befehl) command, order ▶ **das ~ zum Schießen geben** to give the command or order to fire; **auf ~ schreit ihr alle ...** on the command (you) all shout ...; **ich kann doch nicht auf ~ lustig sein** I can't be cheerful to order; **wie auf ~ stehenbleiben** to stand still as if by command. b (Befehlsgewalt) command ▶ **das ~ haben** to be in command (über +acc of). c (Mil) (Behörde) command; (Abteilung) commando.
Kommando-: ~brücke f (Naut) bridge; **~wirtschaft** f command economy.
kommen pret **kam,** ptp **gekommen** aux sein 1 vi a to come; (an~ auch) to arrive; (her~) to come over; (hervor~) (Blüten, Sonne) to come out; (Zähne auch) to come through; (sich entwickeln: Pflanzen) to come on ▶ **ich komme (schon)** I'm just coming; **er wird gleich ~** he'll be here right away; **der Nachtisch kommt gleich** dessert is coming straight away; **wann soll der Zug/das Baby ~?** when is the train/baby due?; **nach Hause ~** to come or get home; **der Wagen kommt in 16 Sekunden auf 100 km/h** the car reaches 62 mph in 16 seconds; **das Schlimmste kommt noch** the worst is yet to come; **ich komme zuerst an die Reihe** I'm first; **jetzt kommt's** here it comes, wait for it! (col); **bohren, bis Öl/Grundwasser kommt** to drill until one strikes oil/finds water; **jetzt muß bald die Grenze/Hannover ~** we should soon be at the border/in Hanover; **wie sie (gerade) ~** just as they come; **bitte kommen!** (Telec) come in please; **daher kommt es, daß...** that's why ...; **das kommt davon, daß ...** that's because ...; **das kommt daher, daß es soviel geregnet hat** that's because of or that comes from all the rain we've had; **das kommt davon!** see what happens?

b (*stattfinden, sich zutragen*) to happen; (*TV, Rad, etc: gegeben werden*) to be on ▶ **ich glaube, es kommt ein Unwetter** I think there's some bad weather on the way; **was kommt diese Woche im Kino?** what's on at the cinema this week?; **egal, was kommt, ich bleibe fröhlich** whatever happens, I shall remain cheerful; **komme, was da wolle** come what may; **so mußte es ja ~** it had to happen; **das hätte nicht ~ dürfen** that should never have happened.

c (*kosten, sich belaufen*) **das kommt zusammen auf 20 DM** that comes to 20 marks altogether.

d (*gelangen*) to get; (*mit Hand etc erreichen können*) to reach ▶ **wie komme ich nach London?** how do I get to London?; **ich komme zur Zeit nicht aus dem Haus** at the moment I never get out of the house; **durch den Zoll/die Prüfung ~** to get through customs/the exam; **zu einem Entschluß/einer Einigung ~** to come to a conclusion/an agreement; **in das Alter ~, wo ...** to reach the age when ...

e (*hingehören, gebracht werden*) to go ▶ **das Buch kommt ins oberste Fach** the book goes on the top shelf; **in die Ecke kommt noch ein Schrank** another cupboard is to go in that corner; **ins Gefängnis ~** to go to prison; **in die Schule ~** to start school; **ins Krankenhaus ~** to go into hospital.

f **komm, wir gehen** come along, we're going; **ach komm!** come on!; **komm, fang bloß nicht wieder damit an** come on, don't start that again; **ihm kamen Zweifel** he started to have doubts; **jdm kommen die Tränen** tears come to sb's eyes; **ihm kam das Grausen** terror seized him; **mir kommt eine Idee** I just had an idea; **du kommst mir gerade recht** (*iro*) you're just what I need; **das kommt mir gerade recht** that's just fine; **jdm frech/dumm ~** to be cheeky to sb/to act stupid; **angelaufen ~** to come running along *or* (*auf einen zu*) up; **kommt essen!** come and eat!; **jdn besuchen ~** to come and visit sb; **neben jdm zu sitzen ~** to end up sitting next to sb; **jdn ~ sehen** to see sb coming; **ich habe es ~ sehen** I saw it coming; **die Zeit für gekommen halten** to think the time has come; **jdn ~ lassen** Arzt, Polizei, Schüler, Sekretärin to send for sb; **etw ~ lassen** Mahlzeit, Taxi to order; Kupplung to let in; Seil to let come; Motor to start up; **in Bewegung ~** to start moving; **ins Erzählen ~** to get talking; **zum Blühen/Wachsen** etc ~ to start flowering/growing; **zum Stehen/Stillstand ~** to come to a halt/standstill; **kommt Zeit, kommt Rat** (*Prov*) things have a way of working themselves out; **wer zuerst kommt, mahlt zuerst** (*Prov*) first come first served.

g **an etw** (*acc*) **~** (*berühren*) to touch sth; (*sich verschaffen*) to get hold of sth; **auf etw** (*acc*) **~** (*sich erinnern*) to think of sth; (*sprechen über*) to get onto sth; **auf einen Gedanken ~** to have a thought; **das kommt auf die Rechnung** that goes onto the bill; **auf ihn/darauf lasse ich nichts ~** (*col*) I won't hear a word against him/it; **auf jeden ~ fünf Mark** there are five marks (for) each; **wie kommst du darauf?** what makes you think that?; **darauf bin ich nicht gekommen** I didn't think of that; **ich komme im Moment nicht auf seinen Namen** his name escapes me for the moment; **hinter etw** (*acc*) **~** (*herausfinden*) to find sth out; **mit einem Anliegen ~** to have a request (to make); **um etw ~** (*verlieren*) um Besitz, Leben to lose sth; um Essen, Schlaf to (have to) go without sth; **zu etw ~** (*Zeit finden für*) to get around to sth; (*erhalten*) to come by sth; (*erben*) to come into sth; **wie komme ich zu der Ehre?** to what do I owe this honour?; **da kommt noch seine Kurzsichtigkeit** then there's his shortsightedness on top of that; **zu sich ~** to come to; (*sich fassen*) to recover; (*sich finden*) to sort oneself out.

2 *vi impers* **es ~ jetzt die Nachrichten** and now the news; **es werden viele Leute ~** a lot of people will come; **es kommt noch einmal so weit** *or* **dahin, daß ...** it will get to the point where ...; **so weit kommt es (noch)** that'll be the day (*col*); **wie kommt es, daß du ...?** how is it that you ...?; **ich wußte, daß es so ~ würde** I knew that would happen; **dazu kam es gar nicht mehr** it didn't come to that; **es kam zum Streit** there was a quarrel; **es kam eins zum anderen** one thing led to another; **und so kam es, daß ...** and that is how it happened that ...; **es kam ganz plötzlich** it happened very suddenly; **es kam, wie es ~ mußte** the inevitable happened; **es kommt immer anders, als man denkt** (*prov*) things never turn out the way you expect; **es mag ~, wie es ~ will** whatever happens.

3 *vt* (*col: kosten*) to cost.

Kommen *nt no pl* coming ▶ **ein einziges ~ und Gehen** a constant coming and going; **jd ist im ~** (*fig*) sb is on his/her way up.

kommend *adj* Jahr, Woche, Generation coming; Ereignisse, Mode future ▶ **der ~e Meister** the future champion; *(am)* **~en Montag** next Monday.

Kommentar *m* (*Bemerkung, Stellungnahme*) comment; (*Press, Jur, Liter*) commentary ▶ **kein ~!** no comment; **einen ~ (zu etw) (ab)geben** to comment on sth.

kommentarlos *adj* without comment.

Kommentator *m*, **Kommentatorin** *f* commentator.

kommentieren* *vt* (*Press etc*) to comment on; **kommentierte Ausgabe** annotated edition.

kommerzialisieren* *vt* to commercialize.

kommerziell *adj* commercial.

Kommilitone *m* (*wk*) **-n, -n, Kommilitonin** *f* fellow student.

Kommissar *m* (*Polizei~*) inspector; (*ranghöher*) (police) superintendent.

Kommissariat *nt* (*Polizei*) (*Amt*) office of inspector *or* (*ranghöher*) superintendent; (*Dienststelle*) superintendent's department.

kommissarisch **1** *adj* temporary.
2 *adv* on a temporary basis.

Kommission *f* **a** (*Ausschuß*) committee; (*zur Untersuchung*) commission. **b** (*Comm*) commission ▶ **etw in ~ geben** to give (to a dealer) for sale on commission; **etw in ~ nehmen/haben** to take/have sth on commission.

Kommode *f* **-n** chest of drawers; (*hohe*) tallboy (*Brit*), highboy (*US*).

kommunal *adj* local; (*von Stadt auch*) municipal.

Kommunal-: **~abgaben** *pl* local rates and taxes *pl*; **~politik** *f* local government politics; **~verwaltung** *f* local government; **~wahlen** *pl* local (government) elections *pl*.

Kommune *f* **-n** **a** (*Gemeinde*) community. **b** (*Wohngemeinschaft*) commune.

Kommunikation *f* communication.

Kommunion *f* (*Eccl*) (Holy) Communion.

⚠ **Kommuniqué** [kɔmyniˈkeː] *nt* **-s** communiqué.

Kommunismus *m* communism.

Kommunist(in *f*) *m* Communist.

kommunistisch *adj* communist; (*Partei, Manifest etc*) Communist.

kommunizieren* *vi* **a** to communicate. **b** (*Eccl*) to receive (Holy) Communion.

Komödie [-iə] *f* comedy; (*fig: heiteres Ereignis*) farce ▶ **~ spielen** (*fig*) to put on an act.

Kompagnon [ˈkɔmpanjõ] *m* **-s** (*Comm*) partner, associate.

kompakt *adj* compact.

Kompakt|anlage *f* (*Rad*) compact audio system.

Kompaktwagen *m* (*Aut*) small family car, subcompact

(*US*).
Kompanie *f* (*Mil*) company.
Komparativ *m* (*Gram*) comparative.
Komparse *m* (*wk*) -n, -n, **Komparsin** *f* (*Film*) extra; (*Theat*) supernumerary.
⚠**Kompaß** *m* -sse compass ▸ *nach dem* ~ by the compass.
⚠**Kompaßnadel** *f* compass needle.
kompatibel *adj* (*Tech*) compatible.
Kompatibilität *f* compatibility.
Kompensation *f* compensation.
kompensieren* *vt* to compensate for, to offset.
kompetent *adj* competent; (*befugt*) authorized.
Kompetenz *f* (area of) authority *or* competence; (*eines Gerichts*) jurisdiction, competence ▸ *da hat er ganz eindeutig seine ~en überschritten* he has clearly exceeded his authority here; *das fällt in die ~ dieses Amtes* that's the responsibility of this office; *seine mangelnde ~ in dieser Frage* his lack of competence in this issue.
Kompetenzstreitigkeiten *pl* dispute over respective areas of responsibility.
komplementär *adj* complementary.
komplett [1] *adj* complete.
[2] *adv* completely.
Komplex *m* -e complex.
komplex *adj* complex.
Komplikation *f* complication.
Kompliment *nt* compliment ▸ *jdm ~e machen* to pay sb compliments (*wegen* on).
Komplize *m* (*wk*) -n, -n, **Komplizin** *f* accomplice.
komplizieren* *vt* to complicate.
kompliziert *adj* complicated; (*Med*) *Bruch* compound.
Komplott *nt* -e plot, conspiracy ▸ *ein ~ schmieden* to hatch a plot.
Komponente *f* -n component.
komponieren* *vti* to compose.
Komponist(in *f*) *m* composer.
Komposition *f* composition.
Kompositum *nt*, *pl* **Komposita** (*Gram*, *Chem*) compound.
Kompost *m* -e compost.
Komposthaufen *m* compost heap.
Kompott *nt* -e stewed fruit.
Kompresse *f* compress.
Kompression *f* (*Tech*) compression.
Kompressor *m* compressor.
komprimieren* *vt* to compress; (*fig*) to condense.
⚠**Kompromiß** *m* -sse compromise ▸ *einen ~ schließen* to compromise.
Kompromiß-: **k~bereit** ⚠ *adj* willing to compromise; **~bereitschaft** ⚠ *f* willingness to compromise; **k~los** ⚠ *adj* uncompromising; **~lösung** ⚠ *f* compromise solution.
kompromittieren* [1] *vt* to compromise.
[2] *vr* to compromise oneself.
Kondensation *f* (*Chem*, *Phys*) condensation.
Kondensator *m* (*Aut*, *Chem*) condenser; (*Elec auch*) capacitor.
kondensieren* *vti* (*lit*, *fig*) to condense; (*fig auch*) to distil (*Brit*), to distill (*US*).
Kondens-: **~milch** *f* evaporated milk; **~streifen** *m* vapour (*Brit*) *or* vapor (*US*) trail; **~wasser** *nt* condensation.
Kondition *f* condition, shape; (*Durchhaltevermögen*) stamina ▸ *eine gute/schlechte ~ haben* to be in good/ bad shape; *wie ist seine ~?* what sort of condition is he in?; *er hat überhaupt keine ~* he is completely unfit; (*fig*) he has absolutely no stamina.
Konditions-: **~schwäche** *f* lack of fitness *no pl*; **~training** *nt* fitness training.

Konditor *m*, **Konditorin** *f* pastrycook.
Konditorei *f* cake shop; (*mit Café*) café.
Kondolenz- *in cpds* of condolence.
kondolieren* *vi* (*jdm*) ~ to offer one's condolences (to sb).
Kondom *m or nt* -e condom.
Konfekt *nt* -e confectionery.
Konfektion *f* (*Herstellung*) manufacture of ready-to-wear clothing; (*Bekleidung*) ready-to-wear clothes *pl or* clothing.
Konfektions- *in cpds* ready-to-wear; **~größe** *f* standard size.
Konferenz *f* conference; (*Besprechung*) meeting.
Konferenz- *in cpds* conference; **~räumlichkeiten** *pl* conference facilities; **~saal** *m* conference hall; **~schaltung** *f* (*Telec*) conference circuit; (*Rad*, *TV*) (television/radio) link-up.
konferieren* *vi* to confer (*über* +*acc* on *or* about).
Konfession *f* (religious) denomination.
konfessionell *adj* denominational.
Konfessions-: **k~los** *adj* non-denominational; **~schule** *f* denominational school.
Konfetti *nt no pl* confetti.
Konfiguration *f* (*auch Comp*) configuration.
konfigurieren *vt* Computer, *Software* to configure.
Konfirmand(in *f*) *m* (*wk*) -en, -en (*Eccl*) confirmation candidate.
Konfirmation *f* (*Eccl*) confirmation.
konfiszieren* *vt* to confiscate.
Konfitüre *f* -n jam.
Konflikt *m* -e conflict ▸ *bewaffneter ~* armed conflict; *er befindet sich in einem (inneren) ~* he is in a state of inner conflict.
Konflikt-: **~fall** *m* *im ~fall* in case of conflict; **k~freudig** *adj* combative; **~herd** *m* (*esp Pol*) centre (*Brit*) *or* center (*US*) of conflict; **~situation** *f* conflict situation; **~stoff** *m* cause for conflict.
konform *adj* Ansichten *etc* concurring ▸ *mit jdm ~ gehen* to be in agreement with sb (*in* +*dat* about).
Konformist(in *f*) *m* (*pej*) conformist.
konformistisch *adj* conformist, conforming.
Konfrontation *f* confrontation.
konfrontieren* *vt* to confront (*mit* with).
konfus *adj* confused, muddled.
Kongo *m* Congo.
Kongolese *m* (*wk*) -n, -n, **Kongolesin** *f* Congolese.
kongolesisch *adj* Congolese.
⚠**Kongreß** *m* -sse (*Pol*) congress; (*US Pol*) Congress; (*fachlich*) convention, conference.
Kongreß-: **~mitglied** ⚠ *nt* (*US Pol*) Congressman/-woman; **~teilnehmer** ⚠ *m* person attending a congress/conference *or* convention; **~zentrum** ⚠ *nt* conference centre.
kongruent *adj* (*Math*) congruent.
König *m* -e king.
Königin *f* (*auch Zool*) queen.
Königinpastete *f* vol-au-vent.
königlich [1] *adj* royal.
[2] *adv sich ~ amüsieren* (*col*) to have the time of one's life (*col*).
Königreich *nt* kingdom, realm (*poet*).
Königs-: **k~blau** *adj* royal blue; **~krone** *f* royal crown; **~paar** *nt* royal couple; **k~treu** *adj* royalist.
konisch *adj* conical.
Konjugation *f* conjugation.
konjugieren* *vt* to conjugate.
Konjunktion *f* (*Astron*, *Gram*) conjunction.
Konjunktiv *m* (*Gram*) subjunctive.
Konjunktur *f* economic situation; (*Hoch~*) boom ▸ *steigende/fallende ~* upward/downward economic

trend.

Konjunktur-: ~**abschwung** *m* economic downturn; ~**aufschwung** *m* economic upturn; ~**einbruch** *m* slump.

konjunkturell *adj* economic ▸ ~ *bedingt* caused by economic factors.

Konjunkturpolitik *f policies aimed at preventing economic fluctuation.*

Konjunkturschwäche *f* weakness of economic activity.

konkav *adj* concave.

konkret *adj* concrete ▸ *ich kann dir nichts K~es sagen* I can't tell you anything definite.

konkretisieren* *vt* to put in concrete form *or* terms.

Konkurrent(in *f)* *m* rival; (*Comm auch*) competitor.

Konkurrenz *f* (*Wettbewerb*) rivalry; (~*betrieb*) competitors *pl*; (*Gesamtheit der Konkurrenten*) competition, competitors *pl* ▸ *die ~ auf diesem Gebiet ist größer geworden* the competition in this field has increased; *jdm ~ machen* (*Comm, fig*) to compete with sb; (*Comm*) to be in/enter into competition with sb.

Konkurrenz-: ~**druck** *m* pressure of competition; **k~fähig** *adj* competitive; ~**kampf** *m* competition; (*zwischen zwei Menschen auch*) rivalry; *ein ~kampf, bei dem wir uns durchgesetzt haben* a competitive situation in which we came out on top; **k~los** *adj* without competition.

konkurrieren* *vi* to compete.

Konkurs *m* -e bankruptcy ▸ *in ~ gehen, ~ machen* (*col*) to go bankrupt.

Konkurs-: ~**masse** *f* bankrupt's estate; ~**schuldner(in** *f)* *m* bankrupt; ~**verfahren** *nt* bankruptcy proceedings *pl*; ~**verwalter** *m* receiver; (*von Gläubigern bevollmächtigt*) trustee.

▼ **können** *pret* **konnte,** *ptp* **gekonnt** *or* (*bei modal aux*) ~ *vti, modal aux* [a] (*vermögen*) to be able to ▸ *ich kann es machen* I can do it, I am able to do it; *ich kann es nicht machen* I can't do it; *man konnte ihn retten* they managed to save him; *man konnte ihn nicht retten* they couldn't save him; *ich konnte es nicht verstehen* I couldn't *or* was unable to understand it; *ich habe es sehen ~* I could see it; *er hat es gekonnt* he was able to do it; *morgen kann ich nicht* I can't (manage) tomorrow; *das hättest du gleich sagen ~* you could *or* might have said that straight away; *ich kann das nicht mehr sehen* I can't stand the sight of it any more; *ich kann nicht mehr* I can't go on; (*ertragen*) I can't take any more; (*essen*) I can't eat any more; *so schnell er konnte* as fast as he could.

[b] (*beherrschen*) *Sprache* to know, to be able to speak; *Schach* to be able to play; *Klavier spielen, lesen, schwimmen, Skilaufen etc* to be able to, to know how to ▸ *was ~ Sie?* what can you do?; *was du alles kannst!* the things you can do!; *er kann was* he's very capable; *~ Sie Deutsch?* do you speak German?; *er kann gut Englisch* he speaks English well; *er kann keine Grammatik* he has no idea of grammar.

[c] (*dürfen*) to be allowed to ▸ *kann ich jetzt gehen?* can I go now?; *könnte ich ...?* could I ...?; *er kann sich nicht beklagen* he can't complain; *man kann wohl sagen, daß ...* one could well say that ...; *du kannst mich (mal)!* (*col*) get lost! (*col*); *kann ich mit?* (*col*) can I come with you?

[d] (*möglich sein*) *Sie könnten recht haben* you may be right; *er kann jeden Augenblick kommen* he might come any minute; *das kann nur er gewesen sein* it can only have been him; *das kann das gewesen sein?* who could it have been?; *das kann nicht sein* that can't be true; *es kann sein/es kann nicht sein, daß er da war* he may have been there/he couldn't have been

there; *kann sein* maybe.

[e] *für etw ~* to be responsible for sth; *ich kann nichts dafür* it's not my fault.

Können *nt no pl* ability, skill.

Könner *m* - expert.

konnte *pret of* **können.**

Konsens *m* -e agreement, consent.

konsequent *adj* consistent ▸ *die Bestimmungen ~ einhalten* to observe the regulations strictly; *wir werden ~ durchgreifen* we will take rigorous action; *~e Weiterentwicklung eines Stils* logically consistent development of a style; *wenn du das ~ durchdenkst* if you follow it through to its logical conclusion; *ein Ziel ~ verfolgen* to pursue an objective single-mindedly.

Konsequenz *f* [a] (*Schlußfolgerung*) consequence ▸ *die ~en tragen* to take the consequences; *(aus etw) die ~en ziehen* to draw the logical conclusion (from sth). [b] (*Beharrlichkeit*) consistency; (*bei Maßnahmen*) rigorousness ▸ *die ~, mit der er sein Ziel verfolgte* the single-mindedness with which he pursued his aim.

konservativ [-va-] *adj* conservative; (*Brit Pol*) Conservative, Tory.

Konservative(r) [-va-] *mf decl as adj* conservative; (*Brit Pol*) Conservative, Tory.

Konservatorium [-va-] *nt* conservatory.

Konserve [kɔn'zɛrvə] *f* -n preserved food; (*in Dosen*) tinned (*Brit*) *or* canned food; (~*ndose*) tin (*Brit*), can; (*Med: Blut~*) unit of stored blood ▸ *sich von ~n ernähren* to live out of cans.

Konserven-: ~**büchse,** ~**dose** *f* tin (*Brit*), can; ~**fabrik** *f* cannery.

konservieren* [kɔnzɛr'viːrən] *vt* to preserve.

Konservierung *f* preservation.

Konservierungs-: ~**mittel** *nt*, ~**stoff** *m* preservative.

Konsistenz *f* consistency.

konsolidieren* *vt* to consolidate.

Konsolidierung *f* consolidation.

Konsonant *m* consonant.

Konsorten *pl* (*pej col*) gang (*col*), mob (*col*) ▸ *X und ~* X and his gang *or* mob.

Konsortium [kɔn'zɔrtsiʊm] *nt* consortium.

Konspiration [kɔnspira'tsioːn] *f* conspiracy, plot.

konspirativ [kɔnspira'tiːf] *adj* ~*e Wohnung* safe house (used by terrorists).

konspirieren* [kɔnspi'riːrən] *vi* to conspire, to plot.

konstant [kɔn'stant] *adj* constant.

Konstante [kɔn'stantə] *f* -n constant.

konstatieren* [kɔnsta'tiːrən] *vt* (*geh*) to see, to notice; (*sagen*) to state.

Konstellation [kɔnstɛla'tsioːn] *f* constellation; (*fig*) line-up; (*von Faktoren etc*) combination.

konsterniert *adj* filled with consternation.

Konstitution [kɔnstitu'tsioːn] *f* (*Pol, Med*) constitution.

konstitutionell [kɔnstitutsio'nɛl] *adj* constitutional.

konstruieren* [kɔnstru'iːrən] *vt* to construct; (*Gram auch*) to construe ▸ *ein konstruierter Fall* a hypothetical case.

Konstrukteur(in *f)* [kɔnstrʊk'tøːɐ, -tø:rɪn] *m* designer.

Konstruktion [kɔnstrʊk'tsioːn] *f* construction; (*Entwurf, Bauart auch*) design.

Konstruktionsfehler *m* (*im Entwurf*) design fault; (*im Aufbau*) structural defect.

konstruktiv [kɔnstrʊk'tiːf] *adj* constructive.

Konsul *m* -n consul.

Konsulat *nt* consulate.

Konsultation *f* (*form*) consultation.

konsultieren* *vt* (*form*) to consult.

Konsum *m* -s [a] [kɔn'zuːm] *no pl* (*Verbrauch*) consumption. [b] ['kɔnzuːm, 'kɔnzʊm] (*Genossenschaft*) cooperative society; (*Laden*) cooperative store, co-op (*col*).

Konsum-: **~artikel** *m* consumer item; **~artikel** *pl* consumer goods *pl*; **~denken** *nt* consumerism.
Konsument(in *f)* *m* consumer.
Konsum-: **~gesellschaft** *f* consumer society; **~güter** *pl* consumer goods *pl*.
konsumieren* *vt* to consume.
Konsum-: **~terror** *m* (*pej*) pressures *pl* of a materialistic society; **~zwang** *m* (*Sociol*) compulsion to buy.
Kontakt *m* **-e** contact; (*pl: Aut*) contacts, points *pl* ▶ *mit jdm in ~ kommen* to come into contact with sb; *zu jdm ~ finden* to get to know sb; *mit jdm ~ aufnehmen/in ~ stehen* to get/be in touch with sb; *~ herstellen* to make contact; *den ~ unterbrechen* to break contact; *keinen ~ mehr haben, den ~ verloren haben* to be out of touch.
Kontakt-: **~anzeigen** *pl* personal column; **k~arm** *adj* *er ist k~arm* he finds it difficult to make friends; **~bildschirm** *m* touch-sensitive screen; **k~freudig** *adj* sociable; **~linse** *f* contact lens; **~mann** *m, pl* **~männer** (*Agent*) contact; **~person** *f* contact; **~sperre** *f* (*für Gefangene*) ban on visits and letters.
Konten *pl* of **Konto**.
kontern *vti Schlag, Angriff* to counter.
Kontext *m* **-e** context.
Kontinent *m* **-e** continent.
kontinental *adj* continental.
Kontingent [kɔntɪŋ'gɛnt] *nt* **-e** (*Comm*) quota, share; (*Zuteilung*) allocation.
kontinuierlich *adj* continuous.
Kontinuität [kɔntinuiˈtɛːt] *f* continuity.
Konto *nt, pl* **-s** *or* **Konten** account ▶ *auf meinem/mein ~ in* my/into my account; *das geht auf mein ~* (*col*) (*ich bin schuldig*) I am to blame for this; (*ich zahle*) this is on me (*col*).
Konto-: **~auszug** *m* (bank) statement; **~führungsgebühr** *f* bank charge; **~inhaber** *m* account holder; **~nummer** *f* account number; **~stand** *m* balance.
kontra *prep* +*acc* against; (*Jur*) versus.
Kontra *nt* **-s** (*Cards*) double ▶ *jdm ~ geben* (*fig*) to contradict sb.
⚠ **Kontrabaß** *m* double-bass.
Kontrahent [kɔntraˈhɛnt] *m* (*bei Vertrag*) contracting party; (*Gegner*) opponent, adversary.
Kontra|indikation *f* (*Med*) contra-indication.
Kontrakt *m* **-e** contract.
Kontrapunkt *m* (*Mus*) counterpoint.
konträr *adj* (*geh*) *Meinungen* contrary, opposite.
Kontrast *m* **-e** contrast.
Kontrast-: **~brei** *m* (*Med*) barium meal; **~farbe** *f* contrasting colour (*Brit*) *or* color (*US*).
kontrastieren* *vi* to contrast.
Kontroll|abschnitt *m* (*Comm*) counterfoil (*Brit*), stub.
⚠ **Kontrollampe** *f* pilot lamp; (*Aut: für Ölstand etc*) warning light.
Kontrollbeamte(r) *m* inspector; (*an der Grenze*) frontier guard; (*zur Paßkontrolle*) passport officer; (*zur Zollkontrolle*) customs officer; (*zur Überwachung*) security officer.
Kontrolle *f* **-n** a (*Beherrschung, Regulierung*) control ▶ *über jdn/etw die ~ verlieren* to lose control of sb/sth; *jdn/etw unter ~ haben/halten* to have/keep sb/sth under control. b (*Nachprüfung*) check (*gen* on); (*Aufsicht*) supervision; (*Paß~*) passport control; (*Zoll~*) customs examination ▶ *zur ~ haben wir noch einmal alles nachgerechnet* we went over all the figures again to check; *die ~ von Lebensmitteln* the inspection of foodstuffs. c (*Stelle*) (*für Nach-/Überprüfung, Verkehr*) checkpoint; (*Paß~/Zoll~*) passport control/customs; (*vor Fabrik*) gatehouse; (*an der Grenze*) border post.

Kontrolleur [kɔntrɔˈløːɐ] *m* inspector.
kontrollieren* *vt* a (*regulieren, beherrschen*) to control. b (*nachprüfen, überwachen*) to check; (*Aufsicht haben über*) to supervise; *Paß, Fahrkarte etc* to inspect, to check ▶ *die Qualität der Waren muß streng kontrolliert werden* a strict check must be kept on the quality of the goods; *jdn/etw nach etw ~* to check sb/sth for sth.
⚠ **Kontrolliste** *f* check-list.
Kontroll-: **~kommission** *f* control commission; **~punkt** *m*, **~stelle** *f* checkpoint; **~turm** *m* control tower; **~uhr** *f* time clock; **~versuch** *m* control experiment; **~zentrum** *nt* (*Space*) control centre (*Brit*) *or* center (*US*).
kontrovers [kɔntroˈvɛrs] *adj* controversial.
Kontroverse [kɔntroˈvɛrzə] *f* **-n** controversy.
Kontur *f* **-en** outline, contour.
Konvention [kɔnvɛnˈtsioːn] *f* convention ▶ *sich über die ~en hinwegsetzen* to ignore conventions.
Konventionalstrafe [kɔnvɛntsioˈnaːl-] *f* penalty *or* fine (for breach of contract).
konventionell [kɔnvɛntsioˈnɛl] *adj* conventional.
Konversation [kɔnvɛrzaˈtsioːn] *f* conversation ▶ *~ machen* to make conversation.
Konversationslexikon *nt* encyclopaedia (*Brit*), encyclopedia (*US*).
konvertieren* [kɔnvɛrˈtiːrən] *vt* to convert (*in* +*acc* into).
konvex [kɔnˈvɛks] *adj* convex.
Konvoi [ˈkɔnvɔy, -ˈ-] *m* **-s** convoy ▶ *im ~ fahren* to drive in convoy.
Konzentrat *nt* concentrate.
Konzentration *f* concentration (*auf* +*acc* on).
Konzentrations-: **~fähigkeit** *f* powers of concentration *pl*; **~lager** *nt* concentration camp; **~schwäche** *f* poor concentration.
konzentrieren* ① *vt* to concentrate (*auf* +*acc* on); *Truppen auch* to mass.
② *vr* to concentrate (*auf* +*acc* on); (*Untersuchung, Arbeit etc*) to be concentrated (*auf* +*acc* on).
konzentriert *adj* a (*Chem*) concentrated. b *mit ~er Aufmerksamkeit* with all one's concentration; *~ arbeiten/zuhören* to work/listen with concentration; *~ nachdenken* to concentrate.
konzentrisch *adj* concentric.
Konzept *nt* **-e** (*Rohentwurf*) draft, notes *pl*; (*Plan, Programm*) plan; (*Begriff, Vorstellung*) concept ▶ *jdn aus dem ~ bringen* to break sb's train of thought; (*col: aus dem Gleichgewicht*) to throw sb (*col*); *das paßt mir nicht ins ~* that doesn't fit in with my plans; (*gefällt mir nicht*) I don't like the idea.
Konzeption *f* (*geh*) conception.
konzeptionslos *adj* without a definite line.
Konzeptpapier *nt* rough paper.
Konzern *m* **-e** combine, group (of companies) ▶ *die ~e haben zuviel Macht* the big companies have too much power.
Konzert *nt* **-e** concert; (*Komposition*) concerto.
Konzert-: **~besucher** *m* concertgoer; **~flügel** *m* concert grand.
konzertiert *adj* **~e Aktion** (*Fin, Pol*) concerted action.
Konzertina *f, pl* **Konzertinen** concertina.
Konzert-: **~meister** *m* leader, concertmaster (*US*); **~pianist** *m* concert pianist; **~saal** *m* concert hall.
Konzession *f* a (*Gewerbeerlaubnis*) concession, licence (*Brit*), license (*US*). b (*Zugeständnis*) concession (*an* +*acc* to).
konzessionieren *vt* to franchise.
konzessionsbereit *adj* willing to make concessions.
Konzil *nt* **-e** *or* **-ien** [-iən] (*Eccl, Univ*) council.

⚠: for details of spelling reform, see supplement

konzipieren 292

konzipieren* vt to conceive; (entwerfen auch) to design.
Ko|operation f cooperation.
ko|operativ adj cooperative.
ko|operieren* vi to cooperate.
Ko|ordinate f -en (Math) coordinate.
Ko|ordination f coordination.
Ko|ordinator m, **Ko|ordinatorin** f coordinator.
ko|ordinieren* vt to coordinate.
Ko|ordinierung f coordination.
Kopenhagen nt Copenhagen.
Köper m no pl (Tex) twill.
Kopf m ⁻e a head ▸ mit bloßem ~ bareheaded; ~ an ~ shoulder to shoulder; (Pferderennen, Sport) neck and neck; bis über den ~ (im Wasser) up to one's neck; (in Schulden) up to one's ears; ~ hoch! chin up!; auf dem ~ stehen to stand on one's head; jdm den ~ waschen (col) to give sb a piece of one's mind (col); den ~ oben behalten to keep one's chin up; jds ~ fordern (lit, fig) to demand sb's head; von ~ bis Fuß from head to foot; sich (dat) an den ~ fassen (fig) to be speechless; da kann man sich nur an den ~ fassen it makes you despair; die ⁻e zusammenstecken to put their heads together; (heimlich) to go into a huddle (col); einen schweren ~ haben to have a thick head; Geld etc auf den ~ hauen (col) to blow one's money etc (col); jdm über den ~ wachsen (lit) to outgrow sb; (fig: Sorgen etc) to be more than sb can cope with; den ~ für jdn/etw hinhalten (col) to take the blame for sb/sth; etw auf den ~ stellen (lit, fig: durchsuchen) to turn sth upsidedown; Tatsachen auf den ~ stellen to stand facts on their heads; und wenn du dich auf den ~ stellst, ... (col) no matter what you say/do ...; jdn den ~ kosten (lit) to cost sb his head; (fig) to cost sb his career or job; ~ und Kragen riskieren (col) to risk one's neck; auf jds ~ (acc) eine Belohnung aussetzen to put a reward on sb's head; er ist nicht auf den ~ gefallen he's no fool; jdm Beleidigungen an den ~ werfen (col) to hurl insults at sb; jdm etw auf den ~ zusagen to say sth straight out to sb; den ~ hängenlassen (fig) to be downcast or despondent; jdn vor den ~ stoßen to antagonize sb; jdm den ~ zurechtrücken to bring sb to his/her senses; mit dem ~ durch die Wand wollen (col) to be determined to get one's own way regardless; (jdm) zu ~(e) steigen to go to sb's head; ich war wie vor den ~ geschlagen I was dumbfounded; über jds ~ (acc) hinweg over sb's head; ein ~ Salat/Kohl a head of lettuce/cabbage; ~ oder Zahl? heads or tails?
b (Einzelperson) person ▸ pro ~ per person or head; das Einkommen pro ~ the per capita income.
c (fig) (Verstand) head; (Denker) thinker; (leitende Persönlichkeit) leader; (Bandenführer) brains sing ▸ sich (dat) über etw (acc) den ~ zerbrechen to rack one's brains over sth; er ist nicht ganz richtig im ~ (col) he is not quite right in the head; ein kluger ~ an intelligent person; er ist ein fähiger ~ he has a good head on his shoulders; die besten ⁻e minds.
d (Sinn) head, mind ▸ sich (dat) etw durch den ~ gehen lassen to think about sth; nichts als Tanzen/Fußball im ~ haben to think of nothing but dancing/football; andere Dinge im ~ haben to have other things on one's mind; ich weiß kaum, wo mir der ~ steht I scarcely know whether I'm coming or going; den ~ verlieren to lose one's head; sich (dat) etw aus dem ~ schlagen to put sth out of one's mind; jdm den ~ verdrehen to turn sb's head; der Gedanke will mir nicht aus dem ~ I can't get the thought out of my head or mind; das will mir nicht in den ~ hinein I just can't grasp it; im ~ in one's head; etw im ~ rechnen to work sth out in one's head; aus dem ~ from memory; sie hat

es sich (dat) in den ~ gesetzt, das zu tun she has taken it into her head to do that; seinen ~ durchsetzen to get one's own way.
Kopf-: ~-an-~-Rennen nt neck-and-neck race; ~arbeit f brain-work; ~bahnhof m terminus (station); ~ball m (Ftbl) header; ~bedeckung f headgear; ohne ~bedeckung without a hat.
Köpfchen nt dim of Kopf little head; (fig hum) brains ▸ ~ haben to be brainy (col).
köpfen vti a jdn to behead; (hum) Flasche Wein to crack (open). b (Ftbl) to head ▸ ins Tor ~ to head the ball in.
Kopf-: ~ende nt head; ~geld nt head money; ~grippe f flu (and headache); ~haut f scalp; ~hörer m headphone; ~jäger m head-hunter; ~kissen nt pillow; ~kissenbezug m pillow case; ~lage f (Med) head presentation; ~länge f um eine ~länge by a head; k~lastig adj (lit, fig) top-heavy; Flugzeug nose-heavy; k~los adj (fig) in a panic; (lit) headless; k~los werden to get into a flap (col); ~losigkeit f (fig) panickiness; ~nicken nt no pl nod (of the head); ~prämie f reward; ~rechnen nt mental arithmetic; ~salat m lettuce; k~scheu adj jdn k~scheu machen to intimidate sb; ~schmerz m usu pl headache; ~schmerzen haben to have a headache; sich (dat) wegen etw ~schmerzen machen (fig) to worry about sth; ~schmerztablette f headache tablet; ~schuß △ m shot in the head; ~schutz m protection for the head; (~schützer) headguard; ~seite f (von Münze) head, face side; ~sprung m header, dive; einen ~sprung machen to dive (headfirst); ~stand m headstand; einen ~stand machen to stand on one's head; k~stehen △ vi sep irreg aux sein a (lit) to stand on one's head; b (fig) (vor Ausgelassenheit) to go wild (with excitement); (durcheinander sein) to be all topsyturvy (col); ~steinpflaster nt cobblestones pl; eine Straße mit ~steinpflaster a cobbled street; ~steuer f poll tax; ~stütze f head-rest; (Aut) head restraint; ~tuch nt (head)scarf; k~über adv (lit, fig) headfirst, headlong; ~verletzung f head injury; ~wäsche f shampoo, hair-wash; ~weh nt siehe ~schmerz; ~zerbrechen nt sich (dat) über etw (acc) ~zerbrechen machen to worry about sth.
Kopie f copy; (fig) carbon copy; (Durchschlag auch) carbon (copy); (Ablichtung) photocopy; (Phot) print.
kopieren* vti (lit, fig) to copy; (nachahmen) to imitate; (ablichten) to photocopy; (durchpausen) to trace; (Phot, Film) to print.
Kopierer m copier.
Kopier-: ~gerät nt photocopier; ~papier nt photocopy paper; ~schutz m (Comp) copy protection; mit ~schutz copy-protected; ~schutzstecker m (Comp) dongle; ~stift m indelible pencil.
Kopilot(in f) m co-pilot.
Koppel f -n (Weide) paddock, enclosure ▸ auf der ~ in the paddock etc.
koppeln vt a (zusammenbinden) to tie together. b (verbinden) to couple, to join (etw an etw (acc) sth to sth); (durchpausen) zwei Dinge to couple or join together; (fig) to link, to couple; (als Bedingung) to tie; Ziele, Zwecke to combine ▸ eine Dienstreise mit einem Urlaub ~ to combine a business trip with a holiday. c (Elec) to couple.
Kopp(e)lung f no pl a (Elec) coupling. b (Verbindung) (lit) coupling, joining; (fig, von Raumschiffen) link-up.
Koproduktion f co-production.
Koproduzent m co-producer.
Kopulation f (Biol) copulation, coupling.
kopulieren* vi (koitieren) to copulate.
Koralle f -n coral.
Korallen-: ~bank f coral reef; ~kette f coral necklace;

△: Informationen zur Rechtschreibreform im Anhang

~meer *nt* Coral Sea; **~riff** *nt* coral reef.
Koran *m no pl* Koran.
Korb *m* ⁻e a basket; (*Fisch~ auch*) creel; (*Bienen~*) hive; (*Förder~*) cage ▶ *ein ~ Äpfel* a basket of apples. b (*~geflecht*) wicker ▶ *ein Sessel aus ~* a wicker(work) chair. c (*col: Abweisung*) refusal, rebuff ▶ *einen ~ bekommen, sich* (*dat*) *einen ~ holen* to be turned down; *jdm einen ~ geben* to turn sb down.
Korbball *m* basketball.
Körbchen *nt* a *dim of* **Korb** ▶ *ins ~!* (*baby-talk*) off to bye-byes (*baby-talk*). b (*von Büstenhalter*) cup.
Korb-: ~geflecht *nt* basketwork, wickerwork; **~möbel** *pl* wicker(work) furniture; **~sessel, ~stuhl** *m* wicker(work) chair.
Kord *m* -e = **Cord.**
Kordel *f* -n cord.
Korea *nt* Korea.
Koreaner(in *f*) *m* - Korean.
koreanisch *adj* Korean.
Koriander *m no pl* coriander.
Korinthe *f* -n currant.
Kork *m* -e cork.
Korken *m* - cork; (*aus Plastik*) stopper.
Korkenzieher *m* - corkscrew.
Kormoran [kɔrmoˈraːn] *m* -e cormorant.
Korn¹ *nt* ⁻er a (*Samen~*) seed, grain; (*Pfeffer~*) corn; (*Salz~, Sand~, Phot*) grain; (*Hagel~*) stone. b *no pl* (*Getreide*) grain, corn (*Brit*).
Korn² *m* - *or* -s (*Kornbranntwein*) corn schnaps.
Korn³ *nt* -e (*am Gewehr*) front sight, bead ▶ *jdn/etw aufs ~ nehmen* (*fig col*) to keep tabs on sb (*col*)/to hit out at sth.
Kornblume *f* cornflower.
Körnchen *nt ein ~ Wahrheit* a grain of truth.
körnig *adj* granular, grainy.
Körnung *f* (*Tech*) grain size; (*Phot*) granularity.
Körper *m* - body; (*Schiffs~*) hull ▶ *~ und Geist* mind and body; *am ganzen ~ zittern/frieren* to tremble/to be cold all over.
Körper-: ~bau *m* physique, build; **~beherrschung** *f* physical control; **k~behindert** *adj* physically handicapped, disabled; **~behinderte(r)** *mf* disabled person; *die ~behinderten* the disabled; **~geruch** *m* body odour (*Brit*) *or* odor (*US*), BO (*col*); **~gewicht** *nt* weight; **~größe** *f* height; **~haltung** *f* posture; **~kontakt** *m* physical contact; **~kraft** *f* physical strength.
körperlich *adj* physical; (*stofflich*) material, corporeal ▶ *~e Arbeit* manual work; *~e Züchtigung* corporal punishment.
Körper-: k~los *adj* bodiless, incorporeal; **~maße** *pl* measurements *pl*; **~pflege** *f* personal hygiene; **~puder** *m or nt* body powder.
Körperschaft *f* corporation, (corporate) body ▶ *gesetzgebende ~* legislative body; *~ des öffentlichen Rechts* public corporation *or* body.
Körperschaftssteuer *f* corporation tax.
Körper-: ~schwäche *f* physical weakness; **~sprache** *f* body language; **~teil** *m* part of the body; **~temperatur** *f* body temperature; **~verletzung** *f* (*Jur*) physical injury; *fahrlässige ~verletzung* physical injury resulting from negligence; *schwere ~verletzung* grievous bodily harm; **~wärme** *f* body heat.
Korporal *m* -e *or* **Korporäle** corporal.
Korps [koːɐ̯] *nt* - [koːɐ̯(s)], - [koːɐ̯s] (*Mil*) corps; (*Univ*) (duelling) corps.
korpulent *adj* corpulent.
Korpulenz *f no pl* corpulence.
korrekt *adj* correct.
Korrektheit *f* correctness.
Korrektor *m,* **Korrektorin** *f* (*Typ*) proofreader.

Korrektur *f* correction; (*Typ*) (*Vorgang*) proof-reading; (*Verbesserung*) proof correction ▶ *~ lesen* to proofread (*bei etw* sth.)
Korrektur-: ~abzug *m* galley (proof); **~band** *nt* correction tape; **~fahne** *f* galley (proof); **~taste** *f* correction key; **~zeichen** *nt* proofreader's mark.
Korrespondent(in *f*) *m* correspondent.
Korrespondenz *f* correspondence ▶ *mit jdm in ~ stehen* to be in correspondence with sb.
korrespondieren* *vi* to correspond.
Korridor *m* -e (*auch Luft~ etc*) corridor; (*Flur*) hall.
korrigieren* *vt* (*berichtigen*) to correct; *Aufsätze etc auch* to mark; *Meinung, Einstellung* to change.
Korrosion *f* corrosion.
Korrosionsschutz *m* corrosion prevention.
korrumpieren* *vt* to corrupt.
Korrumpierung *f* (*Comp*) corruption.
korrupt *adj* corrupt.
Korruption *f no pl* corruption.
Korse *m* (*wk*) -n, -n Corsican.
Korsett *nt* -s *or* -e corset(s *pl*).
Korsika *nt* Corsica.
Korsin *f* Corsican.
korsisch *adj* Corsican.
Korvette [kɔrˈvɛtə] *f* (*Naut*) corvette.
Korvettenkapitän *m* lieutenant commander.
Kosak *m* (*wk*) -en, -en Cossack.
koscher *adj* (*Rel, fig col*) kosher.
Kose-: ~form *f* affectionate form (*of a name*); **~name** *m* pet name; **~wort** *nt* term of endearment.
K.-o.-Sieg [kaːˈ|oː-] *m* win by a knockout.
Kosinus *m* - *or* -se (*Math*) cosine.
Kosmetik *f no pl* beauty culture; (*Kosmetika, fig*) cosmetics *pl.*
Kosmetiker(in *f*) *m* - beautician.
Kosmetikkoffer *m* vanity case.
Kosmetikum *nt, pl* **Kosmetika** cosmetic.
kosmetisch *adj* cosmetic ▶ *ein ~es Mittel* a cosmetic.
kosmisch *adj* cosmic ▶ *~ beeinflußt werden* to be influenced by the stars.
Kosmo-: ~naut(in *f*) *m* (*wk*) -en, -en cosmonaut; **~polit(in** *f*) *m* (*wk*) -en, -en cosmopolitan; **k~politisch** *adj* cosmopolitan.
Kosmos *m no pl* cosmos.
Kost *f no pl* (*Nahrung, Essen*) food, fare ▶ *vegetarische/ fleischlose ~* vegetarian/meatless diet; *geistige ~* (*fig*) intellectual fare; *leichte/schwere ~* (*fig*) to be easy/heavy going (*col*); *~ und Logis* board and lodging.
kostbar *adj* (*wertvoll*) valuable, precious.
Kostbarkeit *f* a value, preciousness. b (*Gegenstand*) treasure, precious object; (*Leckerbissen*) delicacy.
Kosten *pl* cost(s); (*Jur*) costs *pl*; (*Un~*) expenses *pl*; (*Auslagen auch*) outlay ▶ *die ~ tragen* to bear the cost(s); *auf ~ von or +gen* (*fig*) at the expense of; *auf meine ~* (*lit, fig*) at my expense; *auf seine ~ kommen* (*fig*) to get one's money's worth.
kosten¹ *vti* (*lit, fig*) to cost; *Zeit, Geduld etc* to take ▶ *was kostet das?* how much does it cost?, how much is it?; *koste es, was es wolle* whatever the cost; *das lasse ich mich etwas ~* I don't mind spending a bit of money on it; *jdn sein Leben/den Sieg ~* to cost sb his life/the victory.
kosten² *vti* (*lit, fig: probieren*) to taste ▶ *von etw ~* to taste sth.
Kosten-: ~aufwand *m* expense; **k~deckend** *adj* cost-effective; **~ersparnis** *f* cost saving; **~erstattung** *f* reimbursement of expenses; **~frage** *f* question of cost(s); **k~günstig** *adj* economical; **k~los** *adj, adv* free (of charge); **~nutzenanalyse** *f* cost-benefit analysis; **k~pflichtig** *adj das ist k~pflichtig* there is a charge (on

---

it); *ein Kfz k~pflichtig abschleppen* to tow away a vehicle at the owner's expense; **~planung** *f* costing; **~punkt** *m* cost question; **~punkt?** (*col*) what'll it cost?; **~rechnung** *f* cost accounting; **~rentabilität** *f* cost-effectiveness; **~satz** *m* rate; **k~sparend** ⚠ *adj* cost-saving; **~stelle** *f* cost centre (*Brit*) *or* center (*US*); **~voranschlag** *m* (costs) estimate, quotation, quote.

köstlich *adj* [a] *Wein, Speise* exquisite. [b] (*amüsant*) priceless ▶ *sich ~ amüsieren* to have a great time.

Köstlichkeit *f* [a] *no pl* exquisiteness. [b] (*Leckerbissen etc*) (culinary) delicacy.

Kost-: **~probe** *f* (*von Wein, Käse*) taste; (*fig*) sample; **k~spielig** *adj* expensive.

Kostüm *nt* **-e** [a] (*Theat: Tracht*) costume. [b] (*Schneider~*) costume (*dated*), suit. [c] (*Masken~*) fancy dress.

Kostüm-: **~ball** *m* fancy-dress ball; **~bildner(in** *f*) *m* costume designer; **~fest** *nt* fancy-dress party.

kostümieren* *vr* to dress up.

Kostüm-: **~probe** *f* (*Theat*) dress rehearsal; **~verleih** *m* (theatrical) costume agency.

Kot *m* *no pl* (*form*) excrement, faeces (*form*) *pl*.

Kotelett ['kɔtlet, kɔt'let] *nt* **-s** chop, cutlet.

Kotelette *f usu pl* (side)whisker, sideburn (*US*).

Köter *m* - (*pej*) cur.

Kotflügel *m* (*Aut*) wing (*Brit*), fender (*US*).

kotzen *vi* (*col!*) to throw up (*col*), to puke (*col!*) ▶ *das ist zum K~* it makes you sick.

kotzübel *adj* (*col!*) *mir ist ~* I feel like throwing up (*col*).

Kotz- und Freßsucht *f* (*col*) bulimia.

KP [ka:'pe:] *f* = **Kommunistische Partei.**

Krabbe *f* **-n** (*Zool*) (*klein*) shrimp; (*größer*) prawn.

Krabbel|alter *nt* crawling stage (*of a baby*).

krabbeln [1] *vi aux sein* to crawl.
[2] *vt* (*kitzeln*) to tickle.

Krach *m* ⁻e [a] *no pl* (*Lärm*) noise, din (*col*); (*Schlag*) crash ▶ *~ machen* to make a noise. [b] (*col: Streit*) row, quarrel ▶ *mit jdm ~ haben* to (have a) row with sb; *mit jdm ~ kriegen* to get into trouble with sb; *~ schlagen* to make a fuss.

krachen *vi* [a] (*Lärm machen*) to crash, to bang; (*Holz*) to creak; (*Schuß*) to ring out; (*Donner*) to crash ▶ *~d fallen etc* to fall *etc* with a crash; *..., daß es nur so krachte* (*lit*) with a crash; (*fig*) with a vengeance. [b] *aux sein* (*col: aufplatzen*) to rip (open), to split.

Kracher *m* - banger (*Brit*), firecracker (*esp US*).

Krächzen *nt no pl* croak(ing); (*von Vogel*) caw(ing).

krächzen *vi* to croak; (*Vogel*) to caw.

Kräcker *m* - (*Cook*) cracker.

Kraft *f* ⁻e [a] (*körperlich, sittlich*) strength *no pl*; (*geistig, schöpferisch*) powers *pl*; (*von Prosa, Stimme*) power, force; (*Energie*) energy, energies *pl* ▶ *die* ⁻*e (mit jdm) messen* to pit one's strength (against sb); (*fig*) to pit oneself against sb; *seine* ⁻*e sammeln* to build up one's strength; *mit frischer ~* with renewed strength; *mit letzter ~* with one's last ounce of strength; *die ~ aufbringen, etw zu tun* to find the strength to do sth; *mit vereinten* ⁻*en werden wir ...* if we combine our efforts we will ...; *mit seinen* ⁻*en haushalten* to conserve one's energy; *das geht über meine* ⁻*e* it's more than I can take; *mit aller or voller ~* with all one's might; *er will mit aller ~ durchsetzen, daß ...* he will do his utmost to ensure that ...; *aus eigener ~* by himself/ myself *etc*; *nach (besten)* ⁻*en* to the best of one's ability; *er tat, was in seinen* ⁻*en stand* he did everything (with)in his power; *nicht/wieder bei* ⁻*en sein* not to be in very good shape/to have (got) one's strength back; *wieder zu* ⁻*en kommen* to regain one's strength.
[b] (*Macht, der Sonne*) power; (*Phys*) force ▶ *die*

treibende ~ (*fig*) the driving force; *das Gleichgewicht der* ⁻*e* (*Pol*) the balance of power; *halbe/volle ~ voraus!* half/full speed ahead.
[c] (*usu pl: in Wirtschaft, Politik etc*) force.
[d] *no pl* (*Jur: Geltung*) force ▶ *in ~ sein/treten* to be in/come into force; *außer ~ sein* to be no longer in force; *außer ~ treten* to cease to be in force; *außer ~ setzen* to annul.
[e] (*Arbeits~*) employee, worker ▶ ⁻*e* staff, personnel *no pl*.

kraft *prep +gen* (*form*) by virtue of; (*mittels*) by use of ▶ *~ meines Amtes* by virtue of my office.

Kraft-: **~akt** *m* (*fig*) show of strength; **~aufwand** *m* effort; **~ausdruck** *m* swearword; **~brühe** *f* beef tea.

Kräfteverhältnis *nt* (*Pol*) balance of power; (*von Mannschaften etc*) relative strength.

Kraftfahrer(in *f*) *m* (*form*) motorist, driver; (*als Beruf*) driver.

Kraftfahrzeug *nt* motor vehicle.

Kraftfahrzeug-: **~brief** *m* (vehicle) registration document, logbook (*Brit*); **~kennzeichen** *nt* (vehicle) registration; **~mechaniker** *m* motor mechanic; **~schein** *m* (vehicle) registration document; **~steuer** *f* motor vehicle tax, road tax (*Brit*); **~versicherung** *f* motor insurance.

kräftig [1] *adj* strong; *Muskel, Stimme auch* powerful; *Ausdrucksweise auch* forceful; *Haarwuchs, Pflanze auch* healthy; *Schlag* hard, powerful, hefty (*col*); *Händedruck* firm; *Fluch* violent; *Suppe, Essen* nourishing; (*groß*) *Portion, Preiserhöhung* huge; *Beifall* loud ▶ *einen ~en Schluck nehmen* to take a good swig.
[2] *adv gebaut* powerfully; *zuschlagen, treten, pressen* hard; *klatschen* loudly; *lachen, mitsingen* heartily; *fluchen, niesen* violently ▶ *etw ~ schütteln* to give sth a good shake; *jdn ~ verprügeln* to give sb a good beating; *er hat sich ~ gewehrt* he objected most strongly; (*körperlich*) he put up a strong resistance; *es hat ~ geregnet/geschneit* it rained/snowed heavily; *die Preise sind ~ gestiegen* prices have gone up a lot; *jdn ~ ausschimpfen* to give sb a good bawling out (*col*).

kräftigen *vt* (*geh*) *jdn ~* to build up sb's strength; (*Luft, Bad etc*) to invigorate sb; (*Essen, Mittel etc*) to fortify sb; *ein ~des Mittel* a tonic.

Kräftigung *f* (*geh*) *siehe vt* strengthening; invigoration; fortification.

kraftlos *adj* (*schwach*) feeble, weak; (*schlaff*) limp; (*machtlos*) powerless; (*Jur*) invalid.

Kraft-: **~meier** *m* (*col*) muscleman (*col*); (*fig*) strong-man; **~meierei** *f* strongarm tactics *pl*; **~probe** *f* test of strength; (*zwischen zwei Gruppen etc*) trial of strength; **~protz** *m* (*col*) muscle man (*col*); **~rad** *nt* motorcycle; **~stoff** *m* fuel; **~stoffverbrauch** *m* fuel consumption; **k~strotzend** *adj* exuding vitality; *Pflanze* healthy-looking; (*muskulös*) with bulging muscles; **~übertragung** *f* power transmission; **k~voll** *adj* *Stimme* powerful; **~wagen** *m* motor vehicle; **~werk** *nt* power station.

Kragen *m* - collar ▶ *jdn am or beim ~ packen* to grab sb by the collar; (*fig col*) to collar sb; *mir platzte der ~* (*col*) I blew my top (*col*); *jetzt platzt mir aber der ~!* this is the last straw!; *jdn or jdm den ~ kosten* (*fig*) to be sb's downfall; (*umbringen*) to be the end of sb; *es geht ihm jetzt an den ~* (*col*) he's in for it now (*col*).

Kragenweite *f* (*lit*) collar size ▶ *das ist nicht meine ~* (*fig col*) that's not my cup of tea (*col*).

Krähe *f* **-n** crow ▶ *eine ~ hackt der anderen kein Auge aus* (*Prov*) birds of a feather stick together (*Prov*).

krähen *vi* to crow.

Krake *m* (*wk*) **-n, -n** octopus.

krakeelen* *vi* (*col*) to make a row *or* racket (*col*).

⚠: Informationen zur Rechtschreibreform im Anhang

krakelig adj scrawly.

krakeln vti to scrawl, to scribble.

Kralle f -n claw; (von Raubvogel auch) talon; (pej: Fingernagel) claw; (col: Hand) paw (col); (Park~) wheel clamp ▶ **jdn/etw in seinen ~n haben** (fig col) to have sb/sth in one's clutches.

krallen [1] vr **sich an jdn/etw ~** (lit, fig) to cling to sb/sth; (Katze) to dig its claws into sb/sth; **sich in etw** (acc) **~** to sink its claws into sth; (mit Fingern) to dig one's fingers into sth; **sich** (dat) **jdn/etw ~** (col) to get a hold of sb/to pinch sth.
[2] vt [a] **die Finger in etw** (acc)/**um etw ~** to dig one's fingers into sth. [b] (col) to pinch (col). [c] (Aut) to clamp.
[3] vi to claw (an +dat at).

Kram m no pl (col) (Gerümpel) junk; (Zeug) things pl, stuff (col); (Angelegenheit) business ▶ **den ~ hinschmeißen** to chuck the whole thing (col).

kramen [1] vi to rummage about (in +dat in, nach for).
[2] vt **etw aus etw ~** to fish sth out of sth.

Kramladen m (pej col) tatty little shop (col).

Krampf m -̈e [a] (Zustand) cramp; (Verkrampfung) spasm; (wiederholt) convulsion(s pl). [b] no pl (col) (Getue) palaver (col); (Unsinn) rubbish.

Krampf-: **~ader** f varicose vein; **k~artig** adj convulsive.

krampfen [1] vt Finger, Hand to clench (um etw around sth).
[2] vr **sich um etw ~** to clench sth.

krampfhaft adj Zuckung convulsive; (col: angestrengt, verzweifelt) frantic, desperate; Lachen forced no adv ▶ **sich ~ an etw** (dat) **festhalten** (lit, fig col) to cling desperately to sth.

Kran m -̈e [a] crane. [b] (Hahn) tap, faucet (US).

Kranführer m crane driver.

Kranich m -e (Orn) crane.

krank adj comp -̈er, superl -̈ste(r, s) or (adv) **am -̈sten** ill usu pred, sick (auch fig), not well; (leidend) invalid; Pflanze, Organ diseased; Zahn, Bein bad; Wirtschaft ailing ▶ **~ werden** to fall ill; **schwer ~** seriously ill; **vor Aufregung/Angst ~** sick with excitement/fear; **sich ~ melden** to let one's boss etc know that one is ill; (telefonisch) to phone in sick; (esp Mil) to report sick; **jdn ~ schreiben** to give sb a medical certificate; (esp Mil) to put sb on the sick-list; **er ist schon seit einem halben Jahr ~ geschrieben** he's been off sick for six months; **sich ~ stellen** to pretend to be ill, to malinger; **das macht mich ~!** (col) it gets on my nerves! (col), it drives me round the bend! (Brit col).

kränkeln vi to be ailing (auch Wirtschaft), to be sickly, to be in poor health.

kranken vi to suffer (an +dat from) ▶ **das krankt daran, daß ...** (fig) it suffers from the fact that ...

kränken vt jdn **~** to hurt sb('s feelings); **sie war sehr gekränkt** she was very hurt; **jdn in seiner Ehre ~** to offend sb's pride; **~d** hurtful.

Kranken-: **~akte** f medical file; **~bericht** m medical report; **~besuch** m visit (to a sick person); (von Arzt) house call; **~bett** nt sickbed; **~geld** nt sickness benefit; (von Firma) sick pay; **~geschichte** f medical history; **~gymnastik** f physiotherapy; **~gymnast(in** f) m physiotherapist.

Krankenhaus nt hospital ▶ **ins ~ gehen** (als Patient) to go into (the US) hospital; **im ~ liegen** to be in (the US) hospital.

Krankenhaus- in cpds hospital; **~aufenthalt** m stay in hospital; **~kosten** pl hospital charges pl.

Kranken-: **~kasse** f (Versicherung) medical or health insurance; (Gesellschaft) medical or health insurance company; **er ist in keiner ~kasse** he has no medical insurance; **~pflege** f nursing; **~pfleger** m orderly; (mit

Schwesternausbildung) male nurse; **~pflegerin** f nurse; **~schein** m medical insurance certificate; **~schwester** f nurse; **~versicherung** f medical or health insurance; **soziale/private ~versicherung** state or national/private health insurance; **~wagen** m ambulance; **~zimmer** nt sickroom; (im Krankenhaus) hospital room.

Kranke(r) mf decl as adj sick person, invalid; (Patient) patient ▶ **die ~n** the sick.

krankfeiern vi sep (col) to be off sick; (vortäuschend) to skive (Brit col).

krankhaft adj [a] Stelle, Zelle diseased; Vergrößerung, Zustand morbid; Aussehen sickly ▶ **~e Veränderung** affection. [b] (seelisch) pathological ▶ **sein Geiz ist schon ~** his meanness is positively pathological.

Krankheit f (lit, fig) illness, sickness; (eine bestimmte ~ wie Krebs, Masern etc auch, von Pflanzen) disease ▶ **wegen ~** due to illness; **sich** (dat) **eine ~ zuziehen** to contract an illness (form); **nach langer schwerer ~** after a long serious illness; **während meiner ~** during my illness.

Krankheits|erreger m disease-causing agent.

kränklich adj sickly, in poor health.

Krankmeldung f notification of illness.

Kränkung f insult ▶ **etw als ~ empfinden** to take offence (Brit) or offense (US) at sth; **das war eine ~ seiner Gefühle** that hurt his feelings.

Kranz m -̈e [a] wreath; (Sieger~, Braut~ auch) garland; (fig: von Geschichten etc) cycle. [b] (Tech: Rad~) rim; (von Glocke auch) lip.

Kränzchen nt small wreath/garland; (fig: Kaffee~) coffee circle.

Kranzgefäß nt (Anat) coronary artery.

Krapfen m - (dial Cook) ≈ doughnut.

⚠ **kraß** adj Gegensatz, Worte, Stil stark; Farben garish; Unterschied, Fall, Haltung extreme; Ungerechtigkeit, Lüge blatant; Materialist, Unkenntnis crass; Egoist out-and-out; Außenseiter rank.

Krater m - crater.

Kratz-: **~bürste** f wire brush; (col) prickly character; **k~bürstig** adj (col) prickly.

Krätze f no pl (Med) scabies.

kratzen [1] vti [a] to scratch; (ab~ auch) to scrape (von off) ▶ **der Rauch kratzt (mich) im Hals** the smoke irritates my throat. [b] (col: stören) to bother ▶ **das kratzt mich nicht** (col) I couldn't care less (about that).
[2] vr to scratch oneself.

Kratzer m - (Schramme) scratch; (Werkzeug) scraper.

kratzig adj (col) scratchy (col).

Kraul nt no pl (Schwimmen) crawl ▶ **(im) ~ schwimmen** to do the crawl.

kraulen¹ (Schwimmen) aux haben or sein [1] vi to do the crawl.
[2] vt **er hat** or **ist 100 m gekrault** he did a 100 metre crawl.

kraulen² vt to fondle ▶ **jdn am Kinn ~** to chuck sb under the chin.

kraus adj crinkly; Haar, Kopf frizzy; Stirn furrowed; (fig: verworren) muddled, confused ▶ **die Stirn ~ ziehen** to knit one's brow; (mißbilligend) to frown.

Krause f -n [a] (Hals~) ruff; (an Ärmeln etc) ruffle, frill. [b] (col: Frisur) frizzy hair.

kräuseln [1] vt Haar to make frizzy; (Sew) to gather (in small folds); (Tex) to crimp; Stirn to knit; Wasseroberfläche to ripple.
[2] vr (Haare) to go frizzy; (Stoff) to go crinkly; (Stirn) to wrinkle up; (Wasser) to ripple.

Kraus-: **k~haarig** adj frizzy-haired; **~kopf** m (Frisur) frizzy hair; (Mensch) curly-head.

Kraut nt, pl **Kräuter** [a] herb ▶ **dagegen ist kein ~ gewachsen** (fig) there's nothing anyone can do about that. **b** no pl (grüne Teile von Pflanzen) foliage, stems and leaves pl; (von Gemüse) tops pl ▶ **wie ~ und Rüben durcheinanderliegen** (col) to lie (about) all over the place (col); **ins ~ schießen** (lit) to run to seed; (fig) to get out of control. **c** no pl (Rot~, Weiß~) cabbage.

Kräuter-: **~butter** f herb butter; **~käse** m herb cheese; **~likör** m herbal liqueur; **~tee** m herb(al) tea.

Krautsalat m ≈ coleslaw.

Krawall m -e (Aufruhr) riot; (col: Lärm) racket (col), din (col) ▶ **~ machen** (col) to kick up a row; (randalieren) to go on the rampage; (sich beschweren) to kick up a fuss.

Krawallmacher m (col) hooligan.

Krawatte f -n tie, necktie (esp US).

Krawattennadel f tiepin.

kraxeln vi aux sein (S Ger) to clamber (up).

Kreation f (Fashion etc) creation.

kreativ adj creative.

Kreative(r) mf decl as adj (col) creative person ▶ **er ist einer der Kreativen** he's one of the creators; **die Kreativen der Werbebranche** the creative people in advertising.

Kreativität [kreativi'tɛːt] f creativity.

Kreatur f **a** (lit, fig, pej) creature. **b** no pl (alle Lebewesen) creation ▶ **die ~** all creation.

Krebs m -e **a** crab; (Fluß~) crayfish, crawfish (US) ▶ **rot wie ein ~** red as a lobster. **b** (Astrol) Cancer. **c** (Med) cancer; (Bot) canker.

Krebs-: **k~artig** adj (Med) cancerous; **k~erregend** △ adj carcinogenic; **k~erregend wirken** to cause cancer; **~forschung** f cancer research; **~geschwulst** f (Med) cancerous tumour or growth; **k~krank** adj suffering from cancer; **k~krank sein** to have cancer; **~kranke(r)** mf cancer victim; (Patient) cancer patient; **k~rot** adj red as a lobster; **~tiere** pl crustaceans pl.

Kredit m -e credit; (Darlehen) loan; (fig auch) standing ▶ **auf ~** on credit; **er hat bei der Bank ~** his credit is good with the bank; **~ haben** (fig) to have standing.

Kredit-: **~anstalt** f credit institution; **~aufnahme** f borrowing; **~auskunftei** f credit agency; **~brief** m letter of credit; **k~fähig** adj credit-worthy; **~geber(in** f) m creditor; **~grenze** f credit limit; **~hai** m (col) loanshark; **~institut** nt credit institution; **~karte** f credit card; **~konto** nt credit account; **~nehmer(in** f) m borrower; **~politik** f lending policy; **~saldo** m credit balance; **k~würdig** adj credit-worthy.

Kredo nt -s (lit, fig) creed.

Kreide f -n chalk ▶ **eine ~** a piece of chalk; **bei jdm (tief) in der ~ stehen** to be (deep) in debt to sb.

Kreide-: **k~bleich** adj (as) white as a sheet; **~felsen** m chalk cliff; **~zeichnung** f chalk drawing.

kreieren* [kre'iːrən] vt to create.

Kreis m -e **a** circle ▶ **einen ~ ziehen** to describe a circle; **einen ~ um jdn bilden** to make a circle around sb; **im ~ (sitzen)** (to sit) in a circle; **(weite) ~e ziehen** (fig) to have (wide) repercussions; **sich im ~ drehen** (lit) to go around in a circle; (fig) to go around in circles; **der ~ schließt sich** (fig) the wheel turns full circle; **der ~ seiner Leser** his readers pl; **weite ~e der Bevölkerung** wide sections of the population; **im ~e von Freunden** among friends; **eine Feier im kleinen ~e** a celebration for a few close friends and relatives; **das kommt auch in den besten ~en vor** that happens even in the best of circles. **b** (Elec: Strom~) circuit. **c** (Bereich: von Interessen etc) sphere. **d** (Stadt~, Land~) district ▶ **~ Bonn** Bonn District.

Kreis-: **~abschnitt** m segment; **~ausschnitt** m sector; **~bahn** f (Astron, Space) orbit.

kreischen vi to screech; (Mensch auch) to shriek.

Kreisel m - (Tech) gyroscope; (Spielzeug) (spinning) top.

kreisen vi aux sein or haben to circle (um around, über

+dat over); (um eine Achse) to revolve (um around); (Satellit, Planet auch) to orbit (um etw sth); (fig: Gedanken, Gespräch) to revolve (um around) ▶ **die Arme ~ lassen** to swing one's arms around (in a circle).

kreisförmig adj circular.

Kreislauf m (Blut~, Öl~, von Geld) circulation; (der Natur, des Wassers) cycle.

Kreislauf-: **~kollaps** m circulatory collapse; **~mittel** nt cardiac stimulant; **~störungen** pl circulation trouble sing.

Kreis-: **k~rund** adj (perfectly) circular; **~säge** f circular saw.

Kreißsaal m delivery room.

Kreis-: **~stadt** f district town, ≈ county town (Brit); **~tag** m district assembly, ≈ county council (Brit); **~verkehr** m roundabout (Brit), traffic circle (US); **~wehrersatzamt** nt district recruiting office.

Krematorium nt crematorium.

kremig adj creamy.

Kreml m der **~** the Kremlin.

Krempe f -n (Hut~) brim.

Krempel m no pl (col) (Sachen) stuff (col); (wertloses Zeug) junk.

krepieren* vi aux sein **a** (Mil sl: Bombe etc) to explode. **b** (col!: sterben) to snuff it (col); (col: elend sterben) to die a wretched death.

Krepp m -e or -s crepe.

Kreppapier △ **Kreppapier** nt crepe paper.

Kreppsohle f crepe sole.

Kresse f no pl cress.

Kreta nt Crete.

Kreter(in f) m - Cretan.

kretisch adj Cretan.

Kreuz nt -e **a** cross; (als Anhänger etc) crucifix ▶ **ein ~ schlagen** or **machen** to make the sign of the cross; (sich bekreuzigen auch) to cross oneself; **mit jdm über ~ sein** (fig) to be on bad terms with sb; **sein ~ geduldig tragen** (geh) to bear one's cross with patience; **es ist ein ~ mit ihm/damit** he's/it's an awful problem; **ich mache drei ~e, wenn er geht** (col) it'll be such a relief when he has gone; **zu ~e kriechen** (fig) to eat humble pie, to eat crow (US). **b** (Anat) small of the back; (von Tier) back ▶ **ich hab's im ~** (col) I have back trouble; **aufs ~ fallen** to fall on one's back; (fig col) to be staggered (col); **jdn aufs ~ legen** to throw sb on his back; (fig col) to take sb for a ride (col). **c** (Mus) sharp. **d** (Autobahn~) intersection. **e** (Cards) (Farbe) clubs pl; (Karte) club ▶ **die ~-Dame** the Queen of Clubs.

kreuz adj: **~ und quer** all over; **sie lagen ~ und quer durcheinander** they were lying all over the place.

Kreuz-: **~bein** nt (Anat) sacrum; **k~brav** adj Kind as good as gold; **~flug** m cruise flight.

kreuzen **1** vt to cross (auch Biol) ▶ **die Arme ~** to fold one's arms. **2** vr to cross; (Meinungen etc) to clash. **3** vi aux haben or sein (Naut) to cruise.

Kreuzer m - (Naut) cruiser.

Kreuz-: **~fahrer** m (Hist) crusader; **~fahrt** f (Naut) cruise; **eine ~fahrt machen** to go on a cruise; **~feuer** nt (Mil, fig) crossfire; **ins ~feuer (der Kritik) geraten** (fig) to come under fire; **k~förmig** adj cross-shaped; **~gang** m cloister.

kreuzigen vt to crucify.

Kreuzigung f crucifixion.

Kreuz-: **~otter** f (Zool) adder, viper; **~ritter** m (Hist) crusader; **~schlitzschraube** f cross-head screw, Phillips screw ®; **~schlüssel** m wheelbrace; **~schmerzen** pl backache sing; **~spinne** f (Zool) garden or cross spider.

Kreuzung f **a** (Straßen~) crossroads sing or pl, intersection (esp US). **b** (das Kreuzen) crossing; (von Tieren *auch*) cross-breeding. c (*Rasse*) hybrid; (*Tiere auch*) cross(-breed).

Kreuz-: **k~unglücklich** *adj* absolutely miserable; **~verhör** *nt* cross-examination; *jdn ins ~verhör nehmen* to cross-examine sb; **~weg** *m* (*fig*) crossroads *sing*; **k~weise** *adv* crosswise; *du kannst mich k~weise!* (*col!*) get stuffed! (*col!*); **~worträtsel** *nt* crossword puzzle; **~zeichen** *nt* sign of the cross; **~zug** *m* (*lit, fig*) crusade.

Krevette [krɛ'vɛtə] *f* shrimp.

kribb(e)lig *adj* (*col*) fidgety (*col*); (*kribbelnd*) tingly (*col*).

kribbeln *vi* a (*jucken*) to itch; (*prickeln*) to tingle ▶ *auf der Haut ~* to cause a prickling sensation; (*angenehm*) to make the skin tingle; *es kribbelt mir im Fuß* (*lit*) I have pins and needles in my foot; *es kribbelt mir in den Fingern, etw zu tun* (*col*) I'm itching to do sth. b *aux sein* (*Insekten*) *es kribbelt von Ameisen* the place is crawling with ants.

Kricket *nt* -s (*Sport*) cricket.

kriechen *pret* **kroch**, *ptp* **gekrochen** *vi aux sein* to creep, to crawl (*auch Schlange*); (*fig: Zeit*) to creep by; (*fig: unterwürfig sein*) to grovel (*vor +dat* before).

Kriecher *m* - crawler (*col*).

kriecherisch *adj* grovelling (*Brit*), groveling (*US*), servile.

Kriech-: **~spur** *f* crawler lane; **~tier** *nt* (*Zool*) reptile.

Krieg *m* -e war; (*Art der Kriegsführung*) warfare ▶ *~ anfangen mit* to start a war with; *einer Partei etc den ~ erklären* (*fig*) to declare war on a party *etc*; *~ führen (mit or gegen)* to wage war (on); *im ~ sein (mit)* to be at war (with); *im ~e fallen* to be killed in action; *in den ~ ziehen* to go to war.

kriegen *vt* (*col*) to get; *Bus, Schnupfen, Dieb etc auch* to catch; *Schlaganfall, eine Spritze, Besuch auch* to have; *Junge, ein Kind* to have ▶ *sie kriegt ein Kind* she's going to have a baby; *graue Haare/eine Glatze ~* to go grey/bald; *sie or es ~* (*col: Prügel*) to get a hiding; *es mit jdm zu tun ~* to be in trouble with sb; *sie ~ sich* (*in Kitschroman*) boy gets girl; *dann kriege ich zuviel* then it gets too much for me; *ich kriege ein Steak* (*in Restaurant*) I'll have a steak; *jdn dazu ~, etw zu tun* to get sb to do sth; *etw gemacht ~* to get sth done.

Krieger *m* - warrior.

Kriegerdenkmal *nt* war memorial.

kriegerisch *adj* warlike *no adv*, *Haltung auch* belligerent ▶ *~e Auseinandersetzung* military conflict.

Krieg-: **k~führend** ⚠ *adj* warring; **~führung** *f* warfare *no art*; (*eines Feldherrn*) conduct of the war.

Kriegs-: **~ausbruch** *m* outbreak of war; **k~bedingt** *adj* caused by war; **~beginn** *m* start of the war; **~beil** *nt* tomahawk; *das ~beil begraben* (*fig*) to bury the hatchet; **~bemalung** *f* (*lit, hum*) warpaint; **k~beschädigt** *adj* war-disabled; **~beschädigte(r)** *mf decl as adj* war-disabled (ex-serviceman/-woman); **~dienst** *m* (*old, form*) military service; **~dienstverweigerer** *m* - conscientious objector; **~ende** *nt* end of the war; **~erklärung** *f* declaration of war; **~erlebnis** *nt* war-time experience; **~fall** *m im ~fall* in the event of war; **~folge** *f* consequence of (a/the) war; **~fuß** *m* (*col*): *mit jdm/etw auf ~fuß stehen* to be at loggerheads with sb/not to get on with sth; **~gebiet** *nt* war-zone; **~gefahr** *f* danger of war; **~gefangene(r)** *mf* prisoner of war, P.O.W.; **~gefangenschaft** *f* captivity; *in ~gefangenschaft sein* to be a prisoner of war; **~gericht** *nt* court-martial; *jdn vor ein ~gericht stellen* to court-martial sb; **~herr** *m oberster ~herr* commander-in-chief; **~hetze** *f* warmongering; **~hetzer** *m* - (*pej*) warmonger; **~jahr** *nt* year of war; *die ~jahre* the war years; *im ~jahr 1945* (during the war) in 1945; **~kamerad** *m* war-time comrade; **~kosten** *pl* cost of the war *sing*; **~list** *f* (*old, liter*)

stratagem; **~marine** *f* navy; **k~mäßig** *adj* for war; **k~müde** *adj* war-weary; **~opfer** *nt* war victim; **~pfad** *m* (*liter*): *auf dem ~pfad* on the warpath; **~rat** *m* council of war; **~rat halten** (*fig*) to have a pow-wow (*col*); **~recht** *nt* (*Mil*) martial law; **~schäden** *pl* war damage; **~schauplatz** *m* theatre (*Brit*) *or* theater (*US*) of war; **~schiff** *nt* warship; **~spiel** *nt* war game; **~spielzeug** *nt* war toy; **~teilnehmer** *m* combatant; (*ehemaliger Soldat*) ex-serviceman; **~verbrechen** *nt* war crime; **~verbrecher** *m* war criminal; **~verletzung** *f* war wound; **~zeit** *f* wartime; *in ~zeiten* in times of war; **~zustand** *m* state of war; *im ~zustand* at war.

Krim *f die ~* the Crimea.

Krimi *m* -s (*col*) a (*crime*) thriller; (*mit Detektiv als Held*) detective novel; (*von Mord handelnd*) murder mystery. b (*Film*) crime film *or* movie (*esp US*); (*Fernsehserie*) detective series.

Kriminal-: **~beamte(r)** *m* CID officer; **~film** *m* crime film *or* movie (*esp US*).

kriminalisieren* *vt* to criminalize.

Kriminalistik *f* criminology.

Kriminalität *f* crime; (*Ziffer*) crime rate.

Kriminal-: **~kommissar** *m* detective superintendent; **~komödie** *f* comedy thriller; **~polizei** *f* criminal investigation department; **~polizist** *m* detective, CID officer; **~roman** *m siehe* **Krimi** a.

kriminell *adj* (*lit, fig col*) criminal ▶ *~ werden* to turn to crime.

Kriminelle(r) *mf decl as adj* criminal.

Kriminologie *f* criminology.

Krimskrams *m no pl* (*col*) odds and ends *pl*.

Kringel *m* - (*der Schrift*) squiggle; (*Cook*) ring.

kringelig *adj* crinkly ▶ *sich ~ lachen* (*col*) to kill oneself (laughing) (*col*).

kringeln *vr* to go frizzy ▶ *sich ~ vor Lachen* (*col*) to kill oneself (laughing) (*col*).

Kripo *f* -s (*col*) = **Kriminalpolizei** ▶ *die ~* the cops (*col*) *pl*, the CID.

Kripo- *in cpds* (*col*) police.

Krippe *f* -n a (*Futter~*) (hay)box. b (*Weihnachts~*) crib; (*Bibl auch*) manger. c (*Kinderhort*) crèche.

Krippen-: **~spiel** *nt* nativity play; **~tod** *m* cot death.

Krise *f* -n crisis.

kriseln *vi impers* (*col*) *es kriselt* there is trouble brewing.

Krisen-: **k~fest** *adj* stable; **~gebiet** *nt* crisis area; **~herd** *m* flash point; **~management** *nt* crisis management; **~sitzung** *f* emergency session; **~stab** *m* action *or* crisis committee.

Kristall¹ *m* -e crystal.

Kristall² *nt no pl* crystal.

Kristallglas *nt* crystal glass.

Kristallisation *f* crystallization.

kristallisieren* *vir* (*lit, fig*) to crystallize.

Kristall-: **k~klar** *adj* crystal-clear; **~zucker** *m* refined sugar (in) crystals.

Kriterium *nt* (*Merkmal*) criterion.

Kritik *f* -en a *no pl* criticism (*an +dat* of) ▶ *an jdm/etw ~ üben* to criticize sb/sth; *unter aller ~ sein* (*col*) to be beneath contempt. b (*Rezensieren*) criticism; (*Rezension auch*) review ▶ *eine gute ~ haben* to get good reviews. c *no pl* (*die Kritiker*) critics *pl*. d *no pl* (*Urteilsfähigkeit*) discrimination ▶ *ohne jede ~* uncritically.

Kritiker(in *f*) *m* - critic.

kritiklos *adj* uncritical.

kritisch *adj* critical ▶ *jdm/einer Sache ~ gegenüberstehen* to be critical of sb/sth.

kritisieren* *vti* to criticize.

Krittelei *f* fault-finding *no pl*.

kritteln *vi* to find fault (*an +dat, über +acc* with).

⚠: for details of spelling reform, see supplement

Kritzelei f scribble; (das Kritzeln) scribbling; (an Wänden) graffiti.

kritzeln vti to scribble.

Kroate m -n, -n, **Kroatin** f Croat, Croatian.

Kroatien [kro'a:tsiən] nt Croatia.

kroatisch adj Croat, Croatian.

Kroatisch(e) nt Croatian; siehe **Deutsch(e)**.

kroch pret of **kriechen**.

Krokant m no pl (Cook) cracknel.

Krokette f (Cook) croquette.

Kroko nt no pl crocodile (leather).

Krokodil nt -e crocodile.

Krokodilleder nt crocodile leather.

Krokodilstränen pl crocodile tears pl.

Krokus m - or -se crocus.

Krone f -n ⓐ crown ▶ **die ~** (fig) the Crown. ⓑ (Mauer~) coping; (Schaum~) crest; (Zahn~) crown; (Baum~) top ▶ **die ~ der Schöpfung** the pride of creation; **das setzt der Dummheit die ~ auf** (col) that beats everything for stupidity; **einen in der ~ haben** (col) to be tipsy; **dabei fällt dir kein Stein** or **Zacken aus der ~** (col) it won't hurt you. ⓒ (Währungseinheit) crown.

krönen vt (lit, fig) to crown ▶ **jdn zum König ~** to crown sb king; **von Erfolg gekrönt sein/werden** to be crowned with success; **der ~de Abschluß** the culmination.

Kronenkorken m crown cap.

Kron-: **~juwelen** pl crown jewels; **~korken** m crown cap; **~leuchter** m chandelier; **~prinz** m crown prince; (in Großbritannien) Prince of Wales; (fig) heir apparent; **~prinzessin** f crown princess.

Krönung f coronation; (fig) culmination.

Kronzeuge m (Jur) person who turns King's/Queen's evidence or (US) State's evidence; (Hauptzeuge) principal witness ▶ **~ sein, als ~ auftreten** to turn King's/Queen's/State's evidence; to appear as principal witness.

Kropf m ⁻e ⓐ (von Vogel) crop. ⓑ (Med) goitre.

⚠ **kroß** adj (N Ger) crisp; Brötchen auch crusty.

Krösus m -se **ich bin doch kein ~** (col) I'm not made of money (col).

Kröte f -n ⓐ (Zool) toad ▶ **eine freche (kleine) ~** (col) a cheeky (little) minx (col). ⓑ **~n** pl (col: Geld) pennies (col).

Krücke f -n ⓐ crutch; (fig) prop ▶ **an ~n** (dat) **gehen** to walk on crutches. ⓑ (Schirm~) crook.

Krückstock m walking stick.

Krug m ⁻e jug; (Bier~) (beer-)mug.

Krume f -n (geh) ⓐ (Brot~) crumb. ⓑ (liter: Acker~) (top)soil.

Krümel m - ⓐ (Brot~ etc) crumb. ⓑ (col: Kind) tiny tot (col).

krümelig adj crumbly.

krümeln vti to crumble; (beim Essen) to make crumbs.

krumm adj ⓐ crooked; (verbogen auch) bent; (hakenförmig) hooked; Beine auch bandy; Rücken hunched ▶ **~e Nase** hook(ed) nose; **~ gewachsen** crooked; **etw ~ biegen** to bend sth; **~ und schief** askew; **sich ~ und schief lachen** (col) to fall about laughing (col); **keinen Finger ~ machen** (col) not to lift a finger; **steh/sitz nicht so ~ da!** stand/sit up straight. ⓑ (col: unehrlich) crooked (col) ▶ **~er Hund** (pej) crooked swine; **ein ~es Ding drehen** (col) to do something crooked; **etw auf die ~e Tour versuchen** to try to wangle sth (col).

krümmen ① vt to bend ▶ **die Katze krümmte den Buckel** the cat arched its back.
② vr to bend; (Fluß) to wind; (Straße) to curve; (Wurm) to writhe ▶ **sich vor Lachen ~** to double up with laughter; **sich vor Schmerzen** (dat) **~** to writhe with pain.

krumm-: **~lachen** vr sep (col) to double up laughing; **~legen** ⚠ vr sep (col) to pinch and scrape (col); **~nehmen** ⚠ vt sep irreg (col) **(jdm) etw ~nehmen** to take sth amiss.

Krümmung f (von Weg, Fluß) curve; (Math, Med, Opt) curvature.

Krüppel m - cripple ▶ **zum ~ werden** to be crippled; **jdn zum ~ schlagen** to cripple sb.

Kruste f -n crust; (von Schweinebraten) crackling; (von Braten) crisped outside.

krustig adj crusty.

Kruzifix nt -e crucifix.

KSZE [ka:|estset'|e:] f = Konferenz über Sicherheit und Zusammenarbeit in Europa CSCE.

Kt = ⓐ **Karat** ct. ⓑ **Kanton**.

Kto = **Konto** acct.

Kuba nt Cuba.

Kubaner(in f) m - Cuban.

kubanisch adj Cuban.

Kübel m - bucket; (für Jauche etc) container; (für Pflanzen) tub ▶ **es regnet (wie) aus ~n** it's bucketing down.

Kubik nt - (Aut col: Hubraum) cc.

Kubik-: **~meter** m or nt cubic metre (Brit) or meter (US); **~zentimeter** m or nt cubic centimetre (Brit) or centimeter (US), cc.

kubisch adj cubic.

Kubismus m (Art) cubism.

Küche f -n ⓐ kitchen; (klein) kitchenette. ⓑ (Kochkunst) **gutbürgerliche ~** good home cooking; **französische ~** French cooking or cuisine. ⓒ (Speisen) **warme/kalte ~** hot/cold food.

Kuchen m - cake; (Torte auch) gateau; (mit Obst gedeckt) (fruit) flan (Brit), tart.

Küchen|abfälle pl kitchen scraps pl.

Kuchenblech nt baking sheet or tin.

Küchenchef m chef.

Kuchen-: **~form** f cake tin; **~gabel** f pastry fork.

Küchen-: **~gerät** nt kitchen utensil; (kollektiv) kitchen utensils pl; (elektrisch) kitchen appliance; **~geschirr** nt kitchenware no pl; **~herd** m (electric/gas) cooker; **~maschine** f food processor; **~meister** m chef; **~messer** nt kitchen knife; **~schabe** f (Zool) cockroach; **~schrank** m (kitchen) cupboard; (in Einbauküche) kitchen unit.

Kuchenteig m cake mixture; (Hefeteig) dough.

Küchen-: **~tisch** m kitchen table; **~waage** f kitchen scales pl; **~zettel** m menu.

Kuckuck m -e ⓐ cuckoo. ⓑ (col: Siegel des Gerichtsvollziehers) bailiff's seal (for distraint of goods). ⓒ (col) **zum ~ (noch mal)!** hell's bells! (col); **hol's der ~!** botheration! (col); **geh zum ~** go to blazes (col); **das weiß der ~** heaven (only) knows (col).

Kuckucks-: **~ei** nt cuckoo's egg; **man hat uns ein ~ei untergeschoben** (col) we've been left holding the baby (col); **~uhr** f cuckoo clock.

Kuddelmuddel m or nt no pl (col) mess.

Kufe f -n (von Schlitten etc) runner; (von Flugzeug) skid.

Kugel f -n ball; (geometrische Figur) sphere; (Erd~) sphere, globe; (Kegel~) bowl; (Gewehr~) bullet; (für Luftgewehr) pellet; (Kanonen~) (cannon)ball; (beim ~stoßen) shot; (Murmel) marble ▶ **eine ruhige ~ schieben** (col) to have a cushy number (col); (aus Faulheit) to swing the lead (col); **rund wie eine ~** (col) like a barrel.

Kugel-: **~blitz** m (Met) ball lightning; **k~förmig** adj spherical; **~gelenk** nt (Anat, Tech) ball-and-socket joint; **~hagel** m hail of bullets; **~kopf** m golf ball; **~kopfschreibmaschine** f golf-ball typewriter; **~lager** nt ball-bearing.

⚠: Informationen zur Rechtschreibreform im Anhang

kundgeben

kugeln [1] *vi aux sein (rollen, fallen)* to roll.
[2] *vr* to roll (about) ▸ **sich (vor Lachen) ~** *(col)* to double up (laughing).
Kugel-: k~rund *adj* as round as a ball; *(col) Mensch* tubby *(col)*; **~schreiber** *m* ballpoint (pen), biro ®; **k~sicher** *adj* bullet-proof; **~stoßen** *nt no pl* shot-putting; **~stoßer(in f)** *m* - shot-putter; **~wechsel** *m* exchange of shots.
Kuh *f* -e cow ▸ **heilige ~** *(lit, fig)* sacred cow.
Kuh-: ~dorf *nt (pej col)* one-horse town *(col)*; **~fladen** *m* cowpat; **~glocke** *f* cowbell; **~handel** *m (pej col)* horse-trading *(col) no pl*; **~haut** *f das geht auf keine* **~haut** *(col)* that's absolutely incredible; **~herde** *f* herd of cows.
kühl *adj (lit, fig)* cool; *(abweisend)* cold ▸ **mir wird etwas** **~** I'm getting rather chilly; *etw ~ lagern* to store sth in a cool place; *einen ~en Kopf bewahren* to keep a cool head, to keep one's cool *(col)*.
Kühl|anlage *f* refrigeration plant.
Kühle *f no pl (lit)* cool(ness); *(fig)* coolness; *(Abweisung)* coldness.
kühlen [1] *vt* to cool; *(auf Eis)* to chill.
[2] *vi* to have a cooling effect.
Kühler *m* - *(Tech)* cooler; *(Aut)* radiator; *(col: ~haube)* bonnet *(Brit)*, hood *(US)*; *(Sekt~)* ice bucket.
Kühler-: ~figur *f (Aut)* radiator mascot; **~haube** *f (Aut)* bonnet *(Brit)*, hood *(US)*.
Kühl-: ~fach *nt* freezer compartment; **~flüssigkeit** *f* coolant; **~haus** *nt* cold-storage depot; **~mittel** *nt (Tech)* coolant; **~raum** *m* cold storage room; **~schrank** *m* refrigerator, fridge *(Brit col)*; **~tasche** *f* cold bag; **~truhe** *f* (chest) freezer, deep freeze *(Brit)*; **~turm** *m (Tech)* cooling tower.
Kühlung *f (das Kühlen)* cooling; *(Kühle)* coolness ▸ **zur** **~ des Motors** to cool the engine.
Kühl-: ~wagen *m* [a] *(Rail)* refrigerator van or car *(US)*; [b] *(Lastwagen)* refrigerator truck; **~wasser** *nt* coolant.
Kuh-: ~milch *f* cow's milk; **~mist** *m* cow dung.
kühn *adj (lit, fig)* bold ▸ **das übertrifft meine ~sten Erwartungen** it's beyond my wildest dreams.
Kühnheit *f* boldness.
Kuh-: ~stall *m* cow shed; **~weide** *f* pasture.
k.u.k. ['ka:|unt'ka:] = **kaiserlich und königlich** imperial and royal.
Küken *nt* - *(Huhn)* chick; *(col: Nesthäkchen)* baby of the family *(col)*; *(jüngste Person)* baby.
kulant *adj* accommodating; *Bedingungen* generous.
Kulanz *f no pl siehe adj* accommodating attitude; generousness ▸ **aus ~** out of good will.
Kulanzzahlung *f* ex gratia payment.
Kuli *m* -s [a] *(Lastträger)* coolie; *(fig)* slave. [b] *(col: Kugelschreiber)* ballpoint, biro ®.
kulinarisch *adj* culinary.
Kulisse *f* -n scenery *no pl*; *(fig: Hintergrund)* background, backdrop ▸ **das ist alles nur ~** *(fig)* that is only a façade; *einen Blick hinter die ~n werfen (fig)* to have a glimpse behind the scenes.
Kulissenschieber(in f) *m* - stagehand.
Kulleraugen *pl (col)* big/wide eyes *pl*.
kullern *vti (vi: aux sein) (col)* to roll.
Kult *m* -e cult; *(Verehrung)* worship ▸ **einen ~ mit jdm/** *etw treiben* to make a cult out of sb/sth.
Kult-: ~figur *f* cult figure; **~film** *m* cult film; **~handlung** *f* ritual(istic) act.
kultisch *adj* ritual(istic).
kultivieren* [kulti'vi:rən] *vt (lit, fig)* to cultivate.
kultiviert *adj Mensch* cultured, refined; *Geschmack, Unterhaltung* cultivated ▸ **wenn Sie ~ reisen wollen** if you want to travel in style; *Kerzen beim Essen, das ist sehr ~* meals by candlelight, very civilized.

Kultivierung [kulti'vi:rʊŋ] *f (lit, fig)* cultivation.
Kultstätte *f* place of worship.
Kultur *f* [a] *(no pl: Kunst und Wissenschaft)* culture ▸ **er** *hat keine ~* he is uncultured. [b] *(Lebensform)* civilization ▸ **dort leben verschiedene ~en harmonisch** **zusammen** different cultures live harmoniously together there. [c] *(Bakterien~, Pilz~ etc)* culture; *(Bestand angebauter Pflanzen)* plantation.
Kultur-: ~austausch *m* cultural exchange; **~banause** *m (col)* philistine; **~beutel** *m* toilet bag *(Brit)*, washbag.
kulturell *adj* cultural.
Kultur-: ~film *m* documentary film; **~geschichte** *f* history of civilization; **~gut** *nt* cultural assets *pl*; **~kreis** *m* culture group; **~leben** *nt* cultural life; **k~los** *adj* uncultured; **~losigkeit** *f* lack of culture; **~pessimismus** *m* despair of civilization; **~politik** *f* cultural and educational policy; **~revolution** *f* cultural revolution; **~shock** *m* culture shock; **~stätte** *f* place of cultural interest; **~stufe** *f* level of civilization; **~teil** *m (von Zeitung)* arts section; **~volk** *nt* civilized nation; **~zentrum** *nt* [a] *(Stadt)* cultural centre *(Brit)* or center *(US)*; [b] *(Anlage)* arts centre *(Brit)* or center *(US)*.
Kultus-: ~minister *m* minister of education and the arts; **~ministerium** *nt* ministry of education and the arts.
Kümmel *m* - [a] *no pl (Gewürz)* caraway (seed). [b] *(col: Schnaps)* kümmel.
Kummer *m no pl (Betrübtheit)* grief, sorrow; *(Unannehmlichkeit)* trouble ▸ **hast du ~?** have you got problems?; *aus or vor ~ sterben* to die of grief; *vor ~* *vergehen* to be pining away with sorrow; *er fand vor ~* *keinen Schlaf mehr* he was so griefstricken that he could no longer sleep; *wir sind (an) ~ gewöhnt (col)* we're used to that sort of thing.
kümmerlich *adj* [a] *(karg, armselig)* wretched, miserable; *Lohn, Rente auch* paltry; *Mahlzeit auch* meagre *(Brit)*, meager *(US)*. [b] *(schwächlich)* puny.
kümmern [1] *vt* to concern ▸ **was kümmert Sie das?** what business is that of yours?; *was kümmert mich* *das?* what's that to me?
[2] *vr* **sich um jdn/etw ~** to look after sb/sth; *sich darum ~, daß ...* to see to it that ...; *kümmere dich* *gefälligst um deine eigenen Angelegenheiten!* mind your own business!; *er kümmert sich nicht darum, was* *die Leute denken* he doesn't care what people think.
Kumpan(in f) *m* -e *(dated col)* mate *(Brit col)*, buddy *(esp US col)*.
Kumpel *m* - or *(col)* -s [a] *(Min: Bergmann)* miner. [b] *(col: Kollege, Freund)* mate *(Brit col)*, buddy *(esp US col)*.
kumpelhaft *adj* chummy, matey *(Brit col)*.
kündbar *adj Vertrag* terminable; *Anleihe* redeemable ▸ *Beamte sind nicht ohne weiteres ~* civil servants cannot be dismissed without good cause.
Kündbarkeit *f (von Vertrag)* terminability; *(von Anleihe)* redeemability.
Kunde[1] *f no pl (geh)* news *sing*, tidings *pl (old)*.
Kunde[2] *m (wk)* -n, -n *(auch pej col)* customer; *(Comm auch)* account.
künden *vi (geh) von etw ~* to tell of sth.
Kunden-: ~beratung *f* customer advisory service; **~betreuer(in f)** *m* customer adviser; *(Comm auch)* account executive; **~dienst** *m* customer service; **~fang** *m (pej) auf ~fang sein* to be touting for customers; *ein Vertreter auf ~fang* a salesman chasing up some business; **~(kredit)karte** *f* charge card; **~(kredit)konto** *nt* charge account; **~kreis** *m* customers *pl*, clientèle; **~profil** *nt* customer profile; **~werbung** *f* publicity (aimed at attracting custom *or* customers).
kundgeben *vt sep irreg (dated) etw ~* to announce sth *(jdm* to sb); *Gefühle etc* to express sth.

Kundgebung *f* (*Versammlung*) rally.

kundig *adj* (*geh*) knowledgeable; (*sach~*) expert ▸ *einer Sache* (*gen*) *~ sein* to have a knowledge of sth.

kündigen ① *vt Stellung* to hand in one's notice for; *Abonnement, Mitgliedschaft* to cancel; *Vertrag* to terminate; *Tarife* to discontinue; (*col*) *jdn* to dismiss ▸ *jdm die Wohnung ~* to give sb notice to quit his flat; *ich habe meine Wohnung gekündigt* I've given in notice that I'm leaving my flat; *die Stellung ~* to hand in one's notice; *jdm die Stellung ~* to give sb his/her notice; *sie hat ihm die Freundschaft gekündigt* she has broken off their friendship.
② *vi* (*Arbeitnehmer*) to give in one's notice; (*Mieter*) to give notice ▸ *jdm ~* (*Arbeitgeber*) to give sb his notice; (*Vermieter*) to give sb notice to quit; *zum 1. April ~* to give one's notice for April 1st; (*Mieter*) to give notice for April 1st; (*bei Mitgliedschaft*) to cancel one's membership as of April 1st.

Kündigung *f* ⓐ (*Mitteilung*) (*von Vermieter*) notice to quit; (*von Mieter, von Stellung*) notice; (*von Vertrag*) termination. ⓑ (*das Kündigen*) (*von Arbeitgeber*) dismissal; (*von Arbeitnehmer*) giving in one's notice; (*von Vertrag*) termination; (*von Mitgliedschaft, Abonnement*) cancellation.

Kündigungs-: *~frist f* period of notice; *vierteljährliche ~frist haben* to have (to give) three months' notice; *~geld nt* (*Fin*) deposits *pl* at notice; *~grund m* grounds *pl* for giving notice; (*von Arbeitgeber auch*) grounds *pl* for dismissal; *~schreiben nt* written notice; *~schutz m* protection against wrongful dismissal.

Kundin *f* customer.

Kundschaft *f* customers *pl*.

Kundschafter *m* - spy; (*Mil*) scout.

kundtun *vt sep irreg* (*geh*) to make known.

künftig ① *adj* future.
② *adv* in future.

Kunst *f* ⁼e ⓐ art ▸ *die schönen ⁼e* the fine arts; (*als Gesamtheit*) fine art *sing.* ⓑ (*Können, Fertigkeit*) art, skill; (*Kunststück*) trick ▸ *mit seiner ~ am Ende sein* to be at one's wits' end; *ärztliche ~* medical skill; *das ist keine ~!* it's like taking candy from a baby (*col*); (*ein Kinderspiel*) it's a piece of cake (*col*); *das ist eine brotlose ~* there's no money in that; *was macht die ~?* (*col*) how's tricks? (*col*).

Kunst- *in cpds* (*Art*) art; (*künstlich*) artificial; *~akademie f* college of art; *~ausstellung f* art exhibition; *~banause m* (*pej*) philistine; *~druck m* art print; *~druckpapier nt* art paper; *~dünger m* artificial fertilizer; *~erzieher m* art teacher; *~erziehung f* (*Sch*) art; *~faser f* man-made fibre (*Brit*) *or* fiber (*US*); *~fehler m* professional error; (*weniger ernst*) slip; *k~fertig adj* (*geh*) skilful (*Brit*), skillful (*US*); *~fertigkeit f* skill; *~flieger m* stunt flyer; *~flug m* aerobatics *sing*; *~gegenstand m* art object; *k~gerecht adj* (*fachmännisch*) skilful (*Brit*), skillful (*US*); *~geschichte f* history of art, art history; *~gewerbe nt* arts and crafts *pl*; *~gewerbler(in f) m* - craftsman-/-woman; *k~gewerblich adj k~gewerbliche Gegenstände* craft objects; *~griff m* trick, dodge (*col*); *~handel m* art trade; *~händler m* art dealer; *~handwerk nt* craft industry; *~hochschule f* art college; *~kenner m* art connoisseur; *~kritik f no pl* art criticism; (*die Kritiker*) art critics *pl*; (*Rezension*) art review; *~kritiker m* art critic; *~leder nt* artificial *or* imitation leather.

Künstler(in f) m - ⓐ artist; (*Unterhaltungs~*) artiste ▸ *bildender ~* visual artist. ⓑ (*Könner*) genius (*in +dat* at).

künstlerisch *adj* artistic.

Künstler-: *~name m* pseudonym; (*von Schriftsteller auch*) pen name; (*von Schauspieler auch*) stage name;

~pech nt (*col*) hard luck.

künstlich *adj* artificial; *Zähne, Wimpern, Fingernägel* false; *Faserstoffe* synthetic; *Diamanten* imitation, fake (*col*) ▸ *~e Intelligenz* artificial intelligence; *jdn ~ ernähren* (*Med*) to feed sb artificially; *sich ~ aufregen* (*col*) to get all worked up about nothing (*col*).

Kunst-: *k~los adj* unsophisticated; *~maler m* artist, painter; *~pause f* pause for effect; (*iro*) awkward pause; *~sammlung f* art collection; *~schätze pl* art treasures *pl*; *~seide f* artificial silk; *~springen nt* diving; *~stoff m* man-made material; *~stopfen nt* invisible mending; *~stück nt* trick; *~stück!* (*iro*) no wonder!; *das ist kein ~stück* (*fig*) there's nothing to it; *~turnen nt* gymnastics *sing*; *~verstand m* appreciation of art; *k~voll adj* artistic; *~werk nt* work of art.

kunterbunt *adj Sammlung, Gruppe etc* motley *attr*; (*vielfarbig auch*) multi-coloured (*Brit*), multi-colored (*US*); *Programm* varied ▸ *~ durcheinander* higgledy-piggledy (*col*).

Kupfer *nt no pl* copper.

Kupfergeld *nt* coppers *pl*, copper coins *pl*.

kupfern *adj* copper.

Kupfer-: *k~rot adj* copper-coloured (*Brit*), copper-colored (*US*); *~stecher m* - copper(plate) engraver; *~stich m* copperplate (engraving *or* etching).

kupieren* *vt Schwanz, Ohren* to dock.

Kupon [ku'põ] *m* -s coupon.

Kuppe *f* -n (*Berg~*) (rounded) hilltop; (*Finger~*) tip.

Kuppel *f* -n dome, cupola.

Kuppeldach *nt* dome-shaped roof.

Kuppelei *f* (*Jur*) procuring.

kuppeln ① *vt* (*Tech*) to couple; (*fig auch*) to link. ② *vi* (*Aut*) to operate the clutch.

Kuppler(in f) m - (*Jur*) procurer/procuress.

Kupplung *f* (*Tech*) coupling; (*Aut etc*) clutch ▸ *die ~ (durch)treten* to disengage the clutch; *die ~ kommen lassen* (*Aut*) to let the clutch in.

Kupplungs- *in cpds* (*Aut*) clutch; *~pedal nt* clutch pedal.

Kur *f* -en (*in Badeort*) (health) cure; (*Haar~ etc*) treatment *no pl*; (*Schlankheits~, Diät~*) diet ▸ *zur ~ fahren* to go to a health resort (to take a cure); *eine ~ machen* to take a cure; (*Schlankheits~*) to diet; *jdn zur ~ schicken* to send sb to a health resort (for a cure).

Kür *f* -en ⓐ (*Sport*) free (skating) programme (*Brit*) *or* program *US*) ▸ *eine ~ laufen* to perform one's free programme. ⓑ (*old: Wahl*) election.

Kuratorium *nt* (*Vereinigung*) committee.

Kurbel *f* -n crank.

kurbeln *vti* to turn, to wind.

Kurbelwelle *f* crankshaft.

Kürbis *m* -se pumpkin; (*col: Kopf*) nut (*col*).

Kurde *m* (*wk*) -n, -n **Kurdin** *f* Kurd.

kurdisch *adj* Kurdish.

küren *vt* (*old, geh*) to choose, to elect (*zu* as).

Kur-: *~fürst m* Elector, electoral prince; *~gast m* patient at a health resort *or* spa.

Kurier *m* -e courier, messenger.

Kurierdienst *m* courier *or* messenger service.

kurieren* *vt* (*lit, fig*) to cure (*von* of) ▸ *von ihm bin ich kuriert* I've gone right off him.

kurios *adj* (*merkwürdig*) curious, strange, odd.

Kuriosität *f* ⓐ (*Gegenstand*) curio(sity). ⓑ (*Eigenart*) peculiarity.

Kurkonzert *nt* spa concert.

Kürlauf(en nt) *m* free (skating) programme (*Brit*) *or* program (*US*).

Kur-: *~ort m* health resort; (*Heilbad*) spa; *~pfuscher m* (*pej col*) quack (doctor); *~pfuscherei f* (*pej col*) quackery.

Kurs m -e [a] (Naut, Aviat, fig) course; (Pol, Richtung auch) line ▶ **harter/weicher ~** (Pol) hard/soft line; **den ~ ändern/beibehalten** (lit, fig) to alter/hold (one's) course; **~ nehmen auf** (+acc) to set course for; **~ haben auf** (+acc) to be heading for. [b] (Fin: Wechsel~) exchange rate; (Aktien~) (going) rate; (Marktpreis) market value ▶ **zum ~ von** at the rate of; **hoch im ~ stehen** (Aktien) to be high; (fig) to be popular (bei with). [c] (Lehrgang) course (in +dat, für in) ▶ **einen ~ besuchen** or **mitmachen** to attend a course.

Kurs-: ~änderung f (lit, fig) change of course; **~buch** nt (Rail) timetable (Brit), schedule (US).

Kürschner(in f) m - furrier.

kursieren* vi aux haben or sein to be in circulation; (fig) to circulate.

kursiv adj italic ▶ **etw ~ drucken** to italicize sth.

Kursivschrift f italics pl.

Kurs-: ~korrektur f (lit, fig) course correction; **~rückgang** m fall in prices; **~schwankung** f fluctuation in exchange rates; (St Ex) fluctuation in market rates.

Kursus m, pl **Kurse** (geh: Lehrgang) course.

Kurs-: ~wagen m (Rail) through car; **~wechsel** m change of direction; **~wert** m (Fin) market value.

Kurtaxe f -n visitor's tax (at health resort or spa).

Kurve ['kʊrvə] f -n (Math, col: Körperrundung) curve; (Biegung, Straßen~ auch) bend; (schärfer auch) corner; (statistisch, Fieber~ etc) graph ▶ **die Straße macht eine ~** the road bends; **die ~ kratzen** (col: schnell weggehen) to make tracks (col); **die ~ nicht kriegen** (col) not to get around to it.

kurven ['kʊrvn] vi aux sein (col) (Aviat) to circle ▶ **durch Italien ~** to drive around Italy.

kurvenreich adj Straße winding; (col) Frau curvaceous, shapely ▶ **„~e Strecke"** "bends".

Kurverwaltung f spa authorities pl.

kurvig ['kʊrvɪç] adj winding, twisting.

kurz comp ⁻er, superl ⁻ste(r, s) or (adv) am ⁻esten [1] adj short; Zeit, Aufenthalt, Bericht, Antwort etc auch brief; Blick, Folge quick; Gedächtnis auch short-lived ▶ **etw ⁻er machen** to shorten sth; **mach's ~!** make it quick; **den ⁻eren ziehen** (fig col) to get the worst of it; **mit ein paar ~en Worten** in a few brief words; **ein ⁻erer Weg** a shorter way; **in ⁻ester Frist** before very long.

[2] adv [a] **~ atmen** to take short breaths; **eine Sache ~ abtun** to dismiss sth out of hand; **zu ~ kommen** to get a raw deal (col); **~ entschlossen** without a moment's hesitation; **~ gesagt** in a word; **sich ~ fassen** to be brief; **~ und bündig** concisely; **~ und gut** in short; **~ und schmerzlos** (col) short and sweet; **jdn/etw ~ und klein schlagen** to beat sb up/to smash sth to pieces.

[b] (für eine ~e Zeit) briefly ▶ **ich habe ihn nur ~ gesehen** I only saw him briefly; **ich bleibe nur ~** I'll only stay for a short while; **darf ich mal ~ stören?** could I just interrupt for a moment?

[c] (zeitlich, räumlich: nicht lang) shortly, just ▶ **~ vor Köln/Ostern** shortly or just before Cologne/Easter; **er hat den Wagen erst seit ~em** he's only had the car for a short while; **seit ~em gibt es Bier in der Kantine** they've recently started serving beer in the canteen; **über ~ oder lang** sooner or later; **(bis) vor ~em** (until) recently; **~ nacheinander** shortly after each other.

Kurz-: ~arbeit f short-time (working).

[**KURZARBEIT**]

i **Kurzarbeit** *is the term used to describe a shorter working week made necessary by a lack of work. It has been introduced in recent years as a preferable alternative to redundancy. It has to be approved by the* **Arbeitsamt**, *the job centre, which pays some*

⚠: for details of spelling reform, see supplement

---

compensation to the worker for loss of pay.

Kurz-: k~arbeiten vi sep to be on short time; **~arbeiter** m short-time worker; **k~ärm(e)lig** adj short-sleeved; **k~atmig** adj (fig) feeble, lame; (Med) short-winded; **~ausbildung** f short training course.

Kürze f no pl shortness; (von Besuch, Bericht etc auch) brevity; (fig: Bündigkeit) conciseness ▶ **in ~** shortly; **in aller ~** very briefly; **in der ~ liegt die Würze** (Prov) brevity is the soul of wit (prov).

Kürzel nt - (stenographisches Zeichen) shorthand symbol; (Kurzwort) contraction.

kürzen vt to shorten; (Math) Bruch to cancel (down); Gehalt, Etat, Produktion to cut (back) ▶ **jdm das Gehalt** etc **~** to cut back sb's salary etc.

Kurze(r)¹ m decl as adj (col) [a] (Schnaps) short. [b] (Kurzschluß) short (circuit).

Kurze(r)² mf decl as adj (col) small child.

kurzerhand adv without further ado; entlassen on the spot.

Kurz-: ~fassung f abridged version; **~film** m short (film); **k~fristig** [1] adj short-term; Wettervorhersage short-range; [2] adv (auf kurze Sicht) for the short term; (für kurze Zeit) for a short time; **k~fristig seine Pläne ändern** to change one's plans at short notice; **k~gefaßt** ⚠ adj concise; **~geschichte** f short story; **k~haarig** adj short-haired; **k~halten** ⚠ vt sep irreg **jdn k~halten** to keep sb short; **k~lebig** adj short-lived, ephemeral.

kürzlich adv recently, lately ▶ **erst ~** just recently.

Kurz-: ~meldung f news flash; **~nachrichten** pl news headlines pl; (in Zeitung auch) news in brief; **~parken** nt short-stay parking; **~parker** m short-term parker; **~reise** f short trip; **~schließen** sep irreg [1] vt to short circuit; [2] vr (in Verbindung treten) to get in contact (mit with); **~schluß** ⚠ m [a] short circuit; [b] (fig: auch ~schlußhandlung) rash action; **~schlußreaktion** ⚠ f reaction in the heat of the moment; **~schrift** f shorthand; **k~sichtig** adj (lit, fig) short-sighted; **~sichtigkeit** f (lit, fig) short-sightedness.

Kurzstrecken- in cpds short-range; **~flugzeug** nt short-haul aircraft; **~läufer** m (Sport) sprinter; **~rakete** f short-range missile.

kurz-: ~treten ⚠ vi sep irreg (fig col) to go easy; **~um** adv in a word.

Kürzung f shortening; (eines Buchs) abridgement; (von Gehältern, der Produktion) cut (gen in).

Kurz-: ~urlaub m short holiday (Brit) or vacation (US); (Mil) short leave; **~waren** pl haberdashery (Brit), notions pl (US); **k~weilig** adj entertaining; **~welle** f (Rad) short wave.

Kurzzeit- in cpds short-term.

kuschelig adj (col) cosy, snug.

kuscheln vr **sich an jdn ~** to snuggle up to sb; **sich in etw** (acc) **~** to snuggle up in sth.

kuschen vir (Hund etc) to get down; (fig) to knuckle under.

Kusine f (female) cousin.

⚠ **Kuß** m ⁻sse kiss.

⚠ **Küßchen** nt peck (col) ▶ **gib ~** give us a kiss.

küssen [1] vti to kiss ▶ **jdm die Hand ~** to kiss sb's hand.

[2] vr to kiss (each other).

⚠ **Kußhand** f **jdm eine ~ zuwerfen** to blow sb a kiss; **jdn/etw mit ~ nehmen** (col) to be only too glad to take sb/sth.

Küste f -n coast; (Ufer) shore.

Küsten- in cpds coastal; **~fischerei** f inshore fishing; **~gebiet** nt coastal area; **~gewässer** pl coastal waters pl; **~nebel** m sea mist; **~schiffahrt** f coastal shipping; **~wache, ~wacht** f coastguard.

Küster *m* - verger, sexton.
Kutsche *f* -n coach, carriage; (*col: Auto*) jalopy (*col*).
Kutscher *m* - coachman, driver.
kutschieren* ① *vi aux sein* to drive, to ride ▶ *durch die Gegend ~* (*col*) to drive around.
② *vt* to drive.
Kutte *f* -n (monk's) habit.
Kutter *m* - (*Naut*) cutter.
Kuvert [ku'veːɐ, ku'veːɐ] *nt* -s (*Brief~*) envelope.
Kuvertüre [kuver'tyːrə] *f* -n (*Cook*) (chocolate) coating.

k.u.w. = **kalt und warm** h & c.
Kuwait *nt* Kuwait.
Kuwaiter(in *f*) *m* - Kuwaiti.
Kuwaiti *m* Kuwaiti.
kuwaitisch *adj* Kuwaiti.
kW = **Kilowatt** KW.
KW = **Kurzwelle** SW.
Kybernetik *f* cybernetics *sing*.
kyrillisch *adj* Cyrillic.
KZ [kaː'tsɛt] *nt* -s = **Konzentrationslager**.

L

L, I [ɛl] *nt* -, - L, l ▶ *L wie Ludwig* ≈ L for Lucy (*Brit*), L for Love (*US*).

l = ⓐ **links** l. ⓑ **Liter** l.

labb(e)rig *adj* (*col*) *Bier, Suppe* watery; *Kaffee, Tee auch* weak; *Essen* mushy.

laben *vr* (*liter*) to feast (oneself) (*an* +*dat* on); (*an Quelle etc*) to refresh oneself (*mit, an* +*dat* with).

labern (*col*) ⓵ *vi* to prattle (on) (*col*).
⓶ *vt* to talk ▶ *was laberst du denn da?* what are you prattling on about? (*col*).

labil *adj* (*physisch*) *Gesundheit* delicate; *Kreislauf* poor; *Patient* frail; (*psychisch*) unstable.

Labilität *f siehe adj* delicateness; poorness; frailty; weakness.

Labor *nt* -s *or* -e laboratory, lab (*col*).

Laborant(in *f*) *m* lab(oratory) technician.

Laboratorium *nt* laboratory.

laborieren* *vi* to labour (*Brit*), to labor (*US*) (*an* +*dat* at); (*leiden*) to be plagued (*an* +*dat* by).

Labortechniker(in *f*) *m* laboratory technician.

Labyrinth *nt* -e labyrinth; (*fig auch*) maze.

Lach\anfall *m* laughing fit.

Lache¹ ['laxə, 'laːxə] *f* -n puddle; (*von Benzin, Blut auch*) pool.

Lache² *f* -n (*col*) laugh.

lächeln *vi* to smile ▶ *verlegen/freundlich* ~ to give an embarrassed/a friendly smile.

Lächeln *nt no pl* smile.

lachen ⓵ *vi* to laugh (*über* +*acc* at) ▶ *jdn zum L~ bringen* to make sb laugh; *zum L~ sein* (*lustig*) to be hilarious; (*lächerlich*) to be laughable; *mir ist nicht zum L~ (zumute)* I'm in no laughing mood; *daß ich nicht lache!* (*col*) don't make me laugh! (*col*); *da kann ich doch nur* ~ I can't help laughing (at that); *du hast gut* ~*!* it's all right for you to laugh!; *gezwungen/verlegen* ~ to give a forced/an embarrassed laugh; *wer zuletzt lacht, lacht am besten* (*Prov*) he who laughs last, laughs longest (*Prov*); *die Sonne lacht* the sun is shining brightly; *ihm lachte das Glück* Fortune smiled on him.
⓶ *vt da gibt es gar nichts zu* ~ that's nothing to laugh about; (*es ist etwas Ernstes auch*) that's not funny; *er hat bei seiner Frau nichts zu* ~ (*col*) he has a hard time of it with his wife; *das wäre doch gelacht, wenn ...* it would be ridiculous if ...; *das wäre doch gelacht!* that's dead easy (*col*); *sich schief* ~ (*col*) to split one's sides (laughing) (*col*).

Lachen *nt no pl* laughter, laughing; (*Art des* ~*s*) laugh ▶ *dir wird das* ~ *schon noch vergehen!* you'll soon be laughing on the other side of your face.

Lacher *m* - *die* ~ *auf seiner Seite haben* to have the last laugh; (*einen Lacherfolg verbuchen* (*Prov*)) to get a laugh.

Lach\erfolg *m ein* ~ *sein, einen* ~ *erzielen* to make everybody laugh.

lächerlich *adj* ⓐ ridiculous, absurd ▶ *jdn/etw* ~ *machen* to make sb/sth look silly (*vor jdm* in front of sb); *jdn/sich* ~ *machen* to make a fool of sb/oneself (*vor jdm* in front of sb); *etw ins L~e ziehen* to make fun of sth. ⓑ (*geringfügig*) *Anlaß* trivial, petty.

Lächerlichkeit *f* ⓐ *no pl* ridiculousness; (*von Argument etc auch*) absurdity ▶ *jdn der* ~ *preisgeben* to make a laughing stock of sb. ⓑ (*Geringfügigkeit*) triviality.

Lach-: ~**gas** *nt* laughing gas; **l~haft** *adj* ludicrous; *Argument auch* laughable; ~**krampf** *m einen* ~*krampf bekommen* to go into fits of laughter.

Lachs [laks] *m* -e salmon.

Lachsalve *f* burst *or* roar of laughter.

Lachs-: **l~farben** *adj* salmon pink; ~**forelle** *f* salmon *or* sea trout; ~**schinken** *m smoked, rolled fillet of ham*.

Lack *m* -e (*Holz~, Nagel~*) varnish; (*Auto~*) paint.

Lack-: ~**affe** *m* (*pej col*) flash Harry (*col*); ~**farbe** *f* gloss paint.

lackieren* *vt Holz* to varnish; *Fingernägel auch* to paint; *Auto* to spray.

Lackierung *f* ⓐ (*das Lackieren*) (*von Autos*) spraying; (*von Möbeln*) varnishing. ⓑ (*der Lack*) (*von Auto*) paintwork; (*Holz~*) varnish.

Lackleder *nt* patent leather.

Lackmuspapier *nt* litmus paper.

Lack-: ~**schaden** *m* damage to paintwork; ~**schuh** *m* patent-leather shoe.

Lade *f* -n chest; (*col: Schub~*) drawer.

Lade-: ~**baum** *m* derrick; ~**bühne** *f* loading ramp; ~**dock** *nt* loading dock; ~**fläche** *f* load area; ~**gerät** *nt* battery charger; ~**gewicht** *nt* load capacity; ~**hemmung** *f das Gewehr hat* ~*hemmung* the gun is jammed.

laden¹ *pret* **lud,** *ptp* **geladen** *vti* to load; (*Comp auch*) to download; (*Phys*) to charge ▶ *das Schiff hat Autos geladen* the ship has a cargo of cars; *der Lkw hat zuviel geladen* the lorry is overloaded; *Verantwortung/ Schulden auf sich* (*acc*) ~ *to saddle oneself with responsibility/debts; eine schwere Schuld auf sich* (*acc*) ~ to place oneself under a heavy burden of guilt; *er hatte schon ganz schön geladen* (*col*) he was already pretty tanked up (*col*); *mit Spannung geladen* charged with tension; *siehe* **geladen**.

laden² *pret* **lud,** *ptp* **geladen** *vt* (*liter: einladen*) to invite; (*form: vor Gericht*) to summon ▶ *nur für geladene Gäste* by invitation only.

Laden¹ *m* ⁼ shop (*esp Brit*), store (*US*); (*col: Betrieb*) outfit (*col*) ▶ *der* ~ *läuft* (*col*) business is good; *den* ~ *schmeißen* (*col*) to run the show; (*zurechtkommen*) to manage; *den (ganzen)* ~ *hinschmeißen* (*col*) to chuck the whole thing in (*col*).

Laden² *m* ⁼ *or* - (*Fenster~*) shutter.

Laden-: ~**besitzer** *m* shopowner (*esp Brit*), shopkeeper (*esp Brit*), storekeeper (*US*); ~**dieb** *m* shoplifter; ~**diebstahl** *m* shoplifting; ~**hüter** *m* non-seller; ~**kasse** *f* till; ~**kette** *f* chain of shops *or* stores; ~**preis** *m* shop price; ~**schluß** ⚠ *m nach/vor* ~*schluß* after/before the shops (*esp Brit*) *or* stores (*US*) shut; *um fünf Uhr ist* ~*schluß* the shops/stores shut at five o'clock; ~**tisch** *m* shop counter; *über den/unter dem* ~*tisch* over/under the counter.

Lade-: ~**rampe** *f* loading ramp; ~**raum** *m* load room; (*Aviat, Naut*) hold.

lädieren* *vt* to damage ▶ *lädiert sein/aussehen* (*hum*) to be/look the worse for wear.

Ladung *f* ⓐ load; (*von Sprengstoff*) charge ▶ *eine*

⚠: for details of spelling reform, see supplement

geballte ~ Schnee/Dreck (col) a whole lot of snow/mud; **eine geballte ~ von Schimpfwörtern** a whole torrent of abuse. **b** (Vorladung) summons sing.
Lafette f (Mil) (gun)carriage.
lag pret of **liegen**.
Lage f -n **a** (geographische ~) situation, location ▶ **in günstiger ~** well-situated; **eine gute/ruhige ~ haben** to be in a good/quiet location. **b** (Art des Liegens) position. **c** (Situation) situation ▶ **dazu bin ich nicht in der ~** I'm not in a position to do that; **in der glücklichen ~ sein, etw zu tun** to be in the happy position of doing sth; **Herr der ~ sein** to be in control of the situation; **die ~ der Dinge erfordert es, daß ...** the situation requires that ... **d** (Schicht) layer. **e** (Mus) (Stimm~) register; (Ton~) pitch. **f** (Runde) round ▶ **eine ~ schmeißen** (col) to stand a round.
Lage-: ~bericht m report; (Mil) situation report; **~besprechung** f: **eine ~besprechung abhalten** to discuss the situation; **~plan** m ground plan.
Lager nt - **a** (Unterkunft) camp; (liter: Schlafstätte) bed. **b** (fig: Partei) camp; (von Staaten) bloc ▶ **ins andere ~ überwechseln** to change camps. **c** pl auch ≕ (Vorratsraum) store(room); (von Laden) stockroom; (~halle) warehouse; (Vorrat) stock ▶ **etw auf ~ haben** to have sth in stock; (fig) Witz etc to have sth at the ready. **d** (Tech) bearing. **e** (Geol) bed.
Lager-: ~bestand m stock; **~feuer** nt campfire; **~halle** f, nt warehouse; **~halter(in** f) m stock controller; **~haltung** f no pl stock management; **~haus** nt = **~halle.**
Lagerist(in f) m storeman/storewoman.
Lagerliste f stocklist.
lagern **1** vt **a** (aufbewahren) to store ▶ **kühl ~!** store in a cool place. **b** (hinlegen) jdn to lay down; Bein etc to rest ▶ **einen Kranken weich ~** to lay an invalid on something soft; **das Bein hoch ~** to put one's leg up; siehe **gelagert**. **2** vi **a** (Lebensmittel etc) to be stored. **b** (liegen) to lie. **c** (von Truppen) to camp, to be encamped.
Lager-: ~raum m storeroom; (in Geschäft) stockroom; **~stätte** f **a** (old liter) bed, couch (liter); **b** (Geol) deposit; **~umschlag** m stock turnover.
Lagerung f storage; (das Lagern auch) storing.
Lagune f -n lagoon.
lahm adj **a** (gelähmt) Bein, Mensch lame; (col: steif) stiff ▶ **er hat ein ~es Bein** he is lame in one leg. **b** (col: langsam, langweilig) dreary, dull; Geschäftsgang slow, sluggish ▶ **eine ~e Ente sein** (col) to have no zip (col).
lahmen vi to be lame (auf +dat in).
lähmen vt to paralyze; (fig) Industrie auch to cripple; Verhandlungen, Verkehr to hold up ▶ **er ist an beiden Beinen gelähmt** he is paralyzed in both legs; **vor Angst wie gelähmt sein** to be petrified.
Lahme(r) mf decl as adj (old) cripple.
lahmlegen vt sep Verkehr, Produktion to bring to a standstill; Industrie auch to paralyze.
Lähmung f (lit) paralysis; (fig) immobilization.
Laib m -e loaf.
laichen vi to spawn.
Laie m (wk) -n, -n layman, layperson; (fig also, Theat) amateur ▶ **die ~n** (Eccl) the laity; **da staunt der ~, der Fachmann wundert sich** (hum col) that's a real turn-up for the books (col).
Laien-: ~darsteller m amateur actor; **l~haft** adj Arbeit amateurish; Urteil, Meinung lay attr only; **~prediger** m lay preacher; **~spiel** nt **a** amateur drama no pl; **b** (Stück) play for amateurs; **~theater** nt amateur theatre (Brit) or theater (US); (Ensemble) amateur theatre (Brit) or theater (US) group.
Lakai m (wk) -en, -en (lit, fig) lackey.

Lake f -n brine.
Laken nt - sheet.
lakonisch adj laconic.
Lakritz m -e (dial), **Lakritze** f -n liquorice (Brit), licorice (US).
lala adv (col): **so ~** so-so (col), not too bad (col).
lallen vti to babble; (Betrunkener) to mumble.
Lama nt -s llama.
Lamelle f **a** (Biol) lamella. **b** (von Jalousien) slat; (von Heizkörper) rib.
Lamellentür f louvre door.
lamentieren* vi to moan, to complain.
Lametta nt no pl lametta.
Lamm nt ⸚er lamb ▶ **wie das ~ zur Schlachtbank** like a lamb to the slaughter.
Lamm-: ~braten m roast lamb; **~fell** nt lambskin; **~fleisch** nt lamb; **l~fromm** adj Gesicht, Miene innocent; **l~fromm sein** to be like a (little) lamb; **~kotelett** nt lamb chop; **~wolle** f lambswool.
Lampe f -n light; (Öl~, Steh~, Tisch~) lamp; (Glüh~) bulb.
Lampen-: ~fieber nt stage fright; **~schirm** m lampshade.
Lampion [lam'pi̯oː, lam'pi̯ɔŋ] m -s Chinese lantern.
LAN nt -s (Comp) LAN.
lancieren* [lãˈsiːrən] vt Produkt, Künstler to launch; Nachricht to put out ▶ **jdn/etw in etw** (acc) **~** to get sb/sth into sth.
Land nt ⸚er **a** (Gelände, Festland) land ▶ **ein Stück ~** a plot of land; **~ bestellen/bebauen** to till the soil/to cultivate the land; **an ~ gehen/schwimmen** to go/swim ashore; **~ sehen** (lit) to sight land; **endlich sehe ich ~** (fig) at last I can see the light at the end of the tunnel; **etw an ~ ziehen** to pull sth ashore; **einen Auftrag an ~ ziehen** (col) to land an order; **~ in Sicht!** land ahoy!; **~ unter!** land submerged! **b** (ländliches Gebiet) country ▶ **auf dem ~(e)** in the country. **c** (Staat) country, land (esp liter); (Bundes~) (in BRD) Land, state; (in Österreich) province ▶ **das ~ Hessen/Tirol** the state of Hesse/the province of Tyrol; **die neuen ⸚er** (BRD) former East Germany; **außer ~es sein** to be out of the country; **~ und Leute kennenlernen** to get to know the country and its inhabitants; **aus aller Herren ⸚er** from all over the world.

┌─────────────── LAND ───────────────┐

(i) A **Land** (plural **Länder**) is a member state of the BRD. There are 16 Länder, namely Baden-Württemberg, Bayern, Berlin, Brandenburg, Bremen, Hamburg, Hessen, Mecklenburg-Vorpommern, Niedersachsen, Nordrhein-Westfalen, Rheinland-Pfalz, Saarland, Sachsen, Sachsen-Anhalt, Schleswig-Holstein and Thüringen. Each Land has its own parliament and constitution.

└────────────────────────────────────┘

Land-: ~adel m landed gentry; **~arbeit** f agricultural work; **~arbeiter** m agricultural farmworker; **l~auf** adv: **l~auf, l~ab** the length and breadth of the country; **~besitz** m **~besitz haben** to be a landowner; **~besitzer** m landowner; **~bevölkerung** f rural population.
Lande-: ~anflug m approach; **~bahn** f runway; **~erlaubnis** f landing permission; **~fähre** f (Space) landing module.
landeinwärts adv inland.
landen vti (vi: aux sein) to land ▶ **weich ~** to make a soft landing; **im Gefängnis ~** to land or end up in prison; **mit deinen Komplimenten kannst du bei mir nicht ~** your compliments won't get you anywhere with me.
Land|enge f isthmus.

⚠: Informationen zur Rechtschreibreform im Anhang

Lande-: **~piste** *f* landing strip; **~platz** *m* (*für Flugzeuge*) landing strip; (*für Hubschrauber*) landing pad; (*für Schiffe*) landing place.

Ländereien *pl* estates *pl*.

Länderspiel *nt* international (match).

Landes-: **~grenze** *f* (*von Staat*) (national) frontier; (*von Bundesland*) state/provincial boundary; **~hauptstadt** *f* capital of the Land/province; **~innere(s)** *nt* interior; **~kunde** *f* regional studies *pl*; **l~kundig** *adj* *l~kundiger Reiseleiter* courier who knows the country; **l~kundlich** *adj* *Themen, Aspekte* regional; **~liste** *f* (*Parl*) *regional list of parliamentary candidates for election to the Federal parliament*; **~meister** *m* (*Sport*) regional champion; **~regierung** *f* government of a Land/provincial government; **~sprache** *f* national language; *der ~sprache unkundig sein* not to know the language.

Landesteg *m* jetty, landing stage (*Brit*).

Landes-: **~teil** *m* region, area; **~tracht** *f* national dress or costume; **l~üblich** *adj* customary; *das ist dort l~üblich* that's the custom there; **~verrat** *m* treason; **~verteidigung** *f* national defence (*Brit*) *or* defense (*US*); **~währung** *f* currency of the country.

Landeverbot *nt* refusal of permission to land ▸ *~ erhalten* to be refused permission to land.

Land-: **~flucht** *f* emigration to the cities; **~friedensbruch** *m* (*Jur*) breach of the peace; **~funk** *m* farming (radio) programme (*Brit*) *or* program (*US*); **~gang** *m* shore leave; **~gericht** *nt* district court; **l~gestützt** *adj* *Raketen* land-based; **~gut** *nt* estate; **~haus** *nt* country house; **~heer** *nt* army; **~jäger** *m* (*Wurst*) *pressed smoked sausage*, **~karte** *f* map; **~klima** *nt* continental climate; **~kreis** *m* administrative district; **~krieg** *m* land warfare; **l~läufig** *adj* popular, common; *entgegen der l~läufigen Meinung* contrary to popular opinion; **~leben** *nt* country life.

ländlich *adj* rural; *Tracht* country *attr*, *Tanz* country *attr*, folk *attr*, *Idylle* pastoral.

Land-: **~luft** *f* country air; **~macht** *f* land power; **~plage** *f* plague; (*fig col*) pest; **~ratte** *f* (*hum*) landlubber; **~regen** *m* steady rain.

Landschaft *f* scenery *no pl*; (*einer bestimmten Gegend auch*) landscape; (*ländliche Gegend*) countryside ▸ *eine öde ~* a barren landscape; *die ~ um London* the countryside around London; *die ~en Italiens* the regions of Italy; *wir sahen eine reizvolle ~* we saw some delightful scenery; *in der ~ herumstehen* (*col*) to stand around; *die politische/kulturelle ~* the political/cultural scene.

landschaftlich *adj* *Schönheiten etc* scenic; *Besonderheiten* regional ▸ *diese Gegend ist ~ ausgesprochen reizvoll* the scenery in this area is particularly delightful; *das ist ~ unterschiedlich* it differs from one part of the country to another.

Landschafts-: **~malerei** *f* landscape painting; **~schutz** *m* protection of the countryside; **~schutzgebiet** *nt* nature reserve.

Landsitz *m* country seat.

Landsmann *m*, **Landsmännin** *f*, *pl* **~leute** fellow countryman/-woman.

Land-: **~straße** *f* country road; (*Straße zweiter Ordnung*) secondary road; **~streicher(in** *f***)** *m* - (*pej*) tramp, hobo (*US*); **~streicherei** *f* vagrancy; **~streitkräfte** *pl* land forces *pl*; **~strich** *m* area; *ein flacher ~strich* a flat belt of land; **~tag** *m* Landtag (*state parliament*).

Landung *f* (*von Flugzeug, Truppen etc*) landing ▸ *zur ~ gezwungen werden* to be forced down.

Landungs-: **~boot** *nt* landing craft; **~brücke** *f* jetty, landing stage; **~steg** *m* landing stage (*Brit*), jetty.

Land-: **~urlaub** *m* shore leave; **~vermesser** *m* land surveyor; **~vermessung** *f* land surveying; **~weg** *m* *auf*

---

dem ~weg by land, overland; **~wein** *m* vin ordinaire; **~wirt** *m* farmer.

Landwirtschaft *f* agriculture, farming; (*Betrieb*) farm ▸ *~ betreiben* to farm.

landwirtschaftlich *adj* agricultural.

Landwirtschafts- *in cpds* agricultural; **~ausstellung** *f* agricultural show; **~ministerium** *nt* ministry of agriculture; **~schule** *f* agricultural college.

Landzunge *f* spit (of land), promontory.

lang *comp* **⁻er**, *superl* **⁻ste(r, s)** *or* (*adv*) **am ⁻sten** [1] *adj* [a] long; *Film, Roman, Aufenthalt, Rede auch* lengthy ▸ *das war seit ~em geplant* that was planned a long time ago; *ich habe seit ~em nichts von ihm gehört* I haven't heard from him for a long time; *vor ~er Zeit* a long time ago; *hier wird mir die Zeit nicht ~* I won't get bored here; *etw ~er machen* to lengthen sth; *er machte ein ~es Gesicht* his face fell; *man sah überall nur ~e Gesichter* you saw nothing but long faces; *etw von ~er Hand vorbereiten* to prepare sth over a long period; *einen ~en Hals machen* (*col*) to crane one's neck. [b] (*col: groß*) *Mensch* tall.
[2] *adv* *der ~ erwartete Regen* the long-awaited rain; *der ~ ersehnte Urlaub* the longed-for holiday; *~ anhaltender Beifall* prolonged applause; *zwei Stunden ~* for two hours; *mein ganzes Leben ~* my whole life; *~ und breit* at great length; *siehe* **entlang**.

lang-: **~ärm(e)lig** *adj* long-sleeved; **~atmig** *adj* long-winded; **~beinig** *adj* long-legged.

lang(e) *adv* *comp* **⁻er**, *superl* **am längsten** [a] (*zeitlich*) a long time; (*in Fragen, Negativsätzen*) long ▸ *die Sitzung hat heute ~ gedauert* the meeting went on (for) a long time today; *wie ~ lernst du schon Deutsch?* how long have you been learning German (for)?; *es ist noch gar nicht ~ her, daß wir diese Frage diskutiert haben* it's not long since we discussed this question; *bis Weihnachten ist es ja noch ~ hin* it's still a long time till Christmas, we're a long way from Christmas. [b] (*col: längst*) *noch ~ nicht* not by any means; *~ nicht so ... not nearly as ...; *wenn der das schafft, kannst du das schon* ~ if he can do it, you can do it easily.

Länge *f* -n [a] length; (*col: von Mensch*) height ▸ *ein Seil von 10 Meter ~* a rope 10 metres long; *ein Vortrag/eine Fahrt von einer Stunde ~* an hour-long lecture/an hour's journey; *etw der ~ nach falten* to fold sth lengthways; *der ~ nach hinfallen* to fall full length, to go sprawling; *in die ~ gehen* (*Kleidungsstücke*) to stretch; *etw in die ~ ziehen* to drag sth out (*col*); *sich in die ~ ziehen* to go on and on; *der ~ nach hinfallen* to fall flat (on one's face); *mit einer ~ gewinnen* (*Sport*) to win by a length. [b] (*Geog*) longitude ▸ *der Ort liegt auf 20 Grad östlicher ~* the town has a longitude of 20 degrees east.

langen (*col*) [1] *vi* [a] (*sich erstrecken, greifen*) to reach (*nach* for, *in* +*acc* in, into). [b] (*ausreichen*) to be enough; (*auskommen*) to get by, to manage ▸ *jetzt langt's mir aber!* I've had just about enough!
[2] *vt* (*reichen*) *jdm etw ~* to hand sb sth; *jdm eine ~* to give sb a clip on the ear (*col*).

Längen-: **~grad** *m* degree of longitude; **~maß** *nt* measure of length.

⚠ **langersehnt** *adj attr* longed-for.

Langeweile *f no pl* boredom ▸ *~ haben* to be bored.

Lang-: **~finger** *m* (*hum*) pickpocket; **l~fristig** [1] *adj* long-term; [2] *adv* in the long term; *planen* for the long term; **l~gehen** *vi sep irreg* (*col*) [a] (*Weg etc*) *wo geht's hier ~?* where does this road/path go? [b] (*fig*) *sie weiß, wo es l~geht* she knows what's what; **l~haarig** *adj* long-haired; **l~jährig** [1] *adj* *Freundschaft, Gewohnheit* long-standing; *Erfahrung, Verhandlungen* many years of; *Mitarbeiter* of many years' standing; [2] *adv* for many

---

years; **~lauf** m (*Ski*) cross-country skiing; **~läufer** m (*Ski*) cross-country skier; **~laufski** m cross-country ski; **l~lebig** adj long-lasting; *Gerücht, Mensch, Tier* long-lived; *l~lebige Gebrauchsgüter* pl consumer durables pl; **~lebigkeit** f (*von Tieren, Menschen*) longevity; **l~legen** vr sep to have a lie-down.

länglich adj long, elongated.

Lang-: ~mut f no pl patience, forbearance; **l~mütig** adj patient, forbearing.

längs ☐ adv lengthways, lengthwise.

② prep +gen along ► **~ der Straße stehen Kastanien** chestnut trees line the road.

Längs|achse f longitudinal axis.

langsam ☐ adj slow.

② adv ⓐ slowly ► **fahr/sprich ~er!** slow down!, drive/speak (a bit) more slowly!; **immer schön ~!** (*col*) easy does it!; **~ aber sicher** slowly but surely. ⓑ (*allmählich*) **es wird ~ Zeit, daß** ... it's getting about time that ...; **ich muß jetzt ~ gehen** I must be getting on my way; **~ (aber sicher) reicht es mir** I've just about had enough.

Langsamkeit f slowness.

Langschläfer m late riser.

Langspielplatte f long-playing record.

Längs-: ~schnitt m longitudinal section; **~seite** f long side; (*Naut*) broadside; **l~seit(s)** adv, prep +gen alongside.

längst adv ⓐ (*seit langem, schon lange*) for a long time ► **das ist ~ nicht mehr so** it hasn't been like that for a long time; **als wir ankamen, war der Zug ~ weg** when we arrived the train had long since gone. ⓑ *siehe* **lange (b)**.

längstens adv ⓐ (*höchstens*) at the most. ⓑ (*spätestens*) at the latest.

Langstrecken- in cpds long-range; **~flugzeug** nt long-range aircraft; **~lauf** m (*Disziplin*) distance running; (*Wettkampf*) long-distance race; **~läufer** m distance runner; **~rakete** f long-range missile.

Languste [lan'gʊstə] f -n crayfish, crawfish (*US*).

langweilen insep ☐ vt to bore.

② vi to be boring.

③ vr to be/get bored.

Langweiler m - bore.

langweilig adj ⓐ boring. ⓑ (*col: langsam*) slow.

Lang-: ~welle f long wave; **l~wierig** adj long, lengthy; *Verhandlungen, Krankheit auch* prolonged; **~wierigkeit** f lengthiness.

Langzeit- in cpds long-term.

Lanolin nt no pl lanolin(e).

Lanze f -n lance; (*zum Werfen*) spear ► **für jdn eine ~ brechen** (*fig*) to take up the cudgels for sb, to go to bat for sb (*esp US*).

Lanzette f (*Med*) lancet.

Laos nt Laos.

Laote m (*wk*) -n, -n, **Laotin** f Laotian.

laotisch adj Laotian.

lapidar adj succinct.

Lappalie [-iə] f trifle, petty little matter.

Lappe m (*wk*) -n, -n, **Lappin** f Lapp, Laplander.

Lappen m - ⓐ (*Stück Stoff*) cloth; (*Wasch~*) face cloth. ⓑ (*col: Geldschein*) note (*Brit*), bill (*US*). ⓒ (*col*) **jdm durch die ~ gehen** to slip through sb's fingers.

läppern vr impers (*col*) **es läppert sich** it (all) mounts up.

läppisch adj silly ► **wegen ~en zwei Mark macht er so ein Theater** (*col*) he makes such a fuss about a mere two marks.

Lappland nt Lapland.

Lappländer(in f) m - = **Lappe.**

lappländisch adj Lapp.

Lapsus m -, - mistake, slip; (*gesellschaftlich, diplomatisch*) faux pas.

Laptop ['lɛptɔp] m -s (*Comp*) laptop.

Lärche f -n larch.

Larifari nt no pl (*col*) nonsense.

Lärm m no pl noise; (*Geräuschbelästigung auch*) din, racket; (*Aufsehen*) fuss ► **viel ~ um jdn/etw machen** to make a big fuss about sb/sth.

Lärm-: ~bekämpfung f noise abatement; **~belästigung** f noise pollution; **l~empfindlich** adj sensitive to noise.

lärmen vi to make a noise ► **~d** noisy.

Lärmschutz m noise abatement.

Lärmschutz-: ~wall m, **~wand** f sound or noise barrier.

Larve ['larfə] f -n (*Tier~*) larva.

las pret of **lesen.**

lasch adj (*col*) ⓐ (*schlaff*) *Bewegungen* feeble. ⓑ *Erziehung, Polizei* lax.

Lasche f -n (*Schlaufe*) loop; (*Schuh~*) tongue; (*als Verschluß*) tab, flap; (*Tech*) splicing plate.

Laser ['leːzɐ, 'laːzɐ] m - laser.

Laser- in cpds laser; **~drucker** m laser printer; **~strahl** m laser beam; **~technik** f no pl laser technology.

lasieren* vt *Bild, Holz* to varnish; *Glas* to glaze.

▼ **lassen** pret **ließ**, ptp **gelassen** ☐ vt ⓐ (*unter~*) to stop; (*momentan aufhören*) to leave ► **laß das (sein)!** don't (do it)!; (*hör auf*) stop it!; **laß diese Bemerkungen!** that's enough of that kind of remark!; **~ wir das!** let's leave it or that!; **er kann das Trinken nicht ~** he can't stop drinking; **er kann es nicht ~!** he will keep on doing it!; **dann ~ wir es eben** let's drop the whole idea; **wenn du nicht willst, dann laß es doch** if you don't want to, then don't; **tu, was du nicht ~ kannst!** if you must, you must!

ⓑ (*zurück~, be~*) to leave ► **jdn allein ~** to leave sb alone; **etw ~, wie es ist** to leave sth (just) as it is.

ⓒ (*über~*) **jdm etw ~** to let sb have sth; (*behalten ~*) to let sb keep sth; **das muß man ihr ~** (*zugestehen*) you've got to grant her that.

ⓓ (*hinein~, hinaus~*) to let (*in* +acc into, *aus* out of); (*col: los~*) to let go; (*in Ruhe ~*) to let be ► **Wasser in die Badewanne (laufen)** ~ to run water into the bath.

② modal aux ptp ~ ⓐ (*veranlassen*) **etw tun ~** to have or get sth done; **sich** (*dat*) **etw schicken ~** to have sth sent to one; **jdm ausrichten ~, daß** ... to leave a message for sb that ...; **jdn kommen ~** to send for sb; **mein Vater wollte mich studieren ~** my father wanted me to study.

ⓑ (*zu~*) **jdn etw wissen/sehen ~** to let sb know/see sth; **sie hat mich nichts merken ~** she didn't show it/anything; **sich** (*dat*) **einen Bart wachsen ~** to grow a beard; **den Tee ziehen ~** to let the tea draw; **das Licht brennen ~** to leave the light on; **jdn warten ~** to keep sb waiting; **er hat sich überreden ~** he let himself be persuaded; **ich lasse mich nicht zwingen** I won't be coerced; **das Fenster läßt sich nicht öffnen** (*grundsätzlich nicht*) the window doesn't open; (*momentan nicht*) the window won't open; **das Wort läßt sich nicht übersetzen** the word is untranslatable; **das läßt sich machen** that can be done; **es ließ sich nicht ändern** it couldn't be changed; **daraus läßt sich schließen, daß** ... one can conclude from this that ...

ⓒ (*als Imperativ*) **laß uns gehen!** let's go!; **laß es dir gutgehen!** take care of yourself!; **laß dir das gesagt sein!** let me tell you this!

③ vi ⓐ **laß mal, ich mache das schon** leave it, I'll do it. ⓑ (*ab~*) **von jdm/etw ~** to give sb/sth up.

lässig adj (*ungezwungen*) casual ► **das hat er ganz ~ hingekriegt** (*col*) pretty cool, the way he did that (*col*).

➤ SATZBAUSTEINE: **lassen: 2a** → 6.2, 10.3 **2b** → 4.1, 7.2, 13.1

Lässigkeit f casualness.

⚠ **läßlich** adj (Eccl) Sünde venial, pardonable.

Lasso m or nt -s lasso.

Last f -en [a] load; (Trag~ auch) burden; (lit, fig: Gewicht) weight. [b] (fig: Bürde) burden ► jdm zur ~ fallen/werden to be/become a burden on sb; die ~ der Verantwortung/des Amtes the burden of responsibility/the weight of office; jdm eine ~ abnehmen to take a load off sb's shoulders; jdm etw zur ~ legen to accuse sb of sth. [c] ~en (Kosten) costs; (des Steuerzahlers) charges; soziale ~en welfare costs or charges; zu jds ~en gehen to be chargeable to sb.

Last|auto nt van (Brit), panel truck (US).

lasten vi to weigh heavily (auf +dat on) ► auf dem Haus lastet noch eine Hypothek the house is still encumbered (with a mortgage) (form); auf ihm lastet die ganze Verantwortung all the responsibility rests on him.

Lasten|aufzug m hoist, goods lift (Brit) or elevator (US).

Laster[1] m - (col) lorry (Brit), truck.

Laster[2] nt - vice.

Lästerei f (col) [a] no pl (das Lästern) running down (über +acc of). [b] (Lästerwort) malicious remark.

lasterhaft adj depraved.

Lasterhöhle f den of vice or iniquity.

lästerlich adj malicious; (gottes~) blasphemous.

lästern [1] vi über jdn/etw ~ to make malicious remarks about sb/sth.

[2] vt Gott to blaspheme against.

lästig adj tiresome; (ärgerlich auch) irksome, aggravating; Husten etc troublesome ► wie ~! what a nuisance!; jdm ~ sein to bother sb; dieser Verband ist mir ~ this bandage is bothering me; jdm ~ werden to become a nuisance (to sb); (zum Ärgernis werden) to get annoying (to sb).

Last-: ~kahn m barge; ~kraftwagen m (form) heavy goods vehicle; ~schiff nt cargo ship; ~schrift f debit; (Eintrag) debit entry; ~tier nt beast of burden; ~wagen m lorry (Brit), truck; ~wagenfahrer m lorry (Brit) or truck driver; ~zug m truck-trailer.

Lasur f (auf Holz, Bild) varnish; (auf Glas, Email) glaze.

Latein nt Latin ► mit seinem ~ am Ende sein (col) to be stumped (col).

Latein-: ~amerika nt Latin America; ~amerikaner(in f) m Latin American; l~amerikanisch adj Latin-American.

lateinisch adj Latin.

latent adj latent; Selbstmörder, Gefahr potential ► ~ vorhanden sein to be latent.

Laterne f -n lantern; (Straßen~) streetlamp.

Laternenpfahl m lamp post.

Latinum nt no pl kleines/großes ~ qualification in Latin gained after 3/6 years of study.

Latrine f latrine.

Latschen m - (col) (Hausschuh) slipper; (pej: Schuh) worn-out shoe.

latschen vi aux sein (col) to wander; (durch die Stadt etc) to traipse; (schlurfend) to slouch along.

Latte f -n [a] (schmales Brett) slat ► nicht alle auf der ~ haben (col) to have a screw loose (col). [b] (Sport) bar; (Ftbl) (cross)bar. [c] (col: Liste) eine (ganze) ~ von Vorstrafen a whole string of previous convictions.

Latten-: ~rost ⚠ m duckboards pl; (in Bett) slatted frame; ~schuß m (Ftbl) shot against the bar; ~zaun m wooden fence.

Latz m ⁻e (Lätzchen, bei Kleidung) bib; (Hosen~) (front) flap ► jdm eins vor den ~ knallen (col) to sock sb one (col).

Lätzchen nt bib.

Latzhose f (pair of) dungarees pl.

lau adj [a] Wind, Abend mild. [b] Flüssigkeit tepid, lukewarm; (fig) Haltung lukewarm.

Laub nt no pl leaves pl; (an Bäumen etc auch) foliage.

Laubbaum m deciduous tree.

Laube f -n [a] (Gartenhäuschen) summerhouse. [b] (Gang) pergola; (Arkade) arcade.

Laub-: ~frosch m (European) tree frog; ~säge f fretsaw; ~wald m deciduous forest.

Lauch m (esp S Ger: Porree) leek.

Lauer f no pl: auf der ~ sein or liegen to lie in wait.

lauern vi (lit, fig) to lurk, to lie in wait (auf +acc for); (col) to wait (auf +acc for) ► ein ~der Blick a furtive glance.

Lauf m, pl Läufe [a] (schneller Schritt) run; (Wett~) race ► sein ~ wurde immer schneller he ran faster and faster. [b] (Verlauf) course ► im ~e der Jahre through the years; im ~e des Gesprächs in the course of the conversation; sie ließ ihren Gefühlen freien ~ she gave way to her feelings; den Dingen ihren ~ lassen to let matters take their course. [c] (Gang, Arbeit) running, operation; (Comp) run. [d] (Fluß~, Astron) course ► der obere/untere ~ der Donau the upper/lower reaches of the Danube. [e] (Gewehr~) barrel. [f] (Hunt: Bein) leg.

Laufbahn f career ► eine ~ einschlagen to embark on a career.

Laufbursche m errand-boy, messenger boy.

laufen pret lief, ptp gelaufen [1] vi aux sein [a] to run ► es lief mir eiskalt über den Rücken a chill ran up my spine.

[b] (col: gehen) to go; (zu Fuß gehen) to walk ► das Kind läuft schon the child is already walking; das L~ lernen to learn to walk; es sind nur 10 Minuten zu ~ it's only 10 minutes' walk; er läuft dauernd zum Arzt he's always running to the doctor.

[c] (fließen) to run; (schmelzen: Käse, Butter) to melt; (undicht sein) Gefäß, Wasserhahn to leak; (Nase, Wunde) to run ► in Strömen ~ to stream or pour (in/out/down etc); Wasser in die Badewanne ~ lassen to run water into the bath; ihm läuft die Nase he's got a runny nose.

[d] (in Betrieb sein) to run, to go; (Comp) to run; (Uhr) to go; (Elektrogerät) (eingeschaltet sein) to be on; (funktionieren) to work ► ein Programm ~ lassen (Comp) to run a program.

[e] (fig: im Gange sein) (Prozeß, Verhandlung) to go on, to be in progress; (Bewerbung, Antrag) to be under consideration; (gezeigt werden) (Film, Stück) to be on ► der Film lief schon, als wir ankamen the film had already started when we arrived; der Film läuft über drei Stunden the film goes on for three hours; etw läuft gut/schlecht sth is going well/badly; mal sehen, wie die Sache läuft let's see how things go; die Dinge ~ lassen to let things slide; die Sache ist gelaufen (col) it's in the bag (col); es ist zu spät, die Sache ist schon gelaufen (col) it's too late now, it's all finished with.

[f] das Auto läuft auf meinen Namen the car is in my name; das läuft unter "Sonderausgaben" that comes under "special expenses".

[2] vt aux sein [a] auch aux haben (Sport) Rekordzeit to run; Rekord to set ► Ski/Schlittschuh/Rollschuh etc ~ to ski/skate/rollerskate etc. [b] (fahren: Auto etc) Geschwindigkeit, Strecke to do. [c] (zu Fuß gehen) to walk; (schnell) to run.

[3] vr sich warm ~ to warm up; sich müde ~ to tire oneself out; in den Schuhen läuft es sich gut these shoes are good for walking/running in.

laufend [1] adj attr Arbeiten, Ausgaben regular; Monat, Jahr current ► 10 DM der ~e Meter 10 marks per metre; ~e Nummer serial number; (von Konto) number; auf dem ~en bleiben/sein to keep (oneself)/be up-to-

⚠: for details of spelling reform, see supplement

date; *jdn auf dem ~en halten* to keep sb posted. ② *adv* continually, constantly.

laufenlassen *vt sep irreg* (*col*) *jdn ~* to let sb go.

Läufer *m* - ⓐ (*Sport*) runner; (*Hürden~*) hurdler; (*Ftbl*) halfback; (*Chess*) bishop ► *rechter/linker ~* (*Ftbl*) right/left half. ⓑ (*Teppich*) rug; (*Treppen~, Tisch~*) runner.

Lauferei *f* (*col*) running about *no pl*.

Läuferin *f* (*Sport*) runner; (*Hürden~*) hurdler.

Lauf-: *~feuer* *nt*: *sich wie ein ~ feuer verbreiten* to spread like wildfire; *~gitter* *nt* playpen.

läufig *adj* on heat.

Lauf-: *~junge* △ *m* errand-boy; *~kunde* *m* casual customer; *~kundschaft* *f* casual custom; *~masche* *f* ladder (*Brit*), run; *~paß* △ *m*: *jdm den ~paß geben* (*col*) to give sb his/her marching orders (*col*); *~schritt* *m* trot; (*Mil*) quick march at the double; *im ~schritt* (*Mil*) at the double; *~stall* *m* playpen; *~steg* *m* catwalk; *~werk* *nt* (*Mech*) running gear; (*von Uhr*) movement; (*Comp*) drive; *~zeit* *f* ⓐ (*von Wechsel, Vertrag*) period of validity; (*von Kredit*) period; ⓑ (*von Maschine*) life; (*Comp*) run time; *~zettel* *m* (*an Akten, Maschinen*) docket.

Lauge *f* -*n* (*Chem*) alkaline solution; (*Seifen~*) soapy water.

Laune *f* -*n* ⓐ (*Stimmung*) mood ► *(je) nach (Lust und) ~* just as the mood takes one; *gute/schlechte ~ haben* to be in a good/bad mood. ⓑ (*Einfall*) whim ► *etw aus einer ~ heraus tun* to do sth on a whim.

launenhaft, launisch *adj* moody; (*unberechenbar*) capricious.

Laus *f, pl* **Läuse** louse ► *ihm ist (wohl) eine ~ über die Leber gelaufen* (*col*) something's biting him (*col*).

Lausbub *m* (*hum*) rascal, scamp.

Lausch\angriff *m* bugging operation (*gegen* on).

lauschen *vi* ⓐ (*geh*) to listen (*dat, auf +acc* to). ⓑ (*heimlich*) to eavesdrop.

Lauscher(in *f*) *m* - eavesdropper.

lauschig *adj* *Plätzchen* cosy, snug; (*im Freien*) secluded.

Lausejunge *m* (*col*) little devil (*col*); (*wohlwollend*) rascal.

lausen *vt* to delouse ► *ich denk', mich laust der Affe!* (*col*) well blow me down! (*col*).

lausig (*col*) ① *adj* lousy (*col*); *Kälte* perishing. ② *adv* awfully.

laut¹ *adj* ⓐ loud ► *~er sprechen* to speak up; *~ auflachen* to burst out laughing; *etw ~(er) stellen* to turn sth up (loud). ⓑ (*lärmend*) noisy; (*aufdringlich*) *Mensch* loudmouthed; *Farbe etc* loud. ⓒ (*hörbar*) aloud *pred, adv* ► *etw ~ sagen* (*lit*) to say sth out loud; (*fig*) to shout sth from the rooftops; *das kannst du ~ sagen* you can say that again; *~ werden* (*bekannt*) to become known.

laut² *prep* +*gen* or *dat* according to.

Laut *m* -*e* sound ► *keinen ~ von sich* (*dat*) *geben* not to utter a sound.

Laute *f* -*n* lute.

lauten *vi* to be; (*Rede*) to go; (*Schriftstück*) to read ► *auf den Namen ... ~* (*Paß*) to be in the name of ...; (*Scheck*) to be made out to ...

läuten *vti* to ring ► *es hat geläutet* the bell rang; *er hat davon (etwas) ~ hören* (*col*) he has heard something about it.

lauter ① *adj* (*geh*) *Absichten* honourable (*Brit*), honorable (*US*); *Wahrheit* honest. ② *adv* (*nur*) nothing/nobody but ► *~ Unsinn* sheer nonsense; *vor ~ Rauch kann man nichts sehen* you can't see anything for all the smoke.

läutern *vt* (*liter*) to purify; (*fig*) to reform.

lauthals *adv* at the top of one's voice.

Laut-: *~lehre* *f* phonetics *sing*; *l~lich* *adj* phonetic; *l~los* *adj* noiseless; (*wortlos*) silent; *~losigkeit* *f siehe adj* noiselessness; silence; *l~malend* *adj* onomatopoeic; *~malerei* *f* onomatopoeia; *~schrift* *f* phonetics *pl*; (*Umschrift*) phonetic transcription; (*Zeichen*) phonetic alphabet.

Lautsprecher *m* (loud)speaker.

Lautsprecher-: *~anlage* *f* *öffentliche ~anlage* public address *or* PA system; *~box* *f* speaker enclosure; *~wagen* *m* loudspeaker car/van.

Laut-: *l~stark* *adj* loud; (*Rad, TV etc*) high-volume; *Protest* vociferous; *~stärke* *f siehe adj* loudness; volume; vociferousness; silence; *ein Radio in voller ~stärke spielen lassen* to have a radio on full volume.

lauwarm *adj* (*lit, fig*) lukewarm.

Lava ['laːva] *f, pl* **Laven** ['laːvn] lava.

Lavendel [la'vɛndl] *m* - lavender.

lavieren* [la'viːrən] *vi* ⓐ (*Naut*) to tack. ⓑ (*fig*) to manoeuvre (*Brit*), to maneuver (*US*).

Lawine *f* (*lit, fig*) avalanche.

Lawinen-: *l~artig* *adj* like an avalanche; *l~artig anwachsen* to snowball; *~gefahr* *f* danger of avalanches.

Layout ['leːǀaut] *nt* -*s* layout.

Lazarett *nt* -*e* (*Mil*) sickbay; (*Krankenhaus*) hospital.

Lazarettschiff *nt* hospital ship.

LCD- [ɛltseːˈdeː] *in cpds* LCD; *~-Anzeige* *f* LCD display.

leasen ['liːzn] *vt* (*Comm*) to lease.

Leasing ['liːzɪŋ] *nt* -*s* (*Comm*) leasing *no art, no pl*.

Leben *nt* - life ► *das ~* life; *am ~ sein/bleiben* to be/stay alive; *solange ich am ~ bin* as long as I live; *jdm das ~ retten* to save sb's life; *ein glückliches etc ~ führen* to live a happy *etc* life; *mit dem ~ davonkommen* to escape with one's life; *sein ~ aufs Spiel setzen* to take one's life in one's hands; *mit dem ~ abschließen* to prepare for death; *etw ins ~ rufen* to bring sth into being; *seines ~s nicht mehr sicher sein* to fear for one's life; *ums ~ kommen* to die; *sein ~ lassen (müssen)* to lose one's life; *jdn am ~ lassen* to spare sb's life; *sich* (*dat*) *das ~ nehmen* to take one's (own) life; *jdn wieder ins ~ zurückrufen* to bring sb back to life; *Bewußtlosen* to revive sb; *der Mann/die Frau meines ~s* my ideal man/woman; *etw für sein ~ gern tun* to love doing sth; *jdn künstlich am ~ erhalten* to keep sb alive artificially; *er hat es nie leicht gehabt im ~* he has never had an easy life; *ein ~ lang* one's whole life (long); *mein ~ lang* all my life; *ich habe noch nie im ~ geraucht* I have never smoked in all my life; *nie im ~!* never!; *im ~ ist das ganz anders* in real life it's very different; *ein Film nach dem ~* a film from real life; *so ist das ~ (eben)* that's life; *auf dem Markt herrscht reges ~* the market is a hive of activity; *~ in etw* (*acc*) *bringen* (*col*) to liven sth up.

leben *vi* to live; (*am Leben sein*) to be alive; (*weiter~*) to live on ► *ich möchte nicht mehr ~* I don't want to go on living; *er wird nicht mehr lange zu ~ haben* he won't live much longer; *von etw ~* to live on sth; *lebst du noch?* (*hum col*) are you still in the land of the living? (*hum*); *zum L~ zu wenig, zum Sterben zuviel* it's barely enough to keep body and soul together; *einsam ~* to lead a lonely life; *hier läßt es sich (gut) ~* it's a good life here.

lebend *adj* live *attr*, alive *pred*; *Wesen, Beispiel, Sprache* living ► *ein Tier ~ fangen* to catch an animal alive; *~es Inventar* livestock.

Lebend-: *~geburt* *f* live birth; *~gewicht* *nt* live weight.

lebendig *adj* ⓐ (*nicht tot*) live *attr*, alive *pred*; *Wesen* living ► *jdn bei ~em Leibe verbrennen* to burn sb alive. ⓑ (*fig: lebhaft*) lively *no adv*; *Darstellung, Bild auch* vivid; *Glaube* fervent.

Lebendigkeit f no pl (fig) siehe adj (b) liveliness; vividness; fervour.

Lebens-: ~**abend** m old age; ~**abschnitt** m phase in one's life; ~**alter** nt age; **ein hohes** ~**alter erreichen** to have a long life; ~**angst** f angst; ~**anschauung** f philosophy of life; ~**arbeitszeit** f working life; ~**art** f no pl [a] way of life; [b] (Manieren) manners pl; (Stil) style; ~**auffassung** f attitude to life; ~**bedingungen** pl living conditions pl; l~**bedrohend** adj life-threatening; l~**bejahend** adj eine l~bejahende Einstellung a positive approach to life; ~**bereich** m area of life; ~**dauer** f life(span); (von Maschine) life; l~**echt** adj true-to-life; ~**elixier** nt das ist sein ~elixier (fig) he thrives on it; ~**ende** nt bis an mein/sein etc ~ende until the end of my/his etc life or days; ~**erfahrung** f experience of life; ~**erinnerungen** pl memoirs pl; ~**erwartung** f life expectancy; l~**fähig** adj (lit, fig) viable; ~**form** f (Biol) lifeform; (Form des Zusammenlebens) way of life; ~**frage** f vital matter; l~**fremd** adj out of touch with life; ~**freude** f joie de vivre; l~**froh** adj full of the joys of life; ~**führung** f lifestyle; ~**gefahr** f (mortal) danger; „~**gefahr!**" "danger"; er schwebt in ~gefahr his life is in danger; außer ~gefahr sein to be out of danger; etw unter ~gefahr (dat) tun to risk one's life doing sth; l~**gefährlich** adj highly dangerous; Verletzung critical; ~**gefährte** m, ~**gefährtin** f longtime companion; ihr ~gefährte the man she lives with; ~**gemeinschaft** f long-term relationship; (Biol, Zool) symbiosis; ~**geschichte** f life-story; ~**gewohnheit** f habit; l~**groß** adj lifesize; ~**größe** f eine Figur in ~größe a lifesize figure; ~**haltungskosten** pl cost of living sing; ~**hilfe** f counselling (Brit), counseling (US); l~**hungrig** adj thirsty for life; ~**inhalt** m purpose in life; etw zu seinem ~inhalt machen to devote oneself to sth; ~**jahr** nt year of (one's) life; nach Vollendung des 18. ~jahres on attaining the age of 18; ~**kraft** f vitality; ~**künstler** m master in the art of living; er ist ein echter ~künstler he really knows how to live; ~**lage** f situation; l~**lang** adj lifelong; Haft life attr, for life; l~**länglich** adj Rente, Strafe for life; sie hat ~länglich bekommen (col) she got life (col); ~**lauf** m curriculum vitae, résumé (US); ~**lust** f zest for life; l~**lustig** adj in love with life.

Lebensmittel pl food sing, groceries pl.

Lebensmittel-: ~**abteilung** f food department; ~**geschäft** nt food shop (Brit), food store (esp US); ~**gesetz** nt food law; ~**händler** m grocer; ~**karte** f food ration card; ~**karten** pl ≃ ration book; ~**vergiftung** f food poisoning.

Lebens-: l~**müde** adj tired of life; ein ~müder a potential suicide; l~**nah** adj true-to-life; l~**notwendig** adj essential; Organ vital (for life); ~**qualität** f quality of life; ~**raum** m (Biol) biosphere; ~**regel** f rule (of life); ~**retter** m rescuer, lifesaver; ~**standard** m standard of living; ~**stellung** f job for life; ~**stil** m lifestyle; l~**tüchtig** adj able to cope with life; ~**umstände** pl circumstances pl; ~**unterhalt** m seinen ~unterhalt verdienen to earn one's living; für jds ~unterhalt sorgen to support sb; l~**untüchtig** adj unable to cope with life; l~**verlängernd** adj Maßnahme life-prolonging; ~**versicherung** f life insurance; eine ~versicherung abschließen to take out life insurance; ~**versicherungspolicie** f endowment policy; ~**wandel** m way of life; einen einwandfreien ~wandel führen to lead an irreproachable life; ~**weg** m journey through life; alles Gute für den weiteren ~weg every good wish for the future; ~**weise** f way of life; ~**weisheit** f maxim; (~erfahrung) wisdom; ~**werk** nt life's work; l~**wert** adj worth living; l~**wichtig** adj vital; ~**wille** m will to live; ~**zeichen** nt sign of life; kein ~zeichen mehr von sich geben to show no sign(s) of life; ~**zeit** f life(time);

auf ~**zeit** for life; Beamter auf ~zeit permanent civil servant; ~**ziel** nt aim in life.

Leber f -n liver ► ich habe es an der ~ (col) I've got liver trouble; frei or frisch von der ~ weg reden (col) to speak frankly.

Leber-: ~**entzündung** f hepatitis; ~**fleck** m mole; (Hautfärbung) liver spot; ~**käse** m no pl ≃ meat loaf; ~**knödel** m liver dumpling; ~**krebs** m cancer of the liver; ~**leiden** nt liver disorder; ~**pastete** f liver pâté; ~**tran** m cod-liver oil; ~**wurst** f liver sausage.

Lebewesen nt living thing ► kleinste ~ microorganisms.

Lebewohl nt no pl (liter) farewell (liter).

Leb-: l~**haft** adj lively no adv, Verkehr brisk; (deutlich) Erinnerung vivid; es geht l~haft zu things are lively; ich kann mir l~haft vorstellen, daß ... I can (very) well imagine that ...; etw in l~er Erinnerung haben to remember sth vividly; ~**haftigkeit** f liveliness; ~**kuchen** m gingerbread; l~**los** adj Körper lifeless; l~**loser Gegenstand** inanimate object; ~**tag** m (col) mein/dein etc ~tag all my/your etc life; das werde ich mein ~tag nicht vergessen I'll never forget that as long as I live; ~**zeiten** pl zu jds ~zeiten (Leben) in sb's lifetime; (Zeit) in sb's day.

lechzen vi (geh) nach etw ~ to thirst for sth.

leck adj leaky ► ~ sein to leak; ~ schlagen to hole.

Leck nt -s leak.

lecken[1] vi (undicht sein) to leak.

lecken[2] vti to lick ► an jdm/etw ~ to lick sb/sth.

lecker adj Speisen delicious.

Leckerbissen m (Speise) delicacy; (fig) gem.

Leckerei f delicacy.

Leckermaul nt (col) sweet-toothed child/person etc ► ein ~ sein to have a sweet tooth.

LED [ɛlʔeːˈdeː] f -s LED.

led. = **ledig**.

Leder nt - [a] leather; (Wild~) suede ► in ~ gebunden leather-bound; zäh wie ~ as tough as old boots (col). [b] (col: Fußball) ball ► am ~ bleiben to stick with the ball.

Leder- in cpds leather; ~**hose** f leather trousers pl; (von Tracht) leather shorts pl; ~**jacke** f leather jacket; ~**mantel** m leather coat.

ledern adj leather; (zäh) Fleisch leathery.

Leder-: ~**waren** pl leather goods pl; ~**zeug** nt leather gear.

ledig adj [a] single; Mutter unmarried. [b] (geh: frei) free ► (los und) ~ sein to be footloose and fancy free; aller Pflichten (Gen) ~ sein to be free of all commitments.

Ledige(r) mf decl as adj single person.

lediglich adv merely, simply.

Lee f no pl (Naut) lee.

leer adj empty; Blick blank ► eine ~e Stelle an empty space; ins L~e greifen to clutch at thin air; mit ~en Händen (fig) empty-handed; ~ laufen (Motor) to idle; etw ~ machen to empty sth; den Teller ~ essen to eat everything on the plate; ~ stehen to stand empty.

Leere f no pl (lit, fig) emptiness ► (eine) geistige ~ a mental vacuum; (eine) gähnende ~ a gaping void.

leeren vt to empty.

Leer-: l~**gefegt** adj wie l~gefegt deserted; ~**gewicht** nt unladen weight; ~**gut** nt empties pl; ~**lauf** m [a] neutral; (von Fahrrad) freewheel; im ~lauf fahren to coast; [b] (fig) slack; l~**laufen** ⚠ vi sep irreg aux sein (Faß etc) to run dry; l~**laufen lassen** to drain; ~**laufzeit** f (Comput) idle time; l~**stehend** ⚠ adj empty; ~**taste** f space-bar.

Leerung f emptying ► nächste ~: 18 Uhr (an Briefkasten) next collection: 6 p.m.

Lefze f -n usu pl chaps pl; (von Pferd) lip.

legal adj legal, lawful.

---

legalisieren* vt to legalize.
Legalität f legality ▶ *(etwas) außerhalb der ~* (euph) (slightly) outside the law.
Legasthenie f dyslexia.
Legastheniker(in f) m - dyslexic.
legasthenisch adj dyslexic.
Legebatterie f hen battery.
Leg(e)henne f layer, laying hen.
legen ① vt ⓐ (hin~) to lay down; (mit adv) to lay; (mit Raumangabe) to put, to place; (Sport sl) to bring down ▶ *etw beiseite ~* to put sth aside; *etw in Essig etc ~* to preserve sth in vinegar etc. ⓑ (verlegen) Fliesen, Leitungen, Schienen to lay, to put down ▶ *sich* (dat) *die Haare ~ lassen* to have one's hair set. ⓒ auch vi Eier to lay.
② vr ⓐ (hin~) to lie down (auf +acc on) ▶ *sich ins Bett ~* to go to bed; *sich zu jdm ~* to lie down beside sb; *sich in die Sonne ~* to lie in the sun. ⓑ (mit Ortsangabe) (nieder~: Nebel, Rauch) to settle (auf +acc on) ▶ *sich auf die Seite ~* to lie on one's side; (Boot) to heel over; *sich in die Kurve ~* to lean into the corner. ⓒ (nachlassen) to die down; (Rauch, Nebel) to clear.
legendär adj legendary.
Legende f -n legend.
leger [le'ʒeːɐ] adj casual, informal.
Legierung f alloy.
Legion f legion.
Legionär m legionary, legionnaire.
Legionärskrankheit f legionnaire's disease.
legislativ adj legislative.
Legislative f legislature, legislative assembly.
Legislaturperiode f parliamentary term.
legitim adj legitimate.
Legitimation f identification; (Berechtigung) authorization; (eines Kindes) legitimation.
legitimieren* ① vt to legitimize; (berechtigen) to entitle.
② vr to show (proof of) authorization; (sich ausweisen) to identify oneself.
Legitimität f no pl legitimacy.
Lehm m -e clay; (Boden) loam.
Lehm-: ~**boden** m clay soil; ~**hütte** f mud hut.
lehmig adj loamy; (tonartig) clayey.
Lehm-: ~**packung** f mudpack; ~**ziegel** m clay brick.
Lehne f -n (Arm~) arm(rest); (Rücken~) back(rest).
lehnen ① vtr to lean (an +acc against).
② vi to be leaning (an +dat against).
Lehnstuhl m easy chair.
Lehr-: ~**amt** nt *das ~amt* the teaching profession; ~**auftrag** m (als Sonderlehrer) special teaching post; *einen ~auftrag für etw haben* (Univ) to give (a series of) lectures on sth; ~**befähigung** f teaching qualification; ~**beruf** m ⓐ (als Lehrer) teaching profession; *den ~beruf ergreifen* to go into teaching; ⓑ (dated: Beruf mit ~zeit) trade requiring an apprenticeship; ~**brief** m (Hist) apprenticeship certificate; ~**buch** nt textbook.
Lehre f -n ⓐ (dated: Ausbildung) training; (im Handwerk) apprenticeship ▶ *bei jdm in die ~ gehen* to serve one's apprenticeship with sb. ⓑ (von Christus, Marx etc) teachings pl; (von Kant, Freud etc) theory; (von Schall, Leben etc) science ▶ *die christliche ~* Christian doctrine. ⓒ (Erfahrung) lesson; (einer Geschichte) moral ▶ *seine ~(n) aus etw ziehen* to learn a lesson from sth; *laß dir das eine ~ sein!* let that be a lesson to you!
lehren vti to teach ▶ *jdn lesen etc ~* to teach sb to read etc.
Lehrer(in f) m - teacher; (Flug~, Fahr~ etc) instructor/instructress ▶ *er ist ~* he's a teacher; *~ für Naturwissenschaften* science teacher.
Lehrer-: ~**ausbildung** f teacher training; ~**kollegium**

nt teaching staff; ~**zimmer** nt staff (esp Brit) or teachers' room.
Lehr-: ~**gang** m course (für in); ~**geld** nt *~geld für etw zahlen müssen* (fig) to pay dearly for sth; *laß dir dein ~geld zurückgeben!* (hum col) go to the bottom of the class! (hum col); l~**haft** adj didactic; ~**herr** m (dated) master (of an apprentice); ~**jahr** nt year as an apprentice; ~**kraft** f (form) teacher.
Lehrling m (dated: Auszubildender) trainee; (im Handwerk) apprentice.
Lehrlings|ausbildung f (dated) training of trainees/apprentices.
Lehr-: ~**meister** m master; ~**methode** f teaching method; ~**mittel** nt teaching aid; ~**plan** m curriculum; ~**probe** f demonstration lesson, crit (col); ~**programm** nt teaching programme (Brit) or program (US); l~**reich** adj (informativ) instructive; ~**satz** m (Math, Philos) theorem; (Eccl) dogma; ~**stelle** f place; *dort sind noch zwei ~stellen frei* there are two vacancies for trainees/apprentices; ~**stoff** m subject; (eines Jahres) syllabus; ~**stuhl** m (Univ) chair (für of); ~**werkstatt** f training workshop; ~**zeit** f apprenticeship.
Leib m -e ⓐ (Körper) body ▶ *Gefahr für ~ und Leben* (geh) danger to life and limb; *mit ~ und Seele* heart and soul; *etw am eigenen ~(e) spüren* to experience sth for oneself; *kein Hemd mehr am ~ haben* to be completely destitute; *sich* (dat) *jdn/etw vom ~e halten* to keep sb/sth at bay; *halt ihn mir vom ~* keep him away from me. ⓑ (old, dial: Bauch) stomach; (Mutter~) womb.
Leib|eigenschaft f serfdom; (fig) bondage.
leiben vi: *wie er/sie leibt und lebt* to a T (col).
Leibes-: ~**erziehung** f physical education; ~**frucht** f (geh) unborn child; ~**kraft** f: *aus ~kräften schreien etc* to shout etc with all one's might; ~**übung** f (physical) exercise; ~**übungen** (Schulfach) physical education no pl; ~**visitation** f body check.
Leibgericht nt favourite (Brit) or favorite (US) dish.
leibhaftig adj personified ▶ *die ~e Güte etc* goodness etc personified.
leiblich adj Mutter, Vater natural; Kind by birth; Bruder, Schwester full.
Leib-: ~**rente** f life annuity; ~**wache** f, ~**wächter** m bodyguard; ~**wäsche** f underwear.
Leiche f -n corpse ▶ *wie eine lebende* or *wandelnde ~ aussehen* to look like death (warmed up col); *er geht über ~n* (col) he'd stick at nothing; *nur über meine ~!* (col) over my dead body!
Leichen-: ~**beschauer** m - doctor conducting a postmortem; l~**blaß** ⚠ adj deathly pale; ~**halle** f mortuary; ~**hemd** nt shroud; ~**rede** f funeral address; ~**schändung** f desecration of corpses; ~**schau** f postmortem (examination); ~**schauhaus** nt morgue; ~**schmaus** m funeral meal; ~**tuch** nt shroud; ~**verbrennung** f cremation; ~**wagen** m hearse; ~**zug** m funeral procession.
Leichnam m -e (form) body.
leicht ① adj ⓐ light; (aus ~em Material) lightweight; (schwach, gering) slight; (Jur) Diebstahl, Vergehen etc minor, petty ▶ *~e Musik/~es Essen* light music/food; *er hat einen leichten Schlaf* he's a light sleeper; *~es Mädchen* tart (col); *mir ist so ~ ums Herz* my heart is so light; *nimm das nicht zu ~* don't take it too lightly. ⓑ (ohne Schwierigkeiten, einfach) easy ▶ *du hast es ~* it's easy for you; *mit dem werden wir (ein) ~es Spiel haben* he'll be no problem; *keinen ~en Stand haben* not to have an easy time (of it) (bei, mit with); *nichts ~er als das!* nothing (could be) simpler; *die Aufgabe ist ~ zu lösen* the exercise is easy to do.
② adv ⓐ (schnell, unversehens) easily ▶ *er wird ~ böse* he gets angry easily; *~ zerbrechlich* very fragile; *man*

kann einen Fehler ~ übersehen it's easy to miss a mistake; **das ist ~ möglich** that's quite possible; **~ begreifen** to understand quickly; **das ist ~er gesagt als getan** that's easier said than done; **das passiert mir so ~ nicht wieder** I won't let that happen again in a hurry (col). **b** (etwas) slightly ▶ **~ gewürzt** lightly seasoned; **~ bekleidet** scantily clad; **das ist ~ übertrieben** it's slightly exaggerated.

Leicht-: ~athlet m (track and field) athlete; **~athletik** f (track and field) athletics; **~bau(weise f)** m lightweight construction; **l~bewaffnet** ⚠ adj attr lightly armed; **l~fallen** ⚠ vi sep irreg aux sein to be easy (jdm for sb); **Sprachen sind mir schon immer l~gefallen** I've always found languages easy; **l~fertig** adj thoughtless; **etw l~fertig aufs Spiel setzen** to risk sth heedlessly; **~fertigkeit** f thoughtlessness; **~gewicht** nt (Sport, fig) lightweight; **Weltmeister im ~gewicht** world lightweight champion; **l~gläubig** adj credulous; (leicht zu täuschen) gullible; **~gläubigkeit** f siehe adj credulity; gullibility.

leichthin adv lightly.

Leichtigkeit f ease ▶ **mit ~** with no trouble.

Leicht-: ~industrie f light industry; **l~lebig** adj easygoing; **l~machen** ⚠ vt sep jdm etw l~machen to make sth easy for sb; **es sich** (dat) **l~machen** (nicht gewissenhaft sein) to make things easy for oneself; **~matrose** m ordinary seaman; **~metall** nt light alloy.

Leichtsinn m thoughtlessness ▶ **sträflicher ~** criminal negligence.

leichtsinnig adj thoughtless ▶ **~ mit etw umgehen** to be careless with sth.

Leicht-: l~verdaulich ⚠ adj attr easily digestible; **l~verderblich** ⚠ adj attr perishable; **l~verletzt** ⚠ adj attr slightly injured; **~verletzte(r)** mf decl as adj slightly injured person; **l~verständlich** ⚠ adj attr readily understandable.

▼ **leid** adj pred **a** **es tut mir ~, daß ich so spät gekommen bin** I'm sorry for coming so late; **tut mir ~!** (I'm) sorry!; **er/sie tut mir ~** I'm sorry for him/her; **sie kann einem ~ tun** you can't help feeling sorry for her; **das wird dir noch ~ tun** you'll regret it, you'll be sorry. **b** (überdrüssig) **jdn/etw ~ sein** to be tired of sb/sth.

Leid nt no pl sorrow no indef art; (Unglück) misfortune; (Böses, Schaden) harm ▶ **es soll dir kein ~ geschehen** you will come to no harm; **jdm sein ~ klagen** to tell sb one's troubles.

▼ **leiden** pret **litt**, ptp **gelitten** **1** vt **a** Hunger, Schmerz etc to suffer. **b** **ich kann** or **mag ihn/es (gut) ~** I like him/it (very much); **ich kann ihn/es nicht (gut) ~** I don't like him/it (very much); **er kann es nicht ~, wenn man ihn kritisiert** he can't stand being criticized. **2** vi to suffer (an +dat, unter +dat from).

Leiden nt - **a** suffering. **b** (Krankheit) illness; (Beschwerden) complaint.

leidend adj ailing; (col) Miene long-suffering ▶ **~ aussehen** to look ill.

Leidenschaft f passion ▶ **ich koche mit großer ~** cooking is a great passion of mine.

leidenschaftlich adj passionate ▶ **etw ~ gern tun** to absolutely love doing sth.

Leidens-: ~druck m no pl mental trauma; **~genosse** m, **~genossin** f fellow-sufferer; **~geschichte** f tale of woe; **die ~geschichte (Christi)** (Bibl) Christ's Passion; **~miene** f (hum col) (long-)suffering expression.

▼ **leider** adv unfortunately ▶ **ja, ~!** I'm afraid so; **~ nein** or **nicht** unfortunately not, I'm afraid not.

leidig adj attr tiresome.

leidlich **1** adj fair. **2** adv reasonably ▶ **wie geht's — danke, ~!** how are you? — not too bad, thanks.

Leidtragende(r) mf decl as adj **a** (Hinterbliebener) bereaved. **b** (Benachteiligter) **der/die ~** the sufferer.

Leidwesen nt: **zu jds ~** (much) to sb's disappointment.

Leier f **-n** (Mus) lyre; (Dreh~) hurdy-gurdy ▶ **es ist immer die gleiche ~** (col) it's always the same old story.

Leierkasten m barrel organ.

leiern vti (col) Gedicht to drone.

Leih-: ~arbeit f no pl subcontracted labour; **~auto** nt hire(d) (Brit) or rental (US) car; **~bücherei** f lending library.

leihen pret **lieh**, ptp **geliehen** vt (ver~) to lend; (ent~) to borrow; (mieten, aus~) to hire (esp Brit), to rent ▶ **sich** (dat) **etw ~** to borrow/hire/rent sth.

Leih-: ~flasche f returnable bottle; **~gabe** f loan; **~gebühr** f hire charge; (für Buch) lending charge; **~haus** nt pawnshop; **~mutter** f surrogate mother; **~stimme** f (Pol) tactical vote; **~wagen** m hire(d) (Brit) or rental (US) car; **l~weise** adv on loan.

Leim m **-e** glue ▶ **jdm auf den ~ gehen** to be taken in by sb; **aus dem ~ gehen** (col: Sache) to fall apart.

leimen vt to glue ▶ **jdn ~** (col) to take sb for a ride (col); **der Geleimte** the mug (col).

Leine f **-n** cord; (Tau, Zelt~) rope; (Schnur) string; (Angel~, Wäsche~) line; (Hunde~) leash ▶ **Hunde bitte an der ~ führen!** dogs should be kept on a leash; **den Hund an die ~ nehmen** to put the dog on a lead; **~ ziehen** (col) to clear out (col).

leinen adj siehe **Leinen** linen; canvas; cloth.

Leinen nt - linen; (grob, segeltuchartig) canvas; (als Bucheinband) cloth.

Leinen- in cpds linen; canvas; cloth; **~band** m cloth(-bound) volume; **~tuch** nt linen (cloth); (grob) canvas; **~zeug** nt linen.

Lein-: ~öl nt linseed oil; **~samen** m linseed.

Leinwand f no pl canvas; (Film, für Dias) screen.

leise adj **a** quiet; Musik soft; Radio auch low ▶ **das Radio ~r stellen** to turn the radio down; **mit ~r Stimme** in a low voice; **sprich doch ~r!** keep your voice down a bit. **b** (gering, schwach) slight, faint; Schlaf, Regen, Berührung light; Wind, Seegang gentle ▶ **nicht die ~ste Ahnung haben** not to have the slightest (idea).

Leisetreter m - (pej col) pussyfoot(er) (pej col).

Leiste f **-n** **a** (Holz~ etc) strip (of wood/metal etc); (Zier~) trim; (Umrandung) border; (zur Bilderaufhängung) rail. **b** (Anat) groin.

leisten vt **a** to achieve; Überstunden to do; (Maschine) to manage ▶ **etwas ~** (arbeiten) to do something; (Motor etc) to be quite powerful; **gute Arbeit ~** to do a good job. **b** **sich** (dat) **etw ~** to allow oneself sth; (sich gönnen) to treat oneself to sth; **sich** (dat) **etw ~ können** to be able to afford sth; **sich** (dat) **eine Frechheit/Frechheiten ~** to be cheeky or impudent; **da hast du dir ja was geleistet** (iro) you've really done it now; **er hat sich tolle Sachen geleistet** he got up to the craziest things.

Leisten m - (Schuh~) last ▶ **er schlägt alles über einen ~** he doesn't make distinctions.

Leistenbruch m (Med) hernia, rupture.

Leistung f **a** performance; (großartige, gute, Soziol) achievement; (Ergebnis) result(s); (geleistete Arbeit) work no pl; (Produktion: von Fabrik) output ▶ **das ist eine ~!** that's quite an achievement; **das ist keine besondere ~** that's nothing special; **nach ~ bezahlt werden** to be paid on results; **seine schulischen ~en haben nachgelassen** his schoolwork has deteriorated. **b** (~sfähigkeit) capacity; (eines Motors) power (output). **c** (von Krankenkasse etc, sozial) benefit; (Zahlung) payment; (Dienst~) service ▶ **die ~en des Reiseveranstalters** what the travel company offers.

➤ SATZBAUSTEINE: **leid: a** → 5.1, 5.4   **leiden: 1b** → 1.3   **leider** → 5.4

Leistungs-: ~**abfall** m (in bezug auf Qualität) drop in performance; (in bezug auf Quantität) drop in productivity; ~**druck** m pressure (to do well); ~**fach** nt (Sch) special subject; **l~fähig** adj efficient; Motor powerful; ~**fähigkeit** f efficiency; (von Motor) power; **l~fördernd** adj conducive to efficiency; (in Schule, Universität etc) conducive to learning; ~**gesellschaft** f meritocracy; ~**klasse** f (Sport) class; ~**kontrolle** f (Sch, Univ) assessment; (in der Fabrik) productivity check; ~**kraft** f power; ~**kurs** m (Sch) set; ~**kurve** f productivity curve; **l~orientiert** adj achievement-orientated; ~**prämie** f productivity bonus; ~**prinzip** nt achievement principle; ~**sport** m competitive sport; ~**wille** m motivation; ~**zulage** f productivity bonus.
Leit-: ~**artikel** m leader; ~**bild** nt model.
leiten 1 vt a to lead; Verkehr to route; Gas, Wasser, (Phys) to conduct ▸ *etw an die zuständige Stelle* ~ to pass sth on to the proper authority; *sich von jdm/etw* ~ *lassen* (lit, fig) to (let oneself) be guided by sb/sth. b (verantwortlich sein für) to be in charge of; Orchester, Theatergruppe etc to direct; Expedition, Sitzung, Verhandlungen to lead; (als Vorsitzender) to chair.
2 vi (Phys) to conduct ▸ *gut* ~ to be a good conductor.
leitend adj leading; Gedanke, Idee dominant; Stellung, Position managerial; Ingenieur, Beamter in charge; (Phys) conductive ▸ *nicht* ~ (Phys) non-conductive; ~*e(r) Angestellte(r)* executive.
Leiter[1] f -n (lit, fig) ladder; (Steh~) stepladder.
Leiter[2] m - a leader; (von Hotel, Geschäft) manager; (Abteilungs~) head; (von Chor, Theatergruppe etc) director ▸ *kaufmännischer* ~ sales director. b (Phys) conductor.
Leiterin f = Leiter[2] (a).
Leiterplatte f (Comp) circuit board.
Leit-: ~**faden** m (fig) connecting thread; (Fachbuch) introduction; (Gebrauchsanleitung) manual; ~**gedanke** m central idea; ~**hammel** m (fig col) leader; ~**linie** f (fig) broad outline; (Bestimmung) guideline; ~**motiv** nt (Mus, Liter, fig) leitmotif; ~**planke** f crash barrier; ~**satz** m basic principle; ~**spruch** m motto; ~**stelle** f regional headquarters pl.
Leitung f a no pl siehe vt a leading; routing; conducting. b no pl (von Organisationen etc) running; (von Orchester etc) direction; (von Expedition) leadership ▸ *die* ~ *einer Abteilung haben* to be in charge of a department; *die* ~ *des Gesprächs hat Horst Bauer* Horst Bauer is leading or (als Vorsitzender) chairing the discussion. c (die Leitenden) leaders pl; (eines Betriebes etc) management sing or pl; (einer Schule) head teachers pl. d (für Gas, Wasser) main; (im Haus) pipe; (Elec) main; (im Haus) wire; (dicker) cable; (Überlandleitung) line; (Telefon~) (Draht) wire; (Verbindung) line ▸ *da ist jemand in der* ~ (col) there's somebody else on the line; *eine lange* ~ *haben* (hum col) to be slow on the uptake.
Leitungs-: ~**draht** m wire; ~**mast** m (Elec) (electricity) pylon; ~**rohr** nt main; (im Haus) (supply) pipe; ~**wasser** nt tapwater.
Leit-: ~**werk** nt (Aviat) tail unit; ~**wort** nt motto; ~**zins** m base rate.
Lektion f lesson ▸ *jdm eine* ~ *erteilen* (fig) to teach sb a lesson.
Lektor m, **Lektorin** f (Univ) teaching assistant; (Verlags~) editor.
Lektorat nt (im Verlag) editorial office.
Lektüre f -n (no pl: das Lesen) reading; (Lesestoff) reading matter ▸ *das wird zur* ~ *empfohlen* that is recommended reading; *das ist eine gute etc* ~ it makes good etc reading.
Lemming m lemming.

Lende f -n (Anat, Cook) loin.
Lenden-: ~**schurz** m loincloth; ~**stück** nt fillet.
Leninismus m Leninism.
lenkbar adj (Tech) steerable; Kind tractable; Rakete guided ▸ *leicht/schwer* ~ *sein* to be easy/difficult to steer.
lenken vt a (steuern) to steer; (führen, leiten) to guide ▸ *gelenkte Wirtschaft* planned economy. b (fig) Schritte, Gedanken, Aufmerksamkeit, Blick to direct (auf +acc to); Verdacht to throw (auf +acc onto); Gespräch to lead; Schicksal to guide.
Lenker m - a (Fahrrad~ etc) handlebars pl. b (Tech, fig) guide.
Lenk-: ~**rad** nt (steering) wheel; ~**radschloß** ⚠ nt (Aut) steering lock; ~**stange** f (von Fahrrad etc) handlebars pl.
Lenkung f a siehe vt steering; guidance; (fig) direction. b (Tech: Lenkeinrichtung) steering.
Lenkwaffe f guided missile.
Lenz m -e (liter: Frühling) spring(time) ▸ *einen* ~ *schieben* (col), *sich* (dat) *einen (faulen)* ~ *machen* (col) to laze about, to swing the lead (col).
Leopard m (wk) -en, -en leopard.
Lepra f no pl leprosy.
Leprakranke(r), Lepröse(r) mf decl as adj leper.
Lerche f -n lark.
Lern-: **l~bar** adj learnable; **l~begierig** adj eager to learn; **l~behindert** adj educationally handicapped; ~**eifer** m eagerness to learn; **l~eifrig** adj eager to learn.
lernen 1 vt to learn; Bäcker, Schlosser etc to train as ▸ *lesen/schwimmen etc* ~ to learn to read/swim etc; *Schreibmaschine* ~ to learn typing; *etw von/bei jdm* ~ to learn sth from sb; *er lernt's nie* he never learns.
2 vi to learn; (arbeiten) to study; (als Berufsausbildung) to train ▸ *lerne fleißig in der Schule* work hard at school; *von ihm kannst du noch* ~! you could learn a thing or two from him; *er lernt bei der Firma Braun* he's training at Braun's.
Lern-: ~**hilfe** f educational aid; ~**mittel** pl schoolbooks and equipment pl; ~**prozeß** ⚠ m learning process; ~**ziel** nt learning target.
Les-: ~**art** f (lit, fig) version; **l~bar** adj legible; Buch readable; ~**barkeit** f legibility.
Lesbe f -n (col) lesbian, dyke (col).
Lesbierin ['lɛsbiərɪn] f lesbian.
lesbisch adj lesbian.
Lese f -n (Wein~) vintage.
Lese-: ~**brille** f reading glasses pl; ~**buch** nt reader; ~**kopf** m (Comp) read head; ~**lampe** f reading lamp.
lesen[1] pret las, ptp gelesen 1 vti a (auch Comp) to read; (Eccl) Messe to say. b (deuten) Gedanken to read ▸ *jdm (sein Schicksal) aus der Hand* ~ to read sb's palm.
2 vi (Univ) to lecture (über +acc on).
lesen[2] pret las, ptp gelesen vt a (sammeln) Trauben, Beeren to pick. b (ver~) Erbsen, Linsen etc to sort; Salat to clean.
lesenswert adj worth reading.
Lese-: ~**probe** f a (Theat) reading; b (Ausschnitt aus Buch) excerpt; ~**pult** nt lectern.
Leser(in f**)** m - reader.
Leseratte f (col) bookworm (col).
Leser-: ~**brief** m (reader's) letter; „~*briefe*" "letters to the editor"; ~**kreis** m readership; **l~lich** adj legible; ~**schaft** f readership; ~**zuschrift** f = ~**brief**.
Lese-: ~**saal** m reading room; ~**speicher** m (Comp) read-only memory, ROM; ~**stift** m (für Strichcodes) wand; ~**stoff** m reading material; ~**zeichen** nt bookmark; ~**zirkel** m magazine subscription club.
Lesung f (auch Parl) reading.
Lethargie f (Med, fig) lethargy.

⚠: Informationen zur Rechtschreibreform im Anhang

lethargisch adj (Med, fig) lethargic.
Lette m (wk) -n, -n, **Lettin** f Latvian.
lettisch adj Latvian.
Lettisch(e) nt Latvian; siehe auch **Deutsch(e)**.
Lettland nt Latvia.
Letzt f: zu guter ~ finally, in the end.
letztemal adv das ~ (the) last time; zum letztenmal (for) the last time.
letztens adv recently.
letzte(r, s) adj [a] (örtlich, zeitlich) last; (restlich) last (remaining) ▶ ~(r) werden to be last; als ~(r) (an)kommen to be the last to arrive, to arrive last; auf dem ~n Platz liegen to be last; den ~n beißen die Hunde (Prov) (the) devil take the hindmost (prov); er wäre der ~, den ich ... he would be the last person I'd ...; mein ~s Geld the last of my money; in ~r Zeit recently; zum ~n Mittel greifen to resort to drastic methods; der L~ Wille the last will and testament; zum ~en Mal for the last time; bis ins ~ (right) down to the last detail; bis zum ~n to the utmost. [b] (neueste) Mode, Nachricht, Neuigkeit etc latest. [c] (schlechteste) most terrible ▶ das ist der ~ Dreck that's absolute trash; jdn wie den ~n Dreck behandeln to treat sb like dirt.
Letzte(r) mf decl as adj last; (dem Rang nach) lowest ▶ der ~ des Monats the last (day) of the month; der/die ~ in der Klasse sein to be bottom of the class.
letztere(r, s) adj the latter.
Letzte(s) nt decl as adj last thing ▶ sein ~s geben to do one's utmost; das ist ja das ~! (col) that really is the limit.
Letzt-: l~genannt adj last-mentioned; l~lich adv in the end; l~möglich adj attr last possible; ~nummernspeicher m (Telec) last number redial.
Leucht-: ~anzeige f illuminated display; ~diodenanzeige f LED display.
Leuchte f -n light; (col: Mensch) genius.
leuchten vi [a] to shine; (Feuer, Zifferblatt) to glow; (auf~) to flash. [b] (Mensch) mit einer Lampe in/auf etw (acc) ~ to shine a lamp into/onto sth; leuchte mal hierher! shine some light over here.
leuchtend adj (lit, fig) shining; Farbe bright ▶ etw in den ~sten Farben schildern to paint sth in glowing colours (Brit) or colors (US).
Leuchter m - (Kerzen~) candlestick; (Kron~) chandelier.
Leucht-: ~farbe f fluorescent paint; ~feuer nt navigational light; ~gas nt town gas; ~geschoß ⚠ nt flare; ~käfer m glow-worm; ~kugel, ~patrone f flare; ~pistole f flare pistol; ~rakete f signal rocket; ~reklame f neon sign; ~röhre f fluorescent tube; ~schrift f neon writing; eine ~schrift a neon sign; ~spurgeschoß ⚠ nt (Mil) tracer bullet; ~stift m highlighter; ~turm m lighthouse; ~zifferblatt nt luminous dial.
▼ **leugnen** [1] vt to deny ▶ ~, etw getan zu haben to deny having done sth; es ist nicht zu ~, daß ... it cannot be denied that ...
[2] vi to deny everything.
Leugnung f denial.
Leukämie f leukaemia (Brit), leukemia (US).
Leukoplast ® nt -e sticking plaster ≈ elastoplast ® (Brit), Bandaid ® (US).
Leumund m no pl reputation, name.
Leute pl [a] people pl ▶ alle ~ everybody; kleine ~ (fig) ordinary people; es ist nicht wie bei armen ~n (hum col) we're not on the breadline yet (hum col); etw unter die ~ bringen (col) Gerücht etc to spread sth around; unter die ~ kommen (col) (Mensch) to meet people; (Gerüchte etc) to go around. [b] (Mannschaft, Arbeiter etc) der Offizier ließ seine ~ antreten the officer ordered his men to fall in; dafür brauchen wir mehr ~ we need more people/staff/workers for that.

Leutnant m -s or -e (second) lieutenant ▶ ~ zur See sublieutenant (Brit), lieutenant junior grade (US).
leutselig adj (umgänglich) affable.
Leutseligkeit f affability.
Leviten [le'vi:tən] pl: jdm die ~ lesen (col) to haul sb over the coals (col).
⚠ **Lexikograph(in** f) m (wk) -en, -en lexicographer.
⚠ **Lexikographie** f lexicography.
Lexikon nt, pl **Lexika** encyclopedia; (Wörterbuch) dictionary.
Liaison [liɛ'zõ:] f -, -s liaison.
Liane f -n liana.
Libanese m (wk) -n, -n, **Libanesin** f Lebanese.
libanesisch adj Lebanese.
Libanon m -(s) der ~ (Land) the Lebanon.
Libelle f (Zool) dragonfly.
liberal adj liberal.
Liberale(r) mf decl as adj (Pol) Liberal.
liberalisieren* vt to liberalize.
Liberalisierung f liberalization.
Liberalismus m liberalism.
Liberia nt Liberia.
Liberianer(in f) m - Liberian.
liberianisch adj Liberian.
Libero m -s (Ftbl) sweeper.
Libretto nt -s or **Libretti** libretto.
Libyen ['li:byən] nt -s Libya.
Libyer(in f) ['li:byɛ, -ərɪn] m - Libyan.
libysch ['li:byʃ] adj Libyan.
Licht nt -er [a] light ▶ ~ machen (anschalten) to turn on the lights; (anzünden) to light a candle etc; etw gegen das ~ halten to hold sth up to the light; gegen das ~ fotografieren to take a photograph against or into the light; bei ~e besehen (fig) in the cold light of day; jdm im ~ stehen (lit) to stand in sb's light; das ~ der Welt erblicken (geh) to see the light of day. [b] (fig) light; (Könner) genius ▶ ~ in eine (dunkle) Sache bringen to shed some light on a matter; etw ans ~ bringen to bring sth out into the open; ans ~ kommen to come to light; jdn hinters ~ führen to lead sb up the garden path; mir geht ein ~ auf it's dawned on me; kein gutes ~ auf jdn/etw werfen to show sb/sth in a bad light; etw ins rechte ~ rücken to show sth in its true light.
licht adj [a] (hell) light. [b] Wald sparse. [c] (Tech) ~e Höhe/Weite headroom/internal width.
Licht-: ~anlage f lights pl; l~beständig adj Farben, Stoff non-fade; ~bild nt photograph; (Dia) slide; ~bildervortrag m illustrated talk; ~blick m (fig) ray of hope; ~bogen m (Elec) arc; l~durchlässig adj pervious to light; (durchsichtig) transparent; (durchscheinend) translucent; l~echt adj non-fade; l~empfindlich adj sensitive to light; ~empfindlichkeit f sensitivity to light; (Phot) film speed.
lichten¹ [1] vt Wald to thin (out).
[2] vr (Reihen, Wald, Haare) to thin (out); (Nebel) to clear.
lichten² vt Anker to weigh.
Lichter-: ~kette f (fig) candlelight demonstration; l~loh adv l~loh brennen (lit) to be ablaze; (fig: Herz) to be aflame; ~meer nt (liter) sea of light.
Licht-: ~geschwindigkeit f speed of light; ~griffel m (Comp) light pen; ~hupe f (Aut) flash (of the headlights); die ~hupe benutzen to flash one's lights; ~jahr nt light year; ~kegel m (Phys) cone of light; (von Scheinwerfer) beam (of light); ~leiter m, ~leitfaser f optic fibre (Brit) or fiber (US); ~leitung f lighting wire; l~los adj dark; ~maschine f dynamo; (für Drehstrom) alternator; ~mast m lamppost; ~pause f photocopy; (bei Blaupausverfahren) blueprint; ~punkt m point of light; ~quelle f source of light; ~schacht m air shaft;

~schalter *m* light switch; **~schein** *m* gleam of light; **l~scheu** *adj* averse to light; (*fig*) shady; **~schranke** *f* photoelectric barrier; **~schutzfaktor** *m* (protection) factor (*of suntan lotion*); **~signal** *nt* light signal; **~spielhaus** *nt* cinema; **~stift** *m* (*Comp*) light pen; **~strahl** *m* beam of light; **l~undurchlässig** *adj* opaque.

Lichtung *f* clearing, glade.

Lichtverhältnisse *pl* lighting conditions *pl*.

Lid *nt* -er eyelid.

Lid-: **~schatten** *m* eye shadow; **~strich** *m* eye-liner.

lieb *adj* [a] kind; (*nett*) nice; (*artig*) Kind good; Gast pleasant ▸ *(viele) ~e Grüße Deine Silvia* love Silvia; *sich ~ um jdn kümmern* to be very kind to sb; *würdest du (bitte) so ~ sein und das Fenster aufmachen* would you be so kind as to open the window; *sich bei jdm ~ Kind machen* (*pej*) to suck up to sb. [b] (*angenehm*) *etw ist jdm ~* sb likes sth; *es wäre mir ~, wenn ...* I'd be glad if ...; *es wäre ihm ~er* he would prefer it; *siehe auch* lieber 2, liebste(r, s) 2. [c] (*geliebt, in Anrede*) dear ▸ *~ste(r, s)* favourite (*Brit*), favorite (*US*); *der ~e Gott* the Good Lord; *~er Gott* (*Anrede*) dear God; *L~e Anna, ~er Klaus! ...* Dear Anna and Klaus, ...; *den ~en langen Tag* (*col*) the whole livelong ... v; *(ach) du ~er Himmel/~er Gott/~e Zeit* good heavens *or* Lord!

lieb|äugeln *vi insep* *~ mit* to have one's eye on; (*mit Gedanken*) to be toying with.

Liebe *f no pl* [a] love (*zu jdm, für jdn* for *or* of sb, *zu etw* of sth) ▸ *die große ~* the love of one's life; *aus ~ zu jdm/einer Sache* for the love of sb/sth; *etw mit viel ~ tun* to do sth with loving care; *in ~* with love; *sie/er ist gut in der ~* (*col*) she/he is good at making love. [b] (*col: Gefälligkeit*) favour ▸ *tu mir die ~ und ...* would you do me a favour and .... [c] (*Geliebter*) love ▸ *eine alte ~ von mir* an old flame of mine.

liebebedürftig *adj* *~ sein* to need a lot of affection.

Liebelei *f* (*col*) flirtation; affair.

lieben *vti* to love; (*als Liebesakt*) to make love (*jdn* to sb) ▸ *etw nicht ~* not to like sth; *etw ~d gern tun* to love to do sth.

Liebende(r) *mf decl as adj* lover.

liebenswert *adj* lovable, endearing.

liebenswürdig *adj* kind ▸ *würden Sie so ~ sein und die Tür schließen?* would you be so kind as to shut the door?

liebenswürdigerweise *adv* kindly.

Liebenswürdigkeit *f* (*Höflichkeit*) politeness; (*Freundlichkeit*) kindness.

Liebe(r) *mf decl as adj* dear ▸ *meine ~n* my dears.

▼ **lieber** [1] *adj comp of* lieb. [2] *adv comp of* gern [a] (*vorzugsweise*) rather ▸ *das tue ich ~* (*im Augenblick*) I'd rather do that; (*grundsätzlich*) I prefer doing that; *das würde ich ~ tun* I would prefer to do that; *ich trinke ~ Wein als Bier* I prefer wine to beer; *(das möchte ich) ~ nicht!* I'd rather not. [b] (*besser*) better ▸ *bleibe ~ im Bett* you'd better stay in bed; *ich hätte ~ nachgeben sollen* I'd have done better to give in; *nichts ~ als das* there's nothing I'd rather do/have.

Liebes- *in cpds* love; **~abenteuer** *nt* amorous adventure; **~affäre** *f* (love) affair; **~akt** *m* sex act; **~beziehung** *f* romantic attachment; (*sexual*) relationship; **~brief** *m* love letter; **~dienst** *m* (*fig: Gefallen*) favour; **~entzug** *m no pl* withdrawal of affection; **~erklärung** *f* declaration of love; **~geschichte** *f* [a] (*Liter*) love story; [b] (*col: Liebschaft*) love affair; **~heirat** *f* love match; **~kummer** *m* lovesickness; **~kummer haben** to be lovesick; **~leben** *nt* love life; **~lied** *nt* love song; **~müh(e)** *f*: *das ist vergebliche ~müh(e)* that is futile; **~paar** *nt* lovers *pl*; **~roman** *m* romantic novel;

~spiel *nt* loveplay; **~szene** *f* love scene; **~verhältnis** *nt* (sexual) relationship.

liebevoll *adj* loving.

lieb-: **~gewinnen*** ⚠ *vt sep irreg* to grow fond of; **~geworden** ⚠ *adj attr* well-loved; Brauch favourite (*Brit*), favorite (*US*); **~haben** ⚠ *vt sep irreg* to love; (*weniger stark*) to be (very) fond of.

Liebhaber(in *f*) *m* - [a] lover. [b] (*Interessent*) enthusiast (*von* for); (*Sammler*) collector (*von* of).

Liebhaberei *f* (*fig*) hobby ▸ *etw aus ~ tun* to do sth as a hobby.

Liebhaber-: **~preis** *m* collector's price; **~stück** *nt* collector's item.

liebkosen* *vt insep* (*liter*) to caress.

Liebkosung *f* (*liter*) caress.

lieblich *adj* delightful; Duft, Wein sweet.

Liebling *m* darling; (*bevorzugter Mensch*) favourite (*Brit*), favorite (*US*).

▼ **Lieblings-** *in cpds* favourite (*Brit*), favorite (*US*).

Lieb-: **l~los** *adj* unloving; Bemerkung unkind; Benehmen inconsiderate; **~losigkeit** *f* [a] *siehe adj* coldness; unkindness; inconsiderateness; [b] (*Äußerung*) unkind remark; [c] (*Tat*) unkind act; **~schaft** *f* affair.

Liebste(r) *mf decl as adj* sweetheart.

liebste(r, s) [1] *adj superl of* lieb. [2] *adv superl of* gern: *am ~n* best; *am ~n hätte ich ... what* I'd like most would be ...; *am ~n lese ich Krimis* best of all I like reading detective novels; *am ~n hätte ich ihm eine geklebt!* (*col*) I could have belted him one (*col*).

Liechtenstein ['lɪçtnʃtain] *nt* Liechtenstein.

Liechtensteiner(in *f*) ['lɪçtn-] *m* - Liechtensteiner.

liechtensteinisch ['lɪçtn-] *adj* Liechtenstein.

Lied *nt* -er song; (*Kirchen~*) hymn ▸ *das Ende vom ~* (*fig col*) the outcome (of all this); *davon kann ich ein ~ singen* I could tell you a thing or two about that (*col*).

Lieder-: **~abend** *m* song recital; **~buch** *nt* songbook; (*mit Kirchen~n*) hymnbook.

liederlich *adj* (*schlampig*) slovenly *attr, pred*; (*unmoralisch*) Leben, Mann dissolute; Frau, Mädchen loose ▸ *ein ~es Frauenzimmer* (*pej*) a slut.

Lieder-: **~macher(in** *f*) *m* singer-songwriter; **~zyklus** *m* song cycle.

lief *pret of* laufen.

Lieferant *m* supplier; (*Auslieferer*) delivery man.

Lieferanten|eingang *m* tradesmen's entrance; (*von Warenhaus etc*) goods entrance.

Liefer-: **l~bar** *adj* (*vorrätig*) available; *die Ware ist sofort l~bar* the article can be delivered at once; **~firma** *f* supplier; (*Zusteller*) delivery firm; **~frist** *f* delivery period; *die ~frist einhalten* to meet the delivery date.

liefern *vti* to supply; Beweise, Informationen auch to furnish; Ertrag to yield; (*col: stellen*) to provide; (*zustellen*) to deliver (*in +acc* to) ▸ *jdm etw ~* to supply sb with sth/provide sb with sth/deliver sth to sb; *wir ~ nicht ins Ausland* we don't supply the foreign market; *siehe* geliefert.

Liefer-: **~schein** *m* delivery note; **~termin** *m* delivery date.

Lieferung *f* delivery; (*Versorgung*) supply ▸ *bei ~ zu bezahlen* payable on delivery.

Liefer-: **~verzögerung** *f* late delivery; **~vertrag** *m* sale contract; **~wagen** *m* (delivery) van, panel truck (*US*); (*offen*) pick-up; **~zeit** *f* delivery (period), delivery time, lead time (*Comm*); **~zettel** *m* delivery order.

Liege *f* -n couch; (*Camping~*) camp bed (*Brit*), cot (*US*).

liegen *pret* lag, *ptp* gelegen *vi* [a] to lie ▸ *hart/weich ~* to lie on a hard/soft bed *etc*; *unbequem ~* to lie uncomfortably; *auf den Knien ~* to be kneeling; *im Krankenhaus ~* to be in hospital; *der Kranke muß* *unbedingt* ~ the patient must stay lying down; *der Schnee liegt 50 cm hoch* the snow is 50 cm deep; *der Schnee bleibt nicht* ~ the snow isn't lying; *etw* ~ *lassen* to leave sth.

b (*sich befinden, sein*) to be; (*Haus, Stadt etc auch*) to be situated, to lie ▶ *Paris liegt an der Seine* Paris is (situated) on the Seine; *nach Süden/der Straße* ~ to face south/the road; *verstreut* ~ to lie scattered; *das Haus liegt ganz ruhig* the house is in a very quiet location; *das liegt doch auf dem Weg/ganz in der Nähe* it's on the way/quite nearby; *das Schiff liegt am Kai* the ship is (tied up) alongside the quay; *die Betonung liegt auf der zweiten Silbe* the stress is on the second syllable; *so, wie die Dinge jetzt* ~ as things stand at the moment; *damit liegst du (gold)richtig* (*col*) you're right there; *an der Spitze* ~ to be right out in front; *der zweite Läufer liegt weit hinter dem ersten* the second runner is lying a long way behind the first; *die Preise ~ zwischen 60 und 80 Mark* the prices are between 60 and 80 marks.

c (*wichtig sein*) *es liegt mir wenig daran* that isn't very important to me; *mir liegt an guten Beziehungen* I am concerned that there should be good relations.

d (*begründet sein*) *an jdm/etw* ~ to be because of sb/sth; *woran liegt es?* why is that?; *das liegt daran, daß ...* that is because ...; *an mir soll es nicht ~, wenn die Sache schiefgeht* it won't be my fault if things go wrong; *das liegt ganz bei dir* that is entirely up to you; *die Entscheidung liegt bei Ihnen* the decision rests with you.

e (*geeignet sein, passen*) *jdm liegt etw nicht* sth doesn't suit sb; (*Mathematik etc*) sb has no aptitude for sth; *Krankenschwester liegt mir nicht* (*col*) nursing doesn't appeal to me.

⚠ **liegenbleiben** *vi sep irreg aux sein* **a** (*nicht aufstehen*) to remain lying (down) ▶ (*im Bett*) ~ to stay in bed; *bleib liegen!* don't get up! **b** (*vergessen werden*) to get left behind; (*nicht verkauft werden*) to be left unsold; (*nicht ausgeführt werden*) to be left (undone).

liegend *adj* (*Art*) reclining ▶ ~ *aufbewahren* to store flat.

⚠ **liegenlassen** *vt sep irreg, ptp* ~ *or* **liegengelassen** (*nicht erledigen*) to leave; (*vergessen*) to leave (behind); (*herum~*) to leave lying about.

Liegenschaft(en *pl*) *f* real estate *sing*, property *sing*.

Liege-: ~**platz** *m* place to lie; (*Ankerplatz*) moorings *pl*; ~**sitz** *m* reclining seat; (*auf Boot*) couchette; ~**stuhl** *m* (*mit Holzgestell*) deck chair; (*mit Metallgestell*) lounger; ~**stütz** *m* (*Sport*) press-up; ~**wagen** *m* (*Rail*) couchette coach *or* car (*esp US*); ~**wiese** *f* lawn (*for sunbathing*).

lieh *pret of* **leihen.**

ließ *pret of* **lassen.**

Lift *m* **-e** *or* **-s** (*Personen~*) lift (*Brit*), elevator (*esp US*); (*Ski~*) ski lift.

Liga *f*, *pl* **Ligen** league.

liieren* *vt* to bring *or* get together ▶ *liiert sein* to have joined forces; (*Firmen etc*) to be working together; (*Pol*) to be allied; (*ein Verhältnis haben*) to have a relationship.

Likör *m* **-e** liqueur.

lila *adj inv* purple.

Lilie [-iə] *f* lily.

Liliput- *in cpds* miniature.

Liliputaner(in *f*) *m* - midget.

Limit *nt* **-s** limit; (*Fin*) ceiling.

limitieren* *vt* (*form*) to limit; (*Fin*) to put a ceiling on.

Limo *f* **-s** (*col*), **Limonade** *f* lemonade.

Limone *f* **-n** lime.

Limousine [limu'ziːnə] *f* saloon (*Brit*), sedan (*US*).

lind *adj* (*liter*) balmy; *Regen* gentle.

Linde *f* **-n** linden *or* lime (tree); (*~nholz*) limewood.

Lindenblütentee *m* lime blossom tea.

lindern *vt* to ease, to relieve.

Linderung *f* easing, relief.

lindgrün *adj* lime green.

Lineal *nt* **-e** ruler.

linear *adj* linear.

Linguist(in *f*) *m* linguist.

Linguistik *f* linguistics *sing*.

linguistisch *adj* linguistic.

Linie [-iə] *f* **a** line ▶ *ein Schreibblock mit ~n* a ruled notepad; *in einer* ~ *stehen* to be in a line; *sich in einer* ~ *aufstellen* to line up; *einer Sache* (*dat*) *fehlt die klare* ~ there's no clear line to sth; *eine* ~ *ziehen zwischen ...* (+*dat*) (*fig*) to draw a line between ...; *auf der ganzen* ~ (*fig*) all along the line; *auf* ~ *bleiben* (*fig*) to toe the line; *auf die* ~ *achten* to watch one's figure; *in erster* ~ first and foremost. **b** (*Verkehrsverbindung*) route ▶ *fahren Sie mit der* ~ *2* take a *or* the 2; *die* ~ *Köln-Bonn* the Cologne-Bonn line.

Linien- [-iən]: ~**bus** *m* regular bus; ~**flug** *m*, ~**maschine** *f* scheduled flight; ~**papier** *nt* lined paper; ~**richter** *m* (*Sport*) linesman; (*Tennis*) line judge; ~**schiff** *nt* regular service ship; **l~treu** *adj* loyal to the party line; *l~treu sein* to toe the party line; ~**verkehr** *m* regular traffic; (*Aviat*) scheduled traffic; *im ~verkehr fahren* to operate on regular services.

linieren* *vt* to rule, to draw lines on ▶ **liniert** lined.

link *adj* (*pej col*) *Typ* underhanded ▶ *komm mir nicht so* ~ stop trying to put one over on me (*col*); *ein ganz ~er Hund* a two-faced bastard (*pej col*); *eine ganz ~e Masche or Tour* a real con (*col*).

Linke *f* (*wk*) **-n, -n** **a** (*Hand*) left hand; (*Seite*) left side; (*Boxen*) left ▶ *zu seiner ~n* to his left. **b** (*Pol*) Left.

linken *vt* (*col: hereinlegen*) to con (*col*).

Linke(r) *mf decl as adj* (*Pol*) left-winger, leftist (*pej*).

linke(r, s) *adj attr* **a** left ▶ *die* ~ *Seite* the left(-hand) side; (*von Stoff*) the wrong side; ~*e Masche* purl (stitch); *eine ~e Masche stricken* to purl one; *das mache ich mit der ~n Hand* (*col*) I can do that with my eyes shut (*col*); *er ist heute mit dem ~n Bein zuerst aufgestanden* (*col*) he got out of bed on the wrong side this morning (*col*). **b** (*Pol*) left-wing; *Flügel* left.

linkisch *adj* clumsy, awkward.

links 1 *adv* **a** on the left; *schauen, abbiegen* left ▶ *nach* ~ (to the) left; *von* ~ from the left; ~ *von etw* left of sth; *sich* ~ *halten* to keep to the left; *weiter* ~ further to the left; *sich* ~ *einordnen* to move into the left-hand lane; *jdn* ~ *liegenlassen* (*fig col*) to ignore sb; *das mache ich mit* ~ (*col*) I can do that with my eyes shut (*col*); ~ *von der Mitte* (*Pol*) left of centre; ~ *stehen* (*Pol*) to be left-wing. **b** (*verkehrt*) *bügeln* on the reverse; *tragen* inside out ▶ ~ *stricken* to purl.
2 *prep* +*gen* on *or* to the left of.

Links-: ~**abbieger** *m* motorist/vehicle turning left; ~**außen** *m* - (*Ftbl*) outside left; (*Pol*) extreme left-winger; **l~bündig** *adj* (*Typ*) ranged *or* flush left; ~**drall** *m* (*von Billardball*) spin to the left; (*von Auto, Pferd*) pull to the left; (*Pol col*) leaning to the left; ~**extremismus** *m* left-wing extremism; ~**extremist** *m* left-wing extremist; **l~gerichtet** *adj* (*Pol*) left-wing *no adv*; ~**händer(in** *f*) *m* - left-hander; ~**händer sein** to be left-handed; **l~händig** *adj* left-handed; ~**herum** *adv* (around) to the left; ~**intellektuelle(r)** *mf* left-wing intellectual; ~**kurve** *f* (*von Straße*) left-hand bend; **l~lastig** *adj* listing to the left; (*fig*) leftist (*pej*), leaning to the left; **l~radikal** *adj* (*Pol*) radically left-wing; *die ~radikalen* the left-wing radicals; ~**radikalismus** *m* (*Pol*) left-wing radicalism; **l~rheinisch** *adj* to *or* on the left of the Rhine; ~**ruck**, ~**rutsch** *m* (*Pol*) swing to the left; **l~seitig** *adj* on the left(-hand) side; *l~seitig gelähmt*

paralyzed in the left side; **~verkehr** *m no pl* left-hand rule of the road; *in Großbritannien ist ~verkehr* you have to drive on the left in Britain.
Linoleum [li'no:leʊm] *nt no pl* linoleum, lino (*Brit*).
Linolschnitt *m* (*Art*) linocut.
Linse *f* **-n** [a] (*Bot, Cook*) lentil. [b] (*Opt*) lens.
linsen *vi* (*col*) to peek (*col*).
Lippe *f* **-n** lip ▸ *es soll kein Wort über meine ~n kommen* not a word shall pass my lips; *er brachte kein Wort über die ~n* he couldn't say *or* utter a word; *eine (große or dicke) ~ riskieren* (*col*) to talk big (*col*).
Lippen-: **~bekenntnis** *nt* lip service; **~pflegestift** *m* lip salve (stick); **~stift** *m* lipstick.
Liquidation *f* (*form*) liquidation ▸ *in ~ treten* to go into liquidation.
liquid(e) *adj* (*Econ*) *Firma* solvent.
liquidieren* *vt Firma* to liquidate; *jdm* to eliminate.
Liquidität *f* (*Econ*) liquidity.
lispeln *vti* to lisp ▸ *das Kind lispelt* the child has a lisp.
Lissabon *nt* Lisbon.
List *f* **-en** (*Täuschung*) cunning; (*Plan*) trick ▸ *mit ~ und Tücke* (*col*) with a lot of coaxing.
Liste *f* **-n** (*Aufstellung*) list; (*Wähler~*) register ▸ *sich in eine ~ eintragen* to put one's name on a list.
Listen-: **~platz** *m* (*Pol*) place on the list of candidates; **~preis** *m* list price.
listig *adj* cunning, wily *no adv.*
Litanei *f* (*Eccl, fig*) litany ▸ *eine ~ von Klagen* a long list of complaints.
Litauen *nt* **-s** Lithuania.
Litauer(in *f*) *m* **-** Lithuanian.
litauisch *adj* Lithuanian.
Liter *m or nt* **-** litre (*Brit*), liter (*US*).
literarisch *adj* literary.
Literatur *f* literature.
Literatur-: **~angabe** *f* bibliographical reference; **~gattung** *f* literary genre; **~geschichte** *f* history of literature; **~kritik** *f* literary criticism; **~kritiker** *m* literary critic; **~verzeichnis** *nt* bibliography; **~wissenschaft** *f* literary studies *pl.*
Literflasche *f* litre (*Brit*) *or* liter (*US*) bottle.
literweise *adv* (*lit*) by the litre (*Brit*) *or* liter (*US*); (*fig*) by the gallon.
△ **Litfaßsäule** *f* advertising column.
Litho-: **~graph** △ *m* lithographer; **~graphie** △ *f* [a] (*Verfahren*) lithography; [b] (*Druck*) lithograph.
litt *ptp of* **leiden**.
Liturgie *f* liturgy.
liturgisch *adj* liturgical.
Litze *f* **-n** braid; (*Elec*) flex.
live [laif] *adj pred, adv* (*Rad, TV*) live.
Live-Sendung [laif-] *f* live broadcast.
Livree [li'vre:] *f* **-n** [-ən] livery.
Lizenz *f* licence (*Brit*), license (*US*) ▸ *etw in ~ herstellen* to manufacture sth under licence.
Lizenz-: **~abkommen** *nt* licensing agreement; **~ausgabe** *f* licensed edition; **~geber** *m* licenser; (*Behörde*) licensing authority; **~gebühr** *f* licence fee (*Brit*), license fee (*US*); **~inhaber** *m* licensee; *er ist ~inhaber* he has a licence (*Brit*) *or* license (*US*); **~spieler** *m* (*Ftbl*) professional player.
Lkw [ɛlka:'ve:] *m* **-(s)** = **Lastkraftwagen** ≈ HGV.
Lob *nt no pl* praise ▸ *(viel) ~ für etw bekommen* to come in for (a lot of) praise for sth; *jdm ~ spenden or zollen* to praise sb.
loben *vt* to praise ▸ *jdn/etw ~d erwähnen* to commend sb/sth; *das lob ich mir* that's what I like (to see/hear etc).
lobenswert *adj* laudable.
Lobeshymne *f* (*fig*) hymn of praise.

Lobhudelei *f* (*pej*) gushing praise.
löblich *adj* (*dated, iro*) commendable.
Lob-: **~lied** *nt* song of praise; *ein ~lied auf jdn/etw anstimmen* (*fig*) to sing sb's/sth's praises; **~rede** *f* eulogy; *eine ~rede auf jdn halten* (*lit*) to make a speech in sb's honour (*Brit*) *or* honor (*US*); (*fig*) to eulogize sb.
Loch *nt* **ⁿer** hole; (*Luft~*) gap; (*fig col: elende Wohnung*) dump (*col*), hole (*col*) ▸ *sich* (*dat*) *ein ~ in den Kopf schlagen* to gash one's head; *~er in die Luft gucken* to gaze into space; *ein großes ~ in jds Geldbeutel* (*acc*) *reißen* (*col*) to make a big hole in sb's pocket.
lochen *vt* to punch holes/a hole in; *Fahrkarte* to punch.
Locher *m* **-** [a] punch. [b] (*Mensch*) punch-card operator.
löcherig *adj* full of holes.
löchern *vt* (*col*) to pester (to death) with questions.
Loch-: **~karte** *f* punch card; **~streifen** *m* (punched) paper tape.
Lochung *f* punching; (*Stelle*) perforation.
Lochzange *f* punch.
Locke *f* **-n** (*Haar*) curl ▸ *~n haben* to have curly hair.
locken¹ *vtr Haar* to curl ▸ *gelocktes Haar* curly hair.
locken² *vt* to lure ▸ *jdn in einen Hinterhalt ~* to lure sb into a trap; *die Henne lockte ihre Küken* the hen called to its chicks.
lockend *adj* tempting.
Locken-: **~kopf** *m* curly hairstyle; (*Mensch*) curlyhead; **~wickler** *m* **-** (hair-)curler.
locker *adj* (*lit, fig*) loose; *Kuchen, Schaum* light; (*nicht gespannt*) slack; *Haltung, Sitzweise* relaxed; (*col*) cool (*col*) ▸ *~ werden* (*lit, fig*) to get loose; (*Muskeln, Mensch*) to loosen up; *etw ~ machen* to loosen sth/make sth light/slacken sth; *etw ~ lassen* to slacken sth off; *Bremse* to let sth off; *~ sitzen* (*Ziegel, Schraube etc*) to be loose; *bei ihr sitzt die Hand ziemlich ~* she's quick to lash out; *bei ihm sitzt der Revolver ~* he's trigger-happy; *das mache ich ganz ~* (*col*) I can do it just like that (*col*).
locker-: **~lassen** *vi sep irreg* (*col*) *nicht ~lassen* not to let up; **~machen** *vt sep* (*col*) *Geld* to shell out (*col*).
lockern [1] *vt* [a] (*locker machen*) to loosen; *Seil,* (*lit, fig*) *Zügel* to slacken. [b] (*entspannen*) *Muskeln* to loosen up; (*fig*) *Vorschriften* to relax.
[2] *vr* to work itself loose; (*Sport*) to loosen up; (*Verkrampfung*) to ease off; (*Atmosphäre*) to get more relaxed.
Lockerungsübung *f* loosening-up exercise; (*zum Warmwerden*) limbering-up exercise.
lockig *adj Haar* curly; *Mensch* curly-headed.
Lock-: **~mittel** *nt* lure; **~ruf** *m* call.
Lockung *f* lure; (*Versuchung*) temptation.
Lockvogel *m* (*lit, fig*) decoy.
Lockvogel|angebot *nt* tempting offer, loss leader (*Comm*).
Loden *m* **-** loden (cloth).
Lodenmantel *m* loden (coat).
lodern *vi* (*lit, fig*) to blaze.
Löffel *m* **-** spoon; (*als Maß*) spoonful; (*von Bagger*) bucket ▸ *den ~ abgeben* (*col*) to kick the bucket (*col*); *jdm ein paar hinter die ~ geben* to give sb a clout around the ear(s).
löffeln *vt* to spoon.
löffelweise *adv* by the spoonful.
log *pret of* **lügen**.
Logarithmentafel *f* log table.
Logarithmus *m* logarithm.
Logbuch *nt* log(book).
Loge ['lo:ʒə] *f* **-n** [a] (*Theat*) box; (*Pförtner~*) lodge. [b] (*Freimaurer~*) lodge.
Logenplatz ['lo:ʒən-] *m* (*Theat*) seat in a box.
logieren* [lo'ʒi:rən] *vi* (*dated*) to stay.

Loggia ['lɔdʒa] *f, pl* **Loggien** [-iən] balcony.
Logik *f* logic.
Logiker(in *f*) *m* - logician.
Logis [lo'ʒiː] *nt* - *Kost und* ~ board and lodging.
logisch *adj* logical; (*col: selbstverständlich*) natural ▶ **gehst du auch hin?** — ~ are you going too? — of course.
logischerweise *adv* logically.
Logistik *f* [a] (*Math*) logic. [b] (*Mil*) logistics *sing.*
Logo *nt* -**s** (*Firmen~*) logo.
logo *interj* (*col*) you bet (*col*).
Logopäde *m* (*wk*) -**n**, -**n**, **Logopädin** *f* speech therapist.
Logopädie *f* speech therapy.
Lohn *m* ⁼e [a] (*Arbeitsentgelt*) wage(s), pay *no pl, no indef art* ▶ **bei jdm in** ~ **und Brot stehen** (*geh*) to be in sb's employ (*form*); **leistungsbezogener** ~ performance-related pay. [b] (*fig: Belohnung*) reward; (*Strafe*) punishment ▶ **zum** ~ **für ...** as a reward/punishment for ...; **das ist nun der** ~ **für meine Mühe!** (*iro*) that's what I get for my trouble.
Lohn-: l~**abhängig** *adj* on a payroll; ~**abhängige(r)** *mf* worker (on a payroll); ~**abrechnung** *f* wages slip; ~**arbeit** *f* waged labour (*Brit*) *or* labor (*US*); ~**ausfall** *m* loss of earnings; ~**ausgleich** *m* wage adjustment; *bei vollem* ~**ausgleich** with full pay; ~**buchhalter** *m* wages clerk; ~**büro** *nt* wages office; ~**empfänger** *m* wage earner, wage worker (*US*).
lohnen [1] *vir* to be worth it ▶ **es lohnt (sich), etw zu tun** it is worth doing sth; **die Mühe lohnt sich** it is worth the effort; **das lohnt sich nicht für mich** it's not worth my while. [2] *vt jdm etw* ~ to reward sb for sth; **er hat mir meine Mühe schlecht gelohnt** he gave me poor thanks for my efforts.
löhnen *vti* (*col: bezahlen*) to shell out (*col*).
lohnend *adj* rewarding; (*nutzbringend*) worthwhile; (*einträglich*) profitable.
lohnenswert *adj* worthwhile.
Lohn-: ~**erhöhung** *f* pay rise; ~**forderung** *f* pay claim; ~**fortzahlung** *f* continued payment of wages; ~**gefälle** *nt* wage differential; ~**gruppe** *f* wage group; ~**kosten** *pl* wage costs *pl*, labour costs *pl*; ~**kürzung** *f* wage cut; ~**liste** *f* payroll; ~**nebenkosten** *pl* additional wage costs; ~**politik** *f* pay policy; ~**runde** *f* pay round; ~**skala** *f* pay scale; ~**steuer** *f* income tax.
Lohnsteuer-: ~**jahresausgleich** *m* income tax return; ~**karte** *f* (income) tax card.
Lohn-: ~**stopp** *m* pay freeze; ~**streifen** *m* pay slip; ~**tarif** *m* wage rate; ~**tüte** *f* pay packet (*Brit*) *or* envelope (*US*); ~**verhandlung** *f* pay negotiations *pl*; ~**zahlung** *f* payment of wages.
Loipe *f* -**n** cross-country ski run.
Lok *f* -**s** = **Lokomotive** engine.
lokal *adj* (*örtlich*) local.
Lokal *nt* -**e** (*Gaststätte*) ≃ pub (*esp Brit*), bar; (*Restaurant*) restaurant.
Lokal- *in cpds* local; ~**anästhesie** *f* (*Med*) local anaesthetic (*Brit*) *or* anesthetic (*US*); ~**blatt** *nt* local paper.
lokalisieren* *vt* [a] (*Ort feststellen*) to locate. [b] (*Med*) to localize.
Lokalität *f* locality; (*innen*) premises *pl*.
Lokal-: ~**kolorit** *nt* local colour (*Brit*) *or* color (*US*); ~**nachrichten** *pl* local news *sing*, ~**patriotismus** *m* local patriotism; ~**teil** *m* local section; ~**termin** *m* (*Jur*) visit to the scene of the crime; ~**verbot** *nt* ~**verbot haben** to be barred *or* banned from a pub (*Brit*) *or* bar; ~**zeitung** *f* local newspaper.
Lokomotive *f* locomotive, (railway) engine.
Lokomotivführer *m* engine driver, engineer (*US*).

Lokopreis *m* (*St Ex*) spot price.
Lombard- (*Fin*): ~**geschäft** *nt* loan on security; ~**satz** *m* rate for loans on security.
London *nt* London.
Londoner *adj attr* London.
Londoner(in *f*) *m* - Londoner.
Looping ['luːpɪŋ] *m or nt* -**s** (*Aviat*) looping the loop ▶ **einen** ~ **machen** to loop the loop.
Lorbeer *m* -**en** (*lit: Gewächs*) laurel; (*als Gewürz*) bayleaf; (~*kranz*) laurel wreath ▶ **sich auf seinen** ~**en ausruhen** (*fig col*) to rest on one's laurels.
Lorbeer-: ~**baum** *m* laurel (tree); ~**blatt** *nt* bayleaf; ~**kranz** *m* laurel wreath.
Los *nt* -**e** [a] (*für Entscheidung*) lot; (*in der Lotterie*) (lottery) ticket ▶ **das Große** ~ **ziehen** (*lit, fig*) to hit the jackpot; **etw durch das** ~ **entscheiden** to decide sth by drawing lots; **jdn durch das** ~ **bestimmen** to pick sb by drawing lots; **das** ~ **fiel auf mich** it fell to my lot. [b] *no pl* (*Schicksal*) lot ▶ **er hat ein hartes** ~ his is a hard lot.
los [1] *adj pred* [a] (*nicht befestigt*) loose ▶ **der Hund ist von der Leine** ~ the dog is off the lead. [b] (*frei*) **jdn/etw** ~ **sein** (*col*) to be rid of sb/sth; **ich bin mein ganzes Geld** ~ (*col*) I'm cleaned out (*col*). [c] (*col*) **etwas** ~ **machen** (*col*) to make sth happen; **was ist denn hier** ~? what's going on here?; **was ist** ~? what's the matter?; **irgendwas ist mit ihm** ~ there's something wrong with him; **mit dem ist doch nichts mehr** ~ he isn't up to much any more; **da war was** ~ there was plenty of action; (*Schlägerei etc*) all hell was let loose; **ist hier abends nichts** ~? isn't there anything to do here in the evenings?
[2] *adv* [a] (*Aufforderung*) ~! come on!; **nichts wie** ~! let's get going; (*na*) ~, **mach schon!** (come on,) get on with it; ~, **fahr doch endlich** come on, start driving; **auf die Plätze, fertig,** ~ on your marks, get set, go! [b] (*weg*) **wir wollen früh** ~ we want to be off early.
lösbar *adj* *Problem etc* soluble.
los-: ~**binden** *vt sep irreg* to untie (*von* from); ~**brechen** *sep irreg* [1] *vt* to break off; [2] *vi aux sein* (*Gelächter etc*) to break out; (*Sturm, Gewitter*) to break.
Löschblatt *nt* sheet of blotting paper.
löschen *vt* [a] *Feuer, Kerze* to put out, to extinguish; *Durst* to quench; *Tonband* to erase; *Schuld* to pay off; *Eintragung, Zeile* to delete; *Konto* to close; (*aufsaugen*) *Tinte* to blot; (*Comp*) *Speicher, Bildschirm* to clear; *Daten, Information* to erase, to delete. [b] (*Naut*) *Ladung* to unload.
Lösch-: ~**fahrzeug** *nt* fire engine; ~**mittel** *nt* (fire-)extinguishing agent; ~**papier** *nt* (piece of) blotting paper; ~**taste** *f* (*Comp*) delete key; ~**zug** *m* set of fire-fighting appliances.
lose *adj* (*lit, fig*) loose; (*nicht gespannt*) *Seil* slack ▶ **etw** ~ **verkaufen** to sell sth loose.
Lösegeld *nt* ransom (money).
los|eisen *vtr sep* (*col*) **etw bei jdm** ~ to get sth out of sb; **sich/jdn von jdm** ~ to get away from sb/sb away from sb.
▼ **losen** *vi* to draw lots (*um* for).
lösen [1] *vt* [a] (*losmachen*) to remove (*von* from); *Boot* to cast off (*von* from); (*aufbinden*) to undo; *Hände* to unclasp; *Handbremse* to release; *Husten, Krampf* to ease; *Muskeln* to loosen up; (*lit, fig: lockern*) to loosen; *siehe* **gelöst.** [b] (*klären*) to solve; *Konflikt* to resolve. [c] (*annullieren*) *Vertrag* to cancel; *Verlobung* to break off; *Verbindung* to sever; *Ehe* to dissolve. [d] (*kaufen*) *Fahrkarte* to buy, to get.
[2] *vr* [a] (*sich losmachen*) to detach oneself (*von* from); (*sich ab~*) to come off (*von etw* sth); (*Knoten, Haare*) to come undone; (*Schuß*) to go off; (*Husten, Krampf*) to ease; (*Muskeln*) to loosen up; (*lit, fig: sich lockern*) to

(be)come loose ▶ **sich von jdm ~** to break away from sb; **sich von etw ~** *von Vorurteilen etc* to rid oneself of sth.

$\boxed{b}$ (*sich aufklären*) to be solved ▶ **sich von selbst ~** (*Mordfall*) to solve itself. $\boxed{c}$ (*in Flüssigkeit*) to dissolve (*in +dat* in).

los-: ~fahren *vi sep irreg aux sein* (*abfahren*) to set off; (*Fahrzeug*) to move off; (*Auto*) to drive off; **~gehen** *vi sep irreg aux sein* $\boxed{a}$ (*weggehen*) to set off; (*Schuß etc*) to go off; **nach hinten ~gehen** (*col*) to backfire; **(mit dem Messer) auf jdn ~gehen** to go for sb (with a knife); $\boxed{b}$ (*col: anfangen*) to start; **gleich geht's ~** it's just about to start; **jetzt geht's ~!** here we go!; (*Reise, Bewegung*) we're/you're off!; $\boxed{c}$ (*col: abgehen*) to come off; **~heulen** *vi sep* (*col: weinen*) to burst out crying; **~kommen** *vi sep irreg aux sein* (*Mensch*) to get away (*von* from); (*sich befreien*) to free oneself (*von* from); **~kriegen** *vt sep* (*col: ablösen*) to get off; **~lachen** *vi sep* to burst out laughing; **~lassen** *vt sep irreg* $\boxed{a}$ to let go of; **der Gedanke läßt mich nicht mehr ~** the thought haunts me; $\boxed{b}$ (*col: abfeuern*) *Feuerwerk* to let off; $\boxed{c}$ *jdn (auf jdn) ~lassen* (*fig col*) to let sb loose (on sb); **die Hunde auf jdn ~lassen** to set the dogs on(to) sb; **~laufen** *vi sep irreg aux sein* to start to run; **~legen** *vi sep* (*col*) to get going; **nun leg mal ~ und erzähle ...** now come on and tell me/us ...

löslich *adj* soluble ▶ **leicht/schwer ~** readily/not readily soluble.

los-: ~lösen *sep* $\boxed{1}$ *vt* to remove (*von* from); (*ablösen auch*) to take off (*von etw* sth); (*lockern*) to loosen; $\boxed{2}$ *vr* to detach oneself (*von* from); (*sich ablösen auch*) to come off (*von etw* sth); (*lockern*) to become loose; **sich von jdm ~lösen** to break away from sb; **~machen** *sep* $\boxed{1}$ *vt* $\boxed{a}$ to free; (*~binden*) to untie; $\boxed{b}$ **einen** or **was ~machen** (*col*) to have some action (*col*); $\boxed{2}$ *vi* (*col: sich beeilen*) to step on it (*col*); $\boxed{3}$ *vr* to get away (*von* from); **~müssen** *vi sep irreg* (*col*) to have to go.

Losnummer *f* (lottery) ticket number.

los-: ~reißen *sep irreg* $\boxed{1}$ *vt* to tear off (*von etw* sth); $\boxed{2}$ *vr* **sich (von etw) ~reißen** (*Hund etc*) to break free (from sth); (*fig*) to tear oneself away (from sth); **~rennen** *vi sep irreg aux sein* (*col*) to run off; (*anfangen zu laufen*) to start to run; **~sagen** *vr sep* **sich von etw ~sagen** to renounce sth; **~schicken** *vt sep* to send off; **~schießen** *vi sep irreg* **schieß ~!** (*fig col*) fire away! (*col*); **~schlagen** *vi sep irreg* to hit out; **auf jdn ~schlagen** to go for sb; **~schnallen** *vt sep* to unbuckle; **~schrauben** *vt sep* to unscrew; (*lockern auch*) to loosen; **~sprechen** *vt sep irreg* to absolve; **~stürzen** *vi sep aux sein* to rush off; **auf jdn/etw ~stürzen** to pounce on sb/sth.

Lostrommel *f* drum (for lottery draw), tombola drum.

Losung *f* $\boxed{a}$ motto. $\boxed{b}$ (*Kennwort*) password.

Lösung *f* $\boxed{a}$ solution (*gen* to); (*das Lösen*) solution (*gen* of); (*eines Konfliktes*) resolving. $\boxed{b}$ (*Chem*) solution.

Lösungs-: ~mittel *nt* solvent; **~vorschlag** *m* proposed solution; **einen ~vorschlag machen** to propose a solution.

loswerden *vt sep irreg aux sein* to get rid of; *Gedanken* to get away from; *Geld* (*ausgeben*) to spend.

losziehen *vi sep irreg aux sein* (*aufbrechen*) to set out (*in +acc, nach* for).

Lot *nt* -e $\boxed{a}$ (*Senkblei*) plumbline ▶ **im ~ sein** to be in plumb; **die Sache ist wieder im ~** things have been straightened out. $\boxed{b}$ (*Math*) perpendicular ▶ **das ~ fällen** to drop a perpendicular.

loten *vt* to plumb.

löten *vti* to solder.

Lothringen *nt* Lorraine.

Lothringer(in *f*) *m* Lorrainer.

lothringisch *adj* of Lorraine, Lorrainese.

Lotion *f* lotion.

Löt-: ~kolben *m* soldering iron; **~lampe** *f* blowlamp; **~metall** *nt* solder.

Lotos-: ~blume *f* lotus (flower); **~sitz** *m* lotus position.

lotrecht *adj* (*Math*) perpendicular.

Lotse *m* (*wk*) -n, -n (*Naut*) pilot; (*Flug~*) air-traffic controller; (*fig*) guide.

lotsen *vt* to guide ▶ **jdn irgendwohin ~** (*col*) to drag sb somewhere (*col*).

Lotterie *f* lottery; (*Tombola*) raffle.

Lotterie-: ~gewinn *m* lottery/raffle prize *or* (*Geld*) winnings *pl*; **~los** *nt* lottery/raffle ticket.

lott(e)rig *adj* (*col*) slovenly *no adv*.

Lotterleben *nt* (*col*) dissolute life.

Lotto *nt* -s national lottery ▶ **(im) ~ spielen** to do the national lottery; **du hast wohl im ~ gewonnen** you must have won the pools (*Brit*).

Lotto-: ~gewinn *m* Lotto win; (*Geld*) Lotto winnings *pl*; **~schein** *m* Lotto coupon; **~zahlen** *pl* winning Lotto numbers *pl*.

Löwe *m* (*wk*) -n, -n lion; (*Astron, Astrol*) Leo.

Löwen-: ~anteil *m* (*col*) lion's share; **~bändiger** *m* lion-tamer; **~jagd** *f* lion hunt; **~maul, ~mäulchen** *nt* snapdragon, antirrhinum; **~zahn** *m* dandelion.

Löwin *f* lioness.

loyal [loa'jaːl] *adj* loyal (*jdm gegenüber* to sb).

Loyalität [loajali'tɛːt] *f* loyalty.

LP [ɛl'peː] *f* -s = **Langspielplatte** LP.

LSD [ɛlɛs'deː] *nt no pl* LSD.

lt. = **laut²**.

Luchs [lʊks] *m* -e lynx ▶ **Augen wie ein ~ haben** (*col*) to have eyes like a hawk.

Luchs|augen *pl* (*col*) eagle eyes *pl*.

Lücke *f* -n (*lit, fig*) gap; (*Gesetzes~*) loophole; (*in Versorgung*) break.

Lücken-: ~büßer, ~füller *m* stopgap; **l~haft** *adj* full of gaps; *Versorgung* deficient; *Gesetz, Alibi* full of holes; **sein Wissen ist sehr l~haft** there are great gaps in his knowledge; **l~los** *adj* complete; *Kenntnisse* perfect; *Versorgung, Überlieferung* unbroken.

lud *pret of* **laden¹, laden²**.

Luder *nt* - (*col*) minx ▶ **armes/dummes ~** poor/stupid creature.

Luft *f* $\boxed{a}$ air *no pl* ▶ **im Zimmer ist schlechte ~** the air is stuffy in the room; **dicke ~** (*col*) a bad atmosphere; **(frische) ~ schnappen** (*col*) to get some fresh air; **die ~ ist rein** (*col*) the coast is clear; **aus der ~** from the air; **jdn an die (frische) ~ setzen** (*col*) to show sb the door; **in die ~ fliegen** (*col*) to explode; **etw in die ~ jagen** (*col*) to blow sth up; **leicht in die ~ gehen** (*fig*) to be quick to blow one's top (*col*); **etw liegt etwas in der ~** there's something in the air; **in die ~ gucken** to stare into space; **jdn/etw in der ~ zerreißen** (*col*) to tear sb/sth to pieces; **das kann sich doch nicht in ~ aufgelöst haben** it can't have vanished into thin air; **die Behauptung ist aus der ~ gegriffen** this statement is pure invention; **vor Freude in die ~ springen** to jump for joy; **von ~ und Liebe leben** to live on love; **er ist ~ für mich** I'm not speaking to him.

$\boxed{b}$ (*Atem~*) breath ▶ **der Kragen schnürt mir die ~ ab** this collar is choking me; **nach ~ schnappen** to gasp for breath; **die ~ anhalten** (*lit*) to hold one's breath; **nun halt mal die ~ an!** (*col*) (*rede nicht*) hold your tongue!; (*übertreibe nicht*) come off it! (*col*); **keine ~ mehr kriegen** not to be able to breathe; **~ holen** to catch one's breath; **tief ~ holen** (*lit, fig*) to take a deep breath; **mir blieb vor Schreck die ~ weg** the shock took my breath away; **wieder ~ bekommen** (*nach Sport etc*) to get one's breath back; (*fig*) to get a chance to catch one's breath; **seinem Herzen ~ machen** to get everything off one's chest; **seinem Zorn** etc **~ machen** to give vent to one's anger etc.

[c] (fig: Spielraum) space, room.

Luft: ~abwehr f (Mil) anti-aircraft defence (Brit) or defense (US); **~angriff** m airraid (auf +acc on); **~aufnahme** f aerial photograph; **~ballon** m balloon; **~belastung** f no pl air pollution; **~bild** nt aerial photograph; **~blase** f air bubble; **~brücke** f airlift.

Lüftchen nt breeze.

Luft-: l~dicht adj airtight no adv; **die Ware ist l~dicht verpackt** the article is in airtight packaging; **~druck** m air pressure; **l~durchlässig** adj pervious to air.

lüften [1] vt [a] to air. [b] Schleier to raise.

[2] vi (Luft hereinlassen) to let some air in.

Lüfter m - fan.

Luft-: ~fahrt f aviation no art; **~fahrtgesellschaft** f airline (company); **~fahrzeug** nt aircraft; **~feuchtigkeit** f humidity; **~fracht** f air freight; **l~gekühlt** adj aircooled; **l~getrocknet** adj air-dried; **~gewehr** nt air rifle; **~herrschaft** f air supremacy; **~hoheit** f air sovereignty.

luftig adj Zimmer airy; Kleidung light.

Luft-: ~kampf m air battle; (Duell) dogfight; **~kissen** nt air cushion; **~kissenboot, ~kissenfahrzeug** nt hovercraft; **~krankheit** f airsickness; **~krieg** m aerial warfare; **~kühlung** f air-cooling; **~kurort** m health resort; **~landetruppe** f airborne troops pl; **l~leer** adj (völlig) l~leer sein to be a vacuum; **l~leerer Raum** vacuum; **~linie** f 200 km ~linie 125 miles as the crow flies; **~loch** nt airhole; (Aviat) air pocket; **~matratze** f airbed; **~pirat** m hijacker; **~post** f airmail; **mit ~post** by airmail; **~pumpe** f (für Fahrrad) (bicycle) pump; **~raum** m airspace; **~reinhaltung** f prevention of air pollution; **~röhre** f (Anat) windpipe; **~sack** m (Aut) air bag; **~schacht** m ventilation shaft; **~schicht** f (Met) layer of air; **~schiff** nt airship; **~schiffahrt** f aeronautics sing; **~schlacht** f air battle; **~schlange** f (paper) streamer; **~schloß** △ nt (fig) castle in the air; **~schneise** f air lane.

Luftschutz m anti-aircraft defence (Brit) or defense (US).

Luftschutz-: ~bunker, ~keller m air-raid shelter; **~übung** f air-raid drill.

Luft-: ~spiegelung f mirage; **~sprung** m jump in the air; **vor Freude einen ~sprung machen** to jump for joy; **~straße** f air route; **~streitkräfte** pl air force sing; **~strom** m stream of air; **~strömung** f current of air; **~stützpunkt** m airbase; **~temperatur** f air temperature.

Lüftung f airing; (ständig, systematisch) ventilation.

Luft-: ~unterstützung f (Mil) air support or cover; **~veränderung** f change of air; **~verkehr** m air traffic; **~verschmutzung** f air pollution; **~versorgung** f air supplies pl; **~verteidigung** f air defence (Brit) or defense (US); **~waffe** f (Mil) air force; **~waffenstützpunkt** m air force base; **~weg** m etw auf dem ~weg befördern to transport sth by air; **~widerstand** m air resistance; **~zufuhr** f air supply; **~zug** m (mild) breeze; (in Gebäude) draught (Brit), draft (US).

Lug m: ~ und Trug lies pl (and deception).

Lüge f -n lie ▶ das ist alles ~ that's all lies; **jdn/etw ~n strafen** to give the lie to sb/sth.

lügen pret **log**, ptp **gelogen** vi to lie ▶ ich müßte ~, wenn ... I would be lying if ...; das ist gelogen! (col) that's a lie!

Lügen-: ~detektor m lie detector; **~geschichte** f pack of lies; **~märchen** nt tall story; **~maul** nt (pej col) liar; **~propaganda** f propagandist lies pl.

Lügner(in f) m - liar.

lügnerisch adj Mensch lying attr, untruthful.

Lukas m Luke.

Luke f -n hatch; (Dach~) skylight.

lukrativ adj lucrative.

Lulatsch m -(es), -e (hum col) **langer ~** beanpole (col).

Lümmel m - (pej) lout, oaf.

lümmelhaft adj (pej) ill-mannered.

lümmeln vr (col) to sprawl; (sich hin~) to flop down.

Lump m (wk) -en, -en (pej) rogue.

lumpen vt (col) **er ließ sich nicht ~** he was very generous.

Lumpen m - rag.

Lumpen-: ~gesindel, ~pack nt (pej) rabble pl (pej); **~sammler** m rag-and-bone man.

lumpig adj [a] Gesinnung, Tat shabby, mean. [b] **~e 10 Mark** a measly 10 marks (col).

Lunge f -n lung ▶ (auf) ~ rauchen to inhale; **sich** (dat) **die ~ aus dem Hals schreien** (col) to yell till one is blue in the face (col).

Lungen-: ~embolie f pulmonary embolism (spec); **~entzündung** f pneumonia; **~flügel** m lung; **l~krank** adj suffering from a lung disease; **~krankheit** f lung disease; **~krebs** m lung cancer; **~zug** m inhalation; **einen ~zug machen** to inhale.

Lunte f -n ~ **riechen** (Verdacht schöpfen) to smell a rat (col); (Gefahr wittern) to sense danger.

Lupe f -n magnifying glass ▶ **solche Leute kannst du mit der ~ suchen** people like that are few and far between; **jdn/etw unter die ~ nehmen** (col) to take a close look at sb/sth, to investigate sb/sth.

lupenrein adj (lit) Edelstein flawless; (fig) Gentleman, Intellektueller through and through pred.

Lupine f lupin.

Lurch m -e amphibian.

Lusche f -n (Cards) low card; (fig col: Versager) dead loss (col).

▼ **Lust** f -ë [a] no pl (Freude) pleasure, joy ▶ **er hat die ~ daran verloren** he has lost all interest in it; **da kann einem alle ~ vergehen** it puts you off; **jdm die ~ an etw** (dat) **nehmen** to take all the fun out of sth for sb. [b] no pl (Neigung) inclination ▶ **zu etw ~ haben** to feel like sth; **ich habe keine ~ zu arbeiten** I don't feel like working; **ich habe jetzt keine ~** I'm not in the mood just now; **ich hätte ~ dazu** I'd like to; **hast du ~?** how about it?; **auf etw** (acc) **~ haben** to fancy sth; **er kann bleiben, so lange er ~ hat** he can stay as long as he likes. [c] (sinnliche Begierde) desire; (sexuell auch) lust (usu pej) ▶ **~ haben** to feel desire.

Lüster m - [a] (Leuchter) chandelier. [b] (Stoff, Glanzüberzug) lustre (Brit), luster (US).

lüstern adj lecherous.

Lüsternheit f lechery, lecherousness.

Lust-: ~gefühl nt feeling of pleasure; **~gewinn** m pleasure.

lustig adj Leute, Abend cheerful ▶ **die Party war sehr ~** the party was great fun; **er ist ein sehr ~er Typ** he's great fun; **so lange du ~ bist** (col) as long as you like; **es wurde ~** things got quite merry; **das kann ja ~ werden!** (iro) that's going to be fun (iro); **sich über jdn/etw ~ machen** to make fun of sb/sth.

Lüstling m lecher.

Lust-: l~los adj unenthusiastic; (Fin) Börse slack; **~molch** m (hum col) sex maniac (col); **~mord** m sex murder; **~objekt** nt sex object; **~prinzip** nt (Psych) pleasure principle; **~schloß** △ nt summer residence; **~spiel** nt comedy; **l~voll** [1] adj full of relish; [2] adv with relish; **l~wandeln** vi insep aux sein sein or haben (liter) to (take a) stroll.

Lutheraner(in f) m - Lutheran.

lutherisch adj Lutheran.

---

lutschen *vti* to suck (*an etw* (*dat*) sth).
Lutscher *m* - lollipop.
Lüttich *nt* Liège.
Luv [luːf] *f no pl* (*Naut*) windward.
Luxemburg *nt* Luxembourg.
Luxemburger(in *f*) *m* - Luxembourger.
luxemburgisch *adj* Luxembourgian.
luxuriös *adj* luxurious ► *ein ~es Leben* a life of luxury.
Luxus *m no pl* luxury; (*pej: Verschwendung*) extravagance ► *im ~ leben* to live in luxury.
Luxus- *in cpds* luxury; **~ausführung** *f* de luxe model; **~dampfer** *m* luxury liner; **~limousine** *f* limousine;

~restaurant *nt* first-class restaurant.
Luzern *nt* Lucerne.
LW = **Langwelle** LW.
Lycra ® ['laikra] *nt* **-(s)** Lycra ®.
Lymphdrüse *f* lymph gland.
Lymphe ['lʏmfə] *f* **-n** lymph.
Lymphknoten *m* lymph node *or* gland.
lynchen ['lʏnçn, 'lɪnçn] *vt* (*lit*) to lynch; (*fig*) to kill.
Lynch- ['lʏnç-]: **~justiz** *f* lynch law; **~mord** *m* lynching.
Lyrik *f no pl* lyric poetry *or* verse.
Lyriker(in *f*) *m* - lyric poet, lyricist.
lyrisch *adj* (*lit, fig*) lyrical; *Dichtung, Dichter* lyric.

M

M, m [ɛm] *nt* -, - M, m ▸ *M wie Martha* ≃ M for Mary, M for Mike (*US*).

m = **Meter** *m*.

Maat *m* -e *or* -en (*Naut*) (ship's) mate.

Mach|art *f* make; (*Muster*) design; (*lit, fig: Stil*) style.

machbar *adj* feasible, possible.

Mache *f no pl* (*col*) **reine ~ sein** to be (a) sham; **etw in der ~ haben** (*col*) to be working on sth; **in der ~ sein** (*col*) to be in the making; **jdn in der ~ haben** (*col*) to be having a go at sb (*col*); (*verprügeln*) to be working sb over (*col*).

machen ① *vt* ⓐ to do; (*herstellen, bilden, formen, zubereiten*) to make ▸ **was ~ Sie (beruflich)?** what do you do for a living?; **was habe ich nur falsch gemacht?** what have I done wrong?; **gut, wird gemacht** right, I'll get that done *or* will be done (*col*); **das ist zu/nicht zu ~** that can/can't be done; **(da ist) nichts zu ~** (*geht nicht*) (there's) nothing to be done; (*kommt nicht in Frage*) nothing doing; **wie man's macht, ist's verkehrt** whatever you do it's bound to be wrong; **was machst du da?** what are you doing (there)?; **was machst du denn hier?** what (on earth) are you doing here?; **ich muß noch so viel ~** I still have so much to do; **ich kann da auch nichts ~** I can't do anything about it either; **so etwas macht man nicht** that sort of thing just isn't done; **wie ~ Sie das nur?** how do you do it?; **sich/jdm etw ~ lassen** to have sth made for oneself/sb; **Bilder or Fotos ~** to take photos; **er ist für den Beruf wie gemacht** he's made for the job; **Bier wird aus Gerste gemacht** beer is made from barley; **aus Holz gemacht** made of wood; **das Essen ~** to get the meal; *siehe* **gemacht.**

　ⓑ (*verursachen*) *Schwierigkeiten, Arbeit* to make (*jdm* for sb); *Mühe, Schmerzen* to cause (*jdm* for sb) ▸ **jdm Angst/Freude ~** to make sb afraid/happy; **jdm Kopfschmerzen ~** to give sb a headache; **das macht Hunger** that makes you hungry.

　ⓒ (*bewirken*) to do; (*+infin*) to make ▸ **das macht die Kälte** it's the cold that does that; **jdn lachen/etw vergessen ~** to make sb laugh/forget sth; **~, daß etw geschieht** to make sth happen; **(viel) von sich reden ~** to be much talked about; **mach, daß du hier verschwindest!** (you just) get out of here!

　ⓓ (*veranstalten*) *Fest* to have, to give; (*teilnehmen an*) *Lehrgang* to do.

　ⓔ (*ausmachen, schaden*) to matter ▸ **macht nichts!** (it) doesn't matter; **macht das was?** does that matter?; **das macht mir doch nichts!** that doesn't matter to me; **die Kälte macht mir nichts** I don't mind the cold; **die Kälte macht dem Motor nichts** the cold doesn't harm the engine.

　ⓕ (*erzielen*) *Punkte, Preis* to get, to win; *Doktor, Diplom etc* to do; *Gewinn, Verlust* to make.

　ⓖ (*col: ergeben*) to make; (*kosten, Math*) to be ▸ **drei und fünf macht acht** three and five is *or* are eight; **100 cm ~ einen Meter** there are 100 cm in a metre; **wieviel macht das (alles zusammen)?** how much does that come to *or* what does that make altogether?

　ⓗ **was macht die Arbeit?** how's the work going?; **was macht dein Bruder?** how is your brother doing?;

mach's kurz! make it brief; **mach's gut!** take care, all the best; **er wird's nicht mehr lange ~** (*col*) he won't last long; **mit mir kann man's ja ~!** (*col*) the things I put up with! (*col*); **das läßt er nicht mit sich ~** he won't stand for that; **jdn unglücklich ~** to make sb unhappy; **etw sauber/schmutzig ~** to get sth clean/dirty; **jdn alt/jung ~** (*aussehen lassen*) to make sb look old/young; **mach's dir doch bequem** make yourself comfortable; **mach es ihm nicht noch schwerer** don't make it harder for him; **er macht es sich** (*dat*) **nicht leicht** he doesn't make it easy for himself; **etw aus jdm/etw ~** (*darstellen, interpretieren als*) to make sth of sb/sth; (*verwandeln in*) to make sth (out) of sb/out of sth, to make sb/sth into sth; **jdn zu etw** (*dat*) **~** (*verwandeln in*) to turn sb into sth; (*Rolle, Image, Status geben*) to make sb sth; **jdm etw zur Hölle/Qual etc ~** to make sth hell/a misery etc for sb; **jdn zu seiner Frau ~** to make sb one's wife; **Halt ~** to call a halt; **das Geschirr ~** to do the dishes; **eine Prüfung ~** to take an exam; **ein Spiel ~** to play a game; **das Auto/den Kühlschrank ~ lassen** to have the car/refrigerator seen to; **er macht mir die Haare/Zähne** (*col*) he does my hair/teeth; **das Bett ~** to make the bed; **den Ghostwriter für jdn ~** (*col*) to act as sb's ghostwriter; **groß/klein ~** (*col: Notdurft*) to do a big/little job (*baby-talk*).

② *vi* ⓐ **mach schon/schneller!** (*col*) get a move on! (*col*), hurry up; **ich mach ja schon!** (*col*) I am hurrying; **sie machten, daß sie nach Hause kamen** they hurried home; **er macht in Politik/Malerei** (*col*) he's in politics/doing some painting; **jetzt macht sie auf große Dame** (*col*) she's playing the lady now; **sie macht auf gebildet** (*col*) she's doing her cultured bit (*col*); **jetzt macht er auf beleidigt** (*col*) now he's playing the injured innocent; **er macht auf Schau** (*col*) he's out for effect (*col*); **laß ihn nur ~** (*verlaß dich auf ihn*) just leave it to him; **laß mich mal ~** let me do it; (*ich bringe das in Ordnung*) let me see to that; **gut, mache ich** right, I'll do that; **das macht müde** that makes you tired; **das Kleid macht schlank** that dress makes you look slim.

　ⓑ (*col: Notdurft verrichten*) to go to the toilet; (*Hund etc*) to do its business (*euph*) ▸ **(sich** *dat*) **in die Hosen ~** (*lit, fig*) to wet oneself; **ins Bett ~** to wet the bed.

③ *vr* **wie macht sich der Garten?** how is the garden coming along?; **er macht sich** he's doing well; **der Schal macht sich sehr hübsch zu dem Kleid** the scarf looks very pretty with that dress; **sich an etw** (*acc*) **~** to get down to sth/doing sth; **sich auf den Weg ~** to get going; **sich verständlich/wichtig ~** to make oneself understood/important; **sich bei jdm beliebt/verhaßt ~** to make oneself popular with/hated by sb; **sich** (*dat*) **viel aus jdm/etw ~** to like sb/sth; **sich** (*dat*) **wenig aus jdm/etw ~** not to be very keen on sb/sth; **mach dir nichts daraus** don't let it bother you; **sich** (*dat*) **einen schönen Abend ~** to have a nice evening; **sich** (*dat*) **jdn zum Freund ~** to make sb one's friend; **sich zum Sprecher ~** to make oneself spokesman.

Machenschaften *pl* wheelings and dealings *pl*.

Macher *m* - (*col*) doer, man of action.

Machete *f* -n machete.

Macho ['matʃo] *m* -s macho type (*col*).

Macht *f ⁻e* [a] *no pl* power; (*Stärke auch*) might ► *die ~ der Gewohnheit/des Schicksals* the force of habit/ destiny; *alles in unserer ~ Stehende* everything in our power; *mit aller ~* with all one's might; *die ~ ergreifen/erringen* to seize/gain power; *an die ~ kommen* to come to power; *an der ~ sein* to be in power; *die ~ übernehmen* to assume power. [b] (*Staat*) power ► *böse/himmlische ⁻e* evil forces/heavenly powers.

Macht-: *~anspruch* m claim to power; *~befugnis* f power, authority *no pl*; *~bereich* m sphere of influence; *~ergreifung* f seizure of power; *~gier* f lust for power; *~haber* m - ruler; (*pej*) dictator.

mächtig [1] *adj* [a] (*einflußreich*) powerful ► *die M~en (dieser Erde)* the wielders of power. [b] (*sehr groß*) mighty; *Felsen auch, Körper* massive; *Stimme, Schlag auch* powerful; *Essen* heavy; (*col: enorm*) *Hunger, Durst* terrific (*col*), tremendous ► *~e Angst haben* (*col*) to be scared stiff. [c] (*liter*) *einer Sprache* (*gen*) *~ sein* to have a good command of a language.
[2] *adv* (*col: sehr*) terrifically (*col*), tremendously; *schneien, sich beeilen* like mad (*col*) ► *sich ~ anstrengen* to make a tremendous effort.

Mächtigkeit *f* (*Größe*) mightiness.

Macht-: *~kampf* power struggle; *m~los* *adj* powerless; (*hilflos*) helpless; *~losigkeit* f *no pl* powerlessness; helplessness; *~mißbrauch* ⚠ m misuse of power; *~politik* f power politics *pl*; *~position* f position of power; *~probe* f trial of strength; *~übernahme* f takeover (*durch* by); *~verhältnisse* *pl* balance of power *sing*; *m~voll* *adj* powerful; *~wechsel* m changeover of power; *~wort* nt *ein ~wort sprechen* to exercise one's authority.

Machwerk nt (*pej*) sorry effort ► *ein elendes ~* a pathetic attempt; *das ist ein ~ des Teufels* that is the work of the devil.

Macke *f -n* (*col*) (*Tick, Knall*) quirk ► *eine ~ haben* (*col*) to have a screw loose (*col*). [b] (*Fehler, Schadstelle*) fault.

Macker m - (*col*) fellow (*col*), guy (*col*) ► *spiel hier nicht den ~* don't come the tough guy here (*col*).

MAD [ɛm|aˈdeː] m = **Militärischer Abschirmdienst** ≈ MI5 (*Brit*), CIA (*US*).

Madagaskar nt Madagascar.

Madagasse m (*wk*) **-n, -n, Madagassin** f Madagascan.

madagassisch *adj* Madagascan.

Mädchen nt girl; (*Tochter auch*) daughter ► *ein ~ für alles* (*col*) a dogsbody; (*im Haushalt auch*) a maid-of-all-work.

Mädchen-: *~buch* nt book for girls; *m~haft* *adj* girlish; *aussehen, sich kleiden* like a girl; *~handel* m white slave trade; *~klasse* f girls' class; *~kleidung* f girls' clothing; *~name* m [a] girl's name; [b] (*von verheirateter Frau*) maiden name; *~schule* f girls' school.

Made *f -n* maggot ► *wie die ~ im Speck leben* (*col*) to live in luxury.

Mädel nt -(s) (*dial*) lass (*dial*), girl.

madig *adj* maggoty; *Obst auch* worm-eaten ► *jdm etw ~ machen* (*col*) to put sb off sth.

Madonna f, *pl* **Madonnen** Madonna.

Madrid nt Madrid.

Maf(f)ia f *no pl* Mafia.

Magazin nt -e [a] (*Lager*) storeroom; (*Bibliotheks~*) stockroom. [b] (*am Gewehr*) magazine. [c] (*Zeitschrift*) magazine, journal; (*TV, Rad*) magazine programme (*Brit*) *or* program (*US*).

Magd *f ⁻e* (*old*) maid; (*Landarbeiterin*) farm girl.

Magen m⁻ *or* - stomach ► (*die*) *Liebe geht durch den ~* (*Prov*) the way to a man's heart is through his stomach

(*prov*); *etw liegt jdm im ~* (*col*) sth lies heavily on sb's stomach; (*fig*) sth preys on sb's mind; *jdm auf den ~ schlagen* (*col*) to upset sb's stomach; (*fig*) to upset sb; *sich* (*dat*) *den ~ verderben* to upset one's stomach; *dabei dreht sich mir der ~ um* (*col*) it turns my stomach.

Magen-: *~beschwerden* pl stomach trouble *sing*; *~bitter* m bitters *pl*; *~geschwür* nt stomach ulcer; *~knurren* nt *no pl* tummy rumbles pl (*col*); *m~krank* *adj* *m~krank sein* to have stomach trouble; *~krebs* m cancer of the stomach; *~leiden* nt stomach disorder; *~säure* f gastric acid; *~schmerzen* pl stomach ache *sing*, tummy ache *sing* (*col*); *~verstimmung* f stomach upset.

mager *adj* [a] (*fettarm*) *Fleisch* lean; *Kost* low-fat ► *~ essen* to be on a low-fat diet. [b] (*dünn*) thin, skinny (*col*); (*abgemagert*) emaciated; (*Typ*) *Druck* roman. [c] *Boden, Felder* poor, infertile. [d] (*dürftig*) meagre (*Brit*), meager (*US*); *Ergebnis* poor ► *die sieben ~en Jahre* the seven lean years.

Mager-: *~käse* m low-fat cheese; *~milch* f skimmed milk; *~motor* m (*Aut*) lean-burn engine; *~quark* m low-fat curd cheese; *~sucht* f (*Med*) anorexia.

Magie f *no pl* magic.

Magier [ˈmaːɡiɐ] m - magician.

magisch *adj* magic(al); *Quadrat*, (*Tech*) *Auge* magic ► *mit ~er Gewalt* with magical force; (*fig*) as if by magic.

Magister m - (*Univ*) M.A., Master of Arts.

Magistrat m -e municipal authorities *pl*.

Magnat m (*wk*) **-en, en** magnate (*auch Hist*).

Magnet m -s *or* -en, -e(n) (*lit, fig*) magnet.

Magnet- *in cpds* magnetic; *~bahn* f magnetic levitation railway; *~band* nt magnetic tape; *~feld* nt magnetic field.

magnetisch *adj* (*lit, fig*) magnetic.

magnetisieren* *vt Metall* to magnetize.

Magnetismus m *no pl* magnetism.

Magnet-: *~karte* f magnetic card; (*Bank etc auch*) cashpoint card; *~nadel* f magnetic needle; *~platte* f magnetic disk; *~schwebebahn* f magnetic levitation railway; *~streifen* m magnetic strip; *~zündung* f (*Aut*) magneto ignition.

Magnolie [maɡˈnoːliə] f magnolia.

Mahagoni nt *no pl* mahogany.

Maharadscha m -s maharajah.

Mähdrescher m combine (harvester).

mähen¹ [1] *vt Gras* to cut; *Getreide auch* to reap; *Rasen* to mow.
[2] *vi* to reap; (*Rasen~*) to mow.

mähen² *vi* (*Schaf*) to bleat.

Mahl nt -e (*geh*) meal, repast (*form*); (*Gast~*) banquet.

mahlen *vt mahlte*, *ptp* **gemahlen** *vti* to grind.

Mahlzeit f meal ► *~!* (*col*) greeting used around mealtimes; (*guten Appetit*) enjoy your meal; *(prost) ~!* (*iro col*) that's just great (*col*) *or* swell (*esp US col*).

Mähmaschine f mower; (*Getreide~*) reaper.

Mahn-: *~bescheid, ~brief* m reminder (letter).

Mähne *f -n* (*lit, fig*) mane.

mahnen [1] *vt* [a] (*erinnern*) to remind (*wegen* of); (*warnend*) to admonish (*wegen* on account of) ► *gemahnt werden* (*Schuldner*) to receive a reminder. [b] (*auffordern*) *jdn zur Eile/Geduld etc ~* to urge sb to hurry/be patient *etc*.
[2] *vi* [a] (*wegen Schulden etc*) to send a reminder. [b] *zur Eile/Geduld ~* to urge haste/patience; *der Lehrer mahnte zur Ruhe* the teacher called for quiet.

Mahn-: *~gebühr* f reminder fee; *~mal* nt memorial; *~schreiben* nt reminder (letter).

Mahnung f [a] (*Ermahnung*) exhortation; (*warnend*) admonition. [b] (*Mahnbrief*) reminder.

⚠: Informationen zur Rechtschreibreform im Anhang

Mai *m* **-e** May ▶ *der Erste* ~ May Day; *siehe* **März.**
Mai- *in cpds* May; (*Pol*) May Day; **~baum** *m* maypole;
~**bowle** *f* white wine punch (*flavoured with woodruff*);
~**feier** *f* May Day celebrations *pl*; **~feiertag** *m* (*form*)
May Day *no art*; **~glöckchen** *nt* lily of the valley;
~**käfer** *m* cockchafer.
Mailand *nt* Milan.
Mais *m no pl* maize, (Indian) corn (*esp US*).
Mais-: ~**kolben** *m* corn cob; (*Gericht*) corn on the cob;
~**korn** *nt* grain of maize *or* corn (*esp US*); **~mehl** *nt*
maize *or* corn (*esp US*) meal; **~stärke** *f* cornflour, corn-
starch (*US*).
Majestät *f* ⓐ (*Titel*) Majesty ▶ *Seine/Ihre/Eure* ~
His/Her/Your Majesty. ⓑ (*liter*) majesty.
majestätisch *adj* majestic.
Majestätsbeleidigung *f* lèse-majesté.
Major *m* **-e** (*Mil*) major; (*in Luftwaffe*) squadron leader
(*Brit*), major (*US*).
Majoran *m* **-e** marjoram.
majorisieren* *vt* to outvote.
Majorität *f* majority.
MAK = **maximale Arbeitsplatzkonzentration**
maximum permitted pollution level at work.
makaber *adj* macabre; *Witz, Geschichte* sick.
Makel *m* **-** ⓐ (*Schandfleck*) stigma ▶ *ohne* ~ without a
stain on one's reputation; *mit einem* ~ *behaftet sein* (*liter*) to bear a stigma. ⓑ (*Fehler*) blemish; (*bei Waren*)
defect ▶ *ohne* ~ flawless.
Mäkelei *f* carping *no pl,* fault-finding *no pl* (*an +dat,
über +acc* about, over).
makellos *adj Reinheit, Frische* spotless; *Charakter* unimpeachable; *Figur, Haut* flawless; *Kleidung* immaculate;
Alibi watertight.
Makellosigkeit *f* (*Reinheit*) spotlessness; (*von Haut*)
flawlessness; (*von Kleidung*) immaculateness.
mäkeln *vi* (*col: nörgeln*) to carp (*an +dat* at).
Make-up [meːkˈlap] *nt* **-s** make-up; (*flüssig*) foundation.
Makkaroni *pl* macaroni *sing.*
Makler(in *f*) *m* **-** broker; (*Grundstücks~*) estate agent
(*Brit*), realtor (*US*).
Maklerbüro *nt* (*für Immobilien*) estate agency.
Maklergebühr *f* broker's commission, brokerage.
Makrele *f* **-n** mackerel.
Makro *nt* **-s** (*Comp*) macro.
Makro- *in cpds* macro-; **~befehl** *m* (*Comp*) macro com-
mand; **m~biotisch** *adj* macrobiotic; **~kosmos** *m*
macrocosm.
Makrone *f* **-n** macaroon.
Makroökonomie *f* macroeconomics.
Makulatur *f* (*Typ*) wastepaper; (*fig pej*) rubbish.
Mal¹ *nt* **-e** ⓐ (*lit, fig: Fleck*) mark. ⓑ *pl auch* ¨**er** (*liter:
Ehren~*) memorial, monument. ⓒ (*Schlagball*) base.
Mal² *nt* **-e** time ▶ *(nur) dieses eine* ~ (just) this once;
das eine oder andere ~ now and then *or* again; *kein
einziges* ~ not once; *wenn du bloß ein einziges* ~ *auf
mich hören würdest* if you would only listen to me for
once; *ein für alle* ~*e* once and for all; *das vorige* ~ the
time before; *ein letztes* ~ (*liter*) one last time; *als ich
das letzte* ~ *in London war* (the) last time I was in London; *beim ersten/letzten* ~ the first/last time; *zum
ersten/letzten* ~ for the first/last time; *von* ~ *zu* ~ each
or every time; *für dieses* ~ for the time being; *mit einem* ~*e* all of a sudden.
mal¹ *adv* (*Math*) times; (*bei Flächenangaben*) by.
mal² *adv* (*col*) *siehe* **einmal.**
Malaie [maˈlaiə] *m* (*wk*) **-n, -n, Malaiin** [maˈlaiɪn] *f*
Malayan, Malay.
malaiisch [maˈlaiɪʃ] *adj* Malayan, Malay *attr.*
Malaiisch(e) [maˈlaiɪʃ(ə)] *nt* Malay; *siehe* **Deutsch(e).**
Malaria *f no pl* malaria.

Malawi *nt* Malawi.
Malawier(in *f*) [-iɐ, -iərɪn] *m* - Malawian.
malawisch *adj* Malawian, Malawi *attr.*
Malaya [maˈlaia] *nt* Malaya.
Malaysia [maˈlaizia] *nt* Malaysia.
Malaysier(in *f*) [maˈlaiziɐ, -iərɪn] *m* - Malaysian.
malaysisch [maˈlaizɪʃ] *adj* Malaysian.
Malbuch *nt* colouring (*Brit*) *or* coloring (*US*) book.
Malediven [maleˈdiːvn] *pl die* ~ the Maldive Islands.
malen *vti* to paint; (*col: zeichnen*) to draw ▶ *sich* ~
lassen to have one's portrait painted; *etw rosig/
schwarz etc* ~ (*fig*) to paint a rosy/black *etc* picture of
sth.
Maler(in *f*) *m* - painter; (*Kunst~ auch*) artist.
Malerei *f* (*no pl: Malkunst*) art; (*Bild*) painting;
(*Zeichnung*) drawing.
malerisch *adj* ⓐ picturesque; *Landschaft auch* scenic.
ⓑ (*bildnerisch*) in painting; *Talent* as a painter.
Malermeister *m* (master) painter.
Malheur [maˈløːɐ] *nt* **-s** *or* **-e** mishap ▶ *das ist doch
kein* ~*!* it's not serious.
Malkasten *m* paintbox.
Mallorca *nt* Majorca, Mallorca.
malnehmen *vti sep irreg* to multiply (*mit* by).
Maloche *f no pl* (*col*) graft (*col*) ▶ *du mußt zur* ~
you've got to go to work.
malochen* *vi* (*col*) to graft (*col*), to sweat away (*col*).
Malstift *m* crayon.
Malta *nt* Malta.
Maltechnik *f* painting technique.
Malteser(in *f*) *m* - Maltese.
Malteser-: **~-Hilfsdienst** *m* ≈ St. John's Ambulance
Brigade (*Brit*); **~kreuz** *nt* Maltese cross.
maltesisch *adj* Maltese.
malträtieren* *vt* to ill-treat, to maltreat.
Malve [ˈmalvə] *f* **-n** (*Bot*) mallow.
Malz *nt no pl* malt.
Malz-: ~**bier** *nt* malt beer; **~bonbon** *nt or m* malt loz-
enge; **~kaffee** *m coffee substitute made from barley malt.*
Mama, Mami *f* **-s** (*col*) mummy, mommy (*US*).
Mammographie *f no pl* breast screening, mammogra-
phy (*spec*).
Mammut- *in cpds* (*lit, fig*) mammoth; (*lange dauernd*)
marathon; **~baum** *m* sequoia, giant redwood.
mampfen *vti* (*col*) to munch, to chomp (*col*).
man *indef pron* ⓐ you, one; (*ich*) one; (*wir*) we ▶ ~
kann nie wissen you *or* one can never tell; *das tut* ~
nicht that's not done. ⓑ (*jemand*) somebody, someone
▶ ~ *hat mir gesagt ...* I was told ...; ~ *hat festgestellt,
daß ...* it has been established that ... ⓒ (*die Leute*)
they *pl*, people *pl* ▶ *früher glaubte* ~ people used to believe; ~ *will die alten Häuser niederreißen* they want
to pull down the old houses. ⓓ ~ *nehme ...* take ...
Management [ˈmɛnɪdʒmənt] *nt* **-s** management.
Management-Buyout [-baiaut] *nt* **-s** management
buyout.
managen [ˈmɛnɪdʒn] *vt* to manage ▶ *ich manage das
schon!* (*col*) OK, I can deal with it.
Manager(in *f*) [ˈmɛnɪdʒɐ, -ərɪn] *m* - manager.
manch *indef pron* ~ *eine(r)* many a person; ~ *einem
kann man nie Vernunft beibringen* some people never
learn; ~ *anderer* many another; **~er, der ...** many a person who ...; ~*es Schöne* quite a few beautiful things;
(so) ~*es* a good many things; *in* ~*em hat er recht* he's
right about some things.
mancherlei *adj inv* (*adjektivisch mit pl n*) various;
(*substantivisch*) various things *pl.*
manchmal *adv* sometimes.
Mandant(in *f*) *m* (*Jur*) client.
Mandarine *f* mandarin (orange), tangerine.

Mandat nt (Auftrag, Vollmacht) mandate (auch Pol), authorization (gen from); (Parl: Abgeordnetensitz) seat ▸ **sein ~ niederlegen** (Parl) to resign one's seat.

Mandats-: **~gebiet** nt (Hist) mandate; **~träger** m (parliamentary) representative; **~verlust** m loss (of a seat).

Mandel f -n a almond. b (Anat) tonsil.

Mandel-: **m~äugig** adj (poet) almond-eyed; **~baum** m almond tree; **~entzündung** f tonsillitis; **~operation** f tonsillectomy.

Mandoline f mandolin.

Manege [ma'ne:ʒə] f -n ring, arena.

Mangel[1] f -n mangle; (Heiß~) rotary iron ▸ **jdn durch die ~ drehen** (fig col) to put sb through it (col); Prüfling etc auch to put sb through the mill.

Mangel[2] m ⁼ a (Fehler) fault; (bei Maschine auch) defect; (Charakter~) flaw. b no pl (das Fehlen) lack (an +dat of); (Knappheit auch) shortage (an +dat of); (Med auch) deficiency (an +dat of) ▸ **aus ~ an** (+dat) for lack of; **wegen ~s an Beweisen** for lack of evidence; **es herrscht ~ an etw** (dat) there is a shortage of sth.

Mängelbericht m list of faults.

Mangel-: **~beruf** m understaffed profession; **~erscheinung** f (Med) deficiency symptom.

mangelhaft adj (unzulänglich) poor; Ausrüstung auch inadequate; Informationen, Interesse insufficient; (fehlerhaft) Ware faulty; (Schulnote auch) unsatisfactory.

Mangelkrankheit f deficiency disease.

mangeln vi impers **es mangelt an etw** (dat) there is a lack of sth; (unzureichend vorhanden auch) there is a shortage of sth; **es mangelt jdm an etw** (dat) sb lacks sth; **~des Verständnis** etc a lack of understanding etc; **wegen ~der Aufmerksamkeit** through not paying attention.

mangels prep +gen for lack of.

Mangelware f scarce commodity ▸ **~ sein** (fig) to be a rare thing; (gute Ärzte, Lehrer etc) not to grow on trees (col).

Mango ['maŋgo] f -s mango.

Manie f (Med, fig) mania; (fig auch) obsession.

Manier f -en a no pl (Art und Weise) manner; (eines Künstlers etc) style ▸ **in überzeugender ~** in a most convincing manner. b ~en pl (Umgangsformen) manners; **was sind das für ~en** (col) that's no way to behave.

manieriert adj affected; Benehmen auch mannered.

manierlich 1 adj Kind well-mannered; Benehmen good; Aussehen respectable. 2 adv essen politely; sich benehmen properly; sich kleiden respectably.

Manifest nt -e (Pol) manifesto.

Maniküre f -n a (Handpflege) manicure. b (Handpflegerin) manicurist.

maniküren* vt to manicure.

Manipulation f manipulation; (Trick) manoeuvre (Brit), maneuver (US).

manipulierbar adj manipulable ▸ **leicht/schwer ~** easily manipulated/difficult to manipulate.

manipulieren* vt to manipulate.

manisch adj manic.

manisch-depressiv adj manic-depressive.

Manko nt -s a (Comm: Fehlbetrag) deficit ▸ **~ machen** (col: bei Verkauf) to make a loss. b (fig: Nachteil) shortcoming.

Mann m ⁼er a man ▸ **ein feiner ~** a (perfect) gentleman; **ein ~ aus dem Volk(e)** a man of the people; **der ~ im Mond** the man in the moon; **ein ~ der Wissenschaft** a man of science; **er ist nicht der ~ dafür** he's not the man for that; (nicht seine Art) he's not the sort; **wie ein ~** as one man; **etw an den ~ bringen** (col) to get rid of sth; **seinen ~ stehen** to hold one's own; **einen kleinen ~ im Ohr haben** (hum col) to be crazy (col); **und ein ~,**

ein Wort, er hat's auch gemacht and, as good as his word, he did it; **~ für ~** (allesamt) every single one; **~ gegen ~** man against man; **pro ~** per head; **ein Gespräch von ~ zu ~** a man-to-man talk.

b (Ehe~) husband ▸ **~ und Frau werden** to become man and wife.

c pl **Leute** (Besatzungsmitglied) hand, man; (Sport, Cards) player, man ▸ **20 ~ 20** hands or men; **mit ~ und Maus untergehen** to go down with all hands; (Passagierschiff) to go down with no survivors.

d (col: als Interjektion) (my) God (col); (bewundernd, erstaunt auch) hey ▸ **mach schnell, ~!** hurry up, man!; **~, oh ~!** oh boy! (col).

Männchen nt dim of **Mann** a little man; (Zwerg) man(n)ikin ▸ **~ malen** to draw (little) matchstick men, ≈ to doodle. b (Biol) male; (Vogel~ auch) cock. c **~ machen** (Hund) to (sit up and) beg.

Mannequin ['manəkɛ̃] nt -s (fashion) model.

Männer pl of **Mann**.

Männer-: **~bekanntschaft** f usu pl man friend; **~beruf** m male profession; **~chor** m male-voice choir; **~fang** m (hum) **auf ~fang ausgehen** to go looking for a man/for men; **~gesangverein** m male choral society; **~gesellschaft** f (Sociol) male-dominated society; **m~mordend** adj (hum) man-eating; **~sache** f (Angelegenheit) man's business; (Arbeit) man's job; **Fußball war früher ~sache** football used to be a male preserve; **~stimme** f man's voice; (Mus) male voice.

Mannes-: **~alter** nt manhood no art; **im besten ~alter sein** to be in the prime of (one's) life; **~kraft** f (dated, hum) virility.

mannhaft adj manly no adv; (tapfer) manful, valiant; (entschlossen) resolute; Widerstand stout.

mannigfach adj attr manifold, multifarious.

mannigfaltig adj (geh) diverse, varied.

Mannigfaltigkeit f diversity, variety.

männlich adj a male; Wort masculine. b (fig: mannhaft) Mut, Entschluß manly; Frau mannish.

Männlichkeit f (fig) masculinity, manliness; (von Frau) mannishness.

Mannsbild nt (dated pej) fellow.

Mannschaft f (Sport, fig) team; (Naut, Aviat) crew ▸ **~(en)** (Mil) men pl.

Mannschafts- in cpds (Sport) team; **~aufstellung** f team line-up; (das Aufstellen) selection of the team; **~geist** m team spirit; **~raum** m (Sport) team quarters pl; (Naut) crew's quarters pl.

manns-: **~hoch** adj as high as a man; **der Schnee liegt ~hoch** the snow is six feet deep; **~toll** adj nympho (col).

Mannweib nt (pej) mannish woman.

Manometer nt (Tech) pressure gauge ▸ **~!** (col) wow! (col).

Manöver [ma'nø:vɐ] nt - (lit, fig) manoeuvre (Brit), maneuver (US).

Manöverkritik f (fig) inquest, post-mortem (fig).

manövrieren* [manø'vri:rən] vti (lit, fig) to manoeuvre (Brit), to maneuver (US).

Manövrier- [manø'vri:ɐ]: **m~fähig** adj manoeuvrable (Brit), maneuverable (US); **~fähigkeit** f manoeuvrability (Brit), maneuverability (US); **m~unfähig** adj disabled.

Mansarde f -n garret; (Boden) attic.

Manschette f (Ärmelaufschlag) cuff ▸ **~n haben** (col) to be scared silly (col).

Manschettenknopf m cufflink.

Mantel m ⁼ a coat; (fig) cloak, mantle. b (Tech) casing; (Rohr~) jacket.

Mantel- in cpds (Tex) coat; **~stoff** m coat fabric; **~tarifvertrag** m general agreement on conditions of employment.

manuell adj Arbeit manual ► **etw ~ bedienen** to operate sth manually.
Manuskript nt -e manuscript; (Rad, Film, TV) script.
maoistisch adj Maoist.
Maori m -(s), -(s) Maori.
Mappe f -n (Aktenhefter) folder, file; (Aktentasche) briefcase; (Schul~) (school) bag; (Feder~, Bleistift~) pencil case.
Maracuja f -s passion fruit.
Marathon¹ m marathon.
Marathon² nt (fig) marathon.
Marathon- in cpds marathon; **~lauf** m marathon; **~läufer** m marathon runner.
Märchen nt - fairy story; (col) tall story.
Märchen- in cpds fairytale; **~buch** nt book of fairytales; **~erzähler** m teller of fairytales; (fig) storyteller; **m~haft** adj fairytale attr, (fig) fabulous; **~land** nt fairyland; **~prinz** m Prince Charming.
Marder m - marten.
Margarine f margarine.
Marge ['marʒə] f -n (Comm) margin.
Margerite f -n daisy, marguerite.
Maria f - Mary ► **die Mutter ~** the Virgin Mary.
Marien- [-i:ən]: **~bild** nt picture of the Virgin Mary; **~käfer** m ladybird.
Marihuana [mari'hua:na] nt no pl marijuana.
Marinade f (Cook) marinade; (Soße) mayonnaise-based sauce.
Marine f navy.
Marine- in cpds naval; **m~blau** adj navy blue; **~soldat** m marine.
marinieren* vt Fisch, Fleisch to marinate.
Marionette f marionette, puppet; (fig) puppet.
Marionetten- in cpds puppet; **~spieler** m puppeteer; **~theater** nt puppet theatre (Brit) or theater (US).
Mark¹ nt no pl (Knochen~) marrow; (Bot: Gewebe~) medulla, pith ► **bis ins ~** (fig) to the core; **jdn bis ins ~ treffen** (fig) to cut sb to the quick; **es geht mir durch ~ und Bein** (col) it goes right through me; **kein ~ in den Knochen haben** (fig) to have no backbone.
Mark² f - or (hum) **-̈er** mark ► **Deutsche ~** German mark, deutschmark; **vier ~ zwanzig** four marks twenty (pfennigs); **mit jeder ~ rechnen müssen** to have to count every penny.
markant adj (ausgeprägt) clear-cut; Schriftzüge clearly defined.
Marke f -n a (bei Lebens- und Genußmitteln) brand; (bei Industriegütern) make ► **du bist (vielleicht) eine ~!** (col) you're a fine one (col). b (Brief~) stamp; (Essen~) voucher; (Rabatt~) (trading) stamp; (Lebensmittel~) coupon. c (Erkennungs~) disc, tag; (Garderoben~) ticket, check (US); (Polizei~) badge; (Spiel~) chip; (Pfand~ etc) token.
Marken-: **~artikel** m proprietary article; **~bewußtsein** nt brand awareness; **~butter** f best quality butter; **~erzeugnis, ~fabrikat** nt proprietary article; **~name** m brand name; **~piraterie** f brand name piracy; **~treue** f brand loyalty; **~ware** f branded goods pl; **~zeichen** nt trademark.
Marketing nt no pl marketing.
markieren* vt (lit, fig, Sport) to mark; (col: vortäuschen) to play ► **den starken Mann ~** (col) to come the strong man (col).
Markierstift m marker pen.
Markierung f marking; (Zeichen) mark.
markig adj (kraftvoll) vigorous, pithy.
Markise f -n awning.
Mark-: **~knochen** m (Cook) marrowbone; **~stein** m (lit, fig) milestone; **~stück** nt (one-)mark piece.
Markt m -̈e a market; (~platz) marketplace; (Jahr~) fair

► **~ abhalten** to hold a market; **dienstags ist ~** there is a market every Tuesday. b (Comm) market; (Warenverkehr) trade ► **auf dem ~** on the market; **auf den ~ bringen** to put on the market; **regulierter ~** captive market.
Markt- in cpds market; **~analyse** f market analysis; **~anteil** m market share, share of the market; **m~beherrschend** adj **m~beherrschend sein** to dominate the market; **~bude** f market stall; **~fähigkeit** f marketability; **~flecken** m small market town; **~forschung** f market research; **~frau** f market woman; **~führer** m market leader; **m~gerecht** adj geared to market requirements; **~halle** f covered market; **~lage** f state of the market; **~lücke** f gap in the market; **~platz** m marketplace; **am/auf dem ~platz** on/in the marketplace; **~preis** m market price; **~schreier** m market crier; **m~schreierisch** adj loud and vociferous; (fig) blatant; **~stand** m market stall; **~studie** f market survey; **~tag** m market day; **~weib** nt (pej) market woman; (fig) fish-wife; **~wert** m market value; **~wirtschaft** f market economy; **m~wirtschaftlich** adj attr free enterprise.
Markus m ≃ Mark.
Marmelade f jam; (Orangen~) marmalade.
Marmeladenglas nt jam-jar.
Marmor m -e marble.
marmorieren* vt to marble ► **marmoriert** marbled.
Marmorkuchen m marble cake.
marmorn adj marble.
Marokkaner(in f) m - Moroccan.
marokkanisch adj Moroccan.
Marokko nt Morocco.
Marone f -n (sweet or Spanish) chestnut.
Marotte f -n quirk.
Mars m no pl (Myth, Astron) Mars.
marsch interj a (Mil) march ► **vorwärts ~!** forward march! b (col) off with you ► **~ ins Bett!** off to bed with you!
Marsch¹ m -̈e a (das Marschieren) march; (Wanderung) hike ► **sich in ~ setzen** to move off. b (~musik) march ► **jdm den ~ blasen** (col) to give sb a rocket (col).
Marsch² f -en marsh, fen.
Marschall m, pl **Marschälle** (field) marshal.
Marsch-: **~befehl** m (Mil) (für Truppen) marching orders pl; (für einzelnen) travel orders pl; **m~bereit** adj ready to move; **~flugkörper** m cruise missile; **~gepäck** nt pack.
marschieren* vi aux sein to march; (fig) to march off.
Marsch-: **~land** nt marsh(land), fen; **~musik** f military marches pl; **~ordnung** f marching order; **~richtung** f (lit) route of march; (fig) line of approach; **~verpflegung** f rations pl; (Mil) field rations pl.
Marsmensch m Martian.
Marter f -n (liter) torment.
martern (liter) vt to torture, to torment.
Marterpfahl m stake.
martialisch [mar'tsia:lɪʃ] adj (geh) martial, warlike.
Martinshorn nt siren (of police etc) ► **mit ~** with its siren blaring or going.
Märtyrer(in f) m - (Eccl, fig) martyr.
Martyrium nt (fig) ordeal.
Marxismus m Marxism.
Marxist(in f) m Marxist.
marxistisch adj Marxist.
März m -e March ► **im ~** in March; **im Monat ~** in the month of March; **heute ist der zweite ~** today is the second of March or March second (US); (geschrieben) today is 2nd March; **am ersten ~ fahren wir nach ...** on the first of March we are going to ...; **in diesem ~** this March; **im Laufe des ~** during March; **der ~ war sehr**

warm March was very warm; *Anfang/Ende/Mitte* ~ at the beginning/end/in the middle of March; *den 4. ~ 1987* March 4th 1987.

Marzipan [martsi'pa:n] *nt* **-e** marzipan.

Masche *f* **-n** a (*Strick~, Häkel~*) stitch; (*von Netz*) hole ▸ *die ~n eines Netzes* the mesh of a net; *durch die ~n schlüpfen* to slip through the net. b (*col: Trick*) trick, dodge (*col*) ▸ *die ~ raushaben* to know how to do it; *das ist seine neueste ~* that's his latest (fad).

Maschendraht *m* wire netting.

Maschine *f* machine; (*Motor*) engine; (*col: Motorrad*) bike; (*Schreib~*) typewriter; (*Flugzeug*) plane ▸ *etw mit der ~ schreiben* to type sth.

maschinell 1 *adj Herstellung* mechanical, machine *attr* ▸ *~e Übersetzung* machine translation.
2 *adv* mechanically, by machine.

Maschinen-: *~bau* *m* mechanical engineering; *~bauingenieur* *m* mechanical engineer; *~fabrik* *f* engineering works *sing or pl*; *m~geschrieben* *adj* typewritten; *~gewehr* *nt* machine gun; *mit ~gewehr(en) beschießen* to machine-gun; *~haus* *nt* machine room; *m~lesbar* *adj* machine-readable; *~öl* *nt* lubricating oil; *~park* *m* plant; *~pistole* *f* submachine gun; *~raum* *m* plant room; (*Naut*) engine room; *~schaden* *m* mechanical failure *or* (*Defekt*) fault; (*Aviat etc*) engine trouble; *~schlosser* *m* engine fitter; *~schrift* *f* typescript, typing; (*Schriftart*) typeface; *m~schriftlich* *adj* typewritten *no adv*, *~sprache* *f* machine language; *~stürmer* *m* - machine wrecker; (*Hist*) Luddite; *~teil* *nt* machine part.

Maschinerie *f* (*fig*) machinery.

⚠ **maschineschreiben** *vi sep irreg* to type ▸ *sie schreibt Maschine* she types.

Maschinist(in *f*) *m* machine operative; (*Schiffs~*) engineer.

Maser *f* **-n** (*von Holz*) vein.

Masern *pl* measles *sing*.

Maserung *f* grain.

Maske *f* **-n** (*lit, fig, Typ, Comp, Sport, Med*) mask ▸ *die ~ fallen lassen* (*fig*) to throw off one's mask; *jdm die ~ herunterreißen* (*fig*) to unmask sb; *ohne ~* (*fig*) undisguised; *unter der ~ von etw* (*fig*) under the guise of sth; *das ist alles nur ~* that's all just pretence (*Brit*) *or* pretense (*US*).

Maskerade *f* (*Verkleidung*) costume; (*fig*) masquerade.

maskieren* 1 *vt* a (*verkleiden*) to dress up; (*unkenntlich machen*) to disguise. b (*verbergen*) to mask.
2 *vr* to dress up; (*sich unkenntlich machen*) to disguise oneself.

maskiert *adj* masked.

Maskierung *f* (*Verkleidung*) fancy-dress costume; (*von Spion etc*) disguise; (*Verhüllung*) masking.

Maskottchen *nt* (lucky) mascot.

maskulin *adj* masculine.

Maskulinum *nt, pl* **Maskulina** masculine noun.

Masochismus *m no pl* masochism.

Masochist(in *f*) *m* masochist.

masochistisch *adj* masochist.

maß *pret* of **messen**.

Maß¹ *nt* **-e** a (*~einheit*) measure (*für* of); (*Zollstock*) rule; (*Bandmaß*) tape measure ▸ *~e und Gewichte* weights and measures; *das ~ aller Dinge* (*fig*) the measure of all things; *mit zweierlei ~ messen* (*fig*) to operate a double standard; *das ~ ist voll* (*fig*) enough is enough; *in reichem ~(e)* abundantly; *über das übliche ~ hinausgehen* to overstep the mark; *weder ~ noch Ziel kennen* to know no bounds.
b (*Meßgröße*) measurement; (*von Zimmer, Möbelstück auch*) dimension ▸ *sich* (*dat*) *etw nach ~ an-*

fertigen lassen to have sth made to measure *or* order (*US*); *~ nehmen* to measure up; *bei jdm ~ nehmen* to take sb's measurements.
c (*Ausmaß*) extent, degree ▸ *ein gewisses ~ an ...* a certain degree of ...; *in hohem ~(e)* to a high degree; *in solchem ~(e), daß ...* to such an extent that ...; *in großem ~e* to a great extent; *in vollem ~e* fully; *in besonderem ~e* especially; *in höchstem ~e* extremely; *über alle ~en* (*liter*) extremely, beyond measure.

Maß² *f* (*S Ger, Aus*) litre (*Brit*) *or* liter (*US*) of beer.

Massage [ma'sa:ʒə] *f* **-n** massage.

Massagesalon *m* (*euph*) massage parlour (*Brit*) *or* parlor (*US*).

Massaker *nt* - massacre.

massakrieren* *vt* to massacre.

Maß-: *~anzug* *m* made-to-measure *or* made-to-order (*US*) suit; *~arbeit* *f* (*col*) *das war ~arbeit* that was a neat bit of work.

Masse *f* **-n** a (*Stoff, Phys*) mass; (*Cook*) mixture. b (*große Menge*) heaps *pl* (*col*); (*von Besuchern etc*) host ▸ *die (breite) ~ der Bevölkerung etc* the bulk of the population *etc*; *eine ganze ~* (*col*) a great deal; *die ~ muß es bringen* (*Comm*) the profit only comes with quantity. c (*Menschenmenge*) crowd. d (*Bevölkerungs~*) masses *pl* (*auch pej*) ▸ *die breite ~* the masses *pl*.

Maßeinheit *f* unit of measurement.

Massel *m no pl* (*col*) *~ haben* to be dead lucky (*col*).

Massen-: in *cpds* mass; *~andrang* *m* crush; *~arbeitslosigkeit* *f* mass unemployment; *~artikel* *m* mass-produced article; *~auflauf* *m no pl* crowds *pl* of people; *~bedarfsgüter* *pl* basic consumer goods *pl*; *~entlassung* *f* mass redundancy; *~grab* *nt* mass grave; *~güter* *pl* bulk goods *pl*; *m~haft* *adj* on a huge *or* massive scale; *m~haft Sekt etc* (*col*) masses of champagne *etc* (*col*); *~karambolage* *f* multiple (car) crash, pile-up (*col*); *~medien* *pl* mass media *pl*; *~mord* *m* mass murder; *~mörder* *m* mass murderer; *~produktion* *f* mass production; *~psychose* *f* mass hysteria; *~szene* *f* crowd scene; *~tierhaltung* *f* intensive livestock farming; *~vernichtungswaffe* *f* weapon of mass destruction; *~ware* *f* mass-produced article; *m~weise* *adj siehe* **m~haft**.

Masseur [ma'sø:ɐ] *m* masseur.

Masseurin [-'sø:rɪn] *f* (*Berufsbezeichnung*) masseuse.

Masseuse [-'sø:zə] *f* (*euph*) masseuse.

maßgebend, maßgeblich *adj* (*entscheidend*) *Einfluß* decisive; *Meinung* definitive; *Text* definitive, authoritative; *Fachmann* authoritative; (*wichtig*) *Persönlichkeit* leading; *Beteiligung* substantial; (*zuständig*) competent ▸ *~e Kreise* influential circles; *das war für mich nicht ~* that didn't weigh with me.

maßgeschneidert *adj Anzug* made-to-measure, made-to-order (*US*), custom *attr* (*US*).

⚠ **maßhalten** *vi sep irreg* to practise (*Brit*) *or* practice (*US*) moderation.

Maßhalteparole *f* appeal for moderation.

massieren¹* *vt* to massage.

massieren²* *vt Truppen* to mass.

massig 1 *adj* massive, huge.
2 *adv* (*col: sehr viel*) *~ Geld etc* stacks of money *etc* (*col*).

mäßig *adj* a moderate ▸ *~ essen* to eat with moderation; *~ rauchen* to smoke in moderation; *~, aber regelmäßig* in moderation but regularly. b (*schwach*) *Leistung etc* mediocre; *Begabung, Beifall* moderate.

mäßigen 1 *vt* (*mildern*) *Anforderungen* to moderate; *Sprache auch* to tone down; *Zorn, Ungeduld* to curb; *sein Tempo ~* to slacken one's pace; *siehe* **gemäßigt**.
2 *vr* (*im Essen, Trinken, Temperament*) to restrain oneself ▸ *Sie sich in Ihren Worten!* tone down your lan-

---

⚠: Informationen zur Rechtschreibreform im Anhang

guage!

Mäßigkeit f (*beim Essen, Trinken*) moderation; (*von Forderungen etc*) moderateness.

Mäßigung f restraint.

massiv adj [a] (*pur, stabil*) solid. [b] (*heftig*) *Beleidigung* gross; *Drohung, Kritik* heavy; *Anschuldigung* severe ▸ **~ werden** (*col*) to turn nasty.

Massiv nt **-e** (*Geol*) massif.

Maßkrug m litre (*Brit*) or liter (*US*) beer mug; (*Steinkrug*) stein.

maßlos [1] adj extreme; *Forderungen auch* excessive; *Freude, Ehrgeiz auch* boundless; *Mensch* (*in Essen etc*) immoderate ▸ **er raucht/trinkt** ~ he smokes/drinks to excess.
[2] adv (*äußerst*) extremely; *übertreiben* grossly, hugely.

Maßlosigkeit f siehe adj extremeness; excessiveness; boundlessness; lack of moderation.

Maßnahme f **-n** measure ▸ **~n treffen, um etw zu tun** to take steps to do sth.

maßregeln vt insep (*zurechtweisen*) to reprimand; (*bestrafen*) to discipline.

Maßreg(e)lung f [a] no pl siehe vt reprimanding; disciplining. [b] (*Rüge*) reprimand.

Maßstab m [a] (*Karten~*) scale ▸ **im ~ 1:1000** on a scale of 1:1000. [b] (*fig: Richtlinie, Kriterium*) standard ▸ **einen strengen ~ anlegen** to apply a strict standard (*an* +*acc* to); **als ~ dienen** to serve as a model; **sich** (*dat*) **etw zum ~ nehmen** to take sth as a yardstick.

maßstab(s)getreu adj (true) to scale ▸ **eine ~e Karte** an accurate scale map.

maßvoll adj moderate.

Mast¹ m **-en** or **-e** (*Naut, Rad, TV*) mast; (*Stange*) pole; (*Elec*) pylon.

Mast² f **-en** (*das Mästen*) fattening.

Mastdarm m rectum.

mästen [1] vt to fatten.
[2] vr (*col*) to gorge oneself.

Mast- in cpds (*zu mästen*) feeder; (*gemästet*) fattened; **~futter** nt (fattening) feed; (*für Schweine*) mast; **~korb** m (*Naut*) crow's nest; **~schwein** nt (*zu mästen*) porker; (*gemästet*) fattened pig.

Masturbation f masturbation.

masturbieren* vtir to masturbate.

Matador m **-e** (*Stierkampf*) matador; (*fig*) kingpin.

Matchball m (*Tennis*) match point.

Material nt **-ien** [-iən] material; (*Bau~, Gerät*) materials pl; (*Beweis~*) evidence.

Materialfehler m defect in the material.

Materialismus m materialism.

Materialist(in f**)** m materialist.

materialistisch adj materialist(ic); (*pej*) materialistic.

Material-: ~kosten pl cost of materials sing; **~schaden** m material defect.

Materie [-iə] f [a] no pl (*Phys, Philos*) matter no art. [b] (*Stoff, Thema*) subject matter no indef art.

materiell adj [a] (*Philos*) material, physical. [b] (*wirtschaftlich*) financial; *Vorteile auch* material; (*gewinnsüchtig*) materialistic ▸ **~ eingestellt sein** to be materialistic.

Mathe f no pl (*Sch col*) maths sing (*Brit col*), math (*US col*).

Mathematik f mathematics sing no art.

Mathematiker(in f**)** m mathematician.

mathematisch adj mathematical.

Matinee f **-n** [-eːən] matinée.

Matjes m **-, -, Matjeshering** m (*col*) young herring.

Matratze f **-n** mattress.

Mätresse f (*dated pej*) mistress.

Matriarchat nt matriarchy.

Matrikel f **-n** (*Univ*) matriculation register.

Matrixdrucker m dot-matrix printer.

Matrize f **-n** (*Typ*) matrix, mould (*Brit*), mold (*US*); (*für Schreibmaschine*) stencil ▸ **etw auf ~ schreiben** to stencil sth.

Matrone f **-n** matron.

Matrose m (*wk*) **-n, -n** sailor; (*als Rang*) rating (*Brit*), ordinary seaman.

Matrosenanzug m sailor suit.

Matsch m no pl (*col*) (*breiige Masse*) mush; (*Schlamm*) mud; (*Schnee~*) slush.

matschig adj (*col*) (*breiig*) gooey (*col*), mushy; (*schlammig*) muddy; *Schnee* slushy.

matt adj [a] (*schwach*) *Kranker* weak ▸ **sich ~ fühlen** to have no energy. [b] (*glanzlos*) *Augen, Farbe* dull; (*nicht glänzend*) *Farbe, Papier* matt; *Licht* dim; *Glühbirne* opal, pearl; *Spiegel* cloudy, dull. [c] (*fig*) *Ausdruck, Rede* lame, feeble. [d] (*Chess*) (check)mate ▸ **jdn ~ setzen** to checkmate sb (*auch fig*).

Matt nt **-s** (*Chess*) (check)mate.

Matte f **-n** mat ▸ **auf der ~ stehen** (*col*) to be on the doorstep (*col*); (*bereit sein*) to be (there and) ready for action; (*am Arbeitsplatz etc*) to be in.

Mattglas nt frosted glass.

Matthäus [maˈtɛːʊs] m, **Matthäi** [maˈtɛːi] ≈ Matthew.

Mattigkeit f weariness; (*von Kranken*) weakness.

Mattlack m mat(t) varnish.

Mattscheibe f (*Phot*) focus(s)ing screen; (*col: Fernseher*) telly (*Brit col*), tube (*US col*) ▸ **(eine) ~ haben** (*col: dumm sein*) to be soft in the head (*col*); (*nicht klar denken können*) to have a mental block.

Matura f no pl (*Aus, Sw*) = **Abitur.**

Mätzchen nt (*col*) antic ▸ **~ machen** to fool around (*col*).

mau adj pred (*col*) poor, bad ▸ **mir ist ~** I feel poorly (*col*).

Mauer f **-n** (*lit, fig*) wall ▸ **etw mit einer ~ umgeben** to wall sth in; **die ~n einreißen** (*fig*) to tear down the barriers.

Mauerblümchen nt (*fig col*) wallflower.

mauern [1] vi [a] to build, to lay bricks. [b] (*Ftbl sl*) to stonewall (*Ftbl sl*), to play defensively; (*fig*) to stonewall (*esp Parl*).
[2] vt to build.

Mauer-: ~schwalbe f, **~segler** m swift; **~vorsprung** m projection on a/the wall; **~werk** nt [a] (*Steinmauer*) stonework, masonry; (*Ziegelmauer*) brickwork; [b] (*die Mauern*) walls pl.

Maul nt, pl **Mäuler** mouth; (*von Löwe etc*) jaws pl; (*pej: von Mensch*) gob (*col!*) ▸ **ein loses** or **lockeres ~ haben** (*col*) (*frech sein*) to be an impudent so-and-so (*col*); (*indiskret sein*) to be a blabbermouth (*col*); **das ~ zu weit aufreißen** (*col!*) to be too cocksure (*col*); **ein großes ~ haben** (*col!*) to be a big-mouth (*col*); **darüber werden sich die Leute das ~ zerreißen** (*col*) that will start people's tongues wagging; **dem Volk** or **den Leuten aufs ~ schauen** (*col*) to listen to what people really say; **halt's ~!** (*col!*) shut your face (*col!*); **jdm das ~ stopfen** (*col!*) to shut sb up (*col*).

maulen vi (*col*) to moan.

Maul-: ~esel m mule; **m~faul** adj (*col*) uncommunicative; **~held** m (*pej*) loud-mouth (*col*); **~korb** m (*lit, fig*) muzzle; **~tasche** f (*Cook*) filled pasta square; **~tier** nt mule; **~- und Klauenseuche** f (*Vet*) foot-and-mouth disease; **~werk** nt (*col*) siehe **Mundwerk.**

Maulwurf m, pl **Maulwürfe** (*auch fig*) mole.

Maulwurfs-: ~haufen, ~hügel m molehill.

Maurer(in f**)** m - bricklayer ▸ **pünktlich wie die ~** (*hum*) super-punctual.

Maurer-: ~arbeit f bricklaying (work) no pl; **~kelle** f

(bricklayer's) trowel; **~meister** *m* master builder.
Mauretanien *nt* Mauritania.
Mauritius [mau'riːtsiʊs] *nt* Mauritius.
Maus *f, pl* **Mäuse** [a] (*auch Comp*) mouse ► *weiße ~* (*fig col*) traffic cop (*col*); *weiße Mäuse sehen* (*fig col*) to see pink elephants (*col*); *eine graue ~* (*col*) a mouse (*col*). [b] *Mäuse pl* (*col: Geld*) bread (*col*), dough (*col*).
Mauschelei *f* (*col: Korruption*) fiddle (*col*).
mauscheln *vti* (*manipulieren*) to fiddle (*col*).
Mäuschen ['mɔysçən] *nt* [a] little mouse ► *da möchte ich mal ~ sein* (*col*) I'd like to be a fly on the wall. [b] (*fig*) sweetheart (*col*).
mäuschenstill ['mɔysçən-] *adj* dead quiet; (*reglos*) stock-still.
Mause-: **~falle** *f* mousetrap; **~loch** *nt* mousehole; *sich in ein ~loch verkriechen* (*fig*) to crawl into a hole in the ground.
mausen *vt* (*dated col*) to pinch (*col*).
Mauser *f no pl* (*Orn*) moult (*Brit*), molt (*US*) ► *in der ~ sein* to be moulting (*Brit*) *or* molting (*US*).
mausern *vr* (*Orn*) to moult (*Brit*), to molt (*US*).
mausetot *adj* (*col*) stone-dead.
mausgrau *adj* [a] (*~farben*) mouse-grey (*Brit*), mouse-gray (*US*). [b] (*unauffällig*) mousy.
mausig *adj*: *sich ~ machen* (*col*) to get uppish (*col*).
Mausklick *m* **-s** (*Comput*) mouse click ► *etw per ~ steuern/aktivieren* to control/activate sth by clicking the mouse.
Mausoleum [-'leːʊm] *nt, pl* **Mausoleen** [-'leːən] mausoleum.
Maussteuerung *f* (*Comp*) mouse control.
Maut *f* **-en** (*S Ger, Aus*) toll.
max. = **maximal** max.
Maxi- *in cpds* maxi-.
maximal [1] *adj* maximum.
[2] *adv* (*höchstens*) at most ► *bis zu ~ $100* up to a maximum of $100.
Maximal- *in cpds* maximum.
Maxime *f* **-n** (*liter, Philos*) maxim.
maximieren* *vt* (*Econ*) to maximize.
Maximierung *f* (*Econ*) maximization.
Maximum *nt, pl* **Maxima** maximum (*an +dat* of).
Mayonnaise [majɔ'nɛːzə] *f* **-n** mayonnaise.
Mazedonien [-iən] *nt* Macedonian.
Mazedonier(in *f)* *m* Macedonian.
mazedonisch *adj* Macedonian.
Mäzen *m* **-e** patron.
M-Bahn *f* = **Magnetbahn.**
MdB [ɛm'deː'beː] *m* **-s** = **Mitglied des Bundestages** Member of the Bundestag, ≈ MP.
MdL [ɛm'deː'ɛl] *m* **-s** = **Mitglied des Landtages** Member of the Landtag.
m.E. = **meines Erachtens** in my opinion.
Mechanik *f* [a] *no pl* (*Phys*) mechanics *sing*. [b] (*Mechanismus*) mechanism.
Mechaniker(in *f)* *m* - mechanic.
mechanisch *adj* mechanical.
mechanisieren* *vt* to mechanize.
Mechanisierung *f* mechanization.
Mechanismus *m* mechanism.
Meckerei *f* (*col*) grumbling.
Meckerer *m* - grumbler.
meckern *vi* (*Ziege*) to bleat; (*col: Mensch*) to moan, to bitch (*col*).
Meckerziege *f* (*pej col*) sourpuss (*col*).
Mecklenburg-Vorpommern *nt* Mecklenburg-West Pomerania.
Medaille [me'daljə] *f* **-n** (*bei Wettbewerben*) medal.
Medaillengewinner [me'daljən-] *m* medallist (*Brit*), medalist (*US*).

Medaillon [medal'jõː] *nt* **-s** (*Bildchen*) medallion; (*Schmuckkapsel*) locket.
Medien ['meːdiən] *pl* media *pl.*
Medien-: **~berater** *m* press adviser; **~forschung** *f* media research; **~konzern** *m* media group; **~rummel** *m* media hype; **~wirksam** *adj* effective in media terms; *eine ~wirksame Kampagne* an effective campaign in media terms; *etw ~wirksam präsentieren* to present sth effectively in media terms.
Medikament *nt* medicine.
medikamentös *adj* medicinal.
Meditation *f* meditation.
meditieren* *vi* to meditate.
Medium *nt* medium.
Medizin *f* **-en** [a] *no pl* (*Heilkunde*) medicine. [b] (*col: Heilmittel*) medicine.
Medizinball *m* (*Sport*) medicine ball.
Mediziner(in *f)* *m* - doctor; (*Univ*) medic (*col*).
medizinisch *adj* [a] (*ärztlich*) medical ► *M~e Fakultät* school *or* faculty of medicine; *~-technische Assistentin, ~-technischer Assistent* medical technician. [b] (*heilend*) *Bäder* medicinal; *Shampoo* medicated.
Medizin-: **~mann** *m, pl* **-männer** medicine man; (*hum: Arzt*) quack (*col*), medico (*US col*); **~student** *m* medical student; **~studium** *nt* medical studies *pl.*
Meer *nt* **-e** sea; (*Welt~*) ocean ► *am ~(e)* by the sea; *übers ~ fahren* to travel (across) the seas; *ans ~ fahren* to go to the sea(side); *über dem ~* above sea level.
Meer-: **~busen** *m* gulf, bay; **~enge** *f* straits *pl*, strait.
Meeres-: **~arm** *m* arm of the sea, inlet; **~biologie** *f* marine biology; **~boden** *m* seabed; **~früchte** *pl* seafood *sing*; **~grund** *m* seabed; **~klima** *nt* maritime climate; **~kunde** *f* oceanography; **~oberfläche** *f* surface of the sea; **~spiegel** *m* sea level; *über/unter dem ~spiegel* above/below sea level; **~tier** *nt* marine creature.
Meer-: **~gott** *m* (*Myth*) seagod; **~göttin** *f* seagoddess; **m~grün** *adj* sea-green; **~jungfrau** *f* mermaid; **~rettich** *m* horseradish; **~salz** *nt* sea salt; **~schweinchen** *nt* guinea-pig; **~wasser** *nt* sea water.
Mega- *in cpds* mega-; **~byte** [-'baɪt] *nt* (*Comp*) megabyte; **~phon** ⚠ *nt* megaphone; **~tonne** *f* megaton; **~watt** *nt* megawatt.
Mehl *nt* **-e** flour; (*grober*) meal; (*Pulver*) powder.
mehlig *adj Äpfel, Kartoffeln* mealy.
Mehl-: **~sack** *m* flour bag; **~schwitze** *f* (*Cook*) roux; **~speise** *f* (*Aus*) (*Nachspeise*) sweet, dessert; (*Kuchen*) pastry; **~tau** *m* (*Bot*) mildew.
mehr [1] *indef pron inv comp of* **viel, sehr** more ► *was wollen Sie ~?* what more do you want?; *~ will er nicht bezahlen* he doesn't want to pay (any) more; *ist das alles, ~ kostet das nicht?* is that all it costs?
[2] *adv* [a] (*in höherem Maße*) more ► *immer ~* more and more; *~ oder weniger* more or less; *~ Geschäftsmann als Arzt* more (of) a businessman than a doctor; *~ ein juristisches Problem* more (of) a legal problem. [b] (+*neg: sonst, länger*) *ich habe kein Geld ~* I haven't any more money; *du bist doch kein Kind ~!* you're no longer a child!; *es besteht keine Hoffnung ~* there's no hope left; *kein Wort ~!* not another word!; *es war niemand ~ da* there was no one left; *wenn niemand ~ einsteigt, ...* if nobody else gets in ...; *das benutzt man nicht ~* it's no longer used; *das darf nicht ~ vorkommen* that must not happen again; *nicht ~ lange* not much longer; *nichts ~* nothing more; *nie ~* never again, nevermore (*liter*); *ich will dich nie ~ wiedersehen* I don't ever want to see you again.
Mehr *nt no pl* (*Zuwachs*) increase.
Mehr-: **~arbeit** *f* extra time *or* work; **~aufwand** *m* additional expenditure; **~bedarf** *m* greater need (*an +dat* of, for); (*Comm*) increased demand (*an +dat* for);

~belastung f excess load; (fig) additional burden; **m~deutig** adj ambiguous; **~einnahme** f additional revenue.

mehren ① vt (liter: vergrößern) to augment.
② vr (geh: sich vermehren) to multiply.

mehrere indef pron several; (verschiedene auch) various.

mehrfach ① adj multiple; (zahlreich) numerous; (wiederholt) repeated ► **ein ~er Millionär** a multimillionaire; **der ~e Meister im 100-m-Lauf** the several times 100 metres champion; **die Unterlagen in ~er Ausfertigung einsenden** to send in several copies of the documents.
② adv (öfter) many or several times; (wiederholt) repeatedly.

Mehrfach-: ~stecker m (Elec) multiple adaptor; **~täter** m repeat offender.

Mehr-: ~familienhaus nt multiple dwelling (form); **m~farbig** adj multicoloured (Brit), multicolored (US).

Mehrheit f majority ► **die ~ besitzen/erringen** to have/gain a majority; **die ~ verlieren** to lose one's majority; **mit zwei Stimmen ~** with a majority of two.

mehrheitlich adj wir sind ~ der Ansicht, daß ... the majority of us think(s) that ...; **~ beschließen, daß ...** to reach a majority decision that ...

Mehrheits-: ~beschluß △ m, **~entscheidung** f majority decision; **m~fähig** adj capable of winning a majority; **~prinzip** nt principle of majority rule; **~wahlrecht** nt majority vote system, first-past-the-post system.

Mehr-: m~jährig adj attr of several years; **m~jährige Erfahrung** several years of experience; **~kosten** pl additional costs pl; **m~malig** adj attr repeated; **m~mals** adv several times; **~parteiensystem** nt multi-party system; **~platzrechner** m (Comp) multi-user or multi-access system; **m~sprachig** adj multilingual; **m~sprachig aufwachsen** to grow up multilingual; **m~stimmig** adj (Mus) for several voices; **m~stimmiger Gesang** partsinging; **m~stimmig singen** to sing in harmony or in several parts; **m~stöckig** adj multistorey (Brit), multilevel (US); **m~stündig** adj attr lasting several hours; **mit m~stündiger Verspätung eintreffen** to arrive several hours late; **m~tägig** adj attr Konferenz lasting several days; **m~teilig** adj in several parts.

Mehrweg- in cpds reusable; **~flasche** f returnable bottle.

Mehr-: ~wert m (Econ) added value; **~wertsteuer** f value added tax, VAT; **~zahl** f no pl ⓐ (Gram) plural; ⓑ (Mehrheit) majority.

Mehrzweck- in cpds multipurpose.

meiden pret **mied**, ptp **gemieden** vt to avoid.

Meile f -n mile ► **das riecht man drei ~n gegen den Wind** (col) you can smell that a mile off (col).

Meilen-: ~stein m (lit, fig) milestone; **m~weit** adv for miles; **m~weit entfernt** (lit, fig) miles away.

Meiler m - (Kohlen~) charcoal kiln; (Atom~) (atomic) pile.

mein · poss pron ⓐ (adjektivisch) my. ⓑ (old: substantivisch) mine.

Mein|eid m perjury no indef art ► **einen ~ leisten** to commit perjury.

▼ **meinen** ① vi (denken, glauben) to think ► **ich meine, ...** I think ...; **~ Sie?** (do) you think so?; **wie Sie ~!** as you wish; (drohend auch) have it your own way; **wenn du meinst!** if you like; **man sollte ~** one would have thought.
② vt (der Ansicht sein) to think; (sagen wollen) to mean; (col: sagen) to say ► **was ~ Sie dazu?** what do you think or say?; **~ Sie das im Ernst?** are you serious about that?; **das will ich ~!** I quite agree!; **wie ~ Sie das?** how do you mean?; **damit bin ich gemeint** that refers to me; (Anspielung) that was aimed at me; **sie meint**

es gut she means well; **sie meint es nicht böse** she means no harm.

meiner pers pron gen of **ich** of me.

meine(r, s) poss pron (substantivisch) mine ► **der/die/das ~** (geh) mine; **ich tue das M~** (geh) I'll do my bit.

meinerseits adv for my part ► **Vorschläge ~** suggestions from me.

meines-: ~gleichen pron inv (meiner Art) people like myself; **~teils** adv for my part.

meinet-: ~halben (dated), **~wegen** adv ⓐ (wegen mir) on my account; ⓑ (von mir aus) as far as I'm concerned; **~wegen!** if you like; **~willen** adv: um **~willen** for my sake.

meinige poss pron **der/die/das ~** (form, old) mine.

meins poss pron mine.

▼ **Meinung** f opinion; (Anschauung auch) view ► **meiner ~ nach** in my opinion; **ich bin der ~, daß ...** I take the view that ...; **seine ~ ändern** to change one's opinion or mind; **einer ~ sein** to think the same; **das ist auch meine ~!** that's just what I think; **jdm die ~ sagen** (col) to give sb a piece of one's mind (col).

Meinungs-: ~äußerung f (expression of) opinion; **~austausch** m exchange of views (über +acc on, about); **~forscher** m (opinion) pollster; **~forschung** f (public) opinion polling; **~forschungsinstitut** nt opinion research institute; **~freiheit** f freedom of speech; **~mache** f (pej col) propaganda; **~macher** m (col) opinion-maker; **~umfrage** f opinion poll; **~umschwung** m swing of opinion; **~verschiedenheit** f difference of opinion.

Meise f -n titmouse ► **eine ~ haben** (col) to be crackers (Brit col) or crazy.

Meißel m - chisel.

meißeln vti to chisel.

Meiß(e)ner adj ~ Porzellan Dresden china.

meist adv siehe **meistens**.

meistbietend adj highest bidding ► **~ versteigern** to auction to the highest bidder.

meisten: am ~ adv superl of **viel, sehr** the most, most of all.

meistens adv mostly; (zum größten Teil) for the most part.

meistenteils adv siehe **meistens**.

Meister m - ⓐ (Handwerks~) master (craftsman); (Sport) champion; (Mannschaft) champions pl ► **seinen ~ machen** to take one's master craftsman's diploma. ⓑ (Lehr~, Künstler) master (auch fig) ► **er hat seinen ~ gefunden** (fig) he's met his match; **es ist noch kein ~ vom Himmel gefallen** (Prov) no one is born an expert.

meiste(r, s) indef pron superl of **viel** ⓐ (adjektivisch) **die ~n Leute** most people; **die ~n Gläser gingen kaputt** most of the glasses were broken; **die ~e Zeit** most of the time; **du hast die ~e Zeit** you have (the) most time. ⓑ (substantivisch) **die ~n (von ihnen)** most (of them).

Meister- in cpds master; **~brief** m master craftsman's diploma; **m~haft** ① adj masterly; ② adv in a masterly manner; **er versteht es m~haft, zu lügen** he is brilliant at lying; **~hand** f: **von ~hand** by a master hand.

Meisterin f (Handwerks~) master craftswoman; (Sport) champion.

Meisterleistung f masterly performance; (iro) brilliant achievement, masterstroke.

meistern vt to master; Schwierigkeiten to overcome ► **sein Schicksal ~** to become master of one's fate.

Meisterprüfung f examination for master craftsman's diploma.

Meisterschaft f ⓐ (Sport) championship; (Veranstaltung) championships pl. ⓑ no pl (Können) mastery.

Meisterschaftsspiel nt (Sport) championship match;

(*Ligaspiel*) league match.

Meister-: **~stück** *nt* (*von Handwerker*) work done to qualify as master craftsman; (*fig*) masterpiece; (*geniale Tat*) masterstroke; **~werk** *nt* masterpiece.

meist-: **~gekauft** *adj attr* best-selling; **~genannt** *adj attr* most frequently mentioned.

Mekka *nt* (*Geog, fig*) Mecca.

Melancholie [melaŋko'liː] *f* melancholy.

melancholisch [melaŋ'koːlɪʃ] *adj* melancholy.

Melasse *f* **-n** molasses.

Melde-: **~amt** *nt* registration office; **~behörde** *f* registration authorities *pl*; **~frist** *f* registration period.

▼ **melden** ① *vt* to report; (*registrieren*) to register; (*ankündigen*) to announce ▸ **Änderungen der Behörde** (*dat*) **~** to notify the authorities of changes; **wie soeben gemeldet wird** (*Rad, TV*) according to reports just coming in; **nichts zu ~ haben** (*col*) to have no say; **wen darf ich ~?** who(m) shall I say (is here)?

② *vr* a to report (*zu* for) ▸ **sich für etw ~** (*esp Mil*) to sign up for sth; (*für Lehrgang*) to enrol for sth; **sich krank/zum Dienst ~** to report sick/for work; **sich auf eine Anzeige ~** to answer an advertisement. b (*fig: sich ankündigen*) to announce one's presence; (*Sport, zur Prüfung*) to enter (one's name) (*zu* for); (*durch Handaufheben*) to put one's hand up. c (*esp Telec: antworten*) to answer ▸ **es meldet sich niemand** there's no answer. d (*von sich hören lassen*) to get in touch (*bei* with) ▸ **seitdem hat er sich nicht mehr gemeldet** he hasn't been heard of since; **wenn du was brauchst, melde dich** if you need anything give a shout (*col*).

Melde-: **~pflicht** *f* (*beim Ordnungsamt*) obligation to register (*when moving house*); **polizeiliche ~pflicht** obligation to register with the police; **m~pflichtig** *adj* a obliged to register; b *Krankheit* notifiable; **~stelle** *f* place of registration.

Meldung *f* a (*Mitteilung*) announcement; (*Press, Rad, TV*) report (*über* +*acc* on, about) ▸ **~en vom Sport** sports news *sing*. b (*dienstlich, bei der Polizei*) report ▸ **(eine) ~ machen** to make a report. c (*Sport, Examens~*) entry. d (*Comp*) (on-screen) message.

meliert *adj Haar* streaked with grey (*Brit*) *or* gray (*US*); *Wolle* flecked.

Melisse *f* **-n** (*Bot*) balm.

melken *pret* **melkte** *ptp* **gemolken** *vti* a to milk ▸ **frisch gemolkene Milch** milk fresh from the cow. b (*fig col*) to milk (*col*), to fleece (*col*).

Melodie *f* melody; (*Weise auch*) tune.

melodiös *adj* (*geh*) melodious.

melodisch *adj* melodic, tuneful.

melodramatisch *adj* melodramatic (*auch fig*).

Melone *f* **-n** a melon. b (*Hut*) bowler (*Brit*), derby (*US*).

Membran *f* **-en** a (*Anat*) membrane. b (*Phys, Tech*) diaphragm.

Memme *f* **-n** (*col*) cissy (*col*), yellow-belly (*col*).

Memoiren [me'moaːrən] *pl* memoirs *pl*.

Memorandum *nt, pl* **Memoranden** *or* **Memoranda** (*Pol*) memorandum.

Menge *f* **-n** a (*Quantum*) amount, quantity. b (*col*) (*große Anzahl*) lot, load (*col*); (*Haufen auch*) pile (*col*), heap (*col*) ▸ **eine ~ Zeit/Häuser** lots (*col*) of time/ houses; **jede ~ masses** *pl* (*col*), loads *pl* (*col*); **wir haben jede ~ getrunken** we drank a hell of a lot (*col*); **eine ganze ~** quite a lot. c (*Menschen~*) crowd; (*geh: Masse*) mass; (*pej: Pöbel*) mob.

mengen ① *vt* (*geh*) to mix (*unter* +*acc* with). ② *vr* to mingle (*unter* +*acc* with).

Mengen-: **~einkauf** *m* bulk buying; **~lehre** *f* (*Math*) set theory; **m~mäßig** *adj* as far as quantity is concerned; **~rabatt** *m* bulk discount.

Meniskus *m, pl* **Menisken** (*Anat, Phys*) meniscus.

Menorca *nt* Minorca.

Mensa *f, pl* **Mensen** (*Univ*) refectory (*Brit*), commons (*US*).

Mensch *m* (*wk*) **-en, -en** a (*Person*) person, man/ woman ▸ **von ~ zu ~** man to man/woman to woman; **es war kein ~ da** there was not a soul there; **als ~** as a person; **das konnte kein ~ ahnen!** no one could have foreseen that! b (*als Gattung*) **der ~** man; **die ~en** man *sing*, human beings *pl*, people *pl*; **ein Tier, das keine ~en mag** an animal that doesn't like people; **ich bin auch nur ein ~!** I'm only human; **~ und Tier** man and beast. c (*die Menschheit*) **die ~en** mankind, man; **alle ~en** everyone. d (*col: als Interjektion*) hey ▸ **~, das habe ich ganz vergessen** damn (*col*), I completely forgot; **~ Meier!** golly! (*col*), gosh! (*col*).

Mensch ärgere dich nicht *nt no pl* (*Spiel*) ludo (*Brit*), aggravation (*US*).

Menschen- *in cpds* human; **~affe** *m* ape; **~alter** *nt* a (*30 Jahre*) generation; b (*Lebensdauer*) lifetime; **~ansammlung** *f* gathering (of people); **~auflauf** *m* crowd (of people); **~feind** *m* misanthropist; **m~feindlich** *adj Mensch* misanthropic; *Landschaft* hostile to man; **~fleisch** *nt* human flesh; **~fresser(in** *f*) *m* - (*col: Kannibale*) cannibal; **~freund** *m* philanthropist; **m~freundlich** *adj Mensch* philanthropic; *Gegend* hospitable; **~führung** *f* leadership; **~gedenken** *nt* **der kälteste Winter seit ~gedenken** the coldest winter in living memory; **~gestalt** *f* human form; **~hai** *m* man-eating shark; **~hand** *f* human hand; **von ~hand geschaffen** fashioned by the hand of man; **~handel** *m* slave trade; (*Jur*) trafficking in human beings; **~händler** *m* slave trader; (*Jur*) trafficker in human beings; **~kenner** *m* judge of character; **~kenntnis** *f no pl* knowledge of human nature; **~kenntnis haben** to know human nature; **~kette** *f* human chain; **~leben** *nt* human life; **ein ~leben lang** a whole lifetime; **~leben waren nicht zu beklagen** there was no loss of life; **das Unglück hat zwei ~leben gefordert** the accident claimed two lives; **m~leer** *adj* deserted; **~masse, ~ menge** *f* crowd (of people); **m~möglich** *adj* humanly possible; **das m~mögliche tun** to do all that is humanly possible; **~raub** *m* (*Jur*) kidnapping.

Menschenrecht *nt* human right.

Menschenrechts-: **~konvention** *f* Human Rights Convention; **~verletzung** *f* violation of human rights.

Menschen-: **~scheu** *f* fear of people; **m~scheu** *adj* afraid of people; **~schlag** *m* (*col*) kind of people; **~seele** *f* human soul; **keine ~seele** (*fig*) not a soul.

Menschenskind *interj* good heavens.

Menschen-: **m~unwürdig** *adj* beneath human dignity; *Behandlung* inhumane; *Behausung* unfit for human habitation; **m~verachtend** △ *adj* inhuman, **~verachtung** *f* contempt for mankind; **~verstand** *m* **gesunder ~verstand** common sense; **~würde** *f* human dignity *no art*; **m~würdig** *adj Behandlung* humane; *Unterkunft* fit for human habitation.

Menschheit *f* **die ~** mankind, humanity.

menschlich *adj* a human ▸ **das ~e Leben** human life; **der ~e Körper/Geist** the human body/mind; **die ~e Gemeinschaft** human society; **er ist mir ~ sympathisch** I like him as a person; (*einigermaßen*) **~ aussehen** (*col*) to look more or less human. b (*menschenwürdig*) *Behandlung etc* humane.

Menschlichkeit *f no pl* humanity *no art* ▸ **aus reiner ~** on purely humanitarian grounds.

Menschwerdung *f* (*Bibl*) incarnation.

Mensen *pl of* **Mensa**.

Mensur *f* (*Univ*) (students') fencing bout.

Mentalität *f* mentality.

➤ SATZBAUSTEINE: **melden: 2c** → 15.5, 15.7   △: Informationen zur Rechtschreibreform im Anhang

Menthol *nt* **-e** menthol.

Mentor *m* (*dated, geh*) mentor.

Menü *nt* **-s** [a] (*Tages~*) set meal *or* menu. [b] (*Comp*) menu.

Menü- (*Comp*) *in cpds* menu.

Menuett *nt* **-e** (*Tanz, Mus*) minuet.

menügesteuert *adj* menu-driven.

Meridian *m* **-e** (*Astron, Geog*) meridian.

Merk-: m~bar *adj* (*wahrnehmbar*) noticeable; **~blatt** *nt* leaflet; (*mit Anweisungen auch*) instructions *pl.*

merken [1] *vt* (*entdecken*) to notice; (*spüren*) to feel; (*erkennen*) to realize ▶ *davon habe ich nichts gemerkt* I didn't notice anything; *jdn etw ~ lassen* to make sb feel sth; *woran hast du das gemerkt?* how could you tell that?; *du merkst auch alles!* (*iro*) nothing escapes you, does it?; *das merkt keiner!* nobody will notice; *ich merke keinen Unterschied* I can't tell the difference. [2] *vr sich* (*dat*) *jdn/etw ~* to remember sb/sth; *das werde ich mir ~!* I won't forget that; *merk dir das!* mark my words!; *sich* (*dat*) *eine Autonummer ~* to memorize a licence number; *diesen Schriftsteller wird man sich* (*dat*) *~ müssen* this author is someone to take note of.

merklich *adj* noticeable ▶ *kein ~er Unterschied* no noticeable difference.

Merkmal *nt* **-e** characteristic, feature.

Merksatz *m* mnemonic.

Merkur *m no pl* (*Myth, Astron*) Mercury.

Merk-: m~würdig *adj* strange, odd; *er hat sich ganz m~würdig verändert* he has undergone a curious change; **m~würdigerweise** *adv* strangely enough; **~würdigkeit** *f no pl* strangeness, oddness.

meschugge *adj* (*col*) nuts (*col*), bonkers (*Brit col*).

Meß-: ~band ⚠ *nt* tape measure; **m~bar** ⚠ *adj* measurable; **~becher** ⚠ *m* (*Cook*) measuring jug; **~daten** ⚠ *pl* readings *pl*; **~diener** ⚠ *m* (*Eccl*) server, acolyte (*form*).

Messe *f* **-n** [a] (*Eccl, Mus*) mass ▶ *zur ~ gehen* to go to mass. [b] (*Ausstellung*) (trade) fair ▶ *auf der ~* at the fair. [c] (*Naut, Mil*) mess.

messen *pret* **maß**, *ptp* **gemessen** [1] *vti* to measure; (*zeitlich*) to time; (*abschätzen*) *Entfernung etc* to judge ▶ *jds Blutdruck ~* (*Arzt etc*) to take sb's blood pressure; *während ich lief, maß er die Zeit* I ran and he timed me; *seine Kräfte mit jdm ~* to match one's strength against sb's; *etw an etw* (*dat*) *~* (*ausprobieren*) to try sth out on sth; (*vergleichen*) to compare sth with sth. [2] *vr* (*geh: in Wettkampf etc*) to compete (*mit* against) ▶ *sich mit jdm/etw nicht ~ können* to be no match for sb/sth.

Messer *nt* **-** knife; (*Tech auch*) cutter, blade; (*Rasier~*) (cutthroat) razor ▶ *unter dem ~ sein* (*Med col*) to be under the knife; *jdm das ~ an die Kehle setzen* (*lit, fig*) to hold a knife to sb's throat; *ins (offene) ~ laufen* (*fig*) to walk straight into the trap; *die ~ wetzen* (*fig*) to prepare for the kill; *damit würden wir ihn ans ~ liefern* (*fig*) that would be putting his head on the block; *ein Kampf bis aufs ~* (*fig*) a fight to the finish; *auf des ~s Schneide stehen* (*fig*) to hang in the balance.

Messer- *in cpds* knife; **m~scharf** *adj* (*lit, fig*) razor-sharp; **m~scharf schließen** (*iro*) to conclude with brilliant logic (*iro*); **~spitze** *f* knife point; *eine ~spitze (voll)* (*Cook*) a pinch; **~stecher(in** *f*) *m* **-** knifer (*col*); **~stecherei** *f* knife fight; **~stich** *m* knife thrust; (*Wunde*) stab wound; **~werfer** *m* knife-thrower.

Messe-: ~stadt *f* (town with an) exhibition centre (*Brit*) *or* center (*US*); **~stand** *m* stand (at a fair).

⚠ **Meßgerät** *nt* (*für Öl, Druck etc*) measuring instrument, gauge.

Messias *m, gen* - (*Rel, fig*) Messiah.

Messing *nt no pl* brass.

Meß-: ~instrument ⚠ *nt* gauge; **~schraube** ⚠ *f* micrometer; **~stab** ⚠ *m* (*Aut: Ölmeßstab etc*) dipstick; **~technik** ⚠ *f* measurement technology.

Messung *f* [a] (*das Messen*) measuring; (*das Ablesen*) reading; (*von Blutdruck*) taking. [b] (*Meßergebnis*) measurement; (*Ableseergebnis*) reading.

⚠ **Meßwert** *m* measurement; (*Ableseergebnis*) reading.

Metall *nt* **-e** metal.

Metall- *in cpds* metal-; **~arbeiter** *m* metalworker; **m~haltig** *adj* containing metal; **~industrie** *f* metalworking industry.

metallisch *adj* metal; (*metallartig, fig*) *Stimme, Klang* metallic ▶ *~ glänzen* to gleam like metal.

Metallurgie *f* metallurgy.

Metall-: m~verarbeitend ⚠ *adj* *die m~verarbeitende Industrie* the metal-processing industry; **~verarbeitung** *f* metal processing.

Metamorphose [-'fo:zə] *f* **-n** metamorphosis.

Metapher [me'tafɐ] *f* **-n** (*Liter, Poet*) metaphor.

metaphorisch *adj* (*Liter, Poet*) metaphoric(al).

Metaphysik *f* metaphysics *sing.*

metaphysisch *adj* metaphysical.

Metastase [meta'sta:zə] *f* **-n** (*Med*) secondary growth.

Meteor *m* **-e** meteor.

Meteorit *m* (*wk*) **-en, -en** meteorite.

Meteorologe *m*, **Meteorologin** *f* meteorologist; (*im Wetterdienst*) weather forecaster.

Meteorologie *f* meteorology.

meteorologisch *adj* meteorological.

Meter *m or nt* **-** metre (*Brit*), meter (*US*) ▶ *in 500 ~ Höhe* at a height of 500 metres; *nach ~n* by the metre.

Meter-: m~hoch *adj* *Wellen etc* enormous; **~maß** *nt* [a] (*Bandmaß*) measuring tape; [b] (*Stab*) metre (*Brit*) *or* meter (*US*) rule; **~ware** *f* (*Tex*) material *or* fabric sold by the metre (*Brit*) *or* meter (*US*); **m~weise** *adv* by the metre (*Brit*) *or* meter (*US*).

Methadon *nt no pl* methadone.

Methan *nt no pl* methane.

Methode *f* **-n** [a] method ▶ *etw mit ~ machen* to do sth methodically; *das ist auch eine ~* (*iro*) that's one way of doing it. [b] **~n** *pl* (*Sitten*) behaviour (*Brit*), behavior (*US*); *was sind denn das für ~n?* what sort of way is that to behave?

Methodik *f* methodology.

methodisch *adj* methodical.

Methodist(in *f*) *m* Methodist.

Methusalem *m alt wie ~* old as Methuselah.

Metier [me'tie:] *nt* **-s** (*hum*) job, profession.

Metrik *f* (*Poet, Mus*) metrics *sing.*

metrisch *adj* (*Sci*) metric; (*Poet, Mus auch*) metrical.

Metronom *nt* **-e** (*Mus*) metronome.

Metropole *f* **-n** [a] (*größte Stadt*) metropolis. [b] (*Zentrum*) capital.

Mett *nt no pl* (*Cook*) minced (*Brit*) *or* ground (*US*) pork.

Mette *f* **-n** (*Eccl*) matins *sing*, (*Abend~*) vespers *sing.*

Mettwurst *f* (smoked) pork/beef sausage.

Metzger(in *f*) *m* **-** butcher.

Metzger- *siehe* **Fleischer-.**

Metzgerei *f* butcher's (shop) (*Brit*), butcher (*US*).

Meuchel-: ~mord *m* (treacherous) murder; **~mörder** *m* (treacherous) assassin.

Meute *f* **-n** pack (of hounds); (*fig pej*) mob.

Meuterei *f* mutiny; (*fig auch*) rebellion.

Meuterer *m* - mutineer; (*fig*) rebel.

meutern *vi* to mutiny; (*col auch*) to rebel ▶ *die ~den Soldaten* the mutinous soldiers.

Mexikaner(in *f*) *m* **-** Mexican.

mexikanisch *adj* Mexican.
Mexiko *nt* Mexico ▸ **~ City, ~-Stadt** Mexico City.
MEZ = **mitteleuropäische Zeit** CET.
Mezzosopran *m* mezzo-soprano.
MFG [ɛm|ɛf'geː] *f* = **Mitfahrgelegenheit.**
MG [ɛm'geː] *nt* **-(s)** = **Maschinengewehr.**
mg = **Milligramm** mg.
MHz = **Megahertz** MHz.
Mi = **Mittwoch** Wed.
miau *interj* miaow.
miauen* *vi* to miaow.
mich ①️ *pers pron acc of* **ich** me.
 ②️ *reflexive pron* myself ▸ **ich fühle ~ wohl** I feel fine.
mick(e)rig *adj* (*col*) pathetic; *Betrag auch* paltry; *altes Männchen* puny.
Midi- *in cpds* midi; **~-Anlage** *f*, **~-System** *nt* midi (system).
mied *pret of* **meiden.**
Mieder *nt* - (*Leibchen*) bodice.
Miederwaren *pl* corsetry *sing*.
Mief *m no pl* (*col*) fug; (*muffig*) stale air; (*Gestank*) stink, pong (*Brit col*) ▸ **im Büro ist so ein ~** the air in the office is so stale.
miefen *vi* (*col*) to stink, to pong (*Brit col*) ▸ **hier mieft es** there's a pong in here.
Miene *f* **-n** (*Gesichtsausdruck*) expression ▸ **eine finstere ~ machen** to look grim; **gute ~ zum bösen Spiel machen** to grin and bear it.
Mienenspiel *nt* facial expressions *pl*.
mies *adj* (*col*) rotten (*col*), lousy (*col*) ▸ **jdn/etw ~ machen** to run sb/sth down; **in den M~en sein** (*col*) to be in the red.
Miesepeter *m* - (*col*) grumble-guts (*col*).
miesepet(e)rig *adj* (*col*) grouchy (*col*).
Miesmacher *m* (*col*) killjoy.
Miesmuschel *f* mussel.
Miet|auto *nt* hire(d) car (*Brit*), rental car (*US*).
Miete *f* **-n** (*für Wohnung*) rent; (*für Gegenstände*) rental ▸ **zur ~ wohnen** to live in rented accommodation (*Brit*) *or* accommodations (*US*).
mieten *vt* to rent; *Boot, Auto auch* to hire (*Brit*).
Mieter(in *f*) *m* - tenant; (*Untermieter*) lodger.
Miet|erhöhung *f* rent increase.
Mieterschutz *m* rent control.
Miet-: **m~frei** *adj* rent-free; **~partei** *f* tenant (and family); **~recht** *nt* rent law.
Miets-: **~haus** *nt* block of (rented) flats (*Brit*), apartment house (*US*); **~kaserne** *f* (*pej*) tenement house.
Miet-: **~spiegel** *m* rent level; **~verhältnis** *nt* tenancy; **~vertrag** *m* lease; (*von Auto*) rental agreement; **~wagen** *m* hire car (*Brit*), rental car (*US*); **~wohnung** *f* rented flat (*Brit*) *or* apartment; **~wucher** *m* **~wucher ist strafbar** charging exorbitant rent(s) is a punishable offence.
Mieze *f* **-n** (*col*) ⓐ (*Katze*) pussy (*col*). ⓑ (*Mädchen*) chick (*col*), bird (*Brit col*).
Migräne *f no pl* migraine.
Mikado *nt* **-s** (*Spiel*) pick-a-stick.
Mikro *nt* **-s** (*col*) = **Mikrofon** mike.
Mikro- *in cpds* micro-.
Mikrobe *f* **-n** microbe.
Mikro-: **~chirurgie** *f* microsurgery; **~computer** *m* micro(computer); **~elektronik** *f* microelectronics *sing*; **~fiche** [-fiːʃ] *m or nt* **-s** microfiche.
Mikrofon *nt* **-e** microphone.
Mikrokosmos *m* microcosm.
Mikroökonomie *f* microeconomics.
Mikroprozessor *m* microprocessor.
Mikroskop *nt* **-e** microscope.
mikroskopisch *adj* microscopic ▸ **etw ~ untersuchen** to examine sth under the microscope.
Mikrowelle *f* microwave.
Mikrowellenherd *m* microwave oven.
Milbe *f* **-n** mite.
Milch *f no pl* milk; (*Fischsamen*) soft roe ▸ **~ geben** (*Kuh*) to yield milk.
Milch- *in cpds* milk; **~bart** *m* (*col*) fluffy beard; (*fig pej: Jüngling*) milksop; **~brötchen** *nt* roll made with milk and sugar; **~drüse** *f* mammary gland; **~flasche** *f* milk bottle; **~frau** *f* (*col*) dairywoman; **~gebiß** ⚠️ *nt* milk teeth *pl*; **~geschäft** *nt* dairy; **~gesicht** *nt* (*col*) baby face; **~glas** *nt* milk glass.
milchig *adj* milky.
Milch-: **~kaffee** *m* milky coffee; **~kännchen** *nt* small milk jug; **~kanne** *f* milk can; (*größer*) milk churn; **~mädchenrechnung** *f* (*col*) naïve fallacy; **~mann** *m*, *pl* **-männer** milkman; **~mixgetränk** *nt* milk shake; **~produkt** *nt* milk product; **~pulver** *nt* dried milk; **~reis** *m* round-grain rice; (*gekocht*) rice pudding; **~straße** *f* Milky Way; **~tüte** *f* milk carton; **~wirtschaft** *f* dairy farming; **~zahn** *m* milk tooth.
mild(e) *adj* mild; *Seife auch* gentle; (*nachsichtig*) *Behandlung, Richter, Urteil* lenient ▸ **jdn ~ stimmen** to put sb in a lenient mood; **eine ~e Gabe** alms *pl*; **~ gesagt** to put it mildly.
Milde *f no pl siehe adj* ⓐ mildness. ⓑ leniency ▸ **~ walten lassen** to be lenient.
mildern *vt* (*geh*) *Schmerz* to ease; *Furcht* to calm; *Urteil, Zorn, Worte* to moderate; *Gegensätze* to make less crass. **~de Umstände** (*Jur*) extenuating circumstances.
Milderung *f no pl* (*von Schmerz*) easing; (*von Ausdruck, Strafe, des Klimas*) moderation.
mildtätig *adj* (*geh*) charitable.
Mildtätigkeit *f* (*geh*) charity.
Milieu [miˈliø] *nt* **-s** (*Umwelt*) environment, milieu.
militant *adj* militant.
Militanz *f no pl* militancy.
Militär¹ *nt no pl* military, armed forces *pl* ▸ **beim ~ sein** (*col*) to be in the forces; **zum ~ gehen** to join up.
Militär² *m* **-s** (*army*) officer.
Militär- *in cpds* military; **~dienst** *m* military service; **(seinen) ~dienst ableisten** to do one's military service; **~gericht** *nt* court martial; **vor ein ~gericht gestellt werden** to be court-martialled; **~hilfe** *f* military aid.
militärisch *adj* military ▸ **~ grüßen** to salute.
Militarismus *m no pl* militarism.
Militarist(in *f*) *m* militarist.
militaristisch *adj* militaristic.
Military [ˈmɪlɪtərɪ] *f* **-s** (*Reiten*) three-day event; (*als Sportart*) eventing.
Miliz *f* **-en** militia; (*Polizei*) police.
Mill. = **Million(en)** m.
Milliardär(in *f*) *m* multi-millionaire, billionaire.
Milliarde *f* **-n** thousand millions (*Brit*), billion (*US*).
Milli- *in cpds* milli-; **~bar** *nt* - millibar; **~gramm** *nt* milligramme (*Brit*), milligram (*US*); **~liter** *m or nt* millilitre (*Brit*), milliliter (*US*); **~meter** *m or nt* millimetre (*Brit*), millimeter (*US*); **~meterpapier** *nt* graph paper.
Million *f* million ▸ **zwei ~en Einwohner** two million inhabitants.
Millionär(in *f*) *m* millionaire(ss) ▸ **es zum ~ bringen** to make a million.
Millionen-: **~auflage** *f* edition of a million copies *pl*; **~erbe** *m*, **~erbin** *f* inheritor of millions; **m~fach** ①️ *adj* millionfold; ②️ *adv* a million times; **m~schwer** *adj* (*col*) worth a few million; **~stadt** *f* town with over a million inhabitants.
Millionstel *nt* millionth.
Millisekunde *f* millisecond.
Milz *f* **-en** spleen.

⚠️: Informationen zur Rechtschreibreform im Anhang

Milzbrand m (Med, Vet) anthrax.
mimen (old) ① vt to mime ► **er mimt den Un-**
schuldigen (col) he's acting the innocent.
② vi to play-act.
Mimik f no pl facial expression.
mimisch adj mimic.
Mimose f -n mimosa ► **empfindlich wie eine ~ sein** to
be oversensitive.
Min., min. = **Minute(n)** m, min.
Minarett nt -e minaret.
minder adv less ► **und das nicht ~** and no less so.
minder-: **~begabt** adj less gifted; **~bemittelt** adj (dated) less well off; **geistig ~bemittelt** (iro) mentally less
gifted.
mindere(r, s) adj attr lesser; Qualität inferior.
Minderheit f minority.
Minderheitsregierung f minority government.
Minder-: **m~jährig** adj who is (still) a minor;
~jährige(r) mf decl as adj minor; **~jährigkeit** f minority.
mindern ① vt (herabsetzen) Würde, Verdienste to diminish; (verringern) Wert, Qualität to reduce.
② vr to diminish.
Minderung f siehe vb diminishing no indef art; reduction (gen in).
minderwertig adj inferior; Waren, Material, Arbeit auch
poor-quality; Qualität auch low.
Minderwertigkeit f inferiority.
Minderwertigkeits-: **~gefühl** nt feeling of inferiority;
~komplex m inferiority complex.
Minderzahl f minority ► **in der ~** in the minority.
Mindest- in cpds minimum; **~alter** nt minimum age;
~betrag m minimum amount.
mindeste(r, s) ① adj attr least, slightest ► **das ~** the
(very) least; **ich verstehe nicht das ~ von (der) Kunst** I
don't know the slightest thing about art.
② adv **zum ~n** at the very least; **(nicht) im ~n** (not) in
the least.
mindestens adv at least.
Mindest-: **~größe** f minimum size; (von Menschen)
minimum height; **~lohn** m minimum wage; **~maß** nt
minimum amount (an +dat of); **~umtausch** m minimum obligatory exchange.
Mine f -n ⓐ (Min) mine. ⓑ (Mil) mine ► **auf eine ~**
laufen to hit a mine. ⓒ (Bleistift~) lead;
(Kugelschreiber~, Filzstift~) refill.
Minen-: **~feld** nt (Mil) minefield; **~leger** m - (Mil, Naut)
minelayer; **~suchboot** nt minesweeper.
Mineral nt -e or -ien [-iən] mineral.
mineralisch adj mineral.
Mineral-: **~öl** nt (mineral) oil; **~ölsteuer** f tax on oil;
~quelle f mineral spring; **~wasser** nt mineral water.
Mini- in cpds mini-.
Miniatur f (Art) miniature.
Miniatur- in cpds miniature; **~ausgabe** f miniature ver-
sion; (Buch) miniature edition.
Minigolf nt crazy golf, minigolf.
minimal adj minimal ► **mit ~er Anstrengung** with a
minimum of effort.
Minimal- in cpds minimum.
Minimum nt, pl **Minima** minimum (an +dat of).
Minirock m miniskirt.
Minister(in f) m - (Pol) minister (Brit) (für of), secretary
(für for).
Ministerialbeamte(r) m ministry official.
ministeriell adj attr ministerial.
Ministerium nt ministry (Brit), department.
Ministerpräsident m prime minister; (eines
Bundeslandes) chief minister of a Federal German state.
Minna f no pl **jdn zur ~ machen** (col) to give sb a piece

of one's mind.
Minne-: **~sang** m minnesong; **~sänger** m minnesinger.
Minorität f = Minderheit.
minus ① prep +gen minus, less; (Math) minus.
② adv minus; (Elec) negative ► **10 Grad ~** 10 degrees
below zero; **~ machen** (col) to make a loss.
Minus nt -, - (Fehlbetrag) deficit; (auf Konto) overdraft;
(fig: Nachteil) bad point; (in Beruf etc) disadvantage.
Minus-: **~pol** m negative pole; **~punkt** m penalty point;
(fig) minus point; **~zeichen** nt minus sign.
Minute f -n minute ► **auf die ~ (genau/pünktlich)**
(right) on the dot; **in letzter ~** at the last minute; **es ver-**
geht keine ~, ohne daß ... not a moment goes by without ...
Minuten-: **m~lang** ① adj attr several minutes of; ②
adv for several minutes; **~zeiger** m minute hand.
minuziös adj (geh) meticulous.
Minze f -n (Bot) mint.
Mio. = **Million(en)** m.
mir pers pron dat of **ich** to me; (nach Präpositionen) me ►
ein Freund von ~ a friend of mine; **von ~ aus!** (col) I
don't mind, fair enough; **~ nichts, dir nichts** (col) just
like that; (unhöflich) without so much as a by-your-
leave; **es war ~ nichts, dir nichts weg** the next thing I
knew it had gone; **wie du ~, so ich dir** (prov) tit for tat
(col); (als Drohung) I'll get my own back.
Mirabelle f mirabelle, small yellow plum.
Misch-: **~batterie** f mixer tap; **~brot** nt bread made from
more than one kind of flour, **~ehe** f mixed marriage.
mischen ① vt to mix; Karten to shuffle; (Comp) Dateien
to merge.
② vr to mix ► **sich unter die Menge ~** to mix with the
crowd; **sich in etw** (acc) **~** to meddle in sth; **sich in das**
Gespräch ~ to butt into the conversation.
Misch-: **~farbe** f mixed or blended colour (Brit) or color
(US); (Phys) secondary colour; **~form** f mixture; (von
zwei Elementen auch) hybrid (form); **~gewebe** nt
mixed fibres pl; **~konzern** m conglomerate; **~ling** m
(Mensch) half-caste; (Zool) half-breed; **~masch** m -e
(col) hotchpotch; (Essen auch) concoction; **~maschine**
f cement-mixer; **~pult** nt (Rad, TV) mixing desk, mixer.
Mischung f ⓐ (das Mischen) mixing. ⓑ (lit, fig:
Gemischtes) mixture; (von Tee etc auch) blend.
Mischwald m mixed (deciduous and coniferous) woodland.
miserabel adj (col) lousy (col); Gesundheit wretched;
Benehmen dreadful.
Misere f -n (von Leuten, Wirtschaft etc) plight; (von
Hunger, Krieg etc) misery, miseries pl ► **in einer ~**
stecken to be in a dreadful state; (Mensch) to be in a
mess.
⚠ **miß|achten*** vt insep (ignorieren) to disregard.
⚠ **Miß|achtung** f ⓐ disregard. ⓑ (Geringschätzung) dis-
respect (gen for).
⚠ **Mißbehagen** nt (geh) (Unbehagen) uneasiness;
(Mißfallen) discontent(ment).
⚠ **mißbilden** ptp **mißgebildet** vt insep to deform.
⚠ **Mißbildung** f deformity, malformation.
⚠ **mißbilligen*** vt insep to disapprove of.
⚠ **Mißbilligung** f disapproval.
⚠ **Mißbrauch** m abuse; (falsche Anwendung) misuse; (von
Notbremse, Feuerlöscher etc) improper use ► **unter ~**
seines Amtes in abuse of his office.
⚠ **mißbrauchen*** vt insep to abuse; (geh: vergewaltigen)
to assault ► **jdn zu etw ~** to take advantage of sb for sth
or to do sth.
⚠ **mißbräuchlich** adj (form) improper.
⚠ **mißdeuten*** vt insep to misinterpret.
⚠ **Mißdeutung** f misinterpretation.
missen vt (geh) to do without ► **das möchte ich nicht**

⚠: for details of spelling reform, see supplement

~ I wouldn't do without it (for the world).

⚠ **Miß|erfolg** m failure; (*Theat, Buch etc auch*) flop (*col*).

⚠ **Miß|ernte** f crop failure.

Missetat f (*old, liter*) misdeed.

Missetäter m (*old, liter*) culprit.

⚠ **mißfallen*** vi insep irreg +dat to displease ▸ *es mißfällt mir, wie er …* I dislike the way he …

⚠ **Mißfallen** nt no pl displeasure (*über +acc* at) ▸ *jds ~ erregen* to incur sb's displeasure.

Mißfallens-: **~äußerung** ⚠ f expression of displeasure; **~bekundung,** ⚠ **~kundgebung** ⚠ f demonstration of displeasure.

⚠ **mißfällig** adj Bemerkung deprecatory.

⚠ **Mißgeburt** f deformed person/animal; (*fig col*) failure.

⚠ **Mißgeschick** nt mishap; (*Pech, Unglück*) misfortune.

⚠ **mißglücken*** vi insep aux sein to be unsuccessful ▸ *mißglückt* unsuccessful; *der Versuch ist (ihm) mißglückt* the/his attempt was a failure.

⚠ **mißgönnen*** vt insep jdm etw ~ to (be)grudge sb sth.

⚠ **Mißgriff** m mistake.

⚠ **Mißgunst** f resentment (at).

⚠ **mißgünstig** adj resentful (*auf +acc* towards).

⚠ **mißhandeln*** vt insep to ill-treat, to maltreat.

⚠ **Mißhandlung** f ill-treatment, maltreatment.

Mission f (*Eccl, Pol, fig*) mission; (*diplomatische Vertretung*) legation, mission (*US*); (*Gruppe*) delegation.

Missionar(in f) m missionary.

missionarisch adj missionary.

missionieren* ① vi to do missionary work; (*fig*) to preach. ② vt to convert.

⚠ **Mißklang** m discord (*auch Mus*), dissonance; (*Mißton, fig*) discordant note.

⚠ **Mißkredit** m no pl discredit ▸ *jdn/etw in ~ bringen* to bring sb/sth into discredit.

⚠ **mißlang** pret of **mißlingen**.

⚠ **mißlich** adj (*geh*) awkward, difficult.

⚠ **mißliebig** adj unpopular.

⚠ **Mißlingen** nt no pl failure.

⚠ **mißlingen** pret **mißlang**, ptp **mißlungen** vi aux sein to be unsuccessful ▸ *ein mißlungener Versuch* an unsuccessful attempt.

⚠ **Mißmut** m sullenness; (*Unzufriedenheit*) displeasure.

⚠ **mißmutig** adj sullen; (*unzufrieden*) discontented; *Äußerung, Aussehen* disgruntled.

⚠ **mißraten*** ① vi insep irreg aux sein to go wrong ▸ *der Kuchen ist mir ~* my cake was a failure. ② adj Kind wayward.

⚠ **Mißstand** m anomaly; (*allgemeiner Zustand*) deplorable state of affairs no pl; (*Ungerechtigkeit*) abuse; (*Mangel*) defect.

⚠ **Mißstimmung** f ⓐ (*Uneinigkeit*) discord ▸ *eine ~ a* note of discord. ⓑ (*schlechte Laune*) bad mood; (*Unzufriedenheit*) discontent no pl.

⚠ **Mißton** m discord; (*fig*) discordant note ▸ **¨e** (*Klang*) dissonance; (*fig*) discord.

⚠ **mißtrauen*** vi insep +dat to mistrust.

⚠ **Mißtrauen** nt no pl mistrust (*gegenüber* of) ▸ *~ gegen jdn/etw haben* to be suspicious of sb/sth.

Mißtrauens-: **~antrag** ⚠ m motion of no confidence; **~votum** ⚠ nt vote of no confidence.

⚠ **mißtrauisch** adj distrustful; (*argwöhnisch*) suspicious.

⚠ **Mißverhältnis** nt discrepancy.

⚠ **mißverständlich** adj unclear.

⚠ **Mißverständnis** nt misunderstanding.

⚠ **mißverstehen*** vt insep irreg to misunderstand.

⚠ **Mißwahl, Misswahl** f beauty contest.

⚠ **Mißwirtschaft** f mismanagement.

Mist m no pl ⓐ (*Tierkot*) droppings pl; (*Pferde~, Kuh~ etc*) dung; (*Dünger*) manure ▸ *das ist nicht auf seinem*

~ **gewachsen** (*col*) he didn't think that up himself. ⓑ (*col*) (*Unsinn*) nonsense; (*Schund*) rubbish ▸ **~!** blast! (*col*); *da hat er ~ gemacht or gebaut* he really messed that up (*col*); *mach keinen ~!* don't be a fool!

Mistel f **-n** mistletoe no pl.

Mist-: **~fink** m (*col*) dirty-minded character; (*Journalist etc*) muck-raker (*col*); **~gabel** f pitchfork (*used for shifting manure*); **~haufen** m manure heap; **~käfer** m dung beetle; **~stück, ~vieh** nt (*col!*) (*Mann*) bastard (*col!*); (*Frau auch*) bitch (*col!*); **~wetter** nt (*col*) lousy weather (*col*).

mit ① prep +dat with ▸ *~ dem Hut in der Hand* (with) his hat in his hand; *ein Topf ~ Suppe* a pot of soup; *wie wär's ~ einem Bier?* (*col*) how about a beer?; *~ der Bahn/dem Bus/dem Auto* by train/bus/car; *~ Gewalt* by force; *~ Bleistift schreiben* to write in pencil; *~ dem nächsten Flugzeug/Bus kommen* to come on the next plane/bus; *~ einem Wort* in a word; *~ achtzehn Jahren* at (the age of) eighteen; *es wird ~ jedem Tag schlimmer* it's getting worse every day; *~ der Zeit* in time; *etw ~ DM 50.000 versichern* to insure sth for 50,000 marks; *~ 80 km/h* at 50 mph; *~ 4:2 gewinnen* to win 4-2; *~ mir waren es 5* there were 5 including me; *du ~ deinen dummen Ideen* (*col*) you and your stupid ideas; *~ lauter Stimme* in a loud voice; *~ Verlust* at a loss. ② adv er wollte ~ (*col*) he wanted to come too; *er war ~ dabei* he was there too; *er ist ~ der Beste der Gruppe* he is among the best in the group; *das gehört ~ dazu* that's part and parcel of it; *etw ~ in Betracht ziehen* to consider sth as well.

Mit|angeklagte(r) mf co-defendant.

Mit|arbeit f collaboration; (*Hilfe auch*) assistance; (*Teilnahme*) participation (*auch Sch*) ▸ *unter ~ von* in collaboration with.

mit|arbeiten vi sep to collaborate ▸ *er hat beim Bau des Hauses mitgearbeitet* he helped build the house; *beim Unterricht ~* to take an active part in lessons; *seine Frau arbeitet mit* (*col*) his wife works too.

Mit|arbeiter(in f) m (*Betriebsangehöriger*) employee; (*Kollege*) colleague; (*an Projekt etc*) collaborator ▸ *freier ~* freelance.

Mit|arbeiterstab m staff.

Mitbegründer m co-founder; (*bei einem Verein*) founding member.

mitbekommen* vt sep irreg ⓐ to get or be given sth. ⓑ (*col: verstehen*) to get (*col*).

mitbenutzen* vt sep to share (the use of).

Mitbenutzung f joint use.

Mitbesitzer m joint owner.

mitbestimmen* sep ① vi to have a say (*bei* in); to participate (*bei* in) ▸ *~d sein* to have an influence (*bei, für* on). ② vt to have an influence on.

Mitbestimmung f co-determination, participation (*bei* in) ▸ *~ am Arbeitsplatz* worker participation.

Mitbewerber m (fellow) competitor ▸ *meine ~* (*für Stelle*) the other applicants.

Mitbewohner m (fellow) occupant.

mitbringen vt sep irreg ⓐ to bring; Freund, Begleiter to bring along ▸ *jdm etw aus der Stadt/vom Bäcker ~* to bring sb sth back from town/the baker's; *was sollen wir der Gastgeberin ~?* what should we take to our hostess? ⓑ Mitgift, Kinder to bring with one ▸ *etw in die Ehe ~* to have sth when one gets married. ⓒ (*fig*) Befähigung etc to have, to possess.

Mitbringsel nt (*Geschenk*) small present; (*Andenken*) souvenir.

Mitbürger m fellow citizen.

mitdenken vi sep irreg to follow (sb's train of thought/

line of argument).

mitdürfen *vi sep irreg* **wir durften nicht mit** we weren't allowed to go along.

Mit|eigentümer *m* joint-owner.

Mit|einander *nt no pl* living and/or working together.

mit|einander *adv* with one another; (*gemeinsam*) together ▸ **wir haben lange ~ geredet** we had a long talk.

mit|empfinden* *sep irreg* ⟨1⟩ *vt* to share. ⟨2⟩ *vi* **mit jdm ~** to sympathize with sb.

mit|erleben* *vt sep Krieg* to live through; (*im Fernsehen*) to watch.

mit|essen *vt sep irreg Schale etc* to eat as well.

Mit|esser *m* - blackhead.

mitfahren *vi sep irreg aux sein* to go (with sb) ▸ **sie fährt mit** she is going too; **(mit jdm) ~** to go with sb; (*auf Reise auch*) to travel with sb; **kann ich (mit Ihnen) ~?** can you give me a lift?

Mitfahrer *m* passenger (receiving a lift).

Mitfahrerzentrale *f* agency for arranging lifts.

Mitfahrgelegenheit *f* lift.

mitfühlen *vi sep* = **mitempfinden**.

mitfühlend *adj* compassionate.

mitführen *vt sep Papiere, Ware etc* to carry (with one); (*Fluß*) to carry along.

mitgeben *vt sep irreg* **jdm etw ~** to give sb sth to take with him/her; *Rat, Erziehung* to give sb sth.

Mitgefühl *nt* sympathy.

mitgehen *vi sep irreg aux sein* ⟨a⟩ to go too *or* along ▸ **mit jdm ~** to go with sb. ⟨b⟩ (*fig: Publikum etc*) to respond (favourably) (*mit* to). ⟨c⟩ (*col*) **etw ~ lassen** to pinch sth (*col*).

Mitgift *f* -en dowry.

Mitgiftjäger *m* (*col*) dowry-hunter.

Mitglied *nt* member (*gen, bei, in +dat* of).

Mitglieds-: **~ausweis** *m* membership card; **~beitrag** *m* membership subscription.

Mitgliedschaft *f* membership.

Mitglied(s)staat *m* member state.

mithaben *vt sep irreg* **etw ~** to have sth (with one); **hast du alles mit?** have you got everything?

mithalten *vi sep irreg* (*bei Tempo etc*) to keep pace (*mit* with) ▸ **bei einer Diskussion ~ können** to be able to hold one's own in a discussion.

mithelfen *vi sep irreg* to help ▸ **beim Bau des Hauses ~** to help build the house.

Mithilfe *f* assistance, aid.

mithören *sep* ⟨1⟩ *vt* to listen to (too); *Gespräch* to overhear; (*heimlich*) to listen in on ▸ **ich habe alles mitgehört** I heard everything. ⟨2⟩ *vi* to listen in (*bei* on); (*zufällig*) to overhear.

Mit|inhaber *m* joint owner.

mitklingen *vi sep irreg* (*Ton, Saite*) to sound, to resonate ▸ **in ihrer Äußerung klang ein leichter Vorwurf mit** there was a slight note of reproach in her remark.

mitkommen *vi sep irreg aux sein* ⟨a⟩ to come along (*mit* with) ▸ **ich kann nicht ~** I can't come; **komm doch mit!** why don't you come too? ⟨b⟩ (*col*) (*mithalten*) to keep up; (*verstehen*) to follow ▸ **da komme ich nicht mit** I don't get it (*col*); (*es ist mir zu hoch*) that's beyond me; **sie kommt in der Schule gut mit** she is getting on well at school.

mitkriegen *vt sep* (*col*) = **mitbekommen**.

mitlaufen *vi sep irreg aux sein* to run (*mit* with).

Mitläufer *m* hanger-on; (*Pol, pej*) fellow traveller (*Brit*) *or* traveler (*US*).

Mitlaut *m* consonant.

Mitleid *nt no pl* pity, compassion (*mit* for); (*Mitgefühl*) sympathy (*mit* with, for).

Mitleidenschaft *f*: **jdn/etw in ~ ziehen** to affect sb/sth (detrimentally).

mitleid|erregend *adj* pitiful.

mitleidig *adj* pitying; (*mitfühlend*) sympathetic; *Mensch auch* compassionate ▸ **~ lächeln** to smile pityingly.

mitleid(s)-: **~los** *adj* heartless; **~voll** *adj* compassionate.

mitmachen *vti sep* ⟨a⟩ (*teilnehmen*) *Spiel, Singen etc* to join in; *Reise* to go on; *Kurs* to do; *Mode* to follow ▸ **etw** (*acc*) *or* **bei etw** (*dat*) **~** to join in sth; **meine Beine machen nicht mehr mit** my legs are giving up. ⟨b⟩ (*col: einverstanden sein*) **da macht mein Chef nicht mit** my boss won't go along with that; **ich mache das nicht mehr lange mit** I won't put up with that much longer. ⟨c⟩ (*erleben*) to live through; (*erleiden*) to go through.

Mitmensch *m* fellow man.

mitmenschlich *adj Kontakte etc* human.

mitmischen *vi sep* (*col*) (*sich beteiligen*) to be involved (*in +dat, bei* in); (*sich einmischen*) to interfere (*in +dat, bei* in sth).

mitnehmen *vt sep irreg* ⟨a⟩ to take (with one); (*ausleihen*) to borrow; (*kaufen*) to take ▸ **jdn (im Auto) ~** to give sb a lift; **einen Hamburger zum M~** a hamburger to take away (*Brit*) *or* to go (*US*). ⟨b⟩ (*erschöpfen*) *jdn* to exhaust, to weaken; (*beschädigen*) to be bad for ▸ **mitgenommen aussehen** to look the worse for wear. ⟨c⟩ (*stehlen*) to walk off with. ⟨d⟩ (*col*) *Sehenswürdigkeit etc* to take in.

Mitrauchen *nt* passive smoking.

mitrechnen *vt sep* to count; *Betrag* to count in.

mitreden *sep* ⟨1⟩ *vi* (*Meinung äußern*) to join in (*bei etw* sth); (*mitbestimmen*) to have a say (*bei* in) ▸ **da kann er nicht ~** he wouldn't know anything about that. ⟨2⟩ *vt* **Sie haben hier nichts mitzureden** this is none of your concern.

mitreisen *vi sep aux sein* to go/travel too ▸ **mit jdm ~** to go/travel with sb.

Mitreisende(r) *mf* fellow traveller (*Brit*) *or* traveler (*US*).

mitreißen *vt sep irreg* (*Fluß, Lawine*) to sweep away ▸ **seine Rede hat alle mitgerissen** everyone was carried away by his speech.

mitreißend *adj Rhythmus* infectious; *Reden* rousing; *Film, Fußballspiel* thrilling, exciting.

mitsamt *prep +dat* together with.

mitschicken *vt sep* (*in Brief etc*) to enclose.

mitschneiden *vt sep irreg* (*Rad, TV*) to record.

Mitschnitt *m* (*Rad, TV*) recording.

mitschreiben *sep irreg* ⟨1⟩ *vt* **etw ~** to write *or* take sth down. ⟨2⟩ *vi* to take notes.

Mitschrift *f* record; (*von Vorlesung etc*) notes *pl*.

Mitschuld *f* share of the blame (*an +dat* for); (*an einem Verbrechen*) complicity (*an +dat* in).

mitschuldig *adj* (*an Verbrechen*) implicated (*an +dat* in); (*an Unfall*) partly responsible (*an +dat* for).

Mitschuldige(r) *mf* accomplice.

Mitschüler *m* schoolfriend; (*in derselben Klasse*) classmate.

mitsingen *sep irreg* ⟨1⟩ *vt* to join in (singing). ⟨2⟩ *vi* to sing along ▸ **in einem Chor ~** to sing in a choir.

mitspielen *vi sep* ⟨a⟩ to play too; (*in Team etc*) to play (*bei* in) ▸ **in einem Film ~** to be in a film. ⟨b⟩ (*Gründe, Motive*) to play a part (*bei* in), to be involved (*bei* in). ⟨c⟩ (*Schaden zufügen*) **er hat ihr übel/hart mitgespielt** he has treated her badly.

Mitspieler *m* (*Sport*) player; (*Theat*) member of the cast.

Mitsprache *f* a say.

Mitspracherecht *nt* right to a say in a matter ▸ **jdm ein ~ einräumen** to allow sb a say (*bei* in).

mitsprechen *sep irreg* ⟨1⟩ *vt Gebet* to join in (saying).

---

2 *vi* (*mitbestimmen*) to have a say in sth.

Mitstreiter *m* (*geh*) comrade-in-arms.

⚠ **mittag** *adv* **gestern/heute** ~ at midday yesterday/today, yesterday/today lunchtime.

Mittag *m* -e a midday ► **jeden** ~ every day at midday, every lunchtime; **zu** ~ **essen** to have lunch. b (*col: ~spause*) lunch hour, lunch break ► ~ **machen** to take one's lunch hour.

Mittag|essen *nt* midday meal ► **er kam zum** ~ he came to lunch.

mittäglich *adj attr* midday, lunchtime.

mittags *adv* at lunchtime ► ~ **um 12 Uhr** at 12 noon; **sonnabends** ~ Saturday lunchtime.

Mittags-: ~**hitze** *f* midday heat; ~**pause** *f* lunch hour, lunch break; ~**pause machen/haben** to take/have one's lunch hour *etc*; (*Geschäft etc*) to close at lunchtime; ~**ruhe** *f* period of quiet (after lunch); (*in Geschäft*) midday closing; ~**schlaf** *m* siesta, early afternoon nap; ~**stunde** *f* midday; **um die ~stunde** around midday; ~**tisch** *m* lunch table; **am ~tisch sitzen** to be sitting (at the table) having lunch; ~**zeit** *f* lunchtime; **während** *or* **in der ~zeit** at lunchtime.

Mittäter *m* accomplice.

Mitte *f* -n middle; (*fig auch, von Kreis, Kugel etc, Pol*) centre (*Brit*), center (*US*) ► **das Reich der** ~ (*liter*) the Middle Kingdom; ~ **August** in the middle of August, in mid August; **er ist** ~ **vierzig** he's in his mid-forties; **die goldene** ~ the golden mean; **in der** ~ in the middle; (*zwischen zwei Menschen*) in between (them/us *etc*); (*zwischen Ortschaften*) halfway, midway; **einer aus unserer** ~ one of our number; **in unserer** ~ in our midst.

mitteilen *sep* 1 *vt* **jdm etw** ~ to tell sb sth; (*benachrichtigen*) to inform sb about sth; (*bekanntgeben*) to announce (sth) to sb; (*Comm, Admin*) to notify sb of sth.
2 *vr* to communicate (*jdm* with sb) ► **er kann sich gut/schlecht** ~ he finds it easy/difficult to communicate.

mitteilsam *adj* communicative; (*gesprächig*) talkative.

Mitteilung *f* (*Bekanntgabe*) announcement; (*Benachrichtigung*) notification; (*Comm, Admin*) communication; (*an Mitarbeiter etc*) memo ► **jdm (eine)** ~ **(von etw) machen** (*form*) to inform sb (of sth); (*bekanntgeben*) to announce (sth) to sb; (*benachrichtigen*) to inform sb (of sth).

Mitteilungsbedürfnis *nt* need to communicate.

Mittel *nt* - a (~ **zum Zweck**) means *sing*; (*Maßnahme, Methode*) way, method ► ~ **und Wege finden** to find ways and means; ~ **zum Zweck** a means to an end; **kein** ~ **unversucht lassen** to try everything; **als letztes** ~ as a last resort; **ihm ist jedes** ~ he will do anything (to achieve his ends); **etw mit allen ~n verhindern** to do one's utmost to prevent sth. b *pl* (*Geld~*) funds *pl*, means *pl*. c (*Medikament, kosmetisch*) preparation; (*Medizin*) medicine; (*Putz~*) cleaning agent; (*Wasch~*) detergent ► **welches** ~ **nimmst du?** (*Med: einnehmen*) what do you take?; **das ist ein** ~ **gegen Schuppen** that is for dandruff; **sich** (*dat*) **ein** ~ **verschreiben lassen** to get the doctor to prescribe something; **das beste** ~ **gegen etw** the best cure for sth. d (*Math: Durchschnitt*) average ► **arithmetisches** ~ arithmetical mean.

Mittel-: ~**alter** *nt* Middle Ages *pl*; **im finsteren ~alter** in the Dark Ages; **m~alterlich** *adj* medieval; ~**amerika** *nt* Central America (and the Caribbean); **m~amerikanisch** *adj* Central American; **m~bar** *adj* indirect (*auch Jur*); **m~deutsch** *adj* (*Geog, Ling*) Central German; ~**ding** *nt* (*Mischung*) cross; **ein ~ding** (*weder das eine noch das andere*) something in between;

~**europa** *nt* Central Europe; ~**europäer** *m* Central European; **m~europäisch** *adj* Central European; ~**feld** *nt* (*Sport*) midfield; ~**finger** *m* middle finger; **m~fristig** *adj* Finanzplanung, Politik medium-term; ~**gebirge** *nt* low mountain range; ~**gewicht** *nt* middleweight; **m~groß** *adj* medium-sized; ~**hochdeutsch(e)** *nt* Middle High German; ~**klasse** *f* a (*Comm*) middle of the market; b (*Sociol*) middle classes *pl*; ~**klassewagen** *m* mid-range car; ~**linie** *f* centre (*Brit*) *or* center (*US*) line; **m~los** *adj* without means; (*arm*) impoverished; ~**losigkeit** *f* lack of means; (*Armut*) impoverishment; ~**maß** *nt* mediocrity *no art*; **das (gesunde) ~maß** the happy medium; **m~mäßig** 1 *adj* mediocre; *Schriftsteller, Spieler etc auch* indifferent; 2 *adv* indifferently; **wie gefällt es dir hier? — so m~mäßig** how do you like it here? — so-so; ~**mäßigkeit** *f* mediocrity.

Mittelmeer *nt* Mediterranean (Sea).

Mittelmeer- *in cpds* Mediterranean.

Mittelmeerraum *m* Mediterranean (region).

Mittel-: **m~prächtig** *adj* (*hum col*) not bad *pred*, so-so *pred* (*col*); ~**punkt** *m* (*Math, räumlich*) centre (*Brit*), center (*US*); (*fig: visuell*) focal point; **er steht im ~punkt des Interesses** he is the centre of attention; ~**scheitel** *m* centre parting (*Brit*), center part (*US*); ~**schicht** *f* (*Sociol*) middle class.

Mittelsmann *m, pl* -**männer** *or* -**leute** intermediary.

Mittel-: ~**stand** *m* middle classes *pl*; **m~ständisch** *adj* a middle-class; b (*Betrieb*) medium-sized.

Mittelstrecken-: ~**flugzeug** *nt* medium-range aircraft; ~**lauf** *m* middle-distance race; ~**läufer** *m* middle-distance runner; ~**rakete** *f* intermediate-range *or* medium-range missile.

Mittel-: ~**streifen** *m* central reservation (*Brit*), median (strip) (*US*); ~**stück** *nt* middle part; ~**stufe** *f* (*Sch*) middle school (*Brit*), junior high (*US*); ~**stürmer** *m* (*Sport*) centre forward; ~**weg** *m* middle course; **der goldene ~weg** the happy medium, the golden mean; ~**welle** *f* (*Rad*) medium wave(band); ~**wert** *m* mean.

mitten *adv* ~ **in/auf etw** (right) in the middle of sth; ~ **aus etw** (right) from the middle of sth; ~ **durch etw** (right) through the middle of sth; ~ **im Urwald** in the depths of the jungle; ~ **ins Gesicht** right in the face; ~ **unter uns** (right) in our midst.

mitten-: ~**drin** *adv* (right) in the middle of it; ~**durch** *adv* (right) through the middle.

Mitternacht *f* midnight *no art*.

mitternächtlich *adj attr* midnight ► **zu ~er Stunde** (*geh*) at the midnight hour.

Mittler *m* - mediator.

mittlere(r, s) *adj attr* a (*dazwischenliegend*) middle ► **der/die/das** ~ the middle one; **der M~ Osten** the Middle East. b (*den Mittelwert bildend*) medium; (*mittelschwer*) Kursus, Aufgabe intermediate; (*durchschnittlich*) average; (*Math*) mean ► ~**n Alters** middle-aged; ~ **Preislage** medium price range.

┌─── **MITTLERE** ───┐

i The **mittlere Reife** is the standard certificate achieved at a *Realschule* on successful completion of 6 years' education there. If a pupil at a Realschule attains good results in several subjects he is allowed to enter the 11th class of a Gymnasium to study for the **Abitur**.

└────────────────────┘

mittlerweile *adv* in the meantime.

Mitt-: ~**woch** *m* -e Wednesday; *siehe* **Dienstag**; **m~wochs** *adv* on Wednesdays.

mit|unter *adv* now and again, once in a while.

mitver|antwortlich *adj* jointly responsible *pred*.

Mitver|antwortung *f* share of the responsibility.

➤ **SATZBAUSTEINE**: **mögen**: **1** → 1.1, 1.2, 1.3, 1.4, 8.1, 8.2, 13.1 **3a** → 2.3, 5.1, 6.1, 8.2, 10.3

mitverdienen* *vi sep* to (go out to) work as well.

Mitverfasser *m* co-author.

Mitverschulden *nt* **ihn trifft ein ~ an diesem Vorfall** he was partly to blame for this incident.

mitversichern* *vt sep* to include in the insurance.

mitwirken *vi sep* (*an +dat, bei* in) to play a part; (*beteiligt sein*) to be involved; (*Theat, in Diskussion*) to take part; (*in Film*) to appear.

Mitwirkende(r) *mf decl as adj* participant (*an +dat, bei* in) ▶ **die ~n** (*Theat*) the cast *pl.*

Mitwirkung *f* (*Beteiligung*) involvement (*an +dat, bei* in); (*an Buch, Film*) collaboration (*an +dat, bei* on); (*Teilnahme*) (*an Diskussion, Projekt*) participation (*an +dat, bei* in); (*von Schauspieler*) appearance (*an +dat, bei* in) ▶ **unter ~ von** with the participation of.

Mitwisser(in *f*) *m* - (*Jur*) accessory (*gen* to) ▶ **~ einer Sache** (*gen*) **sein** to know about sth.

mitzählen *vti sep* to count; *Betrag* to count in.

mitziehen *vi sep irreg aux sein* (*fig col*) to go along with it.

Mixbecher *m* (cocktail) shaker.

mixen *vt Getränke*, (*Rad, TV*) to mix.

Mixer *m* - [a] (*Bar~*) barman, bartender (*US*). [b] (*Küchen~*) blender; (*Rührmaschine*) mixer. [c] (*Film, Rad, TV*) mixer.

Mixgetränk *nt* mixed drink; (*alkoholisch*) cocktail.

Mixtur *f* (*Pharm, Mus, fig*) mixture.

ml = **Milliliter** ml.

mm = **Millimeter** mm.

Mo. = **Montag** Mon.

Mob *m no pl* (*pej*) mob.

Mobbing *nt no pl* harassment in the workplace.

Möbel *nt* - (*~stück*) piece of furniture ▶ **~** *pl* furniture *sing.*

Möbel- *in cpds* furniture; **~haus** *nt* furniture store; **~lager** *nt* furniture showroom; **~packer** *m* removal man; **~spedition** *f* removal firm; **~stoff** *m* furnishing fabric; **~stück** *nt* piece of furniture; **~wagen** *m* removal van (*Brit*), moving van (*US*).

mobil *adj* [a] mobile ▶ **~ machen** (*Mil*) to mobilize. [b] (*col: flink, munter*) lively.

Mobile ['moːbilə] *nt* -**s** mobile.

Mobilfunk *m* cellular radio.

Mobilfunknetz *nt* cellular network.

Mobiliar *nt no pl* furnishings *pl.*

mobilisieren* *vt* (*Mil, fig*) to mobilize.

Mobilisierung *f* mobilization.

Mobilität *f* mobility.

Mobil-: **~machung** *f* (*Mil*) mobilization; **~telefon** *nt* portable telephone.

möbl. = **möbliert** furnished.

möblieren* *vt* to furnish ▶ **ein möbliertes Zimmer** a furnished room; **möbliert wohnen** to live in furnished accommodation (*Brit*) *or* accommodations (*US*).

mochte *pret of* **mögen**.

Möchtegern- *in cpds* (*iro*) would-be.

Modalität *f usu pl* (*von Plan, Vertrag etc*) arrangement; (*von Verfahren, Arbeit*) procedure.

Mode *f* -**n** fashion; (*Sitte*) custom ▶ **~ sein** to be the fashion; (*Sitte*) to be the custom; **in ~/aus der ~ kommen** to come into/go out of fashion.

Mode-: **~artikel** *m* fashion accessory; **m~bewußt** △ *adj* fashion-conscious; **~farbe** *f* fashionable colour (*Brit*) *or* color (*US*); **~geschäft** *nt* fashion shop (*Brit*) *or* store (*US*); **~heft**, **~journal** *nt* fashion magazine.

Modell *nt* -**e** model ▶ **zu etw ~ stehen** to be the model for sth.

Modell-: **~eisenbahn** *f* model railway; (*als Spielzeug*) train set; **~flugzeug** *nt* model aircraft.

modellieren* *vti* to model.

Modell-: **~kleid** *nt* model (dress); **~versuch** *m* (*esp Sch*) pilot scheme.

Modem *m* -**s** modem.

Modenschau *f* fashion show.

Moder *m no pl* mustiness; (*Schimmel*) mildew ▶ **es riecht nach ~** it smells musty.

Moderation *f* (*Rad, TV*) presentation.

Moderator *m*, **Moderatorin** *f* presenter.

Modergeruch *m* musty smell.

moderieren* *vti* (*Rad, TV*) to present.

mod(e)rig *adj Geruch* musty.

modern¹ *vi aux sein or haben* to rot.

modern² *adj* modern *no adv*; (*modisch*) fashionable; *Ansichten, Eltern, Lehrer* progressive.

Moderne *f no pl* (*geh*) modern age.

modernisieren* *vt Gebäude* to modernize; *Kleidung* to make more fashionable.

Modernisierung *f* modernization.

Modernismus *m* modernism.

modernistisch *adj* modernistic.

Modernität *f* (*geh*) modernity.

Mode-: **~schmuck** *m* costume jewellery (*Brit*) *or* jewelry (*US*); **~schöpfer(in** *f*) *m* fashion designer; **~tanz** *m* popular dance; **~wort** *nt* trendy *or* buzz word; **~zeitschrift** *f* fashion magazine.

Modifikation *f* modification.

modifizieren* *vt* to modify.

modisch *adj* stylish, fashionable.

Modistin *f* milliner.

Modul *nt* -**e** (*Comp*) module.

modular *adj* (*Comp*) modular.

modulieren* *vt* to modulate.

Modus *m* -, **Modi** [a] way. [b] (*Gram*) mood. [c] (*Comp*) mode.

Mofa *nt* -**s** small moped.

Mogadischu *nt* Mogadischu.

Mogelei *f* cheating *no pl.*

mogeln *vi* to cheat.

▼ **mögen** *pret* **mochte**, *ptp* **gemocht** [1] *vt* to like ▶ **~ Sie ihn?** do you like him?; **was möchten Sie, bitte?** what would you like?; (*Verkäufer*) what can I do for you?; **nein danke, ich möchte lieber Tee** no thank you, I would rather have tea.

[2] *vi* (*etw tun ~*) to like to ▶ **ich mag nicht mehr** I've had enough; (*bin am Ende*) I can't take any more; **kommen Sie mit? — ich möchte gern, aber ...** are you coming too? — I'd like to, but ...; **ich möchte lieber in die Stadt** I would prefer to go into town.

[3] *ptp* **~** *modal aux* [a] to like to +*infin*; (*wollen*) to want ▶ **möchten Sie etwas essen?** would you like something to eat?; **hier möchte ich nicht wohnen** (*würde nicht gern*) I wouldn't like to live here; (*will nicht*) I don't want to live here; **ich hätte gern dabeisein ~** I would like to have been there; **man möchte meinen, daß ...** you would think that ...; **sie mag nicht bleiben** she doesn't want to stay.

[b] **es mag wohl sein, daß er recht hat, aber ...** he may well be right, but ...; **wie dem auch sein mag** however that may be; **mag kommen was da will** come what may; **es mochten etwa fünf Stunden vergangen sein** about five hours must have passed; **wie alt mag sie sein?** how old is she, I wonder?; **was mag das wohl heißen?** what might that mean?

[c] (*Aufforderung, indirekte Rede*) (**sagen Sie ihm,**) **er möchte zu mir kommen** would you tell him to come and see me; **Sie möchten zu Hause anrufen** you should call home.

Mogler(in *f*) *m* - cheat.

▼ **möglich** *adj* possible; (*attr: eventuell auch*) potential ▶ **alles ~e** everything you can think of; **alles M~e tun** to do everything possible; *er hat allen ~en Blödsinn gemacht* he did all sorts of stupid things; *so viel/bald wie ~* as much/soon as possible; *es war mir nicht ~ mitzukommen* I couldn't manage to come; *nicht ~!* never!; *er tat sein ~stes* he did his utmost.

möglicherweise adv possibly ► *~ kommt er morgen* he may (possibly) come tomorrow.

▼ **Möglichkeit** f [a] possibility ► *es besteht die ~, daß ...* there is a possibility that ...; *nach ~* if possible; *ist denn das die ~?* (col) I don't believe it! [b] (*Aussicht*) chance; (*Gelegenheit auch*) opportunity ► *er hatte keine andere ~* he had no other chance.

möglichst adv *~ schnell/oft* as quickly/often as possible; *in ~ kurzer Zeit* as quickly as possible.

Mohair [mo'hɛːɐ] m -e (*Tex*) mohair.

Mohammed m Mohammed.

Mohammedaner(in f) [mohame'daːnɐ, -ərɪn] m - Mohammedan.

mohammedanisch [mohame'daːnɪʃ] adj Mohammedan.

Mohikaner [mohi'kaːnɐ] m - Mohican ► *der letzte ~* (hum col) the very last one.

Mohn m -e [a] poppy. [b] (*~samen*) poppy seed.

Mohn- in cpds poppy; (*Cook*) poppy-seed; **~blume** f poppy; **~kuchen** m poppy-seed cake.

Möhre f -n carrot.

Mohrenkopf m chocolate-covered marshmallow.

Mohrrübe f carrot.

mokieren* vr to sneer (*über +acc* at).

Mokka m -s mocha, strong coffee.

Molch m -e salamander.

Moldau f (*Fluß*) Vltava.

Moldawien [-iən] nt Moldavia.

Mole f -n (*Naut*) mole.

Molekül nt -e molecule.

molekular adj molecular.

molk pret of **melken**.

Molke f no pl whey.

Molkerei f dairy.

Molkerei-: **~butter** f blended butter; **~produkt** nt dairy product.

Moll nt -, - (*Mus*) minor (key) ► *a-~* A minor.

mollig adj (col) [a] cosy (*Brit*), cozy (*US*). [b] (*rundlich*) plump.

Molltonleiter f minor scale.

Moment[1] m -e moment ► *jeden ~* any moment; *~ mal!* just a minute!; *im ~* at the moment; *im ersten ~* for a moment.

Moment[2] nt -e (*Umstand*) fact; (*Faktor*) factor; (*Bestandteil*) element.

momentan [1] adj (*vorübergehend*) momentary; (*augenblicklich*) present attr. [2] adv (*vorübergehend*) momentarily; (*augenblicklich*) at present.

Monaco ['moːnako, mo'naːko] nt Monaco.

Monarch(in f) m (wk) -en, -en monarch.

Monarchie f monarchy.

Monarchist(in f) m monarchist.

monarchistisch adj monarchistic.

Monat m -e month ► *der ~ Mai* the month of May; *sie ist im sechsten ~ (schwanger)* she's five months pregnant; *was verdient er im ~?* how much does he earn a month?; *am 12. dieses ~s* on the 12th (of this month).

monatelang [1] adj attr Verhandlungen, Kämpfe which go/went etc on for months ► *nach ~em Warten* after months of waiting; *mit ~er Verspätung* months late. [2] adv for months.

monatlich adj monthly ► *~ stattfinden* to take place every month.

Monats-: **~anfang** m beginning of the month; **~blutung** f menstrual period; **~einkommen** nt monthly income; **~ende** nt end of the month; **~gehalt** nt monthly salary; *zwei ~gehälter* two months' salary; **~karte** f monthly season (ticket); **~lohn** m monthly wage; **~rate** f monthly instalment (*Brit*) or installment (*US*).

Mönch m -e monk; (*Bettel~* auch) friar.

Mond m -e moon ► *auf* or *hinter dem ~ leben* (col) to be behind the times; *in den ~ gucken* (col) to go empty-handed; *deine Uhr geht nach dem ~* (col) your watch/clock is way out (col).

mondän adj chic.

Mond-: **~aufgang** m moonrise; **~bahn** f lunar orbit; **~finsternis** f lunar eclipse; **~gesicht** nt moonface; **m~hell** adj moonlit; **~(lande)fähre** f (*Space*) lunar module; **~landschaft** f lunar landscape; **~landung** f moon landing; **~licht** nt moonlight; **m~los** adj moonless; **~nacht** f (geh) moonlit night; **~schein** m moonlight; **~sonde** f (*Space*) lunar probe; **m~süchtig** adj *m~süchtig sein* to sleepwalk; **~untergang** m moonset.

Monegasse m (wk) -n, -n, **Monegassin** f Monegasque.

monegassisch adj Monegasque.

Monetarismus m (*Econ*) monetarism.

Monetarist(in f) m (*Econ*) monetarist.

Moneten pl (col) bread (col), dough (col).

Mongole m (wk) -n, -n, **Mongolin** f Mongolian, Mongol.

Mongolei f *die ~* Mongolia.

mongolisch adj Mongolian, Mongol.

Mongolismus m (*Med*) mongolism.

mongoloid adj (*Med*) mongoloid.

monieren* [1] vt to complain about. [2] vi to complain.

Monitor m (*TV, Phys*) monitor.

Mono-, mono- in cpds mono-.

Mono-: **m~chrom** [mono'kroːm] adj monochrome; **m~gam** adj monogamous; **~gamie** f monogamy; **~gramm** nt monogram.

Monokel nt - monocle.

Monolith m (wk) -en, e(n) monolith.

monolithisch adj (auch fig) monolithic.

Monolog m -e (*Liter, fig*) monologue; (*Selbstgespräch*) soliloquy ► *einen ~ halten* (fig) to hold a monologue, to talk on and on.

Monopol nt -e monopoly (*auf +acc, für* on).

monopolisieren* vt (lit, fig) to monopolize.

Monopol-: **~kapital** nt (*Kapital*) monopoly capital; (*Kapitalisten*) monopoly capitalism; **~stellung** f monopoly.

monoton adj monotonous.

Monotonie f monotony.

Monster nt - (col) monster.

Monster- in cpds (usu pej) mammoth, monster; **~film** m mammoth (film) production.

Monstranz f (*Eccl*) monstrance.

monströs adj monstrous; (*riesig groß*) monster.

Monstrum nt, pl **Monstren** (lit, fig) monster.

Monsun m -e monsoon.

Montag m Monday; siehe **Dienstag**.

Montage [mɔn'taːʒə] f -n [a] (*Tech*) (*Aufstellung*) installation; (*von Gerüst*) erection; (*Zusammenbau*) assembly. [b] (*Art*) montage; (*Film*) editing.

Montage-: **~band** nt assembly line; **~halle** f assembly shop.

montags adv on Mondays.

Montan|industrie f coal and steel industry.

Monteur(in f) [mɔn'tøːɐ, -'tøːrɪn] m (*Tech*) fitter; (*Aut*) mechanic.

montieren* vt (*Tech*) to install; (*zusammenbauen*) to assemble; (*befestigen*) to fit (*auf or an +acc* to); (*aufstellen*) *Gerüst* to erect.

Montur *f* (*col: Spezialkleidung*) gear (*col*), rig-out (*col*).

Monument *nt* monument.

monumental *adj* monumental.

Moor *nt* -e bog; (*Hoch~*) moor.

Moor-: ~**bad** *nt* mud bath; ~**huhn** *nt* grouse.

moorig *adj* boggy.

Moos *nt* -e [a] moss ▸ ~ *ansetzen* to become covered with moss. [b] *no pl* (*col: Geld*) bread (*col*), dough (*col*).

moos-: ~**bedeckt** *adj* moss-covered; ~**grün** *adj* moss-green.

moosig *adj* mossy.

⚠ **Mop** *m* -s mop.

Moped *nt* -s moped.

Mopedfahrer *m* moped rider.

Mops *m* ¨e [a] (*Hund*) pug (dog). [b] (*Dickwanst*) roly-poly (*col*). [c] ¨e *pl* (*col: Geld*) bread *sing* (*col*), dough *sing* (*col*).

mopsen *vt* (*col: stehlen*) to pinch (*col*).

mopsig *adj* (*col: frech*) *sich* ~ *machen*, ~ *werden* to get cheeky (*esp Brit*) or fresh (*esp US*).

Moral *f no pl* [a] (*Sittlichkeit*) morals *pl* ▸ *eine hohe* ~ *haben* to have high moral standards; *die bürgerliche* ~ bourgeois morality; *eine doppelte* ~ double standards *pl*. [b] (*Lehre*) moral ▸ *und die* ~ *von der Geschicht'* and the moral of this story. [c] (*Disziplin: von Volk, Soldaten*) morale ▸ *die* ~ *sinkt* morale is getting low.

Moral- *in cpds* moral; ~**apostel** *m* (*pej*) upholder of moral standards.

moralisch *adj* moral ▸ *das war eine* ~e *Ohrfeige für die Regierung* that was one in the eye for the government (*col*); *einen M~en haben* (*col*) to have (a fit of) the blues (*col*).

Moralist(in *f*) *m* moralist.

Moralpredigt *f* homily, sermon ▸ ~*en halten* to moralize.

Morast *m* -e (*lit, fig*) mire; (*Sumpf auch*) morass.

morastig *adj* marshy; (*schlammig*) muddy.

Morchel *f* -n (*Bot*) morel.

Mord *m* -e murder, homicide (*US*) (*an +dat* of); (*an Politiker etc*) assassination (*an +dat* of) ▸ *wegen* ~*es* for murder *or* homicide (*US*); *politischer* ~ political killing; *dann gibt es* ~ *und Totschlag* (*col*) there'll be hell to pay (*col*).

Mord-: ~**anschlag** *m* murderous attack (*auf +acc* on); (*Attentat*) assassination attempt (*auf +acc* on); *einen* ~*anschlag auf jdn verüben* to make an attempt on sb's life; ~**drohung** *f* threat on one's life.

morden *vti* (*liter*) to murder, to slay (*liter*).

Mörder(in *f*) *m* - murderer (*auch Jur*), killer; (*Attentäter*) assassin.

Mörder-: ~**bande** *f* gang of killers; ~**grube** *f. aus seinem Herzen keine* ~**grube** *machen* to speak frankly.

mörderisch [1] *adj* (*fig*) (*schrecklich*) dreadful, terrible; *Tempo* gruelling; *Preise* iniquitous; *Konkurrenzkampf* cut-throat.
[2] *adv* (*col: entsetzlich*) dreadfully, terribly ▸ ~ *schreien* to scream blue murder (*col*).

Mord-: ~**fall** *m* murder *or* homicide (*US*) (case); ~**kommission** *f* murder squad, homicide squad *or* division (*US*); ~**prozeß** ⚠ *m* murder trial.

Mords- *in cpds* (*col*) terrible, awful; (*toll, prima*) hell of a (*col*); ~**ding** *nt* (*col*) whopper (*col*); ~**glück** *nt* (*col*) tremendous stroke of luck; ~**lärm** *m* (*col*) hell of a noise (*col*); **m~mäßig** (*col*) [1] *adj* incredible; [2] *adv* (+*vb*) terribly, awfully.

Mord-: ~**verdacht** *m* suspicion of murder; *unter* ~*verdacht* (*dat*) *stehen* to be suspected of murder; ~**versuch** *m* attempted murder; ~**waffe** *f* murder weapon.

Morgen *m* - [a] (*Tagesanfang*) morning ▸ *am* ~ in the morning; *bis in den* ~ *(hinein)* into the early hours; *eines* ~*s* one morning; *es wird* ~ day is breaking; *guten* ~*!* good morning; ~*!* (*col*) morning. [b] (*Measure*) ≃ acre ▸ *drei* ~ *Land* three acres of land.

morgen *adv* [a] tomorrow ▸ ~ *früh* tomorrow morning; ~ *in acht Tagen* a week (from) tomorrow; ~ *um diese Zeit* this time tomorrow; *bis* ~*!* see you tomorrow; ~ *ist auch (noch) ein Tag!* (*Prov*) there's always tomorrow; *die Technik von* ~ the technology of tomorrow. [b] *gestern* ~ yesterday morning; *heute* ~ this morning.

Morgen- *in cpds* morning; ~**andacht** *f* morning service; ~**ausgabe** *f* morning edition; ~**dämmerung** *f* = ~**grauen**.

morgendlich *adj* morning *attr*, (*früh~*) early morning *attr*.

Morgen-: ~**grauen** *nt* - dawn, daybreak; ~**gymnastik** *f* morning exercises *pl*; ~**land** *nt* (*old, liter*) Orient; ~**luft** *f* early morning air; ~*luft wittern* (*fig col*) to see one's chance; ~**mantel** *m* dressing-gown; ~**muffel** *m* (*col*) *er ist ein schrecklicher* ~*muffel* he's terribly grumpy in the mornings (*col*); ~**rock** *m* dressing-gown; ~**rot** *nt no pl* sunrise; (*fig*) dawn(ing).

morgens *adv* in the morning ▸ *(um) drei Uhr* ~ at three a.m.; *von* ~ *bis abends* from morning to night; *Freitag* ~ on Friday morning; (*regelmäßig*) on Friday mornings.

Morgen-: ~**stern** *m* morning star; ~**stunde** *f* morning hour; *bis in die frühen* ~*stunden* into the early hours (of the morning); ~*stund(e) hat Gold im Mund(e)* (*Prov*) the early bird catches the worm (*Prov*).

morgig *adj attr* tomorrow's ▸ *der* ~e *Tag* tomorrow.

Mormone *m* (*wk*) -n, -n, **Mormonin** *f* Mormon.

Morphium ['mɔrfiʊm] *nt no pl* morphine.

morsch *adj* (*lit, fig*) rotten; *Knochen* brittle; *Gebäude* ramshackle.

Morse|alphabet *nt* Morse (code).

morsen [1] *vi* to send a message in Morse (code).
[2] *vt* to send in Morse (code).

Mörser *m* - mortar (*auch Mil*).

Morsezeichen *nt* Morse signal.

Mörtel *m* - (*zum Mauern*) mortar; (*Putz*) stucco.

Mosaik *nt* -e(n) (*lit, fig*) mosaic.

Mosambik [mosam'bɪk, -'biːk] *nt* Mozambique.

Moschee *f* -n [-'eːən] mosque.

Moschus *m no pl* musk.

Möse *f* -n (*col!!*) cunt (*col!!*).

Mosel¹ *f* (*Geog*) Moselle.

Mosel² *m* -, **Moselwein** *m* Moselle (wine).

mosern *vi* (*col*) to gripe (*col*), to belly-ache (*col*).

Moskau *nt* Moscow.

Moskauer *adj attr* Moscow *attr*.

Moskauer(in *f*) *m* - Muscovite.

Moskito *m* -s mosquito.

Moslem *m* -s, **Moslime** *f* Muslim.

moslemisch *adj attr* Muslim.

Most *m no pl* [a] unfermented fruit juice; (*für Wein*) must. [b] (*S Ger, Sw: Obstwein*) fruit wine; (*Apfel~*) ≃ cider.

Most|apfel *m* ≃ cider apple.

Motel *nt* -s motel.

Motiv *nt* -e [a] (*Psych, Jur, fig*) motive ▸ *das* ~ *einer Tat* the motive for a deed. [b] (*Art, Liter*) subject; (*Leit~, Mus*) motif.

Motivation [-va'tsioːn] *f* motivation.

motivieren* [moti'viːrən] *vt* [a] (*begründen*) *etw (jdm gegenüber)* ~ to give (sb) reasons for sth. [b] (*anregen*) to motivate.

Motivierung *f* motivation.

Motor m -en [mo'to:rən] engine; (*Elektro~*) motor; (*fig*) driving force (*gen* in).
Motor-: **~antrieb** m mit **~antrieb** powered (by an engine); **~boot** nt motorboat; **~geräusch** nt engine noise; **~haube** f bonnet (*Brit*), hood (*US*); (*Aviat*) engine cowling.
motorisch adj (*Physiol*) motor attr.
motorisiert* adj motorized.
Motor-: **~jacht** f motor yacht; **~leistung** f engine power; **~öl** nt engine oil.
Motorrad nt motorcycle.
Motorradfahrer m motorcyclist.
Motor-: **~raum** m engine compartment; **~roller** m (motor) scooter; **~säge** f power saw; **~schaden** m engine trouble no pl; **~sport** m motor sport.
Motte f -n moth ▶ von **~n zerfressen** moth-eaten; *du kriegst die ~n!* (*col*) blow me! (*col*).
Motten-: **m~fest** adj mothproof; **~kiste** f (*fig*) etw aus der **~kiste hervorholen** to dig sth out; **~kugel** f mothball.
Motto nt -s (*Wahlspruch*) motto.
motzen vi (*col*) to beef (*col*), to grouse (*col*).
Möwe f -n seagull, gull.
MP [ɛm'piː] = **Maschinenpistole.**
Mrd. = **Milliarde.**
Mrz. = **März** Mar.
MS [ɛm'|ɛs] = **Multiple Sklerose** MS.
Ms., Mskr. = **Manuskript** MS.
MTA [ɛmteː'|aː] mf = **medizinisch-technische Assistentin, medizinisch-technischer Assistent.**
mtl. = **monatlich.**
Mücke f -n (*Insekt*) mosquito; (*kleiner*) gnat; (*winzig*) midge ▶ aus einer ~ einen Elefanten machen (*col*) to make a mountain out of a molehill.
Muckefuck m no pl (*col*) coffee substitute.
mucken [1] vi (*col*) to mutter ▶ ohne zu ~ without a murmur.
[2] vr to utter a sound.
Mucken pl (*col*) moods pl ▶ **(seine) ~ haben** to be moody; (*Sache*) to be temperamental.
Mückenstich m mosquito/gnat/midge bite.
Mucks m -e (*col*) sound ▶ **keinen ~ sagen** not to make a sound; (*nicht widersprechen*) not to say a word.
mucksen vr (*col*) sich nicht ~ not to move (a muscle); (*sich nicht äußern*) not to utter a sound.
mucksmäuschenstill [-'mɔysçən-] adj (*col*) (as) quiet as a mouse.
müde adj tired; (*Haupt* weary ▶ sie wird nicht ~, das zu tun she never wearies of doing that; keine ~ Mark (*col*) not a single penny.
Müdigkeit f (*Schlafbedürfnis*) tiredness; (*Schläfrigkeit*) sleepiness ▶ vor ~ (*dat*) umfallen to drop from exhaustion; nur keine ~ vorschützen! (*col*) don't (you) tell me you're tired.
Muff¹ m no pl (*N Ger: Modergeruch*) musty smell.
Muff² m -e muff.
Muffel m - (*col: Murrkopf*) grouch, grouser.
muff(e)lig adj (*col*) grumpy.
Muffensausen nt (*col*): ~ kriegen/haben to be/get scared stiff (*col*).
muffig adj (*dial*) Geruch musty.
muh interj moo.
Mühe f -n trouble; (*Anstrengung* auch) effort; (*Arbeitsaufwand* auch) bother ▶ ohne ~ without any bother; nur mit ~ only just; mit Müh(e) und Not (*col*) with great difficulty; wenig/keine ~ haben not to have much bother (etw zu tun doing sth); es ist der (*gen*) ~ wert it's worth the trouble (etw zu tun of doing sth); sich (*dat*) keine ~ geben to take no trouble; gib dir keine ~! (*hör auf*) don't bother, save yourself the trou-

ble; sich (*dat*) die ~ machen, etw zu tun to take the trouble to do sth; jdm ~ machen to give sb some bother; verlorene ~ a waste of effort.
mühelos adj effortless; Sieg, Aufstieg auch easy.
Mühelosigkeit f siehe adj effortlessness; ease.
muhen vi to moo, to low.
mühen vr (*geh*) to strive (*um* for).
mühevoll adj laborious, arduous; Leben arduous.
Mühle f -n ⓐ mill; (*Kaffee~*) grinder. ⓑ (*fig: Routine*) treadmill. ⓒ (*~spiel*) nine men's morris. ⓓ (*col*) (*Auto*) crate (*col*), banger (*col*), jalopy (*col*); (*Fahrrad*) boneshaker (*col*).
Mühl-: **~rad** nt millwheel; **~stein** m millstone.
Mühsal ['myːzaːl] f -e (*geh*) tribulation; (*Strapaze*) toil.
mühsam ['myːzam] [1] adj arduous.
[2] adv with difficulty ▶ ~ verdientes Geld hard-earned money.
mühselig ['myːzeːlɪç] adj arduous.
Mulatte m (*wk*) -n, -n, **Mulattin** f mulatto.
Mulde f -n (*Geländesenkung*) hollow.
Mull m (*Gewebe*) muslin; (*Med*) gauze.
Müll m no pl (*Haushalts~*) rubbish, garbage (*esp US*), refuse (*form*); (*Gerümpel*) rubbish; (*Industrie~*) waste.
Müll-: **~abfuhr** f refuse or garbage (*US*) collection; (*Stadtreinigung*) refuse etc collection department; **~abladeplatz** m rubbish or garbage (*US*) dump; **~beutel** m bin liner (*Brit*), trashcan liner (*US*).
Mullbinde f gauze bandage.
Müll-: **~deponie** f waste disposal site, sanitary (land)fill (*US form*); **~eimer** m rubbish bin (*Brit*), garbage can (*US*).
Müller m - miller.
Müll-: **~halde, ~kippe** f rubbish or garbage (*US*) dump; **~mann** m, pl **~männer** (*col*) dustman (*Brit*), trash collector (*US*); **~sack** m rubbish or garbage (*US*) bag; **~schlucker** m - refuse chute; **~sortierung** f no pl separation of waste; **~tonne** f dustbin (*Brit*), trashcan (*US*); **~tüte** f = **~beutel; ~verbrennungsanlage** f incinerator, incinerating plant; **~wagen** m dustcart (*Brit*), garbage truck (*US*).
mulmig adj uncomfortable ▶ mir war ~ zumute (*lit*) I felt queasy; (*fig*) I had butterflies (*col*).
Multi m -s (*col*) multinational (organization).
Multi- in cpds multi-; **~kulturell** adj multicultural; **~e Gesellschaft** multicultural society; **m~lateral** adj multilateral; **~millionär** m multimillionaire; **m~national** adj multinational.
multipel adj multiple ▶ multiple Sklerose multiple sclerosis.
Multiplikation f multiplication.
multiplizieren* [1] vt (*lit, fig*) to multiply (*mit* by).
[2] vr (*fig*) to multiply.
Mumie ['muːmiə] f mummy.
mumifizieren* vt to mummify.
Mumm m no pl (*col: Mut*) spunk (*dated col*), guts pl (*col*).
mümmeln vi (*col*) to nibble.
Mumpitz m no pl (*col*) balderdash (*dated col*).
Mumps m or (*col*) f -, no pl (the) mumps sing.
München nt Munich.
Mund m ̈-er mouth; (*col: Mundwerk*) tongue ▶ etw in den ~ nehmen to put sth in one's mouth; dieses Wort nehme ich nicht in den ~ I never use that word; den ~ aufmachen (*fig: seine Meinung sagen*) to speak up; einen großen ~ haben (*fig*) (*aufschneiden*) to talk big (*col*); (*frech sein*) to be cheeky (*esp Brit*) or fresh (*esp US*); jdm den ~ verbieten to order sb to be quiet; halt den ~! shut up! (*col*); er kann den ~ einfach nicht halten (*col*) he can't keep his big mouth shut (*col*); jdm über den ~ fahren to cut sb short; jdm den ~ stopfen (*col*)

to shut sb up (*col*); ***in aller ~e sein*** to be on everyone's lips; ***Sie nehmen mir das Wort aus dem ~*** you've taken the (very) words out of my mouth; ***jdm nach dem ~ reden*** (*col*) to say what sb wants to hear; ***sie ist nicht auf den ~ gefallen*** (*col*) she's never at a loss for words; ***den ~ (zu) voll nehmen*** (*col*) to talk (too) big (*col*).

Mund|art *f* dialect.

mund|artlich *adj* dialect(al).

Munddusche *f* water jet.

Mündel *nt or* (*Jur*) *m* - ward.

munden *vi* (*liter*) ***jdm köstlich ~*** to taste delicious to sb; ***sich*** (*dat*) ***etw ~ lassen*** to savour (*Brit*) *or* savor (*US*) sth.

münden *vi aux sein or haben* (*Fluß*) to flow (*in +acc* into); (*Straße*) to lead (*in +acc, auf +acc* into).

Mund-: m~faul *adj* (*col*) uncommunicative; ***sei doch nicht so m~faul!*** make an effort and say something!; **m~gerecht** *adj* bite-sized; **~geruch** *m* bad breath; **~harmonika** *f* mouth organ.

mündig *adj* of age; (*fig*) mature.

Mündigkeit *f* majority; (*fig*) maturity.

mündlich *adj* verbal; *Prüfung, Leistung* oral ► ***~e Verhandlung*** (*Jur*) hearing; ***die ~e Prüfung, das M~e*** (*col*) (*Sch, Univ*) the oral; (*bei Dissertation etc*) the viva (voce); ***alles weitere ~!*** let's talk about it more when I see you.

Mund-: ~propaganda *f* verbal propaganda; **~raub** *m* (*Jur*) theft of food for personal consumption; **~schutz** *m* mask (over one's mouth); **~stück** *nt* (*von Pfeife, Blasinstrument*) mouthpiece; (*von Zigarette*) (filter-)tip; **m~tot** *adj* (*col*) ***jdn m~tot machen*** to silence sb.

Mündung *f* (*von Fluß, Rohr etc*) mouth; (*Trichter~*) estuary; (*Gewehr~*) muzzle.

Mund-: ~wasser *nt* mouthwash; **~werk** *nt* (*col*) ***ein freches/großes/lockeres ~werk haben*** to be cheeky (*esp Brit*) *or* fresh (*esp US*)/talk big (*col*)/talk too much; ***ihr ~werk steht nie still*** her tongue never stops wagging (*col*); **~winkel** *m* corner of one's mouth; **~-zu-~-Beatmung** *f* mouth-to-mouth resuscitation.

Munition *f* ammunition.

Munitions-: ~depot *nt* munitions dump; **~fabrik** *f* munitions factory; **~lager** *nt* munitions dump.

munkeln *vti* ***man munkelt, daß ...*** there's a rumour (*Brit*) *or* rumor (*US*) that ...

Münster *nt* - minster, cathedral.

munter *adj* **a** (*lebhaft*) lively *no adv*; (*fröhlich*) cheerful, merry ► ***~ und vergnügt*** bright and cheery; ***~ drauflos reden*** to prattle away merrily. **b** (*wach*) awake; (*aufgestanden*) up and about.

Munterkeit *f* (*Lebhaftigkeit*) liveliness; (*Fröhlichkeit*) cheerfulness, merriness.

Münz|automat *m* slot machine.

Münze *f* -n coin ► ***jdm etw mit gleicher ~ heimzahlen*** (*fig*) to pay sb back in his own coin for sth.

münzen *vt* to mint, to coin ► ***das war auf ihn gemünzt*** (*fig*) that was aimed at him.

Münz-: ~fernsprecher *m* (*form*) payphone; **~tankstelle** *f* coin-operated petrol (*Brit*) *or* gas(oline) (*US*) station; **~telefon** *nt* payphone; **~wechsler** *m* change machine.

mürb(e) *adj* crumbly; (*zerbröckelnd*) crumbling; *Fleisch* tender; *Obst* soft ► ***jdn ~ machen/kriegen*** (*fig: zermürbt*) to wear sb down/to break sb.

Mürb(e)teig *m* short(crust) pastry.

Murks *m no pl* (*col*) ***~ machen*** to bungle things (*col*); ***das ist ~!*** that's a botch-up (*col*).

Murmel *f* -n marble.

murmeln *vti* to murmur; (*undeutlich*) to mumble; (*brummeln*) to mutter ► ***etw vor sich*** (*acc*) ***hin ~*** to mutter sth to oneself.

Murmeltier *nt* marmot ► ***schlafen wie ein ~*** to sleep like a log.

murren *vi* to grumble (*über +acc* about).

mürrisch *adj* (*abweisend*) sullen, morose; (*schlechtgelaunt*) grumpy.

Mus *nt* -e mush ► ***jdn zu ~ schlagen*** (*col*) to make mincemeat of sb.

Muschel *f* -n **a** mussel (*auch Cook*), bivalve; (*Schale*) shell. **b** (*Ohr~*) external ear. **c** (*Telec*) (*Sprech~*) mouthpiece; (*Hör~*) earpiece.

Muse *f* -n (*Myth*) Muse ► ***die leichte ~*** (*fig*) light entertainment; ***von der ~ geküßt werden*** (*fig*) to be inspired.

Museum [mu'ze:ʊm] *nt, pl* **Museen** [mu'ze:ən] museum.

Museums-: ~führer *m* museum guide; **m~reif** *adj* (*hum*) antique; **m~reif sein** to belong in a museum; **~stück** *nt* museum piece.

Musical ['mju:zɪkl] *nt* -s musical

Musik *f* -en music ► ***das ist ~ in meinen Ohren*** (*fig*) that's music to my ears.

musikalisch *adj* musical.

Musikant(in *f*) *m* musician, minstrel (*old*).

Musik-: ~begleitung *f* musical accompaniment; **~box** *f* jukebox.

Musiker(in *f*) *m* - musician.

Musik-: ~hochschule *f* college of music; **~instrument** *nt* musical instrument; **~kapelle** *f* band; **~kassette** *f* music cassette; **~korps** *nt* music corps *sing*; **~lehrer** *m* music teacher; **~liebhaber** *m* music-lover; **~saal** *m* music room; **~sendung** *f* music programme (*Brit*) *or* program (*US*); **~stück** *nt* piece of music; **~stunde** *f* music lesson.

musisch *adj Fächer* (fine) arts *attr*, *Begabung* for the arts; *Veranlagung, Mensch* artistic.

musizieren* *vi* to play ► ***sie saßen auf dem Marktplatz und musizierten*** they sat in the market place playing their instruments.

Muskat *m* -e, **Muskatnuß** ⚠ *f* nutmeg.

Muskel *m* -n muscle ► ***~n haben*** to be muscular; ***seine ~n spielen lassen*** (*lit, fig*) to flex one's muscles.

Muskel-: ~dystrophie *f* muscular dystrophy; **~faser** *f* muscle fibre; **~kater** *m* aching muscles *pl*; **~kater haben** to be stiff; **~kraft** *f* physical strength; **~krampf** *m* muscle cramp *no indef art*; **~paket** *nt*, **~protz** *m* (*col*) muscleman (*col*); **~riß** ⚠ *m* torn muscle; **~schwund** *m* muscular atrophy *or* wasting; **~zerrung** *f* pulled muscle.

Musketier *m* -e musketeer.

Muskulatur *f* muscular system.

muskulös *adj* muscular ► ***~ gebaut sein*** to have a muscular build.

Müsli *nt* -s muesli.

Muslim *m* -e, **Muslime** *f* Muslim.

muslimisch *adj* Muslim.

⚠ **Muß** *nt no pl* ***es ist ein/kein ~*** it's/it's not a must.

Muße *f no pl* leisure ► ***dafür fehlt mir die ~*** I don't have the time; ***etw mit ~ tun*** to do sth in a leisurely way.

⚠ **Muß|ehe** *f* (*col*) shotgun wedding (*col*).

Musselin *m* -e muslin.

▼ **müssen** **1** *modal aux pret* **mußte**, *ptp ~* **a** (*Zwang*) to have to; (*Notwendigkeit auch*) to need to ► ***ich muß*** (*Zwang*) I have to, I must *nur pres*, I've got to (*esp Brit*); (*Notwendigkeit auch*) I need to; ***ich muß nicht*** (*Zwang*) I don't have to, I haven't got to (*esp Brit*); (*Notwendigkeit auch*) I don't need to, I needn't; ***muß er?*** must he?, does he have to?, has he got to? (*esp Brit*); ***mußtest du?*** did you have to?; ***das muß irgendwann mal gemacht werden*** it will have to be done some time; ***er sagte, er müsse bald gehen*** he said he would have to go soon; ***man mußte lachen/weinen*** *etc* you couldn't help laughing/crying *etc*; **wenn es (unbedingt) sein muß** if it's absolutely necessary; **das muß man sich** (*dat*) **mal vorstellen!** (just) imagine that!; **was habe ich da hören ~?** what's this I hear?

b (*sollen*) **das müßtest du eigentlich wissen** you ought to *or* you should know that; **das mußt du nicht tun!** you oughtn't to *or* shouldn't do that.

c **es muß geregnet haben** it must have rained; **es muß wahr sein** it must be true; **es muß nicht wahr sein** it needn't be true; **es müssen zehntausend Zuschauer im Stadion gewesen sein** there must have been ten thousand spectators in the stadium; **er müßte schon da sein** he should be there by now; **so muß es gewesen sein** that's how it must have been; **man müßte noch mal von vorn anfangen können!** if only one could begin again!

2 *vi pret* **mußte**, *ptp* **gemußt wann müßt ihr zur Schule?** when do you have to go to school?; **der Brief muß heute noch zur Post** the letter must be mailed today; **ich muß mal** (*col*) I need to go to the loo (*Brit col*) *or* bathroom (*esp US*).

Mußestunde *f* hour of leisure.

⚠ **Mußheirat** *f* (*col*) = **Mußehe**.

müßig *adj* (*untätig*) idle; *Leben, Stunden* of leisure; (*unnütz*) futile.

Müßig-: **~gang** *m* (*liter*) idleness; **~gang ist aller Laster Anfang** (*Prov*) the devil finds work for idle hands (*Prov*); **~gänger(in** *f*) *m* - idler.

⚠ **mußte** *pret of* **müssen**.

Mustang *m* mustang.

Muster *nt* - **a** (*Vorlage*) pattern; (*für Brief, Bewerbung etc*) specimen ► **nach einem ~ stricken** *etc* to knit *etc* from a pattern. **b** (*Probestück*) sample; (*Buch etc*) specimen ► **~ ohne Wert** sample of no commercial value. **c** (*fig: Vorbild*) model (*an +dat* of) ► **als ~ dienen** to serve as a model; **ein ~ an Tugend** a paragon of virtue.

Muster-: *in cpds* model; **~beispiel** *nt* classic example; **m~gültig, m~haft** *adj* exemplary; **er hat sich m~haft verhalten** his conduct was exemplary; **~haus** *nt* show house; **~knabe** *m* (*iro*) paragon.

mustern *vt* **a** (*betrachten*) to scrutinize. **b** (*Mil: inspizieren*) to inspect, to review. **c** (*Mil: für Wehrdienst*) **jdn ~** to give sb his/her medical. **d** *Stoff siehe* **gemustert**.

Muster-: **~prozeß** ⚠ *m* test case; **~schüler** *m* model pupil; (*fig*) star pupil.

Musterung *f* **a** pattern. **b** (*Mil*) (*von Truppen*) inspection, review; (*von Rekruten*) medical (examination). **c** (*durch Blicke*) scrutiny.

Mut *m no pl* courage, pluck (*col*); (*Zuversicht*) heart ► **~ fassen** to pluck up courage; **mit frischem ~** with new heart; **nur ~!** cheer up!, keep your pecker up! (*Brit col*); **jdm den ~ nehmen** to discourage sb; **den ~ verlieren** to lose heart; **jdm ~ machen** to encourage sb; **das gab ihr wieder neuen ~** that gave her new heart; **mit dem ~ der Verzweiflung** with courage born of desperation; **frohen/guten ~es sein** (*geh*) to be in good spirits.

Mutation *f* mutation.

Mütchen *nt*: **sein ~ an jdm kühlen** (*col*) to take it out on sb (*col*).

mutieren* *vi* to mutate.

mutig *adj* (*tapfer*) courageous, brave.

Mut-: **m~los** *adj* disheartened *no adv*; (*bedrückt*) despondent; **jdn m~los machen** to make sb lose heart; **~losigkeit** *f* despondency.

mutmaßen *vti insep* to conjecture.

mutmaßlich **1** *adj attr Vater* presumed; *Täter, Terrorist* suspected.

2 *adv* **~ soll er der Vater sein** he is presumed to be the father.

Mutmaßung *f* conjecture.

Mutprobe *f* test of courage.

Mutter¹ *f* ≈ mother ► **sie ist jetzt ~** she's a mother now; **sie ist ~ von drei Kindern** she's a mother of three; **~ Natur/Erde** (*liter*) Mother Nature/Earth; **wie bei ~n** (*col*) just like (at) home; (*Essen*) just like mother makes/used to make.

Mutter² *f* **-n** (*Tech*) nut.

Mutterboden *m* topsoil.

Mütterchen *nt* **a** *dim of* **Mutter¹** mummy (*col*), mommy (*US col*). **b** (*alte Frau*) grandma.

Mutter-: **~erde** *f* topsoil; **~freuden** *pl* the joys of motherhood *pl*; **~gesellschaft** *f* (*Comm*) parent company; **~instinkt** *m* maternal instinct; **~kuchen** *m* (*Anat*) placenta; **~land** *nt* mother country; **~leib** *m* womb.

mütterlich *adj* **a** maternal ► **die ~en Pflichten** one's duties as a mother. **b** (*liebevoll besorgt*) motherly *no adv* ► **jdn ~ umsorgen** to mother sb.

mütterlicherseits *adv* on his/her *etc* mother's side ► **sein Großvater ~** his maternal grandfather.

Mütterlichkeit *f* motherliness.

Mutter-: **~liebe** *f* motherly love; **m~los** *adj* motherless; **~mal** *nt* birthmark; **~milch** *f* mother's milk; **~mord** *m* matricide; **~mund** *m* (*Anat*) cervix.

Mutterschaft *f* motherhood.

Mutterschafts-: **~geld** *nt* maternity grant; **~urlaub** *m* maternity leave.

Mutter-: **~schutz** *m* legal protection of expectant and nursing mothers; **m~seelenallein** *adj, adv* all on one's own; **~söhnchen** *nt* (*pej*) mummy's boy; **~sprache** *f* native language, mother tongue; **~sprachler(in** *f*) *m* native speaker; **~stelle** *f* **bei jdm ~stelle vertreten** to take the place of sb's mother; **~tag** *m* Mother's Day; **~tier** *nt* mother (*animal*); (*Zuchttier*) brood animal; **~witz** *m* (*Schläue*) mother wit; (*Humor*) natural wit.

Mutti *f* **-s** (*col*) mummy, mum, mommy (*US*).

Mutwille *m* **-ns**, *no pl* (*böse Absicht*) malice ► **etw aus ~n tun** to do sth out of malice.

mutwillig **1** *adj* (*böswillig*) malicious; *Zerstörung auch* wilful.

2 *adv* (*absichtlich*) wilfully.

Mütze *f* **-n** cap.

MW = **Mittelwelle** MW.

MWSt. = **Mehrwertsteuer** VAT.

Mysterienspiel *nt* (*Theat*) mystery play.

mysteriös *adj* mysterious.

Mysterium *nt* mystery.

Mystik *f* mysticism *no art*.

Mystiker(in *f*) *m* - mystic.

mystisch *adj* mystic(al); (*fig: geheimnisvoll*) mysterious.

mythisch *adj* mythical.

Mythologie *f* mythology.

mythologisch *adj* mythologic(al).

Mythos *m* -, **Mythen** (*lit, fig*) myth.

N

N, n [ɛn] *nt* -, - N, n ▶ *N wie Nordpol* N for Nellie, N for Nan (*US*).
N = **Norden** N.
na *interj* (*col*) [a] well ▶ ~, *kommst du mit?* are you coming then?; ~ *ja* well; ~ *gut*, ~ *schön* all right, OK (*col*); ~ *also!*, ~ *eben!* (well,) there you are (then)!; ~ *und ob!* (*auf jeden Fall*) you bet! (*col*); (*und wie*) and how! (*col*). [b] (*Ermahnung*) now; (*Zurückweisung*) well ▶ ~ (~)! now then!; ~ *warte!* just you wait!; ~ *so was!* well, I never!; ~ *und?* so what?
Nabe *f* -**n** hub.
Nabel *m* - (*Anat*) navel, umbilicus (*spec*) ▶ *der* ~ *der Welt* (*fig*) the hub of the universe.
Nabelschnur *f* (*Anat*) umbilical cord.
nach [1] *prep* +*dat* [a] (*örtlich*) to ▶ *ich fuhr mit dem Zug* ~ *Mailand* I took the train to Milan; *er ist schon* ~ *London abgefahren* he has already left for London; ~ *Osten/Westen* eastward(s)/westward(s); ~ *links/rechts* (to the) left/right; ~ *hinten/vorn* to the back/front; ~ *Norden zu* or *hin* to or towards (*esp Brit*) or toward (*esp US*) the north.
　　[b] (*zeitlich, Reihenfolge*) after ▶ *fünf (Minuten)* ~ *drei* five (minutes) past or after (*US*) three; *sie kam* ~ *zehn Minuten* she came ten minutes later; ~ *Empfang* or *Erhalt* on receipt; *drei Tage* ~ *Empfang* three days after receipt; *eine(r, s)* ~ *dem/der anderen* one after another; *(bitte)* ~ *Ihnen!* after you!; ~ *„mit" steht der Dativ* "mit" takes the dative.
　　[c] (*entsprechend*) according to; (*im Einklang mit*) in accordance with ▶ ~ *dem Gesetz* according to the law; ~ *Artikel 142c* under article 142c; *etw* ~ *Gewicht kaufen* to buy sth by weight; ~ *Verfassern* in order of authors; *die Uhr* ~ *dem Radio stellen* to put a clock right by the radio; *ihrer Sprache* ~ *(zu urteilen)* judging by her language; ~ *dem, was er gesagt hat* according to what he's said; ~ *allem, was ich weiß* as far as I know; ~ *einem Gedicht von Schiller* after a poem by Schiller; *er wurde* ~ *seinem Großvater genannt* he was called after or for (*US*) his grandfather.
　　[2] *adv* [a] (*räumlich*) *mir* ~! (*liter, hum*) follow me! [b] (*zeitlich*) ~ *und* ~ little by little; ~ *wie vor* still.
nach|äffen *vt sep* (*pej*) *Moden, Ideen* to ape; *jdn* to mimic.
nach|ahmen *vt sep* to imitate; (*karikieren*) to mimic; (*kopieren*) to copy.
nach|ahmenswert *adj* exemplary.
Nach|ahmer(in *f*) *m* - imitator.
Nach|ahmung *f siehe vt* [a] (*das Imitieren*) imitation; mimicking; copying ▶ *etw zur* ~ *empfehlen* to recommend sth as an example to follow. [b] (*die Imitation*) imitation; impression; copy.
nach|arbeiten *sep* [1] *vt* [a] (*aufholen*) *versäumte Stunden* to make up for. [b] (*überarbeiten*) to work over. [c] (*nachbilden*) to copy, to reproduce.
　　[2] *vi wir müssen morgen* ~ we'll have to make up for the missed time tomorrow.
Nachbar(in *f*) *m* (*wk*) -**n**, -**n** neighbour (*Brit*), neighbor (*US*) ▶ *Herr X war beim Konzert mein* ~ Mr X sat next to me at the concert; ~*s Garten* the next-door garden.
Nachbar-: ~*dorf nt* neighbouring village; ~*haus nt*

house next door; ~*land nt* neighbouring country.
nachbarlich *adj* (*freundlich*) neighbourly *no adv* (*Brit*), neighborly *no adv* (*US*); (*benachbart*) neighbouring *no adv* (*Brit*), neighboring *no adv* (*US*).
Nachbarschaft *f* (*Gegend*) neighbourhood (*Brit*), neighborhood (*US*); (*Nachbarn*) neighbours *pl* (*Brit*), neighbors *pl* (*US*); (*Nähe*) vicinity.
Nachbeben *nt* aftershock.
nachbehandeln* *vt sep* (*Med*) *jdn/etw* ~ to give sb follow-up treatment.
Nachbehandlung *f* (*Med*) follow-up treatment.
nachbessern *sep* [1] *vt* to retouch.
　　[2] *vi* to make improvements.
nachbestellen* *vt sep* to order some more; (*Comm*) to reorder.
Nachbestellung *f* (*gen* for) repeat order.
nachbeten *vt sep* (*pej col*) to repeat parrot-fashion.
nachbezahlen* *sep* [1] *vt* to pay; (*später*) to pay later ▶ *Steuern* ~ to pay back-tax.
　　[2] *vi* to pay the rest.
nachbilden *vt sep* to copy; (*exakt*) to reproduce.
Nachbildung *f* copy; (*exakt*) reproduction.
nachblicken *vi sep* = **nachsehen¹**.
Nachbrenner *m* (*Aviat*) afterburner.
nachdatieren* *vt sep* to postdate.
nachdem *conj* (*zeitlich*) after.
▼ **nachdenken** *vi sep irreg* to think (*über* +*acc* about) ▶ *darüber darf man gar nicht* ~ it doesn't bear thinking about; *laut* ~ to think aloud; *denk doch mal nach!* think about it!
Nachdenken *nt* thought, reflection ▶ *nach langem* ~ after (giving the matter) considerable thought; *gib mir ein bißchen Zeit zum* ~ give me a bit of time to think (about it).
nachdenklich *adj Mensch, Miene* thoughtful, pensive ▶ *jdn* ~ *stimmen* to set sb thinking; ~ *gestimmt sein* to be in a thoughtful mood.
Nachdenklichkeit *f no pl* thoughtfulness, pensiveness.
Nachdichtung *f* (*Liter*) free rendering.
Nachdruck *m* [a] *no pl* (*Betonung*) stress, emphasis ▶ *besonderen* ~ *darauf legen, daß ...* to stress or emphasize particularly that ...; *etw mit* ~ *betreiben* to pursue sth energetically. [b] (*das Nachdrucken*) reprinting; (*das Nachgedruckte*) reprint.
nachdrucken *vt sep* to reprint.
nachdrücklich *adj* emphatic ▶ ~ *auf etw* (*dat*) *bestehen* to insist firmly on sth; *jdn* ~ *raten, etw zu tun* to urge sb to do sth; *jdn* ~ *warnen* to give sb a firm warning.
Nachdurst *m* (*nach Alkoholgenuß*) dehydration ▶ *er hat wohl* ~ he must be pretty dehydrated after all that drinking.
nach|eifern *vi sep jdm/einer Sache* ~ to emulate sb/sth.
nach|einander *adv* (*räumlich*) one after the other; (*zeitlich auch*) in succession ▶ *zweimal* ~ twice running; *kurz* ~ shortly after each other; *drei Tage* ~ three days running, three days on the trot (*col*).
nach|empfinden* *vt sep irreg* [a] *Stimmung* to feel ▶ *das kann ich ihr* ~ I can understand her feelings. [b]

(*nachgestalten*) to adapt (*dat* from).
nach|erzählen* *vt sep* to retell.
Nach|erzählung *f* retelling; (*Sch*) (story) reproduction.
Nachf. = **Nachfolger**.
Nachfahr *m* -en (*liter*) descendant.
nachfahren *vi sep irreg aux sein* to follow (on) ▶ *jdm ~* to follow sb.
nachfassen *vi sep* a (*noch einmal zufassen*) to regain one's grip. b (*col: nachforschen*) to probe a bit deeper.
nachfeiern *vti sep* (*später feiern*) to celebrate later.
nachfinanzieren* *vt sep* to find additional finance for.
Nachfolge *f no pl* succession ▶ *jds/die ~ antreten* to succeed sb/to succeed.
Nachfolge- *in cpds* follow-up; **~modell** *nt* (*von Produkt, Auto*) successor, follow-up model (*gen* to).
nachfolgen *vi sep aux sein* (*hinterherkommen*) to follow (on) ▶ *jdm ~* to follow sb; *jdm im Amt ~* to succeed sb in office.
nachfolgend *adj* following ▶ *das N~e* the following.
Nachfolge|organisation *f* successor organization.
Nachfolger(in *f*) *m* - (*im Amt etc*) successor ▶ *Friedrich Reißnagel ~ successors* to Friedrich Reißnagel.
Nachforderung *f* subsequent demand.
nachforschen *vi sep* to try to find out; (*polizeilich etc*) to carry out an investigation (*dat* into); (*amtlich etc*) to make inquiries (*dat* into).
Nachforschung *f* inquiry; (*polizeilich etc*) investigation ▶ *~en anstellen* to make inquiries.
Nachfrage *f* a (*Comm*) demand (*nach, in +dat* for) ▶ *danach besteht eine rege ~* there is a great demand for it. b (*Erkundigung*) inquiry ▶ *danke der ~* (*form*) thank you for your concern; (*col*) nice of you to ask.
nachfragen *vi sep* to ask, to inquire.
nachfühlen *vt sep* = **nachempfinden**.
nachfüllen *vt sep leeres Glas etc* to refill; *halbleeres Glas, Batterie etc* to top up.
Nachfüllpackung *f* refill pack.
nachgeben *sep irreg* 1 *vi* a to give way (*dat* to); (*federn*) to give; (*fig: Mensch*) to give in (*dat* to). b (*Comm: Preise, Kurse*) to drop, to fall.
2 *vt* (*noch mehr geben*) *darf ich Ihnen noch etwas Gemüse ~?* may I give you a few more vegetables?
Nachgebühr *f* excess (postage).
Nachgeburt *f* afterbirth; (*Vorgang*) expulsion of the afterbirth.
nachgehen *vi sep irreg aux sein* a +dat (*hinterhergehen*) to follow; *jdm auch* to go after. b (*Uhr*) to be slow ▶ *deine Uhr geht fünf Minuten nach* your clock is five minutes slow. c +dat (*ausüben*) *Beruf* to practise (*Brit*), to practice (*US*); *Studium, Vergnügungen, Interessen etc* to pursue; *Geschäften* to go about ▶ *einer geregelten Arbeit ~* to have a steady job. d +dat (*erforschen*) to investigate, to look into.
nachgelassen *adj Werke, Papiere* posthumous.
nachgemacht *adj Gold, Leder etc* imitation; *Geld* counterfeit.
nachgerade *adv* (*geradezu*) practically, virtually.
Nachgeschmack *m* (*lit, fig*) aftertaste ▶ *einen üblen ~ hinterlassen* (*fig*) to leave a bad taste in the mouth.
nachgestellt *adj* (*Gram*) postpositive.
nachgiebig *adj* a *Material* pliable; *Boden etc* yielding, soft ▶ *~ sein* to give. b (*fig*) *Mensch, Haltung* soft; (*entgegenkommend*) compliant ▶ *sie behandelt die Kinder zu ~* she's too soft with the children.
Nachgiebigkeit *f siehe adj* a pliability; softness. b softness; compliance.
nachgießen *vti sep irreg Wasser, Milch* to add ▶ *darf ich Ihnen (noch etwas Wein) ~?* would you like some more (wine)?
nachgrübeln *vi sep* to think (*über +acc* about); (*sich*

Gedanken machen) to ponder (*über +acc* on).
nachgucken *vti sep siehe* **nachsehen**.
nachhaken *vi sep* (*col*) to dig deeper.
Nachhall *m* reverberation; (*fig*) echo.
nachhallen *vi sep* to reverberate.
nachhaltig *adj* lasting *no adv* ▶ *ihre Gesundheit hat sich ~ gebessert* there has been a lasting improvement in her health.
nachhängen *vi sep irreg +dat* to give oneself up to ▶ *seinen Erinnerungen ~* to lose oneself in one's memories.
Nachhauseweg *m* way home.
nachhelfen *vi sep irreg* to help ▶ *er hat dem Glück ein bißchen nachgeholfen* he engineered himself a little luck.
nachher *adv* a (*danach*) afterwards; (*später auch*) later ▶ *bis ~* see you later! b (*col: womöglich*) *~ stimmt das gar nicht* that might not be true at all.
Nachhilfe *f* (*Sch*) private tuition *or* tutoring (*US*).
Nachhilfe-: **~lehrer** *m* private tutor; **~stunde** *f* private lesson; **~unterricht** *m* private tuition *or* tutoring (*US*).
△ **nachhinein** *adv:* *im ~* afterwards; (*rückblickend*) in retrospect.
nachhinken *vi sep aux sein* (*fig col*) to lag behind.
Nachholbedarf *m einen ~ an etw* (*dat*) *haben* to have a lot of sth to catch up on.
nachholen *vt sep* a (*aufholen*) to make up (for). b *jdn ~* (*nachkommen lassen*) to get sb to join one.
Nachhut *f* -en (*Mil*) rearguard ▶ *bei der ~* in the rearguard.
Nach|impfung *f* booster.
nachjagen *vi sep aux sein +dat* to chase (after).
nachklingen *vi sep irreg aux sein* (*Ton, Echo*) to go on sounding; (*Worte, Erinnerung*) to linger on.
Nachkomme *m* (*wk*) -n, -n descendant.
nachkommen *vi sep irreg aux sein* a (*später kommen*) to follow later ▶ *Sie können Ihr Gepäck ~ lassen* you can have your luggage sent on (after). b (*Schritt halten*) to keep up. c +dat (*erfüllen*) *einer Pflicht* to carry out; *einer Forderung, einem Wunsch* to comply with.
Nachkommenschaft *f* descendants *pl*.
Nachkömmling *m* (*Kind*) afterthought (*hum*).
Nachkriegs- *in cpds* postwar; **~zeit** *f* postwar period.
△ **Nachlaß** *m* -lasse *or* -lässe a (*Preis~*) discount (*auf +acc* on). b (*Erbschaft*) estate ▶ *literarischer ~* unpublished works *pl*.
nachlassen *sep irreg* 1 *vt* a *die Hälfte des Preises ~* to take 50% off the price; *10% vom Preis ~* to give a 10% discount. b (*locker lassen*) *Seil* to slacken. c *siehe* **nachgelassen**.
2 *vi* to decrease, to diminish; (*Interesse auch*) to flag, to wane; (*Regen, Nasenbluten*) to ease off; (*Leistung, Geschäft*) to fall off; (*Preise*) to fall ▶ *er hat in letzter Zeit sehr nachgelassen* he hasn't performed nearly as well recently.
nachlässig *adj* careless; (*unachtsam*) thoughtless.
Nachlässigkeit *f siehe adj* carelessness; thoughtlessness.
△ **Nachlaßverwalter** *m* executor.
nachlaufen *vi sep irreg aux sein +dat jdm/einer Sache ~* to run after sb/sth; *den Mädchen ~* to chase girls.
nachlegen *vt sep noch Kohlen/Holz ~* to put some more coal/wood on (the fire).
Nachlese *f* second harvest; (*Ertrag*) gleanings *pl*.
nachlesen *sep irreg* 1 *vt* (*in einem Buch*) to read; (*nachschlagen*) to look up ▶ *man kann das in der Bibel ~* it says so in the Bible.
2 *vi* to have a second harvest; (*Ähren ~*) to glean.
nachliefern *vt sep* (*später liefern*) to deliver at a later date; (*zuzüglich liefern*) to make a further delivery of.

nachlösen *vi sep* to pay on the train/when one gets off; (*zur Weiterfahrt*) to pay the extra.

nachmachen *vt sep* a to copy; (*nachäffen*) to mimic; (*fälschen*) to forge ► *sie macht mir alles nach* she copies everything I do; *das soll erst mal einer ~!* I'd like to see anyone else do that!; *siehe* **nachgemacht**. b (*col: nachholen*) to make up.

nachmessen *vti sep irreg* (*prüfend messen*) to check.

Nachmieter *m unser* ~ the tenant after us; *wir müssen einen ~ finden* we have to find someone to take over the flat *etc*.

⚠**nachmittag** *adv gestern/heute* ~ yesterday/this afternoon.

Nachmittag *m* afternoon ► *am* ~ in the afternoon; *am heutigen* ~ this afternoon.

nachmittäglich *adj no pred* afternoon *attr*.

nachmittags *adv* in the afternoon ► *dienstags* ~ on Tuesday afternoons.

Nachmittags-: ~**schlaf** *m* ~*schlaf halten* to have a sleep after lunch; ~**vorstellung** *f* matinée (performance).

Nachnahme *f* -n cash *or* collect (*US*) on delivery, COD; (*col:* ~*sendung*) COD parcel ► *etw per ~ schicken* to send sth COD.

Nachnahme-: ~**gebühr** *f* COD charge; ~**sendung** *f* COD parcel.

Nachname *m* surname, family *or* last name.

nachplappern *vt sep* to repeat parrot-fashion.

Nachporto *nt* excess (postage).

nachprüfbar *adj* verifiable.

Nachprüfbarkeit *f* verifiability.

nachprüfen *vti sep* to verify, to check.

Nachprüfung *f* (*von Aussagen etc*) check (*gen* on).

nachrechnen *vti sep* to check.

Nachrede *f* a (*Verunglimpfung*) *üble* ~ (*Jur*) defamation of character; *üble ~n über jdn verbreiten* to cast aspersions on sb's character. b (*Epilog*) epilogue.

nachreden *vt sep* a (*wiederholen*) to repeat. b *jdm (etwas) Schlechtes* ~ to speak badly of sb.

nachreichen *vt sep* to hand in later.

nachreisen *vi sep aux sein jdm* ~ to follow sb.

▼ **Nachricht** *f* -en (piece of) news; (*Botschaft*) message ► *eine* ~ a piece of news; a message; *die* ~*en* the news *sing* (*auch Rad, TV*); *schlechte* ~*en* bad news; ~ *erhalten, daß ...* to receive (the) news that ...; *wir geben Ihnen* ~ we'll let you know.

Nachrichten-: ~**agentur** *f* news agency; ~**dienst** *m* a (*Rad, TV*) news service; b (*Pol, Mil*) intelligence (service); ~**magazin** *nt* news magazine; ~**satellit** *m* (tele)communications satellite; ~**sperre** *f* news blackout; ~**sprecher** *m* newsreader; ~**technik** *f* telecommunications *sing*.

nachrücken *vi sep aux sein* to move up; (*auf Posten, Stelle*) to succeed; (*Mil*) to advance.

Nachruf *m* obituary.

Nachruhm *m* fame after death.

nachrüsten *sep* 1 *vi* (*Mil*) to deploy new arms; (*modernisieren*) to modernize. 2 *vt Kraftwerk etc* to modernize; *Auto etc* to equip (with accessories).

Nachrüstung *f* a (*Mil*) deployment of new arms; (*Modernisierung*) arms modernization. b (*Tech*) (*von Kraftwerk etc*) modernization; (*von Auto etc*) equipping (with new accessories).

nachsagen *vt sep* a (*wiederholen*) to repeat. b *jdm etw* ~ to accuse sb of sth; *jdm Schlechtes* ~ to speak ill of sb; *ihm wird nachgesagt, daß ...* it's said that he ...; *das lasse ich mir nicht* ~*!* I'm not having that said of me!

Nachsaison *f* off-season.

nachschauen *vti sep siehe* **nachsehen 1, 2(a).**

nachschenken *vti sep darf ich Ihnen (etwas)* ~*?* may I top up your glass?

nachschicken *vt sep* to send on, to forward.

nachschieben *vt sep irreg Erklärung, Begründung etc* to provide afterwards ► *nachgeschobene Gründe* rationalizations.

Nachschlag *m* (*col*) second helping.

nachschlagen *sep irreg* 1 *vt Stelle, Zitat* to look up. 2 *vi* (*in Lexikon etc*) to look.

Nachschlagewerk *nt* reference book *or* work.

nachschleichen *vi sep irreg aux sein +dat* to creep after.

Nachschlüssel *m* duplicate key; (*Dietrich*) skeleton key.

nachschmeißen *vt sep irreg* (*col*) *jdm etw* ~ to fling sth after sb; *das ist ja nachgeschmissen!* it's a real bargain.

nachschnüffeln *vi sep* (*col*) *jdm* ~ to spy on sb.

Nachschrift *f* (*Zugefügtes*) postscript.

Nachschub ['naːxʃuːp] *m* supplies *pl* (*an* +*dat* of).

Nachschub- (*Mil*): ~**linie** *f* supply line; ~**weg** *m* supply route.

nachsehen *sep irreg* 1 *vi* to have a look; (*prüfen*) to check ► *jdm/einer Sache* ~ (*hinterherschauen*) to gaze after sb/sth.
2 *vt* a (*prüfen*) to check; *Schulaufgaben etc* to mark; (*nachschlagen*) to look up. b (*verzeihen*) *jdm etw* ~ to forgive sb (for) sth.

Nachsehen *nt: das* ~ *haben* to be left standing; (*nichts bekommen*) to be left empty-handed.

nachsenden *vt sep irreg* to forward.

nachsetzen *sep* 1 *vi jdm* ~ to pursue sb. 2 *vt Fuß* to drag.

Nachsicht *f no pl* (*Milde*) leniency; (*Geduld*) forbearance ► *er kennt keine* ~ he knows no mercy; ~ *haben* to be lenient.

nachsichtig *adj* (*milde*) lenient; (*geduldig*) forbearing (*gegen, mit* with).

Nachsilbe *f* suffix.

nachsinnen *vi sep irreg* to ponder (*über* +*acc* over, about).

nachsitzen *vi sep irreg* (*Sch*) ~ (*müssen*) to be kept in; *jdn* ~ *lassen* to keep sb in.

Nachsommer *m* Indian summer.

Nachsorge *f* (*Med*) after-care.

Nachspann *m* -e credits *pl*.

Nachspeise *f* dessert, sweet (*Brit*).

Nachspiel *nt* (*Theat*) epilogue; (*Mus*) closing section; (*fig*) sequel ► *das geht nicht ohne* ~ *ab* that's bound to have repercussions; *ein gerichtliches* ~ *haben* to have legal repercussions.

nachspielen *sep* 1 *vt* to play.
2 *vi* (*Sport*) to play extra time (*Brit*) *or* overtime (*US*) ► *der Schiedsrichter ließ* ~ the referee allowed extra time.

nachspionieren* *vi sep* (*col*) *jdm* ~ to spy on sb.

nachsprechen *vt sep irreg* to repeat ► *jdm etw* ~ to repeat sth after sb.

nächstbeste *adj attr der/die/das* ~ *...* the first ... I/you *etc* see; *der* ~ *Zug/Job* the first train/job that comes along.

nachstehen *vi sep irreg jdm* ~ to take second place to sb; *jdm in nichts* (*dat*) ~ to be sb's equal in every way.

nachstehend *adj attr* following ► ~*es müssen Sie beachten* you must take note of the following.

nachsteigen *vi sep irreg aux sein jdm* ~ (*fig col*) to run after sb.

nachstellen *sep* 1 *vt* a (*Tech*) (*neu einstellen*) to adjust; (*zurückstellen*) to put back. b *einen Vorfall/den*

Unfallhergang ~ to reconstruct an incident/the accident.

2 *vi jdm* ~ to follow sb; (*aufdringlich umwerben*) to pester sb.

Nächstenliebe *f* brotherly love; (*Barmherzigkeit*) compassion.

nächstens *adv* **a** (*das nächste Mal*) (the) next time; (*bald einmal*) some time soon. **b** (*col: am Ende*) next.

nächste(r, s) *adj superl of* **nah(e) a** (*räumlich*) nearest ► *das* ~ *Telefon* the nearest telephone; *ist dies der* ~ *Weg zum Bahnhof?* is this the quickest way to the station?; *in* ~*r Nähe* in the immediate vicinity; *aus* ~*r Nähe* from close by; *betrachten* at close quarters; *schießen* at close range; *im* ~*n Haus* next door. **b** (*zeitlich*) next ► ~*s Mal* next time; *Ende* ~*n Monats* at the end of next month; *am* ~*n Tag* (the) next day; *in den* ~*n Tagen* in the next few days; *bei* ~*r Gelegenheit* at the earliest opportunity; *in* ~*r Zeit* some time soon. **c** *die* ~*n Verwandten* the immediate family; *der* ~ *Angehörige* the next of kin; *fürs* ~ for the time being.

Nächste(r) *mf decl as adj* **a** next one ► *der n*~, *bitte* next please, first please (*US, Scot*). **b** (*Mitmensch*) neighbour (*Brit*), neighbor (*US*) ► *jeder ist sich selbst der* ~ (*Prov*) it's every man for himself.

Nächste(s) *nt decl as adj das* ~ the next thing; (*das erste*) the first thing; *als* ~*s* next/first.

nächst-: ~**folgend** *adj attr* next; ~**gelegen** *adj attr* nearest; ~**höher** *adj attr* one higher; *die* ~*höhere Klasse* one class higher; ~**jährig** *adj attr* next year's; ~**liegend** *adj attr* (*lit*) nearest; (*fig*) most obvious; *das N*~*liegende* the most obvious thing (to do); ~**möglich** *adj attr* next possible.

nachsuchen *vi sep* **a** to look. **b** (*form: beantragen*) *um etw* ~ to request sth (*bei jdm* of sb).

⚠ **nacht** *adv heute* ~ tonight; (*letzte* ~) last night; *Dienstag* ~ (on) Tuesday night.

Nacht *f* ̈-e (*lit, fig*) night ► *es wird/ist* ~ it's getting/it is dark; *in der* ~ at night; *in der* ~ *vom 12. zum 13. April* during the night of April 12th to 13th; *in der* ~ *auf Dienstag* during Monday night; *diese* ~ tonight; *des* ~*s* (*geh*) at night; *bis tief in die* ~ *arbeiten* to work far into the night; *über* ~ (*lit, fig*) overnight; *sich* (*dat*) *die* ~ *um die Ohren schlagen* (*col*), *die* ~ *zum Tage machen* to stay up all night (working *etc*); (*mit Feiern*) to make a night of it; *gute* ~*!* good night!; *na, dann gute* ~*!* (*col*) what a prospect!; *bei* ~ *und Nebel* (*col*) at dead of night.

Nacht- *in cpds* night; ~**arbeit** *f* night work; ~**ausgabe** *f* late final (edition); ~**blindheit** *f* night blindness; ~**dienst** *m* night duty; (*von Apotheke*) all-night service; ~*dienst haben* to be on night duty; (*Apotheke*) to be open all night.

Nachteil *m* -e disadvantage ► ~*e durch etw haben* to lose by sth; *im* ~ *sein* to be at a disadvantage (*jdm gegenüber* with sb); *der* ~, *allein zu leben* the disadvantage of living alone.

nachteilig *adj* (*ungünstig*) disadvantageous; (*schädlich*) detrimental ► *er hat sich sehr* ~ *über mich geäußert* he spoke very unfavourably (*Brit*) *or* unfavorably (*US*) about me.

nächtelang *adv* for nights (on end).

Nacht-: ~**eule** *f* (*fig col*) night owl; ~**falter** *m* moth; ~**flug** *m* night flight; ~**flugverbot** *nt* ban on night flights; ~**frost** *m* night frost; ~**gebet** *nt* evening prayer; ~**hemd** *nt* (*für Damen*) nightdress (*Brit*), nightgown; (*für Herren*) nightshirt.

Nachtigall *f* -en nightingale.

nächtigen *vi* (*geh*) to spend the night.

Nachtisch *m* dessert, sweet (*Brit*), pudding.

Nachtleben *nt* night life.

nächtlich *adj attr* night ► *die* ~*e Stadt* the town at night; *zu* ~*er Stunde* at a late hour.

Nacht-: ~**lokal** *nt* night club; ~**mensch** *m* night person; ~**portier** *m* night porter; ~**programm** *nt* late-night programme (*Brit*) *or* program (*US*).

Nachtrag *m*, *pl* **Nachträge** postscript; (*zu einem Buch*) supplement.

nachtragen *vt sep irreg* **a** *jdm etw* ~ (*lit*) to go after sb with sth; (*fig*) to bear sb a grudge for sth. **b** (*hinzufügen*) to add.

nachtragend *adj* unforgiving.

nachträglich *adj* (*später*) later; (*verspätet*) belated; (*nach dem Tod*) posthumous.

nachtrauern *vi sep* +*dat jdm/etw* ~ to mourn the loss of sb/sth.

Nachtruhe *f* night's rest; (*in Anstalten*) lights-out.

nachts *adv* at night ► *dienstags* ~ (on) Tuesday nights.

Nacht-: ~**schalter** *m* night desk; ~**schicht** *f* night shift; ~*schicht haben* to be on nights; **n**~**schlafend** *adj*: *zu n*~*schlafender Zeit* in the middle of the night; ~**schwärmer** *m* (*fig hum*) night owl; ~**schwester** *f* night nurse; ~**speicherofen** *m* storage heater; ~**strom** *m* off-peak electricity.

nachts|über *adv* by night.

Nacht-: ~**tarif** *m* off-peak rate; ~**tisch** *m* bedside table; ~**tischlampe** *f* bedside lamp; ~**topf** *m* chamber pot.

nachtun *vt sep irreg es jdm* ~ to copy sb.

Nacht-: ~**-und-Nebel-Aktion** *f* cloak-and-dagger operation; ~**vorstellung** *f* late-night performance; ~**wache** *f* night watch; (*im Krankenhaus*) night duty; ~*wache haben* to be on night duty; ~**wächter** *m* (*in Betrieben etc*) night watchman; **n**~**wandeln** *vi insep aux sein or haben* to sleepwalk, to walk in one's sleep; ~**zeug** *nt* night things *pl*; ~**zug** *m* night train; ~**zuschlag** *m* night supplement.

Nach|untersuchung *f* (*weitere Untersuchung*) further examination; (*spätere Untersuchung*) check-up.

nachvollziehbar *adj* comprehensible.

nachvollziehen* *vt sep irreg* to understand, to comprehend.

nachwachsen *vi sep irreg aux sein* to grow again.

Nachwahl *f* (*Pol*) ≈ by-election (*esp Brit*).

Nachwehen *pl* after-pains *pl*; (*fig*) painful aftermath *sing*.

nachweinen *vi sep* +*dat* to mourn ► *dieser Sache weine ich keine Träne nach* I won't shed any tears over that.

Nachweis *m* -e (*Beweis*) proof (*gen, für, über* +*acc* of); (*Zeugnis*) certificate ► *den* ~ *für etw erbringen or liefern* to furnish proof of sth.

nachweisbar *adj* (*beweisbar*) provable; *Fehler* demonstrable; (*Tech*) detectable.

nachweisen *vt sep irreg* (*beweisen*) to prove; (*Tech*) to detect ► *dem Angeklagten konnte seine Schuld nicht nachgewiesen werden* the accused's guilt could not be proved.

nachweislich *adj* provable; *Fehler* demonstrable ► *er war* ~ *in London* it can be proved that he was in London.

Nachwelt *f die* ~ posterity.

nachwerfen *vt sep irreg jdm etw* ~ (*lit*) to throw sth after *or* at sb; *das ist nachgeworfen* (*col*) that's a gift.

nachwinken *vi sep jdm* ~ to wave (goodbye) to sb.

Nachwirkung *f* after-effect; (*fig*) consequence.

Nachwort *nt* epilogue.

Nachwuchs *m* **a** (*fig: junge Kräfte*) young people *pl* (in the profession/sport *etc*) ► *der schauspielerische* ~ the up and coming actors. **b** (*hum: Nachkommen*) offspring *pl*.

Nachwuchs-: ~**kraft** *f* junior member of the staff;

~schauspieler *m* talented young actor; **~sorgen** *pl* recruitment problems *pl*; **~spieler** *m* (*Sport*) junior.

nachzahlen *vti sep siehe* **nachbezahlen.**

nachzählen *vti sep* to check.

Nachzahlung *f* (*nachträglich*) back-payment; (*zusätzlich*) additional payment.

nachziehen *sep irreg* ① *vt* ⓐ (*hinterherziehen*) **etw ~** to drag sth behind one; **das rechte Bein ~** to drag one's right leg. ⓑ *Linie* to go over; *Lippen* to paint; *Augenbrauen* to pencil in. ⓒ *Schraube, Seil* to tighten (up). ② *vi* ⓐ *aux sein +dat* (*folgen*) to follow. ⓑ (*col: gleichtun*) to follow suit.

Nachzügler(in *f*) ['naːxtsyːklɐ, -ərin] *m* - latecomer (*auch fig*).

Nackedei *m* -e *or* -s (*hum col*) naked person; (*Kind*) little bare monkey (*hum col*).

Nacken *m* - (nape of the) neck ► **jdn im ~ haben** (*col*) to have sb on one's tail; **jdm im ~ sitzen** (*col*) to breathe down sb's neck; **ihm sitzt die Furcht im ~** he's frightened out of his wits (*col*).

nackt *adj* (*lit, fig*) naked; *Haut, Wand, Tatsachen* bare; *Wirklichkeit* stark ► **~ baden/schlafen** to bathe/sleep in the nude; **das ~e Leben retten** to escape with one's bare life.

Nackt-: **~baden** *nt* nude bathing; **~badestrand** *m* nudist beach; **~heit** *f* nakedness; (*von Mensch auch*) nudity; (*Kahlheit*) bareness; **~kultur** *f* nudism.

Nadel *f* -n needle; (*Steck~, Haar~, Comp: von Drucker*) pin; (*Häkel~*) hook.

Nadel-: **~baum** *m* conifer; **~drucker** *m* dot-matrix printer; **~hölzer** *pl* conifers *pl*; **~kissen** *nt* pin-cushion; **~kopf** *m* pin-head.

nadeln *vi* (*Baum*) to shed (its needles).

Nadel-: **~öhr** *nt* eye of a needle; **~stich** *m* prick; (*beim Nähen, Med*) stitch; **~streifen** *pl* pinstripes *pl*; **~streifenanzug** *m* pinstripe(d) suit; **~wald** *m* coniferous forest.

Nadir *m no pl* nadir.

Nagel *m* ⁼ nail (*auch Anat*); (*Zwecke*) tack; (*an Schuhen*) hobnail, stud; (*Med*) pin ► **sich** (*dat*) **etw unter den ~ reißen** (*col*) to pinch sth (*col*); **etw an den ~ hängen** (*fig*) to chuck sth in (*col*); **den ~ auf den Kopf treffen** (*fig*) to hit the nail on the head; **~ mit Köpfen machen** (*col*) to do the job properly.

Nagel-: **~bett** *nt* (*Anat*) bed of the nail; **~brett** *nt* (*von Fakir*) bed of nails; **~bürste** *f* nailbrush; **~feile** *f* nailfile; **~haut** *f* cuticle.

Nägelkauen *nt* nail-biting.

Nagel-: **~lack** *m* nail varnish (*Brit*) *or* polish; **~lackentferner** *m* nail varnish (*Brit*) *or* polish remover.

nageln *vt* to nail (*an +acc* to); (*Med*) to pin.

Nagel-: **n~neu** *adj* (*col*) brand-new; **~pflege** *f* nail care; **~probe** *f* (*fig*) acid test; **~schere** *f* (pair of) nail scissors *pl*.

nagen ① *vi* (*lit, fig*) to gnaw (*an +dat* at); (*knabbern*) to nibble (*an +dat* at); (*Rost*) to eat (*an +dat* into). ② *vt* to gnaw.

nagend *adj Hunger* gnawing; *Zweifel etc* nagging.

Nager *m* -, **Nagetier** *nt* rodent.

Nah|aufnahme *f* (*Phot*) close-up.

nah(e) *comp* **näher,** *superl* **nächste(r, s)** *or* (*adv*) **am nächsten** ① *adj* ⓐ (*örtlich*) near *pred,* nearby ► **der N~e Osten** the Middle East; **von ~em** at close quarters; **jdm ~ sein** to be near (to) sb. ⓑ (*zeitlich*) near *pred,* approaching. ⓒ (*eng*) *Freund etc* close. ② *adv* ⓐ (*örtlich*) near ► **~e an** near *or* close to; **~e bei** close by, near; **~e vor** right in front of; **von ~ und fern** from near and far; **jdm zu ~(e) treten** (*fig*) to offend sb. ⓑ (*zeitlich*) **~ bevorstehend** approaching; **sie ist ~ an (die) achtzig** she's nearing eighty. ⓒ (*eng*) closely ►

mit jdm ~ verwandt sein to be closely related to sb. ③ *prep +dat* near (to) ► **dem Wahnsinn ~e sein** to be on the verge of madness.

Nähe *f no pl* ⓐ (*örtlich*) (*Nahesein*) nearness, proximity; (*Nachbarschaft*) vicinity ► **in meiner ~** near me; **aus der ~** from close to. ⓑ (*zeitlich*) closeness.

nahebei *adv* nearby.

⚠ **nahebringen** *vt sep irreg +dat* (*fig*) **jdm etw ~** to bring sth home to sb.

⚠ **nahegehen** *vi sep irreg aux sein +dat* (*fig*) to upset.

⚠ **nahekommen** *vi sep irreg aux sein +dat* (*fig*) **jdm ~** (*vertraut werden*) to get on close terms with sb; **das kommt der Wahrheit schon eher nahe** that is getting nearer the truth.

⚠ **nahelegen** *vt sep* (*fig*) **jdm etw ~** to suggest sth to sb; **jdm ~, etw zu tun** to advise sb to do sth.

⚠ **naheliegen** *vi sep irreg* (*fig: Idee, Frage, Lösung*) to suggest itself ► **der Verdacht liegt nahe, daß ...** it seems reasonable to suspect that ...

⚠ **naheliegend** *adj Gedanke* which suggests itself; *Vermutung* natural ► **aus ~en Gründen** for obvious reasons.

nahen *vir aux sein* (*liter*) to approach (*jdm/einer Sache* sb/sth), to draw near *or* nigh (*liter*) (*jdm/einer Sache* to sb/sth).

nähen ① *vt* to sew; *Kleid* to make; *Wunde* to stitch (up), to suture (*spec*). ② *vi* to sew.

näher *comp of* **nah(e)** ① *adj* ⓐ (*örtlich*) nearer ► **dieser Weg ist ~** this way is shorter; **die ~e Umgebung** the immediate vicinity. ⓑ (*zeitlich*) closer, sooner *pred.* ⓒ (*genauer*) *Auskünfte* further *attr,* more detailed. ⓓ (*enger*) *Verwandter, Beziehungen* closer ► **die ~e Verwandtschaft** the immediate family. ② *adv* ⓐ (*örtlich, zeitlich*) nearer. ⓑ (*genauer*) more closely; *ausführen* in more detail ► **jdn ~ kennenlernen** to get to know sb better; **ich kenne ihn nicht ~** I don't know him well.

⚠ **näherbringen** *vt sep irreg +dat* **jdm etw ~** to give sb an understanding of sth.

Nähere(s) *nt decl as adj* further details *pl.*

Nah|erholungsgebiet *nt* recreational area (close to a town).

Näherin *f* seamstress.

⚠ **näherkommen** *vi sep irreg aux sein* (*fig*) **jdm ~** to get closer to sb.

⚠ **näherliegen** *vi sep irreg* (*fig*) to be more obvious.

nähern *vr sich* (*jdm/einer Sache*) **~** to approach (sb/sth), to draw nearer (to sb/sth).

Näherungswert *m* approximate value.

⚠ **nahestehen** *vi sep irreg +dat* (*fig*) to be close to; (*Pol*) to sympathize with ► **sich ~** (*Menschen, Ideen*) to be close; **eine den Konservativen ~de Zeitung** a paper with Conservative sympathies.

nahezu *adv* nearly, almost, virtually.

Nähgarn *nt* (sewing) cotton *or* thread.

Nahkampf *m* (*Mil*) hand-to-hand fighting.

Näh-: **~kästchen** *nt,* **~kasten** *nt* workbox, sewing box; **aus dem ~kästchen plaudern** (*col*) to give away private details.

nahm *pret of* **nehmen.**

Näh-: **~maschine** *f* sewing machine; **~nadel** *f* needle.

Nah|ost *m in/aus ~* in/from the Middle East.

nah|östlich *adj attr* Middle East(ern).

Nährboden *m* (*lit*) fertile soil; (*für Bakterien*) culture medium; (*fig*) breeding-ground.

nähren *vt* (*geh*) to feed; (*fig*) (*steigern*) to increase, to feed; (*haben*) *Hoffnungen* to nurse ► **er sieht gut genährt aus** he looks well-fed.

nahrhaft *adj Kost* nourishing; *Boden* fertile.

Nähr-: **~mittel** *pl* cereal products *pl*; **~stoff** *m usu pl*

---

nutrient.

Nahrung *f no pl* food ▸ *flüssige/feste* ~ liquids/solids *pl*; *geistige* ~ intellectual stimulation; *einer Sache* (*dat*) *(neue)* ~ *geben* to reinforce sth.

Nahrungs-: **~aufnahme** *f* ingestion (of food) (*form*); *die ~aufnahme verweigern* to refuse food; **~kette** *f* (*Biol*) food chain; **~mittel** *nt* food(stuff); **~suche** *f* search for food.

Nährwert *m* nutritional value.

Nähseide *f* sewing silk.

Naht *f* ⁼e seam; (*Med*) stitches *pl*, suture (*spec*); (*Anat*) suture ▸ *aus allen* ⁼*en platzen* to be bursting at the seams.

nahtlos *adj* (*lit*) *Teil, Anzug* seamless; (*fig*) *Übergang* smooth.

Nahtstelle *f* [a] (*lit*) seam. [b] (*fig*) link.

Nahverkehr *m* local traffic ▸ *der öffentliche* ~ local public transport.

Nahverkehrs-: **~mittel** *pl* means of local transport *pl*; **~zug** *m* local train.

Nähzeug *nt* sewing kit, sewing things *pl*.

Nahziel *nt* immediate aim *or* objective.

naiv *adj* naive.

Naivität [naivi'tɛːt] *f* naivety.

Name *m* **-ns, -n** name; (*fig: Ruf auch*) reputation ▸ *mit ~n* by the name of; *dem ~n nach* by name; *ich kenne das Stück nur dem ~n nach* I've heard of the play but that's all; *dem ~n nach müßte sie Deutsche sein* judging by her name she must be German; *auf jds* (*acc*) in sb's name; *unter dem ~n* under the name of; *er nannte seinen ~n* he gave his name; *einen ~n haben* (*fig*) to have a name; *sich* (*dat*) *einen ~n machen* to make a name for oneself; *die Dinge beim ~n nennen* to call a spade a spade; *im ~n* (+*gen*) on *or* in (*US*) behalf of; *im ~n des Volkes* in the name of the people.

namenlos *adj* [a] nameless (*auch fig*), unnamed; *Helfer* anonymous. [b] (*geh: unsäglich*) unspeakable.

namens [1] *adv* (*mit Namen*) by the name of. [2] *prep* +*gen* (*form: im Auftrag*) in the name of.

Namen(s)- *in cpds* name; **~änderung** *f* change of name; **~schild** *nt* nameplate; **~tag** *m* name day, saint's day.

┌─── NAMENSTAG ───┐

ⓘ *In catholic areas of Germany the **Namenstag** is often a more important celebration than a birthday. It is the day dedicated to the saint after whom a person is called, and on that day the person receives presents and invites relatives and friends round to celebrate.*

Namen(s)-: **~vetter** *m* namesake; **~zeichen** *nt* initials *pl*; **~zug** *m* signature.

namentlich [1] *adj* by name ▸ *~e Abstimmung* roll call vote; *~er Aufruf* roll call. [2] *adv* in particular.

namhaft *adj* [a] (*bekannt*) famous ▸ ~ *machen* (*form*) to identify. [b] (*beträchtlich*) considerable.

Namibia *nt* Namibia.

Namibier(in *f*) *m* - Namibian.

namibisch *adj* Namibian.

nämlich *adv* [a] namely. [b] (*denn*) *wir haben uns verspätet, wir haben ~ einen Umweg machen müssen* we were late since we had to make a detour.

nannte *pret of* **nennen**.

Nano- *in cpds* nano-.

nanu *interj* well I never ▸ *~, wer ist das denn?* hello (hello), who's this?

Napalm *nt no pl* napalm.

Napf *m* ⁼e bowl.

Napfkuchen *m* ≈ ring-shaped poundcake.

Narbe *f* **-n** [a] (*lit, fig*) scar. [b] (*Bot*) stigma. [c] (*Gras~*) turf.

narbig *adj* scarred.

Narkose *f* **-n** *jdm eine* ~ *geben* to give sb an anaesthetic (*Brit*) *or* anesthetic (*US*); *aus der* ~ *aufwachen* to come to from an/the anaesthetic.

Narkose|arzt *m* anaesthetist (*Brit*), anesthetist (*US*).

Narkotikum *nt, pl* **Narkotika** (*Med*) narcotic.

narkotisch *adj* narcotic; *Düfte* overpowering.

Narr *m* (*wk*) **-en, -en** fool ▸ *jdn zum ~en halten* to make a fool of sb.

narren *vt* (*geh*) *jdn* ~ (*zum besten haben*) to make a fool of sb; (*täuschen*) to dupe sb.

Narren-: **~freiheit** *f* freedom to do whatever one wants; *sie hat bei ihm ~freiheit* he gives her (a) free rein; **~kappe** *f* jester's cap; **n~sicher** *adj* foolproof.

Narrheit *f* [a] *no pl* folly. [b] (*Streich*) prank.

Närrin *f* fool.

närrisch *adj* foolish; (*verrückt*) mad; (*col: sehr*) madly ▸ *die ~en Tage* Fasching and the period leading up to it; *ganz* ~ *auf etw sein* (*col*) to be crazy about sth (*col*).

Narzisse *f* **-n** narcissus.

⚠ **narzißtisch** *adj* narcissistic.

NASA, Nasa ['naːza] *f* NASA.

Nasal *m* **-e** nasal.

nasal *adj* nasal ▸ *~er Ton* nasal twang.

naschen [1] *vi* to eat sweet things; (*heimlich kosten*) to pinch a bit (*col*) ▸ *darf ich mal ~?* can I try a bit?; *die Kinder haben den ganzen Tag nur genascht* the children have been nibbling all day. [2] *vt* to nibble ▸ *hast du was zum N~?* have you something for my sweet tooth?

Nascherei *f no pl* nibbling; (*von Süßigkeiten*) eating sweets (*Brit*) *or* candy (*US*).

Nasch-: **n~haft** *adj* fond of sweet things; **~katze** *f* (*col*) guzzler; *ich bin halt so eine alte ~katze* I've got such a sweet tooth.

Nase *f* **-n** [a] nose ▸ *sich die* ~ *putzen* to wipe one's nose; (*sich schneuzen*) to blow one's nose; *pro* ~ (*hum*) per head; *(immer) der* ~ *nachgehen* (*col*) to follow one's nose; *die richtige* ~ *für etw haben* (*col*) to have a nose for sth; *faß dich an deine eigene ~!* (*col*) you can *or* can't talk!; *jdm etw unter die* ~ *reiben* (*col*) to rub sb's nose in sth (*col*); *jdm auf der* ~ *herumtanzen* (*col*) to play sb up (*col*); *seine* ~ *gefällt mir nicht* (*col*) I don't like his face; *es muß nicht immer nach deiner* ~ *gehen* (*col*) you can't always have it your way; *ich sah es ihm an der* ~ *an* (*col*) I could see it on his face (*col*); *auf der* ~ *liegen* (*col*) (*krank sein*) to be laid up; (*hingefallen sein*) to be flat on one's face (*col*); *steck deine* ~ *ins Buch!* (*col*) get on with your book; *auf die* ~ *fallen* (*lit, fig*) to fall flat on one's face; *jdm etw vor der* ~ *wegschnappen* (*col*) to just beat sb to sth; *jdm die Tür vor der* ~ *zuschlagen* (*col*) to slam the door in sb's face; *jdm etw unter die* ~ *halten* to shove sth right under sb's nose (*col*); *jdm eins auf die* ~ *geben* (*lit*) to punch sb on the nose; (*fig*) to put sb in his/her place; *die* ~ *voll haben* (*col*) to have had enough; *jdn an der* ~ *herumführen* (*col*) (*als Täuschung*) to lead sb by the nose; (*als Scherz*) to pull sb's leg; *jdm etw auf die* ~ *binden* (*col*) to tell sb all about sth; *er steckt seine* ~ *in alles (hinein)* (*col*) he pokes his nose into everything. [b] (*col: Farbtropfen*) run.

naselang *adv: alle* ~ all the time, again and again.

näseln *vi* to talk *or* speak through one's nose.

Nasen-: **~bein** *nt* nose bone; **~bluten** *nt* a nosebleed; *ein Mittel gegen ~bluten* something for nosebleeds; *ich habe ~bluten* my nose is bleeding; **~flügel** *m* side of the nose; **~höhle** *f* nasal cavity; **~länge** *f* (*fig*) *mit einer* *or* *um eine ~länge gewinnen* to win by a head; *jdm* *eine* **~länge voraus sein** to be a hair's breadth ahead of sb; **~loch** *nt* nostril; **~rücken** *m* bridge of the nose; **~spitze** *f* tip of the/sb's nose; *ich seh es dir an der ~spitze an* I can tell by your face; **~stüber** *m* - bump on the nose; *jdm einen ~stüber versetzen* (*lit*) to bop (*col*) sb on the nose; (*fig*) to tick or tell sb off; **~tropfen** *pl* nose drops.

Nase-: **n~rümpfend** *adj* *er sagte n~rümpfend* wrinkling his nose, he said; **n~weis** *adj* cheeky; (*vorlaut*) precocious; **~weis** *m* **-e** (*Vorlauter*) cheeky (*esp Brit*) or precocious brat (*col*); (*Überschlauer*) know-all (*col*), wiseguy (*col*).

Nashorn *nt* rhinoceros, rhino.

⚠ **naß** *adj* wet ▶ *etw ~ machen* to make sth wet; (*für bestimmten Zweck*) to wet sth; *sich ~ machen* (*col*) to wet oneself; *mit nassen Augen* with moist eyes; *wie ein nasser Sack* (*col*) like a wet rag (*col*).

Nassauer *m* - (*col*) scrounger.

Nässe *f no pl* wetness, moisture ▶ *„vor ~ schützen"* "keep dry"; *vor ~ triefen* to be dripping wet.

nässen ①️ *vi* (*Wunde*) to discharge.
②️ *vt Bett* to wet.

⚠ **Naß-:** **n~forsch** ⚠ *adj* (*col*) brash; **n~kalt** ⚠ *adj* chilly and damp, raw; **~rasur** ⚠ *f die ~rasur* wet shaving; *eine ~rasur* a wet shave.

Natal *nt* Natal.

Nation *f* nation.

national [natsio'naːl] *adj* national; (*patriotisch*) nationalist(ic).

National- *in cpds* national; **n~bewußt** ⚠ *adj* nationally conscious; **~bewußtsein** ⚠ *nt* national consciousness; **~elf** *f* international (football) team; **~feiertag** *m* national holiday; **~flagge** *f* national flag; **~garde** *f* National Guard; **~gefühl** *nt* national feeling; **~gericht** *nt* national dish; **~hymne** *f* national anthem.

nationalisieren* *vt* (*verstaatlichen*) to nationalize.

Nationalisierung *f* (*Verstaatlichung*) nationalization.

Nationalismus *m* nationalism.

Nationalist(in *f*) *m* nationalist.

nationalistisch *adj* nationalist(ic).

Nationalität *f* nationality.

National-: **~mannschaft** *f* international team; *er spielt in der schottischen ~mannschaft* he plays for Scotland; **~ökonomie** *f* economics *sing*; **~sozialismus** *m* National Socialism; **~sozialist** *m* National Socialist; **~spieler** *m* international (footballer *etc*).

NATO, Nato ['naːto] *f die ~* NATO.

Natrium *nt no pl* sodium.

Natron *nt no pl* sodium compound, esp bicarbonate of soda.

Natter *f*-n adder, viper; (*fig*) snake.

Natur *f* ⓐ *no pl* nature ▶ *gegen die ~* against nature; *ich bin von ~ aus schüchtern* I am shy by nature; *sein Haar ist von ~ aus blond* his hair is naturally blond. ⓑ *no pl* (*freies Land*) countryside; *in der freien ~* in the open countryside. ⓒ (*Wesensart*) nature; (*Mensch*) type ▶ *es liegt in der ~ der Sache or der Dinge* it is in the nature of things; *das geht gegen meine ~* it goes against the grain; *eine Frage allgemeiner ~* a question of a general nature; *das ist ihm zur zweiten ~ geworden* it's become second nature to him.

Naturalien [-iən] *pl* natural produce *sing* ▶ *in ~ bezahlen* to pay in kind.

Naturalismus *m* naturalism.

Naturalist(in *f*) *m* naturalist.

naturalistisch *adj* naturalistic.

Natur-: **~beschreibung** *f* description of nature; **~bursche** *m* nature-boy (*col*).

Naturell *nt* -e temperament, disposition.

Natur-: **~ereignis** *nt*, **~erscheinung** *f* natural phenomenon; **~faser** *f* natural fibre (*Brit*) or fiber (*US*);

~forscher *m* natural scientist; **~freund** *m* nature-lover; **n~gegeben** *adj* (*lit, fig*) natural; **n~gemäß** *adj* natural; **~geschichte** *f* natural history; **~gesetz** *nt* law of nature; **n~getreu** *adj* true to life; (*in Lebensgröße*) life-size; **~heilkunde** *f* nature healing; **~heilverfahren** *nt* natural cure; **~katastrophe** *f* natural disaster; **~kostladen** *m* health food shop; **~kunde** *f* natural history; **~lehrpfad** *m* nature trail.

natürlich ①️ *adj* natural ▶ *in seiner ~en Größe* life-size; *eines ~en Todes sterben* to die of natural causes. ②️ *adv* naturally ▶ *die Krankheit verlief ganz ~* the illness took its natural course; *~!* naturally!, of course!, sure! (*esp US*).

natürlicherweise *adv* naturally.

Natürlichkeit *f* naturalness.

Natur-: **~notwendigkeit** *f* physical inevitability; **~produkt** *nt* natural product; **~produkte** natural produce *sing*; **n~rein** *adj* pure, unadulterated; **~schutz** *m* nature conservancy; *unter ~schutz stehen* to be legally protected; **~schutzgebiet** *nt* nature reserve; **~talent** *nt* natural prodigy; *sie ist ein ~talent* she is a natural; **~trieb** *m* (*natural*) instinct; **n~verbunden** nature-loving; **~wissenschaft** *f* natural sciences *pl*; (*Zweig*) natural science; **~wissenschaftler** *m* (natural) scientist; **n~wissenschaftlich** *adj* scientific; **~zustand** *m* natural state.

Nautik *f no pl* nautical science, navigation.

nautisch *adj* navigational ▶ *~e Meile* nautical mile.

Navigation [naviga'tsioːn] *f* navigation.

Navigations-: **~fehler** *m* navigational error; **~raum** *m* charthouse.

Nazi *m* -s (*pej*) Nazi.

Nazismus *m* (*pej: Nationalsozialismus*) Nazism.

nazistisch *adj* (*pej*) Nazi.

Nazizeit *f* Nazi period.

NB [ɛn'beː] = **nota bene** NB.

NC [ɛn'tseː] = **Numerus clausus**.

n.Chr. = **nach Christus** AD.

NDR [ɛndeː'|ɛr] *m* = **Norddeutscher Rundfunk**.

ne *adv* (*col*) no, nope (*col*).

Neandertaler *m* - Neanderthal man.

Neapel *nt* Naples.

Neapolitaner(in *f*) *m* - Neapolitan.

neapolitanisch *adj* Neapolitan.

Nebel *m* - mist; (*dichter*) fog; (*Mil: künstlich*) smoke; (*fig*) mist, haze ▶ *bei ~* in mist/fog; *das fällt wegen ~(s) aus* (*hum col*) it's all off.

Nebel-: **~bank** *f* fog bank; **n~haft** *adj* (*fig*) nebulous; **~horn** *nt* (*Naut*) foghorn.

neb(e)lig *adj* misty; (*bei dichterem Nebel*) foggy.

Nebel-: **~scheinwerfer** *m* (*Aut*) fog light; **~schleier** *m* (*geh*) veil of mist; **~(schluß)leuchte** ⚠ *f* (*Aut*) rear fog light; **~wand** *f* wall of fog; (*Mil*) smokescreen.

neben *prep* ⓐ (*örtlich:* +*dat/acc*) beside, next to. ⓑ (*außer:* +*dat*) apart from, aside from (*esp US*). ⓒ (*verglichen mit:* +*dat*) compared with.

nebenamtlich *adj Tätigkeit* secondary, additional ▶ *das macht er nur ~* he does that just as a secondary occupation.

neben|an *adv* next door ▶ *die Tür ~* the next door.

⚠ **Neben|anschluß** *m* (*Telec*) extension.

nebenbei *adv* ⓐ (*gleichzeitig*) at the same time ▶ *etw ~ machen* to do sth on the side. ⓑ (*außerdem*) additionally, in addition. ⓒ (*beiläufig*) incidentally ▶ *~ bemerkt or gesagt* by the way, incidentally.

Neben-: **~beruf** *m* extra job; *er ist im ~beruf Nachtwächter* he has a second job as a night watchman; **n~beruflich** ①️ *adj* extra, supplementary; ②️ *adv* as a second job, as a sideline (*col*); *er verdient n~beruflich mehr als hauptberuflich* he earns more

---

⚠: for details of spelling reform, see supplement

from his second job than he does from his main job; **~beschäftigung** *f* (*Zweitberuf*) extra job; **~buhler(in** *f*) *m* rival; **~darsteller(in** *f*) *m* supporting actor/actress.

neben|einander *adv* [a] (*räumlich*) side by side; (*bei Rennen*) neck and neck. [b] (*zeitlich*) at the same time.

neben|einanderher *adv* side by side ► *sie leben nur noch ~* (*Ehepaar etc*) they're just two people living in the same house.

neben|einander-: **~legen**△ *vt sep* to lay side by side; **~stellen** *vt sep* to place side by side; (*fig: vergleichen*) to compare.

Neben-: **~eingang** *m* side entrance; **~einkünfte,** **~einnahmen** *pl* supplementary income; **~erwerb** *m* second occupation; **~fach** *nt* (*Sch, Univ*) subsidiary (subject), minor (*US*); **~fluß** *m* tributary; **~frage** *f* side issue; **~gebäude** *nt* [a] (*Zusatzgebäude*) annexe, (small) outhouse; [b] (*Nachbargebäude*) adjacent building; **~gedanke** *m* ulterior motive; **~geräusch** *nt* (*Rad, Telec*) interference; **~handlung** *f* (*Liter*) subplot; **~haus** *nt* house next door.

nebenher *adv* [a] (*zusätzlich*) in addition. [b] (*gleichzeitig*) at the same time.

nebenhin *adv* (*beiläufig*) in passing, casually.

Neben-: **~höhle** *f* (*Physiol*) sinus (of the nose); **~kläger** *m* (*Jur*) joint plaintiff; **~kosten** *pl* additional costs *pl*; **~mann** *m, pl* **~männer** *Ihr* **~mann** the person next to you; **~produkt** *nt* byproduct; **~raum** *m* (*benachbart*) adjoining room; (*weniger wichtig*) side room; **~rolle** *f* supporting role; (*fig*) minor role; *das spielt für mich nur eine* **~rolle** that's only of minor concern to me; **~sache** *f* trifle, triviality; *das ist* **~sache** that's irrelevant; **n~sächlich** *adj* minor, peripheral; **~sächlichkeit** *f* triviality; **~saison** *f* low season; **~satz** *m* (*Gram*) subordinate clause; **n~stehend** *adj* **n~stehende Erklärungen** explanations in the margin; **n~stehende Abbildung** illustration opposite; **~stelle** *f* (*Telec*) extension; (*Comm*) branch; (*Post*) sub-post office; **~straße** *f* (*in der Stadt*) side street; (*Landstraße*) minor road; **~strecke** *f* (*Rail*) branch *or* local line; **~tisch** *m* adjacent table; *am* **~tisch** at the next table; **~verdienst** *m* secondary income; **~wirkung** *f* side effect; **~zimmer** *nt* adjoining room; **~zweck** *m* secondary aim.

neblig *adj* = **neb(e)lig**.

△**Necessaire** [nesɛ'sɛːɐ] *nt* **-s** (*Kulturbeutel*) vanity bag; (*zur Nagelpflege*) manicure case; (*Nähzeug*) sewing bag.

necken *vt* to tease.

Neckerei *f* teasing *no pl*.

neckisch *adj* (*scherzhaft*) merry, teasing; (*col: kokett, keß*) *Kleid, Frisur* saucy; *Spielchen* mischievous.

nee *adv* (*col*) no, nope (*col*).

Neffe *m* (*wk*) **-n, -n** nephew.

Negation *f* negation.

Negativ *nt* (*Phot*) negative.

negativ *adj* negative ► *jdm auf eine Frage* **~** *antworten* to answer sb's question in the negative; *sich* **~** *zu etw äußern* to speak negatively about sth.

Neger *m* - Negro.

Negerin *f* Negress, Negro woman.

△**Negerkuß** *m* chocolate-covered marshmallow.

negieren* *vt* (*bestreiten*) *Tatsache* to deny.

△**Negligé** [negli'ʒeː] *nt* **-s** negligee.

nehmen *pret* **nahm,** *ptp* **genommen** *vti* to take; (*verwenden*) to use ► *etw an sich* (*acc*) **~** (*aufbewahren*) to take charge of sth; (*sich aneignen*) to take sth (for oneself); *jdm etw* **~** to take sth (away) from sb; *jdm die Hoffnung* **~** to deprive sb of his/her hope; *die Mauer nimmt einem die ganze Sicht* the wall blocks the whole view; *er ließ es sich* (*dat*) *nicht* **~,** *mich persönlich hinauszubegleiten* he insisted on showing me out himself; *diesen Erfolg lasse ich mir nicht* **~** I won't be

robbed of this success; *sie* **~** *sich* (*dat*) *nichts* (*col*) there's nothing to choose between them; *man nehme* ... (*Cook*) take ...; ~ *Sie sich doch bitte!* please help yourself; *jdn zu sich* **~** to take sb in; *etw* **~,** *wie es kommt* to take sth as it comes; *jdn* **~,** *wie er ist* to take sb as he is; *etw auf sich* (*acc*) **~** to take sth upon oneself; *etw zu sich* **~** to take sth, to partake of sth (*liter*); *wie man's nimmt* (*col*) depending on your point of view.

Nehrung *f* spit (of land).

Neid *m no pl* envy ► *aus* **~** out of envy; *grün (und gelb) vor* **~** (*col*) green with envy; *das muß ihm der* **~** *lassen* (*col*) give the devil his due.

neiden *vt jdm etw* **~** to envy sb (for) sth.

Neider *m* - envious person ► *reiche Leute haben viele* **~** rich people are much envied.

Neidhammel *m* (*col*) envious person.

neidisch *adj* envious ► *auf jdn/etw* **~** *sein* to be envious of sb/sth.

neidlos *adj* ungrudging, without envy.

Neige *f* **-n** [a] (*liter*) *das Glas bis zur* **~** *leeren* to drain the cup to the dregs. [b] *no pl* (*geh: Ende*) *zur* **~** *gehen* to draw to a close; *die Vorräte gehen zur* **~** the provisions are fast becoming exhausted.

neigen [1] *vt Kopf, Körper* to bend; *Glas* to tip. [2] *vr* (*Ebene*) to slope; (*Mensch*) to bend; (*unter Last: Bäume etc*) to bow; (*Gebäude etc*) to lean; (*kippen*) to tip (up), to tilt (up). [3] *vi zu etw* **~** to have a tendency to sth; (*für etw anfällig sein*) to be prone to sth; *zu der Ansicht* **~,** *daß ...* to be inclined to take the view that ...; *siehe* **geneigt**.

Neigung *f* [a] (*das Neigen*) inclination; (*Gefälle auch*) incline, gradient (*esp Rail*). [b] (*Tendenz*) tendency; (*Veranlagung*) leaning *usu pl*; (*Hang, Lust*) inclination ► *künstlerische/politische* **~en** artistic/political leanings; *etw aus* **~** *tun* to do sth by inclination; *keine* **~** *verspüren, etw zu tun* to have no inclination to do sth.

Neigungs-: **~ehe** *f* love match; **~winkel** *m* angle of inclination.

nein *adv* no ► *kommt er?* — **~** *is he coming?* — no, (he isn't); *ich sage nicht* **~** I wouldn't say no; *Hunderte,* **~** *Tausende* hundreds, no thousands; **~,** *so was!* well I never!

Nein *nt no pl* no ► *bei seinem* **~** *bleiben* to stick to one's refusal.

Nein-: **~sager(in** *f*) *m* - *er ist ein ewiger* **~sager** he always says no; **~stimme** *f* (*Pol*) no(-vote), nay (*US*).

Nektar *m no pl* (*Myth, Bot, Frucht~*) nectar.

Nektarine *f* nectarine.

Nelke *f* **-n** [a] carnation. [b] (*Gewürz*) clove.

nennen *pret* **nannte,** *ptp* **genannt** [1] *vt* [a] (*bezeichnen*) to call ► *jdn nach jdm* **~** to name sb after *or* for (*US*) sb; *das nenne ich Mut!* that's what I call courage!; *das nennst du schön?* you call that beautiful?; [b] (*angeben, aufzählen*) to name; (*erwähnen*) to mention ► *die genannten Namen* the names mentioned; *können Sie mir einen guten Anwalt* **~?** could you give me the name of a good lawyer?; *das genannte Schloß* the castle referred to. [2] *vr* to call oneself; (*heißen*) to be called (*Brit*) *or* named ► *und so was nennt sich Liebe* (*col*) and that's supposed to be love!

nennenswert *adj* considerable ► *nicht* **~** not worth mentioning; *nichts N~es* nothing worth mentioning.

Nenner *m* - (*Math*) denominator ► *etw auf einen* **~** *bringen* (*lit, fig*) to reduce sth to a common denominator.

Nennung *f* (*das Nennen*) naming; (*Sport*) entry.

Nennwert *m* (*Fin*) nominal *or* par value ► *zum* **~** at par.

neo-, Neo- *in cpds* neo-.

Neon nt no pl neon.

Neo-: **~nazi** m neo-Nazi; **~nazismus** m neo-Nazism; **n~nazistisch** adj neo-Nazi.

Neon-: **~licht** nt neon light; **~reklame** f neon sign; **~röhre** f neon tube.

Nepal nt Nepal.

Nepp m no pl (col) der reinste ~ daylight robbery (col), a pure rip-off (col).

neppen vt (col) to fleece (col), to rip off (col).

Nepplokal nt (col) clipjoint (col).

Neptun m Neptune.

Nerv [nɛrf] m -en nerve ▶ leicht die ~en verlieren to scare easily; die ~en sind mit ihm durchgegangen he lost his self-control, something in him snapped (col); der hat (vielleicht) ~en! (col) he's got a nerve! (col); es geht mir auf die ~en (col) it gets on my nerves.

nerven ['nɛrfn] (col) [1] vt jdn ~ to get on sb's nerves. [2] vi das nervt it gets on your nerves.

Nerven- ['nɛrfn-]: **~arzt** m neurologist; **n~aufreibend** adj nerve-racking; **~belastung** f strain on the nerves; **~bündel** nt (fig col) bundle of nerves (col); **~gas** nt (Mil) nerve gas; **~gift** nt neurotoxin; **~heilanstalt** f mental hospital; **~heilkunde** f neurology; **~kitzel** m (fig) thrill; **~klinik** f psychiatric clinic; **~kostüm** nt (hum) ein starkes/schwaches ~kostüm haben to have strong/weak nerves; **n~krank** adj suffering from a nervous disease; **~krankheit** f nervous disorder; **~krieg** m (fig) war of nerves; **~leiden** nt nervous complaint; **~probe** f trial; **~sache** f (col) question of nerves; **~säge** f (col) pain (in the neck) (col); **~system** nt nervous system; **~zentrum** nt (Physiol, fig) nerve centre; **~zusammenbruch** m nervous breakdown.

nervig adj (col) Musik, Lärm irritating ▶ der ist vielleicht ~ he gets on your nerves.

nervlich ['nɛrflɪç] adj der ~e Zustand des Patienten the state of the patient's nerves; ~ bedingt nervous.

nervös [nɛr'vøːs] adj nervous; (aufgeregt auch) jumpy (col), on edge pred.

Nervosität [nɛrvozi'tɛːt] f nervousness.

nervtötend ['nɛrf-] adj (col) nerve-racking; Arbeit soul-destroying.

Nerz m -e mink.

Nerzmantel m mink coat.

Nessel[1] f -n (Bot) nettle ▶ sich in die ~n setzen (col) to put oneself in a spot (col).

Nessel[2] m - (Tex) (untreated) cotton.

Nessel-: **~ausschlag** m, **~fieber** nt nettle rash.

Nest nt -er [a] (Brutstätte) nest. [b] (fig: Schlupfwinkel) hideout, lair. [c] (fig: Heim) nest, home ▶ sein eigenes ~ beschmutzen to foul one's own nest; da hat er sich ins warme ~ gesetzt (col) he's got it made (col). [d] (fig: Bett) bed. [e] (pej col: Ort) one-horse town (col) ▶ gottverlassenes ~ godforsaken hole (col).

Nest-: **~beschmutzer** m (pej) denigrator of one's family or country; **~beschmutzung** f (pej) denigration of one's family or country.

nesteln vi an etw (dat) ~ to fumble with sth.

Nest-: **~häkchen** nt baby of the family; **~wärme** f (fig) happy home life.

nett adj nice; (hübsch auch) pretty ▶ das kann ja ~ werden! (iro) that'll be nice (I don't think!) (col); sei so ~ und räum' auf! would you mind clearing up?; ~, daß Sie gekommen sind! nice of you to come.

netterweise adv kindly.

Nettigkeit f [a] no pl (nette Art) kindness, goodness. [b] (nette Worte) ~en kind words.

netto adv (Comm) net.

Netto- in cpds net; **~lohn** m take-home pay.

Netz nt -e [a] net; (Spinnen~, fig: von Lügen etc) web; (Haar~) (hair)net; (Einkaufs~) net bag; (Gepäck~) (luggage) rack ▶ ins ~ gehen (Ftbl) to go into the net; jdm ins ~ gehen (fig) to fall into sb's trap; jdm durchs ~ gehen (fig) to give sb the slip. [b] (System, Comp) network; (Strom~) mains sing or pl ▶ das soziale ~ the social security net. [c] (Math) net; (Kartengitter) grid.

Netz-: **~anschluß** ⚠ m (Elec) mains connection; **~ball** m (Tennis etc) netball; **~gerät** nt mains receiver; **~haut** f retina; **~hemd** nt string vest (Brit) or undershirt (US); **~karte** f (Rail) unlimited travel ticket; **~spannung** f mains voltage; **~strümpfe** pl fish-net stockings pl; **~teil** nt mains adapter; **~werk** nt (Elec, Comp, fig) network; (aus Draht) netting.

neu adj new; Kräfte, Hoffnung auch fresh; (kürzlich entstanden auch) recent; Wäsche clean; Wein young ▶ das N~e Testament the New Testament; die N~e Welt the New World; ein ~er Anfang a new or fresh start; ~eren Datums of (more) recent date; die ~(e)ste Mode the latest fashion; die ~esten Nachrichten the latest news; ein ganz ~er Wagen a brand-new car; das ist mir ~! that's news to me; in ~erer Zeit in modern times; erst in ~erer Zeit only recently; die ~eren Sprachen modern languages; seit ~(e)stem gibt es ... since recently there has been ...; aufs ~e (geh) afresh; auf ein ~es! (Aufmunterung) let's try again; der/die N~e the newcomer, the new guy (col); was ist das N~e an dem Buch? what's new about the book?; weißt du schon das N~(e)ste? have you heard the latest?; was gibt's N~es? (col) what's the latest?; von ~em (von vorn) from the beginning; (wieder) again; ~ beginnen to make a fresh start, to start again; er ist ~ hinzugekommen he's joined (him/them) recently; ein Zimmer ~ einrichten to refurnish a room.

Neu-: **~ankömmling** m newcomer; **~anschaffung** f new acquisition; **n~artig** adj new; ein n~artiges Wörterbuch a new type of dictionary; **~auflage** f reprint; **~ausgabe** f new edition.

Neubau m new house/building.

Neubau-: **~gebiet** nt development area; **~siedlung** f new housing estate (Brit) or development; **~wohnung** f newly-built flat.

Neu-: **~bearbeitung** f revised edition; (von Oper etc) new version; (das ~bearbeiten) revision; reworking; **~beginn** m new beginning(s); **~druck** m reprint; **~einstellung** f new appointment; **~entdeckung** f rediscovery; (Mensch) new discovery; **n~entwickelt** ⚠ adj attr newly developed; **~entwicklung** f new development.

neuerdings adv recently ▶ ~ raucht er wieder now he's started smoking again.

Neuerer m - innovator.

Neu-: **n~eröffnet** ⚠ adj attr newly opened; (wiedereröffnet) reopened; **~eröffnung** f (Wiedereröffnung) reopening; die ~eröffnung der Fluglinie the opening of the new airline; **~erscheinung** f (Buch) new publication; (CD etc) new release.

Neuerung f innovation; (Reform) reform.

Neu|erwerbung f new acquisition.

neu(e)stens adv lately, recently.

Neu-: **~fassung** f revised version; **~fundland** nt Newfoundland; **~fundländer** m - (Hund) Newfoundland (dog); **n~geboren** ⚠ adj newborn; sich wie n~geboren fühlen to feel (like) a new man/woman; **~geborene(s)** nt decl as adj newborn child; **n~gewählt** ⚠ adj attr newly elected.

Neugier(de) f no pl curiosity, inquisitiveness; (pej auch) nosiness (col) ▶ aus ~ out of curiosity.

neugierig adj inqisitive, curious (auf +acc about); (pej) nosy (col); (gespannt) longing to know ▶ ein N~er an inquisitive person; (pej auch) a nosy parker (col); jdn ~ machen to arouse sb's curiosity; ich bin ~, ob I wonder

---

if; *da bin ich aber ~!* I can hardly wait (*col*).

Neu-: **n~griechisch** *adj* Modern Greek; **~griechisch(e)** *nt* Modern Greek; *siehe* **Deutsch(e)**; **~gründung** *f* (*Wiederbegründung*) re-establishment; *die ~gründung von Universitäten* the founding of new universities; **~guinea** *nt* New Guinea.

Neuheit *f* [a] *no pl* novelty. [b] new thing/idea.

Neuigkeit *f* piece of news ► *~en* news *sing*.

Neujahr *nt* New Year.

Neujahrs-: **~abend** *m* New Year's Eve, Hogmanay (*Scot*); **~tag** *m* New Year's Day.

Neuland *nt no pl* virgin land; (*fig*) new ground.

neulich *adv* recently, the other day ► *~ abend(s)* the other evening.

Neuling *m* newcomer.

neumodisch *adj* fashionable; (*pej*) new-fangled (*pej*).

Neumond *m* new moon ► *bei ~* at new moon; *heute ist ~* there's a new moon today.

Neun *f* -en nine ► *ach du grüne ~e!* (*col*) well I'm blowed! (*col*); *siehe* **Vier**.

neun *num* nine ► *alle ~e!* (*beim Kegeln*) strike!; *siehe* **vier**.

Neun-: **n~hundert** *num* nine hundred; **n~mal** *adv* nine times; *siehe* **viermal**; **n~malklug** *adj* (*iro*) smart-aleck *attr* (*col*).

Neuntel *nt* - ninth; *siehe* **Viertel**[1].

neuntens *adv* ninth(ly), in the ninth place.

neunte(r, s) *adj* ninth; *siehe* **vierte(r, s)**.

neunzehn *num* nineteen; *siehe* **vierzehn**.

neunzig *num* ninety; *siehe* **vierzig**.

Neu-: **~ordnung** *f* reorganization; (*Reform*) reform; **~philologe** *m* modern linguist.

Neuralgie *f* neuralgia.

Neu-: **~reg(e)lung** *f* adjustment; **n~reich** *adj* (*pej*) nouveau riche; **~reiche(r)** *mf* (*pej*) nouveau riche.

Neuro- *in cpds* neuro-; **~loge** *m*, **~login** *f* neurologist; **~logie** *f* neurology.

Neurose *f* -n neurosis.

Neurotiker(in *f*) *m* - neurotic.

neurotisch *adj* neurotic.

Neu-: **~schnee** *m* fresh snow; **~seeland** *nt* New Zealand; **~seeländer(in** *f*) *m* New Zealander; **n~seeländisch** *adj* New Zealand; **~silber** *nt* nickel silver; **n~sprachlich** *adj* modern language; *n~sprachliches Gymnasium* ≃ grammar school (*Brit*), high school (*esp US, Scot*) *stressing modern languages*; **~stadt** *f* new town.

neutral *adj* neutral.

neutralisieren* *vt* to neutralize.

Neutralität *f* neutrality.

Neutron *nt* -en [nɔy'troːnən] neutron.

Neutronen- *in cpds* neutron; **~bombe** *f* neutron bomb.

Neutrum *nt*, *pl* **Neutra** (*Gram, fig*) neuter.

Neu-: **~verschuldung** *f* new borrowings *pl*; **~wagen** *m* new car; **~wahl** *f* (*Pol*) new election; **~wert** *m* value when new; **n~wertig** *adj* as new; **~zeit** *f* modern times *pl*; *Literatur der ~zeit* modern literature; **n~zeitlich** *adj* modern; **~zugang** *m* new arrival; (*Mil, bei Firma*) new recruit; **~zulassung** *f* (*Aut*) ≃ registration of a new vehicle.

New York ['njuːˈjɔːk] *nt* New York.

Nicaragua *nt* Nicaragua.

Nicaraguaner(in *f*) *m* - Nicaraguan.

nicaraguanisch *adj* Nicaraguan.

nicht *adv* [a] (*Verneinung*) not ► *er raucht ~* (*augenblicklich*) he isn't smoking; (*gewöhnlich*) he doesn't smoke; *kommst du? — nein, ich komme ~* are you coming? — no, I'm not (coming); *ich kann das ~ — ich auch ~* I can't do it — neither *or* nor can I; *~ mehr als* no more than; *~ heute und ~ morgen* neither today nor tomorrow; *er ~!* not him. [b] (*Bitte, Verbot*) *~ berühren!* do not touch; (*gesprochen*) don't touch; *~! don't!*, no!; *tu's ~!* don't do it!; *~ doch!* stop it!; *bitte ~!* please don't. [c] (*rhetorisch*) *er kommt, ~ (wahr)?* he's coming, isn't he?; *er kommt ~, ~ wahr?* he isn't coming, is he?; *das ist schön, ~ (wahr)?* it's nice, isn't it?; *jetzt wollen wir Schluß machen, ~?* let's leave it now, OK?

Nicht-, nicht- *pref* non-.

Nicht-: **~achtung** *f* (+gen for) disregard; **n~amtlich** *adj* unofficial; **~angriffspakt** *m* non-aggression pact; **~beachtung** *f* non-observance; **n~christlich** *adj* non-Christian.

Nichte *f* -n niece.

Nicht-: **~einhaltung** *f* non-compliance (+gen with); **~einmischung** *f* (*Pol*) non-intervention; **~erscheinen** *nt* non-appearance; **n~flüchtig** *adj* (*Chem, Comp*) non-volatile; **~gefallen** *nt: bei ~gefallen* if not satisfied.

nichtig *adj* [a] (*Jur: ungültig*) void. [b] (*unbedeutend*) trivial.

Nichtigkeit *f* [a] (*Jur: Ungültigkeit*) invalidity, nullity. [b] *no pl* (*Bedeutungslosigkeit*) vainness, emptiness. [c] *usu pl* (*Kleinigkeit*) triviality, trivia *pl*.

Nicht-: **~lieferung** *f* non-delivery; **~mitglied** *nt* non-member; **n~öffentlich** *adj attr* not open to the public; *n~öffentliche Sitzung* meeting in camera (*Jur*) *or* behind closed doors; **~raucher** *m* (*auch Rail*) non-smoker; *ich bin ~raucher* I don't smoke; **~raucherabteil** *nt* no-smoking compartment; **n~rostend** △ *adj attr* rustproof.

Nichts *nt* [a] *no pl* (*Philos*) nothingness; (*Leere*) emptiness, void ► *etw aus dem ~ aufbauen* to build sth up from nothing; *vor dem ~ stehen* to be left with nothing. [b] *pl* -e (*Mensch*) nonentity.

nichts *indef pron inv* nothing ► *ich weiß ~* I don't know anything, I know nothing; *~ als* nothing but; *~ (anderes) als* nothing but; *~ von Bedeutung* nothing of (any) importance; *~ Besseres/Neues etc* nothing better/new *etc*; *~ da!* (*col*) (*weg da*) no you don't!; (*ausgeschlossen*) nothing doing (*col*); *das ist ~ für mich* that's not my cup of tea (*col*); *für ~ und wieder ~* (*col*) for nothing at all; *(es war) ~ mehr zu machen* there was nothing more that could be done; *ich weiß ~ Genaues* I don't know any details; *~ wie raus/hin etc* (*col*) let's get out/over there *etc* (on the double).

△ **nichts|ahnend** *adj* unsuspecting.

Nicht-: **~schwimmer** *m* non-swimmer; *sie ist ~schwimmer* she's a non-swimmer; **~schwimmerbecken** *nt* pool for non-swimmers.

nichts-: **~destotrotz** *adv* notwithstanding (*form*), nonetheless; **~destoweniger** *adv* nevertheless.

△ **Nichtseßhafte(r)** *mf decl as adj* (*form*) person of no fixed abode (*form*).

Nichts-: **~könner** *m* incompetent person; **~nutz** *m* -e good-for-nothing; **n~nutzig** *adj* useless; (*unartig*) good-for-nothing; **n~sagend** △ *adj Buch, Worte* meaningless; *Mensch* insignificant; *Gesichtsausdruck* blank; **~tuer(in** *f*) *m* - idler; **~tun** *nt* idleness; (*Muße*) leisure; *viel Zeit mit ~tun verbringen* to spend a lot of time doing nothing.

Nicht-: **~tänzer** *m* non-dancer; *ich bin ~tänzer* I don't dance; **~trinker** *m* non-drinker; *er ist ~trinker* he doesn't drink; **~verbreitung** *f* (*von Kernwaffen*) non-proliferation; **~vorhandensein** *nt* absence; **~wissen** *nt* ignorance; **~zutreffende(s)** *nt decl as adj* (*etwas*) **~zutreffendes** something incorrect; **~zutreffendes (bitte) streichen!** (please) delete as applicable.

Nickel *nt no pl* nickel.

Nickelbrille *f* metal-rimmed spectacles *pl*.

nicken *vi* to nod ► *mit dem Kopf ~* to nod one's head.

Nickerchen *nt* (*col*) forty winks (*col*) ► *ein ~ machen* to have forty winks.

Nicki *m* **-s** velour pullover.

nie *adv* never ► ~ *im Leben,* ~ *und nimmer* never ever; ~ *wieder* or *mehr* never again; *fast* ~ hardly ever.

nieder 1 *adj attr* low; (*weniger bedeutend*) *Klasse, Stand* lower; (*geringer*) *Geburt, Herkunft* lowly; *Volk* common; *Arbeit* menial; (*Comp*) *Programmiersprache* low-level. 2 *adv* down.

Nieder- *pref* (*Geog*) lower; **n~beugen** *sep* 1 *vt* (*lit, fig*) to bow down; 2 *vr* to bend down; **n~brennen** *vti sep irreg* (*vi: aux sein*) to burn down; **n~brüllen** *vt sep Redner* to shout down; **n~deutsch** *adj* (*Ling*) Low German; **~druck** *m* (*Tech*) low pressure; **n~drücken** *vt sep* (*lit*) to press down; (*fig: bedrücken*) *jdn* **n~drücken** to depress sb, to get sb down (*col*); **~gang** *m* (*fig: Verfall*) decline; **n~gehen** *vi sep irreg aux sein* to descend; (*Regen*) to fall; (*Gewitter*) to break (*auch fig*); (*Boxer*) to go down; **n~geschlagen** *adj* dejected, despondent; **~geschlagenheit** *f* dejection, despondency; **n~halten** *vt sep irreg* to hold *or* keep down; *Volk* to oppress; (*Mil*) to pin down; **n~kämpfen** *vt sep Feuer* to fight down; *Feind* to overcome; *Tränen* to fight back; **n~knien** *vi sep aux sein* to kneel down; **n~kommen** *vi sep irreg aux sein* (*old*) to be delivered (*old*) (*mit* of); **~kunft** *f* ⁼e (*old*) delivery; **~lage** *f* defeat; *jdm eine* **~lage** *beibringen* to inflict a defeat on sb.

Niederlande *pl die* ~ the Netherlands *sing or pl*, the Low Countries *pl*.

Niederländer(in *f*) *m* - Dutchman/Dutchwoman ► *die* ~ the Dutch.

niederländisch *adj* Dutch, Netherlands.

Niederländisch(e) *nt* Dutch; *siehe* **Deutsch(e).**

niederlassen *vr sep irreg* 1 *vi* (*geh*) to sit down; (*Vögel*) to alight. b (*Praxis, Geschäft eröffnen*) to establish oneself ► *sich als Arzt/Rechtsanwalt* ~ to set up as a doctor/lawyer; *die niedergelassenen Ärzte* general practitioners, GPs.

Niederlassung *f* a *no pl* (*das Niederlassen*) settlement; (*eines Arztes etc*) setting-up. b (*Siedlung*) settlement. c (*Comm*) registered office; (*Zweigstelle*) branch.

niederlegen *sep* 1 *vt* a to lay *or* put down; *Waffen* to lay down. b (*aufgeben*) *Amt, Mandat* to resign (from), to give up; *Führung* to renounce, to give up ► *die Arbeit* ~ (*aufhören, streiken*) to stop work. c (*schriftlich festlegen*) to write down. 2 *vr* to lie down.

Niederlegung *f* a (*von Kranz*) laying. b (*von Amt, Mandat*) resignation (from) ► ~ *der Arbeit* industrial action. c (*schriftlich*) setting-out.

Nieder-: **n~machen, n~metzeln** *vt sep* to massacre, to butcher; **n~prasseln** *vi sep aux sein* (*Regen etc*) to beat down; (*fig: Beschimpfungen*) to rain down; **n~reißen** *vt sep irreg* to pull down; (*fig*) *Schranken* to tear down; **~rhein** *m* Lower Rhine; **n~rheinisch** *adj* Lower Rhine; **~sachsen** *nt* Lower Saxony; **n~schießen** *vt sep irreg* to shoot down.

Niederschlag *m* a (*Met*) precipitation (*form*); (*Chem*) precipitate; (*Bodensatz*) sediment, dregs *pl* ► *radioaktiver* ~ (radioactive) fallout; *für morgen sind heftige* ⁼*e gemeldet* tomorrow there will be heavy rain/hail/snow. b (*Boxen*) knock-down blow.

niederschlagen *sep irreg* 1 *vt* a *jdn* to knock down; *Aufstand, Revolte* to put down; *Augen* to lower, to cast down (*liter*); *siehe* **niedergeschlagen.** b (*Chem*) to precipitate. 2 *vr* (*Flüssigkeit*) to condense; (*Bodensatz*) to settle; (*Chem*) to precipitate ► *sich in etw* (*dat*) ~ (*Erfahrungen etc*) to find expression in sth.

Niederschlags-: **n~frei** *adj* dry, without precipitation (*form*); **~menge** *f* rainfall/snowfall, precipitation

(*form*).

Nieder-: **~schlagung** *f* (*eines Aufstands*) suppression; **n~schmettern** *vt sep* to batter down; (*fig*) to shatter; **n~schmetternd** *adj Nachricht, Ergebnis* shattering; **n~schreiben** *vt sep irreg* to write down; **~schrift** *f* (*das ~schreiben*) writing down; (*~geschriebenes*) notes *pl*; (*Protokoll*) (*einer Sitzung*) minutes *pl*; (*Jur*) record; (*von Bandaufzeichnung*) transcript; **n~setzen** *sep* 1 *vt Kind, Glas* to put down; 2 *vr* to sit down; **~spannung** *f* (*Elec*) low voltage *or* tension; **n~stimmen** *vt sep* to vote down; **n~strecken** *vt sep* (*geh*) to lay low; **n~stürzen** *vi sep aux sein* to crash down; **n~tourig** [-tuːrɪç] *adj* low-revving; *n~tourig fahren* to keep the revs down.

Niedertracht *f* = **Niederträchtigkeit.**

niederträchtig *adj Person* malicious, spiteful; *Tat* despicable ► *jdn* ~ *verraten* to betray sb in a despicable way.

Niederträchtigkeit *f* a *no pl so viel* ~ *hätte ich ihm nicht zugetraut* I would not have believed him capable of such despicable behaviour. b (*Tat*) despicable act.

niedertreten *vt sep irreg* to trample down.

Niederung *f* low-lying area; (*Senke*) depression.

Nieder-: **n~werfen** *sep irreg* 1 *vt* to throw or cast (*liter*) down; *Aufstand* to suppress; *Gegner* (*lit*) to floor; (*fig*) to overcome; *er wurde von einer Krankheit n~geworfen* he was laid low by an illness; 2 *vr* to prostrate oneself; **~werfung** *f* (*von Aufstand*) suppression.

niedlich *adj* sweet, cute, pretty little *attr*.

Niedlichkeit *f* sweetness, cuteness.

niedrig *adj* low ► ~ *fliegen* to fly low; ~*ste Preise* rock-bottom prices; *ich schätze seine Chancen sehr* ~ *ein* I don't think much of his chances.

Niedrig-: **n~stehend** ⚠ *adj Volk, Kultur* primitive; **~wasser** *nt* (*Naut*) low water.

niemals *adv* never.

niemand *indef pron* nobody, no one ► *es war* ~ *zu Hause* there was nobody at home, there wasn't anyone at home; ~ *anders kam* nobody else came; *ich habe* ~ *anders gesehen* I didn't see anybody else; *sag das* ~*(em)!* don't tell anybody.

Niemand *m no pl er ist ein* ~ he's a nobody.

Niemandsland *nt* no man's land.

Niere *f* -n kidney ► *künstliche* ~ kidney machine; *es geht mir an die* ~*n* (*col*) it gets me down.

Nieren- *in cpds* (*Anat*) renal; **~entzündung** *f* kidney infection, nephritis (*spec*); **n~förmig** *adj* kidney-shaped; **~leiden** *nt* kidney disease; **~schützer** *m* kidney belt; **~stein** *m* kidney stone, renal calculus (*spec*); **~tisch** *m* kidney-shaped table.

nieseln *vi impers* to drizzle.

Nieselregen *m* drizzle.

niesen *vi* to sneeze.

Niespulver *nt* sneezing powder.

Niet *m* -e (*spec*), **Niete¹** *f* -n rivet; (*auf Kleidung*) stud.

Niete² *f* -n (*Los*) blank; (*col: Mensch*) dead loss (*col*).

nieten *vt* to rivet.

Nietenhose *f* (pair of) studded jeans *pl*.

niet- und nagelfest *adj* (*col*) nailed down.

Niger *nt* Niger.

Nigeria *nt* Nigeria.

Nigerianer(in *f*) *m* - Nigerian.

nigerianisch *adj* Nigerian.

Nihilismus [nihiˈlɪsmʊs] *m* nihilism.

Nihilist [nihiˈlɪst] *m* nihilist.

nihilistisch [nihiˈlɪstɪʃ] *adj* nihilistic.

Nikolaus *m* -, -e *or* (*hum col*) **Nikoläuse** St Nicholas; (*~tag*) St Nicholas' Day.

Nikotin *nt no pl* nicotine.

Nikotin-: **n~arm** *adj* low-nicotine; **n~frei** *adj* nicotinefree; **~gehalt** *m* nicotine content; **n~haltig** *adj* containing nicotine; **~vergiftung** *f* nicotine poisoning.

Nil *m* Nile.

Nilpferd *nt* hippopotamus, hippo.

Nimbus *m* -, **-se** (*Heiligenschein*) halo; (*fig*) aura.

Nimmer-: **n~mehr** *adv* (*liter*) nevermore (*liter*), never again; **n~müde** *adj attr* tireless, untiring; **~satt** *m* -e glutton; **ein ~satt sein** to be insatiable; **~satt** *adj* insatiable; **~wiedersehen** *nt* (*col*) **auf ~wiedersehen!** I never want to see you again; **auf ~wiedersehen verschwinden** to disappear never to be seen again.

nippen *vti* to nip (*an* +*dat* at) ▸ **am Wein ~** to sip (at) the wine.

Nippes, Nippsachen *pl* knick-knacks *pl*, bric-à-brac *sing*.

Nippon *nt* Japan.

nirgends, nirgendwo *adv* nowhere, not ... anywhere ▸ **ihm gefällt es ~** he doesn't like it anywhere; **überall und ~** here, there and everywhere.

nirgendwohin *adv* nowhere, not ... anywhere.

Nische *f* -n alcove; (*Koch~ etc*) corner.

nisten *vi* to nest.

Nist-: **~kasten** *m* nesting box; **~platz** *m* nesting place; **~zeit** *f* (the) nesting season.

Nitrat *nt* nitrate.

Nitroglyzerin *nt* nitroglycerine.

Niveau [ni'vo:] *nt* -s (*lit, fig*) level ▸ **auf gleichem ~ liegen** to be on the same level; **diese Schule hat ein hohes ~** this school has high standards; **unter ~** below par; **unter meinem ~** beneath me; **ein Hotel mit ~** a hotel with class.

niveau- [ni'vo:] **~los** *adj* mediocre; **~voll** *adj* high-class.

nivellieren [nivɛ'li:rən] *vt* (*lit, fig*) to level out.

Nivellierung [nivɛ'li:rʊŋ] *f* (*Ausgleichung*) levelling out.

nix *indef pron* (*col*) = **nichts**.

Nixe *f* -n water sprite; (*mit Fischschwanz*) mermaid.

Nizza *nt* Nice.

n.J. = **nächsten Jahres**.

n.M. = **nächsten Monats**.

NN, N.N. = **Normalnull** msl.

NO = **Nordosten** NE.

no. = **netto** net.

nobel *adj* (*edelmütig*) noble; (*col*) (*großzügig*) generous; (*kostspielig*) extravagant; (*elegant*) posh (*col*) ▸ **sich ~ zeigen** (*col*) to be generous.

Nobelpreis *m* Nobel prize.

Nobelpreisträger *m* Nobel prize winner.

noch 1 *adv* a (*weiterhin, bis jetzt*) still ▸ **~ nicht** still not, not yet; **bist du fertig? — ~ nicht** are you ready? — not yet; **~ immer** still; **~ nie** never; **ich gehe kaum ~ aus** I hardly go out any more; **ich möchte gerne ~ bleiben** I'd like to stay on longer.

b (*irgendwann*) some time ▸ **er wird sich (schon) ~ daran gewöhnen** he'll get used to it (one day); **das kann ~ passieren** that might still happen; **er wird ~ kommen** he'll come (yet).

c (*eben, nicht später als*) **ich habe ihn ~ vor zwei Tagen gesehen** I saw him only two days ago; **er ist ~ am selben Tag gestorben** he died the very same day; **~ im 18. Jahrhundert** as late as the 18th century; **können Sie das heute ~ erledigen?** can you do it (for) today?

d (*einschränkend*) (only) just ▸ **(gerade) ~ gut genug** (only) just good enough.

e (*außerdem, zusätzlich*) **wer war ~ da?** who else was there?; **~ etwas Fleisch** some more meat; **~ einer** another (one); **~ einmal** once more; **und es regnete auch ~** and on top of that it was raining.

f (*bei Vergleichen*) even, still, yet ▸ **~ größer** even bigger; **das ist ~ besser** that's better still; **seien sie auch**

~ so klein however small they might be.

g (*col*) **Geld ~ und ~** or (*hum col*) **~̈er** heaps and heaps of money (*col*); **sie hat ~ und ~ versucht, ...** she tried again and again to ...

2 *conj* **weder X ~ Y** neither X nor Y.

nochmalig *adj attr* renewed ▸ **eine ~e Überprüfung** a further check.

nochmals *adv* again.

Nockenwelle *f* camshaft.

NOK [ɛn|o:'ka] *nt* = **Nationales Olympisches Komitee**.

Nom. = **Nominativ**.

Nomade *m* (*wk*) -n, -n (*lit, fig*) nomad.

Nomaden- *in cpds* nomadic; **~tum** *nt* nomadism.

Nomadin *f* (*lit, fig*) nomad.

Nomen *nt, pl* **Nomina** (*Gram*) noun.

nominal *adj* nominal.

Nominal- *in cpds* (*Gram, Fin*) nominal; **~wert** *m* (*Fin*) nominal *or* par value.

Nominativ *m* nominative.

nominell *adj* nominal.

nominieren* *vt* to nominate.

Nonkonformist(in *f*) *m* nonconformist.

nonkonformistisch *adj* nonconformist.

Nonne *f* -n nun.

Nonnenkloster *nt* convent, nunnery (*old, hum*).

Nonplus|ultra *nt no pl* (*geh*) ultimate.

Nonsens *m no pl* nonsense.

⚠ **nonstop** [nɔn'ʃtɔp, nɔn'stɔp] *adv* non-stop.

⚠ **Nonstop-** *in cpds* non-stop.

nonverbal *adj* non-verbal.

Noppe *f* -n (*Gummi~*) nipple, knob; (*Knoten*) burl; (*Schlinge*) loop.

Nord *no art no pl* (*Naut, Met, liter*) north.

Nord- *in cpds* (*Geog*) North; **~afrika** *nt* North Africa; **~amerika** *nt* North America; **~atlantikpakt** *m* North Atlantic ● Treaty; **n~atlantisches Verteidigungsbündnis** *nt* NATO alliance; **n~deutsch** *adj* North German; **~deutschland** *nt* North(ern) Germany.

Norden *m no pl* north; (*von Land*) North ▸ **von ~ her** from the north; **nach ~** north(wards), to the north; **der Balkon liegt nach ~** the balcony faces north(wards).

Nord-: **~england** *nt* the North of England; **~irland** *nt* Northern Ireland, Ulster.

nordisch *adj* Wälder northern; Völker, Sprache nordic ▸ **~e Kombination** (*Ski*) nordic combined.

Nord-: **~kap** *nt* North Cape; **~korea** *nt* North Korea; **~küste** *f* north(ern) coast; **~länder(in** *f*) *m* - Scandinavian.

nördlich 1 *adj* northern; Wind, Richtung northerly ▸ **der ~e Polarkreis** the Arctic Circle; **N~es Eismeer** Arctic Ocean; **52 Grad ~er Breite** 52 degrees north. 2 *adv* (to the) north ▸ **~ von Köln (gelegen)** north of Cologne. 3 *prep* +*gen* (to the) north of.

Nordlicht *nt* northern lights *pl*, aurora borealis.

Nordost *m* north-east ▸ **aus ~** from the north-east.

Nordosten *m* north-east; (*von Land*) North East.

nord|östlich 1 *adj* Gegend north-eastern; Wind north-east(erly). 2 *adv* (to the) north-east. 3 *prep* +*gen* (to the) north-east of.

Nord-Ostsee-Kanal *m* Kiel Canal.

Nordpol *m* North Pole.

Nordpolargebiet *nt* Arctic (Zone).

Nordrhein-Westfalen *nt* North Rhine-Westphalia.

Nordsee *f* North Sea.

Nord-: **~seite** *f* north(ern) side; (*von Berg*) north(ern) face; **~staaten** *pl* (*Hist*) northern states *pl*, Union; **~stern** *m* North Star, Polar Star; **~-Süd-Gefälle** *nt*

north-south divide; **~wand** f (von Berg) north face.
Nordwest m north-west ► **aus** ~ from the north-west.
Nordwesten m north-west; (von Land) North-West.
nordwestlich ① adj Gegend north-western; Wind north-west(erly).
② adv (to the) north-west.
③ prep +gen (to the) north-west of.
Nordwind m north wind.
Nörgelei f carping, niggling.
nörgeln vi (an +dat about) to carp, to niggle.
Nörgler(in f) m - carper, niggler.
Norm f -en ⓐ norm; (Größenvorschrift) standard (specification) ► **die ~ sein** to be (considered) normal. ⓑ (Leistungssoll) quota, norm ► **die ~ erreichen** to achieve one's quota.
normal adj normal; Format, Maß, Gewicht standard ► **bist du noch ~?** (col) have you gone mad?
Normal- in cpds (üblich) normal; (genormt) standard; **~benzin** nt two-star (petrol) (Brit old), regular (gas) (US).
normalerweise adv normally, usually.
Normal-: **~fall** m normal case; **im ~fall** normally; **~gewicht** nt normal weight; (genormt) standard weight.
normalisieren* ① vt to normalize.
② vr to return to normal.
Normalisierung f normalization.
Normalität f normality, normalcy.
Normal-: **~maß** nt standard (measure); **~null** nt (mean) sea level; **~verbraucher** m average consumer; Otto **~verbraucher** (col) your average punter (col), John Doe (US); **~zeit** f standard time.
Normandie f Normandy.
normen, normieren* vt to standardize.
Normierung, Normung f standardization.
Norwegen nt Norway.
Norweger(in f) m - Norwegian.
norwegisch adj Norwegian.
Norwegisch(e) nt Norwegian; siehe **Deutsch(e)**.
Nostalgie f nostalgia.
nostalgisch adj nostalgic.
Not f ⁼e ⓐ no pl (Mangel, Elend) need(iness), poverty ► **eine Zeit der ~** a time of need; **aus ~** out of poverty; **~ leiden** to suffer deprivation; **in ~ leben** to live in poverty; **wenn ~ am Mann ist** if you/they etc are short (col); (im Notfall) in an emergency; **~ macht erfinderisch** (Prov) necessity is the mother of invention (Prov).
ⓑ (Bedrängnis) distress no pl; (Problem) problem ► **in seiner ~** in his hour of need; **in unserer ~ blieb uns nichts anderes übrig** in this emergency we had no choice; **jdm seine ~ klagen** to tell sb one's troubles; **in ~ sein** to be in distress; **in ~ geraten** to get into serious difficulties.
ⓒ no pl (Sorge, Mühe) difficulty, trouble ► **er hat seine liebe ~ mit ihr/damit** he really has problems with her/it.
ⓓ (Zwang, Notwendigkeit) necessity ► **etw ohne ~ tun** to do sth without having to; **zur ~** if need(s) be; (gerade noch) at a pinch; **aus der ~ eine Tugend machen** to make a virtue (out) of necessity.
⚠**not** adj (geh) **~ tun** to be necessary.
Notar(in f) m notary public.
Notariat nt notary's office.
notariell adj notarial ► **~ beglaubigt** legally certified by a notary.
Not-: **~arzt** m doctor on call, casualty officer; **~aufnahme** f casualty unit; **~ausgang** m emergency exit; **~behelf** m stopgap (measure), makeshift; **~bremse** f emergency brake, communication cord (Brit); **die ~bremse ziehen** to pull the emergency brake;

(Ftbl sl: foulen) to commit a blatant foul; **~bremsung** f emergency stop; **~dienst** m **~dienst haben** (Apotheke) to be open 24 hours; (Arzt) to be on call.
Notdurft f no pl (euph geh) call of nature (euph) ► **seine ~ verrichten** to relieve oneself.
notdürftig adj (kaum ausreichend) meagre (Brit), meager (US); Kleidung scanty; (behelfsmäßig) makeshift no adv, rough and ready no adv ► **damit Sie sich wenigstens ~ verständigen können** so that you can at least communicate to some extent; **einen Reifen ~ flicken** to patch up a tyre (Brit) or tire (US).
Note f -n ⓐ (Mus) note ► **~n** pl music; **~n lesen** to read music; **nach ~n spielen** to play from music. ⓑ (Sch) mark. ⓒ (Pol) note. ⓓ (Bank~) (bank)note (Brit), bill (US). ⓔ no pl (Eigenart) (in bezug auf Gespräch, Brief etc) note; (in bezug auf Atmosphäre) tone, character ► **einer Sache** (dat) **eine persönliche ~ verleihen** to give sth a personal touch.
Notebookcomputer ['no:tbʊk-] m notebook computer.
Noten-: **~bank** f issuing bank; **~blatt** nt sheet of music; **~papier** nt manuscript paper; **~presse** f money press; **~schlüssel** m clef; **~schrift** f musical notation; **~ständer** m music stand.
Notfall m emergency ► **für den ~ nehme ich einen Schirm mit** I'll take an umbrella (just) in case; **im ~** if need be; **bei einem ~** in case of emergency.
notfalls adv if necessary, if need be.
notgedrungen adv of necessity ► **ich muß mich ~ dazu bereit erklären** I've no choice but to agree.
Notgroschen m nest egg.
notieren* ① vt ⓐ (Notizen machen) to make a note of; (schnell) to jot down. ⓑ (vormerken) (Comm) Auftrag to note, to book ► **jdn ~** to put sb's name down. ⓒ (St Ex: festlegen) to quote (mit at).
② vi (St Ex: wert sein) to be quoted (auf +acc at).
Notierung f (Comm) note; (St Ex) quotation.
nötig ① adj necessary ► **es ist nicht ~, daß er kommt** it's not necessary for him to come, there's no need for him to come; **wenn ~** if necessary, if need be; **etw ~ haben** to need sth; **er hat das natürlich nicht ~** (iro) but, of course, he's different; **ich habe es nicht ~, mich von dir anschreien zu lassen** I don't have to let you shout at me; **du hast es gerade ~, so zu reden** (col) you're a fine one to talk (col); **das habe ich nicht ~!** I can do without that; **das N~ste** the (bare) necessities.
② adv (dringend) **etw ~ brauchen** to need something urgently.
nötigen vt (geh: zwingen) to compel; (Jur) to coerce; (auffordern) to urge ► **sich ~ lassen** to need urging; **lassen Sie sich nicht (erst) ~!** don't wait to be asked; siehe **genötigt**.
nötigenfalls adv (form) if necessary.
Nötigung f (Zwang) compulsion; (Jur) coercion.
Notiz f -en ⓐ (Vermerk) note; (Zeitungs~) item ► **sich** (dat) **~en machen** to make notes. ⓑ **~ nehmen von** to take notice of; **keine ~ nehmen von** to ignore.
Notiz-: **~block** m notepad, scratchpad (US, Comp); **~buch** nt notebook.
Notlage f crisis; (Elend) plight ► **jds ~** (acc) **ausnützen** to exploit sb's difficulties; **in eine ~ geraten** to get into serious difficulties.
notlanden pret **notlandete,** ptp **notgelandet** vi aux sein to make an emergency landing.
Notlandung f emergency landing.
⚠**notleidend** adj needy ► **die N~en** the needy.
Not-: **~lösung** f compromise solution; (provisorisch) temporary solution; **~lüge** f white lie.
notorisch adj notorious.
Not-: **~ruf** m (Telec) (Gespräch) emergency call;

(*Nummer*) emergency number; **~rufsäule** *f* emergency telephone; **n~schlachten** *pret* **n~schlachtete,** *ptp* **n~geschlachtet** *vt* to destroy, to put down; **~schlachtung** *f* putting down; **~signal** *nt* distress signal; **~situation** *f* emergency; **~sitz** *m* foldaway seat.

Notstand *m* crisis; (*Pol*) state of emergency; (*Jur*) emergency.

Notstands-: ~gebiet *nt* (*wirtschaftlich*) depressed area; (*bei Katastrophen*) disaster area; **~gesetze** *pl* (*Pol*) emergency laws *pl*.

Not-: ~strom|aggregat *nt* emergency power generator; **~unterkunft** *f* emergency accommodation; **~verband** *m* emergency or first-aid dressing; **~verpflegung** *f* emergency rations.

notwassern *pret* **notwasserte,** *ptp* **notgewassert** *vi* to ditch (*Aviat sl*).

Notwehr *f no pl* self-defence (*Brit*), self-defense (*US*) ► **aus/in ~** in self-defence.

notwendig *adj* necessary ► **~ brauchen** to need urgently; **das N~ste** the (bare) essentials.

notwendigerweise *adv* of necessity, inevitably.

Notwendigkeit *f* necessity ► **die ~, etw zu tun** the necessity of doing sth.

Notzucht *f* (*Jur*) rape.

Nougat ['nu:gat] *m or nt* **-s** nougat.

Nov. = **November** Nov.

Novelle [no'vɛlə] *f* [a] long short story, novella. [b] (*Pol*) amendment.

novellieren* [novɛ'li:rən] *vt* (*Pol*) to amend.

November [no'vɛmbɐ] *m* - November; *siehe* **März**.

Novize [no'vi:tsə] *m* (*wk*) **-n, -n, Novizin** *f* novice.

Novum ['no:vʊm] *nt, pl* **Nova** ['no:va] novelty.

NPD [ɛnpe:'de:] *f* = **Nationaldemokratische Partei Deutschlands.**

Nr. = **Nummer** No.

NRW = **Nordrhein-Westfalen.**

NS- [ɛn'|ɛs-] *in cpds* Nazi.

NT = **Neues Testament** NT.

n-te ['ɛntə] *adj* (*Math*) nth.

Nu *m*: **im ~** in no time, in a flash *or* trice.

Nuance [ny'ã:sə] *f* **-n** nuance; (*Kleinigkeit*) shade ► **um eine ~ zu laut** a shade too loud.

nüchtern *adj* [a] (*ohne Essen*) **eine Medizin ~ einnehmen** to take a medicine on an empty stomach; **mit ~em/auf ~en Magen** with/on an empty stomach. [b] (*nicht betrunken*) sober ► **wieder ~ werden** to sober up. [c] (*schmucklos*) sober; (*sachlich*) down-to-earth *no adv*, rational; *Zahlen, Tatsachen* bare, plain.

Nüchternheit *f* [a] (*Unbetrunkenheit*) soberness, sobriety. [b] (*Schmucklosigkeit*) soberness; (*Sachlichkeit*) rationality.

nuckeln *vi* (*col*) (*Mensch*) to suck (*an +dat* at); (*Tier*) to suckle (*an +dat* from) ► **am Daumen ~** to suck one's thumb.

Nudel *f* **-n** *usu pl* [a] (*als Beilage*) pasta *no pl*; (*als Suppeneinlage*) noodle. [b] (*col: Mensch*) (*dick*) dumpling (*col*); (*komisch*) character.

Nudel-: ~brett *nt* pastryboard; **~holz** *nt* rolling pin; **~suppe** *f* noodle soup.

Nudismus *m* nudism.

Nudist(in *f*) *m* nudist.

Nugat *m or nt* **-s** nougat.

nuklear *adj attr* nuclear.

Nuklear-: *in cpds* nuclear; **~macht** *f* nuclear power; **~test** *m* nuclear test; **~waffe** *f* nuclear weapon.

Null *f* **-en** [a] (*Zahl*) nought, zero; (*Gefrierpunkt*) zero ► **die ~** the figure nought, zero; **gleich ~ sein** to be absolutely nil; **in ~ Komma nichts** (*col*) in less than no time; **seine Stimmung sank auf ~** (*col*) his mood sank; **im Jahre ~** in the year nought; **die Stunde ~** the new start-

ing point. [b] (*col: Mensch*) dead loss (*col*).

null *num* zero; (*Telec*) O [əʊ] (*Brit*), zero (*US*); (*Sport*) nil; (*Tennis*) love ► **~ Komma eins** (*col*) point one; **es ist ~ Uhr zehn** it's ten past midnight; **~ Grad** zero, freezing point; **~ Fehler** no *or* zero (*col*) mistakes; **es steht ~ zu ~** it's nil-nil; **das Spiel wurde ~ zu ~ beendet** the game was a goalless draw; **~ und nichtig** (*Jur*) null and void.

null|achtfünfzehn (*col*) [1] *adj pred* run-of-the-mill (*col*). [2] *adv* in a run-of-the-mill way.

Null|achtfünfzehn- *in cpds* (*col*) run-of-the-mill.

Null-Bock- *in cpds* apathetic; **~-Generation** *f* "couldn't care less" generation.

Nulldiät *f* starvation diet.

⚠ **Nullösung** *f* (*Pol*) zero option.

Nullpunkt *m* zero ► **die Stimmung sank unter den ~** the atmosphere became icy; **auf dem ~ angekommen sein** (*fig*) to have reached rock-bottom.

Null-: ~stellung *f* zero position; **in der ~stellung sein** to be on zero; **~tarif** *m* (*für Verkehrsmittel*) free travel; **zum ~tarif** (*hum*) free of charge; **~wachstum** *nt* (*Econ*) zero growth.

⚠ **numerieren*** *vt* to number.

numerisch *adj* numeric(al).

Numerus *m, pl* **Numeri** (*Gram*) number ► **~ clausus** (*Univ*) restricted entry.

▼ **Nummer** *f* **-n** number; (*Größe*) size; (*col: Mensch*) character; (*col!: Koitus*) screw (*col!*) ► **unser Haus hat die ~ 25** our house is number 25; **nur eine ~ unter vielen sein** (*fig*) to be a cog (in the machine); **auf ~ Sicher gehen** (*col*) to play (it) safe; **eine ~ abziehen** (*col*) to put on an act.

Nummern-: ~konto *nt* numbered bank account; **~schild** *nt* (*Aut*) number plate (*Brit*), license plate (*US*).

nun *adv* [a] (*jetzt*) now ► **von ~ an** from now on, from here on in (*US*); **~ erst** only now; **~ endlich** (now) at last; **was ~?** what now?; **was ~ (schon wieder)?** what (is it) now? [b] **er will ~ mal nicht** he simply doesn't want to; **~, wenn's unbedingt sein muß** well, if I/you *etc* really must; **das ist ~ (ein)mal so** that's just the way things are; **~ ja, aber ...** OK (*col*), but ...; **~ ja** well yes; **~ gut** (well) all right, (well) OK (*col*); **~ erst recht!** that makes me all the more determined! [c] (*bei Fragen*) **~?** well?; **~, wird's bald?** (*col*) come on then.

nunmehr *adv* (*geh*) (*jetzt*) now, at this point; (*von jetzt an*) henceforth (*form*), from now on.

nur *adv* [a] (*einschränkend*) only, just ► **ich habe ~ ein Stück Brot gegessen** I've only eaten a piece of bread; **alle, ~ ich nicht** everyone but me; **~ schade, daß ...** it's just a pity that ...; **~ daß** it's just that; **~ noch zwei Minuten** just another two minutes; **nicht ~ ..., sondern auch** not only ... but also; **das ist ~ das nicht!** anything but that!; **warum möchtest du das denn wissen?** — **ach, ~ so!** why do you want to know? — oh no special reason; **ich hab' das ~ so gesagt** I was just talking.

[b] (*mit Fragepronomen*) -ever ► **warum sie ~ dahin geht?** whyever does she go there?; **wie kannst du ~ (so etwas sagen)?** how could you (say such a thing)?; **sie bekommt alles, was sie ~ will** she gets whatever she wants.

[c] **wenn (...) ~** if only; **wenn er ~ (erst) käme** if only he would come; **es wird klappen, wenn er ~ nicht die Nerven verliert** it will be all right as long as he doesn't lose his nerve.

[d] **sagen Sie das ~ nicht Ihrer Frau!** don't tell your wife (whatever you do); **geh ~!** go on; **~ zu!** go on; **sieh ~** just look; **~ her damit!** (*col*) let's have it; **Sie brauchen es ~ zu sagen** just say (the word); **er soll ~ lachen!** let him laugh.

➤ SATZBAUSTEINE: **Nummer** → 15.1, 15.3, 15.4, 15.7

Nürnberg *nt* Nuremberg.

nuscheln *vti* (*col*) to mutter, to mumble.

⚠**Nuß** *f, pl* **Nüsse** a nut. b (*col: Mensch*) *eine taube ~* a dead loss (*col*); *eine doofe ~* a stupid twit (*Brit col*) or clown (*col*).

Nuß-: **~baum** ⚠ *m* (*Baum*) walnut tree; (*Holz*) walnut; **~knacker** ⚠ *m* nutcracker; **~schale** ⚠ *f* nutshell; (*fig: Boot*) cockleshell.

Nüster *f* -n nostril.

Nut *f* -en (*spec*), **Nute** *f* -n groove.

Nutte *f* -n (*pej, col!*) tart (*col*), hooker (*esp US col*).

nutzbar *adj* usable; *Bodenschätze* exploitable ▶ *~ machen* to make usable; *Sonnenenergie* to harness; *Bodenschätze* to exploit.

Nutzbarmachung *f* utilization; (*von Bodenschätzen*) exploitation.

nutzbringend *adj* profitable ▶ *etw ~ anwenden* to use sth to good effect, to put sth to good use.

nütze *adj pred zu etw/nichts ~ sein* to be useful for sth/to be no use for anything.

Nutzen *m* - a use; (*Nützlichkeit*) usefulness ▶ *zum ~ der Öffentlichkeit* for the benefit of the public; *jdm von ~ sein* to be of use to sb. b (*Vorteil*) advantage, benefit; (*Gewinn*) profit ▶ *jdm ~ bringen* (*Vorteil*) to be of advantage to sb; (*Gewinn*) to bring sb profit; *von etw ~ haben* to profit by sth.

nutzen, nützen 1 *vi* to be of use (*jdm zu etw* to sb for sth) ▶ *die Ermahnungen haben genützt/nichts genützt* the warnings had the desired effect/didn't do any good; *da nützt alles nichts* there's nothing to be

done; *das nützt (mir/dir) nichts* that won't help (me/you); *wozu soll das alles ~?* what's the point of that? 2 *vt* to make use of; *Gelegenheit* to take advantage of.

Nutzer(in *f*) *m* - user.

Nutz-: **~fahrzeug** *nt* farm vehicle; military vehicle *etc*; (*Comm*) commercial vehicle; **~fläche** *f* usable floor space; (*Agr*) (agriculturally) productive land; **~last** *f* payload.

nützlich *adj* useful; *Hinweis, Buch auch* helpful ▶ *~ für die Gesundheit* beneficial to one's health; *sich ~ machen* to make oneself useful.

Nützlichkeit *f* usefulness, utility (*form*).

nutzlos *adj* a useless; (*vergeblich*) futile, vain *attr*, in vain *pred* ▶ *es ist völlig ~, das zu tun* it's absolutely pointless doing that. b (*unnötig*) needless ▶ *sein Leben ~ aufs Spiel setzen* to risk one's life needlessly *or* unnecessarily.

Nutzlosigkeit *f* uselessness; (*Vergeblichkeit*) futility.

Nutznießer(in *f*) *m* - beneficiary.

Nutzung *f* (*Gebrauch*) use; (*das Ausnutzen*) exploitation ▶ *ich habe ihm meinen Garten zur ~ überlassen* I gave him the use of my garden.

Nutzungsrecht *nt* (*Jur*) usufruct.

NW = **Nordwesten** NW.

Nylon ® ['nailɔn] *nt no pl* nylon.

Nylonstrumpf ['nailɔn-] *m* nylon (stocking).

Nymphe ['nʏmfə] *f* -n nymph.

Nymphomanin [nʏmfo-] *f* nymphomaniac, nympho (*col*).

O

O, o [oː] *nt* -, - O, o ▶ *O wie Otto* O for Oliver, O for oboe (*US*).

O = **Osten** E.

o *interj* oh.

o. ä. = **oder ähnliche(s)**.

O|ase *f* -n, -n oasis; (*fig*) haven, oasis.

ob *conj* [a] (*indirekte Frage*) if, whether ▶ *Sie müssen kommen, ~ Sie (nun) wollen oder nicht* whether you like it or not, you have to come; *~ er (wohl) morgen kommt?* I wonder if he'll come tomorrow; *~ wir jetzt Pause machen?* shall we have a break now?; *~ ich nicht lieber gehe?* maybe I'd better go; *~ Sie mir wohl mal helfen können?* I wonder if you could help me. [b] (*verstärkend*) *und ~* (*col*) you bet (*col*); *und ~ ich das gesehen habe!* of course I saw it! [c] (*vergleichend*) *als ~* as if; *(so) tun als ~* (*col*) to pretend; *tu nicht so als ~!* stop pretending!

OB [oːˈbeː] *m* -s = **Oberbürgermeister**.

o.B. = **ohne Befund**.

Obacht *f no pl* (*esp S Ger*) *~!* watch out!, careful!; *~ geben auf* (+*acc*) (*aufmerken*) to pay attention to; (*bewachen*) to keep an eye on.

Obdach *nt no pl* (*geh*) shelter ▶ *jdm ~ gewähren* to offer sb shelter; *kein ~ haben* to be homeless.

Obdach-: **o~los** *adj* homeless; *o~los werden* to be made homeless; **~lose(r)** *mf decl as adj* homeless person; *die ~losen* the homeless.

Obdachlosen-: **~asyl**, **~heim** *nt* hostel *or* shelter for the homeless; **~siedlung** *f* settlement for the homeless.

Obdachlosigkeit *f* homelessness.

Obduktion *f* post-mortem, autopsy.

obduzieren* *vt* to do a post-mortem *or* autopsy on.

O-Beine *pl* (*col*) bow *or* bandy legs *pl*.

Obelisk *m* -en, -en obelisk.

oben *adv* [a] (*am oberen Ende*) at the top; (*an der Oberfläche*) on the surface; (*im Hause*) upstairs; (*in der Höhe*) up ▶ *~ und unten (von etw) verwechseln* to get sth upside down; *wo ist ~ (bei dem Bild)?* which is the right way up (for the picture)?; *wir wohnen rechts ~* or *~ rechts* we live on the top floor to the right; *die Abbildung ~ links* or *links ~* the illustration in the top left-hand corner; *der ist ~ nicht ganz richtig* (*col*) he's not quite right up top (*col*); *~ ohne gehen* or *tragen* (*col*) to be topless; *ganz ~* right at the top; *hier/dort ~* up here/there; *die ganze Sache steht mir bis hier ~* (*col*) I'm fed up to the back teeth with the whole thing (*col*); *bis ~ (hin)* to the top; *hoch ~* high (up) above; *weiter ~* nearer the top; *~ auf dem Berg/der Leiter/ dem Dach* on top of the mountain/ladder/roof; *~ am Himmel/im Norden* up in the sky/north; *nach ~* up, upwards; (*im Hause*) upstairs; *der Fahrstuhl fährt nach ~* the lift is going up; *der Weg nach ~* (*fig*) the road to the top; *endlich hat sie den Weg nach ~ geschafft* (*fig*) she finally made it (to the top); *nach ~ zu* or *hin* towards the top; *von ~ hat man eine schöne Aussicht* there's a nice view from the top; *von ~ bis unten* from top to bottom; (*von Mensch*) from top to toe; *jdn von ~ bis unten mustern* to look sb up and down; *jdn von ~ herab behandeln* to treat sb condescendingly; *weiter ~* further up.

[b] (*col: die Vorgesetzten*) *die da ~* the powers that be (*col*); *das wird ~ entschieden* that's decided higher up; *etw nach ~ (weiter)melden* to report sth to a superior; *der Befehl kommt von ~* it's orders from above.

[c] (*vorher*) above ▶ *siehe ~* see above; *wie ~ erwähnt* as mentioned above; *der weiter ~ erwähnte Fall* the case referred to above.

oben-: **~an** *adv* at the top *or* on (the) top; **~auf** *adv* on (the) top; *gestern war er krank, aber heute ist er wieder ~auf* (*col*) he wasn't well yesterday, but he's back on form today; **~drauf** *adv* (*col*) on top; **~drein** *adv* (*col*) on top of everything (*col*); **~erwähnt,** △ **~genannt** *adj attr* above-mentioned; **~hin** *adv etw nur so ~hin sagen* to say sth in an offhand way; **~-ohne** *adj attr* topless; **~stehend** *adj attr* above-mentioned.

Ober *m* - (*Kellner*) waiter ▶ *Herr ~!* waiter!

Ober-: **~arm** *m* upper arm; **~arzt** *m* senior physician; **~aufseher** *m* (head) supervisor; (*im Gefängnis*) head warden (*Brit*) or guard (*US*); **~aufsicht** *f* supervision; *die ~aufsicht haben* to have overall control (*über* +*acc* of); **~bayern** *nt* Upper Bavaria; **~befehl** *m* (*Mil*) *den ~befehl haben* to be in supreme command (*über* +*acc* of); **~befehlshaber** *m* (*Mil*) commander-in-chief; **~begriff** *m* generic term; **~bekleidung** *f* outer clothing; **~bett** *nt* quilt; **~bürgermeister** *m* mayor; **~deck** *nt* upper *or* top deck.

obere(r, s) *adj attr* Ende, Stockwerke, (*Schul*)klassen upper, top ▶ *die O~n* (*col*) the bosses; *die ~en Zehntausend* (*col*) high society.

Oberfläche *f* surface; (*Tech, Math*) surface area ▶ *an die ~ kommen* (*lit*) to surface; (*fig*) to emerge; *an der ~ bleiben* (*lit*) to remain on the surface; *sein Referat blieb völlig an der ~* his paper was purely superficial.

oberflächlich *adj* superficial ▶ *~e Verletzung* surface wound; *bei ~er Betrachtung* at a quick glance; *seine Kenntnisse sind nur ~* his knowledge has no depth; *~ arbeiten* to work superficially; *etw ~ lesen* to skim through sth; *jdn (nur) ~ kennen* to know sb (only) slightly; *nach ~er Schätzung* at a rough guess.

Oberflächlichkeit *f* superficiality.

Ober-: **o~gärig** *adj* Bier top-fermented; **~geschoß** △ *nt* top floor; *im zweiten ~geschoß* on the second (*Brit*) or third (*US*) floor; **o~halb** [1] *prep* +*gen* above; [2] *adv* above; *o~halb von Basel* above Basel; *weiter o~halb* further *or* higher up; **~hand** *f* (*fig*) upper hand; *die ~hand haben/gewinnen* to have/get the upper hand (*über* +*acc* over); **~haupt** *nt* (*Repräsentant*) head; (*Anführer*) leader; **~haus** *nt* (*Pol*) upper house; (*in GB*) House of Lords; **~hemd** *nt* shirt; **~herrschaft**, **~hoheit** *f* sovereignty.

Oberin *f* [a] (*im Krankenhaus*) = **Oberschwester**. [b] (*Eccl*) Mother Superior.

Ober-: **o~irdisch** *adj* above ground; **~italien** *nt* Northern Italy; **~kellner** *m* head waiter; **~kiefer** *m* upper jaw; **~kommando** *nt* (*~befehl*) Supreme Command; (*Befehlsstab*) headquarters *pl*; **~körper** *m* upper part of the body; *mit bloßem* or *nacktem ~körper* stripped to the waist; **~lauf** *m am ~lauf des Rheins* in the upper reaches of the Rhine; **~leder** *nt* (leather) uppers *pl*; **~leitung** *f* (*Elec*) overhead cable; **~leutnant** *m* lieutenant (*Brit*), first lieutenant (*US*); (*Luftwaffe*) flying officer (*Brit*), first lieutenant (*US*); **~licht** *nt* (*hochgelegenes Fenster*) small, high window; (*Lüftungsklappe, über einer Tür*) fanlight, transom (window); **~liga** *f* (*Sport*) top or first league; **~lippe** *f* upper lip; **~material** *nt* (*von Schuh*) upper; **~schenkel** *m* thigh; **~schicht** *f* top layer; (*Sociol*) upper strata (of soecity) *pl*; **~schule** *f* (*old: Gymnasium*) ≃ grammar school (*Brit*), high school (*US*); **~schwester** *f* senior nursing officer; (*von Station*) sister; **~seite** *f* top (side).

Oberst *m* (*wk*) **-en, -e(n)** [a] (*Heer*) colonel. [b] (*Luftwaffe*) group captain (*Brit*), colonel (*US*).

Oberstaatsanwalt *m* public prosecutor, district attorney (*US*).

oberste(r, s) *adj* [a] (*ganz oben*) *Stockwerk, Schicht* uppermost, very top. [b] *Gesetz, Prinzip* supreme; *Dienstgrad* most senior ▶ *O~er Gerichtshof* supreme court; (*in GB*) High Court (of Justice); (*in USA*) Supreme Court.

Oberstimme *f* soprano; (*Knaben~*) treble; (*Diskant*) descant.

Oberstleutnant *m* [a] (*Heer*) lieutenant colonel. [b] (*Luftwaffe*) wing commander (*Brit*), lieutenant colonel (*US*).

Ober-: **~stübchen** *nt* (*col*): *er ist nicht ganz richtig im ~stübchen* he's not quite right in the head (*col*); **~studiendirektor** *m* headmaster (*Brit*), principal (*US*); **~studienrat** *m* senior teacher; **~stufe** *f* upper school; (*Univ*) advanced level; **~stufenkolleg** *nt* ≃ sixth-form college (*Brit*); **~teil** *nt or m* upper part, top; **~trottel** *m* (*col*) prize idiot; **~verwaltungsgericht** *nt* Higher Administrative Court; **~wasser** *nt* (*fig col*) *wieder ~wasser bekommen* to get back into one's stride; *sobald sein älterer Bruder dabei ist, hat er ~wasser* as soon as his elder brother is there he opens up; **~weite** *f* bust measurement.

obgleich *conj* although, (even) though.

Obhut *f no pl* (*geh*) care ▶ *jdn/etw jds ~* (*dat*) *anvertrauen* to place sb/sth in sb's care.

obige(r, s) *adj attr* above ▶ *der O~* (*form*) the above (*form*).

Objekt *nt* **-e** (*auch Gram*) object; (*Comm: Grundstück*) property; (*Phot*) subject ▶ *das ~ der Untersuchung* the object under examination.

objektiv *adj* objective ▶ *~ über etw* (*acc*) *urteilen* to judge sth objectively.

Objektiv *nt* **-se** lens.

Objektivität *f* objectivity ▶ *sich um größte ~ bemühen* to try to be as objective as possible.

Objekt-: **~satz** *m* object clause; **~schutz** *m* protection of property.

Oblate *f* **-n** wafer; (*Eccl*) host.

Obligation *f* (*auch Fin*) obligation.

obligatorisch *adj* obligatory; *Fächer, Vorlesung* compulsory; *Qualifikationen* necessary.

Oboe [o'boːə] *f* **-n** oboe.

Oboist(in *f*) [obo'ɪst(ɪn)] *m* (*wk*) oboist.

Obolus *m* **-se** contribution.

Obrigkeit *f* [a] (*als Begriff*) authority. [b] (*Behörden*) *die ~* the authorities *pl*.

Obrigkeits-: **~denken** *nt* acceptance of authority; **~staat** *m* authoritarian state.

Obrist *m* (*wk*) colonel.

obschon *conj* (*liter*) although.

Observatorium [ɔpzɛrva'toːriʊm] *nt* observatory.

obskur *adj* obscure; (*fragwürdig*) suspect, dubious.

Obst *nt no pl* fruit.

Obst-: **~(an)bau** *m* fruit-growing; **~baum** *m* fruit-tree; **~garten** *m* orchard; **~händler** *m* fruit merchant; **~kuchen** *m* fruit flan.

Obstler *m* **-** (*dial*) fruit schnaps.

Obstmesser *nt* fruit knife.

Obstruktion *f* (*Pol*) obstruction, filibuster ▶ *~ betreiben* to obstruct, to filibuster.

Obst-: **~saft** *m* fruit juice; **~salat** *m* fruit salad; **~torte** *f* fruit flan; **~wasser** *nt* fruit schnaps.

obszön *adj* obscene.

Obszönität *f* obscenity.

Obus *m* **-se** (*col*) trolley bus.

obwohl *conj* although, (even) though.

Ochse ['ɔksə] *m* (*wk*) **-n, -n** [a] ox, bullock ▶ *~ am Spieß* roast ox; *er stand da wie der ~ vorm Berg* (*col*) he stood there utterly bewildered. [b] (*col: Dummkopf*) twit (*Brit col*), clown (*col*).

ochsen ['ɔksn] *vti* (*Sch sl*) to mug up (*col*).

Ochsen- ['ɔksn-]: **~schwanzsuppe** *f* oxtail soup; **~tour** *f* (*col: Schinderei*) slog (*col*); **~zunge** *f* ox tongue.

Ocker *m or nt* **-** ochre (*Brit*), ocher (*US*).

ocker-: **~braun, ~gelb** *adj* ochre (*Brit*), ocher (*US*).

OCR-Schrift [oːtseːˈɛr-] *f* OCR font.

od. = oder.

Ode *f* **-n** ode.

öd(e) *adj* [a] (*verlassen*) *Stadt, Strand* deserted, empty; (*unbewohnt*) desolate, bleak; (*unbebaut*) waste ▶ *öd und leer* dreary and desolate. [b] (*fig: fade*) dreary, tedious; *Dasein* barren.

Öde *f* **-n** (*liter*) [a] (*einsame Gegend*) wasteland. [b] (*Langeweile*) dreariness, monotony.

oder *conj* [a] or ▶ *~ aber* or else; *~ auch* or even; *eins ~ das andere* one or the other; *entweder ... ~* either ... or. [b] (*in Fragen*) *so war's doch, ~ nicht?* that was what happened, wasn't it?; *du kommst doch, ~?* you're coming, aren't you?; *lassen wir es so, ~?* let's leave it at that, OK?

Oder *f* Oder ▶ *~-Neiße-Linie* Oder-Neisse-line.

Ödipuskomplex *m* Oedipus complex.

Odyssee *f* **-n** [-eːən] (*Liter*) Odyssey; (*fig*) odyssey.

OECD [oːeːtseːˈdeː] *f* OECD ▶ *~-Land* OECD member country.

OEZ [oːeːˈtsɛt] *f* = **osteuropäische Zeit** EET.

Ofen *m* ⁻ [a] (*Heiz~*) heater; (*Elektro~, Gas~ auch*) fire; (*Kohle~*) stove ▶ *hinter dem ~ hocken* to be a stay-at-home; *jetzt ist der ~ aus* (*col*) that does it (*col*). [b] (*Herd*) oven, stove; (*Back~*) oven. [c] (*Tech*) furnace, oven; (*Brenn~*) kiln; (*Hoch~*) blast furnace.

Ofen-: **o~fertig** *adj* *Gericht* oven ready; **o~frisch** *adj* *Brot* oven fresh; **~heizung** *f* stove heating; **~rohr** *nt* stovepipe; **~schirm** *m* firescreen.

offen *adj* (*lit, fig*) open; *Bein* ulcerated; *Flamme* naked; *Stelle* vacant; *Rechnung* outstanding ▶ *ein ~er Brief* an open letter; *die Haare ~ tragen* to wear one's hair loose; *der Laden hat bis 7 Uhr ~* the shop stays open until 7 o'clock; *~er Wein* wine by the carafe/glass; (*vom Faß*) wine on draught (*Brit*) or draft (*US*); *auf ~er Strecke* (*Straße*) on the open road; (*Rail*) between stations; *auf ~er Straße* in the middle of the street; (*Landstraße*) on the open road; *auf ~er See* on the open sea; *Beifall auf ~er Szene* a spontaneous burst of applause; *mit ~em Munde dastehen* (*fig*) to stand gaping; *~e Türen einrennen* (*fig*) to kick at an open door; *Tag der ~en Tür* open day; *jdn mit ~en Armen empfangen* to welcome sb with open arms; *allem Neuen gegenüber ~ sein* to be receptive or open to (all) new ideas; *~e Handelsgesellschaft* general or (*US*) ordinary partnership; *~e Stellen* vacancies; *die Entscheidung ist noch ~* nothing has been decided yet; *~ gestanden* or *gesagt* quite honestly; *etw ~ zugeben* to admit sth frankly; *seine Meinung ~ sagen* to speak one's mind; *~ mit jdm reden* to be frank with sb; *ein ~es Wort mit jdm reden* to have a frank talk with sb.

offenbar [1] *adj* obvious ▶ *sein Zögern machte ~, daß*

⚠: for details of spelling reform, see supplement

... it was obvious from the way he hesitated that ...; ~ *werden* to become obvious.

[2] *adv* (*vermutlich*) apparently ▶ *er hat ~ den Zug verpaßt* he must have missed the train; *da haben Sie sich ~ geirrt* you seem to have made a mistake.

offenb<u>a</u>ren* [1] *vt* to reveal.

[2] *vr* to reveal itself/oneself ▶ *sich als etw ~* to show oneself to be sth; *sich jdm ~* to reveal oneself to sb.

Offenb<u>a</u>rung *f* revelation.

Offenb<u>a</u>rungs|eid *m* (*Jur*) oath of disclosure, *sworn statement in bankruptcy cases* ▶ *den ~ leisten* (*lit*) to swear an oath of disclosure.

<u>o</u>ffen-: **~bleiben** △ *vi sep irreg aux sein* to remain open; *alle ~gebliebenen Probleme* all unsolved problems; **~halten** △ *vt sep irreg* to keep open.

<u>O</u>ffenheit *f* openness, frankness.

<u>o</u>ffen-: **~herzig** *adj* open, frank; (*hum col*) *Kleid* revealing; **O~herzigkeit** *f* openness, frankness; **~kundig** *adj* obvious; *Beweise* clear; **~lassen** △ *vt sep irreg* to leave open; **~sichtlich** *adj* obvious; *Irrtum, Lüge auch* blatant.

offens<u>i</u>v *adj* offensive.

Offens<u>i</u>ve *f* offensive ▶ *in die ~ gehen* to go onto the offensive.

Offens<u>i</u>v-: **~rakete** *f* offensive missile; **~waffe** *f* offensive weapon.

△ **<u>o</u>ffenstehen** *vi sep irreg* [a] (*Tür, Fenster*) to be open. [b] (*Comm: Rechnung, Betrag*) to be outstanding. [c] *jdm ~* (*fig: zugänglich sein*) to be open to sb; *die (ganze) Welt steht ihm offen* he has the (whole) world at his feet; *es steht ihr offen, sich uns anzuschließen* she's free to join us.

öffentlich *adj* public ▶ *etw ~ bekanntmachen* to make sth public; *eine Persönlichkeit des ~en Lebens* a person in public life; *jdn ~ beschuldigen* to accuse sb publicly; *die ~e Meinung/Moral* public opinion/morality; *die ~e Ordnung* law and order; *~er Dienst* civil service; *~es Recht* (*Jur*) public law; *Anstalt des ~en Rechts* public institution; *~e Schule* state school, public school (*US*); *die ~e Hand* (central/local) government; *Ausgaben der ~en Hand* public spending.

Öffentlichkeit *f* [a] (*Allgemeinheit*) the (general) public ▶ *die ~ scheuen* to shun publicity; *in aller ~* in public; *unter Ausschluß der ~* in private; (*Jur*) in camera; *als er das erstemal vor die ~ trat* when he made his first public appearance; *etw vor die ~ bringen* to bring sth before the public; *an die ~ gelangen* to become known. [b] (*einer Versammlung etc*) public nature ▶ *die ~ einer Versammlung herstellen* to make a meeting public.

Öffentlichkeits|arbeit *f* public relations *or* PR work.

öffentlich-r<u>e</u>chtlich *adj attr* (under) public law.

offer<u>ie</u>ren* *vt* (*Comm, form*) to offer.

Off<u>e</u>rte *f* -n (*Comm*) offer; (*für Auftrag*) tender.

offiz<u>i</u>ell *adj* official ▶ *wie von ~er Seite verlautet* according to official sources.

Offiz<u>ie</u>r *m* -e officer.

Offiz<u>ie</u>rs-: **~anwärter** *m* officer cadet; **~kasino** *nt* officers' mess; **~korps** *nt* officer corps; **~messe** *f* officers' mess.

Off-Line-Betrieb [ɔf'lain-] *m* (*Comp*) off-line mode ▶ *im ~ arbeiten* to operate off-line.

öffnen [1] *vti* to open ▶ *jdm (die Tür) ~* to open the door for sb; *jdm den Blick für etw ~* to open sb's eyes to sth; *es hat geklingelt, könnten Sie mal ~?* that was the doorbell, would you answer it?; *eine Datei ~* (*Comp*) to open a file.

[2] *vr* (*Tür, Blume, Augen*) to open; (*weiter werden*) to open out ▶ *das Tal öffnet sich nach Süden* the valley opens to the south.

Öffner *m* - opener.

Öffnung *f* opening ▶ *~ der Leiche* post-mortem; *eine*

Politik der ~ a policy of openness.

Öffnungszeiten *pl* opening hours *pl*; (*von Geschäft*) hours of business *pl*.

Offsetdruck ['ɔfsɛt-] *m* offset (printing).

oft *adv comp* <u>ö</u>er, *superl* **am** <u>ö</u>**esten** (*häufig*) often, frequently ▶ *schon so ~,* *~ genug* often enough; *wie ~ fährt der Bus?* how often does the bus go?; *wie ~ warst du schon in Deutschland?* how many times have you been to Germany?; *des* <u>ö</u>*eren* quite frequently; *je* <u>ö</u>*er ...* the more often ...

öfter(s) *adv* (every) now and then ▶ *~ mal was Neues* (*col*) variety is the spice of life (*prov*).

oftmals *adv* (*geh*) often, oft (*poet*).

OG = **Obergeschoß**.

o.G. = **ohne Gewähr**.

oh *interj* oh.

OHG = **offene Handelsgesellschaft**.

ohne [1] *prep +acc* [a] without ▶ *~ Auto* without a car; *~ (die) Vororte hat die Stadt 100.000 Einwohner* the city has 100,000 inhabitants not counting the suburbs; *~ mich!* count me out!; *er ist nicht ~* (*col*) there's more to him than meets the eye; *die Sache ist (gar) nicht (so) ~* (*col*) (*interessant*) it's not at all bad; (*schwierig*) it's not that easy (*col*).

[b] *ich hätte das ~ weiteres getan* I'd have done it without a second thought; *ja, das kann man ~ weiteres sagen* yes, that's very true; *ich würde ~ weiteres sagen, daß ...* I would not hesitate to say that ...; *das Darlehen ist ~ weiteres bewilligt worden* the loan was granted without any problem; *ihm können Sie ~ weiteres vertrauen* you can trust him implicitly; *das läßt sich ~ weiteres arrangieren* that can easily be arranged; *das kann man nicht ~ weiteres voraussetzen* you can't just assume that automatically.

[2] *conj* ▶ *~ zu zögern* without hesitating; *~ daß ich ihn darum gebeten hätte* without my *or* me asking him.

ohne-: **~dies** *adv siehe* **~hin**; **~einander** *adv* without each other; **~gleichen** *adj inv* unparalleled; *ein Erfolg ~gleichen* an unparalleled success; *diese Frechheit ist ~gleichen!* I've never known such a cheek!; **~hin** *adv* anyway; *wir sind ~hin zu viel Leute* there are too many of us as it is; *es ist ~hin schon spät* it's late enough already.

Ohnmacht *f* -en (*Med*) faint; (*Machtlosigkeit*) helplessness ▶ *in ~ fallen* to faint.

ohnmächtig *adj* (*bewußtlos*) unconscious; (*machtlos*) powerless, helpless ▶ *~ werden* to faint, to pass out; *~ sein* to have fainted *or* passed out; *~e Wut,* *~er Zorn* helpless rage; *einer Sache* (*dat*) *~ gegenüberstehen* to be helpless in the face of sth; *~ zusehen müssen* to look on helplessly.

Ohnmachts|anfall *m* (*lit, fig*) fainting fit ▶ *als ich das hörte, habe ich fast einen ~ bekommen* (*col*) when I heard that I was flabbergasted *or* gobsmacked (*Brit col*).

oho *interj* oho, hello.

Ohr *nt* -en ear ▶ *seine ~en sind nicht mehr so gut* his hearing isn't too good any more; *auf einem ~ taub sein* to be deaf in one ear; *auf dem ~ bin ich taub* (*fig*) nothing doing (*col*); *bei jdm ein offenes ~ finden* to find sb a sympathetic listener; *die ~en anlegen* (*Hund*) to put its ears back; (*fig col*) to brace oneself; *mach or sperr die ~en auf!* (*col*) clean your ears out (*col*); *jdm die ~en volljammern* (*col*) to keep moaning at sb; *ganz ~ sein* (*hum*) to be all ears; *sich aufs ~ legen or hauen* (*col*) to kip down (*col*); *sitzt er auf seinen ~en?* (*col*) is he deaf or something?; *jdm die ~en langziehen* (*col*) to tweak sb's ear(s); *jdm etw um die ~en hauen* (*col*) to hit sb over the head with sth; *schreib es dir hinter die ~en* (*col*) will you (finally) get that into your (thick) head (*col*); *noch nicht trocken hinter den ~en sein* to

---

be still wet behind the ears; **die Melodie geht ins ~** the tune is very catchy; **du hast wohl Watte in den ~en!** (col) are you deaf or something?; **ich habe seine Worte noch deutlich im ~** I can still hear his words clearly; **jdm in den ~en liegen** to keep on at sb (col); **jdn übers ~ hauen** to pull a fast one on sb (col); **bis über die** or **beide ~en verliebt sein** to be head over heels in love; **viel um die ~en haben** (col) to have a lot on (one's plate) (col); **es ist mir zu ~en gekommen** it has come to my ears (form); **das geht zum einen ~ hinein und zum anderen wieder hinaus** (col) it goes in one ear and out the other (col); **halt die ~en steif!** take care; **dein Wort in Gottes ~** God willing.

Öhr nt -e eye.

Ohren-: **~arzt** m ear specialist; **o~betäubend** adj (fig) earsplitting; **~sausen** nt (Med) buzzing in one's ears; **~schmalz** nt earwax; **~schmaus** m **das Konzert war ein richtiger ~schmaus** the concert was a feast for the ears; **~schmerzen** pl earache; **~schützer** pl earmuffs pl; **~sessel** m wing chair; **~stöpsel** m ear plug.

Ohrfeige f -n slap (on or around the face); (als Strafe) box on the ears ▶ **jdm eine ~ geben** or **verabreichen** to slap sb's face; **eine ~ bekommen** to get a slap around the face.

ohrfeigen vt insep **jdn ~** to box sb's ears; **ich könnte mich selbst ~, daß ich das gemacht habe** I could kick myself for doing it.

Ohr-: **~läppchen** nt (ear) lobe; **~muschel** f (outer) ear; **~ring** m earring; **~stecker** m stud earring; **~wurm** m earwig; **der Song ist ein richtiger ~wurm** (col) that's a really catchy song (col).

oje, ojemine interj oh dear.

okay [o'ke:] interj okay, OK.

Okkultismus m occultism.

Okkupation f occupation.

okkupieren* vt to occupy.

Öko- in cpds eco-, ecological; (Umwelt betreffend auch) environmental; **~bauer** m (col) ecologically-minded farmer; **~laden** m wholefood shop.

Ökologe m, **Ökologin** f ecologist.

Ökologie f ecology.

ökologisch adj ecological, environmental.

Ökonomie f economy; (als Wissenschaft) economics sing ▶ **politische ~ studieren** to study political economy.

ökonomisch adj economic; (sparsam) economical.

Ökosystem nt ecosystem.

Okt. = **Oktober** Oct.

Oktanzahl f octane rating ▶ **Benzin mit einer hohen ~** high octane petrol.

Oktave [ɔk'ta:və] f -n octave.

Oktett nt -e octet.

Oktober m - October; siehe **März**.

┌─ OKTOBERFEST ─┐

ⓘ The annual October beer festival, the **Oktoberfest**, takes place in Munich on a huge field where beer tents, roller coasters and many other amusements are set up. People sit at long wooden tables, drink beer from enormous litre beer mugs, eat pretzels and listen to brass bands. It is a great attraction for tourists and locals alike.

ökumenisch adj ecumenical.

Öl nt -e oil ▶ **auf ~ stoßen** to strike oil; **~ fördern** to extract oil; **in ~ malen** to paint in oils; **~ ins Feuer gießen** (prov) to add fuel to the fire (prov).

Öl-: **~baum** m olive tree; **~bild** nt oil painting, oil; **~bohrung** f oil drilling.

Oldie ['oʊldi] m -s (col: Schlager) (golden) oldie (col).

Oldtimer ['oʊldtaɪmɐ] m - (Auto) old car, oldie (col);

(aus den 20er Jahren) vintage car.

ölen vt to oil ▶ **wie geölt** (col) like clockwork (col); **wie ein geölter Blitz** (col) like greased lightning (col).

Öl-: **~farbe** f oil-based paint; (Art) oil (paint); **mit ~farben malen** to paint in oils; **~feld** nt oil field; **~film** m film of oil; **~gemälde** nt oil painting; **~götze** m (col) **wie ein ~götze** like a tailor's dummy (col); **~heizung** f oil-fired central heating.

ölig adj oily; (fig auch) greasy.

Oligarchie f oligarchy.

Öl‖industrie f oil industry.

oliv adj pred olive(-green).

Olive [o'li:və] f -n olive.

Oliven-: **~baum** m olive tree; **~öl** nt olive oil.

olivgrün adj olive-green.

Öl-: **~jacke** f oilskin jacket; **~kännchen** nt, **~kanne** f oil can; **~konzern** m oil company; **~krise** f oil crisis.

oll adj (N Ger) (col) old ▶ **das sind ~e Kamellen** (col) that's old hat (col).

Öl-: **~malerei** f oil painting; **~meßstab** △ m (Aut) dipstick; **~ofen** m oil heater; **~pest** f oil pollution; **~plattform** f oil-rig; **ö~reich** adj oil-rich; **~sardine** f sardine; **wie die ~sardinen** (col) crammed in like sardines (col); **~scheich** m oil sheik; **~spur** f patch of oil; **~stand** m oil level; **~standsanzeiger** m oil-level gauge; **~tanker** m oil tanker; **~teppich** m oil slick.

Ölung f oiling ▶ **Letzte ~** (Eccl) extreme unction, last rites.

Öl-: **~vorkommen** nt oil deposit; **~wanne** f (Aut) sump (Brit), oil pan (US); **~wechsel** m oil change; **den ~wechsel machen** to change the oil.

Olymp m (Berg) Mount Olympus.

Olympiade f (Olympische Spiele) Olympic Games pl, Olympics pl.

Olympia-: **~medaille** f Olympic medal; **~sieger** m Olympic champion; **~stadion** nt Olympic stadium.

olympisch adj (die Olympiade betreffend) Olympic ▶ **die O~en Spiele** the Olympic Games.

Öl-: **~zeug** nt oilskins pl; **~zweig** m (lit, fig) olive-branch.

Oma f -s (col) granny (col), grandma (col).

Oman nt Oman.

Omaner(in f) m - Omani.

omanisch adj Omani.

Ombudsmann m, pl **-männer** ombudsman.

Omelett [ɔm(ə)'lɛt] nt -e or -s omelette (Brit), omelet (US).

Omen nt - omen.

ominös adj (geh) ominous, sinister.

Omnibus m bus.

Omnibuslinie f bus route.

Onanie f masturbation, onanism.

onanieren* vi to masturbate.

ondulieren* vtr to crimp.

Onkel m - uncle.

On-line-Betrieb [ɔn'laɪn-] m (Comp) on-line mode ▶ **im ~ arbeiten** to operate on-line.

Onyx m -e onyx.

OP [o:'pe:] m -s = **Operationssaal**.

Opa m -s (col) grandpa (col), grandad (col).

Opal m -e opal.

OPEC ['o:pɛk] f **die ~** OPEC.

Oper f -n opera; (Ensemble) Opera; (Opernhaus) Opera, Opera House ▶ **in die ~ gehen** to go to the opera; **zur ~ gehen** to become an opera singer.

Operation f operation.

Operations-: **~saal** m operating theatre (Brit) or room (US); **~schwester** f theatre sister (Brit), operating room nurse (US).

operativ adj (Med) surgical ▶ **eine Geschwulst ~ ent-**

fernen to remove a growth by surgery.

Operette *f* operetta.

operieren* ① *vt Patienten, Krebs, Magen* to operate on ▸ *jdn am Magen* ~ to operate on sb's stomach. ② *vi* to operate (*an jdm/etw* on sb/sth) ▸ *sich ~ lassen* to have an operation.

Opern-: ~**arie** *f* (operatic) aria; ~**ball** *m* opera ball; ~**glas** *nt* opera glasses *pl*; **o~haft** *adj* operatic; ~**haus** *nt* opera house; ~**sänger** *m* opera singer; ~**text** *m* libretto.

Opfer *nt* - ⓐ (~*gabe*) sacrifice (*auch fig*) ▸ *für ihre Kinder scheut sie keine* ~ she sacrifices everything for her children; *wir müssen alle ~ bringen* we must all make sacrifices. ⓑ (*geschädigte Person*) victim ▸ *jdm/ einer Sache zum ~ fallen* to be (the) victim of sb/sth; *ein ~ einer Sache* (*gen*) *werden* to be a victim of sth, to fall victim to sth; *das Erdbeben forderte viele ~* the earthquake claimed many victims.

Opfer-: **o~bereit** *adj* willing to make sacrifices; ~**bereitschaft** *f* readiness to make sacrifices; ~**gabe** *f* (*liter*) sacrificial offering; (*Eccl*) offering; ~**lamm** *nt* (*lit, fig*) sacrificial lamb; ~**mut** *m* self-sacrifice.

opfern ① *vt* (*lit, fig*) to sacrifice; *Feldfrüchte etc* to offer (up) ▸ *sein Leben* ~ to sacrifice one's life. ② *vr* ⓐ (*sein Leben hingeben*) to sacrifice one's life. ⓑ (*col: sich bereit erklären*) to be a martyr (*col*) ▸ *wer opfert sich, die Reste aufzuessen?* who's going to volunteer to eat up the remains?

Opfer-: ~**stätte** *f* sacrificial altar; ~**stock** *m* offertory box; ~**tier** *nt* sacrificial animal.

Opferung *f* (*das Opfern*) sacrifice; (*Eccl*) offertory.

Opiat *nt* opiate.

Opium *nt no pl* opium.

opponieren* *vi* to oppose (*gegen jdm/etw* sb/sth), to offer opposition (*gegen* to).

opportun *adj* (*geh*) opportune.

Opportunismus *m* opportunism.

Opportunist(in *f*) *m* opportunist.

opportunistisch *adj* opportunistic, opportunist ▸ ~ *handeln* to act in an opportunist fashion.

Opposition *f* opposition ▸ *etw aus lauter or reiner ~ tun* to do sth out of sheer contrariness.

oppositionell *adj Gruppen, Kräfte* opposition.

Oppositionsführer *m* leader of the opposition.

optieren* *vi* (*Pol form*) ~ *für* to opt for.

Optik *f* ⓐ (*Phys*) optics. ⓑ (*Phot*) lens system ▸ *du hast wohl einen Knick in der ~!* (*col*) can't you see straight? (*col*); *das ist eine Frage der ~* (*fig*) it depends on your point of view; *in or aus seiner ~* in his eyes. ⓒ (*Mode, Aussehen*) look; (*Schein*) appearances *pl* ▸ *das ist nur hier wegen der ~* (*fig*) it's just here for visual effect.

Optiker(in *f*) *m* - optician.

optimal *adj* optimal, optimum *attr*.

Optimismus *m* optimism.

Optimist(in *f*) *m* (*wk*) optimist.

optimistisch *adj* optimistic.

Option [ɔp'tsioːn] *f* option.

optisch *adj* visual; *Gesetze, Instrumente* optical ▸ ~*e Täuschung* optical illusion; ~ *größer wirken* to look larger (than it is).

opulent *adj* lavish; *Mahl auch* sumptuous.

Orakel *nt* - oracle.

orakeln* *vi* (*col*) ⓐ (*rätseln*) *wir haben lange orakelt, was der Satz bedeuten sollte* we spent a long time trying to decipher the sentence. ⓑ (*weissagen*) to prognosticate (*hum*).

oral *adj* oral.

Orange[1] [o'rãːʒə] *f* -n (*Frucht*) orange.

Orange[2] [o'rãːʒə] *nt* -, - *or* (*col*) -s orange.

orange- [o'rãːʒə-]: ~**farben**, ~**farbig** *adj* orange.

orange(n) [o'rãːʒə(n)] *adj* orange.

Orangeat [orãˈʒaːt] *nt* candied (orange) peel.

Orangen- [o'rãːʒən-]: ~**baum** *m* orange (tree); ~**marmelade** *f* orange marmalade; ~**saft** *m* orange juice; ~**schale** *f* orange peel.

Orangerie [orãʒəˈriː] *f* orangery.

Orang-Utan *m* -s orang-utan, orang-outang.

Oratorium *nt* ⓐ (*Mus*) oratorio. ⓑ (*Betraum*) oratory.

Orchester [ɔr'kɛstɐ] *nt* - orchestra.

orchestrieren* *vt* to orchestrate.

Orchestrierung *f* orchestration.

Orchidee *f* -n [-'deːən] orchid.

Orden *m* - ⓐ (*Ehrenzeichen*) decoration; (*Mil auch*) medal ▸ ~ *tragen* to wear one's decorations; *jdm einen ~ (für etw) verleihen* to decorate sb (for sth). ⓑ (*Gemeinschaft*) (holy) order ▸ *in einen ~ eintreten, einem ~ beitreten* to become a member of an order.

Ordens-: ~**bruder** *m* (*Eccl*) monk; ~**gemeinschaft** *f* religious order; ~**schwester** *f* sister, nun.

ordentlich *adj* ⓐ *Mensch, Zimmer* tidy, neat ▸ *bei ihr sieht es immer ~ aus* her house always looks neat and tidy; ~ *arbeiten* to be a thorough and precise worker. ⓑ (*ordnungsgemäß*) ~*es Gericht* law court; ~*es Mitglied* full member; ~*er Professor* (full) professor. ⓒ (*anständig*) respectable ▸ *sich ~ benehmen* to behave properly; *etwas O~es lernen* to learn a proper trade. ⓓ (*col: tüchtig, richtig*) ~ *essen/trinken* to eat/drink (really) well; *ein ~es Frühstück* a proper breakfast; *wir haben ~ gearbeitet* we really got down to it; *jetzt hab' ich aber ~ Appetit* I'm really hungry now; *eine ~e Tracht Prügel* a proper hiding. ⓔ (*annehmbar, ganz gut*) *Preis, Leistung* reasonable.

Order *f* -s *or* -n ⓐ (*Comm: Auftrag*) order. ⓑ (*Anweisung*) order ▸ *sich an eine ~ halten* to keep to one's orders.

ordern *vt* (*Comm*) to order.

Ordinalzahl *f* ordinal number.

ordinär *adj* ⓐ (*gemein, unfein*) vulgar, common. ⓑ (*alltäglich*) ordinary.

Ordinarius *m, pl* **Ordinarien** [-iən] (*Univ*) professor (*für* of).

ordnen ① *vt Gedanken, Material* to order, to organize; *Finanzen, Privatleben* to put in order, to straighten out; *siehe* **geordnet**. ② *vr* to get into order ▸ *die Menge ordnete sich zu einem Festzug* the crowd formed itself into a procession.

Ordner *m* - ⓐ steward; (*bei Demonstration auch*) marshal. ⓑ (*Akten~*) file.

Ordnung *f* ⓐ (*geordneter Zustand*) order ▸ ~ *halten* to keep things tidy; ~ *schaffen, für ~ sorgen* to put things in order, to tidy things up; *Sie müssen für mehr ~ in Ihrer Klasse sorgen* you'll have to keep your class in better order; *etw in ~ halten* to keep sth in order; *Garten, Haus etc auch* to keep sth tidy; *etw in ~ bringen* (*reparieren*) to fix sth; (*herrichten*) to put sth in order; (*bereinigen*) to sort sth out; *ich finde es (ganz) in ~, daß ...* I find it quite right that ...; *(das ist) in ~!* (*col*) (that's) OK (*col*) *or* all right!; *geht in ~* (*col*) that's all right *or* OK (*col*); *Ihre Bestellung geht in ~* we'll put your order through; *der ist in ~* (*col*) he's OK (*col*) *or* all right (*col*); *mit ihm/der Maschine ist etwas nicht in ~* there's something the matter with him/the machine; *es ist alles in bester ~* things couldn't be better; *jdn zur ~ rufen* to call sb to order; *bei ihm muß alles seine ~ haben* (*räumlich*) he has to have everything in its proper place; (*zeitlich*) he does everything according to a fixed schedule; *das Kind braucht seine ~* the child needs a routine.

ⓑ (*Vorschrift*) rules *pl* ▸ *sich an eine ~ halten* to

⚠: Informationen zur Rechtschreibreform im Anhang

keep to the rules; *ich frage nur der ~ halber* it's only a routine question.
[c] (*Rang, Biol*) order ▶ *Straße erster ~* first-class road; *das war ein Fauxpas erster ~* (*col*) that was a faux-pas of the first order *or* a real clanger (*col*).
Ordnungs-: **~amt** *nt* ≃ town clerk's office; **~fanatiker** *m* fanatic for order; **o~gemäß** *adj* in accordance with the rules, proper; **o~halber** *adv* as a matter of form; **~hüter** *m* (*hum*) custodian of the law (*hum*); **~liebe** *f* love of order; **o~liebend** *adj* tidy-minded, orderly; **~ruf** *m* call to order; *der Präsident mußte mehrere ~rufe erteilen* the chairman had to call the meeting to order several times; **~sinn** *m* sense of order; **~strafe** *f* fine; *jdn mit einer ~strafe belegen* to fine sb; **o~widrig** *adj* irregular; *Parken, Verhalten (im Straßenverkehr)* illegal; *o~widrig handeln* to infringe rules *or* regulations; **~widrigkeit** *f* infringement (*of law or rule)*; **~zahl** *f* ordinal number.
ORF [oː|ɛr|ˈef, (*col*) ɔrf] *m* = **Österreichischer Rundfunk.**
Organ *nt* **-s, -e** [a] (*Med, Biol, fig*) organ. [b] (*col: Stimme*) voice.
Organisation *f* organization.
Organisationsplan *m* organizational chart.
Organisationstalent *nt* talent for organization ▶ *er ist ein ~* he has a talent for organization.
Organisator *m*, **Organisatorin** *f* organizer.
organisatorisch *adj* organizational ▶ *eine ~e Höchstleistung* a masterpiece of organization.
organisch *adj Chemie, Verbindung, Salz* organic; *Erkrankung, Leiden* physical ▶ *sich ~ einfügen* to merge, to blend (*in +acc* with, into).
organisieren* [1] *vti* [a] to organize ▶ *er kann ausgezeichnet ~* he's excellent at organizing. [b] (*col: stehlen*) to lift (*col*), to get hold of.
[2] *vr* to get organized; (*gewerkschaftlich auch*) to organize.
Organismus *m* organism.
Organist(in *f*) *m* (*wk*) organist.
Organ-: **~spender** *m* donor *(of an organ);* **~spenderausweis** *m* donor card; **~verpflanzung** *f* transplant(ation) (*of organs)*.
Orgasmus *m* orgasm.
Orgel *f* **-n** organ.
Orgel- *in cpds* organ; **~pfeife** *f* organ pipe; *die Kinder standen da wie die ~pfeifen* (*hum*) the children were standing in order of height.
Orgie [-iə] *f* orgy ▶ *~n feiern* (*lit*) to have orgies/an orgy; (*fig*) to go wild.
Orient [ˈoːriɛnt, oˈriɛnt] *m no pl* (*liter*) Orient ▶ *der Vordere ~* the Near East.
Orientale [oriɛnˈtaːlə] *m* (*wk*) **-n, -n, Orientalin** *f* Oriental ▶ *er ist ~* he is an Oriental.
orientalisch [oriɛnˈtaːlɪʃ] *adj* oriental.
orientieren* [oriɛnˈtiːrən] [1] *vt* [a] (*unterrichten*) to put in the picture (*über +acc* about) ▶ *gut/falsch orientiert* well/wrongly informed. [b] (*ausrichten*) (*lit, fig*) to orient, to orientate (*nach, auf* to, towards) ▶ *links orientiert sein* to tend to the left; *links orientierte Gruppen* left-wing groups.
[2] *vr* [a] (*sich unterrichten*) to inform oneself (*über +acc* about *or* on). [b] (*sich zurechtfinden*) to orientate oneself (*an +dat, nach* by), to get one's bearings ▶ *in einer fremden Stadt kann ich mich nicht ~* I can't find my way around in a strange city. [c] (*sich ausrichten*) to adapt *or* orientate (oneself) (*an +dat* to).
Orientierung [oriɛnˈtiːrʊŋ] *f* orientation; (*Unterrichtung*) information ▶ *die ~ verlieren* to lose one's bearings; *zu Ihrer ~* for your information.
Orientierungs-: **~punkt** *m* point of reference; **~sinn**

m sense of direction; **~stufe** *f* (*Sch*) period during which pupils are selected to attend different schools.

ORIENTIERUNGSSTUFE

ⓘ The **Orientierungsstufe** is the name given to the first two years spent in a **Realschule** or **Gymnasium**, during which a child is assessed as to his or her suitability for that type of school. At the end of the two years it may be decided to transfer the child to a school more suited to his or her ability.

Original *nt* **-e** [a] original. [b] (*Mensch*) character. [c] (*Comp*) master (copy).
original *adj* original ▶ *~ Meißener Porzellan* genuine Dresden china.
Original-: **~ausgabe** *f* first edition; **~fassung** *f* original (version); **o~getreu** *adj* true to the original.
Originalität *f no pl* [a] (*Echtheit*) authenticity, genuineness. [b] (*Urtümlichkeit*) originality.
Originalton *m* original soundtrack ▶ (*fig*) *im ~ Kohl* in Kohl's own words.
originell *adj* (*selbständig*) *Idee, Argumentation* original; (*neu*) novel; (*geistreich*) witty ▶ *das finde ich ~ (von ihm)* that's pretty original/witty.
Orkan *m* **-e** hurricane.
Orkan-: **o~artig** *adj Wind* gale-force; *Beifall* thunderous; **~stärke** *f* hurricane force.
Ornament *nt* decoration, ornament.
Ornat *m* **-e** regalia *pl*; (*Eccl*) vestments *pl*; (*Jur*) official robes *pl* ▶ *in vollem ~* (*col*) dressed up to the nines (*col*).
Ornithologe *m* (*wk*), **Ornithologin** *f* ornithologist.
Ort¹ *m* **-e** place ▶ *~ der Handlung* (*Theat*) scene of the action; *an den ~ der Tat or des Verbrechens zurückkehren* to return to the scene of the crime; *der Stuhl steht wieder an seinem ~* the chair is back in (its) place again; *am angegebenen ~* in the place quoted, loc. cit. *abbr*, *an ~ und Stelle* on the spot, there and then; *an ~ und Stelle ankommen* to arrive (at one's destination); *das ist höheren ~s entschieden worden* (*hum, form*) the decision came from above; *in einem kleinen ~ in Cornwall* in a little place in Cornwall; *~e über 100.000 Einwohner* places with over 100,000 inhabitants; *am ~* in the place; *das beste Hotel am ~* the best hotel in town; *wir haben keinen Arzt am ~* we have no resident doctor; *am ~ wohnen* to live locally; *mitten im ~* in the centre (of the place/town); *der nächste ~* the next village/town *etc*; *von ~ zu ~* from place to place.
Ort² *m* **-er** (*Min*) coal face, (working) face ▶ *vor ~* at the (coal) face; (*fig*) on the spot.
Örtchen *nt* (*col*) loo (*Brit col*), john (*US col*).
orten *vt* to locate, to get a fix on.
orthodox *adj* (*lit, fig*) orthodox.
⚠ **Orthographie** *f* orthography.
⚠ **orthographisch** *adj* orthographic(al) ▶ *ein ~er Fehler* a spelling mistake.
Orthopäde *m* (*wk*) **-n, -n, Orthopädin** *f* orthopaedic (*Brit*) *or* orthopedic (*US*) specialist.
Orthopädie *f* orthopaedics *sing* (*Brit*), orthopedics *sing* (*US*).
orthopädisch *adj* orthopaedic (*Brit*), orthopedic (*US*).
örtlich *adj* local ▶ *das ist ~ verschieden* it varies from place to place; *jdn/etw ~ betäuben* to give sb/sth a local anaesthetic.
Örtlichkeit *f* locality ▶ *sich mit den ~en vertraut machen* to get to know the place; *die ~en* (*euph*) the cloakroom (*Brit euph*), the comfort station (*US euph*).
Orts-: **~angabe** *f* (*bei Anschriften*) (name of the) town; *ohne ~angabe* (*von Buch*) no place of publication indi-

cated; **o~ansässig** *adj* local; *die ~ansässigen* the local residents.

Ortschaft *f* **-en** (*Dorf*) village; (*Stadt*) town ▶ *geschlossene* ~ built-up area.

Orts-: o~fremd *adj* non-local; *ich bin hier o~fremd* I'm a stranger here; **~gespräch** *nt* (*Telec*) local call; **~gruppe** *f* local branch *or* group; **~kenntnis** *f* local knowledge; *(gute)* *~kenntnisse haben* to know one's way around (well); **~krankenkasse** *f* *Allgemeine ~krankenkasse* compulsory medical insurance organization; **o~kundig** *adj* *ein ~kundiger* somebody who knows the place; **~mitte** *f* centre; **~name** *m* place name; **~netz** *nt* (*Telec*) local (telephone) exchange area; (*Elec*) local grid; **~netzkennzahl** *f* (*Telec form*) dialling (*Brit*) *or* area code; **~schild** *nt* place name sign; **~sinn** *m* sense of direction; **~tarif** *m* (*Telec*) charge for local phone-calls; **o~üblich** *adj* local; *das ist hier o~üblich* it's a local custom here; *o~übliche Mieten* standard local rents; **~verkehr** *m* local traffic; *Gebühren im ~verkehr* (*Telec*) charges for local (phone) calls; **~zeit** *f* local time; **~zuschlag** *m* (local) weighting allowance.

Ortung *f* locating.

Öse *f* **-n** loop; (*an Kleidung*) eye.

Oslo *nt* Oslo.

Osmose *f* *no pl* osmosis.

Ossi *m* **-s** (*col*) East German.

OSSI

ⓘ *Ossi is a colloquial and often derogatory word used to describe a German from the former **DDR**.*

Ost *m* *no pl* (*liter*) East.

Ost- *in cpds* East; (*geographisch auch*) Eastern, the East of ...; **~afrika** *nt* East Africa; **~asien** *nt* Eastern Asia; **~block** *m* (*Hist*) Eastern bloc; **o~deutsch** *adj* (*Hist Pol*) East German; (*Geog*) Eastern German; **~deutsche(r)** *mf* (*Hist Pol*) East German; (*Geog*) Eastern German; **~deutschland** *nt* (*Hist Pol*) East Germany; (*Geog*) Eastern Germany.

Osten *m* *no pl* east; (*von Land*) East ▶ *der* ~ (*Hist Pol*) the East; *der Ferne* ~ the Far East; *der Nahe* ~ the Middle East, the Near East; *im* ~ in the East; *nach* ~ to the East; *von* ~, *aus dem* ~ from the East.

ostentativ *adj* (*geh*) pointed.

Oster-: ~ei *nt* Easter egg; **~fest** *nt* Easter; **~glocke** *f* daffodil; **~hase** *m* Easter bunny; **~insel** *f* Easter Island.

österlich *adj* Easter.

Oster-: ~marsch *m* Easter peace march; **~montag** *m* Easter Monday.

Ostern *nt* - Easter ▶ *frohe or fröhliche ~!* Happy Easter!; *zu* ~ at Easter.

Österreich *nt* Austria.

Österreicher(in *f*) *m* - Austrian.

österreichisch *adj* Austrian ▶ **~-ungarisch** (*Hist*) Austro-Hungarian; *das Ö~e* (*Ling*) Austrian.

Ostersonntag *m* Easter Sunday.

Ost-: ~europa *nt* East(ern) Europe; **o~europäisch** *adj* East European; **~friesische Inseln** *pl* East Frisian Islands; **~friesland** *nt* East Frisia; **~küste** *f* East coast.

östlich ① *adj* *Richtung, Winde* easterly; *Gebiete* eastern ▶ *30° ~er Länge* 30° (longitude) east. ② *adv* ~ *von Hamburg/des Rheins* (to the) east of Hamburg/the Rhine. ③ *prep* +*gen* (to the) east of.

Ostpolitik *f* Ostpolitik, *foreign policy towards the former Eastern bloc*.

Östrogen [œstro'geːn] *nt* **-e** oestrogen (*Brit*), estrogen (*US*).

Ostsee *f die* ~ the Baltic (Sea).

Ost-: ~staaten *pl* (*in USA*) the Eastern *or* East coast states; **o~wärts** *adv* eastwards; **~-West-Verhandlungen** *pl* (*Hist*) East-West negotiations; **~wind** *m* east *or* easterly wind.

oszillieren* *vi* to oscillate.

O-Ton *m* = **Originalton**.

Otter¹ *m* - otter.

Otter² *f* **-n** viper, adder.

Ottomotor *m* four-stroke internal combustion petrol engine, Otto engine.

ÖTV [øːteː'faʊ] *f* = **Gewerkschaft Öffentliche Dienste, Transport und Verkehr** ≃ TGWU (*Brit*).

outen ['autn] (*col*) ① *vt* (*als Homosexuellen*) to out (*col*); (*als Trinker, Spitzel etc*) to reveal, to expose ▶ *er wurde von der Presse als Geheimdienstler geoutet* he was exposed *or* unmasked by the press as a secret service agent. ② *vr* to come out (*col*) ▶ *du solltest dich endlich ~* you really should come out at last (*col*); *er outete sich als Schwuler* he came out (*col*).

Ouvertüre [uvɛr'tyːrə] *f* **-n** overture.

oval [o'vaːl] *adj* oval.

Oval [o'vaːl] *nt* **-e** oval.

Ovation [ova'tsioːn] *f* ovation ▶ *jdm eine ~ or ~en darbringen* to give sb an ovation.

Overall ['ouvərɔːl] *m* **-s** (*Schutzanzug*) overalls *pl*.

ÖVP [øːfau'peː] f = **Österreichische Volkspartei**.

Oxid, Oxyd *nt* **-e** oxide.

Oxidation, Oxydation *f* oxidation.

oxidieren*, oxydieren* *vti* (*vi: aux sein or haben*) to oxidize.

Ozean *m* **-e** ocean.

Ozeandampfer *m* ocean liner.

Ozeanien [-iən] *nt* Oceania.

ozeanisch *adj* *Flora* oceanic; *Sprachen* Oceanic.

Ozeanriese *m* (*col*) ocean liner.

Ozelot *m* **-e** ocelot.

Ozon *m or* (*col*) *m no pl* ozone.

Ozon- *in cpds* ozone; **~hülle** *f* ozone layer; **~loch** *nt* hole in the ozone layer; **~schicht** *f* ozone layer; **~wert** *m* ozone level.

P

P, p [pe:] nt -, - P, p ► *P wie Peter* ≈ P for Peter.
p (*Mus*) = **piano** p.
Paar nt -e pair; (*Mann und Frau auch*) couple ► *zwei ~ Socken* two pairs of socks; *ein ~ Würstchen* a couple of or two sausages.
paar adj inv *ein ~* a few; (*zwei oder drei auch*) a couple of; *alle ~ Minuten/Wochen* every few minutes/weeks.
paaren [1] vt *Tiere* to mate, to pair; (*Sport*) to match. [2] vr (*Tiere*) to mate; (*fig*) to be coupled.
Paar-: **~hufer** pl (*Zool*) cloven-hoofed animals pl; **~lauf** m, **~laufen** nt pair-skating, pairs pl.
paarmal adv *ein ~* a few times; (*zwei- oder dreimal auch*) a couple of times.
Paarung f [a] (*Sport, fig liter*) combination; (*Sport: Begegnung*) draw, match. [b] (*Kopulation*) mating; (*Kreuzung*) crossing.
Paarungszeit f mating season.
paarweise adv in pairs, in twos.
Pacht f -en lease; (*Entgelt*) rent ► *etw in ~ geben* to lease sth (out); *etw in ~ haben* to have sth on lease.
Pachtbrief m lease.
pachten vt to lease ► *du hast das Sofa doch nicht für dich gepachtet* (*col*) don't hog the sofa (*col*).
Pächter(in f) m leaseholder.
Pacht-: **~grundstück** nt leasehold property; **~gut** nt, **~hof** m smallholding; **~verhältnis** nt tenancy; **~vertrag** m lease; **~zins** m rent.
Pack[1] m (*von Büchern, Wäsche*) pile; (*zusammengeschnürt*) bundle.
Pack[2] nt no pl (*pej*) rabble pl (*pej*).
Päckchen nt package, (small) parcel; (*Post*) small packet; (*Packung*) packet, pack ► *ein ~ Zigaretten* a packet or pack (*esp US*) of cigarettes; *jeder hat sein ~ zu tragen* (*fig col*) we all have our cross to bear.
Pack|eis nt pack ice.
packen [1] vti [a] *Koffer* to pack; (*verstauen*) to pack (away) ► *etw in Watte ~* wrap sth (up) in cotton wool; *jdn ins Bett ~* (*col*) to tuck sb up (in bed). [b] (*fassen*) to grab (hold of); (*Gefühle*) to grip ► *jdn am* or *beim Kragen ~* (*col*) to grab sb by the collar; *das Theaterstück hat mich gepackt* I was really gripped by the play. [c] (*col: schaffen*) to manage ► *hast du die Prüfung gepackt?* did you (manage to) get through the exam? [d] (*col: gehen*) *~ wir's!* let's go. [e] (*col: kapieren*) to get (*col*) ► *er packt es nie* he'll never get it (*col*). [2] vr (*col*) to clear off.
Packen m - pile; (*Bündel*) bundle.
Packer(in f) m - packer.
Pack-: **~esel** m (*fig*) packhorse; **~papier** nt wrapping or brown paper.
Packung f [a] (*Schachtel*) packet, pack ► *eine ~ Zigaretten* a packet or pack (*esp US*) of cigarettes. [b] (*Med*) pack; (*Kosmetik*) beauty pack. [c] (*col: Niederlage*) hammering (*col*).
Packzettel m packing slip.
Pädagoge m, **Pädagogin** f educationalist.
Pädagogik f educational theory.
pädagogisch adj educational ► *P~e Hochschule* college of education; *seine ~en Fähigkeiten* his teaching ability.

Paddel nt - paddle.
Paddelboot nt canoe.
paddeln vi aux sein or haben to paddle (a canoe); (*als Sport*) to canoe.
Pädiatrie f paediatrics sing (*Brit*), pediatrics sing (*US*).
Pädophilie f paedophilia (*Brit*), pedophilia (*US*).
paffen [1] vi (*col: rauchen*) to puff away; (*nicht inhalieren*) to puff. [2] vt to puff (away) at.
Page ['pa:ʒə] m (*wk*) -n, -n (*Hotel~*) page(boy), bellhop (*US*).
Pagen-: **~frisur** f, **~kopf** m pageboy (hairstyle).
paginieren* vt to paginate.
Paginierung f pagination.
Pagode f -n pagoda.
Paillette [pai'jetə] f sequin.
Paket nt -e (*Post*) parcel; (*Packung*) packet; (*fig, Comp*) package.
Paket-: **~adresse** f stick-on address label; **~annahme/~ausgabe** f parcels office; **~bombe** f parcel (*Brit*) or package (*US*) bomb; **~karte** f dispatch form; **~post** f parcel post; **~schalter** m parcels counter.
Pakistan nt Pakistan.
Pakistaner(in f) m -, **Pakistani** m -(s) Pakistani.
pakistanisch adj Pakistani.
Pakt m pact ► *einem ~ beitreten* to enter into an agreement.
Palast m, pl **Paläste** (*lit, fig*) palace.
Palästina nt Palestine.
Palästinenser(in f) m - Palestinian.
palästinensisch adj Palestinian.
Palaver [pa'la:vɐ] nt - (*col*) unending discussion.
palavern* [pa'la:vɐn] vi (*col*) to ramble on.
Palette f [a] (*Malerei*) palette; (*fig*) range. [b] (*Stapelplatte*) pallet.
Palisade f palisade.
Palisander(holz nt) m - jacaranda.
Palme f -n palm (tree) ► *jdn auf die ~ bringen* (*col*) to make sb see red (*col*).
Palm-: **~lilie** f yucca; **~sonntag** m Palm Sunday; **~wedel** m palm frond.
Pampas pl pampas pl.
Pampasgras nt pampas grass.
Pampe f no pl (*col*) mush (*col*).
Pampelmuse f -n grapefruit.
Pamphlet nt -e lampoon.
pampig adj (*col*) [a] (*breiig*) gooey (*col*). [b] (*frech*) stroppy (*col*).
pan- pref pan- ► **~amerikanisch** pan-American.
Panama nt Panama.
Panamakanal m Panama Canal.
Paneel nt -e (*einzeln*) panel; (*Täfelung*) panelling (*Brit*), paneling (*US*), wainscoting.
Panflöte f panpipes pl.
panieren* vt to bread, to coat with breadcrumbs ► *paniert* in breadcrumbs.
Paniermehl nt breadcrumbs pl.
Panik f -en panic ► *in ~ ausbrechen* to panic; *von ~ ergriffen* panic-stricken; *nur keine ~!* don't panic!
Panik-: **~kauf** m (*Comm*) panic buying; **~mache** f (*col*)

panicmongering.

panisch *adj no pred* panic-stricken ▸ *er hatte eine ~e Angst zu ertrinken* he was terrified of drowning; *sich ~ fürchten (vor)* to be petrified (of); *sie rannten ~ durcheinander* they ran about in panic.

Panne *f* -n [a] (*Störung*) breakdown ▸ *mein Auto hatte eine ~* my car broke down. [b] (*fig col*) boob (*Brit col*), goof (*US col*) ▸ *mit jdm/etw eine ~ erleben* to have (a bit of) trouble with sb/sth; *uns ist eine ~ passiert* we've boobed (*Brit col*) *or* goofed (*US col*); *da ist eine ~ passiert mit dem Brief* something has gone wrong with the letter.

Pannen-: **~dienst** *m,* **~hilfe** *f* breakdown service (*Brit*), emergency road service (*US*).

Panorama *nt, pl* **Panoramen** panorama.

Panoramafenster *nt* picture window.

panschen [1] *vt* to adulterate; (*verdünnen*) to water down.
[2] *vi* (*col*) to splash (about).

△ **Panther** *m* - panther.

Pantoffel *m* -n slipper ▸ *unterm ~ stehen* (*col*) to be henpecked.

Pantoffel-: **~held** *m* (*col*) henpecked husband; **~kino** *nt* (*col*) telly (*Brit col*), tube (*US col*).

Pantomime¹ *f* -n mime.

Pantomime² *m* (*wk*) **-n, -n** mime (artist).

pantschen *vti* = **panschen.**

Panzer *m* - [a] (*Mil*) tank. [b] (*Hist: Rüstung*) armour (*Brit*), armor (*US*) *no indef art,* suit of armour (*Brit*) *or* armor (*US*). [c] (*Panzerung*) armour (*Brit*) *or* armor (*US*) plate. [d] (*Zool*) shell; (*dicke Haut*) armour (*Brit*), armor (*US*). [e] (*fig*) shield.

Panzer-: **~abwehr** *f* anti-tank defence (*Brit*) *or* defense (*US*); (*Truppe*) anti-tank unit; **~abwehrkanone** *f* anti-tank gun; **~faust** *f* bazooka; **~glas** *nt* bulletproof glass; **~grenadier** *m* armoured (*Brit*) *or* armored (*US*) infantryman; **~kampfwagen** *m* armoured (*Brit*) *or* armored (*US*) vehicle; **~kette** *f* tank-track.

panzern [1] *vt* to armour-plate (*Brit*), to armor-plate (*US*) ▸ *gepanzerte Fahrzeuge* armoured (*Brit*) *or* armored (*US*) vehicles.
[2] *vr* (*fig*) to arm oneself.

Panzer-: **~schrank** *m* safe; **~truppe** *f* tank division.

Panzerung *f* armour (*Brit*) *or* armor (*US*) plating; (*fig*) shield.

Panzerwagen *m* armoured (*Brit*) *or* armored (*US*) car.

Papa *m* -s (*col*) daddy (*col*), pa (*US col*).

Papagei *m* -en parrot ▸ *er plappert alles wie ein ~ nach* he repeats everything parrot fashion.

Papi *m* -s (*col*) daddy (*col*).

Papier *nt* -e [a] *no pl* paper ▸ *ein Blatt ~* a sheet of paper; *das steht nur auf dem ~* that's only in theory. [b] (*Schriftstück*) paper ▸ *~e pl* (identity) papers *pl*; (*Urkunden*) documents *pl; er hatte keine ~e bei sich* he had no means of identification with him; *seine ~e bekommen* (*entlassen werden*) to get one's cards. [c] (*Fin, Wert~*) security.

Papier-: **~deutsch** *nt* officialese; **~einzug** *m* paper feed; **~fabrik** *f* paper mill; **~geld** *nt* paper money; **~handtuch** *nt* paper towel; **~korb** *m* wastepaper basket; **~kram** *m* (*col*) bumf (*Brit col*), paperwork; **~krieg** *m* (*col*) *vor lauter ~krieg kommen wir nicht zur Forschung* there's so much paperwork we can't get on with our research; *erst nach einem langen ~krieg* after going through a lot of red tape; **~serviette** *f* paper napkin; **~taschentuch** *nt* tissue, paper handkerchief; **~tiger** *m* (*fig*) paper tiger; **~vorschub** *m* (*Comp*) form *or* paper feed; **~zuführung** *f* (*Comp*) sheet feed.

Papp-: **~becher** *m* paper cup; **~deckel** *m* (thin) cardboard.

Pappe *f* -n (*Pappdeckel*) cardboard; (*Dach~*) roofing felt ▸ *das ist nicht von ~* (*col*) that is really something.

Pappel *f* -n poplar.

pappen (*col*) [1] *vt* to stick (*an or auf* +*acc* on).
[2] *vi* (*col*) (*klebrig sein*) to be sticky; (*Schnee*) to pack.

Pappen-: **~deckel** *m* (thin) cardboard; **~heimer** *pl: ich kenne meine ~heimer* (*col*) I know you lot/that lot (inside out) (*col*); **~stiel** *m* (*fig col*): *5.000 Mark sind kein ~stiel* 5,000 marks isn't peanuts (*col*); *das habe ich für einen ~stiel gekauft* I bought it for a song.

papperlapapp *interj* (*col*) (stuff and) nonsense.

pappig *adj* (*col*) sticky.

Papp-: **~karton** *m* (*Schachtel*) cardboard box; (*Material*) cardboard; **~maché** △ [-ma'ʃe:] *nt* -s papier-mâché; **~schnee** *m* wet snow; **~teller** *m* paper plate.

Paprika *m* -(s) (*no pl: Gewürz*) paprika; (*~schote*) pepper.

Paprikaschote *f* pepper ▸ *gefüllte ~n* stuffed peppers.

Papst *m* ⁼e pope; (*fig*) high priest.

päpstlich *adj* papal; (*fig pej*) pontifical ▸ *~er als der Papst sein* to be more Catholic than the Pope.

Papua *m* -(s), -(s) Papuan.

Papua-Neuguinea [-gi'ne:a] *nt* Papua New Guinea.

Parabel *f* -n [a] (*Liter*) parable. [b] (*Math*) parabola, parabolic curve.

Parabol-: **~antenne** *f* satellite dish; **~spiegel** *m* parabolic reflector.

Parade *f* [a] (*Mil*) review ▸ *die ~ abnehmen* to take the salute. [b] (*Sport: Fechten, Boxen*) parry; (*Ballspiele*) save; (*Reiten*) check ▸ *jdm in die ~ fahren* (*fig*) to cut sb off short.

Parade-: **~beispiel** *nt* prime example; **~marsch** *m* parade step; (*Stechschritt*) goose-step; **~stück** *nt* (*fig*) showpiece; (*Gegenstand auch*) pièce de résistance.

Paradies *nt* -e (*lit, fig*) paradise ▸ *das ~ auf Erden* heaven on earth.

paradiesisch *adj* (*fig*) heavenly ▸ *hier ist es ~ schön* this is paradise; *~ leere Strände* blissfully empty beaches.

Paradiesvogel *m* bird of paradise.

paradox *adj* paradoxical.

Paradox *nt* -e paradox.

paradoxerweise *adv* paradoxically.

Paraffin *nt* -e (*Chem*) (*~öl*) paraffin (*Brit*), kerosene (*US*); (*~wachs*) paraffin wax.

△ **Paragraph** *m* (*Jur*) section; (*Abschnitt*) paragraph.

△ **Paragraphenreiter** *m* (*col*) pedant.

Paraguay *nt* Paraguay.

Paraguayer(in *f*) *m* - Paraguayan.

paraguayisch *adj* Paraguayan.

parallel *adj* parallel ▸ *~ laufen* to run parallel; *~ schalten* (*Elec*) to connect in parallel.

Parallele *f* -n parallel (line); (*fig*) parallel ▸ *eine ~ zu etw ziehen* (*fig*) to draw a parallel to sth.

Parallelogramm *nt* -e parallelogram.

Parallel-: **~schaltung** *f* parallel connection; **~schwung** *m* (*Ski*) parallel turn.

Parameter *m* parameter.

paramilitärisch *adj* paramilitary.

Paranoia [para'nɔya] *f no pl* paranoia.

paranoid [parano'i:t] *adj* paranoid.

△ **Paranuß** *f* (*Bot*) Brazil nut.

paraphieren* *vt* (*Pol*) to initial.

Paraphrase *f* paraphrase; (*Mus*) variation.

Parapsychologie *f* parapsychology.

Parasit *m* (*wk*) **-en, -en** (*Biol, fig*) parasite.

parasitär *adj* (*Biol, fig*) parasitic(al).

parat *adj* prepared; *Werkzeug etc* handy ▸ *er hatte immer eine Ausrede ~* he was always ready with an excuse.

△: Informationen zur Rechtschreibreform im Anhang

Pärchen *nt* (courting) couple.
Parcours [par'kuːɐ] *m* -, - show-jumping course; (*Sportart*) show-jumping.
Pardon [par'dõː] *m or nt no pl* a (*dated*) pardon. b (*col*) ~! (*Verzeihung*) sorry; **kein ~ kennen** to be ruthless; **das Zeug räumst du auf, da gibt's kein ~** you'll clear that stuff up and that's that! (*col*).
Parfum [par'fœ] *nt* -s, **Parfüm** *nt* -e *or* -s perfume, scent.
Parfümerie *f* perfumery.
parfümieren* 1 *vt* to scent.
2 *vr* to put scent on.
parieren* 1 *vt* a (*Fechten, fig*) to parry; (*Ftbl*) to deflect. b (*Reiten*) to rein in.
2 *vi* to obey ▶ **aufs Wort ~** to jump to it.
Paris *nt* - Paris.
Pariser¹ *m* - a Parisian. b (*col: Kondom*) French letter (*col*).
Pariser² *adj attr* Parisian.
Pariserin *f* Parisienne.
Parität *f* (*Fin, Sci, Comp*) parity.
paritätisch *adj* equal ▶ **~e Mitbestimmung** equal representation.
Park *m* -s park; (*von Schloß*) grounds *pl*.
Parka *m* -s parka.
Park-and-ride System ['paːkənd'raid-] *nt* park and ride (system).
Park-: ~anlage *f* park; ~bucht *f* parking bay; ~deck *nt* parking level.
parken *vti* to park ▶ „P~ verboten!" "No parking"; **ein ~des Auto** a parked car.
Parkett *nt* -e a (*Fußboden*) parquet (flooring) ▶ **sich auf jedem ~ bewegen können** (*fig*) to be able to move in any society. b (*Tanzfläche*) (dance) floor ▶ **eine tolle Nummer aufs ~ legen** (*col*) to put on a great show. c (*Theat*) stalls *pl*, parquet (*US*) ▶ **wir sitzen ~** we sit in the stalls.
Parkett-: ~platz, ~sitz *m* (*Theat*) seat in the stalls *or* parquet (*US*).
Park-: ~gebühr *f* parking fee; ~haus *nt* multi-storey car park (*Brit*), multilevel parking garage (*US*).
Parkinsonsche Krankheit *f* Parkinson's disease.
Park-: ~kralle *f* wheel clamp; ~landschaft *f* parkland; ~lücke *f* parking space; ~platz *m* car park (*Brit*), parking lot (*US*); (*für Einzelwagen*) (parking) space; ~scheibe *f* parking disc; ~schein *m* car park ticket; ~uhr *f* parking meter; ~verbot *nt* parking ban; **hier ist ~verbot** there's no parking here; **im ~verbot stehen** to be parked illegally.
Parlament *nt* parliament.
Parlamentarier(in *f*) [-iɐ, -iərɪn] *m* - parliamentarian.
parlamentarisch *adj* parliamentary.
Parlaments-: ~ausschuß △ *m* parliamentary committee; ~beschluß △ *m* decision of parliament; ~ferien *pl* recess; ~gebäude *nt* parliamentary building(s); ~mitglied *nt* member of parliament, MP (*Brit*); (*in USA*) Congressman/-woman; ~sitzung *f* sitting (of parliament); ~wahl *f usu pl* parliamentary election(s).
Parmesan(käse) *m no pl* Parmesan (cheese).
Parodie *f* parody (*auf +acc* on, *zu* of).
parodieren* *vt* to parody.
Parodontose *f* -n shrinking gums.
Parole *f* -n a (*Mil*) password. b (*fig: Wahlspruch*) motto; (*Pol*) slogan.
Paroli *nt*: **jdm ~ bieten** (*geh*) to defy sb.
Parser *m* - (*Comp*) parser.
Part *m* -e a (*Anteil*) share. b (*Theat, Mus*) part.
Partei *f* a (*Pol, Jur*) party ▶ **die ~ wechseln** to change parties; **die streitenden ~en** (*Jur*) the disputing parties; **für jdn ~ ergreifen** to side with sb; **gegen jdn ~ er-**

greifen to take sides against sb; **ein Richter sollte über den ~en stehen** a judge should be impartial. b (*im Mietshaus*) tenant, party (*form*).
Partei-: ~anhänger *m* party supporter; ~buch *nt* party membership card; **das falsche ~buch haben** to belong to the wrong party; ~chef *m* party leader; ~führung *f* leadership of a party; (*Vorstand*) party executive; ~genosse *m* party member; p~intern *adj* internal party; **etw p~intern lösen** to solve sth within the party.
parteiisch *adj* biased, partial.
Parteilichkeit *f* bias, partiality.
Partei-: ~linie *f* party line; **auf die ~linie einschwenken** to toe the party line; p~los *adj* independent, non-party; ~lose(r) *mf decl as adj* independent; ~mitglied *nt* party member; ~nahme *f* -n partisanship; ~politik *f* party politics *pl*; ~politisch *adj* party political; ~programm *nt* (party) manifesto; ~spende *f* party donation; ~tag *m* party conference *or* convention; ~versammlung *f* party meeting; ~vorsitzende(r) *mf* party leader; ~vorstand *m* party executive; ~zugehörigkeit *f* party membership.
Parterre [par'tɛr(ə)] *nt* -s (*von Gebäude*) ground floor (*Brit*), first floor (*US*) ▶ **im ~ wohnen** to live on the ground floor.
Parterrewohnung *f* ground-floor flat (*Brit*), first-floor apartment (*US*).
Partie *f* a (*Teil, Theat, Mus*) part. b (*Sport*) game; (*Fechten*) round ▶ **eine ~ Schach spielen** to play a game of chess. c (*Comm*) lot, batch. d (*col*) catch ▶ **eine gute ~ (für jdn) sein** to be a good catch (for sb); **eine gute ~ (mit jdm) machen** to marry (into) money. e **mit von der ~ sein** to be in on it; **da bin ich mit von der ~** count me in.
partiell [par'tsiɛl] *adj* partial. △
Partikel *f* -n (*Gram, Phys*) particle.
Partisan(in *f*) *m* -en partisan.
Partisanenkrieg *m* partisan war; (*Art des Krieges*) guerrilla warfare.
Partitur *f* (*Mus*) score.
Partizip *nt* -ien [-iən] (*Gram*) participle ▶ ~ **Präsens/ Perfekt** present/past participle.
Partner(in *f*) *m* - partner; (*Film*) co-star ▶ **als jds ~ spielen** (*in Film*) to play opposite sb; (*Sport*) to be partnered by sb.
Partnerschaft *f* partnership; (*Städte~*) twinning.
partnerschaftlich *adj* ~es Verhältnis (relationship based on) partnership; ~e Zusammenarbeit working together as partners.
Partner-: ~stadt *f* twin town (*Brit*); ~tausch *m* (*Tanz, Tennis*) change of partners; (*sexuell*) partner-swopping.
partout [par'tuː] *adv* **er will ~ ins Kino gehen** he insists on going to the cinema; **sie will ~ nicht nach Hause gehen** she just doesn't want to go home.
Party ['paːɐti] *f* -s party ▶ **eine ~ geben** *or* veranstalten to give *or* have a party; **bei** *or* **auf einer ~** at a party.
Partymuffel *m* party pooper (*col*).
Pasch *m* -e *or* -̈e (*beim Würfelspiel*) doublets *pl*.
Pascha *m* - pasha ▶ **wie ein ~** like Lord Muck (*col*).
Paß *m, pl* **Pässe** a passport. b (*im Gebirge etc*) pass. c (*Ballspiele*) pass. △
passabel *adj* passable, reasonable.
Passage [pa'saːʒə] *f* -n passage; (*Ladenstraße*) arcade.
Passagier [pasa'ʒiːɐ] *m* passenger.
Passagier-: ~dampfer *m* passenger steamer; ~flugzeug *nt* air-liner; ~schiff *nt* passenger liner.
Passah(fest) *nt* (Feast of the) Passover.
Paß|amt *nt* passport office. △
Passant(in *f*) *m* (*wk*) passer-by.
Passat(wind) *m* -e trade wind.
Paßbild *nt* passport photo(graph). △

⚠ **passé** [pa'se:] *adj pred* **diese Mode ist längst ~** this fashion went out long ago; **die Sache ist längst ~** that's all in the past.

▼ **passen¹** *vi* a to fit ▶ **die Schuhe ~ (mir) gut** the shoes fit (me) nicely *or* are a good fit (for me); **der Deckel paßt nicht auf das Glas** the lid won't go on the jar.
 b (*harmonieren*) **zu etw ~** to go with sth; (*ähnlich sein*) to match sth; **zu jdm ~** (*Mensch*) to suit sb; **zueinander ~** to go together; (*Menschen auch*) to be well matched; **das paßt zu ihm, so etwas zu sagen** that's just like him to say that; **es paßt nicht zu dir, Bier zu trinken** you don't look right drinking beer; **das Rot paßt da nicht** the red is all wrong there; **er paßt nicht in dieses Team** he is out of place in this team.
 c (*genehm sein*) to suit ▶ **er paßt mir einfach nicht** I just don't like him; **Sonntag paßt uns nicht** Sunday is no good for us; **das paßt mir gar nicht** (*kommt ungelegen*) that isn't at all convenient; (*gefällt mir nicht*) I don't like that at all; **das könnte dir so ~!** (*col*) you'd like that, wouldn't you?

passen² *vi* (*Cards*) to pass ▶ **(ich) passe!** (I) pass!; **bei dieser Frage muß ich ~** (*fig*) I'll have to pass on this question.

passend *adj* a (*in Größe, Form*) **gut/schlecht ~** well-/ ill-fitting. b (*in Farbe, Stil*) matching ▶ **etwas dazu P~es** something to match (it). c (*genehm*) *Zeit, Termin* convenient; (*angemessen*) *Bemerkung, Kleidung* suitable; *Wort* right ▶ **er findet immer das ~e Wort** he always knows the right thing to say. d *Geld* exact ▶ **haben Sie es ~?** have you got the right money?

Paß-: ~form ⚠ *f* fit; **eine gute ~form haben** to be a good fit; **~foto** ⚠ *nt* passport photo(graph); **~höhe** ⚠ *f* top of the pass.

passierbar *adj* passable; *Fluß, Kanal* negotiable.

passieren* 1 *vt* a *auch vi* to pass ▶ **die Grenze ~** to cross the border; **die Zensur ~** to be passed by the censor. b (*Cook*) to strain.
 2 *vi aux sein* (*sich ereignen*) to happen (*mit* to) ▶ **ist ihm etwas passiert?** has anything happened to him?; **beim Sturz ist ihm nichts passiert** he wasn't hurt in the fall; **es ist ein Unfall passiert** there has been an accident; **das kann auch nur mir ~!** just my luck!

Passierschein *m* pass, permit.

Passion *f* passion; (*religiös*) Passion ▶ **er ist Jäger aus ~** he has a passion for hunting.

passioniert *adj* enthusiastic, passionate.

Passions-: ~blume *f* passion flower; **~spiel** *nt* Passion play; **~zeit** *f* Lent.

passiv *adj* passive ▶ **sich ~ verhalten** to be passive; **~es Mitglied** non-active member; **~e Handelsbilanz** (*Comm*) adverse trade balance.

Passiv *nt* -e (*Gram*) passive (voice).

Passiva [pa'si:va] *pl* (*Comm*) liabilities *pl.*

Passivität [pasivi'tɛːt] f passivity.

Passiv-: ~posten *m* (*Comm*) debit entry; **~rauchen** *nt* passive smoking; **~saldo** *m* (*Comm*) debit account; **~seite** *f* (*Comm*) debit side.

Paß-: ~kontrolle ⚠ *f* passport control; **~photo** ⚠ *nt* = **~foto**; **~straße** ⚠ *f* (mountain) pass; **~wort** ⚠ *nt* (*Comp*) password.

Paste *f* -n paste.

Pastell *nt* -e pastel (drawing).

Pastell-: ~farbe *f* pastel (crayon); (*Farbton*) pastel; **p~farben** *adj* pastel; **~ton** *m* pastel shade.

Pastete *f* -n a (*Schüssel~*) pie; (*Pastetchen*) vol-au-vent; (*ungefüllt*) vol-au-vent case. b (*Leber~ etc*) pâté.

pasteurisieren* [pastøri'ziːrən] *vt* to pasteurize.

Pastille *f* -n pastille.

Pastor *m*, **Pastorin** *f* = Pfarrer(in).

pastoral *adj* pastoral.

Pate *m* -n godfather, godparent ▶ **bei einem Kind ~ stehen** to be a child's godparent; **bei etw ~ gestanden haben** (*fig*) to be the force behind *or* (*Vorbild*) model for sth.

Paten-: ~kind *nt* godchild; godson; goddaughter; **~onkel** *m* godfather; **~schaft** *f* duties *pl* as a godparent; **die ~schaft für jdn übernehmen** (*fig*) to adopt sb; **~stadt** *f* twin(ned) town (*Brit*).

patent *adj* (*col*) ingenious, clever ▶ **ein ~er Kerl** a great guy/girl (*col*).

Patent *nt* -e (*Erfindung, Urkunde*) patent ▶ **etw als** *or* **zum ~ anmelden** to apply for a patent for sth.

Patent|amt *nt* patent office.

Patentante *f* godmother.

Patent|anwalt *m* patent agent *or* attorney.

patentieren* *vt* to patent ▶ **sich** (*dat*) **etw ~ lassen** to have sth patented.

Patent-: ~inhaber *m* patentee; **~lösung** *f* (*fig*) patent remedy; **~schrift** *f* patent specification; **~schutz** *m* patent protection; **~urkunde** *f* letters patent *pl.*

Pater *m, pl* - *or* **Patres** (*Eccl*) Father.

Paternoster *m* - (*Aufzug*) paternoster lift.

pathetisch *adj* emotional; *Rede, Stil auch* emotive; *Gehabe auch* histrionic.

Pathologe *m*, **Pathologin** *f* pathologist.

Pathologie *f* pathology.

pathologisch *adj* pathological.

Pathos *nt no pl* emotiveness, emotionalism ▶ **ein Gedicht mit ~ vortragen** to read a poem with feeling.

Patience [pa'siɑ̃s] *f* -n patience *no pl* ▶ **~n legen** to play patience.

Patient(in *f*) [pa'tsiɛnt(ɪn)] *m* (*wk*) -en, -en patient.

Patin *f* godmother, godparent.

Patina *f no pl* (*lit, fig*) patina.

Patriarch *m* (*wk*) -en, -en (*lit, fig*) patriarch.

patriarchalisch *adj* (*lit, fig*) patriarchal.

Patriot(in *f*) *m* (*wk*) -en, -en patriot.

patriotisch *adj* patriotic.

Patriotismus *m* patriotism.

Patron(in *f*) *m* -e (*Eccl*) patron saint.

Patrone *f* -n (*Film, Mil, von Füller*) cartridge.

Patronen-: ~gürtel *m* cartridge belt; **~hülse** *f* cartridge case.

Patrouille [pa'trʊljə] *f* -n patrol ▶ **~ gehen** to patrol.

patrouillieren* [patrʊl'jiːrən] *vi* to patrol ▶ **an der Grenze ~** to patrol the border.

patsch *interj* splash, splat.

Patsche *f* -n (*col*) (tight) spot (*col*) ▶ **in der ~ sitzen** to be in a jam (*col*); **jdm aus der ~ helfen** to get sb out of a jam (*col*).

patschen *vi* (*im Wasser*) to splash ▶ **die Kinder ~ mit den Händen** (*col*) the children clap their hands (together).

Patsch-: ~händchen *nt* (*col*) paw (*col*); **p~naß** ⚠ *adj* (*col*) dripping wet.

Patt *nt* -s (*lit, fig*) stalemate.

patzen *vi* (*col*) to boob (*Brit col*), to goof (*US col*).

Patzer *m* - (*col: Fehler*) boob (*Brit col*), goof (*US col*).

patzig *adj* (*col*) snotty (*col*), insolent.

Pauke *f* -n (*Mus*) kettledrum ▶ **~n** timpani *pl*; **mit ~n und Trompeten durchfallen** (*col*) to fail dismally; **auf die ~ hauen** (*col*) (*angeben*) to brag; (*feiern*) to paint the town red (*col*).

pauken 1 *vi* (*col: lernen*) to swot (*col*).
 2 *vt* to swot up (*col*).

Paukenschlag *m* drum beat ▶ **wie ein ~** (*fig*) like a thunderbolt.

Pauker *m* - (*Sch col: Lehrer*) teacher.

Paukerei *f* (*Sch col*) swotting (*col*).

Paulus *m* (*Bibl*) ≈ Paul.

Pausbacken *pl* chubby cheeks *pl.*
pausbäckig *adj* chubby-cheeked.
pauschal *adj* (*einheitlich*) flat-rate *attr only;* (*inklusiv*) inclusive ▶ *die Werkstatt berechnet ~ pro Inspektion 250 DM* the garage has a flat rate of 250 marks for a service; *die Gebühren werden ~ bezahlt* the charges are paid in a lump sum; *die Reisekosten verstehen sich ~* the travelling costs are inclusive; *so ~ kann man das nicht sagen* (*fig*) that's much too sweeping a statement.
Pauschale *f* **-n** (*Einheitspreis*) flat rate; (*vorläufig geschätzer Betrag*) estimated amount.
Pauschal-: **~gebühr** *f* flat rate (charge); **~preis** *m* (*Einheitspreis*) flat rate; (*Inklusivpreis*) all-in price; **~reise** *f* package holiday *or* tour; **~summe** *f* lump sum; **~urteil** *nt* sweeping statement; **~versicherung** *f* comprehensive insurance *no pl.*
Pauschbetrag *m* flat rate.
Pause *f* **-n** ⓐ break; (*das Innehalten*) pause; (*Theat*) interval, intermission; (*Sch*) break (*Brit*), recess (*US*) ▶ *(eine) ~ machen, eine ~ einlegen* (*sich entspannen*) to have a break; (*rasten*) to take a rest; (*innehalten*) to pause; *nach einer langen ~ sagte er ...* after a long silence he said ... ⓑ (*Mus*) rest. ⓒ (*Durchzeichnung*) tracing.
pausen *vt* to trace.
Pausen-: **~brot** *nt* (*Sch*) sandwich *to eat at break (Brit) or in the recess* (*US*); **~hof** *m* playground, schoolyard; **p~los** *adj no pred* continuous; *er arbeitet p~los* he works non-stop; **~zeichen** *nt* (*Mus*) rest; (*Rad*) call sign.
pausieren* *vi* to (take a) break.
Pauspapier *nt* tracing paper; (*Kohlepapier*) carbon paper.
Pavian ['paːviaːn] *m* **-e** baboon.
Pavillon [pavil'jõː] *m* **-s** pavilion.
Pazifik *m* Pacific ▶ *eine Insel im ~* a Pacific island.
pazifisch *adj* Pacific ▶ *der P~e Ozean* the Pacific (Ocean).
Pazifismus *m* pacifism.
Pazifist(in *f*) *m* pacifist.
pazifistisch *adj* pacifist.
PC [peːˈtseː] *m* **-s** = **Personalcomputer** PC.
PDS [peːdeːˈʔɛs] *f* = **Partei des demokratischen Sozialismus** *German socialist party.*

┌─── PDS ───┐

ⓘ The **PDS** (*Partei des Demokratischen Sozialismus*) *was founded in 1989 as the successor of the SED, the former East German Communist Party. Its aims are the establishment of a democratic socialist society and to hold a position in the German political scene left of the SPD.*

Pech *nt* **-e** ⓐ (*Stoff*) pitch ▶ *die beiden halten zusammen wie ~ und Schwefel* (*col*) the two are inseparable. ⓑ *no pl* (*col: Mißgeschick*) bad *or* hard luck ▶ *bei etw ~ haben* to have bad luck with sth; *~ gehabt!* tough! (*col*); *so ein ~!* just my/our *etc* luck!
Pech-: **p~(raben)schwarz** *adj* (*col*) pitch-black; *Haar* jet-black; **~strähne** *f* (*col*) bad *or* unlucky patch; **~vogel** *m* (*col*) unlucky person.
Pedal *nt* **-e** pedal ▶ *(fest) in die ~e treten* to pedal (hard).
Pedant *m* (*wk*) pedant.
Pedanterie *f* pedantry.
pedantisch *adj* pedantic.
Peddigrohr *nt* cane.
Pediküre *f* **-n** ⓐ *no pl* (*Fußpflege*) pedicure. ⓑ (*Fußpflegerin*) chiropodist (*Brit*), podiatrist (*US*).
Peep-Show ['piːpʃoː] *f* peepshow.
Pegel *m* **-** ⓐ water depth gauge; (*Elec*) level indicator.

ⓑ (*Tech: Stand*) level; (*auch ~stand*) water level.
peilen *vt Wassertiefe* to sound; *Sender* to take the bearings of; *Richtung* to plot; (*entdecken*) to detect ▶ *die Lage ~* (*col*) to see how the land lies; *über den Daumen ~* (*col*) to guess roughly; *über den Daumen gepeilt* (*col*) at a rough estimate.
Peilgerät *nt* direction finder.
Peilung *f* (*von Wassertiefe*) sounding; (*von Sender*) locating; (*von Richtung*) plotting.
Pein *f no pl* (*geh, liter*) agony, suffering.
peinigen *vt* (*geh*) to torture; (*fig*) to torment ▶ *von Schmerzen/Zweifeln gepeinigt* tormented by pain/doubt.
peinlich *adj* ⓐ (*unangenehm*) (painfully) embarrassing; *Lage, Fragen* auch awkward ▶ *es war ihm ~(, daß ...)* he felt embarrassed (because ...); *das ist mir ja so ~* I feel awful about it. ⓑ (*gewissenhaft*) painstaking ▶ *~ sauber* meticulously clean; *in seinem Zimmer herrschte ~e Ordnung* his room was meticulously tidy; *der Koffer wurde ~ genau untersucht* the case was given a very thorough going-over (*col*); *er vermied es ~st, davon zu sprechen* he was at pains not to talk about it.
Peinlichkeit *f* (*Unangenehmheit*) embarrassment.
Peitsche *f* **-n** whip.
peitschen *vti* to whip; (*fig*) to lash.
Peitschen-: **~hieb** *m* lash; **~knall** *m* crack of a whip.
Pekinese *m* (*wk*) **-n, -n** pekinese, peke (*col*).
Peking *nt* Peking.
Pektin *nt* **-e** pectin.
Pelikan *m* **-e** pelican.
Pelle *f* **-n** (*col*) skin ▶ *der Chef sitzt mir auf der ~* (*col*) I've got the boss on my back (*col*); *er geht mir nicht von der ~* (*col*) he won't stop pestering me.
pellen *vtr* (*col*) to peel.
Pellkartoffeln *pl* potatoes *pl* boiled in their jackets.
Pelz *m* **-e** fur; (*nicht gegerbt auch*) hide.
Pelz- *in cpds* fur; **~besatz** *m* fur trimming; **~händler** *m* furrier.
pelzig *adj* furry.
Pelz-: **~mantel** *m* fur coat; **~mütze** *f* fur hat; **~tier** *nt* animal prized for its fur; **~waren** *pl* furs *pl.*
Pendant [pä'dãː] *nt* **-s** counterpart.
Pendel *nt* - pendulum.
Pendeldiplomatie *f* shuttle diplomacy.
pendeln *vi* ⓐ (*schwingen*) to swing (to and fro). ⓑ *aux sein* (*Zug, Fähre etc*) to shuttle; (*Mensch*) to commute; (*fig*) to fluctuate.
Pendel-: **~tür** *f* swing door; **~uhr** *f* pendulum clock; **~verkehr** *m* shuttle service; (*Berufsverkehr*) commuter traffic.
Pendler(in *f*) *m* - commuter.
penetrant *adj* ⓐ *Geruch* penetrating ▶ *das schmeckt ~ nach Knoblauch* it has a very strong taste of garlic. ⓑ (*fig: aufdringlich*) insistent; *Selbstsicherheit* overpowering.
peng *interj* bang.
penibel *adj* pernickety (*col*), precise.
Penis *m* **-, -se** *or* **Penes** penis.
Penizillin *nt* **-e** penicillin.
Pennbruder *m* (*col*) tramp, hobo (*US*).
Penne *f* **-n** ⓐ (*Sch sl*) school. ⓑ (*col: Herberge*) doss house (*col*).
pennen *vi* (*col*) to kip (*col*).
Penner(in *f*) *m* - (*col*) ⓐ tramp, hobo (*US*). ⓑ (*verschlafener Mensch*) sleepyhead (*col*).
Pension [auch pä'zioːn] *f* **-en** ⓐ (*Fremdenheim*) guesthouse. ⓑ *no pl* (*Verpflegung*) board ▶ *halbe/volle ~* half/full board (*Brit*), European/American plan (*US*). ⓒ (*Ruhegehalt*) pension. ⓓ *no pl* (*Ruhestand*) retirement ▶ *in ~ gehen* to retire; *in ~ sein* to be retired.

┌───┐
│ ⚠: for details of spelling reform, see supplement │
└───┘

Pensionär(in *f)* [*auch* pãziо'nɛːɐ, -ɛːərın] *m* (*Pension beziehend*) pensioner; (*im Ruhestand befindlich*) retired person.
Pensionat [pãzio'naːt] *nt* (*dated*) boarding school.
pensionieren* [*auch* pãzio'niːrən] *vt* to retire ▶ *sich ~ lassen* to retire.
pensioniert *adj* retired.
Pensionierung *f* (*Zustand*) retirement; (*Vorgang*) pensioning-off.
Pensions-: **~alter** *nt* retiring age; **~anspruch** *m* right to a pension; **p~berechtigt** *adj* entitled to a pension; **~preis** *m* price for full board (*Brit*) *or* American plan (*US*); **p~reif** *adj* (*col*) ready for retirement.
Pensum *nt, pl* **Pensa** *or* **Pensen** workload; (*Sch*) curriculum ▶ *tägliches ~* daily quota; *er hat sein ~ nicht geschafft* he didn't achieve his target.
Pep *m no pl* (*col*) pep (*col*), life; (*Schwung*) oomph (*col*).
Peperoni *pl* chillies *pl.*
per *prep* [a] (*mittels*) by ▶ *mit jdm ~ du sein* (*col*) to call sb "du", ≈ to be on first-name terms with sb; *~ pedes* (*hum*) on shanks's pony (*hum*). [b] (*Comm*) (*bis*) by; (*pro*) per ▶ *~ Adresse* care of, c/o.
Perestroika *f no pl* perestroika.
perfekt *adj* [a] (*vollkommen*) perfect. [b] *pred* (*abgemacht*) settled ▶ *die Sache ~ machen* to clinch the deal; *der Vertrag ist ~* the contract is all settled.
Perfekt *nt* **-e** perfect (tense).
Perfektion *f* perfection.
perfektionieren* [pɛrfɛktsio'niːrən] *vt* to perfect.
Perfektionismus [pɛrfɛktsio'nɪsmʊs] *m* perfectionism.
Perfektionist(in *f)* *m* perfectionist.
perfektionistisch [pɛrfɛktsio'nɪstɪʃ] *adj* perfectionist.
Perforation *f* perforation.
perforieren* *vt* to perforate.
Pergament *nt* parchment; (*Kalbs~ auch*) vellum.
Pergamentpapier *nt* greaseproof paper.
Pergola *f, pl* **Pergolen** pergola.
Periode *f* **-n** period (*auch Physiol*); (*von Wetter auch*) spell; (*Elec*) cycle ▶ *0,33 ~* 0.33 recurring.
periodisch *adj* periodic(al); (*regelmäßig*) regular; (*Phys*) periodic.
peripher *adj* peripheral.
Peripherie *f* periphery; (*von Stadt*) outskirts *pl* ▶ *an der ~ Bonns* on the outskirts of Bonn.
Peripheriegerät *nt* (*Comp*) peripheral.
Perle *f* **-n** [a] (*auch fig*) pearl ▶ *~n vor die Säue werfen* (*prov*) to cast pearls before swine (*prov*). [b] (*Glas~, Holz~, von Schweiß*) bead; (*Luftbläschen*) bubble. [c] (*dated col: Hausgehilfin*) maid.
perlen *vi* (*sprudeln*) to bubble; (*fallen, rollen*) to trickle.
Perlen-: **~kette** *f,* **~kollier** *nt* pearl necklace, string of pearls.
Perl-: **~huhn** *nt* guinea fowl; **~muschel** *f* pearl oyster; **~mutt** *nt no pl* mother-of-pearl.
Perlon ® *nt no pl* ≈ nylon.
Perlwein *m* sparkling wine.
permanent *adj* permanent.
perplex *adj* dumbfounded, thunderstruck.
Perser *m* **-** [a] Persian. [b] (*col: Teppich*) Persian carpet.
Perserin *f* Persian.
Perserteppich *m* Persian carpet.
Persianer *m* **-** [a] (*Pelz*) Persian lamb. [b] (*auch ~mantel*) Persian lamb (coat).
Persien [-iən] *nt* Persia.
Persiflage [pɛrzi'flaːʒə] *f* **-n** pastiche, satire (*gen, auf +acc* on, of).
persisch *adj* Persian ▶ *P~er Golf* Persian Gulf.
Person *f* **-en** [a] (*auch Gram*) person ▶ *~en* people, persons (*form*); *eine aus sechs ~en bestehende Familie* a family of six; *die eigene ~* oneself; *ich für meine ~ ...* I

for my part ...; *ich hatte den Chef in ~ vor mir* I was talking to the boss himself; *er ist Finanz- und Außenminister in einer ~* he's the Chancellor of the Exchequer and Foreign Secretary rolled into one; *natürliche/juristische ~* (*Jur*) natural/legal person; *sie ist die Geduld in ~* she's patience personified; *lassen wir seine ~ aus dem Spiel* let's not get personal (about him). [b] (*pej: Frau*) female. [c] (*Liter, Theat*) character.
Personal *nt no pl* personnel, staff ▶ *ungenügend mit ~ versehen sein* to be understaffed.
Personal-: **~abbau** *m* staff cuts *pl*; **~abteilung** *f* personnel (department); **~akte** *f* personal file; **~angaben** *pl* particulars *pl*; **~ausweis** *m* identity card; **~büro** *nt* personnel (department); **~chef** *m* personnel manager; **~computer** *m* personal computer; **~führung** *f* personnel management, man management.
Personalien [-iən] *pl* particulars *pl.*
Personal-: **~kartei** *f* personnel index; **~leiter** *m* personnel manager; **~mangel** *m* shortage of staff; **~pronomen** *nt* personal pronoun; **~rat** *m* (*Ausschuß*) *staff council for civil servants*; **~union** *f* ... *in ~union* ... in one.
personell *adj* staff *attr*, personnel *attr* ▶ *unsere Schwierigkeiten sind rein ~* our difficulties are simply to do with staffing.
Personen-: **~aufzug** *m* (passenger) lift (*Brit*), elevator (*US*); **~beschreibung** *f* (personal) description; **p~bezogen** *adj Daten* personal; **~gedächtnis** *nt* memory for faces; **~gesellschaft** *f* partnership; **~kraftwagen** *m* (*form*) (private) car, automobile (*US*); **~kreis** *m* group of people; **~kult** *m* personality cult; **~schaden** *m* injury to persons; **~schutz** *m* personal security; **~stand** *m* marital status; **~standsregister** *nt* register of births, marriages and deaths; **~verkehr** *m* passenger services *pl*; **~waage** *f* pair of scales; **~wagen** *m* (*Aut*) (private) car, automobile (*US*); **~zug** *m* passenger train; (*Gegensatz: Schnellzug*) slow train.
Personifikation *f* personification.
personifizieren* *vt* to personify.
▼ **persönlich** [1] *adj* personal; *Atmosphäre* friendly ▶ *~ werden* to get personal.
[2] *adv* personally; (*auf Briefen*) private (and confidential) ▶ *etw ~ meinen/nehmen* to mean/take sth personally; *Sie müssen ~ erscheinen* you are required to appear in person; *~ haften* (*Comm*) to be personally liable.
Persönlichkeit *f* personality ▶ *er besitzt wenig ~* he hasn't got much personality; *er ist eine ~* he's quite a personality; *~en des öffentlichen Lebens* public figures.
Perspektive [-'tiːvə] *f* (*Art, Opt*) perspective; (*Blickpunkt*) angle; (*fig: Zukunftsausblick*) prospects *pl* ▶ *das eröffnet ganz neue ~n für uns* that opens new horizons for us.
perspektivisch [-'tiːvɪʃ] *adj* perspective *attr*, in perspective ▶ *die Zeichnung ist nicht ~* the drawing is not in perspective; *~e Verkürzung* foreshortening.
Peru *nt* Peru.
Peruaner(in *f)* *m* **-** Peruvian.
peruanisch *adj* Peruvian.
Perücke *f* **-n** wig.
pervers [pɛr'vɛrs] *adj* perverted ▶ *ein ~er Mensch* a pervert.
Perversion [pɛrvɛr'zioːn] *f* perversion.
Perversität [pɛrvɛrzi'tɛːt] *f* perversion.
pervertieren* [pɛrvɛr'tiːrən] [1] *vt* to pervert.
[2] *vi aux sein* to become perverted.
pervertiert [pɛrvɛr'tiːɐt] *adj* perverted.
Pessar *nt* **-e** pessary; (*zur Empfängnisverhütung*) cap, diaphragm.
Pessimismus *m* pessimism.
Pessimist(in *f)* *m* pessimist.

> SATZBAUSTEINE: **persönlich:** 1 → 2.1, 8.1   2 → 2.2

pessimistisch *adj* pessimistic.
Pest *f no pl* (*Hist, Med*) plague ► *jdn/etw wie die ~ hassen* (*col*) to detest sb/sth; *jdn wie die ~ meiden* (*col*) to avoid sb like the plague; *wie die ~ stinken* (*col*) to stink to high heaven (*col*).
Petersilie [-iə] *f* parsley.
Petition *f* petition.
Petrochemie *f* petrochemistry.
Petroleum [pe'tro:leʊm] *nt no pl* paraffin (oil) (*Brit*), kerosene (*US*).
Petrus *m* (*Bibl*) ≈ Peter.
Petunie [-iə] *f* petunia.
Petze *f* -n, **Petzer** *m* - (*Sch sl*) sneak (*Sch sl*).
petzen (*col*) 1 *vt der petzt alles* he always tells; *er hat's dem Lehrer gepetzt* he told sir (*Brit Sch sl*). 2 *vi* to tell (tales).
Pf = **Pfennig**.
Pfad *m* -e path (*also Comp*), track.
Pfadfinder *m* - (boy) scout ► *er ist bei den ~n* he's in the (Boy) Scouts.
Pfadfinderin *f* girl guide (*Brit*), girl scout (*US*).
Pfaffe *m* (*wk*) -n, -n (*pej*) cleric (*pej*).
Pfahl *m* ⁼e post; (*Zaun~ auch, Marter~*) stake; (*Brücken~*) pile.
Pfahlbau *m* -ten a *no pl* (*Bauweise*) building on stilts. b (*Haus*) pile dwelling.
Pfalz *f* (*Geog*) Palatinate.
Pfälzer(in *f*) *m* - a person from the Palatinate, Palatinate. b (*Wein*) wine from the Rhine Palatinate.
pfälzisch *adj* Palatine.
Pfand *nt* ⁼er security; (*beim Pfänderspiel*) forfeit; (*Flaschen~*) deposit; (*fig geh*) pledge ► *etw als ~ geben* (*lit, fig*) to pledge sth; (*beim Pfänderspiel*) to pay sth as a forfeit; *auf der Flasche ist 30 Pf ~* there's 30 Pf (back) on the bottle (*col*); *ein ~ einlösen* to redeem a pledge; *etw als ~ behalten* to keep sth as (a) security.
Pfandbrief *m* bond, debenture.
pfänden *vt* (*Jur*) to impound ► *man hat ihm die Möbel gepfändet* they took away his furniture; *jdn ~ lassen* to get the bailiffs onto sb.
Pfänderspiel *nt* (game of) forfeits.
Pfand-: ~**flasche** *f* returnable bottle; ~**haus** *nt,* ~**leihe** *f* pawnshop; ~**leiher** *m* - pawnbroker; ~**schein** *m* pawn ticket.
Pfändung *f* seizure, distraint (*form*).
Pfanne *f* -n (*Cook*) pan ► *jdn in die ~ hauen* (*col*) to tear a strip off sb (*col*).
Pfannkuchen *m* pancake ► *Berliner ~* (jam) doughnut.
Pfarr|amt *nt* parish office.
Pfarrei *f* (*Gemeinde*) parish; (*Amtsräume*) parish office.
Pfarrer *m* - vicar; (*lutheranisch*) pastor; (*katholisch*) parish priest; (*von Freikirchen*) minister; (*Gefängnis~, Militär~ etc*) chaplain, padre.
Pfarrerin *f* vicar; (*von Freikirchen*) minister.
Pfarr-: ~**gemeinde** *f* parish; ~**haus** *nt* vicarage; (*katholisch*) presbytery.
Pfau *m* -en peacock ► *aufgedonnert wie ein ~* (*col*) dressed up to the nines (*col*).
Pfauen|auge *nt* (*Tag~*) peacock butterfly.
Pfeffer *m* - pepper ► *er kann bleiben, wo der ~ wächst!* (*col*) he can take a running jump (*col*).
pfeff(e)rig *adj* peppery.
Pfeffer-: ~**korn** *nt* peppercorn; ~**kuchen** *m* gingerbread.
Pfefferminz(bonbon) *nt* -(e) peppermint.
Pfefferminze *f no pl* peppermint.
Pfeffermühle *f* pepper-mill.
pfeffern *vt* a (*Cook*) to pepper; *siehe* **gepfeffert.** b (*col*) (*heftig werfen*) to fling; (*hinauswerfen*) to sling out (*col*) ► *jdm eine ~* to clout sb one (*col*).
Pfeffer-: ~**nuß** △ *f* gingerbread biscuit; ~**streuer** *m*

pepper pot *or* (*US*) shaker.
Pfeife *f* -n a whistle; (*Quer~*) fife (*esp Mil*); (*Orgel~*) pipe ► *nach jds ~ tanzen* to dance to sb's tune. b (*zum Rauchen*) pipe ► *~ rauchen* to smoke a pipe.
pfeifen *pret* **pfiff,** *ptp* **gepfiffen** *vti* to whistle (*dat* for); (*auf einer Trillerpfeife*) to blow one's whistle; (*Mus*) to pipe; (*col*) *Spiel* to referee ► *auf dem letzten Loch ~* (*col*) (*erschöpft sein*) to be on one's last legs (*col*); (*finanziell*) to be on one's beam ends (*col*); *ich pfeife darauf!* (*col*) I don't give a damn (*col*); *das ~ ja schon die Spatzen von den Dächern* it's all over town.
Pfeifen-: ~**kopf** *m* bowl (of a pipe); ~**stopfer** *m* tamper; ~**tabak** *m* pipe tobacco.
Pfeifer *m* - piper.
Pfeiferei *f* (*col*) whistling.
Pfeifkonzert *nt* catcalls *pl.*
Pfeil *m* -e arrow; (*Wurf~*) dart ► *~ und Bogen* bow and arrow; *er schoß wie ein ~ davon* he was off like a shot.
Pfeiler *m* - (*lit, fig*) pillar; (*Brücken~ auch*) pier; (*Stütz~*) buttress.
Pfeil-: p~**gerade** *adj Linie* dead straight; *sie kam p~gerade auf uns zu* she headed straight for us; p~**schnell** *adj* as swift as an arrow (*liter*); ~**spitze** *f* arrowhead; ~**taste** *f* (*Comp*) arrow key; ~**wurfspiel** *nt* darts *pl.*
Pfennig *m* -e *or* (*nach Zahlenangabe*) - pfennig *(one hundredth of a mark)* ► *30 ~* 30 pfennigs; *er hat keinen ~ Geld* he hasn't got a penny to his name *or* doesn't have a dime (*US*); *nicht für fünf ~* (*col*) not the slightest (bit of); *er hat nicht für fünf ~ Verstand* (*col*) he hasn't an ounce of intelligence; *mit jedem ~ rechnen müssen* (*fig*) to have to count every penny; *jeden ~ umdrehen* (*fig col*) to think twice about every penny one spends.
Pfennig-: ~**absatz** *m* stiletto heel; ~**fuchser** *m* - (*col*) skinflint (*col*); ~**stück** *nt* pfennig (piece).
Pferch *m* -e fold, pen.
pferchen *vt* to cram, to pack.
Pferd *nt* -e (*Tier, Turngerät*) horse; (*beim Schachspiel*) knight, horse (*US col*) ► *zu ~e* on horseback; *aufs falsche/richtige ~ setzen* (*lit, fig*) to back the wrong/right horse; *wie ein ~ arbeiten* (*col*) to work like a Trojan; *keine zehn ~e brächten mich dahin* (*col*) wild horses wouldn't drag me there; *mit ihm kann man ~e stehlen* (*col*) he's a great sport (*col*); *er ist unser bestes ~ im Stall* he's our best man; *ich glaub, mich tritt ein ~* (*col*) blow me down (*col*).
Pferde-: ~**äpfel** *pl* horse droppings *pl or* dung *no pl*; ~**fuhrwerk** *nt* horse and cart; ~**fuß** *m die Sache hat aber einen ~fuß* there's just one snag; ~**gebiß** △ *nt* horsey teeth; ~**haar** *nt* horsehair; ~**knecht** *m* groom; ~**koppel** *f* paddock; ~**rennbahn** *f* race course; ~**rennen** *nt* (*Sportart*) (horse-)racing; (*einzelnes Rennen*) (horse-)race; ~**schwanz** *m* horse's tail; (*Frisur*) ponytail; ~**stall** *m* stable; ~**stärke** *f* horsepower *no pl,* hp *abbr;* ~**wagen** *m* (*für Personen*) trap, horse buggy (*US*); (*für Lasten*) horse-drawn cart; ~**zucht** *f* horse breeding; (*Gestüt*) stud farm.
pfiff *pret* of **pfeifen.**
Pfiff *m* -e a whistle. b (*Reiz*) style, pizzazz (*col*) ► *der Soße fehlt noch der letzte ~* the sauce still needs that extra something.
Pfifferling *m* chanterelle ► *er kümmert sich keinen ~ darum* (*col*) he doesn't give a damn about it (*col*); *keinen ~ wert* (*col*) not worth a thing.
pfiffig *adj* smart, cute.
Pfingsten *nt* - Whitsun, Pentecost (*Eccl*).
Pfingst-: ~**montag** *m* Whit Monday; ~**ochse** *m: herausgeputzt wie ein ~ochse* (*col*) dressed up to the nines (*col*); ~**rose** *f* peony; ~**sonntag** *m* Whit Sunday, Pentecost (*Eccl*); ~**zeit** *f* Whitsun(tide).

Pfirsich *m* -e peach.
Pflanze *f* -n [a] (*Gewächs*) plant. [b] (*col: Mensch*) *sie ist eine seltsame ~* she is an odd bird (*col*).
pflanzen [1] *vt* to plant.
   [2] *vr* (*col*) to plonk oneself (*col*).
Pflanzen-: **~fett** *nt* vegetable fat; **~fresser** *m* herbivore; **~kunde**, **~lehre** *f* botany; **~öl** *nt* vegetable oil; **~reich** *nt* plant kingdom; **~schädling** *m* pest; **~schutz** *m* protection of plants; (*gegen Ungeziefer*) pest control; **~schutzmittel** *nt* pesticide; **~welt** *f die ~welt des Mittelmeers* the flora of the Mediterranean.
Pflanzgefäß *nt* planter.
pflanzlich *adj attr* vegetable.
Pflanzung *f* (*das Pflanzen*) planting; (*Plantage*) plantation.
Pflaster *nt* - [a] (*Heft~*) (sticking-)plaster. [b] (*Straßen~*) (road) surface; (*Kopfstein~*) cobbles *pl* ▶ *ein teures ~* (*col*) a pricey place (*col*); *ein gefährliches or heißes ~* (*col*) a dangerous place.
Pflastermaler *m* pavement artist.
pflastern *vt Straße* to surface; (*mit Kopfsteinpflaster*) to cobble; (*mit Steinplatten*) to pave.
Pflasterstein *m* (*Kopfstein*) cobble(stone); (*Steinplatte*) paving stone.
Pflaume *f* -n [a] plum ▶ *getrocknete ~* prune. [b] (*col: Mensch*) twit (*Brit col*), dope (*col*).
Pflaumen-: **~kompott** *nt* stewed plums *pl*; **~kuchen** *m* plum flan; **~mus** *nt* plum jam.
Pflege *f no pl* care; (*von Kranken auch*) nursing; (*von Garten auch*) attention; (*von Beziehungen, Künsten*) cultivation; (*von Maschinen, Gebäuden*) upkeep ▶ *jdn/etw in ~ nehmen* to look after sb/sth; *ein Kind in ~ nehmen* (*dauernd*) to foster a child; *ein Kind in ~ geben* to have a child fostered; (*von Behörden*) to foster a child out (*zu jdm* with sb).
Pflege-: **p~bedürftig** *adj* in need of care; **~eltern** *pl* foster parents *pl*; **~fall** *m* case for nursing *or* care; *sie ist ein ~fall* she needs constant care; **~geld** *nt* (*für ~kinder*) boarding-out allowance; (*für Kranke*) attendance allowance; **~heim** *nt* nursing home; **~kind** *nt* foster child; **p~leicht** *adj* easy-care; (*fig: Person*) easy to handle; **~mutter** *f* foster mother.
pflegen [1] *vt* to look after; *Kranke auch* to nurse; *Beziehungen, Kunst* to cultivate; *Maschinen, Gebäude* to maintain.
   [2] *vi* (*gewöhnlich tun*) to be in the habit (*zu* of) ▶ *sie pflegte zu sagen* she used to say.
Pflegepersonal *nt* nursing staff.
Pfleger *m* - (*im Krankenhaus*) orderly; (*voll qualifiziert*) (male) nurse.
Pflegerin *f* nurse.
Pflege-: **~satz** *m* hospital and nursing charges *pl*; **~sohn** *m* foster son; **~spülung** *f* hair conditioner; **~station** *f* nursing ward; **~tochter** *f* foster daughter; **~vater** *m* foster father; **~versicherung** *f* nursing insurance.
pfleglich *adj* careful.
Pflicht *f* -en [a] (*Verpflichtung*) duty ▶ *als Abteilungsleiter hat er die ~, ...* it's his responsibility as head of department ...; *Rechte und ~en* rights and responsibilities; *seine ~ erfüllen* to do one's duty; *die ~ ruft* duty calls; *das/Schulbesuch ist ~* it's/going to school is compulsory; *es ist seine (verdammte col) ~ und Schuldigkeit(, das zu tun)* he damn well ought to (do it) (*col*). [b] (*Sport*) compulsory section.
Pflicht-: **p~bewußt** △ *adj* conscientious; *er ist sehr p~bewußt* he takes his duties very seriously; **~bewußtsein** △ *nt* sense of duty; **~fach** *nt* compulsory subject; **~gefühl** *nt* sense of duty; **p~gemäß** *adj* dutiful; **~lektüre** *f* compulsory reading; (*Sch auch*) set

book(s); **~übung** *f* compulsory exercise; **p~vergessen** *adj* irresponsible; **~vergessenheit**, **~versäumnis** *f* neglect of duty *no pl*; **p~versichert** *adj* compulsorily insured; **~versicherung** *f* compulsory insurance.
Pflock *m* -e peg; (*für Tiere*) stake.
pflücken *vt* to pick, to pluck.
Pflücker(in *f*) *m* - picker.
Pflug *m* -e plough (*Brit*), plow (*US*).
pflügen *vti* (*lit, fig*) to plough (*Brit*), to plow (*US*).
Pflugschar *f* -en ploughshare (*Brit*), plowshare (*US*).
Pforte *f* -n (*Tor*) gate; (*Geog*) gap ▶ *die ~ zum Himalaja* the gateway to the Himalayas.
Pförtner(in *f*) *m* - porter; (*von Fabrik*) gateman; (*von Wohnhaus, Behörde*) doorman; (*von Schloß*) gatekeeper.
Pförtnerloge [-loːʒə] *f* porter's office; (*in Fabrik*) gatehouse; (*in Wohnhaus, Büro*) doorman's office.
Pfosten *m* - (*auch Ftbl*) post; (*senkrechter Balken*) upright; (*Fenster~, Tür~*) jamb; (*Stütze*) prop.
Pfote *f* -n [a] (*lit, fig col*) paw ▶ *sich* (*dat*) *die ~n verbrennen* (*col*) to burn one's fingers. [b] (*col: schlechte Handschrift*) scribble, scrawl.
Pfropf *m* -e *or* -e, **Pfropfen** *m* - (*Stöpsel*) stopper; (*Kork, Sekt~*) cork; (*Watte~ etc*) plug; (*von Faß*) bung; (*Med: Blut~*) (blood) clot.
pfropfen *vt* [a] *Flasche* to put the stopper in. [b] (*col: hineinzwängen*) to cram ▶ *gepfropft voll* crammed full.
pfui *interj* (*Ekel*) ugh, yuck; (*Mißbilligung*) tut tut; (*zu Hunden*) oy, hey; (*Buhruf*) boo ▶ *~ Teufel!* (*col*) ugh, yuck; *~, schäm dich!* shame on you!
Pfund *nt* -e *or* (*nach Zahlenangabe*) - [a] (*Gewicht*) (*metrisches System*) 500 grams, half a kilo(gram); (*britisches System*) pound ▶ *drei ~ Äpfel* three pounds of apples. [b] (*Währungseinheit*) pound ▶ *zwanzig ~ Sterling* twenty pounds sterling; *das ~ sinkt* sterling *or* the pound is falling.
pfundig *adj* (*col*) fantastic, swell *no adv* (*US*).
Pfundskerl *m* (*col*) great guy (*col*).
pfundweise *adv* by the pound.
Pfusch *m no pl* (*col*) = **Pfuscherei**.
pfuschen *vi* to bungle; (*einen Fehler machen*) to slip up.
Pfuscher(in *f*) *m* - (*col*) bungler.
Pfuscherei *f* (*das Pfuschen*) bungling *no pl*; (*gepfuschte Arbeit*) botched-up job.
Pfütze *f* -n puddle.
PH [peːˈhaː] *f* -s = **Pädagogische Hochschule**.
Phallussymbol *nt* phallic symbol.
Phänomen *nt* -e phenomenon.
phänomenal *adj* phenomenal.
△**Phantasie** *f* [a] *no pl* (*Einbildung*) imagination ▶ *eine schmutzige ~ haben* to have a dirty mind. [b] *usu pl* (*Trugbild*) fantasy.
Phantasie-: **p~begabt** △ *adj* imaginative; **~gebilde** △ *nt* [a] (*phantastische Form*) fantastic form; [b] (*Einbildung*) figment of the imagination; **p~los** △ *adj* unimaginative; **~losigkeit** △ *f* lack of imagination.
△**phantasieren*** [1] *vi* to fantasize (*von* about); (*von Schlimmem*) to have visions (*von* of); (*Med*) to be delirious; (*Mus*) to improvise ▶ *er phantasiert von einem großen Haus auf dem Lande* he has fantasies about a big house in the country.
   [2] *vt Geschichte* to dream up ▶ *was phantasierst du denn da?* (*col*) what are you (going) on about? (*col*).
Phantasie-: **p~voll** △ *adj* highly imaginative; **~vorstellung** △ *f* figment of the imagination.
△**Phantast** *m* (*wk*) **-en, -en** dreamer, visionary.
△**phantastisch** *adj* fantastic.
Phantom *nt* -e (*Trugbild*) phantom ▶ *einem ~ nachjagen* (*fig*) to tilt at windmills.
Phantombild *nt* Identikit ® (picture).
Pharma- *in cpds* pharmaceutical.

△: Informationen zur Rechtschreibreform im Anhang

Pharmakologie f pharmacology.
Pharmazeut(in f) m (wk) **-en, -en** pharmacist, druggist (US).
pharmazeutisch adj pharmaceutical.
Pharmazie f pharmacy, pharmaceutics sing.
Phase f -n phase.
Philanthrop m -en, -en philanthropist.
Philanthropie f philanthropy.
philanthropisch adj philanthropic(al).
Philatelie f philately.
Philatelist(in f) m philatelist.
Philharmonie f (Orchester) philharmonic (orchestra); (Konzertsaal) philharmonic hall.
Philharmoniker m - die Berliner ~ the Berlin Philharmonic (Orchestra).
Philippine m (wk) **-n, -n, Philippinin** f Filipino.
Philippinen pl Philippines pl.
philippinisch adj Filipino.
Philologe m, **Philologin** f philologist.
Philologie f philology.
Philosoph(in f) m (wk) **-en, -en** philosopher.
Philosophie f philosophy.
philosophieren* vi to philosophize (über +acc about).
philosophisch adj philosophical.
Phlegma nt no pl apathy.
Phlegmatiker(in f) m - apathetic person.
phlegmatisch adj apathetic.
Phobie [fo'bi:] f phobia (vor +dat about).
Phonetik f phonetics sing.
phonetisch adj phonetic.
Phonotypistin f audio-typist.
Phosphat [fɔs'fa:t] nt phosphate.
Phosphor ['fɔsfɔr] m no pl phosphorus.
phosphoreszieren* vi to phosphoresce.
Photo nt -s = **Foto**.
Phrase f -n phrase; (pej) hollow phrase ▸ das sind alles nur ~n that's just talk; ~n dreschen (col) to churn out one cliché after another.
Phrasen-: ~drescher m (pej) windbag; ~drescherei f (pej) phrase-mongering; (Geschwafel) hot air; p~haft adj empty.
pH-Wert [pe:'ha:-] m pH-value.
Physik f no pl physics sing.
physikalisch adj physical; Experimente physics attr ▸ das ist ~ nicht erklärbar that cannot be explained in terms of physics.
Physiker(in f) m - physicist.
Physikum nt no pl (Univ) preliminary examination in medicine.
Physiologe m, **Physiologin** f physiologist.
Physiologie f physiology.
physiologisch adj physiological.
physisch adj physical.
Pianist(in f) m pianist.
picheln vi (col) to booze (col).
Pickel m - [a] spot, pimple. [b] (Spitzhacke) pick(axe (Brit) or ax (US)); (Eis~) ice axe (Brit), ice ax (US).
pick(e)lig adj spotty, pimply.
picken vti to peck (nach at).
Picknick nt -s or -e picnic ▸ ~ machen to have a picnic.
picknicken vi to (have a) picnic.
piekfein adj (col) posh (col).
pieksauber adj (col) spotless.
piep interj tweet(-tweet).
Piep m -e (col) er sagt keinen ~ he doesn't say a (single) word; keinen ~ mehr machen to have had it (col).
piepe, piep|egal adj pred das ist mir ~! (col) it's all one to me (col).
piepen, piepsen vi (Vogel) to cheep; (Kinderstimme) to pipe; (Maus) to squeak; (Funkgerät etc) to bleep ▸ bei

dir piept's wohl! (col) are you off your head?; es war zum P~! (col) it was a scream (col).
Piepmatz m (col: kleiner Vogel) birdie (col).
Piepser m - (col) [a] = **Piep**. [b] (Telec) bleeper.
piepsig adj (col) squeaky.
Piepsstimme f (col) squeaky voice.
Pier m -s or -e or f -s jetty, pier.
piesacken vt (col) (quälen) to torment; (belästigen) to pester.
Pietät [pie'tɛ:t] f reverence no pl; (Achtung) respect.
pietätlos [pie'tɛ:t-] adj irreverent.
Pietätlosigkeit [pie'tɛ:t-] f irreverence.
Pigment nt pigment.
Pigmentfleck m pigmentation mark.
Pik¹ m (col) einen ~ auf jdn haben to have a grudge against sb.
Pik² nt -s (Cards) (Farbe) spades pl; (Karte) spade ▸ ~-As ace of spades.
pikant adj piquant; Witz, Geschichte auch racy ▸ ~ gewürzt appetizingly seasoned.
Pikanterie f [a] no pl siehe adj piquancy; raciness. [b] (Bemerkung) racy remark.
Pike f -n pike ▸ etw von der ~ auf lernen (fig) to learn sth by starting from the bottom.
piken vti (col) to prick.
pikiert adj (col) peeved, piqued ▸ sie machte ein ~es Gesicht she looked peeved.
Pikkolo m -s [a] (Kellnerlehrling) trainee waiter. [b] (fig) mini-version, baby; (auch ~flasche) quarter bottle of champagne. [c] (Mus: auch ~flöte) piccolo.
pikobello adj (col) spick and span.
piksen vti (col) to prick.
Piktogramm nt pictogram.
Pilger(in f) m - pilgrim.
Pilgerfahrt f pilgrimage.
pilgern vi aux sein to make a pilgrimage; (col: gehen) to wend one's way.
Pille f -n pill ▸ sie nimmt die ~ she's on the pill; ~ am Morgen danach morning-after pill.
Pilot(in f) m (wk) **-en, -en** pilot.
Pilot-: ~projekt nt pilot scheme; ~studie f pilot study.
Pils nt -, -, **Pils(e)ner** m - pils, pilsner.
Pilz m -e [a] fungus; (giftig) toadstool; (eßbar) mushroom; (Atom~) mushroom cloud ▸ wie ~e aus dem Boden schießen to mushroom. [b] (Haut~) ringworm; (Fuß~) athlete's foot.
Pilz-: ~krankheit f fungal disease; ~vergiftung f fungus poisoning.
Pimmel m - (col: Penis) willie (col).
pingelig adj (col) finicky (col), fussy.
Pingpong nt -s (col) ping-pong.
Pinguin ['pɪŋguiːn] m -e penguin.
Pinie ['piːniə] f umbrella pine.
Pinkel m - (col) ein feiner or vornehmer ~ a swell (col).
pinkeln vi (col) to pee (col), to piddle (col).
Pinnwand f pinboard.
Pinscher m - pinscher.
Pinsel m - [a] brush. [b] (col) ein eingebildeter ~ a self-opinionated twerp (col).
pinseln vti (col) to paint; (pej: malen) to daub.
Pinselstrich m brush stroke.
Pinte f -n (col: Lokal) boozer (Brit col), bar.
Pinzette f (pair of) tweezers pl.
Pionier m -e [a] (Mil) sapper. [b] (fig) pioneer.
Pionier|arbeit f pioneering work.
Pipapo nt no pl (col) das ganze ~ the whole caboodle (col); eine Party mit allem ~ a party with all the trimmings.
Pipette f pipette, dropper.
Pipi nt or m -s (baby-talk) wee-wee (baby-talk) ▸ ~ ma-

⚠: for details of spelling reform, see supplement

chen to do a wee-wee (*baby-talk*), to piddle (*col*).

Piranha [pi'ranja] *m* **-(s)**, **-s** piranha.

Pirat *m* (*wk*) **-en**, **-en** pirate.

Piratensender *m* pirate radio station.

Piraterie *f* (*lit*, *fig*) piracy.

Pirsch *f no pl* stalk ▶ *auf (die)* ~ *gehen* to go stalking.

pirschen *vi* to stalk, to go stalking.

⚠**Piß** *m no pl*, **Pisse** *f no pl* (*col!*) piss (*col!*).

pissen *vi* (*col!*) to (have a) piss (*col!*); (*regnen*) to piss down (*col!*).

Pistazie [pɪs'ta:tsiə] *f* pistachio.

Piste *f* **-n** (*Ski*) piste, (ski-)run; (*Rennbahn*) track; (*Aviat*) runway; (*behelfsmäßig*) airstrip.

Pistole *f* **-n** pistol ▶ *jdn mit vorgehaltener* ~ *zwingen* to force sb at gunpoint; *jdm die* ~ *auf die Brust setzen* (*fig*) to hold a pistol to sb's head; *wie aus der* ~ *geschossen* (*fig*) like a shot.

⚠**pitsch(e)naß** *adj* (*col*) soaking (wet).

pittoresk *adj* picturesque.

Pixel *nt* **-s** (*Comp*) pixel.

Pizza *f* **-s** pizza.

Pkw, PKW ['pe:ka:ve:] *m* **-s** = **Personenkraftwagen**.

pl., Pl. = **Plural** pl.

Placebo [pla'tse:bo] *nt* **-s** placebo.

placken *vr* (*col*) to slave (away) (*col*).

Plackerei *f* (*col*) grind (*col*).

plädieren* *vi* (*Jur*, *fig*) to plead (*für*, *auf* +*acc* for).

Plädoyer [plɛdoa'je:] *nt* **-s** (*Jur*) summing up, summation (*US*); (*fig*) plea.

Plage *f* **-n** (*fig*) nuisance ▶ *sie hat ihre* ~ *mit ihm* he's a trial for her; *man hat schon seine* ~ *mit dir* you are a nuisance.

Plagegeist *m* nuisance, pest.

plagen ① *vt* to torment; (*mit Bitten und Fragen auch*) to pester ▶ *ein geplagter Mann* a harassed man. ② *vr* ⓐ (*leiden*) to be bothered (*mit* by). ⓑ (*arbeiten*) to slave away (*col*).

Plagiat *nt* plagiarism.

Plagiator *m* plagiarist.

Plakat *nt* **-e** poster; (*aus Pappe*) placard.

Plakatfarbe *f* poster paint.

plakatieren* *vt* to placard; (*fig*) to broadcast.

plakativ *adj* striking, bold.

Plakatwand *f* hoarding, billboard (*US*).

Plakette *f* (*Abzeichen*) badge; (*Münze*) commemorative coin; (*an Wänden*) plaque.

Plan¹ *m* ⁻**e** ⓐ plan ▶ *den* ~ *fassen, etw zu tun* to plan to do sth; ⁻*e machen* or *schmieden* to make plans; *nach* ~ *verlaufen* to go according to plan. ⓑ (*Stadt*~) (street-)map; (*Grundriß, Bau*~) blueprint; (*Zeittafel*) timetable (*Brit*), schedule (*US*).

Plan² *m* ⁻**e** *auf den* ~ *treten* (*fig*) to come on the scene; *jdn auf den* ~ *rufen* (*fig*) to bring sb into the arena.

Plane *f* **-n** tarpaulin; (*von LKW*) canvas cover; (*Schutzdach*) awning.

▼ **planen** *vti* to plan.

Planer(in *f)* *m* - planner.

Planet *m* (*wk*) **-en**, **-en** planet.

Planetarium *nt* planetarium.

Planetensystem *nt* planetary system.

plangemäß *adj* = **planmäßig**.

planieren* *vt* to level (off).

Planierraupe *f* bulldozer.

Planke *f* **-n** plank, board; (*Leit*~) crash barrier.

Plänkelei *f* (*fig*) squabble.

Plankton *nt no pl* plankton.

planlos *adj* unsystematic; (*ziellos*) random.

Planlosigkeit *f* lack of planning.

planmäßig *adj* (*wie geplant*) as planned; (*pünktlich*) on schedule; (*methodisch*) methodical ▶ ~*e Ankunft/*

Abfahrt scheduled time of arrival/departure.

Planquadrat *nt* grid square.

Planschbecken *nt* paddling (*Brit*) or wading (*US*) pool.

planschen *vi* to splash around.

Plan-: ~**soll** *nt* output target; ~**stelle** *f* post.

Plantage [plan'ta:ʒə] *f* **-n** plantation.

Planung *f* planning ▶ *in der* ~ at the planning stage.

Plan-: ~**wagen** *m* covered wagon; ~**wirtschaft** *f* planned economy.

Plappermaul *nt* (*col*) chatterbox (*col*); (*Schwätzer*) gossip (*col*).

plappern ① *vi* to prattle; (*Geheimnis verraten*) to blab (*col*). ② *vt* Blödsinn to talk.

plärren *vti* (*col: weinen*) to bawl; (*Radio*) to blare (out).

Plasma *nt*, *pl* **Plasmen** plasma.

Plastik¹ *nt* **-s** (*Kunststoff*) plastic.

Plastik² *f* (*Skulptur, Kunst*) sculpture.

Plastik-: ~**beutel** *m* = ~**tüte**; ~**folie** *f* plastic film; ~**geld** *nt* (*col*) plastic money; *mit* ~ *geld bezahlen* to pay with plastic (*col*); ~**sprengstoff** *m* plastic explosive; ~**tüte** *f* plastic bag.

plastisch *adj* ⓐ (*knetbar*) malleable. ⓑ (*dreidimensional*) three-dimensional, 3-D; (*fig: anschaulich*) vivid ▶ ~*e Sprache* vivid language; *das kann ich mir* ~ *vorstellen* I can just picture it. ⓒ (*Art, Med*) plastic ▶ ~*e Chirurgie* plastic surgery.

Plastizität *f no pl* ⓐ (*Formbarkeit*) malleability. ⓑ (*fig: Anschaulichkeit*) vividness.

Platane *f* **-n** plane tree.

Plateau [pla'to:] *nt* **-s** plateau.

Platin *nt no pl* platinum.

Platine *f* (*Comp, Elec*) circuit board.

platonisch *adj* platonic.

platsch *interj* splash, splosh.

platschen *vi* (*col*) to splash; (*regnen*) to pour.

plätschern *vi* to splash; (*Bach auch*) to babble ▶ *eine* ~*de Unterhaltung* light conversation.

⚠**platschnaß** *adj* (*col*) soaking (wet).

platt *adj* ⓐ (*flach*) flat ▶ *etw* ~ *drücken* to flatten sth; *einen P*~*en* (*col*) or *einen* ~*en Reifen haben* to have a flat (tyre *Brit* or tire *US*). ⓑ (*fig: geistlos*) dull. ⓒ (*col: verblüfft*) ~ *sein* to be flabbergasted (*col*).

Platt *nt no pl* (*col*) Low German, Plattdeutsch.

plattdeutsch *adj* Low German.

Platte *f* **-n** ⓐ (*Holz*~) board; (*Glas*~/*Metall*~/*Plastik*~) sheet of glass/metal/plastic; (*Beton*~, *Stein*~) slab; (*zum Pflastern*) flagstone; (*Kachel, Fliese*) tile; (*Herd*~) hotplate; (*Tisch*~) (table-)top; (*Phot*) plate; (*Gedenktafel*) plaque; (*Comp*) disk. ⓑ (*Fleisch*) serving-dish; (*Torten*~) cake plate ▶ *kalte* ~ cold dish. ⓒ (*Schall*~) record, disc ▶ *etw auf* ~ *aufnehmen* to record sth on disc; *die* ~ *kenne ich schon* (*col*) I've heard all that before (*col*); *leg doch mal eine neue* ~ *auf!* (*col*) can't you change the subject for once? ⓓ (*col: Glatze*) bald head; (*kahle Stelle*) bald patch.

plätten *vt* (*dial*) to iron, to press; *siehe* **geplättet**.

Platten-: ~**leger** *m* - paver; ~**sammlung** *f* record collection; ~**spieler** *m* record-player; ~**teller** *m* turntable; ~**wechsler** *m* - record changer.

Platt-: ~**fisch** *m* flatfish; ~**form** *f* platform; (*fig: Grundlage*) basis; ~**fuß** *m* flat foot; **p**~**füßig** *adj, adv* flat-footed; ~**heit** *f* ⓐ *no pl* (*Geistlosigkeit*) dullness; ⓑ *usu pl* (*Redensart etc*) platitude.

Platz *m* ⁻**e** ⓐ (*freier Raum*) room, space ▶ ~ *für jdn/etw schaffen* to make room for sb/sth; *mehr als 10 Leute haben hier nicht* ~ there's not room for more than 10 people here; *jdm den (ganzen)* ~ *wegnehmen* to take up all sb's space; ~ *machen* to get out of the way (*col*); *mach mal ein bißchen* ~ make a bit of room; ~ *für*

➤ SATZBAUSTEINE: **planen** → 10.1

⚠: Informationen zur Rechtschreibreform im Anhang

jdn/etw **bieten** to have space for sb/sth; *~ da!* (*col*) (get) out of the way there! (*col*).

b (*Sitzplatz*) seat ► *~ nehmen* to take a seat; *behalten Sie doch bitte ~!* (*form*) please remain seated (*form*); *der Saal hat 2.000 ~e* the hall seats 2,000; *mit jdm den ~ tauschen* to change places with sb; *~!* (*zum Hund*) sit!

c (*Stelle, Ort, Rang, Arbeits~*) place ► *etw (wieder) an seinen ~ stellen* to put sth (back) in (its) place; *fehl or nicht am ~e sein* to be out of place; *auf die ~e, fertig, los!* (*Sport*) on your marks, get set, go!; *seinen ~ behaupten* to stand one's ground; *das Buch hat einen festen ~ auf der Bestsellerliste* the book is firmly established on the bestseller list; *den ersten ~ einnehmen* (*fig*) to come first; *auf ~ zwei* in second place; *jdn auf die ~e verweisen* (*fig*) to beat sb; *auf ~ wetten* to make a place bet; *wir haben noch einen freien ~ im Büro* we've still got one vacancy in the office; *das erste Hotel am ~* the best hotel in the place.

d (*umbaute Fläche*) square ► *auf dem ~* in the square.

e (*Sport~*) playing field; (*Ftbl, Hockey*) pitch (*Brit*), field; (*Handball~, Tennis~*) court; (*Golf~*) (golf) course ► *einen Spieler vom ~ stellen or verweisen* to send a player off.

Platz-: *~angst* f (*col*) claustrophobia; *~angst bekommen* to get claustrophobic; *~anweiser(in* f) m - usher(ette).

Plätzchen nt **a** *dim of* **Platz** spot. **b** (*Gebäck*) biscuit (*Brit*), cookie (*US*).

platzen vi aux sein **a** (*aufreißen*) to burst; (*Naht, Hose, Haut*) to split; (*explodieren*) to explode; (*einen Riß bekommen*) to crack ► *wir sind vor Lachen fast geplatzt* we split our sides laughing; *ins Zimmer ~* (*col*) to burst into the room; *jdm ins Haus ~* (*col*) to descend on sb; *(vor Wut/Neid) ~* (*col*) to be bursting (with rage/envy). **b** (*col: scheitern*) (*Geschäft*) to fall through; (*Freundschaft*) to break up; (*Theorie, Verschwörung*) to collapse; (*Wechsel*) to bounce (*col*) ► *die Verlobung ist geplatzt* the engagement is (all) off; *etw ~ lassen* Plan to make sth fall through; *Theorie* to explode sth; *Spionagering* to smash sth; *Wechsel* to make sth bounce (*col*).

Platz-: *~halter* m (*Comp*) wildcard; *~hirsch* m (*lit, fig*) dominant male; *~karte* f (*Rail*) seat reservation (ticket); *~konzert* nt open-air concert; *~mangel* m lack of space; *~miete* f (*Theat*) season ticket; (*Sport*) ground rent; *~patrone* f blank (cartridge); *~regen* m cloudburst; *das ist nur ein ~regen* it's only a (passing) shower; *p~sparend* △ adj space-saving attr; *das ist p~sparender* that saves more space; *~verweis* m sending-off; *~wahl* f toss-up; *~wart* m (*Sport*) groundsman; *~wechsel* m change of place; (*Sport*) change of position; *~wette* f place bet; *~wunde* f laceration.

Plauderei f chat, conversation.

Plauderer m -, **Plauderin** f conversationalist.

plaudern vi to chat (*über* +acc, *von* about); (*etwas verraten*) to talk ► *mit ihm läßt sich gut ~* he's easy to talk to.

Plausch m -e (*col*) chat.

plauschen vi (*col*) to have a chat.

plausibel adj plausible ► *jdm etw ~ machen* to explain sth to sb.

Plausibilität f plausibility.

Playback ['pleɪbæk] nt -s **a** (*Bandaufnahme*) backing track. **b** no pl (*Verfahren*) (*bei Schallplatte*) double-tracking no pl; (*TV*) miming no pl.

△**plazieren*** **1** vt **a** (*Platz anweisen*) to put; (*Tennis*) to seed. **b** (*zielen*) Ball to position; Schlag to land ► *gut plazierte Aufschläge* well-positioned services.

2 vr **a** (*col: sich setzen, stellen*) to plant oneself (*col*). **b** (*Sport*) to be placed; (*Tennis*) to be seeded ► *der Läufer konnte sich gut/nicht ~* the runner was well-placed/wasn't even placed.

△**Plazierung** f (*bei Rennen*) order; (*Tennis*) seeding; (*Platz*) place ► *welche ~ hatte er?* where did he come in?

Plebejer(in f) m - (*lit, fig*) plebeian.

plebejisch adj plebeian no adv.

Plebiszit nt -(e)s, -e plebiscite.

pleite adj pred, adv (*col*) Mensch broke (*col*); Firma auch bust (*col*) ► *~ gehen* to go bust.

Pleite f -n (*col*) bankruptcy; (*fig*) washout (*col*) ► *~ machen* to go bust (*col*); *damit/mit ihm haben wir eine ~ erlebt* it/he was a disaster for us.

Pleitegeier m (*col*) **a** (*drohende Pleite*) threat of bankruptcy ► *über der Firma schwebt der ~* the firm is threatened with bankruptcy. **b** (*Bankrotteur*) bankrupt.

Plektron, Plektrum nt, pl **Plektren** or **Plektra** plectrum.

plemplem adj pred (*col*) nuts (*col*).

Plenar-: *~saal* m assembly room; (*Parl*) chamber; *~sitzung* f plenary session.

Plenum nt plenum.

Pleuelstange f connecting rod.

Plexiglas ® nt acrylic glass.

Plissee-: *~falte* f pleat; *~rock* m pleated skirt.

PLO [peː|ɛlˈoː] f PLO.

Plombe f -n **a** (*Siegel*) lead seal. **b** (*Zahn~*) filling.

plombieren* vt **a** (*versiegeln*) to seal. **b** Zahn to fill ► *er hat mir zwei Zähne plombiert* he did two fillings.

Plotter m - (*Comp*) plotter.

plötzlich **1** adj sudden. **2** adv suddenly; (*auf einmal*) all of a sudden ► *aber etwas ~!* (*col*) look sharp! (*col*); *das kommt alles so ~* (*col*) this is all so sudden.

Pluderhose f Turkish trousers pl.

Plumeau [ply'moː] nt -s eiderdown, quilt.

plump adj Figur, Form ungainly no adv, Ausdruck clumsy; Bemerkung crass; Mittel, Lüge crude ► *~e Annäherungsversuche* very obvious advances.

plumps interj bang; (*lauter*) crash.

Plumps m -e (*col*) (*Fall*) tumble; (*Geräusch*) thud ► *einen ~ machen* (*baby-talk*) to fall; *mit einem ~ ins Wasser fallen* to fall into the water with a splash.

plumpsen vi aux sein (*col*) to tumble ► *er plumpste ins Wasser* he fell into the water with a splash.

Plumpsklo(sett) nt (*col*) earth closet.

△**plump-vertraulich** **1** adj hail-fellow-well-met. **2** adv in a hail-fellow-well-met sort of way.

Plunder m no pl junk, rubbish.

Plünd(e)rer m - looter, plunderer.

Plündergebäck nt flaky pastry.

plündern vti to loot; (*ausrauben*) to raid; Obstbaum to strip.

Plünderung f looting, pillage.

Plural m -e plural ► *im ~ stehen* to be in the plural.

plus **1** prep +gen plus. **2** adv plus ► *bei ~ 5 Grad* at 5 degrees (above freezing or zero); *~/minus 10* plus or minus 10; *mit ~ minus null abschließen* to break even. **3** conj (*col*) plus.

Plus nt - **a** (*Phys col: ~pol*) positive (pole). **b** (*Comm*) (*Zuwachs*) increase; (*Gewinn*) profit; (*Überschuß*) surplus. **c** (*fig: Vorteil*) plus, advantage ► *das ist ein ~ für dich* that's a point in your favour (*Brit*) or favor (*US*).

Plüsch m -e plush.

Plüsch-: in cpds plush; *~tier* nt ≈ soft toy.

Plus-: *~pol* m (*Elec*) positive pole; *~punkt* m (*Sport*) point; (*Sch*) extra mark; (*fig*) plus point, advantage;

~quamperfekt *nt* pluperfect; **~zeichen** *nt* plus sign.
Plutonium *nt no pl* plutonium.
PLZ [peːɛlˈtsɛt] *f* = **Postleitzahl.**
pneumatisch [pnɔyˈmaːtɪʃ] *adj* pneumatic.
Po *m* **-s** (*col*) = **Popo.**
Pöbel *m no pl* rabble, mob.
pöbelhaft *adj* uncouth, vulgar.
pochen *vi* to knock; (*Herz, Blut*) to pound ▸ *auf etw* (*acc*) ~ (*fig*) to insist on sth.
pochieren* [pɔˈʃiːrən] *vt Ei* to poach.
Pocken *pl* smallpox.
Pocken-: **~narbe** *f* pockmark; **p~narbig** *adj* pockmarked; **~(schutz)impfung** *f* smallpox vaccination.
Podest *nt or m* **-e** (*Sockel*) pedestal (*auch fig*); (*Podium*) platform; (*Treppenabsatz*) landing.
Podium *nt* (*lit, fig*) platform; (*des Dirigenten*) rostrum; (*bei Diskussion*) panel.
Podiumsdiskussion *f* panel discussion.
Poesie [poeˈziː] *f* (*lit, fig*) poetry.
Poesie|album *nt child's scrapbook containing verses written by friends.*
Poet(in f) *m* (*wk*) **-en, -en** (*geh*) poet.
poetisch *adj* poetic.
Pointe [ˈpoɛ̃tə] *f* **-n** (*eines Witzes*) punch-line; (*einer Geschichte*) point.
pointiert [poɛ̃ˈtiːɐt] *adj* trenchant, pithy.
Pokal *m* **-e** (*zum Trinken*) goblet; (*Sport*) cup.
Pokal-: **~endspiel** *nt* cup final; **~sieger** *m* cup-winners *pl*; **~spiel** *nt* cup tie.
Pökelfleisch *nt* salt meat.
pökeln *vt Fleisch, Fisch* to salt, to pickle.
Poker *nt no pl* poker.
pokern *vi* to play poker ▸ *um etw* ~ (*fig*) to haggle for sth.
Pol *m* **-e** pole ▸ *der ruhende* ~ (*fig*) the calming influence.
polar *adj* polar ▸ *~e Kälte* arctic coldness; ~ *entgegengesetzt* diametrically opposed.
polarisieren* *vtr* to polarize.
Polarisierung *f* polarization.
Polarität *f* polarity.
Polar-: **~kreis** *m* polar circle; *nördlicher/südlicher* **~kreis** Arctic/Antarctic Circle; **~licht** *nt* polar lights *pl*; **~stern** *m* Pole *or* North Star.
Pole *m* (*wk*) **-n, -n** Pole.
Polemik *f* polemics *sing*, (*Streitschrift*) polemic.
polemisch *adj* polemic(al).
polemisieren* *vi* to polemicize ▸ ~ *gegen* to inveigh against.
Polen *nt* Poland.
Polente *f no pl* (*dated col*) cops *pl* (*col*).
Police [poˈliːsə] *f* **-n** (insurance) policy.
Polier *m* **-e** site foreman.
polieren* *vt* (*lit, fig*) to polish ▸ *jdm die Fresse or Schnauze* ~ (*col!*) to smash sb's face in (*col*).
Polier-: **~mittel** *nt* polish; **~wachs** *nt* wax polish.
Poliklinik *f* (*Krankenhaus*) clinic (*for outpatients only*); (*Abteilung*) outpatients' department.
Polin *f* Pole, Polish woman/girl.
Politesse *f* (woman) traffic warden (*Brit*).
Politik *f* [a] *no pl* politics *sing*, (*politischer Standpunkt*) politics *pl* ▸ *welche* ~ *vertritt er?* what are his politics?; *in die* ~ *gehen* to go into politics. [b] (*bestimmte* ~) policy ▸ *ihre gesamte* ~ all their policies.
Politiker(in f) *m* **-** politician.
Politikverdrossenheit *f* disenchantment with politics ▸ *die wachsende* ~ *der Bevölkerung* the people's growing disenchantment with politics.
politisch *adj* political.
politisieren* [1] *vi* to talk politics, to politicize.

[2] *vt* to politicize; *jdn* to make politically aware.
Politisierung *f* politicization.
Politologe *m* (*wk*), **Politologin** *f* political scientist.
Politologie *f* political science, politics *sing*.
Politur *f* polish.
Polizei *f* police *pl*; (*Gebäude*) police station ▸ *auf die or zur* ~ *gehen* to go to the police; *er ist bei der* ~ he's in the police (force).
Polizei- *in cpds* police; **~aufgebot** *nt* police presence; **~aufsicht** *f unter* **~aufsicht** *stehen* to be under police surveillance; **~beamte(r)** *m* police official; (*Polizist*) police officer; **~chef** *m* chief constable, chief of police (*US*); **~dienststelle** *f* (*form*) police station; **~direktion** *f* police headquarters *pl*; **~funk** *m* police radio; **~haft** *f* detention; **~hund** *m* police dog; **~kommissar** *m* (police) inspector.
polizeilich *adj no pred* police *attr* ▸ *~es Führungszeugnis certificate issued by the police, stating that the holder has no criminal record*, *sich* ~ *melden* to register with the police.
Polizei-: **~präsident** *m* chief constable, chief of police (*US*); **~präsidium** *nt* police headquarters *pl*; **~revier** *nt* (*~wache*) police station; **~spitzel** *m* (police) informer; **~staat** *m* police state; **~streife** *f* police patrol; **~stunde** *f* closing time; **~wache** *f* police station.
Polizist *m* policeman.
Polizistin *f* policewoman.
Pollen *m* **-** pollen.
Pollenflug *m* pollen count.
polnisch *adj* Polish.
Polnisch(e) *nt decl as adj* Polish; *siehe* **Deutsch(e).**
Polohemd *nt* polo shirt.
Polster *nt* **-** [a] cushion; (*Polsterung*) upholstery *no pl*; (*bei Kleidung*) pad, padding *no pl*. [b] (*fig*) (*Fett~*) flab *no pl* (*col*); (*Bauch*) spare tyre (*Brit*) *or* tire (*US*); (*Geldreserve*) reserves *pl*.
Polster-: **~garnitur** *f* three-piece suite; **~möbel** *pl* upholstered furniture.
polstern *vt* to upholster; *Kleidung, Tür* to pad ▸ *etw neu* ~ to reupholster sth; *sie ist gut gepolstert* (*col*) she's well-padded; (*finanziell*) she's not short of the odd penny.
Polster-: **~sessel** *m* armchair, easy chair; **~stuhl** *m* upholstered chair.
Polsterung *f* upholstery.
Polter|abend *m party on the eve of a wedding with smashing of crockery*, ≈ shower (*US*).
Poltergeist *m* poltergeist.
poltern *vi* [a] to crash about ▸ *was hat da eben so gepoltert?* what was that crash?; *es poltert* there's a real din going on. [b] *aux sein* (*sich laut bewegen*) to crash, to bang. [c] (*col: schimpfen*) to rant (and rave).
Poly-: **~äthylen** *nt* **-e** polyethylene; **~ester** *m* **-** polyester; **~gamie** *f* polygamy.
Polynesien [-iən] *nt* Polynesia.
Polynesier(in f) [-iɐ, -iərɪn] *m* **-** Polynesian.
polynesisch *adj* Polynesian.
Polyp *m* (*wk*) **-en, -en** [a] (*Zool*) polyp. [b] (*Med*) **~en** adenoids. [c] (*hum col: Polizist*) cop (*col*).
Poly-: **~technikum** *nt* polytechnic, poly (*col*); **p~technisch** *adj* polytechnic.
Pomade *f* hair-cream.
Pommern *nt* Pomerania.
Pommes frites [pɔmˈfrit(s)] *pl* chips *pl* (*Brit*), French fries *pl*.
Pomp *m no pl* pomp.
pompös *adj* grandiose.
Pontius [ˈpɔntsiʊs] *m*: *von* ~ *zu Pilatus* from pillar to post.
Pony¹ [ˈpɔni] *nt* **-s** pony.

△: Informationen zur Rechtschreibreform im Anhang

Pony² ['pɔni] *m* **-s** fringe (*Brit*), bangs *pl* (*US*).
Ponyfrisur *f* **sie hat eine ~** she has a fringe (*Brit*), she has bangs (*US*).
Pool(billard) ['pu:l(bɪljart)] *nt* pool.
Pop *m no pl* (*Mus*) pop; (*Art*) pop-art.
Popanz *m* **-e** (*Schreckgespenst*) bogey.
Popcorn [-kɔ:n] *nt no pl* popcorn.
pop(e)lig *adj* (*col*) **a** (*knauserig*) stingy (*col*). **b** (*dürftig*) crummy (*col*).
Popelin *m* **-e, Popeline** *f* - poplin.
popeln *vi* (*col*) *(in der Nase)* ~ to pick one's nose.
Pop-: **~festival** *nt* pop festival; **~gruppe** *f* pop group; **~konzert** *nt* pop concert; **~musik** *f* pop music.
Popo *m* **-s** (*col*) bottom, bum (*col*).
Popper *m* (*col*) preppy (*col*).
poppig *adj* (*col*) (*Art, Mus*) pop *no adv*, *Kleidung* trendy.
populär *adj* popular (*bei* with).
popularisieren* *vt* to popularize.
Popularität *f* popularity.
populärwissenschaftlich *adj* popular science.
Populismus *m* (*Pol*) populism.
Populist(in *f*) *m* populist.
populistisch *adj* populist.
Pore *f* **-n** pore.
Porno *m* **-s** (*col*) porn (*col*), porno (*US col*).
⚠ **Pornographie** *f* pornography.
⚠ **pornographisch** *adj* pornographic.
porös *adj* (*durchlässig*) porous; (*brüchig*) perished.
Porree ['pɔre] *m* **-s** leek.
Portal *nt* **-e** portal.
⚠ **Portemonnaie** [pɔrtmɔ'ne:] *nt* **-s** purse.
Portier [pɔr'tie:] *m* **-s** porter.
Portion **a** (*beim Essen*) portion, helping ▸ *eine halbe ~* (*fig col*) a half-pint (*col*); *eine zweite ~* a second helping; *eine ~ Kaffee* a pot of coffee. **b** (*fig col: Anteil*) amount ▸ *er besitzt eine ganze ~ Frechheit* he's got a fair bit of cheek (*col*).
Porto *nt, pl* **-s** *or* **Porti** postage *no pl* (*für* on, for); (*für Kisten etc*) carriage ▸ ~ *zahlt Empfänger* postage paid *or* (*US*) prepaid.
portofrei *adj* postage paid *or* (*US*) prepaid.
Portokasse *f* ≃ petty cash.
Porträt [*auch* pɔr'trɛ:] *nt* **-s** (*lit, fig*) portrait.
porträtieren* *vt jdn* ~ to paint sb's portrait; (*fig*) to portray sb.
Portugal *nt* Portugal.
Portugiese *m* (*wk*) **-n, -n, Portugiesin** *f* Portuguese.
Portugiesisch(e) *nt* Portuguese; *siehe* **Deutsch(e)**.
portugiesisch *adj* Portuguese.
Portwein *m* port.
Porzellan *nt* **-e** (*Material*) porcelain; (*Geschirr*) china.
Porzellan- *in cpds* china; **~erde** *f* china clay; **~geschirr** *nt* china, crockery; **~manufaktur** *f* china factory.
Posaune *f* **-n** trombone; (*fig: von Engeln etc*) trumpet.
posaunen* (*col*) **1** *vi* to play the trombone. **2** *vti* (*fig*) to bellow, to bawl ▸ *etw in alle Welt ~* to tell sth to the whole world.
Posaunenbläser *m*, **Posaunist(in** *f*) *m* trombonist.
Pose *f* **-n** pose.
posieren* *vi* to pose.
Position *f* position; (*Comm: auf Liste*) item.
Positionslicht *nt* navigation light.
positiv *adj* positive ▸ *eine ~e Antwort* an affirmative (answer); *etw ~ wissen* to know sth for a fact; *einen ~en Eindruck haben* to be favourably (*Brit*) *or* favorably (*US*) impressed; *~ zu etw stehen* to be in favour (*Brit*) *or* favor (*US*) of sth.
Positiv *nt* (*Phot*) positive.
Positur *f* posture ▸ *sich in ~ setzen/stellen* to adopt a posture.

Posse *f* **-n** farce.
Possen *m* - (*dated*) prank, tomfoolery *no pl* ▸ ~ *reißen* to clown around.
Possessivpronomen *nt* possessive pronoun.
possierlich *adj* comical, funny.
Post *f* **-en** post (*Brit*), mail; (*~amt, ~wesen*) post office ▸ *war die ~ schon da?* has the post *or* mail come yet?; *ist ~ für mich da?* are there any letters for me?; *etw mit der ~ schicken* to send sth by post *or* mail; *etw auf die ~ geben* to post *or* mail sth; *auf die* or *zur ~ gehen* to go to the post office; *mit getrennter ~* under separate cover.
postalisch *adj* postal.
Post-: **~abfertigungsraum** *m* mailroom; **~amt** *nt* post office; **~anweisung** *f* ≃ postal (*Brit*) *or* money order; **~auto** *nt* post office van; **~beamte(r)** *m*, **~beamtin** *f* post office official; **~bote** *m* postman (*Brit*), mailman (*US*).
Posten *m* - **a** (*Anstellung*) post, job. **b** (*Mil: Wachmann*) guard; (*Stelle*) post ▸ ~ *stehen* to stand guard; ~ *beziehen* to take up one's post. **c** *auf dem ~ sein* (*aufpassen*) to be awake; (*gesund sein*) to be fit; *nicht ganz auf dem ~ sein* to be off colour (*Brit*) *or* under the weather. **d** (*Streik~*) picket. **e** (*Comm: Warenmenge*) quantity, lot. **f** (*Comm: im Etat*) item, entry.
Poster *nt* **-(s)** poster.
Postfach *nt* PO Box.
Postgiro- [-ʒi:ro]: **~amt** *nt* ≃ National Giro Office (*Brit*); **~konto** *nt* post office giro account (*Brit*).
posthum *adj* posthumous.
postieren* **1** *vt* to position. **2** *vr* to position oneself.
Post-: **~karte** *f* postcard; **~kasten** *m* pillar box (*Brit*), mailbox (*US*); **~kutsche** *f* mail coach, stagecoach; **p~lagernd** **1** *adj* to be called for; **2** *adv* poste restante (*Brit*), general delivery (*US*); **~leitzahl** *f* post(al) code, zip code (*US*); **~minister** *m* ≃ postmaster general; **p~modern** *adj* postmodern; **~modernismus** *m* postmodernism; **~sache** *f* post office mail *no pl*; **~scheck** *m* post office giro cheque (*Brit*); **~scheckamt** *nt* = **~giroamt**; **~scheckkonto** *nt* = **~girokonto**; **~sparbuch** *nt* post office savings book (*Brit*); **~sparkasse** *f* post office savings bank; **~stempel** *m* postmark; *Datum des ~stempels* date as postmark; **~überweisung** *f* Girobank transfer.
postulieren* *vt* to postulate.
postum *adj* posthumous.
Post-: **p~wendend** *adv* by return (of post) (*Brit*), by return mail; **~wertzeichen** *nt* (*form*) postage stamp (*form*); **~wurfsendung** *f* direct-mail item; **~wurfsendungen** direct mail; **~zustellung** *f* mail delivery.
potent *adj* potent; (*fig*) *Phantasie* powerful.
⚠ **Potential** [poten'tsia:l] *nt* **-e** potential.
⚠ **potentiell** [poten'tsiɛl] *adj* potential.
Potenz *f* **a** (*Med*) potency; (*fig*) ability. **b** (*Math*) power ▸ *zweite/dritte ~* square/cube.
potenzieren* *vt* (*Math*) to raise to the power of; (*col: steigern*) to multiply.
Potpourri ['pɔtpuri] *nt* **-s** (*Mus*) medley (*aus* of); (*fig*) assortment.
Pott *m* **-e** (*col*) pot.
Pott-: **~asche** *f* potash; **~wal** *m* sperm whale.
Poularde [pu-] *f* **-n** baby chicken.
poussieren [pu'si:rən] *vi* (*dated col: flirten*) to flirt.
powern ['paʊən] *vi* (*col*) to get things moving.
prä-, prae- *pref* pre-.
Prä|ambel *f* preamble (*gen* to).
Pracht *f no pl* splendour (*Brit*), splendor (*US*) ▸ *in seiner*

⚠: for details of spelling reform, see supplement

vollen or **ganzen** ~ in all its splendour; **es ist eine wahre** ~ it's (really) superb.

Pracht-: ~**entfaltung** f magnificent display; ~**exemplar** nt beauty (col); (fig: Mensch) fine specimen.

prächtig adj (prunkvoll, großartig) splendid.

Pracht-: ~**kerl** m (col) great guy (col); (~exemplar) beauty (col); ~**stück** nt = ~**exemplar**; **p~voll** adj = **prächtig**.

prädestinieren* vt to predestine.

Prädikat nt (Gram) predicate; (Bewertung) rating; (Rangbezeichnung) title ▶ **Wein mit** ~ special quality wine.

prädikativ adj predicative.

Prag nt Prague.

prägen vt [a] to stamp; Münzen to mint; Leder, Papier to emboss; (erfinden) Begriffe, Wörter to coin. [b] (fig: formen) Charakter to form; (Erlebnis, Kummer) jdn to leave its/their mark on. [c] (kennzeichnen) Stadtbild to characterize.

prägend adj Erlebnis etc formative.

Prägestempel m die, stamp.

Pragmatiker(in f) m - pragmatist.

pragmatisch adj pragmatic.

Pragmatismus m pragmatism.

prägnant adj concise, terse.

Prägnanz f conciseness, terseness.

Prägung f [a] siehe vt (a, b) stamping; minting; embossing; coining; forming. [b] (auf Münzen) imprint; (auf Leder, Papier) embossing; (Eigenart) character; (von Charakter) mould (Brit), mold (US).

prahlen vi to brag (mit about).

Prahlerei f bragging no pl.

prahlerisch adj boastful, bragging attr.

Prahlhans m, pl -**hänse** (col) show-off.

Praktik f procedure, method; (usu pl: Kniff) practice, trick (col).

praktikabel adj practicable, practical.

Praktikant(in f) m trainee.

Praktiker(in f) m - practical man/woman.

Praktikum nt, pl **Praktika** practical training; (besonders für Studenten, Schüler) work placement.

praktisch [1] adj practical; (nützlich auch) handy ▶ ~**er Arzt** general practitioner; ~**es Beispiel** concrete example.
[2] adv practically; (in der Praxis) in practice.

praktizieren* [1] vi to practise (Brit), to practice (US). [2] vt (ausführen) to put into practice.

Praline f chocolate, chocolate candy (US).

prall adj Sack, Brieftasche bulging; Arme, Schenkel big strong attr, Sonne blazing ▶ ~ **gefüllt** filled to bursting.

prallen vi aux sein **gegen etw** ~ to crash into sth; (Ball) to bounce off sth.

prallvoll adj full to bursting; Brieftasche bulging.

prämenstruell adj premenstrual.

Prämie [-iə] f premium; (Belohnung) bonus; (Preis) prize.

prämien- [-iən]: ~**begünstigt** adj with benefit of premiums; ~**sparen** vi sep infin, ptp only to save in a bonus scheme.

präm(i)ieren* vt (auszeichnen) to give an award; (belohnen) to give a bonus ▶ **etw mit dem ersten Preis** ~ to award sth first prize.

Präm(i)ierung f [a] (das Prämieren) **für diesen Film kommt eine** ~ **nicht in Frage** we can't possibly give this film an award. [b] (Veranstaltung) presentation.

Pranger m - stocks pl, pillory ▶ **jdn/etw an den** ~ **stellen** (fig) to pillory sb/sth.

Pranke f -n (auch col) paw.

Präparat nt preparation.

präparieren* vt [a] (konservieren) to preserve. [b] (Med: zerlegen) to dissect.

Präposition f preposition.

Prärie f prairie.

Präsens nt, pl **Präsenzien** [-iən] present (tense).

präsent adj present ▶ **etw** ~ **haben** to have sth at hand.

präsentieren* [1] vt to present ▶ **jdm etw** ~ to present sb with sth.
[2] vr to present oneself.

Präsenzbibliothek f reference library.

Präservativ [prɛzɛrvaˈtiːf] nt contraceptive, condom.

Präsident(in f) m president.

Präsidentschaft f presidency.

Präsidentschafts-: ~**kandidat** m presidential candidate; ~**wahl** f presidential election.

präsidieren* vi to preside.

Präsidium nt (Vorsitz) presidency; (Führungsgruppe) committee; (Polizei~) headquarters pl.

prasseln vi [a] aux sein to clatter; (Regen) to drum; (fig) to hail down. [b] (Feuer) to crackle.

prassen vi (schlemmen) to feast; (in Luxus leben) to live the high life.

Prasserei f (Schlemmerei) feasting; (Luxusleben) high life.

Präteritum nt, pl **Präterita** preterite.

präventiv [prɛvɛnˈtiːf] adj prevent(at)ive.

Präventiv-: ~**medizin** f preventive medicine; ~**schlag** m (Mil) pre-emptive strike.

Praxis f, pl **Praxen** [a] no pl practice; (Erfahrung) experience ▶ **in der** ~ in practice; **die** ~ **sieht anders aus** the facts are different; **eine Idee in die** ~ **umsetzen** to put an idea into practice; **ein Beispiel aus der** ~ an example from real life. [b] (eines Arztes, Rechtsanwalts) practice. [c] (Behandlungsräume) surgery (Brit), doctor's office (US); (Anwaltsbüro) office.

praxis-: ~**fern**, ~**fremd** adj impractical; ~**nah**, ~**orientiert** adj practical.

Präzedenzfall m precedent.

präzis(e) adj precise.

präzisieren* vt to state more precisely.

Präzision f precision.

Präzisions- in cpds precision; ~**arbeit** f precision work; ~**arbeit leisten** to work with precision.

predigen vti to preach ▶ **jdm etw** ~ (fig) to lecture sb on sth.

Prediger(in f) m - preacher/woman preacher.

Predigt f -en (lit, fig) sermon ▶ **jdm eine** ~ **über etw** (acc) **halten** (fig) to give sb a sermon about sth.

Preis m -e [a] price (für of) ▶ **zum halben** ~ half-price; **um jeden** ~ (fig) at all costs; **um keinen** ~ (fig) not at any price. [b] (bei Wettbewerben) prize; (Auszeichnung) award. [c] (Belohnung) reward. [d] no pl (liter: Lob) praise (auf +acc of).

Preis-: ~**absprache** f price fixing no pl; ~**angabe** f **hier fehlt die** ~**angabe** there's no price given; ~**anstieg** m rise in prices; ~**ausschreiben** nt competition; **p~bewußt** △ adj price-conscious; ~**bindung** f price fixing; ~**boxer** m prize-fighter; ~**brecher** m (Firma) undercutter; ~**disziplin** f price restraint.

Preiselbeere f cranberry.

preisempfindlich adj price-sensitive.

preisen pret **pries**, ptp **gepriesen** vt (geh) to praise ▶ **sich glücklich** ~ to count oneself lucky.

Preis-: ~**entwicklung** f price trend; ~**erhöhung** f price increase; ~**frage** f [a] question of price; [b] (beim ~ausschreiben) prize question (in a competition); ~**gabe** f (geh) (Aufgabe) abandoning; (von Geheimnis) betrayal.

preisgeben vt sep irreg (geh) [a] (ausliefern) to leave to the mercy of. [b] (aufgeben) to abandon. [c] (verraten) to betray.

Preis-: ~**gefälle** nt price gap; **p~gekrönt** adj award-winning; ~**gericht** nt jury; **p~günstig** adj inexpensive;

etw p~günstig bekommen to get sth at a good price; **~klasse** *f* price range; **~kontrolle** *f* price control; **~krieg** *m* price war; **~lage** *f* price range.
preislich *adj no pred* price *attr,* in price.
Preis-: **~liste** *f* price list; **~nachlaß** ⚠ *m* discount; *10% ~nachlaß bei Barbezahlung* 10% off cash sales; **~politik** *f* prices policy; **~rätsel** *nt* prize competition; **~richter** *m* judge *(in a competiton);* **~schild** *nt* price-tag; **~schlager** *m* (all-time) bargain; **~senkung** *f* price cut; **p~stabil** *adj* stable in price; **~stopp** *m* price freeze; **~träger(in** *f)* *m* prize-winner; *(Kultur~)* award-winner; **~treiberei** *f* forcing up of prices; *(Wucher)* profiteering; **~verfall** *m* drop-off in prices; **~vergleich** *m* price comparison; *einen ~vergleich machen* to shop around; **~verleihung** *f* presentation (of prizes/awards); **p~wert** *adj* good value *pred; ein p~wertes Kleid* a dress which is good value (for money).
prekär *adj (peinlich)* awkward; *(schwierig)* precarious.
Prellbock *m (Rail)* buffers *pl,* buffer-stop; *(fig col)* scapegoat *(col),* fallguy *(esp US col).*
prellen ① *vt* ⓐ to bruise; *(anschlagen)* to hit. ⓑ *(fig col: betrügen)* to swindle ► *jdn um etw ~* to swindle sb out of sth; *die Zeche ~* to avoid paying the bill. ② *vr* to bruise oneself.
Prellung *f* bruise, contusion.
Premiere [prə'mie:rə, pre-] *f* **-n** premiere.
Premierminister [prə'mie:-, pre-] *m* prime minister.
preschen *vi aux sein (col)* to tear, to dash.
Presse *f* **-n** *(Mech, Zeitungen)* press ► *eine gute ~ haben* to get a good press.
Presse-: **~agentur** *f* news agency; **~amt** *nt* press office; **~bericht** *m* press report; *die ~berichte* the press coverage *(über +acc* of); **~erklärung** *f* press release; **~freiheit** *f* freedom of the press; **~konferenz** *f* press conference; **~meldung** *f* press report; **~mitteilung** *f* press release.
pressen *vt* to press; *Obst auch* to squeeze; *(fig: zwingen)* to force *(in +acc* into).
Presse-: **~notiz** *f* paragraph in the press; **~sprecher** *m* press officer; **~stelle** *f* press office.
pressieren* *vi (S Ger, Aus, Sw) (Sache)* to be urgent ► *mir pressiert's* I am in a hurry.
⚠ **Preßluft** *f* compressed air.
Preßluft-: **~bohrer** ⚠ *m* pneumatic drill; **~hammer** ⚠ *m* pneumatic hammer.
Prestige [prɛs'ti:ʒə] *nt no pl* prestige.
Preuße *m (wk)* **-n, -n, Preußin** *f* Prussian.
Preußen *nt* Prussia.
preußisch *adj* Prussian.
prickeln *vi (kribbeln)* to tingle; *(kitzeln)* to tickle; *(Bläschen bilden)* to sparkle, to bubble.
prickelnd *adj siehe vi* tingling; tickling; sparkling, bubbling ► *der ~e Reiz der Neuheit* the thrill of novelty.
pries *pret of* **preisen.**
Priester *m* **-** priest.
Priesterin *f* priestess.
priesterlich *adj* priestly *no adv.*
Priester-: **~seminar** *nt* seminary; **~weihe** *f* ordination (to the priesthood).
prima *adj inv* ⓐ *(col)* fantastic *(col)* ► *das hast du ~ gemacht* you did that beautifully. ⓑ *(Comm)* top-quality.
Prima *f, pl* **Primen** *(Sch dated)* eighth and ninth year of German secondary school.
Primadonna *f* **-donnen** prima donna.
Primaner(in *f)* *m* **-** *(Sch dated)* ≈ sixth-former *(Brit).*
primär *adj* primary.
Primas *m* **-, -se** *(Eccl)* primate.
Primat *m (wk)* **-en, -en** *(Zool)* primate.
Primel *f* **-n** *(Wald~)* (wild) primrose; *(farbige Garten~)*

primula.
primitiv *adj* primitive.
Primzahl *f* prime (number).
Prinz *m (wk)* **-en, -en** prince.
Prinzessin *f* princess.
Prinzip *nt* **-ien** [-iən] principle ► *aus ~* on principle; *im ~* in principle; *das funktioniert nach einem einfachen ~* it works on a simple principle; *ein Mann mit ~ien* a man of principle.
prinzipiell *adj (im Prinzip)* in principle; *(aus Prinzip)* on principle.
prinzipienlos *adj* unprincipled.
Prior *m* prior.
Priorin *f* prioress.
Priorität *f* priority ► **~en** *pl (Comm)* preference shares *pl,* preferred stock *(US); ~ vor etw (dat) haben* to take precedence over sth; **~en setzen** to establish one's priorities.
Prise *f* **-n** *(kleine Menge)* pinch.
Prisma *nt, pl* **Prismen** prism.
Pritsche *f* **-n** ⓐ *(Liegestatt)* plank bed. ⓑ *(von Lkw)* platform.
privat [pri'va:t] *adj* private ► *~ ist er ganz anders* he's quite different socially; *jdn ~ sprechen* to speak to sb privately *or* in private; *ich sagte es ihm ganz ~* I told him in absolute confidence; *etw an P~ verkaufen* to sell sth privately; *~ versichert sein* to be privately insured.
Privat-: *in cpds* private; **~adresse** *f* home address; **~angelegenheit** *f* = **~sache; ~besitz** *m* private property; *in ~besitz sein* to be privately owned; **~dozent** *m* outside lecturer *(not on the staff);* **~eigentum** *nt* private property; **~fernsehen** *nt* commercial television; **~gespräch** *nt* private conversation; *(am Telefon)* private call.
privatisieren* [privati'zi:rən] *vt* to privatize.
Privatisierung *f* privatization.
Privat-: **~leben** *nt* private life; **~patient** *m* private patient; **~person** *f* private individual; **~recht** *nt* private *or* civil law; **~sache** *f* private matter; *das ist meine ~sache* that's a private matter; **~schule** *f* private school; **~sekretär(in** *f)* *m* personal assistant, PA; **~unterricht** *m* private tuition; **~vermögen** *nt* private fortune; **~wirtschaft** *f* private industry *or* sector.
Privileg [privi'le:k] *nt* **-ien** [-'le:giən] privilege.
privilegieren* [privile'gi:rən] *vt* to favour *(Brit),* to favor *(US)* ► *privilegiert* privileged.
pro *prep* per ► *~ Jahr* per annum *(form),* a year; *~ Kopf* per capita *(form);* **~ Stück** each, apiece.
Pro *nt (das) ~ und Kontra* the pros and cons *pl.*
pro- *pref* pro-; **~arabisch** *adj* pro-Arab.
Probe *f* **-n** ⓐ *(Prüfung)* test ► *die ~ (auf eine Rechnung) machen* to check a calculation; *er ist auf ~ angestellt* he's employed for a probationary period; *jdn/etw auf ~ nehmen* to take sb/sth on trial; *jdn/etw auf die ~ stellen* to put sb/sth to the test; *zur ~* to try out. ⓑ *(Theat)* rehearsal. ⓒ *(Teststück, Beispiel)* sample.
Probe-: **~abzug** *m* proof; **~angebot** *nt* trial offer; **~bohrung** *f* test drill; **~exemplar** *nt* specimen (copy); **p~fahren** ⚠ *sep irreg infin, ptp only* ① *vt* to test-drive; ② *vi aux sein* to go for a test drive; **~fahrt** *f* test drive; **~lauf** *m* trial run; *(Sport)* practice run.
proben *vti* to rehearse.
Probe-: **~packung** *f* trial pack; **~stück** *nt* specimen; **p~weise** *adv* on a trial basis; **~zeit** *f* trial *or* probationary period.
probieren* ① *vt* to have a try at; *(kosten)* Speisen, Getränke to sample; *(prüfen)* to test ► *laß es mich mal ~!* let me have a go! ② *vi (versuchen, kosten)* to try ► *P~ geht über Studieren (Prov)* the proof of the pudding is in the eat-

ing (*Prov*).

▼ **Problem** *nt* -e problem ▶ *vor einem ~ stehen* to be faced with a problem.

Problematik *f* difficulty (*gen* with); (*Problembereich*) problems *pl*.

problematisch *adj* problematic; (*fragwürdig*) questionable.

problemlos *adj* problem-free ▶ *~ ablaufen* to go without a hitch.

Produkt *nt* -e (*lit, fig*) product.

Produktdesign *nt* product design.

Produktentwicklung *f* product development.

Produkthaftpflichtversicherung *f* product liability insurance.

Produktion *f* production.

Produktions- in *cpds* production; **~ausfall** *m* loss of production; **~kosten** *pl* production costs *pl*; **~leiter** *m* production manager; **~menge** *f* output; **~mittel** *pl* means of production *pl*; **~rückgang** *m* drop in production.

produktiv *adj* productive.

Produktivität *f* productivity.

Produktpiraterie *f* product piracy.

Produzent(in *f)* *m* producer.

produzieren* ① *vt* ⓐ *auch vi* to produce. ⓑ (*col: hervorbringen*) *Lärm* to make; *Entschuldigung* to come up with (*col*); *Romane* to churn out (*col*). ② *vr* (*pej*) to show off.

Prof. = **Professor** Prof.

profan *adj* (*weltlich*) secular; (*gewöhnlich*) mundane.

professionell *adj* professional.

Professor *m*, **Professorin** *f* ⓐ (*Hochschul~*) professor. ⓑ (*Aus: Gymnasiallehrer*) grammar school teacher (*Brit*), high school teacher (*US*).

Professur *f* chair, professorship (*für* in, of).

Profi *m* -s (*col*) pro (*col*).

Profifußballer *m* professional footballer.

Profil *nt* -e ⓐ (*von Gesicht*) profile; (*fig: Ansehen*) image ▶ *im ~* in profile; *die Partei hat mehr ~ bekommen* the party has sharpened its image. ⓑ (*von Reifen, Schuhsohle*) tread. ⓒ (*Querschnitt*) cross-section; (*Längsschnitt*) vertical section; (*fig: Skizze*) profile.

profilieren* ① *vt* (*scharf umreißen*) to define. ② *vr* (*sich ein Image geben*) to create a distinctive personal image for oneself ▶ *er will sich akademisch/politisch ~* he wants to make his mark academically/in politics.

profiliert *adj* (*scharf umrissen*) clear-cut *no adv*; (*hervorstehend*) distinctive.

Profilsohle *f* sole with a tread.

Profit *m* -e profit ▶ *~ aus etw ziehen* (*lit*) to make a profit from sth; (*fig*) to reap the benefits from sth; *den/keinen ~ von etw haben* to profit/not to profit from sth; *ohne/mit ~ arbeiten* to work unprofitably/profitably.

Profit-: **p~bringend** ⚠ *adj* profitable; **~denken** *nt* profit orientation; **~gier** *f* greed for profit.

profitieren* *vti* to profit; (*fig auch*) to gain ▶ *und was profitierst du dabei or davon?* what do you stand to gain by it?

Profit-: **~jäger, ~macher** *m* (*col*) profiteer; **~macherei** *f* (*col*) profiteering; **~streben** *nt* profit-seeking.

pro forma *adv* as a matter of form.

Pro-forma-Rechnung *f* pro forma invoice.

Prognose *f* -n prognosis; (*Wetter~*) forecast.

Programm *nt* -e programme (*Brit*), program (*US, Comp*); (*Tagesordnung*) agenda; (*TV: Sender*) channel; (*Sendefolge*) programmes (*Brit*) *pl*, programs (*US*) *pl*; (*gedrucktes Radio~, TV~*) programme (*Brit*) or program (*US*) guide; (*Verlags~*) list; (*Kollektion*) range ▶ *nach ~* as planned; *auf dem ~ stehen* to be on the

programme/agenda.

Programm-: **~fehler** *m* (*Comp*) bug (in the program); **p~gemäß** *adj* according to plan; **~heft** *nt* programme (*Brit*), program (*US*); **~hinweis** *m* (*Rad, TV*) programme (*Brit*) or program (*US*) announcement.

programmierbar *adj* programmable.

programmieren* *vti* to programme (*Brit*), to program (*US, Comp*); (*fig auch*) to condition ▶ *auf etw* (*acc*) *programmiert sein* (*fig*) to be geared to sth.

Programmierer(in *f)* *m* - programmer.

Programmiersprache *f* programming language.

Programmierung *f* programming; (*fig auch*) conditioning.

Programm-: **~kino** *nt* arts or repertory (*US*) cinema; **~vorschau** *f* preview (*für* of); (*Film*) trailer; **~zeitschrift** *f* (*Rad, TV*) programme (*Brit*) or program (*US*) guide.

progressiv *adj* progressive.

Projekt *nt* -e project.

Projektion *f* projection.

Projektleiter *m* project leader or (*Comm*) manager.

Projektor *m* projector.

projizieren* *vt* to project.

proklamieren* *vt* to proclaim.

Pro-Kopf-Einkommen *nt* per capita income.

Prokura *f*, *pl* **Prokuren** (*form*) general commercial power of attorney.

Prokurist(in *f)* *m* holder of a general power of attorney, ≈ company secretary (*Brit*).

Prolet *m* (*wk*) -en, -en (*pej*) prole (*pej*), pleb (*pej*).

Proletariat *nt* proletariat.

Proletarier [-iɐ] *m* - proletarian.

proletarisch *adj* proletarian.

proletenhaft *adj* (*pej*) plebeian (*pej*).

Prolog *m* -e prologue.

Promenaden-: **~deck** *nt* promenade deck; **~mischung** *f* (*hum*) mongrel.

Promille *nt* - thousandth (part); (*col: Alkoholspiegel*) alcohol level ▶ *0,8 ~* 80 millilitres (*Brit*) or milliliters (*US*) alcohol level.

Promille-: **~grenze** *f* legal (alcohol) limit; **~messer** *m* Breathalyzer ®.

prominent *adj* prominent.

Prominente(r) *mf decl as adj* VIP.

Prominenz *f* VIP's *pl*.

Promotion¹ *f* (*Univ*) doctorate, PhD ▶ *während seiner ~* while he was doing his PhD.

Promotion² [prɔˈmoʊʃən] *f* (*Comm*) promotion.

promovieren* [promoˈviːrən] *vi* to do a PhD; (*Doktorwürde erhalten*) to receive a doctorate.

prompt ① *adj* prompt. ② *adv* promptly; (*wie erwartet*) of course.

Pronomen *nt* - pronoun.

Propaganda *f no pl* propaganda ▶ *~ mit etw machen* to make propaganda out of sth.

Propagandist(in *f)* *m* ⓐ propagandist. ⓑ (*Comm*) demonstrator.

propagieren* *vt* to propagate.

Propangas *nt* propane gas.

Propeller *m* - propeller.

Propeller-: **~antrieb** *m* propeller-drive; **~flugzeug** *nt* propeller-driven aircraft; **~turbine** *f* turboprop.

proper *adj* (*col*) neat, tidy.

Prophet *m* (*wk*) -en, -en prophet.

Prophetin *f* prophetess.

prophetisch *adj* prophetic.

prophezeien* *vt* to prophesy.

Prophezeiung *f* prophecy.

prophylaktisch *adj* prophylactic (*form*), preventive.

Proportion *f* proportion.

proportional [proportsio'na:l] *adj* proportional.
Proportional-: **~druck** *m* proportional printing; **~schrift** *f* proportional spacing.
proportioniert [proportsio'ni:ɐt] *adj* proportioned.
Proporz *m* -e proportional representation *no art.*
proppe(n)voll *adj* (*col*) jam-packed (*col*).
Prosa *f no pl* prose.
prosaisch [pro'za:ɪʃ] *adj* [a] (*nüchtern*) prosaic. [b] (*Liter*) prose *attr.*
prosit *interj* your health ▶ **~ Neujahr!** happy New Year!
Prosit *nt* -s toast ▶ **ein ~ der Köchin!** here's to the cook!
Prospekt [pro'spɛkt] *m* -e brochure; (*Werbezettel*) leaflet; (*Verzeichnis*) catalogue.
prost *interj* cheers, cheerio.
Prostata *f no pl* prostate gland.
Prostituierte [prostitu'i:ɐtə] *f* (*wk*) **-n, -n** prostitute.
Prostitution [prostitu'tsio:n] *f* prostitution.
Protagonist(in *f*) *m* (*lit, fig*) protagonist.
protegieren* [prote'ʒi:rən] *vt* Schriftsteller, Projekt to sponsor; Land, Regime to support.
Protein *nt* -e protein.
Protektion [protɛk'tsio:n] *f* (*Schutz*) protection; Δ (*Begünstigung*) patronage.
Protektionismus [protɛktsio'nɪsmʊs] *m* (*Econ*) protectionism.
Protektorat *nt* (*Schirmherrschaft*) patronage; (*Schutzgebiet*) protectorate.
Protest *m* -e protest ▶ *(scharfen) ~ gegen jdn/etw erheben* to make a (strong) protest against sb/sth; *aus ~* in protest; *unter ~* protesting; (*gezwungen*) under protest.
Protestant(in *f*) *m* Protestant.
protestantisch *adj* Protestant.
Protest-: **~bewegung** *f* protest movement; **~demonstration** *f* protest (demonstration).
protestieren* *vi* to protest.
Protest-: **~kundgebung** *f* protest (rally); **~marsch** *m* protest march; **~schreiben** *nt* letter of protest; **~stimme** *f* protest vote; **~welle** *f* wave of protest.
Prothese *f* -n artificial limb, prosthesis (*Med, form*); (*Gebiß*) dentures *pl.*
Protokoll *nt* -e [a] (*Niederschrift*) record; (*von Sitzung*) minutes *pl*; (*bei Polizei*) statement; (*bei Gericht*) transcript ▶ *(das) ~ führen* (*bei Sitzung*) to take the minutes; (*bei Gericht*) to make a transcript of the proceedings; *etw zu ~ geben* to have sth put on record; (*bei Polizei*) to say sth in one's statement. [b] (*diplomatisch, Comp*) protocol. [c] (*Strafzettel*) ticket.
Protokollant(in *f*) *m* = **Protokollführer**.
protokollarisch *adj* [a] (*protokolliert*) on record; (*in Sitzung*) minuted. [b] (*zeremoniell*) **~e Vorschriften** rules of protocol.
Protokollführer *m* secretary; (*Jur*) clerk (of the court).
protokollieren* [1] *vi* (*bei Sitzung*) to take the minutes (down); (*bei Polizei*) to take a/the statement down. [2] *vt* to take down; Sitzung to minute.
Proton *nt, pl* **Protonen** proton.
Proto-: **~plasma** *nt* protoplasm; **~typ** *m* prototype.
protzen *vi* (*col*) to show off ▶ *mit etw ~* to show sth off.
protzig *adj* (*col*) swanky (*col*), showy (*col*).
Provence [pro'vã:s] *f no pl* **die ~** Provence.
Proviant [pro'viant] *m* -e provisions *pl*, supplies *pl* (*esp Mil*); (*Reise~*) food for the journey.
Provinz [pro'vɪnts] *f* -en province; (*im Gegensatz zur Stadt*) provinces *pl* (*auch pej*), country ▶ *das ist finsterste ~* (*pej*) it's a cultural backwater.
provinziell [provɪn'tsiɛl] *adj* provincial (*auch pej*).
Provision [provi'zio:n] *f* commission ▶ *auf ~* on commission.

provisorisch [provi'zo:rɪʃ] *adj* temporary ▶ *Straßen mit ~em Belag* roads with a temporary surface; *ich habe den Stuhl ~ repariert* I've fixed the chair up for the time being.
Provisorium *nt* provisional arrangement.
Provokation [provoka'tsio:n] *f* provocation.
provokativ, provokatorisch [provoka-] *adj* provocative, provoking.
provozieren* [provo'tsi:rən] *vti* to provoke.
Prozedur *f* [a] (*Vorgang*) procedure. [b] (*pej*) carry-on (*col*).
Prozent *nt* -e *or* (*nach Zahlenangaben*) - per cent *no pl* ▶ *fünf ~* five per cent; *wieviel ~?* what percentage?; *zu zehn ~* at ten per cent; *zu hohen ~en* at a high percentage; *dieser Whisky hat 35 ~* this whisky contains 35 per cent alcohol; *~e bekommen* (*col*) to get a discount.
Prozent-: **~rechnung** *f* percentage calculation; **~satz** *m* percentage; (*Zins*) interest rate.
prozentual *adj* percentage *attr* ▶ *~er Anteil* percentage; *etw ~ ausdrücken* to express sth as a percentage; *~ gut abschneiden* to get a good percentage.
Prozentzeichen *nt* percentage sign.
Δ**Prozeß** *m* **-sse** [a] (*Straf~*) trial; (*Rechtsfall*) (court) case ▶ *einen ~ gewinnen/verlieren* to win/lose a case; *gegen jdn einen ~ anstrengen* to bring an action against sb; *es zum ~ kommen lassen* to go to court; *jdm den ~ machen* (*col*) to take sb to court; *mit jdm/ etw kurzen ~ machen* (*fig col*) to make short work of sb/sth (*col*). [b] (*Vorgang*) process.
Prozeß-: **p~führend** Δ *adj* p~führende Partei litigant; **~führung** Δ *f* handling of a/the case.
prozessieren* *vi* to go to court ▶ *er prozessiert mit fünf Firmen* he's got cases going on against five firms.
Prozession [protsɛ'sio:n] *f* procession.
Δ**Prozeßkosten** *pl* legal costs *pl.*
Prozessor *m* (*Comp*) processor.
Δ**Prozeßordnung** *f* legal procedure.
Δ**Prozeßsprache** *f* (*Comp*) processing language.
prüde *adj* prudish.
Prüderie *f* prudishness.
prüfen *vt* [a] (*auch vi*) (*Sch, Univ*) jdn to examine ▶ *schriftlich geprüft werden* to take a written examination. [b] (*überprüfen*) to check (*auf* +acc for); (*untersuchen*) to examine; (*durch Ausprobieren*) to test; Geschäftsbücher to audit, to examine; Lebensmittel, Wein to inspect, to test; Beschwerde to investigate, to look into. [c] (*erwägen*) to consider ▶ *etw nochmals ~* to review sth. [d] (*mustern*) to scrutinize ▶ *ein ~der Blick* a searching look. [e] (*heimsuchen*) to afflict ▶ *ein schwer geprüfter Vater* a sorely tried father.
Prüfer(in *f*) *m* - examiner; (*Wirtschafts~*) auditor.
Prüfling *m* examination candidate.
Prüf-: **~stand** *m* test bed; *auf dem ~stand sein* to be on test; **~stein** *m* (*fig*) touchstone (*für* of *or* for), measure (*für* of).
Prüfung *f* siehe vt [a] exam, examination ▶ *eine ~ machen* to take an exam; *durch eine ~ fallen* to fail an exam. [b] check; examination; test; audit; inspection; investigation ▶ *nach der ~ wird das Auto ...* after being tested the car is ...; *bei nochmaliger ~ der Rechnung* on rechecking the account. [c] consideration. [d] (*Heimsuchung*) test, trial.
Prüfungs-: **~angst** *f* exam nerves *pl*; **~arbeit** *f* dissertation; **~ausschuß** Δ *m* board of examiners; **~kandidat** *m* (examination) candidate; **~ordnung** *f* examination regulations *pl.*
Prügel *m* - [a] (*Stock*) club. [b] ~ *pl* (*col: Schläge*) thrashing ▶ *~ bekommen* to get a thrashing.
Prügelei *f* (*col*) fight, punch-up (*Brit col*).
Prügelknabe *m* (*fig*) whipping boy.

prügeln [1] *vti* to beat.
[2] *vr* to fight ► *sich mit jdm* ~ to fight sb; *sich um etw* (*acc*) ~ to fight over sth.

Prügelstrafe *f* corporal punishment.

Prunk *m no pl* (*Pracht*) splendour (*Brit*), splendor (*US*) ► *großen* ~ *entfalten* to put on a show of great splendour.

Prunk-: **~saal** *m* palatial room; **~stück** *nt* showpiece; **p~voll** *adj* magnificent.

prusten *vi* (*col*) to snort ► *vor Lachen* ~ to snort with laughter.

PS [peː'ˈɛs] *nt* = Pferdestärke hp.

P.S., PS [peː'ˈɛs] *nt* -, - = Postskript(um) PS.

Psalm *m* -en psalm.

Pseudo-, pseudo- *in cpds* pseudo.

Pseudonym *nt* -e pseudonym.

Psyche *f* -n psyche.

Psychiater(in *f)* *m* - psychiatrist.

Psychiatrie *f* psychiatry.

psychiatrisch *adj* psychiatric.

psychisch *adj Belastung etc* emotional, psychological; *Phänomen* psychic ► **~e Erkrankung** mental illness; ~ *gestört* emotionally *or* psychologically disturbed; *er ist* ~ *völlig am Ende* his nerves can't take any more.

Psycho- *in cpds* psycho-; **~analyse** *f* psychoanalysis; **~analytiker(in** *f)* *m* psychoanalyst; **p~analytisch** *adj* psychoanalytic(al); **~krimi** *m* psychological thriller; **~loge** *m,* **~login** *f* psychologist; **~logie** *f* psychology; **p~logisch** *adj* psychological; **~path(in** *f)* *m* -en, -en psychopath; **~terror** *m* psychological intimidation; **~therapeut(in** *f)* *m* psychotherapist; **p~therapeutisch** *adj* psychotherapeutic; **~therapie** *f* psychotherapy.

PTA [peːteːˈˈaː] = pharmazeutisch-technische Assistentin, pharmazeutisch-technischer Assistent.

pubertär *adj* of puberty, adolescent.

Pubertät *f* puberty.

Pubertäts-: **~alter** *nt* age of puberty; **~erscheinung** *f* symptom of puberty; **~zeit** *f* puberty (period).

Publicity [pʌˈblɪsɪtɪ] *f no pl* publicity.

publik *adj pred* public ► ~ *werden* to become public knowledge; *die Sache ist längst* ~ that's long been common knowledge.

Publikation *f* publication.

Publikum *nt no pl* (*col*) public; (*Zuschauer, Zuhörer*) audience; (*Sport*) crowd ► *das* ~ *in dieser Bar ist sehr gemischt* you get a very mixed group of people using this bar; *sein* ~ *finden* to find a public.

Publikums-: **~erfolg** *m* popular success; **~liebling** *m* darling of the public; **~magnet** *m* crowd puller; **~verkehr** *m „heute kein ~verkehr“* "closed today for public business"; **p~wirksam** *adj* *p~wirksam sein* to have public appeal.

publizieren *vti* to publish.

Publizist(in *f)* *m* publicist; (*Journalist*) journalist.

Publizistik *f* journalism.

Pudding *m* -s ≈ blancmange.

Puddingpulver *nt* custard powder.

Pudel *m* poodle ► *das ist des ~s Kern* (*fig*) that's what it's really all about.

Pudel-: **~mütze** *f* bobble hat (*col*); **p~naß** △ *adj* dripping wet; **p~wohl** *adj* (*col*) *sich p~wohl fühlen* to feel on top of the world (*col*).

Puder *m or* (*col*) *nt* - powder.

Puderdose *f* (powder) compact.

pudern *vt* to powder.

Puder-: **~quaste** *f* powder puff; **~zucker** *m* icing sugar.

Puertoricaner(in *f)* [puɛrtoriˈkaːnɐ, -ərɪn] *m* - Puerto Rican.

puertoricanisch [puɛrtoriˈkaːnɪʃ] *adj* Puerto Rican.

Puerto Rico [puɛrtoˈriːko] *nt* Puerto Rico.

Puff¹ *m* -̈e (*Stoß*) blow; (*in die Seite*) dig.

Puff² *m or nt* -s (*col*) brothel, cathouse (*esp US col*).

Puff|ärmel *m* puff(ed) sleeve.

puffen [1] *vt* [a] (*schlagen*) to thump; (*in die Seite*) to prod. [b] *Rauch* to puff.
[2] *vi* (*col: puff machen*) to go bang; (*Rauch, Abgase*) to puff.

Puffer *m* - [a] (*Rail, Comp*) buffer. [b] (*Cook*) potato fritter.

Puffer-: **~speicher** *m* (*Comp*) buffer (memory); **~staat** *m* buffer state; **~zone** *f* buffer zone.

Puffreis *m* puffed rice.

puh *interj* (*Abscheu*) ugh; (*Erleichterung*) phew.

Pulk *m* -s [a] (*Mil*) group. [b] (*Menge*) (*von Menschen*) throng; (*von Dingen*) pile.

Pulle *f* -n (*col*) bottle ► *volle* ~ *fahren* (*col*) to drive flat out (*col*).

Pulli *m* -s (*col*), **Pullover** [pʊˈloːvɐ] *m* - jumper (*Brit*), sweater.

Pullunder *m* - slipover.

Puls *m* -e (*lit, fig*) pulse ► *sein* ~ *geht regelmäßig* his pulse is regular; *jdm den* ~ *fühlen* to feel *or* take sb's pulse.

Puls|ader *f* artery ► *sich* (*dat*) *die ~(n) aufschneiden* to slash one's wrists.

pulsieren* *vi* (*lit, fig*) to pulsate, to throb.

Puls-: **~schlag** *m* pulse-beat; (*fig*) pulse; *den ~schlag der Zeit spüren* to feel life pulsing around one; **~wärmer** *m* - wrist warmer.

Pult *nt* -e desk.

Pulver ['pʊlfɐ, -lvɐ] *nt* - powder ► *er hat das* ~ *nicht erfunden* (*fig*) he'll never set the Thames (*Brit*) *or* the world on fire (*prov*); *sein* ~ *verschossen haben* (*fig*) to have shot one's bolt.

△**Pulverfaß** *nt* (*fig*) powder keg ► *(wie) auf einem* ~ *sitzen* (*fig*) to be sitting on a volcano.

pulv(e)rig ['pʊlv(ə)rɪç] *adj* powdery *no adv.*

pulverisieren * [pʊlveriˈziːrən] *vt* to pulverize.

Pulver-: **~kaffee** *m* (*col*) instant coffee; **~schnee** *m* powder snow.

Puma *m* -s puma.

Pummelchen *nt* (*col*) roly-poly (*col*).

pumm(e)lig *adj* (*col*) chubby, plump.

Pump *m no pl* (*col*) *auf* ~ *kaufen/leben* to buy/live on tick (*Brit col*) *or* credit.

Pumpe *f* -n [a] pump. [b] (*col*) (*Herz*) ticker (*col*).

pumpen *vti* [a] to pump. [b] (*col*) (*entleihen*) to borrow; (*verleihen*) to loan.

Pumpernickel *m* - pumpernickel.

Pumphose *f* knickerbockers *pl*.

Pumps [pœmps] *m* -, - court shoe.

puncto *prep* +*gen: in* ~ *X* where X is concerned.

Punk [paŋk] *m* -s, *no pl* punk.

Punker(in *f)* ['paŋkɐ, -ərɪn] *m* - punk.

Punkt *m* -e [a] (*Tupfen*) spot, dot. [b] (*Satzzeichen*) full stop, period (*esp US*); (*Typ*) point; (*auf dem i, Mus, Auslassungszeichen, von ~linie, Comp*) dot ► *nun mach aber mal einen* ~*!* (*col*) that's enough of that!; *ohne* ~ *und Komma reden* (*col*) to talk nineteen to the dozen (*col*). [c] (*Stelle*) point ► ~ *12 Uhr* at 12 o'clock on the dot; *wir sind auf* or *an dem* ~ *angelangt, wo ...* we have reached the point where ... [d] (*Bewertungseinheit*) point, mark; (*bei Prüfung*) mark ► *nach ~en führen/siegen* to lead/win on points. [e] (*bei Diskussion etc*) point ► *in diesem* ~ on this point; *etw auf den* ~ *bringen* to get to the heart of sth.

Punkt-: **p~gleich** *adj* (*Sport*) level; **~gleichheit** *f* (*Sport*) level score; *bei ~gleichheit* if the scores are level.

punktieren* *vt* [a] (*Med*) to aspirate. [b] (*mit Punkten*) to dot ► *punktierte Linie* dotted line.

pünktlich ① *adj* punctual.
② *adv* on time ▸ *er kam ~ um 3 Uhr* he came at 3 o'clock sharp; *~ dasein* to be there on time.
Pünktlichkeit *f* punctuality.
Punkt-: **~richter** *m* judge; **~sieg** *m* points win; **~sieger** *m* winner on points.
punktuell *adj* dealing with certain points ▸ *~e Verkehrskontrollen* spot checks on traffic.
Punkt-: **~wertung** *f* points system; *in der ~wertung liegt er vorne* he's leading on points; **~zahl** *f* score.
Punsch *m* -e (hot) punch.
Pupille *f* -n pupil.
Puppe *f* -n ⓐ (*Kinderspielzeug*) doll; (*Marionette*) puppet; (*Schaufenster~*, *Mil: Übungs~*) dummy; (*col: Mädchen*) doll (*col*), bird (*esp Brit col*) ▸ *die ~n tanzen lassen* (*col*) to live it up (*col*); *bis in die ~n schlafen* (*col*) to sleep to all hours. ⓑ (*Zool*) pupa.
Puppen- *in cpds* doll's; **p~haft** *adj* doll-like; **~haus** *nt* doll's house, dollhouse (*US*); **~spiel** *nt* puppet show; **~spieler** *m* puppeteer; **~stube** *f* doll's house, dollhouse (*US*); **~theater** *nt* puppet theatre (*Brit*) *or* theater (*US*); **~wagen** *m* doll's pram (*Brit*), baby carriage (*US*).
Pups *m* -e, **Pupser** *m* - (*col: Furz*) rude noise/smell.
pupsen *vi* (*col*) to make a rude noise/smell.
pur *adj* (*rein*) pure; (*unverdünnt*) neat; (*völlig*) sheer ▸ *~er Unsinn* absolute nonsense; *~er Zufall* sheer coincidence; *Whisky ~* neat whisky.
Püree *nt* -s puree; (*Kartoffel~*) creamed potatoes *pl*.
pürieren* *vt* to puree.
Purist(in *f*) *m* purist.
puritanisch *adj* (*Hist*) Puritan; (*pej*) puritanical.
Purpur *m no pl* purple; (*sattrot*) (deep) crimson.
Purpur-: **p~farben** *adj* purple; (*sattrot*) (deep) crimson; **~mantel** *m* purple robe; **p~rot** *adj* (deep) crimson.
Purzelbaum *m* somersault ▸ *einen ~ machen or schlagen* to turn a somersault.
purzeln *vi aux sein* to tumble.
Puste *f no pl* (*col*) puff (*col*), breath ▸ *außer ~ sein* to be out of puff (*col*), to be puffed (out) (*col*).
Pusteblume *f* (*col*) dandelion.
Pustekuchen *interj* (*col*) fiddlesticks (*col*).
Pustel *f* -n (*Pickel*) pimple; (*Med*) pustule.
pusten (*col*) ① *vi* (*blasen*) to puff (*col*); (*keuchen*) to puff (and pant).
② *vt* (*blasen*) to puff, to blow.
Pute *f* -n turkey (hen) ▸ *dumme ~* (*col*) silly goose (*col*).
Puter *m* - turkey (cock).

puterrot *adj* scarlet.
Putsch *m* -e coup (d'état), revolt.
putschen *vi* to rebel, to revolt.
Putschist(in *f*) *m* rebel.
Putschversuch *m* attempted coup (d'état).
Pütt *m* -s (*dial*) pit, mine.
Putte *f* -n (*Art*) cherub.
Putz *m no pl* ⓐ (*Build*) plaster; (*Rauh~*) roughcast ▸ *eine Mauer mit ~ verkleiden* to roughcast a wall; *unter ~* under the plaster. ⓑ *auf den ~ hauen* (*col*) (*angeben*) to show off; (*ausgelassen feiern*) to have a rave-up (*col*); (*meckern*) to kick up a fuss (*col*). ⓒ (*dated: Kleidung*) finery ▸ *in vollem ~ erscheinen* to arrive dressed up in one's Sunday best.
putzen ① *vt* to clean; (*scheuern auch*) to scrub; (*polieren auch*) to polish; (*wischen auch*) to wipe ▸ *die Schuhe ~* to clean *or* polish one's shoes; *Fenster ~* to clean the windows; *sich* (*dat*) *die Nase ~* to wipe one's nose; (*sich schneuzen*) to blow one's nose; *sich* (*dat*) *die Zähne ~* to brush one's teeth; *einem Baby den Hintern/die Nase ~* to wipe a baby's bottom/nose.
② *vr* ⓐ (*sich säubern*) to wash oneself. ⓑ (*dated: sich schmücken*) to dress oneself up.
Putz-: **~fimmel** *m* (*pej*) = **~wut**; **~frau** *f* cleaning lady, charwoman (*Brit*).
putzig *adj* (*col*) (*komisch*) comical; (*niedlich*) cute.
Putz-: **~kolonne** *f* team of cleaners; **~lappen** *m* cloth; (*Staubtuch*) duster; **~mann** *m* cleaning man; **~mittel** *nt* (*zum Scheuern*) cleaner, cleaning agent; (*zum Polieren*) polish; **~mittel** *pl* cleaning things *pl*; **p~munter** *adj* (*col*) full of beans (*col*); **~teufel** *m* (*col: Frau*) maniac for housework; **~tuch** *nt* (*Staubtuch*) duster; (*Wischlappen*) cloth; **~wut** *f* obsession with cleaning; **~zeug** *nt* cleaning things *pl*.
Puzzle(spiel) ['pazl-] *nt* -s jigsaw (puzzle).
PVC [pe:fau'tse:] *nt* -(s) PVC.
Pygmäe [pʏ'gmɛːə] *m* (*wk*) -n, -n pygmy.
Pyjama [py'dʒaːma] *m* -s pyjamas *pl* (*Brit*), pajamas *pl* (*US*) ▸ *im ~* in his pyjamas.
Pyjamahose *f* pyjama (*Brit*) *or* pajama (*US*) trousers *pl*.
Pyramide *f* -n pyramid.
Pyrenäen [pyre'nɛːən] *pl die ~* the Pyrenees *pl*.
pyrenäisch [pyre'nɛːɪʃ] *adj* Pyrenean.
Pyro-: **~mane** *m* (*wk*) -n, -n, **~manin** *f* pyromaniac; **~manie** *f* pyromania; **~technik** *f* pyrotechnics *sing*; **p~technisch** *adj* pyrotechnic.
Python(schlange *f*) ['py:tɔn-] *m* -s python.

Q

Q, q [kuː] nt -, - Q, q ▸ *Q wie Quelle* ≃ Q for Queen.
qcm = Quadratzentimeter.
qkm = Quadratkilometer.
qm = Quadratmeter.
quabbelig adj (*N Ger col*) jelly-like; *Pudding* wobbly.
Quacksalber m - (*pej*) quack (doctor).
Quacksalberei f quack medicine.
Quaddel f -n hives pl, rash; (*durch Insekten*) bite.
Quader m (*Math*) rectangular solid; (*Archit*) ashlar, stone block.
Quadrat nt (*Fläche, Potenz*) square ▸ *vier zum ~* four squared; *drei Meter im ~* three metres square.
Quadrat- in cpds square.
quadratisch adj *Form* square; (*Math*) *Gleichung* quadratic.
Quadrat-: **~latschen** pl (*hum*) (*Schuhe*) clodhoppers (*col*); (*Füße*) huge feet; **~meter** m or nt square metre (*Brit*) or meter (*US*).
Quadratur f quadrature ▸ *das käme der ~ des Kreises gleich* (*geh*) that's like trying to square the circle.
Quadrat-: **~wurzel** f square root; **~zahl** f square number.
quadrieren* vt *Zahl* to square.
Quadro nt no pl = Quadrophonie.
quadrophon adj quadraphonic.
⚠ **Quadrophonie** f quadraphonic sound, quadrophony.
quak interj (*von Frosch*) croak; (*von Ente*) quack.
quaken vi (*Frosch*) to croak; (*Ente*) to quack; (*col: Mensch*) to squawk (*col*).
quäken vti (*col*) to screech, to squawk.
Quäker(in f) m - Quaker.
Qual f -en (*Schmerz*) (*körperlich*) pain, agony; (*seelisch*) anguish ▸ *jds ~(en) lindern* to lessen sb's suffering; *unter großen ~en sterben* to die in agony; *sein Leben war eine einzige ~* he lived a life of constant suffering; *es ist eine ~, das mit ansehen zu müssen* it is agonizing to watch; *jeder Schritt wurde ihm zur ~* every step was agony for him; *er machte ihr das Leben zur ~* he made her life a misery; *die ~en, die sie um ihn ausgestanden hat* the suffering she has gone through because of him.
quälen 1 vt to torment; *Tiere auch* to tease; (*mit Bitten etc*) to pester ▸ *jdn zu Tode ~* to torture sb to death; *~de Ungewißheit* agonizing uncertainty; *~der Durst* excruciating thirst; *siehe* **gequält**.
2 vr a (*seelisch*) to torment oneself; (*leiden*) to be in agony. b (*sich abmühen*) to struggle ▸ *er mußte sich ~, damit er das schaffte* it was a struggle for him to do it; *sich durch ein Buch ~* to struggle through a book.
Quälerei f a (*Grausamkeit*) torture; (*seelische, nervliche Belastung*) torment ▸ *das ist doch eine ~ für das Tier* that is cruel to the animal. b (*mühsame Arbeit*) struggle.
Quälgeist m (*col*) pest (*col*).
Qualifikation f qualification ▸ *er hat die ~ zu diesem Amt* he has the qualifications for this office; *zur ~ fehlten ihr nur wenige Sekunden* she was only a few seconds outside the qualifying time.
Qualifikationsspiel nt qualifying game.
qualifizieren* vtr to qualify (*für, zu* for).

qualifiziert adj a *Arbeiter, Nachwuchs* qualified; *Arbeit* professional. b (*Pol*) *Mehrheit* requisite.
Qualität f quality ▸ *von ausgezeichneter ~* (of) top quality.
qualitativ adj qualitative.
Qualitäts- in cpds quality; **~arbeit** f quality work; **~kontrolle** f quality check or control; **~ware** f quality goods pl; **~wein** m wine of certified origin and quality.
Qualle f -n jellyfish.
Qualm m no pl dense smoke; (*Tabaks~*) fug.
qualmen 1 vi a to smoke ▸ *es qualmt aus dem Schornstein* clouds of smoke are coming from the chimney. b (*col: Mensch*) to smoke ▸ *sie qualmt einem die ganze Bude voll* she fills the whole place with smoke. 2 vt (*col*) *Zigarette, Pfeife* to puff away at (*col*).
qualmig adj smoky.
qualvoll adj painful; *Schmerzen* excruciating; *Gedanke* agonizing; *Anblick* harrowing.
Quant nt -en quantum.
Quanten pl a pl of Quant, Quantum. b (*col: Füße*) feet.
Quanten-: **~physik** f quantum physics sing; **~sprung** m quantum leap; **~theorie** f quantum theory.
quantifizieren* vt to quantify.
Quantität f quantity.
quantitativ adj quantitative.
Quantum nt, pl **Quanten** (*Menge*) quantity; (*Anteil*) quota (*an* +dat of).
Quarantäne f -n quarantine ▸ *unter ~ stellen* to put in quarantine; *über das Gebiet wurde ~ verhängt* the area was placed under quarantine.
Quarantänestation f isolation ward.
Quark m no pl a quark, soft curd cheese. b (*col: Unsinn*) rubbish ▸ *so ein ~!* stuff and nonsense!; *das geht ihn einen ~ an!* it's none of his business!
Quark-: **~kuchen** m cheesecake; **~tasche** f, **~teilchen** nt curd cheese turnover.
Quart[1] f -en a (*Mus: auch ~e*) fourth. b (*Fechten*) quarte.
Quart[2] nt no pl (*Typ*) quarto (*format*).
Quarta f, pl **Quarten** (*Sch dated*) third year of German secondary school.
Quartal nt -e quarter (year) ▸ *Kündigung zum ~* quarterly notice date.
Quartal(s)-: **~abschluß** ⚠ m end of the quarter; **~säufer** m (*col*) heavy drinker; **q~weise** adj quarterly.
Quartaner(in f) m - (*Sch dated*) pupil in third year of German secondary school.
Quarte f -n (*Mus*) fourth.
Quartett nt -e a (*Mus*) quartet. b (*Cards*) (*Spiel*) ≃ happy families; (*Karten*) set of four cards.
Quartier nt -e a (*Unterkunft*) accommodation (*Brit*), accommodations (*US*) ▸ *wir sollten uns ein ~ suchen* we should look for a place to stay; *wir hatten unser ~ in einem alten Bauernhof* we stayed in an old farmhouse. b (*Mil*) quarters pl, billet.
Quarz m -e quartz.
Quarz-: **~lampe** f quartz lamp; **~uhr** f quartz clock/watch.
Quasar m -e quasar.

⚠: Informationen zur Rechtschreibreform im Anhang

quasi [1] *adv* virtually.
  [2] *pref* quasi.
Quasselei *f* (*col*) gabbling (*col*), blethering (*col*).
quasseln *vti* to gabble (*col*), to blether (*col*).
Quasselstrippe *f* (*col*) chatterbox (*col*).
Quaste *f* -n (*Troddel*) tassle; (*von Pinsel*) bristles *pl*; (*Schwanz~*) tuft.
Quästur *f* (*Univ*) bursar's office.
Quatsch *m no pl* (*col*) [a] (*Unsinn*) rubbish ▸ *das ist der größte ~, den ich je gehört habe* that is the biggest load of rubbish I have ever heard; *ach ~!* rubbish!; *so ein ~!* what rubbish. [b] (*Dummheiten*) nonsense ▸ *hört doch endlich mit dem ~ auf!* stop being so stupid!; *laß den ~* cut it out! (*col*); *~ machen* to mess about (*col*); *mach keinen ~, sonst ...* don't try anything funny or ...
quatschen (*col*) [1] *vti* (*dummes Zeug reden*) to gab (away) (*col*).
  [2] *vi* [a] (*plaudern*) to chatter, to natter (*Brit col*) ▸ *ich hab' mit ihm am Telefon gequatscht* I had a good natter with him on the phone. [b] (*etw ausplaudern*) to squeal (*col*), to talk.
Quatscherei *f* (*col*) blathering (*col*), yacking (*col*).
Quatschkopf *m* (*pej col*) (*Schwätzer*) windbag (*col*); (*Dummkopf*) fool, twit (*Brit col*).
Quecksilber *nt* mercury.
Quecksilber- *in cpds* mercury; **q~haltig** *adj* mercurial.
Quell *m* -e (*poet*) spring, source.
Quelle *f* -n [a] spring; (*von Fluß auch*) source; (*Erdöl~, Gas~*) well. [b] (*fig, für Waren*) source ▸ *die ~ allen Übels* the root of all evil; *eine ~ der Freude* a source of pleasure; *aus zuverlässiger ~* from a reliable source; *an der ~ sitzen* (*fig*) to be close to the source (of supply/information), to be well-placed.
quellen *vi pret* **quoll**, *ptp* **gequollen** *aux sein* [a] (*herausfließen*) to pour, to stream. [b] (*Reis, Erbsen*) to swell ▸ *lassen Sie die Bohnen über Nacht ~* leave the beans to soak overnight.
Quellen- ~**angabe** *f* reference; ~**forschung** *f* source research; ~**steuer** *f* tax at source.
Quell- ~**fluß** △ *m* source (river); ~**programm** *nt* (*Comp*) source program; ~**sprache** *f* source language; ~**wasser** *nt* spring water.
Quengelei *f* (*col*) whining.
queng(e)lig *adj* whining ▸ *die Kinder wurden ~* the children started to whine *or* grizzle (*Brit col*).
quengeln *vi* (*col*) to whine, to grizzle (*Brit col*).
quer *adv* (*schräg*) crosswise; (*rechtwinklig*) at right angles ▸ *er legte sich ~ aufs Bett* he lay down across the bed; *die Loipe verläuft ~ zum Hang* the ski run runs across the slope; *die Straße/Linie verläuft ~* the road/line runs at right angles; *der Wagen stand ~ zur Fahrbahn* the car was standing sideways across the road; *~ durch etw gehen/laufen etc* to go through sth; *~ über etw* (*acc*) *gehen/laufen* to go across sth.
Quer- ~**balken** *m* crossbeam; (*von Türrahmen*) lintel; (*Sport*) crossbar; **q~beet** *adv* (*col*) (*wahllos*) at random; (*~feldein*) across country; ~**denker** *m* maverick.
Quere *f no pl jdm in die ~ kommen* to cross sb's path; *der Lastwagen kam mir in die ~* the lorry got in my way.
Querele *f* -n *usu pl* (*geh*) dispute, quarrel.
querfeldein *adv* across country.
Querfeldeinrennen *nt* cross-country; (*Aut*) autocross; (*mit Motorrädern*) motocross; (*Radrennen*) cyclocross.
Quer- ~**flöte** *f* (transverse) flute; ~**format** *nt* landscape *or* oblong format; **q~gestreift** △ *adj attr* horizontally striped; ~**kopf** *m* (*col*) awkward customer (*col*); **q~köpfig** *adj* perverse; ~**latte** *f* crossbar; **q~legen** △ *vr sep* (*fig col*) to be awkward; ~**paß** △ *m* cross; ~**schiff** *nt* transept; ~**schläger** *m* ricochet.

Querschnitt *m* (*lit, fig*) cross-section.
querschnittsgelähmt *adj* paraplegic ▸ *seit dem Autounfall ist er ~* since the car accident he has been paralyzed from the waist down.
Querschnittslähmung *f* paraplegia.
Quer- **q~stellen** △ *vr sep* (*fig col*) to be awkward; ~**straße** *f die ~straßen zur Königstraße* the streets crossing (the) Königstraße; *das ist eine ~straße zur Hauptstraße* this street runs at right angles to the high street; *bei or an der zweiten ~straße fahren Sie links ab* turn left at the second junction (*Brit*) *or* crossroads; ~**streifen** *m* horizontal stripe; ~**strich** *m* (horizontal) stroke *or* line; ~**summe** *f* (*Math*) sum of digits of a number; ~**treiber** *m* (*col*) troublemaker.
Querulant(in *f*) *m* grumbler.
Quer- ~**verbindung** *f* connection, link; ~**verweis** *m* cross-reference.
quetschen [1] *vt* (*drücken*) to squash, to crush; (*aus einer Tube*) to squeeze ▸ *etw in etw* (*acc*) *~* to squeeze sth into sth; *sich den Finger ~* to squash one's finger. [2] *vr* (*sich klemmen*) to be caught; (*sich zwängen*) to squeeze (oneself).
Quetschkommode *f* (*hum col*) squeeze box (*col*).
Quetschung, Quetschwunde *f* (*Med*) bruise, contusion (*form*).
Queue [kø:] *nt* -s (*Billard*) cue.
Quiche [kiʃ] *f* -s quiche.
quicklebendig *adj* (*col*) *Kind* lively, active; *ältere Person auch* spry.
quiek(s)en *vi* to squeal, to squeak.
quietschen *vi* (*Tür, Schloß*) to squeak; (*Reifen, Mensch*) to squeal.
quietschfidel, quietschvergnügt *adj* (*col*) happy as a sandboy (*col*).
Quint *f* -, -en [a] (*Mus*) fifth. [b] (*Fechten*) quinte.
Quinta *f, pl* **Quinten** (*Sch dated*) second year of German secondary school.
Quintaner(in *f*) *m* - (*Sch dated*) pupil in second year of German secondary school.
Quinte *f* -n (*Mus*) fifth.
Quint|essenz *f* (*geh*) quintessence.
Quintett *nt* -e quintet.
Quirl *m* -e [a] (*Cook*) whisk, beater. [b] (*col: Mensch*) live wire (*col*).
quirlen *vt* to whisk, to beat.
quirlig *adj* lively.
quitt *adj* ~ *sein (mit jdm)* to be quits (with sb); *jdn/etw ~ sein* to be rid of sb/sth.
Quitte *f* -n quince.
quittieren* [1] *vt* [a] (*bestätigen*) *Betrag, Empfang* to give a receipt for ▸ *lassen Sie sich* (*dat*) *die Rechnung ~* get a receipt for the bill. [b] (*beantworten*) to meet. [c] (*verlassen*) *Dienst* to quit, to resign.
  [2] *vi* (*bestätigen*) to sign.
Quittung *f* [a] receipt ▸ *gegen ~* on production of a receipt; *eine ~ über 500 Mark* a receipt for 500 marks. [b] (*fig*) *das ist die ~ für Ihre Unverschämtheit* that is what you get for being so insolent; *er hat seine ~ bekommen* he's paid the penalty *or* price.
Quiz [kvɪz] *nt* -, - quiz.
Quizmaster ['kvɪsmaːstɐ] *m* - quizmaster, question master.
quoll *pret of* **quellen**.
Quote *f* -n [a] (*Statistik*) (*Anteilsziffer*) proportion; (*Rate*) rate. [b] (*Econ, Quantum*) quota.
Quoten- ~**frau** *f* token woman; ~**regelung** *f* quota system (*ensuring that women are adequately represented*).
Quotient [kvo'tsiɛnt] *m* quotient.
Quotierung *f* (*Comm*) quotation.
Qwerty-Tastatur ['kwɛrtɪ-] *f* Qwerty keyboard.

△: for details of spelling reform, see supplement

R

R, r [ɛr] *nt* -, - R, r ▸ *das R rollen* to roll one's r's; *R wie Richard* ≃ R for Robert, R for Roger (*US*).
r = rechts r.
Rabatt *m* -e discount ▸ *mit 10%* ~ at (a) 10% discount.
Rabatte *f* (*Beet*) (flower) border.
Rabattmarke *f* (*Comm*) (trading) stamp.
Rabatz *m no pl* (*col*) row, din.
Rabauke *m* (*wk*) -n, -n (*col*) hooligan, lout (*col*).
Rabbi *m* -s, **Rabbiner** *m* - rabbi.
Rabe *m* (*wk*) -n, -n raven ▸ *wie ein* ~/*die* ~*n stehlen* (*col*) to nick everything in sight (*col*).
Raben-: ~**eltern** *pl* (*col*) neglectful parents *pl*; ~**mutter** *f* (*col*) neglectful mother; **r**~**schwarz** *adj* pitch-black; *Haare* jet-black; ~**vater** *m* (*col*) neglectful father.
rabiat *adj Kerl, Autofahrer, Umgangston* aggressive; *Geschäftsleute, Methoden* ruthless.
Rache *f no pl* revenge, vengeance ▸ *das ist die* ~ *für deine Untat* this is the retribution for your misdeed (*liter*); *(an jdm)* ~ *nehmen or üben* to take revenge (on sb); *etw aus* ~ *tun* to do sth in revenge; ~ *ist süß* (*prov*) revenge is sweet (*prov*).
Rache-: ~**akt** *m* act of revenge *or* vengeance; **r**~**durstig** *adj* thirsting for revenge; ~**engel** *m* avenging angel.
Rachen *m* - throat, pharynx (*spec*); (*von großen Tieren, fig*) jaws *pl* ▸ *jdm etw in den* ~ *werfen* (*col*) to shove sth down sb's throat (*col*).
rächen [1] *vt jdn, Untat* to avenge (*etw an jdm* sth on sb).
[2] *vr* (*Mensch*) to get one's revenge (*an jdm für etw* on sb for sth); (*Sünde*) to be avenged ▸ *deine Faulheit wird sich* ~ you'll pay for being so lazy.
Rächer(in *f*) *m* - avenger.
Rachitis *f no pl* rickets.
rachitisch *adj* rickety.
Rach-: ~**sucht** *f* vindictiveness; **r**~**süchtig** *adj* vindictive.
Racker *m* - (*col: Kind*) rascal (*col*), monkey (*col*).
rackern *vir* (*col*) to slave (away) (*col*).
Rad *nt* ⁻er [a] wheel; (*Rolle*) castor; (*Zahn*~) gearwheel ▸ *ein* ~ *schlagen* (*Sport*) to do a cartwheel; *der Pfau schlägt ein* ~ the peacock is fanning out its tail; *nur ein* ~ *or Rädchen im Getriebe sein* (*fig*) to be only a cog in the machine; *unter die* ⁻er *kommen* (*col*) to fall into bad ways; *das fünfte* ~ *am Wagen sein* (*col*) to be de trop *or* in the way; *ein* ~ *abhaben* (*col*) to have a screw loose. [b] (*Fahr*~) bicycle, bike (*col*) ▸ *mit dem* ~ *fahren* to go by bicycle.
Radar *m or nt no pl* radar.
Radar-: ~**anlage** *f* radar (equipment) *no indef art*; ~**falle** *f* speed trap; ~**kontrolle** *f* radar speed check; ~**schirm** *m* radar screen.
Radau *m no pl* (*col*) din, racket (*col*) ▸ ~ *machen* to kick up a row; (*Unruhe stiften*) to cause trouble.
Rad|aufhängung *f* (*Aut*) (wheel) suspension.
Rädchen *nt dim of* Rad small wheel; *siehe* Rad.
Raddampfer *m* paddle steamer.
radebrechen *vti insep* to speak broken English/German etc.
radeln *vi aux sein* (*col*) to cycle.
Rädelsführer *m* ringleader.

rädern *vt* (*Hist*) to break on the wheel; *siehe* **gerädert**.
Räderwerk *nt* (*Zahnräder*) gears *pl*; (*einer Uhr etc*) works *pl*; (*fig*) machinery.
⚠ **radfahren** *vi sep irreg aux sein* [a] to cycle ▸ *ich fahre Rad* I ride a bicycle; *kannst du* ~? can you ride a bike? [b] (*pej col: kriechen*) to crawl (*col*).
Radfahrer *m* [a] cyclist. [b] (*pej col*) crawler (*col*).
Radfahrweg *m* cycle track, cycleway.
Radgabel *f* fork.
Radi *m* - (*S Ger, Aus*) radish.
radial *adj* radial.
Radiator *m* radiator.
radieren* *vti* [a] to rub out. [b] (*Art*) to etch.
Radiergummi *m* rubber (*Brit*), eraser (*esp US*).
Radierung *f* (*Art*) etching.
Radieschen [raˈdiːsçən] *nt* radish ▸ *sich* (*dat*) *die* ~ *von unten ansehen* (*hum col*) to be pushing up the daisies (*col*).
radikal *adj* radical; *Entfernen* total; *Ablehnung* flat ▸ ~ *gegen etw vorgehen* to take radical steps against sth.
Radikale(r) *mf decl as adj* radical.
radikalisieren* *vt* to make more radical.
Radikalisierung *f* radicalization.
Radikalismus *m* (*Pol*) radicalism.
Radikalkur *f* (*col*) drastic remedy.
Radio *nt* -s radio, wireless (*esp Brit*) ▸ ~ *hören* to listen to the radio; *im* ~ on the radio.
Radio- *in cpds* radio; **r**~**aktiv** *adj* radioactive; **r**~**aktiver Niederschlag** (radioactive) fallout; ~**aktivität** *f* radioactivity; ~**apparat** *m* radio (set); ~**durchsage** *f* radio announcement; ~**gerät** *nt* radio (set); ~**loge** *m*, ~**login** *f* (*Med*) radiologist; ~**logie** *f* (*Med*) radiology; ~**recorder** *m* radio-cassette recorder; ~**sender** *m* (*Rundfunkanstalt*) radio station; (*Sendeeinrichtung*) radio transmitter; ~**sendung** *f* radio programme (*Brit*) *or* program (*US*); ~**station** *f* radio station; ~**teleskop** *nt* radio telescope; ~**wecker** *m* radio alarm (clock).
Radium *nt no pl* radium.
Radius *m, pl* **Radien** [-iən] radius.
Rad-: ~**kappe** *f* hub cap; ~**lager** *nt* wheel bearing.
Radler *m* [a] cyclist; [b] (*S Ger: Bier mit Limonade*) shandy.
Radlerhose *f* cycling shorts *sing*.
Radlerin *f* cyclist.
Rad-: ~**mantel** *m* (*Bereifung*) bicycle tyre (*Brit*) *or* tire (*US*); ~**nabe** *f* (wheel) hub.
Radon *nt no pl* radon.
Rad-: ~**rennbahn** *f* cycle (racing) track; ~**rennen** *nt* cycle race; (*Sportart*) cycle racing; ~**rennfahrer** *m* racing cyclist; **r**~**schlagen** ⚠ *vi sep irreg* to do cartwheels; ~**sport** *m* cycling; ~**sportler** *m* cyclist; ~**tour** *f* cycle tour; ~**wechsel** *m* wheel change; ~**weg** *m* cycle track, cycleway.
RAF [ɛrʔaːˈʔɛf] *f* = **Rote-Armee-Fraktion** Red Army Faction.
raffen *vt* [a] (*anhäufen*) to pile, to heap. [b] *Stoff, Gardine* to gather; *langes Kleid, Rock* to gather up. [c] (*col: verstehen*) to catch on to (*col*) ▸ *er hat es immer noch nicht gerafft* he still hasn't got it.
Raff-: ~**gier** *f* greed, avarice; **r**~**gierig** *adj* grasping.

Raffinade *f* (*Zucker*) refined sugar.
Raffinerie *f* refinery.
Raffinesse *f* a (*Feinheit*) refinement *no pl.* b (*Schlauheit*) cunning *no pl.*
raffinieren* *vt Zucker, Öl* to refine.
·**raffiniert** *adj* a *Zucker, Öl* refined. b (*col*) *Apparat* fancy (*col*); *Kleidung* stylish. c (*schlau*) cunning; (*durchtrieben auch*) crafty.
Raffiniertheit *f siehe adj* fanciness (*col*); stylishness; cunning; craftiness.
Rage ['raːʒə] *f no pl* (*Wut*) rage, fury ▶ *jdn in ~ bringen* to infuriate sb.
ragen *vi* to tower, to loom; (*heraus~*) to jut.
Ragout [ra'guː] *nt* -s ragout.
Rahm *m no pl* cream.
rahmen *vt* to frame; *Dias* to mount.
Rahmen *m* - a frame. b (*fig*) framework; (*Atmosphäre*) setting; (*Größe*) scale ▶ *im ~* within the framework (*gen* of); *im ~ des Möglichen* within the bounds of possibility; *im ~ bleiben* not to go too far; *aus dem ~ fallen* to go too far; *mußt du denn immer aus dem ~ fallen!* do you always have to show yourself up?; *ein Geschenk, das aus dem ~ des Üblichen fällt* a present with a difference; *in den ~ von etw passen* to blend in with sth; *das würde den ~ sprengen* it would be out of all proportion; *einer Feier den richtigen ~ geben* to provide the appropriate setting for a celebration; *in größerem/kleinerem ~* on a large/small scale.
Rahmen-: **~handlung** *f* (*Liter*) background story; **~plan** *m* outline plan; **~programm** *nt* framework; (*von Veranstaltung etc*) supporting acts *pl*; **~richtlinien** *pl* guidelines *pl.*
rahmig *adj* creamy.
Rahmkäse *m* cream cheese.
räkeln *vr* = rekeln.
Rakete *f* -n rocket (*auch Space*); (*Mil auch*) missile.
Raketen- *in cpds* rocket; (*Mil auch*) missile.
Raketen|abwehr *f* antimissile defence (*Brit*) *or* defense (*US*).
Raketen|abwehr- *in cpds* antimissile; **~system** *nt* missile defence (*Brit*) *or* defense (*US*) system.
Raketen-: **r~getrieben** *adj* rocket-propelled; **~stufe** *f* stage (of a rocket/missile); **~stützpunkt** *m* missile base; **~triebwerk** *nt* rocket engine; **~werfer** *m* rocket launcher.
Rallye ['rali, 'rɛli] *f* -s rally.
Rallyefahrer *m* rally driver.
RAM [ram] *m or nt* -s (*Comp*) RAM.
rammdösig *adj* (*col*) giddy, dizzy.
Ramme *f* -n ram; (*für Pfähle*) pile-driver.
Rammelei *f* (*col: Gedränge*) crush (*col*).
rammeln 1 *vt siehe* gerammelt.
2 *vi* (*Hunt*) to mate; (*col!*) to have it off (*col!*).
rammen *vt* to ram.
Rampe *f* -n a ramp. b (*Theat*) apron.
Rampenlicht *nt* (*Theat*) footlights *pl* ▶ *sie möchte im ~ stehen* (*fig*) she wants to be in the limelight.
ramponieren* *vt* (*col*) to ruin; *Möbel* to bash about (*col*) ▶ *er sah ziemlich ramponiert aus* he looked the worse for wear (*col*).
Ramsch *m no pl* (*col*) junk, rubbish.
Ramsch-: **~händler** *m* (*pej*) junk dealer; **~laden** *m* (*pej*) junk shop; **~ware** *f* (*pej*) trashy goods *pl*, rubbish.
ran (*col*) 1 *interj* come on.
2 *adv* = heran.
Rand *m* -er a edge; (*von Brunnen, Tasse*) rim, brim; (*von Abgrund*) brink ▶ *voll bis zum ~* full to the brim; *am ~e erwähnen* in passing; *interessieren, beteiligt sein* marginally; *am ~e des Waldes* at the edge of the forest; *am ~e der Stadt* on the outskirts of the town; *am ~e*

des Wahnsinns on the verge of madness; *am ~e eines Krieges* on the brink of war; *etw am ~e miterleben* to experience sth from the sidelines; *am ~e der Gesellschaft* on the fringes of society.
b (*Umrandung*) border; (*Teller~*) edge, side; (*Brillen~*) rim; (*von Hut*) brim; (*Buch~, Heft~*) margin ▶ *etw an den ~ schreiben* to write sth in the margin.
c (*Schmutz~*) ring ▶ *rote ~er um die Augen haben* to have red rims around one's eyes.
d (*fig*) *sie waren außer ~ und Band* they were going wild; *allein komme ich damit nicht zu ~e* I can't manage (it) by myself; *halt den ~!* (*col*) shut your face (*col!*).
Randale *f* rioting ▶ *~ machen* to riot.
randalieren* *vi* to rampage (about) ▶ *~de Jugendliche* (young) hooligans; *~de Studenten* rioting students; *die Gefangenen fingen an zu ~* the prisoners started to get violent.
Randalierer *m* - hooligan, rioter.
Rand-: **~ausgleich** *m* (*Comp*) justification; **~bemerkung** *f* marginal note; (*fig*) (passing) comment; **~erscheinung** *f* matter of minor importance; (*Nebenwirkung*) side effect; **~figur** *f* minor figure; **~gebiet** *nt* (*Geog*) fringe; (*Pol*) border territory; (*fig*) subsidiary; **~gruppe** *f* fringe group; **r~los** *adj Brille* rimless; *Hut* brimless; **~stein** *m* = Bordstein; **r~voll** *adj Glas* full to the brim; **~zone** *f* peripheral zone; *in der ~zone* on the periphery.
rang *pret of* ringen.
Rang *m* -e a (*Mil*) rank; (*in Firma*) position; (*gesellschaftlich auch*) position ▶ *im ~ eines Hauptmanns stehen* to have the rank of captain; *im ~ höher/tiefer stehen* to have a higher/lower rank/position, to rank higher/lower; *ein Mann ohne ~ und Namen* a man without any standing; *alles, was ~ und Namen hat* everybody who is anybody; *jdm den ~ ablaufen* (*fig*) to outstrip sb. b (*Qualität*) quality, class ▶ *ein Künstler von ~* an artist of standing; *von hohem ~* high-class; *ein Essen ersten ~es* a first-rate meal. c (*Theat*) circle ▶ *erster/zweiter ~* dress/upper circle; *vor leeren ~en spielen* to play to an empty house. d *~e pl* (*Sport*) stands *pl.* e (*Gewinnklasse*) prize category; (*Platz*) place.
Rangälteste(r) *m* (*Mil*) senior officer.
Range *f* -n urchin.
rangehen *vi sep irreg aux sein* (*col*) to get stuck in (*col*) ▶ *geh ran!* go on!; *siehe* herangehen.
Rangelei *f* ~~ = Gerangel.
rangeln *vi* ~~ scrap; (*um Posten*) to wrangle (*um* for).
Rang-: **~folge** *f* order of rank (*esp Mil*); **~höchste(r)** *mf decl as adj* senior person; (*Mil*) highest-ranking officer.
Rangierbahnhof [rãˈʒiːɐ-] *m* marshalling yard, switchyard (*US*).
rangieren* [rãˈʒiːrən] 1 *vt* (*Rail*) to shunt, to switch (*US*).
2 *vi* (*Rang einnehmen*) to rank ▶ *an erster/letzter Stelle ~* to come first/last.
Rangier- [rãˈʒiːɐ-]: **~gleis** *nt* siding, sidetrack (*US*); **~lok(omotive)** *f* shunter, switcher (*US*).
Rang-: **~liste** *f* (*Mil*) active list; (*Sport*) rankings *pl*; *er steht auf der ~liste der weltbesten Boxer* he ranks among the world's top boxers; **r~mäßig** *adj* according to rank; **~ordnung** *f* hierarchy; (*Mil*) (order of) ranks; **~stufe** *f* rank.
Rangun *nt* Rangoon.
Rang|unterschied *m* social distinction; (*Mil*) difference of rank.
ranhalten *vr sep irreg* (*col: sich beeilen*) to get a move on (*col*).

rank *adj* (*liter*) ~ *und schlank* slender and supple.

Ranke *f* -n tendril; (*von Weinrebe*) shoot.

Ränke *pl* (*liter*) intrigue, cabal (*liter*) ▶ ~ *schmieden* to intrigue, to cabal (*liter*).

ranken [1] *vr sich um etw* ~ (*lit, fig*) to have grown up around sth.
[2] *vi aux haben or sein an etw* (*dat*) ~ to entwine itself around sth.

Ränkeschmied *m* (*liter*) intriguer.

ran:- ~**klotzen** *vi sep* (*col*) to get stuck in (*col*); ~**kommen** = **herankommen**; ~**lassen** *vt irreg* (*col*) *jdn* ~*lassen* to let sb have a go; *sie läßt keinen (an sich acc)* ~ (*col*) she won't let anybody near her.

rann *pret of* **rinnen**.

rannte *pret of* **rennen**.

Ranzen *m* - [a] (*Schul*~) satchel. [b] (*col: Bauch*) belly (*col*), gut (*col*).

ranzig *adj* rancid.

rapid(e) *adj* rapid.

Rapier *nt* -e rapier.

Rappe *m* (*wk*) -n, -n black horse.

Rappel *m* - (*col*) [a] (*Fimmel*) craze ▶ *seinen* ~ *kriegen* to get one of one's crazy moods. [b] (*Wutanfall*) *einen* ~ *kriegen* to throw a fit.

rapp(e)lig *adj* (*col*) [a] (*verrückt*) crazy (*col*) [b] (*nervös, unruhig*) jumpy (*col*).

rappeln *vi* (*col*) (*klappern*) to rattle ▶ *bei dir rappelt's wohl!* are you crazy?

Rappen *m* - (*Sw*) centime, rappen.

Rapport *m* -e report ▶ *sich zum* ~ *melden* to report.

Raps *m* -e (*Bot*) rape.

Raps|öl *nt* rape(seed) oil.

Rapunzel *f* -n (*Bot*) corn salad, lamb's lettuce.

rar *adj* rare ▶ *sich* ~ *machen* (*col*) to stay away; (*sich zurückziehen*) to make oneself scarce (*col*).

Rarität *f* rarity.

rasant *adj* (*col*) [a] *Tempo, Spurt* lightning *attr* (*col*); *Auto, Fahrer* fast; *Karriere* meteoric; *Entwicklung* rapid. [b] (*imponierend*) *Leistung* terrific.

Rasanz *f no pl* (*col: Geschwindigkeit*) speed.

rasch [1] *adj* [a] (*schnell*) quick; *Tempo* great. [b] (*übereilt*) hasty.
[2] *adv* quickly.

rascheln *vi* to rustle ▶ *es raschelt (im Laub)* there's something rustling (in the leaves); *mit etw* ~ to rustle sth.

rasen *vi* [a] (*wüten, toben*) to rave; (*Sturm*) to rage ▶ *er raste vor Schmerz/Wut* he was going wild with pain/he was mad with rage. [b] *aux sein* (*sich schnell bewegen*) to race, to tear; (*Puls*) to race ▶ *das Auto raste in den Fluß* the car plunged into the river; *ras doch nicht so!* (*col*) don't go so fast!; *die Zeit rast* time flies.

Rasen *m* - grass *no indef art, no pl*; (*Zier*~ *auch*) lawn; (*von Sportplatz*) turf, grass; (*Sportplatz*) field, pitch (*Brit*).

rasend [1] *adj* [a] (*enorm*) terrific; *Eile auch* tearing; *Hunger, Durst auch* raging; *Beifall auch* wild, rapturous; *Eifersucht* burning ▶ ~*e Kopfschmerzen* a splitting headache. [b] (*wütend*) furious ▶ *er macht mich noch* ~ he'll drive me crazy.
[2] *adv* (*col*) terrifically; *weh tun, sich beeilen* like mad (*col*) *or* crazy (*col*); *verliebt, eifersüchtig sein* madly (*col*) ▶ ~ *gern!* I'd simply love to!

Rasende(r) *mf decl as adj* maniac.

Rasen-: ~*fläche* *f* lawn; ~*mäher* *m* lawn mower; ~*sprenger* *m* - (lawn) sprinkler.

Raser(in *f)* *m* - (*col*) speed merchant (*col*).

Raserei *f* [a] (*Wut*) fury, frenzy. [b] (*col: schnelles Fahren, Gehen*) mad rush.

Rasier- *in cpds* shaving; ~*apparat* *m* razor; (*elektrisch auch*) shaver.

rasieren* *vtr* to shave ▶ *sich naß/trocken* ~ to have a wet shave/to use an electric shaver.

Rasier-: ~*klinge* *f* razor blade; ~*messer* *nt* (open) razor; ~*pinsel* *m* shaving brush; ~*schaum* *m* shaving foam; ~*wasser* *nt* aftershave; (*vor der Rasur*) pre-shave (lotion).

Räson [rɛ'zõ:] *f no pl jdn zur* ~ *bringen* to make sb see sense.

Raspel *f* -n [a] (*Holzfeile*) rasp. [b] (*Cook*) grater.

raspeln *vt* to grate; *Holz* to rasp.

Rasse *f* -n (*Menschen*~) race; (*Tier*~) breed ▶ *das Pferd/der Hund hat* ~ the horse/dog has spirit.

Rasse-: ~*hund* *m* thoroughbred dog; ~*katze* *f* pedigree cat.

Rassel *f* -n rattle.

rasseln *vi* [a] to rattle ▶ *mit etw* (*dat*) ~ to rattle sth. [b] *aux sein* (*col*) *durch eine Prüfung* ~ to flunk an exam (*col*).

Rassen- *in cpds* racial; ~*diskriminierung* *f* racial discrimination; ~*haß* ⚠ *m* race hatred; ~*konflikt* *m* racial conflict; ~*krawall* *m* race riot; ~*trennung* *f* (racial) segregation; ~*unruhen* *pl* racial disturbances *pl*; ~*vorurteil* *nt* racial prejudice; ~*vorurteile haben* to be racially prejudiced.

Rassepferd *nt* thoroughbred (horse).

rassig *adj Pferd, Auto* sleek; *Frau* vivacious; *Wein* spirited, lively.

rassisch *adj* racial ▶ *jdn* ~ *verfolgen* to persecute sb because of his/her race.

Rassismus *m* racialism, racism.

Rassist(in *f)* *m* racialist, racist.

rassistisch *adj* racialist, racist.

Rast *f no pl* rest, repose (*liter*) ▶ ~ *machen* to stop (to eat); (*Mil*) to make a halt; *ohne* ~ *und Ruh* (*liter*) without respite.

Raste *f* -n notch.

rasten *vi* to rest; (*Mil*) to make a halt ▶ *wer rastet, der rostet* (*Prov*) you have to keep active.

Raster *m* - (*Archit*) grid; (*Phot: Gitter*) screen; (*TV*) raster; (*fig*) framework.

Rasterfahndung *f* computer search (*for criminal*).

rastern *vt* (*TV*) to scan.

Rast-: ~*haus* *nt* (travellers' *Brit or* travelers' *US*) inn; (*an Autobahn*) motorway restaurant; ~*hof* *m* (motorway) motel; (*mit Tankstelle*) service area; *r*~*los* *adj* (*unruhig*) restless; (*unermüdlich*) tireless; ~*losigkeit* *f* restlessness; ~*platz* *m* resting place; (*an Autostraßen*) picnic area; ~*stätte* *f* service area, services *pl*.

Rasur *f* (*Bart*~) shave; (*das Rasieren*) shaving.

▼ **Rat** *m* [a] *pl* **Ratschläge** (*Empfehlung*) advice *no pl* ▶ *ein* ~ a piece of advice; *jdm um* ~ *fragen* to ask sb's advice; *jdm mit* ~ *und Tat zur Seite stehen* to support sb in (both) word and deed; *da ist guter* ~ *teuer* it's hard to know what to do. [b] *no pl jdn/etw zu* ~*e ziehen* to consult sb/sth; ~ (*für etw*) *wissen* to know what to do (about sth); *sie wußte sich* (*dat*) *keinen* ~ *mehr* she was at her wits' end. [c] *pl* ~*e* (*Körperschaft*) council ▶ *der* ~ *der Gemeinde/Stadt* ≈ the district council; *im* ~ *sitzen* to be on the council.

Rate *f* -n instalment (*Brit*), installment (*US*) ▶ *auf* ~*n kaufen* to buy on hire purchase (*Brit*) *or* on the installment plan (*US*); *in* ~*n zahlen* to pay in instalments.

▼ **raten** *pret* **riet**, *ptp* **geraten** *vti* [a] (*Ratschläge geben*) to advise ▶ *jdm gut/schlecht* ~ to give sb good/bad advice; *jdm zu etw* ~ to recommend sth to sb; *jdm* ~*, etw nicht zu tun* to advise sb not to do sth *or* against doing sth; *das würde ich dir nicht* ~ I wouldn't advise it; *das möchte ich dir geraten haben!* you better had (*col*); *was or wozu* ~ *Sie mir?* what do you advise (me to do)? [b] (*erraten*) to guess; *Kreuzworträtsel etc* to

➤ SATZBAUSTEINE: **Rat:** a → 9.2   **raten:** a → 9.1

solve, to do ▸ *rate mal!* (have a) guess; *dreimal darfst du ~* I'll give you three guesses (*auch iro*); *das rätst du nie!* you'll never guess!; *(gut) geraten!* good guess!; *falsch geraten!* wrong!

Raten-: **~kauf** m (*Kaufart*) hire purchase (*Brit*), HP (*Brit col*), the installment plan (*US*); **r~weise** adv in instalments (*Brit*) or installments (*US*); **~zahlung** f (*Zahlung in Raten*) payment by instalments (*Brit*) or installments (*US*).

Ratespiel nt guessing game; (*TV*) quiz; (*Beruferaten etc auch*) panel game.

Rat-: **~geber** m adviser, counsellor (*form*); **~haus** nt town hall; (*einer Großstadt*) city hall.

Ratifikation f ratification.

ratifizieren* vt to ratify.

Ratifizierung f ratification.

Ration [ra'tsioːn] f ration.

rational [ratsio'naːl] adj rational.

rationalisieren* [ratsionali'ziːrən] vti to rationalize.

Rationalisierung [ratsionali'ziːrʊŋ] f rationalization.

rationell [ratsio'nɛl] adj efficient.

rationieren* [ratsio'niːrən] vt to ration.

Rationierung [ratsio'niːrʊŋ] f rationing.

ratlos adj at a loss ▸ *ich bin völlig ~(, was ich tun soll)* I just don't know what to do; *sie machte ein ~es Gesicht* she looked at a loss.

Ratlosigkeit f perplexity ▸ *in meiner ~ ...* being at a loss ...

rätoromanisch adj Rhaetian.

Rätoromanisch(e) nt Rhaeto-Romanic; *siehe* **Deutsch(e)**.

ratsam adj advisable.

Ratschlag m piece of advice ▸ *ein guter ~* a good piece of advice; *Ratschläge* advice; *drei Ratschläge* three pieces of advice.

Rätsel nt - [a] riddle; (*Kreuzwort~*) crossword (puzzle); (*Silben~, Bilder~ etc*) puzzle ▸ *jdm ein ~ aufgeben to* ask sb a riddle. [b] (*fig: Geheimnis*) mystery (*um of*) ▸ *vor einem ~ stehen* to be baffled; *es ist mir ein ~, wie ...* it's a mystery to me how ...

Rätsel-: **~ecke** f puzzle corner; **r~haft** adj mysterious; *es ist mir r~haft* it's a mystery to me; **~heft** nt puzzle book.

rätseln vi to puzzle (over sth).

Rätselraten nt guessing game.

Rats-: **~herr** m councillor (*esp Brit*), councilman (*US*); **~sitzung** f council meeting.

⚠ **ratsuchend** adj seeking advice ▸ *sich ~ an jdn wenden* to turn to sb for advice; *R~e* those seeking advice.

Ratte f -n rat.

Ratten-: **~gift** nt rat poison; **~schwanz** m [a] (*lit*) rat's tail; [b] (*fig col: Serie, Folge*) string.

rattern vi (*als Bewegunsgverb: aux sein*) to clatter; (*Maschinengewehr*) to chatter.

Raub ·m no pl [a] (*das Rauben*) robbery. [b] (*Entführung*) abduction. [c] (*Beute*) booty, loot ▸ *ein ~ der Flammen werden* (*liter*) to fall victim to the flames.

Raub-: **~bau** m no pl overexploitation (of natural resources); **~bau an etw** (*dat*) **treiben** to overexploit etc sth; *mit seiner Gesundheit ~bau treiben* to ruin one's health; **~druck** m pirate(d) edition.

rauben [1] vt [a] (*wegnehmen*) to steal. [b] (*entführen*) to abduct, to carry off. [c] (*fig*) *jdm etw ~* to rob sb of sth; *das hat uns viel Zeit geraubt* it cost us a lot of time. [2] vi to plunder, to pillage.

Räuber m - robber ▸ *~ und Gendarm* cops and robbers.

Räuberbande f (*pej*) bunch of thieves.

räuberisch adj rapacious; (*Angriff, Bande*) predatory.

räubern vi (*col*) to thieve ▸ *in der Speisekammer ~* to

raid the larder.

Räuberpistole f (*col*) far-fetched story.

Raub-: **~fisch** m predatory fish; **~gier** f (*liter*) rapacity; **r~gierig** adj (*liter*) rapacious; **~katze** f (predatory) big cat; **~kopie** f pirate(d) copy; **~mord** m robbery with murder; **~mörder** m robber and murderer; **~tier** nt predator, beast of prey; **~überfall** m robbery; (*auf Bank etc auch*) raid; *einen ~überfall auf jdn verüben* to hold sb up; **~vogel** m bird of prey; **~zug** m series *sing* of robberies.

Rauch m no pl smoke; (*giftig auch*) fumes pl ▸ *sich in ~ auflösen* (*lit, fig*) to go up in smoke.

Rauch-: **~abzug** m smoke outlet; **~bombe** f smoke bomb.

rauchen [1] vi (*Rauch abgeben*) to smoke ▸ *sie sah, daß es in unserer Küche rauchte* she saw smoke coming from our kitchen; *mir raucht der Kopf* my head's spinning.
[2] vti to smoke ▸ *eine ~* to have a smoke; *hast du was zu ~?* have you got a smoke?; *„R~ verboten"* "no smoking"; *sich* (*dat*) *das R~ an-/abgewöhnen* to take up/give up smoking; *stark ~* to be a heavy smoker.

Raucher m - (*auch Rail*) smoker.

Räucher|aal m smoked eel.

Raucher|abteil nt smoking compartment.

Räucherhering m ≃ kipper.

Raucherhusten m smoker's cough.

Raucherin f (woman) smoker.

Räucher-: **~kerze** f incense cone; **~lachs** m smoked salmon.

räuchern vt to smoke.

Räucher-: **~schinken** m smoked ham; **~speck** m ≃ smoked bacon; **~stäbchen** nt joss stick.

Rauch-: **~fang** m (*~abzug*) chimney hood; **~fleisch** nt smoked meat; **r~frei** adj smokeless; **~glocke** f pall of smoke.

rauchig adj smoky.

Rauch-: **~melder** m smoke detector; **~säule** f column of smoke; **~schleier** m veil of smoke; **~schwaden** pl drifts of smoke pl; **~signal** nt smoke signal; **~verbot** nt ban on smoking; *hier herrscht ~verbot* smoking is not allowed here; **~vergiftung** f fume poisoning; **~vorhang** m, **~wand** f smokescreen; **~waren¹** pl tobacco (products pl); **~waren²** pl (*Pelze*) furs pl; **~wolke** f cloud of smoke; **~zeichen** nt smoke signal.

Räude f -n (*Vet*) mange.

räudig adj mangy.

rauf adv (*col*) siehe **herauf, hinauf.**

Raufbold m -e (*dated*) ruffian.

raufen [1] vt *Unkraut* to pull up ▸ *sich* (*dat*) *die Haare ~* to tear (at) one's hair. [2] vir to scrap.

Rauferei f scrap, roughhouse (*col*).

Rauf-: **~lust** f pugnacity; **r~lustig** adj ready for a fight.

⚠ **rauh** adj [a] rough; *Wind* raw; *Winter, Klima* harsh; (*unwirtlich*) *Gebiet* bleak; (*hart*) *Mann* tough ▸ *im ~en Norden* in the rugged north; *(die) ~e Wirklichkeit* harsh reality, the hard facts pl; *~, aber herzlich* bluff; *Begrüßung, Ton* rough but jovial. [b] *Hals, Kehle* sore; *Stimme* husky; (*heiser*) hoarse. [c] (*col*) *in ~en Mengen* by the ton (*col*), galore (*col*); *Geld in ~en Mengen* tons of money.

Rauh-: **~bein** ⚠ nt (*col*) rough diamond; **r~beinig** ⚠ adj (*col*) bluff.

⚠ **Rauheit** f no pl roughness; (*von Klima etc*) harshness; (*von Hals*) soreness; (*von Stimme*) huskiness.

Rauh-: **~fasertapete** ⚠ f woodchip paper; **~haardackel** ⚠ m wire-haired dachshund; **r~haarig** ⚠ adj coarse-haired; **~putz** ⚠ m roughcast; **~reif** ⚠ m hoarfrost; (*gefrorener Nebel*) rime.

Raum m, pl **Räume** [a] room; (no pl: Platz auch) space; (Gebiet, Bereich) area; (fig) sphere ▸ **auf engstem ~ leben** to live in a very confined space; **eine Frage im ~ stehen lassen** to leave a question unresolved; **der ~ Frankfurt** the Frankfurt area; **~ gewinnen** (Mil, fig) to gain ground. [b] no pl (Phys, Space) space no art ▸ **der offene** or **leere ~** the void.

Raum-: **~anzug** m spacesuit; **~ausstatter(in** f) m - interior decorator.

Räumboot nt minesweeper.

räumen vt [a] (verlassen) Gebäude, Gebiet to evacuate; (Mil: Truppen) to withdraw from; Wohnung to move out of; Sitzplatz to vacate. [b] (leeren) Gebäude, Lager to clear (von of). [c] (weg~) to shift; Schnee, Schutt auch to clear (away); Minen to clear ▸ **räum deine Sachen in den Schrank** put your things away in the cupboard.

Raum-: **~fähre** f space shuttle; **~fahrer** m astronaut; (sowjetisch) cosmonaut.

Raumfahrt f space travel no art or flight no art ▸ **das** ⚠**Zeitalter der ~** the space age.

Raumfahrt- in cpds space; **~behörde** f space authority; **~programm** nt space programme (Brit) or program (US).

Raumfahrzeug nt spacecraft.

Räumfahrzeug nt bulldozer; (für Schnee) snowclearer.

Raum-: **~flug** m space flight; **~gewinn** m extra space gained; **~inhalt** m volume, (cubic) capacity; **~kapsel** f space capsule.

räumlich adj [a] (den Raum betreffend) spatial ▸ **~e Verhältnisse** physical conditions; **wir wohnen ~ sehr beengt** we live in very cramped conditions; **rein ~ ist das unmöglich** there just isn't the space (for that). [b] (dreidimensional) three-dimensional ▸ **ich kann mir das nicht ~ vorstellen** I can't really picture it.

Räumlichkeit f [a] no pl three-dimensionality. [b] **~en** pl premises pl.

Raum-: **~mangel** m lack of space; **~maß** nt unit of volume; **~not** f shortage of space; **~pflegerin** f cleaner, cleaning lady; **~schiff** nt spaceship; **~sonde** f space probe; **~station** f space station; **~textilien** pl soft furnishings; **~transporter** m space shuttle.

Räumung f clearing; (von Wohnhaus) vacation; (wegen Gefahr etc) evacuation; (unter Zwang) eviction; (von Lager, Geschäft) clearance.

Räumungs-: **~befehl** m eviction order; **~frist** f (period of) notice; **~klage** f action for eviction; **~verkauf** m clearance sale.

raunen vti (liter) to whisper ▸ **es ging ein R~ durch die Menge** a murmur went through the crowd.

Raupe f -n [a] caterpillar. [b] (Planier~) bulldozer.

Raupen-: **~fahrzeug** nt caterpillar (vehicle); **~kette** f caterpillar track; **~schlepper** m caterpillar (tractor).

raus adv (col) **~!** (get) out!; siehe **heraus, hinaus.**

Rausch m, pl **Räusche** [a] (Trunkenheit) intoxication; (Drogen~) high (col) ▸ **einen ~ haben** to be drunk; **etw im ~ tun** to do sth while one is drunk; **seinen ~ ausschlafen** to sleep it off. [b] (liter: Ekstase) ecstasy, rapture; (Blut~, Mord~ etc) frenzy.

rausch|arm adj low-noise.

rauschen vi [a] (Wasser, Meer, Brandung) to roar; (sanft, Wind) to murmur; (Baum, Wald) to rustle; (Seide) to swish; (Radio etc) to hiss; (Regen) to pour down ▸ **~der Beifall** thunderous applause; **~de Feste** glittering parties. [b] aux sein (sich bewegen) (Bach) to rush; (Geschoß) to whizz. [c] aux sein (col: Mensch) to sweep ▸ **sie rauschte aus dem Zimmer** she swept out of the room.

Rauschen nt no pl siehe vi roaring; murmuring; rustling; swishing; hissing ▸ **das ~ des Regens** the sound of rain.

Rauschgift nt drug; (Drogen) drugs pl, narcotics pl.

Rauschgift-: **~handel** m drug traffic; **~händler** m drug trafficker; **~sucht** f drug addiction; **~süchtig** adj drug-addicted; **er ist r~süchtig** he's a drug addict; **~süchtige(r)** mf drug addict.

raus|ekeln vt sep (col) to freeze out (col).

rausfliegen vi sep irreg aux sein (col) to be chucked out (col).

rauskriegen vt sep (col) to get out; (herausfinden) to find out.

räuspern vr to clear one's throat.

rausreißen vt sep irreg (col) **jdn ~** to save sb's bacon (col).

rausschmeißen vt sep irreg (col) to chuck out (col) ▸ **das ist rausgeschmissenes Geld** that's money down the drain (col).

Rausschmeißer(in f) m - (col) bouncer; (letzter Tanz) last dance.

⚠**Rausschmiß** m -sse (col) booting out (col) ▸ **man drohte uns mit dem ~** they threatened us with the push (col).

Raute f -n [a] (Bot) rue. [b] (Math) rhombus.

rautenförmig adj rhomboid, diamond-shaped.

Ravioli [ravi'oːli] pl ravioli sing.

Razzia f, pl **Razzien** ['ratsiən] raid, swoop (col).

Re nt -s (Cards) redouble.

Reagenzglas nt (Chem) test tube.

reagieren* vi to react (auf +acc to).

Reaktion f [a] reaction (auf +acc to). [b] (Pol pej) reactionary forces pl.

reaktionär [reaktsio'nɛːɐ] adj (Pol pej) reactionary.

Reaktionär(in f) m (pej) reactionary.

Reaktions-: **~fähigkeit** f reactions pl; **~geschwindigkeit** f (speed of) reaction; **r~schnell** adj with fast reactions; **r~schnell sein** to have fast reactions; **~vermögen** nt reactions pl; **~zeit** f reaction time.

reaktivieren* [reakti'viːrən] vt (Sci) to reactivate; (fig) to revive; Kenntnisse to polish up.

Reaktor m reactor.

Reaktor-: **~kern** m reactor core; **~unglück** nt nuclear accident.

real adj real; (wirklichkeitsbezogen) realistic.

Real|einkommen nt real income.

Realisation f realization; (TV, Rad, Theat) production.

realisierbar adj practicable, feasible.

realisieren* vt [a] Pläne, Programm to carry out; (TV, Rad, Theat) to produce. [b] (Fin) to realize.

Realisierung f realization.

Realismus m realism.

Realist(in f) m realist.

realistisch adj realistic.

Realität f reality ▸ **~en** pl (Gegebenheiten) facts pl.

Realitäts-: **r~fern** adj unrealistic; **r~fremd** adj out of touch with reality; **r~nah** adj realistic; **~sinn** m sense of reality.

Real-: **~lexikon** nt specialist dictionary; **~lohn** m real wages pl; **~politik** f political realism; **~politiker** m political realist; **~schule** f ≈ secondary modern school (Brit), high school (US).

| REALSCHULE |

ⓘ The **Realschule** is one of the choices of secondary schools available to a German schoolchild after the **Grundschule**. At the end of six years schooling in the Realschule pupils gain the **mittlere Reife** and usually go on to some kind of training or to a college of further education.

Realwert m (Fin) real value.

⚠: Informationen zur Rechtschreibreform im Anhang

Rebe f -n (Ranke) shoot; (Weinstock) vine.
Rebell(in f) m (wk) -en, -en rebel.
rebellieren* vi to rebel, to revolt.
Rebellion f rebellion, revolt.
rebellisch adj rebellious.
· **Rebhuhn** nt (common) partridge.
Reb-: **~laus** f vine pest; **~stock** m vine.
Rebus m or nt -, -se picture puzzle.
Rechaud [re'ʃoː] m or nt -s tea/coffee etc warmer; (für Fondue) spirit burner.
Rechen m - (S Ger: Harke) rake.
rechen vt (S Ger) to rake.
Rechen-: **~anlage** f computer; **~art** f type of calculation; **die vier ~arten** the four arithmetical operations; **~aufgabe** f arithmetical problem; **~fehler** m arithmetical error; **~geschwindigkeit** f (Comp) processing speed; **~heft** nt arithmetic book; **~maschine** f adding machine; **~operation** f calculation.
Rechenschaft f account ▸ **jdm über etw** (acc) **~ ablegen** to account to sb for sth; **jdm ~ schulden** to be accountable to sb; **jdn (für etw) zur ~ ziehen** to call sb to account (for or over sth).
Rechenschaftsbericht m report.
Rechen-: **~schieber** m slide rule; **~zentrum** nt computer centre (Brit) or center (US).
Recherche [re'ʃerʃə] f -n investigation.
recherchieren* [reʃer'ʃiːrən] vti to investigate.
rechnen [1] vt [a] (addieren etc) to calculate ▸ **rund gerechnet** in round figures. [b] (einstufen) to count ▸ **jdn/etw zu etw ~** to count sb among sth. [c] (veranschlagen) to estimate, to reckon ▸ **wir hatten nur drei Tage gerechnet** we were only reckoning on three days; **das ist zu hoch/niedrig gerechnet** that's too high/low (an estimate). [d] (einberechnen) to take into account ▸ **alles in allem gerechnet** taking everything into account.
[2] vi [a] falsch ~ to go wrong (in one's calculations); **richtig ~** to calculate correctly; **gut/schlecht ~ können** to be good/bad at sums (esp Sch) or with figures; **~ lernen** to learn arithmetic. [b] (eingestuft werden) to count ▸ **er rechnet noch als Kind** he still counts as a child. [c] (sich verlassen) **auf jdn/etw ~** to count on sb/sth. [d] **mit jdm/etw ~** to reckon with sb/sth; **mit allem/dem Schlimmsten ~** to be prepared for anything/the worst; **damit ~ müssen, daß ...** to have to expect that ...; **du mußt damit ~, daß es regnet** you must expect some rain; **mit dieser Partei wird man ~ müssen** this party will have to be reckoned with; **damit hatte ich nicht gerechnet** I wasn't expecting that; **er rechnet mit einem Sieg** he reckons he'll win.
[3] vr to pay off ▸ **etw rechnet sich nicht** sth is not economical.
Rechnen nt no pl arithmetic; (esp Sch) sums pl.
Rechner m - [a] **ein guter ~ sein** to be good at arithmetic. [b] (Elektronen~) computer; (Taschen~) calculator.
rechner-: **~gesteuert** adj computer-controlled; **~gestützt** adj computer-aided.
rechnerisch adj arithmetical ▸ **ich bin rein ~ überzeugt, aber ...** I'm convinced as far as the figures go but ...
Rechnerverbund m computer network.
Rechnung f [a] (Berechnung) calculation; (als Aufgabe) sum ▸ **die ~ geht nicht auf** (lit, fig) it won't work (out). [b] (Kostenforderung) bill, check (US); (von Firma auch) invoice ▸ **das geht auf meine ~** I'm paying; **laut ~** as per invoice; **auf eigene ~** on one's own account; **(jdm) etw in ~ stellen** to charge (sb) for sth; **einer Sache** (dat) **~ tragen** to bear sth in mind.
Rechnungs-: **~betrag** m (total) amount of a bill or check (US)/invoice; **~hof** m ≃ Auditor-General's office

(Brit), audit division (US); **~jahr** nt financial year; **~prüfer** m auditor; **~prüfung** f audit; **~wesen** nt accountancy.
Recht nt -e [a] (Rechtsordnung, sittliche Norm) law; (Gerechtigkeit auch) justice ▸ **~ sprechen** to administer justice; **nach englischem ~** under English law; **für das ~ kämpfen** to fight for justice; **von ~s wegen** as of right; (col: eigentlich) by rights (col). [b] (Anspruch, Berechtigung) right (auf +acc to) ▸ **sein ~ fordern** to demand one's rights; **sein ~ bekommen** to get one's rights; **zu seinem ~ kommen** (lit) to gain one's rights; (fig) to come into one's own; **gleiches ~ für alle!** equal rights for all!; **das ~ des Stärkeren** the law of the jungle; **mit** or **zu ~** rightly; **und (das) mit ~** and rightly so; **im ~ sein** to be in the right; **das ist mein gutes ~** it's my right; **mit welchem ~?** by what right?
▾ **recht** [1] adj [a] (richtig) right ▸ **es soll mir ~ sein** it's OK (col) by me; **ganz ~!** quite right; **ist schon ~!** (col) that's OK (col); **alles, was ~ ist** (empört) fair's fair; (anerkennend) you can't deny it; **hier geht es nicht mit ~en Dingen zu** there's something odd or not right here; **ich habe keine ~e Lust** I don't particularly feel like it; **nichts ~es** no good; **aus dem Jungen kann nichts R~es werden** that boy will come to no good; **er hat nichts R~es gelernt** he didn't learn any proper trade; **nach dem R~en sehen** to see that everything's OK (col); **es ist nicht mehr als ~ und billig** it's only right and proper. [b] **~ haben** to be right; **~ behalten** to be right; **er will immer ~ behalten** he always has to be right; **jdm ~ geben** to admit that sb is right.
[2] adv [a] (richtig) properly; (wirklich) really ▸ **verstehen Sie mich ~** don't get me wrong (col); **wenn ich Sie ~ verstehe** if I understand you rightly; **sehe/höre ich ~?** am I seeing/hearing things?; **das geschieht ihm ~** it serves him right; **jetzt mache ich es erst ~ (nicht)** now I'm definitely (not) going to do it; **du kommst gerade ~, um ...** you're just in time to ...; **das ist mir ~** that suits me fine; **gehe ich ~ in der Annahme, daß ...?** am I correct in assuming that ...?; **hat es dir gefallen? — nicht so ~** did you like it? — not really; **man kann ihm nichts ~ machen** you can't do anything right for him; **man kann es nicht allen ~ machen** you can't please everyone. [b] (ziemlich, ganz) quite, fairly (col) ▸ **~ viel** quite a lot. [c] (sehr) very, right (dial) ▸ **~ herzlichen Dank** thank you very much indeed.
Rechte f (wk) -n, -n [a] (Hand) right hand; (Seite) right(-hand) side; (Boxen) right. [b] (Pol) Right.
Recht-: **~eck** nt rectangle; **r~eckig** adj rectangular.
Rechtens gen of Recht (form) **die Sache war nicht ~** the matter was not right or (Jur) legal.
Rechte(r) mf decl as adj (Pol) right-winger.
rechte(r, s) adj attr [a] right, right-hand ▸ **jds ~ Hand sein** to be sb's right-hand man. [b] **ein ~r Winkel** a right angle. [c] (konservativ) right-wing ▸ **der ~ Flügel** the right wing. [d] (beim Stricken) plain ▸ **eine ~e Masche stricken** to knit one.
rechtfertigen insep [1] vt to justify.
[2] vr to justify oneself.
Rechtfertigung f justification ▸ **zu meiner ~** in my defence (Brit) or defense (US).
Recht-: **~haber** m - (pej) know-all (col); **r~haberisch** adj know-all attr (col), self-opinionated.
rechtlich adj (gesetzlich) legal ▸ **~ zulässig** permissible in law, legal; **~ nicht zulässig** not permissible in law, illegal.
Recht-: **r~los** adj [a] without rights; [b] Zustand lawless; **~losigkeit** f [a] (von Mensch) lack of rights; [b] (in Land) lawlessness; **r~mäßig** adj (legitim) legal; Erben, Besitzer auch rightful; (dem Gesetz entsprechend) legal; **für r~mäßig erklären** to declare legal;

> SATZBAUSTEINE: **recht: 1a** → 1.5 **1b** → 2.2, 3, 13.2, 14.1

~mäßigkeit f (*Legitimität*) legitimacy; (*Legalität*) legality.

rechts [1] adv [a] on the right ▸ **nach** ~ (to the) right; **von** ~ from the right; **sich** ~ **einordnen** to take the right-hand lane; **sich** ~ **halten** to keep (to the) right; ~ **stehen** or **sein** (*Pol*) to be right-wing. [b] ~ **stricken** to knit (plain); **zwei** ~, **zwei links** (*beim Stricken*) knit two, purl two.

[2] prep +gen ~ **des Rheins** on the right of the Rhine.

Rechts- in cpds (*Pol*) right-wing; (*Jur*) legal; **~abbieger** m - vehicle turning right; **~abbiegerspur** f right-hand turn-off lane; **~abteilung** f legal department; **~anspruch** m legal right; **einen ~anspruch auf etw** (*acc*) **haben** to be legally entitled to sth; **~anwalt** m lawyer, attorney (*US*); (*als Berater auch*) solicitor (*Brit*); (*vor Gericht auch*) barrister (*Brit*); **~ausleger** m (*Boxen*) southpaw; **~außen** m -, - (*Ftbl*) outside right; **~beistand, ~berater** m legal adviser; **~brecher(in** f) m - lawbreaker; **r~bündig** adj (*Typ*) ranged right.

rechtschaffen adj (*redlich*) honest, upright.

Rechtschaffenheit f honesty, uprightness.

Rechtschreib-: **~fehler** m spelling mistake; **~prüfung** f (*Comp*) spellcheck; (*Programm*) spellchecker; **~reform** f spelling reform.

Rechtschreibung f spelling.

Rechts-: **~drall** m (*von Billardball*) spin to the right; (*von Auto, Pferd*) pull to the right; (*Pol col*) leaning to the right; **einen ~drall haben** to spin/pull/lean to the right; **~empfinden** nt sense of justice; **~extremismus** m right-wing extremism; **~extremist** m right-wing extremist; **~fall** m court case; **r~frei** adj **r~freier Raum** unlegislated area; **r~gängig** adj (*Tech*) right-hand(ed); **r~gerichtet** adj (*Pol*) right-wing; **~geschäft** nt legal transaction; **~geschichte** f legal history; **~grundsatz** m legal maxim; **r~gültig** adj legally valid; **~gültigkeit** f legal validity; **~händer(in** f) m - right-handed person, right-hander (*esp Sport*); **~händer sein** to be right-handed; **r~händig** adj, adv right-handed; **r~herum** adv (around) to the right; **r~kräftig** adj Urteil final; Vertrag legally valid; **r~kundig** adj versed in the law; **~kurve** f right-hand bend; **~lage** f legal position; **r~lastig** adj listing to the right; (*fig*) leaning to the right; **r~lastig sein** to lean to the right; **~mittel** nt **mittel einlegen** to lodge an appeal; **~ordnung** f **eine ~ordnung** a system of laws; **die ~ordnung** the law; **~partei** f right-wing party; **~pflege** f administration of justice; **~pfleger** m official with certain judicial powers.

Rechtsprechung f [a] (*Gerichtsbarkeit*) jurisdiction. [b] (*richterliche Tätigkeit*) dispensation of justice. [c] (*bisherige Urteile*) precedents pl.

Rechts-: **r~radikal** adj radical right-wing; **die ~radikalen** the right-wing radicals; **~radikalismus** m right-wing radicalism; **r~rheinisch** adj on the right of the Rhine; **~ruck, ~rutsch** m (*Pol*) swing to the right; **r~rum** adv (*col*) to the right; **~sache** f legal matter; (*Fall*) case; **~schutz** m legal protection; **~schutzversicherung** f legal costs insurance; **r~seitig** adj on the right(-hand) side; **r~seitig gelähmt** paralysed in the right side; **~staat** m state under the rule of law; **r~staatlich** adj **r~staatliche Ordnung** law and order; **~staatlichkeit** f rule of law; **r~stehend** ⚠ adj attr right-hand, on the right; (*Pol*) right-wing; **~steuerung** f right-hand drive; **~streit** m law-suit; **~verkehr** m driving on the right no def art; **in Deutschland ist ~verkehr** in Germany they drive on the right; **~verletzung** f infringement of the law; **~weg** m **den ~weg beschreiten** to go to law; **der ~weg ist ausgeschlossen** ≈ the judges' decision is final; **r~widrig** adj illegal; **~widrigkeit** f illegality.

recht-: **~winklig** adj right-angled; **~zeitig** [1] adj (*früh*

genug) timely; (*pünktlich*) punctual; **um ~zeitige Anmeldung wird gebeten** you are requested to apply in good time; [2] adv (*früh genug*) in (good) time; (*pünktlich*) on time.

Reck nt **-e** (*Sport*) horizontal bar.

recken [1] vt (*aus-, emporstrecken*) to stretch ▸ **den Kopf/Hals** ~ to crane one's neck; **die Glieder** ~ to stretch (oneself).

[2] vr to stretch (oneself).

Reck-: **~stange** f horizontal bar; **~turnen** nt bar exercises pl.

recyceln* [riːˈsaikəln] vt to recycle.

Recycling [riːˈsaikliŋ] nt no pl recycling.

Recycling-: **~papier** nt recycled paper; **~werk** nt recycling plant.

Redakteur(in f) [-ˈtøːɐ, -ˈtøːrɪn] m editor.

Redaktion f [a] no pl (*das Redigieren*) editing. [b] (*Personal*) editorial staff. [c] (*~sbüro*) editorial office(s).

redaktionell [redaktsioˈnɛl] adj editorial ▸ **etw ~ bearbeiten** to edit sth.

⚠ **Redaktionsschluß** m time of going to press; (*Einsendeschluß*) copy deadline.

Rede f **-n** [a] (*Ansprache*) address ▸ **eine ~ halten** to make a speech; **direkte/indirekte** ~ direct/indirect speech or discourse (*US*); **in freier** ~ without (consulting) notes; **der langen ~ kurzer Sinn** (*prov*) the long and the short of it.

[b] (*Äußerungen*) words pl, language no pl ▸ **seine frechen ~n** his cheek; **große ~n führen** to talk big (*col*); **das ist meine ~!** that's what I've always said; **das ist nicht der ~ wert** it's not worth mentioning.

[c] (*Gespräch*) conversation, talk ▸ **die ~ kam auf** (+acc) the conversation turned to; **es war von einer Gehaltserhöhung die** ~ there was talk of a salary increase; **von Ihnen war eben die** ~ we were just talking about you; **aber davon war doch nie die** ~ but there was never any mention of that; **davon kann keine ~ sein** it's out of the question.

[d] **es geht die ~, daß** rumour (*Brit*) or rumor (*US*) has it that; (*jdm*) **für etw ~ und Antwort stehen** to account (to sb) for sth; **jdn zur ~ stellen** to take sb to task.

Rede-: **~duell** nt verbal exchange; **~fluß** ⚠ m volubility; **er stockte plötzlich in seinem ~fluß** his flow of words suddenly stopped; **~freiheit** f freedom of speech; **r~gewandt** adj eloquent; **~gewandtheit** f eloquence; **~kunst** f **die ~kunst** rhetoric.

reden [1] vi to talk, to speak ▸ **R~ während des Unterrichts** talking in class; **mit jdm** ~ to talk to sb; **so lasse ich nicht mit mir ~!** I won't be spoken to like that!; **sie hat geredet und geredet** she talked and talked; **mit jdm über jdn/etw** ~ to talk to sb about sb/sth; ~ **Sie doch nicht!** (*col*) come off it! (*col*); **(viel) von sich ~ machen** to become (very much) a talking point; **du hast gut ~!** it's all very well for you (to talk); **darüber läßt sich ~** that's a possibility; (*über Preis, Bedingungen*) I think we could discuss that; **er läßt mit sich ~** he could be persuaded; (*in bezug auf Preis*) he's open to offers; (*gesprächsbereit*) he's open to discussion; **R~ ist Silber, Schweigen ist Gold** (*Prov*) (speech is silver but) silence is golden (*Prov*); **in so einem Dorf wird natürlich viel geredet** in a village like that naturally there is a lot of gossip; **er kann gut** ~ he is a good talker or (*als Redner*) speaker; **jdn zum R~ bringen** to get sb to talk.

[2] vt to talk; **Worte** to say ▸ **kein Wort ~** not to say a word; **einer Sache das Wort ~** to speak in favour (*Brit*) or favor (*US*) of sth; **Schlechtes über jdn** ~ to say bad things about sb.

[3] vr **sich heiser/in Wut** ~ to talk oneself hoarse/into a fury.

Redens|art f (*Redewendung*) expression, idiom;

⚠: Informationen zur Rechtschreibreform im Anhang

(*Sprichwort*) saying; (*Phrase*) cliché ▶ **bloße ~en** empty talk.
Rederei *f* (*Geschwätz*) chatter *no pl*, talk *no pl*; (*Klatsch*) gossip *no pl*.
Rede-: **~schwall** *m* torrent of words; **~verbot** *nt* ban on speaking; *jdm ~verbot erteilen* to ban sb from speaking; **~weise** *f* manner (of speaking); **~wendung** *f* idiomatic expression.
redigieren* *vt* to edit.
redlich *adj* honest ▶ *sich* (*dat*) *etw ~ verdient haben* to have really earned sth; *~* (*mit jdm*) *teilen* to share (things) equally (with sb).
Redlichkeit *f* honesty.
Redner(in *f*) *m* - speaker.
rednerisch *adj* rhetorical, oratorical ▶ *~ begabt sein* to be a gifted speaker.
Rednerpult *nt* lectern.
redselig *adj* talkative.
Redseligkeit *f* talkativeness.
reduzieren* ① *vt* to reduce. ② *vr* to decrease, to diminish.
Reduzierung *f* reduction.
Reeder *m* - ship owner.
Reederei *f* shipping company.
reell *adj* ⓐ (*ehrlich*) honest, straight; (*Comm*) *Geschäft* sound; *Preis* fair. ⓑ (*wirklich*) real.
Reet- (*N Ger*): **~dach** *nt* thatched roof; **r~gedeckt** *adj* thatched (*with reed*).
Referat *nt* ⓐ (*Univ*) seminar paper ▶ *ein ~ halten* to present a seminar paper. ⓑ (*Admin: Ressort*) department.
Referendar(in *f*) *m* trainee (in civil service); (*Studien~*) student teacher; (*Gerichts~*) articled clerk.
Referendarzeit *f* traineeship; (*Studien~*) teacher training.
Referendum *nt*, *pl* **Referenden** referendum.
Referent(in *f*) *m* (*Sachbearbeiter*) consultant, expert; (*Redner*) speaker; (*Univ: Gutachter*) examiner.
Referenz *f* reference.
referieren* *vi* to (give a) report (*über +acc* on).
Reff *nt* -e (*Naut*) reef.
reffen *vt* (*Naut*) to reef.
reflationär *adj* (*Econ*) reflationary.
reflektieren* ① *vt* to reflect. ② *vi* ⓐ (*geh: nachdenken*) to reflect, to ponder (*über +acc* (up)on). ⓑ (*col*) *auf etw* (*acc*) *~* to be interested in sth.
Reflektor *m* reflector.
Reflex *m* -e reflection; (*Physiol*) reflex.
Reflexbewegung *f* reflex action.
Reflexion *f* (*Phys, fig*) reflection.
Reflexionswinkel *m* (*Phys*) angle of reflection.
reflexiv *adj* (*Gram*) reflexive.
Reform *f* -en reform.
Reformation *f* Reformation.
reformatorisch *adj* reforming.
reformbedürftig *adj* in need of reform.
Reformer(in *f*) *m* - reformer.
Reform-: **r~freudig** *adj* avid for reform; **~haus** *nt* health food shop (*Brit*) or store (*US*).
reformieren* *vt* to reform.
Reformkost *f* health food.
Refrain [rə'frɛ̃ː, re-] *m* -s (*Mus*) chorus, refrain.
Regal *nt* -e (*Bord*) shelves *pl*.
Regatta *f*, *pl* **Regatten** regatta.
Reg.-Bez. = Regierungsbezirk.
rege *adj* (*betriebsam*) lively ▶ *ein ~s Treiben* a busy to-and-fro; *körperlich und geistig ~ sein* to be physically and mentally active; *noch sehr ~ sein* to be very active still; *~ Beteiligung* lively participation; (*zahlreich*) good

attendance.
Regel *f* -n ⓐ (*Vorschrift, Norm*) rule; (*Verordnung*) regulation ▶ *nach allen ~n der Kunst* (*fig*) thoroughly; *sie überredete ihn nach allen ~n der Kunst, ...* she used every trick in the book to persuade him ... ⓑ (*Gewohnheit*) habit, rule ▶ *sich* (*dat*) *etw zur ~ machen* to make a habit of sth; *in der ~* as a rule. ⓒ (*Monatsblutung*) period; (*Menstruation*) menstruation *no art* ▶ *die ~ bekommen* to get one's period.
Regel-: **~arbeitszeit** *f* core working hours *pl*; **r~bar** *adj* (*steuerbar*) adjustable; **~fall** *m* rule; *im ~fall* as a rule; **r~los** *adj* (*ungeregelt*) irregular; (*unordentlich*) haphazard; **~losigkeit** *f siehe adj* irregularity; haphazardness; **r~mäßig** *adj* regular; *r~mäßig spazierengehen* to take regular walks; *er kommt r~mäßig zu spät* he's always late; **~mäßigkeit** *f* regularity.
regeln ① *vt* ⓐ (*regulieren*) to control; *siehe* **geregelt**. ⓑ (*erledigen*) to see to; (*endgültig*) to settle; *Problem etc* to sort out; (*in Ordnung bringen*) to settle, to resolve ▶ *wir haben die Sache so geregelt ...* we have arranged things like this ...; *gesetzlich geregelt sein* to be laid down by law. ② *vr* to resolve itself ▶ *das wird sich von selbst ~* that will take care of itself.
regelrecht ① *adj* real, proper; *Betrug, Beleidigung* downright ▶ *das Spiel artete in eine ~e Schlägerei aus* the match degenerated into a regular brawl. ② *adv* really; *beleidigend* downright.
Regelung *f* ⓐ (*Regulierung*) regulation, control. ⓑ (*Erledigung*) settling; (*von Unstimmigkeiten*) resolution. ⓒ (*Abmachung*) arrangement; (*Bestimmung*) ruling.
Regel-: **r~widrig** *adj* against the rules; (*gegen Verordnungen verstoßend*) against the regulations; **~widrigkeit** *f* irregularity; (*Verstoß auch*) breach of the rules.
regen ① *vt* (*bewegen*) to move. ② *vr* (*Mensch, Glied, Baum etc*) to move, to stir; (*Gefühl, Wind etc*) to stir ▶ *unter den Zuhörern regte sich Widerspruch* there were mutterings of disapproval from the audience.
Regen *m* - rain; (*fig: von Schimpfwörtern, B*[...] shower ▶ *in den ~ kommen* to be caught in [...] *ein warmer ~* (*fig*) a windfall; *jdn im ~ stehenlassen* (*fig*) to leave sb out in the cold; *vom ~ in die Traufe kommen* (*prov*) to jump out of the frying pan into the fire (*prov*).
regen|arm *adj* dry, rainless.
Regenbogen *m* rainbow.
Regenbogen-: **~farben** *pl* colours (*Brit*) or colors (*US*) *pl* of the rainbow; **r~farben** *adj* rainbow-coloured (*Brit*), rainbow-colored (*US*); **~haut** *f* (*Anat*) iris; **~presse** *f* trashy magazines *pl*.
regendicht *adj* rainproof.
Regeneration *f* regeneration; (*fig auch*) revitalization.
regenerieren* ① *vr* (*Biol*) to regenerate; (*fig*) to revitalize *or* regenerate oneself/itself; (*nach Anstrengung, Schock etc*) to recover. ② *vt* (*Biol*) to regenerate; (*fig auch*) to revitalize.
Regen-: **~fall** *m usu pl* (fall of) rain; *tropische ~fälle* tropical rains; **r~frei** *adj* rainless; **~guß** ⚠ *m* downpour; **~mantel** *m* raincoat; **r~reich** *adj* rainy; **~rinne** *f* gutter; **~schauer** *m* shower (of rain); **~schirm** *m* umbrella.
Regent(in *f*) *m* sovereign, reigning monarch.
Regen-: **~tag** *m* rainy day; **~tonne** *f* water butt; **~tropfen** *m* raindrop.
Regentschaft *f* reign.
Regen-: **~wald** *m* (*Geog*) rain forest; **~wasser** *nt* rainwater; **~wetter** *nt* rainy weather; *er macht ein Gesicht wie drei or sieben Tage ~wetter* (*col*) he's got a face as

long as a month of Sundays (col); **~wolke** f rain cloud; **~wurm** m earthworm; **~zeit** f rainy season.

Regie [reˈʒiː] f [a] (künstlerische Leitung) direction; (Theat, Rad, TV auch) production (Brit) ▶ **die ~ bei etw führen** to direct/produce sth; (fig) to be in charge of sth; **unter der ~ von** directed/produced by. [b] (Leitung, Verwaltung) management ▶ **etw in eigener ~ tun** to do sth on one's own initiative; **unter staatlicher ~** under state control.

Regie- [reˈʒiː-]: **~anweisung** f (stage) direction; **~assistent** m assistant producer/director.

regieren* [1] vi (herrschen) to rule; (fig) to reign. [2] vt Staat to rule (over), to govern; Markt, Fahrzeug to control; (Gram) to govern.

Regierung f government; (von Monarch) reign; (Zeitabschnitt) period of government ▶ **die ~ Kohl** the Kohl government or administration; **an die ~ kommen** to come to power; (durch Wahl auch) to come into or take office; **die ~ antreten** to take power; (nach Wahl auch) to take office.

Regierungs-: **~antritt** m coming to power; **~bank** f government bench; **~bezirk** m ≈ region (Brit), ≈ county (US); **~bildung** f formation of a government; **~chef** m head of a/the government; **der belgische ~chef** the head of the Belgian government; **~erklärung** f inaugural speech; (in GB) King's/Queen's Speech; **~fähigkeit** f ability to govern; **r~feindlich** adj anti-government no adv; **~form** f form of government; **r~freundlich** adj pro-government no adv; **~geschäfte** pl government business sing; **~kreise** pl government circles pl; **~krise** f government(al) crisis; **~rat** m senior civil servant; **~sitz** m seat of government; **~sprecher** m government spokesman; **~system** nt system of government; **r~treu** adj loyal to the government; **~umbildung** f cabinet reshuffle or shake-up (US); **~vorlage** f government bill; **~wechsel** m change of government; **~zeit** f rule; (von Monarch) reign; (von Regierung) term of office.

Regime [reˈʒiːm] nt **-s** (pej) regime.

Regime-: **~gegner** m opponent of the regime; **~kritiker** m critic of the regime.

Regiment nt **-e** or (Mil) **-er** [a] (Herrschaft) rule ▶ **das ~ führen** (col) to be the boss (col); **ein strenges ~ führen** (col) to be strict. [b] (Mil) regiment.

Regiments- in cpds regimental.

Region f region.

regional adj regional ▶ **~ verschieden sein** to vary from one region to another.

Regionalprogramm nt (Radio) regional station; (TV) regional channel.

Regisseur(in f) [reʒɪˈsøːɐ, -ˈsøːrɪn] m director; (Theat, Rad, TV auch) producer (Brit).

Register nt - (Liste, Mus) register; (von Orgel auch) stop; (Stichwortverzeichnis) index ▶ **alle ~ ziehen** (fig) to pull out all the stops.

Registertonne f (Naut) register ton.

Registratur f registration; (Büro) records office; (Aktenschrank) filing cabinet.

registrieren* vti to register; (col: zur Kenntnis nehmen) to note.

Registrierkasse f cash register.

Registrierung f registration.

reglementieren* vt to regulate; jdn to regiment.

Reglementierung f siehe vt regulation; regimentation.

Regler m - regulator, control.

reglos adj motionless.

regnen vti impers to rain ▶ **es regnet in Strömen** it's pouring (with rain); **es regnet Proteste** protests are pouring in; **es regnete Vorwürfe** reproaches hailed down.

regnerisch adj rainy.

⚠ Regreß m **-sse** (Jur) recourse, redress.

Regreß-: **~anspruch** ⚠ m (Jur) claim for compensation; **r~pflichtig** ⚠ adj liable for compensation.

regsam adj active, alert, lively.

regulär adj normal; (vorschriftsmäßig) proper, regular ▶ **~e Truppen** regular troops.

regulierbar adj adjustable.

regulieren* [1] vt [a] to regulate; (nachstellen auch) to adjust. [b] Rechnung, Forderung to settle. [2] vr to become more regular ▶ **sich von selbst ~** to be self-regulating.

Regulierung f regulation.

Regung f (Bewegung) movement; (des Gefühls, von Mitleid) stirring ▶ **ohne jede ~** without a flicker (of emotion).

regungslos adj motionless.

Regungslosigkeit f motionlessness.

Reh nt **-e** deer; (weiblich) roe deer ▶ **~e** deer.

Reha- in cpds = **Rehabilitations-**.

Rehabilitation f rehabilitation; (von Ruf, Ehre) vindication.

Rehabilitationszentrum nt rehabilitation centre.

rehabilitieren* [1] vt to rehabilitate; Ruf, Ehre to vindicate. [2] vr to rehabilitate (form) or vindicate oneself.

Reh-: **~bock** m roebuck; **~braten** m roast venison; **r~braun** adj russet; Augen hazel; **~keule** f (Cook) haunch of venison; **~kitz** nt fawn; **~rücken** m (Cook) saddle of venison.

Reibach m no pl (col) killing (col) ▶ **einen ~ machen** (col) to make a killing (col).

Reibe f **-n** (Cook) grater.

Reib|eisen nt rasp; (Cook) grater; (fig: zänkische Frau) shrew ▶ **rauh wie ein ~** (col) like sandpaper.

Reibekuchen m (Cook) ≈ potato fritter.

reiben pret **rieb**, ptp **gerieben** [1] vti [a] to rub ▶ **etw blank ~** to rub sth till it shines; **jdm den Rücken ~** to rub sb's back. [b] (zerkleinern) to grate. [2] vr to rub oneself (an +dat on, against); (sich verletzen) to scrape oneself (an +dat on).

Reiberei f usu pl (col) friction no pl.

Reibung f [a] (das Reiben) rubbing; (Phys) friction. [b] (fig) friction no pl.

Reibungs-: **~fläche** f (fig) source of friction; **r~los** adj frictionless; (fig col) trouble-free; **r~los verlaufen** to go off smoothly; **~wärme** f (Phys) frictional heat.

Reich nt **-e** [a] (Herrschaft(sgebiet), Imperium) empire; (König~) kingdom ▶ **das Deutsche ~** the German Reich; **das Dritte ~** the Third Reich; **das ~ Gottes** the Kingdom of God. [b] (Bereich, Gebiet) realm ▶ **das ~ der Tiere/Pflanzen** the animal/vegetable kingdom; **das ~ der Natur** the realm of nature; **das ist mein ~** (fig) that is my domain.

reich adj rich; (wohlhabend auch) wealthy; (groß, vielfältig) large, copious; Auswahl, Erfahrung, Kenntnisse wide; Mahl sumptuous; Vegetation rich ▶ **~ heiraten** (col) to marry (into) money; **~ geschmückt** richly decorated; Mensch richly adorned; **eine ~ ausgestattete Bibliothek** a well stocked library; **~ mit Vorräten ausgestattet** amply stocked up with supplies; **jdn ~ belohnen** to give sb a rich reward; **jdn ~ beschenken** to shower sb with presents; **eine mit Kindern ~ beschenkte Familie** a family blessed with many children; **~ an etw (dat) sein** to be rich in sth; **in ~em Maße vorhanden sein** to abound; **~ illustriert** richly illustrated.

reichen [1] vi [a] (sich erstrecken) to stretch, to extend (bis zu to); (Stimme, Augen) to carry (bis zu to) ▶ **das Wasser reicht mir bis zum Hals** the water comes up to my neck; **jdm bis zur Schulter ~** to come up to sb's shoulder; **so weit ~ meine Beziehungen/Fähigkeiten**

⚠: Informationen zur Rechtschreibreform im Anhang

nicht my connections are not that extensive/my skills are not that wide-ranging; *so weit das Auge reicht* as far as the eye can see.

[b] (*langen*) to be enough, to suffice (*form*) ▶ *der Saal reicht nicht für so viele Leute* the room isn't big enough for so many people; *reicht mein Geld noch bis zum Monatsende?* will my money last until the end of the month?; *reicht das Licht zum Lesen?* is there enough light to read by?; *dazu reicht meine Geduld nicht* I haven't got enough patience for that; *jetzt reicht's (mir aber)!* (*Schluß*) that's enough!

[2] *vt* (*entgegenhalten, geben*) to hand; (*herüber~, hinüber~ auch*) to pass (over); (*anbieten*) to serve ▶ *jdm etw ~* to hand/pass sb sth; *jdm die Hand ~* to hold out one's hand (to sb); *sich die Hände ~* to join hands; (*zur Begrüßung*) to shake hands.

Reiche(r) *mf decl as adj* rich *or* wealthy man/woman *etc* ▶ *die ~n* the rich *or* wealthy.

Reich-: *r~geschmückt* ⚠ *adj attr* richly adorned; *r~haltig* *adj* extensive; *Essen* rich; *Informationen* comprehensive; *Programm* varied; *~haltigkeit* *f siehe adj* extensiveness; comprehensiveness; variety.

reichlich [1] *adj* ample; *Zeit, Geld, Platz* ample, plenty of. [2] *adv* [a] (*sehr viel*) *belohnen, sich eindecken* amply; *verdienen* richly ▶ *~ Trinkgeld geben* to tip generously; *~ Zeit/Geld haben* to have plenty of time/money; *~ vorhanden sein* to abound; *mehr als ~ belohnt* more than amply rewarded; *das ist ~ gerechnet* that's a generous estimate; *~ 1.000 Mark* a good 1,000 marks. [b] (*col: ziemlich*) pretty.

Reichtum *m* (*lit, fig*) wealth *no pl*; (*Besitz*) riches *pl* ▶ *zu ~ kommen* to become rich; *~er erwerben* to gain riches; *damit kann man keine ~er gewinnen* you won't get rich that way; *der ~ an Fischen* the abundance of fish.

Reichweite *f* (*von Geschoß, Sender*) range; (*greifbare Nähe*) reach; (*fig: Einflußbereich*) scope ▶ *in ~* within range/the reach (*gen of*); *jd ist in ~* sb is nearby; *außer ~* out of range/reach (*gen of*).

Reif[1] *m* -(e)s, *no pl* = **Rauhreif**.

Reif[2] *m* -(e)s, -e (*old, liter*) (*Stirn~*) circlet; (*Arm~*) bangle; (*Fingerring*) ring.

reif *adj* ripe; *Ei, Mensch, Arbeit* mature ▶ *in ~(er)em Alter* in one's mature(r) years; *im ~en Alter von ...* at the ripe old age of ...; *~ zur Veröffentlichung* ripe for publication; *die Zeit ist ~* the time is ripe; *eine ~e Leistung* (*col*) a brilliant achievement; *für etw ~ sein* (*col*) to be ready for it.

Reife *f no pl* (*das Reifen*) ripening; (*das Reifsein*) ripeness; (*von Ei, Mensch, Arbeit*) maturity ▶ *zur ~ kommen* to ripen; *ihm fehlt die ~* he lacks maturity; *mittlere ~* (*Sch*) *first public examination in secondary school,* ≈ GCSE (*Brit*).

reifen [1] *vt Obst* to ripen; *jdn* to mature; *siehe* **gereift**. [2] *vi aux sein* [a] (*Obst*) to ripen; (*Ei, Mensch*) to mature ▶ *er reifte zum Manne* he became a man. [b] (*fig: Plan etc*) to mature ▶ *zur Gewißheit ~* to harden into certainty.

Reifen *m* - tyre (*Brit*), tire (*US*); (*Spiel~, von Faß*) hoop; (*Arm~*) bangle.

Reifen-: *~druck* *m* tyre (*Brit*) *or* tire (*US*) pressure; *~panne* *f* puncture, flat; *~profil* *nt* tyre (*Brit*) *or* tire (*US*) tread; *~wechsel* *m* tyre (*Brit*) *or* tire (*US*) change.

Reife-: *~prüfung* *f* (*Sch*) = **Abitur**; *~zeit* *f* ripening time; (*von Ei*) period of incubation; (*Pubertät*) puberty *no def art; ~zeugnis* *nt* (*Sch*) = **Abiturzeugnis.**

reiflich *adj* thorough, careful ▶ *sich* (*dat*) *etw ~ überlegen* to consider sth carefully.

Reifung *f* ripening; (*von Ei*) maturation.

Reigen *m* - round dance; (*fig*) round ▶ *ein bunter ~*

von Melodien a varied selection of melodies.

Reihe *f* -n [a] (*geregelte Anordnung*) row, line; (*Sitz~, Sew*) row; (*Serie, Math, Mus, fig*) series *sing* ▶ *in Reih und Glied antreten* to line up in formation; *aus der ~ tanzen* (*fig col*) to be different; (*gegen Konventionen verstoßen*) to step out of line; *die ~n schließen* (*Mil, fig*) to close ranks; *die ~n lichten sich* (*fig*) the ranks are thinning; *in den eigenen ~n* within our/their *etc* own ranks.

[b] (*Reihenfolge*) *er ist an der ~* it's his turn; *warte, bis du an die ~ kommst* wait till it's your turn; *der ~ nach* in order, in turn; *sie sollen der ~ nach hereinkommen* they are to come in one by one; *außer der ~* out of turn; (*ausnahmsweise*) out of the usual way of things; *er kommt immer außer der ~* he always comes just when he pleases.

[c] (*unbestimmte Anzahl*) number ▶ *eine ganze ~ (von)* a whole lot (of).

[d] (*col: Ordnung*) *wieder in die ~ kommen* to get one's equilibrium back; (*gesundheitlich*) to get back on form; *in die ~ bringen* to put straight; *ich kriege heute nichts auf die ~* I can't get my act together today.

reihen [1] *vt* [a] *Perlen u etw einer Schnur ~* to string beads (on a thread). [b] (*Sew*) to tack. [2] *vr etw reiht sich an etw* (*acc*) sth follows (after) sth.

Reihenfolge *f* order; (*notwendige Aufeinanderfolge*) sequence ▶ *der ~ nach* in sequence; *zeitliche ~* chronological order.

Reihen-: *~haus* *nt* terraced house (*Brit*), row house (*US*); *~schaltung* *f* (*Elec*) series connection; *in ~schaltung* in series; *~untersuchung* *f* mass screening; *r~weise* *adv* [a] (*in Reihen*) in rows; [b] (*fig: in großer Anzahl*) by the dozen.

Reiher *m* - heron.

reihern *vi* (*col*) to puke (up) (*col!*).

reih|um *adv* around ▶ *es geht ~* everybody takes their turn; *etw ~ gehen lassen* to pass sth around.

Reim *m* -e rhyme ▶ *ein ~ auf „Hut"* a rhyme for "Hut"; *~e bilden* to make rhymes; *~e schmieden* (*hum*) to write verse; *sich* (*dat*) *einen ~ auf etw* (*acc*) *machen* (*col*) to make sense of sth; *ich kann mir keinen ~ darauf machen* (*col*) I can see no rhyme (n)or reason in it.

reimen *vtr* to rhyme (*auf +acc, mit* with) ▶ *das reimt sich nicht* (*fig*) it doesn't make sense.

Reim-: *r~los* *adj* unrhymed, non-rhyming; *~schema* *nt* rhyme scheme; *~wort* *nt, pl* **-wörter** rhyme.

rein[1] *adv* (*col*) = **herein, hinein.**

rein[2] [1] *adj* pure; *Wahrheit* plain; *Gewinn* clear; (*sauber*) clean; *Haut auch, Gewissen* clear ▶ *das ist die ~ste Freude/der ~ste Hohn etc* it's pure *or* sheer joy/mockery *etc*; *er ist der ~ste Künstler* he's a real artist; *die ~e Arbeit kostet ...* the work alone costs ...; *eine ~e Jungenklasse* an all boys' class; *eine ~e Industriestadt* a purely industrial town; *~en Tisch machen* (*fig*) to get things straight; *etw ins ~e schreiben* to write out a fair copy of sth; *etw ins ~e bringen* to clear sth up; *mit sich selbst ins ~e kommen* to sort things out with oneself. [2] *adv* [a] (*ausschließlich*) purely ▶ *~ theoretisch gesprochen* speaking purely theoretically. [b] (*col: ganz, völlig*) absolutely ▶ *~ alles/unmöglich* absolutely everything/impossible.

Rein(e)machefrau *f* cleaner, cleaning lady.

Reinemachen *nt no pl* (*col*) cleaning.

Rein-: *~erlös, ~ertrag* *m* net profit(s).

rein(e)weg *adv* (*col*) completely, absolutely ▶ *das ist ~ erlogen* it's a downright lie.

Reinfall *m* (*col*) disaster (*col*); (*Pleite auch*) flop (*col*).

reinfallen *vi sep irreg aux sein* (*col*) = **hereinfallen, hineinfallen.**

Rein-: *~gewicht* *nt* net(t) weight; *~gewinn* *m* net(t)

profit; **~haltung** f keeping clean; *die ~haltung des Spielplatzes* keeping the playground clean.
Reinheit f purity; (*Sauberkeit*) cleanness.
reinigen [1] vt to clean ► *etw chemisch ~* to dry-clean sth; *ein ~des Gewitter* (*fig col*) a row which clears/cleared the air.
[2] vr to clean itself; (*Mensch*) to cleanse oneself.
Reiniger m - cleaner.
Reinigung f [a] cleaning. [b] (*chemische ~*) (*Vorgang*) dry-cleaning; (*Anstalt*) (dry-)cleaner's (*Brit*) or cleaner (*US*).
Reinigungs-: **~creme** f cleansing cream; **~mittel** nt cleansing agent.
reinkriegen vt sep (*col*) = **hereinbekommen, hineinbekommen.**
Reinkultur f (*Biol*) cultivation of pure cultures ► *Kitsch in ~* (*col*) pure unadulterated kitsch.
reinlegen vt sep (*col*) = **hereinlegen, hineinlegen.**
reinlich adj cleanly; (*ordentlich*) neat, tidy; (*klar*) clear.
Reinlichkeit f siehe adj cleanliness; neatness, tidiness; clearness.
Rein-: **r~rassig** adj pure-blooded; *Tier* pure-bred, thoroughbred; **~rassigkeit** f racial purity; (*von Tier*) pure breeding; **r~reiten** vt sep irreg *jdn r~reiten* (*col*) to get sb into a mess (*col*); **~schrift** f (*Geschriebenes*) fair copy; **r~seiden** ⚠ adj pure silk; **r~tun** vr (*col*) *sich* (*dat*) *etw r~tun* to imagine sth; **~vermögen** nt net assets pl.
re|investieren* vti (*Comm*) to reinvest.
rein-: **~waschen** ⚠ sep irreg [1] vt (*von etw*) to clear; [2] vr (*fig*) to clear oneself; **~weg** adv = **rein(e)weg;** **~würgen** vt (*col*) *Essen etc* to force down; *jdm einen ~würgen* to do the dirty on sb (*col*); **~ziehen** vr (*col*) *sich* (*dat*) *etw ~ziehen* *Drogen* to take sth; *Musik* to listen to sth; *Film* to watch sth; *Getränk* to knock sth back.
Reis m -e rice.
Reisbrei m ≈ creamed rice.
Reise f -n journey, trip; (*Schiffs~*) voyage; (*Geschäfts~*) trip ► *seine ~n durch Europa* his travels through Europe; *eine ~ mit der Eisenbahn/dem Auto* a train/car journey; *eine ~ zu Schiff* a sea voyage; *eine ~ machen* to go on a journey; *auf ~n sein* to be away (travelling (*Brit*) or traveling (*US*)); *er ist viel auf ~n* he does a lot of travelling; *wohin geht die ~?* where are you off to?; *gute ~!* bon voyage!, have a good journey!
Reise-: **~andenken** nt souvenir; **~apotheke** f first aid kit; **~begleiter** m [a] travelling (*Brit*) or traveling (*US*) companion; [b] = **~leiter; ~bericht** m account of one's journey; (*Buch*) travel story; (*Film*) travelogue; **~beschränkungen** pl travel restrictions pl; **~beschreibung** f description of one's travels; travel book or story; (*Film*) travelogue; **~büro** nt travel agency; **~bus** m coach; **~erleichterungen** pl easing of travel restrictions; **r~fertig** adj ready to leave; **~fieber** nt *vom ~fieber gepackt* excited about going on a trip; **~führer** m (*Buch*) guidebook; (*Person*) courier; **~gefährte** m travelling (*Brit*) or traveling (*US*) companion; **~geld** nt fare; **~gepäck** nt luggage, baggage; **~gesellschaft, ~gruppe** f (tourist) party; (*im Bus auch*) coach party (*Brit*); (*Veranstalter*) travel company; **~koffer** m suitcase; **~kosten** pl travelling (*Brit*) or traveling (*US*) expenses pl; **~land** nt holiday destination; **~leiter** m courier, tour guide; **~leitung** f (*das Leiten*) tour management; (*~leiter*) courier(s); **~lektüre** f reading matter (for a journey); *etw als ~lektüre mitnehmen* to take sth to read on the journey; **~lust** f wanderlust, travel bug (*col*); **r~lustig** adj keen on travel.
reisen vi aux sein to travel ► *in etw* (*dat*) ~ (*Comm*) to travel in sth.
Reisende(r) mf decl as adj traveller (*Brit*), traveler (*US*);

(*Fahrgast*) passenger; (*Comm*) (commercial) traveller (*Brit*), traveler (*US*).
Reise-: **~paß** ⚠ m passport; **~pläne** pl plans pl (for a/the journey); **~proviant** m food for the journey; **~route** f route, itinerary; **~scheck** m traveller's cheque (*Brit*), traveler's check (*US*); **~schreibmaschine** f portable typewriter; **~spesen** pl travelling (*Brit*) or traveling (*US*) expenses pl; **~tasche** f grip, travelling (*Brit*) or traveling (*US*) bag; **~veranstalter** m tour operator; **~verkehr** m holiday traffic; **~versicherung** f travel insurance; **~vorbereitungen** pl travel preparations pl; **~wecker** m travelling (alarm) clock; **~welle** f *die ~welle nach Süden* the trail of holidaymakers heading south; **~zeit** f time for travelling (*Brit*) or traveling (*US*); *die beste ~zeit für Ägypten* the best time to go to Egypt; **~ziel** nt destination.
Reisfeld nt paddy field.
Reisig nt no pl brushwood, twigs pl.
Reiskorn nt grain of rice.
Reiß|aus m: *~ nehmen* (*col*) to clear off (*col*).
Reiß-: **~brett** nt drawing board; **~brettstift** m drawing pin (*Brit*), thumb tack (*US*).
reißen pret **riß**, ptp **gerissen** [1] vt [a] (*zer~*) to tear, to rip. [b] (*ab~, ent~*) to tear, to pull, to rip (*etw von etw sth off sth*); (*mit~, zerren*) to pull, to drag ► *jdn zu Boden ~* to drag sb to the ground; *der Fluß hat die Brücke mit sich gerissen* the river swept the bridge away; *jdn aus seinen Träumen ~* to wake sb from his/her dreams; *hin und her gerissen sein* (*fig*) to be torn between two possibilities. [c] *etw an sich* (*acc*) ~ to seize sth; *Unterhaltung* to monopolize sth. [d] (*Sport*) *Latte, Hürde* to knock off. [e] (*töten*) to take, to kill. [f] (*col: machen*) *Witze* to crack (*col*); *Possen* to play.
[2] vi [a] aux sein (*zer~*) to tear, to rip; (*Seil*) to tear, to break, to snap; (*Risse bekommen*) to crack ► *mir ist die Kette gerissen* my chain has broken or snapped; *wenn alle Stricke ~* (*fig col*) if the worst comes to the worst. [b] (*zerren*) (*an +dat at*) to tug; (*wütend*) to tear. [c] (*Sport*) (*Gewichtheben*) to snatch; (*Leichtathletik*) to knock the bar off.
[3] vr [a] (*sich verletzen*) to cut oneself (*an +dat on*). [b] (*sich los~*) to tear oneself/itself. [c] (*col*) *sich um jdn/etw ~* to fight over sb/sth (*fig*).
Reißen nt no pl [a] (*Gewichtheben: Disziplin*) snatch. [b] (*col: Glieder~*) ache.
reißend adj *Fluß* torrential, raging; *Schmerzen* searing; *Verkauf, Absatz* massive ► *~en Absatz finden* to sell like hot cakes (*col*).
Reißer m - (*col*) (*Buch, Film*) thriller; (*Ware*) big seller.
reißerisch adj sensational.
Reiß-: **r~fest** adj tearproof; **~leine** f ripcord; **~nagel** m = **~zwecke; ~verschluß** m zip(-fastener) (*Brit*), zipper (*US*); **~wolf** m shredder; **~zahn** m fang; **~zeug** nt drawing instruments pl; **~zwecke** f drawing pin (*Brit*), thumb tack (*US*).
Reit-: **~anzug** m riding habit; **~bahn** f arena.
reiten pret **ritt**, ptp **geritten** [1] vi aux sein to ride ► *auf etw* (*dat*) ~ to ride (on) sth; *im Schritt/Galopp* ~ to ride at a walk/gallop.
[2] vt to ride ► *ein schnelles Tempo* ~ to ride at a fast pace.
Reiter m - [a] rider, horseman; (*Mil*) cavalryman. [b] (*Kartei~*) index-tab.
Reiterin f rider, horsewoman.
Reiterregiment nt cavalry regiment.
Reit-: **~gerte** f riding crop; **~hose** f riding breeches pl; (*Sport*) jodhpurs pl; **~peitsche** f riding whip; **~pferd** nt saddle-horse, mount; **~schule** f riding school; **~sport** m (horse-)riding, equestrian sport (*form*); **~stall** m riding stable; **~stiefel** m riding boot; **~turnier** nt

horse show; (*Geländereiten*) point-to-point; **~weg** *m* bridle path.

Reiz *m* **-e** a (*Physiol*) stimulus ▸ *einen ~ auf etw* (*acc*) *ausüben* to act as a stimulus to sth. b (*Verlockung*) attraction, appeal; (*Zauber*) charm ▸ *der ~ der Neuheit/ des Verbotenen* the appeal of novelty/forbidden fruits; *(auf jdn) einen ~ ausüben* to hold great attraction(s) (for sb); *den ~ verlieren* to lose all one's/its charm; *weibliche ~e* feminine charms.

Reiz-: **r~bar** *adj* (*empfindlich*) sensitive, touchy (*col*); (*erregbar, Med*) irritable; *leicht r~bar sein* to be very sensitive/irritable; **~barkeit** *f* siehe *adj* sensitivity, touchiness (*col*); irritability.

reizen 1 *vt* a (*Physiol*) to irritate; (*stimulieren*) to stimulate. b (*verlocken*) to appeal to ▸ *es würde mich ja sehr ~, das zu tun* I'd love to do that; *Ihr Angebot reizt mich sehr* I find your offer very tempting. c (*ärgern*) to annoy; (*herausfordern*) to provoke ▸ *jds Zorn ~* to arouse sb's anger; *siehe* **gereizt.** d (*Cards*) to bid. 2 *vi* a (*Med*) to irritate; (*stimulieren*) to stimulate ▸ *zum Widerspruch ~* to invite contradiction. b (*Cards*) to bid.

reizend *adj* charming ▸ *das ist ja ~* (*iro*) (that's) charming.

Reiz-: **~gas** *nt* irritant gas; **~husten** *m* chesty cough; **~klima** *nt* bracing climate; **r~los** *adj* dull, uninspiring; **~mittel** *nt* (*Med*) stimulant; **~stoff** *m* irritant.

Reizung *f* a (*Med*) stimulation; (*krankhaft*) irritation. b (*Herausforderung*) provocation.

Reiz-: **r~voll** *adj* charming, delightful; *Aufgabe, Beruf* attractive; *die Aussicht ist nicht gerade r~voll* the prospect is not exactly appealing; **~wäsche** *f* (*col*) sexy underwear; **~wort** *nt* emotive word.

rekapitulieren* *vt* to recapitulate.

rekeln *vr* (*col: sich strecken*) to stretch ▸ *er rekelte sich in einem behaglichen Sessel* he lay sprawled in a comfy chair.

Reklamation *f* complaint.

Reklame *f* **-n** a advertising ▸ *~ für jdn/etw machen* to advertise sb/sth; *mit etw ~ machen* (*pej*) to show off about sth. b (*Anzeige*) advertisement, advert (*Brit col*); (*TV, Rad auch*) commercial.

Reklame-: **~schild** *nt* advertising sign; **~sendung** *f* commercial break; **~trommel** *f: die ~trommel für jdn/etw rühren* (*col*) to beat the (big) drum for sb/sth, to do a lot of promotion for sb/sth; **~zettel** *m* (advertising) leaflet.

reklamieren* 1 *vi* (*Einspruch erheben*) to complain, to make a complaint ▸ *bei jdm wegen etw ~* to complain to sb about sth. 2 *vt* a (*bemängeln*) to complain about (*etw bei jdm* sth to sb); (*in Frage stellen*) *Rechnung* to query (*etw bei jdm* sth with sb). b (*beanspruchen*) *jdn/etw für sich ~* to lay claim to sb/sth.

rekonstruieren* *vt* to reconstruct.

Rekonstruktion *f* reconstruction.

Rekord *m* **-e** record.

Rekord-: *in cpds* record; **~halter**, **~inhaber** *m* record-holder; **~lauf** *m* record(-breaking) run; **~leistung** *f* record; **~marke** *f* (*Sport, fig*) record; **~versuch** *m* record attempt; **~zeit** *f* record time.

Rekrut *m* (*wk*) **-en, -en** (*Mil*) recruit.

rekrutieren* 1 *vt* (*Mil, fig*) to recruit. 2 *vr* (*fig*) *sich ~ aus* to be drawn from.

Rekrutierung *f* recruitment, recruiting.

Rektor *m*, **Rektorin** *f* (*Sch*) headteacher, principal (*esp US*); (*Univ*) vice-chancellor, rector (*US*); (*von Fachhochschule*) principal.

Relais [rə'lɛː] *nt* **-** [rə'lɛː(s)], **-** [rə'lɛːs] (*Elec*) relay.

Relation *f* relation ▸ *in einer/keiner ~ zu etw stehen* to bear some/no relation to sth.

relativ 1 *adj* relative ▸ **~e Mehrheit** (*Parl*) simple majority. 2 *adv* relatively.

relativieren* *vt* (*geh*) to qualify.

Relativität [relativi'tɛːt] *f* relativity.

Relativ-: **~pronomen** *nt* relative pronoun; **~satz** *m* relative clause.

relevant [rele'vant] *adj* relevant.

Relevanz [rele'vants] *f* relevance.

Relief [reli'ɛf] *nt* **-s** *or* **-e** relief.

Religion *f* religion; (*Schulfach*) religious instruction *or* education, RE (*Brit col*).

Religions-: **~bekenntnis** *nt* denomination; **~freiheit** *f* freedom of worship; **~führer** *m* religious leader; **~gemeinschaft** *f* religious community; **~krieg** *m* religious war; **~lehrer** *m* teacher of religious education, RE teacher (*Brit col*); **r~los** *adj* not religious; **~stunde** *f* religious education *no indef art*, RE lesson (*Brit col*); **~unterricht** *m* religious education; **~zugehörigkeit** *f* religion.

religiös *adj* religious ▸ *~ erzogen werden* to receive a religious upbringing.

Religiosität *f* religiousness.

Relikt *nt* **-e** relic.

Reling *f* **-s** *or* **-e** (*Naut*) (deck) rail.

Reliquie [-iə] *f* relic.

remis [rə'miː] *adj inv* drawn ▸ *~ spielen* to draw; *die Partie ist ~* the game has ended in a draw.

Remis [rə'miː] *nt* **-** [rə'miː(s)], **-** [rə'miːs] *or* **-en** [rə'miːzn] (*Schach, Sport*) draw.

Remittende *f* **-n** (*Comm*) return.

Remittent(in *f*) *m* (*Fin*) payee.

remittieren* *vt* (*Comm*) *Waren* to return; *Geld* to remit.

Remmidemmi *nt no pl* (*col*) (*Krach*) shindig (*col*), rumpus (*col*); (*Trubel*) rave-up (*col*).

Rempelei *f* (*col*) jostling; (*Sport: Foul*) pushing.

rempeln *vti* (*col*) to jostle, to elbow; (*im Sport*) to barge (*jdn* into sb); (*foulen*) to push.

Ren *nt* **-e** reindeer.

Renaissance [rənɛ'sãːs] *f* **-en** a (*Hist*) renaissance. b (*fig*) revival, rebirth.

Rendezvous [rãde'vuː] *nt* **-** [-'vu:(s)], **-** [-'vuːs] rendezvous (*liter, hum*), date.

Rendite *f* **-n** (*Fin*) yield, return on capital.

renitent *adj* awkward, refractory.

Renitenz *f* awkwardness, refractoriness.

Renn- *in cpds* race; **~bahn** *f* (race)track; **~boot** *nt* (racing) powerboat.

rennen *pret* **rannte,** *ptp* **gerannt** 1 *vi aux sein* to run ▸ *um die Wette ~* to have a race; *ins Unglück ~* to rush headlong into disaster; *er rennt zu jedem Fußballspiel* he goes to every football match; *gegen jdn/etw ~* to run into sb/sth; *er rannte mit dem Kopf gegen ...* he bumped his head against ... 2 *vt* a *aux haben or sein* (*Sport*) to run. b *jdn zu Boden or über den Haufen ~* to knock sb down. c (*stoßen*) *Messer etc* to run.

Rennen *nt* **-** running; (*Sport*) (*Vorgang*) racing; (*Veranstaltung*) race ▸ *totes ~* dead heat; *gut im ~ liegen* (*lit, fig*) to be well placed; *das ~ ist gelaufen* (*lit*) the race is over; (*fig*) it's all over; *das ~ machen* (*lit, fig*) to win (the race).

Renner *m* **-** (*col*) big seller.

Rennerei *f* (*col*) (*lit, fig: das Herumrennen*) running around; (*Hetze*) mad chase (*col*).

Renn-: **~fahrer** *m* (*Rad~*) racing cyclist; (*Motorrad~*) racing motorcyclist; (*Auto~*) racing driver; **~pferd** *nt* racehorse; **~piste** *f* (race)track; **~platz** *m* racecourse; **~rad** *nt* racing bike (*col*); **~saison** *f* racing season;

~schlitten *m* bob(sleigh); **~schuh** *m* (*Sport*) running *or* track shoe; **~sport** *m* racing; **~stall** *m* (*Tiere, Zucht*) stable; **~strecke** *f* racecourse; (*Ring*) racing circuit; **~tag** *m* day of the race; **~veranstaltung** *f* race meeting; **~wagen** *m* racing car.

Renommee *nt* -s reputation, name.

renommieren* *vi* to show off.

renommiert *adj* renowned, famous (*wegen* for).

renovieren* [reno'viːrən] *vt* to renovate; (*esp* tapezieren etc) to redecorate, to do up (*col*).

Renovierung [reno'viːruŋ] *f* renovation.

rentabel *adj* profitable ► **es ist nicht ~, das reparieren zu lassen** it is not worth(while) having it repaired; **das ist eine rentable Sache** it will pay (off).

Rentabilität *f* profitability.

Rente *f* -n pension; (*aus Versicherung, Lebens~*) annuity; (*aus Vermögen*) income ► **in ~ gehen/sein** (*col*) to start drawing one's pension/to be on a pension.

Renten-: ~alter *nt* retirement age; **~anspruch** *m* right to a pension; **~basis** *f* annuity basis; **~empfänger** *m* pensioner; **~erhöhung** *f* pension increase; **~papier** *nt* (*Fin*) fixed-interest security; **~versicherung** *f* pension scheme.

Rentier *nt* (*Zool*) reindeer.

rentieren* *vir* to be worthwhile; (*Geschäft etc auch, Maschine*) to pay ► **das rentiert (sich) nicht** it's not worth it.

Rentner(in *f*) *m* - pensioner; (*Alters~ auch*) senior citizen, old age pensioner (*Brit*).

re|organisieren* *vt* to reorganize.

reparabel *adj* repairable.

Reparationen *f* reparations *pl*.

Reparatur *f* repair ► **~en am Auto** car repairs; **~en am Haus vornehmen** to do some repairs to the house; **in ~** being repaired; **etw in ~ geben** to have sth repaired.

Reparatur-: r~anfällig *adj* apt to break down; **r~bedürftig** *adj* in need of repair; **~kosten** *pl* repair costs *pl*; **~werkstatt** *f* workshop; (*Autowerkstatt*) garage.

reparieren* *vt* to mend; *Auto* to repair.

Repertoire [reper'toaːɐ] *nt* -s repertory, repertoire (*auch fig*).

Replik *f* -en (*fig geh*) riposte, reply.

Report *m* -e report.

Reportage [repɔr'taːʒə] *f* -n report.

Reporter(in *f*) *m* - reporter.

Repräsentant(in *f*) *m* representative.

Repräsentantenhaus *nt* (*US Pol*) House of Representatives.

repräsentativ *adj* (*stellvertretend, typisch*) representative (*für* of); *Haus, Auto* prestigious ► **zu ~en Zwecken** for purposes of prestige; **die ~en Pflichten eines Botschafters** the social duties of an ambassador.

repräsentieren* **1** *vt* to represent.
2 *vi* to perform official duties.

Repressalie [-iə] *f* reprisal.

Repression *f* repression.

repressiv *adj* repressive.

Reprise *f* -n (*Mus*) recapitulation; (*Film, Theat*) rerun; (*nach längerer Zeit*) revival.

Reproduktion *f* reproduction.

reproduktiv *adj* reproductive.

reproduzieren* *vt* to reproduce.

Reptil *nt* -ien [-iən] reptile.

Republik *f* -en republic.

Republikaner(in *f*) *m* - republican ► **die ~** (*BRD Pol*) the Republicans.

republikanisch *adj* republican.

Republik-: ~flucht *f* (*DDR*) illegal crossing of the border; **~flüchtling** *m* (*DDR*) illegal emigrant.

Requiem ['reːkviɛm] *nt* -s requiem.

Requisit *nt* -en piece of equipment, requisite (*form*) ► **~en** (*Theat*) props, properties (*form*).

Requisiteur(in *f*) [-'tøːɐ, -'tøːrɪn] *m* (*Theat*) props *or* property manager.

Reseda *f*, *pl* **Reseden** (*Bot*) (*Gattung*) reseda; (*Garten~*) mignonette.

Reservat [reser'vaːt] *nt* **a** (*Wildpark*) reserve. **b** (*für Volksstämme*) reservation.

Reserve [re'zɛrvə] *f* -n **a** (*Vorrat*) reserve(s) (*an* +*dat* of); (*Geld*) savings *pl*; (*Mil, Sport*) reserves *pl*. **b** (*Zurückhaltung*) reserve ► **jdn aus der ~ locken** to bring sb out of his/her shell (*col*).

Reserve-: ~bank *f* (*Sport*) substitutes bench; **~kanister** *m* spare can; **~rad** *nt* spare wheel; **~reifen** *m* spare tyre (*Brit*) *or* tire (*US*); **~spieler** *m* (*Sport*) reserve; **~tank** *m* reserve tank; **~truppen** *pl* reserves *pl*; **~übung** *f* (*army*) reserve training *no pl*.

reservieren* [rezɛr'viːrən] *vt* to reserve.

reserviert *adj* *Platz, Mensch* reserved.

Reserviertheit *f* reserve.

Reservierung *f* reservation.

Reservist [rezɛr'vɪst] *m* reservist.

Reservoir [rezɛr'voaːɐ] *nt* -e reservoir; (*fig auch*) pool.

Residenz *f* (*Wohnung*) residence.

residieren* *vi* to reside.

Resignation *f* (*geh*) resignation.

resignieren* *vi* to give up ► **resigniert** resigned; ... **sagte er ~d ...** he said with resignation.

resistent *adj* (*auch Med*) resistant (*gegen* to).

resolut *adj* determined.

Resolution *f* (*Pol*) (*Beschluß*) resolution; (*Bittschrift*) petition.

Resonanz *f* **a** (*Mus, Phys*) resonance. **b** (*fig*) response (*auf* +*acc* to) ► **keine/große ~ finden** to meet with no/a good response.

Resonanzboden *m* sounding board.

Resopal ® *nt no pl* ≃ Formica ®.

resozialisieren* *vt* to rehabilitate.

Resozialisierung *f* rehabilitation.

Respekt *m no pl* respect; (*Angst*) fear ► **bei allem ~ (vor jdm/etw)** with all due respect (to sb/sth); **vor jdm/etw ~ haben** to have respect for sb/sth; (*Angst*) to be afraid of sb/sth.

respektabel *adj* respectable.

respektieren* *vt* to respect; *Wechsel* to honour (*Brit*), to honor (*US*).

respektive [respɛk'tiːvə] *adv* (*geh, Comm*) **a** siehe **beziehungsweise**. **b** (*anders ausgedrückt*) or rather; (*genauer gesagt*) (or) more precisely.

Respekt-: r~los *adj* disrespectful, irreverent; **~losigkeit** *f* **a** (*no pl: Verhalten*) disrespect(fulness), irreverence; **b** (*Bemerkung*) disrespectful remark.

Respektsperson *f* person to be respected.

respektvoll *adj* respectful.

Ressentiment [rɛsãti'mãː, rə-] *nt* -s resentment *no pl* (*gegen* against).

Ressort [re'soːɐ] *nt* -s department ► **in das ~ von jdm fallen** (*lit, fig*) to be sb's department.

Rest *m* -e **a** rest; (*Stoff~*) remnant ► **die ~e einer Stadt/Kultur** the remains of a city/civilization; **der letzte ~** the last bit; **dieser kleine ~** this little bit that's left (over); **der ~ ist für Sie** (*beim Bezahlen*) keep the change; **jdm/einer Sache den ~ geben** (*col*) to finish sb/sth off. **b** **~e** *pl* (*Essens~*) left-overs *pl*.

Restaurant [rɛsto'rãː] *nt* -s restaurant.

Restauration *f* restoration.

Restaurator *m*, **Restauratorin** *f* restorer.

restaurieren* *vt* to restore.

Restaurierung *f* restoration.

Rest- *in cpds* remaining; **~bestand** *m* remaining stock; **~betrag** *m* balance; **r~lich** *adj* remaining, rest of the ...; *die r~lichen* the rest; **r~los** ① *adj* complete, total; ② *adv* completely, totally; *begeistert* wildly; **~posten** *m* (*Comm*) remaining stock; *ein ~posten* remaining stock; **~summe** *f* balance, amount remaining.

Resultat *nt* result ► *zu dem ~ kommen, daß ...* to come to the conclusion that ...

resultieren* *vi* (*geh*) to result (*in* +*dat* in) ► *aus etw ~* to result from sth; *die daraus ~den ...* the resulting ...

Resümee *nt* **-s** (*geh*) summary, résumé.

resümieren* *vti* (*geh*) to summarize, to sum up.

Retorte *f* **-n** (*Chem*) retort ► *aus der ~* (*col*) synthetic.

Retortenbaby *nt* test-tube baby.

retour [re'tuːʀ] *adv* (*old, dial*) back.

Retourkutsche [re'tuːʀ-] *f* (*col*) riposte.

Retrospektive *f* retrospective.

retten ① *vt* to save; (*befreien*) to rescue ► *jdm das Leben ~* to save sb's life; *jdn vor jdm/etw ~* to save sb from sb/sth; *ein ~der Gedanke* a bright idea that saved the situation; *bist du noch zu ~?* (*col*) are you out of your mind? (*col*).
② *vr* to escape ► *sich aus etw ~* to escape from sth; *sich vor jdm/etw ~* to escape (from) sb/sth; *sich vor etw nicht mehr ~ können* (*fig*) to be swamped with sth; *rette sich, wer kann!* (it's) every man for himself!

Retter(in *f*) *m* - rescuer; (*Rel*) Saviour (*Brit*), Savior (*US*).

Rettich *m* **-e** radish.

Rettung *f* rescue, deliverance (*liter*); (*Rel*) salvation ► *die ~ kam in letzter Minute* the situation was saved in the last minute; (*für Schiffbrüchige etc*) help came in the nick of time; *auf ~ hoffen* to hope to be saved; *für den Patienten gibt es keine ~ mehr* the patient is beyond saving; *das/er war meine ~* that/he was my salvation; *das war meine letzte ~* that was my last hope.

Rettungs-: **~aktion** *f* rescue operation; **~anker** *m* sheet anchor; (*fig*) anchor; **~boot** *nt* lifeboat; **~dienst** *m* rescue service; **~hubschrauber** *m* rescue helicopter; **~kommando** *nt* rescue squad; **r~los** ① *adj* beyond saving; *Lage* hopeless; ② *adv verloren* irretrievably; **~mannschaft** *f* rescue party *or* team; **~ring** *m* lifebelt; **~schwimmer** *m* lifesaver; (*am Strand*) lifeguard; **~wagen** *m* ambulance.

retuschieren* *vt* (*Phot*) to retouch, to touch up (*col, auch fig*).

Reue *f no pl* remorse (*über* +*acc* at, about), repentance (*auch Rel*) (*über* +*acc* of); (*Bedauern*) regret (*über* +*acc* at, about).

reuelos *adj* unrepentant.

reuen *vt* (*liter*) *etw reut jdn* sb regrets sth.

reuevoll, reuig *adj* (*liter*) *siehe* **reumütig**.

reumütig *adj* remorseful; *Sünder* contrite ► *~ gestand er ...* full of remorse he confessed ...

Reuse *f* **-n** fish trap.

Revanche [re'vãːʃ(ə)] *f* **-n** revenge; (*~partie*) return match ► *du mußt ihm ~ geben!* you'll have to give him a return match.

revanchieren* [revã'ʃiːrən] *vr* ⓐ to get one's own back (*bei jdm für etw* on sb for sth). ⓑ (*sich erkenntlich zeigen*) to reciprocate ► *sich bei jdm für eine Einladung ~* to return sb's invitation.

Revanchismus [revã'ʃɪsmʊs] *m* revanchism.

revanchistisch [revã'ʃɪstɪʃ] *adj* revanchist.

Reverenz [reve'rɛnts] *f* (*old*) *jdm seine ~ erweisen* to show one's reverence for sb.

Revers [re've:ʀ] *nt or m* - [re've:ʀ(s)], - [re've:ʀs] (*an Kleidung*) lapel, revers (*esp US*).

revidieren* [revi'diːrən] *vt* to revise; (*Comm*) to audit.

Revier [re'viːʀ] *nt* **-e** ⓐ (*Polizei~*) (*Dienststelle*) (police) station, station house (*US*); (*Dienstbereich*) beat, precinct

(*US*), patch (*col*). ⓑ (*Zool: Gebiet*) territory ► *die Küche ist mein ~* the kitchen is my preserve. ⓒ (*Hunt: Jagd~*) hunting ground, shoot. ⓓ (*Min: Kohlen~*) (coal)mine ► *das ~* the Ruhr/Saar coalfields.

Revision [revi'zioːn] *f* ⓐ (*von Meinung, Politik etc*) revision. ⓑ (*Comm: Prüfung*) audit. ⓒ (*Jur: Urteilsanfechtung*) appeal (*an* +*acc* to).

Revisionismus [revizio'nɪsmʊs] *m* (*Pol*) revisionism.

revisionistisch [revizio'nɪstɪʃ] *adj* (*Pol*) revisionist.

Revisions-: **~frist** *f* (*Jur*) time for appeal; **~verhandlung** *f* (*Jur*) appeal hearing.

Revisor [re'viːzɔr] *m* (*Comm*) auditor.

Revolte [re'vɔltə] *f* **-n** revolt.

revoltieren* [revɔl'tiːrən] *vi* to revolt, to rebel.

Revolution [revolu'tsioːn] *f* (*lit, fig*) revolution.

revolutionär [revolutsio'nɛːʀ] *adj* (*lit, fig*) revolutionary.

Revolutionär(in *f*) [revolutsio'nɛːʀ, -'nɛːərɪn] *m* revolutionary.

revolutionieren* [revolutsio'niːrən] *vt* to revolutionize.

Revolutions- *in cpds* revolutionary.

Revoluzzer(in *f*) [revo'lʊtsɐ, -ərɪn] *m* - (*pej*) would-be revolutionary.

Revolver [re'vɔlvɐ] *m* - revolver, gun.

Revolver-: **~blatt** *nt* (*pej*) scandal sheet; **~held** *m* (*pej*) gunslinger.

Revue [rə'vyː] *f* **-n** [-yːən] (*Theat*) revue ► *etw ~ passieren lassen* (*fig*) to pass sth in review.

Revuetänzerin [rə'vyː-] *f* chorus girl.

Reykjavik ['raikjaviːk] *nt* Reykjavik.

Rezensent(in *f*) *m* reviewer.

rezensieren* *vt* to review.

Rezension *f* review.

Rezept *nt* **-e** ⓐ (*Med*) prescription; (*fig*) remedy (*für, gegen* for) ► *auf ~* on prescription. ⓑ (*Cook, fig*) recipe.

rezeptfrei ① *adj* available without prescription. ② *adv* over the counter.

Rezeption *f* (*von Hotel: Empfang*) reception, front desk (*US*).

Rezept-: **~pflicht** *f* prescription requirement; **r~pflichtig** *adj* available only on prescription.

Rezession *f* (*Econ*) recession.

rezessiv *adj* (*Biol*) recessive.

reziprok *adj* (*Math, Gram*) reciprocal.

rezitieren* *vti* to recite.

R-Gespräch ['ɛr-] *nt* reverse charge call (*Brit*), collect call.

RGW [ɛrgeː'veː] *m* = **Rat für gegenseitige Wirtschaftshilfe** COMECON.

Rh [ɛr'haː] = **Rhesusfaktor positiv.**

rh [ɛr'haː] = **Rhesusfaktor negativ.**

Rhabarber *m no pl* (*auch Gemurmel*) rhubarb.

Rhapsodie *f* rhapsody.

Rhein *m* Rhine.

Rhein-: **r~ab(wärts)** *adv* down the Rhine; **~armee** *f* British Army of the Rhine; **r~auf(wärts)** *adv* up the Rhine; **~fall** *m* Rhine Falls *pl*.

rheinisch *adj attr* Rhenish, Rhineland.

Rhein-: **~land** *nt* Rhineland; **~länder(in** *f*) *m* - Rhinelander; **r~ländisch** *adj* Rhineland; **~land-Pfalz** *nt* Rhineland-Palatinate; **~wein** *m* Rhine wine; (*weißer auch*) hock (*Brit*).

Rhesus-: **~affe** *m* rhesus monkey; **~faktor** *m* (*Med*) rhesus factor.

Rhetorik *f* rhetoric.

rhetorisch *adj* rhetorical ► *~e Frage* rhetorical question.

Rheuma *nt no pl* rheumatism.

Rheumatiker(in *f*) *m* - rheumatism sufferer.

⚠: for details of spelling reform, see supplement

rheumatisch *adj* rheumatic.
Rheumatismus *m* rheumatism.
Rhinozeros *nt* -(ses), -se rhinoceros, rhino (*col*); (*col: Dummkopf*) fool.
Rhodesien [-iən] *nt* (*Hist*) Rhodesia.
Rhodesier(in *f*) [-iɐ, -iərın] *m* - (*Hist*) Rhodesian.
rhodesisch *adj* (*Hist*) Rhodesian.
Rhododendron [rodo'dɛndrɔn] *m or nt, pl* **Rhododendren** rhododendron.
Rhodos ['roːdɔs, 'rɔdɔs] *nt* Rhodes.
Rhombus *m, pl* **Rhomben** rhombus.
rhythmisch *adj* rhythmic(al).
Rhythmus *m* (*Mus, Poet, fig*) rhythm.
RIAS *m* = **Rundfunk im amerikanischen Sektor** *broadcasting station in the former American Sector (of Berlin)*.
Richtantenne *f* directional aerial (*esp Brit*) *or* antenna.
richten ① *vt* [a] (*lenken*) to direct (*auf* +acc towards), to point (*auf* +acc at, towards); *Augen, Aufmerksamkeit* to turn (*auf* +acc towards), to focus (*auf* +acc on). [b] (*aus~*) *etw nach jdm/etw* ~ to suit sth to sb/sth; *Verhalten* to adapt sth to sb/sth. [c] (*adressieren*) *Briefe, Anfragen* to address (*an* +acc to); *Bitten, Forderungen* to make (*an* +acc to); *Kritik, Vorwurf* to direct (*gegen* at, against). [d] (*esp S Ger*) (*zurechtmachen*) to prepare, to get ready; (*in Ordnung bringen*) to do, to fix; (*reparieren*) to fix; *Haare* to do; *Tisch* to lay (*Brit*), to set; *Betten* to make, to do. [e] (*einstellen*) to set.
② *vr* [a] (*sich hinwenden*) to focus, to be focussed (*auf* +acc on), to be directed (*auf* +acc towards). [b] (*sich wenden*) to consult (*an jdn* sb); (*Maßnahme, Vorwurf etc*) to be aimed (*gegen* at). [c] (*sich anpassen*) to follow (*nach jdm/etw* sb/sth) ▸ *sich nach den Vorschriften/ den Sternen* ~ to go by the rules/the stars; *sich nach jds Wünschen* ~ to comply with sb's wishes; *wir* ~ *uns ganz nach unseren Kunden* we are guided entirely by our customers' wishes; *und richte dich (gefälligst) danach!* (*col*) (kindly) do as you're told. [d] (*abhängen von*) to depend (*nach* on). [e] (*esp S Ger: sich zurechtmachen*) to get ready.
③ *vi* (*liter: urteilen*) to judge (*über jdn* sb), to pass judgement (*über* +acc on).
Richter(in *f*) *m* - judge ▸ *jdn/etw vor den* ~ *bringen* to take sb/sth to court; *sich zum* ~ *machen* (*fig*) to set (oneself) up in judgement.
Richter-: *r~lich* *adj attr* judicial; *~schaft* *f* judiciary, Bench.
Richt-: *~fest* *nt* topping-out ceremony; *~geschwindigkeit* *f* recommended speed.
▼ **richtig** ① *adj* [a] right *no comp*; (*zutreffend auch*) correct ▸ *eine ~e Erkenntnis* a correct realization; *ich halte es für ~/das ~ste, ...* I think it would be right/best ...; *bin ich hier ~ bei Müller?* (*col*) is this right for the Müllers? [b] (*wirklich, echt*) real, proper ▸ *der ~e Vater/die ~e Mutter* the real father/mother; *ein ~er Idiot etc* a right idiot *etc* (*col*).
② *adv* [a] (*korrekt*) correctly, right ▸ *die Uhr geht* ~ the clock is right; *du kommst gerade ~!* you're just in time. [b] (*col: ganz und gar*) really, real (*esp US col*). [c] (*wahrhaftig*) right, correct ▸ *das ist doch Paul! — ach ja,* ~ that's Paul — oh yes, so it is.
Richtige(r) *mf decl as adj* right person/man/woman *etc* ▸ *sechs ~ im Lotto* six right in the lottery.
Richtige(s) *nt decl as adj* right thing ▸ *das ist genau das* ~ that's just the job (*col*); *ich habe nichts ~s gegessen/gelernt* I haven't had a proper meal/I didn't really learn a proper trade; *ich habe endlich was ~s gefunden* at last I've found something suitable.
richtiggehend ① *adj attr* *Uhr, Waage* accurate; (*col: regelrecht*) real.

② *adv* (*col*) ~ *intelligent* really intelligent.
Richtigkeit *f* correctness, accuracy; (*von Verhalten, einer Entscheidung*) correctness ▸ *an der* ~ *von etw zweifeln* to doubt whether sth is right; *das hat schon seine* ~ it's right enough.
Richtig-: *r~liegen* △ *vi sep irreg* (*col*) (*recht haben*) to be right; (*angepaßt sein*) to fit in; *r~stellen* △ *vt sep* to correct; *~stellung* *f* correction.
Richt-: *~kranz* *m* (*Build*) wreath used in the topping-out ceremony; *~linie* *f usu pl* guideline; *~mikrofon* *nt* directional microphone; *~platz* *m* place of execution; *~preis* *m* recommended price; *~schnur* *f* (*fig: Grundsatz*) guiding principle.
Richtung *f* [a] direction ▸ *in* ~ *Hamburg* in the direction of Hamburg; *in nördliche* ~ towards the north, in a northerly direction; *die Autobahn/der Zug* ~ *Hamburg* the autobahn/train going towards Hamburg; *die* ~ *ändern* to change direction(s); *eine* ~ *nehmen or einschlagen* to head in a direction; *seine Gedanken nahmen eine neue* ~ his thoughts took a new turn; *in jeder* ~ each way; (*fig: in jeder Hinsicht*) in every respect. [b] (*Tendenz*) trend; (*die Vertreter einer* ~) movement; (*Denk~, Lehrmeinung*) school of thought.
Richtungs-: *~änderung* *f* change in direction; *r~los* *adj* lacking a sense of direction; *~losigkeit* *f* lack of a sense of direction; *~wechsel* *m* (*lit, fig*) change of direction.
richtungweisend *adj* pointing the way ▸ ~ *sein* to point the way (ahead).
Richt-: *~wert* *m* guideline; *~zahl* *f* ballpark figure.
Ricke *f* -n doe.
rieb *pret of* **reiben**.
riechen *pret* **roch**, *ptp* **gerochen** ① *vti* to smell ▸ *gut/ schlecht* ~ to smell good/bad; *nach etw* ~ to smell of sth; *an jdm/etw* ~ to sniff (at) sb/sth; *ich rieche dieses Gewürz gern* I like the smell of this spice; *das riecht nach Betrug* (*fig col*) that smacks of deceit; *jdn nicht* ~ *können* (*col*) to hate sb's guts (*col*); *das konnte ich doch nicht* ~! (*col*) how was I (supposed) to know?
② *vi* (*Geruchssinn haben*) *nicht mehr* ~ *können* to have lost one's sense of smell.
③ *vi impers* to smell ▸ *es riecht angebrannt/nach Gas* there's a smell of burning/gas.
Riecher *m* - (*col*) *einen guten or den richtigen* ~ *(für etw) haben* (*col*) to have a nose (for sth) (*col*).
Ried *nt* -e (*Schilf*) reeds *pl*.
Riedgras *nt* sedge.
rief *pret of* **rufen**.
Riege *f* -n (*Sport*) team, squad.
Riegel *m* - [a] (*Verschluß*) bolt ▸ *einer Sache* (*dat*) *einen* ~ *vorschieben* (*fig*) to clamp down on sth. [b] (*Schokolade*) bar; (*Seife auch*) cake.
Riemen *m* - [a] (*Treib~, Gürtel*) belt; (*an Kleidung, Koffer~*) strap; (*Schnürsenkel*) shoelace ▸ *den* ~ *enger schnallen* (*col*) to tighten one's belt; *sich am* ~ *reißen* (*fig col*) to get a grip on oneself. [b] (*Sport*) oar.
Riemen|antrieb *m* belt drive.
Riese¹: *das macht nach Adam* ~ *3 Mark 50* (*hum col*) the way I learned it at school that makes 3 marks 50.
Riese² *m* (*wk*) -n, -n (*lit, fig*) giant; (*col: Tausendmarkschein*) 1000 mark note, big one (*esp US col*).
rieseln *vi aux sein* (*Wasser, Sand*) to trickle; (*Regen*) to drizzle; (*Schnee*) to fall gently ▸ *der Kalk rieselt von der Wand* lime is crumbling off the wall; *ein Schauder rieselte mir über den Rücken* a shiver went down my spine.
Riesen- *pref* gigantic; (*Zool, Bot etc auch*) giant; *~chance* *f* tremendous chance; *~erfolg* *m* gigantic success; (*Theat, Film*) smash hit; *~gebirge* *nt* (*Geog*) Su-

deten Mountains *pl*; **r~groß** *adj* gigantic; **~hunger** *m* (*col*) enormous appetite; **~rad** *nt* big *or* Ferris wheel; **~schlange** *f* boa; **~schritt** *m* giant stride; (*fig*) quantum leap; *sich mit ~schritten nähern* (*fig*) to be drawing on apace; **~slalom** *m* giant slalom.

riesig 1 *adj* gigantic.

2 *adv* (*col: sehr*) enormously.

Riesin *f* (female) giant.

riet *pret of* **raten**.

Riff *nt* **-e** (*Felsklippe*) reef.

rigoros *adj* rigorous.

Rille *f* **-n** groove; (*in Säule*) flute.

Rimesse *f* (*Fin*) remittance.

Rind *nt* **-er** a (*Tier*) cow ▶ **~er** cattle *pl*; *10* **~er** 10 head of cattle. b (*col: Rindfleisch*) beef ▶ **vom ~** beef *attr*.

Rinde *f* **-n** (*Baum~*) bark; (*Brot~*) crust; (*Käse~*) rind.

Rinder-: **~braten** *m* (*roh*) joint of beef; (*gebraten*) roast beef *no indef art*; **~filet** *nt* fillet of beef; **~herde** *f* herd of cattle; **~roulade** *f* ≈ beef olive; **~wahn(sinn)** *m* mad cow disease; **~zucht** *f* cattle farming;

Rindfleisch *nt* beef.

Rindsleder *nt* leather; *esp* cowhide, oxhide.

Rindvieh *nt* a *no pl* cattle *pl* ▶ *10 Stück* **~** 10 head of cattle. b *pl* **-viecher** (*col: Dummkopf*) ass (*col*).

Ring *m* **-e** a ring; (*von Menschen auch*) circle; (*Ketten~*) link; (*Rettungs~*) lifebelt; (*~straße*) ring road ▶ *die ~e tauschen* to exchange rings; **~e** (*Turnen*) rings; **~ frei!** (*Boxen*) seconds out! b (*Vereinigung*) circle, group; (*Bande*) ring. c (*liter: Kreislauf*) circle, cycle ▶ *der ~ schließt sich* the wheel turns full circle.

Ringbuch *nt* ring binder.

Ringel-: **~blume** *f* marigold; **~locke** *f* ringlet.

ringeln 1 *vt* (*Pflanze*) to (en)twine; *Schwanz etc auch* to curl; *siehe* **geringelt**.

2 *vr* to go curly, to curl; (*Rauch*) to curl up(wards) ▶ *die Schlange ringelte sich um den Baum* the snake coiled itself around the tree.

Ringel-: **~natter** *f* grass snake; **~reigen**, **~reihen** *m* ring-a-ring-o' roses; **~schwanz** *m* curly tail; **~taube** *f* wood pigeon.

ringen *pret* **rang**, *ptp* **gerungen** 1 *vt* *die Hände* **~** to wring one's hands; *er rang ihr das Messer aus der Hand* he wrested the knife from her hand.

2 *vi* a (*lit, fig: kämpfen*) to wrestle ▶ *mit dem Tode* **~** to wrestle with death. b (*streben*) *nach or um etw* **~** to struggle for sth; *ums Überleben* **~** (*liter*) to struggle to survive.

Ringen *nt no pl* (*Sport*) wrestling; (*fig*) struggle.

Ringer(in *f*) *m* **-** wrestler.

Ring-: **~finger** *m* ring finger; **r~förmig** *adj* ring-like; **~kampf** *m* fight; (*Sport*) wrestling match; **~kämpfer** *m* wrestler; **~ordner** *m* ring binder; **~richter** *m* referee.

rings *adv* (all) around.

ringsherum *adv* all (the way) around.

Ringstraße *f* ring road.

ring|sum, **rings|umher** *adv* (all) around.

Rinne *f* **-n** (*Rille*) groove; (*Furche, Abfluß~, Fahr~*) channel; (*Dach~, col: Rinnstein*) gutter.

rinnen *pret* **rann**, *ptp* **geronnen** *vi aux sein* (*fließen*) to run ▶ *das Geld rinnt ihm durch die Finger* (*fig*) money slips through his fingers.

Rinn-: **~sal** *nt* **-e** rivulet; **~stein** *m* (*Gosse*) gutter.

Rio (de Janeiro) ['ri:o(deʒa'ne:ro)] *nt* Rio (de Janeiro).

R.I.P. = **requiescat in pace** R.I.P.

Rippchen *nt* (*Cook*) spare rib.

Rippe *f* **-n** rib; (*von Apfelsine*) segment ▶ *er hat nichts auf den* **~n** (*col*) he's just skin and bones; *... damit du was auf die* **~n** *kriegst* (*col*) ... to put a bit of flesh on you; *ich kann es mir nicht aus den* **~n** *schneiden* (*col*)

I can't just produce it from nowhere.

Rippen-: **~bruch** *m* broken rib; **~fell** *nt* pleura; **~fellentzündung** *f* pleurisy; **~speer** *m or nt* (*Cook*) spare rib; *Kasseler* **~speer** slightly cured pork spare rib; **~stoß** *m* dig in the ribs.

Risiko *nt, pl* **-s** *or* **Risiken** risk ▶ *auf eigenes* **~** at one's own risk; *etw ohne* **~** *tun* to do sth without taking a risk.

Risiko-: **r~freudig** *adj* prepared to take risks; **~gruppe** *f* high-risk group; **~kapital** *nt* (*Fin*) venture capital; **~lebensversicherung** *f* term life insurance; **r~los** *adj* safe.

riskant *adj* risky, chancy (*col*).

riskieren* *vt* (*aufs Spiel setzen*) to risk; (*wagen*) to venture ▶ *etwas/nichts* **~** to take chances/no chances; *seine Stellung* **~** to put one's job at risk; *in Gegenwart seiner Frau riskiert er kein Wort* when his wife is present he dare not say a word.

Rispe *f* **-n** (*Bot*) panicle.

⚠ **riß** *pret of* **reißen**.

⚠ **Riß** *m, pl* **Risse** a (*in Stoff, Papier etc*) tear, rip; (*in Erde, Gestein*) crevice, fissure; (*in Wand, Behälter etc*) crack; (*Haut~*) chap; (*fig: Kluft*) rift, split ▶ *die Freundschaft hat einen* **~** *bekommen* a rift has developed in their friendship. b (*Tech etc: Zeichnung*) sketch, sketch plan.

rissig *adj Boden, Leder* cracked; *Haut* chapped.

Rist *m* **-e** (*am Fuß*) instep.

Riten *pl of* **Ritus**.

ritt *pret of* **reiten**.

Ritt *m* **-e** ride ▶ *einen* **~** *machen* to go for a ride.

Ritter *m* **-** knight; (*Kavalier*) cavalier ▶ *jdn zum* **~** *schlagen* to knight sb; *arme* **~** *pl* (*Cook*) sweet French toast soaked in milk.

Ritter-: **~burg** *f* knight's castle; **~kreuz** *nt* (*Mil*) Knight's Cross; **~kreuzträger** *m* holder of the Knight's Cross; **r~lich** *adj* (*lit*) knightly; (*fig*) chivalrous; **~lichkeit** *f* chivalry; **~orden** *m* order of knights; **~schlag** *m* *den* **~schlag** *empfangen* to be knighted.

Rittersmann *m, pl* **-leute** (*poet*) knight.

Ritter-: **~sporn** *m* (*Bot*) larkspur, delphinium; **~stand** *m* knighthood.

rittlings *adv* astride (*auf etw* (*dat*) sth).

Rittmeister *m* (*old Mil*) cavalry captain.

Ritual *nt* **-e** *or* **-ien** [-iən] (*lit, fig*) ritual.

rituell *adj* ritual.

Ritus *m* **-**, **Riten** rite; (*fig*) ritual.

Ritze *f* **-n** (*Riß*) crack; (*Fuge*) gap.

Ritzel *nt* **-** (*Tech*) pinion.

ritzen 1 *vt* to scratch; (*einritzen*) *Namen etc auch* to carve ▶ *die Sache ist geritzt* (*col*) it's all fixed up.

2 *vr* to scratch oneself.

Rivale [ri'va:lə] *m* (*wk*) **-n**, **-n**, **Rivalin** [ri'va:lɪn] *f* rival.

rivalisieren* [rivali'zi:rən] *vi* *mit jdm* **~** to compete with sb; *die* **~den** *Parteien* the rival parties.

Rivalität [rivali'tɛːt] *f* rivalry.

Riviera [ri'vie:ra] *f* - *die französische/italienische* **~** the (French)/Italian Riviera.

Rizinus(öl *nt*) *m* **-**, **-** *or* **-se** castor oil.

rk, r.-k. = **römisch-katholisch** RC.

RNS [ɛr|ɛn|'es] *f* = **Ribonukleinsäure** RNA.

Roastbeef ['ro:stbi:f] *nt* **-s** (*roh*) beef; (*gebraten*) roast beef.

Robbe *f* **-n** seal.

robben *vi aux sein* (*Mil*) to crawl.

Robben-: **~fang** *m* seal hunting; **~fänger** *m* seal hunter; **~schlag** *m* cull of seals.

Robe *f* **-n** a (*Abendkleid*) evening gown. b (*Amtstracht*) (official) robe *or* robes *pl*.

Roboter *m* **-** robot.

Robotertechnik *f* robotics *sing*.

---

robust adj Mensch, Gesundheit robust; Material tough.
Robustheit f siehe adj robustness; toughness.
roch pret of **riechen.**
Rochade [rɔˈxaːdə, rɔˈʃaːdə] f (Chess) castling ▸ **die kleine/große ~** castling king's side/queen's side.
Röcheln nt no pl groan; (Todes~) death rattle.
röcheln vi to groan; (Sterbender) to give the death rattle.
Rochen m - ray.
Rock¹ m ⁻e [a] (Damen~) skirt; (Schotten~) kilt. [b] (Jackett) jacket.
Rock² m no pl (Mus) rock.
rocken vi (Mus) to rock.
Rocker m - rocker.
Rock-: ~falte f (von Damenrock) inverted pleat; (von Jackett) vent; **~futter** nt skirt lining.
rockig adj Musik rock-like.
Rockmusik f rock music.
Rock-: ~saum m hem of a/the skirt; **~schoß** m coat-tail; **an jds ~schößen hängen** to cling to sb's coat-tails (col); **~zipfel** m **an Mutters ~zipfel hängen** (col) to cling to (one's) mother's apron-strings (col).
Rodel m - = **Rodelschlitten.**
Rodelbahn f toboggan run.
rodeln vi aux sein or haben to toboggan (auch Sport), to sledge.
Rodelschlitten m toboggan, sledge.
roden vt Wald, Land to clear.
Rodung f (das Roden, Fläche) clearing.
Rogen m - roe.
Roggen m no pl rye.
Roggen-: ~brot nt rye bread; **~brötchen** nt rye-bread roll.
roh adj [a] (ungekocht) raw. [b] (unbearbeitet) rough; Eisen, Metall crude. [c] (brutal) rough ▸ **~e Gewalt** brute force.
Roh-: ~bau m (Bauabschnitt) shell (of a/the house); **das Haus ist im ~bau fertig(gestellt)** the house is structurally complete; **~diamant** m rough or uncut diamond; **~eisen** nt pig iron.
⚠**Roheit** f [a] no pl (Eigenschaft) roughness; (Brutalität auch) brutality. [b] (Tat) brutality. [c] (ungekochter Zustand) rawness.
Roh-: ~entwurf m rough draft; **~ertrag** m gross proceeds pl; **~kost** f raw fruit and vegetables pl; **~leder** nt rawhide; **~ling** m [a] (Grobian) brute, ruffian; [b] (Tech) blank; **~material** nt raw material; **~öl** nt crude oil; **~produkt** nt raw material.
Rohr nt -e [a] (Tech, Mech) pipe; (Geschütz~) (gun) barrel. [b] (Schilf~) reed; (Zucker~) cane; (für Stühle etc) cane, wicker no pl.
Rohrbruch m burst pipe.
Röhrchen nt tube; (Chem) test tube; (col: zur Alkoholkontrolle) breathalyzer ▸ **ins ~ blasen (müssen)** (col) to be breathalyzed.
Röhre f -n [a] (Hohlkörper) tube; (Neon~) (neon) tube or strip; (Elektronen~) valve (Brit), tube (US); (fig: Fernsehgerät) telly (Brit col), tube (US col). [b] (Ofen~) warming oven; (Back~) oven ▸ **in die ~ gucken** (col) to be left out.
röhren vi (Hunt) to bell; (Motorrad, Mensch) to roar.
Röhren-: r~förmig adj tubular; **~hose** f (col) drainpipe trousers pl.
Rohr-: ~flöte f (Mus) reed pipe; **~geflecht** nt wickerwork, basketwork; **~krepierer** m - (Mil sl) barrel burst; **ein ~krepierer sein** (fig) to backfire; **~leitung** f pipe, conduit; **~post** f pneumatic dispatch system; **~spatz** m **schimpfen wie ein ~spatz** (col) to curse and swear; **~stock** m cane; **~zange** f pipe wrench; **~zucker** m cane sugar.
Roh-: ~seide f wild silk; **~stoff** m raw material; (St Ex)

commodity; **~zucker** m unrefined sugar; **~zustand** m unprocessed state; **das Manuskript ist noch im ~zustand** the manuscript is still in a fairly rough state.
Rokoko nt no pl Rococo period; (Stil) Rococo, rococo.
⚠**Rolladen** m, pl **Rolläden** or - (an Fenster, Tür etc) roller shutter; (von Schreibtisch) roll-top.
Roll-: ~bahn f taxiway; **~braten** m (Cook) roast; **~brett** nt skateboard.
Röllchen nt little roll; (von Garn) reel.
Rolle f -n [a] (Zusammengerolltes) roll; (Garn~, Zwirn~, Papier~) reel; (Urkunde) scroll ▸ **eine ~ Bindfaden** a ball of string. [b] (walzenförmig) roller; (an Möbeln, Kisten) castor; (an Flaschenzug) pulley. [c] (Sport) forward roll; (Aviat) roll ▸ **die ~ rückwärts** the backward roll. [d] (Theat, Film, fig) role, part; (Sociol) role ▸ **eine Ehe mit streng verteilten ~n** a marriage with strict allocation of roles; **jds ~ bei etw** (fig) sb's part in sth; **bei or in etw** (dat) **eine ~ spielen** to play a part in sth; (Mensch auch) to play a role in sth; **etw spielt eine große ~ (bei jdm)** sth is very important (to sb); **es spielt keine ~, (ob) ...** it doesn't matter (whether) ...; **bei ihm spielt Geld keine ~** with him money is no object; **aus der ~ fallen** (fig) to make an exhibition of oneself.
rollen [1] vi [a] aux sein to roll; (Flugzeug) to taxi ▸ **etw/den Stein ins R~ bringen** (fig) to start sth/the ball rolling; **es werden einige Köpfe ~** heads will roll. [b] **mit den Augen ~** to roll one's eyes. [2] vt to roll; Teig to roll out; Teppich, Papier to roll up. [3] vr to curl up.
Rollen-: ~besetzung f (Theat, Film) casting; **~bild** nt (Sociol) role model; **~erwartung** f (Sociol) role expectation; **~fach** nt (Theat) type of character; **r~förmig** adj cylindrical; **r~spezifisch** adj role-specific; **~spiel** nt (Sociol) role play; **~tausch** m exchange of roles; (Sociol auch) role reversal; **~verteilung** f (Sociol) role allocation.
Roller m - [a] scooter. [b] (Walze, Naut: Welle) roller.
Roll-: ~feld nt runway; **~film** m roll film; **~kommando** nt raiding party; **~kragen** m roll or polo neck; **~mops** m rollmops, rolled pickled herring.
Rollo nt -s (roller) blind.
Roll-: ~schinken m smoked ham; **~schrank** m roll-fronted cupboard.
Rollschuh m roller skate ▸ **~ laufen** to roller-skate.
Rollschuh-: ~bahn f roller-skating rink; **~laufen** nt roller-skating; **~läufer** m roller-skater.
Roll-: ~splitt m grit; **„~splitt"** "loose chippings"; **~stuhl** m wheelchair; **~treppe** f escalator.
ROM [rɔm] m or nt -s (Comp) ROM.
Rom nt Rome ▸ **~ ist auch nicht an einem Tag erbaut worden** (prov) Rome wasn't built in a day (Prov); **viele Wege führen nach ~** (Prov) all roads lead to Rome (Prov); **das sind Zustände wie im alten ~** (col) (unmoralisch) what disgraceful goings-on!; (primitiv) it's positively medieval (col).
Roma pl (Zigeuner) Romany.
Roman m -e novel ▸ **(jdm) einen ganzen ~ erzählen** (col) to give sb a long rigmarole (col).
Roman-: ~autor m novelist; **~figur** f character from a novel; **r~haft** adj like a novel; **~heft** nt cheap pulp novel; **~held** m hero of a/the novel.
Romanik f (Archit, Art) Romanesque period; (Stil) Romanesque (style).
romanisch adj Volk, Sprache Romance; (Art) Romanesque.
Romanist(in f) m (Univ) teacher/student/scholar of Romance languages and literature.
Romanistik f (Univ) Romance languages and literature.
Roman-: ~leser m novel reader; **~schreiber** m (col) novel-writer; **~schriftsteller** m novelist.

⚠: Informationen zur Rechtschreibreform im Anhang

Romantik f [a] (*Liter, Art, Mus*) Romanticism; (*Epoche*) Romantic period. [b] (*fig*) romance.
Romantiker(in f) m - (*Liter, Art, Mus*) Romantic; (*fig*) romantic.
romantisch adj romantic; (*Liter etc*) Romantic.
· **Romanze** f -n (*Liter, Mus, fig*) romance.
Römer m - (*Weinglas*) type of large wineglass, rummer.
Römer(in f) m - Roman ▶ **die alten** ~ the (ancient) Romans.
Römer-: ~**reich** nt Roman Empire; ~**topf** ® m (*Cook*) ≈ (chicken) brick.
römisch adj Roman.
römisch-katholisch adj Roman Catholic.
röm.-kath. = **römisch-katholisch** RC.
⚠**Rommé** [rɔ'meː, 'rɔmə] nt no pl rummy.
Rondo nt -s (*Mus*) rondo.
röntgen vt to X-ray ▶ **geröntgt werden, sich ~ lassen** to have an X-ray.
Röntgen nt no pl X-raying.
Röntgen-: ~**apparat** m X-ray equipment no indef art, no pl; ~**assistent** m radiographer; ~**aufnahme** f X-ray (plate); ~**augen** pl (*hum*) X-ray eyes pl (*hum*); ~**bild** nt X-ray picture.
Röntgenologe m, **Röntgenologin** f radiologist.
Röntgenologie f radiology.
Röntgen-: ~**strahlen** pl X-rays pl; ~**untersuchung** f X-ray examination.
Rosa nt pink.
rosa adj inv pink ▶ **ein** ~ or ~**nes** (*col*) **Kleid** a pink dress; **die Welt durch eine ~(rote) Brille sehen** to see the world through rose-coloured (*Brit*) or rose-colored (*US*) spectacles; **in ~(rotem) Licht** in a rosy light.
rosa-: ~**farben, ~farbig** adj = rosa; ~**rot** adj rose-pink; siehe **rosa.**
Röschen ['røːsçən] nt (little) rose.
Rose f -n (*Blume*) rose ▶ **er ist nicht auf ~n gebettet** (*fig*) life isn't a bed of roses for him.
Rosé m -s rosé (wine).
rosé adj inv pale pink.
Rosen-: ~**beet** nt rose bed; **r~farben, r~farbig** adj rose-coloured (*Brit*) or rose-colored (*US*); ~**holz** nt rosewood; ~**knospe** f rosebud; ~**kohl** m Brussel(s) sprouts pl; ~**kranz** m (*Eccl*) rosary; **den ~kranz beten** to say a rosary; ~**montag** m Monday preceding Ash Wednesday; ~**montagszug** m Carnival parade which takes place on the Monday preceding Ash Wednesday; ~**öl** nt attar of roses; ~**stock** m standard rose, rose tree; ~**strauch** m rosebush.
Rosette f rosette.
Roséwein m rosé wine.
rosig adj (*lit, fig*) rosy.
Rosine f raisin ▶ **(große) ~n im Kopf haben** (*col*) to have big ideas; **sich** (*dat*) **die (besten) ~n herauspicken** (*col*) to take the pick of the bunch.
Rosinenbrötchen nt currant bun.
Rosmarin m no pl rosemary.
⚠**Roß** nt, pl -sse or ⁼sser (*liter*) steed (*liter*), horse ▶ **hoch zu ~** on horseback; **auf dem hohen ~ sitzen** (*fig*) to be on one's high horse; **~ und Reiter nennen** (*fig geh*) to name names.
Roß-: ~**haar** ⚠ nt horsehair; ~**kastanie** ⚠ f horse chestnut; ~**kur** ⚠ f (*col*) kill-or-cure remedy; ~**täuscher** m (*fig*) horse-trader.
Rost¹ m no pl (*auch Bot*) rust ▶ **~ ansetzen** to start to rust.
Rost² m -e (*Ofen~*) grill; (*Gitter~*) grating, grille ▶ **auf dem ~ braten** (*Cook*) to barbecue, to grill on charcoal.
Rost-: **r~beständig** adj rust-resistant; ~**bildung** f rust formation; ~**braten** m (*Cook*) ≈ roast; ~**bratwurst** f barbecue sausage; **r~braun** adj russet; Haar auburn.

Röstbrot [S *Ger:* 'røːst-, N *Ger:* 'rœst-] nt toast.
rosten vi aux sein or haben to get rusty (*auch fig*) ▶ **alte Liebe rostet nicht** (*Prov*) old love never dies.
rösten [S *Ger:* 'røːstən, N *Ger:* 'rœstən] vt Kaffee to roast; Brot to toast ▶ **sich in der Sonne ~ lassen** to lie in the sun and roast.
Rost-: **r~farben, r~farbig** adj siehe **r~braun;** ~**fleck** m patch of rust; **r~frei** adj rustproof; (*Stahl*) stainless.
Rösti [S *Ger:* 'røːsti, N *Ger:* 'rœsti] pl fried grated potatoes.
rostig adj (*lit, fig*) rusty.
Röstkartoffeln [S *Ger:* 'røːst-, N *Ger:* 'rœst-] pl fried potatoes.
Rost-: ~**laube** f (*hum*) rust-heap (*hum*); **r~rot** adj rust-coloured (*Brit*), rust-colored (*US*), russet; ~**schutz** m rust protection, rustproofing; (~*schutzmittel*) rustproofing agent; ~**schutzmittel** nt rustproofing agent.
rot adj red (*auch Pol*) ▶ ~**e Bete** beetroot; **das R~e Kreuz** the Red Cross; **der R~e Platz** Red Square; **das R~e Meer** the Red Sea; **die R~e Armee** the Red Army; **die R~en** (*pej*) the reds; **in den ~en Zahlen stecken** to be in the red; ~ **werden, einen ~en Kopf bekommen** to blush, to go red; **sich** (*dat*) **etw ~ (im Kalender) anstreichen** (*col*) to make sth a red-letter day.
Rot nt -s or - red; (*Wangen~*) rouge ▶ **bei ~** at red; **die Ampel stand auf ~** the lights were (at) red.
Rot|armist m soldier in the Red Army.
Rotation f rotation.
Rotations-: ~**achse** f axis of rotation; ~**maschine,** ~**presse** f (*Typ*) rotary press; ~**prinzip** nt (*Pol*) rota system.
Rot-: **r~backig, r~bäckig** adj rosy-cheeked; ~**barsch** m rosefish; **r~blond** adj Haar sandy; (*dunkler*) ginger; Mann sandy-haired/ginger-haired; Frau strawberry blonde; **r~braun** adj reddish brown; ~**buche** f (common) beech; ~**dorn** m hawthorn.
Röte f no pl redness, red; (*Erröten*) blush ▶ **die ~ stieg ihr ins Gesicht** her face reddened.
Röteln pl German measles sing.
röten [1] vt (*geh*) to redden, to make red; Himmel to turn red ▶ **ein gerötetes Gesicht** a flushed face. [2] vr to turn red.
Rot-: ~**filter** nt or m (*Phot*) red filter; ~**fuchs** m red fox; (*Pferd*) sorrel or bay (horse); (*fig col*) carrot-top (*col*); ~**gardist** m Red Guard; **r~gerändert** ⚠ adj red-rimmed; **r~glühend** ⚠ adj Metall red-hot; **r~-grün** adj **die r~-grüne Koalition** the coalition between the Social Democrats and the Greens; **r~haarig** adj red-haired; ~**haut** f (*dated hum*) redskin; ~**hirsch** m red deer.
rotieren* vi [a] to rotate. [b] (*col*) to be in a flap ▶ **anfangen zu ~** to get into a flap.
Rot-: ~**käppchen** nt (*Liter*) Little Red Riding Hood; ~**kehlchen** nt robin; ~**kohl** m, ~**kraut** nt red cabbage.
Rotkreuz- in cpds Red Cross.
rötlich adj reddish.
Rotlicht nt red light.
Rotor m rotor.
Rotorflügel m (*Aviat*) rotor blade.
Rot-: **r~sehen** vi sep irreg (*col*) to see red (*col*); ~**stift** m red pencil; **dem ~stift zum Opfer fallen** (*fig*) to be scrapped; ~**tanne** f Norway spruce.
Rotte f -, -n gang; (*Mil Aviat, Mil Naut*) pair (*of planes/ ships operating together*); (*von Hunden etc*) pack; (*Hunt*) herd.
Rottweiler m - (*Hund*) Rottweiler.
Rötung f reddening.
Rot-: **r~wangig** adj rosy-cheeked; ~**wein** m red wine; ~**wild** nt red deer.
Rotz m no pl [a] (*col*) snot (*col*) ▶ **~ und Wasser heulen** to blubber; **Graf ~** Lord Muck (*col*); **der ganze ~** the

---

⚠: for details of spelling reform, see supplement

whole bloody (*Brit*) *or* goddam (*US*) show (*col*). **b** (*Vet*) glanders *sing*.

rotzfrech *adj* (*col*) cocky (*col*).

rotzig *adj* (*col*) snotty (*col*).

Rotz-: **~nase** *f* (*col*) **a** snotty nose (*col*); **b** (*Kind*) snotty-nosed brat (*col*); **r~näsig** *adj* (*col*) **a** snotty-nosed (*col*); **b** (*frech*) snotty (*col*).

Rouge [ruːʒ] *nt* **-s** rouge, blusher.

Roulade [ru'laːdə] *f* (*Cook*) ≃ beef olive.

Roulett(e) [ru'lɛt(ə)] *nt* - *or* **-s** roulette.

Route ['ruːtə] *f* **-n** route.

Routine [ru'tiːnə] *f* (*Erfahrung*) experience; (*Gewohnheit, Trott*) routine.

Routine-: **~angelegenheit** *f* routine matter; **r~mäßig** **1** *adj* routine; **2** *adv* **ich gehe r~mäßig zum Zahnarzt** I make routine visits to the dentist; **das wird r~mäßig überprüft** it's checked as a matter of routine; **~sache** *f* routine matter; **~untersuchung** *f* routine examination.

Routinier [ruti'nieː] *m* **-s** old hand.

routiniert [ruti'niːɐt] *adj* experienced.

Rowdy ['raudi] *m*, *pl* **-s** *or* **Rowdies** hooligan; (*zerstörerisch*) vandal; (*lärmend*) rowdy (type).

Rowdytum ['rauditu:m] *nt no pl* *siehe* **Rowdy** hooliganism; vandalism; rowdyism.

Rubbel-: **~karte** *f* scratch card; **~lotterie** *f* scratch card lottery.

rubbeln *vti* (*col*) to rub.

Rübe *f* **-n** **a** turnip ▶ **rote ~** beetroot (*Brit*), red beet (*US*); **weiße ~** white turnip; **gelbe ~** (*S Ger, Sw*) carrot. **b** (*col: Kopf*) nut (*col*) ▶ **eins auf die ~ kriegen** to get a bash over the head (*col*).

Rubel *m* - rouble, ruble (*US*) ▶ **der ~ rollt** (*col*) the money's rolling in (*col*).

Rüben-: **~kraut** *nt*, **~saft** *m* sugar beet syrup; **~zucker** *m* beet sugar.

rüber- *in cpds* (*col*) = **herüber-, hinüber-**.

Rubin *m* **-e** ruby.

rubinrot *adj* ruby-red, ruby.

Rubrik *f* **a** (*Kategorie*) category. **b** (*Zeitungs~*) section, column.

ruch-: **~bar** *adj*: **~bar werden** (*geh*) to become known; **~los** *adj* (*dated, geh*) dastardly (*liter*).

Ruck *m* **-e** jerk, tug; (*von Fahrzeug*) jolt, jerk; (*Pol*) swing, shift ▶ **er stand mit einem ~ auf** he sprang to his feet; **sich** (*dat*) **einen ~ geben** (*col*) to make an effort; **etw in einem ~ erledigen** to do sth at one fell swoop.

Rück-: **~ansicht** *f* rear view; **~antwort** *f* reply; **um ~antwort wird gebeten** please reply; **~antwortkarte** *f* reply-paid postcard.

ruckartig *adj* jerky ▶ **er stand ~ auf** he jumped to his feet.

Rück-: **~besinnung** *f* recollection; **r~bezüglich** *adj* (*Gram*) reflexive; **~bildung** *f* (*Biol*) degeneration; **~blende** *f* flashback; **~blick** *m* look back (*auf +acc* at); **im ~blick auf etw** (*acc*) looking back on sth; **r~blickend** *adj* retrospective; **r~blickend läßt sich sagen, daß ...** in retrospect we can say that ...; **r~datieren*** *vt sep infin, ptp only* to backdate.

rucken *vi* **a** (*Fahrzeug*) to jerk, to jolt. **b** (*Taube*) to coo.

Rücken *m* - back; (*Nasen~*) ridge; (*Fuß~*) instep; (*Hügel~, Berg~*) crest; (*Buch~*) spine ▶ **auf dem/den ~** on one's back; **den Feind im ~ haben** to have the enemy in one's rear; **den Wind im ~ haben** to have a tailwind; **er hat doch die Firma des Vaters im ~** but he's got his father's firm behind him; **mit dem ~ zur Wand** (*lit, fig*) with one's back to the wall; **der verlängerte ~** (*hum col*) one's posterior (*hum col*); **~ an ~** back to back; **hinter jds ~** (*dat*) (*fig*) behind sb's back; **jdm/ einer Sache den ~ kehren** (*lit, fig*) *or* **zudrehen** (*lit*) to

turn one's back on sb/sth; **jdm in den ~ fallen** (*fig*) to stab sb in the back; **sich** (*dat*) **den ~ freihalten** (*col*) to cover oneself; **jdm den ~ decken** (*fig col*) to back sb up (*col*); **jdm den ~ stärken** (*fig*) to give sb encouragement.

rücken *vi aux sein* to move; (*Platz machen*) to move up *or* (*zur Seite auch*) over; (*weiter~: Zeiger*) to move on (*auf +acc* to) ▶ **näher ~** to move closer; (*Zeit*) to get closer; **ins Manöver/an die Front ~** to go off on manoeuvres/to go up to the front; **an etw** (*dat*) **~ an** *Uhrzeiger* to move sth; *an Krawatte* to pull sth (straight); (*schieben*) to push at sth; (*ziehen*) to pull at sth; **an jds Stelle** (*acc*) **~** to take sb's place; **jdm auf den Leib** *or* **Pelz** (*col*) *or* **die Pelle** (*col*) **~** (*zu nahe kommen*) to crowd sb; (*sich jdn vorknöpfen*) to have a go at sb; (*hum: besuchen*) to move in on sb; **einer Sache** (*dat*) **zu Leibe ~** to have a go at sth.

Rücken-: **~deckung** *f* (*fig*) backing; **jdm ~deckung geben** to back sb; **r~frei** *adj Kleid* backless; **~lage** *f* supine position; **er schläft in ~lage** he sleeps on his back; **~lehne** *f* back, backrest; **~mark** *nt* spinal cord; **~schmerz(en** *pl*) *m* backache; **~schwimmen** *nt* backstroke; **~stärkung** *f* (*fig*) moral support; **~stütze** *f* backrest.

Rück|entwicklung *f* fall-off (*gen* in); (*Biol*) degeneration.

Rückenwind *m* tailwind.

Rück-: **r~erstatten*** *vt sep infin, ptp only* to refund; **~erstattung** *f* refund; **~fahrkarte** *f* return ticket (*Brit*), round-trip ticket (*US*); **~fahrscheinwerfer** *m* (*Aut*) reversing light; **~fahrt** *f* return journey; **~fall** *m* (*Med, fig*) relapse; (*Jur*) subsequent offence (*Brit*) *or* offense (*US*); **r~fällig** *adj* (*Med, fig*) relapsed; (*Jur*) recidivistic (*form*); **r~fällig werden** (*Med, fig*) to relapse; (*Jur*) to reoffend; **~flug** *m* return flight; **offener ~flug** open return; **~fluß** △ *m* reflux, flowing back; **~forderung** *f* **~forderung des Geldes** demand for the return of the money; **~frage** *f* inquiry; **nach ~frage bei der Zentrale ...** after checking this with the exchange ...; **r~fragen** *vi sep infin, ptp only* to inquire; (*nachprüfen*) to check; **~führung** *f* **a** (*Deduktion*) tracing back; **die ~führung der Probleme auf** (*+acc*) tracing the problems back to; **b** (*von Menschen*) repatriation, return; **~gabe** *f* return; **~gaberecht** *nt* right of return; **~gang** *m* drop (*gen* in); **r~gängig** *adj* **a** (*Comm: zurückgehend*) dropping; **b** **r~gängig machen** (*widerrufen*) Bestellung, Termin to cancel; *Verlobung* to call off; **das kann man jetzt nicht mehr r~gängig machen** what's done can't be undone; **~gewinnung** *f* recovery; (*von Land, Gebiet*) reclaiming; (*aus verbrauchten Stoffen*) recycling.

Rückgrat *nt* **-e** spine, backbone ▶ **er ist ein Mensch ohne ~** (*fig*) he's got no backbone; **jdm das ~ stärken** (*col*) to give sb encouragement; **jdm das ~ brechen** to ruin sb.

Rückgratverkrümmung *f* curvature of the spine.

Rück-: **~griff** *m* **a** **durch einen ~griff auf jdn/etw** by reverting to sb/sth; **b** (*Jur*) = **Regreß**; **~halt** *m* **a** (*Unterstützung*) support, backing; **b** (*Einschränkung*) **ohne ~halt** without reservation; **r~haltlos** *adj* complete; *Unterstützung auch* unqualified; **~hand** *f* (*Sport*) backhand; **~kauf** *m* repurchase; **~kaufoption** *f* buyback option; **~kehr** *f no pl* return; **bei seiner ~kehr** on his return; **jdn zur ~kehr bewegen** to persuade sb to return; **~koppelung** *f* (*Elec*) feedback; **~lage** *f* (*Fin: Reserve*) reserve, reserves *pl*; (*Ersparnisse auch*) savings *pl*; **~lauf** *m no pl* (*Tech*) reverse running; (*von Maschinenteil*) return travel; (*beim Tonband*) fast rewind; **r~läufig** *adj* dropping; *Tendenz* downward; **eine r~läufige Entwicklung** a decline; **~lauftaste** *f* carriage return; **~licht** *nt* rear light; **r~lings** *adv* (*von hinten*)

---

from behind; (*auf dem Rücken*) on one's back; **~marsch** *m* (*Mil*) march back; (*~zug*) retreat; **~meldung** *f* [a] (*Univ*) re-registration; [b] (*Comp*) echo; **~nahme** *f* -n taking back; *ich bestehe auf der ~nahme des Gerätes* I must insist that you take this set back; **~nahmepreis** *m* repurchase price; **~paß** △ *m* (*Sport*) back pass; **~porto** *nt* return postage; **~reise** *f* return journey; **~reiseverkehr** *m* homebound traffic; **~ruf** *m* (*am Telefon*) *Herr X hat angerufen und bittet um ~ruf* Mr X called and asked you to call back.

Rucksack *m* rucksack.

Rucksacktourist(in *f*) *m* backpacker.

Rück-: **~schau** *f* reflection (*auf +acc* on); (*in Medien*) review (*auf +acc* of); **~schau halten** to reminisce; *auf etw* (*acc*) **~schau halten** to look back on sth; **~schein** *m* ≈ recorded delivery slip; **~schlag** *m* (*von Ball*) rebound; (*fig*) setback; (*bei Patient*) relapse; (*Biol*) reversion to type; **~schluß** △ *m* conclusion; *den ~schluß ziehen, daß ...* to conclude that ...; **~schritt** *m* (*fig*) retrograde step; **r~schrittlich** *adj* reactionary; *Entwicklung* retrograde; **~seite** *f* back; (*von Buchseite, Münze*) reverse; *siehe ~seite* see over(leaf); **~sendung** *f* return; **r~setzen** *vti* (*Comp*) to reset.

Rücksicht *f* -en (*Nachsicht*) consideration ▸ **~en** *pl* (*Gründe, Interessen*) considerations *pl*; *aus* or *mit ~ auf jdn/etw* out of consideration for sb/sth; *ohne ~ auf jdn/etw* with no consideration for sb/sth; *ohne ~ auf Verluste* (*col*) regardless; *auf jdn/etw ~ nehmen* to show consideration for sb/sth; *er kennt keine ~* he's ruthless.

Rücksichtnahme *f* no pl consideration.

Rücksichts-: **r~los** *adj* thoughtless; (*im Verkehr*) reckless; (*unbarmherzig*) ruthless; **~losigkeit** *f* siehe adj thoughtlessness no pl; recklessness; ruthlessness; **r~voll** *adj* considerate (*gegenüber, gegen* towards).

Rück-: **~sitz** *m* (*von Motorrad*) pillion; (*von Auto*) back seat; **~spiegel** *m* (*Aut*) rear(view) mirror; (*außen*) outside mirror; **~spiel** *nt* (*Sport*) return match; **~sprache** *f* consultation; **~sprache mit jdm nehmen** to confer with sb.

Rückstand *m* [a] (*Überrest*) remains *pl*; (*bei Verbrennung, Bodensatz*) residue. [b] (*Verzug*) delay; (*bei Aufträgen*) backlog ▸ *im ~ sein/in ~ geraten* to be/fall behind; *mit 0:2 Toren im ~ sein* to be 2 goals to nil down. [c] *usu pl* (*Außenstände*) arrears *pl* ▸ *~e eintreiben* to collect arrears.

rückständig *adj* [a] (*überfällig*) *Betrag* overdue. [b] (*zurückgeblieben*) backward ▸ *~ denken* to have antiquated ideas.

Rückständigkeit *f* no pl backwardness.

Rück-: **~stau** *m* (*von Wasser*) backwater; (*von Autos*) tailback (*Brit*), line of cars; **~stoß** *m* repulsion; (*bei Gewehr*) recoil; (*von Rakete*) thrust; **~strahler** *m* - reflector; **~strom** *m* (*von Menschen, Fahrzeugen*) return; *der ~strom der Urlauber aus Italien* the stream of holidaymakers returning from Italy; **~taste** *f* (*an Schreibmaschine, Computer*) backspace key.

Rücktritt *m* [a] (*Amtsniederlegung*) resignation; (*von König*) abdication. [b] (*Jur: von Vertrag*) withdrawal (*von* from).

Rücktrittbremse *f* backpedal brake.

Rücktritts-: **~drohung** *f* threat to resign/abdicate; **~klausel** *f* withdrawal clause; **~recht** *nt* right of withdrawal.

Rück-: **r~vergüten*** *vt sep infin, ptp only* to refund (*jdm etw* sb sth); **~vergütung** *f* refund; **~vermietung** *f* leaseback; **r~versichern*** *sep* [1] *vti* to reinsure; [2] *vr* to check (up or back); **~versicherung** *f* reinsurance; **~wand** *f* back wall; (*von Möbelstück etc*) back; **r~wärtig** *adj* back; *Tür auch,* (*Mil*) rear.

rückwärts *adv* [a] (*zurück*) backwards ▸ **~ einparken** to back into a parking space. [b] (*esp S Ger, Aus: hinten*) behind, at the back ▸ *von ~* from behind.

Rückwärts-: **~drehung** *f* reverse turn; **~gang** *m* reverse gear; *den ~gang einlegen* to engage reverse; *im ~gang fahren* to reverse.

Rückweg *m* way back ▸ *sich auf den ~ machen* to head back.

rückweise *adv* jerkily ▸ *sich ~ bewegen* to move jerkily.

Rück-: **r~wirkend** *adj* (*Jur*) retrospective; *Lohn-, Gehaltserhöhung* backdated; *das Gesetz tritt r~wirkend vom 1. Januar in Kraft* the law is made retrospective to 1st January; **~wirkung** *f* repercussion; *eine Zahlung mit ~wirkung vom ...* a payment backdated to ...; **r~zahlbar** *adj* repayable; **~zahlung** *f* repayment; **~zieher** *m* - [a] (*col*) climbdown (*col*); *einen ~zieher machen* to back out (*col*); [b] (*Ftbl*) overhead kick.

ruck, zuck *adv* in a flash ▸ *~!* jump to it!; *das geht ~* it won't take a second.

Rückzug *m* (*Mil*) retreat ▸ *auf dem ~* in the retreat; *den ~ antreten* (*lit, fig*) to retreat.

Rückzugsgefecht *nt* (*Mil, fig*) rearguard action.

Rüde *m* (*wk*) -n, -n (*Männchen*) dog, male; (*Hetzhund*) hound.

rüde *adj* impolite; *Antwort* curt, brusque.

Rudel *nt* - (*von Hunden, Wölfen*) pack; (*von Wildschweinen, Hirschen*) herd; (*fig dated*) horde.

rudelweise *adv* in packs/herds/hordes.

Ruder *nt* - (*von ~boot etc*) oar; (*Naut, Aviat: Steuer~*) rudder; (*fig: Führung*) helm ▸ *das ~ fest in der Hand haben* (*fig*) to be in control of the situation; *am ~ sein* (*lit, fig*)/*ans ~ kommen* (*fig*) to be at/to take over (at) the helm; *das ~ herumwerfen* (*fig*) to change tack; *aus dem ~ laufen* (*fig*) to get out of hand.

Ruder-: **~bank** *f* rowing seat; **~blatt** *nt* (oar) blade; **~boot** *nt* rowing boat (*Brit*), rowboat (*US*).

Ruderer *m* - oarsman.

Ruderin *f* oarswoman.

rudern [1] *vi* [a] *aux haben* or *sein* to row. [b] (*Schwimmvögel*) to paddle ▸ *mit den Armen ~* (*fig*) to flail one's arms about. [2] *vt* to row.

Ruder-: **~regatta** *f* rowing regatta; **~sport** *m* rowing no def art.

Rudiment *nt* rudiment.

rudimentär *adj* rudimentary.

Ruf *m* -e [a] (*Aus~, Vogel~, fig: Auf~*) call; (*lauter*) shout; (*Schrei*) cry ▸ *dem ~ des Herzens folgen* (*fig*) to obey the voice of one's heart; *der ~ nach Freiheit* (*fig*) the call for freedom; *der ~ zur Ordnung* (*fig*) the call to order. [b] (*Ansehen, Leumund*) reputation ▸ *einen guten ~ haben* to have a good reputation; *eine Firma von ~* a firm with a good name; *von üblem* or *zweifelhaftem ~ sein* to have a bad reputation; *jdn/etw in schlechten ~ bringen* to give sb/sth a bad name; *sie ist besser als ihr ~* she is better than she is made out to be. [c] (*Univ: Berufung*) offer of a chair. [d] (*~nummer*) telephone number ▸ *„~: 27785"* "Tel: 27785".

rufen *pret* **rief**, *ptp* **gerufen** [1] *vi* to call (*nach* for); (*Mensch: laut*) to shout; (*Glocke etc*) to sound (*zu* for) ▸ *um Hilfe ~* to call for help; *die Pflicht ruft* duty calls; *die Arbeit ruft* my/your *etc* work is waiting. [2] *vt* [a] to call; (*aus~*) to cry; (*Mensch: laut ~*) to shout ▸ *bravo ~* to shout hooray. [b] (*kommen lassen*) to send for; *Arzt, Polizei auch, Taxi* to call ▸ *~ Sie ihn bitte!* please send him to me; *jdn zu Hilfe ~* to call on sb to help; *du kommst wie gerufen* you're just the person (I wanted); *das kommt mir wie gerufen* that's just what I needed; (*kommt mir gelegen*) that suits me fine (*col*).

△: for details of spelling reform, see supplement

Rüffel m - (col) telling-off, ticking-off (col).

Ruf-: ~**mord** m character assassination; ~**mordkampagne** f smear campaign; ~**name** m Christian name (by which one is generally known); ~**nummer** f telephone number; ~**säule** f (für Taxi) telephone; (an Autobahn) emergency telephone; ~**zeichen** nt (von Telefon) ringing tone.

Rugby ['ragbi] nt no pl rugby.

Rüge f -n (Verweis) reprimand, rebuke; (Kritik) criticism no indef art ▶ jdm eine ~ erteilen to reprimand sb (für, wegen for).

rügen vt (form) jdn to reprimand (wegen, für for); etw to reprehend.

Ruhe f no pl [a] (Schweigen, Stille) quiet, silence ▶ ~! quiet!, silence!; gebt ~! be quiet!; sich (dat) ~ verschaffen to get silence; es herrscht ~ all is silent; (fig: Disziplin, Frieden) all is quiet; ~ halten (lit, fig) to keep quiet; die ~ vor dem Sturm (fig) the calm before the storm.

[b] (Ungestörtheit, Frieden) peace, quiet ▶ ~ ausstrahlen to radiate a sense of calm; ~ und Frieden peace and quiet; in ~ und Frieden leben to live a quiet life; ~ und Ordnung law and order; ich brauche meine ~ I need a bit of peace; laß mich in ~! leave me in peace; vor jdm ~ haben wollen to want a rest from sb; (endgültig) to want to be rid of sb; jdm keine ~ lassen (Mensch) not to give sb any peace; das läßt ihm keine ~ he can't stop thinking about it; keine ~ geben to keep on and on; zur ~ kommen to get some peace; (solide werden) to settle down; jdn zur ~ kommen lassen to give sb a chance to rest; keine ~ finden (können) to know no peace; die letzte ~ finden (liter) to be laid to rest (liter).

[c] (Erholung) rest, repose (liter); (~stand) retirement; (Stillstand) rest ▶ sich zur ~ begeben (form) to retire (to bed) (form); angenehme ~! sleep well!; sich zur ~ setzen to retire.

[d] (Gelassenheit) calm(ness); (Disziplin) quiet, order ▶ die ~ weghaben (col) to be unflappable (col); ~ bewahren to keep calm; die ~ selbst sein to be calmness itself; jdn aus der ~ bringen to throw sb (col); sich nicht aus der ~ bringen lassen not to (let oneself) get worked up; sich (dat) etw in ~ ansehen to look at sth in one's own time; immer mit der ~ (col) don't panic.

Ruhe-: ~**bedürfnis** nt need for rest; r~**bedürftig** adj in need of rest; ~**gehalt** nt (form) superannuation; ~**geld** nt (form) pension; ~**lage** f (von Mensch) reclining position; (Med: bei Bruch) immobile position; r~**los** adj restless; eine r~**lose Zeit** a time of unrest; ~**losigkeit** f restlessness.

ruhen vi [a] (aus~, geh: liegen) to rest; (liter: schlafen) to sleep ▶ nicht (eher) ~, bis ... (fig) to not to rest until ... [b] (stillstehen) to stop; (Maschinen) to stand idle; (Arbeit auch, Verkehr) to cease; (Waffen) to be laid down. [c] (begraben sein) to lie, to be buried ▶ „hier ruht ..." "here lies ..."; „ruhe sanft!" "rest eternal".

Ruhe-: ~**pause** f break; eine ~**pause einlegen** to take a break; ~**platz** m resting place; ~**punkt** m place of rest; ~**stand** m retirement; im ~**stand sein/leben** to be retired; er ist Bankdirektor im ~**stand** he is a retired bank director; in den ~**stand treten** to retire; jdn in den ~**stand versetzen** to retire sb; ~**ständler** m - retired person; ~**stätte** f resting place; letzte ~**stätte** last or final resting place; ~**stellung** f (von Körper) resting position; (von Gegenstand) resting point; (von Maschinen) off position; r~**störend** adj r~**störender Lärm** (Jur) disturbance of the peace; ~**störer** m disturber of the peace; ~**störung** f (Jur) disturbance of the peace; ~**tag** m day off; (von Geschäft etc) closing day; „Mittwoch ~**tag**" "closed (on) Wednesdays".

ruhig [1] adj [a] (still, geruhsam) quiet; Wetter, Meer calm; (Überfahrt, Verlauf) smooth ▶ seid ~! be quiet!; sitz doch ~! sit still!; gegen 6 Uhr wird es ~er it quietens down around 6 o'clock; sie hat keine ~e Minute she doesn't have a moment's peace. [b] (gelassen) calm; Gewissen easy; (sicher) Hand, Blick steady ▶ nur ~ (Blut)! take it easy (col); bei ~er Überlegung on (mature) consideration; du kannst/Sie können ganz ~ sein I can assure you; etw ~ mitansehen (gleichgültig) to stand by and watch sth.

[2] adv du kannst ~ hierbleiben feel free to stay here; ihr könnt ~ gehen, ich passe schon auf you just go and I'll look after things; man kann ~ behaupten, daß ... (mit Recht) one may well assert that ...; du könntest ~ mal etwas für mich tun! it's about time you did something for me!

Ruhm m no pl glory; (Berühmtheit) fame ▶ sich in seinem ~ sonnen to rest on one's laurels.

rühmen [1] vt (preisen, empfehlen) to praise (jdn wegen etw sb for sth).

[2] vr sich einer Sache (gen) ~ (prahlen) to boast about sth; (stolz sein) to pride oneself on sth; ohne mich zu ~ without wishing to boast.

Ruhmes-: ~**blatt** nt (fig) glorious chapter; ~**tat** f glorious deed.

rühmlich adj praiseworthy; Ausnahme notable.

ruhm-: ~**los** adj inglorious; r~**reich** adj (liter), r~**voll** adj glorious.

Ruhr f no pl (Krankheit) dysentery.

Rühr|ei nt scrambled eggs pl.

rühren [1] vi [a] (um~) to stir. [b] an etw (acc) ~ (anfassen) to touch sth; (fig: erwähnen) to touch on sth; von etw ~ to stem from sth; das rührt daher, daß ... that is because ...

[2] vt [a] (um~) Teig, Farbe to stir; (schlagen) Eier to beat. [b] (lit, fig: bewegen) to move; Herz to stir ▶ er rührte keinen Finger, um mir zu helfen (col) he didn't lift a finger to help me (col); das kann mich nicht ~! that leaves me cold; jdn zu Tränen ~ to move sb to tears.

[3] vr [a] to move; (Blatt etc) to stir; (aktiv sein) to buck up (col); (sich beeilen) to get a move on (col) ▶ rührt euch! (Mil) at ease!; kein Lüftchen rührte sich the air was still; nichts hat sich gerührt nothing happened. [b] (Gewissen etc) to be awakened.

rührend adj touching ▶ das ist ~ von Ihnen that is sweet of you.

Ruhrgebiet nt Ruhr (area).

rührig adj active.

Rühr-: ~**löffel** m mixing spoon; r~**selig** adj (pej) tear-jerking (pej col); ~**seligkeit** f no pl sentimentality; ~**stück** nt (Theat) melodrama; ~**teig** m sponge mixture.

Rührung f no pl emotion ▶ von ~ ergriffen moved; vor ~ nicht sprechen können to be choked with emotion.

Ruin m no pl ruin ▶ vor dem ~ stehen to be on the verge of ruin; du bist noch mein ~! (hum col) you'll be the ruin of me.

Ruine f -n (lit, fig) ruin.

ruinieren* vt to ruin ▶ sich ~ to ruin oneself.

ruinös adj ruinous.

rülpsen vi to belch.

Rülpser m - (col) belch.

rum adv (col) = **herum.**

Rum m -s rum.

Rumäne m (wk) -n, -n, **Rumänin** f Romanian.

Rumänien [-iən] nt Romania.

rumänisch adj Romanian.

Rumänisch(e) nt Romanian; siehe **Deutsch(e).**

rum-: ~**flachsen** vi sep (col) to kid around; ~**kriegen** vt sep (col) jdn ~**kriegen** to talk sb round.

⚠: Informationen zur Rechtschreibreform im Anhang

Rummel m no pl [a] (col) (Betrieb) (hustle and) bustle; (Getöse) racket (col); (Aufheben) fuss (col) ▶ **der ganze ~** the whole carry-on (col). [b] (Jahrmarkt) fair.

Rummelplatz m (col) fairground.

rumoren* [1] vi to make a noise; (Mensch) to bang about; (Bauch) to rumble.

  [2] vi impers **es rumort in meinem Bauch** my stomach's rumbling; **es rumort im Volk** (fig) there is growing unrest among the people.

Rumpelkammer f (col) junk room (col).

rumpeln vi aux sein (sich polternd bewegen) to rumble; (Mensch) to clatter.

Rumpf m ̈-e trunk; (Sport) body; (Statue) torso; (von Schiff) hull; (von Flugzeug) fuselage.

rümpfen vt **die Nase ~** to turn up one's nose (über +acc at).

Rumpsteak ['rʊmpsteːk] nt rump steak.

rums interj bang.

Rum-: ~topf m soft fruit in rum; **~verschnitt** m blended rum.

Run [ran] m -s (Comm, Fin) run (auf +acc on).

rund [1] adj round; Figur, Arme plump; Klang full ▶ **~e 50 Jahre/2.000 Mark** a good 50 years/2,000 marks; **ein ~es Dutzend Leute** a dozen or more people; **Konferenz am ~en Tisch** round-table talks pl; **die Sache wird ~** it's all working out nicely.

  [2] adv [a] (herum) (a)round ▶ **~ um die Uhr** right (a)round the clock. [b] (ungefähr) (round) about, roughly. [c] (fig: glattweg) ablehnen flatly. [d] (Aut) **der Motor läuft ~** the engine is running smoothly.

Rund-: ~blick m panorama; **~brief** m circular.

Runde f -n [a] (Gesellschaft) company ▶ **sich zu einer gemütlichen ~ treffen** to meet informally. [b] (Rundgang) walk, turn; (von Wachmann) rounds pl; (von Briefträger etc) round ▶ **die ~ machen** to do the rounds; (herumgegeben werden) to be passed round; **eine ~ machen** to go for a walk; (mit Fahrzeug) to go for a ride or run. [c] (Sport) (bei Rennen) lap; (Boxen etc, Gesprächs~) round ▶ **über die ~n kommen** (Sport, fig) to pull through. [d] (von Getränken) round ▶ **eine ~ spendieren** or **schmeißen** (col) to stand a round.

runden [1] vt Lippen to round.

  [2] vr (lit: rund werden) to become round; (Lippen) to grow round ▶ **sich zu etw ~** (fig) to develop into sth.

Rund-: r~erneuern* vt sep infin, ptp only to remould (Brit), to remold (US); **r~erneuerter Reifen** remould (Brit), remold (US); **~fahrt** f tour; **eine ~fahrt machen** to go on a tour; **~frage** f survey (an +acc, unter +dat of).

Rundfunk m broadcasting; (besonders Hörfunk) radio ▶ **im ~** on the radio; **~ hören** to listen to the radio; **beim ~ arbeiten** to be in broadcasting.

Rundfunk- in cpds radio; **~anstalt** f broadcasting corporation; **~gebühr** f radio licence (Brit) or license (US) fee; **~gerät** nt radio set; **~gesellschaft** f broadcasting company; (Sendeanstalt) radio station; **~programm** nt radio programme (Brit) or program (US); (gedruckt) radio programme (Brit) or program (US) guide; **~sender** m radio station; (Sendeanlage) radio transmitter; **~sendung** f radio programme (Brit) or program (US); **~techniker** m radio engineer; **~übertragung** f radio broadcast; **~zeitschrift** f radio programme (Brit) or program (US) guide.

Rund-: ~gang m (Spaziergang) walk; (zur Besichtigung) tour (durch of); (von Wachmann) rounds pl; (von Briefträger etc) round; **r~gehen** vi sep irreg (col) [a] **jetzt geht's r~** this is where the fun starts (col); **wenn er das erfährt, geht's r~** there'll be all hell let loose when he finds out (col); **es geht r~ im Büro** it's all go at the office; [b] (herumgehen) to do the rounds; **~heit** f roundness; **r~heraus** adv straight out; **r~heraus gesagt** frank-

ly; **r~herum** adv all around; (fig col: völlig) totally; **r~lich** adj plump; **~reise** f tour (durch of); **~schreiben** nt circular; **r~um** adv all around; (fig) completely; **~umschlag** m (lit, fig) sweeping blow.

Rundung f curve.

Rund-: ~(wander)weg m circular walk or hike; **r~weg** adv straight out.

Rune f -n rune.

Runkelrübe f mangel-wurzel.

runter adv (col) = **herunter, hinunter** ▶ **~!** down!

runter- pref (col) down; siehe **herunter-, hinunter-**; **~hauen** vt sep **jdm eine ~hauen** to give sb a clip round the ear; **~sein** △ vi sep aux sein to be run down; **mit den Nerven ~sein** to be a nervous wreck.

Runzel f -n wrinkle.

runz(e)lig adj wrinkled.

runzeln [1] vt Stirn to wrinkle, to crease.

  [2] vr to become wrinkled.

Rüpel m - lout, yob(bo) (Brit col).

rüpelhaft adj loutish.

Rupfen m - hessian.

rupfen vt Gänse, Hühner to pluck; Gras, Unkraut to pull up ▶ **jdn ~** (fig col) to fleece sb (col), to take sb to the cleaners (col); **wie ein gerupftes Huhn aussehen** to look like a shorn sheep.

Rupie ['ruːpiə] f rupee.

ruppig adj (grob) rough; Benehmen, Antwort gruff; Äußeres scruffy.

Rüsche f -n ruche, frill.

Ruß m no pl soot; (von Kerze) smoke.

Russe m (wk) -n, -n Russian, Russian man/boy.

Rüssel m - snout (auch col: Nase); (Elefanten~) trunk; (von Insekt) proboscis.

rußen vi (Öllampe, Kerze) to smoke; (Ofen) to produce soot.

rußig adj sooty.

Russin f Russian, Russian woman/girl.

russisch adj Russian ▶ **~es Roulett** Russian roulette; **~e Eier** (Cook) egg(s) mayonnaise; siehe **deutsch**.

Russisch(e) nt Russian; siehe **Deutsch(e)**.

△**Rußland** nt Russia.

rüsten [1] vi (Mil) to arm ▶ **zum Kampf ~** to arm for battle; **gut/schlecht gerüstet sein** to be well/badly armed.

  [2] vr to prepare (zu for); (lit, fig: sich wappnen) to arm oneself (gegen for).

rüstig adj sprightly.

rustikal adj rustic ▶ **sich ~ einrichten** to furnish one's home in a rustic style.

Rüstung f [a] (das Rüsten) armament; (Waffen) arms pl, weapons pl. [b] (Ritter~) armour (Brit), armor (US).

Rüstungs- in cpds arms; **~begrenzung, ~beschränkung** f arms limitation; **~gegner** m supporter of disarmament; **~industrie** f armaments industry; **~kontrolle** f arms control; **~stopp** m arms freeze; **~wettlauf** m arms race.

Rüstzeug nt no pl (fig) qualifications pl.

Rute f -n [a] (Gerte) switch; (esp Stock zum Züchtigen) cane, rod; (Birken~) birch (rod). [b] (Angel~) (fishing) rod. [c] (Hunt: Schwanz) tail.

Rutsch m -e slip, slide; (Erd~) landslide; (von Steinen) rockfall; (fig Pol) shift, swing; (col: Ausflug) trip, outing ▶ **guten ~!** (col) have a good new year; **in einem ~** in one go.

Rutschbahn, Rutsche f (Kinder~) slide; (Mech) chute.

rutschen vi aux sein [a] (gleiten) to slide; (aus~, entgleiten) to slip; (Aut) to skid; (fig: Preise, Kurse) to slip ▶ **auf dem Stuhl hin und her ~** to fidget around on one's chair. [b] (col: rücken) to move up ▶ **zur Seite ~**

to move over. $\boxed{c}$ (~d *kriechen*) to crawl.
rutschfest *adj* non-slip.
rutschig *adj* slippery, slippy (*col*).
rütteln $\boxed{1}$ *vt* to shake (about).

$\boxed{2}$ *vi* to shake; (*Fahrzeug*) to jolt ▶ **an etw** (*dat*) ~ an Tür, Fenster etc to rattle (at) sth; (*fig*) an Grundsätzen etc to shake sth.

S

S, s [ɛs] *nt, -, - S, s* ▶ *S wie Samuel* ≃ S for Sugar.
S = **Süden** S.
S. = **Seite** p.
s = **Sekunde** sec.
s. = **siehe** see.
Sa. = **Samstag** Sat.
s. a. = **siehe auch** see also.
Saal *m, pl* **Säle** hall; (*für Sitzungen etc*) room; (*Tanz~*) ballroom; (*Theater~*) auditorium.
Saal|ordner *m* usher.
Saarland *nt* Saarland.
Saat *f* **-en** [a] (*das Säen*) sowing. [b] (*Samen, ~gut*) seed(s) (*auch fig*) ▶ *wenn die ~ aufgeht* (*lit*) when the seed begins to grow; (*fig*) when the seeds bear fruit; *die ~ für etw legen* (*fig*) to sow the seed(s) of sth. [c] (*junges Getreide*) young crop(s), seedlings *pl*.
Saat-: *~gut nt no pl* seed(s); *~kartoffel f* seed potato; *~korn nt* seed corn; *~zeit f* sowing time.
Sabbat *m* **-e** Sabbath.
sabbeln (*dial*), **sabbern** (*col*) [1] *vi* to slobber ▶ *vor sich hin ~* (*fig*) to mutter away to oneself.
[2] *vt* to blather (*col*) ▶ *dummes Zeug ~* to talk drivel (*col*).
Säbel *m* **-** sabre (*Brit*), saber (*US*) ▶ *mit dem ~ rasseln* (*fig*) to rattle the sabre.
Säbel-: *~fechten nt* sabre (*Brit*) *or* saber (*US*) fencing; *~hieb m* stroke of one's sabre (*Brit*) *or* saber (*US*).
säbeln (*col*) [1] *vt* to saw away at.
[2] *vi* to saw away (*an +dat* at).
Säbel-: *~rasseln nt no pl* sabre-rattling (*Brit*), saber-rattling (*US*); *s~rasselnd adj* sabre-rattling (*Brit*), saber-rattling (*US*).
Sabotage [zabo'taːʒə] *f* **-n** sabotage ▶ *~ treiben* to perform acts of sabotage.
Sabotage|akt *m* act of sabotage.
Saboteur(in *f*) [-'tøːɐ, -'tøːrɪn] *m* saboteur.
sabotieren* *vt* to sabotage.
Sa(c)charin *nt no pl* saccharin.
Sach-: *~bearbeiter m* (*Beamter*) official in charge (*für* of); *der zuständige ~bearbeiter* the person dealing with the matter; *~bereich m* (specialist) area; *~beschädigung f* damage to property; *s~bezogen adj* Wissen, Fragen relevant, pertinent; *~buch nt* non-fiction book; *s~dienlich adj* useful; *s~dienliche Hinweise* helpful information.
▼ **Sache** *f* **-n** [a] thing; (*Gegenstand auch*) object ▶ *~n pl* (*col: Zeug*) things *pl*; (*Jur*) property; *das liegt in der Natur der ~* that's in the nature of things.
[b] (*Angelegenheit*) matter; (*Frage auch*) question; (*Thema*) subject; (*Jur*) case; (*Aufgabe*) job; (*Vorfall*) business, affair; (*no pl: Ideal*) cause ▶ *eine ~ der Polizei* a matter for the police; *das ist eine ganz tolle ~* it's really fantastic; *ich habe mir die ~ anders vorgestellt* I had imagined things differently; *das ist eine andere ~* that's a different matter; *das ist meine/seine ~* that's my/his business; *in ~n A gegen B* (*Jur*) in the case (of) A versus B; *er versteht seine ~* he knows what he's doing; *er macht seine ~ gut* he's doing very well; (*beruflich*) he's doing a good job; *diese Frage können wir nicht hier mitbesprechen, das ist eine ~ für sich* we can't discuss

this question now, it's a separate issue; *das ist so eine ~* (*col*) it's a bit tricky; *solche ~n liegen mir nicht* I don't like things like that; *wann ist die ~ passiert?* when did it (all) happen?; *was hat die Polizei zu der ~ gesagt?* what did the police say about it?; *das ist (eine) beschlossene ~* it's (all) settled; *mach keine ~n!* (*col*) don't be daft! (*col*); *eine ~ des Geschmacks* a question of taste; *zur ~!* let's get on with it; (*Parl, Jur etc*) come to the point!; *das tut nichts zur ~* that's got nothing to do with it; *bei der ~ sein* to be with it (*col*); *bei der ~ bleiben* to keep one's mind on the job; (*bei Diskussion*) to keep to the point; *so steht die ~ also* so that's the way things are; *jdm sagen, was ~ ist* (*col*) to tell sb what's what; *für eine gerechte ~ kämpfen* to fight for a just cause.
[c] (*Tempo*) *mit 80/160 ~n* (*col*) at 50/100 (mph).
Sachertorte *f* a rich chocolate cake, sachertorte.
Sach-: *~frage f* factual question; *~gebiet nt* subject area; *s~gemäß, s~gerecht adj* proper; *bei s~gemäßer Anwendung* if used properly; *~kenntnis f* (*in bezug auf Wissensgebiet*) expertise; (*in bezug auf ~lage*) knowledge of the facts; *~kunde f* (*Schulfach*) general knowledge; *s~kundig adj* (well-)informed *no adv*; *s~kundig antworten* to give an informed answer; *sich s~kundig machen* to inform oneself; *~lage f* state of affairs; *~leistung f* payment in kind.
sachlich *adj* [a] (*faktisch*) Irrtum, Angaben factual; Grund, Einwand practical; (*sachbezogen*) Frage, Wissen relevant ▶ *rein ~ hast du recht* from a purely factual point of view you are right. [b] (*objektiv*) Kritik etc objective; (*unemotional*) matter-of-fact ▶ *bleiben Sie mal ~* don't get carried away; (*nicht persönlich werden*) stay objective. [c] (*schmucklos*) functional, businesslike.
sächlich *adj* (*Gram*) neuter.
Sachlichkeit *f* [a] siehe adj (b) objectivity; matter-of-factness. [b] (*Schmucklosigkeit*) functionality.
Sach-: *~register nt* subject index; *~schaden m* damage (to property).
Sachse ['zaksə] *m* (*wk*) **-n, -n, Sächsin** ['zɛksɪn] *f* Saxon.
Sachsen ['zaksn] *nt* Saxony ▶ *~-Anhalt* Saxony-Anhalt.
sächsisch ['zɛksɪʃ] *adj* Saxon.
sacht(e) *adj* (*leise*) soft; (*sanft*) gentle; (*vorsichtig*) cautious, careful; (*allmählich*) gentle, gradual ▶ *~, ~!* (*col*) take it easy!
Sach-: *~verhalt m* **-e** facts *pl* (of the case); *~verstand m* expertise; *s~verständig adj* knowledgeable; Meinung, Urteil expert; *s~bezogen adj* decl as adj expert, specialist; (*Jur*) expert witness; *~wert m* real value; *~werte pl* material assets *pl*; *~wissen nt* specialist knowledge; *~wörterbuch nt* specialist dictionary; *~zwang m* practical constraint.
Sack *m* **⁻e** [a] sack; (*aus Papier, Plastik*) bag ▶ *drei ~ Kohlen* three sacks of coal; *mit ~ und Pack* (*col*) with bag and baggage; *jdn in den ~ stecken* (*fig col*) to put sb in the shade. [b] (*Anat, Zool*) sac. [c] (*col!: Hoden*) balls *pl* (*col!*). [d] (*col!: Kerl, Bursche*) bastard (*col!*) ▶ *fauler ~* lazy bastard.
Sackbahnhof *m* terminus.
sacken *vi aux sein* (*lit, fig: sinken*) to sink ▶ *in die Knie*

~ to sag at the knees.

Sack-: **~gasse** f cul-de-sac (esp Brit), dead end; (fig) dead end; **in eine ~gasse geraten** (fig) to finish up a blind alley; (Verhandlungen) to reach an impasse; **~hüpfen** nt no pl sack race; **~karre** f handcart; **~leinen** nt, **~leinwand** f sacking, burlap (US).

Sadismus m no pl sadism.

Sadist(in f) m sadist.

sadistisch adj sadistic.

säen vti to sow; (fig) to sow (the seeds of) ▸ **dünn gesät** (fig) thin on the ground, few and far between.

Safari f -s safari ▸ **eine ~ machen** to go on safari.

Saffian m no pl, **Saffianleder** nt morocco (leather).

Safran m -e saffron.

Saft m -̈e (Obst~) (fruit) juice; (Pflanzen~) sap; (Fleisch~) juice; (Husten~ etc) syrup; (col: Strom, Benzin) juice (col) ▸ **ohne ~ und Kraft** (fig) wishy-washy (col), feeble.

saftig adj [a] (voll Saft) Obst, Fleisch juicy; Wiese, Grün lush. [b] (col: kräftig) Witz juicy (col); Rechnung, Ohrfeige hefty (col); Brief, Antwort hard-hitting.

Saftigkeit f (von Obst, Witz) juiciness; (von Wiese etc) lushness.

Saft-: **~laden** m (pej col) useless outfit (pej col); **s~los** adj not juicy; **~presse** f fruit press; **~sack** m (col!) stupid bastard (col!).

saft- und kraftlos adj wishy-washy (col), feeble.

Sage f -n legend; (altnordische) saga ▸ **es geht die ~, daß ...** legend has it that ...; (Gerücht) rumour (Brit) or rumor (US) has it that ...

Säge f -n (Werkzeug) saw.

Säge-: **~blatt** nt saw blade; **~maschine** f mechanical saw; **~mehl** nt sawdust; **~messer** nt serrated knife; **~mühle** f sawmill.

sagen vt [a] to say ▸ **jdm etw ~** to say sth to sb; (mitteilen, ausrichten) to tell sb sth; **sich** (dat) **etw ~** to say sth to oneself; **unter uns gesagt** between you and me (and the gatepost hum col); **genauer/deutlicher gesagt** to put it more precisely/clearly; **könnten Sie mir ~ ...?** could you tell me ...?; **ich sag's ihm** I'll tell him; **ich habe mir ~ lassen, ...** I've been told ...; **was ich mir von ihm nicht alles ~ lassen muß!** the things I have to take from him!; **das kann ich Ihnen nicht ~** I couldn't say; **so was sagt man doch nicht!** you mustn't say things like that; (bei Schimpfen, Fluchen) (mind your) language!; **das sage ich nicht!** I'm not telling; **was ich noch ~ wollte, ...** (col) there's something else I wanted to say ...; **dann will ich nichts gesagt haben** in that case forget I said anything; **ich sage, wie es ist** I'm just telling you the way it is; **um nicht zu ~** not to say; **jdm ~, er solle etw tun** to tell sb to do sth; **hat er im Betrieb etwas zu ~?** does he have a say in the firm?; **sie hat das S~** what she says, goes; **laß dir das gesagt sein** take it from me; **er läßt sich** (dat) **nichts ~** he won't be told; **das laß ich mir von dir nicht ~** I won't take that from you; **sie ließen es sich** (dat) **nicht zweimal ~** they didn't need to be told twice; **ich möchte fast ~, ...** I'd almost say ...; **wenn ich so ~ darf** if I may say so; **da soll noch einer ~, ...** never let it be said ...

[b] (bedeuten, meinen) to mean ▸ **was will er damit ~?** what does he mean (by that)?; **ich will damit nicht ~, daß ...** I don't mean to imply that ...; **damit ist nicht gesagt, daß ...** that doesn't mean (to say) that ...; **das hat nichts zu ~** that doesn't mean anything; **sagt dir der Name etwas?** does the name mean anything to you?

[c] **~ Sie mal/sag mal, ...** tell me, ..., say, ...; **du, Vera, sag mal, wollen wir ...** hey, Vera, listen, shall we ...; **wem ~ Sie das!** you don't need to tell me that!; **sag bloß!** you don't say!; **was Sie nicht ~!** you don't say!; **das kann man wohl ~** you can say that again!; **ich muß**

schon ~ I must say; **das muß man ~** you must admit that; **das ist nicht gesagt** that's by no means certain; **leichter gesagt als getan** easier said than done; **gesagt, getan** no sooner said than done; **wie gesagt** as I said; **wie schon gesagt** as already mentioned; **ich bin, ~ wir, in einer Stunde da** I'll be there in, let's say, an hour; **sage und schreibe 100 Mark** 100 marks, would you believe it.

sägen [1] vti to saw.

[2] vi (hum col: schnarchen) to snore, to saw wood (US col).

Sagen-: **~dichtung** f sagas pl; **s~haft** adj [a] (nach Art einer Sage) legendary; [b] (col: hervorragend) fantastic (col), terrific (col); **s~haft schnell** incredibly fast (col); **s~umwoben** adj legendary; **~welt** f mythology, legend.

Säge-: **~späne** pl wood shavings pl; **~werk** nt sawmill.

Sago m no pl sago.

sah pret of **sehen**.

Sahara [za'ha:ra, 'za:hara] f Sahara (Desert).

Sahne f no pl cream.

Sahne-: **~bonbon** m or nt toffee; **~eis** nt icecream; **~torte** f cream gateau.

sahnig adj creamy.

Saison [zɛ'zõ:, zɛ'zɔŋ] f -s season ▸ **außerhalb der ~** in the off season.

saisonal [zɛzo'na:l] adj seasonal.

Saison-: [zɛ'zõ:] in cpds seasonal; **~arbeit** f seasonal work; **~arbeiter** m seasonal worker; **s~bedingt** adj seasonal; **~beginn** m start of the season; **s~bereinigt** adj seasonally adjusted; **~betrieb** m (Hochsaison) high season; (~geschäft) seasonal business; **~eröffnung** f opening of the season; **~geschäft** nt seasonal business; **~schluß** ⚠ m end of the season; **~zuschlag** m in-season supplement.

Saite f -n [a] (Mus, Sport) string. [b] (fig liter) **eine ~ in jdm berühren** to strike a chord in sb; **andere ~n aufziehen** (col) to get tough.

Saiten|instrument nt string(ed) instrument.

Sakko m or nt -s jacket; (aus Tweed etc) sports jacket (Brit), sport coat (US).

sakral adj sacred, sacral.

Sakrament nt sacrament.

Sakrileg nt -e sacrilege.

Sakristei f sacristy.

Salamander m - salamander.

Salami f -s salami.

Salamitaktik f (col) policy of small steps.

Salat m -e [a] (Pflanze, Kopf~) lettuce. [b] (Gericht) salad ▸ **da haben wir den ~!** (col) now we're in a fine mess.

Salat-: **~besteck** nt salad servers pl; **~gurke** f cucumber; **~kopf** m (head of) lettuce; **~öl** nt salad oil; **~platte** f salad; **~schleuder** f salad spinner; **~schüssel** f salad bowl; **~soße** f salad dressing.

Salbe f -n ointment.

Salbei m or f no pl sage.

salben vt (liter) to anoint.

salbungsvoll adj (pej) unctuous (pej).

saldieren* vt (Comm) to balance.

Saldo m, pl -s or **Salden** (Fin) balance ▸ **per ~** (lit, fig) on balance.

Saldo|übertrag, Saldovortrag m (Fin) balance carried forward.

Säle pl of **Saal**.

Saline f saltworks sing or pl.

Salmiak m or nt no pl sal ammoniac, ammonium chloride.

Salmiak-: **~geist** m (liquid) ammonia; **~pastille** f bitter-tasting liquorice and sal ammoniac lozenge, liquorice imp.

Salmonellen pl salmonellae pl.
Salmonellenvergiftung f salmonella (poisoning).
salomonisch adj: ein ~es Urteil a judgement of Solomon.
Salon [za'lõ:, za'lɔŋ] m -s [a] (Gesellschaftszimmer) drawing room. [b] (Friseur~, Mode~ etc) salon.
Salon- [za'lõ:-]: **s~fähig** adj (iro) socially acceptable; Leute, Aussehen presentable; ein nicht s~fähiger Witz an objectionable joke; **~löwe** m (pej col) social lion.
salopp adj [a] (nachlässig) sloppy, slovenly; Manieren slovenly; Sprache slangy. [b] (ungezwungen) casual.
Salpeter m no pl saltpetre (Brit), saltpeter (US).
Salpetersäure f nitric acid.
Salto m, pl -s or Salti somersault ▶ ein anderthalbfacher ~ a one-and-a-half somersault or turn; ~ mortale triple somersault.
Salut m -e (Mil) salute ▶ ~ schießen to fire a salute; 21 Schuß ~ 21-gun salute.
salutieren* vti (Mil) to salute.
Salve ['zalvə] f -n salvo, volley; (Ehren~) salute; (fig: von Applaus) volley, burst.
Salz nt -e salt ▶ das ist das ~ in der Suppe (fig) that's what gives it that extra something; wie eine Suppe ohne ~ (fig) like ham without eggs (hum).
Salz-: **s~arm** adj (Cook) low-salt; s~arm essen to eat a low-salt diet; **~bergwerk** nt salt mine; **~brezel** f pretzel.
salzen pret salzte, ptp gesalzen vt to salt; siehe gesalzen.
Salz-: **s~frei** adj salt-free; Diät auch no-salt attr; **~gebäck** nt savoury biscuits pl (Brit), savory cookies pl (US); **~gurke** f pickled gherkin; **s~haltig** adj salty, saline; **~hering** m salted herring.
salzig adj salty, salt.
Salz-: **~kartoffeln** pl boiled potatoes pl; **~korn** nt grain of salt; **s~los** adj salt-free; s~los essen not to eat salt; **~lösung** f saline solution; **~säule** f: zur ~säule erstarren (fig) to stand as though rooted to the spot; **~säure** f hydrochloric acid; **~see** m salt lake; **~stange** f pretzel stick; **~streuer** m - salt cellar or (US) shaker; **~wasser** nt salt water; **~wüste** f salt flat.
Samariter m (Bibl, fig) Samaritan ▶ der Barmherzige ~ the good Samaritan.
Sambia nt Zambia.
Sambier(in f) [-iɐ, -iərɪn] m - Zambian.
sambisch adj Zambian.
Same m -ns, -n (liter), **Samen** m - [a] (Bot, fig) seed; (fig auch) seeds pl. [b] (Menschen~, Tier~) sperm.
Samen-: **~bank** f sperm bank; **~erguß** ⚠ m ejaculation; **~flüssigkeit** f seminal fluid; **~handlung** f seed shop (Brit) or store (US); **~kapsel** f seed capsule; **~korn** nt seed; **~leiter** m vas deferens (spec), sperm duct; **~spender** m sperm donor; **~zelle** f sperm cell.
sämig adj thick, creamy.
Sammel-: **~album** nt (collector's) album; **~anschluß** ⚠ m (Telec) private (branch) exchange; (von Privathäusern) party line; **~band** m anthology; **~becken** nt collecting tank; (fig) melting pot (von for); **~begriff** m collective term; **~bestellung** f joint order; **~büchse** f collecting box; **~fahrschein** m, **~karte** f (für mehrere Fahrten) multi-journey ticket; (für mehrere Personen) group ticket; **~mappe** f file.
sammeln [1] vt to collect; Holz, Material, Erfahrungen auch to gather; Blumen, Pilze etc to pick, to gather; Truppen, Anhänger to gather, to assemble ▶ neue Kräfte ~ to build up one's energy again.
[2] vr [a] to gather, to collect; (Wasser, Geld etc) to collect, to accumulate; (Lichtstrahlen) to converge, to meet. [b] (fig: sich konzentrieren) to collect one's thoughts; siehe gesammelt.

[3] vi to collect (für for).
Sammel-: **~name** m collective term; **~nummer** f (Telec) private exchange number, switchboard number; **~platz** m [a] (Treffpunkt) assembly point; [b] (Lagerplatz) collecting point; **~punkt** m (Treffpunkt) assembly point; **~stelle** f = ~punkt.
Sammelsurium nt conglomeration.
Sammler(in f) m - collector.
Sammlung f [a] collection. [b] (fig: Konzentration) composure.
Samowar m -e samovar.
Samstag m -e Saturday; siehe **Dienstag**.
samstags adv on Saturdays.
samt [1] prep +dat together with ▶ sie kam ~ Katze (hum) she came complete with cat.
[2] adv sie waren ~ und sonders ... the whole lot of them were ... (col).
Samt m -e velvet ▶ in ~ und Seide (liter) in silks and satins.
Samt- in cpds velvet; **~handschuh** m velvet glove; jdn mit ~handschuhen anfassen (col) to handle sb with kid gloves (col).
samtig adj velvety.
sämtlich adj (alle) all; (vollständig) complete ▶ Schillers ~e Werke the complete works of Schiller; ~e Anwesenden all those present.
samtweich adj velvety.
Sanatorium nt sanatorium (Brit), sanitarium (US).
Sand m -e sand; (Scheuer~) scouring powder; (Streu~) grit ▶ mit ~ bestreuen to sand; das/die gibt's wie ~ am Meer (col) there are heaps of them (col); auf ~ laufen to run aground; auf ~ bauen (fig) to build upon sandy ground; jdm ~ in die Augen streuen (fig) to throw dust in sb's eyes; ~ ins Getriebe streuen to throw a spanner in the works (Brit), to cause problems; im ~e verlaufen (col) to peter out; den Kopf in den ~ stecken to bury one's head in the sand; etw in den ~ setzen (col) Projekt, Prüfung to blow sth (col).
Sandale f -n sandal.
Sandalette f high-heeled sandal.
Sand- in cpds sand; **~bank** f sandbank; **~boden** m sandy soil; **~burg** f sandcastle.
Sandel-: **~holz** nt sandalwood; **~öl** nt sandalwood oil.
Sand-: **s~farben, s~farbig** adj sand-coloured (Brit), sand-colored (US); **~haufen** m heap of sand.
sandig adj sandy.
Sand-: **~kasten** m sandpit (esp Brit), sandbox (US); **~kastenspiele** pl (Mil) sand-table exercises pl; (fig) tactical manoeuvrings (Brit) or maneuverings (US) pl; **~korn** nt grain of sand; **~kuchen** m (Cook) a Madeira-type cake; **~mann** m, **~männchen** nt (in Geschichten) sandman; **~papier** nt sandpaper; **~sack** m sandbag; (Boxen) punchbag, punching bag (US); **~stein** m sandstone; **s~strahlen** vti insep to sandblast; **~strahlgebläse** nt sandblasting equipment no indef art, no pl; **~strand** m sandy beach; **~sturm** m sandstorm.
sandte pret of senden[1].
Sand-: **~uhr** f hourglass; (Eieruhr) eggtimer; **~wüste** f sandy waste; (Geog) (sandy) desert.
sanft adj gentle; Haut soft; Schlaf, Tod peaceful ▶ sich ~ anfühlen to feel soft; mit ~er Gewalt gently but firmly; er ist ~ entschlafen he passed away peacefully.
Sänfte f -n litter; (esp im 17., 18. Jh. Europas) sedan-chair.
Sanftheit f siehe adj gentleness; softness.
Sanftmut f no pl (liter) gentleness.
sanftmütig adj (liter) gentle.
sang pret of singen.
Sang m ̈-e (old liter) (Gesang) song; (das Singen) singing ▶ mit ~ und Klang (lit) with drums drumming and

pipes piping; (*fig iro*) *durchfallen etc* disastrously, catastrophically.

Sänger(in *f*) *m* - singer; (*esp Jazz~, Pop~ auch*) vocalist.

sang- und klanglos *adv* (*col*) without any ado, quietly
▸ *sie ist ~ verschwunden* she simply disappeared.

sanieren* ① *vt* [a] *Stadtteil* to redevelop; *Haus* to renovate; *Fluß* to clean up. [b] (*Econ*) *Unternehmen, Wirtschaft* to rehabilitate, to put back on its feet.
② *vr* [a] (*Unternehmen, Industrie*) to get back on its feet again. [b] (*col: sich bereichern*) to line one's own pocket (*col*).

Sanierung *f* [a] *siehe vt* (*a*) redevelopment; renovation; cleaning up. [b] (*Econ*) rehabilitation.

Sanierungs-: **~gebiet** *nt* redevelopment area; **~maßnahme** *f* (*für Gebiete etc*) redevelopment measure; (*Econ*) rehabilitation measure.

sanitär *adj no pred* sanitary ▸ **~e Anlagen** sanitary facilities.

Sanitäter *m* - first-aid attendant, paramedic; (*Mil*) (medical) orderly; (*in Krankenwagen*) ambulance man.

Sanitäts-: **~auto** *nt* ambulance; **~dienst** *m* (*Mil*) medical duty; (*Heeresabteilung*) medical corps; **~kasten** *m* first-aid kit; **~korps** *nt* medical corps; **~offizier** *m* (*Mil*) Medical Officer, MO; **~truppe** *f* medical corps; **~wagen** *m* ambulance.

sank *pret of* **sinken.**

Sankt *adj inv* Saint.

Sanktion *f* sanction.

sanktionieren* *vt* to sanction.

sann *pret of* **sinnen.**

Saphir *m* -e sapphire.

Sarde *m* (*wk*) **-n, -n, Sardin** *f* Sardinian.

Sardelle *f* anchovy.

Sardine *f* sardine.

Sardinenbüchse *f* sardine-can ▸ *wie in einer ~* (*fig col*) like sardines (*col*).

Sardinien [-iən] *nt* Sardinia.

Sardinier(in *f*) [-iɐ, -iərın] *m* - Sardinian.

sardinisch, sardisch *adj* Sardinian.

sardonisch *adj* sardonic.

Sarg *m* ⁼e coffin, casket (*US*).

Sarg-: **~deckel** *m* coffin lid, casket lid (*US*); **~nagel** *m* coffin nail; (*fig col: Zigarette*) cancer stick (*col*); **~träger** *m* pallbearer.

Sarkasmus *m* sarcasm.

sarkastisch *adj* sarcastic.

Sarkophag *m* -e sarcophagus.

saß *pret of* **sitzen.**

Satan *m* -e (*Bibl, fig*) Satan.

satanisch *adj* satanic.

Satansbraten *m* (*hum col*) young devil.

Satellit *m* (*wk*) -en, -en satellite.

Satelliten- *in cpds* satellite; **~antenne** *f* satellite dish; **~bahn** *f* satellite orbit; **~fernsehen** *nt* satellite television; **~foto** *nt* satellite picture; **~schüssel** *f* (*col*) satellite dish; **~staat** *m* satellite state; **~stadt** *f* satellite town; **~station** *f* space station; **~übertragung** *f* (*Rad, TV*) satellite transmission.

Satin [za'tɛ̃ː] *m* -s satin.

Satire *f* -n satire (*auf +acc* on).

Satiriker(in *f*) *m* - satirist.

satirisch *adj* satirical.

satt *adj* [a] (*gesättigt*) *Mensch* full (up) (*col*); *Magen, Gefühl* full ▸ *~ sein* to have had enough (to eat), to be full (up) (*col*); *~ werden* to have enough to eat; *von so was kann man doch nicht ~ werden* this sort of thing isn't enough to satisfy you; *das macht ~* it's filling; *(an etw dat) ~ essen* to eat one's fill (of sth); *wie soll sie ihre Kinder ~ kriegen?* (*col*) how is she supposed to feed her children?; *er ist kaum ~ zu kriegen* (*col: lit,*

fig) he's insatiable; *er konnte sich an ihr nicht ~ sehen* he could not see enough of her; *jdn/etw ~ haben or sein* to be fed up with sb/sth (*col*). [b] (*blasiert, übersättigt*) well-fed; (*selbstgefällig*) smug. [c] (*kräftig, voll*) *Farben, Klang* rich, full ▸ *~e 100 Mark/10 Prozent* (*col*) a cool 100 marks/10 per cent.

Sattel *m* ⁼ saddle ▸ *ohne ~* bareback; *er ist in allen* ⁼*n gerecht or sicher* (*fig*) he can turn his hand to anything; *fest im ~ sitzen* (*fig*) to be firmly in the saddle.

Sattel-: **~anhänger** *m* semitrailer, semi (*US col*); **~dach** *nt* pitched *or* saddle roof; **~decke** *f* saddlecloth; **s~fest** *adj* **s~fest sein** (*Reiter*) to have a good seat; *in etw* (*dat*) **s~fest sein** (*fig*) to have a firm grasp of sth.

satteln *vt Pferd* to saddle (up) ▸ *für etw gesattelt sein* (*fig*) to be ready for sth.

Sattel-: **~schlepper** *m* tractor unit; (*~zug*) articulated lorry (*Brit*), rig (*US*); **~tasche** *f* saddlebag; (*Gepäcktasche am Fahrrad*) pannier; **~zug** *m* articulated lorry (*Brit*), rig (*US*).

Sattheit *f* [a] (*Gefühl*) feeling of being full. [b] (*von Farben*) richness, fullness.

sättigen ① *vt* [a] *Hunger, Neugier* to satisfy, to satiate ▸ *ich bin gesättigt* I am replete. [b] (*Comm, Chem*) to saturate.
② *vi* to be filling.
③ *vr sich an etw* (*dat*) *or mit etw ~* to eat one's fill of sth.

sättigend *adj Essen* filling.

Sättigung *f* [a] (*geh: Sattsein*) repletion ▸ *die ~ der Hungrigen* the feeding of the hungry. [b] (*Chem, Comm*) saturation.

Sättigungs-: **~grad** *m* degree of saturation; **~punkt** *m* saturation point.

Sattler(in *f*) *m* - saddler; (*Polsterer*) upholsterer.

sattsam *adv* amply ▸ *~ bekannt* only too well known.

Saturn *m* (*Astron*) Saturn.

Satz *m* -es, ⁼e [a] sentence; (*Teilsatz*) clause; (*Jur: Gesetzabschnitt*) clause ▸ *ich kann nur ein paar* ⁼*e Italienisch* I only know a few phrases of Italian. [b] (*Lehr~, Philos*) proposition; (*Math*) theorem. [c] (*Typ*) (*das Setzen*) setting; (*das Gesetzte*) type *no pl* ▸ *das Buch ist im ~* the book is being set. [d] (*Mus*) movement. [e] (*Boden~*) dregs *pl*; (*Kaffee~*) grounds *pl*. [f] (*Zusammengehöriges*) set. [g] (*Sport*) set; (*Tischtennis*) game. [h] (*Tarif~*) charge; (*Spesen~*) allowance. [i] (*Sprung*) leap, jump ▸ *einen ~ machen* to leap, to jump; *mit einem ~* in one leap *or* bound.

Satz-: **~aussage** *f* (*Gram*) predicate; **~ball** *m* (*Sport*) set point; (*Tischtennis*) game point; **~bau** *m* sentence construction; **~ergänzung** *f* (*Gram*) object; **~gegenstand** *m* (*Gram*) subject; **~glied** *nt* = **~teil; ~herstellung** *f* (*Typ*) typesetting; **~teil** *m* part of *a/the* sentence.

Satzung *f* constitution, statutes *pl*; (*Vereins~*) rules *pl*.

satzungsgemäß *adj* according to the statutes/rules.

Satzzeichen *nt* punctuation mark.

Sau *f, pl* **Säue** *or* (*Hunt*) **-en** [a] sow; (*col: Schwein*) pig; (*Hunt*) wild boar ▸ *die ~ rauslassen* (*fig col*) to let it all hang out (*col*); (*sich äußern*) to speak out; *wie eine gesengte ~* (*col*) like a bat out of hell (*col*). [b] (*pej col: Schmutzfink*) dirty swine (*col*); (*Frau auch*) bitch (*pej col*). [c] (*fig col*) *jdn zur ~ machen* to bawl sb out (*col*); *unter aller ~* bloody (*Brit col*) *or* goddamn (*col*) awful.

sauber *adj* [a] (*rein, reinlich*) clean ▸ *~ sein* (*Hund etc*) to be house-trained; (*Kind*) to be pottytrained. [b] (*ordentlich*) neat, tidy; (*exact*) accurate. [c] (*anständig*) honest, upstanding ▸ *~ bleiben* to keep one's hands clean. [d] (*col: großartig*) fantastic, great ▸ *du bist mir ja ein ~er Freund!* (*iro*) a fine friend you are! (*iro*).

⚠ **sauberhalten** *vt sep irreg* to keep clean.

Sauberkeit *f* [a] cleanness; (*Hygiene, Ordentlichkeit*)

cleanliness. [b] (*Anständigkeit*) honesty.
säuberlich *adj* neat and tidy ► *fein* ~ neatly and tidily.
⚠ **saubermachen** *vt sep* to clean.
  Saubermann *m* (*col*) cleanliness freak ► *die Saubermänner* (*fig: moralisch*) the squeaky-clean brigade (*col*).
säubern *vt* [a] to clean. [b] (*fig euph*) *Partei, Buch* to purge (*von* of); *Saal*, (*Mil*) *Gegend* to clear (*von* of).
Säuberung *f siehe vt* [a] cleaning. [b] purging; clearing; (*Pol: Aktion*) purge.
Säuberungs|aktion *f* cleaning-up operation; (*Pol*) purge.
Sau-: **s~blöd** *adj* (*col*) bloody (*Brit col*) *or* damn (*col*) stupid; **~bohne** *f* broad bean.
Sauce ['zo:sə] *f* **-n** sauce; (*Braten~*) gravy.
Sauciere [zo'sie:rə, -'sie:rə] *f* **-n** sauce boat; (*für Bratensauce*) gravy boat.
Saudi *m* **-(s)**, **-(s)** Saudi.
Saudi-: **~araber** *m* Saudi (Arabian); **~-Arabien** *nt* Saudi Arabia; **s~arabisch** *adj* Saudi *attr*, Saudi-Arabian.
saudumm *adj* (*col*) damn stupid (*col*) ► *sich ~ benehmen* to behave like a stupid idiot (*col*).
sauer *adj* [a] (*nicht süß*) sour; *Wein, Bonbons* acid(ic), sharp ► *saure Drops* acid drops. [b] (*verdorben*) off *pred* (*Brit*), spoiled (*US*) ► *~ werden* (*Milch, Sahne*) to go sour, to turn. [c] *Gurke, Hering* pickled ► *saure Sahne* soured cream. [d] (*Chem*) acid(ic) ► *saurer Regen* acid rain. [e] (*col: schlecht gelaunt*) (*auf +acc* with) mad (*col*), cross ► *~ reagieren* to get annoyed. [f] *das habe ich mir ~ verdient* I got that the hard way; *jdm das Leben ~ machen* to make sb's life a misery; *gib ihm Saures!* (*col*) let him have it! (*col*).
Sauer-: **~ampfer** *m* sorrel; **~braten** *m* braised beef (marinaded in vinegar), sauerbraten (*US*).
Sauerei *f* (*col*) [a] (*Unflätigkeit*) *~en erzählen* to tell filthy stories. [b] *so eine ~!* it's a bloody (*esp Brit col*) *or* downright disgrace. [c] (*Dreck*) mess.
Sauer-: **~kirsche** *f* sour cherry; **~kraut** *nt* sauerkraut, pickled cabbage.
säuerlich *adj* (*lit, fig*) sour; *Wein auch* sharp.
Sauermilch *f* sour milk.
Sauerstoff *m no pl* oxygen.
Sauerstoff- *in cpds* oxygen; **~flasche** *f* oxygen cylinder; **~gerät** *nt* breathing apparatus; (*Med*) (*für künstliche Beatmung*) respirator; (*für Erste Hilfe*) resuscitator; **s~haltig** *adj* containing oxygen; **~mangel** *m* lack of oxygen; (*akut*) oxygen deficiency; **~zufuhr** *f* oxygen supply.
Sauer-: **~teig** *m* sour dough; **s~töpfisch** *adj* (*pej col*) sour; *Mensch auch* sour-faced.
saufen *pret* **soff**, *ptp* **gesoffen** *vti* [a] (*Tiere*) to drink. [b] (*col: Mensch*) to booze (*col*), to drink ► *das S~* boozing; *wie ein Loch ~* to drink like a fish.
Säufer(in *f*) *m* - (*col*) boozer (*col*), drunkard.
Sauferei *f* (*col*) [a] (*Trinkgelage*) booze-up (*col*). [b] *no pl* (*Trunksucht*) boozing (*col*).
Sauf-: **~gelage** *nt* (*pej col*) drinking bout, booze-up (*col*); **~kumpan** *m* (*pej col*) drinking pal.
saugen *pret* **sog** *or* **saugte**, *ptp* **gesogen** *or* **gesaugt** *vti* to suck; (*col: mit Staubsauger*) to vacuum ► *an etw* (*dat*) *~* to suck sth; *an Pfeife* to draw on sth.
säugen *vt* to suckle.
Sauger *m* - [a] (*auf Flasche*) teat (*Brit*), nipple (*US*). [b] (*col: Staub~*) vacuum (cleaner).
Säugetier *nt* mammal.
Saug-: **s~fähig** *adj* absorbent; **~fähigkeit** *f* absorbency.
Säugling *m* baby, infant (*form*).
Säuglings- *in cpds* baby, infant (*form*); **~alter** *nt* babyhood; *das Kind ist noch im ~alter* the child is still a

baby; **~heim** *nt* home for babies; **~pflege** *f* babycare; **~schwester** *f* infant nurse; **~sterblichkeit** *f* infant mortality.
Saug-: **~napf** *m* sucker; **~rohr** *nt* pipette.
Sau-: **~haufen** *m* (*col*) bunch of layabouts (*col*); **s~kalt** *adj* (*col*) bloody (*esp Brit col*) *or* damn (*col*) cold; **~klaue** *f* (*col*) scrawl (*col*).
Säule *f* **-n** column; (*col: Pfeiler, fig: Stütze*) pillar.
Säulengang *m* colonnade.
Saum *m, pl* **Säume** hem; (*Naht*) seam.
saumäßig (*col*) [1] *adj* lousy (*col*); (*zur Verstärkung*) hell of a (*col*). [2] *adv siehe adj* lousily; like hell.
säumen *vt* (*Sew*) to hem; (*fig geh*) to line.
säumig *adj* (*geh*) *Schuldner* defaulting; *Zahlung* outstanding, overdue.
saumselig *adj* (*geh*) dilatory.
Sauna *f, pl* **-s** *or* **Saunen** sauna.
saunieren *vi* to have a sauna.
Säure *f* **-n** [a] (*Chem, Magen~*) acid. [b] *siehe* **sauer (a)** sourness; acidity.
Säure-: **s~arm** *adj* low in acid; **s~beständig, s~fest** *adj* acid-resistant; **s~frei** *adj* acid-free; **~gehalt** *m* acid content.
⚠ **Sauregurkenzeit** *f* (*hum col*) bad time *or* period; (*in den Medien*) silly season.
säurehaltig *adj* acidic.
Saurier [-iɐ] *m* - dinosaur, saurian (*spec*).
Saus *m*: *in ~ und Braus leben* to live like a lord.
säuseln [1] *vi* (*Wind*) to murmur, to sigh; (*Blätter*) to rustle; (*Mensch*) to purr. [2] *vt* to murmur, to purr.
sausen *vi* [a] (*Ohren, Kopf*) to buzz; (*Wind*) to whistle; (*Sturm*) to roar. [b] *aux sein* (*Geschoß, Peitsche*) to whistle. [c] *aux sein* (*col: Mensch*) to tear (*col*), to charge (*col*); (*Fahrzeug*) to whizz (*col*), to tear (*col*) ► *in den Graben ~* to shoot into the ditch; *durch eine Prüfung ~* to fail *or* flunk (*col*) an exam.
⚠ **sausenlassen** *vt sep irreg* (*col*) *jdn/etw ~* to drop sb/ sth; *das Kino heute abend laß ich sausen* I'll not bother going to the cinema tonight.
Sau-: **~stall** *m* (*col*) pigsty (*col*); **~wetter** *nt* (*col*) bloody (*Brit col*) *or* damn (*col*) awful weather; **s~wohl** *adj pred* (*col*) *ich fühle mich s~wohl* I feel bloody (*Brit col*) *or* really good.
Savanne [za'vanə] *f* **-n** savanna(h).
⚠ **Saxophon** *nt* **-e** saxophone, sax (*col*).
⚠ **Saxophonist(in** *f*) *m* saxophone player, saxophonist.
SB- [ɛs'be:-] *in cpds* self-service.
S-Bahn ['ɛs-] *f* = **Schnellbahn, Stadtbahn**.
S-Bahnhof ['ɛs-] *m* suburban line station.
SBB [ɛsbe:'be:] *f* = **Schweizerische Bundesbahn**.
Scanner ['skɛnɐ] *m* - (*Med, Comp*) scanner.
Schabe *f* **-n** cockroach.
schaben *vt* to scrape; *Fleisch* to chop finely; *Leder, Fell* to shave.
Schaber *m* - scraper.
Schabernack *m* **-e** prank, practical joke ► *mit jdm einen ~ treiben* to play a prank on sb.
schäbig *adj* [a] (*abgetragen*) shabby. [b] *Kerl* mean; *Behandlung, Bezahlung* shabby.
Schäbigkeit *f siehe adj* [a] shabbiness. [b] meanness, shabbiness.
Schablone *f* **-n** [a] stencil; (*Muster*) template. [b] (*fig pej*) (*bei Arbeit, Arbeitsweise*) routine, pattern; (*beim Reden*) cliché ► *in ~n denken* to think in a stereotyped way; *etw geht nach ~* sth follows the set routine.
schablonenhaft [1] *adj Denken etc* stereotyped; *Ausdrucksweise* cliché-ridden. [2] *adv* in stereotypes/clichés.

Schach nt no pl chess; (Stellung im Spiel) check ▸ ~ (dem König)! check; ~ und matt checkmate; im ~ stehen to be in check; jdn in ~ halten (fig) to hold sb in check; (mit Pistole etc) to keep sb covered.

Schach-: ~brett nt chessboard; s~brettartig adj chequered (Brit), checkered (US); ~brettmuster nt chequered (Brit) or checkered (US) pattern.

schachern vi (pej) um etw ~ to haggle over sth.

Schach-: ~feld nt square (on a chessboard); ~figur f chess piece; (fig) pawn; s~matt adj (lit) (check)mated; (fig: erschöpft) exhausted; s~matt! (check)mate; jdn s~matt setzen (lit) to (check)mate sb; (fig) to snooker sb (col); ~partie f game of chess; ~spiel nt (Spiel) game of chess; (Spielart) chess no art; (Brett und Figuren) chess set; ~spieler m chess player.

Schacht m -e shaft; (Brunnen~) well.

Schachtel f -n [a] box; (Zigaretten~) packet, pack ▸ eine ~ Pralinen a box of chocolates. [b] (pej: Frau) bag (col).

Schachtelsatz m complicated or multi-clause sentence.

Schach-: ~turnier nt chess tournament; ~zug m (fig) move.

▼ **schade** adj pred (das ist aber) ~! what a pity or shame; es ist ~ um jdn/etw it's a pity or shame about sb/sth; um sie ist es nicht ~ she's no great loss; für etw zu ~ sein to be too good for sth; sich (dat) für etw zu ~ sein to consider oneself too good for sth.

Schädel m - skull ▸ mir brummt der ~ (col) my head is spinning; (vor Kopfschmerzen) my head is throbbing; einen dicken ~ haben (fig col) to be stubborn.

Schädel-: ~bruch m fractured skull; ~decke f top of the skull.

schaden vi +dat to damage, to harm; einem Menschen to harm, to hurt ▸ Rauchen schadet Ihnen smoking is bad for you; das schadet nichts it does no harm; (macht nichts) that doesn't matter; es kann nichts ~, wenn ... it wouldn't do any harm if ...; das schadet dir gar nichts (geschieht dir recht) it serves you right.

Schaden m - damage no pl, no indef art (durch caused by); (Personen~) injury; (Verlust) loss; (Unheil, Leid) harm ▸ einen ~ verursachen to cause damage; ich habe einen ~ am Auto my car has been damaged; ~ an der Lunge lung damage; ~ aufweisen to be defective; (Organ) to be damaged; es soll sein ~ nicht sein it will not be to his disadvantage; den ~ von etw haben to suffer for sth; zu ~ kommen to suffer; (physisch) to be injured; an etw (dat) ~ nehmen (geh) to damage sth; jdm ~ zufügen to harm sb; durch ~ wird man klug (Prov) you learn by your mistakes.

Schadenersatz m compensation, damages pl ▸ ~ leisten to pay compensation.

Schadenersatz-: ~anspruch m claim for compensation; s~pflichtig adj liable for compensation.

Schaden-: ~freiheitsrabatt m no-claims bonus; ~freude f malicious glee, gloating; ... sagte er mit ~freude ... he gloated; s~froh adj gloating.

Schadens-: ~begrenzung f damage limitation; ~ersatz m = Schadenersatz.

schadhaft adj no adv faulty, defective; (beschädigt) damaged; (abgenutzt) Kleidung worn; Zähne decayed; Gebäude dilapidated.

schädigen vt to damage; jdn to hurt, to harm.

Schädigung f siehe vt (gen done to) damage; hurt, harm.

schädlich adj harmful; Wirkung, Einflüsse detrimental; damaging ▸ ~ für etw sein to be damaging to sth.

Schädlichkeit f harmfulness.

Schädling m pest.

Schädlings-: ~bekämpfung f pest control no art; ~bekämpfungsmittel nt pesticide.

schadlos adj sich an jdm/etw ~ halten to take advantage of sb/sth.

Schadstoff m harmful substance, pollutant.

Schadstoff-: s~arm adj low-pollution attr; Motor low-emission; s~arm sein to contain a low level of pollutants; ~begrenzung f (Aut) emission control; ~belastung f (von Umwelt) pollution.

Schaf nt -e sheep; (col: Dummkopf) twit (Brit col), dope (col) ▸ das schwarze ~ sein to be the black sheep (in +dat, gen of).

Schafbock m ram.

Schäfchen nt lamb, little sheep ▸ ~ pl (hum col: Anvertraute) flock sing; sein ~ ins trockene bringen (prov) to see oneself all right (col).

Schäfchenwolken pl cotton-wool clouds pl.

Schäfer m - shepherd.

Schäferhund m alsatian (dog) (Brit), German shepherd (dog).

Schäferin f shepherdess.

Schäferstündchen nt (euph hum) lovers' meeting.

Schaffell nt sheepskin.

Schaffen nt no pl die Freude am ~ the joy of creation; sein künstlerisches ~ his works pl (of art).

schaffen¹ pret schuf, ptp geschaffen vt to create; (herstellen) to make ▸ dafür ist er wie geschaffen he's just made for it; Platz ~ to make room; Ruhe ~ to establish order.

schaffen² [1] vt [a] (bewältigen) to manage; Prüfung to pass ▸ schaffst du's noch? (col) can you manage?; so, das wäre geschafft! there, that's done; das ist nicht zu ~ that can't be done; wir haben nicht viel geschafft we haven't got much done. [b] (col: erschöpfen) das hat mich geschafft it took it out of me; (nervlich) it got on top of me; geschafft sein to be shattered (col) or pooped (US col). [c] (bringen) wie sollen wir das auf den Berg ~? how will we manage to get that up the mountain?; einen Koffer zum Bahnhof ~ to take or get a case to the station. [d] (verursachen) Ärger, Unruhe to cause, to create.

[2] vi [a] (tun) to do ▸ ich habe damit nichts zu ~ that has nothing to do with me; was haben Sie dort zu ~? what do you think you're doing (there)?; sich (dat) an etw (dat) zu ~ machen to busy oneself with sth; (zum Schein) to fiddle about with sth. [b] (zusetzen) (jdm schwer) zu ~ machen to cause sb (a lot of) trouble; (bekümmern) to worry sb (a lot). [c] (S Ger: arbeiten) to work.

Schaffens-: ~drang m energy; (von Künstler) creative urge; ~kraft f creativity.

Schaffner(in f) m - (im Bus) conductor/conductress; (Rail) guard (Brit), conductor/conductress (US).

Schaffung f creation.

Schaf-: ~herde f flock of sheep; ~hirt m shepherd.

Schafott nt -e scaffold.

Schafschur f sheep-shearing.

Schafs-: ~käse m sheep's milk cheese; ~milch f sheep's milk.

Schafstall m sheepfold.

Schaft m -e shaft (auch Archit); (von Gewehr) stock; (von Stiefel) leg; (von Schlüssel) shank.

Schaftstiefel pl high boots pl; (Mil) jackboots pl.

Schaf-: ~wolle f sheep's wool; ~zucht f sheep breeding no art.

Schah m -s Shah.

Schakal m -e jackal.

schäkern vi (col) to flirt; (necken) to have a joke.

Schal m -s or -e scarf; (Umschlagtuch) shawl.

schal adj Getränk flat; Wasser, Geschmack stale; (fig: geistlos) Witz stale, weak.

Schale f -n [a] (Schüssel) bowl; (flach) dish; (von Waage)

⚠: Informationen zur Rechtschreibreform im Anhang

pan. **b** (*von Obst, Gemüse*) skin; (*abgeschält*) peel *no pl*; (*von Nüssen, Eiern, Muscheln*) shell; (*von Getreide*) husk ▶ *sich in ~ werfen* (*col*) to dress up in one's glad rags (*col*); *in seiner rauhen ~ steckt ein guter Kern* beneath that rough exterior (there) beats a heart of gold (*prov*).

·**schälen** 1 *vti* to peel; *Tomate, Mandel* to skin; *Erbsen, Eier, Nüsse* to shell; *Getreide* to husk. 2 *vr* to peel ▶ *sich aus den Kleidern ~* to peel off one's clothes.

Schalk *m* -e *or* ⁼e (*dated*) joker ▶ *ihm sitzt der ~ im Nacken* he's in a devilish mood.

Schall *m* -e *or* ⁼e sound ▶ *Name ist ~ und Rauch* names don't mean anything; *das ist alles ~ und Rauch* it's nothing but hollow words.

Schall-: **s~dämmen** *vt* to soundproof; **s~dämmend** *adj* sound-deadening; **~dämpfer** *m* sound absorber; (*von Auto*) silencer (*Brit*), muffler (*US*); (*von Gewehr etc*) silencer; (*Mus*) mute; **~dämpfung** *f* sound absorption; (*Abdichtung gegen Schall*) soundproofing; **s~dicht** *adj* soundproof.

schallen *vi* to sound; (*Stimme, Glocke, Beifall*) to ring (out); (*widerhallen*) to resound, to echo.

schallend *adj* *Beifall, Ohrfeige* resounding; *Gelächter* ringing ▶ *~ lachen* to roar with laughter.

Schall-: **~geschwindigkeit** *f* speed of sound; **~grenze, ~mauer** *f* sound barrier.

Schallplatte *f* record.

Schallplatten- *in cpds* record; **~hülle** *f* record sleeve.

Schalotte *f* -n shallot.

schalt *pret of* **schelten**.

Schalt-: **~anlage** *f* switchgear; **~bild** *nt* circuit diagram; **~brett** *nt* switchboard.

schalten 1 *vt* **a** to switch, to turn ▶ *etw auf „2" ~* to switch sth to "2"; *in Reihe/parallel ~* (*Elec*) to connect in series/in parallel. **b** *Werbespot, Anzeige* to place. 2 *vi* **a** (*Gerät*) to switch (*auf +acc* to); (*Aut*) to change gear ▶ *in den 2. Gang ~* to change *or* shift (*US*) into 2nd gear. **b** *~ und walten* to bustle around; *frei ~ (und walten) können* to have a free hand. **c** (*col: begreifen*) to latch on (*col*), to get it (*col*); (*reagieren*) to react.

Schalter *m* - **a** (*Elec etc*) switch. **b** (*in Post, Bank, Amt*) counter; (*im Bahnhof*) ticket window.

Schalter-: **~beamte(r)** *m* counter clerk; (*im Bahnhof*) ticket clerk; **~halle** *f* (*in Post*) hall; (*in Bank*) (banking) hall; (*im Bahnhof*) booking hall; **~stunden** *pl* hours of business *pl*.

Schalt-: **~getriebe** *nt* manual transmission *or* gearbox (*Brit*); **~hebel** *m* switch lever; (*Aut*) gear lever (*Brit*), gearshift (*US*); *an den ~hebeln der Macht sitzen* to hold the reins of power; **~jahr** *nt* leap year; **~knüppel** *m* (*Aut*) gear lever (*Brit*), gearshift (*US*); (*Aviat*) joystick; **~kreis** *m* (*Elec*) (switching) circuit; *integrierter ~kreis* integrated circuit; **~plan** *m* circuit diagram; **~pult** *nt* control desk; **~stelle** *f* (*fig*) coordinating point; **~tag** *m* leap day; **~uhr** *f* time switch.

Schaltung *f* switching; (*Elec*) wiring; (*Aut*) gearchange, gearshift.

Schaltzentrale *f* (*lit*) control centre (*Brit*) *or* center (*US*); (*fig*) nerve centre (*Brit*) *or* center (*US*).

Scham *f no pl* **a** shame ▶ *er wurde rot vor ~* he went red with shame; *er versteckte sich vor ~* he hid himself in shame; *nur keine falsche ~!* (*col*) no need to be embarrassed!; *ohne ~* unashamedly. **b** (*geh: Genitalien*) private parts *pl*; (*von Frau*) pudenda *pl*.

Schambein *nt* pubic bone.

schämen *vr* to be ashamed ▶ *du solltest dich ~!* you ought to be ashamed of yourself!; *sich wegen jdm/etw ~* to be ashamed of sb/sth; *sich für jdn ~* to be ashamed for sb; *sich vor jdm ~* to feel ashamed in front

of sb.

Scham-: **~gefühl** *nt* sense of shame; **~gegend** *f* pubic region; **~haar** *nt* pubic hair; **s~haft** *adj* modest; (*verschämt*) bashful, coy; **~lippen** *pl* labia *pl*, lips *pl* of the vulva; **s~los** *adj* shameless; (*unanständig auch*) indecent; *Lüge* brazen, barefaced; *sich s~los kleiden* to dress indecently; **~losigkeit** *f siehe adj* shamelessness; indecency.

Schampon *nt* -s shampoo.

schamponieren* *vt* to shampoo.

Scham-: **s~rot** *adj* red (with shame); **~röte** *f* blush of shame; *die ~röte stieg ihr ins Gesicht* her face flushed with shame; **~teile** *pl* private parts *pl*, genitals *pl*.

Schande *f no pl* disgrace ▶ *~ über jdn bringen* to disgrace sb; *jdm/einer Sache ~ machen* to be a disgrace to sb/sth; *zu meiner ~ muß ich gestehen, daß ...* to my shame I have to admit that ...

schänden *vt* to violate; *Ansehen, Namen* to dishonour (*Brit*), to dishonor (*US*), to discredit.

Schandfleck *m* blot (*in +dat* on); (*Gebäude etc auch*) eyesore ▶ *er war der ~ der Familie* he was the blot on the family name.

schändlich *adj* disgraceful, shameful.

Schändlichkeit *f* disgracefulness, shamefulness.

Schand-: **~mal** *nt* brand, stigma; **~tat** *f* disgraceful deed; (*hum*) escapade; *zu jeder ~tat bereit sein* (*col*) to be always ready for mischief (*col*).

Schändung *f siehe vt* violation; dishonouring (*Brit*), dishonoring (*US*).

Schank-: **~betrieb** *m* bar service; **~erlaubnis, ~konzession** *f* licence (*of publican*) (*Brit*), excise license (*US*); **~tisch** *m* bar.

Schanze *f* -n (*Mil*) fieldwork, entrenchment; (*Sport*) (ski) jump, (jumping) hill.

Schar *f* -en crowd, throng (*liter*); (*von Vögeln*) flock; (*von Insekten etc*) swarm ▶ *in ~en* in droves; *die Menschen kamen in (hellen) ~en nach Lourdes* people flocked to Lourdes.

Scharade *f* -n charade.

scharen 1 *vt Menschen um sich ~* to gather people around one. 2 *vr sich um jdn ~* to gather around sb.

scharenweise *adv* (*in bezug auf Menschen*) in droves ▶ *die Heuschrecken fielen ~ über die Saat her* swarms of locusts descended on the young crops.

scharf *adj comp* ⁼er, *superl* ⁼ste(r, s) *or* (*adv*) am ⁼sten **a** sharp; *Verstand, Augen auch, Beobachter* keen; *Kälte, Wind* biting; *Ton* piercing, shrill; *Brille* sharply focusing ▶ *ein Messer ~ machen* to sharpen a knife; *etw ~ einstellen Bild, Diaprojektor etc* to bring sth into focus; *Sender* to tune sth in (properly); *~ aufpassen/zuhören* to pay close attention/to listen closely; *jdn ~ ansehen* to give sb a scrutinizing look; (*mißbilligend*) to look sharply at sb; *~ nachdenken* to have a good *or* long think, to think long and hard; *~ kalkulieren* to calculate exactly; *mit ~em Blick* (*fig*) with penetrating insight; *~ bremsen* to brake sharply *or* hard.

b (*hart, streng*) *Maßnahmen* severe; (*col*) *Prüfung* strict, tough; *Lehrer, Polizist* tough; *Bewachung* close, tight; *Hund* fierce ▶ *jdn ~ bewachen* to guard sb closely.

c (*schonungslos*) *Auseinandersetzung, Konkurrenz, Protest* fierce; *Worte, Kritik* sharp, harsh ▶ *eine ~e Zunge haben* to have a sharp tongue; *etw aufs ⁼ste verurteilen* to condemn sth in the strongest possible terms; *das war das ⁼ste!* (*col*) that put the lid on it! (*col*).

d (*stark gewürzt*) hot; (*mit Salz, Pfeffer*) highly seasoned; *Geruch, Geschmack* pungent, acrid; *Getränk* (*stark*) strong; (*brennend*) fiery; *Waschmittel, Lösung* caustic ▶ *~ würzen* to season highly; *Fleisch ~ an-*

braten to sear meat; **~e Sachen** (col) hard stuff (col).
⬛e (echt) Munition etc live ▸ **etw ~ machen** to arm sth; **~e Schüsse abgeben** to fire live bullets; **~ schießen** (lit) (mit '~er Munition) to shoot with live ammunition; (auf den Mann) to aim to hit.
⬛f (col) (geil) randy (Brit col), horny (col); (aufreizend) sexy (col); Film sexy (col), blue attr; (aufregend) Auto, Film cool (col), great (col) ▸ **jdn ~ machen** to turn sb on (col); **auf jdn/etw ~ sein** to be keen on sb/sth, to fancy sb/sth (col).

Scharfblick m (fig) perspicacity, keen insight.

Schärfe f -n siehe adj ⬛a sharpness; keenness; bite; shrillness; (an Kamera, Fernsehen) focus. ⬛b severity; toughness; closeness, tightness. ⬛c fierceness; sharpness, harshness. ⬛d hotness; pungency.

Scharf|einstellung f focusing.

schärfen vt (lit, fig) to sharpen.

Scharf-: **s~kantig** adj sharp-edged; **s~machen** vt sep (col) to stir up; **~macher** m (col) agitator; **~richter** m executioner; **~schütze** m marksman; **s~sichtig** adj sharp-sighted; (fig) perspicacious; **~sinn** m astuteness; **s~sinnig** adj astute.

Scharlach m ⬛a no pl scarlet. ⬛b (auch **~fieber**) scarlet fever.

scharlachrot adj scarlet (red).

Scharlatan m -e charlatan; (Arzt auch) quack.

Scharnier -e, **Scharniergelenk** nt hinge.

Schärpe f -n sash.

scharren vti to scrape; (Pferd, Hund) to paw; (Huhn) to scratch.

Scharte f -n nick; (Schieß~) embrasure ▸ **eine ~ auswetzen** (fig) to make amends.

schartig adj jagged, notched.

Schaschlik nt -s (shish-)kebab.

schassen vt (col) to boot out (col).

Schatten m - (lit, fig) shadow; (schattige Stelle) shade ▸ **im ~ sitzen** to sit in the shade; **40 Grad im ~** 40 degrees in the shade; **einen ~ auf etw** (acc) **werfen** (lit, fig) to cast a shadow on sth; **große Ereignisse werfen ihre ~ voraus** great events often cast their shadow before them; **in jds ~** (dat) **stehen** (fig) to be in sb's shadow; **jdn/etw in den ~ stellen** (fig) to put sb/sth in the shade; **nur noch ein ~ (seiner selbst) sein** to be (only) a shadow of one's former self; **~ unter den Augen** shadows under the eyes.

Schatten-: **~dasein** nt shadowy existence; **s~haft** adj (lit, fig) shadowy; **~kabinett** nt (Pol) shadow cabinet; **s~los** adj shadowless; **~morelle** f morello cherry; **~riß** ⚠ m silhouette; **~seite** f shady side; (fig: Nachteil) drawback; **die ~seite(n) des Lebens** the dark side of life; **~spiel** nt shadow play; **~wirtschaft** f black economy.

schattieren* vt to shade.

Schattierung f (lit, fig) shade; (Art) shading.

schattig adj shady.

Schatulle f -n casket; (Geld~) coffer.

Schatz m -e ⬛a (lit, fig) treasure ▸ **~e pl** (Boden~) natural resources pl; (Reichtum) riches pl, wealth sing. ⬛b (Liebling) sweetheart.

schätzbar adj assessable ▸ **schwer ~** difficult to assess.

Schätzchen nt darling.

▼ **schätzen** ⬛1 vt ⬛a (veranschlagen) to estimate (auf +acc at); Gemälde etc to value; (col: annehmen) to reckon ▸ **die Besucherzahl wurde auf 500.000 geschätzt** the number of visitors was estimated at 500,000; **ich hätte sie älter geschätzt** I'd have said she was older. ⬛b (würdigen) to regard highly ▸ **jdn ~** to think highly of sb; **etw zu ~ wissen** to appreciate sth; **sich glücklich ~** to consider oneself lucky.
⬛2 vi (veranschlagen, raten) to guess ▸ **schätz mal** have

a guess.

⚠**schätzenlernen** vt sep to come to appreciate.

Schätzer m - valuer; (Insur) assessor.

Schatz-: **~gräber** m - treasure-hunter; **~kammer** f treasure chamber or vault; **~kanzler** m (Brit Pol) Chancellor of the Exchequer; **~meister** m treasurer.

Schätzung f estimate; (das Schätzen) estimation; (von Wertgegenstand) valuation ▸ **nach meiner ~ ...** I reckon that ...

schätzungsweise adv (so vermutet man) it is estimated; (ungefähr) roughly; (so schätze ich) I think ▸ **wann wirst du ~ kommen?** when do you think you'll come?

Schätzwert m estimated value.

Schau f -en ⬛a (Vorführung) show; (Ausstellung auch) display, exhibition ▸ **etw zur ~ stellen** (ausstellen) to put sth on show, to display sth; (fig) to make a show of sth; (protzen mit) to show off sth; **etw zur ~ tragen** to display sth. ⬛b (col) eine **~ abziehen** to put on a show; **das ist nur ~** it's only show; **jdm die ~ stehlen** to steal the show from sb.

Schaubild nt diagram; (Kurve) graph.

Schauder m - shudder; (vor Angst, Kälte auch) shiver.

schauderhaft adj (fig col) dreadful, awful.

schaudern vi (vor Grauen, Abscheu) to shudder; (vor Kälte, Angst auch) to shiver ▸ **mich schauderte bei dem Gedanken** I shuddered or shivered at the thought (of it); **ihr schaudert vor ihm** he makes her shudder.

schauen ⬛1 vi to look ▸ **traurig etc ~** to look sad etc; **um sich ~** to look around (one); **nach jdm/etw ~** (suchen) to look for sb/sth; (sich kümmern um) to look after sb/sth; **da schau her!** (S Ger) well, well!; **schau, daß du ...** see (that) you ...
⬛2 vt (geh) to see, to behold (old, liter) ▸ **Gott ~** to see God.

Schauer m - ⬛a (Regen~) shower. ⬛b (Schauder) shudder.

Schauergeschichte f (col) horror story.

schauerlich adj ⬛a horrific, horrible; (gruselig) eerie, creepy (col). ⬛b (col: fürchterlich) dreadful, awful.

Schauermärchen nt (col) horror story.

Schaufel f -n shovel; (kleiner: für Zucker etc) scoop; (Kehricht~) dustpan; (von Bagger) scoop; (von Schaufelrad) paddle; (von Turbine) vane.

schaufeln vti to shovel; Grab, Grube to dig.

Schaufenster nt shop (Brit) or store (US) window.

Schaufenster-: **~auslage** f window display; **~bummel** m **einen ~bummel machen** to go window-shopping; **~dekorateur** m window-dresser; **~gestaltung** f window-dressing; **~puppe** f display dummy.

Schau-: **~geschäft** nt show business; **~kampf** m exhibition bout; **~kasten** m showcase, display cabinet.

Schaukel f -n swing.

schaukeln ⬛1 vi ⬛a (mit Schaukel) to swing; (im Schaukelstuhl) to rock. ⬛b (Fahrzeug) to bounce (up and down); (Schiff) to pitch and toss.
⬛2 vt to rock ▸ **wir werden das Kind** or **das schon ~** (col) we'll manage it.

Schaukel-: **~pferd** nt rocking horse; **~stuhl** m rocking chair.

Schau-: **s~lustig** adj curious; **~lustige** pl decl as adj (curious) onlookers pl, rubbernecks pl (US col).

Schaum m, pl **Schäume** foam, froth; (Seifen~) lather; (auf Getränken) froth; (von Bier) head ▸ **~ vor dem Mund haben** (lit, fig) to froth or foam at the mouth; **etw zu ~ schlagen** (Cook) to beat sth until frothy; **~ schlagen** (fig col) to talk a lot of hot air (col).

Schaumbad nt bubble bath.

schäumen vi to foam, to froth; (Shampoo, Waschmittel) to lather (up) ▸ **vor Wut ~** to be foaming with rage.

Schaum-: **~festiger** *m* (styling) mousse; **~gummi** *nt or m* foam rubber.

schaumig *adj siehe* **Schaum** frothy; lathery ► *etw ~ schlagen* (*Cook*) to beat sth until frothy.

Schaum-: **~krone** *f* white crest; **~löffel** *m* skimmer; **~schläger** *m* (*fig col*) windbag (*col*); **~schlägerei** *f* (*fig col*) hot air (*col*); **~stoff** *m* foam (material); **~wein** *m* sparkling wine.

Schau-: **~platz** *m* scene; *vom ~platz berichten* to give an on-the-spot report; **~prozeß** △ *m* show trial.

schaurig *adj* gruesome; (*col: sehr schlecht*) abysmal (*col*).

schaurig-schön *adj* gruesomely beautiful.

Schauspiel *nt* (*Theat*) drama, play; (*fig*) spectacle.

Schauspieler *m* (*also fig*) actor.

Schauspielerei *f* acting.

Schauspielerin *f* (*lit, fig*) actress.

schauspielerisch ① *adj* acting. ② *adv* as regards acting.

schauspielern *vi insep* to act.

Schauspiel-: **~haus** *nt* playhouse, theatre (*Brit*), theater (*US*); **~schule** *f* drama school; **~unterricht** *m* drama classes *pl*.

Schau-: **~steller(in** *f*) *m* - (travelling (*Brit*) *or* traveling (*US*)) showman; **~stück** *nt* showpiece; **~tafel** *f* (notice) board; (*~bild*) diagram.

Scheck *m* -s cheque (*Brit*), check (*US*) ► *mit (einem) or per ~ bezahlen* to pay by cheque; *ein ~ über DM 200* a cheque for 200 DM.

Scheck-: **~betrug** *m* cheque (*Brit*) *or* check (*US*) fraud; **~betrüger** *m* cheque (*Brit*) *or* check (*US*) fraud; **~buch, ~heft** *nt* chequebook (*Brit*), checkbook (*US*).

scheckig *adj* spotted; *Pferd* dappled; (*verfärbt*) blotchy, patchy.

Scheckkarte *f* cheque card (*Brit*), banker's card.

scheel *adj jdn ~ ansehen* to give sb a dirty look; (*abschätzig*) to look askance at sb.

scheffeln *vt Geld* to rake in (*col*).

Scheibe *f* -n ⓐ disc, disk; (*Schieß~*) target; (*Eishockey*) puck; (*Wähl~*) dial; (*Tech: Dichtungs~*) washer; (*Töpfer~*) wheel; (*col: Schallplatte*) disc (*col*). ⓑ (*abgeschnittene ~*) slice ► *etw in ~n schneiden* to cut sth (up) into slices; *von ihm könntest du dir eine ~ abschneiden* (*fig col*) you could take a leaf out of his book (*col*). ⓒ (*Glas~*) (window)pane.

Scheiben-: **~bremse** *f* disc brake; **~kleister** *interj* (*euph col*) sugar! (*euph col*); **~schießen** *nt* target shooting; **~waschanlage** *f* windscreen (*Brit*) *or* windshield (*US*) washers *pl*; **~wischer** *m* windscreen (*Brit*) *or* windshield (*US*) wiper.

Scheich *m* -e sheik(h).

Scheide *f* -n sheath; (*Vagina*) vagina.

scheiden *pret* **schied,** *ptp* **geschieden** ① *vt* ⓐ (*geh: trennen*) to separate. ⓑ *Ehe* to dissolve; *Eheleute* to divorce ► *eine geschiedene Frau/ein geschiedener Mann* a divorcee; *sich ~ lassen* to get a divorce, to get divorced; *von dem Moment an waren wir (zwei) geschiedene Leute* (*col*) after that it was the parting of the ways for us (*col*).
② *vi aux sein* (*liter*) (*sich trennen*) to part; (*weggehen*) to depart ► *aus dem Amt ~* to retire from one's office; *aus dem Leben ~* to depart this life.
③ *vr* (*Wege*) to divide; (*Meinungen*) to diverge.

Scheideweg *m* (*fig*) crossroads *sing* ► *am ~ weg stehen* to be at a crossroads.

Scheidung *f* ⓐ (*das Scheiden*) separation. ⓑ (*Ehe~*) divorce ► *in ~ leben* to be getting a divorce; *die ~ einreichen* to file a petition for divorce.

Scheidungs-: **~grund** *m* grounds *pl* for divorce; (*hum: Mensch*) reason for the divorce; **~klage** *f* petition for di-

vorce; **~prozeß** △ *m* divorce proceedings *pl*.

Schein¹ *m no pl* ⓐ (*Licht*) light; (*matt*) glow. ⓑ (*An~*) appearances *pl*; (*Vortäuschung*) pretence (*Brit*), pretense (*US*), sham ► *~ und Sein* appearance and reality; *den ~ wahren* to keep up appearances; *etw nur zum ~ tun* only to pretend to do sth.

Schein² *m* -e (*Geld~*) note (*Brit*), bill (*US*); (*Bescheinigung*) certificate; (*Fahr~*) ticket.

scheinbar *adj* apparent; (*vorgegeben*) ostensible ► *er hörte ~ interessiert zu* he listened with apparent interest.

scheinen *pret* **schien,** *ptp* **geschienen** *vi* ⓐ (*leuchten*) to shine. ⓑ *auch vi impers* (*den Anschein geben*) to seem, to appear ► *mir scheint, (daß) ...* it seems to me that ...; *wie es scheint* apparently.

Schein-: **~gefecht** *nt* mock fight; **s~heilig** *adj* hypocritical; (*Arglosigkeit vortäuschend*) innocent; *tu nicht so s~heilig!* don't pretend to be so innocent; **~heilige(r)** *mf siehe adj* hypocrite; sham; **~heiligkeit** *f siehe adj* hypocrisy; feigned innocence; **~tod** *m* apparent death; **~werfer** *m* (*zum Beleuchten*) floodlight; (*im Theater*) spotlight; (*Such~*) searchlight; (*Aut*) (head)light, headlamp; **~werferlicht** *nt siehe* **~werfer** floodlight(ing); spotlight; searchlight (beam); beam of the headlights; (*fig*) limelight.

Scheiß *m no pl* (*col!*) shit (*col!*), crap (*col!*) ► *mach keinen ~!* don't be so damn (*col*) silly.

Scheiß- *in cpds* (*col!*) bloody (*Brit col*), fucking (*col!!*).

Scheißdreck *m* (*col!*) shit (*col!*), crap (*col!*); (*unangenehme Sache*) effing thing (*col!*), bloody thing (*Brit col*) ► *das geht dich einen ~ an* it's got bugger-all to do with you (*col!*); *einen ~ werd' ich tun!* like hell I will!

Scheiße *f no pl* (*col!*) shit (*col!*), crap (*col!*) ► *~ sein* to be bloody awful (*Brit col*) *or* goddamn (*col*) awful; *~!* bloody hell! (*Brit col*), shit! (*col!*), bugger (*col!*); *in der ~ sitzen* to be in the shit (*col!*).

scheiß|egal *adj* (*col*) *das ist mir doch ~!* I don't give a damn (*col*).

scheißen *pret* **schiß,** *ptp* **geschissen** *vi* (*col!*) to shit (*col!*), to crap (*col!*) ► *auf etw* (*acc*) *~* (*fig*) not to give a shit about sth (*col!*).

Scheißer *m* - (*col!: Arschloch*) bugger (*col!*).

Scheiß-: **s~freundlich** *adj* (*pej col*) as nice as pie (*iro col*); **~haus** *nt* (*col!*) shithouse (*col!*); **~kerl** *m* (*col!*) bastard (*col!*), son-of-a-bitch (*US col!*).

Scheit *m* -e log, piece of wood.

Scheitel *m* - ⓐ (*Haar~*) parting (*Brit*), part (*US*) ► *vom ~ bis zur Sohle* from top to toe. ⓑ (*höchster Punkt*) vertex.

scheiteln *vt* to part.

Scheitelpunkt *m* vertex.

Scheiterhaufen *m* (funeral) pyre; (*Hist: zur Hinrichtung*) stake.

scheitern *vi aux sein* (*an +dat* because of) (*Mensch, Plan*) to fail; (*Verhandlungen, Ehe*) to break down; (*Regierung*) to founder (*an +dat* on).

Scheitern *nt no pl siehe vi* failure; breakdown; foundering ► *das war zum ~ verurteilt* that was doomed to failure.

Schelle *f* -n ⓐ bell. ⓑ (*Tech*) clamp.

schellen *vi* to ring (*nach jdm* for sb) ► *es hat geschellt* the bell has gone; (*an der Tür*) that was the doorbell.

Schellfisch *m* haddock.

Schelm *m* -e (*dated: Spaßvogel*) rogue.

Schelmen-: **~roman** *m* picaresque novel; **~streich** *m* (*dated*) roguish prank.

schelmisch *adj* mischievous.

Schelte *f* -n scolding; (*Kritik*) attack.

schelten *pret* **schalt,** *ptp* **gescholten** (*geh*) ① *vt* to

---

scold ► *jdn einen Dummkopf* ~ to call sb a blockhead. [2] *vi (schimpfen)* to curse.

Schema *nt, pl* **Schemen** *or* **-ta** scheme; *(Darstellung)* diagram; *(Muster)* pattern.

Schemabrief *m (Comm)* standard letter.

schematisch *adj* schematic; *(pej)* mechanical.

Schemel *m* - stool.

schemenhaft [1] *adj* shadowy.
[2] *adv etw* ~ *sehen/zeichnen* to see the outlines of sth/to sketch sth in.

⚠ **Schenke** *f* **-n** tavern, inn.

Schenkel *m* - [a] *(Anat: Ober~)* thigh ► *sich (dat) auf die* ~ *schlagen* to slap one's thighs. [b] *(Math: von Winkel)* side.

schenken [1] *vt* [a] *jdm etw* ~ to give sb sth (as a present); *etw geschenkt bekommen* to get sth as a present; *etw zum Geburtstag geschenkt bekommen* to get sth for one's birthday; *ich möchte nichts geschenkt haben!* *(lit)* I don't want any presents!; *(fig: bevorzugt werden)* I don't want any special treatment!; *das ist geschenkt!* *(col: nicht der Rede wert)* that's no great shakes *(col)*; *das ist (fast) geschenkt!* *(col: billig)* that's dirt cheap *(col)*, that's just about giving it away; *einem Kind das Leben* ~ *(geh)* to give birth to a child; *jdm seine Aufmerksamkeit* ~ to give sb one's attention; *jdm Vertrauen* ~ to put one's trust in sb; *einem geschenkten Gaul sieht man nicht ins Maul (Prov)* don't look a gift-horse in the mouth *(prov)*. [b] *(erlassen) jdm etw* ~ to let sb off sth; *ihm ist nie etwas geschenkt worden (fig)* he never had it easy.
[2] *vr sich (dat) etw* ~ to skip sth *(col)*; *deine Komplimente kannst du dir ~!* you can keep your compliments *(col)*; *er hat sich (dat) nichts geschenkt* he spared no pains.

Schenkung *f (Jur)* gift.

Schenkungs|urkunde *f* deed of gift.

scheppern *vi (col)* to clatter ► *es hat gescheppert (Autounfall)* there was a bang.

Scherbe *f* **-n** fragment, (broken) piece; *(Glas~ etc)* broken piece of glass *etc* ► *etw in ~n schlagen* to shatter sth; *in ~n gehen* to shatter; *(fig)* to fall to pieces; *~n bringen Glück (Prov)* broken crockery brings you luck.

Schere *f* **-n** [a] *(klein)* scissors *pl*; *(groß)* shears *pl*; *(fig: Kluft)* divide ► *eine* ~ a pair of scissors/shears. [b] *(Zool)* pincer; *(von Hummer, Krebs etc auch)* claw. [c] *(Turnen, Ringen)* scissors *sing*.

scheren¹ *pret* **schor**, *ptp* **geschoren** *vt* to clip; *Schaf, (Tech)* to shear; *Haare* to crop; *Bart (rasieren)* to shave; *(stutzen)* to trim.

scheren² *vtr* [a] *sich nicht um jdn/etw* ~ not to care about sb/sth. [b] *(col)* *scher dich (weg)!* beat it! *(col)*; *scher dich ins Bett!* get to bed!

Scheren-: *~schlag* *m* scissors kick; *~schnitt* *m* silhouette.

Schererei *f usu pl (col)* trouble *no pl*.

Scherflein *nt sein* ~ *(zu etw) beitragen (Geld)* to contribute one's mite (towards sth); *(fig)* to do one's bit (for sth).

Scher-: *~kopf* *m* shaving head; *~messer* *nt* shearing knife.

Scherz *m* **-e** joke ► *zum/im* ~ as a joke/in fun; *einen* ~ *machen* to make a joke; *(Streich)* to play a joke; *mach keine ~e!* *(col)* you're joking!; *(ganz) ohne ~!* *(col)* no kidding! *(col)*.

Scherz|artikel *m usu pl* joke (article).

scherzen *vi (geh)* to joke; *(albern)* to banter ► *mit etw ist nicht zu* ~ one can't trifle with sth.

Scherz-: *~frage* *f* riddle; *s~haft* *adj* jocular; *(spaßig) Einfall* playful; *etw s~haft sagen* to say sth as a joke *or* in fun; *~keks* *m (col)* joker *(col)*.

scheu *adj* shy ► *mach doch die Pferde nicht* ~ *(fig col)* keep your hair on *(col)*.

Scheu *f no pl* fear *(vor +dat* of); *(Schüchternheit)* shyness; *(Hemmung)* inhibition; *(Ehrfurcht)* awe ► *seine ~ verlieren* to lose one's inhibitions.

scheuchen *vt* to shoo (away) ► *jdn an die Arbeit* ~ to make sb get down to work.

scheuen [1] *vt Kosten, Arbeit* to shy away from; *Menschen, Licht* to shun ► *weder Mühe noch Kosten* ~ to spare neither trouble nor expense.
[2] *vr sich vor etw (dat)* ~ *(Angst haben)* to be afraid of sth; *(zurückschrecken)* to shy away from sth.
[3] *vi (Pferd etc)* to shy *(vor +dat* at).

Scheuer *f* **-n** barn.

Scheuer-: *~besen* *m* scrubbing broom; *~bürste* *f* scrubbing brush; *~lappen* *m* floorcloth.

scheuern [1] *vti* [a] *(putzen)* to scour; *(mit Bürste)* to scrub. [b] *(reiben)* to chafe. [c] *jdm eine* ~ *(col)* to clout sb one *(col)*.
[2] *vt sich (an etw dat)* ~ to rub (against sth); *sich (acc) (wund)* ~ to chafe oneself.

Scheuer-: *~sand* *m* scouring powder; *~tuch* *nt* floorcloth.

Scheuklappe *f* blinker ► *~n haben (lit, fig)* to be blinkered.

Scheune *f* **-n** barn.

Scheunen-: *~drescher* *m*: *wie ein ~drescher fressen (col)* to eat like a horse *(col)*; *~tor* *nt* barn door.

Scheusal *nt, pl* **-e** *or (col)* **Scheusäler** monster.

scheußlich *adj* dreadful; *(abstoßend häßlich)* hideous ► *es hat ~ weh getan (col)* it was terribly painful.

Scheußlichkeit *f siehe adj* dreadfulness; hideousness.

Schi *m* **-er** *or* **-** = Ski.

Schicht *f* **-en** [a] *(Lage)* layer; *(dünne ~)* film; *(Farb~)* coat; *(der Gesellschaft)* level, stratum ► *breite ~en der Bevölkerung* large sections of the population. [b] *(Ind)* shift ► *er muß* ~ *arbeiten* he has to work shifts.

Schicht-: *~arbeit* *f* shiftwork; *~arbeiter* *m* shiftworker.

schichten *vt* to layer; *Holz, Bücher etc* to stack.

Schicht-: *~stoff* *m* laminate; *~torte* *f* layer cake.

Schichtung *f* layering; *(von Holz, Büchern etc)* stacking.

Schicht-: *~wechsel* *m* change of shifts; *s~weise* *adv* in layers; *(Farbe, Lack)* in coats.

Schick *m no pl* style; *(von Frauenmode, Frau auch)* chic.

schick *adj* elegant, smart; *Frauenmode* chic; *Wohnung auch, Möbel* stylish; *Auto* smart.

schicken [1] *vti* to send ► *jdn einkaufen* ~ to send sb to do the shopping.
[2] *vr, vr impers (sich ziemen)* to be fitting *or* proper.
[3] *vr (dated: sich abfinden) sich in etw (acc)* ~ to resign *or* reconcile oneself to sth.

Schickeria *f no pl (iro)* smart set, in-people *pl*.

Schicki, Schickimicki *m* **-s** *(col)* trendy.

schicklich *adj Kleidung etc* proper, fitting; *Verhalten* seemly, becoming.

Schicksal *nt* **-e** fate, destiny; *(Pech)* fate ► *das ~ wollte es, (daß)* ... as fate would have it, ...; *das sind (schwere) ~e* those are tragic cases; *er hat ein schweres ~ gehabt* fate has been unkind to him; *(das ist)* ~ *(col)* that's life; *jdn seinem ~ überlassen* to leave sb to his fate.

schicksalhaft *adj* fateful.

Schicksals-: *~frage* *f* fateful question; *~schlag* *m* great misfortune, stroke of fate.

Schiebe-: *~dach* *nt (Aut)* sunroof; *~fenster* *nt* sliding window.

schieben *pret* **schob**, *ptp* **geschoben** [1] *vt* [a] to push, to shove; *(stecken)* to put ► *etw von sich (dat)* ~ *(fig)* to put sth aside; *Schuld, Verantwortung* to reject sth;

etw vor sich (*dat*) *her* ~ (*fig*) to put off sth; *etw auf jdn/etw* ~ to put the blame for sth onto sb/sth. [b] (*col: handeln mit*) to traffic in; *Drogen* to push (*col*). [c] (*col*) *Wache* ~ to do guard duty.
[2] *vi* [a] to push, to shove. [b] (*col*) *mit etw/Drogen* ~ to traffic in sth/push (*col*) drugs. [c] (*col: betrügen*) to wangle (*col*).
[3] *vr* [a] (*mit Anstrengung*) to push, to shove. [b] (*sich bewegen*) to move.
Schieber *m* - [a] slide; (*am Ofen etc*) damper. [b] (*Schwarzhändler*) black marketeer; (*Waffen~*) gunrunner; (*Drogen~*) pusher (*col*).
Schiebetür *f* sliding door.
Schiebung *f* (*Betrug*) string-pulling; (*im Sport*) rigging; (*Schiebergeschäfte*) shady deals *pl* ▶ *das war doch* ~ that was rigged *or* fixed (*col*).
schied *pret of* **scheiden**.
Schieds-: ~**gericht** *nt* court of arbitration; ~**richter** *m* (*Sport*) referee; (*Hockey, Tennis*) umpire; (*Preisrichter*) judge; **s~richtern** *vi insep* (*col*) *siehe* ~**richter** to referee; to umpire; to judge; ~**spruch** *m* arbitration decision; ~**stelle** *f* arbitration service; ~**verfahren** *nt* arbitration proceedings *pl*.
schief *adj* crooked, not straight *pred*; (*nach einer Seite geneigt*) lopsided, tilted; *Winkel* oblique; *Blick* wry; *Absätze* worn(-down); (*fig: unzutreffend*) inappropriate; *Bild* distorted ▶ ~*e Ebene* (*Phys*) inclined plane; *auf die* ~*e Bahn geraten* (*fig*) to leave the straight and narrow; *du siehst die Sache ganz* ~*!* (*fig*) you're looking at it all wrong!; *jdn* ~ *ansehen* (*fig*) to look askance at sb; *der S~e Turm von Pisa* the Leaning Tower of Pisa.
Schiefer *m* - (*Gesteinsart*) slate.
Schiefer-: ~**dach** *nt* slate roof; ~**tafel** *f* slate.
schief-: ~**gehen** △ *vi sep irreg aux sein* to go wrong; *es wird schon* ~*gehen!* (*hum*) it'll be OK (*col*); ~**lachen** *vr sep* (*col*) to kill oneself (laughing) (*col*); ~**laufen** △ *vi sep irreg aux sein* (*col*) to go wrong; ~**liegen** △ *vi sep irreg* (*col*) to be wrong.
schielen *vi* to squint, to be cross-eyed ▶ *auf or mit einem Auge* ~ to have a squint in one eye; *auf etw* (*acc*) ~ (*col*) to steal a glance at sth; *nach etw* ~ to have an eye on sth.
schien *pret of* **scheinen**.
Schienbein *nt* shin; (~*knochen*) shinbone.
Schienbeinschützer *m* shin-pad.
Schiene *f* -n rail; (*Med*) splint ▶ ~*n* (*Rail*) track *sing*, rails *pl*; *aus den* ~*n springen* to leave *or* jump the rails.
schienen *vt Arm, Bein* to splint.
Schienen-: ~**bus** *m* railcar; ~**fahrzeug** *nt* rail vehicle; ~**netz** *nt* (*Rail*) rail network; ~**strang** *m* (section of) track.
schier [1] *adj* pure; (*fig*) sheer.
[2] *adv* (*beinahe*) nearly, almost.
Schieß-: ~**befehl** *m* order to fire *or* shoot; ~**bude** *f* shooting gallery; ~**budenfigur** *f* (*fig col*) clown; ~**eisen** *nt* (*col*) shooter (*col*), shooting iron (*US col*).
schießen *pret* **schoß**, *ptp* **geschossen** [1] *vt* to shoot; *Kugel, Rakete* to fire; *Tor auch* to score ▶ *jdm in den Kopf* ~ to shoot sb in the head; *ein paar Bilder* ~ (*Phot col*) to take a few shots.
[2] *vi* [a] to shoot ▶ *auf jdn/etw* ~ to shoot at sb/sth; *aufs Tor* ~ to shoot at goal; *das ist zum S~* (*col*) that's a scream (*col*). [b] *aux sein* to shoot; (*in die Höhe* ~) to shoot up ▶ *aus dem Boden* ~ (*lit, fig*) to spring *or* sprout up; *er kam um die Ecke geschossen* he shot around the corner; *jdm durch den Kopf* ~ (*fig: Gedanke*) to flash through sb's mind; *das Blut schoß ihm ins Gesicht* blood rushed *or* shot to his face; *die Tränen schossen ihr in die Augen* tears flooded her eyes.
Schießerei *f* gun battle; (*das Schießen*) shooting.

Schieß-: ~**gewehr** *nt* (*hum*) gun; ~**hund** *m: wie ein* ~*hund aufpassen* (*col*) to watch like a hawk; ~**platz** *m* shooting *or* firing range; ~**pulver** *nt* gunpowder; ~**scharte** *f* embrasure; ~**scheibe** *f* target; ~**stand** *m* shooting range.
Schiff *nt* -e [a] ship. [b] (*Archit*) (*Mittel~*) nave; (*Seiten~*) aisle; (*Quer~*) transept.
Schiffahrt *f* shipping; (~*skunde*) navigation. △
Schiffahrts-: ~**gesellschaft** △ *f* shipping company; ~**linie** △ *f* [a] (*Schiffsweg*) shipping route; [b] (*Unternehmen*) shipping line; ~**straße** △ *f*, ~**weg** △ *m* (*Kanal*) waterway; (~*linie*) shipping lane.
Schiff-: **s~bar** *adj* navigable; ~**barkeit** *f* navigability; ~**bau** *m* shipbuilding; ~**bauer** *m* shipwright; ~**bruch** *m* shipwreck; ~**bruch erleiden** (*lit*) to be shipwrecked; (*fig*) to fail; (*Unternehmen*) to founder; **s~brüchig** *adj* shipwrecked; ~**brüchige(r)** *mf decl as adj* shipwrecked person.
Schiffchen *nt* [a] (*zum Spielen*) little boat. [b] (*Mil, Fashion*) forage cap. [c] (*Tex, Sew*) shuttle.
schiffen (*col*) [1] *vi* (*urinieren*) to piss (*col!*).
[2] *vi impers* (*regnen*) to piss down (*col!*).
Schiffer *m* - boatman, sailor; (*von Lastkahn*) bargee; (*Kapitän*) skipper.
Schiffer-: ~**klavier** *nt* accordion; ~**knoten** *m* sailor's knot; ~**mütze** *f* yachting cap.
Schiffschaukel *f* swing boat.
Schiffs- *in cpds* ship's; ~**eigner** *m* shipowner; ~**junge** *m* ship's boy; ~**karte** *f* chart; ~**ladung** *f* shipload; ~**mannschaft** *f* ship's crew; ~**rumpf** *m* hull; ~**schraube** *f* ship's propeller; ~**taufe** *f* naming of a/the ship; ~**verbindung** *f* (connecting) boat service; ~**verkehr** *m* shipping; ~**werft** *f* shipyard.
Schiit(in *f*) *m* -en, en Shiite.
schiitisch *adj* Shiite.
Schikane *f* -n [a] harassment ▶ *das hat er aus reiner* ~ *gemacht* he did it out of sheer bloody-mindedness. [b] *mit allen* ~*n* (*col*) with all the trimmings. [c] (*Sport*) chicane.
schikanieren* *vt* to harass; *Ehepartner, Freundin etc* to mess around; *Mitschüler* to bully.
schikanös *adj Mensch* bloody-minded; *Maßnahme etc* harassing.
Schild¹ *m* -e shield; (*von* ~*kröte*) shell ▶ *etwas/nichts Gutes im* ~*e führen* (*fig*) to be up to something/to be up to no good.
Schild² *nt* -er (*Aushang, Verkehrs~*) sign; (*Wegweiser*) signpost; (*Namens~*) nameplate; (*Aut*) number plate (*Brit*), license plate (*US*); (*Preis~*) ticket; (*Etikett*) label; (*Plakat*) placard; (*an Monument, Haus, Grab*) plaque; (*von Mütze*) peak.
Schildbürger(in *f*) *m* (*hum*) fool.
Schildbürgerstreich *m* complete bungle.
Schilddrüse *f* thyroid gland.
Schildermaler *m* signwriter.
schildern *vt* to describe; (*skizzieren*) to outline; *Menschen, Landschaften* to portray ▶ ~ *Sie den Verlauf des Unfalls* give an account of how the accident happened.
Schilderung *f* (*Beschreibung*) description; (*Bericht*) account; (*literarische* ~) portrayal.
Schild-: ~**kröte** *f* tortoise; (*Wasser~*) turtle; ~**krötensuppe** *f* turtle soup; ~**laus** *f* scale insect; ~**patt** *nt no pl* tortoiseshell.
Schilf *nt* -e reed.
Schilf-: ~**dach** *nt* thatched roof; ~**gras** *nt* reed; ~**rohr** *nt* reed.
Schillerlocke *f* [a] (*Gebäck*) cream horn. [b] (*Räucherfisch*) strip of smoked rock salmon.
schillern *vi* to shimmer.
schillernd *adj* shimmering; (*in Regenbogenfarben*) irides-

cent; (*fig*) *Charakter* enigmatic.

Schilling *m* - *or* (*bei Geldstücken*) **-e** shilling; (*Aus*) schilling.

Schimmel[1] *m* - (*Pferd*) white horse, grey (*Brit*), gray (*US*).

Schimmel[2] *m no pl* mould (*Brit*), mold (*US*).

schimm(e)lig *adj* mouldy (*Brit*), moldy (*US*) ▶ ~ *werden* to go mouldy.

schimmeln *vi aux sein or haben* (*Nahrungsmittel*) to go mouldy (*Brit*) *or* moldy (*US*).

Schimmelpilz *m* mould (*Brit*), mold (*US*).

Schimmer *m no pl* glimmer, gleam; (*von Perlen, Seide*) shimmer; (*im Haar*) sheen ▶ *beim ~ der Lampe* in the soft glow of the lamp; *keinen (blassen) ~ von etw haben* (*col*) not to have the slightest *or* faintest idea about sth.

schimmern *vi* to glimmer, to gleam; (*Perlen, Seide*) to shimmer.

Schimpanse *m* (*wk*) **-n, -n** chimpanzee, chimp (*col*).

Schimpf *m no pl mit ~ und Schande* in disgrace.

schimpfen [1] *vi* to get angry; (*sich beklagen*) to grumble; (*fluchen*) to swear, to curse ▶ *mit jdm ~* to tell sb off; *auf or über jdn/etw ~* to bitch about sb/sth (*col*), to curse (about *or* at) sb/sth.
[2] *vt* (*pej: nennen*) to call.
[3] *vr sich etw ~* (*col*) to call oneself sth.

Schimpf-: ~**kanonade** *f* barrage of abuse; ~**name** *m* nickname; ~**wort** *nt* swearword.

Schindel *f* **-n** shingle.

schinden *pret* **schindete,** *ptp* **geschunden** [1] *vt* [a] *Gefangene, Tiere* to maltreat. [b] (*col: herausschlagen*) *Zeilen* to pad (out); *Arbeitsstunden* to pile up ▶ *Zeit ~* to play for time; *Mitleid ~* to angle for sympathy.
[2] *vr* (*hart arbeiten*) to struggle ▶ *sich mit etw ~* to slave away at sth.

Schinderei *f* (*Plackerei*) struggle; (*Arbeit*) slavery *no indef art*.

Schindluder *nt* (*col*) *mit jdm ~ treiben* to make sb suffer; *mit etw ~ treiben* to abuse sth.

Schinken *m* - [a] ham; (*gekocht und geräuchert auch*) gammon. [b] (*pej col*) hackneyed and clichéed play/book/film; (*großes Buch*) tome; (*großes Bild*) great daub (*pej col*).

Schinken-: ~**speck** *m* bacon; ~**wurst** *f* ham sausage.

Schippe *f* **-n** (*esp N Ger: Schaufel*) shovel, spade ▶ *jdn auf die ~ nehmen* (*fig col*) to pull sb's leg (*col*).

schippen *vt* to shovel ▶ *Schnee ~* to clear the snow.

schippern *vi aux sein* (*col*) to sail.

Schiri *m* **-s** (*Ftbl col*) ref (*col*).

Schirm *m* **-e** (*Regen~*) umbrella; (*Sonnen~*) sunshade, parasol; (*Mützen~*) peak; (*Röntgen~, Wand~, Bild~*) screen; (*Lampen~*) shade.

Schirm-: ~**bild** *nt* X-ray (picture); ~**herr(in** *f*) *m* patron; (*Frau auch*) patroness; ~**herrschaft** *f* patronage; ~**mütze** *f* peaked cap; ~**ständer** *m* umbrella stand.

⚠ **schiß** *pret of* **scheißen.**

⚠ **Schiß** *m no pl* (*col*) **(fürchterlichen) ~ haben** to be terrified (*vor +dat of*).

schizophren *adj* [a] (*Med*) schizophrenic. [b] (*pej: widersinnig*) contradictory.

Schizophrenie *f* [a] (*Med*) schizophrenia. [b] (*pej: Widersinn*) contradictoriness.

schlabberig *adj* (*col*) *Brei, Suppe* watery; *Stoff* limp; *Hose etc* baggy.

schlabbern (*col*) [1] *vi* to slurp; *Kleidung* to hang loosely, to be baggy.
[2] *vt* to slurp.

Schlacht *f* **-en** battle ▶ *die ~ bei or um X* the battle of X; *jdm eine ~ liefern* to battle with sb.

schlachten [1] *vt* to slaughter; (*hum*) *Sparschwein* to break into.
[2] *vi heute wird geschlachtet* we're/they're *etc* slaughtering today.

Schlachtenbummler *m* (*col: Sport*) visiting *or* away supporter *or* fan.

Schlachter(in *f*) *m* - (*esp N Ger*) butcher.

Schlächter(in *f*) *m* - (*dial, fig*) butcher.

Schlachterei *f* (*esp N Ger*) butcher's (shop) (*Brit*), butcher.

Schlacht-: ~**feld** *nt* battlefield; ~**fest** *nt esp country feast at which freshly slaughtered meat is served*; ~**hof** *m* slaughterhouse, abattoir; ~**messer** *nt* butcher's knife; ~**opfer** *nt* sacrifice; (*Mensch*) human sacrifice; ~**ordnung** *f* battle formation; ~**plan** *m* battle plan; (*für Feldzug*) campaign plan; (*fig auch*) plan of action; **s~reif** *adj* (*lit, fig*) ready for the slaughter; ~**ruf** *m* battle cry; ~**schiff** *nt* battleship.

Schlachtung *f* slaughter(ing).

Schlachtvieh *nt no pl* animals *pl* for slaughter.

Schlacke *f* **-n** clinker *no pl*; (*Aschenteile auch*) cinders *pl*; (*Metal, Geol*) slag *no pl*; (*Physiol*) waste products *pl*.

schlackern *vi* (*col*) to tremble, to shake; (*Kleidung*) to hang loosely, to be baggy ▶ *mit den Ohren ~* (*fig*) to be (left) speechless.

Schlaf *m no pl* sleep ▶ *einen leichten/tiefen ~ haben* to be a light/deep sleeper; *keinen ~ finden* to be unable to sleep; *um seinen ~ kommen* to lose sleep; (*überhaupt nicht schlafen*) not to get any sleep; *jdn um seinen ~ bringen* to keep sb awake; *~ haben* to be sleepy; *in tiefstem ~ liegen* to be sound *or* fast asleep; *das macht* or *kann er im ~* (*fig col*) he can do that in his sleep.

Schlaf|anzug *m* pyjamas *pl* (*Brit*), pajamas *pl* (*US*).

Schläfchen *nt* nap, snooze ▶ *ein ~ machen* to have a nap *or* snooze.

Schläfe *f* **-n** temple ▶ *graue ~n* greying (*Brit*) *or* graying (*US*) temples.

schlafen *pret* **schlief,** *ptp* **geschlafen** *vi* to sleep; (*col: nicht aufpassen*) (*bei bestimmter Gelegenheit*) to be asleep; (*immer*) not to pay attention ▶ *er schläft immer noch* he's still asleep, he's still sleeping; *~ gehen* to go to bed; *sich ~ legen* to lie down to sleep; *schläfst du schon?* are you asleep?; *lange ~* to sleep for a long time; (*spät aufstehen*) to sleep late, to have a lie-in; *schlaf gut* sleep well; *bei jdm ~* to stay overnight with sb; *mit jdm ~* (*euph*) to sleep with sb; *das läßt ihn nicht ~* (*fig*) it preys on his mind; *darüber muß ich erst mal ~* (*fig: überdenken*) I'll have to sleep on it.

Schlafengehen *nt* going to bed ▶ *vor dem ~* before going to bed.

Schlafenszeit *f* bedtime.

Schläfer(in *f*) *m* - sleeper; (*fig*) dozy person (*col*).

schlaff *adj* limp; (*locker*) *Seil* slack; *Disziplin* lax; *Haut* loose; *Muskeln* flabby; (*erschöpft*) worn-out, exhausted; (*energielos*) listless.

Schlaffheit *f* *siehe adj* limpness; slackness; laxity; looseness; flabbiness; exhaustion; listlessness.

Schlaf-: ~**gast** *m* overnight guest; ~**gelegenheit** *f* place to sleep.

Schlafittchen *nt*: *jdn am* or *beim ~ nehmen* (*col*) to take sb by the scruff of the neck; (*zurechtweisen*) to give sb a dressing-down (*col*).

Schlaf-: ~**krankheit** *f* sleeping sickness; ~**lied** *nt* lullaby; **s~los** *adj* (*lit, fig*) sleepless; ~**losigkeit** *f* sleeplessness, insomnia (*Med*); ~**mittel** *nt* sleeping pill; (*fig iro*) soporific; ~**mütze** *f* (*col*) dope (*col*); **s~mützig** *adj* (*col*) dozy (*col*), dopey (*col*); ~**raum** *m* dormitory (*Brit*), dorm (*Brit col*).

schläfrig *adj* sleepy; *Mensch auch* drowsy.

Schläfrigkeit *f* *siehe adj* sleepiness; drowsiness.

Schlaf-: **~rock** *m* dressing gown; **Äpfel im ~rock** baked apples in puff pastry; **~saal** *m* dormitory; **~sack** *m* sleeping bag; **~stelle** *f* place to sleep; **~störung** *f* sleeplessness, insomnia (*Med*); **~tablette** *f* sleeping pill; **s~trunken** *adv* drowsily, half-asleep; **~wagen** *m* sleepingcar, sleeper (*Brit*); **s~wandeln** *vi insep aux sein or haben* to sleepwalk; **~wandler(in** *f***)** *m* - sleepwalker; **s~wandlerisch** *adj* **mit s~wandlerischer Sicherheit** intuitively, instinctively; **~zimmer** *nt* bedroom.

Schlag *m* ¨-e **a** (*lit, fig*) blow; (*Faust~ auch*) punch; (*mit der Handfläche*) smack, slap; (*Handkanten~, Judo etc*) chop (*col*); (*Ohrfeige*) cuff, clout; (*Tritt*) kick; (*mit Rohrstock etc*) stroke; (*Peitschen~*) stroke, lash; (*Glocken~*) chime; (*~anfall, Ruder~, Schwimmen, Tennis*) stroke; (*Herz~, Wellen~*) beat; (*Blitz~*) bolt; (*Donner~*) clap; (*Strom~*) shock ► **¨e kriegen** to get a hiding *or* beating; **zum entscheidenden ~ ausholen** (*fig*) to launch the decisive blow; **~ auf ~** (*fig*) in quick succession; **~ acht Uhr** (*col*) on the stroke of eight; **ein ~ ins Gesicht** (*lit, fig*) a slap in the face; **ein ~ ins Wasser** (*col*) a washout (*col*); **auf einen ~** (*col*) all at once; **mit einem ~ berühmt werden** to become famous overnight; **sie haben keinen ~ getan** (*col*) they haven't done a stroke (of work); **einen ~ weghaben** (*col: blöd sein*) to have a screw loose (*col*); **ich dachte, mich trifft der ~** (*col*) I was thunderstruck.
b (*col: Wesensart*) type (of person *etc*) ► **vom gleichen ~ sein** to be cast in the same mould (*Brit*) *or* mold (*US*); (*pej*) to be tarred with the same brush; **vom alten ~** of the old school.
c (*col: Portion*) helping.

Schlag-: **~abtausch** *m* (*Boxen*) exchange of blows; (*fig*) (verbal) exchange; **offener ~abtausch** public exchange (of views); **~ader** *f* artery; **~anfall** *m* stroke; **s~artig** **1** *adj* sudden, abrupt; **2** *adv* suddenly; **~ball** *m* rounders *sing*, (*Ball*) rounders ball; **s~bar** *adj* beatable; **~baum** *m* barrier; **~bohrer** *m*, **~bohrmaschine** *f* hammer drill.

schlagen *pret* **schlug**, *ptp* **geschlagen** **1** *vti* **a** to hit; (*hauen*) to beat; (*mit der flachen Hand*) to slap, to smack; (*mit der Faust*) to punch; (*treten*) to kick ► **jdn bewußtlos ~** to knock sb out *or* unconscious; (*mit vielen Schlägen*) to beat sb unconscious; **um sich ~** to lash out; **mit der Faust auf den Tisch ~** to thump on the table with one's fist; **jdm etw aus der Hand ~** to knock sth out of sb's hand; **ihm schlug das Gewissen** his conscience pricked him; **einer Sache** (*dat*) **ins Gesicht ~** (*fig*) to be a slap in the face for sth. **b** *Teig, Eier* to beat; (*mit Schneebesen*) to whisk; *Sahne* to whip ► **ein Ei in die Pfanne ~** to crack an egg into the pan. **c** (*läuten*) to chime; *Stunde* to strike ► **die Uhr hat 12 geschlagen** the clock has struck 12; **eine geschlagene Stunde** a full hour. **d** (*flattern*) **mit den Flügeln ~** to flap its wings.
2 *vt* **a** *Gegner, Rekord* to beat ► **jdn in etw** (*dat*) **~** to beat sb at sth; **na ja, ehe ich mich ~ lasse!** (*hum col*) I suppose you could twist my arm (*hum col*); **sich geschlagen geben** to admit defeat. **b** **das Schicksal schlug sie hart** fate dealt her a hard blow; **mit Blindheit geschlagen sein** to be blind. **c** (*fällen*) to fell. **d** (*Hunt: töten*) to kill. **e** (*spielen*) *Trommel* to beat; (*liter*) *Harfe, Laute* to pluck, to play. **f** *Kreis, Bogen* to describe; *Purzelbaum* to do; *Alarm* to raise; *Krach* to make ► **Profit aus etw ~** to make profit from sth; **eine Schlacht ~** to fight a battle; **den Kragen nach oben ~** to turn up one's collar. **g** (*wickeln*) to wrap.
3 *vi* **a** (*Herz, Puls*) to beat; (*heftig*) to pound, to throb. **b** (*Regen*) to beat; (*Wellen auch*) to pound; (*Blitz*) to strike (*in etw* (*acc*) sth). **c** (*singen: Nachtigall, Fink*) to sing. **d** (*betreffen*) **in jds Fach** (*acc*) **~** to be in sb's field. **e** *aux sein or haben* (*Flammen*) to shoot out (*aus* of); (*Rauch*) to pour out (*aus* of). **f** *aux sein* **mit dem Kopf auf etw** (*acc*) **~** to hit one's head on sth; **auf die Nieren** *etc* **~** to affect the kidneys *etc*; **er schlägt sehr nach seinem Vater** he takes after his father a lot.
4 *vr* **a** (*sich prügeln*) to fight; (*sich duellieren*) to duel ► **als Schuljunge habe ich mich oft geschlagen** I often had fights when I was a schoolboy; **sich um etw ~** (*lit, fig*) to fight over sth. **b** (*sich bewähren*) to do, to fare ► **sich tapfer** *or* **gut ~** to make a good showing. **c** (*sich begeben*) **sich nach links/Norden ~** to strike out to the left/for the North; **sich auf jds Seite** (*acc*) **~** to side with sb; (*die Fronten wechseln*) to go over to sb.

schlagend *adj* **a** *Bemerkung, Vergleich* apt, appropriate; *Beweis* striking, convincing ► **etw ~ beweisen/ widerlegen** to prove/refute sth convincingly. **b** *Verbindung* (*Univ*) duelling.

Schlager *m* - **a** (*Mus*) pop song; (*erfolgreich*) hit song, hit. **b** (*col*) (*Erfolg*) hit; (*Verkaufs~*) bestseller.

Schläger *m* - **a** (*Tennis~, Federball~*) racket; (*Hockey~, Eishockey~*) stick; (*Golf~*) club; (*Kricket~, Baseball~, Tischtennis~*) bat; (*Polo~*) mallet. **b** (*Spieler*) (*Kricket*) batsman; (*Baseball*) batter. **c** (*Raufbold*) thug, ruffian.

Schlägerei *f* fight, brawl.

Schlägerin *f* = **Schläger (b), (c)**.

Schlager-: **~musik** *f* pop music; **~parade** *f* hit parade; **~sänger** *m* pop singer.

Schlägertyp *m* (*col*) thug.

Schlag-: **s~fertig** *adj* quick-witted; **~fertigkeit** *f* quick-wittedness; **~instrument** *nt* percussion instrument; **~kraft** *f* (*lit, fig*) power; (*Boxen*) punch(ing power); (*Mil*) strike power; **s~kräftig** *adj* powerful; *Beweise* clear-cut; **~licht** *nt* **ein ~licht auf etw** (*acc*) **werfen** (*fig*) to highlight *or* spotlight sth; **~loch** *nt* pothole; **~mann** *m, pl* **~männer** (*Rudern*) (*Kricket*) batsman; (*Baseball*) batter; **~obers** *nt* -, - (*Aus*), **~rahm** *m* (*S Ger*) **~sahne** *f* (whipping) cream; (*geschlagen*) whipped cream; **~seite** *f* (*Naut*) list; **~seite haben** (*Naut*) to have a list; (*hum col*) to be half-seas over (*col*); **~stock** *m* (*form*) truncheon (*Brit*), nightstick (*US*); **~wort** *nt* **a** *pl* **~wörter** (*Stichwort*) headword; **b** *pl* **~worte** (*Parole*) catchword, slogan; **~zeile** *f* headline; **~zeilen machen** (*col*) to hit the headlines; **~zeug** *nt* drums *pl*; (*in Orchester*) percussion *no pl*; **~zeuger(in** *f***)** *m* - drummer; (*in Orchester*) percussionist.

schlaksig (*col*) **1** *adj* gangling, gawky. **2** *adv* gawkily.

Schlamassel *m or nt* - (*col*) (*Durcheinander*) mix-up; (*mißliche Lage*) mess ► **der** *or* **das (ganze) ~** (*Zeug*) the whole caboodle (*col*).

Schlamm *m* -e *or* ¨-e (*Schlick auch*) sludge.

Schlammbad *nt* mudbath.

schlammig *adj* muddy; (*schlickig auch*) sludgy.

Schlampe *f* -n (*pej col*) slut (*col*).

schlampen *vi* (*col*) to be sloppy (in one's work).

Schlamperei *f* (*col*) sloppiness; (*schlechte Arbeit*) sloppy work; (*Unordentlichkeit*) untidiness ► **das ist eine ~!** that's a disgrace.

schlampig *adj* (*col*) sloppy, careless; (*unordentlich*) untidy; (*liederlich*) slovenly.

schlang *pret of* **schlingen**.

Schlange *f* -n **a** snake, serpent (*liter*); (*fig: Frau*) Jezebel ► **eine falsche ~** a snake in the grass. **b** (*Menschen~, Auto~*) queue (*Brit*), line (*US*) ► **~ stehen** to queue (up) (*Brit*), to stand in line (*US*).

schlängeln *vr* (*Weg*) to wind (its way), to snake; (*Fluß auch*) to meander; (*Schlange*) to wriggle ► **eine geschlängelte Linie** a wavy line.

Schlangen-: **~beschwörer** *m* - snake charmer; **~biß** △ *m* snakebite; **~gift** *nt* snake venom *or* poison; **~haut** *f* snake's skin; (*Leder*) snakeskin; **~linie** *f* wavy line; **(in) ~linien fahren** to swerve about; **~mensch** *m* contortionist.

Schlangestehen *nt* queuing (*Brit*), standing in line (*US*).

schlank *adj* slim ▸ *dieses Kleid macht sie ~* this dress makes her look slim.

Schlankheit *f* slimness.

Schlankheitskur *f* diet ▸ *eine ~ anfangen/machen* to go/be on a diet.

schlankweg *adv* (*col*) *ablehnen, sagen* point-blank, flatly.

schlapp *adj* (*col*) (*kraftlos*) shattered (*col*); (*energielos*) listless; (*weichlich*) wimpish (*col*); (*nach Krankheit etc*) run-down.

Schlappe *f* -n (*col*) setback; (*Sport*) thrashing (*col*) ▸ *eine ~ einstecken (müssen)* to get one in the eye (*col*); *jdm eine ~ beibringen* to give sb one in the eye (*col*).

Schlappen *m* - (*col*) slipper.

Schlapp-: ~**hut** *m* floppy hat; **s~machen** *vi sep* (*col*) to wilt; (*zusammenbrechen*) to flop (*col*), to flake out (*col*); *die meisten Manager machen mit 40 schlapp* most managers are finished by the time they're 40; ~**schwanz** *m* (*pej col*) wimp (*col*).

Schlaraffenland *nt* land of milk and honey.

schlau *adj* clever, smart; (*gerissen*) cunning; *Sprüche* clever ▸ *ich werde nicht ~ aus ihm* I don't know what to make of him.

Schlauberger *m* - (*col*) clever dick (*col*).

Schlauch *m, pl* **Schläuche** [a] hose; (*für Fahrrad, Auto*) (inner) tube ▸ *sein Zimmer war eine Art ~* (*col*) his room was a sort of long, narrow corridor; *auf dem ~ stehen* (*col*) to be at a loose end. [b] (*col: Strapaze*) slog (*col*), grind.

Schlauchboot *nt* rubber dinghy.

schlauchen (*col*) [1] *vt* (*Arbeit etc*) *jdn* to wear out.

[2] *vi diese Arbeit schlaucht* this job takes it out of you.

schlauchlos *adj Reifen* tubeless.

Schläue, Schlauheit *f no pl* cunning.

Schlaufe *f* -n loop; (*Aufhänger*) hanger.

Schlaukopf *m*, **Schlaumeier** *m* - clever dick.

Schlawiner *m* - (*hum col*) crafty type, smooth operator.

schlecht [1] *adj* [a] bad; *Geschmack, Leistung auch, Gesundheitszustand* poor ▸ *das S~e in der Welt* the evil in the world; *nur S~es über jdn sagen* not to have a good word to say for sb; *jdm ist (es) ~* sb feels ill (*bei Brechreiz*) sb feels sick; *~ aussehen* (*Mensch*) to look ill, not to look well; (*Lage*) to look bad. [b] *pred* (*ungenießbar*) bad, off (*Brit*) ▸ *die Milch ist ~* the milk has gone off *or* is off.

[2] *adv* badly; *lernen, begreifen* with difficulty ▸ *sich ~ vertragen* (*Menschen*) to get along badly; (*Dinge, Farben etc*) not to go well together; *~ über jdn sprechen/von jdm denken* to speak/think ill of sb; *er kann ~ nein sagen* he finds it hard to say no; *da kann er ~ nein sagen* he can hardly say no; *heute geht es ~* today is not very convenient; *das läßt sich ~ machen* that's not really possible *or* on (*col*); *er ist ~ zu verstehen* he is hard to understand; *ich kann sie ~ sehen* I can't see her very well; *auf jdn ~ zu sprechen sein* not to have a good word to say for sb; *~ und recht, mehr ~ als recht* after a fashion; *er hat nicht ~ gestaunt* (*col*) he wasn't half surprised (*col*).

⚠ **schlechtbezahlt** *adj attr* low-paid, badly paid.

schlechterdings *adv* (*völlig*) absolutely; (*nahezu*) virtually.

schlecht-: ~**gehen** ⚠ *vi impers sep irreg aux sein es geht jdm ~* sb is in a bad way; (*finanziell*) sb is doing badly; ~**gelaunt** ⚠ *adj attr* bad-tempered; ~**hin** *adv* (*vollkommen*) quite, absolutely; *er ist der romantische Komponist ~hin* he is the epitome of the Romantic composer; *Studenten ~hin* students as such *or* per se.

Schlechtigkeit *f* [a] *no pl* badness. [b] (*schlechte Tat*) misdeed.

⚠ **schlechtmachen** *vt sep* to denigrate, to run down.

schlecken [1] *vti* to lick (*an etw* (*dat*)) sth.

[2] *vi* (*esp S Ger: Süßigkeiten essen*) to eat sweets (*Brit*) *or* candies (*US*).

Schleckermaul *nt* (*hum col*) *sie ist ein richtiges ~* she really has a sweet tooth.

⚠ **Schlegel** *m* - [a] stick. [b] (*Min*) miner's hammer. [c] (*S Ger, Aus: Cook*) leg.

Schlehe *f* -n sloe.

schleichen *pret* **schlich**, *ptp* **geschlichen** [1] *vi aux sein* to creep; (*heimlich auch*) to sneak; (*Fahrzeug*) to crawl.

[2] *vr* to creep, to sneak.

schleichend *adj attr* creeping; *Krankheit, Gift* insidious; *Fieber* lingering.

Schleich-: ~**handel** *m* illicit trading (*mit* in); ~**weg** *m* secret path; *auf ~wegen* (*fig*) on the quiet; ~**werbung** *f* a plug.

Schleier *m* - (*lit, fig*) veil; (*von Wolken, Nebel auch*) haze ▸ *einen ~ vor den Augen haben* to have a mist in front of one's eyes; *einen ~ über etw* (*acc*) *breiten* (*fig*) to draw a veil over sth.

Schleier-: ~**eule** *f* barn owl; **s~haft** *adj* (*col*) mysterious; *es ist mir völlig s~haft* it's a complete mystery to me; ~**kraut** *nt* (*Bot*) gypsophila.

Schleife *f* -n [a] loop (*auch Aviat, Comp*); (*Straßen~*) twisty bend. [b] (*von Band*) bow; (*Schuh~*) bow(-knot); (*Fliege*) bow tie; (*Kranz~*) ribbon.

schleifen[1] [1] *vt* (*lit, fig*) to drag; (*ziehen auch*) to haul; (*Mus*) *Töne, Noten* to slur.

[2] *vi* [a] *aux sein or haben* to trail, to drag. [b] (*reiben*) to rub ▸ *die Kupplung ~ lassen* (*Aut*) to slip the clutch; *die Zügel ~ lassen* (*lit, fig*) to slacken the reins.

schleifen[2] *pret* **schliff**, *ptp* **geschliffen** *vt Messer etc* to sharpen, to whet; *Parkett* to sand; *Edelstein, Glas* to cut; *siehe* **geschliffen**.

Schleif-: ~**lack** *m* (coloured (*Brit*) *or* colored (*US*)) lacquer *or* varnish; ~**maschine** *f* grinding machine; ~**papier** *nt* abrasive paper; ~**stein** *m* grindstone; *er sitzt da wie ein Affe auf dem ~stein* (*col*) he looks a proper Charlie sitting there (*col*).

Schleim *m* -e [a] slime; (*Med*) mucus. [b] (*Cook*) gruel.

Schleimer(in *f*) *m* - (*col*) crawler (*col*).

Schleimhaut *f* mucous membrane.

schleimig *adj* [a] slimy; (*Med*) mucous. [b] (*pej: unterwürfig*) slimy (*col*).

Schleim-: **s~lösend** *adj* expectorant; ~**scheißer** *m* (*col!*) bootlicker (*col*), arse-licker (*col!*).

schlemmen [1] *vi* (*üppig essen*) to feast.

[2] *vt* to feast on.

Schlemmer(in *f*) *m* - gourmet, bon vivant.

Schlemmerei *f* feasting; (*Mahl*) feast.

Schlemmerlokal *nt* gourmet restaurant.

schlendern *vi aux sein* to stroll, to amble.

Schlendrian *m no pl* (*col*) casualness; (*Trott*) rut.

Schlenker *m* - swerve ▸ *einen ~ machen* to swerve.

schlenkern *vti* to swing, to dangle.

schlenzen *vi* (*Sport*) to scoop.

Schlepp *m* (*Naut, fig*): *jdn/etw in ~ nehmen* to take sb/sth in tow.

Schleppe *f* -n (*von Kleid*) train.

schleppen [1] *vt* (*tragen*) *Lasten* to lug, to schlep (*US col*); (*zerren*) to drag, to schlep (*US col*); *Auto, Schiff* to tow; (*fig*) to drag.

[2] *vr* to drag oneself; (*Verhandlungen etc*) to drag on.

schleppend *adj Gang* dragging, shuffling; *Abfertigung, Nachfrage* sluggish ▸ *die Unterhaltung kam nur ~ in Gang* conversation was very slow to start.

⚠: Informationen zur Rechtschreibreform im Anhang

Schlepper *m* - ⓐ (*Aut*) tractor. ⓑ (*Naut*) tug. ⓒ (*col: Kundenfänger*) tout.

Schlepp-: **~kahn** *m* (canal) barge; **~lift** *m* ski tow; **~netz** *nt* trawl (net); **~tau** *nt* (*Naut*) tow-rope; *jdn ins ~tau nehmen* (*col*) to take sb in tow.

Schlesien [-iən] *nt* Silesia.

Schlesier(in *f*) [-iɐ, -iərɪn] *m* - Silesian.

schlesisch *adj* Silesian.

Schleswig-Holstein *nt* Schleswig-Holstein.

Schleuder *f* -n ⓐ (*Waffe*) sling; (*Wurfmaschine*) catapult, slingshot (*US*). ⓑ (*Zentrifuge*) centrifuge; (*Wäsche~*) spin-dryer (*Brit*), dryer (*US*).

Schleuderhonig *m* extracted honey.

schleudern ① *vti* ⓐ (*werfen*) to sling, to fling. ⓑ (*Tech*) to centrifuge, to spin; *Honig* to extract; *Wäsche* to spin-dry.
② *vi aux sein or haben* (*Aut*) to skid ▶ *ins S~ kommen or geraten* to go into a skid; (*fig col*) to run into trouble.

Schleuder-: **~preis** *m* throwaway price; **~sitz** *m* (*Aviat*) ejector seat; (*fig*) hot seat; **~trauma** *nt* (*Med*) whiplash (injury); **~ware** *f* cut-price goods *pl*.

schleunigst *adv* at once ▶ *aber ~!* and be quick about it!

Schleuse *f* -n (*für Schiffe*) lock; (*zur Regulierung des Wasserlaufs*) sluice.

schleusen *vt Schiffe* to pass through a lock, to lock; *Wasser* to channel; *Menschen* to filter; (*fig: heimlich*) to smuggle.

Schleusentor *nt* (*für Schiffe*) lock gate.

schlich *pret of* **schleichen**.

Schliche *pl jdm auf die ~ kommen* to get wise to sb.

schlicht *adj* simple ▶ *die ~e Wahrheit* the plain *or* simple truth; *~ und einfach* plain and simple; *das ist ~ und einfach nicht wahr* that's just simply not true; *er sagte ~ und ergreifend nein* (*hum col*) he said quite simply no.

schlichten *vti Streit* (*vermitteln*) to mediate, to arbitrate (*esp Ind*); (*beilegen*) to settle.

Schlichter(in *f*) *m* - mediator; (*Ind*) arbitrator.

Schlichtheit *f* simplicity.

Schlichtung *f siehe vti* arbitration; settlement.

Schlick *m* -e (*Öl~*) slick.

schlief *pret of* **schlafen**.

Schließe *f* -n fastening, fastener.

schließen *pret* **schloß**, *ptp* **geschlossen** ① *vt* ⓐ (*zumachen*) to close, to shut; (*verriegeln*) to bolt; (*Betrieb einstellen*) to close *or* shut down; *Stromkreis*, (*Fin*) *Position*, (*Comp*) *Datei* to close ▶ *eine Lücke ~* (*lit*) to close a gap; (*fig*) to fill a gap. ⓑ (*beenden*) *Versammlung* to close, to wind up; *Brief* to close. ⓒ (*eingehen*) *Vertrag, Bündnis* to conclude; *Frieden auch* to make; *Freundschaft* to form ▶ *die Ehe ~* to get married. ⓓ *etw* ⚠ *in sich* (*dat*) *~* (*beinhalten: lit, fig*) to include sth; (*indirekt*) to imply sth; *jdn in die Arme ~* to embrace sb; *jdn/etw in sein Herz ~* to take sb/sth to one's heart; *daran schloß er eine Bemerkung* he added a remark (to this).
② *vr* to close, to shut ▶ *sich um etw ~* to close around sth.
③ *vi* ⓐ to close, to shut; (*Betrieb einstellen*) to close *or* shut down ▶ *„geschlossen"* "closed". ⓑ (*enden*) to close, to conclude; (*St Ex*) to close. ⓒ (*schlußfolgern*) to infer ▶ *auf etw* (*acc*) *~ lassen* to suggest sth; *von sich auf andere ~* to judge others by one's own standards; *siehe* **geschlossen**.

Schließfach *nt* left-luggage (*Brit*) *or* baggage (*US*) locker; (*Bank~*) safe-deposit box.

schließlich *adv* (*endlich*) in the end; (*immerhin*) after all ▶ *er kam ~ doch* he came after all.

Schließung *f* closing; (*von Vertrag*) conclusion;

(*Betriebseinstellung*) closure.

Schliff *m* -e (*das Schleifen*) cutting; (*Ergebnis*) cut; (*fig: Umgangsformen*) refinement, polish ▶ *einer Sache den letzten ~ geben* (*fig*) to put the finishing touch(es) to sth.

schliff *pret of* **schleifen²**.

schlimm *adj bad* ▶ *sich ~ verletzen* to hurt oneself badly; *das war ~* that was terrible; *mit der neuen Frisur siehst du ~ aus* you look awful with that new hairdo; *das finde ich nicht ~* I don't find that so bad; *das ist halb so ~!* that's not so bad!; *sie ist ~ dran* (*col*) she's in a bad way; *es steht ~ (um ihn)* things aren't looking too good (for him); *wenn es nichts S~eres ist!* if that's all it is!; *es gibt S~eres* it *or* things could be worse; *um so ~er* all the worse; *im ~sten Fall* if the worst comes to the worst.

schlimmstenfalls *adv* at (the) worst ▶ *~ müssen wir im Auto schlafen* if the worst comes to the worst we'll have to sleep in the car.

Schlinge *f* -n loop; (*an Galgen*) noose; (*Med: Armbinde*) sling; (*Falle*) snare ▶ *den Kopf aus der ~ ziehen* (*fig*) to get out of a tight spot.

Schlingel *m* - rascal.

schlingen *pret* **schlang**, *ptp* **geschlungen** ① *vt* (*binden*) *Knoten* to tie; (*umbinden*) *Schal* to wrap.
② *vr sich um etw ~* to coil (itself) around sth.
③ *vi* (*hastig essen*) to bolt one's food.

schlingern *vi* (*Schiff*) to roll.

Schlingpflanze *f* creeper.

Schlips *m* -e (*col*) tie, necktie (*US*) ▶ *mit ~ und Kragen* wearing a collar and tie; *jdm auf den ~ treten* to tread on sb's toes; *sich auf den ~ getreten fühlen* to feel offended.

Schlitten *m* - ⓐ sledge, sled; (*Pferde~*) sleigh; (*Rodel~*) toboggan ▶ *mit jdm ~ fahren* (*col*) to give sb a rough time. ⓑ (*col: Auto*) motor (*col*).

Schlitten-: **~fahren** *nt* sledging; (*Rodeln*) tobogganing; **~fahrt** *f* sledge ride; (*mit Rodel*) toboggan ride; **~hund** *m* husky.

schlittern *vi aux sein* to slide; (*Wagen*) to skid.

Schlittschuh *m* (ice) skate ▶ *~ laufen* to (ice-)skate.

Schlittschuh-: **~laufen** *nt* (ice-)skating; **~läufer(in** *f*) *m* (ice-)skater.

Schlitz *m* -e slit; (*Einwurf~*) slot; (*Hosen~*) fly, flies *pl*.

Schlitz-: **~auge** *nt* slant eye; (*pej: Chinese*) Chink (*pej*); **s~äugig** *adj* slant-eyed.

schlitzen *vt* to slit.

Schlitz-: **~ohr** *nt* (*fig*) crafty character, sly fox; **s~ohrig** *adj* (*fig*) crafty; **~verschluß** ⚠ *m* (*Phot*) focal-plane shutter.

schlohweiß *adj Haare* snow-white.

schloß *pret of* **schließen**.

Schloß ⚠ *nt* ⁻sser ⓐ castle; (*Palast*) palace; (*großes Herrschaftshaus*) mansion. ⓑ (*Tür~ etc*) lock; (*Vorhänge~*) padlock; (*an Handtasche etc*) fastener ▶ *ins ~ fallen* to lock (itself); *jdn hinter ~ und Riegel bringen* to put sb behind bars.

Schlosser(in *f*) *m* - fitter, metalworker; (*für Schlösser*) locksmith.

Schlosserei *f* (*~werkstatt*) metalworking shop.

Schloß-: **~herr** ⚠ *m* owner of a castle *etc*; (*Adliger*) lord of the castle; **~hof** ⚠ *m* courtyard; **~hund** ⚠ *m heulen wie ein ~hund* (*col*) to howl one's head off (*col*); **~park** ⚠ *m* castle *etc* grounds *pl*, estate.

Schlot *m* -e (*Schornstein*) chimney (stack), smokestack; (*von Vulkan*) chimney ▶ *rauchen wie ein ~* (*col*) to smoke like a chimney (*col*).

schlottern *vi* ⓐ (*zittern*) to shiver; (*vor Angst*) to tremble ▶ *er schlotterte mit den Knien* he was shaking at the knees. ⓑ (*Kleider*) to be baggy.

⚠: for details of spelling reform, see supplement

Schlucht *f* -en gorge, ravine.
schluchzen *vti* (*lit, fig*) to sob.
Schluchzer *m* - sob.
Schluck *m* -e drink; (*ein bißchen*) drop; (*das Schlucken*) swallow; (*großer*) gulp; (*kleiner*) sip ▶ *etw ~ für ~ austrinken* to drink every drop; *einen kräftigen ~ nehmen* to take a long drink *or* a swig (*col*).
Schluck|auf *m no pl* hiccups *pl* ▶ *einen ~ haben* to have (the) hiccups.
Schluckbeschwerden *pl* difficulties *pl* in swallowing.
Schlückchen *nt dim of* **Schluck** sip.
schlucken [1] *vt* (*lit, fig col*) to swallow; (*hastig*) to gulp down; (*col*) *Alkohol* to knock back (*col*); (*col: verschlingen*) to swallow up; *Benzin, Öl* to guzzle.
[2] *vi* to swallow; (*hastig*) to gulp.
Schlucker *m* - (*col*): *armer ~* poor devil.
Schluck-: *~impfung f* oral vaccination; *~specht m* (*col*) boozer (*col*); *s~weise adv* in sips.
schlud(e)rig *adj* (*col*) *Arbeit* slipshod *no adv. ~ arbeiten* to work in a slipshod way.
schludern *vi* (*col*) to do sloppy work, to work sloppily.
schlug *pret of* **schlagen**.
Schlummer *m no pl* (*liter*) (light) slumber (*liter*).
Schlummerlied *nt* (*geh*) lullaby.
schlummern *vi* (*liter*) to slumber (*liter*).
Schlummer-: *~rolle f* bolster; *~taste f* (*an Radiowecker*) snooze button.
Schlund *m* -e (*Anat*) pharynx, gullet; (*fig liter*) maw (*liter*).
schlüpfen *vi aux sein* to slip; (*Küken*) to hatch (out).
Schlüpfer *m* - panties *pl*, knickers *pl.*
Schlupfloch *nt* gap; (*Versteck*) hideout; (*fig*) loophole.
schlüpfrig *adj* [a] slippery. [b] (*fig*) *Bemerkung* risqué, salacious.
Schlupfwinkel *m* hiding place; (*fig*) quiet corner.
schlurfen *vi aux sein* to shuffle.
schlürfen *vti* to slurp.
⚠**Schluß** *m* -sse [a] *no pl* (*Ende*) end ▶ *~!* that'll do!, stop!; *~ für heute!* that'll do for today; *~ damit!* stop it!; *... und damit ~!* ... and that's that!; *~ jetzt!* that's enough now!; *dann ist ~* that'll be it; *~ folgt* to be concluded; *zum ~ sangen wir ...* at the end we sang ...; *zum ~ möchte ich noch darauf hinweisen, daß ...* in conclusion I would like to point out that ...; *~ machen* to call it a day; (*Selbstmord begehen*) to end it all; *mit der Arbeit ~ machen* to stop work; *mit jdm ~ machen* to break with sb. [b] (*Folgerung*) conclusion ▶ *aus etw den ~ ziehen, daß ...* to draw the conclusion from sth that ...
Schluß- *in cpds* final; *~akte* ⚠ *f* (*Pol*) final agreement.
Schlüssel *m* - (*lit, fig*) key; (*Tech*) spanner (*Brit*), wrench; (*Verteilungs~*) ratio (of distribution); (*Mus*) clef.
Schlüssel-: *~anhänger m* keyring pendant; *~bein nt* collarbone, clavicle (*form*); *~blume f* cowslip; *~brett nt* keyboard; *~bund m or nt* bunch of keys; *~dienst m* key-cutting service; *~erlebnis nt* (*Psych*) crucial experience; *s~fertig adj* *Neubau* ready for occupancy; *~figur f* key figure; *~industrie f* key industry; *~kind nt* (*col*) latchkey child (*col*); *~loch nt* keyhole; *~position f* key position; *~ring m* key ring; *~stellung f* key position; *~wort nt* keyword; (*für Schloß*) combination.
⚠**schlußfolgern** *vi insep* to conclude, to infer.
Schluß-: *~folgerung* ⚠ *f* conclusion, inference; *~formel* ⚠ *f* (*in Brief*) complimentary close; (*bei Vertrag*) final clause.
schlüssig *adj* conclusive ▶ *sich* (*dat*) (*über etw acc*) *~ sein* to have made up one's mind (about sth).
Schluß-: *~kapitel* ⚠ *nt* concluding *or* final chapter; *~läufer* ⚠ *m* last runner; (*in Staffel*) anchorman; *~licht* ⚠ *nt* rear light; (*col: bei Rennen etc*) back marker;

~licht in der Klasse sein to be bottom of the class; *~pfiff* ⚠ *m* final whistle; *~phase* ⚠ *f* final stages *pl*; *~stand* ⚠ *m* final result; (*von Spiel auch*) final score; *~stein* ⚠ *m* (*Archit, fig*) keystone; *~strich* ⚠ *m* (*fig*) final stroke; *einen ~strich unter etw* (*acc*) *ziehen* to consider sth finished; *~verkauf* ⚠ *m* (end-of-season) sale; *~wort* ⚠ *nt* closing words *pl*; (*~rede*) closing speech; (*Nachwort*) postscript.
Schmach *f no pl* (*geh*) ignominy *no indef art.*
schmachten *vi* (*geh: leiden*) to languish ▶ *nach jdm/ etw ~* to pine for sb/sth; *jdn ~ lassen* to torment sb.
schmachtend *adj* yearning, soulful; *Liebhaber* languishing.
Schmachtfetzen *m* (*hum*) tear-jerker (*col*).
schmächtig *adj* frail, weedy (*pej*).
schmachvoll *adj* (*geh*) *Niederlage* ignominious.
schmackhaft *adj* (*wohlschmeckend*) tasty ▶ *jdm etw ~ machen* (*fig*) to make sth palatable to sb.
schmähen *vti* (*geh*) to abuse, to vituperate against (*liter*).
schmählich *adj* (*geh*) ignominious; (*demütigend*) humiliating.
Schmäh-: *~rede f* (*geh*) diatribe; *~schrift f* defamatory piece of writing; (*Satire*) lampoon.
Schmähung *f* (*geh*) abuse, vituperation (*liter*).
schmal *adj comp* -er *or* -er, *superl* -ste(r, s) *or* -ste(r, s) *or* (*adv*) *am* -sten *or* -sten [a] narrow; *Hüfte auch, Mensch, Buch* slim; *Lippen* thin ▶ *er ist sehr ~ geworden* he has got very thin. [b] (*fig: karg*) meagre (*Brit*), meager (*US*), slender.
schmalbrüstig *adj* narrow-chested; (*fig*) limited.
schmälern *vt* to diminish.
Schmälerung *f* diminishing.
Schmal-: *~film m* cine film; *~filmkamera f* cinecamera (*Brit*), movie camera (*US*); *~seite f* narrow side; *~spur f* (*Rail*) narrow gauge; *~spur-* *in cpds* (*pej*) small-time; *s~spurig adj* (*Rail*) *Strecke* narrow-gauge.
Schmalz¹ *nt* -e fat; (*Schweine~*) lard; (*Braten~*) dripping.
Schmalz² *m no pl* (*pej col*) schmaltz (*col*).
schmalzen *vti* to drool; *Lied* to croon.
schmalzig *adj* (*pej col*) schmaltzy (*col*), slushy (*col*).
Schmankerl *nt* -n (*S Ger, Aus*) (*Speise*) delicacy; (*fig*) gem.
schmarotzen* *vi* to sponge, to freeload (*esp US*) (*bei* on, off); (*Biol*) to be parasitic (*bei* on).
Schmarotzer(in *f*) *m* - (*Biol*) parasite; (*fig auch*) sponger, freeloader (*esp US*).
Schmarr(e)n *m* - [a] (*S Ger, Aus*) (*Cook*) pancake cut up into small pieces. [b] (*col: Quatsch*) rubbish (*col*).
Schmatz *m* -e (*col: Kuß*) smacker (*col*).
schmatzen *vi* to eat noisily ▶ *schmatz nicht so!* don't make so much noise when you eat!
Schmaus *m, pl* **Schmäuse** (*dated*) feast.
schmausen (*geh*) [1] *vi* to feast.
[2] *vt* to feast on.
schmecken [1] *vi* (*Geschmack haben*) to taste (*nach* of); (*gut ~*) to taste good ▶ *ihm schmeckt es* (*gut finden*) he likes it; (*Appetit haben*) he likes his food; *das schmeckt ihm nicht* (*lit, fig*) he doesn't like it; *nach etw ~* (*fig*) to smack of sth; *das schmeckt nach mehr!* (*col*) it tastes moreish (*hum col*); *schmeckt es (Ihnen)?* is it good?; are you enjoying your food *or* meal? (*esp form*); *das hat geschmeckt* that was good; *das schmeckt nicht (gut)* it doesn't taste nice; *es sich ~ lassen* to tuck in.
[2] *vt* to taste.
Schmeichelei *f* flattery.
schmeichelhaft *adj* flattering.
schmeicheln *vi* to flatter (*jdm* sb) ▶ *es schmeichelt mir, daß ...* it flatters me that ...

Schmeichler(in *f*) *m* - flatterer; (*Kriecher*) sycophant.
schmeichlerisch *adj* flattering.
schmeißen *pret* **schmiß**, *ptp* **geschmissen** (*col*) ⃞1 *vt* ⃞a (*werfen*) to sling (*col*), to chuck (*col*); *Tür* to slam ▸ *sich jdm an den Hals* ~ (*fig*) to throw oneself at sb. ⃞b (*spendieren*) *eine Runde* or *Lage* ~ to stand a round. ⃞c (*managen*) *den Laden* ~ to run the (whole) show; *die Sache* ~ to handle it.
⃞2 *vi* (*werfen*) to throw, to chuck (*col*) ▸ *mit Steinen* ~ to throw stones; *mit etw um sich* ~ to chuck sth around (*col*).
Schmeißfliege *f* bluebottle.
Schmelz *m* **-e** (*Glasur*) glaze; (*Zahn~*) enamel.
schmelzen *pret* **schmolz**, *ptp* **geschmolzen** ⃞1 *vi aux sein* (*lit, fig*) to melt; (*Reaktorkern*) to melt down.
⃞2 *vt Metall, Fett* to melt; *Erz* to smelt.
Schmelz-: ~**hütte** *f* smelting plant or works *sing* or *pl*; ~**käse** *m* cheese spread; (*in Scheiben*) processed cheese; ~**ofen** *m* melting furnace; (*für Erze*) smelting furnace; ~**punkt** *m* melting point; ~**tiegel** *m* (*lit, fig*) melting pot; ~**wasser** *nt* melted snow and ice; (*Geog, Phys*) meltwater.
Schmerbauch *m* (*col*) paunch, potbelly.
Schmerz *m* **-en** pain; (*Kummer auch*) grief *no pl* ▸ *ihre* ~**en** her pain; *er schrie vor* ~**en** he cried out in pain; ~**en haben** to be in pain; ~**en in den Ohren/im Hals haben** to have earache/to have a sore throat; *jdm* ~**en bereiten** to cause sb pain; *jdn/etw mit* ~**en erwarten** to wait impatiently for sb/sth.
schmerz|empfindlich *adj Mensch* sensitive to pain; *Körperteil* tender.
schmerzen (*geh*) *vti* to hurt; (*Wunde etc*) to be sore; (*Kopf, Bauch auch*) to ache ▸ *es schmerzt* (*lit, fig*) it hurts; *eine* ~*de Stelle* a painful spot or area.
Schmerzens-: ~**geld** *nt* (*Jur*) damages *pl*; ~**schrei** *m* scream of pain.
Schmerz-: *s*~**frei** *adj* free of pain; *Operation* painless; ~**grenze** *f* pain barrier; *s*~**haft** *adj* (*lit, fig*) painful; *s*~**lich** *adj* (*geh*) painful; *Lächeln* sad; *s*~**lindernd** *adj* pain-relieving; *s*~**los** *adj* (*lit, fig*) painless; ~**losigkeit** *f* (*lit, fig*) painlessness; ~**mittel** *nt* painkiller; ~**schwelle** *f* pain threshold; *s*~**stillend** *adj* painkilling, analgesic (*Med*); *s*~**stillendes Mittel** painkilling drug, analgesic (*Med*); ~**tablette** *f* painkiller; ≃ aspirin (*col*); *s*~**verzerrt** *adj* agonized; *s*~**voll** *adj* (*fig*) painful.
Schmetterling *m* (*auch Schwimmart*) butterfly.
Schmetterlings-: ~**netz** *nt* butterfly net; ~**stil** *m* butterfly stroke.
schmettern ⃞1 *vt* (*schleudern*) to smash; *Tür* to slam; (*Sport*) *Ball* to smash.
⃞2 *vi* ⃞a (*Sport*) to smash, to hit a smash. ⃞b (*Trompete etc*) to blare (out); (*Sänger*) to bellow; (*Vogel*) to sing, to warble.
Schmied *m* **-e** (black)smith.
Schmiede *f* **-n** smithy, forge.
Schmiede-: ~**arbeit** *f* (*das Schmieden*) forging; (*Gegenstand*) piece of wrought-iron work; ~**eisen** *nt* wrought iron; *s*~**eisern** *adj* wrought-iron; ~**hammer** *m* blacksmith's hammer.
schmieden *vt* to forge (*zu* into); (*ersinnen*) *Plan* to hatch, to concoct; (*hum*) *Verse* to concoct ▸ *geschmiedet sein* (*Gartentür etc*) to be made of wrought iron.
Schmiedin *f* = **Schmied**.
schmiegen *vr sich an jdn* ~ to cuddle or snuggle up to sb; *sich an/in etw* (*acc*) ~ to nestle or snuggle into sth.
schmiegsam *adj* supple; *Stoff* soft; (*fig: anpassungsfähig*) adaptable, flexible.
Schmiere *f* **-n** ⃞a (*col*) grease; (*Salbe*) ointment. ⃞b (*pej*) (*schlechtes Theater*) fleapit. ⃞c ~ **stehen** (*col*) to be

the lookout.
schmieren ⃞1 *vt* ⃞a (*streichen*) to smear; *Butter, Aufstrich* to spread; *Brot* to spread; *Salbe, Make-up* to rub in (*in* +*acc* -to); (*einfetten, ölen*) to grease ▸ *es läuft wie geschmiert* it's going like clockwork; *jdm eine* ~ (*col*) to clout sb one (*col*). ⃞b (*pej: schreiben*) to scrawl. ⃞c (*col: bestechen*) *jdn* ~ to grease sb's palm (*col*).
⃞2 *vi* ⃞a (*pej*) (*schreiben*) to scrawl; (*malen*) to daub. ⃞b (*col: bestechen*) to give a bribe/bribes.
Schmieren-: ~**komödiant** *m* (*pej*) ham (actor); ~**theater** *nt* (*pej: schlechtes Theater*) fleapit.
Schmiererei *f* (*pej col*) (*Geschriebenes*) scrawl, scribble; (*Parolen etc*) graffiti *pl*; (*Malerei*) daubing; (*Schriftstellerei*) scribbling; (*das Schmieren*) scrawling, scribbling.
Schmier-: ~**fett** *nt* (lubricating) grease; ~**fink** *m* (*pej*) ⃞a (*Autor, Journalist*) hack, scribbler; ⃞b (*Schüler*) messy writer; ~**geld** *nt* (*col*) bribe; ~**heft** *nt* jotter.
schmierig *adj* greasy; (*fig: unanständig*) dirty, filthy.
Schmier-: ~**käse** *m* cheese spread; ~**mittel** *nt* lubricant; ~**öl** *nt* lubricating oil; ~**papier** *nt* rough or scrap paper; ~**seife** *f* soft soap.
Schmierung *f* lubrication.
Schminke *f* **-n** make-up.
schminken ⃞1 *vt* to make up ▸ *sich* (*dat*) *die Lippen* ~ to put on lipstick.
⃞2 *vr* to put on make-up.
Schmirgel *m no pl* emery.
schmirgeln ⃞1 *vt* to sand, to rub down.
⃞2 *vi* to sand.
Schmirgelpapier *nt* sandpaper.
⚠**Schmiß** *m* **-sse** ⃞a (*Narbe*) duelling scar. ⃞b (*dated: Schwung*) dash, élan.
⚠**schmiß** *pret of* **schmeißen**.
schmissig *adj* (*dated*) dashing; *Musik auch* spirited.
Schmock *m* **-̈e** or **-s** (*pej*) hack (*col*).
Schmöker *m* - book (*usu of light literature*); (*dick*) tome.
schmökern (*col*) ⃞1 *vi* to bury oneself in a book; (*in Büchern blättern*) to browse.
⃞2 *vt* to bury oneself in.
schmollen *vi* to pout; (*gekränkt sein*) to sulk.
Schmoll-: ~**mund** *m* pout; ~**winkel** *m* (*col*) *im* ~**winkel sitzen** to have the sulks (*col*).
schmolz *pret of* **schmelzen**.
Schmorbraten *m* pot-roast.
schmoren ⃞1 *vt* to braise.
⃞2 *vi* (*Cook*) to braise; (*col: schwitzen*) to roast, to swelter ▸ *jdn* ~ *lassen* to leave sb to stew.
Schmorfleisch *nt* stewing steak.
Schmu *m no pl* (*col*) cheating ▸ ~ *machen* to cheat.
schmuck *adj* (*dated*) *Haus etc* neat, tidy; *Bursche, Mädel* smart, spruce.
Schmuck *m* ⃞a (~*stücke*) jewellery (*Brit*) *no pl*, jewelry (*US*) *no pl*. ⃞b (*Verzierung*) decoration; (*fig*) embellishment.
schmücken ⃞1 *vt* to decorate, to adorn; *Rede* to embellish ▸ ~*des Beiwerk* embellishment.
⃞2 *vr* (*zum Fest etc*) (*Mensch*) to adorn oneself; (*Stadt*) to be decorated.
Schmuck-: ~**kästchen** *nt*, ~**kasten** *m* jewellery (*Brit*) or jewelry (*US*) box; *s*~**los** *adj* plain; (*fig*) *Stil, Prosa etc* simple; ~**losigkeit** *f siehe adj* plainness; simplicity; ~**sachen** *pl* jewellery (*Brit*) *sing*, jewelry (*US*) *sing*; ~**stück** *nt* (*Ring etc*) piece of jewellery (*Brit*) or jewelry (*US*); (*fig: Prachtstück*) gem.
schmudd(e)lig *adj* messy; (*schmutzig auch*) dirty; (*schmierig, unsauber*) filthy.
Schmuggel *m no pl* smuggling.
Schmuggelei *f* smuggling *no pl*.
schmuggeln *vti* (*lit, fig*) to smuggle.

Schmuggeln *nt no pl* smuggling.
Schmuggelware *f* contraband *no pl*.
Schmuggler(in *f*) *m* - smuggler.
schmunzeln *vi* to smile (to oneself).
Schmunzeln *nt no pl* (inward) smile.
Schmus *m no pl* (*col*) (*Unsinn*) nonsense; (*Schmeicheleien*) soft soap (*col*).
Schmusekurs *m* (*col*) friendly overtures *pl* ▶ *mit jdm auf ~ gehen* to cosy up to sb; *der ~ zwischen SPD und Unternehmern* the friendly noises between the SPD and the employers; *sich auf ~ begeben* to try to ingratiate onself.
schmusen *vi* (*col: zärtlich sein*) to cuddle ▶ *mit jdm ~* to cuddle sb, to canoodle with sb (*col*).
Schmusepuppe *f* (*col*) cuddly toy.
Schmuser(in *f*) *m* - (*col*) affectionate person ▶ *er ist ein kleiner ~* he likes a cuddle.
Schmusetier *nt* (*col*) cuddly toy.
Schmutz *m no pl* dirt; (*fig auch*) filth, smut ▶ *jdn/etw in den ~ ziehen* (*fig*) to drag sb/sth through the mud.
schmutzen *vi* to get dirty.
Schmutz-: *~fink* *m* (*col*) (*unsauberer Mensch*) dirty slob (*col*); (*Kind*) mucky pup (*col*); (*fig: Mann*) dirty old man; *~fleck* *m* dirty mark.
schmutzig *adj* dirty ▶ *sich ~ machen* to get oneself dirty; *~e Wäsche waschen* (*fig*) to wash one's dirty linen in public; *~ grinsen* to leer.
Schmutzigkeit *f* dirtiness.
Schmutz-: *~kampagne* *f* smear campaign; *~titel* *m* (*Typ*) half-title; *~wäsche* *f* dirty washing; *~wasser* *nt* dirty water.
Schnabel *m* - a (*Vogel~*) beak, bill. b (*von Kanne*) spout. c (*col: Mund*) mouth ▶ *halt den ~!* shut your mouth (*col*); *reden, wie einem der ~ gewachsen ist* to say exactly what comes into one's head; (*unaffektiert*) to talk naturally.
Schnabeltasse *f* feeding cup.
Schnack *m* -s (*N Ger col*) (*Unterhaltung*) chat; (*pej: Geschwätz*) silly talk.
schnacken *vi* (*N Ger col*) to chat.
Schnake *f* -n a (*col: Stechmücke*) gnat, midge. b (*Weberknecht*) crane fly, daddy-longlegs.
Schnalle *f* -n (*Schuh~, Gürtel~*) buckle; (*an Handtasche, Buch*) clasp.
schnallen *vt* a to strap; *Gürtel* to buckle, to fasten. b (*col: begreifen*) to get (*col*), to suss (*col*) ▶ *hast du das immer noch nicht geschnallt?* have you still not got the message?
Schnallenschuh *m* buckled shoe.
schnalzen *vi mit den Fingern ~* to snap *or* click one's fingers; *mit der Zunge ~* to click one's tongue.
Schnäppchen *nt* bargain, snip (*col*) ▶ *ein ~ machen* (*col*) to get a bargain.
schnappen 1 *vi* a *nach jdm/etw ~* to snap at sb/sth; (*greifen*) to snatch at sb/sth. b *aux sein die Tür schnappt ins Schloß* the door clicks shut. 2 *vt* a (*col*) a (*ergreifen*) to snatch, to grab; b (*fangen*) to nab (*col*).
Schnapp-: *~messer* *nt* flick knife; *~schloß* △ *nt* (*an Tür*) springlock; (*an Schmuck*) spring clasp; *~schuß* △ *m* (*Foto*) snap(shot); *~verschluß* △ *m* snap fastener.
Schnaps *m* -̈e (*klarer ~*) schnapps; (*col: Branntwein*) spirits *pl*; (*col: Alkohol*) booze (*col*), liquor (*esp US col*).
Schnäpschen ['ʃnɛpsçən] *nt* (*col*) little drink, wee dram (*esp Scot*).
Schnaps-: *~flasche* *f* bottle of booze (*col*) *or* liquor (*esp US col*); *~glas* *nt* small glass for spirits; *~idee* *f* (*col*) crackpot idea (*col*); *~leiche* *f* (*col*) drunk.
schnarchen *vi* to snore.
schnarren *vi* (*Wecker etc*) to buzz; (*Maschine, Klingel*)

to clatter ▶ *mit ~der Stimme* in a rasping *or* grating voice.
Schnatter-: *~gans* *f* (*col*), *~maul* *nt* (*col*) chatterbox.
schnattern *vi* (*Gans*) to gabble; (*Ente*) to quack; (*col: schwatzen*) to natter (*col*).
schnauben *vi* to snort ▶ *vor Wut ~* to snort with rage.
schnaufen *vi* a (*schwer atmen*) to wheeze; (*keuchen*) to puff, to pant. b *aux sein* (*sich keuchend bewegen: Auto*) to struggle.
Schnaufer *m* - (*col*) breath ▶ *den letzten ~ tun* to breathe one's last.
Schnauferl *nt* - (*hum: Oldtimer*) veteran car.
Schnauzbart *m* walrus moustache (*Brit*) *or* mustache (*US*).
Schnauze *f* -n a (*von Tier*) muzzle ▶ *mit einer Maus in der ~* with a mouse in its mouth. b (*col*) (*von Fahrzeugen*) front; (*von Flugzeug, Schiff*) nose. c (*col!: Mund*) gob (*col*), trap (*col*) ▶ *~!* shut your trap (*col!*); *auf die ~ fallen* to fall flat on one's face; (*fig*) to come a cropper (*col*); *die ~ (gestrichen) voll haben* to be fed up to the back teeth (*col*) (*von etw* with sth); *eine große ~ haben* to have a big mouth (*col*); *die ~ halten* to hold one's tongue; *etw frei nach ~ machen* to do sth any old how (*col*).
schnauzen *vi* (*col*) to shout; (*jdn anfahren*) to snap.
Schnauzer *m* - a (*Hund*) schnauzer. b (*col: Bart*) walrus moustache (*Brit*) *or* mustache (*US*).
Schnecke *f* -n a (*Zool, fig*) snail; (*Nackt~*) slug; (*Cook auch*) escargot ▶ *jdn zur ~ machen* (*col*) to give sb a real bawling-out (*col*). b (*Cook: Gebäck*) ≈ Chelsea bun.
Schnecken-: *s~förmig* *adj* spiral; (*Archit*) ornament scroll-shaped; *~haus* *nt* snail-shell; *sich in sein ~haus zurückziehen* (*fig col*) to retreat into one's shell; *~tempo* *nt* (*col*) *im ~tempo* at a snail's pace.
Schnee *m no pl* a (*auch TV*) snow ▶ *vom ~ eingeschlossen sein* to be snowbound; *das ist ~ von gestern* (*col*) that's old hat (*col*). b (*Ei~*) whisked (*Brit*) *or* whipped (*US*) egg white ▶ *Eiweiß zu ~ schlagen* to whisk (*Brit*) *or* whip (*US*) the egg white(s) till stiff.
Schnee-: *~ball* *m* snowball; *~ballschlacht* *f* snowball fight; *s~bedeckt* *adj* snow-covered; *Berg auch* snow-capped; *~besen* *m* (*Cook*) whisk; *s~blind* *adj* snowblind; *~decke* *f* blanket *or* covering of snow; *~fall* *m* snowfall, fall of snow; *~flocke* *f* snowflake; *s~frei* *adj* free of snow; *~gestöber* *nt* (*leicht*) snow flurry; (*stark*) snowstorm; *~glätte* *f* hard-packed snow *no pl*; *~glöckchen* *nt* snowdrop; *~grenze* *f* snowline; *~kette* *f* (*Aut*) snow chain; *~könig* *m: sich freuen wie ein ~könig* to be as pleased as Punch; *~mann* *m*, *pl ~männer* snowman; *~matsch* *m* slush; *~mobil* *nt* snowmobile; *~pflug* *m* (*Tech, Ski*) snowplough (*Brit*), snowplow (*US*); *~regen* *m* sleet; *~schaufel* *f* snow shovel, snowpusher (*US*); *~schmelze* *f* thaw; *~schuh* *m* snowshoe; *s~sicher* *adj ein s~sicheres Gebiet* a region of guaranteed snowfall; *~sturm* *m* snowstorm; (*stärker*) blizzard; *~treiben* *nt* driving snow; *~verwehung, ~wehe* *f* snowdrift; *s~weiß* *adj* snow-white, as white as snow; *Haare* snowy-white; *~wittchen* *nt* Snow White.
Schneid *m no pl* (*col*) nerve, courage.
Schneidbrenner *m* (*Tech*) oxyacetylene cutter.
Schneide *f* -n (sharp *or* cutting) edge; (*von Messer, Schwert*) blade.
schneiden *pret* **schnitt**, *ptp* **geschnitten** 1 *vi* to cut ▶ *der Wind schneidet* the wind is biting. 2 *vt* a to cut; (*in Scheiben*) to slice; (*klein~*) *Gemüse etc* to chop; (*Sport*) *Ball* to slice; (*schnitzen*) *Namen, Figuren* to carve; (*Weg*) to cross ▶ *sein schön/scharf geschnittenes Gesicht* his clean-cut/sharp features; *die*

Luft ist zum S~ (*fig col*) there's an awful fug (in here) (*esp Brit*); *die Atmosphäre ist zum S~* (*fig col*) you could cut the atmosphere with a knife; *jdn ~* (*beim Überholen*) to cut in on sb; (*ignorieren*) to cut sb dead; *weit/eng geschnitten sein* (*Sew*) to be cut wide/narrow, to be a generous/tight fit. [b] *Film, Tonband* to edit. [c] (*col: operieren*) to operate on.

[3] *vr* [a] (*Mensch*) to cut oneself ▶ *sich in den Finger etc ~* to cut one's finger *etc.* [b] (*col: sich täuschen*) *da hat er sich aber geschnitten!* he's very much mistaken there. [c] (*Linien, Straßen etc*) to intersect.

schneidend *adj* biting; *Kälte auch* bitter; *Schmerz* sharp; *Stimme* piercing.

Schneider *m* - [a] (*Beruf*) tailor; (*Damen~*) dressmaker. [b] (*col*) *frieren wie ein ~* to be/get frozen to the marrow (*col*); *aus dem ~ sein* (*fig*) to be out of the woods. [c] (*Gerät*) cutter; (*col: für Brot etc*) slicer. [d] (*Insekt*) daddy-longlegs.

Schneiderei *f* [a] *no pl* (*Handwerk*) tailoring; (*für Damen*) dressmaking. [b] (*Werkstatt*) tailor's/dressmaker's workshop.

Schneiderin *f* tailor; (*Damen~*) dressmaker.

Schneidermeister *m* master tailor/dressmaker.

schneidern [1] *vi* (*beruflich*) to be a tailor/dressmaker; (*als Hobby*) to do dressmaking.

[2] *vt* to make, to sew; *Herrenanzug* to tailor, to make.

Schneider-: *~puppe* *f* tailor's/dressmaker's dummy; *~sitz* *m* *im ~sitz sitzen* to sit cross-legged; *~werkstatt* *f* tailor's/dressmaker's workshop.

Schneidezahn *m* incisor.

schneidig *adj* dashing; *Tempo* fast.

schneien [1] *vi impers* to snow ▶ *es schneit* it is snowing.

[2] *vt impers* *es schneite Konfetti* confetti rained down.

[3] *vi aux sein* (*fig*) to rain down ▶ *jdm ins Haus ~* (*col*) (*Besuch*) to drop in on sb; (*Rechnung, Brief*) to arrive through one's letterbox *or* in the mail.

Schneise *f* -n (*Wald~*) firebreak; (*Flug~*) flight path.

schnell *adj* quick; *Bedienung, Tempo auch, Auto, Zug, Strecke* fast; *Abreise, Hilfe* speedy ▶ *~ gehen/fahren* to walk/drive quickly *or* fast; *sie wird ~ böse* she loses her temper quickly; *diese dünnen Gläser gehen ~ kaputt* these thin glasses break easily; *er ist sehr ~ mit seinem Urteil* he's very quick to judge; *nicht so ~!* not so fast!; *ich muß mir nur noch ~ die Haare kämmen* I must just give my hair a quick comb; *sein Puls ging ~* his pulse was very fast; *das geht ~* (*grundsätzlich*) it doesn't take long; *das ging ~* that was quick; *wie heißt sie noch ~?* (*col*) what's her name again?; *das werden wir ~ erledigt haben* we'll soon have that finished; *~es Geld or eine ~e Mark (machen)* (*col*) (to make) a fast buck (*col*).

△**Schnelläufer** *m* (*Sport*) sprinter.

Schnell-: *~bahn* *f* high-speed railway (*Brit*) *or* railroad (*US*); *~boot* *nt* speedboat; *~dienst* *m* express service.

Schnelle *f* -n [a] *no pl* (*Schnelligkeit*) quickness, speed. [b] (*Strom~*) rapids *pl.* [c] *etw auf die ~ machen* to do sth in a rush.

△**schnellebig** *adj Zeit* fast-moving.

schnellen *vi aux sein* (*lit, fig*) to shoot ▶ *in die Höhe ~* to shoot up.

Schnell-: *~feuer* *nt* (*Mil*) rapid fire; *~feuergewehr* *nt* automatic pistol; *~gaststätte* *f* cafeteria, fast-food restaurant (*US*); *~gericht* *nt* [a] (*Jur*) summary court; [b] (*Cook*) convenience food, TV dinner (*US col*); *~hefter* *m* spring folder.

Schnelligkeit *f* (*von Auto, Verkehr*) speed; (*von Tempo auch*) quickness; (*von Schritten auch, von Puls*) rapidity; (*von Bote, Hilfe*) speediness.

Schnell-: *~imbiß* △ *m* [a] (*Essen*) (quick) snack; [b]

(*Raum*) snack bar; *~kochtopf* *m* (*Dampfkochtopf*) pressure cooker; *~kurs* *m* crash course; *~paket* *nt* express parcel; *~reinigung* *f* express cleaning service; *~restaurant* *nt* fast-food restaurant.

schnellstens *adv* as quickly as possible.

Schnell-: *~straße* *f* expressway; *~zug* *m* fast train; (*Fern~zug*) express (train).

Schnepfe *f* -n (*Orn*) snipe.

schnetzeln *vt* (*S Ger, Sw*) *Fleisch* to shred.

△**schneuzen** [1] *vr* to blow one's nose.

[2] *vt* *einem Kind/sich die Nase ~* to blow a child's/one's nose.

Schnickschnack *m no pl* (*col: Unsinn*) twaddle (*col*) *no indef art*, poppycock (*col*) *no indef art*.

schniefen *vi* (*dial*) to sniffle.

schniegeln *vtr* (*col*) *siehe* **geschniegelt**.

Schnippchen *nt jdm ein ~ schlagen* (*col*) to play a trick on sb.

schnippeln *vti* (*col*) to snip (*an +dat* at); (*mit Messer*) to hack (*an +dat* at).

schnippen [1] *vi mit den Fingern ~* to snap one's fingers.

[2] *vt etw von etw ~* to flick sth off *or* from sth.

schnippisch *adj* cocky, pert.

Schnipsel *m or nt* - (*col*) scrap; (*Papier~*) scrap of paper.

schnitt *pret of* **schneiden**.

Schnitt *m* -e [a] cut; (*Haar~ auch*) haircut; (*von Gesicht, Augen*) shape; (*von Kleid etc auch*) styling; (*Sew: ~muster*) pattern. [b] (*Film*) editing *no pl* ▶ *~: L. Schwarz* editor - L. Schwarz. [c] (*Math*) (*~punkt*) (point of) intersection; (*Längs~, Quer~*) section; (*col: Durch~*) average ▶ *im ~* on average.

Schnitt-: *~blumen* *pl* cut flowers *pl*; *~bohnen* *pl* French *or* green beans *pl*.

Schnittchen *nt* small open sandwich; (*Appetithappen*) canapé.

Schnitte *f* -n slice; (*belegt*) open sandwich; (*zusammengeklappt*) sandwich.

Schnitt-: *s~fest* *adj Tomaten* firm; *~fläche* *f* (*Math*) section.

schnittig *adj* smart; *Auto, Formen auch* stylish; *Tempo auch* snappy (*col*).

Schnitt-: *~lauch* *m no pl* chives *pl*; *~muster* *nt* (*Sew*) (paper) pattern; *~punkt* *m* intersection; *~stelle* *f* (*Comp*) interface; *~wunde* *f* cut; (*tief*) gash.

Schnitzarbeit *f* (wood)carving.

Schnitzel¹ *nt or m* - (*Papier~*) scrap of paper; (*Holz~*) shaving; (*Karotten~*) shred.

Schnitzel² *nt* - (*Cook*) veal/pork cutlet, schnitzel.

Schnitzeljagd *f* paper chase.

schnitzeln *vt* to shred.

schnitzen *vti* to carve.

Schnitzelwerk *nt* (*in Küchenmaschine*) shredder.

Schnitzer *m* - [a] woodcarver. [b] (*col*) (*in Benehmen*) boob (*Brit col*), goof (*US col*); (*Fehler*) howler (*col*).

Schnitzerei *f* (wood-)carving.

Schnitzerin *f* = **Schnitzer (a)**.

schnodd(e)rig *adj* (*col*) offhand, brash.

Schnodd(e)rigkeit *f* (*col*) brashness.

schnöd(e) *adj* (*niederträchtig*) despicable; *Behandlung, Antwort* contemptuous ▶ *schnöder Mammon/ schnödes Geld* filthy lucre.

Schnorchel *m* - (*von U-Boot, Taucher*) snorkel.

schnorcheln *vi* to go snorkelling.

Schnörkel *m* - flourish; (*an Möbeln, Säulen*) scroll; (*fig: Unterschrift*) squiggle (*hum*), signature.

schnörkelig *adj* ornate; *Rede auch* flowery.

schnorren *vti* (*col*) to cadge (*col*) (*bei* from).

Schnorrer(in *f*) *m* - (*col*) cadger (*col*).

Schnösel *m* - (*col*) snotty(-nosed) little upstart (*col*).

schnuckelig *adj (col: gemütlich)* snug.

Schnüffelei *f (fig col: das Spionieren)* snooping *no pl (col)*.

schnüffeln ① *vi* ⓐ *(schnuppern)* to sniff ▸ **an etw** *(dat)* **~** to sniff (at) sth. ⓑ *(fig col: spionieren)* to snoop around *(col)*. ⓒ *(Dämpfe inhalieren)* to sniff *(glue etc)*; *(regelmäßig)* to be a sniffer. ② *vt Klebstoff etc* to sniff.

Schnüffler(in *f)* *m* - *(col) (fig)* snooper *(col)*, nosy parker *(col)*; *(Detektiv)* sleuth *(col)*; *(von Drogen)* sniffer; *(von Klebstoff)* glue-sniffer.

Schnuller *m* - *(col)* dummy *(Brit)*, pacifier *(US)*; *(auf Flasche)* teat *(Brit)*, nipple *(US)*.

Schnulze *f* -n *(col)* schmaltzy film/song *(col)*.

schnupfen *vti (Tabak)* **~** to take snuff.

Schnupfen *m* - cold, headcold ▸ *(einen)* **~ bekommen** to catch (a) cold; *(einen)* **~ haben** to have a cold.

Schnupftabak *m* snuff.

schnuppe *adj pred (col)* **jdm ~ sein** to be all the same to sb; **das Wohl seiner Angestellten ist ihm völlig ~** he couldn't care less about the welfare of his employees.

schnuppern *vti* to sniff ▸ **an etw** *(dat)* **~** to sniff (at) sth.

Schnur *f* ⁻e *(Bindfaden)* string; *(Kordel)* cord; *(Kabel)* flex, lead.

Schnürchen *nt* **es läuft** *or* **klappt alles wie am ~** everything's going like clockwork.

schnüren ① *vt Paket etc* to tie up; *Mieder* to lace (up) ▸ **Schuhe zum S~** lace-up shoes. ② *vi (col: eng sein)* to be too tight.

schnurgerade *adj (dead)* straight.

schnurlos *adj Telefon* cordless.

Schnurrbart *m* moustache *(Brit)*, mustache *(US)*.

schnurren *vi (Katze)* to purr; *(Spinnrad etc)* to hum, to whirr.

Schnurrhaare *pl* whiskers *pl*.

Schnür-: **~schuh** *m* laced shoe, lace-up; **~senkel** *m* shoelace; *(für Stiefel)* bootlace; **~stiefel** *m* lace-up boot.

schnurstracks *adv* straight, directly ▸ **~ auf jdn/etw zugehen** to make a bee-line for sb/sth *(col)*.

schnurz *adj (col)* = **schnuppe**.

Schnute *f* -n *(col, esp N Ger: Mund)* mouth, gob *(Brit col!)* ▸ **eine ~ ziehen** to pout, to pull a face.

schob *pret of* **schieben**.

Schober *m* - *(Scheune)* barn.

Schock *m* -s shock ▸ **unter ~ stehen** to be in (a state of) shock.

Schockeinwirkung *f* state of shock ▸ **unter ~ stehen** to be in (a state of) shock.

schocken *vt (col)* to shock.

Schocker *m* - *(col: Film, Roman)* sensational film/novel, shocker.

schockieren* *vti* to shock; *(stärker)* to scandalize ▸ **schockiert sein** to be shocked *(über +acc* at).

Schocktherapie *f* shock therapy.

Schöffe *m (wk)* -n, -n ≈ lay judge.

Schöffengericht *nt* court *(with lay judges)*.

Schöffin *f* ≈ lay judge.

Schokolade *f* chocolate.

Schokoladen- *in cpds* chocolate; **s~braun** *adj* chocolate-coloured *(Brit)*, chocolate-colored *(US)*; **~riegel** *m* chocolate bar; **~seite** *f (fig)* attractive side.

Scholle¹ *f* -n *(Fisch)* plaice.

Scholle² *f* -n *(Eis~)* (ice) floe; *(Erd~)* clod (of earth).

Scholli *m:* **mein lieber ~!** *(col) (drohend)* now look here!; *(erstaunt)* my oh my!

schon *adv* ⓐ *(bereits)* already; *(in Fragen: überhaupt ~)* ever ▸ **er ist ~ da** he's there already, he's already there; **ist er ~ da?** is he there yet?; **warst du ~ dort?** have you been there yet?; *(je)* have you ever been there?; **mußt**

du ~ gehen? must you go already, must you go so soon?; **er wollte ~ die Hoffnung aufgeben, als ...** he was just about to give up hope when ...; **ich warte nun ~ seit drei Wochen** I've already been waiting (for) three weeks; **~ am frühen Morgen** early in the morning; **~ damals** even then; **~ vor 100 Jahren** as far back as 100 years ago; **~ am nächsten Tag** the very next day; **der Briefträger kommt ~ um 6 Uhr** the postman comes as early as 6 o'clock; **ich habe das ~ mal gehört** I've heard that before; **das habe ich dir doch ~ hundertmal gesagt** I've told you that a hundred times (before); **das habe ich ~ oft gehört** I've heard that often; **ich bin ~ lange fertig** I've been ready for ages; **wartest du ~ lange?** have you been waiting (for) long?; **wie ~ so oft** as so often (before); **~ immer** always; **was, ~ wieder?** what — again?

ⓑ *(allein bloß)* just; *(ohnehin)* anyway ▸ **allein ~ das Gefühl ...** just the very feeling ...; **~ die Tatsache, daß ...** the mere fact that ...; **wenn ich das ~ sehe/höre!** I can't bear to see/hear it; **~ weil** if only because.

ⓒ *(bestimmt)* all right ▸ **du wirst ~ sehen** you'll see (all right); **das wirst du ~ noch lernen** you'll learn that one day.

ⓓ *(tatsächlich, allerdings)* really ▸ **das ist ~ eine Frechheit!** that's a real cheek!; **da gehört ~ Mut** *etc* **dazu** that takes real courage *etc*; **das ist ~ möglich** that's quite possible; **das mußt du ~ machen!** you really ought to do that.

ⓔ *(einschränkend)* **ja ~, aber ...** *(col)* yes (well), but ...; **da haben Sie ~ recht, aber ...** yes, you're right (there), but ...

ⓕ **hör ~ auf damit!** will you stop that!; **so antworte ~!** come on, answer; **nun sag ~!** come on, tell me/us *etc*; **ich komme ja ~!** I'm just coming!; **das ist ~ möglich** that's quite possible; **was macht das ~, wenn ...** what does it matter if ...; **drei Seiten schreiben, was ist das ~?** write three pages? that's nothing; **und wenn ~!** *(col)* so what? *(col)*; **~ gut** *(col)* all right, okay *(col)*; **ich verstehe ~** I understand; **danke, es geht ~** thank you, I/we can manage.

schön ① *adj* ⓐ *(hübsch anzusehen)* beautiful, lovely; *Mann* handsome.

ⓑ *(nett, angenehm)* good; *Stimme, Musik, Wetter auch* lovely; *Gelegenheit* great, splendid ▸ **die ~en Künste** the fine arts; **die ~e Literatur** belletristic literature; **eines ~en Tages** one fine day; **das S~e beim Skilaufen ist ...** the nice *or* beautiful thing about skiing is ...; **~en Urlaub!** have a good *or* nice holiday; **~, daß du gekommen bist** (how) nice of you to come; **ein ~er frischer Wind** a nice cool wind.

ⓒ *(iro)* *Unordnung* fine, nice; *Überraschung* nice, lovely; *Unsinn* absolute ▸ **da hast du etwas S~es angerichtet** you've made a fine *or* nice mess; **du bist mir ein ~er Freund/Held** *etc* a fine friend/hero *etc* you are; **das wäre ja noch ~er** *(col)* that's (just) too much!

ⓓ **das war nicht ~ von dir** *(col)* that wasn't very nice of you; **zu ~, um wahr zu sein** *(col)* too good to be true; **(also) ~, na ~** okay, all right; **~ und gut, aber ...** that's all very well but ...; **ein ~es Stück weiterkommen** to make good progress; **eine ganz ~e Menge** quite a lot.

② *adv* ⓐ *(bei Verben)* well; *scheinen* brightly; *schreiben* beautifully ▸ **sich ~ anziehen** to get dressed up; **es ~ haben** to be well off; *(im Urlaub etc)* to have a good time (of it); **schlaf ~** sleep well; **erhole dich ~** have a good rest. ⓑ *(col: sehr, ziemlich)* really ▸ **~ weich/warm** nice and soft/warm; **sich** *(dat)* **~ weh tun** to hurt oneself a lot; **sich ~ ärgern** to be very angry; **ganz ~ teuer/kalt** pretty expensive/cold; **ganz ~ lange** quite a while. ⓒ **iß mal ~ deinen Teller leer** eat it all up nicely (now); **sei ~ still/ordentlich** etc (als Aufforderung) be nice and quiet/tidy etc; **fahr ~ langsam** drive nice and slowly.

schonen [1] vt Gesundheit, Herz, Kleider to look after, to take care of; eigene Nerven, Bremsen to go easy on; jds Nerven to spare; Gegner, Kind to be easy on; Teppich, Füße to save; (schützen) to protect ▸ **ein Waschmittel, das die Wäsche schont** a detergent that is kind to your washing; **er muß den Arm noch ~** he still has to be careful with his arm. [2] vr to take things gently; (auf sich aufpassen) to look after or take care of oneself.

schonend adj gentle; (rücksichtsvoll) considerate ▸ **jdm etw ~ beibringen** to break sth to sb gently; **etw ~ behandeln** to treat sth with care.

Schoner¹ m - (Naut) schooner.

Schoner² m - cover; (für Rückenlehnen) antimacassar, chairback.

Schön-: s~färben sep [1] vt (fig) to gloss over; [2] vi to gloss things over; **~färberei** f (fig) glossing things over.

Schon-: ~frist f period of grace; **~gang** m [a] (Aut) overdrive; [b] (bei Waschmaschine) gentle action wash.

schöngeistig adj aesthetic (Brit), esthetic (US).

Schönheit f beauty.

Schönheits-: ~chirurgie f cosmetic surgery; **~fehler** m blemish; (von Gegenstand) flaw; **~ideal** nt ideal of beauty; **~königin** f beauty queen; **~operation** f cosmetic surgery no pl, no art; **~pflege** f beauty care; **~wettbewerb** m beauty contest.

Schonkost f light diet; (Spezialdiät) special diet.

Schönling m (pej) pretty boy (col).

Schön-: s~machen sep [1] vt Kind to dress up; Wohnung to decorate; [2] vr to get dressed up; (sich schminken) to make (oneself) up; **~redner** m smooth talker, sweet talker (US); **~schreibdrucker** m letter-quality printer; **~schrift** f in **~schrift** in one's best (hand)writing; **s~tun** vi sep irreg jdm **s~tun** (col: schmeicheln) to flatter or soft-soap (col) sb; (sich lieb Kind machen) to play up to sb.

Schonung f [a] (Forest) (protected) forest plantation area. [b] (das Schonen) (von Gefühlen) sparing; (von Teppich, Kleidern) saving; (das Schützen) protection ▸ **der Patient braucht noch ein paar Wochen ~** the patient still needs to take things gently for a few weeks; **zur ~ meiner Gefühle** to spare my feelings; **zur ~ Ihrer Augen** to look after your eyes; **zur ~ des Getriebes** to give your gears an easier life. [c] (Nachsicht, Milde) mercy.

Schonungs-: s~los adj ruthless; Wahrheit blunt; Kritik savage; **~losigkeit** f ruthlessness; (von Kritik) savageness; **s~voll** adj gentle.

Schönwetterperiode f period of fine weather.

Schonzeit f close season; (fig) honeymoon period.

Schopf m ⁼e (shock of) hair ▸ **eine Gelegenheit beim ~ ergreifen** or **fassen** to seize or grasp an opportunity with both hands.

schöpfen vt [a] auch vi (aus from) Wasser to scoop; Suppe to ladle. [b] Atem to draw, to take; Mut, Kraft to summon up; Hoffnung to find.

Schöpfer m - [a] creator; (Gott) Creator. [b] (col: Schöpflöffel) ladle.

Schöpferin f creator; (Göttin) Creator.

schöpferisch adj creative.

Schöpferkraft f creative power.

Schöpf-: ~kelle f, **~löffel** m ladle.

Schöpfung f creation ▸ **die ~** (Rel) the Creation; (die Welt) Creation.

Schoppen m - (Glas Wein/Bier) glass of wine/beer.

schor pret of **scheren**¹.

Schorf m -e crust, scaly skin; (Wund~) scab.

Schorle f -n spritzer.

Schornstein m chimney; (von Schiff) funnel, (smoke)stack.

Schornsteinfeger(in f) m - chimney sweep.

△ **schoß** pret of **schießen**.

△ **Schoß** m ⁼e [a] lap ▸ **die Hände in den ~ legen** (fig) to sit back (and take it easy); **das ist ihm nicht in den ~ gefallen** (fig) it didn't just fall into his lap. [b] (liter: Mutterleib) womb ▸ **im ~e der Familie** in the bosom of one's family. [c] (an Kleidungsstück) tail.

Schoßhund m lapdog.

△ **Schößling** m (Bot) shoot.

Schote f -n [a] (Bot) pod. [b] (col) yarn, tall story.

Schott nt -e(n) (Naut) bulkhead ▸ **die ~en dichtmachen** (fig col) to shut up shop.

Schotte m (wk) -n, -n Scot, Scotsman.

Schotten-: ~muster nt tartan; **~rock** m kilt; (für Frauen) tartan skirt.

Schotter m - gravel; (im Straßenbau) (road) metal; (Rail) ballast; (col: Geld) dough (col).

Schotter-: ~decke f gravel surface; **~straße** f gravel road.

Schottin f Scot, Scotswoman.

schottisch adj Scottish, Scots.

Schottland nt Scotland.

schraffieren* vt to hatch.

Schraffierung f hatching.

schräg [1] adj [a] (geneigt) sloping; Augen slanted, slanting; Kante bevelled (Brit), beveled (US). [b] (nicht gerade, nicht parallel) oblique. [c] (col: verdächtig) suspicious, fishy (col) ▸ **ein ~er Vogel** a queer fish (col). [d] Musik, Vorstellungen, Leute weird. [2] adv [a] (geneigt) at an angle; halten on the slant, slanting ▸ **~ stehende Augen** slanting or slanted eyes. [b] (nicht gerade, nicht parallel) obliquely; überqueren, gestreift diagonally; (Sew) on the bias ▸ **~ gegenüber/hinter** diagonally opposite/behind; **~ rechts/links** diagonally to the right/left; **die Straße biegt ~ ab** the road forks off; **~ gedruckt** in italics.

Schräge f -n [a] (schräge Fläche) slope, sloping surface; (schräge Kante) bevel. [b] (Schrägheit) slant, angle; (im Zimmer) sloping ceiling.

Schräg-: ~heck nt fastback; **~kante** f bevelled (Brit) or beveled (US) edge; **~lage** f angle, slant; (von Flugzeug) bank(ing); **~schrift** f (Handschrift) slanting hand(writing) or writing; (Typ) italics pl; **~streifen** m [a] (Muster) diagonal stripe; [b] (Sew) bias binding; **~strich** m oblique, slash.

Schramme f -n scratch.

schrammen vt to scratch.

Schrank m ⁼e cupboard, closet (US); (Kleider~) wardrobe.

Schränkchen nt dim of **Schrank** small cupboard; (Arznei~) cabinet.

Schranke f -n barrier; (fig) (Grenze) limit; (Hindernis) barrier ▸ **keine ~n kennen** to know no bounds; (Mensch) not to know when to stop; **einer Sache** (dat) **(enge) ~n setzen** to put a limit on sth; **jdn in seine ~n (ver)weisen** (fig) to put sb in his place.

Schranken-: s~los adj (fig) Weiten boundless, unlimited; Forderungen unrestrained; **~wärter** m (Rail) crossing keeper.

Schrank-: ~fach nt shelf; **~koffer** m wardrobe trunk; **~wand** f wall unit.

Schraubdeckel m screw top.

Schraube f -n [a] screw; (ohne Spitze) bolt ▸ **bei ihr ist eine ~ locker** (col) she's got a screw loose (col). [b] (Naut, Aviat) propeller, prop (col). [c] (Sport) twist. [d] **alte ~** (pej col) old bag (col).

schrauben vti to screw ▸ **etw in die Höhe ~** (fig)

Preise, Rekorde to push sth up; *Ansprüche* to raise; *siehe* **geschraubt.**

Schrauben-: **~dreher** *m* = **~zieher**; **~mutter** *f* nut; **~schlüssel** *m* spanner (*Brit*), wrench; **~zieher** *m* - screwdriver.

Schraub-: **~stock** *m* vice; **~verschluß** △ *m* screw top *or* cap.

Schrebergarten *m* allotment (*Brit*).

Schreck *m* **-e** fright, scare ► *vor* ~ in fright; *zittern* with fright; *zu meinem großen ~(en)* to my great horror *or* dismay; *einen ~(en) bekommen* to get a fright *or* scare; *auf den ~ (hin)* to get over the fright; *sich vom ersten ~ erholen* to recover from the initial shock; *mit dem ~(en) davonkommen* to get off with no more than a fright; *ach du ~* (*col*) (oh) crumbs! (*col*); *o ~ laß nach* (*hum col*) for goodness sake! (*col*).

schrecken ① *vt* (*ängstigen*) to frighten, to scare; (*stärker*) to terrify ► *jdn aus dem Schlaf ~* to startle sb out of his sleep.
② *vi aux sein* **aus dem Schlaf ~** to be startled out of one's sleep.

Schrecken *m* - ⓐ = **Schreck.** ⓑ (*Furcht, Entsetzen*) terror, horror ► *das Gleichgewicht des ~s* the balance of terror; *er war der ~ der ganzen Lehrerschaft* he was the terror of all the teachers.

△**schrecken|erregend** *adj* terrifying, horrifying.

Schreckens-: **s~bleich** *adj* as white as a sheet; **~herrschaft** *f* (reign of) terror; **~kammer** *f* chamber of horrors; **~nachricht** *f* terrible news *no pl or* piece of news.

Schreck-: **~gespenst** *nt* nightmare; *das ~gespenst der Inflation* the bogey of inflation; **s~haft** *adj* easily startled; **~haftigkeit** *f* jumpiness (*col*).

▼ **schrecklich** *adj* terrible, dreadful; (*col: sehr, groß auch*) awful ► *sich ~ freuen* (*col*) to be terribly *or* awfully pleased; *~ gerne!* (*col*) I'd absolutely love to.

Schrecklichkeit *f* terribleness, dreadfulness.

Schreck-: **~schraube** *f* (*pej col*) (old) battle-axe (*col*); **~schuß** △ *m* warning shot; **~sekunde** *f* moment of shock.

Schrei *m* **-e** cry, shout; (*gellend*) scream; (*kreischend*) shriek; (*von Eule etc*) screech; (*von Hahn*) crow ► *der ~ nach Freiheit/Rache* the call for freedom/revenge; *ein ~ der Entrüstung* an (indignant) outcry; *der letzte ~* (*col*) the latest thing, all the rage (*col*).

Schreib-: **~bedarf** *m* writing materials *pl*, stationery; **~block** *m* (writing) pad.

Schreibe *f* **-n** (*col*) writing.

schreiben *pret* **schrieb,** *ptp* **geschrieben** ① *vt* ⓐ to write; *Scheck auch, Rechnung* to make out, to write out; (*mit Schreibmaschine*) to type (out); *Klassenarbeit, Übersetzung* to do; (*berichten: Zeitung etc*) to say ► *jdm einen Brief ~* to write a letter to sb, to write sb a letter; *etw auf Diskette ~* (*Comp*) to write sth to disk; *wo steht das geschrieben?* where does it say that?; *es steht geschrieben* (*Rel*) it is written; *es steht Ihnen im Gesicht geschrieben* it's written all over your face. ⓑ (*orthographisch*) to spell ► *ein Wort falsch ~* to misspell a word, to spell a word wrong(ly). ⓒ (*Datum*) *wir ~ heute den 10. Mai* today is May 10th; *man schrieb das Jahr 1939* the year was 1939, it was in 1939.
② *vi* to write; (*tippen*) to type; (*berichten*) to say ► *jdm ~* to write to sb, to write sb (*US*); *ich schrieb ihm, daß ... I* wrote and told him that ...; *an einem Roman ~* to be working on *or* writing a novel; *wieviel Silben schreibt sie pro Minute?* what is her (typing) speed?; *mit Bleistift ~* to write in pencil.
③ *vr* ⓐ (*korrespondieren*) to write (to each other), to correspond. ⓑ (*geschrieben werden*) to be spelt ► *wie schreibt sich das?* how is that spelt?

Schreiben *nt* - ⓐ *no pl* writing. ⓑ (*Mitteilung*) communication (*form*); (*Comm: Brief*) letter.

Schreiber(in *f*) *m* - writer, author; (*Gerichts~*) clerk; (*pej: Schriftsteller*) scribbler.

Schreiberei *f* (*col*) writing *no indef art*; (*pej: von Schriftsteller*) scribbling.

Schreiberling *m* (*pej: Schriftsteller*) scribbler (*pej col*).

Schreib-: **s~faul** *adj* lazy (about letter-writing); *er ist s~faul* he's a reluctant correspondent; **~faulheit** *f* laziness (about letter-writing); **~fehler** *m* (spelling) mistake; (*aus Flüchtigkeit*) slip of the pen; (*Tippfehler*) (typing) mistake *or* error; **~heft** *nt* exercise book; **~kraft** *f* typist; **~maschine** *f* typewriter; *mit der ~maschine schreiben* to type; *mit der ~maschine geschrieben* typewritten, typed; **~maschinenpapier** *nt* typing paper; **~papier** *nt* writing paper; **~schrift** *f* running (hand)writing; (*Typ*) script; **~stube** *f* (*Mil*) orderly room; **~tisch** *m* desk; **~tischlampe** *f* desk lamp; **~tischtäter** *m* mastermind behind the scenes (of a/the crime); **~übung** *f* writing exercise; **~ung** *f* spelling; **~unterlage** *f* pad; (*auf ~tisch*) desk pad; **~waren** *pl* stationery *sing*, writing materials *pl*; **~warengeschäft** *nt* stationer's (shop); **~warenhändler** *m* stationer; **~weise** *f* (*Stil*) style; (*Rechtschreibung*) spelling; **~zeug** *nt* writing things *pl*.

schreien *pret* **schrie,** *ptp* **geschrie(e)n** ① *vti* to shout, to cry out; (*gellend*) to scream; (*vor Angst, vor Schmerzen*) to cry out/to scream; (*kreischend*) to shriek; (*heulen: Kind*) to howl; (*jammern*) to moan; (*Eule etc*) to screech; (*Hahn*) to crow ► *es war zum S~* (*col*) it was a scream (*col*) *or* a hoot (*col*); *nach etw ~* (*fig*) to cry out for sth; *jdm etw ins Gesicht ~* to shout sth in sb's face.
② *vr* **sich heiser ~** to shout oneself hoarse; (*Baby*) to cry itself hoarse.

schreiend *adj Farben* loud, garish; *Unrecht* glaring, flagrant.

Schrei-: **~hals** *m* (*col*) (*Baby*) bawler (*col*); (*Unruhestifter*) noisy troublemaker; **~krampf** *m* screaming fit.

Schrein *m* **-e** (*geh*) shrine.

Schreiner(in *f*) *m* - carpenter; (*Möbel~*) cabinet-maker.

schreinern ① *vi* to do carpentry ► *gut ~ können* to be good at carpentry.
② *vt Schrank, Regale etc* to make.

schreiten *pret* **schritt,** *ptp* **geschritten** *vi aux sein* (*geh*) (*schnell gehen*) to stride; (*feierlich gehen*) to walk; (*stolzieren*) to strut ► *zu etw ~* (*fig*) to proceed with sth; *zum Äußersten ~* to take extreme measures; *zur Abstimmung ~* to proceed to a/the vote.

schrie *pret of* **schreien.**

schrieb *pret of* **schreiben.**

Schrieb *m* **-e** (*col*) missive (*hum*).

Schrift *f* **-en** ⓐ writing; (*~system*) script; (*Typ*) type, typeface, font ► *gotische ~* Gothic script; *er hat eine schlechte ~* he has bad handwriting. ⓑ (*~stück*) document; (*Broschüre*) leaflet; (*Buch*) work; (*kürzere Abhandlung*) paper ► *seine früheren ~en* his early writings.

Schrift-: **~art** *f* (*Hand~*) script; (*Typ*) type, typeface; **~bild** *nt* script; **~deutsch** *nt* written German; **~form** *f* (*Jur*) *dieser Vertrag erfordert die ~form* this contract must be drawn up in writing; **~führer** *m* secretary; **~gelehrte(r)** *m* (*Bibl*) scribe.

schriftlich ① *adj* written ► *in ~er Form* in writing; *die ~e Prüfung* the written exam.
② *adv* in writing ► *ich bin ~ eingeladen worden* I have had a written invitation; *das kann ich Ihnen geben* (*fig col*) I can tell you that for free (*col*).

Schrift-: **~probe** *f* (*Hand~*) specimen of one's handwriting; **~satz** *m* (*Jur*) legal document; **~setzer** *m* typesetter, compositor; **~sprache** *f* written language.

Schriftsteller *m* - author, writer.

Schriftstellerin *f* author(ess), writer.

schriftstellerisch *adj* literary ▶ *sich ~ betätigen, ~ tätig sein* to write; *er ist ~ begabt* he has literary talent *or* talent as a writer.

Schrift-: **~stück** *nt* paper; (*Jur*) document; **~tum** *nt no pl* literature; **~verkehr, ~wechsel** *m* correspondence; **~zeichen** *nt* character; **~zug** *m usu pl* stroke; (*Handschrift*) hand.

schrill *adj* shrill; (*fig*) *Mißklang* jarring; *Fest, Farbe* loud.

schrillen *vi* to shrill.

schritt *pret of* **schreiten.**

Schritt *m* -e [a] (*lit, fig*) step; (*hörbar*) footstep ▶ *einen ~ zurücktreten* to take a step back; *ein paar ~e spazierengehen* to go for *or* take a short walk *or* stroll; *einen ~ machen* to take a step; *kurze/große ~e machen* to take small steps/long strides; *den ersten ~ tun* (*fig*) to make the first move; (*etw beginnen*) to take the first step; *~e gegen jdn/etw unternehmen* to take steps against sb/sth; *auf ~ und Tritt* (*lit, fig*) wherever *or* everywhere one goes; *~ für ~* step by step. [b] (*Gang*) walk, gait; (*Tempo*) pace ▶ *~ halten* (*lit, fig*) to keep pace; *mit der Zeit ~ halten* to keep abreast of the times; *langsamen ~es* (*geh*) with slow steps. [c] (*~geschwindigkeit*) walking pace ▶ *„~ fahren"* "dead slow". [d] (*Maßangabe*) *mit zehn ~en Abstand* at a distance of ten paces. [e] (*Hosen~*) crotch.

⚠ **Schritttempo** *nt* walking speed.

Schritt-: **~macher** *m* (*Sport, Med*) pacemaker; (*fig auch*) pacesetter; **s~weise** [1] *adv* gradually, little by little; [2] *adj* gradual.

schroff *adj* (*rauh, barsch*) curt; (*kraß, abrupt*) abrupt; (*steil*) *Fels, Klippe* precipitous ▶ *~e Gegensätze* stark *or* sharp contrasts.

Schroffheit *f siehe adj* curtness; abruptness; precipitousness; (*schroffes Wort*) curt remark.

schröpfen *vt jdn ~* (*fig*) to fleece sb (*col*).

Schrot *m or nt* -e [a] whole-corn/-rye *etc* meal; (*Weizen*) wholemeal (*Brit*), wholewheat (*US*) ▶ *ein Schotte von echtem ~ und Korn* a true Scot; *vom alten ~ und Korn* (*fig*) of the old school. [b] (*Hunt*) shot.

Schrotbüchse *f* shotgun.

schroten *vt Getreide* to grind coarsely.

Schrot-: **~flinte** *f* shotgun; **~kugel** *f* pellet; **~ladung** *f* round of shot.

Schrott *m no pl* scrap metal ▶ *ein Auto zu ~ fahren* to write off a car.

Schrott-: **~händler** *m* scrap dealer *or* merchant; **~haufen** *m* (*lit*) scrap heap; (*fig: Auto*) heap (*col*); **~platz** *m* scrap yard; **s~reif** *adj* ready for the scrap heap; **~wert** *m* scrap value.

schrubben *vti* to scrub.

Schrubber *m* - (long-handled) scrubbing brush.

Schrulle *f* -n [a] (*Marotte*) quirk. [b] (*pej: alte Frau*) old crone.

schrullig *adj* odd, cranky.

schrump(e)lig *adj* (*col*) wrinkled.

schrumpeln *vi aux sein* (*col*) to go wrinkled.

schrumpfen *vi aux sein* (*lit, fig*) to shrink; (*Leber, Niere*) to atrophy; (*runzlig werden*) to get wrinkled; (*Exporte, Interesse*) to dwindle.

Schrumpf-: **~kopf** *m* shrunken head; **~leber** *f* cirrhosis of the liver.

Schrumpfung *f* shrinking; (*Raumverlust*) shrinkage; (*Med*) atrophy(ing); (*von Exporten*) dwindling.

Schub *m* -e [a] (*Stoß*) push, shove. [b] (*Phys*) thrust. [c] (*Gruppe, Anzahl*) batch.

Schuber *m* - slipcase.

Schub-: **~fach** *nt* drawer; **~karre** *f,* **~karren** *m* wheelbarrow; **~kasten** *m* drawer; **~kraft** *f* (*Phys*) thrust;

~lade *f* -n drawer.

Schubs *m* -e (*col*) shove, push; (*Aufmerksamkeit erregend*) nudge.

schubsen *vti* (*col*) to shove, to push; (*Aufmerksamkeit erregend*) to nudge.

schubweise *adv* in batches.

schüchtern *adj* shy.

Schüchternheit *f* shyness.

schuf *pret of* **schaffen¹.**

Schuft *m* -e heel (*col*), cad (*dated col*).

schuften *vi* (*col*) to graft (away) (*col*), to slave away.

Schufterei *f* (*col*) graft (*col*), hard work.

schuftig *adj* mean, shabby.

Schuh *m* -e shoe ▶ *jdm etw in die ~e schieben* (*col*) to put the blame for sth on sb; *wissen, wo jdn der ~ drückt* to know what is troubling sb; *umgekehrt wird ein ~ draus!* (*col*) quite the reverse is true.

Schuh- *in cpds* shoe; **~anzieher** *m* shoehorn; **~creme** *f* shoe polish *or* cream; **~größe** *f* shoe size; **~löffel** *m* shoehorn; **~macher** *m* shoemaker; **~nummer** *f* (*col*) shoe size; **~plattler** *m* - Bavarian folk dance; **~putzer** *m* bootblack, shoe-shine boy (*US*); *ich bin doch nicht dein ~putzer!* I'm not your slave!; **~riemen** *m* strap (of a/one's shoe); (*Schnürsenkel*) shoelace; **~sohle** *f* sole (of a/one's shoe); **~werk** *nt no pl* footwear; **~wichse** *f* (*col*) shoe polish.

Schuko- ®: **~steckdose** *f* safety socket (*Brit*) *or* outlet (*US*); **~stecker** *m* safety plug.

Schul-: **~abgänger(in** *f)* *m* - school-leaver; **~abschluß** *m* school-leaving qualification; **~anfang** *m* beginning of term; (*~eintritt*) first day at school; **~anfänger** *m* child just starting school; **~arbeit** *f usu pl* homework *no pl;* **~aufgaben** *pl* homework *sing,* **~bank** *f* school desk; *die ~bank drücken* (*col*) to go to school; **~beginn** *m* (*~jahrsbeginn*) beginning of the school year; (*nach Ferien*) beginning of term; *(der) ~beginn ist um neun* school starts at nine; **~behörde** *f* education authority; **~beispiel** *nt* (*fig*) classic example (*für* of); **~besuch** *m* school attendance; **~bildung** *f* (school) education; **~buch** *nt* schoolbook, textbook; **~buchverlag** *m* educational publisher; **~bus** *m* school bus.

⚠ **schuld** *adj pred* **~ sein** to be to blame (*an* +*dat* for*);* *er war or hatte ~ an dem Streit* the argument was his fault, he was to blame for the argument; *du hast or bist selbst ~* that's your own fault; *jdm/einer Sache ~ geben* to blame sb/sth.

▼ **Schuld** *f* -en [a] *no pl* (*Ursache, Verantwortlichkeit*) *die ~ an etw* (*dat*) *haben* to be to blame for sth; *die ~ auf sich* (*acc*) *nehmen* to take the blame; *jdm die ~ geben* to blame sb; *jdm die ~ zuschieben, die ~ auf jdn schieben* to put the blame on sb; *die ~ bei anderen suchen* to try to blame somebody else; *das ist meine eigene ~* it's my own fault *or* all my fault; *durch meine/deine ~* because of me/you.

[b] *no pl* (*~gefühl*) guilt; (*Unrecht*) wrong; (*Rel: Sünde*) sin ▶ *ich bin mir keiner ~ bewußt* I'm not aware of having done anything wrong; *~ auf sich* (*acc*) *laden* to burden oneself with a deep sense of guilt; *für seine ~ büßen* to pay for one's sin/sins; *~ und Sühne* crime and punishment.

[c] (*Zahlungsverpflichtung*) debt ▶ *~en machen* to run up debts; *~en haben* to be in debt; *DM 10.000 ~en haben* to have debts of 10,000 DM; *ich stehe tief in seiner ~* (*fig*) I'm deeply indebted to him.

Schuld-: **~bekenntnis** *nt* confession; **s~beladen** *adj* burdened with guilt; **s~bewußt** ⚠ *adj Mensch* feeling guilty; *Miene* guilty; **~bewußtsein** ⚠ *nt* feelings of guilt *pl.*

schulden *vt* to owe ▶ *das schulde ich ihm* I owe it to him; *jdm Dank ~* to owe sb a debt of gratitude.

⚠: for details of spelling reform, see supplement

➤ SATZBAUSTEINE: **Schuld:** a → 5.2, 5.3

Schulden-: **~eintreiber** m (col) debt collector; **s~frei** adj free of debt(s); Grundstück etc unmortgaged; **~last** f debts pl.

Schuld-: **~forderung** f claim; **~frage** f question of guilt; **s~frei** adj blameless; **~gefühl** nt feeling of guilt; **~gefühle haben** to feel guilty; **s~haft** adj (Jur) culpable.

Schuldienst m (school-)teaching no art ▶ **im ~ sein** to be a teacher.

schuldig adj **a** (schuldhaft, straffällig) guilty; (verantwortlich) to blame pred (an +dat for); (Rel) sinful ▶ **einer Sache** (gen) **~ sein, sich einer Sache** (gen) **~ machen** to be guilty of sth; **jdn ~ sprechen** to find sb guilty; **sich ~ bekennen** to admit one's guilt; (Jur) to plead guilty; **~ geschieden sein** to be the guilty party in a/the divorce. **b** (geh: gebührend) due ▶ **jdm den ~en Respekt zollen** to give sb the respect due to him/her. **c** (verpflichtet) **jdm etw** (acc) **~ sein** (lit, fig) to owe sb sth; **was bin ich Ihnen ~?** how much do I owe you?; **jdm Dank ~ sein** to owe sb a debt of gratitude; **sie blieb mir die Antwort ~** she didn't have an answer.

Schuldige(r) mf decl as adj guilty person; (zivilrechtlich) guilty party.

Schuldigkeit f no pl duty ▶ **seine ~ tun** to do one's duty.

Schul-: **~direktor** m head teacher, headmaster (esp Brit), principal; **~direktorin** f head teacher, headmistress (esp Brit), principal.

Schuld-: **~komplex** m guilt complex; **s~los** adj (an Verbrechen) innocent (an +dat of); (an Fehler, Unglück etc) blameless, free from blame; **s~los geschieden sein** to be the innocent party in a/the divorce; **~losigkeit** f siehe adj innocence; blamelessness.

Schuldner(in f) m - debtor.

Schuld-: **~prinzip** nt (Jur) principle of the guilty party; **~schein** m IOU, promissory note; **~spruch** m verdict of guilty.

Schule f -n school ▶ **in die ~ kommen/gehen** to start school/go to school; **in der ~** at school; **die ~ wechseln** to change schools; **von der ~ abgehen** to leave school; **durch eine harte ~ gegangen sein** (fig) to have learned in a hard school; **~ machen** (fig) to become the accepted thing; **aus der ~ plaudern** to tell tales out of school (col); **ein Kavalier der alten ~** a gentleman of the old school.

schulen vt to train.

Schüler(in f) m - schoolboy/schoolgirl; (älter) school student; (einer bestimmten Schule) pupil; (Jünger) follower, disciple ▶ **als ~ habe ich ...** when I was at school I ...; **alle ~ und ~innen dieser Stadt** the whole school population of this town.

Schüler-: **~austausch** m school or student exchange; **~ausweis** m (school) student card; **~lotse** m pupil acting as a road-crossing warden, ≃ crossing guard (US); **~mitverwaltung** f school or student council; **~schaft** f pupils pl; **~zeitung** f school magazine (written by pupils).

Schul-: **~fach** nt school subject; **~ferien** pl school holidays pl (Brit) or vacation; **~fernsehen** nt schools' or educational television; **~fest** nt school function; **s~frei** adj **s~freier Nachmittag** afternoon off (school), free afternoon; **die Kinder haben morgen s~frei** the children don't have to go to school tomorrow; **~freund** m schoolfriend; **~funk** m schools' broadcasting; **~gebäude** nt school building; **~gelände** nt school grounds pl; **~geld** nt school fees pl; **~heft** nt exercise book; **~hof** m school playground (Brit), schoolyard.

schulisch adj Leistungen, Probleme at school; Angelegenheiten school attr ▶ **aus ~er Sicht** from the school angle.

Schul-: **~jahr** nt school year; (Klasse) year; **ihre ~jahre** her schooldays; **~junge** m schoolboy; **~kamerad** m

schoolmate, schoolfriend; **~kenntnisse** pl knowledge sing acquired at school; **~kind** nt schoolchild; **~klasse** f (school) class; **~leiter** m head teacher, headmaster (esp Brit), principal; **~leiterin** f head teacher, headmistress (esp Brit), principal; **~mädchen** nt schoolgirl; **~medizin** f orthodox medicine; **~meinung** f received opinion; **~meister** m (old, hum, pej) schoolmaster; **s~meisterlich** adj (pej) schoolmasterish; **s~meistern** insep **1** vt to lecture (at or to); **2** vi to lecture; **~ordnung** f school rules pl; **~pflicht** f compulsory school attendance no art; **es besteht ~pflicht** school attendance is compulsory; **s~pflichtig** adj Kind required to attend school; **~politik** f education policy; **~rat** m school(s) inspector; **~reife** f **die ~reife haben** to be ready to go to school; **~schiff** nt training ship; **~schluß** ⚠ m end of school; **~schluß ist um 13¹⁰** school finishes at 1.10; **~sprecher(in** f) m head boy/girl (Brit); **~stunde** f (school) period or lesson; **~tag** m schoolday; **der erste ~tag** the/one's first day at school; **~tasche** f schoolbag.

Schulter f -n shoulder ▶ **breite ~n haben** (lit) to be broad-shouldered, to have broad shoulders; (fig) to have a broad back; **er ließ die ~n hängen** he was slouching; (niedergeschlagen) he hung his head; **jdm auf die ~ klopfen** to give sb a slap on the back; (lobend) to pat sb on the back; **die** or **mit den ~n zucken** to shrug one's shoulders; **etw auf die leichte ~ nehmen** to take sth lightly.

Schulter-: **~blatt** nt shoulder blade; **s~frei** adj Kleid off-the-shoulder; **~höhe** f shoulder height; **in ~höhe** at shoulder level or height; **~klappe** f (Mil) epaulette; **s~lang** adj shoulder-length.

schultern vt to shoulder.

Schulter-: **~riemen** m shoulder strap; **~stück** nt **a** (Mil) epaulette; **b** (Cook) piece of shoulder.

Schultüte f large conical bag of sweets/candy given to children on their first day at school.

Schulung f (Ausbildung) training; (Kurs) training course; (Pol) political instruction.

Schul-: **~unterricht** m school lessons pl; **~versager** m failure at school; **~weg** m way to/from school; (Entfernung) distance to/from school; **~weisheit** f (pej) booklearning; **~wesen** nt school system; **~zeit** f (~jahre) schooldays pl; **nach 13jähriger ~zeit** after 13 years at school; **~zeitung** f school magazine; **~zeugnis** nt school report.

schummeln vi (col) to cheat (bei etw at sth).

schumm(e)rig adj Beleuchtung dim; Raum dimly-lit ▶ **bei ~em Licht** in the half-light.

Schund m no pl (pej) trash, rubbish.

Schundroman m trashy or pulp novel.

schunkeln vi to link arms and sway from side to side in time to the music.

Schupo m -s (dated col) = Schutzpolizist cop (col).

Schuppe f -n **a** (Bot, Zool) scale ▶ **es fiel mir wie ~n von den Augen** my eyes were opened, all was revealed. **b** (Kopf~) **~n** pl dandruff sing.

Schuppen m - **a** shed. **b** (col) (Haus etc) hole (pej col); (übles Lokal) dive (col).

schuppen 1 vt Fische to scale.
2 vr to flake.

Schuppen-: **s~artig** adj scale-like; **~flechte** f (Med) psoriasis (spec).

schuppig adj scaly; (abblätternd auch) flaking.

Schur f -en (das Scheren) shearing.

Schür|eisen nt poker.

schüren vt **a** Feuer, Glut to rake, to poke. **b** (fig) to stir up; Zorn etc to fan the flames of.

schürfen 1 vi (Min) to prospect (nach for) ▶ **tief ~** (fig) to dig deep.

2 *vt Bodenschätze* to mine.

3 *vtr* to graze oneself ▸ **sich am Knie ~** to graze one's knee.

Schürf-: **~recht** *nt* mining rights *pl*; **~wunde** *f* graze, abrasion.

Schürhaken *m* poker.

Schurke *m* (*wk*) **-n, -n** (*dated*) villain, scoundrel.

Schurwolle *f* virgin wool ▸ „*reine ~*" "pure new wool".

Schurz *m* **-e** apron; (*Lenden~*) loincloth.

Schürze *f* **-n** apron.

Schürzen-: **~jäger** *m* (*col*) philanderer, one for the girls (*col*); **~zipfel** *m* apron string; **er hängt der Mutter noch am ~zipfel** he's still tied to his mother's apron strings.

⚠**Schuß** *m* **⁼sse** ⓐ shot; (*~ Munition*) round ▸ **sechs ~ or Schüsse** six shots/rounds; **ein ~ ins Schwarze** (*lit, fig*) a bull's-eye; **weit vom ~ sein** (*fig col*) to be miles from where the action is (*col*); (*abgelegen*) to be out in the sticks; **er ist keinen ~ Pulver wert** (*fig*) he is not worth tuppence (*Brit col*) *or* a red cent (*US col*); **das war ein ~ vor den Bug** (*fig*) that was a warning shot across the bows; **ein ~ in den Ofen** (*col*) a complete waste of time. ⓑ (*Ftbl*) kick; (*zum Tor auch*) shot. ⓒ (*Ski*) schuss ▸ **im ~ fahren** to schuss. ⓓ (*Spritzer*) (*von Wein, Essig etc*) dash; (*von Whisky*) shot; (*von Humor etc auch*) touch. ⓔ (*Tex*) weft. ⓕ (*col: mit Rauschgift*) shot ▸ **einen ~ setzen** to shoot up (*col*). ⓖ (*gut*) **in ~ sein** to be in good shape *or* nick (*col*); (*Mensch*) to be on form; **etw in ~ halten** to keep sth in good shape.

Schuß-: **~bereich** ⚠ *m* (firing) range; **im ~bereich** within range; **s~bereit** ⚠ *adj* ready to fire; *Gewehr auch* cocked.

Schussel *m* **-** (*col*) dolt (*col*); (*zerstreut*) scatterbrain (*col*).

Schüssel *f* **-n** bowl; (*Servier~ auch*) dish; (*Wasch~*) basin.

schusselig *adj* (*col*) daft; (*zerstreut*) scatterbrained (*col*), muddle-headed (*col*).

Schuß-: **~fahrt** ⚠ *f* (*Ski*) schuss; (*das ~fahren*) schussing; **~feld** ⚠ *nt* field of fire; (*Übungsplatz*) firing range; **s~fest** ⚠ *adj* bulletproof; **~linie** ⚠ *f* line of fire; (*fig auch*) firing line; **~verletzung** ⚠ *f* bullet wound; **~waffe** ⚠ *f* firearm; **~waffengebrauch** ⚠ *m* (*form*) use of firearms; **~wechsel** *m* exchange of shots *or* fire; **~weite** ⚠ *f* range (of fire); **in/außer ~weite** within/out of range; **~wunde** ⚠ *f* bullet wound.

Schuster *m* **-** shoemaker; (*für Reparaturen*) shoe repairer ▸ **auf ~s Rappen** (*hum*) by Shanks's pony; **~, bleib bei deinem Leisten!** (*Prov*) cobbler, stick to your last (*Prov*).

Schutt *m no pl* (*Trümmer, Bau~*) rubble; (*Geol*) debris, detritus (*spec*) ▸ „*~ abladen verboten*" "no tipping"; **in ~ und Asche liegen** to be in ruins.

Schutt|abladeplatz *m* tip, dump.

Schüttel-: **~frost** *m* (*Med*) shivering fit; **~frost haben** to have the shivers; **~lähmung** *f* (*Med*) Parkinson's disease.

schütteln 1 *vt* to shake; (*rütteln*) to shake about, to jolt (about) ▸ **den** *or* **mit dem Kopf ~** to shake one's head; **von Fieber geschüttelt werden** to be racked with fever.

2 *vr* to shake oneself; (*vor Kälte*) to shiver (*vor* with); (*vor Ekel*) to shudder (*vor* with, in) ▸ **sich vor Lachen ~** to shake with laughter.

schütten 1 *vt* to tip; *Flüssigkeiten* to pour; (*ver~*) to spill.

2 *vi impers* (*col*) **es schüttet** it's pouring (with rain), it's bucketing (down) (*col*).

schütter *adj Haar* thin.

Schutt-: **~halde** *f* (rubble) tip; **~haufen** *m* pile *or* heap of rubble; **~platz** *m* (rubble) tip.

Schutz *m no pl* protection (*vor +dat, gegen* against, from); (*Zuflucht auch*) shelter, refuge (*vor +dat, gegen* from); (*der Natur, Umwelt etc*) conservation; (*esp Mil: Deckung*) cover ▸ **bei jdm ~ suchen** to look to sb for protection; to seek refuge with sb; **im ~ der Dunkelheit** under cover of darkness; **zum ~ der Augen** to protect the eyes; **jdn in ~ nehmen** (*fig*) to take sb's part.

Schutz-: **~anstrich** *m* protective coat; **~anzug** *m* protective clothing *no indef art, no pl*; **s~bedürftig** *adj* in need of protection; **~befohlene(r)** *mf decl as adj* = **Schützling**; **~behauptung** *f* lie to cover oneself; **~blech** *nt* mudguard; **~brief** *m* (*Insur*) (international) motoring cover; **~brille** *f* protective goggles *pl*; **~dach** *nt* (*vor Haustür*) porch; (*an Haltestelle*) shelter.

Schütze *m* (*wk*) **-n, -n** ⓐ marksman; (*Schießsportler*) rifleman; (*Bogen~*) archer; (*Ftbl: Tor~*) scorer. ⓑ (*Astrol*) Sagittarius *no art* ▸ **sie ist ~** she's Sagittarius *or* a Sagittarian.

schützen 1 *vt* to protect (*vor +dat, gegen* from, against); (*esp Mil: Deckung geben*) to cover ▸ **gesetzlich/urheberrechtlich geschützt** registered/protected by copyright; **ein geschützter Platz** a sheltered spot *or* place; **vor Sonnenlicht ~!** keep away from sunlight; **vor Nässe ~!** keep dry.

2 *vi* to give *or* offer protection (*vor +dat, gegen* against, from); (*esp Mil: Deckung geben*) to give cover.

3 *vr* to protect oneself (*vor +dat, gegen* from, against).

schützend *adj* protective ▸ **ein ~es Dach** (*gegen Wetter*) a shelter.

Schützenfest *nt fair featuring shooting matches.*

Schutz|engel *m* guardian angel.

Schützen-: **~graben** *m* trench; **~hilfe** *f* (*fig*) support; **jdm ~hilfe geben** to back sb up; **~loch** *nt* (*Mil*) foxhole; **~panzer** *m* armoured (*Brit*) *or* armored (*US*) personnel carrier; **~verein** *m* rifle *or* shooting club.

Schutz-: **~farbe** *f* (*Biol*) protective *or* adaptive colouring (*Brit*) *or* coloring (*US*); **~gebiet** *nt* (*Pol*) protectorate; **~gebühr** *f* (token) fee; **~geld** *nt* protection money; **~haft** *f* (*Jur*) protective custody; **~handschuh** *m* protective glove; **~haut** *f* protective covering; **~heilige(r)** *mf* patron saint; **~helm** *m* safety helmet; **~herrschaft** *f* (*Pol*) protection, protectorate; **~hülle** *f* protective cover; (*Buchumschlag*) dust cover *or* jacket; **s~impfen** *ptp* **s~geimpft** *vt* to vaccinate, to inoculate; **~impfung** *f* vaccination, inoculation; **~kleidung** *f* protective clothing.

Schützling *m* protégé; (*esp Kind*) charge.

Schutz-: **s~los** *adj* (*wehrlos*) defenceless (*Brit*), defenseless (*US*); (*gegen Kälte etc*) unprotected; **~macht** *f* (*Pol*) protecting power, protector; **~mann** *m, pl* **~leute** (*dated*) policeman, constable (*Brit*); **~marke** *f* trademark; **~maßnahme** *f* precautionary measure; (*vorbeugend*) preventive measure; **~patron** *m* patron saint; **~schicht** *f* protective layer; (*Überzug*) protective coating; **~schild** *m* shield; (*von Polizist*) riot shield; (*an Geschützen*) gun shield; **~schirm** *m* (*Tech*) protective screen; **s~suchend** ⚠ *adj* seeking protection; (*nach Obdach*) seeking refuge *or* shelter; **~umschlag** *m* dust cover *or* jacket; **~verband** *m* (*Med*) protective bandage *or* dressing; **~vorrichtung** *f* safety device; **~zoll** *m* protective duty *or* tariff.

schwabbelig *adj* (*col*) *Körperteil* flabby; *Gelee* wobbly.

schwabbeln *vi* (*col*) to wobble (about).

Schwabe *m* (*wk*) **-n, -n, Schwäbin** *f* Swabian.

Schwaben *nt* Swabia.

Schwabenstreich *m* piece of folly.

schwäbisch *adj* Swabian.

schwach *adj comp* **⁼er**, *superl* **⁼ste(r, s)** *or* (*adv*) **am ⁼sten** weak (*auch Gram*); *Gesundheit, Beteiligung, Gedächtnis* poor; *Ton, Anzeichen, Hoffnung* faint, slight;

Gehör poor, dull; *Licht* poor, dim; *Wind* light; (*Comm*) *Nachfrage, Geschäft* slack, poor ▸ **~e Augen** weak *or* poor (eye)sight; *das ist ein ~es Bild* (*col*) *or* **eine ~e Leistung** (*col*) that's a poor show (*col*); **trotz des ~en Erfolges des Buchs** in spite of the book's lack of success; *jds ~e Seite* sb's weak point; *ein ~er Trost* cold *or* small comfort; *mach mich nicht ~!* (*col*) don't say that! (*col*); *auf ~en Beinen or Füßen stehen* (*fig*) to be on shaky ground; (*Theorie*) to be shaky; *"er werden* to grow weaker, to weaken; (*Augen*) to fail, to grow worse; (*Stimme*) to grow fainter; (*Licht*) to (grow) dim; (*Ton*) to fade; (*Nachfrage*) to fall off, to slacken; *~ besiedelt or bevölkert* sparsely populated; *~ besucht* poorly attended; *die S~en* the weak.

Schwäche *f* -n weakness; (*von Gesundheit*) poorness; (*von Licht*) dimness; (*von Nachfrage*) slackness ▸ *er brach vor ~ zusammen* he was so weak he collapsed; *menschliche ~n* human failings *or* frailties; *eine ~ für etw haben* to have a weakness for sth.

Schwäche|anfall *m* sudden faint feeling.

schwächen *vt* (*lit, fig*) to weaken.

Schwachheit *f no pl* (*fig*) weakness, frailty.

Schwachkopf *m* (*col*) dimwit (*col*), idiot.

schwächlich *adj* weakly; (*zart auch*) puny.

Schwächling *m* weakling.

Schwach-: **~punkt** *m* weak point; **s~sichtig** *adj* (*Med*) poor- *or* weak-sighted; **~sichtigkeit** *f* (*Med*) dimness of vision; **~sinn** *m* (*Med*) mental deficiency; (*fig col*) (*unsinnige Tat*) idiocy *no indef art*; (*Quatsch*) rubbish (*col*); **s~sinnig** *adj* (*Med*) mentally deficient; (*fig col*) daft (*col*), idiotic; **~sinnige(r)** *mf decl as adj* mental defective; (*fig col*) moron (*col*), imbecile (*col*); **~stelle** *f* weak point; **~strom** *m* (*Elec*) low-voltage current.

Schwächung *f* weakening.

Schwaden *m* - *usu pl* cloud.

Schwadron *f* -en (*Mil Hist*) squadron.

schwadronieren* *vi* to bluster.

Schwafelei *f* (*pej col*) drivel *no pl* (*col*), twaddle *no pl* (*col*).

schwafeln (*pej col*) [1] *vi* to drivel (on) (*col*); (*in einer Prüfung*) to waffle (*col*). [2] *vt dummes Zeug ~* to talk drivel (*col*).

Schwager *m* ⁻ brother-in-law.

Schwägerin *f* sister-in-law.

Schwalbe *f* -n swallow ▸ *eine ~ macht noch keinen Sommer* (*Prov*) one swallow doesn't make a summer (*Prov*).

Schwall *m* -e flood, torrent.

schwamm *pret of* **schwimmen**.

Schwamm *m* ⁻e [a] sponge ▸ *etw mit dem ~ abwischen* to sponge sth (down); *~ drüber!* (*col*) (let's) forget it! [b] (*Haus~*) dry rot.

schwammig *adj* [a] (*lit*) spongy. [b] (*fig*) *Gesicht* puffy, bloated; (*vage*) *Begriff* woolly.

Schwan *m* ⁻e swan ▸ *mein lieber ~!* (*col*) (*überrascht*) my goodness!; (*drohend*) now listen, my boy/girl.

schwand *pret of* **schwinden**.

schwanen *vi impers ihm schwante etwas* he sensed something might happen; *mir schwant nichts Gutes* I've a feeling something nasty is going to happen.

Schwanen-: **~gesang** *m* (*fig*) swansong; **~hals** *m* swan's neck; (*fig*) swanlike neck; (*Tech*) goose-neck, swan-neck.

schwang *pret of* **schwingen**.

schwanger *adj* pregnant ▸ *im sechsten Monat ~* five months pregnant.

Schwangere *f decl as adj* pregnant woman.

schwängern *vt* to make pregnant, to impregnate (*form*) ▸ *mit etw geschwängert sein* (*fig*) to be impregnated with sth.

Schwangerschaft *f* pregnancy.

Schwangerschafts-: **~abbruch** *m* termination of pregnancy, abortion; **~gymnastik** *f* antenatal exercises *pl*; **~test** *m* pregnancy test.

Schwank *m* ⁻e (*Liter*) merry *or* comical tale; (*Theat*) farce.

schwanken *vi* [a] (*wanken, sich wiegen*) to sway; (*Schiff*) (*auf und ab*) to pitch; (*seitwärts*) to roll; (*beben*) to rock. [b] *aux sein* (*gehen*) to stagger, to totter. [c] (*variieren*) to vary; (*Preise, Stimmung etc auch*) to fluctuate; (*Kompaßnadel etc*) to swing. [d] (*unschlüssig sein*) to waver; (*zögern*) to hesitate. [e] *ins S~ kommen* (*Baum, Gebäude etc*) to start to sway; (*Preise, Kurs etc*) to start to fluctuate *or* vary; (*Überzeugung etc*) to begin to waver.

schwankend *adj* [a] *siehe vi* (a) swaying; pitching; rolling; rocking. [b] *Mensch* staggering; *Gang* rolling; *Schritt* unsteady. [c] *siehe vi* (c) varying; fluctuating *esp attr*, oscillating; *Kurs, Gesundheit auch* unstable. [d] (*unschlüssig*) uncertain, wavering *attr*, (*zögernd*) hesitant ▸ *~ werden* to waver.

Schwankung *f* [a] (*hin und her*) swaying *no pl*; (*auf und ab*) shaking *no pl*, rocking *no pl* ▸ *um die ~en des Turms zu messen* to measure the extent to which the tower sways. [b] *siehe vi* (c) variation (*gen* in); fluctuation.

Schwanz *m* ⁻e [a] (*lit, fig*) tail ▸ *den ~ hängen lassen* (*lit*) to let its tail droop; (*fig col*) to be down in the dumps (*col*); *kein ~* (*col*) not a (blessed) soul (*col*). [b] (*col!!: Penis*) prick (*col!!*).

schwänzen (*col*) [1] *vt Stunde, Vorlesung* to skip (*col*), to cut (*col*); *Schule* to play truant *or* hooky (*esp US col*) from, to skive off (*Brit col*). [2] *vi* to play truant, to play hooky (*esp US col*), to skive (*Brit col*).

Schwanz-: **~feder** *f* tail feather; **~flosse** *f* (*auch Aviat*) tail fin; **s~los** *adj* tailless.

schwappen *vi* [a] (*Wasser*) to slosh around. [b] *aux sein* (*über~*) to splash, to slosh.

Schwarm *m* ⁻e [a] swarm; (*Flugzeugformation*) flight. [b] (*col: Angebeteter*) idol ▸ *der neue Englischlehrer ist ihr ~* she's got a crush on the new English teacher (*col*).

schwärmen *vi* [a] *aux sein* to swarm. [b] (*begeistert reden*) to enthuse (*von* about), to go into raptures (*von* about) ▸ *für jdn/etw ~* to be raving about sb/sth (*col*); *ins S~ kommen or geraten* to go into raptures.

Schwärmer *m* - (*Begeisterter*) enthusiast, zealot; (*Phantast*) dreamer, visionary; (*sentimentaler ~*) sentimentalist.

Schwärmerei *f* (*Begeisterung*) enthusiasm; (*in Worten ausgedrückt*) effusion *no pl*; (*Verzückung*) rapture.

schwärmerisch *adj* (*begeistert*) enthusiastic; *Worte, Übertreibung* effusive; (*verliebt*) infatuated; (*verzückt*) enraptured.

Schwarte *f* -n [a] (*Speck~*) rind. [b] (*col: Buch*) old book, tome (*hum*).

Schwartenmagen *m* (*Cook*) brawn.

Schwarz *nt no pl* black ▸ *~ tragen, in ~ gehen* to wear black.

schwarz *adj comp* ⁻er, *superl* ⁻este(r, s) *or* (*adv*) *am* ⁻esten [a] (*lit, fig*) black ▸ *das S~e Brett* the notice board (*Brit*), the bulletin board (*US*); *der S~e* (*Sport*) black belt; *~er Humor* black humour (*Brit*) *or* humor (*US*); *~er Kaffee/Tee* black coffee/tea; *die S~e Kunst* (*Buchdruckerkunst*) (the art of) printing; (*Magie*) the Black Art; *~e Liste* blacklist; *jdn auf die ~e Liste setzen* to blacklist sb, to put sb on the blacklist; *~es Loch* black hole; *das S~e Meer* the Black Sea; *S~er Peter* (*Cards*) children's card game; *jdm den S~en Peter zuschieben* (*fig: die Verantwortung abschieben*) to pass the buck to sb (col); **ein ~er Tag** a black day; **etw ~ auf weiß haben** to have sth in black and white; **~ wie die Nacht/wie Ebenholz** jet-black; **in den ~en Zahlen** in the black; **sich ~ ärgern** to get extremely annoyed; **er wurde ~ vor Ärger** his face went black with fury; **mir wurde ~ vor den Augen** I blacked out; **da kannst du schreien, bis du ~ wirst** (col) you can shout until you're blue in the face (col); **ins S~e treffen** (lit, fig) to score a bull's-eye.

[b] (col: ungesetzlich) illicit ▶ **der ~e Markt** the black market; **sich** (dat) **etw ~ besorgen** to get sth illicitly/on the black market; **~ über die Grenze gehen** to cross the border illegally.

[c] (col: katholisch) Catholic, Papist (pej); (Pol col: konservativ) Christian Democrat; (in Österreich) Austrian People's Party ▶ **dort wählen alle ~** they're all conservative voters there.

Schwarz-: ~afrika nt Black Africa; **~arbeit** f illicit work; (nach Feierabend) moonlighting (col); **s~arbeiten** vi sep to do illicit work; to moonlight (col); **~arbeiter** m person doing illicit work; moonlighter (col); **s~braun** adj dark brown; **~brenner** m illicit distiller, moonshine distiller (col); **~brennerei** f illicit still, moonshine still (col); **~brot** nt (braun) brown rye bread; (Pumpernickel) black bread, pumpernickel; **~drossel** f blackbird.

Schwarze f (wk) -n, -n (Negerin) black woman; (Schwarzhaarige) brunette.

Schwärze f no pl (Dunkelheit) blackness.

schwärzen vtr to blacken.

Schwarze(r) m decl as adj (Neger) black; (Schwarzhaariger) dark man/boy; (col: Katholik) Catholic, Papist (pej) ▶ **die ~n** (Pol col) the Christian Democrats; (in Österreich) the Austrian People's Party.

Schwarz-: s~fahren vi sep irreg aux sein (ohne zu zahlen) to travel without paying, to dodge paying the fare (col); **~fahrer** m fare-dodger (col); **~geld** nt illegal earnings; **s~haarig** adj black-haired; **eine ~haarige** a brunette; **~handel** m no pl black market; (Tätigkeit) black-marketeering; **im ~handel** on the black market; **~händler** m black marketeer; **s~hören** vi sep (Rad) to use a radio without having a licence (Brit) or license (US); **~hörer** m (Rad) radio owner without a licence (Brit) or license (US); **s~malen** △ sep [1] vi to be pessimistic; [2] vt to be pessimistic about; **~maler** m pessimist; **~malerei** f pessimism; **~markt** m black market; **~marktpreis** m black-market price; **s~sehen** sep irreg [1] vt to be pessimistic about; [2] vi [a] to be pessimistic; **für jdn/etw s~sehen** to be pessimistic about sb/sth; [b] (TV) to watch TV without a licence (Brit) or license (US); **~seher** m [a] pessimist; [b] (TV) (TV) licence-dodger (Brit) or license-dodger (US) (col); **~seherei** f pessimism; **~sender** m pirate (radio) station; **~wald** m Black Forest; **~wälder** adj attr Black Forest; **~wälder Kirschtorte** Black Forest gateau.

schwarzweiß adj black and white.

Schwarzweiß-: ~aufnahme f black and white (shot); **~fernseher** m black and white or monochrome television (set); **~film** m black and white film; **~foto** nt black and white (photo); **s~malen** △ vt sep (fig) to depict in black and white (terms).

Schwarz-: ~wild nt wild boars pl; **~wurzel** f (Cook) salsify.

Schwatz m -e (col) chat, chinwag (col) ▶ **auf einen ~ kommen** to come for a chat.

schwatzen, schwätzen vti to talk; (pej) (unaufhörlich) to chatter; (über belanglose Dinge) to prattle; (Unsinn reden) to blather (col); (klatschen) to gossip ▶ **dummes Zeug ~** to talk a lot of rubbish (col).

Schwätzer(in f) m - (pej) chatterer; (Kind, Schüler) chatterbox; (Schwafler) windbag (col); (Klatschmaul) gos-

sip.

Schwätzerei f (pej) (Gerede, im Unterricht) talk, chatter; (über Belanglosigkeiten, kindisch) prattle; (Unsinn) drivel (col); (Klatsch) gossip.

schwatzhaft adj talkative, garrulous; (klatschsüchtig) gossipy.

Schwebe f no pl **in der ~ sein** (fig) to be in the balance; (Jur, Comm) to be pending.

Schwebe-: ~bahn f suspension railway (Brit) or railroad (US); **~balken** m (Sport) beam.

schweben vi [a] to hang; (in der Luft auch) to float; (Vogel etc) to hover ▶ **ihr war, als ob sie schwebte** she felt as if she was floating on air; **etw schwebt jdm vor Augen** (fig) sb has sth in mind; (Bild) sb sees sth in his/her mind's eye. [b] aux sein (durch die Luft gleiten) to float, to sail; (sich leichtfüßig bewegen) to glide, to float. [c] (schwanken) to hover, to waver; (Angelegenheit) to hang or be in the balance ▶ **~des Verfahren** (Jur) pending case.

Schwebezustand m (fig) state of suspense; (zwischen zwei Stadien) in-between state.

Schwede m (wk) -n, -n, **Schwedin** f Swede.

Schweden nt Sweden.

schwedisch adj Swedish ▶ **hinter ~en Gardinen** (col) behind bars.

Schwedisch(e) nt Swedish; siehe **Deutsch(e)**.

Schwefel m no pl sulphur (Brit), sulfur (US).

Schwefel- in cpds sulphur (Brit), sulfur (US); **s~haltig** adj containing sulphur (Brit) or sulfur (US).

schwef(e)lig adj sulphurous (Brit), sulfurous (US).

Schwefelsäure f sulphuric (Brit) or sulfuric (US) acid.

Schweif m -e (auch Astron) tail.

schweifen vi aux sein (lit geh, fig) to roam ▶ **warum in die Ferne ~?** why roam so far afield?

Schweige-: ~geld nt hush-money; **~marsch** m silent march (of protest); **~minute** f one minute('s) silence.

schweigen pret **schwieg**, ptp **geschwiegen** vi to be silent; (still sein auch) to keep quiet ▶ **~ Sie!** be silent or quiet!; **kannst du ~?** can you keep a secret?; **seit gestern ~ die Waffen** yesterday the guns fell silent; **plötzlich schwieg er** suddenly he fell or went silent; **zu etw ~** to make no reply to sth; **ganz zu ~ von ...** to say nothing of ...

Schweigen nt no pl silence ▶ **jdn zum ~ bringen** to silence sb (auch euph); **(es herrschte) ~ im Walde** (there was) dead silence.

schweigend adj silent ▶ **die ~e Mehrheit** the silent majority; **~ über etw** (acc) **hinweggehen** to pass over sth in silence.

Schweigepflicht f pledge of secrecy; (von Anwalt) requirement of confidentiality ▶ **die ärztliche ~** medical confidentiality or secrecy; **unter ~ stehen** to be bound to observe confidentiality.

schweigsam adj silent; (als Charaktereigenschaft) reticent; (verschwiegen) discreet.

Schweigsamkeit f siehe adj silence; reticence; discretion.

Schwein nt -e [a] pig, hog (US) ▶ **sich wie die ~e benehmen** (col) to behave like pigs (col). [b] (col: Mensch) pig (col); (gemein) swine (col), bastard (col!) ▶ **ein armes/faules ~** a poor/lazy sod (col); **kein ~** nobody, not one single person. [c] no pl (col: Glück) **~ haben** to be lucky.

Schweinchen nt dim of **Schwein** little pig; (fig col: Schmutzfink) mucky pup (col).

Schweine-: ~bauch m (Cook) belly of pork; **~braten** m (roh) joint of pork; (gebraten) roast pork; **~filet** nt fillet of pork; **~fleisch** nt pork; **~geld** nt (col) **ein ~geld** a packet (col); **~hund** m (pej col) bastard (col!), swine (col); **den inneren ~hund überwinden** (col) to conquer one's weaker self; **~kotelett** *nt* pork chop; **~lende** *f* loin of pork.

Schweinerei *f* (*col*) ⓐ *no pl* mess ▸ **es ist eine ~, wenn ...** it's disgusting if ...; **so eine ~!** how disgusting! ⓑ (*Gemeinheit*) dirty *or* mean trick (*col*); (*Zote*) smutty *or* dirty joke; (*unzüchtige Handlung*) indecent act ▸ **~en machen** to do dirty *or* filthy things; **das Buch besteht nur aus ~en** the book is just a lot of dirt *or* filth.

Schweine-: **~schmalz** *nt* dripping; (*als Kochfett*) lard; **~schnitzel** *nt* pork cutlet; **~stall** *m* (*lit, fig*) pigsty, pig pen (*esp US*).

Schwein|igel *m* (*col*) dirty pig (*col*).

schweinisch *adj* (*col*) *Benehmen* piggish (*col*), swinish (*col*); *Witz* dirty.

Schweinkram *m* (*col*) dirt, filth.

Schweins-: **~galopp** *m:* **im ~galopp davonlaufen** (*hum col*) to go galumphing off (*col*); **~haxe** *f* (*Cook*) knuckle of pork; **~leder** *nt* pigskin; **s~ledern** *adj* pigskin; **~ohr** *nt* pig's ear; (*Gebäck*) (kidney-shaped) pastry.

Schweiß *m no pl* sweat; (*von Mensch auch*) perspiration ▸ **in ~ geraten** *or* **kommen** to break into a sweat; **der ~ brach ihm aus** he broke out in a sweat; **das hat viel ~ gekostet** it was a sweat (*col*); **im ~e seines Angesichts** (*Bibl, liter*) in the sweat of his brow (*Bibl, liter*).

Schweiß-: **~ausbruch** *m* sweating *no indef art, no pl*; **~band** *nt* sweatband; **s~bedeckt** *adj* covered in sweat; **~brenner** *m* (*Tech*) welding torch; **~drüse** *f* (*Anat*) sweat gland.

schweißen *vti* (*Tech*) to weld.

Schweißer(in *f)* *m* - (*Tech*) welder.

Schweiß-: **~fuß** *m* sweaty foot; **s~gebadet** *adj* bathed in sweat; **~naht** *f* (*Tech*) weld, welded joint; **s~naß** *adj* sweaty; **~perle** *f* bead of perspiration *or* sweat; **~stelle** *f* weld; **s~triefend** *adj* dripping with perspiration *or* sweat; **~tropfen** *m* drop of sweat *or* perspiration; **s~überströmt** *adj* streaming with sweat.

Schweiz *f die ~* Switzerland.

Schweizer *adj attr* Swiss ▸ **~ Käse** Swiss cheese.

Schweizer(in *f)* *m* - Swiss.

Schweizer-: **~deutsch** *nt* Swiss German; **~garde** *f* Swiss Guard.

schweizerisch *adj* Swiss.

Schwelbrand *m* smouldering (*Brit*) *or* smoldering (*US*) fire.

schwelen *vi* to smoulder (*Brit*), to smolder (*US*).

schwelgen *vi* to indulge oneself (*in +dat* in) ▸ **wir schwelgten in Kaviar und Sekt** we feasted on caviar and champagne; **in Farben/Worten ~** to revel in colour/in the sound of words; **in Gefühlen ~** to revel in one's emotions; **in Erinnerungen ~** to indulge in reminiscences.

Schwelle *f -n* (*Tür~, fig, Psych*) threshold ▸ **an der ~ einer neuen Zeit** on the threshold of a new era; **an der ~ des Todes** at death's door.

schwellen ① *vi pret* **schwoll**, *ptp* **geschwollen** *aux sein* to swell ▸ **der Wind schwoll zum Sturm** the wind grew into a storm; *siehe* **geschwollen.**
② *vt* (*geh*) *Segel, Brust* to swell.

Schwellen-: **~angst** *f* (*Psych*) fear of entering a place; (*fig*) fear of embarking on something new; **~land** *nt* fast-developing nation.

Schwellung *f* swelling.

Schwemme *f -n* ⓐ (*für Tiere*) watering place. ⓑ (*Überfluß*) glut (*an +dat* of).

schwemmen *vt* (*treiben*) *Sand etc* to wash.

Schwengel *m* - (*Glocken~*) clapper; (*Pumpen~*) handle.

Schwenk *m -s* (*Drehung*) wheel; (*Film*) pan, panning shot; (*fig*) about-turn ▸ **einen ~ machen** (*Kolonne*) to swing *or* wheel around.

Schwenk-: **~arm** *m* swivel arm; **s~bar** *adj* swivelling;

Geschütz traversable.

schwenken ① *vt* (*schwingen*) to wave; *Lampe etc* to swivel; *Kran, Geschütz* to swing; *Kamera* to pan; *Kartoffeln* to toss; *Tanzpartnerin* to swing around, to spin (around).
② *vi aux sein* to swing; (*Kolonne*) to wheel; (*Kamera*) to pan; (*fig*) to swing over, to switch ▸ **links schwenkt!** (*Mil*) left wheel!

Schwenker *m* - (*Kognak~*) balloon glass.

Schwenkung *f* swing; (*Mil*) wheel; (*von Geschütz*) traverse; (*von Kamera*) pan(ning).

schwer ① *adj* ⓐ (*lit, fig*) heavy ▸ **ein 10 kg ~er Sack** a sack weighing 10 kgs *or* 10kgs in weight; **wie ~ ist er?** how much does he weigh?; **~ beladen/bewaffnet sein** to be heavily laden/armed.
ⓑ (*ernst*) *Sorge, Unrecht, Unfall, Verlust, Krankheit* serious, grave; *Fehler, Enttäuschung auch* big; *Strafe* severe ▸ **~ erkältet sein** to have a heavy cold; **~ geprüft sein** to be sorely tried; **~ verletzt/krank sein** to be seriously wounded/ill; **~ verunglücken** to have a serious accident; **~ betroffen sein** to be hard hit.
ⓒ (*hart, anstrengend*) *Arbeit, Tag, Schicksal* hard; *Frage, Entscheidung auch* difficult, tough ▸ **es ~ haben** to have a hard time (of it); **~ schuften müssen** to have to work hard; **er lernt ~** he's a slow learner; **~ hören** to be hard of hearing; **~ zu sehen/ sagen** hard *or* difficult to see/say; **sich ~ entschließen können** to find it hard *or* difficult to decide.
ⓓ (*col*) **~es Geld machen** to make a packet (*col*); **ein ~er Junge** a (big-time) crook.
② *adv* (*col: sehr*) really; *gekränkt, verletzt* deeply ▸ **da mußte ich ~ aufpassen** I really had to watch out; **~ betrunken** rolling drunk (*col*); **~ verdienen** to earn a packet (*col*); **~ im Irrtum sein** to be badly *or* seriously mistaken; **er ist ~ in Ordnung** he's a good sort (*col*) *or* regular guy (*US col*).

Schwer-: **~arbeit** *f* heavy labour (*Brit*) *or* labor (*US*); **~arbeiter** *m* labourer (*Brit*), laborer (*US*); **~athlet** *m* weightlifter; boxer; wrestler; **~athletik** *f* *weightlifting sports, boxing, wrestling etc*; **s~behindert** △ *adj* severely handicapped; **~behinderte(r)** *mf* severely handicapped person; **s~beladen** △ *adj attr* heavily-laden; **s~bepackt** △ *adj attr* heavily-loaded *or* -laden; **s~beschädigt** △ *adj* (*dated*)´ = **s~behindert**; **~beschädigte(r)** *mf* (*dated*) = **s~behinderte(r)**; **s~bewaffnet** △ *adj attr* heavily armed.

Schwere *f no pl siehe adj* ⓐ heaviness. ⓑ seriousness, gravity; severity. ⓒ hardness; difficulty.

Schwere-: **s~los** *adj* weightless; **~losigkeit** *f* weightlessness.

△**schwer|erziehbar** *adj attr* maladjusted.

△**schwerfallen** *vi sep irreg aux sein* to be difficult *or* hard (*jdm* for sb).

schwerfällig *adj* *Gang* clumsy, awkward; *Verstand* slow; *Stil* ponderous.

Schwerfälligkeit *f siehe adj* clumsiness, awkwardness; slowness; ponderousness.

Schwer-: **~gewicht** *nt* ⓐ (*Sport, fig*) heavyweight; ⓑ (*Nachdruck*) emphasis; **das ~gewicht auf etw** (*acc*) **legen** to put the emphasis on sth; **s~-gewichtig** *adj* heavyweight; **~gewichtler(in** *f)* *m* - (*Sport*) heavyweight; **s~hörig** *adj* hard of hearing; **~hörigkeit** *f* hardness of hearing; **~industrie** *f* heavy industry; **~kraft** *f* gravity; **s~krank** △ *adj attr* seriously *or* critically ill; **~kranke(r)** *mf* seriously *or* critically ill patient; **s~lich** *adv* hardly, scarcely; **s~machen** △ *vt sep* **es jdm/jdm das Leben s~machen** to make it/life difficult for sb; **~metall** *nt* heavy metal; **~mut** *f no pl* melancholy; **s~mütig** *adj* melancholy; **s~nehmen** △ *vt sep irreg* **etw s~nehmen** to take sth hard; **~öl** *nt* heavy oil.

Schwerpunkt m (Phys) centre (Brit) or center (US) of gravity; (fig) (Zentrum) centre (Brit), center (US), main focus; (Hauptgewicht) main emphasis ▶ **den ~ auf etw** (acc) **legen** to put the main emphasis or stress on sth.

Schwerpunkt-: **~streik** m pinpoint strike; **~verlagerung** f shift of emphasis.

schwerreich adj attr (col) stinking rich (col).

Schwert nt -er sword ▶ **das ~ ziehen** to draw one's sword.

Schwert-: **~fisch** m swordfish; **~hieb** m sword stroke; **~lilie** f (Bot) iris.

△**schwertun** vr sep irreg (col) **sich** (dat) **mit jdm/etw ~** to find sb/sth heavy going.

Schwertwal m killer whale.

Schwer-: **~verbrecher** m criminal, felon (esp Jur); **s~verdaulich** △ adj attr Speisen indigestible; (fig auch) difficult; **s~verdient** △ adj attr Geld hard-earned; **s~verletzt** △ adj attr seriously injured; **~verletzte(r)** mf serious casualty; (bei Unfall etc auch) seriously injured person; **s~verständlich** △ adj attr difficult to understand, incomprehensible; **s~verwundet** △ adj attr seriously wounded; **s~wiegend** adj (fig) serious.

Schwester f -n sister; (Kranken~) nurse; (Stations~) sister; (Ordens~) nun, sister; (Gemeinde~) district nurse.

Schwester- in cpds sister; **~firma** f sister or associate(d) company; **~herz** nt (col) sis (col); **s~lich** adj sisterly.

Schwestern-: **~heim** nt nurses' home; **~helferin** f nursing auxiliary (Brit) or assistant (US); **~schülerin** f student nurse.

schwieg pret of schweigen.

Schwieger-: **~eltern** pl parents-in-law pl; **~mutter** f mother-in-law; **~sohn** m son-in-law; **~tochter** f daughter-in-law; **~vater** m father-in-law.

Schwiele f -n callus; (Vernarbung) welt.

schwielig adj Hände callused.

schwierig adj difficult; (schwer zu lernen etc auch) hard.

Schwierigkeit f difficulty ▶ **in ~en geraten** to get into difficulties or trouble; **jdm ~en machen** to make difficulties or trouble for sb; **es macht mir überhaupt keine ~en** it won't be at all difficult for me; **mach keine ~en!** (col) don't be difficult, don't make any trouble; **ohne ~en** without any difficulty; **~en haben, etw zu tun** to have difficulty in doing sth.

Schwierigkeitsgrad m degree of difficulty.

Schwimm-: **~bad** nt swimming pool; (Hallenbad auch) swimming baths pl (Brit); **~becken** nt (swimming) pool.

schwimmen pret schwamm, ptp geschwommen aux sein ① vi ⓐ auch aux haben to swim ▶ **~ gehen** to go swimming or for a swim. ⓑ (auf dem Wasser treiben) to float. ⓒ (col: überschwemmt sein: Boden) to be swimming (col), to be awash ▶ **in Fett** (dat) **~** to be swimming in fat; **in seinem Blut ~** to be soaked in blood; **im Geld ~** to be rolling in money (col). ⓓ (fig: unsicher sein) to be at sea, to flounder ▶ **ins S~ geraten** (fig) to begin to flounder. ⓔ **es schwimmt mir vor den Augen** I feel dizzy. ② vt auch aux haben (Sport) to swim.

Schwimmer m - ⓐ swimmer. ⓑ (Tech) float.

Schwimmerbecken nt swimmers' pool.

Schwimmerin f swimmer.

Schwimm-: **~flosse** f (von Taucher) flipper; **~fuß** m web foot; **~halle** f swimming bath(s pl) (Brit), (indoor) swimming pool; **~haut** f (Orn) web; **~lehrer** m swimming instructor; **~sport** m swimming no art; **~stil** m stroke; (Technik) (swimming) style; **~unterricht** m swimming lessons pl; **~verein** m swimming club; **~vogel** m waterfowl; **~weste** f life jacket.

Schwindel m no pl ⓐ (Gleichgewichtsstörung) dizziness. ⓑ (Lüge) lie; (Betrug) swindle, fraud, con (col) ▶

das ist alles ~, was er da sagt what he says is all a pack of lies or a big con (col).

Schwindel|anfall m dizzy turn, attack of dizziness.

Schwindelei f (col) (leichte Lüge) fib (col); (leichter Betrug) swindle.

Schwindel-: **s~erregend** △ adj ⓐ **in s~erregender Höhe** at a dizzy height; ⓑ Preise astronomical; **~firma** f bogus firm or company; **s~frei** adj **s~frei sein** to have no fear of heights; **er ist nicht s~frei** he can't stand heights, he suffers from vertigo; **~gefühl** nt feeling of dizziness.

schwind(e)lig adj dizzy ▶ **mir ist ~** I feel dizzy.

schwindeln ① vi ⓐ **mir schwindelt** I feel dizzy; **mir schwindelte der Kopf** my head was reeling; **in ~der Höhe** at a dizzy height. ⓑ (col: lügen) to fib (col), to tell fibs (col). ② vt (col) **das ist alles geschwindelt** it's all lies. ③ vr **sich durch die Kontrollen ~** to con or wangle one's way through the checkpoints (col).

schwinden pret schwand, ptp geschwunden vi aux sein (abnehmen) to dwindle; (Schönheit) to fade, to wane; (Erinnerung, Angst, Zeit, Dunkelheit) to fade away; (Kräfte) to fade, to fail ▶ **sein Mut schwand** his courage failed him; **ihm schwanden die Sinne** (liter) he grew faint.

Schwindler(in f) m - swindler; (Hochstapler) con-man (col); (Lügner) liar, fraud.

schwindlig adj = schwind(e)lig.

Schwindsucht f (dated) consumption.

schwindsüchtig adj (dated) consumptive.

Schwinge f -n (liter, Flügel) wing.

schwingen pret schwang, ptp geschwungen ① vt to swing; (drohend) Schwert, Stock etc to brandish; Hut, Fahne to wave; siehe geschwungen. ② vr **sich auf etw** (acc) **~** to leap or jump onto sth, to swing oneself onto sth; **sich in etw** (acc) **~** to vault into sth, to swing oneself into sth. ③ vi ⓐ to swing. ⓑ (vibrieren: Brücke, Saite) to vibrate.

Schwinger m - (Boxen) swing.

Schwing-: **~flügel** m casement window; **~schleifer** m (orbital) sander; **~tor** nt up-and-over door; **~tür** f swing door.

Schwingung f (Phys, fig) vibration; (von Wellen) oscillation ▶ **etw in ~(en) versetzen** to start sth vibrating; to start sth oscillating.

Schwips m -e (col) **einen (kleinen) ~ haben** to be tiddly (Brit col) or (slightly) tipsy.

schwirren vi aux sein to whizz; (Bienen, Fliegen etc) to buzz ▶ **Gerüchte ~ durch die Presse** the press is buzzing with rumours; **mir schwirrt der Kopf** my head is buzzing.

Schwitzbad nt Turkish bath; (Dampfbad) steam bath.

Schwitze f -n (Cook) roux.

schwitzen ① vi (lit, fig) to sweat; (Fenster) to steam up. ② vt (Cook) Mehl to brown in fat. ③ vr **sich naß ~** to get drenched in sweat.

Schwitzkasten m (Ringen) headlock ▶ **jdn in den ~ nehmen** to put a headlock on sb.

Schwof m -e (col) hop (col), dance.

schwofen vi (col) to dance.

schwoll pret of schwellen.

schwören pret schwor, ptp geschworen vti to swear ▶ **ich kann darauf ~, daß ...** I could swear to it that ...; **jdm/sich etw ~** to swear sth to sb/oneself; **auf jdn/etw ~** (fig) to swear by sb/sth.

schwul adj (col) gay, queer (pej col).

schwül adj (lit, fig) Tag, Stimmung sultry; Wetter auch close, muggy.

△: for details of spelling reform, see supplement

Schwüle *f no pl siehe adj* sultriness; closeness, mugginess.

Schwulen- (*col*): **~bar** *f*, **~lokal** *nt* gay bar.

Schwule(r) *mf decl as adj* (*col*) gay, queer (*pej col*), fag (*US pej col*).

Schwulität *f usu pl* (*col*) trouble *no indef art*, difficulty ▸ **in ~en kommen** to get into a fix (*col*); **jdn in ~en bringen** to get sb into trouble *or* hot water (*col*).

Schwulst *m no pl* (*pej*) (*in der Sprache*) bombast, pompousness; (*in der Kunst*) ornateness.

schwülstig *adj* (*pej*) *Stil, Redeweise* bombastic, pompous.

Schwund *m no pl* [a] (*Abnahme*) decrease (*gen* in), decline (*gen* in), dwindling (*gen* of). [b] (*von Material*) shrinkage. [c] (*Med*) atrophy.

Schwung *m ⁼e* [a] swing ▸ **jdm/etw einen ~ geben** to give sb/sth a push. [b] *no pl* (*fig: Elan*) verve, zest; (*von Mensch auch*) go (*col*); (*lit: Antrieb*) momentum ▸ **in ~ kommen** (*lit: Schlitten etc*) to gather *or* gain momentum; (*fig auch*) to get going; **jdn/etw in ~ bringen** (*lit, fig*) to get sb/sth going; **~ in die Sache bringen** (*col*) to liven things up; **in ~ sein** (*lit, fig*) to have got going; (*fig*) to be in full swing; **voller/ohne ~** full of/lacking verve or zest. [c] (*Linienführung*) sweep ▸ **der ~ ihrer Brauen** the arch of her eyebrows. [d] *no pl* (*col: Menge*) (*Sachen*) stack, pile (*col*); (*Leute*) bunch (*col*).

Schwung-: **s~haft** *adj Handel* flourishing, roaring; **sich s~haft entwickeln** to grow hand over fist; **~kraft** *f* centrifugal force; **s~los** *adj* lacking in verve *or* zest; *Mensch auch* lacking go (*col*); **~rad** *nt* flywheel; **s~voll** *adj Linie, Bewegung* sweeping; *Rede, Aufführung* lively.

Schwur *m ⁼e* (*Eid*) oath; (*Gelübde*) vow.

Schwurgericht *nt court with a jury* ▸ **vor das ~ kommen** to be tried by jury.

SDR [ɛsdeːˈʔɛr] *m* = **Süddeutscher Rundfunk.**

sechs [zɛks] *num* six; *siehe* **vier.**

Sechs- [ˈzɛks-]: **~eck** *nt* hexagon; **s~eckig** *adj* hexagonal.

Sechserpackung *f* six-pack.

Sechs- [zɛks-]: **s~fach** [1] *adj* sixfold; [2] *adv* sixfold, six times; *siehe* **vierfach**; **s~hundert** *num* six hundred; **s~mal** *adv* six times; **~tagerennen** *nt* six-day (bicycle) race; **s~tägig** *adj* six-day; **s~tausend** *num* six thousand.

sechste(r, s) [ˈzɛkstə] *adj* sixth ▸ **einen ~n Sinn für etw haben** to have a sixth sense (for sth); *siehe* **vierte(r, s).**

Sechstel [ˈzɛkstl̩] *nt* - sixth.

sechstens [ˈzɛkstn̩s] *adv* sixth(ly), in the sixth place.

sechzehn [ˈzɛçtseːn] *num* sixteen.

Sechzehntel(note *f*) *nt* - (*Mus*) semiquaver (*Brit*), sixteenth note (*US*).

sechzig [ˈzɛçtsɪç] *num* sixty; *siehe* **vierzig.**

Sechziger(in *f*) *m* - sixty-year-old.

SED [ɛseːˈdeː] *f* (*Hist*) = **Sozialistische Einheitspartei Deutschlands.**

Sediment *nt* (*Geol*) sediment.

Sedimentgestein *nt* (*Geol*) sedimentary rock.

See¹ *f -n* [ˈzeːən] sea ▸ **an der ~** by the sea, at the seaside; **an die ~ fahren** to go to the sea(side); **auf hoher ~** on the high seas; **auf ~** at sea; **in ~ stechen** to put to sea.

See² *m -n* [ˈzeːən] lake; (*in Schottland*) loch.

See-: **~aal** *m* [a] (*Zool*) conger (eel); [b] (*Comm*) dogfish; **~bad** *nt* (*Kurort*) seaside resort; **~bär** *m* [a] (*hum col*) seadog (*col*); [b] (*Zool*) fur seal; **~beben** *nt* seaquake; **s~fahrend** *adj attr Volk* seafaring; **~fahrer** *m* seafarer; **~fahrt** *f* [a] (*Fahrt*) (sea) voyage; (*Vergnügungs~*) cruise; [b] (*Schiffahrt*) seafaring *no art*; **s~fest** *adj* **s~fest sein** to be a good sailor; **~gang** *m* swell; **hoher ~gang** heavy

seas *pl or* swell; **s~gestützt** *adj* (*Mil*) sea-based; **~gras** *nt* (*Bot*) eelgrass, sea grass *or* hay; **~hafen** *m* seaport; **~handel** *m* maritime trade; **~herrschaft** *f* naval *or* maritime supremacy; **~höhe** *f* sea level; **~hund** *m* seal; **~hundfell** *nt* sealskin; **~igel** *m* sea urchin; **~jungfrau** *f* (*Myth*) mermaid; **~kanal** *m* ship canal; **~karte** *f* sea *or* nautical chart; **~klima** *nt* maritime climate; **s~krank** *adj* seasick; **Paul wird leicht s~krank** Paul is a bad sailor; **~krankheit** *f* seasickness; **~lachs** *m* (*Cook*) pollack.

Seele *f -n* (*Rel, fig, Mensch*) soul; (*Herzstück, Mittelpunkt*) life and soul ▸ **in tiefster ~** (*geh*) in one's heart of hearts; **mit ganzer ~** with all one's soul; **jdm aus der ~ sprechen** to express exactly what sb feels; **das liegt mir auf der ~** it weighs heavily on my mind; **sich** (*dat*) **etw von der ~ reden** to get sth off one's chest; **sich** (*dat*) **die ~ aus dem Leib reden** (*col*) to talk until one is blue in the face (*col*); **das tut mir in der ~ weh** I am deeply distressed; **zwei ~n und ein Gedanke** (*Prov*) two minds with but a single thought; **nun hat die liebe** *or* **arme ~ Ruh** now we should have some peace; **eine ~ von Mensch** an absolute dear.

Seelen-: **~amt** *nt* (*Eccl*) requiem; **~friede(n)** *m* (*geh*) peace of mind; **~heil** *nt* salvation of one's soul; (*fig*) spiritual welfare; **~leben** *nt* inner life; **~ruhe** *f* calmness, coolness; **in aller ~ruhe** calmly; (*kaltblütig*) as cool as you please; **s~ruhig** *adv* calmly; (*kaltblütig*) as cool as you please, as cool as a cucumber (*col*); **~tröster** *m* (*hum: Schnaps*) pick-me-up (*col*); **s~verwandt** *adj* congenial (*liter*); **sie waren s~verwandt** they were kindred spirits; **~verwandtschaft** *f* affinity; **~wanderung** *f* (*Rel*) transmigration of souls, metempsychosis; **~zustand** *m* psychological *or* mental state.

See-: **~leute** *pl of* **~mann**; **~lilie** *f* sea lily.

seelisch *adj* (*Rel*) spiritual; (*geistig*) mental, psychological; *Belastung* emotional; *Grausamkeit* mental ▸ **~ bedingt sein** to have psychological causes.

Seelöwe *m* sea lion.

Seelsorge *f no pl* spiritual welfare.

Seelsorger(in *f*) *m* - pastor.

See-: **~luft** *f* sea air; **~macht** *f* sea *or* maritime power.

Seemann *m, pl* -leute sailor, seaman.

seemännisch *adj* nautical.

Seemanns-: **~garn** *nt no pl* (*col*) sailor's yarn; **~garn spinnen** to spin a yarn; **~heim** *nt* sailors' home; **~lied** *nt* sea shanty.

Seemeile *f* nautical *or* sea mile.

Seengebiet [ˈzeːən-] *nt* lakeland district.

Seenot *f no pl* distress ▸ **in ~ geraten** to get into distress.

Seenot-: **~(rettungs)dienst** *m* sea rescue service; **~zeichen** *nt* nautical distress signal.

See-: **~otter** *m* sea otter; **~pferd(chen)** *nt* sea horse; **~räuber** *m* pirate; **~räuberei** *f* piracy; **~recht** *nt* maritime law; **~reise** *f* (sea) voyage; (*Kreuzfahrt*) cruise; **~rose** *f* waterlily; **~sack** *m* kitbag; **~schaden** *m* damage at sea, average (*spec*); **~schiffahrt** *f* maritime *or* ocean shipping; **~schlacht** *f* naval *or* sea battle; **~stern** *m* (*Zool*) starfish; **~streitkräfte** *pl* naval forces *pl*, navy; **~tang** *m* seaweed; **s~tüchtig** *adj* seaworthy; **~ufer** *nt* lakeside; **~vogel** *m* sea bird; **~volk** *nt* (*Nation*) seafaring nation *or* people; **~weg** *m* sea route; **auf dem ~weg reisen** to go *or* travel by sea; **~zeichen** *nt* navigational aid; **~zunge** *f* sole.

Segel *nt* - sail ▸ **mit vollen ~n** under full sail *or* canvas; (*fig*) with gusto; **die ~ streichen** (*Naut*) to strike sail; (*fig*) to give in.

Segel-: **~boot** *nt* sailing boat (*Brit*), sailboat (*US*); **s~fliegen** *vi infin only* to glide; **~fliegen** *nt* gliding; **~flieger** *m* glider pilot; **~flugzeug** *nt* glider; **~jacht** *f* (sailing) yacht, sailboat (*US*); **~klub** *m* sailing club.

⚠ : Informationen zur Rechtschreibreform im Anhang

segeln vti ⓐ aux haben or sein to sail ► **eine Strecke ~** to sail a course; **~ gehen** to go for a sail. ⓑ aux sein (col) **durch eine Prüfung ~** to flop in an exam (col), to fail (in) an exam.

Segeln nt no pl sailing.

Segel-: **~ohren** pl (hum) floppy ears pl (col); **~regatta** f sailing or yachting regatta; **~schiff** nt sailing ship or vessel; **~sport** m sailing no art; **~törn** m cruise (on a yacht etc); **~tuch** nt canvas.

Segen m - ⓐ (lit, fig) blessing ► **es ist ein ~, daß ...** it is a blessing that ...; **jdm den ~ erteilen** to give sb one's blessing or benediction; **meinen ~ hat er** (col) that's OK by me (col); (iro) good luck to him. ⓑ (col) **der ganze ~** the whole lot.

segensreich adj beneficial; Tätigkeit beneficent.

Segler m - ⓐ (Segelsportler) yachtsman, sailor. ⓑ (Schiff) sailing vessel. ⓒ (Orn) swift.

Seglerin f yachtswoman.

Segment nt segment.

segnen vt (Rel) to bless; siehe **gesegnet**.

Segnung f (Rel) blessing, benediction.

sehbehindert adj partially sighted.

▼ **sehen** pret **sah**, ptp **gesehen** ① vt ⓐ to see; (an~ auch) to look at; Fernsehsendung auch to watch ► **sieht man das?** does it show?; **das kann man ~** you can tell that (just by looking); **siehst du irgendwo mein Buch?** can you see my book anywhere?; **von ihm war nichts mehr zu ~** he was no longer to be seen; **darf ich das mal ~?** can I have a look at that?; **ich kann diesen Kerl nicht mehr ~** I can't stand the sight of that guy any more; **jdn kommen ~** to see sb coming; **jdn/etw zu ~ bekommen** to get to see sb/sth; **den möchte ich ~, der ...** I'd like to meet the man who ...; **da sieht man es mal wieder!** that's typical; **also, wir ~ uns morgen** right, I'll see you tomorrow; **das müssen wir erst mal ~** that remains to be seen; **das sehe ich noch nicht** (col) I still don't see that happening; **das wollen wir (doch) erst mal ~!** we'll see about that!

ⓑ (beurteilen) to see; (deuten auch) to look at ► **wie siehst du das?** how do you see it?; **das darf man nicht so ~** that's not the way to look at it; **du siehst das nicht richtig** you've got it wrong; **das sehe ich anders** that's not how I see it; **rein menschlich gesehen** from a purely personal point of view; **so gesehen** looked at in this way; **du hast wohl keine Lust, oder wie sehe ich das?** (col) you don't feel like it, do you?

ⓒ **sich ~ lassen** to put in an appearance, to appear; **er läßt sich kaum noch bei uns ~** he hardly comes to see us any more; **er kann sich in der Nachbarschaft nicht mehr ~ lassen** he can't show his face in the neighbourhood any more; **kann ich mich in diesem Anzug ~ lassen?** do I look all right in this suit?; **das neue Rathaus kann sich ~ lassen** the new town hall is certainly something to be proud of.

② vr **sich betrogen/getäuscht ~** to see oneself cheated/deceived; **sich gezwungen ~, zu ...** to see or find oneself obliged to ...

③ vi ⓐ to see ► **siehe oben/unten** see above/below; **siehst du (wohl)!, siehste!** (col) you see!; **sieh doch!** look (here)!; **~ Sie mal!** look!; **er sieht gut/schlecht** he can/cannot see very well; **laß mal ~** let me see or look or have a look, give us a look (col); **na siehst du** (there you are,) you see?; **wie ich sehe ...** I (can) see ...; **ich sehe schon, du willst nicht** I can see you don't want to; **da kann man mal ~** that just shows (you), that just goes to show; **mal ~, ob ...** (col) let's see if ...; **mal ~!** (col) we'll see; **sieh, daß du ...** see (that) you ... ⓑ (herausragen) **das Boot sah kaum aus dem Wasser** the boat hardly showed above the water. ⓒ (zeigen, weisen) **das Fenster sieht auf den Garten** the window

looks onto the garden. ⓓ **nach jdm ~** (jdn betreuen) to look after sb; (jdn besuchen) to go/come to see sb; **nach etw ~** to look after sth. ⓔ **darauf ~, daß ...** to make sure (that) ...

Sehen nt no pl seeing; (Sehkraft) sight, vision ► **ich kenne ihn nur vom ~** I only know him by sight.

sehenswert adj worth seeing.

Sehenswürdigkeit f sight ► **die Kneipe ist wirklich eine ~!** that pub is really (a sight) worth seeing!

Seher(in f) ['zeːɐ, -ərɪn] m - seer.

seherisch ['zeːərɪʃ] adj attr prophetic.

Seh-: **~fehler** m visual or sight defect; **~kraft** f (eye)sight.

Sehne f -n ⓐ (Anat) tendon, sinew. ⓑ (Bogen~) string.

sehnen vr **sich nach jdm/etw ~** to long or yearn (liter) for sb/sth.

Sehnen-: **~scheidenentzündung** f tendovaginitis; **~zerrung** f pulled tendon.

Sehnerv m optic nerve.

sehnig adj Mensch sinewy, wiry; Fleisch stringy.

sehnlich adj ardent; Erwartung eager ► **sein ~ster Wunsch** his fondest or most ardent (liter) wish.

Sehnsucht f -e longing, yearning (nach for) ► **~ haben** to have a longing or yearning; **~ nach jdm haben** to yearn for sb.

sehnsüchtig adj longing, yearning; Wunsch etc ardent; Erwartung eager.

sehnsuchtsvoll adj longing, yearning; Blick, Brief, Schilderung wistful.

sehr adv ⓐ (mit adj, adv) very ► **er ist ~ dafür/dagegen** he is all for it/he is very much against it; **~ zu meiner Überraschung** very much to my surprise; **es geht ihm ~ viel besser** he is very much better; **wir haben ~ viel Zeit** we have plenty of time or lots of time; **wir haben nicht ~ viel Zeit** we don't have very much time.

ⓑ (mit vb) very much, a lot ► **so ~** so much; **jdn so ~ schlagen, daß ...** to hit sb so hard that ...; **sich über etw** (acc) **so ~ ärgern/freuen, daß ...** to be so (very) annoyed/pleased about sth that ...; **wie ~** how much; **wie ~ er sich auch bemühte, ...** however much he tried ...; **sich** (dat) **etw ~ überlegen** to consider sth very carefully; **sich ~ anstrengen** to try very hard; **hat sie ~ geweint?** did she cry very much or a lot?; **freust du dich darauf? — ja, ~** are you looking forward to it? — yes, very much; **tut es weh? — ja, ~** does it hurt? — yes, a lot; **zu ~** too much.

Seh-: **~schwäche** f poor eyesight; **~test** m eye test; **~vermögen** nt powers of vision pl.

sei imper sing, 1. and 3. pers sing subjunc of **sein** (imper) be; (subjunc) am; is.

seicht adj (lit, fig) shallow.

Seichtheit f (lit, fig) shallowness.

seid 2. pers pl pres, imper pl of **sein** are; (imper) be.

Seide f -n silk.

Seidel nt - (Gefäß) stein, beer mug.

seiden adj attr (aus Seide) silk, silken (liter).

Seiden- in cpds silk; **~band** nt silk ribbon; **~gewebe** nt silk fabric; **~glanz** m silky or silken sheen; **~papier** nt tissue paper; **~raupe** f silkworm; **~stoff** m silk cloth or fabric.

seidig adj (wie Seide) silky, silken.

Seife f -n soap.

Seifen-: **~blase** f soap bubble; (fig) bubble; **~blasen machen** to blow (soap) bubbles; **~kistenrennen** nt soapbox derby; **~lauge** f (soap)suds pl; **~oper** f (col) soap (opera); **~pulver** nt soap powder; **~schale** f soap dish; **~schaum** m lather; **~spender** m soap dispenser; **~wasser** nt soapy water.

seifig adj soapy.

Seihe f -n strainer, colander.

⚠: for details of spelling reform, see supplement

➤ SATZBAUSTEINE: **sehen: 1b → 2.1**

seihen vt (*Flüssigkeit abgießen von*) to strain.

Seil nt -e rope; (*Hoch~*) tightrope, highwire ▶ *auf dem ~ tanzen* (*fig*) to be walking a tightrope.

Seil-: **~bahn** f cable railway; (*Bergseilbahn auch*) funicular; **s~hüpfen** vi sep aux sein to skip; **~schaft** f (*Bergsteigen*) roped party; **s~springen** vi sep irreg aux sein to skip; **~tanz** m tightrope or high-wire act; **s~tanzen** vi sep to walk the tightrope or high wire; **~tänzer** m tightrope walker, high-wire performer; **~winde** f winch.

Sein nt no pl being no art ▶ *~ und Schein* appearance and reality; *~ oder Nichtsein* to be or not to be.

sein¹ pret **war**, ptp **gewesen** aux sein [1] vi [a] to be ▶ *wir waren* we were; *wir sind gewesen* we have been, we've been; *seien Sie nicht böse, aber ...* don't be angry but ...; *sei so nett und ...* be so kind as to ...; *das wäre gut* that would or that'd be a good thing; *es wäre schön gewesen* it would or it'd have been nice; *er ist Lehrer/ein Verwandter* he is a teacher/a relative; *was sind Sie (beruflich)?* what do you do?; *in der Küche sind noch viele* there's or there are still plenty in the kitchen; *wenn ich Sie wäre* if I were or was you; *er/sie war es nicht* it wasn't him/her; *das kann schon ~* that may well be; *das wär's!* that's all, that's it; *wie war das noch?* what was that again?; *bist du's/ist er's?* is that you/him?; *morgen bin ich in Rom* I'll or I will or I shall be in Rome tomorrow; *waren Sie mal in Rom?* have you ever been to Rome?; *wir waren essen* we went out for a meal; *wo warst du so lange?* what kept you?

[b] (*mit infin +zu*) *du bist nicht zu sehen* you cannot be seen; *das war ja vorauszusehen* that was to be expected; *wie ist das zu verstehen?* how is that to be understood?; *er ist nicht zu ersetzen* he cannot be replaced; *mit ihr ist ja nicht zu sprechen* you can't talk to her.

[c] *was ist?* what's the matter?, what is it?; *ist was?* what is it?; (*paßt dir was nicht*) is something the matter?; *das kann nicht ~* that can't be (true); *..., es sei denn, daß ...* ... unless ...; *wie dem auch sei* be that as it may; *wie wäre es mit ...?* how about ...?, what about ...?; *wie wäre es, wenn wir ihn besuchen würden?* what about or how about going to see him?; *wenn du nicht gewesen wärest ...* if it hadn't been for you ...; *er ist nicht mehr* (*euph*) he is no more (*euph liter*); *mir ist kalt* I'm cold; *was ist Ihnen?* what's the matter with you?; *mir ist, als hätte ich ihn früher schon einmal gesehen* I have a feeling I've seen him before.

[2] v aux to have ▶ *er war jahrelang krank gewesen* he had been or he'd been ill for years; *sie ist verschwunden* she has or she's disappeared; *sie ist gestern verschwunden* she disappeared yesterday; *sie sind geschlagen worden* they have been beaten.

sein² poss pron (*adjektivisch*) (*bei Männern*) his; (*bei Dingen*) its; (*bei Mädchen*) her; (*bei Tieren*) its, his/her; (*bei Ländern, Städten*) its, her; (*auf „man" bezüglich*) one's (*Brit*), his (*US*), your ▶ *wenn man ~ Leben betrachtet* when one looks at one's or his (*US*) life, when you look at your life; *jeder hat ~e Probleme* everybody has his or their (*col*) problems; *er ist gut ~e zwei Meter* (*col*) he's a good six feet six.

seine(r, s) poss pron (*substantivisch*) his ▶ *der/die/das ~* (*geh*) his; *er hat das S~ getan* (*geh*) he did his bit; *jedem das S~* to each his own; *die S~n* (*geh*) his family, his people; (*auf „man" bezüglich*) one's (*Brit*) or his (*US*) family or people.

seiner pers pron gen of **er**, **es** (*geh*) *gedenke ~* remember him; *er war ~ nicht mächtig* he was not in control of himself.

seiner-: **~seits** adv (*von ihm*) on his part; (*er selbst*) for his part; **~zeit** adv at that time.

seines poss pron siehe **seine(r, s)**.

seinesgleichen pron inv (*gleichartig*) his kind pl; (*auf „man" bezüglich*) of one's own kind; (*pej*) the likes of him pl ▶ *jdn wie ~ behandeln* to treat sb as an equal or on equal terms; *das sucht ~* it is unparalleled.

seinet-: **~wegen** adv [a] (*wegen ihm*) because of him, on his account; (*um ihn*) about him; [b] (*von ihm aus*) as far as he is concerned; **~willen** adv: *um ~willen* for his sake.

seinige poss pron *der/die/das ~* his.

△**seinlassen** vt sep irreg *etw ~* (*aufhören*) to stop sth/ doing sth; (*nicht tun*) to drop sth, to leave sth; *laß es sein!* stop that!

seins poss pron his.

△**Seismograph** m seismograph.

seit [1] prep +dat (*Zeitpunkt*) since; (*Zeitdauer*) for ▶ *~ wann?* since when?; *~ Jahren* for years; *ich habe ihn schon ~ zwei Jahren nicht mehr gesehen* I haven't seen him for two years, I last saw him two years ago; *sie ist ~ Dienstag/~ etwa einer Woche hier* she has been here since Tuesday/for about a week.

[2] conj since.

seitdem [1] adv since then.

[2] conj since.

Seite f -n side; (*Buch~, Zeitungs~*) page ▶ *die hintere/ vordere ~* the back/front; *auf beiden ~n des Hauses* on both sides of the house; *~ an ~* side by side; *an jds ~ (dat) gehen* to walk at or by sb's side; *jdn von der ~ ansehen* to give sb a sidelong glance; *zur ~ treten* to step aside; *die ~n wechseln* (*Sport*) to change ends or over; (*fig*) to change sides; *die Hände in die ~n gestemmt* with arms akimbo, with one's hands on one's hips; *jdm zur ~ stehen* (*fig*) to stand by sb's side; *das Recht ist auf ihrer ~* she has right on her side; *sich jdm an die ~ stellen* (*fig*) to put or set oneself beside sb; *jdn zur ~ nehmen* to take sb aside or on one side; *auf der einen ~ ..., auf der anderen ~ ...* on the one hand ..., on the other (hand) ...; *jds starke ~* sb's forte, sb's strong point; *jds schwache ~* sb's weakness, sb's weak spot; *sich von seiner besten ~ zeigen* to show oneself at one's best; *von dieser ~ kenne ich ihn gar nicht* I didn't know that side of him; *einer Sache (dat) die beste ~ abgewinnen* to make the best or most of sth; *von allen ~n* (*lit, fig*) from all sides; *nach allen ~n auseinandergehen* to scatter in all directions; *das habe ich von einer anderen ~ erfahren* (*fig*) I heard it from another source; *von meiner ~ aus* (*fig*) on my part.

seiten prep +gen *auf/von ~* on the part of.

Seiten- in cpds side; (*esp Tech, Sci etc*) lateral; **~angabe** f page reference; **~ansicht** f side view; (*Tech*) side elevation; **~aufprallschutz** m (*Aut*) side impact protection system, SIPS; **~blick** m sidelong glance; *mit einem ~blick auf* (+acc) (*fig*) with one eye on; **~einsteiger** m (*fig*) non-specialist who has moved sideways into a responsible position; **~fläche** f (*Tech*) lateral face or surface; **~hieb** m (*Fechten*) side cut; (*fig*) sideswipe; **~lage** f side position; *in ~lage schlafen* to sleep on one's side; **~lang** adj several pages long, going on for pages; **~linie** f (*Tennis*) sideline; (*Ftbl etc*) touchline; **~ruder** nt (*Aviat*) rudder.

seitens prep +gen (*form*) on the part of.

Seiten-: **~scheitel** m side parting (*Brit*), side part (*US*); **~schiff** nt (*Archit*) (side) aisle; **~sprung** m (*fig*) infidelity; *einen ~sprung machen* to have an affair; **~stechen** nt stitch; *~stechen haben* to have a stitch; **~stiche** pl = **~stechen**; **~straße** f side street, side road; **~streifen** m verge, berm (*US*); (*der Autobahn*) hard shoulder, emergency lane (*US*); *„~streifen nicht befahrbar"* "soft verges" (*Brit*), "soft shoulder"; **~tür** f side door; **s~verkehrt** adj the wrong way round;

△: Informationen zur Rechtschreibreform im Anhang

~wagen m sidecar; **~wechsel** m (Sport) changeover; **~weg** m side road, byway; **~wind** m crosswind; **~zahl** f page number.

seither [zait'heːɐ] adv since then.

seitlich 1 adj lateral (esp Sci, Tech), side attr.
  2 adv at the side; (von der Seite) from the side ▶ **~ von** at the side of; **die Kisten sind ~ grün bemalt** the sides of the boxes are painted green.
  3 prep +gen to or at the side of.

seitwärts adv sideways.

Sek., sek. = **Sekunde** s, sec.

Sekr. = **Sekretär** sec.

Sekret nt -e (Physiol) secretion.

Sekretär m a secretary. b (Schreibschrank) bureau, secretaire.

Sekretariat nt office.

Sekretärin f secretary.

Sekretion f (Physiol) secretion.

Sekt m -e sparkling wine, ≈ champagne.

Sekte f -n sect.

Sektierer(in f) m - sectarian.

sektiererisch adj sectarian.

Sektion f a section. b (Obduktion) post-mortem (examination), autopsy.

Sektkelch m champagne flute.

Sektor m sector (auch Comp); (Sachgebiet) field.

Sektschale f champagne glass.

Sekunda f, pl **Sekunden** (Sch dated) sixth and seventh year of German secondary school.

Sekundaner(in f) m - (Sch dated) pupil in sixth and seventh year of German secondary school.

Sekundant m second.

sekundär adj secondary.

Sekundärliteratur f secondary literature.

Sekundarstufe f secondary or high (esp US) school level.

Sekunde f -n (auch Mus, Math) second ▶ **eine ~, bitte!** just a second, please; **auf die ~ genau** to the second.

Sekunden-: **~bruchteil** m split second, fraction of a second; **s~lang** 1 adj of a few seconds; 2 adv for a few seconds; **~schnelle** f **in ~schnelle** in a matter of seconds; **~zeiger** m second hand.

sekundieren* vi +dat to second; (unterstützen auch) to back up.

selber dem pron siehe **selbst 1.**

Selbermachen nt do-it-yourself, DIY; (von Kleidern etc) making one's own ▶ **Möbel zum ~** do-it-yourself furniture.

selbst 1 dem pron a **ich/er/das Haus ~** I myself/he himself/the house itself; **du/Sie ~** you yourself; **wir/ sie/die Häuser ~** we ourselves/they themselves/the houses themselves; **sie ist die Tugend ~** she's virtue itself; **~ ist der Mann/die Frau!** self-reliance is the name of the game (col); **er braut sein Bier ~** he brews his own beer; **zu sich ~ kommen** to collect one's thoughts; **eine Sache um ihrer ~ willen tun** to do sth for its own sake; **wie geht's? — gut, und ~?** how are things? — fine, (and) yourself? b (ohne Hilfe) alone, on one's/ his/your etc own ▶ **das muß er ~ wissen** it's up to him; **das funktioniert von ~** it works by itself or automatically; **er kam ganz von ~** he came of his own accord.
  2 adv even ▶ **~ Gott** even God (himself); **~ wenn** even if.

Selbst nt no pl self.

Selbst|achtung f self-respect, self-esteem.

⚠ **selbständig** adj independent; (steuerlich) self-employed ▶ **~ denken** to think for oneself; **~ arbeiten/handeln** to work/act independently or on one's own; **sich ~ machen** (beruflich) to set up on one's own, to start one's own business; (hum: verschwinden) to grow legs (hum).

⚠ **Selbständige(r)** mf decl as adj independent businessman/-woman; (steuerlich) self-employed person ▶ **die ~n** the self-employed.

⚠ **Selbständigkeit** f independence; (beruflich, steuerlich) self-employment.

Selbst- in cpds self; **~anzeige** f **~anzeige erstatten** to come forward oneself; **~auslöser** m (Phot) delayed-action shutter release, delay timer; **~bedienung** f self-service; **~bedienungsladen** m self-service shop (Brit) or store (US); **~befriedigung** f masturbation; (fig) self-gratification; **~beherrschung** f self-control; (Zurückhaltung) self-restraint; **die ~beherrschung verlieren** to lose one's self-control or temper; **~bekenntnis** nt confession; **~bestätigung** f self-affirmation; **das empfand er als ~bestätigung** it boosted his ego; **~bestimmung** f self-determination; **~beteiligung** f (Insur) excess; **~betrug** m self-deception.

⚠ **selbstbewußt** adj (selbstsicher) self-assured, self-confident.

⚠ **Selbstbewußtsein** nt self-assurance, self-confidence.

Selbst-: **~bildnis** nt self-portrait; **~darstellung** f self-portrayal; **~disziplin** f self-discipline; **~einschätzung** f self-assessment; **~erfahrung** f self-awareness; **~erfahrungsgruppe** f encounter group; **~erhaltung** f self-preservation, survival; **~erhaltungstrieb** m survival instinct; **~erkenntnis** f self-knowledge; **s~ernannt** ⚠ adj self-appointed; (in bezug auf Titel) self-styled; **~fahrer** m (Aut) **Autovermietung für ~fahrer** self-drive car hire (Brit) or rental; **s~finanzierend** adj self-financing; **s~gebacken** ⚠ adj home-baked, home-made; **s~gebaut** ⚠ adj home-made, self-made; Haus self-built; **~gedrehte** f decl as adj roll-up (col); **~gedrehte rauchen** to roll one's own; **s~gefällig** adj smug, complacent; **~gefälligkeit** f smugness, complacency; **s~gemacht** ⚠ adj home-made; (Kleid etc) self-made; **s~gerecht** adj self-righteous; **~gerechtigkeit** f self-righteousness; **~gespräch** nt **~gespräche führen** to talk to oneself; **s~gestrickt** ⚠ adj a Pulli hand-knitted; **ist das s~gestrickt?** did you knit it yourself?; b (col) Methode homespun, amateurish; **s~herrlich** adj (pej) a (eigenwillig) high-handed; b (s~gerecht) self-satisfied; **~hilfe** f self-help; **zur ~hilfe greifen** to take matters into one's own hands; **~hilfegruppe** f self-help group; **~justiz** f arbitrary law; **~justiz üben** to take the law into one's own hands; **~klebeetikett** nt self-adhesive label; **s~klebend** adj self-adhesive.

Selbstkosten pl (Comm) prime costs pl.

Selbstkosten-: **~beteiligung** f (Insur) excess; **~preis** m cost price; **zum ~preis** at cost.

Selbst-: **~kritik** f self-criticism; **s~kritisch** adj self-critical; **~laut** m vowel; **s~los** adj selfless; **~losigkeit** f selflessness.

Selbstmord m (lit, fig) suicide.

Selbstmörder m suicide.

selbstmörderisch adj (lit, fig) suicidal.

Selbstmord-: **s~gefährdet** adj suicidal; **~versuch** m suicide attempt, attempted suicide.

Selbst-: **s~redend** adv of course, naturally; **s~reinigend** adj self-cleaning; **s~sicher** adj self-assured; **~sicherheit** f self-assurance; **~studium** nt private study; **etw im ~studium lernen** to learn sth by studying on one's own; **~sucht** f egoism; **s~süchtig** adj egoistic; **s~tätig** adj a (automatisch) automatic, self-acting; b (eigenständig) independent; **~test** m self-test; **~tor** nt (Sport, fig) own goal; **~tötung** f suicide; **~überwindung** f willpower; **s~verdient** ⚠ adj **s~verdientes Geld** money one has earned oneself; **s~vergessen** adj absent-minded; Blick faraway; **~vergessenheit** f absent-mindedness; **~verlag** m **im ~verlag erschienen** published privately (by the author);

~verleugnung f self-denial; **~verschulden** nt one's own fault; **wenn ~verschulden vorliegt ...** if you yourself etc are at fault ...; **s~verschuldet** ⚠ adj **wenn der Unfall s~verschuldet ist** if you are yourself to blame for the accident; **~versorger** m **~versorger sein** to be self-sufficient or self-reliant; **Urlaub für ~versorger** self-catering holiday.

⚠**selbstverständlich** ① adj Freundlichkeit natural; Wahrheit self-evident ▶ **das ist doch ~!** that goes without saying; **kann ich mitkommen? — ~** can I come too? — of course; **das ist keineswegs ~** it cannot be taken for granted; **etw für ~ halten, etw als ~ hinnehmen** to take sth for granted. ② adv of course.

Selbstverständlichkeit f naturalness; (Unbefangenheit) casualness no indef art; (von Wahrheit) self-evidence; (selbstverständliche Wahrheit etc) self-evident truth etc ▶ **etw für eine ~ halten** to take sth as a matter of course; **etw mit der größten ~ tun** to do sth as if it were the most natural thing in the world.

Selbst-: **~verständnis** nt **nach seinem eigenen ~verständnis** as he sees himself; **~versuch** m experiment on oneself; **~verteidigung** f self-defence (Brit), self-defense (US); **~vertrauen** nt self-confidence; **~verwaltung** f self-administration; (Regierung) self-government; **~wählferndienst** m (Telec) automatic dialling (Brit) or dial (US) service, subscriber trunk dialling (Brit), STD (Brit); **~wertgefühl** nt feeling of one's own worth or value, self-esteem; **s~zufrieden** adj self-satisfied; **~zufriedenheit** f self-satisfaction; **~zweck** m end in itself; **als ~zweck** as an end in itself.

selektiv adj selective.

Selen nt no pl selenium.

selig adj ⓐ (Rel) blessed; (old: verstorben) late ▶ **bis an mein ~es Ende** (old, hum) until the day I die. ⓑ (überglücklich) overjoyed; Stunden blissful.

Seligkeit f ⓐ (Rel) salvation. ⓑ (Glück) (supreme) happiness, bliss.

Selig-: **s~sprechen** ⚠ vt sep irreg (Eccl) to beatify; **~sprechung** f (Eccl) beatification.

Sellerie m -(s) celeriac; (Stangen~) celery.

selten ① adj rare. ② adv (nicht oft) rarely, seldom; (besonders) exceptionally ▶ **~ so gelacht!** (col) what a laugh! (col).

Seltenheit f rarity ▶ **das ist keine ~ bei ihr** it's nothing unusual with her.

Seltenheitswert m rarity value.

Selters nt -, - (col), **Selter(s)wasser** nt soda (water).

seltsam adj strange; (komisch auch) odd.

seltsamerweise adv strangely enough.

Seltsamkeit f ⓐ no pl strangeness, oddness. ⓑ (seltsame Sache) oddity.

Semantik f semantics sing.

semantisch adj semantic.

Semester nt - (Univ) semester (esp US), term (of a half-year's duration) ▶ **im 7./8. ~ sein** to be in one's 4th year; **ein älteres ~** a senior student; (hum) **die älteren ~** the older generation.

Semester- (Univ): **~ferien** pl vacation sing, **~schluß** ⚠ m end of term, end of the semester (US).

Semi- in cpds semi-; **~finale** ['zɛːmi-] nt (Sport) semifinal(s); **~kolon** [zemi'koːlɔn] nt, pl **-s** or **~kola** semicolon.

Seminar nt -e ⓐ (Univ) department; (~übung) seminar. ⓑ (Priester~) seminary. ⓒ (Lehrer~, Studien~) teacher training college, college of education.

Semit(in f) m (wk) **-en, -en** Semite.

semitisch adj Semitic.

Semmel f -n (dial) roll ▶ **sie gehen weg wie warme ~n** (col) they're selling like hot cakes (col).

Semmel-: **~brösel(n)** pl breadcrumbs pl; **~knödel** (S Ger, Aus) m bread dumpling.

sen. = senior sen.

Senat m -e (Pol, Univ) senate.

Senator m, **Senatorin** f senator.

Sende-: **~bereich** m transmission range; **~folge** f (Serie) series sing, (einzelne Folge) episode; (Programmfolge) programmes pl; **~gebiet** nt area; **~leiter** m producer.

senden[1] pret **sandte**, ptp **gesandt** ① vt to send (an +acc to) ▶ **jdm etw ~** to send sb sth, to send sth to sb. ② vi **nach jdm ~** to send for sb.

senden[2] vti (Rad, TV) to broadcast; Signal etc to transmit.

Sendepause f (Rad, TV) interval.

Sender m - transmitter; (~kanal) (Rad) station; (TV) channel (Brit), station (esp US).

Sende-: **~raum** m studio; **~reihe** f (radio/television) series; **~schluß** ⚠ m (Rad, TV) closedown; **bis zum ~schluß** until we close down; **~turm** m radio tower; **~zeichen** nt call sign; **~zeit** f broadcasting time; (für Werbespot) time slot; **in der besten ~zeit** in prime time.

Sendung f ⓐ no pl (das Senden) sending. ⓑ (Brief~) letter; (Päckchen) packet; (Paket) parcel; (Comm) consignment. ⓒ (Rad, TV) programme (Brit), program (US); (Rad auch) broadcast; (das Senden) broadcasting ▶ **auf ~ gehen/sein** to go/be on the air.

Senegal nt Senegal.

Senegalese m (wk) **-n, -n, Senegalesin** f Senegalese.

senegalesisch, senegalisch adj Senegalese.

Senf m -e mustard ▶ **seinen ~ dazugeben** (col) to put one's oar in (col).

Senf-: **~früchte** pl (Cook) pickles pl; **~gas** nt (Chem) mustard gas; **~korn** nt mustard seed; **~packung** f (Med) mustard poultice.

sengen ① vt to singe. ② vi to scorch.

senil adj (pej) senile.

Senilität f no pl (pej) senility.

senior adj senior.

Senior m ⓐ (auch **~chef**) boss; (ältester Geschäftspartner) senior partner ▶ **kann ich mal den ~ sprechen?** can I speak to Mr X senior? ⓑ (Sport) senior player ▶ **die ~en** the seniors. ⓒ **~en** pl senior citizens pl; (hum) old folk pl.

Senioren-: **~heim** nt old people's home; **~karte** f senior citizen's ticket; **~mannschaft** f senior team; **~paß** ⚠ m senior citizen's travel pass.

Senkblei nt = Senklot.

Senke f -n valley.

senken ① vt to lower; Lanze, Fahne to dip; Kopf to bow; (Tech) Schraube, Schacht to sink. ② vr to sink; (Decke) to sag; (Stimme) to drop.

Senk-: **~fuß** m (Med) fallen arches pl; **~grube** f cesspit; **~lot** nt plumbline; (Gewicht) plummet.

senkrecht adj vertical; (Math) perpendicular.

Senkrechte f decl as adj vertical; (Math) perpendicular.

Senkrechtstarter m (Aviat) vertical take-off aircraft; (fig col) whizz kid (col).

Senkung f ⓐ sinking; (von Boden, Straße) subsidence; (von Wasserspiegel) drop (gen in); (als Maßnahme) lowering. ⓑ (Vertiefung) hollow, valley.

Senner(in f) m - (Alpine) dairyman/dairymaid.

Sennerei f (Gebäude) Alpine dairy.

Sensation f sensation.

sensationell [zɛnzatsio'nɛl] adj sensational.

Sensations-: **~blatt** nt sensational paper; **~lust** f desire for sensation; **~nachricht** f scoop; **~presse** f yellow press.

Sense f -n scythe ▶ **dann ist ~!** (col) that's the end!

⚠: Informationen zur Rechtschreibreform im Anhang

sensibel adj sensitive; (heikel auch) problematic, delicate.
sensibilisieren* vt to sensitize.
Sensibilisierung f sensitization.
Sensibilität f sensitivity.
sensitiv adj (geh) sensitive.
Sensitivität f (geh) sensitivity.
Sensor m sensor.
Sensortaste f touch-sensitive button.
sentimental adj sentimental.
Sentimentalität f sentimentality.
Seoul [se'uːl] nt Seoul.
separat adj separate; (Wohnung, Zimmer self-contained.
Separatismus m (Pol) separatism.
separatistisch adj (Pol) separatist.
Sepsis f, pl **Sepsen** (Med) sepsis.
Sept. = **September** Sept.
September m - September; siehe **März**.
Septime f -n (Mus) seventh.
septisch adj septic.
⚠ **sequentiell** [zekven'tsiɛl] adj (Comp) sequential.
Sequenz f sequence.
Serbe m (wk) -n, -n Serbian.
Serbien ['zɛrbiən] nt Serbia.
Serbin f Serbian (woman/girl).
serbisch adj Serbian.
Serbokroatisch(e) nt Serbo-Croat; siehe **Deutsch(e)**.
Serenade f serenade.
Serie ['zeːriə] f series sing ▸ **in ~ gehen** to go into production; **in ~ hergestellt werden** to be produced in series.
seriell adj Herstellung series attr, (Comp, Mus) serial.
Serien- ['zeːriən-]: **~anfertigung**, **~herstellung** f series production; **s~mäßig** ①️ adj Ausstattung standard; Herstellung series attr, ②️ adv herstellen in series; **das wird s~mäßig eingebaut** it's fitted as standard or a standard fitting; **~modell** nt (Auto) standard or production model; **~mörder** m serial killer; **~nummer** f serial number; **~produktion** f series production; **s~weise** adv produzieren etc in series; (col: in Mengen) wholesale.
seriös adj (anständig) respectable; Firma reputable.
Seriosität f siehe adj respectability; reputableness.
Sermon m -e (pej) sermon, lecture.
Serpentine f winding road; (Kurve) double bend ▸ **die Straße führt in ~n den Berg hinauf** the road winds or snakes its way up the mountain.
Serum nt, pl **Seren** serum.
Service[1] [zɛr'viːs] nt - [zɛr'viːsə] (Geschirr) dinner/coffee etc service; (Gläser~) set.
Service[2] ['səːvɪs] m or nt -s (Comm, Sport) service.
servieren* [zɛr'viːrən] vti to serve (jdm etw sb sth, sth to sb).
Serviererin [zɛr'viːrərɪn] f waitress.
Servier- [zɛr'viːɐ-]: **~tisch** m serving table; **~wagen** m trolley (Brit), serving cart (US).
Serviette [zɛr'vietə] f serviette.
Servo- ['zɛrvo-] (Tech): **~bremse** f servo brake; **~lenkung** f power steering.
Servus ['zɛrvʊs] interj (Aus, S Ger) (beim Treffen) hello; (beim Abschied) goodbye, so long (col).
Sesam m -s sesame; (~samen) sesame seeds pl ▸ **~, öffne dich!** open Sesame!
Sessel m - (easy) chair; (Polstersessel) armchair.
Sessel-: **~lehne** f (chair) arm; **~lift** m chairlift.
⚠ **seßhaft** adj settled; (ansässig) resident ▸ **~ werden** to settle down.
⚠ **Seßhaftigkeit** f no pl settled form of existence; (von Lebensweise) settledness.
Set m or nt -s ⓐ set. ⓑ (Deckchen) tablemat.

Setter m - setter.
setzen ① vt ⓐ to put, to place; (bei Spielen) Stein, Figur to move; (bestimmen) Ziel, Grenze, Termin, Norm to set ▸ **etw auf die Rechnung ~** to put sth on the bill; **etw an den Mund ~** to put sth to one's mouth; **jdn an Land ~** to put sb ashore; **jdn über den Fluß ~** to take sb across the river; **Geld auf ein Pferd ~** to put money on a horse; **auf seinen Kopf sind 100.000 Dollar gesetzt** there's 100,000 dollars on his head; **jdm ein Denkmal ~** to build a monument to sb; **seinen Namen unter etw** (acc) **~** to put one's signature to sth; **seine Hoffnung in jdn/etw ~** to put or place one's hopes in sb/sth; **dann setzt es was** (col) there'll be trouble; **jdm eine Spritze ~** to give sb an injection. ⓑ (Hort: pflanzen) to plant.
② vr ⓐ (Platz nehmen) to sit down; (Vogel) to alight ▸ **sich auf einen Stuhl ~** to sit down on a chair; **sich ins Auto ~** to get into the car; **sich zu jdm ~** to sit with sb. ⓑ (Kaffee, Tee, Lösung) to settle.
③ vi ⓐ (bei Glücksspiel, Wetten) to bet ▸ **auf ein Pferd ~** to bet on a horse; **auf jdn/etw ~** (lit, fig) to back sb/sth. ⓑ (Typ) to set. ⓒ (springen) (Pferd, Läufer) to jump ▸ **über einen Fluß ~** to cross a river.
Setzer(in f**)** m - (Typ) typesetter.
Setzerei f (Typ) composing room; (company) typesetting firm.
Setz-: **~kasten** m ⓐ (Typ) case; (an Wand) ornament shelf; ⓑ (Hort) seed box; **~ling** m (Hort) seedling; **~maschine** f (Typ) typesetting machine, typesetter.
Seuche f -n epidemic; (fig pej) scourge.
Seuchen-: **s~artig** adj epidemic; **sich s~artig ausbreiten** to reach epidemic proportions, to spread like the plague; **~bekämpfung** f epidemic control; **~gebiet** nt epidemic area; **~gefahr** f danger of an epidemic.
seufzen vti to sigh.
Seufzer m - sigh.
Sex m no pl sex.
Sex-: **~Appeal** [-ə'piːl] m no pl sex appeal; **~bombe** f (col) sex bomb (col); **~film** m sex film; **~foto** nt sexy photo.
Sexismus m sexism.
sexistisch adj sexist.
Sexta f, pl **Sexten** (Sch dated) first year in a German secondary school.
Sextaner(in f**)** m - (Sch dated) pupil in the first year of a German secondary school.
Sextant m (Naut) sextant.
Sexte f -n (Mus) sixth.
Sextett nt -e (Mus) sextet.
Sexualerziehung f sex education.
Sexualität f no pl sexuality.
Sexual-: **~kunde** f (Sch) sex education; **~leben** nt sex life; **~mörder** m sex murderer; **~objekt** nt sex object; **~täter** m sex offender; **~trieb** m sex(ual) drive; **~verbrechen** nt sex crime; **~verbrecher** m sex offender; **~wissenschaft** f sexology.
sexuell adj sexual.
sexy ['zɛksi] adj pred (col) sexy (col).
Seychellen [ze'ʃɛlən] pl (Geog) Seychelles pl.
sezieren* vti (lit, fig) to dissect.
SFB [ɛsɛf'beː] m = **Sender Freies Berlin**.
Sfr, sFr = **Schweizer Franken** sfr.
Shampoo(n) [ʃam'puː(n)] nt -s shampoo.
Shorts [ʃɔrts] pl (pair of) shorts.
Show [ʃoː] f -s show ▸ **eine ~ abziehen** (col) to put on a show (col).
Show-: **~geschäft** nt show business; **~master** ['ʃoumastɐ] m - compère, emcee (US).
Siam [ziːam] nt (old) Siam.
Siamese m (wk) -n, -n, **Siamesin** f Siamese.
siamesisch adj **~e Zwillinge** Siamese twins.

⚠ **: for details of spelling reform, see supplement**

Siamkatze *f* Siamese (cat).
Sibirien [zi'bi:riən] *nt* Siberia.
Sibirier(in *f)* *m* - Siberian.
sibirisch *adj* Siberian ▶ *~e Kälte* Siberian *or* Arctic conditions *pl*.
sich *refl pron* [a] *(acc)* (+*infin, bei „man")* oneself; (*3. pers sing)* himself; herself; itself; (*2. pers Höflichkeitsform)* yourself; yourselves; (*3. pers pl)* themselves ▶ *~ wiederholen* to repeat oneself/itself. [b] *(dat)* (+*infin, bei „man")* to oneself; (*3. pers sing)* to himself; to herself; to itself; (*2. pers Höflichkeitsform)* to yourself/yourselves; (*3. pers pl)* to themselves ▶ *~ die Haare waschen* to wash one's hair; *sie hat ~ einen Pullover gekauft* she bought herself a pullover. [c] *acc, dat* (*mit prep*) (+*infin, bei „man")* one; (*3. pers sing)* him; her; it; (*2. pers Höflichkeitsform)* you; (*3. pers pl)* them ▶ *haben Sie Ihren Ausweis bei ~?* do you have your pass on you? [d] *(einander)* each other, one another. [e] *(impers)* *hier sitzt es ~ gut* it's good to sit here; *dieses Auto fährt ~ gut* this car is pleasant to drive.
Sichel *f* -n sickle; (*Mond~)* crescent.
▼ **sicher** [1] *adj* [a] *(gewiß)* certain, sure ▶ *der ~e Tod* certain death; *(sich dat) einer Sache/jds ~ sein* to be sure of sth/sb; *soviel ist ~* that much is certain. [b] *(geschützt)* safe; *(geborgen)* secure ▶ *vor jdm/etw ~ sein* to be safe from sb/sth; *~ leben* to lead a secure life; *~ ist ~* you can't be too sure. [c] *(zuverlässig)* reliable; *(fest)* Gefühl, Zusage definite; Hand, Job steady; Stellung secure. [d] *(selbstbewußt)* confident ▶ *~ wirken/auftreten* to give an impression of confidence. [2] *adv* [a] *fahren etc* safely. [b] *(natürlich)* of course ▶ *du hast dich ~ verrechnet* you must have counted wrongly; *das weiß ich ganz ~* I know that for certain; *aber er kommt ~ noch* I'm sure he'll come.
sichergehen *vi sep irreg aux sein* to be sure.
▼ **Sicherheit** *f* [a] *no pl (Gewißheit)* certainty ▶ *das ist mit ~ richtig* that is definitely right. [b] *no pl (Schutz, das Sichersein)* safety; (*als Aufgabe von Sicherheitsbeamten etc*) security ▶ *~ und Ordnung* law and order; *die öffentliche ~* public security; *jdn/etw in ~ bringen* to get sb/sth to safety; *~ im Straßenverkehr* road safety; *zu Ihrer eigenen ~* for your own safety; *in ~ sein* to be safe. [c] *no pl (Zuverlässigkeit)* reliability; (*von Hand, Einkommen)* steadiness; (*von Stellung)* security. [d] *no pl (Selbstbewußtsein)* (self-)confidence. [e] (*Comm*) security; *(Pfand)* surety ▶ *~ leisten* (*Comm*) to offer security.
Sicherheits-: *~abstand* *m* safe distance; *~beamte(r)* *m* (*im Wachdienst*) security officer; (*für Arbeitsschutz etc*) safety officer; *~bestimmungen* *pl* safety regulations *pl*; *(betrieblich, Pol etc)* security controls *pl*; *~garantie* *f* safety guarantee; *~glas* *nt* safety glass; *~gurt* *m* seat belt; **s~halber** *adv* to be on the safe side; *~kontrolle* *f* security check; *~kräfte* *pl* security forces *pl*; *~maßnahme* *f* safety precaution; *(betrieblich, Pol etc)* security measure; *~nadel* *f* safety pin; *~rat* *m* Security Council; *~risiko* *nt* security risk; *~schloß* ⚠ *nt* safety lock; *~truppen* *pl* security troops *pl*; *~verschluß* ⚠ *m* safety catch; *~vorkehrung* *f* safety precaution; *(betrieblich, Pol etc)* security precaution; *~vorschrift* *f* safety regulation.
sicherlich *adv (natürlich)* of course; *(bestimmt)* certainly.
sichern [1] *vt* [a] *(gegen, vor +dat* against) to safeguard; *(absichern)* to protect; *(sicher machen)* Tür, Fahrrad etc to secure; Bergsteiger etc to belay; Waffe to put the safety catch on; (*Comp*) Daten to back up. [b] *jdm/sich etw ~* to secure sth for sb/oneself. [2] *vr* to protect oneself *(vor +dat, gegen* against).
sicherstellen *vt sep* [a] Waffen, Heroin to take possession of. [b] *(garantieren)* to guarantee.

Sicherung *f* [a] *siehe vt* (*a*) safeguarding; protection; securing; belaying. [b] *(Schutz)* safeguard. [c] *(Elec)* fuse; *(von Waffe)* safety catch ▶ *da ist (bei) ihm die ~ durchgebrannt* (*fig col*) he blew a fuse (*col*). [d] (*Comp*) back-up.
Sicherungs-: (*Comp*) *~datei* *f* back-up file; *~diskette* *f* back-up disk; *~kopie* *f* back-up copy.
▼ **Sicht** *f no pl* [a] *(Sehweite)* visibility ▶ *die ~ betrug nur wenige Meter* visibility was only a few yards; *in ~ sein/kommen* to be in/come into sight; *auf lange/kurze ~* (*fig*) in the long/short term; *planen for* the long/short term. [b] *(Ausblick, Gesichtspunkt)* view ▶ *aus meiner/seiner ~* from my/his point of view. [c] (*Comm*) *auf or bei ~* at sight.
sichtbar *adj (lit, fig)* visible ▶ *~ werden* (*fig*) to become apparent.
Sichtbeton *m* exposed concrete.
sichten *vt* [a] *(durchsehen)* to look through; *(ordnen)* to sift through. [b] *(erblicken)* to sight.
Sicht-: *~gerät* *nt* monitor; (*Comp auch*) VDU, visual display unit; *~grenze* *f* visibility limit; *~kontakt* *m* eye contact.
sichtlich [1] *adj* obvious. [2] *adv* obviously, visibly.
Sicht-: *~verhältnisse* *pl* visibility *sing*; *~vermerk* *m* (*im Paß*) visa stamp; *~weite* *f* visibility *no art*; *außer ~weite* out of sight.
Sickergrube *f* soakaway.
sickern *vi aux sein* to seep; (*in Tropfen*) to drip ▶ *in die Presse ~* (*fig*) to be leaked to the press.
sie *pers pron 3. pers* [a] *sing* (*von Frau, weiblichem Tier*) (*nom*) she; (*acc*) her; (*von Dingen*) it; (*acc*) them *pl* ▶ *ist es* it's her. [b] *pl* (*nom*) they; (*acc*) them ▶ *~ sind es* it's them.
Sie *pers pron 2. pers sing or pl* you ▶ *jdn mit ~ anreden* to use the polite form of address to sb.
Sieb *nt* -e sieve; (*Tee~*) strainer; (*Gemüse~*) colander.
Siebdruck *m* (*Verfahren*) (silk-)screen printing; (*Erzeugnis*) (silk-)screen print.
sieben¹ [1] *vt* to pass through a sieve; (*Cook*) to sift, to sieve. [2] *vi* (*fig col*) *bei der Prüfung wird stark gesiebt* the exam will weed a lot of people out.
sieben² *num* seven.
Sieben *f* - *or* -en seven; *siehe* **Vier**.
Sieben- *in cpds siehe auch* **Vier-**; **s~hundert** *num* seven hundred; **s~mal** *adv* seven times; *~meilenstiefel* *pl* (*Liter*) seven-league boots *pl*; *mit ~meilenstiefeln gehen* (*col*) to walk with giant strides; *~meter* *m* (*Sport*) penalty; *~sachen* *pl* (*col*) belongings *pl*; *~schläfer* *m* (*Zool*) dormouse; **s~tausend** *num* seven thousand.
siebte(r, s) *adj* seventh; *siehe* **vierte(r, s)**.
Siebtel *nt* - seventh.
siebtens *adv* seventh(ly), in the seventh place.
siebzehn *num* seventeen.
siebzig *num* seventy; *siehe* **vierzig**.
siedeln *vi* to settle.
sieden [1] *vi* (*Wasser, Zucker etc*) to boil. [2] *vt* Seife, Leim to produce by boiling ▶ *~d heiß* boiling hot.
Siedepunkt *m* (*Phys, fig*) boiling-point.
Siedler(in *f)* *m* - settler; (*Bauer*) smallholder.
Siedlung *f* [a] *(Ansiedlung)* settlement. [b] *(Wohn~)* housing estate (*Brit*), development.
Sieg *m* -e victory (*über +acc* over) ▶ *einen ~ erringen* to win a victory; *einer Sache* (*dat*) *zum ~ verhelfen* to help sth to triumph.
Siegel *nt* - seal.
Siegellack *m* sealing wax.

---

siegeln *vt Urkunde* to affix a/one's seal to; (*ver~*) *Brief* to seal.

Siegelring *m* signet ring.

siegen *vi* (*Mil*) to be victorious; (*in Wettkampf*) to win ▶ **über jdn/etw ~** (*fig*) to triumph over sb/sth; (*in Wettkampf*) to beat sb/sth.

Sieger(in *f*) *m* - victor; (*in Wettkampf*) winner ▶ **zweiter ~** runner-up; **~ werden** to win.

Sieger-: **~ehrung** *f* (*Sport*) presentation ceremony; **~macht** *f usu pl* (*Pol*) victorious power; **~pose** *f* victorious pose; **~urkunde** *f* (*Sport*) winner's certificate.

Sieges-: **s~bewußt** △ *adj* confident of victory; **~denkmal** *nt* victory monument; **~feier** *f* victory celebration; **~preis** *m* winner's prize; (*Boxen*) winner's purse; **s~sicher** *adj* certain of victory; **~zug** *m* triumphal march.

siegreich *adj* victorious, triumphant; (*in Wettkampf*) winning *attr*.

siehe *imper sing of* **sehen** see.

Siel *nt or m* **-e** (*Schleuse*) sluice; (*Abwasserkanal*) sewer.

siezen *vt jdn/sich* ~ to use the polite form of address to sb/each other.

Signal *nt* **-e** signal ▶ **(ein) ~ geben** to give a signal.

Signal|anlage *f* signals *pl*, set of signals.

signalisieren* *vt* (*lit, fig*) to signal.

Signal-: **~lampe** *f* signal lamp; **~mast** *m* signal mast; **~wirkung** *f* **~wirkung haben** to act as a signal.

Signatur *f* [a] (*Bibliotheks~*) shelf mark. [b] (*auf Landkarten*) symbol.

signieren* *vt* to sign.

Silbe *f* **-n** syllable ▶ **er hat es mit keiner ~ erwähnt** he didn't say a word about it.

Silbentrennung *f* hyphenation.

Silber *nt no pl* silver ▶ **aus ~** made of silver.

Silber- *in cpds* silver; **~arbeit** *f* silverwork *no pl*; **~besteck** *nt* silver(ware); **~blick** *m* (*col*) squint; **s~farben** *adj* silver; **~fischchen** *nt* silverfish; **~folie** *f* silver foil; **~fuchs** *m* silver fox; **~geld** *nt* silver; **~hochzeit** *f* silver wedding (anniversary); **~löwe** *m* puma; **~medaille** *f* silver medal; **~möwe** *f* herring gull.

silbern *adj* silver ▶ **~e Hochzeit** silver wedding (anniversary).

Silber-: **~papier** *nt* silver paper; **~pappel** *f* white poplar; **~schmied** *m* silversmith; **~stickerei** *f* (*Kunst*) silver embroidery; **~streif(en)** *m* (*fig*) **es zeichnete sich ein ~streif(en) am Horizont ab** there was light at the end of the tunnel; **~stück** *nt* silver coin; **~waren** *pl* silver(ware) *sing*; **s~weiß** *adj* silvery white.

silbrig *adj* silvery.

Silhouette [ziˈluɛtə] *f* silhouette.

Silikon *nt* **-e** silicone.

Silikose *f* **-n** (*Med*) silicosis.

Silizium *nt no pl* silicon.

Siliziumscheibe *f* silicon chip.

Silo *m* **-s** silo.

Silvester [zɪlˈvɛstɐ] *m or nt* - New Year's Eve.

┌─ ⓘ **SILVESTER** ─────────────────────────────┐

ⓘ *Silvester is the German name for New Year's Eve. Although not an official holiday most businesses close early and shops shut at midday. Most Germans celebrate in the evening, and at midnight they let off fireworks and rockets; the revelry usually lasts until the early hours of the morning.*

└──┘

Simbabwe *nt* Zimbabwe.

Simbabwer(in *f*) *m* Zimbabwean.

simbabwisch *adj* Zimbabwean.

simpel *adj* simple; (*vereinfacht*) simplistic.

Simpel *m* - (*col*) simpleton.

Sims *m or nt* **-e** (*Fenster~*) sill; (*Gesims*) ledge.

Simulant(in *f*) *m* malingerer.

Simulator *m* (*Sci*) simulator.

simulieren* [1] *vi* **er simuliert nur** he's just putting it on.
[2] *vt* [a] *Krankheit* to feign. [b] (*Sci*) to simulate.

simultan *adj* simultaneous.

Simultandolmetscher *m* simultaneous interpreter.

sind *1., 3. pers pl, bei Sie sing/pl pres of* **sein** are.

Sinfonie *f* symphony.

Sinfonie-: **~konzert** *nt* symphony concert; **~orchester** *nt* symphony orchestra.

sinfonisch *adj* symphonic.

Singapur [ˈzɪŋgapuːɐ] *nt* Singapore.

singen *pret* **sang**, *ptp* **gesungen** [1] *vti* [a] (*lit, fig*) to sing; (*esp Eccl: eintönig, feierlich*) to chant ▶ **zur Gitarre ~** to sing to the guitar; **ein ~der Tonfall** a lilt; **jdn in den Schlaf ~** to sing sb to sleep. [b] (*col: gestehen*) to squeal (*col*).
[2] *vr* **sich heiser ~** to sing oneself hoarse.

Singhalese [zɪŋgaˈleːzə] *m* (*wk*) **-n, -n, Singhalesin** *f* Sing(h)alese.

singhalesisch [zɪŋgaˈleːzɪʃ] *adj* Sing(h)alese.

Singhalesisch(e) *nt decl as adj* Sing(h)alese.

Single¹ [ˈsɪŋgl] *f* **-s** (*CD, Schallplatte*) single.

Single² [ˈsɪŋgl] *m* **-s** (*Alleinlebender*) single.

Sing-: **~sang** *m* **-s** (*Gesang*) monotonous singing; **~stimme** *f* vocal part.

Singular *m* **-e** singular ▶ **im ~ stehen** to be (in the) singular.

Sing-: **~vogel** *m* songbird; **~weise** *f* way of singing.

sinken *pret* **sank**, *ptp* **gesunken** *vi aux sein* [a] to sink; (*Ballon*) to descend; (*Nebel*) to come down ▶ **ins Bett ~** to fall into bed; **in jds Meinung/Achtung** (*dat*) ~ to go down in sb's estimation. [b] (*Boden, Gebäude*) to subside; (*Fundament*) to settle ▶ **in Schutt und Asche ~** (*geh*) to fall in ruins. [c] (*niedriger, geringer werden: Temperatur, Preise etc*) to drop; (*Ansehen*) to diminish; (*Hoffnung, Stimmung*) to sink ▶ **das Thermometer/ Barometer sinkt** the temperature/the barometer is falling; **den Mut/die Hoffnung ~ lassen** to lose courage/ hope.

Sinn *m* **-e** [a] sense; (*Bedeutung*) meaning ▶ **er war von ~en** he was out of his senses *or* mind; **im übertragenen ~** in the figurative sense; **der Satz (er)gibt** *or* **macht keinen ~** the sentence doesn't make sense.
[b] (*Gedanken, Denkweise*) mind ▶ **sich** (*dat*) **jdn/etw aus dem ~ schlagen** to put sb/sth out of one's mind; **es kam ihm gar nicht in den ~, ihr zu helfen** it did not occur to him to help her; **das will mir einfach nicht in den ~** I just can't understand it; **das geht mir nicht aus dem ~** I can't get it out of my mind; **etw im ~ haben** to have sth in mind.
[c] (*Verständnis*) feeling ▶ **~ für Humor haben** to have a sense of humour; **er hat keinen ~ für Kunst** he has no appreciation of art.
[d] (*Geist*) spirit ▶ **im ~e des Gesetzes** according to the spirit of the law; **in jds ~** (*dat*) **handeln** to act as sb would have wished; **das wäre nicht im ~e unserer Kunden** it would not be in the interests of our customers.
[e] (*Zweck*) point ▶ **das ist nicht der ~ der Sache** that is not the point; **der ~ des Lebens** the meaning of life; **ohne ~ und Verstand sein** to make no sense at all; **das hat keinen ~** there is no point in that.

Sinn-: **~bild** *nt* symbol; **s~bildlich** *adj* symbolic(al).

sinnen *pret* **sann**, *ptp* **gesonnen** *vi* (*geh*) to ponder, to muse; (*grübeln*) to brood ▶ **über etw** (*acc*) ~ to reflect on/brood over sth; **auf Verrat/Rache** (*acc*) ~ to plot treason/revenge.

───

△: for details of spelling reform, see supplement

sinn-: **~entleert** adj empty of meaning; **~entstellend** adj **~entstellend sein** to distort the meaning.

Sinnes-: **~eindruck** m sensory impression; **~nerv** m sensory nerve; **~organ** nt sense organ; **~reiz** m sensory stimulus; **~täuschung** f hallucination; **~wandel** m change of mind.

Sinngedicht nt epigram.

sinngemäß adj [a] (inhaltlich) **etw ~ wiedergeben** to give the gist of sth. [b] (esp Jur: analog) corresponding, analogous ▶ **etw ~ anwenden** to apply sth by analogy.

sinnig adj apt; Vorrichtung practical; (iro: wenig sinnvoll) clever.

sinnlich adj [a] (vital, sinnenfroh) sensuous; (erotisch) sensual ▶ **~e Liebe** sensual love. [b] **~ wahrnehmbar** perceptible by the senses.

Sinnlichkeit f (Vitalität) sensuousness; (Erotik) sensuality.

sinnlos adj [a] (unsinnig) Redensarten, Geschwätz meaningless; Verhalten, Töten senseless. [b] (zwecklos) pointless; Wut blind ▶ **~ betrunken** blind drunk.

Sinnlosigkeit f siehe adj meaninglessness; senselessness; pointlessness.

Sinn-: **~spruch** m aphorism; **s~verwandt** adj synonymous; **s~voll** adj Satz meaningful; (fig) sensible; (nützlich) useful.

Sintflut f (Bibl) Flood ▶ **nach uns die ~** it doesn't matter what happens after we've gone.

sintflut|artig adj **~e Regenfälle** torrential rain.

Sinus m - [a] (Math) sine. [b] (Anat) sinus.

Siphon ['zi:fõ] m -s siphon.

Sippe f -n (extended) family; (col: Verwandtschaft) clan (col).

Sippschaft f (pej col) tribe (col).

Sirene f -n (Tech, fig) siren.

sirren vi = **surren**.

Sirup m -e syrup.

Sisal(hanf) m no pl sisal (hemp).

Sit-in [sɪt'|ɪn] nt -s sit-in ▶ **ein ~ machen** to stage a sit-in.

Sitte f -n [a] (Brauch) custom; (Mode) practice ▶ **~ sein** to be the custom/the practice. [b] usu pl (gutes Benehmen) manners pl; (Sittlichkeit) morals pl ▶ **gegen die (guten) ~n verstoßen** to offend common decency; **was sind denn das für ~n?** what sort of a way is that to behave!

Sitten-: **~gesetz** nt moral law; **~kodex** m moral code; **~lehre** f ethics sing; **s~los** adj immoral; **~losigkeit** f immorality; **~polizei** f vice squad; **~richter** m judge of public morals; **s~streng** adj puritanical; **~strolch** m (col) sex offender; **~verfall** m decline in moral standards; **~wächter** m (iro) guardian of public morals; **s~widrig** adj (form) immoral.

Sittich m -e parakeet.

sittlich adj moral.

Sittlichkeit f no pl morality.

Sittlichkeits-: **~delikt** nt sexual offence (Brit) or offense (US); **~verbrechen** nt sex crime; **~verbrecher** m sex offender.

sittsam adj demure.

Sittsamkeit f demureness.

Situation f situation.

situiert adj **gut/schlecht ~ sein** to be well off/not well off.

Sitz m -e [a] (~platz, Parl) seat. [b] (von Regierung, Universität, fig) seat; (Wohn~) residence; (von Firma, Verwaltung) headquarters pl. [c] no pl (Tech, von Kleidungsstück) sit; (von der Größe her) fit ▶ **einen guten/schlechten ~ haben** to sit/fit well/badly.

Sitz-: **~bad** nt hip bath; **~bank** f bench; **~blockade** f sit-in; **~ecke** f sitting area.

sitzen vi pret **saß**, ptp **gesessen** aux haben or (Aus, S Ger, Sw) sein [a] to sit; (Vogel) to perch ▶ **er saß bei uns am Tisch** he was sitting at our table; **bleiben Sie bitte ~!** please don't get up; **~ Sie bequem?** are you comfortable?; **etw im S~ tun** to do sth sitting down; **an einer Aufgabe ~** to sit over a task; **einen ~ haben** (col) to have had one too many. [b] (col: im Gefängnis ~) to be inside (col). [c] (sein) to be ▶ **er sitzt im Kultusministerium** (col) he's in the ministry of culture. [d] (angebracht sein) to sit ▶ **der Deckel sitzt fest** the lid is on tightly; **locker ~** to be loose; **fest ~** to be stuck tight(ly). [e] (Kleid etc) to fit ▶ **deine Krawatte sitzt nicht richtig** your tie isn't straight. [f] (col: treffen) **das hat gesessen!** (col) that went home. [g] (im Gedächtnis ~) to have sunk in.

⚠ **sitzenbleiben** vi sep irreg aux sein (col) [a] (Sch) to stay down. [b] **auf einer Ware ~** to be left with a product. [c] (unverheiratete Frau) to be left on the shelf (col).

sitzend adj attr Lebensweise etc sedentary.

⚠ **sitzenlassen** vt sep irreg ptp **~** or **sitzengelassen** (col) [a] (Sch: nicht versetzen) to keep down (a year). [b] **eine Beleidigung auf sich** (dat) **~** to take an insult. [c] **jdn ~** (im Stich lassen) to leave sb in the lurch; Freund(in) to stand sb up; (nicht heiraten) to jilt sb.

Sitz-: **~fleisch** nt (col) **~fleisch haben** to be able to sit still; **~gelegenheit** f seat; **~gruppe** f group of easy chairs; (dreiteilig) three-piece suite; **~kissen** nt (floor) cushion; **~ordnung** f seating plan; **~platz** m seat; **~reihe** f row of seats; **~streik** m = **Sit-in**.

Sitzung f meeting; (Jur) session; (Parlaments~) sitting.

Sitzungs-: **~periode** f (Parl) session; **~saal** m conference hall.

Sizilianer(in f) m - Sicilian.

sizilianisch adj Sicilian.

Sizilien [zi'tsi:liən] nt Sicily.

Skai ® nt no pl imitation leather.

Skala f, pl **Skalen** scale; (fig) range.

Skalp m -e scalp.

Skalpell nt -e scalpel.

skalpieren* vt to scalp.

Skandal m -e scandal; (col: Krach) fuss ▶ **einen ~ machen** to cause a scandal; to make a fuss.

Skandal-: **~blatt** nt (pej) scandal sheet; **~geschichte** f (bit or piece of) scandal.

skandalös adj scandalous.

Skandalpresse f (pej) gutter press.

skandieren* vt to chant; Gedicht to recite emphatically.

Skandinavien [skandi'na:viən] nt Scandinavia.

Skandinavier(in f) m - Scandinavian.

skandinavisch adj Scandinavian.

Skat m -e (Cards) skat.

Skateboard ['ske:tbɔːd] nt -s skateboard.

Skateboard-: **~bahn** f skateboard rink; **~fahren** nt skateboarding; **~fahrer** m skateboarder.

Skelett nt -e (lit, fig) skeleton.

Skepsis f no pl scepticism ▶ **mit/voller ~** sceptically.

Skeptiker(in f) m - sceptic.

skeptisch adj sceptical.

Sketch [skɛtʃ] m -e(s) (Art, Theat) sketch.

Ski [ʃi:] m -er ['ʃi:ɐ] ski ▶ **~ laufen** or **fahren** to ski.

Ski- in cpds ski; **~anzug** m ski suit; **~brille** f skiing goggles pl; **~fahrer(in** f) m skier; **~gebiet** nt ski(ing) area; **~hütte** f ski hut or lodge (US); **~kurs** m skiing course; **~lauf** m, **~laufen** nt skiing; **~läufer(in** f) m skier; **~lehrer** m ski instructor; **~lift** m ski lift; **~piste** f ski run; **~sport** m skiing; **~springen** nt ski jumping; **~stiefel** m ski boot; **~stock** m ski stick; **~urlaub** m skiing holiday; **~urlaubsort** m ski resort.

Skizze ['skɪtsə] f -n sketch; (fig: Grundriß) plan.

Skizzen- ['skɪtsn-]: **~block** m sketch pad; **~buch** nt sketchbook; **s~haft** 1 adj Zeichnung etc roughly sketched; Beschreibung etc (given) in broad outline; 2 adv etw s~haft zeichnen to sketch sth roughly.

skizzieren* [skɪ'tsiːrən] vt to sketch; (fig) Plan etc to outline.

Sklave ['sklaːvə] m (wk) -n, -n slave ► ~ einer Sache (gen) sein (fig) to be a slave to sth.

Sklaven- ['sklaːvn]: **~arbeit** f slavery; **~handel** m slave trade; **~treiber** m slave-driver.

Sklaverei [sklaːvə'rai] f no pl (lit, fig) slavery no art.

Sklavin ['sklaːvɪn] f slave.

sklavisch ['sklaːvɪʃ] adj slavish.

Sklerose f -n sclerosis.

Skonto nt or m, pl -s or **Skonti** cash discount.

Skorbut m no pl scurvy.

Skorpion m -e (Zool) scorpion; (Astrol) Scorpio.

Skrupel m - usu pl scruple ► er hatte keine ~, das zu tun he had no scruples about doing it; ohne ~ without scruples.

Skrupel-: **s~los** adj unscrupulous; **~losigkeit** f unscrupulousness.

Skulptur f sculpture.

Skunk m -s skunk.

skurril adj (geh) droll, comical.

S-Kurve ['ɛs-] f S-bend.

Slalom m -s slalom ► (im) ~ fahren (fig col) to drive a zig-zag course.

Slang [slɛŋ] m no pl slang.

Slawe m (wk) -n, -n, **Slawin** f Slav.

slawisch adj Slavonic, Slavic (esp US).

Slip m -s (pair of) briefs pl.

Slipper m - slip-on (shoe).

Slogan ['sloːɡn] m -s slogan.

Slowake m (wk) -n, -n **Slowakin** f Slovak.

Slowakei f die ~ Slovakia.

slowakisch adj Slovak.

Slowakisch(e) nt Slovak; siehe **Deutsch(e)**.

Slowene m (wk) -n, -n, **Slowenin** f Slovene.

Slowenien [slo've:niən] nt Slovenia.

slowenisch adj Slovenian.

Slum [slam] m -s slum.

S.M. = Seine(r) Majestät HM.

Smaragd m -e emerald.

Smog m -s smog.

Smoking ['smoːkɪŋ] m -s dinner jacket, tuxedo (US).

Snob m -s snob.

Snobismus m snobbery, snobbishness.

snobistisch adj snobbish.

SO = Südosten SE.

so 1 adv a (mit adj, adv) so; (mit vb: ~ sehr) so much ► ~ groß etc so big etc; eine ~ große Frau such a big woman; ~ groß wie ... as big as ...; ~ gut es geht as best I/he etc can; er ist nicht ~ dumm, das zu glauben he's not so stupid as to believe that; das hat ihn ~ geärgert, daß ... that annoyed him so much that ...; ~ ein Fehler such a mistake; ~ ein Idiot! what an idiot!; hast du ~ etwas schon einmal gesehen? have you ever seen anything like it?; na ~ was! well I never!; ~ etwas Schönes such a beautiful thing; ~ einer wie ich somebody like me.

b (auf diese Weise) like this/that ► mach es nicht ~ don't do it like that; mach es ~, wie er es vorgeschlagen hat do it the way he suggested; ~ ist sie nun einmal that's the way she is; (ach) ~ ist das! I see!; ~ oder/und ~ in one way or another; und ~ weiter and so on; gut ~! fine!; das ist gut ~ that's fine; mir ist (es) ~, als ob ... it seems to me as if ...; das kam ~: ... this is what happened ...; es verhält sich ~: ... the facts are as follows ...; das habe ich nur ~ gesagt I didn't really

mean it.

c (etwa) about, or so ► ich komme ~ um 8 Uhr I'll come at 8 or so.

d (col: umsonst) for nothing.

e (als Füllwort) nicht übersetzt ► ~ beeil dich doch! do hurry up!; ~ mancher a number of people pl.

2 conj a ~ daß so that. b ~ wie es jetzt ist as things are at the moment. c ~ klein er auch sein mag however small he may be.

3 interj so; (wirklich) oh, really; (abschließend) well, right ► er ist schon da — ~ he's here already — is he?; ~, ~! well well.

So. = Sonntag Sun.

s.o. = siehe oben.

sobald conj as soon as.

Söckchen nt ankle sock.

Socke f -n sock ► sich auf die ~n machen (col) to get going (col); von den ~n sein (col) to be flabbergasted (col).

Sockel m - base; (von Denkmal, Statue auch) pedestal.

Soda nt no pl soda.

sodann adv then.

Sodawasser nt soda water.

Sodbrennen nt heartburn.

Sodomie f buggery, bestiality.

soeben adv just (this moment).

Sofa nt -s sofa, settee (esp Brit).

Sofa-: **~bett** nt sofa bed; **~kissen** nt sofa or scatter cushion.

sofern conj provided (that) ► ~ ... nicht if ... not.

soff pret of saufen.

Sofia ['zɔfia, 'zoːfia] nt Sofia.

sofort adv immediately ► komm hierher, und zwar ~! come here this instant!; (ich) komme ~! (I'm) just coming!

Sofort-: **~bildkamera** f Polaroid ® camera, instant camera; **~hilfe** f emergency relief or aid.

sofortig adj immediate, instant.

Sofortmaßnahme f immediate measure.

Softeis ['sɔft-] nt soft ice-cream.

Softie m -s (col) caring type.

Software ['sɔftweːɐ] f -s (Comp) software.

Software-Ingenieur(in f) m software engineer.

Softwarepaket ['sɔftweːɐ-] nt software package.

Sog m -e (saugende Kraft) suction; (von Strudel) vortex; (fig) maelstrom.

sog pret of saugen.

sog. = sogenannt.

sogar adv even ► schön, ~ sehr schön beautiful, in fact very beautiful.

sogenannt adj attr so-called.

sogleich adv = sofort.

Sogwirkung f suction; (fig) knock-on effect.

Sohle f -n a (Fuß~ etc) sole; (Einlage) insole ► auf leisen ~n softly. b (Boden) bottom.

Sohn m -e (lit, fig) son.

Soja f, pl **Sojen** soya.

Soja-: **~bohne** f soya bean; **~soße** f soya sauce.

solang(e) conj as long as, so long as.

Solar- in cpds solar.

Solarium nt, pl **Solarien** solarium.

Solbad nt saltwater bath; (Schwimmbad) saltwater pool.

solch adj inv, **solche(r, s)** adj such ► ein ~er Mensch such a person; wir haben ~en Durst we're so thirsty; ~ ein langer Weg such a long way; ~es that kind of thing; Rechtsanwälte gibt es ~e und ~e there are lawyers and lawyers.

solcherlei adj attr inv such.

Sold m no pl (Mil) pay.

Soldat m (wk) -en, -en soldier ► ~ spielen to play soldiers.

Soldaten-: **~friedhof** m military cemetery; **~sprache** f military slang; **~tum** nt soldiery no art; (Tradition) military tradition; **~verband** m ex-servicemen's association.

Soldatin f (woman) soldier.

soldatisch adj (militärisch) military; (soldatengemäß) soldierly.

Söldner(in f) m - mercenary.

Söldnertruppe f mercenary force.

Sole f -n brine, salt water.

Solei ['zoːl|ai] nt pickled egg.

solidarisch adj sich mit jdm ~ erklären to declare one's solidarity with sb; ~ mit jdm handeln to act in solidarity with sb.

solidarisieren* vr sich ~ mit to show (one's) solidarity with.

Solidarität f solidarity.

Solidaritätsstreik m sympathy strike.

Solidaritätszuschlag m (Fin) solidarity surcharge on income tax (for the reconstruction of eastern Germany).

solid(e) adj Haus, Möbel etc solid, sturdy; Arbeit, Wissen, Handwerker sound; Mensch, Lokal respectable; Firma sound, solid; Preise reasonable.

Solist(in f) m (Mus) soloist.

Soll nt -(s) a (Schuld) debit; (Schuldseite) debit side ► ~ und Haben debit and credit. b (Comm) quota ► sein ~ erfüllen to meet one's target.

▼ **sollen** 1 modal aux pret **sollte**, ptp ~ a (bei Befehl, Anordnung, Absicht) to be (supposed) to ► was soll ich/ er tun? what shall or should I/should he do?; er weiß nicht, was er tun soll he doesn't know what to do; sie sagte ihm, er solle draußen warten she told him to wait outside; was ich (nicht) alles tun/wissen soll! the things I'm supposed to do/know!; es soll es nicht wieder vorkommen it won't happen again; er soll reinkommen tell him to come in; niemand soll sagen, daß ... let no one say that ...; das Haus soll nächste Woche gestrichen werden the house is to be painted next week; was sollte ich/er deiner Meinung nach tun? what do you think I/he should do or ought to do?; das hättest du nicht tun ~ you shouldn't have done that.

b (bei Gerücht, Vermutung) to be supposed or meant to ► sie soll verheiratet sein I've heard she's married; Xanthippe soll zänkisch gewesen sein Xanthippe is said to have been quarrelsome; das soll gar nicht so einfach sein they say it's not that easy; was soll das heißen? what's that supposed to mean?; mir soll es gleich sein it's all the same to me; so etwas soll es geben these things happen; man sollte glauben, daß ... you would think that ...; sollte das möglich sein? can that be possible?

c sollte das passieren, ... if that should happen ...; er sollte sie nie wiedersehen he was never to see her again; es hat nicht ~ sein or sein ~ it wasn't to be.

2 vti pret **sollte**, ptp **gesollt** soll ich? shall I?; was soll das? what's all this?; (warum denn das) what's that for?; was soll's? what the hell! (col); was soll ich dort? what would I do there?; das sollst du nicht you shouldn't do that; was man nicht alles soll! (col) the things you're meant to do!

Söller m - balcony.

Soll-: **~seite** f (Fin) debit side; **~stärke** f required strength.

solo adv (Mus) solo; (fig col) on one's own, alone.

Solo nt, pl **Soli** solo.

solvent [zɔl'vɛnt] adj (Fin) solvent.

Solvenz [zɔl'vɛnts] f (Fin) solvency.

Somali m -(s), -(s) Somali.

Somalia nt Somalia.

Somalier(in f) [-iɐ, -iərɪn] m - Somali.

somalisch adj Somali.

somit adv consequently, therefore.

Sommer m - summer ► im ~ in (the) summer; im nächsten ~ next summer; ~ wie Winter all year round.

Sommer- in cpds summer; **~abend** m summer('s) evening; **~anfang** m beginning of summer; **~ferien** pl summer holidays pl (Brit) or vacation (US); (Jur, Parl) summer recess; **~gast** m summer visitor; **~haus** nt (summer) holiday home; **~kleidung** f summer clothing.

sommerlich adj summer attr, (sommerartig) summery ► ~ gekleidet sein to be in summer clothes; ~ warm warm and summery.

Sommer-: **~loch** nt (col) silly season; **~mantel** m summer coat; **~monat** m summer month; **~nacht** f summer('s) night; **~pause** f summer break; (Jur, Parl) summer recess; **~reifen** m standard tyre (Brit) or tire (US) (not for winter use); **~saison** f summer season; **~schlußverkauf** ⚠ m summer sale; **~semester** nt (Univ) summer semester, ≈ summer term (Brit); **~sitz** m summer residence; **~spiele** pl die Olympischen **~spiele** the Summer Olympics; **~sprosse** f freckle; **s~sprossig** adj freckled; **~tag** m summer's day; **~weizen** m spring wheat; **~wetter** nt summer weather; **~zeit** f summer time no art.

Sonargerät nt sonar (device).

Sonate f -n sonata.

Sonde f -n (Space, Med) probe.

Sonder- in cpds special; **~anfertigung** f special model; **~angebot** nt special offer; im ~angebot sein to be on special offer; **~ausgabe** f a special edition; b **~ausgaben** pl (Fin) additional or extra expenses pl.

sonderbar adj strange, peculiar, odd.

sonderbarerweise adv strange to say.

Sonder-: **~beauftragte(r)** mf (Pol) special emissary; **~fahrt** f special excursion; **~fall** m special case; (Ausnahme) exception; **~genehmigung** f special permission; (Schein) special permit; s~gleichen adv inv eine Frechheit s~gleichen an incredible cheek; **~konto** nt special account.

sonderlich 1 adj attr particular ► ohne ~e Begeisterung without any particular enthusiasm. 2 adv particularly.

Sonderling m eccentric.

Sonder-: **~marke** f special issue (stamp); **~maschine** f special plane; (Flug) special flight; **~meldung** f (Rad, TV) special announcement; **~müll** m hazardous waste.

sondern¹ conj but ► nicht nur ..., ~ auch ... not only ... but also ...

sondern² vt (geh) to separate; siehe **gesondert**.

Sonder-: **~nummer** f special issue; **~preis** m special (reduced) price; **~recht** nt (special) privilege; **~regelung** f special provision; **~schicht** f special shift; (zusätzlich) extra shift; **~schule** f special school; **~stellung** f special position; **~stempel** m (bei der Post) special postmark; **~wünsche** pl special requests pl; **~zug** m special train.

sondieren* vti to sound out ► das Terrain ~ to spy out the land; die Lage ~ to find out how the land lies.

Sondierungsgespräch nt exploratory talk.

Sonett nt -e sonnet.

Sonn|abend m (esp N Ger) Saturday; siehe **Dienstag**.

sonn|abends adv on Saturdays, on a Saturday.

Sonne f -n sun ► an die ~ gehen to go out in the sun; geh mir aus der ~! (col) get out of the way; (aus dem Licht) get out of the light.

sonnen vr to sun oneself ► sich in etw (dat) ~ (fig) to bask in sth.

Sonnen-: **~anbeter** m (lit, fig) sun-worshipper; **~aufgang** m sunrise; **~bad** nt sunbathing no pl; ein ~bad nehmen to sunbathe; s~baden vi sep infin, ptp

---

only to sunbathe; **~batterie** *f* solar battery; **~blende** *f* (*Aut*) sun visor; (*Phot*) lens hood.

Sonnenblume *f* sunflower.

Sonnenblumen-: ~kern *m* sunflower seed; **~öl** *nt* sunflower oil.

Sonnen-: ~brand *m* sunburn *no art*; **~bräune** *f* suntan; **~brille** *f* (pair of) sunglasses *pl*; **~deck** *nt* (*Naut*) sundeck; **~energie** *f* solar energy; **~finsternis** *f* solar eclipse; **~fleck** *m* (*Astron*) sunspot; **s~gebräunt** *adj* suntanned; **~gott** *m* sungod; **~hut** *m* sunhat; **~jahr** *nt* (*Astron*) solar year; **s~klar** *adj* (*col*) crystal clear; **~kollektor** *m* solar panel; **~kraftwerk** *nt* solar power station; **~kult** *m* sun cult; **~licht** *nt* sunlight; **~milch** *f* suntan lotion; **~öl** *nt* suntan oil; **~schein** *m* sunshine; *bei strahlendem* **~schein** in brilliant sunshine; **~schirm** *m* sunshade; **~schutz** *m* protection against the sun; **~seite** *f* (*lit, fig*) sunny side; **~stand** *m* position of the sun; **~stich** *m* sunstroke *no art*; *du hast wohl einen* **~stich!** (*col*) you must have been out in the sun too long!; **~strahl** *m* sunbeam; **~system** *nt* solar system; **~uhr** *f* sundial; **~untergang** *m* sunset; **~wende** *f* solstice.

sonnig *adj* sunny; (*fig*) cheerful; (*iron*) naive.

Sonntag *m* Sunday; *siehe* **Dienstag.**

sonntäglich *adj* Sunday *attr* ► **~ gekleidet** dressed in one's Sunday best.

sonntags *adv* on Sundays, on a Sunday.

Sonntags- *in cpds* Sunday; **~arbeit** *f* Sunday working; **~ausflug** *m* Sunday trip; **~beilage** *f* Sunday supplement; **~dienst** *m* (*von Polizist etc*) Sunday duty; **~dienst haben** (*Apotheke*) to be open on Sundays; **~fahrer** *m* (*pej*) Sunday driver; **~kind** *nt* (*lit*) Sunday's child; *ein* **~kind sein** (*fig*) to have been born under a lucky star; **~maler** *m* Sunday painter; **~staat** *m* (*hum*) Sunday best; **~zeitung** *f* Sunday paper.

sonor *adj* sonorous.

sonst 1 *adv* a (*außerdem*) (*mit pron, adv*) else; (*mit n*) other ► **~ noch Fragen?** any other questions?; *wer/wie etc (denn)* **~?** who/how *etc* else?; **~ noch etwas?** is that all?, anything else?; **~ nichts** nothing else; *wo warst du* **~ noch?** where else did you go?; **~ geht's dir gut?** (*iro col*) are you feeling okay? (*col*). b (*andernfalls*) otherwise. c (*in anderer Hinsicht*) in other ways ► *wenn ich Ihnen* **~ noch behilflich sein kann** if I can help you in any other way. d (*gewöhnlich*) usually ► *genau wie es* **~ ist** just as it usually is; *genau wie/anders als* **~** the same as/different from usual; *alles war wie* **~** everything was as it always used to be.
2 *conj* otherwise, or (else).

sonstig *adj attr* other; *Fragen, Auskünfte etc* further ► „**S~es**" "other".

sonst-: ~jemand △ *indef pron* (*col*) = **~wer; ~wann** △ *adv* (*col*) some other time; **~was** △ *indef pron* (*col*) *da kann ja* **~was passieren** anything could happen; *ich habe* **~was versucht** I've tried everything; **~wer** △ *indef pron* (*col*) somebody else; *er denkt, er ist* **~wer** he thinks he's really somebody; **~wie** △ *adv* (*col*) (in) some other way; (*sehr*) like mad (*col*); **~wo** △ *adv* (*col*) somewhere else; **~wohin** △ *adv* (*col*) somewhere else.

so|oft *conj* whenever.

Sopran *m* **-e** soprano; (*von Jungen*) treble.

Sopranflöte *f* descant recorder.

Sopranistin *f* soprano.

Sorge *f* **-n** a worry ► *keine* **~!** (*col*) don't worry!; *wir betrachten diese Entwicklung mit* **~** we view this development with concern; **~n haben** to have problems; *ich habe solche* **~** I'm so worried; *du hast* **~n!** (*iro*) you think you've got troubles! (*col*); *jdm* **~n machen** (*Kummer bereiten*) to cause sb a lot of worry; *machen Sie sich* (*dat*) *deshalb keine* **~n** don't worry about that;

lassen Sie das meine **~ sein** let me worry about that; *das ist nicht meine* **~** that's not my problem; *dafür* **~ tragen, daß ...** (*geh*) to see to it that ... b (*Für~, Jur*) care.

sorgeberechtigt *adj* **~ sein** to have custody.

sorgen 1 *vi* **~ für** (*sich kümmern um*) to look after; (*vorsorgen für*) to provide for; (*herbeischaffen*) *Proviant, Musik* to provide; (*bewirken*) to ensure; *dafür* **~, daß ...** to see to it that ...; *dafür ist gesorgt* that's taken care of. 2 *vr* to worry ► *sich* **~ um** to worry about.

Sorgen-: ~falte *f* worry line; **s~frei** *adj* free of care; (*heiter*) carefree; **~kind** *nt* (*col*) problem child; **s~voll** *adj* worried; *Leben* full of worries.

Sorgerecht *nt* (*Jur*) custody.

Sorgfalt *f no pl* care ► *ohne* **~ arbeiten** to work carelessly; *viel* **~ auf etw** (*acc*) *verwenden* to take a lot of care over sth.

sorgfältig *adj* careful.

sorglos *adj* carefree; (*leichtfertig*) careless.

Sorglosigkeit *f siehe adj* carefreeness; carelessness.

sorgsam *adj* careful.

Sorte *f* **-n** a type, kind; (*Qualität, Klasse*) grade; (*Marke*) brand ► *beste* **~** top quality. b (*Fin*) *usu pl* foreign currency.

sortieren* *vt* to sort (*auch Comp*) ► *etw in einen Schrank* **~** to tidy sth away into a cupboard.

Sortierer(in *f*) *m* **-** sorter.

Sortiermaschine *f* sorting machine.

Sortiment *nt* a assortment. b (*Buchhandel*) retail book trade.

Sortimentsbuchhandlung *f* retail bookshop (*Brit*) or bookstore (*US*).

SOS [ɛsoːˈʔɛs] *nt* **-, -** SOS.

sosehr *conj* however much, no matter how much.

soso *interj* **~!** I see!; (*erstaunt*) well well!; (*drohend*) well!

Soße *f* **-n** sauce; (*Braten~*) gravy; (*pej col: dickflüssige Brühe*) gunge (*col*).

Souffleur [zuˈfløːɐ] *m,* **Souffleuse** [zuˈfløːzə] *f* (*Theat*) prompter.

soufflieren* [zuˈfliːrən] *vti* (*Theat*) to prompt (*jdm* sb).

so|undso *adv* **~ lange** for such and such a time; **~ viele** so and so many; *Paragraph* **~** article such-and-such; *er sagte, mach das* **~** he said, do it in such-and-such a way.

so|undsovielte(r, s) *adj* umpteenth ► *am* **S~n** (*Datum*) on such and such a date.

Souterrain [ˈzuːtɛrɛ̃] *nt* **-s** basement.

Souvenir [zuvəˈniːɐ] *nt* **-s** souvenir.

souverän [zuvəˈrɛːn] *adj* sovereign *no adv*; (*fig*) supremely good; (*überlegen*) (most) superior *no adv* ► *sein Gebiet* **~ beherrschen** to have a commanding knowledge of one's field.

Souveränität [zuvərɛniˈtɛːt] *f* sovereignty.

soviel 1 *adv* so much ► *halb* **~** half as much; **~ wie ...** as much as ...; *noch einmal* **~** (*doppelt* **~**) twice as much. 2 *conj* as far as ► **~ ich weiß(, nicht!)** (not) as far as I know.

sovielmal *adv* so many times.

soweit 1 *adv* a on the whole; (*bis jetzt*) up to now; (*bis zu diesem Punkt*) thus far ► **~ wie möglich** as far as possible. b **~ sein** to be finished or (*bereit*) ready; *es ist bald* **~** it's nearly time. 2 *conj* as far as; (*insofern*) in so far as.

sowenig *adv* no more, not any more (*wie* than) ► **~ wie möglich** as little as possible.

sowie *conj* a (*sobald*) as soon as. b (*und auch*) as well as.

sowieso *adv* anyway ► *das* **~!** obviously!

△: for details of spelling reform, see supplement

sowjetisch adj (Hist) Soviet.
Sowjet- in cpds Soviet; **~republik** f (Hist) Soviet Republic; **~russe** m (Hist) Soviet Russian; **~union** f (Hist) Soviet Union.
sowohl conj ~ **X als** or **wie (auch) Y** both X and Y, X as well as Y.
Sozi m **-s** (esp pej col) Socialist.
sozial adj social; (~ eingestellt) public-spirited ▸ **~er Wohnungsbau** ≃ council housing (Brit), state-subsidized housing; **~er Friede** social harmony; ~ **denken** to be socially minded.
Sozial-: **~abbau** m cuts pl in public spending; **~abgaben** pl social security contributions pl; **~amt** nt (social) welfare office; **~arbeit** f social work; **~arbeiter** m social worker; **~ausgaben** pl public spending sing; **~beruf** m caring profession; **~demokrat** m social democrat; **~demokratie** f social democracy; **s~demokratisch** adj social-democratic; **~einrichtungen** pl social facilities pl; **~fall** m hardship case; **~gericht** nt (social) welfare tribunal; **~hilfe** f supplementary benefit (Brit), welfare (aid) (US).
Sozialisation f (Psych, Sociol) socialization.
sozialisieren* vt (Psych, Sociol) to socialize.
Sozialismus m socialism.
Sozialist(in f) m socialist.
sozialistisch adj socialist.
Sozial-: **~kunde** f social studies sing; **~leistungen** pl (state and employers') social security contributions; **s~liberal** adj (BRD Pol) Koalition liberal-social democrat; **~pädagogik** f social education; **~partner** pl unions and management; **~plan** m redundancy payments scheme; **~politik** f social policy; **~staat** m welfare state; **~station** f health and advice centre (Brit) or center (US); **~versicherung** f national insurance (Brit), social security (US); **~versicherungsbeiträge** mpl national insurance contributions; **~wissenschaft** f social science; **~wohnung** f ≃ council flat (Brit), state-subsidized apartment.

┌─── SOZIALWOHNUNG ───┐

ⓘ A *Sozialwohnung is a council house or flat let at a fairly low rent to people on low incomes. They are built from public funds (in 1993 there was a cash injection of DM 2 million into this housing fund). People applying for a Sozialwohnung have to prove their entitlement.*

Sozio-: **~loge** m (wk), **~login** f sociologist; **~logie** f sociology; **s~logisch** adj sociological.
Sozius m **-se** [a] (Beifahrer) pillion rider. [b] (Partner) partner.
Soziussitz m pillion (seat).
sozusagen adv so to speak, as it were.
Spachtel m (Werkzeug) spatula.
Spachtelmasse f filler.
spachteln [1] vt Mauerfugen, Ritzen to fill (in). [2] vi (col: essen) to tuck in.
Spagat m or nt **-e** splits pl▸ ~ **machen** to do the splits.
⚠ **Spaghetti** [ʃpa'gɛti] pl spaghetti sing.
spähen vi to peer.
Spähtrupp m (Mil) reconnaissance party.
Spalier nt **-e** [a] (für Pflanzen) trellis. [b] (von Menschen) row, line; (zur Ehrenbezeigung) guard of honour (Brit) or honor (US) ▸ ~ **stehen/ein** ~ **bilden** to form a guard of honour.
Spalt m **-e** [a] (Öffnung) gap, opening; (Riß) crack; (Fels~) crevice ▸ **das Fenster einen** ~ **öffnen** to open the window slightly or a crack. [b] (fig: Kluft) split.
spaltbar adj (Phys) Material fissile.
Spaltbreit m: **etw einen** ~ **öffnen** to open sth slightly

or a crack.
Spalte f **-n** [a] (esp Geol) fissure; (in Wand) crack. [b] (Typ, Press) column.
spalten ptp auch **gespalten** vt (lit, fig) to split; Holz to chop ▸ **bei dieser Frage sind die Meinungen gespalten** opinions are divided on this question; siehe **gespalten**.
Spaltung f (lit, fig) splitting; (in Partei etc) split.
Span m **⁻e** (Hobel~) shaving; (Metall~) filing.
Spanferkel nt sucking pig.
Spange f **-n** clasp; (Haar~) hair slide (Brit), barrette (US); (Schuh~) strap; (Arm~) bangle; (Zahn~) brace.
Spaniel m **-s** spaniel.
Spanien ['ʃpaːniən] nt Spain.
Spanier(in f) ['ʃpaːniɐ, -iərɪn] m - Spaniard ▸ **die** ~ the Spanish, the Spaniards.
spanisch adj Spanish ▸ **~e Wand** (folding) screen; **das kommt mir** ~ **vor** (col) that seems odd to me; siehe **deutsch**.
Spanisch(e) nt Spanish; siehe **Deutsch(e)**.
Spankorb m chip basket.
Spann m **-e** instep.
spann pret of **spinnen**.
Spann-: **~beton** m prestressed concrete; **~bettuch** ⚠ nt fitted sheet.
Spanne f **-n** (geh: Zeit~) while; (Gewinn~) margin.
spannen [1] vt [a] Saite, Seil to tighten; Bogen to draw; Muskeln to flex. [b] (straff befestigen) Werkstück to clamp; Wäscheleine to put up; Netz, Plane to stretch ▸ **einen Bogen in die Schreibmaschine** ~ to insert a sheet of paper in the typewriter. [c] (fig) **seine Erwartungen zu hoch** ~ to pitch one's expectations too high.
[2] vr [a] (Haut, Muskeln) to go or become taut. [b] **sich über etw** (acc) ~ (Brücke) to span sth.
[3] vi (Kleidungsstück) to be (too) tight.
spannend adj exciting; (stärker) thrilling ▸ **mach's nicht so** ~**!** (col) don't keep me/us in suspense.
Spanner m - [a] (Hosen~) hanger; (Schuh~) shoetree. [b] (col: Voyeur) peeping Tom.
Spannkraft f (von Feder) tension; (von Muskel) tone; (fig) vigour (Brit), vigor (US).
Spannung f (lit, fig) tension; (Elec auch) voltage; (Mech) stress ▸ **mit großer/atemloser** ~ with great/ breathless excitement; **etw mit** ~ **erwarten** to await sth full of suspense.
Spannungs-: **~feld** nt (lit) electric field; (fig) area of conflict; **~gebiet** nt (Pol) flashpoint, area of tension; **s~geladen** adj Atmosphäre charged with tension; Film, Erzählung etc full of suspense; **~prüfer** m voltage tester; **~stoß** m (Elec) surge.
Spannweite f (von Flügeln, Aviat) (wing)span.
Spanplatte f chipboard.
Spar-: **~brief** m (Fin) savings certificate; **~buch** nt savings book; **~büchse**, **~dose** f moneybox; **~einlage** f savings deposit.
sparen [1] vt to save ▸ **keine Kosten/Mühe** ~ to spare no expense/effort; **spar' dir deine guten Ratschläge!** (col) you can keep your advice!; **diese Mühe/diese Kosten hätten Sie sich** (dat) ~ **können** you could have saved or spared yourself the trouble/this expense.
[2] vi to save; (haushalten) to economize ▸ **an etw** (dat) ~ to be sparing with sth; (mit etw haushalten) to save or economize on sth; **er hatte nicht mit Lob gespart** he was lavish in his praise; **für** or **auf etw** (acc) ~ to save up for sth.
Sparer(in f) m - (bei Bank etc) saver.
Sparflamme f low flame ▸ **auf** ~ (fig col) just ticking over (col).
Spargel m - asparagus.
Spar-: **~groschen** m nest egg; **~guthaben** nt balance

┌───┐
│ ⚠: Informationen zur Rechtschreibreform im Anhang │
└───┘

in a savings account; **~kasse** *f* savings bank; **~kassenbuch** *nt* savings book; **~konto** *nt* savings account, deposit account (*Brit*), thrift account (*US*).

spärlich *adj* sparse; *Ausbeute, Reste, Kleidung, Kenntnisse* scanty; *Beleuchtung* poor ▶ **~ bevölkert** sparsely populated.

Spar-: **~maßnahme** *f* economy (measure); **~packung** *f* economy size; **~politik** *f* cost-cutting policy; **~prämie** *f* savings premium; **~preis** *m* economy price.

Sparren *m* - rafter.

sparsam *adj* thrifty; (*haushälterisch*) economical ▶ **~ leben** to live economically; **~ im Verbrauch** economical; **~ verwenden** to use sparingly.

Sparsamkeit *f* thrift; (*im Verbrauch*) economy; (*das Haushalten*) economizing.

Sparschwein *nt* piggy bank.

spartanisch *adj* Spartan ▶ **~ leben** to lead a Spartan life.

Sparte *f* **-n** [a] (*Comm*) (*Branche*) line of business; (*Teilgebiet*) area. [b] (*Rubrik*) column.

Spar-: **~vertrag** *m* savings agreement; **~zinsen** *pl* interest *no pl*; **~zulage** *f* savings bonus.

Spaß *m* ⁼e (*no pl: Vergnügen*) fun; (*Scherz*) joke; (*Streich*) prank ▶ **~ beiseite** joking apart; *viel ~!* have fun! (*auch iro*); *an etw* (*dat*) **~ haben** to enjoy sth; *es macht mir ~/keinen ~* it's fun/no fun; *Hauptsache, es macht ~* the main thing is to have fun; (*nur so,*) *zum ~* for fun; *etw im ~ sagen* to say sth in fun; *da hört der ~ auf* that's going beyond a joke; *ein teurer ~* an expensive business; *~ muß sein* there's no harm in a joke; *es war ein ~, ihm bei der Arbeit zuzusehen* it was a joy to see him at work; *sich* (*dat*) *einen ~ daraus machen, etw zu tun* to get enjoyment out of doing sth; *seinen ~ mit jdm treiben* to make fun of sb; *er versteht keinen ~!* he has no sense of humour (*Brit*) *or* humor (*US*); *da verstehe ich keinen ~!* I won't stand for any nonsense.

spaßen *vi mit einer Blutvergiftung ist nicht zu ~* blood poisoning is no joke; *mit ihm ist nicht zu ~* he doesn't stand for any nonsense.

spaßeshalber *adv* for the fun of it, for fun.

spaßig *adj* funny, droll.

Spaß-: **~macher** *m* joker; **~verderber** *m* - spoilsport; **~vogel** *m* joker.

Spastiker(in *f*) *m* - spastic.

spastisch *adj* spastic ▶ **~ gelähmt** suffering from spastic paralysis.

spät *adj* late; *Reue, Ruhm, Glück* belated ▶ **am ~en Nachmittag** in the late afternoon; **~ in der Nacht/am Tage** late at night/in the day; *heute abend wird es ~* it'll be a late night tonight; (*nach Hause kommen*) I/he *etc* will be late home this evening; *von früh bis ~* from morning till night; *wie ~ ist es?* what's the time?; *zu ~* too late; *er kommt morgens regelmäßig fünf Minuten zu ~* he's always five minutes late in the mornings; *wir sind ~ dran* we're late.

Spatel *m* - (*Med*) spatula.

Spaten *m* - spade.

Spatenstich *m den ersten ~ tun* to turn the first sod.

Spät|entwickler *m* late developer.

später *comp of* **spät** *adj* later; (*zukünftig*) future ▶ *was will sie denn ~ (einmal) werden?* what does she want to do when she grows up?; *an ~ denken* to think of the future; *bis ~!* see you later!

spätestens *adv* at the latest ▶ **~ morgen** tomorrow at the latest; **~ um 8** by 8 at the latest; *bis ~ in einer Woche* in one week at the latest.

Spät-: **~geburt** *f* late birth; **~herbst** *m* late autumn *or* fall (*US*); **~lese** *f* late vintage; **~nachmittag** *m* late afternoon; **~schäden** *pl* long-term damage; **~schicht** *f* late shift, back shift; **~sommer** *m* late summer.

Spatz *m* (*wk*) **-en, -en** [a] sparrow ▶ *wie ein ~ essen* to peck at one's food. [b] (*col: Kind*) tot (*col*).

Spätzle *pl* (*Cook*) home-made pasta.

Spätzünder *m* (*hum col*) **~ sein** (*schwer von Begriff*) to be slow on the uptake; (*spät im Leben mit etw anfangen*) to be a late starter.

spazieren* *vi aux sein* to stroll ▶ *wir waren ~* we went for a walk *or* stroll.

spazieren-: **~fahren** △ *sep irreg* [1] *vi aux sein* to go for a drive; [2] *vt jdn ~fahren* to take sb for a drive; *das Baby (im Kinderwagen) ~fahren* to take the baby for a walk (in the pram); **~gehen** △ *vi sep irreg aux sein* to go for a walk.

Spazier-: **~fahrt** *f* drive; *eine ~fahrt machen* to go for a run; **~gang** *m* walk; *einen ~gang machen* to go for a walk; **~gänger** *m* - stroller; **~stock** *m* walking stick; **~weg** *m* path, walk.

SPD [ɛspeːˈdeː] *f* - = **Sozialdemokratische Partei Deutschlands**.

Specht *m* **-e** woodpecker.

┌─── SPD ───
│ ⓘ The **SPD** (*Sozialdemokratische Partei Deutschlands*), the German Social Democratic Party, was newly formed in 1945. It is the largest political party in Germany. It shared in the government with the **CDU/CSU** from 1966-69 and governed from 1969-82 along with the **FDP** in a socialist-liberal coalition.
└───

Speck *m* **-e** (*Schweine~*) bacon fat; (*Schinken~, durchwachsener ~*) bacon ▶ **~ ansetzen** (*col*) to get fat; *mit ~ fängt man Mäuse* (*Prov*) you need a sprat to catch a mackerel (*prov*); *ran an den ~* (*col*) let's get stuck in (*col*).

speckig *adj* greasy.

Speckschwarte *f* bacon rind.

Spediteur [ʃpediˈtøːɐ] *m* haulage contractor; (*Umzugsfirma*) furniture remover (*Brit*) *or* mover.

Spedition *f* (*auch ~sfirma*) haulage contractor; (*Umzugsfirma*) removal firm (*Brit*), furniture movers *pl* (*US*).

Speer *m* **-e** spear; (*Sport*) javelin.

Speer-: **~spitze** *f* (*lit, fig*) spearhead; **~werfen** *nt* (*Sport*) *das ~werfen* the javelin; **~werfer** *m* (*Sport*) javelin thrower.

Speiche *f* **-n** [a] spoke. [b] (*Anat*) radius.

Speichel *m no pl* saliva, spittle.

Speichel-: **~drüse** *f* salivary gland; **~lecker** *m* - (*pej col*) bootlicker (*col*).

Speicher *m* - (*Lagerhaus*) storehouse; (*im Haus*) loft; (*Wasser~*) tank; (*Comp*) memory ▶ *auf dem ~* in the loft.

Speicherkapazität *f* storage capacity; (*Comp*) memory capacity.

speichern [1] *vt Vorräte, Energie, Daten* to store; (*Comp: ab~*) to save. [2] *vr* to accumulate.

Speicherung *f* storing, storage.

speien *pret* **spie,** *ptp* **gespie(e)n** *vti* to spit; *Lava, Feuer* to spew (forth); *Wasser* to spout.

Speise *f* **-n** (*geh: Nahrung*) food; (*Gericht*) dish ▶ *kalte und warme ~n* hot and cold meals.

Speise-: **~eis** *nt* ice cream; **~fett** *nt* cooking fat; **~gaststätte** *f* restaurant; **~kammer** *f* larder; **~karte** *f* menu.

speisen [1] *vti* (*geh*) to eat, to dine (*form*). [2] *vt* (*liter, Tech*) to feed.

Speise-: **~öl** *nt* edible oil; (*zum Braten*) cooking oil; (*für Salat*) salad oil; **~reste** *pl* leftovers *pl*; **~röhre** *f* (*Anat*) gullet, oesophagus (*form*); **~saal** *m* dining hall; (*in Hotel*

etc) dining room; **~schrank** *m* larder; **~wagen** *m* (*Rail*) dining car; **~wärmer** *m* hotplate; **~zettel** *m* menu.
Spektakel *m* - (*col: Lärm*) row; (*Aufregung*) fuss.
spektakulär *adj* spectacular.
Spektralfarbe *f* colour (*Brit*) *or* color (*US*) of the spectrum.
Spektrum *nt, pl* **Spektren** spectrum.
Spekulant(in *f*) *m* speculator.
Spekulation *f* (*auch Fin*) speculation (*mit* in) ▸ **~ mit Grundstücken** property speculation; **~en anstellen** to make speculations.
Spekulatius [ʃpeku'la:tsiʊs] *m* -, - spiced biscuit (*Brit*) *or* cookie (*US*) (*eaten at Christmas*).
spekulativ *adj* speculative.
spekulieren* *vi* (*auch Fin*) to speculate (*mit* in) ▸ **auf etw** (*acc*) **~** (*col*) to have hopes of sth.
Spelunke *f* **-n** (*pej col*) dive (*col*).
Spelze *f* **-n** (*Bot*) husk.
spendabel *adj* (*col*) generous, open-handed.
Spende *f* **-n** donation; (*Beitrag*) contribution.
spenden *vti* Lebensmittel, Geld, Organ to donate; Blut to give; (*beitragen*) Geld to contribute; Trost to give.
Spenden-: **~aktion** *f* fund-raising campaign; **~aufkommen** *nt* revenue from donations; **~aufruf** *m* appeal for donations; **~konto** *nt* donations account.
Spender(in *f*) *m* - donator; (*Beitragleistender*) contributor; (*Med*) donor.
spendieren* *vt* to buy, to get (*jdm etw* sb sth, sth for sb) ▸ **spendierst du mir einen?** (*col*) are you going to buy me a drink?
Spengler(in *f*) *m* - (*dial: Klempner*) plumber.
Sperber *m* - sparrowhawk.
Sperling *m* sparrow.
Sperma *nt, pl* **Spermen** *or* **-ta** sperm.
sperr|angelweit *adv* (*col*) **~ offen** wide open.
Sperrbezirk *m* no-go area.
Sperre *f* **-n** [a] (*Schlagbaum, Bahnsteig~ etc*) barrier; (*Polizei~*) roadblock; (*Tech*) locking device. [b] (*Verbot, Sport*) ban; (*Comm*) embargo; (*Nachrichten~*) (news) blackout.
sperren [1] *vt* [a] (*schließen*) Grenze, Straße *etc* to close; (*Comm*) Konto to freeze; Einfuhr, Ausfuhr, (*Sport*) to ban; (*Tech*) to lock ▸ **etw für jdn/etw ~** to close sth to sb/sth; **jdm das Gehalt ~** to stop sb's salary; **jdm den Strom/das Telefon ~** to cut off sb's electricity/telephone. [b] (*einschließen*) **jdn in etw** (*acc*) **~** to lock sb in sth. [c] (*Typ*) to space out.
[2] *vr* **sich (gegen etw) ~** to ba(u)lk (at sth).
[3] *vi* (*Sport*) to obstruct.
Sperr-: **~feuer** *nt* (*Mil, fig*) barrage; **~frist** *f* waiting period (*auch Jur*); (*Sport*) (period of) suspension; **~gebiet** *nt* no-go area; **~gut** *nt* bulky freight; **~holz** *nt* plywood.
sperrig *adj* bulky; (*unhandlich*) unwieldy.
Sperr-: **~kette** *f* chain; (*an Haustür*) safety chain; **~konto** *nt* blocked account; **~müll** *m* bulky refuse; **~schrift** *f* (*Typ*) spaced type; **~sitz** *m* (*im Kino*) back seats *pl*; (*im Zirkus*) front seats *pl*; **~stunde** *f* closing time.
Sperrung *f* [a] siehe *vt* (a) closing; freezing; banning; locking. [b] (*Verbot, Sport*) ban.
Spesen *pl* expenses *pl* ▸ **auf ~ reisen/essen** to travel/eat on expenses; **außer ~ nichts gewesen** (*col*) there was nothing doing (*col*).
Spesen-: **s~frei** *adj* free of charge; **~konto** *nt* expense account.
Spezi *m* **-s** [a] (*S Ger col*) pal (*col*), mate (*col*). [b] (*Getränk*) Coca Cola ® and lemonade.
Spezial-: **~ausbildung** *f* specialized training; **~ausführung** *f* special model; **~fall** *m* special case; **~gebiet** *nt* special field; **~geschäft** *nt* specialist shop

(*Brit*) *or* store (*US*); **ein ~geschäft für Sportkleidung** a sportswear specialist.
spezialisieren* *vr* **sich (auf etw** *acc*) **~** to specialize (in sth).
Spezialisierung *f* specialization.
Spezialist(in *f*) *m* specialist (*für* in).
Spezialität *f* speciality (*Brit*), specialty (*US*).
speziell [1] *adj* special.
[2] *adv* (e)specially.
spezifisch *adj* specific.
spezifizieren* *vt* to specify.
Sphäre *f* **-n** (*lit, fig*) sphere.
sphärisch *adj* spherical; Klänge, Musik celestial.
Sphinx *f* **-e** sphinx.
spicken *vt* [1] (*Cook*) Braten to lard ▸ **mit Fehlern gespickt** peppered with mistakes.
[2] *vi* (*Sch col*) to crib (*col*) (*bei* off).
Spickzettel *m* (*col*) crib.
spie *pret of* **speien**.
Spiegel *m* - [a] (*lit, fig*) mirror ▸ **jdm den ~ vorhalten** (*fig*) to hold up a mirror to sb. [b] (*Wasser~, Alkohol~, Zucker~*) level.
Spiegel-: **~bild** *nt* (*lit, fig*) reflection; (*seitenverkehrtes Bild*) mirror image; **s~bildlich** *adj* Zeichnung *etc* mirror-image *attr*; **s~blank** *adj* shining.
Spiegel|ei *nt* fried egg.
Spiegel-: **~fechterei** *f* (*fig*) shadow-boxing; (*Vortäuschung*) bluff; **s~frei** *adj* Brille, Bildschirm *etc* non-reflecting; **~glas** *nt* mirror glass; **s~glatt** *adj* like glass *pred*.
spiegeln [1] *vi* to reflect; (*glitzern*) to gleam.
[2] *vt* to reflect.
[3] *vr* to be reflected *or* mirrored.
Spiegel-: **~reflexkamera** *f* reflex camera; **~schrift** *f* mirror writing; **etw in ~schrift schreiben** to write sth backwards.
Spiegelung *f* reflection; (*Luft~*) mirage.
spiegelverkehrt *adj* in mirror image.
Spiel *nt* **-e** [a] game; (*Wettkampfs~ auch*) match; (*Theat: Stück*) play ▸ **im ~ sein** (*fig*) to be at work; **das ~ verloren geben** (*fig*) to throw in the towel; **sein Geld beim ~ verlieren** to lose one's money gambling. [b] (*Bewegung, Zusammenspiel*) play ▸ **das (freie) ~ der Kräfte** the (free) (inter)play of forces. [c] (*Spielzubehör*) game; (*Karten*) deck, pack; (*Satz*) set. [d] (*fig*) **das ist ein ~ mit dem Feuer** that's playing with fire; **leichtes ~ (mit** *or* **bei jdm) haben** to have an easy job of it (with sb); **das ~ ist aus** the game's up; **die Finger im ~ haben** to have a hand in affairs; **jdn/etw aus dem ~ lassen** to leave sb/sth out of it; **etw aufs ~ setzen** to put sth at stake; **auf dem ~(e) stehen** to be at stake; **sein ~ mit jdm treiben** to play games with sb.
Spiel-: **~anzug** *m* playsuit; (*einteilig*) rompers *pl* (*Brit*), creepers *pl* (*US*); **~art** *f* variety; **~automat** *m* gambling machine; (*zum Geldgewinnen*) fruit machine (*Brit*); **~ball** *m* (*fig*) plaything; **ein ~ball der Wellen sein** (*geh*) to be at the mercy of the waves; **~bank** *f* casino; **~dose** *f* musical box (*Brit*), music box (*US*).
spielen [1] *vt* to play ▸ **jdm einen Streich ~** to play a trick on sb; **Klavier ~** to play the piano; **was wird heute im Theater/Kino gespielt?** what's on at the theatre/cinema today; **den Beleidigten ~** to act offended; **was wird hier gespielt?** (*col*) what's going on here?
[2] *vi* to play; (*Theaterstück, Film*) to be on; (*beim Glücksspiel*) to gamble ▸ **seine Beziehungen ~ lassen** to pull strings; **das Stück spielt im 18. Jahrhundert** the play is set in the 18th century; **mit dem Gedanken ~, etw zu tun** to toy with the idea of doing sth.
[3] *vr* **sich warm ~** to warm up; **sich in den Vordergrund ~** to push oneself into the foreground.

⚠: Informationen zur Rechtschreibreform im Anhang

spielend [1] adj playing.
[2] adv easily ► **das ist ~ leicht** that's very easy.
Spieler(in f) m - player; (*Glücks~*) gambler.
Spielerei f no pl (*Kinderspiel*) child's play no art ► **das ist nur ~** I am/he is etc just playing about.
spielerisch [1] adj (*verspielt*) Geste, Katze etc playful. [b] (*Sport*) playing; (*Theat*) acting ► **es Können** playing/acting ability.
[2] adv [a] (*verspielt*) playfully. [b] (*Sport*) in playing terms; (*Theat*) in acting terms.
Spiel-: **~feld** nt field, pitch (*Brit*); (*Tennis, Basketball*) court; **~figur** f piece; **~film** m feature film; **~folge** f (*Sport*) order of play; (*Theat*) programme (*Brit*), program (*US*); **~gefährte** m playmate; **~geld** nt [a] (*Einsatz*) stake; [b] (*unechtes Geld*) toy money; **~halle** f amusement arcade; **~hölle** f gambling den; **~kamerad** m playmate; **~karte** f playing card; **~kasino** nt (gambling) casino; **~klasse** f division; **~leidenschaft** f gambling mania; **~macher** m key player; **~mannszug** m (brass) band; **~marke** f chip; **~minute** f minute (of play); **~plan** m (*Theat, Film*) programme (*Brit*), program (*US*); **ein Stück vom ~plan absetzen** to drop a play; **~platz** m (*für Kinder*) playground; **~raum** m room to move; (*fig*) scope; (*zeitlich*) time; (*bei Planung etc*) leeway; (*Tech*) clearance, (free) play; **~regel** f (*lit, fig*) rule of the game; **sich an die ~regeln halten** (*lit, fig*) to play the game; **gegen die ~regeln verstoßen** (*lit, fig*) not to play the game; **~sachen** pl toys pl; **~saison** f (*Theat, Sport*) season; **~schuld** f gambling debt; **~stand** m score; **bei einem ~stand von ...** with the score at ...; **~stein** m piece; **~straße** f play street; **~sucht** f addiction to gambling; **~tag** m day (of play); **~tisch** m (*beim Glücksspiel*) gaming table; **~trieb** m play instinct; **~uhr** f musical box (*Brit*), music box (*US*); **~verbot** nt (*Sport*) ban; **~verbot haben** to be banned; **~verderber(in** f) m - spoilsport; **~verlängerung** f extra time (*Brit*), overtime (*US*); **~verlauf** m action; **~waren** pl toys; **~warengeschäft** nt toy shop (*Brit*) or store (*US*); **~weise** f way of playing; **~werk** nt musical box mechanism; **~wiese** f playing field; (*fig*) playground; **~zeit** f [a] (*Saison*) season; [b] (*~dauer*) playing time.
Spielzeug nt toy; toys pl; (*fig auch*) plaything.
Spielzeug-: in cpds toy; **~eisenbahn** f toy train set.
Spiel-: **~zimmer** nt playroom; **~zug** m move.
Spieß m -e [a] spear; (*Brat~*) spit; (*kleiner*) skewer ► **am ~ gebraten** spitroast(ed); **wie am ~(e) schreien** (*col*) to squeal like a stuck pig; **den ~ umdrehen** (*fig*) to turn the tables. [b] (*Mil col*) sarge (*col*).
Spießbraten m joint roasted on a spit.
Spießbürger m (petit) bourgeois.
spießbürgerlich adj (petit) bourgeois.
spießen vt **etw auf etw** (*acc*) ~ (*auf Pfahl*) to impale sth on sth; (*auf Gabel*) to skewer sth on sth.
Spießer m - (*col*) (petit) bourgeois.
Spießgeselle m (*hum: Komplize*) crony (*col*).
spießig adj (*col*) (petit) bourgeois.
Spießrute f **~n laufen** (*fig*) to run the gauntlet.
Spikes [ʃpaiks, sp-] pl (*Sportschuhe*) spikes pl; (*Autoreifen*) studded tyres pl (*Brit*) or tires pl (*US*); (*Stifte an Reifen*) studs pl.
Spill nt -(e)s, -e (*Naut*) capstan.
Spinat m no pl spinach.
Spind m or nt -e locker.
Spindel f -n spindle; (*Treppen~*) newel.
spindeldürr adj (*pej*) spindly, thin as a rake.
Spinett nt -e (*Mus*) spinet.
Spinne f -n spider; (*Wäsche~*) rotary clothes line.
spinnefeind adj pred (*col*) **sich** or **einander** (*dat*) ~ **sein** to be deadly enemies.
spinnen pret **spann**, ptp **gesponnen** [1] vti to spin;

Lügen to concoct, to invent.
[2] vi (*col*) (*leicht verrückt sein*) to be crazy; (*Unsinn reden*) to talk rubbish ► **ich denk' ich spinne** I don't believe it; **du spinnst wohl!, spinnst du?** you must be crazy!
Spinnen-: **~faden** m spider's thread; **~gewebe, ~netz** nt cobweb.
Spinner(in f) m - [a] (*col*) nutcase (*col*), screwball (*esp US col*). [b] spinner.
Spinnerei f [a] (*Spinnwerkstatt*) spinning mill. [b] (*col*) crazy behaviour (*Brit*) or behavior (*US*) no pl; (*Idee*) crazy idea; (*Unsinn*) rubbish.
spinnert adj (*col*) crazy (*col*).
Spinn-: **~faser** f spinning fibre (*Brit*) or fiber (*US*); **~gewebe** nt cobweb; **~rad** nt spinning-wheel; **~webe** f -n cobweb.
Spion m -e spy; (*col: Guckloch*) peephole.
Spionage [ʃpioˈnaːʒə] f no pl espionage ► **~ treiben** to spy.
Spionage-: **~abwehr** f counter-intelligence; **~ring** m spy ring; **~satellit** m spy satellite.
spionieren* vi to spy; (*col: nachforschen*) to snoop about (*col*).
Spionin f (woman) spy.
Spirale f -n spiral; (*Med*) coil.
Spiral-: **~feder** f coil spring; **s~förmig** adj spiral.
Spiritismus m spiritualism.
Spiritist(in f) m spiritualist.
spiritistisch adj spiritualist.
spirituell adj spiritual.
Spirituosen pl spirits pl.
Spiritus m -, no pl (*Alkohol*) spirit ► **mit ~ kochen** to cook with a spirit stove; **etw in ~ legen** to put sth in alcohol.
Spiritus-: **~kocher** m spirit stove; **~lampe** f spirit lamp.
spitz adj [a] (*mit einer Spitze*) pointed; Bleistift, Nadel etc sharp; (*Math*) Winkel acute ► **~e Klammern** angle brackets; **~ zulaufen** to taper; **etw mit ~en Fingern anfassen** (*col*) to pick sth up gingerly. [b] (*gehässig*) Bemerkung pointed, barbed; Zunge sharp.
Spitz m -e (*Hund*) spitz.
Spitz-: **~bart** m goatee; **s~bekommen*** vt sep irreg (*col*) **etw s~bekommen** to get wise to sth (*col*); **~bogen** m pointed arch; **~bub(e)** m villain, rogue; (*col: Schlingel*) scamp (*col*); **s~bübisch** adj mischievous.
Spitze f -n [a] point; (*Finger~, Nasen~, Bart~, Schuh~*) tip; (*Berg~, Fels~, Baum~, Turm~*) top ► **auf der ~ stehen** to be upside down; **etw auf die ~ treiben** to carry sth too far; **einer Sache** (*dat*) **die ~ nehmen** (*fig*) to take the sting out of sth. [b] (*Führung*) head; (*vorderes Ende*) front; (*Tabellen~*) top; (*fig: Höchstwert*) peak ► **an der ~ stehen** to be at the head; **an der ~ liegen** (*Sport, fig*) to be in the lead; **sich an die ~ setzen** (*in Wettbewerb etc, Sport*) to take the lead. [c] (*fig: Stichelei*) dig ► **das ist eine ~ gegen Sie** that's a dig at you. [d] (*Gewebe*) lace. [e] (*col: prima*) great (*col*).
Spitzel m - informer; (*Spion*) spy; (*Schnüffler*) snooper; (*Polizei~*) police informer.
spitzen vt (*spitz machen*) Bleistift to sharpen; Lippen, Mund to purse; (*zum Küssen*) to pucker; Ohren (*lit, fig*) to prick up.
Spitzen- in cpds top; (*aus Spitze*) lace; **~belastung** f peak load; **~bluse** f lace blouse; **~erzeugnis** nt top-quality product; (*auf einem Gebiet*) leading product; **~feld** nt (*Sport*) leading group; **~funktionär** m top official; **~gehalt** nt top salary; **~geschwindigkeit** f top speed; **~höschen** nt lace panties pl; **~kandidat** m top candidate; **~klasse** f top class; **Sekt der ~klasse** top-quality champagne; **~kraft** f top professional; **~leistung** f top performance; (*von Maschine, Auto*) peak perfor-

---

mance; (*bei der Herstellung von Produkten, Energie*) peak output; **~lohn** *m* top wage(s *pl*); **s~mäßig** *adj* (*col*) great (*col*); **~politiker** *m* leading politician; **~position** *f* leading position; **~qualität** *f* top quality; **~reiter** *m* (*Sport*) leader; (*fig*) (*Kandidat*) front-runner; (*Ware*) top seller; (*Schlager*) number one; **~sportler** *m* top(-class) sportsman; **~stellung** *f* leading position; **~technologie** *f* state-of-the-art technology; **~verband** *m* leading organization; **~verdiener** *m* top earner; **~verkehrszeit** *f* peak period; **~wein** *m* top-quality wine; **~wert** *m* peak; **~zeit** *f* (*Sport*) record time; (*Hauptverkehrszeit*) peak period, rush hour.

Spitzer *m* sharpener.

Spitz-: **s~findig** *adj* over-subtle; (*haarspalterisch*) hair-splitting; **~findigkeit** *f* over-subtlety; (*Haarspalterei*) hair-splitting *no pl*; **~hacke** *f* pickaxe (*Brit*), pickax (*US*); **s~kriegen** *vt sep* (*col*) = **s~bekommen**; **~maus** *f* shrew; **~name** *m* nickname; *mit dem ~namen ...* nicknamed ...; **s~züngig** *adj* sharp-tongued.

Spleen [ʃpliːn] *m* **-s** (*col*) (*Angewohnheit*) crazy habit; (*Idee*) crazy idea; (*Fimmel*) obsession ▸ *du hast ja einen ~!* you're off your head (*col*).

spleenig [ˈʃpliːnɪç] *adj* (*col*) crazy, nutty (*col*).

Splint *m* **-e** cotter (pin), split pin.

Splitt *m* **-e** stone chippings *pl*; (*Streumittel*) grit.

Splitter *m* - splinter; (*Granat~*) fragment.

Splitter-: **~bombe** *f* (*Mil*) fragmentation bomb; **~gruppe** *f* (*Pol*) splinter group.

splittern *vi aux sein or haben* (*Holz, Glas*) to splinter.

splitternackt *adj* stark naked.

Splitterpartei *f* (*Pol*) splinter party.

SPÖ [ɛspeːˈʔøː] *f* **=** **Sozialistische Partei Österreichs** *Austrian Socialist Party.*

Spoiler [ˈʃpɔylɐ] *m* - (*Aut*) spoiler.

sponsern *vti* to sponsor.

Sponsor *m* **-en**, **Sponsorin** *f* sponsor.

spontan *adj* spontaneous.

Spontaneität [ʃpɔntaneiˈtɛːt] *f* spontaneity.

sporadisch *adj* sporadic.

Spore *f* **-n** (*Biol*) spore.

Sporen *pl* (*auch Zool, Bot*) spurs ▸ *einem Pferd die ~ geben* to spur a horse; *sich* (*dat*) *die* (*ersten*) *~ verdienen* (*fig*) to win one's spurs.

Sport *m no pl* sport ▸ *treiben Sie ~?* do you go in for any sport?; *etw zum ~ betreiben* (*als Hobby*) to do sth as a hobby.

Sport-: *in cpds* sports; (*US: esp Kleidung*) sport; **~abzeichen** *nt* sports certificate; **~angler** *m* angler; **~anlage** *f* sports complex; **~art** *f* (form of) sport; **~artikel** *pl* sports *or* sport (*US*) equipment *with sing vb*; **~arzt** *m* sports physician; **s~begeistert** *adj* keen on sport; **~bericht** *m* sports report; **~ereignis** *nt* sporting event; **~fest** *nt* sports festival; (*Sch*) sports day (*Brit*); **~flieger** *m* amateur pilot; **~flugzeug** *nt* sporting aircraft; **~freund** *m* sport(s) fan; **~geist** *m* sportsmanship; **~geschäft** *nt* sports shop (*Brit*), sport store (*US*); **~halle** *f* sports hall; **~hemd** *nt* sports *or* sport (*US*) shirt; **~hochschule** *f* college of physical education; **~kleidung** *f* sportswear; **~klub** *m* sports club; **~lehrer(in** *f)* *m* sports instructor; (*Sch*) PE *or* physical education teacher.

Sportler *m* - sportsman, athlete.

Sportlerin *f* sportswoman, (woman) athlete.

sportlich *adj* [a] *Mensch, Auto* sporty; *Veranstaltung, Wettkampf* sporting; (*durchtrainiert*) athletic. [b] (*fair*) sportsmanlike *no adv*. [c] *Kleidung* (smart but) casual; (*wie Sportkleidung aussehend*) sporty.

Sportlichkeit *f* [a] (*von Menschen*) sportiness; (*Durchtrainiertheit*) athleticism. [b] (*Fairneß*) sportsmanship.

Sport-: **~medizin** *f* sports medicine; **~nachrichten** *pl* sports news *with sing vb or* reports *pl*; **~platz** *m* playing *or* sports field; **~rad** *nt* sports bike (*col*); **~reportage** *f* sports report; **~schuh** *m* sports *or* sport (*US*) shoe; (*Freizeitschuh*) casual shoe.

Sports-: **~freund** *m* (*fig col*) buddy (*col*); **~kanone** *f* (*col*) sporting ace (*col*).

Sport-: **~stadion** *nt* (sports) stadium; **~unfall** *m* sporting accident; **~veranstaltung** *f* sporting event; **~verein** *m* sports club; **~wagen** *m* sports car; (*für Kind*) pushchair (*Brit*), (baby) stroller (*US*); **~zeitung** *f* sports paper; **~zeug** *nt* (*col*) sport(s) things *pl*.

Spot [spɔt] *m* **-s** commercial, advertisement.

Spott *m no pl* mockery, ridicule ▸ *seinen ~ mit jdm treiben* to make fun of sb.

Spott-: **~bild** *nt* (*fig*) travesty; **s~billig** *adj* dirt-cheap (*col*).

spötteln *vi* to mock (*über jdn/etw* sb/sth).

spotten *vi* to mock ▸ *über jdn/etw ~* to mock sb/sth; *das spottet jeder Beschreibung* that simply defies description.

Spötter(in *f)* *m* - mocker.

Spott-: **~figur** *f* joke figure; *eine ~figur sein* to be an object of ridicule; **~gedicht** *nt* satirical poem.

spöttisch *adj* mocking.

Spott-: **~lied** *nt* satirical song; **~name** *m* derisive nickname; **~preis** *m* ridiculously low price; **~rede** *f* satirical speech; **~vers** *m* satirical verse.

sprach *pret of* **sprechen**.

Sprach-: **~barriere** *f* language barrier; **s~begabt** *adj* good at languages; **~begabung** *f* talent for languages.

Sprache *f* **-n** language; (*das Sprechen, Sprechweise*) speech; (*Fähigkeit zu sprechen*) faculty of speech ▸ *eine ~ sprechen* to speak a language; *in französischer etc ~* in French *etc*; *heraus mit der ~!* (*col*) come on, out with it!; *zur ~ kommen* to be mentioned; *etw zur ~ bringen* to bring sth up; *hast du die ~ verloren?* have you lost your tongue?; *es verschlägt einem die ~* it takes your breath away.

Sprachenschule *f* language school.

Sprach-: **~erkennung** *f* speech recognition; **~fehler** *m* speech defect; **~forscher** *m* linguist; **~forschung** *f* linguistic research; **~führer** *m* phrasebook; **~gebiet** *nt* language area; *ein französisches etc ~gebiet* a French-speaking *etc* area; **~gebrauch** *m* usage; *moderner deutscher ~gebrauch* modern German usage; **~gefühl** *nt* feeling for language; **~gemeinschaft** *f* language community; **~genie** *nt* linguistic genius; **~geschichte** *f* linguistic history; **s~gewandt** *adj* articulate; **~kenntnisse** *pl* linguistic proficiency *sing*; *mit englischen ~kenntnissen* with a knowledge of English; *haben Sie irgendwelche ~kenntnisse?* do you know any languages?; **s~kundig** *adj* **s~kundig sein** (*in einer bestimmten Sprache*) to know the language; **~kurs(us)** *m* language course; **~labor** *nt* language laboratory; **~lehre** *f* grammar; **~lehrer** *m* language teacher.

sprachlich *adj* linguistic; *Unterricht, Schwierigkeiten* language *attr*; *Fehler* grammatical ▸ *~ falsch/richtig* grammatically incorrect/correct.

sprachlos *adj* speechless.

Sprachlosigkeit *f* speechlessness.

Sprach-: **~rohr** *nt* (*Megaphon*) megaphone; (*fig*) mouthpiece; **~schöpfung** *f* linguistic innovation; **~schule** *f* language school; **~störung** *f* speech disorder; **~studium** *nt* study of language; **~übung** *f* language exercise; **~unterricht** *m* language teaching; **~urlaub** *m* language-learning holiday; **~wissenschaft** *f* linguistics *sing*; **~wissenschaftler** *m* linguist; **s~wissenschaftlich** *adj* linguistic.

sprang *pret of* **springen**.

⚠: Informationen zur Rechtschreibreform im Anhang

Spray [ʃpreː, spreː] *m or nt* **-s** spray.
Spraydose [ˈʃpreː-, ˈspreː-] *f* aerosol (can), spray.
sprayen [ˈʃpreːən, sp-] *vti* to spray.
Sprech-: **~anlage** *f* intercom; **~blase** *f* (speech) balloon; **~chor** *m* chorus; (*fig*) chorus of voices; **~einheit** *f* (*Telec*) unit.
▼ **sprechen** *pret* **sprach**, *ptp* **gesprochen** ① *vi* to speak (*über* +acc, *von* about, of); (*reden, sich unterhalten auch*) to talk (*über* +acc, *von* about) ▶ *viel* ~ to talk a lot; *frei* ~ to extemporize; *er spricht wenig* he doesn't say very much; *im Schlaf* ~ to talk in one's sleep; *es spricht/es* ~ ... the speaker is/the speakers are ...; *nicht gut auf jdn zu* ~ *sein* to be on bad terms with sb; *wie sprichst du mit mir?* who do you think you're talking to?; *wir* ~ *nicht mehr miteinander* we are no longer on speaking terms; *mit wem spreche ich?* to whom am I speaking, please?; *darüber spricht man nicht* one doesn't talk about such things; ~ *wir von etwas anderem* let's change the subject; *es wird kaum noch von ihm gesprochen* he's hardly mentioned now; *es spricht für jdn/etw(, daß ...)* it says something for sb/sth (that ...); *das spricht für ihn* that's a point in his favour (*Brit*) or favor (*US*); *das spricht für sich (selbst)* that speaks for itself; *es spricht vieles dafür* there's a lot to be said for it; *es spricht vieles dafür, daß ...* there is every reason to believe that ...; *was spricht dafür/dagegen?* what is there to be said for/against it?; *er sprach vor den Studenten* he spoke to the students; *ganz allgemein gesprochen* generally speaking.
② *vt* ⓐ (*sagen*) to say, to speak; *eine Sprache* to speak; *Gebet, Gedicht* to say ▶ ~ *Sie Japanisch?* do you speak Japanese?; *hier spricht man Spanisch* Spanish spoken. ⓑ (*mit jdm reden*) to speak to ▶ *kann ich bitte Herrn Kurz* ~? may I speak to Mr Kurz, please?; *er ist nicht zu* ~ he can't see anybody; *wir* ~ *uns noch!* you haven't heard the last of this! ⓒ *Urteil* to pronounce.
Sprecher(in *f)* *m* - speaker; (*Nachrichten~*) newsreader; (*für Dokumentarfilme etc*) narrator; (*Ansager*) announcer; (*Wortführer*) spokesperson; spokesman/-woman.
Sprech-: **s~faul** *adj* taciturn; **~funk** *m* radio-telephone system; **~funkgerät** *nt* radiotelephone; **~gebühr** *f* (*Telec*) call charge; **~muschel** *f* (*Telec*) mouthpiece; **~organ** *nt* speech organ; **~probe** *f* voice trial; **~rolle** *f* speaking part; **~schulung** *f* voice training; **~stunde** *f* consultation (hour); (*von Arzt*) surgery (*Brit*), doctor's office (*US*); **~stunden** consultation hours; (*von Arzt*) surgery (*Brit*); **~stundenhilfe** *f* doctor's receptionist; **~übung** *f* speech exercise; **~weise** *f* way of speaking; **~werkzeuge** *pl* organs of speech; **~zeit** *f* (*Telec*) call time; **~zimmer** *nt* consulting room.
Spreizdübel *m* cavity plug.
spreizen ① *vt* to spread. ② *vr* (*sich sträuben*) to kick up (*col*).
Spreizfuß *m* splayfoot.
Spreng|arbeiten *pl* blasting operations *pl* ▶ „~" "blasting".
sprengen *vt* ⓐ to blow up; *Fels* to blast. ⓑ *Tür* to force (open); *Tresor* to break open; *Bande, Fesseln, (Spiel)bank* to break; *Versammlung* to break up. ⓒ (*bespritzen*) to sprinkle.
Spreng-: **~kapsel** *f* detonator; **~kopf** *m* warhead; **~körper** *m* explosive device; **~kraft** *f* explosive force; **~ladung** *f* explosive charge; **~satz** *m* explosive device.
Sprengstoff *m* explosive.
Sprengstoff|anschlag *m* bomb attack ▶ *auf ihn wurde ein* ~ *verübt* he was the subject of a bomb attack.
Sprengung *f* blowing-up; (*von Fels*) blasting; (*von Versammlung*) breaking-up.
Sprenkel *m* - (*Tupfen*) spot, speckle.

sprenkeln *vt* *Farbe* to sprinkle spots of; *siehe* **gesprenkelt**.
Spreu *f no pl* chaff ▶ *die* ~ *vom Weizen trennen* (*fig*) to separate the wheat from the chaff.
Sprichwort *nt* ⁻er proverb.
sprichwörtlich *adj* (*lit, fig*) proverbial.
sprießen *pret* **sproß** *or* **sprießte**, *ptp* **gesprossen** *vi aux sein* (*aus der Erde*) to spring up; (*Knospen*) to shoot.
Springbrunnen *m* fountain.
springen *pret* **sprang**, *ptp* **gesprungen** *vi aux sein* ⓐ (*lit, fig, Sport, bei Brettspielen*) to jump; (*mit Schwung auch*) to leap; (*beim Stabhochsprung*) to vault; (*Raubtier*) to pounce; (*sich springend fortbewegen*) to bound; (*hüpfen, seilhüpfen*) to skip; (*Ball etc*) to bounce; (*Wassersport*) to dive ▶ *die Kinder kamen gesprungen* the children came running. ⓑ *etw* ~ *lassen* (*col*) to fork out for sth (*col*); *Geld* to fork out sth (*col*); *für jdn etw* ~ *lassen* (*col*) to treat sb to sth. ⓒ (*Saite, Glas*) to break; (*Risse bekommen*) to crack.
Springen *nt* - (*Sport*) jumping; (*Stabhoch~*) vaulting.
springend *adj der* **~e** *Punkt* the crucial point.
Springer(in *f)* *m* - ⓐ jumper; (*Stabhoch~*) vaulter. ⓑ ⓒ (*Chess*) knight. ⓒ (*Ind*) stand-in.
Spring-: **~flut** *f* spring tide; **~form** *f* (*Cook*) springform; **s~lebendig** *adj* lively, full of beans (*col*); **~pferd** *nt* show-jumper; **~reiten** *nt* show-jumping; **~reiter** *m* show-jumper; **~rollo** *nt* roller blind; **~seil** *nt* skipping rope; **~turnier** *nt* show-jumping competition.
Sprinkler *m* - sprinkler.
Sprint *m* - sprint.
sprinten *vti aux sein* to sprint.
Sprinter(in *f)* *m* - sprinter.
Sprit *m* **-e** (*col*) ⓐ (*Benzin*) gas (*col*), juice (*col*). ⓑ (*Schnaps*) shorts *pl*.
Spritz-: **~beutel** *m* icing bag; **~düse** *f* nozzle.
Spritze *f* **-n** syringe; (*Feuer~, Garten~*) hose; (*Injektion*) injection ▶ *eine* ~ *bekommen* to have an injection; *an der* ~ *hängen* (*col*) to be on heroin.
spritzen ① *vti* ⓐ to spray; (*verspritzen*) *Wasser, Schmutz etc* to splash; (*aus Wasserpistole etc*) to squirt ▶ *jdn naß* ~ to splash sb. ⓑ *Wein* to dilute with soda water/mineral water. ⓒ (*injizieren*) *Serum etc* to inject; *Heroin etc auch* to shoot (*col*) ▶ *wir müssen (dem Kranken) Morphium* ~ we have to give (the patient) a morphine injection. ② *vi aux haben or sein* (*heißes Fett*) to spit; (*in einem Strahl*) to spurt; (*aus einer Tube etc*) to squirt.
Spritzer *m* - (*Farb~, Wasser~*) splash.
spritzig *adj Wein* tangy; *Aufführung, Dialog etc* sparkling; (*witzig*) witty.
Spritz-: **~lack** *m* spray paint; **~pistole** *f* spray-gun; **~tour** *f* (*col*) spin (*col*); **~tülle** *f* nozzle.
spröd(e) *adj Glas, Haar* brittle; *Haut* rough; *Stimme* thin; (*abweisend*) aloof; *Charme* austere.
⚠ **sproß** *pret of* **sprießen**.
⚠ **Sproß** *m* **-sse** shoot.
Sprosse *f* **-n** (*lit, fig*) rung.
Sprossenwand *f* (*Sport*) wall bars *pl*.
⚠ **Sprößling** *m* shoot; (*fig hum*) offspring.
Sprotte *f* **-n** sprat.
Spruch *m* ⁻e ⓐ saying; (*Wahl~*) motto; (*Bibel~*) quotation ▶ **~e** (*col: Gerede*) patter *no pl* (*col*); **~e klopfen** (*col*) to talk fancy (*col*); *das sind doch nur* **~e!** that's just talk. ⓑ (*Richter~*) judgement; (*Urteils~*) verdict; (*Schieds~*) ruling.
Spruchband *nt* banner.
Sprüche-: **~klopfer**, **~macher** *m* (*col*) patter-merchant (*col*).
spruchreif *adj* (*col*) *die Sache ist noch nicht* ~ it's not definite yet.

▶ SATZBAUSTEINE: **sprechen: 1** → 1.4, 9.2, 15.4, 15.5, 15.6

Sprudel *m* - mineral water; (*Erfrischungsgetränk*) fizzy drink.

sprudeln *vi* [a] (*lit, fig*) to bubble; (*Sekt, Limonade*) to fizz. [b] *aux sein* (*hervor~*) (*Wasser etc*) to bubble; (*fig: Worte*) to pour out.

sprudelnd *adj Getränk* fizzy; (*fig*) effervescent.

Sprudel-: **~tablette** *f* effervescent tablet; **~wasser** *nt* sparkling mineral water.

Sprühdose *f* spray (can).

sprühen [1] *vi* [a] *aux haben or sein* to spray; (*Funken*) to fly. [b] (*fig*) (*vor Witz etc*) to bubble over; (*Augen: vor Freude etc*) to sparkle.
[2] *vt* to spray.

sprühend *adj Laune, Temperament etc* bubbling, effervescent; *Witz* sparkling, bubbling.

Sprühregen *m* drizzle.

Sprung *m* ¨e [a] jump; (*schwungvoll, fig: Gedanken~ auch*) leap; (*Hüpfer*) skip; (*von Raubtier*) pounce; (*Stabhoch~*) vault; (*Wassersport*) dive ▶ *ein großer ~ nach vorn* (*fig*) a great leap forward; *damit kann man keine großen ¨e machen* (*col*) you can't exactly live it up on that (*col*); *immer auf dem ~ sein* (*col*) to be always on the go (*col*); (*aufmerksam*) to be always on the ball (*col*); *jdm auf die ¨e helfen* (*wohlwollend*) to give sb a (helping) hand; (*drohend*) to show sb what's what. [b] (*col: kurze Strecke*) *auf einen ~ bei jdm vorbeikommen* to drop in to see sb (*col*). [c] (*Riß*) crack ▶ *einen ~ haben/bekommen* to be cracked/to crack.

Sprung-: **~brett** *nt* (*lit, fig*) springboard; **~feder** *f* spring; **s~haft** [1] *adj* [a] *Charakter* volatile; *Denken* disjointed; [b] (*rapide*) rapid; [2] *adv* ansteigen, sich entwickeln by leaps and bounds; **~schanze** *f* (*Ski*) ski jump, jumping hill; **~seil** *nt* skipping rope; **~tuch** *nt* jumping sheet, life net (*US*); **~turm** *m* diving platform.

Spucke *f no pl* (*col*) spittle, spit ▶ *da bleibt einem die ~ weg!* (*col*) it's flabbergasting (*col*); *mit Geduld und ~* (*col*) with a little application.

spucken *vti* to spit; (*fig col*) *Lava, Flammen* to spew (out) ▶ *in die Hände ~* (*fig*) to roll up one's sleeves.

Spucknapf *m* spittoon.

Spuk *m* -e (*Geistererscheinung*) apparition ▶ *dem ~ ein Ende bereiten* (*fig*) to put an end to the nightmare.

spuken *vi* to haunt ▶ *hier spukt es* this place is haunted; *es spukt auf dem Friedhof* the cemetery is haunted; *das spukt noch immer in den Köpfen* that still has a hold on people's minds.

Spuk-: **~geschichte** *f* ghost story; **s~haft** *adj* eerie.

Spül-: **~automat** *m* (automatic) dishwasher; **~becken** *nt* sink.

Spule *f* -n spool, reel; (*Nähmaschinen~, Ind*) bobbin; (*Elec*) coil.

Spüle *f* -n sink (unit); (*Spülbecken*) sink.

spulen *vt* to spool (*auch Comp*), to reel.

spülen *vti* [a] (*aus~, ab~*) to rinse; (*Med*) to irrigate; (*abwaschen*) *Geschirr* to wash up (*Brit*), to wash the dishes; (*auf der Toilette*) to flush ▶ *Geschirr ~* to wash the dishes, to wash up (*Brit*). [b] *etw an Land ~* to wash sth ashore.

Spül-: **~maschine** *f* dishwasher; **s~maschinenfest** *adj* dishwasher-proof; **~mittel** *nt* washing-up liquid (*Brit*), dish-washing liquid; **~schüssel** *f* washing-up bowl; **~tisch** *m* sink unit.

Spülung *f* rinsing; (*Wasser~*) flush; (*Med*) irrigation.

Spülwasser *nt* (*beim Abwaschen*) dishwater.

Spund *m* ¨e [a] bung, spigot. [b] *pl* -e *junger ~* (*dated col*) young pup (*dated col*).

Spundloch *nt* bunghole.

Spur *f* -en [a] track (*auch Comp*); (*Anzeichen, Beweisstück*) trace, sign ▶ *von den Tätern fehlt jede ~* there is no trace of the criminals; *jds ~ aufnehmen* to take up sb's trail; *jdm auf der ~ sein* to be on sb's trail; *auf der richtigen ~ sein* (*lit, fig*) to be on the right track; *jdm auf die ~ kommen* to get onto sb; *(seine) ~en hinterlassen* (*fig*) to leave its mark. [b] (*fig: kleine Menge, Überrest*) trace; (*von Vernunft, Anstand etc*) scrap ▶ *keine ~ von Anstand/Takt* (*col*) no decency/tact at all; *keine ~* (*col*) not at all/nothing at all; *eine ~ zu laut/grell* a shade too loud/garish. [c] (*Fahrbahn*) lane ▶ *auf der linken ~ fahren* to drive in the left-hand lane; *in der ~ bleiben* to keep in lane.

spürbar *adj* noticeable, perceptible.

spuren *vi* (*col*) to obey; (*sich fügen*) to toe the line.

spüren [1] *vt* to feel; (*ahnen auch*) to sense ▶ *sie spürte, daß der Erdboden leicht bebte* she felt the earth trembling underfoot; *sie ließ mich ihr Mißfallen ~* she let me know that she was displeased; *etw zu ~ bekommen* (*lit*) to feel sth; (*fig*) to get a taste of sth.
[2] *vti* (*Hunt*) (*nach*) *etw ~* to track sth.

Spuren-: **~element** *nt* trace element; **~sicherung** *f* securing of evidence.

Spürhund *m* tracker dog; (*col: Mensch*) sleuth.

spurlos *adj* without trace ▶ *~ an jdm vorübergehen* to have no effect on sb.

Spür-: **~nase** *f* (*Hunt*) nose; **~sinn** *m* (*Hunt, fig*) nose; (*fig: Gefühl*) feel.

Spurt *m* -s spurt.

spurten *vi aux sein* (*Sport*) to spurt; (*col: rennen*) to sprint.

sputen *vr* (*dated col*) to hurry.

Squash [skvɔʃ] *nt no pl* (*Sport*) squash.

Sri Lanka *nt* Sri Lanka.

Srilanker(in *f*) *m* - Sri Lankan.

srilankisch *adj* Sri Lankan.

SS [ɛs'ɛs] *nt* - (*Univ*) = **Sommersemester**.

SSV [ɛsɛs'fau] *m* = **Sommerschlußverkauf**.

St. = [a] Stück. [b] Sankt St.

Staat *m* -en [a] state; (*Land*) country ▶ *beim ~ arbeiten* to be employed by the government. [b] (*von Insekten*) colony. [c] (*fig*) (*Pracht*) pomp; (*Kleidung, Schmuck*) finery ▶ *damit ist kein ~ zu machen* that's nothing to write home about (*col*).

Staaten-: **~bund** *m* confederation; **s~los** *adj* stateless.

staatlich [1] *adj* state *attr*.
[2] *adv* by the state ▶ *~ geprüft* state-certified.

Staats-: **~affäre** *f* [a] (*lit*) affair of state; [b] (*fig*) major operation; **~akt** *m* (*lit*) state occasion; **~aktion** *f* major operation; **~amt** *nt* public office; **~angehörige(r)** *mf decl as adj* national; **~angehörigkeit** *f* nationality; **~anleihe** *f* government bond; **~anwalt** *m* prosecuting attorney (*US*), public prosecutor; **~apparat** *m* apparatus of state; **~archiv** *nt* state archives *pl*; **~ausgaben** *pl* public spending *sing*; **~bank** *f* national bank; **~bankrott** *m* national bankruptcy; **~beamte(r)** *m* public servant; **~begräbnis** *nt* state funeral; **~besitz** *m* state *or* public property; *(in) ~besitz sein* to be stateowned; **~besuch** *m* state visit; **~betrieb** *m* state-owned enterprise; **~bibliothek** *f* national library; **~bürger** *m* citizen; **~bürgerschaft** *f* nationality; **~chef** *m* head of state; **~dienst** *m* civil service; **s~eigen** *adj* stateowned, publicly owned; **~eigentum** *nt* state *or* public property *no art*; **~empfang** *m* state reception; **~examen** *nt* ≈ university degree; **~feiertag** *m* national holiday; **~feind** *m* enemy of the state; **~finanzen** *pl* public finances *pl*; **~flagge** *f* national flag; **~form** *f* type of state; **~gebiet** *nt* national territory *no art*; **~geheimnis** *nt* (*lit, fig hum*) state secret; **~gelder** *pl* public funds *pl*; **~gewalt** *f* authority of the state; **~grenze** *f* state frontier; **~haushalt** *m* national budget; **~hoheit** *f* sovereignty; **~interesse** *nt* interests *pl* of (the) state; **~kasse** *f* treasury; **~kirche** *f* state church; **~kosten** *pl* public expenses *pl*; **auf ~kosten** at the public expense; **~mann** *m* statesman; **s~männisch** *adj* statesmanlike; **~oberhaupt** *nt* head of state; **~papiere** *ntpl* (*St Ex*) gilt-edged securities; **~präsident** *m* president; **~recht** *nt* [a] national law; [b] (*Verfassungsrecht*) constitutional law; **~regierung** *f* state government; **~religion** *f* state religion; **~rente** *f* state pension; **~schuld** *f* (*Fin*) national debt; **~sekretär** *m* (*BRD: Beamter*) ≃ permanent secretary (*Brit*), senior official in government department; **~sicherheit** *f* national security; **~streich** *m* coup (d'état).

Stab *m* ⁼e [a] rod; (*Gitter~*) bar; (*Bischofs~*) crosier; (*Hirten~*) crook; (*Dirigenten~, für Staffellauf*) baton; (*als Amtzeichen*) mace; (*für ~hochsprung*) pole; (*Meß~*) (measuring) rod; (*Zauber~*) wand. [b] (*Mitarbeiter~, Mil*) staff; (*von Experten*) panel.

Stäbchen *nt dim of* **Stab** (*Eß~*) chopstick.

Stab-: **~hochspringer** *m* pole-vaulter; **~hochsprung** *m* pole vault.

stabil *adj Möbel, Schuhe* sturdy, robust; *Währung, Beziehung, Charakter* stable; *Gesundheit* sound.

Stabilisator [ʃtabiliˈzaːtoːɐ, st-] *m* stabilizer.

stabilisieren* *vtr* to stabilize.

Stabilität *f* stability.

Stabreim *m* alliteration.

Stabs-: **~arzt** *m* (*Mil*) captain in the medical corps; **~chef** *m* (*Mil col*) chief of staff; **~offizier** *m* (*Mil*) staff officer; (*Rang*) field officer.

stach *pret of* **stechen**.

Stachel *m* -n (*von Rosen etc*) thorn; (*von Kakteen, Igel*) spine; (*von ~schwein*) quill, spine; (*auf ~draht*) barb; (*zum Viehantrieb*) goad; (*Gift~: von Bienen etc*) sting.

Stachel-: **~beere** *f* gooseberry; **~draht** *m* barbed wire.

stach(e)lig *adj Rosen* thorny; *Kaktus, Igel* spiny; (*sich ~ anfühlend*) prickly; *Kinn, Bart* bristly.

Stachelschwein *nt* porcupine.

Stadion *nt*, *pl* **Stadien** [-iən] stadium.

Stadium *nt*, *pl* **Stadien** [-iən] stage ▶ *im vorgerückten/letzten ~* (*Med*) at an advanced/a terminal stage.

Stadt *f* ⁼e [a] town; (*Groß~*) city ▶ *die ~ Paris* the city of Paris; *~ und Land* town and country; *in die ~ gehen* to go into town. [b] (*~verwaltung*) (town/city) council; (*von Groß~*) corporation ▶ *bei der ~ arbeiten or angestellt sein* to be employed by the council.

Stadt-: **s~auswärts** *adv* out of town; **~autobahn** *f* urban motorway (*Brit*) or freeway (*US*); **~bad** *nt* municipal swimming pool; **~bahn** *f* urban railway (*Brit*), city railroad (*US*); **s~bekannt** *adj* known all over town; **~bewohner** *m* town-dweller; (*von Groß~*) city-dweller; **~bezirk** *m* municipal district; **~bibliothek, ~bücherei** *f* town/city library; **~bummel** *m* stroll in the *or* through town.

Städtebau *m* urban development.

stadteinwärts *adv* into town.

Städte-: **~partnerschaft** *f* town twinning; **~planung** *f* town planning.

Städter(in *f*) *m* - town-dweller; (*Groß~*) city-dweller.

Stadt-: **~flucht** *f* exodus from the cities; **~gebiet** *nt* municipal area; **~gespräch** *nt* (*das*) *~gespräch sein* to be the talk of the town; **~grenze** *f* town/city boundary; **~gue(r)rilla** *f* urban guerrilla; **~halle** *f* municipal hall.

städtisch *adj* municipal, town/city *attr*, (*nach Art einer Stadt*) urban.

Stadt-: **~kämmerer** *m* town/city treasurer; **~kasse** *f* town/city treasury; **~kern** *m* town/city centre (*Brit*) or center (*US*); **~kreis** *m* town/city borough; **~mauer** *f* city wall; **~mitte** *f* town/city centre (*Brit*) or center (*US*); **~park** *m* municipal park; **~parlament** *nt* city council; **~plan** *m* town plan, (street) map; **~planung** *f*

town planning; **~rand** *m* outskirts *pl* (of a/the town/ city); *am ~rand* on the outskirts (of the town/city); **~rat** *m* (*Behörde*) (town/city) council; **~reinigung** *f* cleansing (*Brit*) or sanitation (*esp US*) department; **~rundfahrt** *f* (sightseeing) tour of a/the town/city; **~staat** *m* city state; **~streicher(in** *f*) *m* - (town/city) tramp; **~teil** *m* district, part of town; **~theater** *nt* municipal theatre (*Brit*) or theater (*US*); **~tor** *nt* town/city gate; **~verkehr** *m* urban traffic; **~verwaltung** *f* (*Behörde*) (town/city) council; **~viertel** *nt* part of town; **~zentrum** *nt* town/city centre (*Brit*) or center (*US*).

Staffel *f* -n [a] echelon; (*Aviat: Einheit*) squadron. [b] (*Sport*) relay (race); (*Mannschaft*) relay team ▶ *~ laufen/schwimmen* to run/swim in a relay (race).

Staffelei *f* easel.

Staffellauf *m* relay (race).

staffeln *vt Gehälter, Fahrpreise* to grade; *Anfangszeiten, Startplätze* to stagger.

Staff(e)lung *f siehe vt* grading, staggering.

Stagnation *f* stagnation.

stagnieren* *vi* to stagnate.

stahl *pret of* **stehlen**.

Stahl *m* -e *or* ⁼e steel ▶ *Nerven aus or wie ~* nerves of steel.

Stahl- *in cpds* steel; **~bau** *m* steel-girder construction; **~beton** *m* reinforced concrete; **~blech** *nt* sheet-steel.

stählen *vt* to harden, to toughen.

stählern *adj* steel; (*fig*) *Muskeln, Wille* of iron, iron *attr*, *Nerven* of steel.

Stahl-: **~feder** *f* steel nib; **~gerüst** *nt* tubular steel scaffolding; (*Gerippe*) steel-girder frame; **s~hart** *adj* (as) hard as steel; **~helm** *m* (*Mil*) steel helmet; **~rohr** *nt* tubular steel; (*Stück*) steel tube; **~roß** △ *nt* (*hum*) bike (*col*); **~träger** *m* steel girder; **~werk** *nt* steelworks *sing or pl*; **~wolle** *f* steel wool.

stak (*geh*) *pret of* **stecken 1**.

staksig *adj* (*unbeholfen*) gawky ▶ *~ gehen* (*steif*) to walk stiffly; (*unsicher*) to teeter.

Stalinismus *m* Stalinism.

Stalin|orgel *f* (*Hist*) multiple rocket launcher.

Stall *m* ⁼e [a] (*Pferde~, Gestüt, Aut: Renn~*) stable; (*Kuh~*) cowshed, (cow) barn (*US*); (*Hühner~*) henhouse; (*Kaninchen~*) hutch; (*Schweine~*) (pig)sty, (pig) pen (*esp US*). [b] (*col: Hosenschlitz*) flies *pl*, fly (*esp US*).

Stall-: **~bursche** *m* stable lad; **~dung** *m* farmyard manure; **~meister** *m* head groom; **~mist** *m* = **~dung**.

Stallung(en *pl*) *f* stables *pl*.

Stamm *m* ⁼e [a] (*Baum~*) trunk. [b] (*Ling*) stem. [c] (*Volks~*) tribe; (*Abstammung*) line; (*Bakterien~*) strain. [d] (*Personal, Kunden*) regulars *pl*; (*Arbeiter*) regular workforce; (*Angestellte*) permanent staff *pl* ▶ *zum ~ gehören* to be one of the regulars *etc*.

Stamm-: **~aktie** *f* (*St Ex*) ordinary or common (*US*) share; **~baum** *m* family tree; (*von Zuchttieren*) pedigree; **~buch** *nt* book of family events with some legal documents; *jdm etw ins ~buch schreiben* (*fig*) to put sb straight about sth; **~datei** *f* (*Comp*) master file; **~daten** *pl* (*Comp*) master data.

stammeln *vti* to stammer.

stammen *vi* to come (*von, aus* from); (*zeitlich*) to date (*von, aus* from) ▶ *die Uhr stammt von seinem Großvater* the watch was handed down from his grandfather.

Stamm-: **~form** *f* base form; **~gast** *m* regular; **~gericht** *nt* standard meal; **~halter** *m* son and heir.

stämmig *adj* stocky, thickset *no adv*, (*kräftig*) sturdy.

Stamm-: **~kapital** *nt* (*Fin*) ordinary share or common stock (*US*) capital; **~kneipe** *f* (*col*) local (*Brit col*); **~kunde** *m* regular (customer); **~lokal** *nt* favourite (*Brit*) or favorite (*US*) café/restaurant *etc*; (*Kneipe*) local (*Brit*), favorite bar (*US*); **~personal** *nt* permanent staff *pl*; **~platz** *m* usual seat; (*Stelle*) usual place; **~tisch** *m* (*Tisch in Gasthaus*) table reserved for the regulars; (*~tischrunde*) group of regulars; **~wähler** *m* (*Pol*) loyal voter.

stampfen [1] *vi* [a] (*laut auftreten*) to stamp ▶ **mit dem Fuß ~** to stamp one's foot. [b] *aux sein* (*gehen*) to tramp; (*wütend*) to stamp; (*stapfen*) to trudge. [2] *vt* [a] (*festtrampeln*) *Lehm, Sand* to stamp; *Trauben* to press; (*mit den Füßen*) to tread. [b] (*mit Stampfer*) to mash.

Stampfer *m* - (*Stampfgerät*) pounder; (*Cook*) masher.

Stampfkartoffeln *pl* (*dial*) mashed potatoes *pl*.

stand *pret of* **stehen**.

Stand *m* ¨-e [a] *no pl* (*das Stehen*) standing position ▶ **aus dem ~** from a standing position; **aus dem ~ (heraus)** (*col*) off the cuff; **bei jdm or gegen jdn einen schweren ~ haben** (*fig*) to have a hard time of it with sb. [b] (*Markt~ etc*) stall; (*Messe~*) stand; (*Taxi~*) rank (*Brit*), stand (*US*). [c] *no pl* (*Lage*) state; (*Niveau*) level; (*Zähler~ etc*) reading, level; (*Konto~*) balance; (*Spiel~*) score ▶ **beim jetzigen ~ der Dinge** the way things stand at the moment; **etw auf den neuesten ~ bringen** to bring sth up to date; **auf dem neuesten ~ der Technik sein** (*Gerät*) to be state-of-the-art. [d] (*soziale Stellung*) station, status; (*Klasse*) rank, class; (*Beruf, Gewerbe*) profession.

Standard- *in cpds* standard.

standardisieren* *vt* to standardize.

Standardisierung *f* standardization.

Standarte *f* **-n** (*Mil, Pol*) standard.

Standbild *nt* statue; (*TV*) freeze frame.

Ständchen *nt* serenade ▶ **jdm ein ~ bringen** to serenade sb.

Ständer *m* - stand; (*Pfeiler*) upright.

Standes-: **~amt** *nt* registry office (*Brit*); **s~amtlich** *adj* **s~amtliche Trauung** civil *or* (*Brit*) registry office wedding; **sich s~amtlich trauen lassen** to get married in a registry office (*Brit*), to have a civil marriage (*US*); **~beamte(r)** *m* registrar; **~bewußtsein** ⚠ *nt* status consciousness; **~dünkel** *m* snobbery; **s~gemäß** [1] *adj* befitting one's rank; [2] *adv* in a manner befitting one's rank; **~organisation** *f* professional association; **~unterschied** *m* class difference.

Stand-: **s~fest** *adj* *Tisch, Leiter* stable, steady; (*fig*) steadfast; **~festigkeit** *f* stability (*auch Sci*); (*fig auch*) steadfastness; **~foto** *nt* still (photograph); **~gericht** *nt* (*Mil*) drumhead court martial; **vor ein ~gericht kommen** to be summarily court-martialled (*Brit*) *or* court-martialed (*US*); **s~haft** *adj* steadfast; **er weigerte sich s~haft** he steadfastly refused; **~haftigkeit** *f* steadfastness; **s~halten** *vi sep irreg* (*Mensch*) to stand firm; (*Gebäude, Brücke etc*) to hold; (*+dat*) to stand up to; *Versuchungen* (*dat*) **s~halten** to resist temptation; *einer Prüfung* **s~halten** to stand up to close examination; **~heizung** *f* (*Aut*) stationary heating.

ständig *adj* [a] (*dauernd*) permanent; *Mitglied* full ▶ **~er Ausschuß** standing committee. [b] (*unaufhörlich*) constant ▶ **sie kommt ~ zu spät** she's always late; **müssen Sie mich ~ unterbrechen?** do you have to keep on interrupting me?

Standlicht *nt* sidelights *pl* ▶ **mit ~ fahren** to drive on sidelights.

Stand|ort *m* location; (*von Schütze, Schiff, fig*) position; (*Mil*) garrison; (*Bot*) habitat.

▼**Stand-:** **~pauke** *f* (*col*) lecture (*col*); **jdm eine ~pauke halten** to give sb a lecture (*col*); **~platz** *m* stand; **~punkt** *m* (*Meinung*) point of view; **auf dem ~punkt stehen, daß ...** to take the view that ...; **von seinem ~punkt aus** from his point of view; **s~rechtlich** *adj*

summary; **jdn s~rechtlich erschießen** to put sb straight in front of a firing squad; **s~sicher** *adj* stable; *Mensch* steady (on one's feet/skis *etc*); **~spur** *f* (*Aut*) hard shoulder (*Brit*), emergency lane (*US*); **~uhr** *f* grandfather clock.

Stange *f* **-n** [a] (*langer, Stab*) pole; (*Querstab*) bar; (*Ballett~*) barre; (*Kleider~, Teppich~*) rail; (*Gardinen~*) rod; (*Vogel~*) perch. [b] (*länglicher Gegenstand*) stick ▶ **eine ~ Zigaretten** a carton of 200 cigarettes. [c] **ein Anzug von der ~** a suit off the peg; **bei der ~ bleiben** (*col*) to stick at it (*col*); **jdm die ~ halten** (*col*) to stick up for sb (*col*); **eine schöne ~ Geld** (*col*) a tidy sum (*col*).

Stangen-: **~bohne** *f* runner *or* (*US*) pole bean; **~brot** *nt* French bread; (*Laib*) French loaf; **~spargel** *m* asparagus spears *pl*.

stank *pret of* **stinken**.

stänkern *vi* (*col*) to stir (*col*).

Stanniol *nt* **-e** silver foil.

Stanniolpapier *nt* silver paper.

Stanze *f* **-n** die, stamp; (*Loch~*) punch.

stanzen *vt* to press; (*prägen*) to stamp; *Löcher* to punch.

Stapel *m* - [a] stack, pile. [b] (*Naut: Schiffs~*) stocks *pl* ▶ **vom ~ laufen** to be launched.

Stapellauf *m* (*Naut*) launching.

stapeln [1] *vt* to stack; (*lagern*) to store. [2] *vr* to pile up.

Stapelverarbeitung *f* (*Comp*) batch processing.

stapfen *vi aux sein* to trudge, to plod.

Star¹ *m* **-e** (*Orn*) starling.

Star² *m* **-e** (*Med*) **grauer/grüner ~** cataract/glaucoma.

Star³ [ʃtaːɐ, ʃtaːʁ] *m* **-s** (*Film etc*) star.

starb *pret of* **sterben**.

Star-: **~besetzung** *f* star cast; **~gast** *m* star guest.

stark *comp* ¨-**er**, *superl* ¨-**ste(r, s)** *or* (*adv*) **am** ¨-**sten** [1] *adj* [a] (*kräftig, konzentriert*) strong ▶ **sich für etw ~ machen** (*col*) to stand up for sth; **das ist ein ~es Stück** (*col*) that's a bit much! [b] (*dick*) thick; (*euph: korpulent*) *Dame, Herr* large. [c] (*heftig*) *Schmerzen, Kälte* severe; *Regen, Verkehr, Raucher, Druck* heavy; *Sturm, Abneigung* violent; *Erkältung* bad, heavy; *Wind, Strömung, Eindruck* strong; *Beifall* hearty, loud; *Übertreibung* great. [d] (*leistungsfähig*) *Motor* powerful; *Sportler* able; *Mannschaft, Brille, Arznei* strong. [e] (*zahlreich*) *Nachfrage* great, big ▶ **zehn Mann ~** ten strong; **das Buch ist 300 Seiten ~** the book is 300 pages long. [f] (*col: hervorragend*) *Leistung, Werk* great (*col*). [2] *adv* (*mit vb*) a lot; (*mit adj, ptp*) very; *beschädigt etc* badly; *vergrößert, verkleinert* greatly ▶ **~ wirken** to have a powerful effect; **~ gesalzen/gewürzt** very salty/highly spiced; **~ befahrene Straßen** bus roads; **er ist ~ erkältet** he has a bad cold.

Starkbier *nt* strong beer.

Stärke¹ *f* **-n** [a] strength (*auch fig*). [b] (*Dicke*) thickness; (*Macht*) power. [c] (*von Leid*) intensity; (*von Sturm, Abneigung*) violence. [d] (*Anzahl*) (*von Mannschaft*) size; (*von Nachfrage*) amount; (*Auflage*) size.

Stärke² *f* **-n** (*Chem, Wäsche*) starch.

Stärkemehl *nt* (*Cook*) cornflour (*Brit*), cornstarch (*US*).

stärken [1] *vt* [a] (*lit, fig*) to strengthen; *Selbstbewußtsein* to boost; *Gesundheit* to improve. [b] (*erfrischen*) to fortify. [c] *Wäsche* to starch. [2] *vi* to be fortifying ▶ **~des Mittel** tonic. [3] *vr* to fortify oneself.

Starkstrom *m* (*Elec*) heavy current; (*mit hoher Spannung*) high-voltage current.

Starkstrom- *in cpds* power; **~leitung** *f* power line.

Stärkung *f* [a] strengthening (*auch fig*); (*des Selbstbewußtseins*) boosting. [b] (*Erfrischung*) refreshment ► *eine ~ zu sich nehmen* to take some refreshment.

Stärkungsmittel *nt* (*Med*) tonic.

starr *adj* [a] stiff; (*unbeweglich*) rigid ► *~ vor Frost* stiff with frost. [b] (*unbewegt*) *Augen* glassy; *Blick auch* fixed. [c] (*regungslos*) paralysed. [d] (*nicht flexibel*) *Regelung, Prinzip* inflexible, rigid.

Starre *f no pl* stiffness, rigidity.

starren *vi* [a] (*starr blicken*) to stare (*auf +acc* at) ► *ins Leere ~* to stare into space; *vor sich* (*acc*) *hin ~* to stare straight ahead. [b] (*steif sein*) to be stiff (*von, vor +dat* with) ► *vor Dreck ~* to be filthy.

Starrheit *f siehe adj* (a) stiffness; rigidity.

Starr-: *~kopf* *m* (*Mensch*) (stubborn) mule; **s~köpfig** *adj* stubborn; *~köpfigkeit* *f* stubbornness; *~krampf* *m* (*Med*) tetanus, lockjaw; *~sinn* *m* stubbornness; **s~sinnig** *adj* stubborn, mulish.

Start *m -s* [a] (*Sport*) start ► *einen guten/schlechten ~ haben* (*lit, fig*) to get (off to) a good/bad start. [b] (*Aviat*) take-off; (*Raketen~*) launch.

Start-: *~automatik* *f* (*Aut*) automatic choke; *~bahn* *f* (*Aviat*) runway; **s~bereit** *adj* (*Sport, fig*) ready to go; (*Aviat*) ready for take-off; *~block* *m* (*Sport*) starting block.

starten [1] *vi aux sein* to start; (*Aviat*) to take off; (*zum Start antreten*) to take part. [2] *vt Satelliten, Rakete* to launch; *Motor* to start.

Starter *m -* (*Aut, Sport*) starter.

Start-: *~erlaubnis* *f* (*Sport*) permission to take part; (*Aviat*) clearance for take-off; *~hilfe* *f* (*Aviat*) rocket-assisted take-off; (*fig*) initial aid; *jdm ~hilfe geben* to help sb get off the ground; *~hilfekabel* *nt* jump leads *pl* (*Brit*), jumper cables *pl* (*US*); **s~klar** *adj* (*Aviat*) clear for take-off; (*Sport*) ready to start; *~kommando* *nt* (*Sport*) starting signal; *~linie* *f* (*Sport*) starting line; *~loch* *nt* (*Sport*) *in den ~löchern* on their marks; *~rampe* *f* (*Space*) launching pad; *~schuß* △ *m* (*Sport*) starting signal; (*fig*) signal (*zu* for); *den ~schuß geben* to fire the pistol; (*fig: Erlaubnis geben*) to give the go-ahead; *~verbot* *nt* (*Aviat*) ban on take-off; (*Sport*) ban; *~verbot bekommen* to be banned; *~zeichen* *nt* starting signal

Stasi *m -, -s* = **Staatssicherheitsdienst** Stasi.

⏐ STASI ⏐

ⓘ **Stasi**, an abbreviation of *Staatssicherheitsdienst, the DDR secret service, was founded in 1950 and disbanded in 1989. The Stasi organized an extensive spy network of full-time and part-time workers who often held positions of trust in both the DDR and the BRD. They held personal files on 6 million people.*

Statik ['ʃtaːtɪk, st-] *f* [a] (*Sci*) statics *sing.* [b] (*Build*) structural engineering.

Statiker(in *f*) *m -* (*Tech*) structural engineer.

Station *f* [a] station; (*Haltestelle*) stop; (*fig: Abschnitt: von Reise*) stage ► *~ machen* to stop off. [b] (*Kranken~*) ward.

stationär [ʃtatsio'nɛːɐ] *adj* (*Astron, Sociol*) stationary; (*Med*) in-patient *attr* ► *~er Patient* in-patient; *~ behandeln* to treat in hospital.

stationieren* [ʃtatsio'niːrən] *vt Truppen* to station; *Atomwaffen etc* to deploy.

Stationierung [ʃtatsio'niːrʊŋ] *f siehe vt* stationing; deployment.

Stations-: *~arzt* *m* ward doctor; *~schwester* *f* ward sister; *~vorsteher* *m* (*Rail*) stationmaster.

statisch ['ʃtaːtɪʃ, st-] *adj* (*lit, fig*) static ► *~ einwandfrei* structurally sound.

Statist *m* (*Film*) extra; (*Theat*) supernumerary; (*fig*) cipher.

Statistenrolle *f* (*lit, fig*) minor role.

Statistik *f* [a] (*Wissenschaft*) statistics *sing.* [b] (*Aufstellung*) statistic ► *die ~en* the statistics *pl.*

Statistiker(in *f*) *m -* statistician.

statistisch *adj* statistical.

Stativ *nt* tripod.

statt [1] *prep +gen* instead of ► *~ dessen* instead; *~ meiner/seiner* in my/his place. [2] *conj* instead of ► *~ zu bleiben* instead of staying.

△ **Statt** *f no pl* (*form*) stead (*form*), place ► *an Kindes ~ annehmen* (*Jur*) to adopt.

Stätte *f -n* (*liter*) place.

Statt-: **s~finden** *vi sep irreg* to take place; **s~haft** *adj pred* permitted; *~halter* *m* governor.

stattlich *adj* (*hochgewachsen, groß*) *Tier* magnificent; *Bursche* strapping; *Erscheinung* imposing; *Gebäude, Park* splendid; *Sammlung* impressive; *Familie* large; *Summe* handsome.

Statue *f -n* statue.

statuieren* *vt ein Exempel (an jdm) ~* to make an example (of sb); *ein Exempel mit etw ~* to use sth as a warning.

Statur *f* build.

Status *m -* status ► *~ quo* status quo.

Status-: *~symbol* *nt* status symbol; *~zeile* *f* (*Comp*) status line.

Statut *nt -en* statute.

Stau *m -s* (*Wasserstauung*) build-up; (*Verkehrsstauung*) traffic jam ► *ein ~ von 3 km* a 2 mile tailback (*Brit*) or line of traffic; *im ~ stehen* to sit in a (traffic) jam.

Staub *m, pl -e or* **Stäube** dust; (*Bot*) pollen ► *~ saugen* to vacuum; *~ wischen* to dust; *sich vor jdm in den ~ werfen* to throw oneself at sb's feet; *sich aus dem ~e machen* (*col*) to clear off (*col*).

Stäubchen *nt* speck of dust.

Staubecken *nt* reservoir.

stauben *vi* to be dusty; (*Staub machen*) to make a lot of dust.

stäuben *vt Mehl etc auf etw* (*acc*) *~* to sprinkle flour *etc* on sth.

Staub-: *~fänger* *m* (*col*) dust collector; *~flocke* *f* piece of fluff.

staubig *adj* dusty.

Staub-: *~korn* *nt* speck of dust; *~lappen* *m* duster; *~lunge* *f* (*Med*) dust on the lung; (*von Kohlenstaub*) silicosis; **s~saugen** *vi insep, ptp* **s~gesaugt** to vacuum; *~sauger* *m* vacuum cleaner; *~sturm* *m* dust storm; *~tuch* *nt* duster; *~wedel* *m* feather duster; *~wolke* *f* cloud of dust.

stauchen *vt* to compress (*auch Tech*).

Staudamm *m* dam.

Staude *f -n* (*Hort*) herbaceous perennial; (*Busch*) shrub; (*Bananen~, Tabak~*) plant.

stauen [1] *vt* [a] *Wasser* to dam; *Blut* to stop the flow of. [b] (*Naut*) to stow. [2] *vr* (*sich anhäufen*) to pile up; (*ins Stocken geraten*) to get jammed; (*Wasser, Blut, fig*) to build up ► *der Verkehr staute sich über eine Strecke von 4 km* there was a 2½ mile tailback (*Brit*) or line of traffic.

Staumauer *f* dam wall.

staunen *vi* to be astonished (*über +acc* at) ► *~d* in astonishment; *da kann man nur noch ~* it's just amazing; *da staunst du, was?* (*col*) you didn't expect that, did you!

Staunen *nt no pl* astonishment, amazement (*über +acc* at) ► *jdn in ~ versetzen* to amaze sb.

Stau-: *~raum* *m* storage space; (*Naut*) stowage space; *~see* *m* reservoir, artificial lake.

Stauung *f* [a] (*Stockung*) pile-up; (*von Verkehr*) tailback (*Brit*), line of traffic. [b] (*von Wasser*) build-up (of water).

⚠: for details of spelling reform, see supplement

c (*Blut~*) congestion *no pl.*

Std. = **Stunde** hr.

stdl. = **stündlich.**

Steak [steːk] *nt* **-s** steak.

stechen *pret* **stach,** *ptp* **gestochen** **1** *vti* (*Dorn, Stachel etc*) to prick; (*Insekt*) to sting; (*Mücken*) to bite; (*mit Messer etc*) to stab (*nach* a).

2 *vi* **a** (*Sonne*) to beat down. **b** (*Cards*) to play a trump ▸ *Karo sticht* diamonds are trumps.

3 *vt* **a** (*Cards*) to trump. **b** *Spargel, Torf* to cut.

4 *vr* to prick oneself (*an +dat* on, *mit* with) ▸ *sich* (*acc or dat*) *in den Finger* ~ to prick one's finger.

5 *vti impers* **es sticht** it is prickly.

Stechen *nt* - **a** (*Sport*) play-off; (*beim Springreiten*) jump-off. **b** (*Schmerz*) sharp pain.

stechend *adj* piercing; *Schmerz* sharp; (*durchdringend*) *Augen auch* penetrating; (*beißend*) *Geruch* pungent.

Stech-: **~karte** *f* clocking-in card; **~mücke** *f* gnat; **~schritt** *m* (*Mil*) goose step; **~uhr** *f* time clock.

Steck-: **~brief** *m* "wanted" poster; (*fig*) personal description; **s~brieflich** *adv* **s~brieflich gesucht werden** to be a wanted man/woman; **~dose** *f* (*Elec*) socket (*Brit*), outlet (*US*).

stecken **1** *vi pret* **steckte** *or* **stak** (*geh*), *ptp* **gesteckt** **a** (*festsitzen*) to be stuck; (*an- or eingesteckt sein*) to be; (*Nadel, Splitter etc*) to be (sticking); (*Brosche etc*) to be (pinned) ▸ *der Schlüssel steckt* the key is in the lock. **b** **wo steckt er?** where has he got to?; *darin steckt viel Mühe* a lot of work has gone into that; *da steckt etwas dahinter* (*col*) there's something behind it; *zeigen, was in einem steckt* to show what one is made of; *in einer Krise* ~ to be in the throes of a crisis.

2 *vt pret* **steckte,** *ptp* **gesteckt** **a** to put; *Haare* to put up; *Brosche* to pin (*an +acc* onto) ▸ *die Hände in die Taschen* ~ to put one's hands in one's pockets; *das Hemd in die Hose* ~ to tuck one's shirt in (one's trousers); *jdn ins Gefängnis* ~ (*col*) to stick sb in prison (*col*). **b** (*Sew*) to pin. **c** (*col: investieren*) *Geld, Mühe* to put (*in +acc* into); *Zeit* to devote (*in +acc* to). **d** (*pflanzen*) to set.

Stecken-: **s~bleiben** ⚠ *vi sep irreg aux sein* to get stuck; (*in Rede*) to falter; *etw bleibt jdm im Halse s~* (*lit, fig*) sth sticks in sb's throat; **s~lassen** ⚠ *vt sep irreg* **den Schlüssel s~lassen** to leave the key in the lock; **~pferd** *nt* (*lit, fig*) hobby-horse.

Stecker *m* - (*Elec*) plug.

Steckling *m* (*Hort*) cutting.

Stecknadel *f* pin ▸ *man hätte eine ~ fallen hören können* you could have heard a pin drop; *eine ~ im Heuhaufen suchen* (*fig*) to look for a needle in a haystack.

Steck-: **~nadelkissen** *nt* pincushion; **~rübe** *f* swede, rutabaga (*US*); **~schloß** ⚠ *nt* bicycle lock; **~schlüssel** *m* socket spanner (*Brit*) *or* wrench (*US*); **~zwiebel** *f* bulb.

Steg *m* **-e** **a** (*Brücke*) footbridge; (*Landungs~*) landing stage (*Brit*), jetty. **b** (*Mus, Brillen~*) bridge.

Steghose *f* stirrup pants *pl.*

Stegreif *m* **eine Rede aus dem ~ halten** to make an impromptu speech *or* a speech off the cuff.

Stegreif-: **~rede** *f* impromptu speech; **~spiel** *nt* (*Theat*) improvisation.

Steh- *in cpds* stand-up.

Steh|aufmännchen *nt* (*Spielzeug*) tumbler ▸ *er ist ein richtiges ~* (*fig*) he always bounces back.

stehen *pret* **stand,** *ptp* **gestanden** *aux haben or* (*S Ger, Aus, Sw*) *sein* **1** *vi* **a** to stand; (*col: fertig sein*) to be finished; (*col: geregelt sein*) to be settled ▸ *gebückt/krumm* ~ to slouch; *so wahr ich hier stehe* as sure as I'm standing here; *mit jdm/etw ~ und fallen* to depend

on sb/sth; (*wesentlich sein für*) to stand or fall by sb/sth; *mit ihm steht und fällt die Firma* he's the linchpin of the company.

b (*sich befinden*) to be ▸ *meine alte Schule steht noch* my old school is still there; *die Sonne steht abends im Westen* the sun in the evening is in the west; *unter Schock* ~ to be in a state of shock; *unter Drogeneinwirkung* ~ to be under the influence of drugs; *vor einer Entscheidung* ~ to be faced with a decision; *ich tue, was in meinen Kräften steht* I'll do everything I can.

c (*geschrieben, angezeigt sein*) to be ▸ *wo steht das?* (*lit*) where does it say that?; *was steht da?* what does it say?; *das steht im Gesetz* the law says so; *es stand in der Zeitung* it was in the paper; *das steht in der Bibel* the Bible says so; *der Zeiger steht auf 4 Uhr* the clock says 4 (o'clock); *es steht 2:1 für München* the score is 2-1 to Munich; *wie steht das Pfund?* how does the pound stand?; *die Sache steht mir bis hier* (*col*) I'm sick and tired of it (*col*).

d (*angehalten haben*) to have stopped ▸ *meine Uhr steht* my watch has stopped; *der ganze Verkehr steht* all traffic is at a standstill.

e (*Gram*) (*bei Satzstellung*) to come; (*bei Zeit, Fall, Modus*) to be ▸ *mit dem Dativ* ~ to take the dative.

f (*passen zu*) *jdm* ~ to suit sb.

g (*Belohnung, Strafe etc*) **auf Betrug steht eine Gefängnisstrafe** the penalty for fraud is imprisonment.

h (*Redewendungen*) *zu seinem Versprechen* ~ to stand by one's promise; *zu dem, was man gesagt hat,* ~ to stick to what one has said; *zu jdm* ~ to stand by sb; *wie ~ Sie dazu?* what are your views on that?; *für etw* ~ to stand for sth; *auf jdn/etw* ~ (*col*) to be mad about sb/sth (*col*), to be into sb/sth (*col*); *hinter jdm/etw* ~ to be behind sb/sth.

2 *vr* (*col*) *sich gut/schlecht* ~ to be well-off/badly off; *sich gut/schlecht mit jdm* ~ (*sich verstehen*) to be on good/bad terms with sb.

3 *vi impers* **es steht schlecht/gut um jdn** (*bei Aussichten*) things look bad/good for sb; (*gesundheitlich, finanziell*) sb is doing badly/well; *wie steht's?* how are things?; *wie steht es damit?* how about it?

4 *vt Posten, Wache* to stand ▸ *sich* (*acc*) *müde* ~, *sich* (*dat*) *die Beine in den Bauch* (*col*) ~ to stand until one is ready to drop.

Stehen *nt no pl* standing; (*Halt*) stop, standstill ▸ *zum ~ bringen* to stop; *zum ~ kommen* to stop.

stehenbleiben ⚠ *vi sep irreg aux sein* (*anhalten*) to stop; (*nicht weitergehen*) (*Mensch, Tier*) to stay; (*Zeit*) to stand still; (*Auto, Zug*) to stand.

stehend *adj attr Fahrzeug* stationary; *Gewässer* stagnant; (*ständig*) *Heer* regular ▸ *~e Redensart* stock phrase.

stehenlassen ⚠ *ptp* ~ *or* **stehengelassen** *vt sep irreg* to leave; (*Cook*) to let stand ▸ *alles stehen- und liegenlassen* to drop everything; *jdn einfach* ~ to leave sb standing (there); *sich* (*dat*) *einen Bart* ~ to grow a beard.

Steher *m* - (*Pferderennen, fig*) stayer.

Steh-: **~imbiß** ⚠ *m* stand-up snack-bar; **~kneipe** *f* stand-up bar; **~kragen** *m* stand-up collar; **~lampe** *f* standard lamp (*Brit*), floor lamp (*US*); **~leiter** *f* stepladder.

stehlen *pret* **stahl,** *ptp* **gestohlen** **1** *vti* to steal ▸ *jdm die Zeit* ~ to waste sb's time.

2 *vr* to steal ▸ *sich aus dem Haus* ~ to steal out of the house.

Steh-: **~platz** *m* **ich bekam nur noch einen ~platz** I had to stand; *ein ~platz kostet 10 Mark* a standing ticket costs 10 marks; **~pult** *nt* high desk; **~vermögen** *nt* staying power, stamina.

⚠: Informationen zur Rechtschreibreform im Anhang

Steiermark f Steiermark.

steif adj (lit, fig) stiff; Penis auch erect; Empfang formal; (gestärkt) starched ▶ ~ **und fest auf etw** (dat) **beharren** to insist stubbornly on sth.

steifen vt to stiffen; Wäsche to starch.

Steifftier ® nt soft toy (animal).

Steig-: **~bügel** m stirrup; **~eisen** nt climbing iron usu pl; (Bergsteigen) crampon.

steigen pret **stieg**, ptp **gestiegen** aux sein **1** vi **a** (klettern) to climb ▶ **auf einen Berg ~** to climb (up) a mountain; **aufs Fahrrad ~** to get on(to) one's bicycle; **vom Fahrrad ~** to get off one's bicycle; **aus dem Zug ~** to get off the train. **b** (sich aufwärts bewegen) to rise; (Flugzeug, Straße) to climb; (Nebel) to lift; (Fieber) to go up ▶ **Drachen ~ lassen** to fly kites; **das Blut stieg ihm in den Kopf** the blood rushed to his head; **in jds Achtung** (dat) **~** to rise in sb's estimation. **c** (col: stattfinden) to be on ▶ **bei mir steigt morgen eine Party** I'm having a party tomorrow.
2 vt Treppen, Stufen to climb (up).

Steiger m - (Min) pit foreman.

steigern 1 vt **a** to increase; (verschlimmern) Übel, Zorn to aggravate. **b** (Gram) to form the comparative and superlative of. **2** vi to bid (um for). **3** vr **a** (sich erhöhen) to increase; (Farben) to be intensified; (Zorn, Übel) to be aggravated. **b** (sich verbessern) to improve.

Steigerung f **a** siehe vt (a) (das Steigern) increase (gen in); aggravation. **b** (Verbesserung) improvement. **c** (Gram) comparison.

Steigung f (Hang) slope; (von Hang, Straße, Math) gradient.

Steigungsgrad m gradient.

steil adj **a** steep ▶ **eine ~e Karriere** (fig) a rapid rise. **b** (senkrecht) upright ▶ **sich ~ aufrichten** to sit/stand up straight. **c** (Sport) **~er Paß** through ball.

Steil-: **~hang** m steep slope; **~küste** f steep coast; **~paß** △ m (Sport) through ball.

Stein m -e **a** stone; (Ziegel~) brick; (in Uhr) jewel; (Spiel~) piece ▶ **der ~ der Weisen** (lit, fig) the philosophers' stone; **es blieb kein ~ auf dem anderen** not a stone was left standing; **mir fällt ein ~ vom Herzen!** (fig) that's a load off my mind!; **bei jdm einen ~ im Brett haben** (fig col) to be well in with sb (col); **den ersten ~ (auf jdn) werfen** to cast the first stone (at sb); **jdm ~e in den Weg legen** (fig) to make things difficult for sb; **es friert ~ und Bein** (fig col) it's freezing cold outside; **~ und Bein schwören** (fig col) to swear blind (col).

Stein-: **~adler** m golden eagle; **s~alt** adj as old as the hills; **~bock** m **a** (Zool) ibex; **b** (Astrol) Capricorn; **~bohrer** m masonry drill; (Gesteinsbohrer) rock drill; **~bruch** m quarry.

steinern adj stone; (fig) stony.

Stein-: **~erweichen** nt zum **~erweichen weinen** to cry heartbreakingly; **~fußboden** m stone floor; **~garten** m rockery; **~gut** nt stoneware; **s~hart** adj rock-hard.

steinig adj stony.

steinigen vt to stone.

Steinkohle f hard coal.

Steinkohlenbergbau m coal mining.

Stein-: **~krug** m (Kanne) stoneware jug; (Becher) stoneware mug; **~meißel** m stone chisel; **~metz** m (wk) -en, -en stonemason; **~obst** nt stone fruit; **~pilz** m cep; **~platte** f stone slab; (zum Pflastern) flagstone; **s~reich** adj (col) stinking rich (col); **~salz** nt rock salt; **~schlag** m rockfall; „Achtung **~schlag**" "danger falling stones"; **~tafel** f stone tablet; **~topf** m stoneware pot; **~wurf** m (fig) stone's throw; **~wüste** f stony desert; (fig) con-

crete jungle; **~zeit** f Stone Age.

Steißbein nt (Anat) coccyx.

Stellage [ʃtɛˈlaːʒə] f -n (col: Gestell) rack, frame.

Stelldich|ein nt -(s) (dated) rendezvous.

▼ **Stelle** f -n **a** place; (Fleck: rostend, naß, faul etc) patch ▶ **an dieser ~** in this place; **eine kahle ~ am Kopf** a bald patch on one's head; **eine empfindliche ~** (lit) a sensitive spot or place; (fig) a sensitive point; **eine schwache ~** a weak spot; **auf der ~ treten** (lit) to mark time; (fig) not to make any headway; **auf der ~** (fig: sofort) on the spot; **kommen, gehen** straight away; **nicht von der ~ kommen** not to make any progress; **sich nicht von der ~ rühren** to refuse to move; **zur ~ sein** to be on the spot; (bereit, etw zu tun) to be at hand.
b (in Buch etc) place; (Abschnitt) passage; (Text~, esp beim Zitieren) reference; (Bibel~) verse; (Mus) passage ▶ **an dieser ~** here; **an anderer ~** elsewhere.
c **an erster ~** in the first place; (bei jdm) **an erster/letzter ~ kommen** to come first/last (for sb); **an führender ~ stehen** to be in a leading position; **an ~ von** or (+gen) in place of; **an jds ~** (acc)/**an die ~ einer Sache** (gen) **treten** to take sb's place/the place of sth; **ich möchte jetzt nicht an seiner ~ sein** I wouldn't like to be in his position; **an deiner ~ würde ich ...** if I were you I would ...
d (Math) digit; (hinter Komma) place ▶ **drei ~n hinter dem Komma** three decimal places.
e (Posten) job; (Ausbildungs~) place; (Dienst~) office; (Behörde) authority ▶ **eine freie** or **offene ~** a vacancy; **ohne ~** without a job.

stellen 1 vt **a** (hin~) to put ▶ **jdm etw auf den Tisch ~** to put sth on the table for sb; **auf sich** (acc) **selbst gestellt sein** (fig) to have to fend for oneself. **b** (arrangieren) Szene to arrange; Aufnahme to pose ▶ **eine gestellte Pose** a pose. **c** (zur Verfügung ~) to provide. **d** (ein~) to set (auf +acc at); Uhr etc to set (auf +acc for) ▶ **das Radio lauter/leiser ~** to turn the radio up/down. **e** (finanziell) **gut/besser gestellt** well-off/better off. **f** Verbrecher to catch; (fig col) to corner. **g** Aufgabe, Bedingung to set (jdm sb); Frage to put (jdm, an jdn to sb); Antrag, Forderung to make ▶ **jdn vor ein Problem ~** to confront sb with a problem.
2 vr **a** to (go and) stand (an +acc at, by); (sich auf~, sich einordnen) to position oneself; (sich aufrecht hin~) to stand up ▶ **sich gegen jdn/etw ~** (fig) to oppose sb/sth; **sich hinter jdn/etw ~** (fig) to support sb/sth.
b (fig: sich verhalten) **sich anders zu etw ~** to have a different attitude towards sth; **wie stellst du dich zu ...?** how do you regard ...?; **sich gut mit jdm ~** to get on good terms with sb.
c (sich ein~: Gerät etc) to set itself (auf +acc at).
d (sich ausliefern, antreten) to give oneself up (jdm to sb) ▶ **sich den Journalisten ~** to make oneself available to the reporters; **sich einer Herausforderung ~** to take up a challenge.
e (sich ver~) **sich krank/schlafend** etc **~** to pretend to be ill/asleep etc.

Stellen-: **~angebot** nt offer of employment; „**~angebote**" "situations vacant"; **~anzeige** f job advertisement or ad (col); **~ausschreibung** f job advertisement; **~gesuch** nt advertisement seeking employment; „**~gesuche**" "situations wanted"; **~markt** m job market; (in Zeitung) appointments section; **~suche** f = **Stellungssuche**, **~vermittlung** f employment bureau; **s~weise** adv in places; **s~weise Schauer** showers in places; **~wert** m (fig) status; **einen hohen ~wert haben** to play an important role.

Stellplatz m (für Auto) parking space.

Stellung f (lit, fig, Mil) position; (Posten auch) post ▶ **in ~ bringen/gehen** to bring/get into position; **die ~**

halten (*Mil*) to hold one's position; (*hum*) to hold the fort; **~ beziehen** (*Mil*) to move into position; (*fig*) to make it clear where one stands; **zu etw ~ nehmen** to give one's opinion *or* to comment on sth; **für/gegen jdn/etw ~ nehmen** *or* **beziehen** to come out in favour (*Brit*) *or* favor (*US*) of/to come out against sb/sth; **in führender ~** in a leading position; **die rechtliche ~ des Mieters** the legal status of the tenant; **gesellschaftliche ~** social status *or* standing; **ohne ~ sein** (*arbeitslos*) to be unemployed.

Stellungnahme *f* **-n** statement (*zu* on) ▶ **eine ~ zu etw abgeben** to make a statement on sth.

Stellungs-: **~krieg** *m* positional warfare *no indef art*; **s~los** *adj* unemployed; **~suche** *f* search for employment; **auf ~suche sein** to be looking for employment.

Stell-: **s~vertretend** *adj* (*von Amts wegen*) deputy *attr*; (*vorübergehend*) acting *attr*; **s~vertretend für jdn** acting for sb, on behalf of sb; **s~vertretend für jdn handeln** to act for sb; **~vertreter** *m* (acting) representative; (*von Amts wegen*) deputy; **~werk** *nt* (*Rail*) signal box (*Brit*) *or* tower (*US*).

Stelze *f* **-n** stilt.

stelzen *vi aux sein* (*col*) to stalk.

Stemm|eisen *nt* crowbar.

stemmen ① *vt* ⓐ (*stützen*) to press; *Ellenbogen* to prop ▶ **die Arme in die Seiten** *or* **Hüften gestemmt** with arms akimbo. ⓑ (*hoch~*) to lift (above one's head). ⓒ (*meißeln*) to chisel. ② *vr* **sich gegen etw ~** to brace oneself against sth; (*fig*) to set oneself against sth.

Stempel *m* - ⓐ (*Gummi~*) (rubber) stamp. ⓑ (*Abdruck*) stamp; (*Post~*) postmark ▶ **jdm/einer Sache einen/seinen ~ aufdrücken** (*fig*) to leave a/one's mark on sb/sth. ⓒ (*Tech*) (*Präge~*) die; (*stangenförmig, Loch~*) punch. ⓓ (*Bot*) pistil.

Stempel-: **~farbe** *f* stamping ink; **~geld** *nt* (*dated col*) dole (money) (*col*); **~kissen** *nt* ink pad.

stempeln ① *vt* to stamp; *Brief* to postmark; *Briefmarke* to frank ▶ **jdn zum Lügner ~** (*fig*) to brand sb as a liar. ② *vi* (*col*) ⓐ **~ gehen** (*dated: arbeitslos sein/werden*) to be/go on the dole (*col*). ⓑ (*Stempeluhr betätigen*) to clock in; (*beim Hinausgehen*) to clock out.

Stempeluhr *f* time clock.

⚠ **Stengel** *m* - stem, stalk ▶ **vom ~ fallen** (*col: überrascht sein*) to be staggered (*col*).

Steno¹ *f no pl* (*col*) shorthand.

Steno² *nt* **-s** (*col*) = **Stenogramm**.

Steno-: **~block** *m* shorthand notebook *or* pad; **~gramm** *nt* text in shorthand; (*Diktat*) shorthand dictation; **~grammblock** *m* = **~block**; **~graph(in** *f*) ⚠ *m* (*im Büro*) shorthand secretary; (*esp in Gericht, bei Konferenz etc*) stenographer; **~graphie** ⚠ *f* shorthand; **s~graphieren*** ⚠ ① *vt* to take down in shorthand; ② *vi* to do shorthand; **s~graphisch** ⚠ *adj* shorthand *attr*; **~typist(in** *f*) *m* shorthand typist.

Steppdecke *f* quilt.

Steppe *f* **-n** steppe.

steppen *vti* (*Sew*) to quilt.

Steppjacke *f* quilted jacket.

Step-: **~tanz** ⚠ *m* tap dance; **~tänzer** ⚠ *m* tap dancer.

Sterbe-: **~bett** *nt* deathbed; **~fall** *m* death; **~hilfe** *f* euthanasia; **~kasse** *f* death benefit fund.

sterben *pret* **starb**, *ptp* **gestorben** *vti aux sein* to die ▶ **einen schnellen Tod/eines natürlichen Todes ~** to die quickly/to die a natural death; **an einer Krankheit/Verletzung ~** to die of an illness/from an injury; **er stirbt vor Angst** (*fig*) he's frightened to death; **er ist für mich gestorben** (*fig col*) he might as well be dead as far as I'm concerned.

Sterben *nt no pl* death ▶ **Angst vor dem ~** fear of death; **im ~ liegen** to be dying.

Sterbens-: **~angst** *f* (*col*) mortal fear; **s~elend** *adj* (*col*) wretched; **s~krank** *adj* mortally ill; **s~langweilig** *adj* (*col*) deadly boring; **~wörtchen** *nt* (*col*) **er hat kein ~wörtchen gesagt** he didn't say a word.

Sterbe-: **~rate** *f* death rate; **~sakramente** *pl* last rites *pl*; **~stunde** *f* dying hour; **~urkunde** *f* death certificate; **~ziffer** *f* death rate.

sterblich *adj* mortal.

Sterbliche(r) *mf decl as adj* mortal.

Sterblichkeit *f* mortality; (*Zahl*) death rate.

Stereo *nt* stereo.

stereo *adj pred* (in) stereo.

Stereo- *in cpds* stereo; (*s~skopisch*) stereoscopic; **~anlage** *f* stereo system; **~aufnahme** *f* stereo recording; **~gerät** *nt* stereo unit; **~kamera** *f* stereoscopic camera; **s~phon** ⚠ ① *adj* stereophonic; ② *adv* stereophonically; **~skop** *nt* **-e** stereoscope; **s~skopisch** *adj* stereoscopic; **~-Turm** *m* hi-fi stack; **s~typ** *adj* (*fig*) stereotyped.

steril *adj* (*lit, fig*) sterile.

Sterilisation *f* sterilization.

sterilisieren* *vt* to sterilize; *Tier* to neuter.

Sterilisierung *f* sterilization.

Sterilität *f* (*lit, fig*) sterility.

Stern *m* **-e** star ▶ **das steht (noch) in den ~en** (*fig*) it's in the lap of the gods; **nach den ~en greifen** (*fig*) to reach for the stars; **sein ~ ist im Sinken** his star is on the decline; **mein guter ~** my lucky star; **unter einem glücklichen ~ geboren sein** to be born under a lucky star; **unter einem guten ~ stehen** to be blessed with good fortune.

Sternbild *nt* (*Astron*) constellation; (*Astrol*) sign.

Sternchen *nt dim of* **Stern** ⓐ little star. ⓑ (*Typ*) asterisk.

Sterndeuter *m* astrologer.

Sternen-: **~banner** *nt* Stars and Stripes *sing*; **~himmel** *m* starry sky; **s~klar** *adj* starry *attr*.

Stern-: **~fahrt** *f* (*Mot, Pol*) rally; **s~förmig** *adj* star-shaped; **s~hagelvoll** *adj* (*col*) legless (*col*); **~kunde** *f* astronomy; **~marsch** *m* (*Pol*) protest march; **~schnuppe** *f* shooting star; **~stunde** *f* great moment; **~system** *nt* galaxy; **~warte** *f* observatory; **~zeichen** *nt* (*Astrol*) sign of the zodiac; **im ~zeichen der Jungfrau** under the sign of Virgo.

stet *adj attr* constant.

Stethoskop *nt* **-e** stethoscope.

stetig *adj* steady; (*Math*) *Funktion* continuous.

stets *adv* always.

Steuer¹ *nt* - (*Naut*) helm, tiller; (*Aut*) (steering) wheel; (*Aviat*) controls *pl* ▶ **am ~ stehen** (*Naut*) *or* **sein** (*Naut, fig*) to be at the helm; **am ~ sitzen** (*col*) (*Aut*) to be at the wheel; (*Aviat*) to be at the controls; **das ~ übernehmen** (*lit, fig*) to take over; **das ~ fest in der Hand haben** (*fig*) to be firmly in control; **das ~ herumreißen** (*fig*) to turn the tide of events.

Steuer² *f* **-n** (*Abgabe*) tax ▶ **~n** tax; (*Arten von ~n*) taxes; **~n zahlen** to pay tax.

Steuer-: **~beamte(r)** *m* tax officer; **s~begünstigt** *adj* *Investitionen, Hypothek* tax-deductible; *Waren* taxed at a lower rate; **~behörde** *f* tax authorities *pl*, inland (*Brit*) *or* internal (*US*) revenue authorities *pl*; **~berater** *m* tax consultant; **~bescheid** *m* tax assessment; **~betrug** *m* tax evasion; **~bord** *nt no pl* (*Naut*) starboard; **s~bord(s)** *adv* (*Naut*) to starboard; **~einnahmen** *pl* revenue from taxation; **~erhöhung** *f* tax increase; **~erklärung** *f* tax return; **~erlaß** ⚠ *m* tax exemption; **~erstattung** *f* tax rebate; **~flucht** *f* tax evasion; **~flüchtling** *m* tax exile; **s~frei** *adj* tax-free; **~freibetrag** *m* tax allowance; **~freiheit** *f* tax exemp-

---

⚠: Informationen zur Rechtschreibreform im Anhang

tion; **~gelder** *pl* taxpayers' money; **~gerät** *nt* tuner-amplifier; (*Elec, Comp*) control unit; **~gutschrift** *f* tax credit; **~hinterziehung** *f* tax evasion; **~inspektor** *m* tax inspector; **~jahr** *nt* tax year; **~karte** *f* tax notice; **~klasse** *f* tax bracket; **~knüppel** *m* control column.

steuerlich *adj* tax *attr* ▶ **~e Belastung** tax burden.

steuerlos *adj* out of control; (*fig*) leaderless.

Steuer-: **~mann** *m*, *pl* **~männer** *or* **~leute** helmsman; (*als Rang*) (first) mate; **~marke** *f* revenue stamp; (*für Hunde*) dog licence disc (*Brit*), dog tag (*US*); **~mittel** *pl* tax revenue; **etw aus ~mitteln finanzieren** to finance sth from the taxpayers' money; **~moral** *f* taxpayers' honesty.

steuern [1] *vt* to steer; *Schiff auch* to navigate; *Flugzeug* to pilot; (*fig*) *Wirtschaft, Politik,* (*Comp*) to control ▶ **staatlich gesteuert** state-controlled; **einen Kurs ~** (*lit, fig*) to steer a course. [2] *vi* [a] *aux sein* to head. [b] (*am Steuer sein*) (*Naut*) to be at the helm; (*Aut*) to be at the wheel; (*Aviat*) to be at the controls.

Steuer-: **~oase** *f*, **~paradies** *nt* tax haven; **~pflicht** *f* liability to tax; **s~pflichtig** *adj Einkommen* taxable, liable to tax; **~politik** *f* tax policy; **~progression** *f* progressive taxation; **~prüfer** *m* tax inspector; **~prüfung** *f* tax inspector's investigation; **~rad** *nt* (*Aviat*) control wheel; (*Aut*) (steering) wheel; **~recht** *nt* tax law; **~reform** *f* tax reform; **~ruder** *nt* rudder; **~satz** *m* rate of taxation; **~schuld** *f* tax liability; **~senkung** *f* tax cut.

Steuerung *f* [a] *no pl* (*das Steuern*) (*Elec, Tech*) control; (*von Schiff*) navigation; (*von Flugzeug*) piloting. [b] (*Steuervorrichtung*) (*Aviat*) controls *pl*; (*Naut*) steering apparatus ▶ **automatische ~** (*Aviat*) autopilot; (*Naut*) automatic steering (device).

Steuer-: **~vergünstigung** *f* tax relief; **~vorteil** *m* tax advantage; **~zahler** *m* taxpayer.

Steven ['ʃteːvn̩] *m* - (*Naut*) (*Vorder~*) prow; (*Achter~*) stern.

Steward ['stjuːɐt] *m* **-s** (*Naut, Aviat*) steward.

△**Stewardeß** ['stjuːɐdɛs] *f* **-ssen** stewardess.

StGB [ɛsteːgeːˈbeː] *nt* = **Strafgesetzbuch**.

stibitzen* *vt* (*hum*) to swipe (*col*), to pinch (*col*).

Stich *m* **-e** [a] (*Insekten~*) sting; (*Mücken~*) bite; (*Nadel~*) prick; (*Messer~*) stab. [b] (*Schmerz*) stabbing pain; (*Seiten~*) stitch; (*fig*) pang. [c] (*Sew*) stitch. [d] (*Kupfer~, Stahl~*) engraving. [e] (*Schattierung*) shade (*in +acc of*); (*Tendenz*) suggestion (*in +acc of*) ▶ **ein ~ ins Rote** a tinge of red. [f] (*Cards*) trick ▶ **einen ~ machen** to get a trick. [g] **jdn im ~ lassen** to let sb down; (*verlassen*) to desert sb. [h] **einen ~ haben** (*Eßwaren*) to be bad *or* off (*Brit*); (*Milch*) to be sour; (*col: Mensch: verrückt sein*) to be nuts (*col*).

Stichel *m* - (*Art*) gouge.

Stichelei *f* (*pej col: boshafte Bemerkung*) dig ▶ **deine ständigen ~en kannst du dir sparen** stop getting at me.

sticheln *vi* (*pej col*) to make snide remarks (*col*).

Stich-: **~flamme** *f* tongue of flame; **s~haltig** *adj* valid; *Beweis* conclusive; **~haltigkeit** *f no pl* validity; conclusiveness.

Stichling *m* (*Zool*) stickleback.

Stich-: **~probe** *f* spot check; **~tag** *m* qualifying date; **~waffe** *f* stabbing weapon; **~wahl** *f* (*Pol*) final ballot, run-off (*US*).

Stichwort *nt* [a] *pl* **-wörter** (*in Lexikon*) headword. [b] *pl* **-worte** (*Theat, fig*) cue. [c] *pl* **-worte** *usu pl* notes *pl*.

Stichwort-: **s~artig** *adj* abbreviated; **etw s~artig zusammenfassen** to summarize the main points of sth; **~katalog** *m* classified catalogue; **~verzeichnis** *nt* index.

Stichwunde *f* stab wound.

Stich|arbeit *f* embroidery.

sticken *vti* to embroider.

Stickerei *f* embroidery.

stickig *adj Luft, Zimmer* stuffy; *Klima* humid.

Stickstoff *m* nitrogen.

stieben *pret* **stob** *or* **stiebte**, *ptp* **gestoben** *or* **gestiebt** *vi* (*geh*) *aux haben or sein* (*sprühen*) (*Funken, Staub, Schnee*) to fly; (*Wasser*) to spray.

Stiefbruder *m* stepbrother.

Stiefel *m* - [a] boot. [b] (*Trinkgefäß*) large, boot-shaped beer glass.

Stiefel-: **~absatz** *m* boot heel; **~knecht** *m* boot-jack.

stiefeln *vi aux sein* (*col*) to hoof it (*col*); *siehe* **gestiefelt**.

Stief-: **~eltern** *pl* stepparents *pl*; **~kind** *nt* stepchild; (*fig*) poor cousin; **~mutter** *f* stepmother; **~mütterchen** *nt* (*Bot*) pansy; **s~mütterlich** *adj* (*fig*) **jdn/etw s~mütterlich behandeln** to treat sb as a poor relation/to pay little attention to sth; **~schwester** *f* stepsister; **~sohn** *m* stepson; **~tochter** *f* stepdaughter; **~vater** *m* stepfather.

stieg *pret of* **steigen**.

Stiege *f* **-n** (*Treppe*) (narrow) flight of stairs.

Stieglitz *m* **-e** goldfinch.

Stiel *m* **-e** [a] (*Griff*) handle; (*Pfeifen~, Glas~*) stem. [b] (*Stengel*) stalk.

Stiel|augen *pl* (*fig col*) **er machte ~** his eyes (nearly) popped out of his head.

stier *adj* (*stumpfsinnig*) *Blick* vacant, blank.

Stier *m* **-e** [a] bull; (*junger ~*) bullock ▶ **wütend wie ein ~** beside oneself with rage. [b] (*Astrol*) Taurus.

stieren *vi* to stare (*auf +acc* at).

Stier-: **~kampf** *m* bullfight; **~kampfarena** *f* bull-ring; **~kämpfer** *m* bullfighter.

stieß *pret of* **stoßen**.

Stift *m* **-e** [a] (*Metall~*) pin; (*Nagel*) tack. [b] (*Blei~*) pencil. [c] (*col: Lehrling*) apprentice (boy).

stiften *vt* [a] (*spenden*) to donate; (*gründen*) *Kirche* to found. [b] *Verwirrung* to cause; *Unfrieden, Frieden* to bring about; *Ehe* to arrange.

△**stiftengehen** *vi sep irreg aux sein* (*col*) to hop it (*col*).

Stifter(in *f*) *m* - (*Gründer*) founder; (*Spender*) donator.

Stiftung *f* [a] (*Gründung*) foundation; (*Schenkung*) donation. [b] (*Organisation*) foundation.

Stiftzahn *m* post crown.

Stigma *nt* **-men** *or* **-ta** (*Bio, Rel, fig*) stigma.

Stil *m* **-e** style; (*Eigenart*) way, manner ▶ **im großen ~** on a grand scale, in a big way (*col*); **schlechter ~** bad style; **das ist schlechter ~** (*fig*) that is bad form.

Stil-: **~blüte** *f* (*hum*) stylistic howler; **~bruch** *m* stylistic incongruity.

Stilett *nt* **-e** stiletto.

Stil-: **~fehler** *m* stylistic lapse; **~gefühl** *nt* feeling for style.

stilisieren* *vt* to stylize.

Stilistik *f* (*Liter*) stylistics *sing*.

stilistisch *adj* stylistic.

still *adj* [a] (*ruhig*) quiet, silent; *Seufzer, Plätzchen* quiet; *Gebet, Vorwurf, Beobachter* silent ▶ **~ werden** to go quiet; **im Saal wurde es ~** the room fell silent; **um ihn ist es ~ geworden** you don't hear anything about him any more; **~ weinen/leiden** to cry quietly/to suffer in silence; **in ~er Trauer** in silent grief; **im ~en** quietly; **ich dachte mir im ~en** I thought to myself; **die S~en im Lande** the quiet ones; **sei doch ~!** be quiet; **~e Messe** silent mass. [b] (*unbewegt*) *Luft* still ▶ **der S~e Ozean** the Pacific (Ocean); **~ sitzen** to sit still; **die Füße ~ halten** to keep one's feet still; **er ist ein ~es Wasser** he's a deep one. [c] (*heimlich*) secret ▶ **im ~en** in secret. [d] (*Comm*) *Teilhaber* sleeping (*Brit*), silent (*US*); *Reserven, Rücklagen* hidden ▶ **~e Beteiligung** sleeping partnership (*Brit*), non-active interest.

Stille *f no pl* [a] (*Ruhe*) quiet(ness), peace(fulness); (*Schweigen*) silence ▸ *die Beerdigung fand in aller ~ statt* it was a quiet funeral. [b] (*Unbewegtheit*) calm(ness); (*der Luft*) stillness. [c] (*Heimlichkeit*) secrecy ▸ *in aller ~* secretly.

⚠ **Stilleben** ['ʃtɪleːbn] *nt* still life.

⚠ **stillegen** *vt sep* to close down.

⚠ **Stillegung** *f* closure.

Stillehre *f* stylistics *sing*.

stillen [1] *vt* [a] (*zum Stillstand bringen*) *Tränen* to stop; *Schmerzen* to ease. [b] (*befriedigen*) *Neugier, Hunger* to satisfy; *Durst auch* to quench. [c] *Säugling* to breast-feed. [2] *vi* to breast-feed ▸ *~de Mutter* nursing mother.

stillgestanden *interj* (*Mil*) halt!

Stillhalte|abkommen *nt* (*Fin, fig*) moratorium.

⚠ **stillhalten** *vi sep irreg* to keep still; (*fig*) to keep quiet.

⚠ **stilliegen** *vi sep irreg aux sein or haben* [a] (*außer Betrieb sein*) to be shut down. [b] (*lahmliegen*) to be at a standstill.

Stillschweigen *nt* silence ▸ *über etw* (*acc*) *~ bewahren* to keep quiet about sth; *etw mit ~ übergehen* to pass over sth in silence.

stillschweigend *adj* silent; *Einverständnis* tacit ▸ *über etw* (*acc*) *~ hinweggehen* to pass over sth in silence.

⚠ **stillsitzen** *vi sep irreg aux sein or haben* to sit still.

Stillstand *m* standstill; (*in Entwicklung*) halt ▸ *zum ~ kommen* (*Verkehr*) to come to a standstill; *etw zum ~ bringen* to stop sth.

stillstehen *vi sep irreg aux sein or haben* [a] (*Produktion, Handel etc*) to be at a standstill; (*Herz*) to have stopped. [b] (*stehenbleiben*) to stop; (*Maschine*) to stop working.

stillvergnügt *adj* contented.

Stil-: **~mittel** *nt* stylistic device; **~möbel** *pl* (*Imitation*) reproduction furniture *sing*; (*antik*) period furniture *sing*; **s~voll** *adj* stylish; **~wörterbuch** *nt* dictionary of correct usage.

Stimm-: **~abgabe** *f* voting; **~band** *nt usu pl* vocal cord; **s~berechtigt** *adj* entitled to vote; **~berechtigte(r)** *mf decl as adj* person entitled to vote; **~bezirk** *m* constituency; **~bruch** *m* *er ist im ~bruch* his voice is breaking.

Stimme *f -n* [a] (*lit, fig*) voice; (*Mus: Part*) part; (*Orgel~*) register ▸ *mit leiser/lauter ~* in a soft/loud voice; *zweite ~* (*in Chor*) second part; *bei einem Lied die erste/zweite ~ singen* to sing the top part of/descant to a song; *die ~n mehren sich, die ...* there is a growing body of opinion that ...; *der ~ des Gewissens folgen* to follow one's conscience. [b] (*Wahl~*) vote ▸ *eine/keine ~ haben* to have the vote/not to be entitled to vote; (*Mitspracherecht*) to have a/no say; *seine ~ abgeben* to vote; *jdm seine ~ geben* to vote for sb.

▾ **stimmen** [1] *vi* [a] (*richtig sein*) to be right ▸ *stimmt es, daß ...?* is it true that ...?; *hier stimmt was nicht!* there's something wrong here; *stimmt so!* that's all right(, keep the change). [b] (*zusammenpassen*) to go (together). [c] (*wählen, sich entscheiden*) to vote ▸ *für/gegen jdn/etw ~* to vote for/against sth. [2] *vt Instrument* to tune ▸ *jdn froh/traurig ~* to make sb (feel) cheerful/sad.

Stimmen-: **~gewirr** *nt* babble of voices; **~gleichheit** *f* tied vote; *bei ~gleichheit* in the event of a tie; **~mehrheit** *f* majority of votes.

Stimm-: **~enthaltung** *f* abstention; **~gabel** *f* tuning fork; **s~haft** *adj* (*Ling*) voiced; *s~haft ausgesprochen werden* to be voiced.

stimmig *adj* harmonious; *Argumente* coherent.

stimmlich *adj* vocal ▸ *ihre ~en Qualitäten* the quality of her voice.

Stimm-: **s~los** *adj* (*Ling*) unvoiced; *s~los ausgesprochen werden* not to be voiced; **~recht** *nt* right to vote.

Stimmung *f* [a] (*auch St Ex*) mood; (*Moral*) morale ▸ *in (guter) ~/gehobener ~* in a good mood/in high spirits; *in ~ kommen* to liven up; *ich bin nicht in der ~ dazu* I'm not in the mood for that. [b] (*Meinung*) opinion ▸ *gegen/für jdn/etw ~ machen* to stir up (public) opinion against/in favour (*Brit*) *or* favor (*US*) of sb/sth.

Stimmungs-: **~kanone** *f* (*col*) life and soul of the party; **~lage** *f* atmosphere; **~mache** *f no pl* (*pej*) cheap propaganda; **~musik** *f* light music; **~umschwung** *m* change of atmosphere; (*Pol*) swing (in public opinion); **s~voll** *adj Bild* idyllic; *Atmosphäre* tremendous; *Gedicht* full of atmosphere.

Stimm-: **~vieh** *nt* (*pej*) gullible voters *pl*; **~volk** *nt* voters *pl*, electorate; **~zettel** *m* ballot paper.

stimulieren* *vt* (*Med, fig*) to stimulate.

Stinkbombe *f* stink bomb.

stinken *pret* **stank**, *ptp* **gestunken** *vi* to stink (*nach* of) ▸ *er stinkt nach Kneipe* he smells of drink; *er stinkt vor Faulheit* he's bone-idle; *das stinkt zum Himmel* it's an absolute scandal; *die Sache stinkt mir* (*col*) I'm fed up to the back teeth (with it) (*col*).

Stink-: **s~faul** *adj* (*col*) bone-lazy; **s~langweilig** *adj* (*col*) deadly boring; **s~normal** *adj* (*col*) dead normal (*col*); **s~reich** *adj* (*col*) stinking rich (*col*); **~tier** *nt* skunk; **~wut** *f* (*col*) raging temper; *eine ~wut (auf jdn) haben* to be livid (with sb).

Stipendium *nt* grant; (*als Auszeichnung etc erhalten*) scholarship.

Stippvisite *f* (*col*) flying visit.

Stirn *f -en* forehead ▸ *es steht ihm auf der ~ geschrieben* (*geh*) it is written in his face; *die ~ haben, etw zu tun* to have the nerve to do sth; *jdm/einer Sache die ~ bieten* (*geh*) to stand up to sb/sth.

Stirn-: **~band** *nt* headband; **~falte** *f* wrinkle (on one's forehead); **~glatze** *f* receding hairline; **~höhle** *f* (frontal) sinus; **~runzeln** *nt no pl* frown.

stob *pret of* **stieben**.

stöbern *vi* to rummage (*in* +*dat* in, *durch* through).

stochern *vi* to poke (*in* +*dat* at); (*im Essen*) to pick (*in* +*dat* at) ▸ *sich* (*dat*) *in den Zähnen ~* to pick one's teeth.

Stock *m* ⁻e [a] stick; (*Rohr~*) cane; (*Takt~*) baton; (*Zeige~*) pointer; (*Billard~*) cue ▸ *am ~ gehen* (*lit*) to walk with a stick; (*fig col: verblüfft*) to be flabbergasted (*col*). [b] (*Pflanze*) (*Reb~*) vine; (*Rosen~*) rose bush; (*Blumen~*) pot plant ▸ *über ~ und Stein* up hill and down dale. [c] *pl -* (*~werk*) floor, storey (*Brit*), story (*US*) ▸ *im ersten ~* on the first floor (*Brit*), on the second floor (*US*).

stock-: **~betrunken** (*col*) *adj* blind drunk; **~blind** *adj* (*col*) as blind as a bat; **~dunkel** *adj* (*col*) pitch-dark.

Stöckelschuh *m* stiletto-heeled shoe.

stocken *vi* [a] (*Herz, Puls*) to miss a beat; (*nicht vorangehen*) *Arbeit, Entwicklung* to make no progress; (*Unterhaltung*) to flag; (*innehalten*) (*in der Rede*) to falter; (*im Satz*) to break off; (*Verkehr*) to be held up ▸ *ihm stockte das Herz/der Puls* his heart/pulse missed a beat; *ihm stockte der Atem* he caught his breath; *ins S~ geraten* (*Gespräch*) to begin to flag. [b] (*stagnieren*) (*Verhandlungen*) to break off; (*Geschäfte, Handel*) to drop off. [c] (*gerinnen: Blut*) to thicken ▸ *das Blut stockte ihm in den Adern* (*geh*) the blood froze in his veins.

stockend *adj* faltering, hesitant.

Stock-: **s~finster** *adj* (*col*) pitch-black; **~fisch** *m* dried cod; (*pej: Mensch*) dull old stick.

Stockholm *nt* Stockholm.

Stock-: **s~konservativ** *adj* (*col*) arch-conservative; **s~nüchtern** *adj* (*col*) stone-cold sober (*col*); **s~sauer** *adj* (*col*) pissed off (*col!*); **~schirm** *m* (walking-length) umbrella; **~schlag** *m* blow (with a stick); (*mit Rohr~*)

stroke of the cane; **s~steif** *adj* (*col*) as stiff as a poker; **s~taub** *adj* (*col*) as deaf as a post.

Stockung *f* [a] hold-up (*gen, in +dat* in); (*Verkehrs~*) traffic jam. [b] (*Pause*) (*im Gespräch*) lull; (*in der Rede*) hesitation.

Stockwerk *nt* floor, storey (*Brit*), story (*US*) ► **im 5. ~** on the 5th (*Brit*) *or* 6th (*US*) floor; **ein Haus mit vier ~en** a four-storey (*Brit*) *or* four-storied (*US*) building.

Stoff *m* **-e** [a] material, fabric; (*als Materialart*) cloth. [b] (*no pl: Materie*) matter. [c] (*Substanz, Chem*) substance; (*Papier~*) pulp. [d] (*Thema*) subject (matter); (*Unterhaltungs~, Diskussions~*) topic; (*Material*) material ► **~ zum Lesen** reading matter. [e] (*col: Rauschgift*) dope (*col*).

Stoff-: **~bahn** *f* length of material; **~ballen** *m* roll of cloth.

Stoffel *m* **-** (*pej col*) lout (*col*), boor.

stoff(e)lig *adj* (*pej col*) uncouth, boorish.

Stoffhandschuh *m* fabric glove.

stofflich *adj* (*Philos*) material; (*den Inhalt betreffend*) as regards subject matter.

Stoff-: **~puppe** *f* rag doll; **~rest** *m* remnant; **~tier** *nt* soft toy.

Stoffwechsel *m* metabolism.

Stoffwechselstörung *f* metabolic disturbance.

stöhnen *vi* to groan ► **~d** with a groan.

stoisch *adj* stoic(al); (*Philos*) Stoic.

Stola ['ʃtoːla, st-] *f, pl* **Stolen** stole.

Stollen *m* **-** [a] (*Min, Mil*) gallery, tunnel. [b] (*Cook*) type of fruit loaf (*eaten at Christmas*), stollen (*US*).

stolpern *vi aux sein* to stumble, to trip (*über +acc* over); (*fig: zu Fall kommen*) to come a cropper (*col*) ► **über jdn ~** (*fig*) to bump into sb; **über einen Hinweis ~** (*fig*) to stumble upon a clue.

stolz *adj* [a] proud (*auf +acc* of) ► **darauf kannst du ~ sein** that's something to be proud of. [b] (*imposant*) *Bauwerk* majestic; (*iro: stattlich*) *Preis* princely.

Stolz *m no pl* pride ► **sein Garten ist sein ganzer ~** his garden is his pride and joy.

stolzieren* *vi aux sein* to strut; (*hochmütig*) to stalk.

⚠ **stop** [ʃtɔp, stɔp] *interj* stop!

stopfen [1] *vt* [a] (*füllen*) to stuff; *Pfeife, Loch* to fill ► **jdm das Maul ~** (*col*) to silence sb; **gierig stopfte er alles in sich hinein** he greedily stuffed down everything. [b] (*ausbessern, flicken*) *Loch, Strümpfe etc* to darn. [2] *vi* [a] (*Speisen*) (*ver~*) to cause constipation. [b] (*flicken*) to darn.

Stopf-: **~garn** *nt* darning thread; **~nadel** *f* darning needle.

Stopp *m* **-s** stop, halt; (*Lohn~*) freeze.

Stoppball *m* dropshot.

Stoppel *f* **-n** (*Getreide~, Bart~*) stubble.

Stoppel-: **~bart** *m* stubbly beard; **~feld** *nt* stubble field.

stopp(e)lig *adj Bart* stubbly; *Kinn auch* bristly.

stoppen [1] *vt* to stop; *Zeit, Läufer* to time ► **er hat die Zeit genau gestoppt** he timed exactly how long it took. [2] *vi* to stop.

Stopper *m* **-** (*Ftbl*) centre half.

Stopp-: **~licht** *nt* stoplight, brake light; **~schild** *nt* stop sign; **~straße** *f* road with stop signs; **~uhr** *f* stopwatch.

Stöpsel *m* **-** plug; (*Pfropfen*) stopper.

stöpseln *vti* (*Telec*) to connect.

Stör *m* **-e** (*Zool*) sturgeon.

Stör-: **~aktion** *f* disruptive action *no pl*; **s~anfällig** *adj* susceptible to interference ►

Storch *m* **-e** stork ► **wie der ~ im Salat gehen** (*col*) to pick one's way carefully.

Store [ʃtoːɐ] *m* **-s** *usu pl* net curtain.

▼ **stören** [1] *vt* [a] *Schlaf, öffentliche Ordnung, Frieden etc*

to disturb; *Verhältnis, Harmonie etc* to spoil; *Rundfunkempfang* to interfere with; (*absichtlich*) to jam. **jds Pläne ~** to upset sb's plans. [b] *Prozeß, Vorlesung* to disrupt. [c] (*unangenehm berühren*) to disturb, to bother ► **was mich an ihm/daran stört** what I don't like about him/it; **lassen Sie sich nicht ~!** don't let me disturb you; **stört es Sie, wenn ich rauche?** do you mind if I smoke?; **sie läßt sich durch nichts ~** she doesn't let anything bother her.

[2] *vr* **sich an etw** (*dat*) **~** to be bothered about sth; **ich störe mich an seiner Unpünktlichkeit** I take exception to his unpunctuality.

[3] *vi* [a] (*lästig, im Weg sein*) to get in the way; (*unterbrechen*) to interrupt; (*Belästigung darstellen: Musik, Lärm etc*) to be disturbing ► **bitte nicht ~!** please do not disturb!; **ich möchte nicht ~** I don't want to be in the way; **etw als ~d empfinden** to find sth bothersome. [b] (*unangenehm auffallen*) to spoil the effect.

Störenfried *m* **-e**, **Störer** *m* **-** troublemaker.

Stör-: **~fall** *m* (*in Kraftwerk etc*) malfunction, accident; **~manöver** *nt* disruptive action.

stornieren* *vti* (*Comm*) *Auftrag* to cancel; *Buchungsfehler* to reverse.

Storno *m or nt, pl* **Storni** (*Comm*) (*von Buchungsfehler*) reversal; (*von Auftrag*) cancellation.

störrisch *adj* stubborn, obstinate; *Kind* unmanageable; *Pferd* restive.

Störsender *m* (*Rad*) jamming transmitter.

Störung *f* [a] disturbance; (*von Ablauf, Verhandlungen etc*) disruption; (*Verkehrs~*) hold-up. [b] (*Tech*) fault. [c] (*Rad*) interference; (*absichtlich*) jamming. [d] (*Med*) disorder ► **nervöse ~en** nervous trouble.

Störungs-: **s~frei** *adj* trouble-free; (*Rad*) free from interference; **~stelle** *f* (*Telec*) faults service.

Stoß *m* **-e** [a] push, shove; (*leicht*) poke; (*mit Faust*) punch; (*mit Fuß*) kick; (*mit Ellbogen*) nudge; (*mit Kopf, Hörnern*) butt; (*Dolch~ etc*) stab; (*Fechten*) thrust; (*Atem~*) gasp ► **seinem Herzen einen ~ geben** to pluck up courage. [b] (*Anprall*) impact; (*Erd~*) tremor; (*eines Wagens*) jolt. [c] (*Stapel*) pile, stack. [d] (*Trompeten~ etc*) blast (*in +acc* on).

Stoßdämpfer *m* (*Aut*) shock absorber.

Stößel *m* **-** pestle; (*Aut: Ventil~*) tappet.

stoß|empfindlich *adj* susceptible to shock.

stoßen *pret* **stieß**, *ptp* **gestoßen** [1] *vt* [a] to push, to shove; (*leicht*) to poke; (*mit Faust*) to punch; (*mit Fuß*) to kick; (*mit Ellbogen*) to nudge; (*mit Kopf, Hörnern*) to butt; (*stechen*) *Dolch* to plunge; (*Sport*) *Kugel* to put ► **sich** (*dat*) **den Kopf etc ~** to hit one's head *etc*; **jdn von sich ~** to push sb away; (*fig*) to cast sb aside; **er stieß den Ball mit dem Kopf ins Tor** he headed the ball into the goal. [b] (*zerkleinern*) *Zimt, Pfeffer* to pound.

[2] *vr* to bump oneself ► **sich an etw** (*dat*) **~** (*lit*) to bump oneself on sth; (*fig*) to take exception to sth.

[3] *vi* [a] (*mit den Hörnern*) to butt (*nach* at). [b] (*Tech*) to butt (*an +acc* against). [c] (*Gewichtheben*) to jerk. [d] *aux sein* **an etw** (*acc*) **~** to bump into sth; (*angrenzen*) to border on sth; **gegen etw ~** to run into sth; **zu jdm ~** to meet up with sb; **auf jdn ~** to bump into sb; **auf etw** (*acc*) **~** (*Schiff*) to hit sth; (*fig: entdecken*) to come across sth; **auf Erdöl ~** to strike oil; **auf Widerstand ~** to meet with resistance.

Stoß-: **s~fest** *adj* shockproof; **~gebet** *nt* quick prayer; **ein ~gebet zum Himmel schicken** to say a quick prayer; **~seufzer** *m* deep sigh; **s~sicher** *adj* shockproof; **~stange** *f* (*Aut*) bumper; **~trupp** *m* (*Mil*) raiding party; **~verkehr** *m* rush-hour traffic; **~waffe** *f* thrust weapon; **s~weise** *adv* [a] (*ruckartig*) by fits and starts; [b] (*stapelweise*) by the pile; **~zahn** *m* tusk; **~zeit** *f* (*im Verkehr*) rush hour; (*in Geschäft etc*) peak period.

⚠: for details of spelling reform, see supplement ▶ SATZBAUSTEINE: **stören: 1c** → 8.1, 12.1

Stotterer *m* -, **Stotterin** *f* stutterer.
stottern *vti* to stutter; (*Motor*) to splutter ▸ *leicht/stark* ~ to stutter slightly/badly; *ins S~ kommen* to start stuttering.
Stövchen *nt* (teapot *etc*) warmer.
Str. = **Straße** St.
Straf-: ~**anstalt** *f* penal institution, prison; ~**antrag** *m* legal proceedings *pl*; ~**antrag stellen** to institute legal proceedings; ~**anzeige** *f* ~**anzeige gegen jdn erstatten** to bring a charge against sb; ~**arbeit** *f* (*Sch*) punishment; (*schriftlich*) lines *pl*; ~**bank** *f* (*Sport*) penalty bench.
strafbar *adj Vergehen* punishable ▸ ~*e Handlung* punishable offence; *sich ~ machen* to commit an offence (*Brit*) *or* offense (*US*).
Strafe *f* -**n** punishment; (*Jur, Sport*) penalty; (*Geld~*) fine; (*Gefängnis~*) sentence ▸ *etw unter ~ stellen* to make sth a punishable offence (*Brit*) *or* offense (*US*); *unter ~ stehen* to be a punishable offence (*Brit*) *or* offense (*US*); *seine ~ absitzen* to serve one's sentence; ~ *zahlen* to pay a fine; *100 Dollar ~ zahlen* to pay a 100 dollar fine; *zur ~* as a punishment; ~ *muß sein!* discipline is necessary; *seine gerechte ~ bekommen* to get one's just deserts; *dieses Kind/diese Arbeit ist eine ~* (*col*) this child/job is a pain (in the neck) (*col*).
strafen *vti* to punish ▸ *mit etw gestraft sein* to be cursed with sth; *sie ist vom Schicksal gestraft* she is cursed by fate; *er ist gestraft genug* he has been punished enough.
strafend *adj attr* punitive; *Blick* reproachful.
Straf-: ~**entlassene(r)** *mf decl as adj* discharged prisoner; ~**erlaß** ⚠ *m* remission (of sentence); ~**expedition** *f* punitive expedition.
straff *adj Seil* tight, taut; *Haut* smooth; (*fig: streng*) *Disziplin, Organisation* strict ▸ ~ *sitzen* to fit tightly; *etw ~ spannen* to tighten sth; *das Haar ~ zurückkämmen* to comb one's hair back severely.
straffällig *adj* ~ *werden* to commit a criminal offence (*Brit*) *or* offense (*US*).
Straffällige(r) *mf decl as adj* offender.
straffen ① *vt* to tighten; (*raffen*) *Darstellung* to tighten up.
② *vr* to tighten; (*Haut*) to become smooth.
Straf-: s~**frei** *adj* s~**frei ausgehen** to go unpunished; ~**freiheit** *f* impunity; ~**gebühr** *f* surcharge; ~**gefangene(r)** *mf decl as adj* prisoner; ~**gericht** *nt* criminal court; *ein ~gericht abhalten* to hold a trial; *das göttliche ~gericht* divine judgement; ~**gesetz** *nt* penal law; ~**gesetzbuch** *nt* Criminal Code; ~**justiz** *f* criminal justice *no art*; ~**kolonie** *f* penal colony; ~**kompanie** *f* (*Mil*) punishment battalion.
sträflich ① *adj* (*lit, fig*) criminal.
② *adv vernachlässigen etc* criminally.
Sträfling *m* prisoner.
Sträflingskleidung *f* prison clothing.
Straf-: ~**mandat** *nt* (parking *etc*) ticket; ~**maß** *nt* sentence; *das höchste ~maß* the maximum penalty; s~**mildernd** *adj* mitigating; ~**minute** *f* (*Sport*) minute's penalty; *vier ~minuten* four minutes' penalty; ~**porto** *nt* excess postage; ~**predigt** *f* dressing-down (*col*); *jdm eine ~predigt halten* to give sb a dressing-down; ~**prozeß** ⚠ *m* criminal proceedings *pl*; ~**prozeßordnung** ⚠ *f* code of criminal procedure; ~**punkt** *m* (*Sport*) penalty point; ~**raum** *m* (*Sport*) penalty area; ~**recht** *nt* criminal law; s~**rechtlich** *adj* criminal; *jdn/etw s~rechtlich verfolgen* to prosecute sb/sth; ~**rechtsreform** *f* penal reform; ~**register** *nt* criminal records *pl*; ~**richter** *m* criminal judge; ~**sache** *f* criminal matter; ~**stoß** *m* (*Ftbl etc*) penalty (kick); (*Hockey etc*) penalty (shot); ~**tat** *f* criminal offence (*Brit*)

or offense (*US*); ~**täter** *m* offender; ~**verfahren** *nt* criminal proceedings *pl*; ~**verfolgung** *f* criminal prosecution; s~**versetzen*** *vt insep Beamte* to transfer for disciplinary reasons; ~**verteidiger** *m* counsel for the defence (*Brit*) *or* defense (*US*); ~**vollzug** *m* penal system; ~**vollzugsanstalt** *f* (*form*) penal institution; s~**würdig** *adj* (*form*) punishable; ~**wurf** *m* (*Sport*) penalty throw; ~**zettel** *m* (*col*) ticket.
Strahl *m* -**en** (*lit, fig*) ray; (*Radio~, Laser~ etc*) beam; (*Wasser~, Luft~*) jet.
strahlen *vi* (*Sonne, Licht etc*) to shine; (*Sender, fig: Gesicht*) to beam; (*radioaktiv*) to give off radioactivity ▸ *er strahlte (übers ganze Gesicht)* he was beaming all over his face.
Strahlen-: ~**behandlung** *f* radiotherapy; ~**belastung** *f* radiation.
strahlend *adj* radiant; *Wetter, Tag* bright; (*radioaktiv*) radioactive ▸ ~*es Lachen* beaming smile; *mit ~em Gesicht* with a beaming face; ~ *weiß* gleaming white.
Strahlen-: ~**dosis** *f* dose of radiation; s~**förmig** *adj* radial; s~**geschädigt** *adj* suffering from radiation damage; ~**krankheit** *f* radiation sickness; ~**schäden** *pl* radiation injuries *pl*; ~**schutz** *m* radiation protection; ~**therapie** *f* radiotherapy; s~**verseucht** *adj* contaminated (with radiation).
Strahler *m* - (*Lampe*) spotlight.
Strahltriebwerk *nt* jet engine.
Strahlung *f* radiation.
strahlungsarm *adj Bildschirm, Monitor* low-radiation.
Strähne *f* -**n** (*Haar~*) strand ▸ *ich habe schon eine weiße ~* I already have a white streak.
strähnig *adj Haar* straggly.
stramm *adj* (*straff*) *Seil, Hose* tight; (*schneidig*) *Haltung, Soldat* erect; (*kräftig, drall*) *Mädchen, Junge* strapping; *Junge, Beine* sturdy; *Brust* firm; (*col*) (*tüchtig*) *Marsch, Arbeit* hard; (*überzeugt*) staunch ▸ ~ *sitzen* (*Kleidung*) to be tight; ~*e Haltung annehmen* to stand to attention; ~ *marschieren* (*col*) to march hard; *eine ~e Leistung* a solid achievement; ~ *konservativ* staunchly conservative.
stramm-: ~**stehen** *vi sep irreg* (*Mil col*) to stand to attention; ~**ziehen** ⚠ *vt sep irreg Seil, Hose* to pull tight; *jdm den Hosenboden ~ziehen* (*col*) to give sb a good hiding.
Strampelhöschen [-'hø:sçən] *nt* rompers *pl*.
strampeln *vi* ⓐ *Baby* to kick. ⓑ *aux sein* (*col: radfahren*) to pedal.
Strand *m* -**e** (*Meeres~*) beach; (*Seeufer*) shore ▸ *am ~* on the beach.
Strand-: ~**anzug** *m* beach suit; ~**bad** *nt* (seawater) swimming pool; (*Badeort*) bathing resort.
stranden *vi aux sein* to run aground; (*fig*) to fail.
Strand-: ~**gut** *nt* (*lit, fig*) flotsam and jetsam; ~**hafer** *m* marram (grass); ~**hotel** *nt* seaside hotel; ~**kleidung** *f* beachwear; ~**korb** *m* wicker beach chair with a hood; ~**promenade** *f* promenade; ~**räuber** *m* beachcomber.
Strang *m* ⁻**e** (*Nerven~, Muskel~*) cord; (*Rail: Schienen~*) track ▸ *der Tod durch den ~* death by hanging; *am gleichen ~ ziehen* (*fig*) to act in concert; *über die ⁻e schlagen* to run riot.
strangulieren* *vt* to strangle.
Strapaze *f* -**n** strain.
strapazieren* ① *vt* to be a strain on; *Kleidung* to be hard on; (*fig col*) *Begriff* to flog (*col*); *Nerven* to strain.
② *vr* to tax oneself.
strapazierfähig *adj Schuhe, Kleidung* hard-wearing; (*fig col*) *Nerven* tough.
strapaziös *adj* (*lit, fig*) wearing, exhausting.
Straßburg *nt* Strasbourg.
Straße *f* -**n** ⓐ road; (*in Stadt, Dorf*) street, road (*Brit*);

(*kleine Land~*) lane ▸ **an der ~** by the roadside; **auf der ~** in the road/street; **auf die ~ gehen** (*lit*) to go out on the street; (*als Demonstrant*) to take to the streets; **auf der ~ liegen** (*fig col*) to be out of work; (*als Wohnungsloser*) to be on the streets; **jdn auf die ~ setzen** *Arbeiter* to sack sb (*col*); *Mieter* to turn sb out (onto the streets); **über die ~ gehen** to cross (the road/street); **er wohnt drei ~n weiter** he lives three blocks further on; **dem Druck der ~ nachgeben** (*fig*) to give in to the demands of demonstrators. **b** (*Meerenge*) strait(s) *pl*). **c** (*Tech*) (*Fertigungs~*) (production) line.

Straßen-: **~anzug** *m* lounge suit (*Brit*), business suit (*US*); **~arbeiten** *pl* roadworks *pl* (*Brit*), roadwork (*US*).

Straßenbahn *f* (*Wagen*) tram (*Brit*), streetcar (*US*).

Straßenbahn-: **~fahrer** *m* tram (*Brit*) *or* streetcar (*US*) driver; **~haltestelle** *f* tram (*Brit*) *or* streetcar (*US*) stop; **~linie** *f* tramline (*Brit*), streetcar line (*US*); **~wagen** *m* tramcar (*Brit*), streetcar (*US*).

Straßen-: **~bau** *m* road construction; **~bauarbeiten** *pl* roadworks *pl* (*Brit*), roadwork (*US*); **~beleuchtung** *f* street lighting; **~benutzungsgebühr** *f* (road) toll; **~decke** *f* road surface; **~ecke** *f* street corner; **~feger** *m* - road-sweeper; **~fest** *nt* street party; **~gabelung** *f* fork (in a/the road); **~glätte** *f* slippery road surface; **~graben** *m* ditch; **~händler** *m* street trader; **~junge** *m* (*pej*) street urchin; **~kampf** *m* street fighting *no pl*; **~karte** *f* road map; **~kehrer** *m* - roadsweeper; **~kind** *nt* child of the streets; **~kreuzer** *m* - (*col*) limousine; **~kreuzung** *f* crossroads *sing or pl*, intersection (*US*); **~laterne** *f* street lamp; **~mädchen** *nt* streetwalker; **~netz** *nt* road network; **~rand** *m* roadside; **~raub** *m* mugging; **~räuber** *m* mugger; **~reinigung** *f* street cleaning; **~rennen** *nt* road race; **~sammlung** *f* street collection; **~schild** *nt* street sign; **~schlacht** *f* street battle; **~schuh** *m* walking shoe; **~seite** *f* side of a/the road; **~sperre** *f* road block; **~strich** *m* (*col*) streetwalking; **auf den ~strich gehen** to walk the streets; **~theater** *nt* street theatre (*Brit*) *or* theater (*US*); **~überführung** *f* footbridge; **~unterführung** *f* underpass; **~verhältnisse** *pl* road conditions *pl*; **~verkauf** *m* street-trading; take-away (*Brit*) *or* take-out (*US*) sales *pl*; **~verkäufer** *m* street vendor; **~verkehr** *m* road traffic; **~verkehrsordnung** *f* (*Jur*) Road Traffic Act; **~verzeichnis** *nt* index of street names; **~wacht** *f* road patrol; **~zustand** *m* road conditions *pl*; **~zustandsbericht** *m* road report.

Stratege *m* (*wk*) **-n, -n** strategist.

Strategie *f* strategy.

strategisch *adj* strategic.

Stratosphäre *f no pl* stratosphere.

sträuben **1** *vr* **a** (*Haare, Fell*) to stand on end; (*Gefieder*) to become ruffled ▸ **da ~ sich einem die Haare** it's enough to make your hair stand on end. **b** (*fig*) to resist (*gegen etw* sth) ▸ **es sträubt sich alles in mir, das zu tun** I am most reluctant to do it. **2** *vt Gefieder* to ruffle.

Strauch *m, pl* **Sträucher** bush, shrub.

straucheln *vi aux sein* **a** (*geh: stolpern*) to stumble. **b** (*fig*) to transgress; (*Mädchen*) to go astray.

Strauchwerk *nt no pl* (*Gebüsch*) bushes *pl*, shrubs *pl*; (*Gestrüpp*) undergrowth.

Strauß¹ *m* **-e** (*Orn*) ostrich.

Strauß² *m, pl* **Sträuße** bunch; (*Blumen~*) bunch of flowers; (*als Geschenk*) bouquet, bunch of flowers.

Strebe *f* **-n** brace, strut; (*Decken~*) joist.

Strebe-: **~balken** *m* diagonal brace; **~bogen** *m* flying buttress.

streben *vi* (*geh*) **a** (*sich bemühen*) to strive (*nach* for); (*Sch pej*) to swot (*col*) ▸ **danach ~, etw zu tun** to strive to do sth. **b** *aux sein* (*sich bewegen*) **nach** *or* **zu etw ~** to make one's way to sth.

Streben *nt no pl* (*Drängen*) striving (*nach* for); (*nach Ruhm, Geld*) aspiration (*nach* to); (*Bemühen*) efforts *pl*.

Strebepfeiler *m* buttress.

Streber(in *f*) *m* - (*pej col*) pushy person; (*Sch*) swot (*col*).

strebsam *adj* assiduous, industrious.

Strebsamkeit *f no pl* assiduity, industriousness.

Strecke *f* **-n** **a** (*Entfernung*) distance; (*Math*) line ▸ **eine ~ zurücklegen** to cover a distance. **b** (*Abschnitt*) (*von Straße, Fluß*) stretch; (*von Bahnlinie*) section. **c** (*Weg, Route*) route; (*Straße*) road; (*Bahnlinie, Sport: Bahn*) track; (*fig: Passage*) passage ▸ **für die ~ London-Glasgow brauchen wir 5 Stunden** the journey from London to Glasgow will take us 5 hours; **auf der ~ Paris-Brüssel** on the way from Paris to Brussels; **auf der ~ bleiben** (*fig*) to fall by the wayside. **d** (*Hunt*) **zur ~ bringen** to bag.

strecken **1** *vt* **a** *Arme, Beine* to stretch; *Hals* to crane ▸ **die Zunge aus dem Mund ~** to stick out one's tongue; **die Beine von sich ~** to stretch out one's legs; **den Kopf aus dem Fenster ~** to stick one's head out of the window. **b** (*Med*) *Bein, Arm* to straighten. **c** (*col: absichtlich verlängern*) *Vorräte, Geld* to eke out; *Arbeit* to drag out (*col*); *Essen* to make go further. **2** *vr* **a** (*sich recken*) to stretch ▸ **sich ins Gras ~** to stretch out on the grass. **b** (*sich hinziehen*) to drag on.

Strecken-: **~abschnitt** *m* (*Rail*) track section; **~netz** *nt* rail network; **~karte** *f* route map; **~stillegung** *f* (*Rail*) line closure; **s~weise** *adv* in parts.

Streich *m* **-e** **a** (*Schabernack*) prank, trick ▸ **jdm einen ~ spielen** (*lit*) to play a trick on sb; (*fig: Gedächtnis etc*) to play tricks on sb. **b** **auf einen ~** at one blow; (*fig also*) in one go (*col*).

Streichel|einheiten *pl* (*hum col*) a pat on the back.

streicheln *vti* to stroke ▸ **jdm die Wange ~** to stroke sb's cheek.

streichen *pret* **strich,** *ptp* **gestrichen** **1** *vt* **a** to stroke ▸ **etw glatt~** to smooth sth (out); **sich** (*dat*) **die Haare aus der Stirn ~** to push one's hair back from one's forehead; *siehe* **gestrichen**. **b** (*auftragen*) *Butter, Leberwurst etc* to spread; *Salbe, Farbe etc* to apply, to put on ▸ **sich** (*dat*) **ein Brot (mit Butter) ~** to butter oneself a slice of bread; **ein Brot mit Marmelade ~** to spread a slice of bread with jam. **c** (*an~: mit Farbe*) to paint ▸ **frisch gestrichen!** wet paint. **d** (*tilgen*) *Zeile, Satz* to delete; *Auftrag, Zug etc* to cancel; *Schulden* to write off; *Zuschuß etc* to cut ▸ **jdn/etw von der Liste ~** to take sb/sth off the list.

2 *vi* **a** (*über etw hinfahren*) to stroke ▸ **mit der Hand über etw** (*acc*) **~** to stroke sth; **sie strich ihm über das Haar** she stroked his hair. **b** *aux sein* (*streifen*) to brush past (*an etw* (*dat*) sth) ▸ **um/durch etw ~** (*herum~*) to prowl around/through sth; **die Katze strich mir um die Beine** the cat rubbed against my legs. **c** (*malen*) to paint.

Streicher *pl* (*Mus*) strings *pl*.

Streich-: **s~fähig** *adj* easy to spread; **~holz** *nt* match; **~holzschachtel** *f* matchbox; **~instrument** *nt* string(ed) instrument; **~käse** *m* cheese spread; **~orchester** *nt* string orchestra.

Streichung *f* (*Tilgung*) (*von Zeile, Satz*) deletion; (*Kürzung*) cut; (*von Auftrag, Zug*) cancellation.

Streifband *nt* wrapper.

Streifbandzeitung *f* newspaper sent at printed paper rate.

Streife *f* **-n** (*Patrouille*) patrol ▸ **auf ~ gehen/sein** to go/be on patrol; **ein Polizist auf ~** a policeman on his beat.

streifen **1** *vt* **a** to touch, to brush (against); (*Kugel*) to graze; (*Auto*) to scrape ▸ **jdn mit einem Blick ~** to glance fleetingly at sb. **b** (*flüchtig erwähnen*) to touch

---

⚠: for details of spelling reform, see supplement

(up)on. [c] (ab~, überziehen) *die Schuhe von den Füßen* ~ to slip one's shoes off; *sich* (dat) *die Handschuhe über die Finger* ~ to pull on one's gloves. [2] vi (geh) [a] aux sein (wandern) to roam; (Fuchs) to prowl. [b] aux sein (Blick etc) *sie ließ ihren Blick über die Menge* ~ she scanned the crowd.

Streifen m - [a] (Stück, Band) strip; (Loch~, Klebe~ etc) tape ▸ *ein* ~ *Land* a strip of land. [b] (Strich) stripe ▸ *ein goldener* ~ *am Horizont* a streak of gold on the horizon. [c] (Tresse) braid; (Mil) stripe. [d] (Film) film (Brit), movie (esp US).

Streifen-: ~dienst m patrol duty; ~wagen m patrol car.

Streif-: ~licht nt (fig) highlight; *ein* ~licht *auf etw* (acc) *werfen* to highlight sth; ~schuß △ m graze; ~zug m (Bummel) expedition; (fig: kurzer Überblick) brief survey (durch of).

Streik m -s strike ▸ *zum* ~ *aufrufen* to call a strike; *in den* ~ *treten* to come out on strike, to strike.

Streik-: ~aufruf m strike call; ~brecher(in f) m - strikebreaker, scab (pej).

streiken vi to be on strike; (in den Streik treten) to strike; (hum col) (nicht funktionieren) to pack up (col); (Gedächtnis) to fail ▸ *der Computer streikt* the computer's packed up (col), the computer's on the blink (col); *da streike ich* (col) I refuse!

Streikende(r) mf decl as adj striker.

Streik-: ~geld nt strike pay; ~kasse f strike fund; ~posten m picket; ~posten aufstellen to put up pickets; ~recht nt right to strike; ~welle f wave of strikes.

Streit m -e argument (über +acc about); (leichter) quarrel; (Auseinandersetzung) dispute ▸ ~ *haben* to be arguing or quarrelling; *wegen etw mit jdm (einen)* ~ *haben* to argue with sb about sth; ~ *anfangen* to start an argument; *mit jdm in* ~ *liegen* to be at loggerheads with sb.

Streit|axt f (Hist) battleaxe (Brit), battleax (US).

streiten pret stritt, ptp gestritten [1] vi (über +acc about, over) to argue; (leichter) to quarrel ▸ *darüber läßt sich* ~ that's debatable; *die* ~den *Parteien* (Jur) the litigants.
[2] vr to argue, to quarrel ▸ *wir wollen uns deswegen nicht* ~*!* don't let's fall out over that!

Streit-: ~fall m dispute, conflict; (Jur) case; *im* ~fall in case of dispute; *im* ~fall *Müller gegen Braun* in the case of Müller versus Braun; ~frage f point at issue; ~gespräch nt debate; ~hahn m (col) squabbler.

streitig adj jdm etw ~ machen, jdm das Recht auf etw (acc) ~ machen to dispute sb's right to sth.

Streitigkeiten pl quarrels pl, squabbles pl.

Streit-: ~kräfte pl armed forces pl; s~lustig adj (aggressiv) aggressive; ~macht f armed forces pl; ~punkt m contentious issue; ~sache f dispute; (Jur) case; ~sucht f quarrelsomeness; s~süchtig adj quarrelsome.

streng adj strict; Blick, Bestrafung, Anforderung, Winter severe; Geruch, Geschmack pungent ▸ ~ *gegen jdn/etw vorgehen* to deal severely with sb/sth; ~ *aber gerecht* severe but just; *etw* ~ *befolgen* to keep strictly to sth; ~ *geheim* top secret; ~ *vertraulich* strictly confidential; ~ *nach Vorschrift* strictly according to regulations; ~ *verboten* strictly prohibited.

Strenge f no pl siehe adj strictness; severity; pungency.

streng-: ~genommen △ adv strictly speaking; (eigentlich) actually; ~gläubig adj strict.

△ **Streß** m -sse stress ▸ *im* ~ *sein* to be under stress.

stressen vt to put under stress ▸ *gestreßt sein* to be under stress.

△ **streßfrei** adj stress-free.

stressig adj stressful.

Streu f no pl straw; (aus Sägespänen) sawdust.

streuen [1] vt Futter, Samen to scatter; Dünger, Sand to spread; Gewürze, Zucker etc to sprinkle; Straße to grit; to salt.
[2] vi (mit Streumittel) to grit; (mit Salz) to put down salt.

Streuer m - shaker; (Salz~) cellar; (Pfeffer~) pot.

Streufahrzeug nt gritter, sander.

streunen vi [a] to roam about; (Hund, Katze) to stray ▸ ~de *Katzen* stray cats. [b] aux sein durch etw ~ to roam through sth.

Streu-: planer(in f) media buyer; ~salz nt road salt; ~sand m sand; (für Straße) grit.

Streusel nt - (Cook) crumble (mixture).

Streuselkuchen m thin sponge cake with crumble topping.

Streuung f (Statistik) mean variation; (Phys) scattering.

strich pret of **streichen**.

Strich m -e [a] line; (Quer~) dash; (Schräg~) oblique, slash (esp US); (Feder~, Pinsel~) stroke; (von Land) stretch ▸ *jdm einen* ~ *durch die Rechnung machen* to thwart sb's plans; *einen* ~ *(unter etw acc) machen* (fig) to forget sth; *unterm* ~ at the final count; *unterm* ~ *sein* (col) not to be up to scratch; *sie ist nur noch ein* ~ (col) she's as thin as a rake now; *ich habe heute keinen* ~ *gearbeitet* I haven't done a stroke of work today. [b] (von Teppich) pile; (von Gewebe) nap; (von Fell, Haar) direction of growth ▸ *gegen den* ~ *bürsten* (lit) to brush the wrong way; *es geht (mir) gegen den* ~ (col) it goes against the grain; *nach* ~ *und Faden* (col) good and proper (col). [c] (Mus: Bogen~) stroke, bow. [d] (col) (Prostitution) prostitution no art; (Bordellgegend) red-light district ▸ *auf den* ~ *gehen* to be/go on the game (col).

Strichcode m bar code (Brit), universal product code (US).

stricheln vti (schraffieren) to hatch ▸ *eine gestrichelte Linie* a broken line.

Strich-: ~junge m (col) rent boy; ~kode m = ~code; ~mädchen nt (col) streetwalker (col); ~punkt m semicolon; s~weise adv (Met) s~weise Regen rain in places.

Strick m -e rope ▸ *jdm aus etw einen* ~ *drehen* to use sth against sb.

stricken vti to knit.

Strickerei f knitting no indef art, no pl.

Strick-: ~jacke f cardigan; ~leiter f rope ladder; ~maschine f knitting machine; ~muster nt (lit) knitting pattern; (fig) pattern; ~nadel f knitting needle; ~waren pl knitwear sing; ~wolle f knitting wool; ~zeug nt knitting.

Striegel m - currycomb.

striegeln [1] vt to curry(comb); (fig col: kämmen) to comb.
[2] vr (col) to spruce oneself up.

Strieme f -n weal.

strikt adj strict.

Strippe f -n (col) [a] (Bindfaden) string. [b] (Telefonleitung) phone ▸ *an der* ~ *hängen* to be on the phone.

strippen vi to strip.

Stripper(in f) m - (col) stripper.

Striptease ['ʃtrɪptiːs] m or nt no pl striptease.

stritt pret of **streiten**.

strittig adj controversial ▸ *noch* ~ still in dispute.

Stroboskop nt -e stroboscope.

Stroh nt no pl straw; (Dach~) thatch.

Stroh-: ~ballen m bale of straw; s~blond adj Mensch flaxen-haired; Haare flaxen; ~blume f everlasting flower; ~dach nt thatched roof; s~dumm adj thick (col); ~feuer nt: *ein* ~feuer *sein* (fig) to be a passing fancy; ~halm m straw; *sich an einen* ~halm *klammern* to clutch at a straw; **~hut** m straw hat; **~kopf** m (col) blockhead (col); **~mann** m, pl **~männer** (fig) front man; **~sack** m **heiliger ~sack!** (col) good(ness) gracious (me)!; **~witwe** f grass widow; **~witwer** m grass widower.

Strolch m -e (pej) rogue, rascal.

Strom m ⁻e a (large) river; (Strömung) current; (von Besuchern) stream ▶ **ein reißender ~** a raging torrent; **in ⁻en regnen** to be pouring with rain; **der Wein floß in ⁻en** the wine flowed like water; **mit dem/gegen den ~ schwimmen** (lit, fig) to swim with/against the current. b (Elec) current; (Elektrizität) electricity ▶ **~ führen** to be live; **unter ~ stehen** (lit) to be live; **der ~ ist ausgefallen** there has been a power failure or outage (US).

Strom-: **s~ab(wärts)** adv downstream; **~anschluß** ⚠ m **~anschluß haben** to be connected to the electricity mains; **s~auf(wärts)** adv upstream; **~ausfall** m power failure or outage (US).

strömen vi aux sein to stream; (heraus~) to pour (aus from) ▶ **bei ~dem Regen** in (the) pouring rain.

Strom-: **s~führend** ⚠ adj attr (Elec) live; **~kabel** nt electric cable; **~kreis** m (electrical) circuit; **~leitung** f electric cable; **~linienform** [-li:niən-] f streamlined design; **s~linienförmig** [-li:niən-] adj streamlined; **~netz** nt power supply system; **~quelle** f source of power; **~schnelle** f rapids pl; **~speicher** m (storage) battery; **~sperre** f power cut.

Strömung f current.

Strom-: **~verbrauch** m power consumption; **~versorgung** f power supply; **~zähler** m electricity meter.

Strophe f -n verse.

strotzen vi to abound (von, vor +dat with); (von Kraft, Gesundheit) to be bursting (von with) ▶ **von Schmutz ~** to be thick with dirt.

strubb(e)lig adj (col) Haar, Fell tousled.

Strudel m - a (lit, fig) whirlpool. b (Cook) strudel.

strudeln vi to whirl, to swirl.

Struktur f structure; (von Stoff etc) texture.

Struktur- in cpds structural; **~krise** f (Econ) structural crisis; **s~schwach** adj economically underdeveloped.

strukturell adj structural.

strukturieren* vt to structure.

Strumpf m ⁻e sock; (Damen~) stocking ▶ **ein Paar ⁻e** a pair of socks/stockings; **auf ⁻en** in one's stockinged feet.

Strumpf-: **~band** nt garter; **~geschäft** nt hosiery shop (Brit) or store (US); **~halter** m - suspender (Brit), garter (US); **~hose** f tights pl (Brit), panty-hose; **eine ~hose** a pair of tights (Brit) or panty-hose; **~waren** pl hosiery sing.

Strunk m ⁻e stalk.

struppig adj unkempt; Tier shaggy.

Stube f -n room ▶ **die gute ~** the parlour (Brit) or parlor (US) (dated); **(immer) herein in die gute ~!** (hum col) come right in.

Stuben-: **~arrest** m confinement to one's room or (Mil) quarters; **~arrest haben** to be confined to one's room/ quarters; **~fliege** f (common) housefly; **~hocker** m - (pej col) stay-at-home (col); **s~rein** adj Katze, Hund house-trained; (hum) Witz clean.

Stuck m no pl stucco.

Stück nt -e or (nach Zahlenangaben) - a piece; (von Vieh, Wild) head; (von Zucker) lump; (Seife) bar; (von Land) plot ▶ **ich nehme fünf ~** I'll take five; **20 ~ Vieh** 20 head of cattle; **sechs ~ von diesen Apfelsinen** six of these oranges; **50 Pfennig das ~** 50 pfennigs each; **am ~** in one piece; **aus einem ~** in one piece; **~ für ~** (ein Exemplar nach dem andern) one by one; **ein ~ Garten** a

patch of garden; **das ist unser bestes ~** (hum) that is our pride and joy.

b (Teil, Abschnitt) piece, bit; (von Buch, Rede) part ▶ **~ für ~** (einen Teil um den andern) bit by bit; **in ~e gehen** to be broken to pieces; **etw in ~e schlagen** to smash sth to pieces; **ich komme ein ~ (des Weges) mit** I'll come part of the way with you; **ein ~ spazierengehen** to go for a walk; **das ist ein starkes ~!** (col) that's a bit much (col); **große ~e auf jdn halten** to think highly of sb; **aus freien ~en** of one's own free will.

c (Bühnen~) play; (Musik~) piece.

Stückeschreiber m dramatist, playwright.

Stück-: **~gut** nt (Rail) parcel service; **etw als ~gut schicken** to send sth as a parcel; **~kosten** pl unit cost; **~lohn** m piece(work) rate; **~preis** m unit price; **s~weise** adv bit by bit; **s~weise verkaufen** to sell individually; **~werk** nt no pl incomplete work; **~werk sein/bleiben** to be/remain incomplete; **~zahl** f number of pieces.

Student m student.

Studenten-: **~ausweis** m student card; **~bewegung** f student movement; **~bude** f (col) student digs pl; **~futter** nt nuts and raisins; **~gemeinde** f student religious society; **~heim** nt = **~wohnheim**; **~schaft** f student body; **~verbindung** f students' society; **~werk** nt student administration; **~wohnheim** nt hall of residence.

Studentin f (female) student.

studentisch adj attr student attr.

Studie ['ʃtuːdiə] f study (über +acc of).

Studien- ['ʃtuːdiən-]: **~abschluß** ⚠ m completion of a course of study; **~anfänger** m first-year student; **~aufenthalt** m study visit; **~beratung** f course guidance service; **~fach** nt subject; **~fahrt** f study trip; (Sch) educational trip; **~förderung** f study grant; (an Universität) university grant; **~gang** m course of studies; **~gebühren** pl tuition fees pl; **~jahr** nt academic year; **~jahre** pl university/college years pl; **~platz** m university place; **ein ~platz in Medizin** a place to study medicine; **~rat** m, **~rätin** f teacher at a secondary school with tenure; **~referendar** m student teacher; **~reform** f university/college reform; **~reise** f = **~fahrt**; **~seminar** nt teacher training course; **~zeit** f a student days pl; b (Dauer) duration of a/one's course of studies.

studieren* 1 vi to study; (Student sein) to be a student ▶ **ich studiere an der Universität Bonn** I am (a student) at Bonn University; **wo haben Sie studiert?** what university/college did you go to?; **bei jdm ~** to study under sb.

2 vt to study; (genau betrachten) to scrutinize.

Studierende(r) mf decl as adj student.

Studio nt -s studio.

Studiobühne f studio theatre (Brit) or theater (US).

Studium nt study; (Hochschul~) studies pl ▶ **das ~ hat fünf Jahre gedauert** the course (of study) lasted five years; **während seines ~s** while he is/was etc a student.

Stufe f -n a step; (Mus: Ton~) degree; (im Haar) layer ▶ **„Vorsicht ~"** "mind the step". b (fig) stage; (Niveau) level; (Rang) grade ▶ **sich mit jdm/etw auf eine ~ stellen** to put oneself on a level with sb/sth.

stufen vt Schüler, Preise to grade.

Stufen-: **~barren** m asymmetric bars pl; **~heck** nt (Aut) notchback; **s~förmig** 1 adj (lit) stepped; Landschaft terraced; (fig) gradual; 2 adv (lit) in steps; angelegt in terraces; (fig) in stages; **~leiter** f (fig) ladder (gen to); **s~los** adj Übergang direct; (fig: gleitend) smooth; (Tech) infinitely variable; **~plan** m step-by-step plan (zu for); **~schnitt** m (Frisur) layered cut; **s~weise** 1 adv step by step; 2 adj attr gradual.

stufig _adj_ stepped; _Land etc_ terraced; _Haar_ layered.
Stufung _f_ gradation.
Stuhl _m_ ⁼e [a] chair ▸ _zwischen zwei "en sitzen_ (_fig_) to fall between two stools; _das haut einen vom ~_ (_col_) it knocks you sideways (_col_); _jdm den ~ vor die Tür setzen_ (_fig_) to kick sb out (_col_). [b] (_Königs~_) throne ▸ _der Heilige ~_ the Holy See. [c] (_~gang_) bowel movement; (_Kot_) stool.
Stuhl-: **~bein** _nt_ chair leg; **~gang** _m no pl_ bowel movement; **~lehne** _f_ back of a chair.
Stuka _m_ **-s** = **Sturzkampfflugzeug**.
△ **Stukkateur(in** _f_) [ʃtʊka'tøːɐ, -'tøːrɪn] _m_ plasterer.
△ **Stukkatur** _f_ stucco, ornamental plasterwork.
stülpen _vt_ **den Kragen nach oben ~** to turn up one's collar; _etw auf/über etw_ (_acc_) _~_ to put sth on/over sth.
stumm _adj_ [a] (_lit, fig_) dumb; (_schweigend_) mute ▸ _die ~e Kreatur_ (_geh_) the dumb creatures _pl_; _~ vor Schmerz_ in silent agony; _sie sah mich ~ an_ she looked at me without speaking; _~ bleiben_ to stay silent. [b] _Rolle_ non-speaking; _Film, Szene_ silent.
Stummel _m_ - (_Zigaretten~_, _Kerzen~_) stub; (_von Gliedmaßen, Zahn_) stump.
Stummelschwanz _m_ stumpy tail; (_gestutzt_) dock.
Stummfilm _m_ silent film (_Brit_) _or_ movie (_esp US_).
Stumpen _m_ - cheroot.
Stümper(in _f_) _m_ - (_pej_) amateur; (_Pfuscher_) bungler.
Stümperei _f_ (_pej_) amateur work; (_Pfuscherei_) bungling; (_stümperhafte Arbeit_) botched job.
stümperhaft _adj_ (_pej_) amateurish.
stümpern _vi_ (_pfuschen_) to bungle ▸ _bei einer Arbeit ~_ to botch a job.
stumpf _adj_ [a] blunt; _Nase_ snub, turned-up. [b] (_fig_) _Haar, Farbe, Mensch_ dull ▸ _~ vor sich hin brüten_ to sit brooding impassively. [c] (_Math_) _Winkel_ obtuse.
Stumpf _m_ ⁼e stump; (_Bleistift~_) stub ▸ _etw mit ~ und Stiel ausrotten_ to eradicate sth root and branch.
Stumpf-: **~sinn** _m_ mindlessness; (_Langweiligkeit_) tedium; **s~sinnig** _adj_ mindless; (_langweilig_) tedious.
Stunde _f_ **-n** [a] hour ▸ _eine viertel/halbe/dreiviertel ~_ a quarter of an hour/half an hour/three-quarters of an hour; _eine halbe ~ Pause_ a half-hour break; _~ um ~_ hour after hour; _von ~ zu ~_ by the hour; _80 Kilometer in der ~_ 50 miles per hour. [b] (_Augenblick, Zeitpunkt_) time ▸ _zu dieser ~_ at this/that time; _zu später ~_ at a late hour; _bis zur ~_ up to the present moment; _eine schwere ~_ a time of difficulty; _seine ~ hat geschlagen_ (_fig_) his hour has come; _die ~ der Entscheidung_ the moment of decision. [c] (_Unterricht, Sch_) lesson.
stunden _vt_ **jdm etw ~** to give sb time to pay sth.
Stunden-: **~geschwindigkeit** _f_ speed in kilometres (_Brit_) _or_ kilometers (_US_) per hour; _eine ~geschwindigkeit von 80 km/h_ a speed of 50 miles per hour; **~glas** _nt_ hour-glass; **~kilometer** _pl_ kilometres (_Brit_) _or_ kilometers (_US_) per hour _pl_.
stundenlang [1] _adj_ lasting several hours ▸ _nach ~em Warten_ after hours of waiting.
[2] _adv_ for hours.
Stunden-: **~lohn** _m_ hourly wage; **~lohn bekommen** to be paid by the hour; **~plan** _m_ (_Sch_) time-table; **~satz** _m_ hourly rate; **s~weise** _adv_ (_pro Stunde_) by the hour; (_stündlich_) every hour; _Kellner s~weise gesucht_ part-time waiters required; **~zeiger** _m_ hour hand.
stündlich [1] _adj_ hourly.
[2] _adv_ hourly, every hour.
Stunk _m no pl_ **~ machen** (_col_) to kick up a stink (_col_).
stupid(e) _adj_ (_geh_) mindless.
Stups _m_ **-e** nudge.
stupsen _vt_ to nudge.
Stupsnase _f_ snub nose.
stur _adj_ stolid; _Nein, Arbeiten_ dogged; (_hartnäckig_) stub-

born; (_querköpfig_) cussed ▸ _~ weitermachen etc_ to carry on regardless; _er fuhr ~ geradeaus_ he just carried straight on; _sich ~ stellen, auf ~ stellen_ (_col_) to dig one's heels in; _ein ~er Bock_ (_col_) a pig-headed fellow.
Sturheit _f_ siehe _adj_ stolidness; doggedness; stubbornness; cussedness.
Sturm _m_ ⁼e [a] (_lit, fig_) storm; (_starker Wind auch_) gale ▸ _die Zeichen stehen auf ~_ (_fig_) there's a storm brewing; _die Ruhe vor dem ~_ the calm before the storm; _ein ~ im Wasserglas_ (_fig_) a storm in a teacup; _~ läuten_ to keep one's finger on the doorbell; _ein ~ der Begeisterung_ tempestuous enthusiasm. [b] (_Angriff_) all-out attack ▸ _etw im ~ nehmen_ (_Mil, fig_) to take sth by storm; _zum ~ blasen_ (_Mil, fig_) to sound the attack; _gegen etw ~ laufen_ (_fig_) to be up in arms against sth; _ein ~ auf die Banken_ a run on the banks.
Sturm-: **~angriff** _m_ (_Mil_) all-out assault (_auf +acc_ on); **~bö** _f_ squall.
stürmen [1] _vi_ [a] (_Meer_) to rage; (_Sport, Mil_) to attack.
[b] _aux sein_ (_rennen_) to storm.
[2] _vi impers_ **es stürmt** it is blowing a gale.
[3] _vt_ (_Mil, fig_) to storm; _Bank etc_ to make a run on.
Stürmer _m_ - (_Sport_) forward; (_Ftbl auch_) striker.
Sturm-: **~flut** _f_ storm tide; **s~frei** _adj_ (_Mil_) unassailable; _eine s~freie Bude_ (_col_) a room free from disturbance.
stürmisch _adj_ [a] _Meer_ rough; _Wetter_ blustery; (_mit Regen_) stormy. [b] (_fig_) tempestuous; _Entwicklung_ rapid; _Liebhaber_ passionate; _Beifall_ tumultuous ▸ _nicht so ~_ take it easy.
Sturm-: **~schritt** _m_ (_Mil, fig_) double-quick pace; _im ~schritt_ at the double; **~vogel** _m_ petrel; **~warnung** _f_ gale warning; **~wind** _m_ gale.
Sturz _m_ ⁼e fall; (_in Temperatur, Preis auch_) drop; (_Pol: durch Coup_) overthrow.
Sturzbach _m_ (_lit_) fast-flowing stream.
stürzen [1] _vi aux sein_ [a] to fall (_auch Pol_) ▸ _ins Wasser ~_ to plunge into the water; _vom Pferd ~_ to fall off a/ one's horse; _er ist schwer gestürzt_ he had a bad fall. [b] (_rennen_) to dash ▸ _sie kam ins Zimmer gestürzt_ she burst into the room.
[2] _vt_ [a] (_werfen_) to fling, to hurl ▸ _jdn ins Unglück ~_ to bring disaster upon sb. [b] (_kippen_) to turn upside down ▸ _„nicht ~!"_ "this side up". [c] (_Pol_) _Regierung etc_ to bring down; (_durch Coup_) to overthrow; _König_ to depose.
[3] _vr_ **sich zu Tode ~** to fall to one's death; (_absichtlich_) to jump to one's death; _sich aus dem Fenster ~_ to fling _or_ hurl oneself out of the window; _sich auf jdn/etw ~_ to pounce on sb/sth; _auf Essen_ to fall on sth; _sich in Schulden ~_ to plunge into debt; _sich ins Unglück ~_ to plunge headlong into disaster; _sich in Unkosten ~_ to go to great expense.
Sturz-: **~flug** _m_ (nose)dive; **~helm** _m_ crash helmet; **~kampfflugzeug** _nt_ dive bomber.
△ **Stuß** _m no pl_ (_col_) nonsense, rubbish (_col_).
Stute _f_ **-n** mare.
Stützbalken _m_ beam; (_in Decke_) joist.
Stütze _f_ **-n** [a] support; (_Pfeiler_) pillar; (_Buch~_) rest. [b] (_Halt_) support; (_Fuß~_) footrest. [c] (_fig_) (_Hilfe_) help, aid (_für_ to); (_Beistand_) support; (_wichtiger Mensch_) mainstay ▸ _die ~n der Gesellschaft_ the pillars of society.
stutzen¹ _vi_ to stop short; (_zögern_) to hesitate.
stutzen² _vt_ to trim; _Flügel, Hecke_ to clip; _Schwanz_ to dock.
Stutzen _m_ - [a] (_Gewehr_) carbine. [b] (_Rohrstück_) connecting piece; (_Endstück_) nozzle.
stützen [1] _vt_ (_Halt geben_) to support; _Gebäude, Mauer_ to shore up ▸ _einen Verdacht auf etw_ (_acc_) _~_ to base a suspicion on sth; _die Ellbogen auf den Tisch ~_ to prop one's elbows on the table; _den Kopf in die Hände ~_ to

rest one's head in one's hands.

$\boxed{2}$ vr sich auf jdn/etw ~ (lit) to lean on sb/sth; (fig) to count on sb/sth; (Beweise, Theorie) to be based on sb/sth.

Stutzer m - (pej) fop, dandy.

stutzig adj pred ~ werden (argwöhnisch) to become suspicious; jdn ~ machen to make sb suspicious.

Stütz-: ~mauer f retaining wall; ~pfeiler m supporting pillar; ~punkt m (Mil, fig) base.

Stützung f support.

Stützungskäufe pl (Fin) support buying sing.

StVO = Straßenverkehrsordnung.

stylen ['stail-] vt Wagen, Wohnung to design; Frisur to style.

Styling ['stailɪŋ] nt -s, no pl styling.

Styropor ® nt (expanded) polystyrene.

s.u. = siehe unten.

sub|altern adj (pej) Stellung subordinate.

Subjekt nt -e $\boxed{a}$ subject. $\boxed{b}$ (pej: Mensch) character (col).

subjektiv adj subjective.

Subjektivität [-vɪ'tɛːt] f subjectivity.

Sub-: ~kontinent m subcontinent; ~kultur f subculture.

sublimieren* vt (Psych, Chem) to sublimate.

Subsidiarität f subsidiarity.

Subskription f subscription (gen, auf +acc to).

⚠ **substantiell** [zʊpstan'tsieːl] adj (fig geh: bedeutsam) fundamental.

Substantiv ['zʊpstantiːf] nt -e noun.

Substanz [zʊp'stants] f $\boxed{a}$ substance. $\boxed{b}$ (Fin) capital assets pl▶ von der ~ zehren to live on one's capital.

subtil adj (geh) subtle; Film etc understated.

subtrahieren* [zʊptra'hiːrən] vti to subtract.

Subtraktion f subtraction.

subtropisch ['zʊptroːpɪʃ] adj subtropical.

Sub|unternehmer m subcontractor.

Subvention [zʊpvɛn'tsioːn] f subsidy.

subventionieren* [zʊpvɛntsio'niːrən] vt to subsidize.

subversiv [zʊpvɛr'ziːf] adj subversive ▶ sich ~ betätigen to engage in subversive activities.

Such-: ~aktion f search operation; ~anzeige f missing person report; ~dienst m missing persons tracing service.

Suche f no pl search (nach for) ▶ auf die ~ nach jdm/etw gehen to go in search of sb/sth.

suchen $\boxed{1}$ vt $\boxed{a}$ to look for; (stärker, intensiv, Comp) to search for ▶ Verkäufer(in) gesucht sales person wanted; gesucht wanted (wegen for); was suchst du hier? what are you doing here?; du hast hier nichts zu ~ you have no business (to be) here; seinesgleichen ~ to be unparalleled. $\boxed{b}$ (streben nach) to seek ▶ ein Gespräch ~ to try to have a talk.

$\boxed{2}$ vi to search, to hunt ▶ nach etw ~ to look for sth; (stärker) to search for sth; nach Worten ~ to search for words; (sprachlos sein) to be at a loss for words; such! (zu Hund) seek!, find!

Sucher m - (Phot) viewfinder.

Such-: ~lauf m (Comp, Rad) search; ~mannschaft f search party; ~meldung f SOS message; ~scheinwerfer m searchlight.

Sucht f ⁼e addiction (nach to); (fig) obsession (nach with) ▶ eine krankhafte ~ haben, etw zu tun (fig) to be completely obsessed with doing sth; das kann zur ~ werden one can get addicted to that; an einer ~ leiden to be an addict.

Sucht-: ~droge f addictive drug; s~erzeugend ⚠ adj addictive.

süchtig adj addicted (nach to) ▶ ~ machen (Droge) to be addictive.

Süchtige(r) mf decl as adj, **Suchtkranke(r)** mf addict.

Sud m -e liquid; (esp von Fleisch, für Suppe) stock.

Süd no art no pl (Naut, Met, liter) south.

Süd- in cpds South; ~afrika nt South Africa; ~amerika nt South America.

Sudan [zu'daːn, 'zuːdan] m der ~ the Sudan.

Sudanese m (wk) -n, -n, **Sudanesin** f Sudanese.

sudanesisch adj Sudanese.

Süd-: s~deutsch adj South German; ~deutschland nt South(ern) Germany.

Süden m no pl south; (von Land) South ▶ aus dem ~, vom ~ her from the south; nach ~ hin to the south; weiter im ~ further south.

Süd-: ~europa nt Southern Europe; ~früchte pl citrus and tropical fruit(s pl); ~korea nt South Korea; ~küste f south(ern) coast; ~lage f southern aspect; ~länder(in f) m - southerner; Mediterranean or Latin type; s~ländisch adj southern; (italienisch, spanisch etc) Latin.

südlich $\boxed{1}$ adj $\boxed{a}$ southern; Kurs, Richtung southerly. $\boxed{b}$ (mediterran) Mediterranean, Latin; Temperament Latin. $\boxed{2}$ adv (to the) south ▶ ~ von Wien (gelegen) (to the) south of Vienna; es liegt weiter ~ it is further (to the) south. $\boxed{3}$ prep +gen (to the) south of.

Süd|ost m (Met, Naut) south-east.

Süd|osten m south-east; (von Land) South East ▶ aus or von ~ from the south-east; nach ~ to the south-east.

süd|östlich $\boxed{1}$ adj Gegend south-eastern; Wind south-east(erly). $\boxed{2}$ adv south-east. $\boxed{3}$ prep +gen (to the) south-east of.

Süd-: ~pol m South Pole; ~polarmeer nt Antarctic Ocean; ~see f South Seas pl; ~seite f south side; (von Berg) south(ern) face; ~staaten pl (US) Southern States.

südwärts adv south(wards).

Südwest m (Naut, Met) south-west.

Südwestafrika nt South-West Africa.

Südwesten m south-west; (von Land) South West ▶ aus or von ~ from the south-west; nach ~ to the south-west.

südwestlich $\boxed{1}$ adj Gegend south-western; Wind south-west(erly). $\boxed{2}$ adv (to the) south-west. $\boxed{3}$ prep +gen (to the) south-west of.

Südwind m south wind.

Sueskanal m Suez Canal.

Suff m no pl (col) dem ~ ergeben sein to be on the bottle (col); etw im ~ sagen to say sth when under the influence (col).

süffeln vi (col) to tipple (col).

süffig adj Wein etc very drinkable ▶ ein ~er Wein a wine that goes down very well.

süffisant adj smug, complacent.

Suffix nt -e suffix.

suggerieren* vt to suggest ▶ jdm etw ~ to influence sb by suggesting sth; jdm ~, daß ... to get sb to believe that ...

Suggestion f suggestion.

Suggestivfrage f leading question.

suhlen vr (lit, fig) to wallow.

Sühne f -n (Rel, geh) atonement; (von Schuld) expiation ▶ ~ leisten to atone (für for).

sühnen $\boxed{1}$ vt Unrecht, Verbrechen to atone for; Schuld to expiate. $\boxed{2}$ vi to atone.

Sühnetermin m (Jur) conciliatory hearing.

Suite ['sviːtə] f -n suite.

sukzessiv(e) *adj* gradual.

Sulfat *nt* sulphate (*Brit*), sulfate (*US*).

Sultan *m* -e sultan.

Sultanat *nt* sultanate.

Sultanine *f* (*Rosine*) sultana.

Sülze *f* -n [a] brawn. [b] (*Aspik*) aspic.

Sumatra *nt* Sumatra.

summarisch *adj* (*auch Jur*) summary ▶ *etw ~ zusammenfassen* to summarize sth.

Sümmchen *nt dim of* **Summe** ▶ *ein schönes ~* (*hum*) a tidy sum, a pretty penny (*col*).

Summe *f* -n sum; (*fig*) sum total.

summen [1] *vt Melodie etc* to hum.
[2] *vi* to buzz; (*Mensch, Motor*) to hum.

Summer *m* - buzzer.

summieren* [1] *vt* to sum up.
[2] *vr* to mount up ▶ *das summiert sich* it (all) adds up.

Summton *m* buzz, buzzing sound.

Sumpf *m* ⁺e marsh; (*Morast*) mud; (*in tropischen Ländern*) swamp.

Sumpf-: ~**boden** *m* marshy ground; ~**fieber** *nt* malaria.

sumpfig *adj* marshy, swampy.

Sumpf-: ~**land** *nt* marshland; (*in tropischen Ländern*) swampland; ~**pflanze** *f* marsh plant; ~**vogel** *m* wader.

Sund *m* -e sound, straits *pl*.

Sünde *f* -n sin ▶ *eine ~ begehen* to sin, to commit a sin.

Sünden-: ~**bekenntnis** *nt* confession of one's sins; (*Gebet*) confession (of sins); ~**bock** *m* (*col*) scapegoat; ~**fall** *m* (*Rel*) Fall; ~**register** *nt* (*fig*) list of sins; *jds ~register* the list of sb's sins.

Sünder(in *f*) *m* -s, - sinner ▶ *armer ~* (*fig*) poor wretch.

sündhaft *adj* (*lit*) sinful; (*fig col*) *Preise* wicked ▶ *~ teuer* (*col*) wickedly expensive.

sündig *adj* sinful.

sündigen *vi* to sin (*an +dat* against); (*hum*) to indulge.

Super *nt no pl* (*Benzin*) four-star (petrol) (*Brit*), premium gasoline (*US*), super.

super (*col*) [1] *adj inv* super (*col*).
[2] *adv* (*mit vb*) incredibly well (*col*).

Super- *in cpds* super-; (*sehr*) ultra-; ~**-8-Film** *m* super-8 film; ~**benzin** *nt* = **Super**; **s~klug** *adj* (*iro col*) brilliant; *du bist ein ~kluger* (*Besserwisser*) you are a (real) know-all (*col*).

Superlativ *m* (*Gram, fig*) superlative.

Super-: ~**macht** *f* superpower; ~**mann** *m, pl* ~**männer** superman; ~**markt** *m* supermarket; **s~modern** *adj* (*col*) ultramodern; ~**star** *m* (*col*) superstar.

Suppe *f* -n soup; (*sämig mit Einlage*) broth; (*klare Brühe*) bouillon; (*fig col: Nebel*) pea-souper (*col*) ▶ *du mußt die ~ auslöffeln, die du dir eingebrockt hast* (*col*) you've made your bed, now you must lie on it (*prov*); *jdm die ~ versalzen* (*col*) to put a spoke in sb's wheel (*col*).

Suppen- *in cpds* soup; ~**fleisch** *nt* meat for making soup; ~**gemüse** *nt* vegetables *pl* for making soup; ~**grün** *nt* herbs and vegetables *pl* for making soup; ~**huhn** *nt* boiling fowl; ~**kasper** *m* (*col*) poor eater; ~**kelle** *f* soup ladle; ~**löffel** *m* soup spoon; ~**schüssel** *f* tureen; ~**tasse** *f* soup bowl; ~**teller** *m* soup plate; ~**würfel** *m* stock cube; ~**würze** *f* soup seasoning.

Surfbrett ['zø:ɐf-] *nt* surfboard.

surfen ['zø:ɐfən] *vi* to surf.

Surfer(in *f*) ['zø:ɐfɐ, -ərɪn] *m* - surfer.

Surfing ['zø:ɐfɪŋ] *nt no pl* (*Sport*) surfing.

Surrealismus *m no pl* surrealism.

surrealistisch *adj* surrealist(ic).

surren *vi* to hum; (*Insektenflügel*) to whirr.

suspekt [zʊs'pɛkt] *adj* suspicious ▶ *jdm ~ sein* to seem suspicious to sb.

suspendieren* [zʊspɛn'diːrən] *vt* to suspend (*von* from).

Suspendierung *f* suspension.

süß *adj* (*lit, fig*) sweet ▶ *gern ~ essen* to have a sweet tooth; *das ~e Leben* the good life; *(mein) S~er/meine S~e* (*col*) my sweetheart.

Süße *f no pl* (*lit, fig*) sweetness.

süßen [1] *vt* to sweeten; (*mit Zucker*) *Tee, Kaffee* to sugar.
[2] *vi mit Honig etc* ~ to use honey *etc* as a sweetener.

Süßholz *nt* liquorice (*Brit*), licorice (*US*) ▶ *~ raspeln* (*fig*) to turn on the blarney.

Süßigkeit *f* [a] *no pl* (*lit, fig*) sweetness. [b] ~**en** *pl* sweets *pl* (*Brit*), candy (*US*).

Süßkirsche *f* sweet cherry.

süßlich *adj* sweetish; (*unangenehm süß, fig*) *Geschmack, Töne, Miene* sickly sweet; (*kitschig*) mawkish.

Süß-: ~**most** *m* unfermented fruit juice; **s~sauer** *adj* sweet-and-sour; *Gurken etc* pickled; (*fig: gezwungen*) *Lächeln* forced; *Miene* artificially friendly; ~**speise** *f* sweet dish; ~**stoff** *m* sweetener; ~**waren** *pl* confectionery *sing*, ~**warengeschäft** *nt* sweetshop (*Brit*), candy store (*US*); ~**wasser** *nt* freshwater; ~**wasserfisch** *m* freshwater fish.

SV [ɛs'fau] *m* = **Sportverein**.

SW = **Südwesten** SW.

Swahili *nt* -, *no pl* (*Sprache*) Swahili; *siehe* **Deutsch(e)**.

Swasiland *nt* Swaziland.

SWF [ɛs'veː|'ɛf] *m* = **Südwestfunk**.

Swimming-pool ['svɪmɪŋpuːl] *m* -s swimming pool.

Sydney ['zɪdnɪ] *nt* Sydney.

Sylvester *nt* - = **Silvester**.

Symbiose *f* -n symbiosis.

Symbol *nt* -e symbol.

symbolhaft *adj* symbolic.

Symbolik *f* symbolism.

symbolisch *adj* symbolic (*für* of).

symbolisieren* *vt* to symbolize.

Symbolismus *m* symbolism.

Symmetrie *f* symmetry.

symmetrisch *adj* symmetrical.

Sympathie [zvmpa'tiː] *f* (*Zuneigung*) liking; (*Mitgefühl, Solidaritätsgefühl*) sympathy ▶ *für jdn/etw ~ haben* to have a liking for/a certain amount of sympathy with sb/sth; *durch seine Unverschämtheit hat er sich* (*dat*) *alle ~(n) verscherzt* he has turned everyone against him with his impertinence.

Sympathie-: ~**kundgebung** *f* demonstration of support; ~**streik** *m* sympathy strike.

Sympathisant(in *f*) *m* sympathizer.

sympathisch *adj* pleasant, nice ▶ *er ist mir ~* I like him.

sympathisieren* *vi* to sympathize (*mit* with).

Symphonie [zvmfo'niː] *f* symphony.

symphonisch *adj* symphonic.

Symposium [zvm'poːziʊm] *nt, pl* **Symposien** [zvm'poːziən] symposium.

Symptom *nt* -e symptom.

symptomatisch *adj* symptomatic (*für* of).

Synagoge *f* -n synagogue.

synchron [zvn'kroːn] *adj* synchronous.

Synchrongetriebe [zvn'kroːn-] *nt* (*Aut*) synchromesh gearbox (*Brit*) *or* transmission (*US*).

Synchronisation [zvnkroniza'tsioːn] *f* (*Film, TV*) dubbing; (*Tech*) synchronization.

synchronisieren* [zvnkroni'ziːrən] *vt Film* to dub; (*Tech*) to synchronize.

Synchronschwimmen *nt* synchronized swimming.

Syndikat *nt* (*Kartell*) syndicate.

Syndrom *nt* -e syndrome.

Synkope [zvn'koːpə] *f* -n (*Mus*) syncopation.

---

synkopieren* *vt* to syncopate.

Synode *f* **-n** (*Eccl*) synod.

Synonym [zyno'ny:m] *nt* **-e** synonym.

synonym [zyno'ny:m] *adj* synonymous.

Synonymwörterbuch *nt* dictionary of synonyms, ≈ thesaurus.

syntaktisch *adj* syntactic(al).

Syntax *f no pl* syntax.

Synthese *f* **-n** synthesis.

Synthesizer ['sɪntəsaizɐ] *m* - synthesizer.

Synthetik *f no pl* (*Kunstfaser*) synthetic fibre.

synthetisch *adj* synthetic.

Syphilis ['zy:filɪs] *f no pl* syphilis.

Syrer(in *f*) *m* - Syrian.

Syrien ['zy:riən] *nt* Syria.

syrisch *adj* Syrian.

System [zʏs'te:m] *nt* **-e** system ▶ *etw mit ~ machen* to do sth systematically; *hinter dieser Sache steckt ~* there's method behind it; *~ in etw* (*acc*) *bringen* to get some system into sth; *ein ~ von Straßen/Kanälen* a road/canal system.

System-: **~analyse** *f* (*Comp*) systems analysis; **~analytiker** *m* (*Comp*) systems analyst.

Systematik *f no pl* system.

systematisch *adj* systematic.

systematisieren* *vt* to systematize.

System-: **~diskette** *f* (*Comp*) systems disk; **~kritiker** *m* critic of the system; **s~kritisch** *adj* critical of the system; **~zwang** *m* obligation to conform (to the system).

Szene *f* **-n** (*Theat, fig, col: Drogen~ etc*) scene; (*Theat: Bühnenausstattung*) set; (*col: Milieu*) subculture ▶ *hinter der ~* backstage; (*fig*) behind the scenes; *etw in ~ setzen* (*lit, fig*) to stage sth; *sich in ~ setzen* to play to the gallery; *die ~ beherrschen* (*fig*) to dominate the scene (*gen* in); (*meistern*) to control things; *sich in der ~ auskennen* (*col*) to know the scene; *(jdm) eine ~ machen* to make a scene (in front of sb).

Szenenwechsel *m* scene change.

Szenerie *f* (*Theat, fig*) scenery.

Szepter ['stsɛptɐ] *nt* - sceptre (*Brit*), scepter (*US*).

T

T, t [te:] nt -, - T, t ▶ *T wie Theodor* ≃ T for Tommy.

t = Tonne.

Tabak ['ta:bak, 'tabak] m -e tobacco; (Schnupf~) snuff.

Tabak- in cpds tobacco; **~händler** m tobacconist; **~laden** m tobacconist's (Brit), tobacco store (US).

Tabaks-: **~beutel** m tobacco pouch; **~dose** f tobacco tin; **~pfeife** f pipe.

Tabak-: **~steuer** f duty on tobacco; **~waren** pl tobacco goods.

tabellarisch ⓵ adj tabular; Lebenslauf in tabular form. ⓶ adv in tables/a table.

Tabelle f table; (Diagramm) chart; (Sport) (league) table.

Tabellen-: **~form** f: in **~form** in tabular form; (als Diagramm) as a chart; **~führer** m (Sport) league leaders pl; **~kalkulation** f (Comp) spreadsheet; **~platz** m (Sport) position in the league.

Tablett nt -s or -e tray ▶ jdm etw auf einem silbernen ~ servieren (fig: einfach machen) to hand sb sth on a plate.

Tablette f tablet, pill.

Tabu nt -s taboo.

tabu adj pred taboo.

tabuisieren* vt to make taboo.

Tabulator m tabulator, tab (col).

tabulieren vt Spalten, Text to tab (col).

Tach(e)les no art (col) (mit jdm) ~ reden to have a frank talk with sb.

Tacho m -s (col) speedo (Brit col), speedometer.

Tachometer m or nt - speedometer.

Tadel m - (Verweis) reprimand; (Vorwurf) reproach; (Kritik) criticism; (geh: Makel) blemish; (Sch: Eintrag) black mark ▶ ein Leben ohne jeden ~ (geh) a spotless life.

tadellos ⓵ adj perfect; (col) splendid. ⓶ adv perfectly; gekleidet immaculately.

tadeln vt jdn to reprimand; jds Benehmen to criticize.

tadelnd adj attr reproachful.

tadelnswert adj (geh) reprehensible.

Tadels|antrag m (Parl) motion of censure.

Tafel f -n ⓐ (Platte) slab; (Holz~) panel; (Wand~) (black)board; (Schreib~) slate; (Schokoladen~) bar; (Gedenk~) plaque; (Elec: Schalt~) control panel, console; (Anzeige~) board. ⓑ (Bildseite) plate. ⓒ (form: festlicher Speisetisch) table; (Festmahl) meal; (mittags) luncheon (form); (abends) dinner ▶ die ~ aufheben to officially end the meal.

Tafel-: **~apfel** m eating apple; **~besteck** nt (best) silver; **t~fertig** adj ready to serve; **~freuden** pl culinary delights pl; **~geschirr** nt tableware; **~lappen** m (blackboard) duster.

tafeln vi (geh) to feast.

täfeln vt to panel.

Tafel-: **~obst** nt (dessert) fruit; **~öl** nt cooking/salad oil; **~salz** nt table salt; **~silber** nt silver.

Täf(e)lung f siehe **täfeln** (wooden) panelling (Brit) or paneling (US).

Tafel-: **~wasser** nt mineral water; **~wein** m table wine.

Taft m -e taffeta.

Tag m -e ⓐ day ▶ an dem/diesem ~ on that/this day; am ~(e) des/der ... (on) the day of ...; am ~ during the day; alle ~e (col), jeden ~ every day; am vorigen ~(e) the day before; auf den ~ (genau) to the day; auf ein paar ~e for a few days; auf seine alten ~e in his old age; den ganzen ~ (lang), den lieben langen ~ (lit, fig) all day long; eines ~es one day; sich (dat) einen schönen/faulen ~ machen to have a nice/lazy day; ~ für ~ day by day; von ~ zu ~ from day to day; welcher ~ ist heute? what day is it today?; guten ~! hello; (esp bei Vorstellung) how do you do; (vormittags auch) good morning; (nachmittags auch) good afternoon; ~! (col) hello, hi (col); zweimal am ~(e) or pro ~ twice a day; von einem ~ auf den anderen overnight; seinen guten/schlechten ~ haben to have a good/bad day; in den ~ hinein leben to take each day as it comes; ~ und Nacht night and day; bei ~(e) ankommen while it's light; arbeiten, reisen during the day; es wird schon ~ it's getting light already; an den ~ kommen (fig) to come to light; er legte großes Interesse an den ~ he showed great interest.

ⓑ (col: Menstruation) ihre ~e her period.

ⓒ (Min) über/unter ~ arbeiten to work above/below ground.

tag|aus adv ~, tagein day in, day out.

Tagdienst m day duty.

Tage-: **~bau** m -e (Min) open-cast mining; **~blatt** nt daily (news)paper; **~buch** nt diary; (über etw acc) ~buch führen to keep a diary (of sth); **~dieb** m (dated) idler; **~geld** nt daily allowance.

tag|ein adv siehe **tagaus**.

Tage-: **t~lang** adj lasting for days; t~lange Regenfälle several days' rain; er war t~lang verschwunden he disappeared for days; **~löhner(in** f) m - day labourer (Brit) or laborer (US).

tagen ⓵ vi impers (geh) es tagt day is breaking. ⓶ vi (konferieren) to meet; Parlament to sit.

Tages-: **~ablauf** m day, daily routine; **~anbruch** m daybreak, dawn; **~arbeit** f day's work; **~ausflug** m day trip; **~bedarf** m daily requirement; **~creme** f day cream; **~decke** f bedspread; **~fahrt** f day trip; **~fragen** pl issues of the day; **~geld** nt (Fin) overnight money; **~geschehen** nt events pl of the day; **~gespräch** nt talk of the town; **~karte** f ⓐ (Speisekarte) menu of the day; ⓑ (Fahr-, Eintrittskarte) day ticket; **~kasse** f ⓐ (Theat) box office; ⓑ (Econ) day's takings pl; **~klinik** f day clinic; **~kurs** m (St Ex) (von Effekten) current price; (von Devisen) current rate; **~lauf** m day; **~leistung** f daily workload; (von Maschine, Schriftsteller etc) daily output; **~licht** nt no pl daylight; ans ~licht kommen (fig) to come to light; **~lichtprojektor** m overhead projector; **~lohn** m day's wages; **~marsch** m day's march; **~menü** nt menu of the day; **~mutter** f childminder; **~nachrichten** pl (today's) news sing, **~ordnung** f agenda; etw auf die ~ordnung setzen to put sth on the agenda; auf der ~ordnung stehen to be on the agenda; zur ~ordnung übergehen to proceed to the agenda; (wie üblich weitermachen) to carry on as usual; an der ~ordnung sein (fig) to be the order of the day; **~ordnungspunkt** m item on the agenda; **~presse** f daily newspapers pl; **~ration** f daily rations pl; **~reise** f ⓐ (Entfernung) day's journey; ⓑ (Ausflug) day trip;

⚠: Informationen zur Rechtschreibreform im Anhang

~satz *m* daily rate; **~stätte** *f* (*für Kinder*) day nursery (*Brit*), daycare centre (*esp US*); **~tour** *f* = **~fahrt**; **~zeit** *f* time (of day); *zu jeder* **~-** *und Nachtzeit* at all hours of the day and night; **~zeitung** *f* daily (paper).

Tage-: t~weise *adv* on a daily basis; **~werk** *nt* (*geh*) day's work.

taghell *adj* (as) bright as day ▶ *es war schon* **~** it was already broad daylight.

tägl. = **täglich**.

täglich ⬚1 *adj* daily; (*attr: gewöhnlich*) everyday ▶ *das reicht gerade fürs* **~e** *Leben* it's just about enough to get by on; *sein* **~(es)** *Brot verdienen* to earn a living. ⬚2 *adv* every day ▶ *einmal* **~** once a day.

tags *adv* **~** *zuvor* the day before, the previous day; **~** *darauf or danach* the next *or* following day.

Tagschicht *f* day shift ▶ **~** *haben* to be on day shift.

tags|über *adv* during the day.

Tag-: t~täglich ⬚1 *adj* daily; ⬚2 *adv* every (single) day; **~traum** *m* daydream; **~träumer** *m* daydreamer; **~- und Nachtdienst** *m* twenty-four hour service; **~undnachtgleiche** *f* equinox.

Tagung *f* conference; (*von Ausschuß*) sitting, session.

Tagungsort *m* venue (of a/the conference).

Tahiti *nt* Tahiti.

Taifun *m* **-e** typhoon.

Taille ['taljə] *f* **-n** waist ▶ *auf seine* **~** *achten* to watch one's waistline.

Taillenweite ['taljən-] *f* waist measurement.

tailliert [ta'jiːɐt] *adj* waisted, gathered at the waist.

Taiwan *nt* Taiwan.

Taiwanese *m* wk **-n, -n, Taiwanesin** *f* Taiwanese.

taiwanesisch *adj* Taiwan(ese).

Takel *nt* **-** (*Naut*) tackle.

Takelage [takə'laːʒə] *f* **-n** (*Naut*) rigging, tackle.

takeln *vt* (*Naut*) to rig.

Takt *m* **-e** ⬚a (*Mus*) bar; (*Phon, Poet*) foot. ⬚b (*Rhythmus*) time ▶ *den* **~** *schlagen* to beat time; *gegen den* **~** out of time; *den* **~** *angeben* to give the beat, to beat time. ⬚c (*Aut*) stroke. ⬚d (*Ind*) phase. ⬚e *no pl* (*~gefühl*) tact.

takten *vt* (*Comput*) to clock ▶ *ein mit 60 mhz getakteter Prozessor* a processor with a clock speed of 60 mhz.

Taktgefühl *nt* ⬚a (sense of) tact. ⬚b (*Mus*) sense of rhythm.

taktieren* *vi* to manoeuvre (*Brit*), to maneuver (*US*) ▶ *klug* **~** to use clever tactics; *so kann man nicht* **~** you can't use those tactics.

Taktik *f* tactics *pl* ▶ *eine* **~** tactics *pl*.

Taktiker(in *f*) *m* - tactician.

taktisch *adj* tactical ▶ **~** *klug vorgehen* to use clever tactics.

Takt-: t~los *adj* tactless; **~losigkeit** *f* tactlessness; **~stock** *m* baton; **~strich** *m* (*Mus*) bar (line).

Taktverkehr *m* (*Rail etc*) regular service ▶ *die Züge fahren im* **~** the trains go at regular intervals; *einstündiger* **~** service at hourly intervals.

taktvoll *adj* tactful.

Tal *nt* ⁼er valley.

tal|ab(wärts) *adv* down into the valley.

Talar *m* **-e** (*Univ*) gown; (*Jur, Eccl*) robe(s).

tal|aufwärts *adv* up the valley.

Tal-: ~brücke *f* bridge over a valley; **~enge** *f* gorge.

Talent *nt* **-e** ⬚a (*Begabung*) talent (*zu* for) ▶ *ein großes* **~** *haben* to be very talented; *sie hat viel* **~** *zum Singen/zur Schauspielerin* she has a great talent for singing/acting. ⬚b (*Mensch*) talented person ▶ *ein großes* **~** *sein* to be very talented; *junge* **~e** young talent.

talentiert *adj* talented, gifted.

Talfahrt *f* descent; (*fig*) decline.

Talg *m* **-e** tallow; (*Cook*) suet; (*Haut~*) sebum.

Talisman *m* **-e** talisman, (lucky) charm; (*Maskottchen*) mascot.

Talk *m* *no pl* talc(um).

Talkessel *m* basin, hollow.

Talkshow ['tɔkʃoː] *f* **-s** (*TV*) talk show, chat show (*Brit*).

Tal-: ~senke *f* hollow (of a/the valley); **~sohle** *f* bottom of a/the valley; (*fig*) rock bottom; *in der* **~sohle** (*fig*) at rock bottom; **~sperre** *f* dam; **t~wärts** *adv* down to the valley.

Tambour ['tambuːɐ] *m* **-e** drummer.

Tamburin *nt* **-e** tambourine.

Tampon *m* **-s** tampon.

tamponieren* *vt* (*Med*) to plug, to tampon.

Tamtam *nt* **-s** ⬚a (*Mus*) tomtom. ⬚b (*col: Wirbel*) fuss, ballyhoo (*col*); (*Lärm*) din (*col*).

Tand *m* *no pl* (*liter*) knick-knacks *pl*; (*fig*) dross.

tändeln *vi* (*liter*) (*flirten*) to flirt; (*herumspielen*) to play around; (*trödeln*) to dilly-dally.

Tandem *nt* **-s** tandem.

Tang *m* **-e** seaweed.

Tanga *m* **-s** mini-bikini.

Tangens ['taŋgɛns] *m* - (*Math*) tan(gent).

Tangente [taŋ'gɛntə] *f* **-n** (*Math*) tangent; (*Straße*) bypass.

Tanger ['taŋɐ, 'tandʒɐ] *nt* Tangier(s).

tangieren* [taŋ'giːrən] *vt* *Problem* to touch on; (*betreffen*) to affect; (*col: kümmern*) to bother.

Tango ['taŋgo] *m* **-s** tango.

Tank *m* **-s** *or* **-e** tank.

Tank-: ~anzeige *f* fuel gauge; **~deckel** *m* = **~verschluß**.

tanken *vti* ⬚a (*bei Auto*) to fill up; (*bei Rennwagen, Flugzeug*) to refuel ▶ *wo kann man hier* **~?** where can I get petrol (*Brit*) *or* gas (*US*) around here?; *wir hielten an, um zu* **~** we stopped for petrol/gas; *ich tanke bleifrei* I use unleaded; *ich tanke nur 10 Liter/für 10 Mark* I'll just put in 10 litres/10 marks' worth. ⬚b (*col*) *frische Luft, neue Kräfte* to get ▶ *er hat ganz schön getankt* he's really tanked up (*col*).

Tanker *m* - (*Naut*) tanker.

Tank-: ~fahrzeug *nt* (*Aut*) tanker; **~lager** *nt* oil depot; (*für Benzin*) petrol (*Brit*) *or* gasoline (*US*) depot; **~laster, ~lastzug** *m* tanker; **~säule** *f* petrol pump (*Brit*), gas(oline) pump (*US*); **~schiff** *nt* tanker; **~stelle** *f* petrol (*Brit*) *or* gas(oline) (*US*) station; **~uhr** *f* fuel gauge; **~verschluß** *m* fuel cap; **~wagen** *m* tanker; (*Rail*) tank wagon or car; **~wart** *m* petrol pump (*Brit*) *or* gas station (*US*) attendant.

Tanne *f* **-n** fir, pine; (*Holz*) pine.

Tannen-: ~baum *m* fir tree, pine tree; (*Weihnachtsbaum*) Christmas tree; **~nadel** *f* pine needle; **~wald** *m* pine forest; **~zapfen** *m* fir cone, pine cone.

Tannin *nt* *no pl* tannin.

Tansania *nt* Tanzania.

Tansanier(in *f*) [tan'zaːniɐ, -ərɪn] *m* - Tanzanian.

tansanisch *adj* Tanzanian.

Tante *f* **-n** ⬚a (*Verwandte*) aunt. ⬚b (*pej col: Frau*) old girl (*col*). ⬚c (*baby-talk: Frau*) lady.

Tante-Emma-Laden *m* (*col*) corner shop.

tantenhaft *adj* ⬚a (*col*) old-maidish. ⬚b (*pej: betulich*) twee.

Tantieme [tã'tieːmə] *f* **-n** fee; (*für Künstler*) royalty.

Tanz *m* ⁼e dance ▶ *dort ist heute abend* **~** there's a dance there this evening; *jdn zum* **~** *auffordern* to ask sb to dance.

Tanz-: ~abend *m* dance; **~bar** *f* bar with dancing; **~bär** *m* dancing bear; **~bein** *nt: das* **~bein** *schwingen* (*hum*) to shake a leg (*hum*); **~boden** *m* (*~fläche*) dance floor; (*Saal*) dance hall; **~café** *nt* café with dancing.

T · Z

tänzeln *vi aux haben or (bei Richtungsangabe) sein* to mince; *(Boxer)* to skip; *(Pferd)* to step delicately.

tanzen *vti aux haben or (bei Richtungsangabe) sein* to dance; *(auf dem Wasser)* to bob; *(Kreisel)* to spin; *(hüpfen)* to hop ▶ **~ gehen** to go dancing; *Tango/Walzer* **~** to (dance the) tango/to waltz.

Tänzer(in *f) m* - dancer; *(Partner)* (dancing) partner.

tänzerisch *adj* dance-like ▶ **~ begabt** or **veranlagt sein** to have a talent for dancing; *sein* **~es Können** his dancing ability.

Tanz-: **~fläche** *f* dance floor; **~gruppe** *f* dance group; **~kapelle** *f* dance band; **~kurs(us)** *m* dancing class *or* course; **~lehrer** *m* dancing teacher; **~lokal** *nt* café with dancing; **~musik** *f* dance music; **~saal** *m* dance hall; *(in Hotel etc)* ballroom; **~schritt** *m* (dance) step; **~schule** *f* dancing school; **~sport** *m* competitive dancing; **~stunde** *f* dancing lesson; **~turnier** *nt* dancing competition.

tapern *vi (col)* to totter.

Tapet *nt: etw aufs* **~ bringen** *(col)* to bring sth up; *aufs* **~ kommen** *(col)* to be brought up.

Tapete *f* **-n** wallpaper *no pl* ▶ *die* **~n wechseln** *(fig col)* to have a change of surroundings.

Tapeten-: **~bahn** *f* strip of wallpaper; **~rolle** *f* roll of wallpaper; **~wechsel** *m (col)* change of surroundings.

tapezieren* *vt* to (wall)paper ▶ *neu* **~** to repaper.

Tapezierer *m* - paperhanger, decorator.

tapfer *adj* brave, courageous; *(wacker)* steadfast ▶ *sich* **~ schlagen** *(col)* to put on a brave show; *sich* **~ halten** to be brave.

Tapferkeit *f siehe adj* bravery, courage; steadfastness.

tappen *vi* a *aux sein (gehen)* to go/come falteringly; *(Bär)* to lumber ▶ *mit* **~den Schritten gehen** to walk with a heavy tread; *in eine Falle* **~** *(fig)* to stumble into a trap. b *(tasten)* *nach etw* **~** to grope for sth; *im dunkeln* **~** *(fig)* to grope in the dark.

täppisch *adj* = **tapsig.**

tapsen *vi aux sein (col)* = **tappen (a).**

tapsig *adj (col)* awkward, clumsy.

Tara *f, pl* **Taren** *(Comm)* tare.

Tarantel *f* **-n** tarantula ▶ *wie von der* **~ gestochen** as if stung by a bee.

Tarif *m* **-e** rate; *(Wasser~, Gas~ etc auch)* tariff; *(Gebühr auch)* charge; *(Verkehrs~)* fares *pl*; *(Lohn~)* wage rate; *(Gehalts~)* salary scale ▶ *die Gewerkschaft hat die* **~e gekündigt** the union has put in a new wage claim; *nach/über/unter* **~ bezahlen** to pay according to/above/below the (union) rate(s).

Tarif-: **~abschluß** ⚠ *m* wage settlement; **~autonomie** *f* free collective bargaining; **~gruppe** *f* grade; **~kommission** *f* joint working party on pay.

tariflich *adj* agreed, union ▶ *der* **~e Mindestlohn** the agreed minimum wage.

Tarif-: **~lohn** *m* standard wage; **~ordnung** *f* pay scale; **~partner** *m die* **~partner** union and management; **~runde** *f* pay round; **~verhandlungen** *pl* pay negotiations *pl*; **~vertrag** *m* pay agreement.

tarnen 1 *vti* to camouflage; *(fig) Absichten, Identität etc* to disguise.
2 *vr (Tier)* to camouflage itself; *(Mensch)* to disguise oneself.

Tarnfarbe *f* camouflage colour *(Brit) or* color *(US)/* paint.

Tarnung *f* camouflage; *(von Agent etc)* disguise.

Tarock *m or nt* **-s** tarot.

Tasche *f* **-n** a *(Hand~)* bag *(Brit)*, purse *(US)*; *(Reise~, Schul~ etc)* bag; *(Akten~)* (brief)case; *(Backen~)* pouch. b *(bei Kleidungsstücken)* pocket ▶ *in die eigene* **~ wirtschaften** to line one's own pockets; *etw in der* **~ haben** *(col)* to have sth in the bag *(col)*; *jdm das Geld aus der*

~ ziehen to get sb to part with his money; *etw aus der eigenen* **~ bezahlen** to pay for sth out of one's own pocket; *jdm auf der* **~ liegen** *(col)* to live off sb; *die Hände in die* **~n stecken** *(lit)* to put one's hands in one's pockets; *(fig)* to stand idly by; *jdn in die* **~ stecken** *(col)* to put sb in the shade *(col)*.

Taschen-: **~ausgabe** *f* pocket edition; **~buch** *nt* paperback (book); **~dieb** *m* pickpocket; **~diebstahl** *m* pickpocketing; **~format** *nt* pocket size; **~geld** *nt* pocket money; **~lampe** *f* torch *(Brit)*, flashlight *(US)*; **~messer** *nt* pocket knife, penknife; **~rechner** *m* pocket calculator; **~schirm** *m* collapsible umbrella; **~spieler** *m* conjurer; **~spielertrick** *m (fig)* sleight of hand *no indef art, no pl*; **~tuch** *nt* handkerchief; *(aus Papier)* tissue; **~uhr** *f* pocket watch.

Tasmanien [-iən] *nt* Tasmania.

⚠ **Täßchen** *nt dim of* **Tasse** (little) cup ▶ *ein* **~ Kaffee** a quick cup of coffee.

Tasse *f* **-n** cup; *(Suppen~)* bowl ▶ *eine* **~ Kaffee** a cup of coffee; *er hat nicht alle* **~n im Schrank** *(col)* he's not all there.

Tastatur *f* keyboard.

Taste *f* **-n** key; *(Knopf an Gerät auch)* button ▶ *in die* **~n greifen** to strike up a tune; *auf die* **~n hauen** *(col)* to hammer away at the keyboard; *„* **~ drücken"** "push button".

tasten 1 *vi* to feel ▶ *nach etw* **~** *(lit, fig)* to feel *or* grope for sth; **~de Schritte** *(lit, fig)* tentative steps; **~de Fragen** *(fig)* tentative questions.
2 *vr* to feel *or* grope one's way.
3 *vti (drücken)* to press; *Telex, (Typ: setzen)* to key.

Tasten-: **~anschlag** *m* keystroke; **~feld** *nt (Comp)* keypad; **~instrument** *nt (Mus)* keyboard instrument; **~telefon** *nt* push-button telephone.

Tast-: **~organ** *nt* organ of touch; **~sinn** *m* sense of touch.

Tat *f* **-en** *(das Handeln)* action; *(Einzel~ auch)* act; *(Helden~, Un~)* deed; *(Leistung)* feat; *(Verbrechen)* crime ▶ *eine gute/böse* **~** a good/wicked deed; *etw in die* **~ umsetzen** to put sth into action; *zur* **~ schreiten** to act; *in der* **~** indeed; *(wider Erwarten)* actually.

tat *pret of* **tun.**

Tatbestand *m (Jur)* facts (of the case) *pl*.

Taten-: **~drang** *m* energy; **t~los** *adj* idle; *t~los herumstehen* to stand idly by; *wir mußten t~los zusehen* we could only stand and watch.

Täter(in *f) m* - culprit; *(Jur)* perpetrator *(form)* ▶ *als* **~ verdächtigt werden** to be a suspect; *wer war der* **~?** who did it?

Täterschaft *f* guilt ▶ *die* **~ leugnen/zugeben** to deny/admit one's guilt.

tätig *adj* a *attr* active ▶ **~e Nächstenliebe** practical charity; *in einer Sache* **~ werden** *(form)* to take action on a matter. b *(arbeitend)* **~ sein** to work; *er ist im Bankwesen* **~** he's in banking.

tätigen *vt (Comm)* to conclude; *(geh) Einkäufe* to carry out; *(geh) Anruf* to make.

Tätigkeit *f* activity; *(Beschäftigung)* occupation; *(Arbeit)* work; *(Beruf)* job ▶ *in/außer* **~ setzen** *Maschine* to start up/to stop.

Tätigkeits-: **~bereich** *m* field of activity; **~bericht** *m* progress report; **~beschreibung** *f* job description.

Tat-: **~kraft** *f no pl* energy, drive; **t~kräftig** *adj* energetic; *Hilfe* active.

tätlich *adj* violent ▶ *gegen jdn* **~ werden** to assault sb.

Tätlichkeiten *pl* violence *sing* ▶ *es kam zu* **~** there were violent scenes.

Tat|ort *m* scene of the crime.

tätowieren* *vt* to tattoo.

Tätowierung *f* tattooing; *(Darstellung)* tattoo.

⚠: Informationen zur Rechtschreibreform im Anhang

▼ **Tatsache** f fact ▶ **~?** (col) really?, no!; **das ist ~** (col) that's a fact; **jdn vor vollendete ~n stellen** to present sb with a fait accompli.

Tatsachenbericht m documentary (report).

tatsächlich ⓵ adj attr real, actual.
⓶ adv actually, really, in fact ▶ **willst du das ~ tun?** are you really or actually going to do it?; **da kommt er! — ~!** he's coming! — so he is!

tätscheln vt to pat.

Tattergreis m (pej col) old dodderer (pej).

tatt(e)rig adj (col) Mensch doddery; Hände, Schriftzüge shaky.

Tat-: ~verdacht m suspicion (of having committed a crime); **unter ~verdacht stehen** to be under suspicion; **t~verdächtig** adj suspected.

Tatze f -n (lit, fig) paw.

Tau¹ m no pl dew.

Tau² nt -e (Seil) rope; (Naut auch) hawser.

taub adj deaf; Glieder numb; Ähre unfruitful; Nuß empty ▶ **sich ~ stellen** to pretend not to hear; **gegen or für etw ~ sein** (fig) to be deaf to sth.

Taube f -n (Zool) pigeon; (Turtel~, fig) dove.

Taubenschlag m dovecot(e) ▶ **hier geht es zu wie im ~** (fig) it's like Waterloo Station here (Brit col), it's like Grand Central Station here (US col).

Taube(r) mf decl as adj deaf person ▶ **die ~n** the deaf.

Taubheit f deafness; (von Körperteil) numbness.

Taub-: t~stumm adj deaf and dumb, deaf-mute attr; **~stumme(r)** mf deaf-mute.

tauchen ⓵ vi ⓐ aux haben or sein to dive (nach for); (als Sport auch) to skin-dive; (kurz ~) to duck under; (unter Wasser sein) to stay under water; (U-Boot auch) to submerge. ⓑ aux sein (fig: auf~) to emerge (aus out of, from).
⓶ vt (kurz ~) to dip; Menschen, Kopf to duck; (ein~) to immerse.

Taucher(in f) m - diver.

Taucher-: ~anzug m diving suit; **~brille** f diving goggles pl; **~glocke** f diving bell.

Tauch-: ~sieder m - portable immersion heater; **~sport** m (skin-)diving; **~station** f **auf ~station gehen** (U-Boot) to dive; (fig: sich zurückziehen) to make oneself scarce; **auf ~station sein** (U-Boot) to be submerged.

tauen vti (vi: aux haben or sein) (Schnee) to melt, to thaw ▶ **es taut** it is thawing.

Taufbecken nt font.

Taufe f -n baptism; (Kindes~ auch) christening; (Schiffs~) launching (ceremony).

taufen vt to baptize; (nennen) Kind, Schiff etc to christen ▶ **sich ~ lassen** to be baptized; **jdn auf den Namen Rufus ~** to christen sb Rufus.

Täufer m -: **Johannes der ~** John the Baptist.

Täufling m child/person to be baptized.

Tauf-: ~pate m godfather; **~patin** f godmother; **~schein** m certificate of baptism; **~zeuge** m godparent.

taugen vi ⓐ (geeignet sein) to be suitable (zu, für for) ▶ **er taugt zu gar nichts** he is useless; **er taugt nicht zum Arzt** he wouldn't make a good doctor. ⓑ (wert sein) **etwas ~** to be all right; **nicht viel** or **wenig/nichts ~** to be not much good/to be no good.

Taugenichts m -e good-for-nothing.

tauglich adj (zu for) suitable; (Mil) fit.

Tauglichkeit f suitability; (Mil) fitness (for service).

Taumel m no pl (geh: Schwindel) (attack of) dizziness; (liter: Rausch) frenzy ▶ **wie im ~** in a daze.

taumeln vi aux sein to stagger; (zur Seite) to sway.

Tausch m -e exchange, swap; (~handel) barter ▶ **im ~ gegen etw** in exchange for sth; **einen guten/schlechten ~ machen** to get a good/bad deal.

tauschen ⓵ vt (gegen for) to exchange, to swap; Güter to barter; (aus~) Briefmarken etc to swap; Geld to change (in +acc into).
⓶ vi to swap; (in Handel) to barter ▶ **ich möchte nicht mit ihm ~** I wouldn't like to be in his place.

täuschen ⓵ vt to deceive; Vertrauen to betray ▶ **wenn mich mein Gedächtnis nicht täuscht** if my memory serves me right; **wenn mich nicht alles täuscht** unless I'm completely wrong.
⓶ vr to be ˈ¯ong or mistaken (in +dat, über +acc about).
⓷ vi (irreführen: ˈ¯ssehen etc) to be deceptive.

täuschend ⓵ adj ˈachahmung remarkable; Ähnlichkeit auch striking.
⓶ adv sich (dat) ~ **ähnlich sehen/sein** to look/be remarkably alike or almost identical.

Tausch-: ~geschäft nt exchange; (Handel) barter; **~handel** m barter.

Täuschung f ⓐ (das Täuschen) deception. ⓑ (Irrtum) mistake, error; (falsche Wahrnehmung) illusion; (Selbst~) delusion ▶ **er gab sich einer ~** (dat) **hin** he was deluding himself.

Täuschungsmanöver nt (Sport) feint; (col) ploy.

Tausend nt -e thousand; siehe **Hundert**.

tausend num a or one thousand; siehe **hundert**.

Tausender m - ⓐ (Zahl) **ein ~** a figure in the thousands; **die ~** the thousands. ⓑ (Geldschein) thousand(-mark/dollar etc note).

tausenderlei adj inv a thousand kinds of.

Tausend-: ~füßler m - centipede; **~jahrfeier** f millenary (celebrations); **t~jährig** adj attr thousand-year-old; (t~ Jahre lang) thousand-year (long); **t~mal** adv a thousand times; **~sas(s)a** m -s (col) hell of a guy (col).

tausendste(r, s) adj thousandth.

Tau-: ~tropfen m dewdrop; **~werk** nt no pl (Naut) rigging; **~wetter** nt thaw; **es ist ~wetter** it is thawing; **~ziehen** nt no pl (lit, fig) tug of war.

Taxi nt -s taxi, cab ▶ **~ fahren** to drive a taxi; (als Fahrgast) to go by taxi.

taxieren* vt Preis, Wert to estimate (auf +acc at); Haus, Gemälde etc to value (auf +acc at) ▶ **er hat mich richtiggehend taxiert** (fig) he looked me up and down.

Taxi-: ~fahrer m taxi or cab driver, cabby (col); **~fahrt** f taxi ride; **~stand** m taxi rank (Brit) or stand (US).

Tb [teːˈbeː] **-s** = **Tuberkulose** TB.

Teak(holz) [ˈtiːk-] nt teak ▶ **ein Tisch aus ~** a teak table.

Team [tiːm] nt -s team.

Team|arbeit f teamwork.

Technik f ⓐ (no pl: Technologie) technology. ⓑ (Arbeitsweise, Verfahren) technique. ⓒ (no pl: Funktionsweise) workings pl, mechanics pl.

Techniker(in f) m - engineer; (Beleuchtungs~, Labor~, fig: Fußballspieler, Künstler) technician.

Technikum nt, pl **Technika** technical college.

technisch adj technical; (technologisch) technological ▶ **er ist ~ begabt** he is technically minded; **~e Daten** (technical) specification; **T~e Fachschule/Hochschule** technical college/university.

Techno [ˈtɛkno] m - no pl (Mus) techno.

Technokrat(in f) m (wk) **-en, -en** technocrat.

Technologie f technology.

Technologiepark m science park.

technologisch adj ˈtechnological.

Techtelmechtel nt - (col) affair, carry-on (col).

Teddy [ˈtɛdi] m -s (auch **~bär**) teddy (bear).

TEE [teːeːˈeː] m -, -(s) = **Trans-Europ(a)-Express** Trans-Europe Express.

Tee m -s tea ▶ **einen im ~ haben** (col) to be tipsy (col).

Tee-: ~beutel m tea bag; **~gebäck** nt no pl sweet biscuits pl; **~glas** nt tea glass; **~kanne** f teapot; **~kessel**

➤ SATZBAUSTEINE: Tatsache → 6.1

m kettle; **~licht** *nt* night-light; **~löffel** *m* teaspoon; (*Menge*) teaspoonful; **~mischung** *f* blend of tea.

Teen [tiːn] *m* **-s** (*col*), **Teenager** ['tiːneːdʒɐ] *m* - teenager.

Teenetz *nt* tea filter.

Teeny ['tiːni] *m* **-**, **Teenies** (*col*) teenybopper (*col*).

Teepause *f* tea break.

Teer *m* **-e** tar.

Teerdecke *f* tarred (road) surface.

teeren *vt* to tar.

Teer-: **~gehalt** *m* tar content; **t~haltig** *adj* **eine wenig/stark t~haltige Zigarette** a low/high tar cigarette; **~pappe** *f* roofing felt.

Tee-: **~service** *nt* tea set; **~sieb** *nt* tea strainer; **~stube** *f* tearoom; **~tasse** *f* teacup.

Teheran *nt* Teheran.

Teich *m* **-e** pond.

Teichhuhn *nt* moorhen.

Teig *m* **-e** dough; (*Blätter~ etc*) pastry; (*Pfannkuchen~*) batter; (*in Rezepten auch*) mixture.

teigig *adj* doughy.

Teigwaren *pl* (*Nudeln*) pasta *sing*.

Teil¹ *m* **-e** [a] part ▶ **zum ~** partly; **zum größten ~** for the most part, mostly; **er hat die Bücher darüber zum großen/größten ~ gelesen** he has read many/most of the books about that. [b] (*auch nt: An~*) share ▶ **zu gleichen ~en erben** to get an equal share of an inheritance; **er hat seinen ~ dazu beigetragen** he did his bit *or* share; **sich** (*dat*) **sein(en) ~ denken** (*col*) to draw one's own conclusions. [c] (*auch nt*) **ich für mein(en) ~ ...** I, for my part ...

Teil² *nt* **-e** [a] part; (*Bestand~ auch*) component; (*Ersatz~*) spare, (spare) part ▶ **etw in seine ~e zerlegen** to take sth apart *or* to pieces. [b] = **Teil¹** (b, c).

Teil-: **t~bar** *adj* divisible; **~bereich** *m* part; **~betrag** *m* part (of an amount); (*auf Rechnung*) item; (*Rate*) instalment (*Brit*), installment (*US*); (*Zwischensumme*) subtotal.

Teilchen *nt* particle; (*dial: Gebäckstück*) small cake.

▼ **teilen** [1] *vt* [a] to divide (*durch* by) ▶ **geteilter Meinung sein** to have different opinions; **darüber sind die Meinungen geteilt** opinions differ *or* are divided on that. [b] (*auf~*) to share (out) (*unter +dat* amongst) ▶ **etw mit jdm ~** to share sth with sb. [c] (*an etw teilhaben*) to share ▶ **sie haben Freud und Leid miteinander geteilt** they shared the rough and the smooth; **sie teilten unser Schicksal** they shared our fate. [2] *vr* [a] (*in Gruppen*) to split up. [b] (*Straße, Fluß*) to fork, to divide; (*fig: Ansichten*) to differ. [c] **sich** (*dat*) **etw ~** to share sth; **teilt euch das!** share that between you. [3] *vi* to share ▶ **er teilt nicht gern** he doesn't like sharing.

Teil-: **~erfolg** *m* partial success; **~gebiet** *nt* (*Bereich*) branch; (*räumlich*) area; **t~haben** *vi sep irreg* (*geh*) **an etw** (*dat*) **t~haben** to have a part in sth; **~haber(in** *f*) *m* - (*Comm*) partner.

Teilkaskoversicherung *f* (*Insur*) ≃ third party, fire and theft (*Brit*).

Teilnahme *f no pl* [a] (*Anwesenheit*) attendance (*an +dat* at); (*Beteiligung*) participation (*an +dat* in). [b] (*Interesse*) interest (*an +dat* in); (*Mitgefühl*) sympathy ▶ **jdm seine herzliche ~ aussprechen** to offer sb one's heartfelt condolences.

teilnahmeberechtigt *adj* eligible.

teilnahms-: **~los** *adj* (*gleichgültig*) indifferent, apathetic; (*stumm leidend*) listless; **~voll** *adj* compassionate, sympathetic.

teilnehmen *vi sep irreg* **an etw** (*dat*) **~** (*sich beteiligen*) to take part in sth; **an einem Ausflug ~** to go on an outing; **am Unterricht ~** to attend school.

Teilnehmer(in *f*) *m* - participant; (*bei Wettbewerb*) competitor, contestant; (*Kurs~*) student.

teils *adv* partly ▶ **~ ..., ~ ...** partly ..., partly ...; **bist du zufrieden?** — **~, ~** are you happy? — sort of (*col*).

Teil-: **~strecke** *f* stage; (*von Straße*) stretch; (*bei Bus etc*) fare stage; **~stück** *nt* part.

Teilung *f* division.

teilweise [1] *adv* partly; (*manchmal*) sometimes ▶ **~ sind sie interessiert** some of them are interested. [2] *adj attr* partial.

Teilzahlung *f* hire-purchase (*Brit*), installment plan (*US*); (*Rate*) instalment (*Brit*), installment (*US*) ▶ **auf ~** on hire-purchase/the installment plan.

Teilzahlungs(kauf)vertrag *m* hire purchase agreement.

Teilzeit-: **~arbeit** *f* part-time job/work; **t~beschäftigt** *adj* employed part-time; **~kraft** *f* part-time worker.

Teint [tɛ̃ː] *m* **-s** complexion.

Tel. = **Telefon(nummer)** tel.

Tele-: **~arbeit** *f* telecommuting, teleworking; **~banking** *nt* telephone banking; **~fax** *nt* (*Kopie, Gerät*) fax; **t~faxen** *vti insep* to fax; **~faxgerät** *nt* fax machine.

Telefon *nt* **-e** (tele)phone ▶ **am ~** on the phone; **ans ~ gehen** to answer the phone.

Telefon- *in cpds* (tele)phone; **~anruf** *m* (tele)phone call; **~apparat** *m* telephone.

Telefonat *nt* (tele)phone call.

Telefon-: **~auskunft** *f* directory enquiries *pl*, information (*US*); **~buch** *nt* telephone directory, phone book (*col*); **~gebühr** *f* call charge; (*Grundgebühr*) telephone rental; **~gespräch** *nt* (tele)phone call; **~häuschen** *nt* (*col*) ≃ **~zelle**.

telefonieren* *vi* to make a (tele)phone call ▶ **er telefoniert gerade** he's on the phone; **bei jdm ~** to use sb's phone; **mit jdm ~** to speak to sb on the phone; **nach Hause ~** to phone *or* call (*esp US*) home; **ins Ausland ~** to make an international call; **nach Hamburg/Amerika ~** to call Hamburg/America.

telefonisch *adj* **~e Auskunft/Beratung** telephone information/advice service; **eine ~e Nachricht** a (tele)phone message; **jdm etw ~ mitteilen** to tell sb sth over the telephone; **etw ~ bestellen** to order sth on the phone *or* by phone; **ich bin ~ zu erreichen** I can be contacted by (tele)phone.

Telefonist(in *f*) *m* telephone operator; (*in Betrieb auch*) switchboard operator.

Telefon-: **~karte** *f* phonecard; **~leitung** *f* telephone line; **~netz** *nt* telephone network; **~nummer** *f* (tele)phone number; **~rechnung** *f* (tele)phone bill; **~seelsorge** *f* **die ~seelsorge** ≃ the Samaritans *pl*; **~verbindung** *f* telephone line; (*zwischen Orten*) telephone link; **~verkauf** *m* telesales; **~zelle** *f* (tele)phone box (*Brit*) *or* booth; **~zentrale** *f* (telephone) switchboard.

Telegraf *m* (*wk*) **-en, -en** telegraph.

Telegrafie *f* telegraphy.

telegrafieren* *vti* to telegram, to cable.

telegrafisch *adj* telegraphic ▶ **jdm ~ Geld überweisen** to wire sb money.

Telegramm *nt* **-e** telegram.

Tele-: **~heimarbeit** *f* telecommuting; **~kolleg** *nt* ≃ Open University (*Brit*); **~kommunikation** *f* telecommunications *pl*; **~konferenzschaltung** *f* teleconferencing; **~kopie** *f* fax; **~kopierer** *m* fax machine; **~marketing** *nt no pl* telemarketing; **~objektiv** *nt* (*Phot*) telephoto lens.

Telepathie *f* telepathy.

telepathisch *adj* telepathic.

Teleskop *nt* **-e** telescope.

Telespiel *nt* video game.

⚠: Informationen zur Rechtschreibreform im Anhang

Telex *nt* -e telex.
Teller *m* - plate ▶ *ein ~ Suppe* a plate of soup.
Tellerwäscher *m* dishwasher.
Tempel *m* - temple (*auch fig*).
Temperament *nt* [a] (*Wesensart*) temperament ▶ *ein hitziges ~ haben* to be hot-tempered. [b] *no pl* (*Lebhaftigkeit*) vitality, vivacity ▶ *viel/kein ~ haben* to have plenty of spirit/to lack spirit; *sein ~ ist mit ihm durchgegangen* his feelings got the better of him.
temperament-: *~los* *adj* lifeless; *~voll* *adj* vivacious, lively; *Aufführung auch* spirited.
Temperatur *f* temperature ▶ *erhöhte ~ haben* to have a temperature; *die ~en sind angestiegen/gesunken* the temperature has risen/fallen.
Temperatur-: *~anstieg* *m* rise in temperature; *~regler* *m* thermostat; *~rückgang* *m* fall in temperature; *~schwankung* *f* variation in temperature; *~sturz* *m* sudden drop in temperature.
temperieren* *vt* *etw ~* (*anwärmen*) to warm sth up; *der Raum ist angenehm temperiert* the room is at a pleasant temperature.
Tempo *nt* -s [a] (*Geschwindigkeit*) speed; (*Arbeits~, Schritt~ auch*) pace ▶ *~!* (*col*) hurry up!; *nun mach mal ein bißchen ~!* (*col*) get a move on! (*col*); *~ 100 fahren* to be doing 62 mph. [b] (*Mus*) *pl* **Tempi** tempo ▶ *das ~ angeben* (*fig*) to set the pace.
Tempo-: *~limit* *nt* speed limit; *~(taschen)tuch* ® *nt* paper handkerchief, tissue; *~überschreitung* *f* speeding.
Tendenz *f* trend; (*Neigung*) tendency; (*Absicht*) intention; (*no pl: Parteilichkeit*) bias, slant ▶ *die ~ haben, zu ...* to have a tendency to ...; *er hat nationalistische ~en* he has nationalist leanings.
tendenziell *adj* *eine ~e Veränderung* a change in direction; *nur ~e Unterschiede* merely differences in emphasis.
tendenziös *adj* tendentious.
tendieren* *vi* *dazu ~, etw zu tun* to tend to do sth; *nach rechts ~* to have right-wing leanings *or* tendencies.
Teneriffa *nt* Tenerife.
Tennis *nt* -, *no pl* tennis.
Tennis- *in cpds* tennis; *~platz* *m* tennis court; *~schläger* *m* tennis racket.
Tenor¹ *m* *no pl* tenor; (*einer Rede etc*) thrust.
Tenor² *m* -e (*Mus*) tenor.
Teppich *m* -e carpet; (*Wand~*) tapestry ▶ *etw unter den ~ kehren* (*lit, fig*) to sweep sth under the carpet.
Teppich-: *~boden* *m* fitted carpet(s); *~fliese* *f* carpet tile; *~kehrmaschine* *f* carpet-sweeper; *~klopfer* *m* carpet-beater.
Termin *m* -e date; (*für Fertigstellung*) deadline; (*Comm: Liefertag*) delivery date; (*bei Arzt, Besprechung etc*) appointment; (*Jur: Verhandlung*) hearing ▶ *die ~e besprechen* to discuss the schedule; *der letzte ~* the deadline; (*bei Bewerbung etc*) the closing date; *sich (dat) einen ~ geben lassen* to make an appointment; *schon einen anderen ~ haben* to have a prior engagement; *auf ~ kaufen* (*Fin*) to buy forward.
Terminal ['tœrminəl] *nt or m* -s terminal.
Termin-: *~börse* *f* futures market; *t~gemäß, t~gerecht* *adj, adv* on schedule; *~geschäfte* *pl* futures.
terminieren *vt* (*befristen*) to limit; (*festsetzen*) to set a date for.
Terminkalender *m* (appointments *or* engagements) diary.
terminlich *adj* *etw ~ einrichten* to fit sth in (to one's schedule); *~e Verpflichtungen* commitments.
Terminologie *f* terminology.
Termin-: *~planer* *m* personal organizer; *~planung* *f* time scheduling.

Termite *f* -n termite.
Terpentin *nt* -e turpentine; (*col: ~öl*) turps (*col*).
Terrain [te|rɛ:] *nt* -s land, terrain; (*fig*) territory ▶ *das ~ sondieren* (*Mil*) to reconnoitre (*Brit*) *or* reconnoiter (*US*) the terrain; (*fig*) to see how the land lies.
Terrarium *nt* terrarium.
Terrasse *f* -n terrace; (*Dach~*) roof garden.
terrassenförmig [1] *adj* terraced.
[2] *adv* in terraces.
Terrier ['tɛriɐ] *m* - terrier.
Terrine *f* tureen.
territorial *adj* territorial.
Territorium *nt* territory.
Terror *m* *no pl* terror; (*Terrorismus*) terrorism; (*~herrschaft*) reign of terror; (*Einschüchterung*) intimidation ▶ *blutiger ~* terrorism and bloodshed; *~ machen* (*col*) to raise hell (*col*).
Terror-: *~anschlag* *m* terrorist attack; *~herrschaft* *f* reign of terror.
terrorisieren* *vt* to terrorize.
Terrorismus *m* terrorism.
Terrorist(in *f*) *m* terrorist.
terroristisch *adj* terrorist *attr*.
Terror|organisation *f* terrorist organization.
Tertia ['tɛrtsia] *f*, *pl* **Tertien** ['tɛrtsiən] (*Sch dated*) (*Unter-/Ober~*) fourth/fifth year of German secondary school.
Tertianer(in *f*) [tɛrtsi'a:nɐ, -ərɪn] *m* - (*Sch dated*) pupil in fourth/fifth year of German secondary school.
Terz *f* -en (*Mus*) third; (*Fechten*) tierce.
Terzett *nt* -(e)s, -e (*Mus*) (vocal) trio.
Tesafilm ® *m* (type of) adhesive tape, ≈ Sellotape ® (*Brit*), Scotch tape ® (*esp US*).
Test *m* -s *or* -e test.
Testament *nt* [a] (*Jur*) will; (*fig*) legacy ▶ *sein ~ machen* to make one's will. [b] (*Bibl*) *Altes/Neues ~* Old/New Testament.
testamentarisch *adj* testamentary ▶ *etw ~ festlegen* to write sth in one's will.
Testamentsnachtrag *m* codicil.
Testamentsvollstrecker *m* executor.
Testbild *nt* (*TV*) testcard.
testen *vt* to test (*auf +acc* for) ▶ *jdn auf seine Intelligenz ~* to test sb's intelligence.
Test-: *~fahrer* *m* test driver; *~fall* *m* test case; *~person* *f* subject (of a test); *~pilot* *m* test pilot; *~stopp* *m* test ban.
Tetanus *m* *no pl* tetanus.
teuer *adj* expensive, dear *usu pred*; (*fig*) dear ▶ *etw ~ kaufen/verkaufen* to buy/sell sth for a high price; *etw für teures Geld kaufen* to pay good money for sth; *teurer werden* Milch, Porto etc to go up (in price); *in Tokio lebt man ~* life is expensive in Tokyo; *das wird ihn ~ zu stehen kommen* (*fig*) that will cost him dear; *einen Sieg ~ erkaufen* to pay dearly for a victory.
Teuerung *f* rise in prices.
Teuerungszulage *f* cost of living supplement.
Teufel *m* - [a] (*lit, fig*) devil. [b] (*col*) *scher dich zum ~!* go to hell! (*col!*); *jdn zum ~ jagen* to send sb packing (*col*); *wer zum ~?* who the devil (*col*) *or* the hell (*col!*)?; *zum ~ mit dem Ding!* damn (*col*) *or* blast (*col*) the thing!; *den ~ an die Wand malen* (*schwarzmalen*) to imagine the worst; (*Unheil heraufbeschwören*) to tempt fate *or* providence; *wenn man vom ~ spricht* (*prov*) talk of the devil; *das müßte schon mit dem ~ zugehen* that really would be a stroke of bad luck; *der ~ steckt im Detail* it's the small things that cause problems; *in ~s Küche kommen* to get into a mess; *sich den ~ um etw kümmern* not to give a damn about sth (*col*).
Teufels-: *~arbeit* *f* (*col*) hell of a job (*col*); *~austreibung* *f* casting out of devils *no pl*, exorcism;

~kerl m (dated) devil of a fellow (dated); **~kreis** m vicious circle.

teuflisch adj fiendish, devilish, diabolical.

Text m -e text; (einer Urkunde auch, eines Gesetzes) wording; (von Lied) words pl; (von Schlager) lyrics pl; (von Film, Rede etc) script; (Bild~) caption; (auf Plakat) words pl.

Text-: **~aufgabe** f (Math) problem; **~buch** nt script; (für Lieder) songbook; **~dichter** m songwriter; (bei Oper) librettist; **~editor** m (Comp) text editor; **~eingabe** f (Comp) text input.

texten ① vt to write. ② vi siehe **Texter(in)** to write songs/copy.

Texter(in f) m - (für Schlager) songwriter; (für Werbesprüche) copywriter.

Text|erfasser(in f) m keyboarder.

Textil- in cpds textile; **~arbeiter** m textile worker; **~branche** f textile trade.

Textilien [-iən] pl textiles pl.

Textilindustrie f textile industry.

Text-: **~kritik** f textual criticism; **~stelle** f passage; **~system** nt word processor.

Textverarbeitung f word processing.

Textverarbeitungs-: **~programm** nt word-processing program; **~system** nt word processor, word-processing system.

TH [teː'haː] f -s = **Technische Hochschule.**

Thai nt -s (language) Thai; siehe **Deutsch(e).**

Thailand nt Thailand.

Thailänder(in f) m - Thai.

thailändisch adj Thai.

Theater nt - ⓐ theatre (Brit), theater (US); (~kunst auch) drama; (Schauspielbühne) theatre (Brit) or theater (US) company ▶ **beim/im ~ arbeiten** to be on the stage/work in the theatre; **zum ~ gehen** to go on the stage; **ins ~ gehen** to go to the theatre; **~ spielen** (lit) to act; (fig) to play-act. ⓑ (fig) carry-on (col), fuss ▶ **(ein) ~ machen** to make a (big) fuss (mit jdm of sb).

Theater- in cpds theatre (Brit), theater (US); **~aufführung** f stage production; (Vorstellung, Darbietung) stage performance; **~besucher** m theatregoer (Brit), theatergoer (US); **~kritiker** m drama critic; **~stück** nt (stage) play.

theatralisch adj theatrical, histrionic.

Theke f -n (Schanktisch) bar; (Ladentisch) counter ▶ **etw unter der ~ verkaufen** to sell sth under the counter.

Thema nt, pl **Themen** or **-ta** subject, topic; (Leitgedanke, Mus) theme ▶ **beim ~ bleiben/vom ~ abschweifen** to stick to/wander off the subject; **das ~ wechseln** to change the subject; **ein/kein ~ sein** to be/not to be an issue.

Thematik f topic.

thematisch adj thematic.

Themenkreis m topic.

Themse f Thames.

Theologe m, **Theologin** f theologian.

Theologie f theology.

theologisch adj theological.

Theoretiker(in f) m - theorist, theoretician.

theoretisch adj theoretical ▶ **~ gesehen** in theory, theoretically.

Theorie f theory.

Therapeut(in f) m (wk) **-en, -en** therapist.

therapeutisch adj therapeutic(al).

Therapie f therapy.

therapieren* vt to give therapy to.

Thermal-: **~bad** nt (Badeort) spa; **~quelle** f thermal or hot spring.

thermisch adj attr (Phys) thermal.

Thermo- in cpds thermo-; **~drucker** m thermal printer.

Thermometer nt - thermometer.

Thermosflasche f thermos ® (flask).

Thermostat m -e thermostat.

These f -n hypothesis, thesis.

Thrombose f -n thrombosis.

Thron m -e throne ▶ **von seinem ~ herabsteigen** (fig) to come down off one's high horse.

thronen vi to sit enthroned; (fig: in exponierter Stellung sitzen) to sit in state.

Thron-: **~erbe** m, **~erbin** f heir to the throne; **~folge** f line of succession; **~folger(in** f) m - heir to the throne, heir apparent.

⚠ **Thunfisch** m tuna (fish).

Thymian m -e thyme.

Thüringen nt Thuringia.

Thüringer, thüringisch adj Thuringian.

Tibet nt Tibet.

Tibetaner(in f) m -, **Tibeter(in** f) m - Tibetan.

tibetanisch, tibetisch adj Tibetan.

tick interj tick ▶ **~ tack** tick-tock.

Tick m -s tic; (col: Schrulle) quirk ▶ **Uhren sind sein ~** he has a thing about clocks (col); **einen ~ haben** (col) to be crazy.

ticken vi to tick (away) ▶ **du tickst ja nicht richtig** you're off your rocker! (col).

tief ① adj deep; (niedrig) Ton, Ausschnitt low; (tiefgründig auch) profound; Schmerz intense; Not dire; Elend utter ▶ **~er Teller** soup plate; **die ~eren Ursachen** the underlying causes; **aus ~stem Herzen/~ster Seele** from the bottom of one's heart/the depths of one's soul; **im ~en Winter** in the depths of winter. ② adv ⓐ (weit nach unten, innen etc) deep; untersuchen in depth; sich bücken low ▶ **~ in etw** (acc) **einsinken** to sink deep into sth; **3 Meter ~ fallen** to fall 10 feet; **~ sinken** (fig) to sink low; **(ganz) ~ unter uns** a long way below us, far below us; **~ verschneit** deep with snow; **bis ~ in die Nacht hinein** late into the night; **~ im Wald** deep in the forest; **~ in der Nacht** at dead of night; **~ in Gedanken (versunken)** deep in thought; **~ in Schulden stecken** to be deep in debt; **~ in die Tasche greifen müssen** (col) to have to dig deep in one's pocket. ⓑ (schwer, stark) deeply; erschrecken terribly ▶ **~ atmen** to breathe deeply; **im Winter steht die Sonne ~er** the sun is lower (in the sky) in winter.

Tief nt -e (Met) depression; (fig) low ▶ **ein moralisches ~** (fig) a state of depression.

Tief-: **~bau** m civil engineering (excluding the construction of buildings); **t~betrübt** ⚠ adj attr deeply distressed; **~druck** m ⓐ (Met) low pressure, ⓑ (Typ) gravure; **~druckgebiet** nt (Met) area of low pressure, depression.

Tiefe f -n siehe **tief** depth; lowness; profundity ▶ **unten in der ~** far below.

Tief|ebene f lowland plain.

Tiefen-: **~psychologie** f depth psychology; **~schärfe** f (Phot) depth of focus; **~wirkung** f deep action.

Tief-: **~flieger** m low-flying aircraft; **~flug** m low-level or low-altitude flight; **~gang** m (Naut) draught (Brit), draft (US); (fig col) depth; **~garage** f underground car park (Brit) or parking lot (US); **t~gefroren, t~gekühlt** adj (gefroren) frozen; **t~gestellt** adj (Typ) subscript; **t~greifend** ⚠ adj far-reaching; **t~gründig** adj profound, deep; (durchdacht) well-grounded.

Tiefkühl-: **~fach** nt freezer compartment; **~kost** f frozen food; **~truhe** f freezer, deep-freeze.

Tief-: **~lader** m - low-loader; **~land** nt lowlands pl; **t~liegend** ⚠ adj attr Gegend, Häuser low-lying; Augen deep-set; (nach Krankheit) sunken; **~parterre** nt basement; **~punkt** m low; **~schlag** m (Boxen, fig) hit below the belt; **t~schürfend** ⚠ adj profound; Ermittlung in-

---

⚠: Informationen zur Rechtschreibreform im Anhang

depth; **~see** *f* deep sea; **~sinn** *m* profundity; **t~sinnig** *adj* profound; **~stand** *m* low; **t~stapeln** *vi sep* to understate the case; (*in bezug auf eigene Leistung*) to be modest; **~töner** *m* woofer.

Tiegel *m* - (sauce)pan; (*Chem*) crucible.

Tier *nt* -e animal; (*Haus~ auch*) pet; (*col: grausamer Mensch*) brute ► *hohes* ~ (*col*) big shot (*col*).

Tier- *in cpds* animal; (*Med*) veterinary; **~arzt** *m* vet, veterinary surgeon (*form*), veterinarian (*US*); **~freund** *m* animal lover; **~futter** *nt* (animal) fodder; (*für Haustiere*) pet food; **~garten** *m* zoo; **~halter** *m* (*von Haustieren*) pet owner; (*von Nutztieren*) livestock owner; **~handlung** *f* pet shop (*Brit*) *or* store (*US*); **~heim** *nt* animal home.

tierisch *adj* animal *attr*; (*fig*) Roheit bestial; (*fig col: unerträglich*) terrible ► *~er Ernst* (*col*) deadly seriousness.

Tier-: **~kreis** *m* zodiac; **~kreiszeichen** *nt* sign of the zodiac; **~kunde** *f* zoology; **t~lieb** *adj* = **t~liebend**; **~liebe** *f* love of animals; **t~liebend** *adj* fond of animals, animal-loving *attr*; **~medizin** *f* veterinary medicine; **~park** *m* zoo; **~pfleger** *m* animal keeper; **~quälerei** *f* cruelty to animals; **~rechtler** *m* animal rights activist; **~reich** *nt* animal kingdom; **~schutz** *m* protection of animals; **~schützer** *m* animal conservationist; **~schutzverein** *m* society for the prevention of cruelty to animals; **~versuch** *m* animal experiment; **~welt** *f* animal kingdom.

Tiger *m* - tiger.

Tigerin *f* tigress.

Tilde *f* -n tilde.

tilgen *vt* (*geh*) Schulden to pay off.

Tilgung *f* (*von Schulden*) repayment.

Tilgungsfonds *m* sinking fund.

tingeln *vi* (*col*) to appear in small night-clubs/theatres (*Brit*) *or* theaters (*US*) etc.

Tinnef *m* no pl (*col*) rubbish, trash (*col*).

Tinte *f* -n ink ► *in der ~ sitzen* (*col*) to be in the soup (*col*).

Tinten-: **~faß** ⚠ *nt* inkpot; **~fisch** *m* cuttlefish; (*Kalmar*) squid; (*achtarmig*) octopus; **~fleck** *m* ink stain; **~klecks** *m* ink blot; **~strahldrucker** *m* ink-jet printer.

⚠ **Tip** *m* -s (*Sport, St Ex*) tip; (*Andeutung*) hint; (*an Polizei*) tip-off ► *kannst du mir einen ~ geben, wo ich ...?* can you give me an idea where I ...?

Tippelbruder *m* (*col*) tramp, gentleman of the road (*Brit hum*), hobo (*US*).

tippeln *vi aux sein* (*col*) (*gehen*) to foot it (*col*); (*auf Zehenspitzen*) to tiptoe.

tippen *vti* [a] to tap (*an/auf/gegen etw* (*acc*)) sth; (*zeigen*) to touch (*auf or an etw* (*acc*)) sth) ► *jdm auf die Schulter ~* to tap sb on the shoulder; *sich* (*dat*) *an die Stirn ~* to tap one's forehead. [b] (*col: auf der Schreibmaschine*) to type (*an etw* (*dat*)) sth). [c] (*wetten*) to fill in one's coupon; (*im Toto auch*) to do the pools ► *im Lotto ~* to do the lottery. [d] *nur vi* (*col: raten*) to guess ► *ich tippe auf Kohl* (*col*) I'll put my money on Kohl; *da hast du richtig getippt* you were on the right track there.

Tippfehler *m* typing error.

Tippse *f* -n (*pej*) typist.

tipptopp (*col*) [1] *adj* immaculate; (*prima*) first-class. [2] *adv* immaculately; (*prima*) really well.

Tippzettel *m* (*im Toto*) football pools coupon; (*im Lotto*) lottery coupon.

Tirol *nt* the Tyrol.

Tiroler(in *f*) *m* - Tyrolese, Tyrolean.

tirolerisch *adj* Tyrolese, Tyrolean.

Tisch *m* -e table; (*Schreib~*) desk ► *bei ~* at table; *bitte zu ~!* lunch/dinner is served!; *vor/nach ~* before/after the meal; *unter den ~ fallen* (*col*) to go by the board; *jdn unter den ~ trinken* to drink sb under the table; *es wird gegessen, was auf den ~ kommt!* you'll eat what you're given; *zwei Parteien an einen ~ bringen* (*fig*) to get two parties round the conference table; *vom ~ sein* (*fig*) to be cleared out of the way.

Tisch- *in cpds* table; **~dame** *f* dinner partner; **~decke** *f* tablecloth; **~gespräch** *nt* conversation at table; **~herr** *m* dinner partner; **~karte** *f* place card.

Tischler *m* - carpenter; (*Möbel~*) cabinet-maker.

Tischlerei *f* (*Werkstatt*) carpenter's/cabinet-maker's workshop.

Tischlerhandwerk *nt* carpentry; cabinet-making.

Tischlerin *f* = Tischler.

tischlern (*col*) [1] *vi* to do woodwork. [2] *vt* Tisch, Regal etc to make.

Tisch-: **~nachbar** *m* neighbour (*Brit*) *or* neighbor (*US*) (at table); **~ordnung** *f* seating plan; **~rechner** *m* desk calculator; **~rede** *f* after-dinner speech; **~tennis** *nt* table tennis; **~tuch** *nt* tablecloth; **~wein** *m* table wine.

Titel *m* - title ► *unter dem ~* under the title.

Titel-: **~anwärter** *m* (main) contender for the title; **~bild** *nt* cover (picture); **~blatt** *nt* title page.

Titelei *f* (*Typ*) prelims *pl*.

Titel-: **~geschichte** *f* cover story; **~kampf** *m* (*Sport*) finals *pl*; (*Boxen*) title fight; **~melodie** *f* (*von Film*) theme tune; **~rolle** *f* title role; **~schutz** *m* copyright (*of a title*); **~seite** *f* (*von Zeitschrift*) cover; (*von Zeitung*) front page; **~träger, ~verteidiger** *m* title holder.

Titte *f* -n (*col!*) tit (*col!*).

titulieren* *vt* jdn (*bezeichnen*) to call (*mit etw* sth); (*anreden*) to address (*mit* as).

tja *interj* well.

Toast [toːst] *m* -e [a] (*Brot*) toast ► *ein ~* some toast. [b] (*Trinkspruch*) toast.

toasten ['toːstn] [1] *vi* to drink a toast (*auf +acc* to). [2] *vt* Brot to toast.

Toaster ['toːstɐ] *m* - toaster.

toben *vi* [a] (*wüten*) to rage; (*Mensch*) to throw a fit; (*vor Begeisterung etc*) to go wild (*vor* with). [b] (*ausgelassen spielen*) to rollick (about).

Tob-: **~sucht** *f* (*bei Tieren*) madness; (*bei Menschen*) maniacal rage; *er hat wieder mal die ~sucht* (*col*) he's in a mad fury again; **t~süchtig** *adj* Tier mad; Mensch in a mad fury; **~suchtsanfall** *m* (*col*) fit of rage.

Tochter *f* - daughter; (*~firma*) subsidiary.

Tochtergesellschaft *f* subsidiary (company).

Tod *m* -e death ► *~ durch Ersticken* death by suffocation; *eines natürlichen/gewaltsamen ~es sterben* to die of natural causes/to die a violent death; *sich zu ~e trinken* to drink oneself to death; *sich* (*dat*) *den ~holen* to catch one's death (of cold); *sich zu ~(e) langweilen* to be bored to death; *zu ~e betrübt sein* to be in the depths of despair.

tod|ernst *adj* (*col*) deadly serious.

Todes-: **~angst** *f* fear of death; **~ängste ausstehen** (*col*) to be scared to death (*col*); **~anzeige** *f* obituary (notice); **~fall** *m* death; (*bei Unglück auch*) fatality; (*in der Familie auch*) bereavement; **~jahr** *nt* year of sb's death; **~kampf** *m* death throes *pl*; **t~mutig** *adj* absolutely fearless; **~opfer** *nt* death, casualty, fatality; *die Zahl der ~opfer* the death toll; **~qualen** *pl* final agony *sing*; **~qualen ausstehen** (*fig*) to suffer agonies; **~stoß** *m* death-blow; *jdm/einer Sache den ~stoß versetzen* (*lit, fig*) to deal sb/sth the death-blow; **~strafe** *f* death penalty; **~stunde** *f* hour of death; **~tag** *m* day of sb's death; (*Jahrestag*) anniversary of sb's death; **~trieb** *m* death wish; **~ursache** *f* cause of death; **~urteil** *nt* death sentence; **~verachtung** *f* (*col*) *mit ~verachtung* with utter disgust.

⚠: for details of spelling reform, see supplement

Tod-: **~feind** *m* deadly *or* mortal enemy; **t~krank** *adj* dangerously *or* critically ill.

tödlich *adj* fatal; *Gefahr* mortal; *Gift* deadly, lethal; (*col*) *Langeweile* deadly ▶ **~ verunglücken** to be killed in an accident.

Tod-: **t~müde** *adj* (*col*) dead tired (*col*); **t~schick** *adj* (*col*) dead smart (*col*); **t~sicher** (*col*) ① *adj* dead certain (*col*); *Methode, Tip* sure-fire (*col*); ② *adv* for sure; **~sünde** *f* mortal *or* deadly sin; **t~unglücklich** *adj* (*col*) desperately unhappy.

Toga *f, pl* **Togen** toga.

Toilette [toa'lɛta] *f* ① (*Abort*) toilet ▶ **öffentliche ~** public conveniences *pl* (*Brit*), comfort station (*US*); **auf die ~ gehen/auf der ~ sein** to go to/be in the toilet. ② *no pl* (*geh: Körperpflege*) toilet.

Toiletten- [toa'lɛtn-] *in cpds* toilet; **~artikel** *pl* toiletries *pl*; **~beutel** *m* toilet bag; **~frau** *f*, **~mann** *m* toilet *or* lavatory (*Brit*) attendant; **~papier** *nt* toilet paper; **~schrank** *m* bathroom cabinet; **~wasser** *nt* toilet water.

toi, toi, toi *interj* (*col*) good luck.

Tokio *nt* Tokyo.

tolerant *adj* tolerant (*gegen* of).

Toleranz *f* tolerance (*gegen* of).

tolerieren* *vt* to tolerate.

toll *adj* ① (*wild, ausgelassen*) wild, mad. ② (*col: verrückt*) mad, crazy. ③ (*col: schlimm*) terrible. ④ (*col: großartig*) fantastic (*col*), great (*col*) *no adv.*

tollen *vi* to romp about; (*aux sein: laufen*) to rush about.

Toll-: **~kirsche** *f* deadly nightshade; **t~kühn** *adj* daredevil *attr*, daring; **~wut** *f* rabies; **t~wütig** *adj* rabid.

△**Tolpatsch** *m* -e (*col*) clumsy creature.

Tölpel *m* - (*col*) fool.

Tomate *f* -n tomato ▶ **du treulose ~!** (*col*) you're a fine friend!

Tomaten- *in cpds* tomato; **~mark, ~püree** *nt* tomato puree.

Tombola *f, pl* **-s** *or* **Tombolen** tombola.

Tomogramm *nt* -(e)s, -e (*Med*) tomogram.

△**Tomograph** *m* (*Med*) tomograph.

Ton¹ *m* -e (*Erdart*) clay.

Ton² *m* ⁻e ① (*Laut*) sound; (*von Zeitzeichen, im Telefon, Klangfarbe*) tone; (*Mus: Note*) note ▶ **den ~ angeben** (*Mus*) to give an A; (*fig: Mensch*) to set the tone; **keinen ~ herausbringen** not to be able to say a word; **keinen ~ sagen** not to utter a sound; **hast du ⁻e!** (*col*) did you ever! (*col*); **dicke** *or* **große ⁻e spucken** (*col*) to talk big. ② (*Betonung*) stress; (*Tonfall*) intonation. ③ (*Redeweise, Umgangs~*) tone ▶ **den richtigen ~ finden** to strike the right note; **ich verbitte mir diesen ~** I will not be spoken to like that; **einen anderen ~ anschlagen** to change one's tune; **der gute ~** good form. ④ (*Farb~*) tone; (*Nuance*) shade.

Ton-: **~abnehmer** *m* pick-up; **t~angebend** *adj* who/which sets the tone; **~arm** *m* pick-up arm; **~art** *f* (*Mus*) key; (*fig: Tonfall*) tone.

Tonband *nt* tape; (*col: Gerät*) tape recorder.

Tonband-: **~aufnahme** *f* tape recording; **~gerät** *nt* (reel-to-reel) tape recorder.

Tondichtung *f* tone poem.

tönen¹ *vi* (*lit, fig: klingen*) to sound; (*schallen auch*) to resound; (*großspurig reden*) to sound off.

tönen² *vt* to tint ▶ **etw leicht rot** *etc* **~** to tinge sth (with) red *etc*.

Toner *m* - (*für Kopierer etc*) toner.

Ton|erde *f* aluminium (*Brit*) *or* aluminum (*US*) oxide.

tönern *adj attr* clay ▶ **auf ~en Füßen stehen** (*fig*) to be shaky.

Ton-: **~fall** *m* tone of voice; (*Intonation*) intonation; **~film** *m* sound film, talkie (*col*); **~folge** *f* sequence of notes/sounds; **~geschirr** *nt* earthenware; **~höhe** *f* pitch.

Tonika *f, pl* **Toniken** (*Mus*) tonic.

Tonikum *nt, pl* **Tonika** (*Med*) tonic.

Ton-: **~ingenieur** *m* sound engineer; **~kopf** *m* recording head; **~lage** *f* pitch (level); (*~umfang*) register; **~leiter** *f* scale; **t~los** *adj* toneless.

Tonne *f* -n ① (*Behälter*) barrel; (*aus Metall*) drum; (*Müll~*) bin (*Brit*), trash can (*US*); (*col: Mensch*) fatso (*col*) ▶ **grüne ~** container for recyclable waste. ② (*Gewicht*) (*1000 kg*) tonne, metric ton; (*Register~*) (register) ton.

Ton-: **~spur** *f* soundtrack; **~störung** *f* sound interference; **~studio** *f* recording studio; **~taube** *f* clay pigeon.

Tönung *f* (*das Tönen*) tinting; (*Farbton*) tint, shade; (*Haar~*) hair colour.

Tonwaren *pl* earthenware *sing.*

Top *nt* (*Fashion*) top.

Top- *in cpds* top; **~angebot** *nt* best offer.

Topas *m* -e topaz.

Topf *m* ⁻e pot; (*Koch~ auch*) (sauce)pan; (*Nacht~*) potty (*col*); (*col: Toilette*) loo (*Brit col*), john (*US col*) ▶ **alles in einen ~ werfen** (*fig*) to lump everything together.

Topfblume *f* (flowering) pot plant.

Töpfer(in *f*) *m* - potter.

Töpferei *f* pottery.

töpfern ① *vi* to do pottery. ② *vt* to make (in clay).

Töpfer-: **~scheibe** *f* potter's wheel; **~waren** *pl* pottery *sing*, (*irden*) earthenware *sing.*

Topfhandschuh *m* ovenglove.

topfit ['tɔp'fɪt] *adj pred* (*col*) as fit as a fiddle (*col*).

Topf-: **~lappen** *m* ovencloth; **~pflanze** *f* potted plant.

Top-: **~lage** *f* prime location; **~leistung** *f* outstanding achievement.

△**Topographie** *f* topography.

Tor *nt* -e ① (*lit, fig, Ski*) gate; (*Durchfahrt etc*) gateway; (*von Garage, Scheune*) door. ② (*Sport*) goal ▶ **im ~ stehen** to be in goal.

Tor-: **~bogen** *m* arch, archway; **~einfahrt** *f* entrance gate.

△**Toresschluß** *m: (kurz) vor ~* right at the last minute.

Torf *m* *no pl* peat.

Torf-: **~boden** *m* peaty earth; **~erde** *f* peat.

torfig *adj* peaty.

Torf-: **~moor** *nt* peat bog *or* (*trocken*) moor; **~stecher** *m* - peat-cutter.

Torheit *f* foolishness; (*Handlung*) foolish action.

Torhüter *m* goalkeeper.

töricht *adj* foolish; *Wunsch, Hoffnung* idle.

torkeln *vi aux sein* to stagger, to reel.

Tor-: **~latte** *f* crossbar; **~lauf** *m* slalom; **~linie** *f* goal line; **~mann** *m, pl* **~männer** goalkeeper.

Törn *m* (*Naut*) (yacht) cruise.

Tornister *m* - (*Mil*) knapsack; (*dated: Schulranzen*) satchel.

torpedieren* *vt* (*Naut, fig*) to torpedo.

Torpedo *m* -s torpedo.

Tor-: **~pfosten** *m* gatepost; (*Sport*) goalpost; **~schluß** △ *m* (*fig*) = **~esschluß**; **~schlußpanik** △ *f* (*col*) last minute panic; (*von Unverheirateten*) fear of being left on the shelf; **~schütze** *m* (goal) scorer.

Torte *f* -n cake, gâteau; (*Obst~*) flan (*Brit*), tart.

Torten-: **~boden** *m* flan (*Brit*) *or* tart (*US*) base; **~guß** △ *m* glaze; **~heber** *m* - cake slice; **~platte** *f* cake plate; **~schaufel** *f* cake slice.

Tortur *f* torture; (*fig auch*) ordeal.

Tor-: **~verhältnis** *nt* score; **~wart** *m* goalkeeper.

tosen *vi* to roar, to thunder; (*Wind, Sturm*) to rage ▶ **~der Beifall** thunderous applause.

Tosk<u>a</u>na *f die* ~ Tuscany.

tot *adj* (*lit, fig*) dead; *Augen* sightless; *Haus, Stadt* deserted; *Gegend, Landschaft etc* bleak; *Wissen* useless; *Vulkan* extinct; *Farbe* lifeless; (*Rail*) *Gleis* disused ▶ *mehr ~ als lebendig* (*fig col*) more dead than alive; *~ geboren werden* to be stillborn; *~ umfallen* to drop dead; *er war auf der Stelle ~* he died instantly; *ein ~er Briefkasten* a dead-letter box; *der ~e Winkel* the blind spot; *ein ~er Punkt* (*Stillstand*) a standstill; (*in Verhandlungen*) deadlock; (*körperliche Ermüdung*) low point; *ein ~es Rennen* (*lit, fig*) a dead heat; *ein ~er Mann* (*fig col*) a goner (*col*); *das T~e Meer* the Dead Sea.

total 1 *adj* total.
2 *adv* totally.

Totalausverkauf *m* clearance sale.

totalit<u>ä</u>r *adj* totalitarian.

Totalit<u>ä</u>t *f* totality, entirety.

Total-: *~operation* *f* extirpation; (*col: von Gebärmutter*) hysterectomy; *~schaden* *m* write-off.

tot-: *~arbeiten* *vr sep* (*col*) to work oneself to death; *~ärgern* *vr sep* (*col*) to be/become livid.

t<u>ö</u>ten *vti* (*lit, fig*) to kill ▶ *das kann einem den Nerv ~* (*fig col*) that really gets on your *etc* nerves.

Toten-: *~bett* *nt* deathbed; **t~blaß** △ *adj* deathly pale; *~glocke* *f* death knell; *~gräber* *m* gravedigger; *~hemd* *nt* shroud; *~klage* *f* lamentation of the dead; (*Liter*) dirge, lament; *~kopf* *m* skull; (*als Zeichen*) death's-head; (*auf Piratenfahne, Arzneiflasche etc*) skull and crossbones; *~messe* *f* requiem mass; *~reich* *nt* (*Myth*) kingdom of the dead; *~schein* *m* death certificate; **t~still** *adj* deathly silent; *~stille* *f* deathly hush; *~starre* *f* rigor mortis; *~wache* *f* wake.

Tote(r) *mf decl as adj* dead person, dead man/woman; (*bei Unfall etc*) fatality, casualty ▶ *die ~n* the dead; *es gab drei ~* three people were killed.

Tot-: **t~fahren** *vt sep irreg* (*col*) to knock down and kill; **t~geboren** △ *adj attr* stillborn; *ein t~geborenes Kind sein* (*fig*) to be doomed to failure; *~geburt* *f* stillbirth; (*Kind*) stillborn baby; *~gesagte(r)* *mf decl as adj* person or man/woman *etc* who has been declared dead; **t~kriegen** *vt sep* (*col*) *nicht t~zukriegen sein* to go on for ever; **t~lachen** *vr sep* (*col*) to die laughing (*col*); **t~laufen** *vr sep irreg* (*col*) to peter out.

Toto *m or nt* **-s** (football) pools ▶ *(im) ~ spielen* to do the pools.

Toto- *in cpds* pools; *~schein* *m* pools coupon.

Tot-: **t~sagen** *vt sep* to declare dead; **t~schießen** *vt sep irreg* (*col*) to shoot dead; *~schlag* *m* (*Jur*) manslaughter, homicide (*US*); **t~schlagen** *vt sep irreg* (*lit, fig*) to kill; (*col*) *Menschen auch* to beat to death; *~schläger* *m* cosh (*Brit*), blackjack (*US*); **t~schweigen** *vt sep irreg* to hush up (*col*); **t~stellen** *vr sep* to pretend to be dead; **t~treten** *vt sep irreg* to trample to death.

T<u>ö</u>tung *f* killing ▶ *fahrlässige ~* (*Jur*) manslaughter through culpable negligence.

Toupet [tu'peː] *nt* **-s** toupee.

toupieren* [tu'piːrən] *vt* to backcomb.

Tour [tuːɐ] *f* **-en** 1 (*Fahrt*) trip, outing; (*Ausflugs~*) tour; (*Spritz~*) (*mit Auto*) drive; (*mit Rad*) ride; (*Wanderung*) walk; (*Berg~*) climb ▶ *eine ~ machen* to go on a trip *or* outing/tour; to go for a drive/ride/walk/climb. 2 (*Umdrehung*) revolution, rev (*col*) ▶ *auf ~en kommen* (*Auto*) to get up speed; (*fig col*) to get into top gear; (*sich aufregen*) to get worked up (*col*); *auf vollen ~en laufen* (*lit*) to run at full speed; (*fig*) to be in full swing; *in einer ~* (*col*) the whole time. 3 (*col: Art und Weise*) ploy ▶ *mit der ~ brauchst du mir gar nicht zu kommen* don't try that one on me; *auf die krumme ~* by dishonest means.

Touren- ['tuːrən-]: *~rad* *nt* tourer; *~wagen* *m*

(*Motorsport*) touring car; *~zähler* *m* rev counter.

Tourismus [tu'rɪsmʊs] *m* tourism.

Tourist(in *f*) [tu'rɪst, -ɪn] *m* tourist.

Touristik [tu'rɪstɪk] *f* tourism, tourist industry.

touristisch [tu'rɪstɪʃ] *adj* tourist *attr*.

Tournee [tʊr'neː] *f* **-n** [-eːən] *or* **-s** tour.

Tower ['taʊə] *m* **-** (*Comp*) desktop computer.

Trab *m no pl* trot ▶ *im ~* at a trot; *(im) ~ reiten* to trot; *auf ~ sein* (*col*) to be on the go (*col*); *jdn auf ~ bringen* (*col*) to make sb get a move on (*col*).

Trabant *m* (*Astron, fig*) satellite.

Trabantenstadt *f* satellite town.

traben *vi* a *aux haben or sein* to trot. b *aux sein* (*col: laufen*) to trot.

Trabrennen *nt* trotting race.

Tracht *f* **-en** (*Kleidung*) dress; (*Volks~ etc*) costume; (*Schwestern~*) uniform ▶ *eine ~ Prügel* a good thrashing.

trachten *vi* (*geh*) to strive (*nach* for, after) ▶ *jdm nach dem Leben ~* to be after sb's blood.

trächtig *adj Tier* pregnant.

Tradition [tradi'tsioːn] *f* tradition.

traditionell [traditsio'nɛl] *adj usu attr* traditional.

traf *pret of* **treffen**.

Trafo *m* **-s** (*col*) transformer.

Tragbahre *f* stretcher.

tragbar *adj* a *Apparat, Gerät* portable; *Kleid* wearable. b (*annehmbar*) acceptable (*für* to); (*erträglich*) bearable; (*finanziell*) supportable.

Trage *f* **-n** (*Bahre*) stretcher.

träge *adj* a sluggish; *Mensch, Bewegung auch* lethargic. b (*Phys*) *Masse* inert.

tragen *pret* **trug**, *ptp* **getragen** 1 *vt* a to carry; (*an einen Ort bringen*) to take ▶ *etw mit sich ~* to carry sth with one. b *Kleid, Brille etc* to wear; (*im Moment auch*) to have on; *Bart, Gebiß* to wear; *Waffen* to carry ▶ *getragene Kleider* second-hand clothes; (*abgelegt*) cast-offs. c (*stützen, halten, fig*) to support; *Schicksal, Leid etc* to bear, to endure. d *Zinsen* to yield; *Ernte auch* to produce; (*lit, fig*) *Früchte* to bear. e (*trächtig sein*) to be carrying. f *Verluste* to absorb; *Kosten* to bear, to carry; *Risiko, Folgen* to take; (*unterhalten*) *Verein* to support, to back. g *Titel, Aufschrift etc* to bear, to have; *Vermerk* to contain.

2 *vi* a (*Baum, Acker etc*) to produce a crop. b (*reichen: Geschütz, Stimme*) to carry. c (*Eis*) to take weight. d *schwer an etw* (*dat*) *~* to have a job carrying sth; (*fig*) to find sth hard to bear. e *zum T~ kommen* to come to fruition; (*nützlich werden*) to come in useful.

3 *vr* a *sich leicht ~* to be easy to carry; *der Anzug trägt sich gut* this suit feels comfortable (on). b (*finanziell*) to be self-supporting.

tragend *adj Säule, Bauteil* load-bearing; *Idee, Motiv* fundamental.

Träger *m* **-** a (*an Kleidung*) strap; (*Hosen~*) braces *pl* (*Brit*), suspenders *pl* (*US*). b (*Holz~, Beton~*) (supporting) beam; (*Stahl~, Eisen~*) girder. c (*Tech: Stütze von Brücken etc*) support. d (*Mensch*) (*von Lasten*) bearer, porter; (*von Namen*) bearer; (*von Kleidung*) wearer. e (*fig*) (*der Kultur, Staatsgewalt etc*) representative; (*einer Veranstaltung*) sponsor.

Trägerin *f* = **Träger (d).**

Träger-: *~kleid* *nt* pinafore dress (*Brit*), jumper (*US*); *~rakete* *f* booster, carrier rocket; *~rock* *m* = *~kleid*; (*für Kinder*) skirt with straps.

Tragetasche *f* carrier bag (*Brit*), carry-all (*US*).

Trag-: **t~fähig** *adj* (*Brücke, Balken*) able to take a load; (*Kompromiß, Beschluß*) acceptable; (*Mehrheit*) workable; *~fläche* *f* wing; (*von Boot*) hydrofoil; *~flächenboot*, *~flügelboot* *nt* hydrofoil.

Trägheit f siehe adj sluggishness; lethargy; (Faulheit) laziness; (Phys) inertia.
Tragik f tragedy.
Tragiker m - tragedian.
tragikomisch adj tragicomical.
Tragikomödie f tragicomedy.
tragisch adj tragic ► etw ~ nehmen (col) to take sth to heart; das ist nicht so ~ (col) it's not the end of the world.
Trag-: ~korb m pannier; ~last f load.
Tragödie [-iə] f (Liter, fig) tragedy.
Trag-: ~pfeiler m load-bearing pillar; (von Brücke) support; ~riemen m strap; ~weite f (von Geschütz) range; (fig) consequences pl; (von Gesetz) scope; von großer ~weite sein to have far-reaching consequences; ~werk nt (Aviat) wing assembly.
Trainer(in f) ['trɛːnɐ, 'trɛː-] m - coach, trainer; (bei Fußball) manager.
trainieren* [trɛ'niːrən, trɛː'n-] ① vt to train; Mannschaft, Sportler auch to coach; Sprung, Übung to practise (Brit), to practice (US) ► Fußball ~ to do some football practice; ein (gut) trainierter Sportler an athlete who is in training; jdn auf or für etw (acc) ~ to train or coach sb for sth.
② vi (Sportler) to train; (Übungen machen) to exercise; (üben) to practise (Brit), to practice (US) ► auf or für etw (acc) ~ to train/practise for sth.
③ vr to train (auf +acc for); (üben) to practise (Brit), to practice (US).
Training ['trɛːnɪŋ, 'trɛː-] nt -s training no pl; (Fitneß~) exercise no pl; (Motorsport, fig: Übung) practice.
Trainings-: ~anzug m tracksuit; ~hose f tracksuit trousers pl; ~jacke f tracksuit top; ~runde f practice lap; ~schuh m trainer; ~zeit f practice time.
Trakt m -e (Gebäudeteil) section; (Flügel) wing.
Traktat m or nt -e (Abhandlung) treatise; (Flugschrift, religiöse Schrift) tract.
traktieren* vt (col) (schlecht behandeln) to maltreat; (quälen) to torment.
Traktor m -en tractor; (Comp) tractor feed.
trällern vti to warble.
Trampel m or nt - clumsy clot (col).
trampeln ① vi ⓐ to stamp. ⓑ aux sein (schwerfällig gehen) to stamp along ► über die Wiese ~ to tramp across the meadow.
② vt Weg to trample ► jdn zu Tode ~ to trample sb to death.
Trampel-: ~pfad m track, path; ~tier nt (Zool) (Bactrian) camel; (col) clumsy oaf (col).
trampen ['trɛmpn] vi aux sein to hitch-hike, to hitch (col).
Tramper(in f) ['trɛmpɐ, -ərɪn] m - hitch-hiker.
Trampolin nt -e trampoline.
Tran m -e ⓐ (von Fischen) train oil. ⓑ (col) im ~ dop(e)y (col); (leicht betrunken) merry (col); das habe ich im ~ ganz vergessen I absent-mindedly forgot it altogether.
tranchieren [trãˈʃiːrən] vt to carve.
Tranchiermesser nt carving knife.
Träne f -n tear; (einzelne ~) tear(drop) ► den ~n nahe sein to be on the verge of tears; zu ~n rühren to move to tears; ~n lachen to laugh till one cries; deswegen vergieße ich keine ~n (fig) I'm not going to shed any tears over that; bittere ~n weinen to weep bitterly.
tränen vi to water.
Tränen-: ~drüse f lachrymal gland; der Film drückt sehr auf die ~drüsen the film is a real tear-jerker; ~gas nt tear gas.
Tranfunzel f (col) slowcoach (Brit col), slowpoke (US col).

tranig adj (col) slow, sluggish.
Trank m ⁼e (liter) drink, draught (liter).
trank pret of trinken.
Tränke f -n drinking trough.
tränken vt Tiere to water; (durchnässen) to soak.
Trans|aktion f transaction.
trans|atlantisch adj transatlantic.
Transfer m -s (Econ, Sport, Aviat) transfer; (Psych) transference.
Transformation f transformation.
Transformator m transformer.
transformieren* vt to transform.
Transfusion f transfusion.
Transistor m transistor.
Transistorradio nt transistor (radio).
Transit m -e transit.
transitiv adj (Gram) transitive.
Transit-: ~raum m (Aviat) transit lounge; ~schalter m (Aviat) transit desk; ~verkehr m transit traffic.
transparent [transpaˈrɛnt] adj transparent; (fig geh) Argument lucid, clear ► eine Entscheidung ~ machen to make a decision-making process open.
Transparent [transpaˈrɛnt] nt -e (Reklameschild etc) neon sign; (Durchscheinbild) transparency; (Spruchband) banner.
Transparentpapier nt waxed tissue paper; (zum Pausen) tracing paper.
Transparenz [transpaˈrɛnts] f siehe adj transparency; lucidity, clarity.
transpirieren* [transpiˈriːrən] vi (geh) to perspire.
Transplantation [transplantaˈtsioːn] f (Med) transplant; (von Haut) graft; (Bot) grafting.
transponieren* [transpoˈniːrən] vt (Mus) to transpose.
Transport [transˈpɔrt] m -e ⓐ transport ► ein ~ auf dem Landweg road transport; ein ~ des Kranken ist ausgeschlossen moving the patient is out of the question. ⓑ (Fracht) consignment, shipment; (Menschen) transport.
transportabel [transpɔrˈtaːbl] adj transportable.
Transport|arbeiter m transport worker.
Transporter [transˈpɔrtɐ] m - (Schiff) cargo ship; (Flugzeug) transport plane; (Auto) van.
Transporteur [transpɔrˈtøːɐ] m removal man (Brit), furniture mover.
transportfähig adj moveable.
transportieren* [transpɔrˈtiːrən] ① vt to transport; Patienten to move; Film to wind on.
② vi (Förderband) to move; (Kamera) to wind on.
Transport- [transˈpɔrt-]: ~kosten pl freight costs pl; ~schiff nt cargo ship; (Mil) transport ship; ~unternehmen nt haulier, haulage firm.
Transuse f -n (col) slowcoach (Brit col), slowpoke (US col).
Transvestit [transvɛsˈtiːt] m (wk) -en, -en transvestite.
transzendental adj transcendent(al).
Trapez nt -e (von Artisten) trapeze.
trappeln vi aux sein to clatter; (Pony) to clip-clop.
Trara nt -s (fig col) hullabaloo (col) (um about) ► großes ~ um etw machen to make a great song and dance about sth.
Trasse f -n marked-out route (for a road/railway).
trat pret of treten.
Tratsch m no pl (col) gossip, scandal.
tratschen vi (col) to gossip.
Tratsch-: ~maul nt, ~tante f (pej col) scandalmonger, gossip.
Tratte f -n (Fin) draft.
Trau|altar m altar.
Traube f -n (Beere) grape; (ganze Frucht) bunch of grapes; (Menschen~) bunch ► ~n (Fruchtart) grapes.

⚠: Informationen zur Rechtschreibreform im Anhang

Trauben-: **~lese** f grape harvest; **~saft** m grape juice; **~zucker** m glucose, dextrose.

trauen [1] vi +dat to trust ▶ *ich traute meinen Augen nicht* I couldn't believe my eyes.

[2] vr to dare ▶ *sich* (acc) ~, *etw zu tun* to dare (to) do sth; *ich trau' mich nicht* I daren't, I dare not; *sich auf die Straße* ~ to dare to go out (of doors).

[3] vt to marry ▶ *sich* ~ *lassen* to get married.

Trauer f no pl (*das Trauern, ~zeit, ~kleidung*) mourning; (*Schmerz, Leid*) sorrow, grief.

Trauer-: **~anzeige** f obituary, death notice; **~fall** m bereavement, death; **~feier** f funeral service; **~flor** m black ribbon; (*Armbinde*) black armband, mourning band; **~gemeinde** f mourners pl; **~kleidung** f mourning; **~kloß** m (*col*) wet blanket (*col*); **~marsch** m funeral march; **~miene** f (*col*) long face.

trauern vi to mourn (*um jdn/etw* sb/sth).

Trauer-: **~rand** m black edge or border; **~ränder** pl (*col*) dirty fingernails; **~schleier** m black veil; **~spiel** nt tragedy; (*fig col*) fiasco; **~weide** f weeping willow; **~zug** m funeral procession.

Traufe f -n eaves pl.

träufeln vt to dribble.

traulich adj cosy (*Brit*), cozy (*US*).

Traum m, pl **Träume** (*lit, fig*) dream ▶ *aus der ~!* it's all over; *das fällt mir nicht im* ~ *ein* I wouldn't dream of it.

Trauma nt, pl **Traumen** or **-ta** (*lit, fig*) trauma.

traumatisch adj (*lit, fig*) traumatic.

Traum-: **~beruf** m dream job; **~deutung** f interpretation of dreams.

träumen vti (*lit, fig*) to dream ▶ *von jdm/etw* ~ to dream about sb/sth; *das hätte ich mir nicht* ~ *lassen* I'd never have thought it possible.

Träumer(in f) m - dreamer.

Träumerei f [a] no pl (*das Träumen*) (day)dreaming. [b] (*Vorstellung*) daydream.

träumerisch adj dreamy.

traumhaft adj (*phantastisch*) fantastic; (*wie im Traum*) dreamlike.

Traum-: **t~los** adj dreamless; **~paar** nt perfect couple; **~tänzer** m dreamer.

traurig adj sad; *Leben auch* unhappy; *Leistung, Rekord* pathetic, sorry; *Wetter* miserable.

Traurigkeit f sadness.

Trau-: **~ring** m wedding ring; **~schein** m marriage certificate.

Trauung f wedding.

Trauzeuge m witness (*at marriage ceremony*).

Treck m -s trek, trail; (*Leute*) train.

Treff m -s (*col*) (*Treffen*) meeting, get-together (*col*); (~*punkt*) haunt, rendezvous.

treffen pret **traf**, ptp **getroffen** [1] vt [a] (*durch Schlag etc*) to hit (*an/in* +dat on, *in* +acc in); (*Blitz, Faust auch, Unglück*) to strike ▶ *auf dem Photo bist du gut getroffen* (*col*) that's a good photo of you. [b] (*betreffen*) to hit, to affect; (*kränken*) to hurt ▶ *er fühlte sich getroffen* he took it personally. [c] (*jdm begegnen*) to meet; (*an~*) to find. [d] (*finden*) to hit upon, to find; (*lit, fig*) *Ton* to hit. [e] *es (mit etw) gut/schlecht* ~ to be lucky/unlucky (with sth). [f] *Vereinbarung* to reach; *Entscheidung* to make, to take; *Maßnahmen* to take.

[2] vi [a] (*Schlag, Schuß etc*) to hit ▶ *nicht* ~ to miss. [b] *aux sein* (*stoßen*) *auf jdn/etw* ~ to meet sb/sth. [c] (*verletzen*) to hurt.

[3] vr (*zusammen~*) to meet.

[4] vr impers *es trifft sich, daß* ... it (just) happens that ...; *das trifft sich gut/schlecht, daß* ... it is convenient/inconvenient that ...

Treffen nt - meeting; (*Sport, Mil*) encounter.

treffend adj apt; *Ähnlichkeit* striking.

Treffer m - hit; (*Tor*) goal; (*fig: Erfolg*) hit; (*Gewinnlos*) winner.

Treff-: **t~lich** adj (*liter*) splendid; **~punkt** m meeting place; **t~sicher** adj accurate; *Urteil* sound; **~sicherheit** f accuracy; (*von Urteil*) soundness; (*beim Schießen*) marksmanship.

Treib|eis nt drift ice.

treiben pret **trieb**, ptp **getrieben** [1] vt [a] (*lit, fig*) to drive; (*auf Treibjagd*) *Wild* to beat; *Teig* to make rise; (*fig: drängen*) to rush; (*an*~) to push ▶ *jdn zum Wahnsinn* ~ to drive sb mad; *jdn zur Eile/Arbeit* ~ to make sb hurry up/work; *die ~de Kraft* the driving force; *jdm den Schweiß/das Blut ins Gesicht* ~ to make sb sweat/blush. [b] *Geschäfte, Sport* to do; *Studien, Politik* to pursue; *Gewerbe* to carry on; *Unsinn* to be up to; *Aufwand* to create ▶ *was treibst du?* what are you up to?; *Handel mit etw/jdm* ~ to trade in sth/with sb. [c] (*col*) *wenn du es weiter so treibst* ... if you carry on like that ...; *es toll* ~ to have a wild time; *es zu weit* ~ to go too far; *es mit jdm* ~ to have it off with sb. [d] *Blüten etc* to sprout; (*im Treibhaus*) to force.

[2] vi [a] *aux sein* (*sich fortbewegen*) to drift ▶ *sich* ~ *lassen* (*lit, fig*) to drift. [b] (*wachsen*) to sprout. [c] (*Hefe*) to make dough etc rise ▶ *~de Medikamente* diuretics.

Treiben nt - (*Getriebe*) hustle and bustle; (*von Schneeflocken*) swirling.

Treiber m - (*Hunt*) beater; (*Vieh~*) drover; (*Comp*) driver.

Treib-: **~gas** nt propellant; **~gut** nt flotsam and jetsam pl.

Treibhaus nt hothouse.

Treibhaus-: **~effekt** m greenhouse effect; **~gas** nt greenhouse gas.

Treib-: **~holz** nt driftwood; **~jagd** f shoot (*in which game is sent up by beaters*); (*fig*) witchhunt; **~mittel** nt (*in Sprühdosen*) propellant; (*Cook*) raising agent; **~sand** m quicksand; **~stoff** m fuel.

Tremolo nt, pl **-s** or **Tremoli** (*Mus*) tremolo.

Trend m -s trend ▶ *voll im* ~ *liegen* (*col*) to be really trendy.

Trendwende f new trend.

trennbar adj separable.

trennen [1] vt [a] to separate (*von* from); *Kopf, Glied etc* to sever; (*abmachen*) to detach (*von* from); *Aufgenähtes* to take off, to remove; *Saum, Naht* to undo; *Begriffe* to distinguish (between); (*nach Rasse, Geschlecht*) to segregate ▶ *jetzt kann uns nichts mehr* ~ now nothing can ever come between us. [b] (*in Bestandteile zerlegen*) *Kleid* to take to pieces; *Wort* to split; (*Chem*) *Gemisch* to separate (out).

[2] vr (*auseinandergehen*) to separate; (*Partner, Eheleute etc auch*) to split up; (*Abschied nehmen*) to part; (*Wege, Flüsse*) to divide ▶ *sich von jdm/der Firma* ~ to leave sb/the firm; *die zwei Mannschaften trennten sich 2:2* the final score was 2:2; *sich von etw* ~ to part with sth; *hier* ~ *sich unsere Wege* (*fig*) now we must go our separate ways.

Trennschärfe f selectivity.

Trennung f separation; (*Abschied*) parting; (*in Teile*) division; (*von Wort*) division; (*Rassen~, Geschlechter~*) segregation.

Trenn(ungs)-: **~linie** f (*lit, fig*) dividing line; **~strich** m hyphen; **~wand** f partition (wall); **~zeichen** nt hyphen.

trepp|auf adv: ~, *treppab* up and down stairs.

Treppe f -n stairs pl, staircase; (*im Freien*) steps pl ▶ *eine* ~ a staircase, a flight of stairs/steps; *sie wohnt zwei ~n höher* she lives two flights up.

Treppen-: **~absatz** m half-landing; **~geländer** nt

---

banister; **~haus** *nt* stairwell; *im ~haus* on the stairs; **~stufe** *f* step, stair.

Tresen *m* - (*Theke*) bar; (*Ladentisch*) counter.

Tresor *m* -e safe; (*Raum*) strongroom, vault.

Tret-: **~auto** *nt* pedal car; **~boot** *nt* pedal boat, pedalo; **~eimer** *m* pedal bin.

treten *pret* **trat**, *ptp* **getreten** [1] *vi* [a] **gegen etw ~** to kick sth. [b] *aux sein* to step ▸ **näher an etw** (*acc*) **~** to move *or* step closer to sth; **ans Fenster ~** to go to the window; **jdm auf den Fuß ~** to step *or* tread on sb's foot; **jdm auf die Füße ~** (*fig*) to tread on sb's toes; **an jds Stelle ~** to take sb's place; **aufs Gas(pedal) ~** to press the accelerator; (*col: schnell fahren*) to step on it (*col*). [c] **der Schweiß trat ihm auf die Stirn** sweat appeared on his forehead; **der Fluß trat über die Ufer** the river overflowed its banks. [d] *aux sein* **in den Streik ~** to go on strike; **in den Stand der Ehe ~** to enter into matrimony.
[2] *vt* to kick; (*Sport*) *Ecke, Freistoß* to take ▸ **jdn ans Bein ~** to kick sb on the leg; **jdm mit dem Fuß ~** to kick sb.

Treter *m* - (*col*) comfortable shoe.

Tret-: **~mine** *f* (*Mil*) (anti-personnel) mine; **~mühle** *f* (*lit, fig*) treadmill; **in der ~mühle sein** to be in a rut (*col*); **~roller** *m* scooter.

treu [1] *adj* *Freund, Sohn, Kunde etc* loyal; *Hund, Gatte etc* faithful; *Abbild* true; (*~herzig*) trusting; *Miene* innocent ▸ **~ sein/bleiben** to be/remain faithful to sb; **seinen Grundsätzen ~ bleiben** to stay true to one's principles. [2] *adv* faithfully; *sorgen* devotedly; (*~herzig*) trustingly; *ansehen* innocently ▸ **~ und brav** dutifully.

Treu-: **~bruch** *m* breach of faith; **t~brüchig** *adj* faithless, false; **t~doof** *adj* (*col*) naive.

Treue *f* *no pl siehe* **treu** loyalty; faithfulness; (*eheliche ~*) faithfulness, fidelity.

Treu|eid *m* oath of allegiance.

Treueprämie *f* long-service bonus.

Treu-: **~hand** *f* (*col*), **~handanstalt** *f* trustee organization (*overseeing the transfer of GDR state-owned firms to private ownership*).

┌─────────────────────┐
│ **TREUHANDANSTALT** │
└─────────────────────┘

ⓘ The **Treuhandanstalt** *is a now defunct organization set up in 1990 to take over the nationally-owned companies of the former* **DDR**, *to break them down into smaller units and to privatize them. It was based in Berlin and had nine branches. Many companies were closed down by the Treuhandanstalt because of their outdated equipment and inability to compete with the western firms. This resulted in a rise in unemployment.*

Treu-: **~händer(in** *f*) *m* trustee; **~handgesellschaft** *f* trust company; **~handvermögen** *nt* trust fund; **t~herzig** *adj* trusting; **t~los** *adj* disloyal, faithless; **t~los an jdm handeln** to fail sb; **~losigkeit** *f* disloyalty, faithlessness.

Triangel *m or* (*Aus*) *nt* - triangle.

Tribunal *nt* -e tribunal.

Tribüne *f* -n (*Redner~*) platform; (*Zuschauer~, Zuschauer*) stand; (*Haupt~*) grandstand.

Tribut *m* -e (*lit, fig*) tribute; (*Opfer*) toll.

Trichine *f* trichina.

Trichter *m* - funnel; (*Bomben~*) crater; (*von Trompete etc*) bell; (*von Hörgerät*) trumpet; (*von Lautsprecher*) cone; (*Einfüll~*) hopper ▸ **auf den ~ kommen** (*col*) to catch on (*col*).

Trick *m* -s trick ▸ **keine faulen ~s!** no funny business! (*col*); **das ist der ganze ~** that's all there is to it; **der ~ dabei ist, ...** the trick is to ...; **jdm einen ~ verraten** to give sb a tip.

Trick-: **~betrug** *m* confidence trick; **~film** *m* trick film; (*Zeichen~*) cartoon (film); **t~reich** *adj* (*col*) tricky; (*raffiniert*) clever.

trieb *pret of* **treiben**.

Trieb *m* -e [a] (*Psych, Natur~*) drive; (*Drang, Verlangen*) urge; (*Neigung, Hang*) inclination; (*Selbsterhaltungs~*) instinct. [b] (*Bot*) shoot.

Trieb-: **~feder** *f* (*fig*) motivating force (*gen* behind); **t~haft** *adj Handlungen* compulsive; **sie ist ein t~hafter Mensch** she is ruled by her physical desires; **~kraft** *f* (*Mech*) motive power; (*fig*) driving force; **~leben** *nt* (*Geschlechtsleben*) sex life; **~rad** *nt* driving wheel; **~täter** *m* sexual offender; **~wagen** *m* (*Rail*) railcar; **~werk** *nt* power plant; (*Düsentriebwerk*) jet engine.

triefen *vi* to be dripping wet; (*Nase*) to run; (*Auge*) to water ▸ **~ vor** to be dripping with; (*fig pej*) to gush with; **~d (naß)** dripping wet.

triefnaß *adj* dripping wet.

triezen *vt* (*col*) **jdn ~** to pester sb; (*schuften lassen*) to drive sb hard.

triftig *adj* cogent.

Trigonometrie *f* trigonometry.

Trikolore *f* -n tricolour (*Brit*), tricolor (*US*).

Trikot [tri'ko:, 'trɪko] *nt* -s (*Hemd*) shirt, jersey.

Triller *m* - (*Mus*) trill.

trillern *vti* to warble, to trill.

Trillerpfeife *f* (pea-)whistle.

Trillion *f* -en trillion (*Brit*), quintillion (*US*).

Trilobal-Anzug *m* shell suit.

Trilogie *f* trilogy.

Trimester *nt* - term.

Trimm-: **~-Aktion** *f* keep-fit campaign; **~-dich-Gerät** *nt* keep-fit apparatus; **~-dich-Pfad** *m* keep-fit trail.

trimmen [1] *vt Hund, Schiff, Flugzeug* to trim; (*col*) *Mensch, Tier* to teach, to train.
[2] *vr* to do keep-fit (exercises) ▸ **trimm dich durch Sport** keep fit with sport.

Trinidad *nt* Trinidad.

trinkbar *adj* drinkable.

trinken *pret* **trank**, *ptp* **getrunken** *vti* to drink; **ein Bier, Tasse Tee, Flasche Wein** *auch* to have ▸ **er trinkt gern einen** (*col*) he likes his drink; **jdm zu ~ geben** to give sb something to drink; **auf jdn/etw ~** to drink to sb/to sth.

Trinker(in *f*) *m* - drinker; (*Alkoholiker*) alcoholic.

Trinkerheil|anstalt *f* (*old*) detoxification centre (*Brit*) *or* center (*US*).

Trink-: **t~fest** *adj* **ich bin nicht sehr t~fest** I can't hold my drink very well; **~geld** *nt* tip; **jdm ~geld geben** to tip sb, to give sb a tip; **~halle** *f* (*Kiosk*) refreshment kiosk; **~halm** *m* drinking straw; **~milch** *f* milk; **~schokolade** *f* drinking chocolate; **~spruch** *m* toast; **~wasser** *nt* drinking water.

Trio *nt* -s trio.

Triole *f* -n (*Mus*) triplet.

Trip *m* -s (*col: Ausflug, Drogenrausch*) trip.

Tripolis *nt* Tripoli.

trippeln *vi aux haben or* (*bei Richtungsangabe*) *sein* to trip; (*Kind, alte Dame*) to toddle.

Tripper *m* - gonorrhoea *no art* (*Brit*), gonorrhea *no art* (*US*).

trist *adj* dreary, dismal; *Farbe* dull.

Tritt *m* -e [a] (*Schritt*) step ▸ **im ~ marschieren/~halten** to march/keep in step; **~ fassen** to find one's feet. [b] (*Fuß~*) kick ▸ **jdm einen ~ geben** to give sb a kick, to kick sb; (*fig*) (*entlassen etc*) to kick sb out (*col*); (*col: anstacheln*) to give sb a kick up the backside (*col*). [c] (*bei ~leiter, Stufe*) step; (*Gestell*) steps *pl*.

Tritt-: **~brett** *nt* step; (*an Auto*) running board; **~brettfahrer** *m* (*fig col*) free-rider (*col*); **er ist ein politischer ~brettfahrer** he has jumped on a political

───

⚠: Informationen zur Rechtschreibreform im Anhang

Trumpf

bandwagon; **~leiter** *f* stepladder.
Triumph *m* -(e)s, -e triumph ▶ **~e feiern** to be a triumphant success.
Triumphbogen *m* triumphal arch.
triumphieren* *vi* (*frohlocken*) to rejoice, to exult ▶ **über jdn/etw ~** (*geh*) to triumph over sb/sth.
triumphierend *adj* triumphant.
Triumphzug *m* triumphal procession.
trivial [tri'viaːl] *adj* trivial.
Trivialität [triviali'tɛt] *f* triviality.
Trivialliteratur [tri'viaːl-] *f* light fiction.
trocken *adj* (*lit, fig*) dry ▶ **da bleibt kein Auge ~** everyone is moved to tears; **~ aufbewahren/lagern** to keep/store in a dry place; **sich ~ rasieren** to use an electric razor; **auf dem ~en sitzen** (*col*) to be in a tight spot (*col*).
Trocken-: ~automat *m* tumble dryer; **~blume** *f* dried flower; **~boden** *m* drying room (*in attic*); **~dock** *nt* dry dock; **~futter** *nt* dried food; **~haube** *f* (salon) hairdryer.
Trockenheit *f* (*lit, fig*) dryness; (*Dürre*) drought.
Trocken-: ~kurs *m* (*Ski*) ski training course using dry slopes; **t~legen** *vt sep* [a] *Baby* to change; [b] *Sumpf* to drain; **~milch** *f* dried milk; **~zeit** *f* (*Jahreszeit*) dry season.
trocknen [1] *vt* to dry.
[2] *vi aux sein* to dry.
Troddel *f* -n tassel.
Trödel *m no pl* (*col*) junk.
Trödelmarkt *m* (*col*) flea market.
trödeln *vi* to dawdle.
Trödler(in *f*) *m* - [a] (*Händler*) junk dealer. [b] (*col: langsamer Mensch*) dawdler.
Trog *m* ⁻e trough; (*Wasch~*) tub.
trog *pret of* **trügen**.
trollen *vr* (*col*) to push off (*col*).
Trommel *f* -n (*Mus, Tech*) drum ▶ **die ~ rühren** (*fig col*) to drum up support.
Trommel-: ~bremse *f* drum brake; **~fell** *nt* eardrum; **~feuer** *nt* drumfire, heavy barrage.
trommeln [1] *vi* to drum; (*Regen*) to beat (down) ▶ **mit den Fingern ~** to drum one's fingers.
[2] *vt Marsch, Lied* to play on the drum/drums.
Trommel-: ~schlag *m* drum beat; (*das Trommeln*) drumming; **~stöcke** *pl* drumsticks *pl*; **~wirbel** *m* drumroll.
Trommler(in *f*) *m* - drummer.
Trompete *f* -n trumpet.
trompeten* [1] *vi* to trumpet.
[2] *vt Marsch etc* to play on the trumpet.
Trompeter(in *f*) *m* - trumpeter.
Tropen *pl* tropics *pl*.
Tropen- *in cpds* tropical; **~helm** *m* pith-helmet, topee; **~wald** *m* tropical rainforest.
Tropf *m* ⁻e (*col*) [a] **einfältiger ~** twit (*Brit col*), dummy (*col*); **armer ~** poor devil. [b] *no pl* (*Infusion*) drip (*col*) ▶ **am ~ hängen** to be on a/the drip.
tröpfeln [1] *vi* (*Leitung, aux sein: Flüssigkeit*) to drip; (*Nase*) to run.
[2] *vi impers* **es tröpfelt** it's spitting (*col*).
[3] *vt* to drip.
tropfen *vi* to drip; (*Nase*) to run.
Tropfen *m* - drop; (*Schweiß~ auch*) bead; (*fallender ~*) drip; (*col: kleine Menge*) drop ▶ **~** *pl* (*Medizin*) drops; **ein guter** *or* **edler ~** (*col*) a good wine; **bis auf den letzten ~** to the last drop; **ein ~ auf den heißen Stein** (*fig col*) a drop in the ocean.
tropfenweise *adv* drop by drop.
Tropf-: t~naß △ *adj* dripping wet; **~steinhöhle** *f* cave with stalactites/stalagmites.
Trophäe [tro'fɛːə] *f* -n trophy.

tropisch *adj* tropical.
Trost *m no pl* consolation, comfort ▶ **jdm ~ zusprechen** to comfort sb; **das ist ein schwacher** (*iro*) **~** some comfort that is!; **du bist wohl nicht ganz bei ~!** (*col*) you must be out of your mind!
trösten *vt* to comfort ▶ **sich/jdn über etw** (*acc*) **~** to get over sth/to help sb to get over sth; **es tröstet mich, daß** ... it is a comfort to me that ...
tröstlich *adj* comforting.
trostlos *adj* hopeless; *Jugend, Verhältnisse* miserable, wretched; (*öde, trist*) dreary.
Trost-: ~pflaster *nt* consolation; **~preis** *m* consolation prize; **t~reich** *adj* comforting.
Tröstung *f* comfort; (*das Trösten*) comforting.
Trott *m no pl* (slow) trot; (*fig*) routine ▶ **im ~** at a (slow) trot; **in den alten ~ zurückfallen** (*fig*) to slip back into the old routine.
Trottel *m* - (*col*) idiot, dope (*col*).
trotten *vi aux sein* to trot along.
Trottoir [trɔ'toaːɐ] *nt* -s (*dated, S Ger*) pavement.
trotz *prep* +*gen* (*geh*) *or* +*dat* (*col*) in spite of, despite ▶ **~ allem** in spite of everything.
Trotz *m no pl* defiance; (*trotziges Verhalten*) contrariness ▶ **jdm/einer Sache zum ~** in defiance of sb/sth.
Trotz|alter *nt* defiant age.
trotzdem *adv* nevertheless ▶ **(und) ich mache es ~!** I'll do it all the same.
trotzen *vi* [a] +*dat* to defy; *der Kälte, dem Klima etc* to withstand; *der Gefahr* to brave. [b] (*trotzig sein*) to be awkward.
trotzig *adj* defiant; *Kind etc* difficult, awkward.
Trotz-: ~kopf *m* (*col*) contrary so-and-so (*col*); **~reaktion** *f* act of defiance.
trüb(e) *adj* [a] dull; *Flüssigkeit* cloudy; *Sonne, Licht* dim ▶ **im ~en fischen** (*col*) to fish in troubled waters. [b] (*fig: bedrückend, unerfreulich*) *Zeiten* bleak; *Erfahrung* grim ▶ **~e Tasse** (*col*) drip (*col*).
Trubel *m no pl* hurly-burly.
trüben [1] *vt* [a] *Flüssigkeit* to make cloudy; *Glas, Metall* to dull; *Blick* to cloud ▶ **sie sieht aus, als könnte sie kein Wässerlein ~** (*col*) she looks as if butter wouldn't melt in her mouth. [b] (*fig*) *Glück, Verhältnis* to spoil; *Bewußtsein, Verstand* to dull.
[2] *vr* (*Flüssigkeit*) to go cloudy; (*Spiegel, Metall*) to become dull; (*geh*) (*Verstand*) to become dulled; (*Augen*) to dim; (*Himmel*) to cloud over; (*Glück, Freude*) to be marred.
Trüb-: ~sal *f* gloom; **~sal blasen** (*col*) to mope; **t~selig** *adj* gloomy; *Behausung, Wetter* miserable; **~sinn** *m no pl* gloom, melancholy; **t~sinnig** *adj* gloomy, melancholy.
trudeln *vi aux sein or haben* (*Aviat*) to spin.
Trüffel¹ *f* -n (*Pilz*) truffle.
Trüffel² *m* - truffle.
Trug *m no pl* (*liter*) deception; (*der Sinne*) illusion.
trug *pret of* **tragen**.
trügen *pret* **trog**, *ptp* **getrogen** [1] *vt* to deceive ▶ **wenn mich nicht alles trügt** unless I am very much mistaken.
[2] *vi* to be deceptive.
trügerisch *adj* (*irreführend*) deceptive.
△ **Trugschluß** *m* fallacy.
Truhe *f* -n chest.
Trümmer *pl* rubble *sing*, (*Ruinen, fig: von Glück etc*) ruins *pl*; (*von Schiff, Flugzeug etc*) wreckage *sing*; (*Überreste*) remnants *pl* ▶ **etw in ~ schlagen** to smash sth to pieces.
Trümmer-: ~feld *nt* expanse of rubble/ruins; (*fig*) scene of devastation; **~haufen** *m* heap of rubble.
Trumpf *m* ⁻e (*Cards*) (*~karte, auch fig*) trump card; (*Farbe*) trumps *pl* ▶ **~ sein** to be trumps; (*fig col:*

modisch sein) to be in (*col*); **den ~ in der Hand haben/aus der Hand geben** (*fig*) to hold the/throw away one's trump card.

trumpfen ⓵ *vt* to trump.
⓶ *vi* to play a trump (card).

Trumpf-: **~farbe** *f* trumps *pl*; **~karte** *f* (*lit, fig*) trump (card).

Trunk *m* ⁼e ⓐ (*old, liter*) draught (*old, liter*). ⓑ **dem ~ verfallen sein** to be addicted to drink.

Trunken-: **~bold** *m* -e (*pej*) drunkard; **~heit** *f* drunkenness; **~heit am Steuer** drunken *or* drink driving.

Trunksucht *f* alcoholism.

Trupp *m* -s (*Einheit*) group; (*Mil*) squad.

Truppe *f* -n ⓐ (*Mil*) army, troops *pl*; (*Panzer~ etc*) corps *sing* ▸ **~n** *pl* troops; **nicht von der schnellen ~ sein** (*col*) to be a slow worker. ⓑ (*Künstler~*) troupe, company.

Truppen-: **~abbau** *m* cutback in troop numbers; **~gattung** *f* corps *sing*, **~übung** *f* field exercise; **~übungsplatz** *m* military training area.

Trut-: **~hahn** *m* turkey(cock); **~henne** *f* turkey (hen); **~huhn** *nt usu pl* turkey.

Tschad *m* - **der ~** Chad.

tschadisch *adj* Chad *attr*.

Tscheche *m* (*wk*) -n, -n, **Tschechin** *f* Czech.

Tschechien [-iən] *nt* the Czech Republic.

tschechisch *adj* Czech ▸ **T~e Republik** Czech Republic.

Tschechoslowakei *f* (*Hist*) **die ~** Czechoslovakia.

⚠**tschüs** *interj* (*col*) cheerio (*Brit col*), so long (*col*).

Tsetsefliege *f* tsetse fly.

TU [teːˈuː] *f* - = **Technische Universität**.

Tuba *f*, *pl* **Tuben** (*Mus*) tuba.

Tube *f* -n tube ▸ **auf die ~ drücken** (*col*) to get a move on (*col*).

Tuberkulose *f* -n tuberculosis.

tuberkulosekrank *adj* tubercular.

Tuch *nt* ⁼er ⓐ cloth; (*Hals~, Kopf~*) scarf ▸ **das wirkt wie ein rotes ~ auf ihn** it's like a red rag to a bull. ⓑ *pl* **-e** (*old: Stoff*) cloth.

Tuch-: **~fabrik** *f* textile factory; **~fühlung** *f* physical contact; **auf ~fühlung mit jdm sein** to be close up against sb; **~händler** *m* cloth merchant.

tüchtig ⓵ *adj* ⓐ (*fähig*) competent (*in +dat* at); (*fleißig*) efficient ▸ **etwas T~es lernen/werden** (*col*) to get a proper training/job; **~, ~!** not bad! ⓑ (*col: groß*) *Portion* big.
⓶ *adv* ⓐ (*fleißig, fest*) hard; *essen* heartily ▸ **hilf ~ mit** go on, do your bit. ⓑ (*col: sehr*) good and proper (*col*) ▸ **~ regnen** to pelt down (*col*); **~ zulangen** to tuck in (*col*).

Tüchtigkeit *f* (*Fähigkeit*) competence; (*von Arbeiter etc*) efficiency.

Tücke *f* -n ⓐ (*no pl: Bosheit*) malice, spite. ⓑ (*Gefahr*) danger, peril; (*von Krankheit*) perniciousness ▸ **voller ~n stecken** to be difficult; (*gefährlich*) to be treacherous; **seine ~n haben** (*Maschine etc*) to be temperamental. ⓒ (*des Schicksals*) vagary *usu pl*.

tückisch *adj Mensch* malicious, spiteful; *Berge, Strom* treacherous; *Krankheit* pernicious.

tüfteln *vi* (*col*) to puzzle; (*basteln*) to fiddle about (*col*) ▸ **an etw** (*dat*) **~** to fiddle about with sth; (*geistig*) to puzzle over sth.

Tüftler(in *f*) *m* - (*col*) *person who likes doing fiddly or finicky things*.

Tugend *f* -en virtue.

Tugend-: **~bold** *m* -e (*pej*) paragon of virtue; **t~haft** *adj* virtuous.

Tukan *m* -e toucan.

Tüll *m* -e tulle; (*für Gardinen*) net.

Tülle *f* -n spout.

Tulpe *f* -n (*Bot*) tulip; (*Glas*) tulip glass.

tummeln *vr* ⓐ to romp (about). ⓑ (*sich beeilen*) to hurry.

Tummelplatz *m* play area; (*fig*) hotbed.

Tümmler *m* - (bottle-nosed) dolphin.

Tumor *m* -en [tuˈmoːrən] tumour (*Brit*), tumor (*US*).

Tümpel *m* - pond.

Tumult *m* -e commotion.

tun *pret* **tat**, *ptp* **getan** ⓵ *vt* ⓐ to do; *Blick, Schritt* to take ▸ **was ~?** what shall we do?; **du kannst ~ und lassen, was du willst** you can do as you please; **tu, was du nicht lassen kannst** well, if you must, you must; **damit ist es noch nicht getan** and that's not all; **etwas gegen etw ~** to do something about sth; **Sie müssen etwas für sich ~** (*sich etwas gönnen*) you should treat yourself; (*sich schonen*) you should take care of yourself; **so etwas tut man nicht!** that's just not done; **das hat nichts mit ihm zu ~** that is nothing to do with him; **ich habe mit mir (selbst) genug zu ~** I have enough problems of my own; **es mit jdm zu ~ bekommen** (*col*) to get into trouble with sb; **er hat es mit der Leber zu ~** (*col*) he has liver trouble; **was tut's?** what difference does it make?; **jdm etwas ~** to do something to sb; (*stärker*) to harm *or* hurt sb.
ⓑ (*col: an bestimmten Ort legen*) to put ▸ **etw in die Tasche ~** to put sth in one's pocket.
ⓒ (*col: funktionieren*) **die Uhr tut es nicht mehr** this watch has had it (*col*); **das Radio tut es wieder** the radio is going again.
⓶ *vr* (*geschehen*) **es tut sich etwas** there is something happening; **hat sich in dieser Hinsicht schon etwas getan?** has anything been done about this?
⓷ *vi* ⓐ **zu ~ haben** (*beschäftigt sein*) to be busy, to have work to do; **in der Stadt zu ~ haben** to have things to do in town; **mit jdm zu ~ haben** to deal with sb. ⓑ (*sich benehmen*) to act ▸ **so ~, als ob ...** to pretend that ...; **tust du nur so dumm?** are you just acting stupid?; **sie tut nur so** she's only pretending. ⓒ **Sie täten gut daran, früh zu kommen** you would do well to come early.

Tünche *f* -n whitewash; (*fig*) veneer.

tünchen *vt* to whitewash.

Tundra *f*, *pl* **Tundren** tundra.

Tunesien [-iən] *nt* Tunisia.

Tunesier(in *f*) [-iɐ, -iərɪn] *m* - Tunisian.

tunesisch *adj* Tunisian.

Tunichtgut *m* -e good-for-nothing.

Tunke *f* -n sauce; (*Braten~*) gravy.

tunken *vt* to dip; (*stippen*) to dunk (*col*); *jdn* to duck.

tunlichst *adv* if (at all) possible ▸ **~ bald** as soon as possible.

Tunnel *m* - *or* -s tunnel.

Tunte *f* -n (*col*) fairy (*pej col*), pansy (*pej col*).

Tüpfel *m or nt* -, **Tüpfelchen** *nt* dot.

tupfen *vt* to dab ▸ **getupft** spotted.

Tupfen *m* - spot; (*klein*) dot.

Tupfer *m* - swab.

Tür *f* -en door; (*Garten~*) gate ▸ **in der ~** in the doorway; **an die ~ gehen** to answer the door; **Weihnachten steht vor der ~** Christmas is just around the corner; **jdn vor die ~ setzen** (*col*) to throw sb out; **jdm die ~ weisen** to show sb the door; **ein jeder kehre vor seiner ~** (*prov*) everyone should set his own house in order; **mit der ~ ins Haus fallen** (*col*) to blurt it/things out; **zwischen ~ und Angel** in passing.

Tür|angel *f* (door) hinge.

Turban *m* -e turban.

Turbine *f* turbine.

Turbinenflugzeug *nt* turbojet.

Turbo *m* -s (*Aut*) turbo.
Turbo-: ~**lader** *m* turbocharger; ~**motor** *m* turbocharged engine.
turbulent *adj* turbulent.
Turbulenz *f* turbulence *no pl.*
Tür-: ~**drücker** *m* doorknob; (*col: Öffner*) buzzer; ~**flügel** *m* door *(of a pair of doors)*; ~**griff** *m* door handle.
Türke *m* (*wk*) -n, -n, **Türkin** *f* Turk.
Türkei *f die* ~ Turkey.
türken *vt* (*col*) *Papiere, Zahlen* to fiddle ▸ **getürkte Belege** falsified documents.
Türkis *m* -e (*Edelstein*) turquoise.
türkis *adj* turquoise.
türkisch *adj* Turkish.
Türkisch(e) *nt* Turkish; *siehe* **Deutsch(e)**.
Tür-: ~**klinke** *f* door handle; ~**klopfer** *m* doorknocker.
Turm *m* ‡e [a] tower; (*spitzer Kirch*~) spire. [b] (*Chess*) castle, rook.
türmen [1] *vt* to pile up.
  [2] *vr* to pile up; (*Wolken*) to build up; (*Wellen*) to tower up.
  [3] *vi aux sein* (*col: davonlaufen*) to run off.
Turm-: ~**falke** *m* kestrel; ~**schwalbe** *f* swift; ~**uhr** *f* clock (on a/the tower); (*Kirch*~*uhr*) church clock.
Turn|anzug *m* leotard.
turnen *vi* [a] to do gymnastics; (*Sch*) to do gym ▸ **am Reck** ~ to do exercises on the horizontal bar. [b] *aux sein* (*herumklettern*) to climb about; (*Kind*) to romp.
Turnen *nt no pl* gymnastics *sing*; (*Sch*) gym, PE (*col*).
Turner(in *f*) *m* - gymnast.
turnerisch *adj* gymnastic.
Turn-: ~**fest** *nt* gymnastics display; (*von Schule*) sports day; ~**gerät** *nt* (piece of) gymnastic appartus; ~**halle** *f* gym(nasium); ~**hemd** *nt* gym singlet; ~**hose** *f* gym shorts *pl.*
Turnier *nt* -e tournament; (*Tanz*~) competition; (*Reit*~) show.
Turnierpferd *nt* show horse.
Turn-: ~**lehrer** *m* gym teacher; ~**schuh** *m* gym shoe; (*Trainingsschuh*) trainer, sneaker (*US*); ~**stunde** *f* gym lesson; ~**übung** *f* gymnastic exercise.
Turnus *m* -se rota ▸ **im (regelmäßigen)** ~ in rotation.
Turn-: ~**verein** *m* gymnastics club; ~**zeug** *nt* gym kit.
Tür-: ~**öffner** *m* buzzer (for opening the door); ~**pfosten** *m* doorpost; ~**rahmen** *m* doorframe; ~**schild** *nt* doorplate; ~**schloß** △ *nt* door lock; ~**schwelle** *f* threshold; ~**sprechanlage** *f* entryphone.
turteln *vi* to bill and coo.
Turteltaube *f* (*lit, fig col*) turtle-dove.
Türvorleger *m* doormat.
Tusch *m* -e (*Mus*) flourish.

Tusche *f* -n (*Auszieh*~) Indian ink; (~*farbe*) water colour (*Brit*) *or* color (*US*).
tuscheln *vti* to whisper ▸ **hinter seinem Rücken über jdn** ~ to talk about sb behind his/her back.
tuschen *vt* to draw in Indian ink ▸ **sich** (*dat*) **die Wimpern** ~ to put one's mascara on.
Tusch-: ~**farbe** *f* water colour (*Brit*) *or* color (*US*); ~**zeichnung** *f* pen-and-ink drawing.
Tussi *f* -s (*col*) female (*col*).
Tüte *f* -n bag; (*Eis*~) cornet, cone; (*col: für Alkoholtest*) breathalyzer ▸ **in die** ~ **blasen** (*col*) to be breathalyzed; ~**n kleben** (*col*) to be in clink (*col*); **das kommt nicht in die** ~**!** (*col*) no way! (*col*).
tuten *vti* to toot; (*Schiff*) to sound its horn ▸ **von T~ und Blasen keine Ahnung haben** (*col*) not to have a clue (*col*).
TÜV [tyf] *m* -s = **Technischer Überwachungs-Verein** ≃ MOT (*Brit*), vehicle inspection (*US*) ▸ **das Auto ist durch den** ~ **gekommen** the car passed its MOT *or* vehicle inspection.

TÜV

🛈 The **TÜV** (= *Technischer Überwachungs-Verein) is the organization responsible for checking the safety of machinery, particularly vehicles. Cars over three years old have to be examined every two years for their safety and for their exhaust emissions. The TÜV is the German equivalent of the MOT.*

TV [te:'faʊ] *nt* = **Television** TV.
Twen *m* -s *person in his/her twenties.*
Typ *n* -en type; (*von Auto auch*) model; (*col: Mensch*) person, character; (*col: Mann, Freund*) guy (*col*) ▸ **sie ist ein dunkler/blonder** ~ she's dark/fair; **er ist nicht mein** ~ (*col*) he's not my type (*col*); **dein** ~ **wird verlangt** (*col*) you're wanted; **dein** ~ **ist nicht gefragt** (*col*) you're not wanted around here.
Type *f* -n [a] (*Druckbuchstabe*) character ▸ ~**n** (*Schrift*) type *sing*. [b] (*col: Mensch*) character.
Typenrad *nt* daisy wheel.
Typenraddrucker *m* daisy wheel printer.
Typhus *m no pl* typhoid (fever).
Typhuskranke(r) *mf* typhoid case.
typisch *adj* typical (*für* of) ▸ ~ **deutsch** typically German; **das ist** ~ **Mann/Frau** that's just typical of a man/woman.
△**Typographie** *f* typography.
Tyrann(in *f*) *m* (*wk*) -en, -en tyrant.
Tyrannei *f* tyranny.
tyrannisch *adj* tyrannical.
tyrannisieren* *vt* to tyrannize.

U

U, u [uː] *nt* -, - U, u ▶ *U wie Ulrich* ≃ U for Uncle.

u. = und.

u.a. = und andere(s); unter anderem/anderen.

u.ä. = und ähnliche(s).

u.A.w.g. = um Antwort wird gebeten RSVP.

U-Bahn ['uː-] *f* underground (*Brit*), subway (*US*); (*in London*) tube.

U-Bahnhof ['uː-] *m* underground (*Brit*) or subway (*US*) station.

übel ① *adj* bad; *Erkältung etc auch* nasty; (*moralisch auch*) wicked, evil ▶ *er war übler Laune* he was in a bad mood; *das ist eine üble Sache!* it's a bad business; *in übler or ~ster Weise* in a most unpleasant way; *mir wird ~* I feel sick.

② *adv* badly ▶ *etw ~ aufnehmen* to take sth badly; *das schmeckt gar nicht so ~* it doesn't taste so bad; *ich hätte nicht ~ Lust, jetzt nach Paris zu fahren* I wouldn't mind going to Paris now.

Übel *nt* - evil ▶ *ein notwendiges/das kleinere ~* a necessary/the lesser evil; *das alte ~* the old trouble; *von ~ sein* to be a bad thing, to be bad; *zu allem ~ ...* to make matters worse ...

△**übelgelaunt** *adj attr* sullen, morose.

Übelkeit *f* (*lit, fig*) nausea.

Übel-: **ü~launig** *adj* ill-tempered; **ü~nehmen** △ *vt sep irreg etw ü~nehmen* to take sth amiss; *jdm etw ü~nehmen* to hold sth against sb; **ü~riechend** △ *adj* foul-smelling, evil-smelling; **~stand** *m* (social) evil or ill; **~täter** *m* (*geh*) wrongdoer.

üben *vtir* to practise (*Brit*), to practice (*US*); (*Mil*) to drill; *Gedächtnis, Muskeln etc* to exercise ▶ *mit geübtem Auge* with a practised eye; *Kritik an etw* (*dat*) ~ to criticize sth; *sich in etw* (*dat*) ~ to practise sth.

über ① *prep* ⓐ +*acc* (*räumlich*) over; (*quer ~ auch*) across; (*weiter als*) beyond ▶ *er lachte ~ das ganze Gesicht* he was beaming all over his face.

ⓑ +*dat* (*räumlich*) (*Lage, Standort*) over, above; (*jenseits*) over, across ▶ *zwei Grad ~ Null* two degrees above zero; ~ *jdm stehen* (*fig*) to be over or above sb.

ⓒ +*dat* (*zeitlich: bei, während*) over ▶ ~ *der Arbeit einschlafen* to fall asleep over one's work.

ⓓ +*acc Macht ~ jdn haben* to have power over sb; *sie liebt ihn ~ alles* she loves him more than anything; *das geht mir ~ den Verstand* that's beyond my understanding.

ⓔ +*acc* (*vermittels, auf dem Wege* ~) via ▶ *die Nummer erfährt man ~ die Auskunft* you'll get the number from or through or via directory enquiries; *nach Köln ~ Aachen* to Cologne via Aachen.

ⓕ +*acc* (*zeitlich*) over ▶ ~ *Weihnachten* over Christmas; *den ganzen Sommer* ~ all summer long; ~ *Wochen* for weeks on end; *die ganze Zeit* ~ all the time; ~ *kurz oder lang* sooner or later.

ⓖ +*acc* (*bei Zahlenangaben*) *ein Scheck ~ DM 200* a cheque for 200 DM; *Kinder ~ 14 Jahre* children over 14 years or of 14 and over.

ⓗ +*acc* (*betreffend*) about ▶ *ein Buch ~ ...* a book about or on ...; ~ *jdn/etw lachen* to laugh about or at sb/sth; *sich ~ etw freuen/ärgern* to be pleased/angry about or at sth.

ⓘ +*acc* (*steigernd*) *Fehler ~ Fehler* mistake upon or after mistake.

② *adv* ~ *und* ~ all over; *er wurde ~ und ~ rot* he went red all over.

über|all *adv* everywhere ▶ ~ *wo* wherever; ~ *Bescheid wissen* (*wissensmäßig*) to have a wide-ranging knowledge; *es ist ~ dasselbe* it's the same wherever you go.

über|all-: **~her** *adv* from all over; **~hin** *adv* everywhere.

Über-: **ü~altert** *adj Gesellschaft* excessively geriatric; **~angebot** *nt* surplus (*an* +*dat* of); **ü~ängstlich** *adj* overanxious; **ü~anstrengen*** *insep* ① *vt* to overstrain; *Kräfte* to overtax; *Augen* to strain; ② *vr* to overstrain oneself; **~anstrengung** *f* overexertion; *eine ~anstrengung der Nerven/Augen* a strain on the nerves/eyes; **ü~antworten*** *vt insep* (*geh*) *jdm etw ü~antworten* to entrust sth to sb; **ü~arbeiten*** *insep* ① *vt* to rework; *in einer ü~arbeiteten Fassung* published in a revised edition; ② *vr* to overwork; **~arbeitung** *f no pl* ⓐ revision; ⓑ (*~anstrengung*) overwork; **ü~aus** *adv* extremely; **ü~backen*** *vt insep irreg* to put in the oven/under the grill; **ü~backene Käseschnitten** cheese on toast.

Überbau *m* **-e** (*Build, Philos*) superstructure.

überbauen* *vt insep* to build over; (*mit einem Dach*) to build a roof over.

Über-: **ü~beanspruchen*** *vt insep* ⓐ *Menschen, Körper* to overtax; *Maschine* to overload; (*arbeitsmäßig*) **ü~beansprucht sein** to be overworked; ⓑ *Einrichtungen, Dienste* to overburden; **ü~belegen*** *vt insep usu ptp* to overcrowd; *Kursus, Fach etc* to oversubscribe; **ü~belichten*** *vt insep* (*Phot*) to overexpose; **~beschäftigung** *f* overemployment; **ü~besetzt** *adj Abteilung* overstaffed; **~besetzung** *f* overmanning; **ü~betonen*** *vt insep* (*fig*) to overemphasize; **ü~betrieblich** *adj* industry-wide; **~bevölkerung** *f* overpopulation; **ü~bewerten*** *vt insep* (*lit*) to overvalue; (*fig auch*) to overrate; *Schulleistung etc* to mark too high; *Äußerungen* to attach too much importance to; **~bezahlung** *f* overpayment; **ü~bieten*** *insep irreg* ① *vt* (*bei Auktion*) to outbid (*um* by); (*fig*) to outdo; *Leistung, Rekord* to beat; *das ist kaum noch zu ü~bieten* that's just about the limit!; ② *vr sich in etw* (*dat*) (*gegenseitig*) *ü~bieten* to vie with each other in sth; **~bleibsel** *nt* - remnant; (*Speisereste*) left-overs *pl*; (*Brauch, Angewohnheit etc*) survival, hangover.

Überblick *m* (*über* +*acc* of) ⓐ (*freie Sicht*) view. ⓑ (*Einblick*) overview ▶ *er hat keinen ~* he has no overall picture; *den ~ verlieren* to lose track (of things). ⓒ (*Abriß*) survey; (*Übersicht*) synopsis, summary ▶ *sich* (*dat*) *einen ~ verschaffen* to get a general idea.

überblicken* *vt insep* ⓐ (*lit*) *Platz, Stadt* to overlook. ⓑ (*fig*) *Lage etc auch* to grasp.

überbringen* *vt insep irreg jdm etw ~* to bring sb sth.

Überbringer(in *f*) *m* - bringer; (*von Scheck*) bearer.

überbrücken* *vt insep Kluft, Zeitraum* to bridge; *Krisenzeiten* to get over; *Gegensätze* to reconcile.

Überbrückung *f hier sind 100 Mark zur ~* here are 100 marks to tide you over.

Überbrückungskredit *m* bridging loan.

Über-: **ü~buchen*** *vt insep* to overbook; **ü~dachen*** *vt*

insep to cover; **ü~dauern*** *vt insep* to survive; **~decke**
f bedspread; **ü~decken¹** *vt sep* to cover up *or* over; *jdm*
etw **ü~decken** to cover sb with sth; **ü~decken²*** *vt*
insep Riß, Geschmack to cover up; **ü~dehnen*** *vt insep*
Muskel etc to strain; *Gummi,* (*fig*) *Begriff* to overstretch;
ü~denken* *vt insep irreg* to think over.

überdies *adv* (*geh*) (*außerdem*) moreover; (*ohnehin*) anyway.

Über-: **ü~dimensional** *adj* colossal, oversize; **~dosis** *f*
overdose; (*zu große Zumessung*) excessive amount; *eine*
~dosis nehmen to (take an) overdose; **ü~drehen*** *vt*
insep Uhr etc to overwind; *Gewinde* to strip; **ü~dreht**
adj (*col*) overexcited; **~druck** *m, pl* **~drücke** (*Tech*) excess pressure *no pl*; **ü~drücken** *vt insep* to overprint.

⚠**Überdruß** *m no pl* (*Übersättigung*) surfeit (*an* +*dat* of);
(*Widerwille*) aversion (*an* +*dat* to) ▶ *bis zum ~* ad nauseam.

überdrüssig *adj jds/einer Sache* (*gen*) *~ sein/werden*
to be/grow weary of sb/sth.

über-: **~durchschnittlich** [1] *adj* above-average; [2] *adv*
exceptionally; **~eck** *adv* at right angles (*to each other*);
~eifrig *adj* overzealous; **~eignen*** *vt insep* (*geh*) *jdm*
etw ~eignen to make sth over to sb; **~eilen*** *vtr insep*
to rush; *~eilen Sie nichts!* don't rush things!; **~eilt** *adj*
(too) hasty.

über|einander *adv* [a] (*räumlich*) on top of each other;
hängen, wohnen one above the other. [b] *reden etc* about
each other.

über|einander-: **~legen** ⚠ *vt sep* to put one on top of
the other; **~liegen** ⚠ *vi sep irreg* to lie on top of each
other; **~schlagen** ⚠ *vt sep irreg die Beine ~schlagen*
to cross one's legs.

über|einkommen *vi sep irreg aux sein* to agree.

Über|einkunft *f* ⁻e agreement ▶ *eine ~ treffen/*
erzielen to make/reach an agreement.

über|einstimmen *vi sep* to agree; (*Angaben, Meßwerte*
etc) to tally; (*Farben, Stile etc*) to match; (*mit Tatsachen*)
to fit ▶ *mit jdm in etw* (*dat*) *~* to agree with sb on sth.

über|einstimmend [1] *adj* corresponding; *Meinungen*
concurring; *Farben* matching ▶ *nach ~en Meldungen*
according to all reports. [2] *adv alle erklärten ~, daß ...* everybody agreed that ...

Über|einstimmung *f* correspondence, agreement;
(*von Meinung*) agreement ▶ *zwei Dinge in ~ bringen* to
bring two things into line; *darin besteht bei allen*
Beteiligten ~ all parties involved are agreed on that; *in*
~ mit jdm/etw in agreement with sb/in accordance
with sth.

über-: **~empfindlich** *adj* (*gegen* to) oversensitive, hypersensitive (*auch Med*); **~erfüllen*** *vt insep Norm, Soll* to
exceed (*um* by); **~ernähren*** *vt insep* to overfeed;
~essen *pret* **~aß,** *ptp* **~gegessen** *vr insep* to overeat;
sich an Käse ~essen to eat too much cheese.

überfahren¹ *sep irreg* [1] *vt* (*mit Boot etc*) to take *or* ferry across. [2] *vi aux sein* to cross over.

überfahren²* *vt insep irreg* [a] *jdn, Tier* to run over, to
knock down. [b] (*hinwegfahren über*) to go *or* drive
over. [c] *Ampel* to jump. [d] (*col: übertölpeln*) *jdn ~* to
stampede sb into it.

Überfahrt *f* crossing (*über* +*acc* of).

Überfall *m* attack (*auf* +*acc* on); (*auf offener Straße auch*)
mugging (*auf* +*acc* of); (*auf Bank etc*) raid (*auf* +*acc* on).

überfallen* *vt insep irreg* [a] to attack; (*auf offener*
Straße auch) to mug; *Bank, Lager* to raid. [b] (*fig geh:*
Gefühle, Müdigkeit) to come over.

Über-: **ü~fällig** *adj* overdue *usu pred*; **~fallkommando**
nt flying squad; **ü~fliegen*** *vt insep irreg* [a] to fly over,
to overfly. [b] (*flüchtig ansehen*) *Buch etc* to take a quick
look at; **~flieger** *m* (*fig*) high-flier; **ü~fließen** *vi sep*

irreg aux sein (*Gefäß*) to overflow; (*fig: vor Dank etc*
auch) to gush (*vor* +*dat* with); **ü~flügeln*** *vt insep* to
outdo.

⚠**Überfluß** *m no pl* abundance (*an* +*dat* of); (*Luxus*) affluence ▶ *Arbeit im ~* plenty of work; *im ~ leben* to live
in luxury; *zu allem or zum ~* (*unnötigerweise*) superfluously; (*obendrein*) to crown it all (*col*).

⚠**Überflußgesellschaft** *f* affluent society.

überflüssig *adj* superfluous; (*frei, entbehrlich*) spare;
(*unnötig*) unnecessary; (*zwecklos*) useless.

überflüssigerweise *adv* superfluously.

Über-: **ü~fluten*** *vt insep* (*lit, fig*) to flood; (*fig auch*) to
inundate; **ü~fordern*** *vt insep* to overtax; *jdn auch* to
ask too much of; **ü~fragt** *adj pred* stumped; *da bin ich*
ü~fragt there you've got me; **ü~fremden*** *vt insep* to
subject to too many foreign influences; **ü~fremdet** *adj*
(*Land*) swamped by foreigners; **~fremdung** *f no pl* excessive foreign influence.

überführen¹ *vt sep* to transfer; *Leiche* to transport;
Wagen to drive.

überführen²* *vt insep* [a] *siehe* **überführen¹**; [b] *Täter*
to convict (*gen* of), to find guilty (*gen* of); [c] *einen Fluß*
mit einer Brücke ~ to build a bridge over a river.

Überführung *f* [a] transportation; [b] *no pl* (*Jur*) conviction; [c] (*Brücke über Straße etc*) bridge (*auch Rail*), over-
pass; (*Fußgänger~*) footbridge.

über-: **ü~füllt** *adj* overcrowded; *Kurs* oversubscribed;
(*Comm*) *Lager* overstocked; **~füttern*** *vt insep* to overfeed.

Übergabe *f no pl* handing over *no pl*; (*von Neubau*)
opening; (*Mil*) surrender.

Übergang *m* [a] (*das Überqueren*) crossing. [b]
(*Fußgänger~*) crossing, crosswalk (*US*); (*Brücke*) foot-
bridge; (*Rail*) level (*Brit*) *or* grade (*US*) crossing. [c] (*fig:*
Wechsel) transition.

Übergangs-: **~erscheinung** *f* temporary phenomenon;
ü~los *adj* without a transition; **~lösung** *f* temporary solution; **~regierung** *f* caretaker government; **~stadium**
nt transitional stage; **~zeit** *f* transitional period.

übergeben* *insep irreg* [1] *vt* to hand over (*jdm* to sb);
(*Mil auch*) to surrender ▶ *eine Straße dem Verkehr ~*
to open a road to traffic.
[2] *vr* (*sich erbrechen*) to vomit, to be sick (*Brit*).

übergehen¹ *vi sep irreg aux sein* [a] *in etw* (*acc*) *~* to
turn *or* change into sth; (*Farben*) to merge into sth; *in*
jds Besitz (*acc*) *~* to become sb's property. [b] *auf jdn ~*
(*geerbt, übernommen werden*) to pass to sb. [c] *zu etw ~*
to change over to sth.

übergehen²* *vt insep irreg jdn* to pass over; *Einwände*
etc auch to ignore.

Über-: **ü~geordnet** *adj Behörde* higher; **~gepäck** *nt* excess baggage; **ü~geschnappt** *adj* (*col*) crazy;
~gewicht *nt* overweight; (*fig*) predominance;
~gewicht haben to be overweight; **ü~gießen*** *vt insep*
irreg to pour over; *jdn* to douse; *Braten* to baste; *jdn/*
sich mit etw ü~gießen to pour sth over sb/oneself;
ü~glücklich *adj* overjoyed; **ü~greifen** *vi sep irreg* (*auf*
Rechte etc) to encroach (*auf* +*acc* on); (*Feuer, Streik,*
Krankheit etc) to spread (*auf* +*acc* to); *ineinander*
ü~greifen to overlap; **ü~greifend** *adj* (*fig*) *Über-*
legungen general; **~griff** *m* (*Einmischung*) encroachment
(*auf* +*acc* on); (*Mil*) incursion (*auf* +*acc* into); **~größe** *f*
(*bei Kleidung*) outsize; **ü~haben** *vt sep irreg* (*col*) [a]
(*satt haben*) to be sick of (*col*); [b] (*übrig haben*) to have
left (over); *für etw nichts ü~haben* not to like sth.

⚠**überhandnehmen** *vi sep irreg* to get out of hand.

Über-: **~hang** *m* [a] (*Fels~*) overhang; [b] (*Comm:*
Überschuß) surplus (*an* +*dat* of); **ü~hängen** *sep* [1] *vi*
irreg aux haben or sein to overhang; [2] *vt sich* (*dat*) *ei-*
nen Mantel ü~hängen to put a coat over one's shoul-

ders; **ü~hastet** *adj* overhasty; **ü~hastet sprechen** to speak too fast; **ü~häufen*** *vt insep jdn* to overwhelm; *jdn mit Geschenken/Vorwürfen* **ü~häufen** to heap presents/reproaches on sb.

überhaupt *adv* a (*in Fragen, Verneinungen*) at all ▶ ~ **nicht** not at all; ~ **kein Grund** no reason at all *or* whatsoever; *hast du denn* ~ *keinen Anstand?* have you no decency at all?; *das habe ich ja* ~ *nicht gewußt* I had no idea at all. b (*sowieso, im allgemeinen*) in general; (*überdies, außerdem*) anyway, anyhow ▶ *er ist* ~ *sehr schüchtern* he's altogether very shy; *er sagt* ~ *immer sehr wenig* he never says very much anyway *or* anyhow. c (*erst, eigentlich*) *waren Sie* ~ *schon in dem neuen Film?* have you actually been to the latest film?; *wenn* ~ if at all; *wie ist das* ~ *möglich?* how is that (even) possible?; *wer sind Sie* ~*?* who are you anyway?

über-: **~heblich** *adj* arrogant; **Ü~heblichkeit** *f no pl* arrogance; **~hitzen*** *vt insep* to overheat; **~hitzt** *adj* (*fig*) *Diskussion* very heated; **~höht** *adj Forderungen, Preise* exorbitant.

überholen* *vti insep* a *Fahrzeug* to overtake (*Brit*), to pass; (*fig: übertreffen*) to overtake. b *Motor etc* to overhaul.

Überhol-: **~manöver** *nt* passing manoeuvre; **~spur** *f* fast lane.

überholt *adj* outdated.

Überholverbot *nt* ban on overtaking (*Brit*) *or* passing; (*als Schild etc*) no overtaking (*Brit*), no passing.

überhören* *vt insep* not to hear; (*nicht hören wollen*) to ignore ▶ *das möchte ich überhört haben!* (I'll pretend) I didn't hear that!

Über-Ich *nt* superego.

über-: **~irdisch** *adj* celestial, heavenly; **~kandidelt** *adj* (*col*) eccentric; **~kippen** *vi sep aux sein* to topple over; **~kleben*** *vt insep die Kiste/Anschrift* **~kleben** to stick something over the box/address; **~kochen** *vi sep aux sein* (*lit, fig*) to boil over; **~kommen*** *vt insep irreg* (*geh: ergreifen*) to come over; *Furcht etc* **~kam ihn** he was overcome with fear *etc*; **~kriegen** *vt sep* (*col*) a (~*drüssig werden*) to get fed up with (*col*); b *eins* **~kriegen** to get landed one (*col*); **~laden*** [1] *vt insep irreg* to overload; (*reichlich geben*) to shower; (*zu stark verzieren auch*) to clutter; [2] *adj Wagen* overloaded; (*fig*) *Stil* over-ornate; *Bild* cluttered; **~lagern*** *insep* [1] *vt* a *Schichten* to overlie; *Sender* to blot out; b *Konflikt etc* to eclipse; [2] *vr* (*sich überschneiden*) to overlap; **~lang** *adj* too long; **~lappen** *vir insep* to overlap.

überlassen* *vt insep irreg jdm etw* ~ (*haben lassen*) to let sb have sth; (*in Obhut geben*) to leave sth in sb's care; *es jdm* ~*, etw zu tun* to leave it up to sb to do sth; *das bleibt Ihnen* ~ that's up to you; *jdn sich* (*dat*) *selbst* ~ to leave sb to his/her own devices; *jdn seinem Schicksal* ~ to leave *or* abandon sb to his/her fate.

überlasten* *vt insep* to put too great a strain on; *jdn* to overtax; (*durch Gewicht, Elec*) to overload ▶ *überlastet sein* to be under too great a strain; (*überfordert sein*) to be overtaxed; (*Elec etc*) to be overloaded.

Überlauf *m* overflow.

überlaufen¹* *vt insep irreg* (*Angst etc*) to seize ▶ *es überlief ihn kalt* a cold shiver ran down his spine.

überlaufen² *vi sep irreg aux sein* a (*Wasser*) to overflow; (*überkochen*) to boil over. b (*Mil: überwechseln*) to desert (*zu* to); (*Pol*) to defect.

überlaufen³ *adj* overcrowded; *Stadt* (*mit Touristen*) overrun.

Überläufer *m* (*Mil*) deserter; (*Pol*) defector.

überleben* *insep* [1] *vti* a to survive; *Zeitraum auch* to last, to live through. b (*länger leben als*) to outlive. [2] *vr das hat sich überlebt* that's had its day.

Überlebende(r) *mf decl as adj* survivor.

überlebensgroß *adj* larger-than-life.

Überlebenstraining *nt* survival training; (*Kurs*) survival course.

überlebt *adj* outmoded, out-of-date.

überlegen¹ *insep* [1] *vi* (*nachdenken*) to think ▶ *hin und her* ~ to deliberate; *ohne zu* ~ without thinking; (*ohne zu zögern*) without thinking twice. [2] *vt* to think over *or* about, to consider ▶ *das werde ich mir* ~ I'll think it over, I'll think about it; *ich habe es mir anders/noch mal überlegt* I've changed my mind; *wenn man es sich* (*dat*) *recht überlegt* when you think about it; *das hätten Sie sich* (*dat*) *vorher* ~ *müssen* you should have thought of that sooner.

überlegen² [1] *adj* superior; *Sieg* convincing ▶ *jdm* ~ *sein* to be superior to sb. [2] *adv* in a superior manner.

Überlegenheit *f no pl* superiority.

überlegt [1] *adj* considered. [2] *adv* in a considered way.

Überlegung *f* consideration, thought; (*Bemerkung*) observation ▶ ~*en anstellen* to make observations (*zu* about *or* on).

Über-: **ü~leiten** *sep* [1] *vt Abschnitt etc* to link up (*in* +*acc* with); [2] *vi zu etw* **ü~leiten** to lead up to sth; **~leitung** *f* connection; (*zur nächsten Frage, Mus*) transition; **ü~lesen*** *vt insep irreg* a (*flüchtig lesen*) to glance through; b (*übersehen*) to overlook, to miss; **ü~liefern*** *vt insep Brauch* to hand down; **~lieferung** *f* tradition; *schriftliche* **~lieferungen** (written) records; **ü~listen*** *vt insep* to outwit.

überm = **über dem.**

Über-: **~macht** *f no pl* superior strength; **ü~mächtig** *adj Gewalt* superior; *Feind* powerful; *Wunsch* overpowering; **ü~malen*** *vt insep* to paint over; **ü~mannen*** *vt insep* (*geh*) to overcome; **~maß** *nt no pl* excess (*an* +*acc* of); *im* **~maß** to excess; *er hat Zeit im* **~maß** he has more than enough time; **ü~mäßig** [1] *adj* excessive; *Schmerz, Sehnsucht* violent; *Freude* intense; *das war nicht* **ü~mäßig** that was not too brilliant; [2] *adv* excessively; *essen, trinken auch* to excess; **~mensch** *m* superman; **ü~menschlich** *adj* superhuman; **ü~mitteln*** *vt insep* to convey (*jdm* to sb); (*telefonisch etc*) to transmit; **ü~morgen** *adv* the day after tomorrow; **ü~müden*** *vt insep usu ptp* to overtire; **~müdung** *f* overtiredness; **~mut** *m* high spirits *pl*; **ü~mütig** *adj* (*ausgelassen*) high-spirited; (*zu mutig*) cocky (*col*).

übern = **über den.**

übernächste(r, s) *adj attr das* ~ *Haus* the next house but one; (*die*) ~ *Woche* the week after next; *er kommt* ~*en Freitag* he's coming Friday week.

Über-: **ü~nachten** *vi insep* to sleep; (*in Hotel*) to stay; (*eine Nacht*) to stay the night; **ü~nächtigt** *adj* bleary-eyed; **~nachtung** *f* overnight stay; **~nachtung mit Frühstück** bed and breakfast; **~nahme** *f -n* takeover; (*von Ausdruck, Ansicht*) adoption; (*von Zitat, Wort*) borrowing; (*von Amt*) assumption; *durch* **~nahme dieser Aufgabe** by taking on this task; **~nahme|angebot** *nt* takeover bid; **ü~natürlich** *adj* supernatural; **ü~nehmen*** *insep irreg* [1] *vt* a *Aufgabe, Verantwortung,* (*Jur*) *Fall* to take on; *Amt* to assume; *Klasse* to take charge of; *lassen Sie mal, das* **ü~nehme ich!** let me take care of that; *den Befehl* **ü~nehmen** to take (over) command; b (*stellvertretend, ablösend*) to take over (*von* from); *Zitat, Wort* to take; [2] *vr* to take on too much; (*sich überanstrengen*) to overdo it; (*beim Essen*) to overeat; **ü~nimm dich nicht!** (*iro*) don't strain yourself! (*iro*); **ü~ordnen*** *vt insep jdn jdm* **ü~ordnen** to put sb over sb; *etw einer Sache* (*dat*) **ü~ordnen** to give sth precedence over sth; **ü~parteilich** *adj Zeitung* independent; (*Parl*) *Problem* all-party *attr*; *Amt, Präsident etc* above party politics; **~produktion** f overproduction; **ü~prüfen*** vt insep (auf +acc for) to check; Entscheidung, Lage, Frage to examine; Ergebnisse, Teilnehmer etc to scrutinize; (Pol) jdn to screen.

Überprüfung f [a] no pl siehe vt checking; examination; scrutiny; (Pol) screening. [b] (Kontrolle) check.

▼über-: **~quellen** vi sep irreg aux sein to overflow (von, mit with); (Reis) to boil over; * **~queren*** vt insep to cross; **~ragen*** vt insep to tower above; (fig: übertreffen) to outshine (an +dat, in +dat in); **~ragend** adj outstanding; Bedeutung paramount; **~raschen*** vt insep to surprise; (überrumpeln auch) to take by surprise; jdn bei etw **~raschen** to surprise or catch sb doing sth; **~raschend** adj surprising; Besuch surprise attr, Tod, Weggang unexpected; **~rascht** adj surprised (über +acc at); jdn **~rascht ansehen** to look at sb in surprise.

▼ Überraschung f surprise ▸ zu meiner **~** to my surprise.

Überraschungs-: **~angriff** m surprise attack; **~effekt** m shock effect.

überreden* vt insep to persuade ▸ jdn **~**, etw zu tun to persuade sb to do sth, to talk sb into doing sth; jdn zu etw **~** to talk sb into sth.

Überredung f persuasion.

Überredungskunst f powers of persuasion pl.

Über-: **ü~regional** adj national; Zeitung, Sender auch nationwide; **ü~reich** adj lavish, abundant; (zu reich) overabundant; **ü~reich an etw** (dat) overflowing with sth; jdn **ü~reich beschenken** to lavish presents on sb; **ü~reichen*** vt insep (jdm) etw **ü~reichen** to hand sth over (to sb); **ü~reichlich** adj ample, abundant; (zu reichlich) overabundant; in **ü~reichlichem Maße** in abundance; **ü~reif** adj overripe; **ü~reizen*** insep [1] vt Nerven, Augen to overstrain; [2] vtr (Cards) to overbid; **ü~reizt** adj Augen overstrained; (nervlich) overwrought; (zu erregt) overexcited; **ü~rennen*** vt insep irreg to run down; (Mil) to overrun; **~rest** m remnant, remains pl; **~rollbügel** m (Aut) roll bar; **ü~rollen*** vt insep to run down; (Mil, fig) to overrun; **ü~rumpeln*** vt insep (col) to take by surprise, to catch unawares; (überwältigen) to overpower; **ü~runden*** vt insep (Sport) to lap; (fig) to outstrip.

übers = über das.

Über-: **ü~säen*** vt insep to strew; **ü~sät** strewn; (mit Abfall etc) littered; (mit Sternen) Himmel studded; **ü~sättigen*** vt insep to satiate; Markt to oversaturate; **~schall-** in cpds supersonic; **ü~schatten*** vt insep (geh) (lit, fig) to overshadow; (fig: trüben) to cast a shadow over; **ü~schätzen*** vt insep to overestimate; **ü~schaubar** adj Plan easily comprehensible, clear; Zahl, Größe manageable; Gebiet, Abteilung etc of a manageable size; **ü~schäumen** vi sep aux sein to froth over; (fig) to bubble over (vor +dat with); (vor Wut) to seethe; **~schicht** f (Ind) extra shift; **ü~schlafen*** vt insep irreg Problem to sleep on.

Überschlag m [a] (Berechnung) (rough) estimate. [b] (Drehung) somersault.

überschlagen¹* insep irreg [1] vt [a] (auslassen) to skip (over). [b] Kosten etc to estimate (roughly). [2] vr [a] to somersault; (Mensch: versehentlich) to go head over heels; (fig: Ereignisse) to come thick and fast. [b] (Stimme) to crack.

überschlagen² sep irreg [1] vt Beine to cross; Arme to fold; Decke to fold back. [2] vi aux sein [a] (Wellen) to break. [b] (Stimmung etc) in etw (acc) **~** to turn into sth.

Über-: **ü~schnappen** vi sep aux sein (Stimme) to break; (col: Mensch) to crack up (col); **ü~schneiden*** vr insep irreg (Flächen, fig: Ereignisse, Themen etc) to overlap; (unerwünscht) to clash; (Linien) to intersect;

ü~schreiben* vt insep irreg [a] (betiteln) to head; [b] etw jdm or auf jdn **ü~schreiben** to make sth over to sb; [c] (Comp) Daten, Diskette to overwrite; **ü~schreiten*** vt insep irreg to cross; (fig) to exceed; Höhepunkt, Alter to pass; **~schrift** f heading; (Schlagzeile) headline; **~schuh** m overshoe; **ü~schuldet** adj heavily in debt; Grundstück heavily mortgaged; **~schuß** ⚠ m surplus (an +dat of); **ü~schüssig** adj surplus; **ü~schütten*** vt insep jdn/etw mit etw **ü~schütten** to cover sb/sth with sth; (mit Flüssigkeit) to pour sth onto sb/sth; jdn mit etw **ü~schütten** (fig: überhäufen) to heap sth on sb; **~schwang** m no pl exuberance; **ü~schwappen** vi sep aux sein to splash over; (fig: sich ausbreiten) to spill over; **ü~schwemmen*** vt insep (lit, fig) to flood; (Touristen) Land etc auch to overrun; (mit Aufträgen) to swamp, to inundate; **~schwemmung** f flood; **ü~schwenglich** ⚠ adj effusive, gushing (pej); **~schwenglichkeit** ⚠ f effusiveness.

Übersee no art in/nach **~** overseas; aus/von **~** from overseas.

Übersee-: **~dampfer** m ocean liner; **~hafen** m international port; **~handel** m overseas trade.

überseeisch ['y:be:zeːɪʃ] adj overseas.

Überseeverkehr m overseas traffic.

übersehbar adj (fig) Folgen, Zusammenhänge etc clear; Kosten, Dauer etc assessable.

übersehen* vt insep irreg [a] Folgen, Zusammenhänge, Sachlage to see clearly; Fachgebiet to have an overall view of; (abschätzen) Schaden, Kosten, Dauer to assess. [b] (ignorieren, nicht erkennen) to overlook; (nicht bemerken) to miss.

⚠ **übersein** vi sep irreg aux sein (col) jdm ist etw über sb is fed up with sth (col).

übersenden* vt insep irreg to send.

übersetzen¹* vti insep [a] to translate ▸ aus dem or vom Englischen ins Deutsche **~** to translate from English into German; etw falsch **~** to mistranslate sth; sich leicht/schwer **~ lassen** to be easy/hard to translate. [b] (Tech: übertragen) to transmit.

übersetzen² sep [1] vi aux sein to cross (over). [2] vt (mit Fähre) to take or ferry across.

Übersetzer(in f) m - translator.

Übersetzung f [a] translation. [b] (Tech: Übertragung) transmission.

Übersetzungsbüro nt translation bureau or agency.

Übersicht f [a] no pl (Überblick) overall view ▸ die **~** verlieren to lose track. [b] (Abriß, Resümee) survey; (Tabelle) table.

übersichtlich adj Gelände etc open; Darstellung etc clear.

Übersichtskarte f general map.

übersiedeln sep, **übersiedeln*** insep vi aux sein to move (von from, nach, in +acc to).

Übersiedler(in f) m migrant.

über-: **~sinnlich** adv supersensory; (übernatürlich) supernatural; **~spannen*** vt insep [a] (Brücke etc) to span; [b] (zu stark spannen) to put too much strain on; **~spannt** adj Ideen, Forderungen wild, extravagant; (exaltiert) eccentric; (hysterisch) hysterical; Nerven overexcited; Person highly strung; **~spielen*** vt insep [a] (verbergen) to cover (up); [b] (übertragen) Aufnahme to transfer (auf +acc to); **~spitzt** [1] adj (zu spitzfindig) oversubtle; (übertrieben) exaggerated; [2] adv oversubtly; in an exaggerated fashion.

überspringen¹* vt insep irreg [a] Hindernis, Höhe to jump, to clear; [b] (auslassen) to skip.

überspringen² vi sep irreg aux sein (Begeisterung) to spread quickly (auf +acc to).

über-: **~sprudeln** vi sep aux sein (lit, fig) to bubble over (vor with); **~stehen*** vt insep irreg (durchstehen) to come *or* get through; (*überleben*) to survive; *Gewitter* to weather, to ride out; *Krankheit* to get over; **~steigen*** *vt insep irreg* [a] to climb over; [b] (*hinausgehen über*) to exceed, to go beyond; **~steigert** *adj* excessive; **~steuern*** *vi insep* (*Aut*) to oversteer; **~stimmen*** *vt insep* to outvote; *Antrag* to vote down; **~strapazieren*** *insep* [1] *vt* to overtax; [2] *vr* to overtax oneself; **~streichen*** *vt insep irreg* to paint/varnish over; **~streifen** *vt sep* (*sich dat*) *etw* **~streifen** to slip sth on.

überströmen¹* *vt insep* (*überfluten*) to flood ▶ **von Blut überströmt sein** to be streaming with blood.

überströmen² *vi sep aux sein* (*lit, fig*) to overflow (*vor +dat* with).

überstülpen *vt sep sich* (*dat*) *etw* **~** to put on sth; *jdm/einer Sache etw* **~** to put sth on sb/sth.

Überstunde *f* hour of overtime ▶ **~n** overtime *sing*; **~n machen** to do overtime.

Überstundenverbot *nt* overtime ban.

über-: **~stürzen*** *insep* [1] *vt* to rush into; [2] *vr* (*Ereignisse etc*) to happen in a rush; (*Nachrichten*) to come fast and furious; **~stürzt** *adj* overhasty; **~tariflich** *adj, adv* above the agreed *or* union rate; **~tippen*** *vt insep* to type over; **~tölpeln*** *vt insep* to take in; **~tönen*** *vt insep* to drown.

Übertopf *m* planter.

Übertrag *m* ⁼e amount carried forward.

übertragbar *adj* transferable (*auch Jur, Comp*); *Methode, Maßstab* applicable (*auf +acc* to); *Krankheit* infectious; (*durch Berührung*) contagious.

übertragen¹* *v insep irreg* [1] *vt* [a] to transfer (*auch Jur, Psych, Comp*); *Krankheit, Bewegung* to transmit; *Daten* to communicate. [b] (*übersetzen*) *Text* to render (*in +acc* into). [c] (*anwenden*) *Methode* to apply (*auf +acc* to). [d] *Verantwortung etc* to give (*jdm* sb); (*auftragen*) *Aufgabe* to assign (*jdm* to sb). [e] (*TV, Rad*) to broadcast; (*TV auch*) to televise. [2] *vr* (*Eigenschaft, Krankheit etc, Tech*) to be transmitted (*auf +acc* to); (*Heiterkeit etc*) to spread (*auf +acc* to).

übertragen² *adj Bedeutung etc* figurative.

Überträger *m* (*Med*) carrier.

Übertragung *f siehe vt* [a] transference, transfer; transmission. [b] rendering. [c] application. [d] (*Aufgabe*) assignment. [e] (*TV, Rad*) transmission.

Übertragungsrechte *pl* television rights.

Übertragungswagen *m* (*TV, Rad*) outside broadcast vehicle.

übertreffen* *insep irreg* [1] *vt* to surpass (*an +dat* in); (*mehr leisten als auch*) to outdo; (*übersteigen auch*) to exceed. [2] *vr sich selbst* **~** to surpass *or* excel oneself.

übertreiben* *vti insep irreg* to exaggerate ▶ **es mit der Sauberkeit** **~** to carry cleanliness too far; **man kann es auch** **~** you can overdo things.

Übertreibung *f* exaggeration.

übertreten¹ *vi sep irreg aux sein* [a] (*Fluß*) to break its banks. [b] (*zu anderer Partei etc*) to go over (*zu* to); (*zu anderem Glauben*) to convert (*zu* to). [c] (*im Sport*) to overstep.

übertreten²* *vt insep irreg Gesetz* to break.

Übertretung *f* (*von Gesetz etc*) violation; (*Jur: strafbare Handlung*) misdemeanour (*Brit*), misdemeanor (*US*).

Über-: **ü~trieben** *adj* exaggerated; (*übermäßig*) *Vorsicht, Training* excessive; **~tritt** *m* (*über Grenze*) crossing (*über +acc* of); (*zu anderem Glauben*) conversion; (*von Abtrünnigen, esp zu anderer Partei*) defection; **ü~trumpfen*** *vt insep* (*Cards*) to overtrump; (*fig*) to outdo; **ü~tünchen*** *vt insep* to whitewash; (*mit Farbton*) to distemper; (*fig*) to cover up; **ü~völkert** *adj* overpopulated; **~völkerung** *f* overpopulation; **ü~voll** *adj* overfull (*von* with); **ü~vorteilen*** *vt insep* to cheat;

ü~wachen* *vt insep* (*kontrollieren*) to supervise; (*beobachten*) to keep under observation; *Verdächtigen* to keep under surveillance; (*auf Monitor, mit Radar, fig*) to monitor; **~wachung** *f siehe vt* supervision; observation; surveillance; monitoring; **ü~wältigen*** *vt insep* (*lit*) to overpower; (*zahlenmäßig*) to overwhelm; (*bezwingen, fig: Schlaf, Angst*) to overcome; **ü~wältigend** *adj* overwhelming; *Schönheit* stunning; *Gestank, Gefühl auch* overpowering; **ü~wechseln** *vi sep aux sein* to move (*in +acc* to); (*zu Partei etc*) to go over (*zu* to); (*Wild*) to cross over; **~weg** *m* **~weg für Fußgänger** pedestrian crossing; **ü~weisen*** *vt insep irreg* (*an +acc* to) *Geld* to transfer; *Patienten* to refer.

Überweisung *f* (*Geld~*) (credit) transfer; (*von Patient*) referral.

Überweisungs-: **~auftrag** *m* (credit) transfer instruction; **~schein** *m* (*von Arzt*) letter of referral.

Überweite *f* extra-wide fitting, oversize.

überwerfen¹* *vr insep irreg sich (mit jdm)* **~** to fall out (with sb).

überwerfen² *vt insep irreg* to put over; *Kleidungsstück* to put on; (*sehr rasch*) to throw on.

Über-: **ü~wiegen*** *insep irreg* [1] *vt* to outweigh; [2] *vi* (*das Übergewicht haben*) to predominate; **ü~wiegend** [1] *adj* predominant; *Mehrheit* vast; [2] *adv* predominantly, mainly; **ü~winden*** *insep irreg* [1] *vt* to overcome; [2] *vr* to overcome one's inclinations; *sich ü~winden, etw zu tun* to bring oneself to do sth; **~windung** *f* overcoming; (*Selbstüberwindung*) will power; **das hat mich viel ~windung gekostet** that was a real effort of will for me; **ü~wintern*** *vi insep* to (spend the) winter; (*col: Winterschlaf halten*) to hibernate; **ü~wuchern*** *vt insep* to overgrow; (*fig*) to obscure; **ü~wunden** *adj* *Standpunkt, Haltung etc* of the past; *Angst* conquered; **~wurf** *m* (*Kleidungsstück*) wrap; **~zahl** *f no pl in der ~zahl sein* to be in the majority; (*Feind*) to be superior in number; **ü~zählig** *adj* (*überschüssig*) surplus; (*überflüssig*) superfluous; (*übrig*) spare.

▼ **überzeugen*** *insep* [1] *vt* to convince; (*Jur*) to satisfy ▶ **ich bin davon überzeugt, daß ...** I am convinced that ...; **er ist sehr von sich überzeugt** he is very sure of himself. [2] *vi* to be convincing. [3] *vr sich (selbst)* **~** to convince oneself (*von* of); (*mit eigenen Augen*) to see for oneself.

überzeugend *adj* convincing.

überzeugt *adj attr Marxist etc* convinced; *Anhänger, Vegetarier etc* confirmed; *Christ, Moslem etc* committed.

Überzeugung *f* [a] (*das Überzeugen*) convincing. [b] (*Überzeugtsein*) conviction; (*Prinzipien*) convictions *pl* ▶ **meiner ~ nach ...** I am convinced (that) ...; **zu der ~ gelangen, daß ...** to become convinced that ...

Überzeugungskraft *f* persuasiveness.

überziehen¹* *insep irreg* [1] *vt* [a] (*bedecken*) to cover; (*mit Schicht, Belag*) to coat; (*mit Metall*) to plate; (*mit Zuckerguß*) to ice, to frost (*esp US*) ▶ **ein Bett frisch ~** to change the sheets; *Polstermöbel neu* **~** *lassen* to have furniture re-covered. [b] *Konto* to overdraw (*um +acc* by). [c] *Redezeit, Sendezeit etc* to overrun. [d] (*übertreiben*) **sein Benehmen wirkte überzogen** his behaviour seemed exaggerated. [2] *vi* (*Fin*) to overdraw one's account; (*bei Rede, Sendung*) to overrun. [3] *vr* (*Himmel*) to cloud over.

überziehen² *vt sep irreg* [a] (*sich dat*) *etw* **~** to put sth on. [b] *jdm eins* **~** (*col*) to give sb a clout (*col*).

Überziehungskredit *m* overdraft facility.

Über-: **ü~züchten*** *vt insep* to overbreed; **ü~zuckern*** *vt insep* to sugar; (*zu stark zuckern*) to put too much sugar in/on; **~zug** *m* [a] (*Beschichtung*) coat(ing); (*aus*

Metall) plating; (*für Kuchen, esp aus Zuckerguß*) icing, frosting (*esp US*); **b** (*von Bett, Sessel etc*) cover; (*von Kopfkissen auch*) (pillow)slip.

üblich *adj* usual; (*herkömmlich*) customary; (*typisch, normal*) normal ▶ *wie ~* as usual; *das ist bei ihm so ~* that's usual for him; *allgemein ~ sein* to be common practice.

üblicherweise *adv* usually, normally.

U-Boot *nt* submarine, sub (*col*).

übrig *adj* **a** *attr* (*verbleibend*) remaining; (*andere auch*) other ▶ *meine ~en Sachen* the rest of my things. **b** *pred* left (over); (*zu entbehren*) spare ▶ *etw ~ haben* to have sth left/to spare. **c** (*mögen*) *für jdn/etw nichts ~ haben* to have no time for sb/sth; *für jdn/etw etwas ~ haben* to like sb/sth. **d** (*substantivisch*) *das ~e* the rest, the remainder; *im ~en* moreover, also.

übrig-: *~behalten** ⚠ *vt sep irreg* to have left over; *~bleiben* ⚠ *vi sep irreg aux sein* to be left over, to remain; *wieviel ist ~geblieben?* how much is left?; *was blieb mir anderes ~ als ...?* what choice did I have but ...?

übrigens *adv* incidentally, by the way.

⚠**übriglassen** *vt sep irreg* to leave (*jdm* for sb) ▶ *(einiges)/viel zu wünschen ~* (*col*) to leave something/a lot to be desired.

Übung *f* practice; (*Mil, Sport, Sch*) exercise; (*Feuerwehr~*) exercise, drill; (*Univ: Kursus*) seminar ▶ *aus der ~ kommen/außer ~ sein* to get/be out of practice; *zur ~* as practice; *~ macht den Meister* (*Prov*) practice makes perfect (*Prov*).

Übungs-: *~arbeit* *f* (*Sch*) mock test; *~aufgabe* *f* (*Sch*) exercise; *~buch* *nt* (*Sch*) book of exercises, workbook; *~heft* *nt* (*Sch*) exercise book; *~platz* *m* training ground; (*Mil*) drill ground.

UdSSR [uːdeːʔɛsʔɛsˈʔɛr] *f* (*Hist*) = **Union der Sozialistischen Sowjetrepubliken** ▶ *die ~* the USSR.

UEFA-Cup [uːˈeːfakap] *m* (*Ftbl*) UEFA Cup.

Ufer *nt* - (*Fluß~*) bank; (*See~*) shore ▶ *direkt am ~ gelegen* right on the waterfront; *etw ans ~ spülen* to wash sth ashore; *das sichere ~ erreichen* to reach dry land.

Ufer-: *~befestigung* *f* bank reinforcement; *~böschung* *f* embankment; *u~los* *adj* endless; (*grenzenlos*) boundless; *ins u~lose gehen* to get out of hand; (*Debatte etc*) to go on forever; (*Kosten*) to go up and up; *~mauer* *f* sea wall; *~promenade* *f* lakeside/riverside walk; *~straße* *f* lakeside/riverside road.

UFO, Ufo ['uːfo] *nt* -(s), -s UFO, Ufo.

Uganda *nt* Uganda.

Ugander(in *f*) *m* - Ugandan.

ugandisch *adj* Ugandan.

U-Haft *f* (*col*) custody.

Uhr *f* -en clock; (*Armband~, Taschen~*) watch; (*Anzeiger*) gauge, dial ▶ *auf die ~ sehen* to look at the clock/one's watch; *nach meiner ~* by my watch; *um drei (~)* at three (o'clock); *ein ~ dreißig* half past one, one-thirty; *wieviel ~ ist es?* what time is it?, what's the time?; *um wieviel ~?* at what time?; *rund um die ~* around the clock.

Uhr(arm)band *nt* watch strap, watch band (*US*); (*aus Metall*) watch bracelet.

Uhr-: *~feder* *f* watch spring; *~kette* *f* watch chain; *~macher(in* *f*) *m* watchmaker; clock-maker; *~werk* *nt* clock/watch movement; *~zeiger* *m* (clock/watch) hand; *~zeigersinn* *m im ~zeigersinn* clockwise; *entgegen dem ~zeigersinn* anticlockwise (*Brit*), counterclockwise (*US*); *~zeit* *f* time (of day).

Uhu ['uːhu] *m* -s eagle owl.

Ukraine *f die ~* the Ukraine.

Ukrainer(in *f*) *m* - Ukrainian.

ukrainisch *adj* Ukrainian.

Ukrainisch(e) *nt* Ukrainian; *siehe* **Deutsch(e)**.

UKW [uːkaːˈveː] = **Ultrakurzwelle** ≃ VHF, FM.

Ulk *m* -e (*col*) lark (*col*); (*Streich*) practical joke; (*Spaß*) fun *no pl, no indef art* ▶ *mit jdm seinen ~ treiben* (*Streiche spielen*) to play tricks on sb.

ulkig *adj* (*col*) funny.

Ulknudel *f* (*col*) joker (*col*).

Ulme *f* -n elm.

ultimativ *adj Forderung etc* given as an ultimatum ▶ *jdn ~ zu etw auffordern* to give sb an ultimatum to do sth.

Ultimatum *nt, pl* -s *or* **Ultimaten** ultimatum ▶ *jdm ein ~ stellen* to give sb an ultimatum.

Ultimo *m* -s (*Comm*) last (day) of the mouth ▶ *bis ~* (*fig*) till the last minute.

Ultra *m* -s (*pej*) extremist.

Ultra- *in cpds* ultra; *u~kurz* *adj* (*Phys*) ultra-short.

Ultrakurzwelle *f* (*Phys*) ultra-short wave; (*Rad*) ≃ very high frequency, ≃ frequency modulation.

ultramodern *adj* ultramodern.

Ultraschall *m* (*Phys*) ultrasound.

Ultraschall- *in cpds* ultrasound; *~gerät* *nt* ultrasound scanner; *~untersuchung* *f* scan (*Brit*), ultrasound.

ultraviolett *adj* ultraviolet.

um **1** *prep* +*acc* **a** *~ ...* (*herum*) around; *~ sich schauen* to look around (one) *or* about one; *~ Weihnachten/Ostern* around Christmas/Easter; *~ acht* at eight. **b** (*betreffend, über*) about ▶ *es geht ~ das Prinzip* it's a question of principle; *der Kampf ~ den Titel* the battle for the title; *~ Geld spielen* to play for money; *die Sorge ~ die Zukunft* concern for *or* about the future. **c** (*bei Differenzangaben*) by ▶ *~ 10% teurer* 10% more expensive; *~ einiges besser* quite a bit better; *etw ~ 4 cm verkürzen* to shorten sth by 4cm. **d** (*bei Verlust*) *jdn ~ etw bringen* to deprive sb of sth. **e** (*nach*) after, upon ▶ *Stunde ~ Stunde* hour after *or* upon hour.

2 *prep* +*gen* *~ ... willen* for the sake of ...; *~ Gottes willen!* for goodness *or* (*stärker*) God's sake!

3 *conj* **a** *~ ... zu* (in order) to ...; *intelligent genug/ zu intelligent, ~ ... zu* intelligent enough/too intelligent to ...; *er studierte jahrelang Jura, ~ dann Taxifahrer zu werden* he studied law for several years only to become a taxi-driver. **b** (*desto*) *~ so besser/schlimmer!* so much the better/worse!; *je mehr, ~ so besser* the more the better; *~ so mehr, als ...* all the more considering ...

4 *adv* **a** (*ungefähr*) *~ (die) 30 Schüler* about *or* around 30 pupils. **b** (*vorbei*) over ▶ *die zwei Stunden sind jetzt ~* the two hours are now up.

um|adressieren* *vt sep* to readdress.

um|ändern *vt sep* to alter.

um|arbeiten *vt sep* to alter; *Buch etc* to rewrite; *Metall etc* to rework.

um|armen* *vt insep* to embrace; (*fester*) to hug.

Umbau *m siehe vt* rebuilding, renovation; conversion; alterations *pl* (+*gen, von* to); modification; reorganization; changing.

umbauen¹ *sep* **1** *vt Gebäude* (*gründlich renovieren*) to rebuild, to renovate; (*zu etw anderem*) to convert (*zu* into); (*umändern*) to alter; *Maschine etc* to modify; (*fig: Organisation*) to reorganize; (*Theat*) *Kulissen* to change. **2** *vi* to rebuild.

umbauen²* *vt insep* to enclose ▶ *umbauter Raum* enclosed area.

umbenennen* *vt sep irreg* to rename (*in etw* sth).

umbesetzen* *vt sep* (*Theat*) to recast; *Mannschaft* to change; *Posten, Stelle* to find someone else for.

umbestellen* *vi sep* to change one's order.

umbetten *vt sep Kranken* to move (to another bed).

umbiegen *vt sep irreg* to bend.

⚠: for details of spelling reform, see supplement

umbilden *vt sep* (*fig*) to reorganize; (*Pol*) *Kabinett* to re-shuffle (*Brit*), to shake up (*US*).

umbinden *vt sep irreg* to put on; (*mit Knoten*) to tie on ▶ *sich* (*dat*) *einen Schal* ~ to put a scarf on.

umblättern *sep* ① *vt* to turn (over). ② *vi* to turn the page(s).

umblicken *vr sep* to look around (*nach* at).

umbringen *sep irreg* ① *vt* to kill (*auch fig col*), to murder. ② *vr* to kill oneself.

Umbruch *m* ⓐ radical change. ⓑ (*Typ*) make-up (into page); (*umbrochener Satz*) page proofs.

umbuchen *sep* ① *vi* to change one's reservation. ② *vt* to change.

umdenken *vi sep irreg* to change one's ideas.

umdirigieren* *vt sep* to redirect.

umdisponieren* *vi sep* to change one's plans.

umdrängen* *vt insep* to crowd around; (*stärker*) to mob.

umdrehen *sep* ① *vt* to turn over; (*auf den Kopf*) to turn up (the other way); (*mit der Vorderseite nach hinten*) to turn around; (*von innen nach außen*) *Tasche etc* to turn inside out; (*um die Achse*) to turn around; *Schlüssel* to turn ▶ *einem Vogel/jdm den Hals* ~ to wring a bird's/sb's neck; *jdm den Arm* ~ to twist sb's arm. ② *vr* to turn around (*nach* to look at); (*im Bett etc*) to turn over. ③ *vi* to turn around.

Umdrehung *f* turn; (*Phys, Mot*) revolution.

um|einander *adv* about each other; (*räumlich*) around each other ▶ *sich* ~ *kümmern* to look after one another.

um|erziehen* *vt sep irreg* (*Pol euph*) to re-educate (*zu* to become).

umfahren¹ *vt sep irreg* to run over, to knock down.

umfahren²* *vt insep irreg* to travel around; (*mit dem Auto*) to drive around; (*auf Umgehungsstraße*) to bypass; (*um etw zu vermeiden*) to make a detour around.

umfallen *vi sep irreg aux sein* to fall over *or* down; (*fig col: nachgeben*) to give in ▶ *zum U*~ *müde sein* to be fit to drop.

Umfang *m, pl* **Umfänge** ⓐ (*von Kreis etc*) perimeter, circumference (*auch Geom*); (*von Baum auch, Bauch*~) girth. ⓑ (*Fläche*) area; (*Rauminhalt*) capacity; (*Größe*) size; (*von Gepäck etc*) amount; (*von Buch*) length, extent ▶ *das Buch hat einen* ~ *von 800 Seiten* the book is 800 pages long. ⓒ (*fig*) (*Ausmaß*) extent; (*Reichweite*) range; (*von Untersuchung etc*) scope; (*von Verkehr, Verkauf etc*) volume ▶ *in großem* ~ on a large scale; *in vollem* ~ fully.

umfangen* *vt insep irreg* ⓐ (*geh: umarmen*) to embrace. ⓑ (*fig: umgeben*) to envelop.

umfangreich *adj* extensive; (*geräumig*) spacious; *Buch* thick.

umfassen* *vt insep* ⓐ to grasp, to clasp; (*umarmen*) to embrace. ⓑ (*einschließen*) *Zeitperiode* to cover; (*enthalten*) to contain.

umfassend *adj* extensive; (*vieles enthaltend*) comprehensive; *Vorbereitung* thorough; *Geständnis* full, complete.

Umfeld *nt* surroundings *pl*; (*fig*) sphere ▶ *zum* ~ *von etw gehören* to be associated with sth.

umfliegen* *vt insep irreg* to fly around.

umformen *vt sep* ⓐ to reshape (*in* +*acc* into). ⓑ (*Elec*) to convert.

umformulieren* *vt sep* to reword.

Umfrage *f* (*Sociol*) survey; (*esp Pol*) (opinion) poll ▶ *eine* ~ *halten* to carry out a survey/an opinion poll; ~ *halten* to ask around.

umfüllen *vt sep* to transfer into another bottle/container etc.

umfunktionieren* *vt sep etw in* (+*acc*) *or zu etw* ~ to change *or* turn sth into sth.

Umgang *m no pl* ⓐ contact; (*Bekanntenkreis*) acquaintances *pl*, friends *pl* ▶ *schlechten* ~ *haben* to keep bad company; *keinen* ~ *mit jdm haben* to have nothing to do with sb; *er ist kein* ~ *für dich* he's not fit company for you. ⓑ *im* ~ *mit Jugendlichen* in dealing with young people; *an den* ~ *mit Kindern gewöhnt sein* to be used to children.

umgänglich *adj* (*entgegenkommend*) obliging; (*gesellig*) friendly.

Umgangs-: ~**formen** *pl* manners *pl*; ~**sprache** *f* colloquial language; **u**~**sprachlich** *adj* colloquial; ~**ton** *m* tone, way of speaking; *hier herrscht ein höflicher* ~*ton* people talk politely here.

umgeben* *vt insep irreg* to surround (*auch fig*) ▶ *mit einer Mauer/einem Zaun* ~ *sein* to be walled/fenced in, to be surrounded by a wall/fence.

Umgebung *f* (*Umwelt*) surroundings *pl*; (*Nachbarschaft*) vicinity; (*gesellschaftlicher Hintergrund*) background; (*Freunde etc*) people *pl* about one ▶ *in der näheren/weiteren* ~ *Münchens* in the immediate/general vicinity of Munich.

umgehen¹ *vi sep irreg aux sein* ⓐ (*Gerücht, Grippe etc*) to go around *or* about; (*Gespenst*) to walk. ⓑ *mit jdm grob/behutsam* ~ to treat sb roughly/gently; *mit jdm/etw* ~ *können* to know how to handle sb/sth; *sorgsam/verschwenderisch mit etw* ~ to be careful/lavish with sth.

umgehen²* *vt insep irreg* to go around; (*vermeiden*) to avoid; (*Straße*) to bypass; (*Mil*) to outflank; (*fig*) to avoid; *Gesetz* to get around.

umgehend ① *adj* immediate. ② *adv* immediately.

Umgehungsstraße *f* bypass.

umgekehrt ① *adj* reversed; *Reihenfolge* reverse; (*gegenteilig*) opposite; (*anders herum*) the other way around ▶ *nein,* ~*!* no, the other way around; *genau* ~*!* just the opposite!; *in die* ~*e Richtung fahren* to go in the opposite direction; *im* ~*en Verhältnis zu etw stehen or sein* to be in inverse proportion to sth. ② *adv* (*anders herum*) the other way around; (*dagegen*) conversely; *proportional* inversely ▶ *... und* ~ *...* and vice versa; ~ *als or wie* (*col*) *...* the other way around to what *...*

umgestalten* *vt sep* to alter; (*reorganisieren*) to reorganize; (*umbilden*) to remodel; (*umordnen*) to rearrange.

umgewöhnen* *vr sep* to re-adapt.

umgraben *vt sep irreg* to dig over; *Erde* to turn.

umgrenzen* *vt insep* to surround; (*umfassen auch*) to enclose; (*fig*) to delimit.

umgruppieren* *vt sep Möbel etc* to rearrange; *Mitarbeiter* to regroup.

umgucken *vr sep* (*col*) = **umsehen**.

umhaben *vt sep irreg* (*col*) *Schal, Uhr* to have on.

Umhang *m, pl* **Umhänge** cape; (*länger*) cloak; (*Umhängetuch*) shawl, wrap.

umhängen *vt sep Rucksack etc* to put on; *Jacke, Schal etc* to drape around ▶ *sich* (*dat*) *etw* ~ to put sth on; to drape sth around one.

Umhängetasche *f* shoulder bag.

umhauen *vt sep irreg* ⓐ to cut down. ⓑ (*col: umwerfen*) to knock flying (*col*) *or* over. ⓒ (*col: erstaunen*) to bowl over (*col*).

umhegen* *vt insep* (*geh*) to care for lovingly.

umher *adv* around, about ▶ *weit* ~ all around.

umher- *pref siehe auch* **herum-** around, about; ~**fahren** *vi sep irreg aux sein* to travel around; (*mit Auto*) to drive around; ~**gehen** *vi sep irreg aux sein* to walk around;

~irren vi sep aux sein (in etw (dat) sth) to wander around; (Blick, Augen) to roam about; **~laufen** vi sep irreg aux sein to walk around; (rennen) to run around; **im Garten ~laufen** to walk/run around the garden; **~schweifen** vi sep aux sein to roam about; **~wandern** vi sep aux sein to wander about (in etw (dat) sth); **~ziehen** vi sep irreg aux sein to travel around (in etw (dat) sth).

umhinkönnen vi sep irreg **er kann nicht umhin, das zu tun** he can't avoid doing it; (einem Zwang folgend) he can't help doing it.

umhören vr sep to ask around.

umhüllen* vt insep to wrap (up) (mit in).

umkämpfen* vt insep Entscheidung to dispute; Wahlkreis, Sieg to contest ▶ **die Stadt wurde wochenlang umkämpft** the battle for the city lasted weeks.

Umkehr f no pl [a] (lit) turning back ▶ **jdn zur ~ zwingen** to force sb to turn back. [b] (fig geh: Änderung) change.

umkehren sep [1] vi aux sein to turn back; (fig) to change one's ways.
[2] vt Kleidungsstück to turn inside out; Reihenfolge to reverse, to invert (auch Gram, Mus) ▶ **das ganze Zimmer ~** (col) to turn the whole room upside down (col).
[3] vr (Verhältnisse) to become reversed.

umkippen sep [1] vt to tip over, to upset; Auto, Boot to overturn; Leuchter, Vase to knock over.
[2] vi aux sein [a] to tip or fall over; (Auto, Boot) to overturn; (volles Gefäß) to tip over. [b] (col: ohnmächtig werden) to keel over. [c] (col: es sich anders überlegen) to come around. [d] (col: umschlagen) to change abruptly (in +acc into). [e] (Fluß, See) to reach the point of ecological breakdown.

umklammern* vt insep to wrap one's arms/legs around; (mit Händen) to clasp; (festhalten) to cling to; (Ringen) to hold.

umklappen sep [1] vt to fold down.
[2] vi aux sein (col) to pass out.

Umkleidekabine f changing cubicle (Brit), dressing room (US).

umkleiden vr sep to change (one's clothes).

Umkleideraum m changing room.

umknicken sep [1] vt Ast to snap; Papier to fold (over).
[2] vi aux sein (Ast) to snap; (Halm) to get bent over ▶ **mit dem Fuß ~** to twist one's ankle.

umkommen vi sep irreg aux sein to die, to be killed ▶ **ich komme um vor Hitze** (col) I'm dying of heat (col), the heat is killing me (col).

Umkreis m **im ~ des Flughafens** in the airport area; **im näheren/weiteren ~** in the immediate/general vicinity; **im ~ von 20 km** within a radius of 12½ miles.

umkreisen* vt insep to circle; (Space) to orbit.

umkrempeln vt sep [a] to turn up; (mehrmals) to roll up. [b] (umwenden) to turn inside out; Betrieb to shake up (col) ▶ **jdn ~** (fig col) to change sb's ways.

umladen vt sep irreg to transfer; (Naut) to transship.

Umlage f **eine ~ machen** to split the cost.

umlagern¹* vt insep to besiege.

umlagern² vt sep to transfer (in +acc into).

Umland nt no pl surrounding countryside.

Umlauf m, pl **Umläufe** [a] (von Erde etc) revolution; (das Kursieren) circulation (auch fig) ▶ **im ~ sein** to be in circulation; **in ~ bringen** or **setzen** to circulate; Geld to put in circulation. [b] (Rundschreiben) circular.

Umlaufbahn f orbit.

umlaufen vi sep irreg aux sein to circulate.

Umlaut m umlaut.

umlegen vt sep [a] (umhängen) to put around; Verband to put on. [b] Mauer, Baum to bring down. [c] (umklappen) to tilt (over); Kragen to turn down. [d]

(verlegen) Kranke to transfer; Leitung to re-lay. [e] Termin to change (auf +acc to). [f] (verteilen) **die 20 Mark wurden auf uns fünf umgelegt** the five of us each had to pay a contribution towards the 20 marks. [g] (col: ermorden) to do in (col).

umleiten vt sep to divert (Brit), to detour (US); (Zug, Bus) to reroute.

Umleitung f diversion (Brit), detour (US).

umlernen vi sep to retrain; (fig) to change one's ideas.

umliegend adj surrounding.

ummelden vtr sep **jdn/sich ~** to notify (the police of) a change in sb's/one's address.

Umnachtung f **geistige ~** mental derangement.

um|ordnen vt sep to rearrange.

um|organisieren* vt sep to reorganize.

um|orientieren* vr sep (fig) to reorientate oneself.

umpflanzen vt sep to transplant.

umpflügen vt sep to plough up.

umquartieren* vt sep to move; Truppen to re-quarter.

umrahmen* vt insep to frame.

Umrahmung f setting (+gen, von for) ▶ **mit musikalischer ~** with music before and after.

umranden* vt insep to edge, to border.

umräumen sep [1] vt (anders anordnen) to rearrange; (an anderen Platz bringen) to move.
[2] vi to rearrange the furniture.

umrechnen vt sep to convert (in +acc into).

Umrechnung f conversion.

Umrechnungskurs m exchange rate.

umreißen¹ vt sep irreg to tear down; (umwerfen) to knock over.

umreißen²* vt insep irreg to outline.

umrennen vt sep irreg to (run into and) knock down.

umringen* vt insep to surround.

⚠ **Umriß** m outline; (Kontur) contour(s pl).

umrühren vt sep to stir.

umrüsten vt sep [a] (Tech) to adapt (auf +acc to). [b] (Mil) to re-equip (auf +acc with).

ums = **um das**.

umsatteln sep [1] vt Pferd to resaddle.
[2] vi (col: beruflich) to change jobs.

Umsatz m (Comm) turnover ▶ **500 Mark ~ machen** to turn over 500 marks.

Umsatz-: **~beteiligung** f commission; **~plus** nt increase in turnover; **~steuer** f turnover or sales (US) tax.

umsäumen* vt insep to line; (Sew) to edge ▶ **von Bäumen umsäumt** tree-lined.

umschalten sep [1] vt (auf +acc to) Schalter to flick; Hebel to throw; Strom to convert; Gerät to switch over.
[2] vi (mit Schalter) to flick the/a switch; (mit Hebel) to move the/a lever; (auf anderen Sender) to change over (auf +acc to); (Aut) to change (Brit), to shift (in +acc into) ▶ **„wir schalten jetzt um nach Hamburg"** "and now we go over to Hamburg".

Umschalttaste f shift key.

Umschau f no pl (fig) review ▶ **~ halten** to look around (nach for).

umschauen vr sep = **umsehen**.

umschichten vt sep to restack.

umschichtig adv on a shift basis.

umschiffen* vt insep to sail around; Erde auch to circumnavigate.

Umschlag m [a] (Veränderung) (sudden) change (+gen in, in +acc into). [b] (Hülle) cover; (Brief~) envelope; (als Verpackung) wrapping; (Buch~) jacket. [c] (Med) compress; (Packung) poultice. [d] (Ärmel~) cuff; (Hosen~) turn-up (Brit), cuff (US). [e] (umgeschlagene Gütermenge) volume of goods handled.

umschlagen sep irreg [1] vt [a] Seite etc to turn over; Ärmel, Hosenbein, Saum to turn up; Teppich, Decke to turn back; *Kragen* to turn down. **b** (*um die Schultern*) *Schal* to put on. **c** (*absetzen*) *Güter* to handle.

2 *vi aux sein* (*sich ändern*) to change (suddenly); (*Wind auch*) to veer; (*Stimme*) to break ▸ *in etw* (*acc*) ~ *to change or* turn into sth.

Umschlag-: **~entwurf** *m* jacket design; **~hafen** *m* port of transshipment; **~klappe** *f* jacket flap; **~platz** *m* trade centre (*Brit*) *or* center (*US*).

umschlingen* *vt insep irreg* (*Pflanze*) to twine around ▸ *jdn (mit den Armen)* ~ to embrace sb.

umschmeißen *vt sep irreg* (*col*) **a** *siehe* **umhauen** **(b, c).** **b** (*col*) *Pläne* to screw up (*col*).

umschreiben¹ *vt sep irreg* **a** *Text etc* to rewrite; (*bearbeiten*) *Theaterstück etc* to adapt (*für* for). **b** *Hypothek etc* to transfer (*auf +acc* to).

umschreiben²* *vt insep irreg* (*mit anderen Worten*) to paraphrase; (*darlegen*) to outline; (*verhüllen*) *Sachverhalt* to refer to obliquely.

umschulden *vt sep* to reschedule (debt).

Umschuldung *f* rescheduling (of debts).

umschulen *vt sep* **a** to retrain; (*Pol euph*) to re-educate. **b** (*auf andere Schule*) to transfer (to another school).

Umschulung *f* (*beruflich*) retraining.

umschütten *vt sep* (*verschütten*) to spill, to upset.

umschwärmen* *vt insep* to swarm (a)round; (*verehren*) to idolize.

Umschweife *pl ohne* ~ straight out, plainly; *mach keine* ~! come (straight) to the point.

umschwenken *vi sep* **a** *aux sein or haben* (*Anhänger, Kran*) to swing out; (*fig*) to do an about-turn. **b** (*Wind*) to veer.

Umschwung *m* **a** (*Gymnastik*) circle. **b** (*fig*) (*Veränderung*) drastic change; (*ins Gegenteil*) about-turn.

umsegeln* *vt insep* to sail around; *Erde auch* to circumnavigate.

umsehen *vr sep irreg* to look around (*nach* for); (*rückwärts*) to look back ▸ *sich in der Stadt* ~ to have a look around the town; *sich in der Welt* ~ to see something of the world; *ich möchte mich nur mal* ~ (*in Geschäft*) I'm just looking; *du wirst dich noch* ~! (*col*) you're in for a shock!; *ohne mich wird er sich noch* ~ (*col*) he's not going to find it easy without me.

⚠ **umsein** *vi sep irreg aux sein* (*Zeit*) to be up.

umseitig *adj* overleaf *pred*.

umsetzen *sep* **1** *vt* **a** *Pflanzen* to transplant; *Schüler* to move. **b** *Waren* to turn over. **c** *etw in etw* (*acc*) ~ to convert sth into sth; *etw in die Tat* ~ to translate sth into action.

2 *vr* (*Schüler*) to change places.

Umsicht *f* circumspection.

umsichtig *adj* circumspect.

umsiedeln *vti sep* (*vi: aux sein*) to resettle ▸ *von einem Ort an einen anderen* ~ to move from one place and settle in another.

Umsiedler *m* resettler.

umso *siehe* **um 3.**

umsonst *adv* **a** (*unentgeltlich*) free. **b** (*vergebens*) in vain, to no avail. **c** (*ohne Grund*) for nothing.

umsorgen* *vt insep* to care for.

umspringen *vi sep irreg aux sein* to change; (*Wind*) to veer around (*nach* to) ▸ *so kannst du nicht mit ihr* ~! (*col*) you can't treat her like that!

Umstand *m, pl* **Umstände** **a** circumstance; (*Tatsache*) fact ▸ *den Umständen entsprechend* much as one would expect (under the circumstances); *die näheren Umstände* further details; *in anderen Umständen sein* to be expecting; *unter diesen/keinen Umständen* under these/no circumstances; *unter Umständen* possibly. **b** *Umstände pl* (*Mühe, Schwierigkeiten*) bother *sing*,

trouble *sing*; (*Förmlichkeit*) fuss *sing*; *jdm Umstände machen* to cause sb bother; *machen Sie bloß keine Umstände!* please don't go to any bother.

umständehalber *adv* owing to circumstances ▸ „~ *zu verkaufen"* "forced to sell".

umständlich *adj Arbeitsweise, Methode* (awkward and) involved; (*langsam und ungeschickt*) ponderous; *Vorbereitung* elaborate; *Erklärung, Übersetzung, Anleitung* long-winded; *Abfertigung* laborious; *Arbeit, Reise* awkward ▸ *er ist fürchterlich* ~ he always makes such heavy weather of everything; *etw* ~ *machen* to make heavy weather *or* a meal (*col*) of doing sth; *etw* ~ *beschreiben* to describe sth in a roundabout way.

Umstands-: **~kleid** *nt* maternity dress; **~krämer** *m* (*col*) fusspot (*col*), fussbudget (*US col*); **~wort** *nt* adverb.

umstationieren* *vt sep Truppen, Waffen* to redeploy.

umstehend *adj attr* **a** standing round about ▸ *die U~en* the bystanders. **b** (*umseitig*) overleaf.

umsteigen *vi sep irreg aux sein* **a** to change (*nach* for). **b** (*fig col*) to change over, to switch (over) (*auf +acc* to).

umstellen¹ *sep* **1** *vti* **a** *Möbel* to rearrange. **b** *Hebel* to move, adjust; *Fernsehgerät* to switch over; *Radio* to switch to another station; *Uhr* to reset, to put back/forward ▸ *auf etw* (*acc*) ~ (*Betrieb*) to go *or* switch over to sth; *auf Erdgas etc* to convert to sth.

2 *vr* to move about; (*fig*) to get used to a different lifestyle ▸ *sich auf etw* (*acc*) ~ to adjust to sth.

umstellen²* *vt insep* to surround.

Umstellung *f* **a** (*von Möbeln etc*) rearrangement. **b** (*von Hebel*) adjustment; (*von Uhr*) resetting. **c** (*fig: das Sichumstellen*) adjustment (*auf +acc* to).

umstimmen *vt sep* **a** *Instrument* to retune. **b** *jdn* ~ to change sb's mind.

umstoßen *vt sep irreg Gegenstand* to knock over; (*fig*) *Plan etc* to change; (*Umstände*) to upset.

umstritten *adj* (*fraglich*) controversial; (*wird noch debattiert*) disputed.

umstrukturieren* *vt sep* to restructure.

umstülpen *vt sep* to turn upside down; *Tasche* to turn out.

Umsturz *m* coup (d'état).

umstürzen *sep* **1** *vt* to overturn; (*fig*) *Staat* to overthrow; *Demokratie* to destroy.

2 *vi aux sein* to fall; (*Möbelstück, Wagen etc*) to overturn.

Umstürzler(in *f*) *m* - subversive.

umstürzlerisch *adj* subversive.

Umsturzversuch *m* attempted coup.

Umtausch *m* exchange ▸ *diese Waren sind vom* ~ *ausgeschlossen* these goods cannot be exchanged.

umtauschen *vt sep* to exchange; *Geld* to change (*in +acc* into).

umtopfen *vt sep Blumen etc* to repot.

umtreten *vt sep irreg* to tread down.

Umtriebe *pl* machinations *pl* ▸ *subversive* ~ subversive activities.

umtriebig *adj* (*betriebsam*) go-getting.

Umtrunk *m* drink.

umtun *vr sep irreg* (*col*) to look around (*nach* for).

U-Musik *f* = *Unterhaltungsmusik*.

umverteilen* *vt sep or insep* to redistribute.

umwälzend *adj* (*fig*) radical; *Veränderungen auch* sweeping; *Ereignisse* revolutionary.

Umwälzung *f* (*fig*) radical change.

umwandeln *vt sep* to transform (*in +acc* into); (*Comm, Fin, Sci*) to convert (*in +acc* to); (*Jur*) *Strafe* to commute (*in +acc* to) ▸ *sie ist wie umgewandelt* she's a different person.

⚠: Informationen zur Rechtschreibreform im Anhang

Ụmwandlung *f siehe vt* transformation; conversion; commutation.

umwechseln *vt sep Geld* to change (*in +acc* to, into).

Ụmweg ['ʊmveːk] *m* detour; (*fig*) roundabout way ▸ **einen ~ machen/fahren** to go a long way around; (*absichtlich auch*) to make a detour; **auf ~en** (*fig*) in a roundabout way.

Ụmwelt *f no pl* environment.

Ụmwelt- *in cpds* environmental; **u~bedingt** *adj* caused by the environment; **~belastung** *f* ecological damage; **~bewußtsein** ⚠ *nt* environmental awareness; **~einfluß** *m* environmental impact; **u~feindlich** *adj* damaging to the environment; **u~freundlich** *adj* environment-friendly; **~freundlich hergestellt** manufactured without harm to the environment; **u~gestört** *adj* (*Psych*) maladjusted; **~gift** *nt* environmental pollutant; **~katastrophe** *f* ecological disaster; **~kriminalität** *f* crimes against the environment; **~ministerium** *nt* Ministry of the Environment; **~politik** *f* ecological policy; **~schaden** *m* environmental damage; **u~schädlich** *adj* harmful to the environment; **u~schonend** *adj* environment-friendly; **~schutz** *m* environmental protection; **~schützer** *m* environmentalist; **~schutzpapier** *nt* recyled paper; **~steuer** *f* ecology tax; **~sünder** *m* (*col*) polluter of the environment; **~verschmutzung** *f* pollution (of the environment).

ụmwenden *sep irreg* ①︎ *vt* to turn over. ②︎ *vr* to turn (around) (*nach* to).

umwẹrben* *vi insep irreg* to court.

ụmwerfen *vt sep irreg* ⓐ︎ *Gegenstand* to knock over. ⓑ︎ (*fig: ändern*) to upset. ⓒ︎ *jdn* (*körperlich*) to knock down; (*Ringen*) to throw down; (*Drink*) to knock out; (*fig col*) to bowl over. ⓓ︎ *sich* (*dat*) *etw ~* to put sth around one's shoulders.

ụmwerfend *adj* fantastic; (*Erlebnis*) mind-blowing; (*Schönheit*) stunning ▸ **von ~er Komik** hilarious.

umwịckeln* *vt insep* to wrap around; (*mit Schnur*) to wind around.

umzäunen* *vt insep* to fence around.

Umzäunung *f* fencing.

ụmziehen *sep irreg* ①︎ *vi aux sein* to move (*nach* to). ②︎ *vr* to change, to get changed.

umzịngeln* *vt insep* to surround, to encircle.

Ụmzug ['ʊmtsuːk] *m* ⓐ︎ (*Wohnungs~*) move; (*Wechsel der Arbeitsstelle*) relocation. ⓑ︎ (*Festzug*) procession; (*Demonstration*) parade.

Ụmzugs-: **~karton** *m* packing case; **~kosten** *pl* removal expenses; (*bei Wechsel der Arbeitsstelle*) relocation expenses.

UN [uː'ɛn] *pl* **die ~** the UN *sing*.

un|änderlich *adj* ⓐ︎ unalterable; *Entschluß, Urteil auch* irrevocable ▸ **~ feststehen** to be absolutely certain. ⓑ︎ (*ewig*) *Gesetze* immutable.

un|abdịngbar *adj* indispensable; *Recht* inalienable.

un|abhängig *adj* independent (*von* of) ▸ **~ davon, was Sie meinen** irrespective of what you think; **sich ~ machen** to go one's own way; **sich von jdm/etw ~ machen** to become independent of sb/sth.

Ụn|abhängigkeit *f* independence.

un|abkọmmlich *adj* (*geh*) busy.

un|ablässig *adj* continual; *Versuche, Bemühungen* unremitting.

un|absehbar *adj* ⓐ︎ (*fig*) *Folgen etc* unforeseeable; *Schaden* incalculable ▸ **auf ~e Zeit** for an indefinite period. ⓑ︎ (*lit*) interminable.

un-: **~absichtlich** *adj* unintentional; **~abweisbar** *adj* irrefutable; **~abwẹndbar** *adj* inevitable; **~achtsam** *adj* (*unaufmerksam*) inattentive; (*nicht sorgsam*) careless; (*unbedacht*) thoughtless; **~ähnlich** *adj* dissimilar; **einer Sache/jdm ~ähnlich sein** to be unlike sth/sb;

~anfẹchtbar *adj Urteil* incontestable; *Argument etc* unassailable; *Beweis* irrefutable; **~angebracht** *adj Bemerkung* uncalled-for; *Sparsamkeit auch* misplaced; (*unzweckmäßig*) *Maßnahmen* inappropriate; **~angefochten** *adj* unchallenged *no adv*; *Testament, Wahlkandidat, Urteil* uncontested; **~angemeldet** *adj* unannounced *no adv*; *Besucher* unexpected; *Patient etc* without an appointment.

un|angemẹssen *adj* (*zu hoch*) unreasonable; (*unzulänglich*) inadequate ▸ **einer Sache** (*dat*) **~ sein** to be inappropriate to sth.

un|angenehm *adj* unpleasant; (*peinlich*) *Zwischenfall, Begegnung* embarrassing ▸ **~ werden** to get nasty; **~ auffallen** to make a bad impression; **~ berührt** embarrassed (*von* by); **das ist mir immer so ~** I don't like that at all.

un-: **~angepaßt** ⚠ *adj* non-conformist; **~angetastet** *adj* untouched; **~angetastet bleiben** (*Rechte*) not to be violated; **~angreifbar** *adj* unassailable; *Festung, Land* impregnable; **~annehmbar** *adj* unacceptable.

Ụn|annehmlichkeit *f usu pl* trouble *no pl* ▸ **~en haben/bekommen** to be in/to get into trouble.

un|ansehnlich *adj* unsightly; *Frau etc* plain; *Tapete, Möbel* shabby.

un|anständig *adj* ⓐ︎ (*unerzogen*) ill-mannered; (*unverschämt*) rude. ⓑ︎ (*anstößig*) improper; *Wort, Witz* dirty.

Ụn|anständigkeit *f siehe adj* ill manners *pl*; rudeness *no pl*; impropriety; dirtiness.

un-: **~antạstbar** *adj* inviolable, sacrosanct; **~appetitlich** *adj* (*lit, fig*) unappetizing.

Ụn|art *f* bad habit.

un|artig *adj* naughty.

Un-: **u~ästhetisch** *adj* unsightly; *Anblick* unlovely; **u~aufdringlich** *adj* unobtrusive; *Parfüm auch* discreet; *Mensch* unassuming; **u~auffällig** ①︎ *adj* inconspicuous; (*unscheinbar, schlicht*) unobtrusive; ②︎ *adv* unobtrusively, discreetly; **u~auffindbar** *adj* nowhere to be found; **u~aufgefordert** ①︎ *adj* unsolicited (*esp Comm*); ②︎ *adv* without being asked; **u~aufgefordert zugesandte Manuskripte** unsolicited manuscripts; **u~aufhaltsam** *adj* unstoppable; **u~aufhạltsam** *adj* ⓐ︎ (*unaufhaltbar*) unstoppable; ⓑ︎ (*unerbittlich*) inexorable; **u~aufhörlich** *adj* continual, incessant; **u~auflösbar** *adj Ehe* indissoluble; **u~aufmerksam** *adj* inattentive; **~aufmerksamkeit** *f* inattentiveness; **u~aufrichtig** *adj* insincere; **~aufrichtigkeit** *f* insincerity; **u~aufschiebbar** *adj* urgent; **u~ausbleiblich** *adj* inevitable, unavoidable; **u~ausgeglichen** *adj* unbalanced; **u~ausgegoren** *adj* immature; *Idee, Plan* half-baked (*col*); **u~ausgeschlafen** *adj* tired; **u~ausgesetzt** *adj* incessant, constant; **u~ausgesprochen** *adj* unspoken; **u~ausgewogen** *adj* unbalanced; **u~ausrọttbar** *adj Unkraut* indestructible; (*fig*) *Vorurteile etc* ineradicable; **u~aussprẹchlich** *adj* ⓐ︎ *Wort, Name* unpronounceable; ⓑ︎ *Schönheit, Leid etc* inexpressible; **u~ausstẹhlich** *adj* intolerable; **u~ausweichlich** *adj* inevitable; *Folgen auch* inescapable.

unbändig *adj* ⓐ︎ *Kind* boisterous ▸ **sie freuten sich ~** they were jumping for joy. ⓑ︎ (*ungezügelt*) unrestrained *no adv*, *Haß, Zorn etc auch* unbridled *no adv*; *Hunger* enormous.

un-: **~bar** *adj* (*Comm*) **etw ~bar bezahlen** not to pay sth in cash; **~barmherzig** *adj* merciless; **~beabsichtigt** *adj* unintentional.

unbe|achtet *adj* unnoticed; *Warnung, Vorschläge* unheeded ▸ **wir wollen die weniger wichtigen Punkte zunächst ~ lassen** let's leave aside the less important points for the time being.

un-: **~beanstandet** *adj* **etw ~beanstandet lassen** to let sth pass or go; **~bebaut** adj Land undeveloped; Feld uncultivated; **~bedacht** adj rash; **~bedarft** adj (col) (naiv) simple-minded; (unwissend) clueless (col); **~bedeckt** adj bare; **~bedenklich** ⊞ adj (ungefährlich) completely harmless; ⊡ adv (ungefährlich) quite safely; (ohne zu zögern) without thinking twice (col); **~bedeutend** adj insignificant; (geringfügig) Änderung etc minor.

▼ **unbedingt** ⊞ adj attr absolute.
⊡ adv (auf jeden Fall) really; nötig, erforderlich absolutely ► müßt ihr denn ~ in meinem Arbeitszimmer spielen? do you have to play in my study?; ~! absolutely!; nicht ~ not necessarily.

Un-: **u~beeindruckt** adj unimpressed; **u~beeinflußt** ⚠ adj uninfluenced (von by); **u~befahrbar** adj Straße impassable; Gewässer unnavigable; **u~befahren** adj Straße, Seeweg unused; **u~befangen** adj ⒜ (unparteiisch) impartial; ⒝ (natürlich) unselfconscious; (ungehemmt) uninhibited; **~befangenheit** f siehe adj impartiality; naturalness; uninhibitedness; **u~befestigt** adj Straße unmetalled; **u~befriedigend** adj unsatisfactory; **u~befriedigt** adj (frustriert) unsatisfied; (unerfüllt auch) unfulfilled; (unzufrieden) dissatisfied; **u~befristet** adj permanent; **u~befugt** adj unauthorized; Eintritt für ~befugte verboten no admittance to unauthorized persons; **u~begabt** adj untalented; **u~beglichen** adj unpaid, unsettled.

unbegreiflich adj incomprehensible ► es wird mir immer ~ bleiben, wie/daß ... I shall never understand how/why ...

unbegreiflicherweise adv inexplicably.

unbegrenzt adj unlimited; Möglichkeiten, Energie etc auch limitless; Land, Meer etc boundless; Zeitspanne, Frist indefinite ► zeitlich ~ indefinite; ~, auf ~e Zeit indefinitely; „~ haltbar" "will keep indefinitely".

unbegründet adj unwarranted.

unbehaart adj hairless; (auf dem Kopf) bald.

Unbehagen nt uneasiness; (Unzufriedenheit) discontent (an +dat with); (körperlich) discomfort ► jdm ~ bereiten to make sb feel uneasy.

unbehaglich adj uncomfortable; Gefühl uneasy.

un-: **~behelligt** adj (unbelästigt) unmolested; (unkontrolliert) unchecked; jdn ~behelligt lassen to leave sb alone; **~beherrscht** adj uncontrolled; (Mensch) lacking self-control; (gierig) greedy; **~behindert** adj unimpeded; **~beholfen** adj clumsy, awkward; (hilflos) helpless; **~beirrbar** adj unwavering; **~beirrt** adj unswerving.

unbekannt adj unknown; Gesicht auch unfamiliar ► das war mir ~ I was unaware of that; Angst ist ihm ~ he doesn't know what fear is; ~e Größe (Math, fig) unknown quantity; nach ~ verzogen moved — address unknown; ~e Täter person or persons unknown.

Unbekannte f (wk) -n, -n (Math) unknown.

Unbekannte(r) mf decl as adj stranger.

unbekannterweise adv grüße sie ~ von mir give her my regards although I don't know her.

unbekleidet adj bare ► er war ~ he had nothing on.

unbekümmert adj ⒜ (unbesorgt) unconcerned ► sei ganz ~ don't worry. ⒝ (sorgenfrei) carefree.

unbelastet adj ⒜ (ohne Last) unloaded, unladen. ⒝ (ohne Schulden) unencumbered. ⒞ (Pol: ohne Schuld) guiltless. ⒟ (ohne Sorgen) free from worries.

un-: **~belebt** adj Straße quiet; Natur inanimate; **~belehrbar** adj fixed in one's views; Rassist etc dyed-in-the-wool attr; **~beleuchtet** adj unlit; Fahrzeug without lights; **~beliebt** adj unpopular (bei with); **U~beliebtheit** f unpopularity (bei with); **~bemannt** adj Raumflug unmanned; Fahrzeug driverless; **~bemerkbar** adj imperceptible; **~bemerkt** adj unnoticed; **~bemittelt** adj without means; **~benommen**

adj pred (form) es bleibt or ist Ihnen ~benommen, zu ... you are at liberty to ...; **~benutzt** adj unused; **~beobachtet** adj unobserved, unnoticed; wenn er sich ~beobachtet fühlt ... when he thinks nobody is looking ...; **~bequem** adj (ungemütlich) uncomfortable; (lästig) Situation awkward; Aufgabe unpleasant; (mühevoll) difficult; der Regierung ~bequem sein to be an embarrassment to the government; **~berechenbar** adj unpredictable; **u~berechtigt** adj unwarranted; Sorge, Kritik etc unfounded; (unbefugt) unauthorized.

unberücksichtigt adj unconsidered ► etw ~ lassen not to consider sth.

unberührbar adj untouchable.

unberührt adj ⒜ untouched; Bett unslept-in; Wald etc virgin; Natur unspoiled ► ~ sein (Mädchen) to be a virgin. ⒝ (mitleidlos) unmoved. ⒞ (unbetroffen) unaffected.

unbeschadet prep +gen (form) regardless of.

unbeschädigt adj undamaged; Siegel unbroken ► ~ bleiben not to be damaged/broken; (seelisch etc) to come off unscathed

unbeschäftigt adj (müßig) idle; (arbeitslos) not working.

unbescheiden adj presumptuous.

un-: **~bescholten** adj (geh) respectable; Ruf spotless; **~beschrankt** adj (Rail) without gates.

unbeschränkt adj unlimited; Macht absolute.

unbeschreiblich adj indescribable.

un-: **~beschrieben** adj blank; **~beschwert** adj ⒜ (sorgenfrei) carefree; Melodie light; ⒝ (ohne Gewicht) unweighted.

unbesehen adv indiscriminately; (ohne es anzusehen) without looking at it/them ► das glaube ich dir ~ I believe it if you say so.

un-: **~besetzt** adj vacant; Stuhl, Platz auch unoccupied; Bus, Zug empty; Schalter closed; **~besiegbar** adj Armee etc invincible; (Sport auch) unbeatable; **~besiegt** adj undefeated; **~besonnen** adj rash.

unbesorgt ⊞ adj unconcerned ► Sie können ganz ~ sein you can set your mind at rest.
⊡ adv without worrying.

un-: **~bespielt** adj Kassette, Band blank; **~beständig** adj Wetter unsettled, changeable; Mensch erratic; (launisch) moody; Liebhaber inconstant; **~bestätigt** adj unconfirmed; **~bestechlich** adj ⒜ Mensch incorruptible; ⒝ Urteil, Blick unerring; **~bestimmbar** adj indeterminable; **~bestimmt** adj (ungewiß) uncertain; Gefühl, Erinnerung vague; (Gram) indefinite; auf ~bestimmte Zeit indefinitely.

unbestreitbar adj Tatsache indisputable; Verdienste, Fähigkeiten unquestionable.

unbestritten adj undisputed, indisputable.

unbeteiligt adj ⒜ (uninteressiert) indifferent. ⒝ (nicht teilnehmend) uninvolved no adv (an +dat, bei in); (Jur, Comm) disinterested.

un-: **~betont** adj unstressed; **~beugsam** adj uncompromising; Wille unshakable; (lit, fig) unbending; **~bewacht** adj (lit, fig) unguarded; Parkplatz unattended; **~bewaffnet** adj unarmed; **~bewältigt** adj unmastered; Konflikt, Problem unresolved; Deutschlands ~bewältigte Vergangenheit the past with which Germany has not yet come to terms; **~beweglich** adj immovable; (steif) stiff; (geistig) rigid, inflexible; (bewegungslos) motionless; **~bewegt** adj motionless; (fig: unberührt) unmoved; **~bewiesen** adj unproven; **~bewohnbar** adj uninhabitable; **~bewohnt** adj Gegend uninhabited; Haus unoccupied; **~bewußt** ⚠ adj unconscious; Reflex involuntary; **~bezahlbar** adj ⒜ (zu teuer) prohibitively expensive; ⒝ (fig) (komisch) priceless; (nützlich) invaluable; **~bezahlt** adj unpaid; **~bezähmbar** adj Optimismus etc

---

irrepressible; *Verlangen* uncontrollable; **~bezwinglich** *adj* unconquerable; *Gegner* invincible; *Festung* impregnable; *Drang* uncontrollable; **~blutig** ⟦1⟧ *adj* bloodless; ⟦2⟧ *adv* without bloodshed; **~brauchbar** *adj* (*nutzlos*) useless; (*nicht zu verwenden*) unusable; **~bürokratisch** *adj* without any red tape.

und *conj* and ▸ **~?** well?; **~ dann?** then what?; **ich ~ ihm Geld leihen?** (*col*) what me, lend him money?; **er konnte ~ konnte nicht aufhören** he simply couldn't stop; **Unfälle, Staus, ~ ~ ~** accidents, tailbacks etc etc etc; **...** **~ wenn ich selbst bezahlen muß** ... even if I have to pay myself.

Undank *m* ingratitude ▸ **~ ernten** to get no thanks; **~ ist der Welt Lohn** (*Prov*) never expect thanks for anything.

undankbar *adj* ungrateful; *Arbeit* thankless.

Undankbarkeit *f* ingratitude.

un-: **~definierbar** *adj* indefinable; **~demokratisch** *adj* undemocratic; **~denkbar** *adj* unthinkable, inconceivable; **~denklich** *adj*: **seit ~denklichen Zeiten** (*geh*) since time immemorial.

undeutlich *adj* indistinct; *Erinnerung* vague; *Schrift* illegible; *Ausdrucksweise* unclear ▸ **~ sprechen** to speak indistinctly, to mumble.

undicht *adj* *Dose, Gefäß* not air-/water-tight ▸ **das Rohr ist ~** the pipe leaks; **das Fenster ist ~** the window lets in a draught (*Brit*) or draft (*US*); **eine ~e Stelle haben** (*Rohr etc*) to leak; (*Reifen*) to have a hole.

undifferenziert *adj* simplistic.

Unding *nt no pl* **es ist ein ~, ...** it is absurd ...

Un-: **u~diplomatisch** *adj* undiplomatic; **u~diszipliniert** *adj* undisciplined; **u~duldsam** *adj* intolerant (*gegen* of); **~duldsamkeit** *f no pl* intolerance (*gegen* of); **u~durchdringlich** *adj* *Urwald* impenetrable; *Gesicht* inscrutable; **u~durchführbar** *adj* impracticable, unworkable; **u~durchlässig** *adj* impermeable (*gegen* to); **u~durchschaubar** *adj* unfathomable; *Mensch* inscrutable; **u~durchsichtig** *adj* *Fenster* opaque; *Papier, Stoff* non-transparent; (*fig pej*) *Mensch, Methoden* devious; *Motive* obscure; **~durchsichtigkeit** *f no pl siehe adj* opacity; non-transparency; deviousness; obscureness.

un|eben *adj* uneven; *Straße auch* bumpy.

Un|ebenheit *f siehe adj* unevenness; bumpiness ▸ **kleine ~en** uneven patches.

un-: **~echt** *adj* false; *Schmuck, Edelstein, Blumen etc* artifical, fake (*usu pej*); **~edel** *adj* *Metalle* base; **~ehelich** *adj* illegitimate; **~ehelich geboren sein** to be illegitimate; **~ehrenhaft** *adj* dishonourable (*Brit*), dishonorable (*US*); **~ehrlich** *adj* dishonest; **~ehrlich spielen** to cheat; **~eigennützig** *adj* unselfish, selfless.

un|eingeschränkt *adj* absolute, total; *Rechte, Handel* unrestricted; *Zustimmung* unqualified.

Un-: **u~einheitlich** *adj* non-uniform; *Preise* unsteady; **u~einheitlich sein** to vary; **u~einig** *adj* in disagreement; *Familie* divided; **(sich dat) über etw** (*acc*) **u~einig sein** to disagree about sth; **~einigkeit** *f* disagreement (*gen* between); **u~einnehmbar** *adj* impregnable.

un|eins *adj pred* divided ▸ **(mit jdm) ~ sein/werden** to disagree with sb.

un-: **~empfänglich** *adj* (*für* to) not susceptible; (*für Eindrücke, Atmosphäre*) insensitive; **~empfindlich** *adj* (*gegen* to) insensitive; *Bazillen etc* immune; *Pflanzen* hardy; *Textilien* practical.

un|endlich ⟦1⟧ *adj* infinite; (*zeitlich*) endless. ⟦2⟧ *adv* endlessly; (*fig: sehr*) terribly ▸ **~ lange diskutieren** to argue endlessly.

Un|endlichkeit *f* infinity; (*zeitlich*) endlessness.

un-: **~entbehrlich** *adj* indispensable; **~entgeltlich** *adj* free of charge.

un|entschieden *adj* undecided; (*entschlußlos*) indeci-

sive; (*Sport*) drawn ▸ **~ enden** to end in a draw; **~ spielen** to draw; **ein ~es Rennen** a dead heat.

Un|entschieden *nt* - (*Sport*) draw.

un|entschlossen *adj* undecided; (*entschlußlos*) *Mensch* indecisive.

un|entschuldbar *adj* inexcusable.

un|entschuldigt ⟦1⟧ *adj* unexcused ▸ **~es Fernbleiben von der Arbeit/Schule** absenteeism/truancy. ⟦2⟧ *adv* without an excuse.

un|entwegt ⟦1⟧ *adj* constant, untiring ▸ **einige U~e** a few stalwarts. ⟦2⟧ *adv* constantly, without tiring; *weiterarbeiten* unceasingly.

un|erbittlich *adj* relentless.

Un-: **u~erfahren** *adj* inexperienced; **u~erfindlich** *adj* incomprehensible; **u~erforschlich** *adj* impenetrable; *Wille* unfathomable; **u~erfreulich** *adj* unpleasant; **~erfreuliches** (*schlechte Nachrichten*) bad news *sing*; (*Übles*) bad things *pl*; **~erfüllbar** *adj* unrealizable; **u~erfüllt** *adj* unfulfilled; **u~ergiebig** *adj* *Quelle, Thema* unproductive; *Boden, Ernte, Nachschlagewerk* poor; **u~ergründlich** *adj* unfathomable; **u~erheblich** *adj* insignificant; **u~erhofft** *adj* unexpected.

un|erhört¹ ⟦1⟧ *adj attr* (*ungeheuer*) enormous; (*empörend*) outrageous; *Frechheit* incredible. ⟦2⟧ *adv* incredibly ▸ **~ viel** a tremendous amount (of).

un|erhört² *adj* *Bitte* unanswered.

un-: **~erkannt** *adj* unrecognized; **~erklärlich** *adj* inexplicable; **~erklärt** *adj* *Phänomen* unexplained; *Krieg, Liebe* undeclared; **~erläßlich** ⚠ *adj* imperative.

un|erlaubt *adj* forbidden; *Betreten, Parken* unauthorized; (*ungesetzlich*) illegal.

un|erledigt *adj* unfinished; *Post* unanswered; *Rechnung* outstanding; (*schwebend*) pending.

un-: **u~ermeßlich** ⚠ *adj* immense, vast; **~ermüdlich** *adj* untiring; **u~erprobt** *adj* untested, untried; **u~erreichbar** *adj* *Ziel* unattainable; *Ort* inaccessible; (*telefonisch*) unobtainable; **~erreicht** *adj* unequalled; *Ziel* unattained; **~ersättlich** *adj* insatiable; **~erschlossen** *adj* *Land* undeveloped; *Boden* unexploited; *Vorkommen, Markt* untapped; **~erschöpflich** *adj* inexhaustible; **~erschrocken** *adj* intrepid, courageous; **~erschütterlich** *adj* unshakable; *Ruhe* imperturbable; **~erschwinglich** *adj* exorbitant, prohibitive; **für jdn ~erschwinglich sein** to be beyond sb's means; **~ersetzlich** *adj* irreplaceable; **~erträglich** *adj* unbearable; **~erwartet** *adj* unexpected; **~erwünscht** *adj* *Kind* unwanted; *Besuch, Effekt* unwelcome; **du bist hier ~erwünscht** you're not welcome here; **~erzogen** *adj* ill-mannered; *Kind auch* badly brought up.

unfachmännisch *adj* unprofessional.

unfähig *adj* ⟦a⟧ *attr* incompetent. ⟦b⟧ **~ sein, etw zu tun** to be incapable of doing sth.

Unfähigkeit *f* ⟦a⟧ (*Untüchtigkeit*) incompetence. ⟦b⟧ (*Nichtkönnen*) inability.

unfair *adj* unfair (*gegenüber* to).

Unfall *m, pl* **Unfälle** accident.

Unfall-: **~arzt** *m* specialist for accidental injuries; **~flucht** *f* failure to stop after an accident; **~flucht begehen** to commit a hit-and-run offence (*Brit*) or offense (*US*); **~folge** *f* result of an/the accident; **u~frei** ⟦1⟧ *adj* accident-free; *Auto* with no accident damage; ⟦2⟧ *adv* without an accident; **~klinik** *f* accident hospital; **~opfer** *nt* casualty; **~ort** *m* scene of an/the accident; **~station** *f* casualty department; **~stelle** *f* scene of an/the accident; **u~trächtig** *adj* accident-prone; **~versicherung** *f* accident insurance; **~wagen** *m* car involved in an/the accident; (*col: Rettungswagen*) ambulance; **~zahl, ~ziffer** *f* number of accidents.

⚠ **unfaßbar, unfaßlich** ⚠ *adj* incomprehensible.

⚠: for details of spelling reform, see supplement

unfehlbar ⓵ *adj* infallible.
⓶ *adv* without fail.
Unfehlbarkeit *f* infallibility.
un-: **~fein** *adj* unrefined; *das ist ~fein* that's bad manners; **~fertig** *adj* unfinished, incomplete; *Mensch* immature; **~flätig** *adj* (*geh*) offensive; *sich ~flätig ausdrücken* to use obscene language; **~folgsam** *adj* disobedient; **~formatiert** *adj* (*Comp*) unformatted; **~förmig** *adj* (*formlos*) shapeless; (*groß*) cumbersome; *Füße, Gesicht* unshapely; **~frankiert** *adj* unstamped.
unfrei *adj* ⓐ not free. ⓑ (*befangen*) constrained, uneasy. ⓒ *Brief* unfranked.
Unfreiheit *f* lack of freedom.
unfreiwillig *adj* compulsory; *Witz, Fehler* unintentional ▸ *ich war ~er Zeuge* I was an unwilling witness.
unfreundlich *adj* unfriendly (*zu, gegen* to); *Landschaft, Zimmer, Farbe* cheerless; *Akt* hostile.
Unfreundlichkeit *f* unfriendliness; (*unfreundliche Bemerkung*) unpleasant remark.
Unfriede(n) *m* strife.
un-: **~frisiert** *adj* *Haare* uncombed; *Mensch* with one's hair in a mess; **~fruchtbar** *adj* infertile; (*fig*) *Debatte etc* fruitless.
Unfruchtbarkeit *f siehe adj* infertility; fruitlessness.
Unfug ['ʊnfuːk] *m no pl* nonsense ▸ *~ treiben* to get up to mischief; *wegen groben ~s* for causing a public nuisance.
Ungar(in *f*) ['ʊŋgar(ɪn)] *m* (*wk*) **-n, -n** Hungarian.
ungarisch ['ʊŋgarɪʃ] *adj* Hungarian.
Ungarisch(e) ['ʊŋgarɪʃ(ə)] *nt* Hungarian; *siehe* **Deutsch(e)**.
Ungarn ['ʊŋgarn] *nt* Hungary.
ungastlich *adj* inhospitable.
unge|achtet *prep +gen* in spite of, despite.
un-: **~geahndet** *adj* (*Jur*) unpunished; **~geahnt** *adj* undreamt-of; **~gebärdig** *adj* unruly; **~gebeten** *adj* uninvited; **~gebildet** *adj* uncultured; (*ohne Bildung*) uneducated; **~geboren** *adj* unborn; **~gebräuchlich** *adj* uncommon; **~gebrochen** *adj* unbroken.
ungebührlich *adj* improper ▸ *sich ~ aufregen* to get unduly excited.
ungebunden *adj* ⓐ *Buch* unbound; *Blumen* loose. ⓑ *in ~er Rede* in prose. ⓒ *Leben* (fancy-)free; (*unverheiratet*) unattached; (*Pol*) independent ▸ *frei und ~* footloose and fancy-free.
ungedeckt *adj* ⓐ (*schutzlos*) unprotected; (*Sport*) *Tor* undefended; *Spieler* unmarked; *Scheck* uncovered. ⓑ *Tisch* unlaid (*Brit*), not set *pred*.
Ungeduld *f* impatience ▸ *vor ~* with impatience; *voller ~* impatiently.
ungeduldig *adj* impatient.
unge|eignet *adj* unsuitable.
ungefähr ⓵ *adj attr* approximate, rough.
⓶ *adv* roughly, approximately ▸ (*so*) *~ dreißig* about *or* approximately thirty; *das kommt nicht von ~* it's no accident; *wo ~?* whereabouts?; *so ~!* more or less!; *damit ich ~ weiß, ...* so that I have a rough idea ...; *~ (so) wie* a bit like.
un-: **~gefährdet** *adj* safe; **~gefährlich** *adj* safe; *Tier, Krankheit, Arzneimittel etc* harmless; **~gefällig** *adj Mensch* unobliging; **~gefärbt** *adj Haare, Stoff* undyed; *Lebensmittel* without colouring (*Brit*) *or* coloring (*US*); **~gefedert** *adj* unsprung; (*ohne Feder*) without springs; **~gegliedert** *adj Körper* unjointed; (*fig*) disjointed; *Satz, Aufsatz etc* unstructured; **~gehalten** *adj* indignant (*über +acc* about); **~geheizt** *adj* unheated.
ungeheuer ⓵ *adj* ⓐ (*riesig*) enormous, immense. ⓑ = **ungeheuerlich**.
⓶ *adv* (*sehr*) enormously, tremendously; (*negativ*) terribly.

Ungeheuer *nt* - monster.
ungeheuerlich *adj* monstrous; *Verdacht, Dummheit* dreadful; *Leichtsinn* outrageous, appalling.
un-: **~gehindert** *adj* unhindered; **~gehobelt** *adj Benehmen, Mensch* boorish; **~gehörig** *adj* impertinent.
ungehorsam *adj* disobedient.
Ungehorsam *m* disobedience; (*Mil*) insubordination ▸ *ziviler ~* civil disobedience.
un-: **~gekämmt** *adj Haar* uncombed; **~gekämmt aussehen** to look unkempt; **~geklärt** *adj Abwasser* untreated; *Frage, Verbrechen* unsolved; *Ursache* unknown; **~gekocht** *adj* raw; *Flüssigkeit* unboiled; *Obst etc* uncooked; **~gekündigt** *adj*: *in ~gekündigter Stellung* not under notice (to leave); **~gekünstelt** *adj* natural; **~gekürzt** *adj* not shortened; *Buch* unabridged; *Film* uncut; *Ausgaben* not cut back; **~geladen** *adj Kamera, Gewehr etc* unloaded; *Gäste* uninvited.
ungelegen *adj* inconvenient ▸ *etw kommt jdm ~* sth is inconvenient for sb; *komme ich (Ihnen) ~?* is this an inconvenient time for you?
Ungelegenheiten *pl* inconvenience *sing* ▸ *jdm ~ bereiten* to inconvenience sb.
un-: **~gelehrig** *adj* unteachable; **~gelenkig** *adj* stiff; (*fig col: nicht flexibel*) inflexible; **~gelernt** *adj attr* unskilled; **~gelesen** *adj* unread; **~geliebt** *adj* unloved; **~gelogen** *adv* honestly; **~gemacht** *adj Bett* unmade.
ungemein *adj* immense, tremendous.
ungemustert *adj* plain.
un-: **~gemütlich** *adj* uncomfortable; *Mensch* awkward; *Land, Wetter, Wochenende* unpleasant; *mir wird es hier ~gemütlich* I'm getting a bit uncomfortable; *er kann ~gemütlich werden* he can get nasty; **~genannt** *adj* anonymous; *Summe* undisclosed; **~genau** *adj* inaccurate; (*vage*) vague; (*ungefähr*) approximate.
Ungenauigkeit *f siehe adj* inaccuracy; vagueness; approximateness.
ungeniert ['ʊnʒeniːɐt] ⓵ *adj* free and easy; (*bedenkenlos, taktlos*) uninhibited.
⓶ *adv* openly; (*bedenkenlos, taktlos*) without any inhibition.
ungenießbar *adj* (*nicht zu essen*) inedible; (*nicht zu trinken*) undrinkable; (*unschmackhaft*) unpalatable; (*col*) *Mensch* unbearable.
ungenügend *adj* inadequate, insufficient; (*Sch*) unsatisfactory.
Un-: **u~genutzt** *adj* unused; *eine Chance u~genutzt lassen* to miss an opportunity; **u~geordnet** *adj* disordered; **u~gepflegt** *adj Mensch* untidy; *Park, Hände etc* neglected; *sich u~gepflegt ausdrücken* to talk in a common way; **u~gerade** *adj* odd; **u~geraten** *adj Kind* illbred; **u~gerecht** *adj* unjust; **u~gerechtfertigt** ⓵ *adj* unjustified; ⓶ *adv* unjustly; **~gerechtigkeit** *f* injustice; **u~geregelt** *adj* irregular; **u~gereimt** *adj Verse* unrhymed; (*fig*) inconsistent; **~gereimtheit** *f* (*fig*) inconsistency.
ungern *adv* reluctantly ▸ (*höchst*) *~!* if I/we really have to!
un-: **~gerufen** *adj* without being called; **~gerührt** *adj* unmoved; **~gesagt** *adj* unsaid; *etw ~gesagt machen* to pretend sth has never been said; **~gesäuert** *adj Brot* unleavened; **~geschält** *adj* unpeeled; *Getreide, Reis* unhusked; **~geschehen** *adj*: *etw ~geschehen machen* to undo sth.
Ungeschicklichkeit *f* clumsiness.
ungeschickt *adj* clumsy, awkward; (*unbedacht*) careless.
un-: **~geschlechtlich** *adj* asexual; **~geschliffen** *adj Edelstein* uncut; *Messer* blunt; (*fig*) *Benehmen* uncouth; **~geschmälert** *adj* undiminished; **~geschmeidig** *adj Stoff, Leder* rough; *Haar* coarse; **~geschminkt** *adj* with-

---

⚠: Informationen zur Rechtschreibreform im Anhang

out make-up; (*fig*) *Wahrheit* unvarnished.

ungeschoren *adj* unshorn; (*fig*) spared ▶ *jdn ~ lassen* (*col*) to spare sb; (*ungestraft*) to let sb off.

un-: **~geschult** *adj* untrained; **~geschützt** *adj* unprotected; (*Mil*) *Einheit* exposed; **~gesehen** *adj* unseen; **~gesetzlich** *adj* illegal; **~gesichert** *adj* unsecured, not secured; *Schußwaffe* with the safety catch off; **~gesittet** *adj* uncivilized; **~gestört** *adj* undisturbed; (*Rad, TV etc*) without interference; **~gestraft** *adv* with impunity.

ungestüm ['ʊngəʃtyːm] *adj* impetuous.

un-: **~gesund** *adj* unhealthy; **~getan** *adj* undone; **~getragen** *adj Kleidung* unworn; **~getrübt** *adj* clear; *Glück* perfect.

Ungetüm *nt* **-e** monster.

un-: **~geübt** *adj* unpractised (*Brit*), unpracticed (*US*); *Mensch* out of practice; **~gewandt** *adj* awkward.

⚠ **ungewiß** *adj* uncertain; (*vage*) vague ▶ *jdn (über etw acc) im ungewissen lassen* to leave sb in the dark (about sth).

⚠ **Ungewißheit** *f* uncertainty.

ungewöhnlich ① *adj* unusual.
② *adv* unusually.

ungewohnt *adj* unusual; (*fremdartig*) strange, unfamiliar ▶ *das ist mir ~* I am not used to it.

ungewollt *adj* unwanted; (*unbeabsichtigt*) unintentional.

Ungeziefer *nt no pl* vermin.

ungezogen *adj* ill-mannered; *Kind* naughty.

Ungezogenheit *f siehe adj* bad manners *no indef art*; naughtiness.

un-: **~gezügelt** ① *adj* (*unbeherrscht*) unbridled; (*ausschweifend*) dissipated; ② *adv* without restraint; **~gezwungen** *adj* casual, informal; *sich ~gezwungen bewegen* to feel quite free; **U~gezwungenheit** *f* casualness, informality; **~giftig** *adj* non-poisonous.

unglaubhaft *adj* incredible, unbelievable.

ungläubig ① *adj* unbelieving; (*zweifelnd*) doubting ▶ *~er Thomas* doubting Thomas.
② *adv* doubtingly, in disbelief.

Ungläubige(r) *mf* unbeliever.

unglaublich *adj* unbelievable, incredible.

unglaubwürdig *adj* implausible; *Dokument* dubious; *Mensch* unreliable ▶ *sich ~ machen* to lose credibility.

ungleich ① *adj Charaktere* dissimilar; *Größe, Farbe* different; (*nicht gleichwertig, nicht vergleichbar*) *Mittel, Waffen* unequal; (*Math*) not equal.
② *adv* much, incomparably.

ungleichartig *adj* dissimilar.

Ungleich-: **~behandlung** *f no pl* discrimination; **u~mäßig** *adj* uneven; *Atemzüge, Gesichtszüge, Puls* irregular; **~mäßigkeit** *f siehe adj* unevenness; irregularity.

Unglück *nt* **-e** (*Unfall, Vorfall*) accident; (*Schicksalsschlag*) disaster, tragedy; (*Unheil*) misfortune; (*Pech, im Aberglauben, bei Glücksspiel*) bad luck; (*Unglücklichsein*) unhappiness ▶ *das ist auch kein ~* that's not a disaster; *das ~ wollte es, daß ...* as (bad) luck would have it, ...; *zu allem ~* to make matters worse; *ein ~ kommt selten allein* (*Prov*) it never rains but it pours (*Prov*).

unglücklich ① *adj* (*traurig*) unhappy; *Liebe* unrequited ▶ *ich U~e(r)!* poor me! ② (*bedauerlich*) sad, unfortunate ▶ *~ enden* to turn out badly.

unglücklicherweise *adv* unfortunately.

unglückselig *adj* (*liter*) unfortunate; (*armselig*) miserable; (*unglückbringend*) disastrous.

Unglücks-: **~fall** *m* accident; **~rabe** *m* (*col*) unlucky thing (*col*); **~zahl** *f* unlucky number.

Ungnade *f bei jdm in ~ fallen* to fall out of favour (*Brit*) *or* favor (*US*) with sb.

ungnädig *adj* ungracious.

ungültig *adj* invalid; (*Sport*) *Tor* disallowed ▶ *~ werden* (*Paß*) to expire; *etw für ~ erklären* to declare sth null and void; *eine Ehe für ~ erklären* to annul a marriage.

ungünstig *adj* unfavourable (*Brit*), unfavorable (*US*), disadvantageous; *Termin* inconvenient; *Augenblick, Wetter* bad; (*nicht preiswert*) expensive.

ungut *adj* bad ▶ *ein ~es Gefühl haben* to have an uneasy *or* bad feeling; *nichts für ~!* no offence (*Brit*) *or* offense (*US*)!

un-: **~haltbar** *adj Zustand* intolerable; *Vorwurf, Behauptung etc* untenable; *Torschuß* unstoppable; **~handlich** *adj* unwieldy.

Unheil *nt no pl* disaster ▶ *~ stiften or anrichten* to wreak havoc.

unheilbar *adj* incurable ▶ *~ krank sein* to be terminally ill.

Unheil-: **u~bringend** ⚠ *adj* fateful, ominous; **~stifter** *m* mischief-maker; **u~voll** *adj* disastrous.

unheimlich ① *adj* ⓐ (*angsterregend*) frightening, sinister ▶ *das/er ist mir ~* it/he gives me the creeps (*col*). ⓑ (*col*) tremendous (*col*). ② *adv* (*col: sehr*) incredibly (*col*) ▶ *~ viele Menschen* an incredible number of people.

un-: **~höflich** *adj* impolite; **U~höflichkeit** *f* impoliteness; **U~hold** *m* **-e** monster; (*Press col*) fiend; **~hörbar** *adj* inaudible; **~hygienisch** *adj* unhygienic.

Uni *f* **-s** (*col*) university.

uni ['yni, y'niː] *adj pred* self-coloured (*Brit*), self-colored (*US*), plain.

UNICEF ['uːnitsɛf] *f (die) ~* UNICEF.

Uniform *f* **-en** uniform.

uniformieren* *vt* (*mit Uniform ausstatten*) to uniform; (*einheitlich machen*) to make uniform.

uniformiert *adj* uniformed.

Unikat *nt* **-e** unique specimen.

Unikum *nt* **-s** *or* **Unika** (*col*) real character.

un-: **~interessant** *adj* uninteresting; *sein Angebot ist für uns ~interessant* we're not interested in his offer; **~interessiert** *adj* (*neutral*) disinterested; (*nicht interessiert*) uninterested.

Union *f* **-en** union ▶ *die ~* (*BRD Pol*) the CDU and CSU.

Unionsparteien *pl* (*BRD*) CDU and CSU parties *pl*.

universal, universell [univer-] *adj* universal.

Universal- [univer'zaːl-] *in cpds* universal; *Bildung etc* general; **~genie** *nt* universal genius.

Universität [univɛrzi'tɛːt] *f* university ▶ *die ~ Freiburg, die Freiburger ~* the University of Freiburg, Freiburg University; *auf die ~ gehen, die ~ besuchen* to go to university.

Universitäts- *in cpds* university; **~klinik** *f* university clinic *or* hospital; **~studium** *nt* (*Ausbildung*) university education.

Universum [uni'vɛrzʊm] *nt no pl* universe.

unken *vi* (*col*) to prophesy gloom and doom.

Unkenruf *m* (*fig*) prophecy of doom.

unkenntlich *adj* unrecognizable; *Inschrift etc* indecipherable.

Unkenntlichkeit *f siehe adj* unrecognizableness; indecipherability ▶ *bis zur ~* beyond recognition.

Unkenntnis *f no pl* ignorance ▶ *in ~ über etw* (*acc*) *sein* to be ignorant about sth.

unklar *adj* unclear; *Wetter* hazy ▶ *ich bin mir darüber noch im ~en* I'm not quite clear about that yet; *jdn über etw* (*acc*) *im ~en lassen* to leave sb in the dark about sth; *nur ~ zu erkennen sein* not to be easily discernible.

Unklarheit *f* lack of clarity; (*über Tatsachen*) uncertainty ▶ *darüber herrscht noch ~* it is still unclear.

un-: **~klug** *adj* unwise; **~kollegial** *adj* uncooperative;

~kompliziert *adj* straightforward, uncomplicated; **~kontrollierbar** *adj* uncontrollable; **~kontrollierbar werden** (*Mißbrauch etc*) to get out of hand; **~kontrolliert** *adj* unchecked; **~konzentriert** *adj* lacking in concentration; **er ist so ~konzentriert** he can't concentrate; **~korrekt** *adj* [a] improper; [b] (*unrichtig*) incorrect.

Unkosten *pl* costs *pl*; (*Ausgaben*) expenses *pl* ▶ **sich in ~ stürzen** (*col*) to go to a lot of expense.

Unkraut *nt* weed ▶ **von ~ übersät** overgrown with weeds; **~ vergeht nicht** (*Prov*) it would take more than that to finish me/him *etc* off!

Unkraut-: **~bekämpfung** *f* weed control; **~vertilgungsmittel** *nt* weedkiller.

unkündbar *adj* permanent; *Vertrag* binding ▶ **in ~er Stellung** in a permanent position.

unkundig *adj* (*geh*) ignorant (+*gen* of) ▶ **des Lesens/ Schreibens ~ sein** to be illiterate.

un-: **~längst** *adv* (*geh*) recently; **~lauter** *adj* dishonest; *Wettbewerb* unfair; **~leserlich** *adj* unreadable; *Handschrift etc auch* illegible; **~leugbar** *adj* undeniable; indisputable; **~lieb** *adj*: **es ist mir nicht ~lieb, daß ...** I am quite glad that ...; **~liebsam** *adj* unpleasant; **~liniert** *adj* *Papier* unruled; **~logisch** *adj* illogical; **~lösbar** *adj* *Problem*, (*Chem*) insoluble; (*untrennbar*) indissoluble; *Widerspruch* irreconcilable.

Unlust *f no pl* [a] (*Widerwille*) reluctance. [b] (*Lustlosigkeit*) listlessness.

unlustig *adj* (*gelangweilt*) bored; (*widerwillig*) reluctant.

unmännlich *adj* unmanly.

Unmasse *f* (*col*) load (*col*) ▶ **eine ~ Leute** loads of people.

unmaßgeblich *adj* inconsequential ▶ **nach meiner ~en Meinung** (*hum*) in my humble opinion (*hum*).

unmäßig *adj* excessive, immoderate.

Unmenge *f* vast number; (*bei unzählbaren Begriffen*) vast amount ▶ **~n von Leuten** vast numbers of people.

Unmensch *m* monster.

unmenschlich *adj* inhuman.

un-: **~merklich** *adj* imperceptible; **~mißverständlich** ⚠ *adj* unequivocal.

unmittelbar [1] *adj* direct; *Nähe etc* immediate. [2] *adv* immediately; (*direkt*) directly ▶ **~ vor** (+*dat*) (*zeitlich*) immediately before; (*räumlich*) right *or* directly in front of; **~ bevorstehen** to be imminent.

un-: **~möbliert** *adj* unfurnished; **~modern** *adj* old-fashioned.

▼ **unmöglich** [1] *adj* impossible ▶ **das ist mir ~** that is impossible for me; **U~es/das U~e** the impossible; **~ aussehen** (*col*) to look ridiculous. [2] *adv* (*keinesfalls*) not possibly; (*pej col: unpassend*) impossibly ▶ **ich kann es ~ tun** I cannot possibly do it.

Unmöglichkeit *f* impossibility.

Un-: **~moral** *f* immorality; **u~moralisch** *adj* immoral; **u~motiviert** [1] *adj* unmotivated; [2] *adv* without motivation; **u~mündig** *adj* (*minderjährig*) underage; **wir wollen nicht länger wie u~mündige behandelt werden** we don't want to go on being treated as though we are incapable of thinking for ourselves; **u~musikalisch** *adj* unmusical.

Unmut *m* ill-humour (*Brit*), ill-humor (*US*); (*Unzufriedenheit*) displeasure (*über* +*acc* at).

un-: **~nachahmlich** *adj* inimitable; **~nachgiebig** *adj* inflexible; (*fig*) *Mensch auch* intransigent; **~nachsichtig** [1] *adj* severe; *Strenge* unrelenting; [2] *adv* mercilessly; *bestrafen* severely; **~nahbar** *adj* unapproachable; **~natürlich** *adj* unnatural; **~normal** *adj* abnormal; **~nötig** *adj* unnecessary; **~nötigerweise** *adv* unnecessarily, needlessly.

unnütz *adj* useless; *Geschwätz* idle.

UNO ['uːno] *f no pl* **die ~** the UN *sing*.

un|ordentlich *adj* untidy; *Lebenswandel* disorderly.

Un|ordnung *f* disorder *no indef art*; (*in Zimmer etc auch*) untidiness *no indef art*; (*Durcheinander*) mess ▶ **mach nicht so eine ~!** don't make such a mess!

un-: **~organisch** *adj* inorganic; **~organisiert** *adj* disorganized; **~orthodox** *adj* unorthodox; **~pädagogisch** *adj* educationally unsound; *Lehrer etc* bad (as a teacher).

unparteiisch *adj* impartial.

Unparteiische(r) *mf decl as adj* neutral person ▶ **der ~** (*Sport*) the referee.

Un-: **u~passend** *adj* unsuitable; *Zeit auch* inconvenient; **u~päßlich** ⚠ *adj* (*geh*) indisposed (*form*); **~person** *f* persona non grata; **u~persönlich** *adj* impersonal (*auch Ling*); *Mensch* aloof; **u~politisch** *adj* unpolitical; **u~praktisch** *adj* *Mensch* unpractical; *Maschine, Lösung* impractical; **u~problematisch** *adj* unproblematic; (*einfach*) uncomplicated; **u~produktiv** *adj* unproductive; **u~proportioniert** *adj* out of proportion; **u~pünktlich** *adj* *Mensch* unpunctual; *Zug* not on time; **~pünktlich kommen/abfahren** to come/leave late; **~pünktlichkeit** *f* unpunctuality; **u~qualifiziert** *adj* unqualified; *Äußerung* incompetent; **u~rasiert** *adj* unshaven.

Unrast *f no pl* (*geh*) restlessness.

Unrat ['ʊnraːt] *m no pl* (*geh*) refuse; (*fig*) filth.

un-: **~rationell** *adj* inefficient; **~ratsam** *adj* inadvisable; **~recht** *adj* wrong; **das ist mir gar nicht so ~recht** I don't really mind.

▼ **Unrecht** *nt no pl* wrong, injustice ▶ **zu ~ verdächtigt** wrongly, unjustly; **nicht zu ~** not without good reason; **im ~ sein** to be wrong; **u~ haben** to be wrong; **jdm u~ tun** to do sb an injustice.

unrechtmäßig *adj* unlawful, illegal.

un-: **~redlich** *adj* dishonest; **~reell** *adj* unfair; (*unredlich*) dishonest; *Preis* unreasonable.

unregelmäßig *adj* irregular.

Unregelmäßigkeit *f* irregularity.

Un-: **u~reif** *adj* immature; *Obst* unripe; **~reife** *f* siehe *adj* immaturity; unripeness.

unrein *adj* not clean; *Ton* impure; *Atem, Haut* bad; *Gedanken, Taten* impure ▶ **etw ins ~e schreiben** to write sth out in rough.

unrentabel *adj* unprofitable.

unrichtig *adj* incorrect.

Unruh *f -en* (*von Uhr*) balance spring.

Unruhe *f -n* [a] *no pl* restlessness; (*Nervosität*) agitation; (*Besorgnis*) disquiet. [b] *no pl* (*Lärm*) noise, disturbance; (*Geschäftigkeit*) bustle. [c] *no pl* (*Unfrieden*) unrest *no pl*, trouble ▶ **~ stiften** to create unrest; (*in Familie, Schule*) to make trouble.

Unruhe-: **~herd** *m* trouble spot; **~stifter(in** *f*) *m* -troublemaker.

unruhig *adj* restless; (*nervös auch*) fidgety *no adv*, (*laut, belebt*) noisy; *Schlaf* fitful; *Zeit etc, Meer* troubled.

unrühmlich *adj* inglorious.

uns [1] *pers pron acc, dat* of **wir** us; (*dat auch*) to/for us ▶ **bei ~** (*zu Hause, im Betrieb etc*) at our place; (*in unserer Beziehung*) between us; (*in unserem Land*) in our country; **ein Freund von ~** a friend of ours. [2] *refl pron acc, dat* ourselves; (*einander*) each other, one another ▶ **~ selbst** ourselves; **unter ~ gesagt** between you and me; **mitten unter ~** in our midst; **hier sind wir unter ~** we are alone here; **das bleibt unter ~** it won't go any further.

unsachgemäß *adj* improper.

unsachlich *adj* unobjective; (*fehl am Platz*) uncalled-for ▶ **~ werden** to become personal.

unsagbar, unsäglich *adj* (*liter*) unspeakable.

unsanft *adj* rough; (*unhöflich*) rude ▶ **~ geweckt**

---

werden to be rudely awakened.

ụnsauber *adj* ⓐ (*schmutzig*) dirty. ⓑ *Handschrift, Arbeit* untidy; (*nicht exakt*) *Schuß, Schnitt* inaccurate; *Klang* impure. ⓒ (*unmoralisch*) shady; *Spielweise* dirty.

ụnschädlich *adj* harmless; *Bombe auch* safe ▶ *jdn ~ machen* (*col*) to take care of sb (*col*).

ụnscharf *adj* blurred, fuzzy; *Foto auch* out of focus; (*Rad*) unclear.

ụnschätzbar *adj* incalculable; *Hilfe* invaluable ▶ *von ~em Wert* invaluable; *Schmuck* priceless.

ụnscheinbar *adj* inconspicuous; (*unattraktiv*) *Mensch* unprepossessing.

ụnschicklich *adj* unseemly, improper.

ụnschlagbar *adj* unbeatable.

ụnschlüssig *adj* undecided ▶ *er ist sich* (*dat*) *noch ~* he's still undecided, he hasn't made up his mind yet.

ụnschön *adj* (*häßlich*) unsightly; (*stärker*) ugly; *Gesicht* plain; (*unangenehm*) unpleasant ▶ *~e Szenen* ugly scenes.

Ụnschuld *f no pl* innocence; (*Jungfräulichkeit*) virginity; (*fig: Mädchen*) innocent ▶ *eine ~ vom Lande* a naïve country girl.

ụnschuldig *adj* innocent (*an +dat* of) ▶ *schuldig oder ~* guilty or not guilty; *er/sie ist noch ~* he/she is still a virgin.

Ụnschulds-: ~engel *m*, **~lamm** *nt* (*col*) little innocent; **~miene** *f* innocent expression.

ụnschwer *adv* easily, without difficulty.

⚠ **ụnselbständig** ① *adj Denken, Handeln* lacking in independence; *Mensch auch* dependent, unable to stand on one's own two feet ▶ *Einkünfte aus ~er Arbeit* income from (salaried) employment.
② *adv* (*mit fremder Hilfe*) not independently.

⚠ **Ụnselbständige(r)** *mf decl as adj* (*Fin*) employed person.

ụnselig *adj* unfortunate; (*verhängnisvoll*) ill-fated.

ụnser *poss pron* our.

ụnser|einer, ụnser|eins *indef pron* (*col*) the likes of us (*col*).

ụns(e)re(r, s) *poss pron* (*substantivisch*) ours ▶ *der/ die/das ~* (*geh*) ours; *wir tun das U~* (*geh*) we are doing our bit; *die U~n* (*geh*) our family.

ụnser(er)seits *adv* (*auf unserer Seite*) for our part; (*von unserer Seite*) on our part.

ụns(e)resgleichen *indef pron* people like us.

ụns(e)rige(r, s) *poss pron* (*old, geh*) *der/die/das ~* ours; *siehe* **ụns(e)re(r, s).**

ụnseriös *adj* ⓐ not serious. ⓑ (*unehrlich*) not straight, untrustworthy.

ụnsert-: ~halben, ~wegen *adv* on our behalf; **~willen** *adv: um ~willen* for our sake.

ụnsicher *adj* ⓐ (*gefährlich*) dangerous, unsafe ▶ *die Gegend ~ machen* (*fig col*) to knock about the district (*col*). ⓑ (*nicht selbstbewußt*) insecure. ⓒ (*ungewiß, zweifelhaft*) unsure, uncertain; *Verhältnisse* unstable. ⓓ (*ungeübt, ungefestigt*) unsure; *Hand* unsteady; *Kenntnisse* shaky ▶ *~ auf den Beinen* unsteady on one's feet.

Ụnsicherheit *f siehe adj* ⓐ danger. ⓑ insecurity. ⓒ uncertainty; instability.

ụnsichtbar *adj* (*lit, fig*) invisible.

Ụnsinn *m no pl* nonsense *no indef art,* rubbish *no indef art* ▶ *~ machen* to do silly things; *~ reden* to talk nonsense; *laß den ~!* stop fooling about!

ụnsinnig *adj* (*sinnlos*) nonsensical; (*ungerechtfertigt*) unreasonable.

Ụnsitte *f* (*schlechte Gewohnheit*) bad habit.

ụnsittlich *adj* immoral.

ụnsolid(e) *adj Mensch* free-living; (*unredlich*) *Firma* unreliable.

ụn-: ~sozial *adj Verhalten* antisocial; *Politik* unsocial; **~spezifisch** *adj* non-specific; **~sportlich** *adj* unathletic; (*unfair*) unsporting; **~statthaft** *adj* (*form*) inadmissible; (*~gesetzlich*) illegal; (*Sport*) not allowed.

ụnsterblich ① *adj* immortal; *Liebe* undying ▶ *jdn ~ machen* to immortalize sb.
② *adv* (*col*) utterly.

Ụnsterblichkeit *f* immortality.

ụnstet ['ʊnʃteːt] *adj Glück, Liebe* fickle; *Mensch* restless; (*wankelmütig*) changeable; *Entwicklung* unsteady; *Leben* unsettled.

Ụn-: u~stịllbar *adj Durst* unquenchable; *Sehnsucht, Hunger* insatiable; **~stimmigkeit** *f* (*Ungenauigkeit*) inconsistency, discrepancy; (*Streit*) difference; **ụ~streitig** *adv* indisputably; **~summe** *f* vast sum.

ụnsympathisch *adj* unpleasant, disagreeable ▶ *das/er ist mir ~* I don't like that/him.

ụntad(e)lig *adj* impeccable; *Mensch* beyond reproach.

Ụntat *f* atrocity.

ụntätig *adj* (*müßig*) idle; (*nicht handelnd*) passive; *Vulkan* inactive, dormant.

ụn-: ~tauglich *adj* (*zu, für* for) unsuitable; (*für Wehrdienst*) unfit; **Ụ~tauglichkeit** *f siehe adj* unsuitability; unfitness; **~teilbar** *adj* indivisible.

ụnten *adv* at the bottom; (*tiefer, drunten*) (down) below; (*an der Unterseite*) underneath; (*in Gebäude*) downstairs ▶ *~ am Berg/im Glas* at the bottom of the mountain/ glass; *nach ~* down; *bis ~* to the bottom; *dort* or *da/ hier ~* down there/here; *weiter ~* further down; *~ bleiben* to stay down; *rechts/links ~* down on the right/left; *siehe ~* see below; *er ist bei mir ~ durch* (*col*) I'm through with him (*col*).

ụnten-: ~an *adv* (*am unteren Ende*) at the far end; (*in Reihenfolge: lit, fig*) at the bottom; *(bei jdm) ~an stehen* (*fig*) to be at the bottom of sb's list; **~drụnter** *adv* (*col*) underneath; **~genannt** ⚠ *adj attr* undermentioned; **~stehend** ⚠ *adj* following.

ụnter *prep* ⓐ *+dat* under; (*drunter*) underneath, below; (*zwischen, innerhalb*) among(st) ▶ *~ 18 Jahren* under 18 years (of age); *Temperaturen ~ 25 Grad* temperatures below 25 degrees; *sie waren ~ sich* (*dat*) they were by themselves; *jdn ~ sich haben* to have sb under one; *~ anderem* among other things; *~ uns (gesagt)* between you and me. ⓑ *+acc* under ▶ *bis ~ das Dach voll mit ...* full to the rafters with...

Ụnter-: ~abteilung *f* subdivision; **~arm** *m* forearm; **~art** *f* (*esp Biol*) subspecies; **~bau** *m, pl* **-ten** (*von Gebäude*) foundations *pl*; (*bei Straßen*) (road)bed; **ụ~belegt** *adj Hotel etc* not full; *Kurs* undersubscribed; **ụ~belichten*** *vti insep* (*Phot*) to underexpose; **~belichtung** *f* (*Phot*) underexposure; **~beschäftigung** *f* (*Econ*) underemployment; **ụ~besetzt** *adj* understaffed; **ụ~bewerten*** *vt insep* to underrate; **ụ~bewußt** ⚠ *adj* subconscious; **~bewußtsein** ⚠ *nt* subconscious; *im ~bewußtsein* subconsciously; **ụ~bezahlen*** *vt insep* to underpay; **ụ~bieten*** *vt insep irreg Konkurrenten* to undercut; (*fig*) to surpass; (*Sport*) *Rekord, Zeit* to beat; **ụ~bịnden*** *vt insep irreg* to stop, to prevent; **ụ~bleiben*** *vi insep irreg aux sein* ⓐ (*aufhören*) to stop; *in Zukunft muß das ụ~bleiben* that must not happen again in the future; ⓑ (*versäumt werden*) to be omitted; **~bodenschutz** *m* (*Aut*) underseal; **ụ~brẹchen*** *vt insep irreg* to interrupt; *Reise, Eintönigkeit* to break; (*langfristig*) to break off; *Telefonverbindung* to disconnect; *Spiel* to suspend, to stop; *wir sind ụ~brochen worden* (*am Telefon*) we've been cut off; **~brẹcherkontakte** *pl* (*Aut*) contact breaker points *pl*; **~brẹchung** *f* interruption; break (*+gen* in); (*von Telefonverbindung*) disconnection; (*von Spiel*) stoppage; *ohne ~brechung* without a break; **ụ~breiten*** *vt*

⚠: for details of spelling reform, see supplement

insep Plan to present; *(jdm) einen Vorschlag u~breiten* to make a proposal (to sb).

unterbringen *vt sep irreg* [a] to put; *Arbeitslose etc* to fix up (*bei* with) ▶ *ich kann nicht alles im Schrank* ~ I can't put *or* get everything in the cupboard; *ich kenne ihn, aber ich kann ihn nirgends* ~ (*col*) I know him, but I just can't place him. [b] (*Unterkunft geben*) *Menschen* to accommodate; (*in Haus, Hotel etc auch*) to put up ▶ *gut/schlecht untergebracht sein* to have good/bad accommodation (*Brit*) *or* accommodations (*US*); (*versorgt werden*) to be well/badly looked after.

Unterbringung *f* accommodation (*Brit*), accommodations *pl* (*US*).

unterbuttern *vt sep* (*col*) [a] (*zuschießen*) to throw in. [b] (*unterdrücken*) to sit on (*col*).

⚠ **unterderhand** *adv* secretly; *verkaufen* privately.

unterdessen *adv* (in the) meantime, meanwhile.

Unterdruck *m* (*Phys*) below atmospheric pressure.

unterdrücken* *vt insep* [a] *Neugier, Lachen* to suppress; *Gähnen* to stifle; *Tränen, Bemerkung* to hold back. [b] (*beherrschen*) *Menschen* to oppress; *Freiheit, Revolution* to suppress.

Unterdrücker(in *f)* *m* - oppressor.

Unterdrückung *f siehe vt* suppression; stifling; holding back; oppression.

unterdurchschnittlich *adj* below average.

unter|einander *adv* [a] (*gegenseitig*) each other; (*miteinander*) among ourselves/themselves *etc.* [b] (*räumlich*) one below the other.

⚠ **unter|einander-** *pref* [a] (*durcheinander-*) together. [b] (*örtlich*) one below the other.

unter|entwickelt *adj* underdeveloped.

Unter|entwicklung *f* underdevelopment.

untere(r, s) *adj, superl* **unterste(r, s)** lower.

Unter-: **u~ernährt** *adj* undernourished; **~ernährung** *f* malnutrition.

Unterfangen *nt* - (*geh*) venture, undertaking.

Unterführung *f* underpass.

Untergang *m* [a] (*von Schiff*) sinking. [b] (*von Gestirn*) setting. [c] (*das Zugrundegehen*) (*allmählich*) decline; (*völlig*) destruction; (*der Welt*) end; (*von Individuum*) downfall, ruin ▶ *dem ~ geweiht sein* to be doomed.

untergeben *adj* subordinate.

Untergebene(r) *mf decl as adj* subordinate.

untergegangen *adj Volk etc* extinct; *Zivilisation, Kultur auch* lost.

untergehen *vi sep irreg aux sein* [a] (*versinken*) to sink; (*Schiff auch*) to go down; (*fig: im Lärm etc*) to be drowned. [b] (*Gestirn*) to set. [c] (*Kultur, Welt*) to come to an end; (*Individuum*) to perish; (*im Existenzkampf*) to go under.

Unter-: **u~geordnet** *adj Dienststelle* subordinate; *Bedeutung* secondary; **~geschoß** ⚠ *nt* basement; **~gewicht** *nt* **~gewicht haben** to be underweight; **u~gewichtig** *adj* underweight; **u~gliedern*** *vt insep* to subdivide; **u~graben¹*** *vt insep irreg* to undermine; **u~graben²** *vt sep irreg Dung etc* to dig in; **~grenze** *f* lower limit.

Untergrund *m no pl* [a] (*Geol*) subsoil. [b] (*farblicher Hintergrund*) background. [c] (*Pol etc*) underground ▶ *in den ~ gehen* to go underground.

Untergrund- *in cpds* (*Pol etc*) underground; **~bahn** *f* underground (*Brit*), subway (*US*).

Unter-: **~gruppe** *f* subgroup; **u~haken** *vr sep sich bei jdm u~haken* to link arms with sb.

unterhalb [1] *prep +gen* below. [2] *adv* below ▶ ~ *von* below.

Unterhalt *m no pl* [a] (*Lebens~*) keep, maintenance (*esp Jur*) ▶ *seinen ~ verdienen* to earn one's living; *seinen ~ haben* to earn enough. [b] (*Instandhaltung*) upkeep.

unterhalten* *insep irreg* [1] *vt* [a] (*versorgen*) to support. [b] *Geschäft, Kfz* to run; *Konto* to have. [c] (*pflegen*) *Kontakte* to maintain. [d] *Gäste, Publikum* to entertain. [2] *vr* [a] (*sprechen*) to talk (*mit* to, with) ▶ *sich mit jdm (über etw acc)* ~ to (have a) talk with sb (about sth). [b] (*sich vergnügen*) to enjoy oneself.

Unterhalter(in *f)* *m* - [a] entertainer. [b] (*Verdiener*) breadwinner.

unterhaltsam *adj* entertaining.

Unterhalts-: **~geld** *nt* maintenance; **~kosten** *pl* maintenance costs *pl*; **~pflicht** *f* obligation to pay maintenance.

Unterhaltung *f* [a] (*Gespräch*) talk, conversation. [b] (*Amüsement*) entertainment. [c] *no pl* (*Instandhaltung*) upkeep; (*von Gebäuden auch, von Kfz, Maschinen*) maintenance.

Unterhaltungs-: **~elektronik** *f* consumer electronics *sing*, **~literatur** *f* light fiction; **~musik** *f* light music; **~programm** *nt* light entertainment programme (*Brit*) *or* program (*US*).

Unterhändler *m* negotiator.

Unterhaus *nt* House of Commons (*Brit*), Lower House.

Unterhemd *nt* vest (*Brit*), undershirt (*US*).

unterhöhlen* *vt insep* to hollow out; (*fig*) to undermine.

Unterholz *nt no pl* undergrowth.

Unterhose *f* (*Herren~*) (pair of) underpants *pl*; (*Damen~*) (pair of) pants *pl* ▶ *lange ~n* long johns *pl*.

unter|irdisch *adj* underground.

unterjochen* *vt insep* to subjugate.

unterjubeln *vt sep* (*col*) *jdm etw* ~ (*andrehen*) to palm sth off on sb (*col*); (*anlasten*) to pin sth on sb (*col*).

unterkellern* *vt insep* to build with a cellar.

Unter-: **~kiefer** *m* lower jaw; **~klasse** *f* [a] subclass; [b] (*Sociol*) lower class; **~kleidung** *f* underwear, underclothes *pl*.

unterkommen *vi sep irreg aux sein* [a] (*Unterkunft finden*) to find accommodation (*Brit*) *or* accommodations (*US*); (*col: Stelle finden*) to find a job (*als* as, *bei* with, at) ▶ *bei jdm* ~ to stay at sb's (place). [b] *so etwas ist mir noch nie untergekommen!* (*col*) I've never come across anything like it!

Unterkommen *nt* - (*Obdach*) accommodation *no pl* (*Brit*), accommodations (*US*) ▶ *bei jdm ein ~ finden* to be put up at sb's (place).

Unter-: **~körper** *m* lower part of the body; **u~kriegen** *vt sep* (*col*) *sich nicht u~kriegen lassen* not to let things get one down; **u~kühlen*** *vt insep Körper* to expose to subnormal temperatures; **u~kühlt** *adj Körper* affected by hypothermia; (*fig*) *Atmosphäre, Mensch* cool; **~kühlung** *f* (*Med*) hypothermia.

Unterkunft *f, pl* **Unterkünfte** [a] accommodation *no pl* (*Brit*), accommodations *pl* (*US*) ▶ ~ *und Verpflegung* board and lodging. [b] (*von Soldaten etc*) quarters *pl*; (*esp in Privathaus*) billet.

Unterlage *f* [a] base; (*für Teppich*) underlay; (*im Bett*) drawsheet. [b] *usu pl* (*Papiere*) document, paper.

unterlassen* *vt insep irreg* (*nicht tun*) to refrain from; (*nicht durchführen*) not to carry out; (*auslassen*) to omit; *etwas Dummes etc* to refrain from doing ▶ *er hat es ~, mich zu benachrichtigen* he failed *or* omitted to notify me.

Unterlassung *f* (*Versäumnis*) omission (*gen* of), failure (*einer Handlung* to do sth).

Unterlauf *m* lower reaches (*of a river*).

unterlaufen¹* *insep irreg* [1] *vi +dat aux sein mir ist ein Fehler* ~ I made a mistake. [2] *vt Bestimmungen* to get around; (*unterminieren*) to undermine.

unterlaufen² *adj mit Blut* ~ bloodshot.

unterlegen¹ *vt sep* to put underneath.

unterlegen² *adj* inferior; *(besiegt)* defeated ▶ *jdm ~ sein* to be inferior to sb; *zahlenmäßig ~ sein* to be outnumbered.

Unterlegene(r) *mf decl as adj* loser; *(Benachteiligter)* underdog.

Unterleib *m* abdomen.

Unterleibs- *in cpds* abdominal; **~krebs** *m* cancer of the abdomen; cancer of the womb.

unterliegen* *vi insep irreg aux sein* [a] *(besiegt werden)* to be defeated (+dat by). [b] +dat *(unterworfen sein)* to be subject to; *einer Gebühr, Steuer* to be liable to ▶ *es unterliegt keinem Zweifel, daß ...* it's not open to any doubt that ...

Unterlippe *f* bottom *or* lower lip.

unterm = unter dem.

untermalen* *vt insep (mit Musik)* to provide with background music.

Untermalung *f (musikalische)* ~ background music.

untermauern* *vt insep (Build, fig)* to underpin.

Untermensch *m (pej)* subhuman creature.

Untermiete *f* subtenancy ▶ *bei jdm zur ~ wohnen* to rent a room from sb.

Untermieter(in *f)* *m* lodger, subtenant *(Jur)*.

unterminieren* *vt insep (lit, fig)* to undermine.

untern = unter den.

unternehmen* *vt insep irreg* to do; *(durchführen auch)* to undertake; *Versuch, Vorstoß, Reise* to make ▶ *etwas/ nichts gegen jdn/etw ~* to do something/nothing about sb/sth.

Unternehmen *nt* - [a] *(Firma)* business, enterprise. [b] *(Aktion, Vorhaben)* undertaking, enterprise; *(Mil)* operation.

unternehmend *adj* enterprising.

Unternehmens-: **~berater** *m* management consultant; **~leitung** *f* management; **~planung** *f* business *or* corporate planning.

Unternehmer(in *f)* *m* - company owner; *(Arbeitgeber)* (business) employer; *(alten Stils)* entrepreneur; *(Industrieller auch)* industrialist ▶ *die* ~ the employers.

unternehmerisch *adj* entrepreneurial.

Unternehmer-: **~kreise** *pl* in/aus **~kreisen** among/ from industrialists; **~verband** *m* employers' association.

Unternehmung *f* [a] *siehe* Unternehmen. [b] *(Transaktion)* undertaking.

Unternehmungs-: **~forschung** *f* operational research; **~geist** *m no pl* enterprise; **~lust** *f no pl* enterprise; **u~lustig** *adj* enterprising.

Unter-: **~offizier** *m* non-commissioned officer, NCO; **u~ordnen** *sep* [1] *vt* to subordinate (+dat to); [2] *vr* to subordinate oneself (+dat to); **~ordnung** *f* [a] *no pl* subordination; [b] *(Biol)* sub-order; **~organisation** *f* subsidiary organization; **u~privilegiert** *adj* underprivileged; **~programm** *nt (Comp)* subroutine.

unterreden* *vr insep sich (mit jdm)* ~ to confer (with sb).

Unterredung *f* discussion; *(Pol auch)* talks *pl*.

Unterricht *m no pl* teaching; *(Stunden)* lessons *pl*, classes *pl* ▶ ~ *in Mathematik/Englisch* maths/English lessons *or* classes; *seine Art des ~s* his way of teaching; *(jdm)* ~ *geben* to teach (sb) *(in etw (dat)* sth); *am ~ teilnehmen* to attend classes; *zu spät zum ~ kommen* to be late for class.

unterrichten* *insep* [1] *vt* [a] *Schüler, Fach* to teach ▶ *jdn in etw (dat)* ~ to teach sb sth. [b] *(informieren)* to inform *(von, über +acc* about) ▶ *gut unterrichtete Kreise* well-informed circles. [2] *vi* to teach. [3] *vr sich über etw (acc)* ~ to inform oneself about sth.

Unterrichts-: **~einheit** *f* teaching unit; **~fach** *nt* subject; **u~frei** *adj Stunde, Tag* free; *der Montag ist u~frei* there are no classes on Monday; **~gegenstand** *m* topic, subject; **~methode** *f* teaching method; **~mittel** *nt* teaching aid; **~stoff** *m* subject matter taught; **~stunde** *f* lesson; **~zwecke** *pl zu* **~zwecken** for teaching purposes.

Unterrock *m* underskirt, slip.

unterrühren *vt sep* to stir *or* mix in.

unters = unter das.

untersagen* *vt insep* to forbid, to prohibit ▶ *jdm etw* ~ to forbid sb sth.

Untersatz *m* mat; *(für Blumentöpfe etc)* base.

unterschätzen* *vt insep* to underestimate.

▼ **unterscheiden*** *insep irreg* [1] *vt* to distinguish ▶ *A nicht von B* ~ *können* to be unable to tell the difference between A and B, to be unable to tell A from B. [2] *vi* to differentiate, to distinguish. [3] *vr sich (von etw)* ~ to differ (from sth).

Unterscheidung *f* differentiation; *(Unterschied)* difference, distinction ▶ *eine ~ treffen* to make a distinction.

Unterschenkel *m* lower leg.

Unterschicht *f (Sociol)* lower class.

unterschieben¹* *vt insep irreg (col: unterstellen) jdm etw* ~ to attribute sth to sb; *du unterschiebst mir immer, daß ich schwindle* you're always accusing me of cheating.

unterschieben² *vt sep irreg* [a] *(lit) etw unter etw (acc)* ~ to push sth under(neath) sth. [b] *(fig) jdm etw* ~ to foist sth on sb.

Unterschied *m* -e difference; *(Unterscheidung auch)* distinction ▶ *einen ~ (zwischen zwei Dingen) machen* to make a distinction (between two things); *das macht keinen* ~ that makes no difference; *im ~ zu jdm/etw* in contrast to sb/sth; *alle ohne ~ halfen mit* everyone without exception lent a hand; *Männer und Frauen ohne ~ getötet* men and women were killed indiscriminately.

unterschiedlich *adj* different; *(veränderlich)* variable; *(gemischt)* varied, patchy ▶ *das ist sehr* ~ it varies a lot; ~ *gut/lang* of varying quality/length.

unterschiedslos [1] *adj* indiscriminate. [2] *adv* indiscriminately; *(gleichmäßig)* on an equal basis.

unterschlagen* *vt insep irreg Geld* to embezzle; *Brief, Beweise* to withhold; *(col) Nachricht etc* to keep quiet about.

Unterschlagung *f (von Geld)* embezzlement.

Unterschlupf *m, pl* **Unterschlüpfe** *(Obdach)* shelter; *(Versteck)* hiding place.

unterschlüpfen *vi sep aux sein (col)* to take cover *or* shelter; *(Versteck finden)* to hide out *(col) (bei jdm* at sb's).

unterschreiben* *vti insep irreg* to sign ▶ *das kann ich* ~*! (fig)* I'll subscribe to that!

unterschreiten* *vt insep irreg* to fall short of; *Temperatur, Zahlenwert* to fall below.

Unterschrift *f* [a] signature ▶ *seine ~ leisten* to give one's signature; *jdm etw zur ~ vorlegen* to give sb sth to sign. [b] *(Bild~)* caption.

unterschrifts-: **~berechtigt** *adj* authorized to sign; **~reif** *adj Vertrag* ready to be signed.

unterschwellig *adj* subliminal.

Unterseeboot *nt* submarine.

unterseeisch [-zeːɪʃ] *adj* undersea, submarine.

Unter-: **~seite** *f* underside; **~setzer** *m* - siehe **~satz;** **u~setzt** *adj* stocky; **u~spülen*** *vt insep* to undermine; **~stadt** *f* lower part of a/the town; **~stand** *m* shelter; *(Mil)* dugout.

unterstehen* *insep irreg* [1] *vi* +dat to be under; *jdm* to be subordinate to; *(in Firma)* to report to; *dem Gesetz zu* be subject to.

2 *vt* to dare ► *unversteh dich (ja nicht)!* (don't) you dare!

unterstellen¹* *vt insep* **a** (*unterordnen*) to subordinate (*dat* to) ► *jdm/etw unterstellt sein* to be under sb/sth; (*in Firma*) to report to sb/sth; *jdm etw ~* to put sb in charge of sth. **b** (*annehmen*) to assume, to suppose. **c** (*pej: unterschieben*) *jdm etw ~* to insinuate that sb has done/said sth.

unterstellen² *sep* **1** *vt* (*abstellen, unterbringen*) to keep; *Möbel auch* to store; *Auto* to keep under cover. **2** *vt* to take shelter.

Unterstellung *f* (*falsche Behauptung*) misrepresentation; (*Andeutung*) insinuation ► *das ist eine ~!* what are you insinuating!

unterste(r, s) *adj superl of* **untere(r, s)** lowest; (*tiefste auch*) bottom; (*letzte*) last ► *das U~ zuoberst kehren* to turn everything upside down.

untersteuern* *vi insep* (*Aut*) to understeer.

Unter-: **u~streichen*** *vt insep irreg* (*lit, fig*) to underline; **~strömung** *f* (*lit, fig*) undercurrent; **~stufe** *f* (*Sch*) lower school, lower grade (*US*).

unterstützen* *vt insep* to support (*auch fig, Comp*).

Unterstützung *f* **a** *no pl* support (*zu, für* for). **b** (*Zuschuß*) assistance, aid; (*col: Arbeitslosen~*) unemployment benefit (*Brit*), welfare (*US*).

unterstützungsbedürftig *adj* needy.

untersuchen* *vt insep* **a** to examine (*auf +acc* for); (*erforschen*) to look into, to investigate; (*chemisch, technisch etc*) to test (*auf +acc* for) ► *sich ärztlich ~ lassen* to have a medical *or* a check-up; *etw gerichtlich ~* to try sth (in court). **b** (*nachprüfen*) to check, to verify.

Untersuchung *f siehe vt* **a** examination; investigation (*gen, über +acc* into); test; (*ärztlich*) examination, check-up. **b** check, verification.

Untersuchungs-: **~ausschuß** ⚠ *m* fact-finding committee; (*nach Unfall etc*) committee of inquiry; **~ergebnis** *nt* (*Jur*) findings *pl*; (*Med*) result of an/the examination; (*Sci*) test result; **~gefangene(r)** *mf* remand prisoner; **~gefängnis** *nt* remand prison; **~haft** *f* custody; *in ~haft sein* to be remanded in custody; **~richter** *m* examining magistrate.

Untertage- *in cpds* underground; **~arbeiter** *m* (coal)face worker; **~bau** *m no pl* underground mining.

untertan *adj pred* subject (+*dat* to).

Untertan *m* (*wk*) **-en, -en** (*old: Staatsbürger*) subject; (*pej*) underling (*pej*).

untertänig *adj* subservient, submissive ► *jdn ~st bitten* to ask sb most humbly.

Unter-: **u~tariflich** *adj Bezahlung* below the agreed *or* union rate; **~tasse** *f* saucer; **~tauchen** *sep* **1** *vi aux sein* to dive (under); (*fig*) to disappear; **2** *vt* to immerse; *jdn* to duck; **~teil** *nt or m* bottom *or* lower part; **~teilen*** *vt insep* to subdivide (*in +acc* into); **~teilung** *f* subdivision (*in +acc* into); **~teller** *m* saucer; **~titel** *m* subtitle; (*für Bild*) caption; **~ton** *m* (*Mus, fig*) undertone; **u~treiben*** *insep irreg* **1** *vt* to understate; **2** *vi* to play things down; **~treibung** *f* understatement; **u~tunneln*** *vt insep* to tunnel under; **u~vermieten*** *vti insep* to sublet, to sublease; **~versorgung** *f* inadequate provision; **u~wandern*** *vt insep* to infiltrate; **~wanderung** *f* infiltration.

Unterwäsche *f no pl* underwear *no pl.*

Unterwasser- *in cpds* underwater.

unterwegs *adv* on the way (*nach, zu* to); (*auf Reisen*) away ► *bei ihnen ist wieder ein Kind ~* they've got another child on the way.

unterweisen* *vt insep irreg* (*geh*) to instruct (*in +dat* in).

Unterwelt *f* (*lit, fig*) underworld.

unterwerfen* *insep irreg* **1** *vt* **a** *Volk* to subjugate. **b** (*unterziehen*) to subject (*dat* to) ► *einer Sache* (*dat*) *unterworfen sein* to be subject to sth. **2** *vr* (*lit, fig*) *sich jdm/einer Sache ~* to submit to sb/sth.

Unterwerfung *f siehe vtr* subjugation; subjection; submission.

unterworfen *adj der Mode ~ sein* to be subject to fashion.

unterwürfig *adj* (*pej*) servile, obsequious.

Unterwürfigkeit *f* (*pej*) servility, obsequiousness.

unterzeichnen* *vt insep* (*form*) to sign.

Unterzeichner *m* - signatory.

Unterzeichnung *f* signing.

unterziehen¹* *insep irreg* **1** *vr sich einer Sache* (*dat*) *~* to undergo sth; *sich einer Prüfung* (*dat*) *~* to take an examination. **2** *vt* to subject (*dat* to).

unterziehen² *vt sep irreg Kleidung* to put on underneath.

Untiefe *f* (*seichte Stelle*) shallow.

Untier *nt* monster.

untragbar *adj* intolerable, unbearable.

untrennbar *adj* inseparable ► *mit etw ~ verbunden sein* (*fig*) to be inextricably linked with sth.

untreu *adj Liebhaber etc* unfaithful; (*einer Sache*) disloyal (*dat* to) ► *sich* (*dat*) *selbst ~ werden* to be untrue to oneself.

Untreue *f siehe adj* unfaithfulness; disloyalty.

untröstlich *adj* inconsolable (*über +acc* about).

untrüglich *adj Gedächtnis* infallible; *Zeichen* unmistakable

Untugend *f* vice; (*Angewohnheit*) bad habit.

untypisch *adj* uncharacteristic.

un-: **~überbietbar** *adj Preis, Rekord etc* unbeatable; *Frechheit, Eifer* unparalleled; **~überbrückbar** *adj* (*fig*) *Gegensätze etc* irreconcilable; *Kluft* unbridgeable; **~überlegt** *adj* rash; **~übersehbar** *adj Schaden etc* incalculable; *Menge* vast, immense; (*auffällig*) *Fehler etc* obvious; **~übersichtlich** *adj Gelände* rugged; *Kurve* blind; *System, Plan* confused; **~übertrefflich** **1** *adj* matchless; *Rekord* unbeatable; **2** *adv* superbly, magnificently; **~übertroffen** *adj* unsurpassed; **~überwindlich** *adj* insurmountable; *Gegner, Heer* invincible; *Festung* impregnable; **~üblich** *adj* not usual.

un|umgänglich *adj* essential; (*unvermeidlich*) inevitable.

un|umschränkt *adj* unlimited ► *~ herrschen* to have absolute power.

un|umstößlich *adj Tatsache* incontrovertible; *Entschluß* irrevocable ► *~ feststehen* to be absolutely definite.

un-: **~umstritten** *adj* indisputable, undisputed; **~umwunden** *adv* frankly; **~unterbrochen** *adj* uninterrupted; (*unaufhörlich*) incessant; **~veränderlich** *adj* unchanging; (*unwandelbar*) unchangeable; **~verändert** *adj* unchanged; *du siehst ~verändert jung aus* you look just as young as ever; **~verantwortlich** *adj* irresponsible; **~verarbeitet** *adj* (*lit, fig*) raw; **~veräußerlich** *adj Rechte* inalienable; **~verbesserlich** *adj* incorrigible; **~verbindlich** *adj* **a** (*nicht bindend*) not binding; *Besichtigung* free; *sich* (*dat*) *etw ~verbindlich schicken lassen* to have sth sent without obligation; **~verbindlicher Richtpreis** recommended (retail) price; **b** (*vage, allgemein*) non-committal; (*nicht entgegenkommend*) abrupt; **~verbleit** *adj Benzin* unleaded; **~verblümt** *adj* blunt; **~verbraucht** *adj* (*fig*) unspent; **~verbürgt** *adj* unconfirmed; **~verdächtig** *adj* unsuspicious; (*nicht unter Verdacht stehend*) unsuspected, above suspicion; **~verdaulich** *adj* (*lit, fig*) indigestible; **~verdient** adj undeserved; **~verdorben** adj (lit, fig) unspoilt, pure; **~verdrossen** adj undeterred; (unermüdlich) untiring; **~verdünnt** adj undiluted; **~vereinbar** adj incompatible; **~verfälscht** adj (lit, fig) unadulterated; Dialekt pure; Natürlichkeit unaffected; Natur unspoilt; **~verfänglich** adj harmless.

unverfroren adj insolent.

unvergänglich adj Werk immortal; Ruhm undying; Eindruck, Erinnerung everlasting, abiding, Melodien evergreen.

unvergessen adj unforgotten.

⚠ **unvergeßlich** adj unforgettable ▶ **das wird mir ~ bleiben** I'll never forget that.

un-: **u~vergleichlich** adj unique, incomparable; **~verhältnismäßig** adv disproportionately; (übermäßig) excessively; **~verheiratet** adj unmarried; **~verhofft** adj unexpected; **~verhohlen** adj open, unconcealed; **~verhüllt** adj [a] Tatsachen undisguised; [b] siehe **~verhohlen**; **~verkäuflich** adj (nicht absetzbar) unsaleable; (nicht zum Verkauf) not for sale; **~verkäufliches Muster** trade sample; **~verkennbar** adj unmistakable; **~verlangt** adj unsolicited; **~verletzlich** adj (fig) Rechte inviolable; (lit) invulnerable; **~vermeidlich** adj inevitable; (nicht zu umgehen) unavoidable; **~vermindert** adj undiminished; **~vermischt** adj unmixed; (rein) pure; **~vermittelt** adj (plötzlich) sudden, unexpected.

Unvermögen nt no pl inability.

unvermögend adj (arm) without means.

unvermutet adj unexpected.

Unvernunft f (Torheit) stupidity; (mangelnder Verstand) irrationality; (Uneinsichtigkeit) unreasonableness.

unvernünftig adj siehe n stupid; irrational; unreasonable.

unverrichtet adj: **~er Dinge zurückkehren** to return without having achieved anything.

unverrückbar adj (fig) unshakeable ▶ **~ feststehen** to be absolutely definite.

unverschämt adj outrageous; Mensch, Frage, Benehmen etc impudent, impertinent; Lüge auch blatant, barefaced.

Unverschämtheit f [a] no pl outrageousness. [b] (Bemerkung) impertinence; (Tat) outrageous thing ▶ **das ist eine ~!** it's outrageous!

unverschuldet adj occurring through no fault of one's own.

unversehens adv suddenly; (überraschend) unexpectedly.

un-: **~versehrt** adj Mensch (lit, fig) unscathed; **~versöhnlich** adj irreconcilable; **~versorgt** adj Familie, Kinder unprovided for.

Unverstand m lack of judgement; (Torheit) folly.

unverstanden adj not understood; (mißverstanden) misunderstood.

unverständlich adj incomprehensible ▶ **es ist mir ~** I cannot understand it.

Unverständnis nt no pl lack of understanding; (für Kunst etc) lack of appreciation.

un-: **~versucht** adj: **nichts ~versucht lassen** to leave no stone unturned, to try everything; **~verträglich** adj [a] (streitsüchtig) quarrelsome; [b] (unverdaulich) indigestible; (Med: mit anderer Substanz etc) incompatible; **~vertretbar** adj unjustifiable; **~verwandt** adv fixedly, steadfastly; **~verwechselbar** adj unmistakable, distinctive; **~verwundbar** adj (lit, fig) invulnerable; **~verwüstlich** adj indestructible; Gesundheit robust; Mensch irrepressible; **~verzagt** adj undaunted; **~verzeihlich** adj unforgivable; **~verzichtbar** adj attr Recht inalienable; Anspruch indisputable; Bedingung indispensable; **~verzinslich** adj interest-free; **~verzollt** adj duty-free; **~verzüglich** [1] adj immediate; [2] adv

immediately; **~vollendet** adj unfinished; **~vollkommen** adj (unvollständig) incomplete; (fehlerhaft, mangelhaft) imperfect.

unvollständig adj incomplete ▶ **er hat das Formular ~ ausgefüllt** he didn't fill in all the details on the form.

un-: **~vorbereitet** adj unprepared (auf +acc for); **eine ~vorbereitete Rede halten** to make an impromptu speech; **~voreingenommen** adj unbiased, unprejudiced; **~vorhergesehen** adj unforeseen; Besuch unexpected; **~vorhersehbar** adj unforeseeable; **~vorschriftsmäßig** adj not in keeping with the regulations; **~vorsichtig** adj careless; (voreilig) rash; **~vorstellbar** adj inconceivable; **~vorteilhaft** adj disadvantageous; Kleid, Frisur etc unbecoming; **~vorteilhaft aussehen** not to look one's best.

Un-: **u~wahr** adj untrue; **u~wahrhaftig** adj untruthful; Gefühle insincere; **~wahrheit** f untruth.

▼ **unwahrscheinlich** [1] adj improbable; (col: groß) incredible (col). [2] adv (col) incredibly (col).

Unwahrscheinlichkeit f improbability.

unwandelbar adj (geh) unalterable; Treue unwavering.

unwegsam adj Gelände etc rough.

unweiblich adj unfeminine.

unweigerlich [1] adj attr Folge inevitable. [2] adv inevitably.

unweit prep +gen, adv not far from.

Unwesen nt no pl (übler Zustand) terrible state of affairs ▶ **sein ~ treiben** (Mörder etc) to be up to his foul deeds.

unwesentlich adj irrelevant; (unwichtig) unimportant, insignificant.

Unwetter nt (thunder)storm ▶ **ein ~ brach los** a storm broke.

un-: **~wichtig** adj unimportant; (belanglos) irrelevant; (verzichtbar) non-essential; **~widerlegbar** adj irrefutable; **~widerruflich** adj irrevocable; **es steht ~widerruflich fest, daß ...** it is absolutely definite that ...; **~widersprochen** adj Behauptung unchallenged; **~widerstehlich** adj irresistible; **~wiederbringlich** adj (geh) irretrievable.

Unwille(n) m no pl displeasure (über +acc at); (Ärger) irritation ▶ **jds ~n erregen** to incur sb's displeasure.

unwillig adj (verärgert) indignant (über +acc about); (widerwillig) unwilling, reluctant.

unwillkommen adj unwelcome.

unwillkürlich adj spontaneous; instinctive.

Un-: **u~wirklich** adj unreal; **u~wirksam** adj ineffective; Vertrag etc void; **u~wirsch** adj surly, gruff; Bewegung brusque; **u~wirtlich** adj inhospitable; **u~wirtschaftlich** adj uneconomic; **~wissen** nt ignorance; **u~wissend** adj ignorant; (unerfahren) inexperienced; **~wissenheit** f no pl siehe adj ignorance; inexperience; **u~wissenschaftlich** adj unscientific; Ausdrucksweise unacademic; **u~wissentlich** adv unwittingly, unknowingly.

unwohl adj (unpäßlich) unwell; (unbehaglich) uneasy ▶ **mir ist ~** I don't feel well.

Unwohlsein nt indisposition; (unangenehmes Gefühl) unease.

un-: **~wohnlich** adj Zimmer etc uncomfortable; **~würdig** adj unworthy (+gen of); Verhalten undignified; Situation degrading.

Unzahl f **eine ~ von** a host of.

unzählbar adj innumerable, countless; (Gram) uncountable.

unzählig [1] adj innumerable, countless ▶ **~e Male** countless times, time and again. [2] adv **~ viele** huge numbers.

unzähmbar adj untameable; (fig auch) indomitable.

Unze f -n ounce.

Unzeit f zur ~ (geh) at an inopportune moment.
un-: ~**zeitgemäß** adj (altmodisch) old-fashioned; ~**zensiert** adj uncensored; (Sch) ungraded; ~**zerbrechlich** adj unbreakable; ~**zerstörbar** adj indestructible; ~**zertrennlich** adj inseparable; ~**zivilisiert** adj uncivilized.

Unzucht f no pl (esp Jur) sexual offence (Brit) or offense (US) ▶ ~ **mit jdm treiben** to fornicate with sb.

unzüchtig adj (esp Jur) indecent; Reden obscene.

Un-: u~**zufrieden** adj dissatisfied, discontent; ~**zufriedenheit** f no pl dissatisfaction, discontent; u~**zugänglich** adj Gegend inaccessible; Mensch inapproachable; (unaufgeschlossen gegen) deaf (+dat to); u~**zulänglich** adj insufficient, inadequate; ~**zulänglichkeit** f [a] insufficiency, inadequacy; [b] usu pl shortcomings pl; u~**zulässig** adj (auch Jur) inadmissible; Gebrauch improper; Belastung, Geschwindigkeit excessive; u~**zumutbar** adj unreasonable; u~**zurechnungsfähig** adj not responsible for one's actions; jdn für u~**zurechnungsfähig erklären lassen** (Jur) to have sb certified (insane); u~**zureichend** adj insufficient, inadequate; u~**zusammenhängend** adj incoherent; u~**zustellbar** adj undeliverable; falls u~**zustellbar, bitte an Absender zurück** if undelivered, please return to sender; u~**zuträglich** adj jds Gesundheit u~**zuträglich sein** to be bad for sb's health; u~**zutreffend** adj inapplicable; (unwahr) incorrect; ~**zutreffendes bitte streichen** delete as applicable; u~**zuverlässig** adj unreliable; ~**zuverlässigkeit** f unreliability; u~**zweckmäßig** adj (nicht ratsam) unadvisable; (unpraktisch) impractical; (ungeeignet) unsuitable; u~**zweideutig** adj unambiguous, unequivocal; (fig: unanständig) explicit; u~**zweifelhaft** [1] adj indubitable, unquestionable; [2] adv without doubt.

üppig adj Wachstum luxuriant; Vegetation auch lush; Haar thick; Mahl, Ausstattung sumptuous; Gehalt lavish; Figur, Frau voluptuous; Leben luxurious; Phantasie rich ▶ ~ **leben** to live in style.

Ur- in cpds (erste) first; (ursprünglich) original; ~**abstimmung** f (strike) ballot; ~**ahn(e)** m (Vorfahr) forefather; (~großvater) great-grandfather; ~**ahne** f (Vorfahr) forebear; (~großmutter) great-grandmother.

Ural m der ~ the Urals pl, the Ural mountains pl.

ur|alt adj ancient.

Uran nt no pl uranium.

ur|aufführen vt ptp **uraufgeführt** to give the first performance of; Film to premiere.

Ur|aufführung f premiere; (von Theaterstück etc auch) first night; (von Musikstück) first performance.

urbar adj die Wüste/Land ~ **machen** to reclaim the desert/to cultivate land.

Ur-: ~**bevölkerung** f original inhabitants pl; ~**bild** nt archetype; ~**christentum** nt early Christianity; u~**eigen** adj very own; ~**einwohner** m original inhabitant; (in Australien und Neuseeland) Aborigine; ~**enkel** m great-grandchild, great-grandson; ~**enkelin** f great-granddaughter; ~**fassung** f original version; u~**gemütlich** adj really comfortable or cosy; ~**geschichte** f prehistory; ~**gewalt** f elemental force.

Urgroß-: ~**eltern** pl great-grandparents pl; ~**mutter** f great-grandmother; ~**vater** m great-grandfather.

Urheber(in f) m - originator; (Jur: Verfasser) author.

Urheber-: ~**recht** nt copyright; (an +dat on); u~**rechtlich** adj u~**rechtlich geschützt** copyright.

urig adj (col) Mensch ruggedly idiosyncratic; Kneipe, Volksfest ethnic.

Urin m -e urine.

urinieren* vi to urinate.

Ur-: ~**knall** m (Astron) big bang; u~**komisch** adj (col) screamingly funny (col).

Urkunde f -n document; (Kauf~) deed; (Gründungs~ etc) charter; (Sieger~, Diplom, Bescheinigung etc) certificate.

urkundlich adj documentary ▶ ~ **verbürgt** authenticated; ~ **erwähnt** mentioned in a document, documented.

Urlaub m -e (Ferien) holiday(s) (Brit), vacation (US); (esp Mil) leave ▶ ~ **haben** to have a holiday or vacation/to have leave; **in** ~ **fahren** to go on holiday or vacation/on leave; (sich dat) **einen Tag** ~ **nehmen** to take a day off.

Urlauber(in f) m - holiday-maker (Brit), vacationist (US).

Urlaubs-: ~**anspruch** m holiday (Brit) or vacation (US) entitlement; ~**gebiet** nt holiday (Brit) or vacation (US) area; ~**geld** nt holiday (Brit) or vacation (US) money; ~**ort** m holiday (Brit) or vacation (US) resort; u~**reif** adj (col) ready for a holiday (Brit) or vacation (US); ~**reise** f holiday (Brit) or vacation (US) trip; ~**tag** m (one day of) holiday (Brit) or vacation (US); **ich habe noch drei** ~**tage gut** I've still got three days' holiday or vacation to come; ~**vertretung** f temporary replacement; (von Arzt, Anwalt) locum; ~**zeit** f holiday (Brit) or vacation (US) period.

Urmensch m primeval man; (col) caveman (col).

Urne f -n urn; (Los~) box; (Wahl~) ballot-box ▶ **zur** ~ **gehen** to go to the polls.

Urologe m, **Urologin** f urologist.

Ur-: ~**oma** f (col) great-granny (col); ~**opa** m (col) great-grandpa (col); ~**pflanze** f primordial plant; u~**plötzlich** adv (col) all of a sudden.

▼ **Ursache** f -n cause; (Grund) reason; (Beweggrund) motive ▶ ~ **und Wirkung** cause and effect; **keine** ~! (auf Dank) don't mention it, you're welcome; (auf Entschuldigung) that's all right; **ohne (jede)** ~ for no reason (at all); **jdm** ~ **geben, etw zu tun** to give sb cause to do sth; **alle/keine** ~ **haben, etw zu tun** to have every/no reason to do sth.

ursächlich adj (esp Philos) causal ▶ **in** ~**em Zusammenhang stehen** to be causally related.

Ur-: ~**schrei** m (Psych) primal scream; ~**schrift** f original (text).

Ursprung m, pl **Ursprünge** origin ▶ **seinen** ~ **in etw** (dat) **haben** to originate in sth.

ursprünglich [1] adj [a] attr original; (anfänglich) initial, first. [b] (urwüchsig) natural; Natur unspoilt. [2] adv originally; (anfänglich) initially.

Ursprünglichkeit f naturalness.

Ursprungsland nt (Comm) country of origin.

Urteil nt -e [a] judgement; (Entscheidung) decision; (Meinung) opinion ▶ **nach meinem** ~ in my judgement/opinion; **ich kann darüber kein** ~ **abgeben** I am no judge of this; **sich** (dat) **ein** ~ **über etw** (acc) **erlauben/ein** ~ **über etw fällen** to pass judgement on sth; **sich** (dat) **kein** ~ **über etw** (acc) **erlauben können** to be in no position to judge sth; **zu dem** ~ **kommen, daß ...** to come to the conclusion that ...; **sich** (dat) **ein** ~ **über jdn/etw bilden** to form an opinion about sb/sth. [b] (Jur: Gerichts~) verdict; (Richterspruch) judgement; (Strafmaß) sentence; (Schiedsspruch) award; (Scheidungsspruch) decree ▶ **das** ~ **über jdn sprechen** (Jur) to pass judgement on or upon sb.

urteilen vi to judge (nach by) ▶ **über etw** (acc) ~ to judge sth; (seine Meinung äußern) to give one's opinion on sth.

Urteils-: ~**begründung** f (Jur) opinion; u~**fähig** adj competent to judge; (umsichtig) discriminating; ~**findung** f (Jur) reaching a verdict no art; ~**kraft** f no pl power of judgement; (Umsichtigkeit) discrimination; ~**spruch** m (Jur) judgement; (von Geschworenen) verdict; (von Strafgericht) sentence; (von Schiedsgericht) award; ~**verkündung** f (Jur) pronouncement of judge-

---

➤ SATZBAUSTEINE: **Ursache** → 6.1 ⚠: Informationen zur Rechtschreibreform im Anhang

ment; **~vermögen** *nt* = **~kraft.**
Ur-: **~text** *m* original (text); **~trieb** *m* basic drive; **u~tümlich** *adj* = **u~wüchsig;** **~typ(us)** *m, pl* **~typen** prototype.
Uruguay *nt* Uruguay.
Uruguayer(in *f)* *m* - Uruguayan.
uruguayisch *adj* Uruguayan.
Ur|ur- *in cpds* great-great-.
Ur-: **~vater** *m* forefather; **u~verwandt** *adj Wörter* cognate; **~viech, ~vieh** *nt* (*col*) real character; **~wald** *m* primeval forest; (*in den Tropen*) jungle; **~welt** *f* primeval world; **u~weltlich** *adj* primeval, primordial; **u~wüchsig** *adj* natural; *Natur* unspoilt; (*urweltlich*) *Flora* primeval; (*ursprünglich*) original; (*bodenständig*) rooted to the soil; (*unberührt*) *Land etc* untouched; (*urgewaltig*) *Kraft* elemental; (*derb, kräftig*) sturdy; *Mensch* rugged; *Humor, Sprache* earthy; **~zeit** *f* primeval times *pl*; **seit ~zeiten** since primeval times; (*col*) for

donkey's years (*col*); **u~zeitlich** *adj* primeval; *Mensch* primitive; **~zustand** *m* primordial state.
USA [uː|es'|aː] *pl die ~* the USA *sing.*
Usambaraveilchen *nt* African violet.
usf. = **und so fort.**
Usurpator *m* (*liter*) usurper.
usurpieren* *vt* (*liter*) to usurp.
usw. = **und so weiter** etc.
Utensil *nt* **-ien** [-iən] utensil, implement.
utilitaristisch *adj* utilitarian.
Utopie *f* utopia.
utopisch *adj* utopian.
u.U. = **unter Umständen.**
uV [uː'fau] = **ultraviolett** UV.
UV-Strahlen *pl* UV rays.
Ü-Wagen *m* (*Rad, TV*) outside broadcast vehicle.
uzen *vti* (*col*) to tease, to kid (*col*).
Uzname *m* (*col*) nickname.

V

V, v [fau] *nt* -, - V, v ▶ *V wie Viktor* ≈ V for Victor.
V = a Volt. b Volumen.
VAE [fau|aː'|eː] *pl* = **Vereinigte Arabische Emirate**
UAE.
Vagabund [vaga'bʊnt] *m* (*wk*) **-en, -en** vagabond.
vag(e) [vaːk,'vaːgə] *adj* vague.
Vagheit ['vaːkhait] *f* vagueness.
Vagina [va'giːna] *f, pl* **Vaginen** (*Anat*) vagina.
Vakuum ['vaːkuʊm] *nt, pl* **Vakuen** ['vaːkuən] (*lit, fig*)
vacuum ▶ *unter/im* ~ in a vacuum.
Vakuum- ['vaːkuʊm-] *in cpds* vacuum; **~pumpe** *f*
vacuum pump; **v~verpackt** *adj* vacuum-packed.
Valentinstag ['vaːlɛntiːns-] *m* (St) Valentine's Day.
Valuta [va'luːta] *f, pl* **Valuten** (*Währung*) foreign curren-
cy.
Vamp [vɛmp] *m* **-s** vamp.
Vampir [vam'piːɐ̯] *m* **-e** vampire.
Vandalismus [vanda'lɪsmʊs] *m no pl* vandalism.
Vanille [va'nɪljə, va'nɪlə] *f no pl* vanilla.
Vanille-: **~eis** *nt* vanilla ice-cream; **~geschmack** *m* va-
nilla flavour (*Brit*) *or* flavor (*US*); **mit ~geschmack**
vanilla-flavoured (*Brit*) *or* -flavored (*US*); **~soße** *f* vanilla
sauce, ≈ custard; **~zucker, Vanillinzucker** *m* vanilla
sugar.
variabel [va'riaːbl] *adj* variable.
Variable [va'riaːblə] *f* (*wk*) **-n, -n** variable.
Variante [va'riantə] *f* **-n** variant (*zu* on).
Variation [varia'tsioːn] *f* variation ▶ *~en zu einem*
Thema variations on a theme.
⚠ **Varieté** [varie'teː] *nt* **-s** a variety, vaudeville (*US*). b
(*Theater*) variety theatre (*Brit*), music hall (*Brit*), vaude-
ville theater (*US*).
Varieté-: **~nummer** *f* variety act; **~theater** *nt* variety
theatre (*Brit*), vaudeville theater (*US*).
variieren* [vari'iːrən] *vti* to vary.
Vasall [va'zal] *m* (*wk*) **-en, -en** (*Hist, fig*) vassal.
Vase ['vaːzə] *f* **-n** vase.
Vater *m* ¨ (*lit, fig*) father ▶ ~ *unser* (*Rel*) Our Father;
unsere ¨ *pl* (*geh: Vorfahren*) our (fore)fathers; **wie der**
~, so der Sohn (*prov*) like father, like son (*prov*); **~**
Staat (*hum*) the State.
Vater-: **~figur** *f* father figure; **~freuden** *pl* joys of
fatherhood *pl*; **~haus** *nt* parental home.
Vaterland *nt* native country; (*esp Deutschland auch*)
Fatherland ▶ *unser* ~ our country.
vaterländisch *adj* national; (*patriotisch*) patriotic.
Vaterlands-: **~liebe** *f* patriotism; **v~liebend** *adj* patri-
otic; **~verräter** *m* traitor.
väterlich *adj* paternal, fatherly.
väterlicherseits *adv* on one's father's side ▶ *meine*
Großeltern ~ my paternal grandparents.
Vater-: **~liebe** *f* fatherly love; **v~los** *adj* fatherless;
~recht *nt* patriarchy.
Vaterschaft *f* fatherhood *no art*; (*esp Jur*) paternity.
Vaterschafts-: **~klage** *f* paternity suit; **~urlaub** *m* paternity leave.
Vater-: **~stadt** *f* home town; **~stelle** *f bei jdm ~stelle*
vertreten to take the place of sb's father; **~tag** *m* Fa-
ther's Day; **~tier** *nt* sire; **~unser** *nt* - *das ~unser* the
Lord's Prayer.

Vati *m* **-s** (*col*) dad(dy) (*col*).
Vatikan [vati'kaːn] *m* Vatican.
Vatikanstadt [vati'kaːn-] *f* Vatican City.
V-Ausschnitt ['fau-] *m* V-neck.
VB = **Verhandlungsbasis** o.n.o.
v. Chr. = **vor Christus** BC.
Veganer(in *f*) [ve'gaːnɐ, -ərɪn] *m* - vegan.
Vegetarier(in *f*) [vege'taːriɐ, -iərɪn] *m* - vegetarian.
vegetarisch [vege'taːrɪʃ] *adj* vegetarian ▶ ~ *leben* to be
a vegetarian.
Vegetarismus [vegeta'rɪsmʊs] *m no pl* vegetarianism.
Vegetation [vegeta'tsioːn] *f* vegetation.
vegetieren* [vege'tiːrən] *vi* to vegetate; (*kärglich le-*
ben) to eke out a bare existence.
Vehikel [ve'hiːkl] *nt* - (*pej col*) boneshaker (*col*).
Veilchen *nt* violet; (*col: blaues Auge*) shiner (*col*), black
eye ▶ *blau wie ein* ~ (*col*) roaring drunk (*col*).
Vektor ['vɛktɔr] *m* (*Math, Phys*) vector.
Velo ['veːlo] *nt* **-s** (*Sw*) bicycle, bike (*col*); (*motorisiert*)
moped.
Velours [və'luːɐ̯, ve'luːɐ̯] *m* - (*Tex*) velour(s).
Velours(leder) [və'luːɐ̯-, ve'luːɐ̯-] *nt* - suede.
Vene ['veːnə] *f* **-n** vein.
Venedig [ve'neːdɪç] *nt* Venice.
Venezianer(in *f*) [vene'tsiaːnɐ, -ərɪn] *m* - Venetian.
venezianisch [vene'tsiaːnɪʃ] *adj* Venetian.
Venezolaner(in *f*) [venetso'laːnɐ, -ərɪn] *m* - Venezue-
lan.
venezolanisch [venetso'laːnɪʃ] *adj* Venezuelan.
Venezuela [vene'tsueːla] *nt* Venezuela.
Ventil [vɛn'tiːl] *nt* **-e** valve; (*fig*) outlet.
Ventilation [vɛntila'tsioːn] *f* ventilation.
Ventilator [vɛnti'laːtɔr] *m* ventilator.
Venus ['veːnʊs] *f no pl* (*Myth, Astron*) Venus.
ver|abreden* 1 *vt* to arrange; *Termin auch* to agree ▶
es war eine verabredete Sache it was arranged beforehand; *wir haben verabredet, daß wir uns um 5 Uhr*
treffen we have arranged to meet at 5 o'clock; *schon*
verabredet sein (*für* on) to have a prior engagement
(*esp form*), to have something else on; *mit jdm ver-*
abredet sein to have arranged to meet sb.
2 *vr sich mit jdm/miteinander* ~ to arrange to meet
sb/to meet.
Ver|abredung *f* (*Vereinbarung*) arrangement, agree-
ment; (*Treffen*) appointment; (*esp mit Freund/Freundin*)
date ▶ *ich habe eine* ~ I'm meeting somebody.
ver|abreichen* *vt* Tracht Prügel etc to give; *Arznei auch*
to administer (*form*) (*jdm* to sb).
ver|abscheuen* *vt* to detest, to abhor, to loathe.
ver|abscheuungswürdig *adj* detestable.
ver|abschieden* 1 *vt* to say goodbye to; (*entlassen*)
to discharge; (*Pol*) Haushaltsplan to adopt; *Gesetz* to pass.
2 *vr sich (von jdm)* ~ to say goodbye (to sb), to take
one's leave (of sb).
Ver|abschiedung *f* (*von Beamten etc*) discharge; (*Pol*)
(*von Gesetz*) passing; (*von Haushaltsplan*) adoption.
ver|achten* *vt* to despise; (*liter*) Tod, Gefahr to scorn ▶
nicht zu ~ (*col*) not to be scoffed at.
ver|achtenswert *adj* despicable, contemptible.
ver|ächtlich *adj* contemptuous; (*verachtenswert*) despic-

---

able, contemptible.

Ver|achtung f no pl contempt (von for) ▶ **jdn mit ~ strafen** to treat sb with contempt.

ver|albern* vt (col) to make fun of.

ver|allgemeinern* vti to generalize.

Ver|allgemeinerung f generalization.

ver|alten* vi aux sein to become obsolete; (Mode) to go out of date.

ver|altet adj obsolete; Mode out-of-date.

Veranda [ve'randa] f, pl **Veranden** veranda, porch.

ver|änderlich adj variable; Wetter, Mensch changeable.

Ver|änderlichkeit f siehe adj variability; changeability.

ver|ändern* ① vt to change. ② vr to change; (Stellung wechseln) to change one's job; (Wohnung wechseln) to move ▶ **verändert aussehen** to look different.

Ver|änderung f change ▶ **eine berufliche ~** a change of job.

ver|ängstigen* vt (erschrecken) to frighten; (einschüchtern) to intimidate.

ver|ankern* vt (Naut, Tech) to anchor; (fig) to embed (in +dat in).

Ver|ankerung f (Naut, Tech) anchoring; (fig: von Rechten) (firm) establishment.

ver|anlagen* vt to assess (mit at).

ver|anlagt adj **melancholisch ~ sein** to have a melancholy disposition; **praktisch ~ sein** to be practically minded; **künstlerisch ~ sein** to be artistic; **zu** or **für etw ~ sein** to be cut out for sth.

Ver|anlagung f ⓐ (körperlich, esp Med) predisposition; (charakterlich) nature, disposition; (Hang) tendency; (allgemeine Fähigkeiten) natural abilities pl; (künstlerisches, praktisches etc Talent) bent. ⓑ (von Steuern) assessment.

ver|anlassen* vt ⓐ **etw ~** to arrange for sth; (befehlen) to order sth. ⓑ auch vi (bewirken) to give rise (zu to) ▶ **jdn zu etw ~** to lead sb to sth; **jdn (dazu) ~, etw zu tun** to cause sb to do sth; **was hat dich dazu veranlaßt?** what made you do this?

Ver|anlassung f cause, reason ▶ **auf ~ von** or +gen at the instigation of; **keine ~ zu etw haben/keine ~ haben, etw zu tun** to have no cause or reason for sth/to do sth.

ver|anschaulichen* vt to illustrate (an +dat, mit with) ▶ **sich (dat) etw ~** to visualize sth.

Ver|anschaulichung f illustration ▶ **zur ~** as an illustration.

ver|anschlagen* vt to estimate (auf +acc at) ▶ **etw zu hoch/niedrig ~** to overestimate/underestimate sth.

ver|anstalten* vt to organize, to arrange; (kommerziell) Konzerte etc to promote; Party to hold.

Ver|anstalter(in f) m - organizer; (Comm: von Konzerten etc) promoter.

Ver|anstaltung f ⓐ event (von organized by); (feierlich, öffentlich) function. ⓑ no pl (das Veranstalten) organization.

Ver|anstaltungs-: **~kalender** m calendar of events, ≈ what's on; **~programm** nt programme of events; **~raum** m function suite.

ver|antworten* ① vt to accept responsibility for; die Folgen auch, sein Tun to answer for (vor +dat to) ▶ **wie könnte ich es denn ~, ...?** it would be most irresponsible of me ...; **eine nicht zu ~de Fahrlässigkeit** inexcusable negligence. ② vr **sich für** or **wegen etw ~** to justify sth (vor +dat to).

ver|antwortlich adj responsible; (haftbar) liable ▶ **jdm (gegenüber) ~ sein** to be responsible to sb; **jdn für etw ~ machen** to hold sb responsible for sth.

▼ **Ver|antwortung** f responsibility (für for) ▶ **auf eigene ~** on one's own responsibility; **auf deine ~!** on your head be it!; **jdn zur ~ ziehen** to call sb to account.

Ver|antwortungs-: **v~bewußt** ⚠ adj responsible; **~bewußtsein** ⚠ nt sense of responsibility; **~gefühl** nt sense of responsibility; **v~los** adj irresponsible; **~losigkeit** f no pl irresponsibility; **v~voll** adj responsible.

ver|arbeiten* vt to use (zu etw to make sth); (Tech, Biol, Comp) to process; Ton, Gold etc to work; (verbrauchen) to consume; Erlebnis etc to assimilate, to digest ▶ **~de Industrie** processing industries pl; **etw geistig ~** to assimilate or digest sth.

ver|arbeitet adj **gut/schlecht ~** Rock etc well/badly finished or made.

Ver|arbeitung f ⓐ (von Rohstoffen etc) processing. ⓑ (Ausführung) finish.

ver|ärgern* vt to annoy.

ver|armen* vi aux sein (lit, fig) to become impoverished ▶ **verarmt** impoverished.

ver|arschen* vt (col!) to take the piss out of (col!); (für dumm verkaufen) to mess around (col).

ver|arzten* vt (col) to fix up (col).

ver|ästeln* vr to branch out; (fig) to ramify.

ver|ätzen* vt Metall to corrode; Gesicht, Haut etc to burn.

ver|ausgaben* vr to overexert oneself; (finanziell) to overspend ▶ **ich habe mich total verausgabt** (körperlich) I'm completely worn out; (finanziell) I've spent every penny I've got.

ver|äußern* vt (form: verkaufen) to dispose of.

Verb [verp] nt -en verb.

verbal [ver'ba:l] adj verbal.

verballhornen* vt to parody; (unabsichtlich) to get wrong.

Verband m ⁻e ⓐ (Med) dressing; (mit Binden) bandage. ⓑ (Bund) association. ⓒ (Mil) unit.

Verband(s)-: **~kasten** m first-aid box; **~päckchen** nt gauze bandage; **~stoff** m dressing; **~zeug** nt first-aid materials.

verbannen* vt to banish (auch fig), to exile (aus from, auf to).

Verbannte(r) mf decl as adj exile.

Verbannung f banishment, exile.

verbarrikadieren* ① vt to barricade. ② vr to barricade oneself in (in etw (dat) sth).

verbauen* vt ⓐ (versperren) to obstruct, to block ▶ **sich (dat) alle Chancen ~** to spoil one's chances. ⓑ (verbrauchen) Holz, Geld to use in building. ⓒ (schlecht bauen) to construct badly.

verbe|amten* vt to give the status of civil servant to.

verbeißen* irreg ① vt (fig col) **sich (dat) etw ~** Schmerz to hide sth; **sich (dat) das Lachen ~** to keep a straight face. ② vr **sich in etw (acc) ~** (fig) to become obsessed with sth; siehe **verbissen**.

verbergen* vtr irreg (lit, fig) to hide (vor +dat from).

verbessern* ① vt ⓐ to improve; Leistung, Bestzeit to improve on; die Welt to reform ▶ **eine neue, verbesserte Auflage** a new revised edition. ⓑ (korrigieren) to correct. ② vr to improve, to get better; (beruflich, finanziell) to better oneself; (sich korrigieren) to correct oneself.

Verbesserung f ⓐ improvement (von in); (beruflich, finanziell) betterment. ⓑ (Berichtigung) correction.

verbeugen* vr to bow (vor +dat to).

Verbeugung f bow ▶ **eine ~ vor jdm machen** to (make a) bow to sb.

verbeulen* vt to dent.

verbiegen* vtr irreg to bend; (Holz) to warp; siehe **verbogen**.

verbiestert adj (col: mißmutig) crotchety (col).

▼ **verbieten** vt irreg to forbid; (amtlich auch) to prohibit;

➤ SATZBAUSTEINE: **Verantwortung** → 5.2   **verbieten** → 12.3

Zeitung, Partei to ban ► **jdm ~, etw zu tun** to forbid sb to do sth; (*amtlich auch*) to prohibit sb from doing sth; siehe **verboten.**
verbilden* vt (*fig*) jdn to bring up badly; Geschmack, Charakter to spoil.
verbilligen* [1] vt to reduce the cost of; Kosten, Preis to reduce ► **verbilligte Waren** reduced goods.
[2] vr to become cheaper.
▼ **verbinden*** irreg [1] vt [a] to connect; Punkte to join ► **jdn (mit jdm) ~** (Telec) to put sb through (to sb); **falsch verbunden!** wrong number; **uns verbindet nichts** we have nothing in common; siehe **verbunden.** [b] (verknüpfen) to combine ► **die damit verbundenen Kosten** the costs involved; **was ~ Sie mit diesem Begriff?** what do you associate with this concept? [c] (Med) to dress; (mit Binden) to bandage ► **jdm die Augen ~** to blindfold sb.
[2] vr [a] to combine (zu to form). [b] (assoziiert werden) to be associated; (hervorgerufen werden) to be evoked (mit by).
[3] vi [a] **ich verbinde!** I'll put you through. [b] (emotional) to form a bond.
verbindlich adj [a] obliging. [b] (verpflichtend) obligatory, compulsory; Regelung, Zusage binding; (verläßlich) Auskunft reliable ► **~ zusagen** to accept definitely.
Verbindlichkeit f siehe adj [a] obligingness ► **~en** polite words pl. [b] no pl obligatory nature; binding nature; reliability. [c] **~en** pl (Comm, Jur) obligations pl; (finanziell auch) liabilities pl, accounts payable.
▼ **Verbindung** f [a] connection; (einflußreiche Beziehung auch, Kontakt) contact (zu, mit with) ► **in ~ mit** (zusammen mit) in conjunction with; (im Zusammenhang mit) in connection with; **jdn/etw mit etw in ~ bringen** to connect sb/sth with sth; (assoziieren) to associate sb/sth with sth; **~ mit jdm aufnehmen** to contact sb; **(mit jdm) in ~ treten** to get in touch or contact (with sb), to contact sb; **mit jdm in ~ stehen** to be in touch or contact with sb. [b] (Telec: Anschluß) line ► **telefonische ~** telephone link; **eine ~ (zu einem Ort) bekommen** to get through (to a place). [c] (Kombination) combination. [d] (Vereinigung, Bündnis) association; (ehelich) union; (Univ: Burschenschaft) fraternity. [e] (Chem) (Prozeß) combination; (Ergebnis) compound (aus of).
Verbindungs- in cpds (esp Tech, Archit) connecting; **~mann** m, pl **~leute** or **~männer** intermediary; (Agent) contact; **~stelle** f join; (von Gleisen) junction; (Amt) liaison office.
verbissen adj grim; Arbeiter, Gesicht determined ► **das darfst du nicht so ~ sehen** (col) you shouldn't be so rigid about it.
verbitten* vr irreg **das verbitte ich mir!** I won't have it!
verbittern* [1] vt to embitter, to make bitter.
[2] vi aux sein to become embittered or bitter ► **verbittert** embittered, bitter.
Verbitterung f bitterness.
verblassen* vi aux sein (lit, fig) to fade; (Mond) to pale.
Verbleib m no pl (form) whereabouts pl.
verbleiben* vi irreg aux sein to remain ► **... verbleibe ich Ihr ...** (form) ... I remain, Yours sincerely ...; **wir sind so verblieben, daß wir ...** we agreed to ...
verbleit adj Benzin leaded.
verblichen adj (lit, fig) faded.
verblöden* vi aux sein (col) to turn into a zombie (col).
verblüffen* vt (erstaunen) to amaze; (verwirren) to baffle ► **sich durch** or **von etw ~ lassen** to be taken in by sth.
Verblüffung f no pl siehe vt amazement; bafflement.

verblühen* vi aux sein (lit, fig) to fade.
verbluten* vi aux sein to bleed to death.
verbogen adj bent; Rückgrat curved.
verbohren* vr (col) **sich in etw** (acc) **~** to become obsessed with sth.
verbohrt adj Haltung stubborn, obstinate.
verborgen[1]* vt to lend out (an +acc to).
verborgen[2] adj hidden ► **etw/sich ~ halten** to keep sth hidden/to hide; **im V~en leben** to live hidden away; **im ~en liegen** to be not yet known; **~e Mängel** latent defects.
Verbot nt **-e** ban (etw zu tun on doing sth) ► **er ging trotz meines ~s** he went even though I had forbidden him to do so.
▼ **verboten** adj forbidden; (amtlich auch) prohibited; (gesetzeswidrig) Handel illegal; Zeitung, Partei, Buch etc banned ► **Rauchen/Parken ~** no smoking/parking; **er sah ~ aus** (col) he looked a real sight (col).
Verbotsschild nt sign (prohibiting something); (im Verkehr) prohibition sign.
verbrämen* vt (geh) Kleidungsstück to trim; (fig) Rede to pad; Wahrheit to gloss over; Kritik to veil (mit in).
verbrannt adj burnt; (fig) Erde scorched.
Verbrauch m no pl consumption (von, an +dat of); (von Geld) expenditure; (von Kräften) drain (von, an +dat on).
verbrauchen* vt [a] to use; Vorräte to use up; Nahrungsmittel etc auch to consume ► **der Wagen verbraucht 9 Liter Benzin auf 100 km** the car does 31 miles to the gallon.
[b] (abnützen) Kräfte etc to exhaust; Kleidung etc to wear out ► **sich ~** to wear oneself out; **verbrauchte Luft** stale air.
Verbraucher(in f) m **-** consumer.
Verbraucher- in cpds consumer; **~kredit** m consumer credit; **~markt** m hypermarket; **~schutz** m consumer protection; **~verband** m consumer council; Consumers' Association.
Verbrauchsgüter pl consumer goods pl.
Verbrauchssteuer f excise duty.
verbrechen vt irreg (col: anstellen) **was hast du wieder verbrochen?** what have you been up to this time?; **was habe ich denn verbrochen?** what am I supposed to have done?
Verbrechen nt **-** (lit, fig) crime (an +dat against).
Verbrecher(in f) m **-** criminal.
Verbrecherbande f gang of criminals.
verbrecherisch adj criminal.
Verbrecherkartei f file of offenders, ≈ rogues' gallery.
verbreiten* [1] vt to spread; Zeitung to circulate; Wärme, Ruhe to radiate; Licht to shed ► **eine (weit) verbreitete Ansicht** a widely held opinion.
[2] vr to spread ► **sich über ein Thema ~** to expound on a subject.
verbreitern* vtr to widen.
Verbreitung f no pl siehe vt spreading; circulation; radiation; shedding.
verbrennen* irreg [1] vt to burn; (einäschern) Tote to cremate; (versengen) to scorch; Haar to singe; (verbrühen) to scald ► **sich** (dat) **den Mund ~** (lit) to burn one's mouth; (fig) to say too much.
[2] vr to burn oneself; (sich verbrühen) to scald oneself.
[3] vi aux sein to burn; (Mensch, Tier) to burn to death; (Haus etc) to burn down; (durch Sonne, Hitze) to be scorched ► **alles verbrannte** everything was destroyed in the fire.
Verbrennung f [a] no pl burning; (von Treibstoff) combustion; (von Leiche) cremation. [b] (Brandwunde) burn; (Verbrühung) scald.
Verbrennungs-: **~anlage** f incineration plant; **~mo-**

tor *m* internal combustion engine.

verbriefen* *vt* to document ► *verbriefte Rechte* attested rights.

verbringen *vt irreg* to spend.

verbrühen* ① *vt* to scald.

② *vr* to scald oneself.

Verbrühung *f* scalding; (*Wunde*) scald.

verbuchen* *vt* to enter ► *Erfolge (für sich)* ~ to notch up successes (*col*).

verbummeln* (*col*) ① *vt* (*verlieren*) to lose; *Zeit* to waste, to fritter away; *Verabredung* to miss.

② *vi aux sein* (*herunterkommen*) to go to seed.

verbunden *adj* (*form: dankbar*) *jdm (für etw)* ~ *sein* to be obliged to sb (for sth).

verbünden* *vr* to form an alliance.

Verbundenheit *f no pl* (*von Völkern*) solidarity; (*mit Menschen, Natur*) closeness (*mit* to); (*mit Land, Tradition*) attachment (*mit* to).

Verbündete(r) *mf decl as adj* ally.

Verbund-: ~**glas** *nt* laminated glass; ~**system** *nt* integrated system.

verbürgen* *vtr* to guarantee ► *sich für jdn/etw* ~ to vouch for sb/sth; *verbürgte Nachricht* confirmed report; *ein verbürgtes Recht* an established right.

verbüßen* *vt* to serve.

verchromt* [fɛɐ̯ˈkroːmt] *adj* chromium-plated.

Verchromung [fɛɐ̯ˈkroːmʊŋ] *f* chromium-plating.

Verdacht *m no pl* suspicion ► *jdn in* ~ *haben* to suspect sb; *im* ~ *stehen, etw getan zu haben* to be suspected of having done sth; *jdn wegen* ~*s einer Sache* (*gen*) *festnehmen* to arrest sb on suspicion of sth; (*gegen jdn*) ~ *schöpfen* to become suspicious (of sb); *es besteht* ~ *auf Krebs* (*acc*) cancer is suspected.

verdächtig *adj* suspicious ► *sich* ~ *machen* to arouse suspicion; *einer Sache* (*gen*) ~ *sein* to be suspected of sth.

verdächtigen* *vt* to suspect (*gen* of).

Verdächtige(r) *mf decl as adj* suspect.

Verdächtigung *f* suspicion.

verdammen* *vt* to damn; (*verurteilen*) to condemn.

verdammt (*col*) ① *adj, adv* damned (*col*) ► *das tut* ~ *weh* that hurts like hell (*col*); *mir geht's* ~ *schlecht* I'm in a pretty bad way (*col*).

② *interj* ~*!* damn (it) (*col*); ~ *noch mal!* (*col!*) bloody hell (*Brit col!*), damn (*col*).

verdampfen* *vti* (*vi: aux sein*) to vaporize; (*Cook*) to boil away.

verdanken* *vt jdm etw* ~ to owe sth to sb; *das haben wir ihm zu* ~ that's thanks to him.

verdarb *pret of* **verderben.**

verdauen* *vti* (*lit, fig*) to digest.

verdaulich *adj* digestible ► *leicht* ~ easy to digest.

Verdauung *f* digestion *no indef art.*

Verdauungs- *in cpds* digestive; ~**spaziergang** *m* constitutional; ~**störung** *f usu pl* indigestion *no pl.*

Verdeck *nt* -e (*von Kinderwagen*) hood (*Brit*), canopy; (*von Auto*) hood (*Brit*), soft top; (*von Schiff*) sundeck.

verdecken* *vt* to hide, to conceal; (*zudecken*) to cover (up); *Sicht* to block ► *verdeckt* concealed; *Widerspruch* hidden; *verdeckter Polizeieinsatz* undercover operation.

verdenken* *vt irreg ich kann es ihm nicht* ~*(, daß er es getan hat)* I can't blame him (for doing it).

verderben *pret* **verdarb,** *ptp* **verdorben** ① *vt* to spoil; (*stärker*) to ruin; *Luft* to pollute; (*moralisch*) to corrupt; (*verwöhnen*) to spoil ► *jdm etw* ~ to ruin sth for sb; *sich* (*dat*) *den Magen* ~ to give oneself an upset stomach; *sich* (*dat*) *die Augen* ~ to ruin one's eyes; *die Preise* ~ to force prices down; *jdm die Freude an etw* (*dat*) ~ to spoil sb's enjoyment of sth; *es (sich dat) mit jdm* ~ to

fall out with sb; *sie will es (sich dat) nicht mit ihm* ~ she wants to keep on the right side of him.

② *vi aux sein* (*Material*) to become spoiled/ruined; (*Nahrungsmittel*) to go bad; (*Ernte*) to be ruined; (*Mensch*) to become depraved.

Verderben *nt no pl* ► *in sein* ~ *rennen* to be heading for disaster. ⓑ (*von Material*) spoiling, ruining; (*von Nahrungsmittel*) going off.

verderblich *adj* pernicious; *Lebensmittel* perishable.

verdeutlichen* *vt* (*deutlicher machen*) to clarify; (*erklären*) to explain ► *sich* (*dat*) *etw* ~ to think sth out for oneself.

verdeutschen* *vt* to translate into German; (*eindeutschen*) to Germanize.

verdichten* ① *vt* (*Phys, fig*) to compress; *Gefühle* to intensify, to heighten.

② *vr* to thicken; (*Gas*) to become compressed; (*fig: häufen*) to increase; (*Verdacht, Eindruck*) to deepen.

Verdichter *m* - compressor.

verdicken* ① *vt* to thicken.

② *vr* to thicken; (*anschwellen*) to swell.

verdienen* ① *vt* ⓐ (*einnehmen*) to earn; (*Gewinn machen*) to make (*an +dat* on) ► *sich* (*dat*) *etw* ~ to earn the money for sth. ⓑ (*fig*) *Lob, Strafe* to deserve ► *er verdient es nicht anders* he doesn't deserve anything else.

② *vi* to earn; (*Gewinn machen*) to make (a profit) (*an +dat* on) ► *er verdient gut* he has a good income; *am Krieg* ~ to profit from war.

Verdiener *m* - earner.

Verdienst[1] *m* -e income; (*Profit*) profit.

Verdienst[2] *nt* -e ⓐ merit; (*Dank*) credit ► *es ist sein* ~*/das* ~ *der Wissenschaftler(, daß...)* it is thanks to him/the scientists (that ...); *nach* ~ on merit. ⓑ *usu pl* (*um* to) (*Leistung*) contribution; (*um Wissenschaft, Staat*) service.

Verdienst-: ~**ausfall** *m* loss of earnings; ~**orden** *m* order of merit; **v~voll** *adj* commendable.

verdient *adj* ⓐ *Lohn, Strafe* rightful; *Ruhe, Lob* well-deserved. ⓑ *Wissenschaftler, Politiker, Sportler* of outstanding merit ► *sich um etw* ~ *machen* to render outstanding services to sth.

verdonnern* *vt* (*col: zu Haft etc*) to sentence (*zu* to) ► *jdn zu etw* ~, *jdn dazu* ~, *etw zu tun* to order sb to do sth as a punishment.

verdoppeln* *vtr* to double.

Verdoppelung *f* doubling.

verdorben ① *ptp of* **verderben.**

② *adj Lebensmittel* bad; *Magen* upset; *Stimmung, Urlaub, Freude* spoiled, ruined; (*moralisch*) corrupt; (*verzogen*) *Kind* spoiled.

verdorren* *vi aux sein* to wither.

verdrängen* *vt jdn* to drive out; *Gegner auch* to oust; (*ersetzen*) to replace; (*Phys*) *Wasser* to displace; (*Met*) to drive; (*fig*) *Sorgen* to dispel; (*Psych*) to repress, to suppress.

Verdrängung *f siehe vt* driving out; ousting; replacing; displacement; driving; dispelling; repression; suppression.

verdrecken* *vti* (*vi: aux sein*) (*col*) to get filthy.

verdrehen* *vt* (*lit, fig*) to twist; (*verknacksen*) to sprain; *Hals* to crick; *Augen* to roll ► *das Recht* ~ to pervert the course of justice; *sich* (*dat*) *den Hals* ~ (*fig col*) to crane one's neck.

verdreht *adj* (*col*) crazy (*col*); *Bericht* confused.

verdreifachen* *vtr* to treble, to triple.

verdrießen *pret* **verdroß,** *ptp* **verdrossen** *vt jdn* to annoy ► *sich* (*dat*) *den Abend durch etw* ~ *lassen* to let sth spoil one's evening.

verdrießlich *adj* morose; *Arbeit* irksome.

⚠ **verdroß** *pret of* **verdrießen**.

verdrossen [1] *ptp of* **verdrießen**.

[2] *adj* (*schlechtgelaunt*) morose; (*unlustig*) *Mensch, Gesicht* unwilling, reluctant.

Verdrossenheit *f* (*schlechte Laune*) moroseness; (*Lustlosigkeit*) unwillingness, reluctance.

verdrucken* *vr* (*col*) to make a misprint.

verdrücken* [1] *vt Kleider* to crumple; (*col*) *Essen* to put away (*col*).

[2] *vr* (*col*) to beat it (*col*) ► *sich heimlich* ~ to slip away.

Verdrückung *f* (*col: Bedrängnis*) *in* ~ *geraten* to get into difficulties; *jdn in* ~ *bringen* to put sb under pressure.

⚠ **Verdruß** *m* -**sse** frustration ► ~ *mit jdm haben* to get frustrated with sb; *zu jds* ~ to sb's annoyance.

verduften* *vi aux sein* (*col*) to beat it (*col*).

verdummen* [1] *vt jdn* ~ (*für dumm verkaufen*) to make sb out to be stupid; (*dumm machen*) to dull sb's mind.

[2] *vi aux sein* to become stultified.

verdunkeln* [1] *vt* to darken; *Bühne auch*, (*im Krieg*) to black out; (*fig*) *Zusammenhänge etc* to obscure ► *die Sonne* ~ (*Wolken*) to obscure the sun.

[2] *vr* to darken.

Verdunk(e)lung *f* [a] *siehe vt* darkening; blacking out; obscuring. [b] (*Vorhang*) curtain; (*Jalousie*) blind *usu pl*. [c] (*Jur*) suppression of evidence.

verdünnen* [1] *vt* to thin (down); (*mit Wasser*) to water down; *Lösung* to dilute ► *den Teig mit Wasser* ~ to add water to the dough.

[2] *vr* (*Lösung*) to become diluted; (*schmaler werden*) to become thinner.

Verdünner *m* - thinner; (*esp für Farbe*) thinners *pl*.

verdünnisieren* *vr* (*hum col*) to beat a hasty retreat.

verdunsten* *vi aux sein* to evaporate.

Verdunster *m* - humidifier.

verdursten* *vi aux sein* to die of thirst.

verdüstern* *vtr* to darken.

verdutzt *adj, adv* (*col*) taken aback; (*verwirrt*) baffled.

ver|ebben* *vi aux sein* to subside.

ver|edeln* *vt Metalle, Erdöl* to refine; *Fasern* to finish; *Boden, Geschmack* to improve.

ver|ehren* *vt* to admire; (*anbeten*) to worship.

Ver|ehrer(in *f)* *m* - admirer.

ver|ehrt *adj* (*sehr*) *~e Anwesende/Gäste/~es Publikum* Ladies and Gentlemen.

Ver|ehrung *f* admiration; (*von Heiligen*) worship; (*Liebe*) adoration.

ver|eidigen* *vt* to swear in ► *jdn auf etw* (*acc*) ~ to make sb swear on sth; *vereidigter Übersetzer* sworn translator.

Ver|eidigung *f* swearing in.

Ver|ein *m* -**e** organization, society; (*Sport~*) club; (*col*) crowd ► *ein wohltätiger* ~ a charity; *im* ~ *mit* in conjunction with.

ver|einbar *adj* compatible; *Aussagen* consistent.

ver|einbaren* *vt* [a] to agree; *Zeit auch, Treffen* to arrange ► *(es)* ~, *daß ...* to agree/arrange that ... [b] *etw mit etw* ~ to reconcile sth with sth; *mit etw zu* ~ *sein* to be compatible with sth.

Ver|einbarung *f* *siehe vt* (a) (*das Vereinbaren*) agreeing; arranging; (*Abmachung*) agreement; arrangement ► *laut* ~ as agreed; *nach* ~ by arrangement.

ver|einen* [1] *vt* to unite; *Ideen, Prinzipien* to reconcile ► *vereint handeln* to act together; *Vereinte Nationen* United Nations *sing*.

[2] *vr* to unite.

ver|einfachen* *vt* to simplify.

Ver|einfachung *f* simplification.

ver|einheitlichen* *vt* to standardize.

ver|einigen* [1] *vt* to unite; *Kräfte, Eigenschaften* to combine; *Firmen* to merge (*zu* into); *Kapital* to pool ► *etw mit etw* ~ to combine sth with sth; (*vereinbaren*) to reconcile sth with sth; *in einer Hand vereinigt sein* to be held by the same person; *alle Stimmen auf sich* (*acc*) ~ to collect all the votes; *Vereinigtes Königreich* United Kingdom; *Vereinigte Staaten* United States *sing*; *Vereinigte Arabische Emirate* United Arab Emirates.

[2] *vr* to unite; (*sich verbünden auch*) to join forces; (*Firmen*) to merge; (*zusammenkommen*) to combine; (*Flüsse*) to meet; (*sich versammeln*) to assemble.

Ver|einigung *f* [a] *siehe vt* uniting; combining; merging; pooling; (*körperliche, eheliche* ~) union. [b] (*Organisation*) organization.

ver|einnahmen* *vt* (*geh*) to take ► *jdn* ~ (*fig*) to make demands on sb; (*Beruf*) to occupy sb.

ver|einsamen* *vi aux sein* to become isolated.

Ver|einsamung *f* isolation.

Ver|einsmeier *m* - (*col*) *er ist ein richtiger* ~ all he thinks about is his club.

ver|einzelt [1] *adj* occasional; *Regenfälle auch* scattered.

[2] *adv* occasionally.

ver|eisen* *vi aux sein* to freeze; (*Straße, Fensterscheibe*) to ice over.

ver|eist *adj Straßen, Fenster* icy; *Bäche* frozen; *Türschloß* iced-up; *Land* covered in ice.

ver|eiteln* *vt* to thwart, to foil.

ver|eitern* *vi aux sein* to go septic ► *vereitert sein* to be septic.

Ver|eiterung *f* sepsis.

ver|elenden* *vi aux sein* to become impoverished.

Ver|elendung *f* impoverishment.

ver|enden* *vi aux sein* to perish, to die.

ver|engen* [1] *vr* to narrow; (*Gefäße, Pupille*) to contract; (*Kleid, Taille*) to go in.

[2] *vt* to make narrower; *Kleid* to take in.

ver|erben* [1] *vt* [a] *Besitz* to leave, to bequeath (*dat, an* +*acc* to). [b] *Anlagen* to pass on (*dat, auf* +*acc* to); *Krankheit* to transmit.

[2] *vr* to be passed on/transmitted (*auf* +*acc* to).

ver|erblich *adj Anlagen* hereditary.

Ver|erbung *f* (*von Besitz*) leaving, bequeathing; (*von Anlagen*) passing on; (*von Krankheit*) transmission ► *das ist* ~ (*col*) it's hereditary.

ver|ewigen* [1] *vt* to immortalize; *Zustand, Verhältnisse* to perpetuate.

[2] *vr* (*lit, fig*) to immortalize oneself.

Verf. = **Verfasser**.

verfahren¹* *vi irreg aux sein* (*vorgehen*) to act, to proceed.

verfahren²* *irreg* [1] *vt Geld, Zeit* to spend in travelling (*Brit*) *or* traveling (*US*); *Benzin* to use up.

[2] *vr* to lose one's way; (*fig*) to get muddled.

verfahren³ *adj Angelegenheit* muddled ► *eine ~e Situation* a dead end.

Verfahren *nt* - (*Vorgehen*) actions *pl*; (*~sweise*) procedure; (*Tech*) process; (*Methode*) method; (*Jur*) proceedings *pl* ► *ein* ~ *gegen jdn einleiten* to take legal proceedings against sb.

Verfahrens-: *~regeln pl* code of practice; *~weise* *f* procedure.

Verfall *m no pl* [a] (*Zerfall*) decay; (*von Gebäude*) dilapidation; (*gesundheitlich, geistig, sittlich, von Kultur*) decline. [b] (*von Anspruch, Rechnung etc*) lapsing; (*von Scheck, Fahrkarte*) expiry.

verfallen¹* *vi irreg aux sein* [a] (*zerfallen*) to decay; (*Bauwerk*) to fall into disrepair; (*Zellen*) to die; (*körperlich und geistig*) to deteriorate; (*Sitten, Reich*) to decline. [b] (*Geldscheine*) to become invalid; (*Scheck, Fahrkarte*) to expire; (*Termin, Anspruch*) to lapse. [c] (*abhängig werden*) **jdm/einer Sache ~/~ sein** to become/be a slave to sb/sth; **jdm völlig ~ sein** to be completely under sb's spell. [d] **auf etw** (*acc*) **~** to think of sth; (*aus Verzweiflung*) to resort to sth. [e] **in etw** (*acc*) **~** to sink into sth; **in einen tiefen Schlaf ~** to fall into a deep sleep; **in einen Fehler ~** to make a mistake.

verfallen² *adj Gebäude* dilapidated, ruined; *Mensch* (*körperlich*) emaciated; (*geistig*) senile; (*abgelaufen*) *Fahrkarte, Eintrittskarte* invalid; *Strafe* lapsed; *Scheck* expired.

Verfalls-: **~datum** *nt* expiry date; (*der Haltbarkeit*) best-before date; **~tag** *m* expiry date.

verfälschen* *vt* to falsify; *Lebensmittel, Wein* to adulterate.

verfangen* *irreg* [1] *vr* to get caught ▶ **sich in Widersprüchen ~** to contradict oneself.
[2] *vi* to be accepted ▶ **bei jdm nicht ~** not to cut any ice with sb (*col*).

verfänglich *adj Situation* awkward, embarrassing; *Aussage, Beweismaterial, Blicke* incriminating; (*gefährlich*) dangerous; *Angewohnheit* insidious; *Frage* tricky.

verfärben* *vr* to change colour (*Brit*) *or* color (*US*); (*Metall, Stoff*) to discolour (*Brit*), to discolor (*US*) ▶ **sich grün/rot ~** to turn green/red.

verfassen* *vt* to write; *Gesetz, Urkunde* to draw up.

Verfasser(in *f*) *m* - writer, author.

Verfassung *f* [a] (*Pol*) constitution. [b] (*Zustand*) state; (*körperlich*) state of health; (*seelisch*) state of mind ▶ **sie ist in guter/schlechter ~** she is in good/bad shape.

Verfassungs-: **~änderung** *f* constitutional amendment; **v~feindlich** *adj* anticonstitutional; **~gericht** *nt* constitutional court; **v~mäßig** *adj* constitutional; **~schutz** *m* defence (*Brit*) *or* defense (*US*) of the constitution; (*Amt*) *office responsible for defending the constitution*; **v~treu** *adj* loyal to the constitution; **v~widrig** *adj* unconstitutional.

verfaulen* *vi aux sein* to decay, to rot; (*fig*) to degenerate.

verfault *adj* decayed; *Fleisch, Obst etc* rotten; *Körper* decomposed.

verfechten* *vt irreg* to defend; *Lehre* to advocate.

Verfechter(in *f*) *m* - advocate, champion.

verfehlen* *vt* (*nicht treffen*) to miss ▶ **den Zweck ~** not to achieve its purpose; **das Thema ~** to be completely off the subject.

verfehlt *adj* unsuccessful; (*unangebracht*) inappropriate ▶ **etw für ~ halten** to regard sth as mistaken.

Verfehlung *f* [a] (*des Ziels*) missing. [b] (*Vergehen*) misdemeanour (*Brit*), misdemeanor (*US*); (*Sünde*) transgression.

verfeinden* *vr* to quarrel ▶ **sich mit jdm ~** to make an enemy of sb; **verfeindet sein** to be enemies.

verfeinern* [1] *vt* to improve; *Methode auch* to refine.
[2] *vr* to improve; (*Methoden auch*) to become refined.

verfeinert *adj Methode, Geräte* sophisticated.

Verfeinerung *f siehe vb* improvement; refinement.

verfestigen* [1] *vt* to harden; *Flüssigkeit* to solidify; (*verstärken*) to strengthen.
[2] *vr* to harden; (*Flüssigkeit*) to solidify; (*Kenntnisse*) to be reinforced; (*Ideen, Gewohnheiten*) to become set.

Verfettung *f* (*von Organ, Muskeln*) fatty degeneration.

verfeuern* *vt* to burn; *Munition* to fire; (*restlos*) to use up.

verfilmen* *vt* to film, to make a film of.

Verfilmung *f* film (version).

verfilzen* *vi aux sein* (*Wolle*) to become felted; (*Haare*) to become matted ▶ **verfilzt** felted/matted.

verfinstern* [1] *vt* to darken; *Sonne, Mond* to eclipse.
[2] *vr* (*lit, fig*) to darken.

verflachen* [1] *vi aux sein* to flatten out; (*fig: Diskussion*) to become superficial.
[2] *vr* (*Gelände*) to flatten out.

verflechten* *irreg* [1] *vt* to interweave; *Methoden* to combine; *Firmen* to interlink ▶ **eng mit etw verflochten sein** (*fig*) to be closely linked with sth.
[2] *vr* to interweave; (*sich verwirren*) to become entangled (*mit in*); (*Methoden*) to combine.

Verflechtung *f* (*das Verflochtensein*) interconnection (*gen* between); (*Pol, Econ*) integration.

verfliegen* *irreg* [1] *vi aux sein* to vanish; (*Zeit*) to fly (past).
[2] *vr* to stray; (*Pilot, Flugzeug*) to lose one's/its bearings.

verfließen* *vi irreg aux sein* (*geh*) to go by, to pass.

verflixt (*col*) [1] *adj* darned (*col*); (*kompliziert*) tricky.
[2] *adv* darned (*col*).
[3] *interj* **~!** blow! (*col*).

verflossen *adj* (*col*) one-time *attr* (*col*) ▶ **Ihr V~er** her former partner, her ex (*col*).

verfluchen* *vt* to curse.

verflucht (*col*) [1] *adj* damn (*col*) ▶ **~ (noch mal)!** damn (it) (*col*).
[2] *adv* damned (*col*).

verflüchtigen* [1] *vt* to evaporate.
[2] *vr* (*Alkohol etc*) to evaporate; (*Duft*) to disappear; (*Gase*) to volatilize.

verflüssigen* *vtr* to liquefy.

verfolgen* *vt jdn, Ziel, Karriere etc* to pursue; *Idee, Gedanken* to follow up; (*politisch, religiös*) to persecute ▶ **jdn politisch ~** to persecute sb for political reasons; **jdn gerichtlich ~** to prosecute sb; **jdn mit den Augen ~** to follow sb with one's eyes.

Verfolger(in *f*) *m* - pursuer; (*politisch*) persecutor.

Verfolgte(r) *mf decl as adj* (*politisch*) victim of persecution.

Verfolgung *f* pursuit; (*politische*) persecution *no pl* ▶ **die ~ aufnehmen** to take up the chase; **strafrechtliche ~** prosecution.

Verfolgungs-: **~jagd** *f* chase, pursuit; **~rennen** *nt* (*Sport*) pursuit race; **~wahn** *m* persecution mania.

verformen* [1] *vt* to distort (*zu* into); (*umformen*) to work ▶ **verformt sein** to be out of shape; (*Mensch, Gliedmaßen*) to be deformed.
[2] *vr* to go out of shape.

verfrachten* *vt* to ship ▶ **etw in eine Kiste ~** (*col*) to dump sth in a crate.

verfremden* *vt* to make unfamiliar.

verfressen* (*col*) [1] *vt irreg Geld* to blow on food (*col*).
[2] *adj* greedy, piggish (*col*).

verfroren *adj* sensitive to cold; (*durchgefroren*) frozen.

verfrüht *adj* (*zu früh*) premature; (*früh*) early.

verfügbar *adj* available.

verfugen* *vt* to fit flush; *Fliesen* to grout.

verfügen* [1] *vi* **über etw** (*acc*) **~** to have sth at one's disposal; (*besitzen*) to have sth; **über jdn/etw ~** (*bestimmen über*) to be in charge of sb/sth; **du kannst doch nicht über mich ~** you can't tell me what to do; **über etw** (*acc*) **frei ~ können** to be able to do as one wants with sth; **~ Sie über mich** I am at your disposal.
[2] *vt* to order; (*gesetzlich*) to decree.

Verfügung *f* [a] *no pl* **jdm etw zur ~ stellen** to put sth at sb's disposal; **jdm zur ~ stehen** to be at sb's disposal; **(jdm) zur ~ stehen** (*verfügbar sein*) to be available (to sb); **etw zur ~ haben** to have sth at one's disposal. [b] (*behördlich*) order; (*von Gesetzgeber*) decree; (*testamentarisch*) provision; (*Anweisung*) instruction.

Verfügungsgewalt *f* (*Jur*) right of disposal.

verführen* *vt* to tempt; (*esp sexuell*) to seduce; *die Jugend, das Volk etc* to lead astray.

⚠: for details of spelling reform, see supplement

Verführer m - seducer.
Verführerin f seductress, temptress.
verführerisch adj seductive; (verlockend) tempting.
Verführung f seduction; (von Jugend, Volk) tempting; (Verlockung) enticement.
verfüllen* vt (mit Erde, Beton etc) to fill in.
verfüttern* vt etw an die Vögel ~ to feed sth to the birds.
Vergabe f -n (von Arbeiten) allocation; (von Stipendium, Auftrag etc) award.
vergällen* vt (geh) jdm die Freude/das Leben ~ to spoil sb's fun/to sour sb's life.
vergaloppieren* vr (col: sich irren) to be on the wrong track.
vergammeln* (col) **1** vi aux sein (Speisen) to go bad; (verlottern) to go to the dogs (col) ► **vergammelt aussehen** to look scruffy.
2 vt Zeit to waste.
vergangen adj **a** (letzte) last. **b** Jahre past; Zeiten, Bräuche bygone ► **das V~e** the past.
Vergangenheit f past; (Gram) past (tense) ► **der ~ angehören** to be a thing of the past.
Vergangenheitsbewältigung f process of coming to terms with the past.
vergänglich adj transitory.
Vergänglichkeit f no pl transience, transitoriness.
vergasen* vt (töten) to gas.
Vergaser m - (Aut) carburettor (Brit), carburetor (US).
vergaß pret of **vergessen**.
vergeben* irreg **1** vt **a** Auftrag, Preis to award (an +acc to); Studienplätze, Stellen to allocate; (fig) Chance, Möglichkeit to throw away ► **ein Amt an jdn ~** to appoint sb to an office; **zu ~ sein** to be available; **~ sein** (Wohnung, Plätze) to have been taken; (Stelle) to have been filled; **er/sie ist schon ~** (col) he/she is already spoken for. **b** (verzeihen) to forgive ► **jdm etw ~** to forgive sb (for) sth.
2 vr sich (dat) etwas/nichts ~ to lose/not to lose face.
vergebens adj pred, adv in vain.
vergeblich **1** adj futile; Bitten, Mühe auch vain attr, in vain.
2 adv in vain.
Vergebung f no pl forgiveness.
vergegenwärtigen* vr sich (dat) etw ~ to imagine sth.
Vergehen nt - (Verstoß) offence (Brit), offense (US) ► **das ist doch kein ~, oder?** that's not a crime, is it?
vergehen* irreg **1** vi aux sein **a** to pass; (Liebe, Leidenschaft auch) to die; (Zeit, Jahre etc auch) to go by; (Schönheit, Glück) to fade ► **wie doch die Zeit vergeht** how time flies; **mir ist der Appetit vergangen** I have lost my appetite. **b** vor etw (dat) ~ to be dying of sth; **vor Angst ~** to be scared to death; **vor Sehnsucht ~** to pine away.
2 vr sich an jdm ~ to do sb wrong; (unsittlich) to assault sb indecently; **sich gegen das Gesetz ~** to violate the law.
vergeistigt adj cerebral, spiritual.
vergelten vt irreg to repay ► **jdm etw ~** to repay sb for sth.
Vergeltung f (Rache) retaliation ► **~ üben** to take revenge (an jdm on sb).
Vergeltungs-: **~maßnahme** f reprisal, retaliatory measure; **~schlag** m act of reprisal.
vergesellschaften* vt (Pol) to nationalize.
▼ **vergessen** pret **vergaß**, ptp ~ **1** vti to forget; (liegenlassen auch) to leave (behind) ► **... und nicht zu ~ seine Ehrlichkeit ...** and not forgetting his honesty; **das werde ich dir nie ~** I will never forget that; **das kannst du ~** (col) forget it.

2 vr (Mensch) to forget oneself.
Vergessenheit f no pl oblivion ► **in ~ geraten** to fall into oblivion.
⚠ **vergeßlich** adj forgetful.
⚠ **Vergeßlichkeit** f forgetfulness.
vergeuden* vt to waste, to squander.
vergewaltigen* vt to rape; (fig) Sprache etc to mutilate.
Vergewaltiger m - rapist.
Vergewaltigung f rape.
vergewissern* vr to make sure ► **sich einer Sache** (gen) or **über etw** (acc) ~ to make sure of sth.
vergießen* vt irreg Kaffee, Wasser to spill; Blut auch, Tränen to shed.
vergiften* vt (lit, fig) to poison.
Vergiftung f poisoning no pl.
vergilben* vi aux sein to go yellow ► **vergilbt** yellowed.
⚠ **Vergißmeinnicht** nt -(e) forget-me-not.
vergittert adj Fenster barred.
verglasen* vt to glaze.
▼ **Vergleich** m -e **a** comparison ► **~e ziehen** to make comparisons; **im ~ zu** or **mit** in comparison with; **in keinem ~ zu etw stehen** to be out of all proportion to sth; (Leistungen) not to compare with sth; **dem ~ mit jdm standhalten, den ~ mit jdm aushalten** to bear comparison with sb. **b** (Jur) settlement ► **außergerichtlicher ~** out-of-court settlement.
▼ **vergleichbar** adj comparable.
▼ **vergleichen*** irreg **1** vt to compare ► **etw mit ɛ** to compare sth to sth; (prüfend) to compare sth with sth; **vergleiche oben** compare above.
2 vr **a** sich mit jdm ~ to compare oneself with sb. **b** (Jur) to reach a settlement, to settle.
vergleichsweise adv comparatively.
verglimmen* vi irreg aux sein (Zigarette) to go out; (Licht, Feuer auch) to die away.
verglühen* vi aux sein (Feuer) to die away; (Draht) to burn out; (Raumkapsel, Meteor etc) to burn up.
vergnügen* vr to enjoy oneself ► **sich mit jdm/etw ~** to amuse oneself with sb/sth; **sich mit Lesen ~** to amuse oneself by reading.
Vergnügen nt - (Freude, Genuß) pleasure; (Spaß) fun no indef art; (Erheiterung) amusement ► **das macht** or **bereitet mir ~** I enjoy it, it gives me pleasure; **nur zum ~** just for pleasure or for the fun of it; **das war ein teures ~** (iro) that was an expensive business; **viel ~!** enjoy yourself/yourselves (auch iro).
vergnüglich adj enjoyable; (erheiternd) amusing.
vergnügt adj Stunden enjoyable; Mensch, Stimmung cheerful.
Vergnügung f pleasure; (Veranstaltung) entertainment.
Vergnügungs-: **~industrie** f entertainment industry; **~park** m amusement park; **~reise** f pleasure trip; **~steuer** f entertainment tax; **~sucht** f craving for pleasure; **v~süchtig** adj pleasure-seeking; **~viertel** nt entertainments district.
vergolden* vt (mit Blattgold) to gild; (mit Gold) to gold-plate; (fig: verschönern) to enhance.
vergönnen* vt (geh) es war ihr noch vergönnt, das zu sehen she was granted the privilege of seeing it.
vergöttern* vt to idolize.
vergraben* irreg **1** vt to bury.
2 vr (lit, fig) to bury oneself.
vergrämt adj (kummervoll) Gesicht troubled.
vergreifen* vr irreg **a** to make a mistake ► **sich im Ton/Ausdruck ~** (fig) to adopt the wrong tone/use the wrong expression. **b** sich an etw (dat) ~ (stehlen) to misappropriate sth; **sich an jdm ~** (angreifen) to lay hands on sb.
vergreisen* vi aux sein (Bevölkerung) to age; (Mensch)

to become senile.

vergriffen *adj* unavailable; *Buch* out of print.

vergröbern* *vtr* to coarsen.

vergrößern [1] *vt* to enlarge; *Gelände auch* to extend; *Firma, Absatzmarkt* to expand; *Anzahl, Probleme, Einfluß* to increase; (*Lupe, Brille*) to magnify.
[2] *vr* to increase; (*räumlich*) to be extended; (*Firma, Absatzmarkt*) to expand; (*Organ*) to become enlarged.

Vergrößerung *f siehe vb* enlargement; extension; expansion; increase; magnification ▶ *in 1.000facher ~* magnified 1,000 times.

Vergrößerungsglas *nt* magnifying glass.

vergucken* *vr* (*col*) [a] *da hab ich mich verguckt* I didn't see it properly. [b] *sich in jdn/etw ~* to fall for sb/sth (*col*).

vergünstigt *adj Lage* improved; *Preis* reduced.

Vergünstigung *f* (*Vorteil*) privilege; (*Preisermäßigung*) reduction.

vergüten* *vt jdm etw ~ Unkosten* to reimburse sb for sth; *Arbeit, Leistung* to pay sb for sth.

Vergütung *f* reimbursement.

verh. = **verheiratet.**

verhaften* *vt* to arrest ▶ *Sie sind verhaftet!* you are under arrest!

Verhaftete(r) *mf decl as adj* person under arrest.

Verhaftung *f* arrest.

verhallen* *vi aux sein* (*Geräusch etc*) to die away ▶ *ungehört ~* (*fig*) *Warnung* to go unheard *or* unheeded.

verhalten[1]* *vr irreg* [1] [a] to behave; (*handeln*) to act ▶ *sich ruhig ~* to keep quiet; (*sich nicht bewegen*) to keep still. [b] (*Sache, Marktlage*) to be; (*Chem*) to react ▶ *wie verhält sich die Sache?* how do things stand?
[2] *vr impers wie verhält es sich damit?* (*wie ist die Lage?*) how do things stand?; (*wie wird das gehandhabt?*) how do you go about it?; *damit verhält es sich anders* the situation is different; *wenn sich das so verhält, ...* if that is the case ...

verhalten[2] [1] *adj* restrained; *Stimme* muted; *Atem* bated; *Wut* suppressed; *Tempo, Rhythmus* measured.
[2] *adv* with restraint; *laufen* at a measured pace.

Verhalten *nt no pl* (*Benehmen*) behaviour (*Brit*), behavior (*US*); (*Vorgehen*) conduct; (*Chem*) reaction.

Verhaltens-: **~forschung** *f* behavioural (*Brit*) *or* behavioral (*US*) science; **v~gestört** *adj* disturbed; **~maßregel** *f* rule of conduct; **~weise** *f* behaviour (*Brit*), behavior (*US*).

Verhältnis *nt* [a] (*Proportion*) proportion; (*Math, Mischungs~*) ratio ▶ *im ~ zu* in relation *or* proportion to; *im ~ zu früher* in comparison with earlier times; *in keinem ~ zu etw stehen* to be out of all proportion to sth. [b] (*Beziehung*) relationship; (*zwischen Ländern, innerhalb einer Gruppe*) relations *pl* (*zu* with); (*Einstellung*) attitude (*zu* to). [c] (*Liebes~*) affair. [d] *~se pl* conditions *pl*; (*finanzielle*) circumstances *pl*; *so wie die ~se liegen* as things stand; *aus welchen ~sen kommt er?* what sort of background does he come from?; *über seine ~se leben* to live beyond one's means; *für klare ~se sorgen, klare ~se schaffen* to get things straight.

Verhältnis-: **v~mäßig** *adv* relatively; **~mäßigkeit** *f die ~mäßigkeit der Mittel* the appropriateness of the means; **~wahl(recht** *nt*) *f* proportional representation *no art.*

verhandeln* [1] *vi* [a] to negotiate (*über +acc* about); (*col: diskutieren*) to argue ▶ *über den Preis läßt sich ~* (*col*) we can discuss the price. [b] (*Jur*) *gegen jdn/in einem Fall ~* to hear sb's/a case.
[2] *vt* [a] to negotiate. [b] (*Jur*) *Fall* to hear.

Verhandlung *f* [a] negotiations *pl*; (*das Verhandeln*) negotiation ▶ *~en führen* to negotiate. [b] (*Jur*) hearing;

(*Straf~*) trial.

Verhandlungs-: **~basis** *f* basis for negotiation(s); **~basis DM 2.500** 2,500 DM or near offer; **v~bereit** *adj* ready to negotiate; **v~fähig** *adj* (*Jur*) able to stand trial; **~partner** *m* negotiating party; *wer war Ihr ~partner?* who were you negotiating with?; **~tisch** *m* negotiating table.

verhangen *adv* overcast.

verhängen* *vt* [a] *Embargo, Strafe* to impose (*über +acc* on); *Ausnahmezustand* to declare (*über +acc* in). [b] (*zuhängen*) to cover (*mit* with).

Verhängnis *nt* fate ▶ *jdm zum ~ werden* to be sb's undoing.

verhängnisvoll *adj* disastrous, fatal; *Tag* fateful.

verharmlosen* *vt* to play down.

verhärmt *adj Mensch, Gesicht* careworn.

verharren* *vi aux haben or sein* to pause; (*in einer bestimmten Stellung*) to remain ▶ *auf einem Standpunkt ~* to adhere to a viewpoint.

verharschen* *vi aux sein* (*Schnee, Piste*) to crust.

verhärten* *vtr* to harden.

verhaspeln* *vr* (*col*) to get into a muddle.

⚠ **verhaßt** *adj* hated; *Arbeit, Pflicht* hateful ▶ *sich ~ machen* to make oneself hated (*bei* by).

verhätscheln* *vt* to spoil, to pamper.

Verhau *m or nt -e* (*zur Absperrung*) barrier; (*Käfig*) coop.

verhauen* *irreg* (*col*) [1] *vt* [a] (*verprügeln*) to beat up; (*zur Strafe*) to beat. [b] *Prüfung etc* to muff (*col*).
[2] *vr* [a] (*sich verprügeln*) to have a fight. [b] (*beim Schreiben etc*) to make a mistake. [c] (*sich irren*) to slip up (*col*).

verheben* *vr irreg* to hurt oneself lifting something.

verheddern* *vr* (*col: lit, fig*) to get into a tangle.

verheerend *adj Sturm, Folgen* devastating, disastrous; *Anblick* ghastly.

verhehlen* *vt* to conceal (*jdm* from sb).

verheilen* *vi aux sein* (*lit, fig*) to heal.

verheimlichen* *vt* to keep secret, to conceal (*jdm* from sb) ▶ *ich habe nichts zu ~* I have nothing to hide.

verheiraten* [1] *vt* to marry (*mit* to).
[2] *vr* to get married, to marry ▶ *sich mit jdm ~* to marry sb, to get married to sb.

verheiratet *adj* married.

verheißen* *vt irreg* (*geh*) to promise.

verheißungsvoll *adj* promising; *Blicke* alluring.

verheizen* *vt* to burn, to use as fuel ▶ *Soldaten ~* (*col*) to send soldiers to the slaughter.

verhelfen* *vi irreg jdm zu etw ~* to help sb to get sth.

verherrlichen* *vt* to glorify.

verheult *adj Augen, Gesicht* puffy ▶ *du siehst ~ aus* you look as though you've been crying.

verhexen* *vt* to bewitch; (*col*) *Maschine etc* to put a jinx on (*col*) ▶ *das ist doch wie verhext* (*col*) it's maddening (*col*).

verhindern* *vt* to prevent; *Versuch, Plan* to foil ▶ *ich konnte es nicht ~, daß er die Wahrheit erfuhr* I couldn't prevent him from finding out the truth; *das läßt sich leider nicht ~* it can't be helped, unfortunately; *er war an diesem Abend (dienstlich) verhindert* he was unable to come that evening (for reasons of work); *ein verhinderter Politiker* (*col*) a frustrated politician.

verhöhnen* *vt* to mock, to deride.

verhökern* *vt* (*col*) to flog (*Brit col*), to sell.

Verhör *nt -e* questioning, interrogation.

verhören* [1] *vt* to question, to interrogate.
[2] *vr* to mishear.

verhüllen* [1] *vt* to veil; *Haupt, Körperteil* to cover.
[2] *vr* to disguise oneself; (*Frau*) to veil oneself.

verhüllend *adj Ausdruck* euphemistic.

verhungern* *vi aux sein* (*lit, fig*) to starve, to die of starvation.

verhunzen* vt (col) to ruin.

verhüten* vt to prevent.

verhütten vt to smelt.

Verhütung f prevention; (Empfängnis~) contraception.

Verhütungsmittel nt contraceptive.

verhutzelt adj Gesicht, Männlein wizened; Haut wrinkled; Obst shrivelled (Brit), shriveled (US).

verifizieren* [verifi'tsiːrən] vt to verify.

ver|innerlichen* vt to internalize.

ver|irren* vr to get lost, to lose one's way; (fig) to go astray; (Tier, Kugel) to stray.

Ver|irrung f losing one's way no art; (fig) aberration.

verjagen* vt (lit, fig) to chase away.

verjähren* vi aux sein (Jur) to come under the statute of limitations; (Anspruch) to lapse.

Verjährung f (Jur) limitation; (von Anspruch) lapse.

Verjährungsfrist f (Jur) limitation period.

verjubeln* vt (col) Geld to blow (col).

verjüngen* [1] vt to rejuvenate; (jünger aussehen lassen) to make look younger; Baumbestand to regenerate ► eine Mannschaft ~ to build up a younger team. [2] vr [a] to become younger; (Haut, Erscheinung) to become rejuvenated; (jünger aussehen) to look younger. [b] (dünner werden) to taper.

verkabeln vt (TV) to link up to the cable network.

Verkabelung f (TV) linking up to the cable network.

verkalken* vi aux sein (Arterien) to become hardened; (Gewebe) to calcify; (Wasserleitung etc) to fur up; (col: Mensch) to become senile.

verkalkt adj (col) senile.

verkalkulieren* vr to miscalculate.

Verkalkung f siehe vi hardening; calcification; furring; senility.

verkannt adj unrecognized.

verkappt adj attr hidden; (Med) undiagnosed.

verkatert adj (col) hung-over (col).

Verkauf m, pl **Verkäufe** sale ► zum ~ stehen to be up for sale.

verkaufen* [1] vti (lit, fig) to sell (für, um for) ► „zu ~" "for sale"; jdm etw or etw an jdn ~ to sell sb sth, to sell sth to sb. [2] vr (Ware) to sell; (Mensch) to sell oneself.

Verkäufer(in f) m - seller; (in Geschäft) sales assistant (Brit), sales clerk (US); (im Außendienst) salesman/saleswoman, salesperson.

verkäuflich adj saleable, salable (US), marketable; (zu verkaufen) for sale ► leicht/schwer ~ easy/hard to sell.

Verkaufs- in cpds sales; **~abteilung** f sales department; **~argument** nt selling point; **~bedingungen** pl conditions of sale; **~förderung** f sales promotion; **~kampagne** f sales drive; **~leiter** m sales manager; **v~offen** adj open for business; v~offener Samstag Saturday on which the shops are open all day; **~personal** nt sales personnel; **~preis** m retail price; **~schlager** m big seller.

Verkehr m no pl [a] traffic; (Beförderung, Verkehrsmittel) transport, transportation (US) ► für den ~ freigeben Straße etc to open to traffic; Transportmittel to bring into service; aus dem ~ ziehen to withdraw from service. [b] (Verbindung) contact, communication; (Umgang) company; (Geschlechts~) intercourse. [c] (Umlauf) circulation ► etw in (den) ~ bringen/aus dem ~ ziehen to put sth into/withdraw sth from circulation.

verkehren* [1] vi [a] aux haben or sein (fahren) to run; (Flugzeug) to fly. [b] (Gast sein, Kontakt pflegen) bei jdm ~ to frequent sb's house; mit jdm ~ to associate with sb; in Künstlerkreisen ~ to move in artistic circles; mit jdm brieflich/schriftlich ~ (form) to correspond with sb; mit jdm (geschlechtlich) ~ to have (sexual) inter-

course with sb. [2] vtr to turn (in +acc into) ► etw ins Gegenteil ~ to reverse sth.

Verkehrs- in cpds traffic; **~ader** f (traffic) artery; **~ampel** f traffic lights pl (Brit), traffic light (US); **~amt** nt = ~büro; **v~arm** adj Zeit, Straße quiet; ein v~armes Gebiet an area with little traffic; **~aufkommen** nt volume of traffic; **~behinderung** f (Jur) obstruction (of traffic); **v~beruhigt** adj traffic-calmed; **~beruhigung** f traffic calming; **~betriebe** pl transport services pl; **~büro** nt tourist information office; **~delikt** nt traffic offence (Brit) or violation (US); **~erziehung** f road safety training; **~flugzeug** nt commercial aircraft; **~funk** m radio traffic service; **~gefährdung** f (durch Fahrer) dangerous driving; **v~günstig** adj convenient; **~hindernis** nt (traffic) obstruction; **~hinweis** m (Rad) traffic announcement; **~insel** f traffic island; **~knotenpunkt** m traffic junction; **~kontrolle** f traffic check; **~minister** m minister of transport; **~mittel** nt means of transport sing; öffentliche/private ~mittel public/private transport; **~netz** nt traffic network; **~opfer** nt road casualty; **~polizei** f traffic police pl; **~regel** f traffic regulation; **v~reich** adj Straße busy; v~reiche Zeit peak (traffic) time; **~schild** nt road sign; **v~schwach** adj Zeit offpeak; **v~sicher** adj Fahrzeug roadworthy; Brücke safe (for traffic); **~sicherheit** f road safety; **~stau** m traffic jam; **~stockung** f traffic hold-up; **~sünder** m (col) traffic offender; **~teilnehmer** m road-user; **~tote(r)** mf road casualty; **v~tüchtig** adj Fahrzeug roadworthy; Mensch fit to drive; **~unfall** m road accident; **~unternehmen** nt transport company; **~unterricht** m road safety instruction; **~verbindung** f public transport facilities pl; (Anschluß) connection; **~verbund** m integrated transport system; **~verein** m local tourist organization; (Büro) tourist information office; **~verhältnisse** pl traffic situation sing; (Straßenzustand) road conditions pl; **~wesen** nt transport and communications no art; **v~widrig** adj contrary to road traffic regulations; **~zeichen** nt road sign.

verkehrt [1] adj wrong; Welt topsy-turvy. [2] adv wrongly ► etw ~ (herum) anhaben to have sth on the wrong way around; das V~este, was du tun könntest the worst thing you could do.

verkeilen* vr to become wedged together.

verkennen* vt irreg to misjudge ► es ist nicht zu ~, daß ... it is undeniable that ...; siehe verkannt.

verketten* vt Tür, Kiste to put a chain on; (fig) to link.

Verkettung f eine ~ unglücklicher Umstände an unfortunate chain of events.

verkitten* vt to cement; Fenster to putty around.

verklagen* vt to sue (wegen for) ► jdn auf etw (acc) ~ to take sb to court for sth.

verklammern* vt to staple together; (fig) to link.

verklappen vt Abfallstoffe to dump (at sea).

verklärt adj transfigured.

verklausulieren* vt Vertrag to hedge in with (restrictive) clauses.

verkleben* [1] vt (zusammenkleben) to stick together; (zukleben) to cover (mit with). [2] vi aux sein (Wunde) to close; (Augen) to get gummed up; (Briefmarken, Bonbons) to stick together; (Haare) to become matted ► mit etw ~ to stick to sth.

verklebt adj sticky; Augen gummed up; Haare matted.

verkleckern* vr (col) to spill.

verkleiden* [1] vt [a] to disguise; (kostümieren) to dress up. [b] Schacht, Tunnel to line; (vertäfeln) to panel; Heizkörper to cover in. [2] vr to disguise oneself; (sich kostümieren) to dress (oneself) up.

Verkleidung f [a] (Kleidung) disguise; (Kostüm) fancy

dress. **b** *siehe vt* (*b*) lining; panelling (*Brit*), paneling (*US*); covering.
verkleinern* **1** *vt* to reduce; *Raum, Gebiet, Firma* to make smaller.
2 *vr* to be reduced; (*Raum, Gebiet, Firma*) to become smaller.
Verkleinerung *f* reduction.
verklemmen* *vr* to get stuck.
verklemmt *adj* (*col*) *Mensch* inhibited.
verklingen* *vi irreg aux sein* to die away.
verklumpen* *vi aux sein* to get lumpy.
verknacksen* *vt* (*col*) *(sich dat) den Fuß ~* to twist one's ankle.
verknallen* *vr* (*col*) to fall head over heels in love (*in jdn* with sb).
verknappen* *vt* to cut back.
verkneifen* *vr irreg* (*col*) *sich* (*dat*) *ein Lächeln/eine Bemerkung ~* to suppress a smile/a remark; *es sich* (*dat*) *~, etw zu sagen/tun* to stop oneself (from) saying/doing sth; *ich konnte mir das Lachen nicht ~* I couldn't help laughing.
verkniffen *adj Gesicht* (*angestrengt*) strained; (*verbittert*) pinched ▶ *etw ~ sehen* to take a narrow view of sth.
verknöchert* *adj* (*fig*) fossilized.
verknoten* **1** *vt* to tie, to knot; (*col*) *Paket* to tie up.
2 *vr* to become knotted.
verknüpfen* *vt* **a** to tie (together); (*Comp*) to integrate. **b** (*fig*) to combine; (*in Zusammenhang bringen*) to link, to connect; *Gedanken* to associate ▶ *ein Umzug ist immer mit großen Ausgaben verknüpft* moving house always involves a lot of expense.
verkochen* *vti* (*vi: aux sein*) (*Flüssigkeit*) to boil away; (*Kartoffeln, Gemüse*) to overcook.
verkohlen* **1** *vi aux sein* to become charred.
2 *vt* **a** *Holz* to char. **b** (*col*) *jdn ~* to have sb on (*col*).
verkommen¹* *vi irreg aux sein* **a** (*Mensch*) to go to the dogs; (*moralisch*) to become dissolute; (*Kind*) to run wild ▶ *zu etw ~* to degenerate into sth. **b** (*Gebäude, Auto*) to fall to pieces; (*Stadt*) to become run-down; (*Gelände*) to run wild; (*Begabung*) to go to waste; (*Lebensmittel*) to go bad.
verkommen² *adj Mensch* depraved; *Auto, Gebäude* dilapidated; *Garten* wild.
verkonsumieren* *vt* (*col*) to get through; (*Essen auch*) to polish off.
verkoppeln* *vt* to connect, to couple; (*Space*) to link (up).
verkorken* *vt* to cork (up).
verkorkst *adj* (*col*) ruined; *Magen* upset ▶ *eine ~e Sache* a mess.
verkörpern* *vt* to embody; (*Theat*) to play.
Verkörperung *f* embodiment.
verköstigen* *vt* to feed.
verkrachen* *vr* (*col*) *sich (mit jdm) ~* to fall out (with sb).
verkracht *adj* (*col*) *Leben* ruined; *Typ* dead-beat (*col*) ▶ *sie sind ~* (*zerstritten*) they have fallen out with each other.
verkraften* *vt* to cope with; (*seelisch*) to come to terms with; (*finanziell, col: essen, trinken können*) to manage.
verkrampfen* *vr* to become cramped; (*Hände*) to clench up; (*Mensch*) to go tense ▶ *verkrampft* (*fig*) tense.
verkriechen* *vr irreg* to creep away; (*fig*) to hide (oneself away) ▶ *sich unter den* or *dem Tisch ~* to crawl or creep under the table.
verkrümeln* **1** *vr* (*col*) to disappear.
2 *vt* to crumble.
verkrümmen* *vtr* to bend; (*Rückgrat*) to become

curved; (*Holz*) to warp; (*Baum*) to grow crooked.
Verkrümmung *f* bend (*gen* in); (*von Fingern, Knochen, Bäumen*) crookedness *no pl* ▶ *~ der Wirbelsäule* curvature of the spine.
verkrüppeln* **1** *vt* to cripple.
2 *vi aux sein* to become crippled; (*Zehen, Füße*) to become deformed; (*Baum etc*) to grow stunted.
verkrusten* *vir* (*vi: aux sein*) to become encrusted.
verkrustet *adj Wunde* scabby; (*fig*) *Strukturen* rigid; *Ansichten* set.
verkühlen* *vr* (*col*) to get a chill.
verkümmern* *vi aux sein* (*Glied, Organ*) to atrophy; (*Pflanze*) to die; (*Talent*) to go to waste; (*Mensch*) to waste away ▶ *emotionell/geistig ~* to become emotionally/intellectually stunted.
verkünden* *vt* to announce; *Urteil* to pronounce; *Evangelium* to preach; *Gesetz* to promulgate.
Verkünder(in *f*) *m - ein ~ des Evangeliums* a preacher of the gospel.
verkündigen* *vt* to proclaim; (*iro*) to announce; *Evangelium auch* to preach.
verkupfert *adj* copper-plated.
verkuppeln* *vt* (*pej*) to pair off ▶ *jdn an jdn ~* (*Zuhälter*) to procure sb for sb.
verkürzen* **1** *vt* to shorten; *Strecke, Wege etc auch* to cut; *Aufenthalt* to cut short; *Haltbarkeit* to reduce; (*euph*) *Leiden* to end ▶ *sich* (*dat*) *die Zeit ~* to pass the time; *verkürzte Arbeitszeit* shorter working hours.
2 *vr* to be shortened; (*Strecke, Zeit auch*) to be cut; (*Haltbarkeit*) to be reduced; (*Leiden*) to be ended; (*Urlaub, Aufenthalt*) to be cut short.
Verkürzung *f siehe vb* shortening; cutting short; reduction; ending.
Verl. = **a** *Verlag.* **b** *Verleger.*
verladen* *vt irreg* to load.
Verlag *m -e* publisher, publishing house ▶ *in* or *bei welchem ~ ist das erschienen?* who published it?
verlagern* *vtr* (*lit, fig*) to shift.
Verlagerung *f* shift.
Verlags-: *~anstalt f* publishing firm; *~buchhandel m* publishing trade; *~haus nt* publishing house; *~programm nt* list; *~wesen nt* publishing *no art.*
verlangen* **1** *vt* **a** (*fordern*) to demand; (*wollen*) to want; *Preis* to ask; *Qualifikationen, Erfahrung* to require. **b** (*erwarten*) to ask (*von* of) ▶ *es wird von jdm verlangt, daß ...* it is required *or* expected of sb that ...; *das ist nicht zuviel verlangt* it's not asking too much. **c** (*fragen nach*) to ask for ▶ *Sie werden am Telefon verlangt* you are wanted on the phone; *ich verlange den Geschäftsführer (zu sprechen)* I demand to see the manager.
2 *vi ~ nach* to ask for; (*sich sehnen nach*) to long for.
Verlangen *nt -* (*nach* for) desire; (*Sehnsucht*) yearning, longing; (*Begierde*) craving; (*Forderung*) request ▶ *auf ~* on demand; *auf ~ der Eltern* at the parents' request.
verlängern* **1** *vt* to extend; (*zeitlich*) *Wartezeit, Schmerzen etc* to prolong; *Hosenbein, Ärmel etc* to lengthen; *Paß, Abonnement etc* to renew ▶ *ein verlängertes Wochenende* a long weekend.
2 *vr* to be extended; (*zeitlich auch, Leiden etc*) to be prolonged.
Verlängerung *f* **a** *siehe vt* extension; prolongation; lengthening; renewal. **b** (*von Spielzeit*) extra time (*Brit*), overtime (*US*).
Verlängerungs-: *~kabel nt, ~schnur f* (*Elec*) extension lead.
verlangsamen* *vtr* to slow down *or* up ▶ *das Tempo ~* to slow down.
⚠ **Verlaß** *m no pl darauf/auf ihn ist kein ~* you can't rely on that/him.

⚠: for details of spelling reform, see supplement

verlassen¹* *irreg* [1] *vt* to leave; (*fig: Mut etc*) to desert; (*im Stich lassen*) to desert, to abandon; (*Comp*) *Datei* to exit.
[2] *vr sich auf jdn/etw ~* to rely *or* depend on sb/sth; *darauf können Sie sich ~* you can depend on that.
verlassen² *adj* deserted; *Auto* abandoned; (*öd*) desolate; (*einsam*) lonely ► *einsam und ~* all alone.
⚠ **verläßlich** *adj* reliable.
Verlauf *m, pl* **Verläufe** course; (*Ausgang*) end ► *im ~(e) des Tages etc* during the course of the day *etc*; *einen guten/schlechten ~ nehmen* to go well/badly.
verlaufen* *irreg* [1] *vi aux sein* [a] (*Tag, Prüfung*) to go; (*Kindheit*) to pass; (*Untersuchung*) to proceed. [b] (*sich erstrecken*) to run. [c] (*auseinanderfließen*) to run ► *die Spur verlief im Sand* the track disappeared in the sand.
[2] *vr* [a] (*sich verirren*) to get lost, to lose one's way. [b] (*Menschenmenge*) to disperse; (*Spur, Weg*) to disappear.
Verlaufsform *f* (*Gram*) continuous form.
verlautbaren* *vti* (*form*) to announce.
Verlautbarung *f* announcement.
verlauten* [1] *vi etwas ~ lassen* to give an indication.
[2] *vi impers es verlautet, daß ...* it is reported that ...; *wie aus Bonn verlautet* according to reports from Bonn.
verleben* *vt* to spend ► *eine schöne Zeit ~* to have a nice time.
verlebt *adj* worn out, dissipated.
verlegen¹* [1] *vt* [a] (*an anderen Ort*) to transfer, to relocate. [b] (*verschieben*) to postpone (*auf +acc* until); (*vorverlegen*) to bring forward (*auf +acc* to). [c] (*an falschen Platz legen*) to mislay. [d] *Kabel, Fliesen etc* to lay. [e] (*drucken lassen*) to publish.
[2] *vr sich auf etw* (*acc*) *~* to resort to sth; *sich aufs Unterrichten ~* to take up teaching.
verlegen² *adj* embarrassed *no adv* ► *um Worte ~ sein* to be at a loss for words.
Verlegenheit *f* [a] *no pl* embarrassment ► *jdn in ~ bringen* to embarrass sb; *in ~ kommen or geraten* to get embarrassed. [b] (*unangenehme Lage*) embarrassing situation.
Verleger(in *f*) *m* - publisher.
verleiden* *vt jdm etw ~* to put sb off sth.
Verleih *m* -e [a] (*Unternehmen*) rental *or* hire (*Brit*) company; (*Auto~*) car rental *or* hire (*Brit*); (*Film~*) distributor(s). [b] (*das Verleihen*) renting (out), hiring (out) (*Brit*); (*Film~*) distribution ► *der ~ von Büchern* the lending of books.
verleihen* *vt irreg* [a] (*verborgen*) to lend (*an jdn* to sb); (*gegen Gebühr*) to rent, to hire (*Brit*). [b] (*zuerkennen*) to award (*jdm* (to) sb); *Titel, Ehrenbürgerrechte* to confer (*jdm* on sb). [c] (*geben, verschaffen*) to give.
Verleiher *m* - hire (*Brit*) *or* rental firm; (*von Filmen*) distributor; (*von Büchern*) lender.
Verleihung *f siehe vt* (*a, b*) [a] lending; renting, hiring (*Brit*). [b] award(ing), conferment.
verleimen* *vt* to glue.
verleiten* *vt* [a] (*verlocken*) to tempt; (*verführen*) to lead astray ► *jdn dazu ~, die Schule zu schwänzen* to encourage sb to play truant. [b] (*veranlassen*) *jdn zu etw ~* to lead sb to sth.
verlernen* *vt* to forget ► *das Tanzen ~* to forget how to dance.
verlesen* *irreg* [1] *vt* [a] (*vorlesen*) to read (out). [b] *Gemüse, Linsen etc* to sort.
[2] *vr ich habe mich wohl ~* I must have misread it.
verletzen* [1] *vt* [a] to injure; (*in Kampf etc, mit Kugel, Messer*) to wound; (*fig*) *jdn* to hurt, to offend; *jds Schönheitssinn etc* to offend. [b] *Gesetz* to break; *Pflicht, Rechte, Intimsphäre* to violate.
[2] *vr* to injure oneself.
verletzend *adj Bemerkung* hurtful.

verletzlich *adj* vulnerable.
Verletzte(r) *mf decl as adj* injured person; (*Unfall~ auch*) casualty; (*bei Kampf*) wounded person ► *die ~n* the injured/the wounded.
Verletzung *f siehe vt* [a] injuring; wounding; (*fig*) hurting, offending. [b] breaking; violation. [c] (*Wunde*) injury.
verleugnen* *vt* to deny; *Kind, Freunde* to disown ► *er läßt sich immer ~* he always pretends not to be there; *sich (selbst) ~* to act against one's own convictions.
verleumden* *vt* to slander; (*schriftlich*) to libel.
verleumderisch *adj siehe vt* slanderous; libellous (*Brit*), libelous (*US*).
Verleumdung *f* (*Bemerkung*) slander; (*Bericht*) libel.
Verleumdungskampagne *f* smear campaign.
verlieben* *vr* to fall in love (*in +acc* with).
verliebt *adj Benehmen, Blicke, Worte* amorous ► (*in jdn*) *~ sein* to be in love (with sb).
Verliebtheit *f* amorous state.
verlieren *pret* **verlor**, *ptp* **verloren** [1] *vti* to lose ► *kein Wort über jdn/etw ~* not to say a word about sb/sth; *das/er hat hier nichts verloren* (*col*) that/he has no business to be here; *sie hat an Schönheit verloren* she has lost some of her beauty; *sie/die Altstadt etc hat sehr verloren* she/the old town *etc* is not what she/it *etc* used to be; *durch etw ~* to lose (something) by sth.
[2] *vr* (*Menschen*) to lose each other; (*verschwinden*) to disappear; (*verhallen*) to fade away ► *sich in etw* (*dat*) *~ to get lost in sth*; (*fig*) to become absorbed in sth; *siehe* **verloren**.
Verlierer(in *f*) *m* - loser.
Verlies *nt* -e dungeon.
verloben* *vr* to get engaged (*mit* to) ► *verlobt sein* to be engaged.
Verlobte(r) *mf decl as adj mein ~r* my fiancé; *meine ~* my fiancée; *die ~n* the engaged couple.
Verlobung *f* engagement; (*Feier*) engagement party.
Verlobungs- *in cpds* engagement.
verlocken* *vti* to entice, to tempt.
verlockend *adj* enticing, tempting.
Verlockung *f* enticement, temptation.
verlogen *adj Mensch* lying; *Komplimente, Versprechungen* false; *Moral, Gesellschaft* hypocritical.
Verlogenheit *f siehe adj* mendacity (*form*); falseness; hypocrisy.
verlor *pret of* **verlieren**.
verloren [1] *ptp of* **verlieren**.
[2] *adj* ► *jdn/etw ~ geben* to give sb/sth up for lost; *auf ~em Posten kämpfen or stehen* to be fighting a losing battle; *der ~e Sohn* (*Bibl*) the prodigal son; *~e Eier* (*Cook*) poached eggs.
⚠ **verlorengehen** *vi sep irreg aux sein* to be lost ► *an ihm ist ein Sänger verlorengegangen* he would have made a good singer.
verlöschen* *vi aux sein* to go out; (*Inschrift, Farbe, Erinnerung*) to fade.
verlosen* *vt* to raffle (off).
Verlosung *f* (*das Verlosen*) raffling; (*Lotterie*) raffle.
verlöten* *vt* to solder.
verlottern* *vi aux sein* (*col*) (*Stadt, Restaurant*) to become run down; (*Garten*) to run wild; (*Mensch*) to go to the dogs; (*moralisch*) to go to the bad.
verlottert *adj* (*col*) *Stadt* run-down; *Garten* wild; *Mensch, Aussehen* scruffy; (*moralisch*) dissolute.
Verlust *m* -e loss ► *mit ~ verkaufen* to sell at a loss.
Verlust-: *~anzeige f* "lost" notice; *~betrieb m* loss-maker; *v~bringend* ⚠ *adj* loss-making; *v~bringend arbeiten* to work at a loss; *~geschäft nt* ein *~geschäft machen* to make a loss; *das war ein reines ~geschäft* that was a dead loss; *~liste f* (*Mil*) casualty list; *v~reich*

⚠: Informationen zur Rechtschreibreform im Anhang

adj with heavy losses.

Verm. = **Vermerk.**

vermachen* *vt jdm etw* ~ to leave *or* bequeath sth to sb.

Vermächtnis *nt* bequest, legacy; (*fig*) legacy.

vermählen* (*form*) [1] *vt* to marry ▸ *frisch vermählt sein* to be newly married.

[2] *vr sich (mit jdm)* ~ to marry (sb).

Vermählte(r) *mf decl as adj* **die beiden** *~n* the newly-weds.

Vermählung *f* (*form*) marriage; (*Feier*) wedding ceremony.

vermarkten* *vt* to market; (*fig*) to commercialize.

vermasseln* *vt* (*col*) to mess up (*col*).

vermauern* *vt* to wall *or* brick up.

vermehren* [1] *vt* to increase; (*fortpflanzen*) to breed ▸ *diese Fälle treten vermehrt auf* these cases are happening increasingly often.

[2] *vr* to increase; (*sich fortpflanzen*) to reproduce, to breed; (*Bakterien*) to multiply; (*Pflanzen*) to propagate.

Vermehrung *f siehe vb* increase; breeding; reproduction; multiplying; propagation.

vermeidbar *adj* avoidable.

vermeiden* *vt irreg* to avoid ▸ *~, daß etw passiert* to avoid letting sth happen; *es läßt sich nicht ~, daß ...* it is inevitable *or* unavoidable that ...

vermeidlich *adj* avoidable.

vermeintlich *adj attr* putative.

vermengen* *vt* to mix; (*fig col: durcheinanderbringen*) to mix up.

vermenschlichen* *vt* to humanize.

Vermerk *m* **-e** note, remark; (*im Kalender*) entry; (*in Paß*) observation; (*Stempel*) stamp.

vermerken* *vt* to make a note of; (*in Paß, Karte*) to record ▸ *sich* (*dat*) *etw* ~ to make a note of sth; *jdm etw übel* ~ to take sth amiss.

vermessen¹* *vt irreg* to measure; *Land, Gelände* to survey.

vermessen² *adj* (*anmaßend*) presumptuous; (*kühn*) *Unterfangen* bold.

Vermessenheit *f no pl siehe adj* presumptuousness; boldness.

Vermessung *f* measurement; (*von Land, Gelände*) survey.

Vermessungs-: *~amt nt* land survey(ing) office; *~ingenieur m* land surveyor.

vermiesen* *vt* (*col*) *jdm etw* ~ to spoil sth for sb.

vermietbar *adj* rentable ▸ *schlecht* ~ difficult to rent.

vermieten* *vti* to rent (out), to let (out) (*Brit*); *Boot, Auto* to rent (out), to hire (out) (*Brit*) ▸ *Zimmer zu* ~ room to let (*Brit*) *or* for rent (*esp US*).

Vermieter *m* - landlord.

Vermieterin *f* landlady.

Vermietung *f siehe vb* renting, letting (*Brit*); rental, hiring.

vermindern* [1] *vt* to reduce, to decrease; *Ärger* to lessen; *Schmerzen* to ease.

[2] *vr siehe vt* to decrease; to lessen; to ease ▸ *verminderte Zurechnungsfähigkeit* (*Jur*) diminished responsibility.

Verminderung *f siehe vb* reduction (*gen* of), decrease (*gen* in); lessening; easing.

verminen* *vt* to mine.

vermischen* [1] *vt* to mix; *Teesorten etc* to blend ▸ *vermischte Schriften* miscellaneous writings.

[2] *vr* to mix; (*Elemente, Klänge, Farben*) to blend.

vermissen* *vt* to miss ▸ *vermißt werden* to be missing; *vermißt sein, als vermißt gemeldet sein* to be reported missing; *etw an jdm* ~ to find sb lacking in sth; *wir haben dich bei der Party vermißt* we didn't see you at the party; *etw* ~ *lassen* to be lacking in sth.

⚠**Vermißten\anzeige** *f* missing persons report.

⚠**Vermißte(r)** *mf decl as adj* missing person.

vermittelbar *adj* *Idee, Gefühl* communicable; *Arbeitsloser* placeable.

vermitteln* [1] *vt* to arrange (*jdm* for sb); *Stelle, Privatschüler* to find (*jdm* for sb); *Aushilfskräfte, Arbeitslose etc* to place (*an eine Firma* with a firm); (*Telec*) *Gespräch* to connect; *Lösung etc* to negotiate; *Gefühl, Bild, Idee* to convey, to give (*jdm* to sb); *Wissen* to impart (*jdm* to sb) ▸ *jdm etw* ~ to get sth for sb.

[2] *vi* to mediate ▸ *~de Worte* conciliatory words.

Vermittler(in *f*) *m* - [a] mediator. [b] (*Comm*) agent; (*Fin, Heirats~*) broker; (*von Anleihe*) negotiator; (*Stellen~*) clerk in an employment agency.

Vermittlung *f* [a] *siehe vt* arranging; finding; placing; connection; negotiation; conveying; imparting ▸ *durch seine freundliche* ~ with his kind help. [b] (*Schlichtung*) mediation. [c] (*Stelle, Agentur*) agency; (*Heirats~*) marriage bureau; (*Wohnungs~*) letting agency; (*Arbeits~*) employment agency. [d] (*Telec*) exchange; (*in Firma etc*) switchboard.

Vermittlungs-: *~gebühr f* commission; *~stelle f* agency; (*Telec*) (telephone) exchange; (*in Firma etc*) switchboard.

vermodern* *vi aux sein* to moulder, to decay.

vermögen* *vt aux* (*geh*) *etw zu tun* ~, (*es*) ~, *etw zu tun* to be able to do sth; *Geduld vermag viel bei ihm* you can get a long way with him if you have patience.

Vermögen *nt* - [a] (*Reichtum, viel Geld*) fortune ▸ ~ *haben* to have money. [b] (*Besitz*) property ▸ *mein ganzes* ~ *besteht aus ...* my entire assets consist of ... [c] (*Können*) ability, capacity.

vermögend *adj* (*reich*) wealthy, well-off.

Vermögens-: *~abgabe f* property levy; *~bildung f* creation of wealth; *~steuer f* wealth tax; *~verhältnisse pl* financial circumstances *pl*; *~verwaltung f* investment management; *~werte pl* assets *pl*; *v~wirksam adj* profitable; *sein Geld v~wirksam anlegen* to invest one's money profitably; *v~wirksame Leistungen* employers' contributions to a tax-deductible savings scheme.

vermummen* *vr* [a] to wrap up (warm). [b] (*sich verkleiden*) to disguise ▸ *vermummte Demonstranten* masked demonstrators.

Vermummung *f* disguise; (*von Demonstranten*) covering of the face.

vermurksen* *vt* (*col*) *etw* ~ to make a mess of sth.

vermuten* *vt* to suspect ▸ *ich vermute es nur* that's only an assumption; *wir haben ihn dort nicht vermutet* we didn't expect to find him there; *es ist zu* ~, *daß ...* it may be supposed that ...

vermutlich [1] *adj attr* presumable; *Täter* suspected.

[2] *adv* presumably.

Vermutung *f* (*Annahme*) supposition, assumption; (*Verdacht*) suspicion ▸ *die* ~ *liegt nahe, daß ...* there are grounds for assuming that ...; *meine ~en waren doch richtig* my guess was right.

vernachlässigen* [1] *vt* to neglect; (*Schicksal*) *jdn* to be unkind to ▸ *das können wir* ~ (*nicht berücksichtigen*) we can ignore that.

[2] *vr* to neglect one's appearance.

Vernachlässigung *f* neglect.

vernageln* *vt* to nail up ▸ *etw mit Brettern* ~ to board sth up.

vernähen* *vt Wunde, Saum* to stitch (up).

vernarben* *vi aux sein* to heal *or* close (up).

vernarren* *vr* (*col*) *sich in jdn/etw* ~ to fall for sb/sth in a big way (*col*); *in jdn/etw vernarrt sein* to be crazy about sb/sth (*col*).

⚠: for details of spelling reform, see supplement

vernaschen* vt Süßigkeiten to eat up; Geld to spend on sweets (Brit) or candy (US); (col) Mädchen, Mann to make it with (col).

vernebeln* vt (Mil) to cover with a smoke screen; (fig) Tatsachen to obscure; (col) Zimmer to fug up.

vernehmbar adj (hörbar) audible.

vernehmen* vt irreg [a] (hören, erfahren) to hear. [b] (Jur) Zeugen, Angeklagte to examine; (Polizei) to question.

Vernehmen nt: dem ~ nach from what I/we etc hear.

vernehmlich adj clear, audible.

Vernehmung f (Jur: von Zeugen, Angeklagten) examination; (durch Polizei) questioning.

vernehmungsfähig adj able to be examined/questioned.

verneigen* vr to bow ▶ sich vor jdm/etw ~ (lit) to bow to sb/sth; (fig) to bow down before sb/sth.

verneinen* vti Frage to answer in the negative; (leugnen) Tatsache, Existenz Gottes etc to deny; These to dispute; (Gram, Logik) to negate ▶ die verneinte Form the negative (form).

verneinend adj (auch Gram) negative.

Verneinung f (Leugnung) denial; (von These etc) disputing; (Gram, Philos) negation; (verneinte Form) negative.

vernetzen* vt to link up; (Comp) to network.

vernichten* vt (lit, fig) to destroy.

vernichtend adj devastating; Niederlage crushing ▶ jdn ~ schlagen (Mil, Sport) to annihilate sb.

Vernichtung f destruction.

Vernichtungs-: ~krieg m war of extermination; ~lager nt extermination camp; ~schlag m devastating blow; ~waffe f doomsday weapon.

verniedlichen* vt to trivialize.

vernieten* vt to rivet.

Vernissage [vɛrnɪˈsaːʒə] f -n (geh) private view.

Vernunft f no pl reason ▶ zur ~ kommen to come to one's senses; ~ annehmen to see reason; etw mit/ohne ~ tun to do sth sensibly/foolishly.

Vernunft-: v~begabt adj rational; v~gemäß adv rationally; ~glaube(n) m rationalism; ~gründe pl rational grounds pl; ~heirat f marriage of convenience.

vernünftig [1] adj sensible; (logisch denkend) rational; (col: ordentlich, anständig) decent; Vorschlag reasonable. [2] adv siehe adj sensibly; rationally; decently; reasonably; (tüchtig) properly (col).

Vernunft-: v~los adj irrational; ~mensch m rational person; v~widrig adj irrational.

ver|öden* [1] vi aux sein to become desolate; (fig: geistig) to become stultified. [2] vt (Med) Krampfadern to sclerose.

ver|öffentlichen* vti to publish.

Ver|öffentlichung f publication.

ver|ordnen* vt to prescribe (jdm etw sth for sb).

Ver|ordnung f [a] (Med) prescription. [b] (Verfügung) decree.

verpachten* vt to lease, to rent out (an +acc to).

Verpachtung f lease.

verpacken* vt to pack; (verbrauchergerecht) to package; (einwickeln) to wrap.

Verpackung f siehe vt packing; packaging; wrapping.

Verpackungs-: ~industrie f packaging industry; ~müll m superfluous packaging.

verpassen* vt [a] (versäumen) to miss. [b] (col: zuteilen) jdm etw ~ to give sb sth; (aufzwingen) to make sb have sth; jdm eine Ohrfeige ~ to clout sb one (col).

verpatzen* vt (col) to spoil; Examen to make a mess of ▶ sich (dat) etw ~ to spoil sth/mess sth up (col).

verpennen* (col) [1] vt (verpassen) to miss by oversleeping; (schlafend verbringen) Tag, Morgen etc to sleep through.

[2] vir to oversleep.

verpesten* vt to pollute.

verpetzen* vt (col) to tell on (bei to).

verpfänden* vt to pawn; (Jur) to mortgage.

verpfeifen* vt irreg (col) to grass on (bei to) (col).

verpflanzen* vt (lit, fig) to transplant; Haut to graft.

verpflegen* [1] vt to feed.

[2] vr sich (selbst) ~ to feed oneself; (selbst kochen) to cook for oneself.

Verpflegung f [a] (das Verpflegen) catering; (Mil) rationing. [b] (Essen) food; (Mil) rations pl.

▼ **verpflichten*** [1] vt [a] to oblige; (durch Versprechen, Vertrag) to commit ▶ verpflichtet sein, etw zu tun to be obliged to do sth; zu etw verpflichtet sein to be committed to (doing) sth; jdm verpflichtet sein to be under an obligation to sb; ~d Zusage binding. [b] (einstellen) to engage; Sportler to sign on.

[2] vi to involve a commitment ▶ das verpflichtet zu nichts there's no obligation involved.

[3] vr to commit oneself ▶ sich zu etw ~ to commit oneself to (doing) sth.

Verpflichtung f [a] obligation (zu etw to do sth); (Pflicht auch, finanzielle ~) commitment (zu etw to do sth); (Aufgabe) duty. [b] (Einstellung) engaging; (von Sportlern) signing on.

verpfuschen* vt (col) to make a mess of.

verplanen* [1] vt Zeit to book up; Geld to budget ▶ jdn ~ (col) to fill up all sb's spare time (for him/her).

[2] vr to plan badly; (falsch berechnen) to miscalculate.

verplappern* vr (col) to open one's big mouth (col).

verplempern* vt (col) to waste, to fritter away.

verpönt adj frowned upon (bei by).

verprassen* vt to blow (col) (für on).

verprellen* vt to put off, to intimidate.

verprügeln* vt to thrash, to beat up.

verpuffen* vi aux sein to (go) pop; (fig) to fall flat.

verpulvern* vt (col) to squander.

Verputz m no pl plaster; (Rauhputz) roughcast.

verputzen* vt [a] to plaster; (mit Rauhputz) to roughcast. [b] (col: aufessen) to polish off (col).

verqualmen* vt Zimmer to fill with smoke.

verquer adj skew-whiff pred (col); (fig) Idee, Ansicht etc oddball.

verquicken* vtr to combine; (vermischen) to mix.

verquirlen* vt to whisk.

verquollen adj Augen puffy, swollen.

verrammeln* vt to barricade.

verramschen* vt (col) to sell off cheap.

Verrat m no pl betrayal (an +dat of); (Jur) treason (an +dat against) ▶ ~ an jdm üben to betray sb.

verraten* irreg [1] vt to betray; (bekanntgeben, ausplaudern) to tell; (fig: erkennen lassen) to show ▶ nichts ~! don't say a word!; er hat es ~ he let it out.

[2] vr to give oneself away.

Verräter(in f) m - traitor (+gen to).

verräterisch adj treacherous; (Jur) treasonable; Blick etc telltale attr.

verrauchen* [1] vi aux sein (fig: Zorn) to blow over.

[2] vt Zimmer to fill with smoke; Geld to spend on smoking.

verräuchern* vt to fill with smoke.

verrechnen* [1] vt (begleichen) to settle; Scheck to clear; Gutschein to redeem ▶ etw mit etw ~ (gegeneinander aufrechnen) to balance sth with sth.

[2] vr to miscalculate; (col: sich täuschen) to be mistaken ▶ sich um eine Mark ~ to be out by one mark.

Verrechnungsscheck m crossed (Brit) or nonnegotiable cheque (Brit) or check (US).

verrecken* vi aux sein (col!) to die; (elend sterben) to die a wretched death ▶ er ist elend verreckt he died

like a dog (*col*).
verregnet *adj* rainy, wet.
verreiben* *vt irreg* to rub (*auf* +*dat* into).
verreisen* *vi aux sein* to go away (on a trip) ► *er ist geschäftlich verreist* he's away on business.
verreißen* *vt irreg* (*kritisieren*) to tear to pieces, to slate (*col*).
verrenken* [1] *vt* to dislocate; *Hals* to crick.
  [2] *vr* to contort oneself.
verrennen* *vr irreg* *sich in etw* (*acc*) ~ to get stuck on sth.
verrichten* *vt Arbeit* to carry out.
verriegeln* *vt* to bolt; (*Comp*) *Tastatur* to lock.
verringern* [1] *vt* to reduce.
  [2] *vr* to decrease; (*Qualität, Leistungen*) to deteriorate.
Verringerung *f siehe vb* reduction; decrease; deterioration.
verrinnen* *vi irreg aux sein* (*Wasser*) to trickle away (*in* +*dat* into); (*Zeit*) to elapse.
⚠ **Verriß** *m* **-sse** damning review ► *einen* ~ *bekommen* to get a slating (*col*).
verrohen* *vi aux sein* to become brutalized.
Verrohung *f* brutalization.
verrosten* *vi aux sein* to rust ► *verrostet* rusty.
verrotten* *vi aux sein* to rot; (*organisch*) to decompose.
verrucht *adj* despicable; (*verrufen*) disreputable.
verrücken* *vt* to move.
verrückt *adj* mad ► ~ *auf* (+*acc*) *or* **nach** (*col*) crazy *or* mad about (*col*); *wie* ~ like mad *or* crazy (*col*); *die Leute kamen wie* ~ (*col*) loads of people came (*col*); *jdn* ~ *machen* (*col*) to drive sb crazy *or* mad; ~ *werden* (*col*) to go crazy; ~ *spielen* (*col*) to play up (*col*).
Verrückte(r) *mf decl as adj* (*col*) lunatic.
Verruf *m no pl in* ~ *kommen* to fall into disrepute.
verrufen *adj* disreputable.
verrühren* *vt* to mix, to stir.
verrußen* *vi aux sein* to get sooty.
verrutschen* *vi aux sein* to slip.
Vers [fers] *m* **-e** verse (*auch Bibl*); (*Zeile*) line.
versachlichen* *vt* to objectify.
versacken* *vi aux sein* [a] (*lit*) to sink. [b] (*fig col*) (*herunterkommen*) to go downhill; (*lange zechen*) to get involved in a booze-up (*col*).
versagen* [1] *vt sich* (*dat*) *etw* ~ to deny oneself sth; *jdm etw* ~ to deny sb sth; (*verweigern*) to refuse sb sth; *etw bleibt jdm versagt* sb is denied sth.
  [2] *vi* to fail ► *die Beine/Nerven etc* **versagten ihm** his legs/nerves *etc* gave way.
Versagen *nt no pl* failure; (*von Maschine*) breakdown ► *menschliches* ~ human error.
Versager *m* - failure, flop (*col*).
versalzen¹* *vt irreg* to put too much salt in/on; (*col: verderben*) to spoil.
versalzen² *adj Essen* too salty.
versammeln* [1] *vt* to assemble.
  [2] *vr* to assemble; (*Parlament*) to sit; (*Ausschuß, Verein*) to meet.
Versammlung *f* meeting, assembly.
Versammlungs-: **~freiheit** *f* freedom of assembly; **~lokal** *nt* meeting place.
Versand *m no pl* dispatch; (*das Vertreiben*) distribution.
Versand-: **~abteilung** *f* dispatch department; **~anzeige** *f* dispatch note; **~artikel** *m* article for dispatch; **~bahnhof** *m* dispatch station; **v~bereit** *adj* ready for dispatch.
versanden* *vi aux sein* to silt (up); (*fig*) to peter out.
Versand-: **~gut** *nt* goods *pl* for dispatch; **~handel** *m* mail order business; **~haus** *nt* mail order firm; **~kosten** *pl* transport(ation) costs *pl*; **~tasche** *f* padded envelope, Jiffy bag ®; **~weg** *m auf dem ~weg* by mail order.

versauen* *vt* (*col*) to mess up (*col*).
versauern* *vi aux sein* (*col*) to stagnate.
versaufen* *irreg* (*col*) [1] *vt Geld* to spend on booze (*col*).
  [2] *vi aux sein* (*ertrinken*) to drown.
versäumen* *vt* to miss; *Zeit* to lose; *Pflicht* to neglect ► *(es)* ~, *etw zu tun* to fail to do sth; *das Versäumte* what one has missed; *die versäumte Zeit aufholen* to make up for lost time.
Versäumnis *nt* (*Fehler*) failing; (*Unterlassung*) omission.
verschachern* *vt* to sell off.
verschachtelt *adj Satz* encapsulated, complex.
verschaffen [1] *vt jdm etw* ~ to provide sb with sth; *Erleichterung, Genugtuung* to give sb sth; *Respekt* to earn sb sth.
  [2] *vr sich* (*dat*) *etw* ~ to obtain sth; *Ansehen, Vorteil* to gain sth; *Ruhe, Respekt* to get sth; *sich mit Gewalt Zutritt* ~ to force an entry.
verschalen* *vt Wand* to panel; *Heizung etc* to box in.
verschämt *adj* bashful, coy.
verschandeln* *vt* to ruin.
verschanzen* [1] *vt* (*Mil*) to fortify.
  [2] *vr* (*Mil, fig*) to entrench oneself (*hinter* +*dat* behind); (*sich verbarrikadieren*) to barricade oneself in (*in etw* (*dat*) sth).
verschärfen* [1] *vt* (*erhöhen*) *Tempo* to increase; *Gegensätze* to intensify; (*verschlimmern*) *Lage* to aggravate; (*strenger machen*) *Kontrollen, Gesetze* to tighten up.
  [2] *vr siehe vt* to increase; to intensify; to become aggravated; to become tighter.
verschärft [1] *adj siehe vb* increased; intensified; aggravated; tightened.
  [2] *adv* (*intensiver*) more intensively; (*strenger*) more severely ► ~ *aufpassen/kontrollieren* to keep a closer watch/a tighter control.
Verschärfung *f* intensification; (*der Lage*) aggravation; (*von Kontrollen etc*) tightening.
verscharren* *vt* to bury.
verschätzen* *vr* to miscalculate (*in etw* (*dat*) sth).
verschenken* *vt* (*lit, fig*) to give away.
verscherzen* *vt sich* (*dat*) *etw* ~ to forfeit sth; *es sich* (*dat*) *mit jdm* ~ to spoil things with sb.
verscheuchen* *vt* to scare off; (*fig*) *Sorgen etc* to drive away.
verschicken* *vt* (*versenden*) to send out; (*zur Kur etc*) to send away; (*deportieren*) to deport.
verschieben* *irreg* [1] *vt* [a] (*verrücken*) to move, to shift; (*Rail*) to shunt. [b] (*auf später*) to postpone (*um* for, *auf* +*acc* until). [c] (*col*) *Waren, Devisen* to traffic in.
  [2] *vr* to shift; (*zeitlich*) to be postponed.
Verschiebung *f* (*zeitlich*) postponement.
verschieden [1] *adj* [a] (*unterschiedlich*) different ► *die* ~*sten Farben* a great variety of colours; *das ist ganz* ~ (*das kommt darauf an*) that varies, that just depends. [b] *attr* (*mehrere, einige*) various, several. [c] (*substantivisch*) ~*e pl* various *or* several people; ~*es* several things; *V~es* (*in Zeitung, Liste*) miscellaneous.
  [2] *adv* differently ► *die Häuser sind* ~ *hoch* the houses vary in height.
veschieden|artig *adj* different; (*mannigfaltig*) various, diverse ► *die* ~*sten Dinge* all sorts of things.
Verschiedenheit *f* difference (*gen* of, *in* in); (*Unähnlichkeit*) dissimilarity.
verschiedentlich *adv* (*mehrmals*) on several occasions.
verschießen* *vt irreg Munition* to use up.
verschiffen* *vt* to ship; *Sträfling* to transport.
verschimmeln* *vi aux sein* (*Nahrungsmittel*) to go mouldy (*Brit*) *or* moldy (*US*); (*Leder, Papier etc*) to get mildew (on it) ► *verschimmelt* mouldy (*Brit*), moldy (*US*); covered in mildew.

⚠: for details of spelling reform, see supplement

verschlafen* irreg **1** vir to oversleep.
2 vt Termin to miss by oversleeping; Tag to sleep through.
3 adj half-asleep; (trottelig) dozy (col); (fig) Städtchen etc sleepy.
Verschlag m ⁻e (Schuppen) shed; (für Kaninchen) hutch.
verschlagen¹* vt irreg **a** etw mit Brettern ~ to board sth up; etw mit Nägeln ~ to nail sth up. **b** Atem to take away ▸ das hat mir die Sprache ~ it left me speechless. **c** (geraten lassen) to bring ▸ nach Australien ~ werden to end up in Australia. **d** (Sport) Ball to mishit. **e** (verblättern) Seite, Stelle to lose.
verschlagen² adj Mensch, Blick etc sly.
Verschlagenheit f slyness.
verschlammen* vi aux sein to silt up.
verschlampen* (col) **1** vt (verlieren) to lose (col).
2 vi aux sein (Mensch) to go to seed (col).
verschlechtern* **1** vt to make worse.
2 vr to get worse, to deteriorate; (gehaltlich) to take a lower-paid job ▸ sich beruflich ~ to take a worse job.
Verschlechterung f worsening, deterioration.
verschleiern* **1** vt to veil; (fig) to disguise; Blick to blur.
2 vr (Frau) to veil oneself; (Himmel) to become hazy; (Blick) to become blurred.
Verschleierung f veiling; (fig: von Tatsachen etc) cover-up.
Verschleiß m -e (lit, fig) wear and tear; (Verbrauch) consumption (an +dat of) ▸ ein ~ deiner Kräfte a drain on your strength; er hat einen großen ~ an Freundinnen (col) he gets through an enormous number of girlfriends.
verschleißen pret verschliß, ptp verschlissen **1** vt to wear out; (verbrauchen) to use up.
2 vi aux sein to wear out.
3 vr to wear out; (Menschen) to wear oneself out.
Verschleiß-: ~erscheinung f sign of wear; ~teil nt part subject to wear.
verschleppen* vt **a** (entführen) jdn to abduct; Kunstschätze etc to carry off. **b** (verbreiten) Seuche to spread. **c** (hinauszögern) to protract; (Pol) Gesetzesänderung etc to delay.
verschleudern* vt (Comm) to dump; (vergeuden) to squander.
verschließbar adj Tür, Zimmer etc lockable; Dose etc (re)sealable.
verschließen* irreg **1** vt **a** (abschließen) to lock up; (fig) to close, to shut; (versperren) to bar; (mit Riegel) to bolt. **b** (zumachen) to close; (mit Pfropfen) Flasche to cork ▸ die Augen (vor etw dat) ~ to shut one's eyes (to sth).
2 vr (Reize, Sprache, Möglichkeit) to be closed (dat to); (Mensch: reserviert sein) to shut oneself off (dat from) ▸ sich einer Sache (dat) or gegen etw ~ to close one's mind to sth.
verschlimmbessern vt insep (hum) to try to improve and make worse, to miscorrect.
verschlimmern* **1** vt to make worse.
2 vr to get worse, to deteriorate.
Verschlimmerung f worsening, deterioration.
verschlingen* irreg **1** vt **a** (lit, fig) to devour; (Wellen etc, verbrauchen) to swallow up. **b** (verknoten) to entwine; Arme to fold ▸ ein verschlungener Pfad a winding path.
2 vr to become entwined.
⚠ **verschliß** pret of **verschleißen**.
verschlissen **1** ptp of **verschleißen**.
2 adj badly worn; (völlig) worn out.
verschlossen adj closed; (fig: unzugänglich) reserved ▸

etw bleibt jdm ~ sth is a closed book to sb; wir standen vor ~er Tür we found the door locked.
Verschlossenheit f (von Mensch) reserve.
verschlucken* **1** vt to swallow; Geld to swallow up; Schall to deaden.
2 vr to swallow the wrong way; (fig) to splutter.
⚠ **Verschluß** m ⁻sse **a** (Schloß) lock; (luft-, wasserdicht, für Zoll) seal; (Deckel, Klappe) top, lid; (Pfropfen, Stöpsel) stopper; (an Kleidung) fastener ▸ etw unter ~ halten to keep sth under lock and key. **b** (Phot) shutter.
verschlüsseln* vt to (put into) code, to encode.
Verschluß-: ~sache ⚠ f item of classified information; ~zeit f (Phot) shutter speed.
verschmachten* vi aux sein to languish (vor +dat for) ▸ (vor Durst/Hitze) ~ (col) to be dying of thirst/heat (col).
verschmähen* vt to spurn.
verschmälern* vtr to narrow.
verschmelzen* irreg **1** vi aux sein to melt together; (Metalle) to fuse; (Farben) to blend; (fig) to blend (zu into).
2 vt Metalle to fuse; Farben to blend; (fig) to unify (zu into).
verschmerzen* vt to get over.
verschmieren* **1** vt **a** Salbe, Schmiere to spread (in +dat over). **b** (verputzen) Löcher to fill (in). **c** (verwischen) Fenster, Gesicht to smear; Geschriebenes, Schminke to smudge.
2 vi to smudge.
verschmiert adj Hände smeary; Schminke smudged.
verschmitzt adj mischievous.
verschmutzen* **1** vt to dirty; Umwelt, Luft etc to pollute; Gewehr, Zündkerze to foul; Fahrbahn to make muddy; (Hund) Bürgersteig to foul.
2 vi aux sein to get dirty; (Umwelt, Luft etc) to become polluted.
verschmutzt adj dirty, soiled; Umwelt, Luft etc polluted.
Verschmutzung f dirtiness no pl; (von Umwelt, Luft etc) pollution.
verschnaufen* vir (col) to have a breather.
verschneiden* vt irreg **a** Rum etc to blend. **b** Flügel, Hecke to clip. **c** (falsch schneiden) to cut wrongly. **d** Tiere to castrate.
verschneit adj snow-covered ▸ tief ~ thick with snow.
Verschnitt m **a** (von Rum etc) blend. **b** (Abfall) clippings pl.
verschnörkelt adj ornate.
verschnupft adj (col) ~ sein to have a cold; (beleidigt) to be peeved (col).
verschnüren* vt to tie up.
verschollen adj missing; Literaturwerk forgotten.
verschonen* vt to spare (jdn mit etw sb sth) ▸ von etw verschont bleiben to escape sth.
verschöne(r)n* vt to improve (the appearance of); Wohnung to brighten up.
Verschönerung f siehe vt improvement; brightening up.
verschränken* vt to cross over; Arme to fold; Beine to cross; Hände to clasp.
verschrauben* vt to screw together.
verschreckt adj frightened, scared.
verschreiben* irreg **1** vt **a** (verordnen) to prescribe. **b** Papier to use up.
2 vr **a** (falsch schreiben) to make a slip (of the pen). **b** sich einer Sache (dat) ~ to devote oneself to sth.
verschreibungspflichtig adj only available on prescription.
verschrie(e)n adj notorious.
verschroben adj eccentric, odd.

⚠: Informationen zur Rechtschreibreform im Anhang

verschrotten* *vt* to scrap.
verschrumpeln* *vi aux sein* to shrivel.
verschüchtern* *vt* to intimidate ▸ *verschüchtert* timid.
verschulden* ⊡ *vt* to be to blame for.
⊡ *vi aux sein* (*in Schulden geraten*) to get into debt ▸ *verschuldet sein* to be in debt.
Verschulden *nt no pl* fault ▸ *ohne sein/mein ~* through no fault of his/my own.
Verschuldung *f* (*Schulden*) indebtedness.
verschütten* *vt* ⓐ *Flüssigkeit* to spill. ⓑ (*zuschütten*) *Brunnen* to fill in. ⓒ *verschüttet werden* (*Mensch*) to be buried (alive); (*fig*) to be submerged.
verschwägert *adj* related (by marriage) (*mit* to).
verschweigen* *vt irreg Tatsachen, Wahrheit etc* to conceal (*jdm etw* sth from sb).
verschweißen* *vt* to weld together.
verschwenden* *vt* to waste (*auf or an +acc* on).
Verschwender(in *f*) *m* - spendthrift.
verschwenderisch *adj* wasteful; *Leben* extravagant; (*üppig*) lavish.
Verschwendung *f* waste.
Verschwendungs-: **~sucht** *f no pl* extravagance; **v~süchtig** *adj* extravagant.
verschwiegen *adj Mensch* discreet; *Ort* secluded.
Verschwiegenheit *f no pl* (*von Mensch*) discretion ▸ *zur ~ verpflichtet* bound to secrecy.
verschwimmen* *vi irreg aux sein* to become blurred ▸ *ineinander ~* to merge into one another; *siehe* **verschwommen.**
verschwinden* *vi irreg aux sein* to disappear, to vanish ▸ *verschwinde!* clear off! (*col*); *neben jdm/etw ~* (*in bezug auf Größe*) to look minute beside sb/sth.
Verschwinden *nt no pl* disappearance.
verschwindend *adj Anzahl, Menge* insignificant ▸ *~ wenig* very, very few; *~ klein* minute.
verschwistert *adj* (*miteinander*) *~ sein* to be brother and sister; (*Brüder*) to be brothers; (*Schwestern*) to be sisters; (*Städte*) to be twinned.
verschwitzen* *vt* ⓐ *Kleidung* to make sweaty. ⓑ (*fig col*) to forget.
verschwitzt *adj* sweat-stained; *Mensch* sweaty.
verschwommen *adj Foto, Umrisse* blurred; *Berge* hazy; *Begriffe, Erinnerung* vague.
verschworen *adj Gesellschaft* sworn.
verschwören* *vr irreg* ⓐ to conspire, to plot (*mit* with, *gegen* against) ▸ *sich zu etw ~* to plot sth; *alles hat sich gegen mich verschworen* (*fig*) there's a conspiracy against me. ⓑ *sich einer Sache* (*dat*) *~* to give oneself over to sth.
Verschwörer(in *f*) *m* - conspirator, plotter.
Verschwörung *f* conspiracy, plot.
verschwunden *adj* missing.
versehen* *irreg* ⊡ *vt* ⓐ *Amt, Stelle* to hold; *Dienst* to perform; (*sich kümmern um*) to look after. ⓑ (*ausstatten*) *jdn mit etw ~* to provide *or* supply sb with sth; *etw mit etw ~* to put sth on/in sth; (*montieren*) to fit sth with sth; *mit etw ~ sein* to have sth; *jdn mit einer Vollmacht ~* to invest sb with full powers.
⊡ *vr* ⓐ (*sich irren*) to make a mistake. ⓑ *sich mit etw ~* (*sich versorgen*) to provide oneself with sth; (*sich ausstatten*) to equip oneself with sth. ⓒ *ehe man sich's versieht* before you know what's happening.
Versehen *nt* - mistake, error; (*Unachtsamkeit*) oversight ▸ *aus ~* by mistake, inadvertently.
versehentlich ⊡ *adj attr* inadvertent; (*irrtümlich*) erroneous.
⊡ *adv* inadvertently, by mistake.
Versehrte(r) *mf decl as adj* disabled person.
⚠ **verselbständigen*** *vr* to become independent.

versenden* *vt irreg or reg* to send.
versengen* *vt* ⓐ to scorch; (*Feuer*) to singe. ⓑ (*col: verprügeln*) to wallop (*col*).
versenkbar *adj Nähmaschine, Tischplatte* fold-away *attr; Scheinwerfer* retractable.
versenken* ⊡ *vt* ⓐ *Schiff etc* to sink; *Leiche, Sarg* to lower; *das eigene Schiff* to scuttle. ⓑ *Schraube* to countersink; *Tischplatte* to fold away.
⊡ *vr sich in etw* (*acc*) *~* to become immersed in sth.
Versenkung *f* ⓐ *siehe vt* (*a*) sinking; lowering; scuttling. ⓑ (*das Sichversenken*) immersion ▸ *innere/ mystische ~* inner/mystic contemplation. ⓒ *in der ~ verschwinden* (*col*) to vanish; *aus der ~ auftauchen* to re-appear.
versessen *adj auf etw* (*acc*) *~ sein* to be very keen on sth.
versetzen* ⊡ *vt* ⓐ to move, to shift; (*nicht geradlinig anordnen*) to stagger; (*beruflich*) to transfer, to move. ⓑ (*Sch: in höhere Klasse*) to move up. ⓒ (*col*) (*verkaufen*) to flog (*Brit col*), to sell; (*verpfänden*) to pawn. ⓓ (*col: nicht erscheinen*) *jdn ~* to stand sb up (*col*). ⓔ *etw in Bewegung ~* to set sth in motion; *jdn in Wut/in fröhliche Stimmung ~* to send sb into a rage/to put sb in a cheerful mood; *jdn in Angst ~* to frighten sb; *jdn in die Lage ~, etw zu tun* to put sb in a position to do sth. ⓕ *Stoß, Schlag, Tritt etc* to give ▸ *jdm einen Stich ~* (*fig*) to cut sb to the quick, to wound sb (deeply).
⊡ *vr* (*sich an andere Stelle setzen*) to move (to another place) ▸ *sich in jdn/in jds Lage ~* to put oneself in sb's place; *sich in eine frühere Zeit etc ~* to imagine oneself back in an earlier period.
Versetzung *f* ⓐ (*beruflich*) transfer. ⓑ (*Sch*) moving up ▸ *seine ~ ist gefährdet* he's in danger of having to stay down. ⓒ (*nicht geradlinige Anordnung*) staggering. ⓓ (*Vermischung*) mixing.
verseuchen* *vt* to contaminate.
Versfuß *m* (*Poet*) (metrical) foot.
Versicherer *m* - insurer; (*bei Schiffen*) underwriter.
▾ **versichern*** ⊡ *vt* ⓐ (*beteuern*) *jdm ~, daß ...* to assure sb that ...; *jdm etw ~, jdn einer Sache* (*gen*) *~* to assure sb of sth; *seien Sie versichert, daß ...* rest assured that ... ⓑ (*gegen Diebstahl etc*) to insure.
⊡ *vr* ⓐ to insure oneself (*mit* for). ⓑ (*sich vergewissern*) to make sure *or* certain.
Versicherte(r) *mf decl as adj* insured (party).
Versicherung *f siehe vt* ⓐ assurance. ⓑ insurance; (*~sgesellschaft*) insurance company.
Versicherungs-: **~anspruch** *m* insurance claim; **~beitrag** *m* insurance premium; (*bei staatlicher Versicherung etc*) insurance contribution; **~bescheinigung** *f* insurance certificate; **~betrug** *m* insurance fraud; **~dauer** *f* period of insurance; **~fall** *m im ~fall* in the event of a claim; **~gesellschaft** *f* insurance company; **~kaufmann** *m* insurance broker; **~nehmer** *m* (*form*) policy holder; **~pflicht** *f* compulsory insurance; **~police** *f* insurance policy; **~prämie** *f* insurance premium; **~schutz** *m* insurance cover; **~summe** *f* sum insured; **~träger** *m* = **Versicherer**; **~vertreter** *m* insurance agent; **~wert** *m* insurance value; **~wesen** *nt* insurance (business).
versickern* *vi aux sein* to seep away; (*fig: Interesse etc*) to peter out.
versiegeln* *vt* to seal.
versiegen* *vi aux sein* (*lit, fig*) to dry up; (*Interesse*) to peter out; (*Humor, Kräfte*) to fail.
versiert [vɛr-] *adj in etw* (*dat*) *~ sein* to be experienced *or* (*in bezug auf Wissen*) well versed in sth.
versilbern* *vt* to silver(-plate).
versinken* *vi irreg aux sein* to sink ▸ *ich hätte im Boden/vor Scham ~ mögen* I wished the ground would

swallow me up; *in etw* (*acc*) ~ (*fig*) in Trauer, Melancholie to sink into sth; *in Anblick, Gedanken, Musik* to lose oneself in sth.
versinnbildlichen* *vt* to symbolize.
Version [vɛr'ziːn] *f* version.
versklaven* [fɛɐ'sklaːvn] *vt* (*lit, fig*) to enslave.
Vers-: ~lehre *f* study of verse; **~maß** *nt* metre (*Brit*), meter (*US*).
versohlen* *vt* (*col*) to belt (*col*).
versöhnen* ① *vt* to reconcile; (*besänftigen*) *jdn, Götter* to placate ▶ **~de Worte** conciliatory words.
② *vr* to be(come) reconciled; (*Streitende*) to make it up. *sich mit etw* ~ to reconcile oneself to sth.
versöhnlich *adj Mensch* conciliatory; (*nichts nachtragend*) forgiving.
Versöhnung *f* reconciliation; (*Beschwichtigung*) appeasement.
versonnen *adj Gesichtsausdruck* pensive, thoughtful; (*träumerisch*) *Blick* dreamy.
versorgen* ① *vt* ⓐ (*sich kümmern um*) to look after. ⓑ (*beliefern*) to supply. ⓒ (*unterhalten*) *Familie* to provide for, to support.
② *vr sich mit etw* ~ to provide oneself with sth; *sich selbst* ~ to look after oneself.
Versorger(in *f*) *m* - ⓐ (*Ernährer*) provider, breadwinner. ⓑ (*Belieferer*) supplier.
Versorgung *f* ⓐ (*Pflege*) care. ⓑ (*Belieferung*) supply ▶ **die ~ dieses Gebiets mit Bussen** the provision of bus services for this district. ⓒ (*Unterhalt*) *die ~ im Alter* providing for one's old age.
Versorgungs-: ~ausgleich *m* (*bei Scheidung*) maintenance; **v~berechtigt** *adj* entitled to maintenance; (*durch Staat*) entitled to benefit; **~betrieb** *m* public utility; **~güter** *pl* supplies *pl*; **~netz** *nt* (*Wasser~, Gas~ etc*) (supply) grid; (*von Waren*) supply network.
verspachteln* *vt Risse* to fill (in).
verspannen* ① *vt* to brace.
② *vr* (*Muskeln*) to tense up ▶ **verspannt** tense(d up).
verspäten* *vr* (*zu spät kommen*) to be late.
verspätet *adj Zug, Flugzeug* delayed, late *pred*; *Ankunft, Frühling, Entwicklung* late; *Glückwunsch* belated.
Verspätung *f* (*von Verkehrsmitteln*) delay; (*von Mensch*) late arrival; (*von Glückwunsch etc*) belatedness ▶ *(10 Minuten)* ~ *haben* to be (10 minutes) late; *eine zweistündige* ~ a delay of two hours; *die ~ aufholen* to catch up lost time; *mit zwanzig Minuten* ~ twenty minutes late.
verspeisen* *vt* (*geh*) to consume.
versperren* *vt* to block.
verspielen* ① *vt* (*lit, fig*) *Geld, Chancen* to gamble away; *Vorteile* to bargain away.
② *vi* (*fig*) *jetzt hast du (bei ihr) verspielt* you've had it now (with her) (*col*).
verspielt *adj Kind, Katze* playful; *Frisur, Muster* fanciful.
versponnen *adj* airy-fairy.
verspotten* *vt* to mock.
versprechen* *irreg* ① *vt* to promise (*jdm etw* sb sth) ▶ *nichts Gutes* ~ to be ominous.
② *vr* ⓐ *sich* (*dat*) *viel/wenig von jdm/etw* ~ to have high hopes/no great hopes of sb/sth. ⓑ (*etwas Nicht-Gemeintes sagen*) to make a slip of the tongue.
Versprechen *nt* - promise.
Versprecher *m* - (*col*) slip (of the tongue).
Versprechung *f* promise.
verspritzen* *vt* ⓐ to spray; (*versprengen*) to sprinkle. ⓑ (*verkleckern*) *Farbe, Kleidung* to sp(l)atter. ⓒ (*verbrauchen*) *Wasser, Farbe etc* to use.
versprühen* *vt* to spray; *Funken* to send out; (*verbrauchen*) to use ▶ *Witz/Geist* ~ (*fig*) to scintillate.
verspüren* *vt* to feel, to be conscious of.

verstaatlichen* *vt* to nationalize.
Verstaatlichung *f* nationalization.
verstädtern* ① *vt* to urbanize.
② *vi aux sein* to become urbanized.
Verstand *m no pl* (*Fähigkeit zu denken*) reason; (*Intellekt*) mind, intellect; (*Vernunft*) (common) sense; (*Urteilskraft*) (powers *pl* of) judgement ▶ *den ~ verlieren* to lose one's mind; *nicht recht* or *ganz bei ~ sein* not to be in one's right mind; *das geht über meinen ~* it's beyond me; *etw ohne ~ tun* to do sth mindlessly.
verstandesmäßig *adj* rational.
verständig *adj* (*vernünftig*) sensible; (*einsichtig*) understanding.
verständigen* ① *vt* to notify.
② *vr* to communicate; (*sich einigen*) to come to an understanding.
Verständigung *f no pl* ⓐ (*Benachrichtigung*) notification. ⓑ (*das Sichverständigen*) communication *no indef art*. ⓒ (*Einigung*) understanding.
verständlich *adj* (*begreiflich*) understandable; (*intellektuell erfaßbar*) comprehensible; (*hörbar*) audible ▶ *schwer* ~ hard to understand; *jdm etw* ~ *machen* to make sb understand sth; (*erklären*) to explain sth to sb; *sich* ~ *machen* to make oneself understood; (*sich klar ausdrücken*) to make oneself clear.
verständlicherweise *adv* understandably (enough).
Verständlichkeit *f no pl* comprehensibility; (*Hörbarkeit*) audibility.
Verständnis *nt no pl* understanding (*für* of); (*Mitgefühl*) sympathy (*für* for) ▶ *für etw kein* ~ *haben* to have no understanding of/sympathy for sth; *für Kunst etc* to have no appreciation of sth; *für Unordnung etc* to have no time for sth; *dafür hast du mein vollstes* ~ you have my fullest sympathy; *wir bitten um Ihr* ~ we apologize for any inconvenience.
verständnis-: ~los *adj* uncomprehending; (*ohne Mitgefühl*) unsympathetic (*für* towards); (*für Kunst*) unappreciative (*für* of); **~voll** *adj* understanding; *Blick* knowing *no pred*.
verstärken* ① *vt* to strengthen, to reinforce; *Spannung, Zweifel* to increase; (*Elec, Mus*) to amplify; (*Mil*) to reinforce.
② *vr* (*fig*) to intensify; (*sich vermehren*) to increase.
Verstärker *m* - (*Rad, Elec*) amplifier.
verstärkt ① *adj* increased; *Wachsamkeit* greater; (*Mil*) reinforced.
② *adv* to an increased extent.
Verstärkung *f siehe vt* strengthening; reinforcement; increase; amplification.
verstauben* *vi aux sein* to get dusty; (*fig*) to gather dust ▶ *verstaubt* dusty; (*fig*) *Ansichten* fuddy-duddy (*col*).
verstauchen* *vt sich* (*dat*) *die Hand/den Fuß* ~ to sprain one's hand/foot.
Verstauchung *f* sprain.
verstauen* *vt Gepäck* to load (*in* +*dat* in).
Versteck *nt* **-e** hiding place; (*von Verbrechern*) hideout ▶ ~ *spielen* to play hide-and-seek.
verstecken* ① *vt* to hide, to conceal (*vor* from).
② *vr* to hide ▶ *sich vor jdm* ~ to hide from sb; *sich vor jdm nicht zu ~ brauchen* (*fig*) not to need to fear comparison with sb.
Versteckspiel *nt* (*lit, fig*) hide-and-seek.
versteckt *adj* ⓐ hidden; (*nicht leicht sichtbar*) *Eingang, Tür* concealed; (*abgelegen auch*) *Ort* secret. ⓑ (*fig*) *Lächeln, Blick* furtive; *Andeutung* veiled; *Bedeutung* hidden.
▼ **verstehen*** *irreg* ① *vti* ⓐ to understand ▶ *etw unter etw* (*dat*) ~ to understand sth by sth; *wie soll ich das ~?* how am I supposed to take that?; *das ist nicht wört-*

lich zu ~ that isn't to be taken literally; **jdn/etw falsch ~** to misunderstand sb/sth; **jdm zu ~ geben, daß ...** to give sb to understand that ... **b** (*können, beherrschen*) to know ► **es ~, etw zu tun** to know how to do sth; **es mit Kindern ~** to be good with children; **etwas von etw ~** to know something about sth.
2 *vr* **a** to understand each other; (*auskommen*) to get on. **b** (*klar sein*) to go without saying ► **das versteht sich von selbst** that goes without saying; **die Preise ~ sich einschließlich Lieferung** prices are inclusive of delivery. **c** (*auffassen*) **sich als etw ~** to see oneself as sth. **d** **sich auf etw** (*acc*) **~** to be an expert at sth.
versteifen* **1** *vt* to strengthen, to reinforce.
2 *vr* to stiffen up; (*fig: Haltung, Gegensätze*) to harden ► **sich auf etw** (*acc*) **~** (*fig*) to become set on sth.
versteigen* *vr irreg* **er hat sich zu der Behauptung verstiegen, daß ...** he presumed to claim that ...
versteigern* *vt* to auction (off) ► **etw ~ lassen** to put sth up for auction.
Versteigerung *f* auction.
versteinern* **1** *vi aux sein* (*Pflanzen, Tiere*) to fossilize; (*Holz*) to petrify.
2 *vr* (*fig*) *Miene* to harden.
verstellbar *adj* adjustable.
verstellen* **1** *vt* **a** (*anders einstellen*) to adjust; *Möbel* to move; (*in Unordnung bringen*) to put in the wrong place; (*falsch einstellen*) to adjust wrongly; *Radio* to alter the tuning of; *Uhr* to set wrong. **b** *Stimme* to disguise. **c** (*versperren*) to block, to obstruct.
2 *vr* to move (out of position); (*fig*) to act a part ► **sich vor jdm ~** to pretend to sb.
Verstellung *f* **a** (*der Stimme*) disguise. **b** (*Unaufrichtigkeit*) pretence (*Brit*), pretense (*US*).
versteuern* *vt* to pay tax on ► **versteuert** taxed; **zu ~** taxable.
verstiegen *adj* (*fig: überspannt*) extravagant, fantastic.
verstimmen* *vt* to put out of tune; (*fig*) to put out.
verstimmt *adj Klavier etc* out of tune; (*fig*) *Magen* upset; (*verärgert*) put out, disgruntled.
Verstimmung *f* disgruntlement; (*zwischen Parteien*) ill-feeling, ill-will.
verstockt *adj* obstinate, stubborn; *Sünder* unrepentant.
verstohlen *adj* furtive, surreptitious.
verstopfen* *vt* to stop up; *Straße* to block, to jam.
verstopft *adj* blocked; *Straßen auch* jammed; *Mensch* constipated.
Verstopfung *f* blockage; (*Med*) constipation.
verstorben *adj* late, deceased.
Verstorbene(r) *mf decl as adj* deceased.
verstört *adj* disturbed; (*vor Angst*) distraught.
Verstoß *m* ⁻e violation (*gegen* of).
verstoßen* *irreg* **1** *vt jdn* to disown, to repudiate; (*ausschließen*) to expel (*aus* from).
2 *vi* **gegen etw ~** to offend against sth.
Verstoßene(r) *mf decl as adj* outcast.
verstrahlen* *vt Tier, Menschen* to expose to radiation; *Gebäude, Gebiet auch* to make (highly) radioactive.
verstrahlt *adj* contaminated (by radiation).
Verstrebung *f* (*Strebebalken*) support(ing beam).
verstreichen* *irreg* **1** *vt Salbe, Farbe* to put on; *Butter* to spread (*auf* +*dat* on); *Riß* to fill (in); (*verbrauchen*) to use.
2 *vi aux sein* (*Zeit*) to pass (by); (*Frist*) to expire.
verstreuen* *vt* to scatter; (*versehentlich*) to spill.
verstricken* **1** *vt* **a** *Wolle* to use. **b** (*fig*) to involve.
2 *vr* (*fig*) to become entangled.
Verstrickung *f* (*fig*) entanglement.
verstromen* *vt Kohle* to convert into electricity.
verströmen* *vt* (*lit, fig*) to exude.
verstümmeln* *vt* to mutilate, to maim; (*fig*) *Nachricht* to distort.
verstummen* *vi aux sein* (*Mensch*) to go silent; (*Geräusch, Beifall*) to stop; (*langsam verklingen*) to die away; (*fig: sich legen*) to subside ► **jdn/etw zum V~ bringen** to silence sb/sth.
Versuch *m* -e attempt (*zu tun* at doing, to do); (*wissenschaftlich*) experiment, test ► **einen ~ machen** to make an attempt; to do an experiment *or* a test; **das käme auf einen ~ an** we'd have to try it.
▼ **versuchen*** **1** *vt* **a** (*auch vi*) to try ► **es mit jdm/etw ~** to give sb/sth a try; **versuchter Mord** attempted murder; **das Unmögliche ~** to attempt the impossible. **b** (*in Versuchung führen*) to tempt.
2 *vr* **sich an** *or* **in etw** (*dat*) **~** to try one's hand at sth.
Versucher(in *f*) *m* - tempter/temptress.
Versuchs-: **~anstalt** *f* research institute; **~ballon** *m* sounding balloon; **einen ~ballon steigen lassen** (*fig*) to fly a kite; **~bohrung** *f* experimental drilling; **~kaninchen** *nt* (*fig*) guinea-pig; **~objekt** *nt* test object; (*fig: Mensch*) guinea-pig; **~person** *f* experimental subject; **~reihe** *f* series of experiments; **~stadium** *nt* experimental stage; **~strecke** *f* test track; **~tier** *nt* laboratory animal; **v~weise** *adv* as a trial, on a trial basis.
Versuchung *f* temptation ► **jdn in ~ führen** to lead sb into temptation; **in ~ geraten** *or* **kommen** to be tempted.
versumpfen* *vi aux sein* **a** (*Gebiet*) to become marshy. **b** (*fig col*) (*verwahrlosen*) to go to pot (*col*); (*zechen*) to get involved in a booze-up (*col*).
versündigen* *vr* (*geh*) **sich an jdm/etw ~** to sin against sb/sth.
versunken *adj* sunken, submerged; *Kultur* submerged; (*fig*) engrossed ► **in Gedanken ~** lost in thought.
Versunkenheit *f no pl* (*fig*) absorption.
versüßen* *vt* (*fig*) to sweeten (*jdm etw* sth for sb).
vertagen* **1** *vti* to adjourn; (*verschieben*) to postpone (*auf* +*acc* until).
2 *vr* to adjourn.
Vertagung *f siehe vti* adjournment; postponement.
vertauschbar *adj* exchangeable (*gegen* for); (*miteinander*) interchangeable.
vertauschen* *vt* **a** to exchange (*gegen or mit* for); (*miteinander*) to interchange ► **vertauschte Rollen** reversed roles. **b** (*verwechseln*) *Mäntel etc* to mix up.
Vertauschung *f* (*Austausch*) exchange.
verteidigen* **1** *vti* to defend.
2 *vr* to defend oneself; (*vor Gericht*) to conduct one's own defence (*Brit*) *or* defense (*US*).
Verteidiger(in *f*) *m* - defender; (*Anwalt*) defence (*Brit*) *or* defense (*US*) lawyer ► **der ~ des Angeklagten** the counsel for the defence.
Verteidigung *f* defence (*Brit*), defense (*US*) ► **zur ~ von** *or* +*gen* in defence of.
Verteidigungs-: *in cpds* defence (*Brit*), defense (*US*); **~anlagen** *pl* defences *pl* (*Brit*), defenses *pl* (*US*); **~fähigkeit** *f* defensive capability; **~krieg** *m* defensive war; **~minister** *m* Minister of Defence (*Brit*), Defense Secretary (*US*); **~ministerium** *nt* Ministry of Defence (*Brit*), Defense Department (*US*); **~schlacht** *f* defensive battle; **~spieler** *m* defender; **~stellung** *f* defensive position; **~system** *nt* defence (*Brit*) *or* defense (*US*) system; **~waffe** *f* defensive weapon.
verteilen* **1** *vt* (*an* +*acc* to, *unter* +*acc* among) to distribute; *Essen* to dish out; (*Theat*) *Rollen* to cast; *Investitionen, Lehrstoff* to spread (*über* +*acc* over); (*Mil*) to deploy; (*verstreuen*) to spread out; (*streichen*) *Farbe etc* to spread; (*streuen*) *Sand* to sprinkle.
2 *vr* (*Menschen, Flüssigkeiten*) to spread out; (*Reichtum etc*) to be spread *or* distributed; (*zeitlich*) to be spread (*über* +*acc* over).

⚠: for details of spelling reform, see supplement

➤ SATZBAUSTEINE: **versuchen: 1a** →9.2, 15.3, 15.4

Vert̲eiler m - (Comm, Aut) distributor.

Verteilung f distribution.

vertelefon̲ieren* vt (col) Zeit to spend on the phone; (Geld) to spend on phone calls.

verteuern* ① vt to make more expensive. ② vr to become more expensive.

Verteuerung f increase in price.

verteufeln* vt to condemn.

verteufelt (col) ① adj Lage devilish (col), tricky. ② adv (mit adj) damned (col).

vert̲iefen* ① vt (lit, fig) to deepen; (Sch) Lehrstoff to consolidate.
② vr (lit, fig) to deepen; (fig: Lehrstoff) to be consolidated ► **sich in etw** (acc) ~ (fig) to become engrossed in sth.

Vert̲iefung f ⓐ siehe vt deepening; consolidation. ⓑ (in Oberfläche) depression. ⓒ (in Arbeit etc) absorption.

vertikal [verti'ka:l] adj vertical.

Vertikale [verti'ka:lə] f -n vertical line.

vert̲ilgen* vt ⓐ Unkraut etc to eradicate. ⓑ (col: aufessen) to demolish (col).

Vert̲ilgungsmittel nt weedkiller; (Insekten~) pesticide.

vert̲ippen* vr (col) to make a typing error.

vert̲onen* vt to set to music; Film etc to add a soundtrack to.

vertr̲ackt adj (col) complicated, tricky.

Vertr̲ag m ⁼e contract; (Abkommen) agreement; (Pol: Friedens~) treaty ► **unter ~ stehen** to be under contract.

vertr̲agen* irreg ① vt to take; (aushalten auch) to stand ► **Eier/Wolle vertrage ich nicht** eggs don't agree with me/I can't wear wool; **viel ~ können** (col: Alkohol) to have a considerable capacity (for drink).
② vr **sich (mit jdm) ~** to get along (with sb); **sich wieder ~** to be friends again; **sich mit etw ~** (Nahrungsmittel, Farbe) to go with sth; (Aussage, Verhalten) to be consistent with sth.

vertr̲aglich ① adj contractual. ② adv by contract; festgelegt in the/a contract.

vertr̲äglich adj (friedlich, umgänglich) peaceable, easygoing; Speise digestible; (bekömmlich) wholesome; Medikament well tolerated (für by) ► **gut ~** easily digestible.

Vertr̲äglichkeit f no pl siehe adj easy-going nature; digestibility; wholesomeness.

Vertr̲ags-: **~bruch** m breach of contract; breaking of an/a agreement; breaking of a/the treaty; **v~brüchig** adj in breach of contract; **~entwurf** m draft contract/ agreement/treaty; **v~gemäß** adj, adv as stipulated in the contract/agreement/treaty; **~händler** m concessionary; **v~schließend** adj contracting; **~werkstatt** f authorized repair shop; **v~widrig** ① adj contrary to the contract/agreement/treaty; ② adv in breach of contract/the agreement/the treaty.

vertr̲auen* vi jdm/einer Sache ~ to trust sb/sth; auf jdn/etw ~ to trust in sb/sth.

Vertr̲auen nt no pl trust, confidence (zu, in +acc, auf +acc in); (Pol) confidence ► **im ~ (gesagt)** strictly in confidence; **im ~ darauf, daß ...** confident that ...; **~ zu jdm fassen** to gain confidence in sb; **jdn ins ~ ziehen** to take sb into one's confidence.

△ **vertr̲auen|erweckend** adj Arzt, Mensch who inspires confidence ► **einen ~en Eindruck machen/~ aussehen** to inspire confidence.

Vertr̲auens-: **~arzt** m doctor who examines patients signed off sick for a lengthy period; **v~bildend** adj Maßnahmen designed to build up confidence; **~bruch** m breach of confidence; **~mann** m, pl **~leute** or **~männer** intermediary; **~person** f someone to confide in, confidant(e);

~sache f (vertrauliche Angelegenheit) confidential matter; (Frage des Vertrauens) question of trust; **v~selig** adj trusting; **~stellung** f position of trust; **v~voll** adj trusting; **~votum** nt (Parl) vote of confidence; **v~würdig** adj trustworthy.

vertr̲aulich ① adj ⓐ (geheim) confidential. ⓑ (freundschaftlich) friendly; (plump ~) familiar ► **~ werden** to get familiar; (zudringlich) to take liberties. ② adv ⓐ confidentially. ⓑ in a friendly way.

Vertr̲aulichkeit f confidentiality.

vertr̲äumt adj dreamy; Städtchen etc sleepy.

vertr̲aut adj intimate; (bekannt) Gesicht, Umgebung familiar ► **sich mit etw ~ machen** to familiarize oneself with sth; **sich mit dem Gedanken ~ machen, daß ...** to get used to the idea that ...; **mit jdm ~ werden** to become friendly with sb.

Vertr̲aute(r) mf decl as adj close friend.

Vertr̲autheit f no pl siehe adj intimacy; familiarity.

vertr̲eiben* vt irreg ⓐ Tiere, Menschen, Sorgen to drive away; (aus Haus, Land) to drive out (aus of); (aus Amt, von Stellung) to oust (aus from); Feind to drive off ► **jdm/sich die Zeit mit etw ~** to help sb pass the time/to pass the time with sth. ⓑ (Comm) Waren to market.

Vertr̲eibung f (aus from) expulsion; (aus Amt etc) ousting; (von Feind) repelling.

vertr̲etbar adj justifiable; Theorie tenable.

vertr̲eten* vt irreg ⓐ (ersetzen) to replace; Kollegen, Lehrer to cover for. ⓑ jds Interessen, Firma, Wahlkreis to represent; Sache to look after; (Jur) Fall to plead ► **~ sein** to be represented. ⓒ (Comm) to be the agent for; (Angestellter) to represent. ⓓ (verfechten) Standpunkt to support; Meinung to hold; Kunstrichtung to represent; (rechtfertigen) to justify (vor to). ⓔ **sich** (dat) **den Fuß ~** to twist one's ankle; **sich** (dat) **die Beine** or **Füße ~** (col) to stretch one's legs.

Vertr̲eter(in f) m - ⓐ representative; (Comm) (Firma) agent; (Angestellter) (sales) representative, rep (col). ⓑ (Ersatz) replacement; (im Amt) deputy. ⓒ (Verfechter) (von Doktrin) supporter, advocate; (von Meinung) holder.

Vertr̲etung f siehe vt (a-d) ⓐ replacement; (Aushilfslehrer) supply (Brit) or substitute (US) teacher ► **die ~ (für jdn) übernehmen** to stand in (for sb); **in ~** +gen on behalf of; (in Briefen) pp. ⓑ representation ► **X übernimmt die ~ des Falles** (Jur) X is pleading the case. ⓒ (Comm) agency. ⓓ supporting; holding; representation.

Vertr̲etungs-: **~stunde** f (Sch) cover lesson; **v~weise** adv as a replacement; (bei Amtsperson) as a deputy.

Vertr̲ieb m -e sales pl; (von einem Produkt) sale, marketing; (im Großhandel) distribution ► **den ~ für eine Firma haben** to have the agency or dealership for a firm.

Vertr̲iebene(r) mf decl as adj exile.

Vertr̲iebs-: **~abteilung** f sales department; **~gesellschaft** f marketing company; **~kosten** pl marketing costs pl; **~rechte** pl distribution rights pl.

vertr̲inken* vt irreg to spend on drink.

vertr̲ocknen* vi aux sein to dry out; (Eßwaren) to go dry; (Pflanzen) to shrivel; (Quelle) to dry up.

vertr̲ödeln* vt (col) to fritter away.

vertr̲östen* vt to put off (auf +acc until) ► **jdn auf ein andermal/auf später ~** to put sb off.

vert̲un* irreg ① vt Zeit etc to waste. ② vr (col) to make a mistake.

vert̲uschen* vt to hush up ► **etw vor jdm ~** to keep sth from sb.

Vert̲uschung f cover-up.

ver|ü̲beln* vt jdm etw ~ not to be at all pleased with sb for doing sth; **das kann ich dir nicht ~** I can't blame you for that.

ver|ü̲ben* vt to commit.

△: Informationen zur Rechtschreibreform im Anhang

ver|ulken* vt (col) to make fun of.

ver|unglimpfen* vt jdn to disparage.

ver|unglücken* vi aux sein (Mensch) to have an accident; (Fahrzeug) to crash; (fig col: mißlingen) to go wrong ▶ mit dem Flugzeug ~ to be in a plane crash.

ver|unglückt adj (fig) Versuch etc unsuccessful.

Ver|unglückte(r) mf decl as adj casualty, victim.

ver|unreinigen* vt Fluß etc to pollute; (beschmutzen) to dirty; (Hund etc) to foul.

Ver|unreinigung f siehe vt pollution; dirtying; fouling.

ver|unsichern* vt to make unsure (in +dat about) ▶ sie versuchten, ihn zu ~ they tried to throw him; verunsichert unsure of oneself.

ver|unstalten* vt to disfigure.

ver|untreuen* vt to embezzle.

Ver|untreuung f embezzlement.

ver|unzieren* vt to spoil ▶ jdn or jds Gesicht ~ to spoil sb's looks.

▼ **ver|ursachen*** vt to cause.

Ver|ursacher(in f) m - person/party responsible (gen for), perpetrator (gen of).

ver|urteilen* vt to condemn (Jur); (für schuldig befinden) to convict (für of); (zu Strafe) to sentence (zu to) ▶ jdn zu einer Geldstrafe von 1.000 DM ~ to fine sb DM 1,000.

Ver|urteilte(r) mf decl as adj convicted man/woman ▶ der zum Tode ~ the condemned man.

Ver|urteilung f condemnation; (Jur) conviction.

vervielfachen* vtr to multiply.

vervielfältigen* vt to duplicate.

Vervielfältigung f duplication; (Abzug) copy.

vervierfachen* vtr to quadruple.

vervollkommnen* [1] vt to perfect.
[2] vr to make oneself perfect.

vervollständigen* [1] vt to complete.
[2] vr to be completed.

Vervollständigung f completion.

verwachsen¹* vi irreg aux sein [a] (zusammenwachsen) to grow together; (Narbe, Wunde) to heal; (Knochen) to knit. [b] (fig: Menschen) to grow closer (together) ▶ zu etw ~ to grow into sth; mit etw ~ mit Aufgabe, Traditionen to become caught up in sth; mit etw ~ sein to have very close ties with sth.

verwachsen² adj [a] Mensch deformed; (verkümmert) stunted. [b] (überwuchert) overgrown.

verwackelt adj blurred.

▼ **verwählen*** vr to dial the wrong number.

verwahren* [1] vt (aufbewahren) to keep safe.
[2] vr sich gegen etw ~ to protest against sth.

verwahrlosen* vi aux sein to go to pot (col); (Gebäude auch) to fall into disrepair; (Mensch) to let oneself go; (verwildern) to run wild.

verwahrlost adj neglected ▶ sittlich ~ depraved.

Verwahrung f [a] no pl (von Geld etc) keeping; (von Täter) custody, detention ▶ jdm etw in ~ geben to give sth to sb for safekeeping; etw in ~ nehmen to take sth into safekeeping; (Behörde) to take possession of sth; jdn in ~ nehmen to take sb into custody. [b] (Einspruch) protest.

verwaist adj orphaned; (fig) deserted.

verwalten* vt to manage; Amt to hold; (Pol) Provinz etc to govern; (Beamte) to administer; (Rel) to administer ▶ sich selbst ~ (Pol) to be self-governing.

Verwalter(in f) m - administrator.

Verwaltung f [a] siehe vt management; holding; government; administration. [b] (Behörde, Abteilung) administration; (Haus~) management ▶ städtische ~ municipal authorities pl.

Verwaltungs-: ~angestellte(r) mf administrative employee; ~apparat m administrative machinery;

~beamte(r) m government official; ~bezirk m administrative district; ~gericht nt Administrative Court; ~weg m auf dem ~weg through administrative channels.

verwandeln* [1] vt to change, to transform; (umwandeln) to convert ▶ jdn/etw in etw (acc) ~ to turn sb/sth into sth; ein Gebäude in einen Trümmerhaufen ~ to reduce a building to a pile of rubble; er ist wie verwandelt he's a changed man.
[2] vi (Sport sl) zum 1:0 ~ to make it 1-0.
[3] vr to change ▶ sich in etw (acc) or zu etw ~ to change or turn into sth.

Verwandlung f change, transformation ▶ eine ~ durchmachen to undergo a transformation.

verwandt adj (lit, fig) related (mit to) ▶ geistig ~ sein (fig) to be kindred spirits.

Verwandte(r) mf decl as adj relation, relative.

Verwandtschaft f relationship; (die Verwandten) relations pl, relatives pl; (fig) affinity.

verwandtschaftlich adj family attr.

verwarnen* vt to caution, to warn; (Ftbl) to book.

Verwarnung f caution, warning; (Ftbl) booking.

verwaschen adj faded; (verwässert) Farbe watery.

verwässern* vt (lit, fig) to water down.

verwechseln* vt to confuse, to mix up ▶ jdn (mit jdm) ~ to confuse sb with sb; (für jdn halten auch) to mistake sb for sb; sie sind sich zum V~ ähnlich it's impossible to tell the difference between them.

Verwechslung f confusion; (Irrtum) mistake ▶ das muß eine ~ sein there must be some mistake.

verwegen adj daring, bold; (tollkühn) foolhardy; (keck) saucy.

verwehen* [1] vt Rauch to blow away; Spur to cover over.
[2] vi aux sein (Spur) to be covered over.

verwehren* vt (geh) jdm etw ~ to refuse or deny sb sth; jdm ~, etw zu tun to bar sb from doing sth.

Verwehung f drift.

verweichlichen* [1] vt jdn ~ to make sb soft; ein verweichlichter Mensch a weakling.
[2] vi aux sein to get soft.

Verweigerer m refusenik; (Kriegsdienst~) conscientious objector.

verweigern* vt to refuse; Befehl to refuse to obey; Kriegsdienst to refuse to do ▶ jdm etw ~ to refuse or deny sb sth.

Verweigerung f refusal ▶ ~ des Kriegsdienstes refusal to do (one's) military service; ~ des Gehorsams disobedience.

verweilen* vi (geh) (Mensch) to stay; (Blick, Gedanken) to dwell ▶ bei einer Sache ~ to dwell on sth.

verweint adj Augen tear-swollen; Gesicht tear-stained.

Verweis m -e [a] (Rüge) reprimand ▶ jdm einen ~ erteilen to reprimand sb. [b] (Hinweis) reference (auf +acc to).

verweisen* irreg [1] vt [a] (hinweisen) jdn auf etw (acc)/an jdn ~ to refer sb to sth/sb. [b] (von der Schule) to expel ▶ jdn des Landes ~ to deport sb; jdm vom Platz or des Spielfeldes ~ to send sb off; jdn auf den zweiten Platz ~ (Sport) to relegate sb to second place. [c] (Jur) to refer (an +acc to).
[2] vi auf etw (acc) ~ to refer to sth.

verwelken* vi aux sein (Blumen) to wilt; (fig) to fade ▶ ein verwelktes Gesicht a worn face.

verweltlichen* vt to secularize.

verwendbar adj usable (zu for) ▶ das ist nur einmal ~ it can be used once only.

Verwendbarkeit f no pl usability.

verwenden [1] vt to use ▶ Mühe auf etw (acc) ~ to put effort into sth; Zeit auf etw (acc) ~ to spend time on sth.

➤ SPRACHE AKTIV: **verursachen** → 6.1   **verwählen** → 5.1, 15.7

2 vr *sich (bei jdm) für jdn* ~ to approach sb on sb's behalf.

Verwendung f use; (von Zeit, Geld) expenditure (auf +acc on).

Verwendungs-: **~möglichkeit** f (possible) use; **~weise** f manner of use; **~zweck** m use, purpose.

verwerfen* irreg vt (ablehnen) to reject; (Jur) Klage, Antrag to dismiss; Urteil to quash; (kritisieren) Handlungsweise to condemn.

verwerflich adj reprehensible.

verwertbar adj usable.

verwerten* vt (verwenden) to utilize; Erfindung, Material etc to exploit.

Verwertung f siehe vt utilization; exploitation.

verwesen* vi aux sein to decay; (Leiche auch) to decompose.

Verweser m - (old, liter) administrator.

Verwesung f no pl siehe vi decay; decomposition.

verwickeln* **1** vt Fäden etc to tangle (up) ► *jdn in etw* (acc) ~ to involve sb in sth. **2** vr (Fäden etc) to get tangled up ► *sich in etw* (acc) ~ (lit, fig) to become entangled in sth.

verwickelt adj (fig col: schwierig) involved, complicated.

Verwicklung f involvement (in +acc in); (Komplikation) complication; (Verwirrung) confusion.

verwildern* vi aux sein (Garten) to become overgrown; (Pflanzen) to grow wild; (Haustier) to become wild.

verwildert adj wild; Garten overgrown; Aussehen unkempt.

verwirken vt (geh) to forfeit.

verwirklichen* **1** vt to realize; Wunsch to fulfil (Brit) or fulfill (US); Traum to make come true. **2** vr to be realized; (Mensch) to fulfil (Brit) or fulfill (US) oneself.

Verwirklichung f no pl realization; (von Wunsch, Selbst~) fulfilment (Brit), fulfillment (US).

verwirren* **1** vt **a** Haare to tousle; Fäden etc to get tangled up. **b** (durcheinanderbringen) to confuse; (konfus machen) to bewilder. **2** vr (Fäden etc) to become tangled up; (Haare) to become tousled; (fig) to become confused.

Verwirrspiel nt (fig) confusion ► *ein ~ mit jdm treiben* to try to confuse sb.

Verwirrung f (Durcheinander) confusion ► *jdn in ~ bringen* to confuse sb.

verwirtschaften* vt to squander away.

verwischen* **1** vt (verschmieren) to smudge; (lit, fig) Spuren to cover over; (fig) Erinnerungen to blur. **2** vr (lit, fig) to become blurred.

verwittern* vi aux sein to weather.

verwitwet adj widowed.

verwöhnen* **1** vt to spoil; (Schicksal) to be good to. **2** vr to spoil oneself.

verwöhnt adj spoilt; Kunde, Geschmack discriminating.

verworfen adj (geh) depraved.

verworren adj confused, muddled; (verwickelt) intricate.

verwundbar adj (lit, fig) vulnerable.

verwunden* vt to wound.

verwunderlich adj surprising; (sonderbar) strange, odd.

verwundern* **1** vt to astonish. **2** vr to be astonished (über +acc at).

Verwunderung f no pl astonishment.

Verwundete(r) mf decl as adj casualty ► *die ~n* (Mil) the wounded.

Verwundung f wound.

verwünschen* vt **a** (verfluchen) to curse. **b** (in Märchen: verzaubern) to enchant; (verhexen) to bewitch.

Verwünschung f (Fluch) curse.

verwurzelt adj ~ sein (Pflanze) to be rooted; (fest) in or mit etw ~ (fig) deeply rooted in sth.

verwüsten* vt to devastate, to ravage.

Verwüstung f devastation no pl, ravaging no pl.

verzagen* vi (geh) to lose heart.

verzagt adj disheartened.

verzählen* vr to miscount.

verzahnen* vt to dovetail; Zahnräder to cut teeth in ► *ineinander verzahnt sein* (lit, fig) to mesh.

verzapfen* vt (col) Unsinn to come out with.

verzärteln* vt (pej) to mollycoddle, to pamper.

verzaubern* vt to cast a spell on; (bezaubern) to enchant; (verhexen) to bewitch ► *jdn in etw* (acc) ~ to turn sb into sth.

verzehnfachen* vtr to increase tenfold.

Verzehr m no pl consumption.

verzehren* vt (form: lit, fig) to consume.

verzeichnen* vt to record; (in einer Liste auch) to enter ► *einen Erfolg zu ~ haben* to have scored a success.

Verzeichnis nt index; (Tabelle) table; (Namens~, esp amtlich) register; (Aufstellung) list; (Comp) directory.

verzeihen pret **verzieh,** ptp **verziehen** vti (vergeben) to forgive; (entschuldigen) to excuse, to pardon ► *jdm (etw) ~* to forgive sb (for sth); ~ Sie! excuse me!

verzeihlich adj forgivable; (zu entschuldigen) excusable.

Verzeihung f no pl forgiveness; (Entschuldigung) pardon ► ~! excuse me!; (jdn) um ~ bitten (sich entschuldigen) to apologize (to sb).

verzerren* **1** vti (lit, fig) to distort; Gesicht to contort; Sehne, Muskel to strain, to pull ► *etw verzerrt darstellen* (fig) to present a distorted picture of sth. **2** vr to become distorted; (Gesicht etc) to become contorted (zu in).

Verzerrung f (lit, fig) distortion; (von Gesicht) contortion.

verzetteln* **1** vt to fritter away. **2** vr to dissipate one's energies (an +dat on); (bei Aufgabe) to get bogged down.

Verzicht m -e renunciation (auf +acc of); (auf Anspruch) abandonment (auf +acc of); (Opfer) sacrifice; (auf Thron) abdication (auf +acc of) ► *ein ~, der mir nicht schwerfällt* that's something I can easily do without.

verzichten* vi to do without; (Opfer bringen) to make sacrifices ► *auf jdn/etw ~* (ohne auskommen müssen) to do without sb/sth; (aufgeben) to give up sb/sth; auf Erbschaft to renounce sth; (von etw absehen) auf Kommentar, Anzeige etc to abstain from sth; auf Amt to refuse sth; auf den Thron ~ to abdicate; sie verzichtete zugunsten ihrer Schwester auf das Auto she let her sister have the car; danke, ich verzichte (iro) not for me, thanks.

verzieh pret of **verzeihen.**

verziehen¹* irreg **1** vt **a** Mund, Züge etc to twist (zu into) ► *das Gesicht ~* to pull a face; den Mund ~ to turn up one's mouth; keine Miene ~ not to turn a hair. **b** Stoff to pull out of shape; Holz to warp. **c** (verwöhnen) to spoil. **2** vr **a** (Stoff) to go out of shape; (Holz) to warp. **b** (Mund, Gesicht etc) to twist (zu into). **c** (verschwinden) to disappear; (Gewitter) to pass; (Nebel, Wolken) to disperse. **3** vi aux sein to move (nach to) ► *verzogen* (Vermerk) gone away.

verziehen² ptp of **verzeihen.**

verzieren* vt to decorate; (verschönern) to embellish.

Verzierung f siehe vt decoration; embellishment.

verzinsen* **1** vt to pay interest on ► *das Geld wird mit 3% verzinst* 3% interest is paid on the money. **2** vr sich (mit 6%) ~ to yield (6%) interest.

verzinslich adj interest-bearing attr ► ~/fest ~ sein to yield interest/a fixed rate of interest; *nicht* ~ interest-free.

verzogen *adj Kind* spoilt.

verzögern* ⓵ *vt* to delay; (*verlangsamen*) to slow down.

⓶ *vr* to be delayed.

Verzögerung *f* ⓐ delay, hold-up. ⓑ *no pl* (*das Verzögern*) delaying; (*Verlangsamung*) slowing down.

Verzögerungstaktik *f* delaying tactics *pl*.

verzollen* *vt* to pay duty on ▶ *haben Sie etwas zu* ~? have you anything to declare?; *verzollt* duty-paid.

verzuckern* ⓵ *vi aux sein* (*Honig etc*) to crystallize.

⓶ *vt* to put too much sugar on.

verzückt *adj* enraptured, ecstatic.

Verzückung *f no pl* rapture, ecstasy ▶ *in* ~ *geraten* to go into ecstasies (*wegen* over).

Verzug *m* delay; (*Fin*) arrears *pl* ▶ *bei* ~ *(der Zahlungen)* on default of payment; *mit etw in* ~ *geraten* to fall behind with sth; *mit Zahlungen auch* to fall into arrears with sth; *in* ~ *bringen* to delay.

verzweifeln* *vi aux sein* to despair (*an* +*dat* of) ▶ *es ist zum V~!* it drives you to despair!

verzweifelt *adj* desperate; *Blick, Stimme etc auch* despairing.

Verzweiflung *f* (*Gemütszustand*) despair; (*Ratlosigkeit*) desperation ▶ *jdn zur* ~ *treiben* to drive sb to despair.

verzweigen* *vr* to branch.

verzweigt *adj Baum, Firma* with a lot of branches; *Verkehrsnetz* complex.

verzwickt *adj* (*col*) tricky.

Vesper *f* -**n** (*Eccl*) vespers *pl*.

Vesuv [ve'su:f] *m der* ~ Vesuvius.

Veteran [vete'ra:n] *m* (*wk*) -**en**, -**en** (*Mil, fig*) veteran.

Veto ['ve:to] *vt* -**s** veto.

Vetorecht ['ve:to-] *nt* right of veto.

Vetter *m* -**n** cousin.

Vetternwirtschaft *f* (*col*) nepotism.

vgl. = **vergleiche** cf.

v.H. = **vom Hundert** per cent.

VHS [fauha:'|es] *f* = **Volkshochschule**.

via ['vi:a] *adv* via.

Viadukt [via'dʊkt] *m* -**e** viaduct.

Vibration [vibra'tsio:n] *f* vibration.

Vibrato [vi'bra:to] *nt* vibrato.

vibrieren* [vi'bri:rən] *vi* to vibrate; (*Stimme*) to tremble.

Video ['vi:deo] *nt* -**s** video ▶ *auf* ~ *aufnehmen* to video.

Video-: *in cpds* video; ~**aufnahme**, ~**aufzeichnung** *f* video recording; ~**band** *nt* video-tape; ~**gerät** *nt* video (recorder); ~**kamera** *f* video camera; ~**kassette** *f* video cassette; ~**rekorder** *m* video recorder; ~**technik** *f* video technology; ~**spiel** *nt* video game; ~**text** *m* teletext.

Vieh *nt no pl* ⓐ (*Nutztiere*) livestock; (*Rinder auch*) cattle *pl*. ⓑ (*col: Tier*) animal.

Vieh-: ~**bestand** *m* livestock; ~**futter** *nt* animal fodder; ~**handel** *m* livestock/cattle trade.

viehisch *adj* brutish; *Schmerzen* beastly.

Vieh-: ~**markt** *m* livestock/cattle market; ~**seuche** *f* livestock disease; ~**wagen** *m* cattle truck; ~**zeug** *nt* (*col*) animals *pl*; ~**zucht** *f* (live)stock/cattle breeding.

viel *indef pron, adj, comp* **mehr**, *superl* **meiste(r, s)** *or* (*adv*) **am meisten** ⓐ *sing* (*adjektivisch*) a lot of; (*fragend, verneint auch*) much; (*substantivisch*) a lot; (*fragend, verneint auch*) much ▶ ~*es* a lot of *or* many things; *sehr* ~ *Geld* a great deal of money, a very large sum of money; *in* ~ many respects; *noch (ein)mal so* ~ *(Zeit etc)* as much (time *etc*) again; *gleich* ~ *(Gewinn etc)* the same amount (of profit *etc*); *einer zu* ~ one too many; ~ *Neues/Schönes etc* a lot of *or* many new/beautiful *etc* things; *das* ~*e/sein* ~*es Geld* all that/all his money.

ⓑ ~*e pl* (*adjektivisch*) many, a lot of; (*substantivisch*) many, a lot; *gleich* ~*e (Angestellte/Anteile etc)* the same number (of employees/shares *etc*); *so/zu* ~*e (Menschen/Fehler etc)* so/too many (people/mistakes *etc*); *aufgrund der* ~*en Fehler* because of all the mistakes; ~*e hundert Menschen* many hundreds of people.

ⓒ (*adverbial: mit vb*) a lot, a great deal; (*fragend, verneint auch*) much ▶ *er arbeitet* ~/*nicht* ~ he works a lot/doesn't work much; *er arbeitet zu/so* ~ he works too/so much *or* such a lot; *die Straße wird (sehr/nicht)* ~ *befahren* this street is (very/not very) busy; *sich* ~ *einbilden* to think a lot of oneself.

ⓓ (*adverbial: mit adj, adv*) much, a lot ▶ ~ *größer* much *or* a lot bigger; ~ *zu ...* much too ...; ~ *zu* ~*e* far too many.

Viel-: **v~beschäftigt** ⚠ *adj attr* very busy; **v~deutig** *adj* ambiguous; **v~diskutiert** ⚠ *adj attr* much discussed; ~**eck** *nt* polygon.

vielerlei *adj inv* ⓐ all sorts of. ⓑ (*substantivisch*) all sorts of things.

vieler|orts *adv* in many places.

vielfach ⓵ *adj* multiple *attr* ▶ *ein* ~*er Millionär* a multimillionaire; *auf* ~*e Weise* in many various ways; *auf* ~*en Wunsch* by popular request; *um ein* ~*es besser* many times better.

⓶ *adv* many times; (*in vielen Fällen*) in many cases; (*auf* ~*e Weise*) in many ways; (*col: häufig*) frequently ▶ ~ *bewährt* tried and tested many times.

Vielfache(s) *nt decl as adj* (*Math*) multiple ▶ *um ein* ~*s* many times over; *er verdient ein* ~*s von dem, was ich verdiene* his salary is many times larger than mine.

Vielfalt *f* (great) variety.

vielfältig *adj* varied, diverse.

Viel-: **v~farbig** *adj* multicoloured (*Brit*), multicolored (*US*); ~**flieger** *m* (*col*) frequent *or* regular air traveller; *Sondertarife für* ~*flieger* special rates for regular air travellers; ~**fraß** *m* -**e** glutton; **v~gehaßt** ⚠ *adj attr* much-hated; **v~geliebt** ⚠ *adj attr* much-loved; **v~geprüft** ⚠ *adj attr* (*hum*) sorely tried; **v~gereist** ⚠ *adj* much-travelled (*Brit*), much-traveled (*US*); ~**götterei** *f* polytheism; **v~köpfig** *adj* (*col*) *Familie, Schar* large.

vielleicht *adv* ⓐ perhaps; (*in Bitten auch*) by any chance ▶ *ja,* ~ yes, perhaps *or* maybe; ~ *sagst du mir mal, warum* you'd better tell me why; *hat er sich* ~ *verirrt/weh getan?* maybe he has got lost/hurt himself; *hast du ihm das* ~ *erzählt?* did you perhaps tell him that?; (*entsetzt: denn etwa*) you didn't tell him that, did you?; ~*, daß ...* it could be that ... ⓑ (*col: wirklich*) really ▶ *soll ich* ~ *24 Stunden arbeiten?* am I really supposed to work 24 hours then?; *du bist* ~ *ein Idiot!* you really are an idiot!; *ich war* ~ *nervös!* I wasn't half nervous! (*Brit col*), was I nervous!

vielmalig *adj attr* repeated.

vielmals *adv danke* ~! many thanks!; *ich bitte* ~ *um Entschuldigung!* I do apologize!; *er läßt* ~ *grüßen* he sends his best regards.

vielmehr *adv* rather; (*sondern, nur*) just.

Viel-: **v~sagend** ⚠ *adj* meaningful, significant; *jdn v~sagend ansehen* to give sb a meaningful look; **v~schichtig** *adj* (*fig*) complex; ~**schreiber** *m er ist ein richtiger* ~*schreiber* (*pej*) he really churns out the stuff (*col*); **v~seitig** *adj* (*lit*) many-sided; *Mensch, Gerät* versatile; *Interessen* varied; *Ausbildung* all-round *attr*; *auf v~seitigen Wunsch* by popular request; *v~seitig begabt/interessiert sein* to be versatile/to have varied interests; **v~sprachig** *adj* multilingual, polyglot; **v~stimmig** *adj* many-voiced; **v~versprechend** ⚠ *adj* promising; ~**völkerstaat** *m* multiracial state;

~weiberei *f* polygamy; **~zahl** *f* multitude.

Vielzweck- *in cpds* multipurpose.

vier *num* four ▶ *sie ist ~ (Jahre)* she's four (years old); *mit ~ (Jahren)* at the age of four; *es ist ~ (Uhr)* it's four (o'clock); *~ Uhr ~* four minutes past four; *für or auf ~ Tage* for four days; *in ~ Tagen* in four days, in four days' time; *wir waren ~* there were four of us; *jdn unter ~ Augen sprechen* to speak to sb in private; *~ Augen sehen mehr als zwei (prov)* two heads are better than one *(prov)*; *alle ~e von sich strecken (col: ausgestreckt liegen)* to stretch out; *auf allen ~en (col)* on all fours.

Vier *f* -en four; *(Sch)* ≃ D ▶ *die Herz ~* the four of hearts.

Vier-: **~beiner** *m* - *(hum)* four-legged friend *(hum)*; **v~beinig** *adj* four-legged; **v~blätt(e)rig** *adj* four-leaved; **v~blätt(e)riges Kleeblatt** four-leaf clover; **~eck** *nt* four-sided figure; *(Rechteck)* rectangle; *(Quadrat)* square; **v~eckig** *adj (rechteckig)* rectangular; *(quadratisch)* square; **v~einhalb** *num* four and a half.

Vierer *m* - *(Rudern, Sch)* four; *(Golf)* foursome.

Vierer-: **~bande** *f* gang of four; **~bob** *m* four-man bob; **v~lei** *adj inv* **a** *attr Brot, Käse, Wein* four kinds *or* sorts of; *Möglichkeiten, Größen* four different; **b** *(substantivisch)* four different things; *(vier Sorten)* four different kinds.

vierfach **1** *adj* fourfold, quadruple ▶ *die ~e Größe* four times the size; *in ~er Ausfertigung* in quadruplicate. **2** *adv* four times, fourfold ▶ *das Papier ~ legen* to fold the paper in four.

Vierfache(s) *nt decl as adj* four times the amount, quadruple ▶ *um das ~ zunehmen* to quadruple.

Vier-: **~farbendruck** *m (Verfahren)* four-colour *(Brit) or* four-color *(US)* printing; *(Erzeugnis)* four-colour *(Brit) or* four-color *(US)* print; **~farb(en)stift** *m* four-colour *(Brit) or* four-color *(US)* pen; **v~füßig** *adj* four-legged; **~ganggetriebe** *nt* four-speed gearbox; **v~geschossig** *adj* four-storey *attr (Brit)*, four-story *attr (US)*; **v~händig** *adv* for four hands.

vierhundert *num* four hundred.

vierhundertste(r, s) *adj* four hundredth.

Vier-: **v~jährig** *adj Kind etc* four-year-old *attr*, *(vier Jahre dauernd)* four-year; **v~kant** *adj, adv (Naut)* square; **~kant** *m or nt* **-e** *(Tech)* square; **v~kantig** *adj* square(-headed); **v~köpfig** *adj Ungeheuer* four-headed; *eine v~köpfige Familie* a family of four.

Vierling *m* quadruplet, quad.

Viermächte|abkommen *nt (Hist)* four-power agreement.

Vier-: **v~mal** *adj* four times; **v~malig** *adj nach v~maligem Versuch* after the fourth attempt; **~master** *m* - *(Naut)* four-master; **v~motorig** *adj* four-engined; **~radantrieb** *m (Aut)* four-wheel drive; **v~räd(e)rig** *adj* four-wheel *attr*, four-wheeled; **v~seitig** *adj* four-sided; *Abkommen, Verhandlungen* quadripartite; *Broschüre* four-page *attr*; **~sitzer** *m* - four-seater; **v~sitzig** *adj* four-seater *attr*; **v~spurig** *adj* four-lane *attr*; **v~stellig** *adj* four-figure *attr*; **v~stimmig** *adj* four-part *attr*, for four voices; **v~stöckig** *adj* = **v~geschossig**.

viert *adj wir gingen zu ~* four of us went.

Vier-: **~tagewoche** *f* four-day week; **v~tägig** *adj attr (vier Tage dauernd)* four-day; **~taktmotor** *m* four-stroke engine; **v~tausend** *num* four thousand; **~tausender** *m* - *(Berg)* thirteen thousand-foot mountain.

vierte *adj siehe* **vierte(r, s)**.

vierteilig *adj* four-piece *attr*; *Roman* four-part *attr*.

Viertel¹ ['fɪrtl] *nt* - quarter ▶ *ein ~ Leberwurst/Wein* a quarter of (a pound of) liver sausage/a quarter-litre *(Brit) or* -liter *(US)* of wine; *(ein) ~ nach/vor sechs* (a) quarter past/to six; *(ein) ~ sechs* (a) quarter past five; *drei*

~ sechs (a) quarter to six.

Viertel² ['fɪrtl] *nt* - *(Stadtbezirk)* quarter, district.

viertel ['fɪrtl] *adj inv* quarter ▶ *ein ~ Liter/Pfund* a quarter (of a) litre *(Brit) or* liter *(US)*/pound; *drei ~ Liter* three quarters of a litre *(Brit) or* liter *(US)*.

Viertelfinale *nt* quarter-finals *pl*.

Vierteljahr *nt* three months *pl*, quarter *(Comm, Fin)*.

Vierteljahres- *in cpds* quarterly; **~schrift** *f* quarterly.

Viertel- [fɪrtl-]: **~jahrhundert** *nt* quarter of a century; **v~jährig** *adj attr Kind etc* three-month-old; *Aufenthalt, Frist* three months; **v~jährlich** **1** *adj* quarterly; *Kündigung* three months' *attr*, **2** *adv* quarterly, every three months.

vierteln ['fɪrtln] *vt (in vier Teile teilen)* to divide into four; *Summe, Gewinn* to divide by four.

Viertel- ['fɪrtl-]: **~note** *f* crotchet *(Brit)*, quarter note *(US)*; **~pfund** *nt* ≃ quarter of a pound; **~stunde** *f* quarter of an hour; **v~stündig** *adj attr Abstand* quarter-hour; **v~stündlich** *adv* every quarter of an hour; **~ton** *m* quarter tone.

viertens *adv* fourth(ly), in the fourth place.

Vierte(r) *mf decl as adj* fourth ▶ *Karl IV or der ~* Charles IV *or* the Fourth.

vierte(r, s) *adj* fourth ▶ *der ~ Oktober* the fourth of October; *der ~ Stock* the fourth *(Brit) or* fifth *(US)* floor; *er war ~r im Rennen* he was *or* came fourth in the race; *du bist der ~, der mich das fragt* you're the fourth person to ask me that.

vier-: **~türig** *adj* four-door *attr*; **~undzwanzig** *num* twenty-four.

Viervierteltakt [-'fɪrtl-] *m* four-four *or* common time.

Vierwaldstätter See *m* Lake Lucerne.

vier-: **~wöchentlich** *adj, adv* every four weeks; **~wöchig** *adj* four-week *attr*.

vierzehn ['fɪrtseːn] *num* fourteen ▶ *~ Uhr* 2 p.m.; *(auf Fahrplan, Mil)* fourteen hundred hours, 14.00; *~ Tage* two weeks, a fortnight *sing (Brit)*.

vierzehn- ['fɪrtseːn-]: **~tägig** *adj* two-week *attr*, lasting two weeks; **~täglich** *adj, adv* fortnightly *(Brit)*, every two weeks.

Vierzehntel ['fɪrtseːntl] *nt* - fourteenth.

vierzehnte(r, s) ['fɪrtseːntə(r, s)] *adj* fourteenth.

vierzig ['fɪrtsɪç] *num* forty ▶ *mit ~ (km/h) fahren* to drive at twenty-five (miles an hour); *Mitte (der) V~* in one's mid-forties.

vierziger ['fɪrtsɪgɐ] *adj attr inv die ~ Jahre* the forties.

Vierziger(in *f)* ['fɪrtsɪgɐ, -ərɪn] *m -* *(Mensch)* forty-year-old; *(Wein)* wine of vintage forty ▶ *er ist Mitte der ~* he is in his mid-forties; *er ist in den ~n* he is in his forties.

vierzigmal *adv* forty times.

Vierzigstel ['fɪrtsɪçstl] *nt* - fortieth.

vierzigste ['fɪrtsɪçstl] *adj inv* fortieth.

vierzigste(r, s) ['fɪrtsɪçstə(r, s)] *adj* fortieth.

Vierzigstundenwoche [fɪrtsɪç-] *f* forty-hour week.

Vierzimmerwohnung *f* four-room flat *(Brit) or* apartment.

Vietnam [viet'nam] *nt* Vietnam.

Vietnamese [viɛtna'meːzə] *m (wk)* **-n, -n, Vietnamesin** *f* Vietnamese.

vietnamesisch [viɛtna'meːzɪʃ] *adj* Vietnamese.

Vignette [vɪn'jɛtə] *f (Gebührenmarke)* motorway *(Brit) or* turnpike *(US)* toll sticker.

Vikar [vi'kaːɐ] *m* curate.

Villa ['vɪla] *f, pl* **Villen** villa.

Villenviertel ['vɪlən-] *nt* exclusive residential area.

Violett *nt* - violet.

violett [vio'lɛt] *adj* violet.

Violine [vio'liːnə] *f* violin.

Violinist(in *f)* [violi'nɪst(ɪn)] *m* violinist.

Violin- [vio'liːn-]: **~konzert** *nt* violin concerto;

~schlüssel m treble clef.
Violoncello [violɔn'tʃelo] nt cello.
VIP [vɪp] (col), **V.I.P.** ['viːlai'piː] m -, -s (col) VIP.
Viper ['viːpɐ] f -n viper, adder.
Viren ['viːrən] pl of **Virus**.
Virensuchprogramm nt (Comput) virus checker.
virtuell [vɪr'tuɛl] adj virtual ► **~e Realität** virtual reality.
virtuos [vɪr'tuoːs] adj virtuoso attr ► **~ spielen** to give a virtuoso performance.
Virtuose [vɪr'tuoːzə] m (wk) -n, -n, **Virtuosin** f virtuoso.
virulent [viru'lɛnt] adj (Med, fig) virulent.
Virulenz [viru'lɛnts] f (Med, fig) virulence.
Virus ['viːrʊs] nt or m, pl **Viren** (auch Comput) virus.
Virus- in cpds viral; **~infektion** f virus infection.
Virusprogramm nt (Comput) virus (program).
Visage [vi'zaːʒə] f -n (pej) face, (ugly) mug (col).
Visagist(in f) [viza-'ʒɪst(ɪn)] m make-up artist.
vis-à-vis [viza'viː] (dated) [1] adv opposite (von to).
   [2] prep +dat opposite (to).
Visier [vi'ziːɐ] nt -e [a] (am Helm) visor. [b] (an Gewehren) sight.
Vision [vi'zioːn] f vision.
Visite [vi'ziːtə] f -n (Med) round ► **um 9 Uhr ist ~** the doctors do their rounds at 9 o'clock.
Visitenkarte [vi'ziːtn-] f (lit, fig) visiting or calling (US) card.
Viskose [vɪs'koːzə] f no pl viscose.
visuell [vi'zuɛl] adj visual.
Visum ['viːzʊm] nt, pl **Visa** or **Visen** visa.
Visumzwang ['viːzʊm-] m obligation to hold a visa ► **für X besteht ~** a visa is required for X.
vital [vi'taːl] adj energetic; (lebenswichtig) vital.
Vitalität [vitali'tɛːt] f vitality, vigour (Brit), vigor (US).
Vitamin [vita'miːn] nt -e vitamin.
Vitamin- [vita'miːn-]: **v~arm** adj low in vitamins; **~bedarf** m vitamin requirement; **v~haltig** adj containing vitamins; **v~haltig sein** to contain vitamins; **~mangel** m vitamin deficiency; **v~reich** adj rich in vitamins; **~tablette** f vitamin pill.
Vitrine [vi'triːnə] f (Schrank) glass cabinet; (Schaukasten) showcase, display case.
Vivisektion [vivizɛk'tsioːn] f vivisection.
Vize ['fiːtsə] m - (col) number two (col); (~meister) runner-up.
Vize- ['fiːtsə-] in cpds vice-; **~kanzler** m vice-chancellor; **~könig** m viceroy; **~meister** m runner-up; **~präsident** m vice-president.
Vlies [fliːs] nt -e fleece.
V-Mann ['fau-] m = **Verbindungsmann**.
Vogel m - (lit, fig) bird ► **ein seltsamer or komischer ~** (col) an odd bird (col); **ein lustiger ~** (col) a lively character (col); **den ~ abschießen** (col) to surpass everyone (iro); **einen ~ haben** (col) to have a screw loose (col); **jdm den ~ zeigen** (col) ≈ to give sb the V sign (Brit) or the finger (US).
Vogel-: **~bauer** nt birdcage; **~beere** f (auch **~beerbaum**) rowan (tree), mountain ash; (Frucht) rowan (berry); **~dreck** m bird droppings pl; **~ei** nt bird's egg; **v~frei** adj (Hist) outlawed; **~futter** nt bird food; (Samen) birdseed; **~häuschen** nt nesting box, bird house (US); **~käfig** m bird cage; **~kirsche** f (wilde Süßkirsche) wild cherry; **~kunde** f ornithology. **~nest** nt bird's nest; **~perspektive** f bird's-eye view; **~ruf** m bird call; **~scheuche** f (lit, fig col) scarecrow; **~schutz** m protection of birds; **~schutzgebiet** nt bird sanctuary; **~-Strauß-Politik** f head-in-the-sand policy; **~tränke** f bird bath; **~warte** f ornithological station; **~zug** m bird migration.
Vogesen [vo'geːzən] pl **die ~** the Vosges pl.

Vokabel [vo'kaːbl] f -n word ► **~n** pl vocabulary sing.
Vokabular [vokabu'laːɐ] nt -e vocabulary.
Vokal [vo'kaːl] m -e vowel.
Vokalmusik [vo'kaːl-] f vocal music.
Volk nt -er people pl; (~sstamm) people sing, (Zool) colony; (col: Gruppe) crowd pl; (pej: Pack) rabble pl ► **das ~ verlangt, daß ...** the people demand that ...; **viel ~** lots of people pl; **etw unters ~ bringen** Nachricht to spread sth; Geld to spend sth; **da verkehrt vielleicht ein ~!** there's a really strange crowd there!
Völkchen nt (col: Gruppe) lot (col), crowd ► **ein ~ für sich sein** to be a race apart.
Völker-: **~bund** m (Hist) League of Nations; **~kunde** f ethnology; **~mord** m genocide; **~recht** nt international law; **v~rechtlich** [1] adj Vertrag, Anerkennung under international law; Frage, Thema, Standpunkt of international law; [2] adv according to international law; **~verständigung** f international understanding; **~wanderung** f (Hist) migration of peoples; (hum) mass migration.
volkreich adj populous.
Volks- in cpds popular; (auf ein Land bezogen) national; (Pol, esp DDR) people's; **~abstimmung** f plebiscite; **~armee** f People's Army; **~ausgabe** f popular edition; **~befragung** f public opinion poll; **~begehren** nt petition for a referendum; **~belustigung** f public entertainment; **~bibliothek** f public library; **~bildung** f national education; (Erwachsenenbildung) adult education; **~deutsche(r)** mf ethnic German; **~dichter** m poet of the people; **v~eigen** adj (DDR) nationally-owned; (in Namen) People's Own; **~einkommen** nt national income; **~empfinden** nt public feeling; **das gesunde ~empfinden** popular sentiment; **~entscheid** m referendum; **~erhebung** f national uprising; **~feind** m enemy of the people; **v~feindlich** adj hostile to the people; **~fest** nt public festival; (Jahrmarkt) fair; **~front** f (Pol) popular front; **~gesundheit** f public health; **~glaube(n)** m popular belief; **~gruppe** f ethnic group; **~held** m popular hero; (Held des Landes) national hero; **~hochschule** f adult education centre (Brit) or center (US); **~krankheit** f widespread disease; **~kunde** f folklore; **~lauf** m fun run; **~lied** nt folk song; **~märchen** nt folktale; **~meinung** f public or popular opinion; **~menge** f crowd, mob (pej); **~mund** m vernacular; **~musik** f folk music; **~nähe** f popular appeal; **~partei** f people's party; **~polizei** f (DDR) People's Police; **~republik** f people's republic; **~sage** f folk legend; **~schicht** f level of society; **~schule** f (dated) ≈ elementary school.

┌─── **VOLKSHOCHSCHULE** ───┐

🛈 The **Volkshochschule** (VHS) is an institution which offers Adult Education classes. No set qualifications are necessary to attend. For a small fee adults can attend both vocational and non-vocational classes in the daytime or evening.

Volks-: **~seuche** f epidemic; **~stamm** m tribe; **~stimme** f voice of the people; **~stück** nt dialect folk play; **~tanz** m folk dance; **~theater** nt folk theatre (Brit) or theater (US); **~tracht** f traditional costume; **~tum** nt national traditions pl, folklore; **v~tümlich** adj folk attr, folksy (col); (traditionell, überliefert) traditional; (beliebt) popular; **~vermögen** nt national wealth; **~versammlung** f people's assembly; (Kundgebung) public gathering; **~vertreter** m representative of the people; **~vertretung** f representative body (of the people); **~wahl** f direct election(s pl); **~wirt** m economist; **~wirtschaft** f national economy; (Fach) economics sing, political economy; **~wirtschaftler** m economist;

~zählung f (national) census; **~zugehörigkeit** f ethnic origin.

voll [1] adj full; Haar thick; Satz, Service, Erfolg complete; Wahrheit whole ▶ **~ von** or **mit etw** full of sth; (bedeckt mit) covered with sth; **mit ~em Mund** with one's mouth full; **aus dem ~en schöpfen** to draw on unlimited resources; **die Uhr schlägt nur alle ~en Stunden** the clock only strikes the full hour; **die Zahl ist ~** the numbers are complete; **in ~er Fahrt** at full speed; **in ~er Größe** (Bild) life-size; (bei plötzlicher Erscheinung etc) large as life; **jdn nicht für ~ nehmen** not to take sb seriously; **~ sein** (col) (satt) to be full (up); (betrunken) to be plastered (col).
[2] adv fully ▶ **~ und ganz** completely, wholly; **eine Rechnung ~ bezahlen** to pay a bill in full.

⚠ **volladen** vt sep irreg to load up ▶ **vollgeladen** fully-laden.

voll|auf adv fully, completely ▶ **das genügt ~** that's quite enough; **~ zu tun haben** to have quite enough to do.

⚠ **vollaufen** vi sep irreg aux sein to fill up ▶ **etw ~ lassen** to fill sth (up); **sich ~ lassen** (col) to get tanked up (col).

Voll-: **v~automatisch** adj fully automatic; **~bad** nt (proper) bath; **~bart** m (full) beard; **v~bekommen*** ⚠ vt sep irreg to (manage to) fill; **v~berechtigt** adj attr with full rights; **~beschäftigung** f full employment; **~besitz** m: **im ~besitz** +gen in full possession of; **~bild** nt (Med: von Krankheit) full-blown form.

Vollblut nt no pl thoroughbred.

Vollblut- in cpds (lit: Tier) thoroughbred; (fig) full-blooded.

Voll-: **~blüter** m - thoroughbred; **v~blütig** adj thoroughbred; (fig) full-blooded; **~bremsung** f emergency stop; **eine ~bremsung machen** to slam on the brakes (col); **v~bringen*** ⚠ vt insep irreg (ausführen) to accomplish, to achieve; Wunder to perform; **v~busig** adj full-bosomed; **~dampf** m (Naut) **mit ~dampf** at full steam; **v~elektronisch** adj fully electronic.

voll|enden* insep [1] vt to complete.
[2] vr (zum Abschluß kommen) to come to an end; (vollkommen werden) to be completed.

voll|endet adj (vollkommen) completed; Tugend, Schönheit perfect; Mensch accomplished ▶ **nach ~em 18. Lebensjahr** upon completion of one's 18th year.

voll|ends adv [a] (völlig) completely. [b] (besonders) especially.

Voll|endung f no pl completion; (Vollkommenheit) perfection.

voller adj full (gen of).

Völlerei f gluttony.

⚠ **voll|essen** vr sep irreg (col) to gorge oneself.

Volleyball ['vɔli-] m volleyball.

vollfett adj full fat.

vollführen* vt insep to execute, to perform.

Voll-: **~gas** nt no pl full speed or throttle; **~gas geben** to go flat out (col); **~gefühl** nt: **im ~gefühl** +gen fully aware of; **~genuß** ⚠ m: **im ~genuß** +gen in full enjoyment of; **v~gießen** ⚠ vt sep irreg to fill (up); **v~gültig** adj attr Paß fully valid; Ersatz completely satisfactory; **~gummi** nt or m solid rubber; **~idiot** m (col) complete idiot.

völlig [1] adj complete.
[2] adv completely ▶ **es genügt ~** that's quite enough; **er hat ~ recht** he's absolutely right.

Voll-: **v~jährig** adj of age; **v~jährig werden/sein** to come/be of age; **~jährige(r)** mf decl as adj major; **~jährigkeit** f majority no art; **v~kaskoversichert** adj comprehensively insured; **~kasko(versicherung** f) nt fully comprehensive insurance; **v~klimatisiert** adj fully air-conditioned.

▼ **vollkommen** [1] adj perfect; (völlig) complete, absolute ▶ **sein Glück war ~** his happiness was complete.
[2] adv completely.

Vollkommenheit f no pl siehe adj perfection; completeness.

Voll-: **~kornbrot** nt wholemeal (Brit) or wholewheat (US) bread; **v~machen** ⚠ vt sep [a] Gefäß to fill (up); Zahl, Dutzend to make up; [b] (col) Hosen, Windeln to fill; **~macht** f -en power, authority no pl, no indef art; (Urkunde) power of attorney; **~matrose** m able-bodied seaman; **~milch** f full-cream milk; **~mitglied** nt full member; **~mond** m full moon; **heute ist ~mond** there's a full moon tonight; **v~mundig** adj Wein full-bodied; **~narkose** f general anaesthetic (Brit) or anesthetic (US); **v~packen** ⚠ vt sep (lit, fig) to pack full; jdn to load up; **~pension** f full board (Brit), American plan (US); **v~pumpen** ⚠ vt sep to fill (up); **~rausch** m drunken stupor; **einen ~rausch haben** to be in a drunken stupor; **v~reif** adj fully ripe; **v~saugen** ⚠ vr sep irreg to become saturated; **v~schlank** adj plump, stout; **v~schmieren** ⚠ sep [1] vt to mess up; [2] vr to make oneself all messy; **v~schreiben** ⚠ vt sep irreg Heft, Seite to fill; Tafel to cover (with writing).

vollständig [1] adj complete; Adresse full attr ▶ **etw ~ machen** to complete sth.
[2] adv completely, entirely.

Vollständigkeit f no pl completeness.

⚠ **vollstopfen** vt sep to cram full.

vollstrecken* vt insep (Jur) to execute.

Vollstreckung f (Jur) execution.

Voll-: **v~tanken** ⚠ vti sep to fill up; **v~tönend** adj resonant, sonorous; **~treffer** m (lit, fig) bull's eye; **v~trunken** adj completely drunk; **~versammlung** f general assembly; **~waise** f orphan; **v~wertig** adj full attr, Stellung equal; Ersatz fully adequate; **~wertkost** f wholefoods pl; **v~zählig** adj usu pred complete; **sie waren v~zählig anwesend** they were all present.

vollziehen* insep irreg [1] vt to carry out, to execute; Trauung to perform; Ehe to consummate; Bruch to make ▶ **die ~de Gewalt** the executive (power).
[2] vr to take place; (jds Schicksal) to be fulfilled.

Vollziehung f siehe vt carrying out, execution; performance; consummation; making.

Vollzug m no pl [a] (Straf~) penal system. [b] = Vollziehung.

Vollzugs-: **~anstalt** f (form) penal institution; **~beamte(r)** m (form) warder.

Volontär(in f) [volɔn'tɛːɐ, -'tɛːərɪn] m trainee.

volontieren* [volɔn'tiːrən] vi to be working as a trainee (bei with).

Volt [vɔlt] nt - volt.

Volt-: **~meter** nt voltmeter; **~zahl** f voltage.

Volumen [vo'luːmən] nt, pl - (lit, fig) volume.

vom = **von dem**. **~ 10. September an** from the 10th September.

von prep +dat [a] (Ausgangspunkt) from ▶ **nördlich ~** to the north of; **~ ... an** from ...; **Waren ~ 5 Mark an** or **ab** goods from 5 marks (upwards); **~ heute an** or **ab** from today (on); **~ ... aus** from ...; **~ dort aus** from there; **etw ~ sich aus tun** to do sth of one's own accord; **~ ... bis** from ... to; **~ morgens bis abends** from morning till night; **~ ... zu** from ... to; **etw ~ etw nehmen/abreißen** to take/tear sth off sth; **~ einer Brücke springen** to jump off a bridge; **~ wo/wann ...?** where/when ... from?
[b] (Ursache, Urheberschaft, im Passiv) by ▶ **das Gedicht ist ~ Schiller** the poem is by Schiller; **ein Kind ~ jdm kriegen** to have a child by sb; **~ etw müde** tired from sth.
[c] (als Genitiv) of ▶ **jeweils zwei ~ zehn** two out of

every ten; *ein Riese ~ einem Mann* (*col*) a giant of a man; *nett ~ dir* nice of you; *die Königin ~ England* the queen of England; *der Geburtstag ~ meinem Vater* my father's birthday; *ein „~ (und zu)" sein* to have a handle to one's name.

⌐d⌐ (*über*) about ► *er erzählte vom Urlaub* he talked about his holiday; *da weiß ich nichts ~* (*col*) I don't know anything about it.

⌐e⌐ (*col*) *~ wegen* no way! (*col*); *~ mir aus* OK by me.

von|einander *adv* from each other; *wissen* of each other.

vonnöten *adj*: *~ sein* to be necessary.

vonstatten *adv*: *~ gehen* (*stattfinden*) to take place; *alles ging gut ~* everything went well.

vor ⌐1⌐ *prep +acc or dat* ⌐a⌐ *+dat* (*räumlich*) in front of; (*außerhalb von*) outside; (*~ Hintergrund*) against; (*in jds Achtung*) in the eyes of; (*bei Reihenfolge*) before ► *~ der Kirche rechts abbiegen* turn right before the church; *~ allen Dingen, ~ allem* above all. ⌐b⌐ *+acc* (*Richtung*) in front of; (*außerhalb von*) outside. ⌐c⌐ *+dat* (*zeitlich*) before ► *zwanzig (Minuten) ~ drei* twenty (minutes) to three; *das liegt noch ~ uns* this is still to come; *~ fünf Jahren* five years ago. ⌐d⌐ *+acc ~ sich hin summen* to hum to oneself; *~ sich hin schreiben/arbeiten* to write/work away. ⌐e⌐ *+dat ~ sich her* before one, in front of one. ⌐f⌐ *+dat* (*Ursache angebend*) with ► *~ Kälte zittern* to shiver with cold; *~ Hunger sterben* to die of hunger; *~ lauter Arbeit* because of the amount of work. ⌐g⌐ *sich ~ jdm verstecken* to hide from sb.
⌐2⌐ *adv ~ und zurück* backwards and forwards; *alle kleinen Kinder ~!* all small children to the front!; *da sei Gott ~* (*N Ger col*) God forbid.

vor|ab *adv* to begin with.

Vor-: *~abdruck m* preprint; *~abend m* evening before; *am ~abend der Revolution* (*fig*) on the eve of revolution; *~ahnung f* premonition.

voran *adv* ⌐a⌐ (*vorn, an der Spitze*) first ► *ihm/ihr ~* in front of him/her; *mit dem Kopf ~ fallen* to fall head first. ⌐b⌐ (*vorwärts*) forwards ► *nur or immer ~* keep going.

voran- *pref siehe auch* **voraus-**; *~bringen* △ *vt sep irreg* to make progress with; *~gehen vi sep irreg aux sein* ⌐a⌐ (*an der Spitze gehen*) to go first *or* in front; (*fig: Einleitung etc*) to precede (*dat* sth); *jdm ~gehen* to go ahead of sb; ⌐b⌐ (*zeitlich vor jdm gehen*) to go on ahead; *einer Sache* (*dat*) *~gehen* to precede sth; ⌐c⌐ *auch vi impers* (*Fortschritte machen*) to make progress *or* headway; *~kommen vi sep irreg aux sein* to get on; *nur langsam ~kommen* to make slow progress.

Vor-: *~anmeldung f* appointment; *~anschlag m* estimate.

voran-: *~stellen vt sep* to put in front (*dat* of); (*fig*) to give precedence (*dat* over); *~treiben vt sep irreg* to drive forward.

Vor-: *~ankündigung f* advance notice; *~arbeit f* preliminary work, groundwork; *v~arbeiten sep* ⌐1⌐ *vi* to work in advance; ⌐2⌐ *vr* to work one's way forward; *~arbeiter m* foreman; *~arbeiterin f* forewoman.

voraus *adv* ⌐a⌐ (*voran*) in front (*+dat* of) ► *er ist den anderen/seiner Zeit ~* he is ahead of the others/his time. ⌐b⌐ (*vorher*) *im ~* in advance.

Voraus-: *v~berechnen vt sep* to forecast; *~berechnung f* forecast; *v~blicken vi sep* to look ahead; *v~blickend* ⌐1⌐ *adj* foresighted; ⌐2⌐ *adv* with regard to the future; *v~eilen vi sep aux sein* (*lit, fig*) to hurry on ahead; *v~fahren vi sep irreg aux sein* (*an der Spitze*) to drive/go in front (*dat* of); (*früher*) to drive/go on ahead; *v~gehen vi sep irreg aux sein siehe* **vorangehen (a, b)**; *v~gesetzt adj v~gesetzt, (daß)* ...

provided (that) ...; *v~haben vt sep irreg jdm viel v~haben* to have a great advantage over sb; *v~planen vti sep* to plan ahead; *~sage f* prediction; (*Wetter~*) forecast; *v~sagen vt sep* to predict (*jdm* for sb); *Wetter* to forecast; *jdm die Zukunft v~sagen* to foretell sb's future; *v~schauend adj, adv* = *v~blickend*; *v~schicken vt sep* to send on ahead (*dat* of); (*fig: vorher sagen*) to say in advance (*dat* of); *v~sehen vt sep irreg* to foresee.

voraussetzen *vt sep* to presuppose; (*als selbstverständlich, sicher annehmen*) to take for granted; (*erfordern*) to require, to demand ► *etw als bekannt ~* to assume that everyone knows sth.

Voraussetzung *f* prerequisite, (pre)condition; (*Qualifikation*) qualification; (*Erfordernis*) requirement; (*Annahme*) assumption ► *unter der ~, daß* ... on condition that ...

Voraus-: *~sicht f* foresight; (*Erwartung*) anticipation; *aller ~sicht nach* in all probability; *v~sichtlich* ⌐1⌐ *adj* expected; ⌐2⌐ *adv* probably; *er wird v~sichtlich gewinnen* he is expected to win; *~zahlung f* advance payment.

Vorbau *m* porch; (*Balkon*) balcony.

vorbauen *sep* ⌐1⌐ *vt* (*anbauen*) to build on (in front). ⌐2⌐ *vi* (*Vorkehrungen treffen*) to take precautions.

Vorbedacht *m*: *mit/ohne ~* (*Überlegung*) with/without due consideration; (*Absicht*) intentionally/unintentionally.

Vorbedingung *f* precondition.

Vorbehalt *m* **-e** reservation ► *unter dem ~, daß* ... with the reservation that ...; *unter ~* with reservations.

vorbehalten* *vt sep irreg sich* (*dat*) *etw ~* to reserve sth (for oneself); *Recht* to reserve sth; *diese Entscheidung bleibt ihm ~* this decision is left up to him; *alle Rechte ~* all rights reserved; *Änderungen (sind) ~* subject to alteration.

vorbehaltlich *prep +gen* (*form*) subject to.

vorbehaltlos *adj* unconditional, unreserved.

vorbei *adv* ⌐a⌐ (*räumlich*) past, by ► *~ an* (*+dat*) past. ⌐b⌐ (*zeitlich*) *~ sein* to be past; (*Sorgen*) to be over; (*Schmerzen*) to be gone; *damit ist es nun ~* that's all over now; *aus und ~* over and done with.

vorbei- *pref* (*vorüber*) past; (*zu Besuch*) over; *~bringen vt sep irreg* (*col*) to drop off; *~dürfen vi sep irreg* (*col*) to be allowed past; *dürfte ich bitte ~?* could I get past *or* by, please?; *~fahren vi sep irreg aux sein* to pass (*an jdm/etw* sb/sth); *bei jdm ~fahren* to call in on sb; *~gehen vi sep irreg aux sein* (*lit, fig*) to go past, to pass (*an jdm/etw* sb/sth); *an etw* (*dat*) *~gehen* (*fig: nicht beachten*) to overlook sth; *bei jdm ~gehen* (*col*) to drop in on sb; *im V~gehen* (*lit, fig*) in passing; ⌐b⌐ (*vergehen*) to pass; ⌐c⌐ (*verfehlen*) to miss (*an etw* (*dat*) sth); *das Leben geht an ihm ~* life is passing him by; *~kommen vi sep irreg aux sein* ⌐a⌐ to pass, to go past (*an jdm/etw* sb/sth); (*an einem Hindernis*) to get past *or* by; *an einer Aufgabe nicht ~kommen* to be unable to avoid a task; ⌐b⌐ *bei jdm ~kommen* (*col*) to drop *or* call in on sb; *~können vi sep irreg* to be able to get past *or* by (*an etw* (*dat*) sth); *~lassen vt sep irreg* to let past (*an jdm/etw* sb/sth); *~laufen vi sep irreg aux sein* (*an jdm/ etw* sb/sth) to run past; (*col: ~gehen*) to go *or* walk past; *~marschieren* vi sep aux sein* to march past; *~müssen vi sep irreg* to have to go past (*an jdm/etw* sb/sth); *bei jdm ~müssen* (*col*) to have to call in at sb's; *~reden vi sep an etw* (*dat*) *~reden* to talk around sth; *aneinander ~reden* to talk at cross purposes; *~ziehen vi sep irreg aux sein* to file past (*an jdm/etw* sb/sth).

vorbelastet *adj* handicapped; (*voreingenommen*) biased (*von* because of).

Vorbemerkung *f* introductory remark.

△: for details of spelling reform, see supplement

vorbereiten* *vtr sep* to prepare (*auf +acc* for).
vorbereitend *adj attr* preparatory, preliminary.
Vorbereitung *f* preparation ▸ **~en (für** or **zu etw) treffen** to make preparations (for sth).
Vorbereitungs- *in cpds* preparatory.
Vor-: **~besitzer** *m* previous owner; **~besprechung** *f* preliminary meeting; **v~bestellen*** *vt sep* to book (in advance), to reserve; **~bestellung** *f* advance booking; **v~bestraft** *adj* previously convicted; **er ist schon einmal v~bestraft** he has a previous conviction; **v~beten** *sep* ① *vi* to lead the prayer/prayers; ② *vt* **jdm etw v~beten** (*fig col*) to keep spelling sth out for sb (*col*).
Vorbeugehaft *f* preventive custody.
vorbeugen *sep* ① *vi* to prevent (*einer Sache (dat)* sth). ② *vtr* to bend forward.
vorbeugend *adj* preventive.
Vorbeugung *f* prevention (*gegen, von* of).
Vorbeugungs- *in cpds* preventive.
Vorbild *nt* model; (*Beispiel*) example (*für jdn* to sb) ▸ **er/sein Verhalten kann uns zum ~ dienen** he/his behaviour is an example to us; **sich** (*dat*) **jdn zum ~ nehmen** to model oneself on sb.
vorbildlich *adj* exemplary; *sich benehmen* in an exemplary fashion.
Vor-: **~bildung** *f* educational background; **~bote** *m* (*fig*) herald.
vorbringen *vt sep irreg Plan* to propose; *Meinung, Wunsch, Forderung* to express, to state; *Einwand, Beschwerde* to make; *Entschuldigung* to offer.
Vor-: **v~christlich** *adj* pre-Christian; **~dach** *nt* canopy; **v~datieren*** *vt sep* to postdate; **~denker** *m* prophet.
Vorder-: **~achse** *f* front axle; **~ansicht** *f* front view; **~asien** *nt* Near East; **~bein** *nt* foreleg.
Vordere(r) *mf decl as adj* person in front.
vordere(r, s) *adj* front.
Vorder-: **~front** *f* frontage; **~fuß** *m* forefoot; **~grund** *m* foreground; (*fig*) fore(front); **sich in den ~grund drängen** to push oneself to the fore; **im ~grund stehen** (*fig*) to be to the fore; **v~gründig** *adj* (*oberflächlich*) superficial; **~mann** *m, pl* **~männer** person in front; **etw auf ~mann bringen** (*fig col*) to get sth into shape; **~pfote** *f* front paw; **~rad** *nt* front wheel; **~radantrieb** *m* (*Aut*) front-wheel drive; **~seite** *f* front; (*von Münze*) head; **~sitz** *m* front seat.
vorderste(r, s) *adj superl of* **vordere(r, s)** front(most) ▸ **der/die V~ in der Schlange** the first person in the queue (*Brit*) or line (*US*).
Vorder-: **~teil** *m* or *nt* front; **~tür** *f* front door; **~zahn** *m* front tooth; **~zimmer** *nt* front room.
vordränge(l)n *vr sep* to push to the front ▸ **sich in der Schlange ~** to jump the queue (*Brit*), to push to the front of the line (*US*).
vordringen *vi sep irreg aux sein* to advance ▸ **bis zu jdm/etw ~** to get as far as sb/sth.
vordringlich *adj* urgent, pressing.
Vordruck *m* form.
vor|ehelich *adj attr* premarital.
vor|eilig *adj* rash ▸ **~e Schlüsse ziehen** to jump to conclusions.
vor|einander *adv* (*räumlich*) in front of each other; (*einander gegenüber*) face to face.
vor|eingenommen *adj* prejudiced, biased.
Vor|eingenommenheit *f no pl* prejudice, bias.
Vor|einstellung *f* (*Comp*) default.
vor|enthalten* *vt sep irreg* **jdm etw ~** to withhold sth from sb.
Vor|entscheidung *f* preliminary decision.
vor|erst *adv* for the time being.
Vorfahr *m* (*wk*) **-en, -en** forefather, ancestor.
vorfahren *sep irreg* ① *vi aux sein* ⓐ to go or move for-

ward. ⓑ (*ankommen*) to drive up. ⓒ (*früher fahren*) to go on ahead. ⓓ (*an der Spitze fahren*) to drive in front. ② *vt* ⓐ (*weiter nach vorn fahren*) to move up or forward. ⓑ (*vor den Eingang fahren*) to drive up.
Vorfahrt *f no pl* right of way ▸ **„~ (be)achten"** "give way" (*Brit*), "yield" (*US*); **jdm die ~ nehmen** to ignore sb's right of way.
Vorfahrts-: **v~berechtigt** *adj* **v~berechtigt sein** to have the right of way; **~regel** *f* rule on the right of way; **~schild** *nt* give way (*Brit*) or yield (*US*) sign; **~straße** *f* major road.
Vorfall *m* incident, occurrence.
vorfallen *vi sep irreg aux sein* to occur, to happen.
Vor-: **~feld** *nt* (*fig*) run-up (+*gen* to); **v~fertigen** *vt sep* to prefabricate; **~film** *m* short; **v~finden** *vt sep irreg* to find, to discover; **~freude** *f* anticipation; **~frühling** *m* early spring.
vorfühlen *vi sep* (*fig*) to put out feelers ▸ **bei jdm ~** to sound sb out.
vorführen *vt sep* ⓐ (*zeigen*) to present; *Film* to show; *Mode* to model; *Übung,* (*Vertreter*) *Gerät* to demonstrate (*dat* to); *Theaterstück auch, Kunststücke* to perform (*dat* to, in front of). ⓑ *Angeklagten* to bring forward.
Vorführung *f* presentation; (*von Filmen*) showing; (*von Mode*) modelling (*Brit*), modeling (*US*); (*von Geräten, Modellen, Übungen*) demonstration; (*von Theaterstück, Kunststücken*) performance.
Vorführwagen *m* (*Wagen*) demonstrator.
Vorgabe *f* handicap.
Vorgang *m* ⓐ (*Ereignis*) event, occurrence; (*Ablauf, Hergang*) series of events. ⓑ (*Sci*) process.
Vorgänger(in *f*) *m* - predecessor.
Vorgarten *m* front garden.
vorgaukeln *vt sep* **jdm etw ~** to lead sb to believe in sth; **jdm ~, daß ...** to lead sb to believe that ...
vorgeben *vt sep irreg* ⓐ (*vortäuschen*) to pretend; (*fälschlich beteuern*) to profess. ⓑ (*Sport*) **50 Meter/5 Sekunden ~** to give a start of 50 metres/5 seconds.
Vorgebirge *nt* foothills *pl*.
vorgedruckt *adj* pre-printed.
△ **vorgefaßt** *adj Meinung* preconceived.
Vorgefühl *nt* anticipation; (*böse Ahnung*) presentiment.
vorgehen *vi sep irreg aux sein* ⓐ (*handeln*) to act, to proceed ▸ **gerichtlich gegen jdn ~** to take legal action against sb. ⓑ (*geschehen, vor sich gehen*) to go on, to happen. ⓒ (*Uhr*) (*spätere Zeit anzeigen*) to be fast; (*zu schnell gehen*) to gain. ⓓ (*nach vorn gehen*) to go forward. ⓔ (*vorangehen*) to go first; (*früher gehen*) to go on ahead. ⓕ (*den Vorrang haben*) to come first, to have priority.
Vorgehen *nt no pl* action.
Vor-: **v~gerückt** *adj Stunde* late; *Alter* advanced; **~geschichte** *f* ⓐ (*eines Falles*) past history; ⓑ (*Urgeschichte*) prehistory, prehistoric times *pl*; **v~geschichtlich** *adj* prehistoric; **~geschmack** *m* (*fig*) foretaste; **v~geschritten** *adj* advanced; **im v~geschrittenen Alter** at an advanced age; **zu v~geschrittener Stunde** at a late hour.
Vorgesetzte(r) *mf decl as adj* superior.
vorgestern *adv* the day before yesterday ▸ **von ~** (*fig*) antiquated.
vorgreifen *vi sep irreg* to anticipate; (*verfrüht handeln*) to act prematurely ▸ **jdm ~** to forestall sb; **einer Sache** (*dat*) **~** to anticipate sth.
Vorgriff *m* anticipation (*auf +acc* of).
▼ **vorhaben** *vt sep irreg* to intend; (*planen*) to have planned ▸ **was haben Sie heute vor?** what are your plans for today?, what do you have on today?
Vorhaben *nt* plan; (*Absicht*) intention.
Vorhalle *f* (*Diele*) entrance hall; (*von Parlament*) lobby.

vorhalten *sep irreg* [1] *vt* [a] *jdm etw ~ (vorwerfen)* to reproach sb for sth; *(als Beispiel)* to hold sth up to sb. [b] *(vor den Körper halten)* to hold up; *(beim Niesen etc)* to put in front of one's mouth ▶ *mit vorgehaltener Pistole* at gunpoint. [2] *vi (anhalten)* to last.

Vorhaltung *f usu pl* reproach.

Vorhand *f (Sport)* forehand.

vorhanden *adj (verfügbar)* available; *(existierend)* existing.

Vorhang *m, pl* **Vorhänge** curtain.

⚠ **Vorhängeschloß** *nt* padlock.

Vorhaut *f* foreskin.

vorheizen *vt* to preheat.

vorher *adv* before(hand); *(früher)* before ▶ *am Tage ~* the day before, the previous day.

vorher-: ~bestimmen* *vt sep* to determine in advance; *Schicksal* to predetermine; *(Gott)* to preordain; *es war ihm ~bestimmt ...* he was predestined ...; **~gehen** *vi sep irreg aux sein* to go first *or* in front; *(fig)* to precede; **~gehend** *adj Tag, Ereignisse* preceding.

vorherig [fo:ɐ'he:rɪç] *adj attr* prior, previous; *(ehemalig)* former.

Vorherrschaft *f* predominance, supremacy.

vorherrschen *vi sep* to predominate, to prevail.

vorherrschend *adj* predominant; *(weitverbreitet)* prevalent.

Vorher-: ~sage *f* forecast; **v~sagen** *vt sep* = *voraussagen;* **v~sehbar** *adj* predictable; **v~sehen** *vt sep irreg* to foresee.

vorhin *adv* a little while ago.

⚠ **vorhinein** *adv: im ~* in advance.

Vor-: ~hof *m* forecourt; **~hut** *f* **-en** *(Mil)* advance guard.

vorig *adj attr* previous; *Jahr, Woche etc* last.

Vor-: ~jahr *nt* previous year, year before; **v~jährig** *adj* of the previous year; **v~jammern** *vti sep jdm (etw)* **v~jammern** to moan to sb *(von* about); **~kämpfer(in** *f) m* pioneer *(für* of); **v~kauen** *vt sep Nahrung* to chew; *jdm etw v~kauen (fig col)* to spoonfeed sth to sb *(col);* **~kaufsrecht** *nt (Comm)* option *(an +dat* on, to buy).

Vorkehrung *f* **~en treffen** to take precautions.

Vorkenntnis *f* previous knowledge *no pl.*

vorknöpfen *vt sep (fig col)* **sich** *(dat)* **jdn ~** to take sb to task.

vorkochen *vt* to precook.

vorkommen *vi sep irreg aux sein* [a] *auch vi impers (sich ereignen)* to happen ▶ *das soll nicht wieder ~* it won't happen again; *so was soll ~!* that's life! [b] *(vorhanden sein, auftreten)* to occur; *(Pflanzen, Tiere)* to be found. [c] *(erscheinen)* to seem *(jdm* to sb) ▶ *sich* *(dat)* *überflüssig ~* to feel superfluous; *sich* *(dat)* *klug ~* to think one is clever. [d] *(nach vorn kommen)* to come forward.

Vorkommen *nt* - *(no pl: das Auftreten)* occurrence; *(Min)* deposit.

Vorkommnis *nt* incident.

Vorkoster *m* taster; *(fig)* guinea pig.

Vorkriegs- *in cpds* pre-war; **~zeit** *f* pre-war period.

vorladen *vt sep irreg (bei Gericht)* to summons.

Vorladung *f* summons.

Vorlage *f* **-n** [a] *no pl (von Dokument, Scheck etc)* presentation; *(von Beweismaterial)* submission. [b] *(Muster)* *(zum Stricken, Nähen)* pattern; *(Liter)* model ▶ *etw nach einer ~ machen* to model sth on sth. [c] *(Entwurf)* draft; *(Parl: Gesetzes~)* bill.

vorlassen *vt sep irreg* [a] *(col)* **jdn ~** *(nach vorn gehen lassen)* to let sb go in front; *(überholen lassen)* to let sb past. [b] *(Empfang gewähren)* to allow in.

Vorlauf *m (Sport)* preliminary heat/round.

vorlaufen *vi sep irreg aux sein (col) (voraus)* to run on ahead; *(nach vorn)* to run to the front.

Vorläufer *m* forerunner *(auch Ski)*, precursor.

vorläufig [1] *adj* temporary; *(provisorisch)* provisional. [2] *adv (einstweilig)* temporarily; *(fürs erste)* for the time being.

vorlaut *adj* cheeky, impertinent.

Vorleben *nt* past (life).

Vorlege-: ~besteck *nt* serving cutlery; *(Tranchierbesteck)* carvers *pl;* **~löffel** *m* serving spoon.

vorlegen *vt sep* [a] to present; *Paß, Zeugnisse* to produce; *Beweismaterial* to submit; *(Pol) Entwurf* to table *(Brit)*, to introduce. [b] *Speisen* to serve; *(hinlegen) Futter* to put down *(dat* for). [c] *Riegel* to put across.

Vorleger *m* - mat; *(Bett~ auch)* (bedside) rug.

vorlehnen *vr sep* to lean forward.

Vorleistung *f (Econ) (Vorauszahlung)* advance (payment); *(Vorarbeit)* preliminary work; *(Pol)* prior concession.

vorlesen *vti sep irreg* to read aloud ▶ *jdm (etw) ~* to read (sth) to sb.

Vorlesung *f (Univ)* lecture; *(Vorlesungsreihe)* course (of lectures) ▶ *über etw (acc)* *~en halten* to give (a course of) lectures on sth; *~en hören* to go to lectures.

Vorlesungsverzeichnis *nt* lecture timetable.

vorletzte(r, s) *adj* last but one, penultimate ▶ *im ~n Jahr* the year before last.

▼ **Vorliebe** *f* predilection ▶ *etw mit ~ tun* to particularly like doing sth.

⚠ **vorliebnehmen** *vi sep irreg mit jdm/etw ~* to make do with sb/sth.

vorliegen *vi sep irreg (zur Verfügung stehen)* to be available; *(Urteil)* to be known; *(eingereicht, vorgelegt sein)* to have come in ▶ *jdm ~ (Unterlagen, Akten etc)* to be with sb; *etw liegt gegen jdn vor* sb is charged with sth; *hier liegt ein Irrtum vor* there is an error here.

vorliegend *adj attr Gründe* existing; *Akten, Unterlagen* on hand; *Frage* at issue; *Ergebnisse* available.

vorlügen *vt sep irreg jdm etwas ~* to lie to sb.

vormachen *vt sep* [a] *jdm etw ~ (zeigen)* to show sb how to do sth. [b] *(fig) jdm etwas ~ (täuschen)* to fool sb; *er läßt sich* *(dat)* *von niemandem etwas ~* nobody can fool him; *mach mir doch nichts vor* don't try and fool me.

Vormacht(stellung) *f* supremacy *(gegenüber* over).

vormals *adv* formerly.

Vormarsch *m (Mil)* advance ▶ *im ~ sein* to be on the advance; *(fig)* to be gaining ground.

vormerken *vt sep* to make a note of; *(bei Bestellung auch)* to take an order for; *Plätze* to book ▶ *sich für einen Kursus ~ lassen* to put oneself down for a course.

⚠ **Vormittag** *m* morning ▶ *am ~* in the morning.

vormittag *adv* *heute/gestern/morgen ~* this/yesterday/tomorrow morning.

vormittags *adv* in the morning; *(jeden Morgen)* in the morning(s).

Vormonat *m* previous month.

Vormund *m* -e guardian ▶ *ich brauche keinen ~ (fig)* I don't need anyone to tell me what to do.

Vormundschaft *f* guardianship ▶ *jdn unter ~ stellen* to place sb under the care of a guardian.

vorn *adv* [a] in front; *(am vorderen Ende, auf der Vorderseite)* at the front ▶ *von ~* from the front; *nach ~ (ganz nach ~)* to the front; *(weiter nach ~)* forwards; *von weit ~* from the very front; *~ im Buch/in der Schlange/auf der Liste* at the front of the book/queue *(Brit)* *or* line *(US)*/at the top of the list; *sich ~ anstellen* to join the front of the queue *(Brit)* *or* line *(US)*; *~ im Bild* in the front of the picture; *von ~* from the front; *jdn von ~ sehen* to see sb's face; *~ im Auto/Bus* in the front of the car/bus; *das Buch ist ~ schmutzig* the front of the book is dirty; *das Auto da ~* the car ahead there;

---

sie waren ziemlich weit ~ they were quite far ahead. **b** (*am Anfang*) *von* ~ from the beginning; *von* ~ *anfangen* to start from the beginning; (*von neuem*) to start (all) over again; (*neues Leben*) to make a fresh start; *er betrügt sie von* ~ *bis hinten* he deceives her right, left and centre (*Brit*) or center (*US*).

Vorname *m* Christian name, first name.

vorne *adv* = **vorn**.

vornehm *adj* **a** (*von hohem Rang*) *Familie, Kreise* distinguished; (*von adliger Herkunft*) aristocratic; (*fein*) *Herr, Dame* genteel; *Manieren, Art, Benehmen* refined; (*edel*) *Gesinnung, Charakter, Handeln* noble ▶ *die* ~*e Gesellschaft* high society; *in* ~*en Kreisen* in polite society. **b** (*elegant, luxuriös*) smart, posh (*col*); *Geschäft* exclusive, posh (*col*); *Kleid, Äußeres* elegant, stylish.

▼ **vornehmen** *vt sep irreg* **a** (*ausführen*) to carry out. **b** *sich* (*dat*) *etw* ~ (*in Angriff nehmen*) to get to work on sth; (*planen, vorhaben*) to intend to do sth; (*Vorsatz fassen*) to have resolved to do sth; *sich* (*dat*) *zuviel* ~ to take on too much. **c** *sich* (*dat*) *jdn* ~ (*col*) to have a word with sb.

vornehmlich *adv* (*hauptsächlich, vor allem*) principally; (*vorzugsweise*) first and foremost.

vorneigen *vtr sep* to lean forward.

vorn(e)weg *adv* in front; (*als erstes*) first.

vorn-: ~**herein** *adv:* *von* ~*herein* from the outset; ~**über** *adv* forwards.

Vor|ort *m* (*Vorstadt*) suburb.

Vor-Ort- *in cpds* on-site; ~**-Kontrolle** *f* on-site supervision.

Vor|ortzug *m* suburban train; (*im Berufsverkehr*) commuter train.

Vor-: ~**platz** *m* forecourt; ~**posten** *m* (*Mil*) outpost; **v~preschen** *vi sep aux sein* (*lit, fig*) to press ahead; ~**programm** *nt* (*esp Film*) supporting programme (*Brit*) or program (*US*); **v~programmieren*** *vt sep* (*lit, fig*) to preprogramme (*Brit*), to preprogram (*US*); **v~programmiert** *adj Erfolg, Antwort* automatic.

Vorrang *m no pl* ~ *haben* to have priority; (*vor +dat* over); *jdm/einer Sache (den)* ~ *geben* or *einräumen* to give sb/a matter priority.

vorrangig **1** *adj* of prime importance, priority *attr.* **2** *adv* as a matter of priority.

Vorrangstellung *f* pre-eminence *no indef art.*

Vorrat *m, pl* **Vorräte** (*an +dat* of) stock; (*von Waren*) stocks *pl* ▶ *etw auf* ~ *kaufen* to stock up with sth; *Vorräte anlegen* to lay in a stock; *solange der* ~ *reicht* (*Comm*) while stocks last.

vorrätig *adj* in stock; (*verfügbar*) available ▶ *etw nicht mehr* ~ *haben* to be out of sth.

Vorrats-: ~**kammer** *f* store cupboard; (*für Lebensmittel*) larder; ~**keller** *m* store room in the cellar; ~**raum** *m* store room; (*in Geschäft*) stock room.

Vorraum *m* anteroom; (*Büro*) outer office.

vorrechnen *vt sep jdm etw* ~ to calculate sth for sb; (*als Kritik*) to point sth out to sb.

Vorrecht *nt* prerogative; (*Vergünstigung*) privilege.

Vorrede *f* introductory speech; (*Theat*) prologue.

vorreden *vt sep* (*col*) *red mir doch nichts vor* don't give me that (*col*).

Vorredner *m* (*vorheriger Redner*) previous speaker.

Vorreiter *m* forerunner ▶ *den* ~ *für etw machen* to be the first to do sth.

vorrennen *vi sep irreg aux sein* (*col*) (*voraus*) to race ahead; (*nach vorn*) to run forward.

Vorrichtung *f* device, gadget.

vorrücken *sep* **1** *vt* to move forward. **2** *vi aux sein* to move forward; (*Mil*) to advance; (*Uhrzeiger*) to move on ▶ *mit dem Stuhl* ~ to move one's chair forward; *siehe* **vorgerückt.**

Vorruhestand *m* early retirement.

Vorruheständler(in *f*) *m* person taking early retirement.

Vorrunde *f* (*Sport*) preliminary round.

vorsagen *sep* (*Sch*) **1** *vt Lösung* to tell. **2** *vi jdm* ~ to tell sb the answer.

Vorsaison *f* low season, early season.

Vorsatz *m* (firm) intention; (*Jur*) premeditation ▶ *den* ~ *haben, etw zu tun* to intend to do sth; *den* ~ *fassen, etw zu tun* to resolve to do sth.

vorsätzlich *adj* deliberate; (*Jur*) wilful; *Mord* premeditated ▶ *jdn* ~ *töten* to kill sb intentionally.

Vorschau *f* preview; (*Film*) trailer.

Vorschein *m* *zum* ~ *bringen* (*lit: zeigen*) to produce; (*fig: deutlich machen*) to bring to light; *zum* ~ *kommen* (*lit: sichtbar werden*) to appear; (*fig: entdeckt werden*) to come to light.

vorschieben *vt sep irreg* **a** (*davorschieben*) to push in front; *Riegel* to put across; (*nach vorn schieben*) to push forward. **b** (*Mil*) *vorgeschobener Posten* advance party. **c** (*fig: vorschützen*) to put forward as an excuse ▶ *vorgeschobene Gründe* pretexts *pl.* **d** *jdn* ~ to put sb forward as a front man.

vorschießen *sep irreg* **1** *vt jdm Geld* ~ to advance sb money. **2** *vi aux sein* to shoot forward.

Vorschiff *nt* (*Naut*) forecastle.

Vorschlag *m* suggestion; (*Rat*) advice; (*Pol: von Kandidaten*) proposal ▶ *auf* ~ *von* or *+gen* at or on the suggestion of.

▼ **vorschlagen** *vt sep irreg* to suggest ▶ *jdn für ein Amt* ~ to propose sb for a post; *jdm* ~, *daß er etw tut* to suggest to sb that he do(es) sth.

Vorschlaghammer *m* sledgehammer.

vorschnell *adj* = **voreilig.**

vorschreiben *vt sep irreg* (*befehlen*) to stipulate; (*Menge, Dosis*) to prescribe ▶ *ich lasse mir nichts* ~ I won't be dictated to.

vorschreiten *vi sep irreg aux sein* to progress; *siehe* **vorgeschritten.**

Vorschrift *f* -*en* rule, regulation; (*Anweisung*) instruction ▶ *nach* ~ *des Arztes* according to doctor's orders; *jdm* ~*en machen* to give sb orders; *Dienst nach* ~ work to rule.

vorschrifts-: ~**gemäß**, ~**mäßig** **1** *adj Signal, Verhalten* correct, proper *attr;* **2** *adv* according to (the) regulations; (*laut Anordnung*) as instructed; ~**widrig** *adj*, *adv* contrary to regulations.

Vorschub *m: jdm/einer Sache* ~ *leisten* to encourage sb/sth.

Vorschul-: *in cpds* preschool.

Vorschule *f* nursery school.

vorschulisch *adj* preschool *attr.*

⚠ **Vorschuß** *m* advance.

vorschützen *vt sep* to put forward as a pretext; *Unwissenheit* to plead ▶ *er schützte vor, daß ...* he pretended that ...

vorschwärmen *vti sep jdm von jdm/etw* ~ to go into raptures over sb/sth.

vorschweben *vi sep jdm schwebt etw vor* sb has sth in mind.

vorschwindeln *vt sep jdm etwas* ~ to lie to sb.

vorsehen *sep irreg* **1** *vt* to provide for; (*planen*) to plan; *Zeit* to allow ▶ *etw für etw* ~ (*bestimmen*) to intend sth for sth; *Geld* to earmark sth for sth; *jdn für etw* ~ (*bestimmen*) to designate sb for sth; *er ist für dieses Amt vorgesehen* we have him in mind for this post. **2** *vr* (*sich in acht nehmen*) to take care ▶ *sich vor jdm/etw* ~ to beware of sb/sth.

Vorsehung *f no pl die* ~ Providence.

vorsetzen *vt sep* a to move forward; *Fuß* to put forward; *Schüler* to move (up) to the front. b (*davorsetzen*) to put in front (*vor +acc* of). c *jdm etw* ~ (*anbieten*) to serve sth up for sb.

Vorsicht *f no pl* care; (*bei Gefahr*) caution; (*Behutsamkeit*) wariness ▶ (*jdn*) *zur* ~ (*er*)*mahnen* to advise sb to be careful/cautious/wary; „ ~ *Stufe"* ''mind the step''; *mit* ~ carefully; cautiously; warily; *was er sagt, ist mit* ~ *zu genießen* (*hum col*) you have to take what he says with a pinch of salt (*col*); *dieser Wein ist mit* ~ *zu genießen* (*col*) I should be a bit wary of this wine; ~ *ist besser als Nachsicht* (*Prov*) better safe than sorry.

vorsichtig *adj* careful; (*besonnen*) cautious; (*mißtrauisch*) wary; *Schätzung* conservative.

Vorsichts-: **v~halber** *adv* as a precaution; **~maßnahme** *f* precaution; **~maßnahmen treffen** to take precautions.

Vor-: **~silbe** *f* prefix; **v~singen** *sep irreg* 1 *vti jdm (etw) v~singen* to sing (sth) to sb. 2 *vi* (*zur Prüfung*) to have a singing test; **v~sintflutlich** *adj* (*col*) antediluvian, antiquated.

Vorsitz *m* chairmanship; (*Amt eines Präsidenten*) presidency ▶ *den* ~ *haben or führen (bei etw)* to be chairman *or* chairperson (of sth); (*bei Sitzung*) to chair sth.

Vorsitzende(r) *mf decl as adj* chairman/chairwoman, chairperson; (*von Verein*) president.

Vorsorge *f no pl* (*Vorsichtsmaßnahme*) precaution; (*vorherplanende Fürsorge*) provision(s *pl*) *no def art*; (*Med*) preventive care ▶ *zur* ~ as a precaution; ~ *treffen* to take precautions; (*fürs Alter*) to make provisions.

vorsorgen *vi sep* to make provisions (*daß* so that) ▶ *für etw* ~ to make provisions for sth.

Vorsorge|untersuchung *f* (*Med*) regular check-up.

vorsorglich 1 *adj* precautionary; *Mensch* cautious. 2 *adv* as a precaution.

Vorspann *m -e* (*Film, TV*) opening credits *pl*.

vorspannen *vt sep Pferde* to harness.

Vorspeise *f* starter.

vorspiegeln *vt sep* to sham ▶ *jdm* ~(*, daß ...*) to pretend to sb (that...).

Vorspiegelung *f* pretence (*Brit*), pretense (*US*) ▶ *das ist* ~ *falscher Tatsachen* that's false pretences.

Vorspiel *nt* (*Einleitung*) prelude; (*Theat*) prologue; (*Sport*) preliminary match; (*bei Geschlechtsverkehr*) foreplay.

vorspielen *sep* 1 *vt jdm etw* ~ (*Mus*) to play sth to sb; (*Theat*) to act sth to sb; (*fig*) to put on an act for sb. 2 *vi* (*vor Zuhörern*) to play; (*Mus, Theat*) (*zur Prüfung*) to do one's practical (exam) ▶ *jdm* ~ (*Mus*) to play for sb; (*Theat*) to act (a role) in front of sb.

vorsprechen *sep irreg* 1 *vt* (*vortragen*) to recite ▶ *jdm etw* ~ to pronounce sth for sb. 2 *vi* a (*form: jdn aufsuchen*) to call (*bei jdm* on sb). b (*Theat*) to audition ▶ *jdn* ~ *lassen* to audition sb.

vorspringen *vi sep irreg aux sein* to leap out; (*vorwärts*) to jump forward; (*herausragen*) to jut out; (*Nase, Kinn*) to be prominent.

vorspringend *adj* projecting; *Nase, Kinn* prominent.

Vorsprung *m* a (*Archit*) projection; (*Fels~*) ledge. b (*Sport, fig: Abstand*) lead (*vor +dat* over); (*Vorgabe*) start ▶ *einen* ~ *vor jdm haben* to be ahead of sb.

Vor-: **~stadt** *f* suburb; **v~städtisch** *adj* suburban.

Vorstand *m* (*leitendes Gremium*) board; (*von Verein*) committee; (*von Partei*) executive.

Vorstands-: **~etage** *f* management suite; **~mitglied** *nt siehe* **Vorstand** member of the board; committee member; member of the executive; **~sitzung** *f* (*von Firma*) board meeting; **~vorsitzende(r)** *mf decl as adj* chairman *or* chairperson of the board (of directors).

vorstecken *vt sep* to put forward; *Kopf* to stick out.

vorstehen *vi sep irreg aux haben or sein* a (*hervorragen*) to project; (*Zähne*) to protrude; (*Knochen, Kinn, Nase*) to be prominent. b *dem Haushalt* to preside over; *einer Firma, einer Partei* to be the chairman of; *einem Geschäft* to manage; *einer Abteilung* to head (up); *einem Amt* to hold.

Vorsteher(in *f*) *m* - (*von Abteilung*) head; (*von Gefängnis*) governor (*Brit*), warden (*US*); (*Bahnhofs~*) stationmaster.

vorstellbar *adj* conceivable ▶ *das ist nicht* ~ it's inconceivable.

vorstellen *sep* 1 *vt* a *Tisch, Stuhl, Auto* to move forward; *Bein* to put out; *Uhr* to put forward (*um* by). b (*col: davorstellen*) *etw* ~ to put sth in front. c (*darstellen*) to represent; (*bedeuten*) to mean ▶ *etwas* ~ (*fig: Ansehen haben*) to count for something. d (*bekannt machen*) *jdn jdm* ~ to introduce sb to sb. e (*bekanntmachen, vorführen*) to present ▶ *jdm etw* ~ to show sb sth.
2 *vr* a *sich* (*dat*) *etw* ~ to imagine sth; *sich* (*dat*) *etw unter etw* (*dat*) ~ *Begriff, Wort* to understand sth by sth; *darunter kann ich mir nichts* ~ it doesn't mean anything to me; *stell dir das nicht so einfach vor* don't think it's so easy; *so stelle ich mir einen gelungenen Urlaub vor* that's my idea of a successful holiday. b (*sich nach vorn stellen*) to move forward. c (*sich bekannt machen*) to introduce oneself (*jdm* to sb); (*bei Bewerbung*) to go for an interview.

Vorstellung *f* a (*Gedanke*) idea; (*bildlich*) picture; (*Einbildung*) illusion; (*~skraft*) imagination ▶ *sich* (*dat*) *eine* ~ *von etw machen* to form an idea *or* (*Bild*) picture of sth; *du machst dir keine* ~, *wie schwierig das ist* you have no idea how difficult that is. b (*Theat etc*) performance. c (*das Bekanntmachen*) (*zwischen Leuten*) introduction; (*Vorführung*) presentation; (*bei Bewerbung*) interview (*bei* with).

Vorstellungs-: **~gespräch** *nt* interview; **~kraft** *f* imagination; **~vermögen** *nt* powers of imagination *pl*.

Vorstoß *m* (*Vordringen*) venture; (*Mil*) advance; (*fig: Versuch*) attempt.

vorstoßen *sep irreg* 1 *vt* to push forward. 2 *vi aux sein* to venture; (*Sport*) to attack; (*Mil*) to advance.

Vorstrafe *f* previous conviction.

vorstrecken *vt sep* to stretch forward; *Hände* to stretch out; (*fig*) *Geld* to advance (*jdm* sb).

Vorstufe *f* preliminary stage; (*von Entwicklung*) early stage.

vorstürmen *vi sep aux sein* to rush forward.

Vortag *m* previous day, day before.

vortasten *vr* (*lit, fig*) to feel one's way forward.

vortäuschen *vt sep Krankheit* to feign; *Schlag* to fake.

Vortäuschung *f* pretence (*Brit*), pretense (*US*), fake ▶ *unter* ~ *falscher Tatsachen* under false pretences.

Vorteil *m -e* advantage (*auch Sport*) ▶ *die Vor- und Nachteile* the pros and cons; *auf seinen* ~ *bedacht sein* to have an eye to one's own interests; *jdm gegenüber im* ~ *sein* to have an advantage over sb; *sich zu seinem* ~ *verändern* to change for the better; *von* ~ *sein* to be advantageous.

vorteilhaft *adj* advantageous; *Kleider* flattering; *Geschäft* lucrative ▶ ~ *aussehen* to look one's best; *etw* ~ *verkaufen* to sell sth for a profit.

Vortrag *m, pl* **Vorträge** a talk; (*formell*) lecture ▶ *einen* ~ *halten* to give a talk/lecture. b (*Darbietung*) performance; (*von Gedicht*) reading.

vortragen *vt sep irreg* (*berichten*) to report; (*förmlich mitteilen*) *Fall, Forderung* to present; *Beschwerde* to lodge; *Meinung, Wunsch* to express; (*einen Vortrag halten* *über*) to give a talk/lecture on; (*vorsprechen*) *Gedicht* to recite; (*Mus*) to perform.

Vortrags-: **~abend** *m* lecture evening; (*mit Gedichten*) poetry evening; (*mit Musik*) recital; **~reihe** *f* series of talks/lectures.

vortrefflich *adj* splendid, superb.

vortreten *vi sep irreg aux sein* [a] (*lit*) to step forward. [b] (*hervorragen*) to project; (*Augen*) to protrude.

Vortritt *m no pl* priority ► *jdm den ~ lassen* (*lit, fig*) to let sb go first.

vorüber *adv* **~ sein** (*räumlich, Jugend*) to be past; (*Gewitter etc*) to be over; (*Schmerz*) to have gone.

vorüber- *pref siehe auch* **vorbei-**; **~gehen** *vi sep irreg aux sein* to pass (*an etw* (*dat*) sth); (*Gewitter*) to blow over; *im V~gehen* in passing; **~gehend** *adj* (*flüchtig*) momentary; *Krankheit* short; (*zeitweilig*) temporary.

Vor|urteil *nt* prejudice (*gegenüber* against) ► **~e haben** to be prejudiced.

vor|urteils-: **~frei, ~los** [1] *adj* unprejudiced; [2] *adv* without prejudice.

Vor-: **~väter** *pl* forefathers *pl*; **~verkauf** *m* advance booking; *sich* (*dat*) *Karten im ~verkauf besorgen* to buy tickets in advance; **~verkaufsstelle** *f* advance booking office.

vorverlegen* *vt sep* [a] *Termin* to bring forward. [b] (*Mil*) *Front, Gefechtslinie* to push forward.

vorwagen *vr sep* to venture forward.

Vorwahl *f* [a] preliminary election; (*US*) primary. [b] (*Telec*) = **~nummer**.

Vorwahlnummer *f* area *or* dialling *or* dial (*US*) code.

Vorwand *m, pl* **Vorwände** pretext.

vorwärmen *vt sep* to pre-heat; *Teller* to heat.

Vorwarnung *f* (advance) warning.

vorwärts *adv* forwards, forward ► **~!** (*col*) let's go (*col*); (*Mil*) forward march!; *weiter ~* further on.

Vorwärts-: **~bewegung** *f* forward movement; **~gang** *m* forward gear; **v~gehen** △ *sep irreg aux sein* (*fig*) [1] *vi* to progress; [2] *vi impers* *mit etw geht es v~* sth is going well; **v~kommen** △ *vi sep irreg aux sein* (*fig*) to get on (*in, mit* with).

Vorwäsche *f,* **Vorwaschgang** *m* prewash.

vorweg *adv* (*an der Spitze*) at the front; (*vorher*) before(hand); (*von vornherein*) at the outset.

Vorweg-: **~nahme** *f* **-n** anticipation; **v~nehmen** *vt sep irreg* to anticipate.

Vorweihnachtszeit *f* pre-Christmas period.

vorweisen *vt sep irreg* to show; *Zeugnisse* to produce ► *etw ~ können* (*fig*) *Kenntnisse, Erfahrung* to possess sth.

vorwerfen *vt sep irreg* [a] (*fig*) *jdm etw/ Unpünktlichkeit ~* to reproach sb for sth/for being unpunctual; (*beschuldigen*) to accuse sb of sth/of being unpunctual; *das wirft er mir heute noch vor* he still holds it against me; *ich habe mir nichts vorzuwerfen* my con-

science is clear. [b] (*lit*) *Tieren/Gefangenen etw ~* to throw sth down for the animals/prisoners.

vorwiegend [1] *adj attr* predominant. [2] *adv* predominantly.

Vorwissen *nt* previous knowledge.

vorwitzig *adj* (*keck*) cheeky; (*vorlaut*) forward.

Vorwort *nt* **-e** foreword, preface.

Vorwurf *m, pl* **Vorwürfe** reproach; (*Beschuldigung*) accusation ► *jdm/sich große Vorwürfe machen* to reproach sb/oneself; *ich habe mir keine Vorwürfe zu machen* my conscience is clear; *jdm etw zum ~ machen* to reproach sb with sth.

vorwurfsvoll *adj* reproachful.

Vorzeichen *nt* (*Omen*) omen; (*Med*) early symptom; (*Math*) sign ► *positives/negatives ~* (*Math*) plus/minus (sign); *mit umgekehrtem ~* (*fig*) the other way around.

vorzeichnen *vt sep* *Linien etc* to sketch (out) ► *jdm etw ~* (*fig*) to map sth out for sb.

Vorzeige- *in cpds* *Schüler, Sportler* star; **~frau** *f* token woman.

vorzeigen *vt sep* to show, to produce.

Vorzeit *f* prehistoric times *pl*.

vorzeitig *adj* [1] early; *Geburt, Altern etc* premature. [2] *adv* *pensioniert* early; *gealtert* prematurely.

vorzeitlich *adj* prehistoric; (*fig*) archaic.

vorziehen *vt sep irreg* [a] (*hervorziehen*) to pull out; (*nach vorne ziehen*) *Stuhl etc* to pull up; (*zuziehen*) *Vorhänge* to draw ► *etw hinter/unter etw* (*dat*) *~* to pull sth out from behind/under sth. [b] (*fig*) (*lieber mögen*) to prefer; (*bevorzugen*) *jdn* to favour (*Brit*), to favor (*US*) ► *etw einer anderen Sache ~* to prefer sth to sth else; *es ~, etw zu tun* to prefer to do sth. [c] (*zuerst behandeln, abfertigen*) to give priority to. [d] (*Wahlen*) to bring forward ► *vorgezogener Ruhestand* early retirement.

Vorzimmer *nt* anteroom; (*Büro*) outer office.

Vorzimmerdame *f* receptionist.

Vorzug *m, pl* **Vorzüge** preference; (*Vorteil*) advantage; (*gute Eigenschaft*) asset ► *einer Sache* (*dat*) *den ~ geben* (*form*) to prefer sth.

vorzüglich *adj* excellent.

Vorzugsaktien *pl* (*St Ex*) preference shares *pl*.

vorzugsweise *adv* preferably; (*hauptsächlich*) chiefly ► *etw ~ trinken* to prefer to drink sth.

Votum ['vo:tʊm] *nt, pl* **Voten** vote.

vulgär [vʊl'gɛːɐ] *adj* vulgar.

Vulkan [vʊl'ka:n] *m* **-e** volcano ► *ein Tanz auf dem ~* playing with fire.

Vulkan|ausbruch [vʊl'ka:n-] *m* volcanic eruption.

vulkanisch [vʊl'ka:nɪʃ] *adj* volcanic.

vulkanisieren* [vʊlkani'zi:rən] *vt* to vulcanize.

v.u.Z. = **vor unserer Zeitrechnung** BC.

W

W, w [ve:] *nt* -, - W, w ▶ *W wie Wilhelm* ≃ W for William.

W = Westen W.

WAA [ve:|a:'|a:] *f* = **Wiederaufbereitungsanlage.**

Waage *f* -n ⓐ (*Gerät*) scales *pl*; (*Feder~, Apotheker~*) balance ▶ *eine ~* a pair of scales; *sich* (*dat*) *die ~ halten* (*fig*) to balance one another. ⓑ (*Astrol*) Libra.

Waag(e)-: **w~recht** *adj* horizontal; **~rechte** *f* horizontal.

Waagschale *f* (scale) pan ▶ *(schwer) in die ~ fallen* (*fig*) to carry weight; *seine Autorität in die ~ werfen* (*fig*) to bring one's authority to bear.

wabb(e)lig *adj* Pudding wobbly; Mensch flabby.

Wabe *f* -n honeycomb.

Wabenhonig *m* comb honey.

wach *adj* awake *pred*; (*fig: aufgeweckt*) alert ▶ *in ~em Zustand* in the waking state; *~ werden* to wake up.

Wach-: **~ablösung** *f* changing of the guard; (*fig: Regierungswechsel*) change of government; (*Mensch*) relief guard; **~boot** *nt* patrol boat; **~dienst** *m* lookout; (*Mil*) guard (duty); (*Naut*) watch; (*Firma*) security firm; *~dienst haben/machen* to be on guard (duty); (*Naut*) to have the watch.

Wache *f* -n ⓐ *no pl* (*Wachdienst*) guard (duty) ▶ *(bei jdm) ~ halten* to keep watch (over sb); (*Kranken~*) to keep watch (at sb's bedside); *~ stehen or schieben* (*col*) to be on guard (duty); (*Dieb, Schüler etc*) to keep a lookout. ⓑ (*Mil*) (*Wachposten*) guard; (*Gebäude*) guardhouse. ⓒ (*Naut: Personen, Dauer*) watch ▶ *~ haben* to be on watch. ⓓ (*Polizei~*) (police) station.

wachen *vi* ⓐ (*wach sein*) to be awake. ⓑ (*Wache halten*) to keep watch ▶ *bei jdm ~* to sit up with sb; *über etw* (*acc*) *~* to (keep) watch over sth; *über Verkehr* to supervise sth.

Wach-: **w~habend** *adj attr* duty; **w~halten** ⚠ *vt sep irreg* (*fig*) Interesse etc to keep alive; **~hund** *m* (*lit, fig*) watchdog; (*lit auch*) guard dog; **~macher** *m* (*col*) stimulant; **~mann** *m, pl* -leute watchman; **~mannschaft** *f* guards *pl*; (*Naut*) watch.

Wacholder *m* - (*Bot*) juniper (tree).

Wacholder-: **~beere** *f* juniper berry; **~schnaps** *m* spirit made from juniper berries, ≃ gin.

wach-: **~rufen** *vt sep irreg* (*fig*) Erinnerung etc to evoke; **~rütteln** *vt sep* (*fig*) to rouse.

Wachs [vaks] *nt* -e wax ▶ *weich wie ~* as soft as butter.

wachsam *adj* vigilant; (*vorsichtig*) on one's guard.

Wachsamkeit *f no pl* vigilance; (*Vorsichtigkeit*) guardedness.

wachsbleich ['vax-] *adj* waxen.

Wachschiff *nt* patrol ship.

wachsen¹ ['vaksn] *pret* **wuchs** [vu:ks], *ptp* **gewachsen** *vi aux sein* to grow ▶ *in die Breite/Länge ~* to broaden (out)/to lengthen; *sich* (*dat*) *einen Bart ~ lassen* to grow a beard; *gut gewachsen* Baum wellgrown; Mensch with a good figure.

wachsen² ['vaksn] *vt* to wax.

Wachs- ['vaks-]: **~farbe** *f* ⓐ (*Farbstift*) wax crayon; ⓑ (*Farbstoff*) wax dye; **~figur** *f* wax figure, waxwork; **~figurenkabinett** *nt* waxworks *pl* (exhibition); **~kerze** *f* wax candle; **~malkreide** *f,* **~malstift** *m* wax crayon;

~papier *nt* waxed paper; **~stift** *m* wax crayon.

Wachstube ['vaxʃtu:bə] *f* guardroom; (*von Polizei*) duty room.

Wachstuch ['vaks-] *nt* oilcloth.

Wachstum ['vakstu:m] *nt no pl* growth ▶ *im ~ zurückgeblieben* stunted.

Wachstums-: **~branche** *f* growth industry; **w~fördernd** *adj* growth-promoting; **~grenze** *f* limits *pl* of growth; **w~hemmend** *adj* growth-inhibiting; **~rate** *f* growth rate; **~störung** *f* disturbance of growth.

Wachtel *f* -n quail.

Wächter *m* - guardian; (*Nacht~*) watchman.

Wacht-: **~meister** *m* (police) constable (*Brit*), patrolman (*US*); **~posten** *m* sentry; (*Schüler, Dieb etc*) lookout.

Wachtraum *m* daydream.

Wach(t)turm *m* watchtower.

Wach- und Schließgesellschaft *f* security firm.

wack(e)lig *adj* wobbly; (*fig*) Firma shaky ▶ *~ auf den Beinen sein* (*col: Patient*) to be wobbly on one's legs; *~ stehen* (*lit*) to be unsteady; (*fig: Unternehmen, Schüler*) to be shaky.

Wackelkontakt *m* loose connection.

wackeln *vi* ⓐ to wobble; (*zittern*) to shake; (*Zahn, Schraube*) to be loose; (*beim Fotografieren*) to move ▶ *mit den Ohren/Hüften/dem Kopf/Schwanz ~* to waggle one's ears/wiggle one's hips/wag one's head/its tail. ⓑ *aux sein* (*langsam, unsicher gehen*) to totter; (*Kleinkind*) to toddle.

wacker *adj* (*tapfer*) brave, valiant ▶ *sich ~ schlagen* (*col*) to put up a brave fight.

Wade *f* -n (*Anat*) calf.

Waden-: **~bein** *nt* fibula; **~krampf** *m* cramp in one's calf; **~strumpf** *m* half stocking; **~wickel** *m* (*Med*) compress around the leg.

Waffe *f* -n (*lit, fig*) weapon; (*Schuß~*) gun; (*Mil: Waffengattung*) arm ▶ *~n* (*Mil*) arms; *~n tragen* to carry arms; *die ~n strecken* (*lit, fig*) to surrender; *jdn mit seinen eigenen ~n schlagen* (*fig*) to beat sb at his own game.

Waffel *f* -n waffle; (*Keks, Eis~*) wafer; (*Eistüte*) cone.

Waffel|eisen *nt* waffle iron.

Waffen- *in cpds* arms; **~arsenal** *nt* arsenal; (*von Staat*) stockpile; **~gattung** *f* (*Mil*) arm of the service; **~gewalt** *f* force of arms; *mit ~gewalt* by force of arms; **~handel** *m* arms trade; (*illegal auch*) gunrunning; **~händler** *m* arms dealer; (*illegal auch*) gunrunner; **~hilfe** *f* military assistance; **~lager** *nt* (*von Armee*) ordnance depot; (*von Terroristen*) cache; **w~los** *adj* unarmed; **~ruhe** *f* ceasefire; **~schein** *m* firearms *or* gun licence (*Brit*) *or* license (*US*); **~schmuggel** *m* gunrunning, arms smuggling; **~stillstand** *m* armistice.

Wagemut *m no pl* (*geh*) (heroic) daring *or* boldness.

wagemutig *adj* daring, bold.

wagen ① *vt* to venture; (*sich getrauen*) to dare ▶ *es ~, etw zu tun* to venture to do sth; to dare (to) do sth; *wage nicht, mir zu widersprechen!* don't you dare (to) contradict me! ② *vr* to dare ▶ *sich an etw* (*acc*) *~* to venture to do sth; *sich auf ein Gebiet ~* to venture into an area.

Wagen *m* - (*Personen~*) car; (*Liefer~*) van; (*von Pferden* *gezogen*) wag(g)on, cart; (*Kutsche*) coach; (*Kinder~*) pram (*Brit*), baby carriage (*US*); (*Hand~*) (hand)cart; (*Kofferkuli, Einkaufs~*) trolley (*Brit*), cart (*US*); (*Schreibmaschinen~*) carriage; (*Eisenbahn~*) car, carriage (*Brit*) ▶ *der Große ~* (*Astrol*) the Plough.

wägen *pret* **wog**, *ptp* **gewogen** *vt* (*old*) to weigh.

Wagen-: **~abteil** *nt* (*Rail*) compartment; **~führer** *m* driver; **~heber** *m* jack; **~ladung** *f* (*von Personenwagen*) carload; (*von Lastwagen*) lorryload (*Brit*), truckload; (*von Eisenbahn*) wag(g)onload; **~park** *m* fleet of cars; **~rad** *nt* cartwheel; **~rücklauf** *m* (*an Schreibmaschine*) carriage return; **~wäsche** *f* carwash.

⚠**Waggon** [vaˈɡɔŋ] *m* **-s** (goods) wag(g)on (*Brit*), freight car (*US*); (*Ladung*) wag(g)onload/carload.

Wag-: **~hals** *m* daredevil; **w~halsig** *adj* foolhardy, daredevil *attr*.

Wagnis *nt* hazardous business; (*Risiko*) risk.

▼ **Wahl** *f* **-en** **a** (*Auswahl*) choice ▶ *die ~ fiel auf ihn* he was chosen; *aus freier ~* of one's own free choice; *wir hatten keine (andere) ~(, als)* we had no alternative *or* choice (but); *jdm die ~ lassen* to leave (it up to) sb to choose; *jdm etw zur ~ stellen* to give sb a choice of sth; *seine ~ treffen* to make one's selection; *wer die ~ hat, hat die Qual* (*Prov*) he is/you are *etc* spoilt for choice.

b (*Pol etc*) election; (*Abstimmung*) vote; (*geheim*) ballot ▶ *seine ~ in den Vorstand/zum Präsidenten* his election to the board/as president; *zur ~ gehen* to go to the polls; *jdn zur ~ aufstellen* to put sb up as a candidate; *sich zur ~ stellen* to stand, to run (for parliament *etc*); *die ~ annehmen* to accept the vote.

c (*Qualität*) **erste ~** top quality; (*Gemüse, Eier*) grade one; *Waren erster/zweiter ~* top-quality goods/seconds *pl*; *Gemüse zweiter ~* grade-two vegetables.

Wählautomatik *f* (*Telec*) automatic dialling (*Brit*) *or* dialing (*US*).

wählbar *adj* eligible (for office).

Wahl-: **~benachrichtigung** *f* polling card; **w~berechtigt** *adj* entitled to vote; **~beteiligung** *f* turnout; **~bezirk** *m* ward.

▼ **wählen** **1** *vt* **a** to choose (*von* from, out of); *siehe* **gewählt**. **b** (*Telec*) *Nummer* to dial. **c** (*Pol*) to elect; (*sich entscheiden für*) *Partei* to vote for ▶ *jdn ins Parlament ~* to elect sb to Parliament; *jdn zum Präsidenten ~* to elect sb president.

2 *vi* **a** (*auswählen*) to choose. **b** (*Telec*) to dial. **c** (*Stimme abgeben*) to vote.

Wähler(in *f*) *m* - (*Pol*) elector, voter.

Wahl|ergebnis *nt* election result.

wählerisch *adj* particular; *Geschmack, Kunde* discriminating ▶ *sei nicht so ~!* don't be so choosy (*col*).

Wählerschaft *f no pl* electorate *sing or pl*.

Wähler-: **~stimme** *f* vote; **~verzeichnis** *nt* electoral roll.

Wahl-: **~fach** *nt* (*Sch*) optional subject, elective (*US*); **w~frei** *adj* optional; **w~freier Zugriff** (*Comp*) random access; **~gang** *m* ballot; **~geheimnis** *nt* secrecy of the ballot; **~geschenk** *nt* (pre-election) vote-catching gimmick; **~gesetz** *nt* electoral law; **~heimat** *f* adopted country; **~helfer** *m* (*im ~kampf*) election assistant; (*bei der Wahl*) polling officer; **~kabine** *f* polling booth; **~kampf** *m* election campaign; **~kreis** *m* constituency; **~lokal** *nt* polling station; **w~los** **1** *adj* indiscriminate; **2** *adv* at random, haphazardly; (*nicht wählerisch*) indiscriminately; **~mann** *m, pl* **~männer** delegate; **~möglichkeit** *f* option; **~niederlage** *f* election defeat; **~ordnung** *f* election regulations *pl*; **~periode** *f* lifetime of a/the parliament; **~pflicht** *f* electoral duty; **~programm** *nt* election manifesto; **~recht** *nt* (right to) vote; *allgemeines ~recht* universal franchise; *das aktive ~recht* the right to vote; *das passive ~recht* eligibility

(for political office); **~rede** *f* election speech; **~reform** *f* electoral reform.

Wählscheibe *f* dial.

Wahl-: **~schein** *m* polling card; **~sieg** *m* election victory; **~spruch** *m* motto; **~system** *nt* electoral *or* voting system; **~tag** *m* election day; **~urne** *f* ballot box; **~verfahren** *nt* electoral procedure; **~versammlung** *f* election meeting; **~versprechungen** *pl* election promises *pl*; **~vorschlag** *m* election proposal; **w~weise** *adv* alternatively; *w~weise Kartoffeln oder Reis* a choice of potatoes or rice.

Wählzeichen *nt* (*Telec*) dialling (*Brit*) *or* dial (*US*) tone.

Wahn *m no pl* illusion, delusion; (*Manie*) mania ▶ *in dem ~ leben, daß ...* to labour (*Brit*) *or* labor (*US*) under the delusion that ...

Wahnsinn *m no pl* madness ▶ *das ist doch (heller) ~, so ein ~!* that's sheer madness; *~!* (*col: toll*) fantastic!

wahnsinnig **1** *adj* (*col*) (*verrückt*) mad, crazy; (*toll*) brilliant (*col*), great (*col*); (*attr: sehr groß, viel*) awful, dreadful ▶ *eine ~e Arbeit* a terrific amount of work; *das macht mich ~* (*col*) it's driving me crazy; *~ werden* to go mad (*col*); *ich werde ~!* it's mind-blowing! (*col*). **2** *adv* (*col*) incredibly (*col*) ▶ *~ verliebt* madly in love; *~ viele/viel* an incredible number/amount (*col*).

Wahnsinnige(r) *mf decl as adj* lunatic.

Wahnsinns- *in cpds* (*col: verrückt*) crazy; (*col: prima*) incredible (*col*).

Wahn-: **~vorstellung** *f* delusion; **w~witzig** **1** *adj* crazy *attr*, **2** *adv* terribly.

wahr *adj Geschichte, Liebe, Glaube etc* true; (*echt*) *Kunst, Glück* real, genuine; (*attr: wirklich*) real, veritable ▶ *im ~sten Sinne des Wortes* in the true sense of the word; *daran ist kein Wort ~ or kein ~es Wort* there's not a word of truth in it; *da ist etwas W~es daran* there's some truth in that; *da hast du ein ~es Wort gesprochen* (*col*) there's a lot of truth in that; *etw ~ machen Pläne* to make sth a reality; *Versprechung, Drohung* to carry sth out; *~ werden* to come true; *so ~ mir Gott helfe!* so help me God!; *das darf or kann doch nicht ~ sein!* (*col*) I don't believe it!; *das ist nicht das W~e* (*col*) it's no great shakes (*col*).

wahren *vt Interessen, Rechte* to look after; *Autorität, Ruf, Würde* to preserve, to keep; *Geheimnis* to keep; *gute Manieren* to adhere to, to observe.

währen *vi* (*geh*) to last.

▼ **während** **1** *prep +gen or dat* during ▶ *~ eines Zeitraums* over a period of time. **2** *conj* while.

währenddessen *adv* meanwhile.

wahr-: **~haben** *vt sep irreg etw nicht w~haben wollen* not to want to admit sth; **~haft** **1** *adj* real; **2** *adv* really, truly; **~haftig** *adv* really; (*tatsächlich*) actually.

Wahrheit *f* truth ▶ *in ~* in reality; *die ~ sagen* to tell the truth.

wahrheits-: **~gemäß, ~getreu** *adj Bericht* truthful; *Darstellung* faithful; **~liebend** *adj* truth-loving; (*ehrlich*) truthful.

Wahr-: **w~nehmbar** *adj* perceptible; *mit bloßem Auge w~nehmbar* visible to the naked eye; **w~nehmen** *vt sep irreg* **a** (*sinnlich*) to perceive; *Veränderungen etc* to be aware of; *nichts mehr um sich herum w~nehmen* to be no longer aware of anything around one; **b** *Frist, Termin* to observe; *Gelegenheit* to take; *Interessen, Rechte* to look after; **~nehmung** *f siehe vt* **a** perception; awareness; **b** (*von Frist*) observing; (*von Interessen*) looking after; **w~sagen** *vi sep or insep* to tell fortunes; *aus den Karten w~sagen* to read cards; **~sager(in** *f*) *m* - fortune-teller; **~sagerei** *f no pl* fortune-telling; **~sagung** *f* prediction.

▼ **wahrscheinlich** **1** *adj* probable, likely; (*glaubhaft*) plausible.

[2] *adv* probably.

Wahrscheinlichkeit *f* probability; (*Glaubhaftigkeit*) plausibility ▸ *mit großer ~, aller ~ nach, in aller ~* in all probability.

Währung *f* currency.

Währungs- *in cpds* currency; **~einheit** *f* monetary unit; **~fonds** *m* Monetary Fund; **~krise** *f* monetary crisis; **~politik** *f* monetary policy; **~reform** *f* currency reform; **~system** *nt* monetary system; **~union** *f* monetary union.

Wahrzeichen *nt* (*von Stadt, Verein*) emblem; (*Gebäude, Turm etc*) symbol ▸ *das ~ von Hamburg* Hamburg's most famous landmark.

Waid- *in cpds* = **Weid-**.

Waise *f* -n orphan ▸ *~ sein* to be an orphan.

Waisen-: **~haus** *nt* orphanage; **~kind** *nt* orphan; **~knabe** *m gegen dich ist er ein ~knabe* (*col*) he's no match for you; **~rente** *f* orphan's allowance.

Wal *m* -e whale.

Wald *m* ⁻er wood(s *pl*); (*großer*) forest; (*no pl: ~land*) woodland(s *pl*) ▸ *er sieht den ~ vor lauter Bäumen nicht* he can't see the wood for the trees.

Wald-: **~ameise** *f* red ant; **~arbeiter** *m* forestry worker; **~blume** *f* woodland flower; **~brand** *m* forest fire.

Wäldchen *nt dim of* **Wald** copse.

Wald-: **~erdbeere** *f* wild strawberry; **~horn** *nt* (*Mus*) French horn.

waldig *adj* wooded, woody.

Wald-: **~land** *nt* woodland(s *pl*); **~lauf** *m* cross-country running; (*einzelner Lauf*) cross-country run; **~lehrpfad** *m* woodland nature trail; **~meister** *m* (*Bot*) woodruff; **w~reich** *adj* densely wooded; **~sterben** *nt no pl* loss of trees due to pollution.

Wald- und Wiesen- *in cpds* (*col*) common-or-garden (*col*).

Wald-: **~weg** *m* woodland/forest path; **~wiese** *f* glade.

Wal-: **~fang** *m* whaling; **~fänger** *m* whaler; **~fisch** *m* (*col*) whale.

Waliser *m* - Welshman.

Waliserin *f* Welshwoman.

walisisch *adj* Welsh.

Walkman ® ['vɔːkmən] *m* -s Walkman ®.

Wall *m* ⁻e embankment; (*Mil*) rampart; (*fig*) bulwark.

Wallach *m* -e gelding.

wallen *vi* (*Wasser, Soße, fig: Blut*) to boil; (*geh: fließen: Locken, Gewand*) to flow.

wallfahren *vi insep reg aux sein* to go on a pilgrimage.

Wallfahrer(in *f*) *m* - pilgrim.

Wallfahrt *f* pilgrimage.

Wallone *m* (*wk*) -n, -n, **Wallonin** *f* Walloon.

⚠ **Walnuß** *f* walnut.

⚠ **Walroß** *nt* -sse walrus.

walten *vi* (*geh*) to reign; (*in +dat* over); (*wirken: Mensch, Naturkräfte*) to be at work ▸ *über jdm/etw ~* to rule (over) sb/sth; *Vernunft ~ lassen* to let reason prevail; *Vorsicht ~ lassen* to exercise caution.

Walzblech *nt* sheet metal.

Walze *f* -n roller.

walzen *vt* to roll.

wälzen [1] *vt* [a] (*rollen*) to roll. [b] (*col*) Akten, Bücher to pore over; Probleme, Gedanken, Pläne to turn over in one's mind ▸ *die Verantwortung auf jdn ~* to shift the responsibility onto sb.
[2] *vr* to roll; (*schlaflos im Bett*) to toss and turn; (*fig: Menschenmenge, Wassermassen*) to surge.

walzenförmig *adj* cylindrical.

Walzer *m* - waltz.

Wälzer *m* - (*col*) heavy *or* weighty tome (*hum*).

Walz-: **~straße** *f* rolling train; **~werk** *nt* rolling mill.

Wampe *f* -n (*col*) paunch.

WAN *nt* -s (*Comp*) WAN.

wand *pret of* **winden**.

Wand *f* ⁻e wall; (*nicht gemauerte Trenn~*) partition (wall); (*von Gefäß, Behälter, Schiff*) side; (*Fels~*) (rock) face; (*fig*) barrier, wall ▸ *spanische ~* (folding) screen; *~ an ~* wall to wall; *in seinen (eigenen) vier ⁻en* (*fig*) within one's own four walls; *weiß wie die ~* as white as a sheet; *jdn an die ~ spielen* to put sb in the shade; (*Sport auch*) to outplay sb; *jdn an die ~ drücken* (*fig*) to push sb to the wall; *jdn an die ~ stellen* (*fig*) to put sb up against a wall (and shoot him/her); *er lachte, daß die ⁻e wackelten* (*col*) he made the whole room shake with his laughter; *das ist, um die ⁻e hochzugehen* (*col*) it's enough to drive you up the wall (*col*).

Wand-: **~behang** *m* wall hanging; **~bekleidung** *f* wall covering; (*aus Holz*) panelling (*Brit*), paneling (*US*); **~bord, ~brett** *nt* (wall) shelf.

Wandel *m no pl* change ▸ *im ~ der Zeiten* throughout the ages.

Wandel-: **w~bar** *adj* changeable; **~halle** *f* foyer; (*im Parlament*) lobby.

wandeln¹ *vtr* (*ändern*) to change.

wandeln² *vi aux sein* (*geh: gehen*) to walk, to stroll ▸ *ein ~des Wörterbuch* (*hum*) a walking encyclopedia.

Wander-: **~ameise** *f* army ant; **~ausstellung** *f* touring exhibition; **~bühne** *f* touring company; **~düne** *f* shifting dune.

Wanderer *m* - hiker; (*esp in Verein*) rambler.

Wander-: **~falke** *m* peregrine (falcon); **~ferien** *pl* walking holiday; **~freund(in** *f*) *m* hiker; **~karte** *f* map of walks; **~kleidung** *f* hiking outfit; **~leben** *nt* roving *or* wandering life; (*fig*) unsettled life; **~lied** *nt* hiking song; **~lust** *f* wanderlust.

wandern *vi aux sein* to hike; (*in Verein*) to ramble; (*umherschweifen*) to roam; (*Wanderbühne*) to travel; (*Tiere, Völker*) to migrate; (*Wolken*) to drift; (*weitergegeben werden*) to be passed on; (*col: in den Papierkorb*) to land.

Wander-: **~niere** *f* floating kidney; **~pokal** *m* challenge cup; **~prediger** *m* itinerant preacher; **~preis** *m* challenge trophy; **~ratte** *f* brown rat.

Wanderschaft *f no pl* travels *pl* ▸ *auf (der) ~ sein* to be on one's travels; *auf ~ gehen* to go off on one's travels.

Wander-: **~schauspieler** *m* travelling (*Brit*) *or* traveling (*US*) actor; **~schuhe** *pl* walking shoes *pl*; **~truppe** *f* touring company.

Wanderung *f* [a] (*Ausflug*) walk ▸ *eine ~ machen* to go on a ramble. [b] (*von Tieren, Völkern*) migration.

Wander-: **~verein** *m* rambling club; **~weg** *m* trail, (foot)path; **~zirkus** *m* travelling (*Brit*) *or* traveling (*US*) circus.

Wand-: **~gemälde** *nt* mural, wall painting; **~kalender** *m* wall calendar; **~karte** *f* wall map; **~lampe** *f* wall lamp; **~leuchter** *m* wall bracket.

Wandlung *f* (*Wechsel, Wandel*) change; (*völlige Um~*) transformation ▸ *eine ~ durchmachen* to undergo a change.

Wand-: **~malerei** *f* mural painting; **~schirm** *m* screen; **~schrank** *m* wall cupboard; **~tafel** *f* (black)board.

wandte *pret of* **wenden**.

Wand-: **~teller** *m* wall plate; **~teppich** *m* tapestry, wall hanging; **~uhr** *f* wall clock; **~verkleidung** *f* wall covering; (*aus Holz*) panelling (*Brit*), paneling (*US*); **~zeitung** *f* wall newspaper.

Wange *f* -n (*geh*) cheek.

wankelmütig *adj* fickle, inconstant.

wanken *vi* [a] (*Mensch, Gebäude*) to sway; (*Knie*) to shake, to wobble; (*unsicher sein/werden*) to waver ▸

| ➤ SATZBAUSTEINE: **wahrscheinlich:** 2 → 13.2, 14.2

etw ins W~ bringen (*fig*) *Thron, Regierung* to cause sth to totter; *Glauben, Mut* to shake sth. **b** *aux sein* (*gehen*) to stagger; (*alter Mensch*) to totter.

wann *interrog adv* when ▶ ~ **(auch) immer** whenever; **seit ~ bist/hast du ...?** how long have you been/have you had ...?; (*entrüstet etc*) since when are you/do you have ...?

Wanne *f* **-n** bath; (*Öl~*) sump (*Brit*), oil pan (*US*).

Wanze *f* **-n** (*Zool, col: Abhörgerät*) bug.

Wappen *nt* - coat of arms.

Wappen-: **~kunde** *f* heraldry; **~tier** *nt* heraldic animal.

wappnen *vr* (*fig*) **sich (gegen etw) ~** to prepare (oneself) (for sth); **gewappnet sein** to be forearmed.

war *pret of* **sein¹** was.

warb *pret of* **werben**.

Ware *f* **-n** product; (*einzelne ~*) article; (*als Sammelbegriff*) goods *pl.* **~n** *pl* goods *pl.*

Waren-: **~angebot** *nt* range of goods for sale; **~aufzug** *m* goods hoist; **~haus** *nt* (department) store; **~korb** *m* (*Econ*) basket of goods; **~lager** *nt* warehouse; (*Bestand*) stocks *pl*; **~muster** *nt*, **~probe** *f* trade sample; **~sendung** *f* trade sample (*sent by post*); **~test** *m* test of goods; **~zeichen** *nt* trademark.

warf *pret of* **werfen**.

warm *adj comp* ˵er, *superl* ˵ste(r, s) *or* (*adv*) **am** ˵sten (*lit, fig*) warm; (*col: homosexuell*) queer (*col*) ▶ **mir ist ~** I'm warm; **das Essen ~ machen** to heat up the food; **das Essen ~ stellen** to keep the food hot; **sich ~ anziehen** to dress up warmly; **sich ~ laufen** to warm up; **jdn/etw** ˵stens **empfehlen** to recommend sb/sth warmly; **mit jdm ~ werden** (*col*) to get close to sb.

Warm-: **~blüter** *m* - (*Zool*) warm-blooded animal; **w~blütig** *adj* warm-blooded.

Wärme *f no pl* (*lit, fig*) warmth; (*von Wetter etc, Phys*) heat ▶ **10 Grad ~** 10 degrees above zero; **ist das eine ~!** isn't it warm!

Wärme-: **~austauscher** *m* heat exchanger; **~dämmung** *f* (heat) insulation; **~kraftwerk** *nt* thermal power station; **~leiter** *m* heat conductor.

wärmen **1** *vt* to warm; *Essen* to heat up. **2** *vi* (*Kleidung, Sonne*) to be warm. **3** *vr* to warm up ▶ **sich gegenseitig ~** to keep each other warm.

Wärme-: **~pumpe** *f* heat pump; **~regler** *m* thermostat; **~technik** *f* heat technology; **~verlust** *m* heat loss.

Wärmflasche *f* hot-water bottle.

Warm-: **~front** *f* (*Met*) warm front; **w~halten** △ *vt sep irreg* **sich** (*dat*) **jdn w~halten** (*fig col*) to keep in with sb (*col*); **w~herzig** *adj* warm-hearted; **w~laufen** △ *vi sep irreg aux sein* to warm up; **den Motor w~laufen lassen** to warm up the engine; **~luft** *f* warm air.

Warmwasser-: **~heizung** *f* hot-water central heating; **~leitung** *f* hot-water pipe; **~speicher** *m* hot-water tank.

Warn-: **~anlage** *f* warning system; **~blinkanlage** *f* (*Aut*) hazard warning lights *pl*; **~dreieck** *nt* warning triangle.

▼ **warnen** *vti* to warn (*vor +dat* of) ▶ **jdn (davor) ~, etw zu tun** to warn sb not to do sth.

Warn-: **~kreuz** *nt* warning cross; **~schild** *nt* warning sign; **~schuß** △ *m* warning shot; **~streik** *m* token strike.

Warnung *f* warning (*vor +dat* of).

Warn-: **~vorrichtung** *f* warning system; **~zeichen** *nt* warning sign; (*hörbar*) warning signal.

Warschau *nt* Warsaw.

Warschauer *adj attr* Warsaw ▶ ~ **Pakt** (*Hist*) Warsaw Pact.

Warte *f* **-n** observation point; (*fig*) viewpoint ▶ **von jds ~ (aus)** (*fig*) from sb's standpoint.

Warte-: **~frist** *f* waiting period; (*für Lieferung*) delivery time; **~halle** *f* waiting room; (*Aviat*) departure lounge; **~liste** *f* waiting list.

warten¹ *vi* to wait (*auf +acc* for) ▶ **warte mal!** wait a minute; (*überlegend*) let me see; **na warte!** (*col*) just you wait!; **mit dem Essen auf jdn ~** to wait for sb before eating; **lange auf sich ~ lassen** to be a long time (in) coming.

warten² *vt Auto, Maschine* to service.

Wärter(in *f*) *m* - attendant; (*Tier~*) keeper; (*Gefängnis~*) warder/wardress (*Brit*), guard.

Warte-: **~raum**, **~saal** *m* waiting room; **~zeit** *f* waiting period; **~zimmer** *nt* waiting room.

Wartung *f* (*von Auto, Maschine*) servicing; (*Instandhaltung*) maintenance ▶ **das Auto muß zur ~** the car has to go in for a service.

warum *interrog adv* why ▶ ~ **nicht gleich so!** why not do that in the first place.

Warze *f* **-n** wart; (*Brust~*) nipple.

was **1** *interrog pron* **a** what ▶ ~ **ist, kommst du mit?** well, are you coming?; ~ **denn?** what is it?; (*ungläubig*) what?; **wenn nicht das, ~** if not that, what then?; **wenn ein Unfall passiert, ~ dann?** what if there's an accident?; ~ **haben wir gelacht!** (*col*) how we laughed! **b** (*col: warum*) what ... for. **c** ~ **für ...** what sort *or* kind of ...; ~ **für ein schönes Haus!** what a lovely house!

2 *rel pron* (*auf Satz bezogen*) which ▶ **das, ~ ...** that which ..., what ...; **ich weiß, ~ ich/er tun soll** I know what to do/what he should do; ~ **auch (immer)** whatever; **alles, ~ ...** everything *or* all (that)...; **lauf, ~ du kannst!** (*col*) run as fast as you can!

3 (*col*) *indef pron abbr of* **etwas** something; (*fragend, verneint*) anything; (*Teil einer Menge*) some; any ▶ **(na,) so ~!** well I never!; *siehe* **etwas**.

Wasch-: **~anlage** *f* (*für Autos*) carwash; **~anleitung** *f* washing instructions *pl*; **w~bar** *adj* washable; **~bär** *m* rac(c)oon; **~becken** *nt* wash-basin (*Brit*), washbowl (*US*); **~beutel** *m* sponge bag; **~brett** *nt* washboard.

Wäsche *f no pl* **a** washing; (*Schmutz~*) laundry ▶ **große ~ haben** to have a large amount of washing (to do); **in der ~** in the wash. **b** (*Bett~, Küchen~*) linen; (*Unter~*) underwear ▶ **dumm aus der ~ gucken** (*col*) to look stupid.

Wäschebeutel *m* laundry bag.

wasch|echt *adj Farbe* fast; (*fig*) genuine.

Wäsche-: **~klammer** *f* clothes peg (*Brit*), clothespin (*US*); **~korb** *m* laundry basket; **~leine** *f* (clothes)line.

waschen *pret* **wusch**, *ptp* **gewaschen** **1** *vt* to wash; *Gold etc* to pan; (*fig col*) *Geld, Spenden* to launder ▶ **(Wäsche) ~** to do the washing; **etw** (*acc*) **warm/kalt ~** to wash sth in hot/cold water; **sich** (*dat*) **die Hände ~** to wash one's hands.

2 *vr* to wash (oneself/itself); (*Stoff*) to wash ▶ **eine Geldbuße, die sich gewaschen hat** (*col*) a really heavy fine.

Wäscherei *f* laundry.

Wäsche-: **~sack** *m* laundry bag; **~schleuder** *f* spin-dryer (*Brit*), dryer; **~schrank** *m* linen cupboard; **~spinne** *f* revolving clothes dryer; **~ständer** *m* clothes horse; **~stärke** *f* starch; **~trockner** *m* (*Ständer*) clothes horse; (*Trockenautomat*) dryer.

Wasch-: **~gang** *m* stage of the washing programme (*Brit*) *or* program (*US*); **~gelegenheit** *f* washing facilities *pl*; **~haus** *nt* wash house, laundry; **~kessel** *m* clothes boiler; **~küche** *f* laundry room; **~lappen** *m* flannel (*Brit*), washcloth (*US*); (*col: Feigling*) wimp (*col*); **~lauge** *f* suds *pl*; **~maschine** *f* washing machine; **w~maschinenfest** *adj* machine-washable; **~mittel** *nt* detergent; **~pulver** *nt* washing powder (*Brit*), soap powder; **~salon** m launderette (Brit), laundromat (US); **~schüssel** f washbasin (Brit), washbowl (US); **~straße** f (zur Autowäsche) car wash; **~wasser** nt washing water; **~zettel** m (Typ) blurb; **~zeug** nt toilet or washing things pl; **~zuber** m washtub.

Wasser nt - [a] no pl water ▶ das ist ~ auf seine Mühle (fig) this is all grist to his mill; dort wird auch nur mit ~ gekocht (fig) they're no different from anybody else (there); ihr kann er nicht das ~ reichen (fig) he can't hold a candle to her; unter ~ stehen to be flooded; ins ~ fallen (fig) to fall through; sich über ~ halten (fig) to keep one's head above water; mit allen ~n gewaschen sein (col) to be a shrewd customer; ein Boot zu ~ lassen to launch a boat; nahe am ~ gebaut haben (col) to be a cry-baby (col); ~ lassen (Med) to pass water. [b] pl : (Flüssigkeit) (Abwasch~ etc) water; (medizinisch) lotion; (Parfüm) cologne; (Mineral~) mineral water ▶ das ~ läuft mir im Mund zusammen my mouth is watering.

Wasser-: w~abstoßend, △ w~abweisend △ adj water-repellent; **~anschluß** △ m mains water supply; **w~arm** adj arid; **~ball** m [a] (no pl: Spiel) water polo; [b] (Ball) beach ball; (fürs ~ballspiel) water-polo ball; **~bett** nt water bed.

Wässerchen nt er sieht aus, als ob er kein ~ trüben könnte he looks as if butter wouldn't melt in his mouth.

Wasser-: **~dampf** m steam; **w~dicht** adj (lit, fig) watertight; Uhr, Stoff etc waterproof; **~enthärter** m water softener; **~fahrzeug** nt watercraft; **~fall** m waterfall; **~farbe** f watercolour (Brit), watercolor (US); **w~fest** adj waterproof; **~floh** m water flea; **~flugzeug** nt seaplane; **w~gekühlt** adj water-cooled; **~glas** nt (Trinkglas) tumbler; **~glätte** f aquaplaning conditions pl; **~graben** m (Sport) water jump; (um Burg) moat; **~hahn** m tap, faucet (US); **~härte** f hardness of the water; **~huhn** nt coot.

wässerig adj (lit, fig) watery ▶ jdm den Mund ~ machen (col) to make sb's mouth water.

Wasser-: **~kessel** m kettle; (Tech) boiler; **~klosett** nt water closet; **~kraft** f water power; **~kraftwerk** nt hydroelectric power station; **~kreislauf** m (Met) water cycle; **~kühlung** f water-cooling; mit ~kühlung water-cooled; **~lassen** nt passing water; **~lauf** m watercourse; **~leiche** f drowned corpse; **~leitung** f (Rohr) water pipe; (Anlagen) plumbing no pl; **~lilie** f water lily; **w~löslich** adj water-soluble; **~mann** m, pl **~männer** (Astrol) Aquarius no art; **~melone** f water melon; **~mühle** f water mill.

wassern vi (Aviat) to land on water.

wässern vti to water; Erbsen etc to soak ▶ mir ~ die Augen my eyes are watering.

Wasser-: **~pfeife** f hookah; **~pflanze** f aquatic plant; **~pistole** f water pistol; **~rad** nt water wheel; **~ratte** f water rat or vole; (col: Schwimmer) water baby; **w~reich** adj Gebiet abounding in water; Fluß containing a lot of water; **~rohr** nt water pipe; **~scheide** f watershed; **w~scheu** adj scared of water; **~schildkröte** f turtle; **~schutzpolizei** f (auf Flüssen, ~wegen) river police; (im Hafen) harbour (Brit) or harbor (US) police; (auf der See) coastguard service; **~ski** nt water-skiing; **~spiegel** m (Oberfläche) surface of the water; (~stand) water level; **~sport** m der ~sport water sports pl; **~spülung** f flush; **~stand** m water level; niedriger/hoher ~stand low/high water; **~stelle** f water(ing) hole.

Wasserstoff m hydrogen.

Wasserstoff-: **w~blond** adj attr Haar peroxide blonde; eine ~blonde a peroxide blonde (col); **~bombe** f H-bomb.

Wasser-: **~strahl** m jet of water; **~straße** f waterway; **~sucht** f dropsy; **~tank** m water tank; **~tier** nt aquatic

animal; **~träger** m water carrier; **~treten** nt (Med) paddling (in cold water as therapy); **~tropfen** m drop of water; **~turm** m water tower; **~uhr** f water meter; **~verbrauch** m water consumption no def art; **~versorgung** f water supply; **~verunreinigung** f water pollution; **~vogel** m waterfowl; **~waage** f spirit level; **~weg** m waterway; auf dem ~weg by water or (Meer) sea; **~werfer** m water cannon; **~werk** nt waterworks sing or pl; **~wirtschaft** f water supply (and distribution); **~zähler** m water meter; **~zeichen** nt watermark.

△ **wäßrig** adj = **wässerig**.

waten vi aux sein to wade.

watscheln vi aux sein to waddle.

Watt¹ nt - (Elec) watt.

Watt² nt -en (Geog) mud flats pl.

Watte f -n cotton wool (Brit), absorbent cotton (US); (zur Polsterung) wadding.

Wattebausch m cotton ball.

Wattenmeer nt mud flats pl.

Wattestäbchen nt cotton bud.

wattieren* vt to pad; (füttern) to line with padding; (und absteppen) Stoff to quilt.

Wattzahl f wattage.

WC [veːˈtseː] nt -s WC.

WDR [veːdeːˈɛr] m = **Westdeutscher Rundfunk**.

weben pret **webte** or (liter, fig) **wob**, ptp **gewebt** or (liter, fig) **gewoben** vti (lit, fig) to weave; Spinnennetz to spin.

Weber(in f) m - weaver.

Weberei f [a] (Betrieb) weaving mill. [b] no pl (das Weben) weaving.

Web-: **~stuhl** m loom; **~waren** pl woven goods pl.

Wechsel ['vɛksl] m - [a] change; (abwechselnd) alternation; (Geld~) exchange ▶ im ~ (abwechselnd) in turn, alternately. [b] (Staffel~) change-over; (Ftbl etc) substitution. [c] (Fin) bill (of exchange).

Wechsel- ['vɛksl-]: **~bad** nt alternating hot and cold baths pl; **~bad der Gefühle** (fig) emotional roller-coaster; **~beziehung** f correlation, interrelation; **~fälle** pl vicissitudes pl; **~geld** nt change; **w~haft** adj changeable; **~jahre** pl menopause sing, in die ~jahre kommen to start the menopause; **~kurs** m exchange rate; **~kursmechanismus** m Exchange Rate Mechanism, ERM.

wechseln ['vɛksln] [1] vt to change (in +acc into); (austauschen) to exchange ▶ die Schule/das Hemd ~ to change schools/one's shirt; die Farbe ~ to change colour (Brit) or color (US); Briefe ~ to correspond (mit with); können Sie (mir) 10 Mark ~? can you change 10 marks (for me)?

[2] vi [a] to change; (einander ablösen) to alternate ▶ ich kann leider nicht ~ I'm sorry, I don't have any change. [b] über die Straße ~ to cross the road.

wechselnd ['vɛkslnt] adj changing; (einander ablösend) alternating; Stimmungen changeable; Winde, Bewölkung variable ▶ mit ~em Erfolg with varying (degrees of) success.

Wechsel ['vɛksl-]: **~rahmen** m clip-on picture frame; **w~seitig** adj reciprocal; **~spiel** nt interplay; **~strom** m alternating current, A.C.; **~stube** f bureau de change; **w~voll** adj varied; **~wähler** m floating voter; **w~weise** adv in turn, alternately; **~wirkung** f interaction.

Wechsler ['vɛkslɐ] m - (Automat) change dispenser.

Weckdienst m (Telec) alarm call service.

wecken vt to wake (up); (fig) to arouse; Bedarf to create; Erinnerungen to revive.

Wecker m - alarm clock ▶ jdm auf den ~ fallen (col) to get on sb's nerves.

Weck-: **~glas** ® nt preserving jar; **~radio** nt radio-alarm clock; **~ruf** m (Telec) alarm call.

Wedel *m* - (*Staub~*) feather duster.

wedeln *vi (mit dem Schwanz)* ~ to wag its tail; *mit etw* ~ (*winken*) to wave sth.

weder *conj* ~ ... *noch* ... neither ... nor ...

weg *adv* away ▶ ~ *sein* to have *or* be gone; (*nicht hier, entfernt*) to be away; (*col: geistesabwesend*) to be not quite with it (*col*); (*col: eingeschlafen*) to be out like a light (*col*); (*col: begeistert*) to be taken (*von* with); *über etw* (*acc*) ~ *sein* (*col: emotional*) to have got over sth; *über den Tisch* ~ across the table; *nichts wie or nur* ~ *von hier!* let's get out of here; ~ *da!* (get) out of the way!; ~ *damit!* (*mit Schere etc*) put it away!; *Hände ~!* hands off!; *in einem* ~ (*col*) non-stop.

Weg *m* -e **a** (*Pfad, fig*) path ▶ *am* ~*e* by the wayside; *jdm den* ~ *versperren* to block sb's way; *jdm/einer Sache im* ~ *stehen* (*fig*) to stand in the way of sb/sth; *jdm Steine in den* ~ *legen* (*fig*) to put obstructions in sb's way; *jdm nicht über den* ~ *trauen* (*fig*) not to trust sb an inch; *etw aus dem* ~ *räumen* (*fig*) to get sth out of the way; *den* ~ *des geringsten Widerstandes gehen* to follow the line of least resistance.

  b (*lit, fig: Route*) way; (*Entfernung*) distance; (*Reise*) journey; (*zu Fuß*) walk ▶ *ich muß diesen* ~ *jeden Tag zweimal gehen* I have to walk this stretch twice a day; *den richtigen* ~ *einschlagen* (*lit*) to follow the right road; *jdm einen guten Rat mit auf den* ~ *geben* to give sb good advice to follow in life; *jdm/einer Sache aus dem* ~ *gehen* (*lit*) to get out of sb's way/the way of sth; *jdm über den* ~ *laufen* (*fig*) to run into sb; *etw in die* ~*e leiten* to arrange sth; *auf dem besten* ~ *sein, etw zu tun* to be well on the way to doing sth.

  c (*Mittel, Art und Weise*) way ▶ *auf diesem* ~*e* this way; *auf diplomatischem* ~*e* through diplomatic channels; *auf legalem* ~*e* legally.

wegbekommen* *vt sep irreg* to get rid of (*von* from); *Fleck* to get off; (*von bestimmtem Ort*) *jdn* to get away (*von* from).

Weg-: ~**bereiter** *m* precursor, forerunner; ~*bereiter einer Sache* (*gen*) *or für etw sein* to pave the way for sth; ~**biegung** *f* turn, bend.

weg-: ~**blasen** *vt sep irreg* to blow away; *wie* ~*geblasen sein* (*fig*) to have vanished; ~**bleiben** *vi sep irreg aux sein* to stay away; *mir bleibt die Spucke* ~*!* (*col*) I'm absolutely flabbergasted!; ~**bringen** *vt sep irreg* to take away; (*zur Reparatur*) to take in; ~**denken** *vt sep irreg: das Auto ist aus unserem Leben nicht mehr* ~*zudenken* life today without the car is something that cannot be imagined; ~**dürfen** *vi sep irreg* to be allowed to leave; (*col: ausgehen dürfen*) to be allowed to go out.

Wegelagerer *m* - highwayman; (*zu Fuß*) footpad.

▼ **wegen** *prep* +*gen* because of ▶ *jdn* ~ *einer Sache bestrafen* to punish sb for sth; ~ *der Kinder* for the sake of the children; ~ *mir* (*col*) because of me; *von* ~*!* (*col*) you must be joking!

Wegerich *m* -e (*Bot*) plantain.

wegfahren *vi sep irreg aux sein* (*abfahren*) to leave; (*Auto, Fahrer*) to drive off; (*im Boot*) to sail away; (*zum Einkaufen, als Ausflug*) to go out; (*verreisen*) to go away.

Wegfahrsperre *f* (*Aut*): *(elektronische)* ~ (electronic) immobilizer.

wegfallen *vi sep irreg aux sein* to be discontinued; (*Bestimmung*) to cease to apply; (*unterbleiben*) to be lost; (*überflüssig werden*) to become unnecessary; (*ausgelassen werden*) to be omitted ▶ ~ *lassen* to discontinue; (*auslassen*) to omit.

weg-: ~**fegen** *vt sep* (*lit, fig*) to sweep away; ~**fliegen** *vi sep irreg aux sein* to fly away; (*Hut*) to fly off; (*mit Flugzeug*) to leave; ~**führen** *vt sep* to lead away.

Weggabelung *f* fork (in the road).

Weggang *m* departure.

weggeben *vt sep irreg* (*verschenken*) to give away ▶ *seine Wäsche (zum Waschen)* ~ to have one's washing done.

weggehen *vi sep irreg aux sein* to go, to leave; (*verreisen, umziehen etc*) to go away; (*ausgehen*) to go out; (*col: Fleck*) to come off; (*col: Ware*) to sell.

weggucken *vi sep* to look away.

weghaben *vt sep irreg* (*col*) (*erledigt haben*) to have got done; (*bekommen, verstanden haben*) to have got ▶ *du hast deinen Denkzettel weg* you have had your punishment; *einen* ~ (*col: verrückt sein*) to have a screw loose (*col*).

weg-: ~**helfen** *vi sep irreg jdm von irgendwo* ~*helfen* to help sb get away from a place; ~**holen** *vt sep* to take away; (*abholen*) to fetch; ~**hören** *vi sep* not to listen; ~**jagen** *vt sep* to chase away.

wegkommen *vi sep irreg aux sein* (*col*) **a** (*abhanden kommen*) to disappear; (*weggehen können*) to get away; (*aus dem Haus*) to get out ▶ *mach, daß du wegkommst!* hop it! (*col*); *gut/schlecht (bei etw)* ~ to come off well/badly (in sth). **b** = hinwegkommen.

Weg-: ~**kreuzung** *f* crossroads; ~**krümmung** *f* bend in the road.

weg-: ~**lassen** *vt sep irreg* (*auslassen*) to leave out; (*col: gehen lassen*) to let go; ~**laufen** *vi sep irreg aux sein* to run away (*vor* +*dat* from); *das läuft (dir) nicht* ~*!* (*fig hum*) that can wait; ~**legen** *vt sep* to put away; (*zum späteren Verbrauch*) to put aside.

wegmachen *vt sep* (*col*) to get rid of.

wegmüssen *vi sep irreg* to have to go; (*entfernt werden*) to have to be removed ▶ *ich muß eine Zeitlang aus New York weg* I must get out of New York for a while.

wegnehmen *vt sep irreg* to take; (*fortnehmen, entziehen*) to take away; *Platz* to take up ▶ *Gas* ~ (*Aut*) to take one's foot off the accelerator *or* gas (*US*); *jdm die Frau* ~ to steal sb's wife.

weg-: ~**packen** *vt sep* to pack away; ~**putzen** *vt sep* to wipe away; (*col: essen*) to polish off.

Wegrand *m* wayside.

weg-: ~**rationalisieren*** *vt sep Arbeitsplätze* to rationalize away; ~**räumen** *vt sep* to clear away; (*in Schrank*) to put away; ~**reißen** *vt sep* to tear away (*jdm* from sb); ~**rennen** *vi sep irreg aux sein* (*col*) to run away; ~**rücken** *vti sep* (*vi: aux sein*) to move away; ~**rufen** *vt sep irreg* to call away; ~**rutschen** *vi sep aux sein* (*aus der Hand etc*) to slip away; (*auf Eis etc*) to slide away; ~**schaffen** *vt sep* (*beseitigen*) to get rid of; (~*räumen*) to clear away; (~*tragen*) to remove; ~**schicken** *vt sep Brief, jdn* to send away; (*um etwas zu holen etc*) to send off; ~**schleichen** *vir sep irreg* (*vi: aux sein*) to creep *or* steal away; ~**schleppen** *vt sep* to drag away *or* off; (*tragen*) to carry off; ~**schließen** *vt sep irreg* to lock away; ~**schmeißen** *vt sep irreg* (*col*) to chuck away (*col*); ~**schnappen** *vt sep* (*col*) *jdm etw* ~*schnappen* to snatch sth (away) from sb; *jdm die Freundin* ~*schnappen* to pinch sb's girl- friend (*col*); ~**schütten** *vt sep* to tip away; ~**schwemmen** *vt sep* to wash away; ~**sehen** *vi sep irreg* to look away; ~**setzen** *vt sep* to move (away); (~*stellen*) to put away; ~**sollen** *vi sep irreg* (*col*) *das soll* ~ that is to go; *ich soll von London* ~ I am (supposed) to leave London; ~**spülen** *vt sep* to wash away; ~**stecken** *vt sep* (*lit*) to put away; (*col*) *Niederlage, Kritik* to take; *Enttäuschung* to get over; ~**stehlen** *vr sep irreg* to steal away; ~**stellen** *vt sep* to put away; ~**sterben** *vi sep irreg aux sein* (*col*) to die off; ~**stoßen** *vt sep irreg* to push away; (*mit Fuß*) to kick away; ~**tragen** *vt sep* to carry away; ~**treiben** *sep irreg* **1** *vt Tier etc* to drive away; **2** *vi aux sein* to drift away; ~**treten** *vi sep irreg aux sein* (*Mil*) to fall out;

⚠: Informationen zur Rechtschreibreform im Anhang

~treten! dismiss!; *geistig ~getreten sein* (*col: geistesabwesend*) to be not quite with it (*col*); **~tun** *vt sep irreg* to put away; **~wehen** *vti sep* (*vi: aux sein*) to blow away.

Weg-: **w~weisend** *adj* pioneering *attr*, revolutionary; **~weiser** *m* - sign; (*an einem Pfosten*) signpost; (*fig: Buch etc*) guide.

Wegwerf- *in cpds* disposable.

weg-: **~werfen** *vt sep irreg* to throw away; *das ist ~geworfenes Geld* that's money down the drain; **~werfend** *adj* disdainful; **W~werfgesellschaft** *f* throwaway society; **~wischen** *vt sep* to wipe off; **~wollen** *vi sep irreg* (*verreisen*) to want to go away; (*~gehen: von Party etc*) to want to leave; (*hinausgehen*) to want to go out; **~zaubern** *vt sep* to make disappear; **~ziehen** *sep irreg* [1] *vt* to pull away (*jdm* from sb); [2] *vi aux sein* to move away.

weh *adj* (*wund*) sore ▶ ~ *tun* (*lit, fig*) to hurt; *mir tut der Rücken* ~ my back hurts; *sich/jdm* ~ *tun* (*lit, fig*) to hurt oneself/sb.

wehe *interj* ~ (*dir*), *wenn du das tust* you'll regret it if you do that; *darf ich das anfassen?* — ~ (*dir*)! can I touch? — you dare!

Wehe *f* -n [a] (*Schnee~ etc*) drift. [b] (*Geburts~*) **~n** *pl* contractions; *in den ~n liegen* to be in labour (*Brit*) or labor (*US*).

wehen [1] *vi* (*Wind*) to blow; (*Fahne*) to flutter; (*Haare*) to blow about.
[2] *vt* to blow (*von* off); (*sanft*) to waft.

Weh-: **~klage** *f* (*liter*) lament(ation); **w~leidig** *adj* oversensitive to pain; (*jammernd*) whining *attr*, (*voller Selbstmitleid*) self-pitying; *sei nicht so w~leidig!* stop feeling sorry for yourself; **~mut** *f no pl* (*geh*) melancholy; (*Sehnsucht*) wistfulness; **w~mütig** *adj siehe n* melancholy; wistful.

Wehr¹ *f* -en [a] (*Feuer~*) fire brigade (*Brit*) or department (*US*). [b] *sich zur* ~ *setzen* to defend oneself.

Wehr² *nt* -e weir.

Wehr- *in cpds* defence (*Brit*), defense (*US*); **~dienst** *m* military service; *seinen ~dienst (ab)leisten* to do one's military service; *jdn zum ~dienst einberufen* to call sb up, to draft sb (*US*); **~dienstverweigerer** *m* conscientious objector.

┌──── **WEHRDIENST** ────┐

ⓘ *Wehrdienst is military service which is still compulsory in Germany. All young men receive their call-up papers at 18 and all who are pronounced physically fit are required to spend ten months in the* **Bundeswehr.** *Conscientious objectors are allowed to do* **Zivildienst** *as an alternative, on attending a hearing and presenting their case.*

wehren [1] *vr* to defend oneself; (*aktiv kämpfen*) to (put up a) fight.
[2] *vi +dat* (*geh*) *wehret den Anfängen!* these things must be nipped in the bud.

Wehr-: **~etat** *m* defence (*Brit*) or defense (*US*) budget; **w~fähig** *adj* fit for military service; **w~haft** *adj* (*geh*) able to put up a fight; *Stadt etc* well-fortified; **w~los** *adj* defenceless (*Brit*), defenseless (*US*); (*fig: hilflos*) helpless; *jdm w~los ausgeliefert sein* to be at sb's mercy; **~pflicht** *f* (*allgemeine*) *~pflicht* (universal) conscription; **w~pflichtig** *adj* liable for military service; **~pflichtige(r)** *mf decl as adj* person liable for military service; **~sold** *m* (military) pay; **~übung** *f* reserve duty training exercise.

Wehwehchen *nt* (*col*) (minor) complaint.

Weib *nt* -er woman, female (*pej*), broad (*US col*).

Weibchen *nt* little woman; (*Zool*) female.

Weiber-: **~feind** *m* woman-hater, misogynist; **~geschichten** *pl* (*hum*) sexploits *pl*; **~geschwätz** *nt* (*pej*) women's talk; **~held** *m* (*pej*) womanizer.

weibisch *adj* effeminate.

weiblich *adj* female; (*Gram, fraulich*) feminine.

Weiblichkeit *f* femininity; (*Frauen*) women.

weich *adj* soft (*auch fig, Ling, Phot, Typ*); *Ei* soft-boiled; *Fleisch, Gemüse* tender; *Währung, Wasser* soft ▶ ~ *werden* (*lit, fig*) to soften; *die Knie wurden mir* ~ my knees turned to jelly; ~ *machen* to soften.

Weiche¹ *f* -n (*Seite*) side; (*von Tier auch*) flank.

Weiche² *f* -n (*Rail*) points *pl* (*Brit*), switch (*US*) ▶ *die ~n stellen* (*lit*) to switch the points; (*fig*) to set the course.

weichen¹ *vti* (*vi: aux haben or sein*) (*ein~*) to soak.

weichen² *pret* **wich,** *ptp* **gewichen** *vi aux sein* [a] to give way (*dat* to); (*zurück~*) to retreat (*dat, vor +dat* from) ▶ (*nicht*) *von jdm or jds Seite* ~ (not) to leave sb's side. [b] (*Schmerz*) to go.

Weich-: **w~gekocht** ⚠ *adj attr Ei* soft-boiled; *Fleisch, Gemüse* boiled until tender; **w~herzig** *adj* soft-hearted; **~holz** *nt* softwood; **~käse** *m* soft cheese.

weichlich *adj* (*lit, fig*) soft; *Charakter* weak.

Weichling *m* (*pej*) softy (*col*).

Weich-: **w~machen** ⚠ *vt sep* (*fig*) to soften up; **~macher** *m* (*Chem*) softener; **w~spülen** *vt sep* to condition; *Wäsche* to use softener on; **~spüler** *m* conditioner; **~teile** *pl* soft parts *pl*; **~tier** *nt* mollusc.

Weide¹ *f* -n (*Bot*) willow.

Weide² *f* -n (*Agr*) pasture; (*Wiese*) meadow ▶ *auf der ~ sein* to be grazing.

Weideland *nt* (*Agr*) pasture, grazing (land).

weiden [1] *vi* to graze.
[2] *vt* to (put out to) graze.
[3] *vr sich an etw* (*dat*) ~ (*fig*) to gloat over sth.

Weiden-: **~baum** *m* willow tree; **~busch** *m* willow bush; **~kätzchen** *nt* willow catkin; **~korb** *m* wicker basket; **~rost** *m* cattle grid.

Weideplatz *m* pasture.

weidlich *adv* (*mit adj*) pretty ▶ *etw* ~ *ausnutzen* to make full use of sth.

Weid-: **~mann** *m, pl* **~männer** (*liter*) huntsman, hunter; **w~männisch** [1] *adj* huntsman's *attr, das ist nicht w~männisch* that's not done in hunting; [2] *adv* like a professional hunter.

weigern *vr* to refuse.

Weigerung *f* refusal.

Weihe *f* -n (*Eccl*) consecration; (*Priester~*) ordination.

weihen *vt* [a] (*Eccl*) to consecrate ▶ *jdn zum Bischof/Priester* ~ to consecrate sb bishop/ordain sb priest. [b] (*widmen*) *etw jdm/einer Sache* ~ to dedicate sth to sb/sth; *dem Untergang geweiht* (*liter*) doomed.

Weiher *m* - pond.

Weihnachten *nt* - Christmas ▶ *frohe or fröhliche ~!* happy or merry Christmas!; *(an)* ~ at Christmas; ~ *nach Hause fahren* to go home for Christmas; *etw zu ~ bekommen/schenken* to get sth for Christmas/to give sth as a Christmas present; *weiße/grüne ~* (a) white Christmas/(a) Christmas without snow.

weihnachten *vi impers* (*poet, iro*) *es weihnachtet sehr* Christmas is very much in evidence.

weihnachtlich *adj* Christmassy (*col*).

Weihnachts- *in cpds* Christmas; **~abend** *m* Christmas Eve; **~baum** *m* Christmas tree; **~einkauf** *m* Christmas shopping *no pl*; **~feier** *f* Christmas celebration(s *pl*); **~feiertag** *m* = **~tag**; **~fest** *nt* Christmas; **~gans** *f* Christmas goose; *jdn ausnehmen wie eine ~gans* (*col*) to fleece sb (*col*), to take sb to the cleaners (*col*); **~geld** *nt* Christmas bonus; **~geschenk** *nt* Christmas present; **~insel** *f* Christmas Island; **~karte** *f* Christmas card; **~lied** *nt* (Christmas) carol; **~mann** *m, pl* **~männer** Father Christmas, Santa Claus; (*pej col*) clown (*pej col*); **~markt** *m* Christmas fair.

WEIHNACHTSMARKT

ⓘ The **Weihnachtsmarkt** *is a market held in most large towns in Germany in the weeks prior to Christmas. People visit it to buy presents, toys and Christmas decorations, and to enjoy the festive atmosphere. Food and drink associated with the Christmas festivities can also be eaten and drunk there, for example, gingerbread and mulled wine.*

Weihnachts-: ~tag *m (erster) ~tag* Christmas Day; **zweiter ~tag** Boxing Day (*Brit*); **~zeit** *f* Christmas time.
Weih-: ~rauch *m* incense; **~wasser** *nt* holy water.
▼ **weil** *conj* because.
Weilchen *nt ein ~* a while.
Weile *f no pl* while ► *eine ~* for a while.
weilen *vi* (*geh*) to be; (*bleiben*) to stay.
Weiler *m* - hamlet.
Weimarer Republik *f* Weimar Republic.
Wein *m -e* wine ► *jdm reinen ~ einschenken* to tell sb the truth.
Wein- *in cpds* (*auf Getränk bezogen*) wine; (*auf Pflanze bezogen*) vine; **~bau** *m* wine-growing; **~bauer** *m* wine-grower; **~beere** *f* grape; **~berg** *m* vineyard; **~bergschnecke** *f* snail; **~brand** *m* brandy; **~brennerei** *f* brandy distillery.
weinen *vti* to cry; (*aus Trauer auch*) to weep (*um* for, *über* +acc over) ► *sich* (*dat*) *die Augen rot ~* to cry one's eyes out; *es ist zum W~!* it's enough to make you weep!
weinerlich *adj* whining, whiny (*col*).
Wein-: ~ernte *f* grape harvest; **~essig** *m* wine vinegar; **~faß** ⚠ *nt* wine cask; **~flasche** *f* wine bottle; **~garten** *m* vineyard; **~gegend** *f* wine-growing area; **~geist** *m* (ethyl) alcohol; **~gut** *nt* wine-growing estate; **~händler** *m* wine merchant; **~handlung** *f* wine shop (*Brit*) or store; **~karte** *f* wine list; **~keller** *m* wine cellar; (*Lokal*) wine bar; **~kelter** *f* wine press; **~kenner** *m* wine connoisseur.
Weinkrampf *m* crying fit.
Wein-: ~küfer *m* cellarman; **~land** *nt* wine-growing country; **~laub** *nt* vine leaves *pl*; **~lese** *f* grape harvest; **~lokal** *nt* wine bar; **~panscherei** *f* wine-adulterating; **~probe** *f* wine tasting; **~rebe** *f* vine; **w~rot** *adj* wine-red; **~säure** *f* (*Chem*) tartaric acid; **w~selig** *adj* merry with wine; **~stock** *m* vine; **~stube** *f* wine bar; **~traube** *f* grape.
weise *adj* wise.
Weise *f -n* ⓐ (*Verfahren etc*) manner ► *auf diese ~* in this way; *auf geheimnisvolle etc ~* in a mysterious way; *in gewisser/keiner ~* in a/no way; *in der ~, daß ...* in such a way that ... ⓑ (*liter: Melodie*) melody.
weisen *pret* **wies**, *ptp* **gewiesen** (*geh*) ① *vt jdm etw ~* (*lit, fig*) to show sb sth; *jdn aus dem Lande ~* to expel sb; *jdn vom Platz ~* (*Sport*) to order sb off (the field); *jdn von der Schule ~* to expel sb (from school); *etw (weit) von sich ~* (*fig*) to reject sth (emphatically). ② *vi* to point (*nach* to(wards), *auf* +acc at).
Weise(r) *m decl as adj* wise man.
Weisheit *f* ⓐ *no pl* wisdom ► *das ist auch nicht der ~ letzter Schluß* that's not exactly the ideal solution; *er hat die ~ nicht mit Löffeln gefressen* he's not so bright. ⓑ (*weiser Spruch*) wise saying; (*iro*) pearl of wisdom.
Weisheitszahn *m* wisdom tooth.
weismachen *vt sep jdm etw ~* to make sb believe sth; *er wollte uns ~, daß ...* he would have us believe that ...; *das kannst du mir nicht ~!* you can't expect me to believe that.

weiß *adj* white ► *ein ~es (Blatt) Papier* a blank sheet of paper; *ein ~er Fleck (auf der Landkarte)* a blank area (on the map); *das W~e Haus* the White House; *das W~e im Auge* the whites of one's eyes; *das W~e vom Ei* the white of an egg.
Weiß *nt* - white.
weissagen *vt insep* to foretell.
Weissagung *f* prophecy.
Weiß-: ~bier *nt light, fizzy beer made using top-fermented yeast*; **~blech** *nt* tinplate; **w~blond** *adj* ash-blond(e); **~brot** *nt* white bread; (*Laib*) white loaf; **~buch** *nt* (*Pol*) white paper; **~dorn** *m* (*Bot*) hawthorn.
weißen *vt* to whiten; (*tünchen*) to whitewash.
Weiße(r) *mf decl as adj* white, white man/woman.
Weiß-: ~glut *f jdn zur ~glut bringen* to make sb see red; **w~haarig** ⚠ *adj* white-haired; **~herbst** *m* ≈ rosé; **~kohl** *m* white cabbage; **w~lich** *adj* whitish; **~metall** *nt* white metal; **~rußland** *nt* Byelorussia; **~wal** *m* white whale; **~waren** *pl* linen *sing*; **~wein** *m* white wine; **~wurst** *f* veal sausage.
Weisung *f* directive; (*Jur*) ruling ► *auf ~* on instructions.
weit *siehe auch* **weiter** ① *adv* ⓐ far ► *es ist noch ~ bis Bremen* there's still a long way to go till Bremen; *~ zurückliegen* to be far behind; (*zeitlich*) to be a long time ago; *~ nach Mitternacht* well after midnight; *~ und breit* for miles around; *ziemlich ~ am Ende* fairly near the end; *von ~em* from a long way off; *~ entfernt* a long way away; *~er entfernt* farther away; *ich bin ~ davon entfernt, das zu tun* I have no intention of doing that; *~ gefehlt!* far from it; *~ offen* wide open; *~ herumkommen* to get around a lot; *~ verbreitet* widespread.

ⓑ (*in Entwicklung*) *~ fortgeschritten* well advanced; *wie ~ bist du?* how far have you got?; *er hat es ~ gebracht* he has come a long way; *es so ~ bringen, daß ...* to bring it about that ...

ⓒ (*fig: erheblich*) (*mit comp adj, adv*) far; (*mit vb*) by far ► *~ besser* far better; *bei ~em nicht so gut etc (wie...)* not nearly as good etc (as ...); *~ über 60* well over 60.

ⓓ *mit etw ist es nicht ~ her* (*col*) sth is not up to much (*col*); *das würde zu ~ führen* that would be taking things too far; *zu ~ gehen* to go too far; *das geht zu ~* that's going too far; *etw zu ~ treiben* to carry sth too far.

② *adj* ⓐ wide; (*fig*) *Begriff, Horizont etc* broad; *Meer* open; *Herz* big ► *im ~eren Sinne* in the broader or wider sense; *das ist ein ~es Feld* (*fig*) that is a big subject.

ⓑ (*lang*) *Reise, Wurf etc* long ► *in ~en Abständen* at long intervals; *man hat hier einen ~en Blick* you can see a long way from here; *in ~er Ferne* in the far distance; *das liegt noch in ~er Ferne* it's still a long way away.

Weit-: w~ab *adv* **w~ab von** far (away) from; **w~aus** *adv* far; **w~aus besser** far better; **w~ausholend** *adj* *Geste etc* expansive; (*fig*) *Erzählung etc* long-drawn-out; **~blick** *m* (*fig*) far-sightedness; **w~blickend** *adj* (*fig*) far-sighted.
Weite *f -n* (*Ferne*) distance; (*Länge*) length; (*Größe*) expanse; (*Durchmesser*) width ► *etw in der ~ ändern* to alter the width of sth.
weiten *vtr* to widen; (*Pupille*) to dilate.
weiter ① *adj* further; (*andere*) other.
② *adv* (*noch hinzu*) further; (*außerdem*) furthermore; (*sonst*) otherwise; (*nachher*) afterwards ► *nichts ~* (*darüber hinaus nichts*) nothing further; *~ nichts?* is that all?; *~ nichts als ...* nothing but ...; *ich brauche ~ nichts* that's all I need; *wenn es ~ nichts ist, ...* well, if that's all (it is), ...; *außer uns war ~ niemand da* there was nobody else there besides us; *das hat ~ nichts zu*

sagen that doesn't really matter; *etw ~ tun* to continue to do sth; *immer ~* on and on; (*Anweisung*) keep on (going); *was geschah (dann) ~?* what happened then?

weiter-: **~arbeiten** *vi sep* to work on; *an einer Sache* (*dat*) *~arbeiten* to do some more work on sth; **W~bestehen** △ *nt* continued existence; **~bewegen*** △ *vtr sep* to move further; **~bilden** *vr sep* to continue one's education; **~bringen** *vt sep irreg* to take further; *das bringt uns auch nicht ~* that doesn't get us any further; **~denken** *vi sep irreg* to think things through; (*an Zukünftiges*) to think ahead; **~empfehlen*** *vt sep irreg* to recommend (to one's friends *etc*); **~entwickeln*** *vtr sep* to develop (*zu* into); **~erzählen*** *vt sep Geheimnis etc* to pass on.

Weitere(s) *nt decl as adj* further details *pl* ▸ *das ~* the rest; *alles ~* all the rest; *bis auf w~s* for the time being.

Weiter-: **w~fahren** *vi sep irreg aux sein* (*Fahrt fortsetzen*) to travel on; **w~fliegen** *vi sep irreg aux sein* to fly on; *die Maschine fliegt in 10 Minuten w~* the plane will take off again in 10 minutes; **w~führen** *vti sep* to continue; *das führt nicht w~* (*fig*) that doesn't get us anywhere; **w~führend** *adj Schule* secondary (*Brit*), high (*US*); **w~geben** *vt sep irreg* to pass on; **w~gehen** *vi sep irreg aux sein* to go on; *so kann es nicht w~gehen* (*fig*) things can't go on like this; *wie soll es nun w~gehen?* what's going to happen now?; **w~helfen** *vi sep irreg* to help (along) (*jdm* sb); **w~hin** *adv* (*außerdem*) furthermore; *etw w~hin tun* to carry on doing sth; **w~kommen** *vi sep irreg aux sein* to advance; *nicht w~kommen* (*fig*) to be stuck down; **w~können** *vi sep irreg* to be able to carry on; *ich kann nicht w~* I can't go on; **w~laufen** *vi sep irreg aux sein* to run/walk on; (*Film, Produktion*) to go on; (*Gehalt*) to continue to be paid; **w~leben** *vi sep* to live on; **w~leiten** *vt sep* to pass on (*an* +*acc* to); (*senden*) to forward; **w~machen** *vti sep* to carry on (*etw* with sth); **w~reichen** *vt sep* to pass on; **~reise** *f* continuation of the/one's journey; *auf der ~reise nach ...* when I *etc* was travelling (*Brit*) or traveling (*US*) on to ...; **w~sagen** *vt sep* to pass on; *nicht w~sagen!* don't tell anyone!; **w~sehen** *vi irreg* to see; **w~senden** *vt sep irreg* to forward; **w~verarbeiten*** *vt sep* to process; **w~verfolgen*** *vt sep Idee* to follow up; **~verkauf** *m* resale; **w~verkaufen*** *vti sep* to resell; **w~vermieten*** *vt sep* to sublet; **w~wissen** *vi sep irreg nicht (mehr) w~wissen* (*verzweifelt sein*) to be at one's wits' end; **w~wollen** *vi sep irreg* to want to go on; **w~wursteln** *vi sep* (*col*) to muddle on; **w~ziehen** *vi irreg aux sein* to move on.

Weit-: **w~gehend** 1 *adj Vollmachten etc* far-reaching, extensive; *Übereinstimmung etc* a large degree of; 2 *adv* to a large extent; **w~gereist** △ *adj attr* widely travelled (*Brit*) or traveled (*US*); **w~her** *adv* (*auch von w~her*) from far away; **w~hergeholt** △ *adj attr* far-fetched; **w~herzig** *adj* generous; **w~hin** *adv* widely; (*weitgehend*) to a large extent; *w~hin unbekannt* largely unknown; **w~läufig** *adj* ⓐ *Park, Gebäude* spacious; *Dorf* sprawling *attr*, (*fig*) *Erzählung* long-drawn-out; ⓑ *Verwandte* distant; **w~maschig** *adj Netz* wide-meshed; **w~räumig** *adj* wide-ranging; *etw w~räumig umfahren* to keep well away from sth; **w~reichend** △ *adj* (*fig*) far-reaching; **w~schweifig** *adj* long-winded; **~sicht** *f* (*fig*) far-sightedness; **w~sichtig** *adj* (*lit, fig*) far-sighted; **~sichtigkeit** *f* far-sightedness; **~sprung** *m* (*Sport*) the long jump or broad jump (*US*); **w~verbreitet** △ *adj attr* widespread; *Zeitung* with a wide circulation; **w~verzweigt** △ *adj attr Straßensystem* extensive; **~winkelobjektiv** *nt* wide-angle lens.

Weizen *m no pl* wheat.

Weizen-: **~bier** *nt light, very fizzy beer made using wheat, malt and top-fermentation yeast*; **~brot** *nt* wheat bread;

~keime *pl* (*Cook*) wheatgerm *sing*; **~mehl** *nt* wheat flour; **~schrot** *m or nt* wheatmeal.

welch *interrog pron inv* (*geh*) ⓐ *~ friedliches Bild!* what a peaceful scene! ⓑ (*in indirekten Fragesätzen*) *~ ein(e)* what.

welche(r, s) 1 *interrog pron* ⓐ (*adjektivisch*) what; (*bei Auswahl*) which ▸ *~r Mensch könnte behaupten ...?* what person could claim ...?; *~s Kleid soll ich anziehen?* which dress shall I wear? ⓑ (*substantivisch*) which (one) ▸ *~r von den beiden?* which (one) of the two?; *~s sind die Symptome dieser Krankheit?* what are the symptoms of this illness? ⓒ (*in Ausrufen*) *~ Freude!* what joy! 2 *indef pron* some; (*in Fragen*) any ▸ *ich habe keine Äpfel, haben Sie ~?* I don't have any apples, do you have any? 3 *rel pron* (*Mensch*) who; (*Sache*) which, that ▸ *~(r, s) auch immer* whoever/whichever/whatever.

welcher|art *interrog adj inv* (*geh*) (*attributiv*) what kind of; (*substantivisch*) of what kind.

welk *adj Pflanze* wilted, faded; *Blatt* dead; *Gesicht* tired-looking.

welken *vi aux sein* (*lit, fig*) to fade, to wilt.

Wellblech *nt* corrugated iron.

Welle *f* -n ⓐ wave; (*Rad: Frequenz*) wavelength ▸ *die weiche ~* (*col*) the soft line; *(hohe) ~n schlagen* (*fig*) to create (quite) a stir. ⓑ (*Tech*) shaft.

wellen 1 *vt* to wave. 2 *vr* to be/become wavy ▸ *gewelltes Haar* wavy hair.

Wellen-: **~bad** *nt* wave pool; **~bereich** *m* (*Phys, Telec*) frequency range; (*Rad*) waveband; **~brecher** *m* breakwater; **w~förmig** 1 *adj* wave-like; *Linie* wavy; 2 *adv* in the form of waves; **~gang** *m no pl* waves *pl*, swell; *starker ~gang* heavy sea(s) or swell; **~länge** *f* (*Phys, Telec*) wavelength; *die gleiche ~länge haben* (*col*) to be on the same wavelength (*col*); **~linie** *f* wavy line; **~reiten** *nt* (*Sport*) surfing; **~sittich** *m* budgerigar, budgie (*col*).

Wellfleisch *nt* boiled pork.

wellig *adj Haar etc* wavy; *Oberfläche* uneven; *Hügelland* rolling.

Wellpappe *f* corrugated cardboard.

Welpe *m* (*wk*) -n, -n pup, whelp; (*von Wolf etc*) cub.

Wels *m* -e catfish.

Welt *f* -en (*lit, fig*) world ▸ *die (große) weite ~* the big wide world; *der höchste Berg der ~* the highest mountain in the world; *die Alte/Neue/Freie/Dritte ~* the Old/New/Free/Third World; *die ~ der Oper* the world of opera; *eine ~ brach für ihn zusammen* his whole world collapsed about him; *das ist doch nicht die ~* it isn't as important as all that; *deswegen geht die ~ nicht unter* (*col*) it isn't the end of the world; *das kostet doch nicht die ~* it won't cost the earth; *zwischen ihnen liegen ~en* they are worlds apart; *auf der ~* in the world; *aus aller ~* from all over the world; *aus der ~ schaffen* to eliminate; *in aller ~* all over the world; *warum in aller ~ ...?* why on earth ...?; *um nichts in der ~* not for anything; *ein Kind in die ~ setzen* to bring a child into the world; *ein Mann/eine Dame von ~* a man/woman of the world; *vor aller ~* in front of everybody; *zur ~ bringen* to give birth to; *auf die ~ kommen* to be born.

Welt- *in cpds* world; **~all** *nt no pl* universe; **w~anschaulich** *adj* ideological; **~anschauung** *f* (*Philos, Pol*) world view; **~atlas** *m* atlas of the world; **~ausstellung** *f* world exhibition; **~bank** *f* World Bank; **w~berühmt** *adj* world-famous; **w~beste(r, s)** *adj attr* world's best; **w~bewegend** *adj* world-shattering; **~bild** *nt* conception of the world; (*jds Ansichten*) philosophy; **~bürger** *m* citizen of the world.

Weltenbummler *m* globetrotter.

Weltergewicht *nt* (*Boxen*) welterweight.

Welt-: **w~fremd** *adj* unworldly; **~frieden** *m* world peace; **~geschichte** *f* world history; **w~geschichtlich** *adj* **von w~geschichtlicher Bedeutung** of great significance in world history; **~gesundheitsorganisation** *f* World Health Organization; **w~gewandt** *adj* sophisticated; **~handel** *m* world trade; **~herrschaft** *f* world domination; **~karte** *f* map of the world; **~kirchenrat** *m* World Council of Churches; **~klasse** *f* **~klasse sein** to be world-class; **~krieg** *m* world war; **der Erste/Zweite ~krieg** World War One/Two, the First/Second World War; **~kugel** *f* globe; **w~läufig** *adj* cosmopolitan; **w~lich** *adj* worldly; (*säkular*) secular; **~literatur** *f* world literature; **~macht** *f* world power; **w~männisch** *adj* urbane; **~markt** *m* world market; **~meer** *nt* ocean; **~meister** *m* world *or* world's (*US*) champion; **~meisterschaft** *f* world *or* world's (*US*) championship; (*Ftbl*) World Cup; **w~offen** *adj* liberal-minded; **~ordnung** *f* world order; **~politik** *f* world politics *pl*; **w~politisch** *adj* **die w~politische Entwicklung** the development of world politics; **von w~politischer Bedeutung** of importance in world politics; **~rang** *m* **von ~rang** world-famous; **~rangliste** *f* world rankings *pl*.

Weltraum *m* (outer) space.

Weltraum- *in cpds* space; **~behörde** *f* space agency; **~fahrer** *m* space traveller (*Brit*) *or* traveler (*US*); **~forschung** *f* space research; **~station** *f* space station; **~waffen** *pl* space weapons *pl*.

Welt-: **~reich** *nt* empire; **~reise** *f* world tour; **eine ~reise machen** to go around the world; **~rekord** *m* world record; **~religion** *f* world religion; **~revolution** *f* world revolution; **~ruf** *m* world-wide reputation; **~ruhm** *m* world fame; **~sicherheitsrat** *m* (*Pol*) (United Nations) Security Council; **~sprache** *f* world language; **~stadt** *f* cosmopolitan city; **w~städtisch** *adj* cosmopolitan; **~umsegelung** *f* circumnavigation of the globe; **~untergang** *m* (*lit, fig*) end of the world; **~untergangsstimmung** *f* black mood, gloom and doom (*col*); **~verbesserer** *m* starry-eyed idealist; **w~weit** *adj* world-wide; **~wirtschaft** *f* world economy; **~wirtschaftskrise** *f* world economic crisis; **~wunder** *nt* **die sieben ~wunder** the Seven Wonders of the World; **~zeituhr** *f* world clock.

wem *dat of* **wer** [1] *interrog pron* who ... to, to whom ► **mit ~ ...** who ... with, with whom; **~ von euch soll ich den Schlüssel geben?** which (one) of you should I give the key to? [2] *rel pron* (*derjenige, dem*) the person (who ...) to; (*jeder, dem*) anyone to whom ... **~ ... auch (immer)** whoever ... to.

wen *acc of* **wer** [1] *interrog pron* who, whom ► **an ~ hast du geschrieben?** who did you write to?; **~ von den Schülern kennst du?** which (one) of these pupils do you know? [2] *rel pron* (*derjenige, den*) the person (who *or* whom); (*jeder, den*) anyone (who *or* whom) ► **~... auch immer** whoever ...

Wende *f* **-n** turn; (*Veränderung*) change; (*~punkt*) turning point ► **die ~** (*Pol*) the reunification (of Germany).

Wende-: **~hals** *m* (*fig col*) turncoat (*pej*); **~jacke** *f* reversible jacket; **~kreis** *m* [a] tropic; [b] (*Aut*) turning circle.

Wendeltreppe *f* spiral staircase.

wenden *pret* **wendete** *or* **wandte**, *ptp* **gewendet** *or* **gewandt** [1] *vt* to turn; (*auf die andere Seite*) to turn (over); (*Cook*) to toss ► **bitte ~!** please turn over; **wie man es auch wendet ...** whichever way you look at it ... [2] *vr* to turn (around); (*Wetter, Glück*) to change ► **sich nach links ~** to turn to the left; **sich zu jdm/etw ~** to turn towards sb/sth; **sich zum Besseren/Schlimmeren ~** to take a turn for the better/worse; **sich an jdn ~** (*um Auskunft*) to consult sb; (*um Hilfe*) to turn to sb; (*Buch etc*) to be directed at sb; **sich gegen jdn/etw ~** to come out against sb/sth. [3] *vi* to turn (*auch Sport*); (*umkehren*) to turn around.

Wende-: **~platz** *m* turning place; **~punkt** *m* turning point.

wendig *adj* (*lit, fig*) agile; *Auto etc* manoeuvrable (*Brit*), maneuverable (*US*).

Wendigkeit *f* *siehe adj* agility; manoeuvrability (*Brit*), maneuverability (*US*).

Wendung *f* [a] turn; (*Veränderung*) change ► **eine ~ zum Besseren nehmen** to take a turn for the better. [b] (*Rede~*) expression, phrase.

wenig [1] *adj, indef pron* [a] *sing* (a) little ► **ich habe ~** I have only a little; **hast du Zeit? — ~!** have you got time? — not much; **das ~e, was er übrig hatte** the little he had left; **es fehlte (nur) ~, und er wäre überfahren worden** he was very nearly run over; **er gibt sich mit ~ zufrieden** (*verlangt nicht viel*) he is satisfied with a little; (*ist selten zufrieden*) not much satisfies him; **sie hat zu ~ Geld** etc she doesn't have enough money etc; **ein Exemplar zu ~** one copy too few; **£20 zu ~** £20 too little. [b] **~e** *pl* (*ein paar*) a few; (*nicht viele*) few; **in ~en Tagen** in (just) a few days; **einige ~e Leute** a few people. [c] (*auch adv*) **ein ~** a little; **ein ~ Salz** a little salt. [2] *adv* little ► **~ besser** little better; **~ bekannt** little-known *attr*, little known *pred*; **sie kommt (nur) ~ raus** she doesn't get out very often.

weniger *comp of* **wenig** [1] *adj, indef pron* less; *pl* fewer ► **~ werden** to get less and less. [2] *adv* less ► **das finde ich ~ schön!** that's not so nice!; **je mehr ... desto ~ ...** the more ... the less ...; **sieben ~ drei ist vier** seven minus three is four.

Wenigkeit *f* **meine ~** (*hum col*) little me (*hum col*).

wenigstens *adv* at least.

wenigste(r, s) *superl of* **wenig** *adj, indef pron*, **am ~n** *adv* least; *pl* fewest ► **er hat von uns allen am ~n Geld/Sorgen** he has the least money/the fewest worries of any of us; **diese Farbe ist am ~n schön** this colour (*Brit*) *or* color (*US*) is the least attractive one; **die ~n glauben das** very few believe that.

▼ **wenn** *conj* [a] (*konditional, bei Wünschen*) if ► **selbst** *or* **und ~** even if; **~ ... auch ...** even though *or* if ...; ~ **er auch noch so dumm sein mag, ...** however stupid he may be, ...; **~ schon!** so what? (*col*); **~ es schon sein muß** well, if that's the way it's got to be; **~ wir erst die neue Wohnung haben** once we get the new flat; **~ ich doch ...** if only I ...; **außer ~** except if, unless. [b] (*zeitlich*) when ► **immer ~** whenever; **außer ~** except when.

Wenn *nt*: **das ~ und Aber** (the) ifs and buts; **ohne ~ und Aber** without any ifs and buts.

wenngleich *conj* (*geh*) although.

wennschon *adv* (*col*) **(na,) ~!** so what? (*col*); **~, dennschon!** in for a penny, in for a pound!

wer [1] *interrog pron* who ► **~ von ...** which (one) of ... [2] *rel pron* (*derjenige, der*) the person who; (*jeder, der*) anyone *or* anybody who ► **~ ... auch (immer)** whoever ... [3] *indef pron* (*col: jemand*) somebody, someone ► **ist da ~?** is anybody there?; **~ sein** to be somebody (*col*).

Werbe- *in cpds* advertising; **~abteilung** *f* publicity department; **~agentur** *f* advertising agency; **~aktion** *f* advertising campaign; **~antwort** *f* business reply card; **~etat** *m* advertising budget; **~fernsehen** *nt* television commercials *pl*; **~film** *m* promotional film; (*Spot*) (filmed) commercial; **~funk** *m* radio commercials *pl*; **~gag** *m* publicity stunt *or* gimmick; **~geschenk** *nt* gift

➤ SATZBAUSTEINE: **wenn:** a → 1.2, 1.3, 1.4, 3, 5.1, 5.2, 5.3, 6.1, 8.1 **b** → 10.1

(from a company), freebie *(col)*; *(zu Gekauftem)* free gift; **~grafiker** *m* commercial artist; **~kampagne** *f* publicity campaign; **~material** *nt* publicity material; **~melodie** *f* (advertising) jingle *(without words)*; **~muster** *nt* advertising sample.

werben *pret* **warb**, *ptp* **geworben** ⬚1 *vt Mitglieder, Soldaten* to recruit; *Kunden, Stimmen* to attract, to win. ⬚2 *vi* to advertise ▸ *für etw* ~ to advertise sth; *für eine Partei* ~ to try to get support for a party; *um Unterstützung* ~ to try to enlist support; *um junge Wähler* ~ to try to attract young voters; *um ein Mädchen* ~ to court a girl.

Werbe-: **~schrift** *f* publicity leaflet; **~schriften** promotional literature *sing*; **~slogan** *m* publicity slogan; **~spot** *m* commercial; **~text** *m* advertising copy *no pl*; **~texter** *m* copywriter; **~träger** *m* advertising medium; **~trommel** *f*: *die ~trommel (für etw) rühren* *(col)* to beat the big drum (for sth) *(col)*; **w~wirksam** *adj* **w~wirksam sein** to be good publicity; **~wirksamkeit** *f* publicity value.

Werbung *f (esp Comm)* advertising; *(für Produkt auch)* publicity, promotion; *(Werbeabteilung)* publicity department ▸ *für etw machen* to advertise sth.

Werbungskosten *pl* (tax-deductible) professional *or* business expenses *pl.*

Werdegang *m no pl* development; *(beruflich)* career.

werden *pret* **wurde**, *ptp* **geworden** *aux sein* ⬚1 *vi* to become; *(mit adj auch)* to get ▸ *blind* ~ to go blind; *krank* ~ to fall ill; *rot* ~ to turn red; *es wird kalt* it's getting cold; *mir wird warm* I'm getting warm; *mir wird schlecht* I feel sick; *anders* ~ to change; *die Fotos sind gut geworden* the photos have come out well; *aus ihm ist ein großer Komponist geworden* he has become a great composer; *ich will Lehrer* ~ I want to be a teacher; *Erster* ~ to come *or* be first; *was soll das* ~*?* — *das wird ein Pullover* what's that going to be? — it's going to be a pullover; *daraus ist nichts geworden* it came to nothing; *es wird bald ein Jahr, daß ...* it's almost a year since ...; *es wird Zeit, daß er kommt* it's time (that) he came; *es wird Nacht/Tag* it's getting dark/light; *es wird Winter* winter is coming; *er wird am 8. Mai 36* he is 36 on the 8th of May; *er ist gerade 40 geworden* he has just turned 40; *was soll nun* ~*?* so what's going to happen now?; *es wird schon* ~ *(col)* it'll come all right in the end; *er wird mal wie sein Vater* he's going to be like his father; *wie soll der Pullover* ~*?* what's the pullover going to be like? ⬚2 *aux* ⬚a *(bei Futur und Konjunktiv)* *er wird es tun* he will do it, he'll do it; *er wird das nicht tun* he will not *or* won't do that; *es wird gleich regnen* it's just about to rain; *wer wird denn gleich!* *(col)* come on, now!; *das würde ich gerne tun* I would *or* I'd gladly do that. ⬚b *(bei Vermutung)* *sie wird wohl in der Küche sein* she must be in the kitchen; *er wird (wohl) ausgegangen sein* he's probably gone out. ⬚c *(bei Passiv)* *ptp* **worden** *gebraucht* ~ to be used; *er ist erschossen worden* he was shot/he has been shot; *hier wird nicht geraucht!* there's no smoking here; *mir wurde gesagt, daß ...* I was told ...

werdend *adj* ~*e Mutter* expectant mother.

werfen *pret* **warf**, *ptp* **geworfen** ⬚1 *vt* to throw *(nach* at); *Tor, Korb* to score ▸ *Bomben* ~ *(von Flugzeug)* to drop bombs; *eine Münze* ~ to toss a coin; *„nicht* ~*"* "handle with care"; *Bilder an die Wand* ~ to project pictures onto the wall; *etw auf jdn/etw* ~ to throw sth at sb/sth; *etw auf den Boden* ~ to throw sth to the ground; *billige Waren auf den Markt* ~ to dump cheap goods on the market; *jdn aus der Firma* ~ to throw sb out (of the firm); *jdn ins Gefängnis etc* ~ to throw sb into prison *etc*; *etw in den Briefkasten* ~ to put sth in

the letter box. ⬚2 *vi* ⬚a to throw ▸ *mit etw (auf jdn/etw)* ~ to throw sth (at sb/sth); *mit Geld um sich* ~ to throw one's money about; *mit Fremdwörtern um sich* ~ to bandy foreign words about. ⬚b *(Tier)* to have its young. ⬚3 *vr* to throw oneself *(auf +acc* (up)on, at).

Werfer(in *f)* *m* - thrower; *(Cricket)* bowler; *(Baseball)* pitcher.

Werft *f* **-en** shipyard; *(für Flugzeuge)* hangar.

Werft|arbeiter *m* shipyard worker.

Werg *nt no pl* tow.

Werk *nt* **-e** ⬚a *(Arbeit)* work *no indef art*; *(geh: Tat)* deed, act; *(Kunst~, Buch)* work; *(Gesamt~)* works *pl* ▸ *das ~ eines Augenblicks* the work of a moment; *das ist sein* ~ this is his doing; *das ~ jahrelanger Arbeit* the product of many years of work; *gute ~e tun* to do good works; *ein ~ der Nächstenliebe* an act of charity; *ans ~ gehen* to set to work. ⬚b *(Betrieb, Fabrik)* works *sing or pl*, plant ▸ *ab* ~ *(Comm)* ex works. ⬚c *(Mechanismus)* works *pl*.

Werk- *in cpds* works, factory; *siehe auch* **Werk(s)-**; **~bank** *f* workbench.

werkeln *vi (col)* to potter about.

werken *vi* to be busy ▸ *W~ (Sch)* handicrafts *pl.*

Werk-: **~halle** *f* factory building; **~meister** *m* foreman.

Werk(s)-: **~angehörige(r)** *mf* factory employee; **~arzt** *m* works *or* company doctor.

Werkschutz *m* works security service.

Werks-: **w~eigen** *adj* company *attr*; **~fahrer** *m* works driver; **~feuerwehr** *f* factory fire service; **~gelände** *nt* factory premises *pl*; **~kantine** *f* works canteen; **~küche** *f* works kitchen; **~leiter** *m* works director *or* manager; **~leitung** *f* works *or* factory management; **~spionage** *f* industrial espionage.

Werk-: **~statt** *f* **-en** workshop *(auch fig)*; *(für Autoreparaturen)* garage; *(von Künstler)* studio; **~stoff** *m* material; **~stück** *nt* workpiece; **~student** *m* working student.

Werk(s)-: **~verkehr** *m* company transport; **~wohnung** *f* company flat *(Brit) or* apartment.

Werktag *m* working day, workday.

werktags *adv* on working days.

werktätig *adj* working.

Werktätige(r) *mf decl as adj* working man/woman ▸ *die ~n* the working people.

Werk-: **~tisch** *m* worktable; **~unterricht** *m* woodwork/metalwork *etc* instruction.

Werkzeug *nt (lit, fig)* tool.

Werkzeug-: **~kasten** *m* toolbox; **~macher** *m* toolmaker; **~maschine** *f* machine tool.

Wermut *m no pl (~wein)* vermouth.

Wermutstropfen *m (fig geh) der einzige* ~ the only cloud in the sky.

wert *adj* ⬚a *etw* ~ *sein* to be worth sth; *nichts* ~ *sein* to be worthless; *Berlin ist eine Reise* ~ Berlin is worth a visit; *es ist der Mühe* ~ it's worth the trouble; *es ist nicht der Rede* ~ it's not worth mentioning; *er ist es nicht* ~*, daß man ihm vertraut* he doesn't deserve to be trusted. ⬚b *(nützlich)* useful ▸ *ein Auto ist viel* ~ a car is very useful; *das ist schon viel* ~ that's really useful *or (erfreulich)* encouraging.

Wert *m* **-e** value; *(esp menschlicher)* worth; *(von Banknoten, Briefmarken)* denomination ▸ *~e pl (Ergebnisse)* results *pl*; *im ~e von* to the value of; *an ~ verlieren* to decrease in value; *etw unter ~ verkaufen* to sell sth for less than its true value; *sie hat innere ~e* she has certain inner qualities; *~ auf etw (acc) legen (fig)* to attach importance to sth.

Wert-: **~angabe** *f* declaration of value; **~arbeit** *f* craftsmanship; **w~beständig** *adj* stable in value.

---

werten vti (einstufen) to rate (als as); Klassenarbeit etc to grade; (beurteilen) to judge (als to be); (Sport) (als gültig ~) to allow; (Punkte geben) to give a score ► ein Tor nicht ~ (Ftbl etc) to disallow a goal.

Werte-: ~system nt system of values; ~wandel m change in values.

Wert-: w~frei adj unbias(s)ed; Wort neutral; ~gegenstand m object of value; ~gegenstände pl valuables pl; w~los adj worthless; ~losigkeit f worthlessness; ~marke f stamp; (Gutschein) voucher; ~maßstab m standard; ~minderung f reduction in value; ~papier nt bond; ~papiere pl stocks and shares pl; ~papierbörse f stock market; ~sache f = ~gegenstand; ~schätzung f (liter) esteem; ~steigerung f increase in value.

Wertung f evaluation; (von Jury etc) judging; (Punkte) score.

Wert-: ~urteil nt value judgement; w~voll adj valuable; ~vorstellung f moral concept.

Wesen nt - a no pl nature; (Wesentliches) essence ► es liegt im ~ der Sache, daß ... it's in the nature of the thing that ... b (Geschöpf) being ► ein weibliches/männliches ~ a female/male.

Wesens-: ~art f nature; w~gleich adj essentially alike; w~verwandt adj related in character; ~zug m trait.

wesentlich 1 adj (hauptsächlich) essential; (grundlegend) fundamental; (wichtig) important ► das W~e the essential thing; (von Text, Rede) the gist; im ~en essentially; (im großen) in the main. 2 adv fundamentally; (erheblich) considerably ► es ist mir ~ lieber, wenn wir ... I would much rather we ...

weshalb 1 interrog adv why. 2 rel adv der Grund, ~ ... the reason why ...

Wespe f -n wasp.

Wespen-: ~nest nt wasps' nest; in ein ~nest stechen (fig) to stir up a hornets' nest; ~stich m wasp sting.

wessen pron 1 gen of wer interrog whose. 2 gen of was (liter) ~ hat man dich angeklagt? of what have you been accused?

Wessi m -s (col) West German.

─── WESSI ───

A **Wessi** is a colloquial and often derogatory word used to describe a German from the former West Germany. The expression 'Besserwessi' is used by East Germans to describe a West German who is considered to be a know-all.

West m no pl (Naut, Met, liter) west.

West- in cpds (in Ländernamen) (politisch) West; (geographisch auch) the West of ..., Western; ~afrika nt West Africa; w~deutsch adj (Hist Pol) West German; (Geog) Western German; ~deutsche(r) mf (Hist Pol) West German; (Geog) Western German; ~deutschland nt (Hist Pol) West Germany; (Geog) Western Germany.

Weste f -n waistcoat (Brit), vest (US) ► eine reine ~ haben (fig) to have a clean slate.

Westen m no pl west; (von Land) West ► der ~ (Hist Pol) the West; im ~ in the West; nach ~ to the West; von ~, aus dem ~ from the West.

Westentasche f waistcoat (Brit) or vest (US) pocket ► etw wie seine ~ kennen (col) to know sth like the back of one's hand (col).

Western m - western.

West-: ~europa nt Western Europe; w~europäisch adj West(ern) European; w~europäische Zeit Greenwich Mean Time.

Westfale m (wk) -n, -n, **Westfälin** f Westphalian.

Westfalen nt Westphalia.

westfälisch adj Westphalian.

West-: ~friesische Inseln pl West Frisian Islands pl; ~indien nt the West Indies pl; w~indisch adj West Indian; die ~indischen Inseln the West Indies pl; ~jordanland nt West Bank; ~küste f west coast.

westlich 1 adj western; Wind, Richtung westerly; (Pol) Western ► der ~ste Ort the westernmost place. 2 adv (to the) west (von of). 3 prep +gen (to the) west of.

West-: ~mächte pl (Hist Pol) die ~mächte the western powers pl; w~östlich adj west-to-east; in w~östlicher Richtung from west to east; w~wärts adv westward(s); ~wind m west wind.

weswegen interrog adv why.

Wettbewerb m competition ► mit jdm in ~ stehen/treten to be in/enter into competition with sb.

Wettbewerbs-: ~beschränkung f restraint of trade; w~fähig adj competitive; ~fähigkeit f competitiveness; ~teilnehmer m competitor; ~vorteil m competitive edge.

Wettbüro nt betting office.

Wette f -n bet (auch Sport), wager ► eine ~ abschließen to make a bet; darauf gehe ich jede ~ ein I'll bet you anything you like; was gilt die ~? what are you betting?; die ~ gilt! done!, you're on! (col); um die ~ laufen to run a race (with each other); sie schreien um die ~ they're having a screaming competition.

Wett|eifer m competitive urge.

wett|eifern vi insep mit jdm um etw ~ to compete with sb for sth.

wetten vti to bet ► (wollen wir) ~? (do you) want to bet?; ~, daß ich recht habe? (I) bet you I'm right!; so haben wir nicht gewettet! that's not part of the bargain!; auf etw (acc) ~ to bet on sth; mit jdm ~ to bet with sb; (mit jdm) um 5 Mark ~ to bet (sb) 5 marks; ich wette 100 gegen 1(, daß ...) I'll bet 100 to 1 (that ...).

Wetter[1] m - better.

Wetter[2] nt - a weather no indef art ► bei jedem ~ in all weathers; das ist vielleicht ein ~! (col) what weather!; was haben wir heute für ~? what's the weather like today?; wir haben herrliches ~ the weather's marvellous. b usu pl (Min) air ► schlagende ~ pl firedamp sing.

Wetter-: ~amt nt meteorological office; ~aussichten pl weather outlook; ~beobachtung f meteorological observation; ~bericht m weather report; (Vorhersage) weather forecast; ~besserung f improvement in the weather; w~beständig adj weatherproof; ~dienst m meteorological service; w~empfindlich adj sensitive to the weather; ~fahne f weather vane; w~fest adj weatherproof; w~fühlig adj sensitive to the weather; ~hahn m weathercock; ~häuschen nt weather house; ~karte f weather chart; ~lage f weather situation; ~leuchten nt no pl sheet lightning; ~meldung f meteorological report.

wettern vi to curse and swear ► gegen etw ~ to rail against sth.

Wetter-: ~regel f weather saying; ~satellit m weather satellite; ~schaden m weather damage; ~seite f windward side; ~station f weather station; ~störung f meteorological disturbance; ~umschlag m sudden change in the weather; ~verhältnisse pl weather conditions pl; ~vorhersage f weather forecast; ~warte f weather station; w~wendisch adj (fig) moody; ~wolke f storm cloud.

Wett-: ~fahrt f race; ~kampf m competition; ~kämpfer m competitor; ~lauf m race; einen ~lauf machen to run a race; ein ~lauf mit der Zeit a race against time; ~läufer m runner (in a/the race).

wettmachen vt sep to make up for; Verlust etc to make

good.

Wett-: **~rennen** nt (lit, fig) race; **~rüsten** nt arms race; **~schein** m betting slip; **~schuld** f betting debt; **~streit** m competition.

wetzen [1] vt to whet.
[2] vi aux sein (col) to scoot (col).

Wetzstein m whetstone.

WEZ [ve:ʔeːˈtsɛt] = **Westeuropäische Zeit** GMT.

WG [veːˈgeː] f **-s** = **Wohngemeinschaft**.

Whisky [ˈvɪski] m **-s** whisky, whiskey (US).

wich pret of **weichen**[2].

wichsen [ˈvɪksn] [1] vti Schuhe to polish; Boden etc to wax.
[2] vi (col!: onanieren) to jerk or toss off (col!).

Wicht m **-e** (Kobold) goblin; (kleiner Mensch) titch (col); (fig: verachtenswerter Mensch) scoundrel.

Wichtel m - [a] (auch **~männchen**) gnome; (Kobold) goblin. [b] (Pfadfinderin) brownie.

wichtig adj important ▸ eine **~e** Miene machen (to try) to look important; sich **~** tun to throw one's weight about; er will sich nur **~** machen he just wants to get attention; sich selbst/etw (zu) **~** nehmen to take oneself/sth (too) seriously; sich (dat) **~** vorkommen to be full of oneself; alles W**~e** everything of importance; W**~eres** zu tun haben to have more important things to do; nichts W**~eres** zu tun haben to have nothing better to do.

Wichtigkeit f importance.

Wichtigtuer(in f) m - (pej) pompous type (col) ▸ er ist so ein **~** he is so full of his own importance.

wichtigtuerisch adj pompous, self-important.

Wicke f **-n** (Bot) vetch; (Garten~) sweet pea.

Wickel m - [a] (Med) compress. [b] (Rolle) reel; (Locken~) curler. [c] (col) jdn am **~** kriegen/haben to grab/have sb by the scruff of the neck; (fig) to give sb a good talking to (col).

Wickel-: **~bluse** f wrap-around blouse; **~kind** nt babe-in-arms; **~kleid** nt wrap-around dress.

wickeln [1] vt [a] (schlingen) to wind (um around); Verband etc to bind; Haare to put in curlers ▸ sich (dat) eine Decke um die Beine **~** to wrap a blanket around one's legs; da bist du schief gewickelt! (fig col) you're very much mistaken. [b] (einwickeln) to wrap (in +acc in); (mit Verband) to dress ▸ einen Säugling **~** to put on or (frisch ~) to change a baby's nappy (Brit) or diaper (US).
[2] vr to wrap oneself (in +acc in) ▸ sich um etw **~** to wrap itself around sth; (Schlange, Pflanze) to wind itself around sth.

Wickel-: **~raum** m (in Kaufhaus etc) mothers' (and babies') room; **~rock** m wrap-around skirt; **~tisch** m baby's changing table.

Widder m - ram; (Astrol) Aries.

wider prep +acc (geh) against ▸ **~** Erwarten contrary to expectations.

widerfahren* vi, vi impers insep irreg aux sein +dat (geh) to happen (jdm to sb).

Wider-: **~haken** m barb; **~hall** m echo; (bei jdm) keinen **~hall** finden (Interesse) to meet with no response (from sb); **w~hallen** vi sep to echo (von with).

widerlegbar adj refutable ▸ nicht **~** irrefutable.

widerlegen* vt insep to refute; jdn to prove wrong.

Wider-: **w~lich** adj revolting; **~ling** m (pej col) repulsive creep (col); **w~natürlich** adj unnatural; **w~rechtlich** adj unlawful; sich (dat) etw w**~rechtlich** aneignen to misappropriate sth; **~rede** f contradiction; keine **~rede!** don't argue!

Widerruf m siehe vb withdrawal; retraction; cancellation; withdrawal ▸ bis auf **~** until revoked.

widerrufen* insep irreg [1] vt Erlaubnis etc to with-

draw; Aussage to retract; Befehl to cancel.
[2] vi (bei Verleumdung etc) to withdraw.

Wider-: **~sacher(in** f) m - adversary; **w~setzen** vr insep sich jdm/einer Sache w**~setzen** to oppose sb/sth; der Polizei, Festnahme to resist sb/sth; einem Befehl to refuse to comply with sth; **w~sinnig** adj absurd; **w~spenstig** adj unruly; (störrisch) stubborn; Haar unmanageable; **~spenstigkeit** f siehe adj unruliness; stubbornness; **w~spiegeln** sep [1] vt (lit, fig) to reflect; [2] vr (lit, fig) to be reflected; **~spieg(e)lung** f reflection.

widersprechen* insep irreg [1] vi jdm/einer Sache **~** to contradict sb/sth; das widerspricht meinen Grundsätzen that goes against my principles.
[2] vr (einander) to contradict one another ▸ sich (selbst) **~** to contradict oneself.

Widerspruch m [a] (Gegensätzlichkeit) contradiction ▸ ein **~** in sich a contradiction in terms; im **~** zu contrary to; in **~** zu etw geraten to come into conflict with sth; in or im **~** zu etw stehen to conflict with sth. [b] (Widerrede) contradiction; (Ablehnung) opposition ▸ kein **~!** don't argue!; er duldet keinen **~** he won't have any argument; es erhob sich **~** there was opposition (gegen to); **~** erheben to protest.

widersprüchlich adj contradictory, inconsistent.

widerspruchs-: **~frei** adj Theorie consistent; **~los** [1] adj Zustimmung unopposed; [2] adv without opposition; etw **~los** hinnehmen to accept sth unquestioningly; **~voll** adj full of inconsistencies.

Widerstand m **-e** resistance; (Ablehnung) opposition ▸ jdm/einer Sache **~** leisten to resist sb/sth; auf **~** stoßen to meet with resistance.

Widerstands-: **~bewegung** f resistance movement; **w~fähig** adj robust; Pflanze hardy; (Med, Tech etc) resistant (gegen to); **~fähigkeit** f siehe adj robustness; hardiness; resistance (gegen to); **~kämpfer** m resistance fighter; **~kraft** f (powers of) resistance; **w~los** adj, adv without resistance; **~nest** nt (Mil) pocket of resistance.

widerstehen* vi insep irreg +dat einer Sache **~** to resist sth; einem Erdbeben etc to withstand sth.

widerstreben* vi insep +dat jds sittlichem Empfinden **~** to go against sb's moral sense; es widerstrebt mir, so etwas zu tun I am reluctant to do anything like that.

Widerstreben nt no pl reluctance.

widerstrebend adj (gegensätzlich) Interessen conflicting; (widerwillig) reluctant.

widerwärtig adj disgusting ▸ er ist mir **~** he disgusts me.

Widerwille m (Abscheu, Ekel) disgust (gegen for), revulsion; (Abneigung) distaste (gegen for); (Widerstreben) reluctance.

widerwillig adj reluctant, unwilling.

Widerworte pl answering back sing ▸ er tat es ohne **~** he did it without protest.

widmen [1] vt jdm etw **~** to dedicate sth to sb.
[2] vr +dat to devote oneself to; den Gästen, einer Aufgabe to attend to.

Widmung f (in Buch etc) dedication (an +acc to).

widrig adj adverse.

wie [1] interrog adv how ▸ **~** anders ...? how else ...?; **~** wär's damit (col) how about it? (col); **~** wär's mit einem Whisky? (col) how about a whisky?; wie wär's mit uns beiden? (col) shall we?; **~** ist er (denn)? what's he like?; Sie wissen ja, **~** das so ist well, you know how it is; **~** nennt man das? what is that called?; **~** bitte? pardon?; **~** bitte?! (entrüstet) I beg your pardon!; das macht dir Spaß, **~?** you like that, don't you?; und **~!**, aber **~!** and how! (col); **~** groß er ist! isn't he big!
[2] adv [a] (relativ) die Art, **~** sie geht the way she walks. [b] (in Verbindung mit auch) **~** stark du auch

sein magst however strong you may be.

3 *conj* **a** *(vergleichend)* **so ... ~** as ... as; **weiß ~ Schnee** (as) white as snow; **ein Mann ~ er** a man like him; **in einer Lage ~ diese(r)** in a situation like this; **ich fühlte mich ~ im Traum** I felt as if I was dreaming; **~ du weißt** as you know; **~ noch nie** as never before. **b** *(zum Beispiel)* **~ (zum Beispiel)** such as (for example). **c** *(und)* as well as ► **Alte ~ Junge** old and young alike. **d** *(bei Verben der Wahrnehmung)* **er sah, ~ es geschah** he saw it happen; **er hörte, ~ der Regen fiel** he heard the rain falling. **e** *(zeitlich: als)* **~ ich mich umdrehte, sah ich ...** as I turned round I saw ...

Wie *nt no pl* **das ~ und Wann werden wir später besprechen** we'll talk about how and when later.

Wiedehopf *m* **-e** hoopoe.

wieder *adv* again ► **~ nüchtern** sober again; **immer ~** again and again; **~ ist ein Jahr vorbei** another year has passed; **wie, schon ~?** what, again?; **das ist auch ~ wahr** that's true; **da sieht man mal ~, ...** it just goes to show ...; **das fällt mir schon ~ ein** I'll remember it again.

Wieder- *pref* re-; *(bei Verben)* *(erneut)* again; *(zurück)* back; **~aufbau** *m (lit, fig)* reconstruction; **w~aufbauen** ⚠ *vti sep* to reconstruct; **w~aufbereiten*** *vt sep* to recycle; *Atommüll* to reprocess; **~aufbereitungsanlage** *f* recycling plant; *(für Atommüll)* reprocessing plant; **w~aufforsten** ⚠ *vti sep* to reforest; **w~aufführen** ⚠ *vt sep Theaterstück* to revive; *Film* to rerun; **w~aufladbar** *adj Batterie* rechargeable; **w~aufladen** ⚠ *vt sep irreg* to recharge; **w~aufleben** ⚠ *vi sep aux sein* to revive; **~aufleben** *nt* revival; *(von Nationalismus etc auch)* resurgence; **~aufnahme** *f* **a** *(von Tätigkeit etc)* resumption; **b** *(in Verein etc)* readmittance; *(von Patienten)* readmission; **w~aufnehmen** ⚠ *vt sep irreg* **a** to resume; *Gedanken, Hobby* to take up again; *Thema* to revert to; *(Jur) Verfahren* to reopen; **b** *Menschen* to take back; *(in Verein, Klinik)* to readmit; **w~aufrüsten** ⚠ *vti sep* to rearm; **~aufrüstung** *f* rearmament; **w~bekommen*** *vt sep irreg* to get back; **w~beleben*** ⚠ *vt sep* to revive; *(Med)* to resuscitate; **~belebung** *f* revival; *(Med)* resuscitation; **w~beschaffen*** *vt sep* to recover; **~beschaffung** *f* recovery; **~beschaffungswert** *m (Insur)* replacement value; **w~bewaffnen*** ⚠ *vr sep* to rearm; **~bewaffnung** *f* rearmament; **w~bringen** *vt sep irreg* to bring back; **w~einführen** ⚠ *vt sep* to reintroduce; **~einführung** *f* reintroduction; **~einnahme** *f (Mil)* recapture; **w~einnehmen** *vt sep irreg (Mil)* to recapture; **w~einsetzen** ⚠ *sep* **1** *vt* to reinstate *(in +acc* in); **2** *vi (Regen)* to start up again; *(Med: Fieber, Schmerzen)* to recur; **~einsetzung** *f* reinstatement; **w~einstellen** ⚠ *vt sep* to re-engage; **~einstellung** *f* re-engagement; **w~entdecken*** ⚠ *vt sep (lit, fig)* to discover; **~entdeckung** *f* rediscovery; **w~ergreifen*** *vt sep irreg* to recapture; **~ergreifung** *f* recapture; **w~erkennen*** ⚠ *vt sep irreg* to recognize; **er war nicht w~zuerkennen** he was unrecognizable; **w~eröffnen*** ⚠ *vti sep* to reopen; **w~erscheinen*** ⚠ *vi sep irreg aux sein* to reappear; *(Buch etc)* to be republished; **w~erstatten*** *vt sep Unkosten etc* to refund *(jdm etw* sb for sth); **~erstattung** *f* reimbursement; **w~erwachen*** ⚠ *vi sep aux sein* to reawaken; **w~finden** ⚠ *sep irreg* **1** *vt* to find again; *(fig) Selbstachtung etc* to regain; **2** *vr (nach Schock)* to recover; **sich irgendwo w~finden** to find oneself somewhere.

Wiedergabe *f* **a** *(von Rede, Ereignis)* account, report; *(Wiederholung)* repetition. **b** *(Darbietung: von Stück)* performance. **c** *(von Tönen, Farben etc)* reproduction.

Wiedergabegerät *nt* playback unit.

wiedergeben *vt sep irreg* **a** *Gegenstand, Geld* to give back ► **jdm ein Buch ~** to give a book back to sb. **b**

(erzählen) to give an account of; *(wiederholen)* to repeat. **c** *Gedicht* to recite; *Musikstück etc* to perform. **d** *(reproduzieren) Töne, Farben etc* to reproduce.

Wieder-: w~geboren ⚠ *adj* reborn; **~geburt** *f* rebirth; **w~gewinnen*** *vt sep irreg (lit, fig)* to regain; *Land, Rohstoffe etc* to reclaim; *Geld, Selbstvertrauen* to recover; **w~gutmachen** ⚠ *vt sep* to make good; *Schaden* to compensate for; *(Pol)* to make reparations for; *(Jur)* to redress; **~gutmachung** *f* compensation; *(Pol)* reparations *pl*; *(Jur)* redress; **w~haben** *vt sep irreg (col)* to have (got) back; **w~herstellen** ⚠ *vt sep Gebäude, Frieden, jds Gesundheit* to restore; *Beziehungen* to re-establish; *Patienten* to restore to health; **~herstellung** *f* restoration.

wiederholbar *adj* repeatable ► **schwer ~** hard to repeat.

wiederholen¹* *insep* **1** *vti* to repeat; *(mehrmals) Forderung etc* to reiterate; *Lernstoff* to revise, to review *(US)*; *Spiel* to replay; *Rennen* to rerun; *Prüfung* to resit, to retake ► **eine Klasse ~** *(Sch)* to repeat a year. **2** *vr (Mensch)* to repeat oneself; *(Thema, Ereignis)* to recur.

wiederholen² *vt sep* to get back.

wiederholt *adj* repeated ► **zum ~en Male** once again.

Wiederholung *f* repetition; *(von Aufführung)* repeat performance; *(von Sendung)* repeat; *(in Zeitlupe)* replay; *(von Lernstoff)* revision, review *(US)*; *(von Spiel)* replay.

Wiederholungs-: ~kurs *m* refresher course; **~spiel** *nt (Sport)* replay; **~täter** *m (Jur)* reoffender; *(gewohnheitsmäßig)* persistent offender; **~zeichen** *nt (Mus)* repeat (mark).

Wieder-: ~hören *nt (auf) ~hören!* *(am Telefon)* goodbye!; **w~käuen** *vti sep* to ruminate; *(fig col)* to go over again and again; **~käuer** *m* - ruminant.

Wiederkehr *f no pl (geh) (Rückkehr)* return; *(wiederholtes Vorkommen)* recurrence; *(von Ereignis)* anniversary.

wiederkehren *vi sep aux sein* to return; *(sich wiederholen)* to recur.

wiederkehrend *adj* recurrent.

Wieder-: w~kennen ⚠ *vt sep irreg (col)* to recognize; **w~kommen** *vi sep aux sein* to come back; **komm doch mal w~!** you must come again!; **~kunft** *f no pl (liter)* return; **w~sehen** ⚠ *vt sep irreg* to see again; **~sehen** *nt* (another) meeting; *(nach längerer Zeit)* reunion; **sie hofften auf ein baldiges ~sehen** they hoped to meet again soon; *(auf) ~sehen!* goodbye!; **w~tun** ⚠ *vt sep irreg* to do again.

wiederum *adv* **a** *(andererseits)* on the other hand; *(allerdings)* though. **b** *(seinerseits etc)* in turn ► **er ~ wollte ...** he, for his part, wanted ...

Wieder-: w~vereinigen* ⚠ *sep* **1** *vt Menschen* to reunite; *Land* to reunify; **2** *vr* to reunite; **~vereinigung** *f* reunification; **w~verheiraten*** ⚠ *vr sep* to remarry; **~verheiratung** *f* remarriage; **~verkauf** *m* resale; **w~verkaufen*** ⚠ *vt sep* to resell; **w~verwendbar** *adj* reusable; **w~verwenden*** ⚠ *vt sep* to reuse; **~verwendung** *f* re-use; **w~verwertbar** *adj* recyclable; **w~verwerten*** ⚠ *vt sep* to recycle; **~verwertung** *f* recycling; **~wahl** *f* re-election; **w~wählen** ⚠ *vt sep* to re-elect.

Wiege *f* **-n** cradle ► **es ist ihm auch nicht an der ~ gesungen worden, daß ...** no one could have foreseen that ...

wiegen¹ **1** *vt* to rock; *Kopf* to shake (slowly); *Hüften* to sway. **2** *vr (Boot etc)* to rock (gently); *(Mensch)* to sway ► **sich in trügerischen Hoffnungen ~** to nurture false hopes.

wiegen² *pret* **wog**, *ptp* **gewogen** *vti* to weigh ►

⚠: Informationen zur Rechtschreibreform im Anhang

schwer ~ (*fig*) to carry a lot of weight; (*Irrtum*) to be serious; *siehe* **gewogen**.
Wiegenlied *nt* lullaby.
wiehern *vi* to neigh ▶ *(vor Lachen)* ~ to bray with laughter.
Wien *nt* Vienna.
Wiener *adj attr* Viennese ▶ ~ *Würstchen* frankfurter, wiener (sausage) (*esp US*); ~ *Schnitzel* Wiener schnitzel.
Wiener(in *f*) *m* - Viennese.
wies *pret of* **weisen**.
Wiese *f* -n meadow; (*col: Rasen*) lawn ▶ *auf der grünen* ~ (*fig*) in the open countryside.
Wiesel *nt* - weasel ▶ *schnell or flink wie ein* ~ quick as a flash.
Wiesenblume *f* meadow flower.
wieso *interrog adv* why ▶ ~ *gehst du nicht?* how come you're not going? (*col*); ~ *weißt du das?* how do you come to know that?
wieviel *interrog adv* how much; (*bei Mehrzahl*) how many.
wievielmal *interrog adv* how many times.
△ **wievielte(r, s)** *interrog adj das* ~ *Kind ist das jetzt?* how many children is that now?; *den* ~*n Platz hat er im Wettkampf belegt?* where did he come in the competition?; *das* ~ *Mal bist du schon in England?* how often have you been to England?; *ich habe morgen Geburtstag! — der* ~ *ist es denn?* it's my birthday tomorrow! — how old will you be?; *den W*~*n haben wir heute?* what's the date today?
wieweit *conj* to what extent.
Wikinger *m* - Viking.
wild *adj* wild; *Stamm* savage; (*ausgelassen*) boisterous; (*heftig*) *Kampf*, (*zornig*) *Blick* fierce; (*ungesetzlich*) *Parken etc* illegal; *Streik* wildcat *attr*, unofficial ▶ *den* ~*en Mann spielen* (*col*) to come the heavy (*col*); *der W*~*e Westen* the Wild West; *in* ~*er Ehe leben* (*dated, hum*) to live in sin; ~ *durcheinanderliegen* to be strewn all over the place; *dann ging alles* ~ *durcheinander* there was chaos then; *wie* ~ *rennen* to run like mad; ~ *drauflosreden* to talk nineteen to the dozen; *seid nicht so* ~*!* calm down a bit!; *einen Hund* ~ *machen* to drive a dog wild; ~ *werden* to go wild (*auch col*); *ich könnte* ~ *werden* (*col*) I could scream (*col*); *das ist nicht so* ~ (*col*) never mind; ~ *entschlossen* (*col*) dead set (*col*).
Wild *nt no pl* game; (*Rot*~) deer; (*Fleisch von Rot*~) venison.
Wild-: ~**bach** *m* torrent; ~**bahn** *f in freier* ~*bahn* in the wild; ~**bestand** *m* game population; ~**braten** *m* roast venison; ~**bret** *nt no pl* game; (*von Rotwild*) venison; ~**dieb** *m* poacher; ~**diebstahl** *m* poaching; ~**ente** *f* wild duck.
Wilde(r) *mf decl as adj* savage; (*fig*) maniac.
Wilderer *m* - poacher.
wildern *vi* (*Mensch*) to poach; (*Hund etc*) to kill game.
Wild-: ~**esel** *m* wild ass; ~**fang** *m* little rascal; **w**~**fremd** *adj* (*col*) **w**~*fremde Leute* complete strangers; ~**gans** *f* wild goose; ~**hüter** *m* gamekeeper; ~**katze** *f* wildcat; **w**~**lebend** △ *adj attr* living in the wild; ~**leder** *nt* suede.
Wildnis *f* (*lit, fig*) wilderness ▶ *in der* ~ *leben* to live in the wild.
Wild-: ~**park** *m* game park; (*für Rotwild*) deer park; ~**reservat** *nt* game reserve; ~**schaden** *m* damage caused by game; ~**schutzgebiet** *nt* game preserve; ~**schwein** *nt* wild boar; **w**~**wachsend** △ *adj attr* wild(-growing); ~**wasser** *nt* white water; ~**wechsel** *m* „~**wechsel**" "wild animals"; ~**west** *no art* the Wild West; ~**westfilm** *m* western (film); ~**westroman** *m* western (novel); ~**wuchs** *m* (*geh*) rank growth; (*fig*)

proliferation.
Wilhelm ['vɪlhɛlm] *m* ≈ William.
Wille *m* -ns, *no pl* will; (*Absicht*) intention ▶ *nach jds* ~*n* as sb wanted/wants; *wenn es nach ihrem* ~*n ginge* if she had her way; *das geschah gegen meinen* ~*n* that was done against my will; *er mußte wider* ~*n lachen* he couldn't help laughing; *jds* ~*n tun* to do sb's will; *seinen* ~*n durchsetzen* to get one's (own) way; *jdm seinen* ~*n lassen* to let sb have his own way; *seinen eigenen* ~*n haben* to be self-willed; *beim besten* ~*n nicht* not with the best will in the world; *es war kein böser* ~ there was no ill-will intended; *der gute* ~ goodwill.
willen *prep siehe* **um 2**.
willenlos *adj* weak-willed ▶ *völlig* ~ *sein* to have no will of one's own; *jds* ~*es Werkzeug sein* to be the mere tool of sb.
willens *adj* (*geh*) ~ *sein* to be willing.
Willens-: ~**äußerung** *f* expression of will; ~**freiheit** *f* freedom of will; ~**kraft** *f* willpower; **w**~**schwach** *adj* weak-willed; ~**schwäche** *f* weakness of will; **w**~**stark** *adj* strong-willed; ~**stärke** *f* willpower.
willentlich *adj* wilful (*Brit*), willful (*US*), deliberate.
willig *adj* willing.
willkommen *adj* welcome ▶ *du bist (mir) immer* ~ you are always welcome; *jdn* ~ *heißen* to welcome sb; *herzlich* ~ welcome (*in +dat* to); *es ist mir ganz* ~, *daß* ... I quite welcome the fact that ...
Willkommen *nt* - welcome.
Willkommensgruß *m* greeting, welcome.
Willkür *f no pl* capriciousness; (*politisch*) despotism; (*bei Handlungen*) arbitrariness ▶ *das ist reinste* ~ that is purely arbitrary.
Willkür-: ~**akt** *m* despotic act; ~**herrschaft** *f* tyranny.
willkürlich *adj* arbitrary; *Herrscher* autocratic.
Wilna *nt* Vilnius.
wimmeln *vi auch vi impers der See wimmelt von Fischen* the lake is teeming with fish; *hier wimmelt es von Mücken/Menschen* this place is swarming with midges/people.
wimmern *vi* to whimper.
Wimpel *m* - pennant.
Wimper *f* -n (eye)lash ▶ *ohne mit der* ~ *zu zucken* (*fig*) without batting an eyelid.
Wimperntusche *f* mascara.
Wind *m* -e [a] wind ▶ *bei* ~ *und Wetter* in all weathers; *der* ~ *dreht sich* the wind is changing direction; *merken, woher der* ~ *weht* (*fig*) to see which way the wind is blowing; *daher weht der* ~*!* (*fig*) so that's the way the wind is blowing; *seither weht ein anderer/ frischer* ~ (*fig*) things have changed since then; *viel* ~ *um etw machen* (*col*) to make a lot of fuss about sth; *das Mäntelchen or das Fähnchen nach dem* ~ *hängen* to trim one's sails to the wind; *jdm den* ~ *aus den Segeln nehmen* (*fig*) to take the wind out of sb's sails; *sich* (*dat*) *den* ~ *um die Ohren wehen lassen* to see a bit of the world; *etw in den* ~ *schlagen* to turn a deaf ear to sth; *in alle (vier)* ~*e* to the four winds; *von etw* ~ *bekommen* (*fig col*) to get wind of sth. [b] (*Med: Blähung*) wind.
Wind-: ~**beutel** *m* [a] cream puff; [b] (*col: Mensch*) rake; ~**bö(e)** *f* gust of wind.
Winde[1] *f* -n (*Tech*) winch, windlass.
Winde[2] *f* -n (*Bot*) bindweed, convolvulus.
Windel *f* -n nappy (*Brit*), diaper (*US*).
Windel-: ~**einlage** *f* nappy (*Brit*) *or* diaper (*US*) liner; ~**höschen** *nt* plastic pants.
windelweich *adj jdn* ~ *schlagen* (*col*) to beat the living daylights out of sb (*col*).
winden *pret* **wand**, *ptp* **gewunden** [1] *vt* to wind;

△: for details of spelling reform, see supplement

Kranz to bind.

2 vr (*Bach, Schlange, Pflanze*) to wind; (*Mensch*) (*durch Menge etc*) to wind (one's way); (*vor Schmerzen*) to writhe (*vor* with, in); (*fig: ausweichen*) to try to wriggle out.

Wind|energie f wind energy.

Windes|eile f *etw in ~ tun* to do sth in no time (at all) or (*in großer Eile*) in a great rush; *sich in* or *mit ~ verbreiten* to spread like wildfire.

Wind-: **~fang** m (*Raum*) porch; **w~geschützt** **1** adj sheltered (from the wind); **2** adv in a sheltered place; **~geschwindigkeit** f wind speed; **~hauch** m breath of wind; **~hose** f vortex; **~hund** m **a** (*Hund*) greyhound; **b** (*fig pej*) rake.

windig adj windy; (*fig*) *Sache* dodgy (*col*).

Wind-: **~jacke** f windcheater (*Brit*), windbreaker ® (*US*); **~jammer** m - (*Naut*) windjammer; **~kanal** m wind tunnel; **~kraftanlage** f, **~kraftwerk** nt wind power station; **~licht** nt storm lantern; **~mühle** f windmill; *gegen ~mühlen (an)kämpfen* (*fig*) to tilt at windmills; **~mühlenflügel** m windmill sail; **~park** m wind farm; **~pocken** pl chickenpox sing; **~rad** nt (*Tech*) wind turbine; **~richtung** f wind direction; **~rose** f (*Naut*) compass card; (*Met*) wind rose; **~sack** m windsock; **~schatten** m lee; (*von Autos*) slipstream; **w~schief** adj crooked; **~schirm** m windbreak; **~schutzscheibe** f windscreen (*Brit*), windshield (*US*); **~seite** f windward side; **~skala** f wind scale; **~stärke** f (*Met*) wind-force; **w~still** adj windless; *Ecke etc* sheltered; *wenn es völlig w~still ist* when there is no wind at all; **~stille** f calm; **~stoß** m gust of wind; **~surfbrett** nt windsurfing board; **~surfen** nt windsurfing; **w~surfen** vi insep to windsurf; **~surfer** m windsurfer.

Windung f (*von Weg, Fluß etc*) meander; (*von Schlange, Spule*) coil; (*von Schraube*) thread.

Wink m -e (*Zeichen*) sign; (*mit der Hand*) wave (*mit* of); (*mit dem Kopf*) nod (*mit* of); (*Hinweis, Tip*) hint, tip.

Winkel m - **a** angle. **b** (*fig: Ecke*) corner; (*Plätzchen*) place, spot ► *jdn/etw in allen (Ecken und) ~n suchen* to look high and low for sb/sth.

Winkel-: **~advokat** m (*pej*) incompetent lawyer; **~eisen** nt angle iron.

wink(e)lig adj *Haus, Altstadt* full of nooks and crannies; *Gasse* twisty, windy.

Winkel-: **~messer** m - protractor; **~zug** m (*Trick*) dodge; (*Ausflucht*) evasion.

winken ptp **gewinkt** or (*col*) **gewunken** **1** vi to wave (*jdm* to sb) ► *sie winkte mit einem Fähnchen* she waved a flag; *einem Taxi ~* to hail a taxi; *dem Sieger winkt eine Reise nach Italien* the winner will receive (the attractive prize of) a trip to Italy.

2 vt to wave; *Abseits* to signal; *Taxi* to hail; *Kellner* to call ► *jdn zu sich ~* to beckon sb over to one.

winseln vti to whimper; (*pej*) to grovel.

Winter m - winter ► *es ist/wird ~* winter is here/is coming; *im/über den ~* in (the)/over the winter; *über den ~ kommen* to get through the winter.

Winter- in cpds winter; **~anfang** m beginning of winter; **~einbruch** m onset of winter; **~fell** nt winter coat; **w~fest** adj winterproof; (*Bot*) hardy; **~garten** m conservatory; **~getreide** nt winter crop; **~halbjahr** m winter; **w~hart** adj (*Bot*) hardy; **~kleid** nt winter dress; (*Zool*) winter coat; **~kleidung** f winter clothing; **w~lich** adj wintry; *Kleidung* winter attr; **w~lich gekleidet** dressed for winter; **w~lich kalt** cold and wintry; **~mantel** m winter coat; **~obst** nt winter fruit; **~pause** f winter break; **~quartier** nt winter quarters pl; **~reifen** m winter tyre (*Brit*) or tire (*US*); **~saat** f winter seed; **~sachen** pl winter clothes pl; **~schlaf** m hibernation; **~schlaf halten** to hibernate; **~schlußverkauf** △

m winter sale; **~semester** nt winter semester; **~spiele** pl **(Olympische) ~spiele** Winter Olympics pl; **~sport** m winter sports pl; (*Sportart*) winter sport; **~tag** m winter('s) day; **~zeit** f winter time; (*Jahreszeit*) winter.

Winzer(in f) m - wine-grower.

winzig adj tiny ► *~ klein* minute, tiny little attr.

Winzling m (*col*) midget.

Wipfel m - treetop.

Wippe f -n seesaw.

wippen vi (*auf und ab*) to bob up and down; (*hin und her*) to teeter ► *~der Gang* bouncing gait.

wir pers pron we ► *~ alle/beide/drei* all/both/the three of us; *~ Armen* we poor people; *wer ist da? — ~ (sind's)* who's there? — (it's) us; *trinken ~ erst mal einen* let's have a drink first.

Wirbel m - **a** (*lit, fig*) whirl; (*in Fluß etc*) whirlpool, eddy; (*der Ereignisse*) turmoil ► *einen ~ um jdn/etw machen* to make a fuss about sb/sth. **b** (*Haar~*) crown. **c** (*Anat*) vertebra. **d** (*Trommel~*) (drum) roll.

wirbellos adj (*Zool*) invertebrate ► *die W~en* the invertebrates.

wirbeln **1** vi **a** aux sein to whirl. **b** *mir wirbelt der Kopf* (*col*) my head is reeling. **c** (*Trommeln etc*) to roll. **2** vt to whirl.

Wirbel-: **~säule** f (*Anat*) spinal column; **~sturm** m whirlwind; **~tier** nt vertebrate; **~wind** m whirlwind.

wirken¹ **1** vi **a** (*Wirkung haben*) to have an effect ► *die Arznei hat nicht gewirkt* the medicine did not work; *schalldämpfend ~* to have a soundproofing effect; *in diesem Rahmen wirkt das Bild viel besser* the picture looks much better in this frame; *etw auf sich* (*acc*) *~ lassen* to take sth in. **b** (*erscheinen*) to seem, to appear ► *nervös (auf jdn) ~* to give (sb) the impression of being nervous; *sie wirkt abstoßend auf mich* I find her repulsive. **c** (*geh: tätig sein*) (*Mensch*) to work; (*Einflüsse, Kräfte etc*) to be at work. **2** vt (*geh: tun*) *Gutes* to do; *Wunder* to work.

wirken² vt *Teppiche, Stoffe* to weave.

wirklich **1** adj real ► *im ~en Leben* in real life. **2** adv really ► *~?* really?

▼ **Wirklichkeit** f reality ► *~ werden* to come true; *in ~* in reality.

wirklichkeits-: **~fremd** adj unrealistic; **~getreu** adj realistic; *etw ~getreu abbilden* to paint a realistic picture of sth.

wirksam adj effective ► *mit (dem)/am 1. Januar ~ werden* (*form: Gesetz*) to take effect on or from January 1st.

Wirksamkeit f effectiveness.

Wirkstoff m (*esp Physiol*) active substance.

Wirkung f effect (*bei* on); (*von Tabletten etc*) effects pl ► *seine ~ tun* to have an effect; (*Droge*) to take effect; *ohne ~ bleiben* to have no effect; *seine ~ verfehlen* not to have the desired effect; *mit ~ vom 1. Januar* (*form*) with effect from January 1st.

Wirkungs-: **~bereich** m field (of activity/interest etc); (*Domäne*) domain; **~grad** m (degree of) effectiveness; **w~los** adj ineffective; **~losigkeit** f ineffectiveness; **w~voll** adj effective; **~weise** f (*von Medikament*) action; *die ~weise eines Kondensators* the way a condenser works.

Wirkwaren pl knitwear sing.

wirr adj confused; *Blick* crazed; (*unordentlich*) *Haare* tangled; *Gedanken* weird ► *er ist ~ im Kopf* he is confused in his mind; *mach mich nicht ~* don't confuse me; *alles lag ~ durcheinander* everything was in chaos.

Wirren pl confusion sing, turmoil sing.

Wirrkopf m (*pej*) muddle-head.

Wirrwarr m no pl confusion; (*von Stimmen*) hubbub; (*von Fäden, Haaren etc*) tangle.

➤ SATZBAUSTEINE: **Wirklichkeit** → 13.3   ⚠️: Informationen zur Rechtschreibreform im Anhang

Wirsing m no pl savoy cabbage.
Wirt m -e (Gastwirt, Vermieter) landlord.
Wirtin f landlady; (Gastgeberin) hostess.
Wirtschaft f [a] (Volks~) economy; (Geschäftsleben) industry and commerce; (Finanzwelt) business world ▸ **freie ~** free market economy. [b] (Gast~) ≃ pub (Brit), saloon (US). [c] (col: Zustände) **eine schöne/saubere ~** (iro) a fine state of affairs.
wirtschaften [1] vi [a] (sparsam sein) to economize ▸ **gut ~ können** to be economical. [b] (col: sich betätigen) to busy oneself.
[2] vt jdn/etw zugrunde ~ to ruin sb/sth financially.
Wirtschafter(in) f) m - [a] (Verwalter) manager. [b] (im Haushalt, Heim etc) housekeeper.
wirtschaftlich adj economic; (sparsam) economical.
Wirtschaftlichkeit f economy; (eines Betriebes) economic viability.
Wirtschafts- in cpds economic; **~asylant** m asylumseeker (for financial reasons); **~auskunftei** f credit investigation agency; **~berater** m economic advisor; **~beziehungen** pl business relations pl; **~flüchtling** m financial refugee; **~form** f economic system; **~teil** m (von Zeitung) business section; **~gebäude** nt working quarters pl; **~gefüge** nt economic framework; **~geld** nt housekeeping (money); **~gemeinschaft** f economic community; **~güter** pl economic goods pl; **~hilfe** f economic aid; **~krieg** m economic war/warfare; **~kriminalität** f white-collar crime; **~krise** f economic crisis; **~lage** f economic situation; **~minister** m minister of economic affairs; **~ministerium** nt ministry of economic affairs; **~ordnung** f economic order; **~politik** f economic policy; **~prüfer** m accountant; (zum Überprüfen der Bücher) auditor; **~recht** nt commercial or business law; **~spionage** f industrial espionage; **~system** nt economic system; **~teil** m (von Zeitung) business section; **~union** f economic union; **~verband** m business association; **~wachstum** nt economic growth; **~wissenschaft** f economics sing, **~wissenschaftler** m economist; **~wunder** nt economic miracle; **~zeitung** f financial paper; **~zweig** m branch of industry.
Wirts-: **~haus** nt ≃ pub (Brit), saloon (US); (esp auf dem Land) inn; **~leute** pl landlord and landlady; **~stube** f lounge.
Wisch m -e (pej col) piece of paper; (mit Gedrucktem auch) piece of bumph (Brit col).
wischen [1] vti to wipe ▸ **Staub ~** to dust; **mit einem Tuch über den Tisch ~** to wipe the table with a cloth; **sie wischte sich** (dat) **den Schweiß von der Stirn** she wiped the sweat from her brow; **Bedenken (einfach) vom Tisch ~** (fig) to brush aside misgivings; **jdm eine ~** (col) to clout sb one (col); **einen gewischt bekommen** (col: elektrischen Schlag) to get a shock.
[2] vi aux sein (sich schnell bewegen) to whisk.
Wischer m - (Aut) wiper.
Wischerblatt nt (Aut) wiper blade.
Wischiwaschi nt no pl (pej col) drivel (col).
Wischlappen m cloth; (für Fußboden) floorcloth.
Wisent m -e bison.
wispern vti to whisper.
⚠ **Wißbegier(de)** f thirst for knowledge.
⚠ **wißbegierig** adj Kind eager to learn.
▼ **wissen** pret **wußte**, ptp **gewußt** vti [a] to know (über +acc, von about) ▸ **ich weiß (es)** I know; **er weiß von nichts** he doesn't know anything about it; **weißt du schon das Neueste?** have you heard the latest?; **als ob ich das wüßte!** how should I know?; **von jdm/etw nichts ~ wollen** not to be interested in sb/sth; **er weiß es nicht anders/besser** he doesn't know any different/better; **das mußt du (selbst) ~** that's for you to decide; **das hättest du ja ~ müssen!** you ought to have realized

that; **man kann nie ~** you never know; **weiß Gott** (col) God knows (col); **sie hält sich für wer weiß wie klug** (col) she doesn't half think she's clever (col); **... oder was weiß ich** (col) ... or something; **er ist wieder wer weiß wo** (col) goodness knows where he's got to again (col); **nicht, daß ich wüßte** not as far as I know; **gewußt wie/wo** etc! sheer brilliance!; **ich weiß sie in Sicherheit** I know that she is safe.
[b] (sich erinnern) to remember; (sich vor Augen führen) to realize ▸ **ich weiß seine Adresse nicht mehr** I can't remember his address; **du mußt ~, daß ...** you must realize that ...
Wissen nt no pl knowledge ▸ **meines ~s** to my knowledge; **etw gegen (sein) besseres ~ tun** to do sth against one's better judgement; **nach bestem ~ und Gewissen** to the best of one's knowledge and belief.
Wissenschaft f science.
Wissenschaftler(in f) m - scientist; (Geistes~) academic.
wissenschaftlich adj scientific; (geistes~) academic ▸ **W~er Assistent** ≃ assistant lecturer; **~ arbeiten** to use a scientific approach.
Wissens-: **~durst** m (geh) thirst for knowledge; **~gebiet** nt field (of knowledge); **~stoff** m material; **w~wert** adj worth knowing.
wissentlich [1] adv knowingly, deliberately.
[2] adj deliberate.
wittern [1] vi (Wild) to sniff the air.
[2] vt to scent.
Witterung f [a] (Wetter) weather ▸ **bei günstiger ~** if the weather is good. [b] (Hunt) (Geruch) scent (von of); (Geruchssinn) sense of smell.
Witterungs- in cpds weather; **~einflüsse** pl effects pl of the weather; **~umschlag** m change in the weather.
Witwe f -n widow ▸ **~ werden** to be widowed.
Witwen-: **~geld** nt widow's allowance; **~rente** f widow's pension; **~stand** m widowhood.
Witwer m - widower.
Witz m -e [a] (Äußerung) joke (über +acc about) ▸ **einen ~ machen** to make a joke; **mach keine ~e!** don't be funny; **das ist doch wohl ein ~** he/you etc must be joking; **die Prüfung war ein ~** (col) the exam was a joke. [b] (Geist) wit ▸ **der ~ an der Sache ist, daß ...** the great thing about it is that ...
Witz-: **~blattfigur** f (fig col) comic figure; **~bold** m -e joker; **du bist vielleicht ein ~bold!** (iro) you're a great one! (iro).
Witzelei f teasing no pl.
witzeln vi to joke (über +acc about).
Witzfigur f (fig col) figure of fun.
witzig adj funny.
witzlos adj (col: unsinnig) pointless, futile.
WM [ve:'|ɛm] f -s = Weltmeisterschaft.
wo [1] interrog, rel adv where; (irgendwo) somewhere ▸ **überall, ~** wherever; **~ immer ...** wherever ...; **ach ~!** (col) nonsense!
[2] conj **~ nicht/möglich** if not/possible; **~ er doch wußte, daß ich nicht kommen konnte** when he knew I couldn't come.
wö. = wöchentlich p.w.
wo-: **~anders** adv somewhere else; **~andersher** adv from somewhere else; **~andershin** adv somewhere else.
wob pret of weben.
wobei adv [a] interrog **~ ist das passiert?** when did that happen?; **~ hast du ihn erwischt?** what did you catch him at or doing? [b] rel (während) while ▸ **... sagte er, ~ er mich scharf ansah ...**, he said giving me a penetrating look; **..., ~ er das Buch aufschlug** ... opening the book; **~ mir gerade einfällt** which reminds me.
Woche f -n week ▸ **zweimal in der ~** twice a week; **in**

dieser ~ this week.

Wochenbett *nt im* ~ *sterben* to die after childbirth; *während sie im* ~ *lag* during the period after the birth of her child.

Wochen|end- *in cpds* weekend.

Wochen|ende *nt* weekend ▶ *schönes* ~*!* have a nice weekend; *verlängertes* ~ long weekend.

Wochen-: ~**karte** *f* weekly ticket; **w~lang** *adj, adv* for weeks; ~**lohn** *m* weekly wage; ~**markt** *m* weekly market; ~**schau** *f* newsreel; ~**tag** *m* weekday *(including Saturday)*; *was ist heute für ein* ~*tag?* what day is it today?; **w~tags** *adv* on weekdays *(including Saturday)*.

wöchentlich [1] *adj* weekly.

[2] *adv* weekly; *(einmal pro Woche)* once a week ▶ *sich* ~ *abwechseln* to take turns every week.

Wochen-: **w~weise** *adv* by the week; ~**zeitschrift** *f* weekly (magazine); ~**zeitung** *f* weekly (newspaper).

Wöchnerin *f woman who has recently given birth.*

Wodka *m* -s vodka.

wodurch *adv* [a] *interrog* how. [b] *rel* as a result of which.

wofür *adv* [a] *interrog* for what, what ... for. [b] *rel* for which, which ... for.

wog *pret of* **wiegen²**.

Woge *f* -n wave; *(fig auch)* surge.

wogegen *adv* [a] *interrog* against what, what ... against. [b] *rel* against which, which ... against.

wogen *vi (liter)* to surge *(auch fig)*.

woher *adv* [a] *interrog* where ... from ▶ ~ *weißt du das?* how do you (come to) know that?; ~ *kommt es eigentlich, daß ...* how is it that ...? [b] *rel* from which, where ... from.

wohin *adv* [a] *interrog* where. [b] *rel* where ▶ ~ *man auch schaut* wherever you look.

wohingegen *conj* whereas, while.

wohinter *adv* [a] *interrog* what *or* where ... behind. [b] *rel* behind which.

wohl [1] *adv* [a] *(angenehm zumute)* happy; *(gesund)* well ▶ *sich* ~*/*~*er fühlen* to feel happy/happier; *(gesundheitlich)* to feel well/better; *bei dem Gedanken ist mir nicht* ~ I'm not very happy at the thought; ~ *oder übel* whether one likes it or not; ~ *dem, der ...* happy the man who ... [b] *(wahrscheinlich)* probably; *(iro: bestimmt)* surely ▶ *er ist* ~ *schon zu Hause* he's probably at home by now; *das ist doch* ~ *nicht dein Ernst!* surely you're not serious! [c] *(vielleicht)* perhaps; *(etwa)* about ▶ *das mag* ~ *sein* that may well be; *ob das* ~ *stimmt?* I wonder if that's true; *willst du das* ~ *lassen!* I wish you'd stop (doing) that. [d] *(durchaus)* well ▶ *ich denke, ich verstehe dich sehr* ~*!* I think I understand you very well.

[2] *conj (zwar)* **er hat es** ~ **versprochen, aber ...** he may have promised, but ....

Wohl *nt no pl* welfare, well-being ▶ *das öffentliche* ~ the public good; *zu eurem* ~ for your benefit *or* good; *zum* ~*!* cheers!; *auf dein* ~*!* your health!; *auf jds* ~ *trinken* to drink sb's health.

Wohl-: **w~auf** *adj pred* in good health; ~**befinden** *nt* well-being; **w~begründet** △ *adj* well-founded; *Maßnahme, Strafe* well-justified; ~**behagen** *nt* feeling of well-being; **w~behalten** *adj Mensch* safe and sound; *Gegenstand* intact; **w~bekannt** *adj* well-known; **w~beleibt** *adj (hum)* stout, portly; **w~durchdacht** △ *adj* well thought out; ~**ergehen** *nt no pl* welfare; **w~erzogen** *adj (geh)* well-mannered.

Wohlfahrt *f no pl* welfare.

Wohlfahrts-: ~**einrichtung** *f* social service; ~**marke** *f* charity stamp; ~**organisation** *f* charity; ~**pflege** *f* welfare work; *freie* ~*pflege* voluntary welfare work; ~**staat** *m* welfare state.

Wohl-: ~**gefallen** *nt no pl* pleasure; *sich in* ~*gefallen auflösen (hum) (Gegenstände, Probleme)* to vanish into thin air; *(zerfallen)* to fall apart; **w~gefällig** *adj (gefallen)* pleasing; **w~geformt** *adj* well-shaped; *Körperteil* shapely; *Satz* well-formed; ~**gefühl** *nt* sense of well-being; **w~gemeint** △ *adj* well-intentioned; **w~gemerkt** *adv* mind you; **w~genährt** *adj* well-fed; **w~geraten** *adj (geh) Kind* fine; *Werk* successful; ~**geruch** *m (geh)* pleasant smell; ~**geschmack** *m (geh)* pleasant taste; **w~gesinnt** *adj (geh)* well-disposed *(dat* towards)); **w~habend** *adj* well-to-do.

wohlig *adj* pleasant; *(gemütlich)* cosy *(Brit)*, cozy *(US)* ▶ ~ *warm* nice and warm.

Wohl-: ~**klang** *m (geh)* melodious sound; **w~klingend** *adj* melodious; ~**leben** *nt (geh)* life of luxury; **w~meinend** *adj* well-meaning; **w~proportioniert** *adj* well-proportioned; **w~riechend** *adj* fragrant; **w~schmeckend** *adj (geh)* tasty; ~**sein** *nt zum* ~*sein!* your very good health!

Wohlstand *m no pl* affluence, prosperity ▶ *im* ~ *leben* to be well off.

Wohlstandsgesellschaft *f* affluent society.

Wohltat *f* [a] *(Genuß)* relief. [b] *(Gefallen)* favour *(Brit)*, favor *(US)*; *(gute Tat)* good deed ▶ *jdm eine* ~ *erweisen* to do sb a favour.

Wohltäter(in *f) m* benefactor; benefactress.

wohltätig *adj* charitable ▶ *für* ~*e Zwecke* for charity.

Wohltätigkeits-: ~**basar** *m* charity bazaar; ~**verein** *m* charity.

Wohl-: **w~tuend** *adj* pleasant; **w~tun** △ *vi sep irreg (angenehm sein)* to do good *(jdm* sb); *das tut w~* that's good; **w~überlegt** △ *adj etw w~überlegt machen* to do sth after careful consideration; **w~verdient** *adj* well-deserved; ~**verhalten** *nt* good conduct; **w~weislich** *adv* very wisely; ~**wollen** △ *nt no pl* goodwill; **w~wollend** *adj* benevolent.

Wohn-: ~**anhänger** *m* caravan *(Brit)*, trailer *(US)*; ~**bau** *m, pl* -ten residential building; ~**block** *m, pl* -s block of flats *(Brit)*, apartment house *(US)*; ~**container** *m* Portakabin ®.

wohnen *vi* to live; *(vorübergehend)* to stay ▶ *er wohnt (in der) Friedrichstraße 11* he lives at (number) 11 Friedrichstraße; *wir* ~ *da sehr schön* it's very nice where we live.

Wohn-: ~**fläche** *f* living space; ~**gebiet** *nt*, ~**gegend** *f* residential area; ~**geld** *nt* housing benefit; ~**gemeinschaft** *f* group of people sharing a/the flat *(Brit)* or apartment/house; *in einer* ~*gemeinschaft leben* to share a flat *etc*; **w~haft** *adj (form)* resident; ~**haus** *nt* residential building; ~**heim** *nt (esp für Arbeiter)* hostel; *(für Studenten)* hall (of residence), dormitory *(US)*; *(für Senioren)* home; ~**komfort** *m mit sämtlichem* ~*komfort* with all mod cons; ~**komplex** *m* housing estate; ~**küche** *f* kitchen-cum-living room; ~**kultur** *f* style of home décor; ~**lage** *f beste* ~*lage* prime location; *unsere* ~*lage ist schön* where we live is very nice; **w~lich** *adj* cosy *(Brit)*, cozy *(US)*; *es sich (dat)* **w~lich machen** to make oneself comfortable; ~**mobil** *nt* camper; ~**ort** *m* place of residence; ~**qualität** *f* quality of housing; ~**raum** *m* living room; *(no pl:* ~*fläche)* living space; ~**siedlung** *f* housing estate *(Brit)* or development; ~**silo** *nt (pej)* soulless tower block; ~**sitz** *m* domicile; *ohne festen* ~*sitz* of no fixed abode; ~**stadt** *f* residential town; ~**turm** *m* tower block.

Wohnung *f* flat *(Brit)*, apartment ▶ *1.000 neue* ~*en* 1,000 new homes.

Wohnungs-: ~**amt** *nt* housing office; ~**bau** *m no pl* house building *or* dev *or* art; ~**baugesellschaft** *f* housing association; ~**bauprogramm** *nt* housing programme *(Brit)* or program *(US)*; ~**besetzer(in** *f) m* - squatter;

△: Informationen zur Rechtschreibreform im Anhang

~inhaber *m* householder; (*Eigentümer auch*) owner-occupier; **w~los** *adj* homeless; **~makler** *m* estate agent (*Brit*), realtor (*US*); **~mangel** *m* housing shortage; **~markt** *m* housing market; **~not** *f* serious housing shortage; **~suche** *f* flat-hunting (*Brit*); *auf ~suche sein* to be looking for a flat (*Brit*) *or* an apartment; **~tür** *f* door (to the flat (*Brit*) *or* apartment); **~wechsel** *m* change of address.

Wohn-: **~viertel** *nt* residential area; **~wagen** *m* caravan (*Brit*), trailer (*US*); **~zimmer** *nt* living room.

wölben ① *vt* to curve; *Dach* to vault.
② *vr* to curve; (*Tapete*) to bulge out; (*Decke, Brücke*) to arch.

Wölbung *f* curvature; (*kuppelförmig*) dome; (*bogenförmig*) arch; (*von Körperteil*) curve.

Wolf *m ⁻e* ⓐ wolf ► *ein ~ im Schafspelz* a wolf in sheep's clothing; *mit den ⁻en heulen* (*fig*) to run with the pack. ⓑ (*Tech*) shredder; (*Fleisch~*) mincer (*Brit*), grinder (*US*).

Wölfin *f* she-wolf.

Wolfram *nt no pl* (*Chem*) tungsten.

Wolfs-: **~hund** *m* Alsatian (*Brit*), German shepherd; *irischer ~hund* Irish wolfhound; **~milch** *f* (*Bot*) spurge; **~rachen** *m* (*Med*) cleft palate; **~rudel** *nt* pack of wolves.

Wolga *f* Volga.

Wolke *f* **-n** (*lit, fig*) cloud ► *aus allen ~n fallen* (*fig*) to be flabbergasted (*col*).

Wolken-: **~bank** *f* cloudbank; **~bruch** *m* cloudburst; **w~bruchartig** *adj* torrential; **~decke** *f* cloud cover; **~kratzer** *m* skyscraper; **~kuckucksheim** *nt* cloud-cuckoo-land; **w~los** *adj* cloudless; **w~verhangen** *adj* overcast.

wolkig *adj* cloudy.

Wolldecke *f* (woollen (*Brit*) *or* woolen *US*) blanket.

Wolle *f* **-n** wool ► *sich mit jdm in die ~ kriegen* (*fig col*) to start squabbling with sb; *sich mit jdm in der ~ haben* (*fig col*) to be at loggerheads with sb.

wollen¹ *adj attr* woollen (*Brit*), woolen (*US*).

▼ **wollen²** ① *modal aux ptp ~* to want to ► *er will ein Haus kaufen* he wants to buy a house; *etw gerade tun ~* to be going to do sth; *wolltest du gerade weggehen?* were you just leaving?; *es sieht aus, als wollte es regnen* it looks as if it's going to rain; *es will einfach nicht klappen* it just won't work; *keiner will es gewesen sein* nobody will admit to it; *er will es gesehen haben* he claims to have seen it; *und so jemand or etwas* (*col*) *will Lehrer sein!* and he calls himself a teacher; *ich wollte, ich wäre ...* I wish I were ...; *darauf ~ wir mal anstoßen!* let's drink to that; *das will alles gut überlegt sein* that needs a lot of thought.
② *vti* to want ► *kommt er nun? — nein,* he is he coming? — no, he doesn't want to; *ich will nach Hause* I want to go home; *oh, das hab ich nicht gewollt* oh, I didn't mean to do that; *ich will, daß du genau zuhörst* I want you to listen carefully; *wer nicht will, der hat schon* if you don't like it, you can lump it (*col*); *ob du willst oder nicht* whether you like it or not; *er hat nichts zu ~* he has no say; *ich weiß nicht, was er will* (*verstehe ihn nicht*) I don't know what he's on about; *siehe* **gewollt**.

Woll-: **~faser** *f* wool fibre (*Brit*) *or* fiber (*US*); **~garn** *nt* woollen (*Brit*) *or* woolen (*US*) yarn.

wollig *adj* woolly.

Woll-: **~jacke** *f* cardigan; **~knäuel** *nt* ball of wool; **~sachen** *pl* woollens *pl* (*Brit*), woolens *pl* (*US*); **~stoff** *m* woollen (*Brit*) *or* woolen (*US*) material.

Wollust *f no pl* (*geh*) (*Sinnlichkeit*) sensuality; (*Lüsternheit*) lust.

wollüstig *adj* (*geh*) (*sinnlich*) sensual; (*lüstern*) lasciv-

ous.

Wollwaren *pl* woollens *pl* (*Brit*), woolens *pl* (*US*).

womit *adv* ⓐ *interrog* with what, what ... with ► *~ kann ich dienen?* what can I do for you? ⓑ *rel* with which; (*auf ganzen Satz bezüglich*) by which ► *das ist es, ~ ich nicht einverstanden bin* that's what I don't agree with; *~ ich nicht sagen will, daß ...* by which I don't mean that ...

womöglich *adv* possibly.

wonach *adv* ⓐ *interrog* after what, what ... after ► *~ sollen wir uns richten?* what should we go by? ⓑ *rel das war es, ~ ich mich erkundigen wollte* that was what I wanted to ask about.

Wonne *f* **-n** (*geh*) (*Glückseligkeit*) bliss *no pl*; (*Vergnügen*) joy, delight ► *die ~n der Liebe* the joys of love; *es ist eine wahre ~* it's a sheer delight.

wonnevoll *adj Gefühl* blissful; *Kind, Anblick* delightful ► *~ lächeln* to smile with delight.

wonnig *adj* delightful; *Gefühl* blissful.

woran *adv* ⓐ *interrog ~ liegt das?* what's the reason for it?; *~ denkst du?* what are you thinking about?; *~ ist er gestorben?* what did he die of? ⓑ *rel by which* ► *das, ~ ich mich gerne erinnere* what I like to recall; *~ ich merkte, daß ...* which made me realize that ...

worauf *adv* ⓐ *interrog* (*räumlich*) on what, what ... on ► *~ wartest du?* what are you waiting for? ⓑ *rel* (*zeitlich*) whereupon ► *~ er einen Wutanfall bekam* whereupon he flew into a rage; *~ du dich verlassen kannst* of that you can be sure.

woraus *adv* ⓐ *interrog* out of what, what ... out of ► *~ schließt du das?* from what do you deduce that? ⓑ *rel* out of which, which ... out of ► *~ ich schließe, daß ...* from which I conclude that ...

worden *ptp* **of werden 2** (c).

worin *adv siehe auch* **in** ⓐ *interrog* in what, what ... in ► *~ war das eingewickelt?* what was it wrapped in?; *~ liegt der Unterschied/Vorteil?* where is the difference/advantage? ⓑ *rel* in which, which ... in ► *das ist etwas, ~ wir nicht übereinstimmen* that's something we don't agree on.

Workstation *f* **-s** (*Comp*) work station.

Wort *nt* **-e** ⓐ *pl usu* **⁻er** (*Vokabel*) word ► *~ für ~* word for word.
ⓑ (*Äußerung*) word ► *genug der ~e!* enough talk!; *~en Taten folgen lassen* to suit the action to the word; *mit einem ~* in a word; *mit anderen ~en* in other words; *hast du (da noch) ~e!* it leaves you speechless; *mir fehlen die ~e* words fail me; *kein ~ von etw sagen* not to say one word about sth; *ich verstehe kein ~!* I don't understand a word (of it); (*hören*) I can't hear a word (that's being said); *ein ~ mit jdm sprechen* to have a word with sb; *ein ernstes ~ mit jdm reden* to have a serious talk with sb; *davon hat man mir kein ~ gesagt* they didn't say anything about that; *man kann sein eigenes ~ nicht (mehr) verstehen* you can't hear yourself speak; *um nicht viel(e) ~e zu machen* to make it brief; *jdm das ~ im Mund (her)umdrehen* to twist sb's words; *die passenden ~e für etw finden* to find the right words for sth; *jdm aufs ~ glauben* to believe sb implicitly; *jdm aufs ~ gehorchen* to obey sb's every word; *dabei habe ich auch (noch) ein ~ mitzureden* I (still) have something to say about that too.
ⓒ *no pl* (*Versprechen*) word ► *jdn beim ~ nehmen* to take sb at his word; *ich gebe Ihnen mein ~ darauf* I give you my word on it; *sein ~ halten* to keep one's word.
ⓓ *no pl das große ~ führen* (*col*) to shoot one's mouth off (*col*); *einer Sache* (*dat*) *das ~ reden* to put the case for sth; *das ~ an jdn richten* to address (oneself to) sb; *jdm ins ~ fallen* to interrupt sb; *zu ~*

► SATZBAUSTEINE: **wollen²: 1** → 10.1, 10.3, 11, 14.1, 14.2   **2** → 8.2, 12.2

kommen to get a chance to speak; *sich zu ~ melden* to ask to speak; *jdm das ~ erteilen* to allow sb to speak.

[e] (*Ausspruch*) saying; (*Zitat*) quotation; (*Rel*) Word ▸ *ein ~ Goethes* a quotation from Goethe.

[f] (*Text*) words *pl* ▸ *in ~en* in words; *in ~ und Bild* in words and pictures; *in ~ und Schrift* in speech and writing; *etw in ~e fassen* to put sth into words.

Wort-: **~art** *f* (*Gram*) part of speech; **~bruch** *m das wäre ein ~bruch* that would be breaking your/my *etc* word; **w~brüchig** *adj* false; **w~brüchig werden** to break one's word.

Wörtchen *nt dim of* **Wort** *da habe ich wohl ein ~ mitzureden* (*col*) I think I have some say in that.

Wörter-: **~buch** *nt* dictionary; **~verzeichnis** *nt* vocabulary; (*von Spezialbegriffen*) glossary.

Wort-: **~fetzen** *pl* snatches of conversation; **~führer(in** *f*) *m* spokesman/-woman; **~gebühr** *f* (*Telec*) rate per word; **~gefecht** *nt* battle of words; **w~getreu** *adj, adv* verbatim; **w~gewaltig** *adj* powerfully eloquent; **w~gewandt** *adj* eloquent; **w~karg** *adj* taciturn; **~klauberei** *f* quibbling; **~laut** *m* wording; *im ~laut* verbatim.

wörtlich *adj Bedeutung* literal; *Rede* direct ▸ *etw ~ wiedergeben* to repeat sth word for word; *das hat er ~ gesagt* those were his very words.

Wort-: **w~los** [1] *adj* silent; [2] *adv* without saying a word; **~meldung** *f wenn es keine weiteren ~meldungen gibt* if nobody else wishes to speak; **w~reich** *adj Rede, Erklärung etc* wordy; *Sprache* rich in vocabulary; **~schatz** *m* vocabulary; **~spiel** *nt* pun; **~stellung** *f* (*Gram*) word order; **~wahl** *f* choice of words; **~wechsel** *m* verbal exchange; **w~wörtlich** [1] *adj* word-for-word; [2] *adv* quite literally.

worüber *adv* [a] *interrog* about what, what ... about; (*örtlich*) over what, what ... over. [b] *rel* about which, which ... about; (*örtlich*) over which, which ... over.

worum *adv* [a] *interrog* about what, what ... about ▸ *~ handelt es sich?* what's it about? [b] *rel* about which, which ... about.

worunter *adv* [a] *interrog* under what, what ... under. [b] *rel* under which, which ... under.

wovon *adv* [a] *interrog* from what, what ... from. [b] *rel* from which, which ... from ▸ *das ist ein Gebiet, ~ er viel versteht* that is a subject he knows a lot about.

wovor *adv* [a] *interrog* (*örtlich*) before what, what ... before ▸ *~ fürchtest du dich?* what are you afraid of? [b] *rel* before which, which ... before.

wozu *adv* [a] *interrog* to what, what ... to; (*warum*) why ▸ *~ soll das gut sein?* what's the point of that? [b] *rel* to which, which ... to ▸ *das, ~ ich am meisten neige* what I'm most inclined to do.

Wrack *nt* **-s** wreck.

wringen *pret* **wrang**, *ptp* **gewrungen** *vti* to wring.

WS [veː'|ɛs] *nt* (*Univ*) = **Wintersemester.**

WSV [veː|ɛs'fau] *m* = **Winterschlußverkauf.**

Wucher *m no pl* profiteering ▸ *~ treiben* to profiteer; *das ist der reinste ~!* that's daylight robbery! (*col*).

Wucherer *m* - profiteer.

Wuchergeschäft *nt* profiteering *no pl.*

wucherisch *adj* profiteering; *Zinsen etc* extortionate.

wuchern *vi* [a] *aux sein or haben* (*Pflanzen*) to grow rampant. [b] (*Kaufmann etc*) to profiteer.

wuchernd *adj Pflanzen* rampant.

Wucherpreis *m* exorbitant price.

Wucherung *f* rank growth; (*Med*) growth.

Wucherzins *m* exorbitant interest *no pl.*

wuchs [vuːks] *pret of* **wachsen¹.**

Wuchs [vuːks] *m no pl* (*Wachstum*) growth; (*von Mensch*) stature.

Wucht *f no pl* force ▸ *mit voller ~* with full force; *er ist*

eine ~! (*col*) he's smashing! (*col*).

wuchten *vti* to heave.

⚠**Wuchtgeschoß** *nt* rubber bullet.

wuchtig *adj* massive; *Schlag* powerful.

wühlen [1] *vi* [a] (*nach* for) to dig; (*Maulwurf etc*) to burrow; (*Schwein, Vogel*) to root ▸ *in den Haaren ~* to run one's fingers through one's hair. [b] (*suchen*) to rummage (*nach etw* for sth) ▸ *in den Schubladen ~* to rummage through the drawers. [c] (*Untergrundarbeit leisten*) to stir things up. [2] *vr sich durch etw ~* to burrow one's way through sth.

Wühl-: **~maus** *f* vole; **~tisch** *m* (*col*) bargain counter.

Wulst *m or f* **=e** bulge.

wulstig *adj* bulging; *Rand, Lippen* thick.

wund *adj* sore ▸ *sich* (*dat*) *die Füße ~ laufen* (*lit*) to get sore feet from walking; (*fig*) to walk one's legs off; *ein ~er Punkt* a sore point.

Wundbrand *m* gangrene.

Wunde *f* **-n** (*lit, fig*) wound ▸ *alte ~n wieder aufreißen* (*fig*) to open up old sores; *an eine alte ~ rühren* (*fig geh*) to touch on a sore point; *Salz in eine/jds ~ streuen* (*fig*) to turn the knife in the wound.

Wunder *nt* - miracle (*auch Rel*), wonder ▸ *~ wirken* to work miracles; *das grenzt an ein ~* it verges on the miraculous; *die ~ der Natur* the wonders of nature; *es ist ein/kein ~, daß ...* it's a wonder/no wonder *or* little wonder that ...; *ist es ein ~, daß er dick ist?* is it any wonder that he's fat?

wunder *adv inv meine Eltern denken, es ist ~ was passiert* my parents think goodness knows what has happened; *er glaubt, er ist ~ wer* he thinks he's so fantastic.

wunderbar *adj* [a] wonderful. [b] (*übernatürlich*) miraculous.

wunderbarerweise *adv* miraculously.

Wunder-: **~droge** *f* wonder drug; **w~gläubig** *adj w~gläubig sein* to believe in miracles; **~heiler** *m* faith-healer; **~kerze** *f* sparkler; **~kind** *nt* child prodigy; **~land** *nt* wonderland; **w~lich** *adj* [a] (*merkwürdig*) strange, odd; [b] (*w~sam*) wondrous; **~mittel** *nt* miracle cure.

wundern [1] *vr* to be surprised (*über* +*acc* at) ▸ *du wirst dich ~!* you'll be amazed!; *ich wundere mich über gar nichts mehr* nothing surprises me any more; *dann darfst du dich nicht ~, wenn ...* then don't be surprised if ...

[2] *vt, vt impers* to surprise ▸ *es wundert mich, daß er noch nicht hier ist* I'm surprised that he isn't here yet; *das würde mich nicht ~* I shouldn't be surprised.

Wunder-: **w~schön** *adj* beautiful; **~täter** *m* miracle worker; **w~tätig** *adj* miraculous; *Leben, Heilige* miracle-working; **~tüte** *f* surprise packet; **w~voll** *adj* marvellous (*Brit*), marvelous (*US*); **~waffe** *f* wonder weapon; **~werk** *nt* miracle.

Wund-: **~fieber** *nt* traumatic fever; **~infektion** *f* wound infection; **w~liegen** ⚠ *vr sep irreg* to get bedsores; **~pflaster** *nt* adhesive plaster; **~salbe** *f* ointment; **~starrkrampf** *m* tetanus.

Wunsch *m* **=e** [a] wish; (*sehnliches Verlangen*) desire; (*Bitte*) request ▸ *ein Pferd war schon immer mein ~* I've always wanted a horse; *haben Sie (sonst) noch einen ~?* (*beim Einkauf etc*) is there anything else you'd like?; *alles geht nach ~* everything is going smoothly; *auf ~* on request; *auf jds (besonderen/ausdrücklichen) ~ hin* at sb's (special/express) request. [b] *usu pl* (*Glückwunsch*) wish.

Wunsch-: **~bild** *nt* ideal; **~denken** *nt* wishful thinking.

Wünschelrute *f* divining rod.

wünschen [1] *vt* [a] *sich* (*dat*) *etw ~* to want sth; (*den*

Wunsch äußern) to ask for sth; *ich wünsche mir das* I would like that; *ich wünsche mir, daß du ...* I would like you to ...; *das habe ich mir von meinen Eltern zu Weihnachten gewünscht* I asked my parents to give me that for Christmas; *er wünscht sich* (*dat*) *diesen Mann als Lehrer* he wishes that this man was his teacher; *was wünschst du dir?* what would you like?; *du darfst dir etwas ~* you may make a wish; *sie haben alles, was man sich* (*dat*) *nur ~ kann* they have everything you could possibly wish for.

[b] *jdm etw ~* to wish sb sth; *jdm einen guten Morgen ~* to wish sb good morning; *wir ~ dir gute Besserung/eine gute Reise* we hope you get well soon/have a pleasant journey; *ich wünschte, ich hätte dich nie gesehen* I wish I'd never seen you.

[c] (*begehren, verlangen*) to want ▶ *was ~ Sie?* (*in Geschäft*) what can I do for you?; (*in Restaurant*) what would you like?; *wen ~ Sie zu sprechen?* to whom would you like to speak?

[2] *vi* to wish ▶ *Sie ~?* what can I do for you?; *ganz wie Sie ~* (just) as you wish; *zu ~/viel zu ~ übrig lassen* to leave something/a great deal to be desired.

▼ **wünschenswert** *adj* desirable.

Wunsch-: **w~gemäß** *adv* as requested; **~kind** *nt* wanted child; *sie war ein ~kind* she was planned; **~konzert** *nt* (*Rad*) musical request programme (*Brit*) or program (*US*); **w~los** *adj* content(ed); **w~los glücklich** perfectly happy; **~partner** *m* ideal partner; **~sendung** *f* (*Rad*) request programme (*Brit*) or program (*US*); **~traum** *m* dream; *das ist doch bloß ein ~traum* that's just a pipe-dream; **~zettel** *m* list of things one would like.

wurde *pret of* **werden**.

Würde *f* -n [a] *no pl* dignity ▶ *unter aller ~ sein* to be beneath contempt; *unter jds ~ sein* to be beneath sb *or* sb's dignity. [b] (*Auszeichnung*) honour (*Brit*), honor (*US*); (*Titel*) title; (*Amt*) rank.

würdelos *adj* undignified.

Würdenträger(in *f*) *m* - dignitary.

würdevoll *adj* = **würdig (a).**

würdig *adj* [a] dignified ▶ *sich ~ verhalten* to behave with dignity. [b] (*wert*) worthy ▶ *jds/einer Sache* (*gen*) *~/nicht ~ sein* to be worthy/unworthy of sb/sth.

würdigen *vt* [a] to appreciate; (*lobend erwähnen*) to acknowledge; (*ehren*) to pay tribute to ▶ *etw zu ~ wissen* to appreciate sth. [b] (*geh*) *jdn einer Sache* (*gen*) *~* to deem sb worthy of sth; *jdn keines Blickes ~* not to deign to look at sb.

Würdigung *f* [a] *siehe vt* appreciation; acknowledgement; (*Ehrung*) honour (*Brit*), honor (*US*). [b] (*Rede, Artikel*) appreciation.

Wurf *m* -e [a] throw; (*beim Kegeln etc*) bowl ▶ *mit dem Film ist ihm ein großer ~ gelungen* this film is a big hit for him (*col*). [b] *no pl* (*das Werfen*) throwing. [c] (*Zool*) litter.

Würfel *m* - [a] dice ▶ *~ spielen* to play at dice; *die ~ sind gefallen* the die is cast. [b] (*Math*) cube; (*Zucker~*) lump.

Würfel-: **~becher** *m* shaker; **w~förmig** *adj* cube-shaped.

würfeln *vti* to throw; (*Würfel spielen*) to play at dice ▶ *um etw ~* to throw dice for sth.

Würfel-: **~spiel** *nt* (*Partie*) game of dice; (*Spielart*) dice; **~zucker** *m* cube sugar.

Wurf-: **~geschoß** △ *nt* projectile; **~messer** *nt* throwing knife; **~pfeil** *m* dart; **~ring** *m* quoit; **~sendung** *f* circular; (*unerwünscht*) (item of) junk mail; **~speer** *m* javelin; **~waffe** *f* missile.

Würgegriff *m* (*lit, fig*) stranglehold.

würgen [1] *vt jdn* to throttle; (*fig: Angst*) to choke.

[2] *vi* [a] to choke ▶ *an etw* (*dat*) *~* to choke on sth, to gag. [b] (*beim Erbrechen*) to retch ▶ *mit Hängen und W~* by the skin of one's teeth.

Wurm¹ *m* -er worm; (*Made*) maggot ▶ *da steckt der ~ drin* (*fig col*) there's something wrong somewhere; (*verdächtig*) there's something fishy about it (*col*).

Wurm² *nt* -er (*col: Kind*) (little) mite.

wurmen *vt, vt impers* (*col*) to rankle with.

wurmig *adj Obst* maggoty.

Wurm-: **~kur** *f* worming treatment; **~mittel** *nt* medicament against intestinal worms, vermifuge (*spec*); **w~stichig** *adj Holz* full of worm-holes; (*madig auch*) *Obst* maggoty.

Wurst *f* -e sausage; (*col: Kot*) turd (*col!*) ▶ *jetzt geht es um die ~* (*fig col*) the moment of truth has come; *das ist mir ~ or Wurscht* (*col*) I don't give a damn (*col*).

Wurst-: **~aufschnitt** *m* assortment of sliced sausage; **~brot** *nt* open sausage sandwich; (*zusammengeklappt*) sausage sandwich.

Würstchen *nt* [a] *dim of* **Wurst** small sausage ▶ *heiße or warme ~* hot sausages. [b] (*pej: Mensch*) squirt (*col*), nobody ▶ *ein armes ~* (*fig*) a poor soul.

Würstchen-: **~bude** *f*, **~stand** *m* sausage stand; hot-dog stand.

wursteln *vi* (*col*) to muddle along ▶ *sich durchs Leben ~* to muddle through life.

Wurstfinger *pl* (*pej col*) podgy fingers *pl*.

wurstig *adj* (*col*) couldn't-care-less *attr*.

Wurstigkeit *f* (*col*) couldn't-care-less attitude (*col*).

Wurst-: **~salat** *m* sausage salad; **~waren** *pl* sausages *pl*; **~zipfel** *m* sausage end.

Würze *f* -n (*Gewürz*) seasoning, spice; (*Aroma*) aroma; (*fig: Reiz*) spice.

Wurzel *f* -n [a] (*lit, fig*) root ▶ *etw mit der ~ ausrotten* (*fig*) to eradicate sth; *~n schlagen* (*lit*) to root; (*fig*) to put down roots. [b] (*Math*) root ▶ *~n ziehen* to find the roots; *(die) ~ aus 4 ist 2* the square root of 4 is 2.

Wurzel-: **~gemüse** *nt* root vegetables *pl*; **w~los** *adj* (*lit, fig*) rootless.

wurzeln *vi* (*lit, fig*) to be rooted.

Wurzel-: **~werk** *nt no pl* root system; **~zeichen** *nt* (*Math*) radical sign.

würzen *vt* (*lit, fig*) to season.

würzig *adj Speise* tasty; (*scharf*) spicy; *Luft* tangy; *Wein, Bier* full-bodied.

wusch *pret of* **waschen**.

Wuschelhaar *nt* (*col*) mop of curly hair.

wusch(e)lig *adj* (*col*) *Tier* shaggy; *Haare* fuzzy.

Wuschelkopf *m* (*Mensch*) fuzzy-head (*col*).

△ **wußte** *pret of* **wissen**.

Wust *m no pl* (*col*) (*Durcheinander*) jumble; (*Menge*) pile.

wüst *adj* [a] (*öde*) desert *attr*, desolate. [b] (*unordentlich*) wild ▶ *~ aussehen* to look a real mess. [c] (*ausschweifend*) wild ▶ *~ feiern* to have a wild party. [d] (*rüde*) *Beschimpfung* vile ▶ *jdn ~ beschimpfen* to use foul language to sb.

Wüste *f* -n (*lit, fig*) desert; (*Ödland*) waste ▶ *die ~ Gobi* the Gobi Desert; *jdn in die ~ schicken* (*fig*) to send sb packing (*col*).

Wüsten-: **~fuchs** *m* desert fox; **~könig** *m* (*poet*) king of the desert (*poet*); **~schiff** *nt* (*poet*) ship of the desert (*poet*).

Wüstling *m* lecher.

Wut *f no pl* [a] (*Zorn, Raserei*) rage ▶ *(auf jdn/etw) eine ~ haben* to be furious (with sb/sth); *eine ~ im Bauch haben* (*col*) to be seething; *eine ~ haben* to be in a rage; *in ~ geraten* to fly into a rage; *jdn in ~ versetzen* to infuriate sb. [b] (*Verbissenheit*) frenzy ▶ *mit einer wahren ~* like crazy (*col*).

▶ SATZBAUSTEINE: **wünschenswert** → 10.3

Wut-: **~anfall** *m* fit of rage; (*esp von Kind*) tantrum; **~ausbruch** *m* outburst of fury.

wüten *vi* (*lit, fig*) (*toben*) to rage; (*zerstörerisch hausen*) to cause havoc.

wütend *adj* furious, enraged; *Menge* angry ▶ *auf jdn/etw* (*acc*) *~ sein* to be mad at sb/sth.

wut|entbrannt *adj* furious, enraged ▶ *~ hinauslaufen* to leave in a rage.

Wüterich *m* brute.

wut-: **~schnaubend** *adj* snorting with rage; **~verzerrt** *adj* distorted with rage.

Wwe. = **Witwe**.

Wz = **Warenzeichen** TM.

X

X, x [ɪks] *nt* -, - X, x ▶ *Herr X* Mr X; *jdm ein X für ein U vormachen* to put one over on sb (*col*); *X wie Xanthippe* ≃ X for Xmas.

Xanthippe [ksan'tɪpə] *f* -n (*fig col*) shrew.

X-Beine ['ɪks-] *pl* knock-knees *pl*.

X-beinig ['ɪks-] *adj* knock-kneed.

x-beliebig [ɪks-] *adj* any old (*col*) ▶ *wir können uns an einem ~en Ort treffen* we can meet anywhere you like *or* any old place you like (*col*).

⚠**xerographieren*** [kserogra'fiːrən] *vti insep* to Xerox ®.

Xerokopie [kseroko'piː] *f* Xerox ® (copy).

xerokopieren* [kseroko'piːrən] *vti insep* to Xerox.

x-fach ['ɪks-] *adj die ~e Menge* (*Math*) n times the amount.

x-mal ['ɪks-] *adv* (*col*) n (number of) times (*col*).

x-te ['ɪkstə] *adj* (*Math, col*) nth ▶ *zum ~n Male* for the nth *or* umpteenth time (*col*).

⚠**Xylophon** [ksylo'foːn] *nt* -e xylophone.

Y

Y, y ['ʏpsilɔn] *nt* -, - Y, y ▸ *Y wie Ypsilon* ≃ Y for yellow, Y for yoke (*US*).
Yankee ['jɛŋki] *m* -s (*pej*) Yankee, yank.
Yen [jɛn] *m* -(s) yen.
Yeti ['jeːti] *m* -s yeti, abominable snowman.
Yoga ['joːgɑ] *m or nt no pl* yoga.

Yogi ['joːgi] *m* -s yogi.
Ypsilon ['ʏpsilɔn] *nt* -s y.
Ytong ® ['yːtɔŋ] *m* -s breeze block, cinder block (*US*).
Yucca ['jʊka] *f* -s yucca.
Yuppie ['jʊpiː, 'japiː] *m* -s yuppie.

Z

Z, z [tsɛt] *nt* -, - Z, z ► *Z wie Zacharias* ≈ Z for Zebra.
Zack *m no pl* (*col*) **auf ~ sein** to be on the ball (*col*).
zack *interj* (*col*) pow, zap (*col*) ► **~ ~ ~!** chop-chop! (*col*); **bei uns muß alles ~, ~ gehen** we have to do everything chop-chop (*col*).
Zacke *f* -n, **Zacken** *m* - point; (*von Gabel*) prong; (*von Kamm*) tooth; (*Berg~*) jagged peak.
zacken *vt* to serrate; *Saum, Papier* to pink.
zackig *adj* a (*gezackt*) jagged. b (*col*) *Soldat* smart; *Tempo, Musik* brisk ► **... aber ein bißchen ~!** ... and make it snappy (*col*)!
zaghaft *adj* timid.
Zaghaftigkeit *f* timidity.
Zagreb *nt* Zagreb.
zäh *adj* tough; (*dickflüssig*) glutinous; *Verkehr etc* slow-moving; (*ausdauernd*) dogged ► **ein ~es Leben haben** to have a tenacious hold on life; (*fig: Idee etc*) to die hard.
zähflüssig *adj* viscous; *Verkehr* slow-moving.
Zähigkeit *f* toughness; (*Ausdauer*) doggedness.
Zahl *f* -en number; (*in Statistik, als Größe auch*) figure ► **~en nennen** to give figures; **eine fünfstellige ~** a five-figure number; **in großer ~** in great numbers.
zahlbar *adj* payable (*an* +acc to).
zählbar *adj* countable.
zählebig *adj* hardy; *Vorurteil* persistent.
zahlen *vti* to pay ► **Herr Ober, (bitte) ~!** waiter, the bill *or* check (*US*) please; **dort zahlt man gut/schlecht** they pay well/badly; **wenn er nicht bald zahlt, dann ...** if he doesn't pay up soon, then ...; **laß mal, ich zahl's** no no, I'll pay; **ich zahle dir ein Bier** I'll buy you a beer.
zählen 1 *vi* a to count. b (*gehören*) **er zählt zu den besten Schriftstellern unserer Zeit** he ranks as one of the best authors of our time; **zählt Aids zu den unheilbaren Krankheiten?** is AIDS an incurable disease? c (*sich verlassen*) **auf jdn/etw ~** to count on sb/sth. d (*gelten*) to count. 2 *vt* to count ► **seine Tage sind gezählt** his days are numbered; **der König zählt 5 Punkte** (*Cards*) the King counts as 5 points.
Zahlen-: **~angabe** *f* figure; **ich kann keine genauen ~angaben machen** I can't quote any precise figures; **~folge** *f* sequence of numbers; **~gedächtnis** *nt* memory for numbers; **~kombination** *f* combination (of figures); **z~mäßig** *adj* numerical; **z~mäßig überlegen** superior in numbers; **~material** *nt* figures *pl*; **~schloß** △ *nt* combination lock; **~verhältnis** *nt* (numerical) ratio; **~verriegelung** *f* (*Comp*) numbers lock.
Zähler *m* - a (*Math*) numerator. b (*Meßgerät*) meter.
Zählerstand *m* meter reading.
Zahl-: **~grenze** *f* fare stage; **~karte** *f* transfer form; **z~los** *adj* countless, innumerable; **~meister** *m* (*Naut*) purser; **z~reich** *adj* numerous; **~stelle** *f* payments office; **~tag** *m* payday.
Zahlung *f* payment ► **in ~ geben/nehmen** to give/take in part-exchange; **gegen eine ~ von $ 500 erhalten Sie ...** on payment of $500 you will receive ...
Zählung *f* count.
Zahlungs-: **~anweisung** *f* transfer order; **~aufforderung** *f* request for payment; **~aufschub** *m* extension (of credit); **~bedingungen** *pl* terms (of payment) *pl*;

~befehl *m* order to pay; **~bilanz** *f* balance of payments; **~empfänger** *m* payee; **z~fähig** *adj* able to pay; *Firma* solvent; **~fähigkeit** *f* ability to pay; solvency; **~frist** *f* period allowed for payment; **z~kräftig** *adj* wealthy; **~mittel** *nt* means *sing* of payment; (*Münzen, Banknoten*) currency; **gesetzliches ~mittel** legal tender; **z~pflichtig** *adj* obliged to pay; **~rückstände** *pl* arrears *pl*; **~schwierigkeiten** *pl* financial difficulties *pl*; **z~unfähig** *adj* unable to pay; *Firma* insolvent; **~unfähigkeit** *f* inability to pay; insolvency; **z~unwillig** *adj* unwilling to pay; **~verkehr** *m* transactions *pl*, payments *pl*; **elektronischer ~verkehr** electronic funds transfer; **~verpflichtung** *f* obligation to pay; **~verzug** *m* default; **~weise** *f* method of payment; **z~willig** *adj* willing to pay.
Zahlwerk *nt* counter.
Zahlwort *nt* numeral.
zahm *adj* tame.
zähmen *vt* to tame; (*fig*) *Leidenschaft* to control.
Zahn *m* ⁻e tooth; (*von Briefmarke*) perforation; (*Rad~*) cog ► **künstliche ⁻e** false teeth; **⁻e bekommen** to cut one's teeth; **die ersten/zweiten ⁻e** one's milk teeth/second set of teeth; **die dritten ⁻e** (*hum*) false teeth; **diese Portion reicht** *or* **ist für den hohlen ~** (*col*) that's hardly enough to satisfy a mouse (*col*); **der ~ der Zeit** the ravages *pl* of time; **die ⁻e zeigen** to bare one's teeth; (*fig col*) to show one's teeth; **jdm einen ~ ziehen** (*lit*) to pull one of sb's teeth out; (*fig*) to put an idea out of sb's head; **jdm auf den ~ fühlen** (*aushorchen*) to sound sb out; (*streng befragen*) to give sb a grilling; **einen ~ draufhaben** (*col: Geschwindigkeit*) to be going like the clappers (*col*); **einen ~ zulegen** (*col*) to get a move on (*col*).
Zahn-: **~arzt** *m* dentist; **z~ärztlich** *adj* dental; **~arztpraxis** *f* dentist's surgery (*Brit*) *or* office (*US*); **~belag** *m* plaque; **~bürste** *f* toothbrush; **~creme** *f* toothpaste.
zähne-: **~fletschend** *adj attr, adv* snarling, **~klappernd** *adj attr, adv* with teeth chattering; **~knirschend** *adj attr, adv* (*fig*) gnashing one's teeth.
zahnen *vi* to teethe.
Zahn-: **~ersatz** *m* dentures *pl*; **~faule** *f* tooth decay; **~fleisch** *nt* gum(s *pl*); **auf dem ~fleisch gehen** (*col*) to be all in (*col*), to be on one's last legs (*col*); **~fleischbluten** *nt* bleeding of the gums; **~füllung** *f* filling; **~heilkunde** *f* dentistry; **~höhle** *f* pulp cavity; **~klammer** *f* brace; **~klinik** *f* dental hospital; **~krone** *f* crown; **z~los** *adj* toothless; **~lücke** *f* gap between one's teeth; **~medizin** *f* dentistry; **~pasta** *f* toothpaste; **~pflege** *f* dental hygiene; **~prothese** *f* (set of) dentures; **~pulver** *nt* tooth powder; **~putzbecher** *m* tooth mug; **~rad** *nt* cogwheel; **~radbahn** *f* rack-railway (*Brit*), rack-railroad (*US*); **~radgetriebe** *nt* gear mechanism; **~schmelz** *m* (tooth) enamel; **~schmerz** *m usu pl* toothache *no pl*; **~seide** *f* dental floss; **~spange** *f* brace; **~stein** *m* tartar; **~stocher** *m* - toothpick; **~techniker** *m* dental technician; **~weh** *nt* toothache; **~wurzel** *f* root (of a/the tooth).
Zaire [za'iːr] *nt* Zaire.
Zander *m* - (*Zool*) pike-perch.

△: for details of spelling reform, see supplement

Zange *f* -n (*Flach~*, *Rund~*) (pair of) pliers *pl*; (*Beiß~*) (pair of) pincers *pl*; (*Greif~*, *Zucker~*) (pair of) tongs *pl*; (*von Tier*) pincers *pl* ▶ *jdn in die ~ nehmen* (*fig*) to put the screws on sb (*col*).

Zangengeburt *f* forceps delivery.

Zank *m* no *pl* squabble ▶ *~ und Streit* trouble and strife.

Zank|apfel *m* (*fig*) bone of contention.

zanken *vir* to squabble ▶ *(sich) um etw ~* to quarrel over sth.

zänkisch *adj* quarrelsome; *Weib* nagging *attr*.

Zäpfchen *nt* (*Gaumen~*) uvula.

Zapfen *m* - (*Spund*) bung; (*Tannen~ etc*) cone; (*Holzverbindung*) tenon.

zapfen *vt* to tap, to draw.

Zapfenstreich *m* (*Mil*) tattoo.

Zapf-: **~hahn** *m* tap; **~säule** *f* petrol pump (*Brit*), gas pump (*US*).

zapp(e)lig *adj* wriggly; (*unruhig*) fidgety.

zappeln *vi* to wriggle; (*unruhig sein*) to fidget ▶ *jdn ~ lassen* (*fig col*) to keep sb in suspense.

zappen ['zɛpn] *vi* (*col*) to zap (*col*) ▶ *in den Konkurrenzkanal ~* to zap over to the other channel (*col*); *Z~ macht Spaß* zapping is fun (*col*).

Zar *m* (*wk*) -en, -en tsar.

Zarin *f* tsarina.

zaristisch *adj* tsarist *no adv*.

zart *adj Haut*, *Töne* soft; *Braten*, *Gemüse* tender; *Gebäck*, *Teint*, *Kind*, *Gefühle* delicate; *Berührung* gentle ▶ *im ~en Alter von ...* at the tender age of ...; *~ besaitet sein* to be very sensitive.

Zart-: **z~besaitet** ⚠ *adj attr* highly sensitive; **z~bitter** *adj Schokolade* plain; **z~fühlend** *adj* sensitive; **~gefühl** *nt* delicacy of feeling, sensitivity.

Zartheit *f siehe adj* softness; tenderness; delicacy; gentleness.

zärtlich *adj* tender, affectionate.

Zärtlichkeit *f* **a** no *pl* affection, tenderness. **b** (*Liebkosung*) caress ▶ *~en* (*Worte*) loving words.

Zaster *m* no *pl* (*col*) lolly (*col*).

Zäsur *f* caesura; (*fig*) break.

Zauber *m* - (*lit, fig*) magic ▶ *fauler ~* (*col*) humbug *no indef art*; *der ganze ~* (*col*) the whole caboodle (*col*).

Zauberei *f* no *pl* magic.

Zauberer *m* - magician.

Zauber-: **~formel** *f* magic formula; **z~haft** *adj* enchanting; **~hand** *f*: *wie von* or *durch ~hand* as if by magic.

Zauberin *f* (female) magician.

Zauber-: **~kunst** *f* magic; **~künstler** *m* conjurer; **~kunststück** *nt* conjuring trick; **~mittel** *nt* magical cure; (*Trank*) magic potion.

zaubern **1** *vi* to do magic; (*Kunststücke vorführen*) to do conjuring tricks ▶ *ich kann doch nicht ~!* (*col*) I'm not a magician! **2** *vt etw aus etw ~* to conjure sth out of sth.

Zauber-: **~spruch** *m* spell; **~stab** *m* wand; **~trank** *m* magic potion; **~trick** *m* conjuring trick; **~wort** *nt* magic word.

Zauderer *m* - vacillator.

zaudern *vi* to vacillate ▶ *etw ohne zu ~ tun* to do sth without hesitating.

Zaum *m*, *pl* **Zäume** bridle ▶ *jdn/etw im ~ halten* (*fig*) to keep a tight rein on sb/sth; *seine Ungeduld im ~e halten* (*fig*) to control one's impatience.

zäumen *vt* to bridle.

Zaumzeug *nt* bridle.

Zaun *m*, *pl* **Zäune** fence ▶ *einen Streit vom ~ brechen* to pick a quarrel.

Zaun-: **~gast** *m* mere onlooker; **~könig** *m* (*Orn*) wren; **~pfahl** *m* (fencing) post; *jdm einen Wink mit dem ~pfahl geben* to drop sb a broad hint.

zausen *vt* to ruffle; *Haare* to tousle.

z.B. = **zum Beispiel** e.g.

ZDF [tsetde:|ɛf] = **Zweites Deutsches Fernsehen**.

┌─ *ZDF* ─────────────────────────────┐

ⓘ The **ZDF** (*Zweites Deutsches Fernsehen*) is the second German television channel. It was founded in 1961 and is based in Mainz. It is financed by licence fees and advertising. About 40% of its transmissions are news and education programmes.

└────────────────────────────────────┘

Zebra *nt* -s zebra.

Zebrastreifen *m* zebra crossing (*Brit*), crosswalk (*US*).

Zeche *f* -n **a** (*Rechnung*) bill, check (*US*) ▶ *die (ganze) ~ (be)zahlen* (*lit, fig*) to foot the bill. **b** (*Bergwerk*) (coal) mine.

zechen *vi* to booze (*col*), to drink.

Zecher(in *f*) *m* - boozer (*col*), drinker.

Zech-: **~kumpan** *m* (*col*) drinking mate; **~preller** *m* - person who leaves a bar/restaurant without paying the bill; **~prellerei** *f* leaving without paying the bill in a bar/restaurant; **~tour** *f* pub crawl (*esp Brit col*), bar hop (*US col*).

Zecke *f* -n tick.

Zeder *f* -n cedar.

Zeh *m* -en, **Zehe** *f* -n toe; (*Knoblauch~*) clove ▶ *jdm auf die ~en treten* (*lit, fig*) to tread on sb's toes.

Zehen-: **~nagel** *m* toenail; **~spitze** *f* tip of the toe; *auf (den) ~spitzen* on tiptoe; *auf (den) ~spitzen gehen* to tiptoe.

zehn *num* ten; *siehe* **vier.**

Zehn *f* -en ten; *siehe* **Vier.**

Zehner *m* - **a** (*Math*) ten. **b** (*col*) (*Groschen*) ten-pfennig piece; (*Schein*) ten mark note (*Brit*) or bill (*US*), ≈ tenner (*col*).

Zehner-: **~karte** *f* (*für Bus etc*) 10-journey ticket; (*für Schwimmbad etc*) 10-visit ticket; **~packung** *f* packet of ten; **~system** *nt* decimal system; **~tastatur** *f* (*Comp*) numeric keypad.

Zehn-: **~fingersystem** *nt* touch-typing method; **~kampf** *m* (*Sport*) decathlon; **~markschein** *m* ten mark note (*Brit*) or bill (*US*).

zehntausend *num* ten thousand ▶ *Z~e von Menschen* tens of thousands of people.

Zehntel *nt* - tenth.

zehnte(r, s) *adj* tenth; *siehe* **vierte(r, s).**

zehren *vi* **a** *von etw ~* (*lit*) to live off sth; (*fig*) to feed on sth. **b** *an jdm* or *jds Kräften ~* to drain or sap sb's strength; *an jds Gesundheit ~* to undermine sb's health.

Zeichen *nt* - sign; (*Sci, auf Landkarte*) symbol; (*Schrift~*, *Comp*) character; (*Hinweis, Signal*) signal; (*Erkennungs~*) identification; (*Vermerk*) mark ▶ *es ist ein ~ unserer Zeit, daß ...* it is a sign of the times that ...; *als ~ von etw* as a sign of sth; *als ~ der Verehrung* as a token of respect; *jdm ein ~ geben* to give sb a signal; *unser/Ihr ~* (*form*) our/your reference; *er ist im ~* or *unter dem ~ des Widders geboren* he was born under the sign of Aries; *unter dem ~ von etw stehen* (*fig: Konferenz etc*) to take place against a background of sth.

Zeichen-: **~block** *m* sketch pad; **~brett** *nt* drawing board; **~code** *m* (*Comp*) character code; **~erklärung** *f* (*auf Fahrplänen etc*) key (to the symbols); (*auf Landkarte*) legend; **~folge** *f* (*Comp*) string; **~kette** *f* (*Comp*) character string; **~lehrer** *m* art teacher; **~papier** *nt* drawing paper; **~saal** *m* (*Sch*) art room; **~satz** *m* (*Comp*) character set; **~setzung** *f* punctuation; **~sprache** *f* sign language; **~stift** *m* drawing pencil; **~stunde** *f* art lesson; **~system** *nt* notation; **~tisch** *m* drawing table; **~trickfilm** *m* (animated) cartoon; **~unterricht** *m* art teaching; (*Unterrichtsstunde*) art lesson.

---

zeichnen 1 vt a to draw; (entwerfen) Plan to draft. b (kennzeichnen) to mark. 2 vi to draw ▶ gezeichnet: XY signed, XY; für etw verantwortlich ~ (form) to be responsible for sth.

Zeichner(in f) m - draughtsman/-woman (Brit), draftsman/-woman (US); (Art auch) artist.

zeichnerisch 1 adj Darstellung graphic ▶ sein ~es Können his drawing ability. 2 adv ~ begabt sein to have a talent for drawing.

Zeichnung f a drawing. b (Muster) pattern; (von Gefieder, Fell) markings pl.

zeichnungsberechtigt adj authorized to sign.

Zeigefinger m index finger, forefinger.

zeigen 1 vi to point (auf +acc to). 2 vt to show ▶ jdm etw ~ to show sb sth or sth to sb; dem werd' ich's (aber) ~! (col) I'll show him!; zeig mal, was du kannst! let's see what you can do! 3 vr to appear; (Gefühle) to show ▶ in dem Kleid kann ich mich doch nicht ~ I can't be seen in this dress; er zeigte sich befriedigt he gave every sign of being satisfied; es zeigt sich, daß ... it turns out that ...; es wird sich ~, wer recht hat we shall see who's right.

Zeiger m - pointer; (Uhr~) hand.

Zeigestock m pointer.

Zeile f -n line ▶ vielen Dank für Deine ~n many thanks for your letter; zwischen den ~n between the lines.

Zeilen-: ~abstand m line spacing; ~drucker m line printer; ~schalter m line spacer; ~umbruch m (automatischer) ~umbruch (Comp) wordwrap; ~vorschub m line feed.

Zeisig m -e (Orn) siskin.

Zeit f -en a time; (Epoche) age ▶ die gute alte ~ the good old days; das waren noch ~en! those were the days; die ~ Goethes the age of Goethe; für alle ~en for ever; mit der ~ gehen to move with the times; die ~ wird knapp time is running out; die ~ wurde mir lang time hung heavy on my hands; eine Stunde ~ haben to have an hour (to spare); haben Sie vielleicht einen Augenblick ~? do you have a moment?; sich (dat) für jdn/etw ~ nehmen to devote time to sb/sth; damit hat es noch ~ there's no hurry; das hat ~ bis morgen that can wait until tomorrow; laß dir ~ take your time; auf unbestimmte ~ for an indefinite period; in letzter ~ recently; die ganze ~ über the whole time; mit der ~ (allmählich) in time; nach ~ bezahlt werden to be paid by the hour; auf ~ spielen (Sport, fig) to play for time; es wird ~, daß wir gehen it's about time we left; Soldat auf ~ soldier serving for a set time; seit dieser ~ since then; zur ~ Königin Viktorias in Queen Victoria's times; zu der ~, als ... (at the time) when ...; von ~ zu ~ from time to time; zur ~ at the moment. b (Ling) tense.

zeit prep +gen ~ meines Lebens in my lifetime.

Zeit-: ~abschnitt m period (of time); ~alter nt age; ~angabe f time; (Datum) date; ~ansage f (Rad) time check; (Telec) speaking clock; ~arbeit f temporary work/job; ~aufnahme f (Phot) time exposure; ~aufwand m time (needed for a task); mit großem ~aufwand verbunden sein to be extremely time-consuming; ~bombe f time bomb; ~druck m pressure of time; unter ~druck under pressure; ~fahren nt (Radsport) time trial; ~fehler m time fault; ~frage f question of time; ~gefühl nt sense of time; ~geist m spirit of the times; z~gemäß adj up-to-date; z~gemäß sein to be in keeping with the times or (in der Vergangenheit) the period; ~genosse m contemporary; z~genössisch adj contemporary; ~geschehen nt events pl of the day; ~geschichte f contemporary history; ~geschmack m prevailing taste; z~gleich 1 adj Erscheinungen simultaneous; Läufer with the same time; 2 adv at the same time.

zeitig adj, adv early.

zeitigen vt (geh) Ergebnis to bring about.

Zeit-: ~karte f season ticket; z~kritisch adj Aufsatz commenting on contemporary issues; ~lang △ f eine ~lang for a while or a time; z~lebens adv all one's life.

zeitlich 1 adj temporal; Reihenfolge chronological ▶ in kurzem ~em Abstand at short intervals (of time); das Z~e segnen (euph) to depart this life. 2 adv timewise (col) ▶ das kann sie ~ nicht einrichten she can't find (the) time for that; das ist ~ ungünstig that's bad timing; ~ unmöglich not possible timewise; ist das ~ begrenzt? is there a time limit?

Zeit-: z~los adj timeless; ~lupe f slow motion no art; Wiederholung in ~lupe slow-motion replay; ~lupentempo nt im ~lupentempo (fig) at a snail's pace; ~mangel m aus ~mangel for lack of time; ~nahme f -n (Sport) timekeeping no pl; z~not f shortage of time; in ~not sein to be pressed for time; ~plan m schedule; ~punkt m time; zu diesem ~punkt at that time; ~raffer m no pl time-lapse photography; z~raubend adj time-consuming; ~raum m period of time; in einem ~raum von ... over a period of ...; ~rechnung f calendar; ~schrift f magazine; (wissenschaftlich) journal; ~soldat m regular soldier (who has signed up for a fixed period of time); ~spanne f period of time; z~sparend adj timesaving; ~tafel f chronological table.

Zeitung f (news)paper.

Zeitungs- in cpds newspaper; ~annonce, ~anzeige f newspaper advertisement; (Familienanzeige) announcement in the paper; ~artikel m newspaper article; ~ausschnitt m newspaper or press cutting; ~austräger m paperboy/-girl; ~beilage f newspaper supplement; ~händler m newsagent (Brit), news vendor (US); ~inserat nt newspaper advertisement; ~junge m paperboy; ~korrespondent m newspaper correspondent; ~leser m newspaper reader; ~papier nt newsprint; (als Altpapier) newspaper; ~redakteur m newspaper editor; ~ständer m newspaper rack; ~verleger m newspaper publisher.

Zeit-: ~unterschied m time difference; ~verlust m loss of time; ohne ~verlust without losing any time; ~verschwendung f waste of time; ~vertreib m way of passing the time; (Hobby) pastime; z~weilig adj temporary; z~weise adv at times; ~wort nt verb; ~zeichen nt time signal; ~zone f time zone; ~zünder m time fuse.

zelebrieren* vt to celebrate.

Zelle f -n cell (auch Sci, Pol); (Kabine) cabin; (Telefon~) phone box (Brit) or booth.

Zell-: ~gewebe nt cell tissue; ~kern m nucleus (of a/ the cell).

Zellophan nt no pl cellophane.

Zell-: ~stoff m cellulose; ~teilung f cell division.

Zelluloid [auch -'lɔyt] nt no pl celluloid.

Zellulose f -n cellulose.

Zelt nt -e tent; (Zirkus~) big top ▶ seine ~e aufschlagen/abbrechen (fig) to settle down/to pack one's bags.

Zelt-: ~bahn f strip of canvas; ~dach nt tent roof.

zelten vi to camp.

Zelt-: ~lager nt camp; ~mast m tent pole; ~pflock m tent peg (Brit) or stake (US); ~plane f tarpaulin; ~platz m camp site; ~stange f tent pole.

Zement m -e cement.

zementieren* vt to cement; (fig) to reinforce.

Zementmaschine f cement mixer.

Zenit m no pl (lit, fig) zenith ▶ die Sonne steht im ~ the sun is at its zenith.

---

zensieren* vt a auch vi (benoten) to mark. b (Bücher etc) to censor.

Zensor m censor.

Zensur f a (no pl) censorship no indef art; (Prüfstelle) censors pl ▸ einer ~ unterliegen to be censored. b (Note) mark.

Zenti-: ~meter m or nt centimetre (Brit), centimeter (US); ~metermaß nt (metric) tape measure.

Zentner m - (metric) hundredweight (= 50 kilograms); (Aus, Sw) 100 kilograms.

Zentner-: ~last f (fig) great weight; z~schwer adj (fig) very heavy.

zentral adj (lit, fig) central.

Zentral- in cpds central; ~afrikanische Republik f Central African Republic; ~bank f central bank.

Zentrale f -n head office; (für Taxis etc) headquarters sing or pl; (Telefon~) exchange

Zentral-: ~einheit f (Comp) central processing unit, CPU; ~heizung f central heating.

Zentralisation f centralization.

zentralisieren* vt to centralize.

zentralistisch adj centralist.

Zentral-: ~komitee nt central committee; ~nerven-system nt central nervous system; ~verriegelung f (Aut) central locking.

zentrieren* vti (Typ, Comp) to centre (Brit), to center (US).

zentrifugal adj centrifugal.

Zentrifugalkraft f centrifugal force.

Zentrifuge f -n centrifuge.

Zentrum nt, pl Zentren (lit, fig) centre (Brit), center (US).

Zeppelin m -e zeppelin.

Zepter nt - sceptre (Brit), scepter (US) ▸ das ~ führen to wield the sceptre.

zerbeißen* vt irreg to chew; Bonbon, Keks etc to crunch; (beschädigen) to chew to pieces.

zerbersten* vi irreg aux sein to burst.

zerbeulen* vt to dent ▸ zerbeult battered.

zerbomben* vt to flatten with bombs ▸ zerbombt Stadt bombed.

zerbrechen* irreg 1 vt (lit) to break into pieces; Glas, Porzellan etc to smash; Ketten (lit, fig) to break.
2 vi aux sein to break into pieces; (Glas, Porzellan etc) to smash; (fig) to be destroyed (an +dat by).

zerbrechlich adj fragile.

Zerbrechlichkeit f fragility.

zerbröckeln* vti to crumble.

zerdrücken* vt to squash; Gemüse to mash; (zerknittern) to crush.

Zeremonie f ceremony.

zeremoniell adj ceremonial.

Zeremonienmeister [-'moːniən-] m master of ceremonies.

zerfahren adj scatty; (unkonzentriert) distracted.

Zerfahrenheit f siehe adj scattiness; distraction.

Zerfall m no pl disintegration; (von Gebäude auch, von Atom) decay; (von Leiche, Holz etc) decomposition; (von Kultur, Gesundheit) decline.

zerfallen* 1 vi irreg aux sein a to disintegrate; (Atomkern) to decay; (Leiche, Holz etc) to decompose; (Reich, Moral, Gesundheit) to decline. b (sich gliedern) to fall (in +acc into).
2 adj Haus tumble-down.

zerfetzen* vt to tear to pieces.

zerfetzt adj Hose tattered; Arm lacerated.

zerfleddert adj (col) tattered.

zerfleischen* vt to tear to pieces.

zerfließen* vi irreg aux sein (Tinte, Makeup etc) to run.

zerfranst adj frayed.

zerfressen* vt irreg to eat away; (Motten, Mäuse etc) to eat ▸ (von Motten/Würmern) ~ sein to be moth-/worm-eaten.

zerfurcht adj Stirn furrowed; Weg rutted.

zergehen* vi irreg aux sein to dissolve; (schmelzen) to melt ▸ auf der Zunge ~ (Gebäck etc) to melt in the mouth.

zergliedern* vt (Biol) to dissect; (fig) to analyse.

zerhacken* vt to chop up.

zerhauen* vt irreg to chop in two; (in viele Stücke) to chop up.

zerkauen* vt to chew.

zerkleinern* vt to cut up; (zerhacken) to chop (up); (zerbrechen) to break up; (zermahlen) to crush.

zerklüftet adj Küste jagged ▸ tief ~es Gestein deeply fissured rock.

zerknautschen* vt (col) to crease, to crumple.

zerknirscht adj overcome with remorse.

zerknittern* vt to crease, to crumple.

zerknüllen* vt to crumple up.

zerkochen* vti (vi: aux sein) to overcook.

zerkratzen* vt to scratch.

zerkrümeln* vt to crumble.

zerlassen* vt irreg Butter etc to melt.

zerlaufen* vi irreg aux sein to melt.

zerlegbar adj die Möbel waren leicht ~ the furniture could easily be taken apart.

zerlegen* vt to take apart; (zerschneiden) to cut up; (Fleisch) to carve up; (Biol) to dissect ▸ etw in seine Einzelteile ~ to take sth to pieces.

zerlesen adj well-thumbed.

zerlumpt adj ragged.

zermahlen* vt to grind.

zermalmen* vt to crush.

zermartern* vr sich (dat) das Hirn ~ to rack one's brains.

zermürben* vt (fig) jdn ~ to wear sb down; ~d wearing.

zernagen* vt to gnaw to pieces.

zerpflücken* vt to pick to pieces.

zerplatzen* vi aux sein to burst.

zerquetschen* vt to crush; Kartoffeln to mash ▸ 10 Mark und ein paar Zerquetschte (col) 10 marks something (or other), 10 marks odd.

Zerrbild nt (fig) caricature.

zerreden* vt to flog to death (col).

zerreiben* vt irreg (lit, fig) to crush.

zerreißen* irreg 1 vt to tear up; (aus Versehen) to tear; Faden, Seil etc to break; (zerfleischen) to tear apart.
2 vi aux sein (Stoff) to tear; (Band, Seil etc) to break.

Zerreißprobe f (lit) pull test; (fig) real test.

zerren 1 vt to drag; Sehne to pull.
2 vi an etw (dat) ~ to tug at sth.

zerrinnen* vi irreg aux sein (lit, fig) to melt away; (Geld) to disappear.

zerrissen adj (fig) Volk, Partei strife-torn; Mensch torn.

Zerrissenheit f (von Volk, Partei) disunity no pl; (innere ~) (inner) conflict.

Zerrspiegel m (lit) distorting mirror; (fig) travesty.

Zerrung f eine ~ a pulled ligament/muscle.

zerrütten* vt (lit, fig) to destroy; Nerven to shatter ▸ eine zerrüttete Ehe a broken marriage.

Zerrüttung f destruction; (von Nerven) shattering; (von Ehe) breakdown.

Zerrüttungsprinzip nt (Jur) principle of irretrievable (marital) breakdown.

zersägen* vt to saw up.

zerschellen* vi aux sein (Schiff, Flugzeug) to be smashed to pieces.

zerschlagen* irreg 1 vt a (Mensch) to smash (to

pieces). **b** (*fig*) *Opposition* to crush; *Vereinigung* to break up.

2 *vr* (*Plan etc*) to fall through; (*Hoffnung*) to be shattered.

3 *adj pred* washed out (*col*); (*nach Anstrengung*) shattered (*col*), worn out.

Zerschlagung *f* (*fig*) (*von Bewegung, Opposition*) crushing; (*von Plänen etc*) failure.

zerschlissen *adj Kleider* tattered.

zerschmelzen* *vi irreg aux sein* to melt.

zerschmettern* **1** *vt* to shatter; *Feind* to crush.

2 *vi aux sein* to shatter.

zerschneiden* *vt irreg* to cut; (*in Stücke*) to cut up.

zersetzen* **1** *vt* to decompose; (*Säure*) to corrode; (*fig*) to subvert.

2 *vr* to decompose; (*durch Säure*) to corrode.

zersetzend *adj* (*fig*) subversive.

Zersetzung *f* (*Chem*) decomposition; (*durch Säure*) corrosion; (*fig: Untergrabung*) subversion.

zerspalten* *vt* to split; *Gemeinschaft* to split up.

zersplittern* **1** *vt* to shatter; *Holz* to splinter; (*fig*) *Kräfte, Zeit* to dissipate.

2 *vi aux sein* to shatter; (*Holz*) to splinter; (*fig*) to split up.

3 *vr* (*fig*) to dissipate one's energies; (*Gruppe, Partei*) to become fragmented.

zerspringen* *vi irreg aux sein* to shatter; (*einen Sprung bekommen*) to crack.

zerstampfen* *vt* (*zertreten*) to stamp on; (*zerkleinern*) to crush.

zerstäuben* *vt* to spray.

Zerstäuber *m* - spray; (*Parfüm~ auch*) atomizer.

zerstechen* *vt irreg* **a** (*Mücken*) to bite (all over). **b** *Material, Haut* to puncture; *Finger* to prick.

zerstieben* *vi irreg aux sein* to scatter; (*Wasser*) to spray.

zerstören* *vt* to destroy; (*Rowdys*) to vandalize; *Gesundheit* to ruin.

Zerstörer *m* - (*Naut*) destroyer.

zerstörerisch *adj* destructive.

Zerstörung *f no pl* destruction *no pl*.

Zerstörungswut *f* destructive mania.

zerstoßen* *vt irreg* to crush.

zerstreiten* *vr irreg* to quarrel, to fall out.

zerstreuen* **1** *vt* **a** to scatter (*in +dat* over); (*fig*) to dispel. **b** *jdn ~* to take sb's mind off things.

2 *vr* **a** (*sich verteilen*) to scatter; (*fig*) to be dispelled. **b** (*sich ablenken*) to take one's mind off things.

zerstreut *adj* (*fig*) *Mensch* absent-minded.

Zerstreutheit *f no pl* absent-mindedness.

Zerstreuung *f* **a** *no pl siehe vt* scattering. **b** (*Ablenkung*) diversion ▸ *zur ~* as a diversion.

zerstritten *adj* estranged ▸ *mit jdm ~ sein* to have fallen out with sb.

zerstückeln* *vt* (*lit*) to cut up; *Leiche* to dismember; *Land* to carve up.

zerteilen* *vt* to split up.

Zertifikat *nt* certificate.

zertrampeln* *vt* to trample on.

zertrennen* *vt* to sever; (*auftrennen*) *Nähte* to undo.

zertreten* *vt irreg* to crush (underfoot); *Rasen* to ruin.

zertrümmern* *vt* to smash; *Einrichtung* to smash up; *Ordnung* to wreck.

Zervelatwurst [tservəˈlaːt-] *f* German salami, cervelat.

zerwühlen* *vt* to ruffle up, to tousle; *Bett* to rumple (up); (*aufwühlen*) *Erdboden* to churn up.

zerzaust *adj* dishevelled (*Brit*), disheveled (*US*).

Zeter *nt*: *~ und Mordio schreien* to scream blue murder.

zetern *vi* (*pej*) to clamour (*Brit*), to clamor (*US*); (*keifen*) to scold.

Zettel *m* - piece of paper; (*Notiz~*) note; (*Kartei~*) card; (*Kassen~*) receipt; (*Bekanntmachung*) notice; (*Formular*) form.

Zettel-: **~kartei** *f* card index; **~kasten** *m* file-card box; **~wirtschaft** *f* (*pej*) *eine ~wirtschaft haben* to have bits of paper everywhere.

Zeug *nt no pl* (*col*) stuff *no indef art, no pl*; (*Unsinn*) nonsense, rubbish (*col*); (*Kleidung*) things *pl* (*col*) ▸ *altes ~* junk, trash; *das ~ zu etw haben* to have (got) what it takes to be sth; *jdm etwas am ~ flicken* (*col*) to find fault with sb; *was das ~ hält* for all one is worth; *laufen* like mad; *fahren* flat out (*col*); *sich ins ~ legen* to go flat out (*col*); *dummes ~ reden* to talk a lot of nonsense.

Zeuge *m* (*wk*) **-n, -n** (*Jur, fig*) witness (*gen* to) ▸ *~ eines Unfalls sein* to be a witness to an accident.

zeugen¹ *vt Kind* to father.

zeugen² *vi* **a** *von etw ~* to show sth. **b** (*aussagen*) to testify (*vor +dat* to).

Zeugen-: **~aussage** *f* testimony; **~bank** *f*, **~stand** *m* witness box (*Brit*), witness stand (*US*); **~vernehmung** *f* examination of the witness(es).

Zeugin *f* witness.

Zeugnis *nt* **a** (*Bescheinigung*) certificate; (*Schul~*) report; (*von Arbeitgeber*) reference ▸ *jdm ein ~ ausstellen* to give sb a reference. **b** (*esp liter: Zeugenaussage*) evidence ▸ *für/gegen jdn ~ ablegen* to testify for/against sb.

Zeugnis-: **~konferenz** *f* (*Sch*) *staff meeting to decide on marks etc*; **~papiere** *pl* certificates *pl*; (*von Arbeitgeber*) references *pl*.

Zeugung *f* fathering.

Zeugungs-: **z~fähig** *adj* fertile; **~fähigkeit** *f* fertility; **z~unfähig** *adj* sterile; **~unfähigkeit** *f* sterility.

z.H(d). = **zu Händen** att, attn.

Zi = **Zimmer** rm.

Zicke *f* **-n** **a** nanny goat. **b** (*pej col: Frau*) old bag (*col*).

Zicken *pl* (*col*) nonsense *no pl* ▸ *mach bloß keine ~!* no nonsense now!; *~ machen* to make trouble.

zickig *adj* (*albern*) silly; (*prüde*) prudish.

Zickzack *m* **-e** zigzag ▸ *z~ or im ~ laufen* to zigzag.

Zickzack-: **~kurs** *m* zigzag course; **~linie** *f* zigzag; **~schere** *f* pinking shears.

Ziege *f* **-n** **a** goat. **b** (*pej col: Frau*) cow (*col!*).

Ziegel *m* - (*Backstein*) brick; (*Dach~*) tile ▸ *ein Dach mit ~n decken* to tile a roof.

Ziegel-: **~bau** *m, pl* **-ten** brick building; **~brenner** *m* brickmaker; (*von Dachziegeln*) tilemaker; **~dach** *nt* tiled roof.

Ziegelei *f* brickworks *sing or pl*; (*für Dachziegel*) tile-making works *sing or pl*.

Ziegelstein *m* brick.

Ziegen-: **~bart** *m* (*hum: Bart*) goatee (beard); **~bock** *m* billy goat; **~fell** *nt* goatskin; **~käse** *m* goat's milk cheese; **~leder** *nt* kid (leather), kidskin; **~milch** *f* goat's milk; **~peter** *m* - mumps *sing*.

Zieh-: **~brücke** *f* drawbridge; **~brunnen** *m* well; **~eltern** *pl* foster parents *pl*.

ziehen *pret* **zog**, *ptp* **gezogen** **1** *vt* **a** to pull; (*schleppen*) to drag; *Hut* to raise; *Handbremse* to put on; (*heraus~*) to pull out (*aus* of); *Fäden* to take out ▸ *den Ring vom Finger ~* to pull one's ring off (one's finger); *die Mütze tiefer ins Gesicht ~* to pull one's hat further down over one's face; *er zog noch einen Pullover übers Hemd* he put on a pullover over his shirt; *unangenehme Folgen nach sich ~* to have unpleasant consequences. **b** (*zeichnen, anlegen*) *Kreis, Linie* to draw; *Graben, Furchen* to dig; *Mauer* to build; *Grenze* to set up. **c** (*herstellen*) *Draht, Kerzen, Kopien* to make; (*züchten*) *Blumen* to grow; *Tiere* to breed.

⚠: for details of spelling reform, see supplement

2 *vi* [a] to pull ▸ *an etw* (*dat*) ~ to pull (on *or* at) sth; *ein ~der Schmerz* an ache. [b] *aux sein* (*um~*) to move ▸ *nach Bayern/in eine größere Wohnung* ~ to move to Bavaria/into a bigger flat; *zu jdm* ~ to move in with sb. [c] *aux sein* (*sich bewegen*) to move, to go; (*Soldaten*) to march; (*durchstreifen*) to roam ▸ *in den Krieg* ~ to go to war. [d] (*mit Spielfigur*) to move ▸ *mit dem Turm* ~ to move the rook; *wer zieht?* whose move is it? [e] (*Cook*) (*Tee, Kaffee*) to draw; (*in Kochwasser*) to simmer. [f] (*col: Eindruck machen*) *so was zieht bei mir nicht* I don't like that sort of thing; *so was zieht immer* that sort of thing always goes down well.

3 *vi impers es zieht* there's a draught (*Brit*) *or* draft (*US*); *wenn es dir zieht* if you're in a draught; (*von Schmerzen*) *mir zieht's im Rücken* my back hurts.

4 *vt impers es zog ihn in die weite Welt* he felt drawn out into the big wide world.

5 *vr* [a] (*sich erstrecken, verlaufen*) to stretch ▸ *dieses Thema zieht sich durch das ganze Buch* this theme runs through the whole book. [b] (*sich dehnen*) to stretch; (*Holz*) to warp; (*Metall*) to bend.

Ziehen *nt no pl* (*Schmerz*) ache.

Ziehharmonika *f* concertina.

Ziehung *f* draw.

Ziel *nt* -e [a] (*Reise~*) destination; (*Absicht, Zweck*) goal, aim; (*von Wünschen, Spott*) object ▸ *mit dem* ~ *zu gewinnen* with the aim of winning; *jdm/sich ein* ~ *stecken* to set sb/oneself a goal; *sich* (*dat*) *etw zum* ~ *setzen* to set sth as one's goal; *zum* ~ *kommen* (*fig*) to reach one's goal; *am* ~ *sein* to be at one's destination; (*fig*) to have reached one's goal. [b] (*Sport*) finish ▸ *durchs* ~ *gehen* to cross the finishing line. [c] (*Mil etc*) target ▸ *ins* ~ *treffen* to hit the target; *über das* ~ *hinausschießen* (*fig*) to overshoot the mark.

Ziel-: **~band** *nt* finishing tape; **z~bewußt** △ *adj* purposeful.

zielen *vi* to aim (*auf +acc, nach* at); (*fig*) to be aimed (*auf +acc* at) ▸ *ich weiß, worauf deine Bemerkungen* ~ I know what you're driving at.

Ziel-: **~fernrohr** *nt* telescopic sight; **z~genau** *adj* accurate; **~gerade** *f* finishing straight *or* straightaway (*US*); **~gruppe** *f* target group; **~hafen** *m* port of destination; **~linie** *f* (*Sport*) finishing line; **z~los** *adj* aimless; **~losigkeit** *f* lack of purpose; **~ort** *m* destination; **~scheibe** *f* target; **~schießen** *nt* target practice; **~setzung** *f* target, objective; **z~sicher** *adj* unerring; *Handeln* purposefully; **~sprache** *f* target language; **z~strebig** [1] *adj* single-minded; [2] *adv* single-mindedly, full of determination; **~strebigkeit** *f* single-mindedness; **~vorstellung** *f* objective.

ziemen *vr, vr impers* (*geh*) *das/es ziemt sich nicht (für dich)* it is not proper (for you).

ziemlich [1] *adv* [a] rather, quite, pretty (*col*); *sicher, genau* reasonably ▸ *wir haben uns* ~ *beeilt* we've hurried quite a bit; ~ *lange* quite a long time; ~ *viel* quite a lot. [b] (*col: beinahe*) almost, nearly ▸ *so* ~ more or less; *so* ~ *alles* just about everything; *so* ~ *dasselbe* pretty much the same. [2] *adj attr Anzahl, Strecke* fair; *Vermögen* sizeable ▸ *eine* ~*e Anstrengung* quite an effort.

△ **Zierat** *m* -e (*geh*) decoration.

Zierde *f* -n ornament, decoration; (*Schmuckstück*) adornment ▸ *zur* ~ for decoration; *das alte Haus ist eine* ~ *der Stadt* the old house is one of the beauties of the town.

zieren [1] *vt* to adorn; (*fig: auszeichnen*) to grace. [2] *vr* (*sich bitten lassen*) to need a lot of pressing; (*sich gekünstelt benehmen*) to be affected ▸ *zier dich nicht!* don't be shy *or* silly (*col*).

Zier-: **~fisch** *m* ornamental fish; **~garten** *m* ornamental garden; **~leiste** *f* border; (*an Auto*) trim; (*an Wand, Möbeln*) moulding (*Brit*), molding (*US*).

zierlich *adj* dainty; *Frau auch* petite.

Zierlichkeit *f siehe adj* daintiness; petiteness.

Zierpflanze *f* ornamental plant.

Ziffer *f* -n [a] digit; (*Zahl*) figure, number ▸ *römische/arabische* ~*n* roman/arabic numerals; *eine Zahl mit drei* ~*n* a three-figure number. [b] (*eines Paragraphen*) clause.

Zifferblatt *nt* (*an Uhr*) dial; (*hum: Gesicht*) face.

zig *adj inv* (*col*) umpteen (*col*).

Zigarette *f* cigarette.

Zigaretten- *in cpds* cigarette; **~automat** *m* cigarette machine; **~dose** *f* cigarette box; **~etui** *nt* cigarette case; **~kippe** *f* cigarette end; **~papier** *nt* cigarette paper; **~pause** *f* break for a cigarette; **~schachtel** *f* cigarette packet *or* pack; **~spitze** *f* cigarette-holder; **~stummel** *m* cigarette end.

Zigarillo *m or nt* -s cigarillo.

Zigarre *f* -n [a] cigar. [b] (*col: Verweis*) *jdm eine* ~ *verpassen* to give sb a dressing-down.

Zigarren- *in cpds* cigar; **~kiste** *f* cigar box; **~spitze** *f* cigar-holder; **~stummel** *m* cigar butt.

Zigeuner(in *f*) *m* - gipsy.

Zigeunerschnitzel *nt* (*Cook*) cutlet served in a spicy sauce with green and red peppers.

zigmal *adv* (*col*) umpteen times (*col*).

Zikade *f* cicada.

Zimmer *nt* - room ▸ ~ *frei* vacancies.

Zimmer-: **~antenne** *f* indoor aerial (*Brit*) *or* antenna (*US*); **~arbeit** *f* carpentry job; **~brand** *m* fire in a/the room; **~flucht** *f* suite of rooms; **~handwerk** *nt* carpentry; **~kellner** *m* room-waiter; **~lautstärke** *f bitte auf ~lautstärke stellen* please keep volume down; **~mädchen** *nt* chambermaid (*Brit*), maid (*US*); **~mann** *m, pl* **~leute** carpenter.

zimmern [1] *vt* to make from wood. [2] *vi* to do woodwork.

Zimmer-: **~nachweis** *m* accommodation service; **~pflanze** *f* house plant; **~preis** *m* (*Hotel*) room rates *pl*; **~suche** *f* room hunting; *auf ~suche sein* to be looking for rooms/a room; **~temperatur** *f* room temperature; **~vermittlung** *f* accommodation (*Brit*) *or* accommodations (*US*) agency.

zimperlich *adj* squeamish; (*prüde*) prissy; (*wehleidig*) soft ▸ *da darf man nicht so* ~ *sein* you can't afford to be soft (in that case).

Zimt *m* -e (*Gewürz*) cinnamon.

Zimt-: **~stange** *f* stick of cinnamon, **~ziege** *f* (*col*) stupid cow (*col!*).

Zink *nt no pl* zinc.

Zinke *f* -n (*von Gabel*) prong; (*von Kamm, Harke*) tooth.

Zinken *m* - [a] (*col: Nase*) hooter (*col*). [b] = **Zinke**.

zinken *vt Karten* to mark.

Zinn *nt no pl* [a] tin. [b] (*Legierung*) pewter. [c] (*~produkte*) pewter, pewterware.

Zinn-: **~becher** *m* pewter tankard; **~bergwerk** *nt* tin mine.

zinnoberrot *adj* vermilion.

Zinnsoldat *m* tin soldier.

Zins *m* -en *usu pl* (*Geld~*) interest *no pl* ▸ ~*en bringen* to earn interest; (*fig*) to pay dividends; *Darlehen zu 10%* ~*en* loan at 10% interest; *jdm etw mit* ~*en heimzahlen* (*fig*) to pay sb back for sth with interest.

Zinseszins *m* compound interest.

Zins-: **z~frei** *adj* interest-free; **~fuß** *m* interest rate; **z~günstig** *adj* at a favourable rate of interest; **z~los** *adj* interest-free; **~niveau** *nt* level of interest rates; **~rechnung** *f* calculation of interest; **~satz** *m* interest rate; **~senkung** *f* reduction in the interest rate.

Zorn(es)ausbruch

Zionismus m Zionism.
Zionist(in f) m Zionist.
zionistisch adj Zionist.
Zipfel m - (von Tuch) corner; (von Mütze) point; (von Jacke) tail; (von Wurst) end; (von Land) tip.
Zipfelmütze f pointed cap or hat.
zirka adv about.
Zirkel m - (Gerät) pair of compasses, compasses pl; (Stech~) pair of dividers, dividers pl.
⚠ **Zirkelschluß** m circular argument.
zirkulieren* vi to circulate.
Zirkus m -se a circus. b (col: Getue) fuss, to-do (col).
Zirkus- in cpds circus; **~zelt** nt big top.
zirpen vi to chirp, to cheep.
Zirrhose [tsi'roːzə] f -n cirrhosis.
zischeln vi to whisper.
zischen 1 vi to hiss; (Limonade) to fizz; (Fett) to sizzle. 2 vt a (~d sagen) to hiss. b (col: trinken) **einen** ~ to have a quick one (col). c (col: ohrfeigen) **jdm eine** ~ to belt or clout sb one (col).
Zischlaut m (Ling) sibilant.
ziselieren* vt to engrave.
Zitadelle f citadel.
Zitat nt -e quotation, quote ▸ **ein falsches** ~ a misquotation; ~ ... **Ende des ~s** quote ... unquote.
Zither f -n zither.
zitieren* vt a to quote. b (vorladen, rufen) to summon (vor +acc before, an +acc, zu to).
Zitronat nt candied lemon peel.
Zitrone f -n lemon; (Getränk) lemon drink ▸ **jdn wie eine ~ auspressen** to squeeze sb dry.
Zitronen-: **z~gelb** adj lemon yellow; **~limonade** f lemonade; **~melisse** f (lemon) balm; **~presse** f lemon squeezer; **~saft** m lemon juice; **~säure** f citric acid; **~schale** f lemon peel.
Zitrusfrucht f citrus fruit.
Zitter-: **~aal** m electric eel; **~greis** m (col) old dodderer (col).
zitt(e)rig adj shaky.
zittern vi to tremble (vor +dat with) ▸ **am ganzen Körper** ~ to shake all over; **mir ~ die Knie** my knees are trembling; **vor jdm** ~ to be terrified of sb.
Zittern nt no pl shaking, trembling ▸ **mit ~ und Zagen** in fear and trembling.
Zitterpartie f (fig) nail-biting business.
Zitze f -n teat.
Zivi m -s (col) = **Zivildienstleistende(r)**.
zivil [tsi'viːl] adj a civilian; Schaden non-military ▸ **~er Bevölkerungsschutz** civil defence (Brit) or defense (US). b (col: anständig) civil; Preise reasonable.
Zivil [tsi'viːl] nt no pl **in** ~ Soldat in civilian clothes, in civvies (col); Polizist **in** ~ plain-clothes policeman.
Zivil-: **~beruf** m civilian profession/trade; **~bevölkerung** f civilian population; **~courage** f courage (to stand up for one's beliefs); **~dienst** m community service (as alternative to military service).

```
ZIVILDIENST
```

ⓘ A young German has to complete his 13 months' **Zivildienst** or community service if he has opted out of military service as a conscientious objector. This service is usually done in a hospital or old-people's home. About 18% of young Germans choose to do this as an alternative to the **Wehrdienst**, although it lasts three months longer.

Zivil-: **~dienstleistende(r)** m decl as adj person doing community service or work (instead of military service); **~ehe** f civil marriage; **~flughafen** m civil airport; **~gericht** nt civil court.

Zivilisation [tsiviliza'tsioːn] f civilization.
Zivilisationskrankheit [tsiviliza'tsioːns-] f illness caused by modern civilization.
zivilisatorisch [tsiviliza'toːrɪʃ] adj of civilization.
zivilisieren* [tsivili'ziːrən] vt to civilize.
zivilisiert [tsivili'ziːet] adj civilized.
Zivilist [tsivi'lɪst] m civilian.
Zivil-: **~kleidung** f = **Zivil**; **~leben** nt civilian life, civvy street (col); **~luftfahrt** f civil aviation; **~person** f civilian; **~prozeß** ⚠ m civil action; **~recht** nt civil law; **~richter** m civil court judge; **~sache** f matter for a civil court; **~schutz** m civil defence (Brit) or defense (US).
ZK [tsɛt'kaː] nt -s = **Zentralkomitee**.
Zobel m - (Zool, Pelz) sable.
zocken vi (col) to gamble.
Zofe f -n lady's maid; (von Königin) lady-in-waiting.
Zoff m no pl (col: Ärger) trouble, ructions pl ▸ **dann gibt's** ~ then there'll be trouble.
zog pret of **ziehen**.
zögerlich adj hesitant.
zögern vi to hesitate ▸ **er zögerte lange mit der Antwort** he hesitated a long time before replying.
Zögern nt no pl hesitation ▸ **nach langem** ~ after hesitating a long time.
Zölibat nt or m no pl celibacy ▸ **im ~ leben** to lead a life of celibacy.
Zoll¹ m - (Measure) inch.
Zoll² m ⁼e a (Waren~) customs duty; (Brücken~, Straßen~) toll ▸ **darauf wird ~ erhoben** there is duty to pay on that. b (Stelle) **der** ~ customs pl.
Zoll|abfertigung f (Vorgang) customs clearance.
Zoll|(abfertigungs)hafen m port of entry.
⚠ **Zollager** nt bonded warehouse.
Zoll-: **~amt** nt customs house or office; **~beamte(r)** m customs officer; **~behörde** f customs authorities pl, customs pl; **~bestimmung** f usu pl customs regulation.
zollen vt **jdm** Anerkennung/Achtung ~ to acknowledge/respect sb; **jdm** Beifall ~ to applaud sb.
Zoll-: **~erklärung** f customs declaration; **~fahnder** m customs investigator; **~fahndung** f customs investigation department; **z~frei** adj duty-free; **etw z~frei einführen** to import sth free of duty; **~gebiet** nt customs area or territory; **~grenze** f customs border; **~kontrolle** f customs inspection or check; **~papiere** pl customs documents pl; **z~pflichtig** adj dutiable; **~schranke** f customs barrier; **~stock** m folding rule; **~tarif** m customs tariff; **~union** f customs union.
Zombie m -s (lit, fig) zombie.
Zone f -n zone; (von Fahrkarte) fare stage.
Zonen-: **~grenze** f zonal border; **die ~grenze** (Hist col) the border (with East Germany); **~randgebiet** nt (Hist) border area (with East Germany).
Zoo [tsoː] m -s zoo.
Zoohandlung [tsoː-] f pet shop.
Zoologe [tsoo'loːgə] m (wk) -n, -n, **Zoologin** f zoologist.
Zoologie [tsoolo'giː] f zoology.
zoologisch [tsoo'loːgɪʃ] adj zoological.
Zoom [zuːm] nt -s zoom shot; (Objektiv) zoom lens.
Zoowärter m zoo keeper.
Zopf m ⁼e pigtail; (geflochten) plait ▸ **das Haar in ⁼e flechten** to plait one's hair; **ein alter** ~ (fig) an antiquated custom.
Zopf-: **~band** nt hair ribbon; **~spange** f clip.
Zorn m no pl anger ▸ **der ~ Gottes** the wrath of God; **jds ~ heraufbeschwören** to incur sb's wrath; **in ~ geraten** to fly into a rage; **im ~** in a rage; **in gerechtem ~** in righteous indignation; **einen ~ auf jdn haben** to be furious with sb.
Zorn(es)ausbruch m fit of anger or rage.

⚠: for details of spelling reform, see supplement

zornig *adj* angry, furious ▶ *(leicht)* ~ *werden* to lose one's temper (easily); *auf jdn ~ sein* to be angry with sb.

Zote *f* -n dirty joke.

Zottelhaar *nt* (*col*) shaggy hair.

zottelig *adj* (*col*) *Haar* shaggy.

Zotteln *pl* (*col: Haare*) shaggy locks.

zotteln *vi aux sein* (*col*) to amble.

zottig *adj Fell* shaggy.

ZPO [tsetpe:'|o:] = **Zivilprozeßordnung.**

z.T. = **zum Teil.**

Ztr. = **Zentner.**

zu ⬚1 *prep +dat* ⬚a (*örtlich*) to ▶ *~m Bahnhof* to the station; *~m Arzt gehen* to go to the doctor's (*Brit*) *or* doctor; *bis* ~ as far as; *(bis) ~m Bahnhof sind es 8 km* it's 5 miles to the station; *~r Schule/Kirche gehen* to go to school/church; *~m Film/Ballett gehen* to go into films/to join the ballet; *~m Fenster herein/hinaus* in (at)/out of the window; *~r Decke sehen* to look (up) at the ceiling; ~ *jdm/etw hinaufsehen* to look up at sb/ sth; *sie sah ~ ihm hin* she looked towards him; *das Zimmer liegt ~r Straße hin* the room looks out onto the street; *ein Zimmer mit Blick ~m Meer* a room with a view of the sea; *die Tür ~m Keller* the door to the cellar; *~r Stadtmitte hin* towards the town/city centre (*Brit*) *or* center (*US*); ~ *meiner Linken* to *or* on my left; ~ *Lande und ~ Wasser* on land and sea; *der Dom ~ Köln* Cologne Cathedral.

⬚b (*zeitlich*) at ▶ ~ *später Stunde* at a late hour; ~ *Mittag* (*am Mittag*) at noon; (*bis Mittag*) by midday; ~ *Ostern* at Easter; *rechtzeitig ~m Essen kommen* to be in time for dinner; *bis ~m 15. April* until April 15th; (*nicht später als*) by April 15th; *der Wechsel ist ~m 15. April fällig* the bill is due on April 15th; *~m 31. Mai kündigen* to give in one's notice for May 31st.

⬚c (*Zusatz, Zusammengehörigkeit*) with ▶ *Wein ~m Essen trinken* to drink wine with one's meal; *~r Gitarre singen* to sing to a/the guitar; *die Melodie ~ dem Lied* the tune of the song; *Vorwort/Anmerkungen ~ etw* preface/notes to sth; ~ *dem kommt noch, daß ich ...* on top of that I ...; *etw ~ etw legen* to put sth with sth; *sich ~ jdm setzen* to sit down beside sb; *setz dich doch ~ uns* (come and) sit with us; *Liebe ~ jdm* love for sb; *sein Verhältnis ~ ihr* his relationship with her.

⬚d (*Zweck*) for ▶ *Wasser ~m Waschen* water for washing; *Papier ~m Schreiben* paper to write on; *er sagte das nur ~ ihrer Beruhigung* he said that just to set her mind at rest; *etw ~m Geburtstag/~ Weihnachten bekommen* to get sth for one's birthday/ for Christmas; *jdm ~ etw gratulieren* to congratulate sb on sth; *Ausstellung ~m Jahrestag der Revolution* exhibition to mark the anniversary of the revolution; ~ *dieser Frage möchte ich folgendes sagen* I should like to comment as follows on this question.

⬚e (*Folge, Umstand, Art und Weise*) ~ *seinem Besten* for his own good; *~m Glück* luckily; ~ *meiner Freude etc* to my joy etc; *~/~m Tode* to death; *es ist ~m Weinen* it's enough to make you (want to) weep; ~ *Fuß/Pferd* on foot/horseback; ~ *Schiff* by ship *or* sea.

⬚f (*Veränderung*) into ▶ ~ *etw werden* to turn into sth; *Leder ~ Handtaschen verarbeiten* to make handbags out of leather; *jdn/etw ~ etw machen* to make sb/sth (into) sth; ~ *Asche verbrennen* to burn to ashes; *jdn ~m König wählen* to choose sb as king; *jdn ~ etw ernennen* to nominate sb sth.

⬚g (*bei Zahlen*) *drei ~ zwei* (*Sport*) three-two; *drei Sätze ~ zwei* (*Tennis*) three sets to two; *Äpfel ~ 30 Pfennig das Stück* apples at 30 pfennigs each; *~m halben Preis* at half price; *~m ersten Male* for the first time.

⬚2 *adv* ⬚a (*allzu*) too ▶ ~ *sehr* too much; *das war einfach ~ dumm!* (*col*) it was so stupid! ⬚b (*geschlossen*) shut, closed ▶ *auf, ~* (*an Hähnen etc*) on, off; *Tür ~!* (*col*) shut the door; *die Geschäfte haben jetzt ~* the shops are closed now. ⬚c (*col: los, weiter*) *dann mal ~!* right, off we go!; *nur ~!* just keep on!; *mach ~!* hurry up! ⬚d (*örtlich*) toward(s) ▶ *auf den Wald ~* towards the forest.

⬚3 *conj* ⬚a (*mit Infinitiv*) to ▶ *etw ~ essen* sth to eat; *der Fußboden ist noch ~ fegen* the floor still has to be swept; *er hat ~ gehorchen* he has to obey; *ohne es ~ wissen* without knowing it; *um besser sehen ~ können* in order to see better; *ich komme, um mich ~ verabschieden* I've come to say goodbye. ⬚b (*mit Partizip*) *noch ~ bezahlende Rechnungen* bills that are still to be paid; *nur winzige, leicht ~ übersehende Punkte* only very small points (that are) easily overlooked.

⬚4 *adj* (*col: geschlossen*) *eine ~e Tür* a closed door; *siehe* **zusein.**

zu aller-: ~erst *adv* first of all; **~letzt** *adv* last of all.

zu arbeiten *vi sep jdm* ~ to do the groundwork for sb.

zubauen *vt sep Lücke* to fill in; *Platz, Gelände* to build up.

Zubehör *nt* -e equipment *no pl*; (*Zusatzgeräte, ~teile*) accessories *pl* ▶ *Küche mit allem ~* fully equipped kitchen.

Zubehörteil *nt* accessory.

zubeißen *vi sep irreg* to bite.

zubekommen* *vt sep irreg* (*col*) *Tür, Fenster* to get shut *or* closed ▶ *ich bekomme den Reißverschluß nicht zu* I can't get the zip done up.

Zuber *m* - (wash)tub.

zubereiten* *vt sep* to prepare.

Zubereitung *f* preparation.

zubilligen *vt sep jdm etw* ~ to allow sb sth.

zubinden *vt sep irreg* to tie up ▶ *jdm die Augen ~* to blindfold sb.

zublinzeln *vi sep jdm* ~ to wink at sb.

zubringen *vt sep irreg* ⬚a (*verbringen*) to spend. ⬚b (*herbeibringen*) to bring to, to take to.

Zubringer *m* - ⬚a (*Tech*) conveyor. ⬚b (*Straße*) feeder road. ⬚c *~(bus)* shuttle (bus); (*zum Flughafen*) airport bus.

Zubrot *nt* (*hum*) extra income ▶ *ein kleines ~ verdienen* to earn a bit on the side (*col*).

Zucchini [tsʊ'ki:ni] *f* - courgette (*Brit*), zucchini (*US*).

Zucht *f* ⬚a (*Disziplin*) discipline ▶ ~ *und Ordnung* discipline and orderliness. ⬚b (*Aufzucht*) (*von Tieren*) breeding; (*von Pflanzen*) cultivation. ⬚c (*~generation*) stock.

Zuchtbulle *m* breeding bull.

züchten *vt* to breed; *Bienen* to keep; *Pflanzen* to grow; *Perlen, Bakterien* to cultivate.

Züchter(in *f*) *m* - (*von Tieren*) breeder; (*von Pflanzen*) grower; (*von Bienen*) keeper.

Zuchthaus *nt* (*Gebäude*) prison (*for capital offenders*), penitentiary (*US*).

Zuchthäusler(in *f*) *m* - (*col*) convict.

Zuchthengst *m* breeding stallion.

züchtig *adj* (*liter*) chaste; (*tugendhaft*) virtuous.

züchtigen *vt* (*geh*) to beat.

Züchtigung *f* beating ▶ *körperliche ~* corporal punishment.

Zucht-: ~perle *f* cultured pearl; **~stute** *f* brood mare; **~tier** *nt* breeding animal.

Züchtung *f* ⬚a *siehe vt* breeding; keeping; growing; cultivation. ⬚b (*Zuchtart*) (*Pflanzen*) strain, variety; (*Tiere*) breed.

Zuchtvieh *nt* breeding cattle.

zuckeln *vi aux sein* (*col*) to trail, to traipse (*col*).

⚠: Informationen zur Rechtschreibreform im Anhang

zucken 1 *vi* a (*nervös*) to twitch; (*vor Schreck*) to start; (*vor Schmerzen*) to flinch; (*verwundetes Tier*) to thrash about ▶ *er zuckte ständig mit dem Mund* his mouth kept twitching; *mit den Schultern* ~ to shrug (one's shoulders). b (*aufleuchten*) (*Blitz*) to flash; (*Flammen*) to flare up. 2 *vt die Schultern* ~ to shrug (one's shoulders).

zücken *vt Schwert* to draw; (*col*) *Notizbuch, Brieftasche* to take out.

Zucker *m no pl* a sugar ▶ *ein Stück* ~ a lump of sugar. b (*Med*) (~*gehalt*) sugar; (*Krankheit*) diabetes *sing* ▶ ~ *haben* (*col*) to be a diabetic.

Zucker-: ~**dose** *f* sugar bowl; ~**erbse** *f* mange-tout (pea); ~**gehalt** *m* sugar content, ~**guß** △ *m* icing, frosting (*esp US*); *mit* ~*guß überziehen* to ice, to frost (*esp US*); ~**hut** *m* sugarloaf.

zuck(e)rig *adj* sugary.

Zucker-: z~**krank** *adj* diabetic; ~**krankheit** *f* diabetes *sing*, ~**lecken** *nt: das ist kein* ~*lecken* (*col*) it's no picnic (*col*).

zuckern *vt* to sugar ▶ *zu stark gezuckert* too sweet.

Zucker-: ~**raffinade** *f* refined sugar; ~**rohr** *nt* sugar cane; ~**rübe** *f* sugar beet; ~**schlecken** *nt* = ~**lecken**; ~**spiegel** *m* (*Med*) (blood) sugar level; ~**stange** *f* stick of rock (*Brit*) or candy (*US*); ~**streuer** *m* sugar sprinkler; z~**süß** *adj* (*lit, fig*) sugar-sweet, sugary; ~**watte** *f* candy floss; ~**zange** *f* sugar tongs *pl*.

Zuckung *f* twitch; (*krampfhaft*) convulsion.

zudecken *vt sep* to cover; (*im Bett*) to tuck up *or* in ▶ *jdn/sich (mit etw)* ~ to cover sb/oneself up (with sth); to tuck sb/oneself up (in sth).

zudem *adv* (*geh*) moreover.

zudrehen *sep* 1 *vt Wasserhahn etc* to turn off; (*zuwenden*) to turn (*dat* to). 2 *vr* to turn (*dat* to).

zudringlich *adj Mensch* importunate; (*penetrant*) pushy (*col*); *Nachbarn* prying ▶ ~ *werden* (*zu einer Frau*) to make advances (*zu* to).

Zudringlichkeit *f siehe adj* importunity; pushiness (*col*); prying; (*einer Frau gegenüber*) advances *pl*.

zudrücken *vt sep* to press shut ▶ *jdm die Kehle* ~ to throttle sb.

zueilen *vi sep aux sein auf jdn/etw* ~ to rush towards sb/sth.

zueinander *adv* (*gegenseitig*) to each other; *Vertrauen* in each other; (*zusammen*) together ▶ ~ *passen* to go together; (*Menschen*) to suit each other.

zuerkennen* *vt sep irreg Preis* to award (*jdm* to sb); *Recht* to grant; (*vor Gericht*) *Entschädigung* to award (*jdm etw* sb sth).

zuerst *adv* first; (*anfangs*) at first ▶ ~ *an die Reihe kommen* to be first.

zufahren *vi sep irreg aux sein* a *auf jdn/etw* ~ to drive/ride towards sb/sth. b *fahren Sie doch zu!* go on then!

Zufahrt *f* approach (road); (*zu einem Haus*) drive(way) ▶ *„keine* ~ *zum Krankenhaus"* "no access to hospital".

Zufahrtsstraße *f* access road; (*zur Autobahn*) feeder road.

Zufall *m* chance; (*Zusammentreffen*) coincidence ▶ *das ist* ~ it's pure chance; *durch* ~ (quite) by chance; *es ist kein* ~, *daß* ... it's no coincidence *or* accident that ...; *es war ein glücklicher* ~, *daß* ... it was lucky that ...; *welch ein* ~! what a coincidence!; *etw dem* ~ *überlassen* to leave sth to chance.

zufallen *vi sep irreg aux sein* a (*sich schließen: Fenster etc*) to close ▶ *die Tür fiel laut zu* the door slammed shut; *die Augen fielen ihm zu* he couldn't keep his eyes open; (*er schlief ein*) he fell asleep. b *jdm* ~ (*Preis etc*) to go to sb; (*Aufgabe*) to fall to sb.

zufällig 1 *adj* chance *attr, Zusammentreffen auch* coincidental ▶ *das war rein* ~ it was pure chance. 2 *adv* a by chance ▶ *er ging* ~ *vorüber* he happened to be passing; *wenn Sie das* ~ *wissen sollten* if you (should) happen to know. b (*in Fragen*) by any chance.

Zufalls- *in cpds* chance; ~**bekanntschaft** *f* chance acquaintance; ~**treffer** *m* fluke; *einen* ~*treffer machen* to have a lucky break.

zufassen *vi sep* a (*zugreifen*) to take hold of it/ them; (*fig: schnell handeln*) to seize an/the opportunity. b (*helfen*) to lend a hand.

zufliegen *vi sep irreg aux sein* a *auf etw* (*acc*) ~ to fly towards sth. b +*dat* to fly to ▶ *der Vogel ist uns zugeflogen* the bird flew into our house/flat *etc*; *ihm fliegt alles nur so zu* (*fig*) everything comes so easily to him. c (*col: Fenster, Tür*) to slam shut.

zufließen *vi sep irreg aux sein* +*dat* to flow to(wards); (*fig: Geld*) to flow into.

Zuflucht *f* refuge (*vor* +*dat* from) ▶ *du bist meine letzte* ~ (*fig*) you are my last hope; *zu etw* ~ *nehmen* (*fig*) to resort to sth.

Zufluchts-: ~**ort** *m*, ~**stätte** *f* place of refuge.

△**Zufluß** *m* a *no pl* influx; (*Mech: Zufuhr*) supply. b (*Nebenfluß*) tributary; (*zu Binnensee*) inlet.

zuflüstern *vti sep jdm (etw)* ~ to whisper (sth) to sb.

zufolge *prep* +*dat* (*gemäß*) according to; (*auf Grund*) as a result of ▶ *dem Bericht* ~ according to the report.

zufrieden *adj* contented, content *pred* ▶ *ein* ~*es Gesicht machen* to look pleased; ~ *lächeln* to smile contentedly; *mit jdm/etw* ~ *sein* to be satisfied *or* happy with sb/sth; *er ist mit nichts* ~ nothing pleases him.

Zufrieden-: z~**geben** △ *vr sep irreg sich mit etw z~geben* to be satisfied with sth; ~**heit** *f* contentment, contentedness; (*Befriedigtsein*) satisfaction; *zur allgemeinen* ~*heit* to everyone's satisfaction; z~**lassen** △ *vt sep irreg* to leave alone; *laß mich damit z~!* (*col*) shut up about it! (*col*); z~**stellen** △ *vt sep* to satisfy; *schwer z~zustellen sein* to be hard to please; z~**stellend** *adj* satisfactory.

zufrieren *vi sep irreg aux sein* to freeze (over).

zufügen *vt sep* a *Leid* to cause ▶ *jdm Schaden* ~ to harm sb; *jdm etw* ~ to cause sb sth. b (*col*) = **hinzufügen**.

Zufuhr *f* -**en** (*Versorgung*) supply (*in* +*acc, nach* to); (*Mil*) supplies *pl*; (*Met*) influx.

zuführen *sep* 1 *vt* +*dat* a (*versorgen mit*) to supply; (*Comp*) *Papier* to feed (+*dat* into) ▶ *jdm etw* ~ to supply sb with sth. b (*bringen*) to bring ▶ *jdn der gerechten Strafe* ~ to give sb the punishment he/she deserves. 2 *vi auf etw* (*acc*) ~ to lead to sth.

Zug[1] *m* -**e** a (*Luft*~) draught (*Brit*), draft (*US*); (*Atem*~) breath; (*an Zigarette etc*) puff, drag; (*Schluck*) mouthful ▶ *einen* ~ *machen* (*an Zigarette etc*) to take a drag; *das Glas in einem* ~ *leeren* to empty the glass with one gulp; *etw in vollen* ~*en genießen* to enjoy sth to the full; *in den letzten* ~*en liegen* (*col*) to be at one's last gasp; ~ *abbekommen* *or* *kriegen* (*col*) to get a stiff neck/shoulder *etc* from sitting in a draught.

b *no pl* (*von Vögeln, Menschen*) migration; (*der Wolken*) drifting ▶ *im* ~*e* (*im Verlauf*) in the course (*gen* of); *das liegt im* ~ *der Zeit* it's a sign of the times.

c (*beim Schwimmen*) stroke; (*beim Rudern*) pull (*mit* at); (*bei Brettspiel*) move ▶ *einen* ~ *machen* (*beim Schwimmen*) to do a stroke; ~ *um* ~ (*fig*) step by step; *zum* ~*e kommen* (*col*) to get a look-in (*col*); *du bist am* ~ (*bei Brettspiel, fig*) it's your move; *etw in groben* ~*en darstellen/umreißen* to outline sth.

d *no pl* (*Ziehen*) pull, tug (*an* +*dat* on, at).

e (*Gruppe*) (*von Menschen*) procession; (*Mil*) platoon; (*Abteilung*) section.

⚠: for details of spelling reform, see supplement

Zug² *m* ⁻e (*Eisenbahn~*) train; (*Last~*) truck and trailer ▸ *mit dem ~ fahren* to go/travel by train.

Zug³ *m* ⁻e (*Gesichts~, Charakter~*) feature; (*brutal etc*) streak; (*Anflug*) touch ▸ *das war kein schöner ~ von dir* that wasn't nice of you.

Zugabe *f* extra, bonus; (*Comm*) free gift; (*Theat*) encore ▸ *~!* encore!

Zug|abteil *nt* railway *or* railroad (*US*) compartment.

Zugang *m* [a] (*Eingang, Einfahrt*) entrance; (*Zutritt*) access (*zu* to) ▸ *er hat keinen ~ zur Musik* music doesn't mean anything to him. [b] (*von Patienten*) admission; (*von Schülern*) intake; (*von Büchern*) acquisition.

zugange *adj pred*: *mit jdm/etw ~ sein* (*col*) to be busy with sb/sth; (*euph: sexuell*) to be carrying on with sb (*col*).

zugänglich *adj* (*dat, für* to) (*erreichbar*) *Gelände, Ort* accessible; *öffentliche Einrichtungen* open; (*umgänglich*) *Mensch, Vorgesetzter* approachable ▸ *etw der Allgemeinheit ~ machen* to open sth to the public; *für etw leicht/nicht ~ sein* to respond/not to respond to sth.

Zugänglichkeit *f* (*Erreichbarkeit*) accessibility; (*Verfügbarkeit*) availability; (*Umgänglichkeit*) approachability.

Zug-: *~begleiter* *m* (*Rail*) guard (*Brit*), conductor (*US*); *~brücke* *f* drawbridge.

zugeben *vt sep irreg* [a] (*zugestehen, einräumen*) to admit ▸ *er gab zu, es getan zu haben* he admitted (to) having done it; *jdm gegenüber etw ~* to admit *or* confess sth to sb; *zugegeben* granted. [b] (*hinzufügen*) to add. [c] (*zusätzlich geben*) to give as an extra ▸ *jdm etw ~* to give sb sth extra.

zugegebenermaßen *adv* admittedly.

zugegen *adv* (*geh*) *~ sein* to be present.

zugehen *sep irreg aux sein* [1] *vi* [a] (*Tür, Deckel*) to shut ▸ *der Koffer geht nicht zu* the case won't shut. [b] *auf jdn/etw ~* to go towards sb/sth; *direkt auf jdn/etw ~* to go straight up to sb/sth; *es geht auf den Winter zu* winter is drawing in; *er geht schon auf die Siebzig zu* he's getting on for seventy; *dem Ende ~* to draw to a close. [c] *+dat* (*Nachricht etc*) to reach ▸ *der Brief ist uns noch nicht zugegangen* the letter hasn't reached us yet.
[2] *vi impers* *dort geht es ... zu* things are ... there; *hier geht es nicht mit rechten Dingen zu* there's something odd going on here.

zugehörig *adj attr* (*geh*) accompanying; (*verbunden*) affiliated (*dat* to).

Zugehörigkeit *f* [a] (*zu Land, Glauben*) affiliation; (*Mitgliedschaft*) membership (*zu* of). [b] (*Zugehörigkeitsgefühl*) sense of belonging.

zugeknöpft *adj* (*fig col*) *Mensch* reserved.

Zügel *m* - *rein* (*auch fig*) ▸ *die ~ anziehen* (*lit*) to draw in the reins; (*fig*) to keep a tighter rein (*bei* on); *die ~ fest in der Hand behalten* (*fig*) to keep things firmly in hand; *die ~ locker lassen* (*fig*) to give free rein (*bei* to); *die ~ an sich* (*acc*) *reißen* (*fig*) to seize the reins.

zugelassen *adj* authorized; *Arzt* registered; *Auto* licensed ▸ *amtlich/staatlich ~ sein* to be authorized/to be state-registered; *eine nicht ~e Partei* an illegal party; *als Kassenarzt ~ sein* ≈ to be registered as a National Health doctor (*Brit*) *or* panel doctor (*US*).

Zügel-: *z~los* *adj* (*fig*) unbridled *no adv*, unrestrained; *~losigkeit* *f* (*fig*) lack of restraint.

zügeln [1] *vt Pferd* to rein in; (*fig*) to curb, to check. [2] *vr* to restrain oneself.

zugesellen* *vr sep sich jdm ~* (*Mensch*) to join sb.

Zugeständnis *nt* concession (*dat, an* +*acc* to) ▸ *~se machen* to make allowances.

zugestehen* *vt sep irreg* (*einräumen*) *Recht* to concede,

to grant; (*zugeben*) to admit ▸ *jdm etw ~* (*einräumen*) to grant sb sth.

zugetan *adj jdm/einer Sache ~ sein* to be fond of sb/sth.

Zugewinn *m* gain (*an* +*dat* in).

Zugewinngemeinschaft *f* (*Jur*) joint ownership of property by a married couple.

Zugezogene(r) *mf decl as adj* newcomer.

Zug-: *~folge* *f* (*Rail*) order of incoming trains; *z~frei* *adj* *Raum* draught-free (*Brit*), draft-free (*US*); *~führer* *m* (*Rail*) chief guard (*Brit*) *or* conductor (*US*).

zugig *adj* draughty (*Brit*), drafty (*US*).

zügig *adj* swift, speedy; *Handschrift* smooth.

Zugkraft *f* (*fig*) attraction, appeal.

zugkräftig *adj* (*fig*) *Werbetext, Titel* eye-catching; *Stück* crowd-pulling *attr*, popular.

zugleich *adv* (*auch ebenso*) at the same time.

Zug-: *~luft* *f* draught (*Brit*), draft (*US*); *~maschine* *f* towing vehicle; (*von Sattelschlepper*) traction engine; *~personal* *nt* (*Rail*) train personnel; *~pferd* *nt* draught (*Brit*) *or* draft (*US*) horse; (*fig*) crowd puller.

zugreifen *vi sep irreg* [a] to grab it/them; (*fig*) to act fast *or* quickly; (*bei Tisch*) to help oneself. [b] (*Polizei*) to step in quickly. [c] (*Comp*) *auf etw* (*acc*) *~* to access sth.

Zugrestaurant *nt* dining car.

Zugriff *m* [a] *durch raschen ~* by acting fast; *sich dem ~ der Polizei entziehen* to evade justice. [b] (*Comp*) access.

Zugriffszeit *f* (*Comp*) access time.

⚠ **zugrunde** *adv* [a] *~ gehen* to perish; *jdn/etw ~ richten* to destroy sb/sth; (*finanziell*) to ruin sb/sth; *er wird daran nicht ~ gehen* he'll survive; (*finanziell*) it won't ruin him. [b] *einer Sache* (*dat*) *~ liegen* to form the basis of sth; *etw einer Sache* (*dat*) *~ legen* to base sth on sth.

Zugtier *nt* draught (*Brit*) *or* draft (*US*) animal.

zugucken *vi sep* = **zusehen**.

Zug|unglück *nt* train accident.

⚠ **zugunsten** *prep ~ von* *or* +*gen* in favour of (*Brit*), in favor of (*US*).

zugute *adv jdm etw ~ halten* to grant sb sth; (*Verständnis haben*) to make allowances for sth; *einer Sache/jdm ~ kommen* to come in useful for sth/to sb; (*Geld, Erlös*) to benefit sth/sb.

Zug-: *~verbindung* *f* train connection; *~verkehr* *m* (*Rail*) rail services *pl*; *starker ~verkehr* heavy rail traffic; *~vieh* *nt no pl* draught (*Brit*) *or* draft (*US*) cattle; *~vogel* *m* migratory bird; *~zwang* *m* (*Chess*) zugzwang; *unter ~zwang stehen* (*fig*) to be under pressure (to take action).

zuhaben *vi sep irreg* (*col: Geschäft*) to be closed.

zuhalten *sep irreg* [1] *vt* to hold shut ▸ *sich* (*dat*) *die Nase ~* to hold one's nose; *sich* (*dat*) *die Augen/Ohren ~* to put one's hands over one's eyes/ears. [2] *vi auf etw* (*acc*) *~* to head straight for sth.

Zuhälter(in *f*) *m* - pimp, procurer.

zuhängen *vt sep* to cover up *or* over.

zuhauen *sep irreg* [1] *vt Baumstamm* to hew; *Stein* to trim. [2] *vi* to strike out.

zuhause *adv* at home.

Zuhause *nt no pl* home.

zuheilen *vi sep aux sein* to heal up.

Zuhilfenahme *f*: *unter ~ von* *or* +*gen* with the aid of.

zuhinterst *adv* right at the back.

zuhören *vi sep* to listen (*dat* to) ▸ *hör mal zu!* (*drohend*) now (just) listen (to me)!

Zuhörer *m* listener ▸ *die ~* (*das Publikum*) the audience *sing*.

zujubeln *vi sep jdm ~* to cheer sb.

---

zukehren *vt sep* (*zuwenden*) to turn ▸ *jdm das Gesicht* ~ to turn to face sb; *jdm den Rücken* ~ (*lit, fig*) to turn one's back on sb.

zuklappen *sep* 1 *vt Buch, Deckel* to close. 2 *vi aux sein* (*Tür etc*) to click shut.

zukleben *vt sep Briefumschlag* to stick down.

zuknallen *vti sep* (*vi: aux sein*) (*col*) to slam *or* bang (shut).

zukneifen *vti sep irreg* to pinch; *Augen* to screw up; *Mund* to shut tight(ly).

zuknöpfen *vt sep* to button (up); *siehe* **zugeknöpft**.

zuknoten *vt sep* to knot up.

zukommen *vi sep irreg aux sein* a *auf jdn/etw* ~ to come toward(s) *or* (*direkt*) up to sb/sth; *die Aufgabe, die nun auf uns zukommt* the task which now confronts us; *die Dinge auf sich* (*acc*) ~ *lassen* to take things as they come. b *jdm etw* ~ *lassen Brief etc* to send sb sth; (*schenken auch*), *Hilfe* to give sb sth. c +*dat* (*geziemen*) to befit, to become ▸ *diesem Treffen kommt große Bedeutung zu* this meeting is of the utmost importance.

zukriegen *vt sep* (*col*) = **zubekommen**.

Zukunft *f no pl* (*auch Gram*) future ▸ *in ferner/naher* ~ in the distant/near future; *unsere gemeinsame* ~ our future together.

zukünftig 1 *adj* future ▸ *meine Z~e* (*col*)/*mein Z~er* (*col*) my future wife/husband. 2 *adv* in future.

Zukunfts-: ~**angst** *f* fear of the future; ~**aussichten** *pl* future prospects *pl*; ~**branche** *f* new *or* sunrise industry; ~**glaube** *m* belief in the future; **z~gläubig** *adj* believing in the future; ~**musik** *f* (*fig col*) pie in the sky (*col*); ~**perspektive** *f* future prospects *pl*; ~**pläne** *pl* plans *pl* for the future; ~**roman** *m* novel set in the future; (*Science-fiction*) science fiction novel; **z~weisend** *adj* forward-looking.

zulächeln *vi sep jdm* ~ to smile at sb.

Zulage *f* a (*Geld~*) extra pay *no indef art*; (*Sonder~ auch*) bonus (payment) ▸ *eine* ~ *von 100 Mark* an extra 100 marks pay. b (*Gehaltserhöhung*) rise (*Brit*), raise (*US*).

⚠ **zulande** *adv bei uns* ~ in our country.

zulangen *vi sep* (*col: Dieb, beim Essen*) to help oneself.

zulassen *vt sep irreg* a (*Zugang gewähren*) to admit; (*amtlich*) to authorize; *Arzt* to register; *Kraftfahrzeug* to license; *Rechtsanwalt, Prüfling* to admit. b (*dulden, gestatten*) to allow, to permit ▸ ~, *daß etw passiert* to allow sth to happen. c (*geschlossen lassen*) to leave closed.

zulässig *adj* permissible, permitted ▸ ~*es Gesamtgewicht* (*Mot*) maximum laden weight; ~*e Höchstgeschwindigkeit* (upper) speed limit.

Zulassung *f* a *no pl* (*Erlaubnis, Gewährung von Zugang*) admission; (*amtlich*) authorization; (*von Auto*) licensing; (*als Arzt*) registration. b (*Dokument*) papers *pl*; (*Lizenz*) licence (*Brit*), license (*US*).

Zulassungs-: ~**anforderungen** *pl* entrance qualifications *pl*; ~**beschränkung** *f* (*esp Univ*) restriction on admissions; ~**stopp** *m* (*esp Univ*) block on admissions.

Zulauf *m no pl großen* ~ *haben* (*Geschäft*) to be very popular.

zulaufen *vi sep irreg aux sein* a *auf jdn/etw* ~ to run towards sb/sth. b (*auslaufen*) *spitz* ~ to taper. c (*Wasser etc*) *laß noch etwas kaltes Wasser* ~ run in some more cold water. d (*Tier*) *jdm* ~ to stray into sb's house/place; *eine zugelaufene Katze* a stray cat (which has adopted sb).

zulegen *sep* 1 *vt* a (*dazulegen*) to put on. b *Geld* to add; (*bei Verlustgeschäft*) to lose ▸ *die fehlenden 20 Mark legte meine Mutter zu* my mother made up the remaining 20 marks. c *etwas Tempo* ~ (*col*) to get a move on (*col*); *die Grünen konnten 5%* ~ the Greens managed to gain 5%. 2 *vi* (*col*) a (*an Gewicht*) to put on (weight). b (*col*) (*sich mehr anstrengen*) to pull one's finger out (*col*); (*sich steigern*) to do better; (*Sport*) to step up the pace (*col*). 3 *vr sich* (*dat*) *etw/jdn* ~ (*col*) to get oneself sth/sb.

⚠ **zuleide** *adv jdm etwas* ~ *tun* to harm sb.

zuleiten *vt sep Wasser etc* to supply; *Post, Waren* to send on.

Zuleitung *f* (*Tech*) supply.

zuletzt *adv* a in the end ▸ ~ *kam sie doch* she came in the end; *wir blieben bis* ~ we stayed to the very end; *ganz* ~ at the very last moment. b (*als letzte(r, s), an letzter Stelle*) last ▸ *ich kam* ~ I came last; *ganz* ~ last of all; *nicht* ~ *wegen* not least because of.

zuliebe *adv etw jdm* ~ *tun* to do sth for sb's sake.

Zulieferbetrieb, Zulieferer *m* (*Econ*) supplier.

Zulu ['tsuːlu] *mf* -(**s**) Zulu.

zum = **zu dem**.

zumachen *sep* 1 *vt* (*schließen*) to close; (*col: auflösen*) *Laden etc* to close (down). 2 *vi* (*col*) a (*den Laden* ~) to close (down); (*fig*) to call it a day. b (*sich beeilen*) to hurry up.

zumal 1 *conj* ~ (*da*) especially as. 2 *adv* (*besonders*) especially.

zumauern *vt sep* to brick up, to wall up.

zumeist *adv* mostly.

zumessen *vt sep irreg Zeit* to allocate (*dat* for); *Schuld* to attribute (*jdm* to sb); *Bedeutung* to attach (*dat* to).

zumindest *adv* at least.

zumutbar *adj* reasonable ▸ *es ist mir nicht* ~, *das zu tun* I can't be expected to do that.

⚠ **zumute** *adv mir ist traurig* ~ I feel sad; *mir ist gar nicht danach* ~ I'm not in the mood (for it).

zumuten *vt sep jdm etw* ~ to expect sth of sb; *Sie wollen mir doch wohl nicht* ~, *diesen Unsinn zu lesen* you surely don't expect me to read this nonsense; *sich* (*dat*) *zuviel* ~ to take on too much.

Zumutung *f* unreasonable demand; (*Unverschämtheit*) nerve (*col*) ▸ *das ist eine* ~! that's a bit much!

zunächst *adv* a (*zuerst*) first (of all) ▸ ~ *einmal* first of all. b (*vorläufig*) for the time being.

zunageln *vt sep Fenster etc* to nail up; (*mit Brettern, Pappe etc*) to board up; *Kiste etc* to nail down.

zunähen *vt sep* to sew up.

Zunahme *f* -**n** increase (*gen, an* +*dat* in).

Zuname *m* surname, last name.

zündeln *vi* to play (about) with fire.

zünden 1 *vi* to ignite; (*Streichholz*) to light; (*Motor*) to fire; (*Sprengkörper*) to go off; (*fig*) to kindle enthusiasm. 2 *vt* to ignite; *Rakete* to fire; *Sprengkörper* to detonate; *Feuerwerkskörper* to let off.

zündend *adj* (*fig*) stirring; *Idee* exciting.

Zunder *m* - tinder ▸ ~ *kriegen/jdm* ~ *geben* (*col*) to get/to give sb a good hiding (*col*).

Zünder *m* - igniter; (*für Sprengstoff, Bombe etc*) fuse; (*für Mine*) detonator.

Zünd-: ~**flamme** *f* pilot light; ~**holz** *nt* match; ~**hütchen** *nt* percussion cap; ~**kabel** *nt* (*Aut*) plug lead; ~**kapsel** *f* detonator; ~**kerze** *f* (*Aut*) spark plug, sparking plug (*Brit*); ~**plättchen** *nt* cap; ~**schloß** ⚠ *nt* (*Aut*) ignition lock; ~**schlüssel** *m* (*Aut*) ignition key; ~**schnur** *f* fuse; ~**spule** *f* ignition coil; ~**stoff** *m* inflammable matter; (*Sprengstoff*) explosives *pl*; (*fig*) inflammatory stuff.

Zündung *f* ignition; (*von Sprengkörper*) detonation ▸ *die* ~ *einstellen* (*Aut*) to adjust the timing.

zunehmen *vi sep irreg* 1 *vi* to increase; (*an Weisheit etc*) to gain (*an* +*dat* in); (*an Gewicht*) to put on weight;

(*Mond*) to wax.
[2] *vt* (*Mensch: an Gewicht*) to gain.

zunehmend **[1]** *adj* increasing, growing ► *bei ~em Alter* with advancing age; *wir haben ~en Mond* there is a crescent moon; *in ~em Maße* to an increasing degree.
[2] *adv* increasingly.

zuneigen *sep +dat* **[1]** *vi* to be inclined towards ► *jdm zugeneigt sein* (*geh*) to be well disposed towards sb.
[2] *vr* to lean towards ► *sich dem Ende ~* (*geh*) to be drawing to a close; (*Vorräte etc*) to be running out.

Zuneigung *f* affection (*zu* for).

Zunft *f* **=e** (*Hist*) guild; (*hum col*) brotherhood.

zünftig *adj Kleidung* professional; (*col: ordentlich*) proper ► *eine ~e Ohrfeige* a hefty box on the ears.

Zunge *f* **-n** tongue; (*von Waage*) pointer ► *das brennt auf der ~* that burns the tongue; *jdm die ~ herausstrecken* to stick one's tongue out at sb; *eine spitze/lose ~ haben* to have a sharp/loose tongue; *böse ~n behaupten, ...* malicious gossip has it ...; *mir liegt das Wort auf der ~* the word is on the tip of my tongue; *mir hängt die ~ zum Hals heraus* (*col*) my tongue is hanging out; (*erschöpft*) I'm exhausted.

züngeln *vi* (*Schlange*) to dart its tongue in and out; (*Flammen*) to lick.

Zungen-: **~brecher** *m* tongue-twister; **z~fertig** *adj* (*geh*) fluent; (*pej*) glib; **~kuß** △ *m* French kiss; **~spitze** *f* tip of the tongue; **~wurst** *f* tongue sausage.

Zünglein *nt*: *das ~ an der Waage sein* (*fig*) to tip the scales.

△ **zunichte** *adv ~ machen/werden* (*geh*) to ruin/to be ruined.

zunicken *vi sep jdm ~* to nod to sb; *jdm freundlich ~* to give sb a friendly nod.

zunutze *adv sich* (*dat*) *etw ~ machen* (*verwenden*) to make use of sth; (*ausnutzen*) to take advantage of sth.

zu|oberst *adv* right at the top.

zu|ordnen *vt sep +dat* to assign to.

zupacken *vi sep* (*col*) **[a]** (*zugreifen*) to make a grab for it *etc*. **[b]** (*bei der Arbeit*) to get down to it. **[c]** (*helfen*) *mit ~* to give me/them *etc* a hand.

zupackend **[1]** *adj Film etc* hard-hitting; (*resolut*) determined.
[2] *adv* purposefully.

zupfen *vti* to pick; *Saite, Augenbrauen* to pluck; *Unkraut, Fäden* to pull ► *jdn am Ärmel etc ~* to tug at sb's sleeve *etc*; *sich* (*dat or acc*) *am Bart ~* to pull at one's beard.

Zupf|instrument *nt* (*Mus*) plucked string instrument.

zuprosten *vi sep jdm ~* to drink sb's health.

zur = **zu der**.

zuraten *vi sep irreg jdm ~, etw zu tun* to advise sb to do sth.

Zürcher(in *f*) *m* - native of Zurich.

Zürcher, zürcherisch *adj* of Zurich.

zurechnen *vt sep* **[a]** (*col: dazurechnen*) to add to. **[b]** (*fig: zuordnen*) to class (*dat* with); *Kunstwerk etc* to ascribe (*dat* to).

Zurechnungs-: **z~fähig** *adj* of sound mind; (*esp Jur, fig col*) compos mentis *pred*; **~fähigkeit** *f* soundness of mind; *verminderte ~fähigkeit* diminished responsibility.

zurecht-: **~biegen** *vt sep irreg* to bend into shape; (*fig*) to twist; *er hat alles wieder ~gebogen* (*col*) he has straightened everything out again; **~finden** *vr sep irreg* to find one's way (*in +dat* around); *sich in der Welt nicht mehr ~finden* not to be able to cope with the world any longer; **~kommen** *vi sep irreg aux sein* **[a]** (*fig*) to get on; (*schaffen*) to cope; (*genug haben*) to have enough; **[b]** (*rechtzeitig kommen*) to come in time; **[c]** (*finanziell*) to manage; **~legen** *vt sep irreg* to lay out ready; *sich* (*dat*) *etw ~legen* to get sth out ready; (*fig*) to work sth out; **~machen** *vt sep* (*col*) **[a]** *Zimmer,*

Essen etc to prepare; *Bett* to make up; **[b]** (*anziehen*) to dress; (*schminken*) to make up; *sich ~machen* to get ready; to put on one's make-up; **~rücken** *vt sep* (*lit, fig*) to put straight; *Brille, Hut etc* to adjust; **~stutzen** *vt sep* to trim; (*fig*) to lick into shape; **~weisen** *vt sep irreg* (*form*) to rebuke; *Schüler etc* to reprimand; **Z~weisung** *f siehe* **~weisen**; rebuke; reprimand.

zureden *vi sep jdm ~* to encourage sb; (*überreden*) to persuade sb; *wenn du ihm gut zuredest, hilft er dir* if you talk to him nicely, he'll help you.

zureiten *sep irreg* **[1]** *vt Pferd* to break in.
[2] *vi aux sein auf jdn/etw ~* to ride toward(s) sb/sth.

Zürich *nt* Zurich.

zurichten *vt sep* **[a]** *Essen etc* to prepare. **[b]** (*verunstalten*) to make a mess of; (*verletzen*) to injure. *jdn übel ~* to knock sb about.

zürnen *vi* (*geh*) *jdm ~* to be angry with sb.

zurück *adv* back; (*mit Zahlungen*) behind; (*fig: zurückgeblieben: von Kind*) backward ► *ein Schritt ~* a step backwards; *in Mathematik (sehr) ~ sein* (*fig*) to be (really) behind in maths; *~!* get back!; *~ an Absender* return to sender; *einmal München und ~* a return (*Brit*) or round-trip ticket (*US*) to Munich; *hinter jdm ~ sein* (*fig*) to lie behind sb; *es gibt kein Z~ (mehr)* there's no going back.

zurück-: **~behalten*** *vt sep irreg* to keep (back); *er hat Schäden ~behalten* he suffered lasting damage; **~bekommen*** *vt sep irreg* to get back; **~berufen*** *vt sep irreg* to recall; **~bewegen*** *vtr sep* to move back; **~bilden** *vr sep* (*Geschwür*) to recede; (*Muskel*) to become wasted; (*Biol*) to regress.

zurückbleiben *vi sep irreg aux sein* **[a]** to stay behind. **[b]** (*übrigbleiben*) to be left, to remain ► *ihm ist eine Narbe zurückgeblieben* he has been left with a scar. **[c]** (*nicht Schritt halten*) to fall behind; (*in Entwicklung*) to be retarded; (*Sport*) to be behind ► *ihre Leistung blieb hinter meinen Erwartungen zurück* her performance did not come up to my expectations; *siehe* **zurückgeblieben**.

zurück-: **~blicken** *vi sep* to look back (*auf +acc* at); (*fig*) to look back (*auf +acc* on); **~bringen** *vt sep irreg* to bring back; (*wieder wegbringen*) to take back; **~datieren*** *vt sep* to backdate; **~denken** *vi sep irreg* to think back (*an +acc* to); *so weit ich ~denken kann* as far as I can recall; **~drängen** *vt sep* to force back; (*Mil*) to drive back; **~drehen** *vt sep* to turn back; **~dürfen** *vi sep irreg* (*col*) to be allowed back; **~erhalten*** *vt sep irreg* to get back; **~erinnern*** *vr sep* to remember; **~erobern*** *vt sep* (*Mil*) to recapture; **~erstatten*** *vt sep* to reimburse; **~fahren** *sep irreg* **[1]** *vi aux sein* to return; **[2]** *vt* **[a]** to drive back; **[b]** *Produktion* to cut back; **~fallen** *vi sep irreg aux sein* to fall back; (*Sport*) to drop back; (*in Leistungen*) to fall behind; (*fig*) (*an Besitzer*) to revert (*an +acc* to); (*Schande, Vorwurf etc*) to reflect (*auf +acc* on); **~finden** *vi sep irreg* to find the way back; **~fliegen** *vti sep irreg* (*vi aux sein*) to fly back; **~fließen** *vi sep irreg aux sein* (*lit, fig*) to flow back; **~fordern** *vt sep etw ~fordern* to ask for sth back; **~fragen** *vi sep* to ask a question back; (*wegen Auskunft*) to check back (*bei* with).

zurückführen *sep* **[1]** *vt* **[a]** (*zurückbringen*) to lead back. **[b]** (*ableiten aus*) to put down to.
[2] *vi* to lead back ► *es führt kein Weg zurück* (*fig*) there's no going back.

zurückgeben *vt sep irreg* to give back; *Ball, Beleidigung* to return.

zurückgeblieben *adj geistig/körperlich ~* mentally/physically retarded.

zurückgehen *vi sep irreg aux sein* **[a]** to go back (*nach, in +acc* to, *fig: auf +acc* to); (*zeitlich*) to date (*auf +acc*

from) ▶ *er ging zwei Schritte zurück* he took two steps back; *Waren/Essen ~ lassen* to send back goods/food.
[b] *(zurückweichen)* to retreat, to fall back; *(fig: abnehmen)* to go down; *(Geschäft, Umsatz)* to fall off; *(Schmerz, Blutung)* to ease

zurück-: ~gezogen *adj Mensch* retiring; *Lebensweise* secluded; *er lebt sehr ~gezogen* he lives a very secluded life; **~greifen** *vi sep irreg (fig)* to fall back *(auf +acc* on); *(zeitlich)* to go back *(auf +acc* to); **~haben** *vt sep irreg (col)* to have back; *ich will mein Geld ~haben* I want my money back.

zurückhalten *sep irreg* **[1]** *vt* to hold back; *(aufhalten) jdn* to hold up; *(nicht freigeben) Informationen* to withhold; *(unterdrücken) Tränen* to keep back ▶ *jdn von etw (dat)* ~ to keep sb from sth.
[2] *vr (sich beherrschen)* to restrain oneself; *(im Hintergrund bleiben)* to keep in the background; *(bei Verhandlung etc)* to keep a low profile ▶ *Sie müssen sich beim Essen sehr ~* you must cut down a lot on what you eat.
[3] *vi mit etw ~ (verheimlichen)* to hold sth back.

zurückhaltend *adj* **[a]** restrained; *(reserviert)* reserved; *Empfang, Nachfrage* low-key ▶ *sich ~ über etw (acc) äußern* to be restrained in one's comments about sth.
[b] *(nicht großzügig)* sparing.

Zurück-: ~haltung *f* restraint; *(Reserve)* reserve; **z~holen** *vt sep* to fetch back; **z~kaufen** *vt sep* to buy back; **z~kehren** *vi sep irreg aux sein* to return *(von, aus* from; *nach, zu* to); **z~kommen** *vi sep irreg aux sein* to come back *(fig: auf +acc* to); **z~können** *vi sep irreg (col)* to be able to go back; *ich kann nicht mehr z~ (fig)* there's no going back!; **z~kriegen** *vt sep (col)* to get back; **z~lassen** *vt sep irreg* **[a]** to leave; *(liegenlassen, fig: übertreffen)* to leave behind; **[b]** *(col: z~kehren lassen)* to allow back; **z~laufen** *vi sep irreg aux sein* to run back; *(z~gehen)* to walk back.

zurücklegen *sep* **[1]** *vt* **[a]** to put back. **[b]** *Kopf* to lay or lean back. **[c]** *(aufbewahren)* to put aside; *(sparen)* to lay aside ▶ *jdm etw ~* to keep sth for sb. **[d]** *Strecke* to cover, to do.
[2] *vr* to lie back.

▼**Zurück-: z~lehnen** *vtr sep* to lean back; **z~liegen** *vi irreg* **[a]** *(im Rückstand liegen)* to be behind; **[b]** *(zeitlich) der Unfall liegt etwa eine Woche z~* the accident was about a week ago; **z~melden** *vtr sep* to report back; **z~müssen** *vi sep irreg (col)* to have to go back; **~nahme** *f -n siehe* **z~nehmen** taking back; revoking; reversal; withdrawal; **z~nehmen** *vt sep irreg* to take back; *Verordnung* to revoke; *Entscheidung* to reverse; *Angebot* to withdraw; *sein Wort z~nehmen* to go back on one's word; **z~pfeifen** *vt sep irreg jdn z~pfeifen (fig col)* to bring sb back into line; **z~prallen** *vi sep aux sein* to bounce back; **z~reichen** *vi sep (Tradition etc)* to go back *(in +acc* to); **z~reißen** *vt sep irreg* to pull back; **z~rollen** *vti sep (vi: aux sein)* to roll back; **z~rufen** *vti sep irreg* to call back; *Botschafter, fehlerhafte Autos* to recall; *jdn ins Leben z~rufen* to bring sb back to life; *jdm/sich etw ins Gedächtnis z~rufen* to remind sb of sth/to recall sth; **z~schalten** *vi sep* to change back; **z~schauen** *vi sep* to look back *(auf +acc (lit)* at, *(fig)* on); **z~schicken** *vt sep* to send back; **z~schieben** *vt sep irreg* to push back.

zurückschlagen *sep irreg* **[1]** *vt* **[a]** *Ball* to return; *Angriff etc* to repulse. **[b]** *Decke* to fold back; *Kragen* to turn down.
[2] *vi* to hit back.

zurück-: ~schrauben *vt sep Erwartungen* to lower; *Verbrauch etc* to cut back; *seine Ansprüche ~schrauben* to lower one's sights; **~schrecken** *vi sep irreg aux sein or haben (fig)* to shy away *(vor +dat* from); *vor nichts ~schrecken* to stop at nothing; **~sehen** *vi sep irreg* to

look back *(auf +acc (lit)* at, *(fig)* on); **~sehnen** *vr sep* to long to return *(nach* to); *sich nach der guten alten Zeit ~sehnen* to long for the good old days; **~senden** *vt sep irreg* to send back.

zurücksetzen *sep* **[1]** *vt (nach hinten)* to move back; *(an früheren Platz)* to put back; *(fig: benachteiligen)* to neglect.
[2] *vr* to sit back.
[3] *vi (mit Fahrzeug)* to reverse, to back.

Zurück-: ~setzung *f (fig: Benachteiligung)* neglect; **z~sinken** *vi sep irreg aux sein* to sink back *(in +acc* into); **z~spielen** *vti sep (Sport)* to play back; **z~stecken** *sep* **[1]** *vt* to put back; **[2]** *vi* **[a]** *(weniger Ansprüche stellen)* to lower one's expectations; **[b]** *(nachgeben)* to backtrack.

zurückstehen *vi sep irreg* **[a]** *(Haus etc)* to stand back. **[b]** *(verzichten)* to miss out. **[c]** *(hintangesetzt werden)* to take second place *(hinter +dat* to).

zurückstellen *vt sep* **[a]** *(an seinen Platz, Uhr)* to put back; *(nach hinten)* to move back. **[b]** *Waren* to put aside or by. **[c]** *(fig) Schüler* to keep down ▶ *jdn vom Wehrdienst ~* to defer sb's military service. **[d]** *(verschieben)* to defer; *Bedenken etc* to put aside ▶ *persönliche Interessen hinter etw (dat) ~* to put one's personal interests after sth.

Zurück-: ~stellung *f (Aufschub, Mil)* deferment; **z~stoßen** *vt sep irreg* to push back; *(fig)* to reject; **z~stufen** *vt sep* to downgrade; **z~tragen** *vt sep irreg* to carry back; **z~treiben** *vt sep irreg* to drive back.

▼**zurücktreten** *sep irreg* **[1]** *vi aux sein* **[a]** to step back; *(fig: Hochwasser)* to go down ▶ *bitte ~!* stand back, please!; *einen Schritt ~* to take a step back. **[b]** *(Regierung)* to resign; *(von einem Amt)* to step down. **[c]** *(von einem Vertrag etc)* to withdraw *(von* from). **[d]** *(fig: geringer werden)* to decrease; *(Wald)* to recede ▶ *hinter jdm/etw ~* to come second to sb/sth.
[2] *vti (mit Fuß)* to kick back.

Zurück-: z~verfolgen* *vt sep (fig)* to trace back; **z~verlangen*** *vt sep* to demand back; **z~verlegen*** *vt sep* **[a]** *(zeitlich)* to set back; **[b]** *Front etc, Wohnsitz* to move back; **z~versetzen*** *sep* **[1]** *vt* **[a]** *(in alten Zustand)* to restore *(in +acc* to); *(in andere Zeit)* to take back *(in +acc* to); **[b]** *Beamte etc* to transfer back; **[2]** *vr* to think oneself back *(in +acc* to); **z~verweisen*** *vt sep irreg* to refer back; *(Parl) Gesetzentwurf* to recommit; **z~weichen** *vi sep irreg aux sein* to shrink back *(vor +dat* from); **z~weisen** *vt sep irreg* to reject; *Bittsteller* to turn away; *(an der Grenze)* to turn back; **~weisung** *f siehe vt* rejection; turning away; turning back; **z~werfen** *vt sep irreg Ball, Kopf* to throw back; *Feind auch* to repel; *Strahlen, Schall* to reflect; *(fig: wirtschaftlich)* to set back *(um* by); **z~wollen** *vi sep (col)* to want to go back; **z~zahlen** *vt sep* to pay back; **~zahlung** *f* repayment.

zurückziehen *sep irreg* **[1]** *vt* to pull back; *Antrag, Klage etc* to withdraw.
[2] *vr* to withdraw *(von* from); *(von Tätigkeit)* to retire; *siehe* **zurückgezogen**.
[3] *vi aux sein* to move back.

Zuruf *m* shout; *(aufmunternd)* cheer.

zurufen *vi sep irreg jdm etw ~* to shout sth to sb.

zus. = **[a]** zusammen. **[b]** zusätzlich.

Zusage *f -n* **[a]** *(Verpflichtung)* commitment. **[b]** *(Annahme)* acceptance. **[c]** *(Versprechen)* promise.

zusagen *sep* **[1]** *vt (versprechen)* to promise; *(bestätigen)* to confirm.
[2] *vi* **[a]** *(annehmen) (jdm) ~* to accept (sb's invitation). **[b]** *(gefallen) jdm ~* to appeal to sb.

zusammen *adv* together ▶ *wir hatten ~ 100 Mark zum Ausgeben* between us we had 100 marks to spend; *er verdient mehr als wir alle ~* he earns more than the

---

rest of us put together; *das macht ~ 50 Mark* that makes 50 marks altogether.

Zusammen-: **~arbeit** *f* co-operation; **z~arbeiten** *vi sep* to co-operate; **~ballung** *f* accumulation; **~bau** *m no pl* assembly; **z~bauen** *vt sep* to assemble; *etw wieder z~bauen* to reassemble sth; **z~beißen** *vt sep irreg die Zähne z~beißen* (*lit*) to clench one's teeth; (*fig*) to grit one's teeth; **z~bekommen*** *vt sep* to get together; *Wortlaut etc* to remember; **z~binden** *vt sep irreg* to tie together; **z~bleiben** *vi sep irreg aux sein* to stay together; **z~brauen** *sep* [1] *vt* (*col*) to concoct; [2] *vr* (*Gewitter, Unheil etc*) to be brewing.

zusammenbrechen *vi sep irreg aux sein* to collapse; (*Mensch auch, Verhandlungen, Telefonverbindungen*) to break down; (*Verkehr etc*) to come to a standstill; (*Computer, Börse*) to crash.

zusammenbringen *vt sep irreg* to collect; *Geld* to raise; (*ins Gedächtnis zurückrufen*) to remember; (*bekannt machen*) *Menschen* to bring together.

Zusammenbruch *m* (*von Beziehungen, Kommunikation, Nerven~*) breakdown; (*Comp, Fin*) crash; (*fig*) collapse.

zusammen-: **~drängen** *vtr* to crowd together; **~drücken** *vt sep* to press together; **~fahren** *sep irreg* [1] *vi aux sein* [a] (*~stoßen*) to collide; [b] (*erschrecken*) to give a start; [2] *vt* (*col*) *Fahrzeug* to wreck; **~fallen** *vi sep irreg aux sein* [a] (*einstürzen*) to collapse; [b] (*Ereignisse*) to coincide; **~falten** *vt sep* to fold up.

zusammenfassen *sep* [1] *vt* to combine (*zu* in). [2] *vti* (*das Fazit ziehen*) to summarize ▸ *~d kann man sagen, ...* to sum up, one can say ...

Zusammen-: **~fassung** *f* [a] combination; [b] (*Überblick*) summary; **z~fegen** *vt sep* to sweep together; **z~finden** *vr sep irreg* to meet; (*sich versammeln*) to congregate; **z~flicken** *vt sep* (*col*) *Sache, Verletzten* to patch up; **z~fließen** *vi sep irreg aux sein* to meet; (*Farben*) to run together; **~fluß** △ *m* confluence; **z~fügen** *sep* [1] *vt* to join together; (*Tech*) to fit together; *etw zu etw z~fügen* to join/fit sth together to make sth; [2] *vr* to fit together; **z~führen** *vt sep* to bring together; *Familie* to reunite; **z~gehen** *vi sep irreg aux sein* (*sich vereinen*) to unite; (*Linien etc*) to meet; **z~gehören*** *vi sep* to belong together; (*Gegenstände*) to go together, to match; **z~gehörig** *adj* *Kleidungsstücke etc* matching; **~gehörigkeit** *f* (*Einheit*) unity; **~gehörigkeitsgefühl** *nt* sense of belonging; (*in Familie*) sense of a common bond; **z~gesetzt** *adj* *aus etw z~gesetzt sein* to be composed of sth; *z~gesetztes Wort/Verb* compound (word)/verb; **z~gewürfelt** *adj* motley; **z~haben** *vt sep irreg* (*col*) *etw z~haben* to have got sth together; **~halt** *m no pl* cohesion; (*Tech*) (cohesive) strength.

zusammenhalten *sep irreg* [1] *vt* to hold together; (*col*) *Geld etc* to hold on to. [2] *vi* to hold together; (*fig: Freunde, Gruppe etc*) to stick together.

Zusammenhang *m* connection (*von, zwischen* +dat between); (*im Text*) context ▸ *etw mit etw in ~ bringen* to connect sth with sth; *im or in ~ mit etw stehen* to be connected with sth; *etw aus dem ~ reißen* to take sth out of its context.

zusammenhängen *vi sep irreg* to be joined (together); (*fig*) to be connected ▸ *~d Erzählung* coherent.

zusammenhang(s)los [1] *adj* disjointed. [2] *adv* incoherently.

Zusammen-: **z~hauen** *vt sep irreg* (*col*) (*zerstören*) to smash to pieces; *jdn z~hauen* to beat sb up; **z~heften** *vt sep* to staple together; **z~heilen** *vi sep aux sein* to heal (up); (*Knochen*) to knit together; **z~kehren** *vt sep* to sweep together; **z~klappbar** *adj* folding; **z~klappen** *sep* [1] *vt* to fold up; *Schirm* to shut; [2] *vi aux sein* [a]

(*Stuhl etc*) to collapse; [b] (*fig col: vor Erschöpfung*) to flake out (*col*); **z~kleben** *vti sep* (*vi: aux haben or sein*) to stick together; **z~kneifen** *vt sep irreg* *Lippen etc* to press together; *Augen* to screw up; **z~knüllen** *vt sep* to crumple up; **z~kommen** *vi sep irreg aux sein* to meet; (*Umstände*) to combine; (*Geld*) to be collected; *er kommt viel mit Menschen zusammen* he meets a lot of people; **z~kratzen** *vt sep* to scrape together; **z~kriegen** *vt sep* (*col*) = **z~bekommen**; **~kunft** *f*, *pl* **~künfte** meeting; (*zwanglos*) get-together; **z~lassen** *vt sep irreg* to leave together.

zusammenlaufen *vi sep irreg aux sein* [a] (*an eine Stelle laufen*) to gather; (*Flüssigkeit*) to collect. [b] (*Farben*) to run together; (*Linien, Straßen*) to converge. [c] (*Stoff*) to shrink.

zusammenleben *vi sep* to live together.

Zusammenleben *nt* living together *no art* ▸ *das menschliche ~* social existence.

zusammen-: **~legen** *vt sep* [a] to fold (up); [b] (*stapeln*) to pile together; [c] (*vereinigen*) to put together, to combine; *Grundstücke* to join; *Termine* to combine; *Häftlinge, Patienten* to put together; *sie legten ihr Geld ~* they pooled their money; **~nähen** *vt sep* to sew or stitch together.

zusammennehmen *sep irreg* [1] *vt* to gather up; *Mut* to summon up; *Gedanken* to collect ▸ *alles zusammengenommen* all in all. [2] *vr* to pull oneself together.

Zusammen-: **z~packen** *vt sep* to pack up together; *pack (deine Sachen) z~!* get packed!; **z~passen** *vi sep* to be suited to each other; (*Farben, Stile*) to go together; **z~pferchen** *vt sep* to herd together; **~prall** *m* collision; (*fig*) clash; **z~prallen** *vi sep aux sein* to collide; (*fig*) to clash; **z~pressen** *vt sep* to press together; **z~raffen** *sep* [1] *vt* [a] to bundle together; [b] (*fig*) *Mut* to summon up; [c] (*fig pej: anhäufen*) to amass, to pile up; [2] *vr* to pull oneself together; **z~rechnen** *vt sep* to add up; **z~reimen** *vt sep* (*col*) *das kann ich mir nicht z~reimen* I can't make head or tail of this; **z~reißen** *vr sep irreg* to pull oneself together; **z~rollen** *sep* [1] *vt* to roll up; [2] *vr* to curl up; (*Schlange*) to coil up; **z~rotten** *vr sep* (*pej*) to gang up (*gegen* against); (*in aufrührerischer Absicht*) to form a mob; **z~rücken** *sep* [1] *vt* *Möbel etc* to move closer together; [2] *vi aux sein* to move up closer; **z~rufen** *vt sep irreg* to call together; **z~sacken** *vi sep aux sein* = **z~sinken**; **z~scharen** *vr sep* to gather; **z~schießen** *vt sep irreg* to shoot up; **z~schlagen** *sep irreg* [1] *vt* [a] (*aneinanderschlagen*) to knock together; *Hacken* to click; *die Hände überm Kopf z~schlagen* to throw up one's hands in horror; [b] (*verprügeln*) to beat up; (*zerschlagen*) to smash up; [2] *vi aux sein über jdm/ etw z~schlagen* (*Wellen etc*) to close over sb/sth; **z~schließen** *vr sep irreg* to join together, to combine; (*Comm, Pol*) to merge; **~schluß** △ *m siehe vr* combining; merger; **z~schmelzen** *vi sep irreg aux sein* [a] (*verschmelzen*) to fuse; [b] (*zerschmelzen*) to melt (away); (*Anzahl*) to dwindle; **z~schrecken** *vi sep irreg aux sein* to give a start; **z~schreiben** *vt sep irreg* [a] *Wörter* to write together; [b] (*pej: verfassen*) to dash off; *was der für einen Mist zusammenschreibt* what a load of rubbish he writes; **z~schrumpfen** *vi sep aux sein* to shrivel up; (*fig*) to dwindle (*auf* +acc to).

△**zusammensein** *vi sep irreg aux sein mit jdm ~* to be with sb; (*col: befreundet*) to be going out with sb; (*euph: mit jdm schlafen*) to sleep with sb.

Zusammensein *nt* [a] being together. [b] (*Zusammenkunft*) get-together.

zusammensetzen *sep* [1] *vt* to put together. [2] *vr* [a] to sit together; (*um etwas zu tun*) to get together. [b] *sich ~ aus* to consist of.

Zusammen-: **~setzung** *f* (*Struktur*) composition; (*Mischung*) mixture; *das Team in dieser ~setzung* the team in this line-up; **z~sinken** *vi sep irreg aux sein (in sich) z~sinken* to slump; (*Gebäude*) to cave in; **z~sparen** *vt sep* to save up; **~spiel** *nt* teamwork; (*von Kräften etc*) interaction; **z~stauchen** *vt sep* (*col*) to give a dressing-down (*col*); **z~stecken** *sep* **1** *vt Einzelteile* to fit together; (*mit Nadeln etc*) to pin together; *die Köpfe z~stecken* (*col*) to go into a huddle; (*flüstern*) to whisper to each other; **2** *vi* (*col*) to be together; **z~stehen** *vi sep irreg* to stand together; (*Gegenstände*) to be together; (*fig*) to stand by each other.

zusammenstellen *vt sep* to put together; (*nach System*) to arrange; *Liste* to draw up.

Zusammenstellung *f* **a** *siehe vt* putting together; arranging; drawing up. **b** (*nach System*) arrangement; (*Liste*) list; (*Zusammensetzung*) composition; (*Übersicht*) survey.

Zusammenstoß *m* collision, crash; (*Mil, fig: Streit*) clash.

zusammenstoßen *sep irreg* **1** *vi aux sein* (*z~prallen*) to collide; (*Mil, fig: sich streiten*) to clash ► *mit jdm ~* to collide with sb; (*fig*) to clash with sb; *sie stießen mit den Köpfen zusammen* they banged their heads together. **2** *vt* to knock together.

Zusammen-: **z~streichen** *vt sep irreg* to cut (down) (*auf +acc to*); **z~strömen** *vi sep aux sein* (*Menschen*) to flock together; **z~stürzen** *vi sep aux sein* (*einstürzen*) to collapse; **z~suchen** *vt sep* to collect (together); *sich* (*dat*) *etw z~suchen* to find sth; **z~tragen** *vt sep irreg* to collect; **z~treffen** *vi sep irreg aux sein* (*Menschen*) to meet; (*Ereignisse*) to coincide; *mit jdm z~treffen* to meet sb; **z~treten** *vi sep irreg aux sein* (*Vorstand etc*) to meet; **z~trommeln** *vt sep* (*col*) to round up (*col*); **z~tun** *sep irreg* **1** *vt* (*col*) to put together; (*vermischen*) to mix; **2** *vr* to get together; **z~wachsen** *vi sep irreg aux sein* to grow together; (*Wunde*) to close; (*Knochen*) to knit; **z~wirken** *vi sep* to combine; **z~zählen** *vt sep* to add up.

zusammenziehen *sep irreg* **1** *vt* **a** to draw together; (*verengen*) to narrow; *Augenbrauen* to knit. **b** (*fig*) *Truppen, Polizei* to assemble. **c** (*kürzen*) *Wörter etc* to contract; *Zahlen* to add together. **2** *vr* (*esp Biol, Sci*) to contract; (*Gewitter*) to be brewing. **3** *vi aux sein* to move in together.

zusammenzucken *vi sep aux sein* to start.

Zusatz *m* addition; (*zu Gesetz*) amendment; (*Beimischung*) additive.

Zusatz- *in cpds* supplementary; **~antrag** *m* (*Parl etc*) amendment; **~bestimmung** *f* supplementary provision; **~gerät** *nt* attachment; (*Comp*) peripheral (device).

zusätzlich **1** *adj* additional. **2** *adv* in addition.

Zusatz-: **~mittel** *nt*, **~stoff** *m* additive.

zuschanzen *vt sep* (*col*) *jdm etw ~* to make sure sb gets sth.

zuschauen *vi sep* = **zusehen.**

Zuschauer(in *f*) *m* - spectator; (*TV*) viewer; (*Theat*) member of the audience; (*Beistehender*) onlooker ► *die ~ pl* the spectators *pl*; (*TV*) the viewers *pl*; (*Theat*) the audience *sing.*

Zuschauer-: **~raum** *m* auditorium; **~tribüne** *f* (*esp Sport*) stand.

zuschaufeln *vt sep* to fill up.

zuschicken *vt sep jdm etw ~* to send sth to sb *or* sb sth; *sich* (*dat*) *etw ~ lassen* to send for sth.

zuschieben *vt sep irreg* **a** *jdm etw ~* to push sth over to sb; *jdm die Schuld ~* to put the blame on sb. **b**

(*schließen*) to push shut.

zuschießen *sep irreg* **1** *vt* **a** *jdm den Ball ~* to kick the ball (over) to sb. **b** *Geld etc* to contribute ► *Geld für etw ~* to put money towards sth. **2** *vi aux sein* (*col*) *auf jdn ~* to shoot up to sb.

Zuschlag *m* **a** (*Erhöhung*) surcharge (*esp Comm, Econ*); (*auf Briefmarke*) supplement; (*Rail*) supplement (*für +acc* on). **b** *er erhielt den ~* (*bei Auktion*) it was knocked down to him; (*bei Auftragsvergabe*) he won the order.

zuschlagen *sep irreg* **1** *vt* **a** *Tür, Fenster* to slam (shut). **b** *Gebiet* to annex (*dat* to). **2** *vi* (*kräftig schlagen*) to hit out (*auch fig*) ► *schlag zu!* hit me/him/it etc! **b** *aux sein* (*Tür*) to slam (shut).

Zuschlag(s)- (*Rail*): **z~frei** *adj Zug* not subject to a supplement; **~karte** *f* supplementary ticket; **z~pflichtig** *adj Zug* subject to a supplement.

zuschließen *vt sep irreg* to lock; *Laden* to lock up.

zuschmeißen *vt sep irreg* (*col*) *Tür etc* to slam (shut).

zuschmieren *vt sep* (*col*) to smear over; *Löcher* to fill in.

zuschnappen *vi sep* **a** *der Hund schnappte zu* the dog snapped at me/him etc. **b** *aux sein* (*Schloß*) to snap shut.

zuschneiden *vt sep irreg* to cut to size; (*Sew*) to cut out ► *auf etw* (*acc*) *zugeschnitten sein* (*fig*) to be geared to sth.

Zuschneider *m* cutter.

zuschneien *vi sep aux sein* to snow in.

Zuschnitt *m* **a** *no pl* cutting. **b** (*Form*) cut; (*fig*) calibre (*Brit*), caliber (*US*).

zuschnüren *vt sep* to tie up; *Schuhe, Mieder* to lace up ► *die Angst schnürte ihm die Kehle zu* he was choked with fear.

zuschrauben *vt sep Hahn etc* to screw shut; *Deckel etc* to screw on.

zuschreiben *vt sep irreg* (*fig*) to ascribe (*dat* to) ► *das hast du dir selbst zuzuschreiben* you've only got yourself to blame for that; *das ist nur seiner Dummheit zuzuschreiben* that can only be put down to his stupidity.

Zuschrift *f* letter; (*auf Anzeige*) reply.

⚠**zuschulden** *adv: sich* (*dat*) *etwas ~ kommen lassen* to do something wrong.

⚠**Zuschuß** *m* contribution; (*staatlich*) subsidy, grant.

⚠**Zuschußbetrieb** *m* loss-making concern.

zuschütten *vt sep* to fill in; (*hin~*) to add.

zusehen *vi sep irreg* **a** to watch; (*unbeteiligter Zuschauer sein*) to look on; (*etw dulden*) to sit back (and watch) ► *jdm/(bei) einer Sache ~* to watch sb/sth; (*dulden*) to sit back and watch sb/sth; *jdm bei der Arbeit ~* to watch sb working; *ich kann doch nicht ~, wie er ...* (*dulden*) I can't sit back and watch him ... **b** (*dafür sorgen*) *~, daß ...* to see to it that ..., to make sure (that) ...

zusehends *adv* visibly; (*rasch*) rapidly.

⚠**zusein** *vi sep irreg aux sein* (*col*) to be shut.

zusenden *vt sep irreg* to send, to forward.

zusetzen *sep* **1** *vt* (*hinzufügen*) to add. **2** *vi jdm ~* (*unter Druck setzen*) to lean on sb (*col*); *dem Gegner* to harass sb; (*schwer treffen*) to hit sb hard; (*Kälte, Krankheit etc*) to take a lot out of sb.

zusichern *vt sep jdm etw ~* to assure sb of sth; *mir wurde zugesichert, daß ...* I was assured that ...

Zusicherung *f* assurance.

Zuspiel *nt* (*Sport*) passing.

zuspielen *vt sep Ball* to pass (*dat* to) ► *jdm etw ~* (*fig*) to pass sth on to sb; (*der Presse*) to leak sth to sb.

zuspitzen *sep* **1** *vt Stock etc* to sharpen. **2** *vr* to be pointed; (*fig: Lage*) to become acute.

⚠: for details of spelling reform, see supplement

Zuspitzung f (fig: von Lage, Konflikt) aggravation.
zusprechen sep irreg ① vt (Jur), Preis, Gewinn etc to award; Kind to grant custody of ▸ **jdm Mut/Trost ~** (fig) to encourage/comfort sb.
② vi **dem Essen tüchtig ~** to tuck into the food.
zuspringen vi sep irreg aux sein ⓐ (Schloß, Tür) to snap shut. ⓑ **auf jdn ~** to leap towards sb.
Zuspruch m no pl ⓐ (Worte) words pl; (Aufmunterung) encouragement; (tröstlich) comfort. ⓑ **(großen) ~ finden** to be (very) popular.
Zustand m state; (von Haus, Ware, Med) condition; (Lage) state of affairs ▸ **Zustände** pl conditions; **in gutem/schlechtem ~** in good/poor condition; (Haus) in good/bad repair; **in ungepflegtem/baufälligem ~** in a state of neglect/disrepair; **Zustände bekommen** or **kriegen** (col) to have a fit (col); **das sind ja schöne Zustände!** (iro) that's a fine state of affairs! (iro).
⚠ **zustande** adv ⓐ **~ bringen** to manage; Arbeit to get done; Ereignis, Frieden etc to bring about. ⓑ **~ kommen** (erreicht werden) to be achieved; (geschehen) to come about.
zuständig adj responsible; Behörde etc appropriate ▸ **dafür ist er ~** that's his responsibility.
Zuständigkeit f (Kompetenz) competence; (Verantwortlichkeit) responsibility.
Zuständigkeitsbereich m area of responsibility.
zustatten adj **jdm ~ kommen** (geh) to come in useful for sb.
zustecken vt sep ⓐ Kleid etc to pin up. ⓑ **jdm etw ~** to slip sb sth.
zustehen vi sep irreg **ihm stehen 6 Wochen Urlaub zu** he is entitled to 6 weeks' holiday.
zusteigen vi sep irreg aux sein to get on, to board ▸ **noch jemand zugestiegen?** (in Zug) tickets please!
Zustellbezirk m postal district.
zustellen vt sep ⓐ Brief to deliver. ⓑ Tür etc to block.
Zusteller(in f) m - deliverer; (Briefträger) postman (Brit), mailman (US).
Zustellung f delivery.
zusteuern sep ① vi aux sein **auf etw** (acc) **~** (geh) to head for sth; (beim Gespräch) to steer toward(s) sth. ② vt (beitragen) to contribute (zu to).
▼ **zustimmen** vi sep (einer Sache dat) **~** to agree (to sth); (einwilligen) to consent (to sth); **jdm (in einem Punkt) ~** to agree with sb (on a point).
Zustimmung f (Einverständnis) agreement, assent; (Einwilligung) consent; (Beifall) approval ▸ **allgemeine ~ finden** to meet with general approval.
zustopfen vt sep to stop up, to plug.
zustöpseln vt sep Flasche to stopper; (mit Korken) to cork.
zustoßen sep irreg ① vt Tür etc to push shut. ② vi ⓐ to plunge a/the knife/sword etc in; (Stier etc) to strike. ⓑ (passieren) aux sein **jdm ~** to happen to sb.
zustreben vi sep aux sein **~ auf** (+acc) to make or head for; (fig) to strive for.
Zustrom m no pl (fig: Menschenmenge) stream (of visitors etc); (hineinströmend) influx; (Met) inflow.
zuströmen vi sep aux sein +dat (Fluß) to flow toward(s); (fig: Menschen) to stream toward(s).
zustürzen vi sep aux sein **auf jdn/etw ~** to rush up to sb/sth.
⚠ **zutage** adj **etw ~ fördern** to unearth sth; **~ kommen** or **treten** to come to light.
Zutaten pl (Cook) ingredients pl; (fig) accessories pl.
zuteil adv (geh) **jdm wird etw ~** sb is granted sth, sth is granted to sb; **jdm etw ~ werden lassen** to give sb sth.
zuteilen vt sep (jdm to sb) to allocate; Arbeitskraft to assign.
Zuteilung f siehe vt allocation; assignment.

▼ **zutiefst** adv deeply.
zutragen sep irreg ① vt (fig: weitersagen) to report (jdm to sb). ② vr (liter) to take place.
zuträglich adj good (dat for), beneficial (dat to).
zutrauen vt sep **jdm etw ~** (Aufgabe, Tat) to believe sb (is) capable of (doing) sth; **sich** (dat) **~, etw zu tun** to think one can do sth; **sich** (dat) **zuviel ~** to overrate one's own abilities; **sich** (dat) **nichts ~** to have no confidence in oneself; **das hätte ich ihm nie zugetraut!** I would never have thought him capable of it!; **jdm viel/wenig ~** to think/not to think a lot of sb.
Zutrauen nt no pl confidence (zu in) ▸ **zu jdm ~ fassen** to begin to trust sb.
zutraulich adj Kind trusting; Tier friendly.
Zutraulichkeit f siehe adj trusting nature, friendliness.
zutreffen vi sep irreg (gelten) to apply (auf +acc, für to); (stimmen) to be correct, to be true ▸ **das trifft zu** that is so.
zutreffend adj accurate ▸ **Z~es bitte unterstreichen** underline where applicable.
zutreten vi sep irreg ⓐ to kick out. ⓑ aux sein **auf jdn/etw ~** to step up to sb/sth.
zutrinken vi sep irreg **jdm ~** to drink to sb; (mit Trinkspruch) to toast sb.
Zutritt m no pl (Einlaß) admittance; (Zugang) access ▸ **kein ~, ~ verboten** no admittance; **sich ~ verschaffen** to gain admission; (Dieb) to gain access.
zutun vt sep irreg ⓐ **ich habe die ganze Nacht kein Auge zugetan** I didn't sleep a wink all night. ⓑ (col: hinzufügen) to add (dat to).
Zutun nt no pl **es geschah ohne mein ~** I did not have a hand in the matter.
⚠ **zu|ungunsten** prep +gen to the disadvantage of.
zu|unterst adv right at the bottom.
zuverlässig adj reliable.
Zuverlässigkeit f reliability.
Zuversicht f no pl confidence.
zuversichtlich adj confident.
Zuversichtlichkeit f confidence.
⚠ **zuviel** adj, adv too much; (col: zu viele) too many ▸ **viel ~** far too much; **da krieg' ich ~** (col) I blow my top (col); **einer/zwei** etc **~** one/two etc too many; **was ~ ist, ist ~** that's just too much.
zuvor adv before ▸ **im Jahr ~** the year before.
zuvorderst adv right at the front.
zuvorkommen vi sep irreg aux sein +dat to anticipate; (verhindern) einer Gefahr etc to forestall ▸ **jemand ist uns zuvorgekommen** somebody beat us to it.
zuvorkommend adj obliging; (hilfsbereit) helpful; (höflich) courteous.
Zuwachs ['tsu:vaks] m, pl **Zuwächse** ⓐ no pl (Wachstum) growth (an +dat of). ⓑ (Ansteigen) increase (an +dat in) ▸ **~ bekommen** (col: ein Baby) to have an addition to the family.
zuwachsen ['tsu:vaksən] vi sep irreg aux sein (Loch) to grow over; (Garten) to become overgrown; (Wunde) to heal.
Zuwachsrate ['tsu:vaks-] f rate of increase.
Zuwanderer m immigrant.
zuwandern vi sep aux sein to immigrate.
Zuwanderung f immigration.
⚠ **zuwege** adv **etw ~ bringen** to manage sth; (erreichen) to achieve sth; **mit etw ~ kommen** to (be able to) cope with sth.
zuweilen adv (geh) (every) now and then.
zuweisen vt sep irreg to allocate (jdm etw sth to sb).
zuwenden sep irreg ① vt (lit, fig) to turn (dat to, towards); ② vr **sich jdm/einer Sache ~** (lit, fig) to turn to sb/sth;

(*sich widmen, liebevoll*) to devote oneself to sb/sth.
Z̲uwendung *f* [a] (*Liebe*) care. [b] (*Geldsumme*) sum (of money).

⚠**z̲uwẹnig** *adj* too little; (*col: zu wenige*) too few ▶ *du schläfst ~* you don't get enough sleep; *zwei ~* two too few.

z̲uwerfen *vt sep irreg* [a] (*hinwerfen*) *jdm etw ~* to throw sth to sb; *jdm einen Blick ~* to cast a glance at sb; *jdm einen bösen Blick ~* to look daggers at sb. [b] (*schließen*) *Tür* to slam (shut).

z̲uwider *adj er/das ist mir ~* I detest *or* loathe him/ that.

Z̲uwider-: z~handeln *vi sep +dat* (*geh*) to go against; *einem Verbot, Befehl* to defy; *dem Gesetz* to contravene; **~handlung** *f* (*form*) contravention; **z~laufen** *vi sep irreg aux sein +dat* to run counter to.

z̲uwinken *vi sep jdm ~* to wave to sb.

z̲uzahlen *sep* [1] *vt 10 Mark ~* to pay another 10 marks.
[2] *vi* to pay extra.

z̲uzählen *vt sep* (*col*) to add; (*einbeziehen*) to include (*zu* in).

z̲uziehen *sep irreg* [1] *vt* [a] *Vorhang* to draw; *Tür* to pull shut; *Knoten* to tighten; *Arzt etc* to consult. [b] *sich* (*dat*) *jds Zorn ~* to incur sb's anger; *sich* (*dat*) *eine Verletzung/Krankheit ~* (*form*) to sustain an injury/to contract an illness.
[2] *vr* (*Schlinge etc*) to tighten.
[3] *vi aux sein* to move into the area.

Z̲uzug *m* (*Zustrom*) influx; (*von Familie etc*) move (*nach* to).

z̲uzüglich *prep +gen* plus.

z̲uzwinkern *vi sep jdm ~* to wink at sb.

ZVS [tsɛtfauˈ|ɛs] *f* = **Zentralstelle für die Vergabe von Studienplätzen** ≈ UCCA (*Brit*), SAT center (*US*).

zw. = **zwischen**.

zwạng *pret of* **zwingen**.

Zwạng *m* ̈**-e** compulsion; (*Gewalt*) force; (*Verpflichtung*) obligation ▶ *gesellschaftliche* ̈*e* social constraints; *unter ~* (*dat*) *stehen* to be under duress; *etw ohne ~ tun* to do sth without being forced to; *auf jdn ~ aus- üben* to exert pressure on sb; *darf ich rauchen? — tu dir keinen ~ an* may I smoke? — feel free; *der ~ der Verhältnisse* the force of circumstances.

zwạ̈ngen *vt* to force; (*hinein~*) to cram ▶ *sich in/ durch etw* (*acc*) *~* to squeeze into/through sth.

Zwạng-: z~haft *adj* (*Psych*) compulsive; **z~los** *adj* (*ohne Förmlichkeit*) informal; (*locker*) casual; (*frei*) free; *da geht es recht z~los zu* things are very informal there; **~losigkeit** *f siehe adj* informality; casualness; freeness.

Zwạngs-: ~abgabe *f* (*Econ*) compulsory levy; **~arbeit** *f* hard labour (*Brit*) *or* labor (*US*); **z~ernähren*** *vt insep* to force-feed; **~ernährung** *f* force-feeding; **~jacke** *f* (*lit, fig*) straitjacket; **~lage** *f* predicament; **z~läufig** *adj* in- evitable; *das mußte ja z~läufig so kommen* that had to happen; **~läufigkeit** *f* inevitability; **~maßnahme** *f* compulsory measure; (*Pol*) sanction; **~räumung** *f* evic- tion (*+gen* from); **~verkauf** *m* forced sale; **~versteigerung** *f* compulsory auction; **~vollstreckung** *f* execution; **~vorstellung** *f* (*Psych*) obsession; **z~weise** *adv* compulsorily.

zwạnzig *num* twenty; *siehe* **vierzig**.

Zwạnziger(in *f*) *m* - [a] man/woman in his/her twen- ties. [b] (*col: Geldschein*) twenty mark note (*Brit*) *or* bill (*US*).

Zwạnzigmạrkschein *m* twenty mark note (*Brit*) *or* bill (*US*).

zwạnzigste(r, s) *adj* twentieth.

zwạr *adv* [a] (*wohl*) *sie ist ~ sehr schön, aber ...* it's true

---

she's very beautiful but ... [b] *und ~* in fact, actually; *er ist tatsächlich gekommen, und ~ um 4 Uhr* he really did come, at 4 o'clock actually; *er hat mir das anders erklärt, und ~ so: ...* he explained it differently to me(, like this) ...; *mach deine Hausaufgaben, und ~ sofort* get on with your homework, now!

Zwẹck *m* **-e** [a] purpose ▶ *einen ~ dienen* to serve a purpose; *Spenden für wohltätige ~e* donations to char- ity; *seinen ~ erfüllen* to serve its/one's purpose; *zu welchem ~?* for what purpose?; *einen ~ verfolgen* to have a specific aim. [b] (*Sinn*) point ▶ *was soll das für einen ~ haben?* what's the point of that?; *es hat keinen ~, darüber zu reden* there is no point (in) talking about it.

Zwẹck-: ~bau *m* **-ten** functional building; **z~dienlich** *adj* appropriate; (*nützlich*) useful; **z~dienliche Hinweise** (any) relevant information; **z~entfremden*** *vt insep* to use for another purpose; *etw als etw z~entfremden* to use sth as sth else; **~entfremdung** *f* use for another purpose; **z~entsprechend** *adj* appropriate; **z~frei** *adj* *Forschung etc* pure; **z~gebunden** *adj* for a specific pur- pose; **~gemeinschaft** *f* partnership of convenience; **z~los** *adj* pointless; *es ist z~los, hier zu bleiben* it's pointless staying here; **~losigkeit** *f no pl* pointlessness; **z~mäßig** *adj* (*nützlich*) useful; (*wirksam*) effective; (*ratsam*) advisable; (*z~entsprechend*) *Arbeitskleider etc* suitable; **~mäßigkeit** *f* (*Nützlichkeit*) usefulness.

zwẹcks *prep +gen* (*form*) for (the purpose of).

zwẹi *num* two ▶ *dazu gehören ~* (*col*) it takes two; *siehe* **vier**.

Zwei *f* **-en** two; (*Sch*) ≃ B; *siehe* **Vier**.

Zwei-: z~bändig *adj* two-volume; **z~beinig** *adj* two- legged; **~bettzimmer** *nt* twin-bedded room; **z~deutig** *adj* ambiguous; (*schlüpfrig*) suggestive; **~deutigkeit** *f* [a] *siehe adj* ambiguity; suggestiveness; [b] (*Bemerkung*) ambiguous remark; (*Witz*) risqué joke; **z~dimensional** *adj* two-dimensional; **~drittelmehrheit** *f* (*Parl*) two- thirds majority; **z~eiig** *adj Zwillinge* non-identical.

Zweier *m* - two; (*Zweipfennigstück*) two pfennig piece; *siehe* **Vierer**.

Zweier-: ~beziehung *f* relationship; **~bob** *m* two-man bob; **~kajak** *m or nt* (*Kanu*) double kayak; (*Disziplin*) kayak pairs.

zweierlei *adj inv attr Brot, Käse* two kinds *or* sorts of; *Möglichkeiten, Größen* two different ▶ *auf ~ Art* in two different ways; *~ Handschuhe/Strümpfe etc* odd gloves/socks *etc*.

zweifach *adj* double; (*zweimal*) twice; *siehe* **vierfach**.

Zwei-: ~familienhaus *nt* two-family house; **z~farbig** *adj* two-colour (*Brit*), two-color (*US*).

▼ **Zweifel** *m* - doubt ▶ *außer ~* beyond doubt; *im ~* in doubt; *ohne ~* without doubt; *über allen ~ erhaben* be- yond all doubt; *es besteht kein ~, daß ...* there is no doubt that ...; *da habe ich meine ~* I have my doubts; *etw in ~ ziehen* to call sth into question; *ich bin mir im ~, ob ich das tun soll* I'm in two minds whether I should do that.

zweifelhaft *adj* doubtful.

▼ **zweifellos** *adv* undoubtedly.

▼ **zweifeln** *vi* to doubt ▶ *an etw/jdm ~* to doubt sth/sb.

Zweifels-: ~fall *m* difficult *or* problem case ▶ *im ~fall* in case of doubt; **z~frei** [1] *adj* unequivocal; [2] *adv* be- yond (all) doubt; **z~ohne** *adv* undoubtedly.

Zweifler(in *f*) *m* - sceptic.

Zweifrontenkrieg *m* war/warfare on two fronts.

Zweig *m* **-e** [a] (*Ast*) branch; (*dünner, kleiner*) twig. [b] (*fig*) (*Abteilung*) department.

Zweig-: ~betrieb *m* branch; **~gesellschaft** *f* subsidiary (company).

zweigleisig *adj* double-track *attr* ▶ *~ argumentieren* to

➤ SATZBAUSTEINE: **Zweifel** → 13.1   **zweifellos** → 13.1   **zweifeln** → 14.1

argue along two different lines.

Zweig-: **~linie** *f* branch line; **~niederlassung** *f* subsidiary; **~stelle** *f* branch (office); **~werk** *nt* (*Fabrik*) branch.

zwei-: **~händig** *adj* two-handed; (*Mus*) for two hands; **~höck(e)rig** *adj Kamel* two-humped.

zweihundert *num* two hundred.

zweijährig *adj attr Kind etc* two-year-old *attr*, two years old; (*Dauer*) two-year *attr*, of two years.

Zweikampf *m* single combat; (*Duell*) duel.

zweimal *adv* twice ▶ **sich** (*dat*) **etw ~ überlegen** to think twice about sth; **das lasse ich mir nicht ~ sagen** I don't have to be told twice.

zweimalig *adj attr* **nach ~er Aufforderung** after being told twice.

Zwei-: **~markstück** *nt* two-mark piece; **z~motorig** *adj* twin-engined; **~parteiensystem** *nt* two-party system; **~pfennigstück** *nt* two-pfennig piece; **~rad** *nt* two-wheeler; **z~räd(e)rig** *adj* two-wheeled; **~reiher** *m* (*Anzug*) double-breasted suit; **z~reihig** [1] *adj* double-row *attr*, in two rows; *Anzug* double-breasted; [2] *adv* in two rows; **~samkeit** *f* (*liter, hum*) togetherness; **z~schneidig** *adj* (*lit, fig*) double-edged; **das ist ein z~schneidiges Schwert** (*fig*) it cuts both ways; **z~seitig** [1] *adj Vertrag etc* bilateral; (*Comp*) *Diskette* double-sided; [2] *adv* on two sides; **~sitzer** *m* - (*Aut, Aviat*) two-seater; **z~sprachig** *adj* bilingual; **~sprachigkeit** *f* bilingualism; **z~spurig** *adj* double-tracked, double-track *attr*, *Autobahn* two-lane *attr*, **~spur(tonband)gerät** *nt* twin-track (tape) recorder; **z~stellig** *adj Zahl* two-digit *attr*, with two digits; **z~stimmig** *adj* (*Mus*) for two voices; **z~stimmig singen** to sing in two parts; **z~stöckig** *adj* two-storey *attr* (*Brit*), two-story *attr* (*US*); **z~stündig** *adj* two-hour *attr*.

zweit *adv* **zu ~** (*in Paaren*) in twos; **wir gingen zu ~ spazieren** the two of us went for a walk; **das Leben zu ~** living with someone; *siehe* **vier**.

Zwei-: **z~tägig** *adj* two-day *attr*, of two days; **~taktmotor** *m* two-stroke engine.

Zweit-: **z~älteste(r, s)** *adj* second eldest; **~ausfertigung** *f* (*form*) copy; **z~beste(r, s)** *adj* second best.

zwei-: **~teilen** *vt sep, infin, ptp only* to divide (into two); **~teiler** *m* (*Fashion*) two-piece; **~teilig** *adj Roman, Film* two-part *attr*, in two parts; *Kleidungsstück* two-piece.

zweitens *adv* secondly.

zweite(r, s) *adj* second ▶ **~ Klasse** (*Rail etc*) second class; **Bürger ~r Klasse** second-class citizen(s); **jeder ~** (*lit, col: sehr viele*) every other; **zum ~n** secondly; **ein ~r Caruso** another Caruso; *siehe* **vierte(r, s)**.

Zweite(r) *mf decl as adj* second; (*Sport etc*) runner-up ▶ **wie kein z~r** like nobody else.

Zweit-: **~frisur** *f* wig; **~gerät** *nt* (*Rad, TV*) second set; **z~größte(r, s)** *adj* second biggest/largest; **z~klassig** *adj* (*fig*) second-class, second-rate (*pej*); **z~letzte(r, s)** *adj* last but one; **z~rangig** *adj* = **z~klassig**; **~schlüssel** *m* duplicate key; **~stimme** *f* second vote.

zweitürig *adj* two-door.

Zweit-: **~wagen** *m* second car; **~wohnung** *f* second home.

Zwei-: **~vierteltakt** *m* (*Mus*) two-four time; **z~wöchig** *adj* two-week *attr*, of two weeks; **~zeiler** *m* (*Liter*) couplet; **z~zeilig** *adj* two-lined; (*Typ*) *Abstand* double-spaced; **z~zeilig schreiben** to double-space; **~zimmerwohnung** *f* two-room(ed) flat (*Brit*) or apartment; **z~zylindrig** *adj* two-cylinder *attr*.

Zwerchfell *nt* (*Anat*) diaphragm.

Zwerg(in *f*) *m* -**e** dwarf; (*fig: Knirps*) midget; (*pej: unbedeutender Mensch*) squirt (*col*).

zwergenhaft *adj* dwarfish; (*fig*) diminutive.

Zwerg-: **~huhn** *nt* bantam; **~pinscher** *m* pet terrier; **~schule** *f* (*Sch col*) village school; **~staat** *m* miniature state; **~wuchs** *m* dwarfism; **z~wüchsig** *adj attr* dwarfish.

Zwetsch(g)e *f* -**n** plum.

Zwetsch(g)enschnaps *m* plum brandy.

Zwickel *m* - (*Sew*) gusset.

zwicken [1] *vt* to pinch; (*leicht schmerzen*) to give a twinge.

[2] *vt impers* **es zwickt mich in der Schulter** I've a twinge in my shoulder.

Zwicker *m* - pince-nez.

Zwickmühle *f* **in der ~ sitzen** (*fig*) to be in a dilemma.

Zwieback *m* -**e** or -**e** ≈ rusk.

Zwiebel *f* -**n** onion; (*Blumen~*) bulb; (*hum col: Uhr*) watch.

Zwiebel-: **z~förmig** *adj* onion-shaped; **~kuchen** *m* onion tart; **~ring** *m* onion ring; **~suppe** *f* onion soup; **~turm** *m* (tower with an) onion dome.

Zwie-: **~gespräch** *nt* dialogue; **~licht** *nt no pl* twilight; (*morgens*) half-light; **ins ~licht geraten sein** (*fig*) to appear in an unfavourable (*Brit*) or unfavorable (*US*) light; **z~lichtig** *adj* (*fig*) shady; **~spalt** *m* (*der Gefühle etc*) conflict; (*zwischen Menschen*) rift, gulf; **z~spältig** *adj Gefühle* mixed, conflicting *attr*, **ein z~spältiger Mensch** a man/woman of contradictions; **~sprache** *f* (*geh*) **~sprache mit jdm halten** to commune with sb; **~tracht** *f no pl* discord; **~tracht säen** to sow discord.

Zwilling *m* -**e** twin; (*Gewehr*) double-barrelled (*Brit*) or double-barreled (*US*) gun ▶ **~e** (*Astrol*) Gemini.

Zwillings-: **~bruder** *m* twin brother; **~geburt** *f* twin birth; **~paar** *nt* twins *pl*; **~schwester** *f* twin sister.

Zwinge *f* -**n** (*Tech*) (screw) clamp; (*an Stock, Schirm*) tip; (*an Werkzeuggriff*) ferrule.

zwingen *pret* **zwang**, *ptp* **gezwungen** [1] *vt* to force ▶ **jdn ~, etw zu tun** to force sb to do sth; **jdn zu etw ~** to force sb to do sth; **jdn zum Handeln ~** to force sb to act; **die Regierung wurde zum Rücktritt gezwungen** the government was forced to resign; *siehe* **gezwungen**.

[2] *vr* to force oneself.

[3] *vi* **zum Handeln/Umdenken ~** to force or compel us/them *etc* to act/rethink.

zwingend *adj Notwendigkeit* urgent; (*logisch notwendig*) necessary; *Schluß, Beweis* conclusive; *Argument, Gründe* cogent.

Zwinger *m* - (*Käfig*) cage; (*Hunde~*) kennels *pl*.

zwinkern *vi* to blink; (*als Zeichen*) to wink; (*lustig*) to twinkle ▶ **mit den Augen ~** to blink (one's eyes).

zwirbeln *vt Bart* to twirl; *Schnur* to twist.

Zwirn *m* -**e** (strong) thread, yarn.

Zwirnsfaden *m* thread.

zwischen *prep* +*dat* or (*mit Bewegungsverben*) +*acc* between; (*bei mehreren auch*) among ▶ **mitten ~** right in the midst of.

Zwischen-: **~ablage** *f* (*Comp*) clipboard; **~akt** *m* (*Theat*) intermission; **~aufenthalt** *m* stopover; **~bemerkung** *f* interjection; **wenn Sie mir eine kurze ~bemerkung erlauben** if I may just interrupt; **~bericht** *m* interim report; **~bescheid** *m* provisional notification *no indef art*; **~bilanz** *f* (*Comm*) interim balance; **~deck** *nt* (*Naut*) 'tween deck; **im ~deck** 'tween decks; **~ding** *nt* cross (between the two); **z~durch** *adv* [a] (*zeitlich*) in between times; (*inzwischen*) meantime; (*nebenbei*) on the side; [b] (*örtlich*) here and there; **~ergebnis** *nt* interim result; (*Sport*) latest score; **~fall** *m* incident; **~finanzierung** *f* bridging finance; **~frage** *f* (interposed) question; **~gericht** *nt* (*Cook*) entrée; **~größe** *f* in-between size; **~handel** *m* wholesaling; **~händler** *m* middleman; **~lager** *nt* temporary store; **z~lagern** *vt* *insep inf and ptp only* to store (temporarily); **~lagerung** *f* temporary storage; **z~landen** *vi sep aux sein* (*Aviat*) to stop over; **~landung** *f* (*Aviat*) stopover; **~lösung** *f* temporary solution; **~mahlzeit** *f* snack (between meals); **z~menschlich** *adj attr* interpersonal; **~musik** *f* interlude; **~produkt** *nt* intermediate product; **~prüfung** *f* intermediate examination; **~raum** *m* gap, space; (*zeitlich*) interval; **~ruf** *m* interruption; **~*rufe*** heckling; **~rufer(in** *f*) *m* - heckler; **~runde** *f* intermediate round; **~saison** *f* low season; **z~schalten** *vt sep* (*Elec*) to insert; (*fig*) to interpose; **~schalter** *m* (*Elec*) circuit breaker; **~speicher** *m* (*Comp*) cache (memory); **~spiel** *nt* (*Mus*) intermezzo; (*Theat, fig*) interlude; **~spurt** *m* (*Sport*) short burst (of speed); **z~staatlich** *adj attr* international; **~stadium** *nt* intermediate stage; **~station** *f* (intermediate) stop; **in London machten wir ~station** we stopped off in London; **~stecker** *m* (*Elec*) adapter; **~stück** *nt* connecting piece; **~summe** *f* subtotal; **~text** *m* inserted text; **~ton** *m* (*Farbe*) shade; **~*töne*** (*fig*) nuances; **~wand** *f* dividing wall; (*Stellwand*) partition; **~zeit** *f* ⓐ (*Zeitraum*) interval; **in der ~zeit** (in the) meantime; ⓑ (*Sport*) intermediate time; (*Ski*) split time; **z~zeitlich** *adv* in between; (*inzwischen*) (in the) meantime; **~zeugnis** *nt* (*Sch*) mid-year report.

Zwist *m* (*rare*) **-e** (*geh*) discord; (*Fehde, Streit*) strife *no indef art* ▸ **mit jdm in ~** (*acc*) **geraten** to become involved in a dispute with sb.

Zwistigkeit *f usu pl* dispute.

zwitschern *vti* to twitter ▸ **einen ~** (*col*) to have a drink.

Zwitter *m* - hermaphrodite; (*fig*) cross (*aus* between).

zwo *num* (*Telec, col*) two.

zwölf *num* twelve ▸ **~ Uhr mittags/nachts** (12 o'clock) midday/midnight; **fünf Minuten vor ~** (*fig*) at the eleventh hour; *siehe* **vier**.

Zwölf-: **z~fach** *adj* twelve-fold; *siehe* **vierfach**; **~fingerdarm** *m* duodenum; **~kampf** *m* (*Sport*) twelve-exercise event.

zwölftens *adv* twelfth(ly), in the twelfth place.

zwölfte(r, s) *adj* twelfth; *siehe* **vierte(r, s)**.

Zyankali [tsyaːnˈkaːli] *nt no pl* (*Chem*) potassium cyanide.

zyklisch ① *adj* cyclic(al).
· ② *adv* cyclically.

Zyklon *m* **-e** cyclone.

Zyklus [ˈtsyːklʊs] *m* **-,** **Zyklen** [ˈtsyːklən] cycle.

Zylinder *m* - ⓐ (*Math, Tech*) cylinder. ⓑ (*Hut*) top hat.

zylindrisch *adj* cylindrical.

Zyniker(in *f*) [ˈtsyːnikɐ, -ərɪn] *m* - cynic.

zynisch [ˈtsyːnɪʃ] *adj* cynical.

Zynismus *m* cynicism.

Zypern [ˈtsyːpɐn] *nt* Cyprus.

Zypresse *f* (*Bot*) cypress.

Zypriot(in *f*) *m* (*wk*) **-en, en** Cypriot.

zypriotisch, zyprisch [ˈtsyːprɪʃ] *adj* Cypriot.

Zyste [ˈtsʏstə] *f* **-n** cyst.

z.Z(t). = **zur Zeit.**

LANGUAGE BUILDING SUPPLEMENTS
ZUSATZTEIL SPRACHGEBRAUCH

contributors
Christine Bahr
Elspeth Jane Anderson

editor
Joyce Littlejohn

Corpus Acknowledgements

We would like to thank those authors and publishers who kindly gave
permission for copyright material to be used in the Bank of English.
We would also like to thank Times Newspapers Ltd and the BBC World Service
for providing valuable data.

Korpusmaterial

Für ihre Unterstützung danken wir den vielen Einzelpersonen und Firmen, die freundlicherweise
urheberrechtlich geschütztes Textmaterial zur Verwendung in unseren deutschen Korpora
bereitgestellt haben. Dazu zählen eine Vielzahl von Zeitungs-, Zeitschriften- und
Buchverlagen in Deutschland, Österreich und der Schweiz. Ihnen allen gilt unser Dank.

EINLEITUNG

INTRODUCTION

In diesem Teil finden Sie alles, was Sie für gründliche Kenntnisse des Englischen benötigen: Die Satzbausteine bieten Ihnen Hunderte von Beispielsätzen, die Ihnen bei der fließenden und idiomatischen Verständigung auf Englisch behilflich sein werden.

Die Korrespondenzseiten zeigen authentische Beispiele für Privat– und Geschäftsbriefe und umfassen eine Vielzahl von Kommunikationssituationen – von der Hochzeitseinladung bis zur Bewerbung, von der Hotelzimmerbuchung bis hin zum Beschwerdebrief. Bitte beachten Sie, daß die englischen und deutschen Briefe keine direkten Übersetzungen sind. Vielmehr wurden Entsprechungen von typischen Wörtern und Wendungen, die Sie zum Verständnis und zum Verfassen von Briefen und Ankündigungen benötigen werden, grafisch durch Rasterung hervorgehoben. In einem separaten Abschnitt finden sie alle Ausdrücke, die Ihnen bei verschiedenen Telefongesprächen von Nutzen sein werden.

Der Abschnitt über die englischen und deutschen Verben beinhaltet alle unregelmäßigen Verbformen sowie weitere Hinweise zur Bildung und Verwendung der verschiedenen Zeiten.

Das PONS–Collins Handwörterbuch Englisch ist somit mehr als nur ein Wörterbuch – es ist ein unersetzliches Nachschlagewerk für jeden, der sich intensiv mit der englischen Sprache beschäftigt. Wir hoffen, daß Ihnen dieses Buch viel Freude bereiten wird.

In this supplement you will find all you need to build a solid foundation for your knowledge of German

The Sentence Builder section gives you hundreds of example phrases to show you how to communicate in fluent, natural German.

The section on correspondence provides practical models of personal and business letters. These cover everything from accepting a wedding invitation to applying for a job, from making a hotel booking to writing a letter of complaint. You should note that the German and English letters are not direct translations of each other. What we have done is highlight typical words and phrases you would need to write or understand letters and announcements. The shaded areas on the English letters correspond to the shaded areas in German and vice versa. A separate section covers all the expressions you might need to make different types of phone calls.

In the section on verbs, you will find the conjugations of all irregular German and English verbs as well as information on formation and use of different tenses.

The Collins German Concise Dictionary is more than just a dictionary – it is an essential reference work for any serious student of German. We hope you will enjoy using it.

INHALT

CONTENTS

1 VORLIEBEN UND ABNEIGUNGEN/ LIKES, DISLIKES AND PREFERENCES

1.1 Vorlieben erfragen

Do you like chips?
Do you like cooking?
Would you like to go to Crete?
What do you like best about him?
Do you prefer living in the town or in the country?
Which do you prefer: pop or classical music?
Which of the two proposed options **do you prefer**?

Asking what someone likes

Mögen Sie Pommes frites?
Kochen Sie **gerne?**
Würden Sie gerne nach Kreta fahren?
Was gefällt Ihnen an ihm **am besten?**
Wohnen Sie **lieber** in der Stadt oder auf dem Lande?
Was mögen Sie lieber: Pop oder klassische Musik?
Welcher der beiden Vorschläge **ist Ihnen lieber**?

1.2 Vorlieben ausdrücken

I like cakes
I like things to be tidy
I liked the film
I love going to discos
I don't mind being alone
I enjoyed the trip **very much**
I really appreciate it when people keep their promises
There's nothing I like better than an evening out with my friends
You can't beat candlelight at night

Saying what you like

Ich esse **gern** Kuchen
Ich habe es gern, wenn alles ordentlich ist
Der Film **hat mir gut gefallen**
Ich gehe **sehr gerne** in die Disko
Es macht mir **nichts aus**, allein zu sein
Der Ausflug **hat mir sehr gefallen**
Ich schätze es sehr, wenn Leute ihre Versprechen halten
Nichts mag ich lieber, als abends mit meinen Freunden auszugehen
Es **geht doch nichts über** Kerzenlicht bei Nacht

1.3 Abneigungen ausdrücken

I don't like fish
I'm not very keen on gardening
I'm not very keen on action films
I loathe spiders
I hate beetroot
I can't stand being lied to

I don't like his attitude **at all**
What I hate most is waiting for buses in the rain

I'm not particularly keen on the idea

Saying what you dislike

Ich mag **keinen** Fisch
Ich arbeite **nicht gern** im Garten
Ich mag keine Actionfilme
Ich hasse Spinnen
Ich kann rote Bete **absolut nicht ausstehen**
Ich kann es nicht leiden, wenn man mich anlügt
Seine Einstellung **gefällt mir überhaupt nicht**
Am meisten hasse ich es, im Regen auf den Bus warten zu müssen
Ich kann nicht sagen, daß mir diese Idee **besonders gefällt**

1.4 Ausdrücken, was man bevorzugt

My favourite band is Oasis
What I like best about her **is** her charm
I would rather live in Bern
I'd rather not talk about it just now
I'd prefer you to leave now
I prefer red wine **to** white wine
I like the blue dress **better than** the red one
2 pm **would suit me better**

Saying what you prefer

Meine Lieblingsgruppe ist Oasis
Was mir an ihr **am besten gefällt** ist ihr Charme
Ich würde lieber in Bern wohnen
Ich würde jetzt **lieber nicht** darüber sprechen
Es wäre mir lieber, wenn Sie jetzt gingen
Ich mag Rotwein **lieber als** Weißwein
Das blaue Kleid **gefällt mir besser als** das rote
14 Uhr **würde mir besser passen**

1.5 Gleichgültigkeit ausdrücken

That **doesn't interest me in the slightest**
I have no particular **preference**
It **doesn't matter in the least**
I **don't mind**
It's all the same to me
I'm not bothered

Expressing indifference

Das **interessiert mich nicht im Geringsten**
Ich habe keine bestimmte **Vorliebe**
Das macht überhaupt nichts
Ich habe nichts dagegen
Das ist mir vollkommen egal
Mir ist alles recht

2 MEINUNGEN/OPINIONS

2.1 Meinungen erfragen

What do you think about it?
What do you think about divorce?
What do you think of that sort of behaviour?
What is your opinion on the chances of Germany winning the World Cup?
Could you give me your opinion on proportional representation?
I would be interested to know your personal opinion on the subject
I should like to know your views on this subject
I'd like to know what you think of his essay

In your opinion, should young people be given greater freedom?

Asking for opinions

Was halten Sie davon?
Wie denken Sie über Ehescheidung?
Was halten Sie von solch einem Benehmen?
Wie sehen Sie Deutschlands Chancen, die Weltmeisterschaft zu gewinnen?
Wie ist Ihre Meinung zum Verhältniswahlsystem?
Es würde mich interessieren, was Ihre persönliche Meinung zu diesem Thema ist
Ich würde gerne Ihre Meinung zu diesem Thema hören
Ich würde gerne wissen, was Sie von seinem Aufsatz **halten**
Sollten junge Leute **Ihrer Meinung nach** mehr Freiheiten haben?

2.2 Seine Meinung sagen

You are right
He is wrong
He was wrong to resign
I'm sure he's lying
I'm convinced that there's another solution

I think it ought to be possible
I think it's a bit premature
I think it's quite natural
In my opinion, he hasn't changed
I am of the opinion that whale hunting should be banned
In my view, he has made a mistake
In my view, activities like these should be illegal

Personally, I believe that women make good engineers
I have the impression that her parents don't understand her

Expressing opinions

Sie haben recht
Er hat unrecht
Es war falsch von ihm zurückzutreten
Ich bin (mir) sicher, daß er lügt
Ich bin davon überzeugt, daß es noch eine andere Lösung gibt
Ich denke, das sollte möglich sein
Ich glaube, das ist ein bißchen voreilig
Ich meine, das ist doch nur natürlich
Meiner Meinung nach hat er sich nicht verändert
Ich bin der Meinung, daß die Waljagd verboten werden sollte
Aus meiner Sicht hat er einen Fehler gemacht
Ich bin der Meinung, daß solche Aktivitäten verboten werden sollten

Persönlich glaube ich, daß Frauen gute Ingenieure sind
Ich habe den Eindruck, daß ihre Eltern sie nicht verstehen

2.3 Keine Meinung zum Ausdruck bringen

I have no definite opinion on the subject

I've never thought about it
It (all) depends what you mean by that

I don't have any strong feelings about this novel
I can't express an opinion on this subject
I'd prefer not to comment on this matter

Avoiding expressing one's opinion

Ich habe keine feste Meinung zu diesem Thema
Darüber habe ich noch nie nachgedacht
Das hängt davon ab, was Sie darunter verstehen
Ich habe eigentlich keine besondere Meinung über diesen Roman
Ich kann mich zu diesem Thema **nicht äußern**
Ich möchte mich lieber nicht zu dieser Angelegenheit **äußern**

3 ZUSTIMMUNG UND ÜBEREINSTIMMUNG/ APPROVAL AND AGREEMENT

I think it's an excellent idea	Ich denke, das ist eine hervorragende Idee
What a good idea!	Was für eine gute Idee!
You were right to travel with just a rucksack	Du hattest recht, einfach nur mit dem Rucksack loszufahren
I was very impressed by his essay on racism	Sein Aufsatz über Rassismus hat mich sehr beeindruckt
I think you're right to be suspicious of him	Ich glaube, Sie haben recht, wenn Sie ihm gegenüber mißtrauisch sind
It's a very good thing	Das ist eine sehr gute Sache
You are not wrong to criticize the government	Sie haben durchaus recht, die Regierung zu kritisieren
I share that view	Ich teile diese Ansicht
I share your fears about the disappearing forests	Ich teile Ihre Befürchtungen hinsichtlich der Zerstörung der Wälder
We are in favour of the job creation schemes	Wir befürworten die Arbeitsbeschaffungsmaßnahmen
We are in favour of a united Europe	Wir sind für ein vereintes Europa
Many people rightly believe that good qualifications are important	Viele Leute glauben berechtigterweise, daß gute Qualifikationen wichtig sind
I agree with you	Ich stimme Ihnen zu
I entirely agree with you	Ich bin ganz Ihrer Meinung
It is true that seven children escaped the bombing unharmed	Es stimmt, daß sieben Kinder bei dem Bombenanschlag unverletzt geblieben sind

4 ABLEHNUNG UND WIDERSPRUCH/ DISAPPROVAL AND DISAGREEMENT

4.1 Widerspruch / Disagreement

You are wrong!	Sie haben unrecht!
I disagree	Ich bin anderer Meinung
I don't agree with you	Ich stimme Ihnen nicht zu
I don't agree with nuclear experiments	Ich lehne nukleare Experimente ab
I totally disagree with what he is saying	Ich bin mit dem, was er sagt, überhaupt nicht einverstanden
It is not true to say that traffic problems would be solved by raising petrol prices	Es wäre falsch zu behaupten, die Verkehrsprobleme ließen sich durch höhere Benzinpreise lösen
I don't share the Eurosceptics' point of view	Ich teile den Standpunkt der Euroskeptiker nicht

4.2 Ablehnung / Disapproval

I dislike the idea intensely	Diese Idee gefällt mir überhaupt nicht
I can't stand lies	Ich kann Lügen nicht ausstehen
We are against fanaticism and intolerance	Wir sind gegen Fanatismus und Intoleranz
I am opposed to compulsory screening of nurses for Aids	Ich bin dagegen, daß sich Krankenschwestern einem Aidstest unterziehen müssen
I think he was wrong to borrow money from his aunt	Ich denke, es war falsch von ihm, sich Geld von seiner Tante zu leihen
You shouldn't have spoken to him like that	Du hättest nicht so mit ihm reden sollen
I am disappointed by his attitude to his studies	Seine Einstellung zu seinem Studium enttäuscht mich
I am disappointed in you	Du enttäuschst mich
I am deeply disappointed	Ich bin zutiefst enttäuscht
It's a pity that he has such bad manners	Es ist schade, daß er so schlechte Manieren hat
It is regrettable that no solution has been found	Es ist bedauernswert, daß keine Lösung gefunden wurde

5 ENTSCHULDIGUNGEN/APOLOGIES

5.1 Sich entschuldigen

Sorry
Oh, sorry! I must have got the wrong number

I'm very sorry that I can't come on Friday

I'm sorry I woke you
I'm sorry for everything
I do apologize
We would ask our readers **to accept our apologies**

How to say sorry

Verzeihung
Oh, Entschuldigung! Ich muß mich verwählt **haben**
Es tut mir schrecklich leid, daß ich am Freitag nicht kommen kann
Es tut mir leid, wenn ich Sie geweckt habe
Das tut mir alles schrecklich leid
Ich bitte um Entschuldigung
Wir möchten unsere Leser **um Entschuldigung bitten**

5.2 Verantwortung eingestehen

It's my fault; I should have come earlier

I shouldn't have hit her
It was a mistake not to check the tyres before setting off
I take full responsibility for what I did

I admit that it was my fault
If only I'd studied law instead of languages

Admitting responsibility

Das ist meine Schuld, ich hätte eher kommen **sollen**
Ich hätte sie **nicht** schlagen **dürfen**
Es war ein Fehler den Reifendruck vor der Abfahrt nicht zu überprüfen
Ich übernehme die volle Verantwortung für das, was ich getan habe
Ich gebe zu, daß es mein Fehler war
Wenn ich doch bloß Jura statt Sprachen studiert **hätte**

5.3 Verantwortung ablehnen

It isn't my fault
It isn't my fault if we're late

I didn't do it on purpose
I had no option. I had to tell them what really happened.
I thought I was doing the right thing in refusing the donation

Disclaiming responsibility

Das ist nicht meine Schuld
Ich kann nichts dafür, wenn wir zu spät kommen
Ich habe das nicht mit Absicht getan
Ich hatte keine Wahl. Ich mußte ihnen sagen, was wirklich passiert ist
Ich dachte, es wäre richtig die Spende abzulehnen

5.4 Bedauern ausdrücken

I'm sorry but I can't come on Friday after all

There is no other option open to me
I understand your disappointment **but we cannot** allow you to sit the exam this year

Regrettably, we are unable to provide you with the information you requested
We regret that it will not be possible to guarantee uninterrupted power supplies in the next few months
The president **deeply regrets that** he is unable to attend the reception

Apologizing for being unable to do something

Es tut mir leid, aber ich kann nun am Freitag doch nicht kommen
Ich habe keine andere Wahl
Ich verstehe Ihre Enttäuschung, **aber wir können** Ihnen wirklich **nicht** gestatten, die Prüfung dieses Jahr abzulegen
Leider können wir Ihnen die gewünschten Informationen **nicht** geben
Zu unserem Bedauern ist es uns nicht möglich, die Stromversorgung in den kommenden Monaten störungsfrei zu gewährleisten
Der Präsident **bedauert zutiefst** nicht an dem Empfang teilnehmen zu können

6 ERKLÄRUNGEN/EXPLANATIONS

6.1 Ursachen

I arrived late **because of** the heavy traffic

The club can afford to build a new clubhouse **thanks to** the generosity of the members

I can't buy any clothes **because** I haven't got any money

Since you insist, I'll go to the concert with you

I stayed in Switzerland for five years, **as** I enjoyed living there

Given his interest in architecture, I'm not surprised he wants visit Barcelona

Given that the government is short of money, we can't expect to build any new hospitals this year

It was a burst tyre **that caused** the crash
He resigned **for** health **reasons**
The youth club is closing down **due to** lack of funds

The train has been delayed **owing to** track repairs

Discontent amongst teachers **is linked to** lack of money for materials

The problem is that people are afraid of computers

The slowdown in exports **is the result of** the fall in European demand

Hatred **results from** a lack of understanding

6.2 Konsequenzen

I have to leave tonight, **so** I won't be able to come with you on Saturday
There has been another avalanche, **with the result that** the death toll has risen to 118
Distribution has been improved **so that** readers will get their newspapers earlier
This new cider is fermented for a very short time and is **consequently** very low in alcohol
Lack of consultation **has resulted in** a lot of wasted time
The lyrics of this song are beautiful. **That's why** they are easy to remember

Causes

Ich habe mich **wegen** des dichten Verkehrs verspätet

Dank der Großzügigkeit der Mitglieder kann es sich der Klub leisten, ein neues Klubhaus zu bauen

Ich kann keine Kleidung kaufen, **weil** ich kein Geld habe

Wenn du darauf bestehst, werde ich mit dir ins Konzert gehen

Ich blieb fünf Jahre in der Schweiz, **da** es mir dort gefallen hat

In Anbetracht seines Interesses für Architektur überrascht es mich nicht, daß er Barcelona besuchen möchte

In Anbetracht der Tatsache, daß die Regierung kein Geld hat, können wir nicht erwarten, in diesem Jahr neue Krankenhäuser bauen zu können

Ein geplatzer Reifen **hat** den Unfall **verursacht**
Er trat **aus** gesundheitlichen **Gründen** zurück
Der Jugendklub wird **wegen** fehlender finanzieller Mittel geschlossen

Der Zug hat sich **aufgrund von** Gleisbauarbeiten verspätet

Die Unzufriedenheit unter Lehrern **wird mit** dem Fehlen finanzieller Mittel für Lehrmaterialien **in Verbindung gebracht**

Das Problem liegt darin, daß die Leute Angst vor Computern haben

Der Rückgang des Exportgeschäfts **ist das Ergebnis** der sinkenden Nachfrage auf dem europäischen Markt

Haß **hat seine Ursache in** fehlendem Verständnis

Consequences

Ich muß heute abend abreisen, **daher** kann ich Sie am Sonnabend nicht begleiten
Eine weitere Lawine **ließ** die Zahl der Todesopfer auf 118 steigen
Der Vertrieb ist verbessert worden, **so daß** die Leser ihre Zeitungen jetzt früher bekommen
Dieser neue Cider gärt nur kurze Zeit. **Folglich** ist der Alkoholgehalt sehr gering
Fehlende Absprache **hat dazu geführt, daß** viel Zeit verschwendet wurde
Der Text zu diesem Lied ist sehr schön. **Deshalb** kann man ihn sich so leicht merken

7 VERGLEICHE/COMPARISONS

7.1 Vergleichbare Dinge

As he is not very tall, **people compare him to** Napoleon

Television **can be compared** to a drug

The house looked **as if** it was falling down
The outline of Italy **is often compared to** a boot

The sound **was comparable to** the noise of a motorbike without a silencer
My colleague **is like** a brother
He **reminds me of** my father's brother
She **makes you think of** an old-fashioned schoolmistress
His facial expression **is reminiscent of** a Roman emperor in a bad Hollywood movie

Television **is the** modern day **equivalent of** the Roman circus
The snowboard **is the equivalent** on snow of the skateboard
100 Pounds Sterling **is equivalent** to 300 Marks
This amount **corresponds** to six months' rent
A force field **is the same thing as** interatomic forces
It comes down to the same thing in terms of calories

Comparing similar things

Da er nicht sehr groß ist, **vergleichen ihn die Leute mit** Napoleon

Fernsehen **kann mit** einer Droge **verglichen werden**

Das Haus sah aus, **als ob** es einstürzen würde
Der Umriß von Italien **wird oft mit** einem Stiefel **verglichen**

Der Lärm **war vergleichbar** dem Geräusch, das ein Motorrad ohne Schalldämpfer macht
Mein Kollege **ist wie** ein Bruder
Er **erinnert mich an** den Bruder meines Vaters
Sie **erinnert an** eine altmodische Schullehrerin

Sein Gesichtsausdruck **erinnert in gewisser Weise an** einen römischen Kaiser in einem schlechten Hollywood-Film

Das Fernsehen **ist das** moderne **Äquivalent zum** Römischen Zirkus
Ein Snowboard **ist wie** ein Skateboard auf Schnee

100 britische Pfund **entsprechen** 300 Mark
Diese Summe **entspricht** sechs Monatsmieten
Ein Kraftfeld **ist dasselbe wie** zwischenatomare Kräfte
Das läuft auf dasselbe hinaus, was die Kalorien **angeht**

7.2 Nicht vergleichbare Dinge

Africa is still underpopulated **as compared to** Asia

His output seems small **by comparison with** Schiller's
This catastrophe **cannot compare with** Chernobyl

My old armchair was **nowhere near as** comfortable **as** my new one
There is no comparison between the quality of the news in the local press and that in London

Educational investment increased slightly **compared to** the previous year
Saturated and unsaturated fats **differ in** their chemical composition
Present-day eating habits **bear little resemblance to** those of a 100 years ago
There are worse things than losing a European Cup final
Gruyère is **better than** Edam for making fondues

The centre of London is **less** crowded **than** the centre of Prague
Women's life expectancy is 81 years, **whereas** men's is 72
While the consumption of meat is declining, vegetarianism is becoming increasingly popular

Comparing dissimilar things

Im Vergleich zu Asien ist Afrika immer noch unterbevölkert

Verglichen mit Schiller hat er wenig geschrieben

Diese Katastrophe **läßt sich nicht mit** Tschernobyl **vergleichen**

Mein alter Sessel war **in keiner Hinsicht so** bequem **wie** mein neuer
Die Qualität der Berichterstattung in der lokalen und der Londoner Presse **läßt sich nicht (miteinander) vergleichen**

Im Vergleich zum Vorjahr sind die Investitionen in das Bildungswesen leicht gestiegen
Gesättigte und ungesättigte Fette **unterscheiden sich in** ihrer chemischen Zusammensetzung
Die heutigen Eßgewohnheiten **ähneln kaum mehr** denen vor 100 Jahren
Es gibt schlimmeres, als im Europacup-Finale zu verlieren
Gruyère **eignet sich besser** für Fondues **als** Edamer
Das Stadtzentrum von London ist **nicht so** überfüllt **wie** das Zentrum von Prag
Die Lebenserwartung von Frauen beträgt 81 Jahre, **während** die der Männer 72 ist
Während der Verbrauch von Fleisch sinkt, befindet sich die vegetarische Lebensweise auf dem Vormarsch

8 BITTEN UND ANGEBOTE/REQUESTS AND OFFERS

8.1 Bitten

I'd like three fruit tarts
I'd like another beer
I'd like to know the current exchange rate
Can you help me move this table?
Could you give us a hand?
Could you tell me the time, **please**?
Could you go and pick my dress up from the dry-cleaner's?
Be an angel and pop to the fruit shop for me
So we'll expect you next Sunday?
If you wouldn't mind waiting for a moment

Would you be so kind as to keep my seat for me?
Would you be so kind as to show me the way out?
Can I ask you for a few minutes of your time?
Would you mind opening the window?

Would you mind if I opened the window?

Do you mind if I smoke?
I would be grateful if you could publish my letter in full
We hope our listeners **will** forgive the delay

I should be obliged if in this personal matter **you** would observe the strictest discretion

Requests

Ich möchte drei Obsttorten
Ich möchte noch ein Bier
Ich wüßte gern den aktuellen Wechselkurs
Kannst du mir helfen, diesen Tisch zu tragen?
Könnten Sie uns bitte helfen?
Können Sie mir **bitte** sagen, wie spät es ist?
Könntest du bitte mein Kleid von der Reinigung holen?
Sei so lieb und gehe für mich zum Obstladen
Wir rechnen also nächsten Sonntag **mit Ihnen**?
Würden Sie bitte einen Moment warten, **wenn es Ihnen nichts ausmacht**
Würden Sie bitte so freundlich sein und meinen Platz für mich freihalten?
Könnten Sie mir **bitte** den Ausgang zeigen?

Hätten Sie vielleicht ein paar Minuten Zeit?

Würde es Ihnen etwas ausmachen, das Fenster zu öffnen?
Haben Sie etwas dagegen, wenn ich das Fenster öffne?
Stört es Sie, wenn ich rauche?
Ich wäre Ihnen dankbar, wenn Sie meinen Brief ungekürzt veröffentlichen würden
Wir hoffen, unsere Zuhörer **werden** die Verspätung entschuldigen

Ich wäre Ihnen sehr zu Dank verpflichtet, wenn Sie in dieser persönlichen Angelegenheit äußerste Diskretion wahren könnten

8.2 Angebote

I can come and pick you up **if you want**
I could go with you
Do you fancy some ice cream for dessert?
Do you fancy a beer?
How about a game of chess?
How about eating somewhere other than at the hotel?
How would you like to visit the White House?

We would be delighted if you came to visit us next summer
Do you want me to go and collect your car?
Would you like to go out with me to the cinema?
How about the 3rd of March at 10.30am?

Offers

Ich kann dich abholen, **wenn du willst**
Ich könnte Sie begleiten
Möchtest du etwas Eis zum Nachtisch?
Hast du Lust auf ein Bier?
Wie wäre es mit einer Partie Schach?
Was hältst du davon, woanders als im Hotel zu essen?
Was halten Sie davon, das Weiße Haus zu besuchen?
Wir wären sehr erfreut, wenn Sie uns nächsten Sommer besuchen würden
Soll ich dein Auto abholen?
Möchten Sie mit mir ins Kino gehen?
Wie wäre es am 3. März um 10.30 Uhr?

9 RATSCHLÄGE UND VORSCHLÄGE/ ADVICE AND SUGGESTIONS

9.1 Ratschläge erbitten

What would you do, if you were me?

What's your opinion on the matter?

Which would you advise, the bracelet or the ring?

What would you advise?

What would you advise me to do?

We'd like to plant some fruit trees, **what would you recommend?**

What action would you propose?

What, in your opinion, should be done to ensure an equitable outcome of the talks?

How would you deal with this problem?

Asking for advice

Was würden Sie an meiner Stelle tun?

Wie ist Ihre Meinung zu dieser Sache?

Würden Sie mir zu dem Armband **oder** dem Ring **raten?**

Wozu würden Sie mir raten?

Was würden Sie mir raten zu tun?

Wir würden gerne ein paar Obstbäume pflanzen, **was würden Sie empfehlen?**

Welche Vorgehensweise würden Sie vorschlagen?

Was sollte Ihrer Meinung nach getan **werden, um** ein faires Verhandlungsergebnis zu erreichen?

Wie würden Sie dieses Problem **lösen?**

9.2 Rat geben

If I may give you a piece of advice, keep your valuables in a safe place

A word of advice: read the instructions

A useful tip: feed your houseplants every two weeks

If I were you, I'd be a bit wary

If I were you and I'd won the lottery, **I'd** buy a red BMW

Why don't you telephone him?

You've got a good sense of rhythm. **You ought to** learn to play percussion

You should see a specialist

You would do better to speak to the professor yourself

You could (perhaps) try being a little more understanding

Perhaps you should speak to your plumber about it

It might be better to give her perfume rather than chocolates

It would be better to wait for the results

You would be well-advised to keep the terms of the contract secret for the time being

You would be ill-advised to give in now

Giving advice

Wenn ich Ihnen einen Rat geben dürfte, bewahren Sie Ihre Wertsachen an einem sicheren Ort auf

Ein Hinweis: Lesen Sie die Gebrauchsanweisung

Ein nützlicher Tip: gießen Sie Ihre Zimmerpflanzen alle zwei Wochen mit Düngemittel

An Ihrer Stelle wäre ich etwas vorsichtig

Wenn ich du wäre und im Lotto gewonnen hätte, **würde ich** einen roten BMW kaufen

Warum rufst du ihn **nicht (einfach)** an?

Sie haben ein gutes Rhythmusgefühl. **Sie sollten** Schlagzeug lernen

Sie sollten einen Spezialisten aufsuchen

Sie sollten besser selbst mit dem Professor sprechen

Du könntest (vielleicht) versuchen, ein bißchen mehr Verständnis zu zeigen

Du solltest vielleicht mal mit dem Klempner sprechen

Es wäre vielleicht besser, ihr Parfüm statt Pralinen zu schenken

Es wäre besser, die Ergebnisse abzuwarten

Sie wären gut beraten, die Konditionen des Vertrages vorerst geheimzuhalten

Sie wären schlecht beraten, jetzt klein beizugeben

9.3 Warnende Hinweise

Whatever you do, don't drink too much wine

Beware of people offering to look after your house

You risk being fined **if** you park there

I warn you, I'll get my own back

I'd better warn you that he takes offence very easily

Don't forget to keep a copy of your income tax return

Warnings

Was auch immer Sie tun, trinken Sie **nicht** zuviel Wein

Nehmen Sie sich vor Leuten **in acht**, die Ihnen anbieten, auf Ihr Haus aufzupassen

Sie riskieren ein Strafmandat, **wenn** Sie dort parken

Ich warne dich, ich werde mich rächen

Ich sollte Sie besser warnen, daß er sehr schnell beleidigt ist

Vergessen Sie nicht, eine Kopie Ihres Lohnsteuerjahresausgleichs zu behalten

10 ABSICHTEN UND VORHABEN/ INTENTIONS AND DESIRES

10.1 Nach Absichten fragen

What do you intend to do?
What do you plan to do?
What are you going to do when you get back?
  Do you have anything planned?
What are you going to do? Are you going to wait six months?
What will you do if you fail your exams?

Are you planning to go to Cyprus this year?

Are you planning on staying long?
What are you planning to do with your collection?
What do you propose to do?
Do you intend to go to university?
Are you thinking of making another film?

Asking what someone intends to do

Was beabsichtigen Sie zu tun?
Was haben Sie vor?
Was wollen Sie tun, wenn Sie zurückkommen?
  Haben Sie schon etwas geplant?
Was willst du tun? Willst du etwa sechs Monate warten?
Was machst du, wenn du durch die Prüfung fällst?
Haben Sie vor, dieses Jahr nach Zypern zu fahren?
Wollen Sie lange bleiben?
Was wollen Sie mit Ihrer Sammlung **machen**?
Was schlagen Sie vor?
Haben Sie die Absicht zur Universität zu gehen?
Haben Sie vor, einen weiteren Film zu drehen?

10.2 Absichten ausdrücken

We are aiming to sell more than one hundred thousand CDs
I was planning to fly to Ajaccio on the 8th of July
The bank **intends to** shut down more than 100 branches
I am thinking of giving up politics

She is thinking of giving up her career to have children
She plans to go and spend a year in India
I have decided to get a divorce

I have made up my mind to stop smoking

That's settled, I'm giving up acting
We have every intention of retaining the title

Saying what someone else intends to do

Wir haben uns vorgenommen, mehr als einhunderttausend CDs zu verkaufen
Ich hatte vor, am 8. Juli nach Ajaccio zu fliegen
Die Bank **beabsichtigt**, mehr als 100 Filialen zu schließen
Ich trage mich mit dem Gedanken, die Politik aufzugeben
Sie spielt mit dem Gedanken, ihre Karriere aufzugeben, um Kinder zu haben
Sie beabsichtigt, ein Jahr in Indien zu verbringen
Ich habe beschlossen, die Scheidung einzureichen
Ich habe mich entschlossen, mit dem Rauchen aufzuhören
Es steht fest, ich gebe die Schauspielerei auf
Wir haben uns fest vorgenommen, den Titel erfolgreich zu verteidigen

10.3 Wünsche

I want to go into acting
I feel like a game of chess
I would like to go hang-gliding
I would like my photos to be published
I would have liked to have been born earlier
What I'd really love would be a huge ice-cream

I hope to see you again soon
I dream of owning a big house
We are hoping that children will watch this programme with their parents
It is desirable that elite international athletes could be better supported
We wish to preserve our independence
Peter **wanted at all costs to** fulfil his boyhood dream of learning to fly

Wishes

Ich möchte Schauspieler werden
Ich hätte jetzt Lust auf eine Partie Schach
Ich möchte gern drachenfliegen
Ich würde meine Fotos **gerne** veröffentlichen lassen
Ich wäre gern früher geboren worden
Ich würde jetzt wahnsinnig gerne eine Riesenportion Eis verschlingen
Ich hoffe, Sie bald einmal wiederzutreffen
Ich träume davon, eine großes Haus zu besitzen
Wir hoffen, daß die Kinder dieses Programm gemeinsam mit ihren Eltern ansehen
Es wäre wünschenswert, internationale Spitzensportler besser zu unterstützen
Wir wollen uns unsere Unabhängigkeit bewahren
Peter **wollte** sich **unbedingt** seinen Kindheitstraum erfüllen und fliegen lernen

11 VERPFLICHTUNG/OBLIGATION

I must find a job	**Ich muß** Arbeit finden
If you want to spend much time in the Ukraine, **you must** learn Ukrainian	Wenn Sie längere Zeit in der Ukraine bleiben wollen, **müssen Sie** Ukrainisch lernen
School **is compulsory**	Der Schulbesuch **ist Pflicht**
The minister **insisted on** his bodyguard sleeping in the same room as him	Der Minister **bestand darauf, daß** sein Leibwächter mit ihm in einem Raum schläft
The hijackers **demanded that** the plane should fly on to New York	Die Entführer **verlangten, daß** das Flugzeug nach New York weiterfliegen soll
A bad asthma attack meant that **I had to** stop off in Bern to see a doctor	Wegen eines schweren Asthma-Anfalls **mußte ich** in Bern Zwischenstation machen und den Arzt aufsuchen
My mother made me eat spinach when I was little	Als ich klein war, **hat meine Mutter mich gezwungen**, Spinat zu essen
You are obliged to report all road accidents to the police	**Sie sind dazu verpflichtet**, alle Verkehrsunfälle der Polizei zu melden
Whenever you go out **you're forced to** weave your way between the cars parked on the pavements	Wann immer man aus dem Haus geht, **man muß** sich immer einen Weg zwischen den auf dem Bürgersteig geparkten Autos bahnen
He was forced to ask his parents for money	**Er war gezwungen**, seine Eltern um Geld zu bitten
It is essential to know your career options before choosing a course of study	**Es ist unbedingt notwendig**, sich über die Berufschancen im Klaren zu sein, bevor man einen Studiengang wählt
You have no choice but to say no	**Es bleibt dir nichts anderes übrig, als** nein zu sagen
In poor countries lots of children **have to** work; **they have no other option**	In armen Ländern **müssen** viele Kinder arbeiten, **sie haben keine andere Wahl**
You need to have a valid passport if you want to leave the country	Wenn Sie das Land verlassen wollen, **müssen Sie** im Besitz eines gültigen Passes sein
If no one claims the dogs, **we will be obliged to** destroy them	Wenn sich die Besitzer der Hunde nicht melden, **werden wir** die Tiere einschläfern **müssen**

12 ERLAUBNIS/PERMISSION

12.1 Um Erlaubnis bitten

Can I use the telephone, **please**?
Can I ask you something?
Can I pop round later for a chat?

Do you mind if I have a look in your beach bag, madam?
Do you mind if I come for lunch instead of dinner?
Do you mind if I smoke?
Do you have any objection to being named in my article?
With your permission I would like to make some changes to the floor plan

Asking for permission

Könnte ich bitte das Telefon benutzen?
Darf ich Sie etwas fragen?
Kann ich nachher auf einen kurzen Plausch vorbeikommen?
Dürfte ich bitte in ihre Strandtasche schauen?
Macht es Ihnen etwas aus, wenn ich zum Mittagessen komme statt zum Abendessen?
Stört es Sie, wenn ich rauche?
Haben Sie etwas dagegen, wenn ich Ihren Namen in meinem Artikel verwende?
Mit Ihrer Erlaubnis würde ich gerne einige Änderungen am Gebäudegrundriß vornehmen

12.2 Erlaubnis erteilen

History students **are allowed to** visit the archives
You **have my permission to** be absent next week

You **are authorized to** take any measures necessary for the safety of the passengers

They **allowed** the old, the women and the children to leave the hijacked plane
Do as you please
I have nothing against it
I have no objection to your quoting me in your article

Giving permission

Geschichtsstudenten **dürfen** das Archiv besuchen
Sie haben meine Erlaubnis, nächste Woche zu fehlen
Sie sind bevollmächtigt, alle notwendigen Maßnahmen zum Schutz der Passagiere zu ergreifen
Sie gestatteten den Alten, Frauen und Kindern, das entführte Flugzeug zu verlassen
Machen Sie, was Sie wollen
Ich habe nichts dagegen
Ich habe keinerlei Einwände dagegen, daß Sie mich in Ihrem Artikel zitieren

12.3 Erlaubnis verweigern

I **forbid you to** leave this room
It's forbidden
It's not allowed
No entry!
Smoking **is (strictly) forbidden** in the toilet
Child labour **is positively prohibited** by the UN convention for the rights of the child
It's a certificate 12 film
You **are not allowed to** smoke in the lecture hall
Don't leave the house
That's out of the question
Our superiors **are not authorized to** read our e-mail
You **mustn't** go anywhere near the new research lab

Refusing permission

Ich verbiete dir, das Zimmer zu verlassen
Das ist nicht gestattet
Das ist nicht gestattet
Zutritt verboten!
Auf der Toilette **ist** das Rauchen **(streng) verboten**
Die UN-Konvention über die Rechte der Kinder **verbietet** Kinderarbeit **eindeutig**
Dieser Film ist ab 12 Jahren
Sie dürfen im Hörsaal **nicht** rauchen
Geh' nicht aus dem Haus
Das kommt gar nicht in Frage
Unsere Vorgesetzten **sind nicht berechtigt**, unsere E-Mail zu lesen
Sie dürfen sich **auf gar keinen Fall** in der Nähe des neuen Forschungslabors aufhalten

13 GEWISSHEIT, WAHRSCHEINLICHKEIT UND MÖGLICHKEIT/CERTAINTY, PROBABILITY AND POSSIBILITY

13.1 Gewißheit — Certainty

The economic situation will **undoubtedly** deteriorate further — **Zweifellos** wird sich die wirtschaftliche Lage noch verschlechtern

It is obvious that this actor doesn't work well with children — **Es ist offensichtlich, daß** dieser Schauspieler nicht gut mit Kindern arbeiten kann

It is undeniably true that the climate has changed considerably — **Es läßt sich nicht leugnen, daß** sich das Klima erheblich verändert hat

There is no doubt that low-fat cakes will be a real success — Kalorienarme Kuchen werden **ohne Zweifel** ein Renner werden

No-one can deny the unemployment rate is very high in this area — **Es läßt sich nicht bestreiten, daß** die Arbeitslosenzahlen in dieser Region sehr hoch sind

I am sure that you will like my brother — Du wirst meinen Bruder **bestimmt** mögen

I am certain that I will win — **Ich bin sicher, daß** ich gewinnen werde

I am sure that we are on the right track — **Ich bin ganz sicher, daß** wir auf dem richtigen Wege sind

I am certain that I will enjoy working here — **Gewiß** wird mir die Arbeit hier gefallen

I am convinced that there are other solutions — **Ich bin davon überzeugt, daß** es noch andere Lösungen gibt

I can assure you that we will have the problem solved by tomorrow morning — **Ich versichere Ihnen, daß** wir das Problem bis morgen früh gelöst haben

13.2 Wahrscheinlichkeit — Probability

The economic crisis will **probably** affect young people's employment opportunities — Die Wirtschaftskrise wird sich **wahrscheinlich** auf die Arbeitschancen junger Leute auswirken

The Swiss **probably** eat more chocolate than any other nation — Die Schweizer essen **wahrscheinlich** mehr Schokolade als jedes andere Volk

The rate of inflation will **very probably** exceed 5% — Die Inflationsrate wird **höchstwahrscheinlich** 5 % überschreiten

They were **no doubt** right — Sie hatten **zweifelsohne** recht

He must have forgotten to open the windows — **Er muß vergessen haben**, das Fenster zu öffnen

The construction work **should** start in April — Die Bauarbeiten **sollen** im April beginnen

It is quite possible that they are trying to test our reaction — **Es ist durchaus möglich, daß** sie nur mal sehen wollen, wie wir reagieren

It looks as if it's going to rain — **Es sieht nach** Regen **aus**

I wouldn't be at all surprised if he was late again — **Es würde mich überhaupt nicht wundern, wenn** er wieder zu spät kommt

13.3 Möglichkeit — Possibility

It is possible — **Das ist möglich**

That **might** be more expensive — Das **könnte** teurer sein

There is a possibility that our competitors have beaten us to it — **Es besteht die Möglichkeit, daß** uns die Konkurrenz zuvorgekommen ist

It should be possible to establish who committed this act — **Es sollte doch möglich sein** festzustellen, wer diese Tat verübt hat

He **may** have contracted an incurable disease — **Möglicherweise** hat er sich eine unheilbare Krankheit zugezogen

Perhaps I am mistaken — **Vielleicht** habe ich unrecht

In a few months everything **may** have changed — In ein paar Monaten **kann** sich schon alles verändert haben

This virus **may** be extremely infectious — Das Virus **könnte** hochinfektiös sein

It may be that peace will not be concluded straightaway — **Es könnte sein**, daß es nicht sofort zum Friedensschluß kommen wird

It may well be that America was really discovered by the Chinese — **Es ist gut möglich, daß** Amerika in Wirklichkeit von den Chinesen entdeckt wurde

14 ZWEIFEL, UNWAHRSCHEINLICHKEIT UND UNMÖGLICHKEIT/DOUBT, IMPROBABILITY AND IMPOSSIBILITY

14.1 Zweifel / Doubt

I'm not sure I'm right
Ich bin nicht sicher, ob ich recht habe

I'm not convinced that this method will work
Ich bin nicht überzeugt, daß diese Methode funktioniert

I wonder if we've made much progress in this field
Ich frage mich, ob wir auf diesem Gebiet große Fortschritte gemacht haben

I'm wondering if I should offer to help
Vielleicht sollte ich meine Hilfe anbieten?

He began to have doubts about his doctor's competence
Er begann, an der Kompetenz seines Arztes **zu zweifeln**

I (very much) doubt he'll adapt to living in Africa
Ich bezweifle (sehr), daß er sich an das Leben in Afrika gewöhnen wird

I'm not sure that it's a good idea
Ich bin mir nicht sicher, ob das eine gute Idee ist

There is no guarantee that a vaccine can be developed
Es gibt keine Garantie dafür, daß ein Impfstoff entwickelt werden kann

We still don't know exactly how we're going to decorate the living room
Wir wissen noch nicht genau, wie wir das Wohnzimmer tapezieren wollen

No one can say for sure how any child will develop
Niemand kann mit Sicherheit sagen, wie sich ein Kind entwickeln wird

14.2 Unwahrscheinlichkeit / Improbability

I'd be surprised if they had your size
Es würde mich überraschen, wenn sie Ihre Größe hätten

We're not likely to get bored
Wir werden uns wahrscheinlich nicht langweilen

They are not likely to get the Nobel Prize for Economics
Es ist höchst unwahrscheinlich, daß sie den Nobelpreis für Wirtschaftswissenschaften erhalten werden

He **probably won't** change his mind
Er wird seine Meinung **wahrscheinlich nicht** ändern

There's not much chance of the interest rate exceeding 1.5%
Der Zinssatz wird 1.5 % **wahrscheinlich nicht** überschreiten

It is unlikely that thousands of tourists would visit a bicycle factory
Es ist unwahrscheinlich, daß tausende Touristen eine Fahrradfabrik besichtigen wollten

It would be surprising if everything went according to plan
Es wäre eine Überraschung, wenn alles nach Plan laufen würde

It is (highly) improbable that Scotland will become independent within the next ten years
Es ist (höchst) unwahrscheinlich, daß Schottland im Laufe der nächsten zehn Jahre seine Unabhängigkeit erlangen wird

14.3 Unmöglichkeit / Impossibility

It's impossible
Das ist unmöglich

It is not possible for me to donate more than £50
Es ist mir nicht möglich, mehr als £ 50 zu spenden

This information **cannot possibly** be wrong
Diese Information **kann unter keinen Umständen** falsch sein

There is no chance of their coming to our assistance
Sie werden uns **ganz bestimmt nicht** zu Hilfe kommen

I couldn't possibly invite Frank and not his wife
Ich kann unmöglich Frank einladen und seine Frau nicht

Such a solution **is completely out of the question**
Eine solche Lösung **kommt überhaupt nicht in Frage**

Schweinfurter Stadtanzeiger

Dienstag, 28. April 1998

Familienanzeigen

Traueranzeigen

Henriette hat ein Brüderchen bekommen.

Christian

23. April 1998 ✱ 8.30 Uhr ✱ 53 cm ✱ 3110 g

Mit ihr freuen sich die glücklichen Eltern

Gabi und Matthias Schulz

Ein herzliches Dankeschön an das gesamte Team der Entbindungsstation des Krankenhauses Oberndorf

---

Wir freuen uns über die Geburt unserer Tochter

Anna

▲ 24. April 1998
▲ 18.30 Uhr
▲ 49 cm
▲ 3280 g

Karsten und Maria Behrendt, geb. *Lehmann*
Geiersbergstr. 12,
97422 Schweinfurt

Wir heiraten
am Sonnabend, den 16. Mai 1998, um 14.30 Uhr
in der Evangelischen Stadtkirche Bad Kissingen

Jens Fiedler

Iris Fiedler,
geb. *Neumann*

Tagesanschrift: Restaurant "Zum Stadtpfeifer", Bad Kissingen

Wir haben geheiratet.
Gerd Neubauer & Irene Neubauer, geb. Nolte
26. April 1998

Wir freuen uns, die Hochzeit unserer Kinder

Andrea Schmidt

Kai Seemann

bekanntgeben zu können.

Standesamt: Grimma, Freitag 22. Mai 1998, 11.00 Uhr
Kirchliche Trauung: Pfarrkirche St. Marien, Grimma,
Freitag 22. Mai 1998, 15.00 Uhr
Tagesanschrift: Gaststätte Seeblick, Dresdner Str. 103, Großsteinberg

Rita und Bernd Schmidt	**Isolde und Tristan Seemann**
Bergstr. 22	Zur Wasserleitung 65
04668 Grimma	97422 Schweinfurt

Plötzlich und unerwartet verstarb nach kurzer Krankheit meine liebe Frau, unsere liebe Mutter, Oma, Schwester und Schwägerin

Erika Walter

geb. Braun

✱ 29.2.1928   † 23.4.1998

In Liebe und Dankbarkeit nehmen Abschied
Rudolf Walter
Dieter Walter und Familie
sowie alle Angehörigen

Die Beerdigung findet am Sonnabend, den 2. Mai 1998, um 15.00 Uhr auf dem Neuen Stadtfriedhof in Eutritzsch statt.

Von Beileidsbekundungen am Grabe bitten wir Abstand zu nehmen.

Anstelle von Kränzen oder Blumen bitten wir im Sinne der Verstorbenen um eine Spende für das Deutsche Kinderhilfswerk (Konto Nummer 1004524, BLZ 860 700 00, Landeszentralbank Frankfurt).

Uns erreichte die traurige Nachricht, daß unser ehemaliger Mitarbeiter

✝ ## Ewald Volkmann

am 19. April 1998 im Alter von 83 Jahren verstorben ist.

In seiner langjährigen Tätigkeit hat er sich die Wertschätzung aller Mitarbeiter erworben.

Wir werden ihm ein ehrendes Angedenken bewahren.

Im Namen aller Mitarbeiter

Vorstand   **Betriebsrat**
Mitteldeutsche Braunkohle Bergbau AG

Danksagung

Für die vielen Beweise herzlicher Anteilnahme durch Wort, Schrift, Kranz, Blumen und Geldspenden sowie das ehrende Geleit zur letzten Ruhestätte unserer lieben Entschlafenen

✝ ## Hilde Hagebock

sagen wir allen Verwandten, Bekannten und Freunden unseren herzlichen Dank.

Unser besonderer Dank gilt Herrn Pfarrer Rein für seine trostreichen Abschiedsworte.

Aschaffenburg, im April 1998

Weekend News, Friday, November 5, 1997

Family Announcements

BIRTHS

RATTRAY

Tom and Karen (Melville) are delighted to announce the birth of their baby son (Aiden Thomas) a baby brother for Claire, born on 28th October, 1997 at Monkwell Maternity. Thanks to all staff.

JOHNSTONE

Iain and Alison (nee Lee) are pleased to announce the safe arrival of their daughter, (Cheryl) on 29th October, 1997 at Dumfries Maternity Hospital.

MARRIAGES

GREY – WALKER

Heather and Angus Grey are delighted to announce the marriage of their only daughter Helena to Johnny, youngest son of William and Sarah Walker, Barnsley, Yorkshire.

ROBERTS – FERRIER

Both families are pleased to announce the marriage of Josie, younger daughter of Janet and Ian Roberts, to Hugh Dean, younger son of Faith and Hugh Ferrier.

GREENHOLME – WILSON

At Portland Free Church on 30th October, 1997. Steven, younger son of Christine and the late John Greenholme (14, Elder Rd, Newtown) to Hannah, older daughter of Helen and Bob Wilson (189, Ralston Drive, Shieldhill). Congratulations from both families.

DEATHS

ADAM - Suddenly, after a short illness, on 2nd November, 1997, GRAHAM HOPE, aged 55 years, husband of Rita, father of John, Susan and Elsie. Grandfather of Graham and Scott. Funeral service at Holmsfield Crematorium on Wednesday 3rd November at 12.15 pm. No flowers please.

CHRISTIE - Peacefully at Harestone Nursing Home, on 29th October, 1997, CATHERINE, (Cathy McNee), aged 87 years, beloved mother and grandmother. Funeral service at St. Cuthbert's Church Tidewell at 12 noon on 4th November. Donations to Alzheimer's Society.

DAVIDSON - Quietly at Stonecross Hospital on Thursday 4th November, 1997, SANDY (Alexander), aged 83 years, beloved husband of the late Sarah Murray. The family would like to thank relatives, friends and neighbours for their support.

DOUGLAS - Suddenly, at Grangetown Infirmary on 29th October, 1997, Jim, aged 31 years, beloved son of Betty and Joe. Family only.

WEDDING INVITATIONS/ EINLADUNGEN ZUR HOCHZEIT

Wir freuen uns, Sie zur Hochzeit unserer Kinder
Cornelia Bunde und Jens Klein
recht herzlich einzuladen.

Standesamt: Kronsburg, Sonnabend 23. Mai 1998, 11.00 Uhr
Kirchliche Trauung: Sankt-Sebaldus-Kirche, 23. Mai 1998, 13.00 Uhr
Tagesanschrift: Hotel Stadthafen, Martensdamm 12, 24103 Kiel

Erika und Franz Bunde
Tulpenweg 34
24145 Kiel

Regina und Herbert Klein
Beethovenstraße 54
99880 Waltershausen

u. A. w. g.

Wir heiraten am Freitag,
den 22. Mai 1998, um 15.00 Uhr
in der St. Andreaskirche
in Neunkirchen

und würden uns freuen, Sie an diesem
Tag als unsere Gäste begrüßen zu können.

Tagesanschrift: Restaurant Bergwiese,
Schulstr. 109, 66540 Neunkirchen

Jana Wolf
Am Maikesselkopf 5
66539 Neunkirchen

Christian Schwarz
Zwickauer Str. 45
40627 Düsseldorf

Mr and Mrs James Cleland
request the pleasure of the company of
Miss Claire Stewart and partner
at the marriage of their daughter, Helen
to Mr Philip Bishop
at St Andrew's Parish Church, Thornton
on Saturday, 5th June 1998 at 2pm
and afterwards at Heatherfield Hotel, Thornton

RSVP   29 Milton Street
Thornton EH65 4EA

REPLIES AND THANKS/
ANTWORTEN UND DANKSAGUNGEN

Martha Graupner
Hauptstraße 198
99094 Erfurt

Erfurt, 15. Mai 1998

Liebe Regina und Herbert

ich habe mich sehr über die freundliche Einladung zur Hochzeit Eurer Kinder Conny und Jens am 23. Mai in Kiel gefreut und bedanke mich recht herzlich dafür.

Natürlich werde ich gerne kommen, um diesen Festtag zusammen mit Euch und dem Brautpaar zu feiern.

Viele herzliche Grüße

Eure Martha

---

66 Buckingham Terrace,
London N10 3AG

12th August 1997

Dear Alastair and Margaret,

Thank you very much for the invitation to your Golden Wedding Anniversary party. Frank and I will be delighted to join you and we're very much looking forward to seeing you then.

With best wishes,

Alison

Uta Schwarz
Engelsweg 70
37339 Worbis

Worbis, 25. Juni 1998

Liebe Ina,

nochmals vielen Dank für die gelungene Garten-Party am vergangenen Sonntag. Es war sehr schön, so viele alte Freunde bei so gutem Essen wiederzutreffen und zu sehen, was über die Jahre aus allen geworden ist.

Ich lege einige Fotos bei. Wenn Du Zeit und Lust hast, kannst Du gerne mal bei mir vorbeischauen und die restlichen Bilder und das Video ansehen.

Viele liebe Grüße

Uta

---

346 London Road,
Birmingham
B21 6TY

Dear Jackie and Phil,

Thank you once again for the wonderful New Year party. James and I both really enjoyed seeing so many old friends again and catching up on what everyone has been up to over the past few years. I only hope that you were not left with too much mess to clean up the next day.

We are sorry you missed the Christening, but David took his camcorder along so you will be able to watch the recording. If you have time and the inclination, you're welcome to pop round to watch the video.

Many thanks again for such an enjoyable evening.

Love to all,

Carla

THANK YOU NOTES FOR GIFTS/ DANKSAGUNGEN FÜR GESCHENKE

Conny und Jens Klein
Dorfstr. 17
98663 Einöd

Einöd, 25. Juni 1998

Liebe Tante Martha,

unser großer Tag liegt nun schon wieder einen Monat zurück. Wir haben uns sehr gefreut, daß Du an diesem besonderen Tag unser Gast sein konntest.

Wir möchten Dir noch einmal recht herzlich danken für Dein Geschenk. Du mußt uns bald einmal in unserer neuen Wohnung besuchen, damit wir das schöne Fondue-Set auch gebührend einweihen können.

Herzliche Grüße

Conny & Jens

Dr and Mrs Lynn Preston
The Rushes
Bidewell Park Estate
Newton Milnes
Darlington DD7 2SY

Dear Uncle Andrew and Aunt Jayne,

Thank you so very much for your beautiful wedding gift. I have always admired your own Irish linen tablecloth so you can imagine how delighted I was to have one of my own. It will be the finishing touch to our dinner parties.

We will be sure to have you round as soon as you are on your feet again. Hope you enjoyed your piece of wedding cake!

All our love to you both,

Lynn .

Lübz, 24. Juni 1998

Liebe Oma und Opa,

vielen Dank für Euer Geburtstagsgeschenk. So eine Armbanduhr habe ich mir schon lange gewünscht. Meinen Geburtstag habe ich am Sonnabend mit meinen Freunden ganz groß gefeiert.

Ansonsten gibt es nicht viel Neues. Bald habe ich Prüfungen, dafür muß ich noch eine ganze Menge tun. Aber die Aussicht auf die großen Ferien macht es etwas leichter. Dann werde ich mit Mutti und Vati an die Ostsee fahren.

Viele Grüße auch von Mutti, Vati und Beate

Michael

---

18 Slateford Avenue
Leeds LS24 3PR
25th May 1997

Dear Gran and Grandpa,

Thank you both very much for the CDs which you sent me for my birthday. They are two of my favourite groups and I've wanted these CDs for a long time.

There's not really much news here. I seem to be spending most of my time studying for my exams which start in 2 weeks. I'm hoping to pass most of them but I'm not looking forward to the Maths exam as that's my worst subject.

Mum says that you're off to Crete on holiday next week, so I hope that you have a great time and come back with a good tan.

Tony sends his love too,

Lots of love from

Liebe Thekla und Andreas,

fröhliche Weihnachten und ein glückliches neues Jahr
wünscht Euch Eure

Christine

Dear John and Thomas,

Just a short note to wish you a
very happy new year.
We'll see you at the graduation.

Claire

Liebe Dorothee und Jürgen,

mit großer Freude haben wir von der Geburt Eurer Zwillinge
Wiebke und Henriette gehört. Wir hoffen, daß es Euch allen
gut geht.

Wir werden nächsten Monat kurz in Magdeburg sein.
Hoffentlich ergibt sich dann eine Gelegenheit, mal bei Euch
vorbeizuschauen. Wir werden Euch vorher noch anrufen.

Herzliche Grüße

*Ines und
Holger*

Bromley 25.11.97

Dear Jackie and Andrew

*Congratulations! We were delighted to hear about the birth of
your son, Peter. Alice must be thrilled to have a baby brother.
Send lots of photos soon!*

*Love,
Grace & Bob.*

Hallo, da bin ich!
Maria Herman

Ich wurde am 19. Mai 1998
um 18.30 Uhr im Anna-Hospital
in Hannover geboren.

Es freuen sich meine Eltern
Emma und Stefan Hermann

**Leibnizufer 12
30169 Hannover**

HOTEL BOOKINGS AND CONFIRMATION/
BUCHUNG UND BESTÄTIGUNG VON HOTELZIMMERN

Architekturbüro Hentschel
Burgstraße 12
51103 Köln

Hotel Ambassador
Zeil 34
60313 Frankfurt/Main

Köln, 7. Juni 1998

Sehr geehrte Damen und Herren,

zwei Mitarbeiter unseres Architekturbüros werden vom 15. bis 20. Juni dienstlich in Frankfurt sein. Wir möchten für diesen Zeitraum ein Doppelzimmer in Ihrem Hotel reservieren.

Bitte teilen Sie mir mit, ob Sie für den genannten Zeitraum noch freie Zimmer haben und wieviel die Übernachtung pro Person kostet.

Mit freundlichen Grüßen

M. Schwarzmüller

Sekretärin

---

109 Bellview Road
Cumbernauld
CA7 4TX

14th June, 1995

Mrs Elaine Crawford
Manager
Poppywell Cottage
Devon DV3 8SP

Dear Mrs Crawford,

My sister stayed with you last year and has highly recommended your guest house.

We would like to reserve a double room for one week from 18th-24th August of this year. I would be obliged if you would let me know how much this would be for two adults and two children, and whether you have a room free on those dates.

I hope to hear from you soon,

Yours sincerely

Andrew Naismith

LETTERS OF COMPLAINT/
BESCHWERDEN

Nikolaus von Samson-Hohensterna
Flehbachmühlenweg 18
51109 Köln

Hotel Ambassador
Zeil 34
60313 Frankfurt/Main

Köln, 22. Juni 1998

Sehr geehrte Damen und Herren,

ich war vom 15. bis 20. Juni zusammen mit drei Kollegen Gast in Ihrem Hotel und muß Ihnen mitteilen, daß uns der Aufenthalt in Ihrem Haus in vielerlei Hinsicht nicht gefallen hat.

Die Empfangschefin an der Rezeption bediente uns erst nach 15 Minuten Wartezeit, denn sie mußte scheinbar erst ein persönliches Telefonat beenden. Danach stellten wir fest, daß uns noch keine Zimmer zugeteilt worden waren, obwohl unsere Firma bereits sieben Tage zuvor eine Reservierung gemacht hatte. Dies konnte erst nach weiteren 30 Minuten erledigt werden. Zu unserem Ärger mußten wir feststellen, daß die Zimmer noch nicht saubergemacht worden waren.

Was Ihr Personal betrifft, so mußten wir leider erkennen, daß die meisten Ihrer Angestellten den Gästen nicht gerade mit der für ein 4-Sterne-Hotel angemessenen Aufmerksamkeit und Höflichkeit entgegentreten, ja daß sie im Gegenteil sogar patzig auf kleine Bitten reagieren.

Ich kann Ihnen mitteilen, daß unsere Firma in Zukunft nicht mehr in Ihrem Hotel buchen wird.

Mit freundlichen Grüßen

Hohensterna

Nikolaus von
Samson-Hohensterna
Architekt

Mr T. Greengage
85, Rush Lane
Triptown
Lancs LC4 2DT

WOODPECKER RESTAURANT
145 Main Street
Fallingwood FT1 6LB

20th February 1998

Dear Sir/Madam,

I was to dine in your restaurant last Thursday (14th) by way of celebrating my wedding anniversary with my wife and young son and am writing to let you know of our great dissatisfaction.

I had reserved a corner table for two with a view on the lake. However, when we arrived we had to wait for more than 20 minutes for a table and even then, not in the area which I had chosen. There was no high-chair for my son as was promised and your staff made no effort whatsoever to accommodate our needs. In fact, they were downright discourteous. Naturally we went elsewhere, and not only have you lost any future custom from me, but I will be sure to advise my friends and colleagues against your establishment.

Yours faithfully,

T. Greengage

NORDWESTDEUTSCHE
▮▮▮ HANDELSBANK ▮▮▮

Wir sind eine erfolgreiche,
internationale Bank der Merchant International Gruppe
und beschäftigen weltweit 2.500 Mitarbeiter

Für unseren Bereich Informatik/Computersysteme
suchen wir eine/n Softwareentwickler/in
(Diplom-Informatiker/in)
für die Betreuung der Anwendungen in der Abteilung
Anlagegeschäft in unserer Niederlassung in Köln
bevorzugt mit sehr guten Kenntnissen der englischen
Sprache sowie in den Bereichen:

* Betriebssysteme
* Programmierung relationaler Datenbanken
* Verwendung von CASE-Tools
* Programmiersprachen C++, Cobol, SAP R/3

Wir wenden uns sowohl an Berufseinsteiger als auch
an erfahrene EntwicklerInnen mit Führungsqualitäten
zur Übernahme von Projektleitertätigkeiten.
Die Nordwestdeutsche Handelsbank bietet Ihnen
ein modernes Arbeitsumfeld, einen gesicherten
Arbeitsplatz und ein leistungsgerechtes Gehalt in
einer wachstumsorientierten Branche.
Wenn Sie in einem jungen, motivierten Team arbeiten
möchten, senden Sie bitte Ihre schriftliche Bewerbung,
einschließlich Lichtbild, an unsere Personalabteilung

NORDWESTDEUTSCHE HANDELSBANK
PERSONALABTEILUNG, KAISERPLATZ 13, 60311 FRANKFURT
TELEFON: 069 223 3489   TELEFAX: 069 223 3489

Lee Fellows
24 Warfield Rd
Bracknell RD12 6DX

Nordwestdeutsche Handelbank
Personalabteilung
Kaiserplatz 13
60311 Frankfurt/Main

Ihre Anzeige vom 15.5.98 in der „Frankfurter Allgemeinen Zeitung"

Sehr geehrte Damen und Herren,

Für die von Ihnen ausgeschriebene Stelle als Softwareentwickler erfülle ich
alle Voraussetzungen.
Ich verfüge über einen Universitätsabschluß als Master of Science in der
Fachrichtung Informatik und arbeite bei einer Bank in London als Netzwerk-
Administrator. Mein Tätigkeitsbereich umfaßt dabei Beratung, Netzwerkanalyse,
Installation und Koordination von Anwendungen.
Für die Stelle bringe ich sehr gute Kenntnisse der Programmiersprachen Visual
C++, Cobol sowie Erfahrung im Umgang mit SAP/R3 mit. Ich habe mit allen
gängigen Betriebssystemen gearbeitet und bin selbständiges Arbeiten gewöhnt.
Ich möchte mein Können gerne in Ihrem Unternehmen beweisen, und über eine
persönliche Vorstellung würde ich mich sehr freuen.

Mit freundlichen Grüßen

L. Fellows

Anlagen
Lebenslauf mit Foto
Zeugniskopien

RECHTSANWALT

*27 J., Ausbildung in Großbritannien/Durham, Engl. Muttersprache, Deutsch
verhandlungssicher durch div. Aufenthalte in Dtl., Französisch gut, sucht
nach 2jähriger Tätigkeit aus ungekündigter Stellung in renommierter,
wirtschaftsrechtlich orientierter Kanzlei in London neue Herausforderung
in Unternehmen, Kanzlei oder Verband im Großraum
Frankfurt. Chiffre F60694 HA*

Mrs Aileen Fielding
"People Placement"
14, Bracken Lane
Windermere

Christine Bahr
Burgstr. 17
18273 Güstrow
9th November 1998

RE: your advertisement of 23.10.98 in "Manchester Herald"

Dear Mrs Fielding,

I am writing in regard to the advertised post of au pair. I will be in Britain during my summer holiday from University, and wish to improve my English.

I would be obliged if you could offer me work in any capacity. I can supply references from former employers, if you would like them.

Yours sincerely,

Christine Bahr

enc:

LEBENSLAUF

PERSÖNLICHE DATEN:	Fehrmann, Dorothee Genthiner Str. 22 10786 Berlin Tel.: 030/855 452 Fax: 030/855 453 geb. am 17.11.1968 in Berlin ledig
SCHULAUSBILDUNG: 1975 - 1979 1979 - 1988	 Grundschule Charlottenburg II Schiller-Gymnasium Berlin-Spandau
HOCHSCHULAUSBILDUNG: 10/1988 - 4/1993	 Johannes-Gutenberg-Universität Mainz Studium in der Fachrichtung Diplomübersetzer für Englisch und Spanisch
AUSLANDSAUFENTHALTE: 10/1990 - 2/1991 3/1991 - 7/1991	 University of Westminster, London Universität Salamanca, Spanien
BERUFSPRAXIS: 5/1993 - 5/1995 seit 6/95	 Fremdsprachenkorrespondentin Dr. Seeberger & Partner GmbH, Management Consulting, München Übersetzerin Hega Fremdsprachen-Service GmbH, Berlin
BESONDERE KENNTNISSE:	EDV-Kenntnisse (Textverarbeitung, Präsentationsprogramme) gute polnische Sprachkenntnisse

Berlin,
3. Mai 1998

Dorothee Fehrmann
Genthiner Str. 22
10785 Berlin
Tel: 030/855 452
Fax: 030/852 453

Europäisches Patentamt
Personalabteilung
Hänflingweg 23
80973 München

Berlin, 3 Mai 1998

Sehr geehrte Frau Dembinski,

Ich bewerbe mich auf Ihr Stellenangebot in der heutigen Ausgabe der Süddeutschen Zeitung, weil ich sicher bin, Ihren Anforderungen an eine technische Übersetzerin zu entsprechen.

Ich arbeite seit drei Jahren als Übersetzerin in der Hega Fremdsprachen-Service GmbH in Berlin. Meine Aufgaben umfassen Übersetzungen sowohl allgemeinen als auch technischen Inhalts. Ich dolmetsche auch Geschäftstreffen unserer Kunden sowie auf Gerichtsverhandlungen am Landgericht Spandau.

Ich bin vom Landgericht als beeidigte Übersetzerin und Dolmetscherin für Englisch und Spanisch bestellt.

Ich interessiere mich besonders für diese Stelle, weil ich mich sehr gerne auf technische Übersetzungen spezialisieren möchte. Über die Möglichkeit, mein Können in einer Probeübersetzung unter Beweis zu stellen, würde ich mich sehr freuen.

Mit freundlichen Grüßen

Dorothee Fehrmann

Anlagen
Lebenslauf mit Foto
Zeugniskopien

```
                                        11 North Street
                                        Barnton
                                        BN7 2BT

                                        18th August 1998

The Personnel Director
Messrs. J. M. Kenyon Ltd.,
Firebrick House,
Clifton,
MC45 6RB

Dear Miss Paxman,

With reference to your advertisement in today's Guardian,
I wish to apply for the post of Personnel Manager.

I enclose my curriculum vitae. Please do not hesitate to
contact me if you require any further details.

              Yours faithfully,


enc.          Rosalind Williamson
```

CURRICULUM VITAE

Name: Rosalind Anna WILLIAMSON

Address: 11 North Street, Barnton, BN7 2BT, England

Telephone: Barnton (01294) 476230

Date of Birth: 6.5.1968

Marital Status: Single

Nationality: British

Qualifications: A-levels (1986):
Italian (A), French (B), English (D)
O-levels (1984): 9 subjects

B.A. 2nd class Honours degree in Italian with French,
University of Newby, England (June 1990)

Present Post: Assistant Personnel Officer, Metal Company plc. Barnton
(since February 1992)

**Previous
Employment:**

Nov. 1990 - Jan. 1991:	Personnel trainee Metal Company plc.	
Oct. 1986 - June 1990:	Student, University of Newby	

**Skills, Interests
and Experience:** fluent Italian & French; good working knowledge of
German; some Russian; car owner and driver (clean licence);
riding & sailing.

The following have agreed to provide references:

Ms Alice Bluegown, Personnel Manager, Metal Company plc, Barnton, NB4 3KL
Dr I.O. Sono, Department of Italian, University of Newby, Newby, SR13 2RR

INVITATION TO INTERVIEW/
EINLADUNG ZUM VORSTELLUNGSGESPRÄCH

Infocomp International AG
Postfach 70, 10183 Berlin
Telefon: 030/433 4274   Telefax: 030/433 4271
E-Mail: infocomp@infocomp.intern.com

Frau Christiane Neugebauer
Koblenzer Str. 76
28325 Bremen

Berlin, 1. Juli 1998

Sehr geehrte Frau Neugebauer,

vielen Dank für Ihre Bewerbung um die von uns ausgeschriebene Stelle als Personalreferentin.

Wir laden Sie hiermit zu einem Vorstellungsgespräch ein und schlagen dafür Montag, 13. Juli 1998, 14.00 Uhr vor. Das Gespräch wird Herr Seidel führen. Unsere Geschäftsräume befinden sich in der Ungarnstraße 77 in 13591 Berlin.

Sollte Ihnen der vorgeschlagene Zeitpunkt nicht passen, melden Sie sich bitte bei Frau Nelkenbrecher (030/433 4265) zur Vereinbarung eines neuen Termins.

Die Fahrtkosten für eine Bahnfahrt 2. Klasse von und nach Berlin werden wir Ihnen unter Vorlage der Fahrkarte erstatten.

Mit freundlichen Grüßen

T. Dembinski
Leiterin Personalabteilung

Scottish Life Insurance Ltd
44 Clyde Street Glasgow G2 3GH
(0141) 345 1900

Ref: EA/LK

Ms Eleanor Aitken
210 Belmont Park
Glasgow G11 9TJ
E-mail: lynnekerr@scotlife.co.uk

18 February 1998

Dear Ms Aitken

Following your recent application for the position of Sales Adminstrator, I would like to invite you to attend an interview at the above office on Monday 26 February at 11am.

The interview will be conducted by Alan Murray and the District Sales Manager and should last approximately one hour.

If this date does not suit, please notify Mrs Simpson on extension 3200 to arrange an alternative date.

We look forward to meeting you,

Yours sincerely

Lynn Kerr (Mrs)
Personnel Manager

OFFERING A JOB/
EINE STELLE ANBIETEN

Buschverlag
Gartenstr. 34 a
32105 Bad Salzuflen
Telefon: 0248/885 723
Telefax: 0248/531 766

Bad Salzuflen, 29. Juni 1998

Sehr geehrter Herr Franke,

bezugnehmend auf Ihr Vorstellungsgespräch am 18. Juni 1998 bieten wir Ihnen hiermit die Stelle als
Cartoon-Zeichner an. Die Einzelheiten des Angebots entnehmen Sie bitte dem beigelegten Vertrag.

Sollten Sie sich für unser Angebot entscheiden, werden Sie zunächst für eine sechsmonatige Probezeit
angestellt. Nach Ablauf dieser Frist können Sie in ein unbefristetes Arbeitsverhältnis übernommen werden.

Ich würde mich freuen, Sie demnächst als Mitarbeiter in unserem Verlag begrüßen zu können.

Mit freundlichen Grüßen

Astrid Meisenstein

Astrid Meisenstein
Leiterin Abt. Cartoon

EXPRESSArt

date 27 February 1997
your ref
our ref

Headquarters
42 West Port
EDINBURGH
EH3 1HS

Mr T Cairns
14, Greenknowe Lane
Bishopton, Glasgow G60 4BQ
Telephone 0141 226 7318

Dear Mr Cairns

Following your interview on February 3rd with Mr Davidson I am pleased
to offer you the post of administrative assistant to the customer relations
manager within our company.

Your employment will begin on a six month's fixed term contract, subject
to review in six months. Mrs Boyle will meet you in her office at 8.45 on
Monday 15th March for your induction.

If you require any further information please do not hesitate to call.

Yours faithfully,

Helen Bird

Helen Bird
Management Resources
Tel: 0131 226 7318   Personal line: 5408 7318

ACCEPTING A JOB/
EIN STELLENANGEBOT ANNEHMEN

Gerd Franke
Benrather Str. 68
42697 Solingen

Liebe Frau Meisenstein,

vielen Dank für Ihr Schreiben vom 29. Juni 1998.

Ich nehme das Angebot, in Ihrem Verlag als
Cartoonist zu arbeiten, gerne an und freue
mich, am 1. August meine Arbeit bei Ihnen
beginnen zu können.

Ich werde mich telefonisch bei Ihnen melden,
um Einzelheiten der Arbeitsaufnahme mit
Ihnen zu besprechen.

Mit freundlichem Gruß

Gerd Franke

Gerd Franke

Mrs P Burns
Personnel Manager
Stocks and Chairs
Newholme 7YZ 2DD

15, Orchard Street
Greenmarket
Newholme 7YZ 3PB

22nd February 1998

Dear Mrs Burns,

Thank you for your letter of 20th February. I am
pleased to accept your offer of the post of stock
control officer, on a full-time permanent contract.

I understand that I will begin work at 9.15 am on
Tuesday 5th March and will contact you when I arrive.

I look forward to working with you.

Yours faithfully,

E. Marriott.

15 TELEFONIEREN/THE TELEPHONE

15.1 Nach einer Nummer fragen

Getting a number

Could you get me Newhaven 465786, please?
(four-six-five-seven-eight-six)

Could you give me directory enquiries *oder* directory assistance *(US)*, please?

Can you give me the number of Europost, of 54 Broad Street, Newham?

It's not in the book

They're ex-directory *(Brit) oder* They're unlisted *(US)*

What is the code for Exeter?

Can I dial direct to Peru?

How do I make an outside call? *oder* What do I dial for an outside line?

What do I dial to get the speaking clock?

You'll have to look up the number in the directory

You should get the number from International Directory Enquiries

You omit the '0' when dialling England from Germany

Können Sie mich bitte mit Köln 465786 verbinden?
(vier-sechs-fünf-sieben-acht-sechs)

Können Sie mich bitte mit der Auskunft verbinden?

Ich hätte gern eine Nummer in Köln, Firma Europost, Breite Straße 54

Ich kann die Nummer nicht finden

Das ist eine Geheimnummer

Wie lautet die Vorwahl von Leipzig?

Kann ich nach Peru durchwählen?

Wie bekomme ich den Amtston?

Wie lautet die Nummer der Zeitansage?

Sie müssen die Nummer im Telefonbuch nachschlagen

Sie können die Nummer bei der internationalen Auskunft erfragen

Wenn Sie von Deutschland nach England anrufen, lassen Sie die Null weg

15.2 Verschiedene Arten von Anrufen

Different types of call

It's a local call

It's a long-distance call from Worthing

I want to make an international call

I want to make a reverse charge call to a London number *(Brit) oder* I want to call a London number collect *(US)*

I'd like to make a credit card call to Berlin

I'd like an alarm call for 7.30 tomorrow morning

Es ist ein Ortsgespräch

Es ist ein Ferngespräch aus Hamburg

Ich möchte ins Ausland anrufen

Ich möchte ein R-Gespräch nach London anmelden

Ich möchte auf Kreditkarte nach Berlin anrufen

Ich hätte gern einen Weckruf für morgen früh 7.30 Uhr

15.3 Vermittlung

The operator speaks

Number, please

What number do you want? *oder* What number are you calling?

Where are you calling from?

Would you repeat the number, please?

You can dial the number direct

Replace the receiver and dial again

There's a Mr Campbell calling you from Canberra and wishes you to pay for the call. Will you accept it?

Go ahead, caller

There's no listing under that name

There's no reply from 45 77 57 84

I'll try to reconnect you

Hold the line, caller

All lines to Bristol are engaged – please try later

I'm trying it for you now

It's ringing *oder* Ringing for you now

The line is engaged *(Brit) oder* busy *(US)*

Welche Nummer möchten Sie?

Welche Nummer wünschen Sie?

Woher rufen Sie an?

Können Sie die Nummer bitte wiederholen?

Sie können durchwählen

Legen Sie auf und wählen Sie noch einmal

Ich habe Herrn Campbell mit einem R-Gespräch aus Canberra für Sie. Nehmen Sie das Gespräch an?

Ich verbinde

Ich habe keine Eintragung unter diesem Namen

Der Teilnehmer 45 77 57 84 antwortet nicht

Ich versuche es noch einmal

Bitte bleiben Sie am Apparat

Alle Leitungen nach Bonn sind besetzt, bitte rufen Sie später noch einmal an

Ich versuche, Sie jetzt zu verbinden

Wir haben ein Rufzeichen

Die Leitung ist besetzt

15 TELEFONIEREN/THE TELEPHONE

15.4 Der Teilnehmer antwortet

Could I have extension 516?
Is that Mr Lambert's phone?

Could I speak to Mr Swinton, please?
Could you put me through to Dr Henderson, please?

Who's speaking?
I'll try again later
I'll call back in half an hour
Could I leave my number for her to call me back?

I'm ringing from a callbox *(Brit)* oder I'm calling from a pay station *(US)*
I'm phoning from England
Would you ask him to ring me back?

When your number answers

Können Sie mich bitte mit Apparat 516 verbinden?
Bin ich mit dem Apparat von Herrn Lambert verbunden?

Kann ich bitte mit Herrn Schmiedel sprechen?
Können Sie mich bitte zu Herrn Dr. Graupner durchstellen?

Wer ist am Apparat?
Ich versuche es später noch einmal
Ich rufe in einer halben Stunde zurück
Könnte ich bitte meine Nummer hinterlassen, damit sie mich zurückrufen kann?

Ich rufe aus einer Telefonzelle an

Ich rufe aus England an
Könnten Sie ihn bitten, mich zurückzurufen?

15.5 Die Zentrale antwortet

Queen's Hotel, can I help you?
Who is calling, please?
Who shall I say is calling?
Do you know his extension number?
I am connecting you now *oder* I'm putting you through now

I have a call from Tokyo for Mrs Thomas
I've got Miss Trotter on the line for you
Mr Craig is talking on the other line
Sorry to keep you waiting
There's no reply
You're through to our Sales Department

The switchboard operator speaks

Hotel Maritim, guten Tag
Wer ist am Apparat, bitte?
Wen darf ich melden?
Wissen Sie, welchen Apparat er hat?
Ich verbinde Sie

Ein Gespräch aus Tokio für Frau Böhme
Frau Fehrmann für Sie
Herr Goy spricht gerade auf der anderen Leitung
Bitte bleiben Sie am Apparat
Es meldet sich niemand
Sie sind mit unserer Verkaufsabteilung verbunden

15.6 Sich am Telefon melden

Hello, this is Anne speaking
(Is that Anne?) Speaking
Would you like to leave a message?
Can I take a message for him?
Don't hang up yet
Put the phone down and I'll call you back
This is a recorded message
Please speak after the tone

Answering the telephone

Hallo, Anne hier
(Kann ich mit Anne sprechen?) Am Apparat
Möchten Sie eine Nachricht hinterlassen?
Kann ich ihm etwas ausrichten?
Bitte bleiben Sie am Apparat
Legen Sie bitte auf, ich rufe Sie zurück
Hier spricht der automatische Anrufbeantworter
Bitte sprechen Sie nach dem Tonzeichen

15.7 Bei Schwierigkeiten

I can't get through
The number is not ringing
I'm getting 'number unobtainable' *oder* I'm getting the 'number unobtainable' signal

Their phone is out of order
We were cut off
I must have dialled the wrong number
We've got a crossed line
I've called them several times with no reply

You gave me a wrong number
I got the wrong extension
This is a very bad line

In case of difficulty

Ich komme nicht durch
Ich bekomme kein Rufzeichen
Ich bekomme immer nur „Kein Anschluß unter dieser Nummer"

Das Telefon ist gestört
Wir sind unterbrochen worden
Ich muß mich verwählt haben
Da ist noch jemand in der Leitung
Ich habe mehrmals angerufen, aber es hat sich niemand gemeldet
Sie haben mir die falsche Nummer gegeben
Ich bin mit dem falschen Apparat verbunden worden
Die Verbindung ist sehr schlecht

DEUTSCHE VERBEN

German has two main types of verb: **weak** and **strong**. Since the infinitive will give no indication of which type a verb is, it is best to learn the infinitive, 3rd person singular of the present and imperfect tenses (in the indicative) and the past participle

eg geben, gibt, gab, gegeben

Regular (Weak) Verbs

Almost all weak verbs are regular and form their tenses according to the patterns outlined below. From these you will be able to form any regular verb.

To form the present and imperfect tense, take the infinitive minus the last two letters – you now have the **stem**

machen – mach

Now add the appropriate ending, depending on *who* the subject is (ich, du, er, *etc*) and *when* the action is taking place (present, past or future tense). Look at the verb table for **machen**. The endings can be tagged onto the stem of *any* regular verb.

Where the infinitive of a weak verb ends in *-eln* or *-ern*, only the final *-n* is removed to form the stem.

wandern	stem *wander*
handeln	stem *handel*

Where the stem of the weak verb ends in *-d* or *-t*, an extra *-e-* is inserted before those endings where this will ease pronunciation.

ich red*e*	ich red*e*te
du red*e*st	du red*e*test

Weak verbs whose stem ends in *-m* or *-n* only take this extra *-e* if it is necessary for pronunciation. If the *-m* or *-n* is preceded by a consonant other than *l, r* or *h*, the *-e-* is inserted.

ich atme	*BUT*	ich lerne
du atm*e*st		du lernst

Weak and strong verbs (see below) whose stem ends in *-s, -z* or *ß* usually lose the *-s* of the second person singular ending (the *du* form) in the present indicative. BUT if the ending is *-sch*, the *-s* of the ending remains.

ich grüße	*BUT*	ich wasche
du grüßt		du wäsch*s*t

Strong Verbs

What differentiates strong verbs from weak ones is that they undergo a vowel change and have a different set of endings in the *imperfect indicative* tense.

compare	*INFINITIVE*	*IMPERFECT*
WEAK	sagen to say	er sagte
STRONG	rufen to shout	er *rief*

In the second person singular of the imperfect tense, if the stem ends in *-s, -z, -ß* or *-sch*, these letters are not dropped but an *-e-* is inserted between them and the ending.

INFINITIVE	*IMPERFECT*
lesen to read	ich las, du las*e*st

Their past participle is also formed differently (see p 34).

In the present tense of strong verbs, the vowel also often changes for the second and third persons singular (the *du* and *er/sie/es* forms). The pattern of possible changes is as follows:

long	*e* to *ie*	ich sehe/du s*ie*hst/er s*ie*ht
short	*e* to *i*	ich helfe/du h*i*lfst/er h*i*lft
	a to *ä*	ich fahre/du f*ä*hrst/er f*ä*hrt
	au to *äu*	ich saufe/du s*äu*fst/er s*äu*ft
	o to *ö*	ich stoße/du st*ö*ßt/er st*ö*ßt

A complete list of irregular verbs is given on pp 41-43.

Mixed Verbs

There are nine mixed verbs in German, and, as their name suggests they are formed according to a mixture of the rules already outlined for weak and strong verbs.

The mixed verbs are:

denken	to think	**kennen**	to know	**nennen**	to name
rennen	to run	**senden**	to send	**bringen**	to bring
brennen	to burn	**wenden**	to turn	**wissen**	to know

Mixed verbs form their imperfect tense by adding the *weak* endings to a stem whose vowel has been changed as for a *strong* verb.

ich kann*te*	er wu*ß*te	du sand*test*

NOTE: **bringen** and **denken** have a consonant change too in their imperfect forms.

ich	*dachte*	ich	*brachte*
du	*dachtest*	du	*brachtest*

The past participle of mixed verbs has characteristics of both weak and strong verbs, by adding the strong prefix *ge-* and the "weak" suffix *-t* to the stem.

Other tenses of mixed verbs are formed as for strong verbs. However, the *imperfect subjunctive* forms are unusual and should be noted.

denken to think	**kennen** to know	**nennen** to name
ich dächte	ich kennte	ich nennte
du dächtest	du kenntest	du nenntest
er dächte *etc*	er kennte *etc*	er nennte *etc*

rennen to run	**senden** to send	**bringen** to bring
ich rennte	ich sendete	ich brächte
du renntest	du sendetest	du brächtest
er rennte *etc*	er sendete *etc*	er brächte *etc*

brennen to burn	**wenden** to turn	**wissen** to know
ich brennte	ich wendete	ich wüßte
du brenntest	du wendetest	du wüßtest
er brennte *etc*	er wendete *etc*	er wüßte *etc*

Compound Tenses

Compound tenses are formed for all types of verb by using the appropriate tense of *sein, haben* or *werden*, and a part of the main verb.

Compound past tenses are usually formed by using the auxiliary verb *haben*, plus the past participle of the main verb.

Certain types of verb to take *sein* instead of *haben*. There are three main groups of these verbs.

• Intransitive verbs (*ie* which take no direct object) often showing a change of state or place.

DEUTSCHE VERBEN

Wir *sind* nach Bonn *gefahren*
We went to Bonn
Er *ist* schnell *eingeschlafen*
He quickly fell asleep

- Certain verbs meaning "to happen"

Was *ist geschehen*?
What happened?

- Miscellaneous others, including:

bleiben to remain, **gelingen** to succeed,
begegnen to meet, **sein** to be, **werden** to become

Er *ist* zu Hause *geblieben*
He stayed at home

Er *ist* krank *gewesen*
He has been ill

Er *ist* einem Freund *begegnet*
He met a friend

In some cases the verb can be conjugated with either *haben* or *sein*, depending on whether it can be used transitively (with a direct object) or intransitively (where no direct object is possible)

Er *hat* den Wagen nach Köln *gefahren*
He drove the car to Cologne
Sie *ist* nach Köln *gefahren*
She went to Cologne

How to form the compound tenses
Perfect Indicative

The present tense of *haben* or *sein* plus the *past participle* of the verb

Past Participle Formation:

- *Weak verbs* add the prefix *ge-* and the suffix *-t* to the stem

holen   *hol*   geholt

Verbs ending in *-ieren* or *-eien* omit the *ge-*

studieren   *studiert*

- *Strong verbs* add the prefix *ge-* and the suffix *-en* to the stem, though the vowel of the stem may be modified.

laufen   *ge*laufen
singen   *gesungen*

- *Mixed verbs* add the prefix *ge-* and the "weak" suffix *-t* to the stem. The stem vowel is modified as for strong verbs.

senden   *gesandt*
bringen   *gebracht*

Pluperfect Indicative

Use the imperfect indicative of *haben* or *sein* plus the past participle.

ich hatte geholt   ich war gereist

GERMAN VERBS

Future and Conditional Tense

The future and conditional tenses are formed in the same way for all verbs, whether weak, strong or mixed:

future tense = present tense of *werden* + infinitive

ich werde holen

conditional tense = imperfect subjunctive tense of *werden* + infinitive

ich würde holen

future perfect = present tense of *werden* + perfect infinitive

ich werde geholt haben

The *perfect infinitive* consists of the past participle of the verb plus the infinitive of *haben* or *sein*.

Use of Tenses

Unlike English, which distinguishes between a simple and continuous form, the German verb has only the simple form.

	Simple	OR	*Continuous*
ich tue	I do		I am doing
er rauchte	he smoked		he was smoking
sie hat gelesen	she has read		she has been reading
es ist geschickt worden	it is sent		it is being sent

To emphasize *continuity* you can

• use a simple tense plus an adverb or adverbial phrase

Er *kochte gerade* das Abendessen
He was cooking the supper
Nun spricht sie mit ihm
Now she's talking to him

• use *am* or *beim* plus an infinitive as a noun

Ich bin *am Bügeln*
I am ironing

• use *eben/gerade dabei sein zu* plus an infinitive

Wir *waren eben dabei*, einige Briefe *zu schreiben*
We were just writing a few letters

Present Tense

The present tense is used in German with *seit* or *seitdem* where English uses a perfect tense to show an action which began in the past and is still continuing

Ich *wohne seit* drei Jahren hier
I have been living here for three years
Seit ich hier *wohne*, fühle ich mich wohl
I've been feeling at home since I've lived here

If the action does not continue, or is past, use a past tense

Seit er krank ist, *hat* er uns nicht *besucht*
He hasn't visited us since he's been ill

The present is commonly used with a future meaning

Wir *fahren* nächstes Jahr nach Griechenland
We're going to Greece next year

DEUTSCHE VERBEN

Future Tense

As we have said, the present is often used to express the future. The future tense is used however to:

• emphasize the future

Das *werde* ich erst nächstes Jahr *machen können*
I won't be able to do that until next year

• express doubt or supposition about the future

Wenn er zurückkommmt, *wird* er mir bestimmt *helfen*
He's sure to help me when he returns

• express future intention

Ich *werde* ihm *helfen*
I'm going to help him

Future Perfect

This is used as in English to mean *shall/will have done*

Bis Sonntag *wird* er es *gelesen haben*
He will have read it by Sunday

It is also used in German to express a supposition

Das *wird* Herr Kunz *gewesen sein*
That must have been Mr Kunz

In conversation it is replaced by the perfect

Bis du zurückkommmst, *haben* wir alles *aufgeräumt*
We'll have tidied up by the time you get back

The Conditional

This may be used in place of the imperfect subjunctive to express improbable condition. In spoken German it is used much more commonly than the subjunctive forms.

Wenn ich eins hätte, *würde* ich es dir *geben*
If I had one I would give it to you

It is also used in indirect statements or questions to replace the future subjunctive in conversation or where the subjunctive form is not distinctive

Er fragte, *ob* wir *fahren würden*
He asked if we were going to go

The Imperfect

Is used in German with *seit* or *seitdem* where the pluperfect is used in English to show an action which began in the remote past and continued to a point in the more recent past.

Sie *war* seit ihrer Heirat als Lehrerin *beschäftigt*
She had been working as a teacher since her marriage

For discontinued action the pluperfect is used.

Ihren Sohn *hatten* sie seit zwölf Jahren nicht gesehen
They hadn't seen their son for twelve years

Use the imperfect to describe:

• past actions which have no link with the present as far as the speaker is concerned.

GERMAN VERBS

Er *kam* zu spät, um teilnehmen zu können
He arrived too late to take part

* for narrative

Das Mädchen *stand auf, wusch* sich das Gesicht und *verließ* das Haus
The girl got up, washed her face and went out

* for repeated, habitual or prolonged action in the past

Wir *machten* jeden Tag einen kleinen Spaziergang
We went (used to go) for a little walk every day

See also notes on the Perfect Tense

Perfect Tense

* This is generally used to translate the English perfect tense *I have spoken, he has been reading*

Ich *habe* ihn heute nicht *gesehen*
I haven't seen him today

* Describes past actions or events which still have a link with the present or the speaker

Ich *habe* ihr nichts davon *erzählt*
I didn't tell her anything about it

* Is used in conversation and similar communication to replace the simple past and is the most common use of the past participle.

Hast du den Krimi gestern abend im Fernsehen *gesehen*?
Did you see the thriller on television last night?

The Pluperfect

Is used to translate *had done/had been doing*, except in conjunction with *seit/seitdem. See The Imperfect.*

Sie *waren* schon *weggefahren*
They had already left
Diese Bücher *hatten* sie schon *gelesen*
They had already read these books

It is also used to show that one past action has already taken place by the time of the action you are describing

Als Christine ankam, *waren* die anderen schon *gegangen*
The others had already left when Christine arrived
Bevor ich meinen Vortrag über Island hielt, *hatte* ich mehrere Bücher zu diesem Thema *gelesen*
Before I gave my talk on Iceland, I had read several books on the subject

The Subjunctive

The indicative tenses in German indicate fact or certainty. The subjunctive shows unreality, uncertainty, speculation, or any doubt in the speaker's mind

INDICATIVE	*SUBJUNCTIVE*
Das stimmt	Es *könnte* doch wahr sein
That's true	It could well be true
Das ist eine Unverschämtheit	Sie meint, es *sei* eine
	Unverschämtheit
It's a scandal	She thinks it's a scandal

DEUTSCHE VERBEN

The imperfect subjunctive is not very common and in spoken German you would use the conditional instead. It is also important to note that the imperfect subjunctive form does not always represent actions performed in the past

imperfect subjunctive expressing the future
Wenn ich morgen nur da *sein könnte*!
If only I could be there tomorrow!

expressing the present/immediate future
Wenn er jetzt nur *käme*!
If only he would come now!

speaker's opinion, referring to the present or future
Sie *wäre* die Beste
She's the best

Uses of the subjunctive in German

- To show improbable condition (*eg.* if he *came*, he would ...). The *if*-clause (*wenn* in German) has a verb in the imperfect subjunctive and the main clause can have either an imperfect subjunctive or a conditional

Wenn du *kämest, wäre* ich froh
or Wenn du *kämest, würde* ich froh *sein*
I should be happy if you came

The imperfect *sollen* or *wollen*, or a conditional tense might be used in the *wenn*-clause to replace an uncommon imperfect subjunctive, or a subjunctive which is not distinct from the same tense of the indicative

Wenn er mich so *sehen würde*, würde er mich für verrückt halten!
or Wenn er mich so *sehen würde*, hielte er mich für verrückt!
or Wenn er mich so *sehen sollte*, würde er mich für verrückt halten!
If he saw me like this, he would think I was mad!

- To show unfulfilled condition (*if he had come*, he would have ...). The *wenn*-clause requires a pluperfect subjunctive, the main clause a pluperfect subjunctive or conditional perfect

Wenn du pünktlich *gekommen wärest, hättest* du ihn *gesehen*
or Wenn du pünktlich *gekommen wärest, würdest* du ihn gesehen haben
If you had been on time, you would have seen him

NOTE The indicative is used to express a *probable* condition as in English

Wenn ich ihn *sehe*, gebe ich es ihm
If I see him, I will give him it

- *wenn* can be omitted from conditional clauses. The verb must then follow the subject and *dann* or *so* usually begins the main clause

Hättest du mich nicht *gesehen*, dann wäre ich schon weg
If you hadn't seen me, I would have been gone by now

- With *selbst wenn* (*even if/even though*)

Selbst wenn er etwas *wüßte*, wurde er nichts sagen
Even if he knew about it, he wouldn't say anything

- With *wenn ... nur* (*if only ...*)

Wenn wir nur erfolgreich *wären*!
If only we were successful!

GERMAN VERBS

- To speculate or make assumptions

Und wenn er doch recht *hätte*?
What if he were right?

- After *als* (*as if/as though*)

Er sah aus, *als sei* er krank
He looked as though he were ill

- Where there is uncertainty or doubt

Er wußte nicht, wie es ihr zur Zeit *ginge*
He didn't know how she was

- To make a polite enquiry

Wäre da sonst noch etwas?
Will there be anything else?

- To indicate theoretical possibility or unreality

Er stellte sich vor, wie gut er in dem Anzug *aussähe*
He imagined how good he would look in the suit

Indirect Speech

What a person asks or thinks can be reported in one of two ways, directly or indirectly

directly	Tom said, "I have been on holiday"
indirectly	Tom said (that) he had been on holiday

In English, indirect, or reported speech, can be indicated by a change in tense of what has been reported:

He said "*I know* your sister"
He said (that) *he knew* my sister

In German the change is not in tense, but from indicative to subjunctive

DIRECT	*INDIRECT*
Er sagte: „Sie kennt deine Schwester"	Er sagte, sie *kenne* meine Schwester
He said, "She knows your sister"	He said she knew my sister
„Habe ich zu viel gesagt?", fragte er	Er fragte, ob er zuviel gesagt *habe*
"Did I say too much?", he asked	He asked if he had said too much

There are two ways of introducing indirect speech in German, similar to the parallel English constructions:

- The clause which reports what is said may be introduced by *daß* (that). The finite verb or auxiliary comes at the end of the clause

Er sagte uns, *daß* er Italienisch *spreche*
He told us that he spoke Italian

- *daß* may be omitted. The verb in this case must stand in second position in the clause, instead of being placed at the end

Er hat uns gesagt, er *spreche* Italienisch
He told us he spoke Italian

machen

to do *or* to make

IMPERATIVE

mach
macht
machen Sie

EXAMPLE PHRASES

Was **machst** *du?* What are you doing?
Ich **habe** *die Betten* **gemacht.** I made the beds.
Ich **werde** *es morgen* **machen.** I'll do it tomorrow.

PAST PARTICIPLE

gemacht

PRESENT		*IMPERFECT*	
ich	mache	ich	machte
du	machst	du	machtest
er	macht	er	machte
wir	machen	wir	machten
ihr	macht	ihr	machtet
sie	machen	sie	machten

PERFECT		*CONDITIONAL*	
ich	habe gemacht	ich	würde machen
du	hast gemacht	du	würdest machen
er	hat gemacht	er	würde machen
wir	haben gemacht	wir	würden machen
ihr	habt gemacht	ihr	würdet machen
sie	haben gemacht	sie	würden machen

FUTURE		*PRESENT SUBJUNCTIVE*	
ich	werde machen	ich	mache
du	wirst machen	du	machest
er	wird machen	er	mache
wir	werden machen	wir	machen
ihr	werdet machen	ihr	machet
sie	werden machen	sie	machen

IRREGULAR GERMAN VERBS

Infinitive	Present Indicative *2nd pers sing* ♦ *3rd pers sing*	Imperfect Indicative	Past Participle
backen	bäckst, backst ♦ bäckt, backt	backte	gebacken
befehlen	befiehlst ♦ befiehlt	befahl	befohlen
beginnen	beginnst ♦ beginnt	begann	begonnen
beißen	beißt ♦ beißt	biß	gebissen
bergen	birgst ♦ birgt	barg	geborgen
bersten	birst ♦ birst	barst	geborsten
bewegen²	bewegst ♦ bewegt	bewog	bewogen
biegen	biegst ♦ biegt	bog	gebogen
bieten	bietest ♦ bietet	bot	geboten
binden	bindest ♦ bindet	band	gebunden
bitten	bittest ♦ bittet	bat	gebeten
blasen	bläst ♦ bläst	blies	geblasen
bleiben	bleibst ♦ bleibt	blieb	geblieben
braten	brätst ♦ brät	briet	gebraten
brechen	brichst ♦ bricht	brach	gebrochen
brennen	brennst ♦ brennt	brannte	gebrannt
bringen	bringst ♦ bringt	brachte	gebracht
denken	denkst ♦ denkt	dachte	gedacht
dreschen	drischst ♦ drischt	drosch	gedroschen
dringen	dringst ♦ dringt	drang	gedrungen
dürfen	*1st* darf ♦ *2nd* darfst ♦ *3rd* darf	durfte	gedurft ♦ *(after infin)* dürfen
empfangen	empfängst ♦ empfängt	empfing	empfangen
empfehlen	empfiehlst ♦ empfiehlt	empfahl	empfohlen
empfinden	empfindest ♦ empfindet	empfand	empfunden
erschrecken	erschrickst ♦ erschrickt	erschrak	erschrocken
essen	ißt ♦ ißt	aß	gegessen
fahren	fährst ♦ fährt	fuhr	gefahren
fallen	fällst ♦ fällt	fiel	gefallen
fangen	fängst ♦ fängt	fing	gefangen
fechten	fichtst ♦ ficht	focht	gefochten
finden	findest ♦ findet	fand	gefunden
flechten	flichtst ♦ flicht	flocht	geflochten
fliegen	fliegst ♦ fliegt	flog	geflogen
fliehen	fliehst ♦ flieht	floh	geflohen
fließen	fließt ♦ fließt	floß	geflossen
fressen	frißt ♦ frißt	fraß	gefressen
frieren	frierst ♦ friert	fror	gefroren
gebären	gebierst ♦ gebiert	gebar	geboren
geben	gibst ♦ gibt	gab	gegeben
gedeihen	gedeihst ♦ gedeiht	gedieh	gediehen
gehen	gehst ♦ geht	ging	gegangen
gelingen	gelingt	gelang	gelungen
gelten	giltst ♦ gilt	galt	gegolten
genesen	genest ♦ genest	genas	genesen
genießen	genießt ♦ genießt	genoß	genossen
geschehen	geschieht	geschah	geschehen
gewinnen	gewinnst ♦ gewinnt	gewann	gewonnen
gießen	gießt ♦ gießt	goß	gegossen
gleichen	gleichst ♦ gleicht	glich	geglichen
gleiten	gleitest ♦ gleitet	glitt	geglitten
glimmen	glimmst ♦ glimmt	glomm	geglommen
graben	gräbst ♦ gräbt	grub	gegraben
greifen	greifst ♦ greift	griff	gegriffen
haben	hast ♦ hat	hatte	gehabt
halten	hältst ♦ hält	hielt	gehalten
hängen	hängst ♦ hängt	hing	gehangen
hauen	haust ♦ haut	haute	gehauen
heben	hebst ♦ hebt	hob	gehoben
heißen	heißt ♦ heißt	hieß	geheißen
helfen	hilfst ♦ hilft	half	geholfen
kennen	kennst ♦ kennt	kannte	gekannt
klingen	klingst ♦ klingt	klang	geklungen
kneifen	kneifst ♦ kneift	kniff	gekniffen

Infinitive	Present Indicative *2nd pers sing* ♦ *3rd pers sing*	Imperfect Indicative	Past Participle
kommen	kommst ♦ kommt	kam	gekommen
können	*1st* kann ♦ *2nd* kannst ♦ *3rd* kann	konnte	gekonnt ♦ *(after infin)* können
kriechen	kriechst ♦ kriecht	kroch	gekrochen
laden	lädst ♦ lädt	lud	geladen
lassen	läßt ♦ läßt	ließ	gelassen ♦ *(after infin)* lassen
laufen	läufst ♦ läuft	lief	gelaufen
leiden	leidest ♦ leidet	litt	gelitten
leihen	leihst ♦ leiht	lieh	geliehen
lesen	liest ♦ liest	las	gelesen
liegen	liegst ♦ liegt	lag	gelegen
lügen	lügst ♦ lügt	log	gelogen
mahlen	mahlst ♦ mahlt	mahlte	gemahlen
meiden	meidest ♦ meidet	mied	gemieden
melken	melkst ♦ melkt	melkte	gemolken
messen	mißt ♦ mißt	maß	gemessen
mißlingen	mißlingt	mißlang	mißlungen
mögen	*1st* mag ♦ *2nd* magst ♦ *3rd* mag	mochte	gemocht ♦ *(after infin)* mögen
müssen	*1st* muß ♦ *2nd* mußt ♦ *3rd* muß	mußte	müssen
nehmen	nimmst ♦ nimmt	nahm	genommen
nennen	nennst ♦ nennt	nannte	genannt
pfeifen	pfeifst ♦ pfeift	pfiff	gepfiffen
preisen	preist ♦ preist	pries	gepriesen
quellen	quillst ♦ quillt	quoll	gequollen
raten	rätst ♦ rät	riet	geraten
reiben	reibst ♦ reibt	rieb	gerieben
reißen	reißt ♦ reißt	riß	gerissen
reiten	reitest ♦ reitet	ritt	geritten
rennen	rennst ♦ rennt	rannte	gerannt
riechen	riechst ♦ riecht	roch	gerochen
ringen	ringst ♦ ringt	rang	gerungen
rinnen	rinnst ♦ rinnt	rann	geronnen
rufen	rufst ♦ ruft	rief	gerufen
salzen	salzt ♦ salzt	salzte	gesalzen
saufen	säufst ♦ säuft	soff	gesoffen
saugen	saugst ♦ saugt	sog	gesogen ♦ gesaugt
schaffen[1]	schaffst ♦ schafft	schuf	geschaffen
scheiden	scheidest ♦ scheidet	schied	geschieden
scheinen	scheinst ♦ scheint	schien	geschienen
scheißen	scheißt ♦ scheißt	schiß	geschissen
schelten	schiltst ♦ schilt	schalt	gescholten
scheren	scherst ♦ schert	schor	geschoren
schieben	schiebst ♦ schiebt	schob	geschoben
schießen	schießt ♦ schießt	schoß	geschossen
schinden	schindest ♦ schindet	schindete	geschunden
schlafen	schläfst ♦ schläft	schlief	geschlafen
schlagen	schlägst ♦ schlägt	schlug	geschlagen
schleichen	schleichst ♦ schleicht	schlich	geschlichen
schleifen	schleifst ♦ schleift	schliff	geschliffen
schließen	schließt ♦ schließt	schloß	geschlossen
schlingen	schlingst ♦ schlingt	schlang	geschlungen
schmeißen	schmeißt ♦ schmeißt	schmiß	geschmissen
schmelzen	schmilzt ♦ schmilzt	schmolz	geschmolzen
schneiden	schneid(e)st ♦ schneidet	schnitt	geschnitten
schreiben	schreibst ♦ schreibt	schrieb	geschrieben
schreien	schreist ♦ schreit	schrie	geschrie(e)n
schreiten	schreitest ♦ schreitet	schritt	geschritten
schweigen	schweigst ♦ schweigt	schwieg	geschwiegen
schwellen	schwillst ♦ schwillt	schwoll	geschwollen
schwimmen	schwimmst ♦ schwimmt	schwamm	geschwommen
schwinden	schwindest ♦ schwindet	schwand	geschwunden
schwingen	schwingst ♦ schwingt	schwang	geschwungen
schwören	schwörst ♦ schwört	schwor	geschworen

Infinitive	Present Indicative	Imperfect Indicative	Past Participle
	2nd pers sing ♦ *3rd pers sing*		
sehen	siehst ♦ sieht	sah	gesehen ♦ *(after infin)* sehen
sein	*1st* bin ♦ *2nd* bist ♦ *3rd* ist *1st pl* sind ♦ *2nd pl* seid ♦ *3rd pl* sind	war	gewesen
senden *(send)*	sendest ♦ sendet	sandte	gesandt
singen	singst ♦ singt	sang	gesungen
sinken	sinkst ♦ sinkt	sank	gesunken
sinnen	sinnst ♦ sinnt	sann	gesonnen
sitzen	sitzt ♦ sitzt	saß	gesessen
sollen	*1st* soll ♦ *2nd* sollst ♦ *3rd* soll	sollte	gesollt ♦ *(after infin)* sollen
spalten	spaltest ♦ spaltet	spaltete	gespalten ♦ gespaltet
speien	speist ♦ speit	spie	gespie(e)n
spinnen	spinnst ♦ spinnt	spann	gesponnen
sprechen	sprichst ♦ spricht	sprach	gesprochen
sprießen	sprießt ♦ sprießt	sproß ♦ sprießte	gesprossen
springen	springst ♦ springt	sprang	gesprungen
stechen	stichst ♦ sticht	stach	gestochen
stecken *(vi)*	steckst ♦ steckt	steckte ♦ stak	gesteckt
stehen	stehst ♦ steht	stand	gestanden
stehlen	stiehlst ♦ stiehlt	stahl	gestohlen
steigen	steigst ♦ steigt	stieg	gestiegen
sterben	stirbst ♦ stirbt	starb	gestorben
stieben	stiebst ♦ stiebt	stob ♦ stiebte	gestoben ♦ gestiebt
stinken	stinkst ♦ stinkt	stank	gestunken
stoßen	stößt ♦ stößt	stieß	gestoßen
streichen	streichst ♦ streicht	strich	gestrichen
streiten	streitest ♦ streitet	stritt	gestritten
tragen	trägst ♦ trägt	trug	getragen
treffen	triffst ♦ trifft	traf	getroffen
treiben	treibst ♦ treibt	trieb	getrieben
treten	trittst ♦ tritt	trat	getreten
trinken	trinkst ♦ trinkt	trank	getrunken
trügen	trügst ♦ trügt	trog	getrogen
tun	*1st* tue ♦ *2nd* tust ♦ *3rd* tut	tat	getan
verderben	verdirbst ♦ verdirbt	verdarb	verdorben
verdrießen	verdrießt ♦ verdrießt	verdroß	verdrossen
vergessen	vergißt ♦ vergißt	vergaß	vergessen
verlieren	verlierst ♦ verliert	verlor	verloren
verschleißen	verschleißt ♦ verschleißt	verschliß	verschlissen
verzeihen	verzeihst ♦ verzeiht	verzieh	verziehen
wachsen	wächst ♦ wächst	wuchs	gewachsen
wägen	wägst ♦ wägt	wog	gewogen
waschen	wäschst ♦ wäscht	wusch	gewaschen
weben	webst ♦ webt	webte, wob *(liter, fig)*	gewebt, gewoben *(liter, fig)*
weichen	weichst ♦ weicht	wich	gewichen
weisen	weist ♦ weist	wies	gewiesen
wenden	wendest ♦ wendet	wendete	gewendet ♦ gewandt
werben	wirbst ♦ wirbt	warb	geworben
werden	wirst ♦ wird	wurde	geworden ♦ *(after ptp)* worden
werfen	wirfst ♦ wirft	warf	geworfen
wiegen	wiegst ♦ wiegt	wog	gewogen
winden	windest ♦ windet	wand	gewunden
winken	winkst ♦ winkt	winkte	gewinkt ♦ gewunken
wissen	*1st* weiß ♦ *2nd* weißt ♦ *3rd* weiß	wußte	gewußt
wollen	*1st* will ♦ *2nd* willst ♦ *3rd* will	wollte	gewollt ♦ *(after infin)* wollen
wringen	wringst ♦ wringt	wrang	gewrungen
ziehen	ziehst ♦ zieht	zog	gezogen
zwingen	zwingst ♦ zwingt	zwang	gezwungen

ENGLISCHE VERBEN

1   Einfache und erweiterte Zeitformen

Im Gegensatz zum Deutschen verfügen englische Verben über zwei Formen, die einfache und die erweiterte, welche die Möglichkeit bieten, eine unterschiedliche Sichtweise mit Bezug auf eine Handlung darzustellen. Mit der einfachen Form wird ein Vorgang als Ereignis oder Fakt charakterisiert, und es wird somit lediglich festgestellt, was geschieht oder existiert. Mit der erweiterten Form, auch Verlaufsform genannt, wird das Interesse auf die Handlung selbst gelenkt und so der Verlauf und die Entwicklung eines Geschehens in den Vordergrund gestellt.

Die einfachen Formen werden im wesentlichen in folgenden Fällen benutzt:

* Es werden allgemeingültige Fakten festgestellt.

> *Edinburgh is the capital of Scotland*
> *This drink tastes awful*

* Es werden gewohnheitsmäßige und wiederholte Handlungen dargestellt, und zwar, wenn diese nicht zeitweilig sind.

> *They often phone their mother in London*
> *I visited my grandmother regularly*

* Das Ergebnis einer Tätigkeit soll im Vordergrund stehen.

> *Between 8 and 10 the secretary wrote six letters*

* Es werden aufeinanderfolgende Handlungen dargestellt.

> *I have tea at five and then I read the paper*
> *I spoke to my friend and then I rang my mother*

Die erweiterten Formen finden hauptsächlich in folgenden Fällen Anwendung:

* Der Verlauf und die Entwicklung einer Handlung zu einem bestimmten Zeitpunkt sollen dargestellt werden.

> *I'm cooking the dinner*
> *The video industry has been developing rapidly*

* Es werden abgeschlossene Vorgänge beschrieben, die innerhalb einer bestimmten Zeitspanne stattfinden.

> *She has been reading all afternoon*
> *We had been living in Athens for five years*

* Eine Handlung ist noch nicht beendet oder eine Situation ist nur vorübergehend.

> *He'll be working nights next week*
> *She's spending the summer in Europe*

* Eine Handlung findet bereits statt, wenn eine andere Tätigkeit einsetzt.

> *The doorbell rang, while I was having a shower*
> *It always starts raining when we are playing tennis*

* Mit Hilfe der erweiterten Formen können allmähliche Entwicklungen oder der Übergang in einen anderen Zustand gekennzeichnet werden.

> *The village is changing but it is still quiet*
> *World energy demand is increasing at a rate of about 3% per year*

ENGLISH VERBS

Einige Verben, die einen Zustand ausdrücken und keine Handlung, werden nicht in den erweiterten Formen benutzt. Solche Verben sind zum Beispiel

concern, fit, involve, mean, surprise,
deserve, interest, matter, satisfy

Verben des Denkens	believe, forget, imagine, know, realize, recognize, suppose, think, understand, want, wish
Verben des Mögens	admire, dislike, hate, like, love, prefer
Verben des Erscheinens	appear, look, like, resemble, seem
Verben des Besitzes	belong to, contain, have, include, own possess
Verben der Wahrnehmung	hear, see, smell, taste
Verben des Seins	be, consist of, exist

Manche der hier aufgeführten Verben können erweiterte Formen bilden, wenn sie in einer übertragenen Bedeutung benutzt werden.

I have a shower – I am having a shower
The answer appears to be correct –
The Royal Shakespeare Company is appearing in Stratford this week

Bei Verben wie **feel, look forward to, hurt, ache** drückt die Verwendung der einfachen oder der erweiterten Form kaum einen Unterschied aus.

I look forward to our meeting –
I am looking forward to our meeting
My leg aches – My leg is aching

2 Die Zeitformen

2.1 Das Präsens – Present Tense

Das einfache Präsens – Simple Present

Im einfachen Präsens verändert sich das englische Verb nur in der dritten Person Singular, wo die Endung -*s* an die Grundform des Verbs angehängt wird. Die genauen Regeln dabei können Sie der Tabelle auf Seite 52 entnehmen.

George lives in Birmingham
You look really funny in that hat

Verwendung:

• Es werden gewohnheitsmäßige Tätigkeiten oder sich häufig wiederholende Handlungen dargestellt.

I pay the milkman on Fridays
Do you eat meat?

• Zwei oder mehrere Handlungen in der Gegenwart folgen aufeinander.

I get up early and eat breakfast in bed
The doorbell rings and I open the door

- Allgemeingültige Vorgänge, Eigenschaften, Fähigkeiten, Feststellungen und Fakten werden ausgedrückt.

Water boils at 100 degrees centigrade
The bus takes longer than the train

- Das einfache Präsens wird benutzt, wenn eine Handlung in der Gegenwart einsetzt, während ein anderer Vorgang, der dann im erweiterten Präsens steht, bereits stattfindet.

My husband is already listening to the news when I get up

Das erweiterte Präsens – Present Continuous

Das erweiterte Präsens wird aus einer Form des Verbs *to be* im Präsens, also *am*, *is* oder *are*, und dem Partizip Präsens (die "ing-Form") des Vollverbs des Satzes gebildet. Zur Bildung des Partizip Präsens siehe Tabelle auf Seite 52.

He <u>is playing</u> tennis at the university
I <u>am</u> <u>living</u> in London at the moment

Verwendung:

- Das erweiterte Präsens beschreibt Handlungen und Vorgänge, die zu einem Zeitpunkt in der Gegenwart bereits begonnen haben oder weiter andauern.

Wait a moment. I'm listening to the news
We're having a meeting. Come and join us

- Mit dem erweiterten Präsens können Handlungen charakterisiert werden, die während eines längeren aber begrenzten Zeitraums stattfinden, allerdings nicht im Augenblick des Sprechens oder Schreibens.

I can't take many holidays this year, we are finishing an important project

- Handlungen in der Gegenwart wiederholen sich oder sind gewohnheitsmäßig, aber in einem zeitlich begrenzten Rahmen. Auch vorübergehende Vorgänge werden im erweiterten Präsens ausgedrückt.

He is training in a gym until the weather gets better
I'm working with Jim and Craig at the moment

- Zwei oder mehrere Handlungen in der Gegenwart, die nebeneinander ablaufen, stehen beide im erweiterten Präsens.

Jane is watching TV and her mother is preparing dinner

- Das erweiterte Präsens wird benutzt, um darzustellen, daß eine Handlung bereits stattfindet, wenn ein anderer Vorgang, der dann im einfachen Präsens steht, beginnt.

Most thieves break in when people are sleeping
The baby always wakes up when we are trying to go to sleep

- Mit dem erweiterten Präsens kann auch etwas beschrieben werden, das in naher Zukunft stattfinden soll. Meist steht dann auch eine Zeitbestimmung.

She <u>is</u> coming home tomorrow

2.2 Das Präteritum – Past Tense

Einer Vergangenheitsform im Englischen kann im Deutschen auch sehr oft eine Perfektform entsprechen. Beachten Sie deshalb, daß das englische Perfekt nicht zum Ausdruck der

Vergangenheit benutzt wird, sondern vielmehr zeigt, daß die jeweilige Handlung einen Bezug zur Gegenwart hat.

Das einfache Präteritum – Simple Past

Im einfachen Präteritum wird an die Grundform des Verbs die Endung -ed angehängt. Die genauen Regeln dabei können Sie der Tabelle auf Seite 52 entnehmen. Einige Verben haben eine unregelmäßige Vergangenheitsform, diese können Sie in der Liste der unregelmäßigen Verben auf Seite 53 finden.

*She **lived** just outside London*
*I **saw** his dog sitting outside his house*

Verwendung:

- Das einfache Präteritum beschreibt eine abgeschlossene Handlung oder einen abgeschlossenen Zustand zu einem Zeitpunkt in der Vergangenheit. Die Aussage ist meist mit Zeitangaben, die sich auf die Vergangenheit beziehen, oder mit Fragewörtern wie *when?* oder *what time?* verbunden.

Yesterday he bought some clothes
I woke up early and got out of bed

- Eine Handlung in der Vergangenheit, die einsetzt, während ein anderer Vorgang bereits stattfindet, steht im einfachen Präteritum.

They were sitting in the kitchen when they heard the explosion
Jack arrived while the children were having their bath

Das erweiterte Präteritum – Continuous Past

Das erweiterte Präteritum wird aus einer Form des Verbs *to be* im Präteritum, also *was* oder *were*, und dem Partizip Präsens (die "ing-Form") des Vollverbs des Satzes gebildet. Zur Bildung des Partizip Präsens siehe Tabelle auf Seite 52.

*They **were sitting** in the kitchen, when they heard the explosion*
*He **was working** at home at the time*

Verwendung:

- Das erweiterte Präteritum beschreibt Vorgänge, die zu einer bestimmten Zeit in der Vergangenheit stattgefunden haben.

I was watching TV between 8 and 11 last night

- Mit der erweiterten Präteritumsform werden Handlungen, die in der Vergangenheit zeitlich nebeneinander lagen, dargestellt. Solche Handlungen sind meist durch while verbunden.

While I was doing the shopping, the children were waiting in the car

- Handlungen, die sich innerhalb einer bestimmten Zeitspanne in der Vergangenheit wiederholt haben oder gewohnheitsmäßig waren, stehen im erweiterten Präteritum.

Bill was using my office until I came back from America

- Das erweiterte Präteritum wird bei Vorgängen in der Vergangenheit benutzt, wenn diese bereits im Verlauf waren, als eine andere Handlung, die dann in der einfachen Form steht, einsetzte.

I was working upstairs when the accident happened
Someone ran off with my clothes while I was swimming

ENGLISCHE VERBEN

2.3 Das Perfekt – Present Perfect

Anders als im Deutschen, wo das Perfekt oft als eine Vergangenheitsform verwendet wird, schaut das Present Perfect im Englischen aus der Gegenwart auf eine Handlung oder ein Ereignis in der Vergangenheit zurück, das in gewisser Weise mit der Gegenwart verbunden ist. Dabei ist der Unterschied zwischen dem englischen Perfekt und Präteritum zu beachten: das Präteritum stellt ein vergangenes Geschehen in den Mittelpunkt, beim Perfekt rückt eine gegenwärtige Situation in den Vordergrund, von der aus auf ein vorangegangenes Geschehen zurückgeblickt wird.

Hinsichtlich des Bezugs zur Gegenwart gibt es grundsätzlich zwei Möglichkeiten:

i. Die Handlung, von der die Rede ist, hat in der Vergangenheit begonnen und geht in der Gegenwart weiter. In diesem Falle wird hauptsächlich die erweiterte Form des Perfekts verwendet.

He has been living in London for five years
She has been waiting since 2 o'clock

ii. Der beschriebene Sachverhalt hat in der Vergangenheit begonnen, besteht aber in der Gegenwart nicht mehr. Dabei läßt sich die Situation in der Gegenwart als das Resultat der Handlung in der Vergangenheit betrachten.

She has changed her job several times
I have opened a packet of crisps

Ebenso wie die anderen Zeitformen verfügt auch das Perfekt über einfache und erweiterte Formen.

Das einfache Perfekt – Simple Present Perfect

Die einfachen Formen werden aus einer Präsensform des Verbs *to have* und dem Partizip Perfekt (Past Participle) des Vollverbs gebildet. Zur Bildung des Partizip Perfekt siehe Tabelle auf Seite 52.

__Have__ you __seen__ the film?
She __has changed__ her job again

Verwendung:

- Die einfache Form des Perfekt betont das Ergebnis einer Handlung. So wird es zum Beispiel verwendet, wenn etwas zu einem nicht genau bestimmten Zeitpunkt in der Vergangenheit stattgefunden hat, aber trotzdem Auswirkungen auf die Gegenwart hat.

I have read lots of guide books, so I know exactly where I want to go

- Die einfache Perfektform wird auch benutzt, um eine bestimmte Erfahrung auszudrücken. In Fragesätzen wird dabei oft gefragt, ob etwas stattgefunden hat.

Have you ever been to New Zealand?
I have been there twice

- Verwenden Sie die einfache Form bei wiederholten oder mit Unterbrechungen stattfindenden Handlungen, die in der Vergangenheit begonnen haben und in der Gegenwart bereits beendet sind oder noch weitergehen.

We have played football every afternoon up to now

Das erweiterte Perfekt – Continuous Present Perfect

Die erweiterte Form setzt sich aus einer Präsensform des Hilfsverbs *to have*, dem Partizip Perfekt des Verbs *to be (been)* und dem Partizip Präsens ("ing"-Form) des Vollverbs zusammen.

I __have been waiting__ for several hours
The video industry __has been developing__ rapidly

ENGLISH VERBS

Verwendung:

- Das erweiterte Perfekt wird benutzt bei kürzeren Tätigkeiten, die gerade zu Ende gegangen sind oder im Moment des Sprechens gerade beendet werden.

    I've been reading this book for more than two hours now

- Ebenso kann das erweiterte Perfekt auch verwendet werden, um auszudrücken, daß ein Vorgang, der in der Vergangenheit angefangen hat, sich in der Zukunft noch fortsetzen wird.

    I have been checking these essays but I haven't finished yet

- Die Benutzung der erweiterten Form stellt die Dauer eines Vorgangs in den Vordergrund. Meist enthalten solche Sätze auch Zeitangaben.

    She has been playing cards all night

2.4 Das Plusquamperfekt – Past Perfect

Im Past Perfect werden Sachverhalte ausgedrückt, die zeitlich vor einer anderen Handlung in der Vergangenheit geschehen sind.

    She had lost her job as an estate agent and was working as a waitress

Auch das Past Perfect weist einfache und erweiterte Formen auf.

Das einfache Plusquamperfekt – Simple Past Perfect

Das einfache Plusquamperfekt wird aus einer Vergangenheitsform des Hilfsverbs to have und dem Partizip Perfekt (Past Participle) des Vollverbs gebildet.

    *By dusk tear gas **had spread** through the south campus*
    *We **had lived** in Africa for five years*

Die einfache Form unterstreicht das Ergebnis einer Handlung.

    Before I wrote the essay I had read a lot of books on the topic

Das erweiterte Plusquamperfekt – Continuous Past Perfect

Das erweiterte Plusquamperfekt setzt sich aus einer Vergangenheitsform des Hilfsverbs *to have*, dem Partizip Perfekt des Verbs *to be (been)* und dem Partizip Präsens des Vollverbs zusammen.

    *The doctor **had been working** alone*
    *They **had been hitting** our trucks regularly*

Die erweiterte Form wird benutzt, wenn etwas über einen gewissen Zeitraum ohne Unterbrechung stattgefunden hatte, ehe etwas anderes geschah. Mit der erweiterten Form wird auch ausgedrückt, daß eine Handlung erst vor relativ kurzer Zeit geschah.

    We had been waiting for more than an hour when the plane finally arrived

2.5 Das Futur – Future

Zum Ausdruck der Zukunft gibt es im Englischen mehrere Möglichkeiten. Es kann das einfache Futur mit *will/shall*, das erweiterte Futur mit *will/shall*, eine Konstruktion mit *to be going to*, das einfache Präsens oder das erweiterte Präsens verwendet werden.

ENGLISCHE VERBEN

Das einfache Futur – Future Simple

Das einfache Futur wird aus dem Hilfsverb *will* oder *shall* sowie dem Infinitiv des Vollverbs gebildet.

*You **will** **stay** at home and I **shall** **go** to your office*
*I **will** **have** lunch with you tomorrow*

Verwendung:

• Das einfache Futur wird für Vorgänge verwendet, die unabhängig vom Willen eines Sprechers stattfinden werden. Daher kommt diese Form sehr häufig in Fachtexten und in den Medien vor.

When peace is available, people will go for it

• Mit dem einfachen Futur werden persönliche Reaktionen und spontane Vorhaben ausgedrückt.

I will be glad to get away from here
Wait a moment, I will come with you

Das erweiterte Futur – Future Continuous

Das erweiterte Futur besteht aus dem Hilfsverb *will* oder *shall*, dem Infinitiv *be* sowie dem Partizip Präsens ("ing"-Form) des Vollverbs.

*I **will** **be** **seeing** them when I have finished with you*
*I **will** **be** **waiting** for you outside*

Verwendung:

• Das erweiterte Futur drückt Handlungen aus, die zu einem bestimmten Zeitpunkt oder innerhalb eines Zeitraums in der Zukunft stattfinden werden und fest vorgesehen sind. Meist werden in solchen Sätzen auch Zeitangaben genannt.

She will be appearing tomorrow and Sunday at the Royal Festival Hall

• Das erweiterte Futur wird in höflichen Fragen verwendet.

Where will you be spending your holiday weekend?

"be going to"

Diese Form der Zukunft wird bevorzugt in der Umgangssprache angewendet. Es werden hierbei insbesondere Absichten und Vorhaben ausgedrückt.

*I'm **going** **to** explore the neighbourhood*
*We're **going** **to** see a change in the law next year*

Das einfache Präsens – Simple Present

Das einfache Präsens wird zum Ausdruck der Zukunft vor allem in offiziellen Mitteilungen und Ankündigungen verwendet.

*On Sunday the Foreign Secretary **starts** his visit to India*

Das erweiterte Präsens – Continuous Present

Das erweiterte Präsens wird in Futur-Bedeutung benutzt, wenn von Handlungen in der unmittelbaren Zukunft die Rede ist, die bereits feststehen oder äußerst wahrscheinlich sind. Diese Form der Zukunft ist häufig in der Umgangssprache und vor allem in Verbindung mit Verben, die eine Tätigkeit ausdrücken, anzutreffen.

*What **are** you **doing** this afternoon?*

2.6 Das Futur II (vollendete Zukunft) – Future Perfect

Im Future Perfect werden Handlungen ausgedrückt, die zu einem Zeitpunkt in der Zukunft bereits abgeschlossen sein werden oder noch weitergehen. Dabei werden fast immer Zeitangaben benutzt, wie z. B. *by January* etc., *in two years' time.*

Das einfache Futur II (Future Perfect Simple) wird aus dem Hilfsverb *will* oder *shall*, dem Verb *have* und dem Partizip Perfekt des Vollverbs gebildet.

Maybe by the time we get to the dock he <u>will</u> already <u>have</u> <u>started</u>

Das erweiterte Futur II (Future Perfect Continuous), das insbesondere die Dauer eines Vorgangs zu einem bestimmten Zeitpunkt in der Zukunft hervorhebt, setzt sich aus dem Hilfsverb *will* oder *shall*, dem Verb *have*, dem Partizip *been* und dem Partizip Präsens des Vollverbs zusammen.

The register <u>will</u> <u>have</u> <u>been</u> <u>running</u> for a year in May

ENGLISCHE VERBEN

Grundform	3. Person Singular Präsens	Partizip Präsens ("ing-Form")	Partizip Perfekt	Ausnahmen
	Endung '**-s**'	Endung '**-ing**'	Endung '**-ed**'	
join	join*s*	join*ing*	join*ed*	

Auf	Endung '**-es**'			
–sh finish	finish*es*	finish*ing*	finish*ed*	
–ch reach	reach*es*	reach*ing*	reach*ed*	
–ss pass	pass*es*	pass*ing*	pass*ed*	
–x mix	mix*es*	mix*ing*	mix*ed*	
–z buzz	buzz*es*	buzz*ing*	buzz*ed*	
–o echo	echo*es*	echo*ing*	echo*ed*	
endende Verben				

Auf –e endende Verben		–e wird ausgelassen, Endung '**-ing**' oder '**-ed**'		
dance	dance*s*	danc*ing*	danc*ed*	age, agree,
age	age*s*	age*ing*	age*d*	disagree, dye, free, knee, referee, singe, tiptoe

Auf –ie endende Verben		–ie wird zu 'y', Endung '**-ing**'		
tie	tie*s*	ty*ing*	ti*ed*	

Auf Konsonant +y endende Verben	–y wird zu '-ies'		–y wird zu '-ied'	
cry	cr*ies*	crying	cr*ied*	

Einsilbige Verben, die auf Vokal + Konsonant enden		Konsonantendoppelung, Endung '**-ing**' oder '**-ed**'		keine Konsonanten- doppelung bei
dip	dip*s*	dip*ping*	dip*ped*	rowing, boxing, playing

Zweisilbige Verben, die auf Vokal + l enden		Konsonantendoppelung, Endung '**-ing**' oder '**-ed**'		im amerikanischen Englisch auch:
travel	travels	travel*ling*	travel*led*	traveling, traveled

equip, handicap, hiccup, kidnap, program, refer, worship				im amerikanischen Englisch keine Konsonanten- doppelung nötig bei
equip	equip*s*	equip*ping*	equip*ped*	handicap, hiccup, kidnap, program worship

UNREGELMÄSSIGE ENGLISCHE VERBEN

Präsens	Imperfekt	Partizip Perfekt	Präsens	Imperfekt	Partizip Perfekt
arise	arose	arisen	forget	forgot	forgotten
awake	awoke	awoken	forgive	forgave	forgiven
be (am, is, are; being)	was, were	been	forsake	forsook	forsaken
			freeze	froze	frozen
bear	bore	born(e)	get	got	got, (US) gotten
beat	beat	beaten	give	gave	given
become	became	become	go (goes)	went	gone
befall	befell	befallen	grind	ground	ground
begin	began	begun	grow	grew	grown
behold	beheld	beheld	hang	hung	hung
bend	bent	bent	hang (execute)	hanged	hanged
beset	beset	beset	have	had	had
bet	bet, betted	bet, betted	hear	heard	heard
bid (at auction, cards)	bid	bid	hide	hid	hidden
			hit	hit	hit
bid (say)	bade	bidden	hold	held	held
bind	bound	bound	hurt	hurt	hurt
bite	bit	bitten	keep	kept	kept
bleed	bled	bled	kneel	knelt, kneeled	knelt, kneeled
blow	blew	blown	know	knew	known
break	broke	broken	lay	laid	laid
breed	bred	bred	lead	led	led
bring	brought	brought	lean	leant, leaned	leant, leaned
build	built	built	leap	leapt, leaped	leapt, leaped
burn	burnt, burned	burnt, burned	learn	learnt, learned	learnt, learned
burst	burst	burst			
buy	bought	bought	leave	left	left
can	could	(been able)	lend	lent	lent
cast	cast	cast	let	let	let
catch	caught	caught	lie (lying)	lay	lain
choose	chose	chosen	light	lit, lighted	lit, lighted
cling	clung	clung	lose	lost	lost
come	came	come	make	made	made
cost	cost	cost	may	might	—
cost (work out price of)	costed	costed	mean	meant	meant
			meet	met	met
creep	crept	crept	mistake	mistook	mistaken
cut	cut	cut	mow	mowed	mown, mowed
deal	dealt	dealt	must	(had to)	(had to)
dig	dug	dug	pay	paid	paid
do (3rd person: he/she/it does)	did	done	put	put	put
			quit	quit, quitted	quit, quitted
			read	read	read
draw	drew	drawn	rid	rid	rid
dream	dreamed, dreamt	dreamed, dreamt	ride	rode	ridden
			ring	rang	rung
drink	drank	drunk	rise	rose	risen
drive	drove	driven	run	ran	run
dwell	dwelt	dwelt	saw	sawed	sawed, sawn
eat	ate	eaten	say	said	said
fall	fell	fallen	see	saw	seen
feed	fed	fed	seek	sought	sought
feel	felt	felt	sell	sold	sold
fight	fought	fought	send	sent	sent
find	found	found	set	set	set
flee	fled	fled	sew	sewed	sewn
fling	flung	flung	shake	shook	shaken
fly	flew	flown	shear	sheared	shorn, sheared
forbid	forbad(e)	forbidden	shed	shed	shed
forecast	forecast	forecast	shine	shone	shone

Präsens	Imperfekt	Partizip Perfekt	Präsens	Imperfekt	Partizip Perfekt
shoot	shot	shot	**stink**	stank	stunk
show	showed	shown	**stride**	strode	stridden
shrink	shrank	shrunk	**strike**	struck	struck
shut	shut	shut	**strive**	strove	striven
sing	sang	sung	**swear**	swore	sworn
sink	sank	sunk	**sweep**	swept	swept
sit	sat	sat	**swell**	swelled	swollen, swelled
slay	slew	slain	**swim**	swam	swum
sleep	slept	slept	**swing**	swung	swung
slide	slid	slid	**take**	took	taken
sling	slung	slung	**teach**	taught	taught
slit	slit	slit	**tear**	tore	torn
smell	smelt, smelled	smelt, smelled	**tell**	told	told
sow	sowed	sown, sowed	**think**	thought	thought
speak	spoke	spoken	**throw**	threw	thrown
speed	sped, speeded	sped, speeded	**thrust**	thrust	thrust
spell	spelt, spelled	spelt, spelled	**tread**	trod	trodden
spend	spent	spent	**wake**	woke, waked	woken, waked
spill	spilt, spilled	spilt, spilled	**wear**	wore	worn
spin	spun	spun	**weave**	wove	woven
spit	spat	spat	**weave** *(wind)*	weaved	weaved
spoil	spoiled, spoilt	spoiled, spoilt	**wed**	wedded, wed	wedded, wed
spread	spread	spread	**weep**	wept	wept
spring	sprang	sprung	**win**	won	won
stand	stood	stood	**wind**	wound	wound
steal	stole	stolen	**wring**	wrung	wrung
stick	stuck	stuck	**write**	wrote	written
sting	stung	stung			

MASSE UND GEWICHTE
WEIGHTS AND MEASURES

METRISCHES SYSTEM — METRIC SYSTEM

Längenmaße — Linear measures

1 millimetre (Millimeter)	=	0.03937 inch
1 centimetre (Zentimeter)	=	0.3937 inch
1 metre (Meter)	=	39.37 inches
	=	1.094 yards
1 kilometre (Kilometer)	=	0.6214 mile ($\frac{5}{8}$ mile)

Flächenmaße — Square measures

1 square centimetre (Quadratzentimeter)	=	0.155 square inch
1 square metre (Quadratmeter)	=	10.764 square feet
	=	1.196 square yards
1 square kilometre (Quadratkilometer)	=	0.3861 square mile
	=	247.1 acres
1 are (Ar) = 100 square metres	=	119.6 square yards
1 hectare (Hektar) = 100 ares	=	2.471 acres

Hohlmaße — Measures of capacity

1 litre (Liter)	=	1.76 pints
	=	0.22 gallon

Gewichte — Weights

1 gramme (Gramm)	=	15.4 grains
1 kilogramme (Kilogramm)	=	2.2046 pounds
1 metric ton (Tonne) = 1000 kilogrammes	=	0.9842 ton

NICHT-METRISCHES SYSTEM — NON-METRIC SYSTEM

Längenmaße — Linear measures

1 inch (Zoll)	=	2,54 Zentimeter
1 foot (Fuß) = 12 inches	=	30,48 Zentimeter
1 yard (Yard) = 3 feet	=	91,44 Zentimeter
1 furlong = 220 yards	=	201,17 Meter
1 mile (Meile) = 1760 yards	=	1,609 Kilometer

Flächenmaße — Square measures

1 square inch (Quadratzoll)	=	6,45 cm²
1 square foot (Quadratfuß) = 144 square inches	=	929,03 cm²
1 square yard (Quadratyard) = 9 square feet	=	0,836 m²
1 square rod = 30.25 square yards	=	25,29 m²
1 acre = 4840 square yards	=	40,47 Ar
1 square mile (Quadratmeile) = 640 acres	=	2,59 km²

MASSE UND GEWICHTE
WEIGHTS AND MEASURES

Flüssigkeitsmaße — Liquid measures

1 gill	=	0,142 Liter
1 pint = 4 gills	=	0,57 Liter
1 quart = 2 pints	=	1,136 Liter
1 gallon (Gallone) = 4 quarts	=	4,546 Liter

Handelsgewichte — Avoirdupois system — Weights

1 ounce (Unze)	=	28,35 Gramm
1 pound (britisches Pfund) = 16 ounces	=	453,6 Gramm
	=	0,453 Kilogramm
1 stone = 14 pounds	=	6,348 Kilogramm
1 quarter = 28 pounds	=	12,7 Kilogramm
1 hundredweight = 112 pounds	=	50,8 Kilogramm
1 ton (Tonne) = 2240 pounds = 20 hundredweight	=	1016 Kilogramm

AMERIKANISCHE MASSE — US MEASURES

Flüssigkeitsmaße — Liquid measures

1 US liquid gill	=	0,118 Liter
1 US liquid pint = 4 gills	=	0,473 Liter
1 US liquid quart = 2 pints	=	0,946 Liter
1 US gallon = 4 quarts	=	3,785 Liter

Gewichte — Weights

1 hundredweight (or short hundredweight) = 100 pounds	=	45,36 Kilogramm
1 ton (or short ton) = 2000 pounds = 20 short hundredweights	=	907,18 Kilogramm

TEMPERATURUMRECHNUNG — TEMPERATURE CONVERSION

Fahrenheit — Centigrade (Celsius)

Subtract 32 and multiply by 5/9
32 abziehen und mit 5/9 multiplizieren

°F		°C
0		17.8
32		0
50		10
70		21.1
90		32.2
98.4	≈	37
212		100

Centigrade (Celsius) — Fahrenheit

Multiply by 9/5 and add 32
Mit 9/5 multiplizieren und 32 addieren

°C		°F
-10		14
0		32
10		50
20		68
30		86
37	≈	98.4
100		212

A

A, a [eɪ] *n* A, a *nt*; (*Sch: as a mark*) sehr gut; (*Mus*) A, a *nt*
► *A for Able* (*Brit*), *A for Andrew* (*US*) ≃ A wie Anton;
to get from A to B von A nach B kommen; *A sharp/flat*
(*Mus*) Ais, ais *nt*/As, as *nt*.

a [ə, ə] *indef art, before vowel* **an** [a] ein; (*before feminine
noun*) eine ► *so large ~ country* ein so großes Land; *an
unusual feeling* ein merkwürdiges Gefühl. [b] (*in negative constructions*) *not* ~ kein(e); *he didn't want ~ present* er wollte kein Geschenk. [c] (*with profession, nationality etc*) *he's ~ doctor/Frenchman* er ist Arzt/
Franzose; *he's ~ famous doctor/Frenchman* er ist ein
berühmter Arzt/Franzose. [d] (*per*) pro ► *£4 ~ head* £4
pro Person; *50p ~ kilo* 50 Pence das *or* pro Kilo; *twice
~ month* zweimal im *or* pro Monat.

AA = [a] Automobile Association *britischer Automobilklub*
≃ ADAC *m*. [b] Alcoholics Anonymous Anonyme
Alkoholiker, AA *m*.

AAA = [a] Amateur Athletics Association *britischer
Amateursportverband*. [b] American Automobile Club
amerikanischer Automobilklub ≃ ADAC *m*.

aback [ə'bæk] *adv*: *to be taken ~* erstaunt sein; (*upset*)
betroffen sein.

abandon [ə'bændən] [1] *vt* [a] (*leave, forsake*) verlassen;
wife, family also im Stich lassen; *baby* aussetzen; *car* (einfach) stehenlassen ► *to ~ ship* das Schiff verlassen. [b]
(*give up*) aufgeben ► *to ~ play* das Spiel abbrechen. [c]
(*fig*) *to ~ oneself to sth* sich einer Sache (*dat*) hingeben.
[2] *n with ~* mit ganzer Seele.

abandoned [ə'bændənd] *adj* [a] (*dissolute*) verkommen. [b] (*unrestrained*) selbstvergessen.

abashed [ə'bæʃd] *adj* beschämt.

abate [ə'beɪt] *vi* nachlassen.

abatement [ə'beɪtmənt] Nachlassen *nt* ► *noise ~*
Bekämpfung *f* von Lärm.

abattoir ['æbətwɑːʳ] *n* Schlachthof *m*.

abbey ['æbɪ] *n* Abtei *f*; (*church*) Klosterkirche *f*.

abbot ['æbət] *n* Abt *m*.

abbreviate [ə'briːvɪeɪt] *vt* abkürzen (*to* mit).

abbreviation [ə,briːvɪ'eɪʃən] *n* Abkürzung *f*.

ABC¹ ['eɪbiː'siː] *n* (*lit, fig*) Abc *nt* ► *it's as easy as ~* das
ist doch kinderleicht.

ABC² = **American Broadcasting Company**
amerikanische Rundfunkgesellschaft.

abdicate ['æbdɪkeɪt] [1] *vt* verzichten auf (*+acc*).
[2] *vi* (*monarch*) abdanken.

abdication [,æbdɪ'keɪʃən] *n* Abdankung *f* ► *his ~ of the
throne* sein Verzicht auf den Thron.

abdomen ['æbdəmen] *n* Unterleib *m*; (*of insects*) Hin-
terleib *m*.

abdominal [æb'dɒmɪnl] *adj* Unterleibs-.

abduct [æb'dʌkt] *vt* entführen.

abduction [æb'dʌkʃən] *n* Entführung *f*.

abductor [æb'dʌktəʳ] *n* Entführer(in *f*) *m*.

aberration [,æbə'reɪʃən] *n* Anomalie *f*; (*in statistics*)
Abweichung *f*; (*mistake*) Irrtum *m*; (*moral*) Verirrung *f* ►
in a moment of (mental) ~ in einem Augenblick geistiger Verwirrung.

abet [ə'bet] *vt see* **aid 2**.

abeyance [ə'beɪəns] *n no pl to be in ~* (*law, rule, issue*)
ruhen; (*custom, office*) nicht mehr ausgeübt werden.

abhor [əb'hɔːʳ] *vt* verabscheuen.

abhorrence [əb'hɒrəns] *n* Abscheu *f* (*of* vor *+dat*).

abhorrent [əb'hɒrənt] *adj* abscheulich.

abide [ə'baɪd] *vt* (*usu neg, interrog*) *person* ausstehen;
(*endure*) aushalten ► *I cannot ~ living here* ich kann es
nicht ertragen, hier zu leben.

◆**abide by** *vi +prep obj decision, law etc* sich halten an
(*+acc*) ► *I ~ ~ what I said* ich bleibe bei dem, was ich
gesagt habe.

ability [ə'bɪlɪtɪ] *n* Fähigkeit *f* ► *to the best of my ~* nach
(besten) Kräften; (*with mental activities*) so gut ich kann;
his ~ in German seine Fähigkeiten im Deutschen; *a
man of many abilities* ein sehr vielseitiger Mensch.

abject ['æbdʒekt] *adj state, liar, thief* elend, erbärmlich;
poverty bitter; *apology* demütig.

ablaze [ə'bleɪz] *adv, adj pred* in Flammen ► *to be ~* in
Flammen stehen; *to be ~ with light* hell erleuchtet sein.

able [eɪbl] *adj* [a] *person* fähig, kompetent; *piece of work,
exam paper, speech* gekonnt. [b] *to be ~ to do sth* etw
tun können; (*be in a position to*) in der Lage sein, etw zu
tun.

able-bodied [,eɪbl'bɒdɪd] *adj* (gesund und) kräftig;
(*Mil*) tauglich.

able(-bodied) seaman *n* Vollmatrose *m*.

ablutions [ə'bluːʃənz] *npl* (*lavatory*) sanitäre Einrichtungen *pl*.

ably ['eɪblɪ] *adv* gekonnt, fähig.

abnormal [æb'nɔːməl] *adj* anormal; (*deviant, Med*)
abnorm.

abnormality [,æbnɔː'mælɪtɪ] *n* Anormale(s) *nt*; (*devian-
cy, Med*) Abnormität *f*.

abnormally [æb'nɔːmlɪ] *adv* [a] *see adj*. [b]
(*exceptionally*) außergewöhnlich.

aboard [ə'bɔːd] [1] *adv* (*on plane, ship*) an Bord ► *all ~!*
alle an Bord!; (*on train, bus*) alles einsteigen!; *to go ~* an
Bord gehen.
[2] *prep ~ the ship* an Bord des Schiffes.

abode [ə'bəʊd] *n* (*liter: dwelling*) Aufenthalt *m* ► *a humble ~* (*iro*) eine bescheidene Hütte (*iro*); *of no fixed ~*
ohne festen Wohnsitz.

abolish [ə'bɒlɪʃ] *vt* abschaffen; *law also* aufheben.

abolition [,æbə'lɪʃən] *n* Abschaffung *f*.

abominable [ə'bɒmɪnəbl] *adj* gräßlich, abscheulich ►
A~ Snowman Schneemensch *m*.

abominably [ə'bɒmɪnəblɪ] *adv* gräßlich, abscheulich ►
~ rude furchtbar unhöflich.

abomination [ə,bɒmɪ'neɪʃən] *n* [a] *no pl* Verabscheu-
ung *f* ► *to be held in ~ by sb* von jdm verabscheut
werden. [b] (*thing*) Scheußlichkeit *f*.

aborigine [,æbə'rɪdʒɪnɪ] *n* Ureinwohner(in *f*) *m* (Australiens).

abort [ə'bɔːt] [1] *vi* (*Med: woman*) eine Fehlgeburt
haben; (*Comp*) abbrechen.
[2] *vt* (*Med*) *foetus* abtreiben; (*break off*) *mission, program etc* abbrechen.

abortion [ə'bɔːʃən] *n* Abtreibung *f* ► *to have an ~* abtreiben lassen.

abortive [ə'bɔːtɪv] *adj* (*unsuccessful*) *attempt* gescheitert
► *to be ~* scheitern, fehlschlagen.

abound [ə'baʊnd] *vi* im Überfluß vorhanden sein;
(*persons*) sehr zahlreich sein ► *to ~ in* reich sein an
(*+dat*).

about [ə'baʊt] **1** *adv* **a** herum, umher; (*present*) in der Nähe ▸ *to walk* ~ herum- *or* umhergehen; *to leave things (lying)* ~ Sachen herumliegen lassen; *to be (up and)* ~ *again* wieder auf den Beinen sein; *there's a lot of measles* ~ die Masern gehen um; *there was nobody* ~ es war keiner da; (*close at hand*) es war niemand in der Nähe; *is Paul* ~? ist Paul da?; *he's/it's* ~ *somewhere* er/es ist irgendwo in der Nähe; *it's the other way* ~ es ist gerade umgekehrt.

b *to be* ~ *to* im Begriff sein zu; (*esp US col: intending*) vorhaben, zu ...; *I was* ~ *to go out* ich wollte gerade ausgehen; *it's* ~ *to rain* es regnet gleich; *we are* ~ *to run out of petrol* uns geht gleich das Benzin aus; *are you* ~ *to tell me ...?* willst du mir etwa erzählen ...?

c (*approximately*) ungefähr ▸ *he's* ~ *40* er ist ungefähr 40 *or* um die 40; *he is* ~ *the same, doctor* sein Zustand hat sich kaum geändert, Herr Doktor; *that's* ~ *it* das ist so ziemlich alles; *I've had* ~ *enough of this* jetzt reicht es mir aber allmählich (*col*).

2 *prep* **a** um (... herum); (*in*) in (+*dat*) (... herum) ▸ *the fields* ~ *the house* die Felder ums Haus; *scattered* ~ *the room* über das ganze Zimmer verstreut; *somewhere* ~ *here* hier irgendwo; *to do jobs* ~ *the house* sich im Haus nützlich machen; *he looked* ~ *him* er schaute sich um; *there's something* ~ *him* er hat so etwas an sich (*dat*); *while you're* ~ *it* wenn du schon dabei bist; *you've been a long time* ~ *it* du hast lange dazu gebraucht.

b (*concerning*) über (+*acc*) ▸ *what's the film* ~? wovon handelt der Film?; *what's it all* ~? worum geht es eigentlich?; *he's promised to do something* ~ *it* er hat versprochen, (in der Sache) etwas zu unternehmen; *they fell out* ~ *money* sie haben sich wegen Geld zerstritten; *how or what* ~ *me?* und ich?, und was ist mit mir? (*col*); *how or what* ~ *going to the pictures?* wie wär's mit (dem) Kino?; *(yes,) what* ~ *it/him?* ja *or* na und(, was ist damit/mit ihm)?

about-face [ə,baʊt'feɪs], **about-turn** [ə,baʊt'tɜːn] *n* (*Mil*) Kehrtwendung *f*; (*fig also*) Wendung *f* um hundertachtzig Grad ▸ *to do an* ~ kehrtmachen; (*fig*) sich um hundertachtzig Grad drehen.

above [ə'bʌv] **1** *adv* oben; (*in a higher position*) darüber ▸ *from* ~ von oben; *the flat* ~ die Wohnung oben *or* (~ *that one*) darüber.

2 *prep* (+*dat*); (*with motion*) über (+*acc*); (*upstream of*) oberhalb (+*gen*) ▸ ~ *all* vor allem; *I couldn't hear* ~ *the din* ich konnte bei dem Lärm nichts hören; *to be* ~ *sb/sth* über jdm/etw stehen; ~ *criticism/praise* über jede Kritik/jedes Lob erhaben; *he's* ~ *that sort of thing* er ist über so etwas erhaben; *he's not* ~ *a bit of blackmail* er ist sich (*dat*) nicht zu gut *or* zu schade für eine kleine Erpressung; *it's* ~ *my head or me* das ist mir zu hoch; *to be/get* ~ *oneself* (*col*) größenwahnsinnig werden.

3 *adj attr* *the* ~ *figures* die obengenannten Zahlen; *the* ~ *paragraph* der obige Abschnitt.

above: ~ *board* *adj pred* korrekt; ~-*mentioned* *adj* obenerwähnt.

abrasion [ə'breɪʒən] *n* (*Med*) (Haut)abschürfung *f*.

abrasive [ə'breɪsɪv] **1** *adj surface* rauh; (*fig*) *personality, person* aggressiv; *tongue, voice* scharf.

2 *n* (*cleanser*) Scheuermittel *nt*; (~ *substance*) Schleifmittel *nt*.

abrasiveness [ə'breɪsɪvnɪs] *n* Rauheit *f*; (*of personality*) Aggressivität *f*.

abreast [ə'brest] *adv* Seite an Seite ▸ *to march four* ~ im Viererglied (*Mil*) *or* zu viert nebeneinander marschieren; *to keep* ~ *of the news* mit den Nachrichten auf dem laufenden bleiben.

abridged [ə'brɪdʒd] *adj* gekürzt.

abroad [ə'brɔːd] *adv* **a** im Ausland ▸ *to go* ~ ins Aus-

land gehen; *from* ~ aus dem Ausland. **b** *there is a rumour* ~ *that ...* es geht das Gerücht, daß ...

abrupt [ə'brʌpt] *adj* abrupt; *descent, drop* jäh; *manner, reply* schroff.

abruptness [ə'brʌptnɪs] *n* abrupte Art; (*of person*) schroffe Art; (*of descent, drop*) Steilheit *f*; (*of reply*) Schroffheit *f*.

ABS = **anti-lock braking system** ABS *nt* ▸ ~ *brakes* ABS-Bremsen *pl*.

abscess ['æbses] *n* Abszeß *m*.

abscond [əb'skɒnd] *vi* sich (heimlich) davonmachen; (*schoolboys also*) durchbrennen.

absence ['æbsəns] *n* **a** Abwesenheit *f*; (*from school, work etc also*) Fehlen *nt* ▸ *in the* ~ *of the chairman* in Abwesenheit des Vorsitzenden; *in his* ~ in seiner Abwesenheit. **b** (*lack*) Fehlen *nt* ▸ ~ *of enthusiasm* Mangel *m* an Begeisterung; *in the* ~ *of further evidence* in Ermangelung weiterer Beweise.

absent ['æbsənt] **1** *adj* **a** abwesend, nicht da ▸ *to be* ~ *from school/work* in der Schule/am Arbeitsplatz fehlen. **b** *expression, look* (geistes)abwesend.

2 [æb'sent] *vr to* ~ *oneself (from)* (*not go, not appear*) fernbleiben (+*dat*, von); (*leave temporarily*) sich zurückziehen.

absentee [,æbsən'tiː] *n* Abwesende(r) *mf* ▸ *there were a lot of ~s* es fehlten viele.

absenteeism [,æbsən'tiːɪzəm] *n* häufige Abwesenheit; (*of workers also*) Nichterscheinen *nt* am Arbeitsplatz; (*pej*) Krankfeiern *nt*; (*Sch*) Schwänzen *nt*.

absently ['æbsəntlɪ] *adv* (geistes)abwesend.

absent-minded [,æbsənt'maɪndɪd] *adj* (*lost in thought*) geistesabwesend; (*forgetful*) zerstreut; *look* abwesend.

absent-mindedly [,æbsənt'maɪndɪdlɪ] *adv* geistesabwesend ▸ *he* ~ *forgot it* in seiner Zerstreutheit hat er es vergessen.

absent-mindedness [,æbsənt'maɪndɪdnɪs] *n see adj* Geistesabwesenheit *f*; Zerstreutheit *f*; Abwesenheit *f*.

absolute ['æbsəluːt] *adj* absolut; *idiot* ausgemacht.

absolutely ['æbsəluːtlɪ] *adv* absolut; *prove* eindeutig; *agree, trust also, true, correct* vollkommen, völlig; *deny, refuse* strikt; *forbidden* streng; *stupid also* völlig ▸ ~! genau!; *do you agree?* — ~ sind Sie einverstanden? — vollkommen; *do you* ~ *insist?* muß das unbedingt sein? ~ *amazing* wirklich erstaunlich; *you look* ~ *stunning* du siehst einfach umwerfend aus.

absolution [,æbsə'luːʃən] *n* (*Eccl*) Absolution *f*.

absolve [əb'zɒlv] *vt* (*from sins*) lossprechen (*from* von); (*from blame*) freisprechen (*from* von).

absorb [əb'sɔːb] *vt* absorbieren; *liquid also* aufsaugen; *knowledge, news also* in sich (*acc*) aufnehmen; *shock* dämpfen; *costs etc* tragen ▸ *to be/get* ~*ed in a book* in ein Buch vertieft sein/sich in ein Buch vertiefen; *she was completely* ~*ed in her family/job* sie ging völlig in ihrer Familie/Arbeit auf.

absorbency [əb'sɔːbənsɪ] *n* Saugfähigkeit *f*.

absorbent [əb'sɔːbənt] *adj* saugfähig, absorbierend.

absorbent cotton *n* (*US*) Watte *f*.

absorbing [əb'sɔːbɪŋ] *adj* fesselnd.

absorption [əb'sɔːpʃən] *n see vt* Absorption *f*; Aufsaugen *nt*; Aufnahme *f*; Dämpfung *f*.

abstain [əb'steɪn] *vi* **a** sich enthalten (*from gen*). **b** (*in voting*) sich der Stimme enthalten.

abstemious [əb'stiːmɪəs] *adj person, life* enthaltsam; *meal, diet* bescheiden.

abstention [əb'stenʃən] *n* **a** *no pl* Enthaltung *f*; (*from alcohol also*) Abstinenz *f*. **b** (*in voting*) (Stimm)enthaltung *f*.

abstinence ['æbstɪnəns] *n* Abstinenz, Enthaltung *f* (*from* von).

abstract¹ ['æbstrækt] **1** *adj* abstrakt ▸ *in the* ~ ab-

strakt; **~ noun** Abstraktum *nt.*
2 *n* (kurze) Zusammenfassung *f.*
abstract² [æb'strækt] *vt* abstrahieren; *information* entnehmen (*from* aus); *metal etc* trennen.
abstraction [æb'strækʃən] *n* Abstraktion *f.*
abstruse [æb'struːs] *adj* abstrus.
absurd [əb'sɜːd] *adj* absurd ▶ *don't be ~!* sei nicht albern; *you're just being ~* du bist ja nicht recht bei Trost!
absurdity [əb'sɜːdɪtɪ] *n* Absurde(s) *nt no pl* (*of* an +*dat*); (*thing etc also*) Absurdität *f.*
abundance [ə'bʌndəns] *n* Fülle *f* (*of* von, *gen*) ▶ *in ~* in Hülle und Fülle; *an ~ of raw materials* großer Reichtum an Rohstoffen.
abundant [ə'bʌndənt] *adj* reich (*in* an +*dat*); *time, proof* reichlich; *energy, self-confidence etc* ungeheuer.
abundantly [ə'bʌndəntlɪ] *adv* reichlich ▶ *to make it ~ clear that ...* mehr als deutlich zu verstehen geben, daß ...
abuse [ə'bjuːs] 1 *n* **a** *no pl* (*insults*) Beschimpfungen *pl* ▶ *a term of ~* ein Schimpfwort *nt.* **b** (*misuse*) Mißbrauch *m*; (*unjust practice*) Mißstand *m* ▶ *the system is open to ~* das System kann leicht mißbraucht werden.
2 [ə'bjuːz] *vt* **a** (*revile*) beschimpfen. **b** (*misuse*) mißbrauchen; *one's health* Raubbau treiben mit.
abusive [əb'juːsɪv] *adj* beleidigend ▶ *~ language* Beschimpfungen *pl*; *to be/become ~ (with sb)* (jdm gegenüber) beleidigend *or* ausfallend sein/werden.
abut [ə'bʌt] 1 *vi* stoßen (*on*(*to*) an +*acc*); (*two things*) aneinanderstoßen.
2 *vt* anstoßen an +*acc.*
abysmal [ə'bɪzməl] *adj* (*fig*) entsetzlich; *performance, work etc* miserabel.
abyss [ə'bɪs] *n* (*lit, fig*) Abgrund *m.*
Abyssinia [æbɪ'sɪnɪə] *n* Abessinien *nt.*
Abyssinian [æbɪ'sɪnɪən] 1 *adj* abessinisch.
2 *n* Abessinier(in *f*) *m.*
A/C = **account** Kto.
AC = **alternating current**.
academic [ˌækə'demɪk] 1 *adj* **a** akademisch, wissenschaftlich; *person* intellektuell ▶ *~ year* Studienjahr *nt.* **b** (*theoretical*) *out of ~ interest* aus rein akademischem Interesse; *it's purely ~ now* das ist jetzt nur noch eine rein theoretische Frage.
2 *n* Akademiker(in *f*) *m*; (*Univ*) Hochschullehrer *m.*
academically [ækə'demɪkəlɪ] *adv* wissenschaftlich ▶ *~ gifted* intellektuell begabt; *to do well ~* in der Schule gut sein; (*Univ*) mit dem Studium gut vorankommen.
academy [ə'kædəmɪ] *n* Akademie *f.*
ACAS, Acas ['eɪkæs] = **Advisory Conciliation and Arbitration Service** *Schlichtungsstelle f für Arbeitskonflikte.*
accede [æk'siːd] *vi* **a** *to ~ to the throne* den Thron besteigen. **b** (*agree*) zustimmen (*to dat*). **c** *to ~ to a treaty* einem Pakt beitreten.
accelerate [æk'seləreɪt] 1 *vt* beschleunigen.
2 *vi* beschleunigen; (*driver also*) Gas geben; (*speed, change, growth, inflation etc*) zunehmen.
acceleration [æk,selə'reɪʃən] *n* Beschleunigung *f.*
accelerator [æk'seləreɪtəʳ] *n* **a** (*Aut*) Gaspedal *nt* ▶ *to step on the ~* (*col*) aufs Gas treten (*col*). **b** (*Phys*) Beschleuniger *m.*
accent ['æksənt] *n* Akzent *m*; (*stress also*) Betonung *f* ▶ *to speak without/with an ~* akzentfrei *or* ohne/mit Akzent sprechen; *to put the ~ on sth* (*fig*) den Akzent auf etw (*acc*) legen.
accentuate [æk'sentjʊeɪt] *vt* betonen; (*in speaking, Mus*) akzentuieren.
▼ **accept** [ək'sept] 1 *vt* annehmen; *award, prize* entgegennehmen; *suggestion, work also, report, findings, person* akzeptieren; *responsibility* übernehmen; (*recognize*)

need einsehen, anerkennen; (*allow, put up with*) *behaviour, fate, conditions* hinnehmen ▶ *it is generally ~ed that ...* es ist allgemein anerkannt, daß ...; *we must ~ the fact that ...* wir müssen uns damit abfinden, daß ...; *it's the ~ed thing* es ist allgemein *or* so üblich.
2 *vi* annehmen; (*with offers also*) akzeptieren; (*with invitations*) zusagen.
acceptability [ək'septəbɪlətɪ] *n* Annehmbarkeit *f*, Zulässigkeit *f.*
acceptable [ək'septəbl] *adj* annehmbar (*to* für), akzeptabel (*to* für); *behaviour* zulässig; (*suitable*) *gift* passend.
acceptance [ək'septəns] *n* see *vt* Annahme *f*, Entgegennahme *f*; Akzeptierung *f*; Übernahme *f* ▶ *to meet with general ~* allgemeine Anerkennung finden.
access ['ækses] 1 *n* **a** Zugang *m* (*to* zu); (*to room, private grounds etc also*) Zutritt *m* (*to* zu) ▶ *this location offers easy ~ to shops and transport facilities* von hier sind Läden und Verkehrsmittel leicht zu erreichen; *the thieves gained ~ through the window* die Diebe gelangten durch das Fenster hinein; *~ road* Zufahrt(sstraße) *f.* **b** (*Comp*) Zugriff *m* ▶ *~ time* Zugriffszeit *f.*
2 *vt* (*Comp*) file, data z⟨...⟩eifen auf (+*acc*).
accessibility [ækses'bɪ⟨...⟩] *n* Zugänglichkeit *f.*
accessible [æk'sesəbl] *adj* *information, person* zugänglich (*to dat*); *place also* (leicht) zu erreichen (*to* für).
accession [æk'seʃən] *n* **a** (*to an office*) Antritt *m* (*to gen*); (*also ~ to the throne*) Thronbesteigung *f.* **b** (*consent: to treaty, demand*) Zustimmung (*to* zu), Annahme (*to gen*) *f.*
accessory [æk'sesərɪ] *n* **a** Extra *nt*; (*in fashion*) Accessoire *nt* ▶ *accessories pl* Zubehör *nt.* **b** (*Jur*) Mitschuldige(r) *mf* (*to* an +*dat*).
accident ['æksɪdənt] *n* (*Mot, in home, at work*) Unfall *m*; (*Rail, Aviat, disaster*) Unglück *nt*; (*mishap*) Mißgeschick *nt*; (*chance occurrence*) Zufall *m* ▶ *she has had an ~* sie hat einen Unfa⟨...⟩ ⟨...⟩t *or* (*caused it*) gebaut (*col*); ⟨...⟩ *car, train etc also*) sie ist verunglückt; *by ~* (*by chance*), durch Zufall, zufällig; (*unintentionally*) aus Versehen; *~ insurance* Unfallversicherung *f.*
accidental [ˌæksɪ'dentl] *adj* (*unplanned*) zufällig, Zufalls-; (*unintentional*) versehentlich ▶ *~ death* Tod durch Unfall.
accidentally [ˌæksɪ'dentəlɪ] *adv* (*by chance*) zufällig; (*unintentionally*) versehentlich.
accident-prone ['æksɪdənt,prəʊn] *adj* *to be ~* ständig Unfälle haben; (*be unlucky*) vom Pech verfolgt sein.
acclaim [ə'kleɪm] 1 *vt* (*applaud*) feiern (*as* als) ▶ *to ~ sb the winner* jdn zum Sieger erklären.
2 *n* Beifall *m.*
acclamation [ˌæklə'meɪʃən] *n* Beifall *m no pl*; (*of critics also*) Anerkennung *f.*
acclimatization [ə,klaɪmətaɪ'zeɪʃən], (*US*) **acclimation** [ˌæklaɪ'meɪʃən] *n* Akklimatisierung *f* (*to* an +*acc*).
acclimatize [ə'klaɪmətaɪz], (*US*) **acclimate** [ə'klaɪmət] *vt* gewöhnen (*to* an +*acc*) ▶ *to become ~d* sich akklimatisieren.
accolade ['ækəleɪd] *n* (*award*) Auszeichnung *f*; (*praise*) Lob *nt.*
accommodate [ə'kɒmədeɪt] *vt* **a** (*provide lodging for*) unterbringen. **b** (*hold, have room for*) Platz haben für. **c** *theory, plan, forecasts* Rechnung tragen (+*dat*). **d** (*form: oblige*) dienen (+*dat*); *wishes* entgegenkommen (+*dat*).
accommodating [ə'kɒmədeɪtɪŋ] *adj* entgegenkommend.
accommodation [ə,kɒmə'deɪʃən] *n* (*US ~s pl*) Unterkunft *f*; (*room also*) Zimmer *nt*; (*flat also*) Wohnung *f.* *"~" "*Fremdenzimmer"; *they found ~ in a youth hostel*

▶ SENTENCE BUILDER: accept: 1 → 5.1, 15.3

sie kamen in einer Jugendherberge unter; **seating** ~ Sitzplätze *pl.*

accommodation: ~ **address** *n* Briefkastenadresse *f*; ~ **bureau** *or* **service** *n* Wohnungsvermittlung *f*; (*for rooms*) Zimmervermittlung *f.*

accompaniment [əˈkʌmpənɪmənt] *n* Begleitung *f* (*also Mus*).

accompanist [əˈkʌmpənɪst] *n* Begleiter(in *f*) *m.*

accompany [əˈkʌmpənɪ] *vt* begleiten (*also Mus*).

accomplice [əˈkʌmplɪs] *n* Komplize *m*, Komplizin *f.*

accomplish [əˈkʌmplɪʃ] *vt* schaffen ▶ **he ~ed a great deal in his short career** er hat in der kurzen Zeit seines Wirkens Großes geleistet; **that didn't ~ anything** damit war nichts erreicht.

accomplished [əˈkʌmplɪʃt] *adj* (*skilled*) *player* fähig; *performance* vollendet.

accomplishment [əˈkʌmplɪʃmənt] *n* (*skill*) Fertigkeit *f*; (*achievement*) Leistung *f.*

accord [əˈkɔːd] **1** *n* Übereinstimmung, Einigkeit *f* ▶ **of one's/its own ~** von selbst; **with one ~** geschlossen; *sing, cheer, say etc* wie aus einem Mund(e); **to be in ~ with sth** mit etw in Einklang sein.
2 *vt* gewähren (*sb sth* jdm etw).

accordance [əˈkɔːdəns] *n* **in ~ with** entsprechend (+*dat*), gemäß (+*dat*); **to be in ~ with sth** einer Sache (*dat*) entsprechen.

accordingly [əˈkɔːdɪŋlɪ] *adv* (*correspondingly*) (dem)entsprechend; (*so, therefore also*) folglich.

▼**according to** [əˈkɔːdɪŋˈtuː] *prep* entsprechend (+*dat*), nach ▶ ~ **this** danach; ~ **the map** der Karte nach; ~ **Peter** laut Peter, Peter zufolge; ~ **what he says** seiner Aussage nach; **we did it ~ the rules** wir haben uns an die Regeln gehalten.

accordion [əˈkɔːdɪən] *n* Akkordeon *nt.*

accost [əˈkɒst] *vt* ansprechen, anpöbeln (*pej*).

account [əˈkaʊnt] *n* **a** (*description*) Darstellung *f*; (*report also*) Bericht *m* ▶ **to keep an ~ of one's expenses** über seine Ausgaben Buch führen; **by all ~s** nach allem, was man hört; **to give an ~ of sth** über etw (*acc*) Bericht erstatten; **to give an ~ of oneself** Rede und Antwort stehen; **to give a good ~ of oneself** sich bewähren.
b (*consideration*) **to take ~ of sb/sth, to take sb/sth into ~** jdn/etw in Betracht ziehen; **to take no ~ of sb/sth, to leave sb/sth out of ~** jdn/etw außer Betracht lassen; **on no ~, not on any ~** auf (gar) keinen Fall; **on this/that ~** deshalb; **on ~ of him/the weather** seinetwegen/wegen des Wetters; **on my/his/their ~** meinet-/seinet-/ihretwegen; **on one's own ~** für sich (selbst).
c (*benefit*) **to turn sth to (good) ~** (guten) Gebrauch von etw machen, etw (gut) nützen.
d (*importance*) **of no ~** ohne Bedeutung.
e (*Fin, Comm*) (*at bank, shop*) Konto *nt* (*with* bei); (*bill*) Rechnung *f*; (*client*) Kunde *m*, Kundin *f* ▶ **to buy sth on ~** etw auf (Kunden)kredit kaufen; **please charge it to my ~** stellen Sie es mir bitte in Rechnung; **£50 on ~** £50 als Anzahlung; ~ **executive** Kundenbetreuer(in *f*) *m*; ~ **holder** Kontoinhaber(in *f*) *m*; ~ **number** Kontonummer *f*; ~**s department** Buchhaltung *f*; (*of shop*) Kreditbüro *nt*; ~**s payable** Verbindlichkeiten *fpl*; ~**s receivable** Forderungen *fpl.*
f ~**s** *pl* (*of company, club*) (Geschäfts)bücher *pl* ▶ **to keep the ~s** die Bücher führen.

◆**account for** *vi* +*prep obj* **a** (*explain*) erklären; (*give account of*) *actions, expenditure* Rechenschaft ablegen über (+*acc*) ▶ **all the children were ~ed ~** man wußte, wo alle Kinder waren; **there's no ~ing ~ taste** über Geschmack läßt sich (nicht) streiten. **b** (*make up*) **this area alone ~s ~ some 25% of the population** allein in diesem Gebiet leben etwa 25% der Bevölkerung. **c** (*be cause*

of death, downfall) zur Strecke bringen; (*illness*) fertigmachen, den Rest geben (+*dat*).

accountability [ə,kaʊntəˈbɪlətɪ] *n* Verantwortlichkeit *f* (*to sb* jdm gegenüber).

accountable [əˈkaʊntəbl] *adj* verantwortlich (*to sb* jdm) ▶ **to hold sb ~ (for sth)** jdn (für etw) verantwortlich machen.

accountancy [əˈkaʊntənsɪ] *n* Buchhaltung *f.*

accountant [əˈkaʊntənt] *n* Buchhalter(in *f*) *m*; (*external financial adviser*) Wirtschaftsprüfer(in *f*) *m*; (*tax ~*) Steuerberater(in *f*) *m.*

accounting [əˈkaʊntɪŋ] *n* Buchhaltung *f.*

accounting: ~ **method** *n* Buchhaltungsverfahren *nt*; ~ **period** *n* Abrechnungszeitraum *m.*

accredited [əˈkredɪtɪd] *adj* (offiziell) zugelassen.

accrue [əˈkruː] *vi* **a** (*accumulate*) sich ansammeln; (*Fin: interest*) auflaufen ▶ ~**d charges/interest** aufgelaufene Kosten/Zinsen *pl.* **b** **to ~ to sb** (*honour, costs etc*) jdm erwachsen (*geh*) (*from* aus).

accumulate [əˈkjuːmjʊleɪt] **1** *vt* ansammeln, anhäufen; *evidence* sammeln.
2 *vi* sich ansammeln; (*possessions, wealth also*) sich anhäufen; (*evidence*) sich häufen.

accumulation [ə,kjuːmjʊˈleɪʃən] *n see vi* Ansammlung *f*; Anhäufung *f*; Häufung *f.*

accumulator [əˈkjuːmjʊleɪtəʳ] *n* Akkumulator *m.*

accuracy [ˈækjʊrəsɪ] *n* Genauigkeit *f.*

accurate [ˈækjʊrɪt] *adj* genau ▶ **his aim was ~** er hat genau gezielt.

accusation [,ækjʊˈzeɪʃən] *n* Anschuldigung *f*; (*Jur*) Anklage *f*; (*reproach*) Vorwurf *m.*

accusative [əˈkjuːzətɪv] *n* Akkusativ *m.*

accuse [əˈkjuːz] *vt* **a** (*Jur*) anklagen (*of* wegen, *gen*). **b** **to ~ sb of doing sth** jdn beschuldigen *or* bezichtigen, etw getan zu haben; **are you accusing me of lying?** willst du (damit) vielleicht sagen, daß ich lüge?; **to ~ sb of being untidy** *or* **of untidiness** jdm vorwerfen, unordentlich zu sein.

accused [əˈkjuːzd] *n* **the ~** der/die Angeklagte; die Angeklagten *pl.*

accusing [əˈkjuːzɪŋ] *adj* anklagend.

accustom [əˈkʌstəm] *vt* **to be ~ed to sth/to doing sth** an etw (*acc*) gewöhnt sein/gewöhnt sein, etw zu tun; **to become ~ed to sth/to doing sth** sich an etw (*acc*) gewöhnen/sich daran gewöhnen, etw zu tun.

accustomed [əˈkʌstəmd] *adj* gewöhnt.

AC/DC = **alternating current/direct current** Allstrom(-).

ace [eɪs] **1** *n* (*Cards, Tennis, col: expert*) As *nt* ▶ **the ~ of clubs** das Kreuzas; **he came within an ~ of winning** er hätte um ein Haar gesiegt.
2 *adj swimmer, reporter etc* Star- ▶ **an ~ party** (*col*) eine tolle Party.

acerbity [əˈsɜːbɪtɪ] *n* Schärfe *f.*

ache [eɪk] **1** *n* Schmerz *m* ▶ **I have an ~ in my side** ich habe Schmerzen in der Seite; **just a few little ~s and pains** nur ein paar Wehwehchen (*col*).
2 *vi* **a** weh tun, schmerzen ▶ **my head/stomach ~s** mir tut der Kopf/Bauch weh; **it makes my heart ~ to see him** (*fig*) es tut mir in der Seele weh, wenn ich ihn sehe. **b** (*fig: yearn*) **to ~ to do sth** sich danach sehnen, etw zu tun.

achieve [əˈtʃiːv] *vt* erreichen, schaffen; *success* erzielen; *victory* erringen; *rank also, title* erlangen ▶ **she ~d a great deal** (*did a lot of work*) sie hat eine Menge geleistet; (*was quite successful*) sie hat viel erreicht.

achievement [əˈtʃiːvmənt] *n* **a** (*act*) *see vt* Erreichen *nt*; Erzielen *nt*; Erringen *nt*; Erlangen *nt.* **b** (*thing achieved*) Leistung *f*; (*of civilization, technology*) Errungenschaft *f* ▶ **that's quite an ~!** das ist wirklich eine Leistung! (*also iro*)

➤ SENTENCE BUILDER: **according to** → 14.2

achiever [ə'tʃiːvəʳ] n Leistungstyp m (col).
acid ['æsɪd] **1** adj (sour, Chem) sauer; (fig) ätzend ▸ **~ rain** saurer Regen; (~ test (fig) Feuerprobe f.
  2 n **a** (Chem) Säure f. **b** (col: drug) Acid nt.
acidity [ə'sɪdɪtɪ] n Säure f; (Chem) Säuregehalt m.
acknowledge [ək'nɒlɪdʒ] vt anerkennen; truth, fault, defeat etc eingestehen, zugeben; (note receipt of) letter etc bestätigen; (respond to) greetings, cheers etc erwidern ▸ **to ~ oneself beaten** sich geschlagen geben; **to ~ sb's presence** jds Anwesenheit zur Kenntnis nehmen.
acknowledged [ək'nɒlɪdʒd] adj attr anerkannt.
acknowledgement [ək'nɒlɪdʒmənt] n see vt Anerkennung f; Eingeständnis nt; Bestätigung f; Erwiderung f ▸ **in ~ of** in Anerkennung (+gen).
acknowledgement slip n Empfangsbestätigung f.
acme ['ækmɪ] n Höhepunkt, Gipfel m; (of elegance etc) Inbegriff m.
acne ['æknɪ] n Akne f.
acorn ['eɪkɔːn] n Eichel f.
acoustic [ə'kuːstɪk] adj akustisch ▸ **~ guitar** Akustikgitarre f; **~ screen** (schalldämpfende) Trennwand.
acoustics [ə'kuːstɪks] n sing or pl Akustik f.
acquaint [ə'kweɪnt] vt **a** (make familiar) bekannt machen ▸ **to be ~ed/thoroughly ~ed with sth** mit etw bekannt/vertraut sein; **to become ~ed with sth** etw kennenlernen; **to ~ oneself with sth** sich mit etw vertraut machen. **b** (with person) **to be ~ed with sb** jdm bekannt sein; **to become** or **get ~ed** sich (näher) kennenlernen.
acquaintance [ə'kweɪntəns] n **a** (person) Bekannte(r) mf. **b** (with person) Bekanntschaft f; (with subject etc) Kenntnis f (with gen) ▸ **to make sb's ~** jds Bekanntschaft machen; **it improves on ~** man kommt mit der Zeit auf den Geschmack.
acquiesce [ˌækwɪ'es] vi einwilligen (in in +acc); (submissively) sich fügen (in dat).
acquiescence [ˌækwɪ'esns] n see vi Einwilligung f (in in +acc); Fügung f (in in +acc).
acquiescent [ˌækwɪ'esnt] adj fügsam.
acquire [ə'kwaɪəʳ] vt erwerben; habit annehmen ▸ **to ~ a taste for sth** Geschmack an etw (dat) finden; **it's an ~d taste** das ist (nur) etwas für Kenner.
acquisition [ˌækwɪ'zɪʃən] n **a** (act) Erwerb m. **b** (thing acquired) Anschaffung f. **c** (Comm) Aufkauf m.
acquisitive [ə'kwɪzɪtɪv] adj auf Erwerb aus, habgierig (pej).
acquit [ə'kwɪt] **1** vt freisprechen.
  2 vr **he ~ted himself well** er hat seine Sache gut gemacht.
acquittal [ə'kwɪtl] n Freispruch m.
acre ['eɪkəʳ] n ≈ Morgen m.
acrid ['ækrɪd] adj taste bitter; (of wine) sauer; comment, smoke beißend.
acrimonious [ˌækrɪ'məʊnɪəs] adj discussion, argument erbittert; person, words bissig.
acrimony ['ækrɪmənɪ] n see **acrimonious** erbitterte Schärfe; Bissigkeit f.
acrobat ['ækrəbæt] n Akrobat(in f) m.
acrobatic [ˌækrəʊ'bætɪk] adj akrobatisch.
acrobatics [ˌækrəʊ'bætɪks] npl Akrobatik f.
acronym ['ækrənɪm] n Akronym nt.
across [ə'krɒs] **1** adv **a** (direction) (to the other side) hinüber; (from the other side) herüber; (crosswise) (quer)durch ▸ **to cut sth ~** etw (quer) durchschneiden; **he was already ~** er war schon drüben; **~ from your house** gegenüber von eurem Haus; **the stripes go ~ the material** der Stoff ist quer gestreift. **b** (measurement) breit; (of round object) im Durchmesser ▸ **how far is it ~?** wie groß ist der Durchmesser? **c** (in crosswords) waagerecht.

  2 prep **a** (direction) über (+acc); (diagonally ~) quer durch (+acc) ▸ **to run ~ the road** über die Straße laufen; **a tree fell ~ the path** ein Baum fiel quer über den Weg. **b** (position) über (+dat) ▸ **a tree lay ~ the path** ein Baum lag quer über dem Weg; **from ~ the sea** von jenseits des Meeres (geh), von der anderen Seite des Meeres; **he lives ~ the street from us** er wohnt uns gegenüber; **from ~ the hall** von der anderen Seite des Saals.
across-the-board [ə'krɒsðə'bɔːd] adj attr generell.
acrylic [ə'krɪlɪk] **1** n Acryl nt.
  2 adj Acryl-.
act [ækt] **1** n **a** (deed, thing done) Tat f; (official, ceremonial) Akt m ▸ **an ~ of mercy** ein Gnadenakt m; **an ~ of God** höhere Gewalt no pl; **an ~ of folly/madness** reine Dummheit/reiner Wahnsinn. **b** **to be in the ~ of doing sth** (gerade) dabei sein, etw zu tun; **to catch sb in the ~** jdn auf frischer Tat ertappen. **c** ~ (of Parliament) Gesetz nt. **d** (Theat) (of play, opera) Akt m; (turn) Nummer f ▸ **to get in on the ~** (fig col) mit von der Partie sein; **he's got his ~ together** (col) er hat die Sache im Griff. **e** (fig: pretence) **it's all an ~** das ist alles nur Theater or Schau (col).
  2 vt part spielen; play aufführen ▸ **to ~ the fool** herumalbern, den Clown spielen.
  3 vi **a** (Theat) (perform) spielen; (to be an actor, fig) schauspielern, Theater spielen ▸ **he's only ~ing** er tut (doch) nur so; **to ~ stupid/innocent** den Dummen/Unschuldigen spielen or markieren (col). **b** (function) (brakes etc) funktionieren; (drug) wirken ▸ **to ~ as ...** wirken als ...; (have function) fungieren als ...; **it ~s as a deterrent** das wirkt abschreckend. **c** (represent) **to ~ for sb** jdn vertreten. **d** (behave) sich verhalten ▸ **~ like a man!** sei ein Mann!; **she ~ed as though she was surprised** sie tat so, als ob sie überrascht wäre. **e** (take action) handeln ▸ **he ~ed to stop it** er unternahm Schritte, um dem ein Ende zu machen.
◆**act on** or **upon** vi +prep obj **a** (affect) wirken auf (+acc). **b** (take action on) warning, report handeln auf (+acc) ... hin; suggestion, advice folgen (+dat).
◆**act out** vt sep fantasies etc durchspielen ▸ **the affair was ~ed ~ at ...** die Affäre spielte sich in ... ab.
◆**act up** vi (col) (bad knee etc) Ärger machen; (~ also) Theater machen; (machine also) ...; aufspielen.
acting ['æktɪŋ] **1** adj **a** ... attr. **b** attr (Theat) schauspielerisch.
  2 n (Theat: profession) Schauspielerei f ▸ **what was the/his ~ like?** wie waren die Schauspieler/wie hat er gespielt?; **I didn't like his ~** ich mochte seine Art zu spielen nicht.
▼**action** ['ækʃən] n **a** no pl (activity) Handeln nt; (of play, novel etc) Handlung f ▸ **now is the time for ~** die Zeit zum Handeln ist gekommen; **a man of ~** ein Mann der Tat; **to take ~** etwas or Schritte unternehmen; **course of ~** Vorgehen nt.
  b (deed) Tat f ▸ **to suit the ~ to the word** dem Wort die Tat folgen lassen.
  c (motion, operation) **in/out of ~** (machine) in/außer Betrieb; (operational) einsatzfähig/nicht einsatzfähig; **to go into ~** in Aktion treten; **to put a plan into ~** einen Plan in die Tat umsetzen; **to put out of ~** außer Gefecht setzen.
  d (exciting events) Action f (col) ▸ **a novel full of ~** ein handlungsgeladener Roman; **to go where the ~ is** (col) hingehen, wo was los ist (col).
  e (Mil) (fighting) Aktionen pl; (battle) Kampf m, Gefecht nt ▸ **enemy ~** feindliche Handlungen or Aktionen pl; **killed in ~** gefallen; **he saw ~ in the desert** er war in der Wüste im Einsatz; **they never went into ~** sie kamen nie zum Einsatz.

► SENTENCE BUILDER: **action: a → 9.1   d → 1.3**

f (*way of operating*) (*of machine*) Arbeitsweise *f*; (*of piano etc*) Mechanik *f*; (*of watch, gun*) Mechanismus *m*; (*way of moving: of athlete etc*) Bewegung *f* ▶ **to move with** *or* **have an easy ~** (*Sport*) sich ganz leicht und locker bewegen.

g (*esp Chem, Phys: effect*) Wirkung *f* (*on* auf +*acc*).

h (*Jur*) Klage *f* ▶ **to bring an ~ (against sb)** eine Klage (gegen jdn) anstrengen.

actionable ['ækʃnəbl] *adj* verfolgbar; *statement* klagbar.

action: ~ group *n* Initiative *f*; **~-packed** *adj film, book* aktions- *or* handlungsgeladen; **~ replay** *n* Wiederholung *f*.

activate ['æktɪveɪt] *vt* betätigen; (*automatically*) *alarm etc* auslösen; (*lever*) in Gang setzen.

active ['æktɪv] *adj* aktiv (*also Gram*); *mind, social life* rege; *volcano also* tätig; *dislike* offen ▶ **to be ~ in politics** politisch aktiv *or* tätig sein; **to be under ~ consideration** ernsthaft erwogen werden; **on ~ service** (*Mil*) im Einsatz; **he played an ~ part in it** er war aktiv daran beteiligt; **~ partner** (*Comm*) persönlich haftender Gesellschafter.

actively ['æktɪvlɪ] *adv* aktiv.

activist ['æktɪvɪst] *n* Aktivist(in *f*) *m*.

activity [æk'tɪvɪtɪ] *n* **a** *no pl* Aktivität *f*; (*in classroom, station, on beach etc also*) reges Leben; (*in market, town, office*) Geschäftigkeit *f* ▶ **sphere of ~** Betätigungsfeld *nt*. **b** (*pastime*) Betätigung *f* ▶ **the church organizes many activities** die Kirche organisiert viele Veranstaltungen; **business/social activities** geschäftliche/gesellschaftliche Unternehmungen *pl*.

actor ['æktəʳ] *n* (*lit, fig*) Schauspieler *m*.

actress ['æktrɪs] *n* (*lit, fig*) Schauspielerin *f*.

actual ['æktjʊəl] *adj* eigentlich; *reason, price also, result* tatsächlich; *case, example* konkret ▶ **in ~ fact** eigentlich; **what were his ~ words?** was hat er genau gesagt?; **this is the ~ house** das ist hier das Haus.

actuality [ˌæktjʊ'ælɪtɪ] *n* (*reality*) Wirklichkeit *f*.

actually ['æktjʊəlɪ] *adv* **a** (*to tell the truth, in actual fact*) eigentlich; (*by the way*) übrigens ▶ **you don't know him, do you? — ~ I do** Sie kennen ihn (doch) nicht, oder? — doch, ich kenne ihn (tatsächlich); **I'm going soon, tomorrow ~** ich gehe bald, genauer gesagt morgen; **you're never home — ~ I was home last night** du bist nie zu Hause — doch, gestern abend war ich da. **b** (*truly, in reality, showing surprise*) tatsächlich ▶ **don't tell me you're ~ going now!** sag bloß, du gehst jetzt tatsächlich *or* wirklich!; **oh, you're ~ in!** oh, du bist sogar da!; **I wasn't ~ there, but ...** ich war zwar selbst nicht dabei, aber ...; **as for ~ working ...** was die Arbeit selbst betrifft ...

actuary ['æktjʊərɪ] *n* (*Insur*) Aktuar *m*.

actuate ['æktjʊeɪt] *vt* (*lit*) auslösen; (*fig*) treiben.

acuity [ə'kjuːɪtɪ] *n* Scharfsinn *m*.

acumen ['ækjʊmen] *n* Scharfsinn *m* ▶ **business/political ~** Geschäftssinn *m*/politische Klugheit.

acupuncture ['ækjʊˌpʌŋktʃəʳ] *n* Akupunktur *f*.

acute [ə'kjuːt] *adj* **a** (*intense, serious, Med*) akut; *pleasure* intensiv. **b** *eyesight* scharf; *hearing also, sense of smell* fein. **c** (*shrewd*) scharf; *person* scharfsinnig; *child* aufgeweckt. **d** (*Math*) *angle* spitz.

acutely [ə'kjuːtlɪ] *adv* **a** (*intensely*) akut; *feel* intensiv; *embarrassed, uncomfortable* äußerst. **b** (*shrewdly*) scharfsinnig; *observe* scharf.

acuteness [ə'kjuːtnɪs] *n* **a** (*of problem*) Dringlichkeit *f*. **b** *see adj* (*b*) Schärfe *f*; Feinheit *f*. **c** *see adj* (*c*) Schärfe *f*; Scharfsinn *m*; Aufgewecktheit *f*.

AD = **Anno Domini** A.D., a.D.

ad [æd] = **advertisement** Anzeige *f*, Inserat *nt* ▶ **small ~s** Kleinanzeigen *pl*.

Adam ['ædəm] *n* Adam *m* ▶ **~'s apple** Adamsapfel *m*; **I don't know him from ~** (*col*) ich habe keine Ahnung,

wer er ist (*col*).

adamant ['ædəmənt] *adj* hart ▶ **since you're ~** da Sie darauf bestehen; **he was ~ about going** er bestand hartnäckig darauf zu gehen.

adapt [ə'dæpt] **1** *vt* anpassen (*to dat*); *machine* umstellen (*to, for* auf +*acc*); *vehicle, building* umbauen (*to, for* für); *text, book etc* adaptieren, bearbeiten (*for* für). **2** *vi* sich anpassen (*to dat*).

adaptability [əˌdæptə'bɪlɪtɪ] *n see adj* Anpassungsfähigkeit *f*; Vielseitigkeit *f*; Flexibilität *f*.

adaptable [ə'dæptəbl] *adj person* anpassungsfähig; *vehicle* vielseitig; *schedule* flexibel.

adaptation [ˌædæp'teɪʃən] *n* (*process*) Adaptation *f* (*to* an +*acc*); (*of person, plant, animal*) Anpassung *f* (*to* an +*acc*); (*of machine*) Umstellung *f* (*to* auf +*acc*); (*of vehicle, building*) Umbau *m*; (*of text*) Bearbeitung *f* ▶ **~ for television** Fernsehbearbeitung *f*.

adapter, adaptor [ə'dæptəʳ] *n* **a** (*of text*) Bearbeiter(in *f*) *m*. **b** (*Elec*) Adapter *m*; (*for two/three plugs*) Doppel-/Dreifachstecker *m*; (*for several plugs*) Mehrfachstecker *m*.

▼ **add** [æd] **1** *vt* **a** (*Math*) addieren; (*~ up*) *several numbers also* zusammenzählen. **b** hinzufügen (*to* zu); *ingredients, money also* dazutun (*to* zu); (*say in addition also*) dazusagen; (*build on*) anbauen ▶ **~ed to which ...** hinzu kommt, daß ... **2** *vi* (*Math*) addieren.

◆**add to** *vi* +*prep obj* (*expand*) *collection* erweitern; (*increase*) *problems* vergrößern; (*improve*) *flavour* steigern, verfeinern.

◆**add up 1** *vt sep* zusammenzählen. **2** *vi* **a** (*figures etc*) stimmen; (*fig: make sense*) zusammenpassen ▶ **it's beginning to ~ ~** jetzt wird so manches klar. **b** **to ~ ~ to** (*column, figures, fig*) ergeben; (*expenses also*) sich belaufen auf (+*acc*); **it doesn't ~ ~ to much** (*fig*) das ist nicht berühmt (*col*).

adder ['ædəʳ] *n* Natter *f*.

addict ['ædɪkt] *n* (*lit, fig*) Süchtige(r) *mf* ▶ **he's a TV/ heroin ~** er ist fernseh-/heroinsüchtig.

addicted [ə'dɪktɪd] *adj* süchtig ▶ **to be/become ~ to heroin** heroinsüchtig sein/werden; **he's ~ to it** (*fig*) das ist bei ihm schon zur Sucht geworden.

addiction [ə'dɪkʃən] *n* Sucht *f* (*to* nach); (*no pl: state of dependence also*) Süchtigkeit *f* ▶ **~ to alcohol** Trunksucht *f*.

addictive [ə'dɪktɪv] *adj* suchterzeugend ▶ **~ drug** Suchtdroge *f*; **to be ~** (*lit*) süchtig machen; (*fig*) zu einer Sucht werden können.

adding machine ['ædɪŋməʃiːn] *n* Addiermaschine *f*.

Addis Ababa [ˌædɪs'æbəbə] *n* Addis Abeba *nt*.

addition [ə'dɪʃən] *n* **a** (*Math*) Addition *f* ▶ **the ~ of one more country to the EC** die Erweiterung der EG um ein weiteres Land. **b** (*thing added*) Zusatz *m* (*to* zu); (*to list*) Ergänzung *f* (*to* zu) ▶ **they are expecting an ~ to their family** (*col*) sie erwarten (Familien)zuwachs. **c** **in ~** außerdem, obendrein; **in ~ to sth** zusätzlich zu etw.

additional [ə'dɪʃənl] *adj* zusätzlich ▶ **~ charge** Aufpreis *m*; **an ~ chapter** ein weiteres Kapitel.

additive ['ædɪtɪv] *n* Zusatz *m*.

add-on ['ædɒn] *n* (*Tech, Comp etc*) Zusatz *m*.

address [ə'dres] **1** *n* **a** (*also Comp*) Adresse *f* ▶ **home ~** Privatadresse *f*; (*when travelling*) Heimatanschrift *f*. **b** (*speech*) Ansprache *f*. **c** **form of ~** (*Form f* der) Anrede *f*. **2** *vt* **a** *letter, parcel* adressieren (*to* an +*acc*). **b** (*direct*) *complaints, speech, remarks* richten (*to* an +*acc*). **c** (*speak to*) *meeting* sprechen zu; *jury* sich wenden an (+*acc*); *person* anreden. **3** *vr* **to ~ oneself to sb** (*speak to*) jdn ansprechen; **to ~ oneself to a task** (*form*) sich einer Aufgabe widmen.

➤ SENTENCE BUILDER: **add** → 4.2

address book *n* Adreßbuch *nt*.
addressee [ˌædreˈsiː] *n* Empfänger(in *f*) *m*.
address label *n* Adressenaufkleber *m*.
Aden [ˈeɪdn] *n* Aden *nt* ► **Gulf of ~** Golf *m* von Aden.
adenoids [ˈædɪnɔɪdz] *npl* Rachenmandeln *pl*.
adept [ˈædept] *adj* geschickt (*in, at* in +*dat*) ► **she's quite ~ at that** sie hat ein Talent dafür.
adequate [ˈædɪkwɪt] *adj* adäquat, angemessen; (*sufficient*) *supply, heating system* ausreichend; *time* genügend *inv* ► **to be ~** (*sufficient*) (aus)reichen; (*good enough*) angemessen sein; **this is just not ~** das ist einfach unzureichend.
adhere [ədˈhɪər] *vi* haften (*to* an +*dat*).
◆**adhere to** *vi* +*prep obj* festhalten an (+*dat*).
adherence [ədˈhɪərəns] *n* Festhalten *nt* (*to* an +*dat*).
adherent [ədˈhɪərənt] *n* Anhänger(in *f*) *m* (*of gen*).
adhesive [ədˈhiːzɪv] ① *n* Klebstoff *m*.
② *adj* haftend; (*more firmly*) klebend ► **~ label** Klebeetikett *nt*; **~ plaster** Heftpflaster *nt*; **~ tape** Klebstreifen *m*.
ad hoc [ˌædˈhɒk] *adj, adv* ad hoc *inv*.
adjacent [əˈdʒeɪsənt] *adj* angrenzend; *room also, angles* Neben- ► **to be ~ to sth** an etw (*acc*) angrenzen, neben etw (*dat*) liegen.
adjective [ˈædʒektɪv] *n* Adjektiv, Eigenschaftswort *nt*.
adjoin [əˈdʒɔɪn] ① *vt* grenzen an (+*acc*).
② *vi* aneinander grenzen.
adjoining [əˈdʒɔɪnɪŋ] *adj room* Neben-, Nachbar-; *field* angrenzend; (*of two things*) nebeneinanderliegend ► **in the ~ office** im Büro nebenan.
adjourn [əˈdʒɜːn] ① *vt* ⓐ vertagen (*until* auf +*acc*) ► **he ~ed the meeting for three hours** er unterbrach die Konferenz für drei Stunden. ⓑ (*US: end*) beenden.
② *vi* ⓐ sich vertagen (*until* auf +*acc*) ► **to ~ for lunch/one hour** für die Mittagspause/für eine Stunde unterbrechen. ⓑ **to ~ to the lounge** sich ins Wohnzimmer begeben.
adjournment [əˈdʒɜːnmənt] *n* Vertagung *f* (*until* auf +*acc*); (*within a day*) Unterbrechung *f*.
adjudge [əˈdʒʌdʒ] *vt* **to ~ sb (to be) guilty/the winner** jdn für schuldig/zum Sieger erklären.
adjudicate [əˈdʒuːdɪkeɪt] ① *vt claim* entscheiden; *competition* Preisrichter sein bei.
② *vi* entscheiden, urteilen (*on, in* bei); (*in dispute*) Schiedsrichter sein (*on* bei, in +*dat*); (*in competition, dog-show etc*) als Preisrichter fungieren.
adjudicator [əˈdʒuːdɪkeɪtər] *n* (*in competition*) Preisrichter(in *f*) *m*; (*in dispute*) Schiedsrichter(in *f*) *m*.
adjust [əˈdʒʌst] ① *vt* (*set*) *machine, carburettor, brakes, knob etc* einstellen; (*alter*) *plan, terms* ändern; *height, speed* verstellen; (*correct, readjust*) nachstellen; *height, speed, flow* regulieren; *hat, tie* zurechtrücken ► **to ~ sth to new requirements/conditions** etw neuen Erfordernissen/Bedingungen anpassen.
② *vi* (*new circumstances*) sich anpassen (*to dat*); (*to new requirements, demands*) sich einstellen (*to* auf +*acc*).
adjustable [əˈdʒʌstəbl] *adj tool, angle* verstellbar; *shape* veränderlich, variabel; *speed, temperature* regulierbar; *tax, rate of production* beweglich, flexibel; *person, animal, plant* anpassungsfähig ► **~ spanner** Engländer *m*.
adjustment [əˈdʒʌstmənt] *n* ⓐ *see vt* Einstellung *f*; Änderung *f*; Verstellen *nt*; Nachstellen *nt*; Regulierung *f* ► **to make an ~** etw einstellen/verstellen/nachstellen *etc*; **to make ~s** Änderungen vornehmen.
ⓑ (*socially etc*) Anpassung *f*.
ad-lib [ædˈlɪb] ① *adv* aus dem Stegreif.
② *adj* improvisiert, Stegreif-.
③ *vti* improvisieren.
Adm = **Admiral** Adm.
admin [ˈædmɪn] (*col*) = **administration** ► **a lot of ~**

viel Verwaltungsarbeit.
administer [ədˈmɪnɪstər] *vt* ⓐ *institution, funds* verwalten; *business, affairs* führen; (*run*) *company, department* die Verwaltungsangelegenheiten regeln (+*gen*).
ⓑ (*to sb* jdm) *medicine* verabreichen; *sacraments* spenden ► **to ~ an oath to sb** jdm einen Eid abnehmen.
administration [ədˌmɪnɪsˈtreɪʃən] *n* ⓐ *no pl* Verwaltung *f*; (*of a project etc*) Organisation *f*. ⓑ **the Kohl ~** die Regierung Kohl. ⓒ *no pl* (*of remedy*) Verabreichung *f*; (*of sacrament*) Spenden *nt* ► **the ~ of an oath** die Vereidigung; **the ~ of justice** die Rechtsprechung.
administrative [ədˈmɪnɪstrətɪv] *adj* administrativ.
administrator [ədˈmɪnɪstreɪtər] *n* Verwalter *m*.
admirable [ˈædmərəbl] *adj* bewundernswert, erstaunlich; (*excellent*) ausgezeichnet.
admiral [ˈædmərəl] *n* Admiral *m*.
Admiralty [ˈædmərəltɪ] *n* (*Brit*) Marineministerium *nt*.
admiration [ˌædməˈreɪʃən] *n* Bewunderung *f*.
admire [ədˈmaɪər] *vt* bewundern.
admirer [ədˈmaɪərər] *n* Bewunderer(in *f*) *m*; (*dated, hum: of a woman*) Verehrer *m*.
admissible [ədˈmɪsəbl] *adj* zulässig.
admission [ədˈmɪʃən] *n* ⓐ (*entry*) Zutritt *m* (*to* zu); (*to club also, university*) Zulassung *f*; (*price*) Eintritt *m*; (*to hospital*) Einlieferung *f* (*to* in +*acc*). ⓑ (*confession*) Eingeständnis *nt* ► **by his own ~** nach eigenem Eingeständnis; **that would be an ~ of failure** das hieße, sein Versagen einzugestehen.
admission: ~ charge, ~ fee *n* Eintrittsgeld *nt*; **~ ticket** *n* Eintrittskarte *f*.
▼**admit** [ədˈmɪt] *vt* ⓐ (*let in*) hinein-/hereinlassen; (*permit to join*) zulassen (*to* zu), aufnehmen (*to* in +*acc*) ► **to be ~ted to hospital** ins Krankenhaus eingeliefert werden; **children not ~ted** kein Zutritt für Kinder. ⓑ (*acknowledge*) zugeben ► **he ~ted himself beaten** er gab sich geschlagen.
admittance [ədˈmɪtəns] *n* (*to building*) Zutritt (*to* zu) ► **"no ~"** „Zutritt verboten".
admittedly [ədˈmɪtɪdlɪ] *adv* zugegebenermaßen.
admonish [ədˈmɒnɪʃ] *vt* ermahnen (*for* wegen).
ad nauseam [ˌædˈnɔːsɪæm] *adv* bis zum Überdruß, bis zum Gehtnichtmehr (*col*).
ado [əˈduː] *n* **without further ~** ohne weiteres.
adolescence [ˌædəʊˈlesns] *n* Jugend *f*; (*puberty*) Pubertät *f*.
adolescent [ˌædəʊˈlesnt] ① *n* Jugendliche(r) *mf*.
② *adj* Jugend-; (*in puberty*) Pubertäts-; (*immature*) unreif ► **he is so ~** er steckt noch in der Pubertät.
adopt [əˈdɒpt] *vt* ⓐ *child* adoptieren; *family, city, child in a different country* die Patenschaft übernehmen für ► **your cat has ~ed me** (*col*) deine Katze hat sich mir angeschlossen. ⓑ *suggestion, method* übernehmen; *mannerisms* annehmen. ⓒ (*Pol*) *motion* annehmen; *candidate* nominieren.
adopted [əˈdɒptɪd] *adj son, daughter* Adoptiv-, adoptiert ► **~ country** Wahlheimat *f*.
adoption [əˈdɒpʃən] *n* ⓐ (*of child*) Adoption *f*; (*into the family*) Aufnahme *f*. ⓑ (*of method, idea*) Übernahme *f*; (*of mannerisms, law, candidate*) Annahme *f*.
adorable [əˈdɔːrəbl] *adj* bezaubernd, hinreißend.
adoration [ˌædəˈreɪʃən] *n* (grenzenlose) Liebe (*of* zu); (*of God*) Anbetung *f*.
adore [əˈdɔːr] *vt* über alles lieben.
adorn [əˈdɔːn] *vt* schmücken.
adrenalin(e) [əˈdrenəlɪn] *n* Adrenalin *nt* ► **when the ~'s going ...** wenn man richtig aufgedreht ist ...
Adriatic (Sea) [ˌeɪdrɪˈætɪk(ˈsiː)] *n* Adria *f*.
adrift [əˈdrɪft] *adv, adj pred* **to be ~** (*Naut*) treiben; **to come ~** (*wire, hair etc*) sich lösen; (*plans*) fehlschlagen; (*theory*) zusammenbrechen.
adroit [əˈdrɔɪt] *adj* gewandt; *mind* scharf.

➤ SENTENCE BUILDER: **admit: b** → 5.2

adulation [,ædjʊ'leɪʃən] n Verherrlichung f.
adult ['ædʌlt] **1** n Erwachsene(r) mf.
2 adj person erwachsen; film für Erwachsene; (mature) decision reif ▸ **~ education** Erwachsenenbildung f.
adulterate [ə'dʌltəreɪt] vt drink panschen; food, (fig) text verhunzen (col).
adulterer [ə'dʌltərər] n Ehebrecher m.
adulteress [ə'dʌltərɪs] n Ehebrecherin f.
adultery [ə'dʌltərɪ] n Ehebruch m ▸ **to commit ~** Ehebruch begehen.
adulthood ['ædʌlthʊd] n Erwachsenenalter nt.
advance [əd'vɑːns] **1** n **a** (progress) Fortschritt m. **b** (of science) Weiterentwicklung f; (of ideas, sea) Vordringen nt ▸ **recent ~s** jüngste Entwicklungen; **with the ~ of old age** mit fortschreitendem Alter. **c** (Mil) Vorrücken nt. **d** (money) Vorschuß m (on auf +acc). **e** (amorous, fig) **~s** pl Annäherungsversuche pl. **f** **in ~** im voraus; (temporal also) vorher; **to send sb on in ~** jdn vorausschicken; **to arrive in ~ of the others** vor den anderen ankommen.
2 vt **a** (move forward) date, time vorverlegen. **b** (further) work, project voranbringen; cause, interests fördern; growth vorantreiben. **c** suggestion, opinion bringen. **d** (pay beforehand) (sb jdm) (als) Vorschuß geben, vorschießen (col); (lend) als Kredit geben.
3 vi **a** (Mil) vorrücken. **b** (move forward) vorankommen ▸ **to ~ towards sb/sth** auf jdn/etw zugehen/-kommen; **to ~ upon sb** drohend auf jdn zukommen. **c** (fig: progress) Fortschritte machen.
advance booking n Reservierung f; (Theat) Vorverkauf m.
advanced [əd'vɑːnst] adj student, level, age fortgeschritten; studies, mathematics etc höher; technology also, ideas fortschrittlich; version, model verbessert, neu(er); level of civilization hoch; position, observation post etc vorgeschoben ▸ **~ in years** in fortgeschrittenem Alter.
advancement [əd'vɑːnsmənt] n (furtherance) Förderung f.
advance: ~ notice or **warning** n Vorankündigung f; (of sth bad) Vorwarnung f; **~ party** n (Mil, fig) Vorhut f; **~ payment** n Vorauszahlung f.
advantage [əd'vɑːntɪdʒ] n Vorteil m (also Tennis) ▸ **to have an ~ (over sb)** (jdm gegenüber) im Vorteil sein; **he had the ~ of greater experience** er war durch seine größere Erfahrung im Vorteil; **that gives you an ~ over me** damit sind Sie mir gegenüber im Vorteil; **to take ~ of sb/sth** jdn/etw ausnutzen; **he took ~ of her** (euph) er hat sie mißbraucht; **to turn sth to (good) ~** Nutzen aus etw ziehen; **it would be to our ~** es wäre vorteilhaft für uns.
advantageous [,ædvən'teɪdʒəs] adj vorteilhaft.
advent ['ædvənt] n **a** (of era) Beginn, Anbruch m; (of new invention etc) Aufkommen nt. **b** (Eccl) **A~** Advent m.
adventure [əd'ventʃər] n Abenteuer nt ▸ **an ~ into the unknown** ein Vorstoß ins Unbekannte.
adventurer [əd'ventʃərər] n Abenteurer(in f) m.
adventurous [əd'ventʃərəs] adj person abenteuerlustig; journey abenteuerlich; scheme gewagt.
adverb ['ædvɜːb] n Adverb, Umstandswort nt.
adverbial adj, **~ly** adv [əd'vɜːbɪəl, -ɪ] adverbial.
adversary ['ædvəsərɪ] n Widersacher(in f) m; (in contest) Gegner(in f) m.
adverse ['ædvɜːs] adj ungünstig; criticism, comment, reaction negativ; effect nachteilig.
adversity [əd'vɜːsɪtɪ] n no pl Not f ▸ **in ~** im Unglück, in der Not.
advert ['ædvɜːt] n (Brit) = **advertisement**.
advertise ['ædvətaɪz] vti **a** (publicize) Werbung or Reklame machen (für), werben (für). **b** (in paper etc) flat,

table etc inserieren; job, post also ausschreiben ▸ **to ~ for sb/sth** jdn/etw (per Anzeige) suchen.
advertisement [əd'vɜːtɪsmənt] n **a** (Comm) Werbung, Reklame f no pl; (in paper also) Anzeige f ▸ **he is not a good ~ for his school** (fig) er ist nicht gerade ein Aushängeschild für seine Schule. **b** (announcement) Anzeige f; (in paper also) Inserat nt ▸ **to put an ~ in the paper (for sb/sth)** eine Anzeige (für jdn/etw) in die Zeitung setzen.
advertiser ['ædvətaɪzər] n (in paper) Inserent(in f) m.
advertising ['ædvətaɪzɪŋ] n Werbung, Reklame f ▸ **he is in ~** er ist in der Werbung (tätig).
advertising in cpds Werbe-; **~ agency** n Werbeagentur f; **~budget** n Werbeetat m; **~ campaign** n Werbekampagne f; **~ rates** pl Anzeigenpreise pl; **~ standards** npl Grundsätze mpl ethischer Werbung.
▼ **advice** [əd'vaɪs] n **a** no pl Rat m no pl ▸ **a piece of ~, some ~** ein Rat(schlag) m; **to take sb's ~** jds Rat (be)folgen; **take my ~** hör auf mich. **b** (Comm) Mitteilung f ▸ **~ note** (Brit) Benachrichtigung f.
advisable [əd'vaɪzəbl] adj ratsam.
▼ **advise** [əd'vaɪz] vti **a** (give advice to) raten (+dat); (professionally) beraten ▸ **to ~ caution** zur Vorsicht raten; **I would ~ you to do it/not to do it** ich würde dir zuraten/abraten; **to ~ sb against sth/doing sth** jdm von etw abraten/jdm abraten, etw zu tun. **b** (Comm: inform) verständigen ▸ **to ~ sb of sth** jdn von etw in Kenntnis setzen.
advisedly [əd'vaɪzɪdlɪ] adv richtig ▸ **and I use the word ~** ich verwende bewußt dieses Wort.
adviser [əd'vaɪzər] n Ratgeber(in f) m; (professional) Berater(in f) m.
advisory [əd'vaɪzərɪ] adj beratend ▸ **~ service** Beratungsdienst m; **to act in a purely ~ capacity** rein beratende Funktion haben.
advocacy ['ædvəkəsɪ] n Eintreten nt (of für); (of plan) Befürwortung f.
advocate ['ædvəkɪt] **1** n **a** (of cause etc) Verfechter(in f), Befürworter(in f) m. **b** (esp Scot: Jur) (Rechts)anwalt m/-anwältin f.
2 ['ædvəkeɪt] vt eintreten für; plan etc befürworten.
advt = **advertisement**.
Aegean [iː'dʒiːən] n **the ~ (Sea)** das Ägäische Meer.
aerate ['eəreɪt] vt liquid mit Kohlensäure anreichern; soil auflockern.
aerial ['eərɪəl] **1** n (esp Brit) Antenne f.
2 adj Luft-.
aerial: ~ photograph n Luftbild nt, Luftaufnahme f; **~ photography** n Luftaufnahmen pl.
aero- ['eərəʊ] pref aero- (form), Luft-.
aerobatics ['eərəʊ'bætɪks] npl Kunstfliegen nt.
aerobics [eər'əʊbɪks] n sing Aerobic nt.
aerodrome ['eərədrəʊm] n (Brit) Flugplatz m.
aerodynamic ['eərəʊdaɪ'næmɪk] adj aerodynamisch.
aerodynamics ['eərəʊdaɪ'næmɪks] n sing Aerodynamik f.
aerofoil ['eərəʊfɔɪl] n Tragflügel m; (on racing cars) Spoiler m.
aeronautic(al) [,eərə'nɔːtɪk(əl)] adj Luftfahrt- ▸ **~ engineering** Flugzeugbau m.
aeronautics [,eərə'nɔːtɪks] n sing Luftfahrt f.
aeroplane ['eərəpleɪn] n (Brit) Flugzeug nt.
aerosol ['eərəsɒl] n (can) Spraydose f; (mixture) Aerosol nt.
aerospace in cpds Raumfahrt-.
aesthete, (US) **esthete** ['iːsθiːt] n Ästhet(in f) m.
aesthetic, (US) **esthetic** [iːs'θetɪk] adj ästhetisch.
aesthetics, (US) **esthetics** [iːs'θetɪks] n sing Ästhetik f.
AEU = **Amalgamated Engineering Union** britische Ingenieurgewerkschaft.

▸ SENTENCE BUILDER: **advice: a → 9.2   advise: a → 9.1**

afar [əˈfɑːʳ] adv (liter) weit ▸ **from** ~ aus der Ferne.
affable [ˈæfəbl] adj umgänglich, freundlich.
affair [əˈfeəʳ] n [a] Sache, Angelegenheit f ▸ **the Watergate** ~ die Watergate-Affäre; **the state of ~s with the economy** die Lage der Wirtschaft; **in the present state of ~s** beim gegenwärtigen Stand der Dinge; **there's a fine state of ~s!** das sind ja schöne Zustände!; **private/business ~s** Privat-/Geschäftsangelegenheiten pl; **~s of state** Staatsangelegenheiten pl; **it's not your ~ what I do in the evenings** was ich abends tue, geht dich nichts an; **that's my/his ~!** das ist meine/seine Sache! [b] (love ~) Verhältnis nt, Affäre f.
affect¹ [əˈfekt] vt [a] (have effect on) sich auswirken auf (+acc); decision, sb's life also beeinflussen; health, person schaden (+dat). [b] (concern) betreffen. [c] (emotionally) berühren.
affect² vt (feign) vortäuschen, vorgeben.
affectation [ˌæfekˈteɪʃən] n (pretence) Vortäuschung f; (artificiality) Affektiertheit f no pl.
affected [əˈfektɪd] adj person, clothes affektiert; behaviour, style, accent also gekünstelt.
affection [əˈfekʃən] n (fondness) Zuneigung f no pl (for, towards zu) ▸ **I have a great ~ for her** ich mag sie sehr gerne; **you could show a little more ~ towards me** du könntest etwas liebevoller (zu mir) sein; **children who lacked** ~ Kinder, denen die Liebe fehlte.
affectionate [əˈfekʃənɪt] adj liebevoll, zärtlich.
affidavit [ˌæfɪˈdeɪvɪt] n (Jur) eidesstattliche Versicherung.
affiliated [əˈfɪlɪeɪtɪd] adj angeschlossen, Schwester-.
affiliation [əˌfɪlɪˈeɪʃən] n Angliederung f (to, with an +acc) ▸ **what are his political ~s?** was ist seine politische Zugehörigkeit?
affinity [əˈfɪnɪtɪ] n [a] (liking) Neigung f (for, to zu); (for person) Verbundenheit f (for, to mit). [b] (resemblance, connection) Verwandtschaft f.
affirm [əˈfɜːm] vt versichern; (very forcefully) beteuern.
affirmation [ˌæfəˈmeɪʃən] n see vt Versicherung f; Beteuerung f.
affirmative [əˈfɜːmətɪv] adj bejahend, positiv ▸ **to answer in the** ~ bejahend or mit „ja" antworten.
affix [əˈfɪks] vt anbringen (to auf +dat).
afflict [əˈflɪkt] vt plagen, zusetzen (+dat); (emotionally, mentally also) belasten; (troubles, inflation, injuries) heimsuchen ▸ **the ~ed** die Leidenden pl.
affliction [əˈflɪkʃən] n (distress) Not f; (pain) Leiden pl; (illness) Beschwerde f.
affluence [ˈæfluəns] n Reichtum, Wohlstand m.
affluent [ˈæfluənt] adj reich, wohlhabend ▸ **the ~ society** die Wohlstandsgesellschaft.
afford [əˈfɔːd] vt [a] (also non-financially) sich (dat) leisten ▸ **I can't ~ to buy both of them** ich kann es mir nicht leisten, beide zu kaufen. [b] (liter: provide) (sb sth jdm etw) gewähren, bieten; pleasure bereiten.
afforestation [æˌfɒrɪsˈteɪʃən] n Aufforstung f.
affray [əˈfreɪ] n (esp Jur) Schlägerei f.
affront [əˈfrʌnt] [1] vt beleidigen.
[2] n Beleidigung f (to sb jds, to sth für etw), Affront m (to gegen).
Afghan [ˈæfgæn] [1] n [a] Afghane m, Afghanin f. [b] (language) Afghanisch nt. [c] (dog) Afghane m, afghanischer Windhund.
[2] adj afghanisch.
Afghanistan [æfˈgænɪstæn] n Afghanistan nt.
afield [əˈfiːld] adv **far** ~ weit weg; **further** ~ weiter entfernt.
afloat [əˈfləʊt] adj pred, adv (Naut) **to be** ~ schwimmen; **the largest navy** ~ die größte Flotte auf See; **to get a business** ~ (fig) ein Geschäft auf die Beine stellen.
afoot [əˈfʊt] adv im Gange ▸ **what's ~?** was geht hier vor?
aforementioned [əˌfɔːˈmenʃənd], **aforesaid** [əˌfɔːˈsed]

adj attr (form) obengenannt.
▼ **afraid** [əˈfreɪd] adj pred [a] (frightened) **to be** ~ (of sb/sth) (vor jdm/etw) Angst haben, sich (vor jdm/etw) fürchten; **don't be ~!** keine Angst!; **I am** ~ **of hurting him** or **that I might hurt him** ich fürchte, ihm weh zu tun or ich könnte ihm weh tun; **I was** ~ **of waking the children** ich wollte die Kinder nicht wecken; **he's not** ~ **to say what he thinks** er scheut sich nicht, zu sagen, was er denkt; **that's what I was** ~ **of, I was** ~ **that would happen** das habe ich befürchtet. [b] (expressing polite regret) **I'm** ~ **I can't do it** leider kann ich es nicht machen; **I'm** ~ **you'll have to wait** Sie müssen leider warten; **I'm** ~ **not/I'm** ~ **so** leider nicht/ja, leider.
afresh [əˈfreʃ] adv noch einmal von vorn.
Africa [ˈæfrɪkə] n Afrika nt.
African [ˈæfrɪkən] [1] n [a] Afrikaner(in f) m. [b] (US: black person) Schwarze(r) mf.
[2] adj afrikanisch ▸ ~ **violet** Usambaraveilchen nt.
African-American [1] adj afroamerikanisch.
[2] n Afroamerikaner(in) m(f).
Afrika(a)ner [ˌæfrɪˈkɑːnəʳ] n Afrika(a)nder(in f) m.
Afrikaans [ˌæfrɪˈkɑːns] n Afrikaans nt.
Afro [ˈæfrəʊ] [1] pref afro-, Afro-.
[2] n (hairstyle) Afro-Look m.
Afro-: ~**American** [1] adj afro-amerikanisch. [2] n Afro-Amerikaner(in f) m; ~**Asian** [1] adj afro-asiatisch. [2] n Afro-Asiat(in f) m.
aft [ɑːft] (Naut) adv achtern ▸ **to go** ~ nach achtern gehen.
after [1] prep nach (+dat) ▸ ~ **that** danach; **the week** ~ **next** übernächste Woche; **ten** ~ **eight** (US) zehn nach acht; **to run** ~ **sb** hinter jdm herlaufen; **he shut the door** ~ **her** er machte die Tür hinter ihr zu; ~ **what has happened** nach allem, was geschehen ist; **to do sth** ~ **all** etw schließlich doch tun; ~ **all our efforts!** und das, nachdem wir uns soviel Mühe gegeben haben!; **you tell me lie** ~ **lie** du erzählst mir eine Lüge nach der anderen; **day** ~ **day** Tag für Tag; **time** ~ **time** immer wieder; **mile** ~ **mile** Meile um Meile; ~ **El Greco** in der Art von El Greco; **to be** ~ **sb/sth** hinter jdm/etw hersein; **what are you** ~? was willst du?; (looking for) was suchst du?
[2] adv (time, order) danach ▸ **the year/week** ~ das Jahr/die Woche danach or darauf.
[3] conj nachdem ▸ ~ **finishing it I will/I went ...** wenn ich das fertig habe, werde ich .../als ich das fertig hatte, ging ich ...; ~ **arriving they went ...** nachdem sie angekommen waren, gingen sie ...
[4] n ~**s** pl (Brit col) Nachtisch m.
after: ~**birth** n Nachgeburt f; ~**burner** n (Aviat) Nachbrenner m; ~**care** n (of convalescent) Nachbehandlung f; ~**dinner** adj speech, speaker Tisch-; ~**effect** n Nachwirkung f; ~**life** n Leben nt nach dem Tode; ~**math** n Nachwirkungen pl; **in the** ~**math of sth** nach etw.
afternoon [ˈɑːftəˈnuːn] n Nachmittag m ▸ **in the** ~ am Nachmittag, nachmittags; **at three o'clock in the** ~ (um) drei Uhr nachmittags; **on Sunday** ~ (am) Sonntag nachmittag; **this/tomorrow** ~ heute/morgen nachmittag; **good ~!** Guten Tag!
after: ~**pains** npl Nachwehen pl; ~**sales service** n (Brit) Kundendienst m; ~**shave (lotion)** n After-shave, Rasierwasser nt; ~**shock** n (of earthquake) Nachbeben nt; ~**thought** n nachträgliche Idee; (hum: child) Nachkömmling m.
afterwards [ˈɑːftəwədz] adv nachher; (after that, after an event etc) danach, anschließend.
again [əˈgen] adv [a] wieder ▸ ~ **and** ~ immer wieder; **to do sth** ~ etw noch (ein)mal tun; **not to do sth** ~ etw nicht wieder tun; **I'll ring** ~ **tomorrow** ich rufe morgen noch einmal an; **never** ~ nie wieder; **if that happens** ~

▸ SENTENCE BUILDER: **afraid:** a → 6.1

wenn das noch einmal passiert; *all over* ~ noch (ein)mal von vorn; *not* ~*!* schon wieder! **b** (*in quantity*) *as much* ~ doppelt soviel, noch (ein)mal soviel. **c** (*on the other hand*) wiederum; (*besides, moreover*) außerdem ▸ *but then* ~*, it may not be true* vielleicht ist es auch gar nicht wahr.

▼ **against** [ə'genst] *prep* gegen (+*acc*) ▸ *he's* ~ *her going* er ist dagegen, daß sie geht; *to have something* ~ *sb/sth* etwas gegen jdn/etw haben; ~ *their wish* entgegen ihrem Wunsch; *the advantages of flying (as)* ~ *going by train* die Vorteile von Flugreisen gegenüber Bahnreisen.

age [eɪdʒ] **1** *n* **a** Alter *nt* ▸ *what is her* ~*, what* ~ *is she?* wie alt ist sie?; *he is ten years of* ~ er ist zehn Jahre alt; *at the* ~ *of 15* im Alter von 15 Jahren, mit 15 Jahren; *when I was your* ~ als ich in deinem Alter war; *but he's twice your* ~ aber er ist doppelt so alt wie du; *over* ~ zu alt; *be or act your* ~*!* sei nicht kindisch! **b** (*length of life*) Lebensdauer *f*. **c** *to come of* ~ (*Jur*) volljährig *or* mündig werden, die Volljährigkeit erlangen; (*fig*) den Kinderschuhen entwachsen; *under* ~ minderjährig, unmündig. **d** (*period, epoch*) Zeit(alter *nt*) *f*▸ *the* ~ *of technology* das technologische Zeitalter; *down the* ~*s* durch alle Zeiten. **e** (*col: long time*) *I haven't seen him for* ~*s, it's been* ~*s since I saw him* ich habe ihn eine Ewigkeit *or* ewig nicht gesehen (*col*); *it/he takes* ~*s* das dauert ewig/er braucht ewig (*col*). **2** *vi* alt werden, altern. **3** *vt* (*worry, experience etc*) altern lassen; (*dress, hairstyle etc*) älter machen.

aged [eɪdʒd] **1** *adj* **a** im Alter von, ... Jahre alt, -jährig ▸ *a boy* ~ *ten* ein zehnjähriger Junge. **b** ['eɪdʒɪd] *person* bejahrt, betagt. **2** ['eɪdʒɪd] *npl* **the** ~ die alten Menschen, die Alten *pl*.

age: ~ *difference or gap* *n* Altersunterschied *m*; ~**group** *n* Altersgruppe *f*; ~**ism** ['eɪdʒɪzəm] *n* Altersdiskriminierung *f*, Seniorenfeindlichkeit *f*; ~**less** *adj* zeitlos; *one of those* ~*less people* eine(r) von denen, die nie alt werden; ~ **limit** *n* Altersgrenze *f*.

agency ['eɪdʒənsɪ] *n* **a** (*Comm*) Agentur *f* ▸ *translation/tourist* ~ Übersetzungs-/Reisebüro *nt*; *they have the Citroën* ~ sie haben die Citroën-Vertretung. **b** *through the* ~ *of friends* durch die Vermittlung *or* mit Hilfe von Freunden.

agenda [ə'dʒendə] *n* Tagesordnung *f* ▸ *on the* ~ auf dem Programm; *hidden* ~ Geheimplan *m*.

agent ['eɪdʒənt] *n* **a** (*Comm*) (*person*) Vertreter(in *f*) *m*; (*organization*) Vertretung *f*. **b** (*literary, press, secret* ~ *etc*) Agent(in *f*) *m*; (*Pol*) Wahlkampfleiter(in *f*) *m* ▸ *you're a free* ~ du bist dein eigener Herr. **c** (*Chem, means*) Mittel *nt*.

age-old ['eɪdʒəʊld] *adj* uralt.

aggravate ['ægrəveɪt] *vt* **a** (*worsen*) verschlimmern. **b** (*annoy*) aufregen; (*deliberately*) reizen.

aggravating ['ægrəveɪtɪŋ] *adj* ärgerlich; *noise, child* lästig.

aggravation [ˌægrə'veɪʃən] *n* **a** Verschlimmerung *f*. **b** (*annoyance*) Ärger *m* ▸ *her constant* ~ *made him* ... sie reizte ihn so, daß er ...

aggregate ['ægrɪgɪt] **1** *n* **a** Summe, Gesamtheit *f*. *they won on* ~ sie wurden Gesamtsieger. **b** (*Build*) Zuschlagstoffe *pl*. **2** *adj* gesamt, Gesamt-.

aggression [ə'greʃən] *n* Aggression *f*; (*of person: aggressiveness*) Aggressivität *f*▸ *an act of* ~ eine aggressive Handlung.

aggressive [ə'gresɪv] *adj* aggressiv; *salesman, businessman etc* dynamisch, aufdringlich (*pej*).

aggressiveness [ə'gresɪvnɪs] *n see adj* Aggressivität *f*, Dynamik, Aufdringlichkeit (*pej*) *f*.

aggressor [ə'gresər] *n* Angreifer(in *f*) *m*.

aggrieved [ə'griːvd] *adj* (*offended*) verletzt (*at, by* durch).

aggro ['ægrəʊ] *n* (*Brit col*) **a** (*bother*) Ärger *m*, Stunk *m* (*col*) ▸ *all the* ~ *of moving house* das ganze Theater mit dem Umziehen. **b** (*fighting*) Schlägereien *pl*.

aghast [ə'gɑːst] *adj pred* entgeistert (*at* über +*acc*).

agile ['ædʒaɪl] *adj person, thinker* beweglich; *body movements* geschmeidig; *animal* flink ▸ *she has an* ~ *mind* sie ist geistig sehr rege.

agility [ə'dʒɪlɪtɪ] *n see adj* Beweglichkeit *f*; Geschmeidigkeit *f*; Flinkheit *f*.

agitate ['ædʒɪteɪt] **1** *vt* **a** (*excite, upset*) aufregen, aus der Fassung bringen. **b** (*lit: shake*) *liquid* schütteln. **2** *vi* agitieren ▸ *to* ~ *for sth* sich für etw stark machen.

agitated ['ædʒɪteɪtɪd] *adj* aufgeregt, erregt ▸ *to get* ~ sich aufregen.

agitation [ˌædʒɪ'teɪʃən] *n* **a** (*anxiety, worry*) Erregung *f*, Aufruhr *m*. **b** (*incitement*) Agitation *f*.

agitator ['ædʒɪteɪtər] *n* (*person*) Agitator(in *f*) *m*.

AGM = **annual general meeting** JHV *f*.

agnostic [æg'nɒstɪk] **1** *adj* agnostisch. **2** *n* Agnostiker(in *f*) *m*.

agnosticism [æg'nɒstɪsɪzəm] *n* Agnostizismus *m*.

ago [ə'gəʊ] *adv* vor ▸ *years/a week/a little while* ~ vor Jahren/einer Woche/kurzem; *that was years/a week* ~ das ist schon Jahre/eine Woche her; *how long* ~ *is it since you last saw him?* wann haben Sie ihn das letzte Mal gesehen?; *how long* ~*?* wie lange ist das her?; *that was long* ~ das ist schon lange her; *as long* ~ *as 1950* schon 1950; *no longer* ~ *than yesterday* erst gestern (noch).

agog [ə'gɒg] *adj pred* gespannt ▸ *to be* ~ *with curiosity* vor Neugierde platzen.

agonize ['ægənaɪz] *vi* sich (*dat*) den Kopf zermartern (*over* über +*acc*).

agonizing ['ægənaɪzɪŋ] *adj* qualvoll.

agony ['ægənɪ] *n* **a** Qual *f*; (*mental also*) Leid *nt* ▸ *that's* ~ das ist eine Qual; *to be in* ~ schreckliche Schmerzen haben; *in an* ~ *of indecision* in qualvoller Unentschlossenheit; *put him out of his* ~ (*lit*) erlöse ihn von seiner Qual; (*fig*) nun spann ihn doch nicht länger auf die Folter.

agony: ~ *aunt* *n* (*Brit col*) Briefkastentante *f* (*col*); ~ **column** *n* (*Brit col*) Kummerkasten *m*.

agrarian [ə'greərɪən] *adj* Agrar-.

▼ **agree** [ə'griː] *pret, ptp* ~**d** **1** *vt* **a** *price, date etc* vereinbaren, abmachen ▸ *we all* ~ *that ...* wir sind alle der Meinung, daß ...; *it was* ~*d that ...* man einigte sich darauf *or* es wurde beschlossen, daß ...; *to* ~ *to differ* sich (*dat*) verschiedene Meinungen zugestehen. **b** (*consent*) *to* ~ *to do sth* sich bereit erklären, etw zu tun. **c** (*admit*) zugeben ▸ *I* ~ (*that*) *I was wrong* ich gebe zu, daß ich mich geirrt habe.

2 *vi* **a** (*hold same opinion*) (*two or more people*) übereinstimmen; (*one person*) der gleichen Meinung sein ▸ *to* ~ *with sb* jdm zustimmen; *I quite* ~ ganz meine Meinung!; *it's too late now, don't you* ~*?* meinen Sie nicht auch, daß es jetzt zu spät ist?; *to* ~ *with the figures* (*accept*) die Zahlen akzeptieren. **b** (*come to an agreement*) sich einigen, Einigkeit erzielen (*about* über +*acc*). **c** (*people: get on together*) miteinander auskommen. **d** (*statements, figures, Gram*) übereinstimmen. **e** *I don't* ~ *with children drinking wine* ich bin nicht damit einverstanden, daß Kinder Wein trinken. **f** (*food, climate etc*) *whisky doesn't* ~ *with me* Whisky bekommt mir nicht.

◆**agree on** *vi* +*prep obj* sich einigen auf (+*acc*).

◆**agree to** *vi* +*prep obj* zustimmen (+*dat*) ▸ *to* ~ ~ *the conditions* sich mit den Bedingungen einverstanden erklären.

agreeable [ə'griːəbl] *adj* **a** (*pleasant*) angenehm. **b**

pred **are you ~ to that?** sind Sie damit einverstanden?

agreed [ə'griːd] *adj* [a] *pred* einig ▸ **to be ~ on sth/on doing sthg** sich über etw einig sein/sich darüber einig sein, etw zu tun; **are we all ~?** sind wir uns da einig?; (*on course of action*) sind alle einverstanden? [b] (*arranged*) vereinbart; *price also* festgesetzt; *time also* verabredet ▸ **it's all ~** es ist alles abgesprochen; **~?** einverstanden?

agreement [ə'griːmənt] *n* [a] (*understanding, arrangement*) Abmachung, Übereinkunft *f*; (*treaty, contract*) Abkommen *nt*, Vertrag *m* ▸ **to reach an ~ (with sb)** (mit jdm) zu einer Einigung kommen. [b] (*sharing of opinion*) Einigkeit *f* ▸ **by mutual ~** in gegenseitigem Einvernehmen; **to be in ~ with sb** mit jdm einer Meinung sein; **to be in ~ with/about sth** mit etw übereinstimmen/über etw (*acc*) einig sein. [c] (*consent*) Zustimmung *f* (*to* zu). [d] (*between figures, Gram etc*) Übereinstimmung *f*.

agricultural [ˌægrɪ'kʌltʃərəl] *adj produce, tool etc* landwirtschaftlich; *studies* Landwirtschafts- ▸ **~ college** Landwirtschaftsschule *f*; **~ show** Landwirtschaftsausstellung *f*; **~ worker** Landarbeiter(in *f*) *m*; **~ policy** Agrarpolitik *f*.

agriculture ['ægrɪkʌltʃər] *n* Landwirtschaft *f*.

aground [ə'graʊnd] *adv* **to go** *or* **run ~** auflaufen, auf Grund laufen.

ah [ɑː] *interj* ah; (*pain*) au; (*pity*) o, ach.

aha [ɑː'hɑː] *interj* aha.

ahead [ə'hed] *adv* [a] **there's some thick cloud ~** da vorne ist eine große Wolke; **the German runner was/ drew ~** der deutsche Läufer lag vorn/zog nach vorne; **he is ~ by about two minutes** er hat etwa zwei Minuten Vorsprung; **we sent him on ~** wir schickten ihn voraus; **in the months ~** in den bevorstehenden Monaten; **I see problems ~** ich sehe Probleme auf mich/uns *etc* zukommen. [b] **~ of sb/sth** vor jdm/etw; **walk ~ of me** gehen Sie voran; **we arrived ten minutes ~ of time** wir kamen zehn Minuten vorher an; **to be ~ of one's time** (*fig*) seiner Zeit voraus sein.

ahoy [ə'hɔɪ] *interj* (*Naut*) ahoi ▸ **ship ~!** Schiff ahoi!

AI = **artificial intelligence** KI *f*.

aid [eɪd] [1] *n* [a] *no pl* (*help*) Hilfe *f* ▸ (*foreign*) **~** Entwicklungshilfe *f*; **with the ~ of** mit Hilfe (+*gen*); **to come to sb's ~** jdm zu Hilfe kommen; **a sale in ~ of the blind** ein Verkauf zugunsten der Blinden; **what's all this wiring in ~ of?** (*col*) wozu sind all diese Drähte da *or* gut? [b] (*useful person, thing*) Hilfe *f* (*to* für); (*piece of equipment*) Hilfsmittel *nt*; (*teaching ~*) Lehrmittel *nt*. [2] *vt* unterstützen, helfen (+*dat*) ▸ **to ~ sb's recovery** zu jds Erholung beitragen; **to ~ and abet sb** (*Jur*) jdm Beihilfe leisten; (*after crime*) jdn begünstigen.

aide [eɪd] *n* Helfer(in *f*) *m*; (*adviser*) Berater(in *f*) *m*.

AIDS [eɪdz] *n* (*Med*) Aids *nt* ▸ **~-related** *illness, death* aidsbedingt; **~ victim** Aids-Kranke(r) *mf*; **~ virus** Aids-Erreger *m*.

ailing ['eɪlɪŋ] *adj* (*lit*) kränklich; (*fig*) *industry, economy etc* krankend, krank.

ailment ['eɪlmənt] *n* Gebrechen, Leiden *nt* ▸ **minor ~s** leichte Beschwerden *pl*.

▼ **aim** [eɪm] [1] *n* [a] Zielen *nt* ▸ **to take ~** zielen (*at auf* +*acc*); **his ~ was good** er zielte gut. [b] (*purpose*) Ziel *nt*, Absicht *f* ▸ **what is your ~ in life?** was ist Ihr Lebensziel?; **what is your ~ in doing that?** was wollen Sie damit bezwecken? [2] *vt* [a] *guided missile, camera* richten (*at auf* +*acc*); *stone etc* zielen mit (*at auf* +*acc*) ▸ **to ~ a pistol at sb/ sth** eine Pistole auf jdn/etw richten, mit einer Pistole auf jdn/etw zielen. [b] (*fig*) *remark, insult, criticism* richten (*at gegen*) ▸ **this programme is ~ed at the general public** dieses Programm ist für die breite Öffentlichkeit gedacht; **to be ~ed at sth** (*cuts, measure, new law*

etc) auf etw (*acc*) abzielen. [3] *vi* [a] (*with gun, punch etc*) zielen (*at, for auf* +*acc*). [b] (*try, strive for*) **to ~ high** sich (*dat*) hohe Ziele setzen; **isn't that ~ing a bit high?** wollen Sie nicht etwas zu hoch hinaus?; **to ~ at** *or* **for sth** etw anstreben, auf etw (*acc*) abzielen; **he ~s at only spending £10 per week** er hat es sich zum Ziel gesetzt, mit £10 pro Woche auszukommen. [c] (*col: intend*) **to ~ to do sth** vorhaben, etw zu tun.

aimless ['eɪmlɪs] *adj* ziellos.

aimlessness ['eɪmlɪsnɪs] *n* Ziellosigkeit *f*.

ain't [eɪnt] (*incorrect*) = **am not; is not; are not; has not; have not.**

air [ɛər] [1] *n* [a] Luft *f* ▸ **to go for a breath of (fresh) ~** frische Luft schnappen (gehen); **by ~** per *or* mit dem Flugzeug; (*transport*) auf dem Luftweg. [b] (*fig phrases*) **there's something in the ~** es liegt etwas in der Luft; **it's still all up in the ~** (*col*) es ist noch alles offen; **to be up in the ~ about sth** (*col*) wegen etw aus dem Häuschen sein (*col*); **to clear the ~** die Atmosphäre reinigen; **to be walking on ~** wie auf Wolken gehen. [c] (*Rad, TV*) **to be on the ~** (*programme*) gesendet werden; (*station*) senden; **he's on the ~ every day** er ist jeden Tag im Radio zu hören; **we come on the ~ at 6** unsere Sendezeit beginnt um 6; **to go off the ~** das Programm beenden. [d] (*facial expression*) Miene *f*; (*appearance*) Aussehen *nt*; (*atmosphere*) Atmosphäre *f* ▸ **there was an ~ of mystery about her** sie hatte etwas Geheimnisvolles an sich (*dat*). [e] **~s** *pl* Getue, Gehabe *nt*; **to give oneself ~s** vornehm tun; **~s and graces** Allüren *pl*. [f] (*Mus*) Weise *f* (*old*); (*tune also*) Melodie *f*. [2] *vt* [a] *clothes, bed, room* (aus)lüften. [b] *anger, grievance* Luft machen (+*dat*); *opinion* darlegen. [3] *vi* (*clothes etc*) (*after washing*) nachtrocknen; (*after storage*) (aus)lüften.

air *in cpds* Luft-; **~ bag** *n* (*Aut*) Luftsack *m*, Airbag *m*; **~ base** *n* Luftwaffenstützpunkt *m*; **~bed** *n* Luftmatratze *f*; **~borne** *adj* **~borne troops** Luftlandetruppen *pl*; **to be ~borne** sich in der Luft befinden; **~ brake** *n* (*on truck*) Druckluftbremse *f*; **~ bubble** *n* Luftblase *f*; **~bus** *n* Airbus *m*; **~ cargo** *n* Luftfracht *f*; **~-conditioned** *adj* klimatisiert; **~-conditioning** *n* (*plant*) Klimaanlage *f*; **~-cooled** *adj* luftgekühlt; **~ cover** *n* (*Mil*) Luftunterstützung *f*; **~craft** *n*, *pl* **~craft** Flugzeug *nt*, Maschine *f*; **~craft carrier** *n* Flugzeugträger *m*; **~craft noise** *n* Fluglärm *m*; **~crew** *n* Flugpersonal *nt*; **~ display** *n* Flugschau *f*; **~drome** *n* (*US*) Flugplatz *m*; **~ fare** *n* Flugpreis *m*; **~field** *n* Flugplatz *m*; **~ force** *n* Luftwaffe *f*; **~-freight** [1] *n* Luftfracht *f*; [2] *vt* per Luftfracht senden; **~gun** *n* Luftgewehr *nt*; **~hole** *n* Luftloch *nt*; **~ hostess** *n* Stewardeß *f*.

airily ['ɛərɪlɪ] *adv* leichthin, lässig.

airiness ['ɛərɪnɪs] *n see adj* (*b*) Lässigkeit *f*; Vagheit *f*; Versponnenheit *f*.

airing ['ɛərɪŋ] *n* **to give sth an ~** etw gut durch- *or* auslüften lassen; (*fig col*) *idea* etw darlegen.

airing cupboard *n* (*Brit*) (Wäsche)trockenschrank *m*.

air: **~ intake** *n* Lufteinlaß *m*; (*quantity*) Luftmenge *f*; **~lane** *n* Flugroute *f*; **~less** *adj* (*lit*) *space* luftleer; (*stuffy*) *room* stickig; (*with no wind*) *day* windstill; **~ letter** *n* Luftpostbrief *m*; **~lift** *n* Luftbrücke *f*; **~line** *n* [a] Fluggesellschaft, Fluglinie *f*; [b] (*for diver, at garage*) Luftschlauch *m*; **~liner** *n* Verkehrsflugzeug *nt*; **~lock** *n* (*in spacecraft etc*) Luftschleuse *f*; (*in pipe*) Luftsack *m*; **~mail** *n* Luftpost *f*; **to send sth (by) ~mail** etw per *or* mit Luftpost schicken; **~man** *n* Flieger *m*; **~ miles** *npl* Flugmeilen *pl*; **~ miss** *n* (*Aviat*) Beinahezusammenstoß *m*; **~ passenger** *n* Fluggast *m*; **~plane** *n* (*US*)

▶ SENTENCE BUILDER: **aim: 3b → 10.2**

Flugzeug *nt*; **~ pocket** *n* Luftloch *nt*; **~ pollution** *n* Luftverschmutzung *f*; **~port** *n* Flughafen *m*; **~port tax** *n* Flughafengebühr *f*; **~ raid** *n* Luftangriff *m*; **~-raid shelter** *n* Luftschutzkeller *m*; **~-raid warning** *n* Fliegeralarm *m*; **~ rifle** *n* Luftgewehr *nt*; **~-sea rescue service** *n* Seenotrettungsdienst *m*; **~ship** *n* Luftschiff *nt*; **~ show** *n* Luftfahrtausstellung *f*; **~sick** *adj* luftkrank; **~sickness** *n* Luftkrankheit *f*; **~space** *n* Luftraum *m*; **~strip** *n* Start- und Lande-Bahn *f*; **~ speed** *n* Eigen- *or* Fluggeschwindigkeit *f*; **~ support** *n* (*Mil*) Luftunterstützung *f*; **~ terminal** *n* Terminal *m or nt*; **~tight** *adj* luftdicht; **~-to-~** *adj* (*Mil*) Luft-Luft-; **~-to-ground** *adj* (*Mil*) Luft-Boden-; **~-traffic control** *n* Flugleitung *f*; **~-traffic controller** *n* Fluglotse *m*; **~waves** *npl* Radiowellen *pl*; **~ waybill** *n* Luftfrachtbrief *m*; **~worthiness** *n* Flugtüchtigkeit *f*; **~worthy** *adj* flugtüchtig.

airy ['ɛərɪ] *adj* (+*er*) **a** *room* luftig. **b** (*casual*) *manner, gesture* lässig, nonchalant; (*vague*) *promise* vage; *theory* versponnen.

airy-fairy ['ɛərɪ'fɛərɪ] *adj* (*col*) versponnen; *excuse* windig; *talk also* larifari *inv* (*col*).

aisle [aɪl] *n* Gang *m*; (*in church*) Seitenschiff *nt*; (*central ~*) Mittelgang *m* ► *he had them rolling in the ~s* die Leute kugelten sich vor Lachen.

aisle seat *n* Sitz *m* am Gang.

aitch [eɪtʃ] *n* h, H *nt* ► *to drop one's ~es* den Buchstaben „h" nicht aussprechen.

ajar [ə'dʒɑː'] *adj, adv* angelehnt.

AK (*US Post*) = **Alaska.**

aka = **also known as** alias.

akimbo [ə'kɪmbəʊ] *adv.* *with arms* ~ die Arme in die Hüften gestemmt.

akin [ə'kɪn] *adj pred* verwandt (*to* mit).

AL (*US Post*) = **Alabama.**

alabaster ['æləbɑːstə'] *n* Alabaster *m*.

à la carte [ɑːlɑː'kɑːt] *adj, adv* à la carte.

alacrity [ə'lækrɪtɪ] *n* Bereitwilligkeit *f* ► *to accept with* ~ ohne zu zögern annehmen.

alarm [ə'lɑːm] **1** *n* **a** (*warning*) Alarm *m* ► *to give/sound the* ~ Alarm geben *or* (*fig*) schlagen. **b** (*device*) Alarmanlage *f*. **c** *to cause a good deal of* ~ große Unruhe auslösen.
2 *vt* **a** (*worry*) beunruhigen; (*frighten*) erschrecken ► *don't be ~ed* erschrecken Sie nicht. **b** (*warn*) warnen; *fire brigade etc* alarmieren.

alarm *in cpds* Alarm-; **~ call** *n* (*Telec*) Weckruf *m*; **~ clock** *n* Wecker *m*.

alarming [ə'lɑːmɪŋ] *adj* (*worrying*) beunruhigend; (*frightening*) erschreckend; *news* alarmierend.

alarmist [ə'lɑːmɪst] *n* Unheilsprophet *m*.

alas [ə'læs] *interj* leider.

Alaska [ə'læskə] *n* Alaska *nt*.

Albania [æl'beɪnɪə] *n* Albanien *nt*.

Albanian [æl'beɪnɪən] **1** *adj* albanisch.
2 a Albaner(in *f*) *m*. **b** (*language*) Albanisch *nt*.

albatross ['ælbətrɒs] *n* Albatros *m*.

albeit [ɔːl'biːɪt] *conj* (*esp liter*) obgleich, wenn auch.

albino [æl'biːnəʊ] **1** *n* Albino *m*.
2 *adj* Albino-.

album ['ælbəm] *n* Album *nt*.

alchemy ['ælkɪmɪ] *n* Alchemie, Alchimie *f*.

alcohol ['ælkəhɒl] *n* Alkohol *m*.

alcohol-free *adj* alkoholfrei.

alcoholic [ˌælkə'hɒlɪk] **1** *adj drink* alkoholisch.
2 *n to be an* ~ Alkoholiker(in) sein.

alcoholism ['ælkəhɒlɪzəm] *n* Alkoholismus *m*.

alcove ['ælkəʊv] *n* Nische *f*.

ale [eɪl] *n* (*old*) Ale, Bier *nt*.

alert [ə'lɜːt] **1** *adj* aufmerksam; (*as character trait*) aufgeweckt; *mind* scharf, hell.

► SENTENCE BUILDER: **all: 1 → 11, 15.3**

2 *vt* warnen (*to* vor +*dat*).
3 *n* Alarm *m* ► *to put troops on the* ~ Truppen in Alarmbereitschaft versetzen; *to be on (the)* ~ einsatzbereit sein; (*be on lookout*) auf der Hut sein (*for* vor +*dat*).

alertness [ə'lɜːtnɪs] *n* Aufmerksamkeit *f*.

Aleutian Islands [ə'luːʃən'aɪləndz], **Aleutians** [ə'luːʃənz] *npl* Aleuten *pl*.

A level ['eɪˌlevl] *n* (*Brit*) Abschluß *m* der Sekundarstufe 2; ≃ Abitur *nt no pl*.

alfresco [æl'freskəʊ] *adj, adv* im Freien.

algae ['ælgɪ] *npl* Algen *pl*.

algebra ['ældʒɪbrə] *n* Algebra *f*.

Algeria [æl'dʒɪərɪə] *n* Algerien *nt*.

Algerian [æl'dʒɪərɪən] **1** *n* Algerier(in *f*) *m*.
2 *adj* algerisch.

Algiers [æl'dʒɪəz] *n* Algier *nt*.

algorithm ['ælgə,rɪðəm] *n* Algorithmus *m*.

alias ['eɪlɪæs] **1** *adv* alias.
2 *n* Deckname *m*.

alibi ['ælɪbaɪ] *n* Alibi *nt*.

alien ['eɪlɪən] **1** *n* (*esp Pol*) Ausländer(in *f*) *m*; (*Sci-Fi*) außerirdisches Wesen.
2 *adj* (*foreign*) ausländisch; (*Sci-Fi*) außerirdisch; (*different, also Comp*) fremd ► *to be* ~ *to sb's nature* jdm fremd sein.

alienate ['eɪlɪəneɪt] *vt people* befremden ► *to be ~d from sb* jdm entfremdet sein.

alienation [ˌeɪlɪə'neɪʃən] *n* Entfremdung *f*.

alight¹ [ə'laɪt] *vi* **a** (*form: person*) aussteigen (*from* aus). **b** (*bird*) sich niederlassen (*on* auf +*dat*).

alight² *adj pred to be* ~ brennen; *to keep the fire* ~ das Feuer in Gang halten; *to set sth* ~ etw in Brand setzen *or* stecken.

align [ə'laɪn] *vt* **a** *wheels of car, gun sights etc* ausrichten; (*bring into line also*) in eine Linie bringen. **b** (*Fin, Pol*) *currencies, policies* aufeinander abstimmen ► *to* ~ *oneself with a party* sich einer Partei anschließen.

alignment [ə'laɪnmənt] *n* Ausrichtung *f*; (*of policies etc also*) Orientierung *f* (*with* nach) ► *to be out of* ~ (*wheels etc*) nicht richtig ausgerichtet sein; (*views, policies*) nicht übereinstimmen; *the new* ~ *of world powers* die Neugruppierung der Weltmächte.

alike [ə'laɪk] *adj pred, adv* gleich; (*similar*) ähnlich ► *you men are all ~!* ihr Männer seid doch alle gleich!; *winter and summer* ~ Sommer wie Winter.

alimentary [ˌælɪ'mentərɪ] *adj* (*Anat*) Verdauungs- ► ~ *canal* Verdauungskanal *m*.

alimony ['ælɪmənɪ] *n* Unterhaltszahlung *f* ► *to pay* ~ Unterhalt zahlen.

alive [ə'laɪv] *adj* **a** *pred* (*living*) lebendig, lebend *attr* ► *dead or* ~ tot oder lebendig; *to be* ~ leben; *the greatest violinist* ~ der größte lebende Geiger; *it's good to be* ~ das Leben ist schön; *to stay* ~ am Leben bleiben; *to keep sb/sth* ~ (*lit, fig*) jdn/etw am Leben erhalten. **b** (*lively*) lebendig. **c** *pred* (*aware*) *to be* ~ *to sth* sich (*dat*) einer Sache (*gen*) bewußt sein. **d** *to be* ~ *with tourists/fish/insects* etc von Touristen/Fischen/Insekten *etc* wimmeln.

alkali ['ælkəlaɪ] *n, pl* **-(e)s** Alkali *nt*; (*solution*) Lauge *f*.

alkaline ['ælkəlaɪn] *adj* alkalisch ► ~ *solution* Lauge *f*.

▼ **all** [ɔːl] **1** *adj* (*with pl n*) alle *no art*; (*with sing n*) ganze(r, s), alle(r, s) *no art* ► ~ *the books/people* alle Bücher/Leute, die ganzen Bücher/Leute; ~ *the tobacco/milk/fruit* der ganze Tabak/die ganze Milch/das ganze Obst; ~ *my books/friends/strength* all(e) meine Bücher/Freunde/meine ganze Kraft; ~ *my life* mein ganzes Leben (lang); ~ *Spain* ganz Spanien; *we sat down* wir setzten uns alle; ~ *day (long)* den ganzen Tag (lang); *I don't understand* ~ *that* ich verstehe das alles nicht; *in* ~ *respects* in jeder Hinsicht; *why me of* ~

people? warum ausgerechnet ich?; ***of ~ the idiots!*** so ein Idiot!; ***with ~ possible speed*** so schnell wie möglich.

2 *pron* a (*everything*) alles; (*everybody*) alle *pl* ▸ ~ *of them/of it* (sie) alle/alles; ~ *of Paris/of the house* ganz Paris/das ganze Haus; ***the score was two ~*** es stand zwei zu zwei. b (*phrases*) *at ~* überhaupt; ***nothing at ~*** überhaupt *or* gar nichts; ***it's not bad at ~*** das ist gar nicht schlecht; ***for ~ I know she could be ill*** was weiß ich, vielleicht ist sie krank; ***in ~*** insgesamt; ~ *in ~* alles in allem; ***happiest of ~*** am glücklichsten; ***the best car of ~*** das allerbeste Auto.

3 *adv* a (*quite, entirely*) ganz ▸ *dressed ~ in white* ganz in Weiß (gekleidet); ***an ~ wool carpet*** ein reinwollener Teppich; ~ *along the road* die ganze Straße entlang; ***I'll tell you ~ about it*** ich erzähl dir alles; ***that's ~ very well*** das ist alles ganz schön und gut; ***it's not as bad as ~ that*** so schlimm ist es nun auch wieder nicht; ***if at ~ possible*** wenn irgend möglich; ***to be ~ in*** (*col*) total erledigt sein (*col*); ***he's ~/not ~ there*** (*col*) er ist voll da/er ist nicht ganz da (*col*).

b ~ *but* fast; ***he ~ but died*** er wäre fast gestorben. c (*with comp*) ~ *the happier* noch glücklicher; ~ *the sadder because ...* um so trauriger, weil ...; ~ *the more so since ...* besonders weil ..., zumal ...

4 *n one's ~* alles; ***to give one's ~*** sein Letztes geben.

all-American *adj team, player* amerikanische(r, s) National- ▸ *an ~ boy* ein richtiger amerikanischer Junge.

allay [ə'leɪ] *vt* verringern; *doubt, fears, suspicion* (weitgehend) zerstreuen.

all: **~-clear** *n* Entwarnung *f*; **~-day** *adj* ganztägig.

allegation [ˌælɪ'ɡeɪʃən] *n* Behauptung *f*.

allege [ə'ledʒ] *vt* behaupten ▸ *he is ~d to have said that ...* er soll angeblich gesagt haben, daß ...

alleged *adj*, **~ly** *adv* [ə'ledʒd, ə'ledʒɪdlɪ] angeblich.

allegiance [ə'liːdʒəns] *n* Treue *f* (*to dat*).

allegorical *adj*, **~ly** *adv* [ˌælɪ'ɡɒrɪkəl, -ɪ] allegorisch.

allegory ['ælɪɡərɪ] *n* Allegorie *f*.

all-embracing [ˌɔːlɪm'breɪsɪŋ] *adj* (all)umfassend.

Allen key ® ['ælənˌkiː] *n* Inbusschlüssel ® *m*.

allergic [ə'lɜːdʒɪk] *adj* (*lit, fig*) allergisch (*to* gegen).

allergy ['ælədʒɪ] *n* Allergie *f* (*to* gegen).

alleviate [ə'liːvɪeɪt] *vt* lindern.

alleviation [əˌliːvɪ'eɪʃən] *n* Linderung *f*.

alley ['ælɪ] *n* (*between buildings*) (enge) Gasse.

alliance [ə'laɪəns] *n* Verbindung *f*; (*of institutions also, of states*) Bündnis *nt*; (*in historical contexts*) Allianz *f*.

Allied ['ælaɪd] *adj the ~ forces* die Alliierten.

alligator ['ælɪɡeɪtər] *n* Alligator *m*.

all: **~-important** *adj* außerordentlich wichtig; ***the ~-important question*** die Frage, auf die es ankommt; **~-in** *adj* a (*inclusive*) Inklusiv-; b (*Sport*) **~-in wrestling** Freistilringen *nt*.

alliteration [əˌlɪtə'reɪʃən] *n* Alliteration *f*.

all-night [ˌɔːl'naɪt] *adj attr café* durchgehend geöffnet ▸ *to have an ~ party* die ganze Nacht durchfeiern.

allocate ['æləʊkeɪt] *vt* (*allot*) zuteilen, zuweisen (*to sb* jdm); (*apportion*) verteilen (*to* auf +*acc*); *tasks* vergeben (*to* an +*acc*) ▸ *to ~ money to or for a project* Geld für ein Projekt bestimmen.

allocation [ˌæləʊ'keɪʃən] *n* (*sum*) Zuwendung *f*.

allot [ə'lɒt] *vt* zuteilen (*to sb/sth* jdm/etw); *time* vorsehen (*to* für); *money* bestimmen (*to* für).

allotment [ə'lɒtmənt] *n* a *see vt* Zuteilung *f*; Vorsehen *nt*; Bestimmung *f*. b (*Brit: land*) Schrebergarten *m*.

all-out [ˌɔːl'aʊt] **1** *adj strike* total; *attack* massiv; *effort* äußerste(r, s) ▸ *to make an ~ attempt to do sth* alles daransetzen, etw zu tun.

2 *adv* mit aller Kraft ▸ *to go ~ to do sth* alles daransetzen, etw zu tun.

▼ **allow** [ə'laʊ] **1** *vt* a (*permit*) *sth* erlauben, gestatten ▸

to ~ sb sth/to do sth jdm etw erlauben/jdm erlauben, etw zu tun; ***to be ~ed to do sth*** etw tun dürfen; ***smoking is not ~ed*** Rauchen ist nicht gestattet; ***to ~ oneself sth*** sich (*dat*) etw erlauben; (*treat oneself*) sich (*dat*) etw gönnen; ~ *me!* gestatten Sie (*form*); ***to ~ sth to happen*** zulassen, daß etw geschieht; ***to ~ sb in/out*** jdn hinein-/hinauslassen; ***to be ~ed in/out/past*** hinein-/hinaus-/vorbeidürfen. b (*recognize, accept*) *claim* anerkennen; *goal also* geben. c (*allocate, grant*) *discount* geben; *space* lassen; *time* einplanen, einberechnen; (*in tax, Jur*) zugestehen ▸ ~ *(yourself) an hour* rechnen Sie mit einer Stunde; ~ *5 cms extra* geben Sie 5 cm zu.

2 *vi if time ~s* falls es zeitlich möglich ist.

◆**allow for** *vi +prep obj* berücksichtigen.

allowable [ə'laʊəbl] *adj* zulässig; (*in tax*) abzugsfähig.

allowance [ə'laʊəns] *n* a finanzielle Unterstützung; (*paid by state*) Beihilfe *f*; (*father to child*) Unterhaltsgeld *nt*; (*for unsociable hours, overseas ~ etc*) Zulage *f*; (*on business trip*) Spesen *pl*; (*spending money*) Taschengeld *nt* ▸ *clothing ~* Kleidungsgeld *nt*. b (*Fin: tax ~*) Freibetrag *m*. c (*Fin, Comm: discount*) (Preis)nachlaß *m* (*on* für); (*on balance sheet*) Abschreibung *f*. d *to make ~(s) for sth* etw berücksichtigen; ***you have to make ~s*** Sie müssen (gewisse) Zugeständnisse machen.

alloy ['ælɔɪ] *n* Legierung *f*.

all: **~-powerful** *adj* allmächtig; **~-purpose** *adj* Allzweck-.

all right ['ɔːl'raɪt] **1** *adj pred* in Ordnung, okay (*col*) ▸ *it's ~* (*not too bad*) es geht; (*working properly*) es ist in Ordnung; ***that's** or **it's ~*** (*after thanks, apology*) schon gut; ***to taste ~*** ganz gut schmecken; ***is ~ for me to leave early?*** kann ich früher gehen?; ***it's ~ for you*** du hast's gut; ***are you ~?*** (*healthy*) geht es Ihnen gut?; (*unharmed*) ist Ihnen etwas passiert?; ***are you feeling ~?*** fehlt Ihnen etwas?; (*iro*) sag mal, fehlt dir was?

2 *adv* a (*satisfactory*) ganz gut, ganz ordentlich; (*safely*) gut ▸ *did I do it ~?* habe ich es richtig gemacht?; ***did you get home ~?*** bist du gut nach Hause gekommen?; ***did you get/find it ~?*** haben Sie es denn bekommen/gefunden? b (*certainly*) schon ▸ *he'll come ~* er wird schon kommen; ***that's the boy ~*** das ist der Junge; ***he's a clever man ~*** er ist schon intelligent; ***oh yes, we heard you ~*** o ja, und ob wir dich gehört haben.

3 *interj* okay (*col*); (*in agreement also*) in Ordnung ▸ ~, *~! I'm coming* schon gut, schon gut, ich komme ja!

all: **~-round** *adj athlete* Allround-; *improvement* in jeder Beziehung; **~-rounder** *n* Allroundmann *m*; (*Sport*) Allroundsportler(in *f*) *m*; **A~ Saints' Day** *n* Allerheiligen *nt*; **A~ Souls' Day** *n* Allerseelen *nt*; **~-terrain vehicle** *n* Geländefahrzeug *nt*; **~-time** *adj record* ungebrochen; *an* **~-time high/low** der höchste/niedrigste Stand aller Zeiten.

allude to [ə'luːd] *vi +prep obj* anspielen auf (+*acc*).

allure [ə'ljʊər] *n* Reiz *m*.

alluring [ə'ljʊərɪŋ] *adj* verführerisch.

allusion [ə'luːʒən] *n* Anspielung *f* (*to* auf +*acc*).

all-weather [ˌɔːl'weðər] *adj* Allwetter-.

ally ['ælaɪ] **1** *n* Verbündete(r) *mf*, Bundesgenosse *m*; (*Hist*) Alliierte(r) *m*.

2 [ə'laɪ] *vr to ~ o.s. with sb* sich mit jdm verbünden.

almanac ['ɔːlmənæk] *n* Almanach *m*.

almighty [ɔːl'maɪtɪ] **1** *adj* allmächtig; (*col*) Mords-, gewaltig.

2 *n the A~* der Allmächtige.

almond ['ɑːmənd] *n* Mandel *f*; (*tree*) Mandelbaum *m* ▸ ~ *paste* Marzipanmasse *f*.

almost ['ɔːlməʊst] *adv* beinahe, fast ▸ *he ~ fell* er wäre fast gefallen.

alms [ɑːmz] *npl* Almosen *pl*.

aloft [ə'lɒft] *adv* (*into the air*) empor; (*in the air*) hoch

---

▸ **SENTENCE BUILDER:** **all: 2b** → 13.2 **allow: 1a** → 12.2, 12.3

droben.

alone [ə'ləʊn] **1** *adj pred* allein(e) ► **we're not ~ in thinking that** wir stehen mit dieser Meinung nicht allein.
2 *adv* allein(e) ► **to live on bread ~** von Brot allein leben; **the hotel ~ cost £35** das Hotel allein kostete (schon) £35, schon das Hotel kostete £35.

along [ə'lɒŋ] **1** *prep* (*direction*) entlang (+*acc*), lang (+*acc*) (*col*); (*position*) entlang (+*dat*) ► **he walked ~ the river** er ging den Fluß entlang; **somewhere ~ here/ there** irgendwo hier/dort (herum); (*in this/that direction*) irgendwo in dieser Richtung/der Richtung.
2 *adv* **to move ~** weitergehen; **he was just strolling ~** er ist bloß so dahingeschlendert; **run ~** nun lauf!; **he'll be ~ soon** er muß gleich da sein; **I'll be ~ about eight** ich komme ungefähr um acht; **~ with** zusammen mit; **to come/sing ~ with sb** mit jdm mitkommen/mitsingen; **take an umbrella ~** nimm einen Schirm mit.

alongside [ə'lɒŋ'saɪd] **1** *prep* neben (+*dat*) ► **we were moored ~ the pier** wir lagen am Pier vor Anker; **the houses ~ the river** die Häuser am Fluß; **he works ~ me** (*with*) er ist ein Kollege von mir; (*next to*) er arbeitet neben mir.
2 *adv* daneben; (*Naut*) längsseits ► **a police car drew up ~** ein Polizeiauto hielt neben mir/ihm *etc* an; **they brought their dinghy ~** sie brachten ihr Dingi heran.

aloof [ə'lu:f] **1** *adv* (*lit, fig*) abseits ► **to remain ~** sich abseits halten.
2 *adj* unnahbar.

aloofness [ə'lu:fnɪs] *n* Unnahbarkeit *f*.

aloud [ə'laʊd] *adv* laut.

alpaca [æl'pækə] *n* Alpaka *nt*.

alphabet ['ælfəbet] *n* Alphabet *nt*.

alphabetic(al) [ˌælfə'betɪk(əl)] *adj* alphabetisch ► **in ~ order** in alphabetischer Reihenfolge.

alphanumeric [ˌælfənju:'merɪk] *adj* alphanumerisch.

alpine ['ælpaɪn] *adj* alpin; *flowers, scenery* Alpen-, Gebirgs-.

Alps [ælps] *npl* Alpen *pl*.

already [ɔ:l'redɪ] *adv* schon, bereits.

alright ['ɔ:l,raɪt] *adj, adv* = **all right**.

Alsace ['ælsæs] *n* das Elsaß.

Alsace-Lorraine ['ælsæslə'reɪn] *n* Elsaß-Lothringen *nt*.

alsatian [æl'seɪʃən] *n* (*Brit: dog*) Schäferhund *m*.

Alsatian [æl'seɪʃən] **1** *adj* elsässisch.
2 *n* (*dialect*) Elsässisch *nt*.

also ['ɔ:lsəʊ] *adv* **a** auch. **b** (*moreover*) **~, I must explain that ...** außerdem muß ich erklären, daß ...

also-ran [ˌɔ:lsəʊ'ræn] *n* **to be an ~** (*Sport, fig*) unter "ferner liefen" kommen.

altar ['ɒltə'] *n* Altar *m*.

alter ['ɒltə'] **1** *vt* ändern; (*modify also*) abändern ► **to ~ sth completely** etw vollkommen verändern.
2 *vi* sich (ver)ändern.

alteration [ˌɒltə'reɪʃən] *n* Änderung *f*; (*modification also*) Abänderung *f*; (*of appearance*) Veränderung *f*; (*to building*) Umbau *m* ► **to make ~s in** or **to sth** Änderungen an etw (*dat*) vornehmen.

alternate [ɒl'tɜ:nɪt] **1** *adj* **a** **on ~ days** jeden zweiten Tag; **they put down ~ layers of brick and mortar** sie schichteten abwechselnd Ziegel und Mörtel aufeinander.
b (*alternative*) Alternativ-.
2 ['ɒltəneɪt] *vi* (sich) abwechseln.

alternately [ɒl'tɜ:nɪtlɪ] *adv* (*in turn*) wechselweise.

alternating ['ɒltɜ:neɪtɪŋ] *adj* wechselnd ► **~ current** Wechselstrom *m*.

alternative [ɒl'tɜ:nətɪv] **1** *adj* Alternativ- ► **~ route** Ausweichstrecke *f*.
2 *n* Alternative *f*.

alternatively [ɒl'tɜ:nətɪvlɪ] *adv* or **~** oder aber.

alternator ['ɒltɜ:neɪtə'] *n* (*Elec*) Wechselstromgenerator

m; (*Aut*) Lichtmaschine *f*.

although [ɔ:l'ðəʊ] *conj* obwohl, obgleich.

altitude ['æltɪtju:d] *n* Höhe *f* ► **at this ~** in dieser Höhe ► **~ sickness** Höhenkrankheit *f*; **~ reading** Höhenanzeige *f*.

alto ['æltəʊ] *n* Alt *m*, Altstimme *f*; (*person*) Alt *m*; (*also ~ saxophone*) Altsaxophon *nt*.

altogether [ˌɔ:ltə'geðə'] **1** *adv* **a** im ganzen, insgesamt ► **taken ~,** or **~ it was very pleasant** alles in allem war es sehr nett. **b** (*wholly*) vollkommen, ganz und gar ► **he wasn't ~ wrong/pleased** er hatte nicht ganz unrecht/war nicht besonders zufrieden.
2 *n* **in the ~** (*hum col*) hüllenlos, im Adamskostüm/ (*woman*) im Evaskostüm.

altruism ['æltrʊɪzəm] *n* Altruismus *m*.

altruistic [ˌæltrʊ'ɪstɪk] *adj* altruistisch.

aluminium [ˌæljʊ'mɪnɪəm], (*US*) **aluminum** [ə'lu:mɪnəm] *n* Aluminium *nt* ► **~ foil** Alufolie *f*.

always ['ɔ:lweɪz] *adv* **a** immer. **b** **we could ~ go by train** wir könnten doch auch den Zug nehmen.

Alzheimer's disease ['ælts,haɪməz dɪ,zi:z] *n* Alzheimer-Krankheit *f*.

am [æm] *1st pers sing pres of* **be**.

am, a.m. = **ante meridiem** morgens ► **10 ~** 10 Uhr morgens *or* vormittags; **12 ~** null Uhr, 12 Uhr nachts.

AM = **amplitude modulation** AM.

amalgam [ə'mælgəm] *n* Amalgam *nt*; (*fig also*) Gemisch *nt*, Mischung *f*.

amalgamate [ə'mælgəmeɪt] **1** *vt companies* fusionieren; *departments* zusammenlegen.
2 *vi* (*companies*) fusionieren; (*metals*) amalgamieren.

amass [ə'mæs] *vt* anhäufen; *money also* scheffeln.

amateur ['æmətə'] **1** *n* Amateur *m*; (*pej*) Dilettant(in *f*) *m*.
2 *adj attr* Amateur-; *photographer also, painter* Hobby- ► **~ actor** Laiendarsteller *m*; **~ dramatics** Laientheater *nt*.

amateurish ['æmətərɪʃ] *adj* (*pej*) dilettantisch; *performance, work also* laienhaft.

amaze [ə'meɪz] **1** *vt* erstaunen ► **to be ~d at sth** über etw (*acc*) erstaunt sein; **you didn't know that? You ~ me!** das wußten Sie nicht? Das wundert mich aber.
2 *vi* **he/it never ceases to ~** er/es setzt einen immer wieder in Erstaunen.

amazement [ə'meɪzmənt] *n* Erstaunen *nt* ► **much to my ~** zu meinem großen Erstaunen.

amazing [ə'meɪzɪŋ] *adj* erstaunlich; (*col*) *holiday etc* toll (*col*).

amazingly [ə'meɪzɪŋlɪ] *adv* erstaunlich; *simple, obvious also* verblüffend ► **~ enough** erstaunlicherweise.

Amazon ['æməzən] *n* Amazonas *m*; (*Myth, fig*) Amazone *f*.

ambassador [æm'bæsədə'] *n* Botschafter(in *f*) *m*; (*fig*) Repräsentant(in *f*), Vertreter(in *f*) *m*.

amber ['æmbə'] **1** *n* (*substance*) Bernstein *m*; (*colour*) Bernsteingelb *nt*; (*Brit: in traffic lights*) Gelb *nt*.
2 *adj* (*~-coloured*) bernsteinfarben.

ambidextrous [ˌæmbɪ'dekstrəs] *adj* mit beiden Händen gleich geschickt, beidhändig.

ambience ['æmbɪəns] *n* Atmosphäre *f*, Ambiente *nt*.

ambiguity [ˌæmbɪ'gjʊɪtɪ] *n* Zweideutigkeit *f*.

ambiguous [æm'bɪgjʊəs] *adj* zweideutig.

ambition [æm'bɪʃən] *n* **a** (*desire*) Ambition *f* ► **she has ~s in that direction/for her son** sie hat Ambitionen in dieser Richtung/ehrgeizige Pläne für ihren Sohn. **b** (*ambitious nature*) Ehrgeiz *m*.

ambitious [æm'bɪʃəs] *adj* ehrgeizig, ambitiös (*pej*) ► **she is ~ for her husband** sie hat ehrgeizige Pläne für ihren Mann.

ambivalent [æm'bɪvələnt] *adj* ambivalent.

amble ['æmbl] *vi* schlendern.

ambulance ['æmbjʊləns] *n* Krankenwagen *m*.

ambulance: ~ **driver** n Krankenwagenfahrer m; **~man** n Sanitäter m; ~ **service** n Rettungsdienst m; ~ **worker** n Sanitäter(in f) m.

ambush ['æmbʊʃ] **1** n Überfall m (aus dem Hinterhalt) ▶ **to lie in ~ for sb** (Mil, fig) jdm im Hinterhalt auflauern.

2 vt (aus dem Hinterhalt) überfallen.

ameba n (US) = **amoeba**.

amelioration [ə,miːliə'reɪʃən] n (form) Verbesserung f.

amen [,ɑː'men] **1** interj amen.

2 n Amen nt.

amenable [ə'miːnəbl] adj zugänglich (to dat).

amend [ə'mend] vt ändern.

amendment [ə'mendmənt] n Änderung f (to gen); (Pol) Zusatz(antrag) m ▶ **the First/Second** etc **A~** (US Pol) das Erste/Zweite etc Amendement, Zusatz 1/2 etc.

amends [ə'mendz] npl **to make ~ (for sth)** etw wiedergutmachen.

amenity [ə'miːnɪtɪ] n **(public)** ~ öffentliche Einrichtung; **the lack of amenities in many parts of the city** der Mangel an Einkaufs-, Unterhaltungs- und Transportmöglichkeiten in vielen Teilen der Stadt; **close to all amenities** in günstiger (Einkaufs- und Verkehrs)lage.

America [ə'merɪkə] n Amerika nt.

American [ə'merɪkən] **1** adj amerikanisch ▶ ~ **football** Football m; ~ **Indian** Indianer(in f) m; ~ **plan** (US) Vollpension f.

2 n Amerikaner(in f) m.

americanism [ə'merɪkənɪzəm] n (Ling) Amerikanismus m.

americanize [ə'merɪkənaɪz] vt amerikanisieren.

Amerindian [æmə'rɪndɪən] n Indianer(in f) m.

amethyst ['æmɪθɪst] n Amethyst m; (colour) Amethystblau nt.

Amex ['æmeks] n amerikanische Börse.

amiable ['eɪmɪəbl] adj liebenswürdig.

amicable ['æmɪkəbl] adj freundlich; relations freundschaftlich; (Jur) settlement gütlich.

amid(st) [ə'mɪd(st)] prep inmitten (+gen).

amino acid [ə'miːnəʊ æsɪd] n Aminosäure f.

amiss [ə'mɪs] **1** adj pred **there's something ~** da stimmt irgend etwas nicht.

2 adv **to take sth ~** (jdm) etw übelnehmen; **a drink would not go ~** etwas zu trinken wäre gar nicht verkehrt.

ammeter ['æmɪtər] n Amperemeter nt.

ammo ['æməʊ] n (col) Munition, Mun (col) f.

ammonia [ə'məʊnɪə] n Ammoniak nt.

ammunition [,æmjʊ'nɪʃən] n (lit, fig) Munition f ▶ ~ **dump** n Munitionslager nt.

amnesia [æm'niːzɪə] n Amnesie f (form), Gedächtnisschwund m.

amnesty ['æmnɪstɪ] n Amnestie f.

amoeba, (US) **ameba** [ə'miːbə] n Amöbe f.

amok [ə'mɒk] adv = **amuck**.

among(st) [ə'mʌŋ(st)] prep unter (+acc or dat) ▶ ~ **other things** unter anderem; **this habit is widespread ~ the French** diese Sitte ist bei den Franzosen weitverbreitet; **there were ferns ~ the trees** zwischen den Bäumen wuchs Farnkraut.

amoral [æ'mɒrəl] adj amoralisch.

amorous ['æmərəs] adj amourös; look also verliebt ▶ ~ **state** Verliebtheit f.

amorphous [ə'mɔːfəs] adj amorph, formlos; style, ideas, play, novel strukturlos.

amortization [ə,mɔːtaɪ'zeɪʃən] n Amortisation f.

▼ **amount** [ə'maʊnt] **1** vi **a** (total) sich belaufen (to auf +acc). **b** (be equivalent) gleichkommen (to +dat) ▶ **it ~s to the same thing** das läuft or kommt aufs gleiche hinaus; **he will never ~ to much** aus ihm wird nie etwas werden.

2 n **a** (of money) Betrag m ▶ **total ~** Gesamtsumme f, Endbetrag m; **a large/small ~ of money** eine große/geringe Summe. **b** (quantity) Menge f; (of luck, intelligence, skill etc) Maß nt (of an +dat) ▶ **an enormous ~ of work** sehr viel Arbeit; **any ~ of food** jede Menge Essen; **no ~ of talking will convince him** du kannst reden, soviel du willst, aber du wirst ihn nicht überzeugen.

amp(ère) ['æmp(ɛər)] n Ampere nt.

amphetamine [æm'fetəmiːn] n Amphetamin nt.

amphibian [æm'fɪbɪən] n Amphibie f; (vehicle) Amphibienfahrzeug nt.

amphibious [æm'fɪbɪəs] adj animal, (Mil) amphibisch; vehicle, aircraft Amphibien-.

amphitheatre, (US) **amphitheater** ['æmfɪ,θɪətər] n Amphitheater nt.

ample ['æmpl] adj (+er) **a** (plentiful) reichlich ▶ **more than ~** überreichlich; ~ **time** genügend Zeit. **b** (large) figure, proportions üppig; boot of car etc geräumig; garden weitläufig, ausgedehnt.

amplifier ['æmplɪfaɪər] n (Rad etc) Verstärker m.

amplify ['æmplɪfaɪ] **a** (Rad etc) verstärken. **b** (expand) statement, idea näher or ausführlicher erläutern.

amply ['æmplɪ] adv reichlich.

amputate ['æmpjʊteɪt] vti amputieren.

amputation [,æmpjʊ'teɪʃən] n Amputation f.

Amsterdam [,æmstə'dæm] n Amsterdam nt.

amuck [ə'mʌk] adv. **to run ~** Amok laufen.

amuse [ə'mjuːz] **1** vt **a** (cause mirth) amüsieren, belustigen ▶ **I was ~d to hear ...** es hat mich amüsiert or belustigt zu hören ...; **he was not ~d** er fand es überhaupt nicht komisch. **b** (entertain) unterhalten ▶ **let the children do it if it ~s them** laß die Kinder doch, wenn es ihnen Spaß macht; **I have no problem keeping myself ~d** ich habe keinerlei Schwierigkeiten, mir die Zeit zu vertreiben.

2 vr **the children can ~ themselves for a while** die Kinder können sich eine Zeitlang selbst beschäftigen.

amusement [ə'mjuːzmənt] n **a** (enjoyment, fun) Vergnügen nt; (pastime) Zeitvertreib m ▶ **the toys were a great source of ~** das Spielzeug bereitete großen Spaß; **I see no cause for ~** ich sehe keinen Grund zur Heiterkeit; **to my great ~/to everyone's ~** zu meiner großen/ zur allgemeinen Belustigung. **b** (entertainment: of guests) Belustigung, Unterhaltung f. **c** ~s pl (place of entertainment) Vergnügungsstätte f usu pl; (at fair) Attraktionen pl.

amusement: ~ **arcade** n Spielhalle f; ~ **park** n Vergnügungspark m.

amusing [ə'mjuːzɪŋ] adj amüsant ▶ **I don't find that very ~** das finde ich gar nicht lustig.

an [æn, ən, n] indef art see **a**.

anabolic steroid [,ænə'bɒlɪk'stɪərɔɪd] n Anabolikum nt.

anachronism [ə'nækrənɪzəm] n Anachronismus m.

anachronistic [ə,nækrə'nɪstɪk] adj anachronistisch; (not fitting modern times) nicht zeitgemäß.

anaemia, (US) **anemia** [ə'niːmɪə] n Anämie, Blutarmut f.

anaemic, (US) **anemic** [ə'niːmɪk] adj **a** anämisch, blutarm. **b** (fig) saft- und kraftlos.

anaesthetic, (US) **anesthetic** [,ænɪs'θetɪk] n Narkose, Anästhesie (spec) f; (substance) Narkosemittel nt ▶ **general ~** Vollnarkose f; **local ~** örtliche Betäubung, Lokalanästhesie (spec) f; **under the ~** in der Narkose.

anaesthetist, (US) **anesthetist** [æ'niːsθɪtɪst] n Anästhesist(in f) m.

anagram ['ænəgræm] n Anagramm nt.

analgesic [,ænəl'dʒiːzɪk] **1** n schmerzstillendes Mittel.

▶ SENTENCE BUILDER: **amount: 2a → 7.1**

[2] *adj* schmerzstillend.

analog ['ænəlɒg] *adj* (*Comp, Elec*) analog ► *~ computer* Analogrechner *m*.

analogous [ə'næləgəs] *adj* analog (*to, with* zu).

analogue ['ænəlɒg] **[1]** *n* Gegenstück *nt*, Parallele *f*. **[2]** *adj* (*Brit*) = **analog**.

analogy [ə'nælədʒɪ] *n* Analogie *f* ► *to draw an ~* eine Analogie herstellen; *on the ~ of* analog zu.

analyse, (*US*) **analyze** ['ænəlaɪz] *vt* analysieren.

analysis [ə'næləsɪs] *n, pl* **analyses** [ə'næləsi:z] **[a]** Analyse *f*; *in the final ~* letzten Endes; *on (closer) ~* bei genauerer Untersuchung. **[b]** (*psycho~*) Psychoanalyse, Analyse (*col*) *f*.

analyst ['ænəlɪst] *n* Analytiker *m*.

analytical [,ænə'lɪtɪkəl] *adj* analytisch.

analyze ['ænəlaɪz] *vt* (*US*) = **analyse**.

anarchic [æ'nɑːkɪk] *adj* anarchisch.

anarchist ['ænəkɪst] *n* Anarchist(in *f*) *m*.

anarchy ['ænəkɪ] *n* Anarchie *f*.

anathema [ə'næθɪmə] *n no art* (*fig*) *it is ~ to me* das ist mir ein Greuel.

Anatolia [,ænə'təʊlɪə] *n* Anatolien *nt*.

anatomical [,ænə'tɒmɪkəl] *adj* anatomisch.

anatomy [ə'nætəmɪ] *n* Anatomie *f*.

ANC = **African National Congress** ANC *m*.

ancestor ['ænsestəʳ] *n* Vorfahr, Ahne *m*.

ancestral [æn'sestrəl] *adj* Ahnen-, seiner/ihrer Vorfahren ► *~ home* Stammsitz *m*.

ancestry ['ænsɪstrɪ] *n* (*descent*) Abstammung, Herkunft *f*; (*ancestors*) Ahnenreihe, Familie *f*.

anchor ['æŋkəʳ] **[1]** *n* (*Naut*) Anker *m* ► *to drop ~* vor Anker gehen; *to weigh ~* den Anker lichten; *to be or lie at ~* vor Anker liegen. **[2]** *vt* (*Naut, fig*) verankern. **[3]** *vi* (*Naut*) ankern.

anchorage ['æŋkərɪdʒ] *n* (*Naut*) Ankerplatz *m*.

anchorman ['æŋkəʳ,mæn] *n* (*TV etc*) Moderator(in *f*) *m*; (*in team*) Zentralfigur *f*; (*last runner in relay race*) Schlußläufer(in *f*) *m*.

anchovy ['æntʃəvɪ] *n* Sardelle, An(s)chovis *f*.

ancient ['eɪnʃənt] *adj* alt; (*col*) *person, clothes etc* uralt ► *in ~ times* im Altertum; (*Greek, Roman also*) in der Antike; *~ Rome* das alte Rom; *~ monument* (*Brit*) historisches Denkmal, historische Stätte; *that's ~ history* (*fig*) das ist schon längst Geschichte.

ancillary [æn'sɪlərɪ] *adj* (*secondary*) Neben-; (*auxiliary*) *service, troops* Hilfs-.

and [ænd, ənd, nd, ən] *conj* und ► *nice ~ early/warm* schön früh/warm; *try ~ come* versuch zu kommen; *~/or* und/oder; *~ so on* und so weiter; *better ~ better* immer besser; *for hours ~ hours* stundenlang, Stunde um Stunde; *for miles ~ miles* meilenweit; *I tried ~ tried* ich habe es immer wieder versucht; *three hundred ~ ten* dreihundert(und)zehn.

Andes ['ændiːz] *npl* *the ~* die Anden *pl*.

Andorra [æn'dɔːrə] *n* Andorra *nt*.

Andorran [æn'dɔːrən] **[1]** *n* Andorraner(in *f*) *m*. **[2]** *adj* andorranisch.

anecdote ['ænɪkdəʊt] *n* Anekdote *f*.

anemia *etc* (*US*) = **anaemia** *etc*.

anemone [ə'nemənɪ] *n* (*Bot*) Anemone *f*, Buschwindröschen *nt*; (*sea ~*) Seeanemone *f*.

anesthetic *etc* (*US*) = **anaesthetic** *etc*.

anew [ə'njuː] *adv* aufs neue ► *to start ~* noch einmal *or* wieder von vorn anfangen.

angel ['eɪndʒəl] *n* (*lit, fig*) Engel *m* ► *be an ~ and ...* sei so lieb und ...

angel cake *n* ≃ Biskuitkuchen *m*.

angelic [æn'dʒelɪk] *adj* **[a]** (*of angel*) Engels-; *hosts* himmlisch. **[b]** (*like an angel*) engelhaft.

anger ['æŋgəʳ] **[1]** *n* Ärger *m*; (*wrath: of gods etc*) Zorn

m ► *a fit of ~* ein Wutanfall *m*; *red with ~* rot vor Wut; *public ~* öffentliche Entrüstung. **[2]** *vt* verärgern.

angina [æn'dʒaɪnə] *n* Angina, Halsentzündung *f* ► *~ pectoris* Angina pectoris *f*.

angiogram ['ændʒɪəʊgræm] *n* Angiogramm *nt*.

angle¹ ['æŋgl] *n* **[a]** Winkel *m* ► *at an ~ of 40°* in einem Winkel von 40°; *at an ~* schräg; (*hat*) schief. **[b]** (*projecting corner*) Ecke *f*. **[c]** (*of problem etc: aspect*) Seite *f*. **[d]** (*point of view*) Standpunkt *m*, Position *f* ► *to have an ~ on a story* (*journalist*) einen Bericht von einer gewissen Warte aus schreiben.

angle² *vi* (*Fishing*) angeln.

◆angle for *vi* +*prep obj* (*fig*) *compliments* fischen nach ► *to ~ ~ sth* auf etw (*acc*) aus sein.

angle brackets *npl* spitze Klammern *pl*.

angler ['æŋgləʳ] *n* Angler(in *f*) *m*.

Anglican ['æŋglɪkən] **[1]** *n* Anglikaner(in *f*) *m*. **[2]** *adj* anglikanisch.

anglicism ['æŋglɪsɪzəm] *n* Anglizismus *m*.

anglicize ['æŋglɪsaɪz] *vt* anglisieren.

angling ['æŋglɪŋ] *n* Angeln *nt*.

Anglo- ['æŋgləʊ] *pref* Anglo-; (*between two countries*) Englisch-; *~-German adj* deutsch-englisch.

anglo: *~phile* ['æŋgləʊfaɪl] **[1]** *n* Anglophile(r) *mf* (*form*), Englandfreund *m*; **[2]** *adj* anglophil, englandfreundlich; *A~-Saxon* **[1]** *n* **[a]** (*person, Hist*) Angelsachse *m*, Angelsächsin *f*; **[b]** (*language*) Angelsächsisch *nt*; **[2]** *adj* angelsächsisch.

Angola [æŋ'gəʊlə] *n* Angola *nt*.

Angolan [æŋ'gəʊlən] **[1]** *n* Angolaner(in *f*) *m*. **[2]** *adj* angolanisch.

angora [æŋ'gɔːrə] *n* Angora(wolle *f*) *nt*.

angrily ['æŋgrɪlɪ] *adv* wütend.

angry ['æŋgrɪ] *adj* (+*er*) **[a]** böse; (*wrathful*) zornig; *letter, look also, animal* wütend ► *to be ~ with or at sb* jdm *or* auf jdn böse sein; *to be/get ~ at or about sth* sich über etw (*acc*) ärgern; *don't get ~!* reg dich nicht auf!; *to make sb ~* jdn verärgern; *it makes me so ~* es ärgert mich furchtbar. **[b]** (*fig*) *sea* aufgewühlt; *sky, clouds* bedrohlich, finster; (*inflamed*) *wound* entzündet, böse.

anguish ['æŋgwɪʃ] *n* Qual *f* ► *to cause sb great ~* jdm großen Kummer bereiten.

anguished ['æŋgwɪʃt] *adj* qualvoll; *look* gequält.

angular ['æŋgjʊləʳ] *adj* *shape* eckig; *face, features* kantig.

animal ['ænɪməl] **[1]** *n* Tier *nt*; (*brutal person also*) Bestie *f* ► *man is a social ~* der Mensch ist ein soziales Wesen. **[2]** *adj attr story, picture* Tier-; *products, fat, lust* tierisch ► *~ kingdom* Tierreich *nt*, Tierwelt *f*; *~ lover* Tierfreund *m*; *~ magnetism* körperliche Anziehungskraft; *~ rights* der Tierschutz; *~ rights activist* Tierrechtler(in *f*) *m*.

animate ['ænɪmeɪt] *vt* (*enliven*) beleben.

animated ['ænɪmeɪtɪd] *adj* lebhaft, rege; *discussion also* angeregt ► *~ cartoon* Zeichentrickfilm *m*.

animation [,ænɪ'meɪʃən] *n* Lebhaftigkeit *f*; (*Film*) Animation *f*.

animosity [,ænɪ'mɒsɪtɪ] *n* Animosität (*geh*), Feindseligkeit *f* (*towards* gegenüber, gegen).

aniseed ['ænɪsiːd] *n* Anis *m*.

ankle ['æŋkl] *n* Knöchel *m*.

ankle: *~-deep adj* knöcheltief; *~ sock n* Söckchen *nt*.

annals ['ænəlz] *npl* Annalen *pl*.

annex [ə'neks] **[1]** *vt* annektieren. **[2]** ['æneks] *n* **[a]** (*to document etc*) Anhang *m*. **[b]** (*building*) Nebengebäude *nt*; (*extension*) Anbau *m*.

annexation [,ænek'seɪʃən] *n* Annexion *f*.

annexe ['æneks] *n* = **annex 2 (b)**.

annihilate [ə'naɪəleɪt] *vt* (*lit, fig*) vernichten; (*col*) *person, team* fertigmachen (*col*).

annihilation [ə,naɪə'leɪʃən] *n* (*lit, fig*) Vernichtung *f* ▶ *our team's* ~ die vernichtende Niederlage unserer Mannschaft.

anniversary [,ænɪ'vɜːsərɪ] *n* Jahrestag *m*; (*wedding ~*) Hochzeitstag *m* ▶ *the ~ of his death* sein Todestag *m*.

Anno Domini ['ænəʊ'dɒmɪnaɪ] *n* [a] nach Christus, Anno Domini. [b] (*col: age*) Alter *nt*.

annotate ['ænəʊteɪt] *vt* mit Anmerkungen versehen ▶ *~d text* kommentierter Text.

annotation [,ænəʊ'teɪʃən] *n* (*notes, act*) Kommentar *m*; (*note*) Anmerkung *f*.

announce [ə'naʊns] *vt* (*lit, fig: person*) bekanntgeben, verkünden; *arrival, departure, radio programme* ansagen; (*over intercom*) durchsagen; (*formally*) *birth, marriage etc* anzeigen; *coming of spring etc* ankündigen ▶ *to ~ sb* jdn melden.

announcement [ə'naʊnsmənt] *n* (*public declaration*) Bekanntgabe, Bekanntmachung *f*; (*of impending event, speaker*) Ankündigung *f*; (*over intercom etc*) Durchsage *f*; (*on radio etc*) Ansage *f*; (*written: of birth, marriage etc*) Anzeige *f*.

announcer [ə'naʊnsər] *n* (*Rad, TV*) Ansager(in *f*), Radio-/Fernsehsprecher(in *f*) *m*.

annoy [ə'nɔɪ] *vt* ärgern; (*noise, questions etc*) aufregen; (*pester*) belästigen ▶ *to be ~ed that ...* ärgerlich *or* verärgert sein, weil ...; *to be ~ed with sb/about sth* sich über jdn/etw ärgern, (mit) jdm/über etw (*acc*) böse sein.

annoyance [ə'nɔɪəns] *n* [a] *no pl* (*irritation*) Ärger *m* ▶ *to his ~* zu seinem Ärger. [b] (*nuisance*) Plage, Belästigung *f*, Ärgernis *nt*.

annoying [ə'nɔɪɪŋ] *adj* ärgerlich; *habit* lästig.

annual ['ænjʊəl] [1] *n* [a] (*Bot*) einjährige Pflanze. [b] (*book*) Jahrbuch *nt*.
[2] *adj* (*happening once a year*) jährlich; *salary etc* Jahres- ▶ *~ accounts* Jahresbilanz *f*; *~ general meeting* (*Brit*) Jahreshauptversammlung *f*; *~ report* Jahresbericht *m*.

annually ['ænjʊəlɪ] *adv* jährlich.

annual: *~ ring* *n* (*on tree*) Jahresring *m*; *~ subscription* *n* (*to club etc*) Jahresbeitrag *m*; (*to publication*) Jahresabonnement *nt*.

annuity [ə'njuːɪtɪ] *n* (Leib)rente *f*.

annul [ə'nʌl] *vt* annullieren; *law, decree, judgement* aufheben; *contract, marriage also* auflösen.

annulment [ə'nʌlmənt] *n see vt* Annullierung *f*; Aufhebung *f*; Auflösung *f*.

Annunciation [ə,nʌnsɪ'eɪʃən] *n* (*Bibl*) Mariä Verkündigung *f*.

anode ['ænəʊd] *n* Anode *f*.

anoint [ə'nɔɪnt] *vt* salben.

anomalous [ə'nɒmələs] *adj* (*abnormal*) anomal, ungewöhnlich; (*improper*) ungehörig.

anomaly [ə'nɒməlɪ] *n* Anomalie *f*; (*impropriety*) Ungehörigkeit *f*; (*in law etc*) Besonderheit *f*.

anonymity [,ænə'nɪmɪtɪ] *n* Anonymität *f*.

anonymous [ə'nɒnɪməs] *adj* anonym.

anorak ['ænəræk] *n* (*Brit*) Anorak *m*.

anorexia (nervosa) [ænə'reksɪə(nɜː'vəʊsə)] *n* Magersucht *f*.

▼ **another** [ə'nʌðər] [1] *adj* [a] (*additional*) noch eine(r, s) ▶ *~ one* noch eine(r, s); *take ~ ten* nehmen Sie noch (weitere) zehn; *I don't want ~ drink* ich möchte nichts mehr trinken; *~ 20 years and he ...* noch 20 Jahre, und er ...; *without ~ word* ohne ein weiteres Wort; *and (there's) ~ thing* und noch eins, und (da ist) noch etwas; *~ Shakespeare* ein zweiter Shakespeare. [b] (*different*) ein anderer, eine andere, ein anderes ▶ *that's quite ~ matter* das ist etwas ganz anderes.
[2] *pron* ein anderer, eine andere, ein anderes ▶ *have ~!* nehmen Sie (doch) noch einen/eins *etc*; *tell me ~!* (*col*) das glaubst du doch wohl selbst nicht!; *what with one*

---

thing and ~ bei all dem Trubel; *is this ~ of your brilliant ideas?* ist das wieder so eine deiner Glanzideen?

ANSI = **American National Standards Institute** amerikanischer Normenausschuß.

▼ **answer** ['ɑːnsər] [1] *n* [a] Antwort *f* (*to* auf +*acc*) ▶ *there was no ~* (*to telephone, doorbell*) es hat sich niemand gemeldet; *the ~ to our prayers* ein Geschenk des Himmels; *there's no ~ to that* (*col*) was soll man da groß machen/sagen! (*col*); *in ~ to your letter/my question* in Beantwortung Ihres Briefes (*form*)/auf meine Frage hin. [b] (*solution*) Lösung *f* (*to gen*); (*remedy*) Heilmittel *nt* (*for* für), Mittel *nt* (*for* gegen) ▶ *his ~ to any difficulty is ...* seine Reaktion auf jede Schwierigkeit ist ...
[2] *vt* [a] antworten auf (+*acc*), erwidern auf (+*acc*) (*geh*); *person* antworten (+*dat*); *exam questions* beantworten, antworten auf (+*acc*); *objections, criticism also* beantworten ▶ *will you ~ that?* (*phone/door*) gehst du ran/hin?; *to ~ the telephone/bell or door* das Telefon abnehmen, ans Telefon gehen/die Tür aufmachen. [b] (*fulfil*) *description* entsprechen (+*dat*); *prayer* (*God*) erhören; *need* befriedigen. [c] (*Jur*) *charge* sich verantworten wegen (+*gen*).
[3] *vi* (*also react*) antworten ▶ *if the phone rings, don't ~* wenn das Telefon klingelt, geh nicht ran *or* nimm nicht ab.

◆**answer back** *vi* widersprechen; (*children also*) freche Antworten geben ▶ *don't ~ ~!* keine Widerrede!

◆**answer for** *vi* +*prep obj* [a] (*be responsible for*) verantwortlich sein für; (*person also*) verantworten; *mistakes also* einstehen für ▶ *he has a lot to ~* er hat eine Menge auf dem Gewissen. [b] (*guarantee*) sich verbürgen für; (*speak for also*) sprechen für.

◆**answer to** *vi* +*prep obj* [a] (*be accountable to*) *to ~ ~ sb for sth* jdm für etw Rechenschaft schuldig sein. [b] *to ~ ~ a description* einer Beschreibung entsprechen. [c] *to ~ ~ the name of ...* auf den Namen ... hören. [d] *to ~ ~ the wheel/helm* auf das Steuer/Ruder ansprechen.

answerable ['ɑːnsərəbl] *adj* [a] (*responsible*) *to be ~ to sb (for sth)* jdm gegenüber für etw verantwortlich sein. [b] *question* zu beantworten.

answering machine ['ɑːnsərɪŋmə'ʃiːn] *n*, **answerphone** ['ɑːnsəfəʊn] *n* Anrufbeantworter *m*.

ant [ænt] *n* Ameise *f*.

antagonism [æn'tægənɪzəm] *n* Antagonismus *m*; (*towards sb, ideas*) Feindseligkeit *f* (*to*(*wards*) gegenüber).

antagonist [æn'tægənɪst] *n* Gegner, Antagonist *m*.

antagonistic [æn,tægə'nɪstɪk] *adj* feindselig ▶ *to be ~ towards sb/sth* jdm/gegen etw feindselig gesinnt sein.

antagonize [æn'tægənaɪz] *vt* gegen sich aufbringen.

antarctic [ænt'ɑːktɪk] [1] *adj* antarktisch ▶ *A~ Circle* südlicher Polarkreis; *A~ Ocean* Südpolarmeer *nt*.
[2] *n* *the A~* die Antarktis.

Antarctica [ænt'ɑːktɪkə] *n* die Antarktis.

ante ['æntɪ] *n* (*Cards*) Einsatz *m* ▶ *to up the ~* (*fig col*) den Einsatz erhöhen.

ante- *pref* vor-.

anteater ['ænt,iːtər] *n* Ameisenbär *m*.

antecedent [,æntɪ'siːdənt] *n* *~s* (*of person*) (*past history*) Vorleben *nt*; (*ancestry*) Abstammung *f*; (*of event*) Vorgeschichte *f*.

ante: *~date* *vt* *document, cheque* vordatieren (*to* auf +*acc*); *event* vorausgehen (+*dat*) (*by* um); *~diluvian* *adj* (*lit, fig col*) vorsintflutlich.

antelope ['æntɪləʊp] *n* Antilope *f*.

ante meridiem ['æntɪmə'rɪdɪəm] *adv* (*abbr* **am**) morgens, vormittags.

antenatal ['æntɪ'neɪtl] *adj* vor der Geburt, pränatal (*form*) ▶ *~ care/excercises* Schwangerschaftsfürsorge/-gymnastik *f*; *~ clinic* Sprechstunde *f* für werdende Mütter.

▶ SENTENCE BUILDER: **another:** 1a → 2.2, 6.2, 8.1, 10.1   **answer:** 1a → 1.4

antenna [æn'tenə] n ⓐ pl **-e** [æn'teniː] (*Zool*) Fühler m. ⓑ pl **-e** or **-s** (*Rad, TV*) Antenne f.
anteroom ['æntɪruːm] n Vorzimmer nt.
anthem ['ænθəm] n Hymne f; (*by choir*) Chorgesang m.
anthill ['ænt,hɪl] n Ameisenhaufen m.
anthology [æn'θɒlədʒɪ] n Anthologie f.
anthracite ['ænθrəsaɪt] n Anthrazit m.
anthropoid ['ænθrəʊpɔɪd] n Anthropoid m (*spec*); (*ape*) Menschenaffe m.
anthropologist [,ænθrə'pɒlədʒɪst] n Anthropologe m, Anthropologin f.
anthropology [,ænθrə'pɒlədʒɪ] n Anthropologie f.
anti ['æntɪ] prep (*col*) gegen (+acc) ▸ **~ everything** grundsätzlich gegen alles.
anti- in cpds Anti-, anti-; **~-abortionist** n Abtreibungsgegner(in f) m; **~-aircraft** adj rocket Flugabwehr-; **~-aircraft gun** n Flakgeschütz nt; **~biotic** n Antibiotikum nt; **~body** n Abwehrstoff m.
anticipate [æn'tɪsɪpeɪt] 1 vt ⓐ (*expect*) erwarten. ⓑ (*see in advance*) vorhersehen; danger, action vorausahnen; (*see in advance and cater for*) objection, need etc zuvorkommen (+dat). ⓒ (*do before sb else*) zuvorkommen (+dat).
2 vi (*chess-player etc*) vorauskalkulieren.
anticipation [æn,tɪsɪ'peɪʃən] n ⓐ (*expectation*) Erwartung f ▸ **thanking you in ~** herzlichen Dank im voraus; **to wait in ~** gespannt warten. ⓑ his uncanny ~ of every objection die verblüffende Art, wie er jedem Einwand zuvorkam; the driver showed good ~ der Fahrer zeigte gute Voraussicht. ⓒ (*of discovery, discoverer*) Vorwegnahme f; (*Mus: of theme*) Vorgriff m (*of* auf +acc).
anti: ~climax n Enttäuschung f; **~clockwise** adv nach links, gegen den Uhrzeigersinn.
antics ['æntɪks] npl Eskapaden pl; (*tricks*) Streiche, Mätzchen (*col*) pl.
anti: ~cyclone n Hoch(druckgebiet) nt; **~-dazzle** adj Blendschutz-; mirror Abblend-; screen blendfrei; **~-depressant** n Mittel nt gegen Depressionen; **~dote** ['æntɪdəʊt] n (*Med, fig*) Gegenmittel nt (*for* gegen); **~freeze** n Frostschutz m; **~hero** n Antiheld m; **~histamine** n Antihistamin nt.
Antilles [æn'tɪliːz] npl Antillen pl.
anti: ~-lock braking system n Antiblockiersystem, ABS nt; **~-marketeer** n EG-Gegner(in f) m; **~missile missile** n Raketenabwehrrakete f.
antipathy [æn'tɪpəθɪ] n Antipathie, Abneigung f (*towards* gegen).
antipodes [æn'tɪpədiːz] npl the ~ die entgegengesetzten Teile der Erde ▸ **A~** (*Brit*) Australien und Neuseeland.
antiquarian [,æntɪ'kwɛərɪən] adj antiquarisch ▸ **~ bookshop** Antiquariat nt.
antiquated ['æntɪkweɪtɪd] adj antiquiert; machines, ideas also überholt; institutions also veraltet.
antique [æn'tiːk] 1 adj antik.
2 n Antiquität f.
antique dealer n Antiquitätenhändler(in f) m.
antiquity [æn'tɪkwɪtɪ] n das Altertum; (*Roman, Greek ~*) die Antike; (*great age*) großes Alter.
anti-roll bar n (*Brit Aut*) Stabilisator m.
antirrhinum [,æntɪ'raɪnəm] n Löwenmaul nt.
anti: ~-rust adj Rostschutz-; **~-Semitic** adj antisemitisch; **~-Semitism** n Antisemitismus m; **~septic** 1 n Antiseptikum nt; 2 adj antiseptisch; **~social** adj unsozial; (*Psych*) asozial; don't be ~social (*don't be a spoilsport*) sei kein Spielverderber; (*don't be aloof etc*) mach doch mit; **~-theft system** n Diebstahlsicherung f.
antithesis [æn'tɪθɪsɪs] n, pl **antitheses** [æn'tɪθɪsiːz] (*direct opposite*) genaues Gegenteil (*to, of* gen); (*contrast*) Gegensatz m.

anti-trust adj (*US*) Antitrust- ▸ **~ legislation** Kartellgesetzgebung f.
antler ['æntlər] n Geweihsprosse f ▸ (*set or pair of*) **~s** Geweih nt.
antonym ['æntənɪm] n Antonym nt.
Antwerp ['æntwɜːp] n Antwerpen nt.
anus ['eɪnəs] n After m.
anvil ['ænvɪl] n Amboß m.
anxiety [æŋg'zaɪətɪ] n ⓐ Sorge f ▸ **to suffer from ~** unter Angst leiden. ⓑ (*keen desire*) **in his ~ to get away** weil er unbedingt wegkommen wollte.
anxious ['æŋkʃəs] adj ⓐ (*worried*) besorgt; person (*as character trait*) ängstlich ▸ **to be ~ about sb/sth** sich (*dat*) um jdn/etw Sorgen machen, um jdn/etw besorgt sein. ⓑ (*worrying*) moment, minutes der Angst, bang (*geh*) ▸ **it's been an ~ time for us all** wir alle haben uns (in dieser Zeit) große Sorgen gemacht. ⓒ **to be ~ to do sth** etw unbedingt (tun) wollen; they were ~ for news sie warteten gespannt auf Nachricht; we are ~ for a settlement uns ist an einer Klärung sehr gelegen; I am ~ for him to do it mir liegt viel daran, daß er es tut.
anxiously ['æŋkʃəslɪ] adv ⓐ besorgt. ⓑ (*keenly*) gespannt.
any ['enɪ] 1 adj ⓐ (*in interrog, conditional, neg sentences*) not translated; (*emph: ~ at all*) (*with sing n*) irgendein(e); (*with pl n*) irgendwelche; (*with uncountable n*) etwas ▸ **do you have ~ wine/cigarettes?**; is there ~ hope (at all)? besteht (überhaupt) noch Hoffnung?; not ~ kein/keine; not any ... at all überhaupt kein/keine ...; if I had any plan/ideas/money (at all) wenn ich irgendeinen Plan/irgendwelche Ideen/(auch nur) etwas Geld hätte; without ~ difficulty (at all) ohne jede Schwierigkeit; hardly ~ difference at all kaum ein Unterschied.
ⓑ (*no matter which*) jede(r, s) (beliebige); (*with pl or uncountable n*) alle ▸ **~ one will do** es ist jede(r, s) recht; you can have ~ book/books you find du kannst jedes Buch/alle Bücher haben, das/die du findest; take ~ two points wähle zwei beliebige Punkte; ~ one you like was du willst; ~ one of us jeder von uns.
2 pron ⓐ (*in interrog, conditional, neg sentences*) (*replacing sing n*) ein(e), welche(r, s); (*replacing pl n*) einige, welche; (*replacing uncountable n*) etwas, welche ▸ **I need some butter/stamps, do you have ~?** ich brauche Butter/Briefmarken, haben Sie welche?; have you seen ~ of my ties? haben Sie eine von meinen Krawatten gesehen?; haven't you ~ (at all)? haben Sie (gar) keinen/keine/keines?; the profits, if ~ die eventuellen Gewinne; if ~ of you can sing wenn (irgend) jemand or (irgend)einer/ -eine von euch singen kann; few, if ~, will come wenn überhaupt, werden nur wenige kommen. ⓑ (*no matter which*) alle; (*very few*) die wenigen ▸ **~ I have ...** alle/die wenigen, die ich habe ...
3 adv ⓐ if it gets ~ colder wenn es (noch) kälter wird; not ~ colder/bigger nicht kälter/größer; it won't get ~ colder es wird nicht mehr kälter; we can't go ~ further wir können nicht mehr weitergehen; are you feeling ~ better? geht es dir etwas besser?; do you want ~ more soup? willst du noch etwas Suppe?; I don't want ~ more ich möchte nichts mehr. ⓑ (*esp US col: at all*) it didn't help them ~ es hat ihnen gar or überhaupt nichts genützt.
anybody ['enɪ,bɒdɪ] 1 pron ⓐ (irgend) jemand, (irgend)eine(r) ▸ **not ... ~** niemand, keine(r); don't tell ~ erzähl das niemand(em) or keinem. ⓑ (*no matter who*) jede(r) ▸ **~ will tell you the same** jeder wird dir dasselbe sagen.
2 n she'll never be ~ sie wird es nie zu etwas bringen; he's not just ~ er ist nicht einfach irgend jemand.
anyhow ['enɪhaʊ] adv ⓐ ~, that's what I think das ist

jedenfalls meine Meinung; **it's no trouble, I'm going there** ~ es macht keine Mühe, ich gehe sowieso hin; **I told him not to, but he did it** ~ ich habe es ihm verboten, aber er hat es trotzdem gemacht; **who cares, ~?** überhaupt, wen kümmert es denn schon? **b** (*carelessly*) irgendwie; (*at random also*) aufs Geratewohl.

anyone ['enɪwʌn] *pron*, *n* = **anybody**.

anyplace ['enɪpleɪs] *adv* (*US col*) = **anywhere**.

anything ['enɪθɪŋ] **1** *pron* **a** (irgend) etwas ▶ **not** ~ nichts; (*emph*) gar *or* überhaupt nichts. **b** (*no matter what*) alles ▶ **~ you like** (alles,) was du willst; **they eat** ~ sie essen alles; **not just** ~ nicht bloß irgend etwas; **I wouldn't do it for** ~ ich würde es um keinen Preis tun. **2** *adv* (*col*) **it isn't** ~ **like him** das sieht ihm überhaupt nicht ähnlich; **it didn't cost** ~ **like £100** es kostete bei weitem keine £100; **not** ~ **like as wet as ...** nicht annähernd so naß wie ...; **she's been working like** ~ (*col*) sie hat wie verrückt gearbeitet.

anyway ['enɪweɪ] *adv* = **anyhow (a)**.

anywhere ['enɪweəʳ] *adv* **a** be, stay, live irgendwo; go, travel irgendwohin ▶ **not** ~ nirgends/nirgendwohin; **I haven't found** ~ **to live yet** ich habe noch nichts gefunden, wo ich wohnen kann; **he'll never get** ~ er wird es zu nichts bringen; **I wasn't getting** ~ ich kam (einfach) nicht weiter. **b** (*no matter where*) be, stay, live überall; go, travel überallhin ▶ **they could be** ~ sie könnten überall sein; **~ you like** wo/wohin du willst.

ANZAC DAY

ⓘ *Anzac Day, der 25. April, ist in Australien und Neuseeland ein Feiertag zum Gedenken an die Landung der australischen und neuseeländischen Truppen in Gallipoli im ersten Weltkrieg (1915).*

AO(C)B = **any other (competent) business** Sonstiges.

aorta [eɪˈɔːtə] *n* Aorta *f*.

apart [əˈpɑːt] *adv* **a** auseinander ▶ **to sit with one's legs** ~ mit gespreizten Beinen dasitzen; **I can't tell them** ~ ich kann sie nicht auseinanderhalten; **to live** ~ getrennt leben; **to come** *or* **fall** ~ entzweigehen, auseinanderfallen; **to take sth** ~ etw auseinandernehmen. **b** (*to one side*) zur Seite, beiseite; (*on one side*) abseits (*from gen*) ▶ **a class/thing** ~ eine Klasse/Sache für sich. **c** (*excepted*) abgesehen von, bis auf (*+acc*) ▶ **these problems** ~ abgesehen von diesen Problemen; ~ **from that** abgesehen davon.

apartheid [əˈpɑːteɪt] *n* Apartheid *f*.

apartment [əˈpɑːtmənt] *n* **a** (*Brit: room*) Raum *m*. **b** **~s** *pl* (*Brit: suite of rooms*) Appartement *nt*. **c** (*esp US: flat*) Wohnung *f* ▶ **~ house** *or* (*US*) **block** *or* (*US*) **building** Wohnblock *m*.

apathetic [ˌæpəˈθetɪk] *adj* apathisch, teilnahmslos.

apathy ['æpəθɪ] *n* Apathie, Teilnahmslosigkeit *f*.

APB (*US*) = **all points bulletin** ≈ allgemeine Fahndung.

ape [eɪp] **1** *n* (*lit, fig*) Affe *m*. **2** *vt* nachäffen (*pej*), nachmachen.

Apennines ['æpənaɪnz] *npl* Apenninen *pl*.

aperitif [əˌperɪˈtiːf] *n* Aperitif *m*.

aperture ['æpətʃʊəʳ] *n* Öffnung *f*; (*Phot*) Blende *f* ▶ **at an** ~ **of f2.8** (*Phot*) bei *or* mit Blende 2,8.

apex ['eɪpeks] *n* Spitze *f*; (*fig*) Höhepunkt *m*.

aphid ['eɪfɪd] *n* Blattlaus *f*.

aphorism ['æfərɪzəm] *n* Aphorismus *m*.

aphrodisiac [ˌæfrəʊˈdɪzɪæk] *n* Aphrodisiakum *nt*.

apiary ['eɪpɪərɪ] *n* Bienenhaus *nt*.

apiece [əˈpiːs] *adv* pro Stück; (*per person*) pro Person ▶ **I gave them two** ~ ich gab ihnen je zwei; **they had two** ~ sie hatten jeder zwei.

aplomb [əˈplɒm] *n* Gelassenheit *f*.

Apocalypse [əˈpɒkəlɪps] *n* Apokalypse *f*.

apocryphal [əˈpɒkrɪfəl] *adj* (*untrue*) erfunden.

apologetic [əˌpɒləˈdʒetɪk] *adj* gesture, look entschuldigend *attr* ▶ **he was most** ~ **(about it)** er entschuldigte sich vielmals (dafür).

▼ **apologize** [əˈpɒlədʒaɪz] *vi* sich entschuldigen (*to* bei, *for* für).

▼ **apology** [əˈpɒlədʒɪ] *n* Entschuldigung *f* ▶ **to make** *or* **offer sb an** ~ jdn um Verzeihung bitten; **I owe you an** ~ ich muß dich um Verzeihung bitten; **to make one's apologies** sich entschuldigen; **Mr Jones sends his apologies** Herr Jones läßt sich entschuldigen; **an** ~ **for a breakfast** ein erbärmliches Frühstück.

apoplectic [ˌæpəˈplektɪk] *n* (*Med*) apoplektisch ▶ **to be** ~ **with rage** (*fig col*) vor Wut fast platzen.

apoplexy ['æpəpleksɪ] *n* Schlaganfall *m*.

apostle [əˈpɒsl] *n* (*lit, fig*) Apostel *m*.

apostrophe [əˈpɒstrəfɪ] *n* (*Gram*) Apostroph *m*.

appal, (*US also*) **appall** [əˈpɔːl] *vt* entsetzen ▶ **to be ~led (at** *or* **by sth)** (über etw *acc*) entsetzt sein.

Appalachian Mountains [ˌæpəˈleɪtʃɪənˈmaʊntɪnz], **Appalachians** [ˌæpəˈleɪtʃɪənz] *npl* Appalachen *pl*.

appalling [əˈpɔːlɪŋ] *adj* entsetzlich.

apparatus [ˌæpəˈreɪtəs] *n* (*lit, fig*) Apparat *m*; (*equipment also*) Ausrüstung *f*; (*in gym*) Geräte *pl* ▶ **a piece of** ~ ein Gerät *nt*.

apparent [əˈpærənt] *adj* **a** (*obvious*) offensichtlich ▶ **to be** ~ **to sb** jdm klar sein; **to become** ~ sich (deutlich) zeigen. **b** (*seeming*) scheinbar.

apparently [əˈpærəntlɪ] *adv* anscheinend.

apparition [ˌæpəˈrɪʃən] *n* **a** (*ghost, hum: person*) Erscheinung *f*. **b** (*appearance*) Erscheinen *nt*.

appeal [əˈpiːl] **1** *n* **a** (*request: for help, money etc*) Appell *m*, Bitte *f* (*for* um); (*for mercy*) Gesuch *nt* (*for* um) ▶ **~ for funds** Spendenaufruf *m or* -aktion *f*; **to make an** ~ **to sb (to do sth)/for sth** an jdn appellieren(, etw zu tun)/jdn um etw bitten. **b** (*against decision*) Einspruch *m*; (*Jur: against sentence*) Berufung *f*; (*actual trial*) Berufungsverhandlung *f* ▶ **he lost his** ~ er verlor in der Berufung; **right of** ~ Einspruchsrecht *nt*; (*Jur*) Berufungsrecht *nt*; **Court of A~** Berufungsgericht *nt*. **c** (*attraction*) Reiz *m* (*to* für) ▶ **his music has a wide** ~ seine Musik findet großen Anklang.

2 *vi* **a** (*make request*) **to** ~ **to sb for sth** jdn um etw bitten; **to** ~ **to the public to do sth** die Öffentlichkeit (dazu) aufrufen, etw zu tun. **b** (*against decision: to authority etc*) Einspruch erheben (*to* bei); (*Jur*) Berufung einlegen (*to* bei). **c** (*apply: for support, decision*) appellieren (*to* an *+acc*); (*Sport*) Einspruch erheben (*to* bei) ▶ **to** ~ **to sb's better nature** an jds besseres Ich appellieren. **d** (*be attractive*) reizen (*to sb* jdn), zusagen (*to sb* jdm); (*plan, candidate, idea*) zusagen (*to sb* jdm); (*book, magazine*) ansprechen (*to sb* jdn) ▶ **how does that ~?** wie gefällt dir/Ihnen das?; **the story ~ed to his sense of humour** die Geschichte sprach seinen Sinn für Humor an.

appealing [əˈpiːlɪŋ] *adj* (*attractive*) attraktiv, reizvoll; character, smile ansprechend, gewinnend.

appear [əˈpɪəʳ] *vi* **a** erscheinen; (*unexpectedly*) auftauchen; (*personality, ghost also*) sich zeigen; (*Theat*) auftreten ▶ **to** ~ **in court** vor Gericht erscheinen; **to** ~ **for sb** jdn vertreten. **b** (*seem*) scheinen ▶ **he ~ed (to be) tired** er schien müde zu sein; **it ~s that ...** anscheinend ...; **so it ~s, so it would** ~ so scheint es; **it ~s not** anscheinend nicht, es sieht nicht so aus; **it ~s from his statement that ...** aus seiner Bemerkung geht hervor, daß ...

appearance [əˈpɪərəns] *n* **a** Erscheinen *nt*; (*unexpected*) Auftauchen *nt no pl*; (*Theat*) Auftritt *m* ▶ **many successful court ~s** viele erfolgreiche Auftritte vor Gericht; **to put in** *or* **make an** ~ sich sehen lassen. **b** (*look*) Aussehen *nt*; (*of person also*) Äußere(s) *nt*,

---

➤ SENTENCE BUILDER: **apologize** → 5.1 **apology** → 5.1

äußere Erscheinung ► ~s (*outward signs*) der äußere (An)schein; **in** ~ dem Aussehen nach; **at first** ~ auf den ersten Blick; **for the sake of** ~s um den Schein zu wahren; (*as good manners*) der Form halber; **to keep up** ~s den (äußeren) Schein wahren; ~s **are often deceptive** der Schein trügt oft; **to all** ~s allem Anschein nach.

appease [ə'piːz] *vt* person, anger beschwichtigen, besänftigen; *hunger, curiosity* stillen.

appeasement [ə'piːzmənt] *n* (*esp Pol*) Beschwichtigung *f*.

appellant [ə'pelənt] *n* (*Jur*) Berufungskläger *m*.

append [ə'pend] *vt* notes etc anhängen (*to* an +acc) (*also Comp*), hinzufügen; *signature* setzen (*to* under +acc).

appendage [ə'pendɪdʒ] *n* (*fig*) Anhängsel *nt*.

appendicitis [ə,pendɪ'saɪtɪs] *n* Blinddarmentzündung *f*.

appendix [ə'pendɪks] *n, pl* **appendices** [a] (*Anat*) Blinddarm *m* ► **to have one's** ~ **out** sich (*dat*) den Blinddarm herausnehmen lassen. [b] (*to book etc*) Anhang, Appendix *m*.

appetite ['æpɪtaɪt] *n* (*for* auf +acc) Appetit *m*; (*fig: desire*) Lust *f* ► **to have an/no** ~ **for sth** Appetit/keinen Appetit auf etw (*acc*) haben; (*fig*) Verlangen/kein Verlangen nach etw haben; **to have a good** ~ einen guten or gesunden Appetit haben.

appetizer ['æpɪtaɪzər] *n* (*food*) Appetitanreger *m*; (*drink*) appetitanregendes Getränk.

appetizing ['æpɪtaɪzɪŋ] *adj* appetitlich (*also fig*); *smell* lecker.

applaud [ə'plɔːd] *vti* (*lit, fig*) applaudieren (+dat); (*fig*) efforts, courage loben; *decision* begrüßen.

applause [ə'plɔːz] *n no pl* (*lit, fig*) Beifall *m*.

apple ['æpl] *n* Apfel *m* ► **to be the** ~ **of sb's eye** jds Liebling sein.

apple *in cpds* Apfel-; ~**-pie** *n* ≃ gedeckter Apfelkuchen; ~**-tree** *n* Apfelbaum *m*; ~ **turnover** *n* Apfeltasche *f*.

appliance [ə'plaɪəns] *n* Vorrichtung *f*; (*household* ~) Gerät *nt*.

applicable [ə'plɪkəbl] *adj* anwendbar (*to* auf +acc); (*on forms*) zutreffend (*to* für) ► **that isn't** ~ **to you** das trifft auf Sie nicht zu.

applicant ['æplɪkənt] *n* (*for job*) Bewerber(in *f*) *m* (*for* um, für); (*for loan etc*) Antragsteller(in *f*) *m* (*for* für).

application [,æplɪ'keɪʃən] *n* [a] (*for job*) Bewerbung *f* (*for* um, für); (*for grant, loan etc*) Antrag *m* (*for* auf +acc) ► ~ **form** Bewerbung(sformular *nt*) *f*; Antrag(sformular *nt*) *m*; (*for course, exhibition etc*) Anmeldeformular *nt*. [b] (*act of applying*) see **apply 1** Anwendung *f*; Auftragen *nt*; Anlegen *nt*; Betätigung *f*; Verwertung *f* ► **"for external** ~ **only"** (*Med*) „nur zur äußerlichen Anwendung"; ~ **program** (*Comp*) Anwenderprogramm *nt*; ~ **software** (*Comp*) Anwendersoftware *f*. [c] (*diligence, effort*) Fleiß, Eifer *m*.

applied [ə'plaɪd] *adj attr* maths etc angewandt.

apply [ə'plaɪ] [1] *vt* anwenden (*to* auf +acc); paint etc auftragen (*to* auf +acc); *dressing* anlegen; *brakes* betätigen; *results, findings* verwerten (*to* für) ► **to** ~ **oneself** or **one's mind (to sth)** sich (dat etw) anstrengen. [2] *vi* [a] sich bewerben (*for* um, für) ► **to** ~ **for a loan** einen Kredit beantragen. [b] (*be applicable*) gelten (*to* für).

appoint [ə'pɔɪnt] *vt* [a] (*to a job*) einstellen; (*to a post*) ernennen ► **to** ~ **sb sth** jdn zu etw ernennen. [b] (*designate, ordain*) bestimmen ► **at the** ~**ed time** zur vereinbarten Zeit.

-appointed [-ə'pɔɪntɪd] *adj suf* well-~ gut ausgestattet.

appointment [ə'pɔɪntmənt] *n* [a] Verabredung *f*; (*business* ~, *with doctor, lawyer etc*) Termin *m* (*with* bei) ► **to make an** ~ **with sb** mit jdm eine Verabredung treffen; einen Termin mit jdm vereinbaren; **do you have an** ~**?** sind Sie angemeldet?; **by** ~ auf Verabredung; (*on busi-*

ness, *to see doctor, lawyer etc*) mit (Vor)anmeldung, nach Vereinbarung. [b] (*act of appointing*) see vt (a) Einstellung *f*; Ernennung *f* ► **"by** ~ **(to Her Majesty)"** (*on goods*) „königlicher Hoflieferant". [c] (*post*) Stelle *f* ► ~s **(vacant)** Stellenangebote *pl*.

apportion [ə'pɔːʃən] *vt* aufteilen ► **to** ~ **sth to sb** jdm etw zuteilen; **to** ~ **blame** Schuldige finden.

apposite ['æpəzɪt] *adj* treffend, passend.

appraisal [ə'preɪzəl] *n* see vt Schätzung *f*; Beurteilung *f*.

appraise [ə'preɪz] *vt* schätzen; *character, ability* beurteilen.

appreciable [ə'priːʃəbl] *adj* beträchtlich, deutlich; *difference, change also* merklich.

▼ **appreciate** [ə'priːʃɪeɪt] [1] *vt* [a] (*be aware of*) sich (*dat*) bewußt sein (+gen); (*understand*) sb's wishes, reluctance etc also Verständnis haben für ► **I** ~ **that you can't come** ich verstehe, daß Sie nicht kommen können. [b] (*value, be grateful for*) zu schätzen wissen ► **thank you, I** ~ **it** vielen Dank, sehr nett von Ihnen; **I would really** ~ **that** das wäre mir wirklich sehr lieb. [c] (*enjoy*) art, music, beauty schätzen.
[2] *vi* (*Fin*) im Wert steigen, an Wert gewinnen.

appreciation [ə,priːʃɪ'eɪʃən] *n* [a] (*awareness*) Erkennen *nt*. [b] (*esteem, respect*) Anerkennung *f*; (*of abilities, efforts also*) Würdigung *f*; (*of person also*) Wertschätzung *f*; (*gratitude*) Dankbarkeit *f* ► **in** ~ **of sth** in Anerkennung (+gen), zum Dank für etw. [c] (*enjoyment, understanding*) Verständnis *nt*; (*of art*) Sinn *m* (*of* für). [d] (*Fin: increase*) (Wert)steigerung *f*.

appreciative [ə'priːʃɪətɪv] *adj* anerkennend; *audience* dankbar; (*grateful*) dankbar ► **to be** ~ **of sth** etw zu schätzen wissen; of music, art etc Sinn für etw haben.

apprehend [,æprɪ'hend] *vt* (*arrest*) festnehmen.

apprehension [,æprɪ'henʃən] *n* [a] (*fear*) Besorgnis, Befürchtung *f* ► **a feeling of** ~ eine dunkle Ahnung. [b] (*arrest*) Festnahme *f*.

apprehensive [,æprɪ'hensɪv] *adj* ängstlich ► **to be** ~ **of sth/that ...** etw befürchten/fürchten, daß ...

apprentice [ə'prentɪs] *n* Lehrling *m*, Auszubildende(r) *mf*.

apprenticeship [ə'prentɪʃɪp] *n* Lehre *f*.

appro ['æprəʊ] (*esp Comm*) = **approval**.

approach [ə'prəʊtʃ] [1] *vi* (*physically*) sich nähern, näherkommen; (*date, summer etc*) nahen. [2] *vt* [a] (*come near*) sich nähern (+dat); (*Aviat also*) anfliegen; (*in quality, stature*) herankommen an (+acc) ► **to** ~ **thirty** auf die Dreißig zugehen. [b] person, committee herantreten an (+acc) (*about* wegen) ► **he is easy/difficult to** ~ er ist leicht/nicht leicht ansprechbar. [c] (*tackle*) problem angehen. [3] *n* [a] (*drawing near*) (Heran)nahen *nt*; (*of troops, in time also*) Heranrücken *nt*; (*of night*) Einbruch *m*; (*Aviat*) Anflug *m* (*to* auf +acc). [b] **to make** ~**es/an** ~ **to sb** (*with request*) an jdn herantreten; (*make advances*) Annäherungsversuche machen. [c] (*way of tackling, attitude*) Ansatz *m* (*to* zu) ► **an easy** ~ **to maths** ein einfacher Weg, Mathematik zu lernen; **his** ~ **to the problem** sein Problemansatz *m*; **you've got the wrong** ~ du machst das verkehrt; **try a different** ~ versuch's doch mal anders. [d] (*access*) Zugang, Weg *m*; (*road also*) Zufahrt(sstraße) *f*.

approachable [ə'prəʊtʃəbl] *adj* [a] person umgänglich, zugänglich. [b] place zugänglich.

approach: ~ **path** *n* (*Aviat*) Einflugschneise *f*; ~ **road** *n* (*to city etc*) Zufahrtsstraße *f*; (*to motorway*) Zubringer *m*.

approbation [,æprə'beɪʃən] *n* Billigung *f*; (*from critics*) Beifall *m*.

▼ **appropriate¹** [ə'prəʊprɪɪt] *adj* [a] (*suitable, fitting*) passend, geeignet (*for, to* für); (*to a particular occasion, situation*) angemessen; *name, remark also* treffend. [b] (*relevant*) entsprechend; *body, authority also* zuständig ►

where ~ wo es angebracht ist/war, an gegebener Stelle; *delete as* ~ Nichtzutreffendes streichen.

appropriate² [ə'prəʊprɪeɪt] *vt* (*authorities*) beschlagnahmen; (*take for oneself*) sich (*dat*) aneignen, mit Beschlag belegen.

appropriately [ə'prəʊprɪtlɪ] *adv* treffend; *dressed* passend (*for, to* für); (*to fit particular needs*) *designed, equipped* zweckmäßig (*for, to* für).

appropriateness [ə'prəʊprɪtnɪs] *n* (*suitability*) Eignung *f*; (*for a particular occasion, situation*) Angemessenheit *f*.

approval [ə'pruːvəl] *n* Zustimmung (*of* zu), Billigung *f* ▸ *to meet with sb's* ~ jds Zustimmung *or* Beifall finden; *to show one's* ~ *of sth* zeigen, daß man einer Sache (*dat*) zustimmt *or* etw billigt; *on* ~ (*Comm*) auf Probe; (*to look at*) zur Ansicht.

approve [ə'pruːv] **1** *vt decision* billigen, gutheißen; *minutes, motion* annehmen; *project* genehmigen ▸ *an ~d campsite* ein empfohlener Campingplatz. **2** *vi I don't* ~ *of him/it* ich halte nichts von ihm/davon; *I don't* ~ *of children smoking* ich finde es nicht richtig, daß Kinder rauchen; *do you* ~*?* findest du das richtig *or* in Ordnung?

approved school [ə'pruːvd'skuːl] *n* (*Brit*) Erziehungsheim *nt*.

approx. = **approximately** ca.

approximate [ə'prɒksmɪt] **1** *adj* ungefähr. **2** [ə'prɒksəmeɪt] *vti to* ~ (*to*) *sth* einer Sache (*dat*) in etwa entsprechen.

approximately [ə'prɒksmətlɪ] *adv* ungefähr.

approximation [ə,prɒksɪ'meɪʃən] *f* (*of, to* an +*acc*); (*figure, sum etc*) (An)näherungswert *m*.

APR = **annual percentage rate** Jahreszinssatz *m*.

apricot ['eɪprɪkɒt] *n* Aprikose *f*.

April ['eɪprəl] *n* April *m* ▸ ~ *fool!* ≃ April, April!; ~ *Fool's Day* der erste April; *to make an* ~ *fool of sb* jdn in den April schicken; *see* **September**.

apron ['eɪprən] *n* Schürze *f*; (*Aviat*) Vorfeld *nt* ▸ *to be tied to one's mother's* ~*-strings* seiner Mutter (*dat*) am Schürzenzipfel hängen (*col*).

apse [æps] *n* Apsis *f*.

APT = **advanced passenger train** Hochgeschwindigkeitszug *m*.

Apt. = **apartment** Z., Zi.

apt [æpt] *adj* (+*er*) **a** (*suitable, fitting*) passend; *comparison, remark also* treffend. **b** (*able, intelligent*) begabt (*at* für). **c** (*liable*) *to be* ~ *to do sth* dazu neigen, etw zu tun.

aptitude ['æptɪtjuːd] *n* Begabung *f* ▸ ~ *test* Eignungsprüfung *f*.

aptly ['æptlɪ] *adv* passend.

aqualung ['ækwəlʌŋ] *n* Tauchgerät *nt*.

aquamarine [ækwəmə'riːn] **1** *n* Aquamarin *nt*. **2** *adj* aquamarin(blau).

aquaplaning ['ækwəpleɪnɪŋ] *n* Aquaplaning *nt*.

aquarium [ə'kwɛərɪəm] *n* Aquarium *nt*.

Aquarius [ə'kwɛərɪəs] *n* Wassermann *m*.

aquatic [ə'kwætɪk] *adj* Wasser-.

aqueduct ['ækwɪdʌkt] *n* Aquädukt *m or nt*.

aquiline ['ækwɪlaɪn] *adj nose* Adler-, gebogen.

AR (*US Post*) = **Arkansas**.

Arab ['ærəb] **1** *n* Araber *m* (*also horse*), Araberin *f*. **2** *adj attr* arabisch ▸ ~ *customs/policies* die Bräuche/Politik der Araber.

arabesque [ærə'besk] *n* Arabeske *f*.

Arabia [ə'reɪbɪə] *n* Arabien *nt*.

Arabian [ə'reɪbɪən] *adj* arabisch ▸ *the* ~ *Sea/desert* das Arabische Meer/die Arabische Wüste; *tales of the* ~ *Nights* Märchen aus Tausendundeiner Nacht.

Arabic ['ærəbɪk] **1** *n* Arabisch *nt*. **2** *adj* arabisch.

arable ['ærəbl] *adj land* bebaubar; (*being used*) Acker-.

arbitrary ['ɑːbɪtrərɪ] *adj* willkürlich.

arbitrate ['ɑːbɪtreɪt] **1** *vt dispute* schlichten. **2** *vi* vermitteln.

arbitration [ɑːbɪ'treɪʃən] *n* Schlichtung *f* ▸ ~ *(decision)* Schiedsspruch *m*; ~ *proceedings* Schiedsverfahren *nt*; *to go to* ~ vor eine Schlichtungskommission gehen; (*dispute*) vor eine Schlichtungskommission gebracht werden.

arbitrator ['ɑːbɪtreɪtəʳ] *n* Vermittler *m*; (*esp Ind*) Schlichter *m*.

arc [ɑːk] *n* Bogen *m*; (*Elec*) Lichtbogen *m*.

arcade [ɑː'keɪd] *n* (*Archit*) Arkade *f*; (*shopping* ~) Passage *f*.

arcane [ɑː'keɪn] *adj* obskur.

arch¹ [ɑːtʃ] **1** *n* **a** Bogen *m*. **b** (*Anat*) *fallen* ~*es* Senkfüße *pl*. **2** *vi* sich wölben; (*arrow etc*) einen Bogen beschreiben. **3** *vt back* krümmen ▸ *the cat* ~*ed his back* die Katze machte einen Buckel.

arch² *adj attr* Erz- ▸ ~ *traitor* Hochverräter *m*.

archaeological, archeological [ɑːkɪə'lɒdʒɪkəl] *adj* archäologisch.

archaeologist, archeologist [ɑːkɪ'ɒlədʒɪst] *n* Archäologe *m*, Archäologin *f*.

archaeology, archeology [ɑːkɪ'ɒlədʒɪ] *n* Archäologie *f*.

archaic [ɑː'keɪɪk] *adj word etc* veraltet, archaisch (*spec*); (*col*) vorsintflutlich.

arch: ~*angel* ['ɑːkeɪndʒəl] *n* Erzengel *m*; ~*bishop* *n* Erzbischof *m*; ~*duke* *n* Erzherzog *m*.

arched [ɑːtʃt] *adj* gewölbt; *window* (Rund)bogen-.

arch-enemy [ɑːtʃ'enɪmɪ] *n* Erzfeind *m*.

archeological *etc* = **archaeological** *etc*.

archer ['ɑːtʃəʳ] *n* Bogenschütze *m*.

archery ['ɑːtʃərɪ] *n* Bogenschießen *nt*.

archetypal ['ɑːkɪtaɪpəl] *adj* archetypisch (*geh*); (*typical*) typisch.

archetype ['ɑːkɪtaɪp] *n* Urbild *nt*, Urtyp *m*.

archipelago [ɑːkɪ'pelɪgəʊ] *n*, *pl* -**(e)s** Archipel *m*.

architect ['ɑːkɪtekt] *n* (*lit, fig*) Architekt(in *f*) *m*.

architectural [ɑːkɪ'tektʃərəl] *adj* architektonisch.

architecture ['ɑːkɪtektʃəʳ] *n* Architektur *f* (*also Comp*); (*of building also*) Baustil *m*.

archive ['ɑːkaɪv] **1** *n* Archiv *nt* (*also Comp*). **2** *vt* archivieren.

archives ['ɑːkaɪvz] *npl* Archiv *nt*.

archway ['ɑːtʃweɪ] *n* Torbogen *m*.

arc lamp ['ɑːk,læmp] *n* Bogenlampe *f*.

arctic ['ɑːktɪk] **1** *adj* (*lit, fig*) arktisch ▸ *A*~ *Circle* nördlicher Polarkreis; *A*~ *Ocean* Nordpolarmeer *nt*. **2** *n the A*~ die Arktis.

arc welding ['ɑːk,weldɪŋ] *n* (Licht)bogenschweißung *f*.

ardent ['ɑːdənt] *adj* leidenschaftlich; *supporter also* begeistert; *admirer also* glühend.

ardour, (US) ardor ['ɑːdəʳ] *n* (*of person*) Leidenschaft *f*; (*of feelings also*) Heftigkeit *f*; (*passion*) Leidenschaftlichkeit *f*.

arduous ['ɑːdjʊəs] *adj* beschwerlich, mühsam; *course, work* anstrengend; *task* mühselig.

are [ɑːʳ] *2nd pers sing, 1st, 2nd, 3rd pers pl pres of* **be**.

area ['ɛərɪə] *n* **a** (*measure*) Fläche *f*. **b** (*region, district*) Gebiet *nt*; (*neighbourhood, vicinity*) Gegend *f*; (*separated off, piece of ground etc*) Gelände *nt*; (*on plan, diagram etc*) Bereich *m*; (*slum* ~, *residential* ~, *commercial* ~ *also*) Viertel *nt* ▸ *in the* ~ in der Nähe; *dining/sleeping* ~ Eß-/Schlafbereich *m*; *no smoking/reception* ~ Nichtraucherzone *f*/Empfangsbereich *m*; *this* ~ *is for directors' cars* dieser Platz ist für die Direktorenwagen vorgesehen; *the infected* ~*s of the lungs* die befallenen Lungenpartien; *in the* ~ *of the station* in der Bahnhofsgegend; *the thief is still in the* ~

der Dieb hält sich noch in der Umgebung auf; *in the London* ~ im Raum London, im Londoner Raum; ~ *code* (*Telec*) Vorwahl(nummer) *f*; ~ *office* Bezirksbüro *nt*.

[c] (*fig*) Bereich *m* ▸ *his ~ of responsibility* sein Verantwortungsbereich *m*; *the ~s in which we agree* die Bereiche, in denen wir übereinstimmen; ~ *of interest/ study* Interessen-/Studiengebiet *nt*; *in the ~ of £100* um die hundert Pfund.

arena [əˈriːnə] *n* (*lit, fig*) Arena *f*.

aren't [ɑːnt] = **are not; am not**; *see* **be**.

Argentina [ˌɑːdʒənˈtiːnə] *n* Argentinien *nt*.

Argentine [ˈɑːdʒəntaɪn] [1] *n* [a] *the ~* Argentinien *nt*. [b] (*person*) Argentinier(in *f*) *m*. [2] *adj* argentinisch.

Argentinian [ˌɑːdʒənˈtɪnɪən] [1] *n* (*person*) Argentinier(in *f*) *m*. [2] *adj* argentinisch.

arguable [ˈɑːgjʊəbl] *adj* [a] (*capable of being maintained*) vertretbar ▸ *it is ~ that ...* es läßt sich der Standpunkt vertreten, daß ... [b] (*doubtful*) *it is ~ whether ...* es ist (noch) die Frage, ob ...

arguably [ˈɑːgjʊəblɪ] *adj* *this is ~ his best book* dies dürfte (wohl) sein bestes Buch sein.

argue [ˈɑːgjuː] [1] *vi* [a] (*dispute*) streiten; (*quarrel*) sich streiten ▸ *don't ~ (with me)!* keine Widerrede!; *there's no point in arguing* da erübrigt sich jede weitere Diskussion. [b] (*present reasons*) *he ~s that ...* er vertritt den Standpunkt, daß ..., er behauptet, daß ...; *to ~ for or in favour of sth* für etw sprechen; (*in book*) sich für etw aussprechen; *to ~ against sth* gegen etw sprechen; (*in book*) sich gegen etw aussprechen; *to ~ from a position of ...* von einem Standpunkt (+*gen*) aus argumentieren.

[2] *vt* (*debate*) *issue* diskutieren, erörtern; (*Jur, present*) *case* vertreten ▸ *a well ~d case* ein gut dargelegter Fall.

argument [ˈɑːgjʊmənt] *n* [a] (*discussion*) Diskussion *f* ▸ *for the sake of ~* rein theoretisch; *this is open to ~* darüber läßt sich streiten. [b] (*quarrel*) Auseinandersetzung *f* ▸ *to have an ~* sich streiten. [c] (*reason*) Argument *nt*; (*line of reasoning*) Argumentation, Beweisführung *f*; (*statement of proof*) Beweis *m*. [d] (*theme: of play, book etc*) Aussage *f*; (*claim*) These *f*.

argumentation [ˌɑːgjʊmenˈteɪʃən] *n* Argumentation, Beweisführung *f*.

argumentative [ˌɑːgjʊˈmentətɪv] *adj* streitsüchtig.

argy-bargy [ˈɑːdʒɪˈbɑːdʒɪ] *n* (*col*) Hickhack *m or nt* (*col*).

aria [ˈɑːrɪə] *n* Arie *f*.

arid [ˈærɪd] *adj* dürr; (*fig*) *subject* trocken.

aridity [əˈrɪdɪtɪ] *n* Dürre *f*; (*fig*) Trockenheit *f*.

Aries [ˈeəriːz] *n* (*Astrol*) Widder *m*.

arise [əˈraɪz] *pret* **arose** [əˈrəʊz], *ptp* **arisen** [əˈrɪzn] *vi* [a] (*occur*) entstehen; (*misunderstanding, problem also*) aufkommen; (*protest, cry*) sich erheben; (*question*) sich stellen. [b] (*result*) *to ~ from sth* sich aus etw ergeben. [c] (*old, liter: get up*) sich erheben (*liter*).

aristocracy [ˌærɪsˈtɒkrəsɪ] *n* Aristokratie *f*.

aristocrat [ˈærɪstəkræt] *n* Aristokrat(in *f*) *m*, Adlige(r) *mf*.

aristocratic [ˌærɪstəˈkrætɪk] *adj* (*lit, fig*) aristokratisch, adlig; (*fig also*) vornehm.

Aristotle [ˈærɪstɒtl] *n* Aristoteles *m*.

arithmetic [əˈrɪθmətɪk] *n* Rechnen *nt* ▸ *could you check my ~?* kannst du das mal nachrechnen?

ark [ɑːk] *n* Arche *f* ▸ *Noah's ~* die Arche Noah.

arm¹ [ɑːm] *n* [a] Arm *m* ▸ *under one's ~* unter dem *or* unterm Arm; *to take sb in one's ~s* jdn in die Arme nehmen; *to put one's ~s around sb* jdn umarmen; *~ in ~* Arm in Arm; (*~s linked*) eingehakt, untergehakt; *to keep sb at ~'s length* (*fig*) jdn auf Distanz halten; *with*

open ~s mit offenen Armen; *within ~'s reach* in Reichweite; *as long as your ~* (*fig*) ellenlang; *it cost him an ~ and a leg* (*col*) es kostete ihn ein Vermögen. [b] (*sleeve*) Arm, Ärmel *m*; (*of river*) (Fluß)arm *m*; (*of armchair*) (Arm)lehne *f*; (*of record player*) Tonarm *m*.

arm² [1] *vt* *person, nation etc* bewaffnen; *bomb* scharf machen ▸ *to ~ sth with sth* etw mit etw ausrüsten; *to ~ oneself with sth* (*lit, fig*) sich mit etw bewaffnen; (*fig: non-aggressively*) sich mit etw wappnen; *he came ~ed with an excuse* er hatte eine Ausrede parat. [2] *vi* aufrüsten ▸ *to ~ for war* zum Krieg rüsten.

armada [ɑːˈmɑːdə] *n* Armada *f*.

armadillo [ˌɑːməˈdɪləʊ] *n* Gürteltier *nt*.

armament [ˈɑːməmənt] *n* [a] *~s pl* (*weapons*) Ausrüstung *f*. [b] (*preparation*) Aufrüstung *f* *no pl*.

armband [ˈɑːmbænd] *n* Armbinde *f*.

armchair [ˌɑːmˈtʃeəʳ] *n* Sessel, Lehnstuhl *m* ▸ *~ detective* Amateurdetektiv *m*; *~ politician* Stammtischpolitiker *m*.

armed [ɑːmd] *adj* bewaffnet.

armed: *~ forces pl* Streitkräfte *pl*; *~ robbery n* bewaffneter Raubüberfall.

Armenia [ɑːˈmiːnɪə] *n* Armenien *nt*.

Armenian [ɑːˈmiːnɪən] [1] *adj* armenisch. [2] *n* [a] (*person*) Armenier(in *f*) *m*. [b] (*language*) Armenisch *nt*.

armful [ˈɑːmfʊl] *n* Armvoll *m* *no pl*, Ladung *f* (*col*).

armistice [ˈɑːmɪstɪs] *n* Waffenstillstand *m*.

armour, (*US*) **armor** [ˈɑːməʳ] *n* [a] Rüstung *f*; (*of animal*) Panzer *m* ▸ *suit of ~* Rüstung *f*. [b] (*no pl: steel plates*) Panzerplatte(n *pl*) *f*. [c] (*vehicles*) Panzerfahrzeuge *pl*.

armoured [ˈɑːməd] *adj* *division, glass* Panzer- ▸ *~ car* Panzerwagen *m*.

armour: *~-piercing adj* panzerbrechend; *~-plated adj* gepanzert.

armoury, (*US*) **armory** [ˈɑːmərɪ] *n* Arsenal, Waffenlager *nt*; (*US: factory*) Munitionsfabrik *f*.

arm: *~pit n* Achselhöhle *f*; *~rest n* Armlehne *f*.

arms [ɑːmz] *npl* [a] (*weapons*) Waffen *pl* ▸ *to be up in ~ (about sth)* (*fig col*) (über etw *acc*) empört sein; *~ control* Rüstungskontrolle *f*; *~ freeze* Rüstungsstopp *m*; *~ race* Wettrüsten *nt*; *~ trade* Waffenhandel *m*; *~ dealer* Waffenhändler *m*. [b] (*Her*) Wappen *nt*.

army [ˈɑːmɪ] [1] *n* [a] Armee *f*, Heer *nt* ▸ *to join the ~* zum Militär gehen. [b] (*fig*) Heer *nt*. [c] (*division*) Armee(korps *nt*) *f*. [2] *attr* Militär-; *discipline* militärisch; *life, slang* Soldaten- ▸ *~ officer* Offizier *m* (in der Armee).

aroma [əˈrəʊmə] *n* Duft *m*, Aroma *nt*.

aromatherapy [əˌrəʊməˈθerəpɪ] *n* Aromatherapie *f*.

aromatic [ˌærəʊˈmætɪk] *adj* aromatisch.

arose [əˈrəʊz] *pret of* **arise**.

around [əˈraʊnd] [1] *adv* herum, rum (*col*) ▸ *with gardens all ~* mit Gärten ringsherum; *I looked all ~* ich sah mich nach allen Seiten um; *books were lying all ~* überall lagen Bücher herum; *for miles ~* meilenweit im Umkreis; *is he ~?* ist er da?; *he's been ~!* der kennt sich aus!; *it's been ~ for ages* das ist schon uralt; *see you ~!* (*col*) bis bald! [2] *prep* [a] (*movement, position*) um (+*acc*); (*in a circle*) um (+*acc*) ... herum. [b] (*in, through*) *to wander ~ the city* durch die Stadt spazieren; *to talk ~ a subject* um ein Thema herumreden. [c] (*approximately*) (*with date*) um (+*acc*); (*with time of day*) gegen (+*acc*); (*with weight, price*) etwa, um die (*col*); *see also* **round**.

arousal [əˈraʊzəl] *n* (*sexual*) Erregung *f*.

arouse [əˈraʊz] *vt* [a] (*lit liter*) wecken. [b] (*excite*) erregen; *interest, suspicion etc also* (er)wecken.

arr (*Rail*) = **arrives** Ank.

arrange [əˈreɪndʒ] *vt* [a] (*order*) ordnen; *furniture, ob-*

jects aufstellen, hinstellen; *flowers* arrangieren; *room* einrichten. **b** (*fix*) vereinbaren, ausmachen; *details* regeln; *party* arrangieren, organisieren ▶ *I have ~d for a car to pick you up* ich habe Ihnen einen Wagen bestellt, der Sie abholt; *if you could ~ to be there at five* wenn du es einrichten kannst, um fünf Uhr da zu sein; *that's easily ~d* das läßt sich leicht einrichten *or* arrangieren; *a meeting has been ~d for next month* nächsten Monat ist ein Treffen angesetzt; *good, that's ~d then* gut, das ist abgemacht!; *but you ~d to meet me!* aber du wolltest dich doch mit mir treffen! **c** (*Mus*) bearbeiten; *light music* arrangieren.

arrangement [ə'reɪndʒmənt] *n* **a** Anordnung *f*; (*of room*) Einrichtung *f* ▶ *a floral ~* ein Blumenarrangement *nt.* **b** (*agreement*) Vereinbarung *f*; (*to meet*) Verabredung *f*; (*esp shifty*) Arrangement *nt* ▶ *a special ~* eine Sonderregelung; *to have an ~ with sb* eine Regelung mit jdm getroffen haben; *to make an ~ with sb* eine Vereinbarung *or* Absprache mit jdm treffen; *to come to an ~ with sb* eine Regelung mit jdm treffen; (*settle dispute*) sich mit jdm einigen. **c** *~s pl* (*plans*) Pläne *pl*; (*preparations*) Vorbereitungen *pl* ▶ *to make ~s for sth* für etw Vorbereitungen treffen; *to make ~s for sth to be done* veranlassen, daß etw getan wird. **d** (*Mus*) Bearbeitung *f*; (*light music*) Arrangement *nt.*

arrant ['ærənt] *adj ~ nonsense* barer Unsinn.

array [ə'reɪ] *n* (*collection*) Ansammlung *f*, Aufgebot *nt* ▶ *in battle ~* in Kampfaufstellung.

arrears [ə'rɪəz] *npl* Rückstände *pl*; (*payments*) Zahlungsrückstände *pl* ▶ *to be in ~ with sth* mit etw im Rückstand sein.

arrest [ə'rest] **1** *vt* **a** festnehmen, verhaften. **b** (*check*) hemmen; *sth unwanted* (Ein)halt gebieten (+*dat*). **2** *n* Festnahme, Verhaftung *f* ▶ *you are under ~* Sie sind festgenommen *or* verhaftet; *to put sb under ~* jdn festnehmen *or* verhaften.

arresting [ə'restɪŋ] *adj* (*striking*) atemberaubend; *features* markant.

arrival [ə'raɪvəl] *n* **a** (*coming*) Ankunft *f no pl*; (*of person also*) Kommen, Eintreffen *nt no pl*; (*of train also, of goods, news*) Eintreffen *nt no pl* ▶ *on ~* bei Ankunft; *~ lounge* Ankunftshalle *f*; *~ time* Ankunftszeit *f*; *~s board* (*Rail*) Ankunftstafel *f*; (*Aviat*) Ankunftsanzeige *f*. **b** (*person*) *new ~* Neuankömmling *m*; (*at school also*) Neue(r) *mf.*

▼ **arrive** [ə'raɪv] *vi* ankommen, eintreffen (*geh*) ▶ *to ~ home* nach Hause kommen; *the great day ~d* der große Tag kam.

◆**arrive at** *vi +prep obj decision* gelangen zu; *price* sich einigen auf (+*acc*).

arrogance ['ærəgəns] *n* Arroganz, Überheblichkeit *f.*

arrogant ['ærəgənt] *adj* arrogant, überheblich.

arrow ['ærəʊ] *n* (*weapon, sign*) Pfeil *m.*

arrow: *~head n* Pfeilspitze *f*; *~ key n* (*Comp*) Pfeiltaste *f.*

arse [ɑːs] *n* (*col!*) Arsch *m* (*col!*).

◆**arse about** *vi* (*col*) rumblödeln (*col*).

arsenal ['ɑːsɪnl] *n* (*Mil*) (*store*) Arsenal *nt*; (*arms factory*) Waffenfabrik *f*; (*munitions factory*) Munitionsfabrik *f.*

arsenic ['ɑːsnɪk] *n* Arsen *nt.*

arson ['ɑːsn] *n* Brandstiftung *f* ▶ *~ attack* Brandanschlag *m.*

arsonist ['ɑːsənɪst] *n* Brandstifter(in *f*) *m.*

art [ɑːt] *n* **a** Kunst *f* ▶ *there's an ~ to it* das ist eine Kunst; *~s and crafts* Kunsthandwerk, Kunstgewerbe *nt*; *A~s Council* Kulturausschuß *m* der britischen Regierung; *a~s minister* (*Brit*) Kulturminister *m.* **b** *~s* (*Univ*) Geisteswissenschaften *pl*; *Faculty of A~s* Philosophische Fakultät; *~s subject* geisteswissenschaftliches Fach.

art college *n* Kunsthochschule *f.*

art deco ['ɑːt'dekəʊ] *n* Art deco *f.*

artefact (*Brit*), **artifact** ['ɑːtɪfækt] *n* Artefakt *nt.*

arterial [ɑː'tɪərɪəl] *adj* (*Anat*) arteriell ▶ *~ road* Fernverkehrsstraße *f.*

arteriosclerosis [ɑː'tɪərɪəʊsklɪ'rəʊsɪs] *n* (*Med*) Arteriosklerose, Arterienverkalkung *f.*

artery ['ɑːtərɪ] *n* **a** (*Anat*) Arterie *f*, Schlagader *f.* **b** (*also traffic ~*) Verkehrsader *f.*

art form *n* Kunstgattung *f* ▶ *to raise sth to an ~* eine Kunst aus etw machen.

artful ['ɑːtfʊl] *adj person, trick* raffiniert, schlau.

art gallery *n* Kunstgalerie *f.*

arthritic [ɑː'θrɪtɪk] *adj* arthritisch ▶ *she is ~* sie hat Arthritis.

arthritis [ɑː'θraɪtɪs] *n* Arthritis, Gelenkentzündung *f.*

Arthur ['ɑːθəʳ] *n* Art(h)ur *m* ▶ *King~* (*Hist, Myth*) König Artus.

artichoke ['ɑːtɪtʃəʊk] *n* Artischocke *f.*

article ['ɑːtɪkl] *n* **a** (*item*) Gegenstand *m*; (*in list*) Posten *m*; (*Comm*) Ware *f*, Artikel *m* ▶ *~s of clothing* Kleidungsstücke *pl*; *toilet ~s* Toilettenartikel *pl.* **b** (*in newspaper*) Artikel, Beitrag *m*; (*encyclopedia entry*) Eintrag *m.* **c** (*of constitution*) Artikel *m*; (*of treaty, contract*) Paragraph *m* ▶ *~s of association* Gesellschaftsvertrag *m.* **d** (*Gram*) Artikel *m.* **e** (*Brit Jur: of articled clerk*) *to be under ~s* Rechtsreferendar(in) sein.

articled [ɑː'tɪkld] *adj* (*Brit Jur*) ▶ *~ clerk* Rechtsreferendar(in *f*) *m.*

articulate [ɑː'tɪkjʊlɪt] **1** *adj sentence, book* leicht verständlich ▶ *to be ~* sich gut *or* klar ausdrücken können; *clear and ~* klar und deutlich. **2** [ɑː'tɪkjʊleɪt] *vt* **a** (*pronounce*) artikulieren. **b** (*state*) *reasons, views etc* darlegen. **c** *~d lorry* (*Brit*) *or* *truck* Sattelschlepper *m.*

articulation [ɑːˌtɪkjʊ'leɪʃən] *n* (*of speech*) Artikulation *f.*

artifact *n* = **artefact.**

artifice ['ɑːtɪfɪs] *n* (*guile*) List *f no pl.*

artificial [ˌɑːtɪ'fɪʃəl] *adj* (*lit, fig*) künstlich; (*pej*) *smile* gekünstelt, unecht ▶ *~ insemination* künstliche Befruchtung; *~ intelligence* künstliche Intelligenz; *~ leather* Kunstleder *nt*; *~ limb* Prothese *f*; *~ respiration* künstliche Beatmung; *~ silk* Kunstseide *f.*

artificiality [ˌɑːtɪfɪʃɪ'ælɪtɪ] *n* **a** Künstlichkeit *f.* **b** (*insincerity, unnaturalness*) Gekünsteltheit *f.*

artificially [ˌɑːtɪ'fɪʃəlɪ] *adv* künstlich; (*insincerely*) gekünstelt.

artillery [ɑː'tɪlərɪ] *n* (*weapons, troops*) Artillerie *f.*

artisan ['ɑːtɪzæn] *n* Handwerker *m.*

artist ['ɑːtɪst] *n* Künstler(in *f*) *m.*

artiste [ɑː'tiːst] *n* Künstler(in *f*) *m*; (*circus ~*) Artist(in *f*) *m.*

artistic [ɑː'tɪstɪk] *adj* künstlerisch; (*tasteful*) *arrangements* kunstvoll; (*appreciative of art*) kunstverständig ▶ *~ temperament* Künstlertemperament *nt*; *she's very ~* sie ist künstlerisch veranlagt.

artistry ['ɑːtɪstrɪ] *n* (*lit, fig*) Kunst *f.*

artless ['ɑːtlɪs] *adj* unschuldig.

Art Nouveau ['ɑːnuː'vəʊ] *n* Jugendstil *m.*

arts centre *n* Kulturzentrum *nt.*

art: *~ paper n* Kunstdruckpapier *nt*; *~ school n* Kunsthochschule *f*; *~work n* (*in book*) Bildmaterial *nt*; (*material for printing*) Druckvorlage *f.*

arty ['ɑːtɪ] *adj* (*+er*) (*col*) Künstler-; *type also, tie, clothes* verrückt (*col*); *person* künstlerisch angehaucht (*col*); *decoration, style* auf Kunst getrimmt (*col*); *film, novel* geschmäcklerisch.

arty-farty ['ɑːtɪ'fɑːtɪ] *adj* (*hum col*) see **arty.**

▼ **as** [æz, əz] **1** *conj* **a** (*when, while*) als; (*two parallel actions*) während, als, indem ▶ *he got older* mit zunehmendem Alter; *~ a child* als Kind. **b** (*since*) da ▶ *~ it's late* da es spät ist. **c** (*although*) *rich/big ~* he is

---

und wenn er noch so reich/groß ist; **much ~ I admire her**, ... so sehr ich sie auch bewundere, ...; **try ~ he might** so sehr er sich auch bemüht/bemühte. **d** (manner) wie ► **~ I said** wie gesagt; **do ~ you like** machen Sie, was Sie wollen; **leave it ~ it is** lassen Sie es so; **he drinks enough ~ it is** er trinkt sowieso schon genug; **~ it were** sozusagen; **my husband ~ was** (col) mein verflossener or (late) verstorbener Mann. **e** (phrases) **~ if** or **though** als ob; **he rose ~ if to go** er erhob sich, als wollte er gehen; **it isn't ~ if he didn't see me** schließlich hat er mich ja gesehen; **~ for him/you** (und) was ihn/dich angeht; **~ from** or **of the 5th/now** vom Fünften an/von jetzt an.

2 adv **~ ... ~ so ... wie**; **not ~ ... ~** nicht so ... wie; **twice ~ old** doppelt so alt; **just ~ nice** genauso nett; **late ~ usual!** wie immer zu spät!; **is it ~ difficult ~ that?** ist das denn so schwierig?; **~ many/much ~ I could** so viele/soviel ich (nur) konnte.

3 prep (in the capacity of) als ► **to be employed as a ...** als ... angestellt sein.

asap **= as soon as possible** baldmöglichst.

asbestos [æz'bestəs] n Asbest m.

ascend [ə'send] **1** vi (rise) aufsteigen ► **in ~ing order** in aufsteigender Reihenfolge.
2 vt stairs hinaufsteigen; mountain, throne besteigen.

ascendancy [ə'sendənsɪ] n **to gain the ~ over sb** die Vorherrschaft über jdn gewinnen.

ascendant [ə'sendənt] n **to be in the ~** (Astrol) im Aszendenten stehen; (fig) im Aufstieg begriffen sein.

Ascension [ə'senʃən] n **the ~** (Christi) Himmelfahrt f; **~ Day** Himmelfahrt(stag m) nt.

ascent [ə'sent] n Besteigung f, Aufstieg m (of auf +acc).

ascertain [ˌæsə'teɪn] vt ermitteln, feststellen.

ascetic [ə'setɪk] **1** adj asketisch.
2 n Asket m.

asceticism [ə'setɪsɪzəm] n Askese f.

ASCII ['æskiː] (Comp) **= American Standard Code for Information Interchange** ASCII(-Code m).

ascribe [ə'skraɪb] vt zuschreiben (sth to sb jdm etw).

aseptic [eɪ'septɪk] adj aseptisch.

ash¹ [æʃ] n (also **~ tree**) Esche f.

ash² n **a** Asche f ► **~es** Asche f; **to reduce sth to ~es** etw total or völlig niederbrennen; (in war) etw in Schutt und Asche legen. **b** (Cricket) **the A~es** Spielserie f zwischen Australien und England.

ashamed [ə'ʃeɪmd] adj beschämt ► **to be** or **feel ~ (of sb/sth)** sich schämen (für jdn/für or wegen etw); **it's nothing to be ~ of** deswegen braucht man sich nicht zu schämen; **... I'm ~ to say** ..., muß ich leider zugeben; **you ought to be ~ (of yourself)** du solltest dich (was) schämen!

A shares ['eɪʃɛəz] npl stimmrechtslose Aktien pl.

ash: ~ blonde adj aschblond; **~can** n (US) Mülltonne f.

ashore [ə'ʃɔːr] adv an Land ► **to go ~** an Land gehen.

ash: ~tray n Aschenbecher m; **A~ Wednesday** n Aschermittwoch m.

Asia ['eɪʃə] n Asien nt.

Asian ['eɪʃn] **1** adj asiatisch.
2 n Asiat(in f) m.

aside [ə'saɪd] **1** adv **a** (with verb) zur Seite, beiseite ► **to turn ~** sich zur Seite drehen, sich abwenden (esp fig). **b** (Theat etc) beiseite. **c** (esp US) **~ from** außer; **this criticism, ~ from being wrong, is ...** diese Kritik ist nicht nur falsch, sondern auch ...
2 n (Theat) **to say sth in an ~** etw beiseite sprechen.

asinine ['æsɪnaɪn] adj idiotisch.

▼ **ask** [ɑːsk] **1** vt **a** (inquire) fragen; question stellen ► **to ~ sb the way/the time/his opinion** jdn nach dem Weg/der Uhrzeit/seiner Meinung fragen; **to ~ if ...** (nach)fragen, ob ...; **he ~ed me where I'd been** er fragte mich, wo ich gewesen sei; **if you ~ me** wenn du mich

fragst; **don't ~ me!** (col) was weiß ich! (col), da bin ich überfragt!; **I ~ you!** (col) ich muß schon sagen! **b** (invite) einladen; (in dancing) auffordern ► **to ~ sb to lunch** jdn zum (Mittag)essen einladen; **to ~ sb in/up** jdn hereinbitten/heraufbitten; **to ~ sb back** jdn zu sich einladen. **c** (request) bitten (sb for sth jdn um etw); (require, demand) verlangen (sth of sb etw von jdm) ► **to ~ sb to do sth** jdn darum bitten, etw zu tun; **all I ~ is ...** ich will ja nur ...; **it's (not) ~ing too much** das ist (nicht) zuviel verlangt. **d** (Comm) price verlangen, fordern ► **~ing price** Verkaufspreis m.

2 vi **a** (inquire) fragen ► **to ~ about sb/sth** sich nach jdm/etw erkundigen; **~ away!** frag nur!; **well may you ~** das fragt man sich mit Recht. **b** (request) bitten (for sth um etw) ► **I'm not ~ing for sympathy** ich will kein Mitleid; **it's yours for the ~ing** du kannst es haben(, du brauchst nur ein Wort zu sagen); **that's ~ing for trouble** das kann ja nicht gutgehen; **you ~ed for it** (col) du hast es herausgefordert; **to ~ for Mr X** Herrn X verlangen.

◆ **ask after** vi +prep obj sich erkundigen nach ► **tell her I was ~ing ~ her** grüß sie schön von mir.

◆ **ask out** vt sep einladen.

askance [ə'skɑːns] adv **to look ~ at sb** jdn befremdet ansehen.

askew [ə'skjuː] adv schief.

asleep [ə'sliːp] adj pred **to be (fast) ~** (fest) schlafen; **to fall ~** einschlafen (also euph: die).

asparagus [əs'pærəgəs] n no pl Spargel m.

aspect ['æspekt] n **a** (of question etc) Aspekt m, Seite f. **b** (of building) **to have a southerly ~** Südlage haben.

asperity [æs'perɪtɪ] n Schroffheit f.

aspersion [əs'pɜːʃən] n: **to cast ~s upon sb/sth** abfällige Bemerkungen über jdn/etw machen.

asphalt ['æsfælt] n Asphalt m.

asphyxia [æs'fɪksɪə] n Erstickung f.

asphyxiate [æs'fɪksɪeɪt] vti ersticken ► **to be ~d** ersticken.

aspic ['æspɪk] n (Cook) Aspik, Gelee m or nt.

aspiration [ˌæspə'reɪʃən] n Ziel, Bestreben nt.

aspire [ə'spaɪər] vi **to ~ to sth** nach etw streben; **to ~ to do sth** danach streben, etw zu tun.

aspirin ['æsprɪn] n Aspirin ® nt, ≈ Schmerztablette f.

aspiring [ə'spaɪərɪŋ] adj aufstrebend.

ass¹ [æs] (lit, fig col) Esel m.

ass² n (US col!) = **arse**.

assail [ə'seɪl] vt (lit, fig) angreifen; (fig: with questions etc) überschütten, bombardieren.

assailant [ə'seɪlənt] n Angreifer(in f) m.

assassin [ə'sæsɪn] n Mörder(in f) m; (would-be ~) Attentäter(in f) m.

assassinate [ə'sæsɪneɪt] vt durch ein Attentat or einen Mordanschlag töten ► **JFK was ~d in Dallas** JFK wurde in Dallas ermordet.

assassination [əˌsæsɪ'neɪʃən] n (geglücktes) Attentat, (geglückter) Mordanschlag (of auf +acc) ► **~ attempt** Attentat nt; **to plan an ~** ein Attentat planen.

assault [ə'sɔːlt] **1** n **a** (Mil) Sturm(angriff) m (on auf +acc); (fig) Angriff m (on gegen) ► **~ course** Hindernisstrecke f (esp für die Ausbildung von Truppen). **b** (Jur) Körperverletzung f ► **~ and battery** Körperverletzung f; **indecent** or **sexual ~** Notzucht f.
2 vt angreifen; (Jur) tätlich werden gegen; (sexually) herfallen über (+acc); (rape) vergewaltigen.

assemble [ə'sembl] **1** vt zusammenbauen; car, machine etc also montieren.
2 vi sich versammeln.

assembly [ə'semblɪ] n **a** (gathering) Versammlung f. **b** (Sch) (tägliche) Versammlung f (mit Bekanntmachungen, einem Gebet und einem Kirchenlied). **c** (putting together) Zusammenbau m; (of machine, cars also) Montage f. **d** (thing assembled) Konstruktion f.

assembly: ~ **hall** n (Sch) Aula f; ~ **language** n (Comp) Assemblersprache f; ~ **line** n Montageband nt; ~ **point** n Sammelplatz m.
assent [ə'sent] [1] n Zustimmung f.
[2] vi to ~ to sth einer Sache (dat) zustimmen.
assert [ə'sɜːt] vt [a] (declare) behaupten; one's innocence beteuern. [b] to ~ one's authority seine Autorität geltend machen; to ~ one's rights sein Recht behaupten; to ~ oneself sich behaupten or durchsetzen (over gegenüber).
assertion [ə'sɜːʃən] n Behauptung f.
assertive [ə'sɜːtɪv] adj bestimmt.
assess [ə'ses] vt [a] einschätzen; proposal, advantages abwägen. [b] property schätzen; person (for tax purposes) veranlagen (at mit); tax festsetzen (at auf +acc); damages schätzen (at auf +acc).
assessment [ə'sesmənt] n see vt [a] Einschätzung f; Abwägen nt ▸ what's your ~ of the situation? wie beurteilen Sie die Lage? [b] Schätzung f; Veranlagung f. [c] Festsetzung f; Schätzung f.
assessor [ə'sesəʳ] n Schätzer m.
asset ['æset] n [a] usu pl Vermögenswert m; (on balance sheet) Aktivposten m ▸ ~s Vermögen nt; (on balance sheet) Aktiva pl; ~ **stripping** Aufkauf von finanziell gefährdeten Firmen und anschließender Verkauf ihrer Vermögenswerte. [b] (fig) to be an ~ to vorteilhaft sein für; the new man is an ~ to the company der neue Mann ist ein Gewinn für die Firma.
assiduous [ə'sɪdjʊəs] adj gewissenhaft.
assign [ə'saɪn] vt (allot) zuweisen, zuteilen (to sb jdm); (Jur) übertragen (to sb jdm); room bestimmen (to für); meaning zuordnen (to dat); (attribute) novel, play, music zuschreiben (to dat) ▸ she was ~ed to this school sie wurde an diese Schule berufen.
assignation [ˌæsɪg'neɪʃən] n (lovers') Rendezvous nt.
assignment [ə'saɪnmənt] n [a] (task) Aufgabe f. [b] (to post etc) Berufung f. [c] (Jur) Übertragung f.
assimilate [ə'sɪmɪleɪt] vt food, knowledge aufnehmen; (fig: into society etc also) integrieren.
assimilation [ə,sɪmɪ'leɪʃən] n see vt Aufnahme f; Integration f ▸ his powers of ~ seine geistige Aufnahmefähigkeit.
assist [ə'sɪst] [1] vt helfen (+dat); (act as an assistant to) assistieren (+dat) ▸ to ~ sb in doing or to do sth jdm helfen, etw zu tun. [2] vi helfen ▸ to ~ with sth bei etw helfen.
assistance [ə'sɪstəns] n Hilfe f ▸ to come to sb's ~ jdm zu Hilfe kommen; can I be of any ~? kann ich irgendwie behilflich sein?
assistant [ə'sɪstənt] [1] n Assistent(in f) m; (Brit: shop ~) Verkäufer(in f) m. [2] adj attr manager etc stellvertretend.
associate [ə'səʊʃɪt] [1] n (colleague) Kollege m, Kollegin f; (Comm) Partner(in f) m; (accomplice) Komplize m, Komplizin f; (of a society) außerordentliches Mitglied ▸ ~ professor n (US) außerordentlicher Professor.
[2] [ə'səʊʃɪeɪt] vt assoziieren (also Psych) ▸ to ~ oneself with sb/sth sich jdm/einer Sache anschließen; to be ~d with sb/sth mit jdm/einer Sache in Verbindung gebracht or assoziiert werden; I don't ~ him with sport bei ihm denke ich nicht an Sport.
[3] [ə'səʊʃɪeɪt] vi to ~ with verkehren mit.
association [ə,səʊsɪ'eɪʃən] n [a] no pl (with people) Verkehr, Umgang m; (co-operation) Zusammenarbeit f ▸ he has had a long ~ with the party er hat seit langem mit der Partei zu tun gehabt. [b] (organization) Verband m. [c] (mental) Assoziation f (with an +acc) (also Psych) ▸ ~ of ideas Gedankenassoziation f.
association football n (Brit) Fußball m, Soccer nt.
assorted [ə'sɔːtɪd] adj (mixed) gemischt.
assortment [ə'sɔːtmənt] n Mischung f; (of goods) Aus-

wahl f (of an +dat), Sortiment nt (of von).
asst = **assistant** Ass.
assume [ə'sjuːm] vt [a] annehmen; (presuppose) voraussetzen ▸ let us ~ that you are right nehmen wir an or gehen wir davon aus, Sie hätten recht; assuming (that) ... angenommen(, daß) ... [b] power, control übernehmen; (forcefully) ergreifen. [c] (take on) title, guise, shape annehmen ▸ under an ~d name unter anderem Namen.
assumption [ə'sʌmpʃən] n [a] Annahme f; (presupposition) Voraussetzung f ▸ to go on the ~ that ... von der Voraussetzung ausgehen, daß ...; that's just an ~ das ist nur eine Vermutung. [b] (of power, role etc) Übernahme f; (forcefully) Ergreifen nt. [c] (of guise, false name etc) Annahme f. [d] (Eccl) the A~ Mariä Himmelfahrt f.
assurance [ə'ʃʊərəns] n [a] Versicherung f; (promise also) Zusicherung f ▸ he gave me his ~ that it would be done er versicherte mir, daß es erledigt würde; you have my ~ that ... Sie können versichert sein, daß ... [b] (self-confidence) Sicherheit f. [c] (confidence) Zuversicht f. [d] (esp Brit: life ~) (Lebens)versicherung f ▸ ~ company Versicherungsgesellschaft f.
▼ **assure** [ə'ʃʊəʳ] vt [a] versichern (+dat); (promise) zusichern (+dat) ▸ to ~ sb of sth (of love, willingness etc) jdn einer Sache (gen) versichern; (of service, support, help) jdm etw zusichern; ... I ~ you ... das versichere ich Ihnen. [b] (make certain of) success, happiness, future sichern. [c] (esp Brit: insure) life versichern.
assured [ə'ʃʊəd] adj sicher; income, future also gesichert ▸ to rest ~ that ... sicher sein, daß ...
asterisk ['æstərɪsk] n Sternchen nt.
astern [ə'stɜːn] (Naut) adv achtern; (towards the stern) nach achtern; (backwards) achteraus.
asteroid ['æstərɔɪd] n Asteroid m.
asthma ['æsmə] n Asthma nt.
asthmatic [æs'mætɪk] n Asthmatiker(in f) m.
astigmatism [æs'tɪgmətɪzəm] n Astigmatismus m.
astonish [ə'stɒnɪʃ] vt erstaunen, überraschen ▸ I was ~ed to learn that ... ich war erstaunt, als ich hörte, daß ...
astonishing [ə'stɒnɪʃɪŋ] adj erstaunlich.
astonishingly [ə'stɒnɪʃɪŋlɪ] adv erstaunlich ▸ ~ (enough) erstaunlicherweise.
astonishment [ə'stɒnɪʃmənt] n Erstaunen nt (at über +acc) ▸ look of ~ erstaunter Blick; she looked at me in ~ sie sah mich erstaunt an; to my ~ zu meinem Erstaunen.
astound [ə'staʊnd] vt in Erstaunen versetzen ▸ to be ~ed (at) höchst erstaunt sein (über +acc).
astounding [ə'staʊndɪŋ] adj erstaunlich.
astray [ə'streɪ] adj verloren ▸ to go ~ (person) (lit) vom Weg abkommen; (fig: morally) auf Abwege geraten; (letter, object) verlorengehen; to lead sb ~ (fig) jdn vom rechten Weg abbringen; (mislead) jdn irreführen.
astride [ə'straɪd] prep rittlings auf.
astrologer [əs'trɒlədʒəʳ] n Astrologe m, Astrologin f.
astrology [əs'trɒlədʒɪ] n Astrologie f.
astronaut ['æstrənɔːt] n Astronaut(in f) m.
astronomer [əs'trɒnəməʳ] n Astronom(in f) m.
astronomical [ˌæstrə'nɒmɪkəl] adj (fig also astronomic) astronomisch.
astronomy [əs'trɒnəmɪ] n Astronomie f.
astrophysics [ˌæstrəʊ'fɪzɪks] n sing Astrophysik f.
astute [ə'stjuːt] adj schlau; remark also scharfsinnig; mind scharf.
astuteness [əs'tjuːtnɪs] n see adj Schlauheit f; Scharfsinnigkeit f; Schärfe f.
asylum [ə'saɪləm] n [a] (Pol) Asyl nt ▸ ~ seeker Asylant(in f) m; to ask for (political) ~ um (politisches) Asyl bitten. [b] (lunatic ~) (Irren)anstalt f.

▸ SENTENCE BUILDER: **assure**: a → 13.1

asymmetric(al) [ˌeɪsɪ'metrɪk(əl)] *adj* asymmetrisch ► *asymmetric bars* Stufenbarren *m*.

at [æt] *prep* **a** (*position*) an (+*dat*), bei (+*dat*); (*with place*) in (+*dat*) ► **~ *the window/corner*** am *or* beim Fenster/an der Ecke; **~** *university/school/the hotel/ the zoo* an *or* auf der Universität/in der Schule/im Hotel/im Zoo; **~ *my brother's*** bei meinem Bruder; **~ *a party*** auf *or* bei einer Party; **~ *the station*** am Bahnhof. **b** (*direction*) **to aim/point** *etc* **~ sb/sth** auf jdn/etw zielen/zeigen *etc*; **to look/growl** *etc* **~ sb** jdn ansehen/ anknurren *etc*. **c** (*time, frequency, order*) **~ ten o'clock** um zehn Uhr; **~ night** bei Nacht; **~ *Christmas/Easter*** zu Weihnachten/Ostern; **~ *your age/16*** in deinem Alter/ mit 16; **three ~ a time** drei auf einmal; **~ *the start/end*** *of sth* am Anfang/am Ende einer Sache. **d** (*activity*) **~ *play/work*** beim Spiel/bei der Arbeit; *good/bad/an expert* **~ sth** gut/schlecht/ein Experte in etw (*dat*); **he's been ~ it all day** er ist schon den ganzen Tag dabei; *while we are* **~ it** (*col*) wenn wir schon mal dabei sind. **e** (*as a result of, upon*) auf (+*acc*) ... (hin) ► **~ *his request*** auf seine Bitte (hin); **~ *her death*** bei ihrem Tod; **~ *that/this he left the room*** daraufhin verließ er das Zimmer. **f** (*with*) *delighted etc* über (+*acc*). **g** (*rate, value, degree*) **~ *50 km/h*** mit 50 km/h; **~ *50p a pound*** für 50 Pence pro Pfund; **~ *5% interest*** zu 5% Zinsen; **when the temperature is ~ 90** wenn die Temperatur 90° beträgt.

ate [et, eit] *pret of* **eat.**

atheism ['eɪθɪɪzəm] *n* Atheismus *m*.

atheist ['eɪθɪɪst] *n* Atheist(in *f*) *m*.

Athenian [ə'θiːnɪən] **1** *n* Athener(in *f*) *m*. **2** *adj* athenisch; (*esp modern*) Athener.

Athens ['æθɪnz] *n* Athen *nt*.

athlete ['æθliːt] *n* Athlet(in *f*) *m*; (*in track and field events*) Leichtathlet(in *f*) *m* ► **he is a natural ~** er ist der geborene Sportler; **~'s foot** Fußpilz *m*.

athletic [æθ'letɪk] *adj* sportlich; *build* athletisch.

athletically [æθ'letɪkəlɪ] *adv* athletisch.

athletics [æθ'letɪks] *n sing or pl* Leichtathletik *f* ► *meeting* Leichtathletikwettkampf *m*.

Atlantic [ət'læntɪk] **1** *n* (*also* **~ Ocean**) Atlantik *m*, Atlantischer Ozean. **2** *adj* atlantisch ► **~ *crossing*** Atlantiküberquerung *f*.

atlas ['ætləs] *n* Atlas *m*.

Atlas Mountains *npl* Atlas *m*.

ATM = **automated telling machine** Geldautomat *m*.

atmosphere ['ætməsfɪə'] *n* (*lit, fig*) Atmosphäre *f*; (*fig: of novel also*) Stimmung *f*.

atmospheric [ˌætməs'ferɪk] *adj* atmosphärisch; (*full of atmosphere*) *description* stimmungsvoll ► **~ *pollution*** Luftbelastung *f*.

atmospherics [ˌætməs'ferɪks] *npl* (*Rad*) atmosphärische Störungen *pl*.

atom ['ætəm] *n* Atom *nt* ► **~ *bomb*** Atombombe *f*.

atomic [ə'tɒmɪk] *adj* atomar.

atomic *in cpds* Atom-; **~ age** *n* Atomzeitalter *nt*; **~ bomb** *n* Atombombe *f*; **~ energy** *n* Atom- *or* Kernenergie *f*; **~ power** *n* Atomkraft *f*.

atomizer ['ætəmaɪzə'] *n* Zerstäuber *m*.

atone [ə'təʊn] *vi* **to ~ for sth** für etw sühnen *or* büßen.

atonement [ə'təʊnmənt] *n* Sühne, Buße *f* ► **to make ~ for sth** für etw Sühne *or* Buße tun; **the A~** (*Eccl*) das Sühneopfer (Christi).

atrocious [ə'trəʊʃəs] *adj* grauenhaft.

atrocity [ə'trɒsɪtɪ] *n* Grausamkeit *f*; (*act also*) Greueltat *f*.

atrophy ['ætrəfɪ] **1** *n* Atrophie *f*; (*Med*) Schwund *m*. **2** *vi* verkümmern, schwinden.

attach [ə'tætʃ] *vt* **a** (*join*) festmachen, befestigen (*to* an +*dat*) ► *please find* **~ed** ... beiliegend finden Sie ...; *is he/she* **~ed?** ist er/sie schon vergeben? **b** (*be fond of*) **to be ~ed to sb/sth** (*be fond of*) an jdm/etw hängen. **c** (*attribute*) *value, importance* beimessen, zuschreiben (*to dat*).

attaché [ə'tæʃeɪ] *n* Attaché *m* ► **~ *case*** Aktenkoffer *m*.

attachment [ə'tætʃmənt] *n* **a** (*accessory*) Zusatzteil, Zubehörteil *nt*. **b** (*fig: affection*) Zuneigung *f* (*to* zu). **c** **he's (working) here on ~** er ist vorübergehend hierher versetzt worden.

attack [ə'tæk] **1** *n* **a** (*Mil, Sport, fig*) Angriff *m* (*on* auf +*acc*) ► **to be under ~** angegriffen werden; (*fig also*) unter Beschuß stehen; **to leave oneself open to ~** Angriffsflächen bieten. **b** (*Med etc*) Anfall *m*. **2** *vt* **a** (*Mil, Sport, fig*) angreifen; (*from ambush, in robbery etc*) überfallen. **b** (*tackle*) *task, problem* in Angriff nehmen.

attacker [ə'tækə'] *n* Angreifer *m*.

attain [ə'teɪn] *vt* *rank, age* erreichen; *knowledge* erlangen; *happiness, power* gelangen zu.

attainment [ə'teɪnmənt] *n* **a** (*act*) Erreichen *nt*; (*of knowledge, happiness, prosperity, power*) Erlangen *nt*. **b** (*usu pl: accomplishment*) Fertigkeit *f*.

attempt [ə'tempt] **1** *vt* versuchen; *task* sich versuchen an (+*dat*) ► **~ed *murder*** Mordversuch *m*. **2** *n* Versuch *m* ► **an ~ on the record** ein Versuch, den Rekord zu brechen; **to make an ~ on sb's life** einen Anschlag auf jdn *or* jds Leben verüben; **he made no ~ to help us** er unternahm keinen Versuch, uns zu helfen; **at the first ~** auf Anhieb, beim ersten Versuch; **in the ~** dabei.

▼ **attend** [ə'tend] **1** *vt* **a** *classes, church, meeting* besuchen; *wedding, funeral* anwesend sein bei (+*dat*). **b** (*wait on*) *queen etc* bedienen. **2** *vi* **a** (*be present*) anwesend sein ► **are you going to ~?** gehen Sie hin? **b** (*pay attention*) aufpassen.

◆ **attend to** *vi +prep obj* (*see to*) sich kümmern um; (*pay attention to*) *work etc* Aufmerksamkeit schenken (+*dat*); *customers* bedienen ► **are you being ~ed ~?** werden Sie schon bedient?; **that's being ~ed ~** das wird (bereits) erledigt.

attendance [ə'tendəns] *n* **a** Anwesenheit *f* (*at* bei) ► **in ~** anwesend; *regular* **~ at school** regelmäßiger Schulbesuch. **b** (*number present*) Teilnehmerzahl *f*.

attendant [ə'tendənt] **1** *n* (*in art galleries, museums*) Aufseher(in *f*), Wärter(in *f*) *m*; (*in public toilets*) Toilettenwart *m*, Toilettenfrau *f*; (*in swimming baths*) Bademeister(in *f*) *m*. **2** *adj* damit verbunden ► **~ *circumstances*** Begleitumstände *pl*.

attention [ə'tenʃən] *n* **a** *no pl* Aufmerksamkeit *f* ► **to call** *or* **draw sb's ~ to sth** jdn auf etw (*acc*) aufmerksam machen; **to attract sb's ~** jdm auffallen; (*by waving etc*) jdn auf sich (*acc*) aufmerksam machen; **to turn one's ~ to sb/sth** jdm/einer Sache seine Aufmerksamkeit zuwenden; **to pay ~/no ~ to sb/sth** jdn/etw beachten/nicht beachten; **to pay ~ to the teacher** dem Lehrer zuhören; **to hold sb's ~** jdn fesseln; **your ~, please** ich bitte um Aufmerksamkeit; (*over tannoy*) Achtung, Achtung!; **it has come to my ~ that ...** ich habe feststellen müssen, daß ...; **it has been brought to my ~ that ...** es ist mir zu Ohren gekommen, daß ...; **the bodywork needs a little ~** an der Karosserie muß etwas getan werden. **b** **~s** *pl* (*kindnesses*) Aufmerksamkeiten *pl*. **c** (*Mil*) **to stand at ~** stillstehen; **~!** stillgestanden! **d** (*Comm*) **for the ~ of ...** zu Händen von ...

attentive *adj*, **~ly** *adv*, [ə'tentɪv, -lɪ] aufmerksam.

attenuating [ə'tenjʊeɪtɪŋ] *adj*: **~ *circumstances*** mildernde Umstände.

attest [ə'test] *vt* (*certify*) bestätigen, bescheinigen; *signature also* beglaubigen.

► SENTENCE BUILDER: **attend: 1a → 5.4**

◆**attest to** *vi* +*prep obj* bezeugen.

attic [ætɪk] *n* Dachboden, Speicher *m*; (*lived-in*) Mansarde *f*▶ *in the ~* auf dem (Dach)boden.

attire [ə'taɪə^r] *n no pl* Kleidung *f*▶ *ceremonial ~* Festtracht *f*; (*of priest*) Ornat *nt*.

▼ **attitude** [ætɪtjuːd] *n* (*way of thinking*) Einstellung *f* (*to, towards* zu); (*way of acting, posture, manner*) Haltung *f* (*to, towards* gegenüber) ▶ *well, if that's your ~* ja, wenn du *so* denkst.

attorney [ə'tɜːnɪ] *n* (*US: lawyer*) (Rechts)anwalt *m*, (Rechts)anwältin *f* ▶ *~ general* (*US*) (*of state government*) ≃ Generalstaatsanwalt *m*; (*of federal government*) ≃ Generalbundesanwalt *m*; (*Brit*) ≃ Justizminister *m*; *power of ~* Vollmacht *f*.

attract [ə'trækt] *vt* (*also Phys*) anziehen; *sb's attention* auf sich (*acc*) ziehen *or* lenken; (*idea, music, place etc*) ansprechen ▶ *she feels ~ed to him/to the idea* sie fühlt sich zu ihm hingezogen/die Idee reizt sie; *what ~s me about the place* was mich an dem Ort reizt.

attraction [ə'trækʃən] *n* a (*Phys, fig*) Anziehungskraft *f* ▶ *to lose its ~* seinen Reiz verlieren; *to have an ~ for sb* einen Reiz auf jdn ausüben, jdn reizen; *the ~ of the city* der Reiz der Großstadt. b (*attractive thing*) Attraktion *f*.

attractive [ə'træktɪv] *adj* attraktiv, reizvoll; *offer, price* verlockend.

attractively [ə'træktɪvlɪ] *adv* attraktiv; *furnish, paint* reizvoll.

attractiveness [ə'træktɪvnɪs] *n* Attraktivität *f*; (*of house, furnishing, view etc*) Reiz *m*.

attributable [ə'trɪbjʊtəbl] *adj to be ~ to sb/sth* jdm/ einer Sache zuzuschreiben sein.

attribute [ə'trɪbjuːt] 1 *vt to ~ sth to sb* play, remark etc jdm etw zuschreiben; *intelligence, feelings etc* jdm etw zusprechen; *to ~ sth to sth* success, accident etc etw auf etw (*acc*) zurückführen. 2 ['ætrɪbjuːt] *n* (*quality*) Merkmal *nt*, Eigenschaft *f*.

attributive [ə'trɪbjʊtɪv] (*Gram*) *adj* attributiv.

attrition [ə'trɪʃən] *n* Zermürbung *f* ▶ *war of ~* (*Mil*) Zermürbungskrieg *m*.

Atty Gen = **Attorney General.**

aubergine ['əʊbəʒiːn] *n* (*Brit*) Aubergine *f*.

auburn ['ɔːbən] *adj hair* rotbraun, rostrot.

auction ['ɔːkʃən] 1 *n* (*also ~ sale*) Auktion, Versteigerung *f*. 2 *vt* (*also ~ off*) versteigern.

auctioneer [,ɔːkʃə'nɪə^r] *n* Auktionator *m*.

audacious [ɔː'deɪʃəs] *adj* a (*impudent*) dreist, unverfroren. b (*bold*) kühn.

audacity [ɔː'dæsɪtɪ] *n* a (*impudence*) *to have the ~ to do sth* die Dreistigkeit *or* Unverfrorenheit besitzen, etw zu tun. b (*boldness*) Kühnheit *f*.

audibility [,ɔːdɪ'bɪlɪtɪ] *n* Hörbarkeit *f*.

audible ['ɔːdɪbl] *adj* hörbar, (deutlich) vernehmbar ▶ *she was hardly ~* man konnte sie kaum hören.

audibly ['ɔːdɪblɪ] *adv* hörbar.

audience ['ɔːdɪəns] *n* a Publikum *nt no pl*; (*Theat, TV also*) Zuschauer *pl*; (*of speaker also*) Zuhörer *pl*; (*Rad, Mus also*) Zuhörerschaft *f* ▶ *~ figures* (*TV, Rad*) Einschalquote *f*; *to have ~ appeal* publikumswirksam sein. b (*formal interview*) Audienz *f* (*with* bei).

audio ['ɔːdɪəʊ] *in cpds* Ton-; *~ book* *n* Hörbuch *nt*; *~ cassette* *n* (Ton)kassette, Cassette *f*; *~ engineer* *n* Toningenieur *m*; *~ equipment* *n* HiFi-Geräte *pl*; *~ typist* *n* Phonotypistin *f*; *~-visual* *adj* audiovisuell.

audit ['ɔːdɪt] 1 *n* Buchprüfung *f*. 2 *vt* prüfen.

audition [ɔː'dɪʃən] 1 *n* (*Theat*) Vorsprechprobe *f*; (*Mus*) Probespiel *nt*; (*of singer*) Vorsingen *nt*. 2 *vt* vorsprechen/vorspielen/vorsingen lassen.

auditor ['ɔːdɪtə^r] *n* Wirtschaftsprüfer *m*.

auditorium [,ɔːdɪ'tɔːrɪəm] *n* Auditorium *nt*; (*in theatre, cinema*) Zuschauerraum *m*.

au fait [,əʊ'feɪ] *adj* vertraut.

Aug = **August** Aug.

augment [ɔːg'ment] 1 *vt* vermehren; *income also* vergrößern. 2 *vi* zunehmen.

augur ['ɔːgə^r] *vi to ~ well/ill* etwas Gutes/nichts Gutes verheißen.

august [ɔː'gʌst] *adj* illuster; *occasion* erhaben.

August ['ɔːgəst] *n* August *m*; *see* **September**.

aunt [ɑːnt] *n* Tante *f*.

auntie, aunty ['ɑːntɪ] *n* (*col*) Tante *f*.

au pair ['əʊ'peə] *n, pl* - *-s* (*also ~ girl*) Au-pair(-Mädchen) *nt*.

aura ['ɔːrə] *n* Aura *f* (*geh*), Ausstrahlung *f* ▶ *she has an ~ of* ... sie strahlt ... aus.

auspices ['ɔːspɪsɪz] *npl* *under the ~ of* unter der Schirmherrschaft (+*gen*).

auspicious [ɔːs'pɪʃəs] *adj* günstig; *start* vielversprechend ▶ *an ~ occasion* ein feierlicher Anlaß.

Aussie ['ɒzɪ] (*col*) Australier(in *f*) *m*.

austere [ɒs'tɪə^r] *adj* streng; *way of life also* asketisch; *room* schmucklos.

austerity [ɒs'terɪtɪ] *n* a (*severity*) Strenge *f*; (*simplicity*) strenge Einfachheit, Schmucklosigkeit *f*. b (*hardship*) *after the ~ of the war years* nach den Entbehrungen der Kriegsjahre; *a life of ~* ein Leben der Entsagung; *~ measures* Sparmaßnahmen *pl*.

Australasia [,ɔːstrə'leɪsjə] *n* Australien und Ozeanien *nt*.

Australia [ɒs'treɪlɪə] *n* Australien *nt*.

Australian [ɒs'treɪlɪən] 1 *n* Australier(in *f*) *m*. 2 *adj* australisch.

Austria ['ɒstrɪə] *n* Österreich *nt*.

Austrian ['ɒstrɪən] 1 *n* Österreicher(in *f*) *m*; (*dialect*) Österreichisch *nt*. 2 *adj* österreichisch.

Austro- [ɒstrəʊ] *pref* Austro- ▶ *~-Hungarian* österreichisch-ungarisch.

authentic [ɔː'θentɪk] *adj* echt; *document etc* authentisch; *claim* berechtigt.

authenticate [ɔː'θentɪkeɪt] *vt* bestätigen; *signature, document* beglaubigen; *manuscript, work of art* für echt befinden.

authenticity [,ɔːθen'tɪsɪtɪ] *n* Echtheit, Authentizität (*geh*) *f*; (*of claim to title*) Berechtigung *f*.

author ['ɔːθə^r] *n* Autor(in *f*), Schriftsteller(in *f*) *m*; (*of report, pamphlet*) Verfasser(in *f*) *m*; (*fig*) Urheber(in *f*) *m*.

authoress ['ɔːθərɪs] *n* Autorin *f*; Schriftstellerin *f*.

authoritarian [,ɔːθɒrɪ'teərɪən] *adj* autoritär.

authoritative [ɔː'θɒrɪtətɪv] *adj* a (*commanding*) bestimmt, entschieden. b (*definitive*) maßgeblich, maßgebend ▶ *from an ~ source* aus berufenem Munde.

authority [ɔː'θɒrɪtɪ] *n* a (*power*) Autorität *f*; (*right, entitlement*) Befugnis *f*; (*specifically delegated power*) Vollmacht *f*; (*permission*) Erlaubnis *f* ▶ *people who are in ~* Menschen, die Autorität haben; *the person in ~* der Zuständige *or* Verantwortliche; *to be in* or *have ~ over sb* jdm übergeordnet sein; *on one's own ~* auf eigene Verantwortung; *by what ~ do you claim the right to ...?* mit welcher Berechtigung verlangen Sie, daß ...?; *to have the ~ to do sth* berechtigt *or* befugt sein, etw zu tun; *to do sth on sb's ~* etw in jds Auftrag (*dat*) tun; *to have* or *carry (great) ~* viel gelten (*with* bei); *to speak/ write with ~* mit Sachkenntnis sprechen/schreiben.

b (*also pl: ruling body*) Behörde *f*; (*body of people*) Verwaltung *f*; *the authorities* die Behörden *pl*; *the university authorities* die Universitätsverwaltung; *the local ~* die Gemeindeverwaltung; (*in town*) die Stadtverwaltung.

▶ SENTENCE BUILDER: **attitude** → 1.3, 4.2

c (*expert*) Autorität *f*, Fachmann *m* (*on* auf dem Gebiet +*gen*); (*definitive book etc*) (anerkannte) Autorität; (*source*) Quelle *f* ▸ **to have sth on good ~** etw aus zuverlässiger Quelle wissen; **this book is the ~ on spelling** dieses Buch ist maßgebend für die Rechtschreibung.

authorization [ˌɔːθəraɪˈzeɪʃən] *n* Genehmigung *f*; (*delegated authority*) Vollmacht *f*; (*right*) Recht *nt*.

▼ **authorize** [ˈɔːθəraɪz] *vt* a (*empower*) berechtigen, ermächtigen ▸ **to be ~d to do sth** (*have right*) das Recht haben, etw zu tun; **he was specially ~d to ...** er hatte eine Sondervollmacht, zu ...; **~d representative** bevollmächtigter Vertreter. b (*permit*) genehmigen; *money, claim etc* bewilligen; *translation, biography etc* autorisieren ▸ **the A~d Version** englische Bibelfassung von *1611*.

authorship [ˈɔːθəʃɪp] *n* Autorschaft *f* ▸ **of unknown ~** eines unbekannten Autors.

autistic [ɔːˈtɪstɪk] *adj* autistisch.

auto [ˈɔːtəʊ] *n* (*US*) Auto *nt*, Pkw *m*.

auto- [ˈɔːtəʊ] *pref* auto-, Auto-.

autobiographical [ˌɔːtəʊbaɪəʊˈɡræfɪkəl] *adj* autobiographisch.

autobiography [ˌɔːtəʊbaɪˈɒɡrəfɪ] *n* Autobiographie *f*.

autocratic [ˌɔːtəʊˈkrætɪk] *adj* autokratisch.

autocue [ˈɔːtəʊkjuː] *n* (*Brit TV*) Teleprompter *m*.

autofocus [ˈɔːtəʊfəʊkəs] *n* (*Phot*) Autofocus, Autofokus *m*.

autograph [ˈɔːtəɡrɑːf] 1 *n* Autogramm *nt*. 2 *vt* signieren.

automat [ˈɔːtəmæt] *n* (*US*) Automatenrestaurant *nt*.

automate [ˈɔːtəmeɪt] *vt* automatisieren.

automatic [ˌɔːtəˈmætɪk] 1 *adj* (*lit, fig*) automatisch ▸ **~ choke** Startautomatik *f*; **~ dialling** (*Brit*) or **dialing** (*US*) Wählautomatik *f*; **~ exposure** Belichtungsautomatik *f*; **~ transmission** Automatikgetriebe *nt*; **the ~ model** das Modell mit Automatik; **~ pilot** Autopilot *m*. 2 *n* (*gun*) automatische Waffe; (*car*) Automatikwagen *m*.

automatically [ˌɔːtəˈmætɪkəlɪ] *adv* automatisch.

automation [ˌɔːtəˈmeɪʃən] *n* Automatisierung *f*.

automaton [ɔːˈtɒmətən] *n, pl* **-s** *or* **automata** [-ətə] (*robot*) Roboter *m*; (*fig also*) Automat *m*.

automobile [ˈɔːtəməbiːl] *n* (*esp US*) Auto(mobil), Kraftfahrzeug *nt*.

autonomous [ɔːˈtɒnəməs] *adj* autonom.

autonomy [ɔːˈtɒnəmɪ] *n* Autonomie *f*.

autopilot [ˌɔːtəʊˈpaɪlət] *n* Autopilot *m* ▸ **to be on ~** (*col*) alles nur noch ganz automatisch machen.

autopsy [ˈɔːtɒpsɪ] *n* Autopsie, Obduktion *f*.

autumn [ˈɔːtəm] (*esp Brit*) 1 *n* (*lit, fig*) Herbst *m* ▸ **in (the) ~** im Herbst. 2 *adj attr* Herbst-, herbstlich.

autumnal [ɔːˈtʌmnəl] *adj* herbstlich, Herbst-.

auxiliary [ɔːgˈzɪlɪərɪ] 1 *adj* Hilfs-; (*emergency also*) Not-; (*additional*) *engine, generator etc* Zusatz- ▸ **~ nurse** (*female*) Schwesternhelferin *f*, (*male*) Hilfspfleger *m*. 2 *n* a (*Mil*) **auxiliaries** *pl* Hilfstruppe(n *pl*) *f*. b (*general: assistant*) Hilfskraft *f*, Helfer(in *f*) *m*. c (*~ verb*) Hilfsverb *nt*.

AV = a **audiovisual**. b **Authorized Version**.

Av = **Avenue**.

av = **average** Durchschn.

avail [əˈveɪl] 1 *vr* **to ~ oneself of sth** von etw Gebrauch machen. 2 *n* **of no ~** erfolglos, ohne Erfolg; **to no ~** vergebens, vergeblich.

availability [əˌveɪləˈbɪlɪtɪ] *n see adj* Erhältlichkeit *f*; Lieferbarkeit *f*; Verfügbarkeit *f*; (*presence: of secretarial staff, mineral ore etc*) Vorhandensein *nt* ▸ **the market price is determined by ~** der Marktpreis richtet sich

nach dem vorhandenen Angebot; **the ~ of jobs** *etc* das Angebot an Stellen *etc*; **offer subject to ~** (das Angebot gilt nur,) solange der Vorrat reicht.

available [əˈveɪləbl] *adj object* erhältlich; (*Comm*) (*from supplier also*) lieferbar; (*free*) *time, seats etc* frei; (*at one's disposal*) *means, resources etc* verfügbar ▸ **to be ~** (*at one's disposal*) zur Verfügung stehen; (*can be reached*) erreichbar sein; (*for discussion*) zu sprechen sein; **to make sth ~ to sb** jdm etw zur Verfügung stellen; (*accessible*) *knowledge etc* jdm etw zugänglich machen; **the best dictionary ~, the best ~ dictionary** das beste Wörterbuch, das es gibt; **to try every ~ means (to achieve sth)** nichts unversucht lassen(, um etw zu erreichen).

avalanche [ˈævəlɑːnʃ] *n* (*lit, fig*) Lawine *f*.

avant-garde [ˌævɑ̃ˈɡɑːd] 1 *n* Avantgarde *f*. 2 *adj* avantgardistisch.

avarice [ˈævərɪs] *n* Habgier *f*.

avaricious [ˌævəˈrɪʃəs] *adj* habgierig.

Ave = **Avenue**.

avenge [əˈvendʒ] *vt* rächen ▸ **to ~ oneself on sb (for sth)** sich an jdm (für etw) rächen.

avenue [ˈævənjuː] *n* a (*tree-lined*) Allee *f*; (*broad street*) Boulevard *m*. b (*fig*) **~s of approach** Verfahrensweisen; **to explore every ~** alle sich bietenden Wege prüfen.

average [ˈævərɪdʒ] 1 *n* (*Durch*)schnitt *m* ▸ **to do an ~ of 50 miles a day** durchschnittlich *or* im (Durch)schnitt 80 Kilometer pro Tag fahren; **on ~** durchschnittlich, im (Durch)schnitt; (*normally*) normalerweise; **above/below ~** überdurchschnittlich/unter dem Durchschnitt. 2 *adj* durchschnittlich; (*ordinary*) Durchschnitts-; (*not good or bad*) mittelmäßig ▸ **~ speed** Durchschnittsgeschwindigkeit *f*; **the ~ man, Mr A~** der Durchschnittsbürger; **he's a man of ~ height** er ist mittelgroß. 3 *vt* **we ~d 50 mph** wir sind durchschnittlich 80 km/h gefahren; **the factory ~s 500 cars a week** die Fabrik produziert im (Durch)schnitt 500 Autos pro Woche.

◆**average out** *vi* durchschnittlich ausmachen (*at acc*); (*balance out*) sich ausgleichen ▸ **how does it ~ ~ on a weekly basis?** wieviel ist das durchschnittlich pro Woche?

averse [əˈvɜːs] *adj pred* **I am not ~ to a glass of wine** einem Glas Wein bin ich nicht abgeneigt.

aversion [əˈvɜːʃən] *n* Abneigung, Aversion *f* (*to* gegen).

avert [əˈvɜːt] *vt* a *eyes* abwenden. b (*prevent*) verhindern; *suspicion* ablenken.

aviary [ˈeɪvɪərɪ] *n* Vogelhaus *nt*.

aviation [ˌeɪvɪˈeɪʃən] *n* Luftfahrt *f* ▸ **the art of ~** die Kunst des Fliegens.

aviator [ˈeɪvɪeɪtər] *n* Flieger(in *f*) *m*.

avid [ˈævɪd] *adj* a (*desirous*) gierig (*for* nach). b (*keen*) begeistert, passioniert ▸ **I am an ~ reader** ich lese leidenschaftlich gern.

avidly [ˈævɪdlɪ] *adv* gierig; (*keenly*) eifrig; *read* leidenschaftlich gern.

avionics [ˌeɪvɪˈɒnɪks] *n sing* Avionik *f*.

avocado [ˌævəˈkɑːdəʊ] *n, pl* **-s** Avocado *f*.

avoid [əˈvɔɪd] *vt* vermeiden; *damage, accident also* verhüten; *person, danger* meiden, aus dem Weg gehen (+*dat*); *obstacle* ausweichen (+*dat*); *difficulty, duty, truth* umgehen ▸ **in order to ~ being seen** um nicht gesehen zu werden; **I'm not going if I can possibly ~ it** wenn es sich irgendwie vermeiden läßt, gehe ich nicht hin.

avoidable [əˈvɔɪdəbl] *adj* vermeidbar ▸ **if it's (at all) ~** wenn es sich (irgend) vermeiden läßt.

avoidance [əˈvɔɪdəns] *n* Vermeidung *f*.

avowed [əˈvaʊd] *adj* erklärt.

avuncular [əˈvʌŋkjʊlər] *adj* onkelhaft.

AWACS, Awacs [ˈeɪwæks] = **airborne warning and control system** AWACS, *Frühwarnsystem nt der US-*

Luftwaffe.
await [ə'weɪt] *vt* erwarten; *future events, decision etc* entgegensehen (+*dat*) ▶ *the long ~ed day* der langersehnte Tag.
awake [ə'weɪk] *pret* **awoke**, *ptp* **awoken** *or* **awaked** [ə'weɪkt] **1** *vi* (*lit, fig*) erwachen ▶ *to ~ to sth* (*fig*) (*realize*) sich (*dat*) einer Sache (*gen*) bewußt werden.
2 *vt* wecken; (*fig*) *suspicion, interest etc also* erwecken.
3 *adj pred* (*lit, fig*) wach ▶ *to be/stay ~* wach sein/bleiben; *to keep sb ~* jdn wachhalten; *wide ~* (*lit, fig*) hellwach; *to be ~ to sth* (*fig*) sich (*dat*) einer Sache (*gen*) bewußt sein.
awaken [ə'weɪkən] *vti* = **awake 1, 2.**
awakening [ə'weɪknɪŋ] *n* (*lit, fig*) Erwachen *nt* ▶ *a rude ~* (*lit, fig*) ein böses Erwachen.
award [ə'wɔːd] **1** *vt prize etc* zusprechen (*to sb* jdm); (*present*) *prize, degree, medal etc* verleihen (*to sb* jdm); *penalty, free kick* geben ▶ *to be ~ed damages* Schadenersatz zugesprochen bekommen.
2 *n* **a** (*prize*) Preis *m*; (*for bravery*) Auszeichnung *f.*
b (*Univ*) Stipendium *nt.*
aware [ə'wɛəʳ] *adj esp pred* bewußt ▶ *to be/become ~ of sb/sth* sich (*dat*) jds/einer Sache bewußt sein/werden; (*notice*) jdn bemerken/etw merken; *I was not ~ (of the fact) that ...* es war mir nicht klar *or* bewußt, daß ...; *are you ~ that ...?* ist dir eigentlich klar, daß ...?; *not that I am ~ (of)* nicht daß ich wüßte; *as far as I am ~* soviel ich weiß; *to make sb more ~/~ of sth* jds Bewußtsein wecken/jdm etw bewußt machen; *she's very ~ of language* sie ist sehr sprachbewußt.
awareness [ə'wɛənɪs] *n* Bewußtsein *nt.*
awash [ə'wɒʃ] *adj pred decks, rocks etc* überspült; *cellar, floor etc* unter Wasser.
away [ə'weɪ] *adv* **1** **a** weg ▶ *three miles ~ (from here)* drei Meilen (entfernt) von hier; *to look ~* wegsehen; *~ we go!* los (geht's)!; *~ with it!* weg damit!
b (*absent*) fort, weg ▶ *he's ~ from work (with a cold)* er fehlt (wegen einer Erkältung); *he's ~ in London* er ist in London; *when I have to be ~* wenn ich nicht da sein kann. **c** (*Sport*) *to play ~* auswärts spielen; *to be ~ to ...* ein Auswärtsspiel bei ... haben. **d** *to put/give ~* weglegen/weggeben; *to gamble/die ~* verspielen/verhallen; *to work/knit etc ~* vor sich hin arbeiten/stricken *etc*; *ask ~!* frag nur! **e** (*col*) *he's ~ again* (*talking, giggling, drunk etc*) es geht wieder los; *~ with you!* (*surprised*) ach wo!
2 *adj attr* (*Sport*) *team* auswärtig, Gast-; *match, win* Auswärts-.
awe [ɔː] **1** *n* Ehrfurcht *f* ▶ *to be or stand in ~ of sb* Ehrfurcht vor jdm haben; (*feel fear*) große Furcht vor jdm haben.

2 *vt ~d by the beauty/silence* von der Schönheit/der Stille ergriffen.
awe-inspiring ['ɔːɪn,spaɪərɪŋ] *adj* ehrfurchtgebietend.
awesome ['ɔːsəm] *adj* ehrfurchtgebietend; (*col: fantastic*) überwältigend, toll (*col*).
awful ['ɔːfəl] *adj* (*col*) schrecklich, furchtbar ▶ *you are ~!* du bist wirklich schrecklich!; *it's not an ~ lot better* das ist nicht viel besser.
awfully ['ɔːflɪ] *adv* (*col*) furchtbar (*col*), schrecklich (*col*).
awfulness ['ɔːfəlnɪs] *n* Schrecklichkeit *f,* Furchtbarkeit *f.*
awkward ['ɔːkwəd] *adj* **a** (*difficult*) schwierig; *time, moment, angle, shape* ungünstig. **b** (*embarrassing*) peinlich. **c** (*embarrassed*) verlegen; *silence* betreten ▶ *the ~ age* das schwierige Alter; *to feel ~ in sb's company* sich in jds Gesellschaft (*dat*) nicht wohl fühlen. **d** (*clumsy*) unbeholfen.
awkwardly ['ɔːkwədlɪ] *adv see adj* **a** schwierig; ungünstig. **b** peinlich. **c** verlegen; betreten. **d** unbeholfen ▶ *to fall ~* unglücklich fallen.
awkwardness ['ɔːkwədnɪs] *n see adj* **a** Schwierigkeit *f;* Ungünstigkeit *f.* **b** Peinlichkeit *f.* **c** Verlegenheit *f;* Betretenheit *f.* **d** Unbeholfenheit *f.*
awning ['ɔːnɪŋ] *n* (*on window, of shop*) Markise *f.*
awoke [ə'wəʊk] *pret of* **awake.**
awoken [ə'wəʊkən] *ptp of* **awake.**
AWOL ['eɪwɒl] (*Mil*) = **absent without leave** unerlaubt von der Truppe entfernt.
awry [ə'raɪ] *adj pred, adv* schief ▶ *to go ~* (*plans etc*) schiefgehen.
axe, (*US*) **ax** [æks] **1** *n* Axt *f,* Beil *nt* ▶ *to have an/no ~ to grind* (*fig*) ein/kein persönliches Interesse haben.
2 *vt plans, jobs* streichen; *person* entlassen.
axiom ['æksɪəm] *n* Axiom *nt.*
axiomatic [,æksɪəʊ'mætɪk] *adj* axiomatisch.
axis ['æksɪs] *n, pl* **axes** ['æksiːz] Achse *f* ▶ *the A~ (powers)* (*Hist*) die Achsenmächte *pl.*
axle ['æksl] *n* Achse *f.*
ayatollah [,aɪə'tɒlə] *n* Ajatollah *m.*
aye [aɪ] **1** *interj* (*esp Scot, dial*) ja ▶ *~, ~ Sir* (*Naut*) jawohl, Herr Kapitän *etc.*
2 *n* (*esp Parl*) Jastimme *f.*
AZ (*US Post*) = **Arizona.**
azalea [ə'zeɪlɪə] *n* Azalee *f.*
Azerbaijan [,æzəbaɪ'dʒɑːn] *n* Aserbaidschan *nt.*
Azerbaijani [,æzəbaɪ'dʒɑːnɪ] **1** *adj* aserbaidschanisch.
2 *n* Aserbaidschane *m,* Aserbaidschanin *f.*
Azores [ə'zɔːz] *npl* Azoren *pl.*
azure ['æʒəʳ] **1** *n* Azur(blau *nt*) *m.*
2 *adj* azurblau.

B

B, b [bi:] *n* B, b *nt*; (*Sch: as a mark*) ≃ Zwei *f*, Gut *nt*; (*Mus*) H, h *nt* ▶ *B for Benjamin* (*Brit*), *B for Baker* (*US*) ≃ B wie Bertha; *B flat/sharp* (*Mus*) B, b *nt*/His, his *nt*.
b = **born** geb.
BA = **a** **Bachelor of Arts.** **b** **British Airways.**
babble ['bæbl] **1** *n* **a** Gemurmel *nt*; (*of baby, excited person etc*) Geplapper *nt* ▶ *~ (of voices)* Stimmengewirr *nt*. **b** (*of stream*) Murmeln *nt no pl* (*liter*).
2 *vi* **a** (*person*) plappern. **b** (*stream*) murmeln (*liter*).
babe [beɪb] *n* **a** (*esp liter*) Kindlein *nt* (*liter*) ▶ *~ in arms* Säugling *m*. **b** (*US col: as address*) Schätzchen *nt*.
baboon [bə'bu:n] *n* Pavian *m*.
baby ['beɪbɪ] *n* **a** Kind, Baby *nt*; (*of animal*) Junge(s) *nt* ▶ *to have a ~* ein Kind *or* Baby bekommen; *I've known him since he was a ~* ich kenne ihn von Kindesbeinen an; *the ~ of the family* das Nesthäkchen; *don't be such a ~!* stell dich nicht so an! (*col*); *he's a big ~* er ist ein großes Kind; *to be left holding the ~* der Dumme sein (*col*), die Sache ausbaden müssen (*col*); *to throw out the ~ with the bathwater* das Kind mit dem Bade ausschütten. **b** (*col: girlfriend, boyfriend*) Schatz *m*. **c** (*esp US col: as address*) Schätzchen *nt* (*col*); (*man to man*) Junge *m*. **d** (*col: responsibility*) *this is your ~* das ist deine Sache *or* (*col*) dein Bier.
baby *in cpds* **a** (*for baby*) Baby-, Säuglings-. **b** (*little*) Klein-. **c** (*of animal*) *~ crocodile* Krokodiljunge(s) *nt*.
baby: *~-battering* *n* Kindesmißhandlung *f*; *~ boom* *n* Baby-Boom *m*; *~ boy* *n* Junge *m*; *~ buggy* *n* (Klapp)sportwagen *m*; *~ carriage* *n* (*US*) Kinderwagen *m*; *~ clothes* *npl* Babykleidung *f*; *~ face* *n* Kindergesicht *nt*; (*of adult male*) Milchgesicht *nt*; *~ food* *n* Babynahrung *f*; *~ girl* *nt* Mädchen *nt*; *~ grand (piano)* *n* Stutzflügel *m*.
babyhood ['beɪbɪhʊd] *n* Säuglingsalter *nt*.
babyish ['beɪbɪɪʃ] *adj* kindisch.
baby: *~-minder* *n* Tagesmutter *f*; *~-sit* *pret, ptp* *~-sat* *vi* babysitten; *she ~-sits for her* sie geht bei ihr babysitten; *~-sitter* *n* Babysitter(in *f*) *m*; *~ stroller* *n* (*US*) Sportwagen *m*; *~ tooth* *n* Milchzahn *m*; *~-walker* *n* Laufstuhl *m*.
bachelor ['bætʃələʳ] *n* **a** Junggeselle *m*. **b** (*Univ*) *B~ of Arts/Science* ≃ Magister *m* der Geisteswissenschaften/Naturwissenschaften.

BACHELOR'S DEGREE

i *Bachelor's Degree ist der akademische Grad, den man nach drei- oder vierjährigem erfolgreich abgeschlossenem Universitätsstudium erhält. Die am häufigsten verliehenen Grade sind **BA** (Bachelor of Arts = Magister der Geisteswissenschaften), **BSc** (Bachelor of Science = Magister der Naturwissenschaften), **BEd** (Bachelor of Education = Magister der Erziehungswissenschaften) und **LLB** (Bachelor of Laws = Magister der Rechtswissenschaften). Siehe auch **master's degree, doctorate**.*

---

bachelor: *~ days* *npl* Junggesellenzeit *f*; *~ flat* *n* Junggesellenwohnung *f*; *~ girl* *n* Junggesellin *f*.
bachelorhood ['bætʃələhʊd] *n* Junggesellentum *nt*.
bachelor pad *n* (*col*) Junggesellenbude *f* (*col*).
bacillus [bə'sɪləs] *n, pl* **bacilli** [bə'sɪlaɪ] Bazillus *m*.

back [bæk] **1** *n* **a** (*of person, animal, book*) Rücken *m*; (*of chair also*) (Rücken)lehne *f* ▶ *with one's ~ to the engine* (*on train*) entgegen der Fahrtrichtung; *to break one's ~* (*fig*) sich abrackern; *we've broken the ~ of the job* wir sind mit der Arbeit über den Berg (*col*); *behind sb's ~* (*fig*) hinter jds Rücken (*dat*); *to put one's ~ into sth* (*fig*) bei etw Einsatz zeigen; *to turn one's ~ on sb* (*lit, fig*) sich von jdm abwenden; *he's at the ~ of all the trouble* er steckt hinter dem ganzen Ärger; *get off my ~!* (*col*) laß mich endlich in Ruhe!; *get these people off my ~* (*col*) schaff mir diese Leute vom Hals! (*col*); *to have one's ~ to the wall* (*fig*) in die Enge getrieben sein; *I was pleased to see the ~ of them* (*col*) ich war froh, sie endlich los zu sein (*col*).
b (*as opposed to front*) Rück- *or* Hinterseite *f*; (*of hand, dress*) Rücken *m*; (*of house, page, cheque*) Rückseite *f*; (*of material*) linke Seite ▶ *I know London like the ~ of my hand* ich kenne London wie meine Westentasche; *at the ~ of the book* hinten im Buch; *in ~ of* (*US*) hinter; *he drove into the ~ of me* er ist mir hinten reingefahren (*col*); *in the ~ (of the car)* hinten (im Auto); *one consideration was at the ~ of my mind* ich hatte dabei eine Überlegung im Hinterkopf; *there's one other worry at the ~ of my mind* da ist noch etwas, das mich leise beunruhigt; *at the ~ of beyond* am Ende der Welt, j.w.d. (*hum*).
c (*Ftbl*) Verteidiger *m*.
2 *adj* wheel, yard Hinter-; rent ausstehend.
3 *adv* zurück ▶ *~ and forth* hin und her; *to pay sth ~* etw zurückzahlen; *to come/go ~* zurückkommen/-gehen; *there and ~* hin und zurück; *I'll never go ~* da gehe ich nie wieder hin; *a week ~* vor einer Woche; *as far ~ as the 18th century* (*dating back*) bis zurück ins 18. Jahrhundert.
4 *prep* (*US*) *~ of* hinter.
5 *vt* **a** (*support*) unterstützen ▶ *I will ~ you whatever you do* egal, was du tust, ich stehe hinter dir. **b** (*Betting*) setzen auf (+acc). **c** (*cause to move*) car zurücksetzen ▶ *he ~ed his car into the tree/garage* er fuhr rückwärts gegen den Baum/in die Garage.
6 *vi* (*car, train*) zurücksetzen ▶ *the car ~ed into the garage* das Auto fuhr rückwärts in die Garage; *she ~ed into me* sie fuhr rückwärts in mein Auto.
◆**back away** *vi* zurückweichen (*from* vor +dat).
◆**back down** *vi* (*fig*) nachgeben, klein beigeben.
◆**back off** *vi* zurückweichen; (*stop harassing*) sich zurückhalten.
◆**back on to** *vi* +prep obj hinten angrenzen an (+acc).
◆**back out** **1** *vi* **a** (*car etc*) rückwärts herausfahren. **b** (*fig: of contract, deal etc*) aussteigen (*of, from* aus) (*col*).
2 *vt sep* vehicle rückwärts herausfahren *or*-setzen.
◆**back up** **1** *vi* **a** (*car etc*) zurücksetzen ▶ *to ~ ~ to sth* rückwärts an etw (*acc*) heranfahren. **b** (*US: drains*) *to have ~ed ~* verstopft sein.
2 *vt sep* **a** (*support*) unterstützen; (*confirm*) story bestätigen; (*in discussion also*) den Rücken stärken (+dat); claim, theory untermauern ▶ *he can ~ me ~ in this* er kann das bestätigen. **b** car etc zurückfahren. **c** (*Comp*) sichern.

backache n Rückenschmerzen pl.

| **BACK BENCH** |

ⓘ *Back bench bezeichnet im britischen Unterhaus die am weitesten vom Mittelgang entfernten Bänke, im Gegensatz zur front bench. Auf diesen hinteren Bänken sitzen diejenigen Unterhausabgeordneten (auch backbenchers genannt), die kein Regierungsamt bzw. keine wichtige Stellung in der Opposition innehaben.*

---

back: ~bencher n (esp Brit) einfache(r) Abgeordnete(r) mf (der/die nicht zur Regierung gehört und auf den hinteren Reihen im britischen Parlament sitzt); **~biting** n Lästern nt; **~bone** n (lit, fig) Rückgrat nt; **~-breaking** adj äußerst anstrengend; **~ burner** n to put sth on the **~ burner** (fig col) etw zurückstellen; **~chat** n no pl Widerrede f; **~-cloth** n Hintergrund m; **~comb** vt hair toupieren; **~ copy** n alte Ausgabe; **~date** vt (zu)rückdatieren; **~dated to May** rückwirkend ab Mai; **~ door** n (lit, fig) Hintertür f; **~drop** n = **~-cloth.**

backer ['bækəʳ] n a (supporter) **his ~s** (die,) die ihn unterstützen. **b** (Comm) Geldgeber m.

back: ~fire ① n (Aut) Fehlzündung f; ② vi a (Aut) Fehlzündungen haben; **b** (col: plan etc) ins Auge gehen (col); **it ~fired on us** der Schuß ging nach hinten los (col); **~gammon** n Backgammon nt; **~ garden** n Garten m (hinter dem Haus).

background ['bækgraʊnd] ① n a (of painting etc, fig) Hintergrund m ▶ **to stay in the ~** sich im Hintergrund halten. **b** (educational etc) Werdegang m; (social) Verhältnisse pl; (family ~) Herkunft f no pl ▶ **he comes from a ~ of poverty** er kommt aus ärmlichen Verhältnissen. **c** (of case, event, problem etc) Zusammenhänge, Hintergründe pl ▶ **the ~ to the crisis** die Hintergründe der Krise.
② cpds: **~ information** Hintergrundinformationen pl; **~ music** musikalische Untermalung; **~ program** (Comp) Hintergrundprogramm nt; **~ reading** Sekundärliteratur f.

back: ~hand ① n (Sport) Rückhand f no pl; **~hand (stroke or shot)** Rückhandschlag m; ② adv mit der Rückhand; **~handed** adj compliment zweifelhaft; shot Rückhand-; **~hander** n (col: bribe) Schmiergeld nt; **to give sb a ~hander** jdn schmieren (col).

backing ['bækɪŋ] n a (support) Unterstützung f. **b** (Mus) (also **~ group**) Begleitung f. **c** (for picture frame, for strengthening) Rücken(verstärkung f) m.

back: ~lash n (Tech) Gegenschlag m; (play) Spiel nt; (fig) Gegenreaktion f; **~less** adj dress rückenfrei; **~log** n Rückstände pl; **I have a ~log of work** ich bin mit der Arbeit im Rückstand; **~ number** n (of paper) alte Ausgabe or Nummer; **~pack** n Rucksack m; **~packer** n Rucksacktourist(in f) m; **~packing** n Reisen nt mit dem Rucksack; **~ pay** n Nachzahlung f; **~pedal** vi (lit) rückwärts treten; (fig col) einen Rückzieher machen; **~rest** n Rückenstütze f; **~ room** n Hinterzimmer nt; **~ seat** n Rücksitz m; **to take a ~ seat** (col) sich zurückhalten; **~seat driver** n she is a terrible ~seat driver sie redet beim Fahren immer rein; **~ shift** n Spätschicht f; **~side** n (col) Hinterteil nt (col); **~slide** vi rückfällig werden; **~-space** vi (Typing) zurücksetzen; **~stage** adv, adj hinter den Kulissen; (in dressing-room area) in der Garderobe; **~ street** n Seitensträßchen nt; **he comes from the ~ streets of Liverpool** er kommt aus dem ärmeren Teil von Liverpool; **~-street abortionist** n Engelmacher(in f) m (col); **~stroke** n (Swimming) Rückenschwimmen nt; **~ to ~** adv Rücken an Rücken; (things) mit den Rückseiten aneinander; **~ to front** adv verkehrt herum; read von hinten nach vorne; **~-up** ① n Unterstützung f; ② adj troops Hilfs- ▶ **~-up copy/disk/file** (Comp) Sicherungskopie/-diskette/-datei

f.

backward ['bækwəd] ① adj a **~ and forward movement** Vor- und Zurückbewegung f; **a ~ glance** ein Blick zurück. **b** (fig) **a ~ step/move** ein Schritt m zurück/ eine (Zu)rückentwicklung. **c** (retarded) child zurückgeblieben; region, country rückständig.
② adv = **backwards.**

backwardness ['bækwədnɪs] n (mental) Zurückgebliebenheit f; (of region) Rückständigkeit f.

backwards ['bækwədz] adv rückwärts ▶ **to fall ~** nach hinten fallen; **to walk ~ and forwards** hin und her gehen; **to bend over ~ to do sth** (col) sich (dat) ein Bein ausreißen, um etw zu tun (col); **I know it ~** das kenne ich in- und auswendig.

back: ~water n (lit) Stauwasser nt; (fig) rückständiges Nest; **this town is a cultural ~water** kulturell gesehen ist diese Stadt tiefste Provinz; **~yard** n a Hinterhof m; **b** (US) = **~ garden.**

bacon ['beɪkən] n durchwachsener Speck ▶ **~ and eggs** Eier mit Speck; **to save sb's ~** (col) jds Rettung sein.

bacteria [bæk'tɪərɪə] npl Bakterien pl.

bacterial [bæk'tɪərɪəl] adj Bakterien-, bakteriell.

bacteriology [bæk,tɪərɪ'ɒlədʒɪ] n Bakteriologie f.

bad [bæd] adj, comp **worse**, superl **worst** a schlecht; risk hoch; word unanständig; (immoral, wicked also) böse; (naughty, misbehaved) unartig, ungezogen; dog böse ▶ **you — boy!** du Lümmel!; **I didn't mean that word in a ~ sense** ich habe das Wort nicht böse gemeint; **to go ~** schlecht werden; **to be ~ for sb/sth** schlecht für jdn/etw sein; **he's ~ at tennis** er spielt schlecht Tennis; **it would not be a ~ thing** das wäre nicht schlecht; **(that's) too ~!** (indignant) (also) so was!; (~ luck) Pech!; **too ~ you couldn't make it** wirklich schade, daß Sie nicht kommen konnten; **to be in ~ with sb** (US) bei jdm schlecht angeschrieben sein.
b (serious) wound, situation schlimm ▶ **he's got it ~** (col) ihn hat's schwer erwischt (col); **things are going from ~ to worse** es wird immer schlimmer.
c (in poor health, sick) stomach krank; leg, knee, hand schlimm ▶ **he/the economy is in a ~ way** es geht ihm schlecht/es steht schlecht mit der Wirtschaft; **to feel ~** sich nicht wohl fühlen; **I feel ~** mir geht es nicht gut; **how is he? — he's not so ~** wie geht es ihm? — nicht schlecht.
d (regretful) **I feel really ~ about not having told him** ich habe ein schlechtes Gewissen, daß ich ihm das nicht gesagt habe; **don't feel ~ about it** mach dir keine Gedanken (darüber).

baddie ['bædɪ] n (col) Schurke, Bösewicht m.

bade [beɪd] pret of **bid.**

badge [bædʒ] n Abzeichen nt; (made of metal) (women's lib, joke ~ etc) Button m; (on car etc) Plakette f ▶ **~ of office** Dienstmarke f.

badger ['bædʒəʳ] ① n Dachs m.
② vt zusetzen (+dat).

badly ['bædlɪ] adv a schlecht ▶ **the party went ~** die Party war ein Reinfall (col). **b** wounded, mistaken schwer ▶ **~ beaten** (Sport) vernichtend geschlagen; (as punishment) schwer verprügelt. **c** (very much) äußerst, sehr; in debt, overdrawn hoch ▶ **to want sth ~** etw unbedingt wollen; **he ~ needs or wants a haircut** er muß dringend zum Friseur.

bad-mannered [,bæd'mænəd] adj unhöflich; child also ungezogen.

badminton ['bædmɪntən] n Federball nt; (on court) Badminton nt.

bad-mouth ['bædmaʊθ] vt (US col) herziehen über (+acc) (col).

bad-tempered [,bæd'tempəd] adj schlechtgelaunt attr ▶ **to be ~** schlechte Laune haben; (as characteristic) ein reizbarer Mensch sein.

baffle ['bæfl] vt (confound, amaze) verblüffen; (cause incomprehension) vor ein Rätsel stellen ▶ a ~d look ein verdutzter Blick; it really ~s me how ... es ist mir wirklich ein Rätsel, wie ...

bafflement ['bæflmənt] n Verblüffung f.

baffling ['bæflɪŋ] adj case rätselhaft; complexity verwirrend; mystery unergründlich.

bag [bæg] n Tasche f; (with drawstrings, pouch) Beutel m; (for school) Schultasche f; (made of paper, plastic) Tüte f; (sack) Sack m; (suitcase) Reisetasche f ▶ ~s (Reise)gepäck nt; to pack one's ~s die Koffer packen; to be a ~ of bones (fig col) nur Haut und Knochen sein (col); it's in the ~ (fig col) das ist gelaufen (col); ~s under the eyes (black) Ringe pl unter den Augen; (of skin) Tränensäcke pl; ~s of (col: a lot) jede Menge (col); (old) ~ (pej col: woman) (alte) Ziege (pej col).

bagel ['beɪgəl] n kleines ringförmiges Brötchen.

baggage ['bægɪdʒ] n (luggage) (Reise)gepäck nt.

baggage: ~ allowance n Freigepäck nt; ~ car n (US) Gepäckwagen m; ~ check n [a] Gepäckkontrolle f; [b] (US: ticket) Gepäckschein m; ~ checkroom n (US) Gepäckaufbewahrung f; ~ handler n Gepäckträger m; ~ reclaim n Gepäckausgabe f.

baggy ['bægɪ] adj (+er) (ill-fitting) (zu) weit; skin schlaff; (out of shape) trousers, suit ausgebeult; jumper ausgeleiert.

Baghdad [bæg'dæd] n Bagdad nt.

bag lady n Stadtstreicherin f (, die ihre ganze Habe in Einkaufstaschen mit sich führt).

bagpiper ['bægpaɪpər] n Dudelsackpfeifer m.

bagpipe(s pl) ['bægpaɪp(s)] n Dudelsack m.

bag-snatcher ['bæg,snætʃər] n Handtaschendieb m.

Bahamas [bə'hɑːməz] npl the ~ die Bahamas.

Bahrain [bɑː'reɪn] n Bahrain nt.

bail¹ [beɪl] n (Jur) Kaution f ▶ to stand ~ for sb für jdn (die) Kaution stellen; to grant ~ die Freilassung gegen Kaution bewilligen; to let sb out on ~ jdn gegen Kaution freilassen.

◆**bail out** vt sep [a] (Jur) gegen Kaution freibekommen. [b] (fig) aus der Patsche helfen (+dat) (col).

bail² vti = **bale²**.

bail bandit n (Brit col) jemand, der eine Straftat begeht, während er gegen Kaution freigelassen ist.

bailiff ['beɪlɪf] n (sheriff's) ~ Amtsdiener m; (for property) Gerichtsvollzieher m; (in court) Gerichtsdiener m; (on estate) (Guts)verwalter m.

bait [beɪt] [1] n (lit, fig) Köder m ▶ to swallow the or rise to the ~ (lit, fig) anbeißen. [2] vt [a] hook, trap mit einem Köder versehen. [b] (torment) animal (mit Hunden) hetzen; person quälen.

baize [beɪz] n Flausch m ▶ green ~ Billardtuch nt.

bake [beɪk] vt [a] (Cook) backen ▶ ~d beans pl gebackene Bohnen pl; ~d potatoes pl in der Schale gebackene Kartoffeln pl. [b] pottery, bricks brennen; (sun) earth ausdörren.

baker ['beɪkər] n Bäcker(in f) m ▶ ~'s (shop) (Brit) Bäckerei f; ~'s dozen 13 (Stück).

bakery ['beɪkərɪ] n Bäckerei f.

baking ['beɪkɪŋ] n (act) (Cook) Backen nt; (of earthenware) Brennen nt.

baking: ~ day n Backtag m; ~ dish n Backform f; ~ powder, ~ soda n Backpulver nt; ~ tin n Backform f.

Balaclava [,bælə'klɑːvə] n Kapuzenmütze f.

balance ['bæləns] [1] n [a] (apparatus) Waage f ▶ to be or hang in the ~ (fig) in der Schwebe sein. [b] (counterpoise) Gegengewicht nt (to zu); (fig also) Ausgleich m (to für). [c] (lit, fig: equilibrium) Gleichgewicht nt ▶ to keep/lose one's ~ das Gleichgewicht halten/verlieren; to throw sb off (his) ~ jdn aus dem Gleichgewicht bringen; the ~ of power das Gleichgewicht der Kräfte; to strike the right ~ den goldenen Mittelweg finden; on ~ (fig) alles in allem. [d] (Comm, Fin: state of account) Saldo m; (with bank also) Kontostand m; (of company) Bilanz f ▶ ~ carried forward Saldoübertrag m; ~ due (banking) Soll nt; (Comm) Rechnungsbetrag m; ~ of payments/trade Zahlungs-/Handelsbilanz f. [e] (fig: remainder) Rest m.

[2] vt [a] (keep level, in equilibrium) im Gleichgewicht halten; (as trick) ball etc balancieren; (bring into equilibrium) ins Gleichgewicht bringen. [b] (weigh in the mind) two solutions (gegeneinander) abwägen ▶ to ~ sth against sth etw einer Sache (dat) gegenüberstellen. [c] (equal, make up for) ausgleichen. [d] (Comm, Fin) account (add up) abschließen; (make equal) ausgleichen ▶ to ~ the books die Bilanz ziehen.

[3] vi [a] (be in equilibrium) Gleichgewicht halten; (scales) sich ausbalancieren ▶ he ~d on one foot er balancierte auf einem Bein. [b] (Comm, Fin: of accounts) ausgeglichen sein ▶ the books don't ~ die Abrechnung stimmt nicht.

◆**balance out** [1] vt sep ausgleichen ▶ they ~ each other ~ sie halten sich die Waage; (personalities) sie gleichen sich aus. [2] vi sich ausgleichen.

balanced ['bælənst] adj ausgewogen; personality ausgeglichen.

balance sheet n (Fin) Bilanz f.

balancing ['bælənsɪŋ] n ~ act n (lit, fig) Balanceakt m; ~ trick n Balancekunststück nt.

balcony ['bælkənɪ] n [a] Balkon m. [b] (Theat) oberster Rang.

bald [bɔːld] adj (+er) [a] person kahl, glatzköpfig; tyre abgefahren ▶ he is ~ er hat eine Glatze; to go ~ eine Glatze bekommen; ~ patch kahle Stelle. [b] style, statement knapp.

baldly ['bɔːldlɪ] adv (fig: bluntly) unverblümt.

baldness ['bɔːldnɪs] n [a] Kahlheit f. [b] (of style, statement) Knappheit f.

bale¹ [beɪl] n (of hay) Ballen m.

bale² [beɪl] vti (Naut) schöpfen.

◆**bale out** [1] vi [a] (Aviat) abspringen, aussteigen (col) (of aus). [b] (Naut) schöpfen. [2] vt sep (Naut) water schöpfen; boat ausschöpfen.

Balearic [,bælɪ'ærɪk] adj the ~ Islands die Balearen pl.

baleful ['beɪlfʊl] adj (evil) böse; (sad) traurig.

balk, baulk [bɔːk] vi (person) zurückschrecken (at vor +dat); (horse) scheuen (at bei).

Balkan ['bɔːlkən] [1] adj Balkan-. [2] n the ~s der Balkan, die Balkanländer pl.

ball¹ [bɔːl] n [a] Ball m; (Billiards) Kugel f; (of wool, string) Knäuel m or nt; (US: baseball) Baseball nt ▶ to keep the ~ rolling (fig) die Sache in Gang halten; to start or set the ~ rolling (fig) den Stein ins Rollen bringen; the ~ is with you or in your court (fig) Sie sind am Ball (col); to play ~ (fig) mitmachen; to be on the ~ (fig col) auf Zack or Draht sein (col); ~ of the foot/thumb Fuß-/Handballen m. [b] (col!: testicle) Ei nt usu pl (col!); pl also Sack m (col!) ▶ ~s! (nonsense) red keinen Scheiß! (col!).

ball² n (dance) Ball m ▶ to have a ~ (col) sich prima amüsieren (col).

ballad ['bæləd] n (Mus, Liter) Ballade f.

ballast ['bæləst] n (Naut, Aviat, fig) Ballast m.

ball: ~-bearing n Kugellager nt; ~ boy n (Tennis) Balljunge m; ~-cock n Schwimmerhahn m.

ballerina [,bælə'riːnə] n Ballerina f.

ballet ['bæleɪ] n Ballett nt.

ballet: ~-dancer n Balletttänzer(in f) m; ~-shoe n Ballettschuh m.

ball: ~ game n Ballspiel nt; (US: baseball game) Baseballspiel nt; it's a whole new ~ game (fig col) das ist 'ne ganz andere Sache (col); ~ girl n (Tennis)

Ballmädchen *nt*.

ballistic [bə'lɪstɪk] *adj* ballistisch ▶ ~ *missile* Raketengeschoß *nt*.

ballistics [bə'lɪstɪks] *n sing* Ballistik *f*.

balloon [bə'luːn] **1** *n* Ballon *m*; (*toy also*) Luftballon *m*; (*in cartoon*) Sprechblase *f* ▶ *the ~ went up* (*fig col*) da ist die Bombe geplatzt (*col*). **2** *vi* **a** *to go ~ing* auf Ballonfahrt gehen. **b** (*swell out*) sich blähen.

balloonist [bə'luːnɪst] *n* Ballonfahrer(in *f*) *m*.

ballot ['bælət] **1** *n* (geheime) Abstimmung ▶ *to decide sth by ~* über etw (*acc*) (geheim) abstimmen; *to take* or *hold a ~* (geheim) abstimmen. **2** *vt members* abstimmen lassen.

ballot: ~**-box** *n* Wahlurne *f*; ~**-paper** *n* Stimmzettel *m*.

ball: ~**park** *n* **a** (*US*) Baseballstadion *nt*; **b** ~*park figure* Richtzahl *f*; *in that ~park* in dieser Größenordnung; ~**-point (pen)** *n* Kugelschreiber *m*; ~**room** *n* Ballsaal *m*; ~**room dancing** *n* Gesellschaftstanz *m*.

balls-up ['bɔːlzʌp], (*esp US*) **ball up** ['bɔːlʌp] *n* (*col!*) Schlamassel *m* (*col*); Scheiß *m* (*col!*) ▶ *to make a ~ of sth* bei etw Mist (*col*) or Scheiße (*col!*) bauen.

ballyhoo [,bælɪ'huː] *n* (*col*) Trara *nt* (*col*).

balm [bɑːm] *n* (*lit, fig*) Balsam *m*; (*Bot*) Melisse *f*.

balmy ['bɑːmɪ] *adj* (+*er*) (*fragrant*) wohlriechend; (*mild*) sanft ▶ ~ *breezes* linde Lüfte (*geh*).

balsa ['bɔːlsə] *n* (*also ~ wood*) Balsa(holz) *nt*.

balsam ['bɔːlsəm] *n* Balsam *m*.

Balt [bɔːlt] *n* Balte *m*, Baltin *f*.

Baltic ['bɔːltɪk] *adj* baltisch ▶ ~ *(Sea)* Ostsee *f*; *the ~ States* das Baltikum.

balustrade [,bælə'streɪd] *n* Balustrade *f*.

bamboo [bæm'buː] *n* Bambus *m*.

bamboozle [bæm'buːzl] *vt* (*col*) (*baffle*) verblüffen; (*trick*) hereinlegen (*col*).

ban [bæn] **1** *n* Verbot *nt* ▶ *to put a ~ on sth* etw verbieten; *a ~ on smoking* Rauchverbot *nt*. **2** *vt* (*prohibit*) verbieten; *footballer etc* sperren ▶ *she was ~ned from driving* ihr wurde Fahrverbot erteilt.

banal [bə'nɑːl] *adj* banal.

banality [bə'nælɪtɪ] *n* Banalität *f*.

banana [bə'nɑːnə] *n* Banane *f* ▶ ~ *republic* Bananenrepublik *f*.

bananas [bə'nɑːnəz] *adj pred* (*col: crazy*) bescheuert (*col*) ▶ *to go ~* durchdrehen (*col*); *this is driving me ~* dabei dreh' ich noch durch (*col*).

banana skin *n* Bananenschale *f*.

band¹ [bænd] *n* **a** (*of cloth, iron*) Band *nt*; (*of leather*) Band *nt*, Riemen *m*; (*waist ~*) Bund *m*; (*on machine*) Riemen *m*. **b** (*stripe*) Streifen *m*.

band² *n* **a** Schar *f*; (*of robbers etc*) Bande *f*; (*of workers*) Trupp *m*, Kolonne *f*. **b** (*Mus*) Band *f*; (*dance ~*) Tanzkapelle *f*; (*brass ~, Mil etc*) (Musik)kapelle *f*.

♦**band together** *vi* sich zusammenschließen.

bandage ['bændɪdʒ] **1** *n* Verband *m*; (*strip of cloth*) Binde *f*. **2** *vt* (*also ~ up*) *cut* verbinden; *broken limb* bandagieren.

Band-Aid ® ['bændeɪd] (*US*) **1** *n* Heftpflaster *nt*; (*fig: temporary remedy*) behelfsmäßige Lösung, Behelf *m*. **2** *adj* (*also **band-aid***) (*col: makeshift*) behelfsmäßig.

B & B [,biːənd'biː] *n* = **bed and breakfast**.

bandit ['bændɪt] *n* Bandit, Räuber *m*.

band: ~**leader** *n* Bandleader *m*; ~**saw** *n* Bandsäge *f*.

bandsman ['bændzmən] *n, pl* -**men** [-mən] Musiker *m*. *military* ~ Mitglied *nt* eines Musikkorps.

band: ~**stand** *n* Musikpavillon *m*; ~**wagon** *n*: *to jump* or *climb on the ~wagon* (*fig col*) auf den fahrenden Zug aufspringen; ~**width** *n* (*Rad*) Bandbreite *f*.

bandy ['bændɪ] *adj* krumm ▶ ~ *legs* (*of people*) O-Beine.

♦**bandy about** or **around** *vt sep story* herumerzählen;

words, technical expressions um sich werfen mit; *sb's name* immer wieder nennen.

bandy-legged [,bændɪ'legd] *adj* mit krummen Beinen; *person* O-beinig.

bane [beɪn] *n* (*cause of distress*) Fluch *m* ▶ *he's the ~ of my life* mit ihm bin ich geschlagen.

bang [bæŋ] **1** *n* (*noise*) Knall *m*; (*of sth falling*) Plumps *m* ▶ *there was a ~ outside* draußen hat es geknallt; *to go off with a ~* mit lautem Knall losgehen; (*col: be a success*) ein Bombenerfolg sein (*col*). **2** *adv* **a** *to go ~* knallen; (*gun also, balloon*) peng machen (*col*); (*balloon*) zerplatzen. **b** (*col*) *his answer was ~ on* seine Antwort war genau richtig; *she came ~ on time* sie war auf die Sekunde pünktlich. **3** *interj* peng ▶ ~ *went a £10 note* (*col*) und schon war ein 10-Pfund-Schein futsch (*col*). **4** *vt* **a** (*thump*) schlagen, knallen (*col*) ▶ *he ~ed his fist on the table* er schlug mit der Faust auf den Tisch. **b** (*shut noisily*) *door* zuknallen (*col*). **c** *to ~ one's head etc on sth* sich (*dat*) den Kopf *etc* an etw (*dat*) anschlagen. **5** *vi* **a** (*door: shut*) zuknallen (*col*); (*fireworks, gun*) knallen. **b** *to ~ on* or *at sth* gegen or an etw (*acc*) schlagen.

♦**bang down** *vt sep* (hin)knallen (*col*) ▶ *to ~ ~ the receiver* den Hörer aufknallen (*col*).

banger ['bæŋəʳ] *n* **a** (*col: sausage*) Wurst *f*. **b** (*col: old car*) Kiste *f* (*col*). **c** (*Brit: firework*) Knallkörper, Kracher *m*.

Bangladesh [,bæŋglə'deʃ] *n* Bangladesch *nt*.

bangle ['bæŋgl] *n* Armreif *m*; (*for ankle*) Fußreif *m*.

bangs [bæŋz] *npl* (*US: in hair*) Pony *m*.

banish ['bænɪʃ] *vt person* verbannen; *cares, fear* vertreiben.

banishment ['bænɪʃmənt] *n* Verbannung *f*.

banisters ['bænɪstəz] *npl* Geländer *nt*.

banjo ['bændʒəʊ] *n, pl* -**es**, (*US*) -**s** Banjo *nt*.

bank¹ [bæŋk] **1** *n* **a** (*of earth, sand*) Wall, Damm *m*; (*slope*) Böschung *f*, Abhang *m*; (*on racetrack*) Kurvenüberhöhung *f*. **b** (*of river, lake*) Ufer *nt*. **c** ~ *of clouds* Wolkenwand or -bank *f*. **2** *vi* (*Aviat*) eine Kurve fliegen.

bank² **1** *n* (*Fin, Med*) Bank *f*. **2** *vt money* einzahlen. **3** *vi where do you ~?* bei welcher Bank sind Sie?

♦**bank (up)on** *vi* +*prep obj* sich verlassen auf (+*acc*).

bank: ~ **account** *n* Bankkonto *nt*; ~ **balance** *n* Kontostand *m*; ~**book** *n* Sparbuch *nt*; ~ **charges** *pl* (*Brit*) Bankgebühren *pl*; ~ **clerk** *n* Bankangestellte(r) *mf*; ~ **deposit** *n* Bankeinlage *f*, ~ **draft** *n* Banktratte *f*.

banker ['bæŋkəʳ] *n* (*Fin*) Bankier *m*; (*gambling*) Bankhalter *m*.

banker's: ~ **card** *n* Scheckkarte *f*; ~ **draft** *n* = **bank draft**; ~ **order** *n* Bankauftrag *m*; ~ **reference** *n* Bankauskunft *f*.

bank holiday *n* (*Brit*) öffentlicher Feiertag; (*US*) Bankfeiertag *m*.

ⓘ **BANK HOLIDAY**

*Als **bank holiday** wird in Großbritannien ein gesetzlicher Feiertag bezeichnet, an dem die Banken geschlossen sind. Die meisten dieser Feiertage, abgesehen von Weihnachten und Ostern, fallen auf Montage im Mai und August. An diesen langen Wochenenden (bank holiday weekends) fahren viele Briten in Urlaub, so daß dann auf den Straßen, Flughäfen und bei der Bahn sehr viel Betrieb ist.*

---

banking¹ ['bæŋkɪŋ] *n* (*in road etc*) Überhöhung *f*; (*of aircraft*) Kurvenflug *m*.

banking² *n* Bankwesen *nt* ▶ *he wants to go into ~* er will ins Bankfach gehen.

banking hours *npl* Schalterstunden *pl.*

bank: **~loan** *n* Bankkredit *m;* **~ manager** *n* Filialleiter(in *f*) *m (einer Bank);* **~note** *n* (*Brit*) Banknote *f,* Geldschein *m;* **~ rate** *n* Diskontsatz *m.*

bankrupt ['bæŋkrʌpt] **1** *n* (*Jur*) Konkursschuldner(in *f*) *m.*
2 *adj* (*Jur*) bankrott ▶ *to go* ~ Bankrott machen; *to be* ~ bankrott *or* pleite (*col*) sein.

bankruptcy ['bæŋkrəptsɪ] *n* (*lit, fig*) Bankrott *m.*

bank: **~ statement** *n* Kontoauszug *m;* **~ transfer** *n* Banküberweisung *f.*

banner ['bænəʳ] *n* Banner *nt* (*also fig*); (*in processions*) Transparent *nt.* **~ headlines** Schlagzeilen *pl.*

bannisters ['bænɪstəz] *n* = **banisters.**

banns [bænz] *npl* (*Eccl*) Aufgebot *nt* ▶ *to read the* ~ das Aufgebot verlesen.

banquet ['bæŋkwɪt] *n* (*lavish feast*) Festessen *nt;* (*ceremonial dinner*) Bankett *nt.*

bantam ['bæntəm] *n* Bantamhuhn *nt.*

bantamweight ['bæntəm,weɪt] *n* Bantamgewicht *nt.*

banter ['bæntəʳ] *n* Geplänkel *nt.*

Bantu [,bæn'tu] **1** *n* (*language*) Bantu *nt;* (*person*) Bantu *mf* ▶ *the* ~ die Bantu *pl.*
2 *adj* Bantu-.

BAOR = **British Army of the Rhine** Britische Rheinarmee.

baptism ['bæptɪzəm] *n* Taufe *f* ▶ ~ *of fire* (*fig*) Feuertaufe *f.*

Baptist ['bæptɪst] *n* Baptist(in *f*) *m* ▶ *John the* ~ Johannes der Täufer.

baptize [bæp'taɪz] *vt* taufen.

bar¹ [baːʳ] **1** *n* **a** (*of metal, wood*) Stange *f;* (*of toffee etc*) Riegel *m;* (*of electric fire*) Element *nt* ▶ ~ *of gold/ silver* Gold-/Silberbarren *m;* *a* ~ *of chocolate, a chocolate* ~ (*slab*) eine Tafel Schokolade; (*smaller*) ein Schokoladenriegel *m;* *a* ~ *of soap* ein Stück *nt* Seife. **b** (*of window, cage*) (Gitter)stab *m;* (*of door*) Stange *f;* (*Sport*) (*of goal, high jump etc*) Latte *f,* (*horizontal* ~) Reck *nt* ▶ *behind* ~s hinter Gittern. **c** (*fig: obstacle*) Hindernis (*to für*) *nt* ▶ *to be a* ~ *to sth* einer Sache (*dat*) im Wege stehen. **d** (*for drinks*) Bar *f;* (*counter*) Theke *f,* Tresen *m.* **e** (*Jur*) *the B*~ die Anwaltschaft; *to be called or admitted* (*US*) *to the B*~ als Anwalt zugelassen werden; *"prisoner at the* ~*"* „Angeklagter!". **f** (*Mus*) Takt *m.*
2 *vt* **a** (*obstruct*) road versperren. **b** (*fasten*) door verriegeln. **c** (*exclude, prohibit*) person ausschließen; *action, thing* verbieten ▶ *to* ~ *sb from a competition* jdn von (der Teilnahme an) einem Wettbewerb ausschließen.

bar², **barring** *prep* *barring accidents* falls nichts passiert; *bar none* ohne Ausnahme.

barb [baːb] *n* (*of fish-hook, arrow*) Widerhaken *m.*

Barbados [baː'beɪdɒs] *n* Barbados *nt.*

barbarian [baː'bɛərɪən] **1** *n* (*Hist, fig*) Barbar(in *f*) *m.*
2 *adj* (*Hist, fig*) barbarisch.

barbaric [baː'bærɪk] *adj* barbarisch; *guard etc* grausam, roh; (*fig col*) conditions grauenhaft.

barbarity [baː'bærɪtɪ] *n* Barbarei *f;* (*cruelty*) Grausamkeit *f.*

barbarous ['baːbərəs] *adj* (*Hist, fig*) barbarisch; (*cruel*) grausam.

barbecue ['baːbɪkjuː] **1** *n* (*Cook: grid*) Grill *m;* (*occasion*) Grillparty *f;* (*meat*) Grillfleisch *nt.*
2 *vt* grillen; (*on a spit*) pig etc am Spieß braten.

barbed wire ['baːbd'waɪəʳ] *n* Stacheldraht *m.*

barber ['baːbəʳ] *n* (Herren)friseur *m* ▶ *at/to the* ~*'s* (*Brit*) beim/zum Friseur.

barbershop [,baːbə'ʃɒp] *n* (*US*) Friseurgeschäft *nt.*

Barbie doll ® ['baːbɪ,dɒl] *n* Barbie-Puppe ® *f.*

barbiturate [baː'bɪtjʊrɪt] *n* Barbiturat *nt.*

Barcelona [,baːsɪ'ləʊnə] *n* Barcelona *nt.*

bar: ~ *chart* *n* Balkendiagramm *nt;* ~ *code* *n* Strichkode *m.*

bard [baːd] *n* (*old*) Barde *m.*

bare [bɛəʳ] **1** *adj* (+*er*) **a** *skin, floor* nackt, bloß; *countryside, room* kahl ▶ ~ *patch* kahle Stelle; *to lay* ~ *one's heart* sein Innerstes bloßlegen; *with his* ~ *hands* mit bloßen Händen; *a* ~ *statement of the facts* eine reine Tatsachenfeststellung. **b** (*scanty, mere*) knapp ▶ *a* ~ *majority* eine knappe Mehrheit; *with just the* ~*st hint of garlic* nur mit einer winzigen Spur Knoblauch.
2 *vt parts of the body* entblößen; (*at doctor's*) freimachen; *end of a wire* freilegen.

bare: ~*back* *adv, adj* ohne Sattel; ~*faced* *adj liar* unverfroren, schamlos; ~*foot* *adv* barfuß; ~*headed* *adj* ohne Kopfbedeckung; ~*legged* *adj* mit bloßen *or* nackten Beinen.

barely ['bɛəlɪ] *adv* (*scarcely*) kaum ▶ *we* ~ *know him* wir kennen ihn kaum.

bareness ['bɛənɪs] *n* Nacktheit *f;* (*of trees, countryside*) Kahlheit *f.*

bargain ['baːgɪn] **1** *n* **a** (*transaction*) Handel *m,* Geschäft *nt* ▶ *to make or strike a* ~ sich einigen; *I'll make a* ~ *with you, if you ...* ich mache Ihnen ein Angebot, wenn Sie ...; *it's a* ~*!* abgemacht!; *you drive a hard* ~ Sie stellen ja harte Forderungen!; *then it started raining into the* ~ dann hat es (obendrein) auch noch angefangen zu regnen. **b** (*cheap offer*) Sonderangebot *nt;* (*thing bought*) Schnäppchen *nt* (*col*) ▶ *what a* ~*!* das ist aber günstig!
2 *vi* handeln (*for* um); (*in negotiations*) verhandeln.

◆**bargain for** *vi* +*prep obj* (*col: expect*) erwarten ▶ *I hadn't* ~*ed* ~ *that* damit hatte ich nicht gerechnet; *I got more than I* ~*ed* ~ ich habe vielleicht mein blaues Wunder erlebt! (*col*).

bargain: ~ *buy* *n* Preisschlager *m;* ~ *hunter* *n* auf Sonderangebote versessener Käufer.

bargaining ['baːgənɪŋ] *n* Handeln *nt;* (*negotiating*) Verhandeln *nt.*

bargain: ~ *offer* *n* Sonderangebot *nt;* ~ *price* *n* Sonderpreis *m.*

barge [baːdʒ] **1** *n* (*for freight*) Last- *or* Frachtkahn *m;* (*unpowered*) Schleppkahn *m;* (*ceremonial*) Barkasse *f.*
2 *vt* *he* ~*d me out of the way* er hat mich weggestoßen.

◆**barge in** *vi* (*col*) hinein-/hereinplatzen (*col*); (*interrupt*) dazwischenplatzen (*col*) (*on* bei).

◆**barge into** *vi* +*prep obj* **a** (*knock against*) person (hinein)rennen in (+*acc*); (*shove*) (an)rempeln; *thing* rennen gegen (*col*). **b** (*col*) room, party, conversation (hinein-/herein)platzen in (+*acc*) (*col*).

barge pole *n:* *I wouldn't touch it/him with a* ~ (*Brit col*) von so etwas/so jemandem lasse ich die Finger (*col*); (*because disgusting, unpleasant*) das/den würde ich noch nicht mal mit der Kneifzange anfassen (*col*).

baritone ['bærɪtəʊn] *n* (*voice, singer*) Bariton *m.*

barium ['bɛərɪəm] *n* Barium *nt* ▶ ~ *meal* Kontrastbrei *m.*

bark¹ [baːk] *n* (*of tree*) Rinde, Borke *f.*

bark² **1** *n* (*of dog*) Bellen *nt no pl* ▶ *his* ~ *is worse than his bite* (*Prov*) Hunde, die bellen, beißen nicht (*Prov*).
2 *vi* bellen ▶ *to* ~ *at sb* jdn anbellen; (*person*) jdn anfahren; *to be* ~*ing up the wrong tree* (*fig col*) auf dem Holzweg sein (*col*).

◆**bark out** *vt sep orders* bellen.

barkeep(er) ['baːkiːp(əʳ)] *n* (*US*) Barkeeper *m.*

barley ['baːlɪ] *n* Gerste *f* ▶ ~ *sugar* *n* Malzzucker *m;* (*sweet*) Malzbonbon *m.*

bar line *n* (*Mus*) Taktstrich *m.*

bar: ~*maid* *n* Bardame *f;* ~*man* *n* Barkeeper *m.*

barmy ['bɑːmɪ] *adj* (*Brit col*) bekloppt (*col*).
barn [bɑːn] *n* Scheune *f*.
barnacle ['bɑːnəkl] *n* Rankenfüßer *m*.
barn: ~ **dance** *n* Tanzveranstaltung *f* mit Volkstänzen; ~ **owl** *n* Schleiereule *f*; **~yard** *n* (Bauern)hof *m*.
barometer [bə'rɒmɪtər] *n* (*lit, fig*) Barometer *nt*.
barometric pressure [,bærəʊ'metrɪk'preʃər] *n* Atmosphären- *or* Luftdruck *m*.
baron ['bærən] *n* (*lit, fig*) Baron *m*.
baroness ['bærənɪs] *n* Baronin *f*.
baronet ['bærənɪt] *n* Baronet *m*.
baroque [bə'rɒk] **1** *adj* barock, Barock-.
2 *n* (*style*) Barock *m or nt*.
barracking ['bærəkɪŋ] *n* Pfeifen *nt*; (*boos*) Buhrufe *pl*.
barracks ['bærəks] *npl* (*often with sing vb*) (*Mil*) Kaserne *f*; (*fig pej also*) Mietskaserne *f*.
barrage ['bærɑːʒ] *n* [a] (*across river*) Wehr *nt*; (*larger*) Staustufe *f*. [b] (*Mil*) Sperrfeuer *nt* ► **a** ~ **of stones** ein Steinhagel *m*. [c] (*fig: of questions etc*) Hagel *m*.
barrel ['bærəl] *n* [a] Faß *nt*; (*for rainwater etc*) Tonne *f*; (*measure: of oil*) Barrel *nt* ► **they've got us over a** ~ (*col*) sie haben uns in der Zange (*col*). [b] (*of handgun*) Lauf *m*; (*of cannon etc*) Rohr *nt*.
barrel organ *n* Drehorgel *f*, Leierkasten *m*.
barren ['bærən] *adj* (*lit, fig*) unfruchtbar; *land also* karg; *landscape* kahl, öde.
barrenness ['bærənnɪs] *n see adj* Unfruchtbarkeit *f*; Kargheit *f*, Kahlheit *f*, Öde *f*.
barricade [,bærɪ'keɪd] **1** *n* Barrikade *f*.
2 *vt* verbarrikadieren.
barrier ['bærɪər] *n* (*lit, fig*) Barriere *f*, (*railing etc*) Schranke *f*; (*crash* ~) Leitplanke *f* ► **ticket** ~ Sperre *f*.
barrier cream *n* (Haut)schutzcreme *f*.
barring ['bɑːrɪŋ] *prep* = **bar²**.
barrister ['bærɪstər] *n* (*Brit*) Rechtsanwalt *m*/ -anwältin *f* (*bei Gericht*).

┌─────────────────────┐
│ **BARRISTER** │
└─────────────────────┘

ⓘ **Barrister** oder **barrister-at-law** ist in England die Bezeichnung für einen Rechtsanwalt, der seine Klienten vor allem vor Gericht vertritt; im Gegensatz zum **solicitor**, der nicht vor Gericht auftritt, sondern einen barrister mit dieser Aufgabe beauftragt.

barrow ['bærəʊ] *n* Karre(n *m*) *f*.
bar stool *n* Barhocker *m*.
Bart. = **baronet**.
bartender ['bɑːtendər] *n* (*US*) Barkeeper *m*.
barter ['bɑːtər] **1** *vt* tauschen (*for* gegen).
2 *vi* tauschen; (*as general practice also*) Tauschhandel treiben ► **to** ~ **for sth** um etw handeln.
3 *n* (Tausch)handel *m*.
◆**barter away** *vt sep one's rights* verspielen.
base¹ [beɪs] **1** *n* [a] (*lowest part*) Basis *f*; (*support for statue etc*) Sockel *m*; (*of lamp, mountain*) Fuß *m*. [b] (*main ingredient*) Hauptbestandteil *m*. [c] (*Mil*) Stützpunkt *m*; (*for holidays*) Standort *m*; (*Baseball*) Base *nt*, Mal *nt*. [d] (*Chem*) Lauge, Base *f*.
2 *vt* [a] stellen ► **to be ~d on** ruhen auf (+*dat*); (*statue*) stehen auf (+*dat*); **you need something to** ~ **it on** Sie brauchen dafür eine feste Unterlage. [b] (*fig*) *opinion, theory* basieren (*on* auf +*acc*); *hopes* setzen (*on* auf +*acc*); *relationship* bauen (*on* auf +*acc*) ► **to be ~d on sb/sth** auf jdm/etw basieren. [c] (*Mil*) stationieren ► **the company/my job is ~d in London** die Firma hat ihren Sitz in London/ich arbeite hauptsächlich in London.
base² *adj* (+*er*) [a] *motive* niedrig; *person, action* gemein, niederträchtig. [b] *metal* unedel.
baseball ['beɪsbɔːl] *n* Baseball *m or nt*.
base camp *n* Basislager *nt*.

-based [beɪst] *adj suf* **London-~** mit Sitz in London.
base line *n* (*Tennis*) Grundlinie *f*; (*Baseball*) Verbindungslinie *f* zwischen zwei Malen.
basement ['beɪsmənt] *n* (*in building*) Untergeschoß *nt*; (*in house also*) Keller *m* ► ~ **flat** Kellerwohnung, Souterrainwohnung *f*.
baseness ['beɪsnɪs] *n see adj* (*a*) Niedrigkeit *f*; Gemeinheit, Niederträchtigkeit *f*.
base rate *n* (*Fin*) Leitzins *m*.
bash [bæʃ] (*col*) **1** *n* [a] Schlag *m* ► **the bumper has had a** ~ die Stoßstange hat eine Delle abgekriegt (*col*). [b] (*fig*) **I'll have a** ~ **(at it)** ich probier's mal (*col*). **2** *vt person* (ver)hauen (*col*); *ball* knallen (*col*); *car, wing* eindellen (*col*) ► **to** ~ **one's head/shin (against** *or* **on sth)** sich (*dat*) den Kopf/das Schienbein (an etw *dat*) anschlagen; **to** ~ **sb on the head with sth** jdm etw auf den Kopf hauen (*col*).
◆**bash in** *vt sep* (*col*) *door* einschlagen ► **to** ~ **sb's head** ~ jdm den Schädel einschlagen (*col*).
◆**bash up** *vt sep* (*Brit col*) *person* vermöbeln (*col*).
bashful ['bæʃful] *adj* schüchtern; *smile, look* verschämt; (*embarrassed*) verlegen.
-bashing ['bæʃɪŋ] *suf* (*col*) **Paki/queer~** (*physical*) Überfälle *pl* auf Pakistaner/Schwule; (*verbal*) das Schlechtmachen von Pakistanern/Schwulen.
Basic ['beɪsɪk] (*Comp*) = **beginner's all-purpose symbolic instruction code** BASIC *nt*.
basic ['beɪsɪk] **1** *adj* [a] (*fundamental*) Grund-; *problem also, reason, issue* Haupt-; *points, issues* wesentlich ► **there's no** ~ **difference** es besteht kein grundlegender Unterschied; **must you be so ~!** müssen Sie sich denn so direkt ausdrücken?; ~ **rate** (*of wage*) Grundgehalt *nt*; (*of tax*) Eingangssteuersatz *m*; ~ **salary** Grundgehalt *nt*; ~ **English** englischer Grundwortschatz. [b] (*original*) zu Grunde liegend. [c] (*essential*) notwendig.
2 *npl* **the ~s** das Wesentliche.
basically ['beɪsɪkəlɪ] *adv* im Grunde; (*mainly*) im wesentlichen.
basil ['bæzl] *n* (*Bot*) Basilikum *nt*.
basilica [bə'zɪlɪkə] *n* Basilika *f*.
basin ['beɪsn] *n* [a] (*vessel*) Schüssel *f*; (*wash~*) (Wasch)becken *nt*. [b] (*Geog*) Becken *nt*.
basis ['beɪsɪs] *n* (*foundation*) Basis *f*; (*for assumption*) Grund *m* ► **we're working on the** ~ **that ...** wir gehen von der Annahme aus, daß ...; **on the** ~ **of this evidence** aufgrund dieses Beweismaterials.
bask [bɑːsk] *vi* (*in sun*) sich aalen (*in* in +*dat*).
basket ['bɑːskɪt] *n* Korb *m*; (*for rolls, fruit etc*) Körbchen *nt* ► **a** ~ **of currencies** ausgewählte Währungen.
basket: **~ball** *n* Basketball *m*; **~work** *n* Korbflechterei *f*; (*articles*) Korbarbeiten *pl*; **~work chair** *n* Korbstuhl *m*.
Basle [bɑːl] *n* Basel *nt*.
Basque [bæsk] **1** *n* [a] (*person*) Baske *m*, Baskin *f*. [b] (*language*) Baskisch *nt*.
2 *adj* baskisch.
bass [beɪs] (*Mus*) **1** *n* Baß *m*.
2 *adj* Baß- ► ~ **clef** Baßschlüssel *m*; ~ **drum** große Trommel.
bassoon [bə'suːn] *n* Fagott *nt*.
bastard ['bɑːstəd] *n* [a] (*lit*) uneheliches Kind; (*fig: hybrid*) Kreuzung *f*. [b] (*col!: person*) Scheißkerl *m* (*col!*) ► **poor** ~ armes Schwein (*col*).
baste¹ [beɪst] *vt* (*Sew*) heften.
baste² *vt* (*Cook*) (mit Fett) begießen.
bat¹ [bæt] *n* (*Zool*) Fledermaus *f* ► **(as) blind as a** ~ blind wie ein Maulwurf.
bat² (*Sport*) **1** *n* (*Baseball, Cricket*) Schlagholz *nt*; (*Table-tennis*) Schläger *m* ► **off one's own** ~ (*fig*) auf eigene Faust (*col*).
2 *vi* (*Baseball, Cricket*) Schlagmann sein.
3 *vt* (*US col*) **to** ~ **sth around** etw bekakeln (*col*).

bat³ vt *without ~ting an eyelid* ohne mit der Wimper zu zucken; *he didn't ~ an eyelid* er blieb seelenruhig.

batch [bætʃ] n (of loaves) Schub m; (of prisoners, recruits also) Trupp m; (of things dispatched) Sendung f; (of letters, work) Stoß, Stapel m.

batch: (Comp) *~ file* n Batch-Datei f; *~ processing* n Stapelverarbeitung f, Batch-Betrieb m.

bated ['beɪtɪd] adj: *with ~ breath* mit angehaltenem Atem.

bath [bɑːθ] **1** n **a** Bad nt ▸ *to have* or *take a ~* baden; *a room with ~* ein Zimmer mit Bad. **b** (bathtub) (Bade)wanne f. **c** (swimming) ~s pl (Schwimm)bad nt; (public) ~s pl Badeanstalt f; (Hist) Bäder pl. **2** vt (Brit) baden. **3** vi (Brit) (sich) baden.

bath: B~ **bun** n Hefebrötchen nt mit Rosinen, Zitronat und Orangeat; ~**chair** n Rollstuhl m; ~**cube** n Würfel m Badesalz.

bathe [beɪð] **1** vt baden; (with cottonwool etc) waschen ▸ *to be ~d in light/sweat* in Licht/Schweiß gebadet sein. **2** vi (US) (sich) baden.

bather ['beɪðəʳ] n Badende(r) mf.

bathing ['beɪðɪŋ] n Baden nt.

bathing: ~**-cap** n Badekappe f; ~**-costume** n (Brit) Badeanzug m; ~**-trunks** npl (Brit) Badehose f.

bath: ~**mat** n Bademattef; ~**robe** n Bademantel m; ~**room** n Bad(ezimmer) nt; (euph: lavatory) Toilette f; ~**salts** npl Badesalz nt; ~ **sheet** n großes Badetuch; ~**towel** n Badetuch nt; ~**tub** n Badewanne f.

baton ['bætən] n **a** (Mus) Taktstock m; (Mil) (Kommando)stab m. **b** (of policeman) Schlagstock m; (for directing traffic) Stab m. **c** (in relay race) Staffelholz nt, Stab m.

bats [bæts] adj pred (col) bekloppt (col).

battalion [bə'tælɪən] n (Mil, fig) Bataillon nt.

batter¹ ['bætəʳ] n (Cook) Teig m.

batter² **1** vt **a** einschlagen auf (+acc) ▸ *the house was ~ed by the wind* der Wind rüttelte unentwegt am Haus. **b** (damage) übel zurichten; car also, metal zer- or verbeulen. **c** (col) opponent eins draufgeben (+dat) (col). **2** vi to *~ at the door* an die Tür hämmern (col).

◆batter down vt sep door einschlagen.

battered ['bætəd] adj übel zugerichtet; wife, baby mißhandelt; object verbeult; furniture ramponiert (col); nerves zerrüttet.

battering ['bætərɪŋ] n (lit) Schläge, Prügel pl; (of baby, wife) Mißhandlung f ▸ *to take a real ~* übel zugerichtet werden; *to give sb a ~* jdm heftig zusetzen.

battering ram ['bætərɪŋˌræm] n Rammbock m.

battery ['bætərɪ] n Batterie f; (fig: of arguments etc) Reihe f.

battery: ~**-charger** n Ladegerät nt; ~ **farming** n (Hühner- etc)batterien pl; ~ **hen** n (Agr) Batteriehuhn nt; ~**-powered** adj batteriebetrieben.

battle ['bætl] **1** n (lit) Schlacht f; (fig) Kampf m ▸ *to give ~* sich zum Kampf stellen; *to fight a ~* eine Schlacht schlagen; *to fight one's own ~s* sich alleine durchsetzen; *killed in ~* (im Kampf) gefallen; *~ of words/wits* Wortgefecht nt/geistiger Wettstreit; *~ of the sexes* Geschlechterkampf m; *that's half the ~* damit ist schon viel gewonnen. **2** vi kämpfen (for um).

battle: ~**-axe**, ~**-ax** (US) n (weapon) Streitaxt f; (col: woman) Drachen m (col); ~ **cry** n Schlachtruf m; ~**field**, ~**ground** n Schlachtfeld nt.

battlements ['bætlmənts] npl Zinnen pl.

battle: ~ **royal** n (fig: quarrel) heftige Auseinandersetzung; ~**ship** n Schlachtschiff nt.

batty ['bætɪ] adj (+er) (col) verrückt.

bauble ['bɔːbl] n Flitter m no pl ▸ ~s Flitterzeug nt.

baud [bɔːd] n (Comp) Baud nt.

baulk [bɔːk] vi = **balk**.

bauxite ['bɔːksaɪt] n Bauxit m.

Bavaria [bə'vɛərɪə] n Bayern nt.

Bavarian [bə'vɛərɪən] **1** n **a** (person) Bayer(in f) m. **b** (dialect) Bayrisch nt. **2** adj bay(e)risch.

bawdy ['bɔːdɪ] adj (+er) derb.

bawl [bɔːl] vi **a** (shout) brüllen, schreien; (sing) grölen (col). **b** (col: weep) heulen (col).

◆bawl out vt sep **a** order brüllen; song grölen (pej col). **b** (col: scold) ausschimpfen.

bay¹ [beɪ] n Bucht f.

bay² n **a** (Archit) Erker m. **b** (loading ~) Ladeplatz m.

bay³ **1** n (of dogs) Bellen nt no pl; (Hunt) Melden nt no pl ▸ *to keep* or *hold sb/sth at ~* jdn/etw in Schach halten. **2** vi bellen; (Hunt also) melden.

bay⁴ adj horse (kastanien)braun.

bayleaf ['beɪliːf] n Lorbeerblatt nt.

bayonet ['beɪənɪt] **1** n Bajonett, Seitengewehr nt ▸ ~ **fitting** (Elec) Bajonettfassung f. **2** vt mit dem Bajonett aufspießen.

bay: ~ **tree** n Lorbeerbaum m; ~ **window** n Erkerfenster nt.

bazaar [bə'zɑːʳ] n Basar m.

BBC = **British Broadcasting Corporation** BBC f.

┌─── **BBC** ───────────────────────────────────┐

(i) **BBC** (Abkürzung für British Broadcasting Corporation) ist die staatliche britische Rundfunk- und Fernsehanstalt. Die Fernsehsender BBC1 und BBC2 bieten beide ein umfangreiches Fernsehprogramm, wobei BBC1 mehr Sendungen von allgemeinem Interesse wie z.B. leichte Unterhaltung, Sport, Aktuelles, Kinderprogramme und Außenübertragungen zeigt. BBC2 berücksichtigt Reisesendungen, Drama, Musik und internationale Filme. Die 5 landesweiten Radiosender bieten von Popmusik bis Kricket etwas für jeden Geschmack; dazu gibt es noch 37 regionale Radiosender. Der BBC World Service ist auf der ganzen Welt auf Englisch oder in einer von 35 anderen Sprachen zu empfangen. Finanziert wird die BBC vor allem durch Fernsehgebühren und ins Ausland verkaufte Sendungen. Obwohl die BBC dem Parlament verantwortlich ist, werden die Sendungen nicht vom Staat kontrolliert.

└───┘

BC = **a** **before Christ** v. Chr. **b** **British Columbia**.

be [biː] pres **am**, **is**, **are**, pret **was**, **were**, ptp **been** **1** **a** (with adj, n) sein ▸ *he is a soldier/a German* er ist Soldat/Deutscher; *who is that? — it's me/that's Mary* wer ist das? — ich bin's/das ist Mary; *if I were you* wenn ich Sie wäre; *~ sensible!* sei vernünftig! **b** *how are you?* wie geht's?; *I'm better now* es geht mir jetzt besser; *to ~ hungry/thirsty* Hunger/Durst haben; *I am hot/cold* mir ist heiß/kalt. **c** (age) sein ▸ *he'll ~ three* er wird drei (Jahre alt). **d** (cost) kosten ▸ *how much is that?* wieviel or was kostet das?; (altogether) wieviel macht das? **e** (Math) sein ▸ *two times two is or are four* zwei mal zwei ist vier. **f** (with poss) gehören (+dat) ▸ *that book is your brother's* das Buch gehört Ihrem Bruder. **g** (in exclamations) *was he pleased to hear it!* er war vielleicht froh, das zu hören! **2** aux **a** (+prp: continuous tenses) *what are you doing?* was machst du da?; *she is always complaining* sie beklagt sich dauernd; *they're coming tomorrow* sie kommen morgen; *will you ~ seeing her tomorrow?* treffen Sie sie morgen?; *I'll ~ starting soon* ich fange gleich an; *I have been waiting for you for half an hour* ich warte schon seit einer halben Stunde auf Sie.

|b| (+ptp: passive) werden ▶ *the box had been opened* die Schachtel war geöffnet worden; *the car is to ~ sold* das Auto soll verkauft werden.

|c| (*recommendation*) *he is to ~ pitied/not to ~ envied* er ist zu bedauern/nicht zu beneiden; *not to ~ confused with* nicht zu verwechseln mit.

|d| (*intention, obligation, command*) sollen ▶ *I am to look after my mother* ich soll mich um meine Mutter kümmern; *he is not to open it* er soll es nicht öffnen.

|e| (*~ destined*) sollen ▶ *she was never to return* sie sollte nie zurückkehren.

|f| (*suppositions, wishes*) *if it were* or *was to snow* falls ~ or wenn es schneien sollte; *I would ~ surprised if ...* ich wäre überrascht, wenn ...

|g| (*in tag questions, short answers*) *he's always late, isn't he? — yes he is* er kommt doch immer zu spät, nicht? — ja, das stimmt; *he's never late, is he? — yes he is* er kommt nie zu spät, oder? — o, doch.

3 *vi* |a| sein; (*remain*) bleiben ▶ *to ~ or not to ~* Sein oder Nichtsein; *will you ~ much longer?* dauert das noch lange?; *the powers that ~* die zuständigen Stellen; *let me/him ~* laß mich/ihn (in Ruhe); *~ that as it may* wie dem auch sei. |b| (*be situated*) sein; (*town, country, carpet etc also*) liegen; (*car, bottle, chair also*) stehen. |c| (*visit, call*) *I've been to Paris* ich war schon (ein)mal in Paris; *the postman has already been* der Briefträger war schon da. |d| *now you've been and done it* (*col*) jetzt hast du aber was angerichtet! (*col*).

4 *vb impers* |a| sein ▶ *it is dark/morning* es ist dunkel/Morgen; *it's 5 km to the nearest town* es sind 5 km bis zur nächsten Stadt. |b| (*emphatic*) *it was us* or *we* (*form*) *who found it* wir haben das gefunden. |c| (*wishes etc*) *were it not for him, if it weren't* or *wasn't for him* wenn er nicht wäre.

beach [biːtʃ] *n* Strand *m* ▶ *on the ~* am Strand.

beach: **~ball** *n* Wasserball *m*; **~ buggy** *n* Strandbuggy *m*; **~comber** *n* Strandgutsammler *m*; **~wear** *n* Badesachen *pl*; (*Fashion*) Strandkleidung *f*.

beacon ['biːkən] *n* (*fire, light*) Leuchtfeuer *nt*; (*radio ~*) Funkfeuer *nt*; (*one of a series of lights, radio ~s*) Bake *f*.

bead [biːd] *n* (*also sweat*) Perle *f* ▶ *(string of) ~s* Perlenschnur *f*; (*necklace*) Perlenkette *f*.

beady ['biːdɪ] *adj* *I've got my ~ eye on you* (*col*) ich beobachte Sie genau!

beak [biːk] *n* Schnabel *m*.

beaker ['biːkər] *n* Becher *m*; (*Chem etc*) Becherglas *nt*.

be-all and end-all ['biːɔːlənd'endɔːl] *n* das A und O.

beam [biːm] **1** *n* |a| (*Build*) Balken *m*. |b| *to be broad in the ~* (*ship*) sehr breit sein; (*person*) breit gebaut sein. |c| (*of light etc*) Strahl *m* ▶ *to drive on main* or *full* or (*US*) *high ~* mit Fernlicht fahren. |d| (*radio ~*) Leitstrahl *m*. |e| (*smile*) Strahlen *nt*.

2 *vi* strahlen ▶ *to ~ down* (*sun*) niederstrahlen; *her face was ~ing with joy* sie strahlte übers ganze Gesicht; *to ~ at sb* jdn anstrahlen.

3 *vt* (*Rad, TV*) ausstrahlen.

beam-ends ['biːmendz] *npl* *to be on one's ~* auf or aus dem letzten Loch pfeifen.

bean [biːn] *n* Bohne *f* ▶ *to be full of ~s* (*col*) putzmunter sein (*col*).

bean: **~ bag** *n* mit Bohnen gefülltes Säckchen zum Spielen; (*seat*) Sitzsack *m*; **~pole** *n* (*lit, fig*) Bohnenstange *f*; **~sprout** *n* Sojabohnensprosse *f*.

bear¹ [bɛər] *n* |a| Bär *m*; (*fig: person*) Brummbär *m* (*col*). |b| (*Astron*) *the Great/Little B~* der Große/Kleine Bär.

▼ **bear²** *pret* **bore**, *ptp* **borne** **1** *vt* |a| *burden, weight, responsibility, fruit* tragen; *gift, message* bei sich tragen ▶ *he was borne along by the crowd* die Menge trug ihn mit (sich). |b| *inscription, signature, name, title* tragen; *mark, traces also, likeness, relation* aufweisen. |c| (*have in heart or mind*) *love, hatred, grudge* empfinden. |d| (*en-*

dure, tolerate) ertragen; *criticism, noise etc also* vertragen ▶ *could you ~ to stay a little longer?* können Sie es noch ein bißchen länger hier aushalten?; *it doesn't ~ thinking about* man darf gar nicht daran denken. |e| (*give birth to*) gebären; *see* **born**.

2 *vi* |a| (*move*) *to ~ right/left/north* sich rechts/links/nach Norden halten. |b| (*fruit-tree etc*) tragen. |c| *to bring one's mind to ~ on sth* sich auf etw konzentrieren; *to bring pressure to ~ on sb/sth* Druck auf jdn/etw ausüben.

3 *vr* sich halten ▶ *he bore himself with dignity* er hat Würde gezeigt.

◆**bear down** *vi to ~ ~ on sb/sth* (*driver etc*) auf jdn/etw zuhalten.

◆**bear out** *vt sep* bestätigen.

◆**bear up** *vi* sich halten ▶ *he bore ~ well under the death of his father* er trug den Tod seines Vaters mit Fassung; *how are you? — ~ing ~!* wie geht's? — man lebt!

◆**bear with** *vi +prep obj* tolerieren ▶ *if you would ~ ~ me for a couple of minutes* wenn Sie sich vielleicht noch zwei Minuten gedulden wollen.

bearable ['bɛərəbl] *adj* erträglich.

beard [bɪəd] **1** *n* Bart *m*; (*full-face*) Vollbart *m*.

2 *vt to ~ the lion in his den* (*fig*) sich in die Höhle des Löwen wagen.

bearded ['bɪədɪd] *adj* *man, animal* bärtig.

bearer ['bɛərər] *n* (*carrier*) Träger(in *f*) *m*; (*of news, banknote*) Überbringer *m*; (*of passport*) Inhaber(in *f*) *m*.

bear hug *n* ungestüme Umarmung.

bearing ['bɛərɪŋ] *n* |a| (*posture*) Haltung *f*; (*behaviour*) Verhalten *nt*. |b| (*relevance*) *to have some/no ~ on sth* von Belang/belanglos für etw sein; (*be/not be connected with*) einen gewissen/keinen Bezug zu etw haben. |c| (*direction*) *to take a compass* ~ den Kompaßkurs feststellen; *to lose one's ~s* die Orientierung verlieren; *to get one's ~s* sich orientieren. |d| (*Tech*) Lager *nt*.

bear: **~ market** *n* (*St Ex*) Baisse(markt *m*) *f*; **~-skin** *n* (*Mil*) Bärenfellmütze *f*.

beast [biːst] *n* |a| Tier *nt*. |b| (*col: person*) Biest, Ekel *nt* ▶ *it's a ~ (of a problem)* das (Problem) hat's in sich (*col*).

beastly ['biːstlɪ] *adj* (*col*) scheußlich (*col*); *person, conduct also* gemein.

▼ **beat** [biːt] (*vb: pret ~, ptp ~en*) **1** *n* |a| (*of heart etc*) (*single*) Schlag *m*; (*repeated beating*) Schlagen *nt*. |b| (*of policeman, sentry*) Runde *f*, Rundgang *m*; (*district*) Revier *nt* ▶ *to be on one's ~* seine Runde machen. |c| (*Mus, Poet*) Takt *m*; (*of metronome, baton*) Taktschlag *m* ▶ *to have a strong ~* einen ausgeprägten Rhythmus haben.

2 *vt* |a| (*hit*) schlagen; *person* (ver)prügeln; *carpet* klopfen ▶ *~ it!* (*fig col*) hau ab! (*col*), verschwinde! |b| (*hammer*) *metal* hämmern. |c| (*defeat*) schlagen; *record* brechen ▶ *to ~ sb at chess/tennis* jdn im Schach/Tennis schlagen; *coffee ~s tea any day* Kaffee ist allemal besser als Tee; *that ~s everything* das schlägt dem Faß den Boden aus (*col*); (*is very good*) darüber geht nichts; *that ~s me* (*col*) das ist mir ein Rätsel (*col*). |d| (*be before*) *budget, crowds* zuvorkommen (+*dat*) ▶ *to ~ sb to it* jdm zuvorkommen. |e| *the bird ~s its wings* der Vogel schlägt mit den Flügeln. |f| (*Mus*) *to ~ time* den Takt schlagen. |g| *cream, eggs* schlagen.

3 *vi* |a| (*heart etc*) schlagen ▶ *to ~ on the door (with one's fists)* (mit den Fäusten) gegen die Tür hämmern; *with ~ing heart* mit pochendem or klopfendem Herzen. |b| (*wind, waves*) schlagen; (*rain also*) trommeln; (*sun*) brennen.

4 *adj* |a| (*col: exhausted*) *to be (dead)* ~ total geschafft or erledigt sein (*col*). |b| (*col: defeated*) *to be ~(en)* aufgeben müssen (*col*), sich geschlagen geben müssen; *this*

➤ SENTENCE BUILDER: **bear²: 1b → 7.2   beat: 2c → 1.2** *problem's got me* ~ mit dem Problem komme ich nicht klar (*col*).

◆**beat back** *vt sep flames, enemy* zurückschlagen.

◆**beat down** ① *vi* (*rain*) herunterprasseln; (*sun*) herunterbrennen.
② *vt sep* Ⓐ *prices* herunterhandeln; *opposition* kleinkriegen (*col*) ▶ *I managed to ~ him/her ~* ich konnte den Preis herunterhandeln. Ⓑ (*flatten*) *door* einrennen.

◆**beat off** *vt sep attack, attacker* abwehren.

◆**beat out** *vt sep fire* ausschlagen; *dent* aushämmern; *rhythm* schlagen; (*on drum*) trommeln.

◆**beat up** *vt sep* Ⓐ *person* zusammenschlagen. Ⓑ (*Cook*) *eggs, cream* schlagen.

beaten ['bi:tn] ① *ptp of* **beat**.
② *adj* Ⓐ *metal* gehämmert. Ⓑ *to be off the ~ track* abgelegen sein.

beater ['bi:tər] *n* (*carpet* ~) Klopfer *m*; (*egg* ~) Schneebesen *m*.

beatify [bi:'ætɪfaɪ] *vt* (*Eccl*) seligsprechen.

beating ['bi:tɪŋ] *n* Ⓐ (*series of blows*) Schläge, Prügel *pl* ▶ *to give sb a* ~ jdn verprügeln; *to get a* ~ verprügelt werden; (*as punishment also*) Prügel bekommen. Ⓑ (*of drums, heart, wings*) Schlagen *nt*. Ⓒ (*defeat*) Niederlage *f* ▶ *to take a* ~ eine Schlappe einstecken (*col*). Ⓓ *to take some* ~ seines-/ihresgleichen suchen.

beating-up [,bi:tɪŋ'ʌp] *n to get a* ~ zusammengeschlagen werden; *to give sb a* ~ jdn zusammenschlagen.

beat-up ['bi:tʌp] *adj* (*col*) ramponiert (*col*).

beaut [bju:t] *n* (*esp Austral col*) Prachtexemplar *nt* ▶ *it's a real* ~ es ist einsame Klasse (*col*).

beautician [bju:'tɪʃən] *n* Kosmetiker(in *f*) *m*.

beautiful ['bju:tɪfʊl] *adj* schön; (*stronger*) wunderschön; *weather also, idea, meal* herrlich; *piece of work* hervorragend.

beautifully ['bju:tɪfəlɪ] *adv* schön; *warm, simple* herrlich; (*well*) *sew, sing* hervorragend.

beautify ['bju:tɪfaɪ] *vt* verschönern.

beauty ['bju:tɪ] *n* Ⓐ Schönheit *f* ▶ *is only skin-deep* (*prov*) der äußere Schein kann trügen; ~ *is in the eye of the beholder* (*Prov*) schön ist, was gefällt; *the ~ of it is that ...* das Schöne daran ist, daß ... Ⓑ (*beautiful person*) Schönheit *f*. Ⓒ (*good example*) Prachtexemplar *nt*.

beauty *in cpds* Schönheits-; ~ **contest** *n* Schönheitswettbewerb *m*; ~ **queen** *n* Schönheitskönigin *f*; ~ **spot** *n* Ⓐ Schönheitsfleck *m*. Ⓑ (*place*) schönes *or* hübsches Fleckchen (Erde); ~ **treatment** *n* kosmetische Behandlung.

beaver ['bi:vər] *n* Biber *m* ▶ *to work like a* ~ wie ein Wilder/eine Wilde arbeiten.

becalm [bɪ'kɑ:m] *vt* (*Naut*) *to be/become ~ed* sich in einer Flaute befinden/in eine Flaute geraten.

became [bɪ'keɪm] *pret of* **become**.

▼ **because** [bɪ'kɒz] ① *conj* weil ▶ *that's ~ it's so far north* das liegt daran, daß es so weit nördlich liegt.
② *prep* ~ *of* wegen (+*gen or* (*col*) *dat*); *I only did it ~ of you* ich habe es nur deinetwegen getan.

beck [bek] *n to be at sb's ~ and call* nach jds Pfeife tanzen müssen.

beckon ['bekən] *vti* winken ▶ *he ~ed me in/back/over* er winkte mich herein/zurück/herüber.

become [bɪ'kʌm] *pret* **became**, *ptp* ~ ① *vi* werden ▶ *to ~ old/fat/tired* alt/dick/müde werden; *to ~ accustomed to sb/sth* sich an jdn/etw gewöhnen; *to ~ interested in sb/sth* anfangen, sich für jdn/etw zu interessieren; *to ~ a problem/habit* zum Problem/zur Gewohnheit werden; *to ~ king/a doctor* König/Arzt werden; *what has ~ of him?* was ist aus ihm geworden?
② *vt* (*suit*) stehen (+*dat*); (*befit*) sich schicken für.

becoming [bɪ'kʌmɪŋ] *adj* (*fitting*) schicklich; (*flattering*) vorteilhaft ▶ *that dress/colour is very* ~ das Kleid/die

Farbe steht ihr/dir *etc* sehr gut.

bed [bed] ① *n* Ⓐ Bett *nt* ▶ *to go to* ~ zu *or* ins Bett gehen; *to go to ~ with sb* mit jdm ins Bett gehen; *to put sb to* ~ jdn ins Bett bringen; *he must have got out of ~ on the wrong side* (*col*) er ist wohl mit dem linken Fuß zuerst aufgestanden; *to be in* ~ im Bett sein; *his life is not exactly a ~ of roses* er ist nicht gerade auf Rosen gebettet; *can I have a ~ for the night?* kann ich hier/bei euch *etc* übernachten? Ⓑ (*sea* ~) Grund, Boden *m*; (*river* ~) Bett *nt*. Ⓒ (*oyster* ~, *coral* ~) Bank *f*. Ⓓ (*flower* ~) Beet *nt*.
② *vt plant* setzen, pflanzen.

◆**bed down** *vi* sein Lager aufschlagen.

bed and breakfast *n* Übernachtung *f* mit Frühstück ▶ "~" „Fremdenzimmer".

┌─ BED AND BREAKFAST ─┐

ⓘ *Bed and Breakfast* bedeutet 'Übernachtung mit Frühstück', wobei sich dies in Großbritannien nicht auf Hotels, sondern auf kleinere Pensionen, Privathäuser und Bauernhöfe bezieht, wo man wesentlich preisgünstiger übernachten kann als in Hotels. Oft wird für Bed and Breakfast, auch **B & B** genannt, durch ein entsprechendes Schild im Garten oder an der Einfahrt geworben.

bed *in cpds* Bett-; **~-bath** *n* (Kranken)wäsche *f* im Bett; *to give sb a ~-bath* jdn im Bett waschen; **~-bug** *n* Wanze *f*; **~-clothes** *npl* Bettzeug *nt*; **~cover** *n* Bettdecke *f*.

bedding ['bedɪŋ] *n* Bettzeug *nt*; (*for horses*) Streu *f*.

bedding plant *n* Setzling *m* (einer einjährigen Pflanze).

bedevil [bɪ'devl] *vt* erschweren ▶ *~led by misfortune/ bad luck* vom Schicksal/Pech verfolgt.

bedfellow ['bed,feləʊ] *n to be or make strange ~s* (*fig*) ein merkwürdiges Gespann sein.

bedlam ['bedləm] *n* Chaos *nt* ▶ *it was sheer ~ in the class* in der Klasse ging es zu wie im Irrenhaus.

bed: **~-linen** *n* Bettwäsche *f*; **~-pan** *n* Bettpfanne *f*; **~post** *n* Bettpfosten *m*.

bedraggled [bɪ'drægld] *adj* (*wet*) trief- *or* tropfnaß; (*dirty*) verdreckt; (*untidy*) *person, appearance* ungepflegt.

bed-ridden ['bedrɪdn] *adj* bettlägerig.

bedroom ['bedru:m] *n* Schlafzimmer *nt*.

bedroom *in cpds* Schlafzimmer-; ~ **slipper** *n* Hausschuh *m*.

Beds = **Bedfordshire**.

beds = **bedrooms** Zi.

bed-settee ['bedse'ti:] *n* Sofabett *nt*.

bedside ['bedsaɪd] *n to be/sit at sb's* ~ an jds Bett (*dat*) sein/sitzen.

bedside: ~ **lamp** *n* Nachttischlampe *f*; ~ **manner** *n he has a good/bad ~ manner* er kann gut/nicht gut mit den Kranken umgehen; ~ **rug** *n* Bettvorleger *m*; ~ **table** *n* Nachttisch *m*.

bed: **~-sit(ter)** (*col*), **~-sitting room** *n* (*Brit*) möbliertes Zimmer *nt*; **~sore** *n* wundgelegene Stelle; *to get ~sores* sich wundliegen; **~spread** *n* Tagesdecke *f*; **~stead** ['bedsted] *n* Bettgestell *nt*; **~time** *n* Zeit *f* ist Schlafenszeit; *his ~time is 10 o'clock* er geht um 10 Uhr schlafen; *it's past your ~time* du müßtest schon lange im Bett sein; **~time story** *n* Gutenachtgeschichte *f*; **~-wetting** *n* Bettnässen *nt*.

bee [bi:] *n* Biene *f* ▶ *he's got a ~ in his bonnet about cleanliness* er hat einen Sauberkeitstick (*col*).

Beeb [bi:b] *n the* ~ (*Brit col*) die BBC.

beech [bi:tʃ] *n* (*tree, wood*) Buche *f*.

beef [bi:f] ① *n* Ⓐ (*meat*) Rindfleisch *nt* ▶ *roast* ~ Roastbeef *nt*. Ⓑ (*col*) (*flesh*) Speck *m* (*col*); (*muscles*) Muskeln *pl*.
② *vi* (*col: complain*) meckern (*col*) (*about* über +*acc*) ▶

what's he ~ing about? was hat er zu meckern? (*col*).

beef: **~burger** n Hamburger m; **~eater** n a Beefeater m; b (*US col*) Engländer(in f) m; **~** **olive** n Rinderroulade f; **~steak** n Beefsteak nt.

beefy ['biːfɪ] adj (+er) fleischig; (*muscular*) muskulös.

bee: **~hive** n a Bienenstock m; (*dome-shaped*) Bienenkorb m; b (*hairstyle*) toupierte Hochfrisur; **~keeper** n Bienenzüchter(in f), Imker(in f) m; **~line** n to make a **~-line for sb/sth** schnurstracks auf jdn/etw zugehen.

been [biːn] ptp of **be**.

beer [bɪəʳ] n Bier nt ▸ **two ~s, please** zwei Bier, bitte; **German ~s** deutsche Biere.

beer in cpds Bier-; **~** **belly** n (*col*) Bierbauch m (*col*); **~bottle** n Bierflasche f; **~** **can** n Bierdose f; **~** **cellar** n Bierkeller m; **~** **glass** n Bierglas nt; **~mat** n Bierdeckel m.

beeswax ['biːzwæks] n Bienenwachs nt.

beet [biːt] n Rübe f.

beetle ['biːtl] n Käfer m.

beetle-browed ['biːtl,braʊd] adj mit buschigen Augenbrauen.

beetroot ['biːt,ruːt] n (*Brit*) rote Bete or Rübe.

befall [bɪˈfɔːl] pret **befell** [bɪˈfel], ptp **befallen** [bɪˈfɔːlən] vt widerfahren (+dat) (*geh*).

befitting [bɪˈfɪtɪŋ] adj geziemend (*dated*) ▸ **~ for a lady** für eine Dame schicklich.

before [bɪˈfɔːʳ] 1 prep a (*earlier than*) vor (+dat) ▸ **the day ~ yesterday** vorgestern; **~ Christ** (*abbr BC*) vor Christi Geburt (*abbr v. Chr.*); **~ now** früher; **~ long** bald. b (*in place, rank, in the presence of*) vor (+dat) ▸ **~ my (very) eyes** vor meinen Augen; **the question ~ us** die uns vorliegende Frage; **ladies ~ gentlemen** Damen haben den Vortritt; **to appear ~ a court/judge** vor Gericht/einem Richter erscheinen. c (*rather than*) **he would die ~ betraying his country** er würde eher sterben als sein Land verraten.

2 adv a (*in time*) (~ *that*) davor; (*at an earlier time, ~ now*) vorher ▸ **I have read etc this ~** ich habe das schon einmal gelesen etc; **it has never happened ~** das ist noch nie passiert; **two days ~** zwei Tage davor or zuvor. b (*indicating order*) davor ▸ **that chapter and the one ~** dieses Kapitel und das davor.

3 conj a (*in time*) bevor ▸ **~ doing sth** bevor man etw tut; **it will be a long time ~ he comes back** es wird lange dauern, bis er zurückkommt. b (*rather than*) **he will die ~ he surrenders** eher will er sterben als sich geschlagen geben.

beforehand [bɪˈfɔːhænd] adv im voraus ▸ **you must tell me ~** Sie müssen mir vorher Bescheid sagen.

befriend [bɪˈfrend] vt sich anfreunden mit; (*help*) sich annehmen (+gen).

befuddled [bɪˈfʌdld] adj (*confused*) durcheinander (*pred*).

beg [beg] 1 vt a money, alms betteln um. b (*forgiveness, mercy*) bitten um ▸ **he ~ged to be allowed to ...** er bat darum, ... zu dürfen; **I ~ to differ** ich erlaube mir, anderer Meinung zu sein. c (*entreat*) sb anflehen. d **to ~ the question** an der eigentlichen Frage vorbeigehen.

2 vi a (*beggar*) betteln; (*dog*) Männchen machen. b (*for help, time etc*) bitten (*for* um). c (*entreat*) **I ~ of you** ich bitte Sie. d **to go ~ging** (*col*) noch zu haben sein; (*to be unwanted*) keine Abnehmer finden.

began [bɪˈgæn] pret of **begin**.

beggar ['begəʳ] n a Bettler(in f) m ▸ **~s can't be choosers** (*prov*) wer arm dran ist, kann nicht wählerisch sein. b (*col*) Kerl m (*col*) ▸ **poor ~!** armer Kerl! (*col*); **a lucky ~** ein Glückspilz m.

begging letter ['begɪŋ, letəʳ] n Bittbrief m.

begin [bɪˈgɪn] pret **began**, ptp **begun** 1 vt a

beginnen, anfangen; song also anstimmen; bottle anbrechen; book anreißen; rehearsals, work anfangen mit; task in Angriff nehmen ▸ **to ~ to do sth** or **doing sth** anfangen or beginnen, etw zu tun; **that doesn't even ~ to compare with ...** das läßt sich nicht einmal annähernd mit ... vergleichen; **I can't ~ to thank you for what you've done** ich kann Ihnen gar nicht genug dafür danken, was Sie getan haben. b (*initiate*) anfangen; fashion, custom, policy einführen; society, firm, movement gründen; (*cause*) war auslösen.

2 vi anfangen, beginnen; (*new play etc*) anlaufen; (*custom*) entstehen; (*river*) entspringen ▸ **to ~ by doing sth** etw zuerst (einmal) tun; **he began by saying that ...** er sagte einleitend, daß ...; **~ning from Monday** ab Montag, von Montag an; **to ~ with, this is wrong, and ...** erstens einmal ist das falsch, dann ...; **to ~ on sth** mit etw anfangen or beginnen; **since the world began** seit (An)beginn or Anfang der Welt.

beginner [bɪˈgɪnəʳ] n Anfänger(in f) m ▸ **~'s luck** Anfängerglück nt.

beginning [bɪˈgɪnɪŋ] n Anfang m. (*temporal also*) Beginn m; (*of custom, movement*) Entstehen nt no pl; (*of river*) Ursprung m ▸ **at the ~ of sth** am Anfang or (*temporal also*) zu Beginn einer Sache (*gen*); **the ~ of time/the world** der Anbeginn der Welt; **in the ~** (*Bibl*) am Anfang; **from the ~** von Anfang an; **from ~ to end** von vorn bis hinten; (*temporal*) von Anfang bis Ende; **to begin at the ~** ganz vorn anfangen; **Nazism had its ~s in Germany** der Nazismus hatte seine Anfänge in Deutschland.

begonia [bɪˈgəʊnɪə] n Begonie f.

begrudge [bɪˈgrʌdʒ] vt a (*be reluctant*) **to ~ doing sth** etw widerwillig tun. b (*envy*) mißgönnen (*sb sth* jdm etw) ▸ **no one ~s you your good fortune** wir gönnen dir ja dein Glück. c (*give unwillingly*) nicht gönnen (*sb sth* jdm etw) ▸ **I shan't ~ you £5** du sollst die £5 haben.

beguile [bɪˈgaɪl] vt verführen; (*charm*) betören.

beguiling [bɪˈgaɪlɪŋ] adj betörend, verführerisch.

begun [bɪˈgʌn] ptp of **begin**.

behalf [bɪˈhɑːf] n **on** or (*US also*) **in ~ of** (*as spokesman*) im Namen von; (*as authorized representative*) im Auftrag von.

behave [bɪˈheɪv] 1 vi sich verhalten; (*people also*) sich benehmen ▸ **to ~ well towards sb** jdn gut behandeln; **~!** benimm dich!; **the car ~s well at high speeds** das Auto zeigt bei hoher Geschwindigkeit ein gutes Fahrverhalten.

2 vr **to ~ oneself** sich benehmen; **~ yourself!** benimm dich!

behaviour, (*US*) **behavior** [bɪˈheɪvjəʳ] n a (*manner, bearing*) Benehmen nt; (*esp of children also*) Betragen nt. **to be on one's best ~** sich von seiner besten Seite zeigen. b (*towards others, of car*) Verhalten nt (*to(wards)* gegenüber).

behavioural, (*US*) **behavioral** [bɪˈheɪvjərəl] adj Verhaltens- ▸ **~ science** Verhaltensforschung f.

behaviourism, (*US*) **behaviorism** [bɪˈheɪvjərɪzəm] n Behaviorismus m.

behead [bɪˈhed] vt enthaupten, köpfen.

beheld [bɪˈheld] prep, ptp of **behold**.

behest [bɪˈhest] n (*liter*) Geheiß nt (*liter*) ▸ **at his ~** auf sein Geheiß nt (*liter*).

behind [bɪˈhaɪnd] 1 prep a (*stationary*) hinter (+dat); (*with motion*) hinter (+acc) ▸ **come out from ~ the door** komm hinter der Tür (her)vor; **he came up ~ me** er trat von hinten an mich heran; **he has the workers ~ him** er hat die Arbeiter hinter sich (*dat*); **to be ~ an idea** eine Idee unterstützen; **what is ~ this?** was steckt dahinter? b (*more backward than*) **to be ~ sb** hinter jdm zurücksein. |c| (*in time*) **to be ~ time** (*train etc*) Verspätung haben; (*with work etc*) im Rückstand sein; **to be ~ schedule** im Verzug sein; **to be (a bit) ~ the times** (*fig*) nicht (ganz) auf dem laufenden sein. |2| *adv* |a| (*in or at rear*) hinten; (*~ this, sb etc*) dahinter ► **from ~** von hinten; **to look ~** zurückblicken. |b| (*late*) **I'm a bit ~ today** ich bin heute etwas spät dran; **to be ~ with one's studies/payments** mit seinen Studien/Zahlungen im Rückstand sein. |3| *n* (*col*) Hintern *m* (*col*).

behindhand [br'harndhænd] *adv* **to be ~ with sth** mit etw im Rückstand sein.

behold [br'həʊld] *pret, ptp* **beheld** *vt* (*liter*) sehen, erblicken (*liter*) ► **~!** und siehe (da); (*Rel*) siehe.

beige [beiʒ] |1| *adj* beige. |2| *n* Beige *nt*.

being ['bi:ɪŋ] *n* |a| (*existence*) Dasein, Leben *nt* ► **to come into ~** entstehen; (*club etc also*) ins Leben gerufen werden; **to bring into ~** ins Leben rufen. |b| (*that which exists*) Geschöpf *nt*.

Beirut [bei'ru:t] *n* Beirut *nt*.

belabour, (*US*) **belabor** [br'leɪbər] *vt* einschlagen auf (+*acc*); (*with insults etc*) überhäufen.

belated [br'leɪtɪd] *adj* verspätet.

belch [beltʃ] |1| *vi* (*person*) rülpsen, aufstoßen; (*volcano*) Lava ausstoßen; (*smoke, fire*) herausquellen. |2| *vt* (*also ~ forth or out*) *smoke, flames* ausstoßen. |3| *n* Rülpser *m* (*col*).

beleaguered [br'li:gəd] *adj* (*city*) belagert; (*army*) eingekesselt; (*fig*) umgeben.

Belfast [bel'fɑ:st] *n* Belfast *nt*.

belfry ['belfrɪ] *n* Glockenstube *f*.

Belgian ['beldʒən] |1| *n* Belgier(in *f*) *m*. |2| *adj* belgisch.

Belgium ['beldʒəm] *n* Belgien *nt*.

Belgrade [bel'greɪd] *n* Belgrad *nt*.

belie [br'laɪ] *vt* |a| (*prove false*) *words, proverb* Lügen strafen, widerlegen. |b| (*give false impression of*) hinwegtäuschen über (+*acc*).

belief [br'li:f] *n* Glaube *m* (*in* an +*acc*) ► **it is beyond ~** es ist nicht zu glauben; **in the ~ that ...** im Glauben, daß ...; **it is my ~ that ...** ich bin der Überzeugung, daß ...; **strong ~s** feste Überzeugungen; **to the best of my ~** meines Wissens.

believable [br'li:vəbl] *adj* glaubhaft, glaubwürdig.

▼ **believe** [br'li:v] |1| *vt* |a| *sth* glauben; *sb* glauben (+*dat*) ► **I don't ~ you** das glaube ich (Ihnen) nicht; **don't you ~ it** wer's glaubt, wird selig (*col*); **I would never have ~d of him** das hätte ich nie von ihm geglaubt; **he could hardly ~ his eyes/ears** er traute seinen Augen/Ohren nicht. |b| (*think*) glauben ► **I ~ so/not** ich glaube schon/nicht. |2| *vi* (*have a religious faith*) an Gott glauben.

♦ **believe in** *vi* +*prep obj* glauben an (+*acc*) ► **I ~ ~ giving people a second chance** ich gebe prinzipiell jedem noch einmal eine Chance; **he doesn't ~ ~ medicine/doctors** er hält nicht viel von Medikamenten/Ärzten.

believer [br'li:vər] *n* |a| (*Rel*) Gläubige(r) *mf*. |b| **to be a (firm or great) ~ in sth/in doing sth** (*grundsätzlich*) für etw sein/dafür sein, daß man etw tut.

Belisha beacon [br'li:ʃə'bi:kən] *n* (*Brit*) gelbes Blinklicht an Zebrastreifen.

belittle [br'lɪtl] *vt* herabsetzen.

Belize [be'li:z] *n* Belize *nt*.

bell [bel] *n* |a| Glocke *f*; (*small: on toys etc*) Glöckchen *nt*, Schelle *f*; (*school ~, door~, of cycle*) Klingel *f*; (*Boxing*) Gong *m*. |b| (*sound of ~*) Läuten *nt*; (*of door~, telephone etc*) Klingeln *nt* ► **was that the ~?** hat es gerade geklingelt or geläutet? |c| (*col: telephone call*) **to give sb a ~** jdn anrufen.

bell: ~-bottomed trousers, ~-bottoms *npl* ausge-

stellte Hosen; **~-boy** *n* (*US*) Page, Hoteljunge *m*.

belle [bel] *n* Schöne, Schönheit *f* ► **the ~ of the ball** die Ballkönigin.

bellhop ['bel,hɒp] *n* (*US*) = **bell-boy**.

bellicose ['belɪkəʊs] *adj* *nation, mood* kriegerisch.

belligerence [br'lɪdʒərəns] *n* see adj |a| Kriegslust *f*; Streitlust *f*; Aggressivität *f*.

belligerent [br'lɪdʒərənt] |1| *adj* |a| *nation* kriegerisch; *person, attitude* streitlustig; *speech* aggressiv. |b| (*waging war*) kriegführend. |2| *n* (*nation*) kriegführendes Land; (*person*) Streitende(r) *mf*.

bell-jar ['beldʒɑ:r] *n* (Glas)glocke *f*.

bellow ['beləʊ] |1| *vi* (*animal, person*) brüllen; (*singing also*) grölen (*col*). |2| *vt* (*also ~ out*) brüllen; *song also* grölen (*col*). |3| *n* Brüllen *nt*.

bellows ['beləʊz] *npl* Blasebalg *m*.

bell: ~push *n* Klingel *f*; **~-ringer** *n* Glöckner *m*; **~-ringing** *n* Glockenläuten *nt*; **~-shaped** *adj* glockenförmig, kelchförmig; **~tower** *n* Glockenturm *m*.

belly ['belɪ] *n* Bauch *m*.

belly: ~-ache |1| *n* (*col*) Bauchweh *nt* (*col*), Bauchschmerzen *pl*; |2| *vi* (*col: complain*) murren (*about* über +*acc*); **~ button** *n* (*col*) Bauchnabel *m*; **~ dance** *n* Bauchtanz *m*; **~ dancer** *n* Bauchtänzerin *f*.

bellyful ['belɪfʊl] *n* **to have had a ~ of sb/sth** (*col*) von jdm/etw die Nase voll haben (*col*).

belly: ~ landing *n* Bauchlandung *f*; **~ laugh** *n* dröhnendes Lachen.

belong [br'lɒŋ] *vi* |a| gehören (*to sb* jdm) ► **who does it ~ to?** wem gehört es?; **the lid ~s to this box** der Deckel gehört zu dieser Schachtel; **to ~ to a club** einem Club angehören. |b| (*be in right place*) gehören ► **to feel that one doesn't ~** das Gefühl haben, daß man nicht dazugehört; **where does this one ~?** wo gehört das hin?

belongings [br'lɒŋɪŋz] *npl* Besitz *m*, Habe *f* (*geh*) ► **personal ~** persönliches Eigentum, persönlicher Besitz; **all his ~** sein ganzes Hab und Gut.

beloved [br'lʌvɪd] |1| *adj* geliebt; *memory* lieb, teuer. |2| *n* Geliebte(r) *mf*.

below [br'ləʊ] |1| *prep* |a| (*under*) unterhalb (+*gen*); (*with line, level etc also*) unter (+*dat or with motion* +*acc*) ► **the sun disappeared ~ the horizon** die Sonne verschwand hinter dem Horizont; **to be ~ sb** (*in rank*) (rangmäßig) unter jdm stehen. |b| (*downstream from*) unterhalb (+*gen*). |2| *adv* unten ► **they live one floor ~** sie wohnen ein Stockwerk tiefer; **the flat ~** die Wohnung darunter; (*below us*) die Wohnung unter uns; **see ~** siehe unten; |15| **degrees ~** 15 Grad unter Null, 15 Grad minus.

belt [belt] |1| *n* |a| (*on clothes*) Gürtel *m*; (*for holding etc, seat~*) Gurt *m* ► **that was below the ~** das war ein Schlag unter die Gürtellinie; **to tighten one's ~** (*fig*) (sich *dat*) den Gürtel or Riemen enger schnallen (*col*). |b| (*Tech*) (Treib)riemen *m*; (*conveyor ~*) Band *nt*. |c| (*tract of land*) Gürtel *m* ► **industrial ~** Industriegürtel *m*. |d| (*col: hit*) Schlag *m*. |2| *vt* (*col: hit*) verhauen (*col*) ► **she ~ed him one** sie knallte ihm eine (*col*). |3| *vi* (*col: rush*) rasen (*col*) ► **to ~ out** hinaus-/herausrasen (*col*); **we were really ~ing along** wir sind wirklich gerast (*col*).

♦ **belt out** *vt sep* (*col*) *tune* schmettern (*col*).

♦ **belt up** |1| *vt sep jacket* den Gürtel (+*gen*) zumachen. |2| *vi* |a| (*col*) die Klappe (*col*) halten; (*stop making noise*) mit dem Krach aufhören (*col*). |b| (*hum: put seatbelt on*) sich anschnallen.

beltway ['beltweɪ] *n* (*US*) Umgehungsstraße *f*.

bemoan [br'məʊn] *vt* beklagen.

bemused [br'mju:zd] *adj* (*puzzled*) verwirrt.

bench [bentʃ] n ⓐ (seat) Bank f. ⓑ (Jur: office of a judge) Richteramt nt; (judges generally) Richter pl; (court) Gericht nt ▶ **to be on the ~** (permanent office) Richter sein; (when in court) der Richter sein. ⓒ (work ~) Werkbank f; (in lab) Experimentiertisch m.

benchmark ['bentʃmɑːk] n (standard) Maßstab m ▶ **~ price** Richtpreis m; **~ figure** Eckwert m.

bend [bend] (vb: pret, ptp **bent**) ① (in river, tube etc) Krümmung, Biegung f; (in road also) Kurve f ▶ **to drive sb round the ~** (col) jdn verrückt or wahnsinnig machen (col).
② vt ⓐ biegen; (arm, knee also) beugen; (forwards) back also, head beugen ▶ **on ~ed knees** auf Knien; (fig also) kniefällig. ⓑ (fig) rules frei auslegen.
③ vi ⓐ sich biegen; (pipe, rail also) sich krümmen; (forwards also) (tree, corn etc) sich neigen; (person) sich beugen ▶ **this metal ~s easily** (a bad thing) dieses Metall verbiegt sich leicht; (a good thing) dieses Metall läßt sich leicht biegen. ⓑ (river) eine Biegung machen; (road also) eine Kurve machen. ⓒ (fig: submit) sich beugen, sich fügen (to dat).
◆**bend down** vi (person) sich bücken.
◆**bend over** ① vi (person) sich bücken.
② vt sep umbiegen.

bender ['bendər] n (col) **to go on a ~** sich besaufen (col); (go on pubcrawl) auf eine Sauftour gehen.

bends [bendz] n **the ~** die Taucherkrankheit f.

beneath [bɪˈniːθ] ① prep ⓐ unter (+dat or with motion +acc); (with line, level etc also) unterhalb (+gen); see **below** ① ⓐ. ⓑ (unworthy of) **it is ~ him** das ist unter seiner Würde.
② adv unten; see also **below 2.**

benediction [ˌbenɪˈdɪkʃən] n Segen m; (act of blessing) Segnung f.

benefactor ['benɪfæktər] n Wohltäter m; (giver of money also) Gönner m.

beneficial [ˌbenɪˈfɪʃəl] adj gut (to für); climate also zuträglich (geh) (to dat); influence also vorteilhaft; advice nützlich (to für).

beneficiary [ˌbenɪˈfɪʃərɪ] n Nutznießer(in f) m; (of will, insurance also) Begünstigte(r) mf.

benefit ['benɪfɪt] ① n ⓐ (advantage) Vorteil m; (profit) Gewinn m ▶ **for the ~ of your health** Ihrer Gesundheit zuliebe; **it is for his ~ that this was done** das ist seinetwegen geschehen; **to give sb the ~ of the doubt** im Zweifel zu jds Gunsten entscheiden. ⓑ (allowance) Unterstützung f; (sickness ~) Krankengeld nt; (social security ~) Sozialhilfe f. ⓒ (special performance) Benefizveranstaltung f ▶ **(match)** Benefizspiel nt.
② vt nützen (+dat); (healthwise) guttun (+dat).
③ vi profitieren (from, by von); (from experience also) Nutzen ziehen (from aus) ▶ **who will ~ from that?** wem wird das nützen?

Benelux ['benɪlʌks] n **the ~ (countries)** die Beneluxländer pl.

benevolence [bɪˈnevələns] n see adj Wohlwollen nt; Gutmütigkeit f; Güte f.

benevolent [bɪˈnevələnt] adj wohlwollend; smile gutmütig; (as character trait) gütig. ▶

Bengal [beŋˈgɔːl] n Bengalen nt ▶ **~ tiger** bengalischer Tiger.

Bengali [beŋˈgɔːlɪ] ① n (language) Bengali nt; (person) Bengale m, Bengalin f.
② adj bengalisch.

benign [bɪˈnaɪn] adj ⓐ gütig; influence günstig; climate mild. ⓑ (Med) gutartig.

bent [bent] ① pret, ptp of **bend.**
② adj ⓐ metal etc gebogen; (out of shape) verbogen. ⓑ (Brit col: dishonest) person korrupt. ⓒ (col: homosexual) andersrum pred (col). ⓓ **to be ~ on sth/ doing sth** etw unbedingt wollen/tun wollen.

③ n (aptitude) Neigung f (for zu); (type of mind, character) Schlag m ▶ **with** or **of a musical ~** mit einer musikalischen Veranlagung.

bequeath [bɪˈkwiːð] vt vermachen; (fig also) hinterlassen (to sb jdm).

bequest [bɪˈkwest] n (legacy) Nachlaß m; (to museum) Stiftung f.

berate [bɪˈreɪt] vt (liter) schelten.

bereaved [bɪˈriːvd] npl **the ~** die Hinterbliebenen pl.

bereavement [bɪˈriːvmənt] n (death in family) Trauerfall m ▶ **to feel a sense of ~ at sth** etw als schmerzlichen Verlust empfinden.

bereft [bɪˈreft] adj **to be ~ of sth** einer Sache (gen) bar sein (geh); **~ of reason** ohne jede Vernunft.

beret ['bereɪ] n Baskenmütze f.

Bering ['berɪŋ]: **~ Sea** n Beringmeer nt; **~ Straits** npl Beringstraße f.

berk [bɜːk] n (Brit col!) Dussel m (col).

Berks [bɑːks] = **Berkshire.**

Berlin [bɜːˈlɪn] n Berlin nt ▶ **the ~ wall** die Mauer.

Berliner [bɜːˈlɪnər] n Berliner(in f) m.

Bermuda [bɜːˈmjuːdə] n Bermuda nt ▶ **~ shorts** Bermudashorts pl; **~ triangle** Bermuda-Dreieck nt.

Berne [bɜːn] n Bern nt.

berry ['berɪ] n Beere f ▶ **as brown as a ~** ganz braungebrannt.

berserk [bəˈsɜːk] adj wild ▶ **to go ~** wild werden; (audience) zu toben anfangen; (go mad) überschnappen (col).

berth [bɜːθ] ① n ⓐ (on ship) Koje f; (on train) Bett nt. ⓑ (Naut: place for ship) Liegeplatz m ▶ **to give sb/sth a wide ~** (fig) einen (weiten) Bogen um jdn/etw machen.
② vi anlegen.

beseech [bɪˈsiːtʃ] pret, ptp **~ed** or (liter) **besought** vt person anflehen, beschwören.

beset [bɪˈset] pret, ptp **~** vt (difficulties, dangers) (von allen Seiten) bedrängen; (doubts) befallen; (temptations, trials) heimsuchen ▶ **to be ~ with danger** (journey etc) voller Gefahren sein.

besetting [bɪˈsetɪŋ] adj **his ~ sin** eine ständige Untugend von ihm.

beside [bɪˈsaɪd] prep ⓐ neben (+dat or with motion +acc); (at the edge of) road, river an (+dat or with motion +acc) ▶ **~ the road** am Straßenrand. ⓑ (compared with) neben (+dat). ⓒ **to be ~ oneself (with anger/joy)** außer sich sein (vor Wut/Freude).

besides [bɪˈsaɪdz] ① adv außerdem ▶ **have you got any others ~?** haben Sie noch andere or noch welche?
② prep außer (+dat) ▶ **others ~ ourselves** außer uns noch andere; **~ which he was unwell** außerdem fühlte er sich nicht wohl.

besiege [bɪˈsiːdʒ] vt (Mil, fig) belagern; (with offers) überhäufen; (pester) bestürmen.

besotted [bɪˈsɒtɪd] adj völlig vernarrt (with in +acc).

besought [bɪˈsɔːt] (liter) pret, ptp of **beseech.**

bespatter [bɪˈspætər] vt bespritzen.

bespectacled [bɪˈspektɪkld] adj bebrillt.

bespoke [bɪˈspəʊk] adj garment Maß- ▶ **a ~ tailor** ein Maßschneider m.

▼ **best** [best] ① adj, superl of **good** beste(r,s) attr; (most favourable) route, price also günstigste(r, s) attr ▶ **to be ~** am besten/günstigsten sein; **the ~ thing about her** das Beste an ihr; **may the ~ man win!** dem Besten der Sieg!; **the ~ part of the year** fast das ganze Jahr.
② adv, superl of **well** ⓐ am besten; like am liebsten; enjoy am meisten ▶ **the ~ known title** der bekannteste Titel; **~ of all** am allerbesten/-liebsten/-meisten; **I helped him as ~ I could** ich half ihm, so gut ich konnte; **do as you think ~** tun Sie, was Sie für richtig halten; **you know ~** Sie müssen es (am besten) wissen. ⓑ **you had ~ go now** am besten gehen Sie jetzt.

▶ SENTENCE BUILDER: **best: 1** → 7.2, 9.2 **2a** → 1.2, 9.2 **2b** → 9.3

3 n **a** *the* ~ der/die/das beste; *the* ~ *of the bunch* (*col*) der/die/das beste; *he can sing with the* ~ *of them* er kann sich im Singen mit den Besten messen; *to be in one's (Sunday)* ~ im Sonntagsstaat sein. **b** *to do one's (level)* ~ sein Bestes *or* möglichstes tun; *to make the* ~ *of it/a bad job* das Beste daraus machen; *the* ~ *of it is that ...* das Beste daran ist, daß ...; *I meant it for the* ~ ich habe es doch nur gut gemeint; *to the* ~ *of my ability* so gut ich kann/konnte; *to the* ~ *of my knowledge* meines Wissens; *to look one's* ~ so gut wie möglich aussehen; *he is at his* ~ *at about 8 in the evening* so gegen 8 Uhr abends ist seine beste Zeit; *at* ~ bestenfalls; *all the* ~ alles Gute!

best-before date [ˌbestbɪ'fɔː,deɪt] n Haltbarkeitsdatum nt.

bestial ['bestɪəl] adj *acts, cruelty* bestialisch; *person, appearance* brutal; (*carnal*) tierisch.

bestiality [ˌbestɪ'ælɪtɪ] n Bestialität f; (*cruelty*) Brutalität f.

best man n Trauzeuge m (des Bräutigams).

bestow [bɪ'stəʊ] vt (*on or upon* sb jdm) (*grant, give*) schenken; *honour* erweisen; *title, medal* verleihen.

best: ~**-seller** n Verkaufs- *or* Kassenschlager m; (*book*) Bestseller m; ~**-selling** adj *article* meistverkauft; ~**-selling author** Erfolgsautor(in f) m; ~**-selling book** Bestseller m.

bet [bet] (*vb: pret, ptp* ~) **1** n Wette f (*on* auf +*acc*); (*money etc staked*) Wetteinsatz m ▶ *to have a* ~ *with* sb mit jdm wetten; *it's a safe* ~ *that ...* (*fig*) höchstwahrscheinlich ... **2** vt **a** wetten, setzen (*against* gegen, *on* auf +*acc*) ▶ *I* ~ *him £5* ich habe mit ihm (um) £5 gewettet. **b** (*col*) wetten ▶ *you can* ~ *your boots or your bottom dollar that ...* Sie können Gift darauf nehmen, daß ... (*col*). **3** vi wetten ▶ *to* ~ *on a horse* auf ein Pferd setzen; *you* ~*!* (*col*) und ob! (*col*).

bête noire [bet'nwɑːʳ] n *that's my/his* ~ das ist mir/ihm besonders verhaßt.

Bethlehem ['beθlɪhem] n Bethlehem nt.

betray [bɪ'treɪ] vt verraten (*also Pol*) (*to* dat *or* (*Pol*) an +*acc*); *trust* enttäuschen; *sb's secrets also* preisgeben ▶ *his accent* ~*ed him (as a foreigner)* sein Akzent verriet, daß er Ausländer war.

betrayal [bɪ'treɪəl] n Verrat m (*of* gen); (*instance*) Verrat m (*of* an +*dat*); (*of trust*) Enttäuschung f; (*of friends also*) Untreue f (*of* gegenüber); (*of plans also*) Preisgabe f.

betrothal [bɪ'trəʊðəl] n (*liter, hum*) Verlobung f.

better **1** adj, comp of **good** besser; *route, way also* günstiger ▶ *he's much* ~ es geht ihm viel besser; *that's* ~*!* (*approval*) so ist es besser!; (*relief etc*) endlich!; *the* ~ *part of an hour* fast eine Stunde; *to go one* ~ einen Schritt weiter gehen; (*in offer*) höher gehen. **2** adv, comp of **well** **a** besser; *like* lieber; *enjoy* mehr ▶ *they are* ~ *off than we are* sie sind besser dran als wir; (*financially*) sie sind besser gestellt als wir; *all the* ~, *so much the* ~ um so besser; *to think* ~ *of it* es sich (*dat*) noch einmal überlegen. **b** *I had* ~ *go* ich gehe jetzt wohl besser; *you'd* ~ *do what he says* tun Sie lieber, was er sagt. **3** n **a** *one's* ~*s* Leute, die über einem stehen; (*socially also*) Höhergestellte. **b** (*person, object*) *the* ~ der/die/das Bessere. **c** *it's a change for the* ~ es ist eine Wendung zum Guten; *it's done now, for* ~ *or worse* so oder so, es ist geschehen; *to get the* ~ *of* sb (*person*) jdn unterkriegen (*col*); (*illness*) jdn erwischen (*col*); (*problem etc*) jdm schwer zu schaffen machen. **4** vt (*improve on*) verbessern; (*surpass*) übertreffen. **5** vr *to* ~ *oneself* sich verbessern.

betting: ~ *man* n *I'm not a* ~ *man* ich wette eigentlich nicht; ~ *shop* n Wettannahme f.

between [bɪ'twiːn] **1** prep **a** zwischen (+*dat*); (*with movement*) zwischen (+*acc*) ▶ *sit down* ~ *those two boys* setz dich zwischen diese beiden Jungen; *in* ~ zwischen (+*dat/acc*); ~ *now and next week we must ...* bis nächste Woche müssen wir ...; *there's nothing* ~ *them* (*they're equal*) sie sind gleich gut; (*no relationship*) sie haben nichts miteinander. **b** (*amongst*) unter (+*dat/acc*) ▶ *we shared an apple* ~ us wir teilten uns (*dat*) einen Apfel; ~ *you and me he is not very clever* unter uns (*dat*) (gesagt), er ist nicht besonders gescheit; *that's just* ~ *ourselves* das bleibt aber unter uns; *we have a car* ~ *the two/three of us* wir haben zu zweit/dritt ein Auto. **2** adv (*place*) dazwischen; (*time also*) zwischendurch ▶ *in* ~ dazwischen; *the space/time* ~ der Zwischenraum/die Zwischenzeit, der Raum/die Zeit dazwischen.

bevelled edge n ['bevld'edʒ] n Schrägkante f.

beverage ['bevərɪdʒ] n Getränk nt.

bevy ['bevɪ] n (*of girls*) Schar f.

bewail [bɪ'weɪl] vt (*deplore*) beklagen; (*lament also*) bejammern; *sb's death also* betrauern.

▼ **beware** [bɪ'wɛəʳ] vti imper and infin only *to* ~ *(of)* sb/ sth sich vor jdm/etw hüten, sich vor jdm/etw in acht nehmen; ~ *of falling* passen Sie auf, daß Sie nicht fallen; *"* ~ *of the dog"* „Vorsicht, bissiger Hund".

bewilder [bɪ'wɪldəʳ] vt (*confuse*) verwirren; (*baffle*) verblüffen.

bewildered [bɪ'wɪldəd] adj (*confused*) verwirrt; (*baffled*) verblüfft, perplex (*col*).

bewildering [bɪ'wɪldərɪŋ] adj *see vt* verwirrend; verblüffend.

bewilderment [bɪ'wɪldəmənt] n *see vt* Verwirrung f; Verblüffung f ▶ *in* ~ verwundert.

bewitch [bɪ'wɪtʃ] vt verzaubern; (*fig*) bezaubern.

bewitching adj, ~**ly** adv [bɪ'wɪtʃɪŋ, -lɪ] bezaubernd, hinreißend.

beyond [bɪ'jɒnd] **1** prep **a** (*on the other side of*) hinter (+*dat*), jenseits (+*gen*) (*geh*); (*further than*) über (+*acc*) ... hinaus, weiter als ▶ ~ *the Alps* jenseits der Alpen. **b** (*in time*) ~ *6 o'clock* nach 6 Uhr; ~ *the middle of June/the week* über Mitte Juni/der Woche hinaus. **c** *a task* ~ *her abilities* eine Aufgabe, die über ihre Fähigkeiten geht; *that's almost* ~ *belief* das ist fast unglaublich *or* nicht zu glauben; *that's* ~ *me* (*I don't understand*) das geht über meinen Verstand. **2** adv (*on the other side of*) jenseits davon (*geh*) ▶ *the world* ~ das Jenseits.

BF (*euph*) = **bloody fool**.

bhp = **brake horsepower** PS.

bi- [baɪ] pref bi, Bi-.

biannual [baɪ'ænjʊəl] adj halbjährlich.

bias ['baɪəs] (*vb: pret, ptp* ~**(s)ed**) **1** n **a** Voreingenommenheit f; (*of course, newspaper etc*) (einseitige) Ausrichtung f (*towards* auf +*acc*); (*of person*) Vorliebe f (*towards* für) ▶ *to have a* ~ *against* sth (*course, newspaper etc*) gegen etw eingestellt sein; (*person*) ein Vorurteil nt gegen etw haben; *to have a left-wing/right-wing* ~ nach links/rechts ausgerichtet sein. **b** (*Sew*) *on the* ~ schräg zum Fadenlauf. **2** vt *report, article etc* (einseitig) färben.

bias(s)ed ['baɪəst] adj voreingenommen; *report* einseitig.

bib [bɪb] n Latz m; (*for baby*) Lätzchen nt.

Bible ['baɪbl] n Bibel f.

Bible in cpds Bibel-; *story* biblisch ▶ ~ *basher* n (*col*) Jesusjünger(in f) m (*col*).

biblical ['bɪblɪkəl] adj biblisch.

bibliography [ˌbɪblɪ'ɒgrəfɪ] n Bibliographie f.

bibulous ['bɪbjʊləs] adj trunksüchtig.

bicarbonate of soda [baɪˌkɑːbənɪtəv'səʊdə] n (*Cook*)

Natron *nt*; (*Chem*) doppelt kohlensaures Natrium.
bi-: **~centenary,** (*US*) **~centennial** *n*
Zweihundertjahrfeier *f* (*of gen*).
biceps ['baiseps] *n* Bizeps *m*.
bicker ['bikə^r] *vi* sich zanken ▶ *they are always ~ing* sie
liegen sich dauernd in den Haaren.
bicycle ['baisikl] *n* Fahrrad *nt* ▶ *to ride a ~* Fahrrad
fahren, radfahren; *~ kick* (*Football*) Fallrückzieher *m*;
see **cycle.**
bid [bid] **1** *vti* **a** *pret, ptp* ~ (*at auction*) bieten (*for* auf
+*acc*). **b** *pret, ptp* ~ (*Cards*) reizen, bieten. **c** *pret*
bade, *ptp* **~den** (*say*) *to ~ sb good-morning* jdm einen
guten Morgen wünschen; *to ~ farewell to sb* jdm
Lebewohl sagen (*geh*).
2 *vi pret* **bad,** *ptp* **~den** *everything ~s fair to be successful* es sieht alles recht erfolgversprechend aus.
3 *n* **a** *at auction*) Gebot *nt* (*for* auf +*acc*); (*Comm*)
Angebot *nt* (*for* für). **b** (*Cards*) Ansage *f*. **c** (*attempt*)
Versuch *m* ▶ *to make a ~ for power* nach der Macht
greifen; *to make a ~ for freedom* versuchen, die Freiheit zu erlangen.
bidden ['bidn] *ptp of* **bid 1(c).**
bidder ['bidə^r] *n* Bietende(r) *mf* ▶ *to sell to the highest
~* an den Meistbietenden verkaufen.
bidding ['bidiŋ] *n* **a** (*at auction*) Steigern, Bieten *nt*. **b**
(*Cards*) Bieten, Reizen *nt*.
bide [baid] *vt to ~ one's time* den rechten Augenblick
abwarten.
bidet ['bi:dei] *n* Bidet *nt*.
biennial [bai'eniəl] **1** *adj* (*every two years*) zweijährlich.
2 *n* (*Bot*) zweijährige Pflanze.
bier [biə^r] *n* Bahre *f*.
biff [bif] *n* (*col*) Stoß, Puff (*col*) *m* ▶ *a ~ on the nose* eins
auf die Nase (*col*).
bifocal [bai'fəukəl] **1** *adj* Bifokal-.
2 *n ~s pl* Bifokalbrille *f*.
big [big] **1** *adj* (+*er*) groß ▶ *a ~ man* ein großer,
schwerer Mann; *my ~ brother* mein großer Bruder;
that's really ~ of you (*iro*) wirklich nobel von dir (*iro*);
he is too ~ for his boots (*col*) der ist ja
größenwahnsinnig; *to have a ~ head* (*col*) eingebildet
sein; *to earn ~ money* das große Geld verdienen (*col*);
to have ~ ideas große Pläne haben; *what's the ~ idea?*
(*col*) was soll denn das? (*col*); *to have a ~ mouth* (*col*)
eine große Klappe haben (*col*); *to do things in a ~ way*
alles im großen (Stil) tun; *~ deal!* (*iro col*) na und? (*col*);
(*that's not much etc*) ist ja toll! (*iro col*).
2 *adv to talk ~* große Töne spucken (*col*); *to think ~*
im großen (Maßstab) planen.
bigamist ['bigəmist] *n* Bigamist *m*.
bigamy ['bigəmi] *n* Bigamie *f*.
big: **B~ Apple** *n* New York *nt*; *~ bang* *n* (*Astron*)
Urknall *m*; **B~ Brother** *n* der Große Bruder; *~ business* *n* (*high finance*) Großkapital *nt*; *~ dipper* *n* (*Brit:
at fair*) Achterbahn *f*; *~ end* *n* (*Tech*) Pleuelfuß *m*; *~
game* *n* (*Hunt*) Großwild *nt*; *~head* *n* (*col: person*) Angeber *m* (*col*); *~-headed* *adj* (*col*) angeberisch (*col*); *~
name* *n* (*col: person*) Größe *f* (*in* in +*dat*); *~ noise* *n*
(*col*) hohes Tier (*col*).
bigoted ['bigətid] *adj* engstirnig.
big: *~ shot* *n* hohes Tier (*col*); *~-time* *n* (*col*) *to make or
hit the ~-time* groß einsteigen (*col*); *~ toe* *n* große
Zehe; *~ top* *n* (*circus*) Zirkus *m*; (*main tent*) Hauptzelt
nt; *~ wheel* *n* **a** (*US col*) = *~ shot*; **b** (*Brit: at fair*)
Riesenrad *nt*; *~wig* *n* (*col*) hohes Tier (*col*).
bike [baik] (*col*) **1** *n* (Fahr)rad *nt*; (*motor ~*) Motorrad
nt ▶ *on your ~!* (*col: clear off*) verschwinde!
2 *vi* radeln (*col*).
biker ['baikə^r] *n* (*col*) Motorradfahrer *m*.
bikini [bi'ki:ni] *n* Bikini *m*.
bilateral [bai'lætərəl] *adj* bilateral.

bilberry ['bilbəri] *n* Heidelbeere *f*.
bile [bail] *n* (*Med*) Galle *f*.
bilge [bildʒ] *n* **a** (*Naut*) Bilge *f*. **b** (*Brit col: nonsense*)
Quatsch *m*.
bilingual [bai'liŋgwəl] *adj* zweisprachig ▶ *~ secretary*
Fremdsprachenkorrespondentin, Fremdsprachensekre-
tärin *f*.
bilingualism [bai'liŋgwəlizm] *n* Zweisprachigkeit *f*.
bilious ['biliəs] *adj* (*Med*) Gallen- ▶ *~ attack* Gallenkolik
f.
bill¹ [bil] **1** *n* (*of bird, turtle*) Schnabel *m*.
2 *vi to ~ and coo* (*birds*) schnäbeln und gurren,
turteln.
bill² **1** *n* **a** (*statement of charges*) Rechnung *f* ▶ *could
we have the ~ please* zahlen bitte!, wir möchten bitte
zahlen. **b** (*US: banknote*) Banknote *f*, Schein *m*. **c**
(*poster*) Plakat *nt*; (*on notice board*) Anschlag *m*; (*public
announcement*) Aushang *m* ▶ *"stick no ~s"* „Plakate
ankleben verboten". **d** (*Theat*) Programm *nt* ▶ *to top
the ~* Star *m* des Abends/der Saison sein; (*act*) die
Hauptattraktion sein. **e** *~ of fare* Speisekarte *f*. **f**
(*Parl*) Gesetzentwurf *m*. **g** (*Comm*) *~ of lading* Frachtbrief *m*; *~ of exchange* Wechsel *m*; *~ of sale* Ver-
kaufsurkunde *f*; *to fit or fill the ~* (*fig*) der/die/das
richtige sein, passen.
2 *vt* **a** *customers* eine Rechnung ausstellen (+*dat*) ▶
we won't ~ you for that (*make no charge*) wir werden
Ihnen das nicht berechnen. **b** *play, actor* ankündigen ▶
he's ~ed at the Apollo er tritt im Apollo auf.
billboard ['bilbɔ:d] *n* Reklametafel *f*.
billet ['bilit] **1** *n* (*Mil*) Quartier *nt*, Unterkunft *f*.
2 *vt* (*Mil*) einquartieren (*on sb* bei jdm).
billfold ['bilfəuld] *n* (*US*) Brieftasche *f*.
billiard ['biljəd] *adj attr* Billiard- ▶ *~ ball* Billardkugel *f*;
~ cue Queue *nt*, Billardstock *m*.
billiards ['biljədz] *n* Billard *nt*.
billiard table *n* Billardtisch *m*.
billion ['biljən] *n* **a** (*Brit*) Billion *f*. **b** (*US*) Milliarde *f*.
billow ['biləu] **1** *n* (*of smoke*) Schwaden *m*.
2 *vi* (*sail*) sich blähen; (*dress etc*) sich bauschen.
billy(-goat) ['bili(gəut)] *n* Ziegenbock *m*.
billy-ho ['bilihəu] *n* (*col*) *like ~* wie verrückt (*col*).
bimbo ['bimbəu] *n* (*pej col*) Puppe *f* (*col*).
bi-monthly [-mʌnθli] **1** *adj* **a** (*twice a month*)
vierzehntäglich; **b** (*every two months*) zweimonatlich.
bin [bin] *n* (*esp Brit*) (*for bread*) Brotkasten *m*; (*rubbish~*)
Mülleimer *m*; (*dust~*) Mülltonne *f*; (*litter-~*)
Abfallbehälter *m*.
binary ['bainəri] *adj* binär ▶ *~ form* (*Mus*) zweiteilige
Form; *~ system/number* (*Math*) Dualsystem *nt*/ -zahl *f*;
~ code (*Comp*) Binärcode *m*.
bind [baind] *pret, ptp* **bound** **1** *vt* **a** (*make fast, tie
together*) binden (*to* an +*acc*); *person* fesseln; (*fig*) verbinden (*to* mit) ▶ *bound hand and foot* an Händen und
Füßen gefesselt. **b** *wound, arm etc* verbinden; *bandage*
wickeln. **c** (*secure edge of*) einfassen. **d** *book* binden.
e (*oblige*) *to ~ sb to sth/to do sth* jdn zu etw
verpflichten/jdn verpflichten, etw zu tun; *see* **bound³.**
2 *n* (*col: nuisance*) *to be (a bit of) a ~* recht lästig sein.
◆**bind over** *vt sep* (*Jur*) *to ~ sb ~ (to keep the peace)*
jdn verwarnen; *he was bound ~ for six months* er
bekam eine sechsmonatige Bewährungsfrist.
◆**bind together** *vt sep* (*lit*) zusammenbinden; (*fig*)
verbinden.
◆**bind up** *vt sep wound* verbinden; *hair* hochbinden ▶ *to
be bound ~ in* (*work etc*) verwachsen sein mit; *to be
bound ~ with* (*person*) eng verbunden sein mit.
binder ['baində^r] *n* **a** (*machine*) Bindemaschine *f*. **b**
(*for papers*) Hefter *m*.
binding ['baindiŋ] **1** *n* (*of book*) Einband *m*; (*Sew*)
Band *nt*; (*on skis*) Bindung *f*.

2 adj agreement bindend, verbindlich (on für).

binge [bɪndʒ] n (col) Gelage nt ▶ **to go on a ~** (drinking) auf Sauftour (col) gehen; (eating) eine Freßtour (col) machen.

bingo [ˈbɪŋɡəʊ] n Bingo nt.

bin liner n Mülltüte f.

binoculars [bɪˈnɒkjʊləz] npl Fernglas nt.

bio- [baɪəʊ-]: **~chemist** n Biochemiker(in f) m; **~chemistry** n Biochemie f; **~degradable** adj biologisch abbaubar; **~diversity** n biologische Vielfalt.

biographer [baɪˈɒɡrəfəʳ] n Biograph(in f) m.

biographic(al) [ˌbaɪəʊˈɡræfɪk(əl)] adj biographisch.

biography [baɪˈɒɡrəfɪ] n Biographie f.

biological [ˌbaɪəˈlɒdʒɪkəl] adj biologisch ▶ **~ washing powder** Bio-Waschmittel nt.

biologist [baɪˈɒlədʒɪst] n Biologe m, Biologin f.

biology [baɪˈɒlədʒɪ] n Biologie f.

biophysics [ˌbaɪəʊˈfɪzɪks] n sing Biophysik f.

biopic [ˈbaɪəʊpɪk] n Filmbiographie f.

biosphere [ˈbaɪəsfɪəʳ] n Biosphäre f.

bi: **~partite** adj zweiteilig; (affecting two parties) zweiseitig; **~plane** n Doppeldecker m.

birch [bɜːtʃ] n Birke f; (for whipping) Rute f.

bird [bɜːd] n **a** Vogel m ▶ **a little ~ told me** (col) das hat mir mein kleiner Mann im Ohr erzählt; **the early ~ catches the worm** ≃ Morgenstund hat Gold im Mund (Prov); **a ~ in the hand is worth two in the bush** (Prov) der Spatz in der Hand ist besser als die Taube auf dem Dach (Prov); **they are ~s of a feather** sie sind vom gleichen Schlag; **~s of a feather flock together** gleich und gleich gesellt sich gern; **to tell sb about the ~s and the bees** jdm erzählen, wo die kleinen Kinder herkommen. **b** (Brit col: girl) Mieze f (col). **c** **he's an odd ~** (col) er ist ein komischer Kauz.

bird: **~ bath** n Vogeltränke f; **~-cage** n Vogelkäfig m; **~ call** n Vogelruf m; **~ food** n Vogelfutter nt; **~ sanctuary** n Vogelschutzgebiet nt; **~seed** n Vogelfutter nt.

bird's: **~ egg** n Vogelei nt; **~-eye view** n Vogelperspektive f; **~ nest** n Vogelnest nt.

bird: **~ table** n Futterplatz m (für Vögel); **~ watcher** n Vogelbeobachter(in f) m.

Biro ® [ˈbaɪərəʊ] n (Brit) Kugelschreiber, Kuli (col) m.

birth [bɜːθ] n **a** Geburt f ▶ **to give ~ to** zur Welt bringen; **to give ~** entbinden; (animal) jungen. **b** (parentage) Abstammung, Herkunft f ▶ **Scottish by ~** gebürtiger Schotte, gebürtige Schottin; **of good/low** or **humble ~** aus guter Familie/von niedriger Geburt. **c** (fig) Geburt f, (of movement, fashion etc) Aufkommen nt; (of nation, party, company also) Entstehen nt; (of new era) Anbruch m; (of planet) Entstehung f.

birth: **~ certificate** n Geburtsurkunde f; **~ control** n Geburtenkontrolle f.

birthday [ˈbɜːθdeɪ] n Geburtstag m ▶ **what did you get for your ~?** was hast du zum Geburtstag bekommen?

birthday: **~ cake** n Geburtstagskuchen m or -torte f; **~ card** n Geburtstagskarte f; **~ party** n Geburtstagsfeier f; (with dancing etc) Geburtstagsparty f; (for child) Kindergeburtstag m; **~ present** n Geburtstagsgeschenk nt; **~ suit** n (col) Adams-/Evaskostüm nt (col).

birthing pool [ˈbɜːθɪŋ-] n Entbindungsbadewanne f.

birth: **~mark** n Muttermal nt; **~place** n Geburtsort m; **~rate** n Geburtenrate or -ziffer f; **~right** n (fig: right) angeborenes Recht.

Biscay [ˈbɪskeɪ] n **the Bay of ~** der Golf von Biskaya or Biscaya.

biscuit [ˈbɪskɪt] **1** n **a** (Brit) Keks m ▶ **that takes/you take the ~!** (col) das übertrifft alles; (negatively) das schlägt dem Faß den Boden aus! **b** (US) Brötchen nt. **2** adj (colour) beige.

bisect [baɪˈsekt] vt in zwei Teile teilen; (Math) halbieren.

bisexual [ˌbaɪˈseksjuəl] adj bisexuell; (Biol) zwittrig.

bishop [ˈbɪʃəp] n Bischof m; (Chess) Läufer m.

bison [ˈbaɪsn] n (American) Bison m; (European) Wisent m.

bit¹ [bɪt] n **a** (for horse) Gebiß(stange f) nt. **b** (of drill) Bohrer m.

bit² [bɪt] **1** n **a** (piece) Stück nt; (smaller) Stückchen; (of glass also) Scherbe f; (share) Teil m; (passage in book etc) Stelle f ▶ **a ~** (not much, small amount) ein bißchen, etwas; **would you like a ~ of ice cream?** möchten Sie etwas Eis?; **there's a ~ of truth in what he says** daran ist schon etwas Wahres; **a ~ of advice/news** ein Rat m/eine Neuigkeit; **we had a ~ of trouble** wir hatten ein wenig Ärger; **it wasn't a ~ of help/use** das war überhaupt keine Hilfe/hat überhaupt nichts genützt; **there's quite a ~ of bread left** es ist noch eine ganze Menge Brot übrig; **in ~s and pieces** in Einzelteilen; **bring all your ~s and pieces** bring deine Siebensachen; **to come** or **fall to ~s** kaputtgehen. **b** (with time) **a ~** ein Weilchen nt. **c** (with cost) **a ~** eine ganze Menge. **d** **to do one's ~** sein(en) Teil tun. **e** **he's a ~ of a rogue/musician/an expert** er ist ein ziemlicher Schlingel/er ist gar kein schlechter Musiker/er versteht einiges davon. **f** **~ by ~** Stück für Stück; (gradually) nach und nach; **he's every ~ a soldier** er ist durch und durch Soldat; **it/he is every ~ as good as ...** es/er ist genauso gut wie ...; **not a ~ of it** keine Spur (col). **g** **when it comes to the ~** wenn es drauf ankommt. **h** (coin) (Brit) Stück nt, Münze f ▶ **2/4/6 ~s** (US) 25/50/75 Cent(s). **i** (Comp) Bit nt. **2** adv **a ~** ein bißchen, etwas; **I'm not a ~ surprised** das wundert mich kein bißchen (col) or keineswegs; **he's improved quite a ~** er hat sich ziemlich gebessert.

bit³ pret of **bite**.

bitch [bɪtʃ] **1** n **a** (of dog) Hündin f ▶ **terrier ~** weiblicher Terrier. **b** (col: woman) Miststück nt (col); (spiteful) Hexe f. **2** vi (col: complain) bissige Bemerkungen machen (about über +acc) ▶ **to ~ about sb** über jdn herziehen (col).

bitchiness [ˈbɪtʃɪnɪs] n see adj Gehässigkeit, Gemeinheit f; Bissigkeit f.

bitchy [ˈbɪtʃɪ] adj (+er) (col) woman gehässig, gemein; remark also bissig.

bite [baɪt] (vb: pret **bit**, ptp **bitten**) **1** n **a** Biß m. **b** (insect ~) Stich m; (flea ~) Biß m; (love ~) (Knutsch)fleck m (col). **c** (Fishing) **I think I've got a ~** ich glaube, es hat einen angebissen. **d** (of food) Happen m ▶ **there's not a ~ to eat** es ist überhaupt nichts zu essen da; **do you fancy a ~ (to eat)?** möchten Sie etwas essen? **2** vt (person, dog) beißen; (insect) stechen ▶ **to ~ one's nails** an den Nägeln kauen; **to ~ the dust** (col) ins Gras beißen (col); **once bitten twice shy** (Prov) (ein) gebranntes Kind scheut das Feuer (Prov). **3** vi (dog etc) beißen; (insects) stechen; (fish, fig col) anbeißen.

◆**bite into** vi +prep obj (person) (hinein)beißen in (+acc); (teeth) (tief) eindringen in (+acc); (acid, saw) sich hineinfressen in (+acc); (screw, drill) sich hineinbohren in (+acc).

◆**bite off** vt sep abbeißen ▶ **he won't ~ your head ~** er wird dir schon nicht den Kopf abreißen; **to ~ ~ more than one can chew** sich (dat) zuviel zumuten.

◆**bite through** vt insep durchbeißen.

biting [ˈbaɪtɪŋ] adj beißend; cold, wind also schneidend.

bit part n kleine Nebenrolle.

bitten [ˈbɪtn] ptp of **bite**.

bitter [ˈbɪtəʳ] **1** adj (+er) bitter; weather, wind eisig; enemy, struggle, opposition erbittert ▶ *it was a ~ pill to swallow* es war eine bittere Pille; *he's still ~ about it* er nimmt es mir/ihnen *etc* noch übel; *to the ~ end* bis zum bitteren Ende.

[2] *n* (*Brit: beer*) ≈ Altbier *nt*.

bitterly ['bɪtəlɪ] *adv* [a] bitter; *complain also, weep* bitterlich; *oppose* erbittert; *criticize* scharf; *jealous* sehr. [b] (*showing embitteredness*) verbittert; *criticize* erbittert.

bitterness ['bɪtənɪs] *n see adj* Bitterkeit *f*; eisige Kälte; Erbitterheit *f*.

bitter-sweet ['bɪtə,swiːt] *adj* (*lit, fig*) bittersüß.

bitty ['bɪtɪ] *adj* (+*er*) (*Brit col: scrappy*) zusammengestückelt (*col*).

bitumen ['bɪtjʊmɪn] *n* Bitumen *nt*.

bivouac ['bɪvʊæk] (*vb: pret, ptp* ~**ked**) [1] *n* Biwak *nt*. [2] *vi* biwakieren.

bizarre [bɪ'zɑːʳ] *adj* bizarr.

bk = **book**.

blab [blæb] *vi* quatschen (*col*); (*talk fast, tell secret*) plappern; (*criminal*) singen (*col*).

black [blæk] [1] *adj* (+*er*) [a] schwarz ▶ ~ *man/woman* Schwarze(r) *mf*; *to beat sb ~ and blue* jdn grün und blau schlagen; ~ *and white film* Schwarzweißfilm *m*; *the situation isn't as ~ and white as that* die Situation ist nicht so eindeutig schwarzweiß; *he's not so ~ as he's painted* er ist nicht so schlecht wie sein Ruf. [b] *future, prospects, mood* düster, finster ▶ *things are looking* ~ es sieht düster aus. [c] (*fig: angry*) *looks* böse ▶ *he looked as ~ as thunder* er machte ein bitterböses Gesicht.

[2] *n* [a] (*colour*) Schwarz *nt* ▶ *he is dressed in or wearing* ~ er trägt Schwarz; *to wear ~ for sb* für jdn Trauer tragen; *it's written down in ~ and white* es steht schwarz auf weiß geschrieben; *in the ~* (*Fin*) in den schwarzen Zahlen. [b] (*negro*) Schwarze(r) *mf*.

[3] *vt* [a] schwärzen ▶ *to ~ sb's eye* jdm ein blaues Auge schlagen. [b] (*Brit: trade union*) bestreiken; *goods* boykottieren.

◆**black out** [1] *vi* das Bewußtsein verlieren, ohnmächtig werden.

[2] *vt sep* [a] *building, stage* verdunkeln. [b] (*with ink, paint*) schwärzen.

black: ~ **belt** *n* (*Sport*) Schwarzer Gürtel; ~**berry** *n* Brombeere *f*; ~**bird** *n* Amsel *f*; ~**board** *n* Tafel *f*; *to write sth on the ~board* etw an die Tafel schreiben; ~ **box** *n* (*Aviat*) Flugschreiber *m*; ~ **bread** *n* Schwarzbrot *nt*; ~ **cherry** *n* (Sauer)kirsche *f*; ~**currant** *n* schwarze Johannisbeere; **B~ Death** *n* (*Hist*) Schwarzer Tod; ~ **economy** *n* Schattenwirtschaft *f*.

blacken ['blækən] [1] *vt* schwarz machen; *one's face* schwarz anmalen; (*fig*) *character* verunglimpfen ▶ *to ~ sb's name* jdn schlechtmachen.

[2] *vi* schwarz werden.

black: ~ **eye** *n* blaues Auge; **B~ Forest** *n* Schwarzwald *m*; ~**head** *n* Mitesser *m*; ~ **hole** *n* (*Astron*) schwarzes Loch; ~ **humour** (*Brit*) *or* **humor** (*US*) *n* schwarzer Humor; ~ **ice** *n* Glatteis *nt*; ~**jack** *n* (*Cards*) Siebzehn und Vier; ~**leg** (*Brit Ind*) *n* Streikbrecher(in *f*) *m*; ~ **list** *n* schwarze Liste; ~**list** *vt auf* die schwarze Liste setzen; ~ **magic** *n* Schwarze Magie *f*; ~**mail** [1] *n* Erpressung *f*; [2] *vt* erpressen; *to ~mail sb into doing sth* jdn durch Erpressung dazu zwingen, etw zu tun; **B~ Maria** [,blækmə'raɪə] *n* ≈ grüne Minna (*col*); ~ **mark** *n* Tadel *m*; (*in school register*) Eintrag *m*; ~ **market** [1] *n* Schwarzmarkt *m*; [2] *adj attr* Schwarzmarkt-.

blackness ['blæknɪs] *n* Schwärze *f*.

black: ~**out** *n* [a] (*Med*) Ohnmacht(sanfall *m*) *f no pl*; [b] (*light failure*) Stromausfall *m*; (*during war*) Verdunkelung *f*; (*TV*) Ausfall *m*; (*news* ~*out*) (Nachrichten)sperre *f*; ~ **pudding** *n* ≈ Blutwurst *f*; **B~ Sea** *n* Schwarzes Meer; ~ **sheep** *n* (*fig*) schwarzes

Schaf; **B~shirt** *n* Schwarzhemd *nt*; ~**smith** *n* Schmied *m*; ~ **spot** *n* (*also* **accident ~ spot**) Gefahrenstelle *f*; ~ **tie** *n* schwarze Fliege; "~ *tie*" (*on invitation*) „Abendanzug".

bladder ['blædəʳ] *n* (*Anat, Bot*) Blase *f*.

blade [bleɪd] *n* (*of knife, tool*) Klinge *f*; (*of oar, saw, propeller, windscreen wiper*) Blatt *nt*; (*of plough*) Schar *f*; (*of turbine, paddle wheel*) Schaufel *f*; (*of grass, corn*) Halm *m*.

blame [bleɪm] [1] *vt* [a] (*hold responsible*) die Schuld geben (+*dat*) ▶ *to ~ sb for sth/sth on sb* jdm die Schuld an etw (*dat*) geben; *you only have yourself to ~* das hast du dir selbst zuzuschreiben; *I'm to ~ for this* daran bin ich schuld. [b] (*reproach*) Vorwürfe machen (*sb for sth*) jdm für *or* wegen) ▶ *nobody is blaming you* es macht Ihnen ja niemand einen Vorwurf. [c] *he decided to turn down the offer — well, I can't say I ~ him* er entschloß sich, das Angebot abzulehnen — das kann man ihm wahrhaftig nicht verdenken.

[2] *n* (*responsibility*) Schuld *f* ▶ *to put the ~ for sth on sb* jdm die Schuld an etw (*dat*) geben; *to take the ~* die Schuld auf sich (*acc*) nehmen; (*for sb's mistakes also*) den Kopf hinhalten; *the ~ lies with him* er hat *or* ist schuld (daran).

blameless ['bleɪmlɪs] *adj* schuldlos; *life* untadelig.

blameworthy ['bleɪmwɜːðɪ] *adj* schuldig.

blanch [blɑːntʃ] [1] *vt* (*Cook*) *vegetables* blanchieren.

[2] *vi* (*with* vor +*dat*) (*person*) blaß werden.

bland [blænd] *adj* (+*er*) [a] *person* verbindlich; *face* ausdruckslos-höflich. [b] *food* mild, fade (*pej*). [c] (*mild, lacking distinction*) nichtssagend.

blandishment ['blændɪʃmənt] *n* Schmeichelei *f*.

blank [blæŋk] [1] *adj* (+*er*) [a] *piece of paper, page, wall* leer ▶ ~ *cheque* Blankoscheck *m*; (*fig*) Freibrief *m*; *there is a ~ space after each question* nach jeder Frage ist eine Lücke (gelassen). [b] (*expressionless*) *face, look* ausdruckslos; (*stupid*) verständnislos; (*puzzled*) verdutzt, verblüfft ▶ *he just looked* ~ er guckte mich nur groß an (*col*); *my mind went* ~ ich hatte Mattscheibe (*col*). [c] ~ *verse* Blankvers *m*.

[2] *n* [a] (*in document*) freier Raum, leere Stelle; (~ *document*) Formular *nt*; (*gap*) Lücke *f*. [b] *my mind was/went a complete* ~ ich hatte totale Mattscheibe (*col*); *to draw a* ~ kein Glück haben. [c] (*also* ~ *cartridge*) Platzpatrone *f*.

blanket ['blæŋkɪt] [1] *n* (*lit, fig*) Decke *f* ▶ *a ~ of snow/fog* eine Schnee-/Nebeldecke.

[2] *adj attr statement* pauschal; *insurance etc* umfassend.

[3] *vt* (*snow, smoke*) zudecken.

blare [bleəʳ] [1] *n* (*of car horn etc*) lautes Hupen; (*of trumpets etc*) Schmettern *nt*.

[2] *vi see n* laut hupen; schmettern ▶ *the music ~d through the hall* die Musik schallte durch den Saal.

◆**blare out** [1] *vi* (*loud voice, music*) schallen; (*trumpets*) schmettern.

[2] *vt sep* (*trumpets*) *tune* schmettern; (*radio*) *music* plärren; (*person*) *order, warning etc* brüllen.

blasé ['blɑːzeɪ] *adj* blasiert.

blaspheme [blæs'fiːm] *vi* Gott lästern.

blasphemous ['blæsfɪməs] *adj* (*lit, fig*) blasphemisch; (*lit also*) gotteslästerlich.

blasphemy ['blæsfɪmɪ] *n see adj* Blasphemie *f*; Gotteslästerung *f*.

blast [blɑːst] [1] *n* [a] Windstoß *m*; (*of hot air*) Schwall *m*. [b] (*sound: of trumpets*) Schmettern *nt*; (*of foghorn*) Tuten *nt*. [c] (*noise, explosion*) Explosion *f*; (*shock wave*) Druckwelle *f* ▶ *to get the full ~ of sb's anger* jds Wut in voller Wucht abbekommen. [d] (*in quarrying etc*) Sprengung *f*. [e] *at full* ~ (*lit, fig*) auf Hochtouren; *with the radio turned up (at) full* ~ mit dem Radio voll aufgedreht.

[2] *vt hole* sprengen; *rocket* schießen.

3 *interj* (*col*) ~ *(it)!* verdammt! (*col*).

◆**blast off** *vi* (*rocket, astronaut*) abheben, starten.

blasted ['blɑːstɪd] *adj* (*col*) verdammt (*col*).

blast furnace *n* Hochofen *m*.

blasting ['blɑːstɪŋ] *n* (*Tech*) Sprengen *nt* ▶ *"danger ~ in progress"* „Achtung! Sprengarbeiten!"

blast-off ['blɑːstɒf] *n* Abschuß *m*.

blatant ['bleɪtənt] *adj* (*very obvious*) offensichtlich; *injustice also* eklatant; *error also* kraß; *liar* unverfroren; *disregard* offen.

blaze¹ [bleɪz] **1** *n* (*fire*) Feuer *nt*; (*of building etc also*) Brand *m*; (*of sun*) Glut *f* ▶ *a ~ of lights/colour* ein Lichtermeer *nt*/Meer *nt* von Farben; *he went out in a ~ of glory* er trat mit Glanz und Gloria ab; *go to ~s* (*col*) scher dich zum Teufel! (*col*); *what/how the ~s ...?* (*col*) was/wie zum Teufel ...? (*col*); *like ~s* (*col*) wie verrückt (*col*).

2 *vi* **a** (*sun*) brennen; (*fire also*) lodern ▶ *to ~ with anger* vor Zorn glühen. **b** (*guns*) feuern.

◆**blaze away** *vi* **a** (*soldiers, guns*) drauflos feuern (*at* auf +*acc*). **b** (*fire etc*) lodern.

◆**blaze up** *vi* auflodern.

blaze² **1** *n* (*of horse etc*) Blesse *f*.

2 *vt* *to ~ a trail* (*fig*) den Weg bahnen.

blazer ['bleɪzəʳ] *n* Blazer *m*.

blazing ['bleɪzɪŋ] *adj* *building etc* brennend; *fire, torch* lodernd; *sun* (*hot*) brennend; (*fig*) *eyes* funkelnd (*with* vor +*dat*); *red* knall-, leuchtend.

bldg = **building**.

bleach [bliːtʃ] **1** *n* Bleichmittel *nt*.

2 *vt* *linen, bones, hair* bleichen.

bleachers ['bliːtʃəz] *npl* (*US*) unüberdachte Zuschauertribüne.

bleak [bliːk] *adj* (+*er*) **a** öde, trostlos. **b** *weather, wind* rauh, kalt. **c** (*fig*) *future etc* trostlos.

bleakness ['bliːknɪs] *n* **a** Öde, Trostlosigkeit *f*. **b** Rauheit, Kälte *f*. **c** Trostlosigkeit *f*.

bleary ['blɪərɪ] *adj* (+*er*) *eyes* trübe; (*after sleep*) verschlafen.

bleary-eyed ['blɪərɪˌaɪd] *adj* (*after sleep*) verschlafen.

bleat [bliːt] *vi* (*sheep, calf*) blöken; (*goat, fig col*) meckern.

bleed [bliːd] *pret, ptp* **bled** [bled] **1** *vi* bluten ▶ *to ~ to death* verbluten; *my heart ~s for you* (*iro*) ich fang' gleich an zu weinen.

2 *vt* **a** *person* zur Ader lassen. **b** (*fig col*) schröpfen (*col*) (*for* um). **c** (*Aut*) *brakes* entlüften.

bleeding ['bliːdɪŋ] **1** *n* **a** (*loss of blood*) Blutung *f*. **b** (*taking blood*) Aderlaß *m*. **c** (*of brakes*) Entlüftung *f*.

2 *adj* **a** *wound* blutend; (*fig*) *heart* gebrochen. **b** (*Brit col!*) verdammt (*col*) ▶ *just a ~ minute* nun mal sachte (*col*).

bleep [bliːp] **1** *n* (*Rad, TV*) Piepton *m*.

2 *vi* (*transmitter*) piepen.

3 *vt person, esp doctor* rufen, anpiepen (*col*).

bleeper ['bliːpəʳ] *n* Funkrufempfänger, Piepser (*col*) *m*.

blemish ['blemɪʃ] **1** *n* (*lit, fig*) Makel *m*.

2 *vt* *object* beschädigen; *work* beeinträchtigen; *reputation* beflecken.

blend [blend] **1** *n* Mischung *f*.

2 *vt* **a** *teas, colours etc* (ver)mischen. **b** (*Cook*) (*stir*) einrühren; (*in blender*) *liquids* mixen; *semi-solids* pürieren.

3 *vi* **a** (*voices, colours*) verschmelzen. **b** (*also ~ in:* *go together, harmonize*) harmonieren (*with* mit), passen (*with* zu).

blender ['blendəʳ] *n* Mixer *m*, Mixgerät *nt*.

bless [bles] *vt* segnen ▶ *to be ~ed with* gesegnet sein mit; ~ *you, you're an angel* (*col*) du bist wirklich ein Engel (*col*); ~ *you!* (*to sneezer*) Gesundheit!; ~ *my soul!* (*col*) du meine Güte! (*col*).

blessed ['blesɪd] **1** *adj* **a** (*Rel*) heilig ▶ *B~ Virgin* Heilige Jungfrau (Maria). **b** (*euph col: cursed*) verflixt (*col*) ▶ *the whole ~ day* den lieben langen Tag (*col*).

2 *n* *the ~, the Blest* die Seligen *pl*.

blessing ['blesɪŋ] *n* (*Rel, fig*) Segen *m* ▶ *he can count his ~s* da kann er von Glück sagen; *what a ~ that ...* welch ein Segen *or* Glück, daß ...; *it was a ~ in disguise* es war schließlich doch ein Segen.

blew [bluː] *pret of* **blow²**.

blight [blaɪt] **1** *n* (*on plants*) Braunfäule *f* ▶ *these slums are a ~ upon the city* (*fig*) diese Slums sind ein Schandfleck für die Stadt.

2 *vt plants* zerstören; (*fig*) *hopes* zunichte machen.

blighter ['blaɪtəʳ] *n* (*Brit col*) Kerl *m* (*col*) ▶ *a poor ~* ein armer Hund (*col*); *what a lucky ~!* so ein Glückspilz!

blind [blaɪnd] **1** *adj* (+*er*) *person, obedience, fury* blind; *corner* unübersichtlich ▶ *a ~ man/woman* ein Blinder/eine Blinde; ~ *in one eye* auf einem Auge blind; *he was ~ to her faults* er sah ihre Fehler einfach nicht; *to be ~ to the possibilities* die Möglichkeiten nicht sehen; *to turn a ~ eye to sth* bei etw ein Auge zudrücken; *but he didn't take a ~ bit of notice* (*col*) aber er hat sich nicht die Spur darum gekümmert (*col*).

2 *vt* blenden; (*love, hate etc*) blind machen (*to* für, gegen) ▶ *he was ~ed in the war* er ist kriegsblind; *to ~ sb with science* jdn mit Fachjargon beeindrucken (wollen).

3 *n* **a** *the ~* die Blinden *pl*; *it's the ~ leading the ~* (*fig*) das hieße, einen Lahmen einen Blinden führen lassen. **b** (*window shade*) (*cloth*) Rollo *nt*; (*slats*) Jalousie *f*; (*outside*) Rolladen *m*.

4 *adv* **a** (*Aviat*) *fly* blind. **b** ~ *drunk* (*col*) sinnlos betrunken.

blind: ~ *alley* *n* (*lit, fig*) Sackgasse *f*; ~ *date* *n* Rendezvous *nt* mit einem/einer Unbekannten.

blinder ['blaɪndəʳ] *n* (*col: drinking spree*) Saufgelage *nt* (*col*).

blind flying *n* (*Aviat*) Blindflug *m*.

blindfold ['blaɪndfəʊld] **1** *vt* die Augen verbinden (+*dat*).

2 *n* Augenbinde *f*.

3 *adj* mit verbundenen Augen ▶ *I could do it ~* (*col*) das mach' ich mit links (*col*).

blinding ['blaɪndɪŋ] *adj* *light* blendend; *truth* ins Auge stechend.

blindingly ['blaɪndɪŋlɪ] *adv* *it is ~ obvious* das sieht doch ein Blinder.

blindly ['blaɪndlɪ] *adv* (*lit, fig*) blind(lings).

blind man's buff *n* Blindekuh *no art*.

blindness ['blaɪndnɪs] *n* (*lit, fig*) Blindheit *f* (*to* gegenüber).

blind spot *n* (*Med*) blinder Fleck; (*Aut, Aviat*) toter Winkel; (*Rad*) tote Zone.

blink [blɪŋk] **1** *n* Blinzeln *nt* ▶ *to be on the ~* (*col*) kaputt sein (*col*).

2 *vi* blinzeln; (*light*) blinken.

3 *vt* *to ~ one's eyes* mit den Augen zwinkern.

blinkers ['blɪŋkəz] *npl* Scheuklappen *pl*.

blinkered ['blɪŋkəd] *adj* (*fig*) engstirnig ▶ *they are all so ~* sie laufen alle mit Scheuklappen herum.

blip [blɪp] *n* **a** (*sound*) Piepsen *nt*. **b** (*on radar screen*) leuchtender Punkt.

bliss [blɪs] *n* Glück *nt* ▶ *this is ~!* das ist eine Wohltat!; *a life of marital ~* ein überaus glückliches Eheleben.

blissful ['blɪsfʊl] *adj* *time, ignorance* herrlich; *respite also* wohltuend; *happiness* höchste(s); *state, look, smile* (glück)selig; *moments* selig.

blissfully ['blɪsfʊlɪ] *adv* *stretch* wohlig; *peaceful* herrlich; *smile* selig ▶ ~ *happy* überglücklich; *to be ~ ignorant* herrlich ahnungslos sein.

blister ['blɪstəʳ] **1** *n* (*on skin, paint*) Blase *f* ▶ ~ *pack*

Klarsichtpackung f.
2 vi (skin) Blasen bekommen; (paintwork, metal) Blasen werfen.
3 vt Blasen hervorrufen auf (+dat).
blithely ['blaɪðlɪ] adv ignore, carry on munter ▸ he ~ ignored the problem er setzte sich ungeniert über das Problem hinweg.
blithering ['blɪðərɪŋ] adj (col) ~ idiot Trottel m (col).
blitz [blɪts] 1 n a Blitzkrieg m; (aerial) Luftangriff m ▸ the B~ deutscher Luftangriff auf britische Städte 1940-41. b (fig col) Blitzaktion f ▸ he had a ~ on his room er machte gründlich in seinem Zimmer sauber.
2 vt heftig bombardieren.
blizzard ['blɪzəd] n Schneesturm, Blizzard m.
bloated ['bləʊtɪd] adj aufgedunsen ▸ I feel absolutely ~ (col) ich bin zum Platzen voll (col).
blob [blɒb] n (of water, honey, wax) Tropfen m; (of ink) Klecks m; (of paint) Tupfer m; (of ice-cream, mashed potatoes) Klacks m.
bloc [blɒk] n a (Pol) Block m. b en ~ en bloc.
block [blɒk] 1 n a Block, Klotz m. b (building, of shares, seats, for writing, Comp) Block m ▸ ~ of flats (Brit) Wohnblock m; to take a stroll around the ~ einen Spaziergang um den Block machen; she lived in the next ~/three ~s from us (esp US) sie wohnte im nächsten Block/drei Blocks or Straßen weiter. c (obstruction: in pipe, Med) Verstopfung f ▸ I've a mental ~ about it dabei habe ich totale Mattscheibe (col). d (col: head) to knock sb's ~ off jdm eins überziehen (col).
2 vt road blockieren; traffic also, progress aufhalten; pipe verstopfen; (Ftbl) blocken; ball stoppen; credit sperren ▸ to ~ sb's way/view jdm den Weg/die Sicht versperren.
♦**block off** vt sep street absperren; fireplace abdecken.
♦**block out** vt sep a (obscure) light nicht durchlassen; sun also verdecken. b (obliterate) part of picture wegretuschieren.
♦**block up** vt sep a (obstruct) gangway blockieren; pipe verstopfen ▸ my nose is all ~ed ~ meine Nase ist völlig verstopft. b (close, fill in) window zumauern; hole zustopfen.
blockade [blɒ'keɪd] 1 n (Mil) Blockade f.
2 vt blockieren, sperren.
blockage ['blɒkɪdʒ] n Verstopfung f.
block: ~ and tackle n Flaschenzug m; ~ booking n Gruppenbuchung f; (Theat) Gruppenbestellung f; ~-buster n (col) Knüller m (col); ~ capitals npl Blockschrift f; ~head n (col) Knallkopf m (col); ~letters npl Blockschrift f; ~ vote n Stimmenblock m.
bloke [bləʊk] n (Brit col) Kerl (col), Typ (col) m.
blond [blɒnd] adj man, hair blond.
blonde [blɒnd] 1 adj woman blond.
2 n (woman) Blondine f.
blood [blʌd] n Blut nt ▸ to give ~ Blut spenden; it makes my ~ boil das macht mich rasend; she's after his ~ sie will ihm an den Kragen (col); his ~ ran cold es lief ihm eiskalt über den Rücken; it's like trying to get ~ out of a stone das ist verlorene Liebesmüh; there is bad ~ between them sie werden feindlich gesinnt; it's in his ~ das liegt ihm im Blut; ~ is thicker than water (prov) Blut ist dicker als Wasser (prov).
blood in cpds Blut-; ~ bank n Blutbank f; ~bath n Blutbad nt; ~ brother n Blutsbruder m; ~ clot n Blutgerinnsel nt; ~ corpuscle n Blutkörperchen nt; ~ count n Blutbild nt; ~curdling adj grauenerregend; ~ donor n Blutspender(in f) m; ~ group n Blutgruppe f; ~hound n a (Zool) Bluthund m; b (fig: detective) Schnüffler m (col).
bloodless ['blʌdlɪs] adj victory, coup unblutig; (pallid) blutleer, bleich.
blood: ~lust n Blutrünstigkeit f; ~ money n Mordgeld

nt; ~ orange n Blutorange f; ~-poisoning n Blutvergiftung f; ~ pressure n Blutdruck m; to have (high) ~ pressure hohen Blutdruck haben; ~-red adj blutrot; ~ relation n Blutsverwandte(r) mf; ~ relationship n Blutsverwandtschaft f; ~shed n Blutvergießen nt; ~shot adj blutunterlaufen; ~ sports npl Jagdsport, Hahnenkampf etc; ~stain n Blutfleck m; ~stained adj blutig, blutbefleckt; ~stream n Blut nt, Blutkreislauf m; ~ test n Blutprobe f; ~thirsty adj blutrünstig; ~ transfusion n (Blut)transfusion f; ~ vessel n Blutgefäß nt.
bloody ['blʌdɪ] 1 adj (+er) a (lit) blutig. b (Brit col!: damned) verdammt (col), Scheiß- (col!); (in positive sense) genius, wonder echt (col), verdammt (col) ▸ ~ hell! verdammt nochmal! (col); he is a ~ marvel er ist verdammt gut (col).
2 adv (Brit col!) verdammt (col) ▸ ~ cold/stupid saukalt/saublöd (col); (in positive sense) ~ good echt or verdammt gut (col); ~ brilliant echt toll (col).
bloody-minded ['blʌdɪ'maɪndɪd] adj (Brit col) stur (col).
bloom [blu:m] 1 n a Blüte f ▸ to be in (full) ~ in (voller) Blüte stehen; in the ~ of youth in der Blüte der Jugend. b (on fruit) satter Schimmer; (on peaches) Flaum m.
2 vi (lit, fig) blühen.
bloomer ['blu:məʳ] n (col) grober Fehler.
blossom ['blɒsəm] 1 n Blüte f ▸ in ~ in Blüte.
2 vi (lit, fig) blühen; (person, trade etc also) aufblühen ▸ to ~ into sth zu etw aufblühen.
♦**blossom out** vi (fig) aufblühen (into zu).
blot [blɒt] 1 n a (of ink) (Tinten)klecks m. b (fig: on honour, reputation) Fleck m (on auf +dat) ▸ a ~ on the landscape ein Schandfleck in der Landschaft.
2 vt a (make ink spots on) beklecksen ▸ to ~ one's copybook (fig) sich danebenbenehmen, es sich (dat) verderben (with sb mit jdm). b (dry) ink, page löschen.
♦**blot out** vt sep a (lit) words verschmieren. b (hide from view) landscape verdecken; (obliterate) memories auslöschen.
blotch [blɒtʃ] n (on skin) Fleck m; (of ink, colour also) Klecks m.
blotchy ['blɒtʃɪ] adj (+er) skin fleckig; drawing, paint klecksig.
blotter ['blɒtəʳ] n (Tinten)löscher m.
blotting paper ['blɒtɪŋ,peɪpəʳ] n Löschpapier nt.
blotto ['blɒtəʊ] adj pred (col: drunk) sternhagelvoll (col).
blouse [blaʊz] n a Bluse f. b (US Mil) (Feld)bluse f.
blow¹ [bləʊ] n (lit, fig) Schlag m (for, to für) ▸ to come to ~s handgreiflich werden; at one ~ (fig) mit einem Schlag (col).
blow² [vb: pret blew, ptp ~n] 1 vi a (wind) wehen, blasen. b (person) blasen, pusten (col) (on auf +acc). c (move with the wind) fliegen ▸ the door blew open/shut die Tür flog auf/zu. d (bugle) blasen; (whistle) pfeifen. e (fuse, light bulb, gasket) durchbrennen.
2 vt a (breeze) wehen; (strong wind, draught) blasen; (gale etc) treiben; (person) blasen, pusten (col) ▸ the wind blew the ship off course der Wind trieb das Schiff vom Kurs ab; to ~ sb a kiss jdm eine Kußhand zuwerfen; to ~ one's nose sich (dat) die Nase putzen. b glass, trumpet blasen; bubbles machen; (Hunt, Mil) horn blasen in (+acc) ▸ the referee blew his whistle der Schiedsrichter pfiff. c (burn out, ~ up) safe, bridge etc sprengen; transistor zerstören ▸ I've ~n a fuse/light bulb mir ist eine Sicherung/Birne durchgebrannt; to be ~n to pieces (bridge, car) in die Luft gesprengt werden; (person) zerfetzt werden. d (col: spend extravagantly) money verpulvern (col). e (col: reveal) secret verraten. f (col: damn) ~! Mist! (col); ~ the expense das ist doch wurscht, was es kostet (col).

◆**blow away** [1] vi (*hat, paper etc*) wegfliegen.
[2] vt sep wegblasen; (*breeze also*) wegwehen.
◆**blow down** [1] vi (*tree etc*) umgeweht werden.
[2] vt sep (*lit*) umwehen.
◆**blow in** [1] vi [a] (*lit*) (*be blown down: window etc*) eingedrückt werden; (*be ~n inside: dust etc*) hereingeweht werden; (*wind*) hereinwehen, hereinblasen. [b] (*col: arrive unexpectedly*) hereinschneien (*col*) (+*prep obj, ·to in* +*acc*).
[2] vt sep *window, door etc* eindrücken; *dust etc* hereinwehen (+*prep obj, ·to in* +*acc*).
◆**blow off** [1] vi wegfliegen.
[2] vt sep (+*prep obj*) blasen von.
[3] vt insep (*fig*) *steam* ablassen (*col*).
◆**blow out** [1] vi (*candle etc*) ausgehen.
[2] vt sep *candle* ausblasen; *cheeks* aufblasen ▶ *to* ~ *one's brains* ~ sich (*dat*) eine Kugel durch den Kopf jagen.
[3] vr (*wind, storm*) sich legen.
◆**blow over** vi (*lit, fig: storm, dispute*) sich legen.
◆**blow up** [1] vi (*be exploded*) in die Luft fliegen; (*bomb*) explodieren; (*gale, crisis, row*) ausbrechen; (*fig col: person*) explodieren (*col*).
[2] vt sep *mine, bridge, person* in die Luft jagen; *tyre, balloon* aufblasen; *photo* vergrößern; (*exaggerate*) *event* aufbauschen (*into* zu).
blow: ~**-by-**~ *adj account* detailliert; ~**-dry** [1] *n to have a* ~*-dry* sich fönen lassen; [2] *vt* fönen; ~ *job n* (*vulg*) *to give sb a* ~ *job* jdm einen blasen (*vulg*); ~**lamp** *n* Lötlampe *f*.
blown [bləʊn] *ptp of* **blow²**.
blow: ~**-out** *n* [a] (*col: meal*) Schlemmerei *f*; [b] (*burst tyre*) *he had a* ~*-out* ihm ist ein Reifen geplatzt; [c] (*Elec*) *there's been a* ~*-out* die Sicherung ist durchgebrannt; ~ *pipe n* (*weapon*) Blasrohr *nt*; ~**torch** *n* Lötlampe *f*; ~**-up** *n* [a] (*col: outburst*) Wutausbruch *m*; (*row*) Krach *m*; [b] (*Phot*) Vergrößerung *f*.
blowy ['bləʊɪ] *adj* (+*er*) windig.
blowzy ['blaʊzɪ] *adj* (+*er*) (*woman*) schlampig (*col*).
blubber ['blʌbəʳ] [1] *n* Walfischspeck *m*.
[2] vi (*col*) flennen (*col*), heulen (*col*).
blue [bluː] [1] *adj* (+*er*) [a] blau ▶ ~ *with cold* blau vor Kälte; *until you're* ~ *in the face* (*col*) bis zur Vergasung (*col*); *once in a* ~ *moon* alle Jubeljahre (einmal). [b] (*col: miserable*) melancholisch, trübsinnig ▶ *to feel* ~ niedergeschlagen sein. [c] (*col: obscene*) *joke* schlüpfrig; *film* Porno-, Sex-. [d] (*Pol*) konservativ.
[2] *n* [a] Blau *nt*. [b] (*liter: sky*) Himmel *m* ▶ *out of the* ~ (*fig col*) aus heiterem Himmel (*col*). [c] (*Pol*) Konservative(r) *mf*. [d] (*col*) *to have (a fit of) the* ~*s* den Moralischen haben (*col*). [e] (*Mus*) *the* ~*s pl* der Blues.
blue: ~ *baby n* Baby *nt* mit angeborenem Herzfehler; ~**bell** *n* Sternhyazinthe *f*; (*Scot*) Glockenblume *f*; ~ *beret n* Blauhelm *m*; ~**berry** *n* Blau- *or* Heidelbeere *f*; ~ *blood n* blaues Blut; ~**-blooded** *adj* blaublütig; ~**bottle** *n* Schmeißfliege *f*; ~ *cheese n* Blauschimmelkäse *m*; ~**-chip** *adj company, shares* führend; *investment* sicher; ~**-collar** *adj* ~*-collar worker/union/jobs* Arbeiter *m*/Arbeitergewerkschaft *f*/Stellen *pl* für Arbeiter; ~**-eyed** *adj* blauäugig; *sb's* ~*-eyed boy* (*fig*) jds Liebling *m*; ~**-pencil** *vt* (*edit, revise*) korrigieren; ~**print** *n* Blaupause *f*; (*fig*) Plan, Entwurf *m*; ~**stocking** *n* Blaustrumpf *m*; ~**tit** *n* Blaumeise *f*.
bluff¹ [blʌf] [1] *n* (*headland*) Kliff *nt*; (*inland*) Felsvorsprung *m*.
[2] *adj* rauh aber herzlich (*col*); *honesty, answer* aufrichtig.
bluff² [1] *vti* bluffen.
[2] *n* Bluff *m* ▶ *to call sb's* ~ es darauf ankommen lassen; (*make prove*) jdn auf die Probe stellen.
◆**bluff out** *vt sep to* ~ *it* ~ sich rausreden (*col*).

bluish ['bluːɪʃ] *adj* bläulich.
blunder ['blʌndəʳ] [1] *n* Schnitzer *m* (*col*); (*socially*) Fauxpas *m* ▶ *to make a* ~ einen Bock schießen (*col*); (*socially*) einen Fauxpas begehen.
[2] *vi* [a] einen Bock schießen (*col*); (*socially*) sich blamieren. [b] (*move clumsily*) tappen (*into* gegen).
blunt [blʌnt] [1] *adj* (+*er*) [a] stumpf ▶ *with a* ~ *instrument* mit einem stumpfen Gegenstand. [b] (*outspoken*) *person* geradeheraus *pred*; *speech* unverblümt; *facts* nackt ▶ *to be* ~ *about sth* sich unverblümt zu etw äußern.
[2] *vt knife etc* stumpf machen; (*fig*) *palate, senses* abstumpfen.
bluntly ['blʌntlɪ] *adv speak* freiheraus.
bluntness ['blʌntnɪs] *n* [a] (*of blade*) Stumpfheit *f*. [b] (*outspokenness*) Unverblümtheit *f*.
blur [blɜːʳ] [1] *n* verschwommener Fleck.
[2] *vt* [a] *inscription* verwischen; *writing also* verschmieren; *outline, photograph* unscharf machen; *sound* verzerren ▶ *to be/become* ~*red* undeutlich sein/werden; (*image etc also*) verschwommen sein/verschwimmen. [b] (*fig*) *senses, mind* trüben; *meaning* verwischen.
blurb [blɜːb] *n* Material *nt*, Informationen *pl*; (*on book jacket*) Klappentext *m*.
blurt (out) [blɜːt(aʊt)] *vt sep* herausplatzen mit (*col*).
blush [blʌʃ] [1] *vi* rot werden (*with* vor +*dat*).
[2] *n* Erröten *nt no pl* ▶ *with a* ~ errötend.
blusher ['blʌʃəʳ] *n* Rouge *nt*.
bluster ['blʌstəʳ] *vi* (*wind*) toben; (*person*) ein großes Geschrei machen; (*angrily also*) toben.
blustery ['blʌstərɪ] *adj wind, day* stürmisch.
Blvd. = **Boulevard**.
BM = **British Museum**.
BMA = **British Medical Association** *britischer Ärzteverband*.
B-Movie ['biːˌmuːvɪ] *n als Beiprogramm gezeigter Kinofilm*.
BO [ˌbiːˈəʊ] (*col*) = **body odour** Körpergeruch *m*.
boa ['bəʊə] *n* Boa *f* ▶ ~ *constrictor* Boa constrictor *f*.
boar [bɔːʳ] *n* (*male pig*) Eber *m*; (*wild*) Keiler *m*.
board [bɔːd] [1] *n* [a] Brett *nt*; (*black~*) Tafel *f*; (*notice~*) Schwarzes Brett; (*sign~*) Schild *nt*; (*floor~*) Diele(nbrett *nt*) *f*. [b] (*provision of meals*) Verpflegung *f* ▶ ~ *and lodging* Kost und Logis; *full/half* ~ (*Brit*) Voll-/Halbpension *f*. [c] (*group of officials*) Ausschuß *m*; (*with advisory function,* ~ *of trustees*) Beirat *m*; (*permanent official institution: gas~, harbour* ~ *etc*) Behörde *f*; (*of company: also* ~ *of directors*) Vorstand *m*; (*including shareholders, advisers*) Aufsichtsrat *m* ▶ *to be on the* ~ im Vorstand/Aufsichtsrat sein *or* sitzen; *B~ of Trade* (*Brit*) Handelsministerium *nt*. [d] (*Naut, Aviat*) *on* ~ an Bord; *to go on* ~ an Bord gehen. [e] (*fig phrases*) *across the* ~ (*fig*) generell, pauschal; *to go by the* ~ (*dreams, hopes*) zunichte werden; (*principles*) über Bord geworfen werden.
[2] *vt ship, plane* besteigen, an Bord (+*gen*) gehen/kommen; *train, bus* einsteigen in (+*acc*); (*Naut: in attack*) entern.
[3] *vi* [a] (*live*) in Pension sein (*with* bei). [b] (*Sch*) Internatsschüler(in *f*) *m* sein. [c] (*Aviat*) die Maschine besteigen ▶ *"flight ZA173 now* ~*ing through gate 13"* „Aufruf für Passagiere des Fluges ZA173, sich zum Flugsteig 13 zu begeben".
◆**board up** *vt sep* mit Brettern vernageln.
boarder ['bɔːdəʳ] *n* [a] Pensionsgast *m*. [b] (*Sch*) Internatsschüler(in *f*) *m*.
board game *n* Brettspiel *nt*.
boarding ['bɔːdɪŋ-]: ~ *card n* Bordkarte *f*; ~ *house n* Pension *f*; ~ *party n* (*Naut*) Enterkommando *nt*; ~ *pass n* Bordkarte *f*; ~ *school n* Internat *nt*.
board: ~ *meeting n* Vorstandssitzung *f*; ~**room** *n*

Sitzungssaal *m*; **~walk** *n* (*US*) Holzsteg *m*; (*on beach*) hölzerne Uferpromenade.

boast [bəʊst] ☐ *n* Prahlerei *f* ▶ *it is their ~ that ...* sie rühmen sich, daß ... ☐ *vi* angeben (*about, of* mit, *to sb* jdm gegenüber) ▶ *don't ~* gib nicht so an. ☐ *vt* (*possess*) sich rühmen (+*gen*) (*geh*).

boaster ['bəʊstə'] *n* Prahler(in *f*) *m*.

boastful ['bəʊstfʊl] *adj* prahlerisch.

boastfulness ['bəʊstfʊlnɪs], **boasting** ['bəʊstɪŋ] *n* Prahlerei *f*.

boat [bəʊt] *n* Boot *nt*; (*sea-going, passenger ~*) Schiff *nt*; (*pleasure steamer etc*) Dampfer *m* ▶ *by ~* mit dem Schiff; *to miss the ~* (*fig col*) den Anschluß verpassen; *we're all in the same ~* (*fig col*) wir sitzen alle im gleichen Boot.

boat-building *n* Bootsbau *m*.

boater ['bəʊtə'] *n* ☐ (*hat*) steifer Strohhut. ☐ (*person boating*) Bootsfahrer(in *f*) *m*.

boat: ~ hire *n* Bootsverleih *m*; **~hook** *n* Bootshaken *m*.

boating ['bəʊtɪŋ] *n* Bootfahren *nt* ▶ *~ holiday* Bootsferien *pl*.

boat: ~man *n* Bootsführer *m*; (*hirer*) Bootsverleiher *m*; **~ people** *npl* Bootsflüchtlinge *pl*; **~ race** *n* Regatta *f*.

boatswain, bosun, bo's'n ['bəʊsn] *n* Bootsmann *m*.

boat train *n* Zug *m* mit Fährenanschluß.

bob¹ [bɒb] *vi* sich auf und ab bewegen; (*rabbit*) hoppeln; (*bird's tail*) wippen; (*boxer*) tänzeln ▶ *to ~ (up and down) in* or *on the water* auf dem Wasser schaukeln.

◆**bob up** *vi* (*lit, fig*) auftauchen.

bob² *n, pl* - (*dated Brit col*) Shilling *m* ▶ *that will cost a few ~* das wird einiges kosten.

bob³ *n* (*haircut*) Bubikopf *m*.

bob⁴ *n* (*sleigh*) Bob *m*.

bobbin ['bɒbɪn] *n* Spule *f*; (*cotton reel*) Rolle *f*.

bobble ['bɒbl] *n* Bommel *f*, Pompon *m* ▶ *~ hat* Pudelmütze *f*.

bobby ['bɒbɪ] *n* (*dated Brit col*) Bobby *m*.

bob: ~cat *n* (*US*) Luchs *m*; **~sleigh** ☐ *n* Bob *m*; ☐ *vi* Bob fahren.

bode [bəʊd] *vi*: *to ~ well/ill* ein gutes/schlechtes Zeichen sein.

bodge [bɒdʒ] *n, vt see* **botch**.

bodice ['bɒdɪs] *n* ☐ (*of dress*) Oberteil *nt*. ☐ (*vest*) Unterhemd *nt*.

bodily ['bɒdɪlɪ] ☐ *adj* (*physical*) körperlich ▶ *~ needs* leibliche Bedürfnisse *pl*; *~ harm* Körperverletzung *f*. ☐ *adv* (*forcibly*) gewaltsam.

body ['bɒdɪ] *n* ☐ Körper *m*; (*of human also*) Leib *m* (*geh*) ▶ *to keep ~ and soul together* Leib und Seele zusammenhalten. ☐ (*corpse*) Leiche *f*. ☐ (*of plane, ship*) Rumpf *m*; (*of speech, army*) Hauptteil *m* ▶ *the main ~ of his readers/the students* das Gros seiner Leser/der Studenten. ☐ (*of car*) Karosserie *f*. ☐ (*group of people*) Gruppe *f* ▶ *the student ~* die Studentenschaft. ☐ (*organization*) Organ *nt*; (*committee*) Gremium *nt*; (*corporation*) Körperschaft *f*. ☐ (*of wine*) Körper *m*; (*of hair*) Fülle *f*; (*of paper, cloth*) Festigkeit *f*.

body: ~building *n* Bodybuilding *nt*; **~ double** *n* (*Film, TV*) Körperdouble *nt*; **~guard** *n* (*one person*) Leibwächter *m*; (*group*) Leibwache *f*; **~ language** *n* Körpersprache *f*; **~ search** *n* Leibesvisitation *f*; **~ shop** *n* (*Aut*) Karosseriewerkstatt *f*; **~ warmer** *n* Thermoweste *f*; **~work** *n* (*Aut*) Karosserie *f*.

bog [bɒg] *n* ☐ Sumpf *m*; (*peat ~*) (Torf)moor *nt*. ☐ (*Brit col: toilet*) Klo *nt* (*col*).

◆**bog down** *vt sep* *to be* or *get ~ged ~* (*lit*) steckenbleiben; (*fig*) sich festgefahren haben; (*in details*) sich verzettelt haben.

boggle ['bɒgl] *vi* (*col*) *the mind ~s* (*faced with fact*) da bist du baff (*col*) or platt (*col*); (*faced with possibility*) das

kann man sich (*dat*) kaum ausmalen.

boggy ['bɒgɪ] *adj* (+*er*) *ground* sumpfig.

bogus ['bəʊgəs] *adj* falsch; *doctor* falsch; *money* gefälscht; *company* Schwindel-; *claim* erfunden.

Bohemia [bəʊ'hiːmɪə] *n* Böhmen *nt*.

Bohemian [bəʊ'hiːmɪən] ☐ *n* ☐ Böhme *m*, Böhmin *f*. ☐ (*fig*) b~ Bohemien *m*. ☐ *adj* ☐ böhmisch. ☐ (*fig*) b~ *lifestyle* unkonventionell, unbürgerlich.

boil¹ [bɔɪl] *n* (*Med*) Furunkel *m* or *nt*.

boil² ☐ *vi* ☐ kochen; (*water also, Phys*) sieden ▶ *the kettle is ~ing* das Wasser kocht. ☐ (*fig col: be angry*) kochen, schäumen (*with* vor +*dat*). ☐ *vt* kochen ▶ *~ed/hard ~ed egg* weich-/hartgekochtes Ei; *~ed potatoes* Salzkartoffeln *pl*. ☐ *n* *to bring to the ~* zum Kochen bringen; *he's gone off the ~* (*fig col*) er hat kein Interesse mehr.

◆**boil away** *vi* ☐ (*go on boiling*) weiterkochen. ☐ (*evaporate*) verdampfen.

◆**boil down** ☐ *vt sep* eindicken lassen. ☐ *vi* ☐ (*jam etc*) dickflüssig werden. ☐ (*fig*) *what it ~s ~ to is that ...* das läuft darauf hinaus, daß ...

◆**boil over** *vi* ☐ (*lit*) überkochen. ☐ (*fig*) (*situation, quarrel*) den Siedepunkt erreichen.

boiler ['bɔɪlə'] *n* ☐ (*domestic*) Boiler, Warmwasserbereiter *m*; (*in ship, engine*) (Dampf)kessel *m*. ☐ (*chicken*) Suppenhuhn *nt*.

boiler: ~maker *n* Kesselschmied *m*; **~suit** *n* Overall, Blaumann (*col*) *m*.

boiling ['bɔɪlɪŋ]: **~ hot** *adj* kochendheiß; *I'm ~ hot* mir ist schrecklich heiß; **~ point** *n* (*lit, fig*) Siedepunkt *m*.

boisterous ['bɔɪstərəs] *adj* (*exuberant*) *person* ausgelassen; *game etc also* wild.

bold [bəʊld] *adj* (+*er*) ☐ (*valiant*) kühn. ☐ (*impudent*) dreist ▶ *to be* or *make so ~ as to ...* sich erlauben, zu ... ☐ (*striking*) *colours etc* kräftig; *handwriting, style* kraftvoll. ☐ (*Typ*) fett ▶ *~ type* Fettdruck *m*.

boldness ['bəʊldnɪs] *n see adj* (a), (b), (c) Kühnheit (*geh*) *f*; Dreistigkeit *f*; Kräftigkeit *f*.

Bolivia [bə'lɪvɪə] *n* Bolivien *nt*.

Bolivian [bə'lɪvɪən] ☐ *n* Bolivianer(in *f*) *m*. ☐ *adj* bolivianisch.

bollard ['bɒləd] *n* (*on road, quay*) Poller *m*.

Bolshevik ['bɒlʃəvɪk] ☐ *n* Bolschewik *m*. ☐ *adj* bolschewistisch.

Bolshevism ['bɒlʃəvɪzəm] *n* Bolschewismus *m*.

bolshy ['bɒlʃɪ] (*col*) *adj* (+*er*) (*uncooperative*) stur, störrisch; (*aggressive*) pampig (*col*).

bolster ['bəʊlstə'] ☐ *n* (*on bed*) Nackenrolle *f*. ☐ *vt* (*also ~ up*) (*fig*) *person* Mut machen (+*dat*); *status* aufbessern; *currency* stützen.

bolt [bəʊlt] ☐ *n* ☐ (*on door etc*) Riegel *m*. ☐ (*Tech*) Bolzen *m*. ☐ (*of lightning*) Blitzstrahl *m* ▶ *it came/was like a ~ from the blue* (*fig*) das war wie ein Blitz aus heiterem Himmel. ☐ (*of crossbow*) Bolzen *m*. ☐ (*of rifle*) Kammer *f*. ☐ (*sudden dash*) Satz *m* (*col*) ▶ *he made a ~ for the door* er machte einen Satz zur Tür; *to make a ~ for it* abhauen (*col*). ☐ *adv*. *~ upright* kerzengerade. ☐ *vi* ☐ (*horse*) durchgehen; (*person*) Reißaus nehmen (*col*), abhauen (*col*). ☐ (*move quickly*) sausen, rasen. ☐ *vt* ☐ *door, window* verriegeln. ☐ (*Tech*) *machine parts* verschrauben (*to* mit) ▶ *to ~ together* verschrauben. ☐ (*also ~ down*) *one's food* hinunterschlingen.

bomb [bɒm] ☐ *n* Bombe *f* ▶ *his party went like a ~* (*col*) seine Party war ein Bombenerfolg (*col*); *the car goes like a ~* (*col*) der Wagen läuft verdammt gut (*col*); *to cost a ~* (*col*) ein Wahnsinnsgeld kosten (*col*); *to do a ~* (*US: fail*) durchfallen (*col*). ☐ *vt* bombardieren; (*not from the air*) einen Bombenanschlag verüben auf (+acc).

◆**bomb along** vi (col: drive fast) dahinrasen (col).

bombard [bɒm'bɑːd] vt (Mil, fig) bombardieren (with mit); (Phys) beschießen.

bombardment [bɒm'bɑːdmənt] n (Mil) Bombardierung f (also fig), Bombardement nt.

bombastic [bɒm'bæstɪk] adj bombastisch.

bomb: ~ **attack** n Bombenangriff m; ~ **disposal expert** n Bombenräumexperte m; ~ **disposal squad** n Bombenräumtrupp m.

bomber ['bɒmər] n [a] (aircraft) Bomber m, Bombenflieger m. [b] (person) (Aviat) Bombenschütze m; (terrorist) Bombenattentäter(in f) m.

bomber jacket n Fliegerjacke f.

bombing ['bɒmɪŋ] n Bombenangriff m (of auf +acc).

bomb: ~ **scare** n Bombenalarm m; **~shell** n this news was a **~shell** die Nachricht schlug wie eine Bombe ein; ~ **site** n Trümmergrundstück nt.

bona fide ['bəʊnə'faɪdɪ] adj (genuine) echt ▸ it's a ~ offer es ist ein Angebot auf Treu und Glauben.

bonanza [bə'nænzə] n [a] (US Min) reiche Erzader. [b] (fig) Goldgrube f ▸ the oil ~ der Ölboom.

bond [bɒnd] [1] n [a] (agreement) Übereinkommen nt ▸ to enter into a ~ with sb ein Übereinkommen mit jdm treffen. [b] (fig: link) Band nt (geh), Bindung f. [c] ~s pl (lit, fig: chains) Bande pl (geh). [d] (Comm, Fin) Obligation f, Pfandbrief m ▸ government ~ Staatsanleihe f. [e] (Comm: custody of goods) Zollverschluß m ▸ goods in ~ Zollgut nt. [f] (adhesion between surfaces) Haftfestigkeit f.

[2] vt (Comm) goods unter Zollverschluß nehmen.

[3] vi (glue) binden.

bondage ['bɒndɪdʒ] n [a] (lit) Sklaverei f; (in Middle Ages) Leibeigenschaft f. [b] (fig liter) Versklavung f.

bonded ['bɒndɪd] adj goods unter Zollverschluß ▸ ~ warehouse Zollager nt.

bone [bəʊn] [1] n Knochen m; (of fish) Gräte f ▸ ~s pl (of the dead) Gebeine pl; **chilled to the ~** völlig durchgefroren; **to work one's fingers to the ~** sich (dat) die Finger abarbeiten; ~ **of contention** Zankapfel m; **to have a ~ to pick with sb** (col) mit jdm ein Hühnchen zu rupfen haben (col); **he made no ~s about saying what he thought** (col) er hat kein Blatt vor den Mund genommen; **I can feel it in my ~s** ich spüre es in den Knochen.

[2] vt die Knochen lösen aus; fish entgräten.

bone china n feines Porzellan.

bone: ~-**dry** adj (col) knochentrocken; ~-**idle** adj (col) stinkfaul (col); ~ **meal** n Knochenmehl nt.

boner ['bəʊnər] n (US col) Schnitzer m.

bonfire ['bɒnfaɪər] n Feuer nt; (as beacon) Leuchtfeuer nt ▸ ~ **night** 5. November (Jahrestag m der Pulververschwörung).

bonk [bɒŋk] vti (col) bumsen (col).

bonkers ['bɒŋkəz] adj (Brit col) meschugge (col).

Bonn [bɒn] [1] n Bonn nt.

[2] adj Bonner.

bonnet ['bɒnɪt] n [a] (woman's) Haube f; (baby's) Häubchen nt; (esp Scot: man's) Mütze f. [b] (Brit Aut) Motoror Kühlerhaube f.

bonny ['bɒnɪ] adj (esp Scot) schön; baby prächtig.

bonus ['bəʊnəs] n [a] Prämie f; (on output, production also) Zulage f; (cost-of-living ~) Zuschlag m; (Christmas ~) Gratifikation f. [b] (Fin: on shares) Extradividende f. [c] (col: sth extra) Zugabe f.

bony ['bəʊnɪ] adj (+er) (of bone) knöchern; (like bone) knochenartig; person, knee, hips knochig; fish mit viel Gräten; meat mit viel Knochen.

boo [buː] [1] interj buh ▸ he wouldn't say ~ to a goose (col) er ist ein schüchternes Pflänzchen.

[2] vt actor, play, speaker auspfeifen, ausbuhen ▸ to be

~ed off the stage ausgepfiffen or ausgebuht werden.

[3] vi buhen.

[4] n Buhruf m.

boob [buːb] [1] n [a] (Brit col: mistake) Schnitzer m. [b] (col: woman's breast) Brust f.

[2] vi (Brit col) einen Schnitzer machen; (fail) Mist bauen (col).

booby: ~ **prize** n Trostpreis m für den schlechtesten Teilnehmer; ~ **trap** [1] n [a] (als Schabernack versteckt angebrachte) Falle f; [b] (Mil etc) versteckte Bombe; [2] vt **the suitcase was ~-trapped** in dem Koffer war eine Bombe versteckt.

▼ **book** [bʊk] [1] n [a] Buch nt; (exercise ~) Heft nt ▸ to bring sb to ~ jdn zur Rechenschaft ziehen; he does everything by the ~ er hält sich bei allem strikt an die Vorschriften; to be in sb's good/bad ~s bei jdm gut/schlecht angeschrieben sein (col); to throw the ~ at sb (col) jdn fertigmachen (col); in my ~ für mich; he knows every trick in the ~ (col) er ist mit allen Wassern gewaschen (col). [b] (of tickets) Heft nt; (thicker) Block m; (of matches) Briefchen nt. [c] (Comm, Fin) ~s pl Bücher pl; to keep the ~s of a firm die Bücher einer Firma führen.

[2] vt [a] bestellen; seat, room buchen; artiste engagieren ▸ this performance/flight/hotel is fully ~ed diese Vorstellung ist ausverkauft/dieser Flug ist ausgebucht/das Hotel ist voll belegt. [b] driver aufschreiben (col); einen Strafzettel verpassen (+dat) (col); football player verwarnen.

[3] vi see vt (a) bestellen; buchen.

◆**book in** [1] vi (in hotel etc) sich eintragen ▸ we ~ed ~ at the Hilton wir sind im Hilton abgestiegen.

[2] vt sep [a] (register) eintragen. [b] (make reservation for) to ~ sb ~to a hotel jdm ein Hotelzimmer reservieren lassen.

◆**book up** [1] vi buchen.

[2] vt sep (usu pass) reservieren lassen ▸ to be (fully) ~ed ~ (voll) ausgebucht sein.

bookable ['bʊkəbl] adj seats im Vorverkauf erhältlich.

book: ~**binder** n Buchbinder m; ~**binding** n Buchbinderei f; ~**case** n Bücherregal nt; (with doors) Bücherschrank m; ~ **club** n Buchgemeinschaft f; ~**end** n Buchstütze f, ~ **fair** n Buchmesse f.

bookie ['bʊkɪ] n (col) Buchmacher m.

booking ['bʊkɪŋ] n [a] (Brit) Buchung, Reservierung f; (of artiste) Engagement nt ▸ to make a ~ buchen. [b] (Ftbl) Verwarnung f.

booking: ~ **clerk** n Fahrkartenverkäufer(in f) m; ~ **office** n (Brit) (Rail) Fahrkartenschalter m; (Theat) Theaterkasse f.

bookish ['bʊkɪʃ] adj gelehrt (pej, hum); language, expression (pej) trocken.

book: ~ **jacket** n Schutzumschlag m; ~-**keeper** n Buchhalter(in f) m; ~-**keeping** n Buchhaltung or -führung f.

booklet ['bʊklɪt] n Broschüre f.

book: ~**maker** n Buchmacher m; ~**mark** n Lesezeichen nt; ~ **review** n Buchbesprechung f; ~**seller** n Buchhändler(in f) m; ~**shelf** n Bücherbord or -regal nt; ~**shop** (Brit), ~**store** (US) n Buchhandlung f; ~**stall** n Bücherstand m; ~-**token** n Büchergutschein m; ~**worm** n Bücherwurm m.

Boolean ['buːlɪən] adj algebra, logic boolesch attr.

boom[1] [buːm] n (across river etc) Sperre f; (at factory gate etc) Schranke f; (Naut) Baum m; (jib of crane) Ausleger m; (for microphone) Galgen m.

boom[2] [1] n (of sea, waves, wind) Brausen nt; (of thunder) Grollen nt; (of guns) Donnern nt; (of organ, voice) Dröhnen nt.

[2] vi [a] (sea, wind) brausen; (thunder) grollen. [b] (also ~ out) (organ, person, voice) dröhnen; (guns) donnern.

3 *interj* bum.

◆**boom out** **1** *vi see* **boom²** 2(b).

2 *vt sep* (*person*) order brüllen.

boom³ **1** *vi* (*trade, sales*) einen Aufschwung nehmen ▸ *business is ~ing* das Geschäft blüht *or* floriert.
2 *n* (*of business, fig*) Boom, Aufschwung *m*; (*period of economic growth*) Hochkonjunktur *f.*

boomerang ['bu:məræŋ] **1** *n* (*lit, fig*) Bumerang *m*.
2 *vi* (*fig col: words, actions*) wie ein Bumerang zurückkommen (*on* zu).

boom town *n* schnell wachsende, florierende Stadt.

boon [bu:n] *n* (*blessing, advantage*) Segen *m*.

boor [buə^r] *n* Rüpel, Flegel *m.*

boorish ['buərɪʃ] *adj* rüpelhaft, flegelhaft.

boost [bu:st] **1** *n* Auftrieb *m no pl*; (*Elec, Aut*) Verstärkung *f*; (*for rocket*) Zusatzantrieb *m* ▸ *to give sb/sth a ~* jdm/einer Sache Auftrieb geben.
2 *vt production, economy* ankurbeln; *electric charge, heart etc* verstärken; *confidence, sb's ego* stärken; *morale* heben.

booster ['bu:stə^r] *n* **a** (*Elec*) Puffersatz *m*; (*Rad*) Zusatzverstärker *m*; (*TV*) Zusatzgleichrichter *m*; (*for heating*) Gebläse *nt*; (*~ rocket*) Booster *m.* **b** (*Med: also ~ shot*) Wiederholungsimpfung *f.*

boot [bu:t] **1** *n* **a** Stiefel *m* ▸ *the ~ is on the other foot* (*fig*) es ist genau umgekehrt; *to give sb the ~* (*fig col*) jdn rausschmeißen (*col*); *to get the ~* (*fig col*) rausgeschmissen werden (*col*). **b** (*Brit: of car*) Kofferraum *m.*
2 *vt* **a** (*col: kick*) einen (Fuß)tritt geben (+*dat*); *ball* kicken. **b** (*Comp*) laden.

◆**boot out** *vt sep* (*col: lit, fig*) rausschmeißen (*col*).

booth [bu:ð] *n* **a** (*at fair*) (Markt)bude *f.* **b** (*telephone ~*) Zelle *f*; (*polling ~, in language laboratory*) Kabine *f.*

boot: **~lace** *n* Schnürsenkel *m*; **~leg** *adj whisky etc* schwarz gebrannt; **~legger** *n* (*US*) Bootlegger *m*; (*producer also*) Schwarzbrenner *m*; **~ polish** *n* Schuhcreme *f.*

booty ['bu:tɪ] *n* (*lit, fig*) Beute *f.*

booze [bu:z] (*col*) **1** *n* Alkohol *m* ▸ *bring some ~* bring was zu trinken mit.
2 *vi* saufen (*col*).

boozer ['bu:zə^r] *n* **a** (*pej col: drinker*) Säufer(in *f*) (*pej col*) *m.* **b** (*Brit col: pub*) Kneipe *f* (*col*).

booze-up ['bu:zʌp] *n* (*col*) Saufgelage *nt* (*col*).

border ['bɔ:də^r] **1** *n* **a** (*edge, side*) Rand *m.* **b** (*boundary, frontier*) Grenze *f* ▸ *north/south of the ~* (*Brit*) in/nach Schottland/England; *~ crossing* Grenzübergang *m*; *~ dispute* Grenzstreitigkeit *f*; *~ incident* Grenzzwischenfall *m.* **c** (*in garden*) Rabatte *f.* **d** (*edging: on dress*) Bordüre *f*; (*of carpet*) Einfassung *f*; (*of picture*) Umrahmung *f* ▸ *black ~* (*on notepaper*) schwarzer Rand, Trauerrand *m.*
2 *vt* **a** *road* säumen; *garden etc* begrenzen; (*on all sides*) umschließen. **b** (*land etc*) grenzen an (+*acc*).

◆**border on** *vi* +*prep obj* (*lit, fig*) grenzen an (+*acc*).

border: **~line** **1** *n* (*lit, fig*) Grenzlinie, Grenze *f*; *to be on the ~line* an der Grenze liegen; **2** *adj* **~line case** Grenzfall *m*; **~ town** *n* Grenzstadt *f.*

bore¹ [bɔ:^r] **1** *vt hole etc* bohren.
2 *vi* bohren (*for* nach).
3 *n* (*hole*) Bohrloch *nt*; (*of tube, pipe*) Durchmesser *m*; (*of shotgun, cannon*) Kaliber *nt.*

bore² **1** *n* **a** (*person*) Langweiler *m* ▸ *the office ~* der Langweiler vom Dienst. **b** (*thing, profession, situation etc*) *to be a ~* langweilig sein. **c** (*nuisance*) *don't be a ~* nun hab dich doch nicht so!; *oh what a ~!* das ist aber auch zu dumm!
2 *vt* langweilen ▸ *to ~ sb stiff or to death or to tears* jdn zu Tode langweilen; *I'm ~d* ich langweile mich.

bore³ *pret of* **bear².**

boredom ['bɔ:dəm] *n* Langeweile *f.*

borehole ['bɔ:həʊl] *n* Bohrloch *nt.*

boring ['bɔ:rɪŋ] *adj* langweilig.

born [bɔ:n] *adj to be ~* geboren werden; (*fig*) entstehen; (*idea*) geboren werden; *I was ~ in 1948* ich bin 1948 geboren; *I wasn't ~ yesterday* (*col*) ich bin nicht von gestern (*col*); *he is Chicago-~* er ist ein gebürtiger Chicagoer; *high-/low-~* von vornehmer/niedriger Geburt; *he is a ~ poet/teacher* er ist der geborene Dichter/Lehrer; *an Englishman ~ and bred* ein echter *or* waschechter (*col*) Engländer.

born-again ['bɔ:nə,gen] *adj* *Christian etc* wiedergeboren.

borne [bɔ:n] *ptp of* **bear².**

borough ['bʌrə] *n* (*also* **municipal ~**) Bezirk *m.*

borrow ['bɒrəʊ] *vt sich* (*dat*) leihen (*from* von); *library book* ausleihen; *word* entlehnen; (*fig*) *idea* übernehmen (*from* von) ▸ *to ~ money from the bank* einen Kredit bei der Bank aufnehmen; *he is living on ~ed time* seine Uhr ist abgelaufen.

borrower ['bɒrəʊə^r] *n* (*of books*) Entleiher(in *f*) *m*; (*of capital, loan etc*) Kreditnehmer(in *f*) *m.*

borrowing ['bɒrəʊɪŋ] *n see vt* Leihen *nt*; Ausleihen *nt*; Entlehnung *f*; Übernahme *f* ▸ *~s pl* (*Fin*) Anleihen *pl*; *government ~* staatliche Kreditaufnahme.

borstal ['bɔ:stl] *n* (*Brit obs*) Besserungsanstalt *f.*

Bosnia ['bɒznɪə] *n* Bosnien *nt.*

Bosnia Herzegovina ['bɒznɪə,hɛːtsəgə'vi:nə] *n* Bosnien-Herzegowina *nt.*

Bosnian ['bɒznɪən] **1** *adj* bosnisch.
2 *n* Bosnier(in *f*) *m.*

bosom ['bʊzəm] **1** *n* (*lit, fig: of person*) Busen *m* ▸ *in the ~ of the family* im Schoß der Familie.
2 *adj attr friend etc* Busen-.

boss [bɒs] *n* Chef, Boß (*col*) *m* ▸ *industrial/union ~es* Industrie-/Gewerkschaftsbosse *pl* (*col*); *OK, you're the ~* okay, du bestimmst.

◆**boss about** *or* **around** *vt sep* (*col*) rumkommandieren (*col*).

bossy ['bɒsɪ] *adj* (+*er*) herrisch ▸ *don't you get ~ with me!* kommandier mich nicht so rum! (*col*).

bosun ['bəʊsn] *n* Bootsmann *m.*

botanical [bə'tænɪkəl] *adj* botanisch, Pflanzen- ▸ *~ gardens* botanischer Garten.

botanist ['bɒtənɪst] *n* Botaniker(in *f*) *m.*

botany ['bɒtənɪ] *n* Botanik, Pflanzenkunde *f.*

botch [bɒtʃ] (*col*) **1** *vt* (*also ~ up*) verpfuschen (*col*).
2 *n* Murks *m* (*col*).

both [bəʊθ] **1** *adj* beide ▸ *~ (the) boys* beide Jungen.
2 *pron* beide; (*two different things*) beides ▸ *~ of them were there, they were ~ there* sie waren (alle) beide da; *come in ~ of you* kommt beide herein.
3 *adv* *~ ... and ...* sowohl ... als auch ...; *~ you and I* wir beide; *John and I ~ came* John und ich sind beide gekommen; *she was ~ laughing and crying* sie lachte und weinte zugleich *or* gleichzeitig; *is it black or white? — ~* ist es schwarz oder weiß? — beides.

▼ **bother** ['bɒðə^r] **1** *vt* **a** stören; (*pester*) belästigen; (*worry*) Sorgen machen (+*dat*); (*back, teeth etc*) zu schaffen machen (+*dat*); (*problem, question*) beschäftigen ▸ *I'm sorry to ~ you but ...* es tut mir leid, daß ich Sie damit belästigen muß, aber ...; *I shouldn't let it ~ you* machen Sie sich mal keine Sorgen; *don't ~ me!* laß mich in Frieden!; *could I ~ you for a light?* dürfte ich Sie vielleicht um Feuer bitten?; *what's ~ing you?* was haben Sie denn? **b** *I can't be ~ed with doing that* ich habe einfach keine Lust dazu; *do you want to stay or go? — I'm not ~ed* willst du bleiben oder gehen? — das ist mir egal.
2 *vti sich* kümmern (*about* um) ▸ *don't ~!* nicht nötig!; (*sarcastic*) machen Sie sich (*dat*) keine Mühe!;

➤ SENTENCE BUILDER: **bother: 1b** → 1.5

she didn't even ~ to ask/check sie hat nicht einmal gefragt/nachgesehen; *you needn't ~ to come* Sie brauchen wirklich nicht (zu) kommen; *I didn't ~ about lunch* ich habe das Mittagessen ausgelassen.

3 *n* **a** (*nuisance*) Plage *f* ▸ *it's such a ~* das ist wirklich lästig; *I've forgotten it, what a ~* ich habe es vergessen, wie ärgerlich. **b** (*trouble etc*) Ärger *m*; (*difficulties*) Schwierigkeiten *pl* ▸ *we had a spot or bit of ~ with the car* wir hatten Ärger mit dem Auto; *it wasn't any ~* (*don't mention it*) gern geschehen; (*not difficult*) das war ganz einfach; *the children were no ~ at all* wir hatten mit den Kindern überhaupt keine Probleme; *to go to a lot of ~ to do sth* sich (*dat*) mit etw viel Mühe geben.

4 *interj* so was Dummes! (*col*).

Bothnia ['bɒθnɪə] *n Gulf of ~* Bottnischer Meerbusen.
Botswana [,bɒt'swɑːnə] *n* Botswana *nt*.
bottle ['bɒtl] **1** *n* Flasche *f* ▸ *a ~ of wine* eine Flasche Wein; *to take to the ~* zur Flasche greifen.
2 *vt* in Flaschen abfüllen ▸ *~d in ...* abgefüllt in ...
◆**bottle up** *vt sep* emotion in sich (*dat*) aufstauen.
bottled ['bɒtld] *adj wine* in Flaschen (abgefüllt); *beer* Flaschen-; *fruit* eingemacht; *gas* in Flaschen.
bottle: ~ bank *n* Altglascontainer *m*; **~-feed** *vt* mit der Flasche ernähren; **~ green** *adj* flaschengrün; **~neck** *n* (*fig*) Engpaß *m*; **~ opener** *n* Flaschenöffner *m*; **~ party** *n* Bottle-Party *f*; **~ rack** *n* Flaschengestell *nt*.
bottling plant ['bɒtlɪŋ,plɑːnt] *n* Abfüllanlage *f*.
bottom ['bɒtəm] **1** *n* **a** (*of receptacle*) Boden *m*; (*of mountain, pillar, spire*) Fuß *m*; (*of well, canyon*) Grund *m*; (*of page, screen, wall*) (unteres) Ende *nt*; (*of list, road*) Ende *nt* ▸ *at the ~ (of)* unten (*an/in +dat*); *to be (at the) ~ of the class* der/die Letzte in der Klasse sein; *~s up!* hoch die Tassen (*col*); *at ~* (*fig*) im Grunde; *the ~ fell out of his world* (*col*) für ihn brach eine Welt zusammen. **b** (*underneath, underside*) Unterseite *f*, untere Seite. **c** (*of sea, lake, river*) Grund, Boden *m*. **d** (*of person*) Hintern (*col*), Po (*col*) *m*; (*of trousers etc*) Hosenboden *m*. **e** (*fig: cause*) *to be at the ~ of sth* (*person*) hinter etw (*dat*) stecken; (*thing*) einer Sache (*dat*) zugrunde liegen; *to get to the ~ of sth* einer Sache (*dat*) auf den Grund kommen. **f** (*Brit Aut: gear*) *in ~* im ersten Gang.
2 *adj attr* (*lower*) untere(r, s); (*lowest*) unterste(r, s); (*Fin*) Tiefst-; *pupil* schlechteste(r, s) ▸ *~ half* (*of box etc*) untere Hälfte; (*of list, class*) zweite Hälfte.
◆**bottom out** *vi* (*reach lowest point*) die Talsohle erreichen (*at* bei).
bottom: ~ drawer *n* (*Brit*) *to put sth away in one's ~ drawer* etw für die Aussteuer sparen; **~ gear** *n* (*Brit Aut*) erster Gang; **~less** *adj* (*lit*) bodenlos; *a ~less pit* (*fig*) ein Faß ohne Boden; **~ line** *n* **a** (*of accounts etc*) Saldo *m*; **b** (*fig*) Fazit *nt*; *that's the ~ line* darauf läuft es im Endeffekt hinaus; **~most** *adj* allerunterste(r, s).
bough [baʊ] *n* Ast *m*.
bought [bɔːt] *pret, ptp of* buy.
boulder ['bəʊldəʳ] *n* Felsblock, Felsbrocken *m*.
bounce [baʊns] **1** *vi* **a** (*ball etc*) springen; (*Sport: ball*) aufspringen ▸ *the child ~d up and down on the bed* das Kind hüpfte auf dem Bett herum. **b** (*col: cheque*) platzen (*col*).
2 *vt* aufprallen lassen, prellen (*Sport*) ▸ *he ~d the baby on his knee* er ließ das Kind auf den Knien reiten.
3 *n* **a** (*of ball: rebound*) Aufprall *m*. **b** *no pl* (*of ball*) Sprungkraft *f*; (*of rubber*) Elastizität *f*; (*col: of person*) Schwung *m* (*col*).
◆**bounce back** *vi* abprallen, zurückprallen; (*fig col: person*) sich nicht unterkriegen lassen (*col*).
◆**bounce off** *vt always separate* *to ~ sth ~ sth* etw von etw abprallen lassen; *to ~ an idea ~ sb* eine Idee an jdm testen (*col*).

bouncer ['baʊnsəʳ] *n* (*col*) Rausschmeißer *m* (*col*).
bouncing ['baʊnsɪŋ] *adj* ~ *baby* strammes Baby.
bouncy ['baʊnsɪ] *adj* (+er) **a** *ball* gut springend; *mattress* federnd; *springs* elastisch; *ride* holpernd. **b** (*fig col: exuberant*) übermütig.
bound¹ [baʊnd] **1** *n usu pl* (*lit, fig*) Grenze *f* ▸ *to keep within the ~s of propriety* im Rahmen bleiben; *within the ~s of probability* im Bereich des Wahrscheinlichen; *there are no ~s to his ambition* sein Ehrgeiz kennt keine Grenzen; *out of ~s* gesperrt.
2 *vt usu pass country* begrenzen.
bound² **1** *n* Sprung, Satz *m*.
2 *vi* springen; (*rabbit*) hoppeln ▸ *the dog came ~ing up* der Hund kam angesprungen.
bound³ **1** *pret, ptp of* bind.
2 *adj* **a** (*prisoner, book*) gebunden ▸ *~ hand and foot* an Händen und Füßen gebunden. **b** (*sure*) *to be ~ to do sth* etw bestimmt tun; *he's ~ to be late* er kommt garantiert zu spät; *it's ~ to happen* das muß so kommen. **c** (*obliged*) *person* verpflichtet; (*by contract, word, promise*) gebunden ▸ *but I'm ~ to say ...* (*col*) aber ich muß schon sagen ...
bound⁴ *adj pred to be ~ for London* (*heading for*) auf dem Weg nach London sein; *where are you ~ for?* wohin geht die Reise?, wohin wollen Sie?; *we were northward-/California-~* wir waren nach Norden/Kalifornien unterwegs.
boundary ['baʊndərɪ] *n* Grenze *f* ▸ *~ stone* Grenzstein *m*.
boundless ['baʊndlɪs] *adj* (*lit, fig*) grenzenlos.
bountiful ['baʊntɪfʊl] *adj* großzügig; *sovereign, god* gütig; *harvest, gifts* (über)reich.
bounty ['baʊntɪ] *n* **a** (*generosity*) Freigebigkeit *f*; (*of nature*) reiche Fülle (*geh*). **b** (*reward money*) Kopfgeld *nt* ▸ *~ hunter* Kopfgeldjäger *m*.
bouquet ['bʊkeɪ] *n* **a** Strauß *m*, Bukett *nt* (*geh*). **b** (*of wine*) Bukett *nt*, Blume *f*.
bourbon ['bɜːbən] *n* (*also ~ whisky*) Bourbon *m*.
bourgeois ['bʊəʒwɑː] **1** *n* Bürger(in *f*) *m*; (*pej*) Spießbürger(in *f*) *m*.
2 *adj* bürgerlich; (*pej*) spießbürgerlich.
bourgeoisie [,bʊəʒwɑː'ziː] *n* Bürgertum *nt*, Bourgeoisie *f*.
bout [baʊt] *n* **a** (*of flu etc*) Anfall *m*; (*of negotiations*) Runde *f* ▸ *a ~ of fever* ein Fieberanfall *m*; *a drinking ~* ein Trinkgelage. **b** (*Boxing, Wrestling, Fencing*) Kampf *m*.
boutique [buː'tiːk] *n* Boutique *f*.
bow¹ [bəʊ] *n* **a** (*for arrows, Mus*) Bogen *m* ▸ *a ~ and arrow* Pfeil und Bogen *pl*. **b** (*of ribbon etc*) Schleife *f*.
bow² [baʊ] **1** *n* (*with head, body*) Verbeugung *f*; (*by young boy*) Diener *m*.
2 *vi* **a** sich verbeugen (*to sb* vor jdm); (*young boy*) einen Diener machen ▸ *to ~ and scrape* katzbuckeln (*pej*). **b** (*bend: branches etc*) sich biegen. **c** (*fig: defer, submit*) sich beugen (*before* vor +*dat*, *under* unter +*dat*, *to* dat) ▸ *to ~ to the inevitable* sich in das Unvermeidliche fügen.
3 *vt to ~ one's head* den Kopf senken; (*in prayer*) sich verneigen.
◆**bow out** *vi* (*fig*) sich verabschieden.
bow³ [baʊ] *n* (*also: ~s*) Bug *m* ▸ *on the port ~* backbord voraus.
Bow Bells [,bəʊ'belz] *npl* *he was born within the sound of ~* er ist ein waschechter Cockney (*Londoner*).
bowel ['baʊəl] *n usu pl* (*Anat*) (*of person*) Eingeweide *nt usu pl*; (*of animal also*) Innereien *pl* ▸ *a ~ movement* Stuhl(gang) *m*; *the ~s of the earth* das Erdinnere.
bowl¹ [bəʊl] *n* **a** Schüssel *f*; (*smaller, shallow also, finger~*) Schale *f*; (*for sugar etc*) Schälchen *nt*; (*for animals, prisoners also*) Napf *m*. **b** (*of pipe*) Kopf *m*; (*of lavatory*)

Becken *nt.* c (*Geog*) Becken *nt.* d (*US: stadium*) Stadion *nt.*

bowl² 1 *n* (*Sport: ball*) Kugel *f.* 2 *vi* (*Cricket*) (*mit gestrecktem Arm*) werfen. 3 *vt* a (*roll*) *ball* rollen; *hoop also* treiben. b (*Cricket*) *ball* werfen; *batsman* ausschlagen.

◆**bowl over** *vt sep* (*lit, fig*) umwerfen ► *he was ~ed ~ by the news* die Nachricht hat ihn überwältigt *or* umgehauen (*col*).

bow-legged [ˌbəʊˈlegɪd] *adj* O-beinig.

bowler [ˈbəʊləʳ] *n* a (*Cricket*) Werfer *m.* b (*Brit: also ~ hat*) Melone *f.*

bowling [ˈbəʊlɪŋ] *n* a (*Cricket*) Werfen *nt.* b (*tenpin ~*) Bowling *nt;* (*skittles*) Kegeln *nt* ► *to go ~* bowlen/kegeln gehen.

bowling: *~* **alley** *n* Kegelbahn *f;* *~* **green** *n* Rasenfläche *f* für Bowling.

bowls [bəʊlz] *n sing* Bowling *nt.*

bow: *~* **tie** *n* Fliege *f;* *~* **window** *n* ≃ Erkerfenster *nt.*

box¹ [bɒks] 1 *vti* (*Sport*) boxen ► *to ~ sb's ears* jdn ohrfeigen, jdm eine Ohrfeige geben. 2 *n a ~ on the ear* eine Ohrfeige.

box² *n* a Kiste *f;* (*cardboard ~*) Karton *m;* (*smaller*) Schachtel *f;* (*snuff~, cigarette ~ etc, biscuit tin*) Dose *f;* (*chocolates etc*) Schachtel *f;* (*jewellery ~*) Schatulle *f,* Kasten *m;* (*collection ~*) (Sammel)büchse *f;* (*in church*) Opferbüchse *f;* (*fixed to wall etc*) Opferstock *m.* b (*two-dimensional*) (umrandetes) Feld; (*Baseball*) Box *f;* (*in road junction*) gelb schraffierter Kreuzungsbereich. c (*Theat*) Loge *f;* (*jury ~*) Geschworenenbank *f;* (*witness ~*) Zeugenstand *m;* (*press ~*) Pressekabine *f.* d (*Tech: housing*) Gehäuse *nt* ► *gear ~* Getriebe *nt.* e (*sentry ~*) Schilderhaus *nt;* (*signal ~*) Häuschen *nt.* f (*horse ~*) Box *f.* g *PO B~* Postfach *nt.* h (*Brit: phone ~*) Zelle *f.* i (*Brit col: TV*) Glotze *f* (*col*).

◆**box in** *vt sep player* in die Zange nehmen; *parked car* einklemmen; (*fig*) einengen.

boxer [ˈbɒksəʳ] *n* (*Sport, dog*) Boxer *m.*

boxer shorts *npl* (*Brit*) Boxer-Shorts *pl.*

box: *~* **file** *n* Flachordner *m;* *~* **hedge** *n* Buchsbaumhecke *f.*

boxing [ˈbɒksɪŋ] *n* Boxen *nt.*

boxing *in cpds* Box-; **B~ Day** *n* (*Brit*) zweiter Weihnachts(feier)tag.

┌─── **BOXING DAY** ───┐

ⓘ *Boxing Day ist ein Feiertag in Großbritannien. Wenn Weihnachten auf ein Wochenende fällt, wird der Feiertag am nächsten darauffolgenden Wochentag nachgeholt. Der Name geht auf einen alten Brauch zurück; früher erhielten Händler und Lieferanten an diesem Tag ein Geschenk, die sogenannte Christmas Box.*

boxing: *~* **match** *n* Boxkampf *m;* *~* **ring** *n* Boxring *m.*

box: *~* **junction** *n* (*Brit Mot*) gelb schraffierte Kreuzung (*, in die bei Stau nicht eingefahren werden darf*); *~* **kite** *n* Kastendrachen *m;* *~* **number** *n* (*at post office*) Postfach *nt;* *~* **office** *n* Kasse, Theater-/Kinokasse *f;* *~***room** *n* (*Brit*) Abstellraum *m.*

boy [bɔɪ] *n* Junge *m;* (*lift~*) Boy *m* ► *~s will be ~s* Jungen sind nun mal so; *a school for ~s* eine Jungenschule; *the old ~* (*boss*) der Alte (*col*); (*father*) mein *etc* Alter (*col*); *old ~* (*col*) alter Junge (*col*); *oh ~!* (*col*) Junge, Junge! (*col*).

boycott [ˈbɔɪkɒt] 1 *n* Boykott *m.* 2 *vt* boykottieren.

boy: *~***friend** *n* Freund *m;* *~***hood** *n* Kindheit *f;* (*as teenager*) Jugend(zeit) *f.*

boyish [ˈbɔɪɪʃ] *adj* jungenhaft; (*of woman*) *figure, appearance* knabenhaft.

boy scout *n* Pfadfinder *m.*

bpi = **bits per inch** Bits *ntpl* pro Inch *m.*

bps = **bits per second** Bits *ntpl* pro Sekunde *f.*

BR = **British Rail.**

bra [brɑː] *n* = **brassière** BH *m.*

brace¹ [breɪs] *n, pl* - (*pair: of pheasants etc*) Paar *nt.*

brace² 1 *n* a (*Build*) Strebe *f.* b (*tool*) (*wheel ~*) Radschlüssel *m;* (*to hold bit*) Bohrwinde *f* ► *~ and bit* Bohrer *m* (mit Einsatz). c (*on teeth*) Klammer, Spange *f,* (*Med*) Stützapparat *m.* 2 *vt* a (ab)stützen; (*horizontally*) verstreben; (*in vice etc*) verklammern. 3 *vr to ~ oneself for sth* sich auf etw (*acc*) gefaßt machen.

bracelet [ˈbreɪslɪt] *n* Armband *nt;* (*bangle*) Armreif *m* ► *~s* (*col: handcuffs*) Handschellen *pl.*

braces [ˈbreɪsɪz] *npl* (*Brit*) Hosenträger *pl.*

bracing [ˈbreɪsɪŋ] *adj* anregend; *climate* Reiz-.

bracken [ˈbrækən] *n* Adlerfarn *m.*

bracket [ˈbrækɪt] 1 *n* a (*angle ~*) Winkelträger *m;* (*Archit*) Konsole *f.* b (*Typ*) Klammer *f* ► *in ~s* in Klammern. c (*group*) Gruppe, Klasse *f* ► *the lower income ~* die untere Einkommensgruppe. 2 *vt* a (*put in ~s*) einklammern. b (*also ~ together*) mit einer Klammer versehen; (*fig: group together*) zusammenfassen.

brackish [ˈbrækɪʃ] *adj water* brackig.

brag [bræg] *vti* prahlen, angeben (*about, of* mit).

braggart [ˈbrægət] *n* Prahler, Angeber *m.*

braid [breɪd] 1 *n* a (*of hair*) Zopf *m.* b (*trimming*) Borte *f;* (*self-coloured*) Litze *f.* c (*Mil*) Tressen *pl* ► *gold ~* Goldtressen *pl.* 2 *vt* (*plait*) *hair, straw etc* flechten.

braille [breɪl] *n* Blinden- *or* Brailleschrift *f.*

brain [breɪn] 1 *n* a (*Anat, of machine*) Gehirn *nt* ► *he's got cars on the ~* (*col*) er hat nur Autos im Kopf. b *~s pl* (*Anat*) Gehirn *nt;* (*Cook*) Hirn *nt.* c (*mind*) Verstand *m* ► *~s pl* (*intelligence*) Intelligenz *f,* Grips *m* (*col*), Köpfchen *nt* (*col*); *he didn't have the ~s to warn us* er ist nicht einmal darauf gekommen, uns zu warnen; *he's the ~s of the family* er ist das Genie in der Familie. 2 *vt stop it or I'll ~ you!* (*col*) hör auf oder ich knall dir eine! (*col*).

brain: *~***child** *n* (*invention*) Erfindung *f;* *~* **damage** *n to have ~ damage* hirngeschädigt sein; *~-damaged adj* hirngeschädigt; *~* **dead** *adj* hirntot; (*pej col*) hirnlos; *~* **death** *n* Hirntod *m;* *~* **drain** *n* Abwanderung *f* von Wissenschaftlern, Brain-Drain *m;* *~less adj plan, idea* hirnlos, dumm; *person also* unbedarft; *~storm n* a (*Brit*) *to have a ~storm* geistig weggetreten sein (*col*); b (*US: ~wave*) Geistesblitz *m;* *~* **storming** *n* gemeinsame Problembewältigung; *~* **storming session** *n* Brainstorming *nt;* *~* **teaser** *n* Denksportaufgabe *f;* *~* **tumour** (*Brit*) *or* **tumor** (*US*) *n* Gehirntumor *m;* *~***wash** *vt* einer Gehirnwäsche (*dat*) unterziehen; *to ~wash sb into believing that ...* jdm (ständig) einreden, daß ...; *~***washing** *n* Gehirnwäsche *f;* *~***wave** *n* (*Brit*) Geistesblitz *m.*

brainy [ˈbreɪnɪ] *adj* (*+er*) (*col*) gescheit (*col*), intelligent.

braise [breɪz] *vt* (*Cook*) schmoren.

brake [breɪk] 1 *n* (*Tech*) Bremse *f* ► *to put the ~s on* (*lit, fig*) bremsen; *to put the ~s on sth* (*fig*) etw bremsen. 2 *vi* bremsen.

brake *in cpds* Brems-; *~* **drum** *n* Bremstrommel *f;* *~* **fluid** *n* Bremsflüssigkeit *f;* *~***light** *n* Bremslicht *nt;* *~* **lining** *n* Bremsbelag *m;* *~* **pad** *n* Bremsklotz *m;* *~* **pedal** *n* Bremspedal *nt;* *~* **servo** *n* Bremskraftverstärker *m;* *~* **shoe** *n* Bremsbacke *f.*

braking [ˈbreɪkɪŋ] *n* Bremsen *nt* ► *~ distance* Bremsweg *m.*

bramble ['bræmbl] *n* [a] (*thorny shoot*) Dornenzweig *m.*
[b] (*blackberry*) Brombeere *f;* (*bush*) Brombeerstrauch *m.*

bran [bræn] *n* Kleie *f.*

branch [brɑːntʃ] [1] *n* [a] (*Bot*) Zweig *m;* (*growing straight from trunk*) Ast *m.* [b] (*of river, pipe, duct*) Arm *m;* (*of road*) Abzweigung *f;* (*of family, race, language*) Zweig *m;* (*of railway*) Nebenlinie *f.* [c] (*Comm*) Filiale, Zweigstelle *f;* (*of company, bank also*) Geschäftsstelle *f.*
[2] *vi* (*divide: river, road etc*) sich gabeln; (*in more than two*) sich verzweigen.

◆**branch off** *vi* (*road*) abzweigen; (*driver*) abbiegen.

◆**branch out** *vi* (*company*) sein Geschäft erweitern *or* ausdehnen (*into* auf +*acc*) ▶ *to ~ ~ on one's own* sich selbständig machen

branch: ~ line *n* (*Rail*) Zweiglinie, Nebenlinie *f;* ~ **manager** *n* Filialleiter(in *f*) *m;* ~ **office** *n* Filiale, Geschäftsstelle *f.*

brand [brænd] [1] *n* [a] (*make*) Marke *f.* [b] (*mark*) (*on cattle*) Brandzeichen *nt;* (*on criminal, prisoner, fig*) Brandmal *nt.*
[2] *vt* [a] (*Comm*) *goods* mit seinem Warenzeichen versehen ▶ *~ awareness* Markenbewußtsein *nt;* ~**ed goods** Markenware *f.* [b] *cattle, property* mit einem Brandzeichen kennzeichnen. [c] (*stigmatize*) *person* brandmarken.

branding iron ['brændɪŋ,aɪən] *n* Brandeisen *nt.*

brandish ['brændɪʃ] *vt* schwingen, fuchteln mit (*col*).

brand: ~ leader *n* führende Marke; ~ **loyalty** *n* Markentreue *f;* ~ **name** *n* Markenname *m;* ~**-new** *adj* nagelneu, brandneu (*col*).

brandy ['brændɪ] *n* Weinbrand *m.*

brash [bræʃ] *adj* (+*er*) frech, dreist; (*tasteless*) *colour* grell; *style etc* aufdringlich.

brass [brɑːs] [1] *n* [a] Messing *nt.* [b] *the ~* (*Mus*) die Blechbläser *pl.* [c] (*col*) *the top ~* die hohen Tiere (*col*). [d] (*col: money*) Moos *nt* (*col*), Kies *m* (*col*).
[2] *adj* (*made of ~*) Messing- ▶ ~ **plate** Messingschild *nt;* ~ **section** (*Mus*) Blechbläser *pl;* **to get down to ~ tacks** (*col*) zur Sache kommen.

brass band *n* Blaskapelle *f.*

brassière ['bræsɪəʳ] *n* (*dated, form*) Büstenhalter *m.*

brat [bræt] *n* (*pej col*) Balg *m or nt* (*col*), Gör *nt* (*col*).

bravado [brə'vɑːdəʊ] *n* (*showy bravery*) Wagemut *m;* (*hiding fear*) gespielte Tapferkeit.

brave [breɪv] [1] *adj* (+*er*) mutig, unerschrocken; (*suffering pain*) *smile* tapfer ▶ *be ~!* nur Mut!; (*more seriously*) sei tapfer!
[2] *n* (*Indian*) Krieger *m.*
[3] *vt* die Stirn bieten (+*dat*); *weather* trotzen (+*dat*); *death* tapfer ins Auge sehen (+*dat*).

◆**brave out** *vt sep* **you have to ~ it ~** das mußt du durchstehen.

bravely ['breɪvlɪ] *adv see adj* mutig; tapfer.

braveness ['breɪvnɪs], **bravery** ['breɪvərɪ] *n see adj* Mut *m;* Tapferkeit *f.*

brawl [brɔːl] [1] *vi* sich schlagen.
[2] *n* Schlägerei *f.*

brawn [brɔːn] *n* [a] (*Cook*) Preßkopf *m,* Sülze *f.* [b] Muskeln *pl,* Muskelkraft *f.*

brawny ['brɔːnɪ] *adj* (+*er*) muskulös, kräftig.

bray [breɪ] [1] *n* (*of ass*) (Esels)schrei *m.*
[2] *vi* (*ass*) schreien; (*col: person*) wiehern.

brazen ['breɪzn] *adj* (*impudent*) unverschämt, dreist; *lie* schamlos.

◆**brazen out** *vt sep* **to ~ it ~** durchhalten; (*by lying*) sich durchmogeln (*col*).

brazier ['breɪzɪəʳ] *n* (Kohlen)feuer *nt* (im Freien); (*container*) Kohlenbecken *nt.*

brazil [brə'zɪl] *n* (*also ~ nut*) Paranuß *f.*

Brazil [brə'zɪl] *n* Brasilien *nt.*

Brazilian [brə'zɪlɪən] [1] *adj* brasilianisch.
[2] *n* Brasilianer(in *f*) *m.*

breach [briːtʃ] [1] *n* [a] (*of law*) Übertretung *f* (*of gen*), Verstoß *m* (*of gegen*) ▶ *a ~ of contract* ein Vertragsbruch *m;* ~ *of the peace* (*Jur*) öffentliche Ruhestörung. [b] (*in friendship etc*) Bruch *m.* [c] (*in wall etc, in security*) Lücke *f* ▶ *to step into the ~* (*fig*) in die Bresche springen.
[2] *vt wall* eine Bresche schlagen (*in* +*acc*); *defences, security* durchbrechen.

bread [bred] [1] *n* [a] Brot *nt* ▶ *a piece of ~ and butter* ein Butterbrot *nt;* *it's my ~ and butter* (*fig*) davon lebe ich; *he knows which side his ~ is buttered (on)* er weiß, wo was zu holen ist; *to earn one's daily ~* (sich *dat*) sein Brot verdienen. [b] (*col: money*) Moos *nt* (*col*), Kohle *f* (*col*).
[2] *vt* panieren.

bread: ~bin *n* Brotkasten *m;* ~**board** *n* Brot(schneide)brett *nt;* ~**box** *n* (*US*) Brotkasten *m;* ~**crumb** *n* Brotkrume *f or* -krümel *m;* ~**crumbs** *npl* (*Cook*) Paniermehl *nt;* ~**knife** *n* Brotmesser *nt;* ~**line** *n* **to be on the ~line** (*fig*) nur das Allernotwendigste zum Leben haben; ~ **slicer** *n* Brotmaschine *f.*

breadth [bretθ] *n* Breite *f;* (*of ideas, of theory*) (Band)breite *f* ▶ *a hundred metres in ~* hundert Meter breit; *his ~ of outlook* (*open-mindedness*) seine Aufgeschlossenheit; (*variety of interests*) seine Vielseitigkeit.

breadwinner ['bredwɪnəʳ] *n* Ernährer *m.*

break [breɪk] (*vb: pret* **broke,** *ptp* **broken**) [1] *n* [a] (*in bone, pipe, end of relations etc*) Bruch *m;* (*gap*) (*in wall, line*) Lücke *f;* (*in clouds*) Spalt *m* ▶ ~ *in the circuit* Stromkreisunterbrechung *f.* [b] (*pause, rest, Brit Sch*) Pause *f* ▶ *without a ~* ununterbrochen; **to take** *or* **have a ~** (eine) Pause machen. [c] (*change*) (*in contest etc*) Wende *f;* (*holiday, change of activity etc*) Abwechslung *f* ▶ *it makes a nice ~* das ist mal etwas anderes; ~ *in the weather* Wetterumschwung *m.* [d] *at ~ of day* bei Tagesanbruch. [e] (*col: escape*) Ausbruch *m* ▶ *they made a ~ for it* sie versuchten zu entkommen. [f] (*col: luck, opportunity*) **to have a good/bad ~** Glück *or* Schwein (*col*) *nt*/Pech *nt* haben; *we had a few lucky ~s* wir hatten ein paarmal Glück *or* Schwein (*col*) gehabt; *give me a ~!* gib mir ein Chance! [g] (*Snooker*) Ballfolge, Serie *f.*
[2] *vt* [a] brechen; *stick, glass* zerbrechen; *window* einschlagen; *egg* aufschlagen; *surface, shell* durchbrechen ▶ *to ~ a leg* sich (*dat*) das Bein brechen; *to ~ surface* (*submarine*) auftauchen. [b] *law* verletzen; *appointment* nicht einhalten. [c] *journey, current, silence etc* unterbrechen; *monotony, routine* auflockern; *holiday* abbrechen. [d] *sound barrier* durchbrechen; *record* brechen. [e] *he couldn't ~ the habit of smoking* er konnte sich das Rauchen nicht abgewöhnen. [f] *code* entziffern; (*Sport*) *serve* durchbrechen ▶ *to ~ sb* (*financially*) jdn ruinieren; (*mentally*) jdn mürbe machen; (*with grief*) jdn seelisch brechen; *to ~ the bank* die Bank sprengen. [g] *fall* dämpfen, abfangen. [h] *jail, one's bonds* ausbrechen aus. [i] *news* mitteilen ▶ *how can I ~ it to her?* wie soll ich es ihr bloß beibringen?
[3] *vi* [a] brechen; (*rope*) zerreißen; (*smash*) kaputtgehen; (*cup, glass etc*) zerbrechen. [b] (*stop working etc: toy, watch*) kaputtgehen. [c] (*pause*) (eine) Pause machen. [d] (*wave*) sich brechen. [e] (*day, dawn*) anbrechen; (*suddenly: storm*) losbrechen. [f] (*change: weather, luck*) umschlagen. [g] (*disperse: clouds*) aufreißen. [h] (*stamina*) gebrochen werden; (*under interrogation etc*) zusammenbrechen ▶ *after 6 months her health broke* nach 6 Monaten war ihre Gesundheit ruiniert. [i] (*voice: with emotion*) brechen ▶ *his voice is beginning to ~* (*boy*) er kommt in den Stimmbruch; *his voice has*

broken er hat den Stimmbruch schon hinter sich. [j] (*story, news, scandal*) bekannt werden. [k] *to ~ even* seine (Un)kosten decken. [l] *he's broken with her* er hat mit ihr Schluß gemacht.

◆**break away** [1] *vi* [a] (*chair leg, handle etc*) abbrechen (*from* von); (*railway coaches, boats*) sich losreißen (*from* von). [b] (*dash away*) weglaufen (*from* von); (*prisoner*) sich losreißen (*from* von); (*Ftbl*) sich freispielen. [c] (*cut ties*) sich trennen (*from* von). [2] *vt sep* abbrechen (*from* von).

◆**break down** [1] *vi* [a] (*vehicle*) eine Panne haben; (*machine*) ausfallen. [b] (*negotiations, plan*) scheitern; (*communications*) zum Erliegen kommen; (*law and order*) zusammenbrechen; (*marriage*) in die Brüche gehen. [c] (*argument, resistance, person: start crying*) zusammenbrechen. [d] (*be analysed*) (*expenditure*) sich aufschlüsseln *or* -gliedern; (*theory*) sich aufgliedern (lassen). [2] *vt sep* [a] *door* einrennen; *wall* niederreißen; *opposition* brechen; *reserve, shyness* überwinden; *suspicion* zerstreuen. [b] *expenditure* aufschlüsseln; *theory, argument* untergliedern; *substance* aufspalten.

◆**break in** [1] *vi* [a] (*interrupt*) unterbrechen (*on sb/sth* jdn/etw). [b] (*enter illegally*) einbrechen. [2] *vt sep* [a] *door* aufbrechen. [b] *horse* zureiten; *shoes* einlaufen.

◆**break into** *vi* +*prep obj* [a] *house* einbrechen in (+*acc*); *safe, car* aufbrechen. [b] (*use part of*) *savings, £5 note* anbrechen. [c] (*begin suddenly*) *to ~ ~ song/a trot* zu singen/traben anfangen.

◆**break off** [1] *vi* abbrechen; (*stop also*) aufhören ▸ *we ~ ~ at 5 o'clock* wir hören um 5 Uhr auf. [2] *vt sep* abbrechen; *engagement* lösen ▸ *she's broken it ~* sie hat die Verlobung gelöst.

◆**break out** *vi* [a] (*epidemic, fire, war*) ausbrechen. [b] *to ~ ~ in a rash/in(to) spots* einen Ausschlag/Pickel bekommen; *he broke ~ in a cold sweat* ihm brach der Angstschweiß aus. [c] (*escape*) ausbrechen (*from, of* aus).

◆**break through** *vi* durchbrechen.

◆**break up** [1] *vi* [a] (*road*) aufbrechen; (*ice also*) bersten; (*ship in storm*) zerbersten. [b] (*clouds*) sich lichten. (*crowd, group*) auseinanderlaufen; (*meeting, partnership*) sich auflösen; (*marriage, relationship*) in die Brüche gehen; (*friends, partners*) sich trennen. [c] (*Brit Sch*) (*school*) aufhören ▸ *when do you ~ ~?* wann fangen bei euch die Ferien an? [2] *vt sep* [a] *ground, road* aufbrechen; *ship* (*in breaker's yard*) abwracken. [b] *estate* aufteilen; *room also, paragraph, sentence* unterteilen; *empire, combine* auflösen; *lines, expanse of colour* (*make more interesting*) auflockern. [c] *marriage, home* zerstören; *meeting* auflösen; *crowd* (*police*) zerstreuen, auseinandertreiben ▸ *~ it ~!* auseinander!

breakable ['breɪkəbl] [1] *adj* zerbrechlich. [2] *n ~s pl* zerbrechliche Ware.

breakage ['breɪkɪdʒ] *n* Bruch *m* ▸ *to pay for ~s* für zerbrochene Ware bezahlen.

breakaway ['breɪkəˌweɪ] [1] *n* [a] (*Pol*) Absplitterung *f*; (*of state also*) Loslösung *f*. [b] (*Sport*) Aus- or Durchbruch *m*. [c] (*US Sport: false start*) Fehlstart *m*. [2] *adj ~ group* Splittergruppe *f*.

break: ~dance *vi* Breakdance tanzen; **~dancing** *n* Breakdance *m*.

breakdown ['breɪkdaʊn] *n* [a] (*of machine*) Betriebsschaden *m*; (*of vehicle*) Panne *f*. [b] (*of communications, Med*) Zusammenbruch *m*. [c] (*of figures, expenditure etc*) Aufschlüsselung *f*; (*of thesis, theory etc*) Auf- or Untergliederung *f*. [d] (*Chem*) Aufspaltung *f*; (*of matter*) Abbau *m*.

breakdown: ~ service *n* (*Brit*) Pannendienst *m*; **~**

truck *or* **van** *n* (*Brit*) Abschleppwagen *m*.

breaker ['breɪkər] *n* (*wave*) Brecher *m*.

break-even (point) [breɪk'iːvən, (ˌ)pɔɪnt)] *n* Gewinnschwelle *f*.

breakfast ['brekfəst] [1] *n* Frühstück *nt* ▸ *to have ~* frühstücken; *for ~* zum Frühstück. [2] *vi* frühstücken.

breakfast *in cpds* Frühstücks-; **~ cereal** *n* Getreideflocken *pl*; **~ television** *n* Frühstücksfernsehen *nt*.

break-in ['breɪkɪn] *n* Einbruch *m*.

breaking ['breɪkɪŋ] *n* **~ and entering** (*Jur*) Einbruch *m*.

breaking point *n* [a] (*Tech*) Festigkeitsgrenze *f*. [b] (*fig*) *she is at ~* sie ist nervlich am Ende.

break: ~neck *adj*: *at ~neck speed* mit halsbrecherischer Geschwindigkeit; **~-out** *n* Ausbruch *m*; **~ point** *n* (*Tennis*) Breakpunkt *m*; **~through** *n* (*Mil, fig*) Durchbruch *m*; **~-up** *n* [a] (*lit*) (*of ship*) Zerbersten *nt*; (*of ice*) Bersten *nt*. [b] (*fig*) (*of friendship*) Bruch *m*; (*of marriage*) Zerrüttung *f*, (*of political party*) Zersplitterung *f*; (*of partnership, meeting*) Auflösung *f*; **~water** *n* Wellenbrecher *m*.

breast [brest] *n* (*lit, fig*) Brust *f*.

breast: ~ cancer *n* Brustkrebs *m*; **~fed** *adj* *to be ~fed* gestillt werden; **~feed** *vti* stillen; **~ screening** *n* Mammographie *f*; **~ stroke** *m* Brustschwimmen *nt*; *to do the ~ stroke* brustschwimmen.

breath [breθ] *n* [a] Atem *m* ▸ *to take a deep ~* einmal tief Luft holen; *bad ~* Mundgeruch *m*; *with one's dying ~* mit dem letzten Atemzug; *out of ~* außer Atem, atemlos; *in the same ~* im selben Atemzug; *to take sb's ~ away* jdm den Atem verschlagen; *to say sth under one's ~* etw vor sich (*acc*) hin murmeln; *to go out for a ~ of (fresh) air* an die frische Luft gehen. [b] (*slight stirring*) *~ of wind* Lüftchen *nt*, Hauch *m*.

breathalyze ['breθəlaɪz] *vt* (*Brit*) (ins Röhrchen) blasen lassen.

Breathalyzer ® ['breθəlaɪzər] *n* (*Brit*) Promillemesser *m* ▸ *to give sb a ~ (test)* jdn ins Röhrchen blasen lassen.

breathe [briːð] [1] *vi* atmen; (*col: rest*) verschnaufen, Luft holen ▸ *now we can ~ again* jetzt können wir wieder aufatmen; (*have more space*) jetzt haben wir wieder Luft. [2] *vt* air einatmen ▸ *to ~ one's last* seinen letzten Atemzug tun; *he ~d garlic all over me* ich mußte seinen Knoblauchatem über mich ergehen lassen; *he ~d new life into the firm* er brachte neues Leben in die Firma; *don't ~ a word* sag kein Sterbenswörtchen!

◆**breathe in** *vi, vt sep* einatmen.

◆**breathe out** *vi, vt sep* ausatmen.

breather ['briːðər] *n* (*short rest*) Atempause, Verschnaufpause *f*.

breathing ['briːðɪŋ] *n* (*respiration*) Atmung *f* ▸ **~ space** (*fig*) Atempause, Ruhepause *f*.

breathless ['breθlɪs] *adj* atemlos; (*with exertion also*) außer Atem ▸ *it left me ~* (*lit, fig*) es verschlug mir den Atem.

breath: ~taking *adj* atemberaubend; **~ test** *n* Atemalkoholtest *m*.

bred [bred] *pret, ptp of* **breed**.

-bred *suf* *well/ill-~* gut/schlecht erzogen.

breeches ['brɪtʃɪz] *npl* Kniehose *f*; (*riding ~*) Reithose *f*.

breed [briːd] (*vb: pret, ptp* **bred**) [1] *n* (*lit, fig*) (*species*) Art, Sorte *f*. [2] *vt* [a] *animals, flowers* züchten. [b] (*fig: give rise to*) erzeugen. [3] *vi* (*animals*) Junge haben; (*birds*) brüten.

breeder ['briːdər] *n* [a] (*person*) Züchter *m*. [b] (*Tech: also ~ reactor*) Brutreaktor, Brüter *m*.

breeding ['briːdɪŋ] *n* [a] (*reproduction*) Fortpflanzung und Aufzucht *f* der Jungen. [b] (*rearing*) Zucht *f*. [c] (*upbringing, good manners: also good ~*) gute Erziehung,

Kinderstube *f.*

breeding: ~ **cattle** *n* Zuchtvieh *nt*; ~ **stallion** *n* Zuchthengst *m.*

breeze [briːz] **1** *n* Brise *f.*
2 *vi* **to** ~ **in/out** fröhlich angetrabt kommen/vergnügt
abziehen (*of* aus).

breeze block ['briːzblɒk] *n* Ytong ® *m.*

breezy ['briːzɪ] *adj* (+er) **a** *weather, day* windig; *corner
also* luftig. **b** *manner* forsch-fröhlich.

Breton ['bretən] **1** *adj* bretonisch.
2 *n* **a** (*person*) Bretone *m*, Bretonin *f.* **b** (*language*)
Bretonisch *nt.*

brevity ['brevɪtɪ] *n* Kürze *f.*

brew [bruː] **1** *n* (*beer*) Bräu *nt*; (*of tea*) Tee *m*, Gebräu
nt (*iro*); (*of herbs*) Aufguß *m* ► *witch's* ~ Zaubertrank
m.
2 *vt beer* brauen; *tea* aufgießen; (*fig*) *scheme, plot* ausbrüten.
3 *vi* (*beer*) gären; (*tea*) ziehen; (*make beer*) brauen ►
there's something ~ing da braut sich etwas zusammen.

brewer ['bruːəʳ] *n* Brauer *m* ► ~*'s yeast* Bierhefe *f.*

brewery ['bruːərɪ] *n* Brauerei *f.*

briar ['braɪəʳ] *n* **a** (*wood*) Bruyère(holz) *nt* ► ~ (*pipe*)
Bruyère(pfeife) *f.* **b** (*rose*) wilde Rose; (*bramble runner*)
Ranke *f*; (*thorn bush*) Dornbusch *m.*

bribe [braɪb] **1** *n* Bestechung *f*; (*money*) Bestechungsgeld *nt* ► *to take a* ~ sich bestechen lassen.
2 *vt* bestechen ► *to* ~ *sb to do sth* jdn bestechen,
damit er/sie etw tut.

bribery ['braɪbərɪ] *n* Bestechung *f.*

bric-à-brac ['brɪkəbræk] *n* Nippes *m.*

brick [brɪk] *n* **a** Ziegel- *or* Backstein *m* ► *he came down
on me like a ton of ~s* (*col*) er hat mich völlig
fertiggemacht (*col*); *to drop a* ~ (*fig col*) ins Fettnäpfchen treten; *to drop sb/sth like a hot* ~ (*col*) jdn/etw
wie eine heiße Kartoffel fallenlassen. **b** (*toy*) (Bau)klotz
m ► *box of (building)* ~*s* Baukasten *m.*

♦**brick in** *or* **up** *vt sep door, window* zumauern.

brick: ~**layer** *n* Maurer *m*; ~ **red** *adj* ziegelrot; ~ **wall**
n (*fig col*) *I might as well be talking to a* ~ *wall* ich
könnte genausogut gegen eine Wand reden; ~**work** *n*
Backsteinmauerwerk *nt*; ~**works** *n* Ziegelei *f.*

bridal ['braɪdl] *adj* Braut-; *procession, feast* Hochzeits-.

bride [braɪd] *n* Braut *f* ► *the* ~ *and groom* Braut und
Bräutigam, das Hochzeitspaar.

bridegroom ['braɪdgruːm] *n* Bräutigam *m.*

bridesmaid ['braɪdzmeɪd] *n* Brautjungfer *f.*

bridge[1] [brɪdʒ] **1** *n* **a** (*lit, fig*) Brücke *f.* **b** (*Naut*)
(Kommando)brücke *f.*
2 *vt river, railway* eine Brücke schlagen *or* bauen über
(+*acc*); (*fig*) überbrücken ► *to* ~ *the gap* (*fig*) die Zeit
überbrücken; (*between people*) die Kluft überbrücken.

bridge[2] *n* (*Cards*) Bridge *nt.*

bridgehead ['brɪdʒhed] *n* Brückenkopf *m.*

bridging loan ['brɪdʒɪŋˌləʊn] *n* (*Brit*) Überbrückungskredit *m.*

bridle ['braɪdl] **1** *n* (*of horse*) Zaum *m.*
2 *vt horse* aufzäumen; (*fig*) *emotions* im Zaum halten.

bridlepath ['braɪdlˌpɑːθ] *n* Reitweg *m.*

brief [briːf] **1** *adj* (+er) *manner* kurz
angebunden ► *in* ~ kurz (und gut).
2 *n* **a** (*Jur*) Auftrag *m* (*an einen Anwalt*); (*document*)
Unterlagen *pl* zu dem/einem Fall; (*instructions*) Instruktionen *pl.* **b** (*instructions*) Auftrag *m.*
3 *vt* (*employ*) *lawyer* beauftragen; (*give instructions to*)
instruieren (*on* über +*acc*); (*give information*)
informieren (*on* über +*acc*).

briefcase ['briːfkeɪs] *n* (Akten)tasche *f.*

briefing ['briːfɪŋ] *n* (*instructions*) Instruktionen *pl*, Anweisungen *pl*; (*also* ~ *session*) Einsatzbesprechung *f.*

briefly ['briːflɪ] *adv* kurz.

briefs [briːfs] *npl* Slip *m* ► *a pair of* ~ ein Slip.

Brig. = Brigadier.

brigade [brɪˈgeɪd] *n* (*Mil*) Brigade *f.*

brigadier (general) [ˌbrɪgəˈdɪə(ˈdʒenərəl)] *n*
Brigadegeneral *m.*

bright [braɪt] *adj* (+er) **a** hell; *colour* leuchtend; *sunshine also, eyes* strahlend; *day, weather* heiter ► ~ *red*
knallrot; ~ *intervals or periods* (*Met*) Aufheiterungen
pl; *the* ~ *lights* (*col*) der Glanz der Großstadt. **b**
(*cheerful*) *person, smile* fröhlich, heiter ► *I wasn't feeling too* ~ es ging mir nicht besonders gut; ~ *and early*
in aller Frühe. **c** (*intelligent*) *person* intelligent; *child*
aufgeweckt; *idea* glänzend; (*iro*) intelligent. **d** *future,
prospects* glänzend ► *things aren't looking too* ~ es
sieht nicht gerade rosig aus; *we must look on the* ~
side wir müssen die Sache von der positiven Seite betrachten.

brighten (up) ['braɪtn(ʌp)] **1** *vt* (*sep*) **a** (*make
cheerful*) *spirits, person* aufheitern; *room, atmosphere* aufhellen; *prospects, situation* verbessern. **b** (*make bright*)
colour, metal aufhellen; *metal* aufpolieren.
2 *vi* (*weather, sky, face*) sich aufheitern; (*person*) fröhli-
cher werden; (*eyes*) aufleuchten; (*prospects*) besser
werden; (*future*) freundlicher aussehen.

brightly ['braɪtlɪ] *adv shine* hell; *smile* fröhlich.

brightness ['braɪtnɪs] *n see adj* **a** Helligkeit *f*;
Leuchten *nt*; Strahlen *nt*; Heiterkeit *f.* **b** Fröhlichkeit,
Heiterkeit *f.* **c** Intelligenz *f*; Aufgewecktheit *f.*

brill [brɪl] *adj* (*Brit col*) toll (*col*).

brilliance ['brɪljəns] *n* **a** (*of light*) heller Glanz,
Strahlen *nt.* **b** (*of idea, achievement*) Großartigkeit *f*; (*of
person*) Brillanz *f* ► *a man of such* ~ ein Mann von so
hervorragender Intelligenz.

brilliant ['brɪljənt] *adj* **a** *sunshine, light* strahlend; *colour* leuchtend. **b** *idea etc* großartig (*also iro*); *scientist,
achievement also* glänzend, brilliant ► *she is a* ~ *woman*
sie ist eine sehr intelligente Frau.

brilliantly ['brɪljəntlɪ] *adv* **a** *shine* hell; **b** (*very well*)
großartig; *perform* brillant; *talented* glänzend; *witty* herrlich.

brim [brɪm] **1** *n* (*of cup*) Rand *m*; (*of hat also*) Krempe
f.
2 *vi* (*with confidence, energy*) strotzen (*with* vor +*dat*)
► *her eyes were* ~*ming with tears* ihre Augen standen
voll Tränen.

♦**brim over** *vi* (*lit, fig*) überfließen (*with* vor +*dat*).

brimful ['brɪmˈfʊl] *adj* (*lit*) randvoll; (*fig*) voll (*of, with*
von) ► *he is* ~ *of energy* er sprüht vor Energie.

brine [braɪn] *n* **a** (*salt water*) Sole *f*; (*for pickling*) Lake
f. **b** (*sea water*) Salzwasser *nt.*

bring [brɪŋ] *pret, ptp* **brought** *vt* **a** bringen; (*also:* ~
with one) mitbringen ► *did you* ~ *your guitar?* haben
Sie Ihre Gitarre mitgebracht?; *to* ~ *tears to sb's eyes*
jdm die Tränen in die Augen treiben. **b** *I cannot* ~ *myself to speak to him* ich kann es nicht über mich
bringen, mit ihm zu sprechen.

♦**bring about** *vt sep* **a** (*cause*) herbeiführen, verursachen. **b** (*Naut*) wenden.

♦**bring back** *vt sep* **a** (*lit*) *person, object, memories*
zurückbringen. **b** *custom, death penalty* wieder einführen; *government* wiederwählen ► *to* ~ *sb* ~ *to life*
jdn wieder lebendig machen.

♦**bring down** *vt sep* **a** (*out of air*) (*shoot down*) *bird,
plane* herunterholen; (*land*) *plane, kite* herunterbringen.
b *opponent, government* zu Fall bringen; (*by shooting*)
animal zur Strecke bringen; *person* niederschießen. **c**
(*reduce*) *temperature, prices* senken; *swelling*
zurückgehen lassen.

♦**bring forward** *vt sep* **a** (*lit*) *person, chair* nach vorne
bringen. **b** (*fig: present*) *witness* vorführen; *evidence,
argument* vorbringen. **c** (*advance time of*) *meeting* vor-

verlegen. **d** (*Comm*) *figure* übertragen.
♦**bring in** *vt sep* **a** (*lit*) *person, object* hereinbringen (*prep obj, -to* in +*acc*); *harvest* einbringen. **b** (*fig: introduce*) *fashion, custom* einführen. **c** (*involve, call in*) *police etc* einschalten (*on* bei). **d** (*Fin*) *income, money* (ein)bringen (*-to sb* jdm); (*Comm*) *business* bringen. **e** (*Jur: jury*) *verdict* fällen.
♦**bring off** *vt sep* **a** *people from wreck* retten, wegbringen (*prep obj* von). **b** (*succeed with*) *plan* zustande or zuwege bringen ► *he brought it ~!* er hat es geschafft! (*col*).
♦**bring on** *vt sep* **a** (*cause*) *illness, quarrel* herbeiführen, verursachen; *attack also* auslösen. **b** (*help develop*) *pupil* weiterbringen. **c** (*Theat*) *person* auftreten lassen; *thing* auf die Bühne bringen; (*Sport*) *player* einsetzen. **d** *you brought it ~ yourself* das hast du dir selbst zuzuschreiben.
♦**bring out** *vt sep* (*lit, fig*) herausbringen; (*also ~ ~ on strike*) *workers* in den Streik treten lassen ► *to ~ ~ the best/worst in sb* das Beste/Schlimmste in jdm zum Vorschein bringen.
♦**bring round** *vt sep* **a** (*to one's house etc*) vorbeibringen. **b** *discussion* bringen (*to* auf +*acc*). **c** *unconscious person* wieder zu Bewußtsein bringen. **d** (*convert*) herumkriegen (*col*) ► *to ~ sb ~ to one's way of thinking* jdn von seiner Meinung überzeugen.
♦**bring to** *vt always separate unconscious person* wieder zu Bewußtsein bringen.
♦**bring up** *vt sep* **a** (*to a higher place*) heraufbringen. **b** (*raise, increase*) *amount* erhöhen (*to* auf +*acc*); *level, standards* anheben ► *to ~ sb ~ to a certain standard* jdn auf ein gewisses Niveau bringen. **c** (*rear*) *child, animal* groß- *or* aufziehen; (*educate*) erziehen ► *a well brought-~ child* ein gut erzogenes Kind. **d** (*vomit up*) brechen. **e** (*mention*) *fact, problem* erwähnen.
bring-and-buy sale ['brɪŋnənd'baɪ,seɪl] *n* (*Brit*) Basar *m, wo mitgebrachte Sachen verkauft werden.*
brink [brɪŋk] *n* (*lit, fig*) Rand *m* ► *on the ~ of sth/doing sth* (*lit, fig*) am Rande von etw/nahe daran, etw zu tun.
brinkmanship ['brɪŋkmənʃɪp] *n* (*col*) Spiel *nt* mit dem Feuer.
briny ['braɪnɪ] **1** *adj* salzhaltig, salzig. **2** *n* (*col*) See *f.*
brisk [brɪsk] *adj* (+*er*) **a** *person, way of speaking* forsch; *walk, pace* flott. **b** (*fig*) *trade, betting* lebhaft, rege. **c** *wind, weather* frisch.
briskly ['brɪsklɪ] *adv* flott.
bristle ['brɪsl] **1** *n* (*of brush, boar etc*) Borste *f*; (*of beard*) Stoppel *f.* **2** *vi* (*animal's hair*) sich sträuben. **b** (*fig: person*) zornig werden ► *to ~ with anger* vor Wut schnauben. **c** (*fig*) *to be bristling with police* von Polizisten wimmeln; *bristling with difficulties* mit Schwierigkeiten gespickt.
bristly ['brɪslɪ] *adj* (+*er*) *animal, hair* borstig; *chin* Stoppel-, stoppelig.
Brit [brɪt] *n* (*col*) Brite *m*, Britin *f.*
Britain ['brɪtən] *n* Großbritannien *nt.*
British ['brɪtɪʃ] **1** *adj* britisch ► *I'm ~* ich bin Brite/Britin; *the ~ Isles* die Britischen Inseln; *~ Rail* die britischen Eisenbahnen. **2** *n the ~ pl* die Briten *pl.*
Britisher ['brɪtɪʃəʳ] *n* (*US*) Brite *m*, Britin *f.*
Briton ['brɪtən] *n* Brite *m*, Britin *f.*
Brittany ['brɪtənɪ] *n* die Bretagne.
brittle ['brɪtl] *adj* spröde, zerbrechlich ► *~ bones* schwache Knochen.
broach [brəʊtʃ] *vt* **a** *barrel* anstechen, anzapfen. **b** *subject, topic* anschneiden.
broad [brɔːd] *adj* (+*er*) **a** (*wide*) breit ► *it's as ~ as it is long* (*fig*) es ist Jacke wie Hose (*col*). **b** (*widely applica-*

ble) *theory* umfassend; (*general*) allgemein. **c** (*not detailed*) *idea, outline* grob; *sense* weit ► *as a very ~ rule* als Faustregel. **d** (*liberal*) *mind, attitude* großzügig, tolerant. **e** *hint* deutlich. **f** (*strongly marked*) *accent* stark.
broad bean *n* dicke Bohne, Saubohne *f.*
broadcast ['brɔːdkɑːst] (*vb: pret, ptp ~*) **1** *n* (*Rad, TV*) Sendung *f*; (*of match etc*) Übertragung *f.* **2** *vt* **a** (*Rad, TV*) senden, ausstrahlen; *football match, event* übertragen ► *a ~ appeal* ein Aufruf im Rundfunk/Fernsehen. **b** (*fig*) *news, rumour etc* verbreiten. **3** *vi* (*Rad, TV: station*) senden.
broadcaster ['brɔːdkɑːstəʳ] *n* (*Rad, TV*) (*announcer*) Rundfunk-/Fernsehsprecher(in *f*) *m*; (*personality*) Rundfunk-/Fernsehpersönlichkeit *f.*
broadcasting ['brɔːdkɑːstɪŋ] **1** *n* (*Rad, TV*) Sendung *f*; (*of event*) Übertragung *f.* **2** *attr* (*Rad*) Rundfunk-; (*TV*) Fernseh- ► *~ station* (*Rad*) Rundfunkstation *f*; (*TV*) Fernsehstation *f.*
broaden (out) ['brɔːdn(aʊt)] **1** *vt* (*sep*) *road etc* verbreitern ► *to ~ one's mind/one's horizons* (*fig*) seinen Horizont erweitern. **2** *vi* breiter werden, sich verbreitern.
broad jump *n* (*US Sport*) Weitsprung *m.*
broadly ['brɔːdlɪ] *adv* **a** (*in general terms*) allgemein, in großen Zügen ► *~ speaking* ganz allgemein gesprochen. **b** (*greatly, widely*) *differ* beträchtlich. **c** *grin, smile, laugh* breit.
broad: *~-minded* *adj* großzügig, tolerant; *~sheet* *n* Flugblatt *nt*; *~-shouldered* *adj* breitschult(e)rig; *~side* (*Naut*) *n* Breitseite *f*; (*fig also*) Attacke *f*; *to fire a ~side* eine Breitseite abfeuern.
brocade [brəʊ'keɪd] *n* Brokat *m.*
broccoli ['brɒkəlɪ] *n* Brokkoli *pl.*
brochure ['brəʊʃʊəʳ] *n* Broschüre *f*, Prospekt *m.*
brogue[1] [brəʊg] *n* (*Irish accent*) irischer Akzent.
brogue[2] *n* (*shoe*) Budapester *m.*
broil [brɔɪl] *vti* (*Cook*) grillen.
broiler ['brɔɪləʳ] *n* Brathähnchen *nt.*
broke [brəʊk] **1** *pret of* **break**. **2** *adj pred* (*col*) abgebrannt (*col*), pleite (*col*).
broken ['brəʊkən] **1** *ptp of* **break**. **2** *adj* **a** kaputt (*col*); *twig* geknickt; *bone* gebrochen; *rope also* gerissen; (*smashed*) *cup, glass etc also* zerbrochen. **b** *heart, spirit, man, promise* gebrochen; *health, marriage* zerrüttet ► *from a ~ home* aus zerrütteten Familienverhältnissen. **c** *road, surface, ground* uneben; *coastline* zerklüftet. **d** (*interrupted*) *journey, line on road* unterbrochen; *line on paper* gestrichelt; *sleep* unruhig. **e** *English, German etc* gebrochen.
broken: *~-down* *adj machine, car* kaputt (*col*); *~-hearted* *adj* untröstlich.
broker ['brəʊkəʳ] *n* Makler *m.*
brokerage ['brəʊkərɪdʒ] *n* (*fee*) Maklergebühr *f*; (*trade*) Maklergeschäft *nt.*
brolly ['brɒlɪ] *n* (*Brit col*) (Regen)schirm *m.*
bromide ['brəʊmaɪd] *n* (*Chem*) Bromid *nt.*
bronchial ['brɒŋkɪəl] *adj* bronchial ► *~ tubes* Bronchien *pl.*
bronchitis [brɒŋ'kaɪtɪs] *n* Bronchitis *f.*
bronco ['brɒŋkəʊ] *n* (*US*) *wildes oder halbwildes Pferd.*
bronze [brɒnz] **1** *n* Bronze *f.* **2** *vi* (*person*) braun werden. **3** *vt face, skin* bräunen. **4** *adj* Bronze-.
Bronze Age *n* Bronzezeit *f.*
bronzed [brɒnzd] *adj* (sonnen)gebräunt.
brooch [brəʊtʃ] *n* Brosche *f.*
brood [bruːd] **1** *n* (*lit, fig*) Brut *f.* **2** *vi* **a** (*bird*) brüten. **b** (*fig: person*) grübeln.

◆**brood over** or **(up)on** vi +prep obj nachgrübeln über (+acc); (despondently also) brüten über (+dat).

broody ['bru:dɪ] adj [a] hen brütig ► **the hen is** ~ die Henne gluckt; **she is feeling** ~ (hum col) sie wünscht sich (dat) ein Kind. [b] person grüblerisch.

brook¹ [brʊk] n Bach m.

brook² vt (liter: tolerate) dulden.

broom [bru:m] n Besen m ► **a new** ~ **sweeps clean** (Prov) neue Besen kehren gut (Prov).

broom: ~ **cupboard** n Besenschrank m; ~**stick** n Besenstiel m.

Bros npl (Comm) = **Brothers** Gebr.

broth [brɒθ] n Fleischbrühe f; (thickened soup) Suppe f.

brothel ['brɒθl] n Bordell nt, Puff m (col).

brother ['brʌðəʳ] n [a] Bruder m ► **my/his** ~**s and sisters** meine/seine Geschwister; **oh** ~! (esp US col) Junge, Junge! (col). [b] (in trade unions) Kollege m.

brother: ~**hood** n [a] Brüderlichkeit f; [b] (organization) Bruderschaft f; ~**hood of man** Gemeinschaft f der Menschen; ~**-in-law** n, pl ~**s-in-law** Schwager m.

brotherly ['brʌðəlɪ] adj brüderlich.

brought [brɔːt] pret, ptp of **bring**.

brow [braʊ] n [a] (eyebrow) Braue f. [b] (forehead) Stirn f. [c] (of hill) (Berg)kuppe f.

browbeat ['braʊbiːt] pret ~, ptp ~**en** vt unter Druck setzen.

brown [braʊn] [1] adj (+er) braun.
[2] n Braun nt.
[3] vt (sun) skin, person bräunen; (Cook) (an)bräunen; meat also anbraten.
[4] vi braun werden.

brown: ~ **ale** n Malzbier nt; ~ **bear** n Braunbär m; ~ **bread** n Grau- or Mischbrot nt; (from wholemeal) Vollkornbrot nt; (darker) Schwarzbrot nt.

browned off ['braʊnd,ɒf] adj **to be** ~ **with sb/sth** (esp Brit col) jdn/etw satt haben (col).

brownie ['braʊnɪ] n [a] (fairy) Heinzelmännchen nt. [b] B~ Wichtel f; B~ **points** Pluspunkte pl. [c] (cake) kleiner Schokoladenkuchen.

brownish ['braʊnɪʃ] adj bräunlich.

brown: ~**owl** n [a] (Orn) Waldkauz m; [b] B~ **Owl** (in Brownies) die Weise Eule; ~ **paper** n Packpapier nt; ~ **rice** n ungeschälter Reis; ~ **sugar** n brauner Zucker.

browse [braʊz] [1] vi **to** ~ **among the books** in den Büchern schmökern; **to** ~ **(around)** sich umsehen.
[2] n **to have a** ~ **(around)** sich umsehen.

Bruges [bru:ʒ] n Brügge nt.

bruise [bru:z] [1] n blauer Fleck; (on fruit) Druckstelle f.
[2] vt person einen blauen Fleck/blaue Flecke(n) schlagen (+dat); fruit beschädigen; (fig) feelings verletzen.
[3] vi **he** ~**s easily** er bekommt leicht blaue Flecken.

brunch [brʌntʃ] n Brunch m.

brunette [bru:'net] [1] n Brünette f.
[2] adj brünett.

Brunswick ['brʌnzwɪk] n Braunschweig nt.

brunt [brʌnt] n **to bear the** ~ **of the costs/attack** die Hauptlast der Kosten tragen/die volle Wucht des Angriffs mitbekommen.

brush [brʌʃ] [1] n [a] Bürste f; (artist's ~, paint ~, shaving ~) Pinsel m; (with dustpan) Handbesen or -feger m. [b] (action) **to give sth a** ~ etw bürsten; jacket, shoes etw abbürsten. [c] (light touch) leichte Berührung. [d] (Mil: skirmish) Zusammenstoß m ► **to have a** ~ **with sb** mit jdm aneinandergeraten.
[2] vt [a] bürsten; (with hand) wischen ► **to** ~ **one's teeth/hair** sich (dat) die Zähne putzen/das Haar bürsten. [b] (sweep) dirt fegen, kehren; (with hand, cloth) wischen. [c] (touch lightly) streifen.

◆**brush against** vi +prep obj streifen.

◆**brush aside** vt sep obstacle, person (einfach) zur Seite schieben; objections (einfach) abtun.

◆**brush away** vt sep abbürsten; (with hand, cloth) wegwischen; insects verscheuchen.

◆**brush off** vt sep [a] mud, snow abbürsten; insect verscheuchen. [b] (col: reject) person abblitzen lassen (col); suggestion, criticism zurückweisen.

◆**brush past** vi streifen (prep obj acc).

◆**brush up** vt sep [a] crumbs, dirt auffegen, aufkehren. [b] (fig: also ~ ~ **on**) subject, one's German etc auffrischen.

brush: ~**-off** n (col) Abfuhr f; **to give sb the** ~**-off** jdn abblitzen lassen (col), jdm einen Korb geben (col); ~ **stroke** n Pinselstrich m; ~**work** n (Art) Pinselführung f.

brusque [bru:sk] adj (+er) brüsk, schroff.

brusqueness ['bru:sknɪs] n Schroffheit f.

Brussels ['brʌslz] [1] n Brüssel nt.
[2] attr Brüsseler ► ~ **sprouts** Rosenkohl m.

brutal ['bru:tl] adj brutal.

brutality [bru:'tælɪtɪ] n Brutalität f.

brutally ['bru:təlɪ] adv brutal ► ~ **frank** schonungslos offen.

brute [bru:t] [1] n [a] Tier, Vieh (pej) nt. [b] (person) brutaler Kerl; (savage) Bestie f. [c] (col: thing) **it's a** ~ **of a thing to lift** es ist verdammt schwer, das hochzuheben (col).
[2] adj attr strength roh; passion tierisch ► **by** ~ **force** mit roher Gewalt.

BSc = **Bachelor of Science**.

BSI = **British Standards Institution** britischer Normenausschuß.

BST = **British Summer Time** britische Sommerzeit.

Bt = **baronet**.

BT = **British Telecom** britisches Telekommunikationsunternehmen.

btu = **British thermal unit** britische Wärmeeinheit.

bubble ['bʌbl] [1] n Blase f ► **to blow** ~**s** Blasen machen.
[2] vi (liquid) sprudeln; (wine) perlen; (gas) Blasen bilden.

◆**bubble over** vi (lit) überschäumen; (fig) übersprudeln (with vor +dat).

bubble: ~ **bath** n Schaumbad nt; ~ **gum** n Kaugummi m or nt.

bubbly ['bʌblɪ] [1] adj (+er) (lit) sprudelnd; (fig col) personality temperamentvoll, lebendig.
[2] n (col: champagne) Schampus m (col).

Bucharest [,bju:kə'rest] n Bukarest nt.

buck [bʌk] n [a] (male) (of deer) Bock m; (of rabbit) Rammler m. [b] (US col: dollar) Dollar m ► **to make a fast** ~ (also Brit) schnell Kohle machen (col). [c] **to pass the** ~ den Schwarzen Peter weitergeben; (responsibility also) die Verantwortung abschieben.

◆**buck up** (col) [1] vi [a] (hurry up) sich ranhalten (col), rasch or fix machen (col) ► ~ ~! halt dich ran! (col). [b] (cheer up) aufleben ► ~ ~! Kopf hoch!
[2] vt sep [a] (make cheerful) aufmuntern. [b] **to** ~ **one's ideas** ~ sich zusammenreißen (col).

bucket ['bʌkɪt] [1] n Eimer m; (of excavator) Schaufel f ► **a** ~ **of water** ein Eimer Wasser.
[2] vi (col) **it's** ~**ing, the rain is** ~**ing (down)** es gießt wie aus Kübeln (col).

bucket: ~ **seat** n Schalensitz m; ~ **shop** n (travel agent) Agentur f für Billigreisen.

┌─ **BUCKINGHAM PALACE** ─┐

ⓘ **Buckingham Palace** *ist die offizielle Londoner Residenz der britischen Monarchen und liegt am St James Park. Der Palast wurde 1703 für den Herzog von Buckingham erbaut, 1762 von Georg III gekauft, zwischen 1821 und 1836 von John Nash umgebaut, und Anfang des 20. Jahrhunderts teilweise neu gestaltet. Teile*

des Buckingham Palace sind heute der Öffentlichkeit zugänglich.

buckle ['bʌkl] **1** *n* **a** (*on belt, shoe*) Schnalle, Spange *f*. **b** (*in metal etc*) Beule *f*; (*concave also*) Delle *f*. **2** *vt* **a** *belt, shoes* zuschnallen. **b** *wheel, girder etc* verbiegen; (*dent*) verbeulen. **3** *vi* **a** (*belt, shoe*) mit einer Schnalle *or* Spange geschlossen werden, geschnallt werden. **b** (*wheel, metal*) sich verbiegen.
♦**buckle down** *vi* (*col*) sich dranmachen (*to* an +*dat*) (*col*).
Bucks [bʌks] (*Brit*) = **Buckinghamshire**.
buck: **~skin** *n* Wildleder *nt*; **~tooth** *m* vorstehender Zahn; **~wheat** *n* Buchweizen *m*.
bud [bʌd] **1** *n* Knospe *f* ► **to be in ~** knospen, Knospen treiben. **2** *vi* (*plant, flower*) knospen, Knospen treiben; (*tree also*) ausschlagen.
Budapest [bjuːdə'pest] *n* Budapest *nt*.
Buddha ['budə] *n* Buddha *m*.
Buddhism ['budɪzəm] *n* Buddhismus *m*.
Buddhist ['budɪst] **1** *n* Buddhist(in *f*) *m*. **2** *adj* buddhistisch.
budding ['bʌdɪŋ] *adj* knospend; (*fig*) *poet etc* angehend.
buddy ['bʌdɪ] *n* (*US col*) Kumpel *m*.
budge [bʌdʒ] **1** *vi* **a** (*move*) sich rühren, sich bewegen. **b** (*fig: give way*) nachgeben, weichen ► *I will not ~ an inch* ich werde keinen Fingerbreit nachgeben. **2** *vt* (*move*) (von der Stelle) bewegen ► *we can't ~ him* (*fig*) er läßt sich durch nichts erweichen.
budgerigar ['bʌdʒərɪgɑː'] *n* Wellensittich *m*.
budget ['bʌdʒɪt] **1** *n* Etat *m*, Budget *nt*; (*Parl also*) Haushalt(splan) *m* ► **~ deficit** Haushaltsdefizit *nt*; **~ speech** Etatrede *f*. **2** *vi* wirtschaften; (*prepare a budget*) den Haushaltsplan aufstellen. **3** *vt* *money, time* verplanen.
♦**budget for** *vt +prep obj* (im Etat) einplanen.
budgie ['bʌdʒɪ] *n* (*col*) = **budgerigar**.
Buenos Aires ['bweinɒs'aɪrɪz] *n* Buenos Aires *nt*.
buff [bʌf] **1** *n* **a** (*colour*) Gelbbraun *nt*. **b** (*col: movie ~ etc*) Fan *m*. **2** *adj* gelbbraun.
buffalo ['bʌfələu] *n, pl* **-es**, *collective pl* - Büffel *m*.
buffer ['bʌfə'] *n* (*lit, fig*) Puffer *m*; (*Rail: at terminus*) Prellbock *m*; (*Comp: memory*) Pufferspeicher *m* ► *old ~* (*col*) alter Heini (*col*).
buffer state *n* (*Pol*) Pufferstaat *m*.
buffet¹ ['bʌfɪt] **1** *n* (*blow*) Schlag *m*. **2** *vt* hin und her werfen ► **~ed by the wind** von Windböen geschüttelt.
buffet² ['bufeɪ] *n* Büfett *nt*; (*Brit Rail*) Speisewagen *m*; (*meal*) Büfettessen *nt*; (*cold ~*) kaltes Büfett.
buffet: ['bufeɪ-] **~ car** *n* (*Brit Rail*) Speisewagen *m*; **~ lunch/supper** *n* Büfettessen *nt*.
bug [bʌg] **1** *n* **a** Wanze *f*; (*col: any insect*) Käfer *m*. **~s** *pl* Ungeziefer *nt*. **b** (*bugging device*) Wanze *f*. **c** (*col: germ, virus*) Bazillus *f* ► *he picked up a ~ while on holiday* er hat sich (*dat*) im Urlaub eine Krankheit geholt. **d** (*col: obsession*) *she's got the travel ~* die Reiselust hat sie gepackt. **e** (*col: fault*) Fehler *m*; (*Comp*) Programmfehler *m*. **2** *vt* **a** *room, building* Wanzen *pl* einbauen in (+*acc*) (*col*); *conversation, telephone lines* abhören. **b** (*col*) (*worry*) stören; (*annoy*) nerven (*col*), den Nerv töten (+*dat*) (*col*) ► *don't let it ~ you* mach dir nichts draus (*col*).
bugbear ['bʌgbeə'] *n* Problem *nt*; (*drawback*) Nachteil

bugger ['bʌgə'] **1** *n* (*col!*) Scheißkerl *m* (*col!*), Arschloch *nt* (*col!*); (*when not contemptible*) Kerl (*col*), Typ (*col*) *m*; (*thing*) Scheißding *nt* (*col!*) ► *you lucky ~!* du hast vielleicht ein Schwein! (*col*); *to play silly ~s* (*col*) Scheiß machen (*col*). **2** *interj* (*col!*) Mist! (*col*) ► *~ him* dieser Scheißkerl (*col!*).
♦**bugger off** *vi* (*Brit col!*) abhauen (*col*).
♦**bugger up** *vt sep* (*Brit col!*) versauen (*col!*).
buggy ['bʌgɪ] *n* (*also* **baby ~**) (Klapp)sportwagen *m*.
bugle ['bjuːgl] *n* Signalhorn *nt*.
build [bɪld] (*vb: pret, ptp* **built**) **1** *n* Körperbau *m*. **2** *vt* **a** bauen ► *the house is being built* das Haus ist im Bau. **b** (*fig*) *new nation, relationship etc* aufbauen; *a better future* schaffen. **3** *vi* bauen.
♦**build on** **1** *vt sep* anbauen. **2** *vi* **a** anbauen. **b** +*prep obj* bauen auf (+*acc*).
♦**build up** **1** *vi* **a** entstehen; (*anticyclone, atmosphere also*) sich aufbauen; (*increase*) zunehmen; (*Tech: pressure*) sich erhöhen ► *the music ~s to a huge crescendo* die Musik steigert sich zu einem gewaltigen Crescendo. **b** (*traffic*) sich verdichten; (*queue, line of cars*) sich bilden. **2** *vt sep* **a** aufbauen (*into* zu); *finances* aufbessern ► *to ~ ~ a reputation* sich (*dat*) einen Namen machen. **b** (*increase*) *ego, muscles* aufbauen; *production, pressure* steigern, erhöhen; *forces* (*mass*) zusammenziehen; *health* kräftigen; *sb's confidence* stärken ► *to ~ ~ sb's hopes* jdm Hoffnung(en) machen. **c** (*with houses*) *area, land* (ganz) bebauen. **d** (*publicize*) *person* aufbauen.
builder ['bɪldə'] *n* (*contractor*) Bauunternehmer *m* ► *~'s labourer* Bauarbeiter *m*; *~'s merchant* Baustoffhändler *m*.
building ['bɪldɪŋ] *n* **a** Gebäude *nt*; (*usually big also*) Bau *m*. **b** (*act of constructing*) Bau *m*, Bauen *nt*.
building: **~ block** *n* (*in toy set*) Bauklotz *m*; (*fig*) Baustein *m*; **~ contractor** *n* Bauunternehmer *m*; **~ industry** *n* Bauindustrie *f*, **~ site** *n* Baustelle *f*; **~ society** *n* (*Brit*) Bausparkasse *f*; **~ trade** *n* Baugewerbe *nt*.
build-up ['bɪldʌp] *n* **a** (*publicity*) Werbung *f* ► *they gave the play a good ~* sie haben das Stück ganz groß herausgebracht (*col*). **b** (*of pressure*) Steigerung *f*; (*Tech also*) Verdichtung *f* ► *~ of troops* Truppenmassierungen *pl*.
built [bɪlt] *pret, ptp of* **build**.
built: **~-in** *adj* **a** *cupboard etc* eingebaut, Einbau-; (*fig*) *safeguard* eingeplant; **~-in obsolescence** geplanter Verschleiß; **b** (*inherent*) instinktiv; **~-up area** *n* bebautes Gebiet; (*Mot*) geschlossene Ortschaft.
bulb [bʌlb] *n* **a** Zwiebel *f*. **b** (*Elec*) (Glüh)birne *f*. **c** (*of thermometer etc*) Kolben *m*.
bulbous ['bʌlbəs] *adj* *nose* Knollen-; *growth etc* knotig, Knoten-.
Bulgaria [bʌl'geərɪə] *n* Bulgarien *nt*.
Bulgarian [bʌl'geərɪən] **1** *adj* bulgarisch. **2** *n* **a** Bulgare *m*, Bulgarin *f*. **b** (*language*) Bulgarisch *nt*.
bulge [bʌldʒ] **1** *n* (*in surface*) Wölbung *f*; (*irregular*) Unebenheit *f*, Buckel *m* (*col*); (*in line*) Bogen *m*; (*in tyre*) Wulst *m*; (*in birth rate etc*) Zunahme *f* (*in gen*). **2** *vi* **a** (*also ~ out*) (*swell*) (an)schwellen; (*metal, sides of box*) sich wölben; (*stick out*) vorstehen. **b** (*pocket, sack*) prall gefüllt sein (*with* mit).
bulimia [bə'lɪmɪə] *n* Bulimie *f*, Kotz- und Freßsucht *f* (*col*).
bulging ['bʌldʒɪŋ] *adj* *stomach* vorstehend; *pocket, suitcase* prall gefüllt ► *~ eyes* Glotzaugen *pl*.
bulk [bʌlk] *n* **a** (*size*) Größe *f*; (*large shape*) (*of thing*) massige Form; (*of person, animal*) massige Gestalt. **b**

(*main part*) (*also* **great** ~) größter Teil; (*of debt, loan also*) Hauptteil *m*; (*of work, mineral deposits also*) Großteil *m*; (*of people, votes also*) Gros *nt*; (*of property, legacy etc also*) Masse *f*. **c** (*Comm*) **in** ~ im großen, en gros; ~ **buying** Mengeneinkauf *m*.

bulkhead ['bʌlkhed] *n* (*Naut*) Schott *nt*; (*Aut*) Spritzwand *f*.

bulky ['bʌlkɪ] *adj* (+er) *object* sperrig; *book* dick; *sweater* unförmig; *person* massig, wuchtig.

bull [bʊl] *n* **a** Stier *m*; (*for breeding*) Bulle *m* ▸ **to take the** ~ **by the horns** (*fig*) den Stier bei den Hörnern packen; **like a** ~ **in a china shop** (*col*) wie ein Elefant im Porzellanladen (*col*). **b** (*male of elephant, whale etc*) Bulle *m*.

bulldog ['bʊldɒg] *n* Bulldogge *f*.

bulldoze ['bʊldəʊz] *vt* (*lit*) mit Bulldozern wegräumen ▸ **to** ~ **sb into doing sth** jdn zwingen, etw zu tun; **she ~d her way through the crowd** sie boxte sich durch die Menge.

bulldozer ['bʊldəʊzəʳ] *n* Planierraupe *f*, Bulldozer *m*.

bullet ['bʊlɪt] *n* Kugel *f* ▸ ~**hole** Einschuß(loch *nt*) *m*.

bulletin ['bʊlɪtɪn] *n* Bulletin *nt*, amtliche Bekanntmachung; (*TV, Rad*) (*also* **news** ~) Nachrichtensendung *f* ▸ ~ **board** (*US*) Schwarzes Brett.

bullet: ~**proof** *adj* kugelsicher; ~ **wound** *n* Schußwunde *or* -verletzung *f*.

bull: ~**fight** *n* Stierkampf *m*; ~**fighter** *n* Stierkämpfer *m*; ~**finch** *n* Dompfaff, Gimpel *m*; ~**frog** *n* Ochsenfrosch *m*.

bullion ['bʊljən] *n no pl* Gold-/Silberbarren *pl*.

bull: ~ **market** *n* (*St Ex*) Hausse(markt *m*) *f*; ~**necked** *adj* stiernackig.

bullock ['bʊlək] *n* Ochse *m*.

bull: ~**ring** *n* Stierkampfarena *f*; ~'**s eye** *n* **a** (*of target*) Scheibenmittelpunkt *m*, Scheibenzentrum *nt*; (*hit*) Schuß *m* ins Schwarze *or* Zentrum; **b** (*window pane*) Butzenscheibe *f*; ~**shit** *n* (*col!*) Scheiß *m* (*col*).

bully ['bʊlɪ] **1** *n* Tyrann *m*; (*esp Sch*) Rabauke *m* ▸ **you great big** ~ du Rüpel.
2 *vt* tyrannisieren, schikanieren; (*using violence*) drangsalieren, traktieren ▸ **to** ~ **sb into doing sth** jdn so unter Druck setzen, daß er/sie etw tut.

◆**bully about** *or* **around** *vt sep* herumkommandieren, tyrannisieren.

bulrush ['bʊlrʌʃ] *n* Rohrkolben *m*.

bulwark ['bʊlwək] *n* (*lit, fig*) Bollwerk *nt*.

bum¹ [bʌm] *n* (*esp Brit col*) Hintern *m* (*col*).

bum² **1** (*col*) *n* **a** (*good-for-nothing*) Rumtreiber *m* (*col*); (*young*) Gammler *m*; (*down-and-out*) Penner *m* (*col*). **b** (*despicable person*) Saukerl *m* (*col*).
2 *adj* (*bad*) beschissen (*col!*) ▸ ~ **rap** (*US*) falsche Anklage.

◆**bum about** *or* **around** *vi* (*col*) rumgammeln (*col*).

bumble-bee ['bʌmblbiː] *n* Hummel *f*.

bumbling ['bʌmblɪŋ] *adj* schusselig (*col*).

bumf [bʌmf] *n* (*Brit col*) Papierkram *m* (*col*).

bump [bʌmp] **1** *n* **a** (*blow, noise, jolt*) Bums *m* (*col*); (*of sth falling also*) Plumps *m* (*col*) ▸ **to get a** ~ **on the head** sich (*dat*) den Kopf anschlagen. **b** (*on any surface*) Unebenheit *f*; (*on head, knee etc*) Beule *f*; (*on car*) Delle *f*.
2 *vt* stoßen; *car wing etc, one's own car* eine Delle fahren in (+*acc*); *another car* fahren in (+*acc*) ▸ **to** ~ **one's head** sich (*dat*) den Kopf anstoßen *or* anschlagen (*on, against* an +*dat*).
3 *vi* (*move joltingly*) holpern.
4 *adv* **to go** ~ bumsen (*col*).

◆**bump into** *vi* +*prep obj* **a** stoßen gegen; (*driver, car*) fahren gegen; *another car* fahren in (+*acc*). **b** (*col: meet*) zufällig treffen.

◆**bump off** *vt sep* (*col*) abmurksen (*col*).

bumper ['bʌmpəʳ] **1** *n* (*of car*) Stoßstange *f*.
2 *adj* ~ **crop** Rekordernte *f*.

bumper car *n* Autoskooter *m*.

bumpkin ['bʌmpkɪn] *n* (*also* **country** ~) (Bauern)tölpel *m*.

bumptious ['bʌmpʃəs] *adj* aufgeblasen.

bumpy ['bʌmpɪ] *adj* (+er) *surface* holp(e)rig; *flight* unruhig.

bun [bʌn] *n* **a** (*bread*) süßes Brötchen; (*iced* ~ *etc*) süßes Teilchen ▸ **to have a** ~ **in the oven** (*col*) ein Kind kriegen (*col*). **b** (*hair*) Knoten *m*.

bunch [bʌntʃ] *n* **a** (*of flowers*) Strauß *m*; (*of radishes*) Bund *nt*; (*of bananas*) Büschel *nt* ▸ **a** ~ **of grapes** eine (ganze) Weintraube; ~ **of keys** Schlüsselbund *m*; **to wear one's hair in** ~**es** Rattenschwänze haben. **b** (*col: of people*) Grüppchen *nt*, Haufen *m* (*col*). **c** (*col: a lot*) **thanks a** ~ (*esp iro*) schönen Dank.

◆**bunch together 1** *vt sep* ~**ed** ~ dicht zusammen.
2 *vi* (*people*) Grüppchen bilden.

◆**bunch up** *vi* **a** (*people*) Grüppchen bilden. **b** (*material*) sich bauschen.

bundle ['bʌndl] **1** *n* Bündel *nt*; (*Comp*) Paket *nt* ▸ **he is a** ~ **of nerves** er ist ein Nervenbündel; **that child is a** ~ **of mischief** das Kind hat nichts als Unfug im Kopf.
2 *vt* **a** bündeln.
b (*put, send hastily*) *things* stopfen; *people* verfrachten, schaffen; (*into vehicle*) packen (*col*).

◆**bundle off** *vt sep* **he was** ~**d** ~ **to Australia** er wurde nach Australien verfrachtet.

◆**bundle up** *vt sep* (*tie into bundles*) bündeln.

bun fight *n* (*col*) Festivitäten *pl*.

bung [bʌŋ] **1** *n* (*of cask*) Spund(zapfen) *m*.
2 *vt* (*Brit col: throw*) schmeißen (*col*).

◆**bung up** *vt sep* (*col*) *pipe* verstopfen ▸ **I'm all** ~**ed** ~ meine Nase ist verstopft.

bungalow ['bʌŋgələʊ] *n* Bungalow *m*.

bungee jumping ['bʌndʒɪ-], **bungy jumping** *n* Bungee-Springen *nt*.

bungle ['bʌŋgl] *vt* verpfuschen.

bungler ['bʌŋgləʳ] *n* Stümper *m*.

bungling ['bʌŋglɪŋ] *adj person* ungeschickt, dusselig (*col*); *attempt* stümperhaft.

bunk¹ [bʌŋk] *n*: **to do a** ~ (*col*) türmen (*col*).

bunk² *n* (*col: nonsense*) Quatsch *m* (*col*).

bunk³ *n* (*in ship*) Koje *f*; (*in train, dormitory*) Bett *nt*.

bunk-beds [bʌŋk'bedz] *npl* Etagenbett *nt*.

bunker ['bʌŋkəʳ] *n* (*Naut, Golf, Mil*) Bunker *m*.

bunkum ['bʌŋkəm] *n* (*col*) Quatsch *m* (*col*).

bunny ['bʌnɪ] *n* (*also* ~ **rabbit**) (*esp baby talk*) Hase *m*, Häschen *nt*.

bunting ['bʌntɪŋ] *n* (*flags*) bunte Fähnchen *pl*, Wimpel *pl*.

buoy [bɔɪ] *n* Boje *f*.

◆**buoy up** *vt sep* (*lit*) über Wasser halten; (*fig*) *person* Auftrieb geben (+*dat*); *hopes* beleben.

buoyancy ['bɔɪənsɪ] *n* **a** (*of ship, object*) Schwimmfähigkeit *f*. **b** (*fig: cheerfulness*) Schwung, Elan *m*.

buoyant ['bɔɪənt] *adj* **a** *ship, object* schwimmend. **b** (*fig*) *person, mood* heiter; (*energetic*) *step* federnd. **c** *market* rege.

BUPA ['buːpə] = **British United Provident Association** *private Krankenversicherung*.

burble ['bɜːbl] *vi* (*stream*) plätschern; (*person*) plappern; (*baby*) gurgeln.

burden ['bɜːdn] **1** *n* **a** (*lit*) Last *f* ▸ **beast of** ~ Lasttier *nt*. **b** (*fig*) Belastung *f* (*on, to für*) ▸ **I don't want to be a** ~ **to you** ich möchte Ihnen nicht zur Last fallen; **the** ~ **of proof lies with him** er muß den Beweis dafür erbringen; (*Jur*) er trägt die Beweislast.
2 *vt* belasten.

bureau [bjʊəˈrəʊ] *n* [a] (*Brit: desk*) Sekretär *m*. [b] (*US: chest of drawers*) Kommode *f*. [c] (*office*) Büro *nt*. [d] (*government department*) Amt *nt*.
bureaucracy [bjʊəˈrɒkrəsɪ] *n* Bürokratie *f*.
bureaucrat [ˈbjʊərəʊkræt] *n* Bürokrat *m*.
bureaucratic [ˌbjʊərəʊˈkrætɪk] *adj* bürokratisch.
burger [ˈbɜːgəʳ] *n* (*col*) Hamburger *m*.
burglar [ˈbɜːgləʳ] *n* Einbrecher(in *f*) *m* ► ~ *alarm* Alarmanlage *f*.
burglarize [ˈbɜːgləraɪz] *vt* (*US*) einbrechen in (+*acc*) ► *he was ~d* bei ihm wurde eingebrochen.
burglary [ˈbɜːglərɪ] *n* Einbruch *m*.
burgle [ˈbɜːgl] *vt* einbrechen in (+*acc*) ► *he was ~d* bei ihm wurde eingebrochen.
Burgundy [ˈbɜːgəndɪ] *n* Burgund *nt*; (*wine*) Burgunder *m*.
burial [ˈberɪəl] *n* Beerdigung *f*; (~ *ceremony also*) Begräbnis *nt*; (*in cemetery also*) Beisetzung *f* (*form*) ► ~ *ground* Begräbnisstätte *f*; ~ *service* Trauerfeier *f*.
burlesque [bɜːˈlesk] *n* [a] (*parody*) Parodie *f*; (*Theat*) Burleske *f*. [b] (*US Theat*) Varieté *nt*; (*show*) Varietévorstellung *f*.
burly [ˈbɜːlɪ] *adj* (+*er*) kräftig, stramm.
Burma [ˈbɜːmə] *n* Birma *nt*.
Burmese [bɜːˈmiːz] [1] *adj* birmanisch.
[2] *n* Birmane *m*, Birmanin *f*; (*language*) Birmanisch *nt*.
burn (*vb: pret, ptp* ~**ed** *or* ~**t**) [1] *n* (*on skin*) Brandwunde *f*; (*on material*) verbrannte Stelle, Brandfleck *m* ► *severe* ~*s* schwere Verbrennungen *pl*.
[2] *vt* [a] verbrennen; *village, building* niederbrennen ► *to* ~ *oneself* sich verbrennen; *to be* ~*t to death* (*at stake*) verbrannt werden; (*in accident*) verbrennen; *to* ~ *a hole in sth* ein Loch in etw (*acc*) brennen; *to* ~ *one's boats or bridges* (*fig*) alle Brücken hinter sich (*dat*) abbrechen; *to* ~ *one's fingers* (*lit, fig*) sich (*dat*) die Finger verbrennen; *to* ~ *the midnight oil* (*fig*) bis tief in die Nacht arbeiten. [b] *meat, toast etc* verbrennen lassen; (*slightly*) anbrennen lassen. [c] (*acid*) ätzen. [d] (*use as fuel: ship etc*) befeuert werden mit; (*use up*) *petrol, electricity* verbrauchen.
[3] *vi* [a] brennen. [b] (*meat, pastry etc*) verbrennen; (*slightly*) anbrennen ► *she* ~*s easily* sie bekommt leicht einen Sonnenbrand. [c] *to be* ~*ing to do sth* darauf brennen, etw zu tun; *he was* ~*ing with anger* er kochte wor Wut. [d] (*Space: rockets*) zünden.
◆**burn down** [1] *vi* [a] (*house etc*) ab- *or* niederbrennen. [b] (*fire, candle, wick*) herunterbrennen.
[2] *vt sep* ab- *or* niederbrennen.
◆**burn off** *vt sep paint etc* abbrennen.
◆**burn out** [1] *vi* (*fire, candle*) ausgehen; (*fuse*) durchbrennen; (*rocket*) den Treibstoff verbraucht haben.
[2] *vr* [a] (*candle, lamp*) herunterbrennen; (*fire*) ab- *or* ausbrennen. [b] (*fig col*) *to* ~ *oneself* ~ sich völlig verausgaben.
[3] *vt sep usu pass* ~*t* ► *lorries/houses* ausgebrannte Lastwagen/Häuser.
◆**burn up** [1] *vi* [a] (*fire etc*) auflodern. [b] (*rocket etc*) verglühen.
[2] *vt sep rubbish* verbrennen; *fuel, energy* verbrauchen; *excess fat also* abbauen.
burner [ˈbɜːnəʳ] *n* (*of cooker, lamp*) Brenner *m*.
burning [ˈbɜːnɪŋ] [1] *adj* (*lit, fig*) brennend.
[2] *I can smell* ~ es riecht verbrannt.
burnish [ˈbɜːnɪʃ] *vt metal* polieren.

┌─ **BURNS' NIGHT** ─────────────────┐

🛈 *Burns' Night* ist der am 25. Januar begangene Gedenktag für den schottischen Dichter Robert Burns (1759-1796). Wo Schotten leben, sei es in Schottland oder im Ausland, wird dieser Tag mit einem Abendessen gefeiert, bei dem es als Hauptgericht *Haggis* gibt, der mit

Dudelsackbegleitung aufgetischt wird. Dazu ißt man Steckrüben- und Kartoffelpüree und trinkt Whisky. Während des Essens werden Burns' Gedichte vorgelesen, seine Lieder gesungen, bestimmte Reden gehalten und Trinksprüche ausgegeben.

─────────────────────────────────

burnt [bɜːnt] *adj* verbrannt ► ~ *offering* (*Rel*) Brandopfer *nt*; (*hum: food*) angebranntes Essen.
burp [bɜːp] (*col*) [1] *vi* rülpsen (*col*); (*baby*) aufstoßen.
[2] *vt baby* aufstoßen lassen.
[3] *n* Rülpser *m* (*col*).
burrow [ˈbʌrəʊ] [1] *n* (*of rabbit etc*) Bau *m*.
[2] *vti* (*rabbits, dogs etc*) graben, buddeln (*col*); (*person: in papers etc*) wühlen.
bursar [ˈbɜːsəʳ] *n* Schatzmeister *m*.
bursary [ˈbɜːsərɪ] *n* [a] (*grant*) Stipendium *nt*. [b] (*office*) Schatzamt *nt*.
burst [bɜːst] (*vb: pret, ptp* ~) [1] *n* [a] (*of shell etc*) Explosion *f*. [b] (*in pipe etc*) Bruch *m*. [c] (*of anger, enthusiasm, activity etc*) Ausbruch, Anfall *m* ► ~ *of laughter* Lachsalve *f*; ~ *of applause* Beifallssturm *m*; ~ *of speed* Spurt *m*; (*of cars etc*) Riesenbeschleunigung *f* (*col*); *a* ~ *of automatic gunfire* eine Maschinengewehrsalve.
[2] *vi* [a] platzen ► *to* ~ *open* (*box, door etc*) aufspringen; (*abscess, wound*) aufplatzen. [b] (*be very full*) platzen ► *to fill sth to* ~*ing point* etw bis zum Platzen füllen; *to be* ~*ing with pride* vor Stolz platzen; *he was* ~*ing to tell us* (*col*) er brannte darauf, uns das zu sagen; *I'm* ~*ing* (*col*) ich platze gleich (*col*). [c] *to* ~ *into tears/flames* in Tränen ausbrechen/in Flammen aufgehen; *he* ~ *into song* er fing plötzlich an zu singen; *he* ~ *into the room* er platzte ins Zimmer; *the sun* ~ *through the clouds* die Sonne brach durch die Wolken; *to* ~ *out laughing/crying* in Gelächter/Tränen ausbrechen.
[3] *vt balloon, bubble* zum Platzen bringen, platzen lassen; *boiler, pipe, dyke* sprengen ► *the river has* ~ *its banks* der Fluß ist über die Ufer getreten; *to* ~ *one's sides with laughter* vor Lachen platzen.
burton [ˈbɜːtn] *n* (*Brit col*) *to have gone for a* ~ im Eimer sein (*col*); (*be lost*) futsch sein (*col*).
bury [ˈberɪ] *vt* [a] *person, animal, differences* begraben; (*with ceremony also*) beerdigen; (*hide in earth*) *treasure, bones* vergraben; (*put in earth*) *end of post, roots* eingraben ► *buried by an avalanche* von einer Lawine verschüttet *or* begraben; *to* ~ *one's head in the sand* (*fig*) den Kopf in den Sand stecken; *to* ~ *one's face in one's hands* das Gesicht in den Händen vergraben. [b] (*put, plunge*) *hands, fingers* vergraben (*in in* +*dat*); *claws, teeth* schlagen (*in in* +*acc*); *dagger* stoßen (*in in* +*acc*). [c] *to* ~ *oneself in one's books* sich in seinen Büchern vergraben; *buried in thought* in Gedanken versunken.
bus [bʌs] [1] *n, pl* -**es** *or* (*US*) -**ses** (Omni)bus *m* ► *by* ~ mit dem Bus.
[2] *vt* (*esp US*) mit dem Bus befördern.
bus: ~ **company** *n* Verkehrsbetrieb *m*; ~ **conductor** *n* Busschaffner *m*; ~ **depot** *n* Busdepot *nt*; ~ **driver** *n* Busfahrer(in *f*) *m*; ~ **fare** *n* Busfahrpreis *m*; ~ **garage** *n* Busdepot *nt*.
bush¹ [bʊʃ] *n* [a] (*shrub*) Busch, Strauch *m*; (*thicket: also* ~*es*) Gebüsch *nt* ► *to beat about the* ~ (*fig*) wie die Katze um den heißen Brei herumschleichen. [b] (*in Africa, Australia*) Busch *m*.
bush² *n* (*Tech*) Buchse *f*.
bushy [ˈbʊʃɪ] *adj* (+*er*) buschig.
busily [ˈbɪzɪlɪ] *adv* eifrig.
business [ˈbɪznɪs] *n* [a] Geschäft *nt*; (*enterprise also*) Betrieb *m*; (*line of* ~) Branche *f* ► *to be in the plastics/ insurance* ~ in der Plastikbranche/im Versicherungsgewerbe sein; *to set up in* ~ ein Geschäft gründen; *to go out of* ~ zumachen; *to do* ~ *with sb* Geschäfte *pl*

mit jdm machen; ~ is ~ Geschäft ist Geschäft; *he is here/away on* ~ er ist geschäftlich hier/unterwegs; *to get down to* ~ zur Sache kommen; *now we're in* ~ (*fig col*) jetzt kann's losgehen (*col*); *to mean* ~ (*col*) es ernst meinen. **b** (*concern, col: affair*) Sache *f*; (*task, duty also*) Aufgabe *f* ▶ *that's my* ~ das ist meine Sache *or* Angelegenheit; *that's none of my/your* ~ das geht mich/dich nichts an; *to make it one's* ~ *to do sth* es sich (*dat*) zur Aufgabe machen, etw zu tun; *you've no* ~ *doing that* du hast kein Recht, das zu tun. **c** *this will do the* ~ (*col: do the job*) das bringt's (*col*).

business: ~ **address** *n* Geschäftsadresse *f*; ~ **card** *n* Visitenkarte *f*; ~ **class** *n* Business Class *f*, Business-Klasse *f*; *m*; ~ **expenses** *npl* Spesen *pl*; ~ **hours** *npl* Geschäftsstunden *pl*, Geschäftszeit *f*; ~ **letter** *n* Geschäftsbrief *m*.

businesslike ['bɪznɪslaɪk] *adj* (*good at doing business*) geschäftstüchtig; *person, manner* geschäftsmäßig; *prose* nüchtern.

business: ~ **lunch** *n* Geschäftsessen *nt*; ~**man** *n* Geschäftsmann *m*; ~ **park** *n* Industriegelände *nt*; ~ **school** *n* Wirtschaftshochschule *f*, (*part of university*) Wirtschaftsfakultät *f*; ~ **section** *n* (*in newspaper*) Wirtschaftsteil ~ **sense** *n* Geschäftssinn *m*; ~ **studies** *npl* Wirtschaftslehre *f*; ~ **trip** *n* Geschäftsreise *f*; ~**woman** *n* Geschäftsfrau *f*.

busker ['bʌskəʳ] *n* Straßenmusikant *m*.

bus: ~ **lane** *n* (*Brit*) Busspur *f*; ~**man** *n*: *a* ~*man's holiday* (*fig*) Fortsetzung *f* der Arbeit im Urlaub; ~ **ride** *n* Busfahrt *f*; ~ **route** *n* Buslinie *f*; ~ **service** *n* Busverbindung *f*; (*network*) Busverbindungen *pl*; ~ **shelter** *n* Wartehäuschen *nt*; ~ **station** *n* Busbahnhof *m*; ~ **stop** *n* Bushaltestelle *f*.

bust¹ [bʌst] *n* Büste *f*; (*Anat also*) Busen *m* ▶ ~ **measurement** Brustumfang *m*, Oberweite *f*.

bust² (*vb: pret, ptp* ~) (*col*) **1** *adj* (*broken*) kaputt (*col*). **b** (*bankrupt*) pleite (*col*). **2** *adv* (*bankrupt*) *to go* ~ pleite gehen *or* machen (*col*). **3** *vt* kaputtmachen (*col*); *drugs ring* auffliegen lassen (*col*).

bus ticket *n* Busfahrschein *m*.

bustle ['bʌsl] **1** *n* Betrieb *m* (*of* in +*dat*); (*of fair, streets also*) reges Treiben (*of* auf *or* in +*dat*). **2** *vi* *to* ~ *about* geschäftig hin und her eilen.

bustling ['bʌslɪŋ] *adj* *person* geschäftig; *place, scene* belebt, voller Leben.

bust-up ['bʌstʌp] *n* (*col*) Krach *m* (*col*).

busway ['bʌsweɪ] *n* (*US*) Busspur *f*.

▼ **busy** ['bɪzɪ] **1** *adj* (+*er*) **a** (*occupied*) *person* beschäftigt ▶ *a very* ~ *man* ein vielbeschäftigter Mann; *are you* ~? haben Sie gerade Zeit?; *I was* ~ *studying when you called* ich war gerade beim Lernen, als Sie kamen; *let's get* ~ an die Arbeit! **b** (*active*) *life, time* bewegt; *place, street, town* belebt; *street* (*with traffic*) stark befahren ▶ *it's been a* ~ *day/week* heute/diese Woche war viel los. **c** (*esp US*) *telephone line* besetzt ▶ ~ *signal/tone* Besetztzeichen *nt*. **2** *vr to* ~ *oneself doing sth* sich damit beschäftigen, etw zu tun; *to* ~ *oneself with sth* sich mit etw beschäftigen.

busybody ['bɪzɪbɒdɪ] *n* Wichtigtuer *m* ▶ *don't be such a* ~ misch dich nicht überall ein.

but [bʌt] **1** *conj* **a** aber. **b** *not X* ~ *Y* nicht X, sondern Y. **c** *never a week passes* ~ *she is ill* keine Woche vergeht, ohne daß sie krank ist. **2** *adv* nur ▶ *she's* ~ *a child* sie ist doch nur *or* doch noch ein Kind; *I cannot (help)* ~ *think that ...* ich kann nicht umhin, zu denken, daß ...; *you can* ~ *try* du kannst es immerhin versuchen. **3** *prep* *no one* ~ *me could do it* niemand außer mir könnte es tun; *anything* ~ *that!* (alles,) nur das nicht!;

➤ SENTENCE BUILDER: **busy: 1c** → 15.3

he/it was nothing ~ *trouble* er/das hat nichts als *or* hat nur Schwierigkeiten gemacht; *the last house* ~ *one/two/three* das vorletzte/vorvorletzte/drittletzte Haus; *the next street* ~ *one* die übernächste Straße; ~ *for you I would be dead* ohne Sie wäre ich tot, wenn Sie nicht gewesen wären, wäre ich tot. **4** *n no* ~*s about it* kein Aber *nt*.

butane ['bjuːteɪn] *n* Butan *nt*.

butch [bʊtʃ] *adj* (*col*) maskulin.

butcher ['bʊtʃəʳ] **1** *n* **a** Fleischer, Metzger *m* ▶ ~*'s (shop)* (*Brit*) Fleischerei, Metzgerei *f*; *at the* ~*'s* (*Brit*) beim Fleischer *or* Metzger. **b** (*fig: murderer*) Schlächter *m*. **2** *vt* *animals* schlachten; *people* abschlachten.

butchery ['bʊtʃərɪ] *n* (*slaughter*) Gemetzel *nt*.

butler ['bʌtləʳ] *n* Butler *m*.

butt¹ [bʌt] *n* (*for wine*) großes Faß; (*for rainwater*) Tonne *f*.

butt² *n* (*also* ~ *end*) dickes Ende; (*of rifle*) (Gewehr)kolben *m*; (*of cigarette*) Stummel *m*.

butt³ *n* (*US col: cigarette*) Kippe *f* (*col*).

butt⁴ *n* **a** (*target*) Schießscheibe *f*. **b** *usu pl* (*on shooting range*) Schießstand *m*. **c** (*fig: person*) *she's always the* ~ *of his jokes* sie ist immer (die) Zielscheibe seines Spottes.

butt⁵ **1** *n* (Kopf)stoß *m*. **2** *vt* mit dem Kopf stoßen; (*goat also*) mit den Hörnern stoßen.

◆**butt in** *vi* sich einmischen (*on* in +*acc*).

butter ['bʌtəʳ] **1** *n* Butter *f* ▶ *she looks as if* ~ *wouldn't melt in her mouth* sie sieht aus, als ob sie kein Wässerchen trüben könnte. **2** *vt* *bread etc* mit Butter bestreichen, buttern.

◆**butter up** *vt sep* (*col*) um den Bart gehen (+*dat*) (*col*).

butter: ~ **bean** *n* Mondbohne *f*; ~**cup** *n* Butterblume *f*, Hahnenfuß *m*; ~**dish** *n* Butterdose *f*; ~**fingers** *n sing* (*col*) Tolpatsch *m* (*col*).

butterfly ['bʌtəflaɪ] *n* **a** Schmetterling *m* ▶ *I've got/I get butterflies (in my stomach)* mir ist/wird ganz flau im Magen (*col*). **b** (*Swimming*) Schmetterlingsstil *m*.

butterfly stroke *n* Schmetterlingsstil *m*.

butter: ~ **knife** *n* Buttermesser *m*; ~**milk** *n* Buttermilch *f*.

buttock ['bʌtək] *n* (Hinter)backe, Gesäßhälfte (*form*) *f* ▶ ~*s pl* Gesäß *nt*, Hintern *m* (*col*).

button ['bʌtn] **1** *n* Knopf *m*. **2** *vt* *garment* zuknöpfen. **3** *vi* (*garment*) geknöpft werden.

◆**button up** *vt sep* zuknöpfen.

button: ~**hole** **1** *n* **a** (*in garment*) Knopfloch *nt*; **b** (*flower*) Blume *f* im Knopfloch; **2** *vt* (*fig*) zu fassen bekommen, sich (*dat*) schnappen (*col*); ~ **mushroom** *n* junger Champignon ▶

buttress ['bʌtrɪs] *n* (*Archit*) Strebepfeiler *m*; (*fig*) Pfeiler *m*.

buxom ['bʌksəm] *adj* drall.

buy [baɪ] (*vb: pret, ptp* **bought**) **1** *vt* **a** kaufen; (*Rail*) *ticket also* lösen. **b** (*fig*) *victory, fame* sich (*dat*) erkaufen; *time gewinnen* ▶ *the victory was dearly bought* der Sieg war teuer erkauft. **c** *to* ~ *sth* (*col*) (*accept*) etw akzeptieren; (*believe*) jdm etw abnehmen (*col*) *or* abkaufen (*col*); *I'll* ~ *that* das ist o.k. (*col*); (*believe*) ja, das glaube ich. **2** *vi sep* kaufen. **3** *n* (*col*) Kauf *m* ▶ *to be a good* ~ ein guter Kauf sein; (*clothes also, food*) preiswert sein.

◆**buy back** *vt sep* zurückkaufen.

◆**buy forward** *vi* (*Fin*) auf Termin kaufen.

◆**buy in** *vt sep* (*acquire supply of*) *goods* einkaufen.

◆**buy off** *vt sep* (*col: bribe*) kaufen (*col*).

◆**buy out** *vt sep* *shareholders etc* auszahlen; *firm* auf-

kaufen.
◆**buy up** vt sep aufkaufen.
buyer ['baɪəʳ] n Käufer m; (agent) Einkäufer m ▸ ~'s **market** Käufermarkt m.
buy-out ['baɪaʊt] n Aufkauf m.
buzz [bʌz] ⒈ vi summen ▸ **my head is ~ing** mir schwirrt der Kopf; (from noise) mir dröhnt der Kopf; **the town is ~ing** in der Stadt ist viel los.
⒉ vt ⒜ (call) secretary (mit dem Summer) rufen. ⒝ (col: telephone) anrufen. ⒞ (plane) plane, building dicht vorbeifliegen an (+dat).
⒊ n ⒜ Summen nt. ⒝ (of conversation) Stimmengewirr nt. ⒞ (col) **to give sb a ~** jdn anrufen; secretary etc jdn (mit dem Summer) rufen.
◆**buzz off** vi (Brit col) abzischen (col).
buzzard ['bʌzəd] n Bussard m.
buzzer ['bʌzəʳ] n Summer m.
buzz word n Modewort nt.
by [baɪ] ⒈ prep ⒜ (close to) bei, an (+dat); (with movement) an (+acc); (next to) neben (+dat); (with movement) neben (+acc) ▸ **a holiday ~ the sea** Ferien pl an der See; **come and sit ~ me** komm, setz dich neben mich.
⒝ (via) über (+acc).
⒞ (past) **to go/rush** etc **~ sb/sth** an jdm/etw vorbeigehen/-eilen etc.
⒟ (time: during) ~ **day/night** bei Tag/Nacht.
⒠ (time: not later than) bis ▸ **can you do it ~ tomorrow?** kannst du es bis morgen machen?; ~ **tomorrow I'll be in France** morgen werde ich in Frankreich sein; ~ **the time I got there ...** bis ich dorthin kam ...; ~ **that time** or ~ **then it will be too late** bis dahin or dann ist es schon zu spät; ~ **now** inzwischen.
⒡ (indicating amount) ~ **the metre/kilo/hour** meter-/kilo-/stundenweise; **one ~ one** einer nach dem anderen.
⒢ (indicating agent, cause) von, durch ▸ **killed ~ a bullet** durch eine or von einer Kugel getötet; **a painting ~ Picasso** ein Bild von Picasso; **surrounded ~** umgeben von.
⒣ (indicating method, means, manner) ~ **bus/car** mit dem or per Bus/Auto; ~ **land and (~) sea** zu Land und zu Wasser; **to pay ~ cheque** mit Scheck bezahlen; **made ~ hand/machine** handgearbeitet/maschinell hergestellt; ~ **daylight/moonlight** bei Tag(eslicht)/im Mondschein; **to know sb ~ sight** jdn vom Sehen her kennen; **to be known ~ the name of ...** unter dem Namen ... bekannt sein; **to lead ~ the hand** an der

Hand führen; **to grab sb ~ the collar** jdn am Kragen packen; **he had a daughter ~ his first wife** von seiner ersten Frau hatte er eine Tochter; ~ **myself/himself** etc allein; ~ **saving hard he managed to ...** durch eisernes Sparen gelang es ihm, zu ...; ~ **saying that I didn't mean (that) ...** ich habe damit nicht gemeint(, daß) ...
⒤ (according to) nach ▸ **to judge ~ appearances** allem Anschein nach; **it's all right ~ me** von mir aus gern.
⒥ (measuring difference) um ▸ **broader ~ a metre** um einen Meter breiter; **it missed me ~ inches** es verfehlte mich um Zentimeter.
⒦ (Math, Measure) **to divide/multiply ~** dividieren durch/multiplizieren mit; **a room 20 metres ~ 30** ein Zimmer 20 auf or mal 30 Meter.
⒧ (points of compass) **South ~ South West** Südsüdwest.
⒨ (in oaths) bei ▸ **I swear ~ Almighty God** ich schwöre beim allmächtigen Gott.
⒩ ~ **the way** übrigens.
⒉ adv ⒜ (past) **to pass/wander/rush** etc ~ vorbei- or vorüberkommen/-wandern/-eilen etc. ⒝ (in reserve) **to put** or **lay ~** beiseite legen. ⒞ (phrases) ~ **and ~** irgendwann; (with past tense) nach einiger Zeit; ~ **and large** im großen und ganzen.
bye [baɪ] interj (col) tschüs ▸ ~ **for now!** bis bald!
bye-bye ['baɪ'baɪ] ⒈ interj (col) Wiedersehen (col).
⒉ n **to go ~s** (baby-talk) in die Heia gehen (baby-talk).
by(e)-election [baɪɪ'lekʃən] n Nachwahl f.
Byelorussia [bjɛləʊ'rʌʃə] n Weißrußland nt.
bygone ['baɪgɒn] ⒈ adj längst vergangen.
⒉ n **to let ~s be ~s** die Vergangenheit ruhen lassen.
by: ~**law** n (also **bye-law**) Verordnung f; ~**line** n (Press) Zeile mit dem Namen des Autors; ~**pass** ⒈ n (road) Umgehungsstraße f; (Tech: pipe etc, Med) Bypass m; ⒉ vt town, village umgehen; (Tech) fluid, gas umleiten; (fig) person übergehen; intermediate stage also überspringen; difficulties umgehen; ~**pass operation** n Bypass-Operation f; ~**product** n (lit, fig) Nebenprodukt nt; ~**road** n Nebenstraße f; ~**stander** n Zuschauer m.
byte [baɪt] n (Comp) Byte nt.
by: ~**way** n Seitenweg m; ~**word** n Inbegriff m; **to be/become a ~word for sth** gleichbedeutend mit etw sein/werden.
Byzantine [baɪ'zæntaɪn] ⒈ adj byzantinisch.
⒉ n Byzantiner(in f) m.
Byzantium [baɪ'zæntɪəm] n Byzanz nt.

C

C, c [si:] C, c *nt* (*also Mus*); (*Sch: as a mark*) ≃ Drei *f*, Befriedigend *nt* ► *C for Charlie* C wie Cäsar; *C sharp/flat* (*Mus*) Cis, cis *nt*/Ces, ces *nt*.

C = [a] **centigrade** C. [b] (*Pol*) **Conservative**.

c = [a] **cent** c, ct. [b] **circa** ca. [c] **century** Jh.

CA = [a] **chartered accountant**. [b] **Central America**. [c] (*US*) **California**.

ca. = **circa** ca.

c/a = **current account**.

CAA (*Brit*) = **Civil Aviation Authority** Zivilluftfahrtbehörde *f*.

cab [kæb] *n* [a] (*taxi*) Taxi *nt* ► ~ *driver* Taxifahrer(in *f*) *m*. [b] (*of lorry etc*) Führerhaus *nt*.

cabaret ['kæbəreɪ] *n* Varieté *nt*; (*satire*) Kabarett *nt*.

cabbage ['kæbɪdʒ] *n* [a] Kohl *m*. [b] (*col: person*) **to become a ~** (*sick person*) dahinvegetieren.

cabby ['kæbɪ] *n* (*col: taxi driver*) Taxifahrer *m*.

cabin ['kæbɪn] *n* [a] (*hut*) Hütte *f*. [b] (*Naut*) Kabine *f*. [c] (*of lorries, buses etc*) Führerhaus *nt*. [d] (*Aviat*) Passagierraum *m*.

cabin-: ~boy *n* Schiffsjunge *m*; (*steward*) Kabinensteward *m*; **~ crew** *n* (*Aviat*) Flugpersonal *nt*; **~ cruiser** *n* Kajütboot *nt*.

cabinet ['kæbɪnɪt] *n* [a] Schränkchen *nt*; (*for display*) Vitrine *f*, (*for TV, record-player*) Schrank *m*; (*loudspeaker ~*) Box *f*. [b] (*Pol*) Kabinett *nt*.

cabinet: ~maker *n* (Möbel)schreiner *m*; **~ meeting** *n* Kabinettssitzung *f*; **~ minister** *n* Mitglied *nt* des Kabinetts.

cable ['keɪbl] [1] *n* [a] Tau *nt*; (*of wire*) Drahtseil *nt*. [b] (*Elec*) Kabel *nt*. [c] (*~gram*) Telegramm *nt*. [2] *vt information* telegrafisch durchgeben ► **to ~ sb** jdm telegrafieren. [3] *vi* telegrafieren, ein Telegramm schicken.

cable: ~-car *n* (*hanging*) Drahtseilbahn *f*; (*streetcar*) (gezogene) Straßenbahn *f*; **~ laying** *n* Kabelverlegung *f*; **~ railway** *n* (Stand)seilbahn *f*; **~ television** *n* Kabelfernsehen *nt*.

caboodle [kə'bu:dl] *n*: **the whole ~** (*col*) der ganze Kram (*col*).

caboose [kə'bu:s] *n* (*US Rail*) Dienstwagen *m*.

cache [kæʃ] *n* [a] geheimes Lager. [b] (*Comp: also ~ memory*) Cache-Speicher *m*.

cachet ['kæʃeɪ] *n* Gütesiegel *nt* ► **to have a certain ~** ein gewisses Ansehen haben.

cack-handed ['kæk'hændəd] *adj* (*Brit col*) tolpatschig (*col*).

cackle ['kækl] [1] *n* (*of hens*) Gackern *nt*; (*laughter*) meckerndes Gelächter. [2] *vi* (*hens*) gackern; (*laugh*) meckernd lachen.

cacophony [kæ'kɒfənɪ] *n* Mißklang *m*.

cactus ['kæktəs] *n* Kaktus *m*.

CAD = **computer-aided design** CAD *nt*.

cad [kæd] *n* (*dated*) Schurke *m* (*dated*).

cadaver [kə'deɪvəʳ] *n* Kadaver *m*; (*of humans*) Leiche *f*.

cadaverous [kə'dævərəs] *adj* (*corpse-like*) Kadaver-, Leichen-; (*gaunt*) ausgemergelt; (*pale*) leichenblaß.

CAD/CAM ['kæd'kæm] = **computer-aided design/ computer-aided manufacture** CAD/CAM.

caddie ['kædɪ] *n* (*golf ~*) Caddie, Golfjunge *m*.

caddy ['kædɪ] *n* [a] (*tea ~*) Behälter *m*, Dose *f*. [b] (*US:* *shopping trolley*) Einkaufswagen *m*.

cadence ['keɪdəns] *n* (*Mus*) Kadenz *f*; (*of voice*) Tonfall *m*, Melodie *f*; (*rhythm*) Rhythmus *m*, Melodie *f*.

cadenza [kə'denzə] *n* (*Mus*) Kadenz *f*.

cadet [kə'det] *n* (*Mil etc*) Kadett *m*.

cadge [kædʒ] [1] *vt* (er)betteln, schnorren (*col*) (*from sb* bei *or* von jdm) ► **could I ~ a lift?** könnten Sie mich vielleicht mitnehmen? [2] *vi* schnorren (*col*).

cadger ['kædʒəʳ] *n* Schnorrer (*col*) *m*.

Caesar ['si:zəʳ] *n* Cäsar *m*; (*emperor*) Kaiser *m*.

Caesarean, Caesarian [si:'zɛərɪən] *n, adj* **~ (section)** (*Med*) Kaiserschnitt *m*.

c&f = **cost and freight** Kosten *pl* und Fracht *f*.

café ['kæfeɪ] *n* Café *nt*.

cafeteria [ˌkæfɪ'tɪərɪə] *n* Cafeteria *f*.

caffein(e) ['kæfi:n] *n* Koffein *nt*.

caftan ['kæftæn] *n* Kaftan *m*.

cage [keɪdʒ] [1] *n* [a] Käfig *m*; (*small bird~*) Bauer *nt* or *m*. [b] (*of lift*) Aufzug *m*; (*Min*) Förderkorb *m*. [2] *vt* (*also ~ up*) in einen Käfig sperren.

cagey ['keɪdʒɪ] *adj* (*col*) vorsichtig; (*evasive*) ausweichend ► **what are you being so ~ about?** warum tust du so geheimnisvoll?

cagily ['keɪdʒɪlɪ] *adv see* **cagey**.

caginess ['keɪdʒɪnɪs] *n* (*col*) Vorsicht *f*; (*evasiveness*) ausweichende Art.

cagoule [kə'gu:l] *n* Windjacke *f*.

cahoots [kə'hu:ts] *n* (*col*): **to be in ~ with sb** mit jdm unter einer Decke stecken.

cairn [kɛən] *n* Steinhügel *m*.

Cairo ['kaɪərəʊ] *n* Kairo *nt*.

cajole [kə'dʒəʊl] *vt* gut zureden (+*dat*), beschwatzen (*col*) ► **to ~ sb into doing sth** jdn dazu bringen, etw zu tun.

cake [keɪk] [1] *n* [a] Kuchen *m*; (*gateau*) Torte *f* ► **a piece of ~** (*fig col*) ein Kinderspiel *nt*, ein Klacks *m* (*col*); **to sell like hot ~s** weggehen wie warme Semmeln (*col*); **you can't have your ~ and eat it** (*prov*) man kann nicht beides (gleichzeitig) haben. [b] (*of soap*) Stück *nt*; (*of chocolate*) Tafel *f*. [2] *vt* überkrusten ► **my shoes are ~d with mud** meine Schuhe sind dreckverkrustet. [3] *vi* eine Kruste bilden.

cake: ~ mix *n* Backmischung *f*; **~ mixture** *n* Kuchenteig *m*; **~ shop** *n* Konditorei *f*; **~ slice** *n* Tortenheber *m*; **~ tin** *n* (*for baking*) Kuchenform *f*; (*for storage*) Kuchendose *f*.

cal. = **calorie(s)** cal.

calamine ['kæləmaɪn] *n* Galmei *m* ► **~ lotion** Galmeilotion *f*.

calamity [kə'læmɪtɪ] *n* Katastrophe *f*.

calcify ['kælsɪfaɪ] [1] *vt* Kalk *m* ablagern auf/in (+*dat*). [2] *vi* verkalken.

calcium ['kælsɪəm] *n* Kalzium *nt*.

calculate ['kælkjʊleɪt] [1] *vt* [a] *costs* berechnen. [b] (*fig: estimate*) kalkulieren, schätzen. [c] **to be ~d to do sth** (*be intended*) auf etw (*acc*) abzielen ► **this is ~d to drive you mad!** das macht dich doch verrückt! [d] (*US col: suppose*) schätzen. [2] *vi* (*Math*) rechnen.

◆**calculate on** *vi +prep obj* rechnen mit ▸ *I had ~d ~ finishing by this week* ich hatte damit gerechnet, noch in dieser Woche fertig zu werden.

calculated ['kælkjʊleɪtɪd] *adj* (*deliberate*) berechnet ▸ *to take a ~ risk* ein kalkuliertes Risiko eingehen.

calculating ['kælkjʊleɪtɪŋ] *adj* berechnend.

calculation [ˌkælkjʊ'leɪʃən] *n* Berechnung *f*; (*critical estimation*) Schätzung *f* ▸ *to do a quick ~* die Sache schnell überschlagen.

calculator ['kælkjʊleɪtəʳ] *n* Rechner *m*.

calculus ['kælkjʊləs] *n* (*Math*) Differential- und Integralrechnung *f*.

Calcutta [kæl'kʌtə] *n* Kalkutta *nt*.

calendar ['kæləndəʳ] *n* ⓐ Kalender *m* ▸ *~ month* Kalendermonat *m*. ⓑ (*schedule*) Terminkalender *m*; (*of events*) Veranstaltungskalender *m* ▸ *Church ~* Kirchenkalender *m*.

calf¹ [kɑ:f] *n, pl* **calves** ⓐ Kalb *nt* ▸ *a cow in* or *with ~* eine trächtige Kuh. ⓑ (*young elephant, seal etc*) Elefanten-/Robbenjunge(s) *etc nt*. ⓒ (*leather; also ~ skin*) Kalb(s)leder *nt*.

calf² *n, pl* **calves** (*Anat*) Wade *f*.

caliber *n* (*US*) = **calibre.**

calibrate ['kælɪbreɪt] *vt gun* kalibrieren; *meter, instrument* eichen.

calibration [ˌkælɪ'breɪʃən] *n see vt* Kalibrieren *nt*; Eichen *nt*; (*mark*) Kalibrierung *f*; Eichung *f*.

calibre, (US) caliber ['kælɪbəʳ] *n* (*lit*) Kaliber *nt*; (*fig also*) Format *nt* ▸ *a man of his ~* ein Mann seines Kalibers.

calico ['kælɪkəʊ] *n* Kattun *m*.

California [kælɪ'fɔ:nɪə] *n* Kalifornien *nt*.

Californian [kælɪ'fɔ:nɪən] ⓵ *adj* kalifornisch. ⓶ *n* Kalifornier(in *f*) *m*.

caliper ['kælɪpə] *n* ⓐ (*US*) = **calliper.** ⓑ (*Tech*) *(brake) ~* Bremssattel *m*.

▼ **call** [kɔ:l] ⓵ *n* ⓐ (*shout, cry*) (*of person, bird etc*) Ruf *m*; (*of bugle*) Signal *nt* ▸ *to give sb a ~* jdn (herbei)rufen; (*wake sb*) jdn wecken; *within ~* in Rufweite *f*; *a ~ for help* (*lit, fig*) ein Hilferuf *m*. ⓑ (*telephone*) Anruf *m* ▸ *I'll give you a ~* ich rufe Sie an; *to take a ~* ein Gespräch entgegennehmen. ⓒ (*Aviat, fig: summons*) Aufruf *m*; (*of religion*) Berufung *f*; (*fig: lure*) Verlockung *f* ▸ *to be on ~* (Bereitschafts)dienst haben; *the ~ of duty* der Ruf der Pflicht. ⓓ (*visit*) Besuch *m* ▸ *to make* or *pay a ~ on sb* jdn besuchen; *port of ~* Anlaufhafen *m*; (*fig*) Station *f*; *to pay a ~* (*euph*) mal verschwinden (*col*). ⓔ (*demand, claim*) Beanspruchung *f*; (*Comm*) Nachfrage *f* (*for* nach) ▸ *to have many ~s on one's purse/ time* finanziell/zeitlich sehr in Anspruch genommen sein. ⓕ *at* or *on ~* (*Fin*) auf Abruf. ⓖ (*need, occasion*) Grund *m*, Veranlassung *f* ▸ *there is no ~ for you to worry* es besteht kein Grund zur Sorge; *there was no ~ for that!* das war wirklich nicht nötig! ⓗ (*Cards*) Ansage *f*.
⓶ *vt* ⓐ (*shout out*) rufen. ⓑ (*name, consider*) nennen ▸ *to be ~ed* heißen; *what's he ~ed?* wie heißt er?; *what's this ~ed in German?* wie heißt das auf deutsch?; *~ it £5* sagen wir £5; *would you ~ German a difficult language?* würden Sie Deutsch als schwierige Sprache bezeichnen? ⓒ (*summon*) *person, doctor* rufen; *meeting* einberufen; *election* ausschreiben; *strike* ausrufen; (*Jur*) *witness* aufrufen; (*subpoena*) vorladen; (*waken*) wecken. ⓓ (*telephone*) anrufen. ⓔ (*Fin*) *bond* aufrufen; *loan* abrufen.
⓷ *vi* ⓐ (*shout: person, animal*) rufen ▸ *to ~ for help* um Hilfe rufen; *to ~ to sb* jdm zurufen. ⓑ (*visit*) vorbeikommen/-kommen. ⓒ (*Telec*) anrufen ▸ *who's*

~ing, please? wer spricht bitte?; *London ~ing!* (*Rad*) hier ist London; *thanks for ~ing* vielen Dank für den Anruf.

◆**call aside** *vt sep person* beiseite rufen.

◆**call at** *vi +prep obj* (*person*) vorbeigehen bei; (*Rail*) halten in (+*dat*); (*Naut*) anlaufen.

◆**call away** *vt sep* weg- *or* abrufen ▸ *I was ~ed ~ on business* ich wurde geschäftlich abgerufen.

◆**call back** ⓵ *vti sep* zurückrufen. ⓶ *vi* (*come back*) *I'll ~ ~ later* ich komme später noch einmal wieder.

◆**call by** *vi* vorbeikommen.

◆**call for** *vi +prep obj* ⓐ (*send for*) *person* rufen; *food, drink* kommen lassen; (*ask for*) verlangen (nach). ⓑ (*need*) *courage, endurance* erfordern ▸ *that ~s ~ a drink/celebration!* darauf müssen wir einen trinken!/ das muß gefeiert werden! ⓒ (*collect*) *person, goods* abholen ▸ *"to be ~ed ~"* (*goods sent by rail*) „bahnlagernd"; (*by post*) „postlagernd"; (*in shop*) „wird abgeholt".

◆**call in** ⓵ *vt sep* ⓐ *doctor* zu Rate ziehen. ⓑ (*withdraw*) aus dem Verkehr ziehen. ⓶ *vi* vorbeischauen (*at, on* bei).

◆**call off** *vt sep* ⓐ (*cancel*) absagen; *deal* rückgängig machen; *engagement* lösen. ⓑ *dog* zurückrufen.

◆**call on** *vi +prep obj* ⓐ (*visit*) besuchen. ⓑ = **call upon.**

◆**call out** ⓵ *vi* rufen. ⓶ *vt sep* ⓐ *names* aufrufen; (*announce*) ansagen. ⓑ *doctor* rufen; *troops, fire brigade* alarmieren. ⓒ (*order to strike*) zum Streik aufrufen.

◆**call out for** *vi +prep obj food, drink* verlangen; *help* rufen um.

◆**call round** *vi* (*col*) vorbeikommen.

◆**call up** ⓵ *vt sep* ⓐ (*Mil*) *reservist* einberufen; *reinforcements* mobilisieren. ⓑ (*Telec*) anrufen. ⓒ (*fig*) (herauf)beschwören; *memories* wachrufen. ⓶ *vi* (*Telec*) anrufen.

◆**call upon** *vi +prep obj* ⓐ (*ask*) *to ~ ~ sb to do sth* jdn bitten, etw zu tun. ⓑ (*invoke*) *to ~ ~ sb's generosity* an jds Großzügigkeit (*acc*) appellieren; *to ~ ~ God* Gott anrufen.

Callanetics [kælə'nɛtɪks] *n* Callanetics *f*.

▼ **callbox** ['kɔ:lˌbɒks] *n* (*Brit*) Telefonzelle *f*.

▼ **caller** ['kɔ:ləʳ] *n* ⓐ (*visitor*) Besuch(er) *m*. ⓑ (*Telec*) Anrufer *m*.

callgirl ['kɔ:lgɜ:l] *n* Callgirl *nt*.

calligraphy [kə'lɪgrəfɪ] *n* Kalligraphie, Schönschreibkunst *f*.

call-in ['kɔ:lɪn] *n* (*US*) = **phone-in.**

calling ['kɔ:lɪŋ] *n* Berufung *f*.

calling card *n* (*US*) Visitenkarte *f*.

calliper, (US) caliper ['kælɪpə] *n* ⓐ *esp pl* Tastzirkel *m*. ⓑ (*Med*) Beinschiene *f*.

callous ['kæləs] *adj* (*cruel*) gefühllos.

callousness ['kæləsnɪs] *n* Gefühllosigkeit *f*.

callow ['kæləʊ] *adj* unreif.

call-up ['kɔ:lʌp] *n* Einberufung *f*.

calm [kɑ:m] ⓵ *adj* (+*er*) ruhig; *weather* windstill ▸ *keep ~!* bleib ruhig! ⓶ *n* Ruhe *f*; (*at sea*) Flaute *f*; (*of wind*) Windstille *f* ▸ *the ~ before the storm* (*lit, fig*) die Ruhe vor dem Sturm. ⓷ *vt* beruhigen.

◆**calm down** ⓵ *vt sep* beruhigen. ⓶ *vi* sich beruhigen; (*wind*) abflauen.

calmly ['kɑ:mlɪ] *adv speak, act* ruhig, gelassen.

Calor gas ® ['kælə'gæs] *n* Butangas *nt*.

calorie ['kælərɪ] *n* Kalorie *f*.

calorific [ˌkælə'rɪfɪk] *adj* wärmeerzeugend ▸ *~ value* Heizwert *m*.

➤ SENTENCE BUILDER: **callbox** → 15.4   **caller: b** → 15.3

calumny ['kæləmnɪ] n Verunglimpfung f.
calve [kɑːv] vi kalben.
calves [kɑːvz] pl of **calf¹, calf²**.
CAM = **computer-aided manufacturing** CAM f.
cam [kæm] n Nocken m.
camber ['kæmbər] n Wölbung f.
Cambodia [kæm'bəʊdɪə] n Kambodscha nt.
Cambodian [kæm'bəʊdɪən] [1] adj kambodschanisch.
  [2] n [a] Kambodschaner(in f) m. [b] (language) Kambodschanisch nt.
Cambs = **Cambridgeshire.**
camcorder ['kæmkɔːdər] n Camcorder m.
came [keɪm] pret of **come**.
camel ['kæməl] n Kamel nt.
camel in cpds (colour) kamelhaarfarben.
camellia [kə'miːlɪə] n Kamelie f.
cameo ['kæmɪəʊ] n [a] (jewellery) Kamee f. [b] ~ **part** Miniaturrolle f.
camera¹ ['kæmərə] n Kamera f; (for stills also) Fotoapparat m.
camera² n (Jur): **in** ~ unter Ausschluß der Öffentlichkeit; (fig) hinter verschlossenen Türen.
camera: ~**man** n, pl -**men** Kameramann m; ~-**ready (copy)** n Druckvorlage f.
Cameroons [,kæmə'ruːnz] npl **the** ~ Kamerun nt.
camomile ['kæməʊmaɪl] m Kamille f ▸ ~ **tea** Kamillentee f.
camouflage ['kæməflɑːʒ] [1] n (Mil, fig) Tarnung f.
  [2] vt (Mil, fig) tarnen.
camp¹ [kæmp] [1] n (lit, fig) Lager nt ▸ **to pitch** ~ ein Lager aufschlagen; **to strike** or **break** ~ das Lager abbrechen.
  [2] vi zelten, campen; (Mil) lagern ▸ **to go** ~**ing** zelten or campen (gehen).
◆**camp out** vi zelten.
camp² adj (theatrical, stagey) übertrieben; person's appearance aufgedonnert; (homosexual) schwul (col).
campaign [kæm'peɪn] [1] n [a] (Mil) Feldzug m. [b] (fig) Kampagne f.
  [2] vi [a] (Mil) einen Feldzug unternehmen. [b] (fig) (for für, against gegen) sich einsetzen; (politician, candidate) den Wahlkampf führen.
campaigner [kæm'peɪnər] n [a] (Mil) Krieger m ▸ **old** ~ Kriegsveteran m; (fig) alter Hase (col). [b] (fig) Befürworter(in f) m (for gen); Gegner(in f) m (against gen); (Pol) Wahlwerber(in f) m.
camp bed n (Brit) Campingliege f.
camper ['kæmpər] n Camper(in f) m (col); (vehicle) Wohnmobil nt.
camp: ~**fire** n Lagerfeuer nt; ~ **follower** n Marketender(in f) m; ~ **followers** (fig) Mitläufer pl.
camphor ['kæmfər] n Kampfer m.
camping ['kæmpɪŋ] n Zelten, Camping nt.
camping in cpds Camping-; ~ **ground** (US), ~ **site** n (also **camp site**) Campingplatz m.
campus ['kæmpəs] n Campus m, Universitätsgelände nt.
camshaft ['kæmʃɑːft] n Nockenwelle f.
▼**can¹** [kæn] pret **could** modal aux können; (may also) dürfen ▸ **you speak German?** können or sprechen Sie Deutsch?; ~ **I come too?** kann ich mitkommen?; ~ **you hear me?** hören Sie mich?; **how** ~**/could you say such a thing!** wie können/konnten Sie nur so etwas sagen!; **he could be on the next train** er könnte mit dem nächsten Zug kommen; **you could have told me** das hättst du mir sagen können; **she was as happy as could be** sie war über alle Maßen glücklich; **he** ~**'t** or **couldn't have done that** er kann das unmöglich getan haben; **as soon as it** ~ **be arranged** sobald es sich machen läßt.
can² [kæn] n [a] (container) Kanister m; (milk~) Kanne f; (esp US: garbage ~) (Müll)eimer m ▸ **to carry the** ~ (fig col) die Sache ausbaden (col). [b] (tin) Dose f; (of food

also) Büchse f ▸ **a** ~ **of beer** eine Dose Bier.
  [2] vt foodstuffs in Dosen füllen.
Canada ['kænədə] n Kanada nt.
Canadian [kə'neɪdɪən] [1] adj kanadisch.
  [2] n Kanadier(in f) m.
canal [kə'næl] n [a] Kanal m. [b] (Anat) Gang m.
canapé ['kænəpeɪ] n Cocktailhappen m.
Canaries [kə'neərɪz] npl Kanarische Inseln pl.
canary [kə'neərɪ] n Kanarienvogel m.
canary in cpds (colour: also ~ **yellow**) kanariengelb.
cancel ['kænsəl] vt [a] (call off) absagen; (Comm) stornieren; plans aufgeben; train, bus streichen; invitation, deal rückgängig machen; subscription kündigen ▸ **the last train has been** ~**led** der letzte Zug fällt aus. [b] cheque entwerten; (cross out) name etc (durch)streichen. [c] (Math) kürzen.
◆**cancel out** [1] vt sep (Math) aufheben; (fig) zunichte machen ▸ **to** ~ **each other** ~ (Math) sich aufheben; (fig) sich die Waage halten.
  [2] vi (Math) sich aufheben.
cancellation [,kænsə'leɪʃən] n see vt [a] Absage f; Stornierung f; Aufgabe f; Streichung f; Kündigung f. [b] Entwertung f. [c] (Math) Kürzung f.
cancer ['kænsər] n (Med) Krebs m; (fig) Krebsgeschwür nt ▸ **C~** (Astrol) Krebs m; ~ **patient** Krebskranke(r) mf; ~ **research** Krebsforschung f.
cancerous ['kænsərəs] adj krebsartig.
candelabra [,kændɪ'lɑːbrə] n Leuchter m.
candid ['kændɪd] adj offen, ehrlich.
candidacy ['kændɪdəsɪ] n Kandidatur f.
candidate ['kændɪdeɪt] n (Pol) Kandidat(in f) m.
candidly ['kændɪdlɪ] adv offen, ehrlich.
candied ['kændɪd] adj kandiert ▸ ~ **orange/lemon peel** Orangeat/Zitronat nt.
candle ['kændl] n Kerze f ▸ **he's burning the** ~ **at both ends** er arbeitet Tag und Nacht; **he can't hold a** ~ **to his brother** (col) er kann seinem Bruder nicht das Wasser reichen.
candle in cpds Kerzen-; ~**light** n Kerzenlicht nt; ~**stick** n Kerzenhalter m.
candour, (US) **candor** ['kændər] n Offenheit, Ehrlichkeit f.
candy ['kændɪ] [1] n (US) (sweet) Bonbon m or nt; (sweets) Süßigkeiten pl; (bar of chocolate) (Tafel) Schokolade f; (individual chocolate) Praline f.
  [2] vt sugar kristallisieren lassen; fruit etc kandieren.
candy: ~**floss** n (Brit) Zuckerwatte f; ~ **store** n (US) Süßwarenhandlung f.
cane [keɪn] [1] n [a] (stem of bamboo, sugar etc) Rohr nt; (of raspberry) Zweig m; (for supporting plants) Stock m ▸ **a chair made of** ~ ein Rohrstuhl m. [b] (walking stick) (Spazier)stock m; (instrument of punishment) (Rohr)stock m ▸ **to get the** ~ Stockschläge bekommen.
  [2] vt mit dem Stock schlagen.
cane sugar n Rohrzucker m.
canine ['keɪnaɪn] [1] n [a] (animal) Hund m. [b] (also ~ **tooth**) Eckzahn m.
  [2] adj Hunde-.
canister ['kænɪstər] n Behälter m.
cannabis ['kænəbɪs] n Cannabis m.
canned [kænd] [a] food Dosen-, in Dosen ▸ ~ **music** (col) Musikberieselung f (col). [b] (col: drunk) voll (col).
cannery ['kænərɪ] n (US) Konservenfabrik f.
cannibal ['kænɪbəl] [1] n (person) Kannibale, Menschenfresser m.
  [2] adj kannibalisch.
cannibalism ['kænɪbəlɪzəm] n Kannibalismus m.
cannibalize ['kænɪbəlaɪz] vt old car etc ausschlachten.
cannon ['kænən] n (Mil) Kanone f.
◆**cannon into** vi + prep obj prallen gegen.
cannon: ~**ball** n Kanonenkugel f; ~ **fodder** n

Kanonenfutter *nt*.

▼ **cannot** ['kænɒt] = **can not**.

canoe [kə'nuː] ① *n* Kanu *nt*.
② *vi* Kanu fahren.

canoeing [kə'nuːɪŋ] *n* Kanusport *m*, Kanufahren *nt*.

canoeist [kə'nuːɪst] *n* Kanufahrer(in *f*) *m*, Kanute *m*.

canon¹ ['kænən] *n* (*all senses*) Kanon *m*.

canon² *n* (*priest*) Kanoniker *m*.

canonize ['kænənaɪz] *vt* (*Eccl*) heiligsprechen.

canoodle [kə'nuːdl] *vi* (*col*) rumschmusen (*col*).

can opener *n* Dosen- *or* Büchsenöffner *m*.

canopy ['kænəpɪ] *n* (*awning*) Markise *f*; (*over entrance*) Vordach *nt*; (*of bed, throne*) Baldachin *m*.

can't [kɑːnt] = **can not**.

Cantab ['kæntæb] = **Cantabrigiensis** von der Universität Cambridge.

cantankerous [kæn'tæŋkərəs] *adj* verdrießlich.

cantata [kæn'tɑːtə] *n* Kantate *f*.

canteen [kæn'tiːn] *n* ⓐ (*restaurant*) Kantine *f*; (*in university*) Mensa *f*. ⓑ (*Mil*) (*flask*) Feldflasche *f*; (*mess tin*) Kochgeschirr *nt*. ⓒ (*of cutlery*) Besteckkasten *m*.

canter ['kæntər] ① *n* Kanter *m*.
② *vi* langsam galoppieren.

cantilever ['kæntɪliːvər] *n* Ausleger *m*.

cantilever *in cpds* Ausleger-; **~ bridge** *n* Auslegerbrücke *f*.

canton ['kæntɒn] *n* Kanton *m*.

Cantonese [ˌkæntə'niːz] ① *adj* kantonesisch.
② *n* ⓐ Kantonese *m*, Kantonesin *f*. ⓑ (*language*) Kantonesisch *nt*.

canvas ['kænvəs] *n* Leinwand *f*; (*for sails*) Segeltuch *nt*; (*set of sails*) Segel *pl*; (*painting*) Gemälde *nt* ▶ **under ~** (*in a tent*) im Zelt; (*Naut*) mit gehißtem Segel.

canvass ['kænvəs] ① *vt* ⓐ (*Pol*) *district* Wahlwerbung machen in (+*dat*) ▶ **to ~ voters** Wahlwerbung machen. ⓑ *customers, citizens etc* werben; *district* bereisen; (*sound out*) *opinions* erforschen.
② *vi* ⓐ (*Pol*) um Stimmen werben (*for sb* für jdn). ⓑ (*Comm*) eine Werbekampagne durchführen.

canvasser ['kænvəsər] *n* ⓐ (*Pol*) Wahlhelfer(in *f*) *m*. ⓑ (*Comm*) Vertreter(in *f*) *m*.

canvassing ['kænvəsɪŋ] *n* ⓐ (*Pol*) Wahlwerbung *f*. ⓑ (*Comm*) Von-Haus-zu-Haus-Gehen *nt*.

canyon ['kænjən] *n* Cañon *m*.

CAP = **Common Agricultural Policy** gemeinsame Agrarpolitik (der EG), GAP *f*.

cap [kæp] ① *n* ⓐ (*hat*) Mütze *f*; (*nurse's ~*) Haube *f*; (*for swimming*) Badekappe *f* ▶ **~ in hand** (*fig*) kleinlaut; **if the ~ fits(, wear it)** (*prov*) wem der Schuh paßt(, der soll ihn sich anziehen); **he's got his ~ for England, he's an English ~** (*Sport*) er ist/war in der englischen Nationalmannschaft. ⓑ (*lid, cover: of bottle*) Deckel *m*; (*of fountain pen*) (Verschluß)kappe *f*; (*Mil: of shell, fuse*) Kapsel *f*; (*Aut: petrol ~, radiator ~*) Verschluß *m*. ⓒ (*contraceptive*) Pessar *nt*. ⓓ (*of tooth*) (Jacket)krone *f*.
② *vt* ⓐ (*put ~ on*) *bottle etc* verschließen. ⓑ (*do or say better*) überbieten ▶ **and then to ~ it all ...** und zur Krönung des Ganzen, ... ⓒ **he's been ~ped twice for England** er war zweimal in der englischen Nationalmannschaft.

capability [ˌkeɪpə'bɪlɪtɪ] *n* (*potential ability*) Fähigkeit *f*; (*no pl: capableness also*) Kompetenz *f*.

capable ['keɪpəbl] *adj* ⓐ (*skilful, competent*) fähig. ⓑ **to be ~ of doing sth** etw tun können; **it's ~ of speeds of up to ...** es erreicht Geschwindigkeiten bis zu ...; **thank you but I'm quite ~ of doing that myself** danke, ich bin durchaus imstande, das allein zu machen.

capacitor [kə'pæsɪtər] *n* Kondensator *m*.

capacity [kə'pæsɪtɪ] *n* ⓐ (*cubic content etc*) Fassungsvermögen *nt*; (*maximum output*) Kapazität *f*; (*maximum weight*) Höchstlast *f*; (*Aut: engine ~*) Hub-

raum *m* ▶ **filled to ~** randvoll; (*hall*) bis auf den letzten Platz besetzt; **to have a seating ~ of 400** 400 Sitzplätze haben; **working at full ~** voll ausgelastet; **to play to a ~ audience** vor ausverkauftem Haus spielen. ⓑ (*ability*) Fähigkeit *f* ▶ **this work is beyond his ~** diese Arbeit übersteigt seine Fähigkeiten. ⓒ (*role, position*) Eigenschaft *f* ▶ **in my ~ as a doctor** (in meiner Eigenschaft) als Arzt.

cape¹ [keɪp] *n* Cape *nt*, Umhang *m*.

cape² *n* (*Geog*) Kap *nt* ▶ **the C~ of Good Hope** das Kap der guten Hoffnung; **C~ Horn** Kap Hoorn; **C~ Canaveral** Kap Canaveral.

caper¹ ['keɪpər] ① *vi* herumtollen.
② *n* (*prank*) Kapriole *f*.

caper² *n* (*Bot, Cook*) Kaper *f*.

Cape Town *n* Kapstadt *nt*.

capillary [kə'pɪlərɪ] ① *adj* kapillar, Kapillar- ▶ **~ action** Kapillarwirkung *f*.
② *n* Kapillare *f*.

capital ['kæpɪtl] ① *n* ⓐ (*also ~ city*) Hauptstadt *f*. ⓑ (*also ~ letter*) Großbuchstabe *m* ▶ **please write in ~s** bitte in Blockschrift schreiben! ⓒ *no pl* (*Fin*) Kapital *nt* ▶ **to make ~ out of sth** (*fig*) aus etw Kapital schlagen.
② *adj* ⓐ **~ letter** Großbuchstabe *m*. ⓑ (*dated: excellent*) prächtig.

capital *in cpds* Kapital-; **~ account** *n* Kapitalverkehrsbilanz; **~ allowance** *n* Anlagenabschreibung *f*; **~ assets** *npl* Kapitalvermögen *nt*; **~ employed** *n* arbeitendes Kapital *nt*; **~ expenditure** *n* Kapitalaufwendungen *pl*; **~ gains tax** *n* Kapitalertragssteuer *f*; **~ goods** *npl* Investitionsgüter *pl*; **~-intensive** *adj* kapitalintensiv; **~ investment** *n* Kapitalanlage *f*.

capitalism ['kæpɪtəlɪzəm] *n* Kapitalismus *m*.

capitalist ['kæpɪtəlɪst] ① *n* Kapitalist(in *f*) *m*.
② *adj* kapitalistisch.

capitalize ['kæpɪtəˌlaɪz] *vt* ⓐ (*Fin*) kapitalisieren. ⓑ (*Typ*) *word* groß schreiben.

◆**capitalize on** *vi* +*prep obj* (*fig*) Kapital schlagen aus.

capital: **~ offence** (*Brit*) *or* **offense** (*US*) *n* Kapitalverbrechen *nt*; **~ punishment** *n* Todesstrafe *f*.

capital transfer tax *n* Kapitalverkehrssteuer *f*.

┌─ CAPITOL ─────────────────────────────────┐

ⓘ *Capital* ist das Gebäude in Washington auf dem Capitol Hill, in dem der Kongreß der USA zusammentritt. Die Bezeichnung wird in vielen amerikanischen Bundesstaaten auch für das Parlamentsgebäude des jeweiligen Staates verwendet.

capitulate [kə'pɪtjʊleɪt] *vi* kapitulieren (*also Mil*) (*to* vor +*dat*), aufgeben (*to* gegenüber).

caprice [kə'priːs] *n* Laune, Kaprice (*geh*) *f*.

capricious [kə'prɪʃəs] *adj* launisch, kapriziös (*geh*).

Capricorn ['kæprɪkɔːn] *n* Steinbock *m*.

caps [kæps] *npl* (*col*) Großbuchstaben *pl*.

capsize [kæp'saɪz] ① *vi* kentern.
② *vt* zum Kentern bringen.

capstan ['kæpstən] *n* (*Naut*) Spill *nt*.

capsule ['kæpsjuːl] *n* Kapsel *f*.

captain ['kæptɪn] (*abbr* **Capt**) ① *n* (*Mil*) Hauptmann *m*; (*Naut, Aviat, Sport*) Kapitän *m*; (*US: in restaurant*) Oberkellner *m* ▶ **~ of industry** Industriekapitän *m*.
② *vt* (*Sport*) *team* anführen; (*Naut*) *ship* befehligen ▶ **he ~ed the team for years** er war jahrelang Kapitän der Mannschaft.

captaincy ['kæptənsɪ] *n* Befehl *m*; (*Sport*) Führung *f*.

caption ['kæpʃən] *n* Bildtext *m*; (*heading*) Überschrift *f*; (*Film: subtitle*) Untertitel *m*.

captivate ['kæptɪveɪt] *vt* bezaubern.

captivating ['kæptɪveɪtɪŋ] *adj* bezaubernd.

captive ['kæptɪv] **1** n Gefangene(r) mf ▸ *to take sb ~* jdn gefangennehmen. **2** adj person gefangen ▸ *a ~ audience* ein geneigtes Publikum; *~ market* (Econ) regulierter Markt.

captivity [kæp'tɪvɪtɪ] n Gefangenschaft f.

captor ['kæptər] n *his ~s were British* er wurde von Briten gefangengehalten; *his ~s treated him kindly* er wurde während seiner Gefangenschaft gut behandelt.

capture ['kæptʃər] **1** vt **a** town einnehmen, erobern; person gefangennehmen; animal (ein)fangen. **b** (fig: painter etc) atmosphere einfangen; attention, sb's interest erregen. **c** (Comp) data erfassen. **2** n Eroberung f; (of soldier, escapee) Gefangennahme f; (of animal) Einfangen nt; (Comp: of data) Erfassung f.

car [kɑ:r] n **a** Auto nt, Wagen m ▸ *by ~* mit dem Auto. **b** (Rail, tram~) Wagen m. **c** (US: of elevator) Fahrkorb m.

carafe [kə'ræf] n Karaffe f.

caramel ['kærəməl] n (substance) Karamel m; (sweet) Karamelbonbon nt or m.

carat ['kærət] n Karat nt ▸ *nine ~ gold* neunkarätiges Gold.

caravan ['kærəvæn] n **a** (Brit: trailer) Wohnwagen, Caravan m. **b** (gipsy ~) Zigeunerwagen m. **c** (desert ~) Karawane f.

caravanning ['kærəvænɪŋ] n (Brit) Urlaub m im Wohnwagen.

caravan site n (Brit) Campingplatz m für Wohnwagen.

caraway ['kærəweɪ] n (also ~ seeds) Kümmel m.

carbohydrate ['kɑ:bəʊ'haɪdreɪt] n Kohlehydrat nt.

carbolic [kɑ:'bɒlɪk] adj *~ acid* Karbolsäure f.

car bomb n Autobombe f.

carbon ['kɑ:bən] n (Chem) Kohlenstoff m.

carbon: *~ copy* n Durchschlag m; *to be a ~ copy of sth/sb* einer Sache/jdm aufs Haar gleichen (col); *~ dioxide* n Kohlendioxyd nt; *~ fibre* n Kohlenstoffaser f.

carbonize ['kɑ:bənaɪz] vt karbonisieren.

carbon: *~ monoxide* n Kohlenmonoxyd nt; *~ paper* n Kohlepapier nt.

carbuncle ['kɑ:ˌbʌŋkl] n (Med) Karbunkel m.

carburettor, (US) **carburetor** [ˌkɑ:bə'retər] n Vergaser m.

carcass ['kɑ:kəs] n **a** (corpse) Leiche f; (of animal) Kadaver m; (at butcher's) Rumpf m. **b** (of ship) Skelett nt.

carcinogen [kɑ:'sɪnədʒən] n Krebserreger m.

carcinogenic [ˌkɑ:sɪnə'dʒenɪk] adj krebserregend.

carcinoma [ˌkɑ:sɪ'nəʊmə] n Karzinom nt.

card [kɑ:d] n **a** no pl (~board) Pappe f. **b** (greetings, visiting ~ etc) Karte f. **c** (playing ~) (Spiel)karte f ▸ *to play ~s* Karten spielen. **d** (fig uses) *to put one's ~s on the table* seine Karten auf den Tisch legen; *to play one's ~s right* taktisch geschickt vorgehen; *it's on the ~s* es ist zu erwarten.

card: *~board* n Karton m, Pappe f; *~board box* n (Papp)karton m; *~-carrying member* n eingetragenes Mitglied; *~ file* n Kartei f; *~ game* n Kartenspiel nt.

cardiac ['kɑ:dɪæk] adj Herz- ▸ *~ arrest* Herzstillstand m.

cardigan ['kɑ:dɪgən] n Strickjacke f.

cardinal ['kɑ:dɪnl] n (Eccl) Kardinal m.

cardinal: *~ number* n Kardinalzahl f; *~ sin* n Todsünde f.

card index n Kartei f; (in library) Katalog m.

cardiogram ['kɑ:dɪəʊgræm] n Kardiogramm nt.

cardiology [ˌkɑ:dɪ'ɒlədʒɪ] n Kardiologie f.

card: *~phone* n Kartentelefon nt; *~sharp(er)* n Falschspieler m; *~ table* n Spieltisch m; *~ trick* n Kartenkunststück nt.

care [keər] **1** n **a** (worry, anxiety) Sorge f (of um) ▸ *he hasn't a ~ in the world* er hat keinerlei Sorgen; *without a ~ in the world* völlig sorglos.
b (carefulness, attentiveness) Sorgfalt f ▸ *to drive with(out) due ~ and attention* rücksichtslos fahren; *"fragile, with ~", "handle with ~"* „Vorsicht, zerbrechlich"; *to take ~* aufpassen, achtgeben; *bye-bye, take ~* tschüs, mach's gut; *to take ~ to do sth* sich bemühen, etw zu tun; *take ~ not to drop it* paß auf, daß du es nicht fallenläßt; *you should take more ~ with or over the details* Sie sollten sich sorgfältiger mit den Einzelheiten befassen.
c (of teeth, car etc) Pflege f ▸ *to take ~ of sth* auf etw (acc) aufpassen; of one's appearance, hair, car etw pflegen; of one's car, health etw schonen.
d (of old people, children) Fürsorge f ▸ *he needs medical ~* er muß ärztlich behandelt werden; *to take ~ of sb* sich um jdn kümmern; of patients jdn versorgen; of one's family für jdn sorgen; *he can take ~ of himself* er kommt schon alleine zurecht.
e *~ of* (abbr c/o) bei; *to take/put a child into ~* ein Kind in Pflege nehmen/geben.
f *to take ~ of sb/sth* (see to) sich um jdn/etw kümmern; of arrangements also etw erledigen.
g (caringness, concern) Anteilnahme f.
2 vi (be concerned) sich kümmern (about um) ▸ *money is all he ~s about* er interessiert sich nur fürs Geld; *he ~s deeply about her* sie bedeutet ihm sehr viel; *I don't ~* das ist mir egal; *for all I ~* meinetwegen, von mir aus; *who ~s?* na und?
3 vt **a** (mind, be concerned) *I don't ~ what people say* es ist mir egal, was die Leute sagen; *what do I ~?* was geht mich das an?; *I couldn't ~ less* das ist mir doch völlig egal. **b** (like) *would you ~ to take off your coat?* möchten Sie nicht (Ihren Mantel) ablegen?

◆**care for** vi +prep obj **a** (look after) sich kümmern um; invalid also versorgen; hands, furniture etc pflegen. **b** (like) mögen ▸ *I don't ~ ~ your tone of voice* wie reden Sie denn mit mir?; *would you ~ a cup of tea?* hätten or möchten Sie gerne eine Tasse Tee?; *I never have much ~d ~ his films* ich habe mir noch nie viel aus seinen Filmen gemacht.

career [kə'rɪər] **1** n Karriere f; (profession) Beruf m; (working life) Laufbahn f ▸ *~s adviser* or *officer* Berufsberater(in f) m; *to make a ~ for oneself* Karriere machen.
2 attr Karriere-; soldier, diplomat Berufs- ▸ *~ girl* or *woman* Karrierefrau f.
3 vi rasen ▸ *to ~ along* dahinrasen.

careerist [kə'rɪərɪst] n Karrieremacher(in f) m.

carefree ['keəfri:] adj sorglos; song heiter.

careful ['keəfʊl] adj sorgfältig; (cautious) vorsichtig; (with money etc) sparsam ▸ *~!* Vorsicht!; *to be ~* aufpassen (of auf +acc); *be ~ what you do* nimm dich in acht; *be ~ (that) they don't hear you* gib acht, daß sie dich nicht hören; *be ~ with those glasses* geh vorsichtig mit den Gläsern um; *he is ~ with his money* er hält sein Geld gut zusammen.

▼ **carefully** ['keəfʊlɪ] adv see adj.

careless ['keəlɪs] adj (negligent, heedless) nachlässig; driver unvorsichtig; driving leichtsinnig; remark gedankenlos ▸ *~ mistake* Flüchtigkeitsfehler m.

carelessly ['keəlɪslɪ] adv see adj.

carelessness ['keəlɪsnɪs] n see adj Nachlässigkeit f; Unvorsicht(igkeit) f, Leichtsinn m; Gedankenlosigkeit f.

carer ['keərər] n Betreuer(in f) m.

caress [kə'res] **1** n Liebkosung f, Streicheln nt no pl. **2** vt streicheln, liebkosen.

care: *~taker* n Hausmeister m; *~taker government* n Übergangsregierung f; *~worn* adj von Sorgen gezeichnet, abgehärmt.

car ferry n Autofähre f.

cargo ['kɑ:gəʊ] n (Schiffs)ladung f ▸ *~ boat* or *ship* Frachter m, Frachtschiff nt; *~ plane* Transportflugzeug

nt.
car hire *n* Autovermietung *f.*
Caribbean [ˌkærɪˈbiːən, *(US)* kæˈrɪbiːən] [1] *adj* karibisch
► ~ *Sea* Karibisches Meer.
[2] *n* Karibik *f.*
caricature [ˈkærɪkətjʊəʳ] [1] *n* Karikatur *f.*
[2] *vt* karikieren.
caries [ˈkɛəriːz] *n* Karies *f.*
caring [ˈkɛərɪŋ] *adj person* liebevoll; *government, society*
sozial eingestellt.
carjacking [ˈkɑːdʒækɪŋ] *n* Autoraub *m*, Carjacking *nt.*
carload [ˈkɑːləʊd] *n* Wagenladung *f.*
carnage [ˈkɑːnɪdʒ] *n* Gemetzel *nt.*
carnal [ˈkɑːnl] *adj* fleischlich, körperlich.
carnation [kɑːˈneɪʃən] *n* Nelke *f.*
carnival [ˈkɑːnɪvəl] *n* [a] Karneval *m*; (*in S Ger*) Fasching *m.* [b] (*US: funfair*) Kirmes *f.*
carnivore [ˈkɑːnɪvɔːʳ] *n* (*animal*) Fleischfresser *m*;
(*plant*) fleischfressende Pflanze.
carnivorous [kɑːˈnɪvərəs] *adj* fleischfressend.
carol [ˈkærəl] *n* Lied *nt* ► *Christmas* ~ Weihnachtslied
nt; ~ *singers npl* ≃ Sternsinger *pl*; *to go* ~ *singing*
Weihnachtslieder singen gehen.
carouse [kəˈraʊz] *vi* (*old*) zechen.
carousel [ˌkæruːˈsel] *n* = **car(r)ousel.**
carp¹ [kɑːp] *n* (*fish*) Karpfen *m.*
carp² *vi* etwas auszusetzen haben (*at* an +*dat*).
car park *n* (*Brit*) (*open air*) Parkplatz *m*; (*covered*)
Parkhaus *nt* ► *underground* ~ Tiefgarage *f*; ~ *ticket*
Parkschein *m.*
carpenter [ˈkɑːpɪntəʳ] *n* Zimmermann *m*; (*for furniture*)
Tischler *m.*
carpentry [ˈkɑːpɪntrɪ] *n* Zimmerhandwerk *nt*; (*as
hobby*) Tischlern *nt.*
carpet [ˈkɑːpɪt] [1] *n* (*lit, fig*) Teppich *m*; (*fitted* ~)
Teppichboden *m.*
[2] *vt* [a] *floor* (mit Teppichen/Teppichboden) auslegen.
[b] (*col: reprimand*) zur Minna machen (*col*).
carpet bombing *n* Flächenbombardierung *f.*
carpeting [ˈkɑːpətɪŋ] *n* Teppiche *pl*; (*wall-to-wall*)
Teppichboden *m.*
carpet: ~ **slippers** *npl* Pantoffeln *pl*; ~ **sweeper** *n*
Teppichkehrer *m*; ~ **tile** *n* Teppichfliese *f.*
car: ~ **phone** *n* Autotelefon *nt*; ~ **pool** *n* (*people*)
Fahrgemeinschaft *f*, (*vehicles*) Fuhrpark *m*; ~**-port** *n*
Einstellplatz *m*; ~ **radio** *n* Autoradio *nt*; ~ **rental** *n*
(*US*) Autovermietung *f.*
carriage [ˈkærɪdʒ] *n* [a] (*horse-drawn vehicle*) Kutsche *f*;
(*esp US: baby* ~) Kinderwagen *m.* [b] (*Brit Rail*) Wagen
m. [c] (*Comm: conveyance*) Beförderung *f* ► ~ *free*
frachtfrei; ~ *paid* frei Haus. [d] (*Typ*) Wagen *m* ► ~ *return* Wagenrücklauf *m*; (*key*) Rücklauftaste *f*; (*Comp*)
Return *nt.* [e] (*of person: bearing*) Haltung *f.*
carriageway [ˈkærɪdʒweɪ] *n* (*Brit*) Fahrbahn *f.*
carrier [ˈkærɪəʳ] *n* [a] (*goods haulier*) Spediteur *m.* [b] (*of
disease*) Überträger *m.* [c] (*aircraft* ~) Flugzeugträger *m*;
(*troop* ~) Transportflugzeug *nt*/-schiff *nt.* [d] (*Chem*)
Träger(substanz *f*) *m.* [e] (*Brit also* ~ *bag*) Tragetüte *f.*
carrier pigeon *n* Brieftaube *f* ► *by* ~ mit der
Taubenpost.
carrion [ˈkærɪən] *n* Aas *nt* ► ~ *crow* Rabenkrähe *f.*
carrot [ˈkærət] *n* Karotte, Möhre *f*; (*fig*) Köder *m.*
car(r)ousel [ˌkæruːˈsel] *n* [a] Karussell *nt.* [b] (*for
slides*) Rundmagazin *nt.*
carry [ˈkærɪ] [1] *vt* [a] tragen; *message* (über)bringen.
[b] (*vehicle: convey*) befördern ► *the wind carried the
sounds to him* der Wind trug die Laute zu ihm hin.
[c] (*have on person*) *documents, money* bei sich haben.
[d] (*fig*) *his voice carries conviction* seine Stimme
klingt überzeugend; *the offence carries a penalty of £5*
darauf steht eine Geldstrafe von £5; *it carries interest*

at 8% es wirft 8% Zinsen ab; *you're* ~*ing things too far*
(*fig*) du treibst es zu weit; *he carries himself well* er
hat eine gute Haltung.
[e] (*bridge etc: support*) tragen ► *he carries his drink
well* er kann viel vertragen.
[f] (*Comm*) *goods, stock* führen, (auf Lager) haben;
(*newspaper*) *story* bringen.
[g] (*Tech: pipe*) führen; (*wire*) (weiter)leiten.
[h] (*win*) einnehmen, erobern ► *to* ~ *the day* den Sieg
davontragen; *the motion was carried unanimously* der
Antrag wurde einstimmig angenommen.
[2] *vi* (*voice, sound*) tragen ► *the sound of the alphorn
carried for miles* der Klang des Alphorns war
meilenweit zu hören.
◆**carry away** *vt sep* [a] (*lit*) (hin)wegtragen; (*torrent,
flood*) (hin)wegspülen. [b] (*fig*) *to get carried* ~ sich
nicht mehr bremsen können; *don't get carried* ~*!* über-
treib's nicht!
◆**carry back** *vt sep* (*fig*) *person* zurückversetzen (*to* in
+*acc*).
◆**carry forward** *vt sep* (*Fin*) vortragen.
◆**carry off** *vt sep* [a] (*seize, carry away*) wegtragen. [b]
(*win*) *prizes, medals* gewinnen. [c] *to* ~ *it* ~ es hinkriegen (*col*).
◆**carry on** [1] *vi* [a] (*continue*) weitermachen; (*life*)
weitergehen. [b] (*col*) (*talk*) reden und reden; (*make a
scene*) ein Theater machen (*col*) ► *to* ~ ~ *about sth* sich
über etw (*acc*) auslassen. [c] (*have an affair*) etwas haben
(*col*) (*with sb* mit jdm).
[2] *vt sep* [a] (*continue*) *tradition* fortführen. [b]
(*conduct*) *conversation, correspondence* führen; *profession, trade* ausüben.
◆**carry out** *vt sep* [a] (*lit*) heraustragen. [b] *order* ausführen; *plan, experiment* durchführen; *threats* wahrma-
chen.
◆**carry through** *vt sep* (*carry out*) zu Ende führen.
carry: ~**-all** *n* (Reise)tasche *f*; ~**cot** *n* (*Brit*) Babytrageta-
sche *f*; ~**-on** *n* (*col*) Theater *nt* (*col*).
carsick [ˈkɑːsɪk] *adj I get* ~ mir wird beim Autofahren
immer übel.
cart [kɑːt] [1] *n* Wagen, Karren *m*; (*US*) (*in supermarket*)
Einkaufswagen *m*; (*for baggage*) Gepäckwagen *m* ► *to
put the* ~ *before the horse* (*fig*) das Pferd am Schwanz
aufzäumen.
[2] *vt* (*fig col*) schleppen ► ~ *around* mit sich herum-
schleppen.
◆**cart away** *or* **off** *vt sep* abtransportieren.
carte blanche [ˈkɑːtˈblɑːnʃ] *n no pl to give sb* ~ ~ jdm
(eine) Blankovollmacht geben.
cartel [kɑːˈtel] *n* Kartell *nt.*
carthorse [ˈkɑːthɔːs] *n* Zugpferd *nt.*
cartilage [ˈkɑːtɪlɪdʒ] *n* Knorpel *m.*
cartography [kɑːˈtɒgrəfɪ] *n* Kartographie *f.*
carton [ˈkɑːtən] *n* Karton *m*; (*of cigarettes*) Stange *f*; (*of
milk*) Tüte *f.*
cartoon [kɑːˈtuːn] *n* [a] Cartoon *m or nt*; (*single picture*)
Karikatur *f* ► ~ *character* Comicfigur *f.* [b] (*Film, TV*)
(Zeichen)trickfilm *m.*
cartoonist [ˌkɑːˈtuːnɪst] *n* [a] (*in newspaper etc*)
Karikaturist(in *f*) *m.* [b] (*Film, TV*) Trickzeichner(in *f*) *m.*
cartridge [ˈkɑːtrɪdʒ] *n* (*for rifle, pen*) Patrone *f*; (*Phot,
for tape recorder*) Kassette *f*; (*for record player*)
Tonabnehmer *m.*
cartridge: ~ **belt** *n* Patronengürtel *m*; ~ **case** *n* Pa-
tronenhülse *f*; ~ **paper** *n* Zeichenpapier *nt.*
cartwheel [ˈkɑːtwiːl] *n* (*lit*) Wagenrad *nt*; (*Sport*) Rad
nt ► *to turn or do* ~*s* radschlagen.
carve [kɑːv] [1] *vt* [a] (*Art: cut*) *wood* schnitzen; *stone
etc* (be)hauen ► *to* ~ *sth on a stone* etw in einen Stein
einmeißeln. [b] (*Cook*) tranchieren.
[2] *vi* (*Cook*) tranchieren.

◆**carve out** *vt sep* **to ~ ~ a career for oneself** sich (*dat*) eine Karriere aufbauen.

◆**carve up** *vt sep* **meat** aufschneiden; **body**, (*fig*) **country** zerstückeln.

carve-up ['kɑːvʌp] *n* (*col*) Zerstückelung *f*; (*of inheritance*) Verteilung *f*.

carving ['kɑːvɪŋ] *n* (*Art*) (*thing carved*) Skulptur *f*; (*in wood*) Holzschnitt *m* ▶ **~ knife** Tranchiermesser *nt*.

carwash ['kɑːwɒʃ] *n* (*place*) Waschstraße *f*; (*wash*) Autowäsche *f*.

cascade [kæsˈkeɪd] [1] *n* Kaskade *f*.
[2] *vi* (*also* **~ down**) (*onto* auf +*acc*) (in Kaskaden) herabfallen; (*hair*) wallend herabfallen; (*boxes etc*) herunterpurzeln (*col*).

case[1] [keɪs] *n* [a] (*Med, Jur, instance*) Fall *m* ▶ **if that's the ~** wenn das der Fall ist; **as the ~ may be** je nachdem; **it's a clear ~ of lying** das ist eindeutig gelogen; **in ~** falls; **(just) in ~** für alle Fälle; **in ~ of emergency** im Notfall *m*; **in any ~** sowieso; **in this/that ~** in dem Fall; **the ~ for the defence/prosecution** die Verteidigung/Anklage; **in the ~ Higgins v Schwarz** in der Sache Higgins gegen Schwarz; **the ~ for/against the abolition of capital punishment** die Argumente für/ gegen die Abschaffung der Todesstrafe; **to put the ~ for sth** etw vertreten; **you've got a good ~** was Sie sagen, ist durchaus gerechtfertigt; **there's a strong ~ for legalizing cannabis** es spricht viel für die Legalisierung von Marihuana.
[b] (*Gram*) Fall, Kasus *m* ▶ **in the genitive ~** im Genitiv.
[c] (*col: person*) Type *f* (*col*) ▶ **he's a ~** das ist vielleicht 'ne Type (*col*); **a hard ~** ein schwieriger Fall.

case[2] *n* [a] (*suit~*) Koffer *m*; (*crate, packing ~*) Kiste *f*; (*display ~*) Vitrine *f*. [b] (*box*) Schachtel *f*; (*for spectacles*) Etui *nt*; (*pillow~*) Bezug *m*; (*for musical instrument*) Kasten *m*.

case: ~book *n* (*Med*) (Kranken)fälle *pl*; (*in social work, Jur*) Fallsammlung *f*; **~-hardened** *adj* verstählt; (*fig*) abgebrüht; **~ history** *n* (*Med*) Krankengeschichte *f*; (*Sociol, Psych*) Vorgeschichte *f*.

casement ['keɪsmənt] *n* (*frame*) Fensterflügel *m*; (*also* **~ window**) Flügelfenster *nt*.

case: ~ study *n* Fallstudie *f*; **~work** *n* (*Sociol*) ≈ Sozialarbeit *f*.

cash [kæʃ] [1] *n* [a] Bargeld *nt* ▶ **~ in hand** Barbestand *m*; **to pay (in) ~** bar bezahlen; **ready ~** verfügbares Geld. [b] (*immediate payment*) Barzahlung *f*; (*not credit*) Sofortzahlung *f* ▶ **~ on delivery** per Nachnahme; **~ with order** Bezahlung *f* bei Auftragserteilung. [c] (*money*) Geld *nt* ▶ **to be short of ~** knapp bei Kasse sein (*col*).
[2] *vt* **cheque** einlösen.

◆**cash in** [1] *vt sep* einlösen.
[2] *vi* **to ~ ~ on sth** aus etw Kapital schlagen.

cash: ~ account *n* Kassenkonto *nt*; **~-and-carry** [1] *adj* Cash-and-carry-; [2] *n* (*for retailers*) Cash and Carry *m*; (*for public*) Verbrauchermarkt *m*; **~ book** *n* Kassenbuch *nt*; **~ box** *n* Geldkassette *f*; **~ card** *n* (Geld)automatenkarte *f*; **~ desk** *n* Kasse *f*; **~ dispenser** *n* Geldautomat *m*.

cashew [kæˈʃuː] *n* (*tree*) Nierenbaum *m*; (*nut*) Cashewnuß *f*.

cashflow ['kæʃfləʊ] *n* Cash-flow *m* ▶ **positive ~** Überhang *m* der Zahlungseingänge *mpl*; **~ problems** Liquiditätsprobleme; **~ statement** Cash-flow Aufstellung *f*.

cashier [kæˈʃɪər] *n* Kassierer(in *f*) *m*.

cash-in-hand *n* Barbestand *m*.

cashless ['kæʃləs] *adj* bargeldlos.

cashmere [kæʃˈmɪər] *n* Kaschmir *m*.

cash: ~ payment *n* Barzahlung *f*; **~point** *n* Geldautomat *m*; **~ price** *n* Barzahlungspreis *m*; **~ prize**

n Geldpreis *m*; **~ register** *n* Registrierkasse *f*; **~ reserves** *n* Bargeldreserven *pl*; **~ sale** *n* Barverkauf *m*.

casing ['keɪsɪŋ] *n* (*Tech*) Gehäuse *nt*.

casino [kəˈsiːnəʊ] *n* (Spiel)kasino *nt*.

cask [kɑːsk] *n* Faß *nt*.

casket ['kɑːskɪt] *n* Schatulle *f*; (*US: coffin*) Sarg *m*.

Caspian Sea ['kæspɪənˈsiː] *n* Kaspisches Meer.

casserole ['kæsərəʊl] [1] *n* (*Cook*) Kasserolle *f*.
[2] *vt* (*Brit*) schmoren.

cassette [kæˈset] *n* Kassette *f* ▶ **~ deck** Kassettendeck *nt*; **~ player, recorder** Kassettenrecorder *m*.

cassock ['kæsək] *n* Soutane *f*.

cast [kɑːst] (*vb: pret, ptp ~*) [1] *n* [a] (*of dice, net, line*) Wurf *m*. [b] (*mould*) (Guß)form *f*; (*object moulded*) Abdruck *m*; (*in metal*) (Ab)guß *m*. [c] (*plaster ~*) Gipsverband *m*. [d] (*Theat*) Besetzung *f* ▶ **~ (in order of appearance)** Mitwirkende *pl* (in der Reihenfolge ihres Auftritts). [e] **~ of mind** Gesinnung *f*. [f] (*Med: squint*) schielender Blick.
[2] *vt* [a] werfen; **anchor, net** auswerfen; **vote** abgeben ▶ **to ~ one's eyes over sth** einen Blick auf etw (*acc*) werfen. [b] (*shed*) **to ~ its skin** sich häuten. [c] (*Tech, Art*) gießen ▶ **~ iron** Gußeisen *nt*. [d] (*Theat*) **parts, play** besetzen ▶ **he was ~ for the part of Hamlet** er sollte den Hamlet spielen.
[3] *vi* [a] (*Fishing*) die Angel auswerfen. [b] (*Theat*) die Rollen verteilen.

◆**cast about** *or* **around for** *vi* +*prep obj* suchen nach; **for new job etc** sich umsehen nach.

◆**cast aside** *vt sep* **cares, inhibitions** ablegen; **old clothes etc** ausrangieren.

◆**cast away** *vt sep* wegwerfen ▶ **to be ~** (*Naut*) gestrandet sein.

◆**cast down** *vt sep* **eyes** niederschlagen ▶ **to be ~ ~** (*fig*) niedergeschlagen sein.

◆**cast off** [1] *vt sep* [a] (*get rid of clothes*) abwerfen; **friends** fallenlassen. [b] **stitches** abketten. [c] (*Naut*) losmachen.
[2] *vi* [a] (*Naut*) ablegen. [b] (*in knitting*) abketten.

◆**cast on** *vti sep* (*Knitting*) anschlagen.

◆**cast up** *vt sep* **flotsam, sailors** anspülen, an Land spülen.

castanets [ˌkæstəˈnets] *npl* Kastagnetten *pl*.

castaway ['kɑːstəweɪ] *n* (*lit, fig*) Schiffbrüchige(r) *mf*.

caste [kɑːst] *n* Kaste *f*.

caster ['kɑːstər] *n* = **castor**.

castigate ['kæstɪgeɪt] *vt* **person** (*old: physically*) züchtigen; (*verbally*) geißeln.

Castile [kæˈstiːl] *n* Kastilien *nt*.

Castilian [kæˈstɪljən] [1] *adj* kastilisch.
[2] *n* [a] (*language*) Kastilisch *nt*. [b] (*person*) Kastilier(in *f*) *m*.

casting *n* ['kɑːstɪŋ] *n* [a] (*Tech, Art*) Abguß *m*; (*in metal*) Guß *m*. [b] (*Theat*) Rollenverteilung *f*.

casting vote *n* ausschlaggebende Stimme.

cast-iron ['kɑːstˌaɪən] *adj* [a] (*lit*) gußeisern. [b] (*fig*) **will, constitution** eisern; **case, alibi** hieb- und stichfest.

castle ['kɑːsl] [1] *n* [a] (*fortress*) Burg *f*; (*mansion, great house*) Schloß *nt* ▶ **to build ~s in the air** Luftschlösser bauen. [b] (*Chess*) Turm *m*.
[2] *vi* (*Chess*) rochieren.

cast: ~-off [1] *adj* **clothes** abgelegt *attr*; [2] *npl* **~-offs** (*col*) abgelegte Kleider.

castor ['kɑːstər] *n* [a] (*Brit: for sugar, salt etc*) Streuer *m*. [b] (*wheel*) Rolle *f*, Rad *nt*.

castor: ~ oil *n* Rizinus(öl) *nt*; **~ sugar** *n* (*Brit*) Kristallzucker *m*.

castrate [kæsˈtreɪt] *vt* kastrieren.

casual ['kæʒʊəl] [1] *adj* [a] (*not planned*) zufällig; **acquaintance, glance** flüchtig. [b] (*offhand, careless*) lässig; **attitude** gleichgültig; **remark** beiläufig. [c] (*informal*)

zwanglos; *clothes* leger ▶ ~ *wear* Freizeitkleidung *f*. ☐ *d*
(*irregular*) ~ *work/labour* Gelegenheitsarbeit *f*; ~
worker/labourer Gelegenheitsarbeiter(in *f*) *m*.
☐ *n* (~ *worker*) Gelegenheitsarbeiter(in *f*) *m* ▶ ~*s* Aushilfen *pl*.

casually ['kæʒjʊəlɪ] *adv* (*without planning*) zufällig; (*in
an offhand manner*) beiläufig; (*informally*) zwanglos;
dressed leger.

casualty ['kæʒjʊəltɪ] *n* ☐ *a* (*lit, fig*) Opfer *nt*; (*injured
also*) Verletzte(r) *mf*; (*dead also*) Tote(r) *mf*. ☐ *b* (*also ~
ward*) Unfallstation *f*.

cat [kæt] *n* Katze *f* ▶ *to let the ~ out of the bag* die Katze
aus dem Sack lassen; *they fight like ~ and dog* sie vertragen sich wie Hund und Katze; *there isn't room to
swing a ~ (in)* (*col*) man kann sich nicht rühren(, so
eng ist es); *to be like a ~ on hot bricks* (wie) auf
glühenden Kohlen sitzen; *that's put the ~ among the
pigeons!* da hast du *etc* aber was (Schönes) angerichtet!;
he thinks he's the ~'s whiskers (*col*) er hält sich für
wer weiß was; *when the ~'s away the mice will play*
(*prov*) wenn die Katze aus dem Haus ist, tanzen die
Mäuse.

cataclysm ['kætəklɪzəm] *n* Verheerung *f*; (*fig*) Umwälzung *f*.

catacombs ['kætəku:mz] *npl* Katakomben *pl*.

catalogue, (*US*) **catalog** ['kætəlɒg] ☐ *n* Katalog *m*.
☐ *vt* katalogisieren.

catalyst ['kætəlɪst] *n* (*lit, fig*) Katalysator *m*.

catalytic converter [,kætə'lɪtɪk kən'vɜ:tər] *n* (*Aut*)
Katalysator *m*.

catamaran [,kætəmə'ræn] *n* Katamaran *m*.

catapult ['kætəpʌlt] ☐ *n* (*slingshot*) Schleuder *f*; (*Mil,
Aviat*) Katapult *nt* or *m*.
☐ *vt* schleudern; (*Aviat*) katapultieren.

cataract ['kætərækt] *n* ☐ *a* (*rapids*) Katarakt *m*. ☐ *b* (*Med*)
grauer Star.

catarrh [kə'tɑ:r] *n* Katarrh *m*.

catastrophe [kə'tæstrəfɪ] *n* Katastrophe *f*.

catastrophic [,kætə'strɒfɪk] *adj* katastrophal.

cat: ~ **burglar** *n* Fassadenkletterer *m*; ~**call** *n* (*Theat*)
~**calls** Pfiffe und Buhrufe *pl*.

~**catch** [kætʃ] (*vb*: *pret, ptp* **caught**) ☐ *n* ☐ *a* (*of ball etc*) *to
make a (good)* ~ (gut) fangen. ☐ *b* (*Fishing, Hunt*) Fang
m. ☐ *c* (*trick, snag*) Haken *m* ▶ *there's a ~ in it somewhere* die Sache hat irgendwo einen Haken; *a ~-22
situation* (*col*) eine Zwickmühle; ~ *question* Fangfrage
f. ☐ *d* (*device for fastening*) Verschluß(vorrichtung *f*) *m*;
(*hook*) Haken *m*; (*latch*) Riegel *m*.
☐ *vt* ☐ *a* fangen; *thief* fassen, schnappen (*col*); (*col: manage to see*) erwischen (*col*) ▶ *to ~ sight/a glimpse of
sb/sth* jdn/etw erblicken/flüchtig zu sehen bekommen;
he caught the waiter's eye er machte den Ober auf sich
aufmerksam; *this dress caught my eye* das Kleid ist mir
ins Auge gefallen; *to ~ one's breath* (*after exercise etc*)
Luft holen, verschnaufen (*col*).
☐ *b* (*take by surprise*) erwischen, ertappen ▶ *to ~ sb at
sth* jdn bei etw erwischen; *you won't ~ me doing that
again!* (*col*) das mache ich bestimmt nicht wieder!;
caught in the act auf frischer Tat ertappt.
☐ *c* *train, bus* erreichen, kriegen (*col*).
☐ *d* (*get entangled*) *coat* hängenbleiben mit ▶ *I caught
my finger in the car door* ich habe mir den Finger in
der Wagentür eingeklemmt.
☐ *e* (*understand, hear*) mitkriegen (*col*).
☐ *f* ~ *an illness* sich (*dat*) eine Krankheit holen
(*col*); *to ~ a cold* sich erkälten.
☐ *g* (*hit*) treffen ▶ *the blow/ball caught him on the
arm* der Schlag/Ball traf ihn am Arm; *you'll ~ it!* (*col*)
du kannst was erleben!
☐ *vi* ☐ *a* (*with ball*) fangen. ☐ *b* (*fire*) in Gang kommen;
(*wood etc*) Feuer fangen. ☐ *c* (*Cook*) anbrennen. ☐ *d* (*get

stuck) sich verklemmen; (*get entangled*) hängenbleiben
▶ *her dress caught in the door* sie blieb mit ihrem
Kleid in der Tür hängen.

◆**catch on** *vi* (*col*) ☐ *a* (*become popular*) (gut) ankommen. ☐ *b* (*understand*) kapieren (*col*).

◆**catch out** *vt sep* (*fig*) durchschauen; (*with trick question etc*) hereinlegen (*col*) ▶ *I caught you ~ there!* du
bist durchschaut; (*with trick question*) jetzt bist du aber
reingefallen (*col*).

◆**catch up** ☐ *vi* aufholen ▶ *to ~ ~ on sth* etw
nachholen; *to ~ ~ on one's sleep* Schlaf nachholen; *to
~ ~ with sb* (*running, in work etc*) jdn einholen.
☐ *vt sep* ☐ *a* *to ~ sb ~* (*walking, working etc*) jdn einholen.
☐ *b* *to get caught ~ in sth* (*entangled*) sich in etw
(*dat*) verfangen; *in traffic* in etw (*acc*) geraten; *in discussion* in etw (*acc*) verwickelt werden.

catching ['kætʃɪŋ] *adj* (*Med, fig*) ansteckend.

catchment area ['kætʃmənt-] *n* Einzugsgebiet *nt*.

catch: ~ *phrase* *n* Slogan *m*; ~ **word** *n* Schlagwort *nt*.

catchy ['kætʃɪ] *adj* (+*er*) *tune* eingängig ▶ *to be* ~ leicht
ins Ohr gehen.

catechism ['kætɪkɪzəm] *n* Katechismus *m*.

categorical [,kætɪ'gɒrɪkəl] *adj* kategorisch.

categorize ['kætɪgəraɪz] *vt* kategorisieren.

category ['kætɪgərɪ] *n* Kategorie *f*.

cater ['keɪtər] *vi* (*provide food*) die Speisen und Getränke
liefern.

◆**cater for** *vi* +*prep obj* ☐ *a* (*serve*) mit Speisen und Getränken versorgen; *functions* ausrichten. ☐ *b* eingestellt
sein auf (+*acc*); (*also cater to*) *needs, tastes* gerecht
werden (+*dat*) ▶ *we ~ ~ all sizes* wir führen alle
Größen; *this magazine ~s ~ all ages* diese Zeitschrift
hat jeder Altersgruppe etwas zu bieten.

caterer ['keɪtərər] *n* Caterer *m*.

catering ['keɪtərɪŋ] *n* Versorgung *f* mit Speisen und Getränken (*for gen*); (*trade*) Gastronomie *f* ▶ *who's doing
the ~?* welche Firma liefert das Essen?; ~ *trade* Gastronomie *f*.

caterpillar ['kætəpɪlər] *n* (*Zool*) Raupe *f*; (*Tech*)
Raupe(nkette) *f*; (*vehicle*) (*also ~ tractor*)
Raupenfahrzeug *nt* ▶ ~-*track* Raupenkette *f*.

caterwauling ['kætəwɔ:lɪŋ] *n* Gejaule *nt*.

catgut ['kætgʌt] *n* Katgut *nt*.

cathedral [kə'θi:drəl] *n* Dom *m*, Kathedrale *f*.

Catherine ['kæθərɪn] *n* Katharina *f* ▶ *c~ wheel*
Feuerrad *nt*.

catheter ['kæθɪtər] *n* Katheter *m*.

cathode ['kæθəʊd] *n* Kathode *f* ▶ ~-*ray tube* Kathodenstrahlröhre *f*.

catholic ['kæθəlɪk] *adj* (*varied, all-embracing*) vielseitig ▶
he's a man of very ~ tastes er ist (ein) sehr vielseitig interessiert(er Mensch).

Catholic ☐ *adj* (*Eccl*) katholisch ▶ *the ~ Church* die
katholische Kirche.
☐ *n* Katholik(in *f*) *m*.

Catholicism [kə'θɒlɪsɪzəm] *n* Katholizismus *m*.

cat: ~**kin** *n* (*Bot*) Kätzchen *nt*; ~ *litter* *n* Katzenstreu *f*;
~**nap** *n* *to have a ~nap* ein Nickerchen *nt* machen
(*col*).

CAT scan ['kæt,skæn] *n* Computertomographie *f*.

cat's eye *n* Katzenauge *nt*.

catsup ['kætsəp] *n* (*US*) = **ketchup**.

cattle ['kætl] *npl* Rind(vieh) *nt* ▶ ~ *breeding*
Rinderzucht *f*; ~ *market* (*lit*) Viehmarkt *m*; (*fig col*)
Fleischbeschau *f* (*col*); ~ *truck* (*Rail*) Viehwagen *m*.

catty ['kætɪ] *adj* (+*er*) gehässig, boshaft.

catwalk ['kætwɔ:k] *n* Steg *m*; (*for models*) Laufsteg *m*.

Caucasian [kɔ:'keɪzɪən] ☐ *adj* kaukasisch.
☐ *n* Kaukasier(in *f*) *m*.

Caucasus ['kɔ:kəsəs] *n* der Kaukasus.

caucus ['kɔːkəs] n (committee) Gremium nt; (US: meeting) Sitzung f.

┌─ CAUCUS ─┐

ⓘ **Caucus** bedeutet vor allem in den USA ein privates Treffen von Parteifunktionären, bei dem z.B. Kandidaten ausgewählt oder Grundsatzentscheidungen getroffen werden. Meist wird ein solches Treffen vor einer öffentlichen Parteiversammlung abgehalten. Der Begriff bezieht sich im weiteren Sinne auch auf den kleinen, aber mächtigen Kreis von Parteifunktionären, der beim caucus zusammentrifft.

caught [kɔːt] pret, ptp of **catch**.

cauldron ['kɔːldrən] n großer Kessel.

cauliflower ['kɒlɪflaʊəʳ] n Blumenkohl m.

▼ **cause** [kɔːz] ① n ⓐ Ursache f (of für) ► ~ **and effect** Ursache und Wirkung. ⓑ (reason) Grund m ► **there's no ~ for alarm** es besteht kein Grund zur Aufregung. ⓒ (purpose, ideal) Sache f ► **in the ~ of justice** im Namen der Gerechtigkeit; **it's all in a good ~** es ist für eine gute Sache. ② vt verursachen ► **to ~ grief to sb** jdm Kummer machen; **to ~ sb to do sth** jdn veranlassen, etw zu tun.

causeway ['kɔːzweɪ] n Damm m.

caustic ['kɔːstɪk] adj (Chem, fig) ätzend; remark bissig. ~ **soda** Ätznatron nt.

cauterize ['kɔːtəraɪz] vt (Med) ausbrennen.

caution ['kɔːʃən] ① n ⓐ Vorsicht f ► "~!" „Vorsicht!"; **to act with ~** umsichtig or vorsichtig vorgehen. ⓑ (warning) Warnung f; (official) Verwarnung f. ② vt (warn) **to ~ sb** jdn warnen (against vor +dat); (officially) jdn verwarnen.

cautious ['kɔːʃəs] adj, **~ly** [-lɪ] adv vorsichtig (of in bezug auf +acc).

cavalcade [ˌkævəl'keɪd] n Kavalkade f.

cavalier [ˌkævə'lɪəʳ] ① n Kavalier m. ② adj person, nature unbekümmert.

cavalry ['kævəlrɪ] n Kavallerie f.

cave [keɪv] n Höhle f.

♦**cave in** vi (ground, ceiling) einstürzen.

caveat ['kævɪæt] n Vorbehalt m.

cave: ~man n Höhlenmensch m; (fig) Urmensch m; ~ **painting** n Höhlenmalerei f.

cavern ['kævən] n Höhle f.

cavernous ['kævənəs] adj pit tief; hole gähnend; eyes tiefliegend; cheeks eingefallen.

caviar(e) ['kævɪɑːʳ] n Kaviar m.

cavil ['kævɪl] vi kritteln ► **to ~ at sth** an etw (dat) herumkritteln.

cavity ['kævɪtɪ] n Hohlraum m; (in tooth) Loch nt ► **nasal/chest ~** (Anat) Nasen-/Brusthöhle f; ~ **wall** Hohlwand f; ~ **wall insulation** Schaumisolierung f für Hohlwände.

cavort [kə'vɔːt] vi tollen, toben.

caw [kɔː] ① vi krächzen. ② n (heiserer) Schrei.

cayenne pepper ['keɪen'pepəʳ] n Cayennepfeffer m.

CB = Citizens' Band CB ► ~ **radio** CB-Funk m.

CBC = **Canadian Broadcasting Corporation** kanadischer Rundfunk.

CBE = **Companion (of the Order) of the British Empire**.

CBI (Brit) = **Confederation of British Industry** ≃ BDI.

CBS = **Columbia Broadcasting System** CBS f; amerikanischer Rundfunk.

cc = ⓐ **cubic centimetre** ccm, cm³. ⓑ **carbon copy**.

CCTV = **closed circuit television**.

CD = ⓐ **compact disc** CD f ► ~ **player** CD-Spieler m. ⓑ **corps diplomatique**. ⓒ **civil defence**.

Cdr = **Commander**.

CD-ROM ['siːdiː'rɒm] = **compact disc read-only memory** CD-ROM f.

CD-ROM drive n CD-ROM-Laufwerk nt.

cease [siːs] ① vi aufhören. ② vt beenden; fire, production einstellen ► **to ~ to exist** aufhören zu bestehen; ~ **fire!** Feuer halt!

ceasefire [ˌsiːs'faɪəʳ] n Feuerpause f; (longer) Waffenruhe f.

ceaseless ['siːslɪs] adj unaufhörlich; (relentless) vigilance unablässig.

cedar ['siːdəʳ] n ⓐ (tree) Zeder f. ⓑ (also ~ **wood**) Zedernholz nt.

cede [siːd] vt territory abtreten (to an +acc) ► **to ~ a point** in einem Punkt nachgeben.

cedilla [sə'dɪlə] n Cedille f.

Ceefax ® ['siːfæks] n Videotext m der BBC.

ceiling ['siːlɪŋ] n ⓐ (Zimmer)decke f. ⓑ (Aviat) (cloud ~) Wolkengrenze f; (aircraft's ~) maximale Flughöhe. ⓒ (fig: upper limit) ober(st)e Grenze ► **to put a ~ on sth** etw nach oben begrenzen.

celebrate ['selɪbreɪt] ① vt ⓐ feiern. ⓑ mass, ritual zelebrieren. ② vi feiern.

celebrated ['selɪbreɪtɪd] adj berühmt (for für).

celebration [ˌselɪ'breɪʃən] n ⓐ (party, festival) Feier f. ⓑ (of mass) Zelebration f.

celebrity [sɪ'lebrɪtɪ] n Berühmtheit f; (person also) berühmte Persönlichkeit.

celeriac [sə'lerɪæk] n (Knollen)sellerie m.

celery ['selərɪ] n Stangensellerie m.

celestial [sɪ'lestɪəl] adj (heavenly) himmlisch; (Astron) Himmels-.

celibacy ['selɪbəsɪ] n Zölibat nt or m; (fig) Enthaltsamkeit f.

celibate ['selɪbɪt] adj (Rel) ehelos; (fig) enthaltsam.

cell [sel] n Zelle f ► ~ **division** Zellteilung f.

cellar ['seləʳ] n Keller m.

cellist ['tʃelɪst] n Cellist(in f) m.

cello, 'cello ['tʃeləʊ] n Cello nt.

cellophane ® ['seləfeɪn] n Cellophan ® nt.

cellular ['seljʊləʳ] adj zellenförmig, Zell- ► ~ **phone** Funktelefon nt.

cellulite ['seljʊlaɪt] n Unterhautfettgewebe nt.

celluloid ['seljʊlɔɪd] n Zelluloid nt.

cellulose ['seljʊləʊs] ① n Zellulose f. ② adj Zellulose-.

Celsius ['selsɪəs] adj Celsius.

Celt [kelt, selt] n Kelte m, Keltin f.

Celtic ['keltɪk, 'seltɪk] adj keltisch.

cement [sə'ment] ① n ⓐ (Build) Zement m ► ~ **mixer** Betonmischmaschine f. ⓑ (glue) Klebstoff m; (for holes etc, fig) Kitt m. ② vt (Build, fig) zementieren; (glue) kleben; holes kitten.

cemetery ['semɪtrɪ] n Friedhof m.

cenotaph ['senətɑːf] n Kriegerdenkmal nt.

censor ['sensəʳ] ① n Zensor m. ② vt zensieren.

censorship ['sensəʃɪp] n Zensur f.

censure ['senʃəʳ] ① vt tadeln. ② n Tadel m ► **vote of ~** Tadelsantrag m.

census ['sensəs] n Volkszählung f ► **traffic ~** Verkehrszählung f.

cent [sent] n Cent m ► **I haven't a ~** (US) ich habe keinen Pfennig.

centenarian [ˌsentɪ'neərɪən] n Hundertjährige(r) mf.

centenary [sen'tiːnərɪ] n (anniversary) hundertster Jahrestag; (birthday) hundertster Geburtstag; (100 years) Jahrhundert nt.

centennial [sen'tenɪəl] ① adj hundertjährig, hundertjährlich.

2 *n (esp US)* Hundertjahrfeier *f.*
center *n (US)* = **centre**.
centigrade ['sentɪɡreɪd] *adj* Celsius- ▸ *one degree ~* ein Grad Celsius.
centilitre, *(US)* **centiliter** ['sentɪˌliːtər] *n* Zentiliter *m or nt.*
centimetre, *(US)* **centimeter** ['sentɪˌmiːtər] *n* Zentimeter *m or nt.*
centipede ['sentɪpiːd] *n* Tausendfüßler *m.*
central ['sentrəl] 1 *adj* a zentral, Zentral-; *(main, chief)* Haupt-. b *(fig)* wesentlich; *importance, figure* zentral.
  2 *n (US: exchange, operator)* (Telefon)zentrale *f.*
central: C~ African Republic *n* Zentralafrikanische Republik; **C~ America** *n* Mittelamerika *nt;* **C~ Europe** *n* Mitteleuropa *nt;* **C~ European** 1 *adj* mitteleuropäisch; 2 *n* Mitteleuropäer(in *f*) *m;* **~ government** *n* Zentralregierung *f;* **~ heating** *n* Zentralheizung *f.*
centralize ['sentrəlaɪz] *vt* zentralisieren.
central locking *n (Aut)* Zentralverriegelung *f.*
centrally ['sentrəlɪ] *adv* zentral ▸ *~ heated* zentralbeheizt.
central: ~ nervous system *n* Zentralnervensystem *nt;* **~ processing unit** *n (Comp)* Zentraleinheit *f;* **~ reservation** *n (Brit)* Mittelstreifen *m; (with grass etc)* Grünstreifen *m;* **~ station** *n* Hauptbahnhof *m.*
centre, *(US)* **center** ['sentər] 1 *n* a Zentrum *nt.* b *(middle)* Mitte *f; (of circle)* Mittelpunkt *m; (of place)* Ortsmitte *f; (town ~)* Stadtmitte *f* ▸ *~ of gravity* Schwerpunkt *m; ~ of attraction* Hauptattraktion *f; he always wants to be the ~ of attraction* er will immer im Mittelpunkt stehen.
  2 *vt* a *(put in the middle, Typ, Comp)* zentrieren; *ball* zur Mitte spielen *or* flanken. b *(concentrate)* konzentrieren.
◆**centre (up)on** *vi +prep obj (thoughts, talk etc)* sich drehen um.
centre: ~-fold *n doppelseitiges Bild in der Mitte einer Zeitschrift;* **~-forward** *n (Sport)* Mittelstürmer *m;* **~ half** *n (Sport)* Stopper *m;* **~ party** *n* Partei *f* der Mitte; **~-piece** *n (on table)* Tafelaufsatz *m; (main item)* Kernstück *nt.*
centrifugal [ˌsentrɪˈfjuːɡəl] *adj* zentrifugal ▸ *~ force* Zentrifugalkraft, Fliehkraft *f.*
centrifuge ['sentrɪfjuːʒ] *n (Tech)* Zentrifuge *f.*
centurion [senˈtjʊərɪən] *n* Zenturio *m.*
century ['sentʃʊrɪ] *n* Jahrhundert *nt* ▸ *in the 20th ~* im 20. Jahrhundert.
ceramic [sɪˈræmɪk] 1 *adj* keramisch, Keramik- ▸ *~ hob* (Glaskeramik-)Kochfeld *nt.*
  2 *n* Keramik *f.*
ceramics [sɪˈræmɪks] *n* a *sing (art)* Keramik *f.* b *pl (articles)* Keramiken *pl.*
cereal ['sɪərɪəl] *n* a *(crop)* Getreide *nt.* b *(food)* Getreideprodukt *nt; (breakfast ~)* Corn-flakes, Haferflocken *etc*, Cerealien *pl.*
cerebral ['serɪbrəl] *adj (Physiol)* zerebral; *(intellectual)* geistig ▸ *~ haemorrhage* Gehirnblutung *f.*
ceremonial [ˌserɪˈməʊnɪəl] 1 *adj* zeremoniell.
  2 *n* Zeremoniell *nt.*
ceremonious [ˌserɪˈməʊnɪəs] *adj* förmlich.
ceremony ['serɪmənɪ] *n* a *(event etc)* Zeremonie *f.* b *(formality)* Förmlichkeit(en *pl*) *f* ▸ *to stand on ~* förmlich sein.
cerise [səˈriːz] 1 *adj* kirschrot.
  2 *n* Kirschrot *nt.*
cert [sɜːt] *n (col)* **a (dead)** *~* eine todsichere Sache *(col).*
▼ **certain** ['sɜːtən] *adj* a *(positive, convinced)* sicher; *(inevitable, guaranteed)* bestimmt ▸ *is he ~* weiß er das genau?; *I don't know for ~, but ...* ich bin mir nicht

ganz sicher, aber ...; *I can't say for ~* ich kann das nicht mit Sicherheit sagen; *he is ~ to come* er wird ganz bestimmt kommen; *to make ~ of sth (check)* etw nachprüfen; *(ensure)* für etw sorgen; *be ~ to tell him* vergessen Sie bitte nicht, ihm das zu sagen; *that was ~ to happen* das mußte ja so kommen. b *(attr: not named or specified)* gewiß; *reason, conditions* bestimmt ▸ *a ~ gentleman* ein gewisser Herr; *to a ~ extent* in gewissem Maße.
certainly ['sɜːtənlɪ] *adv (admittedly)* sicher(lich); *(positively, without doubt)* bestimmt ▸ *~ not!* ganz bestimmt nicht!; *~!* gewiß!
certainty ['sɜːtəntɪ] *n (sure fact)* Gewißheit *f* ▸ *to know for a ~ that ...* mit Sicherheit wissen, daß ...; *the ultimate ~ of death* die letztliche Gewißheit des Todes.
certifiable [ˌsɜːtɪˈfaɪəbl] *adj* a *fact, claim* nachweisbar. b *(Psych)* unzurechnungsfähig; *(col: mad)* nicht ganz bei Trost *(col).*
▼ **certificate** [səˈtɪfɪkɪt] *n* Bescheinigung *f; (of qualifications, health)* Zeugnis *nt.*
certify ['sɜːtɪfaɪ] *vt* a bescheinigen; *(Jur)* beglaubigen ▸ *this is to ~ that ...* hiermit wird bescheinigt *or* bestätigt, daß ...; *certified accountant (Brit)* staatlich geprüfter Bilanzbuchhalter; *certified public accountant (US)* geprüfter Buchhalter; *by certified mail (US)* per Einschreiben. b *(Psych) person* für unzurechnungsfähig erklären.
certitude ['sɜːtɪtjuːd] *n* Gewißheit *f.*
cervical ['sɜːvɪkəl] *adj* zervikal *(spec)* ▸ *~ cancer* Gebärmutterhalskrebs *m; ~ smear* (Gebärmutterhals)abstrich *m.*
cervix ['sɜːvɪks] *n (of uterus)* Gebärmutterhals *m.*
Cesarean, Cesarian [sɪˈzɛərɪən] *(US)* = **Caesarean.**
cessation [seˈseɪʃən] *n* Ende *nt; (of hostilities)* Einstellung *f.*
cesspit ['sespɪt] *n* = **cesspool (a).**
cesspool ['sespuːl] *n* a Senkgrube *f.* b *(fig)* Sumpf *m.*
CET = **Central European Time** MEZ.
Ceylon [sɪˈlɒn] *n (old)* Ceylon *nt.*
cf = **confer** vgl.
CFC = **chlorofluorocarbon** FCKW *m.*
CGT = **capital gains tax** Kapitalertragssteuer *f.*
ch = a **chapter** Kap. b **central heating** ZH.
Chad [tʃæd] 1 *n* der Tschad.
  2 *adj* tschadisch.
chafe [tʃeɪf] 1 *vt (rub)* (auf)scheuern ▸ *his shirt ~d his neck* sein (Hemd)kragen scheuerte.
  2 *vi* a *(rub)* sich aufscheuern; *(cause soreness)* scheuern ▸ *her skin ~s easily* ihre Haut wird leicht wund. b *(fig)* sich ärgern, wütend werden *(at, against* über +acc).
chaff [tʃɑːf] *n* a *(husks of grain)* Spreu *f.* b *(straw)* Häcksel *m or nt.*
chaffinch ['tʃæfɪntʃ] *n* Buchfink *m.*
chagrin ['ʃæɡrɪn] 1 *n* Verdruß *m.*
  2 *vt* verdrießen.
chain [tʃeɪn] 1 *n* a *(lit, fig)* Kette *f* ▸ *~s (lit, fig: fetters)* Ketten *pl.* b *(of mountains)* (Gebirgs)kette *f.*
  2 *vt (lit, fig)* anketten ▸ *to ~ sb/sth to sth* jdn/etw an etw *(acc)* ketten.
chain: ~ reaction *n* Kettenreaktion *f;* **~saw** *n* Kettensäge *f;* **~-smoke** *vi* eine nach der anderen rauchen *(col);* **~-smoker** *n* Kettenraucher(in *f*) *m;* **~ store** *n* Ladenkette *f; (individual shop)* Geschäft *nt* einer Ladenkette.
chair [tʃɛər] 1 *n* a *(seat)* Stuhl *m; (arm~)* Sessel *m.* b *(in committees etc)* Vorsitz *m* ▸ *to be in/take the ~* den Vorsitz führen. c *(professorship)* Lehrstuhl *m (of* für). d *(US: electric ~)* (elektrischer) Stuhl.
  2 *vt meeting* den Vorsitz führen bei.
chair: ~lift *n* Sessellift *m;* **~man** *n* Vorsitzende(r) *mf;*

▸ SENTENCE BUILDER: **certain:** a → 13.1   **certificate** → 12.3

~manship n Vorsitz m; **~person** n Vorsitzende(r) mf; **~woman** n Vorsitzende f.

chalet ['ʃæleɪ] n Chalet nt.

chalice ['tʃælɪs] n (poet, Eccl) Kelch m.

chalk [tʃɔːk] **1** n Kreide f ▶ **not by a long ~** (Brit col) bei weitem nicht; **they're as different as ~ and cheese** sie sind so verschieden wie Tag und Nacht. **2** vt message etc mit Kreide schreiben.

◆chalk up vt sep **a** (lit) (mit Kreide) aufschreiben. **b** (fig) success, victory verbuchen. **c** (fig: mark up as credit) anschreiben (col).

challenge ['tʃælɪndʒ] **1** n **a** (to duel, match etc) Herausforderung f (to an +acc); (fig: demands) Anforderung(en pl) f ▶ **to issue a ~ to sb** jdn herausfordern; **the ~ of the unknown** der Reiz des Unbekannten. **b** (bid: for leadership etc) Griff m (for nach) ▶ **a direct ~ to his authority** eine direkte Infragestellung seiner Autorität. **c** (Mil: of sentry) Anruf m. **d** (Jur: of witness) Ablehnung f. **2** vt **a** person herausfordern; world record etc überbieten wollen. **b** (fig: make demands on) fordern ▶ **intellectually ~d** (esp hum) geistig minderbemittelt. **c** (fig) remarks, sb's authority in Frage stellen. **d** (sentry) anrufen. **e** (Jur) witnesses ablehnen; evidence, verdict anfechten.

challenger ['tʃælɪndʒəʳ] n (to duel, match etc) Herausforderer m.

challenging ['tʃælɪndʒɪŋ] adj (provocative) herausfordernd; (thought-provoking) reizvoll; book anregend; (demanding) anspruchsvoll ▶ **I don't find this work ~ enough** diese Arbeit fordert mich nicht genügend.

chamber ['tʃeɪmbəʳ] n **a** (old: room) Kammer f (old). **b** C~ of Commerce Handelskammer f; **the Upper/Lower C~** (Parl) die Erste/Zweite Kammer. **c** (Anat) (Herz)kammer f.

chamber: ~maid n (Brit) Zimmermädchen nt; **~ music** n Kammermusik f; **~ orchestra** n Kammerorchester nt; **~ pot** n Nachttopf m.

chameleon [kə'miːlɪən] n (Zool, fig) Chamäleon nt.

chamois ['ʃæmwɑː] n **a** also ['ʃæmɪ] (leather) Gamsleder nt ▶ **a ~ (leather)** ein Ledertuch nt, ein Fensterleder nt. **b** (Zool) Gemse f.

champagne [ʃæm'peɪn] n (unspecified) Sekt m; (French ~) Champagner m.

champion ['tʃæmpjən] **1** n **a** (Sport) Meister(in f) m ▶ **~s** (team) Meister m; **world ~** Weltmeister(in f) m. **b** (of a cause) Verfechter m. **2** adj **a** (prize-winning) siegreich; show animal preisgekrönt ▶ **~ boxer** Boxmeister. **b** (N Engl col) klasse inv (col). **3** vt person, action, cause sich engagieren für.

championship ['tʃæmpjənʃɪp] n **a** (Sport) Meisterschaft f. **b** **~s** pl (event) Meisterschaftskämpfe pl. **c** (support) Engagement nt (of für).

▼ **chance** [tʃɑːns] **1** n **a** (coincidence) Zufall m; (luck, fortune) Glück nt ▶ **by ~** zufällig; **would you by any ~ be able to help?** könnten Sie mir vielleicht behilflich sein? **b** (possibility) Chance(n pl) f; (probability, likelihood) Möglichkeit f ▶ **the ~s are that ...** wahrscheinlich ...; **he has not much/a good ~ of winning** er hat wenig/gute Aussicht zu gewinnen; **to be in with a ~** eine Chance haben; **he doesn't stand a ~** er hat keine Chance(n); **no ~!** (col) (das) ist nicht drin (col), nichts zu machen (col); **the ~ of a lifetime** eine einmalige Chance; **you won't get another ~** das ist eine einmalige Gelegenheit; **now's your ~!** das ist deine Chance!; **give me a ~!** nun mach aber mal langsam! (col); **you never gave me a ~ to explain** du hast mir ja nie Gelegenheit gegeben, das zu erklären. **c** (risk) Risiko nt ▶ **to take a ~** ein Risiko eingehen.

2 attr zufällig ▶ **~ meeting** zufällige Begegnung. **3** vt **I'll ~ it!** (col) ich versuch's mal (col); **to ~ one's luck** (have a try) sein Glück versuchen; (risk) das Glück herausfordern.

◆chance (up)on vi +prep obj person zufällig treffen; thing zufällig stoßen auf (+acc).

chancel ['tʃɑːnsəl] n Chor, Altarraum m.

chancellor ['tʃɑːnsələʳ] n (Jur, Pol, Univ) Kanzler m ▶ **C~ (of the Exchequer)** (Brit) Schatzkanzler m.

chancy ['tʃɑːnsɪ] adj (col) riskant.

chandelier [ˌʃændə'lɪəʳ] n Kronleuchter m.

▼ **change** [tʃeɪndʒ] **1** n **a** (alteration) Veränderung f; (modification) Änderung f (to gen) ▶ **a ~ of air** eine Luftveränderung; **a ~ is as good as a rest** (prov) Abwechslung wirkt Wunder; **no ~** unverändert; **a ~ for the better/worse** eine Verbesserung/Verschlechterung; **the ~ of life** die Wechseljahre pl; **he needs a ~ of clothes** er braucht etwas zum Wechseln. **b** (variety) Abwechslung f ▶ **(just) for a ~** zur Abwechslung (mal); **that makes a ~** das ist mal was anderes; (iro) das ist ja was ganz Neues! **c** (of one thing for another) Wechsel m ▶ **a ~ of government** ein Regierungswechsel. **d** no pl (money) Wechselgeld nt; (small ~) Kleingeld nt ▶ **can you give me ~ for a pound?** können Sie mir ein Pfund wechseln?; **keep the ~** stimmt so!; **you won't get much ~ out of £5** von £5 wird nicht viel übrigbleiben.

2 vt **a** (replace) wechseln; address, name ändern ▶ **to ~ train/buses** etc umsteigen; **to ~ one's clothes** sich umziehen; **to ~ a wheel/the oil** ein Rad/das Öl wechseln; **to ~ hands** den Besitzer wechseln; **to ~ places with sb** mit jdm den Platz tauschen. **b** (alter) ändern; (transform) verwandeln ▶ **to ~ sb/sth into sth** jdn/etw in etw (acc) verwandeln. **c** (exchange: in shop etc) umtauschen. **d** money wechseln; (into other currency also) (um)tauschen. **e** (Aut) **to ~ gear** schalten.

3 vi **a** sich ändern; (town, person also) sich verändern ▶ **you've ~d!** du hast dich aber verändert!; **to ~ into sth/sb** sich in etw (acc)/jdn verwandeln. **b** (~ clothes) sich umziehen ▶ **she ~d into an old skirt** sie zog sich (dat) einen alten Rock an. **c** (~ trains etc) umsteigen ▶ **all ~!** Endstation!, alles aussteigen! **d** (~ gear) schalten. **e** (from one thing to another) (seasons) wechseln ▶ **~ to a different system** zu einem anderen System übergehen.

◆change down vi (Aut) in einen niedrigeren Gang schalten.

◆change over vi **a** (change to sth different) sich umstellen auf (+acc). **b** (exchange places, activities etc) wechseln ▶ **do you mind if I ~?** (TV) hast du was dagegen, wenn ich umstelle?

◆change up vi (Aut) in einen höheren Gang schalten.

changeability [ˌtʃeɪndʒə'bɪlɪtɪ] n Unbeständigkeit, Veränderlichkeit f.

changeable ['tʃeɪndʒəbl] adj weather unbeständig, veränderlich; person wankelmütig.

change machine n Geldwechsler m.

changing ['tʃeɪndʒɪŋ] **1** adj sich verändernd. **2** n **the ~ of the Guard** die Wachablösung f.

changing-room ['tʃeɪndʒɪŋˌruːm] n (Brit) (in store) Ankleideraum m; (Sport) Umkleideraum m.

channel ['tʃænl] **1** n **a** (watercourse) (Fluß)bett nt; (strait) Kanal m; (deepest part of river etc) Fahrrinne f ▶ **the (English) C~** der Ärmelkanal; **C~ Islands** Kanalinseln pl; **C~ Tunnel** Kanaltunnel m. **b** (fig, usu pl) (of bureaucracy etc) Dienstweg m; (of information etc) Kanal m; (of thought, interest etc) Bahn f ▶ **if you go through the right ~s** wenn Sie sich an die richtigen Stellen wenden. **c** (groove) Rinne f. **d** (TV, Rad) Kanal m, Programm nt. **2** vt **a** (dig out, furrow) way, course sich (dat) bahnen. **b** (direct) water, river (hindurch)leiten (through durch).

➤ SENTENCE BUILDER: **chance: 1b** → 2.1, 14.2, 14.3   **change: 1a** → 12.1 **2b** → 14.2 **3a** → 2.2, 13.1, 13.3

box{c} (*fig*) *efforts, interest* lenken (*into* auf +*acc*).

channel-hop ['tʃænl,hɒp] *vi* (*Brit, TV: col*) ständig umschalten *or* den Kanal wechseln.

channel-surf ['tʃænl,sɜːf] *vi* (*US, TV: col*) *siehe* **channel-hop**.

chant [tʃɑːnt] box{1} *n* (*Eccl, Mus*) Gesang *m*; (*monotonous song*) Sprechgesang *m*; (*of football fans*) Sprechchor *m*. box{2} *vt* im (Sprech)chor rufen; (*Eccl*) singen. box{3} *vi* Sprechchöre anstimmen; (*Eccl*) singen.

chaos ['keɪɒs] *n* Chaos, Durcheinander *nt*.

chaotic [keɪ'ɒtɪk] *adj* chaotisch.

chap¹ [tʃæp] *n* (*Med: of skin*) **he's got ~s on his hands** seine Hände sind aufgesprungen.

chap² *n* (*Brit col: man*) Kerl (*col*), Typ (*col*) *m* ▶ **old ~** alter Junge (*col*); **the poor little ~** der arme Kleine.

chapel ['tʃæpəl] *n* Kapelle *f*.

chaperon(e) ['ʃæpərəʊn] box{1} *n* box{a} (*for propriety*) Anstandsdame *f*. box{b} (*escort*) Begleiter(in *f*) *m*. box{2} *vt* box{a} (*for propriety*) Anstandsdame spielen bei. box{b} (*escort*) begleiten.

chaplain ['tʃæplɪn] *n* Kaplan *m*.

chapter ['tʃæptər] *n* (*of book*) Kapitel *nt*; (*fig: episode*) Abschnitt *m* (*in, of* in +*dat*) ▶ **to give ~ and verse (for sth)** (*fig*) etw genau belegen; **a ~ of accidents** eine Serie von Unfällen.

char¹ [tʃɑːr] *vt* (*burn black*) verkohlen.

char² (*Brit col*) box{1} *n* (*charwoman*) Putzfrau *f*. box{2} *vi* putzen.

character ['kærɪktər] *n* box{a} (*nature*) Charakter *m*; (*of people*) Wesen *nt no pl* ▶ **it is out of ~ for him to behave like that** solches Benehmen ist untypisch für ihn; **to be of good/bad ~** ein guter/schlechter Mensch sein; **a man of ~** ein Mann von Charakter; **he's quite a ~** er ist ein richtiges Original. box{b} *no pl* (*individuality*) (*of towns etc*) Charakter *m*; (*of person*) Persönlichkeit *f*. box{c} (*in novel, Theat*) Figur *f*. box{d} (*Typ, Comp*) Zeichen *nt*.

character: ~ actor *n* Chargendarsteller *m*; **~ code** *n* (*Comp*) Zeichencode *m*.

characteristic [,kærɪktə'rɪstɪk] box{1} *adj* charakteristisch, typisch (*of* für). box{2} *n* (typisches) Merkmal.

characteristically [,kærɪktə'rɪstɪkəlɪ] *adv* typisch.

characterization [,kærɪktəraɪ'zeɪʃən] *n* (*in a novel etc*) Personenbeschreibung *f*; (*of one character*) Charakterisierung *f*.

characterize ['kærɪktəraɪz] *vt* (*be characteristic of*) kennzeichnen, charakterisieren; (*describe*) beschreiben.

character: ~less *adj* nichtssagend; **~ part** *n* Charge *f*; **~ set** *n* (*Comp*) Zeichensatz *m*; **~ string** *n* (*Comp*) Zeichenkette *f*.

charade [ʃə'rɑːd] *n* Scharade *f*; (*fig*) Farce *f*.

charcoal ['tʃɑːkəʊl] *n* Holzkohle *f*; (*pencil*) Kohle(stift *m*) *f*.

charcoal: ~ drawing *n* Kohlezeichnung *f*; **~ grey** *adj* anthrazitfarben.

charge [tʃɑːdʒ] box{1} *n* box{a} (*Jur: accusation*) Anklage *f* (*of* wegen) ▶ **to bring a ~ against sb** gegen jdn Anklage erheben; **he was arrested on a ~ of murder** er wurde wegen Mordverdacht festgenommen; **to be on a ~** (*soldier*) eine Disziplinarstrafe verbüßen. box{b} (*attack: of soldiers, bull etc*) Angriff *m*. box{c} (*fee*) Gebühr *f* ▶ **what's the ~?** was kostet das?; **free of ~** kostenlos. box{d} (*explosive ~*) (Spreng)ladung *f*; (*in firearm, Elec, Phys*) Ladung *f*. box{e} (*position of responsibility*) Verantwortung *f* (*of* für) ▶ **to be in ~** verantwortlich sein; **who's in ~ here?** wer ist hier der Verantwortliche?; **the children were placed in their aunt's ~** die Kinder wurden ihrer Tante anvertraut; **to take ~ of sth** etw übernehmen; **he took ~ of the situation** er nahm die Sache in die Hand.

box{2} *vt* box{a} (*with gen*) (*Jur*) anklagen; (*fig*) beschuldigen. box{b} (*attack*) stürmen; *troops* angreifen. box{c} (*ask in payment*) berechnen ▶ **I won't ~ you for that** dafür berechne ich Ihnen nichts. box{d} (*record as debt*) in Rechnung stellen ▶ **~ it to the company** stellen Sie das der Firma in Rechnung. box{e} *firearm* laden; (*Phys, Elec*), *battery* (auf)laden. box{3} *vi* box{a} (*attack*) stürmen; (*at people*) angreifen (*at sb* jdn) ▶ **~!** vorwärts! box{b} (*col: rush*) rennen ▶ **he ~d into the room/upstairs** er stürmte ins Zimmer/die Treppe hoch.

charge: ~ account *n* Kunden(kredit)konto *nt*; **~-cap** ['tʃɑːdʒ,kæp] *vt* (*Brit*): **the council was ~-capped** dem Stadtrat wurde ein Höchstsatz für die Kommunalsteuer auferlegt; **~-capping** *n* (*Brit*) *Festlegung f eines Kommunalsteuer-Höchstsatzes durch die Zentralregierung*; **~ card** *n* Kundenkreditkarte *f*.

chargé d'affaires ['ʃɑːʒeɪdæ'feər] *n* Chargé d'affaires *m*.

charge nurse *n* (*Brit*) Stationsleiter(in *f*) *m* (*im Pflegedienst*).

charger ['tʃɑːdʒər] *n* (*battery ~*) Ladegerät *nt*.

chariot ['tʃærɪət] *n* Streitwagen *m*.

charisma [kæ'rɪzmə] *n* Charisma *nt*.

charismatic [,kærɪz'mætɪk] *adj* charismatisch.

charitable ['tʃærɪtəbl] *adj* gütig; *organization* Wohltätigkeits-; (*financially generous, tolerant*) großzügig; *thought, remark etc* freundlich.

charity ['tʃærɪtɪ] box{a} (*Christian virtue*) Nächstenliebe *f*; (*tolerance, kindness*) Güte *f* ▶ **~ begins at home** (*Prov*) man sollte zuerst an seine eigene Familie/sein eigenes Land *etc* denken; **to live on ~** von Almosen leben. box{b} (*charitable society*) Wohltätigkeitsverein *m*; (*charitable purposes*) Wohlfahrt *f* ▶ **a collection for ~** eine Sammlung für wohltätige Zwecke.

charlady ['tʃɑː,leɪdɪ] *n* (*Brit dated*) Putzfrau *f*.

charlatan ['ʃɑːlətən] *n* Scharlatan *m*.

Charlemagne ['ʃɑːləmeɪn] *n* (*Hist*) Karl der Große.

Charles [tʃɑːlz] *n* ≈ Karl *m*.

charm [tʃɑːm] box{1} *n* box{a} (*attractiveness*) Charme *m no pl*; (*of village, countryside*) Reiz *m* ▶ **feminine ~s** weibliche Reize *pl*; **to turn on the ~** seinen (ganzen) Charme spielen lassen. box{b} (*spell*) Bann *m* ▶ **it worked like a ~** das hat hervorragend geklappt. box{c} (*amulet*) Talisman *m*; (*trinket*) Anhänger *m* ▶ **~ bracelet** Armband *nt* mit Anhängern. box{2} *vt* box{a} (*attract, please*) bezaubern. box{b} **to lead a ~ed life** einen Schutzengel haben.

charmer ['tʃɑːmər] *n* **to be a real ~** wirklich charmant sein.

charming ['tʃɑːmɪŋ] *adj* reizend, charmant ▶ **~!** (*iro*) wie reizend! (*iro*).

chart [tʃɑːt] box{1} *n* box{a} Tabelle *f*; (*graph*) Schaubild *nt*; (*map, weather ~*) Karte *f*. box{b} **~s** *pl* (*top twenty*) Hitliste *f*; **~ topper** (*hit record*) Spitzenreiter *m*. box{2} *vt* (*make a map of*) kartographisch erfassen; (*record progress of*) auswerten; (*keep a ~ of*) aufzeichnen; (*plan*) festlegen.

charter ['tʃɑːtər] box{1} *n* box{a} Charta *f*; (*of a society*) Satzung *f*; (*permission to become established*) Charter *f or m*, Freibrief *m*. box{b} (*Naut, Aviat: hire*) **on ~** gechartert. box{2} *vt* *plane, bus etc* chartern ▶ **~ed accountant** (*Brit*) staatlich geprüfter Bilanzbuchhalter *m*; **~ flight** Charterflug *m*.

charwoman ['tʃɑː,wʊmən] *n* (*Brit*) Putzfrau *f*.

chary ['tʃeərɪ] *adj* (+*er*) (*cautious*) vorsichtig; (*sparing*) zurückhaltend (*of* mit) ▶ **he is ~ of giving praise** er spart mit Lob.

chase [tʃeɪs] box{1} *n* Verfolgungsjagd *f*; (*Hunt*) Jagd *f* ▶ **to give ~** die Verfolgung aufnehmen. box{2} *vt* jagen; (*follow*) verfolgen ▶ **he's been chasing that**

woman for months er ist schon seit Monaten hinter der Frau her.
3 *vi* **to ~ after** *sb* hinter jdm herrennen (*col*); (*in vehicle*) hinter jdm herrasen (*col*); **to ~ around** herumrasen (*col*).
◆**chase away** *or* **off** **1** *vi* losrasen (*col*).
2 *vt sep* wegjagen; (*fig*) *sorrow etc* vertreiben.
◆**chase up** *vt sep person* rankriegen (*col*); *information etc* ranschaffen (*col*); (*make hurry*) Dampf machen (+*dat*) (*col*).
chasm ['kæzəm] *n* (*Geol, fig*) Kluft *f* ▸ **a yawning ~** ein gähnender Abgrund.
chassis ['ʃæsɪ] *n* Chassis *nt*; (*Aut*) Fahrgestell *nt*.
chaste [tʃeɪst] *adj* (+*er*) keusch.
chastening ['tʃeɪsnɪŋ] *adj experience* ernüchternd.
chastise [tʃæs'taɪz] *vt* züchtigen (*geh*); (*scold*) schelten.
chastisement ['tʃæstɪzmənt] *n see vt* Züchtigung *f* (*geh*); Schelte *f*.
chastity ['tʃæstɪtɪ] *n* Keuschheit *f*.
chat [tʃæt] *n* Unterhaltung *f* ▸ **could we have a ~ about it?** können wir uns mal darüber unterhalten?; **she dropped in for a ~** sie kam zu einem Schwätzchen rein (*col*).
◆**chat up** *vt sep* (*col*) *person* einreden auf (+*acc*); *girl, boy* sich heranmachen an (+*acc*), anmachen (*col*).
chatline *n* Telefondienst *m*, der Anrufern die Teilnahme an einer Gesprächsrunde ermöglicht.
chat show *n* (*Brit*) Talkshow *f*.
chattels ['tʃætlz] *npl* **all his (goods and) ~** seine gesamte Habe.
chatter ['tʃætəʳ] **1** *n* (*of person*) Geschwätz *nt*; (*of birds*) Gezwitscher *nt*; (*of teeth*) Klappern *nt*.
2 *vi see n* schwatzen; zwitschern; klappern.
chatterbox ['tʃætəbɒks] *n* Quasselstrippe *f* (*col*).
chattering classes ['tʃætərɪŋklɑːsɪz] *npl*: **the ~** (*often pej*) intellektuelle Schwätzer *pl* (*pej*).
chatty ['tʃætɪ] *adj* (+*er*) *person* geschwätzig.
chauffeur ['ʃəʊfəʳ] *n* Chauffeur *m*.
chauvinism ['ʃəʊvɪnɪzəm] *n* Chauvinismus *m*.
chauvinist ['ʃəʊvɪnɪst] **1** *n* (*jingoist*) Chauvinist(in *f*) *m* ▸ **male ~ pig** (*pej col*) Pascha (*col*), Chauvi (*col*) *m*.
2 *adj* chauvinistisch.
chauvinistic [ʃəʊvɪ'nɪstɪk] *adj* chauvinistisch.
cheap [tʃiːp] *adj, adv* (+*er*) billig ▸ **to buy sth on the ~** (*col*) eine für einen Pappenstiel kaufen (*col*); **it's ~ at the price** es ist sehr preiswert; **to feel ~** sich (*dat*) schäbig vorkommen.
cheapen ['tʃiːpən] **1** *vt* (*lit, fig*) herabsetzen.
2 *vi* billiger werden.
cheaply ['tʃiːplɪ] *adv see adj*.
cheap rate *n* (*Telec*) Billigtarif *m*.
cheap shot *n* unfaire Bemerkung ▸ **that was a ~** das war unfair.
cheapskate ['tʃiːpskeɪt] *n* (*col*) Knicker *m* (*col*).
cheat [tʃiːt] **1** *vt* betrügen ▸ **to ~ sb out of sth** jdn um etw betrügen.
2 *vi* betrügen; (*in exam, game etc*) mogeln (*col*), schummeln (*Sch sl*).
3 *n* **a** (*person*) Betrüger(in *f*) *m*; (*in exam, game etc*) Mogler(in *f*) (*col*), Schummler(in *f*) (*Sch sl*) *m*. **b** (*dishonest trick*) Betrug *m*.
Chechnya ['tʃetʃnjɑː] *n* Tschetschenien *nt*.
check [tʃek] **1** *n* **a** (*examination*) Kontrolle *f* ▸ **a random ~** eine Stichprobe; **to keep a ~ on sb/sth** jdn/etw überwachen *or* kontrollieren. **b** (*restraint*) Hemmnis *nt* ▸ **to keep one's temper in ~** sich beherrschen; **to act as a ~ on sth** etw unter Kontrolle (*dat*) halten. **c** (*pattern*) Karomuster *nt*; (*square*) Karo *nt*. **d** (*Chess*) Schach *nt* ▸ **to be in ~** im Schach stehen; **to put sb in ~** jdm Schach bieten. **e** (*US*) (*cheque*) Scheck *m*; (*bill*) Rechnung *f* ▸ **~ please** bitte (be)zahlen!

2 *vt* **a** (*examine*) überprüfen; (*in book*) nachschlagen; *tickets* kontrollieren. **b** (*act as control on*) kontrollieren; *anger* unterdrücken. **c** (*Chess*) Schach bieten (+*dat*). **d** (*US: tick*) abhaken.
3 *vi* (*make sure*) nachprüfen; (*ask also*) nachfragen (*with* bei); (*have a look*) nachsehen.
◆**check in** **1** *vi* (*at airport*) einchecken; (*at hotel*) sich anmelden.
2 *vt sep* (*at airport*) *luggage* abfertigen lassen; (*at hotel*) *person* anmelden.
◆**check out** **1** *vi* sich abmelden; (*leave hotel*) abreisen.
2 *vt sep figures, facts* überprüfen ▸ **~ ~ our new range** (*col*) sehen Sie sich (*dat*) unser neues Sortiment an.
◆**check up** *vi* überprüfen.
◆**check up on** *vi* +*prep obj* überprüfen; (*keep a check on*) *sb* kontrollieren.
checkbook ['tʃekbʊk] *n* (*US*) Scheckbuch *nt*.
checked [tʃekt] *adj* kariert.
checkered *adj* (*US*) = **chequered**.
checkers ['tʃekəz] *n* (*US*) Damespiel *nt*.
check-in (desk) ['tʃekɪn('desk)] *n* Abfertigung *f*.
checking account ['tʃekɪŋə'kaʊnt] *n* (*US*) Girokonto *nt*.
check: **~ list** *n* Prüf- *or* Checkliste *f*; **~mate** *n* Schachmatt *nt*; **~-out** *n* (*in supermarket*) Kasse *f*; **~-out time** *n* (*from hotel etc*) Abreisezeit *f*; **~point** *n* Kontrollpunkt *m*; **~room** *n* (*US*) (*Theat*) Garderobe *f*; (*Rail*) Gepäckaufbewahrung *f*; **~-up** *n* (*Med*) Untersuchung *f* ▸ **to have a ~-up** sich untersuchen lassen.
cheddar ['tʃedəʳ] *n* Cheddar(käse) *m*.
cheek [tʃiːk] *n* **a** Backe, Wange (*geh*) *f*. **b** (*buttock*) Backe *f*. **c** (*impudence*) Frechheit *f* ▸ **of all the ~!, the ~ of it!** so eine Frechheit *or* Unverschämtheit!
cheekily ['tʃiːkɪlɪ] *adv* frech.
cheekiness ['tʃiːkɪnɪs] *n* Frechheit *f*.
cheeky ['tʃiːkɪ] *adj* (+*er*) frech.
cheep [tʃiːp] **1** *n* Piepser *m*.
2 *vi* piepsen.
cheer [tʃɪəʳ] **1** *n* Beifallsruf *m*; (*cheering*) Hurrageschrei *nt* ▸ **three ~s for Mike!** ein dreifaches Hurra für Mike!; **~s!** (*Brit col*) (*your health*) prost!; (*goodbye*) tschüs! (*col*); (*thank you*) danke schön!
2 *vt* **a** *person* zujubeln. **b** (*gladden*) aufmuntern.
3 *vi* jubeln.
◆**cheer on** *vt sep* anfeuern.
◆**cheer up** **1** *vt sep* aufmuntern; *room, place* freundlicher gestalten.
2 *vi* **he ~ed ~** seine Stimmung hob sich; **~ ~!** laß den Kopf nicht hängen!
cheerful ['tʃɪəfʊl] *adj* fröhlich, vergnügt; *colour etc* heiter; *room* freundlich; *prospect, news* erfreulich; (*iro*) heiter ▸ **you're a ~ one!** (*iro*) du bist vielleicht ein Miesmacher! (*col*).
cheerfully ['tʃɪəfʊlɪ] *adv* fröhlich, vergnügt; *decorated* heiter.
cheerfulness ['tʃɪəfʊlnɪs] *n see adj* Fröhlichkeit, Vergnügtheit *f*; Heiterkeit *f*; Freundlichkeit *f*; Erfreulichkeit *f*.
cheerily ['tʃɪərɪlɪ] *adv* fröhlich, vergnügt.
cheering ['tʃɪərɪŋ] **1** *n* Jubel *m*, Jubeln *nt*.
2 *adj* **a** *news, prospect* beglückend. **b** *crowds* jubelnd.
cheerio ['tʃɪərɪ'əʊ] *interj* (*esp Brit col*) Wiedersehen (*col*); (*to friends*) tschüs (*col*); (*your health*) prost.
cheerless ['tʃɪəlɪs] *adj person* trübselig; *prospect* trübe; *scenery* grau.
cheery ['tʃɪərɪ] *adj* (+*er*) fröhlich.
cheese [tʃiːz] *n* Käse *m*.
cheese *in cpds* Käse-; **~board** *n* Käsebrett *nt*; (*course*) Käseplatte *f*; **~burger** *n* Cheeseburger *m*; **~cake** *n* (*Cook*) Käsekuchen *m*; **~cloth** *n* (*Tex*) Baumwollkrepp

m.

cheesed-off [tʃiːzd'ɒf] *adj* (*Brit col*) angeödet (*col*).

cheetah ['tʃiːtə] *n* Gepard *m.*

chef [ʃef] *n* Küchenchef *m*; (*as profession*) Koch *m.*

chemical ['kemɪkəl] **1** *adj* chemisch ▶ ~ **engineer** Chemotechniker(in *f*) *m*; ~ **plant** Chemiefabrik *f.* **2** *n* Chemikalie *f.*

chemist ['kemɪst] *n* **a** (*scientist*) Chemiker(in *f*) *m.* **b** (*Brit: in shop*) Drogist(in *f*) *m*; (*dispensing*) Apotheker(in *f*) *m* ▶ ~**'s shop** Drogerie *f*; Apotheke *f.*

chemistry ['kemɪstrɪ] *n* Chemie *f* ▶ ~ **set** Chemiebaukasten *m.*

chemotherapy [ˌkeməʊ'θerəpɪ] *n* Chemotherapie *f.*

cheque, (*US*) **check** [tʃek] *n* Scheck *m* ▶ **a** ~ **for £10** ein Scheck über £ 10; **to pay by** ~ mit (einem) Scheck bezahlen; ~**book** Scheckbuch *nt*; ~ **card** (*Brit*) Scheckkarte *f.*

chequered, (*US*) **checkered** ['tʃekəd] *adj* (*lit*) kariert; (*fig*) *career, history* bewegt.

cherish ['tʃerɪʃ] *vt* **a** *person* liebevoll sorgen für. **b** *feelings, hope* hegen.

cheroot [ʃə'ruːt] *n* Stumpen *m.*

cherry ['tʃerɪ] *n* Kirsche *f* ▶ ~ **brandy** Cherry Brandy *m*; ~ **red** kirschrot; ~ **stone** Kirschkern *m.*

cherub ['tʃerəb] *n* (*fig: baby*) Engelchen *nt.*

chess [tʃes] *n* Schach(spiel) *nt* ▶ ~ **board** Schachbrett *nt*; ~**man** Schachfigur *f*; ~ **player** Schachspieler(in *f*) *m.*

chest¹ [tʃest] *n* (*for tea, tools etc*) Kiste *f*; (*piece of furniture*) Truhe *f* ▶ ~ **of drawers** Kommode *f.*

chest² *n* (*Anat*) Brust *f* ▶ **to get sth off one's** ~ (*fig col*) sich (*dat*) etw von der Seele reden; **to have a weak** ~ schwach auf der Brust sein (*col*); ~ **measurement** Brustumfang *m*; ~ **specialist** Facharzt *m* für Lungenkrankheiten.

chestnut ['tʃesnʌt] **1** *n* **a** (*nut*) Kastanie *f*; (*tree*) Kastanie *f*, Kastanienbaum *m.* **b** (*colour*) Kastanienbraun *nt.* **c** (*horse*) Fuchs *m.* **d** *that's an old* ~ (*col: joke*) der Witz hat einen Bart (*col*). **2** *adj* (*colour*) *hair* kastanienbraun.

chew [tʃuː] *vt* kauen.

◆**chew over** *vi* +*prep obj* (*col*) *facts, problem* sich (*dat*) durch den Kopf gehen lassen.

◆**chew up** *vt sep pencil etc* zerkauen; *ground, road surface* zerstören.

chewing gum ['tʃuːɪŋɡʌm] *n* Kaugummi *m or nt.*

chewy ['tʃuːwɪ] *adj meat* zäh.

chic [ʃiːk] *adj* (+*er*) schick, elegant.

chicane [ʃɪ'keɪn] *n* (*Sport*) Schikane *f.*

chicanery [ʃɪ'keɪnərɪ] *n* Machenschaften *pl.*

chick [tʃɪk] *n* (*of chicken*) Küken *nt*; (*young bird*) Junge(s) *nt*; (*col: girl*) Mädchen *nt.*

chicken ['tʃɪkɪn] **1** *n* **a** Huhn *nt*; (*for roasting, frying*) Hähnchen *nt* ▶ **she's no** ~ (*col*) sie ist nicht mehr die Jüngste; **don't count your ~s (before they're hatched)** (*Prov*) man soll den Tag nicht vor dem Abend loben (*Prov*); **it's a ~ and egg situation** (*col*) das ist eine Zwickmühle. **b** (*col: coward*) feiges Huhn (*col*). **2** *adj* (*col*) feig.

◆**chicken out** *vi* (*col*) kneifen (*col*).

chicken *in cpds* Hühner-; ~**feed** *n* **a** (*lit*) Hühnerfutter *nt*; **b** (*col: insignificant sum*) ein Pappenstiel (*col*); ~**pox** *n* Windpocken *pl.*

chickpea ['tʃɪkˌpiː] *n* Kichererbse *f.*

chicory ['tʃɪkərɪ] *n* Chicorée *f or m*; (*in coffee*) Zichorie *f.*

chief [tʃiːf] **1** *n*, *pl* -**s** (*of department or organization*) Leiter *m*; (*of tribe*) Häuptling *m*; (*of gang*) Anführer *m*; (*col: boss*) Chef *m* ▶ ~ **of police** Polizeipräsident *m*; ~ **of staff** (*Mil*) Stabschef *m.* **2** *adj* **a** (*most important*) Haupt-, wichtigste(r, s) ▶ **the** ~ **thing** die Hauptsache. **b** (*most senior*) Haupt- ▶ ~ **clerk** Bürochef *m*; ~ **constable** (*Brit*) Polizeipräsident

m; ~ **engineer** (*Naut*) erster Maschinist; ~ **executive (officer)** Generaldirektor *m*; ~ **justice** (*Brit*) ≈ Oberrichter *m*; (*US*) Oberster Bundesrichter.

chiefly ['tʃiːflɪ] *adv* hauptsächlich, vor allem.

chieftain ['tʃiːftən] *n* (*of tribe*) Häuptling *m.*

chiffon ['ʃɪfɒn] **1** *n* Chiffon *m.* **2** *adj* Chiffon-.

chilblain ['tʃɪlbleɪn] *n* Frostbeule *f.*

child [tʃaɪld] *n*, *pl* **children** (*lit, fig*) Kind *nt* ▶ **when I was a** ~ in meiner Kindheit.

child: ~ **abuse** *n* Kindesmißhandlung *f*; ~**-bearing** *adj* **of ~-bearing age** im gebärfähigen Alter; ~ **benefit** *n* Kindergeld *nt*; ~**birth** *n* Geburt *f*; **to die in ~birth** bei der Geburt sterben; ~ **care** *n* Kinderpflege *f*; ~**hood** *n* Kindheit *f*; ~**hood memory** Kindheitserinnerung *f.*

childish ['tʃaɪldɪʃ] *adj* (*pej*) kindisch.

childishness ['tʃaɪldɪʃnɪs] *n* (*pej*) kindisches Gehabe.

child: ~ **labour** (*Brit*) *or* **labor** (*US*) *n* Kinderarbeit *f*; ~**less** *adj* kinderlos; ~**like** *adj* kindlich; ~**minder** *n* Tagesmutter *f*; ~ **prodigy** *n* Wunderkind *nt*; ~**proof** *adj* kindersicher.

children ['tʃɪldrən] *pl of* **child.**

children's *in cpds* Kinder-; ~ **books** *npl* Kinderbücher *pl*; ~ **choir** *n* Kinderchor *m*; ~ **game** *n* Kinderspiel *nt*; ~ **portion** *n* Kinderteller *m.*

child: ~**'s play** *n* ein Kinderspiel *nt*; ~ **welfare** *n* Jugendfürsorge *f.*

Chile ['tʃɪlɪ] *n* Chile *nt.*

Chilean ['tʃɪlɪən] **1** *adj* chilenisch. **2** *n* Chilene *m*, Chilenin *f.*

chill [tʃɪl] **1** *n* **a** Kälte *f* ▶ **there's quite a** ~ **in the air** es ist ziemlich frisch draußen. **b** (*Med*) fieberhafte Erkältung; (*shiver*) Schauder *m* ▶ **to catch a** ~ sich verkühlen. **2** *adj* (*lit, fig*) kühl. **3** *vt* **a** (*lit*) *wine etc* kalt stellen ▶ **I was ~ed to the bone** *etc* die Kälte ging mir bis auf die Knochen. **b** (*fig*) *blood* gefrieren lassen.

◆**chill out** *vi* (*col*) auftauen.

chil(l)i ['tʃɪlɪ] *n* Peperoni *pl*; (*spice, meal*) Chili *m.*

chilly ['tʃɪlɪ] *adj* (+*er*) (*lit, fig*) kühl ▶ **I feel** ~ mir ist kühl.

chime [tʃaɪm] **1** *n* Geläut *nt*; (*of doorbell*) Läuten *nt no pl.* **2** *vt* schlagen. **3** *vi* läuten.

◆**chime in** *vi* (*col*) sich einschalten.

chiming clock ['tʃaɪmɪŋ'klɒk] *n* Schlaguhr *f.*

chimney ['tʃɪmnɪ] *n* Schornstein *m.*

chimney: ~ **breast** *n* Kaminvorsprung *m*; ~**pot** *n* Schornsteinkopf *m*; ~ **sweep** *n* Schornsteinfeger *m.*

chimp [tʃɪmp] (*col*), **chimpanzee** [ˌtʃɪmpæn'ziː] *n* Schimpanse *m.*

chin [tʃɪn] *n* Kinn *nt* ▶ **keep your** ~ **up!** Kopf hoch!; **he took it on the** ~ (*fig col*) er hat es mit Fassung getragen.

China ['tʃaɪnə] *n* China *nt* ▶ **the People's Republic of** ~ die Volksrepublik China.

china ['tʃaɪnə] **1** *n* Porzellan *nt.* **2** *adj* Porzellan-.

china: ~ **clay** *n* Kaolin *m*; **C~man** *n* Chinese *m*; **C~ Sea** *n* **East/South C~ Sea** Ost-/Südchinesisches Meer.

Chinese [tʃaɪ'niːz] **1** *n* **a** (*person*) Chinese *m*, Chinesin *f.* **b** (*language, fig: gibberish*) Chinesisch *nt.* **2** *adj* chinesisch ▶ ~ **lantern** Lampion *m*; ~ **restaurant** Chinarestaurant *nt.*

chink¹ [tʃɪŋk] *n* **a** Ritze *f*; (*in door*) Spalt *m* ▶ ~ **of light** dünner Lichtstreifen; **the** ~ **in sb's armour** (*fig*) jds schwacher Punkt. **b** (*pej, hum: Chinaman*) **C~** Schlitzauge *nt* (*col*).

chink² *n* (*sound*) Klimpern *nt.* **2** *vt* klimpern mit. **3** *vi* klimpern.

chin: ~less *adj* to be ~less ein fliehendes Kinn haben; ~ **strap** *n* Kinnriemen *m*.
chintz [tʃɪnts] ①︎ *n* Chintz *m*.
②︎ *attr* Chintz-.
chinwag ['tʃɪnwæg] *n* (*Brit col*) Schwatz *m* (*col*).
chip [tʃɪp] ①︎ *n* ⓐ *Splitter m*; (*of wood*) Span *m* ▶ *he's a ~ off the old block* er ist ganz der Vater; *to have a ~ on one's shoulder* einen Komplex haben (*about* wegen). ⓑ (*Brit: potato ~*) ~*s* Pommes frites *pl*; (*US: crisps*) Chips *pl*. ⓒ (*in crockery, furniture etc*) abgeschlagene Stelle *f*. ⓓ (*in poker etc*) Chip *m* ▶ *when the ~s are down* wenn es drauf ankommt. ⓔ (*Elec: micro~*) Chip *m*.
②︎ *vt cup, stone* anschlagen; *varnish, paint* abstoßen.
③︎ *vi* (*cup, china etc*) angeschlagen werden; (*paint, varnish*) abspringen.
◆**chip in** *vi* (*col*) ⓐ (*interrupt*) sich einschalten. ⓑ (*contribute*) *he ~ped ~ with £3* er steuerte £3 bei.
◆**chip off** ①︎ *vt sep paint etc* wegschlagen; *piece of china* abschlagen.
②︎ *vi* (*paint etc*) absplittern.
chipboard ['tʃɪpbɔːd] *n* Spanholz *nt*.
chipmunk ['tʃɪpmʌŋk] *n* Backenhörnchen *nt*.
chip pan ['tʃɪp,pæn] *n* (*Brit*) Friteuse *f*.
chippings ['tʃɪpɪŋz] *npl* (*road ~*) Schotter *m*.
chippy ['tʃɪpɪ] *n* (*Brit col*) ⓐ (*joiner*) Schreiner *m*. ⓑ (*also* **chip shop**) Frittenbude *f* (*col*).

┌─ *CHIP SHOP* ─────────────────────────

ⓘ *Chip shop*, auch *fish-and-chip shop*, ist die traditionelle britische Imbißbude, in der vor allem frittierte Fischfilets und Pommes frites, aber auch andere einfache Mahlzeiten angeboten werden. Früher wurde das Essen zum Mitnehmen in Zeitungspapier verpackt. Manche chip shops haben auch einen Eßraum.
──

chiropodist [kɪ'rɒpədɪst] *n* Fußpfleger(in *f*) *m*.
chiropody [kɪ'rɒpədɪ] *n* Fußpflege *f*.
chirp [tʃɜːp] *vi* (*birds*) zwitschern; (*crickets*) zirpen.
chirpy ['tʃɜːpɪ] *adj* (+*er*) (*col*) munter.
chirrup ['tʃɪrəp] = **chirp**.
chisel ['tʃɪzl] ①︎ *n* Meißel *m*; (*for wood*) Beitel *m*.
②︎ *vt* meißeln; (*in wood*) stemmen ▶ *her finely ~led features* ihr fein geschnittenes Gesicht.
chit [tʃɪt] *n* (*also ~ of paper*) Zettel *m*.
chitchat ['tʃɪt,tʃæt] *n* (*col*) Geschwätz *nt*.
chivalrous ['ʃɪvəlrəs] *adj* ritterlich.
chivalry ['ʃɪvəlrɪ] *n* Ritterlichkeit *f*.
chives [tʃaɪvz] *npl* Schnittlauch *m*.
chivvy ['tʃɪvɪ] *vt* (*Brit col*) (*also ~ along*) antreiben.
chloride ['klɔːraɪd] *n* Chlorid *nt*.
chlorinate ['klɒrɪneɪt] *vt water* chloren.
chlorine ['klɔːriːn] *n* Chlor *nt*.
chloroform ['klɒrəfɔːm] *n* Chloroform *nt*.
chlorophyll ['klɒrəfɪl] *n* Chlorophyll *nt*.
choc-ice ['tʃɒkaɪs] *n* Eis *nt* mit Schokoladenüberzug.
chock [tʃɒk] *n* Bremskeil *m*.
chock-a-block ['tʃɒkəblɒk], **chock-full** ['tʃɒkfʊl] *adj* (*col*) gerammelt voll (*col*).
chocolate ['tʃɒklɪt] ①︎ *n* Schokolade *f* ▶ *a ~* eine Praline; *a box of ~s* eine Schachtel Pralinen.
②︎ *adj* Schokoladen-; (*also* ~-*coloured* (*Brit*) *or* ~-*colored US*) schokoladenbraun.
chocolate *in cpds* Schokoladen-; ~ **cake** *n* Schokoladenkuchen *m*; ~ **box** ①︎ *n* Pralinenschachtel *f*;
②︎ *adj* Postkarten-.
▼ **choice** [tʃɔɪs] ①︎ *n* ⓐ Wahl *f* ▶ *to make a ~* eine Wahl treffen; *he had no ~ but to ...* es blieb ihm nichts anderes übrig, als zu ...; *take your ~* such dir etwas/eins aus; *it was your ~* du wolltest es ja so. ⓑ (*variety to choose from*) Auswahl *f* (*of an* +*dat*, von).

②︎ *adj goods, fruit, wine* Qualitäts- ▶ ~ *fruit* Obst erster Wahl.
choir ['kwaɪə'] *n* Chor *m* ▶ ~*boy* Sängerknabe *m*; ~*master* Chorleiter *m*; ~ *stalls* Chorgestühl *nt*.
choke [tʃəʊk] ①︎ *vt* ⓐ (*stifle*) ersticken; (*throttle*) (er)würgen, erdrosseln. ⓑ (*fig*) *pipe etc* verstopfen.
②︎ *vi* ersticken (*on an* +*dat*).
③︎ *n* (*Aut*) Choke *m*.
◆**choke back** *vt sep tears, reply* unterdrücken.
cholera ['kɒlərə] *n* Cholera *f*.
cholesterol [kɒ'lestərəl] *n* Cholesterin *nt*.
choose [tʃuːz] *pret* **chose**, *ptp* **chosen** ①︎ *vt* (aus)wählen ▶ *to ~ to do sth* es vorziehen, etw zu tun.
②︎ *vi to ~ (between* or *among/from)* wählen (zwischen +*dat*/aus *or* unter +*dat*); *there is nothing to ~ between them* es ist kein Unterschied zwischen ihnen; *I'll do it when I ~* ich mache es, wann es mir paßt (*col*).
choos(e)y ['tʃuːzɪ] *adj* (+*er*) wählerisch.
chop¹ [tʃɒp] ①︎ *n* ⓐ (*blow*) Schlag *m*. ⓑ (*Cook*) Kotelett *nt*. ⓒ (*col*) *to get the ~* (*be axed*) gestrichen werden; (*be fired*) rausgeschmissen werden (*col*).
②︎ *vt* hacken; *meat, vegetables etc* kleinschneiden.
◆**chop down** *vt sep tree* fällen.
◆**chop off** *vt sep* abhacken.
◆**chop up** *vt sep* zerhacken.
chop² *vi* (*fig*) *to ~ and change* ständig seine Meinung ändern.
chopper ['tʃɒpə'] *n* ⓐ (*axe*) Hackbeil *nt*. ⓑ (*col: helicopter*) Hubschrauber *m*.
chopping ['tʃɒpɪŋ]: ~ **block** *n* Hackklotz *m*; (*for wood*) Block *m*; ~ **board** *n* Hackbrett *nt*.
choppy ['tʃɒpɪ] *adj* (+*er*) *sea* kabbelig; *wind* böig.
chopstick ['tʃɒpstɪk] *n* Eßstäbchen *nt*.
choral ['kɔːrəl] *adj* Chor- ▶ ~ *society* Gesangverein *m*.
chord [kɔːd] *n* (*Mus*) Akkord *m* ▶ *to strike the right/a sympathetic ~* (*fig*) den richtigen Ton treffen/auf Verständnis stoßen.
chore [tʃɔː'] *n* lästige Pflicht ▶ ~*s pl* Hausarbeit *f*; *to do the ~s* den Haushalt machen.
choreographer [,kɒrɪ'ɒgrəfə'] *n* Choreograph(in *f*) *m*.
choreography [,kɒrɪ'ɒgrəfɪ] *n* Choreographie *f*.
chorister ['kɒrɪstə'] *n* ⓐ Chorsänger(in *f*) *m*; (*boy*) Chorknabe *m*. ⓑ (*US: leader*) Vorsänger *m*.
chortle ['tʃɔːtl] *vi* glucksen.
chorus ['kɔːrəs] ①︎ *n* ⓐ (*refrain*) Refrain *m*; (*dancers*) Tanzgruppe *f* ▶ *in ~* im Chor.
②︎ *vi* im Chor singen/sprechen/rufen.
chorus girl *n* (*Revue*)tänzerin *f*.
chose [tʃəʊz] *pret of* **choose**.
chosen ['tʃəʊzn] ①︎ *ptp of* **choose**.
②︎ *adj the ~ people* das auserwählte Volk.
choux pastry ['ʃuː'peɪstrɪ] *n* Brandteig *m*.
chowder ['tʃaʊdə'] *n* (*US*) sämige Fischsuppe.
Christ [kraɪst] *n* Christus *m*.
christen ['krɪsn] *vt* taufen ▶ *to be ~ed ...* auf den Namen ... getauft werden.
christening ['krɪsnɪŋ] *n* Taufe *f*.
Christian ['krɪstɪən] ①︎ *n* Christ *m*.
②︎ *adj* (*lit, fig*) christlich.
Christianity [,krɪstɪ'ænɪtɪ] *n* (*faith, religion*) Christentum *nt*; (*body of Christians*) Christenheit *f*.
Christian name *n* Vorname *m*.
Christmas ['krɪsməs] *n* Weihnachten *nt* ▶ *happy or merry* ~! fröhliche Weihnachten!; *at or for* ~ zu Weihnachten.
Christmas: ~ **cake** *n* Früchtekuchen *m* mit Zuckerguß zu Weihnachten; ~ **card** *n* Weihnachtskarte *f*; ~ **carol** *n* Weihnachtslied *nt*; ~ **Day** *n* der erste Weihnachtstag; ~ **Eve** *n* Heiligabend *m*; ~ **Island** *n* Weihnachtsinsel *f*; ~ **present** *n* Weihnachtsgeschenk *nt*; ~ **pudding** *n* Plumpudding *m*; ~ **tree** *n* Weihnachtsbaum,

Christbaum *(esp S Ger) m.*
chromatic [krə'mætɪk] *adj (Art, Mus)* chromatisch.
chrome [krəʊm], **chromium** ['krəʊmɪəm] *n* Chrom *nt.*
chromium: ~-plated *adj* verchromt; **~ plating** *n* Verchromung *f.*
chromosome ['krəʊməsəʊm] *n* Chromosom *nt.*
chronic ['krɒnɪk] *adj* [a] *(Med, fig)* chronisch. [b] *(col: terrible)* miserabel *(col).*
chronicle ['krɒnɪkl] [1] *n* Chronik *f.*
[2] *vt* aufzeichnen.
chronological [ˌkrɒnə'lɒdʒɪkəl] *adj* chronologisch.
chronology [krə'nɒlədʒɪ] *n* zeitliche Abfolge; *(list of dates)* Zeittafel *f.*
chrysalis ['krɪsəlɪs] *n, pl* **-es** *(Biol)* Puppe *f.*
chrysanthemum [krɪ'sænθəməm] *n* Chrysantheme *f.*
chubby ['tʃʌbɪ] *adj (+er)* pummelig, rundlich.
chuck [tʃʌk] [1] *n* [a] *(col: throw)* Wurf *m.* [b] *(Tech: of drill)* Spannfutter *nt.*
[2] *vt (col)* [a] *(throw)* schmeißen *(col).* [b] *(also: ~ away)* wegschmeißen *(col).* [c] *(also: ~ in)* boyfriend etc Schluß machen mit *(col);* job hinschmeißen *(col).*
◆**chuck out** *vt sep (col)* rausschmeißen *(col);* old clothes etc wegschmeißen.
chuckle ['tʃʌkl] [1] *n* leises Lachen.
[2] *vi* in sich *(acc)* hineinlachen.
chuffed [tʃʌft] *adj (Brit col)* vergnügt und zufrieden; *(flattered)* gebauchpinselt *(col) (about* wegen).
chug [tʃʌg] [1] *n* Tuckern *nt.*
[2] *vi* tuckern.
◆**chug along** *vi* dahintuckern.
chum [tʃʌm] *n (col)* Kamerad, Kumpel *(col) m.*
chump [tʃʌmp] *n (col)* Trottel *m.*
chunk [tʃʌŋk] *n* großes Stück; *(of stone)* Brocken *m.*
chunky ['tʃʌŋkɪ] *adj (+er) (col)* legs, arms stämmig; knitwear dick; meat grob geschnitten; book, format kompakt; glasses schwer.
church [tʃɜːtʃ] *n* Kirche *f* ▸ **to go to ~** in die Kirche gehen; **the C~ of England** die Anglikanische Kirche; **he has entered the C~** er ist Geistlicher geworden.
church *in cpds* Kirchen-; **~-goer** *n* Kirchgänger(in *f) m;* **~ hall** *n* Gemeindehalle *f;* **~ service** *n* Gottesdienst *m;* **~ spire** *n* Kirchturmspitze *f;* **~ steeple, ~ tower** *n* Kirchturm *m;* **~ warden** *n* Gemeindevorsteher *m;* **~yard** *n* Kirchhof *m.*
churlish ['tʃɜːlɪʃ] *adj* ungehobelt.
churn [tʃɜːn] [1] *n (for butter)* Butterfaß *nt; (Brit: milk-~)* Milchkanne *f.*
[2] *vt* **to ~ butter** buttern.
[3] *vi (water)* wirbeln.
◆**churn out** *vt sep* am laufenden Band produzieren.
◆**churn up** *vt sep* aufwühlen.
chute [ʃuːt] *n* [a] Rutsche *f; (garbage ~)* Müllschlucker *m.* [b] *(in playground)* Rutschbahn *f.*
chutney ['tʃʌtnɪ] *n* Chutney *nt.*
CI = Channel Islands.
CIA = Central Intelligence Agency CIA *m.*
cicada [sɪ'kɑːdə] *n* Zikade *f.*
CID = Criminal Investigation Department.
cider ['saɪdəʳ] *n* ≈ Apfelwein, Cidre *m.*
cider: ~ apple *n* Mostapfel *m;* **~ press** *n* Apfelpresse *f.*
CIF = cost, insurance and freight cif.
cigar [sɪ'gɑːʳ] *n* Zigarre *f.*
cigarette [ˌsɪgə'ret] *n* Zigarette *f.*
cigarette: ~ case *n* Zigarettenetui *nt;* **~ end** *n* Zigarettenstummel *m;* **~ holder** *n* Zigarettenspitze *f;* **~ lighter** *n* Feuerzeug *nt; (in car)* Zigarettenanzünder *m;* **~ pack** *or* **~ packet** *n* Zigarettenschachtel *f;* **~ paper** *n* Zigarettenpapier *nt.*
C-in-C = Commander-in-Chief.
cinch [sɪntʃ] *n (col)* **it's a ~** *(easy)* das ist ein Klacks *(col);*

(esp US: certain) es ist todsicher *(col).*
cinder ['sɪndəʳ] *n* **~s** *pl* Asche *f.* **burnt to a ~** *(fig)* verkohlt.
Cinderella [ˌsɪndə'relə] *n* Aschenputtel *nt.*
cinder track *n* Aschenbahn *f.*
cine- ['sɪnɪ]: **~camera** *n (Brit)* (Schmal)filmkamera *f;* **~ film** *n* Schmalfilm *m.*
cinema ['sɪnəmə] *n (esp Brit)* Kino *nt* ▸ **at/to the ~** im/ ins Kino.
cinemagoer ['sɪnəməgəʊəʳ] *n (esp Brit)* Kinobesucher(in *f) m.*
cine-projector [ˌsɪnɪprə'dʒektəʳ] *n (Brit)* Filmprojektor *m.*
cinnamon ['sɪnəmən] *n* Zimt *m.*
cipher ['saɪfəʳ] *n* [a] Ziffer *f; (zero)* Null *f.* [b] *(code)* Chiffre *f.* [c] *(fig: nonentity)* Niemand *m no pl.*
circa ['sɜːkə] *prep* zirka.
circle ['sɜːkl] [1] *n* [a] Kreis *m* ▸ **we're just going around in ~s** *(fig)* wir bewegen uns nur im Kreis; **to come full ~** *(fig)* zum Ausgangspunkt zurückkehren; **the family ~** der engere Familienkreis; **he's moving in different ~s now** er verkehrt jetzt in anderen Kreisen. [b] *(Brit: Theat)* Rang *m.*
[2] *vt* [a] *(surround)* umgeben. [b] *(move around)* kreisen um. [c] *(draw a ~ round)* einen Kreis machen um.
[3] *vi (fly in a ~)* kreisen.
circuit ['sɜːkɪt] *n* [a] *(journey around etc)* Rundgang *m/* -fahrt *f/*-reise *f (of* um) ▸ **three ~s of the racetrack** drei Runden auf der Rennbahn. [b] *(Elec)* Stromkreis *m; (apparatus)* Schaltung *f.* [c] *(Sport: track)* Rennstrecke *f.*
circuit: ~ board *n (Elec)* Platine *f;* **~ breaker** *n* Stromkreisunterbrecher *m;* **~ diagram** *n* Schaltplan *m.*
circuitous [sɜː'kjʊɪtəs] *adj* umständlich.
circuitry ['sɜːkɪtrɪ] *n (Elec)* Schaltkreise *pl.*
circular ['sɜːkjʊləʳ] [1] *adj object* rund ▸ **~ saw** Kreissäge *f;* **~ tour** Rundfahrt *f/*-reise *f;* **~ argument** Zirkelschluß *m;* **~ letter** Rundschreiben *nt,* Rundbrief *m.*
[2] *n (in firm)* Rundschreiben *nt; (advertisement)* Wurfsendung *f.*
circularize ['sɜːkjʊləraɪz] *vt* person durch Rundschreiben informieren; letter zirkulieren lassen.
circulate ['sɜːkjʊleɪt] [1] *vi (blood, money)* zirkulieren; *(rumour)* kursieren; *(news)* sich verbreiten; *(person: at party)* die Runde machen.
[2] *vt memo etc* zirkulieren lassen.
circulation [ˌsɜːkjʊ'leɪʃən] *n* [a] *(Med)* Kreislauf *m; (of traffic)* Fluß *m; (of money)* Umlauf *m; (of news, rumour)* Kursieren *nt* ▸ **to have poor ~** Kreislaufstörungen haben; **to put notes into ~** Banknoten in Umlauf bringen; **new words which come into ~** neue Wörter, die in den Sprachgebrauch eingehen; **he's back in ~ now** *(col)* er mischt wieder mit *(col).* [b] *(of newspaper etc)* Auflage(nziffer) *f.*
circumcise ['sɜːkəmsaɪz] *vt* beschneiden.
circumcision [ˌsɜːkəm'sɪʒən] *n* Beschneidung *f.*
circumference [sə'kʌmfərəns] *n* Umfang *m.*
circumflex ['sɜːkəmfleks] *n* Zirkumflex *m.*
circumnavigate [ˌsɜːkəm'nævɪgeɪt] *vt* umfahren.
circumscribe ['sɜːkəmskraɪb] *vt* [a] *(Math)* einen Kreis beschreiben um. [b] *(restrict)* eingrenzen.
circumspect ['sɜːkəmspekt] *adj* umsichtig.
circumstance ['sɜːkəmstəns] *n* Umstand *m* ▸ **in or under the ~s** unter diesen Umständen; **under no ~s** unter gar keinen Umständen; **in certain ~s** unter Umständen.
circumstantial [ˌsɜːkəm'stænʃəl] *adj* [a] *report* ausführlich. [b] *(Jur)* **~ evidence** Indizienbeweis *m.*
circumvent [ˌsɜːkəm'vent] *vt* umgehen.
circus ['sɜːkəs] *n* Zirkus *m; (in place names)* Platz *m.*
cirrhosis [sɪ'rəʊsɪs] *n* Zirrhose *f.*
CIS = Commonwealth of Independent States GUS *f.*

cissy ['sɪsɪ] *n* = **sissy**.
cistern ['sɪstən] *n* Zisterne *f*; (*of WC*) Spülkasten *m*.
citadel ['sɪtədl] *n* Zitadelle *f*.
citation [saɪ'teɪʃən] *n* [a] (*quote*) Zitat *nt*. [b] (*Mil*) Belobigung *f*.
cite [saɪt] *vt* (*quote*) zitieren.
citizen ['sɪtɪzn] *n* Bürger(in *f*) *m* ▶ *C~s' Band* CB-Funk *m*.
citizenship ['sɪtɪznʃɪp] *n* Staatsbürgerschaft *f*.
citric acid ['sɪtrɪk 'æsɪd] *n* Zitronensäure *f*.
citrus fruit ['sɪtrəs fruːt] *n* Zitrusfrucht *f*.
city ['sɪtɪ] *n* [a] Großstadt *f* ▶ *the ~ of Glasgow* die Stadt Glasgow. [b] (*in London*) *the C~* die City, das Banken- und Börsenviertel.
city: *~ centre* (*Brit*) *or center* (*US*) *n* Stadtmitte *f*; *~ hall n* Rathaus *nt*; (*US: municipal government*) Stadtverwaltung *f*; *~ page n* (*Brit*) Wirtschaftsseite *f*; *~ slicker n* (*pej col*) feiner Pinkel aus der (Groß)stadt (*pej col*); *C~ Technology College n in einer Großstadt eingerichtetes Oberstufenkolleg nt mit technischem Schwerpunkt*.
civic ['sɪvɪk] *adj rights* bürgerlich, Bürger-; *authorities* Stadt-, städtisch ▶ *~ centre* (*Brit*) Verwaltungszentrum *nt* einer Stadt.
civil ['sɪvl] *adj* [a] (*of society*) bürgerlich; *duties* Bürger-. [b] (*polite*) höflich. [c] (*Jur*) zivilrechtlich.
civil: *~ aviation n* Zivilluftfahrt *f*; *C~ Code n* Bürgerliches Gesetzbuch; *~ defence* (*Brit*) *or defense* (*US*) *n* Zivilschutz *m*; *~ disobedience n* ziviler Ungehorsam; *~ engineer n* Bauingenieur *m*; *~ engineering n* Hoch- und Tiefbau *m*.
civilian [sɪ'vɪlɪən] [1] *n* Zivilist *m*. [2] *adj* zivil, Zivil- ▶ *in ~ clothes* in Zivil.
civility [sɪ'vɪlɪtɪ] *n* Höflichkeit *f*.
civilization [sɪvɪlaɪ'zeɪʃən] *n* [a] Zivilisation *f*. [b] (*of Greeks etc*) Kultur *f*.
civilize ['sɪvɪlaɪz] *vt* zivilisieren.
civilized ['sɪvɪlaɪzd] *adj* [a] zivilisiert. [b] (*cultured*) *lifestyle etc* kultiviert.
civil law *n* Bürgerliches Recht.
civil liberties *npl* Freiheitsrechte *pl*.
civilly ['sɪvɪlɪ] *adv* höflich.
civil: *~ marriage n* (*esp US*) standesamtliche Trauung; *~ rights npl* (staats)bürgerliche Rechte *pl*; *~ rights demonstration/movement* Bürgerrechtsdemonstration/-bewegung *f*; *~ servant n* ≈ (Staats)beamte(r) *m*, (Staats)beamtin *f*; *~ service n* ≈ Staatsdienst *m* (*ohne Richter und Lehrer*); (*~ servants collectively*) Beamtenschaft *f*; *~ war n* Bürgerkrieg *m*; *~ wedding n* standesamtliche Trauung.
civvies ['sɪvɪz] *npl* (*Brit col*) Zivil *nt*.
civvy street ['sɪvɪ,striːt] *n* (*Brit col*) das Zivilleben.
CJD = **Creutzfeldt-Jakob disease** CJK *f*.
cl = **centilitre(s)** cl.
clad [klæd] [1] (*old*) *pret, ptp of* **clothe**. [2] *adj* (*liter*) gekleidet.
▼ **claim** [kleɪm] [1] *vt* [a] (*demand as one's own or due*) Anspruch erheben auf (+*acc*); *benefits, sum of money* (*apply for*) beantragen; *lost property* abholen ▶ *he ~ed diplomatic immunity* er berief sich auf seine diplomatische Immunität. [b] (*profess, assert*) behaupten ▶ *the advantages ~ed for this technique* die Vorzüge, die man dieser Methode zuschreibt. [2] *vi* [a] (*Insur*) Ansprüche geltend machen; (*for damage done by people*) Schadenersatz verlangen. [b] (*for expenses etc*) *to ~ for sth* sich (*dat*) etw zurückzahlen lassen; *you can ~ for your travelling expenses* Sie können sich (*dat*) Ihre Reisekosten (zurück)erstatten lassen. [3] *n* [a] Anspruch *m*; (*pay~, Ind*) Forderung *f* ▶ *to lay ~ to the title/property etc* Anspruch auf den Titel/das Grundstück *etc* erheben; *to put in a ~ (for sth)* etw

beantragen; *he put in an expenses ~ for £100* er reichte Spesen in Höhe von £100 ein; *the ~s were all paid* (*Insur*) der Schaden wurde voll ersetzt. [b] (*assertion*) Behauptung *f* ▶ *the book makes no ~ to be original* das Buch erhebt keinen Anspruch auf Originalität.
◆ **claim back** *vt sep* zurückfordern ▶ *to ~ sth ~ (as expenses)* sich (*dat*) etw zurückzahlen *or* -erstatten lassen.
claimant ['kleɪmənt] *n* (*for social security etc*) Antragsteller(in *f*) *m*; (*for inheritance etc*) Anspruchsteller(in *f*) *m* (*to auf* +*acc*); (*Jur*) Kläger(in *f*) *m*.
claim form *n* Antragsformular *nt*.
clairvoyant [kleə'vɔɪənt] [1] *n* Hellseher(in *f*) *m*. [2] *adj* hellseherisch.
clam [klæm] *n* Venusmuschel *f* ▶ *to shut up like a ~* (*fig*) keinen Piep (mehr) sagen (*col*).
clamber ['klæmbəʳ] *vi* klettern ▶ *to ~ up a hill* einen Berg hinaufklettern.
clammy ['klæmɪ] *adj* (+*er*) feucht, klamm.
clamour, (*US*) **clamor** ['klæməʳ] [1] *n* [a] (*noise*) Lärm *m*. [b] (*demand*) lautstark erhobene Forderung (*for nach*). [2] *vi to ~ for sth* etw lautstark fordern.
clamp [klæmp] [1] *n* Schraubzwinge *f*; (*Med, Elec*) Klemme *f*. [2] *vt* (ein)spannen; (*for illegal parking*) *vehicle* krallen. [b]
◆ **clamp down** [1] *vt sep* (*lit*) festmachen. [2] *vi* (*fig col: on expenses etc*) gewaltig bremsen (*col*); (*police, government*) rigoros durchgreifen.
◆ **clamp down on** *vi* +*prep obj* (*col*) *person* an die Kandare nehmen; *expenditure, activities* einen Riegel vorschieben (+*dat*); *crime etc* zum Schlag ausholen gegen.
clan [klæn] *n* (*lit, fig*) Clan *m*.
clandestine [klæn'destɪn] *adj* geheim.
clang [klæŋ] [1] *n* Klappern *nt*; (*of hammer*) Dröhnen *nt*. [2] *vi* klappern; (*hammer*) dröhnen. [3] *vt* mit etw klappern.
clanger ['klæŋəʳ] *n* (*Brit col*) Schnitzer (*col*) *m* ▶ *to drop a ~* ins Fettnäpfchen treten (*col*).
clank [klæŋk] [1] *n* Klirren *nt*. [2] *vt* klirren mit. [3] *vi* klirren.
clap [klæp] [1] *n* Klatschen *nt no pl*; (*no pl: applause*) (Beifall)klatschen *nt* ▶ *a ~ of thunder* ein Donnerschlag *m*. [2] *vt* [a] (*applaud*) Beifall klatschen (*sb jdm*). [b] *to ~ one's hands* in die Hände klatschen. [c] *to ~ sb into prison* jdn ins Gefängnis stecken; *to ~ eyes on sb/sth* (*col*) jdn/etw zu Gesicht bekommen. [3] *vi* (Beifall) klatschen.
clapped (out) ['klæpt (aut)] *adj* (*col*) *thing* klapprig (*col*); *person* fix und fertig (*col*).
clapping ['klæpɪŋ] *n* Klatschen *nt*.
claptrap ['klæptræp] *n* (*col*) Geschwafel *nt* (*col*).
claret ['klærət] *n* (*wine*) roter Bordeauxwein.
clarification [ˌklærɪfɪ'keɪʃən] *n* Klarstellung *f*.
clarify ['klærɪfaɪ] *vt* klären; *text* erklären.
clarinet [ˌklærɪ'net] *n* Klarinette *f*.
clarinettist, (*US*) **clarinetist** [klærɪ'netɪst] *n* Klarinettist(in *f*) *m*.
clarity ['klærɪtɪ] *n* Klarheit *f*.
clash [klæʃ] [1] *vi* [a] (*armies, demonstrators*) zusammenstoßen. [b] (*colours*) sich beißen; (*interests*) aufeinanderprallen; (*programmes, films*) sich überschneiden. [c] (*cymbals etc: also ~ together*) aneinanderschlagen; (*metal*) klirren. [2] *vt cymbals* schlagen. [3] *n* [a] (*of armies, demonstrators etc*) Zusammenstoß *m*. [b] (*of personalities*) grundsätzliche Verschiedenheit ▶ *it's such a ~ of personalities* sie sind charakterlich grundverschieden. [c] (*of swords*) Aufeinanderprallen

nt; (between people) Konflikt m ▸ there's a ~ of dates die Termine über-schneiden sich.

clasp [klɑːsp] **1** n **a** (on brooch, purse etc) (Schnapp)verschluß m. **b** (with one's arms) Umklammerung f; (with hand) Griff m.
2 vt **a** (er)greifen ▸ with his hands ~ed mit gefalteten Händen; to ~ sb in one's arms jdn in die Arme schließen. **b** (to fasten with a ~) befestigen.

class [klɑːs] **1** n **a** (group, division) Klasse f ▸ in a ~ by himself/itself weitaus der/das Beste. **b** (social rank) Schicht, Klasse f. **c** (Sch, Univ) Klasse f ▸ to give or take a Latin ~ Latein unterrichten; the French ~ (lesson) die Französischstunde; (people) die Französischklasse; an evening ~ ein Abendkurs m. **d** (col: quality, tone) Stil m ▸ to have ~ Stil haben; (person) Format haben.
2 vt einordnen, klassifizieren.

class: ~ **conscious** adj klassenbewußt, standesbewußt; ~ **consciousness** n Klassenbewußtsein nt; ~ **distinction** n Klassenunterschied m.
classic ['klæsɪk] **1** adj (lit, fig) klassisch.
2 n Klassiker m.
classical ['klæsɪkəl] adj klassisch; education humanistisch ▸ ~ scholar Altphilologe m/-philologin f; ~ studies Altphilologie f.
classicism ['klæsɪsɪzəm] n Klassik f.
classics ['klæsɪks] n sing (Univ) Altphilologie f.
classification [ˌklæsɪfɪ'keɪʃən] n Klassifizierung f.
classified ['klæsɪfaɪd] adj in Klassen eingeteilt ▸ ~ ad(vertisement) Kleinanzeige f; ~ information (Mil) Verschlußsache f; (Pol) Geheimsache f.
classify ['klæsɪfaɪ] vt klassifizieren.
class: ~**less** adj klassenlos; ~**mate** n Klassenkamerad(in f) m; ~**room** n Klassenzimmer nt; ~ **war(fare)** n Klassenkrieg m.
classy ['klɑːsɪ] adj (+er) (col) nobel (col) ▸ ~ woman Klassefrau f.
clatter ['klætəʳ] **1** n Klappern nt.
2 vi klappern ▸ the cart ~ed over the cobbles der Wagen rumpelte über das Pflaster.
clause [klɔːz] n **a** (Gram) Satz m. **b** (Jur etc) Klausel f.
claustrophobia [ˌklɔːstrə'fəubɪə] n Platzangst f.
claustrophobic [ˌklɔːstrə'fəubɪk] adj klaustrophob(isch) (Psych) ▸ I get this ~ feeling ich kriege Platzangst (col).
claw [klɔː] **1** n Kralle f; (of lions, birds of prey also) Klaue f; (of lobster etc) Schere f ▸ to get one's ~s into sb (col) jdn in die Krallen bekommen (col).
2 vt kratzen ▸ he ~ed back the sheets er riß die Laken weg.
3 vi to ~ at sth sich an etw (acc) krallen.
·**clay** [kleɪ] n Lehm m ▸ potter's ~ Ton m.
clay: ~ **pigeon shooting** n Tontaubenschießen nt; ~ **pipe** n Tonpfeife f.
clean [kliːn] **1** adj (+er) sauber ▸ to wipe sth ~ etw abreiben; ~ licence Führerschein m ohne Strafvermerk; to make a ~ start ganz von vorne anfangen; (in life) ein neues Leben anfangen; to make a ~ breast of sth sich (dat) etw von der Seele reden; to give sb a ~ bill of health (doctor) jdm gute Gesundheit bescheinigen; (authorities) jdn für unbedenklich erklären.
2 adv glatt ▸ I ~ forgot das habe ich glatt(weg) vergessen (col); he got ~ away er verschwand spurlos; I'm ~ out of cigarettes (col) ich habe keine Zigaretten mehr; to cut ~ through sth etw ganz durchschneiden/durchschlagen etc; to come ~ (col) auspacken (col).
3 vt saubermachen; carpets, clothes, buildings reinigen; window, shoes putzen; fish, wound säubern; chicken ausnehmen; car waschen ▸ to ~ one's teeth sich (dat) die Zähne putzen.
◆**clean off** vt sep (wash) abwaschen; (wipe) abwischen.

◆**clean out** vt sep **a** (lit) gründlich saubermachen. **b** (col: leave penniless) person ausnehmen (wie eine Weihnachtsgans) (col) ▸ the holiday has ~ed me ~ nach dem Urlaub bin ich jetzt blank (col).
◆**clean up** **1** vt sep saubermachen; old building, old painting reinigen.
2 vi (tidy up) aufräumen; (wash) sich waschen; (col: make money) absahnen (col).
clean-cut ['kliːnkʌt] adj features, lines klar.
cleaner ['kliːnəʳ] n **a** (person) Raumpfleger(in f) m ▸ a firm of office ~s eine Büroreinigungsfirma. **b** (shop) ~'s Reinigung f; to take sb to the ~'s (col) jdn übers Ohr hauen (col). **c** (substance) Reinigungsmittel nt.
cleaning lady ['kliːnɪŋ'leɪdɪ] n Raumpflegerin, Putzfrau (col) f.
cleanliness ['klenlɪnɪs] n Reinlichkeit f.
cleanly ['kliːnlɪ] adv sauber.
cleanness ['kliːnnɪs] n Sauberkeit f.
clean-out ['kliːnaut] n to have a ~ gründlich saubermachen.
cleanse [klenz] vt reinigen; (spiritually) läutern (of von).
cleanser ['klenzəʳ] n Reinigungsmittel nt.
clean-shaven ['kliːn'ʃeɪvn] adj glattrasiert.
cleansing ['klenzɪŋ] adj agent, cream Reinigungs-.
clean-up ['kliːnʌp] n Saubermachen nt; (by police) Säuberung f ▸ to give sth a ~ etw saubermachen.
clear [klɪəʳ] **1** adj (+er) **a** klar; complexion, conscience rein; photograph scharf ▸ on a ~ day bei klarem Wetter.
b (distinct, obvious) klar ▸ it's still not ~ to me why es ist mir immer noch nicht klar, warum; to make it ~ to sb that ... jdm klarmachen, daß ...; let's get this ~, I'm the boss eins wollen wir mal klarstellen: ich bin hier der Chef; as ~ as day sonnenklar; as ~ as mud (col) klar wie Kloßbrühe (col).
c to be ~ on sth über etw (acc) im klaren sein; I'm not ~ on the implications ich bin mir nicht sicher, was das bedeutet.
d road, way frei ▸ (on gate) "Keep ~" „Ausfahrt freihalten"; I want to keep the weekend ~ ich möchte mir das Wochenende freihalten; all ~! (alles) frei!; is it all ~ now? ist alles in Ordnung?; at last we were ~ of London endlich hatten wir London hinter uns; the shells landed well ~ of us die Granaten schlugen ein ganzes Stück neben uns ein; a ~ profit ein Reingewinn m; three ~ days drei volle Tage; a ~ majority eine eindeutige Mehrheit; to have a ~ lead klar in Führung liegen.
2 n to be in the ~ nichts zu verbergen haben; (clear of suspicion) entlastet sein; we're not in the ~ yet (not out of debt, difficulties) wir sind noch nicht aus allem heraus; this puts Harry in the ~ damit ist Harry entlastet.
3 adv to keep ~ of sb/sth jdm aus dem Wege gehen/etw meiden; "keep ~ of the testing area" „Versuchsgebiet nicht betreten"!; stand ~ of the doors! bitte von den Türen zurücktreten!
4 vt **a** (remove obstacles etc from) pipe reinigen; blockage beseitigen; road, snow räumen; (Comp) screen löschen; one's conscience erleichtern ▸ to ~ the table den Tisch abräumen; to ~ a space for sth für etw Platz schaffen; to ~ the way for sb/sth den Weg für jdn/etw freimachen; to ~ the ground for further talks den Boden für weitere Gespräche bereiten.
b (free from guilt etc, Jur: find innocent) person freisprechen; one's/sb's name reinwaschen.
c (get past or over) he ~ed the bar easily er übersprang die Latte mit Leichtigkeit.
d debt begleichen; profit machen.
e stock etc räumen.
f (pass, OK) abfertigen; ship klarieren; expenses, appointment bestätigen; goods zollamtlich abfertigen ▸ he's been ~ed by security er ist von den Sicherheitsbehörden für unbedenklich erklärt worden;

you'll have to ~ that with the boss das müssen Sie mit dem Chef abklären.
g (*Sport*) *to ~ the ball* klären.
5 *vi* (*weather*) aufklaren; (*mist*) sich lichten.
◆**clear away** **1** *vt sep* wegräumen; *dishes also* abräumen.
2 *vi* **a** (*mist etc*) sich auflösen. **b** (~ *the table*) den Tisch abräumen.
◆**clear off** **1** *vt sep debts* begleichen; *stock* räumen.
2 *vi* (*col*) verschwinden (*col*).
◆**clear out** **1** *vt sep cupboard, room* ausräumen.
2 *vi* (*col*) verschwinden (*col*).
◆**clear up** **1** *vt sep* **a** *point, matter* klären; *mystery, crime* aufklären. **b** (*tidy*) aufräumen.
2 *vi* **a** (*weather*) sich aufklären; (*rain*) aufhören. **b** (*tidy up*) aufräumen.
clearance ['klɪərəns] *n* **a** (*act of clearing*) Beseitigung *f* ▸ *slum ~* Slumsanierung *f*. **b** (*free space*) Spielraum *m*; (*headroom*) lichte Höhe. **c** (*by customs*) Abfertigung *f*; (*by security*) Unbedenklichkeitserklärung *f*; (*authorization*) Genehmigung *f* ▸ *~ for take-off* Startfreigabe *f*. **d** (*Sport*) Abwehr *f*, Klärung *f*.
clearance sale *n* (*Comm*) Räumungsverkauf *m*.
clear-cut ['klɪə'kʌt] *adj* klar.
clearing ['klɪərɪŋ] *n* (*in forest*) Lichtung *f*.
clearing: ~ bank *n* Clearingbank *f*; **~ house** *n* Clearingstelle *f*.
clearly ['klɪəlɪ] *adv* **a** (*distinctly*) klar ▸ *~ visible* gut zu sehen; *to stand out ~ from the rest* sich deutlich von den anderen abheben. **b** (*obviously*) eindeutig ▸ *~ we cannot allow ...* wir können keinesfalls zulassen, ...
clearness ['klɪənɪs] *n* Klarheit *f*, (*of photograph, outline*) Schärfe *f*.
clear: ~-out *n* Aufräumaktion *f*; *to have a ~-out* gründlich aufräumen; **~way** *n* (*Brit*) Straße *f* mit Halteverbot.
cleavage ['kliːvɪdʒ] *n* **a** (*split*) Spalte *f*, (*fig*) Kluft *f*. **b** (*of woman's breasts*) Dekolleté *nt*.
cleaver ['kliːvə^r] *n* Hackbeil *nt*.
clef [klef] *n* (*Noten*)schlüssel *m*.
cleft [kleft] **1** *adj* gespalten ▸ *~ palate* Gaumenspalte *f*; *to be in a ~ stick* in der Klemme sitzen (*col*).
2 *n* Spalte *f*.
clematis ['klemətɪs] *n* Waldrebe, Klematis *f*.
clemency ['klemənsɪ] *n* (*of person*) Nachsicht *f* (*towards sb* jdm gegenüber); (*of weather*) Milde *f*.
clementine ['kleməntaɪn] *n* Klementine *f*.
clench [klentʃ] *vt fist* ballen; *teeth* zusammenbeißen ▸ *to ~ sth between one's teeth* etw zwischen die Zähne klemmen; *to ~ sth in one's hands* etw mit den Händen umklammern.
clergy ['klɜːdʒɪ] *npl* Klerus *m*, Geistlichkeit *f*.
clergyman ['klɜːdʒɪmən] *n*, *pl* **-men** [-mən] Geistlicher *m*.
cleric ['klerɪk] *n* Kleriker *m*.
clerical ['klerɪkəl] *adj* **a** (*Eccl*) geistlich. **b** **~ staff** Büropersonal *nt*; **~ error** Versehen *nt*.
clerk [klɑːk, (*US*) klɜːrk] *n* **a** (*Büro*)angestellte(r) *mf*. **b** *C~ of the Court* (*Jur*) Protokollführer(in *f*) *m*. **c** (*US: in shop*) Verkäufer(in *f*) *m*.
clever ['klevə^r] *adj* **a** (*mentally bright*) klug; *machine also* clever ▸ *to be ~ at French* gut in Französisch sein; *how ~ of you to remember my birthday!* wie aufmerksam von dir, daß du an meinen Geburtstag gedacht hast! **b** (*ingenious, skilful*) *to be ~ at sth* Geschick zu etw haben, in etw (*dat*) geschickt sein; *to be ~ with one's hands* geschickte Hände haben. **c** (*cunning, smart*) schlau, clever (*col*) ▸ *~ Dick* Schlaumeier *m* (*col*).
cleverly ['klevəlɪ] *adv* geschickt; (*wittily*) schlau.
cleverness ['klevənɪs] *n see adj* **a** Klugheit *f*. **b** Geschicktheit *f*. **c** Schläue, Cleverness *f*.

clew [kluː] *n* (*US*) = **clue**.
cliché ['kliːʃeɪ] *n* Klischee *nt*.
click [klɪk] **1** *n* Klicken *nt*; (*of latch, key in lock*) Schnappen *nt*; (*of tongue*) Schnalzen *nt*.
2 *vi* **a** *see n* klicken; schnappen; schnalzen. **b** (*col: be understood*) funken (*col*) ▸ *suddenly it all ~ed (into place)* plötzlich hatte es gefunkt (*col*). **c** (*col: get on well*) *they ~ed right from the moment they first met* zwischen ihnen hatte es vom ersten Augenblick an gefunkt (*col*).
3 *vt heels* zusammenklappen; *fingers* schnippen mit; *tongue* schnalzen mit ▸ *to ~ sth into place* etw einschnappen lassen.
client ['klaɪənt] *n* Kunde *m*, Kundin *f*; (*of lawyer*) Mandant *m*, Mandantin *f*.
clientele [ˌkliːɑːn'tel] *n* Kundschaft *f* ▸ *the regular ~* die Stammkundschaft.
cliff [klɪf] *n* Klippe *f*, (*inland also*) Felsen *m* ▸ *the ~s of Dover* die Felsen von Dover.
cliffhanger ['klɪfˌhæŋə] *n* Superthriller *m* (*col*).
climate ['klaɪmɪt] *n* (*lit, fig*) Klima *nt* ▸ *the two countries have very different ~s* die beiden Länder haben (ein) sehr unterschiedliches Klima; *to move to a warmer ~* in eine wärmere Gegend ziehen; *the ~ of popular opinion* das öffentliche Klima.
climatic [klaɪ'mætɪk] *adj* klimatisch, Klima-.
climax ['klaɪmæks] *n* (*all senses*) Höhepunkt *m*.
climb [klaɪm] **1** *vt* (*also ~ up*) klettern auf (+*acc*); *wall also, hill* steigen auf (+*acc*); *mountain* besteigen; *ladder, steps* hinaufsteigen; *pole, cliffs* hochklettern ▸ *my car can't ~ that hill* mein Auto schafft den Berg nicht; *to ~ a rope* an einem Seil hochklettern. **b** (*also ~ over*) *wall etc* steigen *or* klettern über (+*acc*).
2 *vi* klettern; (*as mountaineer*) bergsteigen; (*into train, car etc*) steigen; (*road*) ansteigen; (*aircraft*) (auf)steigen.
3 *n* **a** (*also fig*) Aufstieg *m*; (*of a mountain*) Besteigung *f* ▸ *that was some ~!* das war eine Kletterei!; *we're going out for a ~* wir machen eine Klettertour; (*as mountaineers*) wir gehen bergsteigen; *this face is a difficult ~* diese Steilwand ist schwer zu besteigen. **b** (*of aircraft*) Steigflug *m* ▸ *the plane went into a steep ~* das Flugzeug zog steil nach oben.
◆**climb down** *vi* **a** (*lit*) (*person*) (*from tree, wall*) herunterklettern; (*from horse, mountain*) absteigen. **b** (*admit error*) klein beigeben.
◆**climb up** **1** *vi* hinaufsteigen.
2 *vt see* climb 1 (a).
climbdown ['klaɪmdaʊn] *n* Rückzieher *m* (*col*).
climber ['klaɪmə^r] *n* **a** (*mountaineer*) Bergsteiger(in *f*) *m*. **b** (*socially*) Aufsteiger *m*.
climbing ['klaɪmɪŋ] **1** *adj club* Berg(steiger)- ▸ *~ boot* Bergschuh *m*; *~ frame* Klettergerüst *nt*; *~ plant* Kletterpflanze *f*.
2 *n* Bergsteigen *nt*; (*rock ~*) Klettern *nt* ▸ *we did a lot of ~* wir sind viel geklettert.
clinch [klɪntʃ] **1** *vt argument* zum Abschluß bringen ▸ *to ~ the deal* den Handel perfekt machen; *that ~es it* damit ist der Fall erledigt.
2 *n* (*Boxing*) Clinch *m*.
cling [klɪŋ] *pret, prep* **clung** *vi* (*hold on tightly*) sich festklammern (*to an* +*dat*); (*to opinion also*) festhalten (*to an* +*dat*); (*remain close*) sich halten (*to an* +*acc*); (*clothes, fabric*) eng anliegen; (*smell*) haften (*to an* +*dat*) ▸ *the boat clung to the shoreline* das Schiff hielt sich dicht an die Küste.
clingfilm ® ['klɪŋfɪlm] *n* Frischhaltefolie *f*.
clinging ['klɪŋɪŋ] *adj garment* enganliegend ▸ *she's the ~ sort* sie ist wie eine Klette (*col*).
clinic ['klɪnɪk] *n* Klinik *f*; (*surgery*) Sprechstunde *f*.
clinical ['klɪnɪkəl] *adj* **a** (*Med*) klinisch. **b** (*fig*) nüchtern.

clink¹ [klɪŋk] **1** *vt* klirren lassen ▶ *to ~ glasses with sb* mit jdm anstoßen. **2** *vi* klirren; (*jingle*) klimpern. **3** *n no pl* Klirren *nt*; Klimpern *nt* ▶ *the ~ of glasses* das Klingen der Gläser.

clink² *n* (*col: prison*) Knast *m* (*col*).

clip¹ [klɪp] **1** *n* **a** (*for holding things*) Klammer *f*. **b** (*jewel*) Klips *m*. **2** *vt to ~ on* anklemmen; *papers* anheften.

clip² **1** *vt* scheren; *dog* trimmen; *hedge, fingernails* schneiden; *wings* stutzen; (*Brit*) *ticket* entwerten. **2** *n* **a** *see vt* Scheren *nt*; Trimmen *nt*; Schneiden *nt*; Stutzen *nt*. **b** (*from film*) Ausschnitt *m*. **c** *to give sb a ~ on the ear* jdm eine Ohrfeige geben.

clip: ~board *n* Klemmbrett *nt*; (*Comp*) Zwischenablage *f*; ~ **joint** *n* (*col*) Nepplokal *nt* (*col*); **~-on** *adj* brooch mit Klips; **~-on earrings** Clips *pl*.

clipped [klɪpt] *adj accent* abgehackt.

clipper ['klɪpəʳ] *n* (*Naut*) Klipper *m*.

clippers ['klɪpəz] *npl* (*also* **pair of ~s**) Schere *f*; (*for hair*) Haarschneidemaschine *f*; (*for fingernails*) Zwicker *m*.

clipping ['klɪpɪŋ] *n* (*newspaper ~*) Ausschnitt *m*.

clique [kliːk] *n* Clique *f*.

cloak [kləʊk] **1** *n* (*lit*) Umhang *m*; (*fig*) (*disguise*) Deckmantel *m*; (*veil: of secrecy etc*) Schleier *m* ▶ *under the ~ of darkness* im Schutz der Dunkelheit. **2** *vt* (*fig*) hüllen.

cloak: ~-and-dagger *adj* mysteriös; *a ~-and-dagger operation* eine Nacht-und-Nebel-Aktion; **~room** *n* **a** (*for coats*) Garderobe *f*. **b** (*Brit euph*) Waschraum *m* (*euph*).

clobber ['klɒbəʳ] (*col*) **1** *n* (*Brit*) Klamotten *pl* (*col*). **2** *vt* (*hit*) hauen (*col*); (*defeat*) haushoch schlagen.

clock [klɒk] **1** *n* **a** Uhr *f* ▶ *around the ~* rund um die Uhr; *to work against the ~* gegen die Uhr arbeiten. **b** (*col*) (*speedometer, milometer*) Tacho *m* (*col*); (*of taxi*) Uhr *f* ▶ *it's got 60,000 on the ~* es hat einen Tachostand von 60 000 (Meilen). **2** *vt* (*Sport*) *he's ~ed the fastest time this year* er ist die schnellste Zeit dieses Jahres gelaufen/gefahren.

♦**clock in** *or* **on** *vi* (den Arbeitsbeginn) stempeln.

♦**clock off** *or* **out** *vi* (das Arbeitsende) stempeln.

♦**clock up** *vt sep* **a** (*athlete, competitor*) *time* laufen, schwimmen *etc*. **b** *speed, distance* zurücklegen. **c** (*col*) *success* verbuchen.

clock *in cpds* Uhr(en)-; ~ **face** *n* Zifferblatt *nt*; **~-radio** *n* Radiouhr *f*; **~wise** *adj, adv* im Uhrzeigersinn; **~work** **1** *n* (*of clock*) Uhrwerk *nt*; (*of toy*) Aufziehmechanismus *m*; *like ~work* wie am Schnürchen; **2** *attr train, car* zum Aufziehen.

clod [klɒd] *n* (*of earth*) Klumpen *m*.

clog [klɒg] **1** *n* (*shoe*) Holzschuh *m* ▶ **~s** (*modern*) Clogs *pl*. **2** *vt* (*also ~ up*) *pipe, drain etc* verstopfen; *mechanism, wheels* blockieren. **3** *vi* (*also ~ up*) (*pipe etc*) verstopfen; (*mechanism etc*) blockiert werden.

cloister ['klɔɪstəʳ] *n* **a** (*covered walk*) Kreuzgang *m*. **b** (*monastery*) Kloster *nt*.

cloistered ['klɔɪstəd] *adj* (*fig*) weltabgeschieden.

clone [kləʊn] **1** *n* Klon *m*. **2** *vt* klonen.

close¹ [kləʊs] **1** *adj* (+*er*) **a** (*near*) in der Nähe (*to gen*, von); (*in time*) nahe (*bevorstehend*); (*fig*) friend, co-operation, connection *etc* eng; *relative* nahe; *resemblance* stark; *fight, result* knapp ▶ *is Glasgow ~ to Edinburgh?* liegt Glasgow in der Nähe von Edinburgh?; *in ~ proximity* in unmittelbarer Nähe (*to gen*); *it's ~r to what we want* das kommt unseren Vorstellungen näher; *you're very ~* (*in guessing etc*) du bist dicht dran; ~ *combat* Nahkampf *m*.

b (*not spread out*) *handwriting, print* eng; *ranks* geschlossen. **c** *examination, study* eingehend; *translation* originalgetreu ▶ *to keep a ~ watch on sb* jdn scharf bewachen; *now pay ~ attention to me* jetzt hör mir gut zu! **d** (*weather*) schwül; (*in room*) stickig. **e** ~ *on* nahezu; ~ *on sixty/midnight* an die sechzig/kurz vor Mitternacht. **2** *adv* (+*er*) nahe; (*spatially also*) dicht ▶ ~ *by* in der Nähe; *stay ~ to me* bleib dicht bei mir; ~ *to the water/ ground* nahe *or* dicht am Wasser/Boden; *to be ~ to tears* den Tränen nahe sein.

close² [kləʊz] **1** *vt* **a** schließen, zumachen; (*col*) *factory* stillegen ▶ *to ~ one's eyes/ears to sth* sich einer Sache gegenüber blind/taub stellen. **b** (*bring to an end*) *meeting* schließen, beenden; *bank account etc* auflösen. **2** *vi* (*shut, come together*) sich schließen; (*door, box, lid also*) zugehen; (*shop, factory*) schließen; (*come to an end*) schließen; (*tourist season*) zu Ende gehen. **3** *n* Ende *nt* ▶ *to come to a ~* zu Ende gehen; *to bring sth to a ~* etw beenden.

♦**close down** **1** *vi* **a** (*business, shop etc*) schließen, zumachen (*col*); (*factory: permanently*) stillgelegt werden. **b** (*Rad, TV*) das Programm beenden. **2** *vt sep shop etc* schließen; *factory* (*permanently*) stillegen.

♦**close in** *vi* (*night, darkness*) hereinbrechen; (*days*) kürzer werden; (*enemy etc*) bedrohlich nahekommen ▶ *the police are closing ~ on him* die Polizei zieht das Netz um ihn zu.

♦**close off** *vt sep* (ab)sperren; (*separate off*) abteilen.

♦**close up** **1** *vi* **a** (*line of people*) zusammenrücken. **b** (*lock up*) ab- *or* zuschließen. **2** *vt sep shop* zumachen; *house* verschließen. **b** (*block up*) *hole* zumachen.

closed-circuit television ['kləʊzd,sɜːkɪt'telɪˌvɪʒən] *n* interne Fernsehanlage; (*for supervision*) Fernsehüberwachungsanlage *f*.

close-down ['kləʊzdaʊn] *n* **a** (*of shop, business etc*) (Geschäfts)schließung *f*; (*of factory*) Stillegung *f*. **b** (*Rad, TV*) Sendeschluß *m*.

closed shop ['kləʊzd'ʃɒp] *n* Closed Shop *m* ▶ *we have a ~* wir haben Gewerkschaftszwang.

close [kləʊs]: **~-fitting** *adj* enganliegend; **~-knit** *adj community* eng zusammengewachsen.

closely ['kləʊslɪ] *adv* eng, dicht; *work, connect* eng; *related* nah(e); *follow* (*in time*) dicht; (*attentively*) *watch, listen etc* genau; *guard* scharf, streng.

closeness ['kləʊsnɪs] *n* (*nearness, in time*) Nähe *f*; (*fig*) (*of friendship*) Innigkeit *f*; (*of examination, interrogation*) Genauigkeit *f*; (*of translation*) Texttreue *f*; (*of air, atmosphere*) Schwüle *f*; (*indoors*) stickige Luft; (*of race etc*) knapper Ausgang.

close [kləʊs]: **~-run** *adj race* mit knappem Ausgang; *a ~-run thing* eine knappe Sache; ~ **season** *n* Schonzeit *f*; **~shaven** *adj* glattrasiert.

closet ['klɒzɪt] (*vb: pret, ptp* **~ed** ['klɒzɪtɪd]) **1** *n* Wandschrank *m*. **2** *vt to be ~ed* hinter verschlossenen Türen sitzen (*with sb* mit jdm).

close-up ['kləʊsʌp] *n* Nahaufnahme *f* ▶ *in ~* in Nahaufnahme; (*of face*) in Großaufnahme.

closing ['kləʊzɪŋ] *adj remarks* abschließend ▶ ~ *date* (*for competition etc*) Einsendeschluß *m*; ~ *time* Ladenschluß *m*; (*Brit: in pub*) Polizeistunde *f*; ~ *prices* (*St Ex*) Schlußnotierungen *pl*.

closure ['kləʊʒəʳ] *n* **a** Schließung *f*; (*of road*) Sperrung *f*; (*of factory, mine etc also*) Stillegung *f*. **b** (*object, stopper*) Verschluß *m*.

clot [klɒt] **1** *n* **a** (*of blood*) (Blut)gerinnsel *nt*. **b** (*col:*

person) Trottel *m*.
[2] *vi* (*blood, milk*) gerinnen.
cloth [klɒθ] *n* Tuch *nt*; (*for cleaning*) Lappen *m*; (*table~*) Tischdecke *f* ▶ *a gentleman of the* ~ ein geistlicher Herr.
clothe [kləʊð] *pret, ptp* **clad** (*old*) *or* ~**d** *vt* (*usu pass: dress*) kleiden.
clothes [kləʊðz] *npl* (*garments*) Kleider *pl*; (*clothing, outfit also*) Kleidung *f no pl* ▶ *to put on/take off one's* ~ sich anziehen/ausziehen.
clothes: ~ **brush** *n* Kleiderbürste *f*; ~ **drier** *n* Wäschetrockner *m*; ~ **hanger** *n* Kleiderbügel *m*; ~ **horse** *n* Wäscheständer *m*; ~**line** *n* Wäscheleine *f*; ~ **peg** (*Brit*), ~ **pin** (*US*) *n* Wäscheklammer *f*; ~ **shop** *n* Bekleidungsgeschäft *nt*.
clothing ['kləʊðɪŋ] *n* Kleidung *f*.
clotted cream [ˌklɒtɪd'kriːm] *n* Sahne *f aus erhitzter Milch*.
cloud [klaʊd] [1] *n* Wolke *f* ▶ *to have one's head in the* ~*s* in höheren Regionen schweben; *to be on* ~ *nine* (*col*) im siebten Himmel sein (*col*); *every* ~ *has a silver lining* (*Prov*) kein Unglück ist so groß, es hat sein Glück im Schoß (*Prov*); ~ *of dust/smoke* Staub-/Rauchwolke *f*; *he's been under a* ~ *for weeks* (*under suspicion*) seit Wochen haftet ein Verdacht an ihm; (*in disgrace*) er steht schon seit Wochen in Ungnade.
[2] *vt* [a] (*lit*) *sky, view* verhängen (*geh*); *mirror* trüben ▶ *a* ~*ed sky* ein bewölkter Himmel. [b] (*fig*) *prospect, sb's enjoyment, mind, judgement etc* trüben; *friendship, sb's future* überschatten ▶ *to* ~ *the issue* (*complicate*) die Dinge unnötig kompliziert machen.
◆**cloud over** *vi* (*sky*) sich bewölken; (*mirror etc*) beschlagen.
cloud: ~**burst** *n* Wolkenbruch *m*; ~**-cuckoo-land** *n* Wolkenkuckucksheim *nt*.
cloudless ['klaʊdlɪs] *adj sky* wolkenlos.
cloudy ['klaʊdɪ] *adj* (+*er*) *sky* bewölkt; *liquid* trüb.
clout [klaʊt] [1] *n* [a] (*col: blow*) Schlag *m*. [b] *influence* Schlagkraft *f*.
[2] *vt* (*col*) hauen (*col*) ▶ *to* ~ *sb one* jdm eine runterhauen (*col*).
clove [kləʊv] *n* [a] Gewürznelke *f*. [b] ~ *of garlic* Knoblauchzehe *f*.
clover ['kləʊvər] *n* Klee *m* ▶ ~ *leaf* (*Bot, Mot*) Kleeblatt *nt*.
clown [klaʊn] [1] *n* Clown *m*; (*pej*) Trottel *m* ▶ *to act the* ~ den Hanswurst spielen.
[2] *vi* (*also* ~ *about or around*) herumblödeln (*col*).
cloy [klɔɪ] *vi* (*lit, fig*) zu süßlich sein/werden.
cloying ['klɔɪɪŋ] *adj* übermäßig süß.
club [klʌb] [1] *n* [a] (*weapon*) Knüppel *m*; (*golf~*) Golfschläger *m*. [b] (*Cards*) ~*s pl* Kreuz *nt*; (*Bridge*) Treff *nt*; *nine of* ~*s* (die) Kreuz-/Treff-Neun. [c] (*society*) Klub, Verein *m* ▶ *to be in the* ~ (*col*) ein Kind kriegen (*col*); *join the* ~*!* (*col*) gratuliere! du auch!;
[2] *vt* einknüppeln auf (+*acc*).
◆**club together** *vi* zusammenlegen.
club: ~ **car** *n* (*US Rail*) Wagen *m* der Luxusklasse; ~ **class** *n* (*Aviat*) Club-Klasse *f*; ~**house** *n* Klubhaus *nt*.
cluck [klʌk] *vi* (*hen*) glucken.
clue [kluː] *n* Anhaltspunkt *m*; (*in crosswords*) Frage *f* ▶ *I'll give you a* ~ ich gebe dir einen Tip; *I haven't a* ~*!* (ich hab') keine Ahnung!
clued-in [ˌkluːd'ɪn] (*US*), **clued-up** [ˌkluːd'ʌp] *adj* (*col*) im Bilde; (*about subject*) vertraut (*about* mit).
clueless ['kluːlɪs] *adj* (*col*) unbedarft (*col*).
clump [klʌmp] [1] *n* (*of trees, flowers etc*) Gruppe *f*; (*of earth*) Klumpen *m*.
[2] *vi to* ~ *about* herumtrampeln.
clumsily ['klʌmzɪlɪ] *adv* ungeschickt; (*awkwardly*) unbeholfen.

clumsiness ['klʌmzɪnɪs] *n* Ungeschicklichkeit *f*; (*ungainliness*) Schwerfälligkeit *f*; (*awkwardness*) Unbeholfenheit *f*.
clumsy ['klʌmzɪ] *adj* (+*er*) [a] ungeschickt. [b] (*unwieldy*) plump; *tool* unhandlich; (*ungainly*) schwerfällig.
clung [klʌŋ] *pret, ptp of* **cling**.
clunker ['klʌŋkər] *n* (*US col*) nutzloses Ding; (*car*) Klapperkiste *f* (*col*).
cluster ['klʌstər] *n* (*of trees, flowers, houses*) Gruppe *f*; (*of grapes*) Traube *f*.
◆**cluster around** *vi* +*prep obj* sich scharen (um +*acc*).
clutch [klʌtʃ] [1] *n* [a] (*Aut*) Kupplung *f* ▶ *to let in/out the* ~ ein-/auskuppeln. [b] (*fig*) *to fall into sb's* ~*es* jdm in die Hände fallen.
[2] *vt* umklammern.
◆**clutch at** *vi* +*prep obj* (*lit*) greifen nach (+*dat*); (*fig*) sich klammern an (+*acc*).
clutter ['klʌtər] [1] *n* (*confusion*) Durcheinander *nt*; (*disorderly articles*) Kram *m* (*col*).
[2] *vt* (*also* ~ *up*) *cupboard* vollstopfen ▶ *to be* ~*ed up with sth* mit etw vollgestopft sein; (*floor, desk etc*) mit etw übersät sein.
cm = **centimetre** cm.
CNAA (*Brit Univ*) = **Council for National Academic Awards** *Kontrollausschuß m für neue Studiengänge*.
CND = **Campaign for Nuclear Disarmament**.
CO = [a] **Commanding Officer**. [b] (*US*) **Colorado**.
Co = [a] **company** ≈ KG *f* ▶ *& ~* und Co. [b] **county**.
c/o = **care of** bei, c/o.
co- [kəʊ-] *pref* Mit-, mit-.
coach [kəʊtʃ] [1] *n* [a] (*horsedrawn*) Kutsche *f*; (*state ~*) (Staats)karosse *f*; (*Rail*) (Eisenbahn)wagen *m*; (*motor ~*) (Reise)bus *m*. [b] (*tutor*) Nachhilfelehrer(in *f*) *m*; (*Sport*) Trainer(in *f*) *m*.
[2] *vt* [a] (*Sport*) trainieren. [b] *to* ~ *sb for an exam* jdn auf eine Prüfung vorbereiten.
coaching ['kəʊtʃɪŋ] *n* Nachhilfe *f*; (*Sport*) Trainerstunden *pl*.
coach (*Brit*): ~ **party** *n* Busreisegruppe *f*; ~ **station** *n* Busbahnhof *m*; ~ **trip** *n* Busfahrt *f*.
coagulate [kəʊ'ægjʊleɪt] [1] *vi* gerinnen.
[2] *vt* gerinnen lassen.
coal [kəʊl] *n* Kohle *f* ▶ *to haul sb over the* ~*s* jdm eine Standpauke halten; *to carry* ~*s to Newcastle* (*prov*) Eulen nach Athen tragen (*prov*).
coal *in cpds* Kohlen-; ~ **black** *adj* kohlrabenschwarz; ~**cellar** *n* Kohlenkeller *m*; ~**-face** *n: to work at the* ~-*face* vor Ort arbeiten; ~**field** *n* Kohlenrevier *nt*; ~ **fire** *n* Kohlenfeuer *nt*; ~**-fired** *adj* Kohle(n)-; ~**-fired power station** Kohlekraftwerk *nt*.
coalition [ˌkəʊə'lɪʃən] *n* Koalition *f*.
coal: ~**man** *n* Kohlenauslieferer *m*; ~ **merchant** *n* Kohlenhändler *m*; ~**-mine** *n* Grube, Zeche *f*; ~**-miner** *n* Bergmann, Kumpel (*col*) *m*; ~**-mining** *n* Kohle(n)bergbau *m*; ~ **scuttle** *n* Kohleneimer *m*; ~**shed** *n* Kohlenschuppen *m*.
coarse [kɔːs] *adj* (+*er*) [a] (*in texture*) grob. [b] (*uncouth*) gewöhnlich; *person, manners* ungehobelt; *joke, language* derb.
coarsen ['kɔːsn] [1] *vt* derb(er) machen; *skin* gerben.
[2] *vi* (*person*) derb(er) werden.
coast [kəʊst] [1] *n* Küste *f* ▶ *at/on the* ~ an der Küste; *the* ~ *is clear* (*fig*) die Luft ist rein.
[2] *vi* (*car, cyclist*) im Leerlauf fahren ▶ *to* ~ *through an exam* eine Prüfung spielend schaffen.
coastal ['kəʊstəl] *adj* Küsten-.
coaster ['kəʊstər] *n* [a] (*Naut*) Küstenmotorschiff *nt*. [b] (*drip mat*) Untersetzer *m*.
coast: ~**guard** *n* Küstenwache *f*; ~**line** *n* Küste *f*.
coat [kəʊt] [1] *n* [a] Mantel *m*; (*doctor's* ~ *etc also*)

(Arzt)kittel *m*; (*jacket of suit etc*) Jacke *f*. **b** (*Her*) **~ of arms** Wappen *nt*. **c** (*of animal*) Fell *nt*. **d** (*of paint*) Anstrich *m*.
2 *vt* (*with paint etc*) streichen; (*with chocolate, icing etc*) überziehen ▸ **~ed tongue** belegte Zunge.
coat: ~-hanger *n* Kleiderbügel *m*; **~-hook** *n* Kleiderhaken *m*.
coating ['kəʊtɪŋ] *n* Überzug *m*; (*of paint*) Anstrich *m*.
co-author ['kəʊˌɔːθəʳ] *n* Mitverfasser *m*.
coax [kəʊks] *vt*: **to ~ sb into doing sth** jdn dazu bringen, etw zu tun; **to ~ sth out of sb** jdm etw entlocken.
cobalt ['kəʊbɒlt] *n* Kobalt *nt*.
cobber ['kɒbəʳ] *n* (*Austral col*) Kumpel *m* (*col*).
cobble ['kɒbl] **1** *n* (*also* **~stone**) Kopfstein *m*.
2 *vt* **a ~d street** eine Straße mit Kopfsteinpflaster.
◆**cobble together** *vt sep* (*col*) *essay etc* zusammenschustern.
cobbler ['kɒbləʳ] *n* Schuster *m*.
cobblestones ['kɒblstəʊnz] *npl* Kopfsteinpflaster *nt*.
COBOL ['kəʊbɒl] (*Comp*) = **common business oriented language** COBOL *nt*.
cobra ['kəʊbrə] *n* Kobra *f*.
cobweb ['kɒbweb] *n* Spinn(en)webe *f*.
cocaine [kə'keɪn] *n* Kokain *nt*.
cock [kɒk] **1** *n* **a** (*rooster*) Hahn *m*. **b** (*male bird*) Männchen *nt*. **c** (*tap*) (Wasser)hahn *m* ▸ **fuel ~** Treibstoffhahn *m*. **d** (*col!: penis*) Schwanz *m* (*col!*).
2 *vt ears* spitzen; *gun* entsichern ▸ **the parrot ~ed its head on one side** der Papagei legte seinen Kopf schief.
◆**cock up** *vt sep* (*Brit col*) vermasseln (*col*).
cock: ~-a-doodle-doo *interj* kikeriki; **~-a-hoop** *adj* ganz aus dem Häuschen; **~-and-bull** *adj*: **~-and-bull story** Lügengeschichte *f*.
cockatoo [ˌkɒkə'tuː] *n* Kakadu *m*.
cockchafer ['kɒkˌtʃeɪfəʳ] *n* Maikäfer *m*.
cockerel ['kɒkərəl] *n* junger Hahn.
cock-eyed [ˌkɒk'aɪd] *adj* (*col*) **a** (*crooked*) schief. **b** (*absurd*) verrückt.
cockle ['kɒkl] *n* (*shellfish*) Herzmuschel *f*.
cockney ['kɒknɪ] *n* Cockney *nt*; (*person*) Cockney *m*.
cockpit ['kɒkpɪt] *n* (*Aviat, Naut, of racing car*) Cockpit *nt*.
cockroach ['kɒkrəʊtʃ] *n* Küchenschabe *f*.
cocksure ['kɒk'ʃʊəʳ] *adj* (*confident*) selbstsicher; (*convinced*) fest überzeugt ▸ **to be ~ of oneself** von sich (*dat*) selber or selbst sehr überzeugt sein.
cocktail ['kɒkteɪl] *n* **a** Cocktail *m*. **b** *fruit* **~** Obstsalat *m*.
cocktail *in cpds* Cocktail-; **~ bar** *n* Cocktail-Bar *f*; **~ cabinet** *n* Hausbar *f*; **~ dress** *n* Cocktailkleid *nt*; **~ party** *nt* Cocktailparty *f*; **~ shaker** *n* Mixbecher *m*.
cock-up ['kɒkʌp] *n* (*Brit col*) Stümperei *f* (*col*) ▸ **to make a ~ of sth** etw vermasseln (*col*).
cocky ['kɒkɪ] *adj* (+*er*) (*col*) großspurig.
cocoa ['kəʊkəʊ] *n* Kakao *m*.
coconut ['kəʊkənʌt] **1** *n* Kokosnuß *f*.
2 *attr* Kokos- ▸ **~ matting** Kokosläufer *m*; **~ milk** Kokosmilch *f*; **~ palm, ~ tree** Kokospalme *f*.
cocoon [kə'kuːn] **1** *n* Kokon *m*; (*fig: of scarves, blankets etc*) Hülle *f*.
2 *vt* einhüllen.
COD = **cash** (*Brit*) or **collect** (*US*) **on delivery** per Nachnahme.
cod [kɒd] *n* Kabeljau *m*.
coddle ['kɒdl] *vt child* verhätscheln.
code [kəʊd] *n* **a** (*cipher*) Kode, Code *m* ▸ **in ~** verschlüsselt; **to put into ~** verschlüsseln; **~-name** Deckname *m*; **~-number** Kennziffer *f*; **~ word** (*also Comp*) Kennwort *nt*. **b** (*rules*) **~ of honour/behaviour** Ehren-/Sittenkodex *m*; **~ of practice** Verfahrensregeln *pl*. **c** *post* (*Brit*) or **zip** (*US*) **~** Postleitzahl *f*.
co-defendant [ˌkəʊdɪ'fendənt] *n* Mitangeklagte(r) *mf*.

codeine ['kəʊdiːn] *n* Kodein *nt*.
codetermination [ˌkəʊdɪtɜːmɪ'neɪʃən] *n* Mitbestimmung *f*.
codger ['kɒdʒəʳ] *n* (*col*): **old ~** alter Kauz.
codicil ['kɒdɪsɪl] *n* Kodizill *nt*, Testamentsnachtrag *m*.
cod-liver-oil ['kɒdlɪvər'ɔɪl] *n* Lebertran *m*.
co-driver ['kəʊdraɪvəʳ] *n* Beifahrer *m*.
co-ed, coed ['kəʊ'ed] *n* (*col*) (*Brit: school*) gemischte Schule; (*US: girl student*) Studentin *f* an einer gemischten Universität.
coeducation ['kəʊˌedjʊ'keɪʃən] *n* Koedukation *f*.
coeducational ['kəʊˌedjʊ'keɪʃənl] *adj teaching* koedukativ; *school* gemischt.
coerce [kəʊ'ɜːs] *vt* zwingen ▸ **to ~ sb into doing sth** jdn zwingen, etw zu tun.
coercion [kəʊ'ɜːʃən] *n* Zwang *m*; (*Jur*) Nötigung *f*.
coexist [ˌkəʊɪg'zɪst] *vi* nebeneinander bestehen.
coexistence [ˌkəʊɪg'zɪstəns] *n* Koexistenz *f*.
C of E = **Church of England**.
coffee ['kɒfɪ] *n* Kaffee *m* ▸ **two ~s, please** zwei Kaffee, bitte.
coffee *in cpds* Kaffee-; **~ bar** *n* (*Brit*) Café *nt*; **~ bean** *n* Kaffeebohne *f*; **~ break** *n* Kaffeepause *f*; **~ cup** *n* Kaffeetasse *f*; **~ filter** *n* Kaffeefilter *m*; **~ grinder** *n* Kaffeemühle *f*; **~ maker** *n* Kaffeemaschine *f*; **~ pot** *n* Kaffeekanne *f*; **~ shop** *n* Cafeteria *f*; **~ table** *n* Couchtisch *m*.
coffin ['kɒfɪn] *n* Sarg *m*.
co-founder [ˌkəʊ'faʊndəʳ] *n* Mitbegründer(in *f*) *m*.
cog [kɒg] *n* Zahn *m*; (**~wheel**) Zahnrad *nt* ▸ **he's only a ~ in the machine** (*fig*) er ist nur ein Rädchen im Getriebe.
cogent ['kəʊdʒənt] *adj argument, reason* zwingend; *reasoning* überzeugend.
cogitate ['kɒdʒɪteɪt] *vi* nachsinnen.
cognac ['kɒnjæk] *n* Kognak *m*; (*French*) Cognac *m*.
cognate ['kɒgneɪt] *adj* verwandt.
cohabit [kəʊ'hæbɪt] *vi* zusammenleben; (*esp Jur*) in nichtehelicher Lebensgemeinschaft leben.
coherence [kəʊ'hɪərəns] *n* **a** (*lit*) Kohärenz *f*. **b** (*of community*) Zusammenhalt *m*; (*of essay, symphony etc*) Geschlossenheit *f* ▸ **his speech lacked ~** seiner Rede (*dat*) fehlte der Zusammenhang.
coherent [kəʊ'hɪərənt] *adj* **a** (*comprehensible*) verständlich. **b** (*cohesive*) zusammenhängend; *logic, reasoning etc* schlüssig.
cohesion [kəʊ'hiːʒən] *n* (*fig*) Geschlossenheit *f*.
cohesive [kəʊ'hiːsɪv] *adj* (*fig*) geschlossen.
coil [kɔɪl] **1** *n* **a** (*of rope, wire etc*) Rolle *f*; (*on loop*) Windung *f*; (*of smoke*) Kringel *m* ▸ **~ spring** Spiralfeder *f*. **b** (*Elec*) Spule *f*. **c** (*contraceptive*) Spirale *f*.
2 *vt* (*also* **~ up**) aufwickeln ▸ **to ~ sth around sth** etw um etw wickeln; **the python ~ed itself up** die Pythonschlange rollte sich zusammen.
3 *vi* sich ringeln; (*river*) sich schlängeln.
coin [kɔɪn] **1** *n* Münze *f* ▸ **the other side of the ~** (*fig*) die Kehrseite der Medaille.
2 *vt money, phrase* prägen ▸ **..., to ~ a phrase** ..., um es mal so auszudrücken.
coinage ['kɔɪnɪdʒ] *n* (*of money, words*) Prägung *f*; (*coins*) Münzen *pl*.
coin-box (telephone) *n* Münzfernsprecher *m*.
coincide [ˌkəʊɪn'saɪd] *vi* (*in time, place*) zusammenfallen; (*in area*) sich decken; (*agree*) übereinstimmen.
coincidence [kəʊ'ɪnsɪdəns] *n* Zufall *m*.
coincidental [kəʊɪnsɪ'dentl] *adj* zufällig.
coin-operated *adj* Münz- ▸ **~ machine** Münzautomat *m*.
coke [kəʊk] *n* Koks *m*.
Coke ® [kəʊk] *n* (*col*) Cola *f*, Coke ® *nt*.

Col = Colonel.

colander ['kʌləndə^r] *n* Durchschlag *m*, Sieb *nt*.

▼ **cold** [kəʊld] **1** *adj* (+er) kalt (*also fig*); *reception, personality* kühl ▸ **I am ~** mir ist kalt, ich friere; **my hands are ~/are getting ~** ich habe/bekomme kalte Hände; **to be ~ to sb** jdn kühl behandeln; **that leaves me ~** das läßt mich kalt; **to be out ~** bewußtlos sein; (*knocked out*) k.o. sein; **in ~ blood** kaltblütig; **to get ~ feet** (*fig col*) kalte Füße kriegen (*col*); **to give sb the ~ shoulder** (*col*) jdm die kalte Schulter zeigen.
2 *n* [a] Kälte *f* ▸ **to feel the ~** kälteempfindlich sein; **to be left out in the ~** (*fig*) ausgeschlossen werden. [b] (*Med*) Erkältung *f*; (*runny nose*) Schnupfen *m* ▸ **to have a ~** erkältet sein; **to get** *or* **catch a ~** sich erkälten.

cold: ~-blooded *adj* (*Zool, fig*) kaltblütig; **~ call** *n* (*visit*) Vetreterbesuch *m*; **~ cream** *n* Cold Cream *f or nt*, Feuchtigkeitscreme *f*; **~ cuts** *npl* Aufschnitt *m*; **~-hearted** *adj* kaltherzig.

coldly ['kəʊldlɪ] *adv* (*lit, fig*) kalt; *answer, receive* betont kühl.

cold: ~-shoulder *vt* (*col*) links liegenlassen (*col*); **~ storage** *n* Kühllagerung *f*; **to put sth into ~ storage** (*lit*) *food* etw kühl lagern; (*fig*) *idea, plan* etw auf Eis legen; **~ turkey** *n* (*also* **~ turkey cure**) (*col*) sofortiger Totalentzug.

coleslaw ['kəʊlslɔ:] *n* Krautsalat *m*.

colic ['kɒlɪk] *n* Kolik *f*.

collaborate [kə'læbəreɪt] *vi* [a] zusammenarbeiten. [b] (*with enemy*) kollaborieren.

collaboration [kə,læbə'reɪʃən] *n* [a] Zusammenarbeit *f*; (*of one party*) Mitarbeit *f*. [b] (*with enemy*) Kollaboration *f*.

collaborator [kə'læbəreɪtə^r] *n* [a] Mitarbeiter(in *f*) *m*. [b] (*with enemy*) Kollaborateur(in *f*) *m*.

collage [kɒ'lɑ:ʒ] *n* Collage *f*.

collapse [kə'læps] **1** *vi* (*lit, fig*) zusammenbrechen; (*building, wall, roof*) einstürzen; (*negotiations*) scheitern ▸ **they all ~d with laughter** sie konnten sich alle vor Lachen nicht mehr halten; **his whole world ~d about him** für ihn brach eine Welt zusammen.
2 *n* Zusammenbruch *m*; (*heart attack*) Kollaps *m*; (*of building etc*) Einsturz *m*; (*of negotiations*) Scheitern *nt*.

collapsible [kə'læpsəbl] *adj* *bicycle, chair* zusammenklappbar, Klapp-.

collar ['kɒlə^r] **1** *n* Kragen *m*; (*for dogs*) Halsband *nt*; (*Mech: on pipe etc*) Bund *m* ▸ **~bone** Schlüsselbein *nt*.
2 *vt* (*capture*) fassen.

collate [kɒ'leɪt] *vt* vergleichen; (*assemble*) zusammentragen.

collateral [kɒ'lætərəl] *n* (*Fin*) (zusätzliche) Sicherheit.

colleague ['kɒli:g] *n* Kollege *m*, Kollegin *f*.

▼ **collect** ['kɒlekt] **1** *vt* [a] *stamps etc, one's thoughts, money, facts* sammeln; (*accumulate*) ansammeln; (*furniture*) *dust etc* anziehen; *empty glasses, tickets etc* einsammeln; *litter* aufsammeln; *belongings* zusammenpacken; *taxes* einziehen; *debts* eintreiben; *rent, fares* kassieren. [b] (*pick up, fetch*) abholen (*from* bei).
2 *vi* (*gather*) sich ansammeln; (*dust*) sich absetzen; (*~ money*) kassieren; (*for charity*) sammeln.
3 *adj* (*esp US*) **~ call** R-Gespräch *nt*.
4 *adv* (*esp US*) **to call ~** ein R-Gespräch führen.

collected [kə'lektɪd] *adj* [a] **the ~ works of Oscar Wilde** Oscar Wildes gesammelte Werke. [b] (*calm*) ruhig, gelassen.

collection [kə'lekʃən] *n* [a] (*group of people, objects*) Ansammlung *f*; (*of stamps, coins etc*) Sammlung *f*. [b] (*collecting*) (*of facts, information*) Zusammentragen *nt*; (*of goods*) Abholung *f*; (*from letterbox*) Leerung *f*; (*of stamps, coins*) Sammeln *nt*; (*of money, jumble for charity*) Sammlung *f*; (*in church*) Kollekte *f*; (*of debts*) Eintrei-

bung *f*; (*of rent, fares*) Kassieren *nt*; (*of taxes*) Einzug *m*. [c] (*Fashion*) Kollektion *f*.

collective [kə'lektɪv] **1** *adj* kollektiv, Kollektiv- ▸ **~ bargaining** Tarifverhandlungen *pl*.
2 *n* Kollektiv *nt*.

collector [kə'lektə^r] *n* [a] (*of taxes*) Einnehmer(in *f*) *m*; (*of rent, cash*) Kassierer(in *f*) *m*; (*ticket ~*) Fahrkartenkontrolleur *m*. [b] (*of stamps, coins etc*) Sammler(in *f*) *m* ▸ **~'s item** Sammlerstück *nt*; **~'s price** Liebhaberpreis *m*.

college ['kɒlɪdʒ] *n* [a] (*Univ*) College *nt* ▸ **to go to ~** (*university*) studieren. [b] (*of music, technology*) Fachhochschule *f* ▸ **~ of Art** Kunstakademie *f*.

collide [kə'laɪd] *vi* zusammenstoßen.

collie ['kɒlɪ] *n* Collie *m*.

colliery ['kɒlɪərɪ] *n* Grube, Zeche *f*.

collision [kə'lɪʒən] *n* (*lit*) Zusammenstoß *m*; (*fig*) Konflikt *m*, Kollision *f* ▸ **on a ~ course** (*lit, fig*) auf Kollisionskurs.

colloquial [kə'ləʊkwɪəl] *adj* umgangssprachlich.

collusion [kə'lu:ʒən] *n* (geheime) Absprache.

Cologne [kə'ləʊn] **1** *n* Köln *nt*.
2 *adj* Kölner.

cologne [kə'ləʊn] *n* Kölnisch Wasser *nt*.

Colombia [kə'lɒmbɪə] *n* Kolumbien *nt*.

Colombian [kə'lɒmbɪən] **1** *adj* kolumbianisch.
2 *n* Kolumbianer(in *f*) *m*.

colon¹ ['kəʊlən] *n* (*Anat*) Dickdarm *m*.

colon² *n* (*Gram*) Doppelpunkt *m*.

colonel ['kɜ:nl] *n* Oberst *m*.

colonial [kə'ləʊnɪəl] **1** *adj* Kolonial-, kolonial.
2 *n* Bewohner(in *f*) *m* einer Kolonie/der Kolonien.

colonialism [kə'ləʊnɪəlɪzəm] *n* Kolonialismus *m*.

colonist ['kɒlənɪst] *n* Siedler(in *f*) *m*.

colonize ['kɒlənaɪz] *vt* kolonisieren.

colonnade [,kɒlə'neɪd] *n* Kolonnade *f*, Säulengang *m*.

colony ['kɒlənɪ] *n* (*also Zool*) Kolonie *f*; (*of ants, bees*) Staat *m*.

color *etc* (*US*) = **colour** *etc*.

Colorado beetle [,kɒlə'rɑ:dəʊ'bi:tl] *n* Kartoffelkäfer *m*.

colossal [kə'lɒsl] *adj* riesig; *prices, mistake* gewaltig.

colour, (*US*) **color** ['kʌlə^r] **1** *n* [a] (*lit, fig*) Farbe *f* ▸ **what ~ is it?** welche Farbe hat es?; **let's see the ~ of your money first** (*col*) zeig erst mal dein Geld her (*col*). [b] (*complexion*) (Gesichts)farbe *f* ▸ **to get one's ~ back** wieder Farbe bekommen. [c] (*racial*) Hautfarbe *f*. [d] (*flag*) **~s** Fahne *f*; **to nail one's ~s to the mast** (*fig*) Farbe bekennen; **to show one's true ~s** (*fig*) sein wahres Gesicht zeigen.
2 *vt* [a] (*lit*) anmalen. [b] (*fig*) beeinflussen; (*bias*) färben.
3 *vi* [a] (*leaves*) sich (ver)färben. [b] (*person: also ~ up*) rot werden.

◆**colour in** *vt sep* anmalen; (*Art*) kolorieren.

colour *in cpds* Farb-; (*racial*) Rassen-; (*Mil*) Fahnen-; **~ bar** *n* Rassenschranke *f*; **~-blind** *adj* farbenblind; **~ code** *vt* farbig kennzeichnen; **~ copier** *n* Farbkopierer *m*.

coloured, (*US*) **colored** ['kʌləd] **1** *adj* [a] bunt. [b] (*fig: biased*) gefärbt. [c] *person, race* farbig ▸ **~ man/ woman** Farbige(r) *m*/Farbige *f*.
2 *n* Farbige(r) *mf*.

-coloured, (*US*) **-colored** *adj suf* **straw-/dark-~** strohfarben/dunkel.

colour: ~fast *adj* farbecht; **~ film** *n* Farbfilm *m*.

colourful, (*US*) **colorful** ['kʌləfʊl] *adj* [a] (*lit*) bunt. [b] *account etc* anschaulich; *life* bewegt; *personality* schillernd.

colouring, (*US*) **coloring** ['kʌlərɪŋ] *n* (*complexion*) Gesichtsfarbe *f*; (*substance*) Farbstoff *m*; (*colours*) Farben *pl* ▸ **~ book** Malbuch *nt*.

➤ SENTENCE BUILDER: **cold: 1** → 1.2   **collect: 1b** → 8.2 **4** → 15.2

colourless, (*US*) **colorless** ['kʌləlɪs] *adj* (*lit, fig*) farblos.

colour: ~ photograph *n* Farbfoto *nt*; **~ photography** *n* Farbfotografie *f*; **~ scheme** *n* Farbzusammenstellung *f*; **~ supplement** *n* (*Press*) Farbbeilage *f*; **~ television** *n* Farbfernsehen *nt*; (*set*) Farbfernseher *m*.

colt [kəʊlt] *n* Fohlen *nt*.

column ['kɒləm] *n* [a] (*Archit, of smoke*) Säule *f*. [b] (*division of page*) Spalte; (*article in newspaper*) Kolumne *f*.

columnist ['kɒləmnɪst] *n* Kolumnist(in *f*) *m*.

coma ['kəʊmə] *n* Koma *nt* ▶ *to go into a ~* ins Koma fallen; *to be in a ~* im Koma liegen.

comatose ['kəʊmətəʊs] *adj* im Koma.

comb [kəʊm] [1] *n* Kamm *m*.
[2] *vt* [a] kämmen ▶ *to ~ one's hair* sich (*dat*) die Haare kämmen. [b] (*search*) durchkämmen.

◆**comb out** *vt hair* durchkämmen.

combat ['kɒmbæt] [1] *n* Kampf *m*.
[2] *vt* (*lit, fig*) bekämpfen.

combatant ['kɒmbətənt] *n* (*lit, fig*) Kämpfer *m*.

combat: ~ jacket *n* Feldjacke, Kampfjacke *f*; **~ troops** *npl* Kampftruppen *pl*.

combative ['kɒmbətɪv] *adj* kämpferisch; (*fig*) konfliktfreudig.

combination [ˌkɒmbɪ'neɪʃən] *n* [a] Kombination *f*; (*combining: of organizations, people etc*) Zusammenschluß *m*; (*of events*) Verkettung *f* ▶ *in ~* zusammen. [b] (*for lock*) Kombination *f* ▶ *~ lock* Kombinationsschloß *nt*.

combine [kəm'baɪn] [1] *vt* verbinden, kombinieren.
[2] *vi* sich zusammenschließen; (*Chem*) sich verbinden.
[3] ['kɒmbaɪn] *n* [a] Konzern *m*; (*Hist: in socialist countries*) Kombinat *nt*. [b] (*also ~ harvester*) Mähdrescher *m*.

combined [kəm'baɪnd] *adj* gemeinsam; *talents, efforts* vereint ▶ *~ with* in Kombination mit; (*esp clothes, furniture*) kombiniert mit.

combo ['kɒmbəʊ] *n* Combo *f*.

combustible [kəm'bʌstɪbl] *adj* brennbar.

combustion [kəm'bʌstʃən] *n* Verbrennung *f* ▶ **~ chamber** Verbrennungsraum *m*; (*of jet engine*) Brennkammer *f*.

come [kʌm] *pret* **came,** *ptp* **~** [1] *vi* [a] kommen ▶ *~ and see me soon* besuchen Sie mich bald einmal; *he has ~ a long way* er kommt von weit her; (*fig*) er ist weit gekommen; *the project has ~ a long way* das Projekt ist schon ziemlich weit; *he came running/hurrying into the room* er kam ins Zimmer gerannt/er eilte ins Zimmer; *coming!* ich komme; *~ ~!, ~ now!* (*fig*) komm, komm; *Christmas is coming* bald ist Weihnachten; *they came to a town/castle* sie kamen in eine Stadt/an ein Schloß; *it came into my head that ...* ich habe mir gedacht, daß ...; *May ~s before June* Mai kommt vor Juni; *it came as a shock to me* es war ein Schock für mich; *~ what may* ganz gleich, was geschieht; *you could see it coming* das war ja zu erwarten; *she had it coming to her* (*col*) es geschah ihr recht; *people were coming and going all day* es war den ganzen Tag ein Kommen und Gehen; *to ~ for sb* (*collect*) jdn abholen; *we'll ~ after you* wir kommen nach; *he came third in the race* er wurde Dritter in dem Rennen; *it all came right in the end* schließlich ging alles doch noch gut; *how ~?* (*col*) wieso?
[b] (*be, become*) werden ▶ *his dreams came true* seine Träume wurden wahr; *no good will ~ of it* das wird nicht gut ausgehen; *nothing came of it* es wurde nichts daraus; *that's what ~s of being careless* das kommt davon, wenn man unvorsichtig ist; *the handle has ~ loose* der Griff hat sich gelockert.
[c] (*Comm: be available*) erhältlich sein ▶ *milk now ~s in plastic bottles* es gibt jetzt Milch in Plastikfla-

schen.
[d] *I have ~ to believe him* mittlerweile glaube ich ihm; *I'm sure you will ~ to agree with me* ich bin sicher, daß du mir schließlich zustimmst; *(now I) ~ to think of it* wenn ich es mir recht überlege; *the years/weeks to ~* die kommenden Jahre/Wochen; *the life to ~* das ewige Leben.
[e] (*col uses*) **~ next week** nächste Woche; *I've known him for three years ~ January* im Januar kenne ich ihn drei Jahre; *~ again?* wie bitte?; *she is as vain as they ~* sie ist so eingebildet wie nur was (*col*).
[2] *vt* **don't ~ the innocent with me** (*col*) komm mir bloß nicht auf die unschuldige Tour (*col*)!

◆**come about** *vi impers* (*happen*) passieren.

◆**come across** [1] *vi* [a] (*cross*) herüberkommen. [b] (*be understood*) verstanden werden; (*message, speech*) ankommen. [c] (*make an impression*) wirken.
[2] *vi +prep obj* (*find*) finden ▶ *if you ~ ~ my watch* wenn du zufällig meine Uhr siehst.

◆**come along** *vi* [a] **~ ~!** (*nun*) komm doch! [b] (*accompany*) mitkommen. [c] (*progress*) **to be coming ~ (nicely)** (*gute*) Fortschritte machen; *my play isn't coming ~ at all well* mein Stück macht überhaupt keine Fortschritte; *how's the thesis coming ~?* was macht die Doktorarbeit?

◆**come apart** *vi* auseinandergehen; (*to be able to be taken apart*) zerlegbar sein.

◆**come around** *vi* [a] (*call round*) vorbeikommen. [b] (*recur*) **Christmas has ~ ~ again** nun ist wieder Weihnachten. [c] (*change one's opinions*) es sich (*dat*) anders überlegen ▶ *eventually he came ~ to our way of thinking* schließlich schloß er sich unserer Auffassung an. [d] (*regain consciousness*) wieder zu sich (*dat*) kommen.

◆**come away** *vi* [a] (*leave*) (weg)gehen ▶ *~ ~ from there!* komm da weg! [b] (*become detached*) abgehen.

◆**come back** *vi* [a] zurückkommen ▶ *can I ~ ~ to you on that one?* kann ich später darauf zurückkommen? [b] (*return to one's memory*) **ah yes, it's all coming ~ (to me)** ach ja, jetzt fällt mir alles wieder ein; *your German will very quickly ~ ~ to you* du wirst ganz schnell wieder ins Deutsche reinkommen (*col*).

◆**come by** [1] *vi +prep obj* (*obtain*) kommen zu; *idea* kommen auf (*+acc*).
[2] *vi* (*visit*) vorbeikommen.

◆**come down** *vi* [a] (*from ladder, stairs*) herunterkommen. [b] (*be demolished: building etc*) abgerissen werden; (*fall down*) herunterfallen. [c] (*drop: prices*) sinken; (*seller*) heruntergehen (*to auf +acc*). [d] (*be a question of*) ankommen (*to auf +acc*) ▶ *it all ~s ~ to something very simple* das ist im Grunde ganz einfach. [e] (*lose social rank*) sinken ▶ *you've ~ ~ in the world a bit* mit dir ist es aber abwärts gegangen. [f] (*US col: be planned*) **there's a robbery coming ~ tonight** für heute nacht ist ein Überfall geplant.

◆**come down on** *vi +prep obj* (*rebuke*) zusammenstauchen (*col*).

◆**come down with** *vi +prep obj illness* bekommen.

◆**come forward** *vi* [a] sich melden. [b] **to ~ ~ with help/money** Hilfe/Geld anbieten.

◆**come in** *vi* [a] hereinkommen ▶ *~ ~!* herein!; (*on radio*) **~ ~ ...** melden ... [b] (*arrive*) ankommen; (*train*) einfahren; (*ship*) einlaufen. [c] (*be received as income*) *he has £10,000 coming ~ every year* er bekommt £ 10.000 im Jahr. [d] (*have a part to play*) **where do I ~ ~?** welche Rolle spiele ich dabei?; *that will ~ ~ useful* das kann man gut gebrauchen.

◆**come in for** *vi +prep obj attention, admiration* erregen; *criticism etc* einstecken müssen.

◆**come into** *vi +prep obj* [a] (*inherit*) *legacy etc* erben ▶ *to ~ ~ one's own* zeigen, was in einem steckt. [b] (*be* *involved*) **I don't see where I ~ ~ all this** ich verstehe nicht, was ich mit der ganzen Sache zu tun habe; **money doesn't ~ ~ it** das hat nichts mit Geld zu tun.

♦**come off** [1] *vi* [a] (*off bicycle etc*) herunterfallen. [b] (*button, handle, paint etc*) abgehen; (*stains, marks*) weggehen. [c] (*take place*) **her wedding didn't ~ ~ after all** aus ihrer Hochzeit ist nun doch nichts geworden. [d] (*col: succeed*) klappen (*col*). [e] (*acquit oneself*) abschneiden.

[2] *vi +prep obj* [a] *bicycle, horse etc* fallen von. [b] (*button, paint, stain*) abgehen von. [c] (*col*) **~ ~ it!** nun mach mal halblang! (*col*).

♦**come on** *vi* [a] (*follow*) nachkommen. [b] **~ ~!** komm!; **~ on!** komm schon! [c] (*continue to advance*) zukommen (*towards* auf *+acc*). [d] (*start*) (*night*) hereinbrechen; (*storm*) einsetzen ▶ **I feel a cold coming ~** ich spüre die ersten Anzeichen einer Erkältung. [e] (*actor*) auftreten. [f] (*col*) **to ~ ~ strong** groß auftreten (*col*). [g] **= ~ along** (c).

♦**come out** *vi* [a] herauskommen; (*book, magazine also*) erscheinen; (*new product*) auf den Markt kommen; (*film*) (in den Kinos) anlaufen; (*exam results, news also*) bekannt werden. [b] (*Ind*) **to ~ ~ (on strike)** in den Streik treten. [c] (*Phot: film, photograph*) **to ~ ~ well** gut werden; **let's hope the photos ~ ~** hoffentlich sind die Bilder etwas geworden. [d] (*stains, dye etc*) herausgehen. [e] **he came ~ in a rash** er bekam einen Ausschlag; **to ~ ~ against/in favour of sth** sich gegen/für etw aussprechen; **to ~ ~ of sth badly/well** bei etw schlecht/nicht schlecht wegkommen.

♦**come out with** *vi +prep obj truth, facts* herausrücken mit; (*col*) *remarks, nonsense* von sich geben.

♦**come over** [1] *vi* herüberkommen ▶ **he came ~ to England** er kam nach England; **he came ~ to our side** er trat auf unsere Seite über; **she came ~ giddy** (*col*) ihr wurde schwindelig; **it came ~ cloudy** es bewölkte sich.

[2] *vi +prep obj* (*feelings*) überkommen ▶ **what's ~ ~ you?** was ist denn in dich gefahren?

♦**come round** *vi* = **come around**.

♦**come through** [1] *vi* [a] (*phone-call, order*) durchkommen ▶ **your papers haven't ~ ~ yet** (*be cleared*) Ihre Papiere sind noch nicht fertig. [b] (*survive*) durchkommen.

[2] *vi +prep obj* (*survive*) *illness, danger* überstehen.

♦**come to** [1] *vi* (*regain consciousness*) wieder zu sich (*dat*) kommen.

[2] *vi +prep obj* [a] **he will never ~ ~ much** aus ihm wird nie etwas werden. [b] (*impers*) **if it ~s ~ that we're sunk** wenn es dazu kommt, sind wir verloren; **~ ~ that or if it ~s ~ that, he's just as good** was das betrifft, ist er genauso gut; **when it ~s ~ mathematics** wenn es um Mathematik geht; **it ~s ~ the same thing** das läuft auf dasselbe hinaus; **what are things** or **what is the world coming ~!** wohin soll das noch führen! [c] (*price, bill*) **it ~s ~ £20** es macht insgesamt £20; **how much does it ~ ~?** wieviel macht das? [d] (*touch on*) *point, subject etc* kommen auf (*+acc*); (*tackle*) *problem, job etc* herangehen an (*+acc*).

♦**come together** *vi* zusammenkommen ▶ **he and his wife have ~ ~ again** er ist wieder mit seiner Frau zusammen.

♦**come under** *vi +prep obj* [a] **to ~ ~ sb's influence** unter jds Einfluß geraten; **this shop has ~ ~ new management** dieser Laden hat eine neue Geschäftsführung. [b] *category, heading* kommen unter (*+acc*).

♦**come up** *vi* [a] (*lit*) hochkommen; (*diver, submarine*) nach oben kommen; (*sun, moon*) aufgehen ▶ **you've ~ ~ in the world** du bist ja richtig vornehm geworden!; **he came ~ to me with a smile** er kam lächelnd auf mich zu. [b] (*Jur*) (*case*) verhandelt werden; (*accused*) vor Gericht stehen. [c] (*for discussion*) aufkommen; (*name*)

erwähnt werden. [d] (*number in lottery etc*) gewinnen ▶ **to ~ ~ for sale/auction** zum Verkauf/zur Auktion *etc* kommen. [e] (*post, job*) frei werden.

♦**come up against** *vi +prep obj* stoßen auf (*+acc*); opposing team treffen auf (*+acc*) ▶ **the new teacher keeps coming ~ ~ the headmaster** der neue Lehrer gerät ständig mit dem Direktor aneinander.

♦**come (up)on** *vi +prep obj* (*find*) stoßen auf (*+acc*).

♦**come up to** *vi +prep obj* [a] (*reach up to*) gehen or reichen bis zu or an (*+acc*). [b] *expectations* entsprechen (*+dat*). [c] (*col: approach*) **it's just coming ~ ~ 10** es ist gleich 10.

♦**come up with** *vi +prep obj answer* haben; *plan* sich (*dat*) ausdenken; *suggestion* machen; *money* (*raise*) aufbringen; (*pay*) herausrücken (*col*).

comeback ['kʌmbæk] *n* [a] (*Theat etc, fig*) Comeback *nt*. [b] (*col: redress*) Anspruch *m* auf Schadenersatz; (*reaction*) Reaktion *f* ▶ **we have no ~** wir können nichts machen.

comedian [kə'miːdɪən] *n* Komiker *m*.

comedienne [kə,miːdɪ'en] *n* Komikerin *f*.

comedown ['kʌmdaʊn] *n* (*col*) Abstieg *m* ▶ **that's a bit of a ~ for you** das ist eine ziemliche Enttäuschung für dich.

comedy ['kɒmɪdɪ] *n* Komödie *f*.

comer ['kʌmə^r] *n* **"open to all ~s"** „Teilnahme für jedermann".

comet ['kɒmɪt] *n* Komet *m*.

come-uppance [,kʌm'ʌpəns] *n* (*col*): **to get one's ~** die Quittung kriegen (*col*).

comfort ['kʌmfət] [1] *n* [a] Komfort *m no pl* ▶ **to live in ~** komfortabel leben; **that car was a little too close for ~** dieses Auto ist mir zu nahe herangefahren. [b] (*consolation*) Trost *m* ▶ **to take ~ from the fact that ...** sich damit trösten, daß ...; **your presence is a great ~ to me** es beruhigt mich sehr, daß Sie da sind; **small ~** schwacher Trost. [c] (*US*) **~ station** öffentliche Toilette. [2] *vt* (*console*) trösten.

comfortable ['kʌmfətəbl] *adj* [a] *armchair, shoes, life* bequem; *room, hotel etc* komfortabel; *temperature* angenehm ▶ **to make sb/oneself ~** es jdm/sich bequem machen; (*make at home*) es jdm/sich gemütlich machen. [b] (*fig*) *income, pension* ausreichend; *life* angenehm; *majority, lead* sicher ▶ **I don't feel too ~ about it** mir ist nicht ganz wohl bei dem Gedanken.

comfortably ['kʌmfətəblɪ] *adv* [a] *sit, dress etc* bequem; *furnished* komfortabel. [b] (*fig*) *win, lead* sicher; *live* angenehm; *afford* gut und gern; *claim, say* ruhig ▶ **they are ~ off** es geht ihnen gut.

comforter ['kʌmfətə^r] *n* (*US*) (*on bed*) Deckbett *nt*; (*scarf*) Wollschal *m*.

comforting ['kʌmfətɪŋ] *adj* tröstlich.

comfy ['kʌmfɪ] *adj* (*+er*) (*col*) bequem; *room* gemütlich.

comic ['kɒmɪk] [1] *adj* komisch ▶ **~ strip** Comic strip *m*. [2] *n* (*person*) Komiker(in *f*) *m*. [b] (*magazine*) Comic-Heft(chen) *nt*. [c] (*US*) **~s** Comics *pl*.

comical ['kɒmɪkəl] *adj* komisch.

coming ['kʌmɪŋ] [1] *n* Kommen *nt* ▶ **~ and going/~s and goings** Kommen und Gehen *nt*. [2] *adj* (*lit, fig*) kommend.

comma ['kɒmə] *n* Komma *nt*.

command [kə'mɑːnd] [1] *vt* [a] befehlen. [b] *army, ship* befehligen. [c] *resources, vocabulary* verfügen über (*+acc*) ▶ **to ~ sb's admiration/respect** jdm Bewunderung/Respekt abnötigen; **he ~s our admiration** wir bewundern ihn. [d] **to ~ a view of** eine Aussicht bieten über *+acc*.

[2] *n* [a] (*order, also Comp*) Befehl *m* ▶ **at/by the ~ of** auf Befehl *+gen*; **on ~** auf Befehl. [b] (*esp Mil: power, authority*) Kommando *nt* ▶ **to be in ~** das Kommando haben (*of* über *+acc*); **to take ~** das Kommando über-

nehmen (*of gen*); ~ *economy* Kommandowirtschaft *f.* **c** (*fig: possession, mastery*) Beherrschung *f* ▸ *he has a ~ of three foreign languages* er beherrscht drei Fremdsprachen; *to have sb/sth at one's* ~ über jdn/etw verfügen; *I am at your* ~ ich stehe zu Ihrer Verfügung.

commandant [ˌkɒmənˈdænt] *n* (*Mil*) Kommandant *m.*

commandeer [ˌkɒmənˈdɪər] *vt* (*Mil*) *men* einziehen; (*lit, fig*) *stores, ship, car* beschlagnahmen.

commander [kəˈmɑːndər] *n* Führer *m*; (*Mil, Aviat*) Kommandant *m*; (*Naut*) Fregattenkapitän *m* ▸ ~/~*s-in-chief* Oberbefehlshaber *m/pl.*

commanding [kəˈmɑːndɪŋ] *adj* **a** ~ *officer* (*Mil*) befehlshabender Offizier. **b** *personality, voice, tone* gebieterisch.

commandment [kəˈmɑːndmənt] *n* (*Bibl*) Gebot *nt.*

command module *n* (*Space*) Kommandokapsel *f.*

commando [kəˈmɑːndəʊ] *n, pl* -**s** (*Mil: soldier*) Angehöriger *m* eines Kommando(trupp)s.

command performance *n* (*Theat*) königliche Galavorstellung.

commemorate [kəˈmeməreɪt] *vt* gedenken (+*gen*).

commemoration [kəˌmeməˈreɪʃən] *n* Gedenken *nt* ▸ *in* ~ *of* zum Gedenken an (+*acc*).

commemorative [kəˈmemərətɪv] *adj* Gedenk- ▸ ~ *plaque* Gedenktafel *f.*

commence [kəˈmens] *vti* (*form*) beginnen.

commencement [kəˈmensmənt] *n* (*form*) Beginn *m.*

commend [kəˈmend] **1** *vt* (*praise*) loben; (*recommend*) empfehlen. **2** *vr to* ~ *itself* sich empfehlen (*to dat*).

commendable [kəˈmendəbl] *adj* lobenswert.

commendation [ˌkɒmenˈdeɪʃən] *n* (*praise*) Lob *nt*; (*award*) Auszeichnung *f.*

commensurate [kəˈmenʃərɪt] *adj* entsprechend (*with dat*) ▸ *to be* ~ *with sth* einer Sache (*dat*) entsprechen.

▼ **comment** [ˈkɒment] **1** *n* (*remark*) Bemerkung *f* (*on, about* über +*acc*, zu); (*esp official*) Kommentar *m* (*on* zu) ▸ *no* ~ kein Kommentar! **2** *vi* sich äußern (*on* über +*acc*, zu). **3** *vt* bemerken.

commentary [ˈkɒməntərɪ] *n* Kommentar *m* (*on* zu).

commentate [ˈkɒmenteɪt] *vi* (*Rad, TV*) Reporter(in *f*) sein (*on* bei).

commentator [ˈkɒmenteɪtər] *n* (*Rad, TV*) Reporter(in *f*) *m* ▸ *political* ~ politischer Kommentator.

commerce [ˈkɒmɜːs] *n* Handel *m.*

commercial [kəˈmɜːʃəl] **1** *adj* Handels-; *ethics, training* kaufmännisch; *premises, vehicle* Geschäfts-; *production, radio, project, success, attitude etc* kommerziell ▸ *the* ~ *world* die Geschäftswelt; *of no* ~ *value* ohne Verkaufswert. **2** *n* (*Rad, TV*) Werbespot *m.*

commercial: ~ *art* *n* Werbegrafik *f*; ~ *artist* *n* Werbegrafiker(in *f*) *m*; ~ *college* *n* Fachschule *f* für kaufmännische Berufe.

commercialism [kəˈmɜːʃəlɪzəm] *n* Kommerzialisierung *f.*

commercialize [kəˈmɜːʃəlaɪz] *vt* kommerzialisieren.

commercial: ~ *television* *n* durch Werbung finanziertes Fernsehen; ~ *traveller* (*Brit*) *or* **traveler** (*US*) *n* Handelsvertreter(in *f*) *m*; ~ *vehicle* *n* Nutzfahrzeug *nt.*

commiserate [kəˈmɪzəreɪt] *vi* mitfühlen (*with* mit).

commiseration [kəˌmɪzəˈreɪʃən] *n* (An)teilnahme *f no pl* ▸ *my* ~*s* herzliches Beileid (*on* zu).

commission [kəˈmɪʃən] **1** **a** (*for building, painting etc*) Auftrag *m.* **b** (*Comm: payment*) Provision *f* ▸ *on* ~ auf Provision. **c** (*Mil*) Patent *nt.* **d** (*special committee*) Kommission *f* ▸ *the (EC) C~* die EG-Kommission. **e** (*use*) *in/out of* ~ in/außer Betrieb.
2 *vt* **a** *person* beauftragen; *book, painting* in Auftrag

geben ▸ *to* ~ *sb to do sth* jdn damit beauftragen, etw zu tun. **b** (*Mil*) *sb* zum Offizier ernennen ▸ ~*ed officer* Offizier *m.* **c** *ship* in Dienst stellen; *power station etc* in Betrieb nehmen.

commissionaire [kəˌmɪʃəˈnɛər] *n* Portier *m.*

commissioner [kəˈmɪʃənər] *n* **a** (*member of commission*) Ausschußmitglied *nt.* **b** (*of police*) Polizeipräsident *m.* **c** (*Jur*) ~ *for oaths* Notar(in *f*) *m.*

commit [kəˈmɪt] **1** *vt* **a** *crime, suicide* begehen. **b** *to have sb* ~*ted (to an asylum)* jdn in eine Anstalt einweisen lassen; *to* ~ *sb for trial* jdn einem Gericht überstellen; *to* ~ *sth to writing or to paper* etw zu Papier bringen. **c** (*oblige*) festlegen (*to* auf +*acc*); *manpower, resources* einsetzen ▸ *that doesn't* ~ *you to buying the book* das verpflichtet Sie nicht zum Kauf des Buches.
2 *vr* sich festlegen (*to* auf +*acc*) ▸ *to* ~ *oneself on an issue* sich in einer Frage festlegen; *... without thereby* ~*ting myself to the whole contract ...* ohne damit an den ganzen Vertrag gebunden zu sein.

commitment [kəˈmɪtmənt] *n* (*obligation*) Verpflichtung *f*; (*dedication*) Engagement *nt.*

committed [kəˈmɪtɪd] *adj* (*dedicated*) engagiert.

committee [kəˈmɪtɪ] *n* Ausschuß *m*, Komitee *nt* ▸ ~ *meeting* Ausschußsitzung *f*; ~ *member* Ausschußmitglied *nt.*

commodity [kəˈmɒdɪtɪ] *n* Ware *f*; (*agricultural*) Erzeugnis *nt* ▸ ~ *market* Rohstoffmarkt *m.*

common [ˈkɒmən] **1** *adj* (+*er*) **a** (*shared by many*) gemeinsam ▸ *it is* ~ *knowledge that ...* es ist allgemein bekannt, daß ... **b** (*frequently seen or heard etc*) häufig; *word* geläufig; *experience also* allgemein; *belief, custom, animal, bird* (weit)verbreitet; (*customary, usual*) normal. **c** (*ordinary*) gewöhnlich ▸ *the* ~ *man* der Normalbürger; *the* ~ *people* die einfachen Leute; *the* ~ *cold* Schnupfen *m*; *it's only* ~ *decency* das gehört sich einfach. **d** (*vulgar, low-class*) gewöhnlich.
2 *n* **a** (*land*) Gemeindewiese *f.* **b** *to have sth in* ~ etw miteinander gemein haben.

common denominator *n* (*Math, fig*) gemeinsamer Nenner.

commoner [ˈkɒmənər] *n* Bürgerliche(r) *mf.*

common-law [ˈkɒmənlɔː] **1** *n* Gewohnheitsrecht *nt.* **2** *adj she is his* ~*-wife* sie lebt mit ihm in eheähnlicher Gemeinschaft.

commonly [ˈkɒmənlɪ] *adv* **a** (*often*) häufig; (*widely*) weithin ▸ *a* ~ *held belief* eine weitverbreitete Ansicht. **b** (*vulgarly*) ordinär.

common: *C~* **Market** *n* Gemeinsamer Markt; ~*-or-garden* *adj* Durchschnitts-, Feld-, Wald- und Wiesen- (*esp pej col*); *topic, novel etc* ganz gewöhnlich; ~*place* **1** *adj* alltäglich; (*banal*) *remark* banal; **2** *n* Gemeinplatz *m*; ~*room* *n* Aufenthaltsraum *m*; (*for teachers*) Lehrerzimmer *nt*; (*for lecturers*) Dozentenzimmer *nt.*

Commons [ˈkɒmənz] *npl the* ~ (*Parl*) das Unterhaus.

common: ~ *sense* *n* gesunder Menschenverstand; ~*sense* *adj* vernünftig; *C~wealth* *n the (British) C~wealth, the C~wealth of Nations* das Commonwealth.

┌─ **COMMONWEALTH** ─┐

🛈 *Das Commonwealth, offiziell Commonwealth of Nations, ist ein lockerer Zusammenschluß aus souveränen Staaten, die früher unter britischer Regierung standen, und von Großbritannien abhängigen Gebieten. Die Mitgliedsstaaten erkennen den britischen Monarchen als Oberhaupt des Commonwealth an. Bei der Commonwealth Conference, einem Treffen der Staatsoberhäupter der Commonwealthländer, werden Angelegenheiten von gemeinsamem Interesse diskutiert.*

commotion [kəˈməʊʃən] Aufruhr *m*; (*noise*) Lärm *m* ▸

┌──┐
│ ▶ SENTENCE BUILDER: **comment:** 2 → 2.3 │
└──┘

to cause a ~ Aufsehen erregen.

communal ['kɒmjuːnl] *adj* [a] (*of a community*) Gemeinde- ▸ ~ *life* Gemeinschaftsleben *nt.* [b] (*owned, used in common*) gemeinsam.

commune ['kɒmjuːn] [1] *n* Kommune *f.* [2] [kə'mjuːn] *vi to* ~ *with nature* mit der Natur Zwiesprache halten.

communicable [kə'mjuːnɪkəbl] *adj disease* übertragbar; *idea* vermittelbar.

communicant [kə'mjuːnɪkənt] *n* (*Eccl*) Kommunikant(in *f*) *m.*

communicate [kə'mjuːnɪkeɪt] [1] *vt news etc* übermitteln; *ideas, feelings* vermitteln; *illness* übertragen (*to* auf +*acc*). [2] *vi* [a] (*be in communication*) in Verbindung stehen. [b] (*convey or exchange thoughts*) sich verständigen ▸ *he can't* ~ er hat keine Kommunikationsfähigkeiten. [c] (*rooms*) verbunden sein ▸ *communicating rooms* Zimmer *pl* mit einer Verbindungstür.

communication [kə,mjuːnɪ'keɪʃən] *n* [a] Kommunikation *f;* (*of ideas, information*) Vermittlung *f;* (*of disease*) Übertragung *f;* (*between people*) Verständigung *f;* (*contact*) Verbindung *f* ▸ *to be in* ~ *with sb* mit jdm in Verbindung stehen (*about* wegen); *to get into* ~ *with sb about sth* sich mit jdm wegen etw in Verbindung setzen. [b] (*letter, message*) Mitteilung *f.* [c] ~*s* (*roads, railways, telegraph lines etc*) Kommunikationswege *pl;* (*Telec*) Nachrichtenwesen *nt.*

communication: ~ **cord** *n* (*Brit Rail*) ≃ Notbremse *f;* ~ **network** *n* Kommunikationsnetz *nt;* ~**s satellite** *n* Nachrichtensatellit *m;* ~ **studies** *npl* Kommunikationswissenschaften *pl.*

communicative [kə'mjuːnɪkətɪv] *adj* gesprächig ▸ ~ *skills* Kommunikationsfähigkeit *f.*

communion [kə'mjuːnɪən] *n* [a] (*intercourse, exchange of feelings etc*) Zwiesprache *f.* [b] (*Eccl: also* **C~**) (*Protestant*) Abendmahl *nt;* (*Catholic*) Kommunion *f* ▸ *to receive or take* ~ die Kommunion/das Abendmahl empfangen.

communiqué [kə'mjuːnɪkeɪ] *n* Kommuniqué *nt,* (amtliche) Verlautbarung *f.*

communism ['kɒmjʊnɪzəm] *n* Kommunismus *m.*

communist ['kɒmjʊnɪst] [1] *n* Kommunist(in *f*) *m.* [2] *adj* kommunistisch.

community [kə'mjuːnɪtɪ] *n* [a] (*social etc group*) Gemeinde *f.* [b] (*the public*) Allgemeinheit *f.*

community: ~ **centre** (*Brit*) *or* **center** (*US*) *n* Gemeindezentrum *nt;* ~ **chest** *n* (*US*) Hilfsfonds *m;* ~ **relations** *npl* das Verhältnis zwischen den Bevölkerungsgruppen; ~ **service** *n* (*Jur*) sozialer Dienst *m;* ~ **spirit** *n* Gemeinschaftsgeist *m.*

commutation ticket [,kɒmjʊ'teɪʃən'tɪkɪt] *n* (*US*) Zeitkarte *f.*

commute [kə'mjuːt] [1] *vt* umwandeln. [2] *vi* (*be commuter*) pendeln.

commuter [kə'mjuːtə*r*] *n* Pendler(in *f*) *m* ▸ ~ *train* Pendlerzug *m;* *the* ~ *belt* das Einzugsgebiet.

compact¹ [kəm'pækt] *adj* (+*er*) kompakt; *soil, snow* fest ▸ ~ *disk* CD(-Platte) *f.*

compact² ['kɒmpækt] *n* [a] (*powder* ~) Puderdose *f.* [b] (*US: car*) Kompaktauto *nt.*

compact³ ['kɒmpækt] *n* (*form: agreement*) Übereinkunft *f.*

companion [kəm'pænjən] *n* [a] Begleiter(in *f*) *m* ▸ *travelling* ~ Reisegefährte *m,* Reisegefährtin *f.* [b] (*friend*) Freund(in *f*) *m.* [c] (*one of pair of objects*) Pendant *nt.* [d] (*lady's*) Hausdame *f.*

companionable [kəm'pænjənəbl] *adj* freundlich.

companionship [kəm'pænjənʃɪp] *n* Gesellschaft *f.*

company ['kʌmpənɪ] [1] *n* Gesellschaft *f;* (*guests*) Besuch *m;* (*Comm also*) Firma *f;* (*Theat*)

(Schauspiel)truppe *f* ▸ *ship's* ~ (*Naut*) Besatzung *f; to keep sb* ~ jdm Gesellschaft leisten; *she is not fit* ~ *for your sister* sie ist nicht der richtige Umgang für deine Schwester; *to get into bad* ~ in schlechte Gesellschaft geraten; *we have* ~ *this evening* wir haben heute abend Besuch. [2] *attr* ~ *car* Firmenwagen *m;* ~ *law* Gesellschaftsrecht *nt;* ~ *policy* Geschäftspolitik *f;* ~ *report* Geschäftsbericht *m;* ~ *secretary* (*Brit*) ≃ Prokurist *m.*

▼ **comparable** ['kɒmpərəbl] *adj* vergleichbar (*with, to* mit).

comparative [kəm'pærətɪv] *adj* [a] *religion, philology etc* vergleichend ▸ *the* ~ *form* (*Gram*) der Komparativ. [b] (*relative*) relativ ▸ *to live in* ~ *luxury* relativ luxuriös leben.

comparatively [kəm'pærətɪvlɪ] *adv* (*relatively*) verhältnismäßig.

▼ **compare** [kəm'pɛə*r*] [1] *vt* vergleichen (*with, to* mit) ▸ ~*d with* verglichen mit; *they cannot be* ~*d* man kann sie nicht vergleichen; *to* ~ *notes* Eindrücke/Erfahrungen austauschen. [2] *vi* sich vergleichen lassen (*with* mit) ▸ *it* ~*s badly/well* es schneidet vergleichsweise schlecht/gut ab. [3] *n: beyond* ~ unvergleichlich.

▼ **comparison** [kəm'pærɪsn] *n* Vergleich *m* (*with, to* mit) ▸ *in* ~ *with* im Vergleich zu.

compartment [kəm'pɑːtmənt] *n* (*in fridge, desk etc*) Fach *nt;* (*Rail*) Abteil *nt.*

compass ['kʌmpəs] *n* [a] Kompaß *m.* [b] ~*es pl, pair of* ~*es* Zirkel *m.* [c] (*fig: extent*) Rahmen *m;* (*of human mind, experience*) Bereich *m.*

compassion [kəm'pæʃən] *n* Mitgefühl *nt* (*for* mit).

compassionate [kəm'pæʃənɪt] *adj* mitfühlend ▸ *on* ~ *grounds* aus familiären Gründen; ~ *leave* Beurlaubung *f* wegen einer dringenden Familienangelegenheit.

compatibility [kəm,pætɪ'bɪlɪtɪ] *n* Vereinbarkeit *f;* (*Med*) Verträglichkeit *f;* (*Tech*) Kompatibilität *f.*

compatible [kəm'pætɪbl] *adj* vereinbar; (*Med*) verträglich; *people* zueinander passend; *colours, furniture* passend; (*Tech*) kompatibel.

compatriot [kəm'pætrɪət] *n* Landsmann *m,* Landsmännin *f.*

compel [kəm'pel] *vt* zwingen ▸ *I feel* ~*led to tell you ...* ich sehe mich (dazu) gezwungen, Ihnen mitzuteilen, ...

compelling [kəm'pelɪŋ] *adj reason* zwingend; *performance* bezwingend.

compendium [kəm'pendɪəm] *n* Handbuch *nt.*

compensate ['kɒmpənseɪt] *vt* (*recompense*) entschädigen.

◆**compensate for** *vi* +*prep obj* (*in money etc*) ersetzen; (*make up for, offset*) wieder ausgleichen.

compensation [,kɒmpən'seɪʃən] *n* (*damages*) Entschädigung *f;* (*fig*) Ausgleich *m.*

compère ['kɒmpɛə*r*] (*Brit*) [1] *n* Conférencier *m.* [2] *vt to* ~ *a show* bei einer Show der Conférencier sein.

compete [kəm'piːt] *vi* [a] konkurrieren ▸ *to* ~ *with each other* sich (gegenseitig) Konkurrenz machen; *he can't* ~ *with her* er kann sich nicht mit ihr messen. [b] (*Sport*) teilnehmen.

competence ['kɒmpɪtəns], **competency** ['kɒmpɪtənsɪ] *n* Fähigkeit *f;* (*of doctor etc also*) Kompetenz *f.*

competent ['kɒmpɪtənt] *adj* fähig, befähigt (*in* zu); (*in a particular field*) kompetent.

competition [,kɒmpɪ'tɪʃən] *n* [a] *no pl* Konkurrenz *f* (*for* um). [b] (*contest*) Wettbewerb *m;* (*in newspapers etc*) Preisausschreiben *nt* ▸ *beauty* ~ Schönheitswettbewerb *m.*

competitive [kəm'petɪtɪv] *adj* [a] *person, attitude* vom Konkurrenzdenken geprägt ▸ ~ *sport* (Wett)kampfsport *m; a* ~ *examination* eine Auswahlprüfung. [b] (*Comm,*

Sport: able to compete) *business, prices, salaries, car, athlete* konkurrenzfähig ▶ ~ *edge* Wettbewerbsvorteil *m.*

competitiveness [kəm'petɪtɪvnɪs] *n* (*Comm*) Konkurrenzfähigkeit *f.*

competitor [kəm'petɪtər] *n* a Teilnehmer(in *f*) *m.* b (*Comm*) *our* ~*s* unsere Konkurrenz *f or* Konkurrenten *pl.*

compilation [ˌkɒmpɪ'leɪʃən] *n see vt* Zusammenstellung *f*; Zusammentragen *nt*; Verfassen *nt.*

compile [kəm'paɪl] *vt* zusammenstellen; *material* zusammentragen; *dictionary* verfassen.

complacency [kəm'pleɪsnsɪ] *n* Selbstgefälligkeit *f.*

complacent [kəm'pleɪsnt] *adj* selbstgefällig.

complain [kəm'pleɪn] *vi* sich beklagen (*about* über +*acc*); (*to make a formal complaint*) sich beschweren (*about* über +*acc*, *to* bei) ▶ *(I) can't* ~ (*col*) ich kann nicht klagen (*col*).

complaint [kəm'pleɪnt] *n* a Klage *f*; (*formal* ~) Beschwerde *f.* b (*illness*) Beschwerden *pl* ▶ *a very rare* ~ eine sehr seltene Krankheit.

complement ['kɒmplɪmənt] 1 *n* a (*also Gram*) Ergänzung *f* (*to gen*). b (*full number*) volle Stärke; (*crew of ship*) Besatzung *f* ▶ *our office has its full* ~ in unserem Büro sind alle Stellen besetzt.
2 ['kɒmplɪment] *vt* ergänzen ▶ *to* ~ *each other* sich ergänzen.

complementary [ˌkɒmplɪ'mentərɪ] *adj* komplementär; *pair* zusammengehörig ▶ *they have* ~ *interests* ihre Interessen ergänzen sich.

complete [kəm'pliːt] 1 *adj* a (*entire, whole*) ganz *attr*, *wardrobe, deck of cards* komplett; (*having the required numbers*) vollzählig; *edition* Gesamt- ▶ ~ *with* komplett mit; *the* ~ *works of Shakespeare* die gesammelten Werke Shakespeares; *my happiness was* ~ mein Glück war vollkommen. b *attr* (*total, absolute*) völlig; *failure, disaster, victory* total; *satisfaction, approval* voll ▶ *a* ~ *idiot* ein Vollidiot *m*; *we were* ~ *strangers* wir waren uns völlig fremd. c (*finished*) fertig.
2 *vt* a (*make whole*) *collection, set* vervollständigen. b (*fig*) *happiness* vollkommen machen ▶ *and to* ~ *their misery* ... und zu allem Unglück ... c (*finish*) abschließen. d *form, questionnaire* ausfüllen.

completely [kəm'pliːtlɪ] *adv* völlig, vollkommen.

completion [kəm'pliːʃən] *n* (*finishing*) Fertigstellung *f*; (*of project, course, education*) Abschluß *m* ▶ *on* ~ *of the contract/sale* bei Vertrags-/Kaufabschluß.

complex ['kɒmpleks] 1 *adj* komplex.
2 *n* a Komplex *m* ▶ *industrial* ~ Industriekomplex. b (*Psych*) Komplex *m* ▶ *he has a* ~ *about his big ears* er hat Komplexe wegen seiner großen Ohren.

complexion [kəm'plekʃən] *n* a Teint *m*; (*skin colour*) Gesichtsfarbe *f.* b (*fig: aspect*) Aspekt *m* ▶ *to put a new/different/sinister etc* ~ *on sth* etw in einem neuen/anderen/düsteren *etc* Licht erscheinen lassen.

complexity [kəm'pleksɪtɪ] *n* Komplexität *f.*

compliance [kəm'plaɪəns] *n* Einverständnis *nt*; (*with rules etc*) Einhalten *nt* (*with gen*) ▶ *in* ~ *with the law/our wishes etc* dem Gesetz/unseren Wünschen *etc* gemäß.

complicate ['kɒmplɪkeɪt] *vt* komplizieren.

complicated ['kɒmplɪkeɪtɪd] *adj* kompliziert.

complication [ˌkɒmplɪ'keɪʃən] *n* Komplikation *f*; (*condition*) Kompliziertheit *f.*

complicity [kəm'plɪsɪtɪ] *n* Mittäterschaft *f* (*in* bei).

compliment ['kɒmplɪmənt] 1 *n* a Kompliment *nt* (*on* zu, wegen) ▶ *to pay sb a* ~ jdm ein Kompliment machen. b (*form*) ~*s pl* Grüße *pl*; *"the* ~*s of the season"* „frohes Fest"; *"with the* ~*s of Mr X/the management"* „mit den besten Empfehlungen von Herrn X/der Geschäftsleitung"; ~*s slip* (*Comm*) Empfehlungszettel *m.*

2 ['kɒmplɪment] *vt* ein Kompliment/Komplimente machen (+*dat*) (*on* wegen, zu).

complimentary [ˌkɒmplɪ'mentərɪ] *adj* a (*praising*) schmeichelhaft ▶ ~ *close* (*in letter*) Schlußformel *f.* b (*gratis*) *seat, ticket* Frei-.

comply [kəm'plaɪ] *vi* (*person*) einwilligen; (*object, system etc*) den Bedingungen entsprechen ▶ *to* ~ *with a request/a wish/instructions* einer Bitte/einem Wunsch/den Anordnungen entsprechen (*form*).

component [kəm'pəʊnənt] *n* Bestandteil *m*; (*Chem, Phys*) Komponente *f.*

compose [kəm'pəʊz] *vt* a *music* komponieren; *letter, poem* verfassen. b (*constitute, make up*) bilden ▶ *to be* ~*d of* sich zusammensetzen aus. c *to* ~ *oneself* sich sammeln.

composed [kəm'pəʊzd] *adj* gefaßt.

composer [kəm'pəʊzər] *n* a (*Mus*) Komponist(in *f*) *m.* b (*of letter, poem etc*) Verfasser(in *f*) *m.*

composition [ˌkɒmpə'zɪʃən] *n* a (*act*) (*of music*) Komponieren *nt*; (*of letter, poem etc*) Verfassen *nt.* b (*arrangement, Mus, Art*) Komposition *f.* c (*Sch: essay*) Aufsatz *m.* d (*constitution, make-up*) Zusammensetzung *f.* e ~ *soles* Kunststoffsohlen *pl.*

compositor [kəm'pɒzɪtər] *n* (*Typ*) (Schrift)setzer(in *f*) *m.*

compos mentis ['kɒmpəs'mentɪs] *adj* voll zurechnungsfähig; (*clear-headed*) klar im Kopf (*col*).

compost ['kɒmpɒst] *n* Kompost *m* ▶ ~ *heap* Komposthaufen *m.*

composure [kəm'pəʊʒər] *n* Fassung *f.*

compote ['kɒmpəʊt] *n* Kompott *nt.*

compound ['kɒmpaʊnd] 1 *n* a (*Chem*) Verbindung *f*; (*Gram*) (*also* ~ *noun*) Kompositum *nt*, zusammengesetztes Wort. b (*enclosed area*) Lager *nt.*
2 *adj* ~ *interest* Zinseszins *m*; ~ *fracture* komplizierter Bruch.
3 [kəm'paʊnd] *vt* (*make worse*) verschlimmern.

comprehend [ˌkɒmprɪ'hend] *vt* verstehen.

comprehensibility [ˌkɒmprɪˌhensɪ'bɪlɪtɪ] *n* Verständlichkeit *f.*

comprehensible *adj*, ~**bly** *adv* [ˌkɒmprɪ'hensəbl, -ɪ] verständlich.

comprehension [ˌkɒmprɪ'henʃən] *n* (*understanding*) Verständnis *nt*; (*school exercise*) Fragen *pl* zum Textverständnis.

comprehensive [ˌkɒmprɪ'hensɪv] *adj* umfassend, ausführlich; *measures, knowledge* umfassend ▶ ~ *school* (*Brit*) Gesamtschule *f*; ~ *policy* (*Insur*) Vollkasko(versicherung *f*) *nt.*

┌─── COMPREHENSIVE SCHOOL ───┐

(i) **Comprehensive school** *ist in Großbritannien eine nicht selektive weiterführende Schule, an der alle Kinder aus einem Einzugsgebiet gemeinsam unterrichtet werden. An einer solchen Gesamtschule können alle Schulabschlüsse gemacht werden. Die meisten staatlichen Schulen in Großbritannien sind comprehensive schools.*

comprehensively [ˌkɒmprɪ'hensɪvlɪ] *adv* umfassend ▶ *to be* ~ *beaten* deutlich geschlagen werden.

compress¹ [kəm'pres] 1 *vt* komprimieren (*into* auf +*acc*); *materials* zusammenpressen (*into* zu).
2 *vi* sich komprimieren lassen.

compress² ['kɒmpres] *n* (*Med*) Kompresse *f.*

compressed air [kəm'prest'ɛər] *n* Preßluft *f.*

compression [kəm'preʃən] *n* Kompression *f.*

compressor [kəm'presər] *n* Kompressor *m.*

comprise [kəm'praɪz] *vt* umfassen.

compromise ['kɒmprəmaɪz] 1 *n* Kompromiß *m.*
2 *adj attr* Kompromiß- ▶ ~ *solution* Kompromißlösung

f.

3 *vi* Kompromisse schließen (*about* in +*dat*) ▶ *not pre-pared to* ~ nicht kompromißbereit.

4 *vt* kompromittieren.

compulsion [kəm'pʌlʃən] *n* Zwang *m*; (*Psych*) innerer Zwang ▶ *under* ~ unter Druck; *you are under no* ~ niemand zwingt Sie.

compulsive [kəm'pʌlsɪv] *adj* Zwangs-; *behaviour* zwanghaft ▶ *he is a* ~ *eater* er leidet an einem Eßzwang; *he is a* ~ *liar* er hat einen krankhaften Trieb zu lügen; *he's a* ~ *smoker* das Rauchen ist bei ihm zur Sucht geworden; *it makes* ~ *viewing* davon kann man sich nicht losreißen.

compulsorily [kəm'pʌlsərɪlɪ] *adv* zwangsweise.

▼ **compulsory** [kəm'pʌlsərɪ] *adj* obligatorisch; *measures* Zwangs-; *subject* Pflicht- ▶ *that is* ~ das ist Pflicht; *education is* ~ es besteht (allgemeine) Schulpflicht; ~ *purchase* Enteignung *f.*

compunction [kəm'pʌŋkʃən] *n* (*liter*) Schuldgefühle *pl* ▶ *with no* ~ ohne sich schuldig zu fühlen.

computation ['kɒmpjʊ'teɪʃən] *n* Berechnung *f.*

compute [kəm'pjuːt] *vt* berechnen (*at* auf +*acc*).

computer [kəm'pjuːtər] *n* Computer, Rechner *m* ▶ *to put sth on* ~ etw im Computer speichern.

computer: ~ *crime* *n* Computerkriminalität *f*; ~-*dating* *n* Partnervermittlung *f* per Computer; ~ *game* *n* Computerspiel *nt*; ~-*generated* *adj* image, graphics computergeneriert; ~ *graphics* *npl* Computergrafik *f.*

computerization [kəm,pjuːtəraɪ'zeɪʃən] *n* (*of informa-tion etc*) Computerisierung *f* ▶ *the* ~ *of the factory* die Umstellung der Fabrik auf Computer.

computerize [kəm'pjuːtəraɪz] *vt* information computerisieren; *company, accounting methods* auf EDV umstellen.

computer: ~ *literate* *adj* *to be* ~ *literate* sich mit Computern auskennen; ~ *network* *n* Rechnerverbund *m*; ~-*operated* *adj* computergesteuert; ~ *program* *n* Programm *nt*; ~ *programmer* *n* Programmierer(in *f*) *m*; ~ *science* *n* Informatik *f*; ~ *scientist* *n* Informatiker(in *f*) *m*; ~ *typesetting* *n* Computersatz *m.*

computing [kəm'pjuːtɪŋ] *n* Informatik *f.*

comrade ['kɒmrɪd] *n* Kamerad *m*; (*Pol*) Genosse *m*, Genossin *f.*

con¹ [kɒn] (*col*) 1 *n* Schwindel *m* ▶ ~ *man* Schwindler *m.*

2 *vt* hereinlegen (*col*) ▶ *he ~ned her out of all her money* er hat ihr ihr ganzes Geld abgeschwindelt.

con² (*col*) = **convict** Knastbruder *m* (*col*).

concave ['kɒn'keɪv] *adj* konkav; *mirror* Hohl-.

conceal [kən'siːl] *vt* (*hide*) verbergen; (*keep secret*) verheimlichen.

concealed [kən'siːld] *adj* verborgen; *lighting* indirekt; *entrance* verdeckt.

concealment [kən'siːlmənt] *n* Verheimlichung *f*; (*of evidence*) Unterschlagung *f* ▶ *to stay in* ~ sich versteckt halten.

concede [kən'siːd] *vt* a (*yield*) *privilege* aufgeben; *lands* abtreten (*to* an +*acc*); (*Sport*) *corner, penalty* verursachen ▶ *to* ~ *victory to sb* vor jdm kapitulieren; *to* ~ *a point to sb* (*in debate*) jdm in einem Punkt recht geben. b (*admit, grant*) einräumen ▶ *to* ~ *defeat* sich geschlagen geben.

conceit [kən'siːt] *n* (*pride*) Einbildung *f.*

conceited [kən'siːtɪd] *adj* eingebildet.

conceivable [kən'siːvəbl] *adj* denkbar ▶ *the worst* ~ *thing to say* das denkbar Schlechteste, was man sagen kann.

conceivably [kən'siːvəblɪ] *adv* *she may* ~ *be right* es ist durchaus denkbar, daß sie recht hat.

conceive [kən'siːv] 1 *vt* a *child* empfangen. b (*imagine*) sich (*dat*) vorstellen; *idea, plan* haben; *novel*

die Idee haben zu ▶ *I can't* ~ *why* ich verstehe nicht, warum.

2 *vi* (*woman*) empfangen.

concentrate ['kɒnsəntreɪt] 1 *vt* konzentrieren (*on* auf +*acc*) ▶ *to* ~ *one's mind on sth* seine Gedanken *or* sich auf etw (*acc*) konzentrieren.

2 *vi* a (*give one's attention*) sich konzentrieren. b (*people*) sich sammeln.

3 *n* (*Chem*) Konzentrat *nt.*

concentration [,kɒnsən'treɪʃən] *n* Konzentration *f* ▶ *powers of* ~ Konzentrationsfähigkeit *f.*

concentration camp *n* Konzentrationslager, KZ *nt.*

concentric [kɒn'sentrɪk] *adj* konzentrisch.

concept ['kɒnsept] *n* Begriff *m*; (*conception*) Vorstellung *f.*

conception [kən'sepʃən] *n* a (*idea*) Vorstellung *f*; (*way sth is conceived*) Auffassung *f* ▶ *the writer's powers of* ~ die Vorstellungskraft des Schriftstellers; *he has no* ~ *of how difficult it is* er macht sich (*dat*) keinen Begriff davon, wie schwer das ist. b (*of child*) die Empfängnis.

concern [kən'sɜːn] 1 *n* a (*connection*) *to have no* ~ *with sth* mit etw nichts zu tun haben. b (*business, affair*) Angelegenheit(en *pl*) *f*; (*matter of importance to a person*) Anliegen *nt* ▶ *it's no* ~ *of his* das geht ihn nichts an; *what* ~ *is it of yours?* was geht Sie das an? c (*Comm*) Konzern *m*. d (*anxiety*) Sorge *f* ▶ *a look of* ~ ein besorgter Blick; *there's some/no cause for* ~ es besteht Grund/kein Grund zur Sorge; *he showed great* ~ *for your safety* er zeigte sich sehr um Ihre Sicherheit besorgt.

2 *vt* a (*be about*) handeln von.

b (*be the business of, involve*) angehen, betreffen ▶ *that doesn't* ~ *you* das betrifft Sie nicht; (*as snub*) das geht Sie nichts an; *to whom it may* ~ (*on letter*) an den betreffenden Sachbearbeiter; (*on certificate*) „Bestätigung"; (*on reference*) „Zeugnis"; *as far as I'm* ~*ed* was mich betrifft; *as far as I'm* ~*ed you can do what you like* von mir aus kannst du tun und lassen, was du willst; *the persons* ~*ed* die Betroffenen.

c (*interest*) *he is only* ~*ed with facts* ihn interessieren nur die Fakten; (*is only dealing with*) ihm geht es nur um die Fakten.

d (*worry*) *there's no need for you to* ~ *yourself about that* darum brauchen Sie sich nicht zu kümmern; *to be* ~*ed about sth* sich (*dat*) um etw Sorgen machen, um etw besorgt sein; *don't* ~ *yourself* machen Sie sich keine Sorgen; *I was very* ~*ed about or for your safety* ich war sehr um Ihre Sicherheit besorgt.

concerning [kən'sɜːnɪŋ] *prep* bezüglich (+*gen*), hinsichtlich (+*gen*) ▶ ~ *your request ...* was Ihre Anfrage betrifft ...

concert ['kɒnsət] *n* (*Mus*) Konzert *nt* ▶ *in* ~ (*fig*) gemeinsam.

concerted [kən'sɜːtɪd] *adj* *efforts* vereint; *action* gemeinsam.

concert: ~*goer* *n* Konzertbesucher(in *f*) *m*; ~ *grand* *n* Konzertflügel *m*; ~ *hall* *n* Konzertsaal *m.*

concertina [,kɒnsə'tiːnə] *n* Konzertina *f.*

concertmaster ['kɒnsətmæstər] *n* (*esp US*) Konzertmeister *m.*

concerto [kən'tʃɜːtəʊ] *n* Konzert *nt.*

concert: ~ *pianist* *n* Pianist(in *f*) *m*; ~ *pitch* *n* Kammerton *m*; ~ *tour* *n* Konzerttournee *f.*

concession [kən'seʃən] *n* Zugeständnis *nt* (*to* an +*acc*); (*Comm*) Konzession *f.*

concessionary [kən'seʃənərɪ] *adj* (*Comm*) Konzessions-; *rate, fare* ermäßigt.

conciliate [kən'sɪlɪeɪt] *vt* a (*placate*) besänftigen. b (*reconcile*) *opposing views* in Einklang bringen.

conciliation [kənsɪlɪ'eɪʃən] *n* Besänftigung *f*; (*in strikes*) Schlichtung *f.*

▶ SENTENCE BUILDER: **compulsory** → 4.2, 11

conciliatory [kən'sılıətərı] *adj* versöhnlich; (*placatory*) beschwichtigend.

concise [kən'saıs] *adj* prägnant; (*brief*) knapp ▸ ~ *dictionary* Handwörterbuch *nt*.

▼ **conclude** [kən'klu:d] **1** *vt* **a** (*end*) meeting, letter, speech schließen. **b** (*arrange*) treaty, deal abschließen. **c** (*decide*) **to ~ that ...** zu dem Schluß kommen, daß ...; **what do you ~ from this?** was schließen Sie daraus? **2** *vi* (*meetings, events*) enden; (*letter, speech*) schließen.

concluding [kən'klu:dıŋ] *adj* abschließend; years, paragraph letzte(r, s).

conclusion [kən'klu:ʒən] *n* **a** (*end, settling*) Abschluß *m*; (*of essay, novel etc*) Schluß *m* ▸ **in ~** zum (Ab)schluß. **b** (*deduction*) Schluß(folgerung *f*) *m* ▸ **to come to the ~ that ...** zu dem Schluß kommen, daß ...

conclusive [kən'klu:sıv] *adj* (*convincing*) überzeugend; (*decisive, final*) endgültig; (*Jur*) evidence einschlägig; proof schlüssig.

conclusively [kən'klu:sıvlı] *adv* überzeugend; prove schlüssig.

concoct [kən'kɒkt] *vt* **a** (*Cook etc*) zusammenstellen. **b** (*fig*) sich (*dat*) zurechtlegen; new dress, hat zaubern; story, alibi sich (*dat*) ausdenken.

concoction [kən'kɒkʃən] *n* (*food*) Zusammenstellung *f*; (*drink*) Gebräu *nt*; (*story*) Lügengeschichte *f*; (*fashion*) Spielerei *f*.

concord ['kɒŋkɔ:d] *n* (*harmony*) Eintracht *f*.

concourse ['kɒŋkɔ:s] *n* (*place*) Eingangshalle *f* ▸ **station ~** Bahnhofshalle *f*.

concrete¹ ['kɒŋkri:t] *adj* object, example konkret.

concrete² **1** *n* (*Build*) Beton *m* ▸ **~ mixer** Betonmischmaschine *f*; **~ jungle** (*fig*) Betonwüste *f*. **2** *adj* Beton-. **3** *vt* wall, floor betonieren.

concur [kən'kɜ:ʳ] *vi* **a** (*agree*) übereinstimmen; (*with a suggestion etc*) beipflichten (*with dat*) ▸ **I ~ with that** ich pflichte dem bei. **b** (*happen together*) zusammentreffen.

concurrent [kən'kʌrənt] *adj* gleichzeitig.

concuss [kən'kʌs] *vt* (*usu pass*) **to be ~ed** eine Gehirnerschütterung haben.

concussion [kən'kʌʃən] *n* Gehirnerschütterung *f*.

condemn [kən'dem] *vt* **a** (*censure, Jur, fig*) verurteilen ▸ **to ~ sb to death** jdn zum Tode verurteilen. **b** (*declare unfit*) building, slums für abbruchreif erklären; food für den Verzehr ungeeignet erklären.

condemnation [ˌkɒndem'neıʃən] *n* Verurteilung *f*.

condensation [ˌkɒnden'seıʃən] *n* **a** (*of vapour*) Kondensation *f*; (*liquid formed*) Kondensat *nt* ▸ **the windows/walls are covered with ~** die Fenster/Wände sind beschlagen. **b** (*short form*) Kurzfassung *f*.

condense [kən'dens] **1** *vt* **a** kondensieren ▸ **~d milk** (gesüßte) Kondensmilch *f*. **b** (*Phys*) gas kondensieren; (*compress*) verdichten. **c** (*shorten*) zusammenfassen. **2** *vi* (gas) kondensieren.

condenser [kən'densəʳ] *n* (*Elec, Phys*) Kondensator *m*.

condescend [ˌkɒndı'send] *vi* sich herablassen.

condescending [ˌkɒndı'sendıŋ] *adj* (*pej*) herablassend.

condescension [ˌkɒndı'senʃən] *n* (*pej*) Herablassung *f*.

condition [kən'dıʃən] **1** *n* **a** (*determining factor*) Bedingung *f* (*also Jur, Comm*); (*prerequisite*) Voraussetzung *f* ▸ **on ~ that ...** unter der Voraussetzung, daß ...; **on no ~** auf keinen Fall; **to make ~s** Bedingungen stellen. **b** **~s** *pl* (*circumstances*) Verhältnisse *pl*; **working ~s** Arbeitsbedingungen *pl*; **living ~s** Wohnverhältnisse *pl*; **~s of sale** Verkaufsbedingungen *pl*. **c** *no pl* (*state*) Zustand *m* ▸ **he is in good/bad ~** er ist in guter/schlechter Verfassung; **it is in good/bad ~** es ist in gutem/schlechtem Zustand; **you're in no ~ to**

drive du bist nicht fahrtüchtig; **to be in/out of ~** eine gute/keine Kondition haben; **to keep in/get into ~** in Form bleiben/kommen. **d** (*Med*) Beschwerden *pl* ▸ **he has a heart ~** er ist herzkrank. **2** *vt* **a** (*esp pass: determine*) bedingen ▸ **to be ~ed by** bedingt sein durch. **b** (*Psych etc: train*) konditionieren; (*accustom*) gewöhnen ▸ **~ed reflex** bedingter Reflex.

conditional [kən'dıʃənl] *adj* **a** mit Vorbehalt, bedingt ▸ **to be ~ (up)on sth** von etw abhängen. **b** (*Gram*) konditional, Bedingungs- ▸ **~ clause** Bedingungssatz *m*; **the ~ mood/tense** das Konditional.

conditionally [kən'dıʃnəlı] *adv* unter or mit Vorbehalt.

conditioner [kən'dıʃənəʳ] *n* (*for hair*) Pflegespülung *f*; (*for fabrics*) Weichspüler *m*.

condo ['kɒndəʊ] *n* (*US col*) = **condominium**.

condolence [kən'dəʊləns] *n* Beileid *nt no pl* ▸ **letter of ~** Kondolenzbrief *m*.

condom ['kɒndəm] *n* Kondom *nt or m*.

condominium [ˌkɒndə'mınıəm] *n* (*US*) Eigentumswohnung *f*; (*block*) Eigentumsblock *m*.

condone [kən'dəʊn] *vt* (*overlook*) hinwegsehen über (+acc); (*tacitly approve*) (stillschweigend) dulden.

conducive [kən'dju:sıv] *adj* dienlich (*to dat*).

conduct **1** ['kɒndʌkt] *n* **a** (*behaviour*) Verhalten, Benehmen *nt* (*towards* gegenüber). **b** (*management*) Führung *f*. **2** [kən'dʌkt] *vt* **a** (*guide*) führen ▸ **~ed tour (of)** (*Brit*) (*of country*) Gesellschaftsreise *f* (durch); (*of building*) Führung *f* (durch). **b** (*direct, manage*) führen; meeting leiten; investigation durchführen. **c** (*Mus*) dirigieren. **d** (*Phys, Physiol*) leiten; lightning ableiten. **3** [kən'dʌkt] *vr* **to ~ oneself** sich benehmen.

conduction [kən'dʌkʃən] *n* (*Phys*) Leitung *f*.

conductivity [ˌkɒndʌk'tıvıtı] *n* (*Phys*) Leitfähigkeit *f*.

conductor [kən'dʌktəʳ] *n* **a** (*Mus*) Dirigent(in *f*) *m*. **b** (*bus, tram ~*) Schaffner *m*; (*US Rail: guard*) Zugführer *m*. **c** (*Phys*) Leiter *m*; (*lightning ~*) Blitzableiter *m*.

conductress [kən'dʌktrıs] *n* (*on bus etc*) Schaffnerin *f*.

conduit ['kɒndıt] *n* Leitungsrohr *nt*.

cone [kəʊn] *n* **a** Kegel *m*. **b** (*Bot*) Zapfen *m*. **c** (*ice-cream ~*) (Eis)tüte *f*.

cone-shaped ['kəʊn'ʃeıpt] *adj* kegelförmig.

confab ['kɒnfæb] *n* (*col*) kleine Besprechung *f*.

confection [kən'fekʃən] *n* (*sweets*) Konfekt *nt*; (*creation*) Kreation *f*.

confectioner's [kən'fekʃənəz] *n* (*Brit*) Süßwarenladen *m*.

confectionery [kən'fekʃənərı] *n* Süßwaren *pl*; (*chocolates*) Konfekt *nt*.

confederate [kən'fedərıt] **1** *adj* system konföderiert; nations verbündet. **2** *n* (*Pol: ally*) Verbündete(r) *m*; (*pej: accomplice*) Komplize *m* (*pej*).

confederation [kənˌfedə'reıʃən] *n* **a** (*Pol*) (*alliance*) Bündnis *nt*; (*system of government*) Staatenbund *m* ▸ **the Swiss C~** die Schweizer Eidgenossenschaft. **b** (*association*) Bund *m* ▸ **C~ of British Industry** Verband *m* der britischen Industrie.

confer [kən'fɜ:ʳ] **1** *vt* title, degree verleihen (*on, upon sb* jdm). **2** *vi* sich beraten.

conference ['kɒnfərəns] *n* Konferenz *f*; (*more informal*) Besprechung *f* ▸ **to be in ~** in or bei einer Konferenz/ Besprechung sein.

conference: ~ call *n* (*Telec*) Konferenzschaltung *f*; **~ centre** *n* Kongreßzentrum *nt*; **~ facilities** *npl* Konferenzräumlichkeiten *pl*; **~hall** *n* Konferenzsaal *m*; **~ room** *n* Konferenzzimmer *nt*; (*smaller*) Besprechungszimmer *nt*; **~ table** *n* Konferenztisch *m*.

confess [kən'fes] **1** *vt* **a** (*acknowledge*) gestehen. **b**

▸ SENTENCE BUILDER: **conclude: 1b → 13.3**

(*Eccl*) *sins* bekennen; (*to priest*) beichten; (*priest*) *penitent* die Beichte abnehmen (+*dat*). • [2] *vi* [a] gestehen (*to acc*) ▶ *to ~ to sth* etw gestehen. [b] (*Eccl*) beichten.

confession [kənˈfeʃən] *n* [a] Eingeständnis *nt*; (*of guilt, crime etc*) Geständnis *nt* ▶ *I have a ~ to make* ich muß dir etwas gestehen. [b] (*Eccl: of sins*) Beichte *f* ▶ *~ of faith* Glaubensbekenntnis *nt*; *to make one's ~* seine Sünden bekennen.

confessional [kənˈfeʃənl] *n* Beichtstuhl *m*.

confessor [kənˈfesəʳ] *n* (*Eccl*) Beichtvater *m*.

confetti [kənˈfetiː] *n no pl* Konfetti *nt*.

confidant [ˌkɒnfɪˈdænt] *n* Vertraute(r) *m*.

confidante [ˌkɒnfɪˈdænt] *n* Vertraute *f*.

confide [kənˈfaɪd] [1] *vt* anvertrauen (*to sb* jdm). [2] *vi to ~ in sb* jdn ins Vertrauen ziehen.

confidence [ˈkɒnfɪdəns] *n* [a] (*trust*) Vertrauen *nt*; (*confident expectation*) Zuversicht *f* ▶ *to have (every/no) ~ in sb/sth* (volles/kein) Vertrauen zu jdm/etw haben; *I have every ~ that ...* ich bin ganz zuversichtlich, daß ...; *to give/ask for a vote of ~* (*Parl*) das Vertrauen aussprechen/die Vertrauensfrage stellen; *motion/vote of no ~* Mißtrauensantrag *m*/-votum *nt*. [b] (*self-~*) (Selbst)vertrauen *nt*. [c] (*confidential relationship*) Vertrauen *nt* ▶ *in (strict) ~* (streng) vertraulich; *to take sb into one's ~* jdn ins Vertrauen ziehen. [d] (*information confided*) vertrauliche Mitteilung.

confidence: ~ trick *n* = **con trick; ~trickster** *n* = **con-man.**

confident [ˈkɒnfɪdənt] *adj* [a] (*sure*) überzeugt; *look etc* zuversichtlich. [b] (*self-assured*) (selbst)sicher.

confidential [ˌkɒnfɪˈdenʃəl] *adj information* vertraulich ▶ *~ secretary* Privatsekretär(in *f*) *m*.

confidentiality [ˌkɒnfɪˌdenʃɪˈælɪtɪ] *n* Vertraulichkeit *f*.

confidentially [ˌkɒnfɪˈdenʃəlɪ] *adv* im Vertrauen.

confidently [ˈkɒnfɪdəntlɪ] *adv* zuversichtlich; (*self-~*) selbstsicher.

configuration [kənˌfɪgjʊˈreɪʃən] *n* (*also Comp*) Konfiguration *f*.

confine [kənˈfaɪn] *vt* [a] (*keep in*) (ein)sperren ▶ *~d to bed/the house* ans Bett/ans Haus gefesselt; *to be ~d to barracks* Kasernenarrest haben. [b] (*limit*) beschränken (*to* auf +*acc*) ▶ *to ~ oneself to doing sth* sich darauf beschränken, etw zu tun.

confined [kənˈfaɪnd] *adj space* beschränkt; *atmosphere* beengend.

confinement [kənˈfaɪnmənt] *n* [a] (*imprisonment*) (*act*) Einsperren *nt*; (*in jail*) Haft *f*. [b] (*dated: childbirth*) Niederkunft (*dated*) *f*.

confines [ˈkɒnfaɪnz] *npl* Grenzen *pl*.

confirm [kənˈfɜːm] *vt* [a] (*verify*) bestätigen. [b] (*strengthen*) bestärken; *one's resolve* bekräftigen. [c] (*Eccl*) konfirmieren; *Roman Catholic* firmen.

confirmation [ˌkɒnfəˈmeɪʃən] *n* [a] Bestätigung *f*. [b] (*Eccl*) Konfirmation *f*; (*of Roman Catholics*) Firmung *f* ▶ *~ candidate* Konfirmand(in *f*) *m*.

confirmed [kənˈfɜːmd] *adj* erklärt; *bachelor* eingefleischt.

confiscate [ˈkɒnfɪskeɪt] *vt* beschlagnahmen.

confiscation [ˌkɒnfɪsˈkeɪʃn] *n* Beschlagnahme *f*.

conflict [1] [ˈkɒnflɪkt] *n* Konflikt *m*; (*between two accounts etc*) Widerspruch *m*; (*fighting*) Zusammenstoß *m* ▶ *to come into ~ with sb/sth* mit jdm/etw in Konflikt geraten; *~ of interests/opinions* Interessen-/Meinungskonflikt *m*. [2] [kənˈflɪkt] *vi* im Widerspruch stehen (*with* zu).

conflicting [kənˈflɪktɪŋ] *adj* widersprüchlich.

conform [kənˈfɔːm] *vi* (*things: comply with*) entsprechen (*to dat*); (*people: socially*) sich anpassen (*to an +acc*); (*things, people: to rules etc*) sich richten (*to nach*).

conformist [kənˈfɔːmɪst] *n* Konformist(in *f*) *m*.

conformity [kənˈfɔːmɪtɪ] *n* [a] (*uniformity*) Konformismus *m*. [b] (*compliance*) Übereinstimmung *f*; (*socially*) Anpassung *f* (*with* an +*acc*) ▶ *to be in ~ with sth* einer Sache (*dat*) entsprechen; *in ~ with* entsprechend (+*dat*).

confound [kənˈfaʊnd] *vt* (*amaze*) verblüffen; (*throw into confusion*) verwirren ▶ *~ it!* (*col*) verflixt noch mal! (*col*).

confounded [kənˈfaʊndɪd] *adj* (*col*) verflixt (*col*) ▶ *~ noise* Heidenlärm *m* (*col*).

confront [kənˈfrʌnt] *vt* [a] (*face*) gegenübertreten (+*dat*); (*problems, decisions*) sich stellen (+*dat*). [b] (*bring face to face with*) konfrontieren ▶ *to ~ sb with sb/sth* jdn mit jdm/etw konfrontieren.

confrontation [ˌkɒnfrənˈteɪʃən] *n* Konfrontation *f* (*also Pol*); (*with witnesses, evidence etc*) Gegenüberstellung *f*.

confuse [kənˈfjuːz] *vt* [a] (*bewilder, perplex*) verwirren, durcheinanderbringen. [b] (*mix up*) verwechseln.

confused [kənˈfjuːzd] *adj* (*muddled*) konfus; *person also* verwirrt; *idea, report, situation* verworren.

confusing [kənˈfjuːzɪŋ] *adj* verwirrend.

confusion [kənˈfjuːʒən] *n* [a] (*disorder*) Durcheinander *nt*; (*jumble*) Wirrwarr *m*. [b] (*perplexity*) Verwirrung *f*; (*mental ~: after drugs, blow on head etc*) Verwirrtheit *f* ▶ *in the ~ of the moment* im Eifer des Gefechts. [c] (*mixing up*) Verwechslung *f*.

congeal [kənˈdʒiːl] *vi* erstarren; (*glue, mud*) hart werden; (*blood*) gerinnen.

congenial [kənˈdʒiːnɪəl] *adj* (*pleasant*) angenehm.

congenital [kənˈdʒenɪtl] *adj deficiency, disease* angeboren ▶ *~ defect* Geburtsfehler *m*; *~ idiot* (*col*) Vollidiot *m* (*col*).

conger [ˈkɒŋgəʳ] *n* (*also ~ eel*) Seeaal *m*.

congest [kənˈdʒest] *vt* verstopfen.

congested [kənˈdʒestɪd] *adj* überfüllt; *roads, nose* verstopft.

congestion [kənˈdʒestʃən] *n* (*traffic ~*) Stau *m*; (*of town etc*) Verstopfung *f*; (*overpopulation*) Übervölkerung *f*; (*Med*) Blutstau *m*; (*nasal ~*) verstopfte Nase.

conglomerate [kənˈglɒmərɪt] *n* (*also Geol, fig*) Konglomerat *nt*; (*Comm: combine*) Mischkonzern *m*.

conglomeration [kənˌglɒməˈreɪʃən] *n* Ansammlung *f*.

Congo [ˈkɒŋgəʊ] *n* Kongo *m*.

Congolese [ˌkɒŋgəʊˈliːz] [1] *adj* kongolesisch. [2] *n* Kongolese *m*, Kongolesin *f*.

congratulate [kənˈgrætjʊleɪt] *vt* gratulieren (+*dat*) (*on* zu).

congratulations [kənˌgrætjʊˈleɪʃənz] [1] *npl* Glückwünsche *pl*. [2] *interj* (ich) gratuliere! ▶ *~ (on your success)!* herzlichen Glückwunsch (zu deinem Erfolg)!

congregate [ˈkɒŋgrɪgeɪt] *vi* sich sammeln; (*on a particular occasion*) sich versammeln.

congregation [ˌkɒŋgrɪˈgeɪʃən] *n* [a] Versammlung *f*. [b] (*Eccl*) Gemeinde *f*.

congress [ˈkɒŋgres] *n* [a] (*meeting*) Kongreß *m*; (*of political party*) Parteitag *m*. [b] *C~* (*US etc Pol*) der Kongreß.

┌─────────────┐
│ **CONGRESS** │
└─────────────┘

i *Der* **Congress** *ist die nationale gesetzgebende Versammlung der USA, die in Washington im* **Capitol** *zusammentritt. Der Kongreß besteht aus dem Repräsentantenhaus (435 Abgeordnete, entsprechend den Bevölkerungszahlen auf die einzelnen Bundesstaaten verteilt und jeweils für 2 Jahre gewählt) und dem Senat (100 Senatoren, 2 für jeden Bundesstaat, für 6 Jahre gewählt, wobei ein Drittel alle zwei Jahre neu gewählt wird). Sowohl die Abgeordneten als auch die Senatoren werden in direkter Wahl vom Volk gewählt.*

congressional [kən'greʃənl] adj (US Pol) Kongreß-.
Congressman ['kɒŋgresmən] n, pl **-men** [-mən] Kongreßabgeordnete(r) m.
Congresswoman ['kɒŋgres,wʊmən] n, pl **-women** [-,wɪmɪn] Kongreßabgeordnete f.
conic ['kɒnɪk] adj [a] (Math) konisch ▶ ~ **section** Kegelschnitt m. [b] (also ~**al**) kegelförmig.
conifer ['kɒnɪfəʳ] n Nadelbaum m ▶ ~**s** Nadelhölzer pl.
coniferous [kə'nɪfərəs] adj tree, forest Nadel-.
conjecture [kən'dʒektʃəʳ] [1] vt mutmaßen (geh).
[2] vi Mutmaßungen anstellen.
[3] n Mutmaßung f.
conjugal ['kɒndʒʊgəl] adj bliss, duties ehelich.
conjugate ['kɒndʒʊgeɪt] vt (Gram) konjugieren.
conjugation [,kɒndʒʊ'geɪʃən] n (Gram) Konjugation f.
conjunction [kən'dʒʌŋkʃən] [a] (Gram) Konjunktion f. [b] (association) Verbindung f ▶ **in** ~ zusammen.
conjunctivitis [kən,dʒʌŋktɪ'vaɪtɪs] n (Med) Bindehautentzündung f.
conjure ['kʌndʒəʳ] vti zaubern.
◆**conjure up** vt sep ghost, spirits beschwören; (fig) memories etc heraufbeschwören.
conjurer, conjuror ['kʌndʒərəʳ] n Zauberkünstler(in f) m.
conjuring ['kʌndʒərɪŋ] n Zaubern nt ▶ ~ **set** Zauberkasten m; ~ **trick** Zauberkunststück nt.
conk out [,kɒŋk'aʊt] vi (col) den Geist aufgeben; (person) umkippen (col).
conker ['kɒŋkəʳ] n (Brit col) (Roß)kastanie f.
con-man ['kɒnmæn] n, pl **-men** [-men] (col) Schwindler m; (pretending to have social status) Hochstapler m.
Conn (US) = **Connecticut**.
▼ **connect** [kə'nekt] [1] vt [a] (join) verbinden (to, with mit); (Elec etc: also ~ **up**) appliances, subscribers anschließen (to an +acc) ▶ **I'll ~ you** (Telec) ich verbinde (Sie); **to be ~ed** (two things) miteinander verbunden sein. [b] (fig: associate) in Verbindung bringen (with mit). [c] (esp pass: link) ideas, theories etc verbinden ▶ **to be ~ed with** eine Beziehung haben zu; (be related to) verwandt sein mit.
[2] vi (rooms) eine Verbindung haben (to, with zu); (train, plane) Anschluß haben (with an +acc) ▶ **his punch didn't ~** sein Schlag hat nicht getroffen.
connecting [kə'nektɪŋ]: ~ **door** n Verbindungstür f; ~ **flight** n Anschlußflug m; ~ **rod** n (Tech) Pleuelstange f; ~ **rooms** npl (in hotel etc) angrenzende Zimmer pl; ~ **thread** n Leitfaden m.
connection, connexion [kə'nekʃən] n [a] Verbindung f (to, with zu, mit); (wire) Leitung f; (to mains) Anschluß m (to an +acc); (connecting part) Verbindung(sstück nt) f ▶ **parallel/series** ~ Parallel-/Reihenschaltung f. [b] (fig: link) Zusammenhang m ▶ **the two events are not ~ed** zwischen den beiden Ereignissen besteht kein Zusammenhang; **in this** ~ in diesem Zusammenhang; **in** ~ **with** im Zusammenhang mit. [c] (relationship, business ~) Beziehung f (with zu); (family ~) familiäre Beziehung ▶ **to have ~s** Beziehungen haben; **there is some distant family ~ between them** sie sind weitläufig miteinander verwandt. [d] (Rail etc) Anschluß m.
conning tower ['kɒnɪŋtaʊəʳ] n Kommandoturm m.
connivance [kə'naɪvəns] n (tacit consent) stillschweigendes Einverständnis.
connive [kə'naɪv] vi [a] (conspire) sich verschwören. [b] (deliberately overlook) **to ~ at sth** etw stillschweigend dulden.
connoisseur [,kɒnə'sɜːʳ] n Kenner m.
connotation [,kɒnəʊ'teɪʃən] n Assoziation f.
conquer ['kɒŋkəʳ] vt [a] (lit) country, the world erobern; enemy, nation besiegen. [b] (fig) mountain bezwingen;

people, sb's heart erobern.
conquering ['kɒŋkərɪŋ] adj hero siegreich.
conqueror ['kɒŋkərəʳ] n (of country, heart) Eroberer m; (fig) Sieger m (of über +acc); (of mountain) Bezwinger m (of gen).
conquest ['kɒŋkwest] n Eroberung f; (of enemy etc, disease) Sieg m (of über +acc); (col: person) Eroberung f; (of mountain) Bezwingung f.
conscience ['kɒnʃəns] n Gewissen nt ▶ **to have a clear/easy/bad** ~ ein reines/gutes/schlechtes Gewissen haben (about wegen); **to have sth on one's** ~ etw auf dem Gewissen haben; **with an easy** ~ mit ruhigem Gewissen; **in (all)** ~ allen Ernstes.
conscience-stricken ['kɒnʃəns,strɪkən] adj schuldbewußt.
conscientious [,kɒnʃɪ'enʃəs] adj, ~**ly** [-lɪ] adv (diligent) gewissenhaft; (conscious of one's duty) pflichtbewußt ▶ ~ **objector** Wehrdienst- or Kriegsdienstverweigerer m (aus Gewissensgründen).
conscientiousness [,kɒnʃɪ'enʃəsnɪs] n Gewissenhaftigkeit f; (sense of duty) Pflichtbewußtsein nt.
conscious ['kɒnʃəs] adj [a] (Med) bei Bewußtsein. [b] (aware) bewußt (also Psych) ▶ **to be/become** ~ **of sth** sich (dat) einer Sache (gen) bewußt sein/werden. [c] (deliberate) bewußt.
consciousness ['kɒnʃəsnɪs] n [a] (Med) Bewußtsein nt ▶ **to lose/regain** ~ das Bewußtsein verlieren/wiedererlangen. [b] (awareness) Wissen nt (of um).
conscript [kən'skrɪpt] [1] vt einziehen; army ausheben. [2] ['kɒnskrɪpt] n Wehrpflichtige(r) m.
conscription [kən'skrɪpʃən] n Wehrpflicht f; (act of conscripting) Einberufung f; (of army) Aushebung f.
consecrate ['kɒnsɪkreɪt] vt (lit, fig) weihen.
consecration [,kɒnsɪ'kreɪʃən] n Weihe f; (in mass) Wandlung f.
consecutive [kən'sekjʊtɪv] adj aufeinanderfolgend; numbers fortlaufend ▶ **on four** ~ **days** vier Tage hintereinander.
consecutively [kən'sekjʊtɪvlɪ] adv nacheinander, hintereinander.
consensus [kən'sensəs] n Übereinstimmung f ▶ **the** ~ **is that ...** man ist allgemein der Meinung, daß ...; **that's the** ~ **of opinion** das ist die allgemeine Meinung.
consent [kən'sent] [1] vi zustimmen (to dat) ▶ **to** ~ **to do sth** sich bereit erklären, etw zu tun. [2] n Zustimmung f (to zu) ▶ **it is by common** ~ **...** man hält es allgemein für ...; **by mutual** ~ in gegenseitigem Einverständnis; **the age of** ~ das Ehemündigkeitsalter; **she's below the age of** ~ sie ist noch minderjährig.
consequence ['kɒnsɪkwəns] n [a] (result, effect) Folge f ▶ **in** ~ folglich; **in** ~ **of** infolge (+gen); **in** ~ **of which** infolgedessen; **to take the** ~**s** die Konsequenzen tragen. [b] (importance) Bedeutung f ▶ **it's of no** ~ das spielt keine Rolle.
consequent ['kɒnsɪkwənt] adj attr daraus folgend; (temporal) darauffolgend.
▼ **consequently** ['kɒnsɪkwəntlɪ] adv folglich.
conservation [,kɒnsə'veɪʃən] n (also Phys) Erhaltung f ▶ ~ **area** (in the country) Naturschutzgebiet nt; (in town) unter Denkmalschutz stehendes Gebiet.
conservationist [,kɒnsə'veɪʃənɪst] n Umweltschützer(in f) m; (as regards old buildings etc) Denkmalpfleger(in f) m.
conservative [kən'sɜːvətɪv] [1] adj (also Pol) konservativ ▶ **at a** ~ **estimate** bei vorsichtiger Schätzung; **the C~ Party** (Brit) die Konservative Partei. [2] n (Pol: C~) Konservative(r) mf.
conservatoire [kən'sɜːvətwɑːʳ] n Konservatorium nt.
conservatory [kən'sɜːvətrɪ] n [a] (sunroom) Wintergarten m. [b] (esp US: Mus etc) Konservatorium

---

➤ SENTENCE BUILDER: **connect: 1a** → 15.3, 15.5   **consequently** → 6.2

nt.

conserve [kən'sɜːv] *vt* erhalten; *one's strength* schonen; *energy* sparen.

consider [kən'sɪdəʳ] *vt* **a** (*reflect upon*) *plan, idea, offer* nachdenken über (+*acc*) ► *I'll ~ the matter* ich werde mir die Sache durch den Kopf gehen lassen; *have you ~ed the possibility of ...?* haben Sie an die Möglichkeit gedacht, zu...?; *I wouldn't even ~ it!* ich denke nicht daran! **b** (*bear in mind*) in Erwägung ziehen; (*take into account*) denken an (+*acc*), berücksichtigen; *person, feelings also* Rücksicht nehmen auf (+*acc*) ► *~ how much you owe him* bedenken Sie, wieviel Sie ihm schulden; *all things ~ed* alles in allem. **c** (*regard as*) betrachten als; *person* halten für ► *to ~ oneself lucky* sich glücklich schätzen.

considerable [kən'sɪdərəbl] *adj* beträchtlich.

considerably [kən'sɪdərəblɪ] *adv* beträchtlich.

considerate [kən'sɪdərɪt] *adj* rücksichtsvoll (*to(wards)* gegenüber); (*kind*) aufmerksam.

consideration [kən,sɪdə'reɪʃən] *n* **a** *no pl* (*careful thought*) Überlegung *f* ► *I'll give it my ~* ich werde es mir überlegen. **b** *no pl* (*regard, account*) *to take sth into ~* etw berücksichtigen; *to leave sth out of ~* etw außer acht lassen; *he's under ~ for the job* er wird für die Stelle in Erwägung gezogen; *it's under ~* es wird zur Zeit geprüft. **c** *no pl* (*thoughtfulness*) Rücksicht *f* (*for* auf +*acc*) ► *to have ~ for sb's feelings* Rücksicht auf jds Gefühle nehmen; *his lack of ~ (for others)* seine Rücksichtslosigkeit (anderen gegenüber). **d** (*sth taken into account*) Faktor *m* ► *money is no ~* Geld spielt keine Rolle; *his first ~ is his family* seine Familie spielt für ihn die größte Rolle. **e** (*payment*) *for a ~* gegen Entgelt.

considered [kən'sɪdəd] *adj attr opinion* ernsthaft.

considering [kən'sɪdərɪŋ] **1** *prep ~ my age* für mein Alter, wenn man mein Alter bedenkt. **2** *conj ~ (that) he's been ill ...* wenn man bedenkt, daß er krank war ...

consign [kən'saɪn] *vt* **a** (*Comm: send*) versenden ► *to ~ sth to the w.p.b./rubbish heap* (*hum*) etwas in den Papierkorb/auf den Abfallhaufen werfen. **b** (*entrust*) anvertrauen (*to* +*dat*).

consignee [,kɒnsaɪ'niː] *n* Empfänger *m.*

consignment [kən'saɪnmənt] *n* (*Comm*) (*goods*) Sendung *f*; (*bigger*) Ladung *f* ► *~ note* Frachtbrief *m.*

consist [kən'sɪst] *vi to ~ of* bestehen aus; *to ~ in sth* in etw (*dat*) bestehen.

consistency [kən'sɪstənsɪ] *n* **a** *see adj* **(a)** Konsequenz *f*; Übereinstimmung *f*; Folgerichtigkeit *f*; Beständigkeit *f* ► *his statements lack ~* seine Aussagen widersprechen sich. **b** (*of substance*) Konsistenz *f.*

consistent [kən'sɪstənt] *adj* **a** konsequent; *statements* übereinstimmend; *argument* folgerichtig; *quality* beständig. **b** (*in agreement*) *to be ~ with sth* einer Sache (*dat*) entsprechen.

consistently [kən'sɪstəntlɪ] *adv* **a** *argue* konsequent. **b** (*uniformly*) durchweg. **c** (*in agreement*) entsprechend (*with dat*).

consolation [,kɒnsə'leɪʃən] *n* Trost *m no pl* ► *words of ~* tröstende Worte; *~ prize* Trostpreis *m.*

console¹ [kən'səʊl] *vt* trösten.

console² ['kɒnsəʊl] *n* **a** (*control panel*) (Kontroll)pult *nt*; (*of organ*) Spieltisch *m.* **b** (*cabinet*) Schrank *m.* **c** (*ornamental bracket*) Konsole *f.*

consolidate [kən'sɒlɪdeɪt] *vt* **a** (*confirm*) festigen. **b** (*combine*) zusammenlegen; *companies* zusammenschließen; *funds, debts* konsolidieren.

consolidation [kən,sɒlɪ'deɪʃən] *n see vt* **a** Festigung *f.* **b** Zusammenlegung *f*; Zusammenschluß *m*; Konsolidierung *f.*

consommé [kɒn'sɒmeɪ] *n* Kraftbrühe *f.*

consonant ['kɒnsənənt] *n* (*Phon*) Konsonant *m* ► *~ shift* Lautverschiebung *f.*

consort **1** ['kɒnsɔːt] *n* (*form: spouse*) Gemahl(in *f*) *m* (*form*). **2** [kən'sɔːt] *vi* (*form*) verkehren (*with* mit).

consortium [kən'sɔːtɪəm] *n* Konsortium *nt.*

conspicuous [kən'spɪkjʊəs] *adj* auffällig; *road signs* deutlich sichtbar; *lack of sth* offensichtlich; *bravery* bemerkenswert ► *to be/make oneself ~* auffallen; *to be/not to be ~ for sth* sich/sich nicht gerade durch etw auszeichnen; *he was ~ by his absence* er glänzte durch Abwesenheit.

conspicuously [kən'spɪkjʊəslɪ] *adv* auffällig; (*obviously*) offensichtlich; (*outstandingly*) bemerkenswert.

conspiracy [kən'spɪrəsɪ] *n* Verschwörung *f* ► *a ~ of silence* ein verabredetes Schweigen.

conspirator [kən'spɪrətəʳ] *n* Verschwörer *m.*

conspiratorial [kən,spɪrə'tɔːrɪəl] *adj* verschwörerisch.

conspire [kən'spaɪəʳ] *vi* sich verschwören (*against* gegen); (*events*) zusammenkommen.

constable ['kʌnstəbl] *n* (*Brit: police ~*) Polizist(in *f*) *m.*

constabulary [kən'stæbjʊlərɪ] *n* (*Brit*) Polizei *f no pl.*

constancy ['kɒnstənsɪ] *n* Beständigkeit *f*; (*of feelings*) Unveränderlichkeit *f*; (*of friend, lover*) Treue *f* ► *~ of purpose* Ausdauer *f.*

constant ['kɒnstənt] **1** *adj* **a** (*continuous*) ständig. **b** (*unchanging*) gleichbleibend, konstant. **c** (*steadfast*) beständig. **2** *n* (*Math, Phys, fig*) Konstante *f.*

constantly ['kɒnstəntlɪ] *adv* ständig.

constellation [,kɒnstə'leɪʃən] *n* Sternbild *nt.*

consternation ['kɒnstə'neɪʃən] *n* (*dismay*) Bestürzung *f*; (*worry*) Sorge *f*; (*confusion*) Aufruhr *m* ► *to my great ~* zu meiner großen Bestürzung; *with a look of ~ on his face* mit bestürzter Miene; *the news filled me with ~* ich war bestürzt, als ich das hörte.

constipated ['kɒnstɪpeɪtɪd] *adj* verstopft ► *he is ~* er hat Verstopfung.

constipation [,kɒnstɪ'peɪʃən] *n no pl* Verstopfung *f.*

constituency [kən'stɪtjʊənsɪ] *n* (*Pol*) Wahlkreis *m* ► *~ party* Parteiorganisation *f* in einem Wahlkreis.

constituent [kən'stɪtjʊənt] **1** *n* **a** (*Pol*) Wähler(in *f*) *m.* **b** (*part, element*) Bestandteil *m.* **2** *adj* **a** (*Pol*) *assembly* konstituierend. **b** *attr part, element* einzeln.

constitute ['kɒnstɪtjuːt] *vt* **a** (*make up*) bilden. **b** (*amount to*) darstellen. **c** (*set up*) gründen.

constitution [,kɒnstɪ'tjuːʃən] *n* **a** (*Pol*) Verfassung *f*; (*of club etc*) Satzung *f.* **b** (*of person*) Konstitution *f.* **c** (*way sth is made*) Aufbau *m*; (*also: what sth is made of*) Zusammensetzung *f.* **d** (*setting up*) Gründung *f.*

constitutional [,kɒnstɪ'tjuːʃənl] **1** *adj* **a** (*Pol*) *reform, crisis, court* Verfassungs-; *monarchy* konstitutionell; *government, action* verfassungsmäßig ► *~ law* Verfassungsrecht *nt*; *it's not ~* das ist verfassungswidrig. **b** (*Med*) konstitutionell. **2** *n* (*hum col*) Spaziergang *m.*

constrain [kən'streɪn] *vt* zwingen; *one's temper* zügeln ► *to find oneself/feel ~ed to ...* sich gezwungen sehen/fühlen, zu ...

constraint [kən'streɪnt] *n* **a** (*compulsion*) Zwang *m.* **b** (*restriction*) Beschränkung *f* ► *to place ~s on sth* einer Sache (*dat*) Zwänge auferlegen. **c** (*in manner etc*) Gezwungenheit *f*; (*embarrassment*) Befangenheit *f.*

constrict [kən'strɪkt] *vt* **a** einengen; *muscle* zusammenziehen; *vein* verengen. **b** *movements* einschränken (*also fig*).

constriction [kən'strɪkʃən] *n* **a** (*of muscles*) Zusammenziehen *nt.* **b** (*of movements etc*) Einschränkung *f.*

construct [kən'strʌkt] *vt* bauen; *geometrical figure* kon-

struieren; *sentence* bilden; *theory* entwickeln.
construction [kən'strʌkʃən] *n* a *see vt* Bau *m*; Konstruktion *f*; Entwicklung *f* ▸ *under* ~ in or im Bau. b (*way sth is constructed*) Struktur *f*; (*of building*) Bauweise *f*; (*of machine, bridge*) Konstruktion *f*. c (*sth constructed*) Bau *m*; (*bridge, machine*) Konstruktion *f*. d (*interpretation*) Deutung *f* ▸ *to put a wrong* ~ *on sth* etw falsch auffassen. e (*Gram*) Konstruktion *f* ▸ *sentence* ~ Satzbau *m*.
construction industry *n* Bauindustrie *f*.
constructive [kən'strʌktɪv] *adj* konstruktiv.
construe [kən'struː] *vt* (*interpret*) auffassen.
consul ['kɒnsəl] *n* Konsul *m*.
consular ['kɒnsjʊləʳ] *adj* konsularisch.
consulate ['kɒnsjʊlɪt] *n* Konsulat *nt*.
consult [kən'sʌlt] 1 *vt* sich besprechen mit; *lawyer, doctor etc* konsultieren; *dictionary* nachschlagen in (+*dat*); *map* nachsehen auf (+*dat*); *oracle* befragen; *horoscope* nachlesen ▸ *he did it without* ~*ing anyone* er hat das getan, ohne jemanden zu fragen. 2 *vi* (*confer*) sich beraten (*with* mit).
consultancy [kən'sʌltənsɪ] *n* (*act*) Beratung *f*; (*business*) Beratungsbüro *nt*.
consultant [kən'sʌltənt] 1 *n* a (*Brit Med*) Facharzt *m*, Fachärztin *f* ▸ ~ *gynaecologist* Facharzt/-ärztin für Frauenkrankheiten. b (*other professions*) Berater(in *f*) *m*. 2 *adj attr* beratend.
consultation [,kɒnsəl'teɪʃən] *n* Besprechung *f*; (*of doctor, lawyer*) Konsultation *f* (*of gen*) ▸ *in* ~ *with* in gemeinsamer Beratung mit.
consulting [kən'sʌltɪŋ] *adj* ~ *hours/room* (*Brit*) Sprechstunde *f*/-zimmer *nt*.
consumables [kən'sjuːməblz] *npl* Konsumgüter *pl*; (*Comp*) Verbrauchsmaterial *nt*.
consume [kən'sjuːm] *vt* a *food, drink* zu sich nehmen; (*Econ*) konsumieren. b (*destroy*) vernichten; (*use up*) verbrauchen ▸ *he was* ~*d with jealousy* er wurde von Eifersucht verzehrt (*geh*).
consumer [kən'sjuːməʳ] *n* Verbraucher(in *f*) *m*.
consumer *in cpds* Verbraucher-; ~ *durables* *npl* Gebrauchsgüter *pl*; ~ *goods* *npl* Konsumgüter *pl*.
consumerism [kən'sjuːmərɪzəm] *n* Konsumdenken *nt*.
consumer: ~ *protection* *n* Verbraucherschutz *m*; ~*s' advice centre* (*Brit*) or *center* (*US*) *n* Verbraucherzentrale *f*; ~ *credit* *n* Verbraucherkredit *m*; **C~s' Association** *n* Verbraucherverband *m*; ~ *society* *n* Konsumgesellschaft *f*.
consummate 1 [kən'sʌmɪt] *adj* vollendet ▸ *with* ~ *ease* mit spielender Leichtigkeit. 2 ['kɒnsəmeɪt] *vt marriage* vollziehen.
consummation [,kɒnsə'meɪʃən] *n* (*of marriage*) Vollzug *m*; (*fig: peak*) Höhepunkt *m*.
consumption [kən'sʌmpʃən] *n* a *Konsum* *m*; (*of non-edible products*) Verbrauch *m* ▸ *this letter is for private* ~ *only* (*col*) der Brief ist nur für den privaten Gebrauch; *not fit for human* ~ zum Verzehr ungeeignet. b (*Med old*) Schwindsucht *f*.
cont = a **containing, contents** Inh. b **continued** Forts.
contact ['kɒntækt] 1 *n* a Kontakt *m*; (*communication also*) Verbindung *f* ▸ *to be in* ~ *with sb/sth* (*be touching*) jdn/etw berühren; (*in communication*) mit jdm/etw in Kontakt stehen; *to come into* ~ *with sb/sth* (*lit, fig*) mit jdm/etw in Berührung kommen; *he has no* ~ *with his family* er hat keinen Kontakt zu seiner Familie; *to make* ~ *with sb/sth* (*get in touch with*) sich mit jdm/etw in Verbindung setzen; *I finally made* ~ *with him at his office* ich habe ihn schließlich im Büro erreicht; *to lose* ~ *(with sb/sth)* den Kontakt (zu jdm/etw) verlieren; *point of* ~ (*Math, fig*) Berührungspunkt

m.
b (*Elec*) (*act*) Kontakt *m*; (*equipment*) Kontaktstück *nt* ▸ *to make/break* ~ den Kontakt herstellen/unterbrechen.
c (*person*) Kontaktperson *f* (*also Med*); (*in espionage*) Verbindungsmann, V-Mann *m* ▸ ~*s pl* Kontakte *pl*; *to make* ~*s* Kontakte herstellen.
2 *vt person, agent* sich in Verbindung setzen mit ▸ *I've been trying to* ~ *you for hours* ich versuche schon seit Stunden, Sie zu erreichen.
contact: ~ *adhesive* *n* Kontaktklebstoff *m*; ~*-breaker* *n* Unterbrecher *m*; ~ *lens* *n* Kontaktlinse *f*.
contagion [kən'teɪdʒən] *n* (*contact*) Ansteckung *f*; (*disease*) Ansteckungskrankheit *f*; (*epidemic*) Seuche *f* (*also fig*); (*fig: spreading influence*) schädlicher Einfluß.
contagious [kən'teɪdʒəs] *adj* (*Med, fig*) ansteckend.
contain [kən'teɪn] *vt* a (*hold within itself*) enthalten. b (*have capacity for*) fassen. c *emotions, oneself* beherrschen; *disease, inflation* in Grenzen halten; *epidemic, flood* unter Kontrolle bringen.
container [kən'teɪnəʳ] 1 *n* a Behälter *m*. b (*Comm*) Container *m*. 2 *adj attr* Container- ▸ ~ *ship* Containerschiff *nt*; *by* ~ *transport* per Container.
containerize [kən'teɪnəraɪz] *vt freight* in Container verpacken; *port* auf Container umstellen.
contaminate [kən'tæmɪneɪt] *vt* verunreinigen; (*poison*) vergiften; (*radioactivity*) verseuchen; (*fig*) *mind* verderben.
contamination [kən,tæmɪ'neɪʃən] *n*, *no pl* Verschmutzung *f*.
contd = **continued** Forts., Fortsetzung *f*.
contemplate ['kɒntempleɪt] *vt* a (*look at*) betrachten. b (*reflect upon*) nachdenken über (+*acc*); (*consider*) a *purchase, action* in Erwägung ziehen; *a holiday* denken an (+*acc*).
contemplation [,kɒntem'pleɪʃən] *n* a (*looking*) Betrachtung *f*. b (*thinking*) Nachdenken *nt* (*of* über +*acc*); (*deep thought*) Betrachtung, Kontemplation (*esp Rel*) *f*.
contemplative [kən'templətɪv] *adj look* nachdenklich; *life* beschaulich, kontemplativ (*esp Rel*).
contemporary [kən'tempərərɪ] 1 *adj* a (*of the same time*) *events* gleichzeitig; *literature* zeitgenössisch; (*of the same age*) gleich alt. b (*of the present time*) *life* heutig; *art* zeitgenössisch, modern ▸ ~ *history* Zeitgeschichte *f*. 2 *n* Altersgenosse *m*/ -genossin *f*; (*in history*) Zeitgenosse *m*/-genossin *f*.
contempt [kən'tempt] *n* a Verachtung *f*; (*disregard also*) Geringschätzung *f* (*for* von) ▸ *to hold in* ~ verachten; *beneath* ~ unter aller Kritik. b (*Jur: also* ~ *of court*) Mißachtung *f* des Gerichts.
contemptible [kən'temptəbl] *adj* verachtenswert.
contemptuous [kən'temptjʊəs] *adj manner, look* verächtlich ▸ *to be* ~ *of sb/sth* jdn/etw verachten.
contend [kən'tend] 1 *vi* a kämpfen ▸ *to* ~ *for sth* um etw kämpfen; *then you'll have me to* ~ *with* dann bekommst du es mit mir zu tun. b (*cope*) *to* ~ *with sb/sth* mit jdm/etw fertig werden. 2 *vt* behaupten.
contender [kən'tendəʳ] *n* Anwärter(in *f*) *m* (*for* auf +*acc*); (*Sport*) Wettkämpfer(in *f*) *m* (*for* um) ▸ *the (main)* ~*s for the title* die Titelanwärter.
content¹ [kən'tent] 1 *adj* zufrieden (*with* mit). 2 *n* Zufriedenheit *f*; *see heart* (a). 3 *vt person* zufriedenstellen ▸ *to* ~ *oneself with* sich zufriedengeben mit.
content² ['kɒntent] *n* a ~*s pl* Inhalt *m*; (*table of*) ~*s* Inhaltsverzeichnis *nt*. b *no pl* (*substance*) Gehalt *m*.
contented *adj*, ~**ly** *adv* [kən'tentɪd, -lɪ] zufrieden.

contention [kən'tenʃən] n [a] (dispute) Streit m ▶ **the matter in ~** die strittige Angelegenheit. [b] (assertion) Behauptung f.
contentment [kən'tentmənt] n Zufriedenheit f.
contest ['kɒntest] [1] n Kampf m (for um); (beauty ~ etc) Wettbewerb m ▶ **boxing ~** Boxkampf m; **election ~** Wahlkampf m.
[2] [kən'test] vt [a] (fight over) kämpfen um; (Pol: candidate) seat sich bewerben um; (oppose) kämpfen gegen. [b] statement bestreiten; (Jur) will anfechten.
contestant [kən'testənt] n (Wettbewerbs)teilnehmer(in f) m; (Parl, in quiz) Kandidat(in f) m; (Sport) (Wettkampf)teilnehmer(in f) m ▶ **the ~s in the election** die Wahlkandidaten.
context ['kɒntekst] n Zusammenhang m ▶ **out of ~** aus dem Zusammenhang gerissen.
continent ['kɒntinənt] n Kontinent, Erdteil m; (mainland) Festland nt ▶ **the C~** (Brit) Kontinentaleuropa nt; **on the C~** auf dem europäischen Festland.
continental [ˌkɒntɪ'nentl] [1] adj [a] (Geog) kontinental. [b] (Brit: European) europäisch ▶ **~ breakfast** kleines Frühstück (Kaffee und Brötchen).
[2] n (Festlands)europäer(in f) m.
contingency [kən'tɪndʒənsɪ] n möglicher Fall ▶ **in this ~** in diesem Fall; **~ fund** Eventualfonds m; **a ~ plan** ein Ausweichplan m.
contingent [kən'tɪndʒənt] [1] adj **~ upon** (form) abhängig von; **to be ~ upon** abhängen von.
[2] n Kontingent nt; (Mil) Trupp m.
continual [kən'tɪnjʊəl] adj (frequent) dauernd; (unceasing) ununterbrochen.
continually [kən'tɪnjʊəlɪ] adv see adj dauernd; ununterbrochen.
continuance [kən'tɪnjʊəns] n [a] (duration) Dauer f. [b] (continuation) Fortsetzung f.
continuation [kənˌtɪnjʊ'eɪʃən] n Fortsetzung f.
continue [kən'tɪnjuː] [1] vt fortsetzen ▶ **to ~ to read, to ~ reading** weiterlesen; **to be ~d** Fortsetzung folgt; **~d existence** Weiterbestehen nt.
[2] vi (go on) (person) weitermachen; (crisis, speech) (an)dauern; (weather) anhalten; (road etc) sich fortsetzen; (concert etc) weitergehen ▶ **he ~s (to be) optimistic** er ist nach wie vor optimistisch.
continuity [ˌkɒntɪ'njuːɪtɪ] n [a] Kontinuität f ▶ **the story lacks ~** der Geschichte fehlt der rote Faden. [b] (Film) **~ girl** Scriptgirl nt.
continuous [kən'tɪnjʊəs] adj dauernd, ständig; line ununterbrochen ▶ **~ paper** or **stationery** (Comp) Endlospapier nt; (pre-printed) Endlosformular nt; **~ performance** (Film) durchgehende Vorstellung; **present/past ~** (Gram) Verlaufsform f Präsens/Imperfekt.
continuously [kən'tɪnjʊəslɪ] adv see adj dauernd, ständig; ununterbrochen.
contort [kən'tɔːt] vt features verziehen (into zu); limbs verrenken ▶ **a face ~ed by pain** ein schmerzverzerrtes Gesicht.
contortion [kən'tɔːʃən] n (esp of acrobat) Verrenkung f; (of features) Verzerrung f.
contortionist [kən'tɔːʃənɪst] n Schlangenmensch m.
contour ['kɒntʊəʳ] n Kontur f.
contour: ~ line n (Geog) Höhenlinie f; **~ map** n Höhenlinienkarte f.
contraband ['kɒntrəbænd] [1] n no pl (goods) Schmuggelware f; (form: smuggling) Schleichhandel m.
[2] adj Schmuggel-.
contraception [ˌkɒntrə'sepʃən] n Empfängnisverhütung f.
contraceptive [ˌkɒntrə'septɪv] [1] n empfängnisverhütendes Mittel.
[2] adj empfängnisverhütend; pill Antibaby-.

contract¹ ['kɒntrækt] [1] n [a] Vertrag m; (Comm: order) Auftrag m ▶ **to enter into a ~ (with sb)** (mit jdm) einen Vertrag schließen; **to put work out to ~** Arbeiten außer Haus machen lassen. [b] (Bridge) Kontrakt m ▶ **~ bridge** Kontrakt-Bridge nt.
[2] adj price, date vertraglich festgelegt ▶ **~ work** Auftragsarbeit f.
[3] [kən'trækt] vt [a] debts machen; illness erkranken an (+dat). [b] (enter into) marriage, alliance eingehen.
[4] [kən'trækt] vi (Comm) **to ~ to do sth** sich vertraglich verpflichten, etw zu tun.
◆**contract in** vi sich anschließen (-to dat); (into insurance scheme) beitreten (-to dat).
◆**contract out** [1] vi (withdraw) austreten (of aus); (not join) sich nicht anschließen (of dat); (of insurance scheme) nicht beitreten (of dat).
[2] vt sep (Comm) work vergeben (to an +acc).
contract² [kən'trækt] [1] vt zusammenziehen.
[2] vi (muscle, metal etc) sich zusammenziehen.
contraction [kən'trækʃən] n [a] (shrinking) Zusammenziehung f. [b] (in childbirth) Wehe f.
contractor [kən'træktəʳ] n (individual) Auftragnehmer m; (building ~) Bauunternehmer m.
contractual [kən'træktʃʊəl] adj vertraglich.
contradict [ˌkɒntrə'dɪkt] vt widersprechen (+dat).
contradiction [ˌkɒntrə'dɪkʃən] n Widerspruch m (of zu) ▶ **full of ~s** voller Widersprüchlichkeiten.
contradictory [ˌkɒntrə'dɪktərɪ] adj widersprüchlich.
contra-flow ['kɒntrəˌfləʊ] n (Mot) Gegenverkehr m (auf einem Fahrstreifen).
contraindication [ˌkɒntrəˌɪndɪ'keɪʃən] n (Med) Kontraindikation f.
contralto [kən'træltəʊ] [1] n (voice) Alt m.
[2] adj voice Alt- ▶ **the ~ part** die Altstimme.
contraption [kən'træpʃən] n (col) Apparat m (col); (vehicle) Vehikel nt (col).
contrary¹ ['kɒntrərɪ] [1] adj (opposite) entgegengesetzt; development, tendency gegenläufig.
[2] n Gegenteil nt ▶ **on the ~** im Gegenteil; **do you have information to the ~?** liegen Ihnen gegenteilige Informationen vor?; **unless you hear to the ~** sofern Sie nichts Gegenteiliges hören.
[3] adv **~ to expectations** wider Erwarten; **~ to what he said** im Gegensatz zu dem, was er gesagt hat.
contrary² [kən'treərɪ] adj (awkward) widerspenstig.
contrast [kɒntrɑːst] [1] n [a] Gegensatz m (with, to zu); (visual) Kontrast m (with, to zu) ▶ **by** or **in ~** im Gegensatz dazu. [b] (Art, Phot, TV) Kontrast m.
[2] [kən'trɑːst] vt gegenüberstellen (with dat).
[3] [kən'trɑːst] vi im Gegensatz stehen (with zu); (colours) sich abheben (with von).
contrasting [kən'trɑːstɪŋ] adj gegensätzlich.
contravene [ˌkɒntrə'viːn] vt verstoßen gegen.
contravention [ˌkɒntrə'venʃən] n Verstoß m (of gegen) ▶ **to act in ~ of sth** einer Sache (dat) zuwiderhandeln.
contretemps ['kɒntrəˌtɒŋ] n no pl Zwischenfall m.
contribute [kən'trɪbjuːt] [1] vt beitragen (to zu); money, supplies beisteuern (to zu); (to charity) spenden (to für) ▶ **to ~ one's share** sein(en) Teil (dazu) beitragen.
[2] vi beitragen (to zu); (to pension fund etc) einen Beitrag leisten (to zu); (to newspaper) schreiben (to für); (to present) beisteuern (to zu); (to charity) spenden (to für).
contribution [ˌkɒntrɪ'bjuːʃən] n Beitrag m (to zu); (to charity) Spende f ▶ **the beer is my ~** das Bier stelle ich.
contributor [kən'trɪbjʊtəʳ] n (to magazine etc) Mitarbeiter(in f) m (to an +dat); (of goods, money) Spender(in f) m.
contributory [kən'trɪbjʊtərɪ] adj [a] **that's a ~ factor** dieser Faktor spielt eine Rolle; **~ negligence** (Jur) Mitverschulden nt. [b] pension scheme beitragspflichtig.

con trick n (col) Schwindel m.
contrite ['kɒntraɪt] adj reuig.
contrition [kən'trɪʃən] n Reue f ▸ **act of ~** (Eccl) Buße f.
contrivance [kən'traɪvəns] n (device) Vorrichtung f; (mechanical) Gerät nt.
contrive [kən'traɪv] vt a plan ersinnen ▸ **to ~ a means of doing sth** einen Weg finden, etw zu tun. b (manage, arrange) bewerkstelligen ▸ **to ~ to do sth** (also iro) es fertigbringen, etw zu tun; **he always ~s to get his own way** er versteht (es) immer, seinen Kopf durchzusetzen.
contrived [kən'traɪvd] adj gestellt; style gekünstelt.
control [kən'trəʊl] 1 n a no pl (supervision) Aufsicht f (of über +acc); (of situation, emotion) Beherrschung f (of gen); (authority, power) Gewalt f (over über +acc); (of prices) Kontrolle f (of gen); (of traffic) Regelung f (of gen) etc ▸ **to be in ~ of sth** business, office etw leiten; group of children etw beaufsichtigen; **to have sth under ~** etw in der Hand haben; **to be in ~ of one's emotions** Herr seiner Gefühle sein; **to have no ~ over sb** keinen Einfluß auf jdn haben; **to lose ~ (of sth)** die Gewalt (über etw acc) verlieren; **to lose ~ of the situation** nicht mehr Herr der Lage sein; **to be/get out of ~** (child, class) außer Rand und Band sein/geraten; (situation) außer Kontrolle sein/geraten; **the car went out of ~** das Auto geriet außer Kontrolle; **under state ~** unter staatlicher Aufsicht; **to be under ~** unter Kontrolle sein; **he was beyond parental ~** er war seinen Eltern über den Kopf gewachsen; **circumstances beyond our ~** nicht in unserer Hand liegende Umstände; **his ~ of the ball** seine Ballführung.
b (check) Kontrolle f (on gen, über +acc) ▸ **wages/price ~s** Lohn-/Preiskontrolle f.
c (~ room) die Zentrale; (Aviat) der Kontrollturm.
d (knob, switch) Regler m; (of vehicle, machine) Schalter m ▸ **to be at the ~s** (of spaceship, airliner) am Kontrollpult sitzen; (of small plane, car) am Steuer sitzen; **to take over the ~s** das Steuer übernehmen.
e (Sci: group) Kontrollgruppe f.
f (Comp) ~-F1 Control-F1.
2 vt a (direct, manage) kontrollieren; business führen; organization in der Hand haben; child, class fertigwerden mit; car steuern, lenken; traffic regeln; emotions beherrschen; hair bändigen ▸ **to ~ oneself/one's temper** sich beherrschen; **~ yourself!** nimm dich zusammen! b (regulate) temperature, speed regulieren; prices etc kontrollieren; disease unter Kontrolle bringen; population eindämmen.
control: ~ centre n Kontrollzentrum nt; **~ column** n Steuerknüppel m; **~ experiment** n Kontrollversuch m; **~ freak** n (col): **most men are total ~ freaks** die meisten Männer müssen immer alles unter Kontrolle haben; **~ key** n (Comp) Control-Taste f; **~ knob** n (TV, Rad etc) Regler, Kontrollknopf m.
controlled [kən'trəʊld] adj emotion beherrscht; conditions kontrolliert; prices gebunden; temperature geregelt.
controller [kən'trəʊlər] n a (Rad) Intendant m; (Aviat) (Flug)lotse m. b (Tech) Regler m.
controlling [kən'trəʊlɪŋ] adj attr factor beherrschend; body Aufsichts- ▸ **~ interest** Mehrheitsanteil m.
control: ~ panel n Schalttafel f; (on aircraft, TV) Bedienungsfeld nt; (on car) Armaturenbrett nt; **~ point** n Kontrollpunkt m; **~ room** n Kontrollraum m; (Mil) (Operations)zentrale f; (of police) Zentrale f; **~ tower** n (Aviat) Kontrollturm m; **~ unit** n (Comp, Elec) Steuereinheit f.
controversial [ˌkɒntrə'vɜːʃəl] adj umstritten.
controversy ['kɒntrəvɜːsɪ, kən'trɒvəsɪ] n Kontroversen pl ▸ **to give rise to ~** Anlaß zu Kontroversen geben.
contusion [kən'tjuːʒən] n Quetschung f.
conundrum [kə'nʌndrəm] n (lit, fig) Rätsel nt.
conurbation [ˌkɒnɜː'beɪʃən] n Ballungsgebiet nt.

convalesce [ˌkɒnvə'les] vi genesen (from, after von).
convalescence [ˌkɒnvə'lesəns] n Genesung f; (period) Genesungszeit f.
convalescent [ˌkɒnvə'lesənt] 1 n Genesende(r) mf.
2 adj genesend ▸ **to be ~** auf dem Wege der Besserung sein; **~ home** Genesungsheim nt.
convection [kən'vekʃən] n Konvektion f.
convector [kən'vektər] n (also ~ **heater**) Heizlüfter m.
convene [kən'viːn] 1 vt meeting einberufen.
2 vi sich versammeln.
convener [kən'viːnər] n Person, die Versammlungen einberuft.
convenience [kən'viːnɪəns] n a no pl (usefulness) Annehmlichkeit f; (expediency) Zweckmäßigkeit f ▸ **~ foods** Fertiggerichte pl; **flag of ~** (Naut) Billigflagge f. b no pl **these chairs are for the ~ of customers** diese Stühle sind für unsere Kunden gedacht; **at your own ~** wann es Ihnen paßt; **at your earliest ~** (Comm) möglichst bald. c (convenient thing, amenity) Annehmlichkeit f ▸ **a house with every ~** ein Haus mit allem Komfort. d (Brit form: public ~) (öffentliche) Toilette.
convenient [kən'viːnɪənt] adj (useful) praktisch; area, house (for shops etc) günstig gelegen; time günstig ▸ **if it is ~ for you** wenn es Ihnen (so) paßt; **is tomorrow ~ (for you)?** paßt (es) Ihnen morgen?; **the trams are very ~** (nearby) die Straßenbahnhaltestellen liegen sehr günstig; (useful) die Straßenbahn ist sehr praktisch.
conveniently [kən'viːnɪəntlɪ] adv günstigerweise; situated günstig; (usefully) designed praktisch.
convent ['kɒnvənt] n (Frauen)kloster nt ▸ **~ school** Klosterschule f.
convention [kən'venʃən] n a Sitte f; (social rule) Konvention f ▸ **it's a ~ that ...** es ist so üblich or Sitte, daß ... b (conference) Tagung f; (Pol) Versammlung f.
conventional [kən'venʃənl] adj dress konventionell; beliefs herkömmlich; style traditionell.
conventionally [kən'venʃnəlɪ] adv see adj konventionell; herkömmlicherweise; traditionell.
converge [kən'vɜːdʒ] vi (road, lines) zusammenlaufen (at in +dat); (fig: views etc) sich aneinander annähern ▸ **to ~ on sb/sth/New York** von überallher zu jdm/etw/nach New York strömen.
convergence [kən'vɜːdʒəns] n see vi Zusammenlaufen nt; Annäherung f ▸ **point of ~** Schnittpunkt m; (of rays) Brennpunkt m.
conversant [kən'vɜːsənt] adj vertraut (with mit).
conversation [ˌkɒnvə'seɪʃən] n Gespräch nt; (Sch) Konversation f ▸ **to make ~** sich unterhalten; **to get into/be in ~ with sb** mit jdm ins Gespräch kommen/im Gespräch sein; **deep in ~** ins Gespräch vertieft; **his ~ is very amusing** er ist ein sehr unterhaltsamer Gesprächspartner; **a subject of ~** ein Gesprächsthema nt; **that was a ~ stopper** (col) das hat uns die Sprache verschlagen (col); **the art of ~** die Kunst des (guten) Gesprächs.
conversational [ˌkɒnvə'seɪʃənl] adj tone, style Unterhaltungs- ▸ **~ German** gesprochenes Deutsch.
conversationalist [ˌkɒnvə'seɪʃnəlɪst] n guter Gesprächspartner, gute Gesprächspartnerin.
conversation: ~ mode n (Comp) Dialogbetrieb m; **~ piece** n (item provoking talk) Gesprächsgegenstand m; (Theat: play) Konversationsstück nt.
converse[1] [kən'vɜːs] vi (form) sich unterhalten.
converse[2] ['kɒnvɜːs] 1 adj umgekehrt; opinions etc gegenteilig.
2 n (opposite) Gegenteil nt.
conversely [kɒn'vɜːslɪ] adv umgekehrt.
conversion [kən'vɜːʃən] n a Konversion f (into in +acc); (Rugby, US Ftbl) Verwandlung f; (of measures) Umrechnung f (into in +acc); (of building) Umbau m (into zu) ▸ **~ table** Umrechnungstabelle f. b (Rel, fig)

Bekehrung *f* (*to* zu).

convert ['kɒnvɜːt] **1** *n* (*lit, fig*) Bekehrte(r) *mf*; (*to another denomination*) Konvertit(in *f*) *m*.
2 [kən'vɜːt] *vt* **a** konvertieren (*into* in +*acc*); (*Rugby, US Ftbl*) verwandeln; *measures* umrechnen (*into* in +*acc*); *attic* ausbauen (*into* zu); *building* umbauen (*into* zu). **b** (*Rel, fig*) bekehren (*to* zu); (*to another denomination*) konvertieren.
3 [kən'vɜːt] *vi* sich verwandeln lassen (*into* in +*acc*).

converter [kən'vɜːtər] *n* (*Elec*) Konverter *m*; (*for AC/DC*) Stromgleichrichter *m*.

convertible [kən'vɜːtəbl] **1** *adj* verwandelbar; *currency* konvertibel ► **~ sofa** Bettcouch *f*.
2 *n* (*car*) Kabriolett *nt*.

convex [kɒn'veks] *adj lens, mirror* konvex.

convey [kən'veɪ] *vt* **a** befördern; *goods* spedieren; *water* leiten. **b** *idea* vermitteln; *meaning* klarmachen; *best wishes* übermitteln ► **words cannot ~ what I feel** was ich empfinde, läßt sich nicht mit Worten ausdrücken; **the name ~s nothing to me** der Name sagt mir nichts. **c** (*Jur*) *property* übertragen (*to auf* +*acc*).

conveyance [kən'veɪəns] *n* (*transport*) Beförderung *f* ► **~ of goods** Güterverkehr *m*; **means of ~** Beförderungsmittel *nt*.

conveyancing [kən'veɪənsɪŋ] *n* (*Jur*) (Eigentums)übertragung *f*.

conveyor [kən'veɪər] *n* (*of message etc*) Überbringer(in *f*) *m*; (*Tech*) Förderer *m* ► **~ belt** Fließband *nt*; (*for transport, supply*) Förderband *nt*.

convict 1 ['kɒnvɪkt] *n* Strafgefangene(r) *mf*.
2 [kən'vɪkt] *vt* (*Jur*) *person* verurteilen (*of* wegen) ► **a ~ed criminal** ein überführter Verbrecher.

conviction [kən'vɪkʃən] *n* **a** (*Jur*) Verurteilung *f*. **b** (*belief, act of convincing*) Überzeugung *f* ► **to carry ~** überzeugend klingen; *see* **courage**.

▼ **convince** [kən'vɪns] *vt* überzeugen.

convincing *adj*, **~ly** *adv* [kən'vɪnsɪŋ, -lɪ] überzeugend.

convivial [kən'vɪvɪəl] *adj* heiter und unbeschwert; (*sociable*) gesellig.

convoluted ['kɒnvəluːtɪd] *adj* (*involved*) verwickelt; *style* gewunden.

convoy ['kɒnvɔɪ] *n* **a** (*escort*) Geleit *nt* ► **under ~** mit Geleitschutz; **to be on ~ duty** als Geleitschutz abgeordnet sein. **b** (*vehicles under escort, fig*) Konvoi *m* ► **in ~** im Konvoi.

convulse [kən'vʌls] *vt land* erschüttern; *muscles* krampfhaft zusammenziehen ► **to be ~d with laughter/pain** sich vor Lachen schütteln/vor Schmerzen krümmen.

convulsion [kən'vʌlʃən] *n* **a** (*Med*) Schüttelkrampf *m no pl*. **b** (*caused by social upheaval etc*) Erschütterung *f*. **c** (*col: of laughter*) **to go into/be in ~s** sich vor Lachen biegen.

convulsive [kən'vʌlsɪv] *adj* Krampf- ► **~ laughter** Lachkrämpfe *pl*.

coo [kuː] **1** *vi* (*pigeon, fig*) gurren.
2 *n* Gurren *nt*.
3 *interj* (*Brit col*) ui.

cook [kʊk] **1** *n* Koch *m*, Köchin *f* ► **too many ~s spoil the broth** (*Prov*) viele Köche verderben den Brei (*Prov*).
2 *vt* **a** *food, meal* zubereiten; (*in water, milk etc*) kochen; (*fry, roast*) braten; *pie, pancake* backen ► **to ~ sb's goose** (*fig*) jdm die Suppe versalzen. **b** (*col: falsify*) *accounts* frisieren (*col*).
3 *vi* (*person, food*) kochen; (*fry, roast*) braten; (*pie*) backen ► **what's ~ing?** (*fig col*) was ist los?

♦ **cook up** *vt sep* (*fig col*) *story, excuse* zurechtbasteln (*col*) ► **~ed ~ story** Lügenmärchen *nt*.

cookbook ['kʊkbʊk] *n* Kochbuch *nt*.

cooker ['kʊkər] *n* (*Brit*) **a** (*stove*) Herd *m* ► **~ hood** Abzugshaube *f*. **b** (*apple*) Kochapfel *m*.

cookery ['kʊkərɪ] *n* Kochen *nt* (*also Sch*) ► **~ book** Kochbuch *nt*.

cookhouse ['kʊkhaʊs] *n* (*Naut*) Kombüse *f*; (*Mil*) Feldküche *f*.

cookie, cooky ['kʊkɪ] *n* **a** (*US: biscuit*) Keks *m* ► **that's the way the ~ crumbles** (*col, also Brit*) so ist das nun mal (im Leben). **b** (*col: smart person*) Typ *m* ► **he's a pretty sharp ~** er ist ein richtiger Schlauberger.

cooking ['kʊkɪŋ] *n* Kochen *nt* ► **plain ~** Hausmannskost *f*; **French ~** die französische Küche.

cooking *in cpds* Koch-; **~ apple** *n* Kochapfel *m*; **~ chocolate** *n* Blockschokolade *f*; **~ foil** *n* Alufolie *f*.

cookout ['kʊkaʊt] *n* (*US*) Kochen *nt* am Lagerfeuer; (*on charcoal brazier*) Grillparty *f*.

cool [kuːl] **1** *adj* (+*er*) **a** *weather, drink* kühl; *clothes* luftig ► **"keep in a ~ place"** „kühl aufbewahren". **b** *person* besonnen ► **keep ~!** reg dich nicht auf!; **to be ~ to(wards) sb** sich jdm gegenüber kühl verhalten; **play it ~!** immer mit der Ruhe! **c** (*audacious*) unverfroren ► **a ~ customer** (*col*) ein lässiger Typ (*col*); **that was very ~ of him** da hat er sich ein starkes Stück geleistet. **d** (*col: of money*) glatt (*col*) ► **he earns a ~ forty thousand a year** er verdient glatte vierzigtausend im Jahr (*col*). **e** *disco, dress etc* cool, stark (*col*) ► **~ jazz** Cool Jazz *m*.
2 *n* **a** (*lit, fig*) Kühle *f* ► **the ~ of the evening** die Abendkühle. **b** (*col*) **keep your ~!** reg dich nicht auf!; **to lose one's ~** durchdrehen (*col*).
3 *vt* **a** kühlen; (*~ down*) abkühlen; *wine* kalt stellen. **b** **~ it!** (*relax*) reg dich ab; (*don't cause trouble*) mach keinen Ärger! (*col*).
4 *vi* (*lit, fig*) abkühlen; (*anger*) sich legen; (*interest*) nachlassen.

♦ **cool down 1** *vi* **a** (*lit*) abkühlen. **b** (*feelings, fig: person*) sich abkühlen; (*critical situation*) sich beruhigen ► **to let things ~ ~** die Sache etwas ruhen lassen.
2 *vt sep food, drink* abkühlen; (*let ~ ~*) abkühlen lassen.

♦ **cool off** *vi* **a** (*liquid, food*) abkühlen; (*person*) sich abkühlen. **b** (*fig*) (sich) abkühlen; (*enthusiasm, interest*) nachlassen; (*become less angry*) sich abreagieren; (*become less friendly*) kühler werden (*towards sb* jdm gegenüber).

coolant ['kuːlənt] *n* Kühlmittel *nt*.

cool: ~ bag *n* Kühltasche *f*; **~ box** *n* Kühlbox *f*.

cooler ['kuːlər] *n* **a** (*for wine*) Kühler *m*. **b** (*col: solitary*) Bau *m* (*col*).

cooling ['kuːlɪŋ] *adj drink, shower* kühlend ► **~ fan** Ventilator *m*.

cooling-off ['kuːlɪŋ'ɒf] **1** *n* (*in relationship etc*) Abkühlung *f*.
2 *adj* **~ period** Zeitraum für Schlichtungsverhandlungen (bei Arbeitskämpfen).

cooling tower *n* Kühlturm *m*.

coolly ['kuːlɪ] *adv* **a** (*calmly*) ruhig, gefaßt. **b** (*unenthusiastically, in an unfriendly way*) kühl. **c** (*audaciously*) unverfroren.

coolness ['kuːlnɪs] *n see adj* **a** Kühle *f*; Luftigkeit *f*. **b** Besonnenheit *f*. **c** Unverfrorenheit *f*.

coop [kuːp] *n* (*also* **hen ~**) Hühnerstall *m*.

♦ **coop up** *vt sep person* einsperren; *several people* zusammenpferchen.

co-op ['kəʊ'ɒp] *n* Genossenschaft *f*; (*shop*) Coop *m*.

cooperate [kəʊ'ɒpəreɪt] *vi* zusammenarbeiten; (*not be awkward*) mitmachen.

cooperation [kəʊˌɒpə'reɪʃən] *n* Kooperation, Zusammenarbeit *f*; (*help*) Mitarbeit *f*.

cooperative [kəʊ'ɒpərətɪv] **1** *adj* **a** (*willing to comply*) kooperativ; (*willing to help*) hilfsbereit. **b** **~ society** Genossenschaft *f*; **~ farm** Bauernhof *m* auf Genossenschaftsbasis.
2 *n* Genossenschaft *f*; (*also* **~ farm**) Bauernhof *m* auf

Genossenschaftsbasis.

coopt [kəʊ'ɒpt] *vt* (hinzu)wählen ► *he was ~ed onto the committee* er wurde vom Komitee dazugewählt.

coordinate [kəʊ'ɔːdɪnɪt] **1** *n* (*Math etc*) Koordinate *f* ► *~s* (*clothes*) Kleidung *f* zum Kombinieren.
2 [kəʊ'ɔːdɪneɪt] *vt* koordinieren.

coordination [kəʊ,ɔːdɪ'neɪʃən] *n* Koordination *f*.

coordinator [kəʊ'ɔːdɪneɪtər] *n* Koordinator *m*.

coot [kuːt] *n* Wasserhuhn *nt*.

co-owner [kəʊ'əʊnər] *n* Mitbesitzer(in *f*) *m*.

co-ownership ['kəʊ'əʊnəʃɪp] *n* Mitbesitz *m*.

cop [kɒp] **1** *n* **a** (*col: policeman*) Polizist(in *f*), Bulle (*pej col*) *m*. **b** (*Brit col*) *it's not much ~* das ist nichts Besonderes.
2 *vt* (*col: catch*) *sb* schnappen (*col*) ► *you'll ~ it when your dad gets home* du kannst was erleben, wenn dein Vater nach Haus kommt!; *he's ~ped it* (*died*) er mußte dran glauben (*col*); *hey, ~ a load of this!* he, hör/sieh dir das mal an! (*col*).

◆**cop out** *vi* (*col*) sich drücken (*of* vor).

cope [kəʊp] *vi* zurechtkommen; (*with work*) es schaffen ► *to ~ with* fertigwerden mit; *she can't ~ with the stairs any more* sie schafft die Treppe nicht mehr.

Copenhagen [,kəʊpn'heɪgən] *n* Kopenhagen *nt*.

copier ['kɒpɪər] *n* (*copyist*) Kopist(in *f*) *m*; (*machine*) Kopierer *m*, Kopiergerät *nt*.

co-pilot ['kəʊ'paɪlət] *n* Kopilot *m*.

copious ['kəʊpɪəs] *adj* *supply* reichlich; *information, illustrations* zahlreich.

cop-out ['kɒpaʊt] *n* (*col*) Rückzieher *m* (*col*).

copper ['kɒpər] *n* **a** (*metal*) Kupfer *nt*. **b** (*colour*) Kupferrot *nt*. **c** (*coin*) Pfennig *m* ► *~s* Kleingeld *nt*. **d** (*col: policeman*) Polizist(in *f*), Bulle (*pej col*) *m*.

copper: ~ beech *n* Rotbuche *f*; **~-coloured** (*Brit*) *or* **~-colored** (*US*) *adj* kupferfarben; **~plate** **1** *vt* verkupfern; **2** *adj* **~plate engraving** Kupferstich *m*; **~plate handwriting** lateinische (Ausgangs)schrift; (*best writing*) Schönschrift *f*.

copse [kɒps] *n* Wäldchen *nt*.

copulate ['kɒpjʊleɪt] *vi* kopulieren.

copulation [,kɒpjʊ'leɪʃən] *n* Kopulation *f*.

copy ['kɒpɪ] **1** *n* **a** Kopie *f*, (*carbon*) Durchschlag *m*; (*Phot*) Abzug *m* ► *to write out a fair ~ of sth* etw ins reine schreiben. **b** (*of book etc*) Exemplar *nt*. **c** (*Press etc*) (*material*) Stoff *m*; (*text*) Text *m* ► *that's always good ~* das zieht immer. **d** (*in advertising*) Werbetext *m*.
2 *vi* **a** (*imitate*) nachahmen. **b** (*Sch etc*) abschreiben.
3 *vt* **a** (*make a ~ of*) *see n* kopieren; einen Durchschlag machen von; abziehen; (*write out again*) abschreiben. **b** (*imitate*) nachmachen; *accent etc* nachahmen. **c** (*Sch etc*) *sb else's work* abschreiben. **d** (*send*) *to ~ sth to sb* einen Durchschlag von etw an jdn senden.

copy: ~book **1** *n* Schönschreibheft *nt*; **2** *adj attr* mustergültig; **~cat** *n* (*col*) *she's a terrible ~cat* sie macht immer alles nach.

copyright ['kɒpɪraɪt] **1** *n* Urheberrecht, Copyright *nt*.
2 *adj* urheberrechtlich geschützt.

copy: ~ typist *n* Schreibkraft *f*; **~writer** *n* Werbetexter(in *f*) *m*.

coral ['kɒrəl] *n* **a** Koralle *f*. **b** (*colour: also ~ pink*) Korallenrot *nt*.

coral *in cpds* Korallen-; **~ necklace** *n* Korallenkette *f*; **~ reef** *n* Korallenriff *nt*; **C~ Sea** *n* Korallenmeer *nt*.

cord [kɔːd] *n* **a** Schnur *f*, (*for clothes*) Kordel *f*. **b** (*Tex*) = **corduroy** ► *~s pl* (*also a pair of ~s*) Kordhosen *pl*.

cordial ['kɔːdɪəl] **1** *adj*, *~ly* ['kɔːdɪəlɪ] *adv* herzlich.
2 *n* (*soft drink*) Fruchtsaftkonzentrat *nt*; (*alcoholic*) Fruchtlikör *m*.

cordless ['kɔːdlɪs] *adj* (*Telec*) schnurlos.

cordon ['kɔːdn] *n* Postenkette *f* ► *to put a ~ around sth* etw (hermetisch) abriegeln.

◆**cordon off** *vt sep* *area, building* abriegeln.

corduroy ['kɔːdərɔɪ] *n* Kordsamt *m* ► *~s* Kordhosen *pl*.

CORE [kɔːr] (*US*) = **Congress of Racial Equality** Verband *m* zur Bekämpfung von Rassendiskriminierung.

core [kɔːr] **1** *n* (*lit, fig*) Kern *m*; (*of apple, pear*) Kerngehäuse *nt*; (*of rock*) Innere(s) *nt* ► *~ subject* (*Sch*) Hauptfach, Pflichtfach *nt*; *~ time* Kernarbeitszeit *f*; *rotten/English to the ~* (*fig*) durch und durch schlecht/englisch; *to get to the ~ of the matter* (*fig*) zum Kern der Sache kommen.
2 *vt* *fruit* entkernen; *apple, pear* das Kerngehäuse (+*gen*) ausschneiden.

co-respondent ['kəʊrɪs'pɒndənt] *n* (*Jur*) Mitbeklagte(r) *mf* (*im Scheidungsprozeß*).

Corfu [kɔː'fuː] *n* Korfu *nt*.

corgi ['kɔːgɪ] *n* Corgi *m*.

coriander [,kɒrɪ'ændər] *n* Koriander *m*.

cork [kɔːk] **1** *n* **a** *no pl* (*substance*) Kork *m*. **b** (*stopper*) Korken *m*. **c** (*Fishing: also ~ float*) Schwimmer *m*.
2 *vt* (*also ~ up*) *bottle, wine* verkorken.
3 *adj* Kork-.

corkage ['kɔːkɪdʒ] *n* Korkengeld *nt*.

corked [kɔːkt] *adj* *the wine is ~* der Wein schmeckt nach Kork.

cork: ~screw *n* Korkenzieher *m*; **~screw curls** *npl* Korkenzieherlocken *pl*; **~ tile** *n* Korkfliese *f*; **~-tipped** *adj* *cigarette* mit Korkfilter; **~ tree** *n* Korkbaum *m*.

cormorant ['kɔːmərənt] *n* Kormoran *m*.

corn¹ [kɔːn] *n* **a** *no pl* (*Brit: cereal*) Getreide *nt*. **b** (*seed of ~*) Korn *nt*. **c** *no pl* (*esp US: sweet ~*) Mais *m* ► *~ on the cob* Maiskolben *m*.

corn² *n* Hühnerauge *nt* ► *~ plaster* Hühneraugenpflaster *nt*.

cornea ['kɔːnɪə] *n* Hornhaut *f*.

corned beef ['kɔːnd'biːf] *n* Corned beef *nt*.

corner ['kɔːnər] **1** *n* **a** Ecke *f*; (*of sheet*) Zipfel *m*; (*of mouth, eye*) Winkel *m*; (*in road*) Kurve *f* ► *at or on the ~* an der Ecke; *it's just around the ~* es ist gleich um die Ecke; *to turn the ~* (*lit*) um die Ecke biegen; *we've turned the ~ now* (*fig*) wir sind jetzt über den Berg; *out of the ~ of one's eye* aus dem Augenwinkel (heraus); *to cut ~s* (*lit*) Kurven schneiden; (*fig*) das Verfahren abkürzen; *to drive sb into a ~* (*fig*) jdn in die Enge treiben; *all four ~s of the world* die ganze Welt. **b** (*out-of-the-way place*) Winkel *m*. **c** (*Ftbl*) Eckball *m*, Ecke *f* ► *to take a ~* eine Ecke ausführen.
2 *vt* **a** (*lit, fig: trap*) in die Enge treiben. **b** (*Comm*) *the market* monopolisieren.
3 *vi* (*take a ~*) (*person*) Kurven/die Kurve nehmen ► *this car ~s well* dieses Auto hat eine gute Kurvenlage.

corner *in cpds* Eck-; **~ cupboard** *n* Eckschrank *m*; **~ flag** *n* (*Sport*) Eckfahne *f*.

cornering ['kɔːnərɪŋ] *n* (*of car*) Kurvenlage *f*; (*of driver*) Kurventechnik *f*.

corner: ~ kick *n* (*Ftbl*) Eckstoß *m*; **~ seat** *n* (*Rail*) Eckplatz *m*; **~ shop** *n* Laden *m* an der Ecke; **~stone** *n* (*lit, fig*) Eckstein *m*.

cornet ['kɔːnɪt] *n* **a** (*Mus*) Kornett *nt*. **b** (*ice-cream ~*) (Eis)tüte *f*.

corn: ~field *n* (*Brit*) Weizenfeld *nt*; (*US*) Maisfeld *nt*; **~flakes** *npl* Corn-flakes ® (*pl*); **~flour** *n* (*Brit*) Stärkemehl *nt*; **~flower** *n* Kornblume *f*.

cornice ['kɔːnɪs] *n* (*Archit: of wall, column*) (Ge)sims *nt*; (*fig: of snow*) Wächte *f*.

Cornish ['kɔːnɪʃ] **1** *adj* aus Cornwall.
2 *n* (*dialect*) Kornisch *nt*.

corn: ~meal *n* (*US*) Maismehl *nt*; **~ oil** *n* (Mais)keimöl *nt*; **~ pone** *n* (*US*) Maisbrot *nt*; **~starch** *n* (*US*)

Stärkemehl *nt*.
cornucopia [kɔ:nju'kəʊpɪə] *n* Füllhorn *nt*; (*fig: abundance*) Fülle *f*.
Cornwall ['kɔ:nwɔ:l] *n* Cornwall *nt*.
corn whiskey *n* (*US*) Maiswhiskey *m*.
corny ['kɔ:nɪ] *adj* (*+er*) (*col*) joke blöd (*col*); (*sentimental*) kitschig ▸ **what a ~ old joke!** der Witz hat (so) einen Bart (*col*).
corollary [kə'rɒlərɪ] *n* (logische) Folge, Korollar *nt* (*also Math*).
coronary ['kɒrənərɪ] [1] *adj* (*Med*) Koronar- (*spec*) ▸ **~ thrombosis** Herzinfarkt *m*.
[2] *n* Herzinfarkt *m*.
coronation [,kɒrə'neɪʃən] *n* Krönung *f*.
coroner ['kɒrənəʳ] *n* Beamter, der Todesfälle untersucht, die nicht eindeutig eine natürliche Ursache haben.
coronet ['kɒrənɪt] *n* Krone *f*; (*jewellery*) Krönchen *nt*.
Corp = **Corporation** ≃ GmbH *f*.
corporal¹ ['kɔ:pərəl] *n* (*abbr* **corp**) (*Mil*) Stabsunteroffizier *m*.
corporal² *adj* körperlich ▸ **~ punishment** Prügelstrafe *f*.
corporate ['kɔ:pərɪt] *adj* [a] (*of a group*) gemeinsam. [b] (*of a corporation*) korporativ; (*of a company*) Firmen- ▸ **~ body** Körperschaft *f*; **~ image** *or* **identity** Firmenimage *nt*; **~ logo** Firmenlogo *nt*; **~ planning** Unternehmensplanung *f*.
corporation [,kɔ:pə'reɪʃən] *n* [a] (*municipal ~*) Gemeinde *f*. [b] (*Brit Comm: incorporated company*) Handelsgesellschaft *f*; (*US Comm: limited liability company*) Gesellschaft *f* mit beschränkter Haftung. [c] (*Brit hum: large belly*) Schmerbauch *m* (*col*).
corporation tax *n* Körperschaftssteuer *f*.
corps [kɔ:ʳ] *n*, *pl* - (*Mil*) Korps *nt* ▸ **~ de ballet** Corps de ballet *nt*.
corpse [kɔ:ps] *n* Leiche *f*.
corpulence ['kɔ:pjʊləns] *n* Korpulenz *f*.
corpulent ['kɔ:pjʊlənt] *adj* korpulent.
Corpus Christi ['kɔ:pəs'krɪstɪ] *n* (*Eccl*) Fronleichnam *m*.
corpuscle ['kɔ:pʌsl] *n* Korpuskel *nt* (*spec*) ▸ **blood ~** Blutkörperchen *nt*.
corral [kə'rɑ:l] *n* (*esp US*) Korral *m*.
correct [kə'rekt] [1] *adj* (*right*) richtig; (*proper*) korrekt ▸ **am I ~ in thinking ...?** gehe ich recht in der Annahme, daß ...?; **you are ~** Sie haben recht; **it's the ~ thing to do** das gehört sich so.
[2] *vt* korrigieren; *bad habit* sich/jdm abgewöhnen ▸ **me if I'm wrong** Sie können mich gern berichtigen; **I stand ~ed** ich nehme alles zurück.
correction [kə'rekʃən] *n see vt* Korrektur *f*; Abgewöhnung *f* ▸ **~ key** Korrekturtaste *f*; **~ tape** (*on typewriter*) Korrekturband *nt*.
correctly [kə'rektlɪ] *adv* richtig; *behave* korrekt.
correctness [kə'rektnɪs] *n* Korrektheit *f*.
correlate ['kɒrɪleɪt] [1] *vt two things* zueinander in Beziehung setzen ▸ **to ~ sth with sth** etw mit etw in Beziehung setzen.
[2] *vi* (*two things*) sich entsprechen ▸ **to ~ with sth** mit etw in Beziehung setzen.
correlation [,kɒrɪ'leɪʃən] *n* (*interdependence*) Wechselbeziehung *f*; (*Math, Statistics*) Korrelation *f*.
▼ **correspond** [,kɒrɪs'pɒnd] *vi* [a] (*be equivalent*) entsprechen (*to, with dat*); (*to one another*) sich entsprechen. [b] (*exchange letters*) korrespondieren (*with* mit).
correspondence [,kɒrɪs'pɒndəns] *n* [a] (*agreement, equivalence*) Übereinstimmung *f* (*between* zwischen, *with* mit). [b] (*letter-writing, letters*) Korrespondenz *f* ▸ **to be in ~ with sb** mit jdm in Briefwechsel stehen.
correspondence: ~ college *n* Institut *nt* für Fernunterricht; **~ column** *n* (*Press*) Leserbriefspalte *f*; **~ course** *n* Fernkurs *m*.

correspondent [,kɒrɪs'pɒndənt] *n* [a] (*letter-writer*) Briefschreiber(in *f*) *m* ▸ **to be a bad ~** schreibfaul sein. [b] (*Press*) Korrespondent(in *f*) *m*.
corresponding *adj*, **~ly** *adv* [,kɒrɪs'pɒndɪŋ, -lɪ] entsprechend.
corridor ['kɒrɪdɔ:ʳ] *n* Korridor *m*; (*in train, bus*) Gang *m*.
corroborate [kə'rɒbəreɪt] *vt* bestätigen.
corroboration [kə,rɒbə'reɪʃən] *n* Bestätigung *f*.
corrode [kə'rəʊd] [1] *vt metal* zerfressen; (*fig*) zerstören.
[2] *vi* (*metal*) korrodieren.
corrosion [kə'rəʊʒən] *n* Korrosion *f*; (*fig*) Zerstörung *f*.
corrosive [kə'rəʊzɪv] [1] *adj* korrosiv; (*fig*) zerstörerisch.
[2] *n* Korrosion verursachendes Mittel.
corrugated ['kɒrəgeɪtɪd] *adj* gewellt ▸ **~ cardboard** Wellpappe *f*; **~ iron** Wellblech *nt*.
corrupt [kə'rʌpt] [1] *adj* verdorben; (*open to bribery*) korrupt.
[2] *vt* (*morally*) verderben; (*ethically, also Comp*) korrumpieren; (*form: bribe*) bestechen.
corruption [kə'rʌpʃən] *n* [a] (*act of person*) Korruption *f*; (*Comp: of data*) Korrumpierung *f*. [b] (*corrupt nature*) Verdorbenheit *f*; (*by bribery*) Bestechlichkeit *f*; (*of morals*) Verfall *m*.
corset ['kɔ:sɪt] *n* (*also* **~s**) Korsett *nt* ▸ **surgical ~** Stützkorsett *nt*.
Corsica ['kɔ:sɪkə] *n* Korsika *nt*.
Corsican ['kɔ:sɪkən] [1] *adj* korsisch.
[2] *n* Korse *m*, Korsin *f*.
cortège [kɔ:'teɪʒ] *n* (*retinue*) Gefolge *nt*; (*procession*) Prozession *f*; (*funeral ~*) Leichenzug *m*.
cortisone ['kɔ:tɪzəʊn] *n* Kortison *nt*.
corvette [kɔ:'vet] *n* (*Naut*) Korvette *f*.
cos¹ [kɒs] *n* (*also* **~ lettuce**) römischer Salat.
cos² = **cosine** cos.
cos³ [kɒz] (*col*) = **because**.
cosh [kɒʃ] (*Brit col*) [1] *vt* eins über den Schädel ziehen (*+dat*) (*col*).
[2] *n* (*instrument*) Totschläger *m*.
cosily ['kəʊzɪlɪ] *adv* behaglich.
cosine ['kəʊsaɪn] *n* Kosinus *m*.
cosiness ['kəʊzɪnɪs] *n* Behaglichkeit *f*; (*warmth*) mollige Wärme.
cosmetic [kɒz'metɪk] [1] *adj* kosmetisch ▸ **she's had ~ surgery** sie hat eine Schönheitsoperation gehabt.
[2] *n* Kosmetikum *nt*.
cosmic ['kɒzmɪk] *adj* kosmisch.
cosmonaut ['kɒzmənɔ:t] *n* Kosmonaut(in *f*) *m*.
cosmopolitan [,kɒzmə'pɒlɪtən] [1] *adj* kosmopolitisch.
[2] *n* Kosmopolit *m*.
cosmos ['kɒzmɒs] *n* Kosmos *m*.
Cossack ['kɒsæk] [1] *n* Kosak(in *f*) *m*.
[2] *adj* Kosaken-.
cosset ['kɒsɪt] *vt* verwöhnen.
▼ **cost** [kɒst] (*vb: pret, ptp* **~**) [1] *vt* [a] (*lit, fig*) kosten ▸ **how much does it ~?** wieviel kostet es?; **how much will it ~ to have it repaired?** wieviel kostet die Reparatur?; **it ~ (him) a lot of money** das hat (ihn) viel Geld gekostet; **it ~ him a great effort** es kostete ihn viel Mühe; **~ what it may** koste es, was es wolle; **politeness doesn't ~ (you) anything** es kostet (dich) nichts, höflich zu sein. [b] *pret, ptp* **~ed** (*work out ~ of*) *project etc* veranschlagen (*at* mit); (*Comm: put a price on*); *articles for sale* auszeichnen (*at* mit).
[2] *n* [a] Kosten *pl* (*of für*) ▸ **to bear the ~ of sth** die Kosten für etw tragen; **to buy sth at ~** etw zum Selbstkostenpreis kaufen. [b] (*fig*) Preis *m* ▸ **at all ~s** um jeden Preis; **whatever the ~** koste es, was es wolle; **at the ~ of one's health/job/marriage** *etc* auf Kosten seiner Gesundheit/Stelle/Ehe *etc*; **he found out to his ~ that ...** er machte die bittere Erfahrung, daß ... [c] (*Jur*) **~s** *pl*

Kosten *pl*; ***to be ordered to pay ~s*** zur Übernahme der Kosten verurteilt werden.

cost: **~ accountant** *n* Kostenbuchhalter(in *f*) *m*; **~ accounting** *n* Kostenrechnung *f*; **~-benefit analysis** *n* Kostennutzenanalyse *f*; **~-effectiveness** *n* Kostenrentabilität *f*.

co-star ['kəʊstɑːʳ] **1** *n* (*Film, Theat*) einer der Hauptdarsteller. **2** *vi* ***she was ~ring with Robert Redford*** sie spielte neben Robert Redford in einer der Hauptrollen.

Costa Rica ['kɒstə'riːkə] *n* Costa Rica *nt*.

cost: **~ centre** *n* Kostenstelle *f*; **~-conscious** *adj* kostenbewußt; **~-cutting** *n* Sparmaßnahmen *pl*; **~-cutting policy** Sparpolitik *f*; **~-effective** *adj* rentabel.

costing ['kɒstɪŋ] *n* Kalkulation *f*.

costly ['kɒstlɪ] *adj* kostspielig.

cost: **~ of living** *n* Lebenshaltungskosten *pl*; **~-of-living index** *n* Lebenshaltungskostenindex *m*; **~ price** *n* (*Brit*) Selbstkostenpreis *m*.

costume ['kɒstjuːm] *n* Kostüm *nt*; (*bathing ~*) Badeanzug *m* ► **national ~** Nationaltracht *f*.

costume: **~ ball** *n* Kostümfest *nt*; **~ jewellery** (*Brit*) or **jewelry** (*US*) *n* Modeschmuck *m*.

cosy, (*US*) **cozy** ['kəʊzɪ] **1** *adj* (*+er*) *room, atmosphere* behaglich; (*warm*) mollig warm ► **warm and ~** mollig warm. **2** *n* (*tea ~*) Wärmer *m*.

cot [kɒt] *n* **a** (*esp Brit: child's bed*) Kinderbett *nt*. **b** (*US: camp bed*) Feldbett *nt* ► **~ death** Krippentod *m*.

cottage ['kɒtɪdʒ] *n* Cottage, Häuschen *nt*; (*US: in institution*) Wohnheim *nt*.

cottage: **~ cheese** *n* Hüttenkäse *m*; **~ hospital** *n* (*Brit*) *kleines Krankenhaus für leichtere Fälle*; **~ industry** *n* Heimindustrie *f*; **~ pie** *n* *Hackfleisch nt mit Kartoffelbrei überbacken*.

cotter-pin ['kɒtəpɪn] *n* Splint *m*.

cotton ['kɒtn] **1** *n* Baumwolle *f*; (*plant*) Baumwollstrauch *m*; (*sewing thread*) (Baumwoll)garn *nt* ► **absorbent ~** (*US*) Watte *f*. **2** *attr* Baumwoll-.

♦cotton on *vi* (*col*) es kapieren (*col*) ► **~ ~ to sth** etw kapieren (*col*).

cotton *in cpds* Baumwoll-; **~ batting** *n* (*US*) Gaze *f*; **~ bud** *n* Wattestäbchen *nt*; **~ candy** *n* (*US*) Zuckerwatte *f*; **~ mill** *n* Baumwollspinnerei *f*; **~-picking** *adj* (*US col*) verdammt (*col*); **~ print** *n* (*fabric*) bedruckter Baumwollstoff; **~ reel** *n* Garnrolle *f*; **~tail** *n* (*US*) Kaninchen *nt*; **~ wool** *n* (*Brit*) Watte *f*; **to wrap sb in ~ wool** (*fig*) jdn in Watte packen.

couch [kaʊtʃ] **1** *n* Couch *f* ► **~ potato** (*esp US col*) Dauerglotzer(in *f*) *m* (*col*). **2** *vt* (*put in words*) formulieren.

couchette [kuː'ʃet] *n* (*Rail*) Liegewagenplatz *m*.

cough [kɒf] **1** *n* Husten *m*. **2** *vti* husten.

♦cough up 1 *vt sep* (*lit*) aushusten. **2** *vt insep* (*fig col*) *money* rausrücken (*col*). **3** *vi* (*fig col*) blechen (*col*).

cough: **~ drop** *n* Hustenpastille *f*; **~ mixture** *n* Hustensaft *m*; **~ sweet** *n* Hustenbonbon *nt*.

▼ **could** [kʊd] *pret of* **can¹**.

couldn't ['kʊdnt] = **could not**.

council ['kaʊnsl] **1** *n* Rat *m* ► **city/town ~** Stadtrat *m*; **C~ of Europe** Europarat *m*; **C~ of Ministers** Ministerrat *m*. **2** *attr estate* (*Brit*) ≃ des sozialen Wohnungsbaus ► **~ flat/house** (*Brit*) ≃ Sozialwohnung *f*; **~ housing** (*Brit*) ≃ sozialer Wohnungsbau; **~ chamber** Sitzungssaal *m* des Rats; **~man** (*US*) = **councillor**; **~ meeting** Ratssitzung *f*; **~ tax** (*Brit*) Gemeindesteuer *f*.

councillor, (*US*) **councilor** ['kaʊnsələʳ] *n* Ratsmitglied

nt; (*town ~*) Stadtrat *m*/-rätin *f*.

counsel ['kaʊnsəl] **1** *n* **a** (*form: advice*) Rat(schlag) *m*. **b** (*Jur*) Rechtsanwalt *m* ► **~ for the defence/ prosecution** Verteidiger(in *f*) *m*/Vertreter(in *f*) *m* der Anklage, ≃ Staatsanwalt *m*/-anwältin *f*. **2** *vt* (*form*) *person* beraten; *course of action* raten zu.

counselling, (*US*) **counseling** ['kaʊnsəlɪŋ] *n* Beratung *f*; (*Psych*) psychologische Beratung.

counsellor, (*US*) **counselor** ['kaʊnsələʳ] *n* **a** (*adviser*) Berater(in *f*) *m*; (*Psych*) psychologische(r) Berater(in *f*) *m*. **b** (*US, Ir: lawyer*) Rechtsanwalt *m*/-anwältin *f*.

count¹ [kaʊnt] **1** *n* **a** Zählung *f*; (*of votes*) (Stimmen)auszählung *f* ► **she lost ~ when she was interrupted** sie kam mit dem Zählen durcheinander, als sie unterbrochen wurde; **I've lost all ~** ich habe völlig die Übersicht verloren; **he was out for the ~** (*Sport*) er wurde ausgezählt; (*fig*) er war k.o. **b** (*Jur: charge*) Anklagepunkt *m* ► **on that ~** (*fig*) in dem Punkt; **on all ~s** in jeder Hinsicht. **2** *vt* **a** (ab)zählen; (*~ again*) nachzählen; *votes* (aus)zählen ► **to ~ the cost** (*lit*) auf die Kosten achten. **b** (*consider*) betrachten; (*include*) mitzählen ► **to ~ sb among one's friends** jdn zu seinen Freunden zählen; **~ yourself lucky that ...** Sie können von Glück sagen, daß ...; **ten people ~ing the children** zehn Leute, die Kinder mitgerechnet. **3** *vi* **a** zählen ► **~ing from today** von heute an (gerechnet). **b** (*be considered*) betrachtet werden; (*be included*) mitgezählt werden; (*be important*) wichtig sein ► **that doesn't ~** das zählt nicht; **to ~ against sb** gegen jdn sprechen.

♦count in *vt sep* mitzählen ► **you can ~ me ~!** da bin ich dabei.

♦count on *vi +prep obj* (*depend on*) rechnen mit ► **you can ~ him to help you** du kannst auf seine Hilfe zählen.

♦count out *vt sep* **a** (*Sport*) auszählen. **b** *money, books etc* abzählen. **c** (*col: exclude*) **(you can) ~ me ~ (of that)!** ohne mich!, da mache ich nicht mit!

♦count up *vt sep* zusammenzählen.

♦count upon *vi +prep obj* = **count on**.

count² *n* Graf *m*.

countable ['kaʊntəbl] *adj* zählbar (*also Gram*).

countdown ['kaʊntdaʊn] *n* Countdown *m* ► **to start the ~** mit dem Countdown beginnen.

countenance ['kaʊntɪnəns] **1** *n* (*old, form: face*) Antlitz *nt* (*old*) ► **to keep one's ~** (*fig*) die Haltung bewahren. **2** *vt behaviour* gutheißen.

counter ['kaʊntəʳ] **1** *n* **a** (*in shop*) Ladentisch *m*; (*in cafe*) Theke *f*; (*in bank, post office*) Schalter *m* ► **~ clerk** Schalterbeamte(r) *m*/-beamtin *f*; **under-the-~ dealings** (*fig*) undurchsichtige Geschäfte. **b** (*for games*) Spielmarke *f*. **c** (*Tech*) Zähler *m*. **2** *vt* (*retaliate against*) antworten auf (*+acc*). **3** *vi* kontern (*also Sport*). **4** *adv* **~ to** gegen (*+acc*); **to run ~ to sb's wishes** jds Wünschen (*dat*) zuwiderlaufen.

counter: **~act** *vt* (*make ineffective*) neutralisieren; (*act in opposition to*) entgegenwirken (*+dat*); *disease* bekämpfen; **~action** *n see vt* Neutralisierung *f*; Gegenwirkung *f*; Bekämpfung *f*; **~attack 1** *n* Gegenangriff *m*; **2** *vi* einen Gegenangriff starten; **~balance 1** *n* Gegengewicht *nt*; **2** *vt* ausgleichen; **~clockwise** *adj*, *adv* (*US*) = **anti-clockwise**; **~espionage** *n* Gegenspionage *f*.

counterfeit ['kaʊntəfiːt] **1** *adj* gefälscht; (*fig*) falsch ► **~ money** Falschgeld *nt*. **2** *n* Fälschung *f*. **3** *vt* fälschen.

➤ SENTENCE BUILDER: **could** → 2.1, 8.1, 8.2, 9.2, 10.3, 14.3, 15.1, 15.4

counterfoil ['kaʊntəfɔɪl] *n* (*Brit*) Kontrollabschnitt *m*.

counterintelligence [,kaʊntərɪn'telɪdʒəns] *n* Gegenspionage *f*.

countermand ['kaʊntəmɑ:nd] *vt order* aufheben; *attack, plan* rückgängig machen.

counter: **~measure** *n* Gegenmaßnahme *f*; **~offensive** *n* (*Mil*) Gegenoffensive *f*; **~offer** *n* Gegenangebot *nt*; **~pane** *n* Tagesdecke *f*; **~part** *n* (*equivalent*) Gegenüber *nt*; (*complement*) Gegenstück *nt*; **~ point** *n* (*Mus*) Kontrapunkt *m*; **~productive** *adj* widersinnig; *measures* destruktiv; *that'd be ~-productive* das würde den Zweck verfehlen; *that runs the risk of being ~-productive* es besteht die Gefahr, daß dadurch das Gegenteil bewirkt wird; **~proposal** *n* Gegenvorschlag *m*; **~sign** *vt cheque etc* gegenzeichnen; **~sink** *vt hole* senken; *screw* versenken; **~weight** *n* Gegengewicht *nt*.

countess ['kaʊntɪs] *n* Gräfin *f*.

countless ['kaʊntlɪs] *adj* unzählig *attr*, zahllos *attr*.

countrified ['kʌntrɪfaɪd] *adj* ländlich.

country ['kʌntrɪ] *n* a (*state*) Land *nt* ▶ *his own ~* seine Heimat; *to die for one's ~* für sein Land sterben; *to go to the ~* (*Pol*) Wahlen ausschreiben. b *no pl* (*as opposed to town*) Land *nt* ▶ *in/to the ~* auf dem/aufs Land; *the surrounding ~* die Umgebung; *there's some lovely ~ up north* die Landschaft im Norden ist herrlich.

country *in cpds* Land-; **~-and-western** *n* Country-und-Western-Musik *f*, **~ bumpkin** *n* (*pej*) Bauerntölpel (*col*) *m*; (*girl*) Bauerntrampel (*col*) *m*; **~ cousin** *n* Vetter *m*/Cousine *f* vom Lande; **~ dancing** *n* Volkstanz *m*; **~ dweller** *n* Landbewohner(in *f*) *m*; **~ house** *n* Landhaus *nt*; **~man** *n* a Landsmann *m*; *his fellow ~men* seine Landsleute; b (*country-dweller*) Landbewohner *m*; **~ people** *npl* Leute *pl* vom Land(e); **~side** *n* (*scenery*) Landschaft *f*; (*rural area*) Land *nt*; *it's beautiful ~side* das ist eine herrliche Landschaft; **~ town** *n* Kleinstadt *f* (auf dem Land); **~-wide** *adj* landesweit; **~woman** *n* a Landsmännin *f*; b (*country dweller*) Landbewohnerin *f*.

county ['kaʊntɪ] *n* (*Brit*) Grafschaft *f*; (*US*) (Verwaltungs)bezirk *m*.

county: **~ council** *n* (*Brit*) Grafschaftsrat *m*; **~ seat** *n* (*US*) Hauptstadt *f* eines Verwaltungsbezirks; **~ town** *n* (*Brit*) Hauptstadt *f* einer Grafschaft.

coup [ku:] *n* a (*successful action*) Coup *m*. b (*~ d'état*) Staatsstreich *m*.

coupé ['ku:peɪ] *n* (*car*) Coupé *nt*.

couple ['kʌpl] 1 *n* a (*pair*) Paar *nt*; (*married ~*) Ehepaar *nt*. b (*col*) *a ~* (*two*) zwei; (*several*) ein paar; *a ~ of friends* ein paar Freunde; *a ~ of times* ein paarmal. 2 *vt ideas etc* verbinden; *carriages etc* koppeln.

coupling ['kʌplɪŋ] *n* a (*linking*) Verbindung *f*; (*of carriages etc*) Kopplung *f*. b (*device*) Kupplung *f*.

coupon ['ku:pɒn] *n* a (*voucher*) Gutschein *m*. b (*Ftbl*) Wettschein *m*.

courage ['kʌrɪdʒ] *n* Mut *m* ▶ *I haven't the ~ to refuse* ich habe einfach nicht den Mut, nein zu sagen; *to have the ~ of one's convictions* Zivilcourage haben; *to take one's ~ in both hands* sein Herz in beide Hände nehmen.

courageous *adj*, **~ly** *adv* [kə'reɪdʒəs, -lɪ] mutig.

courgette ['kʊəʒet] *n* (*Brit*) Zucchini *f*.

courier ['kʊrɪər] *n* (*messenger*) Kurier *m*; (*tourist guide*) Reiseleiter(in *f*) *m* ▶ **~ service** Kurierdienst *m*.

▼ **course¹** [kɔ:s] *n* a (*direction*) Kurs *m*; (*of river, history*) Lauf *m*; (*fig: of illness*) Verlauf *m* ▶ *to set ~ for a place* Kurs auf einen Ort nehmen; *to change ~* den Kurs ändern; *to be on/off ~* auf Kurs sein/vom Kurs abgekommen sein; *to let sth take its ~* einer Sache (*dat*) ihren Lauf lassen; *which ~ of action did you take?* wie sind Sie vorgegangen?; *the best ~ would be ...* das beste wäre ...; *we have no other ~ (of action) but to ...* es bleibt uns nichts anderes übrig als zu ...

b *in the ~ of his life/the next few weeks/the meeting etc* während seines Lebens/der nächsten paar Wochen/der Versammlung *etc*; *in the ~ of time/the conversation* im Laufe der Zeit/Unterhaltung; *in the ordinary ~ of things* unter normalen Umständen; *to be in the ~ of construction* sich im Bau befinden.

c *of ~* (*admittedly*) natürlich; (*obviously*) selbstverständlich; *of ~ I will!* aber natürlich!; *of ~ I'm coming* natürlich komme ich.

d (*Sch, Univ*) Studium *nt*; (*shorter, summer ~ etc*) Kurs(us) *m*; (*at work*) Lehrgang *m*; (*Med: of treatment*) Kur *f* ▶ *to go to/on a French ~* einen Französischkurs(us) besuchen; *a ~ of lectures* eine Vorlesungsreihe; *a ~ of treatment* eine Behandlung.

e (*Sports*) (*race ~*) Kurs *m*; (*golf ~*) Platz *m*.

f (*Cook*) Gang *m* ▶ *a three-~ meal* ein Essen mit drei Gängen.

course² *vi* (*blood, tears*) strömen.

court [kɔ:t] 1 *n* a (*Jur*) Gericht *nt*; (*room*) Gerichtssaal *m* ▶ *to appear in ~* vor Gericht erscheinen; *his suggestion was ruled out of ~* (*fig*) sein Vorschlag wurde verworfen; *to take sb to ~* jdn vor Gericht bringen. b (*royal*) Hof *m*. c (*Sport*) Platz *m*. 2 *vt* a (*dated*) *woman* den Hof machen (+*dat*). b (*fig*) *danger* herausfordern ▶ *that's ~ing disaster* das könnte katastrophale Folgen haben. 3 *vi* (*dated*) *she's ~ing* sie hat einen Freund; *~ing couple* Liebespaar *nt*.

court card *n* (*Brit*) Bildkarte *f*.

courteous ['kɜ:tɪəs] *adj* höflich.

courtesy ['kɜ:tɪsɪ] *n* Höflichkeit *f* ▶ *by ~ of ...* freundlicherweise zur Verfügung gestellt von ...; *you might have had the ~ to ...* sie hätten doch so freundlich sein können und ...

courtesy: **~ coach** *n* gebührenfreier Bus; **~ light** *n* (*Aut*) Innenleuchte *f*; **~ visit** *n* Höflichkeitsbesuch *m*.

courthouse ['kɔ:thaʊs] *n* (*Jur*) Gerichtsgebäude *nt*.

courtier ['kɔ:tɪər] *n* Höfling *m*.

court: **~-martial** ['kɔ:t'mɑ:ʃəl] 1 *n* (*Mil*) Militärgericht *nt*. 2 *vt* vor das/ein Militärgericht stellen; **~room** *n* Gerichtssaal *m*.

courtship ['kɔ:tʃɪp] *n* (*dated*) (Braut)werbung *f* (*dated*) (*of* um).

court: **~ shoe** *n* Pumps *m*; **~yard** *n* Hof *m*.

cousin ['kʌzn] *n* (*male*) Vetter, Cousin *m*; (*female*) Cousine *f*.

cove¹ [kəʊv] *n* (*Geog*) (kleine) Bucht.

cove² *n* (*dated Brit col: fellow*) Kerl *m* (*col*).

covenant ['kʌvɪnənt] 1 *n* Schwur *m*; (*Bibl*) Bund *m*; (*Jur*) Verpflichtung *f* zu regelmäßigen Spenden. 2 *vt* **~ to do sth** durch ein Abkommen versprechen, etw zu tun.

Coventry ['kɒvəntrɪ] *n*: *to send sb to ~* (*Brit col*) jdn schneiden (*col*).

cover ['kʌvər] 1 *n* a (*lid*) Deckel *m*; (*of lens*) (Schutz)kappe *f*; (*on chair etc*) Bezug *m*; (*for typewriter etc*) Hülle *f*; (*on lorries, tennis court*) Plane *f*; (*over merchandise*) Decke *f*; (*quilt*) (Bett)decke *f*.

b (*of book*) Einband *m*; (*of magazine*) Umschlag *m* ▶ *to read a book from ~ to ~* ein Buch von der ersten bis zur letzten Seite lesen.

c (*Comm: envelope*) Umschlag *m* ▶ *under separate ~* mit getrennter Post.

d *no pl* (*fig: shelter, protection*) Schutz *m* (*from* vor +*dat*, *gegen*); (*Mil*) Deckung *f* (*from* vor +*dat*, *gegen*) ▶ *to take ~* (*from rain*) sich unterstellen; (*Mil*) in Deckung gehen (*from* vor +*dat*); *under the ~ of the trees* im Schutz der Bäume; *under ~ of darkness* im Schutz(e) der Dunkelheit; *to give sb ~* (*Mil*) jdm Deckung geben.

e (*Hunt*) Deckung *f* ▶ *to break ~* aus der Deckung hervorbrechen.

➤ SENTENCE BUILDER: **course¹: d → 11**

f (*place at meal*) Gedeck *nt*.

g (*Comm, Fin*) Deckung *f*; (*insurance* ~) Versicherung *f* ▸ **to take out ~ against fire** eine Feuerversicherung abschließen; **do you have adequate ~?** sind Sie ausreichend versichert?

h (*assumed identity*) Tarnung *f* ▸ **to operate under ~** als Agent tätig sein; **under ~ as** getarnt als.

2 *vt* **a** bedecken; (*cover over*) zudecken; (*with loose cover*) *chair etc* beziehen ▸ **to ~ oneself in** *or* **with glory** Ruhm ernten; (*iro*) sich mit Ruhm bekleckern (*iro col*); **~ed in** *or* **with shame** zutiefst beschämt.

b (*hide*) verbergen.

c (*Mil, Sport, Chess: protect*) decken ▸ **he only said that to ~ himself** er hat das nur gesagt, um sich zu decken; **I'll keep you ~ed** ich gebe dir Deckung.

d (*point weapon at*) *door etc* sichern; *sb* in Schach halten; (*be on guard near*) sichern ▸ **to keep sb ~ed** jdn in Schach halten; **I've got you ~ed!** (*with gun etc*) ich hab' auf dich angelegt; (*fig: Chess etc*) ich hab' dich.

e (*Fin*) *loan* decken; (*Insur*) versichern (*for* gegen) ▸ **will £3 ~ the petrol?** reichen £3 für das Benzin?; **we've ~ed most eventualities** wir haben die meisten Eventualitäten abgedeckt.

f (*Press: report on*) berichten über (+*acc*).

g (*travel*) *miles, distance* zurücklegen; (*deal with*) *topics* behandeln ▸ **we've ~ed a lot today** wir haben heute viel geschafft.

h (*salesman etc*) *territory* zuständig sein für.

◆**cover for** *vi + prep obj* vertreten.

◆**cover over** *vt sep* zudecken.

◆**cover up** **1** *vi* **a** (*wrap up*) sich einmummen. **b** (*conceal a fact*) alles vertuschen ▸ **to ~ ~ for sb** jdn decken.

2 *vt sep* **a** *child* zudecken. **b** (*hide*) *truth, facts* vertuschen.

coverage ['kʌvərɪdʒ] *n no pl* **a** (*in media*) Berichterstattung *f* (*of* über +*acc*) ▸ **to give full ~ to an event** ausführlich über ein Ereignis berichten. **b** (*Insur*) Versicherung *f*.

cover: ~all *n usu pl* (*US*) Overall *m*; **~ charge** *n* Kosten *pl* für ein Gedeck; **~ girl** *n* Titelmädchen *nt*.

covering ['kʌvərɪŋ] *n* Decke *f*; (*floor* ~) Belag *m* ▸ **a ~ of dust/snow** eine Staub-/Schneedecke.

covering letter, (*US*) **cover letter** *n* Begleitbrief *m*.

cover: ~ lesson *n* Vertretungsstunde *f*; **~ note** *n* Deckungszusage *f*; **~ price** *n* Einzel(exemplar)preis *m*; **~ story** *n* (*of paper*) Titelgeschichte *f*.

covert ['kʌvət] *adj* *threat, attack* versteckt; *glance* verstohlen.

cover-up ['kʌvərʌp] *n* Vertuschung *f*.

covet ['kʌvɪt] *vt* begehren.

covetous ['kʌvɪtəs] *adj* begehrlich.

cow¹ [kaʊ] *n* **a** Kuh *f* ▸ **~ elephant** Elefantenkuh *f*; **you'll be waiting till the ~s come home** (*fig col*) da kannst du warten, bis du schwarz wirst (*col*). **b** (*pej col: woman*) (*stupid*) Kuh *f* (*col*); (*nasty*) gemeine Ziege (*col*).

cow² *vt* *person, animal* einschüchtern ▸ **she had a ~ed look about her** sie machte einen eingeschüchterten Eindruck.

coward ['kaʊəd] *n* Feigling *m*.

cowardice ['kaʊədɪs], **cowardliness** ['kaʊədlɪnɪs] *n* Feigheit *f*.

cowardly ['kaʊədlɪ] *adj* feig(e).

cow: ~boy *n* **a** Cowboy *m*; **b** (*fig col*) (*incompetent*) Pfuscher *m*; (*dishonest*) Gauner *m*; **~catcher** *n* (*Rail*) Schienenräumer *m*.

cower ['kaʊə^r] *vi* sich ducken; (*squatting*) kauern.

cowhide ['kaʊhaɪd] *n* **a** (*untanned*) Kuhhaut *f*; (*no pl: leather*) Rindsleder *nt*. **b** (*US: whip*) Lederpeitsche *f*.

cowl [kaʊl] *n* **a** (*monk's hood*) Kapuze *f*. **b** (*chimney*

~) (Schornstein)kappe *f*.

cowman ['kaʊmən] *n, pl* **-men** [-mən] (*farm labourer*) Stallbursche *m*; (*US: cattle rancher*) Viehzüchter *m*.

co-worker ['kəʊ'wɜːkə^r] *n* Kollege *m*, Kollegin *f*.

cow: ~shed *n* Kuhstall *m*; **~slip** *n* (*Brit: primrose*) Schlüsselblume *f*; (*US: kingcup*) Sumpfdotterblume *f*.

cox [kɒks] **1** *n* Steuermann *m*.

2 *vt crew* Steuermann sein für.

3 *vi* steuern.

coy [kɔɪ] *adj* (+*er*) (*affectedly shy*) verschämt; (*coquettish*) kokett.

cozy *adj* (*US*) = **cosy**.

cp = **compare** vgl.

CPA (*US*) = **certified public accountant**.

cpi = **characters per inch**.

Cpl = **Corporal**.

CPR = **cardiopulmonary resuscitation**.

c.p.s. = **a** (*Phys*) **cycles per second**. **b** (*Comp*) **characters per second**.

CPU (*Comp*) = **central processing unit**.

crab [kræb] *n* Krabbe *f*.

crab apple *n* Holzapfel *m*.

crack [kræk] **1** *n* **a** Riß *m*; (*between floorboards etc*) Ritze *f*; (*wider hole etc*) Spalte *f*; (*in pottery etc*) Sprung *m* ▸ **at the ~ of dawn** in aller Frühe. **b** (*sharp noise*) (*of wood etc breaking*) Knacks *m*; (*of gun, whip*) Knall(en *nt* *no pl*) *m*; (*of thunder*) Schlag *m* **c** (*sharp blow*) Schlag *m* ▸ **to give sb/oneself a ~ on the head** jdm eins auf den Kopf geben/sich (*dat*) den Kopf anschlagen. **d** (*col*) (*gibe*) Stichelei *f*; (*joke*) Witz *m*. **e** (*col: attempt*) **to have a ~ at sth** etw mal probieren (*col*). **f** (*Drugs*) Crack *nt*.

2 *adj attr* erstklassig; (*Mil*) Elite- ▸ **~ shot** Meisterschütze *m*.

3 *vt* *nuts*, (*col*) *safe*, (*fig*) *code* knacken; *problem, case* lösen; *joke* reißen; *whip* knallen mit ▸ **I think I've ~ed it** ich glaube, ich hab's.

4 *vi* **a** (*get a ~*) (*pottery*) springen; (*ice, road*) einen Riß/Risse bekommen; (*lips, skin*) spröde werden; (*bones*) einen Knacks bekommen (*col*); (*break*) brechen. **b** (*twigs, joints*) knacken; (*whip, gun*) knallen. **c** (*col*) **to get ~ing** loslegen (*col*).

◆**crack down** *vi* (*clamp down*) hart durchgreifen (*on* bei).

◆**crack up** **1** *vi* **a** (*break into pieces*) zerbrechen. **b** (*fig col: person*) zusammenbrechen.

2 *vt sep* (*col*) **he's/it's not all he's/it's ~ed ~ to be** so toll ist er/es dann auch wieder nicht.

cracked [krækt] *adj* **a** *plate* gesprungen; *rib* angebrochen; *walls* rissig. **b** (*col: mad*) übergeschnappt (*col*).

cracker ['krækə^r] *n* **a** (*biscuit*) Kräcker *m*. **b** (*fire~*) Knallkörper *m*; (*Christmas* ~) Knallbonbon *nt*.

crackers ['krækəz] *adj pred* (*Brit col*) übergeschnappt (*col*).

crackle ['krækl] **1** *vi* (*dry leaves, paper*) rascheln; (*fire*) knistern; (*twigs, telephone line*) knacken.

2 *n* (*crackling noise*) *see vi* Rascheln *nt*; Knistern *nt*; Knacken *nt*.

crackling ['kræklɪŋ] *n no pl* **a** = '**crackle 2**. **b** (*Cook*) Kruste *f* (*des Schweinebratens*).

crackpot ['krækpɒt] *adj* (*col*) verrückt, irre.

cradle ['kreɪdl] **1** *n* Wiege *f*; (*of phone*) Gabel *f* ▸ **from the ~ to the grave** von der Wiege bis zur Bahre.

2 *vt* (*hold*) (in den Armen) halten ▸ **he was cradling his injured arm** er hielt sich (*dat*) (behutsam) seinen verletzten Arm.

cradle-song ['kreɪdlsɒŋ] *n* Wiegenlied *nt*.

craft [krɑːft] *n* **a** (*handicraft*) Kunst *f*; (*trade*) Handwerk *nt*; (*weaving, pottery etc*) Kunstgewerbe *nt*. **b** *no pl* (*skill*) Geschick(lichkeit *f*) *nt*, Kunstfertigkeit *f*. **c** *no pl* (*cunning*) List *f*. **d** *pl* - (*boat*) Boot *nt*.

craftsman ['krɑːftsmən] *n, pl* **-men** [-mən] Handwerker *m*.

craftsmanship ['krɑːftsmənʃɪp] *n* Handwerkskunst *f*; (*of person*) handwerkliches Können.

crafty ['krɑːftɪ] *adj* (+er) (*shrewd*) schlau; (*sly*) durchtrieben.

crag [kræg] *n* Fels *m*.

craggy ['krægɪ] *adj* (+er) (*rocky*) felsig; (*jagged*) zerklüftet; *face* kantig.

cram [kræm] **1** *vt* **a** (*fill*) vollstopfen; (*stuff in*) hineinstopfen (*in(to)* in +*acc*); *people* hineinzwängen (*in(to)* in +*acc*) ▶ **the room was ~med** der Raum war gestopft voll; **he ~med his hat (down) over his eyes** er zog sich (*dat*) den Hut tief ins Gesicht. **b** (*Sch*) *subject* pauken (*col*), büffeln (*col*); *pupil* pauken mit (*col*). **2** *vi* (*swot*) pauken (*col*), büffeln (*col*).

cramp [kræmp] **1** *n* (*Med*) Krampf *m*. **2** *vt* (*also* ~ **up**) *persons* zusammenpferchen ▶ **to ~ sb's style** jdm im Weg sein.

cramped [kræmpt] *adj* **a** *space* beschränkt ▶ **we are very ~ (for space)** wir sind räumlich sehr beschränkt. **b** *position* verkrampft.

crampon ['kræmpən] *n* Steigeisen *nt*.

cranberry ['krænbərɪ] *n* Preiselbeere *f*.

crane [kreɪn] **1** *n* **a** Kran *m* ▶ ~ **driver** *n* Kranführer *m*. **b** (*Orn*) Kranich *m*. **2** *vt*: **to ~ one's neck** den Hals recken. **3** *vi* (*also* ~ **forward**) den Hals *or* den Kopf recken.

cranefly *n* Weberknecht *m*.

cranium ['kreɪnɪəm] *n, pl* **crania** (*Anat*) Schädel *m*.

crank¹ [kræŋk] *n* (*eccentric*) Spinner(in *f*) *m* (*col*); (*US: cross person*) Griesgram *m*.

crank² **1** *n* (*Mech*) Kurbel *f*. **2** *vt* (*also:* ~ **up**) ankurbeln.

crankshaft ['kræŋkʃɑːft] *n* (*Mech*) Kurbelwelle *f*.

cranky ['kræŋkɪ] *adj* (+er) **a** (*eccentric*) verrückt. **b** (*US: bad-tempered*) griesgrämig.

crap [kræp] *n* (*lit, fig: col!*) Scheiße *f* (*col!*) ▶ **to go for a ~** aufs Scheißhaus gehen (*col!*); **don't talk ~** red' kein Blech (*col*).

crap game *n* (*US*) Würfelspiel *nt* (*mit zwei Würfeln*).

crappy ['kræpɪ] *adj* (*col!*) beschissen (*col!*).

crash [kræʃ] **1** *n* **a** (*noise*) Krach(en *nt*) *m no pl*; (*of thunder etc*) Schlag *m*. **b** (*accident*) Unfall *m*; (*collision also*) Zusammenstoß *m*; (*with several cars*) Karambolage *f*; (*plane ~*) (Flugzeug)unglück *nt* ▶ **to have a ~** einen (Auto)unfall haben. **c** (*Fin, Comp*) Zusammenbruch *m*. **2** *vt car* einen Unfall haben mit; *plane* abstürzen mit ▶ **to ~ one's car into sth** mit dem Auto gegen etw krachen. **3** *vi* **a** (*have an accident*) verunglücken; (*plane*) abstürzen ▶ **to ~ into sth** gegen etw krachen. **b** (*move with a ~*) krachen ▶ **to ~ to the ground/through sth** zu Boden/durch etw krachen; **his whole world ~ed about him** eine Welt brach für ihn zusammen. **c** (*stock market, computer*) zusammenbrechen.

◆**crash out** *vi* (*col: fall asleep*) sich hinhauen (*col*); (*without meaning to*) wegtreten (*col*).

crash: ~ **barrier** *n* (*Brit*) Leitplanke *f*; ~ **course** *n* Intensivkurs *m*; ~ **diet** *n* radikale Diät *f*; ~ **dive** **1** *n* Schnelltauchmanöver *nt*; **2** *vti* schnelltauchen; ~ **helmet** *n* Sturzhelm *m*; ~**-land** *vi* eine Bruchlandung machen; ~**-landing** *n* Bruchlandung *f*.

crass [kræs] *adj* (+er) (*unsubtle*) kraß.

crate [kreɪt] *n* (*also col: car, plane*) Kiste *f*; (*of bottles*) Kasten *m*.

crater ['kreɪtə'] *n* Krater *m*.

cravat(te) [krə'væt] *n* Halstuch *nt*.

crave [kreɪv] *vt* (*liter: beg*) erbitten; *attention, drink etc* sich sehnen nach.

craving ['kreɪvɪŋ] *n* Verlangen *nt* ▶ **to have a ~ for sth**

Verlangen nach etw haben.

crawfish ['krɔːfɪʃ] *n* Languste *f*.

crawl [krɔːl] **1** *n* **a** (*on hands and knees*) Kriechen *nt*; (*slow speed*) Kriechtempo *nt* ▶ **to go at/be reduced to a ~** im Schneckentempo vorankommen/fahren müssen. **b** (*swimming stroke*) Kraulstil *m* ▶ **to do the ~** kraulen. **2** *vi* **a** kriechen; (*baby, insects*) krabbeln. **b** (*be infested*) wimmeln (*with* von) ▶ **the place is ~ing!** hier wimmelt es von Ungeziefer! **c** (*col: suck up*) kriechen (*to* vor +*dat*).

crawler lane ['krɔːlələɪn] *n* (*Brit Aut*) Kriechspur *f*.

crayfish ['kreɪfɪʃ] *n* (*freshwater*) Flußkrebs *m*. **b** (*saltwater: also* **crawfish**) Languste *f*.

crayon ['kreɪən] *n* (*pencil*) Buntstift *m*; (*wax ~*) Wachs(mal)stift *m*; (*chalk ~*) Pastellstift *m*.

craze [kreɪz] **1** *n* (*of person*) Fimmel *m* (*col*) ▶ **it's the latest ~** es ist jetzt in (*col*). **2** *vt* **a** (*make insane*) **to be half ~d with grief** vor Schmerz halb wahnsinnig sein; **he had a ~d look** er sah wie wahnsinnig aus. **b** *glazing* rissig machen.

crazy ['kreɪzɪ] *adj* (+er) **a** verrückt (*with* vor +*dat*) ▶ **to drive sb ~** jdn verrückt machen; **to go ~** verrückt werden. **b** (*col: enthusiastic*) verrückt (*col*) ▶ **to be ~ about sb/sth** ganz verrückt auf jdn/etw sein (*col*). **c** *angle, tilt* unwahrscheinlich.

crazy paving *n* Mosaikpflaster *nt*.

CRC = **a** **camera-ready copy**. **b** (*US*) **Civil Rights Commission**.

creak [kriːk] **1** *n* Knarren *nt no pl*; (*of hinges, bed*) Quietschen *nt no pl*; (*of knees etc*) Knacken *nt no pl*. **2** *vi* knarren; (*hinges, bed*) quietschen; (*knees etc*) knacken.

cream [kriːm] **1** *n* **a** Sahne *f*; (~ *pudding, artificial ~*) Creme *f* ▶ ~ **of tomato/chicken soup** Tomaten-/Hühnercremesuppe *f*. **b** (*lotion*) Creme *f*. **c** (*colour*) Creme *nt*. **d** (*fig: best*) **the ~** die Besten; (*of society*) die Elite *f*. **2** *adj* (*colour*) cremefarben. **3** *vt* **a** (*put ~ on*) *face etc* eincremen. **b** *butter etc* cremig rühren; *potatoes* pürieren ▶ ~**ed potatoes** Kartoffelpüree *nt*. **c** *milk* entrahmen.

◆**cream off** *vt sep* (*lit*) abschöpfen; (*fig*) absahnen.

cream: ~ **cake** *n* Sahnetorte *f*; ~ **cheese** *n* (Doppelrahm)frischkäse *m*.

creamery ['kriːmərɪ] *n* Molkerei *f*.

cream tea *n* (*Brit*) Nachmittagstee *m* mit kleinen Kuchen, Marmelade und Sahne.

creamy ['kriːmɪ] *adj* (+er) (*tasting of cream*) sahnig; (*smooth*) cremig.

crease [kriːs] **1** *n* Falte *f* ▶ **to put a ~ in a pair of trousers** eine Falte in eine Hose bügeln. **2** *vt* (*deliberately*) *clothes* Falten/eine Falte machen in (+*acc*); *paper* falzen; (*unintentionally*) zerknittern. **3** *vi* knittern.

crease-resistant ['kriːsrɪzɪstənt] *adj* knitterfrei.

create [kriː'eɪt] **1** *vt* **a** schaffen; *fashion* kreieren; *the world, man* erschaffen; *fuss* verursachen; *difficulties, impression* machen; (*Comp*) *file* anlegen ▶ **to ~ a sensation** eine Sensation sein; **to ~ a fuss** Theater machen (*col*). **b** *peer* ernennen. **2** *vi* (*Brit col*) Theater machen (*col*).

creation [kriː'eɪʃən] *n* **a** *no pl see vt* Schaffung *f*; Kreation *f*; Erschaffung *f*; Verursachung *f*; Ernennung *f*. **b** *no pl* **the C~** die Schöpfung. **c** (*Art*) Werk *nt*; (*Fashion*) Kreation *f*.

creative [kriː'eɪtɪv] *adj* kreativ.

creativity [,kriːeɪ'tɪvɪtɪ] *n* Kreativität *f*.

creator [kriː'eɪtə'] *n* Schöpfer(in *f*) *m*.

creature ['kriːtʃə'] *n* Geschöpf *nt* ▶ **she's a poor/funny ~** sie ist ein armes/komisches Geschöpf; ~ **of habit** Gewohnheitstier *nt*.

creature comforts *npl* leibliches Wohl.
crèche [kreɪʃ] *n* (*Brit*) (Kinder)krippe *f*.
credence ['kriːdəns] *n no pl* Glaube *m* ▶ *to lend ~ to sth* etw glaubwürdig erscheinen lassen.
credentials [krɪ'denʃəlz] *npl* (*references*) Referenzen *pl*; (*papers of identity*) (Ausweis)papiere *pl*.
credibility [ˌkredə'bɪlɪtɪ] *n* Glaubwürdigkeit *f* ▶ *there's a ~ gap* es besteht ein Mangel an Glaubwürdigkeit.
credible *adj*, **~bly** *adv* ['kredɪbl, -ɪ] glaubwürdig.
credit ['kredɪt] [1] *n* [a] *no pl* (*Fin*) Kredit *m* ▶ *the bank will let me have £5,000 ~* die Bank räumt mir einen Kredit von £5.000 ein; *his ~ is good* er ist kreditwürdig; *to give sb ~* jdm Kredit geben; *to be in ~* Geld auf dem Konto haben. [b] *no pl* (*honour*) Ehre *f*; (*recognition*) Anerkennung *f*; (*Sch, Univ: distinction*) Auszeichnung *f* ▶ *he's a ~ to his family* er macht seiner Familie Ehre; *that's to his ~* das muß man ihm hoch anrechnen; *to take the ~ for sth* das Verdienst für etw in Anspruch nehmen; *I gave you ~ for more sense* ich habe Sie für vernünftiger gehalten. [c] (*esp US Univ*) Schein *m*. [d] *~s pl* (*Film etc*) (*opening ~s*) Vorspann *m*; (*closing ~s*) Nachspann *m*.
[2] *vt* [a] (*believe*) glauben ▶ *would you ~ it!* ist das denn die Möglichkeit! [b] (*attribute*) zuschreiben (+*dat*) ▶ *I ~ed him with more sense* ich habe ihn für vernünftiger gehalten; *it's ~ed with (having) magic powers* ihm werden Zauberkräfte zugeschrieben. [c] (*Fin*) gutschreiben ▶ *to ~ a sum to sb's account* jds Konto (*dat*) einen Betrag gutschreiben.
creditable ['kredɪtəbl] *adj* (*praiseworthy*) lobenswert.
credit: *~ account* *n* Kreditkonto *nt*; *~ agency* *n* Kreditauskunftei *f*; *~ balance* *n* Kreditsaldo *m*; *~ card* *n* Kreditkarte *f*; *~ control* *n* Kreditüberwachung *f*; *~ facilities* *npl* Kreditmöglichkeiten *pl*; *~ limit* Kreditgrenze *f*; *~ note* *n* (*Brit*) Gutschrift *f*.
creditor ['kredɪtə'] *n* Gläubiger *m*.
credit: *~ rating* *n* Einschätzung *f* der Kreditwürdigkeit *f*; *~ side* *n* (*lit, fig*) Habenseite *f*; *on the ~ side he's young* für ihn spricht, daß er jung ist; *~ squeeze* *n* Kreditbeschränkung *f*; *~ terms* *npl* Kreditbedingungen *pl*; *~ transfer* *n* Überweisung *f*; *~-worthy* *adj* kreditwürdig.
credulity [krɪ'djuːlɪtɪ] *n no pl* Leichtgläubigkeit *f*.
credulous ['kredjʊləs] *adj* leichtgläubig.
creed [kriːd] *n* (*Eccl*) Glaubensbekenntnis *nt*.
creek [kriːk] *n* (*esp Brit: inlet*) (kleine) Bucht; (*US: brook*) Bach *m* ▶ *to be up the ~* (*col: be in trouble*) in der Tinte sitzen (*col*).
creep [kriːp] (*vb: pret, ptp* **crept**) [1] *vi* [a] schleichen; (*crawl*) kriechen ▶ *ivy is a ~ing plant* Efeu ist eine Kletterpflanze; *time's ~ing on* die Zeit verrinnt. [b] *the story made my flesh ~* bei der Geschichte überlief es mich kalt.
[2] *n* [a] (*col: unpleasant person*) fieser Typ (*col*). [b] *this old house gives me the ~s* (*col*) in dem alten Haus kriege ich das kalte Grausen (*col*).
◆**creep in** *vi* (*mistakes, new tone etc*) sich einschleichen (*-to* in +*acc*).
◆**creep over** *vi* +*prep obj* (*pleasant feeling*) überkommen.
◆**creep up** *vi* [a] (*person*) sich heranschleichen (*on* an +*acc*); (*prices*) (in die Höhe) klettern. [b] *to ~ ~ on sb* (*time, exam*) langsam auf jdn zukommen; *old age is ~ing ~ on him* er wird langsam alt.
creeper ['kriːpə'] *n* [a] (*plant*) (*along ground*) Kriechpflanze *f*; (*upwards*) Kletterpflanze *f*. [b] *~s pl* (*col: shoes*) Leisetreter *pl* (*col*); (*US: baby's suit*) einteiliger Spielanzug.
creepy ['kriːpɪ] *adj* (+*er*) (*frightening*) unheimlich.
creepy-crawly ['kriːpɪ'krɔːlɪ] (*col*) *n* Krabbeltier *nt* (*col*).

cremate [krɪ'meɪt] *vt* einäschern.
cremation [krɪ'meɪʃən] *n* Einäscherung *f*.
crematorium [ˌkremə'tɔːrɪəm], (*esp US*) **crematory** ['kremə,tɔːrɪ] *n* Krematorium *nt*.
creosote ['krɪəsəʊt] [1] *n* Kreosot *nt* (*ein Holzschutzmittel*).
[2] *vt* mit Kreosot streichen.
crêpe [kreɪp] *~ bandage* *n* elastischer Verband; *~ paper* *n* Kreppapier *nt*; *~ rubber* [1] *n* Kreppgummi *m*.
[2] *adj* Kreppgummi-; *~-soled* [kreɪp'səʊld] *adj* mit Kreppsohle(n).
crept [krept] *pret, ptp of* **creep**.
crescendo [krɪ'ʃendəʊ] *n* (*Mus*) Crescendo *nt*; (*fig*) Zunahme *f*.
crescent ['kresnt] [1] *n* Halbmond *m*; (*street*) (halbkreisförmige) Straße.
[2] *adj* *~-shaped* halbmondförmig; *the ~ moon* die Mondsichel.
cress [kres] *n* (Garten)kresse *f*; (*water~*) Brunnenkresse *f*.
crest [krest] *n* [a] (*of bird*) Haube *f*; (*of cock*) Kamm *m*; (*on hat etc*) Federbusch *m*. [b] (*Her*) Helmzierde *f*; (*coat of arms*) Wappen *nt*. [c] (*of wave, hill, Anat: of horse etc*) Kamm *m*; (*fig: of excitement, popularity*) Höhepunkt *m*; (*Phys: of oscillation*) Scheitel(punkt) *m* ▶ *he's riding on the ~ of a wave* (*fig*) er schwimmt ganz oben.
crestfallen ['krest,fɔːlən] *adj* niedergeschlagen.
Cretan ['kriːtən] [1] *adj* kretisch.
[2] *n* Kreter(in *f*) *m*.
Crete [kriːt] *n* Kreta *nt*.
cretin ['kretɪn] *n* (*Med*) Kretin *m*; (*col*) Schwachkopf *m* (*col*).
crevasse [krɪ'væs] *n* (Gletscher)spalte *f*.
crevice ['krevɪs] *n* Spalte *f*.
crew¹ [kruː] [1] *n* [a] Mannschaft (*also Sport*) *f*; (*including officers: of ship also, of plane, tank*) Besatzung *f* ▶ *50 passengers and 20 ~* 50 Passagiere und 20 Mann Besatzung; *the ground ~* (*Aviat*) das Bodenpersonal. [b] (*col: gang*) Bande *f* ▶ *they were a motley ~* sie waren ein bunt zusammengewürfelter Haufen (*col*).
[2] *vt* yacht die Mannschaft sein von.
[3] *vi* *to ~ for sb* (*Sailing*) bei jdm den Vorschotmann machen.
crew² (*old*) *pret of* **crow**.
crew: *~-cut* ['kruːkʌt] *n* Bürstenschnitt *m*; *~ neck* *n* runder Halsausschnitt; (*also ~ neck pullover* or *sweater*) Pullover *m* mit rundem Halsausschnitt.
crib [krɪb] [1] *n* [a] (*manger, nativity scene*) Krippe *f*; (*US: cot*) Kinderbett *nt* ▶ *~ death* (*US*) Krippentod *m*. [b] (*Sch: cheating aid*) Spickzettel *m* (*col*).
[2] *vti* (*esp Sch col*) spicken (*col*).
crick [krɪk] [1] *n* *a ~ in one's neck* ein steifer Hals, ein steifes Genick (*col*).
[2] *vt* *to ~ one's neck* einen steifen Hals bekommen.
cricket¹ ['krɪkɪt] *n* (*insect*) Grille *f*.
cricket² *n* (*Sport*) Kricket *nt* ▶ *that's not ~* (*fig col*) das ist nicht fair.
cricket *in cpds* Kricket-; *~ bat* *n* (Kricket)schlagholz *nt*.
crime [kraɪm] *n* Straftat *f*; (*robbery etc also, fig*) Verbrechen *nt* ▶ *it's a ~ to throw away all that good food* es ist eine Sünde, all das gute Essen wegzuwerfen.
Crimea [kraɪ'mɪə] *n* *the ~* die Krim.
crime: *~ prevention* *n* Verbrechensverhütung *f*; *~ rate* *n* Verbrechensrate *f*; *~ wave* *n* Welle *f* von Straftaten.
criminal ['krɪmɪnl] [1] *n* Straftäter(in *f*) *m*; (*guilty of capital crimes also, fig*) Verbrecher(in *f*) *m*.
[2] *adj* [a] kriminell, verbrecherisch ▶ *C~ Investigation Department* Kriminalpolizei *f*; *~ code* Strafgesetzbuch *nt*; *~ law* Strafrecht *nt*; *~ lawyer* Anwalt *m* für Strafsachen; (*specializing in defence*) Strafverteidiger *m*; *to have a ~ record* vorbestraft sein. [b] (*fig*) kriminell.

criminology [ˌkrɪmɪˈnɒlədʒɪ] *n* Kriminologie *f.*

crimp [krɪmp] *vt hair* mit der Brennschere wellen.

crimson [ˈkrɪmzn] **1** *adj* purpurrot; *sky* blutrot ▶ *to turn* ~ (*person, face*) knallrot (*col*) *or* dunkelrot anlaufen.
2 *n* Purpurrot *nt.*

cringe [krɪndʒ] *vi* **a** (*shrink back*) zurückschrecken (*at* vor +*dat*); (*fig*) schaudern ▶ *to* ~ *before sb* vor jdm zurückschrecken; *he* ~*d at the thought* er *or* ihn schauderte bei dem Gedanken; *his jokes make me* ~ bei seinen Witzen kriege ich zuviel. **b** (*fawn*) kriechen (*to* vor +*dat*) ▶ *cringing behaviour* kriecherisches Benehmen.

crinkle [ˈkrɪŋkl] **1** *n* (Knitter)falte *f.*
2 *vt paper, dress etc* (zer)knittern.
3 *vi* (*paper, foil, dress etc*) knittern; (*face, skin*) (Lach)fältchen bekommen; (*edges of paper*) sich wellen; (*curl: hair*) sich krausen.

crinkly [ˈkrɪŋklɪ] *adj* (+*er*) (*col*) *paper etc* zerknittert; *hair* kraus.

cripple [ˈkrɪpl] **1** *n* Krüppel *m.*
2 *vt person* zum Krüppel machen; *legs etc* verkrüppeln; *ship, plane* aktionsunfähig machen; (*fig*) *industry* lahmlegen ▶ *the ship was* ~*d* das Schiff war nicht mehr aktionsfähig; ~*d with rheumatism* von Rheuma praktisch gelähmt.

crippling [ˈkrɪplɪŋ] *adj taxes* erdrückend.

crisis [ˈkraɪsɪs] *n, pl* **crises** [ˈkraɪsiːz] Krise *f.*

crisis management *n* Krisenmanagement *nt.*

crisp [krɪsp] **1** *adj* (+*er*) *apple, lettuce* knackig; *bread, biscuits, bacon* knusprig; *snow* verharscht; *leaves* trocken; *appearance* adrett; *style* knapp; *air* frisch.
2 *n* (*Brit: potato* ~) Chip *m usu pl.*

crispbread [ˈkrɪspbred] *n* Knäckebrot *nt.*

criss-cross [ˈkrɪskrɒs] **1** *adv* kreuz und quer.
2 *adj pattern* Kreuz-.
3 *vi* (*lines*) sich kreuzen.

crit [krɪt] *n* (*col*) Kritik *f.*

criterion [kraɪˈtɪərɪən] *n, pl* **criteria** [kraɪˈtɪərɪə] Kriterium *nt.*

critic [ˈkrɪtɪk] *n* Kritiker(in *f*) *m.*

critical [ˈkrɪtɪkəl] *adj* kritisch ▶ *to be* ~ *of sb/sth* (*criticize*) jdn/etw kritisieren; (*have* ~ *attitude*) jdm/einer Sache kritisch gegenüberstehen; *that's* ~ (*crucial*) das ist entscheidend.

critically [ˈkrɪtɪkəlɪ] *adv* **a** kritisch. **b** ~ *ill* schwer krank.

criticism [ˈkrɪtɪsɪzəm] *n* Kritik *f.*

▼ **criticize** [ˈkrɪtɪsaɪz] *vti* kritisieren.

critique [krɪˈtiːk] *n* Kritik *f.*

croak [krəʊk] **1** *n* (*of frog*) Quaken *nt no pl*; (*of raven, person*) Krächzen *nt no pl.*
2 *vti* (*frog*) quaken; (*raven, person*) krächzen.

croaky [ˈkrəʊkɪ] *adj* (+*er*) (*col*) *voice* heiser.

Croat [ˈkrəʊæt] *n* (*person*) Kroate *m*, Kroatin *f*; (*language*) Kroatisch *nt.*

Croatia [krəʊˈeɪʃə] *n* Kroatien *nt.*

Croatian [krəʊˈeɪʃən] *adj* kroatisch.

crochet [ˈkrəʊʃeɪ] **1** *n* Häkelei *f* ▶ ~ *hook* Häkelnadel *f.*
2 *vti* häkeln.

crock [krɒk] *n old* ~ (*car*) alte Kiste.

crockery [ˈkrɒkərɪ] *n* (*Brit*) Geschirr *nt.*

crocodile [ˈkrɒkədaɪl] *n* **a** Krokodil *nt* ▶ ~ *tears* Krokodilstränen. **b** (*Brit Sch*) *to walk in a* ~ zwei und zwei hintereinandergehen.

crocus [ˈkrəʊkəs] *n* Krokus *m.*

croft [krɒft] *n* (*esp Scot*) kleines Pachtgrundstück; (*house*) Kate *f.*

crofter [ˈkrɒftəʳ] *n* (*esp Scot*) Kleinpächter(in *f*) *m.*

croissant [ˈkrwɑːsɒŋ] *n* Hörnchen *nt.*

crony [ˈkrəʊnɪ] *n* Freund(in *f*), Spießgeselle (*hum*) *m.*

crook [krʊk] **1** *n* **a** (*dishonest person*) Gauner(in *f*) *m* (*col*). **b** (*of shepherd*) Hirtenstab *m*; (*of bishop*) Bischofsstab *m.* **c** (*bend: in road, river*) Biegung *f*; (*in arm*) Beuge *f.*
2 *vt finger* krümmen; *arm* beugen.

crooked [ˈkrʊkɪd] *adj* (*lit*) (*bent*) krumm; *smile* schief; (*fig col: dishonest*) *method* krumm; *person* unehrlich.

croon [kruːn] *vti* (*sing softly*) leise singen; (*sentimentally*) schmalzig singen (*pej col*).

crooner [ˈkruːnəʳ] *n* Schnulzensänger *m* (*pej col*).

crop [krɒp] **1** *n* **a** (*produce*) Ernte *f*; (*species grown*) (Feld)frucht *f*; (*fig: large number*) Schwung *m* ▶ *a good* ~ *of potatoes* eine gute Kartoffelernte. **b** (*of bird*) Kropf *m.* **c** (*of whip*) Stock *m*; (*hunting* ~) Reitpeitsche *f.* **d** (*hairstyle*) Kurzhaarschnitt *m.*
2 *vt hair* stutzen.

◆**crop up** *vi* aufkommen ▶ *something's* ~*ped* ~ es ist etwas dazwischengekommen.

cropper [ˈkrɒpəʳ] *n* (*col*) *to come a* ~ (*lit: fall*) hinfliegen (*col*); (*fig: fail*) auf die Nase fallen.

crop spraying *n* Schädlingsbekämpfung *f* (*durch Besprühen*).

croquet [ˈkrəʊkeɪ] *n* Krocket(spiel) *nt.*

croquette [krəʊˈket] *n* Krokette *f.*

▼ **cross¹** [krɒs] **1** *n* **a** Kreuz *nt* ▶ *we all have our* ~ *to bear* wir haben alle unser Kreuz zu tragen. **b** (*bias*) *on the* ~ schräg. **c** (*hybrid*) Kreuzung *f*; (*fig*) Mittelding *nt.*
2 *attr* (*transverse*) *street etc* Quer-.
3 *vt* **a** *road, river, Channel* überqueren; (*on foot*) überschreiten; *country, desert* durchqueren ▶ *to* ~ *the road* über die Straße gehen; *to* ~ *sb's path* (*fig*) jdm über den Weg laufen; *it* ~*ed my mind that ...* es fiel mir ein, daß ...; *we'll* ~ *that bridge when we come to it* lassen wir das Problem erst mal auf uns zukommen. **b** (*intersect*) kreuzen ▶ *to* ~ *one's legs* die Beine übereinanderschlagen; *the lines are* ~*ed* (*Telec*) die Leitungen überschneiden sich; *I'm keeping my fingers* ~*ed for you* (*col*) ich drücke dir die Daumen (*col*). **c** *to* ~ *oneself* sich bekreuzigen; ~ *my/your heart* (*col*) Ehrenwort. **d** (*mark with a* ~) ankreuzen ▶ ~*ed cheque* Verrechnungsscheck *m.* **e** (*go against*) *plans* durchkreuzen ▶ *to* ~ *sb* jdn verärgern. **f** *animal, fruit* kreuzen.
4 *vi* **a** (*across road*) hinübergehen; (*across Channel etc*) überfahren. **b** (*lines, letters*) sich kreuzen ▶ *our paths have* ~*ed several times* (*fig*) unsere Wege haben sich öfters gekreuzt.

◆**cross off** *vt sep* streichen (*prep obj* aus, von).

◆**cross out** *vt sep* ausstreichen.

◆**cross over** **1** *vi* die Straße überqueren.
2 *vi + prep obj road, street* überqueren.

cross² *adj* (+*er*) böse ▶ *to be* ~ *with sb* mit jdm *or* auf jdn böse sein.

cross: ~**bar** *n* (*of bicycle*) Stange *f*; (*Sport*) Querlatte *f*; ~**bencher** *n* (*Parl*) Abgeordnete(r), der/die weder der Regierungs- noch der Oppositionspartei angehört; ~**bow** *n* Armbrust *f*; ~**breed** (*Zool, Biol*) **1** *n* Kreuzung *f*; **2** *vt* kreuzen; ~-**Channel ferry** *n* Kanalfähre *f*; ~-**check** **1** *n* Gegenprobe *f*; **2** *vt facts, figures* überprüfen; ~-**country** **1** *adj* Querfeldein-; *vehicle* geländegängig; **2** *adv* querfeldein; **3** *n* (*also* ~-**country race**) Querfeldeinrennen *nt*; ~-**country skiing** Langlauf *m*; ~-**dressing** *n* Transvestismus *m*; ~-**examination** *n* Kreuzverhör *nt* (*of* über +*acc*); ~-**examine** *vt* ins Kreuzverhör nehmen; ~-**eyed** *adj* schielend; ~-**fertilization** *n, no pl* (*Bot*) Fremdbestäubung *f*; (*fig*) gegenseitige Befruchtung *f*; ~**fire** *n* Kreuzfeuer *nt*; *to be caught in the* ~**fire** (*lit, fig*) ins Kreuzfeuer geraten.

crossing [ˈkrɒsɪŋ] *n* **a** (*act*) Überquerung *f*; (*sea* ~) Überfahrt *f.* **b** (~ *place*) Übergang *m*; (*crossroads*) Kreuzung *f* ▶ ~ *guard* (*US*) ≈ Schülerlotse *m.*

cross-legged [,krɒs'legɪd] *adj, adv* mit gekreuzten Beinen; (*on ground*) im Schneidersitz.

crossly ['krɒslɪ] *adv* böse, verärgert.

cross: **~patch** *n* (*col*) Brummbär *m* (*col*); **~-purposes** *npl* **to be at ~-purposes** aneinander vorbeireden; **~-reference** *n* Querverweis *m* (*to* auf +*acc*); **~roads** *n sing or pl* (*lit*) Kreuzung *f*; (*fig*) Scheideweg *m*; **~ section** *n* Querschnitt *m* (*of* durch); **~walk** *n* (*US*) Fußgängerüberweg *m*; **~wind** *n* Seitenwind *m*; **~word (puzzle)** *n* Kreuzworträtsel *nt*.

crotch [krɒtʃ] *n* [a] (*in tree etc*) Gabelung *f*. [b] (*of trousers*) Schritt *m*; (*Anat*) Damm(gegend *f*) *m*.

crotchet ['krɒtʃɪt] *n* (*Mus*) Viertelnote *f*.

crotchety ['krɒtʃətɪ] *adj* (*col*) miesepetrig (*col*).

crouch [kraʊtʃ] *vi* sich zusammenkauern ▸ **to ~ down** sich niederkauern.

croupier ['kru:pɪeɪ] *n* Croupier *m*.

crouton ['kru:tɒn] *n* Crouton *m*.

crow[1] [krəʊ] *n* (*Orn*) Krähe *f* ▸ **as the ~ flies** (in der) Luftlinie.

crow[2] [1] *n* (*of cock, baby*) Krähen *nt*.
[2] *vi* [a] *pret* ~**ed** *or* (*old*) **crew**, *ptp* ~**ed** (*cock*) krähen. [b] *pret, ptp* ~**ed** (*baby*) krähen; (*boast*) sich brüsten (*about* mit).

crowbar ['krəʊbɑ:ʳ] *n* Brecheisen *nt*.

crowd [kraʊd] [1] *n* [a] Menschenmenge *f*; (*Sport, Theat*) Zuschauermenge *f* ▸ **~s of people** Menschenmassen *pl*; **~ scene** (*Theat*) Massenszene *f*. [b] (*set*) Clique *f* ▸ **the university ~** die Leute von der Uni; **they're a nice ~** sie sind alle sehr nett. [c] *no pl* (*the masses*) **the ~** die (breite) Masse; **to go with** *or* **follow the ~** mit der Herde laufen.
[2] *vi* (sich) drängen ▸ **to ~ together/in** sich zusammendrängen/(sich) hereindrängen; **to ~ around sb/sth** (sich) um jdn/etw scharen.
[3] *vt* **to ~ the streets** die Straßen bevölkern.

◆**crowd out** *vt sep* (*not let in*) wegdrängen ▸ **the pub was ~ed ~** das Lokal war gerammelt voll (*col*).

crowded ['kraʊdɪd] *adj train etc* überfüllt.

crowd-pleaser ['kraʊdpli:zəʳ] *n* (*person*) Publikumsliebling *m*; (*event etc*) Publikumserfolg *m*.

crowd puller ['kraʊd,pʊləʳ] *n* Publikumsmagnet *m*.

crown [kraʊn] [1] *n* [a] Krone *f* ▸ **the C~** die Krone. [b] (*of head*) Wirbel *m*; (*of hat*) Kopf *m*; (*of road*) Wölbung *f*; (*of tooth*) Krone *f*.
[2] *vt* [a] (*lit, fig*) krönen ▸ **he was ~ed king** er ist zum König gekrönt worden; **~ed head** gekröntes Haupt; **to be ~ed with success** von Erfolg gekrönt sein; **to ~ it all it began to snow** (*col*) zur Krönung des Ganzen begann es zu schneien. [b] (*in draughts etc*) eine Dame bekommen mit. [c] *tooth* überkronen. [d] (*col: hit*) **I'll ~ you!** ich hau dir gleich eine runter! (*col*).

crown: **~ cap** *n* Kronkorken *m*; **~ court** *n* (*Brit*) Bezirksgericht *nt* für Strafsachen.

┌─ CROWN COURT ─────────────────────────┐

i **Crown Court** *ist ein Strafgericht, das in etwa 90 verschiedenen Städten in England und Wales zusammentritt. Schwere Verbrechen wie Mord, Totschlag, Vergewaltigung und Raub werden nur vor dem crown court unter Vorsitz eines Richters mit Geschworenen verhandelt.*
└──────────────────────────────────────┘

crowning ['kraʊnɪŋ] [1] *n* Krönung *f*.
[2] *adj achievement* krönend.

crown: **~ jewels** *npl* Kronjuwelen *pl*; **~ prince** *n* Kronprinz *m*; **~ princess** *n* Kronprinzessin *f*; **~ witness** *n* (*Brit*) Zeuge *m*/Zeugin *f* der Anklage.

crow's nest *n* (*Naut*) Mastkorb *m*; (*on foremast*) Krähennest *nt*.

crucial ['kru:ʃəl] *adj* [a] (*decisive*) entscheidend (*to* für).

[b] (*col: very important*) sehr wichtig.

crucible ['kru:sɪbl] *n* (Schmelz)tiegel *m*.

crucifix ['kru:sɪfɪks] *n* Kruzifix *nt*.

crucifixion [,kru:sɪ'fɪkʃən] *n* Kreuzigung *f*.

crucify ['kru:sɪfaɪ] *vt* [a] kreuzigen. [b] (*fig*) *play, author* verreißen; *person* in der Luft zerreißen (*col*). [c] (*mortify*) *the flesh* abtöten.

crude [kru:d] *adj* (+*er*) [a] (*unprocessed*) Roh- ▸ **~ oil** Rohöl *nt*. [b] *expression etc* ordinär. [c] *implement* primitiv; *manners* ungehobelt, grob.

crudely ['kru:dlɪ] *adv* primitiv; *draw* grob; *behave* ungehobelt.

crudeness ['kru:dnɪs], **crudity** ['kru:dɪtɪ] *n* [a] (*vulgarity*) Derbheit *f*. [b] *see adj* (c) Primitivität *f*; Ungehobelte(s) *nt* (*of gen,* in +*dat*).

cruel ['kru:əl] *adj* grausam (*to* zu) ▸ **that is ~ to animals** das ist Tierquälerei.

cruelly ['kru:əlɪ] *adv* (+*vb*) grausam; (+*adj*) auf grausame Art.

cruelty ['kru:əltɪ] *n* Grausamkeit *f* (*to* gegenüber) ▸ **~ to children** Kindesmißhandlung *f*; **~ to animals** Tierquälerei *f*; **physical/mental ~** Grausamkeit *f*/ seelische Grausamkeit.

cruet ['kru:ɪt] *n* (*set*) Gewürzständer *m*; (*for oil*) Krug *m*.

cruise [kru:z] [1] *vi* eine Kreuzfahrt/Kreuzfahrten machen; (*ship*) kreuzen; (*car*) Dauergeschwindigkeit fahren ▸ **cruising speed** (*Aut*) Reisegeschwindigkeit *f*.
[2] *n* Kreuzfahrt *f* ▸ **to go on/for a ~** eine Kreuzfahrt machen.

cruise missile *n* Cruise-Missile *nt*, Marschflugkörper *m*.

cruiser ['kru:zəʳ] *n* (*Naut*) Kreuzer *m*; (*pleasure ~*) Vergnügungsjacht *f*.

crumb [krʌm] [1] *n* [a] (*of bread etc*) Krümel *m*; (*inside of loaf*) Krume *f* ▸ **a few ~s of information** ein paar Informationsbrocken; **that's one ~ of comfort** das ist (wenigstens) ein winziger Trost. [b] (*col: fool*) Depp *m* (*col*).
[2] *interj* ~**s!** (*col*) Mensch! (*col*).

crumble ['krʌmbl] [1] *vt* zerkrümeln.
[2] *vi* (*brick*) bröckeln; (*bread etc*) krümeln; (*also ~ away*) (*earth, building*) zerbröckeln; (*opposition*) sich auflösen.
[3] *n* (*Cook*) Obst *nt* mit Streusel; (*topping*) Streusel *pl*.

crumbly ['krʌmblɪ] *adj* (+*er*) *stone* bröckelig; *cake, bread* krümelig, bröselig.

crummy ['krʌmɪ] *adj* (+*er*) (*col*) mies (*col*).

crumpet ['krʌmpɪt] *n* [a] (*Cook*) *kleiner dicker Pfannkuchen*. [b] (*esp Brit col: women*) Miezen *pl* (*col*).

crumple ['krʌmpl] [1] *vt* (*also ~ up*) *paper, dress* zerknittern; (*screw up*) zusammenknüllen; *metal* eindrücken.
[2] *vi* (*lit, fig: collapse*) zusammenbrechen.

crumple zone *n* (*Aut*) Knautschzone *f*.

crunch [krʌntʃ] [1] *vt apple, biscuit etc* mampfen (*col*).
[2] *vi* (*gravel, snow etc*) knirschen; (*gears*) krachen.
[3] *n* (*sound*) Krachen *nt*; (*of footsteps, gravel etc*) Knirschen *nt* ▸ **when it comes to the ~** wenn es darauf ankommt.

crunchy ['krʌntʃɪ] *adj* (+*er*) *apple* knackig; *biscuit* knusprig; *snow* verharscht.

crusade [kru:'seɪd] *n* (*Hist, fig*) Kreuzzug *m*.

crusader [kru:'seɪdəʳ] *n* (*Hist*) Kreuzritter *m*.

crush [krʌʃ] [1] *n* [a] (*crowd*) Gedränge *nt* ▸ **~ barrier** Absperrung *f*. [b] (*col*) **to have a ~ on sb** für jdn schwärmen.
[2] *vt* [a] (*squeeze*) quetschen; *fruit etc* zerdrücken; (*kill*) zu Tode quetschen; *spices, garlic* (zer)stoßen; *stone* zerkleinern; *scrap metal* zusammenpressen; (*crease*) zerknittern; (*screw up*) zerknüllen. [b] (*fig*) *hopes, sb* vernichten; *people* unterdrücken.

3 vi (clothes) knittern.
crushing ['krʌʃɪŋ] adj defeat, reply vernichtend.
crust [krʌst] n (all senses) Kruste f ► **the earth's** ~ die Erdkruste.
crustacean [krʌs'teɪʃən] n Schalentier nt.
crusty ['krʌstɪ] adj (+er) knusprig; (fig: irritable) barsch.
crutch [krʌtʃ] **a** n (for walking) Krücke f. **b** = **crotch (b)**.
crux [krʌks] n (of problem) Kern m ► **the** ~ **of the matter** der springende Punkt.
cry [kraɪ] **1** n **a** Schrei m; (call) Ruf m ► **to utter a** ~ einen Schrei ausstoßen; **a** ~ **of pain** ein Schmerzensschrei m; **a** ~ **for help** ein Hilferuf m. **b** (slogan) Parole f. **c** (weep) **a** ~ **will do you good** weine ruhig, das wird dir guttun.
2 vi **a** (weep) weinen; (baby) schreien ► **she was** ~**ing for her mother** sie weinte nach ihrer Mutter. **b** (call) rufen; (louder, animal, bird) schreien ► **to** ~ **for help** um Hilfe rufen/schreien.
3 vt **a** (shout out) rufen; (louder) schreien. **b** bitter tears etc weinen ► **to** ~ **one's heart out** herzzerreißend weinen; **to** ~ **oneself to sleep** sich in den Schlaf weinen.
◆**cry off** vi einen Rückzieher machen.
◆**cry out** vi **a** aufschreien ► **to** ~ ~ **to sb** jdm etwas zuschreien. **b** (fig) **this door is** ~**ing** ~ **for a coat of paint** diese Tür schreit danach, gestrichen zu werden.
crying ['kraɪɪŋ] **1** adj (fig) injustice schreiend; need dringend ► **it is a** ~ **shame** es ist ein Jammer.
2 n (weeping) Weinen nt.
crypt [krɪpt] n Krypta f; (burial ~) Gruft f.
cryptic ['krɪptɪk] adj remark hintergründig; riddle verschlüsselt.
crystal ['krɪstl] **1** n **a** (Chem, Rad) Kristall m. **b** (on watch) (Uhr)glas nt. **c** (also ~ **glass**) Kristall nt.
2 adj **a** (crystalline) kristallin; (~-glass) Kristall-; (quartz) Quarzkristall-. **b** (fig) waters, lake kristallklar.
crystal: ~ **ball** n Glaskugel f; ~**-clear** adj (lit, fig) glasklar; ~**-gazing** n Hellseherei f.
crystallization [ˌkrɪstəlaɪ'zeɪʃən] n Kristallisierung f.
crystallize ['krɪstəlaɪz] **1** vt (lit) zum Kristallisieren bringen; (fig) feste Form geben (+dat).
2 vi (lit) kristallisieren; (fig) feste Form annehmen.
crystallized ['krɪstəlaɪzd] adj fruit kandiert.
c/s = **cycles per second** Hz.
CSE (Brit old) = **Certificate of Secondary Education** ≃ Hauptschulabschluß m.
CS gas n (Brit) ≃ Tränengas nt.
CST (US) = **Central Standard Time** mittelamerikanische Zeit.
ct = **a** **cent** ct. **b** **carat** Kt.
CT (US) = **Connecticut.**
cub [kʌb] n **a** (of animal) Junge(s) nt. **b** (also ~ **scout**) Wölfling m.
Cuba ['kjuːbə] n Kuba nt.
Cuban ['kjuːbən] **1** adj kubanisch.
2 n Kubaner(in f) m.
cubby-hole ['kʌbɪhəʊl] n **a** (compartment) Fach nt. **b** (room) Kabäuschen nt (col).
cube [kjuːb] n **a** (shape, object) Würfel m ► ~ **sugar** Würfelzucker m. **b** (Math) dritte Potenz ► ~ **root** Kubikwurzel f.
cubic ['kjuːbɪk] adj **a** (of volume) Kubik- ► ~ **capacity** Fassungsvermögen nt; (of engine) Hubraum m. **b** (Math) kubisch ► ~ **equation** Gleichung f dritten Grades.
cubicle ['kjuːbɪkəl] n Kabine f.
cubism ['kjuːbɪzəm] n Kubismus m.
cuckoo ['kʊkuː] **1** n Kuckuck m.
2 adj pred (col) meschugge (col) ► ~ **clock** Kuckucksuhr f.

cucumber ['kjuːkʌmbər] n (Salat)gurke f ► **as cool as a** ~ seelenruhig.
cud [kʌd] n **to chew the** ~ (lit) wiederkäuen; (fig) vor sich hingrübeln.
cuddle ['kʌdl] **1** n Liebkosung f ► **to give sb a** ~ jdn in den Arm nehmen; **to have a** ~ schmusen.
2 vt in den Arm nehmen.
◆**cuddle down** vi sich kuscheln.
◆**cuddle up** vi sich kuscheln (to, against an +acc).
cuddly ['kʌdlɪ] adj (+er) (wanting a cuddle) anschmiegsam; (good to cuddle) doll zum Liebhaben, knuddelig (col) ► ~ **toy** Schmusetier nt (col).
cudgel ['kʌdʒəl] **1** n Knüppel m ► **to take up the** ~**s for sb/sth** (fig) für jdn/etw eine Lanze brechen.
2 vt prügeln ► **to** ~ **one's brains** (fig) sich (dat) das (Ge)hirn zermartern.
cue [kjuː] n **a** (Theat, fig) Stichwort nt; (action) (Einsatz)zeichen nt; (Mus) Einsatz m ► **to take one's** ~ **from sb** sich nach jdm richten; **right on** ~ (Theat) genau aufs Stichwort; (fig) wie gerufen. **b** (Billiards) Queue nt.
◆**cue in** vt sep den Einsatz geben (+dat); (TV, Film) scene abfahren lassen; tape etc (rechtzeitig) einspielen.
cuff¹ [kʌf] n **a** Manschette f ► **off the** ~ (fig) aus dem Stegreif; remark aus dem Handgelenk. **b** (US: of trousers) (Hosen)aufschlag m.
cuff² vt (strike) einen Klaps geben (+dat).
cuff-link ['kʌflɪŋk] n Manschettenknopf m.
cuisine [kwɪ'ziːn] n Küche f.
cul-de-sac ['kʌldəsæk] n (esp Brit) Sackgasse f.
culinary ['kʌlɪnərɪ] adj kulinarisch; skill etc Koch-.
cull [kʌl] **1** n **a** (selection) Auswahl f. **b** (killing of surplus) ~ **of seals** Robbenschlag m.
2 vt **a** (pick) flowers pflücken. **b** (collect) entnehmen (from dat). **c** (kill as surplus) **to** ~ **seals** Robbenschlag m betreiben.
culminate ['kʌlmɪneɪt] vi gipfeln (in in +dat).
culmination [ˌkʌlmɪ'neɪʃən] n Höhepunkt m; (end) Ende nt.
culottes [kjuː'lɒts] npl Hosenrock m ► **a pair of** ~ ein Hosenrock.
culpable ['kʌlpəbl] adj (form) schuldig ► ~ **homicide** (Jur) fahrlässige Tötung; ~ **negligence** grobe Fahrlässigkeit.
culprit ['kʌlprɪt] n Schuldige(r) mf; (Jur) Täter(in f) m.
cult [kʌlt] n (Rel, fig) Kult m ► **to make a** ~ **of sth** (einen) Kult mit etw treiben.
cultivate ['kʌltɪveɪt] vt **a** soil bebauen; crop anbauen. **b** (fig) friendship, links etc pflegen; skill, taste entwickeln.
cultivation [ˌkʌltɪ'veɪʃən] n see vt **a** Bebauung f; Anbau m. **b** Pflege f (of von); Entwicklung f.
cultural ['kʌltʃərəl] adj Kultur-; differences, events kulturell ► ~ **centre** Kulturzentrum nt.
culture ['kʌltʃər] n **a** Kultur f ► ~ **shock** Kulturschock m. **b** (Agr, Biol, Med) Kultur f; (of animals) Zucht f.
cultured ['kʌltʃəd] adj kultiviert; (Agr) Kultur-; (Biol, Med) gezüchtet ► ~ **pearl** Zuchtperle f.
cumbersome ['kʌmbəsəm] adj clothing hinderlich; vehicle schwer zu manövrieren; suitcases, parcels sperrig; procedure beschwerlich.
cumin ['kʌmɪn] n Kreuzkümmel m.
cumulative ['kjuːmjʊlətɪv] adj kumulativ ► ~ **effect** Gesamtwirkung f; **the** ~ **debts of ten years** die Schulden, die sich im Laufe von zehn Jahren angehäuft haben/hatten.
cunning ['kʌnɪŋ] **1** n (cleverness) Schlauheit f.
2 adj schlau; person also gerissen; expression verschmitzt; gadget raffiniert.
cup [kʌp] **1** n **a** Tasse f; (goblet) Pokal m; (mug) Becher m ► **a** ~ **of tea** eine Tasse Tee; **that's just/that's not my** ~ **of tea** (fig col) das ist genau/ist nicht mein

cushion

Fall (*col*). **b** (*prize, football* ~ *etc*) Pokal *m*. **c** (*of bra*) Körbchen *nt*.
2 *vt hands* hohl machen ▸ **~ped hand** hohle Hand; *he* **~ped his chin in his hand** er stützte das Kinn in die Hand; *to* ~ **one's hands around sth** etw mit der hohlen Hand umfassen.
cupboard ['kʌbəd] *n* Schrank *m* ▸ ~ **love** fauler Schmus (*col*).
cup: C~ Final *n* Pokalendspiel *nt*; **~ful** *n, pl* **~sful** *or* **~fuls** Tasse *f*.
cupola ['kjuːpələ] *n* Kuppel *f*.
cup: ~ **size** *n* (*of bra*) Körbchengröße *f*; ~ **tie** *n* Pokalspiel *nt*; **C~-Winners** *npl* Pokalsieger *m*.
curable ['kjʊərəbl] *adj* heilbar.
curate ['kjʊərɪt] *n* (*Catholic*) Kaplan *m*; (*Protestant*) Vikar *m*.
curator [kjʊə'reɪtər] *n* (*of museum etc*) Kustos *m*.
curb [kɜːb] **1** *n* **a** (*of harness*) (*bit*) Kandare *f*; (*chain*) Kinnkette *f*. **b** (*fig*) Behinderung *f*; (*deliberate*) Beschränkung *f*. **c** (*esp US*) = **kerb**.
2 *vt horse*, (*fig*) zügeln; *immigration etc* beschränken.
curd [kɜːd] *n* (*often pl*) Quark *m* ▸ ~ **cheese** Quark *m*.
curdle ['kɜːdl] **1** *vt* (*lit, fig*) gerinnen lassen.
2 *vi* gerinnen ▸ **his blood ~d** das Blut gerann ihm in den Adern.
cure [kjʊər] **1** *vt* **a** (*Med*) *illness, person* heilen ▸ *to* **be/get ~d (of sth)** (von etw) geheilt sein/werden; *to* ~ *sb* **(of sth)** jdn (von etw) heilen. **b** (*fig*) *inflation, ill etc* abhelfen (+*dat*) ▸ *to* ~ *sb of sth* jdn von etw kurieren. **c** *food* haltbar machen; (*salt*) pökeln; (*smoke*) räuchern; *skins, tobacco* trocknen.
2 *n* (*Med*) (*remedy*) (Heil)mittel *nt* (*for* gegen); (*treatment*) Heilverfahren *nt* (*for sb* für jdn, *for sth* gegen etw); (*recovery*) Heilung *f*; (*health* ~) Kur *f*; (*fig: remedy*) Mittel *nt* (*for* gegen) ▸ *to* **take** *or* **follow a** ~ zur *or* in Kur gehen.
cure-all ['kjʊərɔːl] *n* (*lit, fig*) Allheilmittel *nt*.
curettage ['kjʊəretɪdʒ] *n* (*Med*) Ausschabung *f*.
curfew ['kɜːfjuː] *n* Ausgangssperre *f*.
curio ['kjʊərɪəʊ] *n* Kuriosität *f*.
curiosity [ˌkjʊərɪ'ɒsɪtɪ] *n* **a** *no pl* (*inquisitiveness*) Neugier *f* ▸ ~ **killed the cat** (*Prov*) sei nicht so neugierig. **b** (*object, person*) Kuriosität *f*.
curious ['kjʊərɪəs] *adj* **a** (*inquisitive*) neugierig ▸ *I'm* ~ *to know what he'll do* ich bin mal gespannt, was er macht; *I'd be* ~ *to know ...* ich wüßte gern, ... **b** (*odd*) sonderbar.
curiously ['kjʊərɪəslɪ] *adv* **a** neugierig. **b** *behave, speak etc* eigenartig ▸ ~ *enough* merkwürdigerweise.
curl [kɜːl] **1** *n* (*of hair*) Locke *f* ▸ *a* ~ *of smoke* ein Rauchkringel *m*.
2 *vt hair* locken; (*with curlers*) in Locken legen; *lips* kräuseln.
3 *vi* (*hair*) sich locken; (*tightly*) sich kräuseln; (*naturally*) lockig sein ▸ *his lips ~ed* er kräuselte die Lippen.
◆curl up *vi* (*animal*) sich zusammenrollen; (*person*) sich zusammenkuscheln; (*leaf*) sich einrollen ▸ *to* ~ ~ *in an armchair* sich in einen Sessel kuscheln; *to* ~ ~ *with a good book* es sich (*dat*) mit einem guten Buch gemütlich machen.
curler ['kɜːlər] *n* (*hair* ~) Lockenwickler *m* ▸ *to put one's ~s in* sich (*dat*) die Haare eindrehen.
curlew ['kɜːljuː] *n* Brachvogel *m*.
curling ['kɜːlɪŋ] *n* (*Sport*) Curling, Eisschießen *nt*.
curling-irons ['kɜːlɪŋˌaɪənz] *or* **curling-tongs** ['kɜːlɪŋˌtɒŋz] *npl* Lockenschere *f*; (*electric*) Lockenstab *m*.
curly ['kɜːlɪ] *adj* (+*er*) *hair* lockig; (*tighter*) kraus ▸ ~ *tail* Ringelschwanz *m*.
currant ['kʌrənt] *n* **a** (*dried fruit*) Korinthe *f* ▸ ~ *bun*

Rosinenbrötchen *nt*. **b** (*Bot*) Johannisbeere *f*.
currency ['kʌrənsɪ] *n* **a** (*Fin*) Währung *f* ▸ *foreign* ~ Devisen *pl*. **b** (*of ideas etc*) Verbreitung *f*; (*of expression*) Gebräuchlichkeit *f* ▸ *to be in* ~ in Umlauf sein.
currency: ~ **market** *n* Devisenmarkt *m*; ~ **speculator** *n* Währungsspekulant(in *f*) *m*.
current ['kʌrənt] **1** *adj* (*present*) gegenwärtig; *edition* letzte(r, s); *opinion* verbreitet ▸ *to be no longer* ~ nicht mehr aktuell sein; (*coins*) nicht mehr in Umlauf sein; *in* ~ *use* allgemein gebräuchlich.
2 *n* **a** (*Elec*) Strom *m*; (*of water also*) Strömung *f*; (*of air*) Luftströmung *f*. **b** (*fig: of events, opinions etc*) Tendenz *f* ▸ *to go against the* ~ *of popular opinion* gegen den Strom der öffentlichen Meinung anschwimmen.
current: ~ **account** *n* (*Brit*) Girokonto *nt*; ~ **affairs** aktuelle Fragen *pl*; ~ **assets** *npl* Umlaufvermögen *nt*.
currently ['kʌrəntlɪ] *adv* zur Zeit.
curriculum [kə'rɪkjʊləm] *n, pl* **curricula** Lehrplan *m* ▸ ~ *vitae* Lebenslauf *m*.
curry¹ ['kʌrɪ] (*Cook*) *n* Curry *m or nt* ▸ **~-powder** Currypulver *nt*.
curry² *vt horse* striegeln ▸ *to* ~ *favour* (*Brit*) *or* **favor** (*US*) **(with sb)** sich (bei jdm) einschmeicheln.
curse [kɜːs] **1** *n* (*lit, fig*) Fluch *m* ▸ *to put sb under a* ~ jdn mit einem Fluch belegen; **~s!** (*col*) verflucht! (*col*); *it's the* ~ *of my life* damit bin ich gestraft; *the* ~ (*col: menstruation*) die Tage *pl* (*col*); *she has the* ~ sie hat ihre Tage (*col*).
2 *vt* (*to put a curse on*) verfluchen ▸ ~ *you/it!* (*col*) verflucht! (*col*); ~ *these trains!* (*col*) diese verfluchten Züge! (*col*). **b** (*swear at or about*) fluchen über (+*acc*). **c** (*fig: to afflict*) *to be ~d with sb/sth* mit jdm/etw gestraft sein.
3 *vi* fluchen.
cursor ['kɜːsər] *n* (*Comp*) Cursor *m*.
cursory ['kɜːsərɪ] *adj glance* flüchtig.
curt [kɜːt] *adj* (+*er*) *person* kurz angebunden; *nod, refusal* kurz.
curtail [kɜː'teɪl] *vt* kürzen.
curtain ['kɜːtn] *n* Vorhang *m* (*also Theat*) ▸ *to draw the* **~s** (*open*) den Vorhang/die Vorhänge aufziehen; (*close*) den Vorhang/die Vorhänge zuziehen; *the* ~ *rises/falls* der Vorhang hebt sich/fällt; *if you get caught it'll be* **~s** *for you* (*col*) wenn sie dich erwischen, bist du weg vom Fenster (*col*).
◆curtain off *vt sep* durch einen Vorhang abtrennen.
curtain: **~-call** *n* (*Theat*) Vorhang *m*; *to get/take a* **~-call** einen Vorhang bekommen/vor den Vorhang treten; ~ **hook** *n* Gardinengleithaken *m*; ~ **rail** *n* Vorhangschiene *f*; **~-raiser** *n* (*Theat*) kurzes Vorspiel; ~ **ring** *n* Gardinenring *m*; ~ **rod** *n* Gardinenstange *f*.
curts(e)y ['kɜːtsɪ] *n* Knicks *m*; (*to royalty*) Hofknicks *m* ▸ *to drop a* ~ einen Knicks machen.
curvaceous [kɜː'veɪʃəs] *adj figure, woman* kurvenreich.
curvature ['kɜːvətʃər] *n* Krümmung *f*; (*misshapen*) Verkrümmung *f* ▸ ~ *of the spine* (*normal*) Rückgratkrümmung *f*; (*abnormal*) Rückgratverkrümmung *f*.
curve [kɜːv] **1** *n* Kurve *f*; (*of body, vase etc*) Rundung *f*; (*of river*) Biegung *f*; (*of archway*) Bogen *m* ▸ *there's a* ~ *in the road* die Straße macht einen Bogen.
2 *vt* biegen; *arch, roof* wölben.
3 *vi* **a** (*road*) einen Bogen machen; (*river*) eine Biegung machen ▸ *the road ~s around the city* die Straße macht einen Bogen um die Stadt. **b** (*be curved*) (*arch*) sich wölben; (*hips, breasts*) sich runden; (*metal strip etc*) sich biegen.
curved [kɜːvd] *adj line* gebogen; *arch* gewölbt; *hips* rund.
cushion ['kʊʃən] **1** *n* Kissen *nt*; (*pad, fig: buffer*) Polster *nt*; (*Billiards*) Bande *f*.

2 *vt fall, blow* auffangen ▸ *to ~ sb against sth* jdn gegen etw abschirmen.

cushy ['kʊʃɪ] *adj* (+er) (col) bequem ▸ *to be onto/have a ~ number* eine ruhige Kugel schieben (col).

cuss [kʌs] *n* **a** (person) Kauz *m* (col). **b** (oath) Fluch *m*.

cussed ['kʌsɪd] *adj* (col) stur.

cussedness ['kʌsɪdnɪs] *n* (col) Sturheit *f.*

custard ['kʌstəd] *n* (pouring ~) ≃ Vanillesoße *f*; (set) ≃ Vanillepudding *m.*

custard: ~ cream (biscuit) *n* Doppelkeks *m* (mit Vanillecremefüllung); **~ powder** *n* ≃ Vanillepuddingpulver *nt*; **~-tart** *n* ≃ Puddingteilchen *nt.*

custodian [kʌs'təʊdɪən] *n* (of park, museum) Aufseher *m*; (of treasure) Hüter *m.*

custody ['kʌstədɪ] *n* **a** (keeping, guardianship) Obhut *f*; (Jur: of children) Vormundschaft *f* (of für, über +acc) ▸ *to place sth in sb's ~* etw jdm zur Aufbewahrung anvertrauen; *the money is in safe ~* das Geld ist gut aufgehoben; *the mother was awarded ~ of the children* die Kinder wurden der Mutter zugesprochen. **b** (police) Haft *f*▸ *to take sb into ~* jdn verhaften.

custom ['kʌstəm] *n* **a** (convention) Sitte *f*, Brauch *m*; (habit) (An)gewohnheit *f* ▸ *as was his ~* wie er es gewohnt war. **b** *no pl* (Comm) Kundschaft *f* ▸ *to get sb's ~* jdn als Kunden gewinnen. **c** *~s pl* Zoll *m*; (the) C~s der Zoll; C~s and Excise (Brit) die Zollbehörde; *to go through ~s* durch den Zoll gehen.

customary ['kʌstəmərɪ] *adj* (conventional) üblich; (habitual) gewohnt ▸ *it's ~ to wear a tie* man trägt gewöhnlich eine Krawatte.

custom-built ['kʌstəmbɪlt] *adj* spezialgefertigt.

customer ['kʌstəmə'] *n* **a** (Comm: patron) Kunde *m*, Kundin *f* ▸ *our ~s* unsere Kundschaft; *~ profile* Kundenprofil *nt*; *~ service* Kundendienst *m*. **b** (col: person) Kunde *m* (col).

customize ['kʌstəmaɪz] *vt* individuell aufmachen.

custom-made ['kʌstəmmeɪd] *adj* maßgefertigt; clothes maßgeschneidert; furniture, car spezialgefertigt.

customs: ~ barrier *n* Zollschranke *f*; **~ clearance** *n* Zollabfertigung *f*; **~ declaration** *n* Zollerklärung *f*; **~ documents** *npl* Zollpapiere *pl*; **~ duty** *n* Zoll(abgabe *f*) *m*; **~ inspection** *n* Zollkontrolle *f*; **~ officer** *n* Zollbeamte(r) *m*; **~ regulation** *n* Zollbestimmung *f.*

▼ **cut** [kʌt] (vb: pret, ptp ~) **1** *n* **a** Schnitt *m*▸ *to make a ~ in sth* einen Einschnitt in etw (acc) machen; *the ~ and thrust of politics* das Spannungsfeld der Politik; *the ~ and thrust of the debate* die Hitze der Debatte. **b** (reduction) (in gen) (in prices) Senkung *f*; (in wages etc) Kürzung *f*; (in production, output) Einschränkung *f*▸ *he had to take a ~ in (his) salary* er mußte eine Gehaltskürzung hinnehmen. **c** (of meat) Stück *nt.* **d** (col: share) Anteil *m*. **e** (short route) Abkürzung *f.* **f** (Elec) Unterbrechung *f* (in gen) ▸ *power ~* Stromausfall *m.* **g** (Cards) *it's your ~* du hebst ab. **h** *he's a ~ above the rest of them* er ist den anderen um einiges überlegen.

2 *adj usu attr* flowers Schnitt-; bread geschnitten; grass gemäht; prices herabgesetzt.

3 *vt* **a** schneiden; grass mähen; cake anschneiden; (~ out) fabric, suit zuschneiden; (~ off) abschneiden ▸ *to ~ one's finger* (with knife etc) sich (dat) in den Finger schneiden; *to ~ one's nails* sich (dat) die Nägel schneiden; *to ~ sth in half/three* etw halbieren/dritteln; *to ~ to pieces* zerstückeln; *to get one's hair ~* sich (dat) die Haare schneiden lassen; *to ~ sb free/loose* jdn losschneiden.

b (shape) steps schlagen; channel, trench ausheben; figure (in wood) schnitzen (in aus); (in stone) hauen (in aus); diamond schleifen; key anfertigen ▸ *to ~ one's coat according to or to suit one's cloth* (fig) sich nach

der Decke strecken.

c (fig: break off) electricity abstellen; ties, links abbrechen ▸ *to ~ a long story short, ...* der langen Rede kurzer Sinn ist ....

d person schneiden ▸ *to ~ sb dead* jdn wie Luft behandeln.

e class schwänzen (col).

f (intersect) schneiden.

g (reduce) prices senken; expenses, salary kürzen; production, output einschränken.

h part of text streichen; part of film herausschneiden.

i (cause pain to) *it ~ me to the quick* es schnitt mir ins Herz.

j *to ~ a tooth* einen Zahn bekommen.

k (Cards) *to ~ the cards/the pack* abheben.

l *aren't you ~ting it a bit fine?* ist das nicht ein bißchen knapp?

4 *vi* **a** (knife, scissors) schneiden ▸ *to ~ both ways* (fig) auch umgekehrt zutreffen; (have disadvantages too) ein zweischneidiges Schwert sein. **b** (intersect: lines, roads) sich schneiden. **c** (Cards) abheben. **d** *to ~ and run* abhauen (col).

◆**cut away** *vt sep* wegschneiden.

◆**cut back 1** *vi* **a** (go back) zurückgehen/-fahren. **b** (reduce expenditure etc) sich einschränken ▸ *to ~ ~ on smoking* weniger rauchen. **2** *vt sep* **a** plants, shrubs zurückschneiden. **b** production zurückschrauben.

◆**cut down 1** *vt sep* **a** tree fällen. **b** number, expenses einschränken ▸ *to ~ sb ~ to size* jdn auf seinen Platz verweisen. **2** *vi* (reduce intake, expenditure etc) sich einschränken ▸ *to ~ ~ on sth* etw einschränken.

◆**cut in** *vi* **a** (interrupt) sich einschalten. **b** (Aut) *to ~ ~ in front of sb* jdn schneiden.

◆**cut into** *vi +prep obj* savings ein Loch reißen in (+acc).

◆**cut off** *vt sep* **a** (lit, fig) abschneiden; allowance sperren ▸ *to ~ ~ the enemy's retreat* dem Feind den Rückzug abschneiden; *we're very ~ ~ out here* wir leben hier draußen sehr abgeschieden. **b** (disinherit) enterben ▸ *to ~ sb ~ without a penny* jdn völlig enterben. **c** (disconnect) telephone etc abstellen ▸ *operator, I've been ~ ~* wir sind unterbrochen worden.

◆**cut out 1** *vi* (engine) aussetzen. **2** *vt sep* **a** (remove by cutting) ausschneiden; malignant growth etc herausschneiden. **b** dress zuschneiden. **c** (delete) (heraus)streichen; (not bother with) verzichten auf (+acc); smoking, swearing etc aufhören mit ▸ *~ it ~!* (col) laß das (sein)! (col). **d** (fig) *to be ~ ~ for sth* zu etw gemacht sein. **e** *to have one's work ~ ~* alle Hände voll zu tun haben.

◆**cut up 1** *vi* *to ~ ~ rough* Krach schlagen (col). **2** *vt sep* **a** meat aufschneiden; wood spalten. **b** pass (col: upset) *he was very ~ ~ about it* das hat ihn schwer getroffen. **c** (Aut col) schneiden.

cut-and-dried [ˌkʌtən'draɪd] *adj* *it's ~* (fixed beforehand) das ist eine abgemachte Sache; (unchangeable) das ist festgelegt.

cut-back ['kʌtbæk] *n* **a** Kürzung *f*. **b** (Film) Rückblende *f.*

cute [kjuːt] *adj* (+er) **a** (col: sweet) süß. **b** (esp US col: clever) idea, gadget dufte (col); (shrewd) person, move clever (col).

cut glass *n* geschliffenes Glas.

cuticle ['kjuːtɪkl] *n* (of nail) Nagelhaut *f* ▸ *~ remover* Nagelhautentferner *m.*

cutie ['kjuːtɪ] *n* (esp US col: attractive woman) dufte Biene (col); (child) süßer Fratz (col).

cutlery ['kʌtlərɪ] *n no pl* (esp Brit) Besteck *nt.*

cutlet ['kʌtlɪt] *n* (boneless chop) Schnitzel *nt*; (of *chopped meat*) (paniertes) Hacksteak.

cut: **~-off** *n* ⓐ (*Tech: device*) Ausschaltmechanismus *m*; ⓑ (*also* **~-off point**) Trennlinie *f*; **~-out** *n* ⓐ (*model*) Ausschneidemodell *nt*; ⓑ (*of engine*) Aussetzen *nt*; *it has an automatic ~-out* es setzt automatisch aus; **~-price** *adj* (*Brit*), **~-rate** *adj* (*US*) zu herabgesetzten Preisen.

cut-throat ['kʌtθrəʊt] ① *n* (*murderous type*) Verbrechertyp (*col*) *m*. ② *adj* ⓐ *competition* mörderisch. ⓑ **~** *razor* (offenes) Rasiermesser.

cutting ['kʌtɪŋ] ① *n* ⓐ Schneiden *nt*; (**~** *off*) Abschneiden *nt*; (*of prices*) Senkung *f*; (*of expenses, salary*) Kürzung *f*; (*of production*) Drosselung *f*; (*of part of text*) Streichung *f*; (*of film*) Schnitt *m* ▶ **~ room** (*Film*) Schneideraum *m*. ⓑ (*from newspaper*) Ausschnitt *m*. ⓒ (*Hort*) Ableger *m* ▶ *to take a ~* einen Ableger nehmen. ② *adj* ⓐ *edge* scharf. ⓑ (*fig*) *wind, cold* schneidend; *remark, tongue* spitz.

cuttlefish ['kʌtlfɪʃ] *n* Tintenfisch *m*.

CV = **curriculum vitae**.

CWO, cwo = **cash with order** Barzahlung *f* bei Auftragserteilung.

cwt = **hundredweight**.

cyanide ['saɪənaɪd] *n* Zyanid *nt* ▶ **~ poisoning** Blausäurevergiftung *f*.

cybernetics [ˌsaɪbə'netɪks] *n sing* Kybernetik *f*.

cyberpunk ['saɪbəpʌŋk] *n* (*Literat*) Cyberpunk *m*.

cyberspace ['saɪbəspeɪs] *n* Cyberspace *m*.

cyclamen ['sɪkləmən] *n* Alpenveilchen *nt*.

cycle ['saɪkl] ① *n* ⓐ Zyklus *m*; (*of events*) Gang *m*. ⓑ (*bicycle*) (Fahr)rad *nt*; (*col: motorbike*) Maschine *f* (*col*) ▶ **~ clip** Hosenklammer *f*; **~ race** Radrennen *nt*; **~ track** (*path*) Radweg *m*; (*for racing*) Radrennbahn *f*. ② *vi* mit dem (Fahr)rad fahren.

cycling ['saɪklɪŋ] *n* Radfahren *nt* ▶ *I enjoy ~* ich fahre gern Rad.

cycling: **~ holiday** *n* Urlaub *m* mit dem Fahrrad; **~ shorts** *npl* Radlerhose *f*; **~ tour** *n* Radtour *f*.

cyclist ['saɪklɪst] *n* (Fahr)radfahrer(in *f*) *m*.

cyclone ['saɪkləʊn] *n* Zyklon *m*.

cygnet ['sɪgnɪt] *n* Schwanjunge(s) *nt*.

cylinder ['sɪlɪndəʳ] *n* (*Math, Aut*) Zylinder *m* ▶ *a four-~ car* ein Vierzylinder *m*.

cylinder: **~ block** *n* (*Aut*) Zylinderblock *m*; **~ head** *n* (*Aut*) Zylinderkopf *m*; **~ head gasket** *n* Zylinderkopfdichtung *f*.

cylindrical [sɪ'lɪndrɪkəl] *adj* zylindrisch.

cymbal ['sɪmbəl] *n* Beckenteller *m* ▶ **~s** Becken *nt*.

cynic ['sɪnɪk] *n* Zyniker(in *f*) *m*.

cynical ['sɪnɪkəl] *adj* zynisch.

cynicism ['sɪnɪsɪzəm] *n* ⓐ *no pl* Zynismus *m*. ⓑ (*cynical remark*) zynische Bemerkung.

cypress ['saɪprɪs] *n* Zypresse *f*.

Cypriot ['sɪprɪət] ① *adj* zypriotisch. ② *n* Zypriot(in *f*) *m*.

Cyprus ['saɪprəs] *n* Zypern *nt*.

cyst [sɪst] *n* Zyste *f*.

cystitis [sɪs'taɪtɪs] *n* Blasenentzündung *f*.

CZ (*US*) = **Canal Zone**.

czar [zɑ:ʳ] *n* Zar *m*.

czarina [zɑ:'ri:nə] *n* Zarin *f*.

Czech [tʃek] ① *adj* tschechisch ▶ *the ~ Republic* die Tschechische Republik, Tschechien *nt*. ② *n* ⓐ Tscheche *m*, Tschechin *f*. ⓑ (*language*) Tschechisch *nt*.

Czechoslovakia ['tʃekəʊslə'vækɪə] *n* (*Hist*) die Tschechoslowakei.

Czechoslovak(ian) ['tʃekəʊslə'væk(ɪən)] (*Hist*) ① *adj* tschechoslowakisch. ② *n* Tschechoslowake *m*, Tschechoslowakin *f*.

D

D, d [diː] n D, d nt; (Sch: as a mark) ≃ Vier f ▶ **D for David** (Brit), **D for dog** (US) ≃ D wie Dora; **D sharp/ flat** Dis (Mus), dis nt/Des, des nt.
D (US Pol) = **Democratic** dem.
d = **a** (Brit old) **pence.** **b** **died** gest.
'd = **had; would.**
DA (US) = **District Attorney.**
D/A = **deposit account.**

dab¹ [dæb] **1** n Klecks m; (of powder, cream etc) Tupfer m; (of liquid, perfume, glue etc) Tropfen m; (of butter) Klacks m ▶ **a ~ of ointment** ein bißchen Salbe; **to give sth a ~ of paint** etw kurz überstreichen.
2 vt (with powder etc) betupfen; (with towel etc) tupfen ▶ **to ~ one's eyes** sich (dat) die Augen tupfen.
◆**dab at** vi +prep obj betupfen.
◆**dab on** vt sep tupfend auftragen (prep obj auf +acc).
dab² adj (col) **to be a ~ hand at sth/doing sth** ein As in etw (dat) sein/sich darauf verstehen, etw zu tun.
dabble ['dæbl] vi **to ~ in sth** sich nebenbei mit etw beschäftigen.
dachshund ['dækshʊnd] n Dackel m.
dad [dæd], **daddy** ['dædɪ] n (col) Vater, Papa (col), Vati m (col).
daddy-longlegs [,dædɪ'lɒŋlegz] n, pl - (Brit) Schnake f; (US) Weberknecht m.
daffodil ['dæfədɪl] n Osterglocke, Narzisse f.
daft [dɑːft] adj (+er) doof (col), blöd (col) ▶ **he's ~ about her** (col) er ist verrückt nach ihr (col).
dagger ['dægəʳ] n Dolch m ▶ **to be at ~s drawn with sb** (fig) mit jdm auf Kriegsfuß stehen; **to look ~s at sb** jdn mit Blicken durchbohren.
dago ['deɪgəʊ] n (pej) Südländer, Kanake (pej col!) m.
dahlia ['deɪlɪə] n Dahlie f.
daily ['deɪlɪ] **1** adj täglich; wage, newspaper, requirement, ration Tages- ▶ **~ grind** täglicher Trott; **on a ~ basis** tageweise.
2 adv täglich.
3 n **a** (newspaper) Tageszeitung f. **b** (also ~ **help**) Putzfrau f.
dainty ['deɪntɪ] adj (+er) zierlich; manners geziert; lace, handkerchief, movements fein; food appetitlich ▶ **~ morsel** Leckerbissen m.
dairy ['deərɪ] n Molkerei f; (on farm) Milchkammer f; (shop) Milchgeschäft nt.
dairy: **~ butter** n Markenbutter f; **~ cow** n Milchkuh f; **~ farm** n Milchbetrieb m; **~ farmer** n Milchbauer m; **~ farming** n Milchviehhaltung f; **~ ice cream** n Milchspeiseeis nt; **~ produce** n Milch- or Molkereiprodukte pl.
dais ['deɪs] n Podium nt.
daisy ['deɪzɪ] n Gänseblümchen nt ▶ **as fresh as a ~** taufrisch; **to be pushing up the daisies** (col) sich (dat) die Radieschen von unten besehen (col); **~ wheel** Typenrad nt; **~ wheel printer** Typenraddrucker m.
dale [deɪl] n (N Engl, liter) Tal nt.
dally ['dælɪ] vi (waste time) (herum)trödeln.
Dalmatia [dæl'meɪʃə] n Dalmatien nt.
Dalmatian [dæl'meɪʃən] n (dog) Dalmatiner m.
dam [dæm] **1** n (lit, fig) Damm m; (reservoir) Stausee m.
2 vt (also ~ **up**) river, lake stauen.

damage ['dæmɪdʒ] **1** n **a** Schaden m (to an +dat) ▶ **to do a lot of ~** großen Schaden anrichten; **to do sb/sth a lot of ~** jdm/einer Sache (dat) großen Schaden zufügen; **that did a lot of ~ to his reputation** das hat seinem Ruf sehr geschadet; **~ limitation** Schadensbegrenzung f. **b** (Jur) **~s** Schaden(s)ersatz m. **c** (col: cost) **what's the ~?** was kostet der Spaß? (col).
2 vt beschädigen; health, reputation, relations schaden (+dat), schädigen ▶ **to ~ one's eyesight** sich (dat) die Augen verderben; **smoking can ~ your health** Rauchen schadet Ihrer Gesundheit.
damaging ['dæmɪdʒɪŋ] adj schädlich (to für).
Damascus [də'mɑːskəs] n Damaskus nt.
damask ['dæməsk] n Damast m.
dame [deɪm] n **a** **D~** britischer Titel. **b** (Theat: in pantomime) (komische) Alte. **c** (US col) Weib nt (col).
dammit ['dæmɪt] interj (col) verdammt (col) ▶ **as near as ~** beinahe; (approximately) ungefähr.
damn [dæm] **1** interj (col) verdammt (col).
2 n (col) **he doesn't care** or **give a ~** er schert sich einen Dreck (darum) (col); **I don't give a ~** das ist mir scheißegal (col!).
3 adj attr (col) verdammt ▶ **I couldn't see a ~ thing** so ein Mist (col), ich konnte überhaupt nichts sehen.
4 adv (col) verdammt ▶ **I should ~ well hope so** das will ich aber auch stark hoffen; **~-all** nicht die Bohne (col); **I've done ~-all today** ich hab heute rein gar nichts gemacht (col).
5 vt **a** (Rel) verdammen. **b** (judge and condemn) verurteilen; book etc also verreißen. **c** (col) **~ him/ you!** der kann/du kannst mich mal! (col); **~ it!** verdammt (noch mal)! (col); **well, I'll be ~ed!** Donnerwetter! (col); **I'll be ~ed if I'll go there** ich denke nicht daran, da hinzugehen; **I'll be ~ed if I know** weiß der Teufel (col).
damnation [dæm'neɪʃən] **1** n (Eccl) Verdammnis f.
2 interj (col) verdammt (col).
damned [dæmd] **1** adj **a** soul verdammt. **b** (col) = **damn 3.**
2 adv = **damn 4.**
damnedest ['dæmdɪst] n **to do** or **try one's ~** (col) sein möglichstes tun.
damning ['dæmɪŋ] adj vernichtend; evidence belastend.
damp [dæmp] **1** adj (~er) feucht ▶ **a ~ squib** (fig) ein Reinfall m.
2 n Feuchtigkeit f.
3 vt **a** befeuchten. **b** (fig) enthusiasm etc dämpfen ▶ **to ~ sb's spirits** jdm einen Dämpfer aufsetzen. **c** sounds, vibrations dämpfen; (also ~ **down**) fire ersticken.
damp course n Dämmschicht, Isolierschicht f.
dampen ['dæmpən] vt = **damp 3 (a, b).**
damper ['dæmpəʳ] n **a** (of chimney) (Luft)klappe f; (of piano) Dämpfer m. **b** **to put a ~ on sth** einer Sache (dat) einen Dämpfer aufsetzen.
damp-proof ['dæmppruːf] adj feuchtigkeitsbeständig ▶ **~ course** = **damp course.**
damson ['dæmzən] n (fruit) Damaszenerpflaume f.
dance [dɑːns] **1** n Tanz m; (occasion also) Tanzabend m; (school etc) Ball m ▶ **she's led him a fine ~** sie hat ihn ganz schön an der Nase herumgeführt.
2 vti tanzen ▶ **to ~ for joy** einen Freudentanz auf-

date

führen.

dance *in cpds* Tanz-; **~ band** *n* Tanzkapelle *f*; **~ floor** *n* Tanzboden *m*; (*in restaurant*) Tanzfläche *f*; **~ hall** *n* Tanzsaal *m*; **~ music** *n* Tanzmusik *f*.

dancer ['dɑːnsəʳ] *n* Tänzer(in *f*) *m*.

dancing ['dɑːnsɪŋ] [1] *n* Tanzen *nt*. [2] *attr* Tanz- ▸ **~ girl** Tänzerin *f*.

dandelion ['dændɪlaɪən] *n* Löwenzahn *m*.

dandruff ['dændrəf] *n* Schuppen *pl*.

dandy ['dændɪ] [1] *n* Dandy, Geck *m*. [2] *adj* (*esp US col*) prima (*col*).

Dane [deɪn] *n* Däne *m*, Dänin *f*.

danger ['deɪndʒəʳ] *n* [a] Gefahr *f* ▸ **to put sb/sth in ~** jdn/etw in Gefahr bringen; **to be in ~ of doing sth** Gefahr laufen, etw zu tun; **out of ~** außer Gefahr; **there is no ~ of that** die Gefahr besteht nicht; **to be a ~ to sb/sth** für jdn/etw eine Gefahr bedeuten. [b] *"~"* „Achtung, Lebensgefahr!"; *"~, ice"* „Glatteisgefahr".

danger: **~ area** *n* Gefahrenzone *f or* -bereich *m*; **~ list** *n*: **on/off the ~ list** in/außer Lebensgefahr; **~ money** *n* Gefahrenzulage *f*.

dangerous ['deɪndʒrəs] *adj* gefährlich.

dangerously ['deɪndʒrəslɪ] *adv* gefährlich ▸ **the deadline is getting ~ close** der Termin rückt bedenklich nahe; **to be ~ ill** schwerkrank sein.

danger: **~ signal** *n* (*lit, fig*) Warnsignal *nt*; **~ zone** *n* Gefahrenzone *f*.

dangle ['dæŋgl] [1] *vt* baumeln lassen ▸ **to ~ sth before sb** (*fig*) jdm etw in Aussicht stellen. [2] *vi* baumeln.

Danish ['deɪnɪʃ] [1] *adj* dänisch ▸ **~ blue (cheese)** dänischer Edelpilzkäse *m*; **~ pastry** Plundergebäck *nt*. [2] *n* (*language*) Dänisch *nt*.

dank [dæŋk] *adj* (unangenehm) feucht.

Danube ['dænjuːb] *n* Donau *f*.

dapper ['dæpəʳ] *adj* gepflegt, gediegen.

dappled ['dæpld] *adj* gefleckt; (*with small flecks*) gesprenkelt; *horse* scheckig.

dare [dɛəʳ] [1] *vi* (*be bold enough*) es wagen; (*have the confidence*) sich trauen ▸ **he wouldn't ~!** er wird sich schwer hüten; **you ~!** untersteh dich!; **how ~ you!** was fällt dir ein! [2] *vt* [a] **to ~ (to) do sth** (es) wagen, etw zu tun, sich trauen, etw zu tun; **he ~ not or doesn't ~ or ~n't do it** das wagt er nicht; **don't (you) ~ say that to me** untersteh dich, das zu mir zu sagen. [b] **I ~ say it gets quite cold here in winter** ich nehme an, daß es hier im Winter ziemlich kalt wird; **I ~ say he'll be there** es kann (gut) sein, daß er dort ist; **he was very sorry — I ~ say** es tat ihm sehr leid — das glaube ich gerne. [c] (*challenge*) **I ~ you to jump off** wetten, daß du dich nicht zu springen traust! [3] *n* **to do sth for a ~** etw als Mutprobe tun.

daredevil ['dɛə,devl] [1] *n* Draufgänger *m*. [2] *adj* waghalsig.

daring ['dɛərɪŋ] [1] *adj* kühn; (*in physical matters*) waghalsig; *opinion, dress* gewagt. [2] *n* Kühnheit *f*; (*in physical matters*) Waghalsigkeit *f*.

dark [dɑːk] [1] *adj* (*+er*) (*lit, fig*) dunkel; *thoughts, threats* finster ▸ **it's getting ~** es wird dunkel; **~ blue** dunkelblau; **to keep sth ~** etw geheimhalten. [2] *n* [a] Dunkelheit *f* ▸ **after ~** nach Einbruch der Dunkelheit; **until ~** bis zum Einbruch der Dunkelheit. [b] (*fig*) **to be in the ~** keine Ahnung haben (*about* von); **he has kept me in the ~** er hat mich im dunkeln gelassen; **it was a shot in the ~** das war nur auf gut Glück gesagt/geraten *etc*.

dark: **D~ Ages** *npl* finsteres Mittelalter; **~ chocolate** *n* Zartbitterschokolade *f*.

darken ['dɑːkən] [1] *vt* dunkel machen; *sky also* verdunkeln; (*before storm*) verfinstern ▸ **never ~ my door**

again! lassen Sie sich hier nicht mehr blicken! [2] *vi see vt* dunkel werden; sich verdunkeln; sich verfinstern.

dark: **~-eyed** ['dɑːkaɪd] *adj* dunkeläugig; **~ glasses** *npl* Sonnenbrille *f*; **~-haired** *adj* dunkelhaarig; **~ horse** *n* (*fig*) stilles Wasser; (*unexpected winner*) Außenseiter *m*.

darkly ['dɑːklɪ] *adj* (*lit, fig*) dunkel.

darkness ['dɑːknɪs] *n* Dunkelheit *f* ▸ **the house was in ~** das Haus lag im Dunkeln.

dark: **~room** *n* (*Phot*) Dunkelkammer *f*; **~-skinned** ['dɑːkskɪnd] *adj* dunkelhäutig.

darling ['dɑːlɪŋ] [1] *n* Liebling, Schatz *m* ▸ **be a ~ and ...** sei so lieb und ... [2] *adj wife etc* lieb.

darn¹ [dɑːn] (*Sew*) [1] *n* gestopfte Stelle. [2] *vt* stopfen.

darn² (*col*) [1] *adj, adv, interj* verflixt (*col*). [2] *vt see* **damn 5** (**c**).

darned [dɑːnd] *adj, adv* (*col*) verflixt (*col*).

darning ['dɑːnɪŋ] *n* Stopfen *nt*; (*things to be darned*) Stopfsachen *pl* ▸ **I've a lot of ~ to do** ich habe viel zu stopfen; **~ needle** Stopfnadel *f*.

dart [dɑːt] [1] *n* [a] (*movement*) **to make a sudden ~ at sb/sth** einen plötzlichen Satz auf jdn/etw zu machen. [b] (*weapon*) Pfeil *m*; (*Sport*) (Wurf)pfeil *m*. [c] (*Sew*) Abnäher *m*. [2] *vi* flitzen; (*fish*) schnellen ▸ **to ~ out** (*person*) heraus-/hinausflitzen; (*fish, tongue*) hervorschnellen; **he ~ed behind a bush** er hechtete hinter einen Busch. [3] *vt* **to ~ a glance at sb** jdm einen Blick zuwerfen.

dart board *n* Dartscheibe *f*.

darts [dɑːts] *n sing* Darts, Pfeilwurfspiel *nt*.

dash [dæʃ] [1] *n* [a] (*sudden rush*) **he made a ~ for the door** er stürzte auf die Tür zu; **she made a ~ for it** sie rannte, so schnell sie konnte. [b] (*style, vigour*) Schwung, Elan *m* ▸ **to cut a ~** eine schneidige Figur machen. [c] (*small amount*) etwas, ein bißchen; (*of wine, vinegar, spirits also*) Schuß *m*; (*of seasoning etc also*) Prise *f*. [d] (*Typ*) Gedankenstrich *m*. [e] = **dashboard**. [2] *vt* [a] (*throw violently*) schleudern ▸ **to ~ sth to pieces** etw in tausend Stücke zerschlagen; **to ~ one's head against sth** mit dem Kopf gegen etw schlagen. [b] *sb's hopes* zunichte machen. [3] *vi* [a] (*move quickly*) **to ~ into a room** in ein Zimmer stürzen; **to ~ away/back/up** davon-/zurück-/hinaufstürmen. [b] (*knock, be hurled*) schlagen; (*waves also*) peitschen. [4] *interj* **~ (it)!** (*col*) verflixt! (*col*).

♦**dash off** [1] *vt sep letter* hinwerfen. [2] *vi* losstürzen.

dashboard ['dæʃbɔːd] *n* Armaturenbrett *nt*.

dashing ['dæʃɪŋ] *adj* flott, schneidig.

dastardly ['dæstədlɪ] *adj* niederträchtig.

DAT *n abbr* = **digital audio tape** DAT *nt*, Band mit digitaler Tonaufzeichnung.

data ['deɪtə] *pl of* **datum** *usu with sing vb* Daten *pl* ▸ **a piece of ~** eine Angabe.

data: **~ bank** *n* Datenbank *f*; **~base** *n* Datenbank *f*; **~ capture** *n* Datenerfassung *f*; **~ processing** *n* Datenverarbeitung *f*; **~ protection** *n* Datenschutz *m*; **~ retrieval** *n* Datenabruf *m*; **~ transmission** *n* Datenübertragung *f*.

date¹ [deɪt] *n* (*fruit*) Dattel *f*; (*tree*) Dattelpalme *f*.

date² [deɪt] [1] *n* [a] Datum *nt*; (*historical ~*) Jahreszahl *f*; (*for appointment*) Termin *m* ▸ **~ of birth** Geburtsdatum *nt*; **what's the ~ today?** der wievielte ist heute?, welches Datum haben wir heute?; **what ~ is he coming on?** an welchem Tag kommt er?; **to ~** bis heute. [b] (*appointment*) Verabredung *f* ▸ **who's his ~?** mit wem geht er aus?; **to make a ~ with sb** sich mit jdm verabreden; **she's out on a ~** sie hat eine Verabredung. [2] *vt* [a] mit dem Datum versehen; *letter etc also* datieren ▸ *a coin ~d 1390* eine Münze von 1390. **b** (*establish age of*) *work of art etc* datieren ▸ *that really ~s you* daran merkt man, wie alt Sie sind. **c** (*take out*) *girlfriend etc* ausgehen mit; (*regularly also*) gehen mit (*col*). **3** *vi* **a** *to ~ back to* zurückdatieren auf (+*acc*); *to ~ from* zurückgehen auf (+*acc*). **b** (*become old-fashioned*) veralten.

dated ['deɪtɪd] *adj* altmodisch.

date: ~ line *n* (*Geog*) Datumsgrenze *f*; **~ palm** *n* Dattelpalme *f*; **~ rape** *n Vergewaltigung f nach einem Rendezvous*; **~ stamp** *n* Datumsstempel *m*.

dative ['deɪtɪv] *n* Dativ *m* ▸ *in the ~ (case)* im Dativ.

daub [dɔːb] *vt walls, canvas, face* beschmieren; *paint, slogans, make-up* schmieren.

daughter ['dɔːtəʳ] *n* Tochter *f* ▸ **~-in-law** Schwiegertochter *f*.

daunt [dɔːnt] *vt* entmutigen ▸ *nothing ~ed* unverzagt.

daunting ['dɔːntɪŋ] *adj* entmutigend.

dauntless ['dɔːntlɪs] *adj* unerschrocken, beherzt.

davenport ['dævnpɔːt] *n* **a** (*esp US: sofa*) Sofa *nt*. **b** (*Brit: desk*) Sekretär *m*.

dawdle ['dɔːdl] *vi* (*be too slow*) trödeln; (*stroll*) bummeln.

dawdler ['dɔːdləʳ] *n* Trödler(in *f*) *m*.

dawn [dɔːn] **1** *n* (Morgen)dämmerung *f*; (*time of day*) Tagesanbruch *m*; (*fig*) Anbruch *m* ▸ *at ~* bei Tagesanbruch; *it's almost ~* es dämmert schon bald; *from ~ to dusk* von morgens bis abends. **2** *vi* **a** *day was already ~ing* es dämmerte schon; *the day will ~ when ...* (*fig*) der Tag wird kommen, wo ... **b** (*fig: new age etc*) dämmern, anbrechen. **c** *it suddenly ~ed on him that ...* es dämmerte ihm, daß ...

dawn chorus *n* Morgenkonzert *nt* der Vögel.

day [deɪ] *n* **a** Tag *m* ▸ *it will arrive any ~ now* es muß jeden Tag kommen; *what ~ is it today?* welcher Tag ist heute?; *what ~ of the month is it?* der wievielte ist heute?; *the ~ before yesterday* vorgestern; *(on) the ~ after/before* am Tag danach/zuvor; *two years ago to the ~* auf den Tag genau vor zwei Jahren; *one ~* eines Tages; *one of these ~s* irgendwann (einmal), eines Tages; *~ in, ~ out* tagein, tagaus; *they went to London for the ~* sie machten einen Tagesausflug nach London; *for ~s on end* tagelang; *~ after ~* Tag für Tag; *~ by ~* jeden Tag, täglich; *the other ~* neulich; *at the end of the ~* (*fig*) letzten Endes; *to live from ~ to ~* von einem Tag auf den andern leben; *I remember it to this ~* daran erinnere ich mich noch heute; *for ~s on end* tagelang; *he's fifty if he's a ~* er ist mindestens fünfzig; *to travel during the or by ~* tagsüber *or* am Tag reisen; *good ~!* guten Tag!; (*good-bye*) auf Wiedersehen; *to be paid by the ~* tageweise bezahlt werden; *let's call it a ~* machen wir Schluß; *to have a nice/lazy ~* einen schönen Tag verbringen/einen Tag faulenzen; *have a nice ~!* (*esp US*) schönen Tag noch!; *did you have a nice ~?* na, wie war's?; *to have a good/bad ~* einen guten/schlechten Tag haben; *that'll be the ~* das möcht' ich mal erleben. **b** (*period of time: often pl*) *these ~s* heute, heutzutage; *what are you doing these ~s?* was machst du denn so?; *in this ~ and age* heutzutage; *in ~s to come* in künftigen Zeiten; *in his younger ~s* als er noch jünger war; *in Queen Victoria's ~, in the ~s of Queen Victoria* zu Königin Viktorias Zeiten; *the happiest ~s of my life* die glücklichste Zeit meines Lebens; *those were the ~s* das waren noch Zeiten; *in the old ~s* früher; *in the good old ~s* in der guten alten Zeit; *it's early ~s yet* es ist noch zu früh; *he/this machine has seen better ~s* er/diese Maschine hat (auch) schon bessere Tage gesehen; *to end one's ~s in misery* im Elend sterben. **c** (*with poss adj: lifetime, best time*) *famous in her ~*

in ihrer Zeit berühmt; *it has had its ~* es hat seine Glanzzeit überschritten; *his ~ will come* sein Tag wird kommen. **d** *no pl* (*contest, battle*) *to win or carry the ~* siegen; *to lose the ~* (den Kampf) verlieren; *that saved the ~* das war die Rettung.

day: ~ boy *n* (*Sch*) Externe(r) *m*; **~break** *n* Tagesanbruch *m*; *at ~break* bei Tagesanbruch; *~ care* *n to be in ~ care* in einer Tagesstätte untergebracht sein; *~ care centre* *n* (*esp US*) Kindertagesstätte *f*; **~dream** **1** *n* Tagtraum *m*; **2** *vi* mit offenen Augen träumen; *~ dreamer* *n* Tagträumer *m*; *~ girl* *n* (*Sch*) Externe *f*.

daylight ['deɪlaɪt] *n* Tageslicht *nt* ▸ *at ~* bei Tage; *it is still ~* es ist noch hell; *it was broad ~* es war hellichter Tag; *in broad ~* am hellichten Tage; *I began to see ~* (*fig*) (*to understand*) mir ging ein Licht auf; (*to see the end appear*) so langsam habe ich Land gesehen (*col*); *to beat the living ~s out of sb* (*col*) jdn windelweich schlagen (*col*); *to scare the living ~s out of sb* (*col*) jdm einen fürchterlichen Schreck einjagen (*col*).

daylight: ~ robbery *n* (*col*) Halsabschneiderei *f* (*col*); *~ saving time* *n* Sommerzeit *f*.

day: ~ nursery *n* Kindertagesstätte *f*; **~ release course** *n* Fortbildungskurs *m* (*für den man einen Tag pro Woche freigestellt wird*); **~ return (ticket)** *n* (*Brit Rail*) Tagesrückfahrkarte *f*; **~ school** *n* Tagesschule *f*; **~ shift** *n* Tagschicht *f*; *to be on ~ shift* Tagschicht arbeiten.

daytime ['deɪtaɪm] **1** *n* Tag *m* ▸ *in the ~* bei Tage, tagsüber. **2** *attr* am Tage.

day: ~-to-day *adj occurrence* alltäglich; *on a ~-to-day basis* tageweise; *~ trip* *n* Tagesausflug *m*; *~tripper* *n* Tagesausflügler(in *f*) *m*.

daze [deɪz] **1** *n* Benommenheit *f* ▸ *in a ~* ganz benommen. **2** *vt* benommen machen.

dazzle ['dæzl] *vt* (*lit, fig*) blenden.

dazzling ['dæzlɪŋ] *adj* (*lit*) blendend.

dB = **decibel** dB.

DC = **a** **direct current**. **b** (*US Post*) **District of Columbia**.

DCC ® = **digital compact cassette** DCC *f*.

D/D = **direct debit**.

D-day ['diːdeɪ] *n* (*Hist*) *Tag der Invasion durch die Alliierten* (6.6.44); (*fig*) der Tag X.

DDT [diːdiː'tiː] *n* DDT *nt*.

DE (*US Post*) = **Delaware**.

deacon ['diːkən] *n* Diakon *m*.

deaconess ['diːkənes] *n* Diakonisse *f*.

dead [ded] **1** *adj* **a** (*lit, fig*) tot; *plant also* abgestorben ▸ *to drop (down) ~* tot umfallen; *over my ~ body* (*col*) nur über meine Leiche (*col*). **b** (*not sensitive*) *limbs* abgestorben, taub ▸ *my fingers are ~* meine Finger sind wie abgestorben; *to be ~ from the neck up* (*col*) nur Stroh im Kopf haben (*col*), gehirnamputiert sein (*col*); *to be ~ to the world* vollkommen weggetreten sein (*col*). **c** (*Elec*) *cable* stromlos; (*Telec*) tot ▸ *to go ~* ausfallen; *the line went ~* die Leitung war plötzlich tot. **d** (*burnt out*) *fire* aus *pred*; *match* abgebrannt. **e** (*absolute, exact*) total, völlig ▸ *~ silence* Totenstille *f*, *~ calm* (*Naut*) totale Windstille; *to come to a ~ stop* völlig zum Stillstand kommen; *to hit sth ~ centre* etw genau in der Mitte treffen. **f** (*col: exhausted*) völlig kaputt (*col*). **2** *adv* **a** (*exactly*) genau ▸ *~ straight* schnurgerade; *to be ~ on time* auf die Minute pünktlich kommen; *~ on course* voll *or* genau auf Kurs. **b** (*col: very*) total (*col*), völlig ▸ *~ drunk/tired* total betrunken/todmüde; *you're ~ right* Sie haben völlig recht; *~ slow* ganz langsam; (*on sign*) „Schritt fahren“; *to be ~ certain about sth* bei etw todsicher sein. **c** *to stop ~* abrupt stehenbleiben *or* (*talking*) innehalten.

3 *n* **a** *the* ~ *pl* die Toten *pl*. **b** *at* ~ *of night* mitten in der Nacht; *in the* ~ *of winter* mitten im Winter.

dead-beat ['ded'biːt] *adj* (*col*) völlig kaputt (*col*).

deaden ['dedn] *vt sound, noise* dämpfen; *pain* mildern; *force, blow* abschwächen; *nerve* abtöten.

dead: ~**end** *n* Sackgasse *f*; *a* ~*-end job* ein Job *m* ohne Aufstiegsmöglichkeiten; ~ **heat** *n* totes Rennen; ~**line** *n* (letzter) Termin; (*for application etc*) Abgabetermin *m*; *to set a* ~*line* eine Frist setzen; *to work to a* ~*line* auf einen Termin hinarbeiten; ~**lock** *n* *to reach (a)* ~*lock* sich festfahren; *to break the* ~*lock* aus der Sackgasse herauskommen; ~ **loss** *n* (*col*) böser Reinfall (*col*); (*person*) hoffnungsloser Fall (*col*).

deadly ['dedlɪ] **1** *adj* (+*er*) **a** tödlich; *sin, enemy* Tod-; *wit, sarcasm* vernichtend ▸ *he's in* ~ *earnest* er meint es todernst, es ist sein voller Ernst. **b** (*col: boring*) todlangweilig.

2 *adv boring* tod- ▸ ~ *pale* totenbleich.

deadly nightshade ['dedlɪ'naɪtʃeɪd] *n* (*Bot*) Tollkirsche *f*.

dead: ~**pan** *adj face* unbewegt; *style, humour* trocken; **D~ Sea** *n* Totes Meer; ~ **season** *n* tote Saison; ~ **weight** *n* (*Tech*) Eigengewicht *nt*; *to be a* ~ *weight* furchtbar schwer sein.

deaf [def] *adj* (+*er*) taub ▸ *as* ~ *as a (door)post* stocktaub; *to turn a* ~ *ear to sb/sth* sich jdm/einer Sache (*dat*) gegenüber taub stellen.

deaf: ~**aid** *n* Hörgerät *nt*; ~**-and-dumb** *adj* taubstumm; *language* Taubstummen-.

deafen ['defn] *vt* (*lit*) taub machen; (*fig*) betäuben.

deafening ['defnɪŋ] *adj noise* ohrenbetäubend; *row* lautstark ▸ *a* ~ *silence* ein eisiges Schweigen.

deaf-mute ['def'mjuːt] *n* Taubstumme(r) *mf*.

deafness ['defnɪs] *n* (*lit, fig*) Taubheit *f* (*to* gegenüber).

deal¹ [diːl] **1** *n a good or great* ~ eine Menge, (ziemlich) viel; *not a great* ~ nicht (besonders) viel; *there's a great or good* ~ *of truth in what he says* es ist schon ziemlich viel Wahres an dem, was er sagt; *and that's saying a good* ~ und damit ist schon viel gesagt; *to mean a great* ~ *to sb* jdm viel bedeuten.

2 *adv a good or great* ~ viel; *not a great* ~ nicht viel.

▼ **deal²** (*vb: pret, ptp* **dealt**) **1** *n* **a** (*Comm: also business* ~) Geschäft *nt*; (*arrangement*) Abmachung *f*; (*official*) Abkommen *nt* ▸ *to do a* ~ *with sb* mit jdm ein Geschäft or einen Deal (*col*) machen; *it's a* ~ abgemacht!; *I'll make a* ~ *with you* ich schlage Ihnen ein Geschäft vor; *to give sb a fair* ~ jdn anständig behandeln; *a better* ~ *for the lower paid* bessere Bedingungen für die schlechter bezahlten Arbeiter; *it's the usual* ~ es gibt das Übliche. **b** (*Cards*) *it's your* ~ Sie geben.

2 *vti* (*Cards*) geben, austeilen.

◆**deal in** *vi* +*prep obj* (*Comm*) handeln mit.

◆**deal out** *vt sep gifts, money* verteilen (*to* an +*acc*); *cards* geben (*to dat*) ▸ *to* ~ *justice* Recht sprechen.

◆**deal with** *vi* +*prep obj* **a** (*do business with*) verhandeln mit. **b** (*manage, handle*) sich kümmern um; (*with job*) sich befassen mit; (*successfully*) fertigwerden mit; (*Comm*) *orders* erledigen; (*be responsible for*) zuständig sein für ▸ *to know how to* ~ *sb* wissen, wie man mit jdm umgeht; *I'll* ~ ~ *you later!* dich knöpf' ich mir später vor (*col*). **c** (*be concerned with*) (*book, film etc*) handeln von; (*author*) sich befassen mit.

deal³ *n* (*wood*) Kiefern- or Tannenholz *nt*.

dealer ['diːləʳ] *n* (*Comm*) Händler *m* ▸ *a* ~ *in furs* ein Pelzhändler.

dealership ['diːləʃɪp] *n* Vertrieb *m*.

dealing ['diːlɪŋ] *n* **a** (*trading*) Handel *m* ▸ *there's some crooked* ~ *involved here* da ist irgend etwas gemauschelt worden (*col*). **b** ~*s pl* (*Comm*) Geschäfte *pl*; (*generally*) Umgang *m*; *to have* ~*s with sb* mit jdm zu tun haben.

dealt [delt] *pret, ptp of* **deal²**.

dean [diːn] *n* (*Eccl, Univ*) Dekan *m*.

dear [dɪəʳ] **1** *adj* (+*er*) **a** *I hold him/it* ~ er/es ist mir lieb und teuer; *that is my* ~*est wish* das ist mein sehnlichster Wunsch; *my* ~ *chap* mein lieber Freund. **b** (*in letter-writing*) ~ *Daddy/John* lieber Vati/John!; ~ *Sir* sehr geehrter Herr X; (*to firm etc*) sehr geehrte (Damen und) Herren; ~ *Madam* sehr geehrte Frau X; ~ *Sirs* sehr geehrte Damen und Herren; ~ *Mr Kemp* sehr geehrter Herr Kemp; (*less formal*) lieber Herr Kemp!; *D~ John letter* (*US col*) Abschiedsbrief *m*. **c** (*expensive*) teuer.

2 *interj* ~ ~!, ~ *me!* (du) meine Güte!; *oh* ~! oje!

3 *n hello/thank you* ~ hallo/vielen Dank; *yes,* ~ ja, Liebling; *be a* ~ (*col*) sei so lieb or gut; *poor* ~ der/die Arme.

4 *adv* (*lit, fig*) *buy, pay, sell* teuer.

dearly ['dɪəlɪ] *adv* **a** *love* von ganzem Herzen ▸ *I should* ~ *like to live here* ich würde für mein Leben gern hier wohnen. **b** (*lit, fig*) *pay etc* teuer.

dearth [dɜːθ] *n* Mangel *m* (*of* an +*dat*) ▸ ~ *of ideas* Ideenarmut *f*.

death [deθ] *n* Tod *m*; (*of plans, hopes etc*) Ende *nt* ▸ *the number of* ~*s* die Todesfälle; *to be afraid of* ~ sich vor dem Tod fürchten; *a fight to the* ~ ein Kampf auf Leben und Tod; *to put sb to* ~ jdn hinrichten; *to drink oneself to* ~ sich zu Tode trinken; *to be at* ~*'s door* an der Schwelle des Todes stehen; *it will be the* ~ *of you* (*col*) das wird dein Tod sein; *he will be the* ~ *of me* (*col*) (*he's so funny*) ich lach' mich noch einmal tot über ihn (*col*); (*he's annoying*) er bringt mich noch ins Grab; *to catch one's* ~ *(of cold)* (*col*) sich (*dat*) den Tod holen; *I am sick to* ~ *of all this* (*col*) das alles hängt mir gründlich zum Halse raus.

death: ~**bed** *n* Sterbebett *nt*; ~**-blow** *n* (*lit, fig*) Todesstoß *m*; ~ **certificate** *n* Totenschein *m*; ~ **duties** *npl* (*Brit*) Erbschaftssteuer *f*.

deathly ['deθlɪ] **1** *adj* (+*er*) ~ *hush* Totenstille *f*; ~ *silence* eisiges Schweigen; ~ *pallor* Totenblässe *f*.

2 *adv* ~ *pale* totenblaß.

death: ~**mask** *n* Totenmaske *f*; ~ **penalty** *n* Todesstrafe *f*; ~ **rate** *n* Sterbeziffer *f*; ~ **sentence** *n* Todesurteil *nt*; ~ **throes** *npl* Todeskampf *m*; ~ **toll** *n* Zahl *f* der Todesopfer; ~**-trap** *n* Todesfalle *f*; ~**-watch beetle** *n* Klopfkäfer *m*; ~**-wish** *n* Todestrieb *m*.

deb [deb] *n* (*col*) Debütantin *f*.

debacle [de'bɑːkl] *n* Debakel *nt*.

debar [dɪ'bɑːʳ] *vt* ausschließen (*from* von).

debase [dɪ'beɪs] *vt person* erniedrigen; *qualities* mindern, herabsetzen; *coinage* den Wert mindern von; *language* entstellen.

debatable [dɪ'beɪtəbl] *adj* fraglich.

debate [dɪ'beɪt] **1** *vti* debattieren, diskutieren (*with* mit, *about* über +*acc*) ▸ *he was debating with himself whether to go or not* er überlegte hin und her, ob er gehen sollte; *debating society* Debattierklub *m*.

2 *n* Debatte *f* ▸ *after much* ~ nach langer Debatte or Diskussion.

debauched [dɪ'bɔːtʃt] *adj* verkommen; *life* ausschweifend.

debauchery [dɪ'bɔːtʃərɪ] *n* Ausschweifung *f* ▸ *a life of* ~ ein ausschweifendes Leben.

debenture [dɪ'bentʃəʳ] *n* (*Fin*) Schuldschein *m*.

debilitate [dɪ'bɪlɪteɪt] *vt* schwächen.

debility [dɪ'bɪlɪtɪ] *n* Schwäche *f*.

debit ['debɪt] **1** *n* Debetposten *m*, Soll *nt* ▸ ~*s* Debet, Soll *nt*; ~ *balance* Debetsaldo *m*; ~ *note* Lastschrift *f*, ~ *side* Sollseite *f* ▸ *on the* ~ *side there's the weather* (*fig*) als Minuspunkt ist das Wetter zu erwähnen.

2 *vt to* ~ *sb/sb's account with a sum* jdn/jds Konto mit einem Betrag belasten.

➤ SENTENCE BUILDER: **deal²: 2b** → 9.1

debonair [ˌdebəˈnɛəʳ] *adj* flott.

debrief [ˌdiːˈbriːf] *vt* befragen ► *to be ~ed* Bericht erstatten.

debris [ˈdebriː] *n* Trümmer *pl*, Schutt *m*.

debt [det] *n* Schuld *f* ► *~ of honour* Ehrenschuld *f*; *National D~* Staatsschulden *pl*; *to be in ~* verschuldet sein (*to* gegenüber); *to be £5 in ~* £5 Schulden haben (*to* bei); *to get into ~* Schulden machen; *to be out of ~* schuldenfrei sein; *bad ~* uneinbringliche Forderung *f*; *to repay a ~* (*lit, fig*) eine Schuld begleichen; *I shall always be in your ~* ich werde ewig in Ihrer Schuld stehen.

debt collection agency *n* Inkassobüro *nt*.

debt collector *n* Inkassobeauftragte(r) *mf*, Schuldeneintreiber (*col*) *m*.

debtor [ˈdetəʳ] *n* Schuldner(in *f*) *m*.

debug [ˌdiːˈbʌg] *vt* (*also Comp*) entwanzen.

debunk [ˌdiːˈbʌŋk] *vt claim* entlarven; *politician* vom Sockel stoßen.

début [ˈdeɪbjuː] *n* (*lit, fig*) Debüt *nt* ► *to make one's ~* sein Debüt geben.

débutante [ˈdebjuːtɑːnt] *n* Debütantin *f*.

Dec = **December** Dez.

decade [ˈdekeɪd] *n* Jahrzehnt *nt*.

decadence [ˈdekədəns] *n* Dekadenz *f*.

decadent [ˈdekədənt] *adj* dekadent.

decaff [ˈdiːkæf] *n* (*col*) = **decaffeinated** Koffeinfreie(r) *m* (*col*).

decaffeinated [ˌdiːˈkæfɪneɪtɪd] *adj* koffeinfrei, entkoffeiniert.

decal [ˈdiːkæl] *n* (*US*) Aufkleber *m*.

decamp [dɪˈkæmp] *vi* (*col*) sich aus dem Staube machen.

decant [dɪˈkænt] *vt* umfüllen.

decanter [dɪˈkæntəʳ] *n* Karaffe *f*.

decapitate [dɪˈkæpɪteɪt] *vt* enthaupten, köpfen.

decarbonize [ˌdiːˈkɑːbənaɪz] *vt* dekarbonisieren, entkohlen.

decathlete [dɪˈkæθliːt] *n* Zehnkämpfer *m*.

decathlon [dɪˈkæθlən] *n* Zehnkampf *m*.

decay [dɪˈkeɪ] ☐1 *vi* verfallen; (*rot*) verwesen, verfaulen; (*food*) schlecht werden, verderben; (*beauty*) verblühen, vergehen; (*civilization, race*) untergehen; (*one's faculties*) verkümmern.
☐2 *n see vi* Verfall *m*; Verwesung *f*; Verderben *nt*; (*of civilization*) Untergang *m*; (*of one's faculties*) Verkümmern *nt* ► *to fall into ~* in Verfall geraten.

decease [dɪˈsiːs] *n* (*Jur, form*) Ableben *nt* (*form*).

deceased [dɪˈsiːst] (*Jur, form*) ☐1 *adj* verstorben.
☐2 *n: the ~* der/die Tote *or* Verstorbene; die Toten *or* Verstorbenen *pl*.

deceit [dɪˈsiːt] *n* Betrug *m no pl*, Täuschung *f*.

deceitful [dɪˈsiːtfʊl] *adj* falsch, betrügerisch.

deceitfulness [dɪˈsiːtfʊlnɪs] *n* Falschheit *f*; (*deceitful acts*) Betrügereien *pl*.

deceive [dɪˈsiːv] *vt* täuschen, irreführen; *one's wife, husband* betrügen ► *to ~ sb into thinking sth* jdm etw einreden; *are my eyes deceiving me?* täuschen mich meine Augen?; *to ~ oneself* sich (*dat*) selbst etwas vormachen.

decelerate [diːˈseləreɪt] *vi* (*car, train*) langsamer werden; (*driver*) die Geschwindigkeit herabsetzen.

deceleration [di,seləˈreɪʃən] *n see vi* Langsamerwerden *nt*; Herabsetzung *f* der Geschwindigkeit.

December [dɪˈsembəʳ] *n* Dezember *m*; *see* **September**.

decency [ˈdiːsənsɪ] *n* Anstand *m* ► *it's only common ~ to ...* es gehört sich einfach, zu ...; *have you no sense of ~?* haben Sie denn kein Anstandsgefühl!; *they didn't even have the ~ ...* sie haben es nicht einmal für nötig gehalten, ...

decent [ˈdiːsənt] *adj* anständig ► *are you ~?* (*col*) bist du schon angezogen?

decentralization [ˈdiːˌsentrəlaɪˈzeɪʃən] *n* Dezentralisierung *f*.

decentralize [diːˈsentrəlaɪz] *vti* dezentralisieren.

deception [dɪˈsepʃən] *n* Betrug *m no pl* (*of* an +*dat*); (*of public etc*) Täuschung *f*.

deceptive [dɪˈseptɪv] *adj* irreführend; *similarity* täuschend; *simplicity* trügerisch ► *to be ~* täuschen, trügen (*geh*); *appearances can be ~* der Schein trügt.

deceptively [dɪˈseptɪvlɪ] *adv* täuschend.

decibel [ˈdesɪbel] *n* Dezibel *nt*.

▼ **decide** [dɪˈsaɪd] ☐1 *vt* ☐a (*come to a decision*) (sich) entscheiden; (*take it into one's head*) beschließen ► *did you ~ anything?* habt ihr irgendwelche Entscheidungen getroffen?; *I have ~d we are making a big mistake* ich bin zu der Überzeugung gekommen, daß wir einen großen Fehler machen; *I'll ~ what we do!* ich bestimme, was wir tun! ☐b (*settle*) *question, war* entscheiden ► *that ~s it* damit ist die Sache entschieden; *that eventually ~d me* das hat schließlich für mich den Ausschlag gegeben.
☐2 *vi* (sich) entscheiden ► *I don't know, you* ich weiß nicht, entscheiden *or* bestimmen *Sie!*; *to ~ for/against sth* (sich) für/gegen etw entscheiden.

♦**decide on** *vi +prep obj* sich entscheiden für.

decided [dɪˈsaɪdɪd] *adj* ☐a (*clear, definite*) entschieden; *difference* deutlich. ☐b (*determined*) *manner* entschlossen, bestimmt.

decidedly [dɪˈsaɪdɪdlɪ] *adv* (*definitely*) entschieden.

deciding [dɪˈsaɪdɪŋ] *adj* entscheidend.

deciduous [dɪˈsɪdjʊəs] *adj* ~ *tree* Laubbaum *m*.

decimal [ˈdesɪməl] ☐1 *adj* Dezimal- ► ~ *currency* Dezimalwährung *f*; *to three ~ places* auf drei Dezimalstellen; ~ *point* Komma *nt*; ~ *system* Dezimalsystem *nt*.
☐2 *n* Dezimalzahl *f*.

decimalization [ˌdesɪmələˈzeɪʃən] *n* Umstellung *f* auf das Dezimalsystem.

decimate [ˈdesɪmeɪt] *vt* dezimieren.

decipher [dɪˈsaɪfəʳ] *vt* (*lit, fig*) entziffern.

decision [dɪˈsɪʒən] *n* ☐a Entscheidung *f* (*on* über +*acc*), Entschluß *m*; (*esp of committee etc*) Beschluß *m* ► *to make a ~* eine Entscheidung treffen *or* fällen, einen Entschluß/Beschluß fassen; *it's your ~* das mußt du entscheiden; *to come to a ~* zu einer Entscheidung kommen. ☐b *no pl* (*of character*) Entschlossenheit *f*.

decision: ~-**maker** *n* Entscheidungsträger *m*; ~-**making** *n* Entscheidungsfindung *f*; ~-**making skills** *npl* Entschlußfähigkeit *f*.

decisive [dɪˈsaɪsɪv] *adj* ☐a entscheidend; *factor also* ausschlaggebend. ☐b *manner, answer* entschlossen; *person* entschlußfreudig.

deck [dek] ☐1 *n* ☐a (*Naut*) Deck *nt* ► *on ~* auf Deck; *to go up on ~* an Deck gehen; *to go (down) below ~(s)* unter Deck gehen. ☐b (*of bus*) *top or upper ~* Oberdeck *nt*. ☐c (*of cards*) Spiel *nt*. ☐d (*hi-fi unit*) Laufwerk *nt* ► *cassette ~* Kassettendeck *nt*; *record ~* Plattenspieler *m*.
☐2 *vt* (*also ~ out*) schmücken.

deckchair [ˈdektʃɛəʳ] *n* Liegestuhl *m*.

declaim [dɪˈkleɪm] *vi* deklamieren.

declaration [deklaˈreɪʃən] *n* Erklärung *f*.

declare [dɪˈklɛəʳ] *vt* erklären; *results* bekanntgeben; *goods* angeben ► *have you anything to ~?* haben Sie etwas zu verzollen?; *to ~ one's income* sein Einkommen angeben; *to ~ war (on sb)* (jdm) den Krieg erklären; *to ~ sb the winner* jdn zum Sieger erklären; *he ~d that ...* er behauptete, daß ...

declared [dɪˈklɛəd] *adj* erklärt.

declassify [diːˈklæsɪfaɪ] *vt information* freigeben.

declension [dɪˈklenʃən] *n* (*Gram*) Deklination *f*.

decline [dɪˈklaɪn] ☐1 *n* ☐a Rückgang *m*; (*of empire, party's supremacy*) Untergang, Niedergang *m* ► *to be on the ~ see vi*. ☐b (*Med*) Verfall *m*.
☐2 *vt* ☐a *invitation, honour* ablehnen ► *he ~d to come*

er hat es abgelehnt, zu kommen. **b** (*Gram*) deklinieren. **3** *vi* **a** (*prices, value*) sinken; (*popularity, enthusiasm, interest*) abnehmen; (*population, influence, business*) zurückgehen; (*empire*) verfallen; (*fame*) verblassen; (*health*) sich verschlechtern ► **in his declining years** gegen Ende seines Lebens. **b** (*refuse, say no*) ablehnen. **c** (*Gram*) dekliniert werden.

declutch [‚diː'klʌtʃ] *vi* auskuppeln.

decode [‚diː'kəʊd] *vt* entschlüsseln; (*Comp, TV*) dekodieren, decodieren.

decoder [‚diː'kəʊdə^r] *n* (*Comp, TV etc*) Decoder *m*.

decommission [‚diːkə'mɪʃən] *vt* *power station* stillegen; *warship* außer Dienst nehmen.

decompose [‚diːkəm'pəʊz] *vi* (*Chem, Phys*) zerlegt werden; (*rot*) sich zersetzen; (*body*) verwesen.

decomposition [‚diːkɒmpə'zɪʃən] *n* (*Chem, Phys*) Zerlegung *f*; (*rotting*) Zersetzung *f*; (*of body*) Verwesung *f*.

decompression [‚diːkəm'preʃən] *n* Dekompression, Druckverminderung *f* ► **~ chamber** *n* Dekompressionskammer *f*.

decongestant [‚diːkən'dʒestənt] *n* (*Med*) (die Nasenschleimhaut) abschwellendes Mittel.

decontaminate [‚diːkən'tæmɪneɪt] *vt* entgiften; (*from radioactivity*) entseuchen.

decontamination [‚diːkəntæmɪ'neɪʃən] *n see vt* Entgiftung *f*; Entseuchung *f*.

decontrol [‚diːkən'trəʊl] *vt prices* freigeben.

décor ['deɪkɔː^r] *n* (*in room*) Ausstattung *f*; (*Theat*) Bühnenbild *nt*.

decorate ['dekəreɪt] *vt* **a** *cake, hat* verzieren; *street, Christmas tree* schmücken; *room* (*paint*) streichen; (*paint and wallpaper*) streichen und tapezieren. **b** *soldier* dekorieren, auszeichnen.

decoration [‚dekə'reɪʃən] *n* **a** (*act: of room etc*) Tapezieren *nt*; (An)streichen *nt*. **b** (*on cake, hat etc*) Verzierung *f*; (*on Christmas tree, in street*) Schmuck *m no pl* ► **Christmas ~s** Weihnachtsdekorationen *pl or* -schmuck *m*; **interior ~** Innenausstattung *f*. **c** (*Mil*) Auszeichnung *f*.

decorative ['dekərətɪv] *adj* dekorativ.

decorator ['dekəreɪtə^r] *n* (*Brit*) Maler und Tapezierer *m*.

decorous ['dekərəs] *adj* schicklich.

decorum [dɪ'kɔːrəm] *n* Anstand *m*.

decoy ['diːkɔɪ] *n* (*lit, fig*) Köder *m*; (*person*) Lockvogel *m*.

decrease [diː'kriːs] **1** *vi* abnehmen; (*figures, output, birthrate, production*) zurückgehen; (*strength, enthusiasm, intensity*) nachlassen ► **it ~s in value** es verliert an Wert. **2** *vt* verringern, reduzieren. **3** ['diːkriːs] *n see vi* Abnahme *f*; Rückgang *m*; Nachlassen *nt* ► **to be on the ~** *see vi*.

decreasing [diː'kriːsɪŋ] *adj see vi* abnehmend; zurückgehend; nachlassend.

decreasingly [diː'kriːsɪŋlɪ] *adv* immer weniger.

decree [dɪ'kriː] **1** *n* (*Pol, of king etc*) Erlaß *m*; (*of tribunal, court*) Entscheid *m*, Urteil *nt* ► **~ nisi/absolute** vorläufiges/endgültiges Scheidungsurteil. **2** *vt* verordnen, verfügen.

decrepit [dɪ'krepɪt] *adj* altersschwach; *building also* baufällig.

decry [dɪ'kraɪ] *vt* schlechtmachen.

dedicate ['dedɪkeɪt] *vt* **a** *church* weihen. **b** *book, music* widmen (*to sb* jdm) ► **to ~ oneself or one's life to sth** sich *or* sein Leben einer Sache widmen.

dedicated ['dedɪkeɪtɪd] *adj* **a** *attitude* hingebungsvoll; *service* treu; *teacher etc* engagiert ► **she's a ~ nurse** sie ist Krankenschwester mit Leib und Seele. **b** (*Comp*) dediziert.

dedication [‚dedɪ'keɪʃən] *n* **a** (*quality*) Hingabe *f* (*to an*

+*acc*); (*to work*) Engagement *nt*. **b** (*of church*) Weihe *f*. **c** (*in book*) Widmung *f*.

deduce [dɪ'djuːs] *vt* folgern, schließen (*from* aus).

deduct [dɪ'dʌkt] *vt* abziehen (*from* von); (*from wages also*) einbehalten ► **to ~ sth from the price** etw vom Preis nachlassen.

deductible [dɪ'dʌktəbl] *adj* abziehbar; (*tax ~*) absetzbar.

deduction [dɪ'dʌkʃən] *n* **a** (*act of deducting*) Abzug *m*; (*sth deducted*) (*from price*) Nachlaß *m*; (*from wage*) Abzug *m*. **b** (*sth deduced*) (Schluß)folgerung *f*.

deed [diːd] *n* **a** Tat *f* ► **good ~** gute Tat; **in word and ~** in Wort und Tat. **b** (*Jur*) Urkunde *f* ► **~ of covenant** Vertragsurkunde *f*.

deem [diːm] *vt* **to ~ sb/sth (to be) sth** jdn/etw für etw erachten (*geh*) *or* halten.

deep [diːp] **1** *adj* (+*er*) tief; (*profound*) *thinker, book, remark* tiefsinnig; *concern, interest* groß; *sorrow* tief (empfunden) ► **two metres ~ in snow/water** mit zwei Meter Schnee bedeckt/zwei Meter tief unter Wasser; **to go off (at) the ~ end** (*col*) an die Decke gehen (*col*); **to plunge in at the ~ end** (*col*) sich kopfüber in die Sache stürzen; **to be thrown in at the ~ end** (*col*) gleich zu Anfang richtig ranmüssen (*col*); **~ in thought/a book** in Gedanken/in ein Buch vertieft; **he's a ~ one** (*col*) er ist ein stilles Wasser. **2** *adv* (+*er*) tief ► **~ into the night** bis tief in die Nacht hinein; **they stood ten ~** sie standen in zehn Reihen hintereinander. **3** *n* (*liter*) **the ~** das Meer, die See.

deepen ['diːpən] **1** *vt* (*lit, fig*) vertiefen. **2** *vi* (*lit, fig*) tiefer werden; (*concern, interest*) zunehmen; (*mystery*) größer werden.

deep: ~-freeze **1** *n* Tiefkühltruhe *f*; (*upright*) Gefrierschrank *m*; **2** *vt* einfrieren; **~-fry** *vt* fritieren, in schwimmendem Fett ausbacken.

▼ **deeply** ['diːplɪ] *adv* **a** *dig, cut, breathe* tief; *think, consider also* gründlich. **b** *grateful, concerned* zutiefst; *offended also, indebted* tief; *love* innig; *interested* höchst; *aware* voll(kommen).

deep: ~-rooted *adj* (*fig*) tiefverwurzelt; **~-sea** *adj plant, current, animal* Meeres-; **~-sea diver** *n* Tiefseetaucher *m*; **~-sea fishing** *n* Hochseefischerei *f*; **~-seated** *adj* tiefsitzend; **~-set** *adj* tiefliegend; **D~ South** *n* Tiefer Süden.

deer [dɪə^r] *n, pl* - Hirsch *m*; (*roe ~*) Reh *nt* ► **are there any ~ here?** gibt es hier Wild?

deer: ~ park *n* Wildpark *m*; **~skin** *n* Hirsch-/Rehleder *nt*; **~stalker** *n* (*hat*) ≃ Sherlock-Holmes-Mütze *f*; **~stalking** *n* Pirschen *nt*, Pirsch *f*.

deface [dɪ'feɪs] *vt* verunstalten.

de facto [deɪ'fæktəʊ] *adj, adv* de facto.

defamation [‚defə'meɪʃən] *n* Diffamierung, Verleumdung *f* ► **~ of character** Rufmord *m*.

defamatory [dɪ'fæmətərɪ] *adj* diffamierend.

default [dɪ'fɔːlt] **1** *n* **a** (*failure to appear*) (*Jur*) Nichterscheinen *nt* vor Gericht; (*Sport*) Nichtantreten *nt*; (*failure to perform duty*) Versäumnis *nt* ► **to win by ~** (*Sport*) kampflos gewinnen. **b** ['diːfɔːlt] (*Comp*) Default *m*, Voreinstellung *f*. **2** *vi* (*not appear*) (*Jur*) nicht erscheinen; (*Sport*) nicht antreten; (*not perform duty, not pay*) säumig sein ► **to ~ in one's payments** seinen Zahlungsverpflichtungen nicht nachkommen. **3** ['diːfɔːlt] *attr* (*Comp*) voreingestellt ► **~ drive** Standardlaufwerk *nt*.

defeat [dɪ'fiːt] **1** *n* (*defeating*) Sieg *m* (*of* über +*acc*); (*of motion, bill*) Ablehnung *f*; (*being defeated*) Niederlage *f* ► **to admit ~** sich geschlagen geben. **2** *vt army, team* besiegen, schlagen; *government also* eine Niederlage beibringen (+*dat*); *motion, bill* ablehnen

---

▶ *that would be ~ing the purpose* das würde den Zweck verfehlen.

defeatism [dɪˈfiːtɪzəm] *n* Defätismus *m*.

defeatist [dɪˈfiːtɪst] ① *n* Defätist *m*. ② *adj* defätistisch.

defecate [ˈdefəkeɪt] *vi* den Darm entleeren.

defect¹ [ˈdiːfekt] *n* Fehler, Schaden *m*; (*in mechanism also*) Defekt *m* ▶ *physical ~* Mißbildung *f*; (*less serious*) Schönheitsfehler *m*; *a character ~* ein Charakterfehler *m*.

defect² [dɪˈfekt] *vi* sich absetzen; (*fig*) abtrünnig werden ▶ *to ~ to the enemy* zum Feind übergehen *or* überlaufen.

defection [dɪˈfekʃən] *n* (*Pol*) Überlaufen *nt*; (*fig*) Abtrünnigkeit *f*, Abfall *m*.

defective [dɪˈfektɪv] *adj* fehlerhaft; *machine also* defekt; *hearing, sight* mangelhaft, gestört.

defector [dɪˈfektə^r] *n* Überläufer(in *f*) *m*; (*fig*) Abtrünnige(r) *mf*.

defence, (*US*) **defense** [dɪˈfens] *n* Verteidigung *f*; (*Sport also*) Abwehr *f* ▶ *in his ~* zu seiner Verteidigung; *to come to sb's ~* jdn verteidigen; *to put up a stubborn ~* sich hartnäckig verteidigen; *his only ~ was ...* seine einzige Rechtfertigung war ...; *counsel for the ~* Verteidiger(in *f*) *m*; *as a ~ against* als Schutz gegen; *~s* (*Mil*) Verteidigungsanlagen *pl*; *Ministry of D~* Verteidigungsministerium *nt*.

defence: *~ expenditure* *n* Verteidigungsausgaben *pl*; *~less* *adj* schutzlos; *~ mechanism* *n* Abwehrmechanismus *m*.

defend [dɪˈfend] *vt* verteidigen (*also Jur*) (*against* gegen) ▶ *to ~ oneself* sich verteidigen.

defendant [dɪˈfendənt] *n* Angeklagte(r) *mf*; (*in civil cases*) Beklagte(r) *mf*.

defender [dɪˈfendə^r] *n* Verteidiger *m*.

defending [dɪˈfendɪŋ] *adj*: *~ counsel* Verteidiger(in *f*) *m*.

defense *etc* [dɪˈfens] (*US*) = **defence** *etc*.

defensive [dɪˈfensɪv] ① *adj* defensiv (*also fig*), Verteidigungs- ▶ *~ capability* Verteidigungsfähigkeit *f*. ② *n* (*Mil*) Abwehraktion *f* ▶ *to be on the ~* (*Mil, fig*) in der Defensive sein.

defer¹ [dɪˈfɜː^r] *vt* (*delay*) verschieben; *event also* verlegen ▶ *~red terms* Ratenkauf *m*.

defer² *vi* (*submit*) *to ~ to sb/sb's wishes* sich jdm beugen *or* fügen/sich jds Wünschen (*dat*) fügen.

deference [ˈdefərəns] *n* Achtung *f*, Respekt *m* ▶ *out of ~ to* aus Achtung *or* Respekt vor (*+dat*).

deferential [ˌdefəˈrenʃəl] *adj* ehrerbietig, respektvoll.

deferment [dɪˈfɜːmənt] *n see* **defer**¹ Verschiebung *f*; Verlegung *f*.

defiance [dɪˈfaɪəns] *n* Trotz *m* ▶ *in ~ of sb/sb's orders* jdm/jds Anordnungen zum Trotz.

defiant [dɪˈfaɪənt] *adj* aufsässig; *esp child also*, *answer* trotzig; (*challenging*) *attitude* herausfordernd.

deficiency [dɪˈfɪʃənsɪ] *n* Mangel *m*; (*in character, system*) Schwäche *f* ▶ *~ disease* Mangelkrankheit *f*.

deficient [dɪˈfɪʃənt] *adj* unzulänglich ▶ *sb/sth is ~ in sth* jdm/einer Sache fehlt es an etw (*dat*).

deficit [ˈdefɪsɪt] *n* Defizit *nt*.

defile¹ [ˈdiːfaɪl] *n* Hohlweg *m*.

defile² [dɪˈfaɪl] *vt* (*pollute*) verschmutzen; (*desecrate*) schänden, entweihen.

define [dɪˈfaɪn] *vt* ① festlegen, bestimmen; *word* definieren ▶ *to ~ one's position* seinen Standpunkt klarmachen. ② *to be clearly ~d against the sky* sich klar gegen den Himmel abzeichnen.

definite [ˈdefɪnɪt] *adj* *answer, decision* klar, eindeutig; *date, agreement, plan* fest, definitiv; *improvement, lisp* deutlich; *manner, tone* bestimmt ▶ *is that ~?* ist das sicher?; *the date is not ~ yet* der Termin steht noch nicht

fest; *she was very ~ about it* sie war sich (*dat*) sehr sicher; (*insistent*) sie bestand darauf; *can't you be more ~?* können Sie sich etwas genauer festlegen?; *~ article* (*Gram*) bestimmter Artikel.

definitely [ˈdefɪnɪtlɪ] *adv* bestimmt; *decide, arrange* fest, definitiv ▶ *he ~ wanted to come* er wollte auf jeden Fall kommen; *that's ~ an improvement* das ist eindeutig eine Verbesserung.

definition [ˌdefɪˈnɪʃən] *n* ⓐ (*of word, concept*) Definition *f*. ⓑ (*of powers, duties, boundaries*) Festlegung, Bestimmung *f*. ⓒ (*Phot, TV*) Bildschärfe *f*; (*Opt: of lens*) Schärfe *f*.

definitive [dɪˈfɪnɪtɪv] *adj* *victory, answer* entschieden; (*authoritative*) *book* maßgeblich (*on* für).

deflate [ˌdiːˈfleɪt] *vt* *tyre* etwas Luft/die Luft ablassen aus ▶ *to ~ the currency* eine Deflation herbeiführen; *he was a bit ~d* es war ein ziemlicher Dämpfer für ihn.

deflation [ˌdiːˈfleɪʃən] *n* (*Fin*) Deflation *f*.

deflationary [ˌdiːˈfleɪʃənərɪ] *adj* (*Fin*) deflationär.

deflect [dɪˈflekt] *vt* ablenken; (*Phys*) *light* beugen.

deflower [ˌdiːˈflaʊə^r] *vt* entjungfern, deflorieren.

defog [diːˈfɒg] *vt* (*US*) = **demist**.

defogger [diːˈfɒgə^r] *n* (*US*) = **demister**.

deforestation [diːˌfɒrɪˈsteɪʃən] *n* Entwaldung *f*.

deform [dɪˈfɔːm] *vt* deformieren, verunstalten.

deformed [dɪˈfɔːmd] *adj* *limb, body* mißgebildet.

deformity [dɪˈfɔːmɪtɪ] *n* M   ng *f*.

defraud [dɪˈfrɔːd] *vt* *to ~   ...* jdn um etw betrügen.

defray [dɪˈfreɪ] *vt* tragen, übernehmen.

defrock [ˌdiːˈfrɒk] *vt* aus dem Priesteramt verstoßen.

defrost [ˌdiːˈfrɒst] *vt* entfrosten; *fridge* abtauen; *food* auftauen.

defroster [ˌdiːˈfrɒstə^r] *n* (*US*) Defroster *m*; (*blower*) Gebläse *nt*.

deft [deft] *adj* (*+er*) flink, geschickt.

defunct [dɪˈfʌŋkt] *adj* *institution etc* eingegangen; *law* außer Kraft.

defuse [ˌdiːˈfjuːz] *vt* (*lit, fig*) entschärfen.

defy [dɪˈfaɪ] *vt* ⓐ (*disobey*) *person* sich widersetzen (*+dat*); *orders, law, death, danger* trotzen (*+dat*). ⓑ (*fig*) *efforts* widerstehen (*+dat*) ▶ *to ~ definition* sich nicht erklären *or* definieren lassen; *to ~ description* jeder Beschreibung spotten. ⓒ (*challenge*) *I ~ you to do better* machen Sie es doch besser, wenn Sie können.

degeneracy [dɪˈdʒenərəsɪ] *n* Degeneriertheit *f*.

degenerate [dɪˈdʒenərɪt] ① *adj* degeneriert; *race, morals also* entartet. ② *n* degenerierter Mensch. ③ [dɪˈdʒenəreɪt] *vi* degenerieren; (*people, morals also*) entarten.

degradation [ˌdegrəˈdeɪʃən] *n* Erniedrigung *f*.

degrade [dɪˈgreɪd] *vt* erniedrigen.

degrading [dɪˈgreɪdɪŋ] *adj* erniedrigend.

degree [dɪˈgriː] *n* ⓐ Grad *m no pl* ▶ *it was 35 ~s in the shade* es waren 35 Grad im Schatten. ⓑ (*extent*) *to some ~, to a (certain) ~* zu einem gewissen Grad, in gewissem Maße; *to a high ~* in hohem Maße; *to such a ~ that ...* so sehr, daß ...; *to what ~ was he involved?* inwieweit war er verwickelt?; *by ~s* nach und nach; *first/second ~ murder* (*Jur*) Mord *m*/Totschlag *m*. ⓒ (*Univ*) akademischer Grad ▶ *when did you do your ~?* wann haben Sie das Examen gemacht?; *he has a ~ in English* er hat ein abgeschlossenes Anglistikstudium; *she has a ~* sie hat einen Universitätsabschluß.

dehydrate [ˌdiːhaɪˈdreɪt] *vt* Wasser entziehen (*+dat*).

dehydrated [ˌdiːhaɪˈdreɪtɪd] *adj* *vegetables, milk* Trocken-; *person, skin* ausgetrocknet.

dehydration [ˌdiːhaɪˈdreɪʃən] *n* Austrocknung *f*.

de-ice [ˌdiːˈaɪs] *vt* enteisen.

de-icer [ˌdiːˈaɪsə^r] *n* Enteiser *m*; (*spray for cars*) Defroster *m*.

deign [deɪn] *vt to ~ to do sth* sich herablassen, etw zu tun.

deity ['diːɪtɪ] *n* Gottheit *f* ► *the D~* Gott *m.*

déjà vu ['deɪʒɑː'vjuː] *n* Déjà-vu-Erlebnis *nt* ► *a feeling of ~* das Gefühl, das schon einmal gesehen *or* erlebt zu haben.

dejected [dɪ'dʒektɪd] *adj* niedergeschlagen, deprimiert.

dejection [dɪ'dʒekʃən] *n* Niedergeschlagenheit *f.*

de jure [ˌdiː'dʒʊərɪ] *adj, adv* de jure.

delay [dɪ'leɪ] **1** *vt* **a** (*postpone*) verschieben, aufschieben ► *he ~ed writing the letter* er schob den Brief auf. **b** (*hold up*) *person, train* aufhalten ► *the flight was ~ed* das Flugzeug hatte Verspätung; (*leaving*) der Abflug verzögerte sich; *we'll be ~ed* wir werden uns verspäten; *~ing tactics* Verzögerungstaktik *f.* **2** *vi to ~ in doing sth* es aufschieben, etw zu tun; *don't ~!* verlieren Sie keine Zeit! **3** *n* (*hold-up*) Verzögerung *f;* (*to train, plane*) Verspätung *f* ► *there are ~s to all trains* alle Züge haben Verspätung; *without ~* unverzüglich; *without further ~* gleich.

delayed-action [dɪ'leɪd,ækʃən] *adj attr bomb, mine* mit Zeitzünder ► *~ shutter release* (*Phot*) Selbstauslöser *m.*

delectable [dɪ'lektəbl] *adj* köstlich; (*fig*) reizend.

delegate ['delɪgeɪt] **1** *vt* delegieren ► *to ~ sb to do sth* jdn damit beauftragen, etw zu tun. **2** *vi* delegieren. **3** ['delɪgət] *n* Delegierte(r) *mf.*

delegation [ˌdelɪ'geɪʃən] *n* Delegation *f* (*to* an +*acc*).

delete [dɪ'liːt] *vt* streichen (*from* von); *tape recording,* (*Comp*) löschen.

deletion [dɪ'liːʃən] *n see vt* Streichung *f;* Löschung *f.*

Delhi ['delɪ] *n* Delhi *nt.*

deli ['delɪ] *n* (*esp US col*) = **delicatessen.**

deliberate [dɪ'lɪbərɪt] **1** *adj* **a** (*intentional*) absichtlich; *action, insult, lie also* bewußt. **b** (*cautious, thoughtful*) besonnen; *action* (wohl)überlegt; (*slow*) *movement, step* bedächtig. **2** [dɪ'lɪbəreɪt] *vi* (*ponder*) nachdenken (*on* über +*acc*); (*discuss*) sich beraten (*on* über +*acc,* wegen). **3** [dɪ'lɪbəreɪt] *vt* (*ponder*) bedenken, überlegen; (*discuss*) beraten.

deliberately [dɪ'lɪbərɪtlɪ] *adv* **a** absichtlich, bewußt. **b** (*purposefully, slowly*) bedächtig.

deliberation [dɪˌlɪbə'reɪʃən] *n* **a** (*consideration*) Überlegung *f.* **b** (*discussion*) Beratungen *pl* (*of, on* in +*dat,* über +*acc*).

delicacy ['delɪkəsɪ] *n see adj* **a** Feinheit *f,* Zerbrechlichkeit *f;* Zartheit *f;* Empfindlichkeit *f* ► *the ~ of his health* seine schwächliche Konstitution. **b** Feinfühligkeit *f,* Empfindlichkeit *f;* Empfindsamkeit *f.* **c** Heikle *nt* (*of* an +*dat*). **d** (*food*) Delikatesse *f.*

delicate ['delɪkɪt] *adj* **a** *fabric etc* fein, zart; (*fragile*) zerbrechlich; *person* zart; *stomach* empfindlich ► *to have very ~ health* sehr anfällig sein. **b** (*sensitive*) *person* feinfühlig; *instrument* empfindlich; *playing* empfindsam. **c** *operation, situation* heikel, delikat.

delicately ['delɪkɪtlɪ] *adv* fein; (*tactfully*) taktvoll.

delicateness ['delɪkɪtnɪs] *n see* **delicacy (a), (b), (c).**

delicatessen [ˌdelɪkə'tesn] *n* Feinkostgeschäft *nt.*

delicious [dɪ'lɪʃəs] *adj* köstlich, lecker (*col*).

delight [dɪ'laɪt] **1** *n* Freude *f* ► *to my ~* zu meiner Freude; *he takes great ~ in doing that* es bereitet ihm große Freude, das zu tun; *he's a ~ to watch* es ist eine Freude, ihm zuzusehen. **2** *vt* erfreuen. **3** *vi* sich erfreuen (*in* an +*dat*).

▼ **delighted** [dɪ'laɪtɪd] *adj to be ~* sich sehr freuen (*at* über +*acc, that* daß); *I'd be ~ to help you* ich würde Ihnen sehr gern helfen.

delightful [dɪ'laɪtfʊl] *adj* reizend; *weather, party, meal*

wunderbar.

delightfully [dɪ'laɪtfəlɪ] *adv* wunderbar.

delimit [diː'lɪmɪt] *vt* abstecken, abgrenzen.

delineate [dɪ'lɪnɪeɪt] *vt* (*draw*) skizzieren; (*describe*) beschreiben.

delinquency [dɪ'lɪŋkwənsɪ] *n* Kriminalität *f.*

delinquent [dɪ'lɪŋkwənt] **1** *adj* **a** straffällig. **b** (*US*) *bill* überfällig; *account* rückständig. **2** *n* Delinquent *m.*

delirious [dɪ'lɪrɪəs] *adj* (*Med*) im Delirium; (*fig*) im Taumel ► *~ with joy* im Freudentaumel.

deliriously [dɪ'lɪrɪəslɪ] *adv ~ happy* überglücklich.

delirium [dɪ'lɪrɪəm] *n* (*Med*) Delirium *nt.*

deliver [dɪ'lɪvə^r] **1** *vt* **a** *goods* liefern; *note, message* überbringen; (*on regular basis*) *letters, papers etc* zustellen ► *to ~ sth to sb* jdm etw liefern/zustellen; *to ~ sth to the door* etw ins Haus liefern; *he ~ed me right to the door* er brachte mich bis zur Tür; *to ~ the goods* (*fig col*) es bringen (*col*), es schaffen. **b** (*liter: rescue*) befreien. **c** (*pronounce*) *speech* halten; *ultimatum* stellen; *verdict* verkünden. **d** *baby* zur Welt bringen. **e** (*aim*) *blow* versetzen. **2** *vi* **a** liefern. **b** *they didn't ~* (*fig col*) sie brachten's nicht (*col*).

deliverance [dɪ'lɪvərəns] *n* (*liter*) Erlösung (*from* von) *f.*

delivery [dɪ'lɪvərɪ] *n* **a** (*of goods*) Lieferung *f;* (*of parcels, letters*) Zustellung *f* ► *to take ~ of sth* etw in Empfang nehmen; *to pay on ~* bei Empfang zahlen; *late ~* Lieferverzögerung *f.* **b** (*Med*) Entbindung *f.* **c** (*of speaker*) Vortragsweise *f.*

delivery: *~ boy n* Bote *m;* (*for newspapers*) Austräger *m;* *~ date n* Liefertermin *m;* *~ note n* Lieferschein *m;* *~ time n* Lieferzeit *f;* *~ van n* (*Brit*) Lieferwagen *m.*

delouse [ˌdiː'laʊs] *vt* entlausen.

delphinium [del'fɪnɪəm] *n* Rittersporn *m.*

delta ['deltə] *n* Delta *nt* ► *~ wing* Deltaflügel *m.*

delude [dɪ'luːd] *vt* täuschen, irreführen (*with* mit) ► *to ~ sb into thinking sth* jdm etw weismachen; *to ~ oneself* sich (*dat*) Illusionen machen, sich (*dat*) etwas vormachen.

deluge ['deljuːdʒ] **1** *n* Überschwemmung *f;* (*of rain*) Wolkenbruch *m;* (*fig: of letters etc*) Flut *f.* **2** *vt* (*lit, fig*) überschwemmen, überfluten.

delusion [dɪ'luːʒən] *n* Illusion *f,* Irrglaube *m no pl.*

de luxe [dɪ'lʌks] *adj* Luxus-.

delve [delv] *vi* (*into book*) sich vertiefen (*into* in +*acc*) ► *to ~ into one's pocket* tief in die Tasche greifen.

Dem (*US Pol*) = **Democrat** dem.

demagogue ['deməgɒg] *n* Demagoge *m,* Demagogin *f.*

▼ **demand** [dɪ'mɑːnd] **1** *vt* verlangen, fordern (*of, from* von); (*situation, task etc*) erfordern ► *he ~ed to see my passport* er verlangte meinen Paß. **2** *n* **a** Forderung *f* (*for* nach) ► *by popular ~* auf allgemeinen Wunsch; *to make ~s on sb* Forderungen an jdn stellen; *I have many ~s on my time* ich habe sehr viele Verpflichtungen. **b** *no pl* (*Comm*) Nachfrage *f,* Bedarf *m* (*for* nach) ► *to be in great ~* (*article, person*) sehr gefragt sein.

demanding [dɪ'mɑːndɪŋ] *adj child* anstrengend; *task also, teacher, boss* anspruchsvoll ► *physically ~* körperlich anstrengend.

demarcate ['diːmɑːkeɪt] *vt* abgrenzen, demarkieren.

demarcation [ˌdiːmɑː'keɪʃən] *n* Abgrenzung, Demarkation *f* ► *~-line* Demarkationslinie *f;* *~ dispute* Streit *m* um den Zuständigkeitsbereich.

demeaning [dɪ'miːnɪŋ] *adj* erniedrigend.

demeanour, (*US*) **demeanor** [dɪ'miːnə^r] *n* (*behaviour*) Benehmen, Auftreten *nt.*

demented [dɪ'mentɪd] *adj* verrückt, wahnsinnig.

demerara (sugar) [ˌdemə'rɛərə('ʃʊgə^r)] *n* brauner Rohrzucker.

---

demi ['demɪ-] *pref* Halb-, halb- ► **~god** Halbgott *m*.
demilitarize [ˌdiː'mɪlɪtəraɪz] *vt* demilitarisieren; **~d zone** *n* entmilitarisierte Zone.
demise [dɪ'maɪz] *n* (*form*) Ableben *nt* (*geh*); (*fig: of institution, newspaper etc*) Ende *nt*.
demist [ˌdiː'mɪst] *vt windscreen* freimachen.
demister [ˌdiː'mɪstər] *n* (*Brit*) Defroster *m*; (*blower*) Gebläse *nt*.
demitasse ['demɪtæs] *n* (*US*) (*cup*) Mokkatasse *f*; (*coffee*) Kaffee *m*.
demo ['deməʊ] *n* (*col*) = **demonstration** Demo *f* (*col*).
demob [diː'mɒb] (*col*), **demobilize** [diː'məʊbɪlaɪz] *vt* aus dem Kriegsdienst entlassen.
democracy [dɪ'mɒkrəsɪ] *n* Demokratie *f*.
democrat ['deməkræt] *n* Demokrat(in *f*) *m*.
democratic *adj*, **~ally** *adv* [ˌdeməˈkrætɪk, -əlɪ] demokratisch. (*US Pol*) **D~ Party** Demokratische Partei.
demography [dɪ'mɒɡrəfɪ] *n* Demographie *f*.
demolish [dɪ'mɒlɪʃ] *vt building* ab- *or* einreißen; (*fig*) *opponent, theory* zunichte machen, vernichten; (*hum*) *cake etc* vertilgen.
demolition [ˌdeməˈlɪʃən] *n* Abbruch *m*.
demon ['diːmən] *n* Dämon *m*; (*col: child*) Teufel *m* ► **to be a ~ for work** ein Arbeitstier sein.
demonstrable ['demənstrəbl] *adj* offensichtlich, beweisbar.
demonstrably ['demənstrəblɪ] *adv* beweisbar ► **~ false** nachweislich falsch.
demonstrate ['demənstreɪt] **1** *vt* **a** zeigen, beweisen. **b** *appliance etc* vorführen. **2** *vi* (*Pol*) demonstrieren.
demonstration [ˌdeməˈstreɪʃən] *n* **a** Beweis *m*; (*of appliance*) Vorführung *f*. **b** (*Pol*) Demonstration *f*.
demonstrative [dɪ'mɒnstrətɪv] *adj* demonstrativ ► **he's not very ~** er zeigt seine Gefühle nicht.
demonstrator ['demənstreɪtər] *n* **a** (*Comm*) Vorführer(in *f*) *m*; (*car*) Vorführwagen *m*. **b** (*Pol*) Demonstrant(in *f*) *m*.
demoralize [dɪ'mɒrəlaɪz] *vt* entmutigen; *troops etc* demoralisieren.
demote [dɪ'məʊt] *vt* (*Mil*) degradieren (*to* zu); (*in business etc*) zurückstufen.
demotion [dɪ'məʊʃən] *n* (*Mil*) Degradierung *f*; (*in business etc*) Zurückstufung *f*.
demur [dɪ'mɜːr] (*form*) **1** *vi* Einwände erheben (*at* gegen). **2** *n* **without ~** widerspruchslos.
demure [dɪ'mjʊər] *adj* (+*er*) (*coy*) spröde; (*sedate*) ernst, gesetzt.
den [den] *n* **a** (*of lion etc*) Höhle *f*; (*of fox*) Bau *m* ► **~ of iniquity** Lasterhöhle *f*; **~ of thieves** Spelunke, Räuberhöhle (*hum*) *f*. **b** (*room*) Bude *f* (*col*).
denationalization ['diːnæʃnəlaɪ'zeɪʃən] *n* Entstaatlichung *f*.
denationalize [ˌdiː'næʃnəlaɪz] *vt* entstaatlichen.
denial [dɪ'naɪəl] *n* **a** (*of accusation, guilt*) Leugnen *nt* ► **an official ~** ein offizielles Dementi. **b** (*of request etc*) Ablehnung *f*; (*official*) abschlägiger Bescheid; (*of rights*) Verweigerung *f*.
denier ['deniər] *n* (*of stockings*) Denier *nt*.
denigrate ['denɪgreɪt] *vt* verunglimpfen.
denim ['denɪm] *n* **a** Jeansstoff *m*. **b** *attr* Jeans- ► **~ jacket** Jeansjacke *f*. **c** **~s** *pl* (Blue) Jeans *pl*.
Denmark ['denmɑːk] *n* Dänemark *nt*.
denomination [dɪˌnɒmɪ'neɪʃən] *n* **a** (*Eccl*) Konfession *f*. **b** (*of money*) Nennwert *m*.
denominational [dɪˌnɒmɪ'neɪʃənəl] *adj* konfessionell.
denominator [dɪ'nɒmɪneɪtər] *n* (*Math*) Nenner *m*.
denote [dɪ'nəʊt] *vt* bedeuten.
dénouement [deɪ'nuːmɒŋ] *n* Ausgang *m*.

denounce [dɪ'naʊns] *vt* **a** (*accuse*) anprangern; (*inform against*) anzeigen, denunzieren (*sb to sb* jdn bei jdm). **b** (*condemn*) *alcohol, habit etc* verurteilen.
dense [dens] *adj* (+*er*) **a** dicht. **b** (*col: stupid*) beschränkt.
densely ['denslɪ] *adv* **~ populated** dicht bevölkert.
density ['densɪtɪ] *n* Dichte *f* ► **population ~** Bevölkerungsdichte *f*.
dent [dent] **1** *n* (*in metal*) Beule, Delle (*col*) *f* ► **that made a ~ in his savings** (*col*) das hat ein Loch in seine Ersparnisse gerissen. **2** *vt car* eindellen, verbeulen; (*col*) *pride* anknacksen (*col*).
dental ['dentl] *adj* Zahn-; *treatment* zahnärztlich ► **~ care** Zahnpflege *f*; **~ floss** Zahnseide *f*; **~ surgeon** Zahnarzt *m*/-ärztin *f*.
dentifrice ['dentɪfrɪs] *n* Zahnpasta *f*.
dentist ['dentɪst] *n* Zahnarzt *m*, Zahnärztin *f* ► **at the ~'s** beim Zahnarzt; **~'s surgery** (*Brit*) *or* **office** (*US*) Zahnarztpraxis *f*.
dentistry ['dentɪstrɪ] *n* Zahnmedizin *f*.
dentures ['dentʃəz] *npl* (*partial ~*) Zahnprothese *f*; (*full ~*) Gebiß *nt*.
denude [dɪ'njuːd] *vt* entblößen (*of gen*).
denunciation [dɪˌnʌnsɪ'eɪʃən] *n see* **denounce** Anprangerung *f*; Denunziation *f*; Verurteilung *f*.
▼ **deny** [dɪ'naɪ] *vt* **a** *charge, accusation etc* bestreiten, leugnen; (*officially*) dementieren ► **do you ~ having said that?** leugnen *or* bestreiten Sie, das gesagt zu haben?; **I don't ~ it** das streite ich gar nicht ab. **b** (*refuse*) **to ~ sb a request/his rights** jdm eine Bitte abschlagen/seine Rechte vorenthalten; **I can't ~ her anything** ich kann ihr nichts abschlagen; **to ~ oneself sth** auf etw (*acc*) verzichten. **c** *religion, principles* verleugnen.
deodorant [diː'əʊdərənt] **1** *n* Deodorant *nt*. **2** *adj* desodorierend.
dep = **departure** Abf.
depart [dɪ'pɑːt] *vi* **a** (*go away*) weggehen; (*on journey*) abreisen; (*by bus, car etc*) wegfahren; (*train, bus etc*) abfahren. **b** (*deviate: from opinion etc*) abweichen, abgehen.
departed [dɪ'pɑːtɪd] *n* **the (dear) ~** der/die (liebe) Verstorbene; **die (lieben) Verstorbenen** *pl*.
department [dɪ'pɑːtmənt] *n* **a** Abteilung *f*; (*in civil service*) Ressort *nt* ► **D~ of Employment** (*Brit*) Arbeitsministerium *nt*; **D~ of State** (*US*) Außenministerium *nt*; **that's not my ~** (*fig*) dafür bin ich nicht zuständig. **b** (*Univ*) Seminar *nt*.
departmental [ˌdiːpɑːt'mentl] *adj* **a** Abteilungs-. **b** (*Univ*) Seminar-.
department store *n* Kaufhaus, Warenhaus *nt*.
departure [dɪ'pɑːtʃər] *n* **a** (*of person*) Weggang *m*; (*on journey*) Abreise *f* (*from* aus); (*of vehicle*) Abfahrt *f*; (*of plane*) Abflug *m* ► **~ board** (*Aviat*) Abfluganzeige *f*; (*Rail*) Abfahrtstafel *f*; **~ lounge** Abflughalle *f*; **~ time** (*Aviat*) Abflugzeit *f*; (*Rail, bus*) Abfahrtszeit *f*; **point of ~** (*fig*) Ausgangspunkt *m*; **"~s"** „Abfahrt"; (*at airport*) „Abflug". **b** (*fig: from custom, truth*) Abweichen *nt* (*from* von) ► **a new ~** eine neue Richtung.
▼ **depend** [dɪ'pend] *vi* **a** abhängen (*on sb/sth* von jdm/ etw) ► **it all ~s (on whether ...)** das hängt ganz davon ab(, ob ...); **that ~s** das kommt darauf an; **~ing on his mood/how late we arrive** je nach seiner Laune/je nachdem, wie spät wir ankommen. **b** (*rely*) sich verlassen (*on, upon* auf +*acc*) ► **you can ~ (up)on it!** darauf können Sie sich verlassen! **c** (*person: be dependent on*) **to ~ on** angewiesen sein auf (+*acc*).
dependable *adj* zuverlässig, verläßlich.
dependant, dependent [dɪ'pendənt] *n* Abhängige(r) *mf* ► **do you have ~s?** haben Sie (abhängige) Angehörige?

dependence [dɪ'pendəns] n Abhängigkeit f (on von).
dependency [dɪ'pendənsɪ] n (country) Abhängigkeitsgebiet nt.
dependent [dɪ'pendənt] ⊡ adj abhängig (on, upon von) ▸ to be ~ on sb's good will auf jds Wohlwollen (acc) angewiesen sein.
⊡ n = **dependant**.
depict [dɪ'pɪkt] vt schildern.
depilatory [dɪ'pɪlətərɪ] n Enthaarungsmittel nt ▸ cream Enthaarungscreme f.
deplete [dɪ'pliːt] vt verringern.
depletion [dɪ'pliːʃən] n Verringerung f.
deplorable [dɪ'plɔːrəbl] adj beklagenswert, bedauerlich.
deplore [dɪ'plɔːr] vt (regret) bedauern, beklagen; (disapprove of) mißbilligen.
deploy [dɪ'plɔɪ] vt (Mil, fig) einsetzen ▸ the troops ~ed in Germany die in Deutschland stationierten Truppen.
deployment [dɪ'plɔɪmənt] n Einsatz m.
depopulate [ˌdiː'pɒpjʊleɪt] vt entvölkern.
depopulation ['diːˌpɒpjʊ'leɪʃən] n Entvölkerung f.
deport [dɪ'pɔːt] vt prisoner deportieren; alien abschieben.
deportation [ˌdiːpɔː'teɪʃən] n see vt Deportation f; Abschiebung f.
deportment [dɪ'pɔːtmənt] n Haltung f, (behaviour) Verhalten, Benehmen nt.
depose [dɪ'pəʊz] vt absetzen.
deposit [dɪ'pɒzɪt] ⊡ vt a (put down) hinlegen; (upright) hinstellen. b money, valuables deponieren (with bei).
⊡ n a (Fin: in bank) Einlage f, Guthaben nt. b (Comm) (part payment) Anzahlung f; (returnable security) Kaution f; (for bottle) Pfand nt ▸ to lose one's ~ (Pol) seine Kaution verlieren. c (Chem: in wine, Geol) Ablagerung f; (of ore, coal, oil) (Lager)stätte f.
deposit account n (Brit) Sparkonto nt.
depositor [dɪ'pɒzɪtər] n Einzahler(in f) m.
depository [dɪ'pɒzɪtərɪ] n Lagerhaus nt.
deposit slip n Einzahlungsbeleg m.
depot ['depəʊ] n (bus garage etc) Depot nt; (store also) Lager(haus) nt.
deprave [dɪ'preɪv] vt verderben.
depraved [dɪ'preɪvd] adj verkommen.
depravity [dɪ'prævɪtɪ] n Verkommenheit f.
deprecate ['deprɪkeɪt] vt (form) mißbilligen.
deprecating ['deprɪkeɪtɪŋ], **deprecatory** ['deprɪkətərɪ] adj mißbilligend; smile, gesture abwehrend.
depreciate [dɪ'priːʃɪeɪt] vi an Wert verlieren; (currency) an Kaufkraft verlieren.
depreciation [dɪ,priːʃɪ'eɪʃən] n Wertminderung f; (for tax) Abschreibung f; (of currency) Kaufkraftverlust m.
depress [dɪ'pres] vt a person deprimieren; (discourage) entmutigen. b (form) lever niederdrücken.
depressant [dɪ'presnt] n Beruhigungsmittel nt.
depressed [dɪ'prest] adj a person deprimieren ▸ don't get ~ sei nicht deprimiert. b industry notleidend ▸ ~ area Notstandsgebiet nt.
depressing [dɪ'presɪŋ] adj deprimierend.
depression [dɪ'preʃən] n a Depressionen pl. b (in ground) Vertiefung, Senke f. c (Met) Tief(druckgebiet) nt. d (Econ) Depression f ▸ the D~ (Hist) die Weltwirtschaftskrise.
deprivation [ˌdeprɪ'veɪʃən] n a (depriving) Entzug m; (Psych) Deprivation f; (of rights) Beraubung f. b (state) Entbehrung f.
deprive [dɪ'praɪv] vt to ~ sb of sth jdm etw nehmen; they had been ~d of ... (had lacked) ihnen fehlte ...; to ~ oneself of sth auf etw (acc) verzichten.
deprived [dɪ'praɪvd] adj benachteiligt; area strukturschwach.
dept = **department** Abt.

depth [depθ] n (lit, fig) Tiefe f ▸ the ~s of the ocean die Tiefen des Ozeans; at a ~ of 3 metres in einer Tiefe von 3 Metern, in 3 Meter Tiefe; to get out of one's ~ (lit, fig) den Boden unter den Füßen verlieren; sorry, I'm out of my ~ there es tut mir leid, aber da muß ich passen; with great ~ of feeling sehr gefühlvoll; in ~ eingehend, intensiv; in the ~s of despair in tiefster Verzweiflung; in the ~s of winter/the forest im tiefsten Winter/Wald; ~ charge Wasserbombe f; ~ of field (Phot) Tiefenschärfe f.
deputation [ˌdepjʊ'teɪʃən] n Abordnung f.
deputize ['depjʊtaɪz] vi vertreten (for sb jdn).
deputy ['depjʊtɪ] ⊡ n Stellvertreter(in f) m.
⊡ adj attr stellvertretend.
derail [dɪ'reɪl] vt zum Entgleisen bringen, entgleisen lassen ▸ to be ~ed entgleisen.
derailment [dɪ'reɪlmənt] n Entgleisung f.
deranged [dɪ'reɪndʒd] adj mind gestört ▸ to be (mentally) ~ geistesgestört sein.
Derby ['dɑːbɪ, (US) 'dɜːbɪ] n a (US: also ~ hat) Melone f. b (Sport) (race) Derby nt ▸ local d~ (match) Lokalderby nt.
deregulate [diː'regjʊleɪt] vt deregulieren; buses etc dem freien Wettbewerb überlassen.
deregulation [ˌdiːregjʊ'leɪʃən] n see vt Deregulierung f; Wettbewerbsfreiheit f (of für).
derelict ['derɪlɪkt] adj (abandoned) verlassen; (ruined) verfallen, heruntergekommen.
dereliction [ˌderɪ'lɪkʃən] n ~ of duty Pflichtversäumnis nt.
deride [dɪ'raɪd] vt verhöhnen.
derision [dɪ'rɪʒən] n Hohn, Spott m ▸ object of ~ Zielscheibe f des Spotts.
derisive [dɪ'raɪsɪv] adj spöttisch, höhnisch.
derisory [dɪ'raɪsərɪ] adj a amount, offer lächerlich. b = **derisive**.
derivation [ˌderɪ'veɪʃən] n Ableitung f.
derivative [dɪ'rɪvətɪv] ⊡ adj abgeleitet; literary work etc nachgeahmt, imitiert.
⊡ n Ableitung f.
derive [dɪ'raɪv] ⊡ vt ideas, names her- or ableiten (from von); profit ziehen (from aus); satisfaction, comfort beziehen (from aus) ▸ this word is ~d from the Greek dieses Wort stammt aus dem Griechischen; to ~ pleasure from sth Freude an etw (dat) haben.
⊡ vi to ~ from sich her- or ableiten von; (power, fortune) beruhen auf (+dat); (ideas) stammen von.
dermatitis [ˌdɜːmə'taɪtɪs] n Hautentzündung, Dermatitis f.
dermatology [ˌdɜːmə'tɒlədʒɪ] n Dermatologie f.
derogatory [dɪ'rɒgətərɪ] adj abfällig, abschätzig.
derrick ['derɪk] n Ladebaum m; (above oilwell) Bohrturm m.
derust [diː'rʌst] vt entrosten.
derv [dɜːv] n (Brit) Diesel(kraftstoff) m.
DES (Brit) = **Department of Education and Science** Bildungs- und Wissenschaftsministerium.
desalinate [diː'sælɪneɪt] vt entsalzen.
descant ['deskænt] n (Mus) Diskant m ▸ ~ recorder Sopranflöte f.
descend [dɪ'send] ⊡ vi a (go down) herunter-/hinuntergehen; (lift, vehicle) herunter-/hinunterfahren; (land) abfallen. b (attack, visit) to ~ (up)on sb jdn überfallen. c (lower oneself) to ~ to sth sich zu etw herablassen; he even ~ed to bribery er scheute selbst vor Bestechung nicht zurück.
⊡ vt a stairs hinunter-/heruntergehen. b to be ~ed from abstammen von.
descendant [dɪ'sendənt] n a Nachkomme m. b (Astron, Astrol) in the ~ im Deszendenten.
descent [dɪ'sent] n a Abstieg m. b (ancestry) Ab-

stammung, Herkunft *f.* |c| (*fig: into crime etc*) Absinken *nt* (*into* in +*acc*).

describe [dɪ'skraɪb] *vt* |a| beschreiben. |b| (+*as*) bezeichnen ▶ *he ~s himself as a doctor* er bezeichnet sich als Arzt.

description [dɪ'skrɪpʃən] *n* |a| Beschreibung *f* ▶ *beyond* ~ unbeschreiblich. |b| (+*as*) Bezeichnung *f.* |c| (*sort*) *vehicles of every* ~ Fahrzeuge aller Art.

descriptive [dɪ'skrɪptɪv] *adj* |a| beschreibend; *account, adjective, passage* anschaulich. |b| *linguistics, science etc* deskriptiv.

desecrate ['desɪkreɪt] *vt* entweihen, schänden.

desegregate [,diː'segrɪgeɪt] *vt school* die Rassentrennung aufheben an +*dat.*

desegregation ['diː,segrɪ'geɪʃən] *n* Aufhebung *f* der Rassentrennung (*of* in +*dat*).

desert¹ ['dezət] |1| *n* (*lit, fig*) Wüste *f.*
|2| *adj attr* Wüsten- ▶ ~ *island* einsame *or* verlassene Insel.

desert² [dɪ'zɜːt] |1| *vt* (*leave*) verlassen; *cause, party* im Stich lassen ▶ *the place was ~ed* es war dort wie ausgestorben.
|2| *vi* (*Mil*) desertieren ▶ *to* ~ *to the rebels* zu den Rebellen überlaufen.

deserter [dɪ'zɜːtə'] *n* (*Mil, fig*) Deserteur *m.*

desertion [dɪ'zɜːʃən] *n* |a| (*act*) Verlassen *nt*; (*Mil*) Fahnenflucht *f.* |b| (*state*) Verlassenheit *f.*

deserts [dɪ'zɜːts] *npl* **to get one's just** ~ bekommen, was man verdient hat.

deserve [dɪ'zɜːv] *vt* verdienen ▶ *he ~s to win* er verdient den Sieg; *he ~s to be punished* er verdient es, bestraft zu werden.

deservedly [dɪ'zɜːvɪdlɪ] *adv* verdientermaßen.

deserving [dɪ'zɜːvɪŋ] *adj person, cause* verdienstvoll ▶ *to be* ~ *of sth* etw verdienen.

desiccated ['desɪkeɪtɪd] *adj* getrocknet; (*fig*) vertrocknet ▶ ~ *coconut* Kokosflocken *pl.*

design [dɪ'zaɪn] |1| *n* |a| Design *nt*, Ausführung *f*; (*of vehicle, machine*) Konstruktion *f*; (*plan: of building etc*) Entwurf *m* ▶ *a new* ~ (*Aut*) ein neues Modell. |b| (*pattern*) Muster *nt.* |c| (*intention*) Plan *m*, Absicht *f* ▶ *by* ~ absichtlich; *to have ~s on sb/sth* es auf jdn/etw abgesehen haben.
|2| *vt* |a| entwerfen; *machine* konstruieren. |b| (*intend*) *to be ~ed for sb/sth* für jdn/etw vorgesehen *or* bestimmt sein.

designate ['dezɪgneɪt] |1| *vt* bezeichnen; (*appoint*) ernennen ▶ *to* ~ *sb as sth* jdn zu etw ernennen.
|2| ['dezɪgnɪt] *adj* **the Prime Minister** ~ der designierte Premierminister.

designation [,dezɪg'neɪʃən] *n see vt* Bezeichnung; Ernennung *f.*

designer [dɪ'zaɪnə'] |1| *n* Designer(in *f*) *m*; (*fashion* ~) Mode-Designer(in *f*) *m*; (*of machines etc*) Konstrukteur(in *f*) *m*; (*Theat*) Bühnenbildner(in *f*) *m.*
|2| *adj attr* Designer- ▶ ~ *stubble* (*hum*) Dreitagebart *m* (*col*).

desirable [dɪ'zaɪərəbl] *adj* wünschenswert, erwünscht; *position, offer, house, area* reizvoll, attraktiv; *woman* begehrenswert.

desire [dɪ'zaɪə'] |1| *n* (*for* nach) Wunsch *m*; (*longing*) Sehnsucht *f*; (*sexual*) Verlangen, Begehren *nt* ▶ *I have no* ~ *to see him* ich habe kein Verlangen, ihn zu sehen; *I have no* ~ *to cause you any trouble* ich möchte Ihnen keine Unannehmlichkeiten bereiten.
|2| *vt* wünschen; *woman* begehren; *peace* wollen ▶ *it leaves much to be ~d* das läßt viel zu wünschen übrig.

desirous [dɪ'zaɪərəs] *adj* **to be** ~ *of sth* (*form*) nach etw verlangen.

desist [dɪ'zɪst] *vi* (*form*) Abstand nehmen, absehen (*from doing sth* davon, etw zu tun).

desk [desk] *n* Schreibtisch *m*; (*for pupils, teacher*) Pult *nt*; (*Brit: in shop, restaurant*) Kasse *f*; (*in hotel*) Empfang *m* ▶ *information* ~ Information(sschalter *m*) *f*; ~ *copy* Arbeitsexemplar *nt*; ~ *job* Bürojob *m*; ~ *lamp* Schreibtischlampe *f.*

deskside computer ['desksaɪd] *n* Tower *m.*

desktop ['desktɒp]: ~ *computer* *n* Desktop-Computer *m*; ~ *publishing* *n* Desktop Publishing *nt.*

desolate ['desəlɪt] |1| *adj* |a| *place* (*devastated*) verwüstet; (*barren*) trostlos; (*fig*) *outlook* trostlos. |b| (*griefstricken*) tieftraurig, zu Tode betrübt.
|2| ['desəleɪt] *vt country* verwüsten.

desolation [,desə'leɪʃən] *n* |a| (*by war*) Verwüstung *f.* |b| (*of landscape, grief*) Trostlosigkeit *f.*

despair [dɪ'spɛə'] |1| *n* Verzweiflung *f* (*about, at* über +*acc*) ▶ *in* ~ aus Verzweiflung.
|2| *vi* verzweifeln, alle Hoffnung aufgeben ▶ *to* ~ *of doing sth* alle Hoffnung aufgeben, etw zu tun.

despairing [dɪs'pɛərɪŋ] *adj* verzweifelt.

despatch [dɪ'spætʃ] *vt, n* = **dispatch.**

desperate ['despərɪt] *adj* verzweifelt; *criminal* zum Äußersten entschlossen; (*urgent*) *need etc* dringend; *measures* extrem ▶ *to get* ~ verzweifeln, in Verzweiflung geraten; *to be* ~ *for sth* etw dringend brauchen; *I'm/it's not that* ~*!* so dringend ist es nicht!; *I was* ~ *to get the job* ich wollte die Stelle unbedingt haben; *things are getting* ~ die Lage wird allmählich verzweifelt.

desperately ['despərɪtlɪ] *adv* verzweifelt; (*urgently*) *need* dringend ▶ ~ *in love* verliebt bis über beide Ohren; ~ *ill* schwer krank; *do you want ...?* — *not* ~ möchten Sie ...? — nicht unbedingt.

desperation [,despə'reɪʃən] *n* Verzweiflung *f* ▶ *an act of* ~ eine Verzweiflungstat; *in (sheer)* ~ aus (reiner) Verzweiflung; *to drive sb to* ~ jdn zur Verzweiflung bringen.

despicable [dɪ'spɪkəbl] *adj* abscheulich.

despise [dɪ'spaɪz] *vt* verachten.

despite [dɪ'spaɪt] *prep* trotz (+*gen*) ▶ ~ *what she says* trotz allem, was sie sagt.

despondency [dɪ'spɒndənsɪ] *n* Niedergeschlagenheit *f.*

despondent [dɪ'spɒndənt] *adj* niedergeschlagen (*about* wegen).

despot ['despɒt] *n* (*lit, fig*) Despot *m.*

despotic [des'pɒtɪk] *adj* (*lit, fig*) despotisch.

despotism ['despətɪzəm] *n* Despotie *f.*

des res ['dez'rez] *n* (*Brit hum col*) attraktiver Wohnsitz.

dessert [dɪ'zɜːt] *n* Nachtisch *m*, Dessert *nt* ▶ ~*spoon* Dessertlöffel *m.*

destabilize [diː'steɪbɪlaɪz] *vt* destabilisieren.

destination [,destɪ'neɪʃən] *n* Reiseziel *nt*; (*of goods*) Bestimmungsort *m.*

destined ['destɪnd] *adj* **to be** ~ *to do sth* dazu bestimmt *or* ausersehen sein, etw zu tun; *we were* ~ *to meet* das Schicksal wollte es, daß wir uns begegnen; *I was* ~ *never to see them again* ich sollte sie nie (mehr) wiedersehen; ~ *for* (*ship, consignment*) unterwegs nach.

destiny ['destɪnɪ] *n* Schicksal *nt.*

destitute ['destɪtjuːt] *adj* (*poverty-stricken*) mittellos ▶ *to be utterly* ~ bettelarm sein.

destroy [dɪ'strɔɪ] *vt* zerstören; *documents, manuscripts etc also* vernichten; (*fire also*) verwüsten; (*kill*) vernichten; *animal* töten; *influence, hopes, chances* zunichte machen; *reputation* ruinieren.

destroyer [dɪ'strɔɪə'] *n* (*Naut*) Zerstörer *m.*

destruction [dɪ'strʌkʃən] *n* Zerstörung *f*; (*of enemy, people, documents*) Vernichtung *f.*

destructive [dɪ'strʌktɪv] *adj wind, fire, war* zerstörerisch; *tendencies, criticism* destruktiv.

desultory ['desəltərɪ] *adj reading* flüchtig; *manner, attempt* halbherzig; *conversation* zwanglos.

detach [dɪ'tætʃ] *vt* (*separate, unfasten*) lösen (*from* von); *section of form* abtrennen (*from* von); *part of machine, hood* abnehmen (*from* von) ▸ *to become ~ed from sth* sich von etw lösen.

detachable [dɪ'tætʃəbl] *adj* abnehmbar.

detached [dɪ'tætʃt] *adj* [a] (*unbiased*) objektiv; (*unemotional*) kühl, distanziert. [b] *building* freistehend ▸ *~ house* Einzelhaus *nt*.

detachment [dɪ'tætʃmənt] *n* [a] (*emotionlessness*) Distanz *f*; (*objectivity*) Abstand *m*. [b] (*Mil*) Sonderkommando *nt*, Abordnung *f*.

detail ['di:teɪl] [1] *n* [a] Detail *nt*; (*particular*) Einzelheit *f*; (*part of painting, photo etc*) Ausschnitt *m*; (*insignificant circumstance*) unwichtige Einzelheit ▸ *in ~* im Detail, in Einzelheiten; *in great ~* in allen Einzelheiten, ausführlich; *there's one little ~ you've forgotten* eine Kleinigkeit haben Sie vergessen; *further ~s* nähere *or* weitere Einzelheiten; *to go into ~s* ins Detail gehen; *his attention to ~* seine Sorgfalt. [b] (*Mil*) Sondertrupp *m*. [2] *vt* [a] ausführlich *or* detailliert beschreiben. [b] (*Mil*) *troops* abkommandieren.

detailed ['di:teɪld] *adj* ausführlich, detailliert.

detain [dɪ'teɪn] *vt* aufhalten; (*police*) in Haft nehmen.

detainee [dɪteɪ'ni:] *n* Häftling *m*.

detect [dɪ'tekt] *vt* entdecken; (*see, make out*) ausfindig machen; *crime* aufdecken; *a tone of sadness, movement* wahrnehmen; *gas* aufspüren.

detection [dɪ'tekʃən] *n* Entdeckung *f*; (*of gases*) Aufspüren *nt* ▸ *to escape ~* nicht entdeckt werden.

detective [dɪ'tektɪv] *n* Kriminalbeamte(r) *mf*; (*private ~*) Detektiv *m*.

detective: ~ inspector *n* Kriminalinspektor *m*; *~ sergeant* *n* Kriminalmeister *m*; *~ story* *n* Kriminalgeschichte *f*, Krimi (*col*) *m*; *~ work* *n* kriminalistische Arbeit.

detector [dɪ'tektər] *n* (*Rad, Tech*) Detektor *m* ▸ *~ van* Funkmeßwagen *m*.

détente [deɪ'tɑːnt] *n* Entspannung *f*.

detention [dɪ'tenʃən] *n* (*captivity*) Haft *f*, Gewahrsam *m*; (*act*) Festnahme *f*; (*Sch*) Nachsitzen *nt* ▸ *he's in ~* (*Sch*) er muß nachsitzen.

deter [dɪ'tɜːr] *vt* *to ~ sb from doing sth* jdn davon abhalten, etw zu tun.

detergent [dɪ'tɜːdʒənt] *n* Reinigungsmittel *nt*; (*for clothes*) Waschmittel *nt*.

deteriorate [dɪ'tɪərɪəreɪt] *vi* sich verschlechtern; (*materials*) verschleißen; (*building*) verfallen.

deterioration [dɪ,tɪərɪə'reɪʃən] *n* *see vi* Verschlechterung *f*; Verschleiß *m*; Verfall *m*.

determination [dɪ,tɜːmɪ'neɪʃən] *n* [a] (*firmness*) Entschlossenheit *f*. [b] (*establishing*) Determinierung *f*; (*of character, future also*) Bestimmung *f*; (*of cause, nature, position*) Ermittlung, Bestimmung *f*; (*of frontiers*) Festsetzung *f*.

determine [dɪ'tɜːmɪn] *vt* [a] *sb's character, future* bestimmen. [b] (*settle, fix*) *conditions, price* festsetzen. [c] (*ascertain*) ermitteln; (*resolve*) *issue* entscheiden.

determined [dɪ'tɜːmɪnd] *adj* entschlossen ▸ *he's ~ to make me lose my temper* (*col*) er legt es darauf an, mich wütend zu machen.

deterrent [dɪ'terənt] [1] *n* Abschreckungsmittel *nt*. [2] *adj attr* Abschreckungs-.

detest [dɪ'test] *vt* verabscheuen, hassen.

detestable [dɪ'testəbl] *adj* widerwärtig, abscheulich.

detestation [,di:tes'teɪʃən] *n* Abscheu *m* (*of* vor +*dat*).

dethrone [di:'θrəʊn] *vt* entthronen.

detonate ['detəneɪt] *vt* zur Explosion bringen.

detonation [,detə'neɪʃən] *n* Zündung *f*.

detonator ['detəneɪtər] *n* Zünd- *or* Sprengkapsel *f*.

detour ['di:,tʊər] [1] *n* Umweg *m*; (*for traffic*) Umleitung

f. [2] *vt* (*esp US*) *traffic* umleiten.

detoxification [,di:tɒksɪfɪ'keɪʃən] *n* Entgiftung *f*.

detract [dɪ'trækt] *vi* *to ~ from sth* etw beeinträchtigen; *pleasure, merit also* etw schmälern.

detractor [dɪ'træktər] *n* Kritiker(in *f*) *m*.

detriment ['detrɪmənt] *n* Schaden, Nachteil *m* ▸ *to the ~ of* zum Schaden (+*gen*); *without ~ to* ohne Schaden für.

detrimental [,detrɪ'mentl] *adj* (*to health, reputation*) schädlich (*to* dat); *effect also* nachteilig (*to* für); (*to case, cause*) abträglich (*to* dat).

deuce [dju:s] *n* [a] (*Cards*) Zwei *f*. [b] (*Tennis*) Einstand *m*. [c] *why the ~ ...?* (*col*) warum zum Teufel ...? (*col*).

Deutschmark, deutschmark ['dɔɪtʃmɑːk] *n* Deutsche Mark, D-Mark *f*.

devaluation [,di:vælju'eɪʃən] *n* Abwertung *f*.

devalue [di:'vælju:] *vt* abwerten.

devastate ['devəsteɪt] *vt* (*lit*) *town, land* verwüsten; (*fig*) *opposition* vernichten ▸ *I was ~d* (*col*) das hat mich umgehauen (*col*).

devastating ['devəsteɪtɪŋ] *adj* (*lit, fig*) verheerend, vernichtend; *news* niederschmetternd; *wit, humour* umwerfend; *grief* überwältigend.

devastatingly ['devəsteɪtɪŋlɪ] *adv* *beautiful, funny* umwerfend.

devastation [,devə'steɪʃən] *n* Verwüstung *f*.

develop [dɪ'veləp] [1] *vt* [a] (*also Phot*) entwickeln ▸ *to ~ a taste for sth* Geschmack an etw *dat* finden. [b] *idea, thesis* (weiter)entwickeln; (*unfold*) *plot of novel* entfalten; (*Mus*) *theme* durchführen. [c] *natural resources, region* erschließen; *old part of town* sanieren; *business* (*expand*) ausbauen; (*from scratch*) aufziehen. [2] *vi* sich entwickeln ▸ *to ~ into sth* sich zu etw entwickeln; *it later ~ed that ...* später stellte sich heraus, daß ...

developer [dɪ'veləpər] *n* [a] = **property ~**. [b] (*Phot*) Entwickler *m*. [c] *late ~* Spätentwickler *m*.

developing [dɪ'veləpɪŋ] [1] *adj* *crisis, storm* aufkommend; *industry* neu entstehend; *interest* wachsend ▸ *~ country* Entwicklungsland *nt*. [2] *n* (*Phot*) Entwickeln *nt*.

development [dɪ'veləpmənt] *n* [a] Entwicklung *f* ▸ *to await ~s* die Entwicklung abwarten. [b] (*of subject, plot etc*) Ausführung *f*; (*of interests also*) Entfaltung *f*; (*of argument etc*) (Weiter)entwicklung *f*; (*Mus*) Durchführung *f*. [c] (*of site, new town*) Erschließung *f*; (*of old part of town*) Sanierung *f*; (*of industry*) (*from scratch*) Entwicklung *f*; (*expansion*) Ausbau *m* ▸ *we live in a new ~* wir leben in einer neuen Siedlung; *~ area* Entwicklungsgebiet *nt*; *~ costs* Erschließungskosten *pl*.

deviant ['di:vɪənt] *adj behaviour* abweichend.

deviate ['di:vɪeɪt] *vi* abweichen (*from* von).

deviation [,di:vɪ'eɪʃən] *n* Abweichung *f*.

device [dɪ'vaɪs] *n* [a] (*gadget etc*) Gerät *nt*; (*extra fitment*) Vorrichtung *f*; (*explosive ~*) Sprengkörper *m*. [b] *to leave sb to his own ~s* jdn sich (*dat*) selbst überlassen.

devil ['devl] *n* [a] (*lit, fig col*) Teufel *m* ▸ *be a ~!* riskier mal was!; *he's a ~ for changing his mind* er ändert ständig seine Meinung.

[b] (*col: as intensifier*) *I had the ~ of a job getting here* es war verdammt schwierig, hierher zu kommen; *how/what/why/who the ~ ...?* wie/was/warum/wer zum Teufel ...?; *to work like the ~* wie ein Pferd schuften (*col*); *the ~ of a noise* ein Höllenlärm; *there will be the ~ to pay* das dicke Ende kommt nach.

[c] (*in expressions*) *(to be) between the D~ and the deep blue sea* (sich) in einer Zwickmühle (befinden); *go to the ~!* (*col*) scher dich zum Teufel! (*col*); *talk of the ~!* wenn man vom Teufel spricht!; *give the ~ his due*

das muß der Neid ihm lassen; **to have the ~'s own luck**
(*col*) ein Schweineglück (*col*) *or* unverschämtes Glück
haben; **better the ~ you know (than the ~ you don't)**
(*prov*) von zwei Übeln wählt man besser das, was man
schon kennt; **(the) ~ take the hindmost** den Letzten
beißen die Hunde (*Prov*).

devilish ['devlɪʃ] *adj* [a] teuflisch. [b] (*col: terrible*)
schrecklich.

devil-may-care [ˌdevlmeɪˈkɛəʳ] *adj* leichtsinnig.

devilment ['devlmənt] *n* **out of sheer ~** aus lauter
Übermut.

devil's advocate *n* Advocatus Diaboli *m*.

devious ['diːvɪəs] *adj* [a] *path, argumentation* gewunden
▶ **by a ~ route** auf einem Umweg. [b] (*dishonest*) *method* krumm (*col*), fragwürdig; *person* verschlagen, hinterhältig.

devise [dɪˈvaɪz] *vt* sich (*dat*) ausdenken.

devoid [dɪˈvɔɪd] *adj:* **~ of** bar (+*gen*), ohne.

devolution [ˌdiːvəˈluːʃən] *n* (*of power*) Übertragung *f*
(*from ... to* von ... auf +*acc*); (*Pol*) Dezentralisierung *f*.

devolve [dɪˈvɒlv] (*on, upon* auf +*acc*) [1] *vi* übergehen.
[2] *vt* übertragen.

devote [dɪˈvəʊt] *vt* widmen (*to* dat); *resources* bestimmen (*to* für).

devoted [dɪˈvəʊtɪd] *adj* ergeben; *followers, service* treu;
admirer eifrig ▶ **she's ~ to him/her family** sie liebt ihn/
ihre Familie über alles.

devotee [ˌdevəʊˈtiː] *n* Anhänger(in *f*) *m*; (*of a writer*)
Verehrer(in *f*) *m*; (*of music also, poetry*) Liebhaber(in *f*)
m.

devotion [dɪˈvəʊʃən] *n* (*to friend, wife etc*) Ergebenheit *f*
(*to* gegenüber); (*to work*) Hingabe *f* (*to* an +*acc*) ▶ **~ to
duty** Pflichteifer *m*.

devour [dɪˈvaʊəʳ] *vt* (*lit, fig*) verschlingen.

devout [dɪˈvaʊt] *adj* (+*er*) *person* fromm; *hope*
sehnlich(st).

dew [djuː] *n* Tau *m* ▶ **~drop** Tautropfen *m*.

dewy-eyed ['djuːaɪd] *adj* (*innocent, naive*) naiv; (*trusting*) vertrauensselig ▶ **to go all ~** feuchte Augen
bekommen.

dexterity [deksˈterɪtɪ] *n* Geschick *nt*.

dext(e)rous ['dekstrəs] *adj* (*skilful*) geschickt.

DHSS (*Brit old*) = **Department of Health and Social
Security** Ministerium *nt* für Gesundheit und Soziales.

diabetes [ˌdaɪəˈbiːtiːz] *n* Diabetes *m*, Zucker *no art*
(*col*).

diabetic [ˌdaɪəˈbetɪk] [1] *adj* [a] zuckerkrank. [b] *beer,
chocolate* Diabetiker-.
[2] *n* Zuckerkranke(r) *mf*, Diabetiker(in *f*) *m*.

diabolic(al) [ˌdaɪəˈbɒlɪk(əl)] *adj* [a] diabolisch, teuflisch.
[b] (*col*) *weather, heat* saumäßig (*col*).

diadem ['daɪədem] *n* Diadem *nt*.

diagnose ['daɪəgnəʊz] *vt* (*Med, fig*) diagnostizieren.

diagnosis [ˌdaɪəgˈnəʊsɪs] *n, pl* **diagnoses**
[ˌdaɪəgˈnəʊsiːz] Diagnose *f*.

diagnostic [ˌdaɪəgˈnɒstɪk] *adj* diagnostisch.

diagonal [daɪˈægənl] [1] *adj* diagonal.
[2] *n* Diagonale *f*.

diagonally [daɪˈægənəlɪ] *adv cut, fold* diagonal ▶ **~
across sth** schräg über etw (*acc*); **~ opposite sth** einer
Sache (*dat*) schräg gegenüber.

diagram ['daɪəgræm] *n* Schaubild *nt*, graphische Darstellung; (*Math*) Diagramm *nt*.

▼ **dial** ['daɪəl] [1] *n* (*of clock*) Zifferblatt *nt*; (*of speedometer,
pressure gauge*) Skala *f*; (*Telec*) Wählscheibe *f* ▶ **~ code**
(*US*) Vorwahl *f*; **~ tone** (*US*) Amtszeichen *nt*.
[2] *vti* (*Telec*) wählen ▶ **you can ~ London direct** man
kann nach London durchwählen; **to ~ 999** den Notruf
wählen.

dialect ['daɪəlekt] *n* Dialekt *m*; (*local, rural also*)
Mundart *f*.

dialling ['daɪəlɪŋ]: **~ code** *n* Vorwahl *f*; **~ tone** *n* (*Brit
Telec*) Amtszeichen *nt*.

dialogue ['daɪəlɒg] *n* Dialog *m*.

dialysis [daɪˈælɪsɪs] *n* Dialyse *f*.

diameter [daɪˈæmɪtəʳ] *n* Durchmesser *m* ▶ **it is one metre in ~** es hat einen Durchmesser von einem Meter.

diametrically [ˌdaɪəˈmetrɪkəlɪ] *adv* **~ opposed (to)**
diametral entgegengesetzt (+*dat*).

diamond ['daɪəmənd] *n* [a] Diamant *m* ▶ **~ jubilee** 60-
jähriges Jubiläum; **~ wedding** *n* diamantene Hochzeit.
[b] **~s** (*Cards*) Karo *nt*; **the King of ~s** der Karokönig.

diaper ['daɪəpəʳ] *n* (*US*) Windel *f* ▶ **~ liner**
Windeleinlage *f*.

diaphanous [daɪˈæfənəs] *adj* durchscheinend.

diaphragm ['daɪəfræm] *n* (*Anat, Phys, Med*)
Diaphragma *nt*; (*abdominal also*) Zwerchfell *nt*; (*contraceptive also*) Pessar *nt*.

diarrhoea, (*US*) **diarrhea** [ˌdaɪəˈrɪːə] *n* Durchfall *m* ▶
to have verbal ~ die Laberkrankheit haben (*col*).

diary ['daɪərɪ] *n* (*of personal experience*) Tagebuch *nt*;
(*for noting dates*) (Termin)kalender *m* ▶ **to keep a ~**
Tagebuch führen.

diatribe ['daɪətraɪb] *n* Schmährede *f*.

dice [daɪs] [1] *n, pl* - Würfel *m* ▶ **to throw (the) ~, to
play ~** würfeln.
[2] *vi* **to ~ with death** sein Leben riskieren.
[3] *vt* (*Cook*) in Würfel schneiden.

dicey ['daɪsɪ] *adj* (*Brit col*) riskant.

dichotomy [dɪˈkɒtəmɪ] *n* Trennung, Dichotomie *f*.

dick [dɪk] *n* [a] (*col: detective*) Schnüffler *m* (*col*). [b]
(*col!: penis*) Schwanz *m* (*col!*).

dickhead ['dɪkhed] *n* (*Brit col!*) Knallkopf *m* (*col*).

dicky ['dɪkɪ] *adj* (*col*) *heart* angeknackst (*col*).

dickybird ['dɪkɪbɜːd] *n* (*baby-talk*) Piepmatz *m* (*baby-
talk*).

dictaphone ® ['dɪktəfəʊn] *n* Diktaphon *nt*.

dictate [dɪkˈteɪt] [1] *vti* diktieren.
[2] ['dɪkteɪt] *n usu pl* Diktat *nt*; (*of reason*) Gebote *pl*.

♦ **dictate to** *vi* +*prep obj person* diktieren (+*dat*), Vorschriften machen (+*dat*) ▶ **I won't be ~d** ich lasse mir
keine Vorschriften machen.

dictating machine [dɪkˈteɪtɪŋ məˈʃiːn] *n* Diktiergerät
nt.

dictation [dɪkˈteɪʃən] *n* (*also Sch*) Diktat *nt*.

dictator [dɪkˈteɪtəʳ] *n* (*Pol, fig*) Diktator *m*.

dictatorial [ˌdɪktəˈtɔːrɪəl] *adj* (*Pol, fig*) diktatorisch.

dictatorship [dɪkˈteɪtəʃɪp] *n* (*Pol, fig*) Diktatur *f*.

diction ['dɪkʃən] *n* (*way of speaking*) Diktion *f*.

dictionary ['dɪkʃənrɪ] *n* Wörterbuch *nt*.

did [dɪd] *pret of* **do**.

didactic [dɪˈdæktɪk] *adj* didaktisch.

diddle ['dɪdl] *vt* (*col*) übers Ohr hauen (*col*).

didn't ['dɪdənt] = **did not**; *see* **do**.

die¹ [daɪ] [1] *vi* [a] sterben (*of sth* an etw *dat*); (*love*) vergehen; (*memory*) (ent)schwinden; (*custom*) aussterben ▶
the secret ~d with him er nahm das Geheimnis mit ins
Grab; **old habits ~ hard** der Mensch ist ein
Gewohnheitstier; **to ~ of hunger** verhungern; **to be dying** im Sterben liegen; **never say ~!** nur nicht aufgeben!;
to ~ laughing (*col*) sich totlachen (*col*). [b] **to be dying
to do sth** (*fig*) darauf brennen, etw zu tun; **I'm dying to
know what happened** ich will unbedingt wissen, was
passiert ist.
[2] *vt* **to ~ a hero's/a violent death** den Heldentod/
eines gewaltsamen Todes sterben.

♦ **die away** *vi* (*sound, voice*) leiser werden; (*wind, anger*)
sich legen.

♦ **die down** *vi* nachlassen; (*fire*) herunterbrennen;
(*storm, wind also*) sich legen.

♦ **die off** *vi* wegsterben.

♦ **die out** *vi* aussterben.

➤ SENTENCE BUILDER: **dial: 2** → 15.1, 15.3, 15.7

die² *n, pl* **dice**: *the ~ is cast* (*fig*) die Würfel sind gefallen.

die-hard ['daɪhɑːd] *adj* zäh; (*pej*) reaktionär; *conservative* Erz-.

diesel ['diːzəl] *n* [a] (*also ~ fuel*) Diesel(kraftstoff) *m*. [b] (*car*) Diesel *m*; (*train*) Dieseltriebwagen *m*; (*locomotive*) Diesellok *f*.

diesel: *~ engine n* Dieselmotor *m*; *~ oil n* Dieselöl *nt*; *~ train n* Dieseltriebwagen *m*.

diet ['daɪət] [1] *n* Ernährung *f*; (*special ~*) Diät *f*; (*slimming ~*) Abmagerungs- *or* Schlankheitskur *f* ▸ *to be/go on a ~* eine Schlankheitskur machen; *to live on a ~ of ...* sich von ... ernähren. [2] *vi* eine Schlankheitskur machen.

dietetics [daɪə'tetɪks] *n sing* Ernährungswissenschaft *f*.

dietician [,daɪə'tɪʃən] *n* Ernährungswissenschaftler(in *f*) *m*; (*in hospital*) Diätassistent(in *f*) *m*.

▼ **differ** ['dɪfəʳ] *vi* [a] (*be different*) sich unterscheiden (*from* von) ▸ *tastes ~* die Geschmäcker sind verschieden (*hum col*). [b] (*disagree*) *to ~ with sb over sth* über etw (*acc*) anderer Meinung sein als jd.

difference ['dɪfrəns] *n* [a] Unterschied *m* (*in, between* zwischen +*dat*) ▸ *that makes a big ~ to me* das ist für mich ein großer Unterschied; *that makes a big ~* das ändert die Sache völlig; *what ~ does it make if ...?* was macht es schon, wenn ...?; *what ~ is that to you?* was macht dir das aus?; *it makes no ~ to me* das ist mir egal; *cooperation makes all the ~* gute Zusammenarbeit ist alles; *a car with a ~* (*col*) das besondere Auto. [b] (*between numbers, amounts*) Differenz *f*. [c] (*quarrel*) *a ~ of opinion* eine Meinungsverschiedenheit; *to settle one's ~s* die Meinungsverschiedenheiten beilegen.

different ['dɪfrənt] *adj* andere(r, s), anders *pred* (*from, to* als); *two people, things* verschieden, unterschiedlich ▸ *completely ~* völlig verschieden; (*changed*) völlig verändert; *that's ~!* das ist was anderes!; *in what way are they ~?* worin unterscheiden sie sich?

differential [,dɪfə'renʃəl] *n* [a] (*difference*) Unterschied *m* ▸ *wage ~* Gehaltsunterschiede *pl*. [b] (*Aut*) Differential(getriebe) *nt*.

differentiate [,dɪfə'renʃɪeɪt] *vti* unterscheiden; (*between people*) einen Unterschied machen.

differently ['dɪfrəntlɪ] *adv* anders (*from* als); (*from one another*) verschieden, unterschiedlich.

difficult ['dɪfɪkəlt] *adj* schwierig, schwer; *writer* kompliziert, schwierig; *neighbour, child* schwierig ▸ *I find it ~ to believe that* es fällt mir schwer, das zu glauben; *he's just trying to be ~* er will nur Schwierigkeiten machen; *she is ~ to get on with* es ist schwer, mit ihr auszukommen.

difficulty ['dɪfɪkəltɪ] *n* Schwierigkeit *f* ▸ *with/without ~* mit/ohne Schwierigkeiten *pl*; *a slight ~ in breathing* leichte Atembeschwerden *pl*; *there was some ~ in finding him* es war schwierig, ihn zu finden; *to get into difficulties* in Schwierigkeiten geraten.

diffidence ['dɪfɪdəns] *n* Bescheidenheit *f*.

diffident ['dɪfɪdənt] *adj* bescheiden; *smile* zaghaft.

diffuse [dɪ'fjuːz] [1] *vt* ausstrahlen; *light* streuen; *knowledge, news* verbreiten. [2] [dɪ'fjuːs] *adj* (*verbose*) *style, writer* langatmig, weitschweifig.

diffusion [dɪ'fjuːʒən] *n* Ausbreitung *f*; (*of light*) Streuung *f*; (*of knowledge, news*) Verbreitung *f*.

dig [dɪg] (*vb: pret, ptp* **dug**) [1] *vt* [a] *ground* graben. [b] (*poke, thrust*) bohren (*sth into sth* etw in etw *acc*). [c] (*col*) (*enjoy*) stehen auf (+*acc*); (*understand*) kapieren (*col*). [2] *vi* graben; (*dog, pig also*) wühlen; (*Tech*) schürfen; (*Archeol*) Ausgrabungen machen ▸ *to ~ for minerals* Erz schürfen; *to ~ in one's pockets for sth* in seinen Ta-

schen nach etw suchen *or* wühlen. [3] *n* [a] *to give sb a ~ in the ribs* jdm einen Rippenstoß geben. [b] (*sarcastic remark*) Seitenhieb *m*, Spitze *f* ▸ *to have a ~ at sb/sth* eine Spitze gegen jdn loslassen (*col*). [c] (*Archeol*) (*Aus*)grabung *f*; (*site*) Ausgrabungsstätte *f*.

◆**dig in** [1] *vi* [a] (*also ~ oneself ~*) (*Mil, fig*) sich eingraben. [b] (*col: eat*) reinhauen (*col*). [2] *vt sep compost* untergraben ▸ *to ~ one's heels ~* (*fig*) sich stur stellen.

◆**dig out** *vt sep* (*lit, fig*) ausgraben (*of* aus).

◆**dig up** *vt sep* (*lit, fig*) ausgraben; *earth* aufwühlen; *lawn, garden* umgraben; *weeds* jäten ▸ *where did you ~ him ~?* (*col*) wo hast du den denn aufgegabelt? (*col*).

digest [daɪ'dʒest] [1] *vt* (*lig, fig*) verdauen. [2] ['daɪdʒest] *n* (*of book, facts*) Zusammenfassung *f*.

digestible [dɪ'dʒestəbl] *adj* verdaulich.

digestion [dɪ'dʒestʃən] *n* Verdauung *f*.

digestive [dɪ'dʒestɪv] *adj* Verdauungs- ▸ *~ (biscuit)* (*Brit*) Keks *m* aus Vollkornschrot.

digger ['dɪgəʳ] *n* (*excavator*) Bagger *m*.

digit ['dɪdʒɪt] *n* (*Math*) Ziffer *f*.

digital ['dɪdʒɪtəl] *adj* Digital-, digital ▸ *~ computer* Digitalrechner *m*; *~ recording* Digitalaufnahme *f*.

digitize ['dɪdʒɪtaɪz] *vt* (*Comp*) digitalisieren.

dignified ['dɪgnɪfaɪd] *adj person* würdig; *behaviour, manner* würdevoll.

dignify ['dɪgnɪfaɪ] *vt* ehren, auszeichnen.

dignitary ['dɪgnɪtərɪ] *n* Würdenträger(in *f*) *m* ▸ *the local dignitaries* die Honoratioren am Ort.

dignity ['dɪgnɪtɪ] *n* Würde *f* ▸ *that would be beneath my ~* das wäre unter meiner Würde.

digress [daɪ'gres] *vi* abschweifen.

digression [daɪ'greʃən] *n* Abschweifung *f*, Exkurs (*geh*) *m*.

digs [dɪgz] *npl* (*Brit*) Bude *f* (*col*) ▸ *to be in ~* ein möbliertes Zimmer *or* eine Bude (*col*) haben.

dike [daɪk] *n, vt* = **dyke**.

dilapidated [dɪ'læpɪdeɪtɪd] *adj house* verfallen, baufällig; *car* ramponiert; *appearance* schäbig.

dilapidation [dɪ,læpɪ'deɪʃən] *n* Baufälligkeit *f*, Verfall *m*.

dilate [daɪ'leɪt] [1] *vt* weiten. [2] *vi* (*pupils*) sich erweitern.

dilation [daɪ'leɪʃən] *n* (*of pupils*) Erweiterung *f*.

dilatory ['dɪlətərɪ] *adj* [a] *person* langsam; *reply* verspätet ▸ *to be ~* sich (*dat*) Zeit lassen. [b] *action, policy* Verzögerungs-, Hinhalte-.

dilemma [daɪ'lemə] *n* Dilemma *nt* ▸ *to be in a ~* sich in einem Dilemma befinden, in der Klemme sitzen (*col*).

dilettante [,dɪlɪ'tæntɪ] *n, pl* **dilettanti** [,dɪlɪ'tæntɪ] Amateur(in *f*), Dilettant(in *f*) *m*.

diligence ['dɪlɪdʒəns] *n* Eifer *m*; (*in work also*) Fleiß *m*.

diligent *adj*, *~ly adv* ['dɪlɪdʒənt, -lɪ] *person* eifrig; (*in work also*) fleißig; *search, work* sorgfältig, genau.

dill [dɪl] *n* Dill *m*.

dilly-dally [,dɪlɪ'dælɪ] *vi* trödeln.

dilute [daɪ'luːt] *vt orange juice etc* verdünnen; (*fig*) mildern, (ab)schwächen.

dim [dɪm] [1] *adj* (+*er*) [a] *light, eyesight, sound* schwach; *colour* matt; *memory, outline, shape* verschwommen ▸ *the room grew ~* im Zimmer wurde es dunkel. [b] (*col: stupid*) schwer von Begriff. [c] (*col*) *to take a ~ view of sb/sth* nicht viel von jdm/etw halten. [2] *vt light* abdunkeln ▸ *to ~ one's headlights* (*esp US*) abblenden. [3] *vi* (*lamps*) schwächer werden; (*memory*) nachlassen.

dime [daɪm] *n* (*US*) Zehncentstück *nt*.

dimension [daɪ'menʃən] *n* Dimension *f*; (*measurement*) Abmessung(en *pl*) *f*, Maß *nt*.

-dimensional [-daɪ'menʃənl] *adj suf* -dimensional.

diminish [dɪ'mɪnɪʃ] [1] *vt* verringern, herabsetzen; *value* mindern ▸ *~ed responsibility* (*Jur*) verminderte

---

> **SENTENCE BUILDER:** **differ: a → 7.2**

Zurechnungsfähigkeit; **~ed** (*Mus*) vermindert.
2 *vi* sich verringern; (*authority, strength also*) abnehmen; (*value also*) sich vermindern.
diminutive [dɪ'mɪnjʊtɪv] **1** *adj* winzig, winzig klein.
2 *n* (*Gram*) Verkleinerungsform *f*, Diminutiv(um) *nt*.
dimly ['dɪmlɪ] *adv shine* schwach; *hear, remember also* undeutlich; *see* verschwommen.
dimmer ['dɪmər] *n* (*Elec*) Dimmer *m*; (*US Aut; also ~* **switch**) Abblendschalter *m*.
dimness ['dɪmnɪs] *n see adj* (*a*) Schwäche *f*; Mattheit *f*; Verschwommenheit *f*.
dimple ['dɪmpl] *n* (*on cheek, chin*) Grübchen *nt*.
dim: ~-wit *n* (*col*) Blödmann *m* (*col*); **~-witted** *adj* (*col*) blöd (*col*), dämlich (*col*).
din [dɪn] **1** *n* Lärm *m*, Getöse *nt*.
2 *vt* **to ~ sth into sb** jdm etw einbleuen.
dine [daɪn] **1** *vi* speisen, dinieren (*geh*) (*on* etw).
2 *vt* bewirten, beköstigen.
diner ['daɪnər] *n* **a** (*person*) Speisende(r) *mf*; (*in restaurant*) Gast *m*. **b** (*US*) Eßlokal *nt*. **c** (*Rail*) Speisewagen *m*.
ding-dong ['dɪŋ'dɒŋ] *n* **a** Bimbam *nt*. **b** (*fight*) harter Kampf.
dinghy ['dɪŋgɪ] *n* Ding(h)i *nt*; (*inflatable*) Schlauchboot *nt*.
dingo ['dɪŋgəʊ] *n* Dingo *m*, australischer Wildhund.
dingy ['dɪndʒɪ] *adj place, furniture* schmuddelig.
dining ['daɪnɪŋ]: **~ area** *n* Eßbereich *m*; **~ car** *n* Speisewagen *m*; **~ hall** *n* Speisesaal *m*; **~ room** *n* Eßzimmer *nt*; (*in hotel*) Speisesaal *m*; **~ table** *n* Eßtisch *m*.
dinky¹ ['dɪŋkɪ] *adj* (*Brit col*) schnuckelig (*col*).
dinky² *n* (*col*) = **double income no kids yet** ▶ **~s** noch kinderlose Doppelverdiener *pl*.
▼ **dinner** ['dɪnər] *n* (Haupt)mahlzeit *f*, Abendessen *nt*; (*formal*) (Abend)essen *nt*; (*lunch*) Mittagessen *nt* ▶ **to be at ~** beim Essen sein.
dinner: ~ dance *n* Abendessen *nt* mit Tanz; **~ jacket** *n* Smokingjacke *f*; **~ lady** *n* (*Brit Sch*) Serviererin *f* beim Mittagessen; **~ party** *n* Abendgesellschaft *f* (mit Essen); **to have a small ~ party** ein kleines Essen geben; **~ service** *n* Tafelservice *nt*; **~ table** *n* Eßtisch *m*; **~ time** *n* Essenszeit *f*.
dinosaur ['daɪnəsɔːr] *n* Dinosaurier *m*.
dint [dɪnt] *n* **by ~ of** durch.
diocese ['daɪəsɪs] *n* Diözese *f*, Bistum *nt*.
diode ['daɪəʊd] *n* Diode *f*.
dioptre, (*US*) **diopter** [daɪ'ɒptər] *n* Dioptrie *f*.
dioxide [daɪ'ɒksaɪd] *n* Dioxyd *nt*.
dip [dɪp] **1** *vt* **a** (*in(to*) in *+acc*) (*into liquid*) tauchen; *pen, hand* eintauchen; *bread* (ein)tunken, stippen (*col*). **b** (*into bag, basket*) *hand* stecken. **c** (*Brit Aut*) *headlights* abblenden.
2 *vi* (*ground*) sich senken; (*temperature, pointer on scale*) fallen ▶ **the sun ~ped behind the mountains** die Sonne verschwand hinter den Bergen.
3 *n* **a** (*swim*) **to go for a ~** kurz schwimmen gehen. **b** (*for cleaning animals*) Desinfektionslösung *f*. **c** (*in ground*) Mulde *f*. **d** (*Cook*) Dip *m*.
◆**dip into** *vi +prep obj* **a** (*lit*) **she ~ped ~ her handbag** sie griff in ihre Handtasche. **b** **to ~ ~ one's savings** an seine Ersparnisse gehen. **c** *book* einen kurzen Blick werfen in (*+acc*).
Dip = **Diploma** Dipl.
diphtheria [dɪf'θɪərɪə] *n* Diphtherie *f*.
diphthong ['dɪfθɒŋ] *n* Diphthong *m*.
diploma [dɪ'pləʊmə] *n* Diplom *nt*.
diplomacy [dɪ'pləʊməsɪ] *n* (*Pol, fig*) Diplomatie *f*.
diplomat ['dɪpləmæt] *n* (*Pol, fig*) Diplomat *m*.
diplomatic *adj*, **~ally** *adv* [,dɪplə'mætɪk, -əlɪ] (*lit, fig*) diplomatisch.

diplomatic: ~ bag *n* Diplomatenpost *f*; **~ corps** *n* diplomatisches Korps; **~ immunity** *n* Immunität *f*; **~ service** *n* diplomatischer Dienst.
dipsomania [,dɪpsəʊ'meɪnɪə] *n* Trunksucht *f*.
dipsomaniac [,dɪpsəʊ'meɪnɪæk] *n* Trunksüchtige(r) *mf*.
dip: ~stick *n* (*for oil*) Ölmeßstab *m*; **~switch** *n* (*Aut*) Abblendschalter *m*.
DIP switch ['dɪpswɪtʃ] *n* (*Comp*) DIP-Schalter *m*.
dire [daɪər] *adj* schrecklich, furchtbar; *poverty* äußerste(r, s) ▶ **~ necessity** dringende Notwendigkeit; **to be in ~ need of sth** etw dringend brauchen.
▼ **direct** [daɪ'rekt] **1** *adj* direkt; *train* durchgehend; *opposite* genau ▶ **~ access** (*Comp*) Direktzugriff *m*; **~ current** Gleichstrom *m*; **~ debit** (*Brit*) (*transaction*) automatische Abbuchung; (*order*) Einzugsauftrag *m*; **~ hit** Volltreffer *m*; **~-mail** *advertising* Postwurfsendungen *pl*; **~ mail(ing)** Postwurfsendungen *pl*; **~ object** direktes Objekt, Akkusativobjekt *nt*; **~ speech** direkte Rede.
2 *vt* **a** (*address, aim*) *remark, letter* richten (*to* an *+acc*); *efforts* richten (*towards* auf *+acc*) ▶ **can you ~ me to the town hall?** können Sie mir sagen, wie ich zum Rathaus komme? **b** *person's work, business* leiten, lenken; *traffic* regeln. **c** (*order*) anweisen (*sb to do sth* jdn, etw zu tun), befehlen (*sb to do sth* jdm, etw zu tun); (*Jur*) *jury* Rechtsbelehrung erteilen (*+dat*); **d** *film, play* Regie führen bei; *radio/TV programme* leiten.
3 *adv* direkt.
direction [dɪ'rekʃən] *n* **a** (*lit, fig: way*) Richtung *f* ▶ **~ indicator** (*Aut*) Winker *m*; (*flashing*) Blinker *m*; **in the wrong/right ~** (*lit, fig*) in die falsche/richtige Richtung; **in the ~ of Hamburg** in Richtung Hamburg; **a sense of ~** (*lit*) Orientierungssinn *m*; (*fig*) ein Ziel *nt* (im Leben). **b** (*management: of company etc*) Leitung *f*. **c** (*of film, actors*) Regie *f*; (*of radio/TV programme*) Leitung *f*. **d** **~s** *pl* (*instructions*) Anweisungen *pl*; (*to a place*) Wegbeschreibung *f*; (*for use*) (Gebrauchs)anweisung *f*.
directive [dɪ'rektɪv] *n* Direktive, Weisung *f*.
directly [dɪ'rektlɪ] **1** *adv* direkt, unmittelbar; (*in a short time*) sofort, gleich.
2 *conj* sobald ▶ **he'll come ~ he's ready** er kommt, sobald er fertig ist.
directness [daɪ'rektnɪs] *n* Direktheit *f*.
director [dɪ'rektər] *n* **a** (*of company, institution*) Direktor(in *f*), Leiter(in *f*) *m*; (*Univ*) Rektor(in *f*) *m* ▶ **D~ of Public Prosecutions** (*Brit*) ≃ Oberstaatsanwalt *m*; **b** (*Rad, TV*) Direktor(in *f*) *m*; (*Film, Theat*) Regisseur(in *f*) *m*.
directorship [dɪ'rektəʃɪp] *n* Direktorstelle *f*.
▼ **directory** [dɪ'rektərɪ] *n* Adreßbuch *nt*; (*telephone ~*) Telefonbuch *nt*; (*trade ~*) Branchenverzeichnis *nt*; (*Comp*) Verzeichnis *nt* ▶ **~ enquiries** or (*US*) **assistance** (*Telec*) (Fernsprech)auskunft *f*.
dirge [dɜːdʒ] *n* Klagegesang *m*.
dirt [dɜːt] *n* (*lit, fig*) Schmutz, Dreck *m*; (*soil*) Erde *f* ▶ **to treat sb like ~** jdn wie (den letzten) Dreck behandeln (*col*).
dirt: ~ cheap *adj, adv* (*col*) spottbillig; **~ farmer** *n* (*US*) Kleinbauer *m*.
dirtiness ['dɜːtɪnɪs] *n* Schmutzigkeit *f*.
dirt road *n* (*US*) unbefestigte Straße.
dirty ['dɜːtɪ] **1** *adj* (*+er*) **a** schmutzig; *wound* verschmutzt ▶ **~ weather** Sauwetter *nt* (*col*); **to give sb a ~ look** (*fig*) jdm einen bösen Blick zuwerfen; **~ work** Dreckarbeit *f*. **b** (*fig: obscene*) schmutzig, unanständig; *story, joke also* zotig ▶ **to have a ~ mind** eine schmutzige Phantasie haben; **~ old man** geiler Bock (*col!*); **they're having a ~ weekend** (*col*) sie sind zusammen übers Wochenende weggefahren.
2 *vt* beschmutzen.
3 *n* **to do the ~ on sb** (*Brit col*) jdn reinlegen (*col*).

disability [,dısə'bılıtı] n Behinderung f ▶ ~ **allowance** Behindertenfreibetrag m; ~ **pension** Invalidenrente f.

disable [dıs'eıbl] vt tank, gun unbrauchbar machen; ship kampfunfähig machen.

disabled [dıs'eıbld] **1** adj **a** person behindert. **b** tank, gun unbrauchbar; ship nicht seetüchtig. **2** npl **the** ~ die Behinderten pl.

disadvantage [,dısəd'vɑːntıdʒ] n Nachteil m ▶ **to his** ~ zu seinem Nachteil; **to be at a** ~ sich im Nachteil befinden, benachteiligt sein.

disadvantaged [dısəd'vɑːntıdʒd] adj benachteiligt.

disadvantageous [,dısædvɑːn'teıdʒəs] adj nachteilig.

disaffected [,dısə'fektıd] adj entfremdet.

▼ **disagree** [,dısə'griː] vi **a** (with person, views, figures) nicht übereinstimmen; (with plan, suggestion etc) nicht einverstanden sein; (two people) sich nicht einig sein. **b** (quarrel) eine Meinungsverschiedenheit haben. **c** (climate, food) **to** ~ **with sb** jdm nicht bekommen.

disagreeable [,dısə'griːəbl] adj unangenehm; person unsympathisch.

disagreement [,dısə'griːmənt] n **a** (with opinion, between opinions) Uneinigkeit f. **b** (quarrel) Meinungsverschiedenheit f. **c** (between reports) Diskrepanz f.

disallow [,dısə'laʊ] vt evidence, goal nicht anerkennen; claim also zurückweisen.

disappear [,dısə'pıər] vi verschwinden.

disappearance [,dısə'pıərəns] n Verschwinden nt.

disappoint [,dısə'pɔınt] vt enttäuschen.

▼ **disappointed** [,dısə'pɔıntıd] adj enttäuscht.

disappointing [,dısə'pɔıntıŋ] adj enttäuschend.

disappointment [,dısə'pɔıntmənt] n Enttäuschung f.

disapproval [,dısə'pruːvl] n Mißbilligung f.

disapprove [,dısə'pruːv] **1** vt mißbilligen. **2** vi dagegen sein ▶ **he ~s of children smoking** er mißbilligt es, wenn Kinder rauchen.

disapproving [,dısə'pruːvıŋ] adj mißbilligend.

disarm [dıs'ɑːm] **1** vt (lit, fig) entwaffnen. **2** vi (Mil) abrüsten.

disarmament [dıs'ɑːməmənt] n Abrüstung f ▶ ~ **talks** Abrüstungsgespräche pl.

disarming adj, **~ly** adv [dıs'ɑːmıŋ, -lı] entwaffnend.

disarray [,dısə'reı] n Unordnung f.

disaster [dı'zɑːstər] n Katastrophe f; (Aviat, Min, Rail also) Unglück nt ▶ ~ **area** Katastrophengebiet nt; ~ **movie** Katastrophenfilm m.

disastrous [dı'zɑːstrəs] adj katastrophal.

disband [dıs'bænd] **1** vt auflösen. **2** vi (soldiers, club members) auseinandergehen.

disbelief ['dısbə'liːf] n **in** ~ ungläubig.

disbelieve ['dısbə'liːv] vt nicht glauben.

disc, (esp US) **disk** [dısk] n **a** Scheibe f; (Anat) Bandscheibe f. **b** (record) Platte f. **c** (Comp) Diskette f.

discard [dı'skɑːd] vt unwanted article ausrangieren; person abschieben; idea, plan verwerfen; cards abwerfen.

disc: ~ **brake** n Scheibenbremse f; ~ **drive** n (Comp) Diskettenlaufwerk nt.

discern [dı'sɜːn] vt erkennen.

discernible [dı'sɜːnəbl] adj erkennbar.

discerning [dı'sɜːnıŋ] adj clientele, reader anspruchsvoll, kritisch ▶ **to the** ~ **eye** für den Kenner.

discernment [dı'sɜːnmənt] n (ability to discern) feines Gespür ▶ **a man of** ~ ein Mann mit Geschmack.

discharge [dıs'tʃɑːdʒ] **1** vt **a** prisoner, patient, soldier entlassen; accused freisprechen ▶ **~d prisoner** Strafentlassene(r) mf. **b** (emit) (Elec) entladen; liquid, gas (pipe etc) ausstoßen; (Med) absondern. **c** (unload) ship, cargo löschen. **d** (gun) abfeuern. **e** debt begleichen; obligation, duty nachkommen (+dat); function erfüllen. **2** vi (wound, sore) eitern. **3** ['dıstʃɑːdʒ] n **a** (dismissal) see vt (a) Entlassung f;

Freispruch m; (of soldier) Abschied m. **b** (Elec) Entladung f; (of gas) Ausströmen nt; (of liquid, Med: vaginal ~) Ausfluß m; (of pus) Absonderung f. **c** (of debt) Begleichung f; (of obligation, duty, function) Erfüllung f.

disciple [dı'saıpl] n (lit, fig) Jünger m.

disciplinarian [,dısıplı'neərıən] n Zuchtmeister(in f) m.

disciplinary ['dısıplınərı] adj Disziplinar-, disziplinarisch ▶ **to take** ~ **action against sb** ein Disziplinarverfahren gegen jdn einleiten.

discipline ['dısıplın] **1** n Disziplin f. **2** vt **a** (train, make obedient) disziplinieren. **b** (punish) bestrafen; (physically) züchtigen.

disc jockey n Diskjockey m.

disclaim [dıs'kleım] vt abstreiten.

disclaimer [dıs'kleımər] n Dementi nt.

disclose [dıs'kləʊz] vt secret enthüllen; intentions, news bekanntgeben.

disclosure [dıs'kləʊʒər] n **a** see vt Enthüllung f; Bekanntgabe f. **b** (fact revealed) Mitteilung f.

disco ['dıskəʊ] n Disko f.

discoloration [dıs,kʌlə'reıʃən] n (mark) Verfärbung f.

discolour, (US) **discolor** [dıs'kʌlər] **1** vt verfärben. **2** vi sich verfärben.

discomfiture [dıs'kʌmfıtʃər] n Unbehagen nt.

discomfort [dıs'kʌmfət] n (lit) Beschwerden pl; (fig: uneasiness, embarrassment) Unbehagen nt.

disconcert [,dıskən'sɜːt] vt aus der Fassung bringen.

disconnect ['dıskə'nekt] vt pipe etc trennen; (cut off supply of) gas, electricity abstellen ▶ **I've been ~ed** (for non-payment) man hat mir das Telefon/den Strom/das Gas etc abgestellt; **to** ~ **an appliance** den Stecker eines Geräts herausziehen.

disconsolate [dıs'kɒnsəlıt] adj niedergeschlagen.

discontent(ed) ['dıskən'tent(ıd)] adj unzufrieden (with, about mit).

discontent(ment) ['dıskən'tent(mənt)] n Unzufriedenheit f.

discontinue ['dıskən'tınjuː] vt aufgeben; class, project, conversation abbrechen; (Comm) line auslaufen lassen.

discord ['dıskɔːd] n **a** Uneinigkeit f. **b** (Mus) Dissonanz f.

discordant [dıs'kɔːdənt] adj meeting, atmosphere unharmonisch; (Mus) dissonant.

discotheque ['dıskəʊtek] n Diskothek f.

discount ['dıskaʊnt] **1** n Rabatt m; (for cash) Skonto nt or m ▶ **to give a** ~ **on sth** Rabatt auf etw (acc) geben. **2** vt **a** (Comm) nachlassen. **b** [dıs'kaʊnt] (dismiss) abtun; person's opinion unberücksichtigt lassen.

discount: ~ **rate** n Diskontsatz m; ~ **shop**, ~ **store** n Discountgeschäft nt.

discourage [dıs'kʌrıdʒ] vt **a** (dishearten) entmutigen. **b** (dissuade) **to** ~ **sb from sth** jdm von etw abraten; (successfully) jdn von etw abbringen.

discouragement [dıs'kʌrıdʒmənt] n **a** (depression) Mutlosigkeit f. **b** **to be a** ~ entmutigend sein.

discouraging [dıs'kʌrıdʒıŋ] adj entmutigend.

discourteous [dıs'kɜːtıəs] adj unhöflich.

discourtesy [dıs'kɜːtısı] n Unhöflichkeit f.

discover [dıs'kʌvər] vt entdecken; (notice) mistake, loss also feststellen, bemerken.

discovery [dıs'kʌvərı] n Entdeckung f.

discredit [dıs'kredıt] **1** vt **a** report, theory in Mißkredit bringen. **b** (disbelieve) keinen Glauben schenken (+dat). **2** n **a** no pl **to bring** ~ **on sb** jdn in Mißkredit bringen. **b** **to be a** ~ **to sb** jdm keine Ehre machen.

discreet adj, **~ly** adv [dı'skriːt, -lı] diskret; (in quiet taste also) dezent.

discrepancy [dı'skrepənsı] n Diskrepanz f (between zwischen +dat).

discretion [dı'skreʃən] n **a** Diskretion f. **b** **to leave**

► SENTENCE BUILDER: **disagree:** a → 4.1   **disappointed** → 4.2

discretionary

sth to sb's ~ etw jdm anheimstellen; **use your own ~** es steht in Ihrem Ermessen.

discretionary [dɪˈskreʃənərɪ] adj **~ powers** Ermessensspielraum m.

discriminate [dɪˈskrɪmɪneɪt] vi [a] (distinguish) unterscheiden (between zwischen +dat). [b] to **~ against/in favour of sb** jdn diskriminieren/bevorzugen.

discriminating [dɪˈskrɪmɪneɪtɪŋ] adj person, judgement, mind kritisch.

discrimination [dɪˌskrɪmɪˈneɪʃən] n [a] Diskriminierung f ► **racial ~** Rassendiskriminierung f; **sexual ~** Diskriminierung auf Grund des Geschlechts. [b] (discernment) kritisches Urteilsvermögen.

discus [ˈdɪskəs] n Diskus m.

discuss [dɪˈskʌs] vt besprechen; politics, theory erörtern, diskutieren.

discussion [dɪˈskʌʃən] n Diskussion f; (meeting) Besprechung f.

disdain [dɪsˈdeɪn] [1] vt verachten ► **he ~ed to notice them** er hielt es für unter seiner Würde, ihnen Beachtung zu schenken.
[2] n Verachtung f.

disdainful adj, **~ly** adv [dɪsˈdeɪnfʊl, -fəlɪ] verächtlich.

disease [dɪˈziːz] n (lit, fig) Krankheit f.

diseased [dɪˈziːzd] adj (lit, fig) krank.

disembark [ˌdɪsɪmˈbɑːk] [1] vt ausschiffen.
[2] vi von Bord gehen.

disembarkation [ˌdɪsembɑːˈkeɪʃən] n Landung f.

disembodied [ˌdɪsɪmˈbɒdɪd] adj körperlos; voice geisterhaft.

disenchanted [ˌdɪsɪnˈtʃɑːntɪd] adj to be **~ with sb/sth** von jdm/etw enttäuscht sein; **I've become ~ with it** ich halte nicht mehr viel davon.

disenfranchise [ˌdɪsɪnˈfræntʃaɪz] vt person die bürgerlichen Ehrenrechte aberkennen (+dat).

disengage [ˌdɪsɪnˈgeɪdʒ] vt to **~ the clutch** (Aut) auskuppeln.

disentangle [ˌdɪsɪnˈtæŋgl] vt (lit, fig) entwirren.

disfavour, (US) **disfavor** [dɪsˈfeɪvəʳ] n (displeasure) Ungnade f; (dislike) Mißfallen nt ► **to fall into/be in ~** in Ungnade fallen/sein (with bei).

disfigure [dɪsˈfɪgəʳ] vt verunstalten; person also entstellen.

disfigurement [dɪsˈfɪgəmənt] n see vt Verunstaltung f; Entstellung f.

disgorge [dɪsˈgɔːdʒ] vt ausspeien.

disgrace [dɪsˈgreɪs] [1] n Schande f; (person) Schandfleck m (to gen) ► **to be in/fall into ~** in Ungnade (gefallen) sein/fallen (with bei).
[2] vt Schande machen (+dat); country, family also Schande bringen über (+acc) ► **to ~ oneself** sich blamieren.

disgraceful [dɪsˈgreɪsfʊl] adj erbärmlich (schlecht); behaviour skandalös ► **it's ~** or **a ~ business** es ist eine Schande.

disgracefully [dɪsˈgreɪsfəlɪ] adv (+adj) erbärmlich; (+vb) erbärmlich schlecht; behave skandalös.

disgruntled [dɪsˈgrʌntld] adj verstimmt.

disguise [dɪsˈgaɪz] [1] vt verkleiden; voice verstellen; interest, feelings verbergen ► **there's no disguising the fact that ...** es läßt sich nicht verhehlen, daß ...
[2] n (lit) Verkleidung f; (of voice) Verstellung f; (fig) Deckmantel m ► **in ~** verkleidet.

disgust [dɪsˈgʌst] [1] n Ekel m; (at sb's behaviour) Entrüstung, Empörung f.
[2] vt (person, sight) anekeln, anwidern; (actions) empören.

disgusted [dɪsˈgʌstɪd] adj angeekelt; (at sb's behaviour) empört ► **I am ~ with you** ich bin empört über dich.

disgusting [dɪsˈgʌstɪŋ] adj widerlich; (physically nauseating also) ekelhaft ► **that's ~** das ist eine Schweinerei

(col).

dish [dɪʃ] n [a] Schale f; (for serving also) Schüssel f. [b] **~es** pl (crockery) Geschirr nt; **to do the ~es** abwaschen. [c] (food) Gericht nt. [d] (also **~ aerial** (Brit) or **antenna** (US)) Parabolantenne, Schüssel (col) f.

◆**dish out** vt sep (col) austeilen.

◆**dish up** vt sep (lit, fig) auftischen.

disharmony [ˌdɪsˈhɑːmənɪ] n (lit, fig) Disharmonie f.

dishcloth [ˈdɪʃklɒθ] n Geschirrtuch nt; (for washing) Spültuch nt.

dishearten [dɪsˈhɑːtn] vt entmutigen ► **don't be ~ed** nur Mut.

disheartening [dɪsˈhɑːtnɪŋ] adj entmutigend.

dished [dɪʃt] adj (Tech) konkav (gewölbt); wheels gestürzt.

dishevelled, (US) **disheveled** [dɪˈʃevəld] adj ramponiert (col), unordentlich; hair zerzaust.

dishonest adj, **~ly** adv [dɪsˈɒnɪst, -lɪ] unehrlich.

dishonesty [dɪsˈɒnɪstɪ] n Unehrlichkeit f.

dishonour, (US) **dishonor** [dɪsˈɒnəʳ] n Schande f ► **to bring ~ upon sb** Schande über jdn bringen.

dishonourable, (US) **dishonorable** [dɪsˈɒnərəbl] adj unehrenhaft.

dish: ~ rack n Geschirrständer m; (in ~washer) Einsatzkorb m; **~ towel** n (US, Scot) Geschirrtuch nt; **~washer** n (person) Tellerwäscher(in f) m; (machine) Geschirrspülmaschine f; **~washing liquid** n (US) Geschirrspülmittel nt; **~water** n Abwasch- or Spülwasser nt; **this coffee is like ~water** der Kaffee schmeckt wie Spülwasser.

dishy [ˈdɪʃɪ] adj (+er) (Brit col) dufte (col).

disillusion [ˌdɪsɪˈluːʒən] vt desillusionieren ► **to become ~ed** seine Illusionen verlieren; **I'm completely ~ed** ich habe alle meine Illusionen verloren.

disillusionment [ˌdɪsɪˈluːʒənmənt] n Desillusionierung f.

disincentive [ˌdɪsɪnˈsentɪv] n Entmutigung f ► **it acts as a ~** es wirkt abschreckend.

disinclination [ˌdɪsɪnklɪˈneɪʃən] n Abneigung, Unlust f.

disinclined [ˌdɪsɪnˈklaɪnd] adj abgeneigt.

disinfect [ˌdɪsɪnˈfekt] vt desinfizieren.

disinfectant [ˌdɪsɪnˈfektənt] n Desinfektionsmittel nt.

disinfection [ˌdɪsɪnˈfekʃən] n Desinfektion f.

disinformation [ˌdɪsɪnfɔːˈmeɪʃən] n Desinformation f.

disinherit [ˌdɪsɪnˈherɪt] vt enterben.

disintegrate [dɪsˈɪntɪgreɪt] vi zerfallen; (rock, cement) auseinanderbröckeln; (vehicle) sich in seine Bestandteile auflösen; (group also, institution) sich auflösen.

disintegration [dɪsˌɪntɪˈgreɪʃən] n see vi Zerfall m; Auseinanderbröckeln nt; Auflösung f.

disinterested [dɪsˈɪntrɪstɪd] adj (unbiased) unvoreingenommen.

disjointed adj [dɪsˈdʒɔɪntɪd] zusammenhanglos.

disk [dɪsk] n (Comp) Diskette f; (video etc) Platte f ► **~ drive** Diskettenlaufwerk nt; **hard ~** Festplatte f.

diskette [dɪsˈket] n Diskette f.

▼ **dislike** [dɪsˈlaɪk] [1] vt nicht mögen, nicht gern haben ► **to ~ doing sth** etw ungern tun ► **I don't ~ him** ich habe nichts gegen ihn.
[2] n Abneigung f (of gegen) ► **to take a ~ to sb/sth** eine Abneigung gegen jdn/etw entwickeln.

dislocate [ˈdɪsləʊkeɪt] vt (Med) verrenken; (fig) plans durcheinanderbringen ► **to ~ one's shoulder** sich (dat) den Arm auskugeln.

dislodge [dɪsˈlɒdʒ] vt obstruction, stone entfernen; (accidentally) verschieben; enemy verdrängen.

disloyal [dɪsˈlɔɪəl] adj treulos; (esp Pol) illoyal (to gegenüber).

disloyalty [dɪsˈlɔɪəltɪ] n Treulosigkeit f; (esp Pol) Illoyalität f (to gegenüber).

dismal [ˈdɪzməl] adj trübe, trist; person trübsinnig; fail-

disquieting

ure, result kläglich.

dismantle [dɪs'mæntl] *vt* auseinandernehmen; *scaffolding* abbauen; (*fig*) *system* demontieren.

dismay [dɪs'meɪ] ⓵ *n* Bestürzung *f* ▸ *in* ~ bestürzt. ⓶ *vt* bestürzen.

dismiss [dɪs'mɪs] *vt* ⓐ (*from job*) entlassen. ⓑ (*allow to go*) entlassen; *assembly* auflösen. ⓒ *objection* abtun. ⓓ (*Jur*) *accused* entlassen; *appeal* abweisen ▸ *to ~ a case* eine Klage abweisen.

dismissal [dɪs'mɪsəl] *n* Entlassung *f*; (*of assembly*) Auflösung *f*; (*of objection*) Zurückweisung *f*; (*of appeal*) Abweisung *f*.

dismissive [dɪs'mɪsɪv] *adj remark* wegwerfend; *gesture* abweisend.

dismount [dɪs'maʊnt] *vi* absteigen.

disobedience [,dɪsə'biːdɪəns] *n* Ungehorsam *m* (*to* gegenüber).

disobedient [,dɪsə'biːdɪənt] *adj* ungehorsam.

disobey [,dɪsə'beɪ] *vt* nicht gehorchen (+*dat*); *rule* übertreten.

disobliging [,dɪsə'blaɪdʒɪŋ] *adj* ungefällig.

disorder [dɪs'ɔːdəʳ] *n* ⓐ Durcheinander *nt*; (*in room etc also*) Unordnung *f* ▸ *in* ~ durcheinander; in Unordnung. ⓑ (*rioting*) Unruhen *pl*. ⓒ (*Med*) Störung *f*.

disordered [dɪs'ɔːdəd] *adj room* unordentlich; *plans* wirr; *existence, thoughts* ungeordnet.

disorderly [dɪs'ɔːdəlɪ] *adj desk, room* unordentlich; *life* unsolide; *mind* wirr; (*unruly*) *crowd* aufrührerisch ▸ ~ *conduct* (*Jur*) ungebührliches Benehmen.

disorganized [dɪs'ɔːɡənaɪzd] *adj* durcheinander *pred*, desorganisiert; *life, person* chaotisch.

disorientated [dɪs'ɔːrɪənteɪtɪd] *adj* desorientiert.

disown [dɪs'əʊn] *vt* verleugnen; *child* verstoßen ▸ *I'll ~ you if you go out in that hat* wenn du mit dem Hut ausgehst, tue ich so, als ob ich nicht zu dir gehöre.

disparage [dɪ'spærɪdʒ] *vt* herabsetzen.

disparagement [dɪ'spærɪdʒmənt] *n* Herabsetzung *f*.

disparaging [dɪ'spærɪdʒɪŋ] *adj* abschätzig.

disparate ['dɪspərɪt] *adj* ungleich.

disparity [dɪ'spærɪtɪ] *n* Ungleichheit *f*.

dispassionate [dɪs'pæʃənɪt] *adj* objektiv.

dispatch [dɪ'spætʃ] ⓵ *vt* ⓐ senden, schicken; *person, troops etc also* entsenden. ⓑ (*deal with*) *job etc* (prompt) erledigen. ⓒ (*kill*) töten. ⓶ *n* ⓐ *see vt* Senden, Schicken *nt*; Entsendung *f*; prompte Erledigung; Tötung *f* ▸ ~ *department* Versandabteilung *f*; ~ *note* (*in advance*) Versandanzeige *f*; (*with goods*) Begleitschein *m*; *date of* ~ Absendedatum *nt*; *with* ~ prompt. ⓑ (*message*) Depesche *f*; (*Press*) Bericht *m* ▸ *to be mentioned in ~es* (*Mil*) in den Kriegsberichten erwähnt werden; ~ *rider* (*Mil*) Melder *m*.

dispel [dɪ'spel] *vt clouds, fog* auflösen, vertreiben; *doubts, fears* zerstreuen; *sorrows* vertreiben.

dispensable [dɪ'spensəbl] *adj* entbehrlich.

dispensary [dɪ'pensərɪ] *n* (*in hospital*) (Krankenhaus)apotheke *f*; (*in chemist's*) Apothekenabteilung *f*.

dispensation [,dɪspen'seɪʃən] *n* (*handing out*) Verteilung *f* ▸ ~ *of justice* Rechtsprechung *f*; *by a special* ~ durch besondere Verfügung.

dispense [dɪ'spens] *vt* ⓐ verteilen, austeilen (*to* an +*acc*). ⓑ *medicine* abgeben; *prescription* zubereiten.

◆**dispense with** *vi* +*prep obj* verzichten auf (+*acc*).

dispenser [dɪ'spensəʳ] *n* (*container*) Spender *m*; (*slot-machine*) Automat *m*.

dispensing [dɪ'spensɪŋ] *adj*: ~ *chemist n* (*Brit*) Apotheker(in *f*) *m*; ~ *chemist's n* (*Brit*) Apotheke *f*.

dispersal [dɪ'spɜːsəl] *n see vb* Verstreuen *nt*; Verteilung *f*; Verbreitung *f*; Auflösung *f*.

disperse [dɪ'spɜːs] ⓵ *vt* (*scatter widely*) verstreuen;

(*Bot*) *seed* verteilen; (*fig*) *knowledge etc* verbreiten. ⓶ *vi* sich auflösen.

dispirited [dɪ'spɪrɪtɪd] *adj* entmutigt.

dispiriting *adj*, ~*ly adv* [dɪ'spɪrɪtɪŋ, -lɪ] entmutigend.

displace [dɪs'pleɪs] *vt* (*move*) verschieben; (*replace*) ablösen, ersetzen; *water, air* verdrängen ▸ ~*d person* Verschleppte(r) *mf*.

displacement [dɪs'pleɪsmənt] *n see vt* Verschiebung *f*; Ablösung *f*; Verdrängung *f*.

display [dɪ'spleɪ] ⓵ *vt* ⓐ zeigen; (*ostentatiously*) *new clothes etc also* vorführen; *exam results, notice* aushängen. ⓑ (*Comm*) *goods* ausstellen. ⓶ *n* ⓐ *to make a great ~ of sth* etw groß zur Schau stellen; *a ~ of temper* ein Wutanfall *m*. ⓑ (*of paintings etc*) Ausstellung *f*; (*dancing ~ etc*) Vorführung *f*; (*military, air ~*) Schau *f*. ⓒ (*Comm*) Auslage *f* ▸ *the goods on* ~ die ausgestellte Ware. ⓓ (*visual ~: on calculator etc*) Anzeige *f*.

display: ~ *advertisement n* Display-Anzeige *f*; ~ *cabinet n* Schaukasten *m*; ~ *case n* Vitrine *f*; ~ *unit n* (*Comp*) (Daten)sichtgerät *nt*.

displease [dɪs'pliːz] *vt* mißfallen (+*dat*), nicht gefallen (+*dat*).

displeasure [dɪs'pleʒəʳ] *n* Mißfallen *nt* (*at* über +*acc*).

disposable [dɪ'spəʊzəbl] *adj* ⓐ (*to be thrown away*) Wegwerf-; *handkerchief, nappy also* Papier-; *bottle, syringe* Einweg- ▸ ~ *towel* Einmalhandtuch *nt*. ⓑ (*available*) verfügbar.

disposal [dɪ'spəʊzəl] *n* ⓐ *see* **dispose of (a)** Loswerden *nt*; Beseitigung *f*; Erledigung *f* ▸ (*waste*) ~ *unit* Müllschlucker *m*. ⓑ *to be at sb's* ~ jdm zur Verfügung stehen; *to put sth at sb's* ~ jdm etw zur Verfügung stellen.

dispose [dɪ'spəʊz] *vt* (*form: arrange*) anordnen; *troops* aufstellen ▸ *to be well/ill ~d towards sb* jdm wohlwollen/übelwollen.

◆**dispose of** *vi* +*prep obj* ⓐ (*get rid of*) loswerden; *rubbish* beseitigen; *opponent, difficulties* aus dem Weg räumen; *matter* erledigen. ⓑ (*have at disposal*) *fortune, time* verfügen über (+*acc*).

disposition [,dɪspə'zɪʃən] *n* (*temperament*) Veranlagung *f* ▸ *her cheerful/friendly* ~ ihre fröhliche/freundliche Art.

dispossess ['dɪspə'zes] *vt* enteignen.

disproportionate [,dɪsprə'pɔːʃnɪt] *adj a ~ amount of money* ein unverhältnismäßig hoher/niedriger Geldbetrag.

disproportionately [,dɪsprə'pɔːʃnɪtlɪ] *adv* unverhaltnismäßig.

disprove [dɪs'pruːv] *vt* widerlegen.

disputable [dɪ'spjuːtəbl] *adj* sehr zweifelhaft.

dispute [dɪ'spjuːt] ⓵ *vt* ⓐ *statement* bestreiten; *claim to sth, will* anfechten. ⓑ *the issue was hotly ~d* das Thema wurde heftig diskutiert. ⓒ (*contest*) *championship* jdm streitig machen. ⓶ *vi* (*argue*) streiten. ⓷ *n also* ['dɪspjuːt] ⓐ *no pl* (*arguing, controversy*) Disput *m*, Kontroverse *f* ▸ *to be beyond* ~ außer Frage stehen; *without* ~ zweifellos; *to be open to* ~ umstritten sein. ⓑ (*argument*) Streit *m*; (*debate*) Kontroverse *f* ▸ *industrial* ~ Arbeitskampf *m*; *to be in* ~ (*on strike*) im Ausstand sein.

disqualification [dɪs,kwɒlɪfɪ'keɪʃən] *n* ⓐ Ausschluß *m*; (*Sport also*) Disqualifikation *f* ▸ ~ (*from driving*) Führerscheinentzug *m*. ⓑ (*disqualifying factor*) Grund *m* zur Disqualifikation.

disqualify [dɪs'kwɒlɪfaɪ] *vt* ungeeignet machen (*from* für); (*Sport etc*) disqualifizieren ▸ *to ~ sb from driving* jdm den Führerschein entziehen.

disquiet [dɪs'kwaɪət] *n* Unruhe *f*.

disquieting [dɪs'kwaɪətɪŋ] *adj* beunruhigend.

disregard [ˌdɪsrɪ'gɑːd] **1** vt ignorieren; *remark, feelings also* nicht beachten (+*acc*); *danger, advice, authority also* mißachten.
2 n Mißachtung f (*for gen*); (*for money*) Geringschätzung f (*for gen*).
disrepair [ˌdɪsrɪ'peər] n Baufälligkeit f ▶ *in a state of ~* baufällig; *to fall into ~* verfallen.
disreputable [dɪs'repjʊtəbl] adj verrufen, berüchtigt.
disrepute [ˌdɪsrɪ'pjuːt] n schlechter Ruf ▶ *to bring sth into ~* etw in Verruf bringen; *to fall into ~* in Verruf kommen *or* geraten.
disrespect [ˌdɪsrɪs'pekt] n Respektlosigkeit f (*for gegen*über).
disrespectful adj [ˌdɪsrɪs'pektfʊl] respektlos (*to gegen*über).
disrupt [dɪs'rʌpt] vt stören; *train service, communications* unterbrechen.
disruption [dɪs'rʌpʃən] n *see vt* Störung f; Unterbrechung f.
disruptive [dɪs'rʌptɪv] adj störend ▶ *~ action* Störmanöver nt.
dissatisfaction [ˌdɪssætɪs'fækʃən] n Unzufriedenheit f.
dissatisfied [dɪs'sætɪsˌfaɪd] adj unzufrieden.
dissect [dɪ'sekt] vt *plant* präparieren; *animal also* sezieren.
dissection [dɪ'sekʃən] n *see vt* Präparieren nt; Sezieren nt.
disseminate [dɪ'semɪneɪt] vt verbreiten.
dissension [dɪ'senʃən] n Meinungsverschiedenheit, Differenz f.
dissent [dɪ'sent] **1** vi anderer Meinung sein, differieren (*geh*).
2 n Meinungsverschiedenheit f ▶ *to voice/express one's ~ (with sth)* erklären, daß man (mit etw) nicht übereinstimmt.
dissenter [dɪ'sentər] n Abweichler(in f) m.
dissertation [ˌdɪsə'teɪʃən] n wissenschaftliche Arbeit; (*PhD*) Dissertation f.
disservice [dɪs'sɜːvɪs] n *to do sb a ~* jdm einen schlechten Dienst erweisen.
dissident ['dɪsɪdənt] **1** n Dissident(in f), Regimekritiker(in f) m.
2 adj regimekritisch.
dissimilar [dɪ'sɪmɪlər] adj verschieden (*to* von).
dissimilarity [ˌdɪsɪmɪ'lærɪt] n Verschiedenheit f.
dissipate ['dɪsɪpeɪt] vt **a** *doubts, fears* zerstreuen. **b** *energy, fortune* verschwenden.
dissipated ['dɪsɪpeɪtɪd] adj *behaviour, society* zügellos; *person also* leichtlebig; (*in appearance*) verlebt; *life* ausschweifend.
dissipation [ˌdɪsɪ'peɪʃən] n *see vt* **a** Zerstreuung f. **b** Verschwendung f. **c** (*debauchery*) Ausschweifung f.
dissociate [dɪ'səʊʃɪeɪt] vt trennen ▶ *to ~ oneself from sb/sth* sich von jdm/etw distanzieren.
dissolute ['dɪsəluːt] adj *person* zügellos; *way of life also* ausschweifend; *appearance* verlebt.
dissolution [ˌdɪsə'luːʃən] n Auflösung f.
dissolve [dɪ'zɒlv] **1** vt auflösen.
2 vi sich (auf)lösen; (*fig*) sich in nichts auflösen ▶ *it ~s in water* es ist wasserlöslich; *to ~ into tears* in Tränen zerfließen.
dissuade [dɪ'sweɪd] vt *to ~ sb from doing sth* jdn davon abbringen, etw zu tun.
distaff ['dɪstɑːf] n *on the ~ side* mütterlicherseits.
distance ['dɪstəns] n Entfernung f; (*gap, interval*) Abstand m; (*distance covered*) Strecke f, Weg m ▶ *at a ~ of two metres* in zwei Meter(n) Entfernung; *what's the ~ from London to Glasgow?* wie weit ist es von London nach Glasgow?; *in the (far) ~* (ganz) in der Ferne, (ganz) weit weg; *he admired her at a ~* (*fig*) er bewunderte sie aus der Ferne; *it's within walking ~* es

ist zu Fuß erreichbar; *it's no ~* es ist überhaupt nicht weit; *seen from a ~ it looks different* von weitem sieht das ganz anders aus; *quite a ~ (away)* ziemlich weit (entfernt); *the fight went the ~* der Kampf ging über alle Runden; *to go the ~* durchhalten; *to keep one's ~* (*lit, fig*) auf Distanz bleiben; *at this ~ in time* nach einem so langen Zeitraum; *to keep sb at a ~* jdn auf Distanz halten.
distance: *~ event* n Langstreckenlauf m; *~ runner* n Langstreckenläufer(in f) m.
distant ['dɪstənt] adj **a** *country* weit entfernt, fern ▶ *we had a ~ view of the church* wir sahen in der Ferne die Kirche. **b** (*with time*) *age* fern, weit zurückliegend; *recollection* entfernt ▶ *that was in the ~ past* das liegt weit zurück; *in the not too ~ future* in nicht allzu ferner Zukunft. **c** *relationship, likeness, cousin* entfernt. **d** (*fig: aloof*) *person, manner* distanziert, reserviert.
distaste [dɪs'teɪst] n Widerwille m (*for gegen*) ▶ *to have a ~ for sth* eine Abneigung gegen etw haben.
distasteful [dɪs'teɪstfʊl] adj *task* unangenehm; *photo, magazine* geschmacklos ▶ *to be ~ to sb* jdm zuwider *or* unangenehm sein.
distemper¹ [dɪs'tempər] n (*paint*) Temperafarbe f.
distemper² n (*Vet*) Staupe f.
distend [dɪ'stend] **1** vt *sails, stomach* (auf)blähen.
2 vi sich blähen.
distil, (*US*) **distill** [dɪ'stɪl] vt (*Chem*) destillieren; *whisky etc also* brennen.
distiller [dɪ'stɪlər] n Destillateur, (Branntwein)brenner m.
distillery [dɪ'stɪlərɪ] n (Branntwein)brennerei f.
distinct [dɪ'stɪŋkt] adj **a** deutlich, klar; *landmark, shape also* klar erkennbar; *accent, likeness also* ausgeprägt ▶ *I had the ~ feeling that ...* ich hatte das bestimmte Gefühl, daß ... **b** (*different*) verschieden; (*separate*) getrennt ▶ *as ~ from* im Unterschied zu; *to keep A ~ from B* A und B auseinanderhalten.
distinction [dɪ'stɪŋkʃən] n **a** (*difference*) Unterschied m; (*act of distinguishing*) Unterscheidung f ▶ *to make a ~ (between two things)* (zwischen zwei Dingen) einen Unterschied machen. **b** *no pl* (*preeminence*) *to win ~* sich hervortun *or* auszeichnen; *a pianist of ~* ein Pianist von Rang. **c** (*Sch, Univ: grade*) *he got a ~ in French* er hat das Französischexamen mit Auszeichnung bestanden.
distinctive [dɪ'stɪŋktɪv] adj *colour, plumage* auffällig; (*unmistakable*) unverkennbar; *characteristic, feature* besondere(s).
distinctly [dɪ'stɪŋktlɪ] adv deutlich; *rude* ausgesprochen; *better* entschieden.
distinguish [dɪ'stɪŋgwɪʃ] **1** vt **a** unterscheiden. **b** (*make out*) *landmark, shape* erkennen.
2 vi *to ~ between* unterscheiden zwischen (+*dat*).
3 vr *to ~ oneself* sich auszeichnen.
distinguishable [dɪ'stɪŋgwɪʃəbl] adj unterscheidbar; (*discernible*) erkennbar ▶ *they are barely ~* sie sind kaum auseinanderzuhalten.
distinguished [dɪ'stɪŋgwɪʃt] adj **a** (*eminent*) *pianist, scholar* von hohem Rang; *career* hervorragend. **b** (*refined, elegant*) *person, manner* distinguiert (*geh*), vornehm.
distinguishing [dɪ'stɪŋgwɪʃɪŋ] adj kennzeichnend, charakteristisch ▶ *the ~ feature of his work is ...* was seine Arbeit kennzeichnet, ist ...
distort [dɪ'stɔːt] vt verzerren; *truth, words* verdrehen.
distortion [dɪ'stɔːʃən] n *see vt* Verzerrung f; Verdrehung f.
distract [dɪ'strækt] vt ablenken.
distracted [dɪ'stræktɪd] adj (*worried*) besorgt, beunruhigt; (*distraught*) außer sich (*with vor* +*dat*).
distraction [dɪ'strækʃən] n **a** (*from work etc*) Ablenkung f. **b** (*entertainment*) Zerstreuung f. **c** (*anxiety*)

Ruhelosigkeit, Unruhe *f;* (*distraughtness*) Verstörtheit *f* ▶ **to drive sb to ~** jdn wahnsinnig machen.

distraught [dɪ'strɔːt] *adj* verzweifelt.

distress [dɪ'stres] **1** *n* **a** (*physical*) Leiden *nt;* (*mental*) Kummer *m,* Sorge *f* ▶ **to be in great ~** sehr leiden. **b** (*danger*) **a ship/plane in ~** ein Schiff in Seenot/ein Flugzeug in Not; **~ signal** Notsignal *nt.* **2** *vt* Sorge bereiten (+*dat*) ▶ **please don't ~ yourself** machen Sie sich (*dat*) bitte keine Sorgen!

distressed [dɪ'strest] *adj* **a** (*upset*) bekümmert; (*grief-stricken*) verzweifelt (*about* über +*acc*). **b** (*poverty-stricken*) verarmt; *circumstances* erbärmlich.

distressing [dɪ'stresɪŋ] *adj* (*upsetting*) besorgniserregend; (*stronger*) erschütternd.

distribute [dɪ'strɪbjuːt] *vt* verteilen; (*Comm*) *goods* vertreiben; *films* verleihen.

distribution [ˌdɪstrɪ'bjuːʃən] *n see vt* Verteilung *f;* (*Comm*) Vertrieb *m;* Verleih *m* ▶ **~ network** Vertriebsnetz *nt;* **~ rights** Vertriebsrechte *pl.*

distributor [dɪ'strɪbjʊtəʳ] *n* Verteiler *m* (*also Aut*); (*Comm*) (*wholesaler*) Großhändler *m;* (*retailer*) Händler *m;* (*of films*) Verleih(er) *m.*

district ['dɪstrɪkt] *n* Gegend *f;* (*of town also*) Viertel *nt;* (*administrative*) (Verwaltungs)bezirk *m.*

district: ~ attorney *n* (*US*) Bezirksstaatsanwalt *m;* **~ council** *n* (*Brit*) Bezirksrat *m.*

┌─ **DISTRICT COUNCIL** ─┐

ⓘ **District Council** *heißt der in jedem der britischen districts (Bezirke) alle vier Jahre neu gewählte Bezirksrat, der für bestimmte Bereiche der Kommunalverwaltung (Gesundheitsschutz, Wohnungsbeschaffung, Baugenehmigungen, Müllabfuhr) zuständig ist. Die district councils werden durch Kommunalabgaben und durch einen Zuschuß von der Regierung finanziert. Ihre Ausgaben werden von einer unabhängigen Prüfungskommission kontrolliert, und bei zu hohen Ausgaben wird der Regierungszuschuß gekürzt.*

district: ~ manager *n* Bezirksleiter *m;* **~ nurse** *n* Gemeindeschwester *f.*

distrust [dɪs'trʌst] **1** *vt* mißtrauen (+*dat*). **2** *n* Mißtrauen *nt* (*of* gegenüber).

distrustful [dɪs'trʌstfʊl] *adj* mißtrauisch (*of* gegenüber).

disturb [dɪs'tɜːb] **1** *vt* **a** stören. **b** (*alarm*) *person* beunruhigen. **c** *waters* bewegen; *sediment* aufwirbeln; *papers* durcheinanderbringen. **2** *vi* **"please do not ~"** „bitte nicht stören".

disturbance [dɪs'tɜːbəns] *n* **a** (*political*) Unruhe *f;* (*in pub, street*) (Ruhe)störung *f* ▶ **to cause a ~** eine Ruhestörung verursachen. **b** (*in work, routine*) Störung *f.*

disturbed [dɪs'tɜːbd] *adj* **a** (*mentally*) geistig gestört; (*socially*) verhaltensgestört. **b** (*worried*) beunruhigt (*at, by* über +*acc,* von) ▶ **to have a ~ night** eine unruhige Nacht verbringen.

disturbing [dɪs'tɜːbɪŋ] *adj* (*alarming*) beunruhigend; (*distracting*) störend ▶ **some viewers may find these scenes ~** einige Zuschauer könnten an diesen Szenen Anstoß nehmen.

disuse [dɪs'juːs] *n* **to fall into ~** nicht mehr benutzt werden.

disused [dɪs'juːzd] *adj building* leerstehend; *mine, railway line* stillgelegt.

ditch [dɪtʃ] **1** *n* Graben *m.* **2** *vt* (*col: get rid of*) *person* loswerden; *boyfriend* abservieren (*col*); *project* fallenlassen.

dither ['dɪðəʳ] **1** *n* **to be all of a ~** ganz aufgeregt sein. **2** *vi* zaudern, schwanken.

ditto ['dɪtəʊ] *n* ebenfalls ▶ **I'd like coffee — ~ (for me)** (*col*) ich möchte Kaffee — ich auch.

ditty ['dɪtɪ] *n* Liedchen *nt.*

divan [dɪ'væn] *n* Diwan *m* ▶ **~ bed** Liege *f.*

dive [daɪv] (*vb: pret* **~d** *or* (*US*) **dove,** *ptp* **~d**) **1** *n* **a** (*by swimmer*) Sprung *m;* (*by diver*) Tauchgang *m;* (*by submarine*) Tauchmanöver *nt;* (*by plane*) Sturzflug *m;* (*Ftbl*) Hechtsprung *m* ▶ **the deepest ~ yet made** die bisher größte Tauchtiefe; **to make a ~ for sth** (*fig col*) sich auf etw (*acc*) stürzen; **the dollar took a ~** (*col*) der Dollar sackte ab (*col*). **b** (*pej col: club etc*) Spelunke *f* (*col*). **2** *vi* **a** (*person*) springen; (*under water*) tauchen; (*submarine*) untertauchen; (*plane*) einen Sturzflug machen; (*goalkeeper etc*) hechten ▶ **to ~ for pearls** nach Perlen tauchen. **b** (*col*) **he ~d into the crowd/under the table** er verschwand blitzschnell in der Menge/unter dem Tisch; **to ~ for cover** blitzschnell in Deckung gehen; **he ~d under the sheets** er versteckte sich schnell unter der Bettdecke.

dive: ~-bomb *vt* im Sturzflug bombardieren; **~-bomber** *n* Sturzkampfbomber, Stuka *m.*

diver ['daɪvəʳ] *n* (*also bird*) Taucher *m;* (*off high board*) Turmspringer(in *f*) *m;* (*off springboard*) Kunstspringer(in *f*) *m.*

diverge [daɪ'vɜːdʒ] *vi* abweichen (*from* von); (*two things*) auseinandergehen.

divergence [daɪ'vɜːdʒəns] *n* Abweichung *f.*

divergent [daɪ'vɜːdʒənt] *adj opinions etc* auseinandergehend.

diverse [daɪ'vɜːs] *adj* verschieden(artig).

diversification [daɪˌvɜːsɪfɪ'keɪʃən] *n* (*Comm*) Diversifikation *f.*

diversify [daɪ'vɜːsɪfaɪ] **1** *vt* abwechslungsreich(er) gestalten; *business etc* diversifizieren (*Comm*). **2** *vi* (*Comm*) diversifizieren.

diversion [daɪ'vɜːʃən] *n* **a** (*of stream, esp Brit: of traffic*) Umleitung *f.* **b** (*relaxation*) Unterhaltung *f.* **c** (*Mil, fig*) Ablenkung *f* ▶ **to create a ~** ablenken.

diversity [daɪ'vɜːsɪtɪ] *n* Vielfalt *f.*

divert [daɪ'vɜːt] *vt* **a** *traffic, stream* umleiten; *attention* ablenken; *conversation* in eine andere Richtung lenken; *blow* abwenden. **b** (*amuse*) unterhalten.

divest [daɪ'vest] *vt* berauben (*sb of sth* jdn einer Sache *gen*) ▶ **to ~ oneself of one's coat** (*hum*) sich seines Mantels entledigen.

divide [dɪ'vaɪd] **1** *vt* **a** (*separate*) trennen. **b** (*split into parts: also ~ up*) *money, work* teilen (*into* in +*acc*); (*in order to distribute*) aufteilen. **c** (*Math*) dividieren, teilen (*by* durch) ▶ **what is 12 ~d by 3?** wieviel ist 12 (geteilt) durch 3? **2** *vi* **a** (*river, road, cells*) sich teilen ▶ **to ~ (up) into groups** sich in Gruppen aufteilen. **b** (*Brit Parl*) **the House ~d** das Parlament stimmte durch Hammelsprung ab.

◆**divide off** *vt sep* (ab)trennen.

◆**divide out** *vt sep* aufteilen (*among* unter +*acc or dat*).

◆**divide up 1** *vi see* **divide 2 (a).** **2** *vt sep see* **divide 1 (b).**

divided [dɪ'vaɪdɪd] *adj* geteilt ▶ **~ highway** (*US*) zweispurige (Schnell)straße *f;* **~ skirt** Hosenrock *m;* **a people ~ against itself** ein gespaltenes Volk.

dividend ['dɪvɪdend] *n* (*Fin*) Dividende *f* ▶ **to pay ~s** (*fig*) sich bezahlt machen.

dividers [dɪ'vaɪdəz] *npl* Stechzirkel *m.*

dividing [dɪ'vaɪdɪŋ] *adj* **~ wall** Trennwand *f,* **~ line** (*lit, fig*) Trennungslinie *f.*

divine [dɪ'vaɪn] **1** *adj* (*Rel*) göttlich; (*fig col*) bezaubernd. **2** *vt* **a** *the future* weissagen, prophezeien; *sb's intentions* erahnen. **b** *water, metal* aufspüren.

diving ['daɪvɪŋ] *n* (*under water*) Tauchen *nt;* (*into water*) Springen *nt;* (*Sport*) Kunstspringen *nt.*

diving: ~-bell *n* Taucherglocke *f;* **~-board** *n* Sprungbrett *nt*; **~-suit** *n* Taucheranzug *m*.

divinity [dɪ'vɪnɪtɪ] *n* [a] (*divine being*) Gottheit *f*. [b] (*Sch*) Religion *f*.

divisible [dɪ'vɪzəbl] *adj* teilbar (*by* durch).

division [dɪ'vɪʒən] *n* [a] Teilung *f*; (*Math*) Teilen *nt*, Division *f* ► **~ sign** Teilungszeichen *nt*; **~ of labour** Arbeitsteilung *f*. [b] (*Mil*) Division *f*. [c] (*in administration*) Abteilung *f*. [d] (*in room*) Trennwand *f*; (*fig: between social classes etc*) Schranke *f*; (*dividing line: lit, fig*) Trennungslinie *f*. [e] (*fig: discord*) Uneinigkeit *f*. [f] (*Brit Parl*) Abstimmung *f* durch Hammelsprung. [g] (*Sport*) Liga *f*.

divisive [dɪ'vaɪsɪv] *adj* **to be ~** Uneinigkeit schaffen.

divorce [dɪ'vɔːs] [1] *n* Scheidung *f* (*from* von); (*fig*) Trennung *f* ► **he wants a ~** er will sich scheiden lassen; **to get a ~ (from sb)** sich (von jdm) scheiden lassen. [2] *vt* [a] sich scheiden lassen von ► **to get ~d** sich scheiden lassen. [b] (*fig*) trennen.

divorced [dɪ'vɔːst] *adj* geschieden (*from* von).

divorcee [dɪˌvɔː'siː] *n* geschiedener Mann, geschiedene Frau ► **he is a ~** er ist geschieden.

divulge [daɪ'vʌldʒ] *vt* preisgeben (*sth to sb* jdm etw).

Dixie ['dɪksɪ] *n* (*also ~land*) Dixie(land) *m*.

DIY = do-it-yourself.

dizziness ['dɪzɪnɪs] *n* Schwindelgefühl *nt*.

dizzy ['dɪzɪ] *adj* (+*er*) [a] (*lit, fig*) person schwind(e)lig; *height* schwindelerregend ► **~ spell** Schwindelanfall *m*; **I feel ~** mir ist schwindlig. [b] (*col: foolish*) verrückt.

DJ = [a] **dinner jacket**. [b] **disc jockey**.

Djakarta [dʒə'kɑːtə] *n* Jakarta *nt*.

dl = **decilitre(s)** dl.

dm = **decimetre(s)** dm.

DNA = de(s)oxyribonucleic acid DNS *f*.

DNA fingerprinting, DNA profiling *n siehe* **genetic fingerprinting**.

do [duː] (*vb: pret* **did**, *ptp* **done**) [1] *aux* [a] **~ you understand?** verstehen Sie?; **I ~ not** *or* **don't understand** ich verstehe nicht; **didn't you know?, did you not know?** haben Sie das nicht gewußt?

[b] (*for emphasis: with stress on* do) **~ come!** kommen Sie doch (bitte)!; **~ shut up!** (nun) sei doch (endlich) ruhig!; **~ I remember him!** und ob ich mich an ihn erinnere!; **but I ~ like it** aber es gefällt mir wirklich; **so you ~ know them!** Sie kennen sie also tatsächlich!; (*and were lying etc*) Sie kennen sie also doch!

[c] (*used to avoid repeating vb*) **you speak better than I ~** Sie sprechen besser als ich; **he likes cheese and so ~ I** er ißt gern Käse und ich auch; **neither ~ I** ich auch nicht.

[d] (*in question tags*) oder ► **you know him, don't you?** Sie kennen ihn doch, oder?; **he didn't go, did he?** er ist (doch) nicht gegangen, oder?

[e] (*in answers: replacing vb*) **do you see them often?** — **yes, I ~/no, I don't** sehen Sie sie oft? — ja/nein; **they speak French** — **oh, ~ they?** sie sprechen Französisch — ja?, wirklich?; **may I come in?** — **~!** darf ich hereinkommen? — ja, bitte; **shall I open the window?** — **no, don't!** soll ich das Fenster öffnen? — nein, bitte nicht!

[2] *vt* [a] tun, machen; *puzzle, housework, military service, translation, film* machen ► **what are you ~ing on Saturday?** was machen Sie am Samstag?; **I've got nothing to ~** ich habe nichts zu tun; **are you ~ing anything this evening?** haben Sie heute abend schon etwas vor?; **what shall we ~ for money?** wo kriegen wir jetzt (das) Geld her?; **we'll have to ~ something about this** wir müssen da etwas unternehmen; **how do you ~ it?** wie macht man das?; (*in amazement*) wie macht man Sie das bloß?; **what's to be done?** was ist da zu tun?; **what can you ~?** was kann man da machen?; *sorry, it can't be done* tut mir leid, es läßt sich nicht machen; **what can I**

~ for you? was kann ich für Sie tun?; (*by shop assistant also*) was darf's sein?; **can you ~ it by yourself?** schaffst du das allein?; **what do you want me to ~ (about it)?** und was soll ich da tun *or* machen?; **Brecht doesn't ~ anything for me** Brecht sagt mir nichts; **that's done it** (*col*) da haben wir's, da haben wir die Bescherung; **that does it!** jetzt reicht's mir!; **now what have you done!** was hast du jetzt wieder angestellt?; **we don't ~ lunches** wir haben keinen Mittagstisch.

[b] (*arrange, fix etc*) **to ~ the flowers** die Blumen arrangieren; **to ~ one's hair** sich (*dat*) die Haare machen (*col*); **who does your hair?** zu welchem Friseur gehen Sie?; **to ~ one's nails** sich (*dat*) die Nägel schneiden *or* (*varnish*) lackieren; **you ~ the painting and I'll ~ the papering** du streichst und ich tapeziere; **I'll ~ the talking** ich übernehme das Reden.

[c] (*Sch etc: study*) **we've done Milton** wir haben Milton durchgenommen; **I've never done any German** ich habe nie Deutsch gelernt.

[d] (*in pret, ptp only: complete, accomplish*) **the work's done now** die Arbeit ist gemacht *or* getan *or* fertig; **what's done cannot be undone** was geschehen ist, kann man nicht ungeschehen machen; **done!** abgemacht!

[e] (*visit*) *city, museum* besuchen; (*take in also*) mitnehmen (*col*).

[f] (*Aut etc*) schaffen, machen (*col*) ► **this car does 125** das Auto schafft *or* macht (*col*) 200; **we did London to Edinburgh in 8 hours** wir haben es in 8 Stunden von London bis Edinburgh geschafft.

[g] (*be suitable*) passen (*sb* jdm); (*be sufficient for*) reichen (*sb* jdm) ► **that will ~ me nicely** (*enough*) das reicht dicke (*col*); (*just right*) das paßt mir gut.

[h] (*take off, mimic*) nachmachen.

[i] (*col: cheat*) übers Ohr hauen (*col*).

[j] (*Cook*) machen (*col*) ► **to ~ the cooking** kochen; **how do you like your steak done?** wie möchten Sie Ihr Steak?; *see also* **done 2(a)**.

[k] (*col: in prison*) **6 years** (ab)sitzen.

[3] *vi* [a] (*act*) **~ as I ~** mach es wie ich; **he did well to take advice** er tat gut daran, sich beraten zu lassen. [b] (*get on, fare*) **how are you ~ing?** wie geht's (Ihnen)?; **the patient is ~ing very well** dem Patienten geht es recht ordentlich; **he's ~ing well at school** er macht sich in der Schule; **his business is ~ing well** sein Geschäft geht gut; *see also* **well²**. [c] (*finish*) **have you done?** sind Sie endlich fertig? [d] (*suit, be convenient*) gehen ► **that will never ~!** das geht nicht!; **this room will ~** das Zimmer ist in Ordnung; **will she/it ~?** geht sie/das?; **this coat will ~ as a cover** dieser Mantel muß als Decke herhalten; **you'll have to make ~ with £10** Sie werden mit £10 auskommen müssen. [e] (*be sufficient*) reichen ► **will £1 ~?** reicht £1?; **yes, that'll ~** ja, das reicht; **that'll ~!** jetzt reicht's aber! [f] (*col: char*) putzen (*for* bei).

[4] *n* (*col*) [a] Veranstaltung *f*; (*party*) Fete *f* (*col*). [b] (*in phrases*) **it's a poor ~!** (*col*) das ist ja ein schwaches Bild! (*col*); **the ~s and don'ts** was man wissen sollte; (*for behaviour*) die Verhaltensregeln *pl*; **fair ~s all round** (*col*) gleiches Recht für alle.

◆**do away with** *vi +prep obj* [a] *custom, law* abschaffen; *building* abreißen. [b] (*kill*) umbringen.

◆**do by** *vi +prep obj* **to ~ well/badly ~ sb** jdn gut/ schlecht behandeln.

◆**do for** *vi +prep obj* (*col: finish off*) *person* fertigmachen (*col*); *project* zunichte machen ► **to be done ~** (*person*) erledigt *or* fertig (*col*) sein; (*project*) gestorben sein (*col*).

◆**do in** *vt sep* (*col*) [a] (*kill*) um die Ecke bringen (*col*). [b] **to be done ~** (*exhausted*) fertig sein (*col*).

◆**do out** *vt sep* [a] *room* auskehren. [b] **to ~ sb ~ of a job/£100** jdn um eine Stelle/£ 100 bringen.

◆**do up** [1] vi (*dress etc*) zugemacht werden.
[2] vt sep [a] (*fasten*) zumachen. [b] (*parcel together*) *goods* zusammenpacken ▶ **to ~ sth ~ in a parcel** etw einpacken. [c] *house, room* renovieren ▶ **to ~ oneself ~** sich zurechtmachen.

◆**do with** vi +prep obj [a] (*with can or could: need*) brauchen ▶ **it could ~ ~ a clean** es müßte mal saubergemacht werden. [b] **what has that got to ~ ~ it?** was hat das damit zu tun?; **that has nothing to ~ ~ you!** das geht Sie gar nichts an!; **it's to ~ ~ this letter you sent** es geht um den Brief, den Sie geschickt haben; **money has a lot to ~ ~ it** Geld spielt eine große Rolle dabei. [c] **what have you done ~ my gloves/your face?** was haben Sie mit meinen Handschuhen/Ihrem Gesicht gemacht? [d] **he doesn't know what to ~ ~ himself** er weiß nicht, was er mit sich anfangen soll. [e] **to be done ~ sb/sth** (*finished*) mit jdm/etw fertig sein.

◆**do without** vi +prep obj auskommen ohne ▶ **I can ~ ~ your advice** Sie können sich Ihre Ratschläge sparen; **I could have done ~ that!** das hätte mir (wirklich) erspart bleiben können; **you'll have to ~ ~** Sie müssen so zurechtkommen.

DOA = **dead on arrival**.
d.o.b. = **date of birth**.
docile ['dəʊsaɪl] adj sanftmütig; *horse* fromm.
dock¹ [dɒk] [1] n Dock nt; (*for berthing*) Pier, Kai m ▶ **~s** pl Hafen m.
[2] vt docken; (*Space also*) ankoppeln.
[3] vi (*Naut*) anlegen; (*Space*) ankoppeln.
dock² n (*Jur*) Anklagebank f.
dock³ vt [a] *dog's tail* kupieren; *horse's tail* stutzen. [b] *wages* kürzen (*by* um).
docker ['dɒkər] n (*Brit*) Hafenarbeiter, Docker m.
docket ['dɒkɪt] n (*on parcel etc*) Warenbegleitschein m.
docking ['dɒkɪŋ] n (*Space*) Ankoppelung f.
dockyard ['dɒkjɑːd] n Werft f.
doctor ['dɒktər] [1] n [a] (*Med*) Arzt m, Ärztin f ▶ **D~ Smith** Dr. Schmidt; **it's just what the ~ ordered** (*fig col*) das ist genau das richtige. [b] (*Univ etc*) Doktor m ▶ **Dear Dr Smith** Sehr geehrter Herr Dr./Sehr geehrte Frau Dr. Smith.
[2] vt [a] (*col: castrate*) kastrieren. [b] (*tamper with*) *accounts* frisieren; *text, document* verfälschen ▶ **the wine's been ~ed** dem Wein ist etwas beigemischt worden.
doctorate ['dɒktərɪt] n Doktortitel m; *see* **PhD**.

┌─ DOCTORATE ─┐

ⓘ *Doctorate ist der höchste akademische Grad auf jedem Wissensgebiet und wird nach erfolgreicher Vorlage einer Doktorarbeit verliehen. Die Studienzeit (meist mindestens 3 Jahre) und Länge der Doktorarbeit ist je nach Hochschule verschieden. Am häufigsten wird der Titel **PhD** (Doctor of Philosophy) auf dem Gebiet der Geisteswissenschaften, Naturwissenschaften und des Ingenieurwesens verliehen, obwohl es auch andere Doktortitel (in Musik, Jura usw.) gibt. Siehe auch* **bachelor's degree, master's degree.**

doctrinaire [,dɒktrɪ'neər] adj doktrinär.
doctrine ['dɒktrɪn] n Doktrin, Lehre f.
docudrama [dɒkju'drɑːmə] n Dokumentarspiel nt.
document ['dɒkjʊmənt] [1] n Papier nt; (*certificate*) Dokument nt, Urkunde f.
[2] vt belegen.
documentary [,dɒkjʊ'mentərɪ] [1] n Dokumentarfilm m.
[2] adj dokumentarisch.
documentation [,dɒkjʊmən'teɪʃən] n Dokumentation f.
DOD (*US*) = **Department of Defense** Verteidigungsministerium nt.

dodderer ['dɒdərər] n (*col*) Tattergreis (*col*) m.
doddering ['dɒdərɪŋ], **doddery** ['dɒdərɪ] adj tatterig (*col*) ▶ **the ~ old fool** (*col*) der vertrottelte alte Opa (*col*).
doddle ['dɒdl] n (*Brit col*) Kinderspiel nt.
dodge [dɒdʒ] [1] n (*trick*) Trick, Kniff m ▶ **to be up to all the ~s** mit allen Wassern gewaschen sein; **a tax ~** ein Steuertrick.
[2] vt *blow, question* ausweichen (+*dat*); *tax* umgehen; (*shirk*) *work, military service* sich drücken vor (+*dat*) ▶ **to ~ the issue** dem Problem ausweichen.
[3] vi **to ~ out of the way** zur Seite springen; (*to escape notice*) blitzschnell verschwinden; **to ~ through the traffic** sich durch den Verkehr schlängeln.
dodgem ['dɒdʒəm] n (*Brit*) (Auto)skooter m.
dodgy ['dɒdʒɪ] adj (+*er*) (*Brit col: tricky*) *situation* vertrackt (*col*); (*risky*) gewagt; (*dubious*) zweifelhaft; *engine, part* defekt; *translation, spelling* fehlerhaft.
dodo ['dəʊdəʊ] n **as dead as the** or **a ~** völlig überholt.
DOE = [a] (*Brit*) **Department of the Environment** Umweltministerium nt. [b] (*US*) **Department of Energy** Energieministerium nt.
doe [dəʊ] n (*roe deer*) Ricke f; (*red deer*) Hirschkuh f; (*rabbit*) Weibchen nt.
does [dʌz] *3rd pers sing of* **do**.
doesn't ['dʌznt] = **does not**.
doff [dɒf] vt *hat* ziehen, lüften.
dog [dɒg] [1] n [a] Hund m. [b] (*fig phrases*) **it's a ~'s life** es ist ein Hundeleben; **to go to the ~s** vor die Hunde gehen (*col*); **~ in the manger** Spielverderber(in f) m; **~-in-the-manger attitude** mißgünstige Einstellung; **every ~ has his day** jeder hat einmal Glück; **it's a case of ~ eat ~** es ist ein Kampf aller gegen alle; **you can't teach an old ~ new tricks** der Mensch ist ein Gewohnheitstier; **~'s dinner** (*fig col*) Schlamassel m (*col*). [c] (*male fox, wolf*) Rüde m. [d] (*col: man*) **lucky ~** Glückspilz m; **dirty ~** gemeiner Hund; **sly ~** gerissener Hund (*col*). [e] (*US col*) (*failure*) Pleite f (*col*); (*ugly woman*) Schreckschraube f (*col*).
[2] vt **to ~ sb's footsteps** jdm hart auf den Fersen sein/bleiben; **~ged by misfortune** vom Pech verfolgt.
dog: **~ biscuit** n Hundekuchen m; **~-collar** n (*lit*) Hundehalsband nt; (*vicar's*) steifer Halskragen (*von Geistlichen*); **~-eared** ['dɒgɪəd] adj mit Eselsohren; **~-eat-dog society** n Ellenbogengesellschaft f; **~fight** n (*Aviat*) Luftkampf m; **~fish** n Hundshai m; **~ food** n Hundefutter nt.
dogged ['dɒgɪd] adj beharrlich, zäh.
doggerel ['dɒgərəl] n Knittelvers m.
doggie bag ['dɒgɪ,bæg] n Tüte f *für Essensreste, die nach Hause mitgenommen werden.*
doggo ['dɒgəʊ] adv (*col*): **to lie ~** sich nicht mucksen (*col*).
dog: **~house** n **he's in the ~house** (*col*) er ist in Ungnade; (*with wife*) bei ihm hängt der Haussegen schief; **~ leg** n Knick m; **~ licence** n Hundemarke f.
dogma ['dɒgmə] n Dogma nt.
dogmatic [dɒg'mætɪk] adj dogmatisch (*about* in +*dat*).
do-gooder ['duː'gʊdər] n (*pej*) Weltverbesserer m.
dogsbody ['dɒgzbɒdɪ] n **she's/he's the general ~** sie/er ist Mädchen für alles.
dog: **~ tag** n (*US Mil col*) Hundemarke (*col*) f; **~-tired** adj hundemüde.
doing ['duːɪŋ] n **this is your ~** das ist dein Werk; **that takes some ~** da gehört (schon) etwas dazu; **~s** pl Taten pl.
doings ['duːɪŋz] n sing (*Brit col*) Dingsbums nt (*col*).
do-it-yourself ['duːɪtjə'self] [1] adj manual für Heimwerker ▶ **~ shop** Heimwerkermarkt m.
[2] n Heimwerken, Do-it-yourself nt.
doldrums ['dɒldrəmz] npl **to be in the ~** Trübsal

blasen; (*business etc*) in einer Flaute stecken.
dole [dəʊl] *n* (*Brit col*) Arbeitslosenunterstützung *f* ► *to go/be on the* ~ stempeln (gehen).
♦**dole out** *vt sep* austeilen, verteilen.
doleful ['dəʊlfʊl] *adj* trübselig.
doll [dɒl] *n* [a] Puppe *f* ► ~*'s house* Puppenhaus *nt.* [b] (*esp US col: girl*) Mädchen *nt*; (*pretty girl*) Puppe *f* (*col*).
♦**doll up** *vt sep* (*col*) ► *to* ~ *oneself* ~, *to get* ~*ed* ~ sich herausputzen *or* aufdonnern (*col*).
dollar ['dɒləʳ] *n* Dollar *m* ► ~ *area* Dollarraum *m*; ~ *bill* Dollarnote *f.*
dollop ['dɒlə] *n* (*col*) Schlag, Klacks *m* (*col*).
dolly-bird ['dɒlɪbɜːd] *n* (*col*) Puppe *f* (*col*).
Dolomites ['dɒləmaɪts] *npl* Dolomiten *pl.*
dolphin ['dɒlfɪn] *n* Delphin *m.*
dolt [dəʊlt] *n* Tölpel *m.*
domain [də'meɪn] *n* [a] (*estate*) Gut *nt*; (*belonging to state, Crown*) Domäne *f.* [b] (*fig*) Domäne *f.*
dome [dəʊm] *n* (*Archit*) Kuppel *f*; (*of heaven, skull*) Gewölbe *nt.*
domed [dəʊmd] *adj forehead* gewölbt.
domestic [də'mestɪk] *adj* [a] *bliss, life* häuslich ► ~ *servants* Hausangestellte *pl*; ~ *waste* Hausmüll *m.* [b] *produce* einheimisch ► ~ *policy* Innenpolitik *f*; ~ *news* Nachrichten *pl* aus dem Inland; ~ *trade* Binnenhandel *m*; ~ *flight* Inlandsflug *m*; *"*~ *arrivals"* „Ankunft Inland"; *"*~ *departures"* „Abflug Inland". [c] ~ *animal* Haustier *nt.*
domesticate [də'mestɪkeɪt] *vt* zähmen; (*house-train*) stubenrein machen.
domesticated [də'mestɪkeɪtɪd] *adj* zahm; *cat, dog* stubenrein ► *she's very* ~ sie ist sehr häuslich.
domesticity [,dəʊmes'tɪsɪtɪ] *n* häusliches Leben.
domestic science *n* Hauswirtschaftslehre *f.*
domicile ['dɒmɪsaɪl] *n* (*Admin*) Wohnsitz *m.*
dominance ['dɒmɪnəns] *n* Vorherrschaft, Dominanz *f* (*also Biol*) (*over* über +*acc*).
dominant ['dɒmɪnənt] [1] *adj* beherrschend, dominierend; *feature also* hervorstehend; *gene*, (*Mus*) dominant ► ~ *male* (*lit, fig*) Platzhirsch *m.* [2] *n* (*Mus*) Dominante *f.*
dominate ['dɒmɪneɪt] [1] *vi* dominieren. [2] *vt* beherrschen; (*species, gene*) dominieren.
domination [,dɒmɪ'neɪʃən] *n* (Vor)herrschaft *f.*
domineer [,dɒmɪ'nɪəʳ] *vi* tyrannisieren (*over sb* jdn).
domineering [,dɒmɪ'nɪərɪŋ] *adj* herrisch; *mother-in-law, husband etc also* herrschsüchtig.
Dominican [də'mɪnɪkən] (*Eccl, Geog*) [1] *adj* dominikanisch ► ~ *Republic* Dominikanische Republik. [2] *n* Dominikaner(in *f*) *m.*
dominion [də'mɪnɪən] *n* [a] *no pl* Herrschaft *f* (*over* über +*acc*). [b] (*territory*) Herrschaftsgebiet *nt*; (*Brit Pol*) Dominion *nt.*
domino ['dɒmɪnəʊ] *n, pl* **-es** Domino(stein) *m* (*game of*) ~*es* Dominospiel *nt.*
don¹ [dɒn] *n* (*Brit Univ*) Universitätsdozent *m.*
don² *vt garment* anziehen.
donate [dəʊ'neɪt] *vt* spenden.
donation [dəʊ'neɪʃən] *n* Spende *f*, (*large scale*) Stiftung *f.*
done [dʌn] [1] *ptp of* **do**. [2] *adj* [a] (*finished*) *work* erledigt; (*cooked*) *vegetables* gar; *meat* durch ► *to get sth* ~ (*finished*) etw fertigkriegen; *well/lightly* ~ *meat* durch(gebraten)/nur angebraten. [b] *it's not the* ~ *thing* das tut man nicht.
dongle [dɒŋl] *n* (*Comp*) Kopierschutzstecker *m.*
donkey ['dɒŋkɪ] *n* Esel *m* ► ~*'s years* (*col*) eine Ewigkeit.
donkey: ~ *jacket* *n* dicke (*gefütterte*) *Jacke*; ~**work** *n* Routinearbeit, Dreckarbeit (*pej*) *f.*
donor ['dəʊnəʳ] *n* (*also Med*) Spender(in *f*) *m.*

▼ **don't** [dəʊnt] = **do not**.
donut ['dəʊnʌt] *n* (*esp US*) = **doughnut.**
doodle ['duːdl] [1] *vti* kritzeln. [2] *n* Gekritzel *nt.*
doom [duːm] [1] *n* (*fate*) Schicksal *nt*; (*ruin*) Verhängnis *nt.* [2] *vt* verurteilen, verdammen ► *to be* ~*ed* verloren sein; *the project was* ~*ed from the start* das Vorhaben war von Anfang an zum Scheitern verurteilt.
doomsday ['duːmzdeɪ] *n* der Jüngste Tag ► *otherwise we'll be here till* ~ (*col*) sonst sind wir in zwanzig Jahren noch hier.
door [dɔːʳ] *n* [a] Tür *f*; (*entrance: to cinema etc*) Eingang *m* ► *was that the* ~? hat es geklingelt/geklopft?; *to pay at the* ~ (*Theat etc*) an der Kasse zahlen; *he lives three* ~*s away* er wohnt drei Häuser weiter. [b] (*phrases*) *to lay sth at sb's* ~ jdm etw anlasten; *to leave the* ~ *open for further negotiations* die Tür für weitere Verhandlungen offen lassen; *to open the* ~ *to sth* einer Sache (*dat*) Tür und Tor öffnen; *to show sb the* ~ jdm die Tür weisen; *out of* ~*s* im Freien.
door *in cpds* Tür-; ~**bell** *n* Türklingel *f*; ~ **handle** *n* Türklinke *f*; ~**keeper** *n* Portier *m*; ~ **knob** *n* Türknauf *m*; ~**knocker** *n* Türklopfer *m*; ~**man** *n* Portier *m*; ~**mat** *n* Fußmatte *f*, (*fig*) Fußabtreter *m*; ~**nail** *n*: *as dead as a* ~*nail* mausetot; ~**post** *n deaf as a* ~*post* stocktaub; ~**step** *n* (Tür)schwelle *f*; *on my* ~*step* (*fig*) direkt vor meiner Tür; ~**stop** *n* Türanschlag *m*; ~**-to-**~ *adj* [a] ~*to-*~ *salesman* Vertreter *m*; [b] *delivery* ins Haus; ~**way** *n* (*of room*) Tür *f*; (*of building, shop*) Eingang *m.*
dope [dəʊp] [1] *n* [a] *no pl* (*col: drugs*) Stoff *m* (*col*), Dope *nt* (*col*); (*Sport*) Aufputschmittel *nt.* [b] *no pl* (*col: information*) Information(en *pl*) *f.* [c] (*col: stupid person*) Esel *m* (*col*). [2] *vt* dopen.
dopey, dopy ['dəʊpɪ] *adj* (+*er*) (*col*) (*stupid*) bekloppt (*col*); (*sleepy, half-drugged*) benebelt (*col*).
dormant ['dɔːmənt] *adj* (*Zool, Bot*) ruhend; *volcano* untätig; *energy* verborgen ► *to lie* ~ (*evil etc*) schlummern.
dormer (window) ['dɔːmə('wɪndəʊ)] *n* Mansardenfenster *nt.*
dormitory ['dɔːmɪtrɪ] *n* Schlafsaal *m*; (*US: building*) Wohnheim *nt* ► ~ *town* Schlafstadt *f.*
dormouse ['dɔːmaʊs] *n, pl* **dormice** ['dɔːmaɪs] Haselmaus *f.*
dorsal ['dɔːsl] *adj* ~ *fin* Rückenflosse *f.*
dosage ['dəʊsɪdʒ] *n* Dosis *f.*
dose [dəʊs] [1] *n* (*Med*) Dosis *f* ► *a* ~ *of flu* eine Grippe; *he's all right in small* ~*s* er ist nur (für) kurze Zeit zu ertragen. [2] *vt person* Arznei geben (+*dat*) ► *she's always dosing herself* sie nimmt *or* schluckt ständig Medikamente.
doss [dɒs] *vi* (*Brit col: also* ~ *down*) pennen (*col*), sich hinhauen (*col*).
dosshouse ['dɒshaʊs] *n* (*Brit col*) Penne *f* (*col*).
dossier ['dɒsɪeɪ] *n* Dossier *m or nt.*
DOT (*US*) = **Department of Transportation** Verkehrsministerium *nt.*
dot [dɒt] [1] *n* Punkt *m* ► *to arrive on the* ~ auf die Minute pünktlich (an)kommen. [2] *vt to* ~ *one's i's and cross one's t's* genau sein; ~*ted line* punktierte Linie; *to sign on the* ~*ted line* (*fig*) seine Zustimmung geben; *a field* ~*ted with flowers* ein mit Blumen übersätes Feld; ~*ted about the country* über das ganze Land verstreut.
dotage ['dəʊtɪdʒ] *n to be in one's* ~ senil sein.
dote on ['dəʊtɒn] *vi* +*prep obj* abgöttisch lieben.
doting ['dəʊtɪŋ] *adj her* ~ *parents* ihre Eltern, die sie abgöttisch lieb(t)en.
dot matrix printer *n* Matrixdrucker *m.*

dotty ['dɒtɪ] *adj* (+*er*) (*Brit col*) kauzig, schrullig ▶ *to be ~ about sb/sth* nach jdm/etw verrückt sein (*col*).

double ['dʌbl] **1** *adj* (*twice as much*) doppelt; (*having two similar parts, for two*) Doppel- ▶ *a ~ whisky* ein doppelter Whisky; *her salary is ~ what it was ten years ago* ihr Gehalt hat sich in den letzten zehn Jahren verdoppelt; *~ bottom* doppelter Boden; *~ "p"* Doppel-p; *~ seven five four/~ seven five* (*Telec*) siebenundsiebzig vierundfünfzig/sieben sieben fünf; *~ room* Doppelzimmer *nt*; *it has a ~ meaning* es ist zwei- or doppeldeutig; *~ standards* Doppelmoral *f*; *to lead a ~ life* ein Doppelleben führen.

2 *adv* **a** (*twice*) doppelt ▶ *I have ~ what you have* ich habe doppelt soviel wie du; *to see ~* doppelt sehen. **b** *to be bent ~ with pain* sich vor Schmerzen krümmen; *fold the paper ~* falte das Papier (einmal).

3 *n* **a** (*twice*) das Doppelte, das Zweifache. **b** (*person*) Ebenbild *nt*, Doppelgänger(in *f*) *m*; (*Film, Theat: stand-in*) Double *nt*. **c** *at the ~* (*also Mil*) im Laufschritt; (*fig*) auf der Stelle.

4 *vt* (*increase twofold*) verdoppeln.

5 *vi* **a** sich verdoppeln. **b** (*Film, Theat*) *to ~ for sb* jds Double sein, jdn doubeln; *he ~s as the butler and the duke* er hat eine Doppelrolle als Butler und Herzog.

◆**double back** **1** *vi* kehrtmachen; (*road, river*) sich zurückschlängeln.

2 *vt sep blanket* umschlagen.

◆**double up** *vi* **a** (*with pain*) sich krümmen; (*with laughter*) sich biegen ▶ *he ~d ~ when the bullet hit him* er brach zusammen, als die Kugel ihn traf. **b** (*share room*) das Zimmer/Büro *etc* teilen; (*share bed*) in einem Bett schlafen.

double: *~ agent* *n* Doppelagent *m*; *~ bar* *n* (*Mus*) Doppelstrich *m*; *~-barrelled*, (*US*) *~-barreled* [,dʌbl'bærəld] *adj gun* doppelläufig; *~-barrel(l)ed name* (*hum*) Doppelname *m*; *~ bass* *n* Kontrabaß *m*; *~ bed* *n* Doppelbett *nt*; *~ bend* *n* S-Kurve *f*; *~ bill* *n* (*Theat*) Vorstellung *f* mit zwei Stücken; *to ~-book sb* einen schon vergebenen Platz/ein schon vergebenes Zimmer für jdn reservieren; *~-book* *vt seat, room* zweimal reservieren; *~-breasted* *adj* zweireihig; *~-breasted jacket/suit* Zweireiher *m*; *~-check* *vti* noch einmal (über)prüfen; *~ chin* *n* Doppelkinn *nt*; *~ cream* *n* Sahne *f* mit hohem Fettgehalt; *~-cross* *vt* (*col*) ein falsches Spiel treiben mit; *~-dealing* *n* Betrügerei(en *pl*) *f*; *~-decker* *n* Doppeldecker *m*; *~-declutch* *vi* (*Aut*) mit Zwischengas schalten; *~ density* *adj* (*Comp*) *disk* mit doppelter Dichte; *~ dutch* *n* (*Brit*) Kauderwelsch *nt*; *it's ~ dutch to me* das sind böhmische Dörfer für mich; *~-edged* *adj* (*lit, fig*) zweischneidig; *~ entendre* ['duːblãːn'tãːndr] *n* Zweideutigkeit *f*; *~ fault* *n* (*Tennis*) Doppelfehler *m*; *~-glazed* *adj* mit Doppelverglasung; *~ glazing* *n* Doppelverglasung *f*; *~-glazed* *adj* sehr gelenkig; *~-page spread* *n* Doppelseite *f*; *~ park* *vi* in zweiter Reihe parken; *~-quick* *adj* (*col*) *in ~-quick time* in Null Komma nichts (*col*).

doubles ['dʌblz] *n sing or pl* (*Sport*) Doppel *nt*.

double: *~-sided* *adj* (*Comp*) *disk* zweiseitig; *~-sided adhesive tape* Doppelklebeband *nt*; *~ spacing* *n* doppelter Zeilenabstand; *~ take* *n he did a ~ take* er mußte zweimal hinsehen; *~talk* *n* (*ambiguous*) doppeldeutiges Gerede; (*deceitful*) doppelzüngiges Gerede; *~ time* *n* doppelter Lohn; *~ vision* *n to have ~ vision* doppelt sehen; *~ whammy* *n* (*col*) Doppelschlag *m*.

doubling ['dʌblɪŋ] *n* Verdoppelung *f*.

doubly ['dʌblɪ] *adv* doppelt.

▼ **doubt** [daʊt] **1** *n* Zweifel *m* ▶ *his honesty is in ~* seine Ehrlichkeit wird angezweifelt; *I am in no ~ as to what he means* ich bin mir völlig im klaren darüber, was er meint; *I have my ~s whether he will come* ich bezweifle, daß er kommt; *there's no ~ about it* daran

gibt es keinen Zweifel; *I have no ~s about taking the job* ich habe keine Bedenken, die Stelle anzunehmen; *no ~ he will come tomorrow* höchstwahrscheinlich kommt er morgen; *without (a) ~* ohne Zweifel; *yes, no ~* ja, zweifellos; *it's beyond ~ that ...* es steht außer Zweifel, daß ...; *when in ~* im Zweifelsfall.

2 *vt* bezweifeln; *sb's honesty, truth of statement* anzweifeln, Zweifel haben an (+*dat*) ▶ *I ~ it (very much)* das bezweifle ich (sehr).

doubter ['daʊtə'] *n* Skeptiker, Zweifler *m*.

doubtful ['daʊtfʊl] *adj* **a** (*uncertain*) unsicher, zweifelhaft; *outcome, result, future* ungewiß ▶ *to be ~ about sb/sth* wegen jdm/etw Bedenken haben; *I'm a bit ~* ich habe so meine Bedenken; *to look ~* (*person*) skeptisch dreinblicken; *the weather looked a bit ~* es sah nach schlechtem Wetter aus. **b** (*of questionable character*) zweifelhaft; *person, affair also* zwielichtig.

doubtfully ['daʊtfəlɪ] *adv* skeptisch.

doubtfulness ['daʊtfʊlnɪs] *n see adj* **a** Unsicherheit *f*; Ungewißheit *f*. **b** Zweifelhaftigkeit *f*, Zwielichtigkeit *f*.

doubtless ['daʊtlɪs] *adj* zweifelsohne.

douche [duːʃ] *n* Spülung *f*.

dough [dəʊ] *n* Teig *m*; (*col: money*) Kohle *f* (*col*).

doughnut ['dəʊnʌt] *n* Berliner *m*.

dour ['dʊə'] *adj* mürrisch, verdrießlich; *struggle* hart, hartnäckig.

douse [daʊs] *vt* **a** Wasser schütten über (+*acc*); *plants* reichlich wässern. **b** *light* ausmachen.

dove[1] [dʌv] *n* (*lit, fig*) Taube *f*.

dove[2] [dəʊv] (*US*) *pret of* **dive**.

dovecot(e) ['dʌvkɒt] *n* Taubenschlag *m*.

dovetail ['dʌvteɪl] **1** *n* *~ joint* Schwalbenschwanzverbindung *f*.

2 *vt plans* koordinieren.

3 *vi* (*plans*) übereinstimmen.

dowager ['daʊədʒə'] *n* (adelige) Witwe.

dowdy ['daʊdɪ] *adj* (+*er*) ohne jeden Schick; (*down-at-heel*) schäbig.

Dow Jones [daʊ'dʒəʊnz] *n* (*US*) (*also ~ industrial average*) Dow-Jones-Index *m*.

down[1] [daʊn] **1** *adv* **a** (*towards speaker*) herunter, herab; (*away from speaker*) hinunter, hinab; (*downstairs also*) nach unten ▶ *~!* (*to dog*) Platz!; *to jump ~* hinunter-/herunterspringen; *~ with the traitors!* nieder mit den Verrätern!; *on his way ~ from the hilltop* beim Abstieg; *all the way ~ to the bottom* bis ganz nach unten.

b (*position*) unten ▶ *~ there* da unten; *~ here* hier unten; *don't kick or hit a man when he's ~* (*fig*) man soll jemanden nicht fertigmachen, wenn es ihm schon schlecht geht; *the sun is ~* die Sonne ist untergegangen; *I'll be ~ in a minute* ich komme sofort runter; *I've been ~ with flu* ich habe mit Grippe im Bett gelegen; *he was (feeling) a bit ~* er fühlte sich ein wenig niedergeschlagen *or* down (*col*); *they'll be ~ on you* (*police etc*) du bekommst Ärger mit ihnen; *it's ~ to you to decide* die Entscheidung liegt bei Ihnen.

c *he came ~ from London yesterday* er kam gestern aus London; *~ South* im Süden/in den Süden; *~ here in Italy* hier unten in Italien; *he's ~ at his brother's* er ist bei seinem Bruder; *from 1700 ~ to the present* von 1700 bis zur Gegenwart.

d (*in volume, degree, activity, status*) *the tyres are ~* die Reifen sind platt; *the computer is ~* der Computer ist nicht verfügbar; *his temperature has gone ~* sein Fieber ist zurückgegangen; *the price is ~ on last week* der Preis ist gegenüber der letzten Woche gefallen; *I'm £2 ~ on what I expected* ich habe £2 weniger, als ich dachte; *they're still three goals ~* sie liegen immer noch mit drei Toren zurück.

e (*in writing, planning*) *I've got it ~ in my diary* ich

➤ SENTENCE BUILDER: **doubt: 1** → 13.1, 13.2, 14.1 **2** → 14.1

habe es in meinem Kalender notiert; **to be ~ for the next race** für das nächste Rennen gemeldet sein; **it's ~ for next month** es steht für nächsten Monat auf dem Programm.

[f] (*as deposit*) **to pay £2 ~ £2** anzahlen; **how much do they want ~?** was verlangen sie als Anzahlung?

[2] *prep* **[a]** (*indicating movement to*) **to go/come ~ the hill/street** den Berg/die Straße hinuntergehen/herunterkommen; **she let her hair fall ~ her back** sie ließ ihr Haar über die Schultern fallen; **he ran his finger ~ the list** er ging mit dem Finger die Liste durch. **[b]** (*at a lower part of*) **the other skiers were further ~ the slope** die anderen Skifahrer waren weiter unten; **she lives ~ the street** sie wohnt hier in der Straße. **[c]** **~ the ages/centuries** Jahrhunderte (hindurch). **[d]** (*along*) **he was walking/coming ~ the street** er ging/kam die Straße entlang. **[e]** (*Brit col: to, in, at*) **he's gone ~ the pub** er ist in die Kneipe gegangen; **she's ~ the shops** sie ist einkaufen gegangen.

[3] *n* **to have a ~ on sb** (*col*) jdn auf dem Kieker haben (*col*).

[4] *vt opponent* niederschlagen; *beer* runterkippen (*col*) ▸ **to ~ tools** die Arbeit niederlegen.

down² *n* (*feathers*) Daunen, Flaumfedern *pl*; (*youth's beard*) Flaum *m*.

down³ *n usu pl* **on the ~s** im Hügelland.

down: ~-and-out **[1]** *n* (*tramp*) Penner *m* (*col*); **[2]** *adj* heruntergekommen; **~-at-heel** *adj* schäbig; **~beat** *n* (*Mus*) erster Taktteil; **~cast** *adj* niedergeschlagen; **~fall** *n* Sturz, Fall *m*; (*of empire also*) Untergang *m*; (*cause of ruin: drink etc*) Ruin *m*; **~grade** *vt hotel, job* herunterstufen; *person also* degradieren; **~-hearted** *adj* niedergeschlagen; **~hill** *adv* **to go ~hill** (*road*) bergab führen *or* gehen; (*fig*) (*person*) auf dem absteigenden Ast sein; (*work, health*) sich verschlechtern.

┌─────────────────┐
│ **DOWNING STREET** │
└─────────────────┘

Downing Street ist die Straße in London, die von Whitehall zum St James Park führt und in der sich der offizielle Wohnsitz des Premierministers (Nr. 10) und des Finanzministers (Nr. 11) befindet. Im weiteren Sinne bezieht sich der Begriff Downing Street auf die britische Regierung.

down: ~load *vt* (*Comp*) laden; **~market** *adj product* für den Massenmarkt; *area, shop etc* weniger vornehm; **~ payment** *n* Anzahlung *f*; **~pour** *n* Wolkenbruch *m*; **~right** **[1]** *adj refusal, lie* glatt; *rudeness, scoundrel, liar* ausgesprochen; **[2]** *adv rude* ausgesprochen; **~size** **[1]** *vt business, workforce* verkleinern, gesundschrumpfen; **~sized economy** durch Rationalisierung und Stellenabbau gekennzeichnete wirtschaftliche Lage; **[2]** *vi* (*company*) sich verkleinern; **~sizing** (*Comput*) Downsizing *nt*; **~stairs** **[1]** *adv* go, come nach unten; be unten; **[2]** *adj* **the ~stairs rooms** die unteren Zimmer; **our ~stairs neighbours** die Nachbarn unter uns; **~stream** *adv* flußabwärts (*from* von).

Down's syndrome ['daʊnz'sɪndrəʊm] (*Med*) **[1]** *n* Down-Syndrom *nt*.

[2] *attr* **a ~ baby** ein an Down-Syndrom leidendes Kind.

down: ~time *n* (*Comp, Ind*) Ausfallzeit *f*; **~-to-earth** *adj* nüchtern; *advice* praktisch; **~town** **[1]** *adj* im Zentrum; **~town district** Zentrum *nt*, Innenstadt *f*; (*US*) Geschäftsviertel *nt*; **in ~town Houston** im Zentrum von Houston; **[2]** *adv* **to go ~town** in die Stadt *or* ins Zentrum gehen; **~ train** *n* Zug, der von der Stadt aufs Land fährt *oder von der Hauptstadt abgeht*; **~trodden** *adj people* unterdrückt; **~turn** *n* (*in economy*) Abflauen *nt*; **~ under** (*Brit col*) **[1]** *n* Australien *nt*. **[2]** *adv* in/nach Australien.

downward ['daʊnwəd] **[1]** *adj movement, pull* nach

unten ▸ **~ trend** Abwärtstrend *m*.

[2] *adv* (*also* **downwards**) *go, look* nach unten ▸ **to slope gently ~** sanft abfallen; **from the President ~** beim Präsidenten angefangen.

downwind ['daʊnwɪnd] *adv* in Windrichtung (*of, from* +gen).

dowry ['daʊrɪ] *n* Mitgift *f*.

doz = **dozen**.

doze [dəʊz] **[1]** *n* Nickerchen *nt*.

[2] *vi* (vor sich hin) dösen.

◆doze off *vi* einschlafen, einnicken.

dozen ['dʌzn] *n* Dutzend *nt* ▸ **half a ~** ein halbes Dutzend; **~s** (*fig col*) eine ganze Menge; **~s of times** (*col*) x-mal (*col*).

dozy ['dəʊzɪ] *adj* (+*er*) (*sleepy*) verschlafen.

DP = **data processing** DV *f*.

DPP = **Director of Public Prosecutions**.

dpt = **department** Abt.

Dr = **doctor** Dr.

Dr. = **Drive** Str.

drab [dræb] *adj* (+*er*) trist; *colour also* düster.

draft [drɑ:ft] **[1]** *n* **[a]** (*rough outline*) Entwurf *m* ▸ **~ contract** Vertragsentwurf *m*. **[b]** (*Fin, Comm*) Wechsel *m*. **[c]** (*US Mil: conscription*) Einberufung *f* (zum Wehrdienst). **[d]** (*US*) = **draught**.

[2] *vt* **[a]** *letter, contract* entwerfen. **[b]** (*US Mil*) *conscript* einberufen.

draftsman (*US*) = **draughtsman**.

drafty (*US*) = **draughty**.

drag [dræg] **[1]** *n* **[a]** (*aerodynamic*) Luftwiderstand *m*. **[b]** (*col: hindrance*) **to be a ~ on sb** für jdn ein Klotz am Bein sein. **[c]** (*col*) **what a ~!** (*boring*) Mann, ist der/die/das langweilig! (*col*); (*nuisance*) so'n Mist (*col*); **[d]** (*col: pull on cigarette*) Zug *m* (*on, at an* +*dat*). **[e]** (*women's clothing*) **in** *or* **wearing ~** in Frauenkleidung.

[2] *vt* **[a]** *person, object* schleppen, schleifen ▸ **to ~ one's feet** (*fig*) alles/die Sache schleifen lassen; **to ~ the truth out of sb** die Wahrheit mühsam aus jdm herausholen. **[b]** *river* absuchen.

[3] *vi* (*time, work*) sich hinziehen; (*play, book, conversation*) sich in die Länge ziehen.

◆drag along *vt sep person* mitschleppen.

◆drag away *vt sep* (*lit, fig*) wegschleppen ▸ **you'll have to ~ him ~ from the television** den muß man mit Gewalt vom Fernseher wegziehen.

◆drag down *vt sep* (*lit*) herunterziehen; (*fig*) mit sich ziehen ▸ **to ~ sb ~ to one's level** (*fig*) jdn auf sein eigenes Niveau herunterziehen.

◆drag in *vt sep* (*fig*) *subject* aufs Tapet bringen; *remark* anbringen.

◆drag on *vi* sich in die Länge ziehen; (*meeting, lecture also*) sich hinziehen ▸ **it ~ged ~ for 3 hours** es zog sich über 3 Stunden hin.

dragnet ['drægnet] *n* Schleppnetz *nt*.

dragon ['drægən] *n* (*lit, fig col*) Drache *m*.

dragonfly ['drægən‚flaɪ] *n* Libelle *f*.

dragoon [drə'gu:n] **[1]** *n* (*Mil Hist*) Dragoner *m*.

[2] *vt* **to ~ sb into doing sth** jdn mit Gewalt dazu bringen, etw zu tun.

drain [dreɪn] **[1]** *n* **[a]** (*pipe*) Rohr *nt*; (*under sink etc*) Abfluß(rohr *nt*) *m*; (*under the ground*) Kanalisationsrohr *nt* ▸ **~s** (*system*) Kanalisation *f*; **open ~** (Abfluß)rinne *f*; **to throw one's money down the ~** (*col*) das Geld zum Fenster hinauswerfen; **this country's going down the ~** (*col*) dieses Land geht vor die Hunde (*col*). **[b]** (*on resources etc*) Belastung *f* (*on gen*) ▸ **it has been a great ~ on her strength** das hat sehr an ihren Kräften gezehrt.

[2] *vt* **[a]** *land, marshes* entwässern; *vegetables* abgießen; *reservoir* trockenlegen; *boiler, radiator* das Wasser ablassen aus; *engine oil* ablassen. **[b]** (*fig*) **to feel ~ed** (*of*

energy) sich ausgelaugt fühlen; *to ~ a country of re-sources* ein Land ausbeuten; *to ~ sb dry* jdn ausnehmen (*col*). **c** *glass* austrinken, leeren.
3 *vi* (*vegetables, dishes*) abtropfen.
◆**drain away** *vi* (*liquid*) ablaufen; (*strength*) dahinschwinden.
◆**drain off** *vt sep* abgießen.
drainage ['dreɪnɪdʒ] *n* **a** (*draining*) Dränage *f*; (*of land also*) Entwässerung *f*. **b** (*system*) Entwässerungssystem *nt*; (*in house, town*) Kanalisation *f*. **c** (*sewage*) Abwasser *nt*.
drain: ~ **cover** *n* Kanaldeckel *m*; **~ing board**, (*US*) ~ **board** *n* Ablauf *m*; ~ **pipe** *n* Abflußrohr *nt*.
drake [dreɪk] *n* Erpel, Enterich *m*.
drama ['drɑːmə] *n* Drama *nt* ▶ *the ~ of the situation* die Dramatik der Situation.
drama: ~ **critic** *n* Theaterkritiker(in *f*) *m*; ~ **student** *n* Schauspielschüler(in *f*) *m*.
dramatic [drə'mætɪk] *adj* dramatisch.
dramatist ['dræmətɪst] *n* Dramatiker(in *f*) *m*.
dramatize ['dræmətaɪz] **1** *vt* a *novel* für die Bühne/das Fernsehen bearbeiten. **b** (*make vivid*) dramatisieren.
2 *vi* (*exaggerate*) übertreiben.
drank [dræŋk] *pret* of **drink**.
drape [dreɪp] **1** *vt* drapieren; *person* hüllen.
2 *n* ~*s pl* (*US*) Vorhänge *pl*.
draper ['dreɪpəʳ] *n* (*Brit*) Stoffhändler *m*.
drapery ['dreɪpərɪ] *n* (*Brit*) (*cloth etc*) Stoff *m*; (*business: also* ~ **shop**) Stoffgeschäft *nt*.
drastic ['dræstɪk] *adj* drastisch; *need* dringend; *change* radikal ▶ *things are getting* ~ die Sache wird kritisch.
drastically ['dræstɪkəlɪ] *adv* drastisch; *need* dringend; *alter* radikal.
drat [dræt] *interj* (*col*) ~ *(it)!* verflixt! (*col*).
draught, (*US*) **draft** [drɑːft] *n* a (Luft)zug *m* ▶ *there's a terrible ~ in here* hier zieht es fürchterlich; *are you in a ~?* zieht es Ihnen?; *a nice cool ~* etwas frische Luft.
b (*swallow, drink*) Zug *m*. **c** (~ *beer*) Faß- or Schankbier *nt* ▶ **on** ~ vom Faß. **d** (*Naut*) Tiefgang *m*. **e** (*Brit: game*) ~*s* (+*sing vb*) Damespiel *nt*; (+*pl vb: pieces*) Damesteine *pl*.
draught: ~ **beer** *n* Faßbier *nt*; **~board** *n* Damebrett *nt*; **~proof** **1** *adj window, door* dicht; **2** *vt* (gegen Zugluft) abdichten.
draughtsman, (*US*) **draftsman** ['drɑːftsmən] *n, pl* **-men** [-mən] (*Tech*) Zeichner *m*.
draughtsmanship, (*US*) **draftsmanship** ['drɑːftsmənʃɪp] *n* zeichnerisches Können.
draughty, (*US*) **drafty** ['drɑːftɪ] *adj* (+*er*) zugig ▶ *it's ~ in here* hier zieht es.
draw¹ [drɔː] *pret* **drew**, *ptp* **drawn** **1** *vt* (*lit, fig*) zeichnen; *line* ziehen ▶ *we must ~ the line somewhere* (*fig*) irgendwo muß Schluß sein.
2 *vi* zeichnen.
draw² (*vb: pret* **drew**, *ptp* **drawn**) **1** *vt* a (*pull*) ziehen; *bolt* zurückschieben; *bow* spannen; *curtains* (*open*) aufziehen; (*shut*) zuziehen; (*Med*) *abscess* schneiden; *cork* herausziehen ▶ *he drew his hat over his eyes* er zog sich (*dat*) den Hut ins Gesicht.
b (*obtain from source*) holen; *salary* beziehen ▶ *to ~ a bath* das Badewasser einlassen; *to ~ money from the bank* Geld (vom Konto) abheben; *to ~ comfort from sth* sich mit etw trösten; *to ~ a smile from sb* jdm ein Lächeln entlocken; *to ~ a (deep) breath* (tief) Luft holen.
c (*attract*) *interest* erregen; *customer, crowd* anlocken ▶ *to feel ~n towards sb* sich zu jdm hingezogen fühlen.
d *he refuses to be ~n* (*will not speak*) aus ihm ist nichts herauszubringen; (*will not be provoked*) er läßt sich auf nichts ein; *I won't be ~n on that one* dazu möchte ich mich nicht äußern.

e *conclusion, comparison* ziehen; *distinction* treffen.
f (*Sport*) *to ~ a match* unentschieden spielen.
g *France has been ~n against Scotland* Frankreich ist für die Begegnung mit Schottland ausgelost worden.
h (*Cook*) *fowl* ausnehmen.
2 *vi* a (*move, come*) kommen ▶ *he drew towards the door* er bewegte sich zur Tür; *he drew to one side* er ging/fuhr zur Seite; *he drew over to the kerb* er fuhr an den Straßenrand; *to ~ to an end* zu Ende gehen; *he drew ahead of or away from the other runners* er zog den anderen Läufern davon. **b** (*allow airflow: of chimney, pipe*) ziehen. **c** (*Sport*) unentschieden spielen ▶ *they drew 2-2* sie trennten sich 2:2 unentschieden. **d** (*infuse: tea*) ziehen.
3 *n* a (*lottery*) Ziehung, Ausspielung *f*; (*for sports competitions*) Auslosung *f*. **b** (*Sport*) Unentschieden *nt* ▶ *the match ended in a ~* das Spiel endete unentschieden. **c** (*attraction: play, film etc*) (Kassen)schlager, Knüller (*col*) *m*; (*person*) Attraktion *f*. **d** *to be quick on the ~* (*lit*) schnell mit der Pistole sein; (*fig*) schlagfertig sein.
◆**draw back 1** *vi* zurückweichen.
2 *vt sep* zurückziehen; *curtains also* aufziehen.
◆**draw in 1** *vi* a (*train*) einfahren ▶ *to ~ ~ at the kerb* am Bordstein (an)halten. **b** (*get shorter: days*) kürzer werden.
2 *vt sep* a *breath, air* einziehen. **b** (*attract, gain*) *crowds* anziehen. **c** *to ~ ~ one's claws* (*lit, fig*) die Krallen einziehen.
◆**draw on 1** *vi* **as the night drew** ~ mit fortschreitender Nacht; *winter ~s* ~ der Winter naht; *time is ~ing* ~ es wird spät.
2 *vi* +*prep obj* (*use as source: also* ~ **upon**) sich stützen auf (+*acc*).
3 *vt sep stockings, gloves* anziehen.
◆**draw out 1** *vi* a (*train*) ausfahren; (*car*) herausfahren (*of* aus). **b** (*days*) länger werden.
2 *vt sep* a (*take out*) herausziehen. **b** (*prolong*) in die Länge ziehen, hinauszögern. **c** *to ~ sb ~ (of his shell)* jdn aus der Reserve locken.
◆**draw together** *vt sep threads* miteinander verknüpfen.
◆**draw up 1** *vi* (*stop: car*) (an)halten.
2 *vt sep* a (*formulate*) entwerfen; *contract, agreement also, will* aufsetzen; *list* aufstellen. **b** *chair* heranziehen ▶ *to ~ oneself ~ (to one's full height)* sich (zu seiner vollen Größe) aufrichten. **c** (*set in line*) *troops* aufstellen.
draw: **~back** *n* Nachteil *m*; **~bridge** *n* Zugbrücke *f*.
drawer *n* a [drɔːʳ] (*in desk etc*) Schublade *f*. **b** ['drɔːəʳ] (*person: of pictures*) Zeichner *m*. **c** ['drɔːʳ] (*of cheque etc*) Aussteller *m*.
drawing ['drɔːɪŋ] *n* Zeichnung *f* ▶ *I'm no good at* ~ ich kann nicht gut zeichnen.
drawing: **~-board** *n* Reißbrett *nt*; *well, it's back to the ~-board* (*fig*) das muß noch einmal ganz neu überdacht werden; **~-pin** *n* (*Brit*) Reiß- or Heftzwecke *f*; **~ room** *n* Wohnzimmer *nt*; (*in mansion*) Salon *m*.
drawl [drɔːl] **1** *vi* schleppend sprechen.
2 *vt* schleppend aussprechen.
3 *n* schleppende Sprache.
drawn [drɔːn] **1** *ptp* of **draw¹**, **draw²**.
2 *adj* a (*from tiredness*) abgespannt; (*from worry*) abgehärmt, verhärmt; (*with pain*) schmerzverzerrt. **b** *game, match* unentschieden.
drawstring ['drɔːstrɪŋ] *n* Kordel *f* zum Zuziehen.
dread [dred] **1** *vt* sich fürchten vor (+*dat*), große Angst haben vor (+*dat*) ▶ *I ~ to think what may happen* ich wage nicht daran zu denken, was passieren könnte.
2 *n* Furcht *f*.
dreadful ['dredful] *adj* schrecklich, furchtbar ▶ *I feel ~*

(*ill*) ich fühle mich schrecklich *or* scheußlich; (*mortified*) es ist mir schrecklich peinlich.

dreadfully ['drɛdfəlɪ] *adv* schrecklich.

dreadlocks ['drɛdlɒks] *npl* Haartracht *f* der Rastafaris, Dreadlocks *pl.*

▼ **dream** [driːm] (*vb: pret, ptp* **dreamt** *or* **~ed**) **1** *n* Traum *m* ► *to have a bad ~* schlecht träumen; *sweet ~s!* träum was Schönes!; *to have a ~ about sb/sth* von jdm/etw träumen; *in a ~* (*fig*) wie im Traum; *the house of his ~s* das Haus seiner Träume, sein Traumhaus; *happy beyond her wildest ~s* glücklicher als in ihren kühnsten Träumen; *to have ~s of becoming rich* davon träumen, reich zu werden; *it worked like a ~* (*col*) es hat hervorragend geklappt; *you're a ~!* du bist ein Schatz; *a ~ of a hat* ein traumhaft schöner Hut.
2 *vi* (*lit, fig*) träumen (*about, of* von) ► *I'm sorry, I was ~ing* Verzeihung, ich habe gerade geträumt.
3 *vt* (*lit, fig*) träumen; *dream haben* ► *I wouldn't ~ of it* das würde mir nicht im Traum einfallen; *I never ~t (that) he would come* ich hätte mir nie träumen lassen, daß er kommen würde.
4 *adj attr car, holiday, world* Traum-.

♦**dream up** *vt sep* (*col*) *idea* sich (*dat*) ausdenken.

dreamer ['driːməʳ] *n* Träumer(in *f*) *m.*

dreamless ['driːmlɪs] *adj sleep* traumlos.

dreamt [drɛmt] *pret, ptp of* **dream.**

dream ticket *n* (*col, Pol etc: individual*) ideale Besetzung; (*pair*) Traumpaar *nt*; (*group*) ideales Team.

dreamy ['driːmɪ] *adj* (+*er*) verträumt.

dreary ['drɪərɪ] *adj* (+*er*) eintönig; *weather* trüb; *person, speech* langweilig.

dredge [drɛdʒ] *vt river, canal* ausbaggern.

♦**dredge up** *vt sep* (*lit*) ausbaggern; (*fig*) *unpleasant facts* ausgraben.

dredger ['drɛdʒəʳ] *n* Bagger *m.*

dregs [drɛgz] *npl* **a** (Boden)satz *m.* **b** (*fig*) Abschaum *m.*

drench [drɛntʃ] *vt* durchnässen ► *absolutely ~ed* durch und durch naß, völlig durchnäßt.

Dresden ['drɛzdən] *n* Dresden *nt* ► *~ china* ≃ Meißner Porzellan *nt.*

dress [drɛs] **1** *n* **a** (*for woman*) Kleid *nt.* **b** *no pl* (*clothing*) Kleidung *f* ► *in eastern ~* orientalisch gekleidet.
2 *vt* **a** (*clothe*) anziehen ► *to get ~ed* sich anziehen; *to ~ sb in sth* jdm etw anziehen; *~ed in black* schwarz gekleidet. **b** (*Naut*) *ship* beflaggen. **c** (*Cook*) *salad* anmachen; *chicken* bratfertig machen. **d** *skins* gerben; *material* appretieren; *timber* hobeln; *stone* schleifen. **e** *wound* verbinden.
3 *vi* sich anziehen, sich kleiden ► *to ~ in black* sich schwarz kleiden.

♦**dress up 1** *vi* (*smartly*) sich feinmachen; (*in fancy dress*) sich verkleiden ► *~ed as Father Christmas* als Weihnachtsmann (verkleidet).
2 *vt sep* (*disguise*) verkleiden.

dressage ['drɛsɑːʒ] *n* Dressur *f.*

dress: *~ circle* *n* erster Rang; *~ designer* *n* Modezeichner(in *f*) *m.*

dresser¹ ['drɛsəʳ] *n* **a** (*Theat*) Garderobier *m*, Garderobiere *f.* **b** *she's a stylish ~* sie ist immer sehr elegant (gekleidet).

dresser² *n* **a** Anrichte *f.* **b** (*US: dressing-table*) Frisierkommode *f.*

dressing ['drɛsɪŋ] *n* **a** (*Med: bandage, ointment*) Verband *m.* **b** (*Cook*) Soße *f.*

dressing: *~ down n to give sb a ~ down* jdn herunterputzen (*col*); *~-gown n* Morgenrock *m*; *~-room n* (*Theat*) (Künstler)garderobe *f*, (*Sport*) Umkleidekabine *f*; *~-table n* Frisierkommode *f.*

dress: *~maker n* (Damen)schneider(in *f*) *m*; *~making*

n Schneidern *nt*; *~ rehearsal n* (*lit, fig*) Generalprobe *f*; *~ shirt n* Frackhemd *nt*; *~ uniform n* Galauniform *f.*

dressy ['drɛsɪ] *adj* (+*er*) (*col*) *person* fein angezogen; *clothes* elegant.

drew [druː] *pret of* **draw¹, draw².**

dribble ['drɪbl] **1** *vi* **a** (*liquids*) tropfen; (*baby, person*) sabbern; (*animal*) geifern. **b** (*Sport*) dribbeln. **c** (*people*) *to ~ back/in* nach und nach zurückkommen/ hereinkommen.
2 *vt* **a** (*Sport*) *to ~ the ball* mit dem Ball dribbeln. **b** (*baby etc*) kleckern.

dribs and drabs ['drɪbzən'dræbz] *npl: in ~* kleckerweise (*col*).

dried [draɪd] *adj* getrocknet; *fruit also* Dörr- ► *~ milk* Trockenmilch *f*, Milchpulver *nt*; *~ flower* Trockenblume *f.*

drier *n* = **dryer.**

drift [drɪft] **1** *vi* **a** (*Naut*) treiben; (*sand*) wehen ► *to ~ off course* abtreiben; *as the smoke ~ed away* als der Rauch abzog. **b** (*fig: person*) sich treiben lassen ► *to let things ~* die Dinge treiben lassen; *he ~ed into marriage* er ist in die Ehe hineingeschlittert (*col*); *the nation was ~ing towards a crisis* das Land trieb auf eine Krise zu; *young people are ~ing away from the villages* junge Leute wandern aus den Dörfern ab; *to ~ apart* (*people*) sich auseinanderleben.
2 *n* **a** (*of air, water*) Strömung *f*; (*of events*) Lauf *m.* **b** (*of sand, snow*) Verwehung *f.* **c** (*of ship, aircraft*) (Ab)drift, Abweichung *f.* **d** *continental ~* Kontinentalverschiebung *f.* **e** (*of questions*) Richtung, Tendenz *f* ► *if I get your ~* wenn ich Sie recht verstehe.

drifter ['drɪftəʳ] *n* (*person*) Gammler *m* ► *he's a bit of a ~* er hält es nirgends lange aus.

driftwood ['drɪftwʊd] *n* Treibholz *nt.*

drill¹ [drɪl] **1** *n* Bohrer *m.*
2 *vti* bohren (*for* nach).

drill² **1** *n no pl* (*esp Mil, fig*) Drill *m*; (*marching etc*) Exerzieren *nt.*
2 *vt* **a** *soldiers* drillen; (*in marching etc*) exerzieren lassen. **b** *to ~ pupils in grammar* mit den Schülern Grammatik pauken; *I ~ed it into him* ich habe es ihm eingebleut (*col*).
3 *vi* (*Mil*) gedrillt werden; (*marching etc*) exerzieren.

drill³ *n* (*Tex*) Drillich *m.*

drill: *~ bit n* Bohrer *m*; *~ ground n* Exerzierplatz *m.*

drilling ['drɪlɪŋ] *n* (*for oil*) Bohrung *f* ► *~ rig* Bohrturm *m*; (*at sea*) Bohrinsel *f.*

drily ['draɪlɪ] *adv* trocken.

drink [drɪŋk] (*vb: pret* **drank,** *ptp* **drunk**) **1** *n* **a** Getränk *nt* ► *food and ~* Essen und Getränke; *may I have a ~?* kann ich etwas zu trinken haben?; *would you like a ~ of water?* möchten Sie etwas Wasser?; *to give sb a ~* jdm etwas zu trinken geben. **b** (*alcoholic*) Drink *m* ► *let's have a ~* trinken wir was; *I need a ~!* ich brauche was zu trinken!; *he likes a ~* er trinkt gern (einen); *to ask friends in for ~s* Freunde auf ein Glas *or* einen Drink einladen; *he's got a few ~s in him* (*col*) er hat einige Gläser intus (*col*). **c** *no pl* (*alcoholic liquor*) Alkohol *m* ► *he has a ~ problem* er trinkt; *his worries/she drove him to ~* vor Kummer/wegen ihr fing er an zu trinken; *to smell of ~* eine Fahne haben.
2 *vt* trinken ► *would you like something to ~?* möchten Sie etwas zu trinken (haben)?; *this coffee isn't fit to ~* diesen Kaffee kann man nicht trinken.
3 *vi* trinken ► *he doesn't ~* er trinkt nicht; *his father drank* sein Vater war Trinker; *one shouldn't ~ and drive* nach dem Trinken soll man nicht fahren; *to ~ to sb/sth* auf jdn/etw trinken.

♦**drink in** *vt sep air* tief einatmen; (*fig*) *a sight, his words etc* (begierig) in sich (*acc*) aufnehmen.

♦**drink up** *vti* austrinken.

➤ SENTENCE BUILDER: **dream: 1** → 10.3 **3** → 10.3

drinkable ['drɪŋkəbl] *adj* trinkbar.
drink-driving ['drɪŋk'draɪvɪŋ] *n* Trunkenheit *f* am Steuer.
drinker ['drɪŋkəʳ] *n* Trinker(in *f*) *m*.
drinking ['drɪŋkɪŋ] *n* Trinken *nt* ▸ **~ and driving** Trunkenheit *f* am Steuer.
drinking: **~ chocolate** *n* Trinkschokolade *f*; **~ foun-tain** *n* Trinkwasserbrunnen *m*; **~-up time** *n* (*Brit*) *die letzten zehn Minuten vor der Polizeistunde*; **~-water** *n* Trinkwasser *nt*.
drinks: **~ can** *n* Getränkedose *f*; **~ machine** *n* Getränkeautomat *m*.
drip [drɪp] **1** *vi* tropfen ▸ **to be ~ping with sweat/ blood** schweißgebadet/blutüberströmt sein.
   2 *vt liquid* träufeln, tropfen ▸ **you're ~ping paint over my coat** du tropfst mir Farbe auf den Mantel.
   3 **a** (*sound*) Tropfen *nt*. **b** (*drop*) Tropfen *m*. **c** (*Med*) Tropf (*col*) *m* ▸ **to be on a ~** eine Infusion bekommen, am Tropf hängen (*col*). **d** (*col: silly person*) Flasche *f* (*col*).
drip-dry ['drɪp'draɪ] *adj shirt etc* bügelfrei.
dripping ['drɪpɪŋ] **1** *n* (*Cook*) Bratenfett *nt*.
   2 *adj* **a** *tap* tropfend; *washing* tropfnaß. **b** (*col: also* **~ wet**) *person, coat, clothes* triefend, klatschnaß (*col*).
drive [draɪv] (*vb: pret* **drove**, *ptp* **driven**) **1** *n* **a** (*Aut: journey*) Fahrt *f* ▸ **to go for a ~** (im bißchen) spazierenfahren; **to go for a ~ to the coast** ans Meer fahren; **one hour's ~ from London** eine Autostunde von London (entfernt). **b** (*to house: also* **~way**) Einfahrt *f*; (*longer*) Auffahrt, Zufahrt *f*. **c** (*Golf, Tennis*) Treibschlag *m*. **d** (*Psych etc*) Trieb *m*; (*energy*) Schwung, Elan *m* ▸ **sex ~** Sexualtrieb *m*. **e** (*Comm, Pol etc*) Aktion *f*; (*Mil*) Offensive *f* ▸ **sales ~** Verkaufskampagne *f*. **f** (*Mech: power transmission*) Antrieb *m*; (*Comp*) Laufwerk *nt*. **g** (*Aut: steering*) Steuerung *f* ▸ **left-hand ~** Linkssteuerung *f*.
   2 *vt* **a** *animals, dust, clouds etc* treiben ▸ **to ~ a nail into sth** einen Nagel in etw (*acc*) einschlagen; **the gale drove the ship off course** der Sturm trieb das Schiff vom Kurs ab. **b** *car, train* fahren ▸ **he ~s a taxi** er fährt Taxi; **I'll ~ you home** ich fahre Sie nach Hause. **c** (*provide power for*) (*belt, shaft*) antreiben; (*electricity, fuel*) betreiben. **d** (*cause to become*) treiben ▸ **to ~ sb mad** jdn verrückt machen; **to ~ sb to desperation** jdn zur Verzweiflung treiben; **I was ~n to it** ich wurde dazu getrieben. **e** (*force to work hard*) **you're driving him too hard** Sie nehmen ihn zu hart ran (*col*); **he ~s himself very hard** er fordert viel von sich.
   3 *vi* **a** fahren; (*go by car*) mit dem Auto fahren ▸ **he's learning to ~** er lernt Auto fahren. **b** **the rain was driving in our faces** der Regen peitschte uns (*dat*) ins Gesicht.
◆**drive along** **1** *vi* (*vehicle, person*) dahinfahren.
   2 *vt sep* (*wind, current*) *person, boat* (voran)treiben.
◆**drive at** *vi +prep obj* hinauswollen auf (*+acc*) ▸ **what are you driving ~?** worauf wollen Sie hinaus?
◆**drive away** **1** *vi* (*car, person*) wegfahren.
   2 *vt sep* (*lig, fig*) *person, cares* vertreiben.
◆**drive back** **1** *vti* (*in vehicle*) zurückfahren.
   2 *vt sep enemy* zurücktreiben.
◆**drive home** *vt sep nail, argument* einhämmern ▸ **how can I ~ it ~ to him that ...?** wie kann ich (es) ihm nur klarmachen, daß ...?
◆**drive off** **1** *vi* (*person, car*) weg- *or* abfahren.
   2 *vt sep person, enemy* vertreiben.
◆**drive on** **1** *vi* (*person, car*) weiterfahren.
   2 *vt sep* (*encourage*) antreiben; (*to sth bad*) anstiften.
◆**drive out** *vt sep person* hinaustreiben *or* -jagen; *evil thoughts* austreiben.
◆**drive up** *vi* (*car, person*) vorfahren.
drive-in ['draɪv,ɪn] *adj* **~ bank** Autoschalter *m*; **~ cin-**

ema Autokino *nt*.
drivel ['drɪvl] *n* (*pej*) Blödsinn *m*.
driven ['drɪvn] *ptp of* **drive**.
drive-on ['draɪv,ɒn] *adj* **~ car ferry** Roll-on-roll-off-Autofähre *f*.
driver ['draɪvəʳ] *n* Fahrer(in *f*) *m*; (*Brit: of locomotive*) Führer *m*.
driver's: **~ license** *n* (*US*) Führerschein *m*; **~ seat** *n* Fahrersitz *m*.
drive: **~ shaft** *n* Antriebswelle *f*; (*Aut*) Kardanwelle *f*; **~way** *n* Auffahrt *f*; (*longer*) Zufahrtsstraße *f*.
driving ['draɪvɪŋ] **1** *n* Fahren *nt* ▸ **his ~ is awful** er fährt kriminell; **dangerous ~** (*Jur*) verkehrsgefährdendes (Fahr)verhalten.
   2 *adj* **the ~ force** die treibende Kraft; **~ rain** peitschender Regen.
driving: **~ instructor** *n* Fahrlehrer(in *f*) *m*; **~ lesson** *n* Fahrstunde *f*; **~ licence** *n* (*Brit*) Führerschein *m*; **~ mirror** *n* Rückspiegel *m*; **~ school** *n* Fahrschule *f*; **~ seat** *n* Fahrersitz *m*; **to be in the ~ seat** (*fig*) die Zügel in der Hand haben; **~ test** *n* Fahrprüfung *f*.
drizzle ['drɪzl] **1** *n* Nieselregen *m*.
   2 *vi* nieseln.
droll [drəʊl] *adj* drollig, ulkig.
dromedary ['drɒmɪdərɪ] *n* Dromedar *nt*.
drone [drəʊn] **1** *n* **a** (*bee, fig*) Drohne *f*. **b** (*sound*) (*of bees*) Summen *nt*; (*of engine*) Brummen *nt*; (*way of speaking*) monotone Stimme.
   2 *vi* (*bee*) summen; (*engine*) brummen; (*speak: also* **~ away** *or* **on**) eintönig sprechen; (*in reciting*) leiern ▸ **he ~d on for hours** er redete stundenlang in seinem monotonen Tonfall.
drool [druːl] *vi* sabbern.
◆**drool over** *vi +prep obj child* vernarrt sein in (*+acc*); *beautiful object* in Ekstase geraten über (*+acc*); *porno magazine* sich aufgeilen an (*+dat*) (*col!*).
droop [druːp] *vi* **a** (*lit*) (*person*) vornüber gebeugt stehen; (*shoulders*) herabhängen; (*head*) herunterfallen; (*eyelids*) herunterhängen; (*with sleepiness*) zufallen; (*flowers*) die Köpfe hängen lassen; (*one's hand, breasts*) schlaff herunterhängen. **b** (*fig: interest, energy*) erlahmen; (*audience etc*) abschlaffen ▸ **don't let your spirits ~** laß den Mut nicht sinken.
drop [drɒp] **1** *n* **a** (*of liquid, also fig*) Tropfen *m* ▸ **a ~ of blood** ein Blutstropfen *m*; **it's a ~ in the ocean** (*fig*) das ist ein Tropfen auf den heißen Stein; **a ~ of wine?** ein Schlückchen Wein?; **he's had a ~ too much** er hat einen über den Durst getrunken. **b** (*sweet*) Drops *m*. **c** (*fall: in temperature, prices*) Rückgang *m*; (*sudden*) Sturz *m* ▸ **a ~ in prices** ein Preissturz *m*/-rückgang *m*; **a ~ in salary** eine Gehaltseinbuße. **d** (*difference in level*) Höhenunterschied *m*; (*fall*) Sturz, Fall *m*; (*parachute jump*) (Ab)sprung *m* ▸ **there's a ~ of ten metres down to the ledge** bis zu dem Felsvorsprung geht es zehn Meter hinunter; **it's a long ~** es geht tief hinunter. **e** (*of supplies, arms*) Abwurf *m*. **f** **to have the ~ on sb** (*fig*) jdn ausstechen können.
   2 *vt* **a** (*allow to fall*) fallen lassen; *bomb, supplies, burden* abwerfen; *parachutist* absetzen; *voice* senken; (*Knitting*) *stitch* fallen lassen; (*lower*) *hemline* herunterlassen ▸ **I ~ped my watch** meine Uhr ist (mir) runtergefallen; **he ~ped me in it** (*col*) er hat mir das eingebrockt.
   b (*set down*) (*from car*) *person* absetzen; *thing* abliefern; (*from boat*) *cargo* löschen.
   c (*utter casually*) *remark, name* fallenlassen; *clue* geben; *hint* machen ▸ **he let ~ that ...** (*deliberately*) er erwähnte so nebenbei, daß ...
   d (*send*) *postcard* schreiben ▸ **~ me a line** schreib mir ein paar Zeilen.
   e (*omit*) *word, reference* auslassen; (*deliberately also*)

weglassen (*from* in +*dat*); *programme* absetzen ▶ *to ~ sb from a team* jdn aus einer Mannschaft nehmen.

f *candidate, minister, friend* fallenlassen; *girlfriend* Schluß machen mit.

g (*give up*) aufgeben; *idea, plan also* fallenlassen; (*Jur*) *case* niederschlagen ▶ *you'll find it hard to ~ the habit* es wird Ihnen schwerfallen, sich (*dat*) das abzugewöhnen; *let's ~ the subject* lassen wir das Thema; *you'd better ~ the idea* schlagen Sie sich (*dat*) das aus dem Kopf; *~ it!* (*col*) hör auf (damit)!; *~ everything!* (*col*) laß alles stehen und liegen!

h (*lose*) *money, game, point* verlieren.

3 *vi* **a** (*fall: object*) (herunter)fallen ▶ *don't let it ~* laß es nicht fallen; *to ~ to one's knees* auf die Knie fallen *or* sinken; *I'm ready to ~ (with fatigue)* ich bin zum Umfallen müde; *to work till one ~s* arbeiten bis zum Gehtnichtmehr (*col*); *she ~ped into an armchair* sie ließ sich in einen Sessel fallen; *to ~ (down) dead* tot umfallen. **b** (*rate, temperature etc*) sinken; (*wind*) sich legen; (*voice*) sich senken. **c** *you can't just let the matter ~* Sie können die Sache nicht einfach auf sich beruhen lassen; *shall we let it ~?* sollen wir es darauf beruhen lassen?

◆**drop back** *or* **behind** *vi* zurückfallen.

◆**drop by** *vi* (*col*) vorbeikommen, hereinschauen.

◆**drop down** *vi* (*fall*) herunterfallen.

◆**drop in** *vi* (*col: visit casually*) *to ~ ~ on sb* bei jdm vorbeischauen; *to ~ ~ at the grocer's* beim Lebensmittelgeschäft vorbeigehen.

◆**drop off** **1** *vi* **a** (*fall off*) abfallen; (*come off*) abgehen. **b** (*fall asleep*) einschlafen; (*for brief while*) einnicken. **c** (*sales*) zurückgehen; (*speed, interest, popularity*) nachlassen.

2 *vt sep* (*from car etc*) *person* absetzen; *thing* abliefern.

◆**drop out** *vi* **a** (*of box etc*) herausfallen (*of* aus). **b** (*from competition etc*) ausscheiden (*of* aus); (*of society*) aussteigen ▶ *to ~ ~ of university* sein Studium abbrechen.

drop: *~* **handlebars** *npl* Rennlenker *m*; *~* **kick** *n* (*Rugby*) Dropkick *m*; *~***-leaf table** *n* Tisch *m* mit herunterklappbaren Seitenteilen.

droplet ['drɒplɪt] *n* Tröpfchen *nt*.

dropout ['drɒpaʊt] *n* Aussteiger *m* (*col*).

dropper ['drɒpər] *n* (*Med*) Pipette *f*; (*on bottle*) Tropfer *m*.

droppings ['drɒpɪŋz] *npl* (*of rabbits, sheep* etc) Köttel *pl* (*col*) ▶ *horse ~* Pferdeäpfel *pl*.

drop shot *n* (*Tennis*) Stoppball *m*.

dross [drɒs] *n no pl* (*fig*) Schund *m* ▶ *everything else is ~* alles andere ist eitel und nichtig.

drought [draʊt] *n* Dürre *f*.

drove [drəʊv] **1** *pret of* **drive**.

2 *n* (*of animals*) Herde *f*; (*of people*) Schar *f*.

drown [draʊn] **1** *vi* ertrinken ▶ *a ~ing man will clutch at a straw* (*prov*) dem Verzweifelten ist jedes Mittel recht.

2 *vt* **a** *animal, sorrows* ertränken ▶ *to be ~ed* ertrinken. **b** (*also ~ out*) *noise, voice* übertönen; *speaker* niederschreien.

drowse [draʊz] *vi* (vor sich (*acc*) hin) dösen.

drowsiness ['draʊzɪnɪs] *n* Schläfrigkeit *f*.

drowsy ['draʊzɪ] *adj* (+*er*) schläfrig; (*after sleep*) verschlafen; *afternoon* träge.

drudge [drʌdʒ] *n* (*person*) Arbeitstier *nt* (*col*).

drudgery ['drʌdʒərɪ] *n* stumpfsinnige Plackerei ▶ *it's sheer ~* es ist eine einzige Plackerei.

drug [drʌg] **1** *n* Medikament, Arzneimittel *nt*; (*Sport*) Dopingmittel *nt*; (*addictive*) Droge *f* ▶ *to be on ~s* drogenabhängig sein; (*Med*) Medikamente nehmen; (*Sport*) sich dopen.

2 *vt person* betäuben; *food, drink* ein Betäubungsmittel

mischen in (+*acc*) ▶ *to be in a ~ged sleep* in tiefer Betäubung liegen.

drug: *~* **addict** *n* Drogenabhängige(r) *mf*; *~* **addiction** *n* Drogenabhängigkeit, Drogensucht *f*.

druggist ['drʌgɪst] *n* (*US*) Drogist(in *f*) *m*.

drug: *~* **peddler,** *~* **pusher** *n* Dealer *m* (*col*); *~***-store** *n* (*US*) Drugstore *m*; *~* **taking** *n* Einnehmen *nt* von Drogen; (*Sport*) Doping *nt*.

drum [drʌm] **1** *n* **a** (*Mus*) Trommel *f* ▶ *the ~s* (*in pop, jazz*) das Schlagzeug. **b** (*for oil, petrol*) Tonne *f*; (*cylinder, machine part*) Trommel *f*. **c** (*ear ~*) Trommelfell *nt*.

2 *vi* (*Mus, with fingers, rain*) trommeln ▶ *the noise is still ~ming in my ears* das Geräusch dröhnt mir noch in den Ohren.

3 *vt to ~ one's fingers on the table* mit den Fingern auf den Tisch trommeln.

◆**drum into** *vt always separate* **to ~ sth ~ sb** jdm etw einbleuen (*col*).

◆**drum up** *vt sep enthusiasm* erwecken; *support* auftreiben ▶ *to ~ ~ business* Aufträge anbahnen.

drummer ['drʌmər] *n* Trommler *m*; (*in band, pop-group*) Schlagzeuger *m*.

drum: *~* **roll** *n* Trommelwirbel *m*; *~***stick** *n* **a** (*Mus*) Trommelschlegel *or* -stock *m*; **b** (*on chicken etc*) Keule *f*.

drunk [drʌŋk] **1** *ptp of* **drink**.

2 *adj* betrunken ▶ *to get ~ (on)* betrunken werden (von); (*on purpose*) sich betrinken (mit); *to arrest sb for being ~ and disorderly* (*Jur*) jdn wegen Trunkenheit und ruhestörenden Lärms verhaften; *~ with success* vom Erfolg berauscht.

3 *n* Betrunkene(r) *mf*; (*habitually*) Trinker(in *f*), Säufer(in *f*) (*col*) *m*.

drunkard ['drʌŋkəd] *n* Säufer(in *f*) *m* (*col*).

drunken ['drʌŋkən] *adj* betrunken ▶ *~ orgy* Sauforgie *f*; *~ brawl* Schlägerei *f* mit/von Betrunkenen; *~ driving* (*Jur*) Trunkenheit *f* am Steuer.

drunkenness ['drʌŋkənnɪs] *n* (*state*) Betrunkenheit *f*; (*habit, problem*) Trunksucht *f*.

dry [draɪ] **1** *n come into the ~* komm ins Trockene; *to give sth a ~* etw trocknen.

2 *adj* (+*er*) trocken ▶ *the river ran ~* der Fluß trocknete aus; *to be on ~ land* festen Boden unter den Füßen haben; *as ~ as a bone* land, *clothes* knochentrocken (*col*); *mouth, ditches* völlig ausgetrocknet; *to feel/to be ~* (*thirsty*) eine trockene Kehle haben (*col*).

3 *vt* trocknen; *skin* austrocknen; *fruit also* dörren; *dishes, one's hands* abtrocknen ▶ *to ~ one's eyes* sich (*dat*) die Tränen abwischen; *to ~ oneself* sich abtrocknen.

4 *vi* trocken werden.

◆**dry off** *vi* trocknen.

◆**dry out** **1** *vi* (*clothes*) trocknen; (*ground, skin etc*) austrocknen; (*col: alcoholic*) eine Entziehungskur machen.

2 *vt sep clothes* trocknen; *ground, skin* austrocknen.

◆**dry up** **1** *vi* **a** (*stream, well*) austrocknen, versiegen; (*moisture*) trocknen; (*inspiration, source of income*) versiegen. **b** (*dishes*) abtrocknen. **c** (*actor*) steckenbleiben (*col*). **d** (*col: be quiet*) *~ ~!* halt den Mund! (*col*).

2 *vt sep mess* aufwischen; *dishes* abtrocknen.

dry: *~***-clean** *vt* chemisch reinigen; *~***-cleaners** *npl* chemische Reinigung; *~***-cleaning** *n* chemische Reinigung; *~* **dock** *n* (*Naut*) Trockendock *nt*.

dryer, drier ['draɪər] *n* (*for clothes*) Wäschetrockner *m*; (*spin ~*) Wäscheschleuder *f*; (*for hair*) Fön, Haartrockner *m*; (*hood*) Trockenhaube *f*.

dry: *~* **goods** *npl* (*Comm*) Kurzwaren *pl*; *~* **ice** *n*

Trockeneis *nt.*

drying-up ['draɪɪŋ'ʌp] *n* Abtrocknen *nt* ▶ *to do the ~* abtrocknen.

dry land *n* fester Boden.

dryly ['draɪlɪ] *adv* trocken.

dryness ['draɪnɪs] *n* Trockenheit *f.*

dry: **~ rot** *n* (Haus- *or* Holz)schwamm *m*; **~ run** *n* Probelauf *m*; **~ ski slope** *n* Trockenskipiste *f.*

DSS = **Department of Social Security** ≃ Sozialministerium *nt.*

DST (*US*) = **Daylight Saving Time.**

DTI (*Brit*) = **Department of Trade and Industry** ≃ Wirtschaftsministerium *nt.*

DTP = **desktop publishing** DTP *nt.*

DTs ['di:'ti:z] *npl* **to have the ~** das Zittern haben.

dual ['djʊəl] *adj* (*double*) doppelt, Doppel- ▶ **~ carriageway** (*Brit*) zweispurige Straße, Schnellstraße *f*; **~ control** (*Aut*) Doppelsteuerung *f*; **~ nationality** doppelte Staatsangehörigkeit; **~ role** (*Theat, fig*) Doppelrolle *f.*

duality [djʊ'ælɪtɪ] *n* Dualität *f.*

dual-purpose ['djʊəl'pɜ:pəs] *adj* zweifach verwendbar.

dub [dʌb] *vt* **a** (*nickname*) taufen. **b** *film* synchronisieren.

dubious ['dju:bɪəs] *adj* zweifelhaft; *matter also* dubios; *look* zweifelnd ▶ *I'm very ~ about it* ich habe da (doch) starke Zweifel.

dubiously ['dju:bɪəslɪ] *adv look* zweifelnd; *behave* zweifelhaft, fragwürdig.

Dublin ['dʌblɪn] *n* Dublin *nt.*

duchess ['dʌtʃɪs] *n* Herzogin *f.*

duchy ['dʌtʃɪ] *n* Herzogtum *nt.*

duck [dʌk] **1** *n* **a** (*bird*) Ente *f* ▶ *he took to it like a ~ to water* da war er sofort in seinem Element; *it's like water off a ~'s back* das prallt alles an ihm/ihr *etc* ab. **b** (*Cricket*) *to be out for a ~* ohne Punktgewinn aus sein. **2** *vi* **a** (*also ~ down*) sich ducken ▶ *he ~ed under the water* er tauchte (im Wasser) unter. **b** *he ~ed out of the room* er verschwand aus dem Zimmer. **3** *vt* **a** (*push under water*) untertauchen. **b** *to ~ one's head* den Kopf einziehen. **c** (*avoid*) *difficult question etc* ausweichen (+*dat*).

duckboards ['dʌkbɔ:dz] *npl* Lattenrost *m.*

ducking ['dʌkɪŋ] *n* Untertauchen *nt* ▶ *to give sb a ~* jdn untertauchen.

duckling ['dʌklɪŋ] *n* Entenküken, Entlein *nt.*

duck: **~ pond** *n* Ententeich *m*; **~ weed** *n* Entenflott *nt.*

duct [dʌkt] *n* **a** (*Anat*) Röhre *f* ▶ *tear ~* Tränenkanal *m.* **b** (*for liquid, gas*) Leitung *f.*

dud [dʌd] **1** (*col*) **a** *adj* **a** **~ shell/bomb** Blindgänger *m.* **b** *actor, teacher* mies (*col*), schlecht; *coin* falsch; *cheque* ungedeckt; (*forged*) gefälscht ▶ **~ note** Blüte *f* (*col*). **2** *n* **a** (*shell, bomb*) Blindgänger *m.* **b** (*cheque*) ungedeckter *or* (*forged*) gefälschter Scheck; (*banknote*) Blüte *f* (*col*). **c** (*person*) Blindgänger (*col*), Versager *m.*

dude [dju:d] *n* (*US*) Städter *m*, feiner Stadtpinkel (*pej col*) ▶ **~ ranch** Touristenranch *f.*

dudgeon ['dʌdʒən] *n*: **in high ~** sehr empört.

▼ **due** [dju:] **1** *adj* **a** (*to be paid, owing*) fällig ▶ **~ date** Fälligkeitsdatum *nt*; *the sum which is ~ to him* die Summe, die ihm zusteht; *the amount ~ as compensation* der Betrag, der als Schadenersatz gezahlt werden soll; *to fall ~* fällig werden *or* sein; *I am ~ six days off/ (for) a rise* mir stehen sechs Tage Urlaub zu/mir steht eine Gehaltserhöhung zu.
b (*expected, scheduled*) *to be ~ to do sth* etw tun sollen; *the train is ~ at midday* der Zug soll laut Fahrplan um zwölf Uhr ankommen; *I'm ~ in London tomorrow* ich soll morgen in London sein; *he's ~ back tomorrow* er müßte morgen zurück sein; *when is the baby/she ~?* wann soll das Baby kommen/bekommt sie

ihr Baby?
c (*proper, suitable*) gebührend ▶ *with all ~ respect* bei allem Respekt; *we'll let you know in ~ course* wir werden Sie zu gegebener Zeit benachrichtigen; *he was, in ~ course, to become ...* im Laufe der Zeit sollte er ... werden; *after ~ consideration* nach reiflicher Überlegung.
d **~ to** aufgrund (+*gen*), wegen (+*gen or dat*); *what's it ~ to?* worauf ist dies zurückzuführen?; *it is ~ to you that ...* wir haben es Ihnen zu verdanken, daß ...
2 *adv* **~ west** direkt nach Westen; **~ east of the village** genau im Osten des Dorfes.
3 *n* **a** **~s** (*fees*) Gebühr *f*, Gebühren *pl.* **b** *no pl (to) give him his ~, he did try hard* das muß man ihm lassen, er hat sich wirklich angestrengt.

duel ['djʊəl] **1** *n* (*lit, fig*) Duell *nt.* **2** *vi* sich duellieren.

duet [dju:'et] *n* Duo *m*; (*for voices*) Duett *nt.*

duffel ['dʌfl]: **~ bag** *n* Matchbeutel *or* -sack *m*; **~-coat** *n* Dufflecoat *m.*

dug *pret, ptp of* **dig.**

dugout ['dʌgaʊt] *n* **a** (*Mil*) Schützengraben *m.* **b** (*also ~ canoe*) Einbaum *m.*

duke [dju:k] *n* Herzog *m.*

dull [dʌl] **1** *adj* (+*er*) **a** *colour, light* trüb, matt; *weather* trüb; *sound* dumpf. **b** (*boring*) langweilig; *person, evening also* lahm; (*lacking spirit*) *person, mood* lustlos ▶ *as ~ as ditchwater* stinklangweilig (*col*). **c** (*also ~-witted*) *person* schwerfällig. **d** *blade* stumpf; *pain* dumpf. **e** *market* flau; *trade, business* schleppend. **2** *vt* **a** *sense, powers of memory* schwächen; *mind* abstumpfen. **b** *pain, grief* betäuben; *pleasure* dämpfen; *sound* dämpfen. **c** *edge, blade* stumpf machen.

duly ['dju:lɪ] *adv* entsprechend; (*properly*) gebührend, wie es sich gehört; (*according to regulations etc*) vorschriftsmäßig ▶ *and the parcel ~ arrived the next morning* und das Paket kam dann auch am nächsten Morgen.

dumb [dʌm] *adj* (+*er*) **a** stumm ▶ *the ~* die Stummen *pl*; **~ animals** die Tiere *pl*; *he was struck ~* es verschlug ihm die Sprache; **~ waiter** Speiseaufzug *m*; (*trolley*) Serviertisch *m*, stummer Diener. **b** (*esp US col: stupid*) doof (*col*), dumm.

dumbbell ['dʌmbel] *n* (*Sport*) Hantel *f.*

dumbfound ['dʌmfaʊnd] *vt* verblüffen ▶ *I'm ~ed!* ich bin sprachlos!

dumbness ['dʌmnɪs] *n* **a** Stummheit *f.* **b** (*esp US col: stupidity*) Doofheit (*col*), Dummheit *f.*

dumbo ['dʌmbəʊ] *n* (*col*) Doofi *m* (*col*).

dummy ['dʌmɪ] **1** *n* **a** (*sham object*) Attrappe *f*; (*for clothes*) (Kleider)puppe *f.* **b** (*Brit: baby's teat*) Schnuller *m.* **c** (*Ftbl etc*) Finte *f.* **2** *adj attr* unecht ▶ *a ~ rifle* eine Gewehrattrappe; **~ run** Probelauf *m.*

dump [dʌmp] **1** *n* **a** (*pile of rubbish*) Abfallhaufen *m*; (*place*) Müllkippe *f.* **b** (*Mil*) Depot *nt.* **c** (*pej col: town*) Kaff *nt* (*col*); (*house, building*) Loch *nt* (*pej col*). **d** (*col*) *to be (down) in the ~s* deprimiert sein. **2** *vt* **a** *rubbish* abladen; (*at sea*) verklappen; (*col*) *person, girlfriend* abschieben; *car* abstellen, loswerden. **b** (*put down*) *load* abladen; *bags etc* (*drop*) fallen lassen; (*leave*) lassen. **c** (*Comm*) *goods* zu Dumpingpreisen verkaufen. **d** (*Comp*) ausgeben.

dumpling ['dʌmplɪŋ] *n* **a** (*Cook*) Kloß, Knödel *m.* **b** (*col: person*) Dickerchen *nt* (*col*).

dump truck *n* Kipper *m.*

dumpy ['dʌmpɪ] *adj person* pummelig.

dun [dʌn] *adj* graubraun.

dunce [dʌns] *n* (*Sch*) langsamer Schüler; (*stupid person*) Dummkopf *m.*

dune [dju:n] *n* Düne *f.*

▶ SENTENCE BUILDER: **due: 1d → 6.1**

dung [dʌŋ] **1** n Dung m.
2 vt field düngen.
dungarees [ˌdʌŋgəˈriːz] npl Latzhose f.
dungeon [ˈdʌndʒən] n Verlies nt, Kerker m.
dunghill [ˈdʌŋhɪl] n Misthaufen m.
dunk [dʌŋk] vt (ein)tunken.
dunno [ˈdʌnəʊ] = (I) **don't know.**
duo [ˈdjuːəʊ] n Duo nt.
duodenal [ˌdjuːəʊˈdiːnl] adj ~ **ulcer** Zwölffingerdarmge-schwür nt.
duodenum [ˌdjuːəʊˈdiːnəm] n Zwölffingerdarm m.
dupe [djuːp] **1** vt betrügen ► **he was ~d into believing it** er fiel darauf herein.
2 n Betrogene(r) mf.
duplex [ˈdjuːpleks] n (esp US: also: ~ **apartment**) zwei-stöckige Wohnung.
duplicate [ˈdjuːplɪkeɪt] **1** vt document ein Duplikat nt anfertigen von; (on machine) vervielfältigen; (repeat) ac-tion wiederholen; (wastefully) doppelt or zweimal ma-chen.
2 [ˈdjuːplɪkɪt] n (of document) Duplikat nt; (of work of art) Kopie f; (of key) Zweitschlüssel m.
3 [ˈdjuːplɪkɪt] adj doppelt, zweifach.
duplicating [ˈdjuːplɪkeɪtɪŋ] n (of documents) Ver-vielfältigung f ► ~ **machine** Vervielfältigungsapparat m.
duplication [ˌdjuːplɪˈkeɪʃən] n (of efforts, work) Wieder-holung f.
duplicator [ˈdjuːplɪkeɪtəʳ] n Vervielfältigungsapparat m.
duplicity [djuːˈplɪsɪtɪ] n Doppelspiel nt.
durability [ˌdjʊərəˈbɪlɪtɪ] n (of material) Haltbarkeit f; (of metal) Widerstandsfähigkeit f.
durable [ˈdjʊərəbl] adj friendship dauerhaft; material haltbar; metal widerstandsfähig.
duration [djʊəˈreɪʃən] n (of play, war etc) Länge, Dauer f ► **for the ~** bis zum Ende.
duress [djʊəˈres] n **under ~** unter Zwang.
durex ® [ˈdjʊəreks] n Gummi (col) m.
during [ˈdjʊərɪŋ] prep während (+gen).
dusk [dʌsk] n (twilight) (Abend)dämmerung f; (gloom) Finsternis f► **at ~** bei Einbruch der Dunkelheit.
dusky [ˈdʌskɪ] adj (+er) maiden dunkelhäutig.
dust [dʌst] **1** n no pl **a** Staub m ► **when the ~ had settled** (fig) als sich die Wogen wieder etwas geglättet hatten. **b** **to give sth a ~** etw abstauben.
2 vt **a** furniture abstauben; room Staub wischen in (+dat). **b** (Cook) bestäuben.
dust: ~bin n (Brit) Mülltonne f; **~bin liner** n Müllsack m; **~ bowl** n Trockengebiet nt; **~cart** n (Brit) Müllwagen m; **~cover** n (on furniture) Schonbezug m.
duster [ˈdʌstəʳ] n Staubtuch m.
dusting [ˈdʌstɪŋ] n Staubwischen nt; (Cook) Bestäuben nt ► **to give sth a ~** etw abstauben.
dust: ~ jacket n (Schutz)umschlag m; **~man** n (Brit) Müllmann m (col); **the ~men come on Fridays** freitags ist Müllabfuhr; **~pan** n Kehrschaufel f; **~ sheet** n Staubdecke f; **~ storm** n Staubsturm m; **~-up** n (col) Schlägerei f.
dusty [ˈdʌstɪ] adj (+er) table, path staubig.
Dutch [dʌtʃ] **1** adj holländisch, niederländisch (esp form) ► ~ **auction** Versteigerung f mit stufenweise erniedrigtem Ausbietungspreis; **I need a little ~ courage** (col) ich muß mir ein bißchen Mut antrinken; ~ **elm disease** Ulmenkrankheit f; **to talk to sb like a ~ uncle** (col) jdm eine Standpauke halten.
2 adv **to go** ~ (col) getrennte Kasse machen.
3 n **a** **the** ~ die Holländer or Niederländer pl. **b** (language) Holländisch, Niederländisch (esp form) nt.
Dutchman [ˈdʌtʃmən] n, pl -**men** [-mən] Holländer, Niederländer (esp form) m► **he did say that or I'm a ~** (col) ich fresse einen Besen, wenn er das nicht gesagt hat (col).

Dutchwoman [ˈdʌtʃˌwʊmən] n, pl -**women** [-ˌwɪmɪn] Holländerin, Niederländerin (esp form) f.
dutiable [ˈdjuːtɪəbl] adj zollpflichtig.
dutiful [ˈdjuːtɪfʊl] adj child gehorsam; husband, employee pflichtbewußt.
dutifully [ˈdjuːtɪfəlɪ] adv pflichtbewußt; (esp iro) treu und brav.
duty [ˈdjuːtɪ] n **a** Pflicht f► **to do one's ~ by sb** seine Pflicht gegenüber jdm tun or erfüllen; **I feel ~ bound to say that ...** ich fühle mich verpflichtet zu sagen, daß ...; **to make it one's ~ to do sth** es sich (dat) zur Pflicht ma-chen, etw zu tun. **b** (often pl: responsibility) Aufgabe, Pflicht f ► **to take up one's duties** seine Pflichten auf-nehmen; **to be on ~** (doctor etc) im Dienst sein; (Sch etc) Aufsicht haben; **who's on ~ tomorrow?** wer hat morgen Dienst/Aufsicht?; **to be off ~** nicht im Dienst sein. **c** (Fin: tax) Zoll m.
duty: ~-free **1** adj zollfrei; **~-free shop** Duty-free-Shop m; **2** n zollfreie Ware; ~ **officer** n Offizier m vom Dienst.
duvet [ˈdjuːveɪ] n (Brit) Steppdecke f.
DVLA, DVLC (Brit) = **Driver and Vehicle Licensing Agency/Centre** Zulassungsstelle f für Kraftfahrzeuge.
dwarf [dwɔːf] **1** n, pl **dwarves** [dwɔːvz] Zwerg m.
2 adj tree, star Zwerg-.
3 vt überragen; (through achievements, ability etc) in den Schatten stellen.
dwell [dwel] pret, ptp **dwelt** vi (liter: live) leben, wohnen.
◆**dwell (up)on** vi +prep obj **a** verweilen bei; (stress unnecessarily etc) herumreiten auf (+dat). **b** (Mus) note halten.
dwelling [ˈdwelɪŋ] n (form: also ~ **place**) Wohnsitz m (form), Wohnung f.
dwelt [dwelt] pret, ptp of **dwell.**
dwindle [ˈdwɪndl] vi (strength, interest) schwinden; (numbers, audiences) zurückgehen; (supplies) zur Neige gehen.
dwindling [ˈdwɪndlɪŋ] adj schwindend; resources ver-siegend.
dye [daɪ] **1** n Farbstoff m► **hair ~** Haarfärbemittel nt; **the ~ will come out in the wash** die Farbe geht beim Waschen heraus.
2 vt färben.
dyed-in-the-wool [ˈdaɪdɪnðəˌwʊl] adj durch und durch pred; attitude eingefleischt ► ~ **conservative** Erzkonservative(r) mf.
dying [ˈdaɪɪŋ] adj person sterbend; tradition, race, civiliza-tion aussterbend; embers verglühend ► **to my ~ day** bis an mein Lebensende; ~ **wish** letzter Wunsch; ~ **words** letzte Worte.
dyke, dike [daɪk] n **a** (channel) (Ent-wässerungs)graben, Kanal m. **b** (barrier) Deich, Damm m. **c** (col: lesbian) Lesbe f (col).
dynamic [daɪˈnæmɪk] adj dynamisch.
dynamism [ˈdaɪnəmɪzəm] n Dynamismus m; (of person) Dynamik f.
dynamite [ˈdaɪnəmaɪt] **1** n (lit) Dynamit nt; (fig) Sprengstoff m► **she's ~** sie ist eine Wucht (col); **this story's ~** diese Geschichte wird wie eine Bombe ein-schlagen.
2 vt bridge sprengen.
dynamo [ˈdaɪnəməʊ] n Dynamo m.
dynasty [ˈdɪnəstɪ] n Dynastie f.
dysentery [ˈdɪsɪntrɪ] n Dysenterie, Ruhr f.
dyslexia [dɪsˈleksɪə] n Legasthenie f.
dyslexic [dɪsˈleksɪk] **1** adj legasthenisch.
2 n Legastheniker(in f) m.
dyspepsia [dɪsˈpepsɪə] n Verdauungsstörung f.
dystrophy [ˈdɪstrəfɪ] n Dystrophie f.

E

E, e [iː] *n* E, e *nt*; *(Mus)* E, e *nt* ► *E for Edward* (*Brit*), *E for Easy* (*US*) ≃ E wie Emil; *E flat/sharp* Es, es *nt*/Eis, eis *nt*.

E = ⓐ **east** O. ⓑ **eastern**.

ea. = **each**.

each [iːtʃ] ① *adj* jede(r, s) ► ~ *(and every) one of us* jeder (einzelne) von uns.
② *pron* ⓐ jede(r, s) ► *a little of ~ please* von jedem etwas, bitte; *we ~ had our own ideas about it* jeder von uns hatte seine eigene Vorstellung davon. ⓑ ~ *other* einander; *they get on ~ other's nerves* sie gehen sich (*dat*) *or* einander auf die Nerven; *we visit ~ other* wir besuchen uns (gegenseitig); *on top of ~ other/next to ~ other* aufeinander/nebeneinander.
③ *adv* je ► *two classes of 20 pupils ~* zwei Klassen mit je 20 Schülern; *the books are £1 ~* die Bücher kosten je £1; *carnations at one mark ~* Nelken zu einer Mark das Stück; *it cost them £10 ~* das hat sie pro Person £10 gekostet.

eager [ˈiːgəʳ] *adj* eifrig ► *to be ~ to do sth* etw unbedingt tun wollen; ~ *to learn* lernbegierig; *to be ~ for sth* auf etw (*acc*) erpicht sein; ~ *beaver* (*col*) Arbeitstier *nt* (*col*).

eagerly [ˈiːgəlɪ] *adv* eifrig; *look, wait* gespannt.

eagerness [ˈiːgənɪs] *n* Eifer *m*.

eagle [ˈiːgl] *n* Adler *m*.

eagle-eyed [ˈiːglˈaɪd] *adj the ~ detective* der Detektiv mit seinen Adleraugen.

E & O E (*Comm*) = **errors and omissions excepted** Irrtum vorbehalten.

ear¹ [ɪəʳ] *n* (*Anat, fig*) Ohr *nt* ► *to keep one's ~s open* die Ohren offenhalten; *to keep an ~ to the ground* die Ohren aufsperren; *to be all ~s* ganz Ohr sein; *your ~s must have been burning* Ihnen müssen die Ohren geklungen haben; *it goes in one ~ and out the other* das geht zum einen Ohr hinein und zum anderen wieder heraus; *to be up to the ~s in debt* bis über beide Ohren verschuldet sein; *he'll be out on his ~* (*col*) dann fliegt er raus (*col*); *to have a good ~ for music* musikalisch sein; *to play by ~* (*lit*) nach Gehör spielen; *to play it by ~* (*fig*) improvisieren.

ear² *n* (*of grain*) Ähre *f*.

ear: **~ache** *n* Ohrenschmerzen *pl*; **~drum** *n* Trommelfell *nt*.

earl [ɜːl] *n* Graf *m*.

early [ˈɜːlɪ] ① *adj* (+*er*) früh; (*sooner than expected*) zu früh; *fruit, vegetable* Früh- ► *it was ~ in the morning* es war früh am Morgen; *to be an ~ riser* Frühaufsteher sein; *in the ~ hours* in den frühen Morgenstunden; *in the ~ morning/afternoon* am frühen Morgen/ Nachmittag; *in ~ spring/summer* zu Beginn des Frühjahrs/im Frühsommer; *in his ~ youth* in seiner frühen Jugend; *from an ~ age* von früherster Jugend an; *she's in her ~ forties* sie ist Anfang Vierzig; *to take ~ retirement* sich vorzeitig pensionieren lassen; *at the earliest possible moment* so bald wie (irgend) möglich.
② *adv* früh ► *you're ~ today* Sie sind heute ja früh dran; *sorry, am I ~?* bin ich zu früh?; *earlier (on) this evening* früher am Abend; *I saw him ~ in the week* ich habe ihn Anfang der Woche gesehen; *earlier on that year Jim had ...* Jim hatte früher in dem Jahr ...; *the ear-*

liest he can come is Friday er kann frühestens (am) Freitag kommen; *as ~ as 1935* schon 1935; *she left ten minutes ~* sie ist zehn Minuten früher gegangen.

early: ~ *bird* *n* (*in morning*) Frühaufsteher(in *f*) *m*; (*arriving etc*) Frühankömmling *m*; *the ~ bird catches the worm* (*Prov*) Morgenstund(e) hat Gold im Mund(e) (*Prov*); (*first come, first served*) wer zuerst kommt, mahlt zuerst (*Prov*); ~ *closing* *n it's ~ closing today* die Geschäfte haben heute nachmittag geschlossen; ~ *diagnosis* *n* (*Med*) Früherkennung *f*; ~ *retirement* *n* vorgezogener Ruhestand; *to take ~ retirement* vorzeitig in den Ruhestand gehen; **~-warning system** *n* Frühwarnsystem *nt*.

ear: **~mark** *vt* (*fig*) vorsehen; **~muffs** *npl* Ohrenschützer *pl*.

earn [ɜːn] *vt* verdienen; (*Fin*) *interest* bringen ► **~ed income** Arbeitseinkommen *nt*.

earner [ˈɜːnəʳ] *n* (*person*) Verdiener(in *f*) *m*; (*Brit col: income source*) Einnahmequelle *f*.

earnest [ˈɜːnɪst] ① *adj* ernsthaft; *hope* aufrichtig.
② *n in ~* (*with determination*) ernsthaft; (*without joking*) im Ernst; *this time I'm in ~* diesmal meine ich es ernst; *it is snowing in ~ now* jetzt schneit es richtig.

earnestness [ˈɜːnɪstnɪs] *n* Ernsthaftigkeit *f*; (*of voice*) Ernst *m*.

earnings [ˈɜːnɪŋz] *npl* Verdienst *m*.

ear: ~, *nose and throat* *adj attr* (*Med*) Hals-Nasen-Ohren-; **~phones** *npl* Kopfhörer *pl*; **~plug** *n* Ohropax ⓡ *nt*; **~ring** *n* Ohrring *m*; **~shot** *n*: *out of/within ~shot* außer/in Hörweite; **~-splitting** *adj* ohrenbetäubend.

earth [ɜːθ] ① *n* ⓐ (*also Brit Elec*) Erde *f* ► *the ~'s atmosphere* die Erdatmosphäre; *on ~* auf der Erde; *to the ends of the ~* bis ans Ende der Welt; *where/who etc on ~?* (*col*) wo/wer etc ... bloß?; *nothing on ~ will stop me now* keine Macht der Welt hält mich jetzt noch auf; *you look like nothing on ~* (*col*) du siehst unmöglich aus (*col*); *it cost the ~* (*col*) das hat ein Vermögen gekostet (*col*); *to bring sb down to ~* (*with a bump*) (*fig*) jdn (unsanft) wieder auf den Boden der Tatsachen zurückholen. ⓑ (*of fox*) Bau *m* ► *to go to ~* im Bau verschwinden; (*criminal*) untertauchen; *to run sb to ~* (*fig*) jdn ausfindig machen.
② *vt* (*Brit Elec*) erden.

earthenware [ˈɜːθənwɛəʳ] ① *n* (*material*) Ton *m*; (*products*) Tonwaren *pl*; (*dishes etc*) Tongeschirr *nt*.
② *adj* aus Ton, Ton-.

earthly [ˈɜːθlɪ] ① *adj* ⓐ irdisch ► ~ *paradise* Paradies *nt* auf Erden. ⓑ (*col*) *there is no ~ reason to think ...* es besteht nicht der geringste Grund für die Annahme ...
② *n* (*col*) *she hasn't an ~* sie hat nicht die geringste Chance.

earth: **~-moving equipment** *n* Erdräummaschinen *pl*; **~quake** *n* Erdbeben *nt*; **~works** *npl* Erdarbeiten *pl*; **~worm** *n* Regenwurm *m*.

earthy [ˈɜːθɪ] *adj* (+*er*) ⓐ *taste, smell* erdig. ⓑ *person, humour* derb.

earwig [ˈɪəwɪg] *n* Ohrwurm *m*.

ease [iːz] ① *n* ⓐ Behagen *nt* ► *I am never at ~ in his company* in seiner Gegenwart bin ich immer etwas befangen; *to put or set sb at his ~* jdm die Befangenheit nehmen; *to put or set sb's mind at* ~ jdn beruhigen; *to feel at* ~ *with sb* sich bei jdm wohlfühlen; *(stand) at* ~! *(Mil)* rührt euch! **b** *with* ~ mit Leichtigkeit; *a life of* ~ ein Leben der Muße.

2 *vt* **a** *pain* lindern; *mind* erleichtern. **b** *rope, strap* lockern; *pressure, tension* verringern. **c** ~ *in the clutch (Aut)* die Kupplung langsam kommen lassen; *he ~d the lid off* er löste behutsam den Deckel.

3 *vi* nachlassen; *(situation)* sich entspannen.

◆**ease off** *or* **up** *vi (slow down, relax)* langsamer werden; *(driver)* verlangsamen; *(situation)* sich entspannen; *(pain, rain)* nachlassen ▸ *the doctor told him to* ~ ~ der Arzt riet ihm, etwas kürzer zu treten.

easel ['iːzl] *n* Staffelei *f.*

easily ['iːzɪlɪ] *adv* leicht ▸ *he is* ~ *the best* er ist mit Abstand der beste; *it's* ~ *25 miles* es sind gut und gerne 25 Meilen.

easiness ['iːzɪnɪs] *n* Leichtigkeit *f.*

east [iːst] **1** *n* **a** Osten *m* ▸ *in/to the* ~ im Osten/ nach Osten; *from the* ~ von Osten; *to the* ~ *of* östlich von. **b** *(Geog, Pol)* **the E~** der Osten; *from the E~* aus dem Osten.

2 *adv* nach Osten, ostwärts ▸ *it faces* ~ es geht nach Osten; ~ *of* östlich von.

3 *adj* östlich, Ost- ▸ ~ *wind* Ostwind *m*; **E~ Africa** Ostafrika *nt*; **the E~ End** der (Londoner) Osten; **E~ Berlin** Ostberlin *nt.*

eastbound ['iːstbaʊnd] *adj traffic etc* in Richtung Osten.

Easter ['iːstəʳ] **1** *n* Ostern *nt* ▸ *at* ~ an *or* zu Ostern.

2 *adj attr week, egg, holidays etc* Oster- ▸ ~ **Monday** Ostermontag *m*; ~ **Sunday**, ~ **Day** Ostersonntag *m*; ~ **Island** Osterinsel *f.*

easterly ['iːstəlɪ] *adj* östlich, Ost-.

eastern ['iːstən] *adj* Ost-, östlich; *attitude* orientalisch ▸ **the** ~ **bloc** *(Hist)* der Ostblock; **E~ Europe** Osteuropa *nt.*

east: E~ German *adj* ostdeutsch; *(Hist: GDR)* DDR-; **E~ Germany** *n (Hist)* die DDR; ~**ward(s)** *adv* ostwärts, nach Osten.

easy ['iːzɪ] **1** *adj (+er)* **a** leicht ▸ *it's* ~ *for you to talk* du hast gut reden; *he was an* ~ *winner* er hat mühelos gewonnen; *he is* ~ *to get on with* mit ihm kann man gut auskommen; ~ *money* leicht verdientes Geld. **b** *(free from discomfort etc)* bequem, leicht; *manners, movement* ungezwungen; *style* flüssig ▸ *in* ~ *stages* in bequemen Etappen; *on* ~ *terms (Comm)* zu günstigen Bedingungen; *I'm* ~ *(col)* mir ist alles recht.

2 *adv (that's) easier said than done* (das ist) leichter gesagt als getan; ~!, ~ *does it!* immer sachte!; *to take things or it* ~ *(healthwise)* sich schonen; *take it* ~! *(don't worry)* nimm's nicht so schwer; *(don't get carried away, don't rush)* immer mit der Ruhe!; *to go* ~ *on sth* sparsam mit etw umgehen; *to go* ~ *on sb* nicht zu hart mit jdm sein; *stand* ~! *(Mil)* rührt euch!

easy: ~ **chair** *n* Sessel *m*; ~ **come** ~ **go 1** *interj* wie gewonnen, so zerronnen *(Prov)*; **2** *adj* ~-**come**~-**go** unbekümmert; ~-**going** *adj (not anxious)* gelassen; *(lax)* lässig.

eat [iːt] *(vb: pret* **ate**, *ptp* **eaten**) *vti (person)* essen; *(animal)* fressen ▸ *to* ~ *one's breakfast* frühstücken; *he's* ~*ing us out of house and home (col)* er frißt uns noch die Haare vom Kopf *(col)*; *to* ~ *one's words* alles zurücknehmen; *he won't* ~ *you (col)* er wird dich schon nicht fressen *(col)*; *what's* ~*ing you? (col)* was hast du denn?

◆**eat away** *vt sep (sea)* auswaschen; *(acid)* zerfressen.

◆**eat into** *vi +prep obj metal* anfressen; *capital* angreifen.

◆**eat out 1** *vi* essen gehen.

2 *vt sep to* ~ *one's heart* ~ Trübsal blasen.

◆**eat up 1** *vt sep* **a** aufessen; *(animal)* auffressen. **b**

(fig: use up) verbrauchen ▸ *this car* ~*s* ~ *the miles* der Wagen gibt ganz schön was her *(col)*.

2 *vi* aufessen.

eatable ['iːtəbl] *adj* eßbar, genießbar.

eaten ['iːtn] *ptp of* **eat**.

eater ['iːtəʳ] *n* Esser(in *f*) *m.*

eating: ~ **apple** *n* Eßapfel *m*; ~ **place** *n* Eßlokal *nt.*

eau de Cologne ['əʊdəkə'ləʊn] *n* Kölnisch Wasser *nt.*

eaves [iːvz] *npl* Dachvorsprung *m.*

eavesdrop ['iːvzdrɒp] *vi* (heimlich) lauschen ▸ *to* ~ *on a conversation* ein Gespräch belauschen.

ebb [eb] **1** *n (also* ~**tide)** Ebbe *f* ▸ ~ *and flow* Ebbe und Flut *f*; *(fig)* Auf und Ab *nt*; *at a low* ~ *(fig)* in einem Tief.

2 *vi* **a** *(tide)* zurückgehen ▸ *to* ~ *and flow (lit, fig)* kommen und gehen. **b** *(fig: also* ~ *away) (enthusiasm etc)* verebben.

ebony ['ebənɪ] *n* Ebenholz *nt.*

ebullient [ɪ'bʌlɪənt] *adj* überschwenglich; *mood* übersprudelnd.

EC = **European Community** EG *f* ▸ ~ *country* EG-Staat *m.*

eccentric [ɪk'sentrɪk] **1** *adj* exzentrisch.

2 *n* Exzentriker(in *f*) *m.*

eccentricity [,eksən'trɪsɪtɪ] *n* Exzentrizität *f.*

ecclesiastical [ɪ,kliːzɪ'æstɪkəl] *adj* kirchlich.

ECG = **electrocardiogram** EKG *nt.*

echo ['ekəʊ] **1** *n* Echo *nt.*

2 *vt sound* zurückwerfen; *(fig)* wiedergeben.

3 *vi* widerhallen *(with* von); *(room)* hallen ▸ *it* ~*es in here* hier ist ein Echo.

éclair [eɪ'kleəʳ] *n* Eclair *nt*, Liebesknochen *m.*

eclipse [ɪ'klɪps] **1** *(Astron)* ~ *of the sun/moon* Sonnen-/Mondfinsternis *f.*

2 *vt (Astron)* verfinstern; *(fig)* in den Schatten stellen.

ECM *(US)* = **European Common Market**.

ecological [,iːkəʊ'lɒdʒɪkəl] *adj* ökologisch ▸ ~ *damage* Umweltbelastung *f*; ~ *disaster* Umweltkatastrophe *f.*

ecologically [,iːkəʊ'lɒdʒɪkəlɪ] *adv* ökologisch ▸ ~ *harmful* umweltschädlich.

ecologist [ɪ'kɒlədʒɪst] *n* Ökologe *m*, Ökologin *f.*

ecology [ɪ'kɒlədʒɪ] *n* Ökologie *f.*

economic [,iːkə'nɒmɪk] *adj* wirtschaftlich, ökonomisch; *aid, crisis, policy, development, system, miracle* Wirtschafts- ▸ ~ *upturn/downturn* Konjunkturaufschwung *m*/Konjunkturabschwung *m.*

economical [,iːkə'nɒmɪkəl] *adj* wirtschaftlich, ökonomisch; *person* sparsam ▸ *to be* ~ *with sth (also fig)* mit etw sparsam umgehen; *to be* ~ *(to run) (car)* wirtschaftlich sein.

economically [,iːkə'nɒmɪkəlɪ] *adv* wirtschaftlich; *(thriftily)* sparsam.

economics [,iːkə'nɒmɪks] *n* **a** *with sing or pl vb* Volkswirtschaft *f*; *(management studies)* Betriebswirtschaft *f.* **b** *pl (economic aspect)* Wirtschaftlichkeit *f* ▸ *the* ~ *of the situation* die wirtschaftliche Seite der Situation.

economist [ɪ'kɒnəmɪst] *n see* **economics** Volkswirt(in *f*); Betriebswirt(in *f*) *m.*

economize [ɪ'kɒnəmaɪz] *vi* sparen.

◆**economize on** *vi +prep obj* sparen.

economy [ɪ'kɒnəmɪ] *n* **a** *(system)* Wirtschaft *f no pl*; *(from a monetary aspect)* Konjunktur *f.* **b** *(in time, money)* Einsparung *f*; *(measure)* Sparmaßnahme *f* ▸ *a false* ~ falsche Sparsamkeit; *economies of scale (Comm)* Einsparungen *pl* durch erhöhte Produktion. **c** *(thrift)* Sparsamkeit *f* ▸ ~ *of effort* geringer Kräfteaufwand.

economy: ~ **class** *n* Economyklasse *f*; ~ **drive** *n* Sparmaßnahmen *pl*; ~ **size** *n* Sparpackung *f.*

ecosystem ['iːkəʊsɪstəm] *n* Ökosystem *nt.*

eco-tourism ['iːkəʊ-] *n* Ökotourismus *m.*

ecstasy ['ekstəsı] n Ekstase f ▶ **to go into ecstasies over sth** über etw (acc) in Verzückung geraten.
ecstatic [eks'tætık] adj ekstatisch, verzückt.
ECU, ecu ['eıkju:] = **European Currency Unit** Ecu m.
Ecuador ['ekwədɔ:ʳ] n Ecuador, Ekuador nt.
ecumenical [ˌiːkjʊ'menıkəl] adj ökumenisch.
eczema ['eksımə] n (Haut)ausschlag m.
ed = [a] **edition** Ausg. [b] **edited** herausg.
Ed = **editor** Herausg.
eddy ['edı] [1] n Wirbel m.
[2] vi wirbeln.
edge [edʒ] [1] n [a] (of knife) Schneide f ▶ **to take the ~ off sth** (fig) sensation etw (dat) die Wirkung nehmen; **that took the ~ off my appetite** das nahm mir erst einmal den Hunger; **the noise sets my teeth on ~** das Geräusch geht mir durch und durch; **to be on ~** nervös sein; **to have the ~ on sb/sth** jdm/etw (gerade noch) überlegen sein. [b] (outer limit) Rand m; (of cloth, table, of brick) Kante f; (of lake, river also) Ufer nt.
[2] vt [a] (put a border on) besetzen, einfassen. [b] **to ~ one's way towards sth** (slowly) sich allmählich auf etw (acc) zubewegen; (carefully) sich vorsichtig auf etw (acc) zubewegen; **she ~d her way through the crowd** sie schlängelte sich durch die Menge.
[3] vi sich schieben ▶ **to ~ away from sb/sth** sich allmählich immer weiter von jdm/etw entfernen; **to ~ up to sb** sich an jdn heranmachen; **he ~d past me** er schob sich an mir vorbei.
edgeways ['edʒweız] adv mit der Schmalseite voran ▶ **I couldn't get a word in ~** ich bin überhaupt nicht zu Wort gekommen.
edginess ['edʒınıs] n Nervosität f.
edging ['edʒıŋ] n Borte, Einfassung f.
edgy ['edʒı] adj (+er) person nervös.
edible ['edıbl] adj eßbar, genießbar.
edict ['i:dıkt] n Erlaß m.
edifice ['edıfıs] n Gebäude nt.
edify ['edıfaı] vt erbauen.
edifying ['edıfaııŋ] adj erbaulich.
Edinburgh ['edınbərə] n Edinburg(h) nt.
edit ['edıt] vt series, newspaper, magazine herausgeben; book, text redigieren; film, tape schneiden.
edition [ı'dıʃən] n Ausgabe f; (printing) Auflage f.
editor [edıtəʳ] n Herausgeber(in f) m; (publisher's) (Verlags)lektor(in f) m; (of newspaper) Chefredakteur(in f) m; (Film) Cutter(in f) m ▶ **political/sports ~** politischer Redakteur/Sportredakteur m.
editorial [edı'tɔ:rıəl] [1] adj redaktionell, Redaktions- ▶ **~ assistant** Redaktionsassistent(in f) m; **~ office** Redaktion f; (Publishing also) (Verlags)lektorat nt; **~ staff** Redaktion(sangestellte pl) f.
[2] n Leitartikel m.
EDP = **electronic data processing** EDV f.
EDT (US) = **Eastern Daylight Time** Sommerzeit im Osten der USA und Kanadas.
educate ['edjʊkeıt] vt erziehen; the mind schulen; one's tastes (aus)bilden ▶ **he was ~d at Eton** er ist in Eton zur Schule gegangen.
educated ['edjʊkeıtıd] adj gebildet ▶ **~ guess** wohlbegründete Vermutung.
education [ˌedjʊ'keıʃən] n Erziehung f; (studies, training) Ausbildung f; (knowledge, culture) Bildung f ▶ **College of E~** Pädagogische Hochschule; (for graduates) Studienseminar nt; **~ authority** Schulbehörde f; **(school) ~ is free** die Schulausbildung ist kostenlos.
educational [edjʊ'keıʃənl] adj pädagogisch; films, games also Lehr-; experience lehrreich ▶ **~ method** Erziehungsmethode f; **~ publisher** Schulbuchverlag m; **~ system** Erziehungswesen nt.
educationalist [ˌedjʊ'keıʃnəlıst] n Pädagoge m, Pädagogin f.

educator ['edjʊkeıtəʳ] n Pädagoge, Erzieher m.
Edwardian [ed'wɔ:dıən] adj aus der Zeit Eduards VII.
EEC = **European Economic Community** EWG f.
EEG = **electroencephalogram** EEG nt.
eel [i:l] n Aal m.
EENT (US) = **eye, ear, nose and throat** Augen und HNO.
eerie ['ıərı] adj (+er) unheimlich.
EET = **Eastern European Time** OEZ f.
efface [ı'feıs] vt auslöschen.
effect [ı'fekt] [1] n [a] (result) Wirkung f, Effekt m; (repercussion) Auswirkung f ▶ **the ~ of this is that ...** das hat zur Folge, daß ...; **to feel the ~s of an accident/of drink** die Folgen eines Unfalls/des Trinkens spüren; **to no ~** ohne Erfolg; **to have an ~ on sb/sth** eine Wirkung auf jdn/etw haben; **to take ~** (drug) wirken. [b] (impression) Wirkung f, Effekt m ▶ **to create an ~** eine Wirkung or einen Effekt erzielen; **it's all done solely for ~** das wird alles bloß des Effekts wegen getan. [c] (meaning) **an announcement to the ~ that ...** eine Erklärung des Inhalts, daß ...; **... or words to that ~ ...** oder etwas in diesem Sinne. [d] **~s pl** (property) Effekten pl; **personal ~s** persönliches Eigentum. [e] **in ~** effektiv. [f] (of laws) **to be in ~** gültig or in Kraft sein; **to come into ~** in Kraft treten; **to put sth into ~** etw in Kraft setzen.
[2] vt bewirken, herbeiführen; (form) sale tätigen.
effective [ı'fektıv] adj [a] wirksam, effektiv ▶ **to become ~** (law) in Kraft treten; (drug) wirken. [b] (creating impression) wirkungsvoll, effektvoll. [c] (real) contribution tatsächlich; profit also effektiv.
effectively [ı'fektıvlı] adv see adj [a] wirksam, effektiv. [b] wirkungsvoll. [c] (in effect) effektiv.
effectiveness [ı'fektıvnıs] n see adj [a] Wirksamkeit f. [b] Wirkung f, Effekt m.
effectual [ı'fektjʊəl] adj wirksam.
effeminate [ı'femınıt] adj weibisch.
effervesce [efə'ves] vi sprudeln.
effervescence [efə'vesns] n (lit) Sprudeln nt; (fig) überschäumendes Temperament.
effervescent [ˌefə'vesnt] adj sprudelnd; (fig) überschäumend.
effete [ı'fi:t] adj schwach; person saft- und kraftlos.
efficacious [efı'keıʃəs] adj wirksam.
efficacy ['efıkəsı] n Wirksamkeit f.
efficiency [ı'fıʃənsı] n (of person) Tüchtigkeit f; (of machine, factory) Leistungsfähigkeit f; (of method, organization) Rationalität, Effizienz (geh) f.
efficient [ı'fıʃənt] adj person fähig; worker, secretary etc also tüchtig; machine, factory, company leistungsfähig; method, organization rationell ▶ **to be ~ at sth/at doing sth** etw gut verstehen/es gut verstehen, etw zu tun; **the ~ working of a machine** das gute Funktionieren einer Maschine.
efficiently [ı'fıʃəntlı] adj gut ▶ **they handled the sale ~** sie haben den Verkauf gekonnt abgewickelt.
effigy ['efıdʒı] n Bildnis n.
effluent ['eflʊənt] n (sewage) Abwasser nt.
effort ['efət] n [a] (attempt) Bemühung f; (strain, hard work) Anstrengung, Mühe f ▶ **their ~s to reach an agreement** ihre Bemühungen um eine Einigung; **to make an ~ to do sth** sich bemühen or anstrengen, etw zu tun; **to make every possible ~ to do sth** sich (dat) die größte Mühe geben, etw zu tun; **he made no ~ to be polite** er gab sich (dat) keine Mühe, höflich zu sein; **it's an ~** es kostet einige Mühe; **if it's not too much of an ~ for you** (iro) wenn es dir nicht zu viel Mühe macht; **come on, make an ~** komm, streng dich ein bißchen an. [b] (col) **it was a poor ~** das war eine schwache Leistung; **his first ~ at making a film** sein erster Versuch, einen Film zu drehen.

effortless ['efətlɪs] *adj* mühelos; *style* flüssig.
effortlessly ['efətlɪslɪ] *adv* mühelos.
effortlessness ['efətlɪsnɪs] *n* Mühelosigkeit *f*; (*of style*) Flüssigkeit *f*.
effrontery [ɪ'frʌntərɪ] *n* Unverschämtheit *f*.
effusive *adj*, **~ly** *adv* [ɪ'fjuːsɪv, -lɪ] überschwenglich.
effusiveness [ɪ'fjuːsɪvnɪs] *n* Überschwenglichkeit *f*.
EFL = **English as a foreign language** Englisch als Fremdsprache.
EFT = **electronic funds transfer** EZV.
e.g., eg = **for example** z.B.
egalitarian [ɪ,gælɪ'teərɪən] *adj* egalitär (*geh*); *principle also* Gleichheits-.
egg [eg] *n* Ei *nt* ► *to put all one's ~s in one basket* (*fig*) alles auf eine Karte setzen; *to have ~ all over one's face* (*fig col*) dumm dastehen (*col*).
◆**egg on** *vt sep* anstacheln.
egg: **~-cup** *n* Eierbecher *m*; **~head** *n* (*pej col*) Intellektuelle(r) *mf*, Eierkopf *m* (*col*); **~-plant** *n* Aubergine *f*, **~shell** *n* Eierschale *f*; **~spoon** *n* Eierlöffel *m*; **~ timer** *n* Eieruhr *f*; **~ whisk** *n* Schneebesen *m*; **~white** *n* Eiweiß *nt*; **~ yolk** *n* Eidotter *m*, Eigelb *nt*.
ego ['iːgəʊ] *n* (*Psych*) Ego, Ich *nt*; (*col*) Selbstbewußtsein *nt*; (*conceit*) Einbildung *f* ► *this will boost his ~* das wird ihm Auftrieb geben.
egocentric(al) [egəʊ'sentrɪk(əl)] *adj* egozentrisch.
egoism ['egəʊɪzəm] *n* Egoismus *m*, Selbstsucht *f*.
egotism ['egəʊtɪzəm] *n* Egotismus *m*.
egotist ['egəʊtɪst] *n* Egotist *m*.
egotistic(al) [,egəʊ'tɪstɪk(əl)] *adj* ichbezogen.
ego-trip ['iːgəʊtrɪp] *n* (*col*) Egotrip *m* (*col*) ► *he's on one of his ~s* er gibt wieder so an.
Egypt ['iːdʒɪpt] *n* Ägypten *nt*.
Egyptian [ɪ'dʒɪpʃən] **1** *adj* ägyptisch.
2 *n* Ägypter(in *f*) *m*. **b** (*language*) Ägyptisch *nt*.
eiderdown ['aɪdədaʊn] *n* (*quilt*) Daunendecke *f*.
eight [eɪt] **1** *adj* acht.
2 *n* Acht *f*; *see* **six.**
eighteen ['eɪ'tiːn] *adj* achtzehn.
eighteenth ['eɪ'tiːnθ] *adj* achtzehnte(r, s); *see* **sixteenth.**
eighth [eɪtθ] **1** *adj* achte(r, s) ► **~ note** (*US Mus*) Achtelnote *f*.
2 *n* (*fraction*) Achtel *nt*; (*of series*) Achte(r,s); *see* **sixth.**
eightieth ['eɪtɪəθ] *adj* achtzigste(r, s); *see* **sixtieth.**
eighty ['eɪtɪ] *adj* achtzig; *see* **sixty.**
Eire ['eərə] *n* Irland *nt*.
either ['aɪðə'] **1** *adj*, *pron* **a** (*one or other*) eine(r, s) (von beiden) ► *there are two boxes, take ~* hier sind zwei Schachteln, nimm eine davon. **b** (*each, both*) jede(r, s), beide *pl* ► *~ day would suit me* beide Tage passen mir; *which bus will you take? — ~ (will do)* welchen Bus wollen Sie nehmen? — das ist egal; *on ~ side of the street* auf beiden Seiten der Straße; *it wasn't in ~ (box)* es war in keiner der beiden (Kisten); *~ way we lose out* wir machen auf jeden Fall einen Verlust.
2 *adv*, *conj* **a** (*after neg statement*) auch nicht ► *he can't act ~* schauspielern kann er auch nicht; *I haven't ~* ich auch nicht. **b** *~ ... or* entweder ... oder; (*after a negative*) weder ... noch; *~ be quiet or go out!* entweder bist du ruhig oder du gehst!; *I have never been to Paris, nor to Rome ~* ich bin bisher weder in Paris noch in Rom gewesen.
ejaculate [ɪ'dʒækjʊleɪt] *vi* aufschreien; (*Physiol*) ejakulieren.
ejaculation [ɪ,dʒækjʊ'leɪʃən] *n* (*cry*) Ausruf *m*; (*Physiol*) Ejakulation *f*, Samenerguß *m*.
eject [ɪ'dʒekt] **1** *vt heckler, tenant* hinauswerfen; *cartridge, cassette* auswerfen.
2 *vi* (*pilot*) den Schleudersitz betätigen.

ejection [ɪ'dʒekʃən] *n* Hinauswurf *m*; (*of cartridge, cassette*) Auswerfen *nt*.
ejector seat [ɪ'dʒektə,siːt] *n* (*Aviat*) Schleudersitz *m*.
eke out ['iːkaʊt] *vt sep* strecken ► *to ~ ~ a living* sich recht und schlecht durchschlagen.
EKG (*US*) = **electrocardiogram** EKG.
el [el] (*US col*) = **elevated railroad.**
elaborate [ɪ'læbərɪt] **1** *adj design, hairstyle, pattern, drawing* kunstvoll; *style* (*of writing*) *also* ausführlich, detailliert; *plan* ausgeklügelt; *preparations* kompliziert ► *an ~ meal* ein großes Menü.
2 [ɪ'læbəreɪt] *vt* (*work out*) ausarbeiten; (*describe*) ausführen.
3 [ɪ'læbəreɪt] *vi could you ~ (on that)?* könnten Sie das etwas näher ausführen?
elaborately [ɪ'læbərɪtlɪ] *adv* kunstvoll; *detailed* ausführlich.
elaboration [ɪ,læbə'reɪʃən] *n* Ausarbeitung *f*.
elapse [ɪ'læps] *vi* vergehen, verstreichen.
elastic [ɪ'læstɪk] **1** *adj* (*lit, fig*) elastisch ► *~ band* (*Brit*) Gummiband *nt*.
2 *n* Gummi(band *nt*) *m*.
elasticated [ɪ'læstɪkeɪtɪd] *adj* Elastik-.
elasticity [,iːlæs'tɪsɪtɪ] *n* Elastizität *f*.
elated [ɪ'leɪtɪd] *adj* begeistert.
elation [ɪ'leɪʃən] *n* Begeisterung *f* (*at* über +*acc*).
elbow ['elbəʊ] **1** *n* Ellbogen *m* ► *out at the ~s* an den Ellbogen durchgewetzt.
2 *vt he ~ed his way through the crowd* er boxte sich durch die Menge; *to ~ sb aside* jdn beiseite stoßen.
elbow: **~-grease** *n* (*col*) Muskelkraft *f*; **~-room** *n* (*col: lit, fig*) Ellbogenfreiheit *f* (*col*).
elder¹ ['eldə'] **1** *adj attr comp of* **old** *brother, sister* ältere(r, s) ► *~ statesman* erfahrener Staatsmann.
2 *n* **a** *respect your ~s and betters* du mußt Respekt vor Älteren haben. **b** (*of tribe, Church*) Älteste(r) *m*.
elder² ['eldə'] *n* (*Bot*) Holunder *m*.
elderberry ['eldə,berɪ] *n* Holunderbeere *f*.
elderly ['eldəlɪ] *adj* ältlich, ältere(r, s) *attr*.
eldest ['eldɪst] *adj attr superl of* **old** älteste(r, s).
elect [ɪ'lekt] **1** *vt* **a** wählen ► *he was ~ed chairman* er wurde zum Vorsitzenden gewählt. **b** (*choose*) *to ~ to do sth* sich dafür entscheiden, etw zu tun.
2 *adj the president ~* der designierte Präsident.
election [ɪ'lekʃən] *n* Wahl *f* ► *~ campaign* Wahlkampf *m*; *~ manifesto* Wahlprogramm *nt*.
electioneering [ɪ,lekʃə'nɪərɪŋ] *n* Wahlkampf *m*; (*propaganda*) Wahlpropaganda *f*.
elective [ɪ'lektɪv] **1** *adj* Wahl-; (*US: optional*) wahlfrei.
2 *n* (*US Sch*) Wahlfach *nt*.
elector [ɪ'lektə'] *n* Wähler(in *f*) *m*.
electoral [ɪ'lektərəl] *adj* Wahl- ► *~ college* Wahlmännergremium *nt*; *~ roll* Wählerverzeichnis *nt*.
electorate [ɪ'lektərɪt] *n*, Wählerschaft *f*.
electric [ɪ'lektrɪk] *adj* elektrisch; *car, vehicle etc* Elektro- ► *the atmosphere was ~* es herrschte Hochspannung; *the effect was ~* (*col*) das hatte eine elektrisierende Wirkung.
electrical [ɪ'lektrɪkəl] *adj* Elektro-, elektrisch ► *~ engineer* Elektrotechniker *m*; *~ engineering* Elektrotechnik *f*.
electrically [ɪ'lektrɪkəlɪ] *adv* elektrisch.
electric: *~* **blanket** *n* Heizdecke *f*; *~* **chair** *n* elektrischer Stuhl; *~* **cooker** *n* Elektroherd *m*; *~* **current** *n* elektrischer Strom; *~* **fire** *n* elektrisches Heizgerät.
electrician [ɪlek'trɪʃən] *n* Elektriker *m*.
electricity [ɪlek'trɪsɪtɪ] *n* Elektrizität *f*; (*electric power for use*) Strom *m* ► *to turn off the ~* den Strom abschalten.
electricity: *~* **bill** *n* Stromrechnung *f*; *~* **board** *n* (*Brit*) Elektrizitätswerk *nt*; *~* **meter** *n* Stromzähler *m*.
electric: *~* **light** *n* elektrisches Licht; *~* **locomotive** *n*

Elektrolok *f*; **~ motor** *n* Elektromotor *m*.
electrics [ɪ'lektrɪks] *npl* Elektrik *f*.
electric: ~ shock *n* elektrischer Schlag; **~ shock treatment** (Elektro)schocktherapie *f*.
electrification [ɪ,lektrɪfɪ'keɪʃən] *n* Elektrifizierung *f*.
electrify [ɪ'lektrɪfaɪ] *vt* **a** (*Rail*) elektrifizieren. **b** (*charge with electricity*) unter Strom setzen. **c** (*fig*) elektrisieren.
electrifying [ɪ'lektrɪfaɪɪŋ] *adj* (*fig*) elektrisierend.
electrocardiogram [ɪ,lektrəʊ'kɑːdɪəʊ,græm] *n* Elektrokardiogramm *nt*.
electrocute [ɪ'lektrəkjuːt] *vt* durch einen (Strom)schlag töten; (*execute*) auf dem elektrischen Stuhl hinrichten.
electrocution [ɪ,lektrə'kjuːʃən] *n* Tötung *f* durch Stromschlag; (*execution*) Hinrichtung *f* auf dem elektrischen Stuhl.
electrode [ɪ'lektrəʊd] *n* Elektrode *f*.
electrolysis [ɪlek'trɒlɪsɪs] *n* Elektrolyse *f*.
electromagnetic [ɪ'lektrəʊmæg'netɪk] *adj* elektromagnetisch.
electron [ɪ'lektrɒn] *n* Elektron *nt* ▶ **~ microscope** Elektronenmikroskop *nt*.
electronic [ɪlek'trɒnɪk] *adj* elektronisch ▶ **~ banking** elektronischer Geldverkehr; **~ data processing** elektronische Datenverarbeitung; **~ flash (unit)** (*Phot*) Elektronenblitz(gerät *nt*) *m*; **~ mail** elektronische Post; **~ mailbox** elektronischer Briefkasten.
electronics [ɪlek'trɒnɪks] *n* Elektronik *f*.
electroplated [ɪ'lektrəʊpleɪtɪd] *adj* (galvanisch) versilbert/verchromt *etc*.
elegance ['elɪgəns] *n* Eleganz *f*.
elegant *adj*, **~ly** *adv* ['elɪgənt, -lɪ] elegant.
elegiac [,elɪ'dʒaɪək] *adj* elegisch.
elegy ['elɪdʒɪ] *n* Elegie *f*.
element ['elɪmənt] *n* (*also Elec*) Element *nt*; (*usu pl: of a subject also*) Grundbegriff *m* ▶ **the ~ of chance** das Zufallselement; **there's an ~ of danger** es besteht eine gewisse Gefahr dabei; **to be in one's ~** in seinem Element sein; **to be out of one's ~** (*with people*) sich fehl am Platz fühlen; (*with subject*) sich nicht auskennen.
elementary [,elɪ'mentərɪ] *adj* **a** (*simple*) einfach, elementar. **b** (*basic*) elementar, Grund- ▶ **~ course** Grundkurs *m*.

┌─────────────────────────┐
│ *ELEMENTARY SCHOOL* │
└─────────────────────────┘

ⓘ *Elementary School ist in den USA und Kanada eine Grundschule, an der ein Kind die ersten sechs bis acht Schuljahre verbringt. In den USA heißt diese Schule auch grade school oder grammar school. Siehe auch* **high school**.

elephant ['elɪfənt] *n* Elefant *m*.
elevate ['elɪveɪt] *vt* **a** heben. **b** *elevating reading* erbauliche Lektüre.
elevated ['elɪveɪtɪd] *adj* **a** *position* hoch(liegend), höher; *platform* erhöht ▶ **~ railway** or (*US*) **railroad** Hochbahn *f*. **b** (*fig*) *position, style* gehoben; *thoughts* erhaben.
elevation [,elɪ'veɪʃən] *n* **a** (*lit*) Hebung *f*. **b** (*of thought*) Erhabenheit *f*; (*of position, style*) Gehobenheit *f*. **c** (*above sea level*) Höhe *f* über dem Meeresspiegel; (*hill*) Anhöhe *f*. **d** (*Archit: drawing*) Aufriß *m* ▶ **front ~** Frontansicht *f*.
elevator ['elɪveɪtər] *n* (*US*) Fahrstuhl, Aufzug *m*.
eleven [ɪ'levn] **1** *n* **a** (*number*) Elf *f*. **b** (*Sport*) Elf *f* ▶ **the second ~** die zweite Mannschaft. **2** *adj* elf; *see* **six**.
elevenses [ɪ'levnzɪz] *n sing* or *pl* (*Brit*) zweites Frühstück.
eleventh [ɪ'levnθ] *adj* elfte(r, s) ▶ **at the ~ hour** (*fig*) in

letzter Minute; *see* **sixth**.
elf [elf] *n, pl* **elves** Elf *m*, Elfe *f*; (*mischievous*) Kobold *m*.
elicit [ɪ'lɪsɪt] *vt* entlocken (*from sb* jdm).
eligibility [,elɪdʒə'bɪlɪtɪ] *n* Berechtigung *f* ▶ **graded in order of ~** nach Eignung geordnet.
eligible ['elɪdʒəbl] *adj* in Frage kommend; (*for competition etc also*) teilnahmeberechtigt; (*for grants etc also*) berechtigt; (*for membership*) aufnahmeberechtigt ▶ **an ~ bachelor** ein begehrter Junggeselle.
eliminate [ɪ'lɪmɪneɪt] *vt* **a** ausschließen; *competitor* ausschalten ▶ **our team was ~d in the second round** unsere Mannschaft schied in der zweiten Runde aus. **b** (*kill*) ausschalten, eliminieren.
elimination [ɪ,lɪmɪ'neɪʃən] *n see vt* **a** Ausschluß *m*; Ausschaltung *f* ▶ **by (a) process of ~** durch negative Auslese. **b** Ausschaltung, Eliminierung *f*.
élite [eɪ'liːt] *n* Elite *f*.
élitism [eɪ'liːtɪzəm] *n* Elitedenken *nt*.
élitist [eɪ'liːtɪst] *adj* elitär.
elixir [ɪ'lɪksər] *n* Elixier *nt*, Auszug *m*.
Elizabethan [ɪ,lɪzə'biːθən] *adj* elisabethanisch.
elk [elk] *n* Elch *m*.
ellipse [ɪ'lɪps] *n* Ellipse *f*.
elliptic(al) [ɪ'lɪptɪk(əl)] *adj* elliptisch.
elm [elm] *n* Ulme *f*.
elocution [,elə'kjuːʃən] *n* Sprechtechnik *f* ▶ **~ classes** Sprecherziehung *f*.
elongate ['iːlɒŋgeɪt] *vt* verlängern.
elope [ɪ'ləʊp] *vi* durchbrennen (*col*).
elopement [ɪ'ləʊpmənt] *n* Durchbrennen *nt* (*col*).
eloquence ['eləkwəns] *n see adj* Wortgewandtheit *f*; Wohlgesetztheit *f*; Beredtheit *f*.
eloquent ['eləkwənt] *adj* wortgewandt; *speech* wohlgesetzt; (*fig*) *gesture* beredt, vielsagend.
else [els] *adv* **a** (*after pron*) andere(r, s) ▶ **anybody ~?** (*in addition*) sonst (noch) jemand?; **anybody ~ would have done it** jeder andere hätte es gemacht; **somebody ~** (*in addition*) sonst jemand; (*somebody different*) jemand anders; **I don't know anybody ~** ich kenne sonst niemanden; **have you anything ~?** haben Sie sonst noch etwas?; **something ~** sonst etwas; etwas anderes; **anywhere ~** sonstwo; **but they haven't got anywhere ~ to go** aber sie können sonst nirgendwo hingehen; **somewhere ~** woanders, anderswo; (*with motion*) woandershin, anderswohin.
b (*after pron, neg*) **nobody ~, no one ~** sonst niemand, niemand anders; **nobody ~ understood** niemand anders hat es verstanden; **nothing ~** sonst nichts, nichts anderes; **nothing ~, thank you** danke, nichts weiter; **nowhere ~** sonst nirgends, nirgendwo anders; **there's nothing ~ for it but to go** da hilft nichts, ich muß gehen.
c (*after interrog*) **where ~?** wo sonst?; **who ~?** wer sonst?; **what ~?** was sonst?; **what ~ could I do?** was konnte ich sonst tun?
d (*adv of quantity*) **and much ~** und vieles andere; **there is little ~ to be done** da bleibt nicht viel zu tun übrig.
e (*otherwise, if not*) sonst, andernfalls ▶ **do it now (or) ~ you'll be punished** tu es jetzt oder es setzt Strafe; **you better had, or ~ ...!** mach das bloß, sonst ...!
elsewhere [,els'weər] *adv* woanders, anderswo; (*to another place*) woandershin, anderswohin ▶ **in Wales and ~** unter anderem in Wales.
ELT = **English Language Teaching** englischer Sprachunterricht.
elucidate [ɪ'luːsɪdeɪt] *vt text* erklären; *mystery* aufklären.
elucidation [ɪ,luːsɪ'deɪʃən] *n see vt* Erklärung *f*; Aufklärung *f*.
elude [ɪ'luːd] *vt observation, justice* sich entziehen (+*dat*); *question* ausweichen (+*dat*); *police, enemy* entkommen

(+dat) ► **success has ~d him** der Erfolg wollte sich nicht einstellen.

elusive [ɪ'luːsɪv] adj schwer faßbar; concept, meaning also schwer definierbar; thoughts, memory flüchtig; happiness unerreichbar; answer ausweichend; person schwer zu erreichen; animal, criminal schwer zu fangen.

elves [elvz] pl of **elf**.

emaciated [ɪ'meɪsɪeɪtɪd] adj ausgezehrt.

emanate ['eməneɪt] vi ausgehen (from von); (light also) ausstrahlen (from von); (documents, instructions etc) stammen (from aus).

emancipate [ɪ'mænsɪpeɪt] vt (lit, fig) emanzipieren.

emancipated [ɪ'mænsɪpeɪtɪd] adj (lit, fig) emanzipiert.

emancipation [ɪˌmænsɪ'peɪʃən] n (lit, fig) Emanzipation f.

embalm [ɪm'bɑːm] vt corpse einbalsamieren.

embankment [ɪm'bæŋkmənt] n Böschung f; (for railway) Bahndamm m; (holding back water) Deich m; (road beside a river) Uferstraße f.

embargo [ɪm'bɑːgəʊ] n, pl **-es** Embargo nt ► **to put an ~ on sth** ein Embargo über etw (acc) verhängen.

embark [ɪm'bɑːk] [1] vt einschiffen.
[2] vi [a] (Naut) sich einschiffen; (troops) eingeschifft werden. [b] (fig) **to ~ up(on) sth** mit etw anfangen.

embarkation [ˌembɑː'keɪʃən] n Einschiffung f ► ~ **papers** Bordpapiere pl.

embarrass [ɪm'bærəs] vt in Verlegenheit bringen; (generosity etc also) beschämen ► **I feel so ~ed about it** das ist mir so peinlich; **she was ~ed by the question** die Frage war ihr peinlich.

embarrassed [ɪm'bærəst] adj verlegen.

embarrassing [ɪm'bærəsɪŋ] adj peinlich.

embarrassment [ɪm'bærəsmənt] n Verlegenheit f ► **to cause ~ to sb** jdn in Verlegenheit bringen; **much to my ~ she ...** sie ..., was mir sehr peinlich war; **financial ~** finanzielle Verlegenheit.

embassy ['embəsɪ] n Botschaft f.

embedded [ɪm'bedɪd] adj (also Comp) eingebettet ► **~ in concrete** einbetoniert; **the screws were so firmly ~ that ...** die Schrauben steckten so fest, daß ...; **to be ~ in sth** (fig) fest in etw (dat) verwurzelt sein.

embellish [ɪm'belɪʃ] vt (adorn) schmücken; (fig) tale, account ausschmücken; truth beschönigen.

embellishment [ɪm'belɪʃmənt] n Schmuck m; (act) Verschönerung f.

embers ['embəz] npl Glut f.

embezzle [ɪm'bezl] vt unterschlagen.

embezzlement [ɪm'bezlmənt] n Unterschlagung f.

embittered [ɪm'bɪtəd] adj person verbittert; relations vergiftet.

emblem ['embləm] n Emblem nt.

embodiment [ɪm'bɒdɪmənt] n Verkörperung f ► **to be the ~ of virtue** die Tugend in Person sein.

embody [ɪm'bɒdɪ] vt [a] ideal etc verkörpern. [b] (include) enthalten.

embolism ['embəlɪzəm] n (Med) Embolie f.

emboss [ɪm'bɒs] vt metal, leather prägen ► **~ed wallpaper** Prägetapete f; **an ~ed silver tray** ein Silbertablett mit Relief.

embrace [ɪm'breɪs] [1] vt [a] (hug) umarmen, in die Arme schließen. [b] religion annehmen; cause sich annehmen (+gen). [c] (include) umfassen, erfassen.
[2] vi sich umarmen.
[3] n Umarmung f.

embroider [ɪm'brɔɪdəʳ] vt [a] besticken; pattern sticken. [b] (fig) facts, truth ausschmücken.

embroidery [ɪm'brɔɪdərɪ] n [a] Stickerei f. [b] (fig) Ausschmückungen pl.

embroil [ɪm'brɔɪl] vt **to become ~ed in a dispute** in einen Streit verwickelt werden.

embryo ['embrɪəʊ] n (lit, fig) Embryo m; (fig) Keim m ►

in ~ (lit, fig) im Keim.

embryonic [ˌembrɪ'ɒnɪk] adj embryonisch; (fig) keimhaft.

emend [ɪ'mend] vt text verbessern, korrigieren.

emerald ['emərəld] [1] n (stone) Smaragd m; (colour) Smaragdgrün nt.
[2] adj Smaragd- ► **the E~ Isle** die Grüne Insel.

emerge [ɪ'mɜːdʒ] vi [a] auftauchen ► **he ~d the winner** er ging als Sieger hervor; **we ~d into the bright daylight** wir kamen heraus in das helle Tageslicht; **one arm ~d from beneath the blanket** ein Arm kam unter der Decke hervor. [b] (come into being: life, new nation) entstehen. [c] (truth, nature of problem etc) sich herausstellen ► **it now ~s that ...** es stellt sich jetzt heraus, daß ...

emergence [ɪ'mɜːdʒəns] n Auftauchen nt; (of new nation etc) Entstehung f; (of school of thought) Aufkommen nt.

emergency [ɪ'mɜːdʒənsɪ] n Notfall m; (state of ~) Notlage f ► **in case of ~** im Notfall; **to declare a state of ~** den Notstand ausrufen.

emergency in cpds Not-; ~ **brake** n Notbremse f; ~ **exit** n Notausgang m; ~ **landing** n Notlandung f; ~ **lane** n (US) Seitenstreifen m; ~ **rations** npl Notverpflegung f, ~ **room** n (US) Unfallstation f; ~ **service** n Notdienst m; ~ **session** n Krisensitzung f; ~ **stop** n (Aut) Vollbremsung f; ~ **ward** n Unfallstation f.

emergent [ɪ'mɜːdʒənt] adj nations aufstrebend.

emery ['emərɪ] ~ **board** n Papiernagelfeile f; ~ **paper** n Schmirgelpapier nt.

emetic [ɪ'metɪk] n Brechmittel nt.

emigrant ['emɪgrənt] n Auswanderer m; (esp for political reasons) Emigrant(in f) m.

emigrate ['emɪgreɪt] vi auswandern; (esp for political reasons) emigrieren.

emigration [ˌemɪ'greɪʃən] n Auswanderung f; (esp for political reasons) Emigration f.

émigré ['emɪgreɪ] n Emigrant(in f) m.

eminence ['emɪnəns] n [a] (distinction) hohes Ansehen. [b] (form: of ground) Erhebung f. [c] (Eccl) **His/Your E~** Seine/Eure Eminenz.

eminent ['emɪnənt] adj person (hoch)angesehen; suitability, fairness ausgesprochen, eminent.

eminently ['emɪnəntlɪ] adv ausgesprochen.

emissary ['emɪsərɪ] n Abgesandte(r) mf.

emission [ɪ'mɪʃən] n Ausstrahlung f; (of heat also, of sound, smoke) Abgabe f; (of liquid) Ausströmen nt; (of lava) Ausstoßen nt ► ~ **control** (Aut) Schadstoffbegrenzung f.

emit [ɪ'mɪt] vt light ausstrahlen; radiation also emittieren; heat also, sound, smoke abgeben; lava, cry ausstoßen.

emotion [ɪ'məʊʃən] n [a] Gefühl nt, Emotion f. [b] no pl (state of being moved) Bewegtheit f ► **to show no ~** unbewegt bleiben; **in a voice full of ~** mit bewegter Stimme.

emotional [ɪ'məʊʃənl] adj [a] emotional, emotionell; story, film, speech also gefühlsbetont; moment, writing also gefühlvoll; decision also gefühlsmäßig; day, experience erregend; letter erregt ► ~ **state** Zustand m der Erregung; **it has an ~ appeal** es appelliert an das Gefühl. [b] person (leicht) erregbar, emotional ► **don't get so ~ about it** reg dich nicht so darüber auf.

emotionalism [ɪ'məʊʃnəlɪzəm] n Gefühlsbetontheit f ► **the article was sheer ~** der Artikel war reine Gefühlsduselei.

emotionally [ɪ'məʊʃnəlɪ] adv behave, react gefühlsmäßig, emotional; (with feeling) speak gefühlvoll; (showing one is upset) erregt ► **an ~ deprived child** ein Kind nt ohne Nestwärme; **to be ~ disturbed** seelisch gestört sein; **I don't want to get ~ involved (with her)** ich will mich (bei ihr) nicht ernsthaft engagieren.

emotive [ɪ'məʊtɪv] *adj* gefühlsbetont; *word also* emotional gefärbt; *force of a word* emotional.
empathy ['empəθɪ] *n* Einfühlungsvermögen *nt*.
emperor ['empərəʳ] *n* Kaiser *m*.
emphasis ['emfəsɪs] *n* Betonung *f* ▶ *to say sth with* ~ etw mit Nachdruck betonen; *to lay* ~ *or put the* ~ *on sth* etw betonen; *this year the* ~ *is on* ... dieses Jahr liegt der Akzent auf ...; *there is too much* ~ *on* ... ... wird zu sehr betont; *a change of* ~ eine Akzentverschiebung.
emphasize ['emfəsaɪz] *vt* betonen.
emphatic [ɪm'fætɪk] *adj tone, manner* nachdrücklich, entschieden; *denial also* energisch.
emphatically [ɪm'fætɪkəlɪ] *adv state* mit Nachdruck, ausdrücklich; *deny, refuse* strikt, energisch ▶ *most* ~ *not* auf gar keinen Fall.
empire ['empaɪəʳ] *n* Reich *nt*; (*fig: esp Comm*) Imperium *nt*.
empirical [em'pɪrɪkəl] *adj* empirisch.
employ [ɪm'plɔɪ] *vt* a beschäftigen; (*take on*) anstellen; *private detective* beauftragen ▶ *he's* ~*ed in a bank* er ist bei einer Bank angestellt. b (*use*) *method* anwenden; *time* verbringen.
employee [ˌɪmplɔɪ'iː] *n* Angestellte(r) *mf* ▶ ~*s and employers* Arbeitnehmer und Arbeitgeber; *the* ~*s* (*of one firm*) die Belegschaft.
employer [ɪm'plɔɪəʳ] *n* Arbeitgeber(in *f*) *m*.
employment [ɪm'plɔɪmənt] *n* a (*work*) Stellung, Arbeit *f* ▶ *to take up* ~ *with sb* eine Stelle bei jdm annehmen; *to seek* ~ *with sb* sich bei jdm bewerben; *to be in* ~ angestellt sein; *place of* ~ Arbeitsplatz *m*. b (*act of employing*) Beschäftigung *f*; (*taking on*) Einstellen *nt*. c (*use: of method*) Anwendung *f*; (*of word*) Verwendung *f*.
employment: ~ **agency** *n* Stellenvermittlung *f*; ~ **exchange** (*dated*) *n* Arbeitsamt *nt*; ~ **law** *n* Arbeitsrecht *nt*; ~ **office** *n* Arbeitsamt *nt*.
empower [ɪm'paʊəʳ] *vt to* ~ *sb to do sth* jdn ermächtigen, etw zu tun.
empress ['emprɪs] *n* Kaiserin *f*.
empties ['emptɪz] *npl* (*bottles*) leere Flaschen; (*any containers*) Leergut *nt*.
emptiness ['emptɪnɪs] *n* Leere *f*.
empty ['emptɪ] 1 *adj* (+*er*) leer; (*not occupied*) *house* leerstehend *attr*, leer *pred*, hohl.
 2 *vt* leeren; *box, room also* ausräumen; *house* räumen; *glass, bottle also* (*by drinking*) austrinken ▶ *he emptied it into another container* er goß es in ein anderes Gefäß um.
 3 *vi* (*water*) abfließen; (*rivers*) münden (*into* in +*acc*); (*theatre, streets*) sich leeren.
empty: ~**-handed** *adj to return* ~**-handed** mit leeren Händen zurückkehren; ~**-headed** *adj* strohdumm.
EMS = **European Monetary System** EWS *nt*.
emu ['iːmjuː] *n* Emu *m*.
EMU = **European Monetary Union** EWU *f*.
emulate ['emjʊleɪt] *vt* nacheifern (+*dat*).
emulation [ˌemjʊ'leɪʃən] *n* Nacheiferung *f*; (*Comp*) Emulation *f*.
emulsion [ɪ'mʌlʃən] *n* a Emulsion *f*. b (*also* ~ *paint*) Dispersionsfarbe *f*.
enable [ɪ'neɪbl] *vt to* ~ *sb to do sth* es jdm ermöglichen, etw zu tun.
enact [ɪ'nækt] *vt* a (*Pol*) *law* erlassen. b (*perform*) *play* aufführen ▶ *the drama which was* ~*ed yesterday* (*fig*) das Drama, das sich gestern abgespielt hat.
enamel [ɪ'næməl] 1 *n* Emaille *f*; (~ *paint*) Emaillelack *m*; (*of teeth*) Zahnschmelz *m*.
 2 *vt* emaillieren.
encampment [ɪn'kæmpmənt] *n* Lager *nt*.
encase [ɪn'keɪs] *vt* verkleiden (*in* mit); *wires, pipes* um-

geben (*in* mit).
encash [ɪn'kæʃ] *vt cheque etc* einlösen.
enchant [ɪn'tʃɑːnt] *vt* a (*delight*) bezaubern, entzücken. b (*put under spell*) verzaubern.
enchanting [ɪn'tʃɑːntɪŋ] *adj* bezaubernd.
enchantment [ɪn'tʃɑːntmənt] *n* a (*delight*) Entzücken *nt*. b (*charm*) Zauber *m*.
enchantress [ɪn'tʃɑːntrɪs] *n* Zauberin *f*.
encircle [ɪn'sɜːkl] *vt* umgeben, umfassen; (*troops*) einkreisen; *building* umstellen.
enc(l) = **enclosure(s)** Anl.
enclave ['enkleɪv] *n* Enklave *f*.
enclose [ɪn'kləʊz] *vt* a (*shut in*) einschließen; (*surround*) umgeben; (*with fence etc*) einzäunen ▶ *the garden is completely* ~*d* der Garten ist völlig abgeschlossen. b (*in envelope*) beilegen, beifügen ▶ *please find* ~*d* ... in der Anlage übersenden wir Ihnen ...; *to* ~ *sth in a letter* einem Brief etw beilegen; *the* ~*d cheque* der beiliegende Scheck.
enclosure [ɪn'kləʊʒəʳ] *n* a (*for animals*) Gehege *nt*; (*on racecourse*) Zuschauerbereich *m*. b (*act*) Einzäunung *f*. c (*with letter*) Anlage *f*. d (*for loudspeaker*) Box *f*.
encode [ɪn'kəʊd] *vt* (*also Comp*) kodieren.
encoder [ɪn'kəʊdəʳ] *n* (*also Comp*) Kodierer *m*, Kodiergerät *nt*.
encompass [ɪn'kʌmpəs] *vt* (*include*) umfassen.
encore ['ɒŋkɔːʳ] 1 *interj* da capo, Zugabe.
 2 *n* Zugabe *f* ▶ *to give an* ~ eine Zugabe spielen/singen.
encounter [ɪn'kaʊntəʳ] 1 *vt* stoßen auf (+*acc*); (*liter*) *person* begegnen (+*dat*), treffen.
 2 *n* Begegnung *f*, Treffen *nt*; (*in battle*) Zusammenstoß *m*.
encourage [ɪn'kʌrɪdʒ] *vt person* ermutigen, ermuntern (*to* zu); (*motivate*) anregen; *arts, industry* fördern; *team* anfeuern; *sb's bad habits* unterstützen ▶ *you'll only* ~ *him to think there's still hope* er wird dann nur noch eher glauben, daß noch Hoffnung besteht; *this* ~*s me to think that* ... das läßt mich vermuten, daß ...
encouragement [ɪn'kʌrɪdʒmənt] *n* Ermutigung *f*, Ermunterung *f*; (*motivation*) Anregung *f*; (*support*) Unterstützung, Förderung *f* ▶ *to give sb* ~ jdn ermuntern.
encouraging [ɪn'kʌrɪdʒɪŋ] *adj* ermutigend ▶ *you are not very* ~ du machst mir/uns *etc* nicht gerade Mut.
encroach [ɪn'krəʊtʃ] *vi to* ~ (*up*)*on land* vordringen in (+*acc*); *sphere, rights* eingreifen in (+*acc*); *time* in Anspruch nehmen.
encrusted [ɪn'krʌstɪd] verkrustet; (*with pearls etc*) besetzt.
encumber [ɪn'kʌmbəʳ] *vt to be* ~*ed with sth* (*person*) mit etw beladen sein; *with debts* mit etw belastet sein; (*room*) mit etw überladen sein.
encumbrance [ɪn'kʌmbrəns] *n* (*also Jur*) Belastung *f*.
encyclop(a)edia [ɪnˌsaɪkləʊ'piːdɪə] *n* Lexikon *nt*, Enzyklopädie *f*.
encyclop(a)edic [ɪnˌsaɪkləʊ'piːdɪk] *adj* enzyklopädisch.
end [end] 1 *n* a Ende *nt*; (*of finger*) Spitze *f* ▶ *at the* ~ *of the procession* am Schluß der Prozession; *the fourth from the* ~ (*from the back*) der/die/das vierte von hinten; (*from the side*) der/die/das vierte von links/rechts; *from* ~ *to* ~ von einem Ende zum anderen; *to stand on* ~ (*box etc*) hochkant stehen; (*hair*) zu Berge stehen; *for hours on* ~ stundenlang ununterbrochen; ~ *to* ~ mit den Enden aneinander; *to change* ~*s* (*Sport*) die Seiten wechseln; *to make* ~*s meet* (*fig*) zurechtkommen, sich über Wasser halten; *we've got some problems at this* ~ wir haben hier *or* bei uns einige Probleme.
 b (*remnant*) (*of rope*) Ende *nt*; (*of candle, cigarette*) Stummel *m*.

c (*conclusion*) Ende *nt* ▸ *the ~ of the month* das Monatsende; *at/towards the ~ of December* Ende/ gegen Ende Dezember; *is there no ~ to this?* hört das denn nie auf?; *we shall never hear the ~ of it* das werden wir noch lange zu hören kriegen; *to be at an ~* zu Ende sein; *to be at the ~ of one's patience* mit seiner Geduld am Ende sein; *to see a film/read a book to the ~* einen Film/ein Buch bis zu Ende sehen/lesen; *that's the ~ of him* er ist erledigt; *that's the ~ of that* das ist damit erledigt; *to come to an ~* zu Ende gehen; *in the ~* schließlich, zum Schluß; *to put an ~ to sth* einer Sache (*dat*) ein Ende setzen; *to come to a bad ~* ein böses Ende nehmen; *to meet one's ~* den Tod finden.

d (*col phrases*) *no ~ of famous people* unheimlich viele berühmte Leute (*col*); *it's done him no ~ of harm* es hat ihm irrsinnig geschadet (*col*); *to think no ~ of sb* große Stücke auf jdn halten; *you're the ~* du bist wirklich das Letzte.

e (*purpose*) Ziel *nt*, Zweck *m* ▸ *with this ~ in view* mit diesem Ziel vor Augen; *an ~ in itself* Selbstzweck *no art*; *the ~ justifies the means* (*prov*) der Zweck heiligt die Mittel (*prov*).

2 *adj attr* letzte(r, s); *house also* End-.

3 *vt* beenden; *speech, broadcast, series also*, *one's days* beschließen ▸ *the novel to ~ all novels* der größte Roman aller Zeiten.

4 *vi* enden ▸ *we'll have to ~ soon* wir müssen bald Schluß machen; *to be ~ing* zu Ende gehen; *where's it all going to ~?* wo soll das nur enden?

◆**end up** *vi* enden, landen (*col*) ▸ *to ~ ~ doing sth* schließlich etw tun; *to ~ ~ as a lawyer/an alcoholic* schließlich Rechtsanwalt werden/als Alkoholiker enden.

endanger [ɪnˈdeɪndʒəʳ] *vt* gefährden ▸ *~ed species* vom Aussterben bedrohte Art.

endear [ɪnˈdɪəʳ] *vt* beliebt machen (*to* bei).

endearing [ɪnˈdɪərɪŋ] *adj smile, personality* gewinnend; *characteristic also* liebenswert.

endearment [ɪnˈdɪəmənt] *n term of ~* Kosename *m*.

endeavour , (*US*) **endeavor** [ɪnˈdevəʳ] **1** *n* Anstrengung, Bemühung *f* ▸ *to make every ~ to do sth* sich nach Kräften bemühen, etw zu tun. **2** *vt* sich bemühen.

endemic [enˈdemɪk] *adj* (*lit, fig*) endemisch.

ending [ˈendɪŋ] *n* (*of book, events*) Ausgang *m*; (*last part*) Ende *nt*, Schluß *m*; (*of word*) Endung *f* ▸ *happy ~* Happy-End *nt*.

endive [ˈendaɪv] *n* Endiviensalat *m*.

endless [ˈendlɪs] *adj* endlos; *possibilities* unendlich ▸ *this job is ~* diese Arbeit nimmt kein Ende.

endlessly [ˈendlɪslɪ] *adv* endlos; (*ceaselessly*) unaufhörlich.

endorse [ɪnˈdɔːs] *vt* **a** *cheque* auf der Rückseite unterzeichnen. **b** (*Brit*) *driving licence* einen Strafvermerk machen auf (+*dat*). **c** (*approve*) billigen ▸ *I ~ that* dem stimme ich zu.

endorsement [ɪnˈdɔːsmənt] *n* **a** (*on cheque*) Indossament *nt*. **b** (*Brit: on driving licence*) Strafvermerk *m* auf den Führerschein. **c** (*of opinion*) Billigung *f*.

endoscopy [enˈdɒskəpɪ] *n* Endoskopie *f*.

endow [ɪnˈdaʊ] *vt institution* eine Stiftung machen an (*acc*); *prize* stiften ▸ *~ed with sth* (*fig: with characteristic*) mit etw ausgestattet.

endowment [ɪnˈdaʊmənt] *n* **a** Stiftung *f*. **b** (*talent*) Begabung *f*; (*physical*) Merkmal *nt* ▸ *~ assurance* Erlebensversicherung *f*; *with-profits ~ assurance* Versicherung *f* auf den Erlebensfall mit Gewinnbeteiligung; *~ mortgage* Hypothek *f* mit Lebensversicherung; *~ policy* Lebensversicherungspolice *f*.

end: ~product *n* Endprodukt *nt*; (*fig*) Produkt *nt*; *~ result* *n* Endergebnis *nt*.

endurable [ɪnˈdjʊərəbl] *adj* erträglich.

endurance [ɪnˈdjʊərəns] *n* (*powers of ~*) Durchhaltevermögen *nt* ▸ *tried beyond ~* über die Maßen gereizt; *~ test* Belastungsprobe *f*.

endure [ɪnˈdjʊəʳ] **1** *vt* **a** (*undergo*) *pain, insults* (er)leiden. **b** (*put up with*) ertragen ▸ *she can't ~ being laughed at* sie kann es nicht vertragen, wenn man über sie lacht. **2** *vi* Bestand haben.

enduring [ɪnˈdjʊərɪŋ] *adj value, fame* bleibend; *friendship, peace* dauerhaft; *hardship* anhaltend.

end user *n* (*esp Comp*) Endbenutzer *m*.

enemy [ˈenəmɪ] **1** *n* (*lit, fig*) Feind *m* ▸ *to make enemies* sich (*dat*) Feinde machen; *he is his own worst ~* er schadet sich (*dat*) selbst am meisten. **2** *adj attr* feindlich; *position, advance, morale* des Feindes ▸ *~ action* Feindeinwirkung *f*.

energetic [ˌenəˈdʒetɪk] *adj* voller Energie, energiegeladen; (*active*) aktiv; *manager, government* tatkräftig; *dancing, music, prose* schwungvoll; *protest, denial* energisch ▸ *she is a very ~ person* sie steckt voller Energie.

energetically [ˌenəˈdʒetɪkəlɪ] *adv* voller Energie; *dance, perform* schwungvoll; *protest, say* energisch.

energize [ˈenədʒaɪz] *vt* Antrieb geben (+*dat*); (*Elec*) unter Strom setzen.

energy [ˈenədʒɪ] *n* Energie *f*, *~ crisis* *n* Energiekrise *f*; *~ industry* *n* Energiewirtschaft *f*; *~-saving* *adj* energiesparend; *~ source* *n* Energiequelle *f*.

enervate [ˈenəveɪt] *vt* entkräften.

enervating [ˈenəveɪtɪŋ] *adj* strapaziös.

enfeeble [ɪnˈfiːbl] *vt* schwächen.

enforce [ɪnˈfɔːs] *vt* durchführen; *one's claims, rights* geltend machen; *silence, discipline* sorgen für, schaffen; *obedience* sich (*dat*) verschaffen ▸ *the police ~ the law* die Polizei sorgt für die Einhaltung der Gesetze.

enforcement [ɪnˈfɔːsmənt] *n* Durchführung *f*.

enfranchise [ɪnˈfræntʃaɪz] *vt* (*Pol*) das Wahlrecht erteilen (+*dat*).

engage [ɪnˈgeɪdʒ] **1** *vt* **a** *workers* einstellen; *actor* engagieren; *lawyer* sich (*dat*) nehmen. **b** *the attention* in Anspruch nehmen ▸ *to ~ sb in conversation* jdn in ein Gespräch verwickeln. **c** *the enemy* angreifen. **d** (*Tech*) *gears* ineinandergreifen lassen ▸ *to ~ a gear* einen Gang einlegen; *to ~ the clutch* (ein)kuppeln. **2** *vi* *to ~ in sth* sich an etw (*dat*) beteiligen; *to ~ in politics* sich politisch betätigen. **b** (*gears*) ineinandergreifen; (*clutch*) fassen.

▼ **engaged** [ɪnˈgeɪdʒd] *adj* **a** verlobt ▸ *to get ~* sich verloben (*to* mit); *the ~ couple* die Verlobten *pl*. **b** (*occupied*) beschäftigt. **c** *the parties ~ in this dispute* die streitenden Parteien. **d** (*Brit*) *toilet, phone* besetzt ▸ *~ tone* Besetztzeichen *nt*.

engagement [ɪnˈgeɪdʒmənt] *n* **a** (*appointment*) Verabredung *f*; (*of actor etc*) Engagement *nt* ▸ *I have a previous ~* ich bin schon anderweitig verpflichtet; *public ~s* öffentliche Verpflichtungen *pl*. **b** (*to marry*) Verlobung *f* ▸ *~ ring* Verlobungsring *m*. **c** (*form: undertaking*) Verpflichtung *f*. **d** (*Mil*) Gefecht *nt*.

engaging [ɪnˈgeɪdʒɪŋ] *adj personality* einnehmend; *smile, look, tone* gewinnend.

engender [ɪnˈdʒendəʳ] *vt* (*fig*) erzeugen.

engine [ˈendʒɪn] *n* **a** Maschine *f*; (*of car, plane etc*) Motor *m*; (*jet ~*) Triebwerk *nt*. **b** (*Rail*) Lokomotive, Lok *f*.

engine driver *n* (*Brit*) Lok(omotiv)führer(in *f*) *m*.

engineer [ˌendʒɪˈnɪəʳ] **1** *n* **a** Techniker(in *f*) *m*; (*with university degree etc*) Ingenieur(in *f*) *m* ▸ *the E~s* (*Mil*) die Pioniere *pl*. **b** (*Naut: on merchant ships*) Maschinist *m*; (*in Navy*) Schiffsingenieur *m*. **c** (*US Rail*) Lokführer(in *f*) *m*. **2** *vt* **a** konstruieren. **b** (*fig*) *election, campaign* organisieren; *downfall* einfädeln.

engineering [ˌendʒɪˈnɪərɪŋ] *n* [a] Technik *f*; (*mechanical* ~) Maschinenbau *m*; (*engineering profession*) Ingenieurwesen *nt*. [b] (*design*) Konstruktion *f*.

engine: ~ **failure** *n* Maschinenschaden *m*; (*Aut*) Motorschaden *m*; ~ **room** *n* (*Naut*) Maschinenraum *m*; ~ **trouble** *n* Defekt *m* am Motor.

England [ˈɪŋɡlənd] *n* England *nt*.

English [ˈɪŋɡlɪʃ] [1] *adj* englisch ▸ *he is* ~ er ist Engländer.

[2] *n* [a] *the* ~ *pl* die Engländer *pl.* [b] Englisch *nt*; (*as university subject*) Anglistik *f* ▸ *can you speak* ~*?* können Sie Englisch?; *he doesn't speak* ~ er spricht kein Englisch; *they were speaking* ~ sie sprachen englisch; *in* ~ auf englisch; *to translate sth into/from (the)* ~ etw ins Englische/aus dem Englischen übersetzen.

English: ~ **Channel** *n* Ärmelkanal *m*; ~**man** *n* Engländer *m*; ~**speaker** *n* Englischsprachige(r) *mf*; ~**speaking** *adj* englischsprachig; ~**woman** *n* Engländerin *f*.

engrave [ɪnˈɡreɪv] *vt* eingravieren ▸ *it is* ~*d on my memory* (*fig*) es hat sich mir (unauslöschlich) eingeprägt.

engraving [ɪnˈɡreɪvɪŋ] *n* (*picture*) Stich *m*.

engrossed [ɪnˈɡrəʊst] *adj* *to be* ~ *in sth* in etw (*acc*) vertieft sein.

engrossing [ɪnˈɡrəʊsɪŋ] *adj* fesselnd.

engulf [ɪnˈɡʌlf] *vt* verschlingen.

enhance [ɪnˈhɑːns] *vt* verbessern; *chances also, price, value, attraction* erhöhen.

enigma [ɪˈnɪɡmə] *n* Rätsel *nt*.

enigmatic [ˌenɪɡˈmætɪk] *adj* rätselhaft.

▼ **enjoy** [ɪnˈdʒɔɪ] [1] *vt* [a] genießen ▸ *he* ~*s swimming/ reading* er schwimmt/liest gern; *I* ~*ed the book/film* das Buch/der Film hat mir gefallen; *he* ~*ed the meal* das Essen hat ihm gut geschmeckt; *I've* ~*ed talking to you* es war mir eine Freude, mich mit Ihnen zu unterhalten; *I didn't* ~ *it at all* es hat mir überhaupt keinen Spaß gemacht. [b] *good health* sich erfreuen (+*gen*) (*geh*); *rights, advantages* genießen.

[2] *vr to* ~ *oneself* sich amüsieren; ~ *yourself!* viel Spaß!

enjoyable [ɪnˈdʒɔɪəbl] *adj* nett; *film, book also* unterhaltsam; *evening also, meal* angenehm.

enjoyment [ɪnˈdʒɔɪmənt] *n* Vergnügen *nt*, Spaß *m* (*of* an +*dat*) ▸ *he got a lot of* ~ *from this book* das Buch machte ihm großen Spaß.

enlarge [ɪnˈlɑːdʒ] [1] *vt* vergrößern; *hole, field of knowledge* erweitern ▸ ~*d edition* erweitert; (*Med: organ*) vergrößert.

[2] *vi to* ~ *(up)on sth* sich über etw (*acc*) genauer äußern.

enlargement [ɪnˈlɑːdʒmənt] *n* Vergrößerung *f*.

enlighten [ɪnˈlaɪtn] *vt* aufklären (*on, as to, about* über +*acc*).

enlightened [ɪnˈlaɪtnd] *adj* aufgeklärt.

enlightening [ɪnˈlaɪtnɪŋ] *adj* aufschlußreich.

enlightenment [ɪnˈlaɪtnmənt] *n* Aufklärung *f* ▸ *the age of E~* das Zeitalter der Aufklärung.

enlist [ɪnˈlɪst] [1] *vi* (*Mil etc*) sich melden (*in* zu).

[2] *vt soldiers* einziehen; *supporters, sympathy, support* gewinnen ▸ ~*ed man* (*US*) gemeiner Soldat.

enlistment [ɪnˈlɪstmənt] *n see vt* Einziehung *f*; Gewinnung *f*.

enliven [ɪnˈlaɪvn] *vt* beleben.

en masse [ɑ̃ˈmæs] *adv* en masse.

enmity [ˈenmɪtɪ] *n* Feindschaft *f*.

ennoble [ɪˈnəʊbl] *vt* (*lit*) adeln.

enormity [ɪˈnɔːmɪtɪ] *n no pl* (*of offence*) ungeheures Ausmaß.

enormous [ɪˈnɔːməs] *adj* gewaltig, enorm; *person* riesig; *patience* enorm ▸ *an* ~ *number of people* ungeheuer viele Menschen; *an* ~ *amount of money/time* eine Unmenge Geld/Zeit.

enormously [ɪˈnɔːməslɪ] *adv* enorm, ungeheuer.

enough [ɪˈnʌf] [1] *adj, n* genug, genügend *attr* ▸ *to be* ~ genügen, reichen; *is there* ~ *milk?* ist genug Milch da?; *will that be* ~*?* reicht das?; *I've had* ~*, I'm going home* mir reicht's, ich gehe nach Hause; *I've had* ~ *of your impudence* jetzt habe ich aber genug von deiner Frechheit; *now children, that's* ~*!* Kinder, jetzt reicht es aber!; *this noise is* ~ *to drive me mad* dieser Lärm macht mich noch ganz verrückt; ~ *is* ~ was zuviel ist, ist zuviel.

[2] *adv* (+*adj*) genug; (+*vb also*) genügend ▸ *not big* ~ nicht groß genug; *he knows well* ~ *what I said* er weiß ganz genau, was ich gesagt habe; *she's pleasant* ~ sie ist so weit ganz nett; *he was kind* ~ *to lend me the money* er war so gut und hat mir das Geld geliehen; *he sings well* ~ er singt ganz ordentlich; *funnily* ~ komischerweise; *and sure* ~*, he didn't come* und er kam auch prompt nicht.

enquire [ɪnˈkwaɪər] [1] *vt he* ~*d what/whether/when etc* ... er erkundigte sich, was/ob/wann *etc* ...

[2] *vi* sich erkundigen (*about* nach).

◆**enquire into** *vi* +*prep obj* untersuchen.

enquiring [ɪnˈkwaɪərɪŋ] *adj* fragend ▸ *he has an* ~ *mind* er ist eine Forschernatur.

enquiry [ɪnˈkwaɪərɪ, (*US*) ˈɪnkwɪrɪ] *n* [a] (*question*) Anfrage *f* (*about* über +*acc*); (*for tourist information, direction etc*) Erkundigung *f* (*about* über +*acc*, nach) ▸ *to make enquiries* Erkundigungen einziehen; (*police etc*) Nachforschungen anstellen (*about sb* über jdn, *about sth* nach etw). [b] (*investigation*) Untersuchung *f*.

enrage [ɪnˈreɪdʒ] *vt* wütend machen.

enrich [ɪnˈrɪtʃ] *vt* bereichern; *soil, food* anreichern.

enrichment [ɪnˈrɪtʃmənt] *n* Bereicherung *f*; (*of soil*) Anreicherung *f*.

enrol, (*US*) **enroll** [ɪnˈrəʊl] [1] *vt* einschreiben; *members also* aufnehmen; (*Univ*) immatrikulieren.

[2] *vi* sich einschreiben; (*in the army*) sich melden (*in* zu); (*for course also, at school*) sich anmelden; (*Univ also*) sich immatrikulieren.

enrolment [ɪnˈrəʊlmənt] *n see vt* Einschreibung *f*; Aufnahme *f*; Immatrikulation *f*.

en route [ɒnˈruːt] *adv* unterwegs ▸ ~ *to Paris* auf dem Weg nach Paris.

ensconce [ɪnˈskɒns] *vr* sich (häuslich) niederlassen (*in* in +*dat*).

ensemble [ɑ̃ːnˈsɑ̃ːmbl] *n* Ensemble *nt*.

ensign [ˈensaɪn] *n* [a] (*flag*) Nationalflagge *f*. [b] (*US Naut*) Fähnrich *m* zur See.

enslave [ɪnˈsleɪv] *vt* zum Sklaven machen.

ensnare [ɪnˈsnɛər] *vt* (*lit*) fangen; (*fig*) (*woman*) umgarnen; (*charms*) berücken, bestricken.

ensue [ɪnˈsjuː] *vi* folgen (*from* aus).

ensuing [ɪnˈsjuːɪŋ] *adj* folgend.

en suite [ˌɒnˈswiːt] *adj, n* ~ (*bathroom*) eigenes Bad.

ensure [ɪnˈʃʊər] *vt* sicherstellen; (*secure*) sichern ▸ *to* ~ *that* ... (*guarantee*) gewährleisten, daß ....

ENT (*Med*) ~ **ear, nose and throat** HNO.

entail [ɪnˈteɪl] *vt expense, suffering* mit sich bringen; *risk, difficulty also* verbunden sein mit.

entangle [ɪnˈtæŋɡl] *vt to become* ~*d in sth* sich in etw (*dat*) verfangen; (*fig*) sich in etw (*acc*) verstricken.

entanglement [ɪnˈtæŋɡlmənt] *n* [a] (*barbed wire*) Verhau *m*. [b] (*fig: in affair etc*) Verwicklung *f*.

enter [ˈentər] [1] *vt* [a] (*towards speaker*) hereinkommen in (+*acc*); (*away from speaker*) hineingehen in (+*acc*); (*walk into*) *building etc also* betreten; (*drive into*) *car park* einfahren in (+*acc*); (*turn into*) *road etc* einbiegen in

(+*acc*); (*river etc*) münden in (+*acc*); (*penetrate: bullet etc*) eindringen in (+*acc*); (*climb into*) bus einsteigen in (+*acc*); (*cross border of*) country einreisen in (+*acc*) ▶ **the thought never ~ed my mind** so etwas wäre mir nie eingefallen. **b** **to ~ the Army/Navy** zum Heer/zur Marine gehen; **to ~ the Church** Geistlicher werden; **to ~ a university** auf die Universität gehen. **c** (*write down, record*) eintragen (*in* in +*acc*); (*Comp*) data eingeben ▶ **~ key** (*Comp*) Enter-Taste *f*. **d** (*enrol*) pupil anmelden; horse melden. **e** race, contest sich beteiligen an (+*dat*). **f** (*submit*) appeal, plea einlegen. **2** **a** (*towards speaker*) hereinkommen; (*away from speaker*) hineingehen; (*walk in*) eintreten. **b** (*Theat*) auftreten. **c** (*for race, exam etc*) sich melden (*for* zu).
◆**enter into** *vi* +*prep obj* **a** negotiations aufnehmen; contract, alliance schließen, eingehen; conversation anknüpfen. **b** (*figure in*) eine Rolle spielen bei ▶ **that doesn't ~ ~ it** das spielt dabei keine Rolle.
◆**enter (up)on** *vi* +*prep obj* (*begin*) antreten; new era eintreten in (+*acc*).
enteritis [,entə'raɪtɪs] *n* Dünndarmentzündung *f*.
enterprise ['entəpraɪz] *n* Unternehmen *nt*; (*initiative*) Initiative *f*; (*adventurousness*) Unternehmungsgeist *m* ▶ **free/private ~** freies/privates Unternehmertum; **~ zone** wirtschaftliches Fördergebiet.
enterprising ['entəpraɪzɪŋ] *adj* unternehmungslustig; idea, venture kühn.
entertain [,entə'teɪn] **1** *vt* **a** (*offer hospitality to*) einladen; (*to meal*) bewirten ▶ **to ~ sb to dinner** jdn zum Essen einladen. **b** (*amuse*) unterhalten. **c** thought sich tragen mit; suspicion, doubt hegen; hope nähren; proposal, offer, idea in Erwägung ziehen. **2** *vi* (*have visitors*) Gäste haben.
entertainer [,entə'teɪnər] *n* Entertainer(in *f*) *m*.
entertaining [,entə'teɪnɪŋ] **1** *adj* unterhaltsam. **2** *n* **she does a lot of ~** sie hat sehr oft Gäste.
entertainment [,entə'teɪnmənt] *n* **a** Unterhaltung *f* ▶ **for my own ~** nur so zum Vergnügen. **b** (*performance*) Darbietung *f*. **c** (*of guests*) Bewirtung *f* ▶ **~ allowance** Aufwandspauschale *f*.
enthral(l) [ɪn'θrɔːl] *vt* begeistern; (*exciting story etc also*) fesseln.
enthralling [ɪn'θrɔːlɪŋ] *adj* spannend.
enthuse [ɪn'θjuːz] *vi* schwärmen (*over* von).
enthusiasm [ɪn'θjuːzɪæzəm] *n* Begeisterung *f*, Enthusiasmus *m* (*for* für).
enthusiast [ɪn'θjuːzɪæst] *n* Enthusiast *m* ▶ **sports/jazz ~** begeisterter Sport-/Jazzfan *m*.
enthusiastic [ɪn,θjuːzɪ'æstɪk] *adj* begeistert, enthusiastisch ▶ **to be/get ~ about sth** von etw begeistert sein/sich für etw begeistern.
entice [ɪn'taɪs] *vt* locken; (*lead astray*) verführen, verleiten ▶ **to ~ sb into doing sth** jdn dazu verleiten, etw zu tun; **to ~ sb away** jdn weglocken.
enticement [ɪn'taɪsmənt] *n* (*lure*) Verlockung *f*.
enticing [ɪn'taɪsɪŋ] *adj* verlockend.
entire [ɪn'taɪər] *adj* ganz; set, waste of time vollständig.
entirely [ɪn'taɪəlɪ] *adv* ganz ▶ **I'm not ~ surprised** das kommt für mich nicht ganz überraschend.
entirety [ɪn'taɪərətɪ] *n* **in its ~** in seiner Gesamtheit.
entitle [ɪn'taɪtl] *vt* **a** **it is ~d ...** es hat den Titel ... **b** (*give the right*) **to ~ sb to sth/to do sth** jdn zu etw berechtigen/jdn dazu berechtigen, etw zu tun; (*to compensation, legal aid*) jdm den Anspruch auf etw (*acc*) geben; **to be ~d to sth/to do sth** das Recht auf etw (*acc*) haben/das Recht haben, etw zu tun; to compensation, legal aid, holiday Anspruch *m* auf etw (*acc*) haben.
entitlement [ɪn'taɪtlmənt] *n* Berechtigung *f* (*to* zu); (*to compensation, holiday etc*) Anspruch *m* (*to* auf +*acc*).
entity ['entɪtɪ] *n* (*separate*) **~** eigenständiges Gebilde *nt*; (*person*) eigenständiges Wesen; **as a complete ~** als

Ganzes.
entomology [,entə'mɒlədʒɪ] *n* Insektenkunde *f*.
entourage [,ɒntʊ'rɑːʒ] *n* Gefolge *nt*.
entrails ['entreɪlz] *npl* Eingeweide *pl*.
entrance¹ [ɪn'trɑːns] *vt* in Entzücken versetzen.
entrance² ['entrəns] *n* **a** (*way in*) Eingang *m*; (*for vehicles*) Einfahrt *f*; (*hall*) Eingangshalle *f*. **b** (*entering*) Eintritt *m*; (*Theat*) Auftritt *m* ▶ **to make one's ~** (*Theat*) auftreten; (*fig also*) erscheinen. **c** (*admission*) Eintritt *m* (*to* in +*acc*); (*to club etc*) Zutritt *m* (*to* zu).
entrance: **~ examination** *n* Aufnahmeprüfung *f*; **~ fee** *n* Eintrittsgeld *nt*; (*for club*) Aufnahmegebühr *f*; **~ qualifications** *npl* Zulassungsanforderungen *pl*; **~ ramp** *n* (*US*) Auffahrt *f*; **~ visa** *n* Einreisevisum *nt*.
entrancing [ɪn'trɑːnsɪŋ] *adj* bezaubernd.
entrant ['entrənt] *n* (*in contest*) Teilnehmer(in *f*) *m*; (*in exam*) Prüfling *m*.
entreat [ɪn'triːt] *vt* anflehen (*for* um).
entreaty [ɪn'triːtɪ] *n* dringende Bitte.
entrée ['ɒntreɪ] *n* Hauptgericht *nt*.
entrenched [ɪn'trentʃt] *adj* idea, belief etc (fest) verwurzelt; position festgefahren.
entrepreneur [,ɒntrəprə'nɜːr] *n* Unternehmer *m*.
entrepreneurial [,ɒntrəprə'nɜːrɪəl] *adj* unternehmerisch.
entrust [ɪn'trʌst] *vt* anvertrauen (*to sb* jdm) ▶ **to ~ sb with a task** jdn mit einer Aufgabe betrauen.
entry ['entrɪ] *n* **a** (*into* in +*acc*) Eintritt *m*; (*by car etc*) Einfahrt *f*; (*into country*) Einreise *f*; (*Theat*) Auftritt *m* ▶ **"no ~"** (*on door etc*) „Zutritt verboten"; (*on one-way street*) „keine Einfahrt". **b** (*way in, doorway*) Eingang *m*; (*for vehicles*) Einfahrt *f*. **c** (*in diary, account book etc*) Eintrag *m*. **d** (*for race etc*) Meldung *f* ▶ **there is a large ~ for the race** für das Rennen sind viele Meldungen eingegangen.
entry: **~ fee** *n* (*for competition*) Teilnahmegebühr *f*; (*to club*) Aufnahmegebühr *f*; **~ form** *n* Anmeldeformular *nt*; **~ permit** *n* Passierschein *m*; (*into country*) Einreiseerlaubnis *f*; **~ phone** *n* Türsprechanlage *f*; **~ visa** *n* Einreisevisum *nt*.
entwine [ɪn'twaɪn] *vt* ineinanderschlingen.
enumerate [ɪ'njuːməreɪt] *vt* aufzählen.
enumeration [ɪ,njuːmə'reɪʃən] *n* Aufzählung *f*.
enunciate [ɪ'nʌnsɪeɪt] *vti* artikulieren.
enunciation [ɪ,nʌnsɪ'eɪʃən] *n* Artikulation *f*.
envelop [ɪn'veləp] *vt* einhüllen.
envelope ['envələʊp] *n* Umschlag *m*.
enviable ['envɪəbl] *adj* beneidenswert.
envious *adj*, **~ly** *adv* ['envɪəs, -lɪ] neidisch (*of* auf +*acc*).
environment [ɪn'vaɪərənmənt] *n* Umwelt *f*; (*of town etc, physical surroundings*) Umgebung *f*; (*social, cultural also*) Milieu *nt* ▶ **Department of the E~** (*Brit*) ≃ Umweltministerium *nt*.
environmental [ɪn,vaɪərən'mentl] *adj* Umwelt- ▶ **~ damage** Umweltschaden *m*; **~ impact** Umwelteinfluß *m*; **~ pollution** Umweltverschmutzung *f*; **~ protection** Umweltschutz *m*; **~ studies** (*Sch*) Umweltkunde *f*.
environmentalist [ɪn,vaɪərən'mentlɪst] *n* Umweltschützer(in *f*) *m*.
environment-friendly *adj* umweltfreundlich.
envisage [ɪn'vɪzɪdʒ] *vt* sich (*dat*) vorstellen; (*expect*) erwarten.
envoy ['envɔɪ] *n* Bote *m*; (*diplomat*) Gesandte(r) *mf*.
envy ['envɪ] **1** *n* Neid *m* ▶ **his house was the ~ of his friends** seine Freunde beneideten ihn um sein Haus. **2** *vt* person beneiden ▶ **to ~ sb sth** jdn um etw beneiden.
enzyme ['enzaɪm] *n* Enzym, Ferment *nt*.
EPA (*US*) = **Environmental Protection Agency** US-Umweltbehörde *f*.
ephemeral [ɪ'femərəl] *adj* flüchtig.

epic ['epɪk] **1** *adj poetry* episch; *film, novel* Monumental-; *performance, match* gewaltig; *journey* lang und abenteuerlich.
2 *n* (*poem, film*) Epos *nt*; (*match*) gewaltiges Spiel.
epicentre, (*US*) **epicenter** ['epɪsentə^r] *n* Epizentrum *nt*.
epidemic [epɪ'demɪk] **1** *n* Epidemie (*also fig*), Seuche *f*.
2 *adj* epidemisch.
epigram ['epɪgræm] *n* Epigramm, Sinngedicht *nt*.
epilepsy ['epɪlepsɪ] *n* Epilepsie *f*.
epileptic [ˌepɪ'leptɪk] **1** *adj ~ fit* epileptischer Anfall.
2 *n* Epileptiker(in *f*) *m*.
epilogue ['epɪlɒg] *n* Epilog *m*, Nachwort *nt*.
Epiphany [ɪ'pɪfənɪ] *n* das Dreikönigsfest.
episcopal [ɪ'pɪskəpəl] *adj* bischöflich, Bischofs-.
episode ['epɪsəʊd] *n* Episode *f*; (*of story, TV, Rad*) Fortsetzung *f*; (*incident also*) Begebenheit *f*.
epistle [ɪ'pɪsl] *n* (*Bibl*) Brief *m* (*to* an +*acc*).
epitaph ['epɪtɑːf] *n* Epitaph *nt*; (*on grave*) Grabinschrift *f*.
epithet ['epɪθet] *n* Beiname *m*.
epitome [ɪ'pɪtəmɪ] *n* Inbegriff *m* (*of gen*, an +*dat*).
epitomize [ɪ'pɪtəmaɪz] *vt* verkörpern.
epoch ['iːpɒk] *n* Zeitalter *nt* (*also Geol*), Epoche *f*.
epoch-making ['iːpɒkˌmeɪkɪŋ] *adj* epochemachend, epochal.
EPOS *abbr = electronic point of sale* elektronisches Kassenterminal.
equable ['ekwəbl] *adj person, temperament* ausgeglichen; *climate* gleichmäßig.
equal ['iːkwəl] **1** *adj* **a** gleich (*to* +*dat*) ▶ *they are about ~ in value* sie haben ungefähr den gleichen Wert; *to be on ~ terms* auf der gleichen Stufe stehen (*with* mit); *~ opportunities* Chancengleichheit *f*; *E~ Opportunities Commission* (*Brit*) Kommission *f* für Gleichberechtigung am Arbeitsplatz; *~ opportunities employer* Arbeitgeber *m*, der Chancengleichheit praktiziert; *(all) other things being ~* unter sonst gleichen Umständen; *now we're ~* jetzt sind wir quitt. **b** *to be ~ to the situation/task* der Situation/Aufgabe gewachsen sein; *to feel ~ to sth* sich zu etw imstande *or* in der Lage fühlen.
2 *n* (*in rank*) Gleichgestellte(r) *mf* ▶ *she is his ~* sie ist ihm ebenbürtig; *he has no ~* er hat nicht seinesgleichen; *our ~s* unseresgleichen; *to treat sb as an ~* jdn als ebenbürtig behandeln.
3 *vt* (*be same as, Math*) gleichen; (*match, measure up to*) gleichkommen (+*dat*); *record* erreichen ▶ *three times three ~s nine* drei mal drei (ist) gleich neun; *not to be ~led* unvergleichlich.
equality [ɪ'kwɒlɪtɪ] *n* Gleichheit *f*.
equalize ['iːkwəlaɪz] *vti* ausgleichen.
equalizer ['iːkwəlaɪzə^r] *n* **a** (*Sport*) Ausgleich *m*; (*Ftbl etc also*) Ausgleichstreffer *m*. **b** (*US col: gun*) Kanone *f* (*col*).
equally ['iːkwəlɪ] *adv* **a** *divide, distribute* gleichmäßig ▶ *~ gifted* gleich begabt *pred*, gleichbegabt *attr*. **b** (*just as*) genauso. **c** *but then, ~, one must concede* ... aber dann muß man ebenso zugestehen, daß ...
equals sign ['iːkwəlzsaɪn] *n* Gleichheitszeichen *nt*.
equanimity [ˌekwə'nɪmɪtɪ] *n* Gleichmut *m*.
equate [ɪ'kweɪt] *vt* (*identify*) gleichsetzen; (*treat as the same*) auf die gleiche Stufe stellen.
equation [ɪ'kweɪʒən] *n* (*Math, fig*) Gleichung *f*.
equator [ɪ'kweɪtə^r] *n* Äquator *m*.
equatorial [ˌekwə'tɔːrɪəl] *adj* äquatorial, Äquatorial-.
equestrian [ɪ'kwestrɪən] *adj* Reit-.
equidistant [iːkwɪ'dɪstənt] *adj* gleich weit entfernt.
equilateral [iːkwɪ'lætərəl] *adj* gleichseitig.
equilibrium [ˌiːkwɪ'lɪbrɪəm] *n* Gleichgewicht *nt*.

equine ['ekwaɪn] *adj* Pferde-.
equinox ['iːkwɪnɒks] *n* Tagundnachtgleiche *f*.
equip [ɪ'kwɪp] *vt* ausrüsten; *kitchen* ausstatten; *office, laboratory* einrichten ▶ *he's well ~ped for the job* (*fig*) er hat das nötige Rüstzeug für die Stelle.
equipment [ɪ'kwɪpmənt] *n no pl* Ausrüstung *f* ▶ *office ~* Büroeinrichtung *f*; *electrical/kitchen ~* Elektro-/ Küchengeräte *pl*.
equitable ['ekwɪtəbl] *adj* fair, gerecht.
equity ['ekwɪtɪ] *n* **a** Fairneß *f*. **b** (*Brit Fin*) *~ capital* Eigenkapital *nt*; *equities pl* Stammaktien *pl*; *equities market* Aktienmarkt *m*.
equivalence [ɪ'kwɪvələns] *n* Entsprechung *f*.
▼ **equivalent** [ɪ'kwɪvələnt] **1** *adj* **a** (*equal*) gleichwertig ▶ *that's ~ to saying ...* das ist gleichbedeutend damit, zu sagen ... **b** (*corresponding*) entsprechend, äquivalent ▶ *it is ~ to £30* das entspricht £30; *that's ~ to lying* das ist soviel wie gelogen.
2 *n* Äquivalent *nt*; (*counterpart*) Pendant *nt* ▶ *what is the ~ in German marks?* was ist der Gegenwert in DM?; *the German ~ of the English word* die deutsche Entsprechung des englischen Wortes.
equivocal [ɪ'kwɪvəkəl] *adj* zweideutig; *outcome* nicht eindeutig.
equivocate [ɪ'kwɪvəkeɪt] *vi* ausweichen.
equivocation [ɪˌkwɪvə'keɪʃən] *n* Ausflüchte *pl*.
ER (*Brit*) = Elizabeth Regina.
ERA (*US*) = **Equal Rights Amendment** *Verfassungsartikel m zur Gleichberechtigung*.
era ['ɪərə] *n* Ära *f*; (*Geol*) Erdzeitalter *nt*.
eradicate [ɪ'rædɪkeɪt] *vt* ausrotten.
erase [ɪ'reɪz] *vt* ausradieren; (*from tape, computer*) löschen; (*from the mind*) streichen (*from* aus).
eraser [ɪ'reɪzə^r] *n* Radiergummi *nt or m*.
erect [ɪ'rekt] **1** *adj* aufrecht, gerade.
2 *vt monument* errichten (*to sb* jdm); *flats, factory* bauen; *collapsible furniture, scaffolding* aufstellen; *tent* aufschlagen; *mast* aufrichten.
erection [ɪ'rekʃən] *n* **a** *see vt* Errichten *nt*; Bau *m*; Aufstellen *nt*; Aufschlagen *nt*; Aufrichten *nt*. **b** (*building, structure*) Gebäude *nt*, Bau *m*. **c** (*Physiol*) Erektion *f*.
ergonomic [ˌɜːgəʊ'nɒmɪk] *adj* ergonomisch.
ergonomics [ˌɜːgəʊ'nɒmɪks] *n sing* Ergonomie *f*.
ermine ['ɜːmɪn] *n* Hermelin *nt*; (*fur*) Hermelin *m*.
erode [ɪ'rəʊd] *vt* (*sea*) auswaschen; (*rust*) zerfressen; (*fig*) *confidence* untergraben.
erogenous [ɪ'rɒdʒənəs] *adj* erogen.
erosion [ɪ'rəʊʒən] *n* (*by water*) Erosion *f*; (*fig: of love etc*) Schwinden *nt*.
erotic [ɪ'rɒtɪk] *adj* aufreizend; *book, film* erotisch.
eroticism [ɪ'rɒtɪsɪzəm] *n* Erotik *f*.
err [ɜː^r] *vi* **a** sich irren ▶ *it is better to ~ on the side of caution* man sollte im Zweifelsfall lieber zu vorsichtig sein; *to ~ is human* (*Prov*) Irren ist menschlich (*Prov*). **b** (*sin*) sündigen.
errand ['erənd] *n* (*shopping etc*) Besorgung *f*; (*to give a message etc*) Botengang *m* ▶ *to run ~s (for sb)* (für jdn) Besorgungen/Botengänge machen; *~ of mercy* Rettungsaktion *f*; *~ boy* Laufjunge *m*.
erratic [ɪ'rætɪk] *adj* unberechenbar; *results* stark schwankend; *work* ungleichmäßig.
erroneous [ɪ'rəʊnɪəs] *adj* falsch; *belief* irrig.
error ['erə^r] *n* Fehler *m* ▶ *to be in ~* sich im Irrtum befinden; *in ~* aus Versehen, irrtümlicherweise; *to see the ~ of one's ways* seine Fehler einsehen; *~ message* (*Comp*) Fehlermeldung *f*.
erstwhile ['ɜːstwaɪl] *adj* (*old, liter*) ehemalig.
erudite ['erʊdaɪt] *adj* gelehrt; *person also* gebildet.
erudition [ˌerʊ'dɪʃən] *n* Gelehrsamkeit *f*.
erupt [ɪ'rʌpt] *vi* (*volcano, war*) ausbrechen; *skin* aufbrechen; (*fig: person*) explodieren.

▶ SENTENCE BUILDER: equivalent: 1b → 7.1

eruption [ɪ'rʌpʃən] *n* (*of volcano, anger, violence*) Ausbruch *m*; (*rash etc*) Hautausschlag *m*.

escalate ['eskəleɪt] **1** *vt war* ausweiten; *costs* sprunghaft erhöhen.
2 *vi* sich ausweiten, eskalieren; (*costs*) sprunghaft ansteigen.

escalation [ˌeskə'leɪʃən] *n* Eskalation *f*.

escalator ['eskəleɪtər] *n* Rolltreppe *f*.

escapade [ˌeskə'peɪd] *n* Eskapade *f*.

escape [ɪ'skeɪp] **1** *vi* **a** (*from pursuers*) entkommen (*from dat*); (*from prison, cage*) ausbrechen (*from* aus); (*water*) auslaufen (*from* aus); (*gas*) ausströmen (*from* aus) ▸ *he was shot while trying to ~* er wurde bei einem Fluchtversuch erschossen; *an ~d prisoner/tiger* ein entsprungener Häftling/ausgebrochener Tiger; *he ~d from the fire* er ist dem Feuer entkommen; *a room which I can ~ to* ein Zimmer, in das ich mich zurückziehen kann. **b** (*get off, be spared*) *to ~ with a warning/a few cuts* mit einer Verwarnung/ein paar Schnittwunden davonkommen; *the others were killed, but he ~d* die anderen kamen um, aber er kam mit dem Leben davon.
2 *vt* **a** *pursuers* entkommen (+*dat*). **b** (*avoid*) *consequences, punishment, disaster* entgehen (+*dat*) ▸ *he narrowly ~d being run over* er wäre um ein Haar überfahren worden; *but you can't ~ the fact that ...* aber du kannst nicht abstreiten, daß ... **c** *his name ~s me* sein Name ist mir entfallen; *nothing ~s him* ihm entgeht nichts; *to ~ sb's notice* jdm entgehen.
3 *n* **a** Flucht *f*; (*from prison etc*) Ausbruch *m* ▸ *to make an ~* ausbrechen; *there's been an ~* jemand ist ausgebrochen; *to have a miraculous ~* (*from accident, illness*) auf wunderbare Weise davonkommen; *fishing is his ~* Angeln ist seine Zuflucht; *there's no ~* (*fig*) es gibt keinen Ausweg. **b** (*of water*) Ausfließen *nt*; (*of gas*) Ausströmen *nt*; (*of steam, gas, in a machine*) Entweichen *nt*. **c** (*Comp*) *to hit ~* Escape drücken.

escape: ~ artist *n* Entfesselungskünstler(in *f*) *m*; **~ bid** *n* Fluchtversuch *m*; **~ clause** *n* (*Jur*) Befreiungsklausel *f*; **~ hatch** *n* (*Naut*) Notluke *f*; **~ key** *n* (*Comp*) Escape-Taste *f*; **~ route** *n* Fluchtweg *m*; **~ velocity** *n* (*Space*) Fluchtgeschwindigkeit *f*.

escapism [ɪ'skeɪpɪzəm] *n* Wirklichkeitsflucht *f*.

escapist [ɪ'skeɪpɪst] *adj literature* der Wirklichkeitsflucht.

escapologist [ˌeskə'pɒlədʒɪst] *n* Entfesselungskünstler(in *f*) *m*.

escarpment [ɪ'skɑːpmənt] *n* Steilhang *m*; (*as fortification*) Böschung *f*.

escort ['eskɔːt] **1** *n* **a** Geleitschutz *m*; (*vehicles, ships etc*) Eskorte *f* ▸ *under ~* unter Bewachung. **b** (*companion*) Begleiter(in *f*) *m*; (*hired female*) ≈ Hostess *f*.
2 [ɪ'skɔːt] *vt* begleiten; (*Mil, Naut*) Geleit(schutz) geben (+*dat*).

escort: ~ agency *n* ≈ Hostessenagentur *f*; **~ duty** *n* Geleitdienst *m*; *to be on ~ duty* Geleitschutz geben müssen; **~ vessel** *n* (*Naut*) Geleitschiff *nt*.

Eskimo ['eskɪməʊ] **1** *adj* Eskimo-.
2 *n* **a** Eskimo *m*, Eskimofrau *f*. **b** (*language*) Eskimosprache *f*.

esophagus *n* (*esp US*) = **oesophagus**.

esoteric [ˌesəʊ'terɪk] *adj* esoterisch.

esp = **especially** bes.

ESP = **a** **extra-sensory perception** außersinnliche Wahrnehmung, ASW. **b** **English for Special Purposes** Englischunterricht *m* für Studenten mit meist technischen Hauptfächern.

especial [ɪ'speʃəl] *adj* besondere(r, s).

especially [ɪ'speʃəlɪ] *adv* besonders ▸ *you ought to know that* gerade du solltest das wissen; *I came ~ to see you* ich bin eigens gekommen, um dich zu besu-

chen; *~ as I am his godmother* zumal ich seine Patin bin.

espionage ['espɪəˌnɑːʒ] *n* Spionage *f*.

esplanade [ˌesplə'neɪd] *n* (Strand)promenade *f*.

espouse [ɪ'spaʊz] *vt cause* eintreten für.

espresso [e'spresəʊ] *n* Espresso *m*.

esquire [ɪ'skwaɪər] *n* (*Brit: on envelope, abbr* **Esq**) *James Jones*, **Esq** Herrn James Jones.

essay ['eseɪ] *n* Essay *m or nt*; (*esp Sch*) Aufsatz *m*.

essence ['esəns] *n* **a** Wesen *nt* ▸ *in ~* im wesentlichen; *speed is of the ~* Geschwindigkeit ist von entscheidender Bedeutung. **b** (*Chem, Cook*) Essenz *f* ▸ *meat ~* Fleischextrakt *m*.

▼ **essential** [ɪ'senʃəl] **1** *adj* **a** (*necessary, vital*) (unbedingt) erforderlich ▸ *it is ~ that you understand this* du mußt das unbedingt verstehen; *the ~ thing is to ...* wichtig ist vor allem, zu ... **b** (*of the essence, basic*) wesentlich; *question* entscheidend.
2 *n the ~s* das Wesentliche; (*most important points*) die wichtigen Punkte, die Essentials *pl*; *with only the bare ~s* nur mit dem Allernotwendigsten ausgestattet.

essentially [ɪ'senʃəlɪ] *adv* (*basically*) im Grunde genommen; (*in essence*) im wesentlichen.

EST (*US*) = **Eastern Standard Time** ostamerikanische Zeit.

▼ **establish** [ɪ'stæblɪʃ] **1** *vt* **a** (*found, set up*) gründen; *government* bilden; *custom, new procedure* einführen; *relations* aufnehmen; *post* einrichten; *power, authority, reputation* sich (*dat*) verschaffen; *peace* stiften; *order* (wieder)herstellen; *precedent* setzen; *committee* einsetzen. **b** (*prove*) *fact, innocence* beweisen; *claim* unter Beweis stellen. **c** (*determine*) *identity, facts* ermitteln. **d** (*gain acceptance for*) *product, ideas* Anerkennung finden für.
2 *vr* (*in business*) *to ~ oneself* sich niederlassen.

established [ɪ'stæblɪʃt] *adj* **a** *reputation* gefestigt ▸ *well-~ business* gut eingeführte Firma. **b** (*accepted*) *fact* feststehend; *procedure, author* anerkannt; *belief* herrschend; *laws, order* bestehend.

establishment [ɪ'stæblɪʃmənt] *n* **a** *see vt* (*a*) Gründung *f*; Bildung *f*; Einführung *f*; Aufnahme *f*; Einrichtung *f*; (*of power, authority*) Festigung *f*; Stiftung *f*; (Wieder)herstellung *f*; Setzen *nt*; Einsetzen *nt*. **b** (*proving*) Beweis *m*. **c** (*determining*) Ermittlung *f*. **d** (*institution etc*) Institution *f*; (*hospital, school etc also*) Anstalt *f* ▸ *commercial ~* kommerzielles Unternehmen. **e** (*Mil, Naut etc: personnel*) Truppenstärke *f*. **f** (*Brit*) *the E~* das Establishment.

estate [ɪ'steɪt] *n* **a** (*land*) Gut *nt*. **b** (*Jur*) Besitz(tümer *pl*) *m*, Eigentum *nt*; (*of deceased*) Nachlaß *m*, Erbmasse *f*. **c** (*esp Brit*) (*housing ~*) Siedlung *f*; (*trading ~*) Industriegelände *nt*.

estate: ~ agency *n* (Immobilien)maklerbüro *nt*; **~ agent** *n* (*Brit*) Immobilienmakler(in *f*) *m*; **~ car** *n* (*Brit*) Kombi(wagen) *m*.

esteem [ɪ'stiːm] **1** *vt* (*form: consider*) betrachten.
2 *n* Wertschätzung *f* ▸ *to hold sb/sth in (high) ~* von jdm/etw eine hohe Meinung haben.

esthete *etc* (*US*) = **aesthete** *etc*.

estimate 1 *n* **a** Schätzung *f* ▸ *it's just an ~* das ist nur geschätzt; *at a rough ~* grob geschätzt. **b** (*Comm: of cost*) (Kosten)voranschlag *m*.
2 ['estɪmeɪt] *vt* schätzen ▸ *his wealth is ~d at ...* sein Vermögen wird auf ... geschätzt.

estimation [ˌestɪ'meɪʃən] *n* **a** *in my ~* meiner Einschätzung nach. **b** (*esteem*) Achtung *f* ▸ *he went up/down in my ~* er ist in meiner Achtung gestiegen/gesunken.

estimator ['estɪmeɪtər] *n* (*Insur*) Schätzer *m*.

Estonia [e'stəʊnɪə] *n* Estland *nt*.

Estonian [e'stəʊnɪən] **1** *adj* estnisch.

2 *n* a (*person*) Este *m*, Estin *f*. b (*language*) Estnisch *nt*.

estrange [ɪˈstreɪndʒ] *vt person* entfremden (*from* +*dat*) ▶ **to be/become ~d from sb** sich jdm entfremdet haben/entfremden; **his ~d wife** seine von ihm getrennt lebende Frau.

estrangement [ɪˈstreɪndʒmənt] *n* Entfremdung *f* (*from* von).

estrogen [ˈiːstrəʊdʒən] *n* (*US*) Östrogen *nt*.

estuary [ˈestjʊərɪ] *n* Mündung *f*.

ETA = estimated time of arrival voraussichtliche Ankunft.

et al [etˈæl] *adv* et al.

etc = etcetera usw., etc.

etcetera [ɪtˈsetərə] *adv* und so weiter.

etch [etʃ] *vti* ätzen; (*in copper*) stechen; (*in other metals*) radieren.

etching [ˈetʃɪŋ] *n see vb* a Ätzen *nt*; Stechen *nt*; Radieren *nt*. b (*picture*) Ätzung *f*; Stich *m*; Radierung *f*.

ETD = estimated time of departure voraussichtliche Abfahrt.

eternal [ɪˈtɜːnl] *adj* (*lit*, *fig*) ewig ▶ **the ~ triangle** (*fig*) das Dreiecksverhältnis.

eternity [ɪˈtɜːnɪtɪ] *n* (*lit*, *fig*) Ewigkeit *f* ▶ **from here to ~** bis in alle Ewigkeit.

ether [ˈiːθəʳ] *n* (*Chem*, *poet*) Äther *m*.

ethereal [ɪˈθɪərɪəl] *adj* ätherisch; *regions* himmlisch.

ethic [ˈeθɪk] *n* Ethik *f*, Ethos *nt*.

ethical [ˈeθɪkəl] *adj* ethisch *attr* ▶ **it is not ~ to ...** es ist unmoralisch, zu ...

ethics [ˈeθɪks] *n* a *sing* Ethik *f*. b *pl* (*morality*) Moral *f* ▶ **the ~ of abortion** die moralischen Aspekte der Abtreibung.

Ethiopia [ˌiːθɪˈəʊpɪə] *n* Äthiopien *nt*.

Ethiopian [ˌiːθɪˈəʊpɪən] 1 *adj* äthiopisch. 2 *n* Äthiopier(in *f*) *m*.

ethnic [ˈeθnɪk] *adj* ethnisch, Volks-; *clothes* folkloristisch; *atmosphere*, *pub* urtümlich, urwüchsig ▶ **~ groups/ minority** ethnische Gruppen *pl*/Minderheit *f*; **~ cleansing** (*Pol*) ethnische Säuberung; **~ violence** Rassenkrawalle *pl*.

ethos [ˈiːθɒs] *n* Gesinnung *f*, Ethos *nt*.

etiquette [ˈetɪket] *n* Etikette *f*.

ETV (*US*) **= Educational Television** Schulfernsehen *nt*.

etymological *adj*, **~ly** *adv* [ˌetɪməˈlɒdʒɪkəl, -ɪ] etymologisch.

etymology [ˌetɪˈmɒlədʒɪ] *n* Etymologie *f*.

EU *abbr* **= European Union** EU *f*.

eucalyptus [ˌjuːkəˈlɪptəs] *n* Eukalyptus *m*.

Eucharist [ˈjuːkərɪst] *n* (*Eccl*) **the ~** (*Protestant*) das (heilige) Abendmahl; (*Catholic*) die Eucharistie.

eulogy [ˈjuːlədʒɪ] *n* Lobrede *f*.

eunuch [ˈjuːnək] *n* Eunuch *m*.

euphemism [ˈjuːfəmɪzəm] *n* beschönigender Ausdruck, Euphemismus *m*.

euphemistic [ˌjuːfəˈmɪstɪk] *adj* euphemistisch.

euphoria [juːˈfɔːrɪə] *n* Euphorie *f*.

euphoric [juːˈfɒrɪk] *adj* euphorisch.

Eurasia [jʊəˈreɪʃə] *n* Eurasien *nt*.

Eurasian [jʊəˈreɪʃn] 1 *adj* eurasisch. 2 *n* Eurasier(in *f*) *m*.

Euratom [jʊəˈrætəm] **= European Atomic Energy Community** Euratom *f*.

eureka [jʊəˈriːkə] *interj* heureka, ich hab's!

Eurocheque [ˈjʊərəʊˌtʃek] *n* Euroscheck *m*.

Eurocrat [ˈjʊərəʊkræt] *n* Eurokrat(in *f*) *m*.

Eurocurrency [ˈjʊərəʊˌkʌrənsɪ] *n* Eurowährung *f*.

Eurodollar [ˈjʊərəʊdɒləʳ] *n* Eurodollar *m*.

Europe [ˈjʊərəp] *n* Europa *nt*.

European [ˌjʊərəˈpiːən] 1 *adj* europäisch ▶ **~ Community** Europäische Gemeinschaft; **~ Free Trade Area**

Europäische Freihandelszone *f*; **~ Economic Community** Europäische Wirtschaftsgemeinschaft; **~ Monetary System** Europäisches Währungssystem; **~ Parliament** Europäisches Parlament; **~ Union** Europäische Union; **~ elections** Europawahlen *pl*. 2 *n* Europäer(in *f*) *m*.

Europeanize [jʊərəˈpiːənaɪz] *vt* europäisieren.

europhile [ˈjʊərəfaɪl] *adj* europhil.

Euro-sceptic, eurosceptic [ˈjʊərəʊskeptɪk] *n* Euroskeptiker(in *f*) *m*.

Eurotunnel [ˈjʊərəʊˌtʌnl] *n* Kanaltunnel *m*, Eurotunnel *m*.

euthanasia [ˌjuːθəˈneɪzɪə] *n* Euthanasie *f*.

evacuate [ɪˈvækjʊeɪt] *vt* räumen; *people* evakuieren.

evacuation [ɪˌvækjʊˈeɪʃən] *n see vt* Räumung *f*; Evakuierung *f*.

evacuee [ɪˌvækjʊˈiː] *n* Evakuierte(r) *mf*.

evade [ɪˈveɪd] *vt blow*, *question*, *sb's eyes* ausweichen (+*dat*); *pursuit*, *pursuers*, *justice* sich entziehen (+*dat*).

evaluate [ɪˈvæljʊeɪt] *vt house*, *worth etc* schätzen (*at auf* +*acc*); *chances*, *usefulness* einschätzen; *evidence*, *results* auswerten; *pros and cons* (gegeneinander) abwägen; *achievement* bewerten.

evaluation [ɪˌvæljʊˈeɪʃən] *n see vt* Schätzung *f*; Einschätzung *f*; Auswertung *f*; Abwägung *f*; Bewertung *f*.

evangelic(al) [ˌiːvænˈdʒelɪk(əl)] *adj* evangelisch.

evangelist [ɪˈvændʒəlɪst] *n* (*Bibl*) Evangelist(in *f*) *m*; (*preacher*) Prediger(in *f*) *m*.

evaporate [ɪˈvæpəreɪt] 1 *vi* a (*liquid*) verdunsten. b (*fig: disappear*) sich in Luft auflösen. 2 *vt* **~d milk** Kondensmilch *f*.

evaporation [ɪˌvæpəˈreɪʃən] *n* Verdampfen *nt*; (*fig*) Schwinden *nt*.

evasion [ɪˈveɪʒən] *n* Ausweichen *nt* (*of* vor +*dat*).

evasive [ɪˈveɪzɪv] *adj answer* ausweichend; *meaning*, *truth* schwer zu fassen ▶ **he was very ~ about it** er wollte (dazu) nicht mit der Sprache herausrücken; **to take ~ action** (*Mil*, *fig*) ein Ausweichmanöver machen.

eve [iːv] *n* Vorabend *m* ▶ **on the ~ of** am Tage vor (+*dat*); am Vorabend (+*gen*).

even [ˈiːvən] 1 *adj* a *surface*, *ground* eben ▶ **to be ~ with sth** mit etw abschließen. b (*regular*) *layer etc* gleichmäßig; *progress* stetig; *temper* ausgeglichen. c *quantities*, *distances*, *values* gleich ▶ **the score is ~** es steht unentschieden; **I will get ~ with you for that** das werde ich dir heimzahlen; **that makes us ~** (*in game*) damit steht es unentschieden; (*fig*) damit sind wir quitt. d *number* gerade. 2 *adv* a sogar, selbst ▶ **they ~ denied its existence** sie leugneten sogar seine Existenz; **~ better/more beautiful** sogar (noch) besser/schöner. b **not ~** nicht einmal; **with not ~ a smile** ohne auch nur zu lächeln. c **~ if/though** selbst wenn; **~ as I spoke ...** noch während ich redete ...; **~ so** (aber) trotzdem.

◆**even out** 1 *vi* a (*prices*) sich einpendeln. b (*ground*) eben werden. 2 *vt sep* a *prices* ausgleichen ▶ **that should ~ things ~ a bit** dadurch müßte ein gewisser Ausgleich erzielt werden. b *ground*, *cement* ebnen.

even-handed [ˌiːvənˈhændɪd] *adj* gerecht.

evening [ˈiːvnɪŋ] *n* Abend *m* ▶ **in the ~** abends, am Abend; **this/tomorrow ~** heute/morgen abend; **one ~** eines Abends; **every Monday ~** jeden Montagabend.

evening *in cpds* Abend-; **~ class** *n* Abendkurs *m*; **~ dress** *n* (*men's*) Abendanzug *m*; (*women's*) Abendkleid *nt*; **~ paper** *n* Abendzeitung *f*.

evenly [ˈiːvənlɪ] *adv* gleichmäßig ▶ **they were ~ matched** sie waren einander ebenbürtig.

evensong [ˈiːvənsɒŋ] *n* Abendgottesdienst *m*.

event [ɪˈvent] *n* a (*happening*) Ereignis *nt* ▶ **in the normal course of ~s** normalerweise. b (*function*) Veranstaltung *f* ▸ *what is your best ~?* (*Sport*) in welcher Disziplin sind Sie am besten? **c** *in the ~ of war/fire* im Kriegsfalle/im Falle eines Brandes; *in any ~* ohnehin, sowieso; *in the ~* im Endeffekt; *at all ~s* auf jeden Fall.

even-tempered [ˌiːvənˈtempəd] *adj* ausgeglichen.

eventer [ɪˈventəʳ] *n* (*Sport*) Militaryreiter(in *f*) *m*.

eventful [ɪˈventfʊl] *adj* ereignisreich.

eventing [ɪˈventɪŋ] *n* (*Sport*) Military *f*.

eventual [ɪˈventʃʊəl] *adj* *the decline and ~ collapse of ...* der Niedergang und schließliche vollkommene Zerfall des ...

eventuality [ɪˌventʃʊˈælɪtɪ] *n* möglicher Fall ▸ *be ready for any ~* sei auf alle Eventualitäten gefaßt.

eventually [ɪˈventʃʊəlɪ] *adv* schließlich, endlich.

ever [ˈevəʳ] *adv* **a** je(mals) ▸ *not ~* nie; *nothing ~ happens* es passiert nie etwas; *it hardly ~ snows here* hier schneit es kaum (jemals); *if I ~ catch you doing that again* wenn ich dich noch einmal dabei erwische; *seldom, if ~* selten, wenn überhaupt; *he's a rascal if ~ there was one* er ist ein richtiggehender kleiner Halunke; *as if I ~ would* als ob ich das jemals täte; *don't you ~ say that again!* sag das ja nie mehr!; *have you ~ been to Glasgow?* bist du schon einmal in Glasgow gewesen?; *more beautiful than ~* schöner denn je; *the first ~* der/die/das allererste; *the coldest night ~* die kälteste Nacht aller Zeiten.

b *~ since then* seit der Zeit, seitdem; *for ~* für immer; *it seemed to go on for ~ (and ~)* es schien ewig zu dauern; *~ increasing powers* ständig wachsende Macht.

c (*intensive*) *no government be it ~ so powerful* keine noch so mächtige Regierung; *the best grandmother ~* die beste Großmutter, die es je gegeben hat; *did you ~!* (*col*) also so was!; *why ~ not?* warum denn bloß nicht?

d (*col*) *~ so/such* unheimlich; *~ so slightly drunk* ein ganz klein wenig betrunken; *I am ~ so sorry* es tut mir schrecklich leid; *thank you ~ so much* ganz herzlichen Dank.

Everest [ˈevərest] *n* (*Mount*) *~* der Mount Everest.

evergreen [ˈevəgriːn] **1** *adj* immergrün; (*fig*) *topic* immer aktuell.

2 *n* immergrüner Baum/Busch; (*fig: song*) Evergreen *m*.

everlasting [ˌevəˈlɑːstɪŋ] *adj* (*lit, fig*) ewig ▸ *~ flower* Strohblume *f*.

evermore [ˌevəˈmɔːʳ] *adv* immer ▸ *for ~* in alle Ewigkeit.

every [ˈevrɪ] *adj* jede(r, s) ▸ *he is ~ bit as clever as his brother* er ist ganz genauso schlau wie sein Bruder; *I have ~ reason to believe that ...* ich habe allen Grund anzunehmen, daß ...; *I have ~ confidence in him* ich habe vollstes Vertrauen zu ihm; *we wish you ~ success/happiness* wir wünschen Ihnen viel Erfolg/ Glück; *his ~ word* jedes Wort, das er sagte; *~ fifth day, ~ five days* jeden fünften Tag, alle fünf Tage; *~ other day* jeden zweiten Tag, alle zwei Tage; *~ so often, ~ now and then or again* hin und wieder, ab und zu.

everybody [ˈevrɪbɒdɪ] *pron* jeder(mann), alle *pl* ▸ *~ knows ~ else here* hier kennt jeder jeden.

everyday [ˈevrɪdeɪ] *adj* alltäglich; *language* Umgangs-.

everyone [ˈevrɪwʌn] *pron* = **everybody**.

everything [ˈevrɪθɪŋ] *n* alles ▸ *~ possible* alles Mögliche; *~ you have* alles, was du hast.

everywhere [ˈevrɪweəʳ] *adv* überall; (*with direction*) überallhin ▸ *from ~* überallher, von überall; *~ you look* wo man auch hinsieht.

evict [ɪˈvɪkt] *vt* *tenants* zur Räumung zwingen (*from* gen).

eviction [ɪˈvɪkʃən] *n* Zwangsräumung *f* (*from* aus) ▸ *~ notice or order* Räumungsbefehl *m*.

evidence [ˈevɪdəns] **1** *n* **a** Beweis(e *pl*) *m*; (*Jur*) (*object*) Beweisstück *nt*; (*testimony*) Aussage *f* ▸ *there wasn't enough ~* die Beweise reichten nicht aus; *all the ~ was against his claim* alles sprach gegen seine Behauptung; *to give ~ (for/against sb)* (für/gegen jdn) aussagen; *the ~ for the defence* die Beweisführung für die Verteidigung. **b** *to be in ~* sichtbar sein; *ideas which have been very much in ~ recently* Ideen, die in letzter Zeit deutlich in Erscheinung getreten sind.

2 *vt* zeugen von.

evident *adj*, **~ly** *adv* [ˈevɪdənt, -lɪ] offensichtlich.

evil [ˈiːvl] **1** *adj* böse; *person also, reputation, influence* schlecht; (*col*) *smell* übel.

2 *n* Böse(s) *nt* ▸ *an ~* ein Übel *nt*; *the lesser of two ~s* das kleinere von zwei Übeln; *social ~s* soziale Mißstände.

evil: **~-doer** *n* Übeltäter(in *f*) *m*; **~-minded** *adj* bösartig.

evince [ɪˈvɪns] *vt* an den Tag legen.

evocation [ˌevəˈkeɪʃən] *n* Heraufbeschwören *nt*.

evocative [ɪˈvɒkətɪv] *adj* evokativ (*geh*) ▸ *to be ~ of sth* etw heraufbeschwören.

evoke [ɪˈvəʊk] *vt* heraufbeschwören; *memory also* wachrufen; *admiration* hervorrufen.

evolution [ˌiːvəˈluːʃən] *n* Entwicklung *f*; (*Biol etc*) Evolution *f* ▸ *theory of ~* Abstammungslehre *f*.

evolutionary [ˌiːvəˈluːʃnərɪ] *adj* evolutionär.

evolve [ɪˈvɒlv] **1** *vt* entwickeln.

2 *vi* sich entwickeln, sich herausbilden.

ewe [juː] *n* Mutterschaf *nt*.

ex- [eks-] *pref* **a** ehemalig, Ex- ▸ **~-wife** frühere Frau, Exfrau *f*. **b** (*Comm*) **~-works** ab Werk.

exacerbate [ekˈsæsəbeɪt] *vt* *pain, disease* verschlimmern; *situation* verschärfen.

exact [ɪɡˈzækt] **1** *adj* genau; *figures, analysis etc also* exakt ▸ *it's the ~ opposite* es ist genau umgekehrt; *please tender the ~ fare* bitte das abgezählte Fahrgeld bereithalten.

2 *vt* *money, ransom* fordern (*from* von).

exacting [ɪɡˈzæktɪŋ] *adj* anspruchsvoll ▸ *to be too/very ~ with sb* zu viel/sehr viel von jdm verlangen.

exactitude [ɪɡˈzæktɪtjuːd] *n* Genauigkeit *f*.

▼ **exactly** [ɪɡˈzæktlɪ] *adj* genau ▸ *I'm not ~ sure who he is* ich bin mir nicht ganz sicher, wer er ist; *it's not ~ a detective story* es ist eigentlich keine Kriminalgeschichte; *he wasn't ~ pleased* er war nicht gerade erfreut.

exactness [ɪɡˈzæktnɪs] *n* Genauigkeit *f*.

exaggerate [ɪɡˈzædʒəreɪt] *vti* übertreiben; (*intensify*) *effect* verstärken.

exaggerated [ɪɡˈzædʒəreɪtɪd] *adj* übertrieben ▸ *to have an ~ opinion of oneself* eine übertrieben hohe Meinung von sich haben.

exaggeration [ɪɡˌzædʒəˈreɪʃən] *n* Übertreibung *f*.

exalted [ɪɡˈzɔːltɪd] *adj* *position, style* hoch.

exam [ɪɡˈzæm] *n* Prüfung *f*.

examination [ɪɡˌzæmɪˈneɪʃən] *n* **a** (*Sch etc*) Prüfung *f*; (*Univ also*) Examen *nt* ▸ *~ candidate* Prüfling, Prüfungskandidat *m*; *~ paper* Prüfungsbogen *m*; (*questions*) Prüfungsaufgaben *pl*. **b** (*study, inspection*) Prüfung, Untersuchung *f*; (*of machine, passports*) Kontrolle *f*; (*of question*) Untersuchung *f*; (*of accounts*) Prüfung *f* ▸ *the matter is still under ~* die Angelegenheit wird noch geprüft *or* untersucht. **c** (*of accused, witness*) Vernehmung *f*; (*of case*) Untersuchung *f*.

examine [ɪɡˈzæmɪn] *vt* **a** (*for* auf +*acc*) untersuchen; *document, accounts* prüfen; *machine, passports, luggage* kontrollieren. **b** *pupil, candidate* prüfen (*in* in +*dat*, *on* über +*acc*). **c** *accused, witness* verhören.

examiner [ɪɡˈzæmɪnəʳ] *n* (*Sch, Univ*) Prüfer(in *f*) *m*.

example [ɪɡˈzɑːmpl] *n* Beispiel *nt* ▸ *for ~* zum Beispiel; *to set a good/bad ~* ein gutes/schlechtes Beispiel geben; *to make an ~ of sb* an jdm ein Exempel statuieren.

exasperate [ɪg'zɑːspəreɪt] vt zur Verzweiflung bringen ▶ **to get ~d** verzweifeln (with an +dat); **~d at** or **by** verärgert über (+acc).

exasperating [ɪg'zɑːspəreɪtɪŋ] adj ärgerlich; delay, difficulty, job leidig attr ▶ **it's so ~!** es ist wirklich zum Verzweifeln!

exasperation [ɪg,zɑːspə'reɪʃən] n Verzweiflung f (with über +acc).

excavate ['ekskəveɪt] **1** vt ground ausschachten; (machine); (Archeol) remains ausgraben. **2** vi (Archeol) Ausgrabungen machen.

excavation [,ekskə'veɪʃən] n (Archeol) (Aus)grabung f; (of tunnel etc) Graben nt ▶ **~(s)** (site) Ausgrabungsstätte f.

excavator ['ekskəveɪtər] n (machine) Bagger m.

exceed [ɪk'siːd] vt (in value, amount, length of time) übersteigen (by um); (go beyond) hinausgehen über (+acc); expectations, desires übertreffen; limits, powers, speed limit überschreiten ▶ **amounts ~ing/not ~ing £50** Beträge über/bis zu £50.

exceedingly [ɪk'siːdɪŋlɪ] adv äußerst.

excel [ɪk'sel] **1** vi sich auszeichnen, sich hervortun (in in +dat, at bei). **2** vt **to ~ oneself** (oft iro) sich selbst übertreffen.

excellence ['eksələns] n Vorzüglichkeit f.

Excellency ['eksələnsɪ] n **Your ~** Eure Exzellenz.

▼ **excellent** ['eksələnt] adj ausgezeichnet.

except [ɪk'sept] **1** prep außer (+dat) ▶ **what can they do ~ wait?** was können sie anderes tun als warten?; **~ for** abgesehen von, bis auf (+acc); **~ that ...** außer daß ...; **~ for the fact that** abgesehen davon, daß ...; **~ if** außer wenn; **~ when** außer wenn. **2** conj **I'd refuse ~ I need the money** ich würde ablehnen, doch ich brauche das Geld. **3** vt ausnehmen ▶ **~ing** außer (+dat); **not ~ing X** X nicht ausgenommen.

exception [ɪk'sepʃən] n **a** Ausnahme f ▶ **to make an ~** eine Ausnahme machen; **with the ~ of** mit Ausnahme von; **as an ~** ausnahmsweise; **the ~ proves the rule** (prov) Ausnahmen bestätigen die Regel (prov). **b** **to take ~ to sth** Anstoß m an etw (dat) nehmen.

exceptional [ɪk'sepʃnl] adj außergewöhnlich ▶ **apart from ~ cases** abgesehen von Ausnahmefällen.

exceptionally [ɪk'sepʃənəlɪ] adv (outstandingly) außergewöhnlich; (as an exception) ausnahmsweise.

excerpt ['eksɜːpt] n Auszug m.

excess [ɪk'ses] n **a** Übermaß nt (of an +dat) ▶ **to drink to ~** übermäßig trinken; **to carry sth to ~** etw übertreiben. **b** **~es** pl Exzesse pl; (brutalities also) Ausschreitungen pl. **c** (amount left over) Überschuß m. **d** **in ~ of** über +dat; **to be in ~ of** überschreiten.

excess in cpds weight, production Über-; **~ baggage** n Übergepäck nt; **~ fare** n Nachlösegebühr f; **I had to pay ~ fare** ich mußte nachlösen.

excessive [ɪk'sesɪv] adj übermäßig; praise also übertrieben ▶ **I think you're being ~** ich finde, Sie übertreiben.

excessively [ɪk'sesɪvlɪ] adv **a** (to excess) (+vb) eat, drink übermäßig; (+adj) optimistic, severe allzu. **b** (extremely) äußerst.

exchange [ɪks'tʃeɪndʒ] **1** vt books, glances, seats tauschen; foreign currency umtauschen (for in +acc); ideas, experiences etc austauschen ▶ **to ~ words/letters/blows** einen Wortwechsel haben/einen Briefwechsel führen/sich schlagen; **to ~ one thing for another** eine Sache gegen eine andere austauschen or (in shop) umtauschen. **2** n **a** (of goods, stamps) Tausch m; (of prisoners, views) Austausch m; (of one bought item for another) Umtausch m ▶ **in ~** dafür; **in ~ for money** gegen Geld;

in ~ for lending me your car dafür, daß Sie mir Ihr Auto geliehen haben. **b** (Fin: place) Wechselstube f ▶ **~ control** Devisenkontrolle f; **~ rate** Wechselkurs m. **c** (telephone) **~** Fernamt nt; (in office etc) (Telefon)zentrale f. **3** adj attr student, teacher, engine etc Austausch-.

exchequer [ɪks'tʃekər] n Finanzministerium nt; (esp in GB) Schatzamt nt.

excise ['eksaɪz] n Verbrauchssteuer f.

excitable [ɪk'saɪtəbl] adj (leicht) erregbar.

excite [ɪk'saɪt] vt aufregen, aufgeregt machen; (rouse enthusiasm in) begeistern; sentiments, (sexually) erregen; imagination anregen.

excited [ɪk'saɪtɪd] adj aufgeregt; (worked up, not calm also, sexually) erregt; (enthusiastic) begeistert ▶ **don't get ~!** (angry etc) reg dich nicht auf!; **don't get too ~** (iro) freu dich nicht zu früh!; **aren't you ~ about the holidays?** freust du dich nicht schon auf die Ferien?

excitement [ɪk'saɪtmənt] n Aufregung f; (not being calm etc also, sexual) Erregung f ▶ **a mood of ~** eine spannungsgeladene Stimmung; **what's all the ~ about?** wozu die ganze Aufregung?; **his novel has caused great ~** sein Roman hat große Begeisterung ausgelöst.

exciting [ɪk'saɪtɪŋ] adj aufregend; story, film, event, adventure also spannend; new author sensationell ▶ **isn't that ~!** ist das nicht prima?; **how ~ for you** wie schön für dich!, wie aufregend (also iro).

excl = **excluding** exkl.

exclaim [ɪk'skleɪm] vt ausrufen.

exclamation [,eksklə'meɪʃən] n Ausruf m (also Gram) ▶ **~ mark** or (US) **point** Ausrufezeichen nt.

exclude [ɪk'skluːd] vt ausschließen ▶ **to ~ sb from the team** jdn aus der Mannschaft ausschließen.

excluding [ɪk'skluːdɪŋ] prep außer (+dat), exklusive (+gen) ▶ **~ VAT** ohne MWSt.

exclusion [ɪk'skluːʒən] n Ausschluß m (from von) ▶ **you can't just think about your job to the ~ of everything else** du kannst nicht ausschließlich an deine Arbeit denken; **~ clause** (Insur) Haftungsausschlußklausel f.

exclusive [ɪk'skluːsɪv] adj **a** group, club etc exklusiv; report, interview also Exklusiv- ▶ **~ right** ausschließliches Recht, Alleinrecht nt; **they are mutually ~** sie schließen einander aus. **b** (sole) ausschließlich, einzig. **c** **from 15th to 20th June** vom 15. bis zum 20. Juni ausschließlich; **~ of** ausschließlich (+gen), exklusive (+gen); **~ of service** ohne Bedienung.

exclusively [ɪk'skluːsɪvlɪ] adv ausschließlich.

excommunicate [,ekskə'mjuːnɪkeɪt] vt exkommunizieren.

excommunication [,ekskəmjuːnɪ'keɪʃən] n Exkommunikation f.

excrement ['ekskrɪmənt] n Kot m, Exkremente pl.

excruciating [ɪk'skruːʃɪeɪtɪŋ] adj pain, noise gräßlich, entsetzlich.

excruciatingly [ɪk'skruːʃɪeɪtɪŋlɪ] adv **it was ~ painful** es hat scheußlich weh getan (col); **~ funny** urkomisch.

excursion [ɪk'skɜːʃən] n Ausflug m ▶ **to go on an ~** einen Ausflug machen; **~ ticket** verbilligte Fahrkarte.

excuse [ɪk'skjuːz] **1** vt **a** entschuldigen ▶ **he ~d himself for being late** er entschuldigte sich, daß er zu spät kam; **to ~ sb for having done sth** jdm verzeihen, daß er etwas getan hat; **I think I can be ~d for believing him** man kann es mir wohl nicht übelnehmen, daß ich ihm geglaubt habe; **if you will ~ the expression** wenn Sie mir den Ausdruck gestatten; **~ me!** (to get attention, sorry) Entschuldigung!, entschuldigen Sie!; (indignant) erlauben Sie mal! **b** (from obligation) **to ~ sb from (doing) sth** jdn von einer Sache befreien, jdm etw erlassen; **you are ~d** ihr könnt gehen; **can I be ~d?** darf ich mal verschwinden (col)?

▶ SENTENCE BUILDER: **excellent → 3**

[2] [ɪks'kjuːs] *n* Entschuldigung *f* ▶ *there's no ~ for it* dafür gibt es keine Entschuldigung; *to make ~s for sb* jdn entschuldigen; *he's only making ~s* er sucht nur nach einer Ausrede; *a good ~ for a party* ein guter Grund, eine Party zu feiern.

ex-directory [ˌeksdaɪ'rektərɪ] *adj* (*Brit*) *to be ~* (*person*) nicht im Telefonbuch stehen; (*number*) eine Geheimnummer sein.

execrable ['eksɪkrəbl] *adj* abscheulich.

execute ['eksɪkjuːt] *vt* [a] *plan, order,* (*Comp*) *command* ausführen; *duties* erfüllen ▶ *beautifully ~d* (*music*) wunderbar gespielt. [b] *criminal* hinrichten. [c] (*Jur*) *will* vollstrecken.

execution [ˌeksɪ'kjuːʃən] *n* (a) *see vt* (a) Ausführung *f*; Erfüllung *f* ▶ *in the ~ of his duties* bei der Ausübung seines Amtes. [b] (*Mus*) Vortrag *m*; (*musician's skill*) Ausführung *f*. [c] (*as punishment*) Hinrichtung *f*. [d] (*Jur: of will*) Vollstreckung *f*.

executioner [ˌeksɪ'kjuːʃnər] *n* Henker *m*.

executive [ɪg'zekjʊtɪv] [1] *adj powers, committee etc* Exekutiv-; (*Comm*) geschäftsführend ▶ *~ director* Vorstandsmitglied *nt*; *~ position* leitende Stellung *or* Position.
[2] *n* [a] leitender Angestellter, leitende Angestellte, Manager *m* ▶ *~ (brief)case* Diplomatenköfferchen *nt*. [b] (*of government*) Exekutive *f*; (*of association*) Vorstand *m*.

executor [ɪg'zekjʊtər] *n* (*of will*) Testamentsvollstrecker *m*.

exemplary [ɪg'zemplərɪ] *adj* vorbildlich, beispielhaft ▶ *~ punishment* exemplarische Strafe.

exemplify [ɪg'zemplɪfaɪ] *vt* (anhand von Beispielen) erläutern.

exempt [ɪg'zempt] [1] *adj* befreit (*from* von).
[2] *vt person* befreien.

exemption [ɪg'zempʃən] *n* Befreiung *f*.

exercise ['eksəsaɪz] [1] *n* [a] *no pl* (*of right*) Wahrnehmung *f*; (*of physical, mental power*) Ausübung *f*. [b] (*bodily or mental, drill, Mus etc*) Übung *f* ▶ *to do one's ~s in the morning* Morgengymnastik machen. [c] *no pl* (*physical*) Bewegung *f* ▶ *physical ~* (körperliche) Bewegung; *you should take more ~* Sie sollten mehr Bewegung haben; *what do you do for ~?* wie halten Sie sich fit? [d] (*Mil: usu pl*) Übung *f*.
[2] *vt* [a] *body, mind* trainieren; (*Mil*) *troops* exerzieren; *dog* spazierenführen. [b] (*use*) *control, power* ausüben; *a right also* geltend machen; *tact, discretion* üben.
[3] *vi if you ~ regularly* wenn Sie sich viel bewegen.

exercise: *~ bike n* Heimtrainer *m*, Trimmrad *nt*; *~ book n* Heft *nt*.

exert [ɪg'zɜːt] [1] *vt pressure, influence* ausüben (*on* auf +*acc*); *authority* geltend machen (*on* bei).
[2] *vr to ~ oneself* sich anstrengen.

exertion [ɪg'zɜːʃən] *n* [a] (*effort*) Anstrengung *f* ▶ *after the day's ~s* nach des Tages Mühen. [b] (*of pressure, influence*) Ausübung *f* (*on* auf +*acc*).

exeunt ['eksɪʌnt] (*in stage directions*) ab.

ex gratia [eks'greɪʃə] *adj payment* Sonder-.

ex gratia payment *n* Kulanzzahlung *f*.

exhale [eks'heɪl] *vti* ausatmen.

exhaust [ɪg'zɔːst] [1] *vt* (*use up, tire*) erschöpfen.
[2] *n* (*Aut etc*) Auspuff *m*; (*~ gases*) Auspuffgase *pl*.

exhausted [ɪg'zɔːstɪd] *adj* erschöpft.

exhaust fumes *npl* Abgase *pl*.

exhausting [ɪg'zɔːstɪŋ] *adj* anstrengend.

exhaustion [ɪg'zɔːstʃən] *n* Erschöpfung *f*.

exhaustive [ɪg'zɔːstɪv] *adj* erschöpfend.

exhaust: *~ pipe n* Auspuffrohr *nt*; *~ system n* Auspuff *m*.

exhibit [ɪg'zɪbɪt] [1] *vt* [a] ausstellen; *merchandise also* auslegen. [b] *skill, ingenuity* zeigen, an den Tag legen.

[2] *vi* ausstellen.
[3] *n* (*in an exhibition*) Ausstellungsstück *nt*; (*Jur*) Beweisstück *nt*.

exhibition [ˌeksɪ'bɪʃən] *n* [a] Ausstellung *f*; (*of articles for sale*) Auslage *f*. [b] *to make an ~ of oneself* sich danebenbenehmen (*col*).

exhibition bout *n* Schaukampf *m*.

exhibition hall *n* Ausstellungshalle *f*.

exhibitionist [ˌeksɪ'bɪʃənɪst] *n* Exhibitionist(in *f*) *m*.

exhibitor [ɪg'zɪbɪtər] *n* Aussteller *m*.

exhilarate [ɪg'zɪləreɪt] *vt* in Hochstimmung versetzen; (*sea air etc*) beleben, erfrischen.

exhilarated [ɪg'zɪləreɪtɪd] *adj* erregt ▶ *to feel ~* in Hochstimmung sein.

exhilarating [ɪg'zɪləreɪtɪŋ] *adj sensation, speed* erregend; *music* anregend; *air etc* belebend.

exhilaration [ɪgˌzɪlə'reɪʃən] *n* Hochgefühl *nt*.

exhort [ɪg'zɔːt] *vt* ermahnen.

exhumation [ˌekshjuː'meɪʃən] *n* Exhumierung *f*.

exhume [eks'hjuːm] *vt* exhumieren.

exile ['eksaɪl] [1] *n* (*person*) Verbannte(r) *mf*; (*banishment*) Exil *nt*, Verbannung *f* ▶ *in ~* im Exil.
[2] *vt* verbannen (*from* aus).

exist [ɪg'zɪst] *vi* [a] existieren, bestehen ▶ *it doesn't ~* das gibt es nicht; *to continue to ~* fortbestehen; *there ~s a tradition that ...* es gibt den Brauch, daß ...; *she ~s on very little* sie kommt mit sehr wenig aus; *we manage to ~* wir kommen gerade aus. [b] (*be found: plants, minerals etc*) vorkommen.

existence [ɪg'zɪstəns] *n* [a] Existenz *f*; (*of custom, tradition, institution also*) Bestehen *nt* ▶ *to be in ~* existieren, bestehen; *to come into ~* entstehen; (*person*) auf die Welt kommen; *to go out of ~* zu existieren aufhören; *the only one in ~* der einzige, den es gibt. [b] (*life*) Dasein *nt*, Existenz *f*.

existential [ˌegzɪs'tenʃəl] *adj* existentiell.

existentialism [ˌegzɪs'tenʃəlɪzəm] *n* Existentialismus *m*.

existing [ɪg'zɪstɪŋ] *adj law* bestehend; *director* gegenwärtig.

exit ['eksɪt] [1] *n* Ausgang *m*; (*for vehicles*) Ausfahrt *f* ▶ *he made a very dramatic ~* sein Abgang war sehr dramatisch; *~ poll* bei Wahlen unmittelbar nach Verlassen der Wahllokale durchgeführte Umfrage; *~ ramp* (*US*) Ausfahrt *f*; *~ visa* Ausreisevisum *nt*.
[2] *vi* (*from stage*) abgehen; (*Comp*) das Programm/die Datei verlassen.

exodus ['eksədəs] *n* Auszug *m*; (*Bibl, fig*) Exodus *m* ▶ *general ~* allgemeiner Aufbruch.

ex officio [ˌeksə'fɪʃɪəʊ] [1] *adj leader, member* von Amts wegen.
[2] *adv to act ~* kraft seines Amtes handeln.

exonerate [ɪg'zɒnəreɪt] *vt* entlasten (*from* von).

exorbitant [ɪg'zɔːbɪtənt] *adj price* astronomisch; *demands* maßlos, übertrieben ▶ *that's ~!* das ist Wucher!

exorcism ['eksɔːsɪzəm] *n* Exorzismus *m*.

exorcize ['eksɔːsaɪz] *vt* exorzieren; *evil spirit also* austreiben.

exotic [ɪg'zɒtɪk] *adj* exotisch.

expand [ɪk'spænd] [1] *vt* ausdehnen, erweitern; *ideas* entwickeln ▶ *~ed polystyrene* Styropor ® *nt*.
[2] *vi* (*gases, universe*) sich ausdehnen; (*business*) expandieren, sich ausweiten; (*knowledge, influence, market*) wachsen ▶ *could you ~ on that?* könnten Sie das näher ausführen?

expandable [ɪk'spændəbl] *adj* erweiterbar; (*Comp*) ausbaufähig.

expanse [ɪk'spæns] *n* Fläche *f*; (*of sea*) Weite *f no pl*.

expansion [ɪk'spænʃən] *n* (*of gas, metal, property*) Ausdehnung *f*; (*of business, production, knowledge*) Erweiterung *f*; (*territorial, economic*) Expansion *f*; (*of subject,* *idea*) Entwicklung *f*; (*of experience, influence*) Vergrößerung *f*.

expansionism [ɪk'spænʃənɪzəm] *n* Expansionspolitik *f*.

expansionist [ɪk'spænʃənɪst] *adj* expansionistisch.

expansive [ɪk'spænsɪv] *adj person* mitteilsam.

expat [ˌeks'pæt] (*col*) *see* **expatriate (2)**.

expatriate [eks'pætrɪət] **1** *adj* im Ausland lebend. **2** *n* im Ausland Lebende(r) *mf* ▸ *the ~s in Abu Dhabi* die Ausländer in Abu Dhabi.

▼ **expect** [ɪk'spekt] **1** *vt* **a** (*anticipate*) erwarten; *esp sth bad also* rechnen mit ▸ *that was to be ~ed* das war zu erwarten; *I know what to ~* ich weiß, was mich erwartet; *I ~ed as much* das habe ich erwartet; *I was ~ing him to come* ich habe eigentlich erwartet, daß er kommt.
b (*suppose*) annehmen ▸ *will they be on time? — yes, I ~ so* kommen sie pünktlich? — ja, ich glaube schon; *I ~ it will rain* es wird wohl regnen; *I ~ he turned it down* ich nehme an, er hat abgelehnt; *well, I ~ he's right* er wird schon recht haben.
c (*demand*) *to ~ sth of or from sb* etw von jdm erwarten; *to ~ sb to do sth* erwarten, daß jd etw tut; *are we ~ed to tip the waiter?* müssen wir dem Kellner Trinkgeld geben?; *what do you ~ me to do about it?* was soll ich da machen?
d (*await*) erwarten; *baby also* bekommen ▸ *we'll ~ you when we see you* (*col*) wenn ihr kommt, dann kommt ihr (*col*).
2 *vi* *she's ~ing* sie ist in anderen Umständen.

expectancy [ɪk'spektənsɪ] *n* Erwartung *f*.

expectant [ɪk'spektənt] *adj* erwartungsvoll; *mother* werdend.

expectantly [ɪk'spektəntlɪ] *adv* erwartungsvoll; *wait* gespannt.

expectation [ˌekspek'teɪʃən] *n* **a** Erwartung *f* ▸ *in ~ of* in Erwartung (*+gen*); *contrary to all ~(s)* wider Erwarten; *beyond all ~(s)* über Erwarten; *to come up to sb's ~s* jds Erwartungen (*dat*) entsprechen. **b** (*prospect*) Aussicht *f*.

expedience [ɪk'spiːdɪəns], **expediency** [ɪk'spiːdɪənsɪ] *n* **a** (*self-interest*) Zweckdenken *nt*, Berechnung *f*. **b** (*of measure etc*) Zweckdienlichkeit *f*; (*advisability*) Ratsamkeit *f*.

expedient [ɪk'spiːdɪənt] *adj* (*politic*) zweckdienlich; (*advisable*) angebracht, ratsam.

expedite ['ekspɪdaɪt] *vt* beschleunigen.

expedition [ˌekspɪ'dɪʃən] *n* Expedition *f*; (*Mil*) Feldzug *m*.

expeditionary [ˌekspɪ'dɪʃənrɪ] *adj* *~ force* Expeditionskorps *nt*.

expel [ɪk'spel] *vt* vertreiben; (*from country*) ausweisen (*from* aus); (*from school*) verweisen (*from* von, *gen*); (*from party*) ausschließen (*from* aus).

expend [ɪk'spend] *vt time, energy* aufwenden (*on* für); (*use up*) *resources* verbrauchen.

expendable [ɪk'spendəbl] *adj* entbehrlich; *people* überflüssig.

expenditure [ɪk'spendɪtʃər] *n* (*money spent*) Ausgaben *pl*; (*of time, energy*) Aufwand *m* (*of* an *+dat*).

expense [ɪk'spens] *n* **a** Kosten *pl* ▸ *at great ~* unter großem Kostenaufwand; *it's a big ~* es ist eine große Ausgabe; *to go to great ~ to repair the house* es sich (*dat*) etwas kosten lassen, das Haus instand zu setzen; *don't go to any ~ over our visit* stürz dich nicht in Unkosten wegen unseres Besuchs; *at sb's ~/at the ~ of sth* (*lit, fig*) auf jds Kosten (*acc*)/auf Kosten einer Sache (*gen*); *at my own ~* auf eigene Kosten. **b** (*Comm: usu pl*) Spesen *pl* ▸ *to incur ~s* Unkosten haben; *it's on ~s* das geht auf Spesen; *~ account* Spesenkonto *nt*.

expensive [ɪk'spensɪv] *adj* teuer.

experience [ɪk'spɪərɪəns] **1** *n* **a** Erfahrung *f* ▸ *~*

shows that ... die Erfahrung lehrt, daß ...; *from my own personal ~* aus eigener Erfahrung; *he has no ~ of living in the country* er kennt das Landleben nicht; *to have a lot of teaching ~* große Erfahrung als Lehrer haben. **b** (*event experienced*) Erlebnis *nt* ▸ *I had a nasty ~* mir ist etwas Unangenehmes passiert; *to go through* or *have a painful ~* Schreckliches erleben; *to have an ~* eine Erfahrung machen; *what an ~!* das war vielleicht was!; *it was a new ~ for me* es war völlig neu für mich.
2 *vt* **a** erleben; *pain, hunger also* erfahren; *difficult times* durchmachen ▸ *to ~ difficulties* Schwierigkeiten haben. **b** (*feel*) empfinden.

experienced [ɪk'spɪərɪənst] *adj* erfahren (*in* in *+dat*); *eye, ear* geschult.

experiment [ɪk'sperɪmənt] **1** *n* Versuch *m*, Experiment *nt* ▸ *to do an ~* einen Versuch *or* ein Experiment machen.
2 *vi* experimentieren (*on* mit).

experimental [ɪkˌsperɪ'mentl] *adj* experimentell; *also method, science* Experimental-; *farm, engine, period* Versuchs-; *theatre, cinema* Experimentier- ▸ *at the ~ stage* im Versuchsstadium.

experimentally [ɪkˌsperɪ'mentəlɪ] *adv* versuchsweise.

experimentation [ɪkˌsperɪmen'teɪʃən] *n* Experimentieren *nt*.

expert ['ekspɜːt] **1** *n* Fachmann, Experte *m*, Expertin *f*; (*Jur*) Sachverständige(r) *mf* ▸ *~'s eye* Kennerblick *m*.
2 *adj work, repair* fachmännisch, geschickt; *driver etc* geschickt, ausgezeichnet; *approach, advice* fachmännisch ▸ *~ opinion* Gutachten *nt*; *~ witness* sachverständiger Zeuge, Gutachter *m*; *the ~ touch* die Meisterhand; *~ system* (*Comp*) Expertensystem *nt*.

expertise [ˌekspə'tiːz] *n* Sachkenntnis *f* (*in* auf dem Gebiet *+gen*); (*manual*) Geschick *nt* (*in* bei).

expertly ['ekspɜːtlɪ] *adv* fachmännisch; *drive etc* geschickt, ausgezeichnet.

expire [ɪk'spaɪər] *vi* **a** (*passport, time limit*) ablaufen. **b** (*liter: die*) seinen Geist aufgeben (*liter*).

expiry [ɪk'spaɪərɪ] *n* Ablauf *m* ▸ *~ date* Ablauftermin *m*; (*of voucher*) Verfallsdatum *nt*.

explain [ɪk'spleɪn] *vt* erklären (*to sb* jdm); *situation also* erläutern; *mystery* aufklären ▸ *he'd better ~ himself* ich hoffe, er kann das erklären.

◆**explain away** *vt sep* eine Erklärung finden für.

explanation [ˌeksplə'neɪʃən] *n* Erklärung *f*; Erläuterung *f*; Aufklärung *f* ▸ *what can you say in ~ of this?* wie erklären Sie das?

explanatory [ɪk'splænətərɪ] *adj* erklärend ▸ *a few ~ remarks* ein paar Worte zur Erklärung.

expletive [ɪk'spliːtɪv] *n* Kraftausdruck *m*.

explicit [ɪk'splɪsɪt] *adj* ausdrücklich, explizit (*geh*); *text, meaning* klar; *sex scene* deutlich, unverhüllt.

explicitly [ɪk'splɪsɪtlɪ] *adv* ausdrücklich.

explode [ɪk'spləʊd] **1** *vi* (*lit, fig*) explodieren ▸ *to ~ with laughter* in schallendes Gelächter ausbrechen.
2 *vt* **a** *bomb, mine* sprengen; *dynamite, gas* zur Explosion bringen. **b** (*fig*) *theory, argument* zu Fall bringen.

exploit ['eksplɔɪt] **1** *n* (*heroic*) Heldentat *f* ▸ *~s* (*adventures*) Abenteuer *pl*.
2 [ɪks'plɔɪt] *vt coal seam*, (*pej*) *workers* ausbeuten; *situation*, (*pej*) *friend, good nature* ausnutzen; *product* nutzen.

exploitation [ˌeksplɔɪ'teɪʃən] *n see vt* Ausbeutung *f*; Ausnutzung *f*; Nutzung *f*.

exploration [ˌeksplɔː'reɪʃən] *n* Erforschung, Erkundung *f*; (*of topic, Med*) Untersuchung *f* ▸ *a voyage of ~* (*lit, fig*) eine Entdeckungsreise.

exploratory [ɪk'splɒrətərɪ] *adj drilling* Probe- ▸ *~ operation* (*Med*) Explorationsoperation *f*; *~ talks* Sondierungsgespräche *pl*.

> SENTENCE BUILDER: **expect: 1a → 6.1   1d → 8.1**

explore [ɪk'splɔːʳ] **1** vt (lit, fig) erforschen; (Med) untersuchen.
2 vi **to go exploring** auf Entdeckungsreise gehen.
explorer [ɪk'splɔːrəʳ] n Forscher(in f) m.
explosion [ɪk'spləʊʒən] n (lit, fig) Explosion f; (fig: of anger) Wutausbruch m.
explosive [ɪk'spləʊzɪv] **1** adj (lit, fig) explosiv ▶ ~ **device** Sprengkörper m.
2 n Sprengstoff m.
exponent [ɪk'spəʊnənt] n (of theory) Vertreter(in f) m.
export [ɪk'spɔːt] **1** vti exportieren (also Comp).
2 ['ekspɔːt] n Export m ▶ ~ **drive** Exportkampagne f.
exporter [ɪk'spɔːtəʳ] n Exporteur m (of von); (country also) Exportland nt (of für).
export: ~ **ban** n Ausfuhrverbot nt; ~ **invoice** n Exportrechnung f; ~ **licence** n Ausfuhrgenehmigung f; ~ **manager** n Exportleiter(in f) m; ~ **trade** n Exporthandel m.
expose [ɪk'spəʊz] vt **a** rocks, remains freilegen; electric wire, nerve also bloßlegen ▶ **to be ~d to view** sichtbar sein. **b** (to danger, sunlight, radiation, criticism) aussetzen (to dat) ▶ **"not to be ~d to heat"** „vor Hitze schützen". **c** (display) one's ignorance offenbaren; (indecently) oneself entblößen. **d** abuse, treachery aufdecken; imposter, thief entlarven ▶ **to ~ sb/sth to the press** jdn/etw der Presse ausliefern. **e** (Phot) belichten.
exposé [ek'spəʊzeɪ] n Exposé nt.
exposed [ɪk'spəʊzd] adj **a** (to weather) place ungeschützt ▶ ~ **to the wind** dem Wind ausgesetzt. **b** (insecure) to feel ~ sich allen Blicken ausgesetzt fühlen. **c** (visible) sichtbar ▶ **the ~ parts of an engine** die freiliegenden Teile eines Motors.
exposition [ekspə'zɪʃən] n (of theory) Darlegung f; (Mus) Exposition f.
expostulate [ɪk'spɒstjʊleɪt] vi protestieren.
expostulation [ɪk,spɒstjʊ'leɪʃən] n Protest m.
exposure [ɪk'spəʊʒəʳ] n **a** (to sunlight, air, danger) Aussetzung f (to dat) ▶ **to be suffering from** ~ an Unterkühlung leiden; **to die of** ~ erfrieren. **b** (displaying) Entblößung f ▶ **indecent** ~ Exhibitionismus m. **c** (unmasking) Bloßstellung f; (of thief, murderer) Entlarvung f; (of abuses, vices, scandals, crime) Aufdeckung f. **d** (Phot) Belichtung(szeit) f ▶ ~ **meter** Belichtungsmesser m. **e** (Media) Publicity f.
expound [ɪk'spaʊnd] vt darlegen, erläutern.
▼ **express** [ɪk'spres] **1** vt ausdrücken ▶ **to ~ oneself** sich ausdrücken.
2 adj instructions ausdrücklich; intention bestimmt.
3 adv **to send sth** ~ etw per Expreß schicken.
4 n (train) Schnellzug m.
express: ~ **delivery** n Eilsendung f; ~ **freight** n Eilgut nt.
expression [ɪk'spreʃən] n Ausdruck m ▶ **as an** ~ **of our gratitude** zum Ausdruck unserer Dankbarkeit; **you could tell by his** ~ **that ...** man konnte an seinem Gesichtsausdruck erkennen, daß ...
expressionism [ɪk'spreʃənɪzəm] n Expressionismus m.
expressionist [ɪk'spreʃənɪst] **1** n Expressionist(in f) m.
2 adj expressionistisch.
expressive adj, **~ly** adv [ɪk'spresɪv, -lɪ] ausdrucksvoll.
expressly [ɪk'spreslɪ] adv deny etc ausdrücklich.
express: ~ **train** n Schnellzug m; **~way** n Schnellstraße f.
expulsion [ɪk'spʌlʃən] n (from country) Ausweisung f (from aus); (from school) Verweisung f (von der Schule); (from party) Ausschluß m (from aus).
expurgate ['ekspɜːgeɪt] vt zensieren ▶ **~d edition** bereinigte Fassung.
exquisite [ɪk'skwɪzɪt] adj workmanship ausgezeichnet;

dress, painting exquisit; taste gepflegt; view herrlich; food, wine, sense of humour, pleasure köstlich.
exquisitely [ɪk'skwɪzɪtlɪ] adv ausgezeichnet; perfumed, dressed exquisit.
ex-serviceman [eks'sɜːvɪsmən] n, pl **-men** [-mən] altgedienter Soldat, Veteran m.
ext = **extension** App.
extant [ek'stænt] adj noch vorhanden.
extempore [eks'tempərɪ] adj **to give an** ~ **speech** eine Rede aus dem Stegreif halten.
extemporize [ɪk'stempəraɪz] vti aus dem Stegreif sprechen; (make do, also Mus) improvisieren.
extend [ɪk'stend] **1** vt **a** (stretch out) arms ausstrecken. **b** line, visit, passport, holidays verlängern. **c** (enlarge) research, powers, limits, knowledge erweitern; house anbauen an (+acc); frontiers of a country ausdehnen. **d** (offer) (to sb jdm) help gewähren; hospitality, friendship erweisen; condolences aussprechen ▶ **to ~ a welcome to sb** jdn willkommen heißen.
2 vi (wall, garden) sich erstrecken (to, as far as bis); (over period of time) sich hinziehen.
▼ **extension** [ɪk'stenʃən] n **a** (of property) Vergrößerung f; (of business, knowledge also) Erweiterung f; (of powers, franchise, research, frontiers) Ausdehnung f; (of road, line, period of time) Verlängerung f; (of house) Anbau m. **b** (Telec) (Neben)anschluß m ▶ ~ **3714** Apparat 3714; ~ **cable** Verlängerungskabel nt; ~ **lead** Verlängerungsschnur f; ~ **ladder** Ausziehleiter f; ~ **number** Apparat m.
extensive [ɪk'stensɪv] adj land, forest ausgedehnt; knowledge, press coverage, research, enquiries, operations, alterations umfangreich; damage beträchtlich; use häufig; plans, reforms, influence weitreichend.
extensively [ɪk'stensɪvlɪ] adv weit; study, investigate, cover ausführlich; altered, reformed, damaged beträchtlich; used häufig, viel; travel viel.
extent [ɪk'stent] n (length) Länge f; (size) Ausdehnung f; (range, scope) Umfang m; (of damage, commitments also) Ausmaß nt ▶ **to some** ~ bis zu einem gewissen Grade; **to what** ~ inwieweit; **to a certain** ~ in gewissem Maße; **to a large** ~ in hohem Maße; **to such an** ~ **that ...** dermaßen, daß ...; **debts to the** ~ **of £5,000** Schulden in Höhe von £5000.
extenuating [ɪk'stenjʊeɪtɪŋ] adj ~ **circumstances** mildernde Umstände pl.
exterior [ɪk'stɪərɪəʳ] **1** adj surface äußere(r, s), Außen-.
2 n (of house etc) Außenseite f; (of person) Äußere(s) nt ▶ **on the** ~ außen.
exterminate [ɪk'stɜːmɪneɪt] vt ausrotten.
extermination [ɪk,stɜːmɪ'neɪʃən] n Ausrottung f.
external [ek'stɜːnl] **1** adj wall äußere(r, s), Außen-; factors, help extern ▶ **for** ~ **use only** (Med) nur äußerlich (anzuwenden); ~ **trade** Außenhandel m.
2 n (fig) **~s** pl Äußerlichkeiten pl.
externally [ek'stɜːnəlɪ] adv äußerlich.
extinct [ɪk'stɪŋkt] adj volcano, love erloschen; species ausgestorben.
extinction [ɪk'stɪŋkʃən] n (of race) Aussterben nt; (annihilation) Vernichtung f.
extinguish [ɪk'stɪŋgwɪʃ] vt fire löschen; hopes, passion zerstören.
extinguisher [ɪk'stɪŋgwɪʃəʳ] n Feuerlöscher m.
extol [ɪk'stəʊl] vt preisen, rühmen.
extort [ɪk'stɔːt] vt erpressen (from von).
extortion [ɪk'stɔːʃən] n Erpressung f ▶ **this is sheer ~!** (col) das ist ja Wucher!
extortionate [ɪk'stɔːʃənɪt] adj prices Wucher-; tax, demand ungeheuer.
extra ['ekstrə] **1** adj zusätzlich ▶ **we need an** ~ **chair** wir brauchen noch einen Stuhl; **to make an** ~ **effort** sich besonders anstrengen; ~ **charge** Zuschlag m; **there**

will be no ~ charge das wird nicht extra berechnet; *~ time* (Brit Ftbl) Verlängerung f; *~ pay* eine Zulage; *for ~ safety* zur größeren Sicherheit; *we need an ~ 10 minutes* wir brauchen 10 Minuten mehr; *I have brought an ~ pair of shoes* ich habe noch ein Paar Schuhe mitgebracht. ② *adv* [a] (*especially*) extra, besonders. [b] (*in addition*) extra. ③ *n* [a] (*perk*) Zusatzleistung f; (*for car*) Extra *nt* ▶ *they regard it as an ~* sie betrachten es als Luxus. [b] *~s pl* (*~ expenses*) zusätzliche Kosten *pl*; (*in restaurant*) Zusätzliches *nt*. [c] (*Film, Theat*) Statist(in f) m. [d] (*remainder*) Rest *m*.

extract [ɪk'strækt] ① *vt* [a] herausziehen (*from* aus); *juice, minerals, oil* gewinnen (*from* aus); *tooth* ziehen. [b] (*fig*) *information, confession, money* herausholen (*from* aus). [c] *quotation, passage* herausziehen. ② ['ekstrækt] *n* (*from book etc*) Auszug *m* ▶ *beef ~* Fleischextrakt *m*.

extraction [ɪk'strækʃən] *n* [a] *see vt* Herausziehen *nt*; Gewinnung f; Ziehen *nt*; Herausholen *nt* ▶ *he had to have three ~* ihm mußten drei Zähne gezogen werden. [b] *of Spanish ~* spanischer Abstammung.

extractor [ɪk'stræktə^r]: *~ fan n* Sauglüfter *m*; *~ hood n* Abzugshaube f.

extracurricular [ˌekstrəkə'rɪkjʊlə^r] *adj* außerhalb des Stundenplans.

extradite ['ekstrədaɪt] *vt* ausliefern.

extradition [ˌekstrə'dɪʃən] *n* Auslieferung f ▶ *~ treaty* Auslieferungsvertrag *m*.

extramarital [ˌekstrə'mærɪtl] *adj* außerehelich.

extramural [ˌekstrə'mjʊərəl] *adj* *courses* Volkshochschul-.

extraneous [ɪk'streɪnɪəs] *adj* *influence* extern ▶ *~ to* (*unrelated*) irrelevant für.

extraordinarily [ɪk'strɔːdnrɪlɪ] *adv* außerordentlich.

extraordinary [ɪk'strɔːdnrɪ] *adj* [a] (*beyond what is common*) außerordentlich; (*not usual*) ungewöhnlich. [b] (*odd, peculiar*) sonderbar, seltsam; (*amazing*) erstaunlich. [c] (*special*) *~ meeting* Sondersitzung f; *~ general meeting* außerordentliche Hauptversammlung.

extrapolate [ek'stræpəleɪt] *vti* extrapolieren (*from* aus).

extrapolation [ek,stræpə'leɪʃən] *n* Extrapolation f.

extrasensory [ˌekstrə'sensərɪ] *adj* *~ perception* außersinnliche Wahrnehmung.

extra-special [ˌekstrə'speʃəl] *adj* ganz besondere(r, s).

extraterrestrial [ˌekstrətɪ'restrɪəl] *adj* außerirdisch.

extravagance [ɪk'strævəgəns] *n* [a] Luxus *m no pl* ▶ *her ~* ihre Verschwendungssucht. [b] (*wastefulness*) Verschwendung f. [c] (*of ideas, theories*) Ausgefallenheit f; (*of claim, demand*) Übertriebenheit f. [d] (*extravagant action*) Extravaganz f.

extravagant [ɪk'strævəgənt] *adj* [a] (*lavish*) *taste, habit* teuer, kostspielig; *wedding, lifestyle* aufwendig; *price* überhöht ▶ *she is ~* sie gibt das Geld mit vollen Händen aus; *go on, be ~* gönn dir doch den Luxus. [b] (*wasteful*) verschwenderisch. [c] *behaviour* extravagant; *ideas also* ausgefallen; *claim, demand* übertrieben.

extravagantly [ɪk'strævəgəntlɪ] *adv* *see adj* [a] luxuriös; *spend* mit vollen Händen. [b] verschwenderisch. [c] *furnish, dress, behave* extravagant; *praise, act* überschwenglich.

extreme [ɪk'striːm] ① *adj* äußerste(r, s); (*exaggerated, drastic, Pol*) extrem; *praise, flattery* überschwenglich; (*exaggeration, demands*) maßlos; *penalty* höchste(r, s) ▶ *to the ~ right* ganz rechts; *~ old age* ein äußerst hohes Alter; *an ~ case* ein Extremfall *m*. ② *n* Extrem *nt* ▶ *~s of temperature* extreme Temperaturen *pl*; *in the ~* im höchsten Grade; *to go from one ~ to the other* von einem Extrem ins andere fallen; *to go to ~s* es übertreiben; *to drive sb to ~s* jdn

zum Äußersten treiben.

extremely [ɪk'striːmlɪ] *adv* äußerst, höchst ▶ *was it difficult? — ~* war es schwierig? — sehr!

extremist [ɪk'striːmɪst] ① *adj* extremistisch. ② *n* Extremist(in f) m.

extremity [ɪk'stremɪtɪ] *n* [a] (*furthest point*) äußerstes Ende. [b] (*state of distress*) Not f. [c] *to resort to extremities* zu extremen Mitteln greifen. [d] *extremities pl* (*hands and feet*) Extremitäten *pl*.

extricate ['ekstrɪkeɪt] *vt* befreien (*from* aus).

extrovert ['ekstrəʊvɜːt] ① *adj* extrovertiert. ② *n* extrovertierter Mensch.

extrusion [ɪk'struːʒən] *n* (*Tech*) (*of metal*) Fließpressen *nt*; (*of plastic*) Extrudieren *nt*.

exuberance [ɪg'zuːbərəns] *n* (*of person*) Überschwenglichkeit f; (*of joy, youth, feelings*) Überschwang *m*; (*joy*) überschwengliche Freude (*at* über +*acc*); (*of prose, style*) Vitalität f.

exuberant [ɪg'zuːbərənt] *adj* überschwenglich; *style* übersprudelnd, vital; *music* mitreißend.

exude [ɪg'zjuːd] *vt* (*liquid*) ausscheiden; *confidence* ausstrahlen; (*pej*) *charm* triefen vor (+*dat*).

exult [ɪg'zʌlt] *vi* frohlocken.

exultant [ɪg'zʌltənt] *adj* jubelnd; *shout also* Jubel- ▶ *to be ~* jubeln.

exultation [ˌegzʌl'teɪʃən] *n* Jubel *m*.

eye [aɪ] ① *n* Auge *nt*; (*of needle*) Öhr *nt* ▶ *with one's ~s closed/open* mit geschlossenen/offenen Augen; (*fig*) blind/mit offenen Augen; *an ~ for an ~(, a tooth for a tooth*) (*prov*) Auge um Auge(, Zahn um Zahn) (*prov*); *to be all ~s* große Augen machen; *that's one in the ~ for him* (*col*) da hat er eins aufs Dach gekriegt (*col*); *to cast* or *run one's ~s over sth* etw überfliegen; *to look sb (straight) in the ~* jdm in die Augen sehen; *to set* or *clap* (*col*) *~s on sb/sth* jdn/etw zu Gesicht bekommen; *(why don't you) use your ~s!* hast du keine Augen im Kopf?; *with one's own ~s* mit eigenen Augen; *before my very ~s* (direkt) vor meinen Augen; *under the watchful ~ of the guard* unter der Aufsicht des Wächters; *to keep an ~ on sb/sth* (*look after*) auf jdn/etw aufpassen; *to keep one's ~ on the ball/main objective* sich auf den Ball/die Hauptsache konzentrieren; *you can't take your ~s off them for a moment* man kann sie keinen Moment aus den Augen lassen; *he couldn't take his ~s off her/the cake* er konnte einfach den Blick nicht von ihr/dem Kuchen wenden; *to keep one's ~s open* die Augen offenhalten; *to keep an ~ out for a hotel* nach einem Hotel Ausschau halten; *to keep an ~ on expenditure* auf seine Ausgaben achten; *to open sb's ~s to sb/sth* jdm die Augen über jdn/etw öffnen; *to close one's ~s to sth* die Augen vor etw (*dat*) verschließen; *to see ~ to ~ with sb* mit jdm einer Meinung sein; *to make ~s at sb* jdm schöne Augen machen; *to catch sb's ~* jds Aufmerksamkeit erregen; *that colour caught my ~* da fiel mir die Farbe ins Auge; *in the ~s of the law* in den Augen des Gesetzes; *in my ~s* in meinen Augen; *with an ~ to the future* im Hinblick auf die Zukunft; *with an ~ to buying sth* in der Absicht, etw zu kaufen; *I've got my ~ on you* ich beobachte dich genau; *to have one's ~ on sth* (*want*) auf etw (*acc*) ein Auge geworfen haben; *to have an ~ on sb for a job* jdn für eine Stelle im Auge haben; *he has a good ~ for colour* er hat ein Auge für Farben; *you need an ~ for detail* man muß einen Blick fürs Detail haben; *to be up to the ~s in work* (*col*) in Arbeit ersticken (*col*). ② *vt* mustern ▶ *to ~ sb up and down* jdn von oben bis unten mustern.

♦**eye up** *vt sep* *girls, boys* mustern, begutachten.

eye *in cpds* Augen-; *~ball n* Augapfel *m*; *~brow n* Augenbraue f; *to raise one's ~brows* (*fig*) die Stirn runzeln; *he never raised an ~brow* (*fig*) er hat sich nicht einmal gewundert; **~brow pencil** n Augenbrauenstift m; **~-catching** adj auffallend; *publicity, poster also* auffällig; **~ contact** n Blickkontakt m; **~ drops** Augentropfen pl.

eyeful ['aɪfʊl] n (col) **to get an ~** (*get sth in eye*) etw ins Auge bekommen; **get an ~ of this** guck dir das mal an (col); **she's quite an ~** (col) sie hat allerhand zu bieten.

eye: **~glasses** npl (US) Brille f; **~lash** n Augenwimper f; **~let** ['aɪlɪt] n Öse f; **~-level** adj attr grill in Augenhöhe; **~lid** n Augenlid nt; **~ liner** n Eyeliner m; **~-opener** n *that was a real ~-opener to me* das hat mir die Augen geöffnet; **~shade** n Augenblende f; **~shadow** n Lidschatten m; **~sight** n Sehkraft f; *to have good/poor ~sight* gute/schlechte Augen haben; *to lose one's ~sight* das Augenlicht verlieren (geh), erblinden; **~sore** n Schandfleck m; *this carpet is a real ~sore* dieser Teppich sieht fürchterlich aus; **~strain** n Überanstrengung f der Augen; **~ tooth** n Eckzahn m; *I'd give my ~ teeth for that* darum würde ich alles geben; **~wash** n (fig col) Gewäsch nt (col); (deception) Augenwischerei f; **~witness** n Augenzeuge m; **~witness account** or **report** Augenzeugenbericht m.

eyrie ['ɪərɪ] n Horst m.

F

F, f [ef] n F, f nt ▶ *F for Frederick* (*Brit*), *F for Fox* (*US*) ≃ F wie Friedrich; **~ sharp** Fis, fis nt.

F = a Fahrenheit F. b (*US*) freeway. c franc F.

f = a feminine f. b (*Mus*) forte f. c (*Phot*) *f8/f11* etc Blende 8/11 etc. d **and following (page)** f.

FA (*Brit*) = **Football Association** englischer Fußballbund.

fable ['feɪbl] n Fabel f; (*fig: lie*) Märchen nt.

fabric ['fæbrɪk] n a (*Tex*) Stoff m. b (*of building*) Bausubstanz f; (*of society*) Struktur f.

fabricate ['fæbrɪkeɪt] vt a story erfinden. b (*manufacture*) herstellen.

fabrication [,fæbrɪ'keɪʃən] n a (*lie etc*) Erfindung f. b (*manufacture*) Herstellung f.

fabulous ['fæbjʊləs] adj sagenhaft; (*col: wonderful*) toll (*col*).

façade [fə'sɑːd] n (*lit, fig*) Fassade f.

face [feɪs] **1** n Gesicht nt; (*of clock*) Zifferblatt nt; (*rock ~*) (Steil)wand f; (*coal~*) Streb m; (*of playing card*) Bildseite f; (*of coin*) Vorderseite f ▶ *I don't want to see your ~ here again* ich möchte Sie hier nie wieder sehen; *we were standing ~ to ~* wir standen einander gegenüber; *to bring two people ~ to ~* zwei Leute einander gegenüberstellen; *to come ~ to ~ with sb/death* jdn treffen/dem Tod ins Auge sehen; *he told him so to his ~* er sagte ihm das (offen) ins Gesicht; *he shut the door in my ~* er schlug mir die Tür vor der Nase zu; *he laughed in my ~* er lachte mir ins Gesicht; *to look/be able to look sb in the ~* jdn ansehen/jdm in die Augen sehen können; *in the ~ of great difficulties* trotz größter Schwierigkeiten; *courage in the ~ of the enemy* Tapferkeit vor dem Feind; *to make or pull a ~* das Gesicht verziehen; *to make or pull ~s* Grimassen schneiden (*at sb* jdm); *to put a good ~ on it* gute Miene zum bösen Spiel machen; *to put a brave ~ on it* sich (*dat*) nichts anmerken lassen; (*do sth one dislikes*) (wohl oder übel) in den sauren Apfel beißen; *to save/lose ~* das Gesicht wahren/verlieren; *to be ~ up/down* (*person*) mit dem Gesicht nach oben/unten liegen; (*thing*) mit der Vorderseite nach oben/unten liegen; *to work at the (coal)~* vor Ort arbeiten; *the ~ of the town* das Stadtbild; *he vanished off the ~ of the earth* (*col*) er war wie vom Erdboden verschwunden; *on the ~ of it* so, wie es aussieht; *to have the ~ to do sth* (*col*) die Stirn haben, etw zu tun.

2 vt a (*be opposite*) gegenübersein/-stehen/ -liegen etc (+*dat*); (*window, door*) *north, south* gehen nach; *street, garden etc* liegen zu; (*building, room*) *north, south* liegen nach ▶ *~ this way!* bitte sehen Sie hierher!; *he was facing me at dinner* er saß mir beim Essen gegenüber; *the picture facing page 16* die Abbildung gegenüber Seite 16; *to sit facing the engine* (*on train*) in Fahrtrichtung sitzen.

b (*fig*) *possibility, prospect* rechnen müssen mit ▶ *to be ~d with sth* sich einer Sache (*dat*) gegenübersehen; *he is facing a charge of murder* er steht unter Mordanklage.

c *situation, danger, criticism* sich stellen (+*dat*); *person, enemy* gegenübertreten (+*dat*) ▶ *to ~ (the) facts* den Tatsachen ins Auge sehen; *let's ~ it* machen wir uns doch nichts vor; *I can't ~ it* ich bringe es einfach nicht über mich; *I couldn't ~ another drink* ich könnte jetzt nichts Alkoholisches mehr verkraften.

d *building, wall* verkleiden.

3 vi (*house, room*) liegen (*towards park* dem Park zu, *onto road* zur Straße, *away from road* nicht zur Straße); (*window*) gehen (*onto, towards* auf +*acc*, zu, *away from* nicht auf +*acc*) ▶ *in which direction was he facing?* in welche Richtung stand er?

◆**face up to** vi +*prep obj fact, truth* ins Gesicht sehen (+*dat*); *possibility* sich abfinden mit; *responsibility* auf sich (*acc*) nehmen ▶ *he won't ~ ~ ~ the fact that ...* er will es nicht wahrhaben, daß ...

face in cpds Gesichts-; **~cloth** n (*Brit*) Waschlappen m; **~ cream** n Gesichtscreme f; **~ flannel** n (*Brit*) = **~cloth**; **~less** adj (*fig*) anonym; **~lift** n (*lit*) Gesichts(haut)-straffung f; (*fig: for car, building etc*) Verschönerung f; *to have a ~lift* sich (*dat*) das Gesicht liften lassen; (*fig*) ein neues Aussehen bekommen; **~ pack** n Gesichtspackung f; **~ powder** n Gesichtspuder m; **~-saving** adj *a ~-saving excuse* eine Entschuldigung, um das Gesicht zu wahren.

facet ['fæsɪt] n (*lit*) Facette f; (*fig*) Aspekt m.

facetious [fə'siːʃəs] adj witzelnd ▶ *to be ~ (about sth)* (über etw *acc*) Witze machen.

face: ~-to-~ adj persönlich; *confrontation* direkt; **~ value** n (*Fin*) Nennwert m; *to take sth at (its) ~ value* (*fig*) etw für bare Münze nehmen; *to take sb at ~ value* jdm unbesehen glauben.

facial ['feɪʃəl] **1** adj Gesichts-. **2** n (*col*) kosmetische Gesichtsbehandlung f.

facile ['fæsaɪl] adj a (*glib, superficial*) oberflächlich. b (*easy*) *victory* leicht.

facilitate [fə'sɪlɪteɪt] vt erleichtern; (*make possible*) ermöglichen.

facility [fə'sɪlɪtɪ] n a Einrichtung f; (*possibility*) Möglichkeit f; (*esp US: installation*) Anlage f ▶ *facilities for the disabled* Einrichtungen pl für Behinderte; *sports facilities* Sportanlagen pl; *cooking facilities* Kochgelegenheit f. b no pl (*ease*) Leichtigkeit f; (*dexterity*) Gewandtheit f.

facing ['feɪsɪŋ] **1** n (*on wall*) Verkleidung f; (*Sew*) Besatz m. **2** adj **~ page** gegenüberliegende Seite.

facsimile [fæk'sɪmɪlɪ] n a Faksimile nt. b (*Telec*) Telebrief m.

fact [fækt] n Tatsache f ▶ *to know for a ~ that ...* (es) ganz sicher wissen, daß ...; *the ~ is that ...* die Sache ist die, daß ...; *to stick to the ~s* bei den Tatsachen bleiben; *is that a ~?* tatsächlich?; *the ~ that ...* (die Tatsache,) daß ...; *~ and fiction* Dichtung und Wahrheit; *founded on ~* auf Tatsachen beruhend; *to tell sb the ~s of life* jdn aufklären; *the ~s of the case* der Sachverhalt; *in ~, as a matter of ~* eigentlich; (*to intensify previous statement*) sogar; *I bet you haven't done that! — as a matter of ~ I have!* du hast das bestimmt nicht gemacht! — oh doch!; *do you know Sir Charles? — as a matter of ~ he's my uncle* kennen Sie Sir Charles? — ja, er ist nämlich mein Onkel.

fact-finding ['fæktfaɪndɪŋ] adj *commission* Untersuchungs-; *mission* Erkundungs- ▶ **~ tour** Informationsreise f.

faction ['fækʃən] n (*group*) Gruppe f; (*Pol*) Fraktion f;

(*splinter group*) Splittergruppe *f*.
factor ['fæktə'] *n* Faktor *m*.
factory ['fæktərɪ] *n* Fabrik *f*.
factory: ~ **farming** *n* industriell betriebene Viehzucht; ~ **inspector** *n* Gewerbeaufsichtsbeamte(r) *m*; ~ **worker** *n* Fabrikarbeiter(in *f*) *m*.
factsheet ['fæktʃiːt] *n* Informationsblatt *nt*.
factual ['fæktjʊəl] *adj* sachlich, Tatsachen- ▶ ~ *error* Sachfehler *m*.
faculty ['fækəltɪ] *n* [a] Fähigkeit *f* ▶ ~ *of reason* Vernunft *f*; ~ *of speech/sight* Sprech-/Sehvermögen *nt*; *to be in (full) possession of one's faculties* im Vollbesitz seiner Kräfte sein. [b] (*Univ*) Fakultät *f* ▶ *the F~* (*staff*) der Lehrkörper.
fad [fæd] *n* Tick *m* (*col*); (*fashion*) Masche *f* (*col*).
fade [feɪd] *vi* verblassen; (*flower, beauty*) verblühen ▶ *he ~d from sight* er verschwand; *see* **fade away**.
♦**fade away** *vi* (*memory*) verblassen; (*hopes*) zerrinnen; (*interest, strength, inspiration*) nachlassen; (*sound*) verklingen; (*voice*) immer schwächer werden.
♦**fade in** *vt sep* (*TV, Film*) allmählich einblenden.
♦**fade out** [1] *vi* [a] (*TV, Film*) abblenden. [b] *to* ~ *of sb's life* aus jds Leben verschwinden. [2] *vt sep* (*TV, Film*) abblenden.
faded ['feɪdɪd] *adj* verblaßt; *flowers, beauty* verblüht.
fade (*Rad, TV, Film*): ~**-in** *n* Einblendung *f*; ~**-out** *n* Abblende *f*.
faeces, (*US*) **feces** ['fiːsiːz] *n pl* Kot *m*.
Faeroe Islands ['fɛərəʊˌaɪləndz], **Faeroes** ['fɛərəʊz] *npl* Färöer *pl*.
fag [fæg] (*col*) [1] *n* [a] (*Brit: cigarette*) Zigarette *f*, Glimmstengel *m* (*col*). [b] (*Brit Sch*) junger Internatsschüler, der einem älteren bestimmte Dienste zu leisten hat. [c] (*esp US col: homosexual*) Schwule(r) *m* (*col*). [2] *vt to be* ~*ged (out)* kaputt *or* geschafft sein (*col*).
fag end *n* [a] (*Brit col: cigarette end*) Kippe *f* (*col*). [b] (*col: last part*) letztes Ende.
faggot, (*US*) **fagot** ['fægət] *n* [a] Reisigbündel *nt*. [b] (*Cook*) Frikadelle *f* (*meist mit Schweineleber*). [c] (*esp US col: homosexual*) Schwule(r) *m* (*col*).
Fahrenheit ['færənhaɪt] *n* Fahrenheit *nt*.
fail [feɪl] [1] *vi* [a] keinen Erfolg haben; (*in mission, life etc*) versagen; (*plan, experiment, marriage*) scheitern; (*undertaking, attempt*) fehlschlagen; (*applicant, application*) nicht angenommen werden; (*election candidate, in exam, play*) durchfallen; (*business*) eingehen ▶ *they* ~*ed (in doing sth)* es gelang ihnen nicht(, etw zu tun); *to* ~ *in one's duty* seine Pflicht nicht tun; *to* ~ *by 5 votes* (*person*) um 5 Stimmen geschlagen werden; *if all else* ~*s* wenn alle Stricke reißen; *he is a* ~*ed teacher* als Lehrer hat er versagt. [b] (*health*) sich verschlechtern; (*hearing, eyesight*) nachlassen ▶ *he is* ~*ing fast* sein Zustand verschlechtert sich zusehends. [c] (*generator, battery*) ausfallen; (*brakes, heart*) versagen; (*supply*) ausbleiben ▶ *the crops* ~*ed* es gab eine Mißernte.
[2] *vt* [a] *candidate* durchfallen lassen ▶ *to* ~ *an exam* eine Prüfung nicht bestehen. [b] (*let down: person, memory*) im Stich lassen; (*not live up to sb's expectations*) enttäuschen ▶ *words* ~ *me* mir fehlen die Worte. [c] *to* ~ *to do sth* etw nicht tun; (*neglect*) (es) versäumen, etw zu tun; *I* ~ *to see why* es ist mir völlig unklar, warum; (*indignantly*) ich sehe gar nicht ein, warum.
[3] *n without* ~ ganz bestimmt; (*inevitably*) garantiert.
failing ['feɪlɪŋ] [1] *n* Schwäche *f*.
[2] *prep* ~ *an answer* mangels (einer) Antwort (*geh*); ~ *him see if Harry knows* und wenn er es nicht weiß, versuch es bei Harry; ~ *this/that* (*oder*) sonst, und wenn das nicht möglich ist.

failsafe ['feɪlseɪf] *adj device* (ab)gesichert.
failure ['feɪljə'] *n* [a] Mißerfolg *m*; (*of plan, experiment, marriage*) Scheitern *nt*; (*of undertaking, attempt*) Fehlschlag *m*; (*in exam, Theat: of play also*) Durchfall *m*; (*of business*) Eingehen *nt* ▶ *it ended in* ~ es schlug fehl; ~ *rate* (*in exams*) Durchfallquote *f*; (*of machine*) Fehlerquote *f*. [b] (*person*) Versager *m*, Niete *f* (*col*) (*at* in +*dat*). [c] (*omission, neglect*) *because of his* ~ *to reply* weil er es versäumt hat zu antworten; ~ *to observe a law* Nichtbeachtung *f* eines Gesetzes; *that was a* ~ *on my part* das war mein Fehler. [d] (*of generator, engine*) Ausfall *m*; (*of brakes, heart*) Versagen *nt*; (*of supply*) Ausbleiben *nt* ▶ ~ *of crops* Mißernte *f*.
faint [feɪnt] [1] *adj* (+*er*) [a] schwach; *voice* (*feeble*) matt; (*distant, not loud*) leise ▶ *I haven't the* ~*est (idea)* ich habe keinen blassen Schimmer (*col*). [b] *I feel a bit* ~ mir ist ganz schwach; *she felt* ~ ihr wurde schwach; ~ *with hunger* schwach vor Hunger.
[2] *n* Ohnmacht *f*.
[3] *vi* ohnmächtig werden (*with, from* vor +*dat*).
faint-hearted [ˌfeɪnt'hɑːtɪd] *adj* zaghaft.
faint-heartedness [ˌfeɪnt'hɑːtɪdnɪs] *n* Zaghaftigkeit *f*, Kleinmut *m*.
faintly ['feɪntlɪ] *adv* schwach; *hope, sound* leise; *smell, smile, interested* leicht; *similar, resemble* entfernt.
faintness ['feɪntnɪs] *n* (*dizziness*) Schwächegefühl *nt*.
fair¹ [fɛə'] [1] *adj* (+*er*) [a] (*just*) fair (*to/on sb* jdm gegenüber, gegen jdn) ▶ *that's a* ~ *comment* das stimmt; *it's only* ~ *to ask him* man sollte ihn fairerweise fragen; *it's only* ~ *to expect* ... man kann doch wohl zu Recht erwarten ...; ~ *enough!* na gut; *that's* ~ *enough* das ist nur recht und billig; ~*'s* ~*!* wir wollen doch fair bleiben; *to give sb a* ~ *crack of the whip* jdm eine faire Chance geben; *by* ~ *means or foul* mit allen Mitteln; *that's a* ~ *sample of* ... das ist ziemlich typisch für ...
[b] (*reasonable*) ganz ordentlich ▶ *only* ~ nur mäßig; *he's a* ~ *judge of character* er hat eine gute Menschenkenntnis; *to have a* ~ *idea of sth* eine ungefähre Vorstellung von etw haben; *a* ~ *chance of success* ganz gute Erfolgsaussichten *pl*.
[c] (*reasonably large, fast, strong*) *sum, number* ansehnlich; *wind* frisch ▶ *a* ~ *amount* ziemlich viel; *at a* ~ *speed* ziemlich schnell.
[d] (*fine*) *weather* heiter ▶ *the* ~ *sex* das schöne Geschlecht.
[e] *person* (*light-haired*) blond; (*light-skinned*) hell.
[2] *adv to play* ~ (*Sport*) fair spielen; (*fig*) fair sein; ~ *and square* (*honestly*) offen und ehrlich; (*accurately, directly*) direkt; *it* ~ *took my breath away* (*col*) das hat mir glatt den Atem verschlagen.
fair² *n* (Jahr)markt *m*; (*Brit: fun* ~) Volksfest *nt*, Rummel *m* (*col*); (*Comm: trade* ~) Messe *f*.
fair: ~ *copy* *n* Reinschrift *f*; *to write out a* ~ *copy of sth* etw ins reine schreiben; ~ *game* *n* (*lit*) jagdbares Wild; (*fig*) Freiwild *nt*; ~**ground** *n see* **fair²** Markt(platz) *m*; Rummelplatz *m*; ~**-haired** *adj* blond; ~**-haired boy** *n* (*US*) Liebling *m*.
fairly ['fɛəlɪ] *adv* [a] (*justly*) gerecht ▶ ~ *and squarely beaten* nach allen Regeln der Kunst geschlagen. [b] (*rather*) ziemlich ▶ *it's* ~ *freezing* (*col*) es ist ganz schön kalt (*col*).
fair-minded ['fɛəmaɪndɪd] *adj* gerecht.
fairness ['fɛənɪs] *n* [a] Fairneß *f* ▶ *in all* ~ gerechterweise; *in (all)* ~ *to him, he didn't have the same chance* gerechterweise muß man sagen, daß er nicht die gleichen Chancen hatte. [b] (*of hair*) Blondheit *f*; (*of skin*) Hellhäutigkeit *f*.
fair: ~ *play* *n* (*Sport, fig*) faires Verhalten, Fair play *nt*; ~**-sized** *adj* recht groß; ~**way** *n* (*Golf*) Fairway *nt*; ~**weather** *adj friends* nur in guten Zeiten.
fairy ['fɛərɪ] *n* [a] Fee *f*. [b] (*pej col: homosexual*)

Schwule(r) *m* (*col*), Tunte *f* (*col*).

fairy: ~ **godmother** *n* (*lit, fig*) gute Fee; **~land** *n* Märchenland *nt*; ~ **lights** *npl* bunte Lichter *pl*; ~ **queen** *n* Elfenkönigin *f*; ~ **story**, ~ **tale** *n* (*lit, fig*) Märchen *nt*.

fait accompli [,feɪɒˈkɒmpliː] *n* **to present sb with a** ~ jdn vor vollendete Tatsachen stellen.

faith [feɪθ] *n* **a** (*trust*) Vertrauen *nt* (*in* zu); (*in human nature, science etc, religious* ~) Glaube *m* (*in* an +*acc*) ► **to have** ~ **in sb** jdm (ver)trauen; **to have** ~ **in sth** Vertrauen in etw (*acc*) haben; **act of** ~ Vertrauensbeweis *m*; **to keep/break** ~ **with sb** jdm treu bleiben/untreu werden; **to act in good/bad** ~ in gutem Glauben/böser Absicht handeln. **b** (*religion*) Glaube *m no pl*.

faithful [ˈfeɪθfʊl] **1** *adj* **a** treu (*to* +*dat*). **b** *account* genau; *translation* wortgetreu.
2 *npl* **the** ~ (*Rel*) die Gläubigen *pl*.

faithfully [ˈfeɪθfʊlɪ] *adv* **a** treu; *promise* fest ► **yours** ~ (*Brit form*) mit freundlichen Grüßen, hochachtungsvoll (*form*). **b** *report etc* genau; *translate* wortgetreu.

faithfulness [ˈfeɪθfʊlnɪs] *n* (*loyalty*) Treue *f* (*to* zu).

faith: ~ **healer** *n* Gesundbeter(in *f*) *m*; ~ **healing** *n* Gesundbeten *nt*; **~less** *adj* treulos.

fake [feɪk] **1** *n* (*object*) Fälschung *f*; (*jewellery*) Imitation *f*; (*person: trickster*) Schwindler(in *f*) *m*.
2 *adj* unecht; *passport, banknote* gefälscht.
3 *vt* vortäuschen; *picture, document, results etc* fälschen; *bill, burglary, crash* fingieren.

falcon [ˈfɔːlkən] *n* Falke *m*.

Falkland Islands [ˈfɔːkləndˌaɪləndz], **Falklands** [ˈfɔːkləndz] *npl* Falkland-Inseln *pl*.

fall [fɔːl] (*vb: pret* **fell**, *ptp* **fallen**) **1** *n* **a** Sturz, Fall *m*; (*of empire etc*) Untergang *m* ► **the F~ (of Man)** (*Eccl*) der Sündenfall; **to have a** ~ (hin)fallen, stürzen; **it's a long** ~ **from up here** von hier oben geht es tief hinunter. **b** (*of town, fortress etc*) Einnahme *f*; (*of country*) Zusammenbruch *m*; (*of government*) Sturz *m*. **c** ~ **of rain/snow** Regen-/Schneefall *m*; ~ **of rock** Steinschlag *m*. **d** (*in gen*) (*lowering*) Sinken *nt*; (*sudden*) Sturz *m*; (*in population, membership*) Abnahme *f*; (*of prices, currency*) (*gradual*) Sinken *nt*; (*sudden*) Sturz *m*. **e** (*of roof, ground*) Gefälle *nt*; (*steeper*) Abfall *m*. **f** (*water~: also* **~s**) Wasserfall *m* ► **the Niagara F~s** die Niagarafälle. **g** (*Wrestling*) Schultersieg *m*. **h** (*US: autumn*) Herbst *m* ► **in the** ~ im Herbst.
2 *vi* **a** fallen; (*Sport, from a height, badly*) stürzen; (*object: to the ground*) herunter-/hinunterfallen.
b (*temperature, price*) fallen; (*population, membership etc*) abnehmen; (*wind*) sich legen; (*land*) abfallen ► **his face fell** er machte ein langes Gesicht; **to** ~ **in sb's estimation** *or* **eyes** in jds Achtung (*dat*) sinken.
c (*country*) eingenommen werden; (*government, ruler*) gestürzt werden ► **three seats fell to the Liberals** drei Sitze gingen an die Liberalen.
d (*night*) hereinbrechen.
e (*birthday, Easter etc*) fallen (*on* auf +*acc*) ► **that ~s outside the scope ...** das fällt nicht in den Bereich ...; **to** ~ **into three sections** sich in drei Teile gliedern.
f (*phrases*) **her eyes fell on a strange object** ihr Blick fiel auf einen merkwürdigen Gegenstand; **the responsibility ~s on you** Sie tragen die Verantwortung; **it ~s to** *or* **on me to ...** es fällt mir zu, zu ...; **the blame for that ~s on him** ihn trifft die Schuld daran; **to** ~ **asleep** einschlafen; **to** ~ **ill** krank werden, erkranken (*geh*); **to** ~ **silent** still werden; **to** ~ **in love with sb** sich in jdn verlieben; **it's all ~ing into place now** (*becoming clear*) jetzt wird mir das Ganze klar; **to** ~ **into a deep sleep** in tiefen Schlaf fallen; **to** ~ **into bad ways** auf die schiefe Bahn geraten; **to** ~ **to doing sth** anfangen, etw zu tun.
3 *vt* **to** ~ **a victim to sb/sth** jdm/einer Sache zum Opfer fallen.

◆**fall about** *vi* **to** ~ ~ *laughing* sich krank lachen (*col*).

◆**fall apart** *vi* auseinanderfallen; (*fig: marriage etc*) auseinandergehen.

◆**fall away** *vi* **a** (*ground*) abfallen. **b** (*crumble: plaster, river bank*) abbröckeln (*from* von).

◆**fall back** *vi* zurückweichen (*also Mil*).

◆**fall back on** *vi* +*prep obj* zurückgreifen auf (+*acc*).

◆**fall behind** *vi* (*in race, school etc*) zurückbleiben (*prep obj* hinter +*dat*); (*with rent, work etc*) in Rückstand geraten.

◆**fall down** *vi* (*person*) hinfallen; (*statue, vase*) herunterfallen; (*house, scaffolding*) einstürzen ► **where he/the plan ~s** ~ **is ...** (*fig*) woran es ihm/dem Plan fehlt, ist ...; **that was where we fell** ~ (*fig*) daran sind wir gescheitert; **he's been ~ing** ~ **on the job** (*fig*) er hat schlechte Arbeit geleistet.

◆**fall for** *vi* +*prep obj* **a** (*fall in love with*) sich verknallen in (+*acc*) (*col*) ► **I really fell** ~ **him/it** er/das hatte es mir angetan. **b** (*be taken in by*) hereinfallen auf (+*acc*).

◆**fall in** *vi* **a** (*into water etc*) hineinfallen. **b** (*collapse*) einstürzen. **c** (*Mil*) (in Reih und Glied) antreten; (*one soldier*) ins Glied treten.

◆**fall in with** *vi* +*prep obj* **a** (*meet*) sich anschließen (+*dat*); *bad company* geraten in (+*acc*). **b** (*agree to*) mitmachen bei; *request* unterstützen.

◆**fall off** *vi* **a** (*lit*) herunterfallen (*prep obj* von). **b** (*decrease*) zurückgehen; (*supporters*) abfallen; (*support, enthusiasm*) nachlassen.

◆**fall out** *vi* **a** (*of bed, boat, window*) herausfallen ► **to** ~ ~ **of sth** aus etw fallen. **b** (*quarrel*) sich (zer)streiten. **c** (*Mil*) wegtreten. **d** (*happen*) **just wait and see how things** ~ ~ warte erst mal ab, wie sich die Dinge entwickeln; **if everything ~s** ~ **all right** wenn alles wunschgemäß verläuft.

◆**fall over** *vi* **a** (*person*) hinfallen; (*collapse*) umfallen. **b** +*prep obj* (*trip over*) *stone, sb's legs* fallen über (+*acc*) ► **to** ~ ~ **oneself to do sth** sich (*dat*) die größte Mühe geben, etw zu tun.

◆**fall through** *vi* (*plan*) ins Wasser fallen.

◆**fall to** *vi* (*col*) (*start eating*) sich dranmachen (*col*); (*start fighting, working*) loslegen (*col*).

fallacious [fəˈleɪʃəs] *adj* irrig; *argument* trugschlüssig.

fallacy [ˈfæləsɪ] *n* Irrtum *m*; (*in logic*) Trugschluß *m*.

fallen [ˈfɔːlən] **1** *ptp of* **fall**.
2 *adj women, angel* gefallen; *leaf* abgefallen.
3 *npl* **the F~** (*Mil*) die Gefallenen *pl*.

fall guy [ˈfɔːlgaɪ] *n* (*esp US col*) (*scapegoat*) Sündenbock *m*.

fallible [ˈfæləbl] *adj* fehlbar.

falling [ˈfɔːlɪŋ]: **~-off** *n* = **fall-off**; ~ **star** *n* Sternschnuppe *f*.

fall-off [ˈfɔːlɒf] *n* (*in gen*) Rückgang *m*; (*in numbers, attendances*) Abfall *m*; (*in support*) Nachlassen *nt*.

Fallopian tube [fəˈləʊpɪənˈtjuːb] *n* Eileiter *m*.

fallout [ˈfɔːlaʊt] *n* radioaktiver Niederschlag, Fallout *m* ► ~ **shelter** Atombunker *m*.

fallow [ˈfæləʊ] *adj land* brach ► **to lie** ~ brachliegen.

false [fɔːls] *adj* falsch; *lover* treulos; *ceiling, floor* Zwischen- ► **under** ~ **pretences** (*Brit*) *or* **pretenses** (*US*) unter Vorspiegelung falscher Tatsachen; **a box with a** ~ **bottom** ein Kiste mit doppeltem Boden.

false alarm *n* blinder Alarm.

falsehood [ˈfɔːlshʊd] *n* (*lie*) Unwahrheit *f*.

falsely [ˈfɔːlslɪ] *adv* falsch; *believe, claim, declare* fälschlicherweise; *accuse* zu Unrecht.

falseness [ˈfɔːlsnɪs] *n* Falschheit *f*; (*of lover etc*) Untreue *f*.

false: ~ **start** *n* Fehlstart *m*; ~ **teeth** *npl* (*Brit*) (künstliches) Gebiß.

falsetto [fɔːlˈsetəʊ] **1** *n* (*voice*) Fistelstimme *f*; (*Mus*) Falsett *nt*.

2 *adv sing* im Falsett.

falsies ['fɔːlsɪz] *npl* (*col*) Gummibusen *m* (*col*).

falsify ['fɔːlsɪfaɪ] *vt records, evidence* fälschen; *report, story* entstellen.

falter ['fɔːltə^r] *vi* (*speaking*) stocken; (*steps, horse*) zögern ▶ *he never ~ed (in his resolve)* er war unbeirrbar (in seiner Entschlossenheit).

fame [feɪm] *n* Ruhm *m* ▶ *to win ~* sich (*dat*) einen Namen machen.

familiar [fə'mɪljə^r] *adj* **a** *surroundings, sight, scene* vertraut; *street, person, feeling, phrase, song* bekannt; *complaint, event* häufig ▶ *his face is ~* das Gesicht ist mir bekannt; *it looks very ~* es kommt mir sehr bekannt vor; *that sounds ~* das habe ich schon mal gehört; *to be on ~ ground with sth* in etw (*dat*) zu Hause sein; *to be ~ with sb/sth* mit jdm/etw vertraut sein; *to make oneself ~ with sth* sich mit etw vertraut machen. **b** (*friendly*) *language, gesture* familiär; (*overfriendly*) plump-vertraulich ▶ *the ~ term of address* die Anrede mit „du"; *to be on ~ terms with sb* mit jdm auf freundschaftlichem Fuß stehen; ▶ *language/expressions* Umgangssprache *f*/umgangssprachliche Ausdrücke *pl*.

familiarity [fə,mɪlɪ'ærɪtɪ] *n* **a** *no pl* (*knowledge*) Vertrautheit *f*. **b** (*between people*) vertrauliches Verhältnis; (*of language etc*) Familiarität *f*; (*pej*) plumpe Vertraulichkeit ▶ *~ breeds contempt* (*Prov*) allzu große Vertraulichkeit erzeugt Verachtung.

familiarize [fə'mɪlɪəraɪz] *vt* *to ~ sb/oneself with sth* jdn/sich mit etw vertraut machen.

family ['fæmɪlɪ] *n* Familie *f*; (*including cousins, aunts etc*) Verwandtschaft *f* ▶ *to start a ~* eine Familie gründen; *has he any ~?* hat er Familie?; *it runs in the ~* das liegt in der Familie; *he's one of the ~* er gehört zur Familie.

family: *~ allowance* *n* Kindergeld *nt*; *~ business* *n* Familienbetrieb *m*; *~ credit* *n* (*Brit*) Sozialleistung *f* für Geringverdiener, um das Familieneinkommen auf ein Mindestbetrag anzuheben; *~ doctor* *n* Hausarzt *m*/-ärztin *f*; *~ life* *n* Familienleben *nt*; *~ man* *n* (*home-loving*) häuslich veranlagter Mann; (*with a ~*) Familienvater *m*; *~ planning* *n* Familienplanung *f*; *~ planning clinic* *n* Familienberatungsstelle *f*; *~ resemblance* *n* Familienähnlichkeit *f*; *~-size* *adj* in Haushaltsgröße; *car, packets* Familien-; *~ tree* *n* Stammbaum *m*.

famine ['fæmɪn] *n* Hungersnot *f*.

famished ['fæmɪʃt] *adj* (*col*) ausgehungert ▶ *I'm absolutely ~* ich sterbe vor Hunger (*col*).

famous ['feɪməs] *adj* berühmt (*for* durch, für).

famously ['feɪməslɪ] *adv* (*dated col*) famos (*dated*), prima (*col*).

fan¹ [fæn] **1** *n* (*hand-held*) Fächer *m*; (*mechanical, extractor ~, Aut*) Ventilator *m*. **2** *vt* (*wind*) umwehen; (*person*) fächeln (*+dat*) ▶ *to ~ sb/oneself* jdm/sich (Luft) zufächeln; *to ~ the flames* (*fig*) Öl ins Feuer gießen.

♦**fan out** *vi* (*troops, searchers*) ausschwärmen.

fan² *n* (*supporter*) Fan *m* ▶ *I'm a great ~ of his/hers* ich halte viel von ihm/ihr.

fanatic [fə'nætɪk] *n* Fanatiker(in *f*) *m*.

fanatic(al) [fə'nætɪk(əl)] *adj* fanatisch.

fanaticism [fə'nætɪsɪzəm] *n* Fanatismus *m*.

fan belt *n* (*Aut*) Keilriemen *m*.

fancied ['fænsɪd] *adj* **a** (*imaginary*) eingebildet. **b** (*Sport*) *~ horse or runner* Favorit *m*.

fancier ['fænsɪə^r] *n* Liebhaber(in *f*) *m*.

fanciful ['fænsɪfʊl] *adj story, idea* phantastisch; *explanation* weit hergeholt; *pattern* phantasievoll.

fan club *n* Fanclub *m*.

▼ **fancy** ['fænsɪ] **1** *n* **a** *a passing ~* nur so eine Laune; *he's taken a ~ to her* sie hat es ihm angetan; *to take or catch sb's ~* jdm gefallen; *to tickle sb's ~* jdn reizen; *just as the ~ takes me/you* ganz nach Lust und Laune.

2 *vt* **a** *~ that!* so was!; *~ seeing you here!* so was, Sie hier zu sehen!; *~ him winning!* wer hätte gedacht, daß er gewinnt!; *I rather ~ he has gone out* ich glaube, er ist weggegangen. **b** (*like*) *he fancies the idea/her* die Idee/sie gefällt ihm; *he fancies a house on Crete* (*would like to have*) er hätte gern ein Haus auf Kreta; *he fancies a walk/steak* er hat Lust zu einem Spaziergang/auf ein Steak; *I don't ~ the idea* ich habe keine Lust dazu; *I didn't ~ that job* die Stelle hat mich nicht gereizt; *he fancies his chances* er meint, er hätte Chancen; *I don't ~ my chances of getting that job* ich rechne mir keine großen Chancen aus, die Stelle zu bekommen; *he really fancies himself* er ist sehr von sich eingenommen; *he fancies himself as an actor* er hält sich für einen guten Schauspieler.

3 *adj* (*+er*) (*elaborate*) *hairdo, footwork* kunstvoll; (*unusual*) *food, pattern, cigarettes, furnishings* ausgefallen; *baking, cakes, bread* fein; (*col*) *gadget, car etc* schick (*col*); *idea* überspannt; *cure* seltsam; *price* gepfeffert (*col*) ▶ *nothing ~* etwas ganz Einfaches.

fancy: *~ dress* *n* (Masken)kostüm *nt*; *in ~ dress* verkleidet, kostümiert; *~-dress ball/party* *n* Maskenball *m*/Kostümfest *nt*; *~ goods* *npl* Geschenkartikel *pl*; *~ man* *n* (*col: lover*) Liebhaber *m*; *~ woman* *n* (*col*) Geliebte *f*.

fanfare ['fænfɛə^r] *n* Fanfare *f*.

fanfold paper ['fænfəʊld 'peɪpə^r] *n* (*Comp*) Endlospapier *nt*.

fang [fæŋ] *n* Fang *m*; (*of snake*) Giftzahn *m*.

fan: *~ heater* *n* Heizlüfter *m*; *~light* *n* Oberlicht *nt*; *~ mail* *n* Verehrerpost *f*; *~ oven* *n* Heißluftherd *m*.

fantasia [fæn'teɪzɪə] *n* Fantasie *f*.

fantasize ['fæntəsaɪz] *vi* phantasieren.

fantastic [fæn'tæstɪk] *adj* phantastisch.

fantasy ['fæntəzɪ] *n* Phantasie *f*.

fanzine ['fænziːn] *n* Fan-Magazin *nt*.

FAQ = **free alongside quay** f.a.q.

far [fɑː^r] *see also comp* **further, farther,** *superl* **furthest, farthest** **1** *adv* weit ▶ *~ not ~ (away) from here* nicht weit von hier; *I'll go with you as ~ as the gate* ich komme/gehe bis zum Tor mit; *~ and wide* weit und breit; *from ~ and wide* von nah und fern; *~ above* hoch über (*+dat*); *~ away* weit weg; *~ away in the distance* weit in der Ferne; *~ into the jungle* weit in den Dschungel hinein; *I won't be ~ away* ich bin ganz in der Nähe; *~ out* weit draußen; *have you come ~?* kommen Sie von weit her?; *as ~ back as I can remember* so weit ich mich erinnern kann; *as ~ back as 1945* schon (im Jahre) 1945; *~ into the night* bis spät in die Nacht; *~ longer/better* weit länger/besser; *it's ~ beyond what I can afford* das übersteigt meine Mittel bei weitem; *as or so ~ as I'm concerned* was mich betrifft; *it's all right as ~ as it goes* das ist soweit ganz gut; *in so ~ as* insofern als; *~ and away the best, by ~ the best* bei weitem der/die/das Beste; *~ from satisfactory* alles andere als befriedigend; *~ from liking him I find him quite unpleasant* nicht nur, daß ich ihn nicht leiden kann, ich finde ihn sogar ausgesprochen unsympathisch; *~ from it!* ganz und gar nicht; *~ be it from me to ...* es sei mir fern, zu ...; *so ~* (*up to now*) bis jetzt; (*up to this point*) soweit; *so ~ so good* so weit, so gut; *so ~ and no further* bis hierher und nicht weiter; *to go ~* (*money, supplies etc*) weit reichen; (*person: succeed*) es weit bringen; *I would go so ~ as to say ...* ich würde so weit gehen zu sagen ...; *that's going too ~* das geht zu weit; *to carry a joke too ~* einen Spaß zu weit treiben; *you're not ~ out* (*in guess*) da liegst du nicht schlecht; *that was not ~ off* (*aim*) das war knapp daneben; (*guess*) das war schon nicht schlecht; *~ gone* (*col: drunk*) schon ziemlich hinüber (*col*).

---

2 *adj country* weit entfernt ▶ *the ~ end of the room* das andere Ende des Zimmers; *the ~ window/wall* das Fenster/die Wand am anderen Ende des Zimmers; *the ~ one* das da drüben; *in the ~ distance* in weiter Ferne; *the ~ left/right* (*Pol*) die äußerste Linke/Rechte; *it's a ~ cry from ...* (*fig*) das ist etwas ganz anderes als ...; *it's a ~ cry from what she promised at first* ursprünglich hat sie etwas ganz anderes versprochen.

faraway ['fɑːrəweɪ] *adj attr place* abgelegen; (*fig: dreamy*) verträumt.

farce [fɑːs] *n* (*Theat, fig*) Farce *f*.

farcical ['fɑːsɪkəl] *adj* (*fig: absurd*) absurd.

fare [fɛəʳ] **1** *n* **a** (*charge*) Fahrpreis *m*; (*on plane*) Flugpreis *m*; (*on boat*) Preis *m* für die Überfahrt; (*money*) Fahrgeld *nt* ▶ *what is the ~?* was kostet die Fahrt/der Flug/die Überfahrt? **b** (*old, form: food*) Kost *f*. **2** *vi he ~d well* es erging ihm gut; *how did you ~* wie erging es dir?

Far: ~ East *n the ~* der Ferne Osten; **~ Eastern** *adj* fernöstlich; **~ Eastern travel** Fernostreisen *pl*.

fare stage *n* Teilstrecke *f*; (*point*) Zahlgrenze *f*.

farewell [fɛə'wel] **1** *n* Abschied *m* ▶ *to bid sb ~* jdm auf Wiedersehen sagen. **2** *interj* (*old*) leb(e) wohl (*dated*).

farewell *in cpds* Abschieds-.

far: ~-fetched *adj* weithergeholt *attr*, weit hergeholt *pred*; **~-flung** *adj* (*distant*) abgelegen.

farm [fɑːm] **1** *n* Bauernhof *m*; (*bigger*) Gut(shof *m*) *nt*; (*in US, Australia*) Farm *f*. **2** *attr produce, buildings* Landwirtschafts-; *labourer* Land- ▶ *~ animals* Tiere auf dem Bauernhof. **3** *vt land* bebauen. **4** *vi* Landwirtschaft betreiben.

◆**farm out** *vt sep work* vergeben (*on, to* an +*acc*); *children* in Pflege geben (*to dat*, bei).

farmer ['fɑːməʳ] *n* Bauer *m*, Bäuerin *f*, Landwirt(in *f*) *m*; (*in US, Australia*) Farmer *m*; (*gentleman ~*) Gutsherr *m*; (*tenant ~*) Pächter *m* ▶ *~'s wife* Bäuerin *f*.

farm: ~hand *n* Landarbeiter *m*; (*living on small farm*) Knecht *m*; **~house** *n* Bauernhaus *nt*.

farming ['fɑːmɪŋ] *n* Landwirtschaft *f*; (*animals also*) Viehzucht *f*.

farm: ~ land *n* Ackerland *nt*; **~stead** *n* Bauernhof *m*, Gehöft *nt*; **~ worker** *n* Landarbeiter *m*; **~yard** *n* Hof *m*; **~yard manure** *n* Stalldung *m*.

Far North *n the ~* der Hohe Norden.

far: ~-off *adj* (weit)entfernt; **~-out** *adj* (*col: excellent*) toll (*col*). **~-reaching** *adj* weitreichend; **~-seeing** *adj* weitblickend; **~-sighted** *adj* (*lit*) weitsichtig; (*fig*) *person* weitblickend; (*taking precautionary measures*) umsichtig; *measures* auf weite Sicht geplant.

fart [fɑːt] (*col*) **1** *n* Furz *m* (*col!*). **2** *vi* furzen (*col!*).

farther ['fɑːðəʳ] *comp of* **far** **1** *adv see* **further 1(b)**. **2** *adj at the ~ end* am anderen Ende.

farthest ['fɑːðɪst] *adj, adv superl of* **far** *see* **furthest 1, 2**.

farthing ['fɑːðɪŋ] *n* (*old Brit*) Viertelpenny *m*.

FAS = **free alongside ship** f.a.s.

fascia ['feɪʃə] *n* (*Brit Aut*) Armaturentafel *f*.

fascinate ['fæsɪneɪt] *vt* faszinieren ▶ *it ~s me how ...* ich finde es erstaunlich, wie ...

fascinating ['fæsɪneɪtɪŋ] *adj* faszinierend.

fascination [ˌfæsɪ'neɪʃən] *n* Faszination *f* ▶ *to have a ~ for sb* auf jdn einen besonderen Reiz ausüben; *his ~ with the cinema* die Faszination, die das Kino auf ihn ausübt.

fascism ['fæʃɪzəm] *n* Faschismus *m*.

fascist ['fæʃɪst] **1** *n* Faschist(in *f*) *m*. **2** *adj* faschistisch.

fashion ['fæʃən] **1** *n* **a** *no pl* (*manner*) Art (und Weise) *f* ▶ *in the Indian ~* nach Art der Indianer; *in the usual ~* wie üblich; *well, after a ~* na ja, so einigermaßen; *to do sth after or in a ~* etw schlecht und recht machen. **b** (*in clothing, latest style*) Mode *f* ▶ *in ~* modern; *it's the/all the ~* es ist Mode/große Mode; *to come into/go out of ~* in Mode/aus der Mode kommen; *this year's ~s* die Mode in diesem Jahr. **c** (*custom*) *it was the ~ in those days* das war damals Sitte. **2** *vt* gestalten.

fashionable ['fæʃnəbl] *adj clothes, person* modisch; *illness, colour* Mode-; *area, address* vornehm; *pub, artist, author* in Mode ▶ *it's (very) ~* es ist (große) Mode.

fashion *in cpds* Mode-; **~-conscious** *adj* modebewußt; **~ designer** *n* Modezeichner(in *f*) *m*; **~ model** *n* Mannequin *nt*; (*man*) Dressman *m*; **~ parade** *n*, **~ show** *n* Mode(n)schau *f*.

fast¹ [fɑːst] **1** *adj* (+*er*) **a** schnell; *film* hochempfindlich ▶ *he's a ~ worker* (*lit*) er arbeitet schnell; (*fig*) er geht mächtig ran (*col*); *to pull a ~ one (on sb)* (*col*) jdn übers Ohr hauen (*col*); **~ train** D-Zug *m*. **b** *to be ~* (*clock, watch*) vorgehen. **c** (*fig: immoral*) locker ▶ **~ woman** leichtlebige Frau. **d** (*firm*) fest; *friend* gut. **e** *colour, dye* farbecht. **2** *adv* **a** schnell. **b** (*firmly*) fest ▶ *to stick ~* festsitzen; (*with glue*) festkleben; *to hold ~ to sth* an etw (*dat*) festhalten; *to play ~ and loose with sb* mit jdm ein falsches Spiel treiben; *to be ~ asleep* tief schlafen.

fast² **1** *vi* (*not eat*) fasten. **2** *n* Fasten *nt*; (*period of fasting*) Fastenzeit *f*.

fast: ~back *n* (*Aut*) Fließheck *nt*; **~ breeder reactor** *n* schneller Brüter.

fasten ['fɑːsn] **1** *vt* (*attach*) befestigen (*to, onto* an +*dat*); *buttons, dress etc* zumachen; (*lock*) *door* (ab)schließen ▶ *to ~ two things together* zwei Dinge aneinander befestigen; *to ~ the blame on sb* die Schuld auf jdn schieben. **2** *vi* (*door etc*) sich schließen lassen ▶ *the dress ~s at the back* das Kleid wird hinten zugemacht; *this piece ~s in here* dieses Teil wird hier befestigt.

◆**fasten down** *vt sep* festmachen.

◆**fasten on** **1** *vt sep* befestigen (+*prep obj*, -*to* an +*dat*). **2** *vi* +*prep obj* (*fig*) *the teacher always ~s ~ Smith* der Lehrer hackt immer auf Smith herum (*col*).

◆**fasten onto** *vi* +*prep obj* (*fig*) *to ~ ~ sb* sich an jdn hängen; *to ~ ~ an idea* eine Idee aufgreifen.

◆**fasten up** *vt sep dress etc* zumachen.

fastener ['fɑːsnəʳ], **fastening** ['fɑːsnɪŋ] *n* Verschluß *m*.

fast: ~ food *n* Fast-Food *nt*; **~ food restaurant** *n* Schnellrestaurant *nt*; **~ forward** *n* (*on tape deck*) Vorlauf *m*.

fastidious [fæs'tɪdɪəs] *adj* wählerisch (*about* in bezug auf +*acc*).

fast lane *n* Überholspur *f* ▶ *life in the ~* (*fig*) Leben *nt* mit Tempo.

fat [fæt] **1** *n* (*Anat, Cook*) Fett *nt* ▶ *to live off the ~ of the land* (*fig*) wie die Made im Speck leben (*col*); *to put on ~* Speck ansetzen; *to run to ~* in die Breite gehen (*col*). **2** *adj* (+*er*) **a** dick, fett (*pej*) ▶ *to get ~* dick werden. **b** *meat* fett. **c** (*fig*) *volume, wallet, cigar* dick; *salary, cheque, profit* üppig, fett (*col*); *part in play* umfangreich. **d** (*iro col*) *a ~ lot of good you are!* Sie sind ja 'ne schöne Hilfe! (*iro col*); *a ~ lot he knows!* er hat doch überhaupt keine Ahnung!; *a ~ chance he's got* da hat er ja Mordschancen (*iro col*).

fatal ['feɪtl] *adj* (*lit*) tödlich (*to* für); (*fig*) verheerend; *day, decision* schicksalsschwer ▶ *that would be ~* das wäre das Ende (*to gen*); *to deal sb/sth a ~ blow* (*fig*) jdm/

einer Sache einen vernichtenden Schlag versetzen; *it's ~ to say that* das ist fatal, so etwas zu sagen.

fatalism ['feɪtəlɪzəm] *n* Fatalismus *m*.

fatalist ['feɪtəlɪst] *n* Fatalist(in *f*) *m*.

fatalistic [,feɪtə'lɪstɪk] *adj* fatalistisch.

fatality [fə'tælɪtɪ] *n* Todesfall *m*; (*in accident, war etc*) (Todes)opfer *nt*.

fatally ['feɪtəlɪ] *adv wounded* tödlich ► *to be ~ attracted to sb* jdm hoffnungslos verfallen sein.

fate [feɪt] *n* Schicksal *nt* ► *to leave sb to his ~* jdn seinem Schicksal überlassen; *to meet one's ~* (*die*) vom Schicksal ereilt werden.

fated ['feɪtɪd] *adj* unglückselig; *project, plan* zum Scheitern verurteilt ► *to be ~* unter einem ungünstigen Stern stehen; *they were ~ never to meet again* es war ihnen bestimmt, sich nie wiederzusehen.

fateful ['feɪtfʊl] *adj* (*disastrous*) verhängnisvoll; (*momentous*) schicksalsschwer.

fathead ['fæthed] *n* (*col*) Blödian *m* (*col*).

father ['fɑːðəʳ] **1** *n* **a** (*lit, fig*) Vater *m* ► *to be a ~ to sb* jdm ein Vater sein; *from ~ to son* vom Vater auf den Sohn; *like ~ like son* der Apfel fällt nicht weit vom Stamm (*prov*); *F~'s Day* Vatertag *m*. **b** (*priest*) Pfarrer *m* ► *yes, ~* ja, Herr Pfarrer.
2 *vt child* zeugen.

father: F~ Christmas *n* der Weihnachtsmann; **~-figure** *n* Vaterfigur *f*, **~hood** *n* Vaterschaft *f*, **~-in-law** *n*, *pl* **~s-in-law** Schwiegervater *m*; **~land** *n* Vaterland *nt*; **~less** *adj* vaterlos.

fatherly ['fɑːðəlɪ] *adj* väterlich.

fathom ['fæðəm] **1** *n* Faden *m*.
2 *vt* (*also ~ out*) verstehen ► *I just can't ~ him (out)* er ist mir ein Rätsel.

fatigue [fə'tiːg] **1** *n* **a** Erschöpfung *f*; (*metal ~*) Ermüdung *f*. **b** (*Mil: ~ duty*) *to be on ~* Arbeitsdienst haben.
2 *vt* (*tire*) ermüden; (*exhaust*) erschöpfen.

fatigue: ~ dress *n* Arbeitsanzug *m*; **~ party** *n* Arbeitskommando *nt*.

fatness ['fætnɪs] *n* Dicke *f*.

fatso ['fætsəʊ] *n* (*col*) Dicke(r) *mf* (*col*).

fatten ['fætn] *vt* (*also ~ up*) *animals* mästen; *people* herausfüttern (*col*).

fattening ['fætnɪŋ] *adj chocolate is ~* Schokolade macht dick.

fatty ['fætɪ] **1** *adj* fett; (*greasy*) fettig; *acid, tissue* Fett- ► *~ degeneration* (*Med*) Verfettung *f*.
2 *n* (*col*) Dickerchen *nt* (*col*).

fatuous ['fætjʊəs] *adj statement* albern.

faucet ['fɔːsɪt] *n* (*US*) Hahn *m*.

▼ **fault** [fɔːlt] **1** *n* **a** Fehler *m*; (*Tech*) Defekt *m*; (*Geol*) Verwerfung *f*; (*Tennis*) Fehler *m* ► *generous to a ~* übermäßig großzügig; *to find ~ with sb/sth* etwas an jdm/etw auszusetzen haben; *he/my memory was at ~* er war im Unrecht/mein Gedächtnis hat mich getrogen. **b** *no pl it's my ~* es ist meine Schuld; *whose ~ is it?* wer ist schuld?; *it's all your own ~* Sie sind selbst schuld.
2 *vt* etwas auszusetzen haben an (*+dat*) ► *I can't ~ it* ich habe nichts daran auszusetzen; (*can't disprove it*) ich kann es nicht widerlegen.

fault: ~-finder *n* Krittler(in *f*) *m*; **~-finding** *n* Krittelei *f*.

faultless ['fɔːltlɪs] *adj appearance* tadellos; (*without mistakes*) fehlerlos; *English* fehlerfrei.

faulty ['fɔːltɪ] *adj* (*+er*) fehlerhaft; (*Tech*) defekt ► *~ design* Fehlkonstruktion *f*.

fauna ['fɔːnə] *n* Fauna *f*.

faux pas [fəʊ'pɑː] *n* Fauxpas *m*.

▼ **favour,** (*US*) **favor** ['feɪvəʳ] **1** *n* **a** *no pl* (*goodwill*) Gunst *f* ► *to find ~ with sb* bei jdm Anklang finden; *to be in ~ with sb* bei jdm gut angeschrieben sein; (*fash-*

ion, pop star, writer etc) bei jdm beliebt sein; *to be/fall out of ~* in Ungnade (gefallen) sein/fallen; (*fashion, pop star, writer etc*) nicht mehr beliebt sein (*with* bei)/nicht mehr ankommen (*with* bei). **b** *to be in ~ of sth* für etw sein; *in his ~* zu seinen Gunsten; *all those in ~ (raise their hands)* alle, die dafür sind(, Hand hoch!); *I'm in ~ of staying* ich bin dafür zu bleiben. **c** (*partiality*) Vergünstigung *f* ► *to show ~ to sb* jdn bevorzugen. **d** (*kindness*) Gefallen *m* ► *to ask a ~ of sb* jdn um einen Gefallen bitten; *to do sb a ~* jdm einen Gefallen tun; *do me a ~!* (*col*) sei so gut!; *do me the ~ of shutting up!* (*col*) tu mir den Gefallen und halt den Mund!; *as a ~* aus Gefälligkeit; *as a ~ to him* ihm zuliebe.
2 *vt* **a** *plan, idea* (*be in ~ of*) für gut halten; (*prefer*) bevorzugen. **b** (*oblige, honour*) beehren (*form*). **c** (*US: resemble*) ähneln (*+dat*).

favourable, (*US*) **favorable** ['feɪvərəbl] *adj* günstig (*for, to* für); (*expressing approval*) positiv.

favourably (*US*) **favorably** ['feɪvərəblɪ] *adv see adj* vorteilhaft; positiv ► *to be ~ impressed* einen positiven Eindruck haben; *to be ~ disposed to sb/sth* jdm wohlgesinnt sein/einer Sache *dat* positiv gegenüberstehen.

favoured, (*US*) **favored** ['feɪvəd] *adj the/a ~ few* die wenigen Auserwählten/einige (wenige) Auserwählte.

▼ **favourite,** (*US*) **favorite** ['feɪvərɪt] **1** *n* (*person*) Liebling *m*; (*Sport*) Favorit(in *f*) *m*. *this one is my ~* das habe ich am liebsten; *we sang all the old ~s* wir haben all die alten Lieder gesungen.
2 *adj attr* Lieblings-.

favouritism, (*US*) **favoritism** ['feɪvərɪtɪzəm] *n* Günstlingswirtschaft *f*, (*in school*) Lieblingswirtschaft *f*.

fawn¹ [fɔːn] **1** *n* **a** Hirschkalb *nt*; (*of roe deer*) Rehkitz *nt*. **b** (*colour*) Beige *nt*.
2 *adj* beige.

fawn² *vi* (*dog*) (mit dem Schwanz) wedeln; (*fig: person*) katzbuckeln (*on* vor +*dat*).

fax [fæks] **1** *n* (*document, machine*) (Tele)fax *nt*.
2 *vt* (tele)faxen.

faze [feɪz] *vt* (*esp US col*) aus der Fassung bringen.

FBI (*US*) = **Federal Bureau of Investigation** FBI *nt*.

FC = **Football Club** FC *m*.

FCO (*Brit*) = **Foreign and Commonwealth Office**.

FD = **free delivered at dock** f.D.

▼ **fear** [fɪəʳ] **1** *n* **a** Angst *f* (*of* vor +*dat*) ► *in ~ and trembling* mit schlotternden Knien; *to go in ~ of one's life* ständig um sein Leben bangen; *for ~ that ...* aus Angst, daß ...; *she talked quietly for ~ of waking the child* sie sprach leise, um das Kind nicht aufzuwecken; *without ~ or favour* (*Brit*) *or favor* (*US*) ganz gerecht; *to put the ~ of God into sb* (*col*) jdm gewaltig Angst einjagen (*col*); *no ~!* (*col*) nie im Leben! (*col*); *there's no ~ of that happening again* keine Angst, das passiert so leicht nicht wieder; *there's not much ~ of his coming* es ist kaum zu befürchten, daß er kommt.
2 *vt* (be)fürchten; *God* Ehrfurcht haben vor (+*dat*) ► *I ~ the worst* ich befürchte das Schlimmste; *he's a man to be ~ed* er ist ein Mann, vor dem man Angst haben muß.
3 *vi to ~ for* fürchten um; *never ~!* keine Angst.

fearful ['fɪəfʊl] *adj* **a** (*terrible*) furchtbar. **b** (*apprehensive*) ängstlich ► *to be ~ for one's/sb's life* um sein/jds Leben fürchten.

fearfully ['fɪəfʊlɪ] *adv see adj* **a** furchtbar. **b** ängstlich.

fearless ['fɪəlɪs] *adj* furchtlos ► *to be ~ of sth* keine Angst vor etw (*dat*) haben.

fearlessly ['fɪəlɪslɪ] *adv* furchtlos.

fearlessness ['fɪəlɪsnɪs] *n* Furchtlosigkeit *f*.

fearsome ['fɪəsəm] *adj* furchterregend.

► SENTENCE BUILDER: **fault: 1b → 5.2, 5.3   favour: 1b → 3   favourite: 2 → 1.4   fear: 1 → 3**

feasibility [ˌfiːzə'bɪlɪtɪ] n [a] (of plan etc) Machbarkeit f ▸ ~ **study** Machbarkeitsstudie f; **the ~ of doing sth** die Möglichkeit, etw zu tun. [b] (plausibility: of story etc) Wahrscheinlichkeit f.
feasible ['fiːzəbl] adj [a] machbar; plan realisierbar. [b] (likely) excuse plausibel.
feast [fiːst] [1] n [a] Festessen nt; (Hist) Festgelage nt ▸ **a ~ for the eyes** eine Augenweide. [b] (Eccl) Fest nt ▸ **~ day** n Feiertag m.
[2] vi (lit) ein Festgelage halten ▸ **to ~ on sth** sich an etw (dat) gütlich tun.
[3] vt **to ~ one's eyes on sth** seine Augen an etw (dat) weiden.
feat [fiːt] n Leistung f; (heroic, courageous etc) Heldentat f; (skilful) Meisterleistung f.
feather ['feðər] [1] n Feder f ▸ **~s** (plumage) Gefieder nt; **as light as a ~** federleicht; **that's a ~ in his cap** das ist ein Ruhmesblatt nt für ihn; **you could have knocked me down with a ~** (col) ich war wie vom Donner gerührt; **birds of a ~ flock together** (Prov) gleich und gleich gesellt sich gern (Prov).
[2] vt **to ~ one's nest** (fig) sein Schäfchen ins trockene bringen.
feather: **~-bed** n mit Federn gefüllte Matratze; **~brained** adj dümmlich; **~ duster** n Staubwedel m; **~weight** (Boxing) [1] n Federgewicht nt; (fig) Leichtgewicht nt; [2] adj Federgewicht-.
feature ['fiːtʃər] [1] n [a] (facial) (Gesichts)zug m. [b] (characteristic) Merkmal, Kennzeichen nt ▸ **a ~ of his style is ...** sein Stil ist durch ... gekennzeichnet; **a ~ of this book is ...** das Buch zeichnet sich durch ... aus; **special ~** Besonderheit f; **new ~** Neuheit f. [c] (focal point: of room etc) besonderes or herausragendes Merkmal ▸ **to make a ~ of sth** etw besonders betonen. [d] (Press) (Sonder)beitrag m; (Rad, TV) (Dokumentar)bericht m. [e] (~ film) Spielfilm m.
[2] vt (Press) story, picture bringen ▸ **this film ~s ...** in diesem Film spielt ... mit.
[3] vi vorkommen; (Film) (mit)spielen ▸ **it ~s prominently in ...** es spielt in (+dat) ... eine bedeutende Rolle.
feature: **~ film** n Spielfilm m; **~-length** adj film mit Spielfilmlänge; **~less** adj ohne besondere Merkmale; **~ story** n Sonderbericht m, Feature nt; **~ writer** n Journalist, der Features schreibt.
Feb = **February** Febr.
February ['februərɪ] n Februar m; see **September**.
feces ['fiːsiːz] npl (US) = **faeces**.
feckless ['feklɪs] adj nutzlos.
fed¹ [fed] pret, ptp of **feed**.
fed² n (US col) FBI-Mann m.
Fed n (US col) = **Federal Reserve System**.
federal ['fedərəl] [1] adj Bundes-; system etc föderalistisch ▸ **~ state** (in US) (Einzel)staat m; **the F~ Republic of Germany** die Bundesrepublik Deutschland; **F~ Reserve System** (US) Zentralbanksystem nt.
[2] n (US col) FBI-Mann m.
federalism ['fedərəlɪzəm] n Föderalismus m.
federation [ˌfedə'reɪʃən] n (act) Zusammenschluß m; (league) Föderation f, Bund m.
fed up ['fed'ʌp] adj (col) **I'm ~** ich habe die Nase voll (col); **I'm ~ with him/it** er/es hängt mir zum Hals heraus (col); **I'm ~ waiting for him** ich habe es satt, auf ihn zu warten.
fee [fiː] n Gebühr f; (of doctor, lawyer, artist, tutor) Honorar nt; (of stage performer) Gage f ▸ **(school) ~s** Schulgeld nt.
feeble ['fiːbl] adj (+er) schwach; joke lahm; attempt kläglich.
feeble-minded [ˌfiːbl'maɪndɪd] adj dümmlich.
feed [fiːd] (vb: pret, ptp fed) [1] n (of animals) Futter nt; (col: of person) Essen nt ▸ **when is the baby's next ~?**

wann wird das Baby wieder gefüttert?; **to have a good ~** (col) tüchtig futtern (col).
[2] vt [a] (provide food for) verpflegen; family ernähren. [b] (give food to) füttern ▸ **to ~ oneself** (child) allein essen (können); **to ~ sth to sb/an animal** jdm/einem Tier etw zu essen/fressen geben. [c] machine versorgen; furnace beschicken; meter Geld einwerfen in (+acc); (fig) hope, imagination nähren ▸ **to ~ sth into a machine** etw in eine Maschine geben; **to ~ sb with information** jdn mit Informationen versorgen; **the data is fed into the computer** die Daten werden in den Computer eingegeben. [d] (Tech: insert) führen.
[3] vi (animal) fressen; (baby) gefüttert werden.
♦**feed back** vt sep information zurückleiten (to an +acc).
♦**feed in** vt sep data etc eingeben.
♦**feed on** [1] vi +prep obj sich (er)nähren von.
[2] vt sep +prep obj animal, baby füttern mit; person ernähren mit.
feedback ['fiːdbæk] n (Elec) Rückkoppelung f; (fig) Reaktion f, Feedback nt ▸ **~ of information** Rückinformation f; **to provide more ~ about sth** ausführlicher über etw (acc) berichten.
feeder ['fiːdər] n [a] (bottle) Flasche f. [b] (source) (road) Zubringer m; (Elec) Speiseleitung f.
feeding ['fiːdɪŋ]: **~ bottle** n (Brit) Flasche f, **~ time** n (for animal) Fütterungszeit f; (for baby) Zeit f für die Mahlzeit.
▼ **feel** [fiːl] (vb: pret, ptp felt) [1] vt [a] (touch) fühlen; (examining) befühlen ▸ **to ~ one's way** sich vortasten; **to ~ one's way into sth** sich in etw (acc) einfühlen. [b] (be aware of) fühlen, spüren; pain, emotions, loss empfinden; (be affected by) heat, cold, insult leiden unter (+dat) ▸ **I can't ~ anything in my left leg** ich habe kein Gefühl im linken Bein; **I felt it move** ich spürte, wie es sich bewegte; **I could ~ him getting angry** ich merkte, daß er wütend wurde; **I bet she felt that!** das hat bestimmt weh getan. [c] (think) glauben ▸ **what do you ~ about him/it?** was halten Sie von ihm/davon?; **it was felt that ...** man war der Meinung, daß ...; **he felt it necessary** er hielt es für notwendig; **don't ~ you have to ...** glauben Sie nicht, Sie müßten ...
[2] vi [a] (physically or mentally) sich fühlen ▸ **to ~ well/ill** sich wohl/elend fühlen; **to ~ convinced/certain** überzeugt/sicher sein; **to ~ hungry/thirsty/sleepy** hungrig/durstig/müde sein; **I ~ hot/cold** mir ist heiß/kalt; **he doesn't ~ quite himself today** er ist heute nicht ganz auf der Höhe; **I felt sad/strange** mir war traurig/komisch zumute; **I felt as though I'd never been away** mir war, als ob ich nie weggewesen wäre; **I felt as if I was going to be sick** ich dachte, ich müßte mich übergeben; **how do you ~ about him?** (emotionally) was empfinden Sie für ihn?; **you can imagine how I felt** Sie können sich (dat) vorstellen, wie mir zumute war; **what does it ~ like or how does it ~ to be all alone?** wie fühlt man sich or wie ist das so ganz allein?; **it ~s like flying** es ist wie Fliegen.
[b] (to the touch) sich anfühlen ▸ **to ~ hard** sich hart anfühlen; **the room/air ~s warm** das Zimmer/die Luft kommt einem warm vor.
[c] (think, have opinions) meinen ▸ **how do you ~ about these developments?** was meinen Sie zu dieser Entwicklung?; **that's just how I ~** das meine ich auch.
[d] **to ~ like** (have desire for) Lust haben auf (+acc); (for food) Appetit haben auf (+acc); **I ~ like eating something/going for a walk** ich könnte jetzt etwas essen/ich habe Lust spazierenzugehen; **I felt like screaming/giving up** ich hätte am liebsten geschrie(e)n/aufgegeben; **if you ~ like it** wenn Sie Lust haben.
[3] n **let me have a ~ (of it)!** laß (mich) mal fühlen!; **it has a velvety ~** es fühlt sich samtig an; **he recognizes**

➤ SENTENCE BUILDER: **feel: 2d → 10.3**

things by their ~ er erkennt Dinge daran, wie sie sich anfühlen; *to get/have a* ~ *for sth* (*fig*) ein Gefühl für etw bekommen/haben.

◆**feel about** *or* **around** *vi* umhertasten; (*in drawer, bag etc*) herumtasten.

◆**feel for** *vi +prep obj* **a** (*sympathize with*) Mitgefühl haben mit ► *I* ~ ~ *you* Sie tun mir leid. **b** (*search for*) tasten nach.

◆**feel up to** *vi +prep obj* sich gewachsen fühlen (+*dat*) ► *I don't* ~ ~ ~ *it* ich fühle mich nicht dazu in der Lage.

feeler ['fi:lə^r] *n* (*Zool, fig*) Fühler *m* ► *to put out* ~*s* seine Fühler ausstrecken; ~ *gauge* Fühl(er)lehre *f.*

▼ **feeling** ['fi:lɪŋ] *n* **a** Gefühl *nt* ► *I've lost all* ~ *in my right arm* ich habe kein Gefühl mehr im rechten Arm; *I've a funny* ~ *she won't come* ich hab so das Gefühl, daß sie nicht kommt. **b** (*opinion: also* ~*s*) Meinung, Ansicht *f* (*on* zu) ► *there was a general* ~ *that ...* man war allgemein der Ansicht, daß ...; *bad/good* ~ Verstimmung *f*/Wohlwollen *nt*; *there's been a lot of bad* ~ *about this decision* wegen dieser Entscheidung hat es viel böses Blut gegeben. **c** ~*s* Gefühle *pl*; *you've hurt his* ~*s* Sie haben ihn verletzt; *no hard* ~*s* nichts für ungut.

fee-paying ['fi:ˌpeɪɪŋ] *adj school* Privat- ► ~ *pupils* Schüler, deren Eltern Schulgeld zahlen.

feet [fi:t] *pl of* **foot.**

feign [feɪn] *vt* vortäuschen.

feint [feɪnt] *n* (*Sport*) Finte *f.*

feline ['fi:laɪn] *adj* (*lit*) Katzen-; (*fig*) katzenhaft.

fell[1] [fel] *pret of* **fall.**

fell[2] *n* (*skin*) Fell *nt.*

fell[3] *adj with one* ~ *blow* mit einem einzigen gewaltigen Hieb; *at one* ~ *swoop* mit einem Schlag.

fell[4] *vt tree* fällen; *person* niederstrecken; *animal* zur Strecke bringen.

fell[5] *n* (*Brit*) Berg *m*; (*moorland*) Hochmoor *nt.*

fellow ['feləʊ] *n* **a** Mann, Typ (*col*) *m.* **b** (*comrade*) Kamerad *m*; (*colleague*) Kollege *m*, Kollegin *f.* **c** (*of a society*) Mitglied *nt*; (*Univ*) Fellow *m.*

fellow: ~ **citizen** *n* Mitbürger(in *f*) *m*; ~ **countryman** *n* Landsmann *m*/-männin *f*; ~ **countrymen** *npl* Landsleute *pl*; ~ **feeling** *n* Mitgefühl *nt*; (*togetherness*) Zusammengehörigkeitsgefühl *nt*; ~ **men** *npl* Mitmenschen *pl*; ~ **passenger** *n* Mitreisende(r) *mf.*

fellowship ['feləʊʃɪp] *n* **a** *no pl* Kameradschaft *f*; (*company*) Gesellschaft *f.* **b** (*society, club etc*) Gesellschaft *f.* **c** (*Univ: scholarship*) Forschungsstipendium *nt*; (*job*) Position *f* eines Fellow.

fellow: ~ **student** *n* Kommilitone *m*, Kommilitonin *f*; ~ **sufferer** *n* Leidensgenosse *m*/-genossin *f*; ~ **traveller** (*Brit*) *or* **traveler** (*US*) *n* **a** (*lit*) Mitreisende(r) *mf*; **b** (*Pol*) Sympathisant(in *f*) *m*; ~ **worker** *n* Kollege *m*, Kollegin *f*, Mitarbeiter(in *f*) *m.*

felon ['felən] *n* (Schwer)verbrecher *m.*

felony ['felənɪ] *n* (schweres) Verbrechen.

felt[1] [felt] *pret, ptp of* **feel.**

felt[2] *n* Filz *m.*

felt-tip (pen) ['felttɪp('pen)] *n* Filzstift *m.*

female ['fi:meɪl] **1** *adj* weiblich; *labour, rights* Frauen- ► *a* ~ *doctor/student/slave/dog* eine Ärztin/Studentin/Sklavin/Hündin; ~ *impersonator* Frauenimitator *m*; *that's a typical* ~ *attitude* (das ist) typisch Frau. **2** *n* **a** (*animal*) Weibchen *nt.* **b** (*col: woman*) Frau *f*; (*pej*) Weib *nt* (*pej*).

feminine ['femɪnɪn] **1** *adj* (*also Gram*) weiblich, feminin. **2** *n* (*Gram*) Femininum *nt* ► *in the* ~ in der weiblichen *or* femininen Form.

femininity [ˌfemɪ'nɪnɪtɪ] *n* Weiblichkeit *f.*

feminism ['femɪnɪzəm] *n* Feminismus *m.*

feminist ['femɪnɪst] **1** *n* Feminist(in *f*) *m.*

2 *adj* feministisch.

femur ['fi:mə^r] *n* Oberschenkelknochen *m.*

fen [fen] *n* Moorland, Sumpfland *nt* ► *the F~s* die *Niederungen in East Anglia.*

fence [fens] **1** *n* **a** Zaun *m*; (*Sport*) Hindernis *nt* ► *to sit on the* ~ (*fig*) nicht Partei ergreifen; *don't sit on the* ~ entscheiden Sie sich. **b** (*col: receiver of stolen goods*) Hehler *m.* **2** *vt* (*also* ~ *in*) *land* einzäunen, umzäunen. **3** *vi* (*Sport*) fechten.

◆**fence in** *vt sep* einzäunen, umzäunen ► *to* ~ *sb* ~ (*fig*) jds Freiheit beschneiden.

◆**fence off** *vt sep piece of land* abzäunen.

fencer ['fensə^r] *n* Fechter(in *f*) *m.*

fencing ['fensɪŋ] *n* **a** (*Sport*) Fechten *nt.* **b** (*fences*) Zaun *m*, Einzäunung *f.*

fend [fend] *vi to* ~ *for oneself* (*provide*) für sich (selbst) sorgen; *could she* ~ *for herself in the big city?* könnte sie sich in der großen Stadt allein durchschlagen?

◆**fend off** *vt sep* abwehren.

fender ['fendə^r] *n* **a** (*in front of fire*) Kamingitter *nt.* **b** (*US Aut*) Kotflügel *m*; (*of bicycle etc*) Schutzblech *nt* ► ~*-bender* (*col*) kleiner Blechschaden.

fennel ['fenl] *n* (*Bot*) Fenchel *m.*

ferment ['fɜ:ment] **1** *n* (*fig*) Unruhe *f* ► *the city/he was in a state of* ~ es gärte in der Stadt/in ihm. **2** [fə'ment] *vi* (*lit, fig*) gären. **3** [fə'ment] *vt* (*lit*) fermentieren; (*fig*) *unrest* anwachsen lassen.

fermentation [ˌfɜ:men'teɪʃən] *n* Gärung *f.*

fern [fɜ:n] *n* Farn(kraut *nt*) *m.*

ferocious [fə'rəʊʃəs] *adj appearance, animal* wild; *glance, look* grimmig; *criticism, competition* scharf; *fight, temper, attack* heftig.

ferociously [fə'rəʊʃəslɪ] *adv* grimmig; *growl* wild; *fight, resist* heftig.

ferocity [fə'rɒsɪtɪ] *n see adj* Wildheit *f*; Grimmigkeit *f*; Schärfe *f*; Heftigkeit *f.*

ferret ['ferɪt] **1** *n* Frettchen *nt.* **2** *vi* (~ *about or around*) herumstöbern, herumschnüffeln (*pej*).

◆**ferret out** *vt sep* aufstöbern.

fer(r)ule ['feru:l] *n* Zwinge *f.*

ferry ['ferɪ] **1** *n* Fähre *f.* **2** *vt* (*by boat: also* ~ *across or over*) übersetzen; (*by plane, car etc*) transportieren ► *to* ~ *sb across a river* jdn über einen Fluß setzen; *to* ~ *sb/sth back and forth* jdn/etw hin- und herbringen.

ferry: ~**boat** *n* Fährboot *nt*; ~**man** *n* Fährmann *m.*

fertile ['fɜ:taɪl] *adj* (*lit, fig*) fruchtbar.

fertility [fə'tɪlɪtɪ] **1** *n* (*lit, fig*) Fruchtbarkeit *f.* **2** *attr cult, symbol* Fruchtbarkeits- ► ~ *drug* Fruchtbarkeitspille *f.*

fertilization [ˌfɜ:tɪlaɪ'zeɪʃən] *n* Befruchtung *f.*

fertilize ['fɜ:tɪlaɪz] *vt* befruchten; *land* düngen.

fertilizer ['fɜ:tɪlaɪzə^r] *n* Dünger *m* ► *artificial* ~ Kunstdünger *m.*

fervent ['fɜ:vənt], **fervid** ['fɜ:vɪd] *adj* leidenschaftlich; *tone of voice, expression, prayer* inbrünstig.

fervour, (*US*) **fervor** ['fɜ:və^r] *n* Leidenschaft *f.*

fester ['festə^r] *vi* (*wound*) eitern.

festival ['festɪvəl] *n* **a** (*Eccl etc*) Fest *nt.* **b** (*cultural*) Festspiele *pl*; (*esp pop* ~) Festival *nt.*

festive ['festɪv] *adj* festlich ► *the* ~ *season* die Festzeit.

festiveness ['festɪvnɪs] *n* Festlichkeit *f.*

festivity [fe'stɪvɪtɪ] *n* **a** (*gaiety*) Feststimmung *f.* **b** (*celebration*) Feier *f* ► *festivities pl* Feierlichkeiten *pl.*

festoon [fe'stu:n] *vt to* ~ *sb/sth with sth* jdn mit etw behängen/etw mit etw schmücken.

FET = (*Elec*) **field effect transistor** FET *m.*

fetal *adj* (*esp US*) = **foetal.**

---

fetch [fetʃ] vt [a] (bring) holen; (collect) person, thing abholen. [b] sigh, groan ausstoßen. [c] (bring in) money (ein)bringen. [d] (col) to ~ sb a blow/one jdm eine langen (col).
◆**fetch back** vt sep zurückholen.
◆**fetch in** vt sep hereinbringen.
◆**fetch up** [1] vi (col) landen (col).
[2] vt sep (Brit: vomit) erbrechen.
fetching ['fetʃɪŋ] adj reizend; smile gewinnend.
fête [feɪt] [1] n Fest nt.
[2] vt (make much of) sb, sb's success feiern.
fetid ['fetɪd] adj übelriechend.
fetish ['fetɪʃ] n Fetisch m ▶ to have a ~ about cleanliness einen Sauberkeitstick haben (col).
fetishist ['fetɪʃɪst] n Fetischist m.
fetter ['fetər] [1] vt prisoner fesseln; goat anpflocken; (fig) in Fesseln legen.
[2] n ~s pl (Fuß)fesseln pl; (fig) Fesseln pl.
fettle ['fetl] n to be in fine ~ in bester Form sein.
fetus n (US) = **foetus**.
feud [fju:d] [1] n (lit, fig) Fehde f.
[2] vi (lit, fig) sich befehden.
feudal ['fju:dl] adj Feudal-, feudal ▶ ~ system Feudalsystem nt.
feudalism ['fju:dəlɪzəm] n Feudalismus m.
fever ['fi:vər] n (lit, fig) Fieber nt no pl ▶ to have a ~ eine Fieberkrankheit haben; (high temperature) Fieber haben; in a ~ of excitement in fieberhafter Erregung; to reach ~ pitch auf dem Siedepunkt angelangt sein; to be working at ~ pitch auf Hochtouren arbeiten.
feverish ['fi:vərɪʃ] adj (Med) fiebernd attr, (fig) activity fieberhaft ▶ he's still ~ er hat noch Fieber.
feverishly ['fi:vərɪʃlɪ] adv fieberhaft.
few [fju:] adj (+er), pron [a] (not many) wenige ▶ we are very ~ wir sind nur sehr wenige; ~ and far between dünn gesät; he has as ~ books as you er hat genauso wenig(e) Bücher wie du; as ~ as six objections bloß sechs Einwände; there were three too ~ es waren drei zuwenig da; he is one of the ~ people who ... er ist einer der wenigen, die ...; its days are ~ es hat nur ein kurzes Leben; the lucky ~ die wenigen Glücklichen; as ~ as you genauso wenige wie du; however ~ there may be wie wenige auch immer da sind; I've got too ~ as it is ich habe sowieso schon zu wenig(e); there are too ~ of you ihr seid zu wenige; the ~ who knew him die wenigen, die ihn kannten.
[b] a ~ ein paar; a ~ more days noch ein paar Tage; a ~ times ein paar Male; he's had a good ~ drinks er hat ziemlich viel getrunken; quite a ~ books ziemlich viele Bücher; in the next ~ days in den nächsten paar Tagen; every ~ days alle paar Tage.
·**fewer** ['fju:ər] adj, pron comp of **few** weniger ▶ no ~ than nicht weniger als.
fewest ['fju:ɪst] adj, pron superl of **few** die wenigsten.
ff. = **and following (pages)** ff.
FH (Brit) = **fire hydrant**.
fiancé [fɪ'ã:nseɪ] n Verlobte(r) m.
fiancée [fɪ'ã:nseɪ] n Verlobte f.
fiasco [fɪ'æskəʊ] n Fiasko nt.
fib [fɪb] (col) [1] n (that's a) ~! das ist geflunkert! (col); don't tell ~s flunker nicht! (col).
[2] vi flunkern (col).
fibber ['fɪbər] n (col) Flunkerer m (col).
fibre, (US) **fiber** ['faɪbər] n Faser f; (roughage) Ballaststoffe pl ▶ moral ~ Charakterstärke f.
fibre, (US) **fiber**: **~board** n Faserplatte f; **~glass** (US: ®) [1] n Fiberglas nt; [2] adj Fiberglas-; **~ optics** n sing Faseroptik f.
fibrositis [,faɪbrə'saɪtɪs] n Bindegewebsentzündung f.
fibrous ['faɪbrəs] adj faserig.
fiche [fi:ʃ] n = **microfiche**.

fickle ['fɪkl] adj unbeständig, launenhaft.
fickleness ['fɪklnɪs] n Unbeständigkeit f.
fiction ['fɪkʃən] n no pl (Liter) Prosaliteratur f; (category) Belletristik f ▶ work of ~ Erzählung f; (longer) Roman m; light ~ (leichte) Unterhaltungsliteratur; that's pure ~ (fig) das ist frei erfunden.
fictional ['fɪkʃənl] adj erfunden ▶ a ~ character eine Gestalt aus der Literatur.
fictionalize ['fɪkʃənəlaɪz] vt fiktionalisieren.
fiction-writer n Belletrist(in f) m.
fictitious [fɪk'tɪʃəs] adj [a] (imaginary) frei erfunden. [b] (false) falsch.
fiddle ['fɪdl] [1] n [a] (Mus col) Geige f ▶ to play second ~ to sb (fig) in jds Schatten (dat) stehen; he refuses to play second ~ (fig) er will immer die erste Geige spielen; as fit as a ~ kerngesund. [b] (Brit col: cheat) Schiebung f; (with money) faule Geschäfte pl (col) ▶ it's a ~ das ist Schiebung!; there are so many ~s going on es wird so viel getrickst (col); to be on the ~ krumme Dinger machen (col); tax ~ Steuermanipulation f.
[2] vi (fidget, play around) herumspielen ▶ to ~ with sth an etw (dat) herumspielen or herumdoktern (col).
[3] vt (col) accounts, results frisieren (col); election manipulieren ▶ he ~d it so that ... er hat es so getrickst, daß ... (col).
[4] interj ach du liebe Zeit.
fiddler ['fɪdlər] n [a] (Mus col) Geiger(in f) m. [b] (col: cheat) Schwindler(in f) m.
fiddlesticks ['fɪdlstɪks] interj (nonsense) Unsinn, Quatsch (col); (bother) du liebe Zeit.
fiddling ['fɪdlɪŋ] adj (trivial) läppisch.
fiddly ['fɪdlɪ] adj (+er) (col: intricate) knifflig (col).
fidelity [fɪ'delɪtɪ] n [a] Treue f (to zu). [b] (Rad etc) Klangtreue f.
fidget ['fɪdʒɪt] [1] vi zappeln ▶ to ~ with sth mit etw herumfummeln; don't ~ zappel nicht so rum!
[2] n (person) Zappelphilipp m (col).
fidgety ['fɪdʒɪtɪ] adj zappelig; audience etc unruhig.
field [fi:ld] [1] n [a] (lit, fig) Feld nt; (for root vegetables) Acker m; (area of grass) Wiese f; (for cows, horses etc) Weide f ▶ he's working in the ~s er arbeitet auf dem Feld or Acker; ~ of battle Schlachtfeld nt; ~ of vision Blickfeld nt; magnetic ~ Magnetfeld nt. [b] (Sport: ground) Platz m; (competitors) Feld nt ▶ there's a very strong ~ das Feld der Teilnehmer ist sehr stark; the rest of the ~ (runners) die übrigen Läufer; to lead the ~ (fig) führend sein; to take the ~ auf den Platz kommen. [c] (of study, work etc) Gebiet nt ▶ to be first in the ~ with sth (Comm) etw als Erster auf den Markt bringen; studies in the ~ of medicine Studien auf dem Gebiet der Medizin; this is, of course, a very broad ~ das ist natürlich ein weites Feld; what ~ are you in? auf welchem Gebiet arbeiten Sie?; to test sth in the ~ etw in der Praxis ausprobieren.
[2] vt (Cricket, Baseball etc) ball auffangen und zurückwerfen; (fig) question etc abblocken, abwehren; team, side aufs Feld or auf den Platz schicken.
field day n I had a ~ an dem Tag bin ich wirklich auf meine Kosten gekommen.
fielder ['fi:ldər] n (Cricket, Baseball etc) Fänger m.
field: **~ events** npl (Athletics) Sprung- und Wurfdisziplinen pl; **~ glasses** npl Feldstecher m; **~ goal** n (US Ftbl) Feldtor nt; **~ gun** n (Mil) Feldgeschütz nt; **~ hockey** n (US) Hockey nt; **~ hospital** n (Mil) (Feld)lazarett nt; **~ marshal** n (Mil) Feldmarschall m; **~mouse** n Feldmaus f; **~ sports** npl Sport m im Freien (Jagen und Fischen); **~ study** n Feldforschung f, a ~ study eine Feldstudie; **~ test**, **~ trial** n Feldversuch m; **~work** n (of geologist etc) Arbeit f im Gelände; (of sociologist etc) Feldarbeit f.
fiend [fi:nd] n Teufel m ▶ tennis ~ (col) Tennisnarr m; a

fresh-air ~ (*col*) ein Frischluftfanatiker *m*.
fiendish ['fiːndɪʃ] *adj* teuflisch; (*col*) *pace, heat* höllisch (*col*); *problem* verteufelt (*col*).
fiendishly ['fiːndɪʃlɪ] *adv* teuflisch; *difficult, complicated* verteufelt (*col*).
fierce [fɪəs] *adj* (+*er*) *appearance* wild; *glance, look* böse, grimmig; *dog* bissig; *criticism, competition* scharf; *fight, resistance, temper, attack* (*lit, fig*) heftig; *heat, sun* glühend.
fiercely ['fɪəslɪ] *adv see adj*.
fierceness ['fɪəsnɪs] *n see adj* Wildheit *f*; Grimmigkeit *f*; Bissigkeit *f*; Schärfe *f*; Heftigkeit *f*; Glut *f*.
fieriness ['faɪərɪnɪs] *n* Feuer *nt*; (*of temper*) Hitzigkeit *f*.
fiery ['faɪərɪ] *adj* (+*er*) (*lit, fig*) feurig; *sunset* rotglühend ▸ **to have a ~ temper** ein Hitzkopf *m* sein.
FIFA ['fiːfə] = **Federation of International Football Associations** FIFA *f*.
fife [faɪf] *n* (*Mus*) Querpfeife *f*.
fifteen [fɪf'tiːn] [1] *adj* fünfzehn. [2] *n* Fünfzehn *f*.
fifteenth ['fɪf'tiːnθ] *adj* fünfzehnte(r, s); *see* **sixteenth**.
fifth [fɪfθ] [1] *adj* fünfte(r, s). [2] *n* Fünfte(r, s); (*part, fraction*) Fünftel *nt*; (*Mus*) Quinte *f*; *see* **sixth**.
fiftieth ['fɪftɪɪθ] *adj* fünfzigste(r, s); *see* **sixtieth**.
fifty ['fɪftɪ] [1] *adj* fünfzig. [2] *n* Fünfzig *f*; *see* **sixty**.
fifty-fifty ['fɪftɪ'fɪftɪ] [1] *adj* halbe-halbe, fifty-fifty ▸ **we have a ~ chance of success** unsere Chancen stehen fifty-fifty. [2] *adv* **to go ~ (with sb)** (mit jdm) halbe-halbe machen.
fig¹ [fɪg] *n* Feige *f* ▸ **~ tree** Feigenbaum *m*; **I don't care or give a ~** (*col*) ich kümmere mich einen Dreck darum (*col*).
fig² = **figure** Abb.
fight [faɪt] (*vb: pret, ptp* **fought**) [1] *n* (*lit, fig*) Kampf *m*; (*fist ~, scrap*) Schlägerei *f*; (*argument, row*) Streit *m* ▸ **to have a ~ with sb** sich mit jdm schlagen; (*argue*) sich mit jdm streiten; **to put up a good ~** (*lit, fig*) sich tapfer schlagen; **he won't give in without a ~** er ergibt sich nicht kampflos; **there was no ~ left in him** sein Kampfgeist war erloschen.
[2] *vi* kämpfen; (*have punch-up etc*) sich schlagen; (*argue*) sich streiten ▸ **to ~ over sth** um etw kämpfen; (*quarrel*) sich über etw (*acc*) streiten; (*to gain sth, also ~ for sth*) sich um etw streiten; **to ~ for one's life** um sein Leben kämpfen.
[3] *vt person* kämpfen mit; (*have punch-up with*) sich schlagen mit; *fire, disease, cuts, policy* bekämpfen; *decision* ankämpfen gegen ▸ **I'm prepared to ~ the government on this** ich bin bereit, das mit der Regierung durchzukämpfen; **you can't ~ the whole company** du kannst es nicht mit der ganzen Firma aufnehmen; **to ~ an action at law** einen Prozeß vor Gericht durchfechten; **to ~ one's way out of the crowd** sich aus der Menge freikämpfen.
◆**fight back** [1] *vi* (*in fight*) zurückschlagen; (*Mil*) sich verteidigen; (*in argument*) sich wehren; (*after illness*) zu Kräften kommen; (*Sport*) einen Gegenangriff unternehmen; (*pull back*) aufholen.
[2] *vt sep tears etc* unterdrücken.
◆**fight down** *vt sep anxiety* unterdrücken.
◆**fight off** *vt sep* (*Mil, fig*) *attack, disease* abwehren; *sleep* ankämpfen gegen; *a cold* ankämpfen gegen.
◆**fight on** *vi* weiterkämpfen.
◆**fight out** *vt sep to ~ it* es untereinander ausfechten.
fighter ['faɪtər] *n* [a] Kämpfer *m*; (*Boxing*) Fighter *m* ▸ **he's a ~** (*fig*) er ist eine Kämpfernatur. [b] (*Aviat: plane*) Jagdflugzeug *nt*.
fighter: **~-aircraft** *n* Kampfflugzeug *nt*; **~-bomber** *n* Jagdbomber *m*; **~-interceptor** *n* Abfangjäger *m*; **~**

pilot *n* Jagdflieger *m*.
fighting ['faɪtɪŋ] *n* (*Mil*) Kampf *m*; (*punch-ups etc*) Schlägereien *pl*; (*verbal*) Streit *m* ▸ **~ broke out** Kämpfe brachen aus.
fighting: **~ chance** *n* gute Chancen *pl*; **he's in with or he has a ~ chance** er hat eine Chance, wenn er sich anstrengt; **~ fit** *adj* topfit (*col*); **~ forces** *npl* Kampftruppen *pl*; **~ spirit** *n* Kampfgeist *m*; **~ strength** *n* (*Mil*) Kampfstärke *f*.
fig leaf *n* Feigenblatt *nt*.
figment ['fɪgmənt] *n* **a ~ of the imagination** pure Einbildung.
figurative ['fɪgjʊrətɪv] *adj use, sense* übertragen.
figure ['fɪgər] [1] *n* [a] (*number*) Zahl *f*; (*digit also*) Ziffer *f*; (*sum*) Summe *f* ▸ **he's good at ~s** er ist ein guter Rechner; **three-~ number** dreistellige Zahl; **the costs run into six ~s** die Kosten belaufen sich auf über 100.000 Pfund/Dollar *etc*. [b] (*in geometry, dancing, drawing*) Figur *f* ▸ **~ of eight** Acht *f*. [c] (*human form*) Gestalt *f*. [d] (*shapeliness*) Figur *f* ▸ **she has a good ~** sie hat eine gute Figur; **he's a fine ~ of a man** er ist ein Bild von einem Mann. [e] (*personality*) Persönlichkeit *f*; (*character in novel etc*) Gestalt *f*. [f] **~ of speech** Redensart *f*. [g] (*illustration*) Abbildung *f*.
[2] *vt* (*imagine*) sich (*dat*) vorstellen; (*US col: think, reckon*) schätzen (*col*).
[3] *vi* [a] (*appear*) erscheinen ▸ **he ~d prominently in the talks** er spielte eine bedeutende Rolle bei den Gesprächen. [b] (*col: make sense*) hinkommen (*col*) ▸ **that ~s** das hätte ich mir denken können.
◆**figure on** *vi +prep obj* (*esp US*) rechnen mit.
◆**figure out** *vt sep* [a] (*understand*) schlau werden aus. [b] (*work out*) ausrechnen; *answer, how to do sth* herausbekommen; *solution* finden.
figure: **~-conscious** *adj* figurbewußt; **~head** *n* (*Naut, fig*) Galionsfigur *f*; **~-hugging** *adj* figurbetont; **~-skater** *n* Eiskunstläufer(in *f*) *m*; **~-skating** *n* Eiskunstlaufen *nt*.
Fiji ['fiːdʒiː] *n* Fidschiinseln *pl*.
filament ['fɪləmənt] *n* (*Elec*) (Glüh)faden *m*.
filch [fɪltʃ] *vt* mausen (*col*).
file¹ [faɪl] [1] *n* (*tool*) Feile *f*.
[2] *vt* feilen ▸ **to ~ one's fingernails** sich (*dat*) die Fingernägel feilen; **to ~ sth away** *or* **down** etw abfeilen.
file² [1] *n* [a] (*holder*) Aktenordner *m*; (*for card index*) Karteikasten *m* ▸ **it's in the ~s somewhere** das muß irgendwo bei den Akten sein. [b] (*documents, information*) Akte *f* (*on sb* über jdn, *on sth* zu etw) ▸ **on ~** aktenkundig; **to keep a ~ on sb/sth** eine Akte über jdn/etw führen. [c] (*Comp*) Datei *f* ▸ **data on ~** gespeicherte Daten.
[2] *vt* [a] *letters* ablegen. [b] (*Jur*) *petition* einreichen.
◆**file away** *vt sep papers* zu den Akten legen.
file³ [1] *n* (*row*) Reihe *f* ▸ **in single ~** im Gänsemarsch; (*Mil*) in Reihe.
[2] *vi* **to ~ in** hereinmarschieren; **they ~d out of the classroom** sie gingen/kamen nacheinander aus dem Klassenzimmer; **the troops ~d past the general** die Truppen marschierten am General vorbei.
file: **~ card** *n* Karteikarte *f*; **~ clerk** *n* (*US*) Angestellte(r) *mf* in der Registratur; **~ management** *n* (*Comp*) Dateiverwaltung *f*; **~ name** *n* (*Comp*) Dateiname *m*.
filial ['fɪlɪəl] *adj* Kindes- ▸ **with due ~ respect** mit dem Respekt, den eine Tochter/ein Sohn schuldig ist.
filibuster ['fɪlɪbʌstər] *vi* (*esp US*) Obstruktion betreiben.
filigree ['fɪlɪgriː] *n* Filigran(arbeit *f*) *nt*.
filing: **~ cabinet** *n* Aktenschrank *m*; **~ clerk** *n* (*Brit*) Angestellte(r) *mf* in der Registratur.
filings ['faɪlɪŋz] *npl* Späne *pl*.
filing tray *n* Ablagekorb *m*.
Filipino [fɪlɪ'piːnəʊ] [1] *n* Filipino *m*. [2] *adj* philippinisch.

fill [fɪl] **1** vt füllen; *pipe* stopfen; *teeth* plombieren; (*wind*) *sails* blähen; *post, position* (*employer*) besetzen; (*employee*) einnehmen; *need* entsprechen (+*dat*) ► *~ed with anger/admiration* voller Zorn/Bewunderung; *the thought ~ed him with horror* der Gedanke erfüllte ihn mit Entsetzen.
2 vi sich füllen.
3 n *to drink one's ~* seinen Durst löschen; *to eat one's ~* sich satt essen; *I've had my ~ of him/it* (*col*) ich habe von ihm/davon die Nase voll (*col*).
◆**fill in 1** vi *to ~ ~ for sb* für jdn einspringen.
2 vt sep **a** *hole* auffüllen; *door, fireplace* zumauern; (*fig*) *gaps* stopfen. **b** *form* ausfüllen; *name, details, missing word* eintragen. **c** *to ~ sb ~ (on sth)* jdn (über etw *acc*) aufklären *or* ins Bild setzen.
◆**fill out 1** vi **a** (*sails etc*) sich blähen. **b** (*person: become fatter*) fülliger werden; (*cheeks, face*) voller werden.
2 vt sep *form* ausfüllen; *essay, article etc* strecken.
◆**fill up 1** vi (*Aut*) (auf)tanken; (*hall, barrel etc*) sich füllen.
2 vt sep *tank, cup* vollfüllen; (*driver*) volltanken; *hole* stopfen; (*Brit*) *form* ausfüllen ► *~ her ~!* (*Aut col*) volltanken bitte!
filler ['fɪlə'] n **a** (*for cracks*) Spachtelmasse f. **b** (*Ling*) *~ (word)* Füllwort nt.
filler cap n Tankdeckel m.
fillet ['fɪlɪt] **1** n Filet nt ► *~ steak* Filetsteak nt; *~ of pork* Schweinefilet nt.
2 vt filetieren.
filling ['fɪlɪŋ] **1** n **a** (*in tooth*) Füllung, Plombe f ► *I had to have three ~s* ich mußte mir drei Zähne plombieren lassen. **b** (*in pie, tart*) Füllung f; (*for sandwich*) Belag m.
2 adj *food* sättigend.
filling station n Tankstelle f.
fillip ['fɪlɪp] n (*fig*) Ansporn m.
filly ['fɪlɪ] n Stutfohlen nt; (*dated col*) Mädel nt (*dated*).
film [fɪlm] **1** n **a** Film m; (*of dust, of ice*) Schicht f; (*of mist, on the eye*) Schleier m; (*thin membrane*) Häutchen nt; (*on teeth*) Belag m. **b** (*Phot*) Film m ► *to make a ~* einen Film drehen; *to go to the ~s* ins Kino gehen.
2 vt *play* verfilmen; *scene* filmen; *people* einen Film machen von.
3 vi filmen.
film: *~ camera* n Filmkamera f; *~ clip* n Filmausschnitt m; *~ crew* n Kamerateam nt; *~ director* n Filmregisseur(in f) m; *~ fan* n Filmfan m; *~ festival* n Filmfestspiele pl; *~ guide* n Kinoprogramm nt; *~maker* n Filmemacher(in f) m; *~ projector* n Projektor m; *~ rights* npl Filmrechte pl; *~ script* n Drehbuch nt; *~set* n Filmkulisse f; *~ show* n Filmvorführung f; *~star* n Filmstar m; *~strip* n Filmstreifen m; *~ studio* n Filmstudio nt; *~ version* n Verfilmung f.
Filofax ® ['faɪləʊfæks] n Filofax ® m, Terminplaner m.
filter ['fɪltə'] **1** n Filter m; (*Brit: for traffic*) Abbiegespur f.
2 vt *liquids, air* filtern.
3 vi (*light*) durchscheinen ► *to ~ to the left* (*Brit Aut*) sich links einordnen.
◆**filter back** vi (*people*) allmählich zurückkommen.
◆**filter in** vi (*people*) allmählich hereinkommen; (*news*) durchsickern.
◆**filter out** vt sep (*lit*) herausfiltern.
◆**filter through** vi (*liquid, sound, news*) durchsickern; (*light*) durchscheinen.
filter: *~ coffee* n Filterkaffee m; *~ lane* n (*Brit*) Abbiegespur f; *~ paper* n Filterpapier nt; *~ tip* n Filter m; *~-tipped* adj *cigarette* Filter-.
filth [fɪlθ] n (*lit*) Schmutz, Dreck m; (*fig*) Schweinerei f.

filthy ['fɪlθɪ] adj (+*er*) schmutzig, dreckig; (*col*) *weather* Sau- (*col*); *day* Mist-; *temper* übel; (*obscene*) unanständig ► *don't be ~* du Ferkel!; *a ~ habit* eine widerliche Angewohnheit; *~ lucre* (*hum*) schnöder Mammon (*esp hum*); *~ rich* (*col*) stinkreich (*col*).
fin [fɪn] n (*of fish*) Flosse f; (*Aviat*) Seitenflosse f; (*of bomb, rocket, ship*) Stabilisierungsfläche f.
final ['faɪnl] **1** adj (*last*) letzte(r, s); *examination, act, chapter, chord* Schluß-; (*definite*) *decision, version* endgültig ► *~ score* Schlußstand m; *~ round/lap* Endrunde f; *~ stage* Endstadium nt; *that's not ~ yet* das steht noch nicht endgültig fest; *you're not going and that's ~* du gehst nicht, und damit Schluß!
2 n **a** *~s pl* (*Univ*) Abschlußprüfung f. **b** (*Sport*) Finale nt; (*in quiz etc*) Endrunde f ► *the ~s* das Finale; die Endrunde.
finale [fɪ'nɑːlɪ] n (*Mus, fig*) Finale nt.
finalist ['faɪnəlɪst] n (*Sport*) Endrundenteilnehmer(in f), Finalist(in f) m.
finality [faɪ'nælɪtɪ] n (*of decision etc*) Endgültigkeit f; (*of tone of voice*) Entschiedenheit f.
finalize ['faɪnəlaɪz] vt fertigmachen; *plans, arrangements* endgültig festlegen; *deal* zum Abschluß bringen; *draft* die endgültige Form geben (+*dat*) ► *to ~ a decision* eine endgültige Entscheidung treffen.
finally ['faɪnəlɪ] adv schließlich; (*expressing relief etc*) endlich.
finance [faɪ'næns] **1** n Finanzen pl ► *~ company* Finanzierungsgesellschaft f; *high ~* Hochfinanz f; *it's a question of ~* das ist eine Geldfrage.
2 vt finanzieren.
financial [faɪ'nænʃəl] adj finanziell; *crisis, policy* Finanz-; *news, page* Wirtschafts- ► *~ accountant* Finanzbuchhalter(in f) m; *~ controller* Leiter(in f) m der Finanzabteilung f; *~ director* Leiter(in f) m der Finanzabteilung; *~ statement* Jahresabschluß m; (*balance sheet*) Bilanz f; *the ~ year* das Geschäftsjahr.
financially [faɪ'nænʃəlɪ] adv finanziell ► *the company is ~ sound* die Finanzlage der Firma ist gesund.
financier [faɪ'nænsɪə'] n Finanzier m.
finch [fɪntʃ] n Fink m.
find [faɪnd] (*vb: pret, ptp* **found**) **1** vt **a** finden ► *this flower is found all over England* diese Blume findet man in ganz England; *do you know where there is a chemist's to be found?* wissen Sie, wo hier eine Apotheke ist?; *there wasn't one to be found* es war keine(r) zu finden; *we left everything as we found it* wir haben alles so gelassen, wie wir es vorgefunden haben; *he was found dead in bed* er wurde tot im Bett aufgefunden; *where am I going to ~ the money/time?* wo nehme ich nur das Geld/die Zeit her?; *I ~ myself in an impossible situation* ich befinde mich in einer unmöglichen Situation; *he awoke to ~ himself in prison/hospital* er erwachte und fand sich im Gefängnis/Krankenhaus wieder; *I found myself unable/forced to ...* ich sah mich außerstande/gezwungen, zu ...
b (*supply*) besorgen (*sb sth* jdm etw) ► *go and ~ me a needle* hol mir doch mal eine Nadel!
c (*discover, ascertain*) feststellen ► *we found the car wouldn't start* es stellte sich heraus, daß das Auto nicht anspringen wollte; *if you still ~ you can't do it* wenn Sie feststellen, daß Sie es immer noch nicht können.
d (*consider to be*) finden ► *I ~ Spain too hot* ich finde Spanien zu heiß; *I don't ~ it easy to tell you this* es fällt mir nicht leicht, Ihnen das zu sagen; *did you ~ her a good worker?* fanden Sie, daß sie gut arbeitet?; *I ~ it impossible to understand him* ich kann ihn einfach nicht verstehen.
e *£100 per week all found* £100 pro Woche, (und freie) Kost und Logis.
f (*Jur*) *to ~ sb guilty* jdn für schuldig befinden; *how*

do you ~ the accused? wie lautet Ihr Urteil? **g** (*Comp*) suchen. **2** *vi* (*Jur*) **to ~ for/against the accused** den Angeklagten freisprechen/schuldig sprechen. **3** *n* Fund *m*.

♦**find out** **1** *vt sep answer, sb's secret* herausfinden ► **don't get found ~** laß dich nicht erwischen; **you've been found ~** du bist ertappt. **2** *vi* es herausfinden ► **to ~ ~ about sb/sth** (*learn facts*) etwas über jdn/etw erfahren; **if his wife ~s ~ about it/her** wenn seine Frau davon/von ihr erfährt.

finder ['faɪndə^r] *n* Finder(in *f*) *m* ► **~s keepers** (*col*) wer's findet, dem gehört's.

findings ['faɪndɪŋz] *n pl* Ergebnis(se *pl*) *nt*; (*medical*) Befund *m*.

fine¹ [faɪn] **1** *n* (*Jur*) Geldstrafe *f*. **2** *vt* zu einer Geldstrafe verurteilen ► **he was ~d £10** er mußte £10 Strafe bezahlen; **he was ~d for speeding** er mußte Strafe für zu schnelles Fahren zahlen.

fine² *adj* (+*er*) **a** *weather* schön ► **one ~ day** eines schönen Tages. **b** (*good*) gut; *person* fein; *specimen, chap, woman* prächtig; *pianist, novel, painting, shot* großartig; *holiday, meal, view* herrlich; (*elegant*) *clothes, manners etc* fein ► **this is a ~ time to ...** (*iro*) das ist genau der richtige Augenblick, zu ...; **a ~ friend you are** (*iro*) du bist mir ja ein schöner Freund!; **that's a ~ thing to say** (*iro*) das ist ja wirklich nett, so was zu sagen!; **this is a ~ state of affairs** (*iro*) das sind ja schöne Zustände!; **that's ~ by me** ich habe nichts dagegen; **(that's) ~** gut, in Ordnung; **I'm/he is ~ now** es geht mir/ihm wieder gut; **how are you? — ~** wie geht's? — gut. **c** (*delicate, thin*) *workmanship, dust, distinction* fein ► **~ tuning** Feinabstimmung *f*; **to appeal to sb's ~r feelings** an jds besseres Ich appellieren; **there's a very ~ line between ...** es besteht ein feiner Unterschied zwischen ...

fine art *n* **a** *usu pl* **the ~s** die schönen Künste *pl*. **b** **he's got it down to a ~** er hat den Bogen heraus (*col*).

finely ['faɪnlɪ] *adv* fein; *worked* schön.

fineness ['faɪnnɪs] *n* Feinheit *f*; (*of weather*) Schönheit *f*; (*of quality*) Güte *f*.

finery ['faɪnərɪ] *n* (*of dress*) Staat *m*.

finesse [fɪ'nes] *n* (*skill*) Gewandtheit *f*; (*cunning*) Finesse *f*.

fine-tooth comb ['faɪn'tuːθkəʊm] *n*: **to go through sth with a ~** etw genau unter die Lupe nehmen.

fine-tune ['faɪntjuːn] *vt* (*lit, fig*) feinabstimmen.

finger ['fɪŋgə^r] **1** *n* Finger *m* ► **she can twist him around her little ~** sie kann ihn um den (kleinen) Finger wickeln; **to have a ~ in every pie** überall die Finger im Spiel haben; **I didn't lay a ~ on her** ich habe sie nicht angerührt; **he didn't lift a ~ to help me** er hat keinen Finger gerührt, um mir zu helfen; **he didn't lift a ~** er hat keinen Finger krumm gemacht; **I can't put my ~ on it, but ...** ich kann es nicht genau ausmachen, aber ...; **you've put your ~ on it there** da haben Sie den kritischen Punkt berührt; **to get** or **pull one's ~ out** (*col*) (*do properly*) Nägel mit Köpfen machen; (*speed up*) Dampf dahinter machen (*col*). **2** *vt* anfassen; (*toy, meddle with*) herumfingern an (+*dat*).

finger: ~board *n* Griffbrett *nt*; **~bowl** *n* Fingerschale *f*.

fingering ['fɪŋgərɪŋ] *n* (*Mus*) (*in the notation*) Fingersatz *m*; (*of keys, strings*) (Finger)technik *f*.

finger: ~mark *n* Fingerabdruck *m*; **~nail** *n* Fingernagel *m*; **~ print** **1** *n* Fingerabdruck *m*; **2** *vt* **to ~print sb/sth** jdm Fingerabdrücke *pl* abnehmen/von etw Fingerabdrücke *pl* abnehmen; **~tip** *n* Fingerspitze *f*; **to have sth at one's ~tips** (*fig*) (*know very well*) etw aus dem Effeff kennen (*col*); (*have at one's disposal*) etw parat haben; **~tip control** *n* (*of steering wheel etc*) mühelose Steuerung.

finicky ['fɪnɪkɪ] *adj person* schwer zufriedenzustellen, pingelig (*col*); *work, job* kniff(e)lig (*col*); *detail* winzig.

finish ['fɪnɪʃ] **1** *n* **a** (*end*) Schluß *m*, Ende *nt*; (*of race*) Finish *nt*; (~*ing line*) Ziel *nt* ► **he's got a good ~** er hat einen starken Endspurt; **to be in at the ~** (*fig*) den Schluß miterleben; **to fight to the ~** bis zum letzten Augenblick kämpfen. **b** (*of products*) Finish *nt*; (*of material*) Appretur *f* ► **paint with a gloss/matt ~** Farbe mit Hochglanzeffekt/mattem Glanz; **this one has a better ~** das ist besser verarbeitet. **2** *vt* **a** beenden; *course, work, business also* abschließen ► **to ~/have ~ed doing sth** mit etw fertig werden/sein; **to ~ writing/reading sth** etw zu Ende schreiben/lesen; **to have ~ed sth** etw fertig haben; *task, course* mit etw fertig sein; **when do you ~ work?** wann machen Sie Feierabend?; **give me time to ~ my drink** laß mich austrinken; **~ what you're doing** mach das erst fertig; **that last kilometre nearly ~ed me** (*col*) dieser letzte Kilometer hat mich beinahe geschafft (*col*). **b** (*give ~ to*) den letzten Schliff geben (+*dat*); *piece of handiwork* verarbeiten; *industrial product* ein schönes Finish geben (+*dat*) ► **the paintwork isn't very well ~ed** der Lack hat keine besonders schöne Oberfläche. **3** *vi* **a** zu Ende sein; (*person: with task etc*) fertig sein; (*come to an end, ~ work*) aufhören; (*piece of music, story etc*) enden ► **when does the film ~?** wann ist der Film aus?; **we'll ~ by singing a song** wir wollen mit einem Lied schließen, zum Schluß singen wir ein Lied; **I've ~ed** ich bin fertig. **b** (*Sport*) das Ziel erreichen ► **to ~ second** als zweiter durchs Ziel gehen.

♦**finish off** **1** *vi* aufhören, Schluß machen. **2** *vt sep* **a** *piece of work* fertigmachen ► **to have a liqueur to ~ ~ the meal** zum Abschluß des Essens noch einen Likör trinken. **b** *food* aufessen; *drink* austrinken. **c** (*kill*) den Gnadenstoß geben (+*dat*); (*by shooting*) den Gnadenschuß geben (+*dat*). **d** (*do for*) *person* den Rest geben (+*dat*).

♦**finish up** **1** *vi* (*end up in a place*) landen (*col*) ► **he ~ed ~ a nervous wreck** er war zum Schluß ein Nervenbündel; **I'll just ~ ~ by doing it all again** zum Schluß muß ich doch alles noch mal machen. **2** *vt sep* = **finish off 2** (b).

♦**finish with** *vi* +*prep obj* **have you ~ed ~ the paper?** haben Sie die Zeitung fertiggelesen?; **I've ~ed ~ him** ich will nichts mehr mit ihm zu tun haben; (*with boyfriend*) ich habe mit ihm Schluß gemacht.

finished ['fɪnɪʃt] *adj* **a** *item, product* fertig; (*polished*) poliert; *performance* ausgereift; *appearance* vollendet ► **~ goods** Fertigprodukte *pl*; **a beautifully ~ car** ein wunderschön lackierter Wagen. **b** **to be ~** (*person, task etc*) fertig sein; (*exhausted, done for etc*) erledigt sein; **the wine is ~** es ist kein Wein mehr da; **I'm ~ with politics** mit der Politik ist es für mich vorbei; **it's all ~ (between us)** es ist alles aus (zwischen uns).

finishing ['fɪnɪʃɪŋ]: **~ line** *n* Ziellinie *f*; **~ post** *n* Zielpfosten *m*; **~ school** *n* (Mädchen)pensionat *nt*; **~ straight** or (*US*) **straightaway** *n* Zielgerade *f*; **~ touches** *npl* ► **to put the ~ touches to sth** einer Sache (*dat*) den letzten Schliff geben.

finite ['faɪnaɪt] *adj* (*limited*) begrenzt; *number* endlich.

Finland ['fɪnlənd] *n* Finnland *nt*.

Finn [fɪn] *n* Finne *m*, Finnin *f*.

Finnish ['fɪnɪʃ] **1** *adj* finnisch. **2** *n* Finnisch *nt*.

fiord [fjɔːd] *n* Fjord *m*.

fir [fɜː^r] *n* Tanne *f*; (~ *wood*) Tanne(nholz *nt*) *f* ► **~ cone** Tannenzapfen *m*.

fire [faɪə^r] **1** *n* (*lit, fig, Mil*) Feuer *nt*; (*electric, gas*) Ofen *m*; (*destructive: forest ~, house ~*) Brand *m* ► **the house was on ~** das Haus brannte; **to set ~ to sth, to set sth on ~** etw anzünden; (*so as to destroy*) etw in Brand stecken; **to catch ~** Feuer fangen; **you're playing with ~** (*fig*) du spielst mit dem Feuer; **there was a ~ next door** nebenan hat es gebrannt; **to come under ~** (*lit, fig*) unter Beschuß geraten. 2 *vt* a *gun* abschießen; *shot* abfeuern; *rocket* zünden ▶ **to ~ a gun at sb** auf jdn schießen; **to ~ questions at sb** Fragen auf jdn abfeuern. b *pottery* brennen. c (*fig*) *imagination* beflügeln. d (*col: dismiss*) feuern (*col*). 3 *vi* a (*shoot*) schießen (*at* auf +*acc*) ▶ **~!** Feuer! b (*engine*) zünden ▶ **the engine is only firing on three cylinders** der Motor läuft nur auf drei Zylindern.

◆**fire away** *vi* (*col: begin*) losschießen (*col*).

fire: ~ alarm *n* Feueralarm *m*; (*apparatus*) Feuermelder *m*; **~arm** *n* Schußwaffe *f*; **~ball** *n* (*in explosion*) Feuerball *m*; (*fig col: person*) Energiebündel *nt*; **~ brigade** *n* (*Brit*) Feuerwehr *f*; **~cracker** *n* Knallkörper *m*; **~-damaged** *adj* brandbeschädigt; **~ department** *n* (*US*) Feuerwehr *f*; **~ drill** *n* (*for firemen*) Feuerwehrübung *f*; (*for passengers etc*) Probealarm *m*; **~-eater** *n* Feuerschlucker *m*; **~-engine** *n* Feuerwehrauto *nt*; **~ escape** *n* (*staircase*) Feuertreppe *f*; (*ladder*) Feuerleiter *f*; **~ exit** *n* Notausgang *m*; **~ extinguisher** *n* Feuerlöscher *m*; **~-fighting** *n* Feuerbekämpfung *f*; **~fly** *m* Leuchtkäfer *m*; **~guard** *n* (Schutz)gitter *nt* (*vor dem Kamin*); **~ hazard** *n* **to be a ~ hazard** feuergefährlich sein; **~ hose** *n* Feuerspritze *f*; **~ hydrant** *n* Hydrant *m*; **~ insurance** *n* Feuer- *or* Brandversicherung *f*; **~light** *n* Schein *m* des Feuers; **~ lighter** *n* Feueranzünder *m*; **~man** *n* Feuerwehrmann *m*; **~place** *n* Kamin *m*; **~plug** *n* (*US*) Hydrant *m*; **~power** *n* (*of guns, aircraft, army*) Feuerkraft *f*; **~ practice** *n* = **~ drill**; **~proof** *adj* feuerfest; **~ regulations** *npl* Brandschutzbestimmungen *pl*; **~-resistant** *adj* feuerbeständig; **~ risk** *n* Feuergefahr *f*; **~ screen** *n* Ofenschirm *m*; **F~ Service** *n* Feuerwehr *f*; **~side** *n* **to sit by the ~side** am Kamin sitzen; **~ station** *n* Feuerwehrzentrale *f*; **~woman** *n* Feuerwehrfrau *f*; **~wood** *n* Brennholz *nt*; **~work** *n* Feuerwerkskörper *m*; **~works** (*display*) Feuerwerk *nt*; **there'll be ~works if he finds out** (*col*) wenn er das erfährt, dann kracht's.

firing ['faɪrɪŋ] *n* a (*of pottery*) Brennen *nt*. b (*Mil*) Feuer *nt*; (*of gun, shot, rocket*) Abfeuern *nt*. c (*Aut: of engine*) Zündung *f*.

firing: ~ line *n* (*lit, fig*) Schußlinie *f*; **~ squad** *n* Erschießungskommando *nt*.

firm¹ [fɜːm] *n* Firma *f*.

firm² 1 *adj* (+*er*) fest ▶ **to be ~ with sb** jdm gegenüber bestimmt auftreten; **to be a ~ believer in sth** fest von etw überzeugt sein. 2 *adv* **to stand ~ on sth** (*fig*) fest bei etw bleiben.

firmly ['fɜːmlɪ] *adv* fest; *say* bestimmt ▶ **~ built** stabil gebaut.

firmness ['fɜːmnɪs] *n* Festigkeit *f*.

first [fɜːst] 1 *adj* erste(r, s) ▶ **who's ~?** wer ist der erste?; **I'm ~, I've been waiting longer than you** ich bin zuerst an der Reihe, ich warte schon länger als Sie; **~ things ~** eins nach dem anderen; **you have to put ~ things ~** du mußt wissen, was dir am wichtigsten ist; **he doesn't know the ~ thing about it/cars** davon/von Autos hat er keinen blassen Schimmer (*col*); **in the ~ place** zunächst einmal; **why didn't you say so in the ~ place?** warum hast du denn das nicht gleich gesagt? 2 *adv* a zuerst; *arrive, leave* als erste(r, s); (*in listing*) erstens ▶ **~ come ~ served** (*prov*) wer zuerst kommt, mahlt zuerst (*Prov*); **ladies ~** Ladies first!; **you ~** du zuerst; **he says ~ one thing then another** er sagt mal so, mal so; **my health comes ~** meine Gesundheit ist mir am wichtigsten; **he always puts his job ~** seine Arbeit kommt bei ihm immer vor allem anderen; **~ and foremost** zunächst; **I must finish this ~** ich muß das erst fertigmachen; **think ~** überlegen Sie es sich. b (*for the ~ time*) zum ersten Mal ▶ **when did you ~ meet**

him? wann haben Sie ihn das erste Mal getroffen?; **when it ~ became known that ...** als zuerst bekannt wurde, daß ... c (*in preference*) eher, lieber ▶ **I'd die ~!** eher würde ich sterben! 3 *n* a **the ~** der/die/das Erste; **they were the ~ to come** sie kamen als erste; **this is the ~ I've heard of it** das ist mir ja ganz neu; **at ~** zuerst; **from the ~** von Anfang an; **from ~ to last** von Anfang bis Ende. b (*Brit Univ*) **he got a ~** ≃ er bestand (sein Examen) mit „sehr gut". c (*Aut*) **~ (gear)** der erste (Gang); **in ~** im ersten (Gang); *see* **sixth**.

first: ~ aid *n* Erste Hilfe; **~ aid box, ~ aid kit** *n* Verbandskasten *m*; **~ aid dressing** *n* Notverband; **~ aid post, ~ aid station** *n* Sanitätswache *f*; **~-born** 1 *adj* erstgeboren; 2 *n* Erstgeborene(r) *mf*; **~-class** 1 *adj* erstklassig; **~-class compartment** Abteil *nt* erster Klasse; **~-class mail** bevorzugt beförderte Post; **he's ~-class at tennis** er ist ein erstklassiger Tennisspieler; **that's absolutely ~-class** das ist einfach Spitze (*col*); **~-class degree** (*Brit*) ≃ sehr gutes Examen; 2 *adv travel* erster Klasse; **~ cousin** *n* Vetter *m* ersten Grades; **~ edition** *n* Erstausgabe *f*; **~ form** *n* (*Brit Sch*) erste Klasse; **~-generation** *adj citizen, computer* der ersten Generation; **~-hand** *adj, adv* aus erster Hand; **~-hand experience** eigene Erfahrung; **F~ Lady** *n* (*US*) First Lady *f*.

firstly ['fɜːstlɪ] *adv* erstens, zunächst (einmal).

first: ~ name *n* Vorname *m*; **~ night** *n* (*Theat*) Premiere *f*; **~ offender** *n* Ersttäter(in *f*) *m*; **he is a ~ offender** er ist nicht vorbestraft; **~ officer** *n* (*Naut*) Erster Offizier; **~-past-the-post system** *n* (*Pol*) Mehrheitswahlrecht *nt*; **~ performance** *n* (*Theat*) Premiere *f*; (*first ever*) Uraufführung *f*; **~-rate** *adj* erstklassig; **~ strike** *n* Erstschlag, Ersteinsatz *m* (von Atomwaffen); **~ work** *n* Erstlingswerk *nt*; **~-year student** *n* Studienanfänger(in *f*) *m*.

firth [fɜːθ] *n* (*Scot*) Meeresarm *m*.

fir tree *n* Tannenbaum *m*.

fiscal ['fɪskəl] *adj* Finanz- ▶ **~ policy** Fiskalpolitik *f*; **~ year** Steuerjahr *nt*.

fish [fɪʃ] 1 *n, pl* - *or* (*esp for different types*) **-es** Fisch *m* ▶ **~ and chips** Fisch und Pommes frites; **to drink like a ~** (*col*) wie ein Loch saufen (*col*); **like a ~ out of water** wie ein Fisch auf dem Trockenen; **a queer ~** (*col*) ein komischer Kauz. 2 *vi* fischen; (*with rod*) angeln ▶ **to go ~ing** fischen/angeln gehen; **to go salmon ~ing** auf Lachsfang gehen. 3 *vt* fischen; (*with rod*) angeln; *river* fischen/angeln in (+*dat*).

◆**fish for** *vi* +*prep obj* fischen/angeln; (*fig*) *compliments* fischen nach ▶ **they were ~ing ~ information** sie waren auf Informationen aus.

◆**fish out** *vt sep* herausfischen (*of or from sth* aus etw).

◆**fish up** *vt sep* (*from water*) herausziehen.

fish: ~bone *n* (Fisch)gräte *f*; **~cake** *n* Fischfrikadelle *f*.

fisherman ['fɪʃəmən] *n, pl* **-men** [mən] Fischer *m*; (*amateur*) Angler *m*.

fishery ['fɪʃərɪ] *n* (*area*) Fischereizone *f*; (*industry*) Fischerei *f*.

fish: ~-eye lens *n* (*Phot*) Fischauge *nt*; **~ farm** *n* Fischzucht *f*; **~ finger** *n* (*Brit*) Fischstäbchen *nt*; **~hook** *n* Angelhaken *m*.

fishing ['fɪʃɪŋ] *n* Fischen *nt*; (*with rod*) Angeln *nt*; (*as industry*) Fischerei *f*.

fishing: ~ boat *n* Fischerboot *nt*; **~ grounds** *npl* Fischgründe *pl*; **~ industry** *n* Fischindustrie *f*; **~-line** *n* Angelschnur *f*; **~-net** *n* Fischnetz *nt*; **~ port** *n* Fischereihafen *m*; **~-rod** *n* Angelrute *f*; **~ tackle** *n* (*for sport*) Angelgeräte *pl*; (*for industry*) Fischereigeräte *pl*; **~ village** *n* Fischerdorf *nt*.

fish: ~ knife *n* Fischmesser *nt*; **~ market** *n* Fischmarkt *m*; **~ meal** *n* Fischmehl *nt*; **~monger** *n* (*Brit*)

Fischhändler(in *f*) *m*; **~-net stockings** *npl* Netzstrümpfe *pl*; **~ shop** *n* Fischgeschäft *nt*; **~ slice** *n* (Braten)wender *m*; **~ stick** *n* (*US*) Fischstäbchen *nt*; **~ tank** *n* (*in house*) Aquarium *nt*; (*on fish farm*) Fischteich *m*.

fishy ['fɪʃɪ] *adj* (+er) [a] *smell* Fisch-. [b] (*col*) verdächtig; *excuse, story* faul (*col*).

fission ['fɪʃən] *n* (*Phys*) Spaltung *f*.

fissure ['fɪʃər] *n* Spalt(e *f*) *m*; (*deep*) Kluft *f*.

fist [fɪst] *n* Faust *f*.

fist: **~fight** *n* Faustkampf *m*; **~ful** *n* Handvoll *f*.

fit¹ [fɪt] [1] *adj* (+er) [a] (*suitable*) geeignet ► **~ to eat** eßbar; *is this meat still ~ to eat?* kann man dieses Fleisch noch essen?; **~ for habitation** bewohnbar; *to be ~ to be seen* sich sehen lassen können; *you're not ~ to be spoken to* du verdienst es nicht, daß man sich mit dir unterhält; *I'll do as I think* ~ ich handle, wie ich es für richtig halte; *to see ~ to do sth* es für angebracht halten, etw zu tun; *he did not see ~ to apologize* er hat es nicht für nötig gehalten, sich zu entschuldigen; *to be ~ to drop (with tiredness)* zum Umfallen müde sein. [b] (*in health*) gesund; *sportsman etc* fit, in Form ► *she is not yet ~ to travel* sie ist noch nicht reisefähig.

[2] *n* (*of clothes*) *it is a very good ~* es sitzt *or* paßt sehr gut; *it's a tight ~* (*suitcase, parking*) es paßt gerade (noch); (*clothing*) es sitzt sehr eng; *in order to ensure a smooth ~* (*of parts*) damit es genau paßt.

[3] *vt* [a] (*cover, sheet, nut etc*) passen auf (+acc); (*key etc*) passen in (+acc); (*clothes etc*) passen (+dat) ► *this coat ~s you better* dieser Mantel paßt Ihnen besser; *to make a ring ~ sb* jdm einen Ring anpassen. [b] (*be suitable for*) *sb's plans, a theory etc* passen in (+acc). [c] *to ~ a dress on sb* jdm ein Kleid anpassen. [d] (*put on, attach*) anbringen (*to* an +dat); *tyre* montieren; (*put in*) einbauen (*in* in +acc); (*furnish, provide*) ausstatten ► *to ~ a key in the lock* einen Schlüssel ins Schloß stecken. [e] (*match*) *description, facts* entsprechen (+dat); (*person*) passen auf (+acc).

[4] *vi* (*clothes, parts*) passen ► *the facts don't ~* die Fakten sind widersprüchlich; *it all ~s* es paßt alles zusammen.

◆**fit in** [1] *vt sep* [a] (*find space for*) unterbringen. [b] (*find time for*) *person* einen Termin geben (+dat); *meeting* unterbringen ► *I'll ~ you ~ somehow* ich werde Sie schon irgendwie einschieben. [c] (*make harmonize*) *to ~ sth ~ with sth* etw mit etw in Einklang bringen. [d] (*fit, put in*) einbauen.

[2] *vi* [a] (*go into place*) hineinpassen. [b] (*plans, ideas, word*) passen; (*facts etc*) übereinstimmen; (*match*) dazupassen ► *how does this ~ ~?* wie paßt das ins Ganze?; *I see, it all ~s ~ now* jetzt paßt alles zusammen; *does that ~ ~ with your plans?* läßt sich das mit Ihren Plänen vereinbaren?; *he wants everybody to ~ ~ with him* er will, daß sich jedermann nach ihm richtet; *he doesn't ~ ~ here/with the others* er paßt hier nicht her/nicht zu den anderen; *the new director didn't ~ ~* der neue Direktor hat nicht in die Firma gepaßt; *try to ~ ~ (with the others)* versuche, dich den anderen anzupassen.

◆**fit out** *vt sep* (*for expedition*) ausrüsten; *person, ship* ausstatten.

fit² *n* (*Med, fig*) Anfall *m* ► *~ of coughing/anger* Husten-/Wutanfall *m*; *in a ~ of anger* in einem Anfall von Wut; *in ~s and starts* sporadisch; *to be in ~s of laughter* sich vor Lachen biegen; *he'd have a ~* (*fig col*) er würde (ja) einen Anfall kriegen (*col*).

fitful ['fɪtfʊl] *adj sleep* unruhig; *enthusiasm* sporadisch.

fitfully ['fɪtfəlɪ] *adv progress* stoßweise; *blow* sporadisch; *sleep* unruhig.

fitment ['fɪtmənt] *n* (*furniture*) Einrichtungsgegenstand *m*; (*of machine, car*) Zubehörteil *nt*.

fitness ['fɪtnɪs] *n* [a] (*health*) Gesundheit *f*; (*condition*) Fitness, Fitneß *f* ► **~ training** *or* (*US*) **activity** Fitneß- *or* Konditionstraining *nt*. [b] (*suitability*) Eignung *f*; (*of remark etc*) Angemessenheit *f*.

fitted ['fɪtɪd] *adj garment* tailliert ► **~ carpet** Teppichboden *m*; **~ kitchen/cupboards** Einbauküche *f*/Einbauschränke *pl*; **~ sheet** Spannbettuch *nt*.

fitter ['fɪtər] *n* (*Tech*) Monteur *m*; (*for machines*) (Maschinen)schlosser *m*.

fitting ['fɪtɪŋ] [1] *adj* (*suitable*) passend ► *it is not ~ for a lady ...* es schickt sich nicht für eine Dame ...

[2] *n* [a] (*of suit etc*) Anprobe *f* ► **~ room** Anproberaum *m*. [b] (*part*) Zubehörteil *nt* ► **~s** Ausstattung *f*; (*furniture*) Einrichtung *f*; **bathroom ~s** Armaturen *pl*; **electrical ~s** Elektroinstallationen *pl*.

five [faɪv] [1] *adj* fünf. [2] *n* Fünf *f*; *see* **six**.

five: **~-and-ten** *n* (*US*) billiges Kaufhaus; **~-day week** *n* Fünftagewoche *f*; **~-o'clock shadow** *n* nachmittäglicher Anflug von Bartstoppeln.

fiver ['faɪvər] *n* (*col*) (£5 *note*) Fünfpfundschein *m*; ($5 *bill*) Fünfdollarschein *m*.

fix [fɪks] [1] *vt* [a] (*make firm*) befestigen (*sth to sth* etw an/auf etw +dat); (*install*) *new aerial, new dynamo etc* anbringen; (*fig*) *ideas, images* festsetzen; *attention* richten (*on* auf +acc) ► *to ~ a stake in the ground* einen Pfahl im Boden verankern; *to ~ sth in one's mind* sich (dat) etw fest einprägen; *to ~ one's eyes on sb/sth* jdn/etw fixieren. [b] (*arrange*) arrangieren; *date, price, limit* festsetzen; (*agree on*) ausmachen; *tickets, taxi etc* besorgen. [c] (*straighten out*) regeln ► *I'll ~ him* (*col*) den nehme ich mir vor (*col*). [d] (*repair*) in Ordnung bringen; (*put in good order, adjust*) machen (*col*). [e] *drink, meal* machen ► *to ~ one's hair* sich frisieren. [f] (*col*) *race, fight* manipulieren ► *the whole thing was ~ed* das war eine abgekartete Sache (*col*).

[2] *n* [a] (*col*) *to be in a ~* in der Klemme sitzen (*col*); *to get oneself into a ~* sich (dat) eine schöne Suppe einbrocken (*col*). [b] (*Naut*) *to take a ~ on sth* etw orten. [c] (*col: of drugs*) Fix *m* (*col*) ► *to give oneself a ~* fixen (*col*). [d] (*col*) *the fight was a ~* der Kampf war eine abgekartete Sache (*col*).

◆**fix on** [1] *vt sep* festmachen (*prep obj* auf +dat); (*fit on*) anbringen.

[2] *vi* +prep obj (*decide on*) sich entscheiden für; (*US col: intend*) vorhaben.

◆**fix up** *vt sep* [a] *shelves* anbringen. [b] (*arrange*) arrangieren; *holidays etc* festmachen ► *have you got anything ~ed ~ for this evening?* haben Sie (für) heute abend schon etwas vor? [c] *to ~ sb ~ with sth* jdm etw besorgen; *when you get yourself ~ed ~ (with a room)* wenn du ein Zimmer gefunden hast.

fixation [fɪk'seɪʃən] *n* (*Psych*) Fixierung *f* ► *a ~ about cleanliness* ein Sauberkeitsfimmel *m* (*col*).

fixative ['fɪksətɪv] *n* Fixativ *nt*.

fixed [fɪkst] *adj* [a] fest; *idea* fix; *smile* starr ► **~ assets** feste Anlagen *pl*; **~ capital** Anlagekapital *nt*; **~ costs** Fixkosten *pl*; **~ price** Festpreis *m*; **~-wing aircraft** Starrflügler *m*. [b] (*col*) *how are you ~ for money etc?* wie steht's (denn) bei dir mit Geld *etc*? (*col*); *how are you ~ for tonight?* was hast du heute abend vor?

fixedly ['fɪksɪdlɪ] *adv stare, look* starr.

fixings ['fɪksɪŋz] *npl* (*US Cook*) Beilagen *pl*.

fixture ['fɪkstʃər] *n* [a] (*of a building etc*) **~s** Ausstattung *f*; **~s and fittings** Anschlüsse und unbewegliches Inventar (*form*). [b] (*Brit Sport*) Veranstaltung *f*; (*match*) Spiel *nt*.

fizz [fɪz] *vi* (*champagne etc*) perlen, sprudeln.

fizzle out *vi* (*firework, enthusiasm*) verpuffen; (*plan*) im Sande verlaufen.

fizzy ['fɪzɪ] *adj* (+er) sprudelnd ► *to be ~* sprudeln; *a ~*

drink eine Brause.

fjord [fjɔːd] *n* Fjord *m*.

FL (*US*) = **Florida**.

flab [flæb] *n* (*col*) Speck *m*.

flabbergasted ['flæbəgɑːstɪd] *adj* (*col*) platt (*col*).

flabby ['flæbɪ] *adj* (*+er*) schlaff; (*fat*) *stomach* wabbelig.

flag¹ [flæg] *n* Fahne *f*; (*small, on map, chart, for charity*) Fähnchen *nt*; (*national also, Naut*) Flagge *f* ▸ ~ *of convenience* (*Naut*) Billigflagge *f*; *to keep the* ~ *flying* die Fahne hochhalten.

◆**flag down** *vt sep taxi etc* anhalten.

flag² *vi* (*grow weaker etc*) nachlassen; (*person*) ermüden.

flag³ *n* (*also* ~*stone*) Steinplatte *f*.

flag: ~ **day** *n* (*Brit*) Tag *m*, an dem für einen wohltätigen Zweck gesammelt wird; *F~ Day* (*US*) 14. Juni, Gedenktag der Einführung der amerikanischen Nationalflagge; ~**pole** *n* Fahnenstange *f*.

flagrant ['fleɪɡrənt] *adj* eklatant, kraß; *injustice* himmelschreiend; *disregard* unverhohlen.

flag: ~**ship** *n* Flaggschiff *nt*; ~**stone** *n* Steinplatte *f*; ~ **stop** *n* (*US*) Bedarfshaltestelle *f*.

flail [fleɪl] *vt* *he* ~*ed his arms about* er schlug (mit den Armen) wild um sich.

flair [fleəʳ] *n* (*talent*) Talent *nt*; (*stylishness*) Flair *nt*.

flak [flæk] *n* Flakfeuer *nt* ▸ ~ *jacket* kugelsichere Weste; *to get a lot of* ~ *for sth* (*fig col*) wegen etw unter Beschuß geraten.

flake [fleɪk] **1** *n* (*of snow, soap*) Flocke *f*; (*of paint, rust*) Splitter *m*; (*of skin*) Schuppe *f*. **2** *vi* (*also* ~ *off*) (*plaster*) abbröckeln; (*paint*) abblättern.

◆**flake out** *vi* (*col*) (*pass out, fall over*) aus den Latschen kippen (*col*); (*fall asleep*) einpennen (*col*).

flaky ['fleɪkɪ] *adj* (*+er*) (*paint*) abblätternd; (*skin*) schuppig ▸ ~ *pastry* Blätterteig *m*.

flamboyance [flæm'bɔɪəns] *n* Extravaganz *f*; (*of colour*) Pracht *f*.

flamboyant [flæm'bɔɪənt] *adj* extravagant; *colours* prächtig.

flame [fleɪm] *n* (*also fig col: sweetheart*) Flamme *f* ▸ *the house was in* ~*s* das Haus stand in Flammen.

flamethrower ['fleɪmˌθrəʊəʳ] *n* Flammenwerfer *m*.

flaming ['fleɪmɪŋ] *adj* **a** (*lit*) lodernd; (*fig*) *passion* glühend; *row* heftig ▸ *he was in a* ~ *temper* (*col*) er kochte vor Wut (*col*). **b** (*Brit col!: bloody*) verdammt (*col*).

flamingo [flə'mɪŋɡəʊ] *n, pl* ~(**e**)**s** Flamingo *m*.

flammable ['flæməbl] *adj* feuergefährlich.

flan [flæn] *n* (*Brit*) Kuchen *m* ▸ *fruit* ~ Obstkuchen *m*.

Flanders ['flɑːndəz] *n* Flandern *nt*.

flange [flændʒ] *n* Flansch *m*.

flank [flæŋk] **1** *n* (*of animal, Mil*) Flanke *f*. **2** *vt* flankieren.

flannel ['flænl] **1** *n* **a** Flanell *m* ▸ ~*s pl* (*trousers*) Flanellhose *f*. **b** (*Brit: face-*~) Waschlappen *m*. **c** (*Brit col: waffle*) Geschwafel *nt* (*col*). **2** *adj* *trousers etc* Flanell-.

flannelette [ˌflænə'let] *n* Baumwollflanell *m* ▸ ~ *sheet* Biberbettuch *nt*.

flap [flæp] **1** *n* **a** (*of pocket, Aviat*) Klappe *f*; (*of table*) ausziehbarer Teil ▸ *a* ~ *of skin* (*Med*) ein Hautlappen *m*. **b** (*sound*) (*of sails etc*) Flattern *nt*; (*of wings*) Schlagen *nt*. **c** *to give sth a* ~ (*shake out*) etw ausschütteln. **d** (*col*) *to be in a* ~ rotieren (*col*); *to get in(to) a* ~ in Panik geraten; *there's a big* ~ *on* es herrscht große Panik. **2** *vi* **a** (*wings*) schlagen; (*sails, tarpaulin etc*) flattern ▸ *his ears were* ~*ping* (*col*) er spitzte die Ohren. **b** (*col*) in Panik sein ▸ *to start to* ~ in Panik geraten; *don't* ~ reg dich nicht auf! **3** *vt* *to* ~ *its wings* mit den Flügeln schlagen.

flapjack ['flæpdʒæk] *n* Gebäck *nt* aus Haferflocken, Sirup etc; (*US: pancake*) Pfannkuchen *m*.

flare [fleəʳ] **1** *n* **a** Auflodern *nt*. **b** (*signal*) Leuchtsignal *nt*; (*from pistol*) Leuchtrakete *f*; (*landing* ~) Leuchtfeuer *nt*. **c** (*Fashion*) ausgestellter Schnitt. **d** (*solar* ~) Sonneneruption *f*. **2** *vi* **a** (*match, torch*) aufleuchten. **b** (*nostrils*) sich blähen.

◆**flare up** *vi* auflodern; (*fig*) (*person*) aufbrausen; (*fighting, epidemic*) ausbrechen.

flared [fleəd] *adj* *trousers, skirt* ausgestellt.

flare: ~ *path* *n* (*Aviat*) Leuchtpfad *m*; ~ *pistol* *n* Leuchtpistole *f*; ~-*up* *n* (*sudden dispute*) (*plötzlicher*) Krach; (*fighting*) (*plötzlicher*) Ausbruch von Kämpfen.

flash [flæʃ] **1** *n* **a** Aufblinken *nt no pl*; (*very bright*) Aufblitzen *nt no pl*; (*of metal, jewels etc*) Blinken *nt no pl*; (*Mot*) Lichthupe *f no pl* ▸ *to give sb a* ~ (*Mot*) jdn (mit der Lichthupe) anblinken; ~ *of lightning* Blitz *m*. **b** (*fig: news* ~) Kurzmeldung *f* ▸ ~ *of wit/inspiration* Geistesblitz *m*; *in a* ~ im Nu; *as quick as a* ~ blitzschnell; *a* ~ *in the pan* (*col*) ein Strohfeuer *nt*. **c** (*Phot*) Blitz(licht *nt*) *m* ▸ *to use a* ~ Blitzlicht benutzen. **d** (*US col: torch*) Taschenlampe *f*. **2** *vi* **a** aufblinken; (*very brightly*) aufblitzen; (*repeatedly: indicators etc*) blinken; (*metal, jewels, eyes*) blitzen. **b** (*move quickly*) (*vehicle*) sausen ▸ *to* ~ *past or by* vorbeisausen; (*holidays etc*) vorbeifliegen; *the thought* ~*ed through my mind that ...* es schoß mir durch den Kopf, daß ... **3** *vt* **a** *light* aufblitzen lassen; *SOS, message* blinken ▸ *to* ~ *one's headlights* die Lichthupe betätigen; *to* ~ *one's headlights at sb, to* ~ *sb* jdn mit der Lichthupe anblinken; *she* ~*ed him a look of contempt* sie blitzte ihn verächtlich an. **b** (*col: show off: also* ~ *around*) protzen mit; *diamond ring* blitzen lassen ▸ *don't* ~ *all that money around* wedel nicht so mit dem vielen Geld herum! (*col*).

flash: ~**back** *n* (*Film*) Rückblende *f*; ~**bulb** *n* (*Phot*) Blitzbirne *f*; ~**cube** *n* (*Phot*) Blitz(licht)würfel *m*.

flasher ['flæʃəʳ] *n* (*Brit col*) Exhibitionist *m*.

flash: ~ *gun* *n* Elektronenblitzgerät *nt*; ~ *Harry* *n* (*col*) Lackaffe *m* (*pej col*); ~**light** *n* **a** (*Phot*) Blitzlicht *nt*; **b** (*esp US: torch*) Taschenlampe *f*; ~ *photography* *n* Blitz(licht)fotografie *f*; ~ *point* *n* (*Chem*) Flammpunkt *m*; (*fig*) Siedepunkt *m*.

flashy ['flæʃɪ] *adj* (*+er*) auffällig.

flask [flɑːsk] *n* Flakon *m*; (*Chem*) Glaskolben *m*; (*vacuum* ~) Thermosflasche *f*.

flat¹ [flæt] **1** *adj* (*+er*) **a** flach; *tyre, nose, feet* platt; *surface* eben; *battery* leer ▸ *as* ~ *as a pancake* (*col*) (*tyre*) total platt; (*countryside*) total flach; (*girl*) flach wie ein Brett; *to fall* ~ *on one's face* auf die Nase fallen. **b** (*fig: dull*) fad(e); *painting, photo* kontrastarm; *colour* matt; *joke* abgedroschen; *business, market* flau; *beer, wine* schal, abgestanden ▸ *she felt a bit* ~ sie hatte zu nichts Lust; *to fall* ~ (*joke*) nicht ankommen; (*play etc*) durchfallen. **c** *refusal, denial* glatt ▸ *and that's* ~ und damit basta. **d** (*Mus*) *instrument* zu tief (gestimmt); *voice* zu tief ▸ *A* ~ As *nt*. **e** (*Comm*) Pauschal- ▸ ~ *rate of pay* Pauschallohn *m*; ~ *rate* Pauschale *f*; ~ *fare* Einheitstarif *m*. **2** *adv* (*+er*) **a** *refuse* rundweg; *tell* klipp und klar ▸ *in ten seconds* ~ in sage und schreibe (nur) zehn Sekunden; ~ *broke* (*Brit col*) total pleite (*col*). **b** (*Mus*) *to sing/play* ~ zu tief singen/spielen. **c** ~ *out* (*col: asleep, drunk*) hinüber (*col*); *to go* ~ *out* voll aufdrehen (*col*); (*in car also*) Spitze fahren (*col*); *to work* ~ *out* auf Hochtouren arbeiten; *to be lying* ~ *out* platt am Boden liegen. **3** *n* **a** (*of hand*) Fläche *f*. **b** (*Mus*) Erniedrigungszeichen, b *nt*. **c** (*Aut*) Platte(r) *m* (*col*), (Reifen)panne *f*.

flat 766

flat² *n* (*Brit: apartment*) Wohnung *f.*

flat: **~-chested** *adj* flachbrüstig; **~ feet** *npl* Plattfüße *pl;* **~fish** *n* Plattfisch *m;* **~-footed** *adj* plattfüßig; **~let** *n* (*Brit*) kleine Wohnung.

flatly ['flætlɪ] *adv deny, refuse* rundweg; *say* klipp und klar.

flatmate ['flætmeɪt] *n* (*Brit*) Mitbewohner(in *f*) *m.*

flatness ['flætnɪs] *n* (*of land etc*) Flachheit *f.*

flat: **~ race** *n* Flachrennen *nt;* **~ season** *n* Flachrennsaison *f.*

flatten ['flætn] **1** *vt path, road, field* ebnen; (*storm etc*) *crops* zu Boden drücken; *trees* umwerfen; *town* dem Erdboden gleichmachen ▸ *that'll ~ him* (*fig col*) das wird bei ihm die Luft rauslassen (*col*). **2** *vr to ~ oneself against sth* sich platt gegen etw drücken.

◆**flatten out** **1** *vi* eben(er) werden. **2** *vt sep path* ebnen; *metal* glatt hämmern; *map, paper, fabric* glätten.

flatter ['flætər] *vt* schmeicheln (+*dat*) ▸ *it ~s your figure* das ist sehr vorteilhaft; *you can ~ yourself on being ...* Sie können sich (*dat*) etwas darauf einbilden, daß Sie ...

flatterer ['flætərər] *n* Schmeichler(in *f*) *m.*

flattering ['flætərɪŋ] *adj* schmeichelhaft; *clothes* vorteilhaft.

flattery ['flætərɪ] *n* Schmeicheleien *pl.*

flat top *n* (*US col: aircraft carrier*) Flugzeugträger *m.*

flatulence ['flætjʊləns] *n* Blähungen *pl.*

flatware ['flætweər] *n* (*US*) (*cutlery*) Besteck *nt;* (*plates etc*) Geschirr *nt.*

flaunt [flɔːnt] *vt* zur Schau stellen.

flautist ['flɔːtɪst] *n* Flötist(in *f*) *m.*

flavour, (*US*) **flavor** ['fleɪvər] **1** *n* (*taste*) Geschmack *m;* (*flavouring*) Aroma *nt;* (*fig: atmosphere*) Atmosphäre *f* ▸ *20 ~s* 20 Geschmackssorten. **2** *vt* Geschmack geben (+*dat*) ▸ *pineapple-~ed* mit Ananasgeschmack.

flavouring, (*US*) **flavoring** ['fleɪvərɪŋ] *n* (*Cook*) Aroma *nt* ▸ *vanilla ~* Vanillearoma *nt.*

flaw [flɔː] *n* Fehler *m;* (*in diamond*) Unreinheit *f.*

flawless ['flɔːlɪs] *adj* fehlerlos; *complexion* makellos; *diamond* lupenrein.

flax [flæks] *n* (*Bot*) Flachs *m.*

flaxen ['flæksən] *adj* flachsfarben ▸ **~-haired** flachsblond.

flay [fleɪ] *vt* (*skin*) *animal* abziehen; (*whip*) auspeitschen; (*fig: criticize*) kein gutes Haar lassen an (+*dat*).

flea [fliː] *n* Floh *m* ▸ *to send sb off with a ~ in his/her ear* (*col*) jdn wie einen begossenen Pudel abziehen lassen.

flea: **~-bite** *n* Flohbiß *m;* **~ collar** *n* Flohhalsband *nt;* **~pit** *n* (*Brit col*) Flohkino *nt* (*col*).

fleck [flek] **1** *n* (*of red etc*) Tupfen *m;* (*of mud, paint*) Fleck(en) *m* ▸ *a ~ of dust* ein Stäubchen *nt.* **2** *vt* sprenkeln; (*with mud etc*) bespritzen ▸ *blue ~ed with white* blau mit weißen Tupfen.

fled [fled] *pret, ptp of* **flee.**

fledg(e)ling ['fledʒlɪŋ] *n* (*bird*) Jungvogel *m.*

flee [fliː] *pret, ptp* **fled** **1** *vi* fliehen, flüchten (*from* vor +*dat*). **2** *vt town, country* flüchten aus; *danger* entfliehen (+*dat*).

fleece [fliːs] **1** *n* Vlies *nt;* (*fabric*) (*natural*) Schaffell *nt;* (*artificial*) Webpelz *m.* **2** *vt* (*fig col: rob*) schröpfen.

fleecy ['fliːsɪ] *adj* (+*er*) *blanket* flauschig ▸ *~ clouds* Schäfchenwolken *pl;* *~ lining* Wattierung *f.*

fleet [fliːt] *n* **1** *n* (*Naut*) Flotte *f;* (*entire naval force*) Flotte *f.* **2** *n* (*of buses etc*) (Fuhr)park *m.*

fleeting *adj,* **~ly** *adv* ['fliːtɪŋ, -lɪ] flüchtig.

Flemish ['flemɪʃ] **1** *adj* flämisch.

2 *n* **a** *the ~ pl* die Flamen *pl.* **b** (*language*) Flämisch *nt.*

flesh [fleʃ] *n* Fleisch *nt;* (*of fruit*) (Frucht)fleisch *nt* ▸ *one's own ~ and blood* sein eigen(es) Fleisch und Blut; *it was more than ~ and blood could bear* das war einfach nicht zu ertragen; *to go the way of all ~* den Weg allen Fleisches gehen; *in the ~* in Person; *~pots pl* Fleischtöpfe *pl;* *~ wound* Fleischwunde *f.*

◆**flesh out** *vt sep idea* ausgestalten.

fleshy ['fleʃɪ] *adj* (+*er*) fleischig.

flew [fluː] *pret of* **fly²,** **fly³.**

flex [fleks] **1** *n* (*Brit*) Schnur *f;* (*heavy duty*) Kabel *nt.* **2** *vt body, knees* beugen; *muscles* (*lit, fig*) spielen lassen.

flexibility [,fleksɪ'bɪlɪtɪ] *n see adj* Biegsamkeit *f;* Flexibilität *f.*

flexible ['fleksəbl] *adj wire* biegsam; (*fig*) flexibel ▸ *~ working hours* gleitende Arbeitszeit.

flex(i)time ['fleks(ɪ)taɪm] *n* Gleitzeit *f.*

flick [flɪk] **1** *n* (*of tail*) kurzer Schlag ▸ *hot water at the ~ of a switch* auf Knopfdruck heißes Wasser; *she gave the room a quick ~ with the duster* sie ging kurz mit dem Staublappen durch das Zimmer. **2** *vt whip* schnalzen mit; *switch* anknipsen; *dust, ash* wegschnipsen; (*with cloth*) wegwedeln ▸ *she ~ed her hair out of her eyes* sie strich sich (*dat*) die Haare aus den Augen. **3** *vi the snake's tongue ~ed in and out* die Schlange züngelte.

◆**flick off** *vt sep* wegschnipsen.

◆**flick through** *vi* +*prep obj* (schnell) durchblättern.

flicker ['flɪkər] **1** *vi* (*flame, candle*) flackern; (*TV*) flimmern; (*needle on dial*) zittern; (*eyelid*) zucken. **2** *n see vi* Flackern *nt;* Flimmern *nt;* Zittern *nt;* Zucken *nt* ▸ *a ~ of hope* ein Hoffnungsschimmer *m.*

flick knife *n* Klappmesser *nt.*

flicks [flɪks] *npl* (*Brit col*) Kintopp *m or nt* (*col*).

flier ['flaɪər] *n* **a** (*pilot*) Flieger(in *f*) *m.* **b** (*US: train*) Schnellzug *m.* **c** (*Sport: quick start*) *to get off to a ~* einen ausgezeichneten Start machen. **d** (*leaflet*) Flugblatt *nt.*

flies [flaɪz] *npl of* **fly.**

flight¹ [flaɪt] *n* **a** Flug *m* ▸ *in ~* (*birds*) im Flug; (*Aviat*) in der Luft; *~s of fancy* geistige Höhenflüge *pl.* **b** *~ (of stairs)* Treppe *f;* *he lives six ~s up* er wohnt sechs Treppen hoch.

flight² *n* Flucht *f* ▸ *to put the enemy to ~* den Feind in die Flucht schlagen; *to take (to) ~* die Flucht ergreifen.

flight: **~ attendant** *n* Flugbegleiter(in *f*) *m;* **~ crew** *n* Flugbesatzung *f;* **~ deck** *n* (*Naut*) Flugdeck *nt;* (*Aviat*) Cockpit *nt;* **~ engineer** *n* Bordingenieur *m;* **~less** *adj* nicht flugfähig; **~ path** *n* Flugbahn *f;* (*of individual plane*) Flugroute *f;* **incoming/outgoing ~ path** Einflug-/Ausflugschneise *f;* **~ recorder** *n* Flugschreiber *m.*

flighty ['flaɪtɪ] *adj* (+*er*) (*fickle*) flatterhaft.

flimsy ['flɪmzɪ] *adj* (+*er*) *material* dünn; *clothing* dürftig; *house, aircraft* leicht gebaut; *excuse* fadenscheinig.

flinch [flɪntʃ] *vi* zurückzucken ▸ *without ~ing* ohne mit der Wimper zu zucken; *to ~ from a task* vor einer Aufgabe zurückschrecken.

fling [flɪŋ] (*vb: pret, ptp* **flung**) **1** *n* (*fig col*) *to have a ~ at sth, to give sth a ~* etw (aus)probieren; *to have a ~ at doing sth* einen Anlauf machen, etw zu tun (*col*); *to have a or one's ~* sich austoben. **2** *vt* (*lit, fig*) schleudern ▸ *to ~ the window open/shut* das Fenster aufstoßen/zuwerfen; *the door was flung open* die Tür flog auf; *to ~ one's arms around sb's neck* jdm die Arme um den Hals werfen; *to ~ on one's coat* sich (*dat*) den Mantel überwerfen; *to ~ oneself into a job* sich auf eine Aufgabe stürzen; *to ~ oneself out of the window/into a chair* sich aus dem Fenster

flout

stürzen/sich in einen Sessel werfen.

◆**fling away** *vt sep* wegwerfen; (*fig*) *money* verschwenden.

◆**fling back** *vt sep one's head* zurückwerfen.

◆**fling down** *vt sep* (*lit*) herunterwerfen.

◆**fling out** *vt sep object* wegwerfen; *person* hinauswerfen.

flint [flɪnt] *n* Feuerstein *m*.

flip [flɪp] **1** *vt* schnippen, schnipsen ▶ *to ~ a book open* ein Buch aufschlagen; *to ~ one's lid* (*col*) durchdrehen (*col*). **2** *vi* (*col*) durchdrehen (*col*). **3** *interj* (*Brit col*) verflixt (*col*).

◆**flip off** *vt sep* wegschnipsen; *ash from cigarette* abschnippen.

◆**flip over 1** *vt sep* umdrehen; *pages of book* wenden. **2** *vi* sich (um)drehen.

◆**flip through** *vi +prep obj book* durchblättern.

flip: ~**chart** *n* Flip-Chart *f*; **~ pack** *n* Klappschachtel *f*.

flippancy [ˈflɪpənsɪ] *n* Leichtfertigkeit *f*.

flippant [ˈflɪpənt] *adj* leichtfertig.

flipper [ˈflɪpəʳ] *n* Flosse *f*.

flipping [ˈflɪpɪŋ] *adj, adv* (*Brit col*) verflixt (*col*).

flip: ~**side** *n* (*of record*) B-Seite *f*; **~ top** *n* Klappdeckel *m*.

flirt [flɜːt] **1** *vi* flirten; (*with idea*) liebäugeln ▶ *to ~ with death* den Tod herausfordern. **2** *n* *he/she is just a ~* er/sie will nur flirten.

flirtation [flɜːˈteɪʃən] *n* Flirt *m*.

flit [flɪt] **1** *vi* **a** (*bats, butterflies etc*) flattern; (*person, image*) huschen ▶ *to ~ in and out* (*person*) rein- und rausflitzen (*col*). **b** (*Brit: move house secretly*) sich bei Nacht und Nebel davonmachen. **2** *n* (*Brit*) *to do a (moonlight) ~* bei Nacht und Nebel ausziehen.

float [fləʊt] **1** *n* **a** (*on fishing-line, Tech*) Schwimmer *m*; (*on trawl net*) Korken *m*. **b** (*vehicle*) (*in procession*) Festwagen *m*; (*electric ~ for deliveries*) Elektrolieferwagen *m*. **c** (*ready cash: in till*) Wechselgeld *nt no indef art*; (*loan to start business*) Startkapital *nt*. **2** *vi* **a** (*on water*) schwimmen; (*move gently*) treiben; (*in air*) schweben. **b** (*Comm: currency*) floaten. **3** *vt* **a** *boat* zu Wasser bringen. **b** (*Comm, Fin*) *company* gründen; *shares* auf den Markt bringen; *bond issue* ausgeben; *currency* freigeben, floaten lassen.

◆**float away** *vi* (*on water*) wegtreiben; (*in air*) davonschweben; (*fig: person*) hinwegschweben.

◆**float off 1** *vi see* **float away**. **2** *vt ship* flottmachen.

floating [ˈfləʊtɪŋ] *adj raft, logs* treibend; *population* wandernd; *kidney* Wander-; *decimal point* Gleit- ▶ *~ voter* Wechselwähler *m*.

flock [flɒk] **1** *n* (*of sheep, geese, Eccl*) Herde *f*; (*of birds, people*) Schar *f*. **2** *vi* in Scharen kommen ▶ *to ~ in* hinein-/hereinströmen; *to ~ around sb* sich um jdn scharen.

floe [fləʊ] *n* Eisscholle *f*.

flog [flɒg] *vt* **a** prügeln; *thief, mutineer* auspeitschen ▶ *you're ~ging a dead horse* (*col*) Sie verschwenden Ihre Zeit; *to ~ sth to death* (*fig*) etw zu Tode reiten. **b** (*Brit col: sell*) verkloppen (*col*).

flogging [ˈflɒgɪŋ] *n* Tracht *f* Prügel; (*Jur*) Prügelstrafe *f*; (*of thief, mutineer*) Auspeitschen *nt*.

flood [flʌd] **1** *n* (*of water, fig*) Flut *f* ▶ *~s* Hochwasser *nt*; *the F~* die Sintflut; *the river is in ~* der Fluß führt Hochwasser; *she had a ~ in the kitchen* ihre Küche stand unter Wasser; *she was in ~s of tears* sie war in Tränen gebadet; *bathed in a ~ of light* lichtdurchflutet. **2** *vt* (*lit, fig, Comm*) überschwemmen ▶ *to ~ the carburettor* den Motor absaufen lassen (*col*); *~ed with light* lichtdurchflutet.

3 *vi* **a** (*river*) über die Ufer treten; (*bath etc*) überlaufen. **b** (*people*) strömen.

◆**flood in** *vi* (*lit, fig*) hinein-/hereinströmen ▶ *the letters just ~ed ~* eine Flut von Briefen ging ein.

◆**flood out** *vt sep house* überfluten ▶ *the villagers were ~ed ~* die Dorfbewohner wurden durch das Hochwasser obdachlos.

floodgate [ˈflʌdgeɪt] *n* Schleusentor *nt* ▶ *to open the ~s* (*fig*) Tür und Tor öffnen (*to dat*).

flooding [ˈflʌdɪŋ] *n* Überschwemmung *f*.

flood: ~**light** (*vb: pret, ptp ~lit*) **1** *vt buildings* anstrahlen; *football pitch* mit Flutlicht beleuchten; **2** *n* under ~**lights** unter *or* bei Flutlicht; **~lit 1** *pret, ptp of* ~**light**; **2** *adj* ~**lit football** Fußball *m* bei Flutlicht; **~tide** *n* Flut *f*; **~water** *n* Hochwasser *nt*.

floor [flɔːʳ] **1** *n* **a** Boden *m*; (*of room*) (Fuß)boden *m*; (*dance-~*) Tanzboden *m* ▶ *to take the ~* (*dance*) aufs Parkett gehen; (*speak*) das Wort ergreifen; *to have the ~* (*speaker*) das Wort haben; *a question from the ~* eine Frage aus der Zuhörerschaft; (*Parl*) eine Frage aus dem Haus. **b** (*storey*) Stock(werk *nt*) *m* ▶ **first ~** (*Brit*) erster Stock; (*US*) Erdgeschoß *nt*; *on the second ~* (*Brit*) im zweiten Stock; (*US*) im ersten Stock. **2** *vt* **a** *room etc* mit einem (Fuß)boden versehen. **b** (*knock down*) *opponent* zu Boden schlagen. **c** (*Aut*) *to ~ the accelerator* das Gaspedal durchtreten. **d** (*silence*) die Sprache verschlagen (+*dat*); (*puzzle*) verblüffen; (*defeat: question, problem etc*) schaffen (*col*).

floor: ~**board** *n* Diele *f*; **~cloth** *n* Putzlappen *m*.

flooring [ˈflɔːrɪŋ] *n* Fußbodenbelag *m*.

floor: ~ **lamp** *n* (*US*) Stehlampe *f*; **~ polish** *n* Bohnerwachs *nt*; **~ show** *n* Show *f* (*im Nachtklub oder Kabarett*); **~-walker** *n* (*Comm*) Ladenaufsicht *f*.

floozie, floozy [ˈfluːzɪ] *n* (*col*) Flittchen *nt* (*col*).

flop [flɒp] **1** *vi* **a** (*col: person: into chair etc*) sich hinplumpsen lassen. **b** (*col: fail*) durchfallen. **2** *n* (*col: failure*) Reinfall *m*; (*person*) Niete *f*.

flophouse [ˈflɒphaʊs] *n* (*US col*) billige Absteige.

floppy [ˈflɒpɪ] *adj* (+*er*) schlaff; *hat, ears* Schlapp-; *clothes* weit ▶ **~ disk** Floppy-Disk, Diskette *f*.

flora [ˈflɔːrə] *n* Flora *f*.

floral [ˈflɔːrəl] *adj arrangement* Blumen-; *fabric, dress* geblümt.

Florence [ˈflɒrəns] *n* Florenz *nt*.

Florentine [ˈflɒrəntaɪn] **1** *adj* florentinisch. **2** *n* Florentiner(in *f*) *m*.

florid [ˈflɒrɪd] *adj* **a** *complexion* kräftig. **b** *style, writing* blumig.

florist [ˈflɒrɪst] *n* Florist(in *f*) *m* ▶ **~'s (shop)** Blumengeschäft *nt*.

flotation [fləʊˈteɪʃən] *n* (*of firm*) Gründung *f*.

flotilla [fləʊˈtɪlə] *n* Flotille *f*.

flotsam [ˈflɒtsəm] *n* (*lit, fig*) **~ and jetsam** Strandgut *nt*.

flounce¹ [flaʊns] *vi to ~ in/out* herein-/herausstolzieren.

flounce² *n* (*frill*) Volant *m*, Rüsche *f*.

flounder¹ [ˈflaʊndəʳ] *n* (*fish*) Flunder *f*.

flounder² *vi to ~ through the mud/snow* sich durch den Schlamm/Schnee schleppen; *to start to ~* (*speaker etc*) ins Schwimmen kommen.

flour [ˈflaʊəʳ] *n* Mehl *nt*.

flourish [ˈflʌrɪʃ] **1** *vi* (*plants, person*) (prächtig) gedeihen; (*business*) blühen, florieren; (*type of literature, painting*) seine Blütezeit haben. **2** *vt* (*wave about*) schwenken. **3** *n* **a** (*curve, decoration etc*) Schnörkel *m*. **b** (*movement*) schwungvolle Bewegung. **c** (*Mus*) (*fanfare*) Fanfare *f*; (*decorative passage*) Verzierung *f*.

flourishing [ˈflʌrɪʃɪŋ] *adj plant, person* blühend *attr*; *business* florierend *attr*.

flout [flaʊt] *vt* mißachten.

flow [fləʊ] **1** vi a (lit, fig) fließen; (prose) flüssig sein ▸ *where the river ~s into the sea* wo der Fluß ins Meer mündet; *to keep the conversation ~ing* das Gespräch in Gang halten; *to keep the traffic ~ing* den Verkehr nicht ins Stocken kommen lassen; *to ~ in* (water, people, money) hinein-/hereinströmen. b (tide) steigen. **2** n Fluß m ▸ *the ~ of traffic/information* der Verkehrs-/Informationsfluß; *the tide is on the ~* die Flut kommt; *the ~ of his style* sein flüssiger Stil; *~chart* Flußdiagramm nt.

flower ['flaʊəʳ] **1** n Blume f; (blossom, fig) Blüte f ▸ *in ~* in Blüte; *to be in the ~ of youth* in der Blüte seiner Jugend stehen. **2** vi (lit, fig) blühen.

flower: *~ arrangement* n Blumengesteck nt; *~bed* n Blumenbeet n; *~ garden* n Blumengarten n; *~pot* n Blumentopf m; *~ power* n Flower-power f; *~-seller* n Blumenverkäufer(in f) m; *~ shop* n Blumengeschäft nt; *~ show* n Blumenschau f; *~ tub* n Blumenkübel m.

flowery ['flaʊərɪ] adj perfume, (fig) language blumig; dress, material geblümt.

flowing ['fləʊɪŋ] adj fließend; dress, hair also wallend; style flüssig.

flown [fləʊn] ptp of **fly²**, **fly³**.

flu, 'flu [fluː] n Grippe f ▸ *to have (the) ~* (die or eine) Grippe haben.

fluctuate ['flʌktjʊeɪt] vi schwanken.

fluctuation [ˌflʌktjʊ'eɪʃən] n Schwankung f; (fig: of opinions) Schwanken nt no pl.

flue [fluː] n Rauchabzug m.

fluency ['fluːənsɪ] n Flüssigkeit f; (of speaker) Gewandtheit f ▸ *because of his ~ in English ...* da er fließend Englisch spricht/sprach ...

fluent ['fluːənt] adj style flüssig; speaker, writer gewandt; Italian, Russian etc fließend ▸ *to be ~ in Italian, to speak ~ Italian* fließend Italienisch sprechen.

fluently ['fluːəntlɪ] adv speak a language fließend; express oneself gewandt.

fluff [flʌf] **1** n no pl (on young animals) Flaum m; (from material) Fusseln pl; (dust) Staubflocken pl ▸ *a bit of ~* eine Staubflocke/Fussel; (hum col: girl) eine Mieze (col). **2** vt a (also ~ out) feathers aufplustern; (also ~ up) pillows aufschütteln. b (col: make mistake in) vermasseln (col).

fluffy ['flʌfɪ] adj (+er) bird flaumig; material, toy kuschelig, weich; hair duftig.

fluid ['fluːɪd] **1** adj substance, style flüssig; (fig) situation ungewiß ▸ *the situation is still ~* die Dinge sind noch im Fluß. **2** n Flüssigkeit f.

fluke [fluːk] n (col) Dusel m (col) ▸ *it was a (pure) ~* das war (einfach) Dusel (col).

fluky ['fluːkɪ] n (col) wind wechselnd ▸ *~ shot* Zufallstreffer m.

flummox ['flʌməks] vt (col) durcheinanderbringen.

flung [flʌŋ] pret, ptp of **fling**.

flunk [flʌŋk] vt (col) *to ~ German/an exam* in Deutsch/bei einer Prüfung durchsausen (col).

flunk(e)y ['flʌŋkɪ] n Lakai m.

fluorescent [flʊə'resənt] adj Leucht-; lighting, tube Leuchtstoff-.

fluoride ['flʊəraɪd] n Fluorid nt ▸ *~ toothpaste* Fluorzahnpasta f.

flurry ['flʌrɪ] n a (of snow) Gestöber nt; (of wind) Stoß m. b (fig) *all in a ~* in großer Aufregung; *a ~ of activity* eine Hektik.

flush¹ [flʌʃ] **1** n a (lavatory ~) (Wasser)spülung f. b (blush) Röte f ▸ *hot ~es* (Med) fliegende Hitze. c (of beauty, youth) Blüte f; (of excitement) Welle f ▸ *in the (first) ~ of victory* im (ersten) Siegestaumel; *in the first ~ of youth* in der ersten Jugendblüte.

2 vi a (person, face) rot werden (with vor +dat). b (lavatory) spülen. **3** vt spülen ▸ *to ~ the lavatory* spülen; *to ~ sth down the lavatory* etw die Toilette hinunterspülen.

◆**flush away** vt sep wegspülen.

◆**flush out** vt sep bottle ausspülen; dirt wegspülen; birds, spies aufstöbern.

flush² adj pred a bündig ▸ *~ against the wall* direkt an die/der Wand. b (col: with money) *to be ~* gut bei Kasse sein (col).

flush³ n (Cards) Flöte, Sequenz f; (Poker) Flush m.

flushed [flʌʃt] adj person rot (with vor).

fluster ['flʌstəʳ] **1** vt nervös machen; (confuse) durcheinanderbringen ▸ *she got ~ed* sie wurde nervös; sie kam durcheinander. **2** n in a (real) ~ (ganz) nervös; (confused) (völlig) durcheinander.

flute [fluːt] n Querflöte f.

fluted ['fluːtɪd] adj column kanneliert.

flutter ['flʌtəʳ] **1** vi (flag, wings, heart) flattern ▸ *to ~ away* davonflattern. **2** vt (birds) wings flattern mit ▸ *to ~ one's eyelashes at sb* mit den Wimpern klimpern. **3** n Flattern nt (also Med) ▸ *(all) in or of a ~* (fig) in heller Aufregung; *to have a ~* (Brit col: gamble) sein Glück (beim Wetten) versuchen.

flux [flʌks] n *in a state of ~* im Fluß.

fly¹ [flaɪ] n Fliege f ▸ *he wouldn't hurt a ~* er könnte keiner Fliege etwas zuleide tun; *the ~ in the ointment* der Haken bei der Sache; *there are no flies on him* (col) ihn legt man nicht so leicht rein (col).

fly² (vb: pret **flew**, ptp **flown**) **1** vi a fliegen. b (move quickly) (time) (ver)fliegen; (people) sausen (col); (sparks) stieben, fliegen ▸ *how time flies!* wie die Zeit vergeht!; *to ~ past* (car, person) vorbeisausen (col); *I must ~* ich muß jetzt wirklich schnell los; *the door flew open* die Tür flog auf; *to ~ into a rage* einen Wutanfall bekommen; *to (let) ~ at sb* (col) auf jdn losgehen; *he really let ~* er legte kräftig los; *to knock sb/sth ~ing* jdn/etw umwerfen. c (flag) wehen. **2** vt aircraft, route fliegen; kite steigen lassen; Atlantic überfliegen; flag führen.

◆**fly away** vi (person, plane, bird) wegfliegen; (fig: cares) schwinden.

◆**fly in** vti sep einfliegen ▸ *she flew ~ from New York* sie ist mit dem Flugzeug aus New York angekommen.

◆**fly off** vi a (plane, person) abfliegen; (bird) wegfliegen. b (come off: hat, lid etc) wegfliegen; (button) abspringen.

◆**fly out 1** vi ausfliegen ▸ *I'll ~ ~ and come back by ship* ich werde hin fliegen und mit dem Schiff zurückkommen. **2** vt sep (to an area) hinfliegen; (out of an area) ausfliegen.

fly³ pret **flew**, ptp **flown 1** vi (flee) fliehen ▸ *to ~ for one's life* um sein Leben laufen/fahren etc. **2** vt *to ~ the country* aus dem Land flüchten.

fly⁴ n (on trousers: also **flies**) (Hosen)schlitz m.

fly⁵ adj (col: crafty) clever, gerissen.

fly: *~-away* adj hair fliegend; *~-by-night* adj firm, operation zweifelhaft, windig (col).

flyer ['flaɪəʳ] n = **flier**.

flying ['flaɪɪŋ] **1** n Fliegen nt ▸ *he likes ~* er fliegt gerne. **2** adj fliegend; boat Flug-.

flying: *~-bomb* n V-Rakete f; *~ buttress* n Strebebogen m; *~ colours* (Brit) or colors (US) npl *to come through/pass etc with ~ colours* glänzend abschneiden; *~ fish* n fliegender Fisch; *~ jump* n *to take a ~ jump* einen großen Satz machen; *~ picket* n mobiler Streikposten; *~ saucer* n fliegende Untertasse; *~ start* n

(*Sport*) fliegender Start; **to get off to a ~ start** (*Sport*) hervorragend wegkommen; (*fig*) einen glänzenden Start haben; **~-time** *n* Flugzeit *f*; **~ visit** *n* Blitzbesuch *m*.

fly: ~leaf *n* Vorsatzblatt *nt*; **~over** *n* Überführung *f*; **~paper** *n* Fliegenfänger *m*; **~-past** *n* Luftparade *f*; **~sheet** *n* (*entrance*) Überdach *nt*; (*outer tent*) Überzelt *nt*; **~-spray** *n* Insektenspray *m* or *nt*; **~-swat(ter)** *n* Fliegenklatsche *f*; **~weight** *n* (*Boxing*) Fliegengewicht *nt*; **~wheel** *n* Schwungrad *nt*.

FM = **frequency modulation** FM.

FO = **Foreign Office**.

foal [fəʊl] *n* Fohlen, Füllen *nt*.

foam [fəʊm] **1** *n* Schaum *m*.
2 *vi* schäumen ► **to ~ at the mouth** (*lit*) Schaum vor dem Mund/Maul haben; (*fig: person*) vor Wut schäumen.

foam rubber *n* Schaumgummi *m*.

fob¹ ['efəʊbi:] = **free on board**.

fob² [fɒb] *vt sep* **to ~ sb off (with promises)** jdn (mit leeren Versprechungen) abspeisen; **to ~ sb off with sth** jdm etw andrehen.

foc (*Brit Comm*) = **free of charge**.

focal ['fəʊkəl] *adj* **~ length** Brennweite *f*; **~ point** (*lit, fig*) Brennpunkt *m*.

fo'c'sle ['fəʊksl] *n* = **forecastle** Vorschiff *nt*.

focus ['fəʊkəs] **1** *n, pl* **foci** ['fəʊkɪ] (*Phys, Math, fig*) Brennpunkt *m*; (*of earthquake, Med*) Herd *m* ► **in ~** camera (scharf) eingestellt; *photo* scharf; **out of ~** (*lit*) camera unscharf eingestellt; *photo* unscharf; **he was the ~ of attention** er stand im Mittelpunkt.
2 *vt instrument* einstellen (*on* auf +*acc*); (*fig*) one's efforts konzentrieren (*on* auf +*acc*) ► **to ~ one's attention on sth** sich auf etw (*acc*) konzentrieren.
3 *vi* **to ~ on sth** sich auf etw (*acc*) konzentrieren; **his eyes ~ed on the book** sein Blick richtete sich auf das Buch; **I can't ~ properly** ich kann nicht mehr klar sehen.

fodder ['fɒdə'] *n* (*lit, fig*) Futter *nt*.

foe [fəʊ] *n* (*liter*) Feind, Widersacher (*geh*) *m*.

foetal, (*esp US*) **fetal** ['fi:tl] *adj* fötal.

foetus, (*esp US*) **fetus** ['fi:təs] *n* Fötus *m*.

fog [fɒg] *n* Nebel *m*.

fogbound ['fɒgbaʊnd] *adj* ship, plane durch Nebel festgehalten; *airport* wegen Nebel(s) geschlossen.

fogey ['fəʊgɪ] *n* (*col*) **old ~** alter Kauz (*col*).

foggy ['fɒgɪ] *adj* (+*er*) neb(e)lig ► **I haven't the foggiest (idea)** (*col*) ich habe keinen blassen Schimmer (*col*).

fog: ~horn *n* (*Naut*) Nebelhorn *nt*; **~ light** *n* (*Aut*) Nebelscheinwerfer *m*; (*rear ~ light*) Nebelschlußleuchte *f*.

foible ['fɔɪbl] *n* Eigenheit *f*.

foil¹ [fɔɪl] *n* (*metal*) Folie *f* ► **to act as a ~ to sb** (*fig*) jdm als Hintergrund dienen.

foil² *n* (*Fencing*) Florett *nt*.

foil³ *vt* plans durchkreuzen; *attempts* vereiteln; *person* einen Strich durch die Rechnung machen (+*dat*).

foist [fɔɪst] *vt* **to ~ sth (off) on sb** goods jdm etw andrehen; **to ~ oneself on(to) sb** sich jdm aufdrängen.

fold¹ [fəʊld] **1** *n* Falte *f*.
2 *vt* paper (zusammen)falten; *blanket* zusammenlegen ► **to ~ sth in two/four** etw (einmal) falten/zweimal falten; **to ~ one's arms** die Arme verschränken; **he ~ed the book in some paper** er schlug das Buch in Papier ein.
3 *vi* **a** (*chair, table*) sich zusammenklappen lassen. **b** = **fold up**.

◆fold away 1 *vi* (*table, bed*) zusammenklappbar sein.
2 *vt sep* table, bed zusammenklappen; *clothes* zusammenlegen.

◆fold up 1 *vi* (*business*) eingehen (*col*); (*play*) abgesetzt werden.

2 *vt sep* paper zusammenfalten.

fold² *n* (*pen*) Pferch *m*.

foldaway ['fəʊldəweɪ] *adj attr* zusammenklappbar.

folder ['fəʊldə'] *n* **a** (*for papers*) Aktenmappe *f*. **b** (*brochure*) Informationsblatt *nt*.

folding ['fəʊldɪŋ] *adj attr* **~ bed** Klappbett *nt*; **~ chair** Klappstuhl *m*; **~ doors** Falttür *f*.

foliage ['fəʊlɪɪdʒ] *n* Blätter *pl*; (*of tree*) Laub *nt*.

folio ['fəʊlɪəʊ] *n* **a** (*sheet*) Folio *nt*. **b** (*volume*) Foliant *m*.

folk [fəʊk] *npl* Leute *pl* ► **the young/old ~** die Jungen/Alten; **my ~s** (*col*) meine Leute (*col*).

folk: ~ dance *n* Volkstanz *m*; **~lore** *n* Folklore *f*; **~ music** *n* Volksmusik *f*; (*English, Irish etc*) Folk *m*; **~ singer** *n* Sänger(in *f*) *m* von Volksliedern/Folksongs; **~ song** *n* Volkslied *nt*; (*English, Irish etc*) Folksong *m*; **~ tale** *n* Volksmärchen *nt*.

follow ['fɒləʊ] **1** *vt* (*also understand*) folgen (+*dat*); (*pursue also*) verfolgen; *advice, instructions also* befolgen; *profession* ausüben; *career, serial, speech, news* verfolgen; *athletics etc* sich interessieren für ► **he ~ed me about** or folgte mir überall hin; **he ~ed me out** er folgte mir nach draußen; **we're being ~ed** wir werden verfolgt; **to have sb ~ed** jdn verfolgen lassen; **the reaction that ~ed this** die darauf folgende Reaktion; **do you ~ me?** können Sie mir folgen?; **which team do you ~?** für welchen Verein sind Sie?
2 *vi* **a** folgen (*on sth* auf etw *acc*) ► **as ~s** wie folgt; **what is there to ~?** was gibt es anschließend?; **what ~s** das Folgende. **b** (*results, deduction*) folgen (*from aus*) ► **it doesn't ~ that ...** daraus folgt nicht, daß ...; **that doesn't ~** nicht unbedingt! **c** (*understand*) folgen ► **I don't ~** das verstehe ich nicht.

◆follow on *vi* (*come after*) später kommen.

◆follow through 1 *vt sep* argument durchdenken; *idea, plan* (zu Ende) verfolgen.
2 *vi* (*Sport*) durchschwingen.

◆follow up *vt sep* **a** (*take further action on*) request nachgehen (+*dat*); *offer, suggestion* aufgreifen. **b** (*investigate further*) sich näher befassen mit; *matter* weiterverfolgen; *rumour* nachgehen (+*dat*). **c** (*reinforce*) success, victory fortsetzen; *advantage* ausnutzen ► **you should ~ ~ the letter with a phonecall** zusätzlich zu dem Brief sollten Sie noch anrufen.

follower ['fɒləʊə'] *n* (*fan etc*) Anhänger(in *f*) *m*.

following ['fɒləʊɪŋ] **1** *adj* **a** folgend ► **the ~ day** der (darauf)folgende Tag. **b** **a ~ wind** Rückenwind *m*.
2 *n* **a** (*followers*) Anhängerschaft *f*. **b** **he said the ~** er sagte folgendes.

follow-up ['fɒləʊˌʌp] *n* Weiterverfolgen *nt*; (*event, programme etc coming after*) Fortsetzung *f* (*to gen*) ► **what was the ~ to this?** was folgte darauf?

follow-up: ~ advertising *n* Nachfaßwerbung *f*; **~ call** *n* (*visit*) Nachfaßbesuch *m*; (*by phone*) zweiter Kontaktversuch *m*; **~ care** *n* (*Med*) Nachbehandlung *f*; **~ interview** *n* zweites Vorstellungsgespräch; **~ letter** *n* Nachfaßschreiben *nt*.

folly ['fɒlɪ] *n* Torheit *f*.

fond [fɒnd] *adj* (+*er*) **a** **to be ~ of sb** jdn gern mögen; **to be ~ of sth** etw mögen; **to be ~ of doing sth** etw gern tun. **b** (*loving*) liebevoll; *hope* sehnsüchtig. **c** (*vain*) illusion verloren; *hope* kühn.

fondant ['fɒndənt] *n* Fondant *m*.

fondle ['fɒndl] *vt* (*zärtlich*) spielen mit; (*stroke*) streicheln; *person* schmusen mit.

fondly ['fɒndlɪ] *adv* look etc liebevoll ► **he ~ believed/imagined that ...** er hoffte vergebens, daß ...

fondness ['fɒndnɪs] *n* Begeisterung *f*; (*for people*) Zuneigung *f* (*for* zu); (*for food, place*) Vorliebe *f* (*for* für).

fondue ['fɒndu:] *n* Fondue *nt*.

font [fɒnt] *n* [a] (*Eccl*) Taufstein *m*. [b] (*Typ*) Schrift *f*.

food [fu:d] *n* Essen *nt*; (*for animals*) Futter *nt*; (*nourishment*) Nahrung *f*; (*~stuff*) Nahrungsmittel *nt*; (*groceries*) Lebensmittel *pl* ► **canned ~s** Konserven *pl*; *I haven't any ~ in the house* ich habe nichts zu essen im Haus; *to be off one's ~* keinen Appetit haben; *~ for thought* (*fig*) Stoff *m* zum Nachdenken.

food: **~ chain** *n* Nahrungskette *f*; **~ poisoning** *n* Lebensmittelvergiftung *f*; **~ processor** *n* Küchenmaschine *f*; **~ shop** (*Brit*) *or* **store** *n* Lebensmittelgeschäft *nt*; **~stuff** *n* Nahrungsmittel *nt*.

fool [fu:l] [1] *n* Dummkopf, Narr (*also jester*) *m* ► *don't be a ~!* sei nicht (so) dumm!; *some ~ of a civil servant* irgend so ein blöder Beamter; *I was a ~ not to realize* wie konnte ich nur so dumm sein und das nicht merken; *to play or act the ~* herumalbern; *to make a ~ of sb* jdn lächerlich machen; *he made a ~ of himself in the discussion* er hat sich in der Diskussion blamiert; *to live in a ~'s paradise* in einem Traumland leben. [2] *vi* herumalbern ► *I was only ~ing* das war doch nur Spaß. [3] *vt* (*trick*) hereinlegen (*col*); (*disguise, phoney accent etc*) täuschen ► *you had me ~ed* ich habe das tatsächlich geglaubt; *they ~ed him into believing that ...* sie haben ihm weisgemacht, daß ...; *you could have ~ed me!* (*iro*) was du nicht sagst!

♦**fool about** *or* **around** *vi* [a] (*waste time*) herumtrödeln. [b] (*play the fool*) herumalbern. [c] *to ~ ~ with sth* mit etw Blödsinn machen.

foolhardy [ˈfu:l͵hɑ:dɪ] *adj* tollkühn.

foolish [ˈfu:lɪʃ] *adj* dumm ► *he's afraid of looking ~* er will sich nicht blamieren.

foolishly [ˈfu:lɪʃlɪ] *adv* ~, *I assumed ...* törichterweise habe ich angenommen, ...

foolishness [ˈfu:lɪʃnɪs] *n* Dummheit *f*.

foolproof [ˈfu:lpru:f] *adj* narrensicher.

foolscap [ˈfu:lskæp] *n* ≈ Kanzleipapier *nt*.

foot [fʊt] [1] *n, pl* **feet** [a] (*also bottom, measure*) Fuß *m* ► *to be on one's feet* (*lit, fig*) auf den Beinen sein; *to put sb (back) on his feet (again)* (*lit,fig*) jdm (wieder) auf die Beine helfen; *on ~* zu Fuß; *the first time he set ~ in the office* als er das erste Mal das Büro betrat; *to rise/jump to one's feet* aufstehen/aufspringen; *to put one's feet up* (*lit*) die Füße hochlegen; (*fig*) es sich (*dat*) bequem machen.

[b] (*fig phrases*) *he never puts a ~ wrong* er macht nie einen Fehler; *to catch sb on the wrong ~* jdn überrumpeln; *to put one's ~ down* (*act with decision*) ein Machtwort sprechen; (*forbid, refuse*) etwas strikt verbieten; (*Aut*) Gas geben; *to put one's ~ in it* ins Fettnäpfchen treten (*col*); *to put one's best ~ forward* (*hurry*) die Beine unter den Arm nehmen; (*do one's best*) sich anstrengen; *to find one's feet* sich eingewöhnen; *to fall on one's feet* auf die Füße fallen; *to have one ~ in the grave* mit einem Bein im Grab stehen; *to get/be under sb's feet* jdm in Weg sein; *to get off on the right/wrong ~* einen guten/schlechten Start haben; *to stand on one's own feet* auf eigenen Füßen stehen. [2] *vt bill* bezahlen.

footage [ˈfʊtɪdʒ] *n* Filmmaterial *nt*.

foot-and-mouth (disease) [͵fʊtənˈmaʊθ(dɪ͵zi:z)] *n* Maul- und Klauenseuche *f*.

football [ˈfʊtbɔ:l] *n* (*also ball*) Fußball *m*; (*American ~*) Football *m* ► **~ boot** Fußballschuh *m*; **~ pitch** Fußballplatz *m*; **~ player** Fußball(spiel)er *m*; (*US*) Football-Spieler *m*; **~ pools** Fußballtoto *nt*.

┌─── **FOOTBALL POOLS** ───┐

Football Pools, umgangssprachlich auch the pools genannt, ist das in Großbritannien sehr beliebte Fußballtoto, bei dem auf die Ergebnisse der samstäglichen *Fußballspiele gewettet wird. Teilnehmer schicken ihren ausgefüllten Totoschein vor den Spielen an die Totogesellschaft und vergleichen nach den Spielen die Ergebnisse mit ihrem Schein. Die Gewinne können sehr hoch sein und gelegentlich Millionen von Pfund betragen.*

footballer [ˈfʊtbɔ:ləʳ] *n* Fußball(spiel)er *m*.

foot: **~ brake** *n* Fußbremse *f*; **~bridge** *n* Fußgängerbrücke *f*; **~ fault** *n* (*Tennis*) Fußfehler *m*; **~hills** *npl* (Gebirgs)ausläufer *pl*; **~hold** *n* Halt *m*; (*fig*) sichere (Ausgangs)position.

footing [ˈfʊtɪŋ] *n* [a] (*lit*) Halt *m* ► *to lose one's ~* den Halt verlieren; *to miss one's ~* danebentreten. [b] (*fig*) Basis *f*, (*relationship*) Beziehung *f* ► *on an equal ~ (with each other)* auf gleicher Basis.

footlights [ˈfʊtlaɪts] *npl* (*Theat*) Rampenlicht *nt*.

footling [ˈfu:tlɪŋ] *adj* albern, läppisch.

foot: **~loose** *adj* **~loose and fancy-free** frei und ungebunden; **~man** *n* Lakai *m*; **~mark** *n* Fußabdruck *m*; **~note** *n* Fußnote *f*; **~path** *n* Fußweg *m*; (*Brit: pavement*) Bürgersteig *m*; **~print** *n* Fußabdruck *m*; **~prints** *npl* Fußspuren *pl*; **~rest** *n* Fußstütze *f*; **~sore** *adj* *to be ~sore* wunde Füße haben; **~step** *n* Schritt *m*; *to follow in sb's ~steps* (*fig*) in jds Fußstapfen treten; **~stool** *n* Schemel *m*; **~wear** *n* Schuhwerk *nt*; **~work** *n no pl* (*Boxing*) Beinarbeit *f*.

for¹ [fɔ:ʳ] [1] *prep* [a] für ► *what ~?* wofür?, wozu?; *what is this knife ~?* wozu dient dieses Messer?; *he does it ~ pleasure* er macht es zum Vergnügen; *what did you do that ~?* warum haben Sie das getan?; *a room ~ working in* ein Zimmer zum Arbeiten; *this will do ~ a hammer* das kann man als Hammer nehmen; *the train ~ Stuttgart* der Zug nach Stuttgart; *to leave ~ Germany* nach Deutschland abreisen; *he swam ~ the shore* er schwamm in Richtung Küste; *to make ~ home* sich auf den Heimweg machen; *to do sth ~ oneself* etw alleine tun; *you're ~ it!* (*col*) jetzt bist du dran!; (*col*) *oh ~ a cup of tea!* jetzt eine Tasse Tee, das wäre schön!

[b] (*indicating suitability*) *it's not ~ you to blame him* Sie haben kein Recht, ihm die Schuld zu geben; *it's not ~ me to say* es steht mir nicht zu, mich dazu zu äußern.

[c] (*representing, instead of*) *I'll see him ~ you if you like* wenn Sie wollen, gehe ich an Ihrer Stelle zu ihm; *to act ~ sb* für jdn handeln; *D ~ David* (*Telec*) D wie Dora.

[d] (*in defence, in favour of*) für ► *are you ~ or against it?* sind Sie dafür oder dagegen?; *I'm all ~ it* ich bin ganz dafür.

[e] (*with regard to*) *anxious ~ sb* um jdn besorgt; *~ my part* was mich betrifft; *as ~ him/that* was ihn/das betrifft; *young ~ a president* jung für einen Präsidenten; *it's all right or all very well ~ you (to talk)* Sie haben gut reden.

[f] (*because of*) *~ this reason* aus diesem Grund; *he did it ~ fear of being left* er tat es aus Angst, zurückgelassen zu werden; *he is famous ~ his big nose* er ist wegen seiner großen Nase berühmt; *to shout ~ joy* vor Freude jauchzen; *to go to prison ~ theft* wegen Diebstahl(s) ins Gefängnis wandern; *to choose sb ~ his ability* jdn wegen seiner Fähigkeiten wählen; *if it were not ~ him* wenn er nicht wäre; *do it ~ me* tu es für mich.

[g] (*in spite of*) trotz (+*gen or* (*col*) +*dat*) ► *~ all his wealth* trotz all seines Reichtums; *~ all that* trotz allem.

[h] (*in contrast*) *~ one man who would do it there are ten who wouldn't* auf einen, der es tun würde, kommen zehn, die es nicht tun würden.

[i] (*in time*) seit; (*with future tense*) für ► *I have not seen her ~ two years* ich habe sie seit zwei Jahren nicht gesehen; *he's been here ~ ten days* er ist seit zehn

Tagen hier; *then I did not see her ~ two years* dann habe ich sie zwei Jahre lang nicht gesehen; *he walked ~ two hours* er ist zwei Stunden lang gewandert; *I am going away ~ a few days* ich werde (für) ein paar Tage wegfahren; *he won't be back ~ a week* er wird erst in einer Woche zurück sein; *can you get it done ~ Monday/this time next week?* können Sie es bis Montag/bis in einer Woche fertig haben?; *~ a while/time* (für) eine Weile/einige Zeit.

⃞j (*distance*) *the road is lined with trees ~ two miles* die Straße ist auf zwei Meilen mit Bäumen gesäumt; *we walked ~ two miles* wir sind zwei Meilen weit gelaufen.

⃞k (*with infin clauses*) *~ this to be possible* damit dies möglich wird/wurde; *I brought it ~ you to see* ich habe es mitgebracht, damit Sie es sich (*dat*) ansehen können; *the best would be ~ you to go* das beste wäre, wenn Sie weggingen; *their one hope is ~ him to return* ihre einzige Hoffnung ist, daß er zurückkommt.

⃞2 *conj* denn ▶ *~ it was he who ...* denn er war es, der ...

for² [ˈefəʊɑːr] = **free on rail** frei Bahn.

forage [ˈfɒrɪdʒ] ⃞1 *n* Futter *nt*.
⃞2 *vi* nach Futter suchen; (*fig: rummage*) herumwühlen (*for* nach) ▶ *~-cap* Schiffchen *nt*.

foray [ˈfɒreɪ] *n* (Raub)überfall *m*; (*fig*) Exkurs *m* (*into* in +*acc*).

forbad [fɔːˈbæd], **forbade** [fɔːˈbeɪd] *pret of* **forbid**.

forbearance [fɔːˈbɛərəns] *n* Nachsicht *f*.

▼ **forbid** [fəˈbɪd] *pret* **forbad(e)**, *ptp* **forbidden** [fəˈbɪdn] *vt* verbieten ▶ *to ~ sb to do sth* jdm verbieten, etw zu tun; *smoking ~den* Rauchen verboten; *it is ~den to ...* es ist verboten, zu ...

forbidding [fəˈbɪdɪŋ] *adj rocks, cliffs* bedrohlich; *sky* düster; *prospect* grauenhaft; *look, person* streng.

▼ **force** [fɔːs] ⃞1 *n* ⃞a *no pl* (*physical strength, power*) Kraft *f*; (*of blow, or impact*) Wucht *f*; (*physical coercion*) Gewalt *f* ▶ *to resort to ~* Gewalt anwenden; *by ~* gewaltsam; *a ~ 5 wind* Windstärke 5; *they came in ~* sie kamen in großer Zahl; *~s of Nature* Naturgewalten *pl*; *there are various ~s at work here* hier sind verschiedene Kräfte am Werk; *to come into/be in ~* (*law etc*) in Kraft treten/sein. ⃞b *no pl* (*of argument*) Überzeugungskraft *f*; (*of music, phrase*) Eindringlichkeit *f*; (*of character*) Stärke *f*; (*of words, habit*) Macht *f*. ⃞c (*body of men*) *the ~s* (*Mil*) die Streitkräfte *pl*; *work ~* Arbeitskräfte *pl*; *sales ~* Verkaufspersonal *nt*; *the (police) ~* die Polizei; *to join or combine ~s* sich zusammentun.
⃞2 *vt* ⃞a (*compel*) zwingen ▶ *to ~ sb/oneself to do sth* jdn/sich zwingen, etw zu tun; *he was ~d to resign* er wurde gezwungen zurückzutreten; (*felt obliged to*) er sah sich gezwungen zurückzutreten; *to ~ sth (up)on sb present, one's company* jdm etw aufdrängen; *conditions* jdm etw auferlegen; *decision, war* jdm etw aufzwingen; *I don't want to ~ myself on you* ich möchte mich Ihnen nicht aufdrängen.
⃞b (*break open*) *lock* aufbrechen ▶ *to ~ an entry* sich (*dat*) gewaltsam Zutritt verschaffen.
⃞c (*push, squeeze*) *to ~ books into a box* Bücher in eine Kiste zwängen; *if it won't go in, don't ~ it* versuche es nicht mit Gewalt, wenn es nicht hineinpaßt; *to ~ one's way through* sich gewaltsam einen Weg bahnen; *to ~ a car off the road* ein Auto von der Fahrbahn drängen.
⃞d *surrender* erzwingen ▶ *to ~ a smile* gezwungen lächeln; *to ~ a confession out of sb* ein Geständnis von jdm erzwingen.
◆**force back** *vt sep* zurückdrängen; *tear* unterdrücken.
◆**force down** *vt sep food* hinunterquälen; *aeroplane* zur Landung zwingen.
forced [fɔːst] *adj smile, translation* gezwungen ▶ *~ land-*

ing Notlandung *f*; *~ march* Gewaltmarsch *m*.
force-feed [ˈfɔːsfiːd] *vt* zwangsernähren.
forceful [ˈfɔːsfʊl] *adj person* energisch; *character* stark; *language, style* eindringlich; *argument* wirkungsvoll.
forcefully [ˈfɔːsfəlɪ] *adv* eindringlich.
forcemeat [ˈfɔːsmiːt] *n* (*Cook*) Fleischfüllung, Farce *f*.
forceps [ˈfɔːseps] *npl* (*also pair of ~*) Zange *f* ▶ *~ delivery* Zangengeburt *f*.
forcible [ˈfɔːsəbl] *adj* ⃞a *entry* gewaltsam. ⃞b *language, style* eindringlich; *argument, reason* zwingend.
forcibly [ˈfɔːsɪblɪ] *adv* (*by force*) mit Gewalt; (*vigorously*) eindringlich.
ford [fɔːd] ⃞1 *n* Furt *f*.
⃞2 *vt* durchqueren.
fore [fɔːr] ⃞1 *n to the ~* im Vordergrund; *to come to the ~* ins Blickfeld geraten.
⃞2 *adv* (*Naut*) *~ and aft* längsschiffs.
fore: *~arm* *n* Unterarm *m*; *~bear* *n* Vorfahr(in *f*), Ahn(e *f*) *m*; *~boding* [fɔːˈbəʊdɪŋ] *n* (*presentiment*) (Vor)ahnung *f*; *~cast* ⃞1 *vt* vorhersagen; (*Fin*) vorausberechnen; ⃞2 *n* Vorhersage *f*; (*Fin*) Vorausberechnung *f*; *~castle* [ˈfəʊksl] *n* (*Naut*) Vorschiff *nt*; *~close* *vi* (*on loan, mortgage*) ein Darlehen/eine Hypothek kündigen; *to ~close on sth* etw kündigen; *~court* *n* Vorhof *m*; (*of garage*) Vorplatz *m*; *~father* *n* Ahn, Vorfahr *m*; *~finger* *n* Zeigefinger *m*; *~front n in the ~ of* an der Spitze (+*gen*); *~go pret ~went, ptp ~gone* verzichten auf (+*acc*); *~going adj* vorhergehend; *~gone* ⃞1 *ptp of ~go*; ⃞2 *adj: it was a ~gone conclusion* es stand von vornherein fest; *~ground* *n* Vordergrund *m*; *in the ~ground* im Vordergrund; *~hand* *n* (*Sport*) Vorhand *f*; *~head* [ˈfɔːhed, ˈfɒrɪd] *n* Stirn *f*.
foreign [ˈfɒrən] *adj* ausländisch; *customs, appearance* fremdartig; *policy, trade* Außen-; *business* Auslands- ▶ *is he ~?* ist er Ausländer?; *~ countries* das Ausland; *lying is ~ to him* Lügen ist ihm fremd.
foreign: *~ affairs npl* Außenpolitik *f*, **F~ and Commonwealth Office** *n* (*Brit*) Außenministerium *nt*; *~ correspondent* *n* Auslandskorrespondent(in *f*) *m*; *~ currency* *n* Devisen *pl*.
foreigner [ˈfɒrənər] *n* Ausländer(in *f*) *m*.
foreign: *~ exchange* *n* Devisen *pl*; (*system*) Devisenhandel *m*; *~ exchange dealer* *n* Devisenhändler(in *f*) *m*; *~ exchange market* *n* Devisenmarkt *m*; *~ investment* *n* Auslandsinvestition *f*; *~ language* *n* Fremdsprache *f*; *~ legion* *n* Fremdenlegion *f*, **F~ Minister** *n* Außenminister *m*; **F~ Office** *n* (*Brit*) Außenministerium *nt*; **F~ Secretary** *n* (*Brit*) Außenminister *m*; **F~ Service** *n* (*Brit*) diplomatischer Dienst.
fore: *~ leg* *n* Vorderbein *nt*; *~man* [-mən] *n, pl ~men* [-mən] (*in factory*) Vorarbeiter *m*; (*on building site*) Polier *m*; (*Jur: of jury*) Obmann *m*; *~most adj* (*lit*) erste(r, s), vorderste(r, s); (*fig*) *writer, politician etc* führend; *~name* *n* Vorname *m*.
forensic [fəˈrensɪk] *adj* forensisch ▶ *~ science* Kriminaltechnik *f*; *~ medicine* Gerichtsmedizin *f*; *~ expert* Spurensicherungsexperte *m*.
fore: *~play* *n* Vorspiel *nt*; *~runner* *n* Vorläufer *m*; *~see pret ~saw, ptp ~seen* *vt* vorhersehen; *~seeable adj* voraussehbar; *in the ~seeable future* in absehbarer Zeit; *~shadow* *vt* ahnen lassen, andeuten; *~ shore* *n* Küstenvorland *nt*; (*beach*) Strand *m*; *~shorten* *vt* perspektivisch verkürzen; *this has a ~shortening effect* das läßt es kürzer erscheinen; *~sight* *n* Weitblick *m*; *~skin* *n* Vorhaut *f*.
forest [ˈfɒrɪst] *n* Wald *m* ▶ *~ ranger* (*US*) Förster *m*.
forestall [fɔːˈstɔːl] *vt sb, rival* zuvorkommen (+*dat*); *objection* vorwegnehmen.
forester [ˈfɒrɪstər] *n* Förster *m*.
forestry [ˈfɒrɪstrɪ] *n* Forstwirtschaft *f*.

▶ SENTENCE BUILDER: **forbid** → 12.3 **force:** 1a → 7.1 2a → 11

fore: ~**taste** n Vorgeschmack m; ~**tell** pret, ptp ~**told** vt vorhersagen; ~**thought** n Vorbedacht m.

forever [fərˈevər] adv [a] (constantly) ständig, ewig (col). [b] (eternally) ewig.

fore: ~**warn** vt vorher warnen; ~**warned is forearmed** (Prov) Gefahr erkannt, Gefahr gebannt (prov); ~**went** pret of ~**go**; ~**woman** n, pl ~**women** Vorarbeiterin f; ~**word** n Vorwort nt.

forfeit [ˈfɔːfɪt] [1] vt (esp Jur) verwirken; (fig) health, sb's respect einbüßen. [2] n (in game) Pfand nt.

forgave [fəˈɡeɪv] pret of **forgive**.

forge [fɔːdʒ] [1] n (workshop) Schmiede f; (furnace) Esse f. [2] vt [a] metal, (fig) friendship schmieden. [b] signature, banknote fälschen. [3] vi **to** ~ **ahead** vorwärtskommen; (in one's career) seinen Weg machen; (Sport) vorstoßen.

forger [ˈfɔːdʒər] n Fälscher(in f) m.

forgery [ˈfɔːdʒərɪ] n (act, thing) Fälschung f.

▼ **forget** [fəˈɡet] pret **forgot**, ptp **forgotten** [1] vt vergessen; ability, language verlernen ► **never to be forgotten** unvergeßlich; **and don't you** ~ **it!** und daß du das ja nicht vergißt!; **I** ~ **his name** sein Name ist mir entfallen; **I** ~ **what I wanted to say** ich weiß nicht mehr, was ich sagen wollte; **to** ~ **past quarrels** vergangene Streitigkeiten ruhen lassen; ~ **it!** schon gut!; **you might as well** ~ **it** (col) das kannst du vergessen (col). [2] vi es vergessen ► **don't** ~**!** vergiß es nicht!

◆**forget about** vi +prep obj vergessen.

forgetful [fəˈɡetfʊl] adj (absent-minded) vergeßlich; (of one's duties etc) nachlässig (of gegenüber).

forgetfulness [fəˈɡetfʊlnɪs] n Vergeßlichkeit f.

forget-me-not [fəˈɡetmɪnɒt] n Vergißmeinnicht nt.

forgettable [fəˈɡetəbl] adj **that's really** ~ das kann man getrost vergessen.

forgivable [fəˈɡɪvəbl] adj verzeihlich.

▼ **forgive** [fəˈɡɪv] pret **forgave**, ptp **forgiven** [fəˈɡɪvn] vti sth verzeihen, vergeben (esp Eccl) ► **to** ~ **sb for sth** jdm etw verzeihen or vergeben; **to** ~ **sb for doing sth** jdm verzeihen or vergeben, daß er/sie etw getan hat; ~ **me, but ...** Entschuldigung, aber ...

forgiveness [fəˈɡɪvnɪs] n, no pl (willingness to forgive) Versöhnlichkeit f ► **to ask/beg (sb's)** ~ (jdn) um Verzeihung or Vergebung (esp Eccl) bitten.

forgiving [fəˈɡɪvɪŋ] adj versöhnlich.

forgot [fəˈɡɒt] pret of **forget**.

forgotten [fəˈɡɒtn] ptp of **forget**.

fork [fɔːk] [1] n (implement) Gabel f; (in road) Gabelung f. [2] vi (roads, branches) sich gabeln ► **to** ~ **right** (road) nach rechts abzweigen; (driver) nach rechts abbiegen.

◆**fork out** vti sep (col: pay) blechen (col).

forked [fɔːkt] adj branch, road, tail gegabelt; lightning zickzackförmig; tongue gespalten.

fork-lift truck [ˌfɔːklɪftˈtrʌk] n Gabelstapler m.

forlorn [fəˈlɔːn] adj (deserted) verlassen; person einsam und verlassen; attempt verzweifelt; hope schwach.

form [fɔːm] [1] n [a] Form f ► ~ **of government** Regierungsform f; **a human** ~ eine menschliche Gestalt; **in the** ~ **of** in Form von or +gen; (with reference to people) in Gestalt von or +gen; **to be in fine/good** ~ gut in Form sein, in guter Form sein; **to be on/off** ~ in/nicht in Form sein; **he was in great** ~ that he war an dem Abend in Hochform; **on past** ~ auf dem Papier. [b] no pl (etiquette) **he did it for** ~**'s sake** er tat es der Form halber; **it's bad** ~ so etwas tut man einfach nicht; **what's the** ~**?** (col) was ist üblich? [c] (questionnaire, document) Formular nt ► **application** ~ Bewerbungsbogen m. [d] (esp Brit: bench) Bank f. [e] (Brit Sch) Klasse f.

[2] vt [a] (shape, mould) object, character formen (into zu). [b] (develop) liking entwickeln; friendship schließen; opinion sich (dat) bilden; impression gewinnen; plan entwerfen. [c] (constitute, make up) part, basis, government, circle, queue, (Gram) bilden; company gründen. [3] vi (take shape) Gestalt annehmen.

formal [ˈfɔːməl] adj [a] formell; reception, welcome feierlich; education, training offiziell ► ~ **dance/dress** Gesellschaftstanz m/-kleidung f. [b] (in form) distinction etc formal.

formality [fɔːˈmælɪtɪ] n [a] no pl (of person, dress etc) Förmlichkeit f. [b] (matter of form) Formalität f ► **it's a mere** ~ es ist (eine) reine Formsache.

formalize [ˈfɔːməlaɪz] vt rules, grammar formalisieren; agreement, relationship formell machen.

formally [ˈfɔːməlɪ] adv [a] formell; welcome feierlich; educate, train offiziell ► **to be** ~ **dressed** Gesellschaftskleidung tragen. [b] (in form) different, alike formal.

format [ˈfɔːmæt] [1] n (as regards size) Format nt; (as regards content) Aufmachung f; (Rad, TV: of programme) Struktur f. [2] vt (Comp) text formatieren.

formation [fɔːˈmeɪʃən] n [a] (act of forming, of character) Formung f; (of government, committee, Gram) Bildung f; (of company, society) Gründung f. [b] (of aircraft, dances) Formation f.

formative [ˈfɔːmətɪv] adj formend ► **it had a** ~ **influence on him** es hat ihn entscheidend geprägt; ~ **years** Entwicklungsjahre pl.

former [ˈfɔːmər] [1] adj [a] früher, ehemalig ► **in a** ~ **life** in einem früheren Leben; **in** ~ **times/days** früher. [b] (first-mentioned) erstere(r, s). [2] n the ~ der/die/das erstere.

formerly [ˈfɔːməlɪ] adv früher.

form feed n (Comp) Papiervorschub m.

Formica ® [fɔːˈmaɪkə] n ≈ Resopal ® nt.

formidable [ˈfɔːmɪdəbl] adj person, rock-face furchterregend; opponent gefährlich; obstacles, debts, problems, task gewaltig, enorm; piece of work beeindruckend.

formula [ˈfɔːmjʊlə] n, pl -**s** or -**e** [ˈfɔːmjʊliː] Formel f; (for lotion, medicine, soap powder) Rezeptur f ► **F~ One** (Sport) Formel Eins; **all his books use the same** ~ alle seine Bücher sind nach demselben Rezept geschrieben.

formulate [ˈfɔːmjʊleɪt] vt formulieren.

fornicate [ˈfɔːnɪkeɪt] vi Unzucht treiben.

forsake [fəˈseɪk] pret **forsook** [fəˈsʊk], ptp **forsaken** [fəˈseɪkn] vt verlassen; bad habits aufgeben.

fort [fɔːt] n (Mil) Fort nt ► **to hold the** ~ (fig) die Stellung halten.

forte [ˈfɔːtɪ] n (strong point) Stärke f.

forth [fɔːθ] adv **to set** ~ (liter) ausziehen (liter); **from this day** ~ (liter) von diesem Tag an; **and so** ~ und so weiter.

forthcoming [ˌfɔːθˈkʌmɪŋ] adj [a] event bevorstehend; book in Kürze erscheinend; film, play in Kürze anlaufend. [b] **to be** ~ (money) kommen; (help) erfolgen. [c] (esp Brit: informative) mitteilsam (about ... was ... betrifft).

forthright [ˈfɔːθraɪt] adj offen.

forthwith [ˌfɔːθˈwɪθ] adv (form) umgehend.

fortieth [ˈfɔːtɪɪθ] adj vierzigste(r, s); see **sixtieth**.

fortification [ˌfɔːtɪfɪˈkeɪʃən] n [a] (act) (Mil) Befestigung f; (of food, drink) Stärkung f. [b] (often pl: Mil) Festungsanlagen pl.

fortify [ˈfɔːtɪfaɪ] vt (Mil) town befestigen; (food, drink) stärken ► **fortified wine** süßer, starker Wein.

fortitude [ˈfɔːtɪtjuːd] n (innere) Stärke.

fortnight [ˈfɔːtnaɪt] n (Brit) vierzehn Tage.

fortnightly [ˈfɔːtnaɪtlɪ] (Brit) [1] adj vierzehntägig. [2] adv alle vierzehn Tage.

➤ SENTENCE BUILDER: **forget:** 1 → 9.3 **forgive** → 8.1

FORTRAN ['fɔːtræn] (*Comp*) = **formula translator** FORTRAN *nt*.

fortress ['fɔːtrɪs] *n* Festung *f*.

fortuitous [fɔːˈtjuːɪtəs] *adj* zufällig.

fortunate ['fɔːtʃənɪt] *adj* glücklich ► *to be ~* (*person*) Glück haben; *it was ~ that ...* es war ein Glück, daß ...

fortunately ['fɔːtʃənɪtlɪ] *adv* zum Glück, glücklicherweise.

fortune ['fɔtʃuːn] *n* a (*fate*) Geschick *nt*; (*chance*) Zufall *m* ► *he had the good ~ to have rich parents* er hatte das Glück, reiche Eltern zu haben; *by good ~* glücklicherweise. b (*money*) Vermögen *nt* ► *to make a ~* ein Vermögen erwerben; *it costs a ~* es kostet ein Vermögen.

fortune: ~ hunter *n* Mitgiftjäger *m*; **~-teller** *n* Wahrsager(in *f*) *m*; **~-telling** *n* Wahrsagerei *f*.

forty ['fɔːtɪ] 1 *adj* vierzig ► *to have ~ winks* (*col*) ein Nickerchen machen (*col*). 2 *n* Vierzig *f*; *see* **sixty**.

forum ['fɔːrəm] *n* Forum *nt*.

forward ['fɔːwəd] 1 *adv* (*also* **~s**) (*ahead*) vorwärts; (*to the front*) nach vorn ► *please step ~* bitte vortreten; *backward(s) and ~(s)* hin und her; *from this time ~* (*from then*) seitdem; (*from now*) von jetzt an. 2 *adj* a (*in place*) vordere(r, s); (*in direction*) Vorwärts- ► *this seat is too far ~* dieser Sitz ist zu weit vorn. b (*planning*) Voraus-; (*Comm*) *buying, selling* Termin- ► *good ~ thinking!* gut vorausgedacht! c (*presumptuous, pert*) dreist; (*precocious*) frühreif. 3 *n* (*Sport*) Stürmer *m*. 4 *vt* a (*advance*) *plans* vorantreiben. b (*dispatch*) *goods* senden; (*send on*) *letter* nachsenden; (*to another office etc*) weiterleiten ► *please ~* bitte nachsenden.

forwarding ['fɔːwədɪŋ]: **~ address** *n* Nachsendeadresse *f*; **~ agent** *n* Spediteur *m*.

forward-looking ['fɔːwədlʊkɪŋ] *adj person* fortschrittlich, progressiv; *plan* vorausblickend.

forwards ['fɔːwədz] *adv* = **forward 1**.

fossil ['fɒsl] *n* Fossil *nt* ► *~ fuels* fossile Brennstoffe *pl*.

fossilized ['fɒsɪlaɪzd] *adj* versteinert; (*fig*) *customs* verkrustet.

foster ['fɒstər] 1 *vt* a *child* (*parents*) in Pflege nehmen; (*authorities: ~ out*) in Pflege geben (*with* bei). b (*encourage, promote*) fördern. 2 *adj attr* Pflege- ► *~ mother/father/parents/child* Pflegemutter *f*/Pflegevater *m*/Pflegeeltern *pl*/Pflegekind *nt*.

fought [fɔːt] *pret, ptp of* **fight**.

foul [faʊl] 1 *adj* (+*er*) *smell* übel; *water* faulig; *air* schlecht; *food* verdorben; (*horrible*) *day, weather, mood* ekelhaft; *person, behaviour* gemein, fies (*col*); *language* unflätig ► *a lot of ~ play* (*Sport*) eine Menge Fouls; *the police suspect ~ play* es besteht Verdacht auf einen unnatürlichen Tod; *to fall ~ of sb/the law* mit jdm/dem Gesetz in Konflikt geraten. 2 *n* (*Sport*) Foul *nt*. 3 *vt* a (*pollute*) *air* verpesten; (*dog*) *pavement* verunreinigen. b (*get in the way*) *mechanism* blockieren; (*entangle*) *fishing line* verheddern; (*seaweed etc*) *propeller* sich verheddern in (+*dat*). c *also vi* (*Sport*) foulen.

foul-: ~-mouthed *adj* unflätig; **~-smelling** *adj* übelriechend; **~-tempered** *adj* äußerst übellaunig.

found¹ [faʊnd] *pret, ptp of* **find**.

found² *vt* a (*set up*) gründen. b *to ~ sth on sth opinion, belief* etw auf etw (*dat*) gründen; *to be ~ed on sth* auf etw (*dat*) basieren.

foundation [faʊnˈdeɪʃən] *n* a (*of business, colony*) Gründung *f*. b (*institution*) Stiftung *f*. c **~s** *pl* (*of house etc*) Fundament *nt*; (*of road*) Unterbau *m*; (*fig: basis*) Grundlage *f* ► *it has no ~ in fact* es beruht nicht auf Tatsachen.

foundation: ~ cream *n* Grundierungscreme *f*; **~ garment** *n* Mieder *nt*; **~ stone** *n* Grundstein *m*.

founder¹ ['faʊndər] *n* (*of school etc*) Gründer(in *f*) *m*; (*of charity, museum*) Stifter(in *f*) *m*.

founder² *vi* (*ship*) sinken; (*fig: project*) scheitern.

founding ['faʊndɪŋ]: **F~ Fathers** *npl* (*US*) Väter *pl*; **~ member** *n* Mitbegründer(in *f*) *m*.

foundry ['faʊndrɪ] *n* Gießerei *f*.

fount [faʊnt] *n* a (*lit liter, fig*) Quelle *f*. b (*Typ*) Schrift *f*.

fountain ['faʊntɪn] *n* Brunnen *m*; (*with upward jets*) Springbrunnen *m*; (*fig: source*) Quelle *f*.

fountain-pen ['faʊntɪn,pen] *n* Füllfederhalter, Füller *m*.

four [fɔːr] 1 *adj* vier. 2 *n* Vier *f* ► *on all ~s* auf allen vieren; *see* **six**.

four: ~-door *attr* viertürig; **~-footed** *adj* vierfüßig; **~-leaf clover** *n* vierblättriges Kleeblatt; **~-letter word** *n* Vulgärausdruck *m*; **~-poster (bed)** *n* Himmelbett *nt*; **~some** *n* Quartett *nt*; (*Sport*) Viererspiel *nt*; *to go out in a ~some* zu viert ausgehen; **~-star (petrol)** *n* (*Brit*) Super(benzin) *nt*; **~-stroke** *adj engine* Viertakt-.

fourteen [fɔːˈtiːn] 1 *adj* vierzehn. 2 *n* Vierzehn *f*.

fourteenth [fɔːˈtiːnθ] *adj* vierzehnte(r, s); *see* **sixteenth**.

fourth [fɔːθ] 1 *adj* vierte(r, s). 2 *n* (*fraction*) Viertel *nt*; (*in series*) Vierte(r, s) ► *to drive in ~* im vierten Gang fahren; *see* **sixth**.

four-wheel drive ['fɔːwiːl'draɪv] *n* Allradantrieb *m*.

fowl [faʊl] *n* (*poultry*) Geflügel *nt*; (*one bird*) Huhn *nt*; Gans *f etc*.

fox [fɒks] 1 *n* (*lit, fig*) Fuchs *m*. 2 *vt* (*deceive*) täuschen; (*bewilder*) verblüffen.

fox: ~ cub *n* Fuchsjunge(s) *nt*, Fuchswelpe *m*; **~ glove** *n* (*Bot*) Fingerhut *m*; **~-hunting** *n* Fuchsjagd *f*; **~ terrier** *n* Foxterrier *m*; **~ trot** *n* Foxtrott *m*.

foxy ['fɒksɪ] *adj* (+*er*) listig, pfiffig ► *~ lady* (*US col*) scharfe Frau (*col*).

foyer ['fɔɪeɪ] *n* (*in theatre*) Foyer *nt*; (*in hotel, esp US: in apartment house*) Eingangshalle *f*.

fr = **franc** fr.

Fr = a **Father**. b **Friar**.

fracas ['frækɑː] *n* Aufruhr, Tumult *m*.

fraction ['frækʃən] *n* (*Math*) Bruch *m*; (*fig*) Bruchteil *m* ► *a ~ better/shorter* (um) eine Spur besser/kürzer; *for a ~ of a second* eben einen Augenblick lang; *it missed me by a ~ of an inch* es verfehlte mich um Haaresbreite.

fractional *adj*, **~ly** *adv* ['frækʃənl, -əlɪ] (*fig*) geringfügig.

fractious ['frækʃəs] *adj* verdrießlich.

fracture ['fræktʃər] 1 *n* Bruch *m*. 2 *vti* brechen ► *he ~d his shoulder* er hat sich (*dat*) die Schulter gebrochen; *~d skull* Schädelbruch *m*.

fragile ['frædʒaɪl] *adj china, glass, relationship* zerbrechlich; *material, plant* zart; (*with age*) brüchig; (*fig*) *person* (*in health*) gebrechlich; *health* anfällig; *ego* labil ► *he's feeling a bit ~ this morning* (*col*) er fühlt sich heute morgen ein bißchen angeschlagen.

fragment ['frægmənt] 1 *n* a Bruchstück *nt*; (*of china, glass*) Scherbe *f*; (*of paper, letter*) Schnipsel *m*; (*of programme etc*) kleiner Teil ► *~s of conversation* Gesprächsfetzen *pl*. b (*esp Liter, Mus: unfinished work*) Fragment *nt*. 2 [fræg'ment] *vi* (*rock, glass*) (zer)brechen.

fragmentary ['frægməntərɪ] *adj* (*lit, fig*) fragmentarisch.

fragmented [fræg'mentɪd] *adj* bruchstückhaft; (*broken up*) unzusammenhängend.

fragrance ['freɪgrəns] *n* Duft *m*.

fragrant ['freɪgrənt] *adj* duftend ► *~ smell* Duft *m*.

frail [freɪl] *adj* (+*er*) zart; (*infirm*) gebrechlich; *health* anfällig; (*fig*) *hope* schwach.

frailty ['freɪltɪ] *n see adj* Zartheit *f*; Gebrechlichkeit *f*; Anfälligkeit *f*; Schwäche *f*.

frame [freɪm] **1** *n* (*basic structure, of picture, window, door, bicycle*) Rahmen *m*; (*of building, of ship*) Gerippe *nt*; (*of spectacles: also ~s*) Gestell *nt*; (*of human, animal*) Gestalt *f*; (*Film, Phot*) (Einzel)bild *nt* ▸ *his massive ~* sein massiver Körper; *~ of mind* (*mental state*) Verfassung *f*; (*mood*) Stimmung *f*; *~ of reference* Bezugssystem *nt*. **2** *vt* **a** *picture* rahmen; (*fig*) *face etc* umrahmen. **b** *law, plan* entwerfen; *idea* entwickeln; (*express*) *answer, excuse* formulieren; *sentence* bilden. **c** *he's been ~ed* (*col*) die Sache wurde ihm angehängt (*col*).

frame: ~house *n* Holzhaus *nt*; **~-up** *n* (*col*) Komplott *nt*; **~work** *n* (*lit*) Grundgerüst *nt*; (*fig*) (*of novel etc also*) Gerippe *nt*; (*of society, state etc*) Gefüge *nt*; *within the ~work of ...* im Rahmen (+*gen*) ...; *outside the ~work of ...* außerhalb des Rahmens (+ *gen*) ...

franc [fræŋk] *n* (*French*) Franc *m*; (*Swiss*) Franken *m*.

France [frɑːns] *n* Frankreich *nt*.

franchise ['fræntʃaɪz] **1** *n* **a** (*Pol*) Wahlrecht *nt*. **b** (*Comm*) Lizenz *f* ▸ *~ system* Franchise-System *nt*. **2** *vt* konzessionieren.

franchisee [,fræntʃaɪ'ziː] *n* (*Comm*) Lizenz- *or* Franchisenehmer(in *f*) *m*.

franchisor ['fræntʃaɪzəʳ] *n* (*Comm*) Lizenz- *or* Franchisegeber(in *f*) *m*.

Francis ['frɑːnsɪs] *n* Franz *m* ▸ *St ~ (of Assisi)* der heilige Franziskus (von Assisi).

Franco- ['fræŋkəʊ-] *in cpds* Französisch- ▸ *the ~-Prussian War* der Deutsch-Französische Krieg.

Franconia [fræŋ'kəʊnɪə] *n* Franken *nt*.

frank¹ [fræŋk] *adj* (+*er*) offen (*with* zu) ▸ *to be (perfectly) ~* ehrlich gesagt.

frank² *vt letter* frankieren; (*postmark, cancel*) *stamp, letter* stempeln.

frankfurter ['fræŋk,fɜːtəʳ] *n* Frankfurter (Würstchen *nt*) *f*.

frankincense ['fræŋkɪnsens] *n* Weihrauch *m*.

franking machine ['fræŋkɪŋməˈʃiːn] *n* Frankiermaschine *f*.

frankly ['fræŋklɪ] *adv* offen; (*to tell the truth*) ehrlich gesagt.

frankness ['fræŋknɪs] *n* Offenheit *f*.

frantic ['fræntɪk] *adj effort, cry, scream* verzweifelt; *activity* fiebrig; *desire* übersteigert; *person* außer sich (*with* vor +*dat*) ▸ *to drive sb ~* jdn zur Verzweiflung treiben.

frantically ['fræntɪkəlɪ] *adv try, scream* verzweifelt; *gesticulate, rush around* (wie) wild; (*col: terribly*) furchtbar ▸ *~ in love* rasend verliebt (*col*).

fraternal [frə'tɜːnl] *adj* brüderlich.

fraternity [frə'tɜːnɪtɪ] *n* **a** *no pl* Brüderlichkeit *f*. **b** (*community*) Vereinigung *f*; (*US Univ*) Verbindung *f* ▸ *the legal/medical ~* die Juristen *pl*/Mediziner *pl*.

fraternization [,frætənaɪ'zeɪʃən] *n* (freundschaftlicher) Umgang, (*Mil also*) Fraternisieren *nt*.

fraternize ['frætənaɪz] *vi* freundschaftlichen Umgang haben, (*Mil also*) fraternisieren.

fraud [frɔːd] *n* Betrug *m*; (*person*) Betrüger(in *f*) *m*; (*thing*) (reiner) Schwindel ▸ *~ squad* Betrugsdezernat *nt*.

fraudulent ['frɔːdjʊlənt] *adj* betrügerisch.

fraught [frɔːt] *adj* geladen (*with* mit); (*col: atmosphere*) gespannt ▸ *~ with danger* gefahrvoll.

fray¹ [freɪ] *n* Schlägerei *f*; (*Mil*) Kampf *m* ▸ *ready for the ~* (*lit, fig*) kampfbereit.

fray² **1** *vt cloth* ausfransen; *cuff, rope* durchscheuern ▸ *my nerves are ~ed* ich bin mit den Nerven herunter (*col*); *tempers were ~ed* die Gemüter waren erhitzt. **2** *vi* (*cloth*) (aus)fransen; (*cuff, trouser turn-up, rope*) sich durchscheuern.

FRCM (*Brit*) = **Fellow of the Royal College of Music**.

FRCS (*Brit*) = **Fellow of the Royal College of Surgeons**.

freak [friːk] **1** *n* (*plant*) Mißbildung *f*; (*person, animal also*) Mißgeburt *f*; (*event*) außergewöhnlicher Zufall; (*snowstorm etc*) Anomalie *f*; (*col: weird person*) komischer Vogel (*col*); (*col: freaked-out person*) Ausgeflippte(r) *mf* (*col*) ▸ *~ of nature* Laune *f* der Natur; *movie ~* (*col*) Kinofan *m*; *health ~* (*col*) Gesundheitsapostel *m* (*col*). **2** *adj weather, conditions* anormal; (*Statistics*) *values* extrem; *victory* Überraschungs-.

◆**freak out** *vi* (*col*) ausflippen (*col*); (*of society*) aussteigen.

freakish ['friːkɪʃ] *adj* **a** *see* **freak 2**. **b** (*changeable*) *weather* launisch; *person* ausgeflippt (*col*); *hairstyle, idea* verrückt (*col*).

freaky ['friːkɪ] *adj* (+*er*) (*col*) verrückt (*col*); (*freaked out*) ausgeflippt (*col*).

freckle ['frekl] *n* Sommersprosse *f*.

freckled ['frekld] *adj* sommersprossig.

Frederick ['fredrɪk] *n* Friederich *m*.

free [friː] **1** *adj* (+*er*) **a** frei ▸ *to set sb/an animal ~* jdn/ein Tier freilassen; *he is ~ to go* es steht ihm frei zu gehen; *you're ~ to choose* die Wahl steht Ihnen frei; *you're ~ to refuse* Sie können auch ablehnen; *I'm not ~ to do it* es steht mir nicht frei, es zu tun; *feel ~!* (*col*) bitte, gerne!; *feel ~ to go when you like* Sie dürfen gehen, wann Sie wollen; *to give sb a ~ hand* jdm freie Hand lassen; *are you ~ tonight?* hast du heute abend Zeit?; *am I ~ to speak here?* kann ich hier unbesorgt reden?; *he left one end of the string ~* er ließ ein Ende des Bindfadens lose; *~ from pain/worry* schmerzfrei/sorgenfrei; *~ from blame/responsibility* frei von Schuld/Verantwortung; *~ of sth* frei von etw. **b** (*costing nothing*) kostenlos; (*Comm*) gratis ▸ *it's ~* das kostet nichts; *admission ~* Eintritt frei; *to get sth ~* etw umsonst bekommen; *we got in ~* or *for ~* (*col*) wir kamen umsonst rein; *~ sample* Gratisprobe *f*; *~ on board* (*Comm*) frei Schiff. **c** (*lavish*) großzügig; *language, behaviour* ungezwungen; (*over-familiar*) plump-vertraulich. **2** *vt prisoner* (*release*) freilassen; (*help escape*) befreien; *nation* befreien; (*untie*) *person* losbinden; *pipe* freimachen ▸ *~ oneself from sth* sich von etw frei machen.

freebie ['friːbɪ] *n* (*col*) Werbegeschenk *nt*.

free collective bargaining *n* Tarifautonomie *f*.

freedom ['friːdəm] *n* Freiheit *f* ▸ *~ of speech* Redefreiheit *f*; *~ of the press* Pressefreiheit *f*; *the ~ of the city* die (Ehren)bürgerrechte *pl*; *to give sb the ~ of one's house* jdm sein Haus zur freien Verfügung stellen.

freedom fighter *n* Freiheitskämpfer(in *f*) *m*.

free: ~ enterprise *n* freies Unternehmertum; **~ fall** *n* freier fall; **F~fone** ® *n call F~fone 0800* rufen Sie gebührenfrei 0800 an; **~-for-all** *n* Gerangel *nt* (*col*); (*fight*) Schlägerei *f*; **~ gift** *n* (*Comm*) Werbegeschenk *nt*; **~hold** *n to own sth ~hold* etw besitzen; **~hold property** *n* (freier) Grundbesitz; **~ house** *n* (*Brit*) Wirtshaus *nt, das nicht an eine bestimmte Brauerei gebunden ist*; **~ kick** *n* (*Sport*) Freistoß *m*; **~lance** **1** *n* Freiberufler(in *f*) *m*; (*with particular firm*) freier Mitarbeiter, freie Mitarbeiterin; **2** *adj* frei(schaffend); **3** *adv* freiberuflich; **4** *vi* freiberuflich tätig sein; (*with particular firm*) als freier Mitarbeiter/freie Mitarbeiterin tätig sein; **~load** *vi* (*esp US col*) schmarotzen (*col*) (*on* bei). **~loader** *n* (*col*) Schmarotzer(in *f*) *m* (*col*).

freely ['friːlɪ] *adv* frei; *give* großzügig ▸ *I ~ admit ...* ich gebe offen zu ...

free: ~mason *n* Freimaurer *m*; **F~post** ® *n* (*Brit Post*) ≈ „Gebühr zahlt Empfänger"; **~-range** *adj* (*Brit*) *chicken* Farmhof-; *hen* freilaufend; *eggs* von freilaufenden

Hühnern; ~ **sample** n Gratisprobe f.
freesia ['fri:zɪə] n (Bot) Freesie f.
free: ~ **speech** n Redefreiheit f; **~style** n Kür f;
(Swimming) Freistil m; **~-trade** n Freihandel m; **~way**
n (US) Autobahn f; **~wheel** vi im Freilauf fahren;
~wheeling adj discussion offen; ~ **will** n (Philos) freier
Wille; **he did it of his own ~ will** er hat es aus freien
Stücken getan.
freeze [fri:z] (vb: pret **froze**, ptp **frozen**) **1** vi **a** (Met)
frieren; (water) gefrieren; (rivers) zufrieren; (pipes) einfrieren ► **I'm/my hands are freezing** mir ist/meine
Hände sind eiskalt; **to ~ to death** (lit) erfrieren; (fig)
sich zu Tode frieren. **b** (fig) (blood) gefrieren; (smile)
erstarren. **c** (keep still) **he froze in his tracks** er blieb
wie angewurzelt stehen; **~!** keine Bewegung!
2 vt water gefrieren; food, wages einfrieren; assets festlegen; (stop) film anhalten.
3 n (Met) Frost m ► **a wages ~** ein Lohnstopp m.
◆**freeze out** vt sep (col) rausekeln (col).
◆**freeze over** vi (lake) überfrieren; (windows) vereisen.
◆**freeze up** vi zufrieren; (lock also, pipes) einfrieren;
(windows) vereisen.
freeze: **~-dried** adj gefriergetrocknet; **~ frame** n (TV)
Standbild nt.
freezer ['fri:zəʳ] n Tiefkühltruhe f; (upright) Gefrierschrank m ► **~ compartment** Gefrierfach nt.
freezing ['fri:zɪŋ] **1** adj eiskalt.
2 n **below ~** unter dem Gefrierpunkt; **~ point** Gefrierpunkt m.
freight [freɪt] **1** n Fracht f.
2 vt (transport) verfrachten.
freight: **~car** n (US Rail) Güterwagen m; **~ depot** n
(Rail) Güterbahnhof m.
freighter ['freɪtəʳ] n (Naut) Frachter m; (Aviat)
Frachtflugzeug nt.
freight: **~ plane** n Frachtflugzeug nt; **~ train** n
Güterzug m.
French [frenʃ] **1** adj französisch.
2 a **the ~** pl die Franzosen pl. **b** (language)
Französisch nt; see **English**.
French: **~ bean** n grüne Bohne; **~ bread** n Stangenbrot
nt; **~-Canadian** **1** adj frankokanadisch; **2** n
Frankokanadier(in f) m; **~ dressing** n Vinaigrette f; **~
fries** npl (esp US) Pommes frites pl; **~ Guiana** n
Französisch-Guayana nt; **~ horn** n (Mus) (Wald)horn nt;
~ letter n (Brit col) Pariser m (col); **~man** n Franzose
m; **~ polish** **1** n Möbelpolitur f mit Schellack; **2** vt
lackieren; **~ window(s** pl) n Verandatür f; **~woman** n
Französin f.
frenetic [frə'netɪk] adj frenetisch, rasend.
frenzied ['frenzɪd] adj wahnsinnig; applause, activity
rasend.
frenzy ['frenzɪ] n Raserei f ► **in a ~** in heller Aufregung.
frequency ['fri:kwənsɪ] n Häufigkeit f; (Phys) Frequenz f
► **high/low** ~ Hoch-/Niederfrequenz f; **~ band**
Frequenzband nt.
frequent ['fri:kwənt] **1** adj häufig ► **he's a ~ visitor to
our house** er kommt uns oft besuchen.
2 [frɪ'kwent] vt oft besuchen.
frequently ['fri:kwəntlɪ] adv oft, häufig.
fresco ['freskəʊ] n Fresko(gemälde) nt.
fresh [freʃ] **1** adj (+er) **a** food, breeze frisch ► **it's still
~ in my memory** es ist mir noch frisch in Erinnerung; **~
water** (not salt) Süßwasser nt; **in the ~ air** an der fri-
schen Luft. **b** (new) supplies, sheet of paper, ideas, approach, courage neu ► **to make a ~ start** einen neuen
Anfang machen. **c** (esp US: cheeky) frech ► **don't get ~
(with me)!** werd nicht frech!
2 adv (+er) baked, picked frisch ► **~ from the oven**
frisch aus dem Ofen; **~ out of college** frisch von der
Schule; **to come ~ to sth** neu zu etw kommen.

freshen ['freʃn] vi (wind) auffrischen.
◆**freshen up** vir (person) sich frischmachen.
fresher ['freʃəʳ] n (Brit Univ col) Erstsemester nt.
freshly ['freʃlɪ] adv frisch.
freshman ['freʃmən] n, pl **-men** [-mən] (US) = **fresher**.
freshness ['freʃnɪs] n see adj **a** Frische f. **b** Neuheit
f. **c** Frechheit f.
freshwater ['freʃwɔ:təʳ] adj attr Süßwasser-.
fret¹ [fret] vi sich (dat) Sorgen machen ► **don't ~**
beruhige dich; **the child is ~ting for his mother** das
Kind jammert nach seiner Mutter.
fret² n (on guitar etc) Bund m.
fretful ['fretfʊl] adj child quengelig.
fret: **~saw** n Laubsäge f; **~work** n (in wood)
Laubsägearbeit f.
Freudian ['frɔɪdɪən] adj (Psych, fig) Freudsch attr ► **~
slip** Freudscher Versprecher.
FRG = **Federal Republic of Germany** BRD f.
Fri = **Friday** Fr.
friar ['fraɪəʳ] n Mönch m.
fricassee ['frɪkəseɪ] n Frikassee nt.
friction ['frɪkʃən] **a** Reibung f ► **~ tape** (US)
Isolierband nt. **b** (fig) Reibereien pl.
Friday ['fraɪdɪ] n Freitag m; see **Tuesday**.
fridge [frɪdʒ] n (Brit) Kühlschrank m.
fridge-freezer ['frɪdʒ'fri:zəʳ] n Kühl- und Ge-
frierkombination f.
fried [fraɪd] adj gebraten; potatoes, chicken Brat- ► **~ egg**
Spiegelei nt.
friend [frend] n Freund(in f) m; (less intimate)
Bekannte(r) mf ► **to make ~s with sb** sich mit jdm anfreunden; **to be ~s with sb** mit jdm befreundet sein;
we're just (good) ~s wir sind nur gut befreundet; **Society of F~s** Quäker pl.
friendliness ['frendlɪnɪs] n see adj Freundlichkeit f;
Freundschaftlichkeit f.
friendly ['frendlɪ] **1** adj (+er) person, smile, welcome
freundlich; advice, feelings freundschaftlich; game, match
Freundschafts- ► **to be ~ to sb** zu jdm freundlich sein;
to be ~ with sb mit jdm befreundet sein; **~ fire** (Mil) Beschuß m durch die eigene Seite.
2 n (Sport) Freundschaftsspiel nt.
friendship ['frendʃɪp] n Freundschaft f.
Friesian ['fri:ʒən] **1** adj friesisch; cattle holstein-
friesisch.
2 n (person) Friese m, Friesin f; (bull/cow) Holstein-
Friese m/-Friesin f.
frieze [fri:z] n (picture) Fries m; (thin band) Zierstreifen
m.
frigate ['frɪgɪt] n (Naut) Fregatte f.
fright [fraɪt] n Schreck(en) m ► **to get a ~** einen Schreck
bekommen; **to give sb a ~** jdm einen Schreck(en) einjagen; **to take ~** es mit der Angst zu tun bekommen;
she looks a ~ (col) sie sieht verboten aus (col).
frighten ['fraɪtn] vt Angst machen (+dat); (give a sudden
fright) erschrecken.
◆**frighten away** or **off** vt sep abschrecken;
(deliberately) verscheuchen.
frightened ['fraɪtnd] adj verängstigt; voice angsterfüllt ►
to be ~ of sth vor etw (dat) Angst haben; **to be ~ of doing sth** Angst davor haben, etw zu tun; **I was ~ out of
my wits/to death** ich war zu Tode erschrocken.
frightening ['fraɪtnɪŋ] adj furchterregend.
frightful adj, **~ly** adv ['fraɪtfʊl, -fəlɪ] furchtbar.
frigid ['frɪdʒɪd] adj manner, welcome kühl; (Physiol,
Psych) frigid(e).
frigidity [frɪ'dʒɪdɪtɪ] n Kühle f; (Physiol, Psych) Frigidität
f.
frill [frɪl] n (on dress, shirt etc) Rüsche f ► **with all the ~s**
mit allem Drum und Dran (col).

frilly ['frɪlɪ] adj (+er) mit Rüschen, Rüschen-.

fringe [frɪndʒ] n (on shawl) Fransen pl; (Brit: hair) Pony m; (fig: periphery) Rand m ▶ **on the ~(s) of society** am Rande der Gesellschaft.

fringe: **~ benefits** npl zusätzliche Leistungen pl; **~ group** n Randgruppe f; **~ theatre** n avantgardistisches Theater.

frisk [frɪsk] **1** vi (leap about) umhertollen.
2 vt suspect etc durchsuchen.

frisky ['frɪskɪ] adj (+er) verspielt.

fritter¹ ['frɪtəʳ] vt (also ~ away) money, time verzetteln, verplempern (col).

fritter² n (Cook) Schmalzgebackene(s) nt no pl mit Füllung.

frivolity [frɪ'vɒlɪtɪ] n Frivolität f.

frivolous ['frɪvələs] adj frivol; person, life, remark leichtfertig.

frizz(l)y ['frɪz(l)ɪ] adj (+er) hair kraus.

fro [frəʊ] adv see **to 4, to-ing and fro-ing.**

frock [frɒk] n Kleid nt; (of monk) Kutte f.

frog [frɒg] n **a** Frosch m ▶ **to have a ~ in one's throat** einen Frosch im Hals haben. **b** F~ (Brit pej col: French person) Franzose m, Französin f.

frog: **~man** n Froschmann m; **~march** vt (Brit) (weg)schleifen; (carry) zu viert wegtragen; **they ~marched him in** sie schleppten ihn herein (col); **~ spawn** n Froschlaich m.

frolic ['frɒlɪk] vi pret, ptp **~ked** (also ~ about or around) umhertoben.

from [frɒm] prep **a** (indicating starting place) von (+dat); (indicating place of origin) aus (+dat) ▶ **where has he come ~ today?** von wo ist er heute gekommen?; **where is he ~?** woher kommt er?; **he comes ~ York** kommt aus York; **~ London to Edinburgh** von London nach Edinburgh; **~ house to house** von Haus zu Haus. **b** (indicating time) (in past) seit (+dat); (in future) ab (+dat), von (+dat) ... an ▶ **~ now on** von jetzt an; **as ~ May 6th** vom 6. Mai an. **c** (indicating distance) von (+dat) (... weg); (from town etc also) von (+dat) ... entfernt ▶ **the house is 10 km ~ the coast** das Haus ist 10 km von der Küste entfernt; **to go away ~ home** von zu Haus weggehen. **d** (indicating origin) von (+dat); (out of) aus (+dat) ▶ **tell him ~ me ...** richten Sie ihm von mir aus, ...; **an invitation ~ the Smiths** eine Einladung von den Smiths; **"~ ..."** (on envelope, parcel) „Absender ...", „Abs. ..."; **where did you get that ~?** wo hast du das her?; **I got it ~ the library/Gloria** ich habe es aus der Bibliothek/von Gloria; **to drink ~ a stream/glass** aus einem Bach/Glas trinken; **a quotation ~ Shakespeare** ein Zitat nach Shakespeare; **translated ~ the English** aus dem Englischen übersetzt; **painted ~ life** nach dem Leben gemalt. **e** (indicating lowest amount) ab (+dat) ▶ **~ £2 (upwards)** ab £2; **dresses (ranging) ~ £20 to £30** Kleider zwischen £20 und £30; **there were ~ 10 to 15 people there** es waren zwischen 10 und 15 Personen da. **f** (indicating change) **things went ~ bad to worse** es wurde immer schlimmer; **he went ~ office boy to director** er stieg vom Laufjungen zum Direktor auf; **a price increase ~ 1 mark to 1 mark 50** eine Preiserhöhung von 1 DM auf 1,50 DM. **g** (indicating difference) **he is quite different ~ the others** er ist ganz anders als die anderen; **to tell black ~ white** Schwarz und Weiß auseinanderhalten. **h** (because of, due to) **to act ~ conviction** aus Überzeugung handeln; **to die ~ fatigue** an Erschöpfung sterben; **weak ~ hunger** schwach vor Hunger; **~ experience** aus Erfahrung; **~ what I heard** nach dem, was ich gehört habe; **~ what I can see ...** nach dem, was ich sehen kann, ...; **the look of things ...** (so) wie die Sa-

che aussieht, ...
i (+prep) **~ above** or **over sth** über etw (acc) hinweg; **~ beneath** or **underneath sth** unter etw (dat) hervor; **~ out of sth** aus etw heraus; **~ among the trees** zwischen den Bäumen hervor; **~ inside/outside the house** von drinnen/draußen.

front [frʌnt] **1** n **a** Vorderseite f; (forward part) Vorderteil nt ▶ **in ~** vorne; (in line, race etc also) an der Spitze; **in ~ of sb/sth** vor jdm/etw; **at the ~ of** (inside) vorne in (+dat); (outside) vor (+dat); (at the head of) an der Spitze (+gen); **to be in ~** vorne sein; (Sport) vorn(e) liegen; **in** or **at the ~ of the class** vorne im Klassenzimmer. **b** (Mil, Pol, Met) Front f ▶ **they were attacked on all ~s** (Mil) sie wurden an allen Fronten angegriffen; (fig) sie wurden von allen Seiten angegriffen; **cold ~** (Met) Kalt(luft)front f; **we must present a united ~** wir müssen eine geschlossene Front bilden. **c** (Brit: at sea) Strandpromenade f. **d** (outward appearance) Fassade f ▶ **to put on a bold ~** eine tapfere Miene zur Schau stellen; **it's just a ~** das ist nur Fassade; **the fruit shop was just a ~** das Obstgeschäft diente nur zur Tarnung.
2 vi **the house/windows ~ onto the street** die Häuser liegen/die Fenster gehen auf die Straße hinaus.
3 adj vorderste(r, s); row, page also erste(r, s); tooth, wheel, view Vorder- ▶ **~ seat** Platz m in der ersten Reihe; (Aut) Vordersitz m.

frontage ['frʌntɪdʒ] n (of building) Front f.

frontal ['frʌntl] adj (Mil) Frontal- ▶ **~ view** Vorderansicht f.

front bench n (Parl) vorderste or erste Reihe (wo die führenden Politiker sitzen).

┌─ **FRONT BENCH** ─┐

ⓘ *Front Bench* *bezeichnet im britischen Unterhaus die vorderste Bank auf der Regierungs- und Oppositionsseite zur Rechten und Linken des Sprechers. Im weiteren Sinne bezieht sich front bench auf die Spitzenpolitiker der verschiedenen Parteien, die auf dieser Bank sitzen (auch frontbenchers genannt), d.h. die Minister auf der einen Seite und die Mitglieder des Schattenkabinetts auf der anderen.*

front: **~ desk** n (US) Rezeption f; **~ door** n Haustür f; **~ garden** n Vorgarten m.

frontier ['frʌntɪəʳ] n (lit, fig) Grenze f.

frontispiece ['frʌntɪspiːs] n Titelseite f; (illustration) Bildseite f.

front: **~ line** n Front(linie) f; **~-line** adj troops Front-; (fig) management etc in vorderster Front; **~ man** n Mann m an der Spitze; (pej) Strohmann m; **~ page** n Titelseite f; **~-page** adj news auf der ersten Seite; **~ room** n Vorderzimmer nt; (Brit: sitting room) Wohnzimmer nt; **~-runner** n (fig) Spitzenreiter, Favorit m; **~-wheel drive** n (Aut) Vorderradantrieb m.

frost [frɒst] **1** n Frost m; (on leaves etc) Rauhreif m ▶ **ten degrees of ~** zehn Grad Kälte.
2 vt (esp US) cake glasieren.

frost: **~bite** n Frostbeulen pl; (more serious) Erfrierungen pl; **~bitten** adj hands, feet erfroren; **~ damage** n Frostschaden m.

frosted ['frɒstɪd] adj **a** ~ glass Mattglas nt; (textured) geriffeltes Glas. **b** (esp US) cake mit Zuckerguß überzogen, glasiert.

frosting ['frɒstɪŋ] n (esp US: icing) Zuckerguß m.

frosty ['frɒstɪ] adj (+er) (lit, fig) frostig.

froth [frɒθ] **1** n (on liquids, Med) Schaum m.
2 vi schäumen ▶ **the dog was ~ing at the mouth** der Hund hatte Schaum vor dem Maul.

frothy ['frɒθɪ] adj schäumend; cream schaumig.

frown [fraʊn] **1** n Stirnrunzeln nt no pl ▶ **to give a ~**

die Stirn(e) runzeln; *angry* ~ finsterer Blick; *worried/ puzzled* ~ sorgenvoller/verdutzter Gesichtsausdruck. ▣ *vi* (*lit, fig*) die Stirn(e) runzeln (*at* über +*acc*) ▶ *to* ~ *at sb* jdn finster ansehen.

◆**frown (up)on** *vi* +*prep obj* (*fig*) *suggestion, idea* mißbilligen.

froze [frəʊz] *pret of* **freeze**.

frozen ['frəʊzn] ▣ *ptp of* **freeze**. ▣ *adj river* zugefroren ▶ *I'm absolutely* ~ *stiff* ich bin völlig erfroren; ~ *assets* (*Fin*) eingefrorene Guthaben; ~ *foods* Tiefkühlkost *f*; ~ *peas* gefrorene Erbsen *pl*.

FRS = ▣ (*Brit*) **Fellow of the Royal Society.** ▣ (*US*) **Federal Reserve System.**

frugal ['fruːgəl] *adj person* sparsam; *meal* einfach.

fruit [fruːt] *n* (*as collective*) Obst *nt*; (*Bot*) Frucht *f* ▶ *what is your favourite* ~? welches Obst magst du am liebsten?; *to bear* ~ (*lit, fig*) Früchte tragen; *the* ~(*s*) *of my labour* die Früchte *pl* meiner Arbeit.

fruiterer ['fruːtərəʳ] *n* (*esp Brit*) Obsthändler(in *f*) *m*.

fruitful ['fruːtfʊl] *adj* (*lit, fig*) fruchtbar.

fruition [fruː'ɪʃən] *n to come to* ~ sich verwirklichen.

fruit: ~ **juice** *n* Fruchtsaft *m*; ~ **knife** *n* Obstmesser *nt*.

fruitless ['fruːtlɪs] *adj* (*fig*) fruchtlos.

fruit: ~ **machine** *n* (*Brit*) Spielautomat *m*; ~ **salad** *n* Obstsalat *m*; ~ **tree** *n* Obstbaum *m*.

fruity ['fruːtɪ] *adj* (+*er*) (*like fruit*) fruchtartig; *taste, wine* fruchtig; *voice* rauchig; (*col: salacious*) *remark, story* saftig (*col*).

frump [frʌmp] *n* (*pej*) Vogelscheuche *f* (*col*).

frustrate [frʌ'streɪt] *vt hopes* zunichte machen; *plans, plot* durchkreuzen; *person* frustrieren.

frustrated [frʌ'streɪtɪd] *adj person* frustriert.

frustrating [frʌ'streɪtɪŋ] *adj* frustrierend.

frustration [frʌ'streɪʃən] *n* Frustration *f no pl*; (*of hopes, plans, plot*) Zerschlagung *f*.

fry¹ [fraɪ] *npl small* ~ (*unimportant people*) kleine Fische *pl* (*col*).

fry² *vt* (in der Pfanne) braten; *see* **fried**.

frying pan ['fraɪŋ‚pæn] *n* Bratpfanne *f* ▶ (*to jump*) *out of the* ~ *into the fire* (*prov*) vom Regen in die Traufe (kommen) (*prov*).

fry: ~**pan** *n* (*US*) = **frying pan**; ~**-up** *n* Pfannengericht *nt*.

ft = **foot** ft; = **feet** ft.

FT (*Brit*) = **Financial Times** Wirtschaftstageszeitung *f*.

FTP, ftp (*Comput*) = **file transfer protocol** FTP.

fuchsia ['fjuːʃə] *n* Fuchsie *f*.

fuck [fʌk] (*col!!*) ▣ *vt* ▣ (*lit*) ficken (*col!!*). ▣ ~ *you!* leck mich am Arsch (*col!!*). ▣ *interj* (verdammte) Scheiße (*col!*).

◆**fuck off** *vi* (*col!!*) ~ ~! verpiß dich! (*col!!*).

fucking ['fʌkɪŋ] *adj* (*col!!*) Scheiß- (*col!*).

fuddled ['fʌdld] *adj* (*muddled*) verwirrt; (*tipsy*) beschwipst.

fuddy-duddy ['fʌdɪ‚dʌdɪ] *n* (*col*) alter Kauz (*col*), Fossil *nt*.

fudge [fʌdʒ] ▣ *n* (*Cook*) ≃ Karamel *m*. ▣ *vt* (*fake*) *story etc* (frei) erfinden; (*dodge*) *issue* ausweichen (+*dat*).

fuel [fjʊəl] ▣ *n* Brennstoff *m*; (*for vehicle*) Kraftstoff *m*; (*petrol*) Benzin *nt*; (*Aviat, Space*) Treibstoff *m* ▶ *to add* ~ *to the flames* (*fig*) Öl ins Feuer gießen. ▣ *vt stove, furnace etc* (*fill*) mit Brennstoff versorgen; (*drive, propel*) antreiben.

fuel: ~ **cell** *n* Brennstoffzelle *f*; ~ **consumption** *n* Kraftstoffverbrauch *m*; ~ **gauge** *n* Tankuhr *f*; ~ **injection** *n* (Benzin)einspritzung *f*; *engine with* ~ *injection* Einspritzmotor *m*; ~ **oil** *n* Gasöl *nt*; ~ **pump** *n* Benzinpumpe *f*; ~ **rod** *n* Brennstab *m*; ~ **tank** *n* Tank *m*; (*for oil*) Öltank *m*.

fug [fʌg] *n* (*esp Brit col*) Mief *m* (*col*).

fugitive ['fjuːdʒɪtɪv] ▣ *n* Flüchtling *m* ▶ *he is a* ~ *from the law* er ist auf der Flucht vor dem Gesetz. ▣ *adj* flüchtig.

fugue [fjuːg] *n* (*Mus*) Fuge *f*.

fulfil, (*US*) **fulfill** [fʊl'fɪl] *vt* erfüllen; *promise* halten ▶ *to be* ~*led* (*wish etc*) sich erfüllen; *to feel* ~*led* sich ausgefüllt fühlen; (*in job etc*) Erfüllung finden.

fulfilment, (*US*) **fulfillment** [fʊl'fɪlmənt] *n* Erfüllung *f*.

full [fʊl] ▣ *adj* (+*er*) voll; *description, report* vollständig; *understanding, sympathy* vollste(r, s); *figure* füllig; *skirt* weit ▶ ~ *of* ... voller (+*gen*) ...; *he's* ~ *of good ideas* er steckt voll(er) guter Ideen; *a look* ~ *of hate* ein haßerfüllter Blick; *I am* ~ (*up*) (*col*) ich bin voll bis obenhin (*col*); *we are* ~ *up for July* wir sind für Juli völlig ausgebucht; *for the* ~*er figure* für vollschlanke Damen; *at* ~ *speed* in voller Fahrt; *to fall* ~ *length* der Länge nach hinfallen; *roses in* ~ *bloom* Rosen in voller Blüte; *I waited two* ~ *hours* ich habe zwei ganze Stunden gewartet; *the* ~ *particulars* die genauen Einzelheiten; ~ *employment* Vollbeschäftigung *f*; ~ *house* (*Theat*) ausverkauftes Haus; ~ *marks* (*Sch*) die beste Note, ≃ eine Eins; ~ *member* Vollmitglied *nt*; ~ *name* Vor- und Zuname *m*; *to be* ~ *of oneself* von sich (selbst) eingenommen sein; *she was* ~ *of it* sie hat gar nicht mehr aufgehört, davon zu reden; *the papers were* ~ *of it for weeks* die Zeitungen waren wochenlang voll davon. ▣ *adv it is a* ~ *five miles from here* es sind volle fünf Meilen von hier; *I know* ~ *well that* ... ich weiß sehr wohl, daß ...; *to hit sb* ~ *in the face* jdn voll ins Gesicht schlagen. ▣ *n in* ~ vollständig; *to write one's name in* ~ seinen Namen ausschreiben; *to pay in* ~ den vollen Betrag bezahlen; *to the* ~ vollständig.

full: ~**-back** *n* (*Sport*) Verteidiger *m*; ~ **beam** *n* (*Aut*) Fernlicht *nt*; ~**-blooded** [‚fʊl'blʌdɪd] *adj* (*vigorous*) kräftig; ~**-blown** *adj* (*fig*) *doctor, theory* richtiggehend; ~ *board* *n* Vollpension *f*; ~**-bodied** *adj wine* vollmundig; ~**-cream milk** *n* Vollmilch *f*; ~**-face helmet** *n* Integralhelm *m*; ~**-fledged** *adj* (*US*) = **fully-fledged**; ~**-grown** *adj* ausgewachsen; ~**-length** *adj portrait* lebensgroß; *film* abendfüllend; ~ **moon** *n* Vollmond *m*.

fullness ['fʊlnɪs] *n* (*of detail*) Vollständigkeit *f*; (*of skirt*) Weite *f*; (*of sound*) Fülle *f* ▶ *in the* ~ *of time* (*eventually*) zu gegebener Zeit; (*at predestined time*) als die Zeit gekommen war.

full: ~**-page** *adj* ganzseitig; ~**-scale** *adj drawing* in Originalgröße; *operation, search* großangelegt; *revision* umfassend; *attack* General-; ~ **stop** *n* Punkt *m*; *to come to a* ~ *stop* zum völligen Stillstand kommen; ~**-time** ▣ *adv work* ganztags; ▣ *adj employment* Ganztags-.

fully [fʊlɪ] *adv* völlig; *equipped* vollständig; *dressed* fertig ▶ *it's* ~ *two years ago* es ist gut zwei Jahre her; *I* ~ *expected that* ... ich habe fest damit gerechnet, daß ...

fully: ~**-fledged** *adj bird* flügge; (*fig: qualified*) richtiggehend; ~**-qualified** *adj* vollqualifiziert *attr*.

fulsome ['fʊlsəm] *adj praise* übertrieben.

fumble ['fʌmbl] ▣ *vi* (*also* ~ *about*) umhertasten ▶ *to* ~ *in the dark* im Dunkeln herumtasten; *to* ~ *in one's pockets* in seinen Taschen wühlen; *to* ~ *with sth* an etw (*dat*) herumfummeln. ▣ *vt* verpfuschen (*col*) ▶ *to* ~ *the ball* den Ball nicht sicher fangen.

fume [fjuːm] ▣ *vi* (*liquids*) dampfen; (*fig col: person*) kochen (*col*). ▣ *npl* ~*s* Dämpfe *pl*; (*of car*) Abgase *pl*.

fumigate ['fjuːmɪgeɪt] *vt* ausräuchern.

fun [fʌn] ▣ *n* Spaß *m* ▶ *for or in* ~ (*as a joke*) als Scherz; *it's* ~ es macht Spaß; *it's no* ~ es macht keinen Spaß; *we just did it for* ~ *or for the* ~ *of it* wir haben das nur zum Spaß gemacht; *to spoil the* ~ den Spaß verderben; *he's good* ~ er ist ganz lustig; *have* ~*!* viel Spaß!; *that should be* ~ *and games* das kann ja (noch) heiter werden (*col*); *there'll be the usual* ~ *and games* (*iro: trouble/fuss*) es wird die üblichen Schereien (*col*)/das übliche Theater (*col*) geben; *to make* ~ *of* or *poke* ~ *at sb/sth* sich über jdn/etw lustig machen.

2 *adj attr* (*col*) lustig ▸ ~ *run* Volkslauf *m*.

function ['fʌŋkʃən] **1** *n* **a** (*purpose, Math*) Funktion *f* ▸ ~ *key* (*Comp*) Funktionstaste *f*; *in his* ~ *as judge* in seiner Eigenschaft als Richter. **b** (*reception*) Empfang *m*; (*official ceremony*) Feier *f* ▸ ~ *suite* Veranstaltungsraum *m*.

2 *vi* funktionieren ▸ *to* ~ *as* fungieren als; (*thing also*) dienen als.

functional ['fʌŋkʃənəl] *adj* funktionell; (*able to operate*) funktionsfähig.

fund [fʌnd] **1** *n* **a** (*Fin*) Fonds *m* ▸ ~s *pl* Mittel *pl*; *I'm short of* ~s, *my* ~s *are low* ich bin knapp bei Kasse (*col*). **b** (*of wisdom, humour etc*) Schatz (*of* von), Vorrat (*of* an +*dat*) *m*.

2 *vt scheme, project* finanzieren.

fundamental [ˌfʌndə'mentl] **1** *adj* (*basic*) grundlegend; *indifference, problem* grundsätzlich ▸ *to be* ~ *to sth* für etw von grundlegender Bedeutung sein; *our* ~ *needs/beliefs* unsere Grundbedürfnisse *pl*/ Grundüberzeugungen *pl*.

2 *n usu pl* Grundlage *f*.

fundamentalist [ˌfʌndə'mentəlɪst] *n* Fundamentalist(in *f*) *m*.

fundamentally [ˌfʌndə'mentəlɪ] *adv* grundlegend; (*in essence*) im Grunde; (*in principle*) grundsätzlich.

fund: ~-raiser *n* Spendenbeschaffer(in *f*) *m*; **~-raising** *n* Geldbeschaffung *f*.

funeral ['fjuːnərəl] *n* Beerdigung *f* ▸ *well that's your* ~ (*col*) na ja, das ist dein Problem (*col*).

funeral: ~ director *n* Beerdigungsunternehmer *m*; **~ parlour** *n* Leichenhalle *f*; **~ procession** *n* Leichenzug *m*; **~ service** *n* Trauergottesdienst *m*, Trauerfeier *f*.

funereal [fjuː'nɪərɪəl] *adj voice, expression* trübselig, Trauer- ▸ ~ *pace* Kriechtempo *nt*.

funfair ['fʌnfeər] *n* (*Brit*) Kirmes *f*.

fungus ['fʌŋgəs] *n, pl* **fungi** ['fʌŋgaɪ] Pilz *m*.

funicular (railway) [fjuː'nɪkjʊlə('reɪlweɪ)] *n* Seilbahn *f*.

funk [fʌŋk] **1** *n to be in a (blue)* ~ (*col*) ganz schön Bammel haben (*col*).

2 *vt* kneifen vor (+*dat*) (*col*).

funnel ['fʌnl] *n* (*for pouring*) Trichter *m*; (*Naut, Rail*) Schornstein *m*.

funnily ['fʌnɪlɪ] *adv* komisch ▸ ~ *enough* komischerweise.

funny ['fʌnɪ] *adj* (+*er*) **a** (*comic*) komisch ▸ *are you being* ~? das soll wohl ein Witz sein?; *it's not* ~ das ist or das finde ich überhaupt nicht komisch. **b** (*strange*) seltsam, komisch ▸ *it's a* ~ *thing, only last week ...* (das ist doch) komisch, erst letzte Woche ...; *to get* ~ *with sb* (*col*) jdm dumm kommen (*col*); ~ *business* (*col*) faule Sache (*col*); *no* ~ *business* or *tricks!* (*col*) keine faulen Tricks! (*col*); ~ *money* (*col*) ein Wahnsinnsgeld *nt* (*col*); *I felt all* ~ (*col*) mir war ganz komisch; ~ *bone* *n* Musikantenknochen *m*.

fur [fɜːr] **1** *n* (*on animal*) Fell *nt*; (*for clothing*) Pelz *m*; (*in kettle*) Kesselstein *m*.

2 *attr coat, stole* Pelz- ▸ ~ *hat* Pelzmütze *f*.

furious ['fjʊərɪəs] *adj person* wütend; *struggle* wild; *speed* rasend ▸ *to be* ~ *with sb* auf jdn wütend sein.

furiously ['fjʊərɪəslɪ] *adv* wütend; *fight* wild; *work, drive, pedal* wie wild (*col*).

furl [fɜːl] *vt sail, flag* einrollen.

furlong ['fɜːlɒŋ] *n* Achtelmeile *f*.

furnace ['fɜːnɪs] *n* Hochofen *m*; (*Metal*) Schmelzofen *m*.

furnish ['fɜːnɪʃ] *vt* **a** *house* einrichten ▸ ~*ed room* möbliertes Zimmer; ~*ing fabrics* Dekorationsstoffe *pl*. **b** *information, reason, excuse* liefern ▸ *to* ~ *sb with sth* jdn mit etw versorgen.

furnishings ['fɜːnɪʃɪŋz] *npl* Mobiliar *nt*; (*with carpets etc*) Einrichtung *f*.

furniture ['fɜːnɪtʃər] *n* Möbel *pl* ▸ *a piece of* ~ ein Möbelstück *nt*; *he's part of the* ~ (*fig col*) er gehört zum Inventar.

furniture: ~ polish *n* Möbelpolitur *f*; ~ *van* *n* Möbelwagen *m*.

furore [fjʊə'rɔːrɪ], (*US*) **furor** ['fjʊərɔːr] *n* Protest(e *pl*) *m* ▸ *to cause a* ~ einen Skandal verursachen.

furrier ['fʌrɪər] *n* Kürschner(in *f*) *m*.

furrow ['fʌrəʊ] **1** *n* (*Agr*) Furche *f*; (*on brow*) Runzel *f*.

2 *vt brow* runzeln ▸ ~*ed brow* zerfurchte Stirn.

furry ['fɜːrɪ] *adj* (+*er*) *animal* Pelz-; *toy* Plüsch-; *tongue* belegt.

▼ **further** ['fɜːðər] **1** *adv, comp of far* **a** (*in place, time, fig*) weiter ▸ ~ *on* weiter entfernt; ~ *back* (*in place, time*) weiter zurück; (*in time*) früher; *nothing is* ~ *from my thoughts* nichts liegt mir ferner. **b** (*more*) *he didn't question me* ~ er hat mich nichts weiter gefragt; *until you hear* ~ bis auf weiteres; *and* ~ *...* und darüber hinaus ...; ~ *to your letter of ...* (*Comm*) in bezug auf Ihren Brief vom ... (*form*).

2 *adj* **a** *see* **farther**. **b** (*additional*) weiter ▸ *until* ~ *notice* bis auf weiteres; ~ *particulars* nähere Einzelheiten *pl*; ~ *education* Fortbildung *f*; (*at university*) Hochschulausbildung *f*.

3 *vt one's interests, a cause* fördern.

furtherance ['fɜːðərəns] *n* Förderung *f*.

furthermore ['fɜːðəmɔːr] *adv* außerdem.

furthermost ['fɜːðəməʊst] *adj* äußerste(r, s).

furthest ['fɜːðɪst] **1** *adv the* ~ *north you can go* soweit nach Norden wie möglich.

2 *adj* am weitesten entfernt ▸ *5 km at the* ~ höchstens 5 km.

furtive ['fɜːtɪv] *adj action* heimlich; *behaviour, person* heimlichtuerisch; *look* verstohlen.

furtively ['fɜːtɪvlɪ] *adv* verstohlen; *behave* verdächtig.

fury ['fjʊərɪ] *n* (*of person*) Wut *f*; (*of storm*) Ungestüm *nt* ▸ *she flew into a* ~ sie kam in Rage; *like* ~ (*col*) wie verrückt (*col*).

fuse, (*US*) **fuze** [fjuːz] **1** *vt* **a** *metals* verschmelzen. **b** (*Brit Elec*) *to* ~ *the lights* die Sicherung für die Lampen durchbrennen lassen.

2 *vi* **a** (*metals*) sich verbinden; (*fig*) verschmelzen. **b** (*Brit Elec*) durchbrennen ▸ *the lights* ~*d* die Sicherung für die Lampen war durchgebrannt.

3 *n* (*Elec*) Sicherung *f*; (*Brit Elec: act of fusing*) Kurzschluß *m*; (*in bombs*) Zündschnur *f* ▸ *she's got* or *she's on a short* ~ (*fig col*) ihr brennt leicht die Sicherung durch (*col*).

fuse box *n* Sicherungskasten *m*.

fused [fjuːzd] *adj plug etc* gesichert.

fuselage ['fjuːzəlɑːʒ] *n* (*Flugzeug*)rumpf *m*.

fuse wire *n* Schmelzdraht *m*.

fusillade [ˌfjuːzɪ'leɪd] *n* Salve *f*.

fusion ['fjuːʒən] *n* (*of metal, fig*) Verschmelzung *f*; (*Phys: also nuclear* ~) (Kern)fusion *f*.

fuss [fʌs] **1** *n* Theater *nt* (*col*); (*bother*) Umstände *pl* (*col*), Aufheben(s) *nt* ▸ *don't go to a lot of* ~ mach dir keine Umstände; *to make a* ~, *to kick up a* ~ Krach schlagen (*col*); *to make a* ~ *about* or *over sth* viel Aufhebens um etw machen; *to make a* ~ *of sb* (*spoil*) VIP, *guest* viel Wirbel um jdn machen (*col*); *children* jdn verwöhnen; *a lot of* ~ *about nothing* viel Lärm um nichts.

2 *vi* sich (unnötig) aufregen; (*get into a* ~) sich (*dat*) Umstände *pl* machen.

3 *vt person* nervös machen; (*pester*) keine Ruhe lassen

➤ SENTENCE BUILDER: **further: 1b → 13.1**

(+*dat*).

◆**fuss about** *vi* herumfuhrwerken (*col*).

◆**fuss over** *vi* +*prep obj* sich (*dat*) große Umstände machen mit.

fussy ['fʌsɪ] *adj* (+*er*) (*fastidious*) heikel, pingelig (*col*); (*choosy*) wählerisch; (*elaborate*) *dress, pattern* verspielt ▶ *what do you want to do? — I'm not* ~ was willst du machen? — ist mir egal.

futile ['fju:taɪl] *adj* sinnlos.

futility [fju:'tɪlɪtɪ] *n* Sinnlosigkeit *f.*

futon ['fu:tɒn] *n* Futon *m.*

future ['fju:tʃəʳ] **1** *n* **a** Zukunft *f* ▶ *there's no* ~ *in it* das hat keine Zukunft. **b** (*St Ex*) ~*s* Termingeschäfte *pl.*

2 *adj* (zu)künftig ▶ *at some* ~ *date* zu einem späteren Zeitpunkt; *the* ~ *tense* (*Gram*) das Futur, die Zukunft.

futuristic [ˌfju:tʃə'rɪstɪk] *adj* futuristisch.

fuze *n* (*US*) = **fuse.**

fuzz [fʌz] *n* **a** (*fluff*) Flaum *m.* **b** *the* ~ (*col*) die Polypen *pl* (*col*).

fuzzy ['fʌzɪ] *adj* (+*er*) **a** *hair* kraus. **b** (*col*) *picture, sound, memory* verschwommen.

FWD (*Aut*) = **front-wheel drive.**

fwd = **forward.**

f.w.d. (*Aut*) = **front-wheel drive.**

fwy (*US*) = **freeway.**

f-word *n: the* ~ das Wort „fuck".

G

G, g [dʒiː] n G, g nt ► *G for George* ≈ G wie Gustav; *G* (*US col*) tausend Dollar pl ► ~ *sharp/flat* Gis, gis nt/ Ges, ges nt.

G (*US*) = **general** film jugendfrei.

g = [a] **gram(s), gramme(s)** g. [b] **gravity** g.

GA (*US Post*) = **Georgia**.

gab [gæb] (*col*) [1] n *to have the gift of the* ~ nicht auf den Mund gefallen sein. [2] vi quatschen (*col*).

gabardine [ˌgæbəˈdiːn] n Gabardine m.

gabble [ˈgæbl] [1] vi (*geese, person*) schnattern ► *don't* ~ red' nicht so schnell. [2] vt herunterrasseln (*col*).

◆gabble away vi drauflosschnattern (*col*).

gable [ˈgeɪbl] n Giebel m ► ~ *end* Giebelwand f.

gabled [ˈgeɪbld] adj ~ *roof* Giebeldach nt.

Gabon [gəˈbɒn] n Gabun nt.

gad [gæd]: **gad about** vi (*col*): *to* ~ *about* herumziehen; *to* ~ *about the country* im Land herumziehen.

gadget [ˈgædʒɪt] n Gerät nt ► *with a lot of* ~*s* mit allen Schikanen (*col*).

gadgetry [ˈgædʒɪtrɪ] n Vorrichtungen pl; (*superfluous equipment*) technische Spielereien pl.

Gaelic [ˈgeɪlɪk] [1] adj gälisch. [2] n (*language*) Gälisch nt.

gaff [gæf] n: *to blow the* ~ (*col*) nicht dichthalten (*col*).

gaffe [gæf] n Fauxpas m; (*verbal*) taktlose Bemerkung ► *to make a* ~ einen Fauxpas begehen.

gaffer [ˈgæfəʳ] n (*col*) (*boss*) Boß m (*col*); (*old man*) Opa m (*col*).

gag [gæg] [1] n [a] Knebel m. [b] (*col: joke*) Gag m. [2] vt knebeln (*auch fig*).

gaga [ˈgɑːgɑː] adj (*col*) old person verkalkt (*col*) ► *to go* ~ verkalken (*col*).

gage [geɪdʒ] n, vt (*US*) = **gauge**.

gaggle [ˈgægl] n (*of geese*) Schar f.

gaiety [ˈgeɪtɪ] n Fröhlichkeit f.

gaily [ˈgeɪlɪ] adv fröhlich ► ~ *coloured* farbenfroh.

gain [geɪn] [1] n no pl (*advantage*) Vorteil m; (*profit*) Gewinn m; (*increase*) Zunahme f (*in gen*) ► *it will be to your* ~ es wird zu Ihrem Vorteil sein; *to do sth for* ~ etw des Geldes wegen tun; *his loss is our* ~ wir profitieren von seinem Verlust; *the Liberals made several* ~*s* die Liberalen gewannen einige Sitze. [2] vt [a] (*obtain, win*) gewinnen; *knowledge, wealth* erwerben; *advantage, respect, entry* sich (*dat*) verschaffen ► *what does he hope to* ~ *by it?* was erhofft er sich (*dat*) davon?; *to* ~ *experience* Erfahrung sammeln; *we have nothing to* ~ *by staying* wir haben nichts davon, wenn wir noch bleiben. [b] (*reach*) shore, summit erreichen. [c] (*increase*) *to* ~ *height* (an) Höhe gewinnen; *to* ~ *speed* schneller werden; *she has* ~*ed weight* sie hat zugenommen; *as he* ~*ed confidence* als seine Selbstsicherheit zunahm; *my watch* ~*s five minutes each day* meine Uhr geht fünf Minuten pro Tag vor. [3] vi [a] (*watch*) vorgehen. [b] (*profit: person*) profitieren (*by* von) ► *society/you would* ~ *from that* das wäre für die Gesellschaft/für Sie von Vorteil. [c] *to* ~ *in prestige* an Ansehen gewinnen.

◆gain on vi +prep obj (*close gap*) einholen.

gainful [ˈgeɪnfʊl] adj occupation etc einträglich ► *to be*

in ~ *employment* erwerbstätig sein.

gait [geɪt] n Gang m; (*of horse*) Gangart f.

gal = **gallon(s)**.

gala [ˈgɑːlə] n (*festive occasion*) großes Fest; (*Theat, Film, ball*) Galaveranstaltung f ► ~ *performance* Galavorstellung f.

Galapagos Islands [gəˈlæpəgəsˈaɪləndz] npl Galapagosinseln pl.

galaxy [ˈgæləksɪ] n (*Astron*) Sternsystem nt ► *the G*~ die Milchstraße.

gale [geɪl] n Sturm m ► *it was blowing a* ~ ein Sturm wütete; ~ *force* Sturmstärke f; ~ *force 8* Windstärke 8.

Galicia [gəˈlɪsɪə] n (*in E Europe*) Galizien nt; (*in Spain*) Galicien nt.

gall [gɔːl] [1] n [a] (*Physiol, Bot*) Galle f. [b] (*col*) *of all the* ~*!* so eine Frechheit! [2] vt (*fig: anger*) maßlos ärgern.

gallant [ˈgælənt] adj (*brave*) tapfer; (*chivalrous, noble*) edel, ritterlich; (*to women*) galant.

gallantly [ˈgæləntlɪ] adv (*bravely*) tapfer; (*nobly*) edelmütig; (*chivalrously*) galant.

gallantry [ˈgæləntrɪ] n (*bravery*) Tapferkeit f; (*chivalry*) Edelmut m; (*to women*) Galanterie f.

gall bladder n Gallenblase f.

galleon [ˈgælɪən] n Galeone f.

gallery [ˈgælərɪ] n (*balcony, Art*) Galerie f; (*Theat*) oberster Rang ► *to play to the* ~ (*fig*) sich in Szene setzen.

galley [ˈgælɪ] n [a] (*Naut*) (*ship*) Galeere f; (*kitchen*) Kombüse f ► ~ *slave* Galeerensklave m. [b] (*Typ*) (*also* ~ *proof*) Fahne(nabzug m) f.

Gallic [ˈgælɪk] adj gallisch.

gallicism [ˈgælɪsɪzəm] n Gallizismus m.

galling [ˈgɔːlɪŋ] adj äußerst ärgerlich.

gallivant [ˌgælɪˈvænt] vi *to* ~ *about* (*col*) sich herumtreiben.

gallon [ˈgælən] n Gallone f.

gallop [ˈgæləp] [1] n Galopp m ► *at full* ~ im gestreckten Galopp. [2] vi galoppieren ► *to* ~ *through a book/one's work* ein Buch im Eiltempo lesen (*col*)/seine Arbeit im Eiltempo erledigen (*col*).

galloping [ˈgæləpɪŋ] adj (*lit, fig*) galoppierend.

gallows [ˈgæləʊz] n Galgen m.

gallstone [ˈgɔːlstəʊn] n Gallenstein m.

Gallup poll ® [ˈgæləpˌpəʊl] n Meinungsumfrage f.

galore [gəˈlɔːʳ] adv in Hülle und Fülle.

galvanize [ˈgælvənaɪz] vt [a] (*Elec*) galvanisieren. [b] (*fig*) elektrisieren ► *to* ~ *sb into action* jdn plötzlich aktiv werden lassen.

Gambia [ˈgæmbɪə] n Gambia nt.

Gambian [ˈgæmbɪən] [1] adj gambisch. [2] n Gambier(in f) m.

gambit [ˈgæmbɪt] n [a] (*Chess*) Gambit nt. [b] (*fig*) (Schach)zug m ► *his favourite conversational* ~ *is ...* er fängt eine Unterhaltung am liebsten mit ... an.

gamble [ˈgæmbl] [1] n (*fig*) Risiko nt ► *it's a* ~ es ist riskant; *I'll take a* ~ *on it* ich riskiere es. [2] vi [a] (*lit*) (um Geld) spielen (*with* mit); (*on horses etc*) wetten ► *to* ~ *on the stock exchange* an der Börse spekulieren. [b] (*fig*) *she was gambling on him being late* sie hat sich darauf verlassen, daß er sich verspäten

würde; **to ~ with sth** etw aufs Spiel setzen.
◆**gamble away** vt sep verspielen.
gambler ['gæmblə'] n (lit, fig) Spieler(in f) m.
gambling ['gæmblɪŋ] n Spielen nt (um Geld); (on horses etc) Wetten nt ▸ **to disapprove of** ~ gegen das Glücksspiel/Wetten sein; **~ debts** Spielschulden pl.
gambol ['gæmbəl] vi herumspringen.
game¹ [geɪm] n [a] Spiel nt; (of table tennis) Satz m; (of billiards, board-games etc, informal tennis match) Partie f. **~s** (Sch) Sport m; **to have** or **play a ~ of football/ tennis/chess** etc Fußball/Tennis/Schach etc spielen; **he plays a good ~** er spielt gut; **to have a ~ with sb, to give sb a ~** mit jdm spielen; **to be off one's ~** nicht in Form sein; **~ of chance** Glücksspiel nt; **~ set and match to X** Satz und Spiel (geht an) X.
　[b] (fig) Spiel nt ▸ **to play the ~** sich an die Spielregeln halten; **to play ~s with sb** mit jdm spielen; **the ~ is up** das Spiel ist aus; **to play sb's ~** jdm in die Hände spielen; **two can play at that ~** wie du mir, so ich dir (col); **to beat sb at his own ~** jdn mit seinen/ihren eigenen Waffen schlagen; **to give the ~ away** alles verraten; **to spoil sb's little ~** jdm die Suppe versalzen (col); **I wonder what his little ~ is?** ich frage mich, was er im Schilde führt.
　[c] (col: business, profession) Branche f ▸ **how long have you been in this ~?** wie lange machen Sie das schon?; **to be/go on the ~** auf den Strich gehen (col).
　[d] (Hunt) Wild nt; (Cook also) Wildbret nt.
game² adj (brave) mutig ▸ **to be ~ for sth** (bei) etw mitmachen; **to be ~ for anything** für alles zu haben sein (col).
game: **~ bird** n Federwild nt no pl; **~keeper** n Wildhüter m; **~ park** n Wildpark m; **~ plan** n (Sport) Spielplan m; (fig) Strategie f.
games: **~manship** n gerissene Spieltaktik f; **~ master** n Sportlehrer m; **~ mistress** n Sportlehrerin f.
gaming machine ['geɪmɪŋmə'ʃiːn] n Spielautomat m.
gamma ray ['gæmə'reɪ] n Gammastrahl m.
gammon ['gæmən] n Schinken m.
gamut ['gæmət] n (fig) Skala f ▸ **to run the (whole) ~ of emotion(s)** die ganze Skala der Gefühle durchlaufen.
gander ['gændə'] n Gänserich m.
gang [gæŋ] n Schar f; (of workers, prisoners) Kolonne f; (of criminals, youths, terrorists) Bande f; (of friends etc, clique) Clique f (col).
◆**gang up** vi sich zusammentun ▸ **to ~ ~ on sb** sich gegen jdn verschwören.
Ganges ['gændʒiːz] n Ganges m.
gangling ['gæŋglɪŋ] adj schlaksig.
gangplank ['gæŋplæŋk] n Laufplanke f.
gangrene ['gæŋgriːn] n Brand m.
gangrenous ['gæŋgrɪnəs] adj brandig.
gangster ['gæŋstə'] n Gangster m.
gangway ['gæŋweɪ] [1] n [a] (Naut) (gangplank) Landungsbrücke f; (ladder) Fallreep nt. [b] (aisle) Gang m.
　[2] interj Platz da.
gantry ['gæntrɪ] n (for crane) Portal nt; (on motorway) Schilderbrücke f; (Rail) Signalbrücke f; (for rocket) Abschußrampe f.
gaol [dʒeɪl] n, vt = **jail**.
gap [gæp] n (lit, fig) Lücke f; (chink) Spalt m; (in surface) Ritze f; (Tech: spark ~) Abstand m; (fig) (in conversation, narrative, time) Pause f; (gulf) Kluft f.
gape [geɪp] vi [a] (person) den Mund aufreißen; (chasm etc) gähnen; (seam, wound) klaffen. [b] (stare: person) starren ▸ **to ~ at sb/sth** jdn/etw (mit offenem Mund) anstarren.
gaping ['geɪpɪŋ] adj [a] klaffend; chasm gähnend. [b] (staring) gaffend; (astonished) staunend.
garage ['gærɑːʒ, (US) gə'rɑːʒ] [1] n (for parking) Garage f; (for petrol) Tankstelle f; (for repairs etc) (Reparatur)werkstatt f ▸ **~ sale** meist in einer Garage durchgeführter Verkauf von Haushaltsgegenständen.
　[2] vt in einer Garage abstellen.
garb [gɑːb] n Gewand nt; (col) Kluft f (col).
garbage ['gɑːbɪdʒ] n (lit: esp US) Abfall, Müll m; (fig) (useless things) Schund m (col); (nonsense) Quatsch m (col).
garbage: **~ can** n (US) Mülleimer m; (outside) Mülltonne f; **~ disposal unit** n Müllschlucker m.
garbled ['gɑːbld] adj entstellt ▸ **the message got ~ on its way** die Nachricht kam völlig entstellt an; **the facts got a little ~** die Tatsachen sind etwas durcheinandergeraten.
garda ['gɑːrdə] n (Ir) (police) Polizei f; (policeman) Polizist m.
garden ['gɑːdn] n Garten m; (often pl: park) Gartenanlagen pl ▸ **everything in the ~ is lovely** (col) Friede, Freude, Eierkuchen (col).
garden: **~ centre** n Gartencenter nt; **~ city** n Gartenstadt f.
gardener ['gɑːdnə'] n Gärtner(in f) m.
gardening ['gɑːdnɪŋ] n Gartenarbeit f.
garden in cpds Garten-; **~ party** n Gartenfest nt; **~ path** n: **to lead sb up the ~ path** (col) jdn an der Nase herumführen; **~ shears** npl Heckenschere f; **~ shed** n ≈ Geräteschuppen m.
gargle ['gɑːgl] [1] vi gurgeln.
　[2] n (liquid) Gurgelwasser nt ▸ **to have a ~** gurgeln.
gargoyle ['gɑːgɔɪl] n Wasserspeier m.
garish ['gɛərɪʃ] adj lights etc grell; colour etc also knallig (col); clothes knallbunt.
garishly ['gɛərɪʃlɪ] adv in grellen Farben; lit grell.
garland ['gɑːlənd] n Kranz m; (festoon) Girlande f.
garlic ['gɑːlɪk] n Knoblauch m ▸ **~ bread** Knoblauchbrot nt; **~ press** Knoblauchpresse f.
garment ['gɑːmənt] n Kleidungsstück nt ▸ **~ industry** (US) Bekleidungsindustrie f.
garnet ['gɑːnɪt] n Granat m.
garnish ['gɑːnɪʃ] vt garnieren.
garret ['gærɪt] n Dachboden m; (room) Dachkammer f.
garrison ['gærɪsən] [1] n Garnison f.
　[2] vt troops in Garnison legen; town mit einer Garnison belegen.
garrulous ['gærʊləs] adj geschwätzig.
garter ['gɑːtə'] n Strumpfband nt; (US: suspender) Strumpfhalter m ▸ **~ belt** (US) Hüftgürtel m.
gas [gæs] [1] n [a] Gas nt. [b] (US: petrol) Benzin nt. [c] (anaesthetic) Lachgas nt ▸ **to have ~** Lachgas bekommen.
　[2] vt vergasen ▸ **to ~ oneself** sich mit Gas vergiften.
　[3] vi (col: talk) schwafeln (col).
gas in cpds Gas-; **~bag** n (col) Schwätzer(in f) m (col); **~ can** n (US) Benzinkanister m; **~ chamber** n Gaskammer f; **~ cooker** n Gasherd m; **~ cylinder** n Gasflasche f; **~ fire** n Gasofen m; **~-fired** adj power station, boiler Gas-.
gaseous ['gæsɪəs] adj gasförmig.
gash [gæʃ] [1] n (wound) klaffende Wunde; (in earth, tree) (klaffende) Spalte; (in upholstery) tiefer Schlitz.
　[2] vt aufschlitzen; furniture, wood tief einkerben ▸ **he ~ed his knee** er hat sich (dat) das Knie aufgeschlagen.
gasket ['gæskɪt] n (Tech) Dichtung f.
gas: **~ lighter** n Gasanzünder m; (cigarette lighter) Gasfeuerzeug nt; **~ main** n Gasleitung f; **~man** n Gasmann m (col); **~ mask** n Gasmaske f; **~ meter** n Gaszähler m.
gasoline ['gæsəʊliːn] n (US) Benzin nt.
gasometer [gæ'sɒmɪtə'] n Gasometer m.
gas oven n Gasherd m.
gasp [gɑːsp] [1] n (for breath) tiefer Atemzug ▸ **to give a**

~ *of surprise* vor Überraschung die Luft anhalten; *to be at one's last* ~ in den letzten Zügen liegen.
[2] *vi* (*continually*) keuchen; (*once*) tief einatmen; (*with surprise etc*) nach Luft schnappen (*col*) ► *to make sb* ~ jdm den Atem nehmen; *to* ~ *for breath* nach Atem ringen.

gas: ~ pipe *n* Gasleitung *f*; **~ pump** *n* (*US*) Zapfsäule *f*; **~ ring** *n* Gasbrenner *m*; **~ station** *n* (*US*) Tankstelle *f*; **~ stove** *n* Gasherd *m*.

gassy ['gæsɪ] *adj drink* kohlensäurehaltig.

gas: ~ tank *n* [a] (*US*) Benzintank *m*; [b] (*Brit: for butane etc*) Gastank *m*; **~ tap** *n* Gashahn *m*.

gastric: ~ acid *n* Magensäure *f*; **~ flu** *n* Darmgrippe *f*; **~ ulcer** *n* Magengeschwür *nt*.

gastritis [gæs'traɪtɪs] *n* Gastritis *f*.

gastroenteritis ['gæstrəʊˌentə'raɪtɪs] *n* Magen-Darm-Entzündung *f*.

gastronomic [ˌgæstrə'nɒmɪk] *adj* gastronomisch.

gastronomy [gæs'trɒnəmɪ] *n* Gastronomie *f*.

gasworks ['gæswɜːks] *n sing or pl* Gaswerk *nt*.

gate [geɪt] *n* [a] Tor *nt*; (*small, garden* ~) Pforte *f*; (*five-barred* ~) Gatter *nt*; (*in airport*) Flugsteig *m*; (*of level-crossing*) Schranke *f*; (*sports ground entrance*) Einlaß *m*. [b] (*Sport*) (*attendance*) Zuschauerzahl *f*; (*entrance money*) Einnahmen *pl*.

gateau ['gætəʊ] *n* Torte *f*.

gate: ~-crash [1] *vt to* ~-*crash a party* in eine Party hineinplatzen; [2] *vi* ohne Einladung hingehen; **~-crasher** *n* ungeladener Gast; **~ money** *n* Eintrittsgelder *pl*; **~post** *n* Torpfosten *m*; *between you, me and the* **~post** (*col*) unter uns gesagt; **~way** *n* (*lit, fig*) Tor *nt* (*to* zu); (*archway*) Torbogen *m*.

gather ['gæðər] [1] *vt* [a] (*collect, bring together*) sammeln; *people* versammeln; *flowers, fruit* pflücken; *potatoes, corn etc* ernten; *harvest* einbringen; *taxes* einziehen; (*collect up*) *broken glass, pins etc* aufsammeln; *one's belongings* (zusammen)packen ► *to* ~ *one's strength/thoughts* Kräfte sammeln/seine Gedanken ordnen; *to* ~ *dust* verstauben.
[b] (*increase*) ~ *speed* schneller werden; *to* ~ *strength* stärker werden.
[c] (*infer*) schließen (*from* aus) ► *I* ~*ed that* das dachte ich mir; *I* ~ *from the papers that he has ...* wie ich aus den Zeitungen ersehe, hat er ...; *as far as I could* ~ nach dem, was ich in Erfahrung bringen konnte; *I* ~ *she won't be coming* ich nehme an, daß sie nicht kommt; *as you will have/might have* ~*ed* wie Sie bestimmt/vielleicht bemerkt haben.
[d] *she* ~*ed her mink around her* sie hüllte sich in ihren Nerz.
[e] (*Sew*) raffen.
[2] *vi* [a] (*people*) sich versammeln; (*objects, dust etc*) sich (an)sammeln; (*clouds*) sich zusammenziehen; (*storm*) sich zusammenbrauen. [b] (*increase: darkness etc*) zunehmen (*in* an +*dat*).

◆**gather around** *vi come on, children,* ~ ~*!* kommt alle her, Kinder!; *they* ~*ed* ~ *the fire* sie scharten sich um das Feuer.

◆**gather up** *vt sep* aufsammeln; *one's belongings* zusammenpacken; *hair* hochstecken; (*fig*) *pieces* auflesen.

gathering ['gæðərɪŋ] *n* Versammlung *f*; (*meeting*) Treffen *nt*.

GATT [gæt] = **General Agreement on Tariffs and Trade** GATT.

gauche [gəʊʃ] *adj* ungeschickt.

gaudy ['gɔːdɪ] *adj* (+*er*) knallig (*col*).

gauge [geɪdʒ] [1] *n* [a] (*instrument*) Meßgerät *nt*; (*to measure diameter, width etc*) (Meß)lehre *f*; (*dial*) Anzeiger *m* ► *pressure/wind* ~ Druck-/Windmesser *m*; *oil* ~ Ölstandsanzeiger *m*. [b] (*of wire, sheet metal etc*)

Stärke *f*; (*of tube*) Durchmesser *m*; (*Rail*) Spurweite *f*. [c] (*fig*) Maßstab *m* (*of* für).
[2] *vt* [a] (*measure*) messen. [b] (*fig: appraise*) *character* beurteilen; *reaction* abschätzen.

gaunt [gɔːnt] *adj* (+*er*) hager; (*from suffering*) abgezehrt.

gauntlet ['gɔːntlɪt] *n* (Stulpen)handschuh *m*; (*of armour*) Panzerhandschuh *m* ► *to throw down the* ~ (*fig*) den Fehdehandschuh hinwerfen; *to run the* ~ (*fig*) Spießruten laufen; *to (have to) run the* ~ *of sth* einer Sache (*dat*) ausgesetzt sein.

gauze [gɔːz] *n* Gaze *f*; (*Med also*) Mull *m*.

gave [geɪv] *pret of* **give**.

gawk [gɔːk] *vi* (*col*) *see* **gawp**.

gawky ['gɔːkɪ] *adj* (+*er*) *person, movement* schlaksig, staksig (*col*); *animal* staksig (*col*).

gawp [gɔːp] *vi* (*col*) glotzen (*col*) ► *to* ~ *at sb/sth* jdn/etw anglotzen (*col*).

gay [geɪ] [1] *adj* (+*er*) [a] (*happy*) fröhlich; *colours also* bunt; *company, occasion* lustig; *life* flott ► ~ *dog* (*col*) lockerer Vogel (*col*). [b] (*homosexual*) schwul (*col*). [2] *n* Schwule(r) *m*.

gaze [geɪz] [1] *n* Blick *m*. [2] *vi* starren ► *to* ~ *at sb/sth* jdn/etw anstarren.

gazelle [gə'zel] *n* Gazelle *f*.

gazette [gə'zet] *n* Zeitung *f*; (*government publication*) Amtsblatt *nt*.

gazetteer [ˌgæzɪ'tɪər] *n* alphabetisches Ortsverzeichnis (*mit Ortsbeschreibung*).

gazump [gə'zʌmp] *vt* (*Brit*) *entgegen vorheriger Zusage ein Haus an einen Höherbietenden verkaufen.*

GB = **Great Britain** GB, Großbritannien *nt*.

GBH, gbh = **grievous bodily harm** schwere Körperverletzung.

GC (*Brit*) = **George Cross** *Tapferkeitsmedaille.*

GCE (*Brit*) = **General Certificate of Education.**

GCSE (*Brit*) = **General Certificate of Secondary Education.**

Gdns = **Gardens.**

GDP = **gross domestic product.**

GDR (*Hist*) = **German Democratic Republic** DDR *f*.

gear [gɪər] [1] *n* [a] (~ *wheel*) Zahnrad *nt*; (*Aut etc: ratio*) Gang *m* ► ~*s pl* (*mechanism*) Getriebe *nt*; (*on bicycle*) Gangschaltung *f*; *to put the car into* ~ einen Gang einlegen; *to leave the car in* ~/*out of* ~ den Gang eingelegt lassen/das Auto im Leerlauf lassen; *to change* ~ schalten; *to change into third* ~ in den dritten Gang schalten. [b] (*equipment*) Ausrüstung *f*; (*tools*) Gerät *nt*; (*belongings, clothes*) Sachen *pl*.
[2] *vt* (*fig*) *to be* ~*ed to sth* auf etw (*acc*) ausgerichtet sein; (*have facilities for*) auf etw (*acc*) eingerichtet sein.

gear: ~box *n* Getriebe *nt*; **~ lever** *n* (*Brit*) Schaltknüppel *m*; (*column-mounted*) Schalthebel *m*; **~ shift** *n* (*esp US*) = ~ **lever**; **~ wheel** *n* Zahnrad *nt*.

gee [dʒiː] *interj* [a] (*esp US col*) Mann! (*col*) ► ~ *whiz!* Mensch Meier! (*col*). [b] = *up!* hü!

geek [giːk] *n* (*col*) Knallkopf *m* (*col*).

geese [giːs] *pl of* **goose**.

Geiger counter ['gaɪgəˌkaʊntər] *n* Geigerzähler *m*.

gel [dʒel] [1] *n* Gel *nt*.
[2] *vi* gelieren; (*fig: plan, idea*) Gestalt annehmen.

gelatin(e) ['dʒelətiːn] *n* Gelatine *f*.

gelding ['geldɪŋ] *n* (*horse*) Wallach *m*.

gelignite ['dʒelɪgnaɪt] *n* Gelatinedynamit *nt*.

gem [dʒem] *n* Edelstein *m*; (*cut also*) Juwel *nt*; (*fig*) (*person*) Juwel *nt*; (*of collection etc*) Prachtstück *nt* ► *it's a real* ~ (*fig*) es ist einmalig gut.

Gemini ['dʒemɪniː] *n* Zwillinge *pl* ► *he's a* ~ er ist Zwilling.

gen [dʒen] *n* (*Brit col*) Informationen *pl*.

Gen = **General** Gen.

gender ['dʒendər] *n* Geschlecht *nt*.

gene [dʒiːn] n Gen nt, Erbfaktor m.

genealogy [ˌdʒiːnɪˈælədʒɪ] n Stammbaumforschung f; (ancestry) Stammbaum m.

general [ˈdʒenərəl] **1** adj **a** allgemein; view, enquiry also generell; agency General-; user, reader Durchschnitts-; (vague) unbestimmt ▶ **as a ~ rule** im allgemeinen; **in ~ use** allgemein in Gebrauch; **for ~ use** für den allgemeinen Gebrauch; (for use by everybody) für die Allgemeinheit; **~ headquarters** (Mil) Generalhauptquartier nt; **to explain sth in ~ terms** etw allgemein erklären; **the ~ idea is that ...** wir hatten uns das so gedacht, daß ...; **that was the ~ idea** so war das (auch) gedacht; **the ~ idea is to wait and see** wir wollen einfach mal abwarten; **to give sb a ~ idea of sth** jdm eine ungefähre Vorstellung von etw geben; **OK, I've got the ~ idea** OK, ich hab' verstanden, um was es geht (col).
  b (after official title) Ober- ▶ **Consul ~** Generalkonsul m.
  2 n **a** **in ~** im allgemeinen. **b** (Mil) General m; (Caesar, Napoleon etc) Feldherr m.

general: ~ anaesthetic (Brit), **~ anesthetic** (US) n Vollnarkose f; **G~ Certificate of Education** n (Brit) (old: O Level) früherer Abschluß der Sekundarstufe, ≃ Mittlere Reife; (A level) Abschluß m der Oberstufe, ≃ Abitur nt; **G~ Certificate of Secondary Education** n (Brit) Abschluß m der Sekundarstufe, ≃ Mittlere Reife; **~ delivery** adv (US) postlagernd; **~ election** n Parlamentswahlen pl.

generality [ˌdʒenəˈrælɪtɪ] n **to talk in generalities** ganz allgemein sprechen.

generalization [ˌdʒenərəlaɪˈzeɪʃən] n Verallgemeinerung f.

generalize [ˈdʒenərəlaɪz] vti verallgemeinern ▶ **to ~ about sth** etw verallgemeinern.

general knowledge n Allgemeinbildung f.

generally [ˈdʒenərəlɪ] adv (usually) im allgemeinen; (for the most part also) im großen und ganzen; (widely, not in detail) allgemein ▶ **~ speaking** im großen und ganzen.

general: ~ manager n Hauptgeschäftsführer(in f) m; **~ practitioner** n praktischer Arzt, praktische Ärztin; **~ public** n breite Öffentlichkeit f; **~-purpose** adj Mehrzweck-; **~ staff** n (Mil) Generalstab m; **~ store** n Gemischtwarenhandlung f; **~ strike** n Generalstreik m.

generate [ˈdʒenəreɪt] vt (lit, fig) erzeugen ▶ **generating station** Kraftwerk nt.

generation [ˌdʒenəˈreɪʃən] n **a** (lit, fig) Generation f ▶ **~ gap** Generationsunterschied m. **b** (act of generating) Erzeugung f.

generator [ˈdʒenəreɪtər] n Generator m.

generic [dʒɪˈnerɪk] adj (Biol) Gattungs- ▶ **~ name** or **term** Oberbegriff m.

generosity [ˌdʒenəˈrɒsɪtɪ] n Großzügigkeit f.

generous [ˈdʒenərəs] adj **a** großzügig. **b** (large, plentiful) reichlich; figure üppig.

generously [ˈdʒenərəslɪ] adv großzügig; (plentifully) reichlich.

genesis [ˈdʒenɪsɪs] n Entstehung f ▶ **(the Book of) G~** die Schöpfungsgeschichte.

genetic [dʒɪˈnetɪk] adj genetisch ▶ **~ engineering** Gentechnologie, experimentelle Genetik; **~ fingerprinting** genetischer Fingerabdruck; **~ make-up** Erbgut nt.

genetics [dʒɪˈnetɪks] n sing Genetik f.

Geneva [dʒɪˈniːvə] n Genf nt ▶ **Lake ~** der Genfer See; **~ Convention** Genfer Konvention f.

genial [ˈdʒiːnɪəl] adj (lit, fig) freundlich; jovial leutselig; company angenehm.

geniality [ˌdʒiːnɪˈælɪtɪ] n Freundlichkeit f.

genitals [ˈdʒenɪtlz] npl Geschlechtsorgane pl.

genitive [ˈdʒenɪtɪv] n (Gram) Genitiv m ▶ **in the ~** im Genitiv.

genius [ˈdʒiːnɪəs] n, pl **-es** or **genii** Genie nt; (mental or creative capacity also) schöpferische Kraft ▶ **a man of ~** ein genialer Mensch; **to have a ~ for sth** eine besondere Gabe für etw haben; **he has a ~ for saying the wrong thing** er hat ein Talent dafür, immer das Falsche zu sagen.

Genoa [ˈdʒenəʊə] n Genua nt.

genocide [ˈdʒenəʊsaɪd] n Völkermord m.

genre [ˈʒɑ̃ːŋrə] n Gattung f.

gent [dʒent] n (col) = **gentleman** ▶ **~s' shoes** (Comm) Herrenschuhe pl; **"G~s"** (Brit) „Herren"; **where is the ~s?** wo ist die Herrentoilette?

genteel [dʒenˈtiːl] adj vornehm, fein.

gentile [ˈdʒentaɪl] **1** n Nichtjude m. **2** adj nichtjüdisch.

gentle [ˈdʒentl] adj (+er) sanft; smack, breeze also, exercise leicht; knock, sound leise; rebuke also, heat mild; person, disposition sanftmütig; animal zahm ▶ **the ~ sex** das zarte Geschlecht; **to be ~ with sb** mit jdm sanft umgehen; **to be ~ with sth** mit etw behutsam umgehen.

gentleman [ˈdʒentlmən] n, pl **-men** [-mən] (man) Herr m; (well-mannered, well-born) Gentleman m ▶ **gentlemen's agreement** Gentlemen's Agreement nt; **gentlemen!** meine Herren!

gentlemanly [ˈdʒentlmənlɪ] adj zuvorkommend.

gentleness [ˈdʒentlnɪs] n see adj Sanftheit f; Leichtheit f; Milde f; Sanftmut m; Zahmheit f.

gently [ˈdʒentlɪ] adv see adj **to handle sb/sth ~** mit jdm/etw behutsam umgehen; **~ does it!** sachte, sachte!

gentry [ˈdʒentrɪ] npl (niederer) Adel m.

genuine [ˈdʒenjʊɪn] adj echt; manuscript Original-; offer ernstgemeint; (sincere) aufrichtig.

genuinely [ˈdʒenjʊɪnlɪ] adv wirklich; (sincerely also) aufrichtig.

genuineness [ˈdʒenjʊɪnɪs] n Echtheit f; (sincerity) Aufrichtigkeit f.

genus [ˈdʒenəs] n, pl **genera** (Biol) Gattung f.

geographer [dʒɪˈɒgrəfər] n Geograph(in f) m.

geographical [dʒɪəˈgræfɪkəl] adj geographisch.

geography [dʒɪˈɒgrəfɪ] n Geographie f; (Sch also) Erdkunde f.

geological [dʒɪəʊˈlɒdʒɪkəl] adj geologisch.

geologist [dʒɪˈɒlədʒɪst] n Geologe m, Geologin f.

geology [dʒɪˈɒlədʒɪ] n Geologie f.

geometric(al) [dʒɪəʊˈmetrɪk(əl)] adj geometrisch.

geometry [dʒɪˈɒmɪtrɪ] n Geometrie f.

geophysics [ˌdʒɪəʊˈfɪzɪks] n sing Geophysik f.

George [dʒɔːdʒ] n Georg m.

Georgia [ˈdʒɔːdʒə] n (in former USSR) Georgien nt.

Georgian [ˈdʒɔːdʒən] **1** adj georgisch. **2** n Georgier(in f) m; (language) Georgisch nt. **3** adj (Brit Hist) georgianisch.

geranium [dʒɪˈreɪnɪəm] n Geranie f.

geriatric [ˌdʒerɪˈætrɪk] **1** adj geriatrisch; nurse, nursing Alten-; home Alters-; patient der Geriatrie ▶ **~ medicine** Altersheilkunde f. **2** n alter Mensch.

geriatrics [ˌdʒerɪˈætrɪks] n sing Geriatrie f.

germ [dʒɜːm] n (lit, fig) Keim m; (of particular illness) Krankheitserreger m; (esp of cold) Bazillus m ▶ **don't spread your ~s around** behalte deine Bazillen für dich.

German [ˈdʒɜːmən] **1** adj deutsch. **2** n **a** Deutsche(r) mf. **b** (language) Deutsch nt; see **English.**

German Democratic Republic n (Hist) Deutsche Demokratische Republik.

Germanic [dʒɜːˈmænɪk] adj germanisch.

Germanize [ˈdʒɜːmənaɪz] vt germanisieren; word eindeutschen.

German: ~ measles n sing Röteln pl; **~ shepherd** n deutscher Schäferhund; **~-speaking** adj deutschspra-

chig; *~-speaking Switzerland* die Deutschschweiz.
Germany ['dʒɜːmənɪ] *n* Deutschland *nt.*
germinate ['dʒɜːmɪneɪt] *vi* (*lit, fig*) keimen.
germination [,dʒɜːmɪ'neɪʃən] *n* Keimung *f.*
germ warfare *n* bakteriologische Kriegführung.
gerund ['dʒerənd] *n* Gerundium *nt.*
gestation [dʒe'steɪʃən] *n* (*of animals*) Trächtigkeit *f*, (*of humans*) Schwangerschaft *f*; (*fig*) Reifwerden *nt.*
gesticulate [dʒe'stɪkjʊleɪt] *vi* gestikulieren.
gesture ['dʒestʃəʳ] **1** *n* (*lit, fig*) Geste *f* ▶ *as a ~ of support* als Zeichen der Unterstützung.
2 *vi* gestikulieren ▶ *to ~ to sb to do sth* jdm durch Gesten zu verstehen geben, etw zu tun.

get [get] *pret* **got,** *ptp* **got** *or* (*US*) **gotten 1** *vt* **a** (*receive*) bekommen, kriegen (*col*); *wealth, glory* kommen zu; *time, personal characteristics, idea* haben (*from* von) ▶ *where did you ~ it (from)?* woher hast du das?; *this country ~s very little rain* in diesem Land regnet es sehr wenig; *where do you ~ that idea (from)?* wie kommst du denn auf die Idee?; *I got quite a surprise/shock* ich war ziemlich überrascht/ich habe einen ziemlichen Schock bekommen *or* gekriegt (*col*); *I don't ~ much from his lectures* seine Vorlesungen geben mir nicht viel; *he's only in it for what he can ~* er will nur dabei profitieren; *you'll ~ it!* (*col: be in trouble*) du wirst was erleben! (*col*).

b (*obtain by one's own efforts*) *object* sich (*dat*) besorgen; *visa, money also* sich (*dat*) beschaffen; (*find*) *staff, partner, job* finden; (*buy*) kaufen; (*buy and keep*) *large item, car, pet* sich (*dat*) anschaffen ▶ *not to be able to ~ sth* etw nicht bekommen *or* kriegen (*col*); *to ~ sb/oneself sth, to ~ sth for sb/oneself* jdm/sich etw besorgen; *to need to ~ sth* etw brauchen; *I've still three to ~* ich brauche noch drei; *you'll have to ~ a job/flat* Sie müssen zusehen, daß Sie eine Stelle/Wohnung bekommen *or* finden; *why don't you ~ a flat of your own?* warum schaffen Sie sich (*dat*) nicht eine eigene Wohnung an?; (*rent*) warum nehmen Sie sich (*dat*) nicht eine eigene Wohnung?; *what are you ~ting her for Christmas?* was schenkst du ihr zu Weihnachten?; *I got her a doll for Christmas* ich habe für sie eine Puppe zu Weihnachten besorgt; *we could ~ a taxi* wir könnten (uns *dat*) ein Taxi nehmen; *could you ~ me a taxi?* könnten Sie mir ein Taxi besorgen?; *could you ~ that?* (*telephone*) gehst du ran? (*col*); (*door*) machst du auf?

c (*fetch*) *person, doctor, object* holen ▶ *to ~ sb from the station* jdn vom Bahnhof abholen; *I got him a drink* ich habe ihm etwas zu trinken geholt; *can I ~ you a drink?* möchten Sie etwas zu trinken?

d (*catch*) bekommen, kriegen (*col*); *cold, illness also* sich (*dat*) holen; (*hit*) treffen, erwischen (*col*) ▶ *to ~ sb by the arm/leg* jdn am Arm/Bein packen; *it or the pain ~s me here* (*col*) es tut hier weh; *~ him/it!* (*to dog*) faß!; *the bullet got him in the neck* die Kugel traf ihn in den Hals; *(I've) got him/it!* (*col*) ich hab' ihn/ich hab's (*col*); *got you!* (*col*) hab' dich (erwischt)! (*col*); *he's out to ~ you* (*col*) er hat's auf dich abgesehen (*col*); *we'll ~ them yet!* (*col*) die werden wir schon noch kriegen! (*col*); *I'll ~ you for that!* (*col*) das wirst du mir büßen!; *you've got me there!* (*col*) da bin ich überfragt.

e (*Telec*) (*contact*) erreichen; *number* bekommen; (*put through to, get for sb*) geben ▶ *~ me Mr Johnston please* verbinden Sie mich bitte mit Herrn Johnston.

f (*prepare*) *meal* machen ▶ *I'll ~ you some breakfast* ich mache dir etwas zum Frühstück.

g (*send, take*) bringen ▶ *to ~ sb to hospital* jdn ins Krankenhaus bringen; *to ~ sth to sb* jdm etw zukommen lassen; (*take it one*self) jdm etw bringen; *where does that ~ us?* (*col*) was bringt uns (*dat*) das? (*col*); *this discussion isn't ~ting us anywhere* diese Diskussion führt zu nichts; *we'll ~ you there somehow*

irgendwie kriegen wir dich schon dahin (*col*); *how am I going to ~ myself home?* wie komme ich nach Hause?

h (*manage to move*) bekommen, kriegen (*col*) ▶ *we'll never ~ this piano upstairs* das Klavier kriegen wir nie nach oben (*col*).

i (*understand*) kapieren (*col*); (*hear*) mitbekommen, mitkriegen (*col*) ▶ *I don't ~ it/you* (*col*) da komme ich nicht mit (*col*)/ich verstehe nicht, was du meinst; *~ it?* kapiert? (*col*).

j (*col*) (*annoy*) ärgern, aufregen; (*upset*) an die Nieren gehen (+*dat*) (*col*).

k *to ~ sb to do sth* (*have sth done by sb*) etw von jdm machen lassen; (*persuade sb*) jdn dazu bringen, etw zu tun; *I'll ~ him to phone you back* ich sage ihm, er soll Sie zurückrufen; *you'll never ~ him to understand* du wirst es nie schaffen, daß er das versteht.

l *to ~ sth done* (*do*) etw machen; (*cause to be done*) etw machen lassen; *to ~ one's hair cut* sich (*dat*) die Haare schneiden lassen; *I'll soon ~ the grass cut* den Rasen habe ich schnell gemäht; (*by sb else*) ich lasse bald den Rasen mähen; *I'm not going to ~ much done* ich werde nicht viel schaffen; *to ~ things done* etwas fertigkriegen (*col*); *you'll ~ me thrown out* du bringst es noch so weit, daß ich hinausgeworfen werde.

m (*cause to be*) *I can't ~ the car to start/door to open* ich kriege das Auto nicht an (*col*)/die Tür nicht auf (*col*); *once I've got this machine to work* wenn ich die Maschine erst einmal zum Laufen gebracht habe; *to ~ sb talking* jdn zum Sprechen bringen; *to ~ sth clean/shut* etw sauber-/zukriegen (*col*); *that'll ~ it clean/shut* damit wird es sauber/geht es zu; *to ~ sb drunk* jdn betrunken machen; *to ~ the children to bed* die Kinder ins Bett bringen; *to ~ one's arm broken* sich (*dat*) den Arm brechen; *to ~ one's hands dirty* sich (*dat*) die Hände schmutzig machen; *to ~ one's things packed* seine Sachen packen.

n *to have got sth* (*have*) etw haben.

o (*col: forming passive*) werden ▶ *I got paid* ich wurde bezahlt.

2 *vi* **a** (*go*) gehen; (*arrive*) kommen ▶ *to ~ home/here* nach Hause kommen/hier ankommen; *I've got as far as page 16* ich bin bis Seite 16 gekommen; *~ (lost)!* verschwinde!; *to ~ there* (*succeed*) es schaffen (*col*); (*understand*) dahinterkommen (*col*); *now we're ~ting there* (*to the truth*) jetzt kommt's raus! (*col*); *to ~ somewhere/nowhere* (*in job, career etc*) es zu etwas/nichts bringen; (*with work, in discussion etc*) weiterkommen/nicht weiterkommen; *to ~ somewhere/nowhere (with sb)* (bei jdm) etwas/nichts erreichen.

b (*become, be*) werden ▶ *to ~ old/tired etc* alt/müde *etc* werden; *I'm/the weather is ~ting cold/warm* mir wird es/es wird kalt/warm; *to ~ dressed/shaved/washed etc* sich ankleiden/rasieren/waschen *etc*; *you could ~ killed* du riskierst dein Leben; *how do people ~ that way?* (*col*) wie wird man nur so? (*col*).

c (*start*) *I got to like him* er ist mir sympathisch geworden; *to ~ to like sth* an etw (*dat*) Gefallen finden; *to ~ to be ...* (mit der Zeit) ... werden; *to ~ working/scrubbing etc* anfangen zu arbeiten/schrubben *etc*; *I got talking to him* ich kam mit ihm ins Gespräch; *let's ~ started* fangen wir an!; *we got to talking about that* wir kamen darauf zu sprechen; *I got to thinking ...* ich habe mir überlegt, ...

d (*~ chance to*) *to ~ to do sth* die Möglichkeit haben, etw zu tun; *to ~ to see sb* jdn zu sehen bekommen.

e (*be obliged to*) *to have got to do sth* etw tun müssen; *I've got to* ich muß.

◆**get about** *vi* (*after illness*) auf den Beinen sein; (*socially*) herumkommen; (*news, rumour*) sich verbreiten (*prep obj* in +*dat*).

◆**get across** ① *vi* ⓐ (*cross*) hinüber-/
herüberkommen; (+*prep obj*) *road, river* kommen über
(+*acc*). ⓑ (*play, comedian etc*) ankommen (*to* bei);
(*teacher etc*) sich verständlich machen (*to dat*); (*idea,
meaning*) klarwerden (*to dat*).
② *vt always separate* ⓐ (*transport*) hinüber-/
herüberbringen ► *to ~ sth ~ sth* etw über etw (*acc*)
(hinüber-/herüber)bringen. ⓑ (*communicate*) klarmachen (*to sb* jdm).

◆**get along** *vi* ⓐ gehen ► *I must be ~ting ~* ich muß
jetzt gehen; *~ ~ with you!* (*col*) jetzt hör aber auf! (*col*).
ⓑ (*manage*) zurechtkommen. ⓒ (*progress*) vorankommen; (*work, patient, wound etc*) sich machen. ⓓ
(*be on good terms*) auskommen (*with* mit) ► *they ~ ~
quite well* sie kommen ganz gut miteinander aus.

◆**get around** ① *vi* +*prep obj problem etc* herumkommen um; *law, regulations* umgehen ► *to ~ ~ the
conference table* sich an einen Tisch setzen.
② *vt always separate* ⓐ (*make agree*) herumbringen *or*
-kriegen (*col*) ► *I'm sure I can ~ her ~ to my way of
thinking* ich bin sicher, daß ich sie überzeugen kann.
ⓑ +*prep obj to ~ people (together) ~ the conference
table* Leute an einem Tisch zusammenbringen.

◆**get around to** *vi* +*prep obj* (*col*) *to ~ ~ ~ sth/doing
sth* zu etw kommen/dazu kommen, etw zu tun.

◆**get at** *vi* +*prep obj* ⓐ (*gain access to, reach*) herankommen an (+*acc*); *town, house* erreichen; (*take, eat
etc*) *food, money* gehen an (+*acc*) ► *put it where the
dog/child won't ~ it* stellen Sie es irgendwohin, wo
der Hund/das Kind nicht drankommt (*col*); *let me ~
him!* (*col*) na, wenn ich den erwische! (*col*); *the mice
have been ~ting ~ the cheese again* die Mäuse waren
wieder am Käse. ⓑ (*ascertain*) *truth* herausfinden; *facts*
kommen an (+*acc*). ⓒ (*col: mean*) *what are you ~ting
~?* worauf wollen Sie hinaus? ⓓ *to ~ ~ sb* (*col*)
(*criticize*) an jdm etwas auszusetzen haben (*col*); (*nag*)
an jdm herumnörgeln (*col*).

◆**get away** *vi* (*leave*) wegkommen; (*prisoner, thief*) entkommen (*from sb* jdm) ► *there's no ~ting ~ from the
fact that ...* man kommt nicht um die Tatsache herum,
daß ...; *to ~ ~ from it all* sich von allem frei machen; *~
~ (with you)!* (*col*) ach, hör auf! (*col*).

◆**get away with** *vi* +*prep obj* ⓐ (*steal*) entkommen
mit. ⓑ (*col: escape punishment*) *you'll never ~ ~ ~ that*
damit wirst du nicht durchkommen; das wird nicht
gutgehen; *he got ~ ~ it* er ist ungeschoren
davongekommen (*col*); *the things he ~s ~!* was er
sich (*dat*) alles erlauben kann!

◆**get back** ① *vi* zurückkommen; zurückgehen ► *I
must be ~ting ~ (home)* ich muß langsam wieder nach
Hause; *~ ~!* zurück(treten)!
② *vt sep* ⓐ *possessions* zurückbekommen; *strength*
zurückgewinnen ► *now that I've got you/it ~* jetzt, wo
ich dich/es wiederhabe. ⓑ (*bring back*) zurückbringen.

◆**get back at** *vi* +*prep obj* (*col*) sich rächen an (+*dat*) ►
to ~ ~ ~ sb for sth jdm etw heimzahlen (*col*).

◆**get back to** *vi* +*prep obj* (*esp Comm*) sich wieder in
Verbindung setzen mit ► *I'll ~ ~ ~ you on that* ich
werde darauf zurückkommen.

◆**get behind** *vi* (*with work, payments*) in Rückstand
geraten.

◆**get by** *vi* ⓐ (*move past*) vorbeikommen (*prep obj* an
+*dat*). ⓑ (*manage*) *she ~s ~ on very little money* sie
kommt mit sehr wenig Geld aus; *I can just about ~ ~
in German* ich komme mit meinem Deutsch gerade so
durch.

◆**get down** ① *vi* ⓐ (*descend*) hinunter-/
heruntersteigen (*prep obj, from* von); (*from horse,
bicycle*) absteigen (*from* von) ► *~ ~!* runter! (*col*). ⓑ
(*leave table*) aufstehen.

② *vt sep* ⓐ (*take down*) herunternehmen. ⓑ (*reduce*)
inflation etc herunterbekommen (*to auf* +*acc*). ⓒ
(*swallow*) *food* hinunterbringen ► *~ this ~ (you)!* (*col*)
trink/iß das! ⓓ (*make a note of*) aufschreiben. ⓔ (*col:
depress*) fertigmachen (*col*) ► *don't let it ~ you ~* laß
dich davon nicht unterkriegen (*col*).

◆**get down to** *vi* +*prep obj* sich machen an (+*acc*);
(*find time to do*) kommen zu.

◆**get in** ① *vi* ⓐ (*enter*) hinein-/hereinkommen (*prep
obj, -to* in +*acc*); (*into car, train etc*) einsteigen (*prep obj,
-to* in +*acc*) ► *to ~ ~(to) the bath* in die Badewanne
steigen; *he can't ~ ~* er kommt nicht herein/hinein. ⓑ
(*arrive: train, bus*) ankommen. ⓒ (*be admitted*) angenommen werden; (*be elected*) gewählt werden. ⓓ
(*get home*) nach Hause kommen.
② *vt* ⓐ *sep* (*bring in*) hinein-/hereinbringen (*prep obj,
-to* in +*acc*); (*fetch*) herein-/hineinholen (*-to* in +*acc*);
(*col*) *groceries, drink, supplies* sich eindecken mit. ⓑ *sep*
(*submit*) *forms* einreichen. ⓒ *sep* (*insert into, find room
for*) hineinbringen; (*fig*) *punch, request, words* anbringen. ⓓ *sep* (*send for*) *doctor etc* holen. ⓔ *always
separate to ~ one's eye/hand ~* in Übung kommen.

◆**get in on** *vi* +*prep obj* (*col*) mitmachen bei ► *to ~ ~ ~
the act* mitmischen (*col*).

◆**get into** ① *vi* +*prep obj* ⓐ *rage, debt, company*
geraten in (+*acc*) ► *what's got ~ him?* (*col*) was ist bloß
in ihn gefahren? (*col*). ⓑ *bad habits* sich (*dat*) angewöhnen. ⓒ (*get involved in*) *book* sich einlesen bei;
work sich einarbeiten in (+*acc*). ⓓ (*put on*) *clothes* anziehen.
② *vt* +*prep obj always separate you'll ~ me ~ trouble*
wegen dir komme ich noch in Schwierigkeiten; *to ~ sb
~ bad habits* jdm schlechte Angewohnheiten beibringen.

◆**get in with** *vi* +*prep obj bad company* geraten in
(+*acc*); (*ingratiate*) sich gut stellen mit.

◆**get off** ① *vi* ⓐ (*from bus, train etc*) aussteigen (*prep
obj* aus); (*from bicycle, horse*) absteigen (*prep obj* von) ►
~ ~ the grass! gehen Sie vom Rasen runter!; *to tell sb
where to ~ ~* (*col*) jdm gründlich die Meinung sagen
(*col*); *he knows where he can ~ ~!* (*col*) der kann mich
mal! (*col!*). ⓑ (*leave*) wegkommen ► *it's time you got
~ to school* es ist Zeit, daß ihr in die Schule geht; *to ~
~ to a good/bad start* einen guten/schlechten Anfang
machen. ⓒ (*escape, be let off*) davonkommen (*col*) ► *to
~ ~ with a fine* mit einer Geldstrafe davonkommen; *I
got ~ having to do the work* ich bin um die Arbeit her-
umgekommen (*col*). ⓓ (*fall asleep*) *to ~ ~ (to sleep)* einschlafen. ⓔ (*from work etc*) gehen können ► *what time
do you ~ work?* wann hören Sie mit der Arbeit auf?
② *vt* ⓐ *sep* (*remove*) wegbekommen, wegkriegen (*col*)
(*prep obj* von); *clothes, shoes* ausziehen; *lid, wrapping*
abmachen (*prep obj* von); (*manage to ~*) abbekommen
(*prep obj* von); *stains* herausmachen (*prep obj* aus);
(*manage to ~*) herausbekommen *or* -kriegen (*col*)
(*prep obj* aus) ► *~ your dirty hands ~ that* nimm deine
schmutzigen Hände da weg! ⓑ *always separate* (*send
off*) *mail, children* losschicken ► *to ~ sb/sth ~ to a good
start* jdm/einer Sache zu einem guten Start verhelfen;
when she'd got the children ~ to school als sie die
Kinder versorgt und in die Schule geschickt hatte; *to ~
sb ~ (to sleep)* jdn zum Schlafen bringen. ⓒ *sep*
(*lawyer*) *accused* freibekommen. ⓓ *always separate*
(*from work etc*) *day, afternoon* freibekommen ► *I've got
the day ~* ich habe heute frei.

◆**get off with** *vi* +*prep obj* (*col: start a relationship
with*) aufreißen (*col*).

◆**get on** ① *vi* ⓐ (*climb on*) hinauf-/heraufsteigen (*prep
obj* auf +*acc*); (*on bus, train etc*) einsteigen (*prep obj, -to*
in +*acc*); (*on bicycle, horse etc*) aufsteigen (*prep obj, -to*
auf +*acc*) ► *to ~ ~ sth* auf etw (*acc*) aufsteigen *etc*.

$\boxed{b}$ (*continue: with work etc*) weitermachen ► ~ ~ *with it!* nun mach schon! (*col*); *this will do to be ~ting ~ with* das tut's wohl für den Anfang (*col*).

$\boxed{c}$ (*get late, old*) *time is ~ting ~* es wird langsam spät; *he is ~ting ~ (in years)* er wird langsam alt; *he's ~ting ~ for 40* er geht auf die 40 zu; *there were ~ting ~ for 60* es waren fast 60.

$\boxed{d}$ = **get along (a).**

$\boxed{e}$ (*progress*) vorankommen; (*work also, patient, pupil*) Fortschritte machen ► *to ~ ~ in the world* es zu etwas bringen; *how did you ~ ~ in the exam?* wie ging's (dir) in der Prüfung?; *how are you ~ting ~?* wie geht's?; *to ~ ~ without sb/sth* ohne jdn/etw zurechtkommen.

$\boxed{f}$ (*have a good relationship*) sich verstehen, auskommen (*with* mit) ► *they don't ~ ~ (with each other)* sie kommen nicht miteinander aus.

$\boxed{2}$ *vt sep* (*prep obj* auf +*acc*) *clothes, shoes* anziehen; *hat, kettle* aufsetzen; *lid, cover* drauftun.

◆**get on to** *vi* +*prep obj* (*col*) $\boxed{a}$ *new subject* übergehen zu. $\boxed{b}$ (*contact*) sich in Verbindung setzen mit ► *I'll ~ ~ ~ him about it* ich werde ihn daraufhin ansprechen.

◆**get out** $\boxed{1}$ *vi* $\boxed{a}$ heraus-/hinauskommen (*of* aus); (*climb out*) hinaus-/heraussteigen (*of* aus); (*of bus, train, car*) aussteigen (*of* aus); (*of business, contract*) aussteigen (*col*) (*of* aus) ► *he has to ~ ~ of the country* er muß das Land verlassen; *let's ~ ~ (of here)!* bloß weg hier! (*col*); *~ ~ (of my room)!* raus (aus meinem Zimmer)! (*col*); *to ~ ~ of bed* aufstehen; *I don't ~ ~ much these days* ich komme in letzter Zeit nicht viel raus (*col*). $\boxed{b}$ (*lit, fig: escape, leak out*) (*of* aus) herauskommen; (*animal, prisoner also*) entkommen; (*news*) an die Öffentlichkeit dringen.

$\boxed{2}$ *vt sep* $\boxed{a}$ (*remove*) (*of* aus) *cork, splinter, stain etc* herausmachen; *people* hinaus-/herausbringen; (*send out*) hinausschicken ► *~ him ~ of my house* schaff mir ihn aus dem Haus! $\boxed{b}$ (*take out*) *car, wallet* herausholen (*of* aus). $\boxed{c}$ (*withdraw*) *money* abheben (*of* von). $\boxed{d}$ (*borrow from library*) ausleihen (*of* aus). $\boxed{e}$ *you only ~ ~ what you put in* Sie bekommen nur das zurück, was Sie hineinstecken.

◆**get out of** $\boxed{1}$ *vi* +*prep obj see also* **get out 1** *duty, obligation* herumkommen um; *difficulty* herauskommen aus ► *you can't ~ ~ ~ it now* jetzt kannst du nicht mehr zurück.

$\boxed{2}$ *vt* +*prep obj always separate see also* **get out 2 (a-c)** *words, confession, truth* herausbekommen *or* -kriegen (*col*) aus; *profit* machen bei; *benefit, little, nothing* haben von; *pleasure* haben an (+*dat*) ► *to ~ the best/most ~ ~ sth* etw voll ausnutzen; *and what do I ~ ~ ~ it?* und was habe ich davon?

◆**get over** $\boxed{1}$ *vi* $\boxed{a}$ (*cross*) hinüber-/herübergehen (*prep obj* über +*acc*); (*climb over*) hinüber-/herübersteigen; (+*prep obj*) steigen über (+*acc*) ► *they got ~ to the other side* sie gelangten auf die andere Seite. $\boxed{b}$ +*prep obj* (*lit, fig: recover from*) *disappointment, loss, fact, experience* (hin)wegkommen über (+*acc*); *shock, illness* sich erholen von ► *I can't ~ ~ the fact that ...* ich komme gar nicht darüber hinweg, daß ...; *I can't ~ ~ it* (*col*) da komm ich nicht drüber weg (*col*). $\boxed{c}$ +*prep obj* (*overcome*) *problem, nervousness* überwinden.

$\boxed{2}$ *vt* $\boxed{a}$ *always separate* (*transport across*) hinüber-/herüberbringen (*prep obj* über +*acc*); (*fetch*) holen; (*help sb to cross, climb*) hinüber-/herüberhelfen (*sb* jdm) (*prep obj* über +*acc*). $\boxed{b}$ *sep information, ideas etc* verständlich machen (*to* dat); (*impress upon*) klarmachen (*to* dat) ► *she ~s her songs ~ well* sie kommt mit ihren Liedern gut an.

◆**get over with** *vt always separate* hinter sich (*acc*) bringen ► *let's ~ it ~ (~)* bringen wir's hinter uns.

◆**get round (to)** = **get around (to).**

◆**get through** $\boxed{1}$ *vi* $\boxed{a}$ (*person, thing*) durchkommen (*prep obj* durch); (*news*) durchdringen; (*Telec*) durchkommen (*col*) (*to sb* zu jdm, *to London* nach London) ► *to ~ ~ to the second round/final* in die zweite Runde/Endrunde kommen. $\boxed{b}$ (*communicate, be understood*) (*person*) durchdringen zu; (*idea etc*) klarwerden (*to* dat). $\boxed{c}$ +*prep obj* (*finish*) *work* fertigmachen, erledigen; (*manage to ~ ~*) schaffen (*col*); *book* fertiglesen, auslesen ► *when I've got ~ this* wenn ich damit fertig bin. $\boxed{d}$ +*prep obj* (*survive*) *days, time* herumbekommen, herumkriegen (*col*). $\boxed{e}$ +*prep obj* (*consume, use up*) verbrauchen; *clothes, shoes* abnutzen; *food* aufessen; *fortune* durchbringen (*col*).

$\boxed{2}$ *vt always separate* $\boxed{a}$ *person, object, proposal* durchbekommen, durchbringen (*prep obj* durch); *message* durchgeben (*to* dat); *supplies* durchbringen ► *it was his English that got him ~* er hat das nur aufgrund seines Englisch geschafft; *he got the team ~ to the finals* er hat die Mannschaft in die Endrunde gebracht. $\boxed{b}$ (*make understand*) *to ~ sth ~ (to sb)* jdm etw klarmachen.

◆**get through with** *vi* +*prep obj* (*col: finish*) hinter sich bringen; *job also, formalities, subject* erledigen.

◆**get to** *vi* +*prep obj* $\boxed{a}$ (*arrive at*) kommen zu; *hotel, town also* ankommen in (+*dat*) ► *where have you got ~ with that book?* wie weit seid ihr mit dem Buch? $\boxed{b}$ (*col: annoy, upset*) aufregen.

◆**get together** $\boxed{1}$ *vi* zusammenkommen; (*estranged couple*) sich versöhnen; (*combine forces*) sich zusammenschließen ► *to ~ ~ about sth* zusammenkommen und etw beraten; *why don't we ~ ~ later and have a drink?* warum treffen wir uns nicht später und trinken einen?

$\boxed{2}$ *vt sep people, parts, collection* zusammenbringen; *documents* zusammensuchen; *thoughts, ideas* sammeln ► *to ~ one's things ~* seine Sachen zusammenpacken; *to ~ it ~* (*col*) es bringen (*col*).

◆**get up** $\boxed{1}$ *vi* $\boxed{a}$ (*stand up, get out of bed*) aufstehen. $\boxed{b}$ (*climb up*) hinauf-/heraufsteigen (*prep obj* auf +*acc*). $\boxed{c}$ (*wind*) aufkommen; (*sea*) stürmisch werden.

$\boxed{2}$ *vt* $\boxed{a}$ *always separate* (*get out of bed*) aus dem Bett holen; (*help stand up*) aufhelfen (+*dat*). $\boxed{b}$ *sep steam* aufbauen ► *to ~ ~ speed* sich beschleunigen. $\boxed{c}$ *sep* (*organize*) organisieren; *play also* auf die Beine stellen (*col*). $\boxed{d}$ *always separate* (*dress up*) zurechtmachen ► *to ~ oneself ~ as sb/sth* sich als jdn/etw verkleiden; *to ~ sth ~ to look like sth* etw als etw aufmachen.

◆**get up to** *vi* +*prep obj* $\boxed{a}$ (*lit, fig: reach*) erreichen; *standard* herankommen an (+*acc*); *page* kommen bis. $\boxed{b}$ (*be involved in*) anstellen (*col*) ► *to ~ ~ ~ mischief* etwas anstellen; *what have you been ~ting ~?* was hast du getrieben? (*col*).

get: ~**-at-able** [ˌgetˈætəbl] *adj* (*col*) leicht erreichbar; ~**away** $\boxed{1}$ *n* Flucht *f*; *to make one's ~away* sich davonmachen (*col*); $\boxed{2}$ *adj attr* Flucht-; ~**away vehicle** Fluchtfahrzeug *nt*; ~**-together** *n* Treffen *nt*; (*party*) Party *f*; ~**-up** *n* (*col*) Aufmachung *f* (*col*); ~**-up-and-go** *n* (*col*) Elan *m*; ~**-well card** *n* Karte *f* mit Genesungswünschen.

geyser ['giːzəʳ] *n* $\boxed{a}$ (*Geol*) Geiser, Geysir *m*. $\boxed{b}$ (*domestic ~*) Durchlauferhitzer *m*.

Ghana ['gɑːnə] *n* Ghana *nt*.

Ghanaian [gɑːˈneɪən] $\boxed{1}$ *adj* ghanaisch. $\boxed{2}$ *n* (*person*) Ghanaer(in *f*) *m*.

ghastly ['gɑːstlɪ] *adj* $\boxed{a}$ *crime etc* entsetzlich; *mistake* schrecklich. $\boxed{b}$ (*col: awful*) gräßlich (*col*), scheußlich (*col*).

Ghent [gent] *n* Gent *nt*.

gherkin ['gɜːkɪn] *n* Gewürzgurke *f*.

ghetto ['getəʊ] *n* G(h)etto *nt*.

ghettoblaster ['getəʊblɑːstəʳ] *n* (*col*) großer Radiorecorder *m*.

787

give

ghost [gəʊst] **1** *n* (*apparition*) Gespenst *nt*; (*of sb*) Geist *m* ▸ *I haven't the ~ of a chance* ich habe nicht die geringste Chance; *to give up the ~* (*col*) den Geist aufgeben (*col*). **2** *vt to ~ sb's speeches* für jdn Reden (als Ghostwriter) schreiben.

ghostly ['gəʊstlɪ] *adj* (+*er*) gespenstisch.

ghost *in cpds* Geister-; **~ story** *n* Gespenstergeschichte *f*; **~ town** *n* Geisterstadt *f*; **~writer** *n* Ghostwriter *m*.

ghoulish ['gu:lɪʃ] *adj* makaber; *laughter, interest* schaurig.

G.I. *n* GI, US-Soldat *m*.

giant ['dʒaɪənt] **1** *n* Riese *m*; (*fig*) Größe *f*; (*company*) Gigant *m*. **2** *adj* riesig, Riesen- ▸ *~(-size) packet* Riesenpackung *f*; **~ panda** Großer Panda.

gibber ['dʒɪbər] *vi* (*ape*) schnattern; (*idiot*) brabbeln ▸ *~ing idiot* (*col*) Blödmann *m* (*col*).

gibberish ['dʒɪbərɪʃ] *n* Kauderwelsch *nt*.

gibbet ['dʒɪbɪt] *n* Galgen *m*.

gibbon ['gɪbən] *n* Gibbon *m*.

gibe [dʒaɪb] **1** *n* Stichelei *f*. **2** *vi* sticheln ▸ *to ~ at sb/sth* höhnische Bemerkungen über jdn/etw machen.

giblets ['dʒɪblɪts] *npl* Geflügelinnereien *pl*.

Gibraltar [dʒɪ'brɔːltər] *n* Gibraltar *nt*.

giddiness ['gɪdɪnɪs] *n* Schwindelgefühl *nt*.

giddy ['gɪdɪ] *adj* (+*er*) schwind(e)lig; *feeling* Schwindel- ▸ *I feel ~* mir ist schwind(e)lig.

gift [gɪft] *n* **a** Geschenk *nt* ▸ *a free ~* ein (Werbe)geschenk *nt*; *it was a ~* (*col: easy*) das war ja geschenkt (*col*). **b** (*talent*) Begabung *f* ▸ *to have a ~ for sth* ein Talent für etw haben.

gifted ['gɪftɪd] *adj* begabt (*in* für).

gift: ~ horse *n*: *don't look a ~ horse in the mouth* (*prov*) einem geschenkten Gaul schaut man nicht ins Maul (*prov*); **~ pack** *n* Geschenkpackung *f*, **~ token**, **~ voucher** *n* Geschenkgutschein *m*; **~-wrap 1** *vt* als Geschenk verpacken; **2** *n* Geschenkpapier *nt*.

gig [gɪg] *n* (*col: concert*) Gig *m* (*col*).

giga- ['gɪgə-] *pref* Giga-.

gigantic [dʒaɪ'gæntɪk] *adj* riesig, riesengroß.

giggle ['gɪgl] **1** *n* Gekicher *nt no pl* ▸ *it was a bit of a ~* (*col*) es war ganz lustig; *to get the ~s* anfangen herumzukichern (*col*); *she's got the ~s* sie kann nicht aufhören zu kichern. **2** *vi* kichern.

gigolo ['ʒɪgələʊ] *n* Gigolo *m*.

gild [gɪld] *vt* vergolden ▸ *to ~ the lily* des Guten zuviel tun.

gill¹ [gɪl] *n* (*of fish*) Kieme *f*.

gill² [dʒɪl] *n* (*Measure*) Gill *nt*.

gilt [gɪlt] *n* (*material*) Vergoldung *f*.

gilt-edged [,gɪlt'edʒd] *adj* (*Fin*) mündelsicher; (*fig*) solide ▸ *~ securities* Staatspapiere *pl*.

gimlet ['gɪmlɪt] *n* Vorbohrer *m*.

gimmick ['gɪmɪk] *n* Gag *m* (*col*); (*gadget*) Spielerei *f* ▸ *sales ~* Verkaufstrick *m*.

gimmickry ['gɪmɪkrɪ] *n* Effekthascherei *f*; (*advertising, sales*) Gags *pl*; (*gadgetry*) Spielereien *pl*.

gimmicky ['gɪmɪkɪ] *adj* effekthascherisch.

gin [dʒɪn] *n* (*drink*) Gin *m* ▸ *~ and tonic* Gin Tonic *m*.

ginger ['dʒɪndʒər] **1** *n* Ingwer *m*. **2** *adj* *biscuit etc* Ingwer-; *hair* rotblond; *cat* rötlichgelb.

◆ginger up *vt sep* (*col*) in Schwung bringen (*col*).

ginger: ~-ale *n* Ginger Ale *nt*; **~ beer** *n* (*Brit*) Ingwerlimonade *f*; **~bread** *n* Lebkuchen *m mit Ingwergeschmack*; **~-haired** *adj* rotblond.

gingerly ['dʒɪndʒəlɪ] *adv* behutsam; (*because sth is cold, hot etc*) zaghaft.

gingham ['gɪŋəm] *n* Gingan *m*.

ginormous [dʒaɪ'nɔːməs] *adj* (*col*) riesig (*col*).

ginseng [dʒɪn'seŋ] *n* Ginseng *m*.

gipsy ['dʒɪpsɪ] *n* Zigeuner(in *f*) *m*.

giraffe [dʒɪ'rɑːf] *n* Giraffe *f*.

girder ['gɜːdər] *n* Träger *m*.

girdle ['gɜːdl] *n* (*corset*) Hüfthalter *m*.

girl [gɜːl] *n* Mädchen *nt*; (*daughter also*) Tochter *f*; (*hum: woman*) Frau *f* ▸ *an English ~* eine Engländerin; *factory ~* Fabrikarbeiterin *f*; *shop ~* Verkäuferin *f*; *the ~s* (*colleagues*) meine/ihre *etc* Kolleginnen; (*friends*) meine/ihre *etc* Freundinnen; *the old ~* die Alte (*col*); (*col: wife, mother*) meine/seine *etc* Alte (*col*).

girl: ~ Friday *n* Allround-Sekretärin *f*; **~friend** *n* Freundin *f*, **~guide** *n* (*Brit*) Pfadfinderin *f*.

girlish ['gɜːlɪʃ] *adj* mädchenhaft.

girl scout *n* (*US*) Pfadfinderin *f*.

girl's [gɜːlz] *n*: **~ name** *n* Mädchenname *m*; **~ school** *n* Mädchenschule *f*.

giro ['dʒaɪrəʊ] *n* (*Brit*) (*bank ~*) Giro(verkehr *m*) *nt*; (*post-office ~*) Postscheckdienst *m*.

girth [gɜːθ] *n* **a** (*circumference, of waist*) Umfang *m*. **b** (*harness*) (Sattel)gurt *m*.

gismo *n* (*US col*) = gizmo.

gist [dʒɪst] *n no pl* Wesentliche(s) *nt* ▸ *that was the ~ of what he said* das war im wesentlichen, was er gesagt hat.

git [gɪt] *n* (*Brit col*) Idiot *m*.

give [gɪv] (*vb: pret* **gave**, *ptp* **given**) **1** *vt* **a** geben (*sb sth, sth to sb* jdm etw); (*as present*) schenken (*sb sth, sth to sb* jdm etw); *one's name, particulars* angeben; (*let sb know by phone, letter etc*) *decision, results* mitteilen; (*produce*) *results* bringen; *pleasure, joy, pain* bereiten; *trouble* machen; *one's love, attention* schenken; *punishment* erteilen ▸ *they gave us roast beef for lunch* sie servierten uns Roastbeef zum (Mittag)essen; *what will you ~ me for it?* was gibst du mir dafür?; *what did you ~ for it?* was hast du dafür bezahlt?; *11 o'clock, ~ or take a few minutes* so gegen 11 Uhr; *six foot, ~ or take a few inches* ungefähr sechs Fuß; *to ~ as good as one gets* sich kräftig wehren; *he gave everything he'd got* (*fig*) er holte das Letzte aus sich heraus; *to ~ sb one's cold* (*col*) jdn mit seiner Erkältung anstecken; *I'd ~ a lot/the world/anything to know ...* ich würde viel/alles darum geben, wenn ich wüßte, ...; *what gave you that idea?* wie kommst du denn auf die Idee?; *to ~ sb five years* jdn zu fünf Jahren verurteilen; *~ me Spain (every time)!* (*col*) es geht doch nichts über Spanien; *~ yourself more time/half an hour* lassen Sie sich mehr Zeit/rechnen Sie mit einer halben Stunde; *how long do you ~ that marriage?* wie lange gibst du dieser Ehe? (*col*); *I'll ~ you that* zugegeben; *he's a good worker, I'll ~ him that* eines muß man ihm lassen, er arbeitet gut; *he wouldn't ~ me his decision/opinion* er wollte mir seine Entscheidung/Meinung nicht sagen.

b (*hold, perform*) *party, dinner, play* geben; *speech* halten; *song* singen; *toast* ausbringen (*to sb* auf jdn) ▸ *~ us a song* sing uns was vor; *I ~ you Mary* (*as toast*) auf Mary!; (*as speaker*) ich gebe Mary das Wort.

c (*devote*) widmen (*to dat*) ▸ *he has ~n himself entirely to medicine* er hat sich ganz der Medizin verschrieben.

d *to ~ a cry/groan/laugh/sigh* schreien/stöhnen/lachen/seufzen; *to ~ sb a look/smile* jdn ansehen/anlächeln; *to ~ sb a push/kick* jdm einen Stoß/Tritt geben; *to ~ one's hair a brush/wash* sich (*dat*) die Haare bürsten/waschen.

2 *vi* **a** (*~ money etc*) spenden ▸ *you have to be prepared to ~ and take* man muß zu Kompromissen bereit sein. **b** (*also ~ way*) (*lit, fig: collapse, yield*) nachgeben; (*health, nerve, voice*) versagen; (*break: rope, cable*) reißen ▸ *something's got to ~* (*col*) etwas muß sich einfach

ändern. **c** (*lit, fig: bend, be flexible*) nachgeben; (*bed*) federn; (*shoe*) sich weiten.
3 *n* Nachgiebigkeit *f*; (*of floor, bed, chair*) Federung *f*.
◆**give away** *vt sep* **a** weggeben; (*as present*) verschenken ▸ **at £5 I'm practically giving it ~** ich will £5 dafür, das ist fast geschenkt. **b** *bride* (*als Brautvater etc*) zum Altar führen. **c** (*fig: betray*) verraten (*to sb* an jdn) ▸ **to ~ the game ~** (*col*) alles verraten.
◆**give back** *vt sep* zurückgeben.
◆**give in** **1** *vi* (*surrender*) sich ergeben (*to sb* jdm); (*in guessing game etc*) aufgeben; (*accede, back down*) nachgeben (*to dat*) ▸ **to ~ ~ to blackmail** auf Erpressung eingehen.
2 *vt sep document, essay* einreichen; *parcel* abgeben.
◆**give off** *vt sep heat, gas* abgeben; *smell* verbreiten; *rays* ausstrahlen.
◆**give on to** *vi +prep obj* (*window*) hinausgehen auf (+*acc*); (*door*) *garden* hinausführen in (+*acc*).
◆**give out** **1** *vi* (*supplies, strength*) zu Ende gehen *or* (*in past tense*) sein; (*engine, machine*) versagen.
2 *vt sep* **a** (*distribute*) verteilen. **b** (*announce*) bekanntgeben ▸ **to ~ oneself ~ as sth** sich als etw ausgeben.
3 *vt insep* = **give off**.
◆**give over** **1** *vt sep* **a** (*hand over*) übergeben (*to dat*). **b** (*set aside, use for*) **to be ~n ~ to sth** für etw beansprucht werden.
2 *vi* (*col: stop*) **~ ~!** hör auf!
◆**give up** **1** *vi* aufgeben ▸ **I ~ ~** ich gebe auf, ich geb's auf (*col*).
2 *vt sep* **a** aufgeben; *claim also* verzichten auf (+*acc*) ▸ **I'm trying to ~ ~ smoking** ich versuche, das Rauchen aufzugeben; **to ~ sb ~ as dead** jdn für tot halten; **I'd ~n you ~** (*expected visitor etc*) ich hatte nicht mehr damit gerechnet, daß du kommst. **b** *land, territory* abgeben (*to dat*); *seat, place* freimachen (*to* für); *ticket* abgeben (*to* bei). **c** (*to authorities*) übergeben (*to dat*) ▸ **to ~ oneself ~** sich stellen; (*after siege*) sich ergeben. **d** (*devote*) widmen ▸ **to ~ ~ one's life to music** sein Leben ganz der Musik widmen. **e** (*disclose*) *secret, treasure* enthüllen (*geh*).
◆**give way** *vi* **a** (*lit*) = **give 2 (b)**. **b** (*fig: yield*) nachgeben (*to dat*) ▸ **to ~ ~ to intimidation** sich einschüchtern lassen; **don't ~ ~ to despair** überlaß dich nicht der Verzweiflung. **c** (*be superseded*) **to ~ ~ to sth** von etw abgelöst werden. **d** (*Brit Mot*) **who has to ~ ~ here?** wer hat hier Vorfahrt?; **"~ ~"** „Vorfahrt beachten".
give: ~ and take *n* Kompromißbereitschaft *f*; (*in personal relationships*) (gegenseitiges) Geben und Nehmen *nt*; **~-away** *n* (*trial pack*) Probe(packung) *f*; (*col*) **the expression on her face was a ~-away** ihr Gesichtsausdruck verriet alles; **that exam question was a ~-away** diese Prüfungsfrage war geschenkt (*col*); **~-away price** *n* (*col*) Schleuderpreis *m*.
▼ **given** ['gɪvn] **1** *ptp of* **give**.
2 *adj* **a** (*with indef art*) bestimmt; (*with def art*) angegeben. **b** **~ name** (*esp US*) Vorname *m*. **c** **to be ~ to sth** zu etw neigen; **to be ~ to doing sth** gewohnt sein, etw zu tun.
3 *conj* **~ sth** (*provided with*) vorausgesetzt, man/er *etc* hat etw; (*in view of*) angesichts einer Sache (*gen*); **~ that he ...** (*in view of the fact*) angesichts der Tatsache, daß er ...; (*assuming*) vorausgesetzt, (daß) er ...; **~ these circumstances/conditions** unter diesen Umständen/Voraussetzungen.
giver ['gɪvər] *n* Spender(in *f*) *m*.
gizmo ['gɪzməu] *n* (*col*) Ding *nt* (*col*).
glacé ['glæseɪ] *adj* glasiert; *fruit* kandiert.
glacier ['glæsɪər] *n* Gletscher *m*.
glad [glæd] *adj* (+*er*) froh ▸ **to be ~ at** *or* **about sth** sich

über etw (*acc*) freuen; **I'm so ~!** das freut mich; **you'll be ~ to hear that ...** es wird Sie freuen, daß ...; **we would be ~ of your help** wir wären froh, wenn Sie helfen könnten; **I'd be ~ to** aber gern!; **to give sb the ~ eye** (*col*) jdm schöne Augen machen (*col*); **to put on one's ~ rags** (*col*) sich in Schale werfen (*col*).
gladden ['glædn] *vt person, heart* erfreuen.
glade [gleɪd] *n* Lichtung *f*.
gladiator ['glædɪeɪtər] *n* Gladiator *m*.
gladiolus [ˌglædɪ'əuləs] *n, pl* **gladioli** [ˌglædɪ'əulaɪ] Gladiole *f*.
gladly ['glædlɪ] *adv* (*willingly*) gern.
glam [glæm] *adj* (*col*) todschick (*col*).
glamorize ['glæməraɪz] *vt author, war* glorifizieren; *the mundane* idealisiert darstellen.
glamorous ['glæmərəs] *adj* bezaubernd; *film star, life* glamourös; *job* Traum-.
glamorously ['glæmərəslɪ] *adv* glamourös.
glamour, (*US*) **glamor** ['glæmər] *n* Glamour *m*; (*of occasion, situation*) Glanz *m*.
glance [glɑːns] **1** *n* Blick *m* ▸ **at a ~** auf einen Blick; **at first ~** auf den ersten Blick; **to take a (quick) ~ at sth** einen kurzen Blick auf etw (*acc*) werfen.
2 *vi* **to ~ at sb/sth** einen kurzen Blick auf jdn/etw (*acc*) werfen; **to ~ at/through the newspaper** einen kurzen Blick in die Zeitung werfen/die Zeitung durchblättern; **he ~d around the room** er sah sich kurz im Zimmer um.
◆**glance off** *vi* (*bullet etc*) abprallen (*prep obj* von).
glancing ['glɑːnsɪŋ] *adj* **to strike sth a ~ blow** etw nur streifen.
gland [glænd] *n* Drüse *f*.
glandular ['glændjulər] *adj* Drüsen- ▸ **~ fever** Drüsenfieber *nt*.
glare [gleər] **1** *n* **a** greller Schein; (*from sun, bulb, lamp also*) grelles Licht ▸ **the ~ of the sun** das grelle Sonnenlicht; **to avoid the ~ of publicity** das grelle Licht der Öffentlichkeit scheuen. **b** (*stare*) stechender Blick.
2 *vi* **a** (*light, sun*) grell scheinen; (*headlights*) grell leuchten. **b** (*stare*) **to ~ at sb/sth** jdn/etw zornig anstarren.
glaring ['gleərɪŋ] *adj sun, colour* grell; (*fig*) *omission* eklatant; *mistake* grob; *contrast* kraß; *injustice* (himmel)schreiend.
glasnost ['glæznɒst] *n* Glasnost *f*.
glass [glɑːs] *n* Glas *nt*; (*dated: mirror*) Spiegel *m*; (*barometer*) Barometer *nt* ▸ **a ~ of wine** ein Glas Wein; **wine by the ~** offener Wein; **~es** *pl* (*spectacles*) Brille *f*; (*binoculars*) Fernglas *nt*.
glass *in cpds* Glas-; **~-blower** *n* Glasbläser(in *f*) *m*; **~-blowing** *n* Glasbläserei *f*; **~ ceiling** *n* (*fig*) gläserne *or* unsichtbare Wand (*in Form von Vorurteilen und Traditionen, die Frauen am beruflichen Fortkommen hindern*); **she hit the ~ ceiling** sie kam als Frau beruflich nicht mehr weiter; **~ fibre** (*Brit*) *or* **fiber** (*US*) *n* Glasfaser *f*; **~-ful** *n* Glas *nt* (**~ of wine** *etc* Wein *etc*); **~house** *n* (*Brit Hort*) Gewächshaus *nt*; (*Mil sl*) Bau *m* (*col*); **~ware** *n* Glaswaren *pl*; **~ wool** *n* Glaswolle *f*; **~works** *n sing or pl* Glasfabrik *f*.
glassy ['glɑːsɪ] *adj* (+*er*) *surface, sea etc* spiegelglatt; *eye, look* glasig.
Glaswegian [glæz'wiːdʒən] **1** *n* Glasgower(in *f*) *m*.
2 *adj* Glasgower.
glaucoma [glɔː'kəumə] *n* grüner Star, Glaukom *nt* (*form*).
glaze [gleɪz] **1** *n* (*on pottery, tiles, Cook*) Glasur *f*; (*on paper, fabric*) Appretur *f*; (*on painting*) Lasur *f*.
2 *vt* **a** *door, window* verglasen. **b** *pottery, tiles* glasieren; *fabric, paper* appretieren; *painting* lasieren ▸ **~d tile** Kachel *f*. **c** (*Cook*) glasieren.
3 *vi* (*eyes: also* **~ over**) glasig werden.

---

glazier ['gleɪzɪəʳ] n Glaser m.

gleam [gli:m] [1] n [a] Schimmer m; (of metal, water) Schimmern nt. [b] (fig) a ~ of humour/intelligence ein Anflug m von Humor/Intelligenz; he had a ~ in his eye seine Augen funkelten. [2] vi schimmern; (hair also) glänzen; (eyes) funkeln ▶ to make sth ~ (by polishing) etw auf Hochglanz bringen; ~ing (shiny) glänzend.

glean [gli:n] vt (lit) corn nachlesen; (fig) facts, news ausfindig machen ▶ to ~ sth from sb/sth etw von jdm in Erfahrung bringen/etw einer Sache (dat) entnehmen.

glee [gli:] n Freude f; (malicious) Schadenfreude f ▶ ~ club (esp US) Männergesangverein m.

gleeful ['gli:fʊl] adj fröhlich; (malicious) schadenfroh.

glen [glen] n (esp Scot) Tal nt.

glib [glɪb] adj (pej) zungenfertig; reply, remark leichtfertig; talker, speech, style glatt ▶ don't be so ~ sei nicht so oberflächlich.

glibly ['glɪblɪ] adv (pej) speak gewandt; reply, remark etc leichthin.

glide [glaɪd] vi [a] gleiten; (through the air also) schweben. [b] (plane) im Gleitflug fliegen; (glider) gleiten.

glider ['glaɪdəʳ] n (Aviat) Segelflugzeug nt.

gliding ['glaɪdɪŋ] n (Aviat) Segelfliegen nt.

glimmer ['glɪməʳ] [1] n (of light, candle etc) Schimmer m; (of fire) Glimmen nt ▶ a ~ of hope ein Hoffnungsschimmer m. [2] vi (light, water) schimmern; (fire) glimmen.

glimpse [glɪmps] [1] n Blick m ▶ to catch a ~ of sb/sth einen flüchtigen Blick von jdm/etw erhaschen. [2] vt flüchtig sehen.

glint [glɪnt] [1] n (of light, metal) Glitzern nt no pl; (of eyes) Funkeln nt no pl ▶ he has a wicked/merry ~ in his eyes seine Augen funkeln böse/lustig. [2] vi glitzern; (eyes) funkeln.

glisten ['glɪsn] vi glitzern.

glitter ['glɪtəʳ] [1] n Glitzern nt; (of eyes, diamonds) Funkeln nt; (fig) Glanz, Prunk m. [2] vi glitzern; (eyes, diamonds) funkeln ▶ all that ~s is not gold (Prov) es ist nicht alles Gold, was glänzt (Prov).

glitterati [,glɪtə'rɑːtɪ] npl (col) Hautevolee f.

glitzy ['glɪtsɪ] adj (col) glanzvoll; dress todschick (col).

gloat [gləʊt] vi sich großtun (over mit); (over sb's misfortune) sich hämisch freuen (over über +acc) ▶ to ~ over one's possessions sich an seinen Reichtümern weiden; there's no need to ~! das ist kein Grund zur Schadenfreude!

global ['gləʊbl] adj global; peace, war Welt- ▶ ~ warming globaler Temperaturanstieg.

globe [gləʊb] n (sphere) Kugel f; (map) Globus m ▶ all over the ~ auf der ganzen Erde or Welt; ~-trotter Globetrotter m.

globule ['glɒbjuːl] n Kügelchen nt; (of oil, water) Tröpfchen nt.

gloom [gluːm] n [a] (darkness) Düsterkeit f. [b] (sadness) düstere or gedrückte Stimmung ▶ a life of ~ ein trauriges Leben.

gloomily ['gluːmɪlɪ] adv (fig) düster.

gloomy ['gluːmɪ] adj (+er) room etc düster; atmosphere also gedrückt; thoughts also, character trübsinnig; news also bedrückend; outlook on life pessimistisch ▶ to take a ~ view of things schwarzsehen; to feel ~ bedrückt sein.

glorification [,glɔːrɪfɪ'keɪʃən] n Verherrlichung f.

glorified ['glɔːrɪfaɪd] adj just a ~ snack-bar nur eine bessere Imbißstube.

glorify ['glɔːrɪfaɪ] vt verherrlichen.

glorious ['glɔːrɪəs] adj weather, sky, day, feeling etc herrlich; deed, victory ruhmvoll.

glory ['glɔːrɪ] [1] n [a] (honour, fame) Ruhm m ▶ covered in ~ ruhmbedeckt. [b] (beauty, magnificence) Herr-

lichkeit f ▶ the rose in all its ~ die Rose in ihrer ganzen Pracht; the glories of Nature die Schönheiten der Natur; Rome at the height of its ~ Rom in seiner Blütezeit. [2] vi to ~ in sth etw genießen; to ~ in one's strength mit seiner Kraft protzen; to ~ in one's/sb's success sich in seinem/jds Erfolg sonnen; to ~ in the name of ... den stolzen Namen ... führen.

glory-hole ['glɔːrɪ,həʊl] n (col) Rumpelecke f.

Glos (Brit) = **Gloucestershire.**

gloss¹ [glɒs] n Glanz m; (fig: of respectability etc) Schein m.

◆**gloss over** vt sep (try to conceal) vertuschen; (make light of) beschönigen.

gloss² n (note) Anmerkung f.

glossary ['glɒsərɪ] n Glossar nt.

gloss (paint) n Glanzlack(farbe f) m.

glossy ['glɒsɪ] adj (+er) glänzend; paper, paint, print Glanz- ▶ ~ (magazine) Illustrierte f.

glottal stop [,glɒtl'stɒp] n (Phon) Knacklaut m.

glove [glʌv] n Handschuh m ▶ to fit (sb) like a ~ (jdm) wie angegossen passen; ~ box or compartment Handschuhfach nt; ~ puppet Handpuppe f.

glow [gləʊ] [1] vi glühen; (colour, hands of clock) leuchten; (lamp also, candle) scheinen ▶ she/her cheeks ~ed with health sie hatte ein blühendes Aussehen. [2] n Glühen nt; (of colour, clock hands) Leuchten nt; (of lamp, candle) Schein m; (of fire, sunset, passion) Glut f ▶ to feel a warm ~ (of happiness) ein warmes Glücksgefühl verspüren.

glower ['glaʊəʳ] vi ein finsteres Gesicht machen ▶ to ~ at sb jdn finster ansehen.

glowing ['gləʊɪŋ] adj [a] glühend; candle, colour, eyes leuchtend; cheeks, complexion blühend. [b] (fig) account, description begeistert; praise, report überschwenglich ▶ to paint sth in ~ colours (fig) etw in den leuchtendsten Farben schildern.

glow-worm ['gləʊ,wɜːm] n Glühwürmchen nt.

glucose ['gluːkəʊs] n Traubenzucker m.

glue [gluː] [1] n Klebstoff m. [2] vt kleben ▶ to ~ sth together etw zusammenkleben; to ~ sth down/on etw fest-/ankleben; to ~ sth to sth etw an etw (acc) kleben; to keep one's eyes ~d on or to sb/sth jdn/etw nicht aus den Augen lassen; his eyes were ~d to the screen seine Augen hingen an der Leinwand; he's ~d to the TV all evening er hängt den ganzen Abend vorm Fernseher (col); he stood there as if ~d to the spot er stand wie angewurzelt da.

glue: ~-sniffer n (Klebstoff-)Schnüffler(in f) m (col); ~-sniffing n (Klebstoff-)Schnüffeln nt (col).

glum [glʌm] adj (+er) niedergeschlagen, bedrückt ▶ to feel ~ bedrückt sein.

glut [glʌt] [1] vt (Comm) market überschwemmen. [2] n Schwemme f; (of manufactured goods also) Überangebot nt (of an +dat) ▶ a ~ of apples eine Apfelschwemme.

glutinous ['gluːtɪnəs] adj klebrig.

glutton ['glʌtn] n Vielfraß m ▶ a ~ for work/punishment ein Arbeitstier nt (col)/ Masochist m.

gluttonous ['glʌtənəs] adj gierig; person gefräßig.

gluttony ['glʌtənɪ] n Völlerei f.

glycerin(e) ['glɪsəriːn] n Glyzerin nt.

GM = [a] (Brit) **George Medal** Tapferkeitsmedaille f. [b] **General Motors.**

gm = **gram(s)** g.

GMT = **Greenwich Mean Time** WEZ.

gnarled [nɑːld] adj tree knorrig; hand knotig.

gnash [næʃ] vt to ~ one's teeth mit den Zähnen knirschen.

gnat [næt] n (Stech)mücke f.

gnaw [nɔː] ① *vi* nagen ► *to ~ at sb/sth* an etw (*dat*) nagen; (*fig*) jdn/etw quälen.
② *vt* nagen an (+*dat*); *hole* nagen.

gnawing ['nɔːɪŋ] *adj* (*fig*) quälend; *doubt, hunger* nagend.

gnome [nəʊm] *n* Gnom *m*.

GNP = **gross national product**.

gnu [nuː] *n* Gnu *nt*.

go [gəʊ] (*vb: pret* **went**, *ptp* **gone**) ① *vi* [a] gehen; (*vehicle, by vehicle*) fahren; (*plane*) fliegen; (*road*) führen ► *to ~ to France* nach Frankreich fahren; *I have to ~ to the doctor/London* ich muß zum Arzt (gehen)/nach London; *to ~ for a swim* schwimmen gehen; *to ~ fishing/shopping* angeln/einkaufen gehen; *where do we ~ from here?* (*fig*) und was (wird) jetzt?; *you're ~ing too fast for me* (*lit, fig*) du bist mir zu schnell; *just look at him ~!* schau mal, wie schnell er ist!; *the favourite is ~ing well* der Favorit liegt gut im Rennen; *to ~ looking for sb/sth* nach jdm/etw suchen; *to ~ for a doctor/newspaper* einen Arzt/eine Zeitung holen (gehen); *there he ~es!* da ist er ja!; *who ~es there?* (*guard*) wer da?; *you ~ first* geh du zuerst!; *you ~ next* du bist der nächste; *there you ~ again!* (*col*) du fängst ja schon wieder an!; *here we ~ again!* (*col*) jetzt geht das schon wieder los! (*col*); *~ and shut the door* mach mal die Tür zu; *he's gone and lost his new watch* (*col*) er hat seine neue Uhr verloren; *don't ~ telling him* geh jetzt nicht hin und erzähl ihm das (*col*); *there you ~* (*col*) (*giving sth*) bitte.
[b] (*depart*) gehen; (*vehicle, by vehicle also*) (ab)fahren; (*plane, by plane also*) (ab)fliegen ► *has he gone yet?* ist er schon weg?; *I must ~* or *get ~ing now* ich muß jetzt gehen or weg; *when I'm gone* (*left*) wenn ich weg bin; (*dead*) wenn ich nicht mehr (da) bin; *~!* (*Sport*) los!; *here ~es!* jetzt geht's los! (*col*).
[c] (*disappear, vanish*) verschwinden; (*pain, spot, mark etc also*) weggehen; (*be used up*) aufgebraucht werden; (*time*) vergehen ► *it has gone* (*disappeared*) es ist weg; (*used up, eaten etc*) es ist alle (*col*); *where has it gone?* wo ist es hin or geblieben?; *gone are the days when ...* die Zeiten sind vorbei, wo ...; *I don't know where the money ~es* ich weiß nicht, wo all das Geld bleibt; *all his money ~es on CDs* sein ganzes Geld geht für CDs drauf (*col*); *£50 a week ~es in* or *on rent* £50 die Woche sind für die Miete (weg); *how is the time ~ing?* wie steht's mit der Zeit?; *it's just gone three* es ist gerade drei vorbei; *two days to ~ till ...* noch zwei Tage bis ...; *only two more patients to ~* nur noch zwei Patienten; *he'll have to ~* er wird gehen müssen; *that settee will have to ~* das Sofa muß weg.
[d] (*be sold*) *the hats aren't ~ing very well* die Hüte gehen nicht sehr gut; *to be ~ing cheap* billig sein; *it went for £5* es ging für £5 weg; *they are ~ing at 20p each* sie werden zu 20 Pence das Stück verkauft; *~ing, ~ing, gone!* zum ersten, zum zweiten, und zum dritten!
[e] (*prize, 1st place etc*) gehen (*to* an +*acc*); (*inheritance*) zufallen (*to sb* jdm).
[f] (*extend*) gehen ► *the garden ~es down to the river* der Garten geht bis zum Fluß hinunter; *£5 won't ~ far* mit £5 kommt man nicht weit.
[g] (*run, function*) gehen; (*car, machine also*) laufen; (*workers*) arbeiten ► *to get ~ing* in Schwung kommen; *to get sth ~ing, to make sth ~* etw in Gang bringen; *party* etw in Fahrt bringen; *business* etw auf Vordermann bringen; *to get sb ~ing* jdn in Fahrt bringen; *to get ~ing with sth* etw in Angriff nehmen; *to keep ~ing* (*person*) weitermachen; (*machine, engine, business*) weiterlaufen; (*car*) weiterfahren; *keep ~ing!* weiter!; *this medicine/prospect kept her ~ing* dieses Medikament/diese Aussicht hat sie durchhalten lassen; *here's £50/some work to keep you ~ing* hier hast du erst mal £50/etwas

Arbeit, damit du beschäftigt bist.
[h] (*happen, turn out*) (*project, things*) gehen; (*event, evening*) verlaufen ► *I've forgotten how the words ~* ich habe den Text vergessen; *how does the story/tune ~?* wie war die Geschichte doch noch mal/wie geht die Melodie?; *the decision went in his favour/against him* die Entscheidung fiel zu seinen Gunsten/Ungunsten aus; *how's it ~ing?, how ~es it?* (*col*) wie geht's (denn so)?; *how did it ~?* wie war's?; *how did the exam/your holiday ~?* wie ging's in der Prüfung/wie war der Urlaub?; *how's the essay ~ing?* was macht der Aufsatz?; *everything is ~ing well* alles läuft gut; *if everything ~es well* wenn alles gutgeht; *we'll see how things ~* (*col*) wir werden sehen, wie es läuft (*col*); *she has a lot ~ing for her* sie ist gut dran.
[i] (*fail, break, wear out*) kaputtgehen; (*health, strength, eyesight etc*) nachlassen; (*fail: brakes, steering*) versagen ► *the jumper has gone at the elbows* der Pullover ist an den Ärmeln durch (*col*); *his mind is ~ing* er läßt geistig sehr nach; *there ~es another bulb/button!* schon wieder eine Birne kaputt/ein Knopf ab!
[j] (*be permitted, accepted*) gehen (*col*) ► *anything ~es!* alles ist erlaubt; *what I say ~es!* was ich sage, wird gemacht!; *that ~es for me too* (*that applies to me*) das gilt auch für mich; (*I agree with that*) das meine ich auch.
[k] (*be available*) *there are no jobs ~ing* es sind keine Stellen zu haben; *is there any tea ~ing?* gibt es Tee?; *I'll have whatever is ~ing* ich nehme, was es gibt.
[l] (*be, become*) werden ► *to ~ deaf/mad/grey* taub/verrückt/grau werden; *I went cold* mir wurde kalt.
[m] (*fit*) passen; (*belong, be placed*) hingehören; (*in drawer, cupboard etc*) (hin)kommen ► *the books ~ in that cupboard* die Bücher kommen in den Schrank dort; *4 into 3 won't ~* 3 durch 4 geht nicht.
[n] (*match*) dazu passen ► *to ~ with sth* zu etw passen.
[o] (*contribute*) *the money ~es to help the poor* das Geld soll den Armen helfen; *the money will ~ towards the holiday* das ist Geld für den Urlaub; *the qualities that ~ to make a great man* die Eigenschaften, die einen großen Mann ausmachen.
[p] (*make a sound or movement*) machen ► *to ~ bang/ticktock* peng/ticktack machen; *there ~es the bell* es klingelt; *as the bell went* als es klingelte.
[q] (*US*) *food to ~* Essen zum Mitnehmen.
[r] *he's not bad as boys ~* verglichen mit anderen Jungen ist er nicht übel.
② *aux vb* *I'm ~ing to do it* ich werde es tun; *I was ~ing to do it* ich wollte es tun; *I had been ~ing to do it* ich hatte es tun wollen; *I wasn't ~ing to do it (anyway)* ich hätte es (sowieso) nicht gemacht.
③ *vt* (*col*) *to ~ it* (~ *fast*) ein tolles Tempo draufhaben (*col*); (*work hard*) sich hineinknien (*col*); *to ~ it alone* einen Alleingang machen; (*in business*) sich selbständig machen; *I could ~ a beer* ich könnte ein Bier vertragen (*col*).
④ *n, pl* **-es** [a] (*col: energy*) Schwung *m*. [b] *to be on the ~* auf Trab sein (*col*); *to keep sb on the ~* jdn auf Trab halten; *he's got two books on the ~* er schreibt an zwei Büchern gleichzeitig; *it's all ~* es ist wirklich was los (*col*). [c] (*attempt*) Versuch *m* ► *it's your ~* du bist dran (*col*); *you've had your ~* du warst schon dran (*col*); *to have a ~* es probieren; *to have a ~ at sb* (*criticize*) jdn runterputzen (*col*); (*fight*) es mit jdm aufnehmen; *to have a ~ at doing sth* versuchen, etw zu tun; *at or in one ~* auf einen Schlag (*col*); *drink in einem Zug* (*col*); *can I have a ~?* darf ich mal? [d] (*success*) *to make a ~ of sth* in etw (*dat*) Erfolg haben; *(it's) no ~* (*col*) das ist nicht drin (*col*). [e] *from the word ~* von

Anfang an; **all systems (are)** ~ (es ist) alles klar.

◆**go about** ① *vi* herumgehen; (*by vehicle*) herumfahren; (*rumour, flu etc*) umgehen; (*ship*) wenden.
② *vi +prep obj task, problem* anpacken ▶ **we must ~ ~ it carefully** wir müssen vorsichtig vorgehen; **how does one ~ ~ getting seats?** wie bekommt man Plätze?; **to ~ ~ one's business** seinen Geschäften nachgehen.

◆**go after** *vi +prep obj* nachgehen (+*dat*), nachlaufen (+*dat*); (*in vehicle*) nachfahren (+*dat*); *criminal* jagen; *job, girl* sich bemühen um; (*Sport*) *record* einstellen wollen.

◆**go against** *vi +prep obj* ⓐ (*luck*) sein gegen; (*events*) ungünstig verlaufen für; (*evidence, appearance*) sprechen gegen ▶ **the verdict went ~ her** das Urteil fiel zu ihren Ungunsten aus. ⓑ (*be contrary to*) im Widerspruch stehen zu; *principles, conscience* gehen gegen.

◆**go ahead** *vi* ⓐ (*go in front*) vorangehen; (*go earlier*) vorausgehen; (*in race*) sich an die Spitze setzen. ⓑ (*work, project*) vorangehen ▶ **he just went ~ and did it** er hat es einfach gemacht; **~ ~!** nur zu!; **to ~ ~ with sth** etw durchführen.

◆**go along** *vi* ⓐ (*walk along*) entlanggehen ▶ **as one ~es ~** (*while walking*) unterwegs; (*bit by bit*) nach und nach; (*at the same time*) nebenbei. ⓑ **to ~ ~ with** (*accompany*) mitgehen mit; (*agree*) zustimmen +*dat*.

◆**go around** *vi* ⓐ (*turn, spin*) sich drehen. ⓑ (*make a detour*) **we went ~ by Winchester** wir machten einen Umweg über Winchester. ⓒ (*visit*) vorbeigehen (*to* bei). ⓓ (*tour: round museum etc*) herumgehen (*prep obj* in +*dat*). ⓔ (*be sufficient*) (aus)reichen ▶ **there's enough food to ~ ~** es ist genügend zu essen da. ⓕ = **go about 1**.

◆**go at** *vi +prep obj* (*col: attack*) *person* losgehen auf (+*acc*) (*col*); *task* sich machen an (+*acc*) ▶ **he really went ~ it** er hat richtig losgelegt (*col*).

◆**go away** *vi* (weg)gehen; (*for a holiday*) wegfahren ▶ **"gone ~"** (*on letter*) „verzogen"; **the smell won't ~ ~** der Geruch geht nicht mehr weg.

◆**go back** *vi* zurückgehen; (*to a subject*) zurückkommen (*to* auf +*acc*); (*revert: to habits, methods etc*) zurückkehren (*to* zu); (*clock: be put back*) zurückgestellt werden ▶ **to ~ ~ to the beginning** wieder von vorn anfangen; **there's no ~ing ~ now** jetzt gibt es kein Zurück mehr; **we ~ ~ a long way** wir kennen uns schon seit langem.

◆**go back on** *vi +prep obj* zurücknehmen; *decision* rückgängig machen.

◆**go by** *vi* (*person, opportunity*) vorbeigehen (*prep obj* an +*dat*); (*vehicle*) vorbeifahren (*prep obj* an +*dat*); (*time*) vergehen ▶ **as time went ~** mit der Zeit.
② *vi +prep obj* ⓐ (*base judgement on*) gehen nach; *compass, watch etc* sich richten nach; (*stick to*) *rules* sich halten an (+*acc*) ▶ **if that's anything to ~ ~** wenn man danach gehen kann; **~ing ~ what he said** nach dem, was er sagte; **that's not much to ~ ~** das will nicht viel heißen. ⓑ **to ~ ~ the name of X** X heißen.

◆**go down** *vi* ⓐ hinuntergehen (*prep obj acc*); (*by vehicle, lift*) hinunterfahren (*prep obj acc*); (*sun, moon*) untergehen; (*Theat: curtain*) fallen; (*fall: boxer etc*) zu Boden gehen.
ⓑ (*ship, person: sink*) untergehen; (*be defeated*) geschlagen werden (*to* von).
ⓒ (*Brit Univ*) die Universität verlassen; (*for vacation*) in die Semesterferien gehen.
ⓓ (*be accepted, approved*) ankommen (*with* bei) ▶ **that won't ~ ~ well with him** das wird er nicht gut finden; **he went ~ big in the States** (*col*) in den Staaten kam er ganz groß heraus (*col*).
ⓔ (*floods, temperature etc*) zurückgehen; (*taxes, value*) weniger werden; (*prices*) sinken; (*balloon, tyre*) Luft verlieren; (*deteriorate: neighbourhood*) her-

unterkommen ▶ **he has gone ~ in my estimation** er ist in meiner Achtung gesunken.
ⓕ (*be noted*) vermerkt werden ▶ **to ~ ~ to posterity/in history** der Nachwelt überliefert werden/in die Geschichte eingehen.
ⓖ **to ~ ~ with a cold** eine Erkältung bekommen.

◆**go for** *vi +prep obj* ⓐ (*col: attack*) losgehen auf (+*acc*) (*col*); (*verbally*) herziehen über (+*acc*). ⓑ (*col: admire, like*) gut finden. ⓒ (*aim at*) zielen auf (+*acc*); (*fig*) aussein auf (+*acc*) (*col*).

◆**go in** *vi* (*enter, fit in*) hineingehen; (*sun*) verschwinden.

◆**go in for** *vi +prep obj* ⓐ (*enter for*) teilnehmen an (+*dat*). ⓑ (*be interested in*) stehen auf (+*acc*) (*col*); (*as career*) gewählt haben ▶ **to ~ ~ ~ sports/tennis** (*play oneself*) Sport treiben/Tennis spielen; (*be interested in*) sich für Sport/Tennis interessieren; **to ~ ~ ~ growing vegetables** sich auf den Gemüseanbau verlegen.

◆**go into** *vi +prep obj* ⓐ *house, hospital, politics* gehen in (+*acc*); *the army, navy etc* gehen zu ▶ **to ~ ~ teaching** Lehrer werden. ⓑ (*crash into*) *car* (hinein)fahren in (+*acc*); *wall* fahren gegen. ⓒ *explanation, description etc* geben. ⓓ *trance, coma* fallen in (+*acc*). ⓔ (*look into*) sich befassen mit; (*treat, explain at length*) abhandeln ▶ **I don't want to ~ ~ that now** darauf möchte ich jetzt nicht (näher) eingehen.

◆**go off** ① *vi* ⓐ (*leave*) weggehen; (*by vehicle*) wegfahren ▶ **he went ~ to the States** er fuhr in die Staaten; **to ~ ~ with sth** (*steal*) mit etw auf und davon gehen (*col*). ⓑ (*light*) ausgehen; (*electricity*) ausfallen ▶ **the water/gas went off** wir hatten plötzlich kein Wasser/Gas mehr. ⓒ (*gun, bomb, alarm, alarm clock*) losgehen. ⓓ (*food*) schlecht werden; (*person, work*) nachlassen. ⓔ (*go to sleep*) einschlafen. ⓕ (*take place*) verlaufen ▶ **to ~ ~ well/badly** gut/schlecht gehen.
② *vi +prep obj* (*lose liking for*) nicht mehr mögen ▶ **I've gone ~ him/it** ich mache mir nichts mehr aus ihm/daraus.

◆**go on** ① *vi* ⓐ (*walk on etc*) weitergehen; (*by vehicle*) weiterfahren; (*ahead of others*) vorausgehen.
ⓑ (*light, power*) angehen.
ⓒ (*carry on, continue*) weitergehen; (*person*) weitermachen ▶ **to ~ ~ with sth** mit etw weitermachen; **to ~ ~ working** weiterarbeiten; **I want to ~ ~ being a teacher** ich möchte weiterhin Lehrer bleiben; **~ ~, tell me/try!** na, sag schon/na, versuch's doch!; **to have enough to be ~ing ~ with** fürs erste genug haben; **he went ~ to say that ...** dann sagte er, daß ...; **I can't ~ ~** ich kann nicht mehr; **as time ~es ~** im Laufe der Zeit; **don't ~ ~ (about it)** nun hör aber (damit) auf; **you do ~ ~ a bit** du weißt manchmal nicht, wann du aufhören solltest; **to ~ ~ about sb/sth** (*talk a lot*) stundenlang von jdm/etw erzählen; (*complain*) dauernd über jdn/etw schimpfen; **to ~ ~ at sb** an jdm herumnörgeln.
ⓓ (*happen*) vor sich gehen; (*party, argument etc*) im Gange sein ▶ **this has been ~ing ~ for a long time** das geht schon lange so; **what's ~ing ~ here?** was geht hier vor?
② *vi +prep obj* (*be guided by*) gehen nach ▶ **we haven't got much to ~ ~** wir haben nicht viel, worauf wir uns stützen können.

◆**go on for** *vi +prep obj fifty, one o'clock* zugehen auf (+*acc*) ▶ **there were ~ing ~ ~ twenty people there** es waren fast zwanzig Leute da.

◆**go out** *vi* ⓐ (*leave*) hinausgehen ▶ **to ~ ~ of a room** aus einem Zimmer gehen. ⓑ (*shopping etc*) weggehen; (*socially, to theatre etc, with girl-/boyfriend*) ausgehen ▶ **to ~ ~ for a meal** essen gehen. ⓒ (*fire, light*) ausgehen ▶ **to ~ ~ like a light** (*col*) sofort wegsein (*col*). ⓓ (*tide*) zurückgehen. ⓔ **my heart went ~ to him** ich fühlte mit ihm mit. ⓕ (*Sport: be defeated*) ausscheiden. ⓖ

(*circular*) (hinaus)gehen; (*Rad, TV: programme*) ausgestrahlt werden.

◆**go over** [1] *vi* [a] (*cross*) hinübergehen; (*by vehicle*) hinüberfahren. [b] (*change sides etc*) übergehen (*to* zu); (*to another party*) überwechseln (*to* zu). [c] (*TV, Rad: to news desk etc*) umschalten. [d] (*be received: play, remarks etc*) ankommen.
[2] *vi +prep obj* [a] (*examine*) *accounts* durchgehen; *house, luggage* durchsuchen; (*medically*) *person* untersuchen; (*see over*) *house etc* sich (*dat*) ansehen. [b] *lesson, facts* durchgehen ▸ *to* ~ ~ *sth in one's mind* etw überdenken.

◆**go past** *vi* (*prep obj* an +*dat*) vorbeigehen; (*vehicle*) vorbeifahren; (*time*) vergehen.

◆**go round** *vi* = **go around**.

◆**go through** [1] *vi* (*lit, fig*) durchgehen; (*business deal*) abgeschlossen werden.
[2] *vi +prep obj* [a] *hole, door, customs etc* gehen durch. [b] *illness, formalities etc* durchmachen. [c] (*examine, discuss*) durchgehen. [d] (*search*) *pocket, suitcase* durchsuchen. [e] (*use up*) aufbrauchen; *money* ausgeben; *shoes* durchlaufen (*col*) ▸ *he has gone* ~ *the seat of his trousers* er hat seine Hose durchgesessen.

◆**go through with** *vi +prep obj plan* durchziehen (*col*) ▸ *she couldn't* ~ ~ ~ *it* sie brachte es nicht fertig.

◆**go together** *vi* (*harmonize*) zusammenpassen; (*events, conditions*) zusammen auftreten.

◆**go under** [1] *vi* (*sink*) untergehen; (*businessman*) scheitern; (*company*) eingehen (*col*).
[2] *vi +prep obj to* ~ ~ *the name of X* als X bekannt sein.

◆**go up** *vi* [a] (*price, temperature etc*) steigen. [b] (*climb*) hinaufsteigen (*prep obj acc*). [c] (*lift*) hochfahren; (*balloon*) aufsteigen; (*Theat: curtain*) hochgehen; (*be built: new flats etc*) gebaut werden. [d] (*explode*) in die Luft gehen ▸ *to* ~ ~ *in flames* in Flammen aufgehen.

◆**go without** [1] *vi +prep obj to* ~ ~ *sth* auf etw (*acc*) verzichten.
[2] *vi* darauf verzichten.

goad [gəʊd] *vt* (*taunt*) aufreizen ▸ *to* ~ *sb into sth* jdn zu etw anstacheln.

◆**goad on** *vt sep* anstacheln.

go-ahead ['gəʊəhed] [1] *adj* fortschrittlich.
[2] *n to give sb/sth the* ~ jdm/für etw grünes Licht geben.

goal [gəʊl] *n* [a] (*Sport*) Tor *nt*. [b] (*aim, objective*) Ziel *nt*.

goalie ['gəʊlɪ] *n* (*col*) Tormann *m*.

goal: ~keeper *n* Torwart *m*; **~-kick** *n* Abstoß *m* (vom Tor); **~-post** *n* Torpfosten *m*; *to move the* ~**-posts** (*fig col*) die Spielregeln ändern; **~-scorer** *n* Torschütze *m*.

goat [gəʊt] *n* Ziege *f* ▸ *to get sb's* ~ (*col*) jdn auf die Palme bringen (*col*).

gob [gɒb] *n* (*Brit col!: mouth*) Schnauze *f* (*col!*).

gobble ['gɒbl] *vt* verschlingen.

◆**gobble down** *vt sep* hinunterschlingen.

◆**gobble up** *vt sep* (*lit, fig*) verschlingen.

gobbledygook ['gɒbldɪ,guːk] *n* (*col*) Kauderwelsch *nt*.

go-between ['gəʊbɪ,twiːn] *n* Vermittler(in *f*) *m*.

Gobi Desert ['gəʊbɪ'dezət] *n* Wüste *f* Gobi.

goblin ['gɒblɪn] *n* Kobold *m*.

gobsmacked ['gɒbsmækt] *adj* (*col*) platt (*col*).

god [gɒd] *n* Gott *m* ▸ *G~ forbid* (*col*) Gott behüte; *G~ (only) knows* (*col*) wer weiß (*col*), *good G~!* (*col*) O Gott! (*col*), großer Gott! (*col!*); *for G~'s sake!* (*col*) um Gottes willen! (*col!*); *the* ~*s* (*Brit Theat col*) die Galerie, der Olymp (*col*).

god: ~child *n* Patenkind *nt*; **~dam** *adj* (*esp US col*) Scheiß- (*col!*), gottverdammt (*col!*); **~daughter** *n* Patentochter *f*.

goddess ['gɒdɪs] *n* Göttin *f*.

god: ~father *n* Pate *m*; **~fearing** *adj* gottesfürchtig; **~forsaken** *adj* (*col*) gottverlassen; **~less** *adj* gottlos.

godly ['gɒdlɪ] *adj* (+*er*) fromm, gottesfürchtig.

god: ~mother *n* Patin *f*; **~parent** *n* Pate *m*, Patin *f*; **~send** *n* Geschenk *nt* des Himmels; **~son** *n* Patensohn *m*.

go-getter ['gəʊ'getəʳ] *n* (*col*) Tatmensch *m*.

goggle ['gɒgl] *vi to* ~ *at sb/sth* jdn/etw anglotzen (*col*).

goggle: ~-box *n* (*Brit col*) Glotze *f* (*col*); **~-eyed** *adj* glotzäugig.

goggles ['gɒglz] *npl* Schutzbrille *f*.

going ['gəʊɪŋ] [1] *n it's slow* ~ es geht nur langsam; *that's good* ~ das ist ein flottes Tempo; *the* ~ *is good/hard* (*in racing*) die Bahn ist gut/hart; *the road was heavy/rough* ~ man kam auf der Straße nur schwer/mit Mühe voran; *it's heavy* ~ *talking to him* es ist sehr mühsam, sich mit ihm zu unterhalten; *while the* ~ *is good* solange es noch geht.
[2] *adj attr business* gutgehend; *price* aktuell ▸ *to sell sth as a* ~ *concern* etw als ein bestehendes Unternehmen verkaufen.

going-over [,gəʊɪŋ'əʊvəʳ] *n* (*examination*) Untersuchung *f*; (*col: beating-up*) Abreibung *f* ▸ *to give sth a good* ~ etw gründlich untersuchen; *to give sb a good* ~ (*col*) jdm eine tüchtige Abreibung verpassen (*col*).

goings-on [,gəʊɪŋz'ɒn] *npl* (*col*) Dinge *pl* ▸ *there have been strange* ~ da sind seltsame Dinge passiert.

goitre, (*US*) **goiter** ['gɔɪtəʳ] *n* Kropf *m*.

go-kart ['gəʊ,kɑːt] *n* Go-Kart *m*.

gold [gəʊld] [1] *n* [a] Gold *nt*. [b] (*colour*) Goldton *m*.
[2] *adj* golden; (*made of* ~ *also*) Gold-.

gold card *n* Goldcard *f*.

golden ['gəʊldən] *adj* (*lit, fig*) golden; *opportunity* einmalig ▸ ~ *brown* goldbraun; ~ *eagle* Steinadler *m*; ~ *handshake* (*col*) großzügige Abfindung; ~ *hello* (*col*) Einstellungsprämie *f*; ~ *jubilee* goldenes Jubiläum; ~ *labrador* Goldener Labrador; ~ *rule* goldene Regel; ~ *wedding (anniversary)* goldene Hochzeit.

gold: ~finch *n* Stieglitz, Distelfink *m*; **~fish** *n* Goldfisch *m*; ~ *leaf* *n* Blattgold *nt*; ~ *medal* *n* Goldmedaille *f*; ~ *medallist* *n* Goldmedaillengewinner(in *f*) *m*; **~mine** *n* (*lit, fig*) Goldgrube *f*; ~ *plate* *n* (*plating*) Vergoldung *f*; (*articles*) vergoldetes Gerät; ~ *reserves* *npl* Goldreserven *pl*; **~smith** *n* Goldschmied *m*.

golf [gɒlf] *n* Golf *nt*.

golf: ~ball *n* Golfball *m*; (*on typewriter*) Kugelkopf *m*; ~ *club* *n* Golfschläger *m*; (*association*) Golfklub *m*; ~ *course* *n* Golfplatz *m*.

golfer ['gɒlfəʳ] *n* Golfer(in *f*), Golfspieler(in *f*) *m*.

gondola ['gɒndələ] *n* Gondel *f*.

gondolier [,gɒndə'lɪəʳ] *n* Gondoliere *m*.

gone [gɒn] [1] *ptp of* **go**.
[2] *adj pred* (*col*) *to be* ~ *on sb/sth* von jdm/etw ganz weg sein (*col*); *she's six months* ~ (*pregnant*) sie ist im siebten Monat.
[3] *prep it's just* ~ *three* es ist gerade drei Uhr vorbei.

goner ['gɒnəʳ] *n* (*col*) *to be a* ~ (*car etc*) kaputt sein (*col*); (*patient*) es nicht mehr lange machen; (*professionally: person, company*) weg vom Fenster sein (*col*).

gong [gɒŋ] *n* Gong *m*; (*Brit col: medal*) Blech *nt* (*col*).

gonorrhoea [,gɒnə'rɪə] *n* Gonorrhö *f*, Tripper *m*.

goo [guː] *n* (*col*) Papp *m* (*col*).

▼ **good** [gʊd] [1] *adj, comp* **better,** *superl* **best** [a] gut ▸ *that's a* ~ *one!* (*joke*) das ist gut!, das ist ein guter Witz (*also iro*); (*excuse*) wer's glaubt, wird selig! (*col*) *it's no* ~ *doing it like that* es hat keinen Sinn, das so zu machen; *that's no* ~ das ist nichts; *to be* ~ *at sport/languages* gut im Sport/in Sprachen sein; *to be* ~ *at sewing/typing* gut nähen/maschineschreiben können; *I'm not very* ~ *at that* das kann ich nicht besonders gut; *to be* ~ *for sb* jdm guttun; (*be healthy also*) gesund sein;

to be ~ for toothache/one's health gut gegen Zahnschmerzen/für die Gesundheit sein; *to drink more than is ~ for one* mehr trinken, als einem guttut; *to be ~ with people* mit Menschen umgehen können; *it's too ~ to be true* es ist zu schön, um wahr zu sein; *to feel ~* sich wohl fühlen; *I don't feel too ~* ich fühle mich nicht wohl; *that's (not) ~ enough* das reicht (nicht); *if he gives his word, that's ~ enough for me* wenn er sein Wort gibt, reicht mir das; *it's just not ~ enough!* so geht das nicht!; *his attitude/behaviour is just not ~ enough* er hat einfach nicht die richtige Einstellung/sein Benehmen ist nicht akzeptabel; *~ morning/afternoon* guten Morgen/Tag; *that's ~!* gut!, prima!; *(it's) ~ to see you/to be here* (es ist) schön, dich zu sehen/hier zu sein; *~, I think that'll be all* gut, ich glaube das reicht; *very ~, sir* jawohl; *~ for you/him!* das hast du/hat er gut gemacht!, (iro also) das ist ja toll!

[b] (favourable) moment, chance, opportunity günstig, gut ▸ *a ~ day for a picnic* ein guter Tag für ein Picknick; *it's a ~ thing or job I was there* (nur) gut, daß ich dort war.

[c] (enjoyable) holiday, evening schön ▸ *the ~ life* das süße Leben; *to have a ~ time* sich gut amüsieren; *have a ~ time!* viel Spaß or Vergnügen!; *did you have a ~ day?* wie ging's (dir) heute?; *have a ~ day!* schönen Tag noch!

[d] (kind) gut, lieb ▸ *to be ~ to sb* gut zu jdm sein; *that's very ~ of you* das ist sehr lieb or nett von Ihnen; *(it was) ~ of you to come* nett, daß Sie gekommen sind; *would you be ~ enough to tell me ...* wären Sie so nett, mir zu sagen ... (also iro); *she was ~ enough to help us* sie war so gut und hat uns geholfen; *with every ~ wish* mit den besten Wünschen.

[e] (well-behaved, obedient) artig, brav (col) ▸ *(as) ~ as gold* sehr artig or brav (col); *be a ~ girl/boy* sei artig or brav (col); *be a ~ girl/boy and ...* sei so lieb und ...; *my ~ man* (dated) mein guter Mann (dated); *~ girl/boy!* das ist lieb!; (well done) gut!; *~ old Charles!* der gute alte Charles!

[f] *is his credit ~?* ist er kreditfähig?; *what or how much is he ~ for?* (will he give us) mit wieviel kann man bei ihm rechnen?; (does he have) wieviel hat er?; *he/the car is ~ for another few years* mit ihm kann man noch ein paar Jahre rechnen/das Auto hält or tut's (col) noch ein paar Jahre.

[g] (thorough) gut, gründlich ▸ *to give sth a ~ clean* etw gründlich reinigen; *to have a ~ laugh* ordentlich lachen; *to take a ~ look at sth* sich (dat) etw gut ansehen.

[h] (considerable, not less than) hour, while gut; amount, distance, way also schön ▸ *it's a ~ 8 km* es sind gute 8 km; *a ~ deal of effort/money* beträchtliche Mühe/ziemlich viel Geld; *a ~ many/few people* ziemlich viele/nicht gerade wenig Leute.

[i] *as ~ as* so gut wie; *as ~ as new/settled* so gut wie neu/abgemacht; *he was as ~ as his word* er hat sein Wort gehalten; *he as ~ as called me a liar* er nannte mich praktisch einen Lügner.

[2] *adv* schön ▸ *a ~ strong stick/old age* ein schön(er) starker Stock/ein schön(es) hohes Alter; *~ and strong* (col) schön stark (col).

[3] *n* [a] (what is morally right) Gute(s) nt ▸ *to do ~* Gutes tun; *to be up to no ~* (col) nichts Gutes im Schilde führen (col).

[b] (advantage, benefit) Wohl nt ▸ *the common ~* das Gemeinwohl; *for the ~ of the nation* zum Wohl(e) der Nation; *I did it for your own ~* es war nur zu deinem Besten; *for the ~ of one's health etc* seiner Gesundheit etc zuliebe; *that's all to the ~* das kann nur von Vorteil sein; *he'll come to no ~* mit ihm wird es noch ein böses Ende nehmen; *what's the ~ of hurry-*

ing? wozu eigentlich die Eile?; *he's no ~ to us* er nützt uns (dat) nichts; *it's no ~ complaining to me* es ist sinnlos, sich bei mir zu beklagen; *if that is any ~ to you* wenn es dir hilft; *the applicant was no ~* der Bewerber war nicht gut; *he wasn't any ~ for the job* er eignete sich nicht für die Arbeit; *is this one any ~?* was ist mit dieser/diesem?; *it's no ~, it won't start* es hat keinen Zweck, es springt nicht an; *what ~ will that do you?* was hast du davon?; *that won't do you much/any ~* das hilft dir auch nicht viel/nichts; (will be unhealthy etc) das ist nicht gut für dich; *a (fat) lot of ~ that will do!* (iro col) als ob das etwas helfen würde! (iro).

[c] (for ever) *for ~ (and all)* für immer (und ewig).

good: ~**bye**, (US) ~**by** [1] *n* Abschied *m*; *to say ~bye (to sb)* sich (von jdm) verabschieden; *to say ~bye to sth* einer Sache (dat) Lebewohl sagen; [2] *interj* auf Wiedersehen; ~**-for-nothing** [1] *n* Nichtsnutz *m*; [2] *adj* nichtsnutzig; **G~ Friday** *n* Karfreitag *m*; ~**-humoured**, (US) ~**-humored** *adj* gut gelaunt; (~-natured) gutmütig.

goodies ['gʊdɪz] *pl of* **goody**.

good: ~**-looking** *adj* gutaussehend; ~**-natured** *adj* gutmütig.

goodness ['gʊdnɪs] *n* Güte *f* ▸ *~ knows* (col) weiß der Himmel (col); *for ~' sake* (col) um Himmels willen (col); *I wish to ~ I had gone* (col) wenn ich doch bloß gegangen wäre!; *(my) ~!, ~ gracious!* (col) ach du meine Güte! (col).

goods [gʊdz] *npl* Güter *pl* (also Comm); (merchandise also) Waren *pl*; (possessions also) Habe *f* (geh) ▸ *~ train/yard* (Brit) Güterzug *m*/-bahnhof *m*; *one's ~ and chattels* sein Hab und Gut (also Jur); *to deliver or produce the ~* (col) es (wirklich) bringen (col).

good: ~**-sized** *adj* ziemlich groß; ~**-tempered** *adj* person verträglich; animal gutartig; ~**will** *n* Wohlwollen *nt*; (between nations, Comm) Goodwill *m*; *a gesture of ~will* ein Zeichen seines/ihres etc guten Willens; *to gain sb's ~will* jds Gunst gewinnen; ~**will mission/tour** Goodwillreise *f*.

goody ['gʊdɪ] [1] (col) *interj* toll, prima. [2] *n* [a] (person) Gute(r) *mf*. [b] *pl* (delicacies) gute Sachen *pl*; (accessories) Zubehör *nt* ▸ *computer/hifi goodies* Computerzeug *nt* (col)/Hifigeräte *pl*.

goody-goody ['gʊdɪ,gʊdɪ] *n* (col) Tugendlamm *nt* (col).

gooey ['guːɪ] *adj* (+er) (col) (sticky) klebrig; toffees, centres of chocolates weich und klebrig.

goof [guːf] *vi* (col: blunder) Mist bauen (col).

goose [guːs] *n*, *pl* **geese** (lit, fig col) Gans *f*.

gooseberry ['gʊzbərɪ] *n* Stachelbeere *f* ▸ *to play ~* (Brit col) das fünfte Rad am Wagen sein (col).

goose: ~**flesh** *n*, ~**pimples** *npl* Gänsehaut *f*; ~**step** [1] *n* Stechschritt *m*; [2] *vi* im Stechschritt marschieren.

GOP (US Pol) = **Grand Old Party** republikanische Partei.

gore¹ [gɔːʳ] *n* (liter: blood) Blut *nt*.

gore² *vt* aufspießen.

gorge [gɔːdʒ] [1] *n* (Geog) Schlucht *f*. [2] *vr* sich vollessen; (animal) gierig fressen ▸ *to ~ oneself on sth* etw verschlingen.

gorgeous ['gɔːdʒəs] *adj* großartig, sagenhaft (col).

gorilla [gə'rɪlə] *n* Gorilla *m*.

gormless ['gɔːmlɪs] *adj* (Brit col) doof (col).

gorse [gɔːs] *n* Stechginster *m*.

gory ['gɔːrɪ] *adj* (+er) battle etc blutig ▸ *the ~ details* (fig) die peinlichen Einzelheiten.

gosh [gɒʃ] *interj* Mensch! (col), Mann! (col).

gosling ['gɒzlɪŋ] *n* junge Gans, Gänschen *nt*.

go-slow ['gəʊ'sləʊ] *n* (Brit) Bummelstreik *m*.

gospel ['gɒspəl] *n* (Bibl) Evangelium *nt* ▸ *to take sth as ~* etw für bare Münze nehmen (col); *the ~ truth* (col) die reine Wahrheit.

gossamer ['gɒsəməʳ] **1** *n* **a** Spinnfäden *pl.* **b** (*Tex*) hauchdünne Gaze.
2 *adj* hauchdünn.

gossip ['gɒsɪp] **1** *n* **a** Klatsch (*col*) *m*; (*chat*) Schwatz *m* ▸ **to have a ~ with sb** mit jdm schwatzen. **b** (*person*) Klatschbase *f.*
2 *vi* schwatzen (*col*); (*maliciously*) klatschen.

gossip: **~ column** *n* Klatschspalte *f;* **~ columnist** *n* Klatschkolumnist(in *f*) *m.*

got [gɒt] *pret, ptp of* **get.**

Goth [gɒθ] *n* Gote *m.*

Gothic ['gɒθɪk] **1** *adj* gotisch ▸ **~ novel** Schauerroman *m.*
2 *n* (*Art*) Gotik *f.*

gotten ['gɒtn] (*esp US*) *ptp of* **get.**

gouge [gaʊdʒ] **1** *n* (*tool*) Hohlmeißel *m*; (*groove*) Furche *f.*
2 *vt* bohren ▸ **the river ~d a channel in the mountainside** der Fluß grub sich (*dat*) sein Bett in den Berg.

◆gouge out *vt sep* herausbohren ▸ **to ~ sb's eyes ~** jdm die Augen ausstechen.

goulash ['guːlæʃ] *n* Gulasch *nt.*

gourd [gʊəd] *n* Flaschenkürbis *m.*

gourmand ['gʊəmənd] *n* Schlemmer *m.*

gourmet ['gʊəmeɪ] *n* Feinschmecker, Gourmet *m.*

gout [gaʊt] *n* (*Med*) Gicht *f.*

govern ['gʌvən] *vt* **a** (*rule*) country regieren; *province, colony, school etc* verwalten. **b** (*control*) bestimmen; (*legislation*) regeln. **c** (*Mech*) regulieren. **d** (*Gram*) *case* regieren.

governess ['gʌvənɪs] *n* Gouvernante *f.*

governing ['gʌvənɪŋ] *adj* **a** (*ruling*) regierend ▸ **the ~ party** die Regierungspartei; **~ body** Vorstand *m.* **b** (*guiding, controlling*) entscheidend ▸ **~ principle** Leitgedanke *m.*

government ['gʌvənmənt] *n* Regierung *f.*

government *in cpds* Regierungs-, der Regierung.

government: **~ backing** *n* staatliche Unterstützung; **~ bond** *n* Staatsanleihe *f;* **~ department** *n* Ministerium *nt;* **~ grant** *n* (staatliche) Subvention; **~ intervention** *n* staatlicher Eingriff; **~ securities** *npl* (*Fin*) Staatsanleihen *pl.*

governor ['gʌvənəʳ] *n* **a** (*of colony, state etc*) Gouverneur *m.* **b** (*esp Brit: of bank, prison*) Direktor *m*; (*of school*) ≃ Mitglied *nt* des Schulbeirats ▸ **the (board of) ~s** der Vorstand; (*of bank also*) das Direktorium; (*of school*) ≃ der Schulbeirat. **c** (*Brit col*) (*boss*) Chef *m* (*col*). **d** (*Mech*) Regler *m.*

govt = **government** Reg.

gown [gaʊn] *n* **a** Kleid *nt*; (*evening ~*) Abendkleid *nt.* **b** (*academic*) Robe *f*; (*of clergyman, judge*) Talar *m.*

GP = **a** (*Sport*) **Grand Prix.** **b** (*Brit*) **general practitioner.**

GPO = **a** (*Brit old*) **General Post Office.** **b** (*US*) **Government Printing Office** Staatsdruckerei *f.*

grab [græb] **1** *n* **a** Griff *m* ▸ **to make a ~ at sth** nach etw greifen. **b** (*Mech*) Greifer *m.* **c** (*col*) **to be up for ~s** zu haben sein (*col*).
2 *vt* (*seize*) packen; (*greedily also*) sich (*dat*) schnappen (*col*); (*take*) wegschnappen (*col*); (*col: catch*) *person* schnappen (*col*); *chance* beim Schopf ergreifen (*col*) ▸ **he ~bed my sleeve** er packte mich am Ärmel; **to ~ sth away from sb** jdm etw wegreißen; **how does that ~ you?** (*col*) was hältst du davon?; **it didn't ~ me** (*col*) es hat mich nicht angemacht (*col*).
3 *vi* **to ~ at** greifen nach, packen (+*acc*).

grace [greɪs] **1** *n* Anmut *f* ▸ **to do sth with (a) good/ bad ~** etw bereitwillig/widerwillig tun; **he took it with good/bad ~** er machte gute Miene zum bösen Spiel/er

war sehr ungehalten darüber; **he had the ~ to apologize** er war so anständig, sich zu entschuldigen; **he didn't even have the ~ to apologize** er brachte es nicht einmal fertig, sich zu entschuldigen; **social ~s** (gesellschaftliche) Umgangsformen *pl*; **to give sb a few days' ~** jdm ein paar Tage Zeit lassen; (*Comm*) jdm ein paar Tage Aufschub gewähren; **to say ~** das Tischgebet sprechen; **by the ~ of God** durch die Gnade Gottes; **to fall from ~** in Ungnade fallen; **~ note** (*Mus*) Verzierung *f.*
2 *vt* **a** (*adorn*) zieren (*geh*). **b** (*honour*) beehren (with mit) (*geh*) ▸ **to ~ the occasion with one's presence** sich (*dat*) die Ehre geben.

graceful ['greɪsfʊl] *adj* anmutig; *outline, appearance also, behaviour* gefällig.

gracefully ['greɪsfəlɪ] *adv move* anmutig ▸ **he gave in ~** er gab gelassen nach.

gracefulness ['greɪsfʊlnɪs] *n* Anmut *f.*

gracious ['greɪʃəs] **1** *adj* liebenswürdig; (*lenient*) gnädig (*also iro*) ▸ **~ living** feudaler Lebensstil.
2 *interj* **(good) ~!** (*col*) du meine Güte!

graciously ['greɪʃəslɪ] *adv* gnädig.

gradation [grə'deɪʃən] *n* Abstufung *f.*

grade [greɪd] **1** *n* **a** (*standard*) Niveau *nt*; (*of goods*) (Güte)klasse *f* ▸ **high-/low-~ goods** hoch-/ minderwertige Ware; **to make the ~** (*fig*) es schaffen (*col*). **b** (*job ~*) Position, Stellung *f*; (*Mil*) Rang, (Dienst)grad *m*; (*salary ~*) Klasse, Stufe *f.* **c** (*Sch*) (*mark*) Note *f*; (*esp US: class*) Klasse *f.* **d** (*US*) = **gradient.**
2 *vt* **a** klassifizieren; *eggs, goods also* sortieren; *students* einstufen. **b** (*Sch: mark*) benoten.

grade: **~ crossing** *n* (*US*) Bahnübergang *m*; **~ school** *n* (*US*) ≃ Grundschule *f.*

gradient ['greɪdɪənt] *n* Neigung *f*; (*upward also*) Steigung *f*; (*downward also*) Gefälle *nt* ▸ **a ~ of 1 in 10** eine Steigung/ein Gefälle von 10%.

gradual ['grædjʊəl] *adj* allmählich; *slope* sanft.

gradually ['grædjʊəlɪ] *adv* nach und nach, allmählich; *slope* sanft.

graduate¹ ['grædjʊɪt] *n* (*Univ*) (Hochschul)absolvent(in *f*) *m*; (*US Sch*) Schulabgänger(in *f*) *m* ▸ **high-school ~** ≃ Abiturient(in *f*) *m.*

graduate² ['grædjʊeɪt] **1** *vi* (*Univ*) graduieren; (*US Sch*) die Abschlußprüfung bestehen (*from* an +*dat*).
2 *vt* (*mark*) einteilen.

graduation [‚grædjʊ'eɪʃən] *n* **a** (*Univ, US Sch: ceremony*) (Ab)schlußfeier *f* (*mit feierlicher Überreichung der Zeugnisse*). **b** (*mark*) (Maß)einteilung *f.*

graffiti [grə'fiːtɪ] *npl* Graffiti *pl.*

graft [grɑːft] **1** *n* **a** (*Bot*) (Pfropf)reis *nt*; (*Med*) Transplantat *nt.* **b** (*col: corruption*) Schiebung *f.* **c** (*col: hard work*) Schufterei *f* (*col*).
2 *vt* (*Bot*) (auf)pfropfen (*on* auf +*acc*); (*Med*) übertragen (*on* auf +*acc*), einpflanzen (*in* in +*acc*); (*fig: incorporate*) einbauen (*onto* in +*acc*).
3 *vi* (*col: work hard*) schuften (*col*) (*at* an +*dat*).

grain [greɪn] *n* **a** *no pl* Getreide, Korn *nt.* **b** (*of corn, sand etc*) Korn *nt*; (*fig*) Spur *f*; (*of truth also*) Körnchen *nt.* **c** (*of leather*) Narben *m*; (*of cloth*) Strich *m*; (*of wood, marble*) Maserung *f*; (*Phot*) Korn *nt* ▸ **it goes against the ~ (with sb)** (*fig*) es geht (jdm) gegen den Strich.

grainy ['greɪnɪ] *adj* (+*er*) *texture* körnig.

gram(me) [græm] *n* Gramm *nt.*

grammar ['græməʳ] *n* Grammatik *f* ▸ **that's bad ~** das ist grammat(ikal)isch falsch.

grammar school *n* (*Brit*) ≃ Gymnasium *nt.*

grammatical [grə'mætɪkəl] *adj* grammat(ikal)isch; *rules, mistakes also* Grammatik-; (*correct*) grammat(ikal)isch richtig ▸ **this is not ~** das ist grammat(ikal)isch falsch.

gramophone ['græməfəʊn] n (Brit) Grammophon ℗ nt ► ~ **record** Schallplatte f.

gran [græn] n (col) Oma (col) f.

granary ['grænərı] n Getreidespeicher m.

grand [grænd] **1** adj (+er) großartig; building, display prachtvoll; (lofty) idea hochfliegend; (dignified) air, person würdevoll; (posh) dinner party, person vornehm ► **to have a ~ time** sich glänzend amüsieren. **2** n (col) ≈ Riese m (col) (1000 Dollar/Pfund) ► **50 ~** 50 Riesen (col).

grand: ~child n Enkel(kind nt) m; **~(d)ad** n (col) Opa (col), Opi (col) m; **~daughter** n Enkelin f.

grandeur ['grændjər] n (of scenery, music) Erhabenheit f; (of manner also) Würde f; (of position, event also) Glanz m.

grand: ~father n Großvater m; **~father clock** n Standuhr f; **~ finale** n großes Finale.

grandiose ['grændɪəʊs] adj house, idea, speech grandios (also pej), großartig; (pej: pompous) style schwülstig, bombastisch.

grand jury n (US Jur) Großes Geschworenengericht.

grandly ['grændlı] adv see adj großartig; prachtvoll; würdevoll; vornehm.

grand: ~ma n (col) Oma f (col); **~mother** n Großmutter f; **G~ National** n Grand National nt (bedeutendes Hindernisrennen in GB).

grand: ~ opera n große Oper; **~pa** n (col) Opa m (col); **~parent** n Großvater m/-mutter f; **~parents** npl Großeltern pl; **~ piano** n Flügel m; **G~ Prix** n Grand Prix m; **~ slam** n (Bridge) Großschlemm m; **to win the ~ slam** (Sport) alle Wettbewerbe der Spielserie gewinnen; **~son** n Enkel(sohn) m; **~stand** n Haupttribüne f; **to have a ~stand view of sth** direkten Blick auf etw (acc) haben; **~ total** n Gesamtsumme f.

granite ['grænɪt] n Granit m.

granny, grannie ['grænɪ] n **a** (col) Oma (col) f. **b** (also ~ **knot**) Altweiberknoten m.

grant [grɑːnt] **1** vt **a** gewähren (sb jdm); privilege also zugestehen (sb jdm); prayer erhören; honour erweisen (sb jdm); permission erteilen (sb jdm); (fulfil) wish erfüllen. **b** (admit, agree) zugeben, zugestehen ► **~ing** or **~ed that this is true ...** angenommen, das ist wahr ...; **I ~ you that** da gebe ich dir recht; **to take sb/sth for ~ed** jdn/etw als selbstverständlich hinnehmen; **to take it for ~ed that ...** es als selbstverständlich betrachten, daß ...; **you take too much for ~ed** für dich ist zu vieles (einfach) selbstverständlich. **2** n (of money) Subvention f; (for studying etc) Ausbildungsbeihilfe f; (scholarship) Stipendium nt.

granular ['grænjʊlər] adj körnig.

granulated sugar ['grænjʊleɪtɪd'ʃʊgər] n Zuckerraffinade f.

granule ['grænjuːl] n Körnchen nt.

grape [greɪp] n (Wein)traube f.

grape: ~fruit n Grapefruit f; **~ juice** n Traubensaft m; **~vine** n Weinstock m; (col) Nachrichtendienst m (col); **I heard it on the ~vine** es ist mir zu Ohren gekommen.

graph [grɑːf] n Diagramm, Schaubild nt ► **~ paper** Diagrammpapier, Millimeterpapier nt.

graphic ['græfɪk] adj **a** grafisch, graphisch ► **~ arts** Grafik, Graphik f; **~ artist** or **designer** Grafiker(in f) m, Graphiker(in f) m; **in ~ detail** in aller Deutlichkeit. **b** (vivid) description anschaulich.

graphical user interface ['græfɪkəl-] n (Comput) grafische Benutzeroberfläche.

graphics ['græfɪks] n **a** pl (drawings) grafische or graphische Darstellungen pl. **b** (Comp) Grafik f.

graphite ['græfaɪt] n Graphit m.

graphologist [græ'fɒlədʒɪst] n Graphologe m, Graphologin f.

graphology [græ'fɒlədʒɪ] n Graphologie f.

grapple ['græpl] vi (lit) ringen, kämpfen ► **to ~ with a problem** sich mit einem Problem auseinandersetzen.

grappling iron ['græplɪŋˌaɪən] n Haken m; (Naut) Enterhaken m.

grasp [grɑːsp] **1** n **a** (hold) Griff m ► **to be within sb's ~** (für jdn) in greifbare Nähe gerückt sein. **b** (fig: understanding) Verständnis nt ► **to have a good ~ of sth** etw gut beherrschen; **it is beyond/within his ~** das geht über seinen Verstand/das kann er begreifen. **2** vt **a** (catch hold of) ergreifen, greifen nach; (hold tightly) festhalten. **b** (fig: understand) begreifen, erfassen.

grasping ['grɑːspɪŋ] adj (fig) habgierig.

grass [grɑːs] **1** n **a** Gras nt; (lawn) Rasen m; (pasture) Weide(land nt) f ► **to let the ~ grow under one's feet** (fig) lange zögern; **to put out to ~** auf die Weide führen or treiben; (fig: sb) aufs Abstellgleis schieben. **b** (col: marijuana) Gras nt (col). **c** (Brit col: informer) Spitzel m (col). **2** vi (Brit col) singen (col) (to bei) ► **to ~ on sb** jdn verpfeifen (col).

grass: ~hopper n Heuschrecke f, Grashüpfer m (col); **~land** n Grasland nt; **~-roots** **1** npl Volk nt; (of a party) Basis f; **2** adj attr an der Basis; democracy Basis-; **at ~-roots level** an der Basis; **a ~-roots initiative** eine Bürgerinitiative; **~ skirt** n Bastrock m; **~ snake** n Ringelnatter f; **~ widow** n Strohwitwe f; **~ widower** n Strohwitwer m.

grassy ['grɑːsɪ] adj (+er) mit Gras bewachsen.

grate¹ [greɪt] n Gitter nt; (in fire) (Feuer)rost m; (fireplace) Kamin m.

grate² **1** vt **a** (Cook) reiben; vegetables also raspeln. **b** (scrape) streifen; (make a grating noise with) kratzen mit; one's teeth knirschen mit. **2** vi (make a noise) kratzen; (chalk also, rusty door) quietschen ► **to ~ on sb's nerves** jdm auf die Nerven gehen; **it ~s on the ears** es tut in den Ohren weh.

grateful ['greɪtfʊl] adj dankbar (to sb jdm). ◄

gratefully ['greɪtfʊlɪ] adv dankbar.

grater ['greɪtər] n Reibe f; (for vegetables also) Raspel f.

gratification [ˌgrætɪfɪ'keɪʃən] n (pleasure) Genugtuung f; (of desires) Befriedigung f.

gratify ['grætɪfaɪ] vt (give pleasure) erfreuen; (satisfy) befriedigen, zufriedenstellen.

gratifying ['grætɪfaɪɪŋ] adj (sehr) erfreulich.

grating¹ ['greɪtɪŋ] n Gitter nt.

grating² adj kratzend; sound (squeaking) quietschend; (rasping) knirschend; voice schrill.

gratis ['grætɪs] adj, adv gratis.

gratitude ['grætɪtjuːd] n Dankbarkeit f (to gegenüber).

gratuitous [grə'tjuːɪtəs] adj überflüssig, unnötig.

gratuity [grə'tjuːɪtɪ] n Gratifikation, (Sonder)zuwendung f; (form: tip) Trinkgeld nt.

grave¹ [greɪv] n (lit, fig) Grab nt ► **he's digging his own ~** (fig) er schaufelt sich selbst sein Grab; **to turn in one's ~** sich im Grabe herumdrehen.

grave² adj (+er) ernst; danger, risk groß; error schwer, gravierend; news schlimm.

grave-digger ['greɪvˌdɪgər] n Totengräber m.

gravel ['grævəl] **1** n Kies m; (large chippings) Schotter m ► **~ path** Kiesweg m.

gravelly ['grævəlɪ] adj (fig) voice rauh.

gravely ['greɪvlɪ] adv ernst ► **ill** schwer krank; **you are ~ mistaken** Sie irren sich schwer.

grave: ~stone n Grabstein m; **~yard** n Friedhof m.

gravitate ['grævɪteɪt] vi **to ~ towards sth** von etw angezogen werden.

gravitation [ˌgrævɪ'teɪʃən] n (Phys) Gravitation, Schwerkraft f; (fig) Tendenz f (towards zu).

gravitational [ˌgrævɪ'teɪʃənl] adj Gravitations- ► **~ field** Gravitations- or Schwerefeld nt; **~ force** Schwerkraft f;

> **SENTENCE BUILDER:**   **grateful** → 8.1

~ *pull* Erdanziehung *f.*
gravity ['grævɪtɪ] *n* [a] (*Phys*) Schwere, Schwerkraft *f* ▶ *centre of* ~ Schwerpunkt *m*; *force of* ~ Schwerkraft *f*; *specific* ~ spezifisches Gewicht. [b] (*seriousness*) Ernst *m*; (*of danger*) Größe *f*; (*of error*) Schwere *f* ▶ *such was the* ~ *of the news that ...* die Nachricht war so schlimm, daß ...

gravy ['greɪvɪ] *n* (*juice*) Fleischsaft, Bratensaft *m*; (*sauce*) Soße *f* ▶ ~ *boat* Sauciere, Soßenschüssel *f*; *to get on the* ~ *train* (*col*) auch ein Stück vom Kuchen abbekommen (*col*).

gray [greɪ] (*esp US*) = **grey**.

graze¹ [greɪz] *vi* (*cattle etc*) grasen, weiden.

graze² [1] *vt* (*touch lightly*) streifen; (*scrape skin off*) aufschürfen ▶ *to* ~ *one's knees* sich (*dat*) die Knie aufschürfen. [2] *n* Schürfwunde *f.*

grazing ['greɪzɪŋ] *n* (*also* ~ *land*) Weideland *nt.*

grease [griːs] [1] *n* Fett *nt*; (*lubricant*) Schmierfett *nt.* [2] *vt* fetten; (*Aut, Tech*) schmieren ▶ *like* ~*d lightning* (*col*) wie ein geölter Blitz.

grease: ~-**gun** *n* Fettpresse *f*; ~**paint** *n* (*Theat*) (Fett)schminke *f*; ~**proof paper** *n* (*Brit*) Butterbrotpapier *nt.*

greasy ['griːsɪ] *adj* (+*er*) [a] fettig; *food* fett; *machinery, axle* ölig; *hands, clothes* schmierig; (*slippery*) *road* rutschig. [b] (*fig pej*) *person* schmierig.

great [greɪt] [1] *adj* (+*er*) [a] groß ▶ ~ *big* (*col*) riesig, Mords- (*col*); *a* ~ *friend of ours* ein besonders guter Freund von uns; *of no* ~ *importance* ziemlich unwichtig; *a* ~ *number of, a* ~ *many* eine große Anzahl, sehr viele; *he lived to a* ~ *age* er erreichte ein hohes Alter; *to take a* ~ *interest in* sich sehr interessieren für; *Frederick the G*~ Friedrich der Große; *the* ~ *thing is ...* das Wichtigste ist ...; ~ *minds think alike* (*col*) große Geister denken gleich. [b] (*col: excellent*) Klasse (*col*), Spitze (*col*) ▶ *to be* ~ *at football/singing* ein großer Fußballspieler/Sänger sein; *he's a* ~ *one for criticizing others* im Kritisieren anderer ist er (ganz) groß. [2] *n usu pl* (~ *person*) Größe *f.*

great: ~-**aunt** *n* Großtante *f*; **G**~ **Barrier Reef** *n* Großes Barriereriff; **G**~ **Britain** *n* Großbritannien *nt*; **G**~ **Dane** *n* Deutsche Dogge.

▼ **greater** ['greɪtə'] *adj, comp of* **great** größer ▶ *to pay* ~ *attention* besser aufpassen; **G**~ **London** Groß-London *nt.*

greatest ['greɪtɪst] *adj, superl of* **great** größte(r, s) ▶ *he's the* ~ (*col*) er ist der Größte.

great: ~-**grandchild** *n* Urenkel *m*; ~-**grandparents** *npl* Urgroßeltern *pl*; **the G**~ **Lakes** *npl* die Großen Seen *pl.*

greatly ['greɪtlɪ] *adv* außerordentlich, sehr; *improved* bedeutend; *superior* bei weitem.

greatness ['greɪtnɪs] *n* Größe *f.*

great: ~-**uncle** *n* Großonkel *m*; **the G**~ **War** *n* der Erste Weltkrieg.

Grecian ['griːʃən] *adj* griechisch.

Greece [griːs] *n* Griechenland *nt.*

greed [griːd] *n* Gier *f* (*for nach* +*dat*); (*for material wealth also*) Habsucht, Habgier *f*; (*gluttony*) Gefräßigkeit *f* ▶ ~ *for power* Machtgier *f.*

greedily ['griːdɪlɪ] *adv* gierig.

greediness ['griːdɪnɪs] *n* Gier *f*; (*gluttony*) Gefräßigkeit *f.*

greedy ['griːdɪ] *adj* (+*er*) gierig (*for auf* +*acc*, *nach*); (*for material wealth also*) habgierig; (*gluttonous*) gefräßig ▶ ~ *for power* machtgierig.

greedyguts ['griːdɪgʌts] *n* (*col*) Freßsack *m* (*col*).

Greek [griːk] [1] *adj* griechisch ▶ ~ *Orthodox* griechisch-orthodox. [2] *n* [a] Grieche *m*, Griechin *f.* [b] (*language*) Griechisch

nt ▶ *it's all* ~ *to me* (*col*) das sind für mich böhmische Dörfer (*col*).

green [griːn] [1] *adj* (+*er*) (*lit, fig, Pol*) grün; (*gullible*) naiv ▶ *to turn* ~ (*lit*) grün werden; (*fig: person*) (ganz) grün im Gesicht werden; (*with envy*) blaß *or* grün vor Neid werden. [2] *n* [a] (*colour*) Grün *nt.* [b] (*piece of land*) Rasen *m*, Grünfläche *f*; (*Golf*) Grün *nt*; (*village* ~) (Dorf)wiese *f.* [c] ~*s pl* (*Cook*) Grüngemüse *nt.* [d] (*Pol*) **G**~ Grüne(r) *mf*; **the G**~*s* die Grünen.

green: ~**back** *n* (*US col*) Lappen (*col*), Geldschein *m*; ~ **belt** *n* Grüngürtel *m*; ~ **card** *n* (*Mot Insur*) grüne Karte; (*US*) (unbefristete) Aufenthaltsgenehmigung.

greenery ['griːnərɪ] *n* Grün *nt*; (*foliage*) grünes Laub.

green: ~ **field site** *n* unerschlossenes Bauland; ~ **fingers** *npl* **to have** ~ **fingers** eine Hand für Pflanzen haben; ~**fly** *n* Blattlaus *f*; ~**gage** *n* Reneklode *f*; ~**grocer** *n* (*esp Brit*) (Obst- und) Gemüsehändler *m*; ~**house** *n* Gewächshaus *nt*; ~**house effect** *n* Treibhauseffekt *m*; ~ **gas** *n* Treibhausgas *nt.*

greening ['griːnɪŋ] *adj* zunehmendes Umweltbewußtsein *n.*

Greenland ['griːnlənd] *n* Grönland *nt.*

Greenlander ['griːnləndə'] *n* Grönländer(in *f*) *m.*

green: ~ **light** *n* **to give sb the** ~ **light** jdm grünes Licht geben; **the G**~ **Party** *n* (*Pol*) die Grünen *pl*; ~ **pepper** *n* (grüne) Paprikaschote; ~ **salad** *n* Blattsalat *m.*

Greenwich (Mean) Time ['grenɪdʒ('miːn),taɪm] *n* westeuropäische Zeit.

greet [griːt] *vt* (*welcome*) begrüßen; (*receive, meet*) empfangen; (*say hallo to*) grüßen; *news, decision* aufnehmen ▶ *a terrible sight* ~*ed his eyes/him* ihm bot sich ein fürchterlicher Anblick.

greeting ['griːtɪŋ] *n* Gruß *m*; (*welcoming*) Begrüßung *f*; (*receiving, meeting*) Empfang *m* ▶ ~*s card/telegram* Grußkarte *f*/-telegramm *nt.*

gregarious [grɪ'gɛərɪəs] *adj animal* Herden-; *person* gesellig.

Gregorian [grɪ'gɔːrɪən] *adj chant, calendar* Gregorianisch.

gremlin ['gremlɪn] *n* (*hum*) Maschinenteufel *m* (*hum*).

Grenada [grə'neɪdə] *nt* Grenada *nt.*

grenade [grɪ'neɪd] *n* Granate *f.*

Grenadian [grə'neɪdɪən] [1] *adj* grenadisch. [2] *n* Grenader(in *f*) *m.*

grew [gruː] *pret of* **grow**.

grey, (*esp US*) **gray** [greɪ] [1] *adj* (+*er*) (*lit, fig*) grau ▶ *to go or turn* ~ grau werden; *little* ~ *cells* (*col*) kleine graue Zellen *pl* (*col*); ~ *matter* (*col*) graue Zellen *pl*; *a* ~ *area* (*fig*) eine Grauzone. [2] *n* (*colour*) Grau *nt.* [3] *vi* grau werden ▶ *his* ~*ing hair* sein graumeliertes Haar.

grey: ~-**haired** *adj* grauhaarig; ~**hound** *n* Windhund *m*; ~**hound racing** *n* Hunderennen *nt.*

grid [grɪd] *n* (*grating*) Gitter *nt*; (*on barbecue*) Rost *m*; (*on map*) Gitter, Netz *nt*; (*electricity, gas network*) Verteilernetz *nt*; (*Motor-racing: starting* ~) Start(platz) *m*; (*US Ftbl*) Spielfeld *nt* ▶ **the (national)** ~ (*Elec*) das Überland(leitungs)netz; ~ **square** Planquadrat *nt.*

gridiron ['grɪd,aɪən] *n* [a] (*Cook*) (Brat)rost *m.* [b] (*US Ftbl*) Spielfeld *nt.*

gridlock ['grɪdlɒk] *n* (*US Mot*) totaler Stau (*esp in der Innenstadt*).

gridlocked ['grɪdlɒkt] *adj* (*esp US*) [a] *road* völlig verstopft ▶ *traffic is* ~ *in the cities* der Verkehr in den Städten ist zum völligen Stillstand gekommen. [b] (*fig, Congress*) festgefahren.

grief [griːf] *n* Leid *nt*, Kummer *m*; (*because of loss*) große Trauer, Schmerz *m* ▶ *to come to* ~ (*be hurt, damaged*) zu Schaden kommen; (*car*) auf der Strecke bleiben;

(*fail*) scheitern.

grievance ['gri:vəns] *n* Beschwerde *f*; (*resentment*) Groll *m* ► ~ *procedure* Beschwerdeweg *m*; *to air one's ~s* seine Beschwerden vorbringen.

grieve [gri:v] **1** *vt* Kummer bereiten (+*dat*), betrüben ► *it ~s me to see that ...* es stimmt mich traurig, daß ... **2** *vi* trauern (*at, about* über +*acc*) ► *to ~ for sb/sth* um jdn/etw trauern.

grievous ['gri:vəs] *adj* ~ *bodily harm* (*Jur*) schwere Körperverletzung.

grill [grɪl] **1** *n* **a** (*on cooker*) Grill *m*; (*food*) Grillgericht *nt*, Grillteller *m*. **b** = *grille*. **2** *vt* **a** (*Cook*) grillen. **b** (*col: interrogate*) in die Zange nehmen (*col*).

grille [grɪl] *n* Gitter *nt*; (*on window*) Fenstergitter *nt*; (*to speak through*) Sprechgitter *nt*; (*Aut*) Kühlergrill *m*.

grilling ['grɪlɪŋ] *n* strenges Verhör ► *to give sb a ~* jdn in die Zange nehmen (*col*).

grim [grɪm] *adj* (+*er*) *struggle* verbissen, unerbittlich; (*stern*) *face, smile* grimmig; (*fig*) *landscape, prospects, weather* trostlos; *news, tale, task* grauenhaft; *winter, times* hart; *determination* eisern; *necessity, truth* bitter ► *to look ~* (*person*) ein grimmiges Gesicht machen; (*things, prospects*) trostlos aussehen; *to hold on (to sth) like ~ death* sich verbissen (an etw *dat*) festhalten.

grimace ['grɪməs] **1** *n* Grimasse *f* ► *to make a ~* eine Grimasse schneiden. **2** *vi* Grimassen schneiden.

grime [graɪm] *n* (festsitzender) Schmutz; (*on buildings*) Ruß *m*.

grimly ['grɪmlɪ] *adv fight, hold on etc* verbissen; *smile* grimmig.

grimness ['grɪmnɪs] *n see adj* Verbissenheit, Unerbittlichkeit *f*; Grimmigkeit *f*; Trostlosigkeit *f*; Grauenhaftigkeit *f*.

grimy ['graɪmɪ] *adj* (+*er*) verschmutzt.

grin [grɪn] **1** *n see vi* Lächeln *nt*; Grinsen *nt*. **2** *vi* (*with pleasure*) lächeln; (*in scorn, cheekily*) grinsen ► *to ~ and bear it* gute Miene zum bösen Spiel machen; *to ~ at sb* jdn anlächeln/angrinsen.

grind [graɪnd] (*vb*: pret, ptp **ground**) **1** *vt* **a** *corn, coffee* mahlen ► *to ~ one's teeth* mit den Zähnen knirschen. **b** *gem, lens, knife* schleifen. **c** *ground down by poverty* von Armut niedergedrückt. **2** *vi* (*brakes, teeth, gears*) knirschen ► *to ~ to a halt* (*lit*) quietschend zum Stehen kommen; (*fig*) stocken; (*production etc*) zum Erliegen kommen; (*negotiations*) sich festfahren. **3** *n* (*col*) *the daily ~* der tägliche Trott; *it's a bit of a ~* das ist ganz schön mühsam (*col*).

grinder ['graɪndə'] *n* (*meat~*) Fleischwolf *m*; (*coffee~*) Kaffeemühle *f*; (*for sharpening*) Schleifmaschine *f*.

grinding ['graɪndɪŋ] *adj* ~ *poverty* drückende Armut.

grindstone ['graɪndstəʊn] *n* Schleifstein *m* ► *to keep one's/sb's nose to the ~* hart arbeiten/jdn hart arbeiten lassen.

grip [grɪp] **1** *n* **a** Griff *m*; (*on rope also, on road*) Halt *m* ► *to get a ~ on oneself* (*col*) sich zusammenreißen (*col*); *to have a good ~ of a subject* ein Thema im Griff haben; *to release one's ~* loslassen (*on sth* etw); *to lose one's ~* (*lit*) den Halt verlieren; (*fig*) nachlassen; *I must be losing my ~* mit mir geht's bergab; *the country is in the ~ of winter* der Winter herrscht im Land; *to get* or *come to ~s with sth* etw in den Griff bekommen; *to get* or *come to ~s with sb* gegen jdn handgreiflich werden. **b** (*handle*) Griff *m*. **c** (*travelling-bag*) Reisetasche *f*. **2** *vt* packen; *hand also*, (*fig: fear etc also*) ergreifen; (*film, story etc also*) fesseln ► *the car/tyre ~s the road well* der Wagen liegt gut auf der Straße/der Reifen greift gut.

gripe [graɪp] **1** *vi* (*col: grumble*) meckern (*col*) ► *to ~ at*

sb jdn anmotzen (*col*). **2** *n* **a** *the ~s pl* Darmkrämpfe *pl*. **b** (*col: complaint*) Meckerei *f* (*col*).

gripping ['grɪpɪŋ] *adj story* spannend, fesselnd.

grisly ['grɪzlɪ] *adj* (+*er*) grausig, gräßlich.

grist [grɪst] *n it's all ~ to his mill* das kann er alles verwerten.

gristle ['grɪsl] *n* Knorpel *m*.

grit [grɪt] **1** *n* **a** (*dust, in eye*) Staub *m*; (*gravel*) Splitt *m*; (*for roads*) Streusand *m*. **b** (*courage*) Mut *m*. **c** (*US*) *~s pl* Grütze *f*. **2** *vt* **a** *road* streuen. **b** *to ~ one's teeth* die Zähne zusammenbeißen.

gritty ['grɪtɪ] *adj* **a** (*like grit*) sandig. **b** (*col: brave*) tapfer.

grizzle ['grɪzl] *vi* (*Brit col*) quengeln.

grizzly ['grɪzlɪ] *n* (*also ~ bear*) Grisly(bär) *m*.

groan [grəʊn] **1** *n* Stöhnen *nt no pl*; (*of pain also, of planks etc*) Ächzen *nt no pl* ► *to let out* or *give a ~* (auf)stöhnen. **2** *vi* stöhnen (*with* vor +*dat*); (*with pain also, beneath weight*) ächzen (*with* vor +*dat*).

grocer ['grəʊsə'] *n* (*dated*) Lebensmittelhändler, Kaufmann (*dated*) *m*.

grocery ['grəʊsərɪ] *n* **a** Lebensmittelgeschäft *nt*. **b** *groceries pl* (*goods*) Lebensmittel *pl*.

grog [grɒg] *n* Grog *m*.

groggy ['grɒgɪ] *adj* (+*er*) (*col*) groggy *inv* (*col*).

groin [grɔɪn] *n* (*Anat*) Leiste *f*.

groom [gru:m] **1** *n* **a** (*in stables*) Reitknecht *m*. **b** (*bride~*) Bräutigam *m*. **2** *vt* **a** *horse* striegeln ► *well ~ed* (*person*) gepflegt. **b** *to ~ sb for an office* jdn auf or für ein Amt vorbereiten.

groove [gru:v] *n* Rille *f*; (*in face*) Furche *f* ► *to be stuck in a ~* (*fig*) aus dem Trott nicht mehr herauskommen.

grope [grəʊp] **1** *vi* (*also ~ around* or *about*) (herum)tasten (*for* nach); (*for words*) suchen (*for* nach). **2** *vt* (*col*) *girl* befummeln (*col*) ► *to ~ one's way in/ out* sich hinein-/hinaustasten.

gross¹ [grəʊs] *n no pl* Gros *nt*.

gross² **1** *adj* (+*er*) **a** (*fat*) fett, feist. **b** (*coarse, vulgar*) derb. **c** (*extreme, flagrant*) grob; *impertinence* ungeheuerlich. **d** (*total*) brutto; *income, profit, weight* Brutto- ► *he earns £250* er verdient £250 brutto; ~ *domestic product* Bruttoinlandsprodukt *nt*; ~ *national product* Bruttosozialprodukt *nt*. **2** *vt* brutto verdienen.

grossly ['grəʊslɪ] *adv* **a** (*coarsely*) derb. **b** (*extremely*) ungeheuer; *exaggerated* grob.

grotesque [grəʊ'tesk] *adj* grotesk.

grotto ['grɒtəʊ] *n, pl* **-(e)s** Grotte *f*.

grotty ['grɒtɪ] *adj* (+*er*) (*col*) mies (*col*).

grouch [graʊtʃ] **1** *n* **a** (*complaint*) Beschwerde *f* ► *she's always got a* ~ sie hat immer was zu meckern (*col*). **b** (*person*) Meckerer *m* (*col*). **2** *vi* meckern (*col*).

grouchy ['graʊtʃɪ] *adj* (+*er*) griesgrämig.

ground¹ [graʊnd] **1** *n* **a** (*soil, terrain, fig*) Boden *m* ► *snow on high* ~ Schnee in höheren Lagen; *hilly* ~ hügeliges Gelände; *there is common* ~ *between us* uns verbindet einiges; *to be on dangerous* ~ (*fig*) sich auf gefährlichem Boden bewegen; *to meet sb on his own* ~ zu jdm kommen; *to cut the* ~ *from under sb's feet* jdm den Boden unter den Füßen wegziehen; *to gain/lose* ~ Boden gewinnen/verlieren; (*disease, rumour*) um sich greifen/im Schwinden begriffen sein; *to break new* ~ (*fig*) etwas völlig Neuartiges darstellen; (*person*) Neuland betreten; *to go over the* ~ (*fig*) alles durchgehen; *to cover a lot of* ~ (*lit*) eine weite Strecke zurücklegen; (*fig*) eine Menge Dinge behandeln; *to hold* *or* **stand one's ~** (*lit*) nicht von der Stelle weichen; (*fig*) seinen Mann stehen, sich nicht unterkriegen lassen; **to shift one's ~** (*fig*) seine Haltung ändern; **above/below ~** über/unter der Erde; (*Min*) über/unter Tage; **to fall to the ~** zu Boden fallen; **to burn sth to the ~** etw niederbrennen; **it suits me down to the ~** das paßt mir ausgezeichnet; **to get off the ~** (*plane etc*) abheben; (*plans, project etc*) ins Rollen kommen; **to get sth off the ~** etw ins Rollen bringen; **to go to ~** (*fox*) im Bau verschwinden; (*person*) untertauchen (*col*); **to run sb/sth to ~** jdn/etw ausfindig machen; **to run sb/oneself into the ~** (*col*) jdn/sich kaputtmachen (*col*); **to run a car into the ~** ein Auto schrottreif fahren.

b (*pitch*) Feld *nt*, Platz *m*; (*parade ~, drill~*) Platz *m*.

c **~s** *pl* (*premises, land*) Gelände *nt*; (*gardens*) Anlagen *pl*.

d **~s** *pl* (*sediment*) Satz *m*.

e (*esp US Elec*) Erde *f*.

f (*reason*) Grund *m* ► **to have ~s for sth** Grund zu etw haben; **to be ~(s) for sth** Grund für *or* zu etw sein; **~s for divorce** Scheidungsgrund *m*; **on the ~(s) of** aufgrund (+*gen*), auf Grund von; **on the ~s that** auf Grund der Tatsache, daß; **on health ~s** aus gesundheitlichen Gründen.

2 *vt* **a** *ship* auf Grund setzen ► **to be ~ed** aufgelaufen sein. **b** *plane* (*for mechanical reasons*) aus dem Verkehr ziehen; *pilot* sperren ► **to be ~ed by bad weather** wegen schlechten Wetters nicht starten können. **c** (*esp US Elec*) erden. **d** (*base*) **to be ~ed on sth** sich auf etw (*acc*) gründen.

ground² **1** *pret, ptp of* **grind**.

2 *adj coffee* gemahlen ► **~ beef** (*US*) Hackfleisch *m*; **~ glass** geschliffenes Glas; (*particles*) Glaspulver *nt*; **~ rice** Reismehl *nt*.

ground: ~ cloth *n* (*US*) Zeltboden(plane *f*) *m*; **~ control** *n* (*Aviat*) Bodenkontrolle *f*; **~ crew** *n* Bodenpersonal *nt*; **~ floor** *n* Erdgeschoß *nt*; **~ frost** *n* Bodenfrost *m*.

grounding ['graʊndɪŋ] *n* **a** (*basic knowledge*) Grundwissen *nt* ► **to give sb a ~ in English** jdm die Grundlagen *pl* des Englischen beibringen. **b** (*Aviat*) (*of plane*) Startverbot *nt*; (*of pilot*) Sperren *pl*.

ground: ~less *adj* grundlos, unbegründet; **~ level** *n* Boden *m*; **below ~ level** unter dem Boden; **at ~ level live** im Erdgeschoß; **~ mist** *n* Bodennebel *m*; **~nut** *n* Erdnuß *f*; **~ plan** *n* Grundriß *m*; **~ rent** *n* Erbbauzins *m*; **~ rules** *npl* Grundregeln *pl*; **~sheet** *n* Zeltboden(plane *f*) *m*.

groundskeeper ['graʊndzkiːpər] *n* (*US*), **groundsman** ['graʊndzmən] *n*, *pl* **-men** (*esp Brit*) Platzwart *m*.

ground: ~ staff *n* Bodenpersonal *nt*; **~ swell** *n* Dünung *f*; **~-to-air missile** *n* Boden-Luft-Rakete *f*; **~work** *n* Vorarbeit *f*.

group [gruːp] **1** *n* Gruppe *f*; (*Comm also*) Konzern *m*; (*theatre ~ also*) Ensemble *nt*.

2 *attr* Gruppen-; *discussion, activities* in der Gruppe.

3 *vt* gruppieren ► **to ~ together** (*in one ~*) zusammentun; (*in several ~s*) in Gruppen einteilen; **the books were ~ed according to subject** die Bücher standen nach Sachgruppen geordnet.

group: ~ booking *n* Gruppenbuchung *f*; **~ captain** *n* (*Aviat*) Oberst *m*; **~ practice** *n* Gemeinschaftspraxis *f*; **~ therapy** *n* Gruppentherapie *f*.

grouse¹ [graʊs] *n*, *pl* **-** Rauhfußhuhn *nt*; (*red ~*) Schottisches Moorhuhn.

grouse² (*col*) **1** *n* (*complaint*) Beschwerde *f* ► **to have a good ~** herummeckern (*col*).

2 *vi* meckern (*col*) (*about* über +*acc*).

grouting ['graʊtɪŋ] *n* Fugenkitt *m*.

grove [grəʊv] *n* (*liter*) Hain *m* (*poet*).

grovel ['grɒvl] *vi* kriechen (*to sb* vor jdm).

grow [grəʊ] *pret* **grew**, *ptp* **grown** **1** *vt* **a** *plants* ziehen; (*commercially*) *potatoes, coffee etc* anbauen; (*cultivate*) *flowers* züchten. **b** **to ~ one's beard/hair** sich (*dat*) einen Bart/die Haare wachsen lassen.

2 *vi* **a** wachsen; (*hair also*) länger werden; (*in numbers*) zunehmen; (*in size also*) sich vergrößern; (*fig: become more mature*) sich weiterentwickeln ► **to ~ in stature/wisdom** an Ansehen/Weisheit zunehmen; **to ~ in popularity** immer beliebter werden; **it'll ~ on you** du wirst schon noch Geschmack daran finden. **b** (*become*) werden ► **to ~ old** alt werden; **to ~ to hate/love sb** jdn hassen/lieben lernen; **to ~ to enjoy sth** langsam Gefallen an etw (*dat*) finden.

♦**grow apart** *vi* (*fig*) sich auseinanderentwickeln.

♦**grow away** *vi* (*fig*) **to ~ ~ from sb** sich jdm entfremden.

♦**grow into** *vi* +*prep obj* **a** *clothes, job* hineinwachsen in (+*acc*). **b** (*become*) sich entwickeln zu, werden zu ► **to ~ ~ a man/woman** zum Mann/zur Frau heranwachsen.

♦**grow out of** *vi* +*prep obj* **a** *clothes* herauswachsen aus; *habit* ablegen. **b** (*arise from*) entstehen aus.

♦**grow up** *vi* (*spend childhood*) aufwachsen; (*become adult*) erwachsen werden; (*fig*) (*custom, hatred*) aufkommen; (*city*) entstehen ► **what are you going to do when you ~ ~?** was willst du mal werden, wenn du groß bist?; **~ ~!** sei nicht kindisch!, werde endlich erwachsen!; **to ~ ~ into a beauty** sich zu einer Schönheit entwickeln.

grower ['grəʊər] *n* (*of fruit, vegetables*) Anbauer *m*; (*of flowers*) Züchter *m*; (*of tobacco, coffee*) Pflanzer *m*.

growing ['grəʊɪŋ] *adj* (*lit, fig*) wachsend; *child* heranwachsend ► **~ pains** (*Med*) Wachstumsschmerzen *pl*; (*fig*) Kinderkrankheiten *pl*.

growl [graʊl] **1** *n* Knurren *nt no pl*; (*of bear*) Brummen *nt no pl*.

2 *vi* knurren; (*bear*) böse brummen ► **to ~ at sb** jdn anknurren/anbrummen.

grown [grəʊn] **1** *ptp of* **grow**.

2 *adj* erwachsen ► **fully ~** ausgewachsen.

grown-up [,grəʊn'ʌp] **1** *adj* erwachsen; *clothes, shoes* Erwachsenen-.

2 *n* Erwachsene(r) *mf*.

growth [grəʊθ] *n* **a** Wachstum *nt*; (*of person also*) Entwicklung *f*; (*increase in quantity, fig: of love, interest etc*) Anwachsen *nt*; (*increase in size also*) Vergrößerung *f*; (*of capital etc*) Zuwachs *m* ► **~ industry** Wachstumsindustrie *f*; **~ rate** Wachstumsrate *f*. **b** **with a two days' ~ on his face** mit zwei Tage alten Bartstoppeln. **c** (*Med*) Wucherung *f*.

grub [grʌb] **1** *n* **a** (*larva*) Larve *f*. **b** (*col: food*) Fressalien *pl* (*hum, col*) ► **~('s) up!** antreten zum Essenfassen! (*col*).

2 *vi* (*search: ~ about or around*) wühlen (*in* in +*dat*).

grubby ['grʌbɪ] *adj* (+*er*) schmuddelig (*col*); *hands* dreckig (*col*).

grudge [grʌdʒ] **1** *n* Groll *m* (*against gegen*) ► **to bear sb a ~/have a ~ against sb** einen Groll gegen jdn hegen/auf jdn haben; **I bear him no ~** ich nehme ihm das nicht übel; **to bear ~s** nachtragend sein.

2 *vt* **to ~ sb sth** jdm etw nicht gönnen; **I don't ~ you your success/these pleasures** ich gönne Ihnen Ihren Erfolg/das Vergnügen; **to ~ doing sth** etw mit Widerwillen tun.

grudging ['grʌdʒɪŋ] *adj person, attitude* unwirsch; *contribution, gift* widerwillig gegeben; *admiration, praise, support* widerwillig.

grudgingly ['grʌdʒɪŋlɪ] *adv* widerwillig.

gruel [grʊəl] *n* Schleimsuppe *f*.

gruelling, (*US*) **grueling** ['grʊəlɪŋ] *adj task, day etc* aufreibend; *climb, race* äußerst strapaziös ► **~ pace**

mörderisches Tempo.

gruesome ['gru:səm] *adj* grausig, schaurig.

gruff [grʌf] *adj* (+er) barsch, schroff.

grumble ['grʌmbl] **1** *n* (*complaint*) Murren *nt no pl.*
2 *vi* murren (*about, over* über +*acc*); (*thunder, gunfire*) grollen ▸ **grumbling appendix** Blinddarmreizung *f.*

grumbler ['grʌmblə'] *n* Nörgler(in *f*) *m.*

grumpy *adj*, **~ily** *adv* ['grʌmpɪ, -lɪ] (+er) brummig, grantig.

grunge [grʌndʒ] *n* Grunge *nt.*

grunt [grʌnt] **1** *n* Grunzen *nt no pl*; (*of pain, in exertion*) Ächzen *nt no pl.*
2 *vi* grunzen; (*with pain, exertion*) ächzen.
3 *vt reply* brummen, knurren.

G-string ['dʒi:strɪŋ] *n* (*clothing*) Minislip *m.*

GT (*Aut*) = **gran turismo** GT.

GU (*US Post*) = **Guam.**

▼ **guarantee** [,gærən'ti:] **1** *n* Garantie *f* (*of* für); (*certificate*) Garantieschein *m* ▸ **to have a 6-month ~** 6 Monate Garantie haben; **while it is under ~** solange noch Garantie darauf ist; **that's how ~** das heißt noch lange nicht, daß ...; **I give you my ~** das garantiere ich Ihnen.
2 *vt* garantieren ▸ **to be ~d for three years** drei Jahre Garantie haben; **I ~ to come tomorrow** ich komme garantiert morgen; **that's a ~d success** das wird garantiert ein Erfolg; **~d price** Garantiepreis *m.*

guarantor [,gærən'tɔ:'] *n* Garant *m*; (*Jur*) Bürge *m.*

guard [gɑ:d] **1** *n* **a** (*Mil*) Wache *f*; (*single soldier also*) Wachtposten *m*; (*no pl: squad also*) Wachmannschaft *f*; (*security~*) Sicherheitsbeamte(r) *m*, Sicherheitsbeamtin *f*; (*at factory gates, in park etc*) Wächter(in *f*) *m*; (*esp US: prison ~*) Gefängniswärter(in *f*) *m*; (*Brit Rail*) Schaffner(in *f*) *m* ▸ **the G~s** (*Brit*) das Garderegiment; **~ of honour** (*Brit*) **or honor** (*US*) Ehrenwache *f*; **to change ~** Wachablösung machen; **under ~** unter Bewachung; **to be under ~** bewacht werden; **to keep sb/sth under ~** jdn/etw bewachen; **to be on ~, to stand** *or* **keep ~** Wache halten; **to put a ~ on sb/sth** jdn/etw bewachen lassen.
b (*Boxing, Fencing*) Deckung *f* ▸ **to take ~** in Verteidigungsstellung gehen; **to drop** *or* **lower one's ~** (*col*) seine Deckung vernachlässigen; (*fig*) seine Reserve aufgeben; **to catch sb off (his/her) ~** jdn überrumpeln; **to be on one's ~ (against sth)** (*fig*) (vor etw *dat*) auf der Hut sein; **to put sb on his/her ~ (against sth)** jdn (vor etw *dat*) warnen.
c (*safety device, for protection*) Schutz *m* (*against* gegen); (*on machinery also*) Schutzvorrichtung *f*; (*fire ~*) Schutzgitter *nt.*
2 *vt prisoner, place, valuables* bewachen; *treasure also, secret* hüten; *luggage* aufpassen auf (+*acc*); (*protect*) *person, place* schützen (*from, against* vor +*dat*).

♦ **guard against** *vi +prep obj* (*take care to avoid*) *suspicion* sich in acht nehmen vor (+*dat*); *hasty reaction, bad habit* sich hüten vor (+*dat*); *illness, misunderstandings* vorbeugen (+*dat*); *accidents* verhüten ▸ **you must ~ ~ catching cold** Sie müssen aufpassen, daß Sie sich nicht erkälten; **in order to ~ ~ this** um dem vorzubeugen.

guard: ~ dog *n* Wachhund *m*; **~ duty** *n* Wachdienst *m*; **to be on ~ duty** Wache haben.

guarded ['gɑ:dɪd] *adj reply* zurückhaltend.

guardhouse ['gɑ:dhaʊs] *n* (*Mil*) Wachstube *f*; (*for prisoners*) Bunker *m.*

guardian ['gɑ:dɪən] *n* Hüter, Wächter *m*; (*Jur*) Vormund *m.*

guard: ~-rail *n* Schutzgeländer *nt*; **~room** *n* Wachstube *f.*

guardsman ['gɑ:dzmən] *n*, *pl* **-men** [-mən] Wachtposten *m*; (*member of guards regiment*) Gardist *m*; (*US: in National Guard*) Nationalgardist *m.*

guard's van ['gɑ:dzvæn] *n* (*Brit Rail*) Schaffnerabteil *nt*, Dienstwagen *m.*

Guatemala [,gwɑ:tɪ'mɑ:lə] *n* Guatemala *nt.*

Guatemalan [,gwɑ:tɪ'mɑ:lən] **1** *adj* guatemaltekisch.
2 *n* Guatemalteke *m*, Guatemaltekin *f.*

guer(r)illa [gə'rɪlə] **1** *n* Guerillakämpfer(in *f*) *m.*
2 *attr* Guerilla- ▸ **~ warfare** Guerillakrieg *m.*

guess [ges] **1** *n* Vermutung, Annahme *f*; (*estimate*) Schätzung *f* ▸ **to have a ~ (at sth)** (etw) raten; (*estimate*) (etw) schätzen; **it was just a ~** ich habe nur geraten; **it was just a lucky ~** das war ein Zufallstreffer *m*; **I'll give you three ~es** dreimal darfst du raten; **at a rough ~** grob geschätzt; **my ~ is that ...** ich schätze *or* vermute, daß ...; **your ~ is as good as mine!** (*col*) da kann ich auch nur raten!; **it's anybody's ~** (*col*) das wissen die Götter (*col*).
2 *vi* **a** raten ▸ **to keep sb ~ing** jdn im ungewissen lassen; **he's only ~ing** das ist eine reine Vermutung von ihm; **you'll never ~!** das wirst du nie erraten; **to ~ at sth** etw raten. **b** (*esp US*) schätzen, glauben ▸ **I ~ not** wohl nicht; **I ~ you're right, I ~** er hat wohl recht; **is he coming? — I ~ so** kommt er? — ich glaube schon.
3 *vt* raten; (*correctly*) erraten; (*estimate*) *weight* schätzen ▸ **I ~ed as much** das habe ich mir schon gedacht; **~ what!** (*col*) stell dir vor! (*col*).

guessing game ['gesɪŋ,geɪm] *n* (*lit, fig*) Ratespiel *nt.*

guesstimate ['gestɪmɪt] *n* grobe Schätzung.

guesswork ['gesw3:k] *n* Raten *nt* ▸ **(pure) ~** (reine) Vermutung.

guest [gest] *n* Gast *m* ▸ **~ of honour** (*Brit*) *or* **honor** (*US*) Ehrengast *m*; **be my ~** (*col*) nur zu! (*col*).

guest *in cpds* Gast-; **~ appearance** *n* Gastauftritt *m*; **~house** *n* Pension *f*; **~ list** *n* Gästeliste *f*; **~-room** *n* Gästezimmer *nt.*

guffaw [gʌ'fɔ:] **1** *n* schallendes Lachen *no pl.*
2 *vi* schallend (los)lachen.

GUI (*Comput*) = **graphical user interface** grafische Benutzeroberfläche, GUI *nt.*

guidance ['gaɪdəns] *n* (*direction*) Führung, Leitung *f*; (*counselling*) Beratung *f* (*on* über +*acc*); (*from superior, parents, teacher etc*) Anleitung *f* ▸ **for your ~** zu Ihrer Orientierung; **~ system** (*on rocket*) Steuerungssystem *nt.*

guide [gaɪd] **1** *n* **a** (*person*) Führer(in *f*) *m*; (*fig: indication, pointer*) Anhaltspunkt *m* (*to* für); (*model*) Leitbild *nt.* **b** (*Tech*) Leitvorrichtung *f.* **c** (*Brit: girl ~*) Pfadfinderin *f.* **d** (*instructions*) Anleitung *f*; (*manual*) Handbuch *nt* (*to gen*); (*travel ~*) (Reise)führer *m.*
2 *vt people, blind man etc* führen; *discussion also* leiten; *missile, sb's behaviour* lenken ▸ **to ~ a plane in** ein Flugzeug einweisen; **to be ~d by sb/sth** (*person*) sich von jdm/etw leiten lassen.

guide-book ['gaɪdbʊk] *n* Reiseführer *m.*

guided missile [,gaɪdɪd'mɪsaɪl] *n* ferngelenktes Geschoß.

guide-dog ['gaɪddɒg] *n* Blindenhund *m.*

guided tour [,gaɪdɪd'tʊə'] *n* Führung *f* (*of* durch).

guidelines ['gaɪdlaɪnz] *npl* Richtlinien *pl.*

guiding ['gaɪdɪŋ]: **~ hand** *n* leitende Hand; **~ principle** *n* Leitmotiv *nt.*

guild [gɪld] *n* (*Hist*) Zunft, Gilde *f*; (*association*) Verein *m.*

guildhall ['gɪldhɔ:l] *n* (*town hall*) Rathaus *nt.*

guile [gaɪl] *n* Tücke, (Arg)list *f.*

guillotine [,gɪlə'ti:n] *n* Guillotine *f*; (*for paper*) (Papier)schneidemaschine *f.*

guilt [gɪlt] *n* Schuld *f* (*for, of* an +*dat*) ▸ **to feel ~ about sth** sich wegen etw schuldig fühlen; **~ complex** Schuldkomplex *m.*

guiltily ['gɪltɪlɪ] *adv* schuldbewußt; *act* verdächtig.

guiltless ['gɪltlɪs] *adj* schuldlos (*of* an +*dat*).

guilty ['gɪltɪ] *adj* (+er) schuldig (*of gen*); *look, voice*

➤ SENTENCE BUILDER: **guarantee: 1** → 14.1 **2** → 5.4

schuldbewußt; *conscience, thought* schlecht ► *the ~ person/party* der/die Schuldige/die schuldige Partei; *verdict of ~* Schuldspruch *m*; *to find sb ~/not ~ (of a crime)* jdn (eines Verbrechens) für schuldig/nicht schuldig befinden; *we're all ~ of neglecting the problem* uns alle trifft Schuld, daß das Problem vernachlässigt wurde; *I've been ~ of that myself* den Fehler habe ich auch schon begangen; *I feel very ~ (about ...)* ich habe ein sehr schlechtes Gewissen (wegen ...).

Guinea ['gɪnɪ] *n* Guinea *nt*.

guinea ['gɪnɪ] *n* (*Brit old*) Guinee *f* (*21 Shillings, heute £1.05*).

guinea: **~-fowl** *n* Perlhuhn *nt*; **~-pig** *n* Meerschweinchen *nt*; (*fig*) Versuchskaninchen *nt*.

guise [gaɪz] *n in the ~ of a clown/swan* als Clown verkleidet/in Gestalt eines Schwans.

guitar [gɪ'tɑːʳ] *n* Gitarre *f*.

guitarist [gɪ'tɑːrɪst] *n* Gitarrist(in *f*) *m*.

gulch [gʌltʃ] *n* (*US*) Schlucht *f*.

gulf [gʌlf] *n* (*bay*) Golf, Meerbusen *m*; (*lit, fig: chasm*) tiefe Kluft ► *G~ Stream* Golfstrom *m*; *the (Persian) G~* der Persische Golf; *the G~ War* der Golfkrieg; *the G~ States* die Golfstaaten *pl*.

gull [gʌl] *n* (*sea~*) Möwe *f*.

gullet ['gʌlɪt] *n* Speiseröhre, Kehle *f*.

gullible ['gʌlɪbl] *adj* leichtgläubig.

gully ['gʌlɪ] *n* (*ravine*) Schlucht *f*; (*narrow channel*) Rinne *f*.

gulp [gʌlp] **1** *n* Schluck *m* ► *at a/one ~* auf einen Schluck. **2** *vt* (*also ~ down*) *drink* herunterstürzen; *food* herunterschlingen; *medicine* hinunterschlucken ► *what?, he ~ed* was?, preßte er hervor.

gum¹ [gʌm] *n* (*Anat*) Zahnfleisch *nt no pl*.

gum² **1** *n* (*Bot*) Gummi *nt*; (*glue*) Klebstoff *m*; (*chewing ~*) Kaugummi *m*; (*sweet*) Weingummi *m*. **2** *vt* (*stick together*) kleben; (*spread ~ on*) gummieren.

◆**gum up** *vt sep* verkleben ► *to ~ ~ the works* (*fig col*) die Sache vermasseln (*col*).

gum: **~boil** *n* Zahnfleischabszeß *m*; **~boot** *n* Gummistiefel *m*.

gumption ['gʌmpʃən] *n* (*col*) Grips *m* (*col*) ► *to have the ~ to do sth* geistesgegenwärtig genug sein, etw zu tun.

gum: **~-shield** *n* Zahnschutz *m*; **~-tree** *n to be up a ~-tree* (*Brit col*) aufgeschmissen sein (*col*).

gun [gʌn] **1** *n* **a** (*cannon etc*) Kanone *f*, Geschütz *nt*; (*rifle*) Gewehr *nt*; (*pistol etc*) Pistole *f* ► *to carry a ~* (mit einer Schußwaffe) bewaffnet sein; *to draw a ~ on sb* jdn mit einer Schußwaffe bedrohen; *big ~* (*fig col*) hohes Tier (*col*) (*in in +dat*); *to stick to one's ~s* nicht nachgeben; *to jump the ~* (*Sport*) Frühstart machen; (*fig*) voreilig sein *or* handeln. **b** (*spray~*) Pistole *f*. **2** *vi* (*col*) *to be ~ning for sb* (*fig*) jdn auf dem Kieker haben (*col*); *for opponent* jdn auf die Abschußliste gesetzt haben.

◆**gun down** *vt sep* niederschießen.

gun: **~battle** *n* Schießerei *f*; **~boat** *n* Kanonenboot *nt*; **~ carriage** *n* Lafette *f*; **~ crew** *n* Geschützbedienung *f*; **~ dog** *n* Jagdhund *m*; **~-fight** *n* Schießerei *f*; (*Mil*) Feuergefecht *nt*; **~fire** *n* Schießerei *f*, Schüsse *pl*; (*Mil*) Geschützfeuer *nt*.

gunge [gʌndʒ] *n* (*Brit col*) klebriges Zeug (*col*).

gungho ['gʌŋ'həʊ] *adj* übereifrig.

gunman ['gʌnmən] *n, pl* **-men** Bewaffnete(r) *m* ► *they saw the ~* sie haben den Schützen gesehen.

gunner ['gʌnəʳ] *n* (*Mil*) Artillerist *m*; (*title*) Kanonier *m*; (*Naut*) Geschützführer *m*; (*in plane*) Bordschütze *m*.

gun: **~point** *n to hold sb at ~point* jdn mit einer Pistole/einem Gewehr bedrohen; *to force sb to do sth*

at ~point jdn mit Waffengewalt zwingen, etw zu tun; *to surrender at ~point* sich unter Waffengewalt ergeben; **~powder** *n* Schießpulver *nt*; **~runner** *n* Waffenschmuggler *m*; **~running** *n* Waffenschmuggel *m*; **~shot** *n* Schuß *m*; (*range*) Schußweite *f*; **~shot wound** Schußwunde *f*; **~smith** *n* Büchsenmacher *m*; **~wale** *n* (*Naut*) Dollbord *nt*.

gurgle ['gɜːgl] **1** *n* (*of liquid*) Gluckern *nt no pl*. **2** *vi* (*liquid*) gluckern; (*person*) glucksen (*with* vor +*dat*).

guru ['gʊruː] *n* Guru *m*.

gush [gʌʃ] **1** *n* (*of liquid*) Strahl, Schwall *m*; (*of words*) Schwall *m*; (*of emotion*) Ausbruch *m*. **2** *vi* **a** (*also ~out*) (*water*) herausprudeln; (*smoke, blood*) hervorquellen; (*flames*) herausschlagen. **b** (*col: talk*) schwärmen (*col*) (*about, over* von).

gushing ['gʌʃɪŋ] *adj* (*fig*) überschwenglich.

gusset ['gʌsɪt] *n* (*in garment*) Keil, Zwickel *m*.

gust [gʌst] *n* (*of wind, rain*) Böe *f*.

gusto ['gʌstəʊ] *n* Begeisterung *f* ► *to do sth with ~* etw mit Schwung tun.

gusty ['gʌstɪ] *adj* (+*er*) *wind, day* böig, stürmisch.

gut [gʌt] **1** *n* **a** (*Anat*) Darm *m*; (*stomach, paunch*) Bauch *m*; (*for racket, violin*) (*also ~ strings*) Darmsaiten *pl*. **b** *pl* (*col: stomach*) Eingeweide *pl*; (*fig col: internal parts*) Innereien *pl* (*hum*) ► *to hate sb's ~s* (*col*) jdn auf den Tod nicht ausstehen können (*col*); *I'll have his ~s for garters* (*col*) den mache ich zur Minna (*col*); *~ reaction* rein gefühlsmäßige Reaktion. **c** (*col: courage*) *~s pl* Mut, Mumm *m* (*col*). **2** *vt* **a** *animal* ausnehmen. **b** *it was completely ~ted by the fire* es war völlig ausgebrannt.

gutsy ['gʌtsɪ] *adj* (+ *er*) (*col: brave*) tapfer.

gutter ['gʌtəʳ] **1** *n* (*on roof*) Dachrinne *f*; (*in street, fig*) Gosse *f*. **2** *vi* (*candle, flame*) flackern.

gutter: **~-press** *n* Boulevardpresse *f*; **~snipe** *n* Gassenkind *nt*.

guttural ['gʌtərəl] *adj* guttural, kehlig.

guy¹ [gaɪ] *n* (*col: man*) Typ (*col*), Kerl (*col*) *m* ► *hey you ~s* he Leute (*col*).

guy² *n* (*also ~-rope*) (*for tent*) Zeltschnur *f*.

GUY FAWKES' NIGHT

Guy Fawkes' Night, auch *bonfire night* genannt, erinnert an den *Gunpowder Plot*, einen Attentatsversuch auf James I und sein Parlament am 5. November 1605. Einer der Verschwörer, Guy Fawkes, wurde auf frischer Tat ertappt, als er das Parlamentsgebäude in die Luft sprengen wollte. Vor der *Guy Fawkes' Night* basteln Kinder in Großbritannien eine Puppe des Guy Fawkes, mit der sie Geld für Feuerwerkskörper von Passanten erbetteln, und die dann am 5. November auf einem Lagerfeuer mit Feuerwerk verbrannt wird.

Guyana [gaɪ'ænə] *n* Guyana *nt*.

guzzle ['gʌzl] *vti* (*eat*) futtern (*col*); (*drink*) herunterstürzen, saufen (*col*); *petrol* schlucken (*col*).

gym [dʒɪm] *n* (*gymnasium*) Turnhalle *f*; (*gymnastics*) Turnen *nt*.

gymkhana [dʒɪm'kɑːnə] *n* Reiterfest *nt*.

gymnasium [dʒɪm'neɪzɪəm] *n* Turnhalle *f*.

gymnast ['dʒɪmnæst] *n* Turner(in *f*) *m*.

gymnastic [dʒɪm'næstɪk] *adj* turnerisch; *exercise* Turn- ► *~ display* Turnfest *nt*.

gymnastics [dʒɪm'næstɪks] *n* **a** *sing* (*discipline*) Gymnastik *f no pl*; (*with apparatus*) Turnen *nt no pl*. **b** *pl* (*exercises*) Übungen *pl*.

gym *in cpds* Turn-; **~ shoe** *n* (*Brit*) Turnschuh *m*; **~slip** *n* (*Brit*) Schulträgerrock *m*.

gynaecological, *(US)* **gynecological** [ˌgaɪnɪkəˈlɒdʒɪkəl] *adj* gynäkologisch ▶ ~ *illness* Frauenleiden *nt*.

gynaecologist, *(US)* **gynecologist** [ˌgaɪnɪˈkɒlədʒɪst] *n* Gynäkologe *m*, Gynäkologin *f*, Frauenarzt *m*/-ärztin *f*.

gynaecology, *(US)* **gynecology** [ˌgaɪnɪˈkɒlədʒɪ] *n* Gynäkologie, Frauenheilkunde *f*.

gypsy [ˈdʒɪpsɪ] *n* Zigeuner(in *f*) *m*.

gyrate [ˌdʒaɪəˈreɪt] *vi* (*rotate*) sich drehen; (*dancer*) sich drehen und winden.

gyrocompass [ˈdʒaɪərəʊˈkʌmpəs] *n* Kreisel-Magnetkompaß *m*.

gyroscope [ˈdʒaɪərəˌskəʊp] *n* Gyroskop *nt*.

H

H, h [eɪtʃ] *n* H, h *nt* ▸ *H for Harry* (*Brit*), *H for How* (*US*)
≃ H wie Heinrich.
h = *hour(s)* h.
habeas corpus ['heɪbɪəs'kɔːpəs] *n* (*Jur*) *to issue a writ
of* ~ einen Vorführungsbefehl erteilen.
haberdashery [,hæbə'dæʃərɪ] *n* (*Brit*) Kurzwaren *pl*;
(*US: men's clothing*) Herrenartikel *pl*.
habit ['hæbɪt] *n* **a** Gewohnheit *f* ▸ *to be in the ~ of doing sth* die Angewohnheit haben, etw zu tun; *it became
a ~* es wurde zur Gewohnheit; *out of sheer ~* aus
reiner Gewohnheit; *I don't make a ~ of asking strangers in* (für) gewöhnlich bitte ich Fremde nicht herein;
don't make a ~ of it lassen Sie (sich *dat*) das nicht zur
Gewohnheit werden; *to get into/to get sb into the ~ of
doing sth* sich/jdm angewöhnen, etw zu tun; *to get
into bad ~s* schlechte Gewohnheiten annehmen; *to get
out of/to get sb out of the ~ of doing sth* sich/jdm
abgewöhnen, etw zu tun. **b** (*costume*) Gewand *nt*;
(*monk's also*) Habit *nt or m* ▸ (*riding*) ~ Reitkleid *nt*.
habitable ['hæbɪtəbl] *adj* bewohnbar.
habitat ['hæbɪtæt] *n* Heimat *f*; (*of animals also*)
Lebensraum *m*; (*of plants also*) Standort *m*.
habitation [,hæbɪ'teɪʃən] *n* *unfit for human ~* für
Wohnzwecke nicht geeignet.
habit-forming ['hæbɪt,fɔːmɪŋ] *adj* (*Droge*) süchtig machend ▸ *is this ~?* wird man davon abhängig?
habitual [hə'bɪtjʊəl] *adj* gewohnt; *drinker, gambler, liar*
gewohnheitsmäßig.
habitually [hə'bɪtjʊəlɪ] *adv* gewohnheitsmäßig; (*constantly*) ständig.
habitué [hə'bɪtjʊeɪ] *n* regelmäßiger Besucher,
regelmäßige Besucherin.
hack¹ [hæk] **1** *n* (*cut*) Kerbe *f*; (*action*) Hieb *m*; (*kick*)
Tritt *m*.
2 *vt* hacken ▸ *to hack sb/sth to pieces* jdn
zerstückeln/etw (in Stücke) hacken; *to ~ one's way
through (sth)* sich (*dat*) einen Weg (durch etw)
schlagen.
3 *vi* (*chop, also Comp*) hacken (*into in +acc*).
◆**hack down** *vt sep bushes etc* umhauen; *people also*
niedermetzeln.
hack² *n* **a** (*hired horse*) Mietpferd *nt*; (*worn-out horse*)
Klepper *m*. **b** (*pej: writer*) Schreiberling *m*; (*journalist
also*) Schmierfink *m*.
hacker ['hækə'] *n* (*Comp*) Hacker *m*.
hacking ['hækɪŋ] **1** *adj* **a** ~ *cough* trockener Husten.
b ~ *jacket* Sportsakko *m or nt*; (*for riding*) Reitjacke *f*.
2 (*also Comp*) Hacken *nt*.
hackle ['hækl] *n* *to get sb's ~s up* jdn auf die Palme
bringen (*col*); *to have one's ~s up* auf (hundert)achtzig
sein (*col*).
hackney cab ['hæknɪ,kæb], **hackney carriage**
['hæknɪ,kærɪdʒ] *n* (*also form: taxi*) Droschke *f*.
hackneyed ['hæknɪd] *adj* abgedroschen.
hacksaw ['hæksɔː] *n* Metallsäge *f*.
had [hæd] *pret, ptp of* **have**.
haddock ['hædək] *n* Schellfisch *m*.
hadn't ['hædnt] = **had not**.
haematology, (*US*) **hematology** [,hiːmə'tɒlədʒɪ] *n*
Hämatologie *f*.
haematoma, (*US*) **hematoma** [,hiːmə'təʊmə] *n*

Bluterguß *m*.
haemoglobin, (*US*) **hemoglobin** [,hiːməʊ'gləʊbɪn]
n Hämoglobin *nt*, roter Blutfarbstoff.
haemophilia, (*US*) **hemophilia** [,hiːməʊ'fɪlɪə] *n*
Bluterkrankheit *f*.
haemophiliac, (*US*) **hemophiliac** [,hiːməʊ'fɪlɪæk] *n*
Bluter *m*.
haemorrhage, (*US*) **hemorrhage** ['hemərɪdʒ] **1** *n*
Blutung *f*.
2 *vi* bluten.
haemorrhoids, (*US*) **hemorrhoids** ['hemərɔɪdz] *npl*
Hämorrhoiden *pl*.
hag [hæg] *n* Hexe *f*.
haggard ['hægəd] *adj* ausgezehrt; (*from tiredness*)
abgespannt; (*from worry*) abgehärmt.
haggis ['hægɪs] *n* *mit gehackten Schafsinnereien und
Haferschrot gefüllter Schafsmagen*.
haggle ['hægl] *vi* (*bargain*) feilschen (*about or over* um);
(*argue also*) sich streiten (*over* wegen).
haggling ['hæglɪŋ] *n* Feilschen *nt*.
Hague [heɪg] *n* *the* ~ Den Haag *nt*.
hail¹ [heɪl] **1** *n* (*lit, fig*) Hagel *m*.
2 *vi* hageln.
◆**hail down** *vi* (*stones etc*) niederhageln (*on sb/sth* auf
jdn/etw).
hail² **1** *vt* **a** *to ~ sb/sth as sth* jdn/etw als etw feiern.
b (*call*) zurufen (+*dat*); *ship* anrufen; *taxi* her-
beiwinken ▸ *within ~ing distance* in Rufweite.
2 *vi* *a ship ~ing from London* ein Schiff *nt* mit (dem)
Heimathafen London; *he ~s from Ireland* er stammt aus
Irland.
3 *interj* ~ *Caesar* heil dir, Cäsar; *the H~ Mary* das Ave
Maria.
hail-fellow-well-met ['heɪlfeləʊ,wel'met] *adj* plump-
vertraulich.
hail: ~**stone** *n* Hagelkorn *nt*; ~**storm** *n* Hagel(schlag) *m*.
hair [hɛə'] **1** *n* Haar *nt*; (*collective: on head*) Haare *pl*,
Haar *nt* ▸ *a fine head of* ~ schönes volles Haar; *body ~*
Körperbehaarung *f*; *to do one's* ~ sich frisieren, sich
(*dat*) die Haare (zurecht)machen (*col*); *to have one's ~
cut/done* sich (*dat*) die Haare schneiden/frisieren
lassen; *her ~ is always perfect* sie ist immer sehr gut
frisiert; *to let one's ~ down* (*fig*) aus sich (*dat*) herausgehen; *keep your ~ on!* (*col*) ruhig Blut!; *that film really made my ~ stand on end* bei dem Film lief es mir
eiskalt den Rücken herunter; *not a ~ of his head was
harmed* ihm wurde kein Haar gekrümmt; *not a ~ out
of place* (*fig*) wie aus dem Ei gepellt; *the best cure for
a hangover is a ~ of the dog (that bit you)* einen Kater
kuriert man am besten, wenn man mit dem anfängt,
womit man aufgehört hat.
2 *attr mattress, sofa* Roßhaar-.
hair: ~**brush** *n* Haarbürste *f*; ~ **clip** *n* Clip *m*; (*for ponytail etc*) Haarspange *f*; ~ **colour** *n* Haarfarbe *f*; ~ **conditioner** *n* Pflegespülung *f*; ~ **cream** *n* Haarpomade *f*;
~**cut** *n* Haarschnitt *m*; (*hairdo*) Frisur *f*; *to have or get a
~cut* sich (*dat*) die Haare schneiden lassen; *I need a
~cut* ich muß mir die Haare schneiden lassen; ~**do** *n*
(*col*) Frisur *f*; ~**dresser** *n* Friseur *m*, Friseuse *f*;
~**dresser's**, ~**dressing salon** *n* Friseursalon *m*; ~ **dryer** *n* Haartrockner *m*; (*hand-held also*) Fön ® *m*; (*over*

head also) Trockenhaube *f*; **~-grip** *n* (*Brit*) Haarklemme *f*; **~ lacquer** *n* Haarspray *m* or *nt*; **~-line** *n* [a] Haaransatz *m*; [b] (*thin line*) haarfeine Linie; (*in telescope, on sight*) Faden *m*; **~-line crack, ~-line fracture** *n* Haarriß *m*; **~net** *n* Haarnetz *nt*; **~ oil** *n* Haaröl *nt*; **~-piece** *n* Haarteil *nt*; (*for men*) Toupet *nt*; **~pin** *n* Haarnadel *f*; **~pin (bend)** *n* Haarnadelkurve *f*; **~-raising** *adj* haarsträubend; **~ remover** *n* Enthaarungsmittel *nt*; **~'s breadth** *n by a ~'s breadth* um Haaresbreite; **~-splitting** [1] *n* Haarspalterei *f*; [2] *adj* haarspalterisch; **~spray** *n* Haarspray *m* or *nt*; **~style** *n* Frisur *f*.

hairy ['hɛərɪ] *adj* (+er) [a] stark behaart. [b] (*col*) *situation* haarig (*col*); *film etc* gruselig (*col*); *driving* kriminell (*col*).

Haiti ['heɪtɪ] *n* Haiti *nt*.

Haitian ['heɪʃɪən] [1] *adj* haitianisch, haitisch. [2] *n* Haitianer(in *f*) *m*.

hake [heɪk] *n* Seehecht *m*.

halcyon ['hælsɪən] *adj*: **~ days** glückliche Tage *pl*.

hale [heɪl] *adj* kräftig ▶ **~ and hearty** gesund und munter.

half [hɑːf] [1] *n, pl* **halves** [a] Hälfte *f* ▶ **to cut in ~** halbieren; **to break/tear sth in ~** etw entzweibrechen/-reißen; **~ of it/them** die Hälfte davon/ von ihnen; **the book/money** die Hälfte des Buches/Geldes; **he's not ~ the man he used to be** er ist längst nicht mehr das, was er einmal war; **~ a cup/an hour** eine halbe Tasse/Stunde; **~ a second!** (einen) Augenblick mal!; **to go halves** halbe-halbe machen (*col*); **he is too clever by ~** (*col*) er ist ein richtiger Schlaumeier; **not ~ enough** längst nicht genug; **one and a ~** eineinhalb, anderthalb; **an hour and a ~** eineinhalb *or* anderthalb Stunden; **not to do things by halves** keine halben Sachen machen; **~ and ~** halb und halb; **that's not the ~ of it** (*col*) und das ist längs noch nicht alles (*col*).

[b] (*Sport*) (*of match*) Halbzeit *f*; (*player*) Läufer(in *f*) *m*.

[c] (*of ticket*) Abschnitt *m* der Fahrkarte; (*travel, admission fee*) halbe Karte (*col*).

[d] (*beer*) kleines Bier.

[2] *adj* halb ▶ **a ~ cup** eine halbe Tasse.

[3] *adv* [a] halb ▶ **I ~ thought ...** ich hätte fast gedacht ...; **I was ~ afraid that ...** ich habe fast befürchtet, daß ...; **the work is only ~ done** die Arbeit ist erst zur Hälfte erledigt; **that's ~ right** das ist zur Hälfte richtig. [b] (*Brit col*) **he's not ~ stupid/rich** er ist unheimlich dumm/reich (*col*); **not ~ bad** gar nicht schlecht; **not ~!** und wie!, und ob! [c] **it's ~ past three** *or* **~ three** (*col*) es ist halb vier. [d] **~ as big as** halb so groß wie; **~ as big again** anderthalbmal so groß.

half: **~ back** *n* (*Sport*) Läufer(in *f*) *m*; **~-baked** *adj* (*fig col*) *person, plan* blöd; **~ board** *n* Halbpension *f*; **~-breed** *n* (*person*) Mischling *m*; (*animal*) Rassenmischung *f*; (*horse*) Halbblut *nt*; **~ brother** *n*; **~-caste** *n* Mischling *m*; **~-cock** *n*: **to go off at ~-cock** (*col*) ein Reinfall *m* sein (*col*); **~-crown** *n* (*in old Brit system*) Zweieinhalbschillingstück *nt*; **~-cut** *adj* (*Brit col: drunk*) besoffen (*col!*); **~-day** *n* (*holiday*) halber freier Tag; **we've got a ~-day (holiday)** wir haben einen halben Tag frei; **~-empty** *adj* halbleer *attr*, halb leer *pred*; **~-fare** [1] *n* halber Fahrpreis; [2] *adv* zum halben Preis; **~-full** *adj* halbvoll *attr*, halb voll *pred*; **~-hearted** *adj* halbherzig; *manner* lustlos; **~-heartedly** *adv* agree mit halbem Herzen; **to do sth ~-heartedly** etw ohne rechte Lust tun; **~-holiday** *n* (*Brit*) halber Urlaubstag/ Feiertag; **we've got a ~-holiday tomorrow afternoon** wir haben morgen nachmittag frei; **~-hour** *n* halbe Stunde; **~-hourly** [1] *adj* halbstündlich; [2] *adv* jede halbe Stunde; **~-light** *n* Dämmerlicht, Halbdunkel *nt*; **~-mast** *n*: **at ~-mast** (*also hum*) (auf) halbmast; **~-**

measures *npl* **we don't believe in ~-measures** wir machen keine halben Sachen; **~-moon** *n* Halbmond *m*; **~-note** *n* (*US Mus*) halbe Note; **~ pay** *n* halber Lohn; (*salary*) halbes Gehalt; **~penny** ['heɪpnɪ] *n* (*old*) halber Penny; **~-pint** *n* [a] ≈ Viertelliter *m* or *nt*; (*of beer also*) kleines Bier; [b] (*col: person*) halbe Portion (*col*); **~-price** *n at ~-price* zum halben Preis; **~-sister** *n* Halbschwester *f*; **~-term** *n* (*Brit*) Ferien *pl* in der Mitte des Trimesters; **~-timbered** *adj* Fachwerk-; **~-time** *n* [a] (*Sport*) Halbzeit *f*; [b] (*Ind*) **to be on ~-time** kurzarbeiten; **~-title** *n* (*Typ*) Schmutztitel *m*; **~-tone** *n* (*Art, Phot, US Mus*) Halbton *m*; **~-truth** *n* Halbwahrheit *f*.

halfway ['hɑːf,weɪ] [1] *adj attr* **when we reached the ~ stage** *or* **point on our journey** als wir die Hälfte der Reise hinter uns (*dat*) hatten; **the project is at the ~ stage** das Projekt ist zur Hälfte abgeschlossen. [2] *adv* **~ to** auf halbem Weg nach; **we drove ~ to London** wir fuhren die Hälfte der Strecke nach London; **~ between two points** (in der Mitte *or* genau) zwischen zwei Punkten; **~ up the hill** auf halber Höhe des Berges; **we went ~ up the hill** wir gingen den Berg halb hinauf; **~ through a book** halb durch ein Buch (durch); **this money will go ~ towards paying ...** diese Summe wird die Hälfte der Kosten für ... decken; **to meet sb ~** (*lit, fig*) jdm (auf halbem Weg) entgegenkommen. [3] *attr* **~ house** (*fig*) Zwischending *nt*; (*compromise*) Kompromiß *m*.

half: **~-wit** *n* (*fig*) Schwachkopf *m*; **~-witted** ['hɑːf,wɪtɪd] *adj* schwachsinnig; **~-yearly** *adj, adv* halbjährlich.

halibut ['hælɪbət] *n* Heilbutt *m*.

halitosis [,hælɪ'təʊsɪs] *n* Mundgeruch *m*.

hall [hɔːl] *n* [a] (*of house*) Flur *m*; (*large*) Diele *f*. [b] (*large building*) Halle *f*; (*large room*) Saal *m*; (*village ~*) Gemeindehalle *f*; (*school assembly ~*) Aula *f*. [c] (*mansion*) Herrenhaus *nt*; (*students'; also ~ of residence*) Studenten(wohn)heim *nt*.

hallelujah [,hælɪ'luːjə] *interj* halleluja(h).

hallmark ['hɔːlmɑːk] *n* [a] (Feingehalts)stempel *m*. [b] (*fig*) Kennzeichen *nt* (*of gen*, für).

hallo [hə'ləʊ] *interj, n* = **hello**.

hallowed ['hæləʊd] *adj* (*lit, fig*) geheiligt.

Hallowe'en [,hæləʊ'iːn] *n* Tag *m* vor Allerheiligen.

HALLOWE'EN

Hallowe'en ist der 31. Oktober, der Vorabend von Allerheiligen und nach altem Glauben der Abend, an dem man Geister und Hexen sehen kann. In Großbritannien und vor allem in den USA feiern die Kinder Hallowe'en, indem sie sich verkleiden und mit selbstgemachten Laternen aus Kürbissen von Tür zu Tür ziehen.

---

hall: **~ porter** *n* Portier *m*; **~-stand** *n* (Flur)garderobe *f*; (*treelike*) Garderobenständer *m*.

hallucinate [hə'luːsɪneɪt] *vi* halluzinieren.

hallucination [hə,luːsɪ'neɪʃən] *n* Halluzination *f*.

hallway ['hɔːlweɪ] *n* Korridor *m*.

halo ['heɪləʊ] *n, pl* **-(e)s** (*of saint*) Heiligenschein *m*; (*Astron*) Hof *m*.

halogen ['hælə,dʒən] *n* Halogen *nt*.

halt [hɔlt] [1] *n* [a] (*stop*) Pause *f*; (*Mil*) Halt *m*; (*in production*) Stopp *m* ▶ **to come to a ~** zum Stillstand kommen; **to call a ~ to sth** einer Sache (*dat*) ein Ende bereiten; **shall we call a ~ now?** wollen wir jetzt Schluß machen?; **~ sign** Stoppschild *nt*. [b] (*small station*) Haltepunkt *m*.

[2] *vi* zum Stillstand kommen; (*person*) stehenbleiben; (*Mil*) halten ▶ **to ~ briefly** kurz haltmachen.

[3] *vt* anhalten; *production, traffic also* zum Stillstand

bringen.

4 *interj* halt; (*Mil*) stillgestanden; (*traffic sign*) stop.

halter ['hɒltəʳ] *n* (*horse's*) Halfter *nt*.

halterneck ['hɒltənek] *n* (*dress*) rückenfreies Kleid; (*top*) Top *nt* mit Nackenband.

halting ['hɒltɪŋ] *adj walk* unsicher; *speech* stockend; *admission etc* zögernd; *verse* holp(e)rig ▶ *in a* ~ *voice* zögernd, stockend.

halve [hɑːv] *vt* **a** halbieren. **b** (*reduce by one half*) auf die Hälfte reduzieren.

halves [hɑːvz] *pl of* **half.**

ham [hæm] **1** *n* **a** (*Cook*) Schinken *m*. **b** (*Theat*) (*also* ~ *actor*) Schmierenkomödiant(in *f*) *m*. **c** (*Rad col*) Funkamateur *m*.
2 *adj attr acting* übertrieben.
3 *vi* (*Theat*) chargieren, übertrieben spielen.

◆**ham up** *vt sep* (*col*) *to* ~ *it* zu dick auftragen.

hamburger ['hæm,bɜːgəʳ] *n* (flache) Frikadelle *f*, (*with bread*) Hamburger *m*.

ham-fisted [,hæm'fɪstɪd] *adj* ungeschickt.

hamlet ['hæmlɪt] *n* Weiler *m*, kleines Dorf.

hammer ['hæməʳ] **1** *n* Hammer *m* ▶ *to go at it* ~ *and tongs* (*col*) sich ins Zeug legen (*col*); (*quarrel*) sich in die Haare kriegen (*col*); *to come under the* ~ (*auction*) unter den Hammer kommen; *in the* ~ (*throwing*) (*Sport*) im Hammerwurf.
2 *vt* **a** *nail, metal* hämmern ▶ *to* ~ *a nail into a wall* einen Nagel in die Wand schlagen; *to* ~ *sth into shape metal* etw zurechthämmern; (*fig*) *plan, agreement* etw ausarbeiten; *to* ~ *sth into sb's head, to* ~ *it home to sb* jdm etw einbleuen (*col*). **b** (*col: defeat badly*) eine Schlappe beibringen (+*dat*) (*col*).
3 *vi* hämmern ▶ *to* ~ (*away*) *at the door* an die Tür hämmern.

◆**hammer out** *vt sep* (*fig*) *plan, solution* ausarbeiten; *tune* hämmern.

hammer drill *n* Schlagbohrmaschine *f*.

hammering ['hæmərɪŋ] *n* **our team took a** ~ (*col*) unsere Mannschaft mußte eine Schlappe einstecken (*col*).

hammock ['hæmək] *n* Hängematte *f*.

hamper¹ ['hæmpəʳ] *n* Korb *m*; (*as present*) Geschenkkorb *m*.

hamper² *vt* behindern ▶ *to be* ~*ed* gehandikapt sein.

hamster ['hæmstəʳ] *n* Hamster *m*.

hamstring ['hæmstrɪŋ] (*vb: pret, ptp* **hamstrung** ['hæmstrʌŋ]) **1** *n* (*Anat*) Kniesehne *f*.
2 *vt* (*fig*) *to be hamstrung* außer Gefecht gesetzt sein; (*project*) lahmliegen.

▼ **hand** [hænd] **1** *n* **a** Hand *f*, (*of clock*) Zeiger *m* ▶ *on* ~*s and knees* auf allen vieren; *to take sb by the* ~ jdn bei der Hand nehmen; ~*s up!* Hände hoch!; (*Sch*) meldet euch!; ~*s off* (*col*) Hände weg!; *keep your* ~*s off it* laß die Finger davon!; *made by* ~ handgearbeitet; *to raise an animal by* ~ ein Tier mit der Flasche aufziehen; *to live from* ~ *to mouth* von der Hand in den Mund leben; *with a heavy/firm* ~ (*fig*) mit harter/starker Hand.
b (*side, direction, position*) Seite *f* ▶ *on the right* ~ auf der rechten Seite, rechts; *on my right* ~ rechts von mir; *on all* ~*s* auf allen Seiten; *on the one* ~ ... *on the other* ~ ... einerseits ..., andererseits ...
c (*agency, possession etc*) *it's the* ~ *of God* das ist die Hand Gottes; *it's in your own* ~*s what you do now* Sie haben es selbst in der Hand, was Sie jetzt tun; *to put sth into sb's* ~*s* jdm etw in die Hand geben; *to leave sb/sth in sb's* ~*s* jdn in jds Obhut lassen/jdm etw überlassen; *I'm in your* ~*s* ich verlasse mich ganz auf Sie; *to fall into the* ~*s of sb* jdm in die Hände fallen; *to be in good* ~*s* in guten Händen sein; *he has too much time on his* ~*s* er hat zuviel Zeit zur Verfügung; *I've got*

enough on my ~*s already* ich habe schon genug am Hals (*col*); *to get sb/sth off one's* ~*s* loswerden; *to take sb/sth off sb's* ~*s* jdn jdn/etw abnehmen.
d (*applause*) *they gave him a big* ~ er bekam großen Applaus.
e (*worker*) Arbeitskraft *f*; (*Naut*) Besatzungsmitglied *nt* ▶ *to take on* ~*s* Leute einstellen; (*Naut*) Leute anheuern; ~*s* Belegschaft *f*, *all* ~*s on deck!* alle Mann an Deck!; *to be an old* ~ (*at sth*) ein alter Hase (in etw *dat*) sein.
f (*Measure: of horse*) ≈ 10 cm.
g (*handwriting*) Handschrift *f*.
h (*Cards*) Blatt *nt*; (*person*) Mann *m*; (*game*) Runde *f* ▶ *a good/bad* ~ gute/schlechte Karten; *3* ~*s* (*people*) 3 Mann; *to show one's* ~ (*fig*) sich (*dat*) in die Karten sehen lassen.
i *Christmas is (close) at* ~ Weihnachten steht vor der Tür; *at first/second* ~ aus erster/zweiter Hand; *according to the information on* ~ den vorliegenden Informationen zufolge; *to keep sth at* ~ etw in Reichweite haben; *it's quite close at* ~ es ist ganz in der Nähe; *he had the situation well in* ~ er hatte die Situation im Griff; *to take sb in* ~ (*discipline*) jdn zur Räson bringen; (*look after*) nach jdm sehen; *stock in* ~ (*Comm*) Warenlager *nt*; *he still had £600/a couple of hours in* ~ er hatte £600 übrig/noch zwei Stunden Zeit; *the matter in* ~ die zur Debatte stehende Angelegenheit; *work in* ~ Arbeit, die zur Zeit erledigt wird; *a matter/project etc is in* ~ eine Sache/ein Projekt *nt etc* wird bearbeitet; *to put sth in* ~ dafür sorgen, daß etw erledigt wird; *the children got out of* ~ die Kinder waren nicht mehr zu bändigen; *matters got out of* ~ die Dinge sind außer Kontrolle geraten; *I don't have the letter to* ~ ich habe den Brief gerade nicht zur Hand.
j (*phrases*) *to keep one's* ~ *in* in Übung bleiben; *to eat out of sb's* ~ (*lit, fig*) jdm aus der Hand fressen; *to force sb's* ~ auf jdn Druck ausüben; *to wait on sb* ~ *and foot* jdn von vorne und hinten bedienen; *he never does a* ~*'s turn* er rührt keinen Finger; *to have a* ~ *in sth* (*in decision*) an etw (*dat*) beteiligt sein; (*in crime*) die Hand bei etw im Spiel haben; *to lend or give sb a* ~ jdm zur Hand gehen; *give me a* ~*!* hilf mir mal!; *to be* ~ *in glove with sb* mit jdm unter einer Decke stecken; *to have one's* ~*s full with sth* mit etw alle Hände voll zu tun haben; *to win* ~*s down* spielend gewinnen; *he is making money* ~ *over fist* er scheffelt das Geld nur so; *we're losing money/staff* ~ *over fist* wir verlieren haufenweise Geld/Personal; *to have the upper* ~ die Oberhand behalten; *to gain the upper* ~ die Oberhand gewinnen; *to ask for a lady's* ~ (*in marriage*) um die Hand einer Dame anhalten.
2 *vt* (*give*) reichen, geben (*sth to sb, sb sth* jdm etw) ▶ *you've got to* ~ *it to him* (*fig*) das muß man ihm lassen (*col*).

◆**hand back** *vt sep* zurückgeben.

◆**hand down** *vt sep* **a** (*lit*) herunter-/hinunterreichen *or* -geben (*to sb* jdm). **b** (*fig*) weitergeben; *tradition, story* also überliefern (*to an* +*acc*); *heirloom etc* vererben (*to dat*).

◆**hand in** *vt sep* abgeben; *forms, resignation* einreichen.

◆**hand on** *vt sep* weitergeben (*to an* +*acc*).

◆**hand out** *vt sep* austeilen (*to sb* an jdn); *advice* erteilen (*to sb* jdm).

◆**hand over 1** *vt sep* (*pass over*) (herüber-/hinüber)reichen (*to dat*); (*give up*) (her)geben (*to dat*); (*to third party*) (ab)geben (*to dat*); *criminal, prisoner* übergeben (*to dat*); (*from one state to another*) ausliefern; *leadership* abtreten (*to an* +*acc*); *the controls, business* übergeben (*to dat*, an +*acc*).
2 *vi* **when the Conservatives** ~*ed* ~ *to Labour* als die

Konservativen die Regierung an Labour abgaben; *when the chairman ~ed ~ to his successor* als der Vorsitzende das Amt an seinen Nachfolger abgab.
◆**hand round** *vt sep* herumreichen; (*distribute*) *papers* austeilen.
hand: ~**bag** *n* Handtasche *f*; ~ **baggage** *n* Handgepäck *nt*; ~**ball** *n* [a] Handball *m*; [b] (*Ftbl: foul*) Handspiel *nt*; ~**bill** *n* Handzettel *m*; ~**book** *n* Handbuch *nt*; (*tourist's*) Reiseführer *m*; ~**brake** *n* (*Brit*) Handbremse *f*.
h & c = **hot and cold (water)** k.u.w.
hand: ~**cart** *n* Handwagen *m*; ~ **controls** *npl* (*Aut*) Handbedienung *f*; ~**cuff** *vt* Handschellen anlegen (+*dat*); ~**cuffs** *npl* Handschellen *pl*; ~ **dryer** *n* Händetrockner *m*.
handful ['hændfʊl] *n* [a] Handvoll *f*; (*of hair, fur*) Büschel *nt* ▸ *by the ~, in ~s* büschelweise. [b] (*small number*) Handvoll *f*. [c] (*fig*) *those children are a ~* die Kinder können einen ganz schön in Trab halten.
hand grenade ['hændɡrɪneɪd] *n* Handgranate *f*.
handicap ['hændɪkæp] [1] *n* Handikap *nt*; (*in horse racing, golf also*) Vorgabe *f*; (*physical, mental also*) Behinderung *f* ▸ *to be under a great ~* stark gehandikapt sein. [2] *vt* ein Handikap *nt* darstellen für ▸ *to be (physically/mentally) ~ped* (*körperlich/geistig*) behindert sein; ~*ped children* behinderte Kinder *pl*.
handicraft ['hændɪkrɑːft] *n* [a] (*work*) Kunsthandwerk *nt*; (*needlework etc*) Handarbeit *f*; (*wood-work, modelling etc*) Werken *nt*. [b] (*skill*) Geschick *nt*, Handfertigkeit *f*.
handily ['hændɪlɪ] *adv* [a] *situated* günstig. (b) (*US: easily*) mit Leichtigkeit.
handiness ['hændɪnɪs] *n* (*of shops etc*) günstige Lage.
handiwork ['hændɪwɜːk] *n no pl* [a] (*lit*) Arbeit *f*; (*Sch: subject*) Werken *nt*; (*needlework etc*) Handarbeit *f*. [b] (*fig*) Werk *nt*; (*pej*) Machwerk *nt*.
handkerchief ['hæŋkətʃɪf] *n* Taschentuch *nt*.
handle ['hændl] [1] *n* Griff *m*; (*of door also*) Klinke *f*; (*of broom, comb*) Stiel *m*; (*of basket, bucket, cup etc*) Henkel *m* ▸ *to fly off the ~* (*col*) an die Decke gehen (*col*). [2] *vt* [a] (*touch, use hands on*) anfassen; (*Ftbl*) *ball* mit der Hand berühren ▸ *be careful how you ~ that* gehen Sie vorsichtig damit um; *"~ with care"* „Vorsicht Glas/Blumen/lebende Tiere etc".
[b] (*deal with*) *person, animal, tool, weapon, machine etc* umgehen mit; *tool also* handhaben; *legal or financial matters* erledigen; *legal case, order, contract* bearbeiten; *applicant, matter, problem* sich befassen mit; *material for essay etc* bearbeiten; (*tackle*) *problem, interview etc* anpacken; (*cope with*) *child, drunk, situation, problem* fertigwerden mit; *vehicle, plane, ship* steuern ▸ *how would you ~ the situation?* wie würden Sie sich in der Situation verhalten?; *you keep quiet, I'll ~ this* sei mal still und laß mich nur machen (*col*); *who's handling the publicity for this?* wer macht die Öffentlichkeitsarbeit dafür?
[3] *vi* (*ship, plane*) sich steuern lassen; (*car, motorbike*) sich fahren.
[4] *vr he ~s himself well in a fight* er kann sich in einer Schlägerei behaupten.
handle: ~**bar moustache** *n* Schnauzbart *m*; ~**bar(s)** *n*(*pl*) Lenkstange *f*.
handler ['hændlə'] *n* (*dog- ~*) Hundeführer *m*.
handling ['hændlɪŋ] *n* [a] (*touching*) Berühren *nt*. [b] (*of plant, problem*) Behandlung *f*; (*of person, patient etc also*) Umgang *m* (*of* mit); (*of tool, weapon, machine*) Handhabung *f*; (*of legal or financial matters*) Erledigung *f*; (*of order, contract, legal case*) Bearbeitung *f* ▸ *his ~ of the situation* die Art, wie er die Situation angepackt hat; *he/it needs careful ~* man muß vorsichtig mit ihm/damit umgehen; ~ *charge* (*Admin*) Bearbeitungsgebühr *f*. [c] (*of vehicle*) Fahrverhalten *nt* ▸ *what's its ~ like?* wie fährt es sich?

hand: ~**luggage** *n* Handgepäck *nt*; ~**-made** *adj* handgearbeitet; *this is ~-made* das ist Handarbeit; ~**-me-down** *n* (*col*) abgelegtes Kleidungsstück *nt*; (*col: money*) (Geld)zuwendung *f*; (*leaflet*) Flugblatt *nt*; (*publicity ~*) Reklamezettel *m*; ~**over** ['hændəʊə] *n* (*Pol*) Übergabe *f* ~*over of power* Machtübergabe *f*; ~**painted** *adj* handbemalt; ~**-picked** *adj* (*specially selected*) handverlesen; ~**rail** *n* (*of stairs etc*) Geländer *nt*; (*of ship*) Reling *f*; ~**set** *n* (*Telec*) Hörer *m*; ~**shake** *n* Händedruck *m*.
hands-off ['hændz'ɒf] *adj* passiv ▸ *~ manager* Geschäftsführer, der die Zügel gern locker läßt.
handsome ['hænsəm] *adj* gutaussehend; *furniture, building* schön; (*noble, generous*) großzügig, nobel (*col*); *profit, inheritance etc* stattlich, beträchtlich ▸ *he is ~/he has a ~ face* er sieht gut aus.
handsomely ['hænsəmlɪ] *adv* [a] (*elegantly*) elegant. [b] (*generously*) großzügig.
hands-on ['hændz'ɒn] *adj* aktiv ▸ *~ manager* Geschäftsführer, der die Zügel gern fest in der Hand hält.
hand: ~**-stand** *n* Handstand *m*; ~**-to-** *adj* ~**-to-** *fighting* Nahkampf *m*; ~**-to-mouth** *adj existence* kümmerlich, armselig; *to lead a ~-to-mouth existence* von der Hand in den Mund leben; ~ *towel* *n* (Hände)handtuch *nt*; ~**writing** *n* Handschrift *f*; ~**written** *adj* handgeschrieben.
handy ['hændɪ] *adj* (+*er*) [a] *person* geschickt ▸ *to be ~ at doing sth* ein Geschick *nt* für etw haben. [b] *pred* (*close at hand*) in der Nähe (*for* +*gen*) ▸ *to keep sth ~* etw griffbereit haben. [c] (*convenient, useful*) praktisch ▸ *it'll come in ~* das kann ich gut gebrauchen; *he's a very ~ person to have around* man kann ihn gut (ge)brauchen (*col*); *he's very ~ about the house* er kann im Haus vieles selbst erledigen.
handyman ['hændɪmæn] *n, pl* -**men** [-mən] (*odd-job man*) Handwerker *m*; (*do-it-yourselfer*) Bastler *m*.
▼ **hang** [hæŋ] (*vb: pret, ptp* **hung**) [1] *vt* [a] hängen; *painting* aufhängen; *door, gate* einhängen; *wallpaper* kleben ▸ *to ~ wallpaper* tapezieren; *to ~ sth from sth* etw an etw (*dat*) aufhängen; *the walls were hung with tapestries* die Wände waren mit Gobelins behängt; *to ~ one's head* den Kopf hängen lassen. [b] *pret, ptp* **hanged** *criminal* hängen ▸ *to ~ oneself* sich erhängen; *~ him* (*col*) zum Kuckuck mit ihm! (*col*); *I'm ~ed if I know* (*col*) weiß der Kuckuck (*col*); *~ it!* (*col*) so ein Mist! (*col*).
[2] *vi* [a] hängen (*on* an (+*dat*), *from* von); (*drapery, clothes, hair*) fallen ▸ *time ~s heavy on my hands* die Zeit wird mir sehr lang. [b] (*criminal*) gehängt werden. [c] *it/he can go ~!* (*col*) es/er kann mir gestohlen bleiben (*col*).
[3] *n* [a] (*of drapery*) Fall *m*; (*of suit*) Sitz *m*. [b] *you'll soon get the ~ of it* (*col*) du wirst bald den richtigen Dreh finden (*col*).
◆**hang about** *or* **around** [1] *vi* (*col*) (*wait*) warten; (*loiter*) sich herumtreiben (*col*) ▸ *to keep sb ~ing ~* jdn warten lassen; *~ about, I didn't say that* Moment mal, das habe ich nicht gesagt (*col*); *he doesn't ~ ~* (*is fast*) er ist einer von der schnellen Truppe.
[2] *vi* +*prep obj to ~ ~ a place* sich an einem Ort herumtreiben (*col*).
◆**hang back** *vi* (*lit*) sich zurückhalten; (*hesitate*) zögern.
◆**hang in** *vi* (*col*) *just ~ ~ there!* bleib am Ball! (*col*).
◆**hang on** [1] *vi* [a] (*hold*) sich festhalten (*to sth* an etw *dat*). [b] (*hold out*) durchhalten; (*Telec*) am Apparat bleiben; (*col: wait*) warten ▸ *~ ~ (a minute)* warte mal, einen Augenblick (mal).
[2] *vi* +*prep obj* [a] *to ~ ~ sb's arm* an jds Arm (*dat*) hängen; *he ~s ~ her every word* er hängt an ihren Lippen. [b] (*depend on*) *it all ~s ~ his decision* alles

hängt von seiner Entscheidung ab.

◆**hang on to** vi +prep obj (keep) behalten.

◆**hang out** [1] vi [a] (tongue, shirt tails etc) heraushängen (of aus +dat). [b] (col: live) sich aufhalten; (be usually found also) herumhängen (col). [c] **they hung ~ for more pay** sie hielten an ihrer Lohnforderung fest. [d] (col) **to let it all ~ ~** die Sau rauslassen (col). [2] vt sep hinaushängen.

◆**hang together** vi (people) zusammenhalten; (argument, report) zusammenhängend sein; (alibi etc) keine Widersprüche aufweisen.

◆**hang up** [1] vi (Telec) auflegen ▶ **he hung ~ on me** er legte einfach auf. [2] vt sep aufhängen.

hangar ['hæŋəʳ] n Flugzeughalle f.

hangdog ['hæŋdɒg] adj **look** niedergeschlagen; (ashamed) zerknirscht.

hanger ['hæŋəʳ] n (for clothes) (Kleider)bügel m; (loop on garment) Aufhänger m.

hanger-on [ˌhæŋər'ɒn] n, pl **-s-on** (sponger) Schmarotzer m ▶ **he came with all his hangers-on** er kam mit seinem ganzen Gefolge.

hang: ~-glider n (device) Drachen m; (person) Drachenflieger(in f) m; **~-gliding** n Drachenfliegen nt.

hanging ['hæŋɪŋ] [1] n [a] (of criminal) Todesstrafe f, (of criminal) Erhängen nt; (event) Hinrichtung f (durch den Strang). [b] (curtains etc) **~s** pl Vorhänge pl; (tapestry) Wandbehang m. [2] attr hängend; **bridge** Hänge-.

hang: ~man n Henker m; **~-out** n (place where one lives) Bude f (col); (pub, café etc) Stammlokal nt; (of group) Treff m (col); **~over** [a] Kater m (col); [b] (sth left over) Überbleibsel nt; **~up** n (col) Komplex m (about wegen); (obsession) Fimmel m (col) (about mit).

hank [hæŋk] n (of wool etc) Strang m; (of hair, fur) Büschel nt.

hanker ['hæŋkəʳ] vi Verlangen haben (for or after sth nach etw).

hankering ['hæŋkərɪŋ] n Verlangen nt ▶ **to have a ~ for sth** Verlangen nach etw haben.

hanky ['hæŋkɪ] n (col) Taschentuch nt.

hanky-panky ['hæŋkɪ'pæŋkɪ] n (col) [a] (dishonest dealings) Mauscheleien pl (col) ▶ **there's some ~ going on** hier ist was faul (col). [b] (love affair) Techtelmechtel nt (col). [c] (sexy behaviour) Gefummel nt (col).

Hanover ['hænəʊvəʳ] n Hannover nt.

Hansard ['hænsɑːd] n der Hansard, die britischen Parlamentsberichte.

Hanseatic [ˌhænzɪ'ætɪk] adj **towns** Hanse- ▶ **~ League** Hansebund m.

Hants [hænts] (Brit) = **Hampshire**.

haphazard adj, **~ly** adv [ˌhæp'hæzəd, -lɪ] willkürlich.

happen ['hæpən] vi [a] geschehen; (special or important event also) sich ereignen; (esp unexpected, unintentional or unpleasant event also) passieren; (process also) vor sich gehen ▶ **it all ~ed like this ...** das Ganze war so ...; **it's all ~ing here today** (col) heute ist hier ganz schön was los (col); **what's ~ing?** was ist los?; **you can't just let things ~** du kannst die Dinge nicht einfach laufen lassen; **don't let it ~ again** daß das nicht noch mal passiert!; **these things ~** so was kommt (schon mal) vor; **what has ~ed to him?** was ist mit ihm?; (in accident etc) was ist ihm passiert?; **what's ~ed to your leg?** was ist mit deinem Bein passiert?; **if anything should ~ to me** wenn mir etwas passieren sollte; **it all ~ed so quickly** es ging alles so schnell.

[b] (chance) **how does it ~ that ...?** wie kommt es, daß ...?; **it might ~ that ...** es könnte sein, daß ...; **how do you ~ to know?** wie kommt es, daß du das weißt?; **to ~ to do sth** zufälligerweise etw tun; **do you ~ to know whether ...?** wissen Sie zufällig, ob ...?; **I just ~ed**

to come along when ... ich kam zufällig (gerade) vorbei, als ...; **as it ~s I'm going there today** zufällig(erweise) gehe ich heute (dort)hin; **he ~s to be the boss** er ist nun einmal der Chef.

◆**happen (up)on** vi +prep obj zufällig stoßen auf (+acc); person zufällig treffen.

happening ['hæpnɪŋ] n Ereignis nt; (not planned) Vorfall m; (Theat) Happening nt.

happily ['hæpɪlɪ] adv [a] glücklich; (cheerfully also) fröhlich; (contentedly also) zufrieden ▶ **they lived ~ ever after** (in fairy tales) und wenn sie nicht gestorben sind, dann leben sie noch heute. [b] (fortunately) glücklicherweise. [c] (worded) treffend.

happiness ['hæpɪnɪs] n Glück nt; (disposition) Fröhlichkeit f.

happy ['hæpɪ] adj (+er) [a] (about über +acc) glücklich; (cheerful also) fröhlich ▶ **a ~ event** ein freudiges Ereignis; **that's all right, (I'm/I'll be) ~ to help** schon gut, ich helfe (doch) gern; **yes, I'd be ~ to** ja, sehr gern(e); **to be ~ to do sth** sich freuen, etw tun zu können; **I'm very ~ for you** ich freue mich für dich; **the ~ few** die wenigen Auserwählten. [b] phrase, solution glücklich. [c] (content) zufrieden ▶ **we're not ~ with it** wir sind damit nicht zufrieden. [d] **~ anniversary/birthday** herzlichen Glückwunsch zum Hochzeitstag/Geburtstag; **~ Easter** frohe Ostern; **~ New Year** ein gutes neues Jahr.

happy: ~-go-lucky adj unbekümmert; **~ hour** n Zeit, in der Bars, Pubs etc Getränke zu ermäßigten Preisen anbieten.

harangue [hə'ræŋ] [1] n (scolding) (Straf)predigt f; (encouraging) Appell m. [2] vt see n eine (Straf)predigt halten (+dat); einen Appell richten an (+acc).

harass ['hærəs] vt belästigen; (mess around) schikanieren; (Mil) immer wieder überfallen ▶ **don't ~ me** dräng mich doch nicht so!; **they eventually ~ed him into resigning** sie setzten ihm so lange zu, bis er schließlich zurücktrat.

harassed ['hærəst] adj mitgenommen; (worried) von Sorgen gequält.

harassment ['hærəsmənt] n (act) Belästigung f; (messing around) Schikanierung f; (state) Bedrängnis f; (Mil) Kleinkrieg m ▶ **police ~** Schikane f von seiten der Polizei.

harbour, (US) **harbor** ['hɑːbəʳ] [1] n Hafen m ▶ **~ dues** Hafengebühren pl; **~ master** n Hafenmeister m. [2] vt [a] criminal etc Unterschlupf gewähren (+dat). [b] suspicions, feelings, grudge hegen.

hard [hɑːd] [1] adj (+er) [a] hart; voice, tone also schroff ▶ **a ~ man** ein harter Mann; (ruthless) ein knallharter Typ (col); **don't be ~ on the boy** sei nicht zu streng zu dem Jungen; **no ~ feelings** nichts für ungut. [b] (difficult) schwer; (complicated also) schwierig; (~ to endure) hart ▶ **~ of hearing** schwerhörig; **I find it ~ to believe that ...** ich kann es kaum glauben, daß ...; **he is ~ to get on with** er ist schwierig, mit ihm auszukommen; **it's ~ going** es ist mühsam; **~ luck!, ~ lines!** (so ein) Pech!

[2] adv (+er) [a] mit aller Kraft; (violently) heftig; run schnell; breathe, work schwer ▶ **to listen ~** genau hinhören; **think ~** denk mal scharf nach; **think ~er** denk mal ein bißchen besser nach; **he has obviously thought ~ about this** er hat es sich (dat) offensichtlich gut überlegt; **if you try ~** wenn du dich richtig bemühst; **try ~er** gib dir doch ein bißchen mehr Mühe; **you're not trying ~ enough** du strengst dich nicht genügend an; **you're trying too ~** du bemühst dich zu sehr; **he tried as ~ as he could** er hat sich nach Kräften bemüht; **to look ~ at sb/sth** sich jdn/etw genau ansehen; **to be ~ at it** (col) schwer am Werk sein (col).

[b] (in, with difficulty) **to be ~ put to it to do sth** es sehr schwer finden, etw zu tun; **to be ~ up** (col) knapp

bei Kasse sein (*col*); **he's ~ up for ...** (*col*) es fehlt ihm
an ... (*+dat*); **to be ~ done by** übel dran sein; **he took it
pretty ~** es traf ihn ziemlich schwer; **old traditions die
~** alte Traditionen lassen sich nicht so leicht abschaffen.
  [c] *rain, snow* stark ► *it was freezing ~* es herrschte
strenger Frost.

hard: **~ and fast** *adj* fest; *rules also* bindend; **~-back** [1]
adj book gebunden; [2] *n* gebundene Ausgabe; **~-bitten**
adj person abgebrüht; *manager* knallhart (*col*); **~board** *n*
Hartfaserplatte *f*; **~-boiled** *adj* [a] *egg* hartgekocht; [b]
(*fig: shrewd*) ausgekocht (*col*); (*unsentimental*) abgebrüht (*col*); **~ cash** *n* Bargeld *nt*; **~ copy** *n* Ausdruck
m; **~ core** *n* [a] (*for building, road*) Packlage *f*; [b] (*fig*)
harter Kern; (*pornography*) harter Porno (*col*); **~-core**
adj resistance vom harten Kern; *pornography* hart; **~
court** *n* Hartplatz *m*; **~ disk** *n* (*Comp*) Festplatte *f*; **~
drinker** *n* starker Trinker; **~ drug** *n* harte Droge; **~-
earned** *adj wages* sauer verdient; *victory* hart erkämpft.
harden ['hɑːdn] [1] *vt steel* härten; *body, muscles*
kräftigen ► *this ~ed his attitude* dadurch hat sich seine
Haltung verhärtet; **to ~ oneself to sth** (*physically*) sich
gegen etw abhärten; (*emotionally*) gegen etw
unempfindlich werden.
  [2] *vi* (*substance*) hart werden; (*attitude*) sich verhärten.
hardened ['hɑːdnd] *adj steel* gehärtet; *person*
abgehärtet; *criminal* Gewohnheits-; *sinner* verstockt ► **to
be ~ to** *or* **against the cold/sb's insensitivity** gegen die
Kälte abgehärtet sein/an jds Gefühllosigkeit (*acc*)
gewöhnt sein; **he's ~ to it** (*he doesn't mind*) es macht
ihm nichts aus.
hardening ['hɑːdnɪŋ] *n* **~ of the arteries** Arterienverkalkung *f*.
hard: **~-fought** *adj battle* erbittert; *game* hart; **~ hat** *n*
Schutzhelm *m*; (*worker*) Bauarbeiter *m*; **~-headed** *adj*
nüchtern; **~-hearted** *adj* hartherzig (*towards sb* jdm
gegenüber); **~-hitting** *adj* (*lit*) schlagkräftig; (*fig: criticism, speech etc*) gnadenlos; **~ labour** (*Brit*) *or* **labor**
(*US*) *n* Zwangsarbeit *f*; **~ line** *n* harte Linie; **to take a ~
line** eine harte Linie verfolgen; **~-liner** *n* Vertreter(in *f*)
m der harten Linie; **~ liquor** *n* Schnaps *m*; **~-luck story** *n* Leidensgeschichte *f*.
hardly ['hɑːdlɪ] *adv* kaum ► *I need ~ tell you that ...* ich
muß Ihnen wohl kaum sagen, daß ...; **~ ever** fast nie; **he
had ~ gone** *or* **had he gone when ...** er war kaum
gegangen, als ...; **he would ~ have said that** das hat er
wohl kaum gesagt; **~!** (wohl) kaum; **~ ideal conditions**
wohl kaum ideale Bedingungen.
hardness ['hɑːdnɪs] *n* [a] Härte *f*. [b] *see adj* (*b*)
Schwere *f*; Schwierigkeit *f*; Härte *f* ► **~ of hearing**
Schwerhörigkeit *f*.
hard: **~-nosed** *adj* abgebrüht; **~-pressed** *adj* hart be-
drängt; (*with work*) stark belastet; **~ sell** *n* aggressive
Verkaufstaktik, Hard selling *nt*.
hardship ['hɑːdʃɪp] *n* (*condition*) Not *f*; (*instance*) Härte
f; (*deprivation*) Entbehrung *f* ► **a temporary ~** eine vorübergehende Notlage; **to suffer great ~s** große Not
leiden; **if it's not too much (of a) ~ for you** wenn es dir
nicht zuviel Mühe macht.
hard: **~ shoulder** *n* (*Brit*) Seitenstreifen *m*; **~top** *n*
Hardtop *nt or m*; **~ware** *n* [a] Eisenwaren *pl*; (*household goods*) Haushaltswaren *pl*; [b] (*Comp*) Hardware *f*;
[c] (*Mil*) (Wehr)material *nt*; **~ware store** *n*
Eisenwarenhandlung *f*; (*including household goods*)
Haushalts- und Eisenwarengeschäft *nt*; **~-wearing** *adj*
widerstandsfähig; *cloth, clothes* strapazierfähig; **~-won**
adj schwer erkämpft; **~wood** *n* Hartholz *nt*; **~-
working** *adj person* fleißig; *engine* schwer belastet.
hardy ['hɑːdɪ] *adj* (*+er*) [a] (*tough*) zäh; *person also*
abgehärtet; *plant* (frost)unempfindlich ► **~ annual**
winterharte einjährige Pflanze. [b] (*bold*) *person*
unerschrocken.

hare [hɛəʳ] [1] *n* (Feld)hase *m*.
  [2] *vi* (*col*) flitzen (*col*).
hare: **~-brained** *adj* behämmert (*col*); **~lip** *n* Hasen-
scharte *f*.
harem [hɑːˈriːm] *n* Harem *m*.
haricot ['hærɪkəʊ] *n* **~ bean** (*Brit*) Gartenbohne *f*.
hark [hɑːk] *vi* **~!** (*liter*) horch(t)!; **~ at him!** (*col*) hör ihn
dir/hört ihn euch nur an! (*col*).
♦**hark back** *vi* zurückkommen (*to* auf *+acc*) ► **he's always ~ing ~ to the good old days** er fängt immer wieder von der guten alten Zeit an.
harm [hɑːm] [1] *n* (*bodily*) Verletzung *f*; (*material, to relations, psychological*) Schaden *m* ► **to do ~ to sb** jdm eine
Verletzung zufügen/jdm Schaden zufügen; **to do ~ to
sth** einer Sache (*dat*) schaden; **you will come to no ~** es
wird Ihnen nichts geschehen; **it will do more ~ than
good** es wird mehr schaden als nützen; **it won't do you
any ~** es wird dir nicht schaden; **I see no ~ in the odd
cigarette** ich finde nichts dabei, wenn man ab und zu
eine Zigarette raucht; **to mean no ~** es nicht böse
meinen; **I don't mean him any ~** ich meine es nicht
böse mit ihm; **there's no ~ in asking/trying** es kann
nicht schaden, zu fragen/es zu versuchen; **where's** *or*
what's the ~ in that? was kann denn das schaden?; **out
of ~'s way** in Sicherheit; **to stay out of ~'s way** der
Gefahr (*dat*) aus dem Weg gehen.
  [2] *vt* schaden (*+dat*); *person* verletzen.
harmful ['hɑːmfʊl] *adj* schädlich (*to* für); *remarks* verletzend.
harmless *adj*, **~ly** *adv* ['hɑːmlɪs, -lɪ] harmlos.
harmlessness ['hɑːmlɪsnɪs] *n* Harmlosigkeit *f*.
harmonica [hɑːˈmɒnɪkə] *n* Harmonika *f*.
harmonious *adj*, **~ly** *adv* [hɑːˈməʊnɪəs, -lɪ]
harmonisch.
harmonium [hɑːˈməʊnɪəm] *n* Harmonium *nt*.
harmonize ['hɑːmənaɪz] [1] *vt* (*Mus*) harmonisieren;
plans, colours aufeinander abstimmen.
  [2] *vi* (*notes, colours, people etc*) harmonieren; (*sing*)
mehrstimmig singen.
harmony ['hɑːmənɪ] *n* Harmonie *f*; (*fig: harmonious
relations*) Eintracht *f* ► **to be in/out of ~ with** (*lit*)
harmonieren/nicht harmonieren mit; (*fig also*) in
Einklang/nicht in Einklang sein mit; **to sing in ~** mehrstimmig singen.
harness ['hɑːnɪs] [1] *n* Geschirr *nt*; (*of parachute*)
Gurtwerk *nt*; (*for baby*) Laufgurt *m* ► **to die in ~** (*fig, often hum*) in den Sielen sterben.
  [2] *vt* [a] *horse* anschirren ► **to ~ a horse to a carriage**
ein Pferd vor einen Wagen spannen. [b] (*utilize*) *river etc*
nutzbar machen; *resources* (aus)nutzen.
harp [hɑːp] *n* Harfe *f*.
♦**harp on** [1] *vi* (*col*) **don't ~ ~ so** reite nicht so darauf
herum!
  [2] *vt* **to ~ ~ sth** auf etw *dat* herumreiten; **to keep ~ing
~ sth** immer wieder mit etw kommen (*col*).
harpist ['hɑːpɪst] *n* Harfenspieler(in *f*) *m*, Harfenist(in *f*)
m.
harpoon [hɑːˈpuːn] [1] *n* Harpune *f*.
  [2] *vt* harpunieren.
harpsichord ['hɑːpsɪkɔːd] *n* Cembalo *nt*.
harrow ['hærəʊ] [1] *n* Egge *f*.
  [2] *vt* eggen.
harrowed ['hærəʊd] *adj look* gequält.
harrowing ['hærəʊɪŋ] *adj* grauenhaft.
harry ['hærɪ] *vt* zusetzen (*+dat*).
harsh [hɑːʃ] *adj* (*+er*) rauh; [a] (*severe*) hart; *words, tone
of voice also* barsch; (*too strict*) streng ► **don't be too ~
with him** sei nicht zu streng mit ihm. [b] *colour, light,
sound* grell; *taste* herb.
harshly ['hɑːʃlɪ] *adv* (*severely*) hart, streng; *speak* barsch.
harshness ['hɑːʃnɪs] *n see adj* Rauheit *f*; Härte *f*;

Strenge *f*; Grelle *f*; Herbheit *f.*
harvest ['hɑ:vɪst] **1** *n* Ernte *f*; (*of wines, berries also*) Lese *f.*
2 *vt* (*also fig*) ernten; *vines also* lesen; (*bring in*) einbringen.
3 *vi* ernten.
harvester ['hɑ:vɪstə^r] *n* (*person*) Erntearbeiter(in *f*) *m*; (*machine*) Mähmaschine *f*; (*combine ~*) Mähdrescher *m.*
harvest: ~ festival *n* Erntedankfest *nt*; **~ time** *n* Erntezeit *f.*
has [hæz] *3rd pers sing pres of* **have.**
has-been ['hæzbi:n] *n* (*pej*) vergessene Größe.
hash [hæʃ] *n* **a** (*Cook*) Haschee *nt.* **b** (*col: mess*) **to make a ~ of sth** etw verpfuschen (*col*). **c** (*col: hashish*) Hasch *nt* (*col*).
hashish ['hæʃɪʃ] *n* Haschisch *nt.*
hasn't ['hæznt] = **has not.**
hassle ['hæsl] (*col*) **1** *n* Ärger *m*; (*bother, fuss*) Theater *nt* (*col*) ► **getting there is such a ~** es ist so umständlich, dorthin zu kommen; **we had a bit of ~ with the police** wir hatten ein bißchen Ärger mit der Polizei; **this job is constant ~** bei diesem Job ist man ständig im Streß (*col*).
2 *vt* (*mess around*) schikanieren; (*keep on at*) bedrängen.
hassock ['hæsək] *n* Kniekissen *nt.*
haste [heɪst] *n* Eile *f* ► **to make ~** sich beeilen; **more ~ less speed** (*Prov*) eile mit Weile (*Prov*).
hasten ['heɪsn] **1** *vi* sich beeilen ► **I ~ to add that ...** ich muß allerdings hinzufügen, daß ....
2 *vt* beschleunigen ► **the strain of office ~ed his death** die Belastung durch sein Amt trug zu seinem vorzeitigen Tod bei; **to ~ sb's departure** jdn zum Aufbruch drängen.
hastily ['heɪstɪlɪ] *adv* **a** (*hurriedly*) hastig. **b** (*rashly*) vorschnell.
hastiness ['heɪstɪnɪs] *n* **a** Eile *f.* **b** (*rashness*) Voreiligkeit *f.*
hasty ['heɪstɪ] *adj* (*+er*) **a** (*hurried*) eilig ► **they made a ~ exit** sie gingen eilig hinaus; **don't be so ~** nicht so hastig! **b** (*rash*) vorschnell.
hat [hæt] *n* **a** Hut *m.* **b** (*fig phrases*) **I'll eat my ~ if ...** ich fresse einen Besen, wenn ... (*col*); **I take my ~ off to him** Hut ab vor ihm!; **to talk through one's ~** (*col*) dummes Zeug reden; **to keep sth under one's ~** (*col*) etw für sich behalten; **at the drop of a ~** auf der Stelle; **that's old ~** (*col*) das ist Schnee von gestern (*col*); **to pass around the ~ for sb** für jdn den Hut rumgehen lassen (*col*).
hatbox ['hætbɒks] *n* Hutschachtel *f.*
hatch¹ [hætʃ] (*also ~ out*) **1** *vt* ausbrüten; (*fig*) *plot also* aushecken.
2 *vi* (*bird*) ausschlüpfen ► **when will the eggs ~?** wann schlüpfen die Jungen aus?
hatch² *n* (*Naut*) Luke *f* ► (*service*) **~** (*Brit*) Durchreiche *f*; **down the ~!** (*col*) hoch die Tassen! (*col*).
hatchback ['hætʃbæk] *n* (*car*) Schrägheck *nt* (mit Heckklappe); (*door*) Heckklappe *f.*
hatchet ['hætʃɪt] *n* Beil *nt* ► **to bury the ~** das Kriegsbeil begraben; **~ man** (*killer*) gedungener Mörder; (*fig*) Vollstreckungsbeamte(r) *m.*
hatching ['hætʃɪŋ] *n* (*Art*) Schraffur *f.*
▼ **hate** [heɪt] **1** *vt* hassen; (*detest also*) verabscheuen; (*dislike also*) nicht leiden können ► **to ~ the sound of sth** etw nicht hören können; **to ~ to do sth** *or* **doing sth** es hassen, etw zu tun; (*weaker*) etw äußerst ungern tun; **I ~ seeing her in pain** ich kann es nicht ertragen, sie leiden zu sehen; **I ~ the idea of leaving** der Gedanke, wegzumüssen, ist mir äußerst zuwider; **I ~ to bother you** es ist mir sehr unangenehm, daß ich Sie belästigen muß; **I ~ having to say it but ...** es fällt mir sehr schwer,

das sagen zu müssen, aber ...; **I should ~ to keep you waiting** ich möchte Sie auf keinen Fall warten lassen.
2 *n* Haß *m* (*for, of* auf +*acc*) ► **~ mail** beleidigende Briefe *pl*; **it's one of his pet ~s** das kann er auf den Tod nicht ausstehen.
hateful ['heɪtfʊl] *adj* abscheulich.
hatpin ['hætpɪn] *n* Hutnadel *f.*
hatred ['heɪtrɪd] *n* Haß *m* (*for* auf +*acc*).
hatstand ['hætstænd] *n* Garderobenständer *m*; (*for hats only*) Hutständer *m.*
hatter ['hætə^r] *n* Hutmacher(in *f*) *m*; (*seller*) Hutverkäufer(in *f*) *m.*
hat: ~-tree *n* (*US*) = **hatstand**; **~-trick** *n* Hattrick *m.*
haughtily ['hɔ:tɪlɪ] *adv see adj* hochmütig; überheblich.
haughty ['hɔ:tɪ] *adj* (*+er*) hochmütig; (*towards people*) überheblich.
haul [hɔ:l] **1** *n* **a** (*journey*) Strecke *f* ► **it's a long ~** es ist ein weiter Weg; **short/long ~ aircraft** Kurz-/Langstreckenflugzeug *nt.* **b** (*Fishing*) (Fisch)fang *m*; (*from robbery*) Beute *f*; (*col: of presents*) Ausbeute *f* (*col*).
2 *vt* ziehen; *heavy objects also* schleppen.
◆**haul down** *vt sep flag, sail* einholen.
haulage ['hɔ:lɪdʒ] *n* **a** Transport *m* ► **~ contractor** (*firm*) Spedition(sfirma) *f*; (*person*) Spediteur *m.* **b** (*charges*) Transportkosten *pl.*
haulier ['hɔ:lɪə^r] *n* Spediteur *m*; (*company*) Spedition *f.*
haunch [hɔ:ntʃ] *n* (*of person*) Hüfte *f*; (*of animal*) (*hindquarters*) Hinterbacke *f*; (*top of leg*) Keule *f*; (*Cook*) Lendenstück *nt* ► **~es** Gesäß *nt*; (*of animal*) Hinterbacken *pl*; **he was sitting on his ~es** er saß in der Hocke; **~ of venison** (*Cook*) Rehkeule *f.*
haunt [hɔ:nt] **1** *vt* **a** (*ghost*) *house* spuken in (+*dat*), umgehen in (+*dat*). **b** (*fig: memory etc*) verfolgen ► **the nightmares which ~ed him** die Alpträume, die ihn heimsuchten. **c** (*frequent*) häufig besuchen.
2 *n* **this is one of his favourite ~s** hier hält er sich sehr gerne auf.
haunted ['hɔ:ntɪd] *adj* **a** Spuk- ► **a ~ house** ein Haus *nt*, in dem es spukt; **this place is ~** hier spukt es. **b** *look* gehetzt; *person* ruhelos.
haunting ['hɔ:ntɪŋ] *adj doubt* quälend; *tune, visions, poetry* eindringlich ► **these ~ final chords** diese Schlußakkorde, die einen nicht loslassen.
Havana [hə'vænə] *n* Havanna *nt.*
▼ **have** [hæv] *pret, ptp* **had,** *3rd pers sing pres* **has** **1** *vt*
a (*possess*) haben ► **she has** (*got esp Brit*) **blue eyes** sie hat blaue Augen; **~ you** (*got esp Brit*) *or* **do you ~ a suitcase?** hast du einen Koffer?; **I ~n't** (*got esp Brit*) *or* **I don't ~ a pen** ich habe keinen Kugelschreiber.
b **to ~ breakfast/lunch/dinner** frühstücken/zu Mittag essen/zu Abend essen; **what will you ~? — I'll ~ the steak** was möchten Sie gern(e)? — ich möchte gern das Steak; **he had a cigarette/a drink/a steak** er rauchte eine Zigarette/trank etwas/aß ein Steak; **will you ~ some more?** möchten Sie gern (noch etwas) mehr?; **~ another one** nimm noch eine/einen/eines; (*drink*) trink noch einen; (*smoke*) rauch noch eine.
c (*receive, obtain, get*) haben ► **I ~ it on good authority/from her that ...** ich habe aus zuverlässiger Quelle/von ihr erfahren, daß ...; **to let sb ~ sth** jdm etw geben; **it's nowhere to be had** es ist nirgends zu haben *or* kriegen (*col*); **she's having a baby** sie bekommt ein Kind.
d (*maintain, insist*) **he will ~ it that Paul is guilty** er besteht darauf, daß Paul schuldig ist; **he won't ~ it that Paul is guilty** er will nichts davon hören, daß Paul schuldig ist; **as Professor James would ~ it** (*according to*) laut Professor James; (*as he would put it*) um es mit Professor James zu sagen.
e (*neg: refuse to allow*) **I won't ~ this nonsense**

dieser Unsinn kommt (mir) nicht in Frage!; *I won't ~ it!* das lasse ich mir nicht bieten!

f *(hold)* (gepackt) haben ▶ *the dog had (got) him by the ankle* der Hund hatte ihn am Knöchel gepackt; *I ~ (got) him where I want him* ich habe ihn endlich soweit; *I'll ~ you* (col) dich krieg ich (beim Kragen); *you ~ me there* da bin ich überfragt.

g *(causative)* *to ~ sth done* etw tun lassen; *to ~ one's hair cut/a suit made* sich (*dat*) die Haare schneiden lassen/einen Anzug machen lassen; *to ~ sb do sth* jdn etw tun lassen; *they had him shot* sie ließen ihn erschießen; *I'd ~ you understand ...* Sie müssen nämlich wissen ...; *what would you ~ me say?* was soll ich dazu sagen?; *they soon had the carpet down* sie waren schnell mit dem Teppichverlegen fertig; *when she had the lid off* als sie den Deckel herunterhatte.

h *(experience, suffer)* *he had his car stolen* man hat ihm sein Auto gestohlen; *I've had three windows broken* (bei) mir sind drei Fenster eingeworfen worden; *I had my friends turn against me* ich mußte es erleben, wie *or* daß sich meine Freunde gegen mich wandten.

i *to ~ a walk* spazierengehen; *to ~ a dream* träumen.

j *party* geben, machen; *meeting* abhalten ▶ *are you having a reception?* gibt es einen Empfang?

k *(phrases)* *let him ~ it!* gib's ihm! (col); *he/that coat has had it* (col) der ist weg vom Fenster (col)/der Mantel hat ausgedient; *if I miss the last bus, I've had it* (col) wenn ich den letzten Bus verpasse, bin ich geliefert (col); *to ~ a pleasant evening* einen netten Abend verbringen; *~ a good time!* viel Spaß!; *you've been had!* (col) da hat man dich übers Ohr gehauen (col); *thanks for having me* vielen Dank für Ihre Gastfreundschaft.

2 *aux* **a** haben; (*esp with vbs of motion*) sein ▶ *to ~ been* gewesen sein; *to ~ seen/heard* gesehen/gehört haben; *to ~ gone/run* gegangen/gelaufen sein; *I ~ /had been* ich bin/war gewesen; *I ~ /had seen* ich habe/hatte gesehen; *had I seen him* hätte ich ihn gesehen; *having seen him* (*since*) da ich ihn gesehen habe/hatte; (*after*) als ich ihn gesehen hatte; *I ~ lived or ~ been living here for 10 years/since January* ich wohne schon 10 Jahre/seit Januar hier; *you* have grown du bist aber gewachsen.

b *(in tag questions etc)* *you've seen her, ~n't you?* du hast sie gesehen, oder nicht?; *you ~n't seen her, ~ you?* du hast sie nicht (etwa) gesehen, oder?; *you ~n't seen her — yes, I ~* du hast sie nicht gesehen — doch; *you've made a mistake — no I ~n't* du hast einen Fehler gemacht — nein(, hab' ich nicht col); *you've dropped your book — so I ~* du hast dein Buch fallen lassen — tatsächlich!; *I ~ seen a ghost — ~ you?* ich habe ein Gespenst gesehen — tatsächlich?; *I've lost it — you ~n't (disbelieving)* ich habe es verloren — das darf doch nicht wahr sein!

3 *modal aux* (*+infin*) *I ~ to do it, I ~ got to do it* (*Brit*) ich muß es tun; *I don't ~ to do it, I ~n't got to do it* (*Brit*) ich muß es nicht tun, ich brauche es nicht zu tun; *do you ~ to go now?, ~ you got to go now?* (*Brit*) müssen Sie jetzt unbedingt gehen?; *you didn't ~ to tell her* das mußten Sie ihr nicht unbedingt sagen; *it has to be a mistake!* das muß wohl ein Irrtum sein!

◆**have around** *vt always separate* **a** (bei sich) zu Besuch haben; (*invite*) einladen. **b** *he's useful to ~ ~* es ist ganz praktisch, ihn zur Hand zu haben.

◆**have in** *vt always separate* **a** *decorators etc* im Haus haben; *doctor* holen. **b** *to ~ it ~ for sb* (col) jdn auf dem Kieker haben (col).

◆**have off** *vt always separate to ~ it ~ with sb* (col) es mit jdm treiben (col).

◆**have on** **1** *vt sep clothes, radio* anhaben. **2** *vt always separate* **a** *(have sth arranged)* vorhaben;

(be busy with) zu tun haben ▶ *~ you got anything ~ for tonight?* hast du heute abend etwas vor? **b** (*col: deceive*) übers Ohr hauen (col); (*tease*) auf den Arm nehmen (col). **c** *to ~ nothing ~ sb* gegen jdn nichts in der Hand haben; *they've got nothing ~ me!* mir kann keiner was! (col).

◆**have out** *vt always separate* **a** *he was having his tonsils ~* ihm wurden die Mandeln herausgenommen. **b** (*discuss*) *to ~ it ~ with sb* etw mit jdm ausdiskutieren; *I'll ~ it ~ with him* ich werde mit ihm reden.

◆**have up** *vt always separate* (*col: in court*) *to be had ~ for sth* wegen etw vors Gericht kommen.

haven ['heɪvn] *n* (*fig*) Zufluchtsstätte *f.*

haversack ['hævəsæk] *n* Rucksack *m.*

haves [hævz] *npl* (col) *the ~ and the have-nots* die Betuchten und die Habenichtse (col).

havoc ['hævək] *n* verheerender Schaden; (*devastation also*) Verwüstung *f*; (*chaos*) Chaos *nt* ▶ *to wreak ~ in or with sth, to play ~ with sth* bei etw verheerenden Schaden anrichten.

Hawaii [hə'waɪː] *n* Hawaii *nt.*

Hawaiian [hə'waɪjən] **1** *adj* hawaiisch. **2** *n* **a** (*person*) Hawaiianer(in *f*) *m.* **b** (*language*) Hawaiisch *nt.*

hawk[1] [hɔːk] *n* (*Orn*) Habicht *m*; (*sparrow~*) Sperber *m*; (*falcon*) Falke *m* ▶ *to have eyes like a ~* Augen wie ein Luchs haben; *the ~s and the doves* (*fig*) die Falken und die Tauben.

hawk[2] *vt* hausieren (gehen) mit; (*in street*) verkaufen.

hawker ['hɔːkəʳ] *n* (*pedlar*) (*door-to-door*) Hausierer(in *f*) *m*; (*in street*) Straßenhändler(in *f*) *m.*

hawk-eyed ['hɔːkaɪd] *adj* scharfsichtig ▶ *to be ~* Adleraugen haben.

hawser ['hɔːzəʳ] *n* (*Naut*) Trosse *f.*

hawthorn ['hɔːθɔːn] *n* Weiß- *or* Rotdorn *m.*

hay [heɪ] *n* Heu *nt* ▶ *to make ~* Heu machen; *to hit the ~* (col) sich in die Falle hauen (col); *to make ~ while the sun shines* (*Prov*) das Eisen schmieden, solange es heiß ist (*Prov*).

hay: *~ fever n* Heuschnupfen *m*; *~making n* Heuernte *f*; *~stack n* Heuhaufen *m.*

haywire ['heɪwaɪəʳ] *adj pred* (col) *to be (all) ~* (vollständig) durcheinander sein; *to go ~* (*plans*) über den Haufen geworfen werden (col); (*machinery*) verrückt spielen (col).

hazard ['hæzəd] **1** *n* **a** (*danger*) Gefahr *f*; (*risk*) Risiko *nt* ▶ *it's a fire ~* es stellt eine Feuergefahr dar; *~ warning lights* (*Aut*) Warnblinkanlage *f.* **b** (*chance*) *game of ~* Glücksspiel *nt.* **2** *vt life, reputation* riskieren, aufs Spiel setzen ▶ *if I might ~ a suggestion* wenn ich mir einen Vorschlag erlauben darf; *to ~ a guess* (es) wagen, eine Vermutung anzustellen.

hazardous ['hæzədəs] *adj* gefährlich, risikoreich ▶ *~ pay* (*US*) Gefahrenzulage *f*; *~ waste* Sondermüll *m.*

haze [heɪz] *n* Dunst *m.*

hazel ['heɪzl] **1** *n* (*Bot*) Hasel(nuß)strauch *m.* **2** *adj* (*colour*) haselnußbraun.

hazelnut ['heɪzlnʌt] *n* Haselnuß *f.*

hazy ['heɪzɪ] *adj* (*+er*) **a** dunstig, diesig; *mountains* im Dunst (liegend). **b** (*unclear*) verschwommen ▶ *I'm ~ about what happened* ich kann mich nur verschwommen daran erinnern, was geschah.

HB = **hard black** (*on pencils*) HB.

H-bomb ['eɪtʃbɒm] *n* H-Bombe *f.*

HE = **His Excellency** S.E.

he [hiː] **1** *pers pron* er ▶ *so ~'s the one* der (col) *or* er ist es also!; *Harry Rigg? who's ~?* Harry Rigg? wer ist das denn?; *~ who* (*liter*) derjenige, der. **2** *n it's a ~* (*col: baby*) es ist ein er.

head [hed] **1** *n* **a** Kopf *m* ▶ *from ~ to foot* von Kopf bis Fuß; **~ downwards** mit dem Kopf nach unten; **to stand on one's ~** auf dem Kopf stehen; **you could do it standing on your ~** (col) das kann man ja im Schlaf machen; **to fall ~ over heels in love with sb** sich bis über beide Ohren in jdn verlieben; **to keep one's ~ above water** (fig) sich über Wasser halten; **to talk one's ~ off** (col) reden wie ein Wasserfall (col); **to shout one's ~ off** (col) sich (dat) die Lunge aus dem Leib schreien (col); **to have a good/bad ~ for heights** schwindelfrei/nicht schwindelfrei sein; **I've got some ~ this morning** (col) ich habe heute morgen einen ziemlichen Brummschädel (col); **to give sb his ~** jdn machen lassen; **on your (own) ~ be it** auf Ihre eigene Verantwortung; **he gave orders over my ~** er hat über meinen Kopf (hin)weg Anordnungen gegeben; **to go to one's ~** einem zu Kopf steigen; **I can't make ~ nor tail of it** daraus werde ich nicht schlau.

b (mind, intellect) Kopf, Verstand m ▸ **use your ~** streng deinen Kopf an; **to get sth into one's ~** (understand) etw begreifen; **he won't get it into his ~ that ...** es will ihm nicht in den Kopf, daß ...; **to take it into one's ~ to do sth** sich (dat) in den Kopf setzen, etw zu tun; **it never entered his ~ that ...** es kam ihm nie in den Sinn, daß ...; **what put that idea into his ~?** wie kommt er denn darauf?; **to get sth out of one's ~** sich (dat) etw aus dem Kopf schlagen; **he has a good business ~** er hat einen ausgeprägten Geschäftssinn; **he has a good ~ on his shoulders** er ist ein kluger Kopf; **he has an old ~ on young shoulders** er ist sehr reif für sein Alter; **two ~s are better than one** (prov) besser zwei als einer allein; **we put our ~s together** wir haben unsere Köpfe zusammengesteckt; **to be above** or **over sb's ~** über jds Horizont (acc) gehen; **to keep one's ~** den Kopf nicht verlieren; **to lose one's ~** den Kopf verlieren; **he is off his ~** (col) er ist (ja) nicht (ganz) bei Trost (col); **to be soft in the ~** (col) einen (kleinen) Dachschaden haben (col).

c **twenty ~ of cattle** zwanzig Stück Vieh; **to pay 10 marks a ~** 10 Mark pro Kopf bezahlen.

d (of flower, lettuce, nail, page) Kopf m; (of arrow, spear) Spitze f; (of bed) Kopf(ende nt) m; (on beer) Blume f; (of corn) Ähre f; (of stream) (upper area) Oberlauf m; (source) Ursprung m; (of tape-recorder) Tonkopf m ▸ **~ of steam** Dampfdruck m; **at the ~ of the list/stairs** oben auf der Liste/an der Treppe; **at the ~ of the table** am Kopf(ende) des Tisches; **at the ~ of the queue/procession** an der Spitze der Schlange/des Zuges; **if things come to a ~** wenn sich die Sache zuspitzt.

e (of family) Oberhaupt nt; (of business, organization) Chef(in f) m; (Sch col) Schulleiter(in f) m ▸ **~ of department** (in business) Abteilungsleiter(in f) m; (Sch, Univ) Fachbereichsleiter(in f) m; **~ of state** Staatsoberhaupt nt.

f (~ing, in essay etc) Rubrik f.

g (of coin) **~s or tails?** Kopf oder Zahl?; **~s I win** bei Kopf gewinne ich.

2 vt **a** (lead) anführen; (be in charge of also) führen; list also an der Spitze stehen von. **b** (direct) steuern (towards, for in Richtung). **c** **in the chapter ~ed ... in dem Kapitel mit der Überschrift ...; ~ed writing paper** Schreibpapier mit Briefkopf. **d** (Ftbl) köpfen.

3 vi gehen; (in vehicle) fahren ▸ **where are you ~ing** or **~ed?** wohin gehen/fahren Sie?

◆**head back** vi zurückgehen/-fahren ▸ **to be ~ing ~** auf dem Rückweg sein.

◆**head for** vi +prep obj place, person zugehen/zufahren auf (+acc), zusteuern auf (+acc); town, country gehen/fahren in Richtung (+gen); (ship also) Kurs halten auf (+acc) ▸ **where are you ~ing** or **~ed?** wohin gehen/fahren Sie?; **you're ~ing ~ trouble** du bist auf dem besten Weg, Ärger zu bekommen.

◆**head off** vt sep abfangen; war, strike abwenden.

◆**head up** vt sep delegation etc leiten.

head in cpds (top, senior) Ober-; **~ache** n Kopfschmerzen pl; (col: problem) Problem nt; **to have a ~ache** Kopfschmerzen haben; **this is a bit of a ~ache** das macht mir/uns ziemliches Kopfzerbrechen; **~band** n Stirnband nt; **~board** n Kopfteil nt; **~ cold** n Schnupfen m; **~dress** n Kopfschmuck m.

header ['hedə^r] n **a** (dive) Kopfsprung m. **b** (Ftbl) Kopfball m.

head: **~first** adv (lit, fig) kopfüber; **~gear** n Kopfbedeckung f; **~-hunt** vt abwerben; **~-hunter** n (lit, fig) Kopfjäger m.

heading ['hedɪŋ] n Überschrift f; (on letter, document) Kopf m; (in encyclopedia) Stichwort nt.

head: **~lamp, ~light** n Scheinwerfer m; **~land** n Landspitze f; **~line** n (Press) Schlagzeile f; **to hit the ~lines** Schlagzeilen machen; **the news ~lines** (TV, Rad) das Wichtigste in Kürze; **~long** adj, adv fall der Länge nach; rush Hals über Kopf; **~master** n Schulleiter m; **~mistress** n Schulleiterin f; **~ office** n Zentrale f; **~-on** **1** adj **~-on collision** Frontalzusammenstoß m; **2** adv frontal; **to meet** or **tackle sth ~-on** etw geradewegs angehen; **~phones** npl Kopfhörer pl; **~quarters** n sing or pl (Mil) Hauptquartier nt; (Comm) Zentrale f; (of political party) Parteizentrale f; police **~quarters** Polizeipräsidium nt; **~rest**, (Aut) **~ restraint** n Kopfstütze f; **~room** n lichte Höhe; (in car) Kopfraum m; **~scarf** n Kopftuch nt; **~set** n Kopfhörer pl; **~ start** n **he's got a ~ start on us** er ist uns weit voraus; **~stone** n (on grave) Grabstein m; **~strong** adj dickköpfig; **~ teacher** n (Brit) = **~master, ~mistress**; **~ waiter** n Oberkellner m; **~way** n **to make ~way** (lit, fig) vorankommen; **~wind** n Gegenwind m; **~word** n Stichwort nt.

heady ['hedɪ] adj (+er) (lit, fig) berauschend.

heal [hiːl] **1** vi (Med, fig) heilen. **2** vt (Med) heilen; (fig) differences etc beilegen.

◆**heal up** **1** vi zuheilen. **2** vt sep heilen lassen.

health [helθ] n Gesundheit f ▸ **in good/poor ~** bei guter/schlechter Gesundheit; **how is his ~?** wie geht es ihm gesundheitlich?; **to be good/bad for one's ~** gesund/ungesund sein; **~ and safety regulations** Arbeitsschutzvorschriften pl; **Ministry of H~** Gesundheitsministerium nt; **to drink (to) sb's ~** auf jds Wohl (acc) trinken; **your ~!** zum Wohl!

health: **~ centre** n **a** Ärztezentrum nt; **b** = **~ club;** **~ certificate** n Gesundheitsattest nt; **~ club** n Fitness-Center nt; **~ farm** n Gesundheitsfarm f; **~ food** n Reformkost f, Biokost f (col); **~ food shop** (Brit) or **store** (esp US) n Reformhaus nt, Bioladen m (col); **~ hazard** n Gefahr f für die Gesundheit; **~ insurance** n Krankenversicherung f; **~ resort** n Kurort m; H~ **Service** n (Brit) Gesundheitswesen nt; H~ **Service doctor** Kassenarzt m/ -ärztin f; **~ visitor** n Sozialarbeiter(in f) m (in der Gesundheitsfürsorge).

healthy ['helθɪ] adj (+er) (lit, fig) gesund.

heap [hiːp] **1** n **a** Haufen m; (col: old car) Klapperkiste f (col) ▸ **he fell in a ~ on the floor** er sackte zu Boden. **b** **~s of** (col) eine Menge (col); **we've got ~s of time** wir haben jede Menge Zeit (col). **2** vt häufen ▸ **to ~ praises on sb** jdn mit Lob überschütten; **~ed spoonful** gehäufter Löffel.

◆**heap up** **1** vt sep aufhäufen. **2** vi sich häufen.

hear [hɪə^r] pret, ptp **heard** **1** vt (also learn) hören ▸ **to make oneself ~d** sich (dat) Gehör verschaffen; **you're not going, do you ~ me!** du gehst nicht, hörst du (mich)!; **to ~ him speak you'd think ...** wenn man ihn so reden hört, könnte man meinen, ...; **I've often ~d**

say or it said that ... ich habe oft sagen hören, daß ...; *I ~ you're going away* ich höre, Sie gehen weg; *I must be ~ing things* ich glaube, ich höre nicht richtig; *to ~ a case* (*Jur*) einen Fall verhandeln.

2 *vi* a hören ▸ ~, ~*!* (sehr) richtig!; (*Parl*) hört!, hört! b (*get news*) hören ▸ *yes, so I ~* ja, ich habe es gehört; *you'll be ~ing from me!* (*threatening*) Sie werden noch von mir hören!; *to ~ about sth* von etw hören *or* erfahren; *have you ~d about John? he's getting married* haben Sie schon gehört? John heiratet; *never ~d of him/it* nie (von ihm/davon) gehört; *I've ~d of him* ich habe schon von ihm gehört; *he was never ~d of again* man hat nie wieder etwas von ihm gehört; *I've never ~d of such a thing!* das ist ja unerhört!; *I won't ~ of it* (*allow*) ich will davon nichts hören.

◆**hear out** *vt sep person* ausreden lassen.

heard [hɜːd] *pret, ptp of* **hear.**

hearing ['hɪərɪŋ] *n* a (*sense*) Gehör *nt*; (*ability*) Hörvermögen *nt*. b *within/out of ~* in/außer Hörweite. c (*Pol*) Hearing *nt*, Anhörung *f*; (*Jur*) Verhandlung *f* ▸ *to give sb a ~* jdn anhören; *he didn't get a fair ~* man hörte ihn nicht richtig an; (*Jur*) er bekam keinen fairen Prozeß.

hearing aid *n* Hörgerät *nt*.

hearsay ['hɪəseɪ] *n* Gerüchte *pl* ▸ *to have sth on ~* etw vom Hörensagen wissen.

hearse [hɜːs] *n* Leichenwagen *m*.

heart [hɑːt] *n* a (*lit, fig*) Herz *nt* ▸ *to break sb's ~* jdm das Herz brechen; *to break one's ~ over sth* sich über etw (*acc*) zu Tode grämen; *you're breaking my ~* (*iro*) ich fang' gleich an zu weinen (*iro*); *after my own ~* ganz nach meinem Herzen; *to have a change of ~* sich anders besinnen; *to learn/know sth by ~* etw auswendig lernen/wissen; *in my ~ of ~s* im Grunde meines Herzens; *with all my ~* von ganzem Herzen; *from the bottom of one's ~* aus tiefstem Herzen; *to take sth to ~* sich (*dat*) etw zu Herzen nehmen; *we have your interests at ~* Ihre Interessen liegen uns am Herzen; *to set one's ~ on sth* sein Herz an etw (*acc*) hängen (*geh*); *to one's ~'s content* nach Herzenslust; *most men are boys at ~* die meisten Männer sind im Grunde (ihres Herzens) noch richtige Kinder; *his ~ isn't in it* er ist nicht mit dem Herzen dabei; *to lose ~* den Mut verlieren; *to take ~* Mut fassen; *to put new ~ into sb* jdn mit neuem Mut erfüllen; *his ~ is in the right place* (*col*) er hat das Herz auf dem rechten Fleck (*col*); *to have a ~ of stone* ein Herz aus Stein haben; *to wear one's ~ on one's sleeve* aus seinem Herzen keine Mördergrube machen (*col*); *my ~ was in my mouth* (*col*) mir schlug das Herz bis zum Hals; *have a ~!* (*col*) gib deinem Herzen einen Stoß! (*col*); *not to have the ~ to do sth* es nicht übers Herz bringen, etw zu tun; *she has a ~ of gold* sie hat ein goldenes Herz; *my ~ sank* (*apprehension*) mir rutschte das Herz in die Hose (*col*); (*sadness*) das Herz wurde mir schwer; (*discouraged*) mein Mut sank; *the ~ of the matter* der Kern der Sache; *in the ~ of the forest* mitten im Wald. b (*Cards*) ~s *pl* Herz *nt*; (*Bridge*) Coeur *nt*; *queen of ~s* Herzdame *f*.

heart: ~**ache** *n* Kummer *m*; ~ **attack** *n* Herzinfarkt *m*; *I nearly had a ~ attack* (*fig col: shock*) ich habe fast einen Herzschlag gekriegt (*col*); ~**beat** *n* Herzschlag *m*; ~**break** *n* großer Kummer; ~**breaking** *adj* herzzerreißend; *it's ~breaking* es bricht einem das Herz; ~**broken** *adj* todunglücklich; ~**burn** *n* Sodbrennen *nt*; ~ **condition** *n* Herzleiden *nt*.

hearten ['hɑːtn] *vt* ermutigen.

heartening ['hɑːtnɪŋ] *adj news* ermutigend.

heart: ~ **failure** *n* Herzversagen *nt*; ~**felt** *adj* tief empfunden; *sympathy* herzlichst.

hearth [hɑːθ] *n* Feuerstelle *f*; (*whole fireplace*) Kamin *m*

▸ ~**rug** Kaminvorleger *m*.

heartily ['hɑːtɪlɪ] *adv* herzlich; *sing* kräftig; *eat* herzhaft ▸ *I ~ agree* ich stimme voll und ganz zu.

heart: ~**land** *n* a *Tory* ~**land** eine Hochburg der Konservativen; ~**less** *adj* herzlos; (*cruel also*) grausam; ~**rending** *adj* herzzerreißend; ~**searching** *n* Gewissenserforschung *f*; ~**strings** *npl* *to pull or tug at the/sb's* ~**strings** auf die/bei jdm auf die Tränendrüsen drücken (*col*); ~**throb** *n* (*col*) Schwarm *m* (*col*); ~**-to-~** *adj, n* *to have a* ~**-to-~** *(talk) with sb* sich mit jdm ganz offen aussprechen; ~ **transplant** *n* Herztransplantation *f*; ~**trouble** *n* Herzbeschwerden *pl*; ~**-warming** *adj* herzerfreuend.

hearty ['hɑːtɪ] *adj* (+er) herzlich; *slap also, meal, appetite* herzhaft, kräftig; *dislike* tief; *person* (*robust*) kernig; (*cheerful*) laut und herzlich.

heat [hiːt] 1 *n* a (*lit, fig*) Hitze *f*; (*pleasant, Phys*) Wärme *f*; (*of curry etc*) Schärfe *f*; (~*ing*) Heizung *f* ▸ *in the ~ of the day* wenn es heiß ist; *in the ~ of the moment* in der Hitze des Gefechts; (*when upset*) in der Erregung; *to take the ~ out of the situation* die Situation entschärfen; *to put the ~ on* (*col*) Druck machen (*col*); *to put the ~ on sb* (*col*) jdn unter Druck setzen; *the ~ is off* (*col*) der Druck ist weg (*col*); (*danger is past*) die Gefahr ist vorbei. b (*Sport*) Vorlauf *m*; (*Boxing etc*) Vorkampf *m* ▸ *final* ~ Ausscheidungskampf *m*. c (*Zool*) Brunst *f*; (*of dogs, cats*) Läufigkeit *f* ▸ *on* ~ brünstig, läufig.

2 *vt* erhitzen; *room* heizen; *pool, house* beheizen.

◆**heat up** 1 *vi* warm werden; (*get very hot*) sich erhitzen; (*discussion*) hitzig werden. 2 *vt sep* erwärmen; *food* heiß machen.

heated ['hiːtɪd] *adj* (*lit*) geheizt; *pool* beheizt; (*fig*) *words, discussion* hitzig, erregt ▸ *things got rather ~* die Gemüter erhitzten sich sehr.

heatedly ['hiːtɪdlɪ] *adv* hitzig.

heater ['hiːtəʳ] *n* Ofen *m*; (*electrical also*) Heizgerät *nt*; (*in car*) Heizung *f*.

heat: ~ **exchanger** *n* Wärmeaustauscher *m*; ~ **exhaustion** *n* Hitzeerschöpfung *f*.

heath [hiːθ] *n* Heide *f*.

heathen ['hiːðən] 1 *adj* heidnisch, Heiden-; (*fig*) unkultiviert. 2 *n* Heide *m*, Heidin *f*; (*fig*) unkultivierter Mensch.

heather ['heðəʳ] *n* Heidekraut *nt*, Erika *f*.

Heath Robinson [ˌhiːθ'rɒbɪnsən] *adj* (*col*) *gadget* wunderlich.

heating ['hiːtɪŋ] *n* (*in house etc*) Heizung *f* ▸ ~ *costs* Heizkosten *pl*; ~ *oil* Heizöl *nt*.

heat: ~**resistant** *adj* hitzebeständig; ~ **shield** *n* Hitzeschild *m*; ~**stroke** *n* Hitzschlag *m*; ~ **treatment** *n* (*Med*) Wärmebehandlung *f*; ~**wave** *n* Hitzewelle *f*.

heave [hiːv] 1 *vt* (*lift*) (hoch)hieven (*onto* auf +*acc*); (*drag*) schleppen; (*throw*) werfen; *sigh, sob* ausstoßen ▸ *to ~ anchor* den Anker lichten; *to ~ a sigh of relief* erleichtert aufseufzen. 2 *vi* a (*pull*) ziehen. b (*bosom, sea*) sich heben und senken; (*stomach*) sich umdrehen. c *pret, ptp* **hove** (*Naut*) *to ~ in(to) sight* in Sicht kommen.

◆**heave to** *vi* (*Naut*) beidrehen.

heave ho *interj* hau ruck.

heaven ['hevn] *n* a (*lit, fig col*) Himmel *m* ▸ *in ~* im Himmel; *to go to ~* in den Himmel kommen; *he is in (his seventh) ~* er ist im siebten Himmel; *to move ~ and earth* Himmel und Hölle in Bewegung setzen; *it was ~* es war einfach himmlisch; *the ~s opened* der Himmel öffnete seine Schleusen. b (*col*) (*good*) ~*s!* (du) lieber Himmel! (*col*); *would you like to? — (good)* ~*s no!* möchten Sie? — um Himmels willen, bloß nicht!; ~ *knows what ...* weiß der Himmel, was ... (*col*); *for ~'s sake!* um Himmels willen!

heavenly ['hevnlɪ] *adj* (*lit, fig col*) himmlisch ► *~ body* Himmelskörper *m*.

heavily ['hevɪlɪ] *adv* schwer; *move, walk* schwerfällig; *rain, smoke, drink, rely, populated, influenced, in debt* stark; *lose, tax* hoch; *sleep* tief ► *~ built* kräftig gebaut; *time hung ~ on his hands* die Zeit verging ihm nur langsam; *~ committed* stark engagiert; *to be ~ subscribed* viele Abonnenten haben.

heaviness ['hevɪnɪs] *n* Schwere *f*.

heavy ['hevɪ] **1** *adj* (*+er*) **a** schwer; *features* grob; *rain, cold also, traffic, drinker, smoker* stark; *expenses, taxes* hoch; *line* dick; *sleep* tief; *crop* reich; (*~-handed*) *manner, style* schwerfällig; *silence* bedrückend; *weather, air* drückend, schwül; *sky* bedeckt; (*tiring*) *day* anstrengend ► *with a ~ heart* schweren Herzens, mit schwerem Herzen; *~ artillery* schwere Artillerie; *~ goods vehicle* Lastkraftwagen *m*; *to be ~ on petrol* viel Benzin brauchen; *the going was ~* wir kamen nur schwer voran; *the conversation was ~ going* die Unterhaltung war mühsam; *this book is very ~ going* das Buch liest sich schwer. **b** (*col: strict*) streng (*on* mit).
2 *n* (*col: thug*) Schlägertyp *m*.

heavy: **~-duty** *adj tyres etc* strapazierfähig; *boots* Arbeits-; *machine* Hochleistungs-; **~-handed** *adj* ungeschickt; **~ metal** *n* (*Mus*) Heavy Metal *nt*; **~-set** *adj* (*US*) kräftig gebaut; **~weight** *n* (*Boxing*) Schwergewicht *nt*; (*fig col*) großes Tier (*col*).

Hebrew ['hi:bru:] **1** *adj* hebräisch.
2 *n* **a** Hebräer(in *f*) *m*. **b** (*language*) Hebräisch *nt*.

Hebrides ['hebrɪdi:z] *npl* Hebriden *pl*.

heck [hek] *interj* (*col*) *oh ~!* zum Kuckuck! (*col*); *I've a ~ of a lot to do* ich habe irrsinnig viel zu tun (*col*).

heckle ['hekl] **1** *vt speaker* (durch Zwischenrufe) stören.
2 *vi* Zwischenrufe machen.

heckler ['heklər] *n* Zwischenrufer *m*.

heckling ['heklɪŋ] *n* Zwischenrufe *pl*.

hectare ['hekta:r] *n* Hektar *m or nt*.

hectic ['hektɪk] *adj* hektisch.

he'd [hi:d] = **he would; he had.**

hedge [hedʒ] **1** *n* Hecke *f*; (*fig: protection*) Schutz *m* (*against* gegen).
2 *vi* Fragen ausweichen, kneifen (*col*) (*at* bei).
3 *vt investment* absichern ► *to ~ one's bets* (*lit, fig*) sich absichern.

hedgehog ['hedʒhɒg] *n* Igel *m*.

hedge: **~hop** *vi* tief fliegen; **~row** *n* Hecke *f*; **~trimmer** *n* (elektrische) Heckenschere.

hedonism ['hi:dənɪzəm] *n* Hedonismus *m*.

hedonist ['hi:dənɪst] *n* Hedonist(in *f*) *m*.

hedonistic [hi:də'nɪstɪk] *adj* hedonistisch.

heebie-jeebies ['hi:bɪ'dʒi:bɪz] *npl he gives me the ~* (*col*) wenn ich ihn sehe, bekomm' ich eine Gänsehaut (*col*).

heed [hi:d] **1** *n to take ~* achtgeben; *to take or pay ~/ no ~ of sb/sth* jdn/etw beachten/nicht beachten.
2 *vt* beachten; *advice* hören auf (*+acc*).

heedful ['hi:dfʊl] *adj to be ~ of sth* auf etw (*acc*) hören.

heedless ['hi:dlɪs] *adj* rücksichtslos ► *to be ~ of sth* auf etw (*acc*) nicht achten.

heel [hi:l] **1** *n* **a** Ferse *f*; (*of shoe*) Absatz *m* ► *to be right on sb's ~s* jdm auf den Fersen folgen; (*fig: chase*) jdm auf den Fersen sein; *to follow hard upon sb's ~s* jdm dicht auf den Fersen sein; *to be down at ~* (*person*) schäbig aussehen; (*shoes*) abgelaufen sein; *to take to one's ~s* sich aus dem Staub(e) machen; *~!* (*to dog*) (bei) Fuß!; *to bring sb to ~* jdn an die Kandare nehmen (*col*); *to turn on one's ~* auf dem Absatz kehrtmachen; *to cool or kick one's ~s* (*col*) (*wait*) warten; (*do nothing*) Däumchen drehen; *~ bar* Absatz(schnell)dienst

m. b (*pej col: person*) Scheißkerl *m* (*col!*).
2 *vt to ~ shoes* auf Schuhe neue Absätze machen; *to be well ~ed* (*col*) betucht sein (*col*).

hefty ['heftɪ] *adj* (*+er*) (*col*) kräftig; *book* dick; *object, workload* schwer; *sum of money, amount* ganz schön (*col*).

heifer ['hefər] *n* Färse *f*.

height [haɪt] *n* **a** Höhe *f*; (*of person*) Größe *f* ► *what ~ are you?* wie groß sind Sie? **b** (*high place*) *~s pl* Höhen *pl*; *to scale the ~s of Everest* den Mount Everest besteigen; *fear of ~s* Höhenangst *f*; *to be afraid of ~s* nicht schwindelfrei sein. **c** (*fig*) Höhe *f*; (*of success, stupidity also*) Gipfel *m* ► *at the ~ of his power* auf der Höhe seiner Macht; *at the ~ of the season* in der Hauptsaison; *at the ~ of the storm* als das Gewitter am heftigsten war; *dressed in the ~ of fashion* nach der neuesten Mode gekleidet; *at the ~ of summer* im Hochsommer.

heighten ['haɪtn] *vt* (*raise*) höher stellen; (*emphasize*) *colour etc* hervorheben; (*increase*) *anger, effect etc* verstärken; *intensity* steigern.

heinous ['heɪnəs, 'hi:nəs] *adj* abscheulich.

heir [ɛər] *n* Erbe *m* (*to gen*) ► *~ apparent* gesetzlicher Erbe; *~ to the throne* Thronfolger *m*.

heiress ['ɛəres] *n* Erbin *f*.

heirloom ['ɛəlu:m] *n* Erbstück *nt*.

heist [haɪst] *n* (*esp US col*) Raubüberfall *m*.

held [held] *pret, ptp of* **hold.**

helical ['helɪkəl] *adj gear* schrägverzahnt ► *~ spring* Schraubenfeder *f*.

helicopter ['helɪkɒptər] *n* Hubschrauber *m*.

Heligoland ['helɪgəʊlænd] *n* Helgoland *nt*.

heliport ['helɪpɔ:t] *n* Hubschrauberflugplatz, Heliport *m*.

helium ['hi:lɪəm] *n* Helium *nt*.

hell [hel] *n* **a** Hölle *f* ► *to go to ~* (*lit*) in die Hölle kommen.
b (*fig uses*) *all ~ was let loose* die Hölle war los; *it's ~ working there* es ist die reinste Hölle, dort zu arbeiten; *life became ~* das Leben wurde zur Hölle; *she made his life ~* sie machte ihm das Leben zur Hölle; *to give sb ~* (*col*) jdm die Hölle heiß machen; (*make life unpleasant*) jdm das Leben zur Hölle machen; *there'll be ~ when he finds out* (*col*) wenn er das erfährt, ist der Teufel los (*col*); *to play ~ with sth* (*col*) etw total durcheinanderbringen (*col*); *for the ~ of it* (*col*) nur zum Spaß *or* aus Jux.
c (*col: intensifier*) *a ~ of a noise* ein Höllenlärm *m* (*col*); *to work like ~* wie wild arbeiten (*col*); *to run like ~* laufen, was die Beine hergeben; *we had a ~ of a time* (*bad, difficult*) es war grauenhaft; (*good*) wir haben uns prima amüsiert (*col*); *a ~ of a lot* verdammt viel (*col*); *that's one* or *a ~ of a problem/difference/bruise* das ist ein verdammt schwieriges Problem/ein wahnsinniger Unterschied/Bluterguß (*col*); *to ~ with him* hol ihn der Teufel (*col*), der kann mich mal (*col*); *to ~ with it!, ~!* verdammt noch mal (*col!*); *go to ~!* scher dich zum Teufel! (*col*); *what the ~ do you want?* was willst du denn, verdammt noch mal? (*col!*); *oh, what the ~!* ach, was soll's! (*col*).

he'll [hi:l] = **he shall; he will.**

hell-bent *adj* versessen (*on* auf *+acc*).

hellish ['helɪʃ] *adj* (*col*) höllisch (*col*); *exams* verteufelt schwer (*col*).

▼ **hello** [hə'ləʊ] *interj* hallo ► *say ~ to your parents (from me)* grüß deine Eltern (von mir).

helm [helm] *n* Ruder *nt* ► *to be at the ~* (*lit, fig*) am Ruder sein.

helmet ['helmɪt] *n* Helm *m*; (*Fencing*) Maske *f*.

helmsman ['helmzmən] *n, pl* **-men** [-mən] Steuermann *m*.

▼ **help** [help] **1** *n* Hilfe *f* ► *with the ~ of* mit Hilfe (*+gen*);

he is beyond ~ ihm ist nicht mehr zu helfen; *to go/ come to sb's* ~ jdm zu Hilfe eilen/kommen; *to be of* ~ *to sb* jdm behilflich sein; (*thing also*) jdm nützen; *you're a great ~!* (*iro*) du bist mir eine schöne Hilfe!; *we are short of* ~ *in the shop* wir haben nicht genügend (Hilfs)kräfte im Geschäft; *there's no* ~ *for it* da ist nichts zu machen.

2 *vti* **a** helfen (+*dat*) ► *to* ~ *sb (to) do sth* jdm (dabei) helfen, etw zu tun; *~!* Hilfe!; *can I* ~ *you?* kann ich (Ihnen) behilflich sein?; *that won't* ~ *you* das wird Ihnen nichts nützen; *this will* ~ *the pain* das wird gegen die Schmerzen helfen; *it will* ~ *the corn to grow* es wird das Wachstum des Getreides fördern; *every little or it all* ~s Kleinvieh macht auch Mist (*col*).

b *to* ~ *sb down* jdm hinunter-/herunterhelfen; *to* ~ *sb off with his coat* jdm aus dem Mantel helfen; *to* ~ *sb over the street* jdm über die Straße helfen; *to* ~ *sb through a difficult time* jdm in einer schwierigen Zeit beistehen; *to* ~ *sb up* (*from floor, chair etc*) jdm aufhelfen *or* (*up stairs etc*) hinaufhelfen.

c *to* ~ *oneself to sth* sich mit etw bedienen; *she ~ed him to potatoes* sie gab ihm Kartoffeln; ~ *yourself!* bedienen Sie sich doch!

d *he can't* ~ *it, he was born with it* er kann nichts dafür, das ist angeboren; *he can't* ~ *it!* (*col: he's stupid*) er ist nun mal so (dumm); *don't say more than you can* ~ sagen Sie nicht mehr als unbedingt nötig; *not if I can* ~ *it* nicht, wenn ich es irgendwie vermeiden kann; *I couldn't* ~ *laughing* ich mußte (einfach) lachen; *I had to do it, I couldn't* ~ *myself* ich mußte es einfach tun; *one cannot* ~ *wondering whether ...* man muß sich wirklich fragen, ob ...; *it can't be* ~ed es läßt sich nicht ändern.

♦**help out** **1** *vi* aushelfen (*with* bei).
2 *vt sep* helfen (+*dat*) (*with* mit).

helper ['helpə^r] *n* Helfer(in *f*) *m*; (*assistant*) Gehilfe *m*, Gehilfin *f*.

helpful ['helpfʊl] *adj person* hilfsbereit; (*useful*) *gadget, advice* nützlich ► *you have been very* ~ Sie haben mir sehr geholfen.

helpfully ['helpfəlɪ] *adv* hilfreich.

helpfulness ['helpfʊlnɪs] *n* Hilfsbereitschaft *f*.

helping ['helpɪŋ] **1** *n* (*at table*) Portion *f* ► *to take a second* ~ *of sth* sich (*dat*) noch einmal von etw nehmen.
2 *adj attr to lend sb a* ~ *hand* jdm behilflich sein.

helpless ['helplɪs] *adj* hilflos ► *she was* ~ *with laughter* sie konnte sich vor Lachen kaum halten.

helplessly ['helplɪslɪ] *adv* hilflos.

helplessness ['helplɪsnɪs] *n* Hilflosigkeit *f*.

helpline ['helplaɪn] *n* (*for emergencies*) Notruf *m*; (*for information*) Informationsdienst *m*.

help menu *n* (*Comp*) Hilfe-Menü *nt*.

Helsinki ['helsɪŋkɪ] *n* Helsinki *nt*.

helter-skelter ['heltə'skeltə^r] **1** *adv* Hals über Kopf (*col*).
2 *n* (*Brit: on fairground*) Rutschbahn *f*.

hem [hem] **1** *n* Saum *m*.
2 *vt* säumen.

♦**hem in** *vt sep troops* einschließen; (*fig*) einengen.

he-man ['hiːmæn] *n, pl* -men [-men] (*col*) sehr männlicher Typ; (*muscle-man*) Muskelprotz *m* (*col*).

hematology *n* (*US*) = **haematology**.

hemisphere ['hemɪsfɪə^r] *n* Hemisphäre *f*.

hemline ['hemlaɪn] *n* Saum *m* ► ~s *are lower again* die Röcke sind wieder länger geworden.

hemlock ['hemlɒk] *n* (*poison*) Schierling(saft) *m*.

hemo- ['hiːmo-] *pref* (*US*) *see* **haemo-**.

hemp [hemp] *n* Hanf *m*.

hemstitch ['hemstɪtʃ] *n* Hohlsaum *m*.

hen [hen] *n* Huhn *nt*, Henne *f*; (*female bird*) Weibchen *nt* ► ~ *battery* Legebatterie *f*.

---

hence [hens] *adv* **a** (*for this reason*) also ► ~ *the name* daher der Name. **b** (*from now*) *two years* ~ in zwei Jahren.

henceforth [ˌhens'fɔːθ] *adv* (*from then on*) von da an; (*from now on*) von nun an.

henchman ['hentʃmən] *n, pl* -men [-mən] (*pej*) Handlanger *m*.

henna ['henə] **1** *n* Henna *f or nt*.
2 *vt* mit Henna färben.

hen night *n* Damenabend *m* (*esp für eine Braut*).

┌─── **HEN NIGHT** ────────────────────────────┐

(i) Als **hen night** bezeichnet man eine feucht-fröhliche Frauenparty, die kurz vor einer Hochzeit von der Braut und ihren Freundinnen meist in einem Gasthaus oder Nachtklub abgehalten wird, und bei der die Freundinnen dafür sorgen, daß vor allem die Braut große Mengen an Alkohol konsumiert. Siehe auch **stag night**.

└──┘

hen: ~-**party** *n* (*col*) Damengesellschaft *f*; (*before wedding*) für die Braut arrangierte Damengesellschaft; ~**peck** *vt* a ~**pecked husband** ein Pantoffelheld *m* (*col*); *he is* ~**pecked** er steht unterm Pantoffel (*col*).

hepatitis [ˌhepə'taɪtɪs] *n* Hepatitis *f*.

her [hɜː^r] **1** *pers pron* **a** (*dir obj, with prep +acc*) sie; (*indir obj, with prep +dat*) ihr ► *with her books all around* ~ mit ihren Büchern um sich. **b** *it's* ~ sie ist's; *who,* ~? wer, sie?
2 *poss adj* ihr; *see* **my**.

herald ['herəld] **1** *n* (*Hist*) Herold *m*; (*fig*) (Vor)bote *m* (*geh*).
2 *vt* ankündigen.

heraldic [he'rældɪk] *adj* heraldisch, Wappen-.

heraldry ['herəldrɪ] *n* (*science*) Wappenkunde *f*.

herb [hɜːb] *n* Kraut *nt* ► ~ *garden* Kräutergarten *m*.

herbaceous [hɜː'beɪʃəs] *adj* ~ *border* Staudenrabatte *f*; ~ *plant* Staude *f*.

herbal ['hɜːbəl] *adj* Kräuter-.

herbicide ['hɜːbɪsaɪd] *n* Herbizid *nt*.

herd [hɜːd] **1** *n* Herde *f*; (*of deer*) Rudel *nt* ► *the common* ~ die breite Masse.
2 *vt* (*drive*) *cattle, prisoners* treiben; (*tend*) *cattle* hüten.

♦**herd together** **1** *vi* sich zusammendrängen.
2 *vt sep* zusammentreiben.

herd instinct *n* Herdentrieb *m*.

here [hɪə^r] *adv* **a** hier; (*with motion*) hierher ► ~ *I am* hier bin ich; *spring is* ~ der Frühling ist da; ~ *and now* auf der Stelle; *this one* ~ der/die/das hier; *I won't be* ~ *for lunch* ich bin zum Mittagessen nicht da; ~ *and there* hier und da; ~, *there and everywhere* überall; *around/about* ~ ungefähr hier; *up/down to* ~ bis hierher; *it's in/over* ~ es ist hier (drin)/hier drüben; *put it in/over* ~ stellen Sie es hier herein/hierher; *from* ~ *in* (*esp US*) von nun an.

b (*phrases*) ~ *you are* (*giving sb sth*) hier (bitte); (*on finding sb*) da bist du ja!; (*on finding sth*) da ist es ja; ~ *we are, home again* so, da wären wir wieder zu Hause; ~ *we are* da kommt er ja; *look out,* ~ *he comes* Vorsicht, er kommt!; ~ *goes!* (*before attempting sth*) dann mal los; ~, *let me do that* komm, laß mich das mal machen; ~'*s to you!* (*in toasts*) auf Ihr Wohl!; *it's neither* ~ *nor there* es spielt keine Rolle.

here: ~**abouts** ['hɪərəbaʊts] *adv* hier herum; ~**after** **1** *adv* (*in books, contracts*) im folgenden. **2** *n the* ~**after** das Jenseits; ~**by** *adv* (*form*) hiermit.

hereditary [hɪ'redɪtərɪ] *adj* erblich, Erb-.

heredity [hɪ'redɪtɪ] *n* Vererbung *f*.

heresy ['herəsɪ] *n* Ketzerei *f*.

heretic ['herətɪk] *n* Ketzer(in *f*) *m*.

heretical [hɪ'retɪkəl] *adj* ketzerisch.

here: ~**upon** *adv* daraufhin; ~**with** *adv* (*form*) hiermit.

heritage ['herɪtɪdʒ] *n* (*lit, fig*) Erbe *nt*.
hermaphrodite [hɜ:'mæfrədaɪt] *n* Zwitter *m*.
hermetic [hɜ:'metɪk] *adj* hermetisch.
hermetically [hɜ:'metɪkəlɪ] *adv* ~ *sealed* hermetisch verschlossen *or* (*fig*) abgeriegelt.
hermit ['hɜ:mɪt] *n* Einsiedler(in *f*) *m* (*also fig*).
hernia ['hɜ:nɪə] *n* (Eingeweide)bruch *m*.
hero ['hɪərəʊ] *n, pl* **-es** Held *m*; (*fig: object of hero-worship also*) Idol *nt*.
heroic [hɪ'rəʊɪk] ① *adj* heldenhaft; *behaviour, action also, words* heroisch; *effort* gewaltig.
② *n* ~**s** *pl* (*acts*) Heldentaten *pl*; (*words*) hochtrabende Worte *pl*; (*of actor*) übertriebenes Pathos.
heroin ['herəʊɪn] *n* Heroin *nt* ► ~ *addict* Heroin-süchtige(r) *mf*.
heroine ['herəʊɪn] *n* Heldin *f*.
heroism ['herəʊɪzəm] *n* (Helden)mut *m*.
heron ['herən] *n* Reiher *m*.
hero-worship ['hɪːrəʊ,wɜ:ʃɪp] ① *n* Verehrung *f*; (*of popstar etc*) Schwärmerei *f*.
② *vt* verehren; *popstar etc* schwärmen für.
herring ['herɪŋ] *n* Hering *m*.
herringbone pattern ['herɪŋbəʊn'pætən] *n* Fisch-grät(en)muster *nt*.
hers [hɜ:z] *poss pron* ihre(r, s); *see* **mine¹**.
herself [hɜ:'self] *pers pron* ⓐ (*dir and indir obj, with prep*) sich; *see* **myself**. ⓑ (*emph*) (sie) selbst.
Herts [hɑ:ts] = **Hertfordshire**.
Herzegovina [,hɜ:tsəgəʊ'vi:nə] *n* Herzegowina *nt*.
he's [hi:z] = **he is; he has**.
hesitant ['hezɪtənt] *adj answer, smile* zögernd; *person also* unentschlossen ► *I was rather ~ about doing it* ich hatte Bedenken, ob ich es tun sollte.
hesitate ['hezɪteɪt] *vi* zögern ► *he who ~s is lost* (*Prov*) wer lange zögert, hat das Nachsehen; *even he would ~ at murder* selbst er hätte bei einem Mord Bedenken; *he ~s at nothing* er schreckt vor nichts zurück; *I am still hesitating about what to do* ich bin mir immer noch nicht schlüssig, was ich tun soll; *I wouldn't ~ to say so* ich hätte keine Hemmungen, es zu sagen; *don't ~ to ask me* fragen Sie ruhig; *please don't ~ to get in touch if* ... wenden Sie sich bitte an mich/uns, falls ....
hesitation [,hezɪ'teɪʃən] *n* Zögern *nt* ► *without the slightest ~* ohne auch nur einen Augenblick zu zögern; *I have no ~ in saying that* ... ich kann ohne weiteres sagen, daß ....
hessian ['hesɪən] *n* Sackleinen *nt*.
heterogeneous [,hetərəʊ'dʒi:nɪəs] *adj* heterogen.
heterosexual [,hetərəʊ'seksjʊəl] ① *adj* heterosexuell.
② *n* Heterosexuelle(r) *mf*.
het up ['het,ʌp] *adj* (*col*) aufgeregt.
hew [hju:] *pret* ~**ed**, *ptp* **hewn** *or* ~**ed** *vt* hauen; (*shape*) behauen.
hex [heks] *n to put a ~ on sth* etw verhexen.
hexagon ['heksəgən] *n* Sechseck *nt*.
hexagonal [hek'sægənəl] *adj* sechseckig.
hey [heɪ] *interj* he ► ~ *presto!* Hokuspokus (Fidibus).
heyday ['heɪdeɪ] *n* Glanzzeit, Blütezeit *f* ► *in his ~* in seiner Glanzzeit.
HF = **high frequency** HF.
HGV (*Brit*) = **heavy goods vehicle** LKW *m*.
HI (*US Post*) = **Hawaii**.
hi [haɪ] *interj* hallo.
hiatus [haɪ'eɪtəs] *n* (*gap*) Lücke *f*.
hibernate ['haɪbəneɪt] *vi* Winterschlaf halten.
hibernation [,haɪbə'neɪʃən] *n* Winterschlaf *m*.
hiccough, hiccup ['hɪkʌp] *n* Schluckauf *m*; (*col: in plans etc*) kleines Problem; (*interruption*) Unterbrechung *f* ► *to have the ~s* (den) Schluckauf haben.
hick [hɪk] *n* (*US col*) Hinterwäldler *m* (*col*).
hide¹ [haɪd] (*vb: pret* **hid** [hɪd], *ptp* **hidden** ['hɪdn] *or*

hid) ① *vt* (*from* vor +*dat*) verstecken; *truth, tears, feelings, face* verbergen; (*from view*) *moon, rust* verdecken.
② *vi* sich verstecken (*from sb* vor jdm) ► *he was hiding in the cupboard* er hielt sich im Schrank versteckt.
③ *n* Versteck *nt*.
◆**hide away** ① *vi* sich verstecken.
② *vt sep* verstecken.
◆**hide out** *vi* sich verstecken.
hide² *n* (*of animal*) Haut *f*; (*of furry animal*) Fell *nt*; (*processed*) Leder *nt* ► *I haven't seen ~ nor hair of him for weeks* (*col*) ich habe ihn in den letzten Wochen nicht mal von weitem gesehen.
hide: ~**-and-seek** *n* Versteckspiel *nt*; ~**away** *n* Versteck *nt*; ~**bound** *adj person, views* engstirnig.
hideous *adj*, ~**ly** *adv* ['hɪdɪəs, -lɪ] grauenhaft, scheuß-lich.
hideout ['haɪdaʊt] *n* Versteck *nt*.
hiding¹ ['haɪdɪŋ] *n to be in ~* sich versteckt halten; *to go into ~* untertauchen; ~ *place* Versteck *nt*.
hiding² *n* ⓐ (*beating*) *to give sb a good ~* jdm eine Tracht Prügel geben; *to be on a ~ to nothing* keine Aussicht auf Erfolg haben. ⓑ (*defeat*) Schlappe *f* (*col*).
hierarchy ['haɪərɑ:kɪ] *n* Hierarchie *f*.
hieroglyphic [,haɪərə'glɪfɪk] ① *adj* hieroglyphisch.
② *n* ~**s** *pl* Hieroglyphen(schrift *f*) *pl*.
hi-fi ['haɪ'faɪ] *n* Hi-Fi *nt*; (*system*) Hi-Fi-Anlage *f*.
higgledy-piggledy ['hɪgldɪ'pɪgldɪ] *adv* wie Kraut und Rüben (durcheinander) (*col*).
high [haɪ] ① *adj* (+*er*) ⓐ hoch *pred*, hohe(r, s) *attr*, *altitude* groß; *wind* stark; *complexion, colour* (hoch)rot ► *a building 80 metres ~* ein 80 Meter hohes Gebäude; *on one of the ~er floors* in einem der oberen Stockwerke; *the river is quite ~* der Fluß führt ziemlich viel Wasser; *he left her ~ and dry* er hat sie sitzenlassen; *to be left ~ and dry* auf dem Trockenen sitzen (*col*); *on the ~est authority* von höchster Stelle; *to act ~ and mighty* erhaben tun; *to be on one's ~ horse* (*fig*) auf dem hohen Roß sitzen; *to pay a ~ price for sth* (*lit, fig*) etw teuer bezahlen; *in ~ spirits* in Hochstimmung; *to have a ~ old time* (*col*) mächtig Spaß haben (*col*); *it's ~ time you went home* es wird höchste Zeit, daß du nach Hause gehst.
ⓑ (*col*) (*on drugs*) high (*col*) ► *to get ~ on sth* sich mit etw anturnen (*col*).
ⓒ *meat* angegangen.
② *adv* (+*er*) hoch ► ~ *up* (*position*) hoch oben; (*motion*) hoch hinauf; *one floor ~er* ein Stockwerk höher; *to go as ~ as £200* bis zu £200 (hoch)gehen; *feelings ran ~* die Gemüter erhitzten sich; *to search ~ and low* überall suchen.
③ *n* ⓐ *the orders come from on ~* (*hum col*) der Befehl kommt von oben. ⓑ *unemployment has reached a new ~* die Arbeitslosenziffern haben einen neuen Höchststand erreicht. ⓒ (*Met*) Hoch *nt*. ⓓ (*US Aut: top gear*) *in ~* im höchsten Gang. ⓔ (*US col: high school*) Penne *f* (*col*).
high: ~ *altar* *n* Hochaltar *m*; ~**ball** *n* (*US*) Highball *m*; ~ *boy* *n* (*US*) hohe Kommode; ~**brow** ① *n* Intellektuelle(r) *mf*; ② *adj interests* intellektuell; *tastes, music* anspruchsvoll; ~**chair** *n* Hochstuhl *m*; **H~ Church** *adj* der Hochkirche; *people* hochkirchlich einge-stellt; ~**class** *adj* hochwertig; ~ *commissioner* *n* Hochkommissar *m*; ~ *court* *n* oberstes Gericht.

HIGH COURT

ⓘ *High Court ist in England und Wales die Kurzform für High Court of Justice und bildet zusammen mit dem Berufungsgericht den Obersten Gerichtshof. In Schottland ist es die Kurzform für High Court of Justiciary, das höchste Strafgericht in Schottland, das in Edinburgh und anderen Großstädten (immer mit Richter und Geschworenen) zusammentritt und für Verbrechen wie Mord, Vergewaltigung und Hochverrat zuständig ist. Weniger schwere Verbrechen werden vor dem sheriff court verhandelt, und leichtere Vergehen vor dem district court.*

high diving *n* Turmspringen *nt*.

higher ['haɪə*] **[1]** *adj mathematics, education, life-forms* höher ▸ *H~ National Certificate* (*Brit*) ≃ Berufsschulabschluß *m*; *H~ National Diploma* (*Brit*) *Qualifikationsnachweis* m *in technischen Fächern*. **[2]** *n H~s* (*Scot Sch*) ≃ Abschluß *m* der Sekundarstufe 2.

high: *~* **explosive** *n* hochexplosiver Sprengstoff; *~* **finance** *n* Hochfinanz *f*; *~* **flier** *n* (*col*) Hochbegabte(r) *mf*, Überflieger *m*; *~-flown* *adj style, speech* hochgestochen; *~* **frequency** *adj* Hochfrequenz-; **H~ German** *n* Hochdeutsch *nt*; *~-grade* *adj* hochwertig; *ore* gediegen; *~-handed* *adj* eigenmächtig; *character* überheblich; *~-heeled* *adj* hochhackig; *~* **heels** *npl* hohe Absätze *pl*; *~* **jinks** *npl* (*col*) *there were ~* **jinks** es ging hoch her (*col*); *~* **jump** *n* (*Sport*) Hochsprung *m*; *to be for the ~* **jump** (*fig col*) dran sein (*col*); *h~lands* *npl* Berg- or Hochland *nt*; *the (Scottish) H~lands* das schottische Hochland; *~-level* *adj talks* auf höchster Ebene; (*Comp*) *language* höher; *~* **life** *n* Leben *nt* in großem Stil; *~light* **[1]** *n* (*Art, Phot*) Glanzlicht *nt*; (*in hair*) Strähne *f*; (*fig*) Höhepunkt *m*; *~lights* (*in hair*) Strähnchen *pl*; **[2]** *vt need, problem* hervorheben; *~lighter* *n* (*pen*) Leuchtstift *m*; (*for hair*) Aufheller *m*.

highly ['haɪlɪ] *adv* hoch- ▸ *to be ~ paid* hoch bezahlt werden; *to think ~ of sb* eine hohe Meinung von jdm haben; *to speak ~ of sb* sich sehr positiv über jdn äußern; *~-strung* nervös.

high: **H~ Mass** *n* Hochamt *nt*; *~-minded* *adj* hochgesinnt; *ideals* hoch.

highness ['haɪnɪs] *n* **Her H~** Ihre Hoheit.

high: *~-performance* *adj* Hochleistungs-; *~-pitched* *adj sound* hoch; *~* **point** *n* Höhepunkt *m*; *~-powered* *adj* **[a]** *car, engine* stark, Hochleistungs-; **[b]** (*fig*) *businessman, politician, academic* Spitzen-; *conversation* sehr anspruchsvoll; *~-pressure* *adj* **[a]** *~-pressure area* Hochdruckgebiet *nt*; **[b]** (*fig*) *salesman* aufdringlich; *sales technique* aggressiv; *~* **priest** *n* (*lit, fig*) Hohepriester *m*; *~-ranking* *adj* von hohem Rang; *~-resolution* *adj* (*Comp*) hochauflösend; *~-rise building* *n* Hochhaus *nt*; *~-rise flats* *npl* Wohnhochhaus *nt*; *~-risk* *adj* risikoreich; *~* **school** *n* (*US*) Oberschule *f*.

┌─────────────────┐
│ **HIGH SCHOOL** │
└─────────────────┘

ⓘ *High school ist eine weiterführende Schule in den USA. Man unterscheidet zwischen junior high school (im Anschluß an die Grundschule, umfaßt das 7., 8. und 9. Schuljahr) und senior high school (10., 11. und 12. Schuljahr), mit akademischen und berufsbezogenen Fächern). Weiterführende Schulen in Großbritannien werden manchmal auch als high school bezeichnet. Siehe auch elementary school.*

high: *the ~* **seas** *npl* die Meere *pl*; *on the ~ seas* auf hoher See; *~* **season** *n* (*Brit*) Hochsaison *f*; *~-security* *adj prison, wing* Hochsicherheits-; *~* **society** *n* High-Society *f*; *~-speed* *adj* Schnell-; *train* Hochgeschwindigkeits-; *drill* mit hoher Umdrehungszahl; *~-speed film* hoch(licht)empfindlicher Film; *~-spirited* *adj* in Hochstimmung; *~* **spot** *n* Höhepunkt *m*; *~* **street** *n* (*Brit*) Hauptstraße *f*; *~-strung* *adj* (*US*) nervös; *~* **summer** *n* Hochsommer *m*; *~* **tea** *n* (frühes) Abendessen; *~-tech* ['haɪˌtek] *adj see* **hitech**; *~-tension,* *~-voltage* *adj* (*Elec*) Hochspannungs-; *~* **tide** *n* Flut *f*; *~* **treason** *n* Hochverrat *m*; *~way* *n* Land-

straße *f*; *public ~way* öffentliche Straße; **H~way Code** *n* Straßenverkehrsordnung *f*; *~wayman* (*irreg*) *n* Wegelagerer *m*.

hijack ['haɪdʒæk] **[1]** *vt* entführen; *lorry* überfallen. **[2]** *n see vt* Entführung *f*; Überfall *m* (*of* auf +*acc*).

hijacker ['haɪdʒækə*] *n* Entführer *m*.

hike [haɪk] **[1]** *vi* wandern. **[2]** *n* Wanderung *f*.

hiker ['haɪkə*] *n* Wanderer *m*, Wanderin *f*.

hiking ['haɪkɪŋ] *n* Wandern *nt*.

hilarious [hɪ'leərɪəs] *adj* sehr komisch.

hilariously [hɪ'leərɪəslɪ] *adv ~* **funny** zum Schreien.

hilarity [hɪ'lærɪtɪ] *n his statement caused some ~* seine Behauptung löste Heiterkeit aus.

hill [hɪl] *n* Hügel *m*; (*higher*) Berg *m*; (*incline*) Hang *m* ▸ *built on a ~* am Hang *or* am Berg gebaut; *up ~ and down dale* bergauf und bergab; *that joke's as old as the ~s* der Witz hat so einen Bart; *to be over the ~* (*fig col*) die besten Jahre hinter sich (*dat*) haben.

hillbilly ['hɪlbɪlɪ] (*US col*) *n* Hinterwäldler *m* (*pej*).

hillock ['hɪlək] *n* Anhöhe *f*.

hill: *~side* *n* Hang *m*; *~* **top** *n* Gipfel *m*.

hilly ['hɪlɪ] *adj* (+*er*) hüg(e)lig; (*higher*) bergig.

hilt [hɪlt] *n* Heft *nt* ▸ *up to the ~* (*fig*) voll und ganz; (*involved, in debt also*) bis über beide Ohren (*col*).

him [hɪm] *pers pron* **[a]** (*dir obj, with prep +acc*) ihn; (*indir obj, with prep +dat*) ihm ▸ *with his things all around ~* mit seinen Sachen um sich. **[b]** (*emph*) er ▸ *it's ~* er ist's; *who, ~?* wer, er?

Himalayas [ˌhɪmə'leɪəz] *npl* Himalaya *m*.

himself [hɪm'self] *pers pron* **[a]** (*dir and indir obj, with prep*) sich; *see* **myself. [b]** (*emph*) (er) selbst.

hind[1] [haɪnd] *n* (*Zool*) Hirschkuh *f*.

hind[2] *adj, superl* **hindmost** hintere(r, s) ▸ *~* **legs** Hinterbeine *pl*; *she could talk the ~ legs off a donkey* (*col*) sie redet wie ein Buch (*col*).

hinder ['hɪndə*] *vt* (*obstruct*) behindern; (*delay*) *person* aufhalten ▸ *to ~ sb from doing sth* jdn daran hindern, etw zu tun.

hind: *~most* *adj* hinterste(r, s); *~quarters* *npl* Hinterteil *nt*; (*of horse*) Hinterhand *f*.

hindrance ['hɪndrəns] *n* Behinderung *f* ▸ *to be a ~* hinderlich sein.

hindsight ['haɪndsaɪt] *n. with ~* im nachhinein.

Hindu ['hɪnduː] **[1]** *adj* hinduistisch, Hindu- ▸ *~* **people** Hindu(s) *pl*. **[2]** *n* Hindu *m*.

Hinduism ['hɪnduːɪzəm] *n* Hinduismus *m*.

hinge [hɪndʒ] **[1]** *n* (*of door*) Angel *f*; (*of box etc*) Scharnier *nt*. **[2]** *vi* (*fig*) abhängen (*on* von).

hint [hɪnt] **[1]** *n* **[a]** (*suggestion*) Andeutung *f*, Wink *m*. *to give a/no ~ of sth* etw andeuten/nicht andeuten; *give me a ~* gib mir einen Anhaltspunkt; *to drop a ~* eine Andeutung machen; *OK, I can take a ~* schon recht, ich habe den Wink verstanden. **[b]** (*trace*) Spur *f* ▸ *a ~ of garlic* eine Spur Knoblauch; *not a ~ of tiredness* keine Spur von Müdigkeit; *with the ~ of a smile* mit dem Anflug eines Lächelns. **[c]** (*tip, piece of advice*) Tip *m* ▸ *~s for travellers* Reisetips *pl*. **[2]** *vt* andeuten (*to* gegenüber) ▸ *what are you ~ing (at)?* was wollen Sie damit andeuten?

hip [hɪp] *n* Hüfte *f*.

hip *in cpds* Hüft-; *~* **bath** *n* Sitzbad *nt*; *~-bone* *n* Hüftknochen *m*; *~-flask* *n* Flachmann (*col*) *m*; *~* **joint** *n* (*Anat*) Hüftgelenk *nt*; *~* **pocket** *n* Gesäßtasche *f*.

hippopotamus [ˌhɪpə'pɒtəməs] *n, pl* **-es** *or* **hippopotami** [ˌhɪpə'pɒtəmaɪ] Nilpferd *nt*.

hippy, hippie ['hɪpɪ] *n* Hippie *m*.

hire [haɪə*] **[1]** *n* Mieten *nt*; (*of car also, suit*) Leihen *nt* ▸ *for ~* (*taxi*) frei; *it's on ~* es ist geliehen/gemietet.

boxed-2 *vt* mieten; *cars also, suits* leihen; *staff* einstellen ▸ **~d assassin** gedungener Mörder; **~d car** (*Brit*) Mietwagen *m*; **~d hand** Lohnarbeiter *m*.

♦**hire out** *vt sep* vermieten, verleihen.

hire: **~ car** *n* Mietwagen *m*; **~ purchase** *n* (*Brit*) Ratenkauf *m*; **on ~ purchase** auf Raten *or* Teilzahlung; **~ purchase agreement** *n* Teilzahlungskaufvertrag *m*.

his [hɪz] boxed-1 *poss adj* sein; *see* **my.**
boxed-2 *poss pron* seine(r, s); *see* **mine¹.**

Hispanic [hɪsˈpænɪk] boxed-1 *adj* hispanisch; *community* spanisch.
boxed-2 *n* Hispano-Amerikaner(in *f*) *m*.

hiss [hɪs] boxed-1 *vi* zischen; (*cat*) fauchen.
boxed-2 *vt* *actor* auszischen.

historian [hɪsˈtɔːrɪən] *n* Historiker(in *f*) *m*.

historic [hɪsˈtɒrɪk] *adj* historisch.

historical [hɪsˈtɒrɪkəl] *adj* historisch; *studies, investigation also* geschichtlich, Geschichts- ▸ **~ monument** Baudenkmal *nt*.

history [ˈhɪstərɪ] *n* Geschichte *f* ▸ **to make ~** Geschichte machen; **he has a ~ of violence** er hat eine Vorgeschichte als Gewalttäter; **the family has a ~ of heart disease** in der Familie hat es schon immer Fälle von Herzleiden gegeben; **that's all ~ now** (*fig*) das gehört jetzt alles der Vergangenheit an.

history *in cpds* Geschichts-.

histrionics [ˌhɪstrɪˈɒnɪks] *npl* theatralisches Getue.

hit [hɪt] (*vb: pret, ptp ~*) boxed-1 *n* boxed-a (*blow*) Schlag *m*; (*on target, Fencing*) Treffer *m*. boxed-b (*success, also Theat*) Erfolg, Knüller (*col*) *m*; (*song*) Schlager, Hit *m* ▸ **to be** *or* **make a ~ with sb** bei jdm gut ankommen.
boxed-2 *vt* boxed-a (*strike*) schlagen; (*missile, bullet etc*) treffen ▸ **to ~ sb a blow** jdm einen Schlag versetzen; **to ~ one's head against sth** sich (*dat*) den Kopf an etw (*dat*) stoßen; **the car ~ a tree** das Auto fuhr gegen einen Baum; **he was ~ by a stone** er wurde von einem Stein getroffen; **he was ~ in the leg** er wurde ins Bein getroffen; **the commandos ~ the town at dawn** die Kommandos griffen die Stadt im Morgengrauen an; **it ~s you (in the eye)** (*fig*) das springt einem ins Auge; **that ~ home** (*fig*) das saß (*col*); **then it ~ me** dann wurde es mir plötzlich klar; **you won't know what's ~ you** (*col*) du wirst dein blaues Wunder erleben (*col*).
boxed-b (*affect adversely*) treffen ▸ **to be hard ~ by sth** von etw schwer getroffen werden; **this tax will ~ the poor** diese Steuer wird die Armen treffen.
boxed-c (*achieve, reach*) *likeness, top C* treffen; *speed, level etc* erreichen ▸ **to ~ the papers** in die Zeitungen kommen; **to ~ town** (*col*) die Stadt erreichen; **we're going to ~ the rush hour** wir geraten direkt in den Stoßverkehr; **the driver ~ a patch of ice** der Fahrer geriet auf eine vereiste Stelle; **to ~ a problem** auf ein Problem stoßen.
boxed-d (*fig col phrases*) **to ~ the bottle** zur Flasche greifen; **to ~ the ceiling** *or* **roof** an die Decke *or* in die Luft gehen (*col*); **to ~ the road** sich auf den Weg *or* die Socken (*col*) machen.
boxed-3 *vi* boxed-a (*strike*) schlagen ▸ **he ~s hard** er schlägt hart zu. boxed-b (*collide*) zusammenstoßen.

♦**hit back** boxed-1 *vi* (*lit, fig*) zurückschlagen ▸ **he ~ ~ at his critics** er gab seinen Kritikern Kontra.
boxed-2 *vt sep* zurückschlagen.

♦**hit off** *vt sep* boxed-a (*portray*) **he ~ him ~ beautifully** er hat ihn ausgezeichnet getroffen. boxed-b **to ~ it ~ with sb** (*col*) prima mit jdm auskommen (*col*).

♦**hit out** *vi* (*lit*) losschlagen (*at sb* auf jdn); (*fig*) scharf angreifen (*at or against sb* jdn).

♦**hit (up)on** *vi +prep obj* stoßen auf (+*acc*).

hit-and-run [ˈhɪtənˈrʌn] *n* **there was a ~ here last night** hier hat heute nacht jemand (einen Unfall gebaut und) Fahrerflucht begangen.

hitch [hɪtʃ] boxed-1 *n* Schwierigkeit *f* ▸ (*technical*) **~** (technische) Störung; **without a ~** reibungslos; **but there's one ~** aber die Sache hat einen Haken.
boxed-2 *vt* boxed-a (*fasten*) anbinden (*to* an +*dat*). boxed-b (*col*) **to get ~ed** heiraten. boxed-c **to ~ a lift** trampen, per Anhalter fahren.
boxed-3 *vi* (*~-hike*) trampen, per Anhalter fahren.

♦**hitch up** *vt sep* boxed-a *horses* anschirren. boxed-b *trousers* hochziehen.

hitch: **~-hike** *vi* per Anhalter fahren, trampen; **~-hiker** *n* Anhalter(in *f*), Tramper(in *f*) *m*; **~-hiking** *n* Trampen *nt*.

hitech [ˈhaɪˌtek] *adj* High-Tech- ▸ **this is too ~ for me** die Technik ist mir zu raffiniert.

hither [ˈhɪðəʳ] *adv* (*obs*) hierher ▸ **~ and thither** (*liter*) hierhin und dorthin.

hitherto [ˌhɪðəˈtuː] *adv* bisher, bis jetzt.

hit: **~ list** *n* (*lit, fig*) Abschußliste *f* (*col*); **~man** *n* (*col*) Killer *m* (*col*); **~-or-miss** *adj* auf gut Glück *pred*; *methods, planning* schlampig; **~ parade** *n* (*dated*) Hitparade *f*; **~ record** *n* Schlagerplatte *f*; **~ song** *n* Schlager *m*; **~ tune** *n* Schlagermelodie *f*.

HIV = **human immunodeficiency virus** HIV.

hive [haɪv] *n* (*bee~*) Bienenstock *m* ▸ **the office was a ~ of activity** in dem Büro ging es zu wie in einem Bienenstock.

♦**hive off** boxed-1 *vt sep* *department* ausgliedern.
boxed-2 *vi* boxed-a (*branch out*) sich absetzen. boxed-b (*col: slip away*) abschwirren (*col*).

hl = **hectolitre(s)** hl.

HM = **His/Her Majesty** S.M./ I.M.

HMI (*Brit*) **His/Her Majesty's Inspector** Schulrat *m*.

HMS (*Brit*) **His/Her Majesty's Ship** Schiff *nt* der königlichen Flotte.

HMSO (*Brit*) **His/Her Majesty's Stationery Office** Staatsdruckerei *f*.

HNC (*Brit*) = **Higher National Certificate.**

HND (*Brit*) = **Higher National Diploma.**

HO = **Head Office** Z.

hoard [hɔːd] boxed-1 *n* Vorrat *m*; (*treasure*) Hort *m* ▸ **a ~ of weapons** ein Waffenlager *nt*.
boxed-2 *vt* (*also ~ up*) *food etc* hamstern; *money* horten.

hoarding *n* (*Brit*) (*fence*) Bretterzaun *m* ▸ (*advertisement*) **~** Plakatwand *f*.

hoarfrost [ˈhɔːˌfrɒst] *n* (Rauh)reif *m*.

hoarse [hɔːs] *adj* (+*er*) heiser.

hoax [həʊks] boxed-1 *n* (*joke*) Streich *m*; (*false alarm*) blinder Alarm.
boxed-2 *vt* anführen ▸ **he ~ed him into paying money** er hat ihm Geld abgeschwindelt.

hoaxer [ˈhəʊksəʳ] *n* (*in bomb scares etc*) jd, der einen blinden Alarm auslöst.

hob [hɒb] *n* (*on modern cooker*) Kochmulde *f*.

hobble [ˈhɒbl] *vi* humpeln.

hobby [ˈhɒbɪ] *n* Hobby *nt*.

hobby-horse [ˈhɒbɪˌhɔːs] *n* (*lit, fig*) Steckenpferd *nt*.

hobnailed [ˈhɒbneɪld] *adj* **~ boots** genagelte Schuhe *pl*.

hobnob [ˈhɒbnɒb] *vi* **to ~ with sb** mit jdm verkehren; **the people he ~s with** seine Kumpel (*col*).

hobo [ˈhəʊbəʊ] *n* (*US: tramp*) Penner *m* (*col*).

hock¹ [hɒk] *n* (*Brit: wine*) weißer Rheinwein.

hock² *n* (*col*) **in ~** (*pawned*) versetzt.

hockey [ˈhɒkɪ] *n* Hockey *nt*; (*US*) Eishockey *nt* ▸ **~ stick** Hockeyschläger *m*.

hocus-pocus [ˈhəʊkəsˈpəʊkəs] *n* Hokuspokus *m*.

hodge-podge [ˈhɒdʒpɒdʒ] *n see* **hotchpotch.**

hoe [həʊ] *n* Hacke *f*.

hog [hɒg] boxed-1 *n* (*Mast*)schwein *nt*; (*US: pig*) Schwein *nt*; (*pej col: person*) Schwein (*col*); (*greedy*) Vielfraß *m* (*col*).
boxed-2 *vt* (*col*) in Beschlag nehmen.

Hogmanay [ˌhɒgməˈneɪ] *n* (*Scot*) Silvester *nt*.

hoi polloi [ˌhɔɪpəˈlɔɪ] n (pej) Pöbel m.
hoist [hɔɪst] **1** vt hochheben; (pull up) hochziehen; flag, sails hissen ▶ **to be ~ with one's own petard** (prov) in die eigene Falle gehen.
2 n Hebevorrichtung f; (lift) (Lasten)aufzug m.
hoity-toity [ˌhɔɪtɪˈtɔɪtɪ] (col) adj hochnäsig.
hold [həʊld] (vb: pret, ptp **held**) **1** n **a** Griff m (also Wrestling); (Mountaineering) Halt m; (fig) Einfluß m (over auf +acc) ▶ **to seize** or **grab ~ of sb/sth** (lit) jdn/etw fassen or packen; **to get a ~** of sth sich an etw (dat) festhalten; **to have/catch ~ of sth** (lit) etw festhalten/etw fassen or packen; **to get ~ of sb** (fig) jdn finden; (on phone etc) jdn erreichen; **to get** or **lay ~ of sth** (fig) etw auftreiben (col); **where did you get ~ of that idea?** wie kommst du denn auf die Idee?; **to have a ~ over** or on **sb** (fig) (großen) Einfluß auf jdn ausüben; **to get a ~** of oneself (fig) sich in den Griff bekommen; **get a ~** of yourself! reiß dich zusammen! **b** (Naut, Aviat) Laderaum m. **c** (Telec) **to put sb on ~** jdn auf Wartestellung schalten; (fig) **to put sth on ~** etw auf Eis legen.
2 vt **a** (grasp) halten ▶ **to ~ hands** sich an der Hand halten; (lovers, children etc) Händchen halten; **this car ~s the road well** dieses Auto hat eine gute Straßenlage; **to ~ oneself upright** sich aufrecht halten.
b (contain) enthalten; (have capacity of: tank etc) fassen; (bus, hall etc) Platz haben für ▶ **this room ~s twenty people** in diesem Raum haben zwanzig Personen Platz; **the box will ~ all my books** in der Kiste ist Platz für alle meine Bücher; **what does the future ~?** was bringt die Zukunft?
c (believe) meinen; (maintain also) behaupten ▶ **to ~ sth to be true/immoral** etc etw für wahr/unmoralisch etc halten; **to ~ the belief that ...** glauben, daß ...; **to ~ the view that ...** die Meinung vertreten, daß ...; **she held her grandchild dear** ihr Enkelkind bedeutete ihr sehr viel.
d (keep back) train aufhalten; one's breath anhalten; suspect, hostages etc festhalten; confiscated goods etc zurückhalten; (discontinue) fire einstellen ▶ **to ~ sb (prisoner)** jdn gefangenhalten; **there's no ~ing him** er ist nicht zu bremsen (col); **~ it!** (col) Moment mal (col); (taking photograph) so ist gut; **~ everything!** (col) stop!
e (possess, occupy) post, position innehaben; passport haben; shares besitzen; (Sport) record halten; (Mil) position halten.
f (keep, not let go) **to ~ its value** seinen Wert behalten; **to ~ one's ground** or **own** sich behaupten (können); **I'll ~ you to that!** ich werde Sie beim Wort nehmen.
g he can't ~ his whisky/liquor er verträgt keinen Whisky/nichts; **she can ~ her drink** sie kann etwas vertragen.
h meeting abhalten.
3 vi **a** (rope, nail etc) halten ▶ **~ still!** halt still!; **~ tight!** festhalten!; **will the good weather ~?** wird sich das gute Wetter wohl halten?; **if his luck ~s** wenn ihm das Glück treu bleibt. **b** (be valid) gelten.
◆**hold against** vt always separate **to ~ sth ~ sb** jdm etw übelnehmen.
◆**hold back 1** vi sich zurückhalten; (fail to act) zögern ▶ **to ~ ~ from doing sth** es unterlassen, etw zu tun.
2 vt sep zurückhalten; floods (auf)stauen; tears also unterdrücken; emotions verbergen, unterdrücken; information geheimhalten ▶ **to ~ sb ~ from doing sth** jdn daran hindern, etw zu tun; **nothing can ~ him ~ now** jetzt ist er nicht mehr aufzuhalten or zu bremsen; **he was ~ing something ~ from me** er verheimlichte mir etwas.
◆**hold down** vt sep (keep on ground) unten halten; (keep in place) (fest)halten; (keep low) prices niedrig halten ▶ **he can't ~ any job ~ for long** er kann sich in

keiner Stellung lange halten.
◆**hold forth** vi sich auslassen (on über +acc).
◆**hold in** vt sep stomach einziehen.
◆**hold off 1** vi (keep away) sich fernhalten (from von); (not act) warten; (enemy) nicht angreifen; (rain, storm) ausbleiben ▶ **I hope the rain ~s ~** ich hoffe, daß es nicht regnet.
2 vt sep enemy, attack abwehren; visitor etc hinhalten.
◆**hold on 1** vi (maintain grip) sich festhalten; (endure, resist) durchhalten; (wait) warten ▶ **~ ~** Moment (mal)!; (Telec) bleiben Sie am Apparat.
2 vt sep **to be held ~ by sth** mit etw befestigt sein.
◆**hold on to** vi +prep obj **a** **to ~ ~ ~ sth** an etw (dat) festhalten. **b** hope nicht aufgeben; idea festhalten an (+dat). **c** (keep) behalten ▶ **to ~ ~ ~ the lead** in Führung bleiben.
◆**hold out 1** vi **a** (supplies etc) reichen. **b** (endure, resist) durchhalten ▶ **to ~ ~ against sb** sich gegen jdn behaupten; **to ~ ~ for sth** auf etw (dat) bestehen.
2 vt sep **a** ausstrecken ▶ **to ~ ~ sth to sb** jdm etw hinhalten; **~ your hand** ~ halt die Hand auf; **she held ~ her arms** sie breitete die Arme aus. **b** (fig) prospects bieten ▶ **I don't ~ ~ much hope** ich habe nicht mehr viel Hoffnung.
◆**hold out on** vi +prep obj (col) **you've been ~ing ~ ~ me** du verheimlichst mir doch was (col).
◆**hold over** vt sep question, matter vertagen; decision verschieben (until auf +acc).
◆**hold up 1** vi **a** (tent, wall etc) stehen bleiben. **b** (belief) standhalten; (theory) sich halten lassen; (evidence) sich als stichhaltig erweisen.
2 vt sep **a** hochhalten; face nach oben wenden ▶ **~ ~ your hand** hebt die Hand; **to ~ sth ~ to the light** etw gegen das Licht halten. **b** (support) halten; (from the side) stützen; (from beneath) tragen. **c** **to ~ sb ~ as sth** jdn als etw hinstellen. **d** (stop) anhalten; (delay) people aufhalten; talks, delivery verzögern. **e** (rob) überfallen.
◆**hold with** vi +prep obj (col) **I don't ~ ~ that** ich bin gegen so was (col).
holdall [ˈhəʊldɔːl] n (Brit) Reisetasche f.
holder [ˈhəʊldər] n (of title, office, record, passport) Inhaber(in f) m; (object) Halter m.
holding [ˈhəʊldɪŋ] n (land) Land nt; (with buildings) Gut nt. ~**s** pl (property) (Grund)besitz m; (Fin) Anteile pl; (stocks) Aktienbesitz m; **~ company** Dachgesellschaft f.
hold-up [ˈhəʊldʌp] n **a** (delay) Verzögerung f; (Brit: of traffic) Stockung f ▶ **what's the ~?** warum dauert das so lange?; **there's been a ~ in our plans** unsere Pläne haben sich verzögert. **b** (robbery) bewaffneter Raubüberfall.
hole [həʊl] **1** n Loch nt; (rabbit's, fox's) Bau m, Höhle f; (pej col) Loch nt (col); (town) Kaff (col) nt ▶ **~ in the heart** Loch nt in der Herzscheidewand; **to make a ~ in sb's savings** ein Loch in jds Ersparnisse reißen; **I need that like (I need) a ~ in the head** (col) das ist das letzte, was ich gebrauchen kann.
2 vt ein Loch machen in (+acc) ▶ **to be ~d** ein Loch bekommen; **the ship was ~d by an iceberg** der Eisberg schlug das Schiff leck.
◆**hole up** vi (esp US col: hide) sich verkriechen.
hole-in-the-wall attr (Brit col) cash machine in die Wand eingebaut.
holiday [ˈhɒlədɪ] n **a** (day off) freier Tag; (public ~) Feiertag m ▶ **to take a ~** einen Tag frei nehmen. **b** (esp Brit: period) often pl Urlaub m, Ferien pl (esp Sch) ▶ **on ~** in den Ferien; im Urlaub; **to go on ~** Urlaub machen; **where are you going for your ~?** wohin fahren Sie in den Ferien or Urlaub?; **to take a ~** Urlaub nehmen; **I need a ~** ich bin urlaubsreif.
holiday: ~ camp n Feriendorf nt; **~ home** n Ferienhaus

nt; (*flat*) Ferienwohnung *f*; ~ **job** *n* Ferienarbeit *f*; Ferienjob *m*; **~maker** *n* (*esp Brit*) Urlauber(in *f*) *m*; ~ **pay** *n* Urlaubsgeld *nt*; ~ **resort** *n* Ferienort *m*; ~ **season** *n* Urlaubszeit, Ferienzeit *f*.
holiness ['həʊlɪnɪs] *n His H~* Seine Heiligkeit.
Holland ['hɒlənd] *n* Holland *nt*.
hollow ['hɒləʊ] **1** *adj* (+*er*) (*lit, fig*) hohl; *person* innerlich hohl; *life* inhaltslos; *sympathy, praise* unaufrichtig; *promise* leer; *victory* wertlos; *eyes* tiefliegend.
2 *adv sound* hohl ▸ *they beat us* ~ (*col*) sie haben uns haushoch geschlagen.
3 *n* (*in ground*) Mulde *f* ▸ *the* ~ *of one's hand* die hohle Hand.
◆**hollow out** *vt sep* aushöhlen.
holly ['hɒlɪ] *n* Stechpalme *f*.
hollyhock ['hɒlɪhɒk] *n* Malve *f*.
holocaust ['hɒləkɔːst] *n* Inferno *nt* ▸ *nuclear* ~ atomare Katastrophe; *the H~* (*Hist*) der Holocaust.
hologram ['hɒləgræm] *n* Hologramm *nt*.
holster ['həʊlstəʳ] *n* (Pistolen)halfter *nt or f*.
holy ['həʊlɪ] *adj* (+*er*) heilig; *bread, ground* geweiht ▸ ~ *water* Weihwasser *nt*; *the H~ Bible* die Bibel; *H~ Communion* (*Catholic*) Heilige Kommunion; (*Protestant*) Heiliges Abendmahl; *H~ Ghost or Spirit* Heiliger Geist; *the H~ Land* das Heilige Land; *H~ Week* Karwoche *f*; ~ *smoke* (*col*) heiliger Strohsack! (*col*).
homage ['hɒmɪdʒ] *n* Huldigung *f*; (*for elders*) Ehrerbietung *f* ▸ *to pay* ~ *to sb* jdm huldigen; *in silent* ~ in stummer Ehrerbietung.
home [həʊm] **1** *n* **a** (*house*) Heim *nt*; (*country, area etc*) Heimat *f* ▸ *gadgets for the* ~ praktische Haushaltsgeräte; *his* ~ *is in Brussels* er ist in Brüssel zu Hause; *Bournemouth is his second* ~ Bournemouth ist seine zweite Heimat (geworden); *haven't you got a* ~ *to go to?* hast du kein Zuhause?; *he invited us around to his* ~ er hat uns zu sich (nach Hause) eingeladen; *away from* ~ von zu Hause weg; *a long way from* ~ weit von zu Hause weg; *to live away from* ~ nicht zu Hause wohnen; *hasn't this hammer got a* ~? gehört der Hammer nicht irgendwohin?; *to find a* ~ *for sth* etw irgendwo unterbringen; *it's a* ~ *from* ~ es ist wie zu Hause; *at* ~ zu Hause; (*Sport*) auf eigenem Platz; *he doesn't feel at* ~ *in English* er fühlt sich im Englischen nicht sicher; *to make oneself at* ~ es sich (*dat*) bequem machen; *to make sb feel at* ~ es jdm gemütlich machen; ~ *sweet* ~ (*Prov*) trautes Heim, Glück allein (*Prov*).
b (*institution*) Heim *nt*.
c (*Zool, Bot*) Heimat *f*.
2 *adv* **a** (*position*) zu Hause, daheim; (*with verb of motion*) nach Hause, heim ▸ *to go* ~ nach Hause gehen/fahren; (*to country*) heimfahren; *on the way* ~ auf dem Heimweg *or* Nachhauseweg; *to return* ~ *from abroad* aus dem Ausland zurückkommen. **b** *to drive a nail* ~ einen Nagel einschlagen; *to bring or get sth* ~ *to sb* jdm etw klarmachen; *his words went* ~ seine Worte hatten ihre Wirkung.
◆**home in on** *vi* +*prep obj target* sich ausrichten auf (+*acc*); *essential point* herausgreifen.
home: ~ **address** *n* Heimatadresse *or*-anschrift *f*; (*as opposed to business address*) Privatanschrift *f*; ~ **birth** *n* Hausgeburt *f*; **~-brew** *n* selbstgebrautes Bier; ~ **comforts** *npl* häuslicher Komfort; **~-coming** *n* Heimkehr *f*; ~ **computer** *n* Heimcomputer *m*; *H~* **Counties** *npl* *Grafschaften, die an London angrenzen*; ~ **economics** *n sing* Hauswirtschaft(slehre) *f*; ~ **front** *n* *on the* ~ *front* (*Mil, Pol*) im eigenen Land; (*in personal, family contexts*) zu Hause; ~ **game** *n* (*Sport*) Heimspiel *nt*; ~ **ground** *n* (*Sport*) eigener Platz; *to be on* ~ *ground* (*fig*) sich auf vertrautem Terrain bewegen; **~-grown** *adj vegetables* selbstgezogen; (*not imported*) einheimisch; ~ **help** *n*

(Haushalts)hilfe *f*; ~ **improvement** *n* Modernisierung *f*; (*extension*) Anbau *m*; ~ **key** *n* (*Comp*) Home-Taste *f*; **~land** *n* Heimat(land *nt*) *f*; (*in S Africa*) Homeland *nt*; **~less** *adj* heimatlos; *tramp* obdachlos; ~ **life** *n* (*family life*) Familienleben *nt*; (*private life*) Privatleben *nt*; ~ **loan** *n* Hypothek *f*.
homely ['həʊmlɪ] *adj* (+*er*) **a** (*home-loving*) häuslich; *atmosphere* heimelig; *style* anspruchslos; *advice* einfach. **b** (*US: plain*) *person* unscheinbar; *face* reizlos.
home: **~-made** *adj* selbstgemacht; **~maker** *n* (*US*) (*housewife*) Hausfrau *f*; (*social worker*) Familienfürsorger(in *f*) *m*; ~ **market** *n* Inlandsmarkt *m*; ~ **news** *n* Meldungen *pl* aus dem Inland; *H~* **Office** *n* (*Brit*) Innenministerium *nt*; (*with relation to aliens*) Einwanderungsbehörde *f*.
homeopath *etc* (*US*) *see* **homoeopath** *etc*.
home: **~-owner** *n* Hauseigentümer(in *f*) *m*; (*of flat/apartment*) Wohnungseigentümer(in *f*) *m*; ~ **port** *n* Heimathafen *m*; ~ **rule** *n* Selbstverwaltung *f*; ~ **sales** *npl* Inlandsumsatz *m*; *H~* **Secretary** *n* (*Brit*) Innenminister *m*; ~ **shopping** *n* Home-Shopping *nt*; *a* **~-shopping TV programme** eine Teleshopping-Sendung; **~sick** *adj to be* **~sick** Heimweh haben (*for* nach); **~spun** *adj* (*fig: simple*) einfach; (*pej*) hausbacken; **~stead** *n* **a** Heimstätte *f*; **b** (*US*) Heimstätte *f* für Siedler; ~ **straight,** ~ **stretch** *n* (*Sport*) Zielgerade *f*; ~ **team** *n* (*Sport*) Gastgeber *pl*; ~ **town** *n* Heimatort *m*; ~ **truth** *n* ungeschminkte Wahrheit; *to tell sb some* ~ *truths* jdm deutlich die Meinung sagen.
homeward ['həʊmwəd] *adj journey, flight* Heim- ▸ *we are* **~-bound** es geht Richtung Heimat; **~(-bound)** *traffic* Rückreiseverkehr *m*.
homeward(s) ['həʊmwəd(z)] *adv* nach Hause; (*to country also*) in Richtung Heimat.
homework ['həʊmwɜːk] *n* (*Sch*) Hausaufgaben *pl* ▸ *to give sb sth for* ~ jdm etw aufgeben; *what have you got for* ~? was hast du auf?; *he hadn't done his* ~ (*fig col*) er hatte sich mit der Materie nicht vertraut gemacht.
homeworker ['həʊmwɜːkəʳ] *n* Heimarbeiter(in *f*) *m*.
homey ['həʊmɪ] *adj* (+*er*) (*US col*) gemütlich.
homicidal [ˌhɒmɪ'saɪdl] *adj* gemeingefährlich.
homicide ['hɒmɪsaɪd] *n* Totschlag *m* ▸ *culpable* ~ Mord *m*; ~ (*squad*) Mordkommission *f*.
homily ['hɒmɪlɪ] *n* Predigt *f*.
homing ['həʊmɪŋ] *adj* (*Mil*) zielsuchend ▸ ~ *pigeon* Brieftaube *f*; ~ *instinct* Heimfindevermögen *nt*.
homoeopath, (*US*) **homeopath** ['həʊmɪəʊpæθ] *n* Homöopath(in *f*) *m*.
homoeopathic, (*US*) **homeopathic** [ˌhəʊmɪəʊ'pæθɪk] *adj* homöopathisch.
homoeopathy, (*US*) **homeopathy** [ˌhəʊmɪ'ɒpəθɪ] *n* Homöopathie *f*.
homogeneous [ˌhɒmə'dʒiːnɪəs] *adj* homogen.
homogenize [hə'mɒdʒənaɪz] *vt* homogenisieren.
homophobe ['hɒməfəʊb] *n* Homophobe(r) *mf*.
homosexual [ˌhɒməʊ'seksjʊəl] **1** *adj* homosexuell.
2 *n* Homosexuelle(r) *mf*.
homosexuality [ˌhɒməʊseksjʊ'ælɪtɪ] *n* Homosexualität *f*.
Hon. = **a** honorary. **b** Honourable.
Honduras [hɒn'djʊərəs] *n* Honduras *nt*.
hone [həʊn] **1** *n* Schleifstein *m*.
2 *vt* (fein)schleifen ▸ *to* ~ *sth to perfection* (*fig*) einer Sache den letzten Schliff geben.
honest ['ɒnɪst] *adj* ehrlich; *business, action also* anständig; *truth* rein ▸ *he made an* ~ *woman of her* (*col*) er machte sie zu seiner Frau.
honestly ['ɒnɪstlɪ] *adv* ehrlich ▸ ~! (*in exasperation*) also ehrlich!
honesty ['ɒnɪstɪ] *n* Ehrlichkeit *f* ▸ *in all* ~ ganz ehrlich; ~ *is the best policy* (*Prov*) ehrlich währt am längsten

(*Prov*).

honey ['hʌnɪ] *n* Honig *m*; (*col*) Schätzchen *nt*.

honey: ~ bee *n* Honigbiene *f*; **~comb** ⓵ *n* (Bienen)wabe *f*; ⓶ *vt usu pass* durchlöchern.

honeymoon ['hʌnɪmuːn] *n* Flitterwochen *pl*; (*trip*) Hochzeitsreise *f* ▸ *to be on one's* ~ in den Flitterwochen/auf Hochzeitsreise sein; *the ~ is over* (*fig*) die Schonzeit ist vorbei.

honeysuckle ['hʌnɪˌsʌkl] *n* Geißblatt *nt*.

Hong Kong ['hɒŋ'kɒŋ] *n* Hongkong *nt*.

honk [hɒŋk] ⓵ *vi* (*car*) hupen; (*geese*) schreien. ⓶ *vt* horn drücken auf (+*acc*).

honky ['hɒŋkɪ] *n* (*negro pej sl*) Weiße(r) *mf*.

honorary ['ɒnərərɪ] *adj secretary* ehrenamtlich; *member, president* Ehren- ▸ ~ *degree* ehrenhalber verliehener akademischer Grad.

honour, (*US*) **honor** ['ɒnəʳ] ⓵ *n* ⓐ Ehre *f* ▸ *he made it a point of* ~ er betrachtete es als Ehrensache; *to put sb on his* ~ jdn auf sein Ehrenwort verpflichten; *man of* ~ Ehrenmann *m*; *word of* ~ Ehrenwort *nt*; *to be an* ~ *to sth* einer Sache (*dat*) Ehre machen; *in* ~ *of sb/sth* zu Ehren von jdm/etw; (*of dead person, past thing*) in ehrendem Andenken an jdn/etw; *he is (in)* ~ *bound to do it* es ist Ehrensache für ihn, das zu tun; *to do the ~s* (*col*) die Honneurs machen. ⓑ (*title*) *Your H~* Hohes Gericht; *His H~* das Gericht. ⓒ (*distinction, award*) ~*s* Auszeichnung(en *pl*) *f*; (*Univ: also* ~*s degree*) *akademischer Grad mit Prüfung im Spezialfach*.

⓶ *vt* ⓐ *person* ehren ▸ *to* ~ *sb with a title* jdm einen Titel verleihen; *I should be ~ed if you ...* es wäre mir eine Ehre, wenn Sie ...; *he ~ed us with his presence* (*also iro*) er beehrte uns mit seiner Gegenwart. ⓑ *cheque* annehmen; *obligation* nachkommen (+*dat*); *commitment* stehen zu.

┌─────────────────────┐
│ ⓘ **HONOURS DEGREE** │
└─────────────────────┘
ⓘ *Honours Degree ist ein Universitätsabschluß mit einer guten Note, also der Note I (first class), II:1 (upper second class), II:2 (lower second class) oder III (third class). Wer ein honours degree erhalten hat, darf die Abkürzung **Hons** nach seinem Namen und Titel führen, z.B. Mary Smith BA Hons. Heute sind fast alle Universitätsabschlüsse in Großbritannien honours degrees. Siehe auch **ordinary degree**.*

┌─────────────────────┐
│ ⓘ **HONOURS LIST**   │
└─────────────────────┘
ⓘ *Honours List ist eine Liste von Adelstiteln und Orden, die der britische Monarch zweimal jährlich (zu Neujahr und am offiziellen Geburtstag des Monarchen) an Bürger in Großbritannien und im Commonwealth verleiht. Die Liste wird vom Premierminister zusammengestellt, aber drei Orden (der Hosenbandorden, der Verdienstorden und der Victoria-Orden) werden vom Monarchen persönlich vergeben. Erfolgreiche Geschäftsleute, Militärangehörige, Sportler und andere Prominente, aber auch im sozialen Bereich besonders aktive Bürger werden auf diese Weise geehrt.*

honourable, (*US*) **honorable** ['ɒnərəbl] *adj* ehrenhaft; *peace, discharge* ehrenvoll ▸ *to receive* ~ *mention* lobend erwähnt werden; *the H~ member for X* (*Parl*) der Herr/die Frau Abgeordnete für X.

Hons (*Univ*) = **honours**.

hood [hʊd] *n* ⓐ Kapuze *f*; (*Aut: roof*) Verdeck *nt*; (*US Aut*) (Motor)haube *f*; (*on cooker*) Abzugshaube *f*. ⓑ (*esp US col*) Gangster *m* (*col*).

hoodlum ['huːdləm] *n* Rowdy *m*; (*member of gang*) Gangster *m* (*col*).

hoodwink ['hʊdwɪŋk] *vt* (*col*) (he)reinlegen (*col*).

hoof [huːf] *n, pl* **-s** *or* **hooves** Huf *m*.

hook [hʊk] ⓵ *n* Haken *m* (*also Boxing*) ▸ *to put the door on the* ~ die Tür festhaken; *he swallowed the story* ~*, line and sinker* er hat die Geschichte tatsächlich ganz geschluckt (*col*); *by* ~ *or by crook* auf Biegen und Brechen; *to get sb off the* ~ (*col*) jdn herausreißen (*col*); *that lets me off the* ~ (*col*) damit bin ich aus dem Schneider (*col*); *to leave the phone off the* ~ nicht auflegen.

⓶ *vt* ⓐ *door, gate* festhaken (*to* an +*acc*) ▸ *to* ~ *a trailer to a car* einen Anhänger an ein Auto hängen. ⓑ *fish* an die Angel bekommen; *husband* sich (*dat*) angeln. ⓒ *to be/get ~ed (on sth)* (*on drugs*) (von etw) abhängig sein/werden; (*on food, place*) auf etw (*acc*) stehen (*col*); *he's ~ed on the idea* er ist von der Idee besessen.

◆**hook on** ⓵ *vi* (an)gehakt werden (*to* an +*acc*); (*with towbar*) angekoppelt werden (*to* an +*acc*). ⓶ *vt sep to* ~ *sth* (*with towbar*) etw an etw (*acc*) (an)koppeln.

◆**hook up** ⓵ *vi* (*col*) *to* ~ ~ *with sb* sich jdm anschließen. ⓶ *vt sep dress etc* zuhaken; (*Rad, TV*) anschließen (*with* an +*acc*); *trailer* anhängen.

hook and eye *n* Haken und Öse *no art, pl vb*.

hooked nose ['hʊkt'nəʊz] *n* Hakennase *f*.

hooker ['hʊkəʳ] *n* (*esp US col*) Nutte *f* (*col!*).

hook: ~-nosed *adj* hakennasig; **~-up** *n* (*Rad, TV*) gemeinsame Ausstrahlung.

hooligan ['huːlɪgən] *n* Rowdy *m*.

hooliganism ['huːlɪgənɪzəm] *n* Rowdytum *nt*.

hoop [huːp] *n* Reifen *m*; (*on animal*) Ring *m* ▸ *to put sb through the* ~ (*fig col*) jdn durch die Mangel drehen (*col*).

hooray [həˈreɪ] *interj* hurra ▸ *H~ Henry/Henrietta* (*col*) *junge(r) Angehörige(r) der Oberschicht mit auffälligem Gehabe*, ≈ Schickimicki *m*.

hoot [huːt] ⓵ *n* ⓐ (*of owl*) Ruf *m* ▸ ~*s of laughter* johlendes Gelächter; *I don't care two ~s* (*col*) das ist mir völlig schnuppe (*col*); *to be a* ~ (*col*) (*person, event etc*) zum Schießen sein (*col*). ⓑ (*Aut*) Hupen *nt no pl*; (*of train, hooter*) Pfeifen *nt no pl*. ⓶ *vi* ⓐ (*owl*) schreien. ⓑ (*Aut*) hupen; (*train, factory hooter*) pfeifen.

hooter ['huːtəʳ] *n* ⓐ (*Brit Aut*) Hupe *f*; (*at factory*) Sirene *f*. ⓑ (*Brit col: nose*) Zinken *m* (*col*).

Hoover ® ['huːvəʳ] (*Brit*) ⓵ *n* Staubsauger *m*. ⓶ *vti h~* (staub)saugen.

hooves [huːvz] *pl of* **hoof**.

hop¹ [hɒp] ⓵ *n* ⓐ (kleiner) Sprung; (*of person, bird also*) Hüpfer *m*; (*of rabbit also*) Satz *m* ▸ *to catch sb on the* ~ (*fig col*) jdn überraschen; *to keep sb on the* ~ (*fig col*) jdn in Trab halten. ⓑ (*col: dance*) Tanz *m*. ⓒ (*Aviat col*) Sprung *m* ▸ *a short* ~ ein Katzensprung *m* (*col*). ⓶ *vi* (*animal*) hüpfen ▸ ~ *in, said the driver* steigen Sie ein, sagte der Fahrer; ~ *it!* (*col*) zieh Leine (*col*).

hop² *n* (*Bot*) Hopfen *m*.

▼ **hope** [həʊp] ⓵ *n* Hoffnung *f* ▸ *past or beyond all* ~ hoffnungslos; *the patient is beyond all* ~ für den Patienten besteht keine Hoffnung mehr; *to have ~s of doing sth* hoffen, etw zu tun; *well, we live in* ~ nun, wir hoffen eben (weiter); *there's no* ~ *of that* da braucht man sich gar keine Hoffnungen zu machen; *to lose* ~ *of doing sth* die Hoffnung aufgeben, etw zu tun; *what a ~!* (*col*), *some ~(s)!* (*col*) schön wär's! (*col*).

⓶ *vi* hoffen (*for* auf +*acc*) ▸ *to* ~ *for the best* das Beste hoffen; *I* ~ *so/not* hoffentlich/hoffentlich nicht; *to* ~ *against hope that ...* trotz allem die Hoffnung nicht aufgeben, daß ...

⓷ *vt* hoffen ▸ *I* ~ *to see you* hoffentlich sehe ich Sie; *hoping to hear from you* ich hoffe, von Ihnen zu hören.

hopeful ['həʊpfʊl] ⓵ *adj* hoffnungsvoll; *situation, sign*

┌──┐
│ ▶ SENTENCE BUILDER: **hope: 3** → 8.1, 10.3   │
└──┘

vielversprechend ▶ *they weren't very* ~ sie hatten keine
große Hoffnung; *to be* ~ *that ...* hoffen, daß ...; *you're
~!* du bist vielleicht ein Optimist! (*col*).
⏹ *n* (*col*) *a young* ~ (*hoping to succeed*) ein
hoffnungsvoller junger Mensch.
hopefully ['həʊpfəlɪ] *adv* ⏹ hoffnungsvoll. ⏹ ~ *it
won't rain* hoffentlich regnet es nicht.
hopeless ['həʊplɪs] *adj situation, outlook* hoffnungslos;
liar, drunkard etc unverbesserlich; *weather, food* unmöglich (*col*) ▶ *it's* ~ *even to try* es hat gar keinen Wert, es
überhaupt zu versuchen; *you're* ~ du bist ein
hoffnungsloser Fall; *he's* ~ *at maths* in Mathematik ist
er eine Niete (*col*).
hopelessly ['həʊplɪslɪ] *adv* hoffnungslos ▶ *we were* ~
lost wir hatten uns ganz und gar verirrt.
hopper ['hɒpəʳ] *n* (*Tech*) Einfülltrichter *m*.
hopping mad ['hɒpɪŋ'mæd] *adj* (*col*) fuchsteufelswild
(*col*).
hop: ~**scotch** *n* Himmel-und-Hölle(-Spiel) *nt*; ~, **step
and jump** *n* Dreisprung *m*.
horde [hɔːd] *n* (*of animals, children*) Horde *f*.
horizon [hə'raɪzn] *n* (*lit, fig*) Horizont *m* ▶ *on the* ~ am
Horizont.
horizontal [ˌhɒrɪ'zɒntl] *adj* horizontal.
hormone ['hɔːməʊn] *n* Hormon *nt* ▶ *hormone replacement therapy* Hormonersatztherapie *f*.
horn [hɔːn] *n* (*of cattle, Mus*) Horn *nt*; (*Aut*) Hupe *f*;
(*Naut*) (Signal)horn *nt*; (*of snail, insect*) Fühler *m* ▶ ~*s pl*
(*of deer*) Geweih *nt*; *to sound the* ~ (*Aut*) hupen;
(*Naut*) das Horn ertönen lassen; *to draw in one's* ~*s*
(*fig: spend less*) den Gürtel enger schnallen; *the H*~
(*Geog*) Kap Hoorn.
horned [hɔːnd] *adj* gehörnt.
hornet ['hɔːnɪt] *n* Hornisse *f*.
horn: ~**pipe** *n* englischer Seemannstanz; ~**-rimmed spectacles** *npl* Hornbrille *f*.
horny ['hɔːnɪ] *adj* (+*er*) *hands etc* schwielig; (*col: randy*)
geil (*col*).
horoscope ['hɒrəskəʊp] *n* Horoskop *nt*.
horrendous [hɒ'rendəs] *adj crime* abscheulich; *prices*
horrend.
horrible ['hɒrɪbl] *adj* schrecklich ▶ *don't be* ~ sei nicht
so gemein (*col*).
horribly ['hɒrɪblɪ] *adv* schrecklich.
horrid ['hɒrɪd] *adj* entsetzlich, schrecklich ▶ *he was* ~
to her er war gemein zu ihr.
horrific [hɒ'rɪfɪk] *adj* entsetzlich; *story, film*
erschreckend.
horrify ['hɒrɪfaɪ] *vt* entsetzen.
horrifying *adj*, ~**ly** *adv* ['hɒrɪfaɪɪŋ, -lɪ] schrecklich, entsetzlich.
horror ['hɒrəʳ] ⏹ *n* Entsetzen *nt*; (*strong dislike*) Horror
m (*of* vor +*dat*); (*of war etc*) Greuel *m* ▶ *she shrank
back in* ~ sie fuhr entsetzt zurück; *to be a real* ~ (*col*)
furchtbar sein (*col*); *you little* ~*!* (*col*) du kleines Ungeheuer! (*col*).
⏹ *attr story, films* Horror-.
horror-stricken ['hɒrəstrɪkn], **horror-struck**
['hɒrəstrʌk] *adj* von Entsetzen gepackt.
hors d'oeuvre [ɔː'dɜːv] *n* Vorspeise *f*.
horse [hɔːs] *n* Pferd (*also Gymnastics*), Roß (*liter, pej*) *nt*
▶ *wild* ~*s would not drag me there* keine zehn Pferde
würden mich dahin bringen; *I could eat a* ~ ich könnte
ein ganzes Pferd essen; *information straight from the
~'s mouth* Informationen aus erster Hand.
horse: ~**back:** *on* ~*back adv* zu Pferd; ~**-box** *n* Pferde-
transporter *m*; ~**chestnut** *n* Roßkastanie *f*; ~**-drawn**
adj von Pferden gezogen, pferdebespannt; ~**-drawn cart**
Pferdewagen *m*; ~**fly** *n* Bremse *f*; ~**hair** *n* Roßhaar *nt*;
~**man** *n* Reiter *m*; ~**manship** *n* Reitkunst *f*; ~**play** *n*
Balgerei *f*; ~**power** *n* Pferdestärke *f*; (*with figure*) PS *nt*;

~**-racing** *n* (*races*) Pferderennen *pl*; ~**radish** *n*
Meerrettich *m*; ~**shoe** *n* Hufeisen *nt*; ~ **show** *n* Pferde-
schau *f*; ~**-trading** *n* (*fig*) Kuhhandel *m*; ~**whip** ⏹ *n*
Reitpeitsche *f*; ⏹ *vt* auspeitschen; ~**woman** *n* Reiterin
f.
hors(e)y ['hɔːsɪ] *adj* (+*er*) (*col*) (*fond of horses*)
pferdenärrisch; *appearance* pferdeähnlich.
horticultural [ˌhɔːtɪ'kʌltʃərəl] *adj* Garten(bau)-.
horticulture ['hɔːtɪkʌltʃəʳ] *n* Gartenbau *m*.
hose¹ [həʊz] ⏹ *n* (*also* ~**pipe**) Schlauch *m*.
⏹ *vt* (*also* ~ **down**) abspritzen.
hose² *n no pl* (*Comm: stockings*) Strumpfwaren *pl*.
hosiery ['həʊzɪərɪ] *n* Strumpfwaren *pl*.
hospice ['hɒspɪs] *n* Hospiz *nt*.
hospitable [hɒs'pɪtəbl] *adj* gastfreundlich.
hospital ['hɒspɪtl] *n* Krankenhaus *nt*, Klinik *f* ▶ *in* or
(*US*) *in the* ~ im Krankenhaus; *he's got to go to* or (*US*)
to the ~ er muß ins Krankenhaus (gehen); ~ *bed*
Krankenhausbett *nt*; ~ *porter* Pfleger(in *f*) *m*; ~ *ship*
Lazarettschiff *nt*.
hospitality [ˌhɒspɪ'tælɪtɪ] *n* Gastfreundschaft *f*.
hospitalize ['hɒspɪtəlaɪz] *vt* ins Krankenhaus einweisen.
host¹ [həʊst] ⏹ *n* Gastgeber *m*; (*in own home also*)
Hausherr *m*.
⏹ *vt TV programme, games* Gastgeber sein bei.
host² *n* Menge *f* ▶ *for a whole* ~ *of reasons* aus einer
ganzen Reihe von Gründen.
hostage ['hɒstɪdʒ] *n* Geisel *f* ▶ *to take sb* ~ jdn als
Geisel nehmen; ~ *crisis* Geiseldrama *nt*; ~**-taker**
Geiselnehmer *m*; ~**-taking** Geiselnahme *f*.
hostel ['hɒstəl] *n* (Wohn)heim *nt*.
hostess ['həʊstes] *n* Gastgeberin *f*; (*in own home also*)
Hausherrin *f*; (*in night-club*) Hosteß *f*; (*air*~) Stewardeß
f.
hostile ['hɒstaɪl] *adj* feindlich; *person also* feindlich
gesinnt; *reception, looks* feindselig ▶ *to be* ~ *to sb* sich
jdm gegenüber feindselig verhalten; *don't be so* ~ seien
Sie nicht so aggressiv!
hostility [hɒs'tɪlɪtɪ] *n* Feindseligkeit *f* (*to, towards* gegenüber); (*between people*) Feindschaft *f*. **hostilities** *pl* (*warfare*) Feindseligkeiten *pl*.
hot [hɒt] *adj* (+*er*) ⏹ heiß; *meal, tap* warm; *curry* scharf
▶ *I am* or *feel* ~ mir ist (es) heiß. ⏹ (*col: good,
competent*) stark (*col*); *person also* fähig ▶ *he's* ~ *at German* er ist gut in Deutsch; *he/it isn't (all) that* ~ so umwerfend ist er/das auch wieder nicht (*col*); *I'm not feeling too* ~ mir geht's nicht besonders (*col*). ⏹ (*Aut col:
tuned*) frisiert (*col*). ⏹ (*fig*) ~ *favourite* der große
Favorit; ~ *news* das Neueste vom Neuen; *the pace was
so* ~ das Tempo war so scharf; *to get into* ~ *water* in
Teufels Küche kommen (*col*); *to be all* ~ *and bothered*
(*col*) ganz aufgeregt sein (*about* wegen); *to be in* ~ *pursuit of sb* jdm nacheilen; *it's getting too* ~ *for him here*
hier wird ihm der Boden unter den Füßen zu heiß. ⏹
(*col: stolen*) heiß (*col*).
◆**hot up** *vi* (*col*) (*pace*) schneller werden; (*situation*) sich
zuspitzen; (*party*) in Schwung kommen.
hot: ~ *air* *n* (*fig*) leeres Gerede; ~**-air balloon** *n*
Heißluftballon *m*; ~**bed** *n* (*fig*) Nährboden *m* (*of* für);
~**-blooded** *adj* heißblütig.
hotchpotch ['hɒtʃpɒtʃ] *n* Mischmasch *m*.
hot: ~ **cross bun** *n* Rosinenbrötchen mit einem Kreuz darauf,
in der Karwoche gegessen; ~ **dog** *n* Hot dog *m*.
hotel [həʊ'tel] *n* Hotel *nt*.
hotelier [həʊ'telɪəʳ] *n* Hotelier *m*.
hotel: ~ **industry,** ~ **trade** *n* Hotelgewerbe *nt*; ~ **room**
n Hotelzimmer *nt*.
hot: ~**foot** ⏹ *adv* schleunigst; ⏹ *vt* (*col*) *to* ~**foot it
home** schleunigst nach Hause gehen; ~**head** *n* Hitzkopf
m; ~**headed** *adj* hitzköpfig; ~**house** *n* (*lit, fig*)

Treibhaus *nt*; **~ key** *n* (*Comp*) Funktionstaste *f*; **~ line** *n* (*Pol*) heißer Draht.

hotly ['hɒtlɪ] *adv contested* heiß ▶ *he was ~ pursued by the police* die Polizei war ihm dicht auf den Fersen.

hot: ~plate *n* Kochplatte *f*; (*plate-warmer*) Warmhalteplatte *f*; **~pot** *n* (*esp Brit*) Fleischeintopf *m* mit Kartoffeleinlage; **~ potato** *n* (*fig col*) heißes Eisen; **~rod** *n* (*Aut*) hochfrisiertes (altes) Auto; **~ seat** *n to be in the ~ seat* auf dem Schleudersitz sein; **~ shoe** *n* (*Phot*) Steckschuh *m*; **~ spot** *n* (*Pol*) Krisenherd *m*; **~ spring** *n* heiße Quelle, Thermalquelle *f*; **~ stuff** *n* (*col*) *it's/he's ~ stuff* das/er ist große Klasse (*col*); **~-tempered** *adj* jähzornig; **~-water bottle** *n* Wärmflasche *f*.

hound [haʊnd] **1** *n* (*Hunt*) (Jagd)hund *m*; (*any dog*) Hund *m* ▶ *the ~s* die Meute. **2** *vt* hetzen.

◆**hound down** *vt sep* Jagd machen auf (+*acc*); (*criminal also*) zur Strecke bringen.

◆**hound out** *vt sep* vertreiben (*of* aus).

hour ['aʊəʳ] *n* Stunde *f* ▶ *~ after ~* Stunde um Stunde; *~ by ~* mit jeder Stunde; *on the ~* zur vollen Stunde; *every ~ on the ~* jede volle Stunde; *at an early/a late ~* früh/spät; *at all ~s (of the day and night)* zu jeder (Tages- und Nacht)zeit; *to drive at 50 miles an ~* 80 Stundenkilometer fahren; *to be paid by the ~* stundenweise bezahlt werden; *for ~s* stundenlang; *he took ~s to do it* er brauchte stundenlang dazu; *it's three ~s (from here) by car* es ist drei Autostunden entfernt; *~s pl* (*of banks, shops etc*) Geschäftszeit(en *pl*) *f*; *after ~s* (*in pubs*) nach der Polizeistunde; (*in office etc*) nach Dienstschluß; *to work long ~s* eine lange Arbeitszeit haben; *the man of the ~* der Mann der Stunde.

hour: ~ glass *n* Sanduhr *f*; **~ hand** *n* Stundenzeiger *m*, kleiner Zeiger.

hourly ['aʊəlɪ] *adj, adv* stündlich ▶ *~ rate/wage* Stundensatz/-lohn *m*.

house **1** [haʊs] *n, pl* **houses** ['haʊzɪz] **a** Haus *nt* ▶ *at my ~* bei mir (zu Hause); *to my ~* zu mir (nach Hause); *to set up ~* einen eigenen Hausstand gründen; (*in particular area*) sich niederlassen; *to put one's ~ in order* (*fig*) seine Angelegenheiten in Ordnung bringen; *he's getting on like a ~ on fire* (*col*) er kommt prima voran (*col*); *they get on like a ~ on fire* (*col*) sie kommen ausgezeichnet miteinander aus; *as safe as ~s* (*Brit*) bombensicher (*col*); *on the ~* auf Kosten des Hauses; (*on the company*) auf Kosten der Firma; *he brought the ~ down* (*col*) er riß alle von den Sitzen (*col*); *full ~* (*Cards*) Full House *nt*.

b (*Pol*) *the upper/lower ~* das Ober-/Unterhaus; *H~ of Commons/Lords* (*Brit*) (britisches) Unter-/Oberhaus; *H~ of Representatives* (*US*) Repräsentantenhaus *nt*; *the H~s of Parliament* das Parlament(sgebäude).

2 [haʊz] *vt people, goods* unterbringen.

┌─ **HOUSE OF COMMONS** ─────────────┐

*Das **House of Commons** ist das Unterhaus des britischen Parlaments, mit 651 Abgeordneten, die in Wahlkreisen in allgemeiner Wahl gewählt werden. Das Unterhaus hat die Regierungsgewalt inne und tagt etwa 175 Tage im Jahr unter Vorsitz des Sprechers. Als **House of Lords** wird das Oberhaus des britischen Parlaments bezeichnet. Die Mitglieder sind nicht gewählt, sondern werden auf Lebenszeit ernannt (life peers), oder sie haben ihren Oberhaussitz geerbt (hereditary peers). Das House of Lords setzt sich aus Kirchenmännern und Adeligen zusammen (Lords Spiritual/Temporal). Es hat im Grunde keine Regierungsgewalt, aber kann vom Unterhaus erlassene Gesetze abändern und ist das oberste Berufungsgericht in Großbritannien (außer*

*Schottland). Das **House of Representatives** bildet zusammen mit dem Senat die amerikanische gesetzgebende Versammlung (den Kongreß). Es besteht aus 435 Abgeordneten, die entsprechend den Bevölkerungszahlen auf die einzelnen Bundesstaaten verteilt sind und jeweils für 2 Jahre direkt vom Volk gewählt werden. Es tritt im **Capitol** in Washington zusammen. Siehe auch **congress**.*

house *in cpds* Haus-; **~ arrest** *n* Hausarrest *m*; **~boat** *n* Hausboot *nt*; **~bound** *adj* ans Haus gefesselt; **~breaker** *n* Einbrecher *m*; **~breaking** *n* Einbruch *m*; **~-broken** *adj* (*US*) = **~-trained**; **~coat** *n* Morgenmantel *m*; **~guest** *n* (Haus)gast *m*.

household ['haʊshəʊld] *n* Haushalt *m* ▶ *~ goods* Haushaltswaren *pl*; *to be a ~ name or word* ein Begriff sein.

householder ['haʊs,həʊldəʳ] *n* Haus-/Wohnungsinhaber(in *f*) *m*.

house: ~-hunting *n* Haussuche *f*; **~husband** *n* Hausmann *m*; **~keeper** *n* Haushälterin *f*; **~keeping** *n* Haushalten *nt*; (*also* **~keeping money**) Haushaltsgeld *nt*; **~man** *n* (*Brit*) Assistenzarzt *m*; **~ plant** *n* Zimmerpflanze *f*; **~-proud** *adj* *she is ~-proud* sie ist eine penible Hausfrau; **~room** *n* *I wouldn't give it ~room* (*col*) so etwas kommt mir nicht in die Wohnung/ins Haus; **~-to-~** *adj collection* Haus-; *a ~-to-~ search* eine Suche von Haus zu Haus; **~-trained** *adj* stubenrein; **~ warming (party)** *n* Einzugsparty *f*; **~wife** *n* Hausfrau *f*; **~wifely** *adj* hausfraulich; **~work** *n* Hausarbeit *f*.

housing ['haʊzɪŋ] *n* **a** (*act*) Unterbringung *f*. **b** (*houses*) Wohnungen *pl*; (*temporary*) Unterkunft *f*. **c** (*building of houses*) Wohnungsbau *m*. **d** (*Tech*) Gehäuse *nt*.

housing *in cpds* Wohnungs-; **~ association** *n* Wohnungsbaugesellschaft *f*; **~ conditions** *npl* Wohnbedingungen *pl*; **~ development** *or* (*Brit also*) **estate** *n* Wohnsiedlung *f*; **~ programme** *n* Wohnungsbauprogramm *nt*.

hove [həʊv] *pret, ptp of* **heave** (*Naut*).

hovel ['hɒvəl] *n* armselige Hütte; (*fig pej*) Bruchbude *f* (*col*).

hover ['hɒvəʳ] *vi* schweben; (*stand around*) sich herumdrücken (*col*) ▶ *a smile ~ed on her lips* ein Lächeln lag auf ihren Lippen; *he ~ed between two alternatives* er schwankte zwischen zwei Möglichkeiten.

◆**hover about** *or* **around** *vi* (*persons*) herumlungern; (*helicopter etc*) (in der Luft) kreisen.

hover: ~craft *n* Luftkissenboot, Hovercraft *nt*; **~port** *n* Anlegestelle *f* für Hovercrafts.

▼ **how** [haʊ] *adv* **a** wie ▶ *~'s that?, ~ come?* (*col*) wie kommt (denn) das?; *~ is it that ...?* wie kommt es, daß ...?; *do you know that?* woher wissen Sie das?; *~ much* wieviel; *I know ~ much he loves her* ich weiß, wie sehr er sie liebt; *~ many* wie viele; *~ do you do?* Guten Tag/Abend!, angenehm! (*form*); *~ are you?* wie geht es Ihnen?; *~'s work?* was macht die Arbeit? (*col*); *~ are things at school?* wie geht's in der Schule? *~ about ...* wie wäre es mit ...; *~ about it?* wie wäre es damit? **b** *and ~!* und ob!; *~ he's grown!* er ist aber groß geworden; *~ strange!* seltsam!; *~ kind of him!* wie nett von ihm! **c** (*that*) daß ▶ *she told me ~ she had seen him there* sie sagte mir, daß sie ihn dort gesehen hat.

however [haʊ'evəʳ] **1** *conj* jedoch, aber. **2** *adv* ▶ *~ strong he is* wie stark er auch ist; *~ you do it* wie du es auch machst; *do it ~ you like* mach's, wie du willst; *~ much you cry* und wenn du noch so weinst; *~ did you manage it?* wie hast du das bloß geschafft?

howitzer ['haʊɪtsəʳ] *n* Haubitze *f*.

┌─────────────────────────────────────┐
▶ **SENTENCE BUILDER:**   **how: a** → 8.2, 9.1, 14.1, 15.1
└─────────────────────────────────────┘

howl [haʊl] **1** n Schrei m; (of animal, wind) Heulen nt no pl ▸ **~s of protest** Protestgeschrei nt. **2** vi brüllen; (animal) jaulen; (wind) heulen ▸ **to ~ with laughter** in brüllendes Gelächter ausbrechen.

◆**howl down** vt sep niederbrüllen.

howler ['haʊləʳ] n (col) Hammer m (col).

HP, hp = **a** (Brit) **hire purchase**. **b** **horse power** PS.

HQ = **headquarters**.

HR **1** (US: Pol) = **House of Representatives**. **2** = **human resources**.

HRH = **His/Her Royal Highness** S.M./I.M.

hr(s) = **hour(s)** h.

HRT n abbr = **hormone replacement therapy**.

HS (US) = **High School**.

ht = **height**.

hub [hʌb] n (Rad)nabe f; (fig) Zentrum nt.

hubbub ['hʌbʌb] n Tumult m.

hubcap ['hʌbkæp] n Radkappe f.

huddle ['hʌdl] **1** n (of people) Gruppe f ▸ **in a ~** dicht zusammengedrängt; **to go into a ~** (col) die Köpfe zusammenstecken. **2** vi (sich) kauern.

◆**huddle together** vi sich aneinanderkauern ▸ **to be ~d ~** aneinanderkauern.

◆**huddle up** vi sich zusammenkauern ▸ **to be ~d ~** zusammenkauern.

hue¹ [hju:] n Farbe f; (shade, fig) Schattierung f.

hue² n: **~ and cry** Zeter und Mordio nt.

huff [hʌf] n **to be in a ~** eingeschnappt sein (col); **to go into a ~** einschnappen (col).

hug [hʌg] **1** n Umarmung f. **2** vt umarmen; coast etc sich dicht halten an (+acc) ▸ **it ~s the figure** es liegt eng an.

huge [hju:dʒ] adj (+er) riesig.

hulk [hʌlk] n (col: person) Klotz m (col).

hulking ['hʌlkɪŋ] adj: **~ great** massig; **a ~ great wardrobe** ein Ungetüm nt von einem Kleiderschrank.

hull [hʌl] n (Naut) Schiffskörper m.

hullabaloo [ˌhʌləbə'lu:] n (col: noise) Radau m.

hullo [hʌ'ləʊ] interj = **hello**.

hum [hʌm] **1** n see vi **a** Summen nt; Surren nt; (of voices) Gemurmel nt. **2** vi **a** (insect, person) summen; (small machine, camera etc) surren ▸ **HQ was ~ming with activity** im Hauptquartier ging es zu wie in einem Bienenstock; **to ~ and haw** (col) herumdrucksen (col) (over, about um). **b** (col: smell) stinken (col). **3** vt tune summen.

human ['hju:mən] **1** adj menschlich ▸ **I'm only ~** ich bin auch nur ein Mensch; **~ chain** Menschenkette f; **~ form** Menschengestalt f; **~ nature** die menschliche Natur; **~ rights** Menschenrechte pl. **2** n (also **~ being**) Mensch m.

humane [hju:'meɪn] adj human, menschlich ▸ **~ killer** Mittel nt zum schmerzlosen Töten.

humanism ['hju:mənɪzəm] n Humanismus m.

humanist ['hju:mənɪst] **1** n Humanist m. **2** adj humanistisch.

humanitarian [hju:ˌmænɪ'teərɪən] adj humanitär.

humanity [hju:'mænɪtɪ] n **a** (mankind) die Menschheit. **b** (humaneness) Menschlichkeit f. **c** (the) **humanities** pl (die) Geisteswissenschaften pl; (Latin and Greek) Altphilologie f.

humanly ['hju:mənlɪ] adv menschlich ▸ **to do all that is ~ possible** alles menschenmögliche tun.

human resources pl **a** Arbeitskräfte pl. **b** **~ (department)** Personalabteilung f.

humble ['hʌmbl] **1** adj (+er) (unassuming) bescheiden; (meek, Rel) demütig ▸ **in my ~ opinion** meiner bescheidenen Meinung nach; **to eat ~ pie** klein beigeben.

2 vt demütigen.

humbly ['hʌmblɪ] adv bescheiden, demütig (esp Rel); apologize zerknirscht.

humbug ['hʌmbʌg] n **a** (col) Humbug m. **b** (Brit: sweet) Pfefferminzbonbon nt.

humdinger ['hʌmdɪŋəʳ] n (col: person, thing) **to be a ~** Spitze sein (col).

humdrum ['hʌmdrʌm] adj stumpfsinnig.

humid ['hju:mɪd] adj feucht.

humidifier [hju:'mɪdɪfaɪəʳ] n Luftbefeuchter m.

humidity [hju:'mɪdɪtɪ] n (Luft)feuchtigkeit f.

humiliate [hju:'mɪlɪeɪt] vt see n demütigen; beschämen.

humiliation [hju:ˌmɪlɪ'eɪʃən] n Demütigung f; (because of one's own actions) Beschämung f no pl.

humility [hju:'mɪlɪtɪ] n Demut f; (unassumingness) Bescheidenheit f.

hummingbird ['hʌmɪŋˌbɜ:d] n Kolibri m.

humorist ['hju:mərɪst] n Humorist(in f) m.

humorous ['hju:mərəs] adj person humorvoll; story etc also, situation lustig; idea witzig.

humour, (US) **humor** ['hju:məʳ] **1** n **a** Humor m ▸ **a sense of ~** (Sinn m für) Humor m; **a story full of ~** eine humorvolle Geschichte. **b** (mood) Stimmung, Laune f ▸ **to be in a good ~** in guter Stimmung sein; **he took it with good ~** er nahm es gelassen auf. **2** vt whims nachgeben (+dat) ▸ **to ~ sb** jdm seinen Willen lassen.

humourless, (US) **humorless** ['hju:məlɪs] adj humorlos, ohne jeden Humor.

hump [hʌmp] **1** n **a** (Anat) Buckel m; (of camel) Höcker m. **b** (hillock) Hügel, Buckel (esp S Ger) m. **c** (Brit col) **he's got the ~** er ist sauer (col). **2** vt (col: carry) schleppen.

humpbacked ['hʌmp,bækt] adj person buck(e)lig; (Brit) bridge gewölbt.

humus ['hju:məs] n Humus m.

hunch [hʌntʃ] **1** n (feeling) Gefühl nt, Ahnung f ▸ **to have a ~ that ...** das (leise) Gefühl haben, daß ... **2** vt (also **~ up**) back krümmen; shoulders hochziehen ▸ **he was ~ed (up) over his desk** er saß über seinen Schreibtisch gebeugt.

hunch: ~back n (person) Buck(e)lige(r) mf; (back) Buckel m; **~-backed** adj buck(e)lig.

hundred ['hʌndrɪd] **1** adj hundert ▸ **a** or **one ~ years** (ein)hundert Jahre; **two ~ years** zweihundert Jahre; **a** or **one ~ and one** (ein)hundert(und)eins; **a ~ per cent fit** hundertprozentig fit. **2** n hundert num; (written figure) Hundert f ▸ **~s** (lit, fig) Hunderte pl; **one in a ~** einer unter hundert; **~s of times** (fig) hundertmal; **they came in their ~s** sie kamen zu Hunderten.

hundredth ['hʌndrɪdθ] **1** adj (in series) hundertste(r, s). **2** n (fraction) Hundertstel nt.

hundredweight ['hʌndrɪdweɪt] n Zentner m; (Brit) 50,8 kg; (US) 45,4 kg.

hung [hʌŋ] pret, ptp of **hang**.

Hungarian [hʌŋ'geərɪən] **1** adj ungarisch. **2** n **a** Ungar(in f) m. **b** (language) Ungarisch nt.

Hungary ['hʌŋgərɪ] n Ungarn nt.

hunger ['hʌŋgəʳ] n (lit, fig) Hunger m (for nach) ▸ **to die of ~** verhungern; **to go on a ~ strike** in (den) Hungerstreik treten.

hung: ~ over adj (col) verkatert (col); **~ parliament** n Parlament nt ohne klare Mehrheitsverhältnisse.

hungrily ['hʌŋgrɪlɪ] adv (lit, fig) hungrig.

hungry ['hʌŋgrɪ] adj (+er) (lit, fig) hungrig ▸ **to be/get ~** Hunger haben/bekommen; **to go ~** hungern; **~ for power** machthungrig.

hunk [hʌŋk] n Stück nt ▸ **a gorgeous ~ (of a man)** (col) ein Mann! (col).

hunky-dory [ˌhʌŋkɪ'dɔːrɪ] *adj* (*col*) *that's* ~ das ist prima (*col*).

hunt [hʌnt] **1** *n* Jagd *f*; (*fig: search*) Suche *f* ▸ *to have a* ~ *for sth* nach etw fahnden (*col*).
2 *vt* jagen; *criminal also* fahnden nach; *missing article, person* suchen.
3 *vi* **a** jagen ▸ *to go* ~*ing* jagen, auf die Jagd gehen. **b** (*search*) suchen (*for* nach).

◆**hunt down** *vt sep* (unerbittlich) Jagd machen auf (+*acc*); (*capture*) zur Strecke bringen.

◆**hunt out** *vt sep sth* hervorkramen (*col*).

◆**hunt up** *vt sep history, origins* forschen nach.

hunter ['hʌntər] *n* Jäger *m*; (*horse*) Jagdpferd *nt*.

hunting ['hʌntɪŋ] *n* die Jagd ▸ *to go* ~ auf die Jagd gehen; ~ *horn* Jagdhorn *nt*.

huntsman ['hʌntsmən] *n, pl* **-men** [-mən] Jagdreiter *m*.

hurdle ['hɜːdl] (*Sport, fig*) Hürde *f* ▸ ~*s sing* (*race*) Hürdenlauf *m*.

hurdler ['hɜːdlər] *n* (*Sport*) Hürdenläufer(in *f*) *m*.

hurl [hɜːl] *vt* schleudern ▸ *to* ~ *oneself at sb* sich auf jdn stürzen; *to* ~ *abuse at sb* jdn wüst beschimpfen (*col*).

hurly-burly ['hɜːlɪ'bɜːlɪ] *n* Rummel *m* (*col*).

hurrah [hʊ'rɑː], **hurray** [hʊ'reɪ] *interj* hurra.

hurricane ['hʌrɪkən] *n* Orkan *m*; (*tropical*) Hurrikan *m* ▸ ~ *lamp* Sturmlaterne *f*.

hurried ['hʌrɪd] *adj* eilig; *letter, essay* hastig geschrieben; *work* in Eile gemacht.

hurriedly ['hʌrɪdlɪ] *adv* eilig.

hurry ['hʌrɪ] **1** *n* Eile *f* ▸ *in my* ~ *to get it finished ...* vor lauter Eile, damit fertig zu werden ...; *to do sth in a* ~ etw hastig tun; *I need it in a* ~ ich brauche es dringend; *to be in a* ~ es eilig haben; *I won't do that again in a* ~! (*col*) das mache ich so schnell nicht wieder!; *what's the* ~? warum so eilig?; *is there any* ~ *for it?* eilt das?; *there's no* ~ es eilt nicht.
2 *vi* sich beeilen; (*run/go quickly*) laufen; (*in car etc*) schnell fahren ▸ *there's no need to* ~ (es besteht) kein Grund zur Eile; *can't you make her* ~? kannst du sie nicht zur Eile antreiben?; *don't* ~! immer mit der Ruhe!; *I must* ~ *back* ich muß schnell zurück.
3 *vt work etc* schneller machen; (*do too quickly*) überstürzen ▸ *troops were hurried to the spot* es wurden schleunigst Truppen dorthin gebracht; *don't* ~ *me* hetz mich nicht so!; *don't* ~ *your meal* lassen Sie sich Zeit beim Essen!

◆**hurry along** **1** *vi* sich beeilen ▸ *to* ~ ~ *the road* die Straße schnell entlangfahren.
2 *vt sep person* weiterdrängen; (*with work etc*) zur Eile antreiben; *things, work etc* vorantreiben.

◆**hurry away** *or* **off** **1** *vi* schnell weggehen.
2 *vt sep* schnell wegbringen.

◆**hurry on** *vi* weiterlaufen.

◆**hurry up** **1** *vi* sich beeilen ▸ ~ ~! beeil dich!
2 *vt sep* zur Eile antreiben; *work* vorantreiben.

hurt [hɜːt] (*vb: pret, ptp* ~) **1** *vt* **a** (*lit, fig*) weh tun (+*dat*); (*injure*) verletzen ▸ *to* ~ *oneself* sich (*dat*) weh tun; *to* ~ *one's arm* sich (*dat*) am Arm weh tun; (*injure*) sich (*dat*) den Arm verletzen; *to get* ~ verletzt werden. **b** (*harm*) schaden (+*dat*) ▸ *it wouldn't* ~ *you to say sorry* du solltest dich wirklich entschuldigen; *it won't* ~ *him to wait* es schadet ihm nicht(s), wenn er etwas warten muß.
2 *vi* **a** (*be painful*) weh tun; (*fig also*) verletzend sein ▸ *that* ~*s!* (*lit, fig*) das tut weh! **b** *but surely a little drink won't* ~ aber ein Gläschen kann doch wohl nicht schaden.
3 *adj limb, feelings* verletzt; *tone, look* gekränkt.

hurtful ['hɜːtful] *adj* verletzend.

hurtle ['hɜːtl] *vi* rasen ▸ *he came hurtling around the corner* er kam um die Ecke gerast.

husband ['hʌzbənd] *n* Ehemann *m* ▸ *my/her* ~ mein/ihr Mann.

hush [hʌʃ] **1** *n* Stille *f*.
2 *interj* pst!

◆**hush up** *vt sep scandal* vertuschen.

hushed [hʌʃt] *adj voices* gedämpft; *words* leise.

hush-hush ['hʌʃ'hʌʃ] *adj* (*col*) streng geheim.

husk [hʌsk] *n* Schale *f*; (*of rice also*) Hülse *f*.

husky¹ ['hʌskɪ] *adj* (+*er*) rauh.

husky² *n* (*dog*) Schlittenhund *m*.

hustings ['hʌstɪŋz] *npl* (*Brit*) *on the* ~ im Wahlkampf; (*at election meeting*) bei einer Wahlveranstaltung.

hustle ['hʌsl] **1** *n the* ~ *and bustle* das geschäftige Treiben; (*rush*) die Hektik *f*.
2 *vt to* ~ *sb out of the building* jdn schnell aus dem Gebäude bringen; *to* ~ *things (along)* die Dinge vorantreiben.
3 *vi* **a** (*move busily*) hasten, eilen. **b** (*prostitute*) auf den Strich gehen (*col*) ▸ *to* ~ *for business* (*salesman etc*) Aufträgen nachjagen.

hut [hʌt] *n* Hütte *f*; (*Mil*) Baracke *f*.

hutch [hʌtʃ] *n* Verschlag *m*; (*for rabbit*) Stall *m*.

hyacinth ['haɪəsɪnθ] *n* Hyazinthe *f*.

hyaena [haɪ'iːnə] *n* Hyäne *f*.

hybrid ['haɪbrɪd] *n* (*Bot, Zool*) Kreuzung *f*; (*fig*) Mischform *f*.

hydrangea [haɪ'dreɪndʒə] *n* Hortensie *f*.

hydrant ['haɪdrənt] *n* Hydrant *m*.

hydraulic [haɪ'drɒlɪk] *adj* hydraulisch.

hydraulics [haɪ'drɒlɪks] *n sing* Hydraulik *f*.

hydro-: ['haɪdrəʊ-] ~**carbon** *n* Kohlenwasserstoff *m*; ~**chloric acid** *n* Salzsäure *f*; ~**electric** *adj* hydroelektrisch; ~**electric power station** *n* Wasserkraftwerk *nt*; ~**foil** *n* (*boat*) Tragflächenboot *nt*.

hydrogen ['haɪdrɪdʒən] *n* Wasserstoff *m* ▸ ~ *bomb* Wasserstoffbombe *f*.

hydrometer [haɪ'drɒmətər] *n* Hydrometer *nt*.

hydrophobia [ˌhaɪdrə'fəʊbɪə] *n* Wasserscheu *f*; (*rabies*) Tollwut *f*.

hydroxide [haɪ'drɒksaɪd] *n* Hydroxyd, Hydroxid *nt*.

hyena [haɪ'iːnə] *n* = **hyaena**.

hygiene ['haɪdʒiːn] *n* Hygiene *f* ▸ *personal* ~ Körperpflege *f*.

hygienic [haɪ'dʒiːnɪk] *adj* hygienisch.

hymn [hɪm] *n* Kirchenlied *nt* ▸ ~ *book* Gesangbuch *nt*.

hype [haɪp] (*col*) **1** *n* (Werbe)rummel *m* (*col*).
2 *vt product, film etc* hochjubeln (*col*).

hyper- ['haɪpər] *pref* Hyper-, hyper-, Über-, über-.

hyper-: ~**active** *adj* äußerst aktiv; ~**critical** *adj* übertrieben kritisch; ~**inflation** *n* galoppierende Inflation *f*; ~**market** *n* (*Brit*) großer Supermarkt; ~**sensitive** *adj* überempfindlich; ~**tension** *n* Hypertonie *f*, erhöhter Blutdruck.

hyphen ['haɪfən] *n* Bindestrich *m*; (*at end of line*) Trenn(ungs)strich *m*.

hyphenate ['haɪfəneɪt] *vt* mit Bindestrich schreiben; (*insert hyphen*) trennen.

hyphenation [ˌhaɪfə'neɪʃən] *n* Silbentrennung *f*.

hypnosis [hɪp'nəʊsɪs] *n* Hypnose *f*.

hypnotic [hɪp'nɒtɪk] *adj* hypnotisch; (*hypnotizing, fig*) hypnotisierend.

hypnotism ['hɪpnətɪzəm] *n* Hypnotismus *m*.

hypnotist ['hɪpnətɪst] *n* Hypnotiseur *m*, Hypnotiseuse *f*.

hypnotize ['hɪpnətaɪz] *vt* hypnotisieren.

hypochondria [ˌhaɪpəʊ'kɒndrɪə] *n* Hypochondrie *f*.

hypochondriac [ˌhaɪpəʊ'kɒndrɪæk] *n* Hypochonder *m*.

hypocrisy [hɪ'pɒkrɪsɪ] *n* Heuchelei *f*; (*pretending innocence*) Scheinheiligkeit *f*.

hypocrite ['hɪpəkrɪt] *n* Heuchler(in *f*) *m*.

hypocritical [ˌhɪpə'krɪtɪkəl] *adj* heuchlerisch.

hypodermic [ˌhaɪpə'dɜːmɪk] *adj, n* ~ (*needle or sy-*

ringe) Spritze *f.*

hypotenuse [harˈpɒtɪnjuːz] *n* Hypotenuse *f.*

hypothermia [ˌhaɪpəʊˈθɜːmɪə] *n* Unterkühlung *f.*

hypothesis [haɪˈpɒθɪsɪs] *n, pl* **hypotheses** [haɪˈpɒθɪsiːz] Hypothese *f.*

hypothetical [ˌhaɪpəʊˈθetɪkəl] *adj* hypothetisch ▶ *purely* ~ reine Hypothese.

hysterectomy [ˌhɪstəˈrektəmɪ] *n* Hysterektomie *f*, Totaloperation *f* (*col*).

hysteria [hɪˈstɪərɪə] *n* Hysterie *f.*

hysterical [hɪˈsterɪkəl] *adj* hysterisch; (*col: very funny*) irrsinnig komisch (*col*).

hysterically [hɪˈsterɪkəlɪ] *adv* hysterisch ▶ ~ *funny* irrsinnig komisch (*col*).

hysterics [hɪˈsterɪks] *npl* hysterischer Anfall ▶ *to go into* ~ (*col: laugh*) sich (halb) totlachen.

Hz = **hertz** Hz.

I

I, i [aɪ] *n* I, i *nt* ▶ *I for Isaac* (*Brit*), *I for item* (*US*) ≃ I wie Ida.

I *pers pron* ich ▶ *it is ~* (*form*) ich bin es.

I = **Island, Isle.**

IA (*US Post*) = **Iowa.**

IBA (*Brit*) = **Independent Broadcasting Authority** *Aufsichtsgremium nt der kommerziellen Fernseh- und Rundfunkanstalten.*

Iberian [aɪˈbɪərɪən] *adj* iberisch ▶ *~ Peninsula* Iberische Halbinsel.

ib(id) = **ibidem** ib(d).

i/c = **in charge** verantw.

ICBM = **intercontinental ballistic missile** Interkontinentalrakete *f.*

ice [aɪs] **1** *n* **a** Eis *nt*; (*on roads*) (Glatt)eis *nt* ▶ *to be as cold as ~* eiskalt sein; *to keep or put sth on ~* (*lit*) etw kalt stellen; (*fig*) etw auf Eis legen; *to break the ~* (*fig*) das Eis brechen; *to be skating on thin ~* (*fig*) sich aufs Glatteis begeben; *to cut no ~ with sb* (*col*) auf jdn keinen Eindruck machen. **b** (*Brit: ice-cream*) (Speise)eis *nt.*

 2 *vt cake* glasieren.

◆**ice over** *vi* zufrieren; (*windscreen*) vereisen.

◆**ice up** *vi* (*aircraft wings etc*) vereisen; (*pipes etc*) einfrieren.

ice *in cpds* Eis-; *~ age n* Eiszeit *f*; *~ axe* (*Brit*) *or ~ ax* (*US*) *n* Eispickel *m*; **~berg** *n* (*lit, fig*) Eisberg *m*; **~-blue** *adj* eisblau; **~bound** *adj port* zugefroren; *ship* vom Eis eingeschlossen; *road* vereist; **~box** *n* (*Brit: in refrigerator*) Eisfach *nt*; (*US*) Eisschrank *m*; (*insulated box*) Kühltasche *f*, **~breaker** *n* Eisbrecher *m*; *~ bucket n* Eiskühler *m*; **~cap** *n* Eiskappe *f*, **~-cold** *adj* eiskalt; **~-cream** *n* Eis *nt*; **~-cream soda** *n Eisbecher m mit Sirup, Marmelade, Früchten, Milch und Ingwerlimonade*; *~ cube n* Eiswürfel *m.*

iced [aɪst] *adj* **a** (*cooled*) eisgekühlt; *coffee, water* Eis-. **b** *cake* glasiert.

ice: *~ floe n* Eisscholle *f*; *~ hockey n* Eishockey *nt.*

Iceland [ˈaɪslənd] *n* Island *nt.*

Icelander [ˈaɪsləndər] *n* Isländer(in *f*) *m.*

Icelandic [aɪsˈlændɪk] **1** *adj* isländisch.

 2 *n* (*language*) Isländisch *nt.*

ice: **~lolly** *n* (*Brit*) Eis *nt* am Stiel; *~ pack n* (*on head*) Eisbeutel *m*; *~ pick n* Eispickel *m*; *~ rink n* Schlittschuhbahn *f*; (*with seating for spectators*) Eisstadion *nt*; **~-skate** *vi* Schlittschuh laufen; **~-skating** *n* Schlittschuhlaufen *nt.*

icicle [ˈaɪsɪkl] *n* Eiszapfen *m.*

icily [ˈaɪsɪlɪ] *adv* (*lit, fig*) eisig ▶ *to look ~ at sb* jdm einen eisigen Blick zuwerfen.

icing [ˈaɪsɪŋ] *n* **a** (*Cook*) Zuckerguß *m* ▶ *~ sugar* (*Brit*) Puderzucker *m.* **b** (*formation of ice*) Eisbildung, Vereisung *f.*

icon [ˈaɪkɒn] *n* Ikone *f*; (*Comp*) Ikon *nt.*

iconoclastic [aɪˌkɒnəˈklæstɪk] *adj* bilderstürmerisch.

icy [ˈaɪsɪ] *adj* (+*er*) (*lit, fig*) eisig; *road* vereist.

I'd [aɪd] = **I would; I had.**

id [ɪd] *n* (*Psych*) Es *nt.*

ID = **a identification; identity** ▶ *~ card* Ausweis *m.* **b** (*US Post*) **Idaho.**

▼ **idea** [aɪˈdɪə] *n* Idee *f* ▶ *good ~!* gute Idee!; *that's not a*

---

bad ~ das ist keine schlechte Idee; *the very ~!* (nein), so was!; *the very ~ of horsemeat revolts me* der bloße Gedanke an Pferdefleisch ekelt mich; *the ~ never entered my head!* auf den Gedanken bin ich überhaupt nicht gekommen; *to hit upon the ~ of doing sth* den plötzlichen Einfall haben, etw zu tun; *that gives me an ~, we could ...* da fällt mir ein, wir könnten ...; *the ~ for the book* die Idee zu dem Buch; *he's somehow got the ~ into his head that ...* er bildet sich (*dat*) irgendwie ein, daß ...; *don't go getting ~s about promotion* machen Sie sich (*dat*) nur keine falschen Hoffnungen auf eine Beförderung; *to put ~s into sb's head* jdm einen Floh ins Ohr setzen; *what's the big ~?* (*col*) was soll das denn?; *that's the ~* genau (das ist's)!; *if that's your ~ of fun* wenn Sie das lustig finden; *he has some very strange ~s* er hat merkwürdige Vorstellungen; *his ~ of a pleasant evening is ...* seine Vorstellung von einem angenehmen Abend ist, ...; *you've no ~ how worried I've been* du kannst dir nicht vorstellen, welche Sorgen ich mir gemacht habe; *(I've) no ~* (ich habe) keine Ahnung; *I have an ~ that ...* ich habe so das Gefühl, daß ...; *could you give me an ~ of how long ...?* könnten Sie mir ungefähr sagen, wie lange ...?

ideal [aɪˈdɪəl] **1** *adj* ideal ▶ *in an ~ world* im Idealfall; (*Philos*) in einer vollkommenen Welt.

 2 *n* Idealvorstellung *f*, Ideal *nt.*

idealism [aɪˈdɪəlɪzəm] *n* Idealismus *m.*

idealist [aɪˈdɪəlɪst] *n* Idealist(in *f*) *m.*

idealistic [aɪˌdɪəˈlɪstɪk] *adj* idealistisch.

idealize [aɪˈdɪəlaɪz] *vt* idealisieren.

ideally [aɪˈdɪəlɪ] *adv* ideal ▶ *they are ~ suited for each other* sie passen ausgezeichnet zueinander; *~, ...* idealerweise *or* im Idealfall ...

identical [aɪˈdentɪkəl] *adj* (*exactly alike*) identisch; (*same*) derselbe/dieselbe/dasselbe ▶ *~ twins* eineiige Zwillinge *pl.*

identifiable [aɪˈdentɪˌfaɪəbl] *adj* erkennbar; (*esp Sci*) identifizierbar.

identification [aɪˌdentɪfɪˈkeɪʃən] *n* Identifizierung *f*; (*papers*) Ausweispapiere *pl* ▶ *he had no (means of) ~* er konnte sich nicht ausweisen.

identify [aɪˈdentɪfaɪ] **1** *vt* **a** identifizieren; *plant, species etc* bestimmen; (*mark identity of*) kennzeichnen; (*recognize, pick*) erkennen (*by an* +*dat*). **b** (*consider as the same*) gleichsetzen (*with* mit).

 2 *vr* **a** *to ~ oneself* sich ausweisen. **b** *to ~ oneself with sb/sth* sich mit jdm/etw identifizieren.

 3 *vi* (*with film hero etc*) sich identifizieren (*with* mit).

Identikit ® [aɪˈdentɪkɪt] *n:* *~ (picture)* Phantombild *nt.*

identity [aɪˈdentɪtɪ] *n* Identität *f* ▶ *to prove one's ~* sich ausweisen.

identity: *~ card n* (Personal)ausweis *m*; *~ parade n* Gegenüberstellung *f zur Identifizierung des Täters.*

ideological [ˌaɪdɪəˈlɒdʒɪkəl] *adj* ideologisch.

ideology [ˌaɪdɪˈɒlədʒɪ] *n* Weltanschauung, Ideologie *f.*

idiocy [ˈɪdɪəsɪ] *n* **a** *no pl* Idiotie *f*, Schwachsinn *m.* **b** (*act*) Dummheit *f.*

idiom [ˈɪdɪəm] *n* idiomatische Wendung.

idiomatic [ˌɪdɪəˈmætɪk] *adj* idiomatisch.

idiosyncrasy [ˌɪdɪəˈsɪŋkrəsɪ] *n* Eigenheit, Eigenart *f.*

idiosyncratic [ˌɪdɪəsɪŋˈkrætɪk] *adj* *he has a very ~ way*

▶ SENTENCE BUILDER: **idea** → 1.3, 3, 4.2, 14.1

idiot ['ɪdɪət] *n* Idiot, Dummkopf *m* ▶ *you (stupid) ~!* du Idiot!; *what an ~ I am/was!* ich Idiot!

idiotic [ˌɪdɪ'ɒtɪk] *adj* idiotisch ▶ *don't be ~!* sei nicht so blöd!

idle ['aɪdl] **1** *adj* **a** (*not working*) *person* untätig ▶ *the ~ rich* die reichen Müßiggänger; *in my ~ moments* in stillen Augenblicken; *~ life* faules Leben; *~ time* (*Comp*) Leerlaufzeit *f*; *money lying ~* totes Kapital; *his car was lying ~ most of the time* sein Auto stand meistens unbenutzt herum. **b** (*lazy*) faul. **c** (*in industry*) *person* unbeschäftigt; *machine* außer Betrieb ▶ *to be made ~* (*worker*) seine Arbeit einstellen müssen; *the whole factory stood ~* die ganze Fabrik hatte die Arbeit eingestellt; *the machine stood ~* die Maschine stand still. **d** *promise, words* leer; (*useless*) nutzlos ▶ *~ curiosity* pure Neugier. **2** *vi* (*engine*) leerlaufen ▶ *when the engine is idling* wenn der Motor im Leerlauf ist.

◆**idle away** *vt sep one's time etc* vertrödeln.

idleness ['aɪdlnɪs] *n* **a** (*not working*) Untätigkeit *f*; (*pleasurable*) Muße *f*. **b** (*laziness*) Faulheit *f*.

idler ['aɪdlə^r] *n* (*pej*) Faulenzer(in *f*) *m*.

idly ['aɪdlɪ] *adv* **a** (*without working*) untätig; (*pleasurably*) müßig ▶ *to stand ~ by* untätig danebenstehen. **b** (*lazily*) faul.

idol ['aɪdl] *n* (*lit*) Götzenbild *nt*; (*fig*) Idol *nt*.

idolize ['aɪdəlaɪz] *vt* vergöttern; (*star*) zum Idol machen.

I'd've ['aɪdəv] = **I would have.**

idyll ['ɪdɪl] *n* Idyll *nt*.

idyllic [ɪ'dɪlɪk] *adj* idyllisch.

i.e. *abbr* d.h.

▼ **if** [ɪf] **1** *conj* wenn; (*in case also*) falls; (*whether, in indirect clause*) ob ▶ *I would be pleased ~ you could do it* wenn Sie das tun könnten, wäre ich sehr froh; *(even) ~ they are poor, at least they are happy* sie sind zwar arm, aber wenigstens glücklich; *~ only I had known!* wenn ich das nur gewußt hätte!; *I would like to see him, ~ only for a few hours* ich würde ihn gerne sehen, wenn auch nur für ein paar Stunden; *as ~* als ob; *he acts as ~ he were or was rich* er tut so, als ob er reich wäre; *~ necessary* falls nötig; *~ so* wenn ja; *~ not* wenn nicht; *~ I were you/him* wenn ich Sie/er wäre. **2** *n it's a big ~* das ist die große Frage; *~s and buts* Wenn und Aber *nt*.

iffy ['ɪfɪ] *adj* (*col*) zweifelhaft.

igloo ['ɪɡluː] *n* Iglu *m* or *nt*.

ignite [ɪɡ'naɪt] **1** *vt* entzünden. **2** *vi* sich entzünden.

ignition [ɪɡ'nɪʃən] *n* Entzünden *nt*; (*Aut*) Zündung *f* ▶ *~ key* Zündschlüssel *m*.

ignoble [ɪɡ'nəʊbl] *adj* unehrenhaft.

ignominious [ˌɪɡnə'mɪnɪəs] *adj* schmachvoll; *behaviour* schändlich.

ignominy ['ɪɡnəmɪnɪ] *n* Schmach, Schande *f*.

ignoramus [ˌɪɡnə'reɪməs] *n* Ignorant *m*.

ignorance ['ɪɡnərəns] *n* Unwissenheit *f*; (*of particular subject*) Unkenntnis *f* ▶ *to keep sb in ~ of sth* jdn in Unkenntnis über etw (*acc*) lassen; *~ is bliss* (*Prov*) was ich nicht weiß, macht mich nicht heiß (*Prov*).

ignorant ['ɪɡnərənt] *adj* unwissend; (*of plan etc*) nicht informiert (*of* über +*acc*) ▶ *to be ~ of geography* sich in Geographie nicht auskennen; *to be ~ of the facts* die Tatsachen nicht kennen.

ignore [ɪɡ'nɔː^r] *vt* ignorieren; (*pay no attention to*) nicht beachten; *remark also* übergehen.

IL (*US Post*) = **Illinois.**

ilk [ɪlk] *n people/things of that ~* solche Leute/ dergleichen Dinge.

ill [ɪl] **1** *adj* **a** *pred* (*sick*) krank ▶ *to fall* or *be taken ~*

erkranken (*with sth* an etw *dat*), krank werden; *to feel ~* sich krank fühlen. **b** (*bad*) schlecht ▶ *~ feeling* böses Blut; *no ~ feeling!* Sie nehmen es mir hoffentlich nicht übel; *no ~ feeling!* ich nehme es Ihnen nicht übel; *due to ~ health* aus Gesundheitsgründen; *as ~ luck would have it* wie es der Teufel so will; *~ will* böses Blut; *I don't bear them any ~ will* ich trage ihnen nichts nach; *it's an ~ wind (that blows nobody any good)* (*Prov*) so hat alles seine guten Seiten. **2** *n to think ~ of sb* schlecht von jdm denken; *to speak ~ of sb* schlecht über jdn reden. **3** *adv schlecht ▶ he can ~ afford to refuse* er kann es sich (*dat*) schlecht leisten abzulehnen.

I'll [aɪl] = **I will; I shall.**

ill: *~-advised adj* unklug; *you would be ~-advised to trust her* Sie wären schlecht beraten, wenn Sie ihr trauten; *~-at-ease adj* unbehaglich; *~-behaved adj* ungezogen; *~-bred adj* schlecht erzogen; *~-considered adj action, words* unüberlegt; *~-defined adj* ungenau; *~-disposed adj to be ~-disposed to(wards) sb* jdm übel gesinnt sein.

illegal [ɪ'liːɡəl] *adj* unerlaubt; (*against a specific law*) gesetzwidrig; *trade, possession etc* illegal.

illegality [ˌɪliː'ɡælɪtɪ] *n see adj* Ungesetzlichkeit *f*; Gesetzwidrigkeit *f*; Illegalität *f*.

illegally [ɪ'liːɡəlɪ] *adv ~ imported* illegal eingeführt; *you're ~ parked* Sie stehen im Parkverbot.

illegible [ɪ'ledʒəbl] *adj* unleserlich.

illegitimate [ˌɪlɪ'dʒɪtɪmɪt] *adj* **a** *child* unehelich. **b** (*contrary to law*) unzulässig; *government* unrechtmäßig.

ill: *~-fated adj* vom Unglück verfolgt; **b** *~-founded adj* unbegründet; *~-gotten gains npl* unrechtmäßiger Gewinn; *~-humoured,* (*US*) *~-humored adj* schlecht gelaunt.

illicit [ɪ'lɪsɪt] *adj* illegal; *spirits* schwarz gebrannt.

ill-informed [ˌɪlɪn'fɔːmd] *adj person* schlecht informiert; *criticism, speech* wenig sachkundig.

illiteracy [ɪ'lɪtərəsɪ] *n* Analphabetentum *nt*.

illiterate [ɪ'lɪtərət] **1** *adj to be ~* Analphabet sein; (*uncultured*) *person* ungebildet. **2** *n* Analphabet(in *f*) *m*.

ill: *~-judged adj* unklug; *~-mannered adj* unhöflich; *~-natured adj* bösartig.

illness ['ɪlnɪs] *n* Krankheit *f*.

illogical [ɪ'lɒdʒɪkəl] *adj* unlogisch.

ill: *~-suited adj* (*to one another*) nicht zusammenpassend; (*to sth*) ungeeignet (*to* für); *~-tempered adj* schlechtgelaunt; (*habitually*) übellaunig; *~-timed adj* ungelegen; *~-treat vt* schlecht behandeln; *~-treatment n* schlechte Behandlung.

illuminate [ɪ'luːmɪneɪt] *vt* **a** *room, street* beleuchten; (*spotlight etc*) anstrahlen ▶ *~d display* Leuchtanzeige *f*; *~d sign/advertisement* Leuchtzeichen *nt*/ Leuchtreklame *f*. **b** (*fig*) *question, subject* erläutern.

illuminating [ɪ'luːmɪneɪtɪŋ] *adj* (*instructive*) aufschlußreich.

illumination [ɪˌluːmɪ'neɪʃən] *n* **a** (*of street etc*) Beleuchtung *f*. **b** *~s pl* festliche Beleuchtung *f*. **c** (*fig*) Erläuterung *f*.

illusion [ɪ'luːʒən] *n* Illusion *f* ▶ *to be under an ~* einer Täuschung (*dat*) unterliegen; *to be under the ~ that ...* sich (*dat*) einbilden, daß ...; *to have no ~s* sich (*dat*) keine Illusionen machen.

illusive [ɪ'luːsɪv], **illusory** [ɪ'luːsərɪ] *adj* trügerisch.

illustrate ['ɪləstreɪt] *vt* illustrieren; (*fig*) veranschaulichen ▶ *~d (magazine)* Illustrierte *f*.

illustration [ˌɪləs'treɪʃən] *n* (*picture*) Abbildung *f*, Illustration *f* ▶ *by way of ~* als Beispiel.

illustrative ['ɪləstrətɪv] *adj* veranschaulichend.

illustrator ['ɪləstreɪtə^r] *n* Illustrator *m*.

illustrious [ɪ'lʌstrɪəs] *adj* glanzvoll, gefeiert; *deeds* glorreich.

ILO = International Labour Organization IAO *f*.

I'm [aɪm] = **I am**.

image ['ɪmɪdʒ] *n* [a] (*carved etc*) Standbild *nt*; (*painted*) Bild *nt*; (*likeness*) Ebenbild *nt* ▸ *he is the living* or *spitting ~ of his father* er ist seinem Vater wie aus dem Gesicht geschnitten. [b] (*mental picture*) Vorstellung *f*, Bild *nt*. [c] (*public*) ~ Image *nt*.

imagery ['ɪmɪdʒərɪ] *n* Metaphorik *f*.

imaginable [ɪ'mædʒɪnəbl] *adj* denkbar ▸ *the fastest way* ~ der denkbar schnellste Weg.

imaginary [ɪ'mædʒɪnərɪ] *adj danger* eingebildet, imaginär; *characters* frei ersonnen, erfunden.

imagination [ɪˌmædʒɪ'neɪʃən] *n* (*creative*) Phantasie, Vorstellungskraft *f*; (*self-deceptive*) Einbildung *f* ▸ *to have (a vivid) ~* (eine lebhafte) Phantasie haben; *use your ~* lassen Sie Ihre Phantasie spielen; *it's only (your) ~!* das bilden Sie sich (*dat*) nur ein!

imaginative [ɪ'mædʒɪnətɪv] *adj* phantasievoll; *plan, idea also* einfallsreich.

imagine [ɪ'mædʒɪn] *vt* [a] (*picture*) sich (*dat*) vorstellen ▸ *I can't ~ what you mean* ich kann mir nicht vorstellen, was Sie meinen; *you can't ~ how ...* Sie können sich nicht vorstellen, wie ...; *you can't ~ it!* Sie machen sich keine Vorstellung davon! [b] (*be under illusion*) sich (*dat*) einbilden ▸ *don't ~ that ...* bilden Sie sich nur nicht ein, daß ...; *you're (just) imagining things* (*col*) Sie bilden sich das alles nur ein. [c] (*suppose*) annehmen ▸ *is it time now? — I would ~ so* ist es soweit? — ich denke schon; *I would never have ~d he would have done that* ich hätte nie gedacht, daß er das tun würde.

imbalance [ɪm'bæləns] *n* Unausgeglichenheit *f*.

imbecile ['ɪmbəsiːl] *n* Idiot, Schwachkopf *m*; (*Med*) Schwachsinnige(r) *mf*.

imbibe [ɪm'baɪb] *vt* (*form, hum*) trinken, bechern (*hum*).

imbue [ɪm'bjuː] *vt* (*fig*) erfüllen.

IMF = International Monetary Fund IWF *m*.

imitate ['ɪmɪteɪt] *vt* imitieren, nachahmen.

imitation [ˌɪmɪ'teɪʃən] [1] *n* Imitation, Nachahmung *f* ▸ *to do an ~ of sb* jdn imitieren *or* nachahmen.

[2] *adj* unecht ▸ *~ leather* Kunstleder *nt*.

imitative ['ɪmɪtətɪv] *adj* imitativ (*geh*).

imitator ['ɪmɪteɪtər] *n* Nachahmer, Imitator *m*.

immaculate [ɪ'mækjʊlɪt] *adj* tadellos; (*spotless*) makellos ▸ *the I~ Conception* die Unbefleckte Empfängnis.

immaculately [ɪ'mækjʊlɪtlɪ] *adv* tadellos; (*spotlessly*) makellos.

immaterial [ˌɪmə'tɪərɪəl] *adj* (*unimportant*) unwesentlich ▸ *it is quite ~ to me (whether) ...* es ist für mich unwichtig, (ob) ...; *that's (quite) ~* das spielt (überhaupt) keine Rolle.

immature [ˌɪmə'tjʊər] *adj* (*lit, fig*) unreif.

immaturity [ˌɪmə'tjʊərɪtɪ] *n* Unreife *f*.

immeasurable [ɪ'meʒərəbl] *adj* unermeßlich.

immediacy [ɪ'miːdɪəsɪ] *n* Unmittelbarkeit *f*; (*urgency*) Dringlichkeit *f*.

immediate [ɪ'miːdɪət] *adj* [a] (*instant*) umgehend ▸ *to take ~ action* sofort handeln. [b] *future etc* unmittelbar; *cause, successor also* direkt; *vicinity also* nächste ▸ *the ~ family* die engste Familie.

immediately [ɪ'miːdɪətlɪ] [1] *adv* sofort; *reply, return, depart also* umgehend ▸ *~ after/before* unmittelbar danach/davor.

[2] *conj* (*Brit*) sobald.

immemorial [ˌɪmɪ'mɔːrɪəl] *adj*: *from time ~* seit undenklichen Zeiten.

immense [ɪ'mens] *adj* enorm, immens.

immensely [ɪ'menslɪ] *adv* unheimlich (*col*), enorm; *grateful* äußerst.

immensity [ɪ'mensɪtɪ] *n* Unermeßlichkeit *f*.

immerse [ɪ'mɜːs] *vt* eintauchen (*in in* +*acc*) ▸ *to be ~d in water* unter Wasser sein; *to ~ oneself in sth* (*fig*) sich in etw (*acc*) vertiefen.

immersion [ɪ'mɜːʃən] *n* [a] Eintauchen *nt* ▸ *~ heater* (*Brit*) Wasserboiler *m*; (*for jug etc*) Tauchsieder *m*. [b] (*fig*) Vertieftsein *nt*.

immigrant ['ɪmɪgrənt] [1] *n* Einwanderer *m*, Einwanderin *f*.

[2] *attr ~ workers* ausländische Arbeitnehmer *pl*; (*esp in western Germany also*) Gastarbeiter *pl*.

immigrate ['ɪmɪgreɪt] *vi* einwandern (*to in* +*acc*).

immigration [ˌɪmɪ'greɪʃən] *n* Einwanderung, Immigration *f*; (*at airport etc*) Einwanderungsstelle *f*; (~ *authorities*) Einwanderungsbehörde *f* ▸ *to go through ~* die Einwanderungsformalitäten erledigen.

imminent ['ɪmɪnənt] *adj* bevorstehend ▸ *to be ~* unmittelbar bevorstehen.

immobile [ɪ'məʊbaɪl] *adj* unbeweglich; (*not able to move*) *person* bewegungslos.

immobility [ɪ'məʊ'bɪlɪtɪ] *n see adj* Unbeweglichkeit *f*; Bewegungslosigkeit *f*.

immobilize [ɪ'məʊbɪlaɪz] *vt traffic* zum Erliegen bringen; *army* bewegungsunfähig machen; (*Fin*) *capital* festlegen.

immoderate [ɪ'mɒdərɪt] *adj desire* übermäßig; *demands also* überzogen; *views* übersteigert.

immodest [ɪ'mɒdɪst] *adj* unbescheiden.

immodesty [ɪ'mɒdɪstɪ] *n* Unbescheidenheit *f*.

immoral [ɪ'mɒrəl] *adj action* unmoralisch; *behaviour also* unsittlich; *person also* sittenlos.

immorality [ˌɪmə'rælɪtɪ] *n* Unmoral *f*; (*of person also*) Sittenlosigkeit *f*; (*immoral act*) Unsittlichkeit *f*.

immortal [ɪ'mɔːtl] *adj* unsterblich.

immortality [ˌɪmɔː'tælɪtɪ] *n* Unsterblichkeit *f*.

immortalize [ɪ'mɔːtəlaɪz] *vt* unsterblich machen.

immovable [ɪ'muːvəbl] *adj* (*lit*) unbeweglich; (*fig*) *obstacle* unüberwindlich.

immune [ɪ'mjuːn] *adj* (*Med*) immun (*to* gegen); (*fig*) sicher (*from* vor +*dat*) ▸ *~ system* Immunsystem *nt*; *~ deficiency syndrome* Immunschwächekrankheit *f*.

immunity [ɪ'mjuːnɪtɪ] *n* (*Med, diplomatic*) Immunität *f*; (*fig*) Sicherheit *f*.

immunization [ˌɪmjʊnaɪ'zeɪʃən] *n* Immunisierung *f*.

immunize ['ɪmjʊnaɪz] *vt* immunisieren.

immunodeficiency [ˌɪmjʊnəʊdɪ'fɪʃənsɪ] *n* Immunschwäche *f*.

immutable [ɪ'mjuːtəbl] *adj* unveränderlich.

imp [ɪmp] *n* Kobold *m*; (*col: child also*) Schlingel *m* (*col*).

impact ['ɪmpækt] *n* Aufprall *m* (*on* auf +*acc*); (*of two moving objects*) Zusammenprall *m*; (*of falling object*) (*on house*) Einschlag *m* (*on* in +*acc*); (*on ground*) Aufschlag *m* (*on* auf +*dat*); (*force*) Wucht *f*; (*fig*) (Aus)wirkung *f* (*on* auf +*acc*) ▸ *on ~ (with)* beim Aufprall (auf +*acc*)/ Zusammenprall (mit) *etc*; *his speech had a great ~ on his audience* seine Rede machte großen Eindruck auf seine Zuhörer.

impair [ɪm'peər] *vt* beeinträchtigen.

impale [ɪm'peɪl] *vt* aufspießen (*on* auf +*dat*).

impart [ɪm'pɑːt] *vt* [a] *information* mitteilen; *knowledge* vermitteln. [b] (*bestow*) verleihen (*to dat*).

impartial [ɪm'pɑːʃəl] *adj person, attitude* unvoreingenommen; *decision also* gerecht.

impartiality [ɪmˌpɑːʃɪ'ælɪtɪ] *n see adj* Unvoreingenommenheit *f*; Gerechtigkeit *f*.

impassable [ɪm'pɑːsəbl] *adj* unpassierbar.

impasse [ɪm'pɑːs] *n* (*fig*) Sackgasse *f* ▸ *to have reached an ~* sich festgefahren haben.

impassioned [ɪm'pæʃnd] *adj* leidenschaftlich.

impassive [ɪm'pæsɪv] *adj* gelassen.

impatience [ɪm'peɪʃəns] *n* Ungeduld *f*; (*intolerance*)

Unduldsamkeit *f.*
impatient [ɪmˈpeɪʃənt] *adj* ungeduldig; (*intolerant*) unduldsam (*of* gegenüber).
impatiently [ɪmˈpeɪʃəntlɪ] *adv* ungeduldig.
impeach [ɪmˈpiːtʃ] *vt* [a] (*Jur: accuse*) *public official* (eines Amtsvergehens) anklagen. [b] *sb's character, motives* in Frage stellen.
impeachment [ɪmˈpiːtʃmənt] *n* (*Jur*) Anklage *f* (wegen eines Amtsvergehens).
impeccable [ɪmˈpekəbl] *adj* tadellos.
impecunious [ɪmpɪˈkjuːnɪəs] *adj* mittellos.
impede [ɪmˈpiːd] *vt person* hindern; *action, traffic* behindern.
impediment [ɪmˈpedɪmənt] *n* Hindernis *nt*; (*Med*) Behinderung *f* ▶ **speech** ~ Sprachfehler *m.*
impel [ɪmˈpel] *vt* [a] (*force*) **to** ~ **sb to do sth** jdn (dazu) nötigen, etw zu tun. [b] (*drive on*) (voran)treiben.
impending [ɪmˈpendɪŋ] *adj* bevorstehend; *storm also* heraufziehend; *danger* drohend.
impenetrable [ɪmˈpenɪtrəbl] *adj* undurchdringlich; *fortress* uneinnehmbar; *mind, mystery* unergründlich; *theory* undurchschaubar.
imperative [ɪmˈperətɪv] [1] *adj* **to be** ~ unbedingt nötig sein.
[2] *n* (*Gram*) Imperativ *m* ▶ **in the** ~ im Imperativ.
imperceptible [ɪmpəˈseptəbl] *adj* nicht wahrnehmbar; *difference also* unmerklich.
imperceptibly [ɪmpəˈseptɪblɪ] *adv* kaum wahrnehmbar; *move* kaum merklich.
imperfect [ɪmˈpɜːfɪkt] [1] *adj* [a] (*faulty*) unvollkommen; (*Comm*) *goods* fehlerhaft. [b] (*incomplete*) unvollständig.
[2] *n* (*Gram*) Imperfekt *nt.*
imperfection [ɪmpəˈfekʃən] *n* [a] *no pl see adj* Unvollkommenheit *f*; Unvollständigkeit *f.* [b] (*fault, defect*) Mangel *m.*
imperfectly [ɪmˈpɜːfɪktlɪ] *adv* unvollkommen; (*esp Comm*) fehlerhaft.
imperial [ɪmˈpɪərɪəl] *adj* [a] (*of empire*) Reichs-; (*of emperor*) kaiserlich, Kaiser-. [b] (*Brit*) *weights, measures* britisch.
imperialism [ɪmˈpɪərɪəlɪzəm] *n* Imperialismus *m.*
imperialist [ɪmˈpɪərɪəlɪst] *n* Imperialist(in *f*) *m.*
imperil [ɪmˈperɪl] *vt* gefährden.
imperious [ɪmˈpɪərɪəs] *adj* gebieterisch.
imperishable [ɪmˈperɪʃəbl] *adj* unverderblich.
impermeable [ɪmˈpɜːmɪəbl] *adj* undurchlässig.
impersonal [ɪmˈpɜːsnl] *adj* unpersönlich.
impersonate [ɪmˈpɜːsəneɪt] *vt* sich ausgeben als; (*take off*) imitieren, nachahmen.
impersonation [ɪmˌpɜːsəˈneɪʃən] *n see vt* Verkörperung *f*; Imitation, Nachahmung *f* ▶ **he does** ~**s of politicians** er imitiert Politiker.
impersonator [ɪmˈpɜːsəneɪtər] *n* (*Theat*) Imitator(in *f*) *m.*
impertinence [ɪmˈpɜːtɪnəns] *n* Unverschämtheit *f.*
impertinent [ɪmˈpɜːtɪnənt] *adj* unverschämt (*to* zu, gegenüber).
imperturbable [ɪmpəˈtɜːbəbl] *adj* unerschütterlich.
impervious [ɪmˈpɜːvɪəs] *adj* undurchlässig; (*fig*) unzugänglich (*to* für); (*criticism*) unberührt (*to* von).
impetuosity [ɪmˌpetjʊˈɒsɪtɪ] *n* [a] *see adj* Ungestüm *nt*; Impulsivität *f.* [b] (*impetuous behaviour*) ungestümes Handeln.
impetuous [ɪmˈpetjʊəs] *adj act, person* ungestüm; *decision* impulsiv.
impetus [ˈɪmpɪtəs] *n* (*lit, fig*) Impuls *m*; (*force*) Kraft *f*; (*momentum*) Schwung *m.*
impinge on [ɪmˈpɪndʒɒn] *vi +prep obj* sich auswirken auf (+*acc*), beeinflussen; (*on sb's rights etc also*) einschränken.

impish [ˈɪmpɪʃ] *adj* schelmisch.
implacable [ɪmˈplækəbl] *adj* unerbittlich.
implant [ɪmˈplɑːnt] [1] *vt* [a] (*fig*) einimpfen (*in sb* jdm). [b] (*Med*) einpflanzen.
[2] [ˈɪmplɑːnt] *n* Implantat *nt.*
implausible [ɪmˈplɔːzəbl] *adj* nicht plausibel; *story, excuse also* unglaubwürdig.
implement [ˈɪmplɪmənt] [1] *n* Gerät *nt*; (*tool also*) Werkzeug *nt.*
[2] [ɪmplɪˈment] *vt law* vollziehen; *promise* erfüllen; *plan etc* durchführen.
implementation [ˌɪmplɪmenˈteɪʃən] *n see vt* Vollzug *m*; Erfüllung *f*; Durchführung *f.*
implicate [ˈɪmplɪkeɪt] *vt* **to** ~ **sb in sth** jdn in etw verwickeln.
implication [ˌɪmplɪˈkeɪʃən] *n* Implikation *f*; (*of law, agreement etc also*) Auswirkung *f* ▶ **the possible** ~**s of his decision** die ganze Tragweite seiner Entscheidung; **by** ~ implizit.
implicit [ɪmˈplɪsɪt] *adj* [a] (*implied*) implizit; *threat also* indirekt; *recognition also* stillschweigend ▶ **to be** ~ **in sth** durch etw impliziert werden; (*in contract etc*) in etw (*dat*) impliziert sein. [b] (*unquestioning*) *confidence* absolut.
implicitly [ɪmˈplɪsɪtlɪ] *adv* [a] (*by implication*) implizit. [b] (*unquestioningly*) absolut.
implore [ɪmˈplɔːr] *vt person* anflehen.
imploring *adj*, ~**ly** *adv* [ɪmˈplɔːrɪŋ, -lɪ] flehend; *beg also* inständig.
imply [ɪmˈplaɪ] *vt* [a] andeuten, implizieren ▶ **are you** ~**ing ...?** wollen Sie damit vielleicht andeuten, daß ...?; **it implies that he has changed his mind** das deutet darauf hin, daß er es sich (*dat*) anders überlegt hat. [b] (*involve*) bedeuten.
impolite [ˌɪmpəˈlaɪt] *adj* unhöflich.
impoliteness [ˌɪmpəˈlaɪtnɪs] *n* Unhöflichkeit *f.*
imponderable [ɪmˈpɒndərəbl] *adj* unberechenbar.
import [1] [ˈɪmpɔːt] *n* [a] (*Comm*) Import *m*, Einfuhr *f.* [b] (*meaning*) Bedeutung *f.*
[2] [ɪmˈpɔːt] *vt* (*Comm*) einführen, importieren; (*Comp*) importieren.
importance [ɪmˈpɔːtəns] *n* Wichtigkeit *f*; (*significance also*) Bedeutung *f*; (*influence also*) Einfluß *m* ▶ **to be of no (great)** ~ nicht (besonders) wichtig sein; **to attach the greatest** ~ **to sth** einer Sache (*dat*) größte Bedeutung beimessen.
important [ɪmˈpɔːtənt] *adj* wichtig; (*significant also*) bedeutend; (*influential*) einflußreich ▶ **it's not** ~ (*doesn't matter*) das macht nichts; **to try to look** ~ sich (*dat*) ein gewichtiges Aussehen geben.
importantly [ɪmˈpɔːtəntlɪ] *adj* (*usu pej*) wichtigtuerisch (*pej*).
import *in cpds* Einfuhr-, Import-; ~ **ban** *n* Einfuhrverbot *nt*; ~ **duty** *n* Einfuhrzoll *m.*
importer [ɪmˈpɔːtər] *n* Importeur(in *f*) *m* (*of* von).
import: ~ **licence** (*Brit*) or **license** (*US*) *n* Einfuhrlizenz *f*; ~ **quota** Einfuhrkontingent *nt.*
impose [ɪmˈpəʊz] [1] *vt task, conditions* auferlegen (*on sb* jdm); *sanctions, fine* verhängen (*on gegen*); *tax* erheben ▶ **to** ~ **oneself on sb** sich jdm aufdrängen.
[2] *vi* zur Last fallen (*on sb* jdm) ▶ **to** ~ **on sb's kindness** jds Freundlichkeit ausnützen.
imposing [ɪmˈpəʊzɪŋ] *adj* beeindruckend; *appearance, building also* stattlich.
imposition [ˌɪmpəˈzɪʃən] *n* [a] *no pl see vt* Auferlegung *f*; Verhängung *f.* [b] (*tax*) Steuer *f* (*on* für, auf +*dat*). [c] (*taking advantage*) Zumutung *f* (*on* für) ▶ **if it's not too much of an** ~ wenn es nicht zuviel Mühe macht.
impossibility [ɪmˌpɒsəˈbɪlɪtɪ] *n* Unmöglichkeit *f.*
▼ **impossible** [ɪmˈpɒsəbl] [1] *adj* unmöglich ▶ ~**!** ausgeschlossen!

➤ SENTENCE BUILDER: **impossible:** 1 → 14.3

[2] *n* Unmögliche(s) *nt* ▶ **to ask for the** ~ Unmögliches verlangen; **to do the** ~ Unmögliches tun.

impossibly [ɪmˈpɒsəblɪ] *adv* unmöglich.

impostor [ɪmˈpɒstər] *n* Hochstapler(in *f*) *m*.

impotence [ˈɪmpətəns] *n see adj* Schwäche *f*; Impotenz *f*; Machtlosigkeit *f*.

impotent [ˈɪmpətənt] *adj* (*physically*) schwach; (*sexually*) impotent; (*fig*) machtlos; *rage* ohnmächtig.

impound [ɪmˈpaʊnd] *vt* [a] (*seize*) *goods* beschlagnahmen. [b] *cattle* einsperren; *car* abschleppen (lassen).

impoverished [ɪmˈpɒvərɪʃt] *adj* verarmt; *soil* ausgelaugt.

impoverishment [ɪmˈpɒvərɪʃmənt] *n* Verarmung *f*; (*of soil*) Auslaugung *f*.

impracticable [ɪmˈpræktɪkəbl] *adj* impraktikabel; *design, size* unbrauchbar; *road* schwer befahrbar.

impractical [ɪmˈpræktɪkəl] *adj* unpraktisch; *scheme also* unbrauchbar.

imprecise [ˌɪmprɪˈsaɪs] *adj* ungenau, unpräzis(e).

imprecision [ˌɪmprɪˈsɪʒən] *n* Ungenauigkeit *f*.

impregnable [ɪmˈpregnəbl] *adj fortress* uneinnehmbar; (*fig*) *position* unerschütterlich.

impregnate [ˈɪmpregneɪt] *vt* [a] (*saturate*) tränken. [b] (*Biol: fertilize*) befruchten; *humans also* schwängern.

impresario [ˌɪmpreˈsɑːrɪəʊ] *n* Theater-/Operndirektor *m*.

▼ **impress** [ɪmˈpres] *vt* [a] beeindrucken; (*memorably also*) Eindruck machen auf (+*acc*); (*arouse admiration in*) imponieren (+*dat*) ▶ **he ~ed me favourably/unfavourably** er hat einen/keinen guten Eindruck auf mich gemacht. [b] **to ~ a pattern onto sth** ein Muster auf etw (*acc*) aufdrücken.

▼ **impression** [ɪmˈpreʃən] *n* [a] Eindruck *m* ▶ **to make a good ~ on sb** einen guten Eindruck auf jdn machen; **first ~s** der erste Eindruck; **to give sb the ~ that ...** jdm den Eindruck vermitteln, daß ...; **I was under the ~ that ...** ich hatte den Eindruck, daß ... [b] (*on wax etc*) Abdruck *m*. [c] (*of book etc*) Nachdruck *m* ▶ **first ~** Erstdruck *m*. [d] (*take-off*) Nachahmung, Imitation *f* ▶ **to do an ~ of sb** jdn imitieren.

impressionable [ɪmˈpreʃnəbl] *adj* für Eindrücke empfänglich ▶ **at an ~ age** in einem Alter, in dem man für Eindrücke besonders empfänglich ist.

impressionism [ɪmˈpreʃənɪzəm] *n* Impressionismus *m*.

impressionist [ɪmˈpreʃənɪst] *n* Impressionist(in *f*) *m*.

impressive [ɪmˈpresɪv] *adj* beeindruckend; *performance, personality also* eindrucksvoll.

impressively [ɪmˈpresɪvlɪ] *adv see adj*.

imprint [ɪmˈprɪnt] [1] *vt seal, paper etc* aufprägen (*on* auf +*acc*); (*on paper*) aufdrucken (*on* auf +*acc*) ▶ **to ~ itself on sb's mind** sich jdm einprägen. [2] [ˈɪmprɪnt] *n* [a] (*on wax etc*) Abdruck *m*. [b] (*Typ*) Impressum *nt*.

imprison [ɪmˈprɪzn] (*lit*) inhaftieren; (*fig*) gefangenhalten.

imprisonment [ɪmˈprɪznmənt] *n* (*action*) Inhaftierung *f*; (*state*) Gefangenschaft *f* ▶ **to sentence sb to one month's** ~ jdn zu einem Monat Gefängnis verurteilen.

improbability [ɪmˌprɒbəˈbɪlɪtɪ] *n* Unwahrscheinlichkeit *f*.

▼ **improbable** [ɪmˈprɒbəbl] *adj* unwahrscheinlich.

impromptu [ɪmˈprɒmptjuː] [1] *adj* improvisiert ▶ ~ **speech** Stegreifrede *f*. [2] *adv* improvisiert; *perform* aus dem Stegreif.

improper [ɪmˈprɒpər] *adj* (*unsuitable*) unpassend; (*unseemly*) unschicklich; (*indecent*) unanständig; *use* unsachgemäß; *conduct* unehrenhaft.

improperly [ɪmˈprɒpəlɪ] *adv see adj*.

impropriety [ˌɪmprəˈpraɪətɪ] *n* Unschicklichkeit *f*.

▼ **improve** [ɪmˈpruːv] [1] *vt* verbessern; *production* steigern; *knowledge* erweitern; *low salaries* aufbessern ▶

to ~ one's mind sich weiterbilden.
[2] *vi* besser werden; *production* sich steigern; *situation, pupil* sich bessern ▶ **the patient is improving** dem Patienten geht es besser.

◆**improve (up)on** *vi* +*prep obj* übertreffen; *offer* überbieten.

improvement [ɪmˈpruːvmənt] *n see vt* Verbesserung *f*; Steigerung *f*; Erweiterung *f*; Aufbesserung *f*; (*in health*) Besserung *f*; (*in studies also*) Fortschritte *pl* ▶ **to carry out ~s to a house** ein Haus modernisieren; **it's an ~ on the old one** es ist eine Verbesserung gegenüber dem/der alten.

improvisation [ˌɪmprəvaɪˈzeɪʃən] *n* Improvisation *f*.

improvise [ˈɪmprəvaɪz] *vti* improvisieren.

imprudent [ɪmˈpruːdənt] *adj* unklug.

impudence [ˈɪmpjʊdəns] *n* Unverschämtheit, Frechheit *f*.

impudent [ˈɪmpjʊdənt] *adj* unverschämt.

impugn [ɪmˈpjuːn] *vt person* angreifen; *motives, honesty* in Zweifel ziehen.

impulse [ˈɪmpʌls] *n* Impuls *m* ▶ **on** ~ aus einem Impuls heraus; ~ **buying** spontanes Kaufen.

impulsive *adj*, **~ly** *adv* [ɪmˈpʌlsɪv, -lɪ] impulsiv; *act, remark also* spontan.

impulsiveness [ɪmˈpʌlsɪvnɪs] *n* Impulsivität *f*.

impunity [ɪmˈpjuːnɪtɪ] *n*: **with** ~ ungestraft.

impure [ɪmˈpjʊər] *adj water, food* verunreinigt; *thoughts, motives* unsauber.

impurity [ɪmˈpjʊərɪtɪ] *n see adj* Unreinheit *f*; Unsauberkeit *f*.

impute [ɪmˈpjuːt] *vt* zuschreiben (*to sb/sth* jdm/einer Sache).

IN (*US Post*) = **Indiana**.

in = **inch**.

in [ɪn] [1] *prep* [a] (*position*) in (+*dat*); (*with motion*) in (+*acc*) ▶ **it was** ~ **the car** es war im Auto; **he put it** ~ **the car** er legte es ins Auto; ~ **the street** auf der/die Straße; ~ **Thompson Street** in der Thompsonstraße; ~ **bed/prison** im Bett/Gefängnis; ~ **Germany/Iran/Switzerland/the United States** in Deutschland/im Iran/in der Schweiz/in den Vereinigten Staaten.

[b] **we find it** ~ **Dickens** wir finden das bei Dickens; **rare** ~ **a child of that age** selten bei einem Kind in diesem Alter; **we've got a good recruit** ~ **her** sie ist für uns eine gute neue Mitarbeiterin.

[c] (*time*) in (+*dat*); (*within*) innerhalb von ▶ ~ **1974** (im Jahre) 1974; ~ **the sixties** in den sechziger Jahren; ~ **June** im Juni; ~ **(the) spring** im Frühling; ~ **the morning(s)** morgens, am Morgen; ~ **the afternoon** am Nachmittag; ~ **the daytime** tagsüber; ~ **the evening** am Abend; **three o'clock** ~ **the afternoon** drei Uhr nachmittags; ~ **those days** damals; ~ **a week('s time)** in einer Woche; **I haven't seen him** ~ **years** ich habe ihn seit Jahren nicht mehr gesehen.

[d] (*manner, state, condition*) ~ **German** auf Deutsch; **to pay** ~ **dollars** in Dollar bezahlen; **to walk** ~ **twos** zu zweit gehen; ~ **anger** im Zorn; ~ **poverty** in Armut; **dressed** ~ **white** weiß gekleidet; **the lady** ~ **green** die Dame in Grün; **to write** ~ **ink** mit Tinte schreiben; **to die** ~ **hundreds** zu Hunderten sterben.

[e] (*ratio*) **there are 12 inches** ~ **a foot** ein Fuß hat 12 Zoll; **one** ~ **ten** jeder zehnte.

[f] (*in respect of*) **blind** ~ **the left eye** auf dem linken Auge *or* links blind; **a rise** ~ **prices** ein Preisanstieg *m*; **ten feet** ~ **height** zehn Fuß hoch; **five** ~ **number** fünf an der Zahl.

[g] (*occupation*) **he is** ~ **the army** er ist beim Militär; **he is** ~ **banking** er ist im Bankwesen (tätig).

[h] ~ **saying this, I want to ...** wenn ich das sage, will ich ...; ~ **trying to escape** beim Fluchtversuch; ~ **that** insofern als.

▶ SENTENCE BUILDER: **impress: a → 3   impression: a → 2.2   improbable → 14.2**

2 *adv* **a** da; (*at home also*) zu Hause ► *the train is* ~ der Zug ist da *or* angekommen; *the harvest is* ~ die Ernte ist eingebracht; *we were asked* ~ wir wurden hereingebeten. **b** *miniskirts are* ~ Miniröcke sind in (*col*). **c** (*phrases*) *he's* ~ *for a surprise/~ for it* der kann sich auf eine Überraschung/auf was (*col*) gefaßt machen; *we are* ~ *for rain* uns (*dat*) steht Regen bevor; *you don't know what you are* ~ *for* Sie wissen nicht, was Ihnen bevorsteht; *he hasn't got it* ~ *him* er hat nicht das Zeug dazu; *to have it* ~ *for sb* (*col*) es auf jdn abgesehen haben (*col*); *to be* ~ *on sth* an einer Sache beteiligt sein; *on secret etc* über etw (*acc*) Bescheid wissen.
3 *adj attr* (*col*) in *inv* (*col*) ► *an* ~ *subject* ein Modefach *nt*; *the* ~ *thing is to ...* es ist in (*col*) *or* zur Zeit Mode, zu ...
4 *n to know the* ~*s and outs of a matter* bei einer Sache genau Bescheid wissen.
inability [ˌɪnəˈbɪlɪtɪ] *n* Unfähigkeit *f*.
inaccessibility [ˈɪnæk،sesəˈbɪlɪtɪ] *n* Unzugänglichkeit *f*.
inaccessible [ˌɪnækˈsesəbl] *adj* unzugänglich.
inaccuracy [ɪnˈækjʊrəsɪ] *n see adj* Ungenauigkeit *f*; Unrichtigkeit *f*.
inaccurate [ɪnˈækjʊrɪt] *adj* ungenau; (*not correct*) unrichtig.
inaction [ɪnˈækʃən] *n* Untätigkeit *f*.
inactive [ɪnˈæktɪv] *adj* untätig; *volcano* erloschen.
inactivity [ˌɪnækˈtɪvɪtɪ] *n* Untätigkeit *f*; (*of mind*) Trägheit *f*; (*Comm*) Flaute *f*.
inadequacy [ɪnˈædɪkwəsɪ] *n see adj* Unzulänglichkeit *f*; Unangemessenheit *f*.
inadequate [ɪnˈædɪkwɪt] *adj* unzulänglich; *supplies, reasons also* unzureichend; *measures* unangemessen ► *she makes him feel* ~ sie gibt ihm das Gefühl der Unzulänglichkeit.
inadmissible [ˌɪnədˈmɪsəbl] *adj* unzulässig.
inadvertent [ˌɪnədˈvɜːtənt] *adj* unbeabsichtigt, ungewollt.
inadvertently [ˌɪnədˈvɜːtəntlɪ] *adv* versehentlich.
inadvisable [ˌɪnədˈvaɪzəbl] *adj* unratsam.
inane [ɪˈneɪn] *adj* dumm.
inanimate [ɪnˈænɪmɪt] *adj* leblos; *nature* unbelebt.
inanity [ɪˈnænɪtɪ] *n* Dummheit *f*.
inapplicable [ɪnˈæplɪkəbl] *adj answer* unzutreffend; *rules* nicht anwendbar (*to* auf +*acc*).
inappropriate [ˌɪnəˈprəʊprɪɪt] *adj* unpassend; *action also* unangemessen.
inapt [ɪnˈæpt] *adj* ungeschickt.
inaptitude [ɪnˈæptɪtjuːd] *n* (*for work etc*) Untauglichkeit *f*; (*of remark*) Ungeschicktheit *f*.
inarticulate [ˌɪnɑːˈtɪkjʊlɪt] *adj sounds, writings* unverständlich ► *she's very* ~ sie kann sich nur schlecht ausdrücken.
inartistic [ˌɪnɑːˈtɪstɪk] *adj* unkünstlerisch.
inasmuch [ɪnəzˈmʌtʃ] *adv.* ~ *as* da, weil; (*to the extent that*) insofern als.
inattention [ˌɪnəˈtenʃən] *n* Unaufmerksamkeit *f* ► ~ *to detail* Ungenauigkeit *f* im Detail.
inattentive [ˌɪnəˈtentɪv] *adj* unaufmerksam.
inaudible [ɪnˈɔːdəbl] *adj* unhörbar.
inaugural [ɪˈnɔːɡjʊrəl] *adj lecture* Antritts-.
inaugurate [ɪˈnɔːɡjʊreɪt] *vt president, official* (feierlich) in sein/ihr Amt einführen; *building* einweihen; *exhibition* eröffnen; *era* einleiten.
inauguration [ɪˌnɔːɡjʊˈreɪʃən] *n see vt* Amtseinführung *f*; Einweihung *f*; Eröffnung *f*; Beginn *m*.
inauspicious [ˌɪnɔːsˈpɪʃəs] *adj* unheilverheißend.
in-between [ˈɪnbɪˈtwiːn] (*col*) *adj* Mittel-, Zwischen- ► *it is sort of* ~ es ist so ein Mittelding; ~ *stage* Zwischenstadium *nt*; ~ *times* zwischendurch.
inborn [ˈɪnˈbɔːn] *adj* angeboren.

inbred [ˈɪnˈbred] *adj* angeboren.
inbreeding [ˈɪnˈbriːdɪŋ] *n* Inzucht *f*.
inbuilt [ˈɪnbɪlt] *adj* (*Tech*) integriert; (*fig: inborn*) angeboren.
Inc (*US*) = **Incorporated.**
Inca [ˈɪŋkə] *n* (*Hist*) Inka *m*.
incalculable [ɪnˈkælkjʊləbl] *adj amount* unermeßlich; *consequences* unabsehbar.
incantation [ˌɪnkænˈteɪʃən] *n* Zauber(spruch) *m*; (*act*) Beschwörung *f*.
incapable [ɪnˈkeɪpəbl] *adj person* unfähig; (*physically*) hilflos ► *to be* ~ *of doing sth* unfähig sein, etw zu tun; ~ *of working* arbeitsunfähig; ~ *of tenderness* zu Zärtlichkeit nicht fähig.
incapacitate [ˌɪnkəˈpæsɪteɪt] *vt* unfähig machen ► *physically* ~*d* körperlich behindert.
incapacity [ˌɪnkəˈpæsɪtɪ] *n* Unfähigkeit *f* (*for* für).
in-car [ˈɪnkɑːʳ] *adj attr* Auto-; *entertainment* während der Fahrt.
incarcerate [ɪnˈkɑːsəreɪt] *vt* einkerkern.
incarnate [ɪnˈkɑːnɪt] *adj* (*Rel*) menschgeworden; (*personified*) leibhaftig *attr*, in Person ► *the devil* ~ der leibhaftige Teufel.
incarnation [ˌɪnkɑːˈneɪʃən] *n* (*Rel*) Menschwerdung *f*; (*fig*) Verkörperung *f*.
incendiary [ɪnˈsendɪərɪ] **1** *adj* (*lit*) *bomb* Brand- ► ~ *device* Brandsatz *m*.
2 *n* (*bomb*) Brandbombe *f*.
incense¹ [ɪnˈsens] *vt* wütend machen ► ~*d* wütend, erbost (*at, by* über +*acc*).
incense² [ˈɪnsens] *n* (*Eccl*) Weihrauch *m*.
incentive [ɪnˈsentɪv] *n* Anreiz *m* ► ~ *bonus* Leistungszulage *f*; ~ *scheme* (*Ind*) Anreizsystem *nt*.
inception [ɪnˈsepʃən] *n* Beginn, Anfang *m* ► *from its* ~ von Anfang an.
incessant [ɪnˈsesnt] *adj* unaufhörlich; *noise* ununterbrochen.
incest [ˈɪnsest] *n* Inzest *m*.
incestuous [ɪnˈsestjʊəs] *adj* inzestuös.
inch [ɪntʃ] **1** *n* Zoll, Inch *m* ► *a few* ~*es* ≃ ein paar Zentimeter; ~ *by* ~ ≃ Zentimeter um Zentimeter; *he came within an* ~ *of victory* er hätte um ein Haar gewonnen; *the lorry missed me by* ~*es* der Lastwagen hat mich um Haaresbreite verfehlt; *he is every* ~ *a soldier* er ist vom Scheitel bis zur Sohle ein Soldat; *give him an* ~ *and he'll take a mile* (*prov*) wenn man ihm den kleinen Finger gibt, nimmt er die ganze Hand (*prov*).
2 *vi to* ~ *forward* sich millimeterweise vorwärtsbewegen; *because prices are* ~*ing up* weil die Preise allmählich ansteigen; *the Dutch swimmer is* ~*ing ahead* der holländische Schwimmer schiebt sich langsam an die Spitze.
incidence [ˈɪnsɪdəns] *n* (*of crime*) Häufigkeit *f* ► *angle of* ~ (*Opt*) Einfallswinkel *m*.
incident [ˈɪnsɪdənt] *n* (*event*) Ereignis *nt*, Vorfall *m*; (*diplomatic etc*) Zwischenfall *m* ► ~ *room* Einsatzzentrale *f*.
incidental [ˌɪnsɪˈdentl] *adj* (*secondary etc*) nebensächlich; *remark* beiläufig ► ~ *music* Begleitmusik *f*; (*for a play*) Bühnenmusik *f*; ~ *expenses* Nebenkosten *pl*.
incidentally [ˌɪnsɪˈdentəlɪ] *adv* (*by the way*) übrigens.
incinerate [ɪnˈsɪnəreɪt] *vt* verbrennen.
incinerator [ɪnˈsɪnəreɪtəʳ] *n* (Müll)verbrennungsanlage *f*; (*garden* ~) Verbrennungsofen *m*.
incipient [ɪnˈsɪpɪənt] *adj* beginnend.
incision [ɪnˈsɪʒən] *n* Schnitt *m*; (*Med*) Einschnitt *m*.
incisive [ɪnˈsaɪsɪv] *adj style* prägnant; *criticism* treffend; *mind* scharf; *person* scharfsinnig.
incisor [ɪnˈsaɪzəʳ] *n* Schneidezahn *m*.
incite [ɪnˈsaɪt] *vt* aufhetzen (*to* zu +*dat*).

incitement [ɪn'saɪtmənt] n Aufhetzung f.
incl = **inclusive; including** inkl.
inclement [ɪn'klemənt] adj weather unfreundlich.
inclination [ˌɪnklɪ'neɪʃən] n **a** Neigung f ▶ *he follows his (own)* ~*s* er tut das, wozu er Lust hat; *I have no* ~ *to see him again* ich habe kein Bedürfnis, ihn wiederzusehen; *he showed no* ~ *to leave* er machte keine Anstalten zu gehen. **b** (*of hill, slope etc*) Gefälle nt.
incline [ɪn'klaɪn] **1** vt **a** head, roof neigen. **b** (*dispose*) veranlassen, bewegen ▶ *this* ~*s me to think that he must be lying* das läßt mich vermuten, daß er lügt.
2 vi **a** (*slope*) sich neigen; (*ground also*) abfallen. **b** (*tend*) *to* ~ *to sth* zu etw neigen.
3 ['ɪnklaɪn] n Neigung f; (*of hill*) Abhang m; (*gradient: Rail etc*) Gefälle nt.
inclined [ɪn'klaɪnd] adj *to be* ~ *to do sth* (*wish to*) etw tun wollen; (*tend to*) dazu neigen, etw zu tun; *they are* ~ *to be late* sie kommen gern zu spät; *I am* ~ *to think that ...* ich neige zu der Ansicht, daß ...; *if you feel* ~ wenn Sie Lust haben; *if you're* ~ *that way* wenn Ihnen so etwas liegt; *I'm* ~ *to disagree* ich möchte da doch widersprechen; *it's* ~ *to break* das bricht leicht.
include [ɪn'kluːd] vt einschließen; (*on list, in group etc*) aufnehmen ▶ *the tip is not* ~*d in the bill* Trinkgeld ist in der Rechnung nicht inbegriffen; *the invitation* ~*s everybody* die Einladung betrifft alle; *the children* ~*d* einschließlich der Kinder; *does that* ~ *me?* gilt das auch für mich?
including [ɪn'kluːdɪŋ] prep einschließlich (+gen) ▶ ~ *service* inklusive Bedienung; *not* ~ *service* Bedienung nicht inbegriffen; *up to and* ~ *March 4th* bis einschließlich 4. März.
inclusion [ɪn'kluːʒən] n (*in a team, list*) Aufnahme f; (*of an ingredient*) Beigabe f.
inclusive [ɪn'kluːsɪv] adj einschließlich; price Pauschal- ▶ *to be* ~ *of* einschließlich (+gen) sein; *from 1st to 6th May* ~ vom 1. bis einschließlich 6. Mai.
incognito [ˌɪnkɒg'niːtəʊ] adv inkognito.
incoherent [ˌɪnkəʊ'hɪərənt] adj style, argument zusammenhanglos; speech also wirr; drunk etc schwer verständlich ▶ *he was totally* ~ man konnte ihn überhaupt nicht verstehen.
incoherently [ˌɪnkəʊ'hɪərəntlɪ] adv zusammenhanglos.
income ['ɪnkʌm] n Einkommen nt; (*receipts*) Einkünfte pl.
income: ~ **bracket** n Einkommensklasse f; ~ **group** n Einkommensgruppe f; ~**s policy** n Lohnpolitik f; ~ **support** n (*Brit*) ≃ Sozialhilfe f; ~ **tax** n Lohnsteuer f; ~ **tax return** n Steuererklärung f.
incoming ['ɪn,kʌmɪŋ] adj ankommend; train also einfahrend; orders etc eingehend ▶ ~ *mail* Eingänge pl; ~ *tide* (steigende) Flut.
incommunicado [ˌɪnkəmjunɪ'kɑːdəʊ] adj pred abgesondert ▶ *to be* ~ (*fig*) für niemanden zu sprechen sein.
incomparable [ɪn'kɒmpərəbl] adj nicht vergleichbar (*with* mit); beauty, skill unvergleichlich.
incomparably [ɪn'kɒmpərəblɪ] adv unvergleichlich.
incompatibility ['ɪnkəm,pætə'bɪlɪtɪ] n Unvereinbarkeit f.
incompatible [ˌɪnkəm'pætəbl] adj characters, ideas unvereinbar; technical systems also nicht zueinander passend; (*Comp*) nicht kompatibel; blood groups nicht miteinander verträglich ▶ *they are* ~ sie passen überhaupt nicht zueinander.
incompetence [ɪn'kɒmpɪtəns] n Unfähigkeit f; (*for job*) Untauglichkeit f.
incompetent [ɪn'kɒmpɪtənt] adj person unfähig; (*for sth*) untauglich; piece of work unzulänglich.
incompetently [ɪn'kɒmpɪtəntlɪ] adv stümperhaft.

incomplete [ˌɪnkəm'pliːt] adj collection, series unvollkommen, unvollständig; (*not finished also*) painting unfertig.
incompleteness [ˌɪnkəm'pliːtnɪs] n Unvollständigkeit f.
incomprehensible adj, ~**bly** adv [ɪn,kɒmprɪ'hensəbl, -ɪ] unverständlich; act also unbegreiflich.
inconceivable [ˌɪnkən'siːvəbl] adj unvorstellbar.
inconclusive [ˌɪnkən'kluːsɪv] adj result unbestimmt; action, investigation ergebnislos; (*not convincing*) argument nicht überzeugend.
incongruity [ˌɪnkɒŋ'gruːɪtɪ] n (*inappropriateness*) Unangebrachtsein nt; (*disparity*) Mißverhältnis nt (*of sth with sth* zwischen etw dat und etw dat).
incongruous [ɪn'kɒŋgruəs] adj couple, mixture nicht zusammenpassend attr, thing to do, behaviour, remark unpassend; (*out of place*) fehl am Platz.
inconsequential [ɪn,kɒnsɪ'kwenʃəl] adj irrelevant; (*not logical*) unlogisch; (*unimportant*) unwichtig.
inconsiderable [ˌɪnkən'sɪdərəbl] adj *a not* ~ *amount* ein nicht unbedeutender Betrag.
inconsiderate [ˌɪnkən'sɪdərɪt] adj rücksichtslos; (*in less critical sense*) unaufmerksam.
inconsistency [ˌɪnkən'sɪstənsɪ] n see adj **a** Widersprüchlichkeit f. **b** Unbeständigkeit f.
inconsistent [ˌɪnkən'sɪstənt] adj **a** (*contradictory*) widersprüchlich ▶ *to be* ~ *with sth* mit etw nicht übereinstimmen. **b** (*uneven, irregular*) work unbeständig; person also inkonsequent.
inconsolable [ˌɪnkən'səʊləbl] adj untröstlich.
inconspicuous [ˌɪnkən'spɪkjʊəs] adj unauffällig ▶ *he tried to make himself* ~ er versuchte, möglichst nicht aufzufallen.
inconstancy [ɪn'kɒnstənsɪ] n Unbeständigkeit f.
inconstant [ɪn'kɒnstənt] adj person unbeständig.
incontestable [ˌɪnkən'testəbl] adj unbestreitbar.
incontinence [ɪn'kɒntɪnəns] n (*Med*) Inkontinenz f (*spec*).
incontinent [ɪn'kɒntɪnənt] adj (*Med*) unfähig, Stuhl und/oder Harn zurückzuhalten.
incontrovertible [ɪn,kɒntrə'vɜːtəbl] adj unbestreitbar.
inconvenience [ˌɪnkən'viːnɪəns] **1** n Unannehmlichkeit f (*to sb* für jdn) ▶ *it was something of an* ~ *not having a car* es war ziemlich lästig, kein Auto zu haben; *I don't want to cause you any* ~ ich möchte Ihnen keine Umstände bereiten.
2 vt Umstände bereiten (+dat) ▶ *don't* ~ *yourself* machen Sie (sich dat) keine Umstände.
inconvenient [ˌɪnkən'viːnɪənt] adj time ungelegen; house, design unpraktisch; location ungünstig; journey beschwerlich ▶ *3 o'clock is very* ~ *for me* 3 Uhr kommt mir sehr ungelegen.
inconveniently [ˌɪnkən'viːnɪəntlɪ] adv timed ungelegen; placed ungünstig; laid out unpraktisch.
incorporate [ɪn'kɔːpəreɪt] vt **a** (*integrate*) aufnehmen, integrieren (*into* in +acc). **b** (*contain*) (in sich dat) enthalten.
incorporated [ɪn'kɔːpəreɪtɪd] adj (*US Comm*) als Aktiengesellschaft eingetragen.
incorrect [ˌɪnkə'rekt] adj **a** falsch; wording, calculation also fehlerhaft ▶ *that is* ~ das stimmt nicht. **b** dress, behaviour inkorrekt.
incorrectly [ˌɪnkə'rektlɪ] adv see adj; assume fälschlich(erweise).
incorrigible [ɪn'kɒrɪdʒəbl] adj unverbesserlich.
incorruptible [ˌɪnkə'rʌptəbl] adj unbestechlich.
increase [ɪn'kriːs] **1** vi zunehmen; (*taxes*) erhöht werden; (*strength, friendship*) wachsen; (*price, demand*) steigen; (*business, town*) sich vergrößern ▶ *to* ~ *in volume/weight* an Umfang/Gewicht zunehmen; *to* ~ *in size/number* sich vergrößern/vermehren.

2 *vt* vergrößern; *possessions, riches also* vermehren; *sales also* erweitern; *numbers, taxes, price, speed* erhöhen ▶ *he ~d his efforts* er strengte sich mehr an; *~d standard of living* höherer Lebensstandard; *~d efficiency* Leistungssteigerung *f.*

3 *n* Zunahme, Steigerung *f*; (*in size*) Vergrößerung, Erweiterung *f*; (*in number*) Zuwachs *m*, Zunahme *f*; (*in speed*) Erhöhung, Steigerung *f* (*in gen*); (*of business*) Erweiterung *f*; (*in sales*) Aufschwung *m*; (*of effort etc*) Steigerung *f*; (*of demand*) Steigen *nt*; (*of violence*) Anwachsen *nt* ▶ *to get an ~ of £15 per week* eine Lohnerhöhung von £15 pro Woche bekommen; *to be on the ~* ständig zunehmen; *rent ~* Mieterhöhung *f.*

increasing [ɪn'kriːsɪŋ] *adj* zunehmend, (an)wachsend ▶ *an ever ~ number of people are changing to ...* mehr und mehr Leute steigen auf (+*acc*) ... um.

increasingly [ɪn'kriːsɪŋlɪ] *adv* zunehmend, immer mehr ▶ *~, people are finding that ...* man findet in zunehmendem Maße, daß ...

incredible [ɪn'kredəbl] *adj* unglaublich; (*col also*) unwahrscheinlich gut/schlecht (*col*) ▶ *this music is ~* diese Musik ist sagenhaft (*col*); *you're ~* du bist wirklich unschlagbar.

incredibly [ɪn'kredəblɪ] *adv* unglaublich, unwahrscheinlich.

incredulity [ˌɪnkrɪ'djuːlɪtɪ] *n* Ungläubigkeit, Skepsis *f.*

incredulous [ɪn'kredjʊləs] *adj* ungläubig, skeptisch.

increment ['ɪnkrɪmənt] *n* (*in salary*) Gehaltserhöhung *f.*

incriminate [ɪn'krɪmɪneɪt] *vt* belasten.

incriminating [ɪn'krɪmɪneɪtɪŋ] *adj* belastend.

incubate ['ɪnkjʊbeɪt] 1 *vt egg* ausbrüten; *bacteria* züchten.
2 *vi* (*lit*) ausgebrütet werden.

incubation [ˌɪnkjʊ'beɪʃən] *n see vb* Ausbrüten *nt*; Züchten *nt* ▶ *~ period* (*Med*) Inkubationszeit *f.*

incubator ['ɪnkjʊbeɪtəʳ] *n* (*for babies*) Brutkasten *m*; (*for chickens*) Brutapparat *m.*

inculcate ['ɪnkʌlkeɪt] *vt* einimpfen (*in sb* jdm).

incumbent [ɪn'kʌmbənt] (*form*) 1 *adj to be ~ upon sb* jdm obliegen (*form*).
2 *n* Amtsinhaber *m.*

incur [ɪn'kɜːʳ] *vt anger, injury* sich (*dat*) zuziehen; *loss* erleiden; *debts, expenses* machen.

incurable [ɪn'kjʊərəbl] *adj* (*Med*) unheilbar; (*fig*) unverbesserlich.

incursion [ɪn'kɜːʃən] *n* Eindringen *nt* (*into* in +*acc*).

indebted [ɪn'detɪd] *adj to be ~ to sb for sth* jdm für etw (zu Dank) verpflichtet sein.

indecency [ɪn'diːsnsɪ] *n* Unanständigkeit *f.*

indecent [ɪn'diːsnt] *adj* unanständig, anstößig; (*Jur*) *act* unsittlich ▶ *~ assault* (*Brit*) Notzucht *f*; *~ exposure* Erregung *f* öffentlichen Ärgernisses; *with ~ haste* mit ungebührlicher Eile.

indecently [ɪn'diːsntlɪ] *adv* unanständig; (*Jur*) unsittlich ▶ *~ fast* (*col*) ungebührlich schnell.

indecipherable [ˌɪndɪ'saɪfərəbl] *adj* nicht zu entziffern *pred*, nicht zu entziffernd *attr*; *handwriting* unleserlich.

indecision [ˌɪndɪ'sɪʒən] *n* Unentschlossenheit *f.*

indecisive [ˌɪndɪ'saɪsɪv] *adj person, manner* unschlüssig, unentschlossen; *discussion* ergebnislos; *argument, battle* nicht entscheidend *attr*.

indeed [ɪn'diːd] *adv* a tatsächlich, wirklich ▶ *I feel, ~ I know he is right* ich habe das Gefühl, ja ich weiß (sogar), daß er recht hat; *isn't that wrong? — ~* ist das nicht falsch? — allerdings; *are you coming? — ~ I am!* kommst du? — aber sicher *or* natürlich; *may I open the window? — you may ~* darf ich das Fenster öffnen? — ja bitte!; *very hot ~* wirklich sehr heiß; *thank you very much ~* vielen herzlichen Dank. b (*admittedly*) zwar ▶ *there are ~ mistakes in it, but ...* es sind zwar Fehler darin, aber ... c (*expressing possibility*) *I may ~*

come es kann gut sein, daß ich komme.

indefatigable [ˌɪndɪ'fætɪgəbl] *adj* unermüdlich.

indefensible [ˌɪndɪ'fensəbl] *adj behaviour etc* unentschuldbar; *town etc* unhaltbar; *cause, theory* unvertretbar.

indefinable [ˌɪndɪ'faɪnəbl] *adj* undefinierbar; *feeling* unbestimmt.

indefinite [ɪn'defɪnɪt] *adj* unbestimmt; (*vague*) unklar, undeutlich.

indefinitely [ɪn'defɪnɪtlɪ] *adv wait etc* unendlich lange, endlos; *postpone* auf unbestimmte Zeit ▶ *we can't go on like this ~* wir können nicht endlos so weitermachen.

indelible [ɪn'deləbl] *adj ink* wasserfest; (*fig*) *impression* unauslöschlich ▶ *~ pencil* Kopierstift *m.*

indelicate [ɪn'delɪkət] *adj person* taktlos; (*crude*) geschmacklos.

indemnify [ɪn'demnɪfaɪ] *vt* a (*compensate*) entschädigen ▶ *to ~ sb for expenses* jdm seine Unkosten erstatten. b (*safeguard*) absichern (*from, against* gegen); (*insure*) versichern (*against, from* gegen).

indemnity [ɪn'demnɪtɪ] *n* a (*compensation*) (*for damage, loss etc*) Schadensersatz *m*, Entschädigung *f*; (*after war*) Wiedergutmachung *f.* b (*insurance*) Versicherung(sschutz *m*) *f.*

indent [ɪn'dent] *vt* (*Typ*) *line* einrücken.

indentation [ˌɪnden'teɪʃən] *n* (*in border*) Einschnitt *m*; (*Typ*) Einrückung *f*; (*in metal*) Delle *f.*

indented [ɪn'dentɪd] *adj* (*Typ*) eingerückt; (*Geog*) *coastline* zerklüftet.

independence [ˌɪndɪ'pendəns] *n see adj* Unabhängigkeit *f* (*of* von); Selbständigkeit *f* ▶ *I~ Day* (*US*) der Unabhängigkeitstag.

┌─────────────────────┐
│ **INDEPENDENCE DAY** │
└─────────────────────┘

ⓘ *Independence Day* (der 4. Juli) ist in den USA ein gesetzlicher Feiertag zum Gedenken an die Unabhängigkeitserklärung am 4. Juli 1776, mit der die 13 amerikanischen Kolonien ihre Freiheit und Unabhängigkeit von Großbritannien erklärten.

independent [ˌɪndɪ'pendənt] *adj* unabhängig (*of* von) (*also Pol*); parteilos (*Pol*); *person* (*in attitude, spirit also*) selbständig; *development* eigenständig ▶ *a man of ~ means* ein Mann mit Privateinkommen; *~ suspension* (*Aut*) Einzel(rad)aufhängung *f.*

independently [ˌɪndɪ'pendəntlɪ] *adv* (*on own initiative*) von allein(e).

in-depth ['ɪndepθ] *adj* eingehend, tiefschürfend.

indescribable [ˌɪndɪ'skraɪbəbl] *adj* unbeschreiblich; (*col: terrible*) schrecklich.

indestructible [ˌɪndɪ'strʌktəbl] *adj* unzerstörbar.

indeterminate [ˌɪndɪ'tɜːmɪnɪt] *adj* unbestimmt.

index ['ɪndeks] *n* a *pl* **-es** (*in book*) Register *nt*; (*of sources*) Quellenverzeichnis *nt.* b *pl* **indices** (*on scale*) (An)zeiger *m* ▶ *cost-of-living ~* Lebenshaltungskosten-Index *m.*

index card *n* Karteikarte *f.*

indexed ['ɪndekst] *adj* (*Econ*) *see* **index-linked**.

index: ~ finger *n* Zeigefinger *m*; **~-linked** *adj salaries* der Inflationsrate (*dat*) angeglichen; *pensions* dynamisch.

India ['ɪndɪə] *n* Indien *nt* ▶ *~ ink* (*esp US*) Tusche *f.*

Indian ['ɪndɪən] 1 *adj* a indisch. b (*American ~*) indianisch, Indianer- ▶ *~ ink* Tusche *f*; *~ Ocean* Indischer Ozean; *~ summer* Altweibersommer, Spätsommer *m.*
2 *n* a Inder(in *f*) *m.* b (*American ~*) Indianer(in *f*) *m*; (*Central/South American*) Indio *m.*

India rubber *n* Gummi, Kautschuk *m*; (*eraser*) Radiergummi *m.*

indicate ['ɪndɪkeɪt] 1 *vt* a (*point out, mark*) zeigen, bezeichnen; (*register*) *temperature etc* anzeigen. b (*show*) *feelings etc* andeuten, zeigen. [c] (*be a sign of, suggest*) schließen lassen auf (+*acc*), (hin)deuten auf (+*acc*) ▶ *this would definitely ~ that ...* das würde bestimmt darauf hindeuten, daß ...; *what does it ~ to you?* was schließen Sie daraus? [2] *vi* (*Aut*) blinken ▶ *to ~ (turning) right* rechts blinken.

indication [ˌɪndɪˈkeɪʃən] *n* (*sign*) (An)zeichen *nt* (*also Med*) (*of* für), Hinweis *m* (*of* auf +*acc*) ▶ *we had no ~ that ...* es gab kein Anzeichen dafür, daß ...; *if you could give me a rough ~ of ...* wenn Sie mir eine ungefähre Vorstellung davon geben könnten ...

indicative [ɪnˈdɪkətɪv] [1] *adj* [a] *to be ~ of sth* auf etw (*acc*) schließen lassen; *of sb's character* für etw bezeichnend sein. [b] (*Gram*) indikativisch. [2] *n* (*Gram*) Indikativ *m*.

indicator [ˈɪndɪkeɪtər] *n* (*gauge*) Anzeiger *m*; (*needle*) Zeiger *m*; (*Aut*) Blinker *m* ▶ *~ board* (*Rail*) Anzeigetafel *f*.

indices [ˈɪndɪsiːz] *pl of* **index.**

indict [ɪnˈdaɪt] *vt* (*charge*) anklagen, unter Anklage stellen; (*US Jur*) Anklage erheben gegen (*for* wegen +*gen*).

indictable [ɪnˈdaɪtəbl] *adj offence* strafbar.

indictment [ɪnˈdaɪtmənt] *n* (*of person*) Anklage, Anschuldigung *f* ▶ *to be an ~ of sth* (*fig*) ein Armutszeugnis für etw sein.

indifference [ɪnˈdɪfrəns] *n see adj* [a] Gleichgültigkeit *f* (*to, towards* gegenüber). [b] Mittelmäßigkeit *f*.

indifferent [ɪnˈdɪfrənt] *adj* [a] gleichgültig, indifferent (*geh*) (*to, towards* gegenüber) ▶ *he is quite ~ to her* sie ist ihm ziemlich gleichgültig. [b] (*mediocre*) mittelmäßig, durchschnittlich.

indigenous [ɪnˈdɪdʒɪnəs] *adj* einheimisch (*to* in +*dat*).

indigestible [ˌɪndɪˈdʒestəbl] *adj* unverdaulich.

indigestion [ˌɪndɪˈdʒestʃən] *n* Magenverstimmung *f*.

indignant [ɪnˈdɪɡnənt] *adj* entrüstet, empört (*at, about, with* über +*acc*) ▶ *to be/become ~* sich entrüsten.

indignantly [ɪnˈdɪɡnəntlɪ] *adv* entrüstet.

indignation [ˌɪndɪɡˈneɪʃən] *n* Entrüstung, Empörung *f* (*at, about, with* über +*acc*).

indignity [ɪnˈdɪɡnɪtɪ] *n* Demütigung *f*.

indigo [ˈɪndɪɡəʊ] [1] *n* Indigo *nt or m*. [2] *adj* indigofarben.

indirect [ˌɪndɪˈrekt] *adj* indirekt ▶ *by an ~ route* auf einem Umweg; *to make an ~ reference to sth* auf etw anspielen; *~ object* Dativobjekt *nt*; *~ speech or* (*US*) *discourse* indirekte Rede.

indirectly [ˌɪndɪˈrektlɪ] *adv* indirekt; (*in a roundabout way*) auf Umwegen.

indiscernible [ˌɪndɪˈsɜːnəbl] *adj* nicht erkennbar.

indiscreet [ˌɪndɪˈskriːt] *adj* indiskret; (*tactless*) taktlos.

indiscretion [ˌɪndɪˈskreʃən] *n see adj* Indiskretion *f*; Taktlosigkeit *f*; (*affair*) Affäre *f*.

indiscriminate [ˌɪndɪˈskrɪmɪnɪt] *adj* wahllos; *reader, shopper* unkritisch; *tastes* unausgeprägt.

indispensable [ˌɪndɪˈspensəbl] *adj* unentbehrlich (*to* für) ▶ *~ to life* lebensnotwendig.

indisposed [ˌɪndɪˈspəʊzd] *adj* (*unwell*) unwohl.

indisposition [ˌɪndɪspəˈzɪʃən] *n* Unwohlsein *nt*.

indisputable [ˌɪndɪˈspjuːtəbl] *adj* unbestreitbar; *evidence* unanfechtbar.

indisputably [ˌɪndɪˈspjuːtəblɪ] *adv* unbestreitbar.

indistinct [ˌɪndɪˈstɪŋkt] *adj* unklar, undeutlich.

indistinctly [ˌɪndɪˈstɪŋktlɪ] *adv* undeutlich; *remember* schwach, dunkel.

indistinguishable [ˌɪndɪˈstɪŋɡwɪʃəbl] *adj* nicht unterscheidbar (*from* von).

individual [ˌɪndɪˈvɪdjʊəl] [1] *adj* [a] (*separate*) einzeln ▶ *~ cases* Einzelfälle *pl*; *~ tastes differ* die Geschmäcker sind verschieden. [b] (*own*) eigen; (*for one person*) por-

tion etc einzeln, Einzel-. [c] (*distinctive*) eigen, individuell. [2] *n* Individuum *nt*, Einzelne(r) *mf*.

individualism [ˌɪndɪˈvɪdjʊəlɪzm] *n* Individualismus *m*.

individualist [ˌɪndɪˈvɪdjʊəlɪst] *n* Individualist(in *f*) *m*.

individuality [ˈɪndɪˌvɪdjʊˈælɪtɪ] *n* Individualität *f*.

individually [ˌɪndɪˈvɪdjʊəlɪ] *adv* individuell; (*separately*) einzeln.

indivisible [ˌɪndɪˈvɪzəbl] *adj* unteilbar (*also Math*).

Indo- [ˈɪndəʊ-] *pref* Indo-; **~china** *n* Indochina *nt*.

indoctrinate [ɪnˈdɒktrɪneɪt] *vt* indoktrinieren.

indoctrination [ɪnˌdɒktrɪˈneɪʃən] *n* Indoktrination *f*.

indolence [ˈɪndələns] *n* Trägheit *f*.

indolent [ˈɪndələnt] *adj* träge.

Indonesia [ˌɪndəʊˈniːzɪə] *n* Indonesien *nt*.

Indonesian [ˌɪndəʊˈniːzɪən] [1] *adj* indonesisch. [2] *n* [a] Indonesier(in *f*) *m*. [b] (*language*) Indonesisch *nt*.

indoor [ˈɪndɔːr] *adj plant, aerial* Zimmer-; *clothes* Haus-; *sport* Hallen- ▶ *~ games* Spiele *pl* für drinnen; (*Sport*) Hallenspiele *pl*; *~ photographs/photography* Innenaufnahmen *pl*; *~ swimming pool* Hallenbad *nt*; (*private*) überdachtes Schwimmbad.

indoors [ɪnˈdɔːz] *adv* drinnen, innen; (*at home*) zu Hause ▶ *to stay ~* im Haus bleiben, drin bleiben (*col*); *to go ~* ins Haus gehen.

indubitable [ɪnˈdjuːbɪtəbl] *adj* unzweifelhaft.

indubitably [ɪnˈdjuːbɪtəblɪ] *adv* zweifellos.

induce [ɪnˈdjuːs] *vt* [a] (*persuade*) dazu bewegen *or* bringen. [b] *reaction* bewirken, hervorrufen; *sleep* herbeiführen; *birth* einleiten ▶ *this drug ~s sleep* dieses Mittel hat eine einschläfernde Wirkung. [c] (*Elec*) *current* induzieren.

inducement [ɪnˈdjuːsmənt] *n* (*no pl: persuasion*) Überredung *f*; (*incentive*) Anreiz *m* ▶ *as an added ~* als besonderer Anreiz.

induction [ɪnˈdʌkʃən] *n* [a] (*of sleep, reaction etc*) Herbeiführen *nt*; (*of birth*) Einleitung *f*. [b] (*Philos, Elec*) Induktion *f*. [c] (*of official, priest*) Amtseinführung *f*.

indulge [ɪnˈdʌldʒ] [1] *vt desires etc* nachgeben (+*dat*); *person also* nachsichtig sein mit; (*over~*) *children* verwöhnen ▶ *to ~ oneself in sth* sich (*dat*) etw gönnen. [2] *vi to ~ in sth* sich (*dat*) etw gönnen *or* genehmigen (*col*); (*in vice, drink*) einer Sache (*dat*) frönen ▶ *I don't ~* (*drink/smoke*) ich trinke/rauche nicht.

indulgence [ɪnˈdʌldʒəns] *n* [a] Nachsicht *f*; (*of appetite etc*) Nachgiebigkeit *f* (*of* gegenüber); (*over~*) Verwöhnen *nt* ▶ *the ~ of his wishes* das Erfüllen seiner Wünsche. [b] (*in activity, drink etc*) *~ in drink* übermäßiges Trinken. [c] (*thing indulged in*) Luxus *m*; (*food, drink, pleasure*) Genuß *m*.

indulgent [ɪnˈdʌldʒənt] *adj* (*to* gegenüber) nachsichtig; *mother etc also* nachgiebig; (*to one's own desires etc*) zu nachgiebig.

industrial [ɪnˈdʌstrɪəl] *adj worker, equipment, state, town etc* Industrie-; *production also* industriell; *training, accident* Betriebs- ▶ *~ action* Arbeitskampfmaßnahmen *pl*; *to take ~ action* in den Ausstand treten; *~ design* Industriedesign *nt*; *~ dispute* Arbeitskonflikt *m*; *~ espionage* Industriespionage *f*; *~ estate* (*Brit*) Industriegelände *nt*; *~ injury* Arbeitsverletzung *f*; *~ park* (*US*) Industriegelände *nt*; *~ relations* Beziehungen *pl* zwischen Arbeitgebern und Gewerkschaften; (*in particular company also*) Betriebsklima *nt*; *I~ Revolution* Industrielle Revolution; *~ tribunal* Arbeitsgericht *nt*; *~ unrest* Arbeitsunruhen *pl*; *~ waste* Industriemüll *m*.

industrialist [ɪnˈdʌstrɪəlɪst] *n* Industrielle(r) *mf*.

industrialization [ɪnˌdʌstrɪəlaɪˈzeɪʃən] *n* Industrialisierung *f*.

industrialize [ɪnˈdʌstrɪəlaɪz] *vti* industrialisieren ▶ *~d countries* Industrieländer *pl*.

industrious [ɪn'dʌstrɪəs] *adj* fleißig.

industry ['ɪndəstrɪ] *n* [a] Industrie *f* ▸ *heavy/light* ~ Schwer-/Leichtindustrie *f*; *in certain industries* in einigen Branchen. [b] (*industriousness*) Fleiß *m*.

inebriated [ɪ'niːbrɪeɪtɪd] *adj* [a] (*form*) unter starkem Alkoholeinfluß (*form*). [b] (*fig*) berauscht.

inedible [ɪn'edɪbl] *adj* nicht eßbar; (*foul-tasting*) ungenießbar.

ineffective [ˌɪnɪ'fektɪv] *adj* unwirksam, ineffektiv; *person* unfähig, untauglich.

ineffectual [ˌɪnɪ'fektjʊəl] *adj* ineffektiv.

inefficiency [ˌɪnɪ'fɪʃənsɪ] *n see adj* Unfähigkeit *f*; Inkompetenz *f*; Leistungsunfähigkeit *f*.

inefficient [ˌɪnɪ'fɪʃənt] *adj person* unfähig, inkompetent; *machine*, *company* leistungsschwach; *method* unrationell.

inelegant [ɪn'elɪgənt] *adj* unelegant; *clothes also* ohne Schick.

ineligible [ɪn'elɪdʒəbl] *adj* (*for benefits, grant*) nicht berechtigt (*for* zu +*dat*); (*for job*) ungeeignet ▸ ~ *for a pension* nicht pensionsberechtigt.

inept [ɪ'nept] *adj* ungeschickt; *remark* unpassend; *attempt* plump; *comparison* ungeeignet.

ineptitude [ɪ'neptɪtjuːd] *n see adj* Ungeschicktheit *f*; Plumpheit *f*; Ungeeignetheit *f*.

inequality [ˌɪnɪ'kwɒlɪtɪ] *n* Ungleichheit *f*.

inequitable [ɪn'ekwɪtəbl] *adj* ungerecht.

ineradicable [ˌɪnɪ'rædɪkəbl] *adj disease*, *prejudice* unausrottbar; *feelings* unauslöschlich.

inert [ɪ'nɜːt] *adj* unbeweglich; (*Phys*) *matter* träge; (*Chem*) *substance* inaktiv ▸ ~ *gas* Edelgas *nt*.

inertia [ɪ'nɜːʃə] *n* (*lit, fig*) Trägheit *f* ▸ ~-*reel seat belt* Automatikgurt *m*.

inescapable [ˌɪnɪs'keɪpəbl] *adj* unvermeidlich.

inessential [ˌɪnɪ'senʃəl] *adj* unwesentlich.

inestimable [ɪn'estɪməbl] *adj* unschätzbar.

inevitability [ɪnˌevɪtə'bɪlɪtɪ] *n* Unvermeidlichkeit *f*.

inevitable [ɪn'evɪtəbl] *adj* unvermeidlich.

inevitably [ɪn'evɪtəblɪ] *adv* zwangsläufig.

inexact *adj*, ~**ly** *adv* [ˌɪnɪg'zækt, -lɪ] ungenau.

inexcusable *adj*, ~**bly** *adv* [ˌɪnɪks'kjuːzəbl, -ɪ] unverzeihlich.

inexhaustible [ˌɪnɪg'zɔːstəbl] *adj source* nie versiegend; *wealth, patience* unerschöpflich.

inexorable *adj*, ~**bly** *adv* [ɪn'eksərəbl, -ɪ] (*relentless(ly)*) unerbittlich; (*not to be stopped*) unaufhaltsam.

inexpensive [ˌɪnɪk'spensɪv] *adj* billig, preisgünstig.

inexperience [ˌɪnɪk'spɪərɪəns] *n* Unerfahrenheit *f*.

inexperienced [ˌɪnɪk'spɪərɪənst] *adj* unerfahren; *skier etc* ungeübt.

inexpert *adj*, ~**ly** *adv* [ɪn'ekspɜːt, -lɪ] unfachmännisch, laienhaft; (*untrained*) ungeübt.

inexplicable [ˌɪnɪk'splɪkəbl] *adj* unerklärlich.

inexplicably [ˌɪnɪk'splɪkəblɪ] *adv* (+*adj*) unerklärlich; (+*vb*) unerklärlicherweise.

inexpressible [ˌɪnɪk'spresəbl] *adj* unbeschreiblich; *pain, joy also* unsagbar.

inexpressive [ˌɪnɪk'spresɪv] *adj face* ausdruckslos; *word* nichtssagend; *style* ohne Ausdruckskraft.

inextricable [ˌɪnɪk'strɪkəbl] *adj tangle* unentwirrbar; *confusion* unüberschaubar.

inextricably [ˌɪnɪk'strɪkəblɪ] *adv entangled* unentwirrbar; *linked* untrennbar.

infallibility [ɪnˌfælə'bɪlɪtɪ] *n* Unfehlbarkeit *f*.

infallible *adj*, ~**bly** *adv* [ɪn'fæləbl, -ɪ] unfehlbar.

infamous ['ɪnfəməs] *adj* berüchtigt, verrufen; *deed* niederträchtig.

infamy ['ɪnfəmɪ] *n see adj* Verrufenheit *f*; Niedertracht *f*.

infancy ['ɪnfənsɪ] *n* frühe Kindheit *f*; (*fig*) Anfangsstadium *nt* ▸ *data processing is no longer in its* ~ die Datenverarbeitung steckt nicht mehr in den Kinderschuhen.

infant ['ɪnfənt] *n* (*baby*) Säugling *m*; (*young child*) Kleinkind *nt* ▸ ~ *mortality* Säuglingssterblichkeit *f*; ~ *school* (*Brit*) Grundschule *f* für die ersten beiden Jahrgänge.

infantile ['ɪnfəntaɪl] *adj* (*childish*) kindisch, infantil.

infantry ['ɪnfəntrɪ] *n* (*Mil*) Infanterie *f*.

infantryman ['ɪnfəntrɪmən] *n*, *pl* -**men** [-mən] Infanterist *m*.

infatuated [ɪn'fætjʊeɪtɪd] *adj* vernarrt, verknallt (*col*) (*with* in +*acc*) ▸ *to become* ~ *with sb* sich in jdn verrnarren; ~ *with sth* von etw besessen.

infatuation [ɪnˌfætjʊ'eɪʃən] *n* Vernarrtheit *f* (*with* in +*acc*).

infect [ɪn'fekt] *vt wound* infizieren; *water* verseuchen; *meat* verderben; (*fig: with enthusiasm etc*) anstecken ▸ *his wound became* ~*ed* seine Wunde entzündete sich.

infection [ɪn'fekʃən] *n* (*illness*) Infektion, Entzündung *f*; (*of water*) Verseuchung *f*.

infectious [ɪn'fekʃəs] *adj* (*Med, fig*) ansteckend.

infer [ɪn'fɜːr] *vt* [a] schließen, folgern (*from* aus). [b] (*imply*) andeuten.

inference ['ɪnfərəns] *n* Schluß(folgerung *f*) *m*.

inferior [ɪn'fɪərɪər] *adj* (*in quality*) minderwertig; *quality also* geringer; *person* unterlegen; *court* untergeordnet.

inferiority [ɪnˌfɪərɪ'ɒrɪtɪ] *n* (*in quality*) Minderwertigkeit *f*; (*of person*) Unterlegenheit *f* (*to* gegenüber) ▸ ~ *complex* Minderwertigkeitskomplex *m*.

infernal [ɪn'fɜːnl] *adj* (*lit*) Höllen-; (*fig*) *scheme* teuflisch; (*col*) *noise* höllisch.

inferno [ɪn'fɜːnəʊ] *n* (*hell*) Hölle *f*, Inferno *nt*; (*blazing house etc*) Flammenmeer *nt* ▸ *a blazing* ~ ein flammendes Inferno.

infertile [ɪn'fɜːtaɪl] *adj soil, womb* unfruchtbar; *mind* ideenlos.

infertility [ˌɪnfɜː'tɪlɪtɪ] *n see adj* Unfruchtbarkeit *f*; Ideenlosigkeit *f*.

infest [ɪn'fest] *vt* (*vermin*) herfallen über (+*acc*); (*plague*) befallen ▸ *to be* ~*ed with disease/rats* verseucht/mit Ratten verseucht sein; *to be* ~*ed with lice etc* von Läusen etc befallen sein.

infidelity [ˌɪnfɪ'delɪtɪ] *n* Untreue *f*.

in-fighting ['ɪnfaɪtɪŋ] *n* (*fig*) interner Machtkampf.

infiltrate ['ɪnfɪltreɪt] [1] *vt troops* infiltrieren; (*Pol*) *organization also* unterwandern; *spies* einschleusen. [2] *vi* (*Mil*) eindringen (*into* in +*acc*); (*spy also*) sich einschleusen (*into* in +*acc*).

infiltration [ˌɪnfɪl'treɪʃən] *n* (*Mil*) Infiltration *f*; (*Pol also*) Unterwanderung *f*.

infiltrator ['ɪnfɪlˌtreɪtər] *n* (*Mil*) Eindringling *m*; (*Pol*) Unterwanderer *m*.

infinite ['ɪnfɪnɪt] *adj* (*lit*) unendlich; (*fig also*) *trouble, pleasure* grenzenlos ▸ *an* ~ *amount of time* unendlich viel Zeit.

infinitely ['ɪnfɪnɪtlɪ] *adv* unendlich; (*fig also*) grenzenlos; *improved* ungeheuer; *better, worse* unendlich viel.

infinitesimal [ˌɪnfɪnɪ'tesɪməl] *adj* unendlich klein.

infinitive [ɪn'fɪnɪtɪv] *n* Infinitiv *m*.

infinity [ɪn'fɪnɪtɪ] *n* (*lit*) Unendlichkeit *f*; (*fig also*) Grenzenlosigkeit *f*; (*Math*) das Unendliche ▸ *to* ~ (bis) ins Unendliche; "~" (*Phot*) „unendlich".

infirm [ɪn'fɜːm] *adj* gebrechlich, schwach.

infirmary [ɪn'fɜːmərɪ] *n* Krankenhaus *nt*; (*in school etc*) Krankenzimmer *nt*; (*in prison, barracks*) Krankenstation *f*.

infirmity [ɪn'fɜːmɪtɪ] *n* Gebrechlichkeit *f*.

inflame [ɪn'fleɪm] *vt* [a] (*Med*) entzünden ▸ *to become* ~*d* sich entzünden. [b] *person* aufbringen; *feelings* entflammen; *anger* erregen.

inflammable [ɪn'flæməbl] *adj* (*lit*) feuergefährlich, (leicht) entzündbar; (*fig*) *situation* brisant.

inflammation [ˌɪnflə'meɪʃən] *n* (*Med*) Entzündung *f*.

inflammatory [ɪnˈflæmətərɪ] *adj speech* aufrührerisch.
inflatable [ɪnˈfleɪtɪbl] *adj* aufblasbar ► ~ *dinghy* Schlauchboot *nt*.
inflate [ɪnˈfleɪt] *vt* a aufpumpen; (*by mouth*) aufblasen. b (*Econ*) *prices* steigern, hochtreiben. c (*fig*) steigern.
inflated [ɪnˈfleɪtɪd] *adj prices* überhöht, inflationär; *pride* übersteigert; *style* geschwollen ► *to have an ~ opinion of oneself* ein übertriebenes Selbstbewußtsein haben.
inflation [ɪnˈfleɪʃən] *n* (*Econ*) Inflation *f* ► *to fight ~* die Inflation bekämpfen; *5% ~* eine Inflationsrate von 5%.
inflationary [ɪnˈfleɪʃənərɪ] *adj* inflationär, inflationistisch (*pej*) ► *the ~ spiral* die Inflationsspirale.
inflation-proof [ɪnˈfleɪʃən,pruːf] *adj* inflationssicher.
inflect [ɪnˈflekt] *vt* (*Gram*) flektieren, beugen.
inflexibility [ɪn,fleksɪˈbɪlɪtɪ] *n see adj* mangelnde Flexibilität *f*; Sturheit *f*; Unbiegsamkeit, Steifheit *f*.
inflexible [ɪnˈfleksəbl] *adj attitude, opinion* wenig flexibel; *person also* stur; *substance, object* unbiegsam, steif.
inflict [ɪnˈflɪkt] *vt punishment* verhängen (*on, upon* gegen); *suffering* zufügen (*on or upon sb* jdm); *wound* beibringen (*on or upon sb* jdm) ► *to ~ oneself on sb* sich jdm aufdrängen.
in-flight [ˈɪnflaɪt] *adj attr* während des Fluges ► ~ *entertainment* Bordprogramm *nt*.
influence [ˈɪnfluəns] 1 *n* Einfluß *m* ► *to have an ~ on sb/sth* (*person*) Einfluß auf jdn/etw haben; (*fact, weather etc also*) Auswirkungen *pl* auf jdn/etw haben; *to have a great deal of ~ with sb* großen Einfluß bei jdm haben; *he's been a bad ~ on you* er war ein schlechter Einfluß für Sie; *she is a good ~ on the pupils* sie hat einen guten Einfluß auf die Schüler; *to exert an ~ on sb* Einfluß auf jdn ausüben; *under the ~ of drink* unter Alkoholeinfluß; *under the ~* (*col*) betrunken. 2 *vt* beeinflussen ► *to be easily ~d* leicht beeinflußbar sein.
influential [,ɪnfluˈenʃəl] *adj* einflußreich.
influenza [,ɪnfluˈenzə] *n* Grippe *f*.
influx [ˈɪnflʌks] *n* (*of capital*) Zufuhr *f*; (*of people*) Zustrom *m*; (*of ideas etc*) Zufluß *m*.
info [ˈɪnfəʊ] *n* (*col*) Auskunft *f*.
infomercial [ˈɪnfəʊmɜːʃəl] *n als Informationssendung getarntes Werbevideo* Infomercial *nt*.
inform [ɪnˈfɔːm] 1 *vt* benachrichtigen, informieren (*about +acc*); unterrichten ► *to ~ sb of sth* jdn von etw unterrichten, jdn über etw informieren; *I am pleased to ~ you that ...* ich freue mich, Ihnen mitteilen zu können, daß ...; *to ~ the police* die Polizei benachrichtigen; *to keep sb/oneself ~ed* jdn/sich auf dem laufenden halten (*of* über *+acc*); *why was I not ~ed?* warum wurde mir das nicht mitgeteilt? 2 *vi to ~ against or on sb* jdn anzeigen *or* denunzieren (*pej*).
informal [ɪnˈfɔːməl] *adj* (*not official*) *meeting* informell; *visit* inoffiziell; (*without ceremony*) *meeting, language* ungezwungen; *manner* leger; *restaurant* gemütlich ► *"dress ~"* „zwanglose Kleidung".
informality [,ɪnfɔːˈmælɪtɪ] *n see adj* informeller Charakter; inoffizieller Charakter; Ungezwungenheit *f*; legere Art; Gemütlichkeit *f*.
informally [ɪnˈfɔːməlɪ] *adv* (*unofficially*) inoffiziell; (*casually, without ceremony*) zwanglos, ungezwungen.
informant [ɪnˈfɔːmənt] *n* Informant *m*.
informatics [,ɪnfəˈmætɪks] *n sing* Informatik *f*.
▼ **information** [,ɪnfəˈmeɪʃən] *n* Auskunft *f*, Informationen *pl* ► *a piece of ~* eine Auskunft, eine Information; *for your ~* zu Ihrer Information; (*indignantly*) damit Sie es wissen!; *to give sb ~ about or on sb/sth* jdm Auskunft *or* Informationen über jdn/etw geben; *to get ~ about or on sb/sth* sich über jdn/etw informieren; *detailed ~* Einzelheiten *pl*.

information: ~ **bureau** *n* Auskunft(sbüro *nt*) *f*; (*for tourist ~*) Verkehrsbüro *nt*; ~ **desk** *n* Informationsschalter *m*; ~ **officer** *n* Auskunftsbeamte(r) *m*; ~ **processing** *n* Informationsverarbeitung *f*; ~ **retrieval** *n* Informations- *or* Datenabruf *m*; ~ **science** *n* Informatik *f*; ~ **superhighway** *n* Datenautobahn *f*; ~ **technology** *n* Informationstechnik *f*.
informative [ɪnˈfɔːmətɪv] *adj* aufschlußreich; *book, lecture also* lehrreich.
informed [ɪnˈfɔːmd] *adj observers* informiert, (gut) unterrichtet; (*educated*) gebildet.
informer [ɪnˈfɔːməʳ] *n* Informant, Denunziant (*pej*) *m* ► *police ~* Polizeispitzel *m* (*pej*); *to turn ~* seine Mittäter verraten.
infotainment [ɪnfəʊˈteɪnmənt] *n* (*Brit, TV*) Infotainment *nt*.
infra dig [ˈɪnfrəˈdɪg] *adj* (*col*) *he considers it ~* er hält es für unter seiner Würde.
infra-red [,ɪnfrəˈred] *adj* infrarot.
infrastructure [ˈɪnfrə,strʌktʃəʳ] *n* Infrastruktur *f*.
infrequent [ɪnˈfriːkwənt] *adj* selten ► *at ~ intervals* in großen Abständen.
infrequently [ɪnˈfriːkwəntlɪ] *adv* selten.
infringe [ɪnˈfrɪndʒ] 1 *vt* verstoßen gegen; *law, copyright also* verletzen. 2 *vi to ~ (up)on sb's privacy* in jds Privatsphäre (*acc*) eingreifen.
infringement [ɪnˈfrɪndʒmənt] *n* a *an ~ (of a rule)* ein Regelverstoß *m*; ~ *of the law* Gesetzesverletzung *or* -übertretung *f*; ~ *of a patent/copyright* Patentverletzung *f*/Verletzung *f* des Urheberrechts. b (*of privacy*) Eingriff *m* (*of in +acc*).
infuriate [ɪnˈfjʊərɪeɪt] *vt* wütend *or* rasend machen ► *to be/get ~d* wütend *or* rasend sein/werden.
infuriating [ɪnˈfjʊərɪeɪtɪŋ] *adj* (äußerst) ärgerlich ► *an ~ habit* eine Unsitte; *an ~ person* ein Mensch, der einen zur Raserei bringen kann.
infuse [ɪnˈfjuːz] 1 *vt* a *courage etc* einflößen (*into sb* jdm) ► *they were ~d with new hope* sie waren von neuer Hoffnung erfüllt. b (*Cook*) *tea* aufgießen. 2 *vi* (*tea*) ziehen.
infusion [ɪnˈfjuːʒən] *n* a (*of hope etc*) Einflößen *nt*. b (*Cook*) Aufguß *m*; (*tea-like*) Tee *m*. c (*Med*) Infusion *f*.
ingenious [ɪnˈdʒiːnɪəs] *adj* genial; *person also* erfinderisch; *device also* raffiniert.
ingeniously [ɪnˈdʒiːnɪəslɪ] *adj* genial; *designed also* raffiniert.
ingenuity [,ɪndʒɪˈnjuːɪtɪ] *n* Genialität *f*; (*of person also*) Einfallsreichtum *m*; (*of device also*) Raffiniertheit *f*.
ingenuous [ɪnˈdʒenjʊəs] *adj* a (*candid*) aufrichtig. b (*naive*) naiv.
ingot [ˈɪŋgət] *n* Barren *m*.
ingrained [,ɪnˈgreɪnd] *adj* a *habit* fest, eingefleischt; *belief* unerschütterlich. b *dirt* tiefsitzend (*attr*).
ingratiate [ɪnˈgreɪʃɪeɪt] *vr to ~ oneself with sb* sich bei jdm einschmeicheln.
ingratiating [ɪnˈgreɪʃɪeɪtɪŋ] *adj person, speech* schmeichlerisch; *smile* süßlich.
ingratitude [ɪnˈgrætɪtjuːd] *n* Undank *m* ► *sb's ~* jds Undankbarkeit *f*.
ingredient [ɪnˈgriːdɪənt] *n* Bestandteil *m*; (*for recipe*) Zutat *f* ► *all the ~s of success* alles, was man zum Erfolg braucht.
ingrowing [ˈɪnɡrəʊɪŋ] *adj toenail* eingewachsen.
inhabit [ɪnˈhæbɪt] *vt* bewohnen; (*animals*) leben in (*+dat*).
inhabitable [ɪnˈhæbɪtəbl] *adj* bewohnbar.
inhabitant [ɪnˈhæbɪtənt] *n* Bewohner(in *f*) *m*; (*of island, town also*) Einwohner(in *f*) *m*.
inhale [ɪnˈheɪl] 1 *vt* einatmen; (*Med*) inhalieren. 2 *vi* (*in smoking*) Lungenzüge machen.

► SENTENCE BUILDER: **information** → 5.4, 14.3

inhaler [ɪn'heɪləʳ] *n* Inhalationsapparat *m*.
inherent [ɪn'hɪərənt] *adj* innewohnend ▶ *the ~ hardness of diamonds* die den Diamanten eigene Härte; *the ~ risks of the test* die mit dem Test verbundenen Gefahren.
inherently [ɪn'hɪərəntlɪ] *adv* von Natur aus.
inherit [ɪn'herɪt] *vt* (*lit, fig*) erben.
inheritance [ɪn'herɪtəns] *n* Erbe *nt* (*also fig*), Erbschaft *f*.
inhibit [ɪn'hɪbɪt] *vt* hemmen ▶ *to ~ sb from doing sth* jdn daran hindern, etw zu tun.
inhibited [ɪn'hɪbɪtɪd] *adj* gehemmt.
inhibition [ˌɪnhɪ'bɪʃən] *n* Hemmung *f*.
inhospitable [ˌɪnhɒ'spɪtəbl] *adj* ungastlich; *region* unwirtlich.
in-house [ɪn'haʊs] *adj, adv* hausintern.
inhuman [ɪn'hju:mən] *adj cruelty etc* unmenschlich.
inhumane [ˌɪnhju:'meɪn] *adj* inhuman; (*to people also*) menschenunwürdig.
inhumanity [ˌɪnhju:'mænɪtɪ] *n* Unmenschlichkeit *f* ▶ *the ~ of man to man* die Unmenschlichkeit der Menschen untereinander.
inimitable [ɪ'nɪmɪtəbl] *adj* unnachahmlich.
iniquitous [ɪ'nɪkwɪtəs] *adj* ungeheuerlich.
iniquity [ɪ'nɪkwɪtɪ] *n* Ungeheuerlichkeit *f*.
initial [ɪ'nɪʃəl] **1** *adj* anfänglich, Anfangs- ▶ *my ~ reaction* meine anfängliche Reaktion; *in the ~ stages* im Anfangsstadium; *~ letter* Anfangsbuchstabe *m*.
2 *n* Initiale *f*.
3 *vt letter* mit seinen Initialen unterzeichnen; (*Comm*) abzeichnen; (*Pol*) paraphieren.
initialize [ɪ'nɪʃəlaɪz] *vt* (*Comp*) initialisieren.
initially [ɪ'nɪʃəlɪ] *adv* anfangs, am Anfang.
initiate [ɪ'nɪʃɪeɪt] *vt* **a** (*set in motion*) den Anstoß geben zu ▶ *to ~ proceedings* (*Jur*) einen Prozeß anstrengen. **b** (*into club*) feierlich aufnehmen; (*in tribal society*) *adolescents* initiieren.
initiation [ɪˌnɪʃɪ'eɪʃən] *n* **a** (*of project etc*) Initiierung *f*. **b** (*into society*) Aufnahme *f*; (*as tribal member*) Initiation *f* ▶ *~ ceremony* Aufnahmezeremonie *f*.
initiative [ɪ'nɪʃɪətɪv] *n* Initiative *f* ▶ *to take the ~* die Initiative ergreifen; *on one's own ~* aus eigener Initiative; *use your ~!* hast du keine Initiative?
inject [ɪn'dʒekt] *vt* (ein)spritzen; (*fig*) *comment* einwerfen; *money* pumpen ▶ *to ~ sb with sth* (*Med*) jdm etw einspritzen; *he ~ed new life into the club* er brachte neues Leben in den Verein.
injection [ɪn'dʒekʃən] *n* (*act, esp Tech*) Einspritzung *f*; (*esp Med*) Injektion, Spritze *f* ▶ *an ~ of capital* (*Econ*) eine Finanzspritze; *~ engine* (*Aut*) Einspritzmotor *m*; *~ pump* Einspritzpumpe *f*.
injector [ɪn'dʒektəʳ] *n* (*Tech*) (*also ~ nozzle*) Einspritzdüse *f*.
injudicious [ˌɪndʒʊ'dɪʃəs] *adj* unklug.
injunction [ɪn'dʒʌŋkʃən] *n* Anordnung *f*; (*Jur*) gerichtliche Verfügung.
injure ['ɪndʒəʳ] *vt* (*lit, fig*) verletzen ▶ *to ~ one's leg* sich (*dat*) das Bein verletzen.
injured ['ɪndʒəd] *adj* (*lit, fig*) verletzt; (*fig*) *voice, feelings* gekränkt ▶ *he was ~* er wurde verletzt; *the ~* die Verletzten; *the ~ party* (*Jur*) der/die Geschädigte.
injurious [ɪn'dʒʊərɪəs] *adj* schädlich (*to +dat*) ▶ *~ to health* gesundheitsschädlich.
injury ['ɪndʒərɪ] *n* Verletzung *f* (*to gen*); (*fig also*) Kränkung *f* (*to gen*) ▶ *to do sb/oneself an ~* jdn/ sich verletzen; *to play ~ time* (*Brit Sport*) nachspielen.
injustice [ɪn'dʒʌstɪs] *n* (*unfairness, inequality*) Ungerechtigkeit *f*; (*violation of sb's rights*) Unrecht *nt no pl* ▶ *to do sb an ~* jdm Unrecht tun.
ink [ɪŋk] *n* Tinte *f*; (*Art*) Tusche *f*.
ink *in cpds* Tinten-; *~ blot n* Tintenklecks *m*; *~-jet*

printer *n* Tintenstrahldrucker *m*.
inkling ['ɪŋklɪŋ] *n* Ahnung *f* ▶ *he hadn't an ~* er hatte nicht die leiseste Ahnung; *to give sb an ~* jdm eine Andeutung geben.
ink: *~pad n* Stempelkissen *nt*; *~ stain n* Tintenfleck *m*.
inky ['ɪŋkɪ] *adj* (+er) (*lit*) tintenbeschmiert; (*fig*) *darkness* tintenschwarz; *black* tintig.
inlaid [ɪn'leɪd] *adj* eingelegt ▶ *~ table* Tisch *m* mit Einlegearbeit.
inland ['ɪnlænd] **1** *adj waterway, trade* Binnen-; *mail* Inland(s)- ▶ *I~ Revenue* (*Brit*) ≃ Finanzamt *nt*. **2** *adv* landeinwärts.
inlaws ['ɪnlɔ:z] *npl* (*parents-in-law*) Schwiegereltern *pl*; (*others*) angeheiratete Verwandte *pl*.
inlet ['ɪnlet] *n* **a** (*of sea*) Meeresarm *m*; (*of river*) Flußarm *m*. **b** (*Tech*) Zuleitung *f*; (*of ventilator*) Öffnung *f* ▶ *~ pipe* Zuleitung(srohr *nt*) *f*; *~ valve* Einlaßventil *nt*.
inmate ['ɪnmeɪt] *n* Insasse *m*, Insassin *f*.
inmost ['ɪnməʊst] *adj* innerste(r, s).
inn [ɪn] *n* Gasthaus *nt*; (*old: hotel*) Herberge *f* (*old*).
innards ['ɪnədz] *npl* Innereien *pl* (*also fig*), Eingeweide *pl*.
innate [ɪ'neɪt] *adj* angeboren.
inner ['ɪnəʳ] *adj* innere(r,s); *surface, door, ear also* Innen-; *meaning* verborgen; *life* Seelen- ▶ *~ city* Innenstadt *f*; *~ harbour* Innenbecken *nt*; *the needs of the ~ man* die inneren Bedürfnisse.
innermost ['ɪnəməʊst] *adj* innerst; *thoughts* geheimst ▶ *in the ~ depths of the forest* im tiefsten Wald.
inner: *~ spring mattress n* (*US*) Federkernmatratze *f*; *~ tube n* Schlauch *m*.
innings ['ɪnɪŋz] *n* (*Cricket*) Innenrunde *f* ▶ *he has had a good ~* (*fig col*) er war lange an der Reihe; (*life*) er hatte ein langes, ausgefülltes Leben.
innkeeper ['ɪnˌki:pəʳ] *n* (*Gast*)wirt *m*.
innocence ['ɪnəsəns] *n* **a** Unschuld *f* ▶ *in all ~* in aller Unschuld. **b** (*ignorance*) Unkenntnis *f*.
innocent ['ɪnəsənt] *adj* **a** unschuldig (*of an +dat*); *mistake* unabsichtlich ▶ *to put on an ~ air* eine Unschuldsmiene aufsetzen. **b** *~ of* (*ignorant*) nicht vertraut mit; (*devoid of*) frei von.
innocently ['ɪnəsəntlɪ] *adv* unschuldig; (*in all innocence*) in aller Unschuld.
innocuous [ɪ'nɒkjʊəs] *adj* harmlos.
innovate ['ɪnəʊveɪt] *vi* Neuerungen einführen.
innovation [ˌɪnəʊ'veɪʃən] *n* Innovation *f*; (*introduction also*) Neueinführung *f* (*of gen*); (*thing introduced also*) Neuerung *f*.
innovative ['ɪnəˌveɪtɪv] *adj* innovativ.
innuendo [ˌɪnjʊ'endəʊ] *n, pl* -es versteckte Andeutung ▶ *to make ~es about sb* über jdn Andeutungen fallenlassen.
innumerable [ɪ'nju:mərəbl] *adj* unzählig.
inoculate [ɪ'nɒkjʊleɪt] *vt person* impfen (*against gegen*).
inoculation [ɪˌnɒkjʊ'leɪʃən] *n* Impfung *f*.
inoffensive [ˌɪnə'fensɪv] *adj* harmlos.
inoperative [ɪn'ɒpərətɪv] *adj law, rule* außer Kraft; *machine, radio etc* außer Betrieb, nicht funktionsfähig.
inopportune [ɪn'ɒpətju:n] *adj* inopportun; *moment also* ungelegen ▶ *to be ~* ungelegen kommen.
inordinate [ɪ'nɔ:dɪnɪt] *adj* unmäßig; *number, sum of money* ungeheuer.
inorganic [ˌɪnɔ:'gænɪk] *adj* anorganisch.
in-patient ['ɪnpeɪʃnt] *n* stationär behandelter Patient/ behandelte Patientin.
input ['ɪnpʊt] **1** *n* (*Comp*) Eingabe *f*, Input *m or nt*; (*power ~*) Energiezufuhr *f*; (*of energy, work etc*) Aufwand *m*; (*Rad: Hifi: point of ~*) Eingang *m* ▶ *~ data* (*Comp*) Eingabedaten *pl*. **2** *vt* (*Comp*) eingeben.

inquest ['ɪnkwest] *n* (*into death*) gerichtliche Untersuchung der Todesursache.

inquire [ɪn'kwaɪə^r] *etc* (*esp US*) = **enquire** *etc*.

inquisition [ˌɪnkwɪ'zɪʃən] *n* (*Hist, fig*) Inquisition *f*.

inquisitive [ɪn'kwɪzɪtɪv] *adj* neugierig; *look* forschend; (*for knowledge*) wißbegierig.

inquisitiveness [ɪn'kwɪzɪtɪvnɪs] *n* Neugier *f*; (*for knowledge*) Wißbegierde *f*.

inroad ['ɪnrəʊd] *n* (*Mil*) Einfall *m* (*into* in +*acc*) ► *to make ~s into sth into time* etw stark in Anspruch nehmen; *into savings* etw stark angreifen; *the Japanese are making ~s into the British market* die Japaner dringen in den britischen Markt ein.

insane [ɪn'seɪn] ① *adj* geisteskrank; (*fig*) wahnsinnig. ② *npl* **the ~** die Geisteskranken *pl*.

insanitary [ɪn'sænɪtərɪ] *adj* unhygienisch.

insanity [ɪn'sænɪtɪ] *n* Geisteskrankheit *f*; (*fig*) Wahnsinn *m*.

insatiable [ɪn'seɪʃəbl] *adj* unersättlich.

inscribe [ɪn'skraɪb] *vt* (*on sth* in etw *acc*) *words etc* (*on ring etc*) eingravieren; (*on stone*) einmeißeln.

inscription [ɪn'skrɪpʃən] Inschrift *f*; (*on coin*) Aufschrift *f*; (*in book*) Widmung *f*.

inscrutable [ɪn'skruːtəbl] *adj* unergründlich ► *~ face* undurchdringlicher Gesichtsausdruck.

inseam ['ɪnsiːm] *n* (*US*) *~ measurement* innere Beinlänge.

insect ['ɪnsekt] *n* Insekt *nt* ► *~ bite* Insektenstich *m*; *~ repellent* Insektenschutzmittel *nt*.

insecticide [ɪn'sektɪsaɪd] *n* Insektizid *nt*.

insecure [ˌɪnsɪ'kjʊə^r] *adj* unsicher.

insecurity [ˌɪnsɪ'kjʊərɪtɪ] *n* Unsicherheit *f*.

insensible [ɪn'sensəbl] *adj* unempfindlich (*to* gegen); (*unconscious*) bewußtlos.

insensitive [ɪn'sensɪtɪv] *adj* ⓐ (*emotionally*) gefühllos. ⓑ (*unappreciative*) unempfänglich (*to* für). ⓒ (*physically*) unempfindlich (*to* gegen) ► *~ to pain/light* schmerz-/lichtunempfindlich.

insensitivity [ɪnˌsensɪ'tɪvɪtɪ] *n* ⓐ (*emotional*) Gefühllosigkeit *f* (*towards* gegenüber). ⓑ (*unappreciativeness*) Unempfänglichkeit *f* (*to* für). ⓒ (*physical*) Unempfindlichkeit *f* (*to* gegen).

inseparable [ɪn'sepərəbl] *adj* untrennbar; *friends* unzertrennlich.

insert [ɪn'sɜːt] ① *vt* (*stick into*) hineinstecken; (*place in*) hineinlegen; (*place between*) einfügen; (*Film, TV*) einblenden; *thermometer* einführen; *coin* einwerfen; (*Comp*) *disk* einlegen ► *to ~ a paragraph* einen Absatz einfügen; *to ~ an advertisement in the paper* eine Anzeige in die Zeitung setzen. ② ['ɪnsɜːt] *n* (*in book*) Einlage *f*; (*in magazine*) Beilage *f*.

insertion [ɪn'sɜːʃən] *n see vt* Hineinstecken *nt*; Hineinlegen *nt*; Einfügen *nt*; Einführen *nt*; Einwerfen *nt*.

in-service ['ɪnˌsɜːvɪs] *adj attr ~ training* (berufsbegleitende) Fortbildung; *~ course* Fortbildungskurs *m*.

inset ['ɪnset] *n* (*also ~ map*) Nebenkarte *f*; (*on diagram*) Nebenbild *nt*.

inshore ['ɪn'ʃɔː^r] *adj* Küsten- ► *~ fishing* Küstenfischerei *f*.

inside ['ɪn'saɪd] ① *n* ⓐ Innere(s) *nt*; (*of pavement*) Innenseite *f* ► *on the ~* innen; *to know a company from the ~* interne Kenntnisse über eine Firma haben; *locked from the ~* von innen verschlossen. ⓑ *the wind blew the umbrella ~ out* der Wind hat den Schirm umgestülpt; *your jumper's ~ out* du hast deinen Pullover auf links an; *to turn sth ~ out* etw umdrehen; *jumper etc* etw auf links drehen; (*fig*) *flat etc* etw auf den Kopf stellen; *to know sth ~ out* etw in- und auswendig kennen. ⓒ (*col*) (*~s. stomach*) Eingeweide, Innere(s) *nt*. ② *adj* Innen-, innere(r, s) ► *~ information* interne

Informationen *pl*; *it looks like an ~ job* (*crime*) es sieht nach dem Werk von Insidern aus (*col*); *~ lane* (*Sport*) Innenbahn *f*; (*Aut*) Innenspur *f*; *~ leg (measurement)* innere Beinlänge; *~ pocket* Innentasche *f*; *~ story* (*Press*) Inside-Story *f*; *~ forward* Halbstürmer *m*; *~ left* Halblinke(r) *m*; *~ right* Halbrechte(r) *m*. ③ *adv* innen; (*indoors*) drin(nen); (*direction*) nach innen, hinein/herein ► *look ~* sehen Sie hinein; *let's go ~* gehen wir hinein; *there is something ~* es ist etwas (innen) drin; *to be ~* (*col: in prison*) sitzen (*col*). ④ *prep* ⓐ (*place*) innen in (+*dat*); (*direction*) in (+*acc*) ... (hinein) ► *he was waiting ~ the house* er wartete im Haus; *he went ~ the house* er ging ins Haus (hinein). ⓑ (*time*) innerhalb ► *he was 5 seconds ~ the record* er ist 5 Sekunden unter dem Rekord geblieben.

insider [ɪn'saɪdə^r] *n* Eingeweihte(r) *m* ► *~ dealing* or *trading* (*Fin*) Insiderhandel *m*.

insidious [ɪn'sɪdɪəs] *adj* heimtückisch.

insight ['ɪnsaɪt] *n his ~ into my problems* sein Verständnis *nt* für meine Probleme; *to gain an ~ into sth* (einen) Einblick in etw (*acc*) gewinnen.

insignia [ɪn'sɪgnɪə] *npl* Insignien *pl*.

insignificance [ˌɪnsɪg'nɪfɪkəns] *n see adj* Belanglosigkeit *f*; Geringfügigkeit *f*; Unscheinbarkeit *f*.

insignificant [ˌɪnsɪg'nɪfɪkənt] *adj* belanglos; *sum, difference also* geringfügig; *person* unscheinbar.

insincere [ˌɪnsɪn'sɪə^r] *adj* unaufrichtig.

insincerity [ˌɪnsɪn'serɪtɪ] *n* Unaufrichtigkeit *f*.

insinuate [ɪn'sɪnjʊeɪt] *vt* ⓐ andeuten (*sth to sb* etw jdm gegenüber) ► *what are you insinuating?* was wollen Sie damit sagen? ⓑ *to ~ oneself into sb's favour* sich bei jdm einschmeicheln.

insinuating [ɪn'sɪnjʊeɪtɪŋ] *adj* anzüglich.

insinuation [ɪnˌsɪnjʊ'eɪʃən] *n* Anspielung *f* (*about* auf +*acc*).

insipid [ɪn'sɪpɪd] *adj* fad; *person, novel also* geistlos.

▼ **insist** [ɪn'sɪst] *vti* bestehen ► *I ~!* ich bestehe darauf!; *if you ~* wenn Sie darauf bestehen; (*if you like*) wenn's unbedingt sein muß; *I must ~ that you stop* ich muß darauf bestehen, daß Sie aufhören; *he ~s that he is innocent* er behauptet beharrlich, unschuldig zu sein; *I ~ on the best* ich bestehe auf bester Qualität; *if you will ~ on smoking, ...* wenn Sie schon unbedingt rauchen müssen, ...

insistence [ɪn'sɪstəns] *n* Bestehen *nt* (*on* auf +*dat*) ► *I did it at his ~* ich tat es, weil er darauf bestand.

insistent [ɪn'sɪstənt] *adj* ⓐ *person* beharrlich; *salesman etc* aufdringlich ► *he was most ~ about it* er beharrte darauf. ⓑ (*urgent*) *demand, tone* nachdrücklich.

insole ['ɪnsəʊl] *n* Einlegesohle *f*.

insolence ['ɪnsələns] *n* Unverschämtheit *f*.

insolent *adj*, **~ly** *adv* ['ɪnsələnt, -lɪ] unverschämt.

insoluble [ɪn'sɒljʊbl] *adj* ⓐ *substance* unlöslich. ⓑ *problem* unlösbar.

insolvency [ɪn'sɒlvənsɪ] *n* Zahlungsunfähigkeit *f*.

insolvent [ɪn'sɒlvənt] *adj* zahlungsunfähig.

insomnia [ɪn'sɒmnɪə] *n* Schlaflosigkeit *f*.

insomniac [ɪn'sɒmnɪæk] *n to be an ~* an Schlaflosigkeit leiden.

inspect [ɪn'spekt] *vt* ⓐ (*examine*) prüfen ► *to ~ sth for sth* etw auf etw (*acc*) (hin) prüfen. ⓑ (*Mil etc: review*) inspizieren.

inspection [ɪn'spekʃən] *n* ⓐ Prüfung *f*; (*of school*) Inspektion *f* ► *on ~* bei näherer Betrachtung; *for your ~* zur Prüfung. ⓑ (*Mil*) Inspektion *f*.

inspector [ɪn'spektə^r] *n* (*factory ~, Brit: on buses*) Kontrolleur(in *f*) *m*; (*of schools*) Schulrat *m*, Schulrätin *f*; (*of police*) Polizeiinspektor *m*; (*of taxes*) Steuerinspektor *m*.

inspiration [ˌɪnspə'reɪʃən] *n* Inspiration *f* (*for* zu *or* für), Eingebung (*for* zu) *f* ► *he gets his ~ from ...* er läßt sich von ... inspirieren.

► SENTENCE BUILDER: **insist** → 6.1, 11

inspire [ɪn'spaɪəʳ] *vt* [a] *respect, awe* einflößen (*in sb* jdm) ► *to ~ sb with confidence* jdm mit Vertrauen erfüllen. [b] (*be inspiration to*) *person* inspirieren.

inspired [ɪn'spaɪəd] *adj* genial ► *in an ~ moment* in einem Augenblick der Inspiration; (*iro*) in einem lichten Moment; *it was an ~ guess* das war genial geraten.

inspiring [ɪn'spaɪərɪŋ] *adj speech* inspirierend.

inst (*Brit Comm dated*) = **instant** d.M.

instability [ˌɪnstə'bɪlɪtɪ] *n* Instabilität *f*; (*of character also*) Labilität *f*.

install [ɪn'stɔːl] *vt* installieren; *telephone also* anschließen; *person* (in ein Amt) einsetzen.

installation [ˌɪnstə'leɪʃən] *n* [a] *see vt* Installation *f*; Anschluß *m*; Amtseinsetzung *f*. [b] (*machine etc*) Anlage *f*. [c] *military* ~ militärische Anlage.

instalment, (*US*) **installment** [ɪn'stɔːlmənt] *n* [a] (*of serial*) Fortsetzung *f*; (*TV*) (Sende)folge *f*. [b] (*Fin*) Rate *f* ► *monthly ~* Monatsrate *f*; *to pay in* or *by ~s* in Raten bezahlen.

installment plan *n* (*US*) Ratenzahlung(splan *m*) *f* ► *to buy on the ~* auf Raten kaufen.

instance ['ɪnstəns] *n* (*example*) Beispiel *nt*; (*case*) Fall *m* ► *for ~* zum Beispiel; *in the first ~* zunächst (einmal).

instant ['ɪnstənt] [1] *adj* [a] unmittelbar; *relief, result also* sofortig *attr* ► *~ camera* Sofortbildkamera *f*; *~ replay* (*TV*) Wiederholung *f*. [b] (*Cook*) Instant- ► *~ coffee* Pulverkaffee *m*; *~ food* Schnellgerichte *pl*.
[2] *n* Augenblick *m* ► *this (very) ~* sofort; *at that very ~* genau in dem Augenblick.

instantaneous [ˌɪnstən'teɪnɪəs] *adj* unmittelbar.

instantaneously [ˌɪnstən'teɪnɪəslɪ] *adv* sofort, unverzüglich.

instantly ['ɪnstəntlɪ] *adv* sofort.

instead [ɪn'sted] [1] *prep* ~ *of* statt (*+gen or* (*col*) *+dat*), anstelle von ► ~ *of going to school* (an)statt zur Schule zu gehen; *his brother came ~ of him* sein Bruder kam an seiner Stelle.
[2] *adv* statt dessen ► *if he doesn't want to go, I'll go ~* wenn er nicht gehen will, gehe ich an seiner Stelle.

instep ['ɪnstep] *n* (*Anat*) Spann *m*; (*of shoe*) Blatt *nt*.

instigate ['ɪnstɪɡeɪt] *vt* anstiften; *reform etc* initiieren.

instigation [ˌɪnstɪ'ɡeɪʃən] *n* see *vt* Anstiftung *f*; Initiierung *f* ► *at sb's ~* auf jds Betreiben.

instil [ɪn'stɪl] *vt* einflößen (*into sb* jdm).

instinct ['ɪnstɪŋkt] *n* Instinkt *m* ► *by or from ~* instinktiv.

instinctive *adj*, *~ly adv* [ɪn'stɪŋktɪv, -lɪ] instinktiv.

institute ['ɪnstɪtjuːt] [1] *vt* [a] *reforms* einführen; *search* einleiten. [b] (*Jur*) *an action* einleiten; *proceedings* anstrengen (*against* gegen).
[2] *n* Institut *nt*; (*home*) Anstalt *f*.

institution [ˌɪnstɪ'tjuːʃən] *n* (*organization, custom*) Institution *f*; (*building, home etc*) Anstalt *f*.

institutional [ˌɪnstɪ'tjuːʃənl] *adj* life *etc* Anstalts-.

institutionalize [ˌɪnstɪ'tjuːʃənəlaɪz] *vt* institutionalisieren.

in-store ['ɪnstɔːʳ] *adj* im Laden ► *~ surveillance (system)* geschäftsinternes Überwachungssystem.

instruct [ɪn'strʌkt] *vt* [a] (*teach*) *person* unterrichten. [b] (*tell, direct*) *person* anweisen; (*command*) die Anweisung erteilen (*+dat*); (*appoint*) *lawyer* beauftragen.

instruction [ɪn'strʌkʃən] *n* [a] (*teaching*) Unterricht *m*. [b] (*command*) Anweisung, Instruktion *f* ► *~s for use* Gebrauchsanweisung *f*; *~ book* or *manual* Bedienungsanleitung *f*.

instructive [ɪn'strʌktɪv] *adj* aufschlußreich; (*of educational value*) lehrreich.

instructor [ɪn'strʌktəʳ] *n* (*also Sport*) Lehrer *m*; (*US*) Dozent *m*; (*Mil*) Ausbilder *m*.

instrument ['ɪnstrəmənt] *n* (*Mus, Tech*) Instrument *nt*; (*domestic*) Gerät *nt*; (*person*) Werkzeug *nt* ► *to fly an*

aircraft on ~s ein Flugzeug nach den (Bord)instrumenten fliegen; *~ flight* Instrumentenflug *m*; *~ panel* (*Aviat, Aut*) Armaturenbrett *nt*.

instrumental [ˌɪnstrʊ'mentl] *adj* [a] *he was ~ in getting her the job* er hat ihr zu dieser Stelle verholfen; *to be ~ in sth* bei etw eine entscheidende Rolle spielen. [b] *music* Instrumental-.

instrumentalist [ˌɪnstrʊ'mentəlɪst] *n* Instrumentalist(in *f*) *m*.

insubordinate [ˌɪnsə'bɔːdənɪt] *adj* aufsässig.

insubordination ['ɪnsəˌbɔːdɪ'neɪʃən] *n* Aufsässigkeit *f*; (*Mil*) Gehorsamsverweigerung *f*.

insufferable *adj* [ɪn'sʌfərəbl] unerträglich.

insufficient [ˌɪnsə'fɪʃənt] *adj* ungenügend *pred*; *work, insulation also* unzulänglich.

insular ['ɪnsjələʳ] *adj* (*narrow*) engstirnig.

insularity [ˌɪnsjʊ'lærɪtɪ] *n* Engstirnigkeit *f*.

insulate ['ɪnsjʊleɪt] *vt room*, (*Elec*) isolieren; (*fig: shelter*) abschirmen (*from* gegen).

insulating tape ['ɪnsjʊleɪtɪŋˌteɪp] *n* (*Brit*) Isolierband *nt*.

insulation [ˌɪnsjʊ'leɪʃən] *n* Isolierung *f*; (*material also*) Isoliermaterial *nt*; (*fig*) Geschütztheit *f* (*from* gegen).

insulator ['ɪnsjʊleɪtəʳ] *n* (*Elec*) Isolator *m*; (*material*) Isoliermaterial *nt*.

insulin ['ɪnsjʊlɪn] *n* Insulin *nt*.

insult [ɪn'sʌlt] [1] *vt* beleidigen; (*by words also*) beschimpfen.
[2] ['ɪnsʌlt] *n* (*to* für *+acc*) Beleidigung *f*; (*with words also*) Beschimpfung *f* ► *to add ~ to injury* das Ganze noch schlimmer machen.

insulting [ɪn'sʌltɪŋ] *adj* beleidigend.

insuperable [ɪn'suːpərəbl] *adj* unüberwindlich.

insupportable [ˌɪnsə'pɔːtəbl] *adj* unerträglich.

insurance [ɪn'ʃʊərəns] *n* Versicherung *f* ► *to take out ~* eine Versicherung abschließen; *home contents ~* Hausratversicherung *f*; *house ~* Gebäudeversicherung *f*.

insurance: ~ agent *n* Versicherungsvertreter(in *f*) *m*; ~ **broker** *n* Versicherungskaufmann *m*; ~ **certificate** *n* Versicherungsbescheinigung *f*; ~ **claim** *n* Versicherungsanspruch *m*; ~ **company** *n* Versicherungsgesellschaft *f*; ~ **policy** *n* Versicherungspolice *f*; (*fig*) Sicherheitsvorkehrung *f*; ~ **premium** *n* Versicherungsprämie *f*; ~ **salesman** Versicherungsvertreter *m*.

insure [ɪn'ʃʊəʳ] *vt car, house etc* versichern (lassen) (*with* bei; *for* für) ► *to ~ oneself* or *one's life* eine Lebensversicherung abschließen.

insured [ɪn'ʃʊəd] [1] *adj* versichert.
[2] *n* *the ~ (party)* der/die Versicherungsnehmer(in), der/die Versicherte.

insurer [ɪn'ʃʊərəʳ] *n* Versicherer *m*.

insurgent [ɪn'sɜːdʒənt] [1] *adj* aufständisch.
[2] *n* Aufständische(r) *mf*.

insurmountable [ˌɪnsə'maʊntəbl] *adj* unüberwindlich.

insurrection [ˌɪnsə'rekʃən] *n* Aufstand *m*.

intact [ɪn'tækt] *adj* unversehrt.

intake ['ɪnteɪk] *n* (*of water, electric current, Sch*) Aufnahme *f*; (*pipe*) Zuflußrohr *nt* ► *food ~* Nahrungsaufnahme *f*.

intangible [ɪn'tændʒəbl] *adj* [a] nicht greifbar. [b] *longings* unbestimmbar. [c] (*Jur, Comm*) ~ *assets* immaterielle Werte *pl*.

integer ['ɪntɪdʒəʳ] *n* ganze Zahl.

integral ['ɪntɪɡrəl] *adj* (*essential*) wesentlich; (*built-in*) eingebaut; (*whole*) vollständig.

integrate ['ɪntɪɡreɪt] *vt* integrieren (*into* in *+acc*) ► *to ~ sth with sth* etw auf etw (*acc*) abstimmen.

integrated ['ɪntɪɡreɪtɪd] *adj school plan* einheitlich; *school* ohne Rassentrennung ► *a fully ~ personality* eine in sich ausgewogene Persönlichkeit; ~ *circuit* integrierte Schaltung.

---

integration [ˌɪntɪˈgreɪʃən] *n* Integration *f* (*into* in +*acc*) ► *(racial)* ~ Rassenintegration *f*.

integrity [ɪnˈtegrɪtɪ] *n* [a] (*honesty*) Integrität *f*. [b] (*wholeness*) Einheit *f*.

intellect [ˈɪntɪlekt] *n* Intellekt *m*.

intellectual [ɪntɪˈlektjʊəl] [1] *adj* intellektuell; *interests also* geistig ► *something a little more* ~ etwas geistig Anspruchsvolleres. [2] *n* Intellektuelle(r) *mf*.

intelligence [ɪnˈtelɪdʒəns] *n* [a] Intelligenz *f* ► ~ *test* Intelligenztest *m*. [b] (*news, information*) Informationen *pl*. [c] (*Mil etc*) Geheimdienst *m*.

intelligent *adj*, **~ly** *adv* [ɪnˈtelɪdʒənt, -lɪ] intelligent.

intelligentsia [ɪnˌtelɪˈdʒentsɪə] *n* Intelligenz *f*.

intelligible [ɪnˈtelɪdʒəbl] *adj* verständlich.

intemperate [ɪnˈtempərɪt] *adj climate* extrem; *person* unmäßig.

▼ **intend** [ɪnˈtend] *vt* [a] (+*n*) beabsichtigen, wollen ► *I ~ed no harm* es war (von mir) nicht böse gemeint; (*with action*) ich hatte nichts Böses beabsichtigt; *I didn't ~ it as an insult* das sollte keine Beleidigung sein; *that remark was ~ed for you* mit dieser Bemerkung waren Sie gemeint; *this film was never ~ed for children* dieser Film war nie für Kinder gedacht. [b] (+*vb*) beabsichtigen, fest vorhaben ► *he ~s to win* er hat fest vor, zu gewinnen; *I ~ to take him with me* ich habe vor, ihn mitzunehmen; (*insist*) er soll mit mir mitkommen; *what do you ~ to do about it?* was beabsichtigen Sie, dagegen zu tun?

intense [ɪnˈtens] *adj* intensiv; *disappointment* äußerst groß; *person* ernsthaft.

▼ **intensely** [ɪnˈtenslɪ] *adv angry* äußerst; *study* intensiv.

intensify [ɪnˈtensɪfaɪ] [1] *vt* intensivieren; *meaning* verstärken. [2] *vi* zunehmen; (*pain, heat also*) stärker werden.

intensity [ɪnˈtensɪtɪ] *n* Intensität *f*; (*of feeling, storm also*) Heftigkeit *f*.

intensive [ɪnˈtensɪv] *adj* intensiv, Intensiv- ► *in ~ care* auf der Intensivstation; ~ *care unit* Intensivstation *f*; *they came under ~ fire* sie kamen unter heftigen Beschuß.

intensively [ɪnˈtensɪvlɪ] *adv* intensiv.

intent [ɪnˈtent] [1] *n* Absicht *f* ► *to all ~s and purposes* im Grunde; *with ~ to* (*Jur*) mit dem Vorsatz zu. [2] *adj look* durchdringend ► *to be ~ on achieving sth* fest entschlossen sein, etw zu erreichen.

▼ **intention** [ɪnˈtenʃən] *n* Absicht *f* ► *I have every ~ of doing that* ich habe die feste Absicht, das zu tun; *I have no ~ or haven't the least ~ of staying!* ich habe nicht die geringste Absicht hierzubleiben; *with the best of ~s* in der besten Absicht; *with the ~ of ...* mit dem Vorsatz zu ...

intentional [ɪnˈtenʃənl] *adj* absichtlich, vorsätzlich (*esp Jur*) ► *it wasn't ~* das war keine Absicht.

intentionally [ɪnˈtenʃnəlɪ] *adv* absichtlich.

intently [ɪnˈtentlɪ] *adv* konzentriert.

inter- [ˈɪntəʳ] *pref* zwischen-, Zwischen-.

interact [ɪntərˈækt] *vi* aufeinander einwirken; (*Phys*) wechselwirken; (*Psychol*) interagieren.

interaction [ɪntərˈækʃən] *n see vi* gegenseitige Einwirkung, Wechselwirkung *f* (*also Phys*); Interaktion *f*.

interactive [ɪntərˈæktɪv] *adj* interaktiv.

interactive television *n* interaktives Fernsehen.

intercede [ɪntəˈsiːd] *vi* sich einsetzen, sich verwenden (*with* bei, *on behalf of* für).

intercept [ɪntəˈsept] *vt message, plane* abfangen; *phone call also* abhören ► *they ~ed the enemy* sie schnitten dem Feind den Weg ab.

interception [ɪntəˈsepʃən] *n* Abfangen *nt*.

interceptor [ɪntəˈseptəʳ] *n* (*Aviat*) ~ *(fighter)* Abfangjäger *m*.

interchange [ˈɪntəˌtʃeɪndʒ] [1] *n* [a] (*of roads*) Kreuzung *f*; (*of motorways*) (Autobahn)kreuz *nt*. [b] (*exchange*) Austausch *m*. [2] [ˌɪntəˈtʃeɪndʒ] *vt* [a] (*switch round*) (aus)tauschen. [b] *ideas etc* austauschen (*with* mit).

interchangeable [ɪntəˈtʃeɪndʒəbl] *adj* austauschbar ► *x is ~ with y* x und y sind austauschbar.

interchangeably [ɪntəˈtʃeɪndʒəblɪ] *adv* austauschbar ► *they are used ~* sie können ausgetauscht werden.

inter-city [ɪntəˈsɪtɪ] *n* Intercity *m*.

intercom [ˈɪntəkɒm] *n* (Gegen)sprechanlage *f*; (*in ship, plane*) Bordverständigungsanlage *f*.

interconnect [ɪntəkəˈnekt] [1] *vt* miteinander verbinden; (*Elec also*) *circuits etc* zusammenschalten ► *~ed events* zusammenhängende *or* miteinander in Verbindung stehende Ereignisse. [2] *vi* miteinander verbunden sein; (*facts, events*) in Zusammenhang stehen.

intercontinental [ˈɪntəˌkɒntɪˈnentl] *adj* interkontinental, Interkontinental-.

intercourse [ˈɪntəkɔːs] *n* (*sexual*) ~ (Geschlechts-)verkehr *m*; *social* ~ gesellschaftlicher Verkehr.

interdependence [ɪntədɪˈpendəns] *n* wechselseitige Abhängigkeit.

interdependent [ɪntədɪˈpendənt] *adj* wechselseitig voneinander abhängig.

interdisciplinary [ɪntəˈdɪsɪˌplɪnərɪ] *adj* fachübergreifend.

▼ **interest** [ˈɪntrɪst] [1] *n* [a] Interesse *nt* ► *to take an ~ in sb/sth* sich für jdn/etw interessieren; *just for ~* nur interessehalber; *he has lost ~* er hat das Interesse verloren; *his ~s are ...* er interessiert sich für ...; *of vital ~ to the economy* von lebenswichtigem Interesse für die Wirtschaft; *to act in sb's/one's own ~(s)* in jds/im eigenen Interesse handeln; *in the public ~* im öffentlichen Interesse. [b] (*Fin*) Zinsen *pl* ► *rate of ~, ~ rate* Zinssatz *m*; *to bear ~ at 4%* 4% Zinsen tragen, mit 4% verzinst sein. [c] (*Comm*) (*share, stake*) Anteil *m*; (~ *group*) Kreise *pl*, Interessengruppe *f* ► *he has a financial ~ in the company* er ist finanziell an der Firma beteiligt; *British trading ~s* britische Handelsinteressen *pl*. [2] *vt* interessieren (*in* für, an +*dat*) ► *to ~ sb in doing sth* jdn dafür interessieren, etw zu tun; *can I ~ you in a little drink?* kann ich Sie zu etwas Alkoholischem überreden?

interested [ˈɪntrɪstɪd] *adj* interessiert (*in* an +*dat*) ► *I'm not ~* ich bin nicht (daran) interessiert; *to be ~ in sb/sth* sich für jdn/etw interessieren; *I'm going to the cinema, are you ~ (in coming)?* ich gehe ins Kino, haben Sie Lust mitzukommen?; *she was ~ to see what he would do* sie war gespannt, was er wohl tun würde; *he is an ~ party* er ist daran beteiligt.

interest-free [ˈɪntrɪstˈfriː] *adj loan* zinsfrei.

interesting [ˈɪntrɪstɪŋ] *adj* interessant.

interestingly [ˈɪntrɪstɪŋlɪ] *adv* ~ *enough, ...* interessanterweise ...

interface [ˈɪntəfeɪs] [1] *n* (*Comp*) Schnittstelle *f*, Interface *nt*; (*fig*) Grenzfläche *f* ► *the man/machine ~* die Interaktion von Mensch und Maschine. [2] [ɪntəˈfeɪs] *vt* koppeln.

interfere [ɪntəˈfɪəʳ] *vi* (*in sb's affairs*) sich einmischen (*in* in +*acc*) ► *don't ~ with the machine* laß die Finger von der Maschine; *who's been interfering with my books?* wer war an meinen Büchern?; *to ~ with sth* (*disrupt, Rad*) etw stören; *to ~ with sb's plans* jds Pläne durchkreuzen.

interference [ɪntəˈfɪərəns] *n* (*meddling*) Einmischung *f*; (*disruption, Rad*) Störung *f* (*with gen*).

interfering [ɪntəˈfɪərɪŋ] *adj* *don't be so ~* misch dich nicht immer ein.

interim [ˈɪntərɪm] [1] *n* *in the ~* in der Zwischenzeit.

► SENTENCE BUILDER: **intensely** → 4.2 **intention** → 10.2 **interest: 1a** → 6.1 **1b** → 14.2 **2** → 1.5, 2.1

2 *adj* vorläufig; *arrangements also, government* Übergangs-; *report, payment* Zwischen- ▶ ~ **dividend** (*Fin*) Abschlagsdividende *f*.

interior [ɪn'tɪərɪəʳ] **1** *adj* (*inside*) Innen-; (*inland, domestic*) Binnen-.

2 *n* (*of building, container, country*) Innere(s) *nt*; (*of car*) Innenraum *m*; (*decoration, furnishings*) Innenausstattung *f*; (*Phot*) Innenaufnahme *f* ▶ **deep in the** ~ tief im Landesinneren; **Department of the I~** (*US*) Innenministerium *nt*.

interior: ~ **decorator** *n* Innenausstatter(in *f*) *m*; ~ **design** *n* Innenarchitektur *f*; ~ **designer** *n* Innenarchitekt(in *f*) *m*; ~ **light** *n* (*Aut*) Innenleuchte *f*; ~ **sprung mattress** *n* Federkernmatratze *f*.

interject [,ɪntə'dʒekt] *vt remark* einwerfen.

interjection [,ɪntə'dʒekʃən] *n* (*exclamation*) Ausruf *m*; (*remark*) Einwurf *m*.

interlocking [,ɪntə'lɒkɪŋ] *adj* ineinandergreifend.

interloper ['ɪntələupəʳ] *n* Eindringling *m*.

interlude ['ɪntəluːd] *n* Periode *f*; (*episode*) Episode *f*; (*Theat*) Wechselspiel *nt*; (*interval*) Pause *f*.

intermarriage [,ɪntə'mærɪdʒ] *n* (*between groups*) Mischehen *pl*; (*within the group*) Heirat *f* untereinander.

intermarry [,ɪntə'mærɪ] *vi* Mischehen eingehen; (*within the group*) untereinander heiraten.

intermediary [,ɪntə'miːdɪərɪ] *n* (Ver)mittler(in *f*) *m*.

intermediate [,ɪntə'miːdɪət] *adj* Zwischen-; *French etc* für fortgeschrittene Anfänger.

interminable [ɪn'tɜːmɪnəbl] *adj* endlos ▶ **after what seemed an ~ journey** nach einer Reise, die nicht enden zu wollen schien.

intermingle [,ɪntə'mɪŋgl] *vi* sich mischen (*with* unter +*acc*).

intermission [,ɪntə'mɪʃən] *n* **a** Unterbrechung *f*. **b** (*Theat, Film*) Pause *f*.

intermittent [,ɪntə'mɪtənt] *adj* periodisch auftretend; (*Tech*) intermittierend.

intermittently [,ɪntə'mɪtəntlɪ] *adv* periodisch, (*Tech*) intermittierend.

intern¹ [ɪn'tɜːn] *vt person* internieren.

intern² ['ɪntɜːn] (*US*) *n* Assistenzarzt *m*, Assistenzärztin *f*.

internal [ɪn'tɜːnl] *adj* (*inner*) innere(r, s); *diameter* Innen-; *trade etc* Binnen-; *policy, mail* intern ▶ ~ **combustion engine** Verbrennungsmotor *m*; **I~ Revenue Service** (*US*) Finanzamt *nt*; ~ **affairs** innere Angelegenheiten *pl*.

internally [ɪn'tɜːnəlɪ] *adv* innen, im Inneren; (*in body*) innerlich; (*in country*) landesintern; (*in organization*) intern ▶ **"not to be taken ~"** „nicht zur inneren Anwendung".

international [,ɪntə'næʃnəl] **1** *adj* international ▶ ~ **call** Auslandsgespräch *nt*; **I~ Chamber of Commerce** Internationale Handelskammer; **I~ Court of Justice** Internationaler Gerichtshof *m*; **I~ Labour Organization** Internationale Arbeitsorganisation *f*; ~ **law** Völkerrecht *nt*; **I~ Monetary Fund** Internationaler Währungsfonds; ~ **money order** Auslandsanweisung *f*.

2 *n* (*Sport*) (*match*) Länderspiel *nt*; (*player*) Nationalspieler(in *f*) *m*.

internationally [,ɪntə'næʃnəlɪ] *adv* international.

internecine [,ɪntə'niːsaɪn] *adj* (*bloody*) mörderisch.

internee [,ɪntɜː'niː] *n* Internierte(r) *mf*.

Internet ['ɪntənet] *n: the* ~ das Internet ▶ **to surf the ~** im Internet surfen.

internment [ɪn'tɜːnmənt] *n* Internierung *f* ▶ ~ **camp** Internierungslager *nt*.

interplanetary [,ɪntə'plænɪtərɪ] *adj* interplanetar.

interplay ['ɪntəpleɪ] *n* Zusammenspiel *nt*.

Interpol ['ɪntəpɒl] *n* Interpol *f*.

interpose [,ɪntə'pəuz] *vt* dazwischenbringen *or* -legen;

remark einwerfen.

interpret [ɪn'tɜːprɪt] **1** *vt* **a** dolmetschen. **b** (*explain*) auslegen, interpretieren; (*Theat, Mus*) interpretieren ▶ **how would you ~ what he said?** wie würden Sie seine Worte auffassen?
2 *vi* dolmetschen.

interpretation [ɪn,tɜːprɪ'teɪʃən] *n see vt* (*b*) Auslegung, Interpretation *f*.

interpreter [ɪn'tɜːprɪtəʳ] *n* Dolmetscher(in *f*) *m*; (*Theat, Mus*) Interpret(in *f*) *m*.

interrelated [,ɪntərɪ'leɪtɪd] *adj* **to be** ~ zueinander in Beziehung stehen, zusammenhängen.

interrogate [ɪn'terəgeɪt] *vt* (*police*) verhören.

interrogation [ɪn,terə'geɪʃən] *n* Verhör *nt*.

interrogative [,ɪntə'rɒgətɪv] *adj* (*Gram*) Frage-, Interrogativ-.

interrogator [ɪn'terəgeɪtəʳ] *n* Vernehmungsbeamte(r) *mf*.

interrupt [,ɪntə'rʌpt] *vti* unterbrechen (*also Elec*); *work also* stören ▶ **stop ~ing (me)!** fall mir nicht dauernd ins Wort!

interruption [,ɪntə'rʌpʃən] *n* Unterbrechung *f*; (*of work also*) Störung *f*.

intersect [,ɪntə'sekt] **1** *vt* durchschneiden; (*Geometry*) schneiden.
2 *vi* sich kreuzen; (*Geometry*) sich schneiden.

intersection [,ɪntə'sekʃən] *n* (*crossroads*) Kreuzung *f*; (*Geometry*) Schnittpunkt *m*.

intersperse [,ɪntə'spɜːs] *vt* **woods ~d with fields** Wald mit Feldern dazwischen; **a speech ~d with quotations** eine mit Zitaten gespickte Rede.

interstate [,ɪntə'steɪt] *adj* (*US*) zwischen den (Bundes)staaten ▶ **I~ Highway** ≈ Bundesautobahn *f*.

intertwined [,ɪntə'twaɪnd] *adj* ineinander verschlungen.

interval ['ɪntəvəl] *n* **a** (*space, time*) Abstand *m* ▶ **at ~s** in Abständen; **sunny ~s** Aufheiterungen *pl*. **b** (*Sch, Theat, fig*) Pause *f*. **c** (*Mus*) Intervall *nt*.

intervene [,ɪntə'viːn] *vi* (*person*) einschreiten (*in* bei), intervenieren; (*event, fate*) dazwischenkommen ▶ **in the intervening weeks** in den dazwischenliegenden Wochen.

intervention [,ɪntə'venʃən] *n* Eingreifen *nt*, Intervention *f*.

interview ['ɪntəvjuː] **1** *n* (*for job*) Vorstellungsgespräch *nt*; (*with authorities etc*) Gespräch *nt*; (*TV etc*) Interview *nt*.
2 *vt job applicant* ein/das Vorstellungsgespräch führen mit; (*TV etc*) interviewen ▶ **he is being ~ed on Monday for the job** er hat am Montag sein Vorstellungsgespräch.

interviewee [,ɪntəvjuː'iː] *n* (*for job*) Stellenbewerber(in *f*) *m*; (*TV etc*) Interviewte(r) *mf*.

interviewer ['ɪntəvjuːəʳ] *n* (*for job*) Leiter(in *f*) *m* des Vorstellungsgesprächs; (*TV etc*) Interviewer(in *f*) *m*.

intestate [ɪn'testɪt] *adj* (*Jur*) **to die ~** sterben, ohne ein Testament zu hinterlassen.

intestinal [ɪn'testɪnl] *adj* Darm-.

intestine [ɪn'testɪn] *n* Darm *m* ▶ **~s** Eingeweide *nt*; **small/large** ~ Dünn-/Dickdarm *m*.

intimacy ['ɪntɪməsɪ] *n* Vertrautheit *f*; (*euph: sexual* ~) Intimität *f*.

intimate¹ ['ɪntɪmɪt] *adj friend* eng, vertraut; (*sexually*) intim; *knowledge* gründlich ▶ **to be on ~ terms with sb** zu jdm ein vertrauliches Verhältnis haben; **to be/ become ~ with sb** mit jdm vertraut sein/werden.

intimate² ['ɪntɪmeɪt] *vt* andeuten ▶ **he ~d to them that they should stop** er gab ihnen zu verstehen, daß sie aufhören sollten.

intimately ['ɪntɪmɪtlɪ] *adv acquainted* bestens; *speak* vertraulich; *connected* eng; *know* genau.

intimation [,ɪntɪ'meɪʃən] *n* Andeutung *f*.

intimidate [ɪn'tɪmɪdeɪt] *vt* einschüchtern.
intimidation [ɪn,tɪmɪ'deɪʃən] *n* Einschüchterung *f.*
into ['ɪntʊ] *prep* in (+*acc*); (*crash* gegen ▸ **to translate sth ~ French** etw ins Französische übersetzen; **to divide 3 ~ 9** 9 durch 3 teilen; **far ~ the night** bis tief in die Nacht hinein; **it turned ~ a nice day** es wurde ein schöner Tag; **I'm not really ~ the job yet** (*col*) ich bin noch nicht ganz in der Arbeit drin (*col*); **to be (heavily) ~ sth** (*col: like*) (schwer) auf etw (*acc*) stehen (*col*), (völlig) auf etw (*acc*) abgefahren sein (*col*); **he's ~ drugs/wine** er nimmt Drogen/ist Weinliebhaber.
intolerable [ɪn'tɒlərəbl] *adj* unerträglich.
intolerance [ɪn'tɒlərəns] *n* Intoleranz *f* (*of* gegenüber).
intolerant [ɪn'tɒlərənt] *adj* intolerant (*of* gegenüber).
intonation [,ɪntəʊ'neɪʃən] *n* Intonation *f.*
intoxicate [ɪn'tɒksɪkeɪt] *vt* (*lit, fig*) berauschen.
intoxicated [ɪn'tɒksɪkeɪtɪd] *adj* betrunken, berauscht (*also fig*).
intoxicating [ɪn'tɒksɪkeɪtɪŋ] *adj* berauschend ▸ **~ liquors** (*form*) alkoholische Getränke.
intoxication [ɪn,tɒksɪ'keɪʃən] *n* Rausch *m* (*also fig*).
intractable [ɪn'træktəbl] *adj problem, illness* hartnäckig; *child* widerspenstig.
intransigence [ɪn'trænsɪdʒəns] *n* Unnachgiebigkeit *f.*
intransigent [ɪn'trænsɪdʒənt] *adj* unnachgiebig.
intransitive [ɪn'trænsɪtɪv] *adj verb* intransitiv.
intravenous [,ɪntrə'viːnəs] *adj* intravenös.
in-tray ['ɪntreɪ] *n* Ablage *f* für Eingänge.
intrepid [ɪn'trepɪd] *adj* unerschrocken.
intricacy ['ɪntrɪkəsɪ] *n* Kompliziertheit *f*; (*of a law etc*) Feinheit *f.*
intricate ['ɪntrɪkɪt] *adj* kompliziert; (*involved also*) verwickelt.
intrigue [ɪn'triːg] **1** *vi* intrigieren.
2 *vt* (*arouse interest of*) faszinieren; (*arouse curiosity of*) neugierig machen ▸ **I'd be ~d to know why ...** es würde mich schon interessieren, warum ...
3 ['ɪntriːg] *n* (*plot*) Intrige *f*; (*no pl: plotting*) Intrigen(spiel *nt*) *pl.*
intriguing [ɪn'triːgɪŋ] *adj* faszinierend, interessant.
intrinsic [ɪn'trɪnsɪk] *adj value* immanent; (*essential*) wesentlich ▸ **~ fault** grundlegender Fehler.
introduce [,ɪntrə'djuːs] *vt* **a** (*to person*) vorstellen (*to sb* jdm), bekannt machen (*to* mit); (*to subject*) einführen (*to* in +*acc*) ▸ **have you two been ~d?** hat man Sie miteinander bekannt gemacht?; **to ~ oneself** sich vorstellen. **b** *reform* einführen; (*Parl*) *bill* einbringen; *programme*, (*also TV*) ankündigen. **c** (*insert*) einführen (*into* in +*acc*).
introduction [,ɪntrə'dʌkʃən] *n* **a** (*to person*) Vorstellung *f* ▸ **letter of ~** Einführungsbrief *m*. **b** (*in book*) Einleitung *f* (*to* zu). **c** (*to subject, of reform etc*) Einführung *f* (*to* in +*acc*); (*of bill*) Einbringen *nt*; (*of speaker*) Vorstellung *f*; (*of programme*) Ankündigung *f* ▸ **he needs no ~** er braucht nicht vorgestellt zu werden. **d** (*insertion*) Einführung *f* (*into* in +*acc*).
introductory [,ɪntrə'dʌktərɪ] *adj chapter* einleitend; *remarks* einführend; *talk, offer* Einführungs-.
introspection [,ɪntrəʊ'spekʃən] *n* Selbstbeobachtung *f.*
introspective [,ɪntrəʊ'spektɪv] *adj person* in sich gekehrt; *novel* introspektiv.
introvert ['ɪntrəʊvɜːt] *n* Introvertierte(r) *mf* ▸ **to be an ~** introvertiert sein.
introverted ['ɪntrəʊvɜːtɪd] *adj* introvertiert.
intrude [ɪn'truːd] *vi* eindringen ▸ **to ~ in sb's affairs** sich in jds Angelegenheiten (*acc*) einmischen; **am I intruding?** störe ich?; **to ~ on sb's privacy** jds Privatsphäre verletzen.
intruder [ɪn'truːdər] *n* Eindringling *m.*
intrusion [ɪn'truːʒən] *n* (*disturbance*) Störung *f* ▸ **forgive the ~** entschuldigen Sie, wenn ich hier so ein-

dringe.
intrusive [ɪn'truːsɪv] *adj person* aufdringlich.
intuition [,ɪntjuː'ɪʃən] *n* Intuition *f*; (*of future events etc*) (Vor)ahnung *f* (*of* von).
intuitive *adj* [ɪn'tjuːɪtɪv] intuitiv; *guess, feeling* instinktiv.
intuitively [ɪn'tjuːɪtɪvlɪ] *adv* intuitiv; *feel, guess* instinktiv.
inundate ['ɪnʌndeɪt] *vt* (*lit, fig*) überschwemmen; (*with work*) überhäufen.
inure [ɪn'jʊər] *vt* gewöhnen (*to* an +*acc*); (*physically*) abhärten (*to* gegen).
invade [ɪn'veɪd] *vt* einmarschieren in (+*acc*); (*fig*) überfallen ▸ **to ~ sb's privacy** jds Privatsphäre verletzen.
invader [ɪn'veɪdər] *n* Invasor *m.*
invalid¹ ['ɪnvəlɪd] **1** *adj* krank; (*disabled*) körperbehindert ▸ **~ chair** (*Brit*) Rollstuhl *m*; **~ car** Invaliden(kraft)fahrzeug *nt.*
2 *n* Kranke(r) *mf*; (*disabled person*) Invalide *m*, Invalidin *f*, Körperbehinderte(r) *mf.*
◆**invalid out** *vt sep* **to be ~ed ~ of the army** wegen Dienstuntauglichkeit aus dem Heer entlassen werden.
invalid² [ɪn'vælɪd] *adj* ungültig; *argument* nicht stichhaltig.
invalidate [ɪn'vælɪdeɪt] *vt* ungültig machen; *theory* entkräften.
invaluable [ɪn'væljʊəbl] *adj* unbezahlbar; *service* unschätzbar.
invariable [ɪn'vɛərɪəbl] *adj* unveränderlich.
invariably [ɪn'vɛərɪəblɪ] *adv* ständig ▸ **he is ~ late** er kommt immer zu spät.
invasion [ɪn'veɪʒən] *n* (*lit, fig*) Invasion *f*; (*of privacy etc*) Eingriff *m* (*of* in +*acc*) ▸ **the German ~ of Poland** der Einmarsch der Deutschen in Polen.
invective [ɪn'vektɪv] *n* Beschimpfungen *pl* (*against gen*).
inveigle [ɪn'viːgl] *vt* **to ~ sb into doing sth** jdn dazu verlocken, etw zu tun.
invent [ɪn'vent] *vt* erfinden.
invention [ɪn'venʃən] *n* Erfindung *f.*
inventive [ɪn'ventɪv] *adj* (*creative*) *mind* schöpferisch; *novel, design* einfallsreich; (*resourceful*) erfinderisch.
inventiveness [ɪn'ventɪvnɪs] *n* Erfindungsgabe *f.*
inventor [ɪn'ventər] *n* Erfinder(in *f*) *m.*
inventory ['ɪnvəntrɪ] *n* Inventar *nt*, Bestandsaufnahme *f* ▸ **to take an ~ of sth** den Bestand einer Sache (*gen*) aufnehmen.
inverse [ɪn'vɜːs] *adj* umgekehrt ▸ **in ~ order** in umgekehrter Reihenfolge; **to be in ~ proportion to ...** im umgekehrten Verhältnis zu ... stehen.
inversion [ɪn'vɜːʃən] *n* Umkehrung *f.*
invert [ɪn'vɜːt] *vt* umkehren ▸ **~ed commas** (*Brit*) Anführungszeichen *pl*; **~ed snob** Edelproletarier(in *f*) *m* (*col*).
invertebrate [ɪn'vɜːtɪbrɪt] *n* Wirbellose(r) *m.*
invest [ɪn'vest] **1** *vt* **a** (*Fin, fig*) investieren (*in* in +*acc or dat*); (*Fin also*) anlegen (*in* in +*dat*). **b** (*form: in office*) *president etc* einsetzen.
2 *vi* investieren, Geld anlegen (*in* in +*acc or dat*, *with* bei) ▸ **to ~ in a new car** sich (*dat*) ein neues Auto anschaffen.
investigate [ɪn'vestɪgeɪt] **1** *vt* untersuchen; (*research also*) erforschen; *business affairs* überprüfen; *complaint* nachgehen (+*dat*).
2 *vi* nachforschen; (*police*) Ermittlungen anstellen ▸ **investigating officer** Ermittlungsbeamte(r) *m.*
investigation [ɪn,vestɪ'geɪʃən] *n* **a** (*to determine cause*) Untersuchung *f* (*into gen*); (*by police*) Ermittlungen *pl*; (*of applicants, political beliefs etc*) Überprüfung *f* ▸ **on ~** bei näherer Untersuchung; **to be under ~** überprüft werden; **he is under ~** (*by police*) gegen ihn wird ermittelt. **b** (*research*) Forschung *f*; (*of bacte-*

ria etc) Erforschung *f* (*into gen*).

investigative [ɪnˈvestɪɡətɪv] *adj journalism* Enthüllungs-.

investigator [ɪnˈvestɪɡeɪtə^r] *n* Ermittler *m*; (*private* ~) (Privat)detektiv *m*.

investiture [ɪnˈvestɪtʃə^r] *n* Amtseinführung *f*.

investment [ɪnˈvestmənt] *n* (*Fin*) Investition *f* ▶ *to make an* ~ investieren (*of sth* etw); *oil is a good* ~ Öl ist eine gute (Kapital)anlage.

investment: ~ **company** *n* Investmentgesellschaft *f*; ~ **income** *n* Kapitalerträge *pl*; ~ **management** *n* Vermögensverwaltung *f*; ~ **trust** *n* Investmenttrust *m*.

investor [ɪnˈvestə^r] *n* Kapitalanleger, Investor *m* ▶ *the small* ~ der Kleinanleger.

inveterate [ɪnˈvetərɪt] *adj hatred* tief verwurzelt; *enemies* unversöhnlich; *criminal, smoker* Gewohnheits-; *gambler* unverbesserlich.

invidious [ɪnˈvɪdɪəs] *adj remark* gehässig; *task* unangenehm; *distinctions* ungerecht.

invigilate [ɪnˈvɪdʒɪleɪt] *vti* (*Brit*) *exam* Aufsicht führen (bei).

invigilator [ɪnˈvɪdʒɪleɪtə^r] *n* (*Brit*) Aufsicht, Aufsichtsperson *f*.

invigorate [ɪnˈvɪɡəreɪt] *vt* beleben; (*cure etc*) kräftigen.

invigorating [ɪnˈvɪɡəreɪtɪŋ] *adj climate* gesund; *air, shower* erfrischend; *tonic* kräftigend; (*fig*) *attitude* (herz)erfrischend.

invincible [ɪnˈvɪnsəbl] *adj army etc* unbesiegbar; *courage, determination* unerschütterlich.

inviolable [ɪnˈvaɪələbl] *adj* unantastbar.

invisibility [ɪnˌvɪzəˈbɪlɪtɪ] *n* Unsichtbarkeit *f*.

invisible [ɪnˈvɪzəbl] *adj* unsichtbar (*also Econ*) ▶ ~ *earnings* (*Econ*) unsichtbare Einkünfte *pl*; ~ *ink* Geheimtinte *f*; ~ *mending* Kunststopfen *nt*; ~ *to the naked eye* mit dem bloßen Auge nicht erkennbar.

invitation [ˌɪnvɪˈteɪʃən] *n* Einladung *f* ▶ *by* ~ (*only*) nur auf Einladung; *at sb's* ~ auf jds Aufforderung (*acc*) (hin).

invite [ɪnˈvaɪt] **1** *vt person* einladen; *suggestions* bitten um ▶ *to* ~ *sb to do sth* jdn bitten, etw zu tun; *to* ~ *sb in* jdn hereinbitten; *that's inviting trouble* das gibt bestimmt Ärger.

2 [ˈɪnvaɪt] *n* (*col*) Einladung *f*.

♦**invite out** *vt sep* einladen ▶ *I* ~*d her* ~ ich habe sie gefragt, ob sie mit mir ausgehen möchte.

inviting [ɪnˈvaɪtɪŋ] *adj* einladend; *prospect, meal* verlockend.

invoice [ˈɪnvɔɪs] **1** *n* Rechnung *f*.

2 *vt goods* in Rechnung stellen, berechnen ▶ *to* ~ *sb for sth* jdm für etw eine Rechnung ausstellen.

invoicing [ˈɪnvɔɪsɪŋ] *n* Fakturierung *f*.

invoke [ɪnˈvəʊk] *vt the law etc* anrufen; *treaty etc* sich berufen auf (+*acc*).

involuntarily [ɪnˈvɒləntərɪlɪ] *adv* unbeabsichtigt; (*automatically*) unwillkürlich.

involuntary [ɪnˈvɒləntərɪ] *adj* unbeabsichtigt; *reaction etc* unwillkürlich.

involve [ɪnˈvɒlv] *vt* **a** (*entangle*) verwickeln (*sb in sth* jdn in etw *acc*); (*include*) beteiligen (*sb in sth* jdn an etw *dat*); (*concern*) betreffen ▶ *to get* ~*d in* etw (*acc*) verwickelt werden; *I didn't want to get* ~*d* ich wollte damit nichts zu tun haben; *I didn't want to get too* ~*d* ich wollte mich nicht zu sehr engagieren; *we are all* ~*d in the battle against inflation* der Kampf gegen die Inflation geht uns alle an; *to be* ~*d with sb* mit jdm zu tun haben; (*sexually*) mit jdm ein Verhältnis haben; *to get* ~*d with sb* mit jdm Kontakt bekommen; *he got* ~*d with a girl* er hat eine Beziehung mit einem Mädchen angefangen.

b (*entail*) zur Folge haben; (*mean*) bedeuten ▶ *what does your job* ~*?* worin besteht Ihre Arbeit?; *to* ~ *a lot of hard work* mit viel Arbeit verbunden sein; *it would* ~

moving to Germany das würde bedeuten, nach Deutschland zu ziehen.

involved [ɪnˈvɒlvd] *adj* kompliziert, umständlich (*pej*); *story also* verwickelt; *style* komplex.

involvement [ɪnˈvɒlvmənt] *n* (*being concerned with*) Beteiligung *f* (*in* an +*dat*); (*in quarrel, crime etc*) Verwicklung *f* (*in* in +*acc*); (*commitment*) Engagement *nt*; (*sexually*) Verhältnis *nt*; (*complexity*) Kompliziertheit *f* ▶ *the extent of his* ~ *with her/with his work* das Maß, in dem er sich bei ihr/bei seiner Arbeit engagiert hat; *we don't know the extent of his* ~ *in the plot* wir wissen nicht, wie weit er an dem Komplott beteiligt ist/war.

invulnerable [ɪnˈvʌlnərəbl] *adj* unverwundbar; (*lit, fig*) *position* unangreifbar.

inward [ˈɪnwəd] *adj* (*inner*) innere(r, s); *life* innerlich; *thoughts* innerste(r, s) ▶ ~-*looking* in sich gekehrt.

inwardly [ˈɪnwədlɪ] *adv* innerlich.

inward(s) [ˈɪnwəd(z)] *adv* nach innen.

in-your-face, in-yer-face [ˈɪnjəˌfeɪs] (*sl*) *adj attitude etc* provokativ.

I/O (*Comp*) = **input/output** E/A *f*.

IOC = **International Olympic Committee** IOK *nt*.

iodine [ˈaɪədiːn] *n* Jod *nt*.

IOM = **Isle of Man**.

ion [ˈaɪən] *n* Ion *nt*.

Ionian [aɪˈəʊnɪən] *adj* ~ *Sea* Ionisches Meer.

iota [aɪˈəʊtə] *n* Jota *nt* ▶ *not one* ~ nicht ein Jota; *not an* ~ *of truth* kein Körnchen *nt* Wahrheit.

IOU [ˌaɪəʊˈjuː] = **I owe you** Schuldschein *m*.

IPA = **International Phonetic Alphabet** IPA *nt*.

IOW = **Isle of Wight**.

IQ = **intelligence quotient** IQ, Intelligenzquotient *m*.

IRA = **Irish Republican Army** IRA *f*.

Iran [ɪˈrɑːn] *n* der Iran.

Iranian [ɪˈreɪnɪən] **1** *adj* iranisch.

2 *n* **a** Iraner(in *f*) *m*. **b** (*language*) Iranisch *nt*.

Iraq [ɪˈrɑːk] *n* der Irak.

Iraqi [ɪˈrɑːkɪ] **1** *adj* irakisch.

2 *n* Iraker(in *f*) *m*.

irascible [ɪˈræsɪbl] *adj* reizbar, jähzornig.

irate [aɪˈreɪt] *adj* zornig; *crowd* wütend.

Ireland [ˈaɪələnd] *n* Irland *nt*.

iris [ˈaɪərɪs] *n* **a** (*of eye*) Iris *f*. **b** (*Bot*) Iris, Schwertlilie *f*.

Irish [ˈaɪərɪʃ] **1** *adj* **a** irisch ▶ ~*man* Ire *m*; ~ *Sea* Irische See; ~*woman* Irin *f*. **b** (*hum col: illogical*) unlogisch.

2 *n* **a** *pl the* ~ die Iren *pl*. **b** (*language*) Irisch *nt*.

irk [ɜːk] *vt* verdrießen (*geh*), ärgern.

irksome [ˈɜːksəm] *adj* lästig.

iron [ˈaɪən] **1** *n* **a** Eisen *nt* (*also Golf*) ▶ *a will of* ~ ein eiserner Wille; *to rule with a rod of* ~ mit eiserner Faust herrschen; *to have more than one* ~ *in the fire* (*fig*) mehrere Eisen im Feuer haben; *he has too many* ~*s in the fire* er macht zuviel auf einmal; *to strike while the* ~ *is hot* (*Prov*) das Eisen schmieden, solange es heiß ist (*Prov*). **b** (*electric* ~) Bügeleisen *nt*.

2 *adj* (*lit, fig*) eisern; (*lit also*) Eisen-.

3 *vt clothes* bügeln.

♦**iron out** *vt sep* (*lit, fig*) ausbügeln.

iron: I~ **Age** *n* Eisenzeit *f*; I~ **Curtain** *n* Eiserner Vorhang; *the former I~ Curtain countries* die Länder hinter dem ehemaligen Eisernen Vorhang; ~ **foundry** *n* (*works*) Eisenhütte *f*; (*workshop*) Eisengießerei *f*.

ironic(al) [aɪˈrɒnɪk(əl)] *adj* ironisch; *situation* paradox.

ironically [aɪˈrɒnɪkəlɪ] *adv* ironisch ▶ *and then,* ~ *enough, he turned up* komischerweise tauchte er dann auf.

ironing [ˈaɪənɪŋ] *n* (*process*) Bügeln *nt*; (*clothes*) Bügelwäsche *f* ▶ *to do the* ~ (die Wäsche) bügeln; ~ *board* Bügelbrett *nt*.

iron: ~ **lung** *n* eiserne Lunge; **~monger** *n* (*Brit*) Eisen(waren)händler(in *f*) *m*; ~ **ore** *n* Eisenerz *nt*. **~works** *n sing or pl* Eisenhütte *f*.

irony ['aɪərənɪ] *n* Ironie *f no pl* ▶ *the* ~ *of it is that* ... das Ironische daran ist, daß ...

irrational [ɪ'ræʃənl] *adj* irrational; (*not sensible*) unvernünftig.

irreconcilable [ɪ,rekən'saɪləbl] *adj enemy* unversöhnlich; *differences* unvereinbar.

irrecoverable [,ɪrɪ'kʌvərəbl] *adj* unwiederbringlich verloren; *loss* unersetzlich.

irredeemable [,ɪrɪ'diːməbl] *adj sinner* (rettungslos) verloren; *loss* endgültig.

irrefutable [,ɪrɪ'fjuːtəbl] *adj* unwiderlegbar.

irregular [ɪ'regjʊləʳ] *adj* [a] (*uneven, Gram*) unregelmäßig; *surface* uneben ▶ *to keep* ~ *hours* keine festen Zeiten haben. [b] *behaviour* ungehörig ▶ *this is most* ~*!* das verstößt gegen die Vorschriften.

irregularity [ɪ,regjʊ'lærɪtɪ] *n see adj* [a] Unregelmäßigkeit *f*; Unebenheit *f*. [b] Ungehörigkeit *f* ▶ *a slight* ~ *in the proceedings* ein kleiner Formfehler.

irrelevance [ɪ'reləvəns] *n* Irrelevanz *f no pl*; (*of details also*) Unwesentlichkeit *f*; (*of titles, individuals*) Bedeutungslosigkeit *f*.

irrelevant [ɪ'reləvənt] *adj* irrelevant (*to* für); *information* unwesentlich; *titles etc* bedeutungslos ▶ *it is* ~ *whether he agrees or not* es ist belanglos, ob er zustimmt; *that's* ~ das spielt keine Rolle.

irreligious [,ɪrɪ'lɪdʒəs] *adj* unreligiös; *youth etc* gottlos.

irreparable [ɪ'repərəbl] *adj damage* irreparabel, nicht wiedergutzumachend *attr*.

irreplaceable [,ɪrɪ'pleɪsəbl] *adj* unersetzlich.

irrepressible [,ɪrɪ'presəbl] *adj urge* unbezähmbar; *optimism* unerschütterlich; *person* nicht unterzukriegen; *delight* unbändig.

irreproachable [,ɪrɪ'prəʊtʃəbl] *adj* tadellos.

irresistible [,ɪrɪ'zɪstəbl] *adj* unwiderstehlich.

irresolute [ɪ'rezəluːt] *adj* unentschlossen.

irrespective [,ɪrɪ'spektɪv] *adj*: ~ *of* ungeachtet (+*gen*), unabhängig von; *candidates should be chosen* ~ *of sex* bei der Auswahl der Kandidaten sollte das Geschlecht keine Rolle spielen; ~ *of whether they want to or not* gleichgültig, ob sie wollen oder nicht.

irresponsibility ['ɪrɪ,spɒnsə'bɪlɪtɪ] *n see adj* Unverantwortlichkeit *f*; Verantwortungslosigkeit *f*.

irresponsible [,ɪrɪ'spɒnsəbl] *adj behaviour* unverantwortlich; *person* verantwortungslos.

irretrievable [,ɪrɪ'triːvəbl] *adj* nicht mehr wiederzubekommen; *loss* unersetzlich ▶ ~ *breakdown of marriage* (unheilbare) Zerrüttung der Ehe.

irretrievably [,ɪrɪ'triːvəblɪ] *adv* ~ *lost* für immer verloren.

irreverence [ɪ'revərəns] *n see adj* Respektlosigkeit *f*; Pietätlosigkeit *f*.

irreverent [ɪ'revərənt] *adj behaviour, remark* respektlos; (*towards religion*) pietätlos.

irreversible [,ɪrɪ'vɜːsəbl] *adj judgment* unwiderruflich.

irrevocable [ɪ'revəkəbl] *adj* unwiderruflich.

irrigate ['ɪrɪgeɪt] *vt land, crop* bewässern.

irrigation [,ɪrɪ'geɪʃən] *n* (*Agr*) Bewässerung *f* ▶ ~ *canal* Bewässerungskanal *m*.

irritable ['ɪrɪtəbl] *adj* (*as characteristic*) reizbar; (*on occasion*) gereizt.

irritant ['ɪrɪtənt] *n* (*Med*) Reizerreger *m*.

irritate ['ɪrɪteɪt] *vt* (*annoy*) ärgern; (*deliberately*) reizen; (*get on nerves*) irritieren.

irritating ['ɪrɪteɪtɪŋ] *adj* ärgerlich; *cough* lästig ▶ *I find his jokes most* ~ seine Witze regen mich wirklich auf; *you really are the most* ~ *person* du kannst einem wirklich auf die Nerven gehen.

irritation [,ɪrɪ'teɪʃən] *n* [a] (*state*) Ärger *m*; (*act*) Ärgern *nt*; (*deliberate*) Reizen *nt*; (*thing that irritates*) Ärgernis *nt*. [b] (*Med*) Reizung *f*.

IRS (*US*) = **Internal Revenue Service**.

is [ɪz] *3rd person sing pres of* **be**.

ISBN = **International Standard Book Number** ISBN *f*.

Islam ['ɪzlɑːm] *n* (*religion*) der Islam; (*Moslems collectively*) Mohammedaner *pl*.

Islamic [ɪz'læmɪk] *adj* islamisch.

island ['aɪlənd] *n* (*lit, fig*) Insel *f*.

islander ['aɪləndəʳ] *n* Inselbewohner(in *f*) *m*.

isle [aɪl] *n* (*poet*) Eiland *nt* (*poet*) ▶ *the I~ of Man* die Insel Man.

isn't ['ɪznt] = **is not**.

isobar ['aɪsəʊbɑːʳ] *n* Isobare *f*.

isolate ['aɪsəʊleɪt] *vt* [a] isolieren; (*cut off also*) abschneiden ▶ *to* ~ *oneself from the world* sich von der Welt zurückziehen. [b] (*pinpoint*) herausfinden; *essential factor* herauskristallisieren.

isolated ['aɪsəʊleɪtɪd] *adj* [a] (*cut off*) abgeschnitten, isoliert; (*remote*) abgelegen; *existence* zurückgezogen. [b] (*single*) einzeln ▶ ~ *instances* Einzelfälle *pl*.

isolation [,aɪsəʊ'leɪʃən] *n* [a] (*act*) (*separation*) Absonderung, Isolierung (*esp Med*) *f*; (*pinpointing*) Herausfinden *nt*; (*of essential factor*) Herauskristallisierung *f*. [b] (*state*) Isolation *f*; (*remoteness*) Abgeschiedenheit *f* ▶ *to keep a patient in* ~ einen Patienten isolieren; *to live in* ~ zurückgezogen leben; *to consider sth in* ~ etw gesondert betrachten; *it doesn't make much sense in* ~ ohne Zusammenhang ist es ziemlich unverständlich.

isolation: ~ *hospital* *n* Krankenhaus *nt* für ansteckende Krankheiten; ~ *ward* *n* Isolierstation *f*.

isolationism [,aɪsəʊ'leɪʃənɪzəm] *n* Isolationismus *m*.

isosceles [aɪ'sɒsɪliːz] *adj* (*Geom*) gleichschenklig.

isotope ['aɪsəʊtəʊp] *n* Isotop *nt*.

Israel ['ɪzreɪl] *n* Israel *nt*.

Israeli [ɪz'reɪlɪ] [1] *adj* israelisch. [2] *n* Israeli *mf*.

issue ['ɪʃuː] [1] *vt passport* ausstellen; *shares, banknotes, rations* ausgeben; *order, warning* erteilen (*to dat*); *details* bekanntgeben; (*publish*) *book* herausgeben ▶ *to* ~ *sth to sb/to* ~ *sb with sth* etw an jdn ausgeben; *to* ~ *sb with a visa* jdm ein Visum ausstellen; *a warrant for his arrest was* ~*d* gegen ihn wurde Haftbefehl erlassen.

[2] *vi* (*liquid, gas*) austreten; (*smoke*) (heraus)quellen; (*sound*) (heraus)dringen; (*people etc*) (heraus)strömen.

[3] *n* [a] (*question*) Frage *f*; (*matter also*) Angelegenheit *f*; (*problematic*) Problem *nt* ▶ *the* ~ *is whether* ... die Frage ist, ob ...; *what is at* ~*?* worum geht es?; *that's not at* ~ das steht nicht zur Debatte; *to take* ~ *with sb over sth* jdm in etw (*dat*) widersprechen; *to make an* ~ *of sth* etw aufbauschen; *to evade the* ~ ausweichen; *to face the* ~ den Tatsachen ins Auge sehen. [b] (*outcome*) Ergebnis *nt* ▶ *that decided the* ~ das war ausschlaggebend; *to force the* ~ eine Entscheidung erzwingen. [c] (*of banknotes, shares etc*) Ausgabe *f*; (*of shares also*) Emission *f* ▶ *place of* ~ (*of tickets*) Ausgabestelle *f*; (*of passports*) Ausstellungsort *m*; *date of* ~ (*of tickets*) Ausstellungsdatum *nt*; (*of stamps*) Ausgabetag *m* ▶ *the* ~ *of blankets/guns to the troops* die Versorgung der Truppen mit Decken/die Ausrüstung der Truppen mit Gewehren. [d] (*of book etc*) Herausgabe *f*; (*book etc*) Ausgabe *f*. [e] (*Jur: offspring*) Nachkommenschaft *f*.

Istanbul [,ɪstæn'buːl] *n* Istanbul *nt*.

isthmus ['ɪsməs] *n* Landenge *f*.

IT = **information technology**.

it [ɪt] *pron* [a] (*when replacing noun*) (*subject*) er/sie/es; (*dir obj*) ihn/sie/es; (*indir obj*) ihm/ihr/ihm ▶ *of* ~ davon; *behind/over etc* ~ dahinter/darüber *etc*; *who is*

~? — **~'s me** wer ist da? — ich (bin's); **what is ~?** was ist es or das?; (*matter*) was ist los?; **that's not ~** (*not the trouble*) das ist es (gar) nicht; **that must have been ~** das wird es wohl gewesen sein; **the worst of ~ is that ...** das Schlimmste daran ist, daß ...

[b] (*indef subject*) es ► **~'s raining** es regnet; **if ~ hadn't been for her, we would have come** wenn sie nicht gewesen wäre, wären wir gekommen; **why is ~ always me who has to ...?** warum muß (ausgerechnet) immer ich ...?; **I've known ~ happen** ich habe es (schon) erlebt; **~'s Friday tomorrow** morgen ist Freitag; **~ was he** or (*col*) **him who asked her** er hat sie gefragt; er war es, der sie gefragt hat; **~'s his rudeness I object to** seine Unhöflichkeit ist es, woran ich Anstoß nehme; **~ was for his sake that she lied** nur um seinetwillen hat sie gelogen.

[c] (*col phrases*) **that's ~!** (*agreement*) ja, genau!; (*annoyed*) jetzt reicht's mir!; **that's ~ (then)!** (*achievement*) (so,) das wär's!; (*disappointment*) ja, das war's dann wohl.

ita, ITA (*Brit*) = **initial teaching alphabet** Leselernalphabet *nt*.

Italian [ɪ'tæljən] [1] *adj* italienisch. [2] *n* [a] Italiener(in *f*) *m*. [b] (*language*) Italienisch *nt*.

italic [ɪ'tælɪk] [1] *adj* kursiv. [2] *n* ~*s pl* Kursivschrift *f*; **in ~s** kursiv (gedruckt).

Italy ['ɪtəlɪ] *n* Italien *nt*.

itch [ɪtʃ] [1] *n* [a] Jucken *nt*, Juckreiz *m* ► **I have an ~** mich juckt es. [b] (*col: urge*) Lust *f* ► **I have an ~ to do sth** es juckt (*col*) mich, etw zu tun. [2] *vi* [a] jucken ► **my back ~es** mein Rücken juckt (mich). [b] (*col*) **he is ~ing to ...** es juckt (*col*) ihn, zu ...; **he's ~ing for a fight** er ist auf Streit aus.

itchy ['ɪtʃɪ] *adj* (+*er*) (*itching*) juckend ► **it's ~** es juckt; **I've got ~ feet** (*col*) ich will hier weg (*col*); (*want to travel also*) mich packt das Fernweh.

it'd ['ɪtəd] = **it would; it had.**

item ['aɪtəm] *n* [a] (*on agenda etc*) Punkt *m*; (*Comm: in account book*) (Rechnungs)posten *m*; (*article*) Gegenstand *m*; (*in catalogue etc*) Artikel *m*; (*Brit: in variety show*) Nummer *f*. [b] (*of news*) Bericht *m*; (*short, Rad, TV also*) Meldung *f* ► **a short news ~** eine Zeitungsnotiz/eine Kurzmeldung.

itemize ['aɪtəmaɪz] *vt* einzeln aufführen ► **~d account** spezifizierte Rechnung.

itinerant [ɪ'tɪnərənt] *adj* umherziehend, Wander-; **worker** Saison- ► **~ theatre group** Wandertruppe *f*.

itinerary [aɪ'tɪnərərɪ] *n* (*route*) (Reise)route *f*.

it'll ['ɪtl] = **it will; it shall.**

ITN (*Brit*) = **Independent Television News** Nachrichtendienst *m* der Fernsehanstalt *ITV*.

its [ɪts] *poss adj* sein(e)/ihr(e)/sein(e).

it's [ɪts] = **it is; it has** (*as aux*).

itself [ɪt'self] *pron* [a] (*reflexive*) sich. [b] (*emph*) selbst ► **and now we come to the text ~** und jetzt kommen wir zum Text selbst; **the frame ~ is worth £1,000** der Rahmen allein ist £1000 wert; **the amount in ~** der Betrag an sich. [c] **by ~** (*alone*) allein; (*automatically*) von selbst, selbsttätig.

ITV (*Brit*) = **Independent Television** kommerzielle Fernsehanstalt.

┌─ *ITV* ─────────────────────────────┐

(i) *ITV* steht für *Independent Television* und ist ein landesweiter privater Fernsehsender in Großbritannien. Unter der Oberaufsicht einer unabhängigen Rundfunkbehörde produzieren Privatfirmen die Programme für die verschiedenen Sendegebiete. *ITV*, das seit 1955 Programme ausstrahlt, wird ganz durch Werbung finanziert und bietet etwa ein Drittel Informationssendungen (Nachrichten, Dokumentarfilme, Aktuelles) und ansonsten Unterhaltung (Sport, Komödien, Drama, Spielshows, Filme).

└──────────────────────────────────────┘

IUD = **intra-uterine device** Intrauterinpessar *nt*.

I've [aɪv] = **I have.**

ivory ['aɪvərɪ] [1] *n* (*also colour*) Elfenbein *nt* ► **the ivories** (*col: piano keys*) die Tasten. [2] *adj* elfenbeinern; (*colour*) elfenbeinfarben.

Ivory Coast *n* Elfenbeinküste *f*.

ivory tower *n* (*fig*) Elfenbeinturm *m*.

ivy ['aɪvɪ] *n* Efeu *m*.

Ivy League *n* (*US*) Eliteuniversitäten *pl* der USA.

┌─ *IVY LEAGUE* ──────────────────────┐

(i) Als *Ivy League* bezeichnet man die acht renommiertesten Universitäten im Nordosten der Vereinigten Staaten (*Brown, Columbia, Cornell, Dartmouth College, Harvard, Princeton, University of Pennsylvania, Yale*), die untereinander Sportwettkämpfe austragen. Der Name bezieht sich auf die efeubewachsenen Mauern der Universitätsgebäude.

└──────────────────────────────────────┘

J

J, j [dʒeɪ] *n* J, j *nt* ▶ *J for Jack* (*Brit*), *J for Jig* (*US*) ≃ J wie Julius.

J/A = **joint account**.

jab [dʒæb] **1** *vt* (*with stick, elbow etc*) stoßen; (*with knife also*) stechen ▶ *he ~bed his elbow into my side* er stieß mir den Ellbogen in die Seite.
2 *vi* stoßen (*at sb with sth* mit etw nach jdm).
3 *n* (*with stick, elbow*) Stoß *m*; (*with needle, knife*) Stich *m*; (*col: injection*) Spritze *f*, (*Boxing*) (kurze) Gerade.

jabber ['dʒæbər] **1** *vt* (daher)plappern (*col*); *poem* herunterrasseln (*col*).
2 *vi* (*also ~ away*) plappern, quasseln (*col*) ▶ *they were ~ing away in Spanish* sie quasselten (*col*) Spanisch.

jack [dʒæk] *n* **a** (*Aut*) Wagenheber *m*. **b** (*Cards*) Bube *m*. **c** *every man ~ of them* alle ohne Ausnahme. **d** (*Bowls*) Zielkugel *f*.

◆**jack in** *vt sep* (*col*) *job etc* aufgeben; *lover* Schluß machen mit (*col*).

◆**jack up** *vt sep car* aufbocken; (*col: prices*) in die Höhe treiben.

jackal ['dʒækɔ:l] *n* Schakal *m*.

jackass ['dʒækæs] *n* (*col: person*) Esel *m* (*col*).

jackdaw ['dʒækdɔ:] *n* Dohle *f*.

jacket ['dʒækɪt] *n* **a** (*garment*) Jacke *f*; (*man's – also*) Jackett *nt*. **b** (*of book, US: of record*) Hülle *f*. **c** (*esp US: for papers etc*) Umschlag *m*. **d** *~ potatoes* in der Schale gebackene Kartoffeln *pl*. **e** (*Tech: of boiler etc*) Mantel *m*.

jack: ~-in-the-box *n* Kastenteufel *m*; **~knife** **1** *n* (großes) Taschenmesser; **2** *vi* *the (articulated) truck ~knifed* der Anhänger (des Lastwagens) hat sich quergestellt; **~-of-all-trades** *n* Alleskönner *m*; *to be a ~-of-all-trades (and master of none)* (*prov*) ein Hansdampf *m* in allen Gassen sein; **~ plug** *n* Bananenstecker *m*; (*for telephone*) Telefonstecker *m*; **~pot** *n* Pott *m* (*col*); (*in lottery etc*) Hauptgewinn *m*; *to hit the ~pot* (*in lottery*) den Hauptgewinn bekommen; (*fig*) das große Los ziehen; **J~ Robinson** [ˌdʒæk'rɒbɪnsən] *n: before you could say J~ Robinson* (*col*) im Nu.

Jacuzzi ® [dʒə'ku:zɪ] *n* Whirlpool *m*.

jade [dʒeɪd] **1** *n* (*stone*) Jade *m or f*, (*colour*) Jadegrün *nt*.
2 *adj* Jade-; (*colour*) jadegrün.

jaded ['dʒeɪdɪd] *adj* (*physically*) abgespannt; (*permanently*) verbraucht; (*mentally*) abgestumpft; *appearance* verbraucht.

jagged ['dʒægɪd] *adj zackig*; *wound, tear* ausgefranst; *coastline* zerklüftet.

jaguar ['dʒægjʊər] *n* Jaguar *m*.

jail [dʒeɪl] **1** *n* Gefängnis *nt* ▶ *in ~* im Gefängnis; *to go to ~* ins Gefängnis kommen.
2 *vt* einsperren.

jail: ~bird *n* (*col*) Knastbruder *m* (*col*); **~break** *n* Ausbruch *m* (*aus dem Gefängnis*).

jailer ['dʒeɪlər] *n* Gefängniswärter(in *f*) *m*.

jalop(p)y [dʒə'lɒpɪ] *n* (*col*) alte Mühle (*col*).

jam¹ [dʒæm] *n* Marmelade *f* ▶ *you want ~ on it too, do you?* (*Brit col*) du kriegst wohl nie genug? (*col*).

jam² **1** *n* **a** (*crowd*) Gedränge *nt*. **b** (*traffic ~*) (Ver-

kehrs)stau *m*. **c** (*blockage in machine etc*) Stockung *f*. **d** (*col: tight spot*) *to be in a ~* in der Klemme sitzen (*col*); *to get into a ~ with sth* mit etw Schwierigkeiten haben; *to get sb out of a ~* jdm aus der Klemme helfen (*col*).
2 *vt* **a** (*make stick*) *window etc* verklemmen; *brakes etc* blockieren; (*wedge*) festklemmen; (*between two things*) einklemmen ▶ *it's ~med* es klemmt; *he got his finger ~med in the door* er hat sich (*dat*) den Finger in der Tür eingeklemmt. **b** (*cram*) stopfen, quetschen (*into* in +*acc*) ▶ *we were ~med together* wir waren zusammengedrängt. **c** (*block*) *street etc* verstopfen, blockieren; *radio station* stören ▶ *a street ~med with cars* eine verstopfte Straße; *all the lines are ~med* alle Leitungen sind durch Anrufe blockiert.
3 *vi* **a** *the crowd ~med into the bus* die Menschenmenge zwängte sich in den Bus. **b** (*become stuck*) (*brake*) sich verklemmen; (*door, moving part etc*) klemmen.

◆**jam in** *vt sep* **a** (*wedge in*) einkeilen ▶ *he was ~med ~ by the crowd* er war in der Menge eingekeilt. **b** (*press in*) (herein)stopfen in (+*acc*).

◆**jam on** **1** *vt sep to ~ ~ the brakes* auf die Bremse steigen.
2 *vi* (*brakes*) klemmen.

Jamaica [dʒə'meɪkə] *n* Jamaika *nt*.

Jamaican [dʒə'meɪkən] **1** *adj* jamaikanisch.
2 *n* Jamaikaner(in *f*) *m*.

jamb [dʒæm] *n (door/window) ~* (Tür-/Fenster)pfosten *m*.

jamboree [ˌdʒæmbə'ri:] *n* (*Scouts*) Jamboree *nt*; (*spree*) Rummel *m* (*col*).

James [dʒeɪmz] *n* ≃ Jakob *m*.

jam: ~ jar *n* Marmeladenglas *nt*; **~-packed** *adj* überfüllt, proppenvoll (*col*); **~ session** *n* Jam Session *f*.

Jan = **January** Jan.

jane [dʒeɪn] *n* (*US col*) Weib *nt* (*col*).

jangle ['dʒæŋgl] **1** *vi* (*money*) klimpern (*col*); (*bells*) bimmeln (*col*); (*chains*) rasseln.
2 *vt money* klimpern mit; *keys also, chains* rasseln mit.
3 *n see vi* Klimpern *nt*; Bimmeln *nt*; Rasseln *nt*.

janitor ['dʒænɪtər] *n* Hausmeister *m*; (*of flats also*) Hauswart *m*.

January ['dʒænjʊərɪ] *n* Januar *m*; *see* **September**.

Japan [dʒə'pæn] *n* Japan *nt*.

Japanese [ˌdʒæpə'ni:z] **1** *adj* japanisch.
2 *n* **a** Japaner(in *f*) *m*. **b** (*language*) Japanisch *nt*.

jar¹ [dʒɑ:r] *n* (*for jam etc*) Glas *nt*; (*without handle*) Topf *m*; (*with handle*) Krug *m*.

jar² **1** *n* (*jolt*) Ruck *m*; (*fig*) Schock *m*.
2 *vi* (*note*) schauerlich klingen; (*colours*) sich beißen (*col*); (*ideas*) sich nicht vertragen, nicht harmonieren (*with* mit) ▶ *this ~s stylistically* das fällt stilmäßig aus dem Rahmen; *this noise ~s on my nerves* dieser Lärm geht mir auf die Nerven; *her voice ~s on my ears* ihre Stimme geht mir durch und durch.
3 *vt building etc* erschüttern; *back* sich (*dat*) stauchen; (*fig*) einen Schock versetzen (+*dat*) ▶ *don't ~ the camera* wackele nicht mit dem Fotoapparat.

jargon ['dʒɑ:gən] *n* Jargon *m* (*pej*), Fachsprache *f*.

jarring ['dʒɑ:rɪŋ] *adj sound* gellend; *accent* störend; *col-*

ours sich beißend *attr* (*col*).
Jas. = James.
jasmin(e) ['dʒæzmɪn] *n* Jasmin *m*.
jaundice ['dʒɔːndɪs] *n* Gelbsucht *f*.
jaundiced ['dʒɔːndɪst] *adj* [a] (*lit*) gelbsüchtig. [b] *attitude* zynisch ▶ *to take a ~ view of sth* in bezug auf etw (*acc*) zynisch sein.
jaunt [dʒɔːnt] *n* Trip *m*, Spritztour *f* ▶ *to go for a ~* eine Spritztour machen.
jaunty ['dʒɔːntɪ] *adj* (+*er*) fröhlich; *hat* flott; *attitude* sorglos, unbekümmert ▶ *he wore his hat at a ~ angle* er hatte den Hut keck aufgesetzt.
Java ['dʒɑːvə] *n* Java *nt*.
javelin ['dʒævlɪn] *n* Speer *m* ▶ *(throwing) the ~* Speerwerfen *nt*; *~ thrower* Speerwerfer(in *f*) *m*.
jaw [dʒɔː] *n* [a] Kiefer *m* ▶ *with its prey between its ~s* mit der Beute im Maul; *the ~s of death* die Klauen *pl* des Todes. [b] (*of vice*) Backe *f*.
jawbone ['dʒɔːbəʊn] *n* Kieferknochen *m*.
jay [dʒeɪ] *n* Eichelhäher *m*.
jaywalker ['dʒeɪˌwɔːkəʳ] *n* unachtsamer Fußgänger, unachtsame Fußgängerin.
jazz [dʒæz] [1] *n* (*Mus*) Jazz *m* ▶ *... and all that ~* ... und all so'n Zeug (*col*).
[2] *attr band, music* Jazz-.
◆**jazz up** *vt sep* aufmöbeln (*col*).
jazzy ['dʒæzɪ] *adj* (+*er*) (*tune*) verjazzt; (*colour*) knallig (*col*); (*pattern*) wild; (*dress*) poppig (*col*).
JCB ® [dʒeɪsiː'biː] *n* Erdräummaschine *f*.
jealous ['dʒeləs] *adj lover etc* eifersüchtig; (*envious: of sb's success etc*) neidisch ▶ *to be ~ of sb* auf jdn eifersüchtig sein/jdn beneiden.
jealously ['dʒeləslɪ] *adv see adj* eifersüchtig; neidisch.
jealousy ['dʒeləsɪ] *n see adj* (*of* auf +*acc*) Eifersucht *f*; Neid *m*.
jeans [dʒiːnz] *npl* Jeans *pl* ▶ *pair of ~* Jeanshose *f*.
Jeep ® [dʒiːp] *n* Jeep ® *m*.
jeer [dʒɪəʳ] [1] *n* (*remark*) höhnische Bemerkung; (*shout*) Buhruf *m*; (*esp pl: laughter*) Hohngelächter *nt*.
[2] *vi see n* höhnische Bemerkungen machen; buhen; höhnisch lachen ▶ *to ~ at sb* jdn (laut) verhöhnen.
jeering ['dʒɪərɪŋ] [1] *adj* höhnisch.
[2] *n see* **jeer 1**.
jelly ['dʒelɪ] *n* Gelee *nt*; (*esp Brit: dessert*) Wackelpeter *m* (*col*).
jellyfish ['dʒelɪfɪʃ] *n* Qualle *f*.
jemmy ['dʒemɪ] *n* (*Brit*) Brecheisen *nt*.
jeopardize ['dʒepədaɪz] *vt* gefährden.
jeopardy ['dʒepədɪ] *n* Gefahr *f* ▶ *in ~* gefährdet; *to put sb/sth in ~* jdn/etw gefährden.
jerk [dʒɜːk] [1] *n* [a] Ruck *m*; (*jump*) Satz *m*; (*twitch*) Zuckung *f* ▶ *to give sth a ~* einer Sache (*dat*) einen Ruck geben; *rope* an etw (*dat*) ruckartig ziehen; *the train stopped with a ~* der Zug hielt mit einem Ruck an. [b] (*col: person*) Trottel *m* (*col*).
[2] *vt* rucken an (+*dat*) ▶ *the impact ~ed his head forward* beim Aufprall wurde sein Kopf nach vorn geschleudert; *he ~ed the book out of my hand* er riß mir das Buch aus der Hand.
[3] *vi* (*rope*) rucken; (*move jerkily*) ruckeln (*col*); (*body, muscle*) zucken; (*head*) zurückzucken ▶ *he ~ed away from me* er zuckte vor mir zurück; *the car ~ed forward* der Wagen machte einen Satz nach vorn; *the car ~ed to a stop* das Auto hielt ruckweise an.
jerkin ['dʒɜːkɪn] *n* Weste *f*, (*Hist*) (Leder)wams *nt*.
jerky ['dʒɜːkɪ] *adj* (+*er*) ruckartig; *speech also, style* abgehackt ▶ *a ~ ride* eine holprige Fahrt.
Jerry ['dʒerɪ] *n* (*col*) Deutsche(r) *m*.
jerry: *~ built adj* schlampig gebaut; *~ can n* großer (Blech)kanister.
jersey ['dʒɜːzɪ] *n* Pullover *m*; (*Ftbl etc*) Trikot *nt*.

Jersey ['dʒɜːzɪ] *n* Jersey *nt*.
Jerusalem [dʒə'ruːsələm] *n* Jerusalem *nt* ▶ *~ artichoke* Jerusalemartischocke *f*.
jest [dʒest] [1] *n* (*joke*) Scherz, Witz *m* ▶ *in ~* im Spaß.
[2] *vi* (*esp liter*) scherzen ▶ *to ~ about sth* über etw (*acc*) Witze machen.
jester ['dʒestəʳ] *n* (*Hist*) Narr *m*.
Jesuit ['dʒezjʊɪt] *n* Jesuit *m*.
Jesus ['dʒiːzəs] *n* Jesus *m* ▶ *~ Christ* Jesus Christus; *~ Christ!* (*col*) Herrgott (noch mal)! (*col*).
jet¹ [dʒet] [1] *n* [a] Strahl *m* ▶ *a ~ of water* ein Wasserstrahl. [b] (*nozzle*) Düse *f*. [c] (*also ~ plane*) Düsenflugzeug *nt*, Jet *m* (*col*).
[2] *vi* (*Aviat col*) jetten (*col*).
jet² *n* (*Miner*) Gagat *m* ▶ *~ black* pechschwarz.
jet: *~ engine n* Düsentriebwerk *nt*; *~ fighter n* Düsenjäger *m*; *~lag n* Jet-lag *nt*; *~lagged adj to be ~lagged* durch den Zeitunterschied müde sein; *~ plane n* Düsenflugzeug *nt*; *~-propelled adj* mit Düsenantrieb, Düsen-; *~ set n* Jet-set *m*.
jettison ['dʒetɪsn] *vt* (*lit, fig*) über Bord werfen; *unwanted articles* wegwerfen.
jetty ['dʒetɪ] *n* (*breakwater*) Hafendamm *m*; (*landing pier*) Pier *m*, Landungsbrücke *f*.
Jew [dʒuː] *n* Jude *m*, Jüdin *f*.
jewel ['dʒuːəl] *n* [a] (*gem*) Edelstein *m*, Juwel *nt* (*geh*); (*piece of jewellery*) Schmuckstück *nt*. [b] (*of watch*) Stein *m*.
jeweller, (*US*) **jeweler** ['dʒuːələʳ] *n* Juwelier *m*; (*making jewellery*) Goldschmied *m* ▶ *~'s (shop)* Juwelierladen *m*.
jewellery, (*US*) **jewelry** ['dʒuːəlrɪ] *n* Schmuck *m no pl* ▶ *a piece of ~* ein Schmuckstück *nt*; *~ store* (*US*) Juwelierladen *m*.
Jewess ['dʒuːɪs] *n* Jüdin *f*.
Jewish ['dʒuːɪʃ] *adj* jüdisch ▶ *he/she is ~* er ist Jude/sie ist Jüdin.
Jewishness ['dʒuːɪʃnɪs] *n* Judentum *nt*.
Jewry ['dʒʊərɪ] *n* das Judentum.
jib [dʒɪb] *n* (*of crane*) Ausleger *m*; (*Naut*) Klüver *m*.
[2] *vi to ~ (at sth)* sich (gegen etw) sträuben.
jibe [dʒaɪb] *n, vi* = **gibe**.
jiffy ['dʒɪfɪ] *n* (*col*) Augenblick *m*, Minütchen *nt* (*col*) ▶ *I won't be a ~* ich komme sofort; (*back soon*) ich bin sofort wieder da; *in a ~* sofort.
Jiffy bag ® *n* (gepolsterte) Versandtasche *f*.
jig [dʒɪg] *n* [a] (*dance*) lebhafter Volkstanz. [b] (*Tech*) Spannvorrichtung *f*.
jiggle ['dʒɪgl] *vt* wackeln mit.
jigsaw ['dʒɪgsɔː] *n* (*also ~ puzzle*) Puzzle(spiel) *nt*.
jilt [dʒɪlt] *vt lover* den Laufpaß geben (+*dat*) ▶ *~ed* verschmäht.
jingle ['dʒɪŋgl] [1] *n* [a] (*of keys etc*) Klimpern *nt*; (*of bells*) Bimmeln *nt*. [b] (*catchy verse*) Spruch *m*; (*for remembering*) Merkspruch *m* ▶ *advertising ~* Werbespruch *m*; (*without words*) Werbemelodie *f*.
[2] *vi* (*keys etc*) klimpern; (*bells*) bimmeln.
[3] *vt keys* klimpern mit; *bells* bimmeln lassen.
jingoism ['dʒɪŋgəʊɪzəm] *n* Hurrapatriotismus *m*.
jinx [dʒɪŋks] *n there's a ~ on it* das ist verhext.
jitters ['dʒɪtəz] *npl* (*col*) *the ~* das große Zittern (*col*); *to give sb the ~* jdn ganz rappelig machen (*col*); *to get the ~* Bammel kriegen (*col*).
jittery ['dʒɪtərɪ] *adj* (*col*) nervös, rappelig (*col*).
jive [dʒaɪv] [1] *n* (*dance*) Swing *m*.
[2] *vi* Swing tanzen.
▼ **job** [dʒɒb] *n* [a] (*piece of work*) Arbeit *f* ▶ *I have a ~ to do* ich habe zu tun; *it's quite a ~ to paint the house* das Haus zu streichen ist ziemlich viel Arbeit; *he's on the ~* (*col: at work*) er ist bei der Arbeit; *training on the ~* Ausbildung *f* am Arbeitsplatz; *he made a good ~*

of it er hat es gut hingekriegt (*col*); *we have a lot of ~s on just now* wir haben zur Zeit viele Aufträge; *he knows his ~* er versteht sein Handwerk; *that's not my ~* dafür bin ich nicht zuständig.

b (*employment*) Stelle *f*, Job *m* (*col*) ▶ *500 ~s lost* 500 Arbeitsplätze verlorengegangen; *to bring new ~s to a region* in einer Gegend neue Arbeitsplätze schaffen.

c (*duty*) Aufgabe *f* ▶ *I'm only doing my ~* ich tue nur meine Pflicht.

d *that's a good ~!* so ein Glück; *it's a good ~ I brought my cheque book* nur gut, daß ich mein Scheckbuch dabeihabe; *to give sb/sth up as a bad ~* jdn/etw aufgeben; *that should do the ~* das müßte hinhauen (*col*); *this is just the ~* das ist genau das richtige; *she has a ~ getting up the stairs* es ist gar nicht einfach für sie, die Treppe hinaufzukommen.

e (*col: crime*) Ding *nt* (*col*) ▶ *remember that bank ~?* erinnerst du dich an das große Ding in der Bank? (*col*).

f (*col: person, thing*) Ding *nt* ▶ *his new car's a lovely little ~* sein neues Auto ist wirklich große Klasse (*col*).

jobber ['dʒɒbəʳ] *n* (*St Ex*) Effektenhändler *m*.
jobbing ['dʒɒbɪŋ] *adj gardener etc* Gelegenheits-; *printer* Akzidenz-.
job: **~ centre** *n* (*Brit*) Arbeitsamt *nt*; **~ creation scheme** *n* Arbeitsbeschaffungsprogramm *nt*; **~ description** *n* Tätigkeitsbeschreibung *f*; **~ hunting** *n* Arbeitssuche *f*; **~less** **1** *adj* arbeitslos; **2** *n* **the ~less** *pl* die Arbeitslosen *pl*; **~ loss** *n* **there were 1,000 ~ losses** 1 000 Arbeitsplätze gingen verloren; **~ lot** *n* (*Comm*) (Waren)posten *m*; (*fig*) Sammelsurium *nt*; **~ number** *n* (*Ind, Comm*) Auftragsnummer *f*; **~ satisfaction** *n* Zufriedenheit *f* am Arbeitsplatz; **~ security** *n* Sicherheit *f* des Arbeitsplatzes; **~ seeker** ['siːkə] *n* Arbeitssuchende(r) *mf*; **~ seeker's allowance** *n* ≈ Arbeitslosengeld *nt*; **~-sharing** *n* Arbeitsplatzteilung *f*; **~ specification** *n* Arbeitsplatzbeschreibung *f*; **~ title** *n* Berufsbezeichnung *f*.
jockey ['dʒɒkɪ] **1** *n* Jockey, Rennreiter(in *f*) *m*. **2** *vi* *to ~ for position* (*lit*) sich in eine gute Position zu drängen versuchen; (*fig*) rangeln.
jockstrap ['dʒɒkstræp] *n* Suspensorium *nt*.
jocular ['dʒɒkjʊləʳ] *adj* lustig, spaßig ▶ *to be in a ~ mood* zu Scherzen aufgelegt sein.
jodhpurs ['dʒɒdpəz] *npl* Reithose(n *pl*) *f*.
jog [dʒɒg] **1** *vt* *elbow etc* stoßen an (*+acc*) *or* gegen; *person* anstoßen ▶ *to ~ sb's memory* jds Gedächtnis (*dat*) nachhelfen.
2 *vi* trotten; (*Sport*) Dauerlauf machen, joggen.
3 *n* (*run*) trabender Lauf, Trott *m*; (*Sport*) Dauerlauf *m* ▶ *to go for a ~* (*Sport*) einen Dauerlauf machen, joggen (gehen).
◆jog along *vi* (*person, worker, industry*) vor sich (*acc*) hinwursteln (*col*); (*work*) seinen Gang gehen.
jogging ['dʒɒgɪŋ] *n* Dauerlauf *m*, Joggen *nt* ▶ *he goes ~* er macht Jogging.
John [dʒɒn] *n* (*monarch etc*) Johann, Johannes ▶ *~ the Baptist* Johannes der Täufer.
john [dʒɒn] *n* (*US col: toilet*) Klo *nt* (*col*).
▼ **join** [dʒɔɪn] **1** *vt* **a** (*lit, fig: connect*) verbinden (*to* mit); (*attach also*) anfügen (*to* an *+acc*) ▶ *to ~ battle (with the enemy)* den Kampf (mit dem Feind) aufnehmen; *to ~ hands* (*lit, fig*) sich (*dat*) die Hände reichen.
b (*become member of*) *army* gehen zu; *political party, club* beitreten (*+dat*), eintreten in (*+acc*); *university* (*as student*) anfangen an (*+dat*); (*as staff*) *firm* anfangen bei; *group of people* sich anschließen (*+dat*).
c (*meet*) *I'll ~ you in France* er stieß in Frankreich zu uns; *I ~ed him at the station* ich traf mich mit ihm am Bahnhof; *I'll ~ you in five minutes* ich bin in fünf

Minuten bei Ihnen; (*follow you*) ich komme in fünf Minuten nach; *may I ~ you?* kann ich mich Ihnen anschließen?; (*sit with you*) darf ich mich zu Ihnen setzen?; *will you ~ us?* machen Sie mit?; (*sit with us*) wollen Sie uns nicht Gesellschaft leisten?; (*come with us*) kommen Sie mit?; *do ~ us for lunch* essen Sie doch mit uns (zu Mittag); *will you ~ me in a drink?* trinken Sie ein Glas mit mir?
d (*river*) *another river, the sea* münden *or* fließen in (*+acc*); (*road*) *another road* münden in (*+acc*).
2 *vi* **a** (*also ~ together*) (*two parts*) (*be attached*) (miteinander) verbunden sein; (*be attachable*) sich (miteinander) verbinden lassen; (*meet, be adjacent*) zusammentreffen; (*estates*) aneinander grenzen; (*rivers*) zusammenfließen; (*roads, lines, boundaries etc*) sich treffen ▶ *they all ~ed together to get her a present* sie taten sich alle zusammen, um ihr ein Geschenk zu kaufen. **b** (*club member*) beitreten, Mitglied werden.
3 *n* Naht(stelle) *f*; (*in pipe, knitting*) Verbindungsstelle *f*.
◆join in *vi* (*in activity*) mitmachen (*prep obj* bei); (*in game also*) mitspielen (*prep obj* bei) ▶ *~ ~, everybody!* (*in song etc*) alle (mitmachen)!; *everybody ~ed ~ the chorus* sie sangen alle zusammen den Refrain.
◆join up **1** *vi* **a** (*Mil*) zum Militär gehen. **b** (*meet: roads etc*) sich treffen; (*join forces*) sich zusammenschließen, sich zusammentun (*col*).
2 *vt sep* (miteinander) verbinden.
joiner ['dʒɔɪnəʳ] *n* Tischler, Schreiner *m*.
joinery ['dʒɔɪnərɪ] *n* (*trade*) Tischlerei *f*.
joint [dʒɔɪnt] **1** *n* **a** (*Anat*) Gelenk *nt*. **b** (*join*) (*in woodwork*) Fuge *f*; (*in pipe etc*) Verbindung(sstelle) *f*; (*welded etc*) Naht(stelle) *f*. **c** (*Cook*) Braten *m* ▶ *a ~ of beef* ein Rinderbraten *m*. **d** (*col: place*) Laden *m* (*col*). **e** (*col: of marijuana*) Joint *m* (*col*).
2 *adj attr* gemeinsam; *action, work also* Gemeinschafts-; *owner(ship)* Mit- ▶ *~ account* gemeinsames Konto; *the essay was a ~ effort* der Aufsatz ist in Gemeinschaftsarbeit entstanden; *~ heir* Miterbe *m*, Miterbin *f*; *~ owners* Miteigentümer *pl*; *~ stock bank* Aktienbank *f*; *~ stock company* Aktiengesellschaft *f*; *~ venture* Gemeinschaftsunternehmen, Joint-venture *nt*.
jointly ['dʒɔɪntlɪ] *adv* gemeinsam.
joist [dʒɔɪst] *n* Balken *m*; (*steel*) Träger *m*.
joke [dʒəʊk] **1** *n* Witz *m*; (*prank*) Streich *m*; (*laughing stock*) Gespött *nt* ▶ *for a ~* zum Spaß, aus Jux (*col*); *I don't see the ~* ich möchte wissen, was daran so lustig sein soll; *he treats it as a big ~* für ihn ist das ein Witz; *he can't take a ~* er versteht keinen Spaß; *it's no ~* das ist nicht zum Lachen; *this is getting beyond a ~* das geht (langsam) zu weit; *the ~ was on me* der Spaß ging auf meine Kosten; *to play a ~ on sb* jdm einen Streich spielen; *to make ~s about sth* sich über etw lustig machen.
2 *vi* Witze machen (*about* über *+acc*); (*pull sb's leg*) Spaß machen ▶ *I'm not joking* ich meine das ernst; *you must be joking!* das ist ja wohl nicht dein Ernst!
joker ['dʒəʊkəʳ] *n* **a** (*person*) Witzbold, Spaßvogel *m*. **b** (*Cards*) Joker *m*.
joking ['dʒəʊkɪŋ] **1** *adj tone* scherzhaft, spaßend.
2 *n* Witze *pl* ▶ *~ apart* Spaß beiseite.
jokingly ['dʒəʊkɪŋlɪ] *adv* im Spaß.
jollity ['dʒɒlɪtɪ] *n* Fröhlichkeit, Ausgelassenheit *f*.
jolly ['dʒɒlɪ] **1** *adj* (*+er*) (*merry*) fröhlich, vergnügt.
2 *adv* (*Brit col*) *you are ~ lucky* Sie haben vielleicht Glück (*col*); *~ good* prima (*col*); *that's ~ kind of you* das ist furchtbar nett von Ihnen; *you ~ well will go!* und ob du gehst!
3 *vt to ~ sb along* jdm aufmunternd zureden.
jolt [dʒəʊlt] **1** *vi* (*vehicle*) holpern; (*give one ~*) einen Ruck machen ▶ *to ~ along* rüttelnd entlangfahren; *to ~*

to a halt ruckweise anhalten. **2** vt (lit) (shake) durchrütteln; (once) einen Ruck geben (+dat); (fig) aufrütteln ▸ **it ~ed him into action** das hat ihn aufgerüttelt. **3** n (jerk) Ruck m ▸ **it gave me a ~** (fig) das hat mir einen Schock versetzt.

Jordan ['dʒɔ:dn] n Jordanien nt; (river) Jordan m.

Jordanian [dʒɔ:'deɪnɪən] **1** adj jordanisch. **2** n Jordanier(in f) m.

joss stick ['dʒɒsstɪk] n Räucherstäbchen nt.

jostle ['dʒɒsl] **1** vi drängeln ▸ **he ~d against me** er rempelte mich an. **2** vt anrempeln, schubsen ▸ **he was ~d along with the crowd** die Menge schob ihn mit sich.

jot [dʒɒt] n (of truth) Funken m, Körnchen nt.

◆**jot down** vt sep sich (dat) notieren.

jotter ['dʒɒtər] n (note pad) Notizblock m; (notebook) Notizheft(chen) nt.

jottings ['dʒɒtɪŋz] npl Notizen pl.

joule [dʒu:l] n Joule nt.

journal ['dʒɜ:nl] n (periodical) Zeitschrift f; (diary) Tagebuch nt.

journalese [,dʒɜ:nə'li:z] n Zeitungsjargon m.

journalism ['dʒɜ:nəlɪzəm] n Journalismus m.

journalist ['dʒɜ:nəlɪst] n Journalist(in f) m.

journalistic [,dʒɜ:nə'lɪstɪk] adj journalistisch.

journey ['dʒɜ:nɪ] **1** n Reise f; (by train, car also) Fahrt f ▸ **to go on a ~** eine Reise machen, verreisen; **it is a 50 mile ~** es liegt 50 Meilen entfernt; **a two day ~** eine Reise von zwei Tagen; **a train ~** eine Zugfahrt; **the ~ home** die Heimfahrt. **2** vi reisen.

jovial adj, **~ly** adv ['dʒəʊvɪəl, -ɪ] fröhlich; welcome herzlich.

joviality [,dʒəʊvɪ'ælɪtɪ] n see adj Fröhlichkeit f; Herzlichkeit f.

jowl [dʒaʊl] n (jaw) (Unter)kiefer m; (often pl: cheek) Backe f.

joy [dʒɔɪ] n Freude f ▸ **to my great ~** zu meiner großen Freude; **I wish you ~ (of it)!** (iro) na dann viel Spaß!; **I didn't get much ~** (Brit col) ich hatte nicht viel Erfolg; **did you get any ~?** hat es geklappt? (col).

joyful adj, **~ly** adv ['dʒɔɪfʊl, -ɪ] freudig, froh.

joyous adj, **~ly** adv ['dʒɔɪəs, -lɪ] (liter) freudig, froh.

joy: ~-ride n Spritztour f (in einem gestohlenen Auto); **~-rider** n Autodieb, der den Wagen nur für eine Spritztour nimmt; **~stick** n (Aviat) Steuerknüppel m; (Comp) Joystick m.

JP (Brit) = Justice of the Peace.

Jr = junior jr., jun.

jubilant ['dʒu:bɪlənt] adj mood Jubel-; crowd jubelnd; face strahlend attr ▸ **they gave him a ~ welcome** sie empfingen ihn mit Jubel; **he was ~ at the news** er war überglücklich, als er die Nachricht hörte.

jubilation [,dʒu:bɪ'leɪʃən] n Jubel m.

jubilee ['dʒu:bɪlɪ] n Jubiläum nt.

judge [dʒʌdʒ] **1** n (Jur) Richter(in f) m; (of competition) Preisrichter(in f) m; (Sport) Schiedsrichter(in f) m; (fig) Kenner m ▸ **to be a good ~ of character** ein guter Menschenkenner sein; **to be a good ~ of wine** ein Weinkenner sein. **2** vt **a** (Jur) person die Verhandlung führen über (+acc); case verhandeln; (God) richten. **b** competition beurteilen, bewerten; (Sport) Schiedsrichter sein bei. **c** (fig: pass judgement on) ein Urteil fällen über (+acc) ▸ **you shouldn't ~ people by appearances** Sie sollten Menschen nicht nach ihrem Äußeren beurteilen. **d** (consider, assess) **he ~d it to be necessary/advisable** er hielt es für nötig/ratsam; **you can ~ for yourself how upset I was** Sie können sich (dat) denken, wie bestürzt ich war; **I can't ~ whether he was right or wrong** ich

kann nicht beurteilen, ob er recht oder unrecht hatte. **e** (estimate) distance etc einschätzen ▸ **he ~d the moment well** er hat den richtigen Augenblick abgepaßt. **3** vi (Jur) Richter sein; (God) richten; (at competition) Preisrichter sein; (Sport) Schiedsrichter sein; (fig) (pass judgement) ein Urteil fällen; (form an opinion) (be)urteilen ▸ **as far as one can ~** soweit man (es) beurteilen kann; **judging by or from sth** nach etw zu urteilen; **judging by appearances** dem Aussehen nach; **(you can) ~ for yourself** beurteilen Sie das selbst.

judg(e)ment ['dʒʌdʒmənt] n (Jur) (Gerichts)urteil nt; (opinion) Ansicht f, Urteil nt; (value ~) Werturteil nt; (estimation) Einschätzung f; (discernment) Urteilsvermögen nt ▸ **to pass ~** (lit, fig) ein Urteil fällen, das Urteil sprechen (on über +acc); **an error of ~** eine Fehleinschätzung; **in my ~** meiner Meinung nach; **against my better ~** gegen meine Überzeugung; **it's a question of ~** das ist Ansichtssache.

Judg(e)ment Day n Tag m des Jüngsten Gerichts.

judicial [dʒu:'dɪʃəl] adj (Jur) gerichtlich, Justiz-.

judiciary [dʒu:'dɪʃərɪ] n (branch of administration) Gerichtsbehörden pl; (judges) Richterstand m.

judicious adj, **~ly** adv [dʒu:'dɪʃəs, -lɪ] klug, umsichtig.

judo ['dʒu:dəʊ] n Judo nt.

jug [dʒʌg] **1** n **a** (with lid) Kanne f; (without lid) Krug m; (small) Kännchen n. **b** (col: prison) Knast m (col). **2** vt **~ged hare** ≈ Hasenpfeffer m.

juggernaut ['dʒʌgənɔ:t] n (Brit: truck) Schwerlaster m.

juggle ['dʒʌgl] vti jonglieren ▸ **to ~ (with) the figures** mit den Zahlen jonglieren.

juggler ['dʒʌglər] n Jongleur m.

Jugoslavia [,ju:gəʊ'slɑ:vɪə] = **Yugoslavia**.

jugular ['dʒʌgjʊlər] n (also ~ vein) Drosselvene f.

juice [dʒu:s] n (lit, fig col) Saft m; (fuel) Sprit m (col).

juiciness ['dʒu:sɪnɪs] n (lit, fig of scandal) Saftigkeit f; (of story) Pikanterie f.

juicy ['dʒu:sɪ] adj (+er) saftig; story pikant, schlüpfrig; scandal also gepfeffert (col).

jujitsu [,dʒu:'dʒɪtsu:] n Jiu-Jitsu nt.

jukebox ['dʒu:kbɒks] n Musikbox f.

Jul = July Jul.

July [dʒu:'laɪ] n Juli m; see **September**.

jumble ['dʒʌmbl] **1** vt (also ~ up) (lit) durcheinanderwerfen ▸ **~d up** durcheinander; (fig) facts durcheinanderbringen. **2** n **a** Durcheinander nt; (of ideas also) Wirrwarr m. **b** no pl (for ~ sale) gebrauchte Sachen pl ▸ **~ sale** (Brit) ≈ Flohmarkt m; (for charity) Wohltätigkeitsbasar m.

┌─ **JUMBLE SALE** ─┐

ⓘ **Jumble sale** ist ein Wohltätigkeitsbasar, meist in einer Aula oder einem Gemeindehaus abgehalten, bei dem alle möglichen Gebrauchtwaren (vor allem Kleidung, Spielzeug, Bücher, Geschirr und Möbel) verkauft werden. Der Erlös fließt entweder einer Wohltätigkeitsorganisation zu oder wird für örtliche Zwecke verwendet, z.B. die Pfadfinder, die Grundschule, Reparatur der Kirche usw.

jumbo ['dʒʌmbəʊ] **1** n (~ jet) Jumbo(-Jet) m. **2** adj (box, sausage) Riesen-.

jump [dʒʌmp] **1** n (lit, fig) Sprung m; (with parachute) Absprung m; (on race-course) Hindernis nt; (of prices) (sprunghafter) Anstieg m ▸ **to be one ~ ahead** (fig) einen Schritt voraus sein. **2** vi **a** springen; (parachutist) (ab)springen; (typewriter) Buchstaben überspringen; (prices, shares) sprunghaft ansteigen ▸ **to ~ for joy** einen Freudensprung machen; **to ~ up and down on the spot** auf der Stelle hüpfen; **she was ~ing up and down (with excite-**

ment) *(fig)* sie war ganz aus dem Häuschen *(col)*; **to ~ to conclusions** vorschnelle Schlüsse ziehen; **go and ~ in the lake!** *(col)* scher dich zum Teufel! *(col)*; **~ to it!** mach schon!; *if you keep ~ing from one thing to an-other* wenn Sie nie bei einer Sache bleiben. [b] *(start)* zusammenzucken ▶ *you made me ~* du hast mich (aber) erschreckt.

[3] *vt* [a] *(ditch etc)* überspringen, hinüberspringen über *(+acc)*. [b] *(skip)* überspringen, auslassen ▶ **to ~ the rails** *(train)* entgleisen. [c] *(col)* **to ~ bail** abhauen *(col)* *(während man auf Kaution freigelassen ist)*; **to ~ the lights** bei Rot über die Kreuzung fahren; **to ~ the queue** *(Brit)* sich vordrängeln; **to ~ ship** *(Naut)* *(passenger)* das Schiff vorzeitig verlassen; *(sailor)* heimlich abheuern; **to ~ sb** *(attack)* jdn überfallen.

◆**jump about** *or* **around** *vi* herumspringen.

◆**jump at** *vi* *+prep obj* *person* *(lit)* anspringen; *(fig)* anfahren; *object* zuspringen auf *(+acc)*; *offer* sofort zugreifen bei; *chance* sofort beim Schopf ergreifen.

◆**jump down** *vi* hinunter-/herunterspringen *(from* von*)* ▶ **to ~ ~ sb's throat** jdn anfahren.

◆**jump in** *vi* hinein-/hereinspringen ▶ **~ ~!** *(into vehicle)* steig ein!

◆**jump off** *vi* herunterspringen *(prep obj* von*)*; *(from train, bus)* aussteigen *(prep obj* aus*)*; *(from bicycle, horse)* absteigen *(prep obj* von*)*.

◆**jump on** *vi* *(lit)* *(onto vehicle)* einsteigen *(prep obj, -to* in *+acc)*; *(onto bicycle, horse)* aufsteigen *(prep obj, -to* auf *+acc)* ▶ *he ~ed ~ (to) his bicycle* er schwang sich auf sein Fahrrad.

◆**jump out** *vi* hinaus-/herausspringen *(from vehicle)* aussteigen *(of* aus*)*.

◆**jump up** *vi* hochspringen; *(from sitting or lying position also)* aufspringen; *(onto sth)* hinaufspringen *(onto* auf *+acc)*.

jumped-up ['dʒʌmpt'ʌp] *adj* *(col)* eingebildet ▶ *this new ~ manager* dieser kleine Emporkömmling von einem Abteilungsleiter.

jumper ['dʒʌmpəʳ] *n* [a] *(garment)* *(Brit)* Pullover *m*; *(US: dress)* Trägerkleid *nt*. [b] *(person, animal)* Springer *m*. [c] **~ cable** *(US Aut)* Starthilfekabel *nt*.

jump: ~ jet *n* Senkrechtstarter *m*; **~ leads** *npl* *(Brit Aut)* Starthilfekabel *nt*; **~-off** *n* *(Show-jumping)* Stechen *nt*; **~-start** *vt* *(by pushing)* anschieben; *(with leads)* mit Starthilfekabel starten; **~ suit** *n* Overall *m*.

jumpy ['dʒʌmpɪ] *adj* *(+er)* *(col)* *person* nervös; *(easily startled)* schreckhaft.

Jun = [a] **June** Jun. [b] **junior** jr., jun.

junction ['dʒʌŋkʃən] *n* *(Rail)* Gleisanschluß *m*; *(Brit: of roads)* Kreuzung *f* ▶ **railway ~** Eisenbahnknotenpunkt *m*; **~ box** *(Elec)* Verteilerkasten *m*.

juncture ['dʒʌŋktʃəʳ] *n*: **at this ~** zu diesem Zeitpunkt.

June [dʒuːn] *n* Juni *m*; *see* **September**.

jungle ['dʒʌŋgl] *n* Dschungel *(also fig)*, Urwald *m*.

junior ['dʒuːnɪəʳ] [1] *adj* [a] *(younger)* jünger ▶ **Hiram Schwarz, ~** Hiram Schwarz junior; **~ classes** *(Sch)* Unterstufe *f*; **~ school** *(Brit)* Grundschule *f*; **~ high (school)** *(US)* ≈ Mittelschule *f*. [b] *employee* untergeordnet; *officer* rangniedriger ▶ **~ clerk** zweiter Buchhalter; **~ Minister** Staatssekretär(in *f*) *m*.

[2] *n* [a] Jüngere(r) *mf* ▶ *he is two years my ~* er ist zwei Jahre jünger als ich. [b] *(Brit Sch)* Grundschüler(in *f*) *m*; *(US Univ)* Student(in *f*) *m* im vorletzten Studienjahr.

juniper ['dʒuːnɪpəʳ] *n* Wacholder *m* ▶ **~ berry** Wacholderbeere *f*.

junk[1] [dʒʌŋk] *n* [a] *(discarded objects)* Trödel *m*, Gerümpel *nt*; *(col: trash)* Schund *m*; *(pej: food)* Fraß *m* *(col)*. [b] *(col: drugs)* Stoff *m* *(col)*.

junk[2] *n* *(boat)* Dschunke *f*.

junk: ~ foods *npl* *(pej)* Plastikessen *nt* *(pej col)*; *(sweets)* Süßkram *m* *(col)*; **~ heap** *n* *(also col: car)*

Schrotthaufen *m*.

junkie ['dʒʌŋkɪ] *n* *(col)* Fixer(in *f*) *m* *(col)*.

junk: ~ mail *n* (Post)wurfsendungen *pl*; **~ room** *n* Rumpelkammer *f*; **~ shop** *n* Trödelladen *m*.

junta ['dʒʌntə] *n* Junta *f*.

Jupiter ['dʒuːpɪtəʳ] *n* Jupiter *m*.

jurisdiction [ˌdʒʊərɪs'dɪkʃən] *n* Gerichtsbarkeit *f*; *(range of authority)* Zuständigkeit(sbereich *m*) *f* ▶ *matters that do not fall under the ~ of this court* Fälle, für die dieses Gericht nicht zuständig ist; *that's not (in) my ~* dafür bin ich nicht zuständig.

jurisprudence [ˌdʒʊərɪs'pruːdəns] *n* Jura *no art*.

juror ['dʒʊərəʳ] *n* Schöffe *m*, Schöffin *f*; *(for capital crimes)* Geschworene(r) *mf*.

jury ['dʒʊərɪ] *n* [a] **the ~** die Schöffen *pl*; *(for capital crimes)* die Geschworenen *pl*; **to sit on the ~** Schöffe/ Geschworener sein. [b] *(for competition)* Jury *f*.

jury: ~box *n* Schöffen-/Geschworenenbank *f*; **~man** *n* = **juror**; **~ service** *n* **to be called for ~ service** als Schöffe/Geschworener berufen werden.

▼**just**[1] [dʒʌst] *adj* [a] *(with time)* gerade, (so)eben ▶ *they have ~ left* sie sind gerade gegangen; *I met him ~ after lunch* ich habe ihn gleich nach dem Mittagessen getroffen; *hurry up, he's ~ going* beeilen Sie sich, er geht gerade; *I'm ~ coming* ich komme ja schon; *I was ~ going to ...* ich wollte gerade ...; **~ as I was going** gerade, als ich gehen wollte.

[b] *(barely, almost not)* gerade noch ▶ *he ~ escaped being run over* er wäre um ein Haar überfahren worden; *I arrived ~ in time* ich bin gerade noch rechtzeitig gekommen.

[c] *(exactly)* genau ▶ *it is ~ five o'clock* es ist genau fünf Uhr; *that's ~ like you* das sieht dir ähnlich; **~ as I expected** genau wie ich es erwartet hatte; *that's ~ it!* das ist es ja gerade!; *that's ~ what I was going to say* genau das wollte ich (auch) sagen; **~ what do you mean by that?** was soll das heißen?; **~ at that moment** genau in dem Augenblick; *everything has to be ~ so* es muß alles seine Ordnung haben.

[d] *(only, simply)* nur, bloß ▶ **~ you and me** nur wir beide; *he's ~ a boy* er ist doch noch ein Junge; **~ like that** einfach so; *it's ~ not good enough* es ist einfach nicht gut genug; *I ~ prefer it this way* ich find's einfach besser so; **~ round the corner** gleich um die Ecke; **~ above the trees** direkt über den Bäumen.

[e] *(absolutely)* einfach, wirklich ▶ *it was ~ fantastic* es war einfach prima; *it's ~ terrible* das ist ja schrecklich!

[f] **~ as** genauso, ebenso; *the blue hat is ~ as nice as the red one* der blaue Hut ist genauso hübsch wie der rote; *it's ~ as well you didn't go out* nur gut, daß Sie nicht weggegangen sind; *it would be ~ as well if you came* es wäre doch besser, wenn Sie kämen; **come ~ as you are** kommen Sie so, wie Sie sind; **~ as you please** wie Sie wollen; **~ as I thought!** ich habe es mir doch gedacht!

[g] **~ about** in etwa, so etwa; *I am ~ about ready* ich bin so gut wie fertig; *did he make it in time? — ~ about* hat er's (rechtzeitig) geschafft? — so gerade; *I am ~ about fed up with it!* *(col)* so langsam aber sicher hängt es mir zum Hals raus *(col)*.

[h] **~ now** *(in past)* gerade erst; *not ~ now* im Moment nicht; *you can go, but not ~ now* Sie können gehen, aber nicht gerade jetzt; **~ think** denk bloß; **~ listen** hör mal; **~ a moment** *or* **minute!** Moment mal!; *I can ~ see him as a soldier* ich kann ihn mir gut als Soldat vorstellen; *can I ~ finish this?* kann ich das eben noch fertigmachen?; *don't I ~!* und ob!; **~ watch it** nimm dich bloß in acht; **~ you dare!** wehe!

just[2] *adj* *(+er)* *person, decision* gerecht *(to* gegenüber*)*; *anger* berechtigt; *suspicion* begründet ▶ **as (it) is only ~**

➤ SENTENCE BUILDER:	**just**[1]: d → 3 h → 1.4

wie es recht und billig ist.

justice ['dʒʌstɪs] n [a] (*quality*) Gerechtigkeit f; (*system*) Justiz f; (*of claims*) Rechtmäßigkeit f ▸ *to bring a thief to* ~ einen Dieb vor Gericht bringen; *to do him* ~ um ihm gegenüber gerecht zu sein; *this photograph doesn't do me* ~ auf diesem Foto bin ich nicht gut getroffen; *she never does herself* ~ sie kommt nie richtig zur Geltung; *he complained, with* ~, *that ...* er hat sich zu Recht beklagt, daß ...; *there's no* ~, *is there?* das ist doch nicht gerecht. [b] (*judge*) Richter m ▸ *J*~ *of the Peace* Friedensrichter m.

justifiable [ˌdʒʌstɪ'faɪəbl] adj zu rechtfertigen pred, berechtigt.

justifiably [ˌdʒʌstɪ'faɪəblɪ] adv zu Recht.

justification [ˌdʒʌstɪfɪ'keɪʃən] n [a] Rechtfertigung f. [b] (*Typ*) Blocksatz m; (*Comp*) Randausgleich m.

justify ['dʒʌstɪfaɪ] vt [a] rechtfertigen (*sth to sb* etw jdm gegenüber) ▸ *am I justified in thinking that ...?* gehe

ich recht in der Annahme, daß ...?; *he was justified in doing that* es war gerechtfertigt, daß er das tat; *you're not justified in talking to her like that* Sie haben kein Recht, so mit ihr zu reden. [b] (*Typ*) justieren; (*Comp*) ausrichten.

justness ['dʒʌstnɪs] n Gerechtigkeit f.

jut [dʒʌt] vi (*also* ~ *out*) hervorstehen, herausragen.

jute [dʒuːt] n Jute f.

juvenile ['dʒuːvənaɪl] [1] n (*Admin*) Jugendliche(r) mf. [2] adj (*youthful*) jugendlich; (*for young people*) Jugend-, für Jugendliche; (*pej*) kindisch, unreif.

juvenile: ~ **court** n Jugendgericht nt; ~ **crime** or **delinquency** n Jugendkriminalität f; ~ **delinquent** n jugendlicher Straftäter.

juxtapose ['dʒʌkstə,pəʊz] vt nebeneinanderstellen.

juxtaposition [ˌdʒʌkstəpə'zɪʃən] n (*act*) Nebeneinanderstellung f ▸ *in* ~ (direkt) nebeneinander.

K

K, k [keɪ] *n* K, k *nt* ▶ *K for King* ≈ K wie Kaufmann.

K (*in salaries etc*) = **thousand** -tausend ▶ *15* ~ 15 000.

k (*Comp*) = **kilobyte** KB.

kale [keɪl] *n* Grünkohl *m*.

kaleidoscope [kə'laɪdəskəʊp] *n* Kaleidoskop *nt*.

Kampuchea [ˌkæmpʊ'tʃɪə] *n* Kampuchea *nt*.

kangaroo [ˌkæŋgə'ruː] *n* Känguruh *nt* ▶ ~ *court* inoffizielles Gericht.

karate [kə'rɑːtɪ] *n* Karate *nt*.

karting ['kɑːtɪŋ] *n* Go-Kart-Fahren *nt*.

Kashmir [kæʃ'mɪər] *n* Kaschmir *nt*.

kayak ['kaɪæk] *n* Kajak *m or nt*.

KC (*Brit Jur*) = **King's Counsel** Kronanwalt *m*.

kebab [kə'bæb] *n* Kebab *m*.

keel [kiːl] *n* (*Naut*) Kiel *m* ▶ *to be on an even* ~ *again* (*fig*) wieder im Lot sein; *he put the business back on an even* ~ er brachte das Geschäft wieder auf die Beine (*col*).

◆**keel over** *vi* (*ship*) kentern; (*fig col*) umkippen.

▼ **keen** [kiːn] *adj* (+*er*) ⓐ *edge, wind, competition, wit* scharf; *appetite* kräftig; *interest* stark; *desire, pain* heftig; *sight, hearing* gut; (*esp Brit*) *prices* günstig. ⓑ (*enthusiastic*) begeistert; *football fan etc also* leidenschaftlich; *applicant, learner* stark interessiert; (*hardworking*) eifrig ▶ ~ *to learn* lernbegierig; *to be* ~ *on sb* von jdm sehr angetan sein, scharf auf jdn sein (*col*); *on actor, author* von jdm begeistert sein; *to be* ~ *on sth* etw sehr gern mögen; *to be* ~ *on doing sth* (*like to do*) etw gern tun; *to be* ~ *to do sth* (*want to do*) darauf erpicht sein *or* scharf darauf sein (*col*), etw zu tun; *to be* ~ *on mountaineering* sehr gern bergsteigen; *I'm not very* ~ *on him* ich bin von ihm nicht gerade begeistert; *he's not* ~ *on her coming* er möchte eigentlich nicht, daß sie kommt.

keenly ['kiːnlɪ] *adv* ⓐ (*sharply*) scharf; *feel* leidenschaftlich, stark. ⓑ (*enthusiastically*) mit Begeisterung.

keenness ['kiːnnɪs] *n* ⓐ (*of mind, wind*) Schärfe *f*. ⓑ *see adj* (*b*) Begeisterung *f*; Leidenschaftlichkeit *f*; starkes Interesse; Eifer *m*.

keep [kiːp] (*vb: pret, ptp* **kept**) ① *vt* ⓐ (*retain*) behalten ▶ *to* ~ *a place for sb* einen Platz für jdn freihalten; *you can* ~ *it!* (*col*) das kannst du dir an den Hut stecken! (*col*).
ⓑ *shop* haben, führen; *animals* halten ▶ *to* ~ *house for sb* jdm den Haushalt führen.
ⓒ (*support*) *family etc* unterhalten ▶ *I earn enough to* ~ *myself* ich verdiene genug (für mich) zum Leben; *to* ~ *sb in clothing* für jds Kleidung sorgen.
ⓓ (*maintain in a certain state*) halten ▶ *to* ~ *one's dress clean* sein Kleid nicht schmutzig machen; *just to* ~ *her happy* damit sie zufrieden ist; *to* ~ *sb waiting* jdn warten lassen; *can't you* ~ *him talking?* können Sie ihn nicht in ein Gespräch verwickeln?; *to* ~ *sth tidy* etw sauber *or* in Ordnung halten; *the garden was well kept* der Garten war (gut) gepflegt; *to* ~ *a machine running* eine Maschine laufen lassen; *to* ~ *the conversation going* das Gespräch in Gang halten.
ⓔ (*store, look after*) aufbewahren; (*put aside*) aufheben ▶ *where does he* ~ *his money?* wo bewahrt er sein Geld auf?; *where do you* ~ *your spoons?* wo hast du die Löffel?; *I've been ~ing it for you* ich habe es für Sie aufgehoben.
ⓕ *promise* halten; *rule* befolgen; *treaty, appointment* einhalten; *obligations* nachkommen (+*dat*).
ⓖ *accounts, diary etc* führen (*of* über +*acc*).
ⓗ (*detain*) aufhalten ▶ *I mustn't* ~ *you* ich will Sie nicht aufhalten; *what kept you?* wo waren Sie denn so lange?; *to* ~ *sb in prison* jdn in Haft halten.
ⓘ (*not disclose*) *can you* ~ *this from your mother?* können Sie das vor Ihrer Mutter geheimhalten?; ~ *it to yourself* behalten Sie das für sich.
ⓙ *to* ~ *late hours* lange aufbleiben.

② *vi* ⓐ *to* ~ (*to the*) *left* sich links halten; *to* ~ *to the middle of the road* (*Aut*) immer in der Mitte der Straße fahren. ⓑ *to* ~ *doing sth* (*not stop*) etw weiter tun; (*repeatedly*) etw immer wieder tun; (*constantly*) etw dauernd tun; *to* ~ *walking* weitergehen; *he kept lying to her* er hat sie immer wieder belogen; *if you* ~ *complaining* wenn Sie sich weiter beschweren; *she ~s talking about you all the time* sie redet dauernd von Ihnen; ~ *going* machen Sie weiter; ~ *at it!* bleib am Ball! ⓒ (*remain*) bleiben ▶ *to* ~ *quiet* still sein; *to* ~ *silent* schweigen; *to* ~ *calm* ruhig bleiben. ⓓ (*food etc*) sich halten; (*machine etc*) sich rentieren. ⓔ (*state of health*) *how are you ~ing?* wie geht es Ihnen denn so?; *to* ~ *well* gesund bleiben; *to* ~ *fit* fit bleiben; *he's ~ing better now* es geht ihm wieder besser. ⓕ (*wait*) *that can* ~ das kann warten.

③ *n* ⓐ (*livelihood, food*) Unterhalt *m* ▶ *I got £10 a week and my* ~ ich bekam £ 10 pro Woche und freie Kost und Logis; *to earn one's* ~ (*fig*) sein Geld verdienen; (*machine etc*) sich rentieren. ⓑ (*in castle*) Bergfried *m*; (*as prison*) Burgverlies *nt*. ⓒ *for ~s* (*col*) für immer; *it's yours for ~s* das darfst du behalten.

◆**keep away** ① *vi* (*lit*) wegbleiben; (*not approach*) nicht näher herankommen (*from an* +*acc*) ▶ ~ ~*!* kommen Sie nicht näher!; *I just can't* ~ es zieht mich immer wieder hin; ~ ~ *from him* lassen Sie die Finger von ihm.
② *vt always separate person, children etc* fernhalten (*from* von) ▶ *to* ~ *sth* ~ *from sth* etw nicht an etw (*acc*) kommen lassen.

◆**keep back** ① *vi* zurückbleiben ▶ ~ ~*!* treten Sie zurück!
② *vt sep* ⓐ *hair, crowds* zurückhalten; *water* stauen; *tears* unterdrücken. ⓑ (*withhold*) *taxes* einbehalten; *information etc* verschweigen (*from sb* jdm); (*from parent, husband etc*) verheimlichen (*from sb* jdm). ⓒ (*make late*) aufhalten; *pupil* dabehalten. ⓓ (*hold up, slow down*) behindern.

◆**keep down** ① *vi* unten bleiben ▶ ~ ~*!* bleib unten!
② *vt sep* ⓐ (*hold down*) unten halten ▶ ~ *your voices* ~ reden Sie leise! ⓑ *revolt, one's anger* unterdrücken; *rabbits, weeds etc* unter Kontrolle halten ▶ *you can't* ~ *a good man* ~ einen tüchtigen Mann läßt sich nicht unterkriegen. ⓒ *prices* niedrig halten; *spending* einschränken ▶ *to* ~ *one's weight* ~ nicht zunehmen. ⓓ *food etc* bei sich behalten. ⓔ (*Sch*) *he was kept* ~ er mußte das Schuljahr wiederholen.

◆**keep from** ① *vt* +*prep obj* ⓐ *I couldn't* ~ *him* ~ *going there* ich konnte ihn nicht davon abhalten, dort hinzugehen; *the bells* ~ *me* ~ *sleeping* die Glocken lassen mich nicht schlafen; *his anorak kept him* ~ *getting wet* sein Anorak schützte ihn vor dem Regen; **this will ~ the water ~ freezing** das verhindert, daß das Wasser gefriert. **b** (*withhold*) **to ~ sth ~ sb** jdm etw verschweigen; *piece of news also* jdm etw vorenthalten. **2** *vi +prep obj* **to ~ ~ doing sth** etw nicht tun; (*avoid doing also*) es vermeiden, etw zu tun; **she couldn't ~ ~ laughing** sie mußte einfach lachen.

◆**keep in** **1** *vt sep feelings* zügeln; *pupil* nachsitzen lassen; *stomach* einziehen.
2 *vi* **he wants to ~ ~ with her** er will es nicht mit ihr verderben.

◆**keep off** **1** *vi* (*person*) wegbleiben ▶ **if the rain ~s ~** wenn es nicht regnet.
2 *vt sep dog, person* fernhalten (*prep obj* von) ▶ **"~ ~ the grass"** „Betreten des Rasens verboten"; **~ your hands ~** Hände weg!
3 *vi +prep obj* vermeiden ▶ **~ ~ the whisky** lassen Sie das Whiskytrinken.

◆**keep on** **1** *vi* **a** weitermachen ▶ **to ~ ~ doing sth** etw weiter tun; (*repeatedly*) etw immer wieder tun; (*incessantly*) etw dauernd tun; **if you ~ ~ like this** wenn du so weitermachst; **the rain kept ~ all night** es regnete die ganze Nacht durch. **b** (*keep going*) weitergehen/-fahren ▶ **~ ~ past the church** fahren/gehen Sie immer weiter, an der Kirche vorbei. **c** **to ~ ~ at sb** (*col*) dauernd an jdm herummeckern (*col*); **to ~ ~ about sth** (*col*) unaufhörlich von etw reden; **don't ~ ~ so!** (*col*) hören Sie doch endlich auf damit!
2 *vt sep* **a** *employee* behalten. **b** *coat etc* anbehalten; *hat* aufbehalten.

◆**keep out** **1** *vi* (*of building*) draußen bleiben; (*of property*) etw nicht betreten ▶ **"~ ~"** „Zutritt verboten"; **to ~ ~ of danger** Gefahr meiden; **to ~ ~ of debt** keine Schulden machen; **that child can never ~ ~ of mischief** das Kind stellt dauernd etwas an; **you ~ ~ of this!** halten Sie sich da raus!
2 *vt sep* **a** *person* nicht hereinlassen (*of* in +*acc*); *light, cold, enemy etc* abhalten. **b** **I wanted to ~ him ~ of this** ich wollte nicht, daß er da mit hineingezogen wird; **~ him ~ of my way** halte ihn von mir fern bzw. aus meiner Nähe.

◆**keep to** **1** *vi +prep obj* **a** **~ ~ the main road** bleiben Sie auf der Hauptstraße; **to ~ ~ the schedule** sich an den Zeitplan halten. **b** **to ~ (oneself) ~ oneself** nicht sehr gesellig sein; **they ~ ~ themselves** sie bleiben unter sich.
2 *vt +prep obj* **to ~ sb ~ his word** darauf bestehen, daß jd sein Wort hält; **to ~ sth ~ a minimum** etw auf ein Minimum beschränken.

◆**keep together** **1** *vi* (*stay together*) zusammenbleiben.
2 *vt* (*fix together, unite*) zusammenhalten.

◆**keep up** **1** *vi* **a** (*tent*) stehen bleiben. **b** (*rain*) (an)dauern; (*weather etc*) anhalten; (*morale, determination*) nicht nachlassen. **c** **to ~ ~ (with sb/ sth)** (*in race, work*) (mit jdm/etw) Schritt halten; (*in comprehension*) (jdm/einer Sache) folgen können; **to ~ ~ with the Joneses** mit den Nachbarn mithalten; **to ~ ~ with the times** mit der Zeit gehen; **to ~ ~ with the news** sich auf dem laufenden halten.
2 *vt sep* **a** *tent* aufrecht halten. **b** (*not stop*) nicht aufhören mit; *studies* weiterführen; *quality, prices, friendship, tradition, payments* aufrechterhalten; *speed* halten ▶ **I try to ~ ~ my French** ich versuche, mit meinem Französisch nicht aus der Übung zu kommen; **~ it ~!** (machen Sie) weiter so!; **he couldn't ~ it ~** er mußte aufgeben. **c** (*maintain*) *house* unterhalten; *road* instand halten. **d** (*prevent from going to bed*) am Schlafengehen hindern ▶ **that child kept me ~ all night** das Kind hat mich die ganze Nacht nicht ins Bett kommen lassen.
keeper ['kiːpə'] *n* (*zoo*) Wärter(in *f*) *m*; (*museum*) Auf-

seher(in *f*) *m*; (*goal~*) Torhüter *m*.
keep-fit ['kiːp'fɪt] *n* Fitneßtraining *nt*; (*exercises*) Gymnastik *f*.
keeping ['kiːpɪŋ] *n* **a** (*care*) Obhut *f* ▶ **to put sth in sb's ~** jdm etw zur Aufbewahrung übergeben. **b** **in ~ with** in Einklang mit.
keepsake ['kiːpseɪk] *n* Andenken *nt*.
keg [keg] *n* (*barrel*) kleines Faß.
kennel ['kenl] *n* Hundehütte *f* ▶ **to put a dog in ~s** einen Hund in eine Hundepension geben.
Kenya ['kenjə] *n* Kenia *nt*.
Kenyan ['kenjən] **1** *n* Kenianer(in *f*) *m*.
2 *adj* kenianisch.
kept [kept] *pret, ptp of* **keep**.
kerb [kɜːb] *n* (*Brit*) Randstein *m*.
kerb: **~-crawler** *n* Freier *m* im Autostrich; **~-crawling** *n* Autostrich *m*; **~stone** *n* Bordstein, Randstein *m*.
kernel ['kɜːnl] *n* (*lit, fig*) Kern *m*.
kerosene ['kerəsiːn] *n* Kerosin *nt*; (*paraffin*) Paraffin *nt*.
kestrel ['kestrəl] *n* Turmfalke *m*.
ketchup ['ketʃəp] *n* Ketchup *nt or m*.
kettle ['ketl] *n* Kessel *m* ▶ **I'll put the ~ on** ich stelle mal eben (Kaffee-/ Tee)wasser auf; **the ~'s boiling** das Wasser kocht; **a pretty ~ of fish** (*col*) eine schöne Bescherung (*col*); **that's a different ~ of fish** (*col*) das ist doch was ganz anderes.
kettledrum ['ketldrʌm] *n* (Kessel)pauke *f*.
key [kiː] **1** *n* **a** (*lit, fig*) Schlüssel *m* ▶ **the ~ to the mystery** der Schlüssel zum Geheimnis. **b** (*for maps etc*) Zeichenerklärung *f*. **c** (*of piano, typewriter etc*) Taste *f*. **d** (*Mus*) Tonart *f* ▶ **to sing off ~** falsch singen; **change of ~** Tonartwechsel *m*; **in the ~ of C major/ minor** in C-Dur/c-Moll.
2 *adj attr* (*vital*) Schlüssel- ▶ **~ figure** *or* **person** Schlüsselfigur *f*; **~ point** springender Punkt.
◆**key in** *vt* (*Comp*) eingeben.
key: **~board** **1** *n* Tastatur *f*; **2** *vti* (*Typ, Comp*) eingeben, eintippen; **~boarder** *n* (*Comp*) Datentypist(in *f*) *m*; **~ boarding** *n* (*Comp*) Dateneingabe *f*.
keyed up ['kiːd'ʌp] *adj* **she was (all) ~ about the interview** sie war wegen des Interviews ganz aufgedreht (*col*).
key: **~hole** *n* Schlüsselloch *nt*; **~note** *n* (*Mus*) Grundton *m*; (*fig*) Leitgedanke *m*; **~note speech** *n* (*Pol etc*) programmatische Rede; **~pad** *n* Tastenfeld *nt*; **~ ring** *n* Schlüsselring *m*; **~ signature** *n* (*Mus*) Tonartvorzeichnung *f*, **~stroke** *n* Tastenanschlag *m*.
kg = **kilogram(s)** kg.
khaki ['kɑːkɪ] **1** *n* K(h)aki *nt*.
2 *adj* k(h)aki(farben).
kibbutz [kɪ'bʊts] *n, pl* **-im** Kibbuz *m*.
kick [kɪk] **1** *n* Tritt, Stoß *m*; (*of gun*) Rückstoß *m* ▶ **to take a ~ at sb/sth** nach jdm/etw treten; **to give the door a ~** gegen die Tür treten; **it's better than a ~ in the pants** (*col*) das ist besser als ein Tritt in den Hintern (*col*); **she gets a ~ out of it** (*col*) es macht ihr einen Riesenspaß (*col*); **to do sth for ~s** (*col*) etw aus Jux (*col*) tun; **this drink has plenty of ~ in it** (*col*) dieses Getränk hat es in sich.
2 *vi* (*person*) treten; (*struggle*) um sich treten; (*animal*) ausschlagen.
3 *vt* (*person, horse*) *sb* treten; *door, ball* treten gegen; *object* einen Tritt versetzen (+*dat*) ▶ **to ~ the bucket** (*col*) ins Gras beißen (*col*); **I could have ~ed myself** (*col*) ich hätte mir in den Hintern treten können; **to ~ the habit** (*col*) es aufgeben.
◆**kick about** *or* **around** **1** *vi* (*col*) (*person*) rumhängen (*col*) (*prep obj* in +*dat*); (*thing*) rumliegen (*col*) (*prep obj* in +*dat*).
2 *vt sep* **to ~ a ball ~** einen Ball herumkicken (*col*); **you shouldn't let them ~ you ~** Sie sollten sich nicht so

herumschubsen lassen.

◆**kick in** vt sep door eintreten ▶ *to ~ sb's teeth* ~ jdm die Zähne einschlagen.

◆**kick off** vi (*Ftbl*) anstoßen; (*fig col*) anfangen.

◆**kick out** ① vi *to ~ ~ at sb* nach jdm treten.

② vt sep (*col*) rauswerfen (*col*) (*of* aus) ▶ *to be ~ed ~* rausfliegen (*col*).

◆**kick up** vt sep *to ~ ~ a fuss* (*col*) Krach schlagen (*col*).

kick: ~-off n (*Sport*) Anpfiff, Anstoß m; (*col: beginning*) Beginn m; ~-**starter** n Kickstarter m.

kid [kɪd] ① n ⓐ (*young goat*) Kitz nt; (*leather*) Glacéleder nt ▶ *to handle sb with ~ gloves* (*fig*) jdn mit Samthandschuhen anfassen. ⓑ (*col: child*) Kind nt ▶ *it's ~'s stuff* (*for children*) das ist was für kleine Kinder (*col*); (*easy*) das ist doch ein Kinderspiel; *his ~ brother* sein kleiner Bruder; *OK, ~!* okay, Junge/Mädchen!

② vt (*col*) *to ~ sb (on)* (*tease*) jdn aufziehen (*col*); (*deceive*) jdn an der Nase rumführen (*col*); *don't ~ yourself!* machen Sie sich doch nichts vor!

③ vi (*col*) Jux machen (*col*) ▶ *you're ~ding!* das ist doch nicht dein Ernst!; *no ~ding* ehrlich (*col*).

kiddy ['kɪdɪ] n (*col*) Kind nt, Kleine(r) mf.

kidnap ['kɪdnæp] vt entführen, kidnappen.

kidnapper ['kɪdnæpə'] n Entführer(in f), Kidnapper(in f) m.

kidnapping ['kɪdnæpɪŋ] n Entführung f.

kidney ['kɪdnɪ] n (*Anat, Cook*) Niere f.

kidney: ~ **bean** n Gartenbohne f; ~ **machine** n künstliche Niere.

kidology [kɪ'dɒlədʒɪ] n (*col*) Bluff m (*col*).

kill [kɪl] ① vt ⓐ töten, umbringen; (*slaughter*) schlachten; *weeds* vernichten, vertilgen ▶ *to be ~ed in battle* im Kampf fallen; *her brother was ~ed in a car accident* ihr Bruder ist bei einem Autounfall ums Leben gekommen; *how many were ~ed?* wieviele Todesopfer gab es?; *she ~ed herself* sie brachte sich um; *don't ~ me* lassen Sie mich leben; *he was ~ed with poison/a knife* er wurde vergiftet/(mit einem Messer) erstochen; *I'll ~ him!* (*also fig*) den bring' ich um (*col*). ⓑ (*fig*) *feelings, love etc* zerstören; (*spoil*) *flavour, performance* verderben, überdecken; *hopes* zunichte machen; *sound* schlucken; (*Press etc*) *paragraph, story* streichen; (*Tech*) *engine etc* abschalten ▶ *to ~ time* die Zeit totschlagen; *we have two hours to ~* wir haben noch zwei Stunden übrig; *to ~ two birds with one stone* (*Prov*) zwei Fliegen mit einer Klappe schlagen (*Prov*); *these stairs are ~ing me* (*col*) diese Treppe bringt mich (noch mal) um (*col*); *she was ~ing herself (laughing)* (*col*) sie hat sich (fast) totgelacht (*col*); *my feet are ~ing me* (*col*) mir brennen die Füße.

② vi töten ▶ *smoking can ~* Rauchen kann tödliche Folgen haben.

③ n *to be in at the ~* (*fig*) den Schlußakt miterleben.

◆**kill off** vt sep vernichten; *cows, pigs* abschlachten; *weeds also* vertilgen.

killer ['kɪlə'] n (*person*) Mörder(in f) m ▶ *this disease is a ~* diese Krankheit ist tödlich.

killer: the ~ instinct n (*lit*) der Tötungsinstinkt; *a successful businessman needs the ~ instinct* (*fig*) ein erfolgreicher Geschäftsmann muß über Leichen gehen können; ~ **whale** n Schwertwal m.

killing ['kɪlɪŋ] ① n (*of person*) Töten nt ▶ *three more ~s in Belfast* drei weitere Todesopfer in Belfast; *to make a ~* (*fig*) einen Riesengewinn machen.

② adj *blow etc* tödlich; *pace* mörderisch.

killingly ['kɪlɪŋlɪ] adv. ~ *funny* zum Totlachen.

killjoy ['kɪldʒɔɪ] n Spielverderber m.

kiln [kɪln] n (*Brenn*)ofen m; (*for bricks*) Trockenofen m.

kilo ['kiːləʊ] n Kilo nt.

kilobyte ['kɪləʊbaɪt] n Kilobyte nt.

kilogram, kilogramme ['kɪləʊgræm] n Kilogramm nt.

kilometre, (*US*) **kilometer** ['kɪləʊˌmiːtə', kɪ'lɒmɪtə'] n Kilometer m.

kilowatt ['kɪləʊwɒt] n Kilowatt nt.

kilt [kɪlt] n Kilt, Schottenrock m.

kilter ['kɪltə'] n: *out of* ~ nicht in Ordnung.

kimono [kɪ'məʊnəʊ] n Kimono m.

kin [kɪn] n Verwandte pl, Verwandtschaft f.

kind¹ [kaɪnd] ① n ⓐ Art f, (*of coffee etc*) Sorte f ▶ *several ~s of flour* mehrere Mehlsorten; *this ~ of book* diese Art Buch; *what ~ of ...?* was für ein(e) ...?; *the only one of its ~* das einzige seiner Art; *he is not the ~ of man to refuse* er ist nicht der Typ, der nein sagt; *he's not that ~ of person* so ist er nicht; *a strange ~ of feeling* so ein seltsames Gefühl; *they're two of a ~* (*people*) sie sind vom gleichen Schlag; *I know your ~* deinen Typ kenne ich; *this ~ of thing* so etwas; *... of all ~s* alle möglichen ...; *something of the ~* so etwas Ähnliches; *nothing of the ~* nichts dergleichen; *you'll do nothing of the ~* du wirst das schön bleiben lassen!; *it's not my ~ of holiday* solche Ferien sind nicht mein Fall (*col*); *she's my ~ of woman* sie ist mein Typ.

ⓑ *payment in ~* Bezahlung in Naturalien; *I shall pay you in ~* (*fig*) ich werde es Ihnen in gleicher Münze zurückzahlen.

② adv (*col*) *I was ~ of disappointed* (*a little*) ich war irgendwie enttäuscht; (*very*) ich war ziemlich enttäuscht.

▼ **kind²** adj (+er) nett, freundlich (*to* zu) ▶ *would you be ~ enough to open the door* wären Sie so nett or lieb, die Tür zu öffnen.

kindergarten ['kɪndəˌgɑːtn] n Kindergarten m.

kind-hearted [ˌkaɪnd'hɑːtɪd] adj gütig.

kind-heartedness [ˌkaɪnd'hɑːtɪdnɪs] n Güte f.

kindle ['kɪndl] vt *fire* anzünden; *passions* entfachen.

kindliness ['kaɪndlɪnɪs] n Liebenswürdigkeit f.

kindly ['kaɪndlɪ] ① adv *speak, act* freundlich, nett; *treat* liebenswürdig ▶ *they ~ put me up for a night* sie nahmen mich freundlicherweise für eine Nacht auf; *will you ~ do it now* tun Sie das sofort, wenn ich bitten darf!; *~ shut the door* machen Sie doch bitte die Tür zu!; *I don't take ~ to his smoking* sein Rauchen ist mir gar nicht angenehm; *he won't take at all ~ to that* das wird ihm gar nicht gefallen.

② adj (+er) *person* lieb, nett; *advice* freundlich; *voice* sanft, gütig.

kindness ['kaɪndnɪs] n Freundlichkeit, Liebenswürdigkeit f (*towards* gegenüber); (*goodness*) Güte f (*towards* gegenüber); (*act of* ~) Gefälligkeit, Aufmerksamkeit f ▶ *out of the ~ of one's heart* aus reiner Nächstenliebe; *to do sb a ~* jdm eine Gefälligkeit erweisen.

kindred ['kɪndrɪd] ① n no pl (*relatives*) Verwandtschaft f.

② adj (*related*) verwandt ▶ ~ *spirit* Gleichgesinnte(r) mf.

kinetic [kɪ'netɪk] adj kinetisch.

king [kɪŋ] n König m (*also Chess, Cards*); (*Draughts*) Dame f ▶ *fit for a ~* königlich.

kingdom ['kɪŋdəm] n Königreich nt ▶ *you can go on doing that till ~ come* (*col*) Sie können (so) bis in alle Ewigkeit weitermachen.

kingfisher ['kɪŋfɪʃə'] n Eisvogel m.

king: ~**pin** n (*Aut*) Achsschenkelbolzen m; (*fig: person*) Stütze f; ~-**size(d)** adj (*col*) im Großformat; *cigarettes* King-size; *bed* extra groß.

kink [kɪŋk] n ⓐ (*in rope etc*) Schlaufe f; (*in hair*) Welle f. ⓑ (*mental peculiarity*) Tick m (*col*); (*sexual*) abartige Veranlagung.

kinky ['kɪŋkɪ] adj (+er) ⓐ *hair* wellig. ⓑ (*col*) *person, ideas* verdreht (*col*); *fashion* verrückt (*col*); (*sexually*) abartig.

kinship ['kɪnʃɪp] n Verwandtschaft f.

▶ SENTENCE BUILDER: **kind²** → 8.1

kinsman ['kɪnzmən] *n, pl* **-men** [-mən] Verwandte(r) *m*.

kinswoman ['kɪnzwʊmən] *n, pl* **-women** [-wɪmɪn] Verwandte *f*.

kiosk ['kiːɒsk] *n* Kiosk *m*; (*Brit Telec*) (Telefon)zelle *f*.

kip [kɪp] (*Brit col*) ① *n* (*sleep*) Schläfchen *nt* ▶ *I've got to get some* ~ ich muß mal 'ne Runde pennen (*col*). ② *vi* pennen (*col*).

kipper ['kɪpər] *n* Räucherhering *m*.

kiss [kɪs] ① *n* Kuß *m* ▶ ~ *of life* Mund-zu-Mund-Beatmung *f*; ~ *of death* (*fig*) Todesstoß *m*. ② *vt* küssen; (*fig: touch gently*) sanft berühren ▶ *to* ~ *sb's cheek* jdn auf die Wange küssen; *they* ~*ed each other* sie küßten sich; *to* ~ *sb goodbye* jdm einen Abschiedskuß geben. ③ *vi* küssen; (~ *each other*) sich küssen.

kissagram ['kɪsə,græm] *n* durch eine(n) Angestellte(n) einer Agentur persönlich übermittelter Kuß (*zum Geburtstag etc*).

kiss-and-tell [,kɪsən'tel] *adj*: ~ *story* Enthüllungsstory *f* (*mit Details einer Affäre mit einer prominenten Person*).

kit [kɪt] *n* ⓐ (*equipment*) Ausrüstung *f*; (*Brit Sport*) Sportzeug *nt*, Sportsachen *pl*; (*belongings, luggage etc*) Sachen *pl*. ⓑ (*for self-assembly*) Bausatz *m* ▶ *model aircraft* – Modellflugzeugbaukasten; *in* ~ *form* zum Selberbauen.

◆**kit out** *vt sep* ausrüsten (*esp Mil*), ausstatten.

kitbag ['kɪtbæg] *n* Seesack *m*.

kitchen ['kɪtʃɪn] ① *n* Küche *f*. ② *attr* Küchen-.

kitchenette [,kɪtʃɪ'net] *n* (*separate room*) kleine Küche; (*part of one room*) Kochnische *f*.

kitchen: ~ *foil n* Alufolie *f*; ~ *garden n* Gemüsegarten *m*; ~ *sink n* Spülbecken *nt*; *I've packed everything but the* ~ *sink* (*col*) ich habe den ganzen Hausrat eingepackt; ~ *sink drama n* Alltagsdrama *nt*; ~ *unit n* Küchenschrank *m*; ~ *utensil n* Küchengerät *nt*; ~*ware n* Küchengeräte *pl*.

kite [kaɪt] *n* (*Orn*) Milan *m*; (*toy*) Drachen *m*.

kith [kɪθ] *n*: ~ *and kin* Blutsverwandte *pl*.

kitten ['kɪtn] *n* Kätzchen *nt* ▶ *to have* ~*s* (*fig col*) Junge kriegen (*col*).

kitty ['kɪtɪ] *n* ⓐ (*money*) (gemeinsame) Kasse; (*Cards etc also*) Spielkasse *f*. ⓑ (*col: cat*) Mieze *f*.

kiwi ['kiːwiː] *n* ⓐ (*bird*) Kiwi *m* ▶ *the K~s* (*col, esp Sport*) die Neuseeländer. ⓑ (*also* ~ *fruit*) Kiwi(frucht) *f*.

KKK (*US*) = **Ku Klux Klan**.

kleptomaniac [,kleptəʊ'meɪnɪæk] *n* Kleptomane *m*, Kleptomanin *f*.

km = **kilometre(s)** km.

km/h = **kilometres per hour** km/h.

knack [næk] *n* Trick, Kniff *m* ▶ *there's a (special)* ~ *to opening it* da ist ein Trick dabei, wie man das aufbekommt; *to get the* ~ *of doing sth* (es) herausbekommen, wie man etw macht; *you'll soon get the* ~ *of it* Sie werden den Dreh bald raushaben (*col*); *I've lost the* ~ ich bekomme das nicht mehr hin; *she's got a* ~ *of saying the wrong thing* sie hat ein Talent dafür, immer das Falsche zu sagen.

knacker ['nækər] *n* Abdecker *m*.

knackered ['nækəd] *adj* (*Brit col*) kaputt (*col*).

knapsack ['næpsæk] *n* Rucksack *m*.

knead [niːd] *vt* dough kneten.

knee [niː] ① *n* Knie *nt* ▶ *to be on one's* ~*s* (*lit, fig*) auf den Knien liegen; *on bended* ~(*s*) (*liter, hum*) kniefällig; *to go down on one's* ~*s (to sb)* (*lit, fig*) sich (vor jdm) auf die Knie werfen; *to bring sb to his* ~*s* (*lit, fig*) jdn in die Knie zwingen. ② *vt* mit dem Knie stoßen.

knee: ~ *breeches npl* Kniebundhose *f*; ~ *cap n* Kniescheibe *f*; ~*-deep adj* knietief; ~*-high adj* in Kniehöhe;

~*-jerk reaction n* instinktive Reaktion; ~ *joint n* Kniegelenk *nt*.

kneel [niːl] *pret, ptp* **knelt** *or* ~**ed** *vi* (*before* vor +*dat*) knien; (*also* ~ *down*) (sich) hinknien.

knee-length ['niːleŋθ] *adj* skirt knielang; boots kniehoch.

knee pad *n* Knieschützer *m*.

knelt [nelt] *pret, ptp of* **kneel**.

knew [njuː] *pret of* **know**.

knickers ['nɪkəz] *npl* Schlüpfer *m* ▶ *don't get your* ~ *in a twist!* (*col!*) dreh nicht gleich durch! (*col*).

knick-knack ['nɪknæk] *n* nette Kleinigkeit ▶ ~*s* Krimskrams *m*.

knife [naɪf] ① *n, pl* **knives** Messer *nt* ▶ ~*, fork and spoon* Besteck *nt*; *he's got his* ~ *into me* (*col*) er hat es auf mich abgesehen (*col*); *to be balanced on a* ~ *edge* (*fig*) auf Messers Schneide stehen. ② *vt* einstechen auf (+*acc*); (*fatally*) erstechen.

knight [naɪt] ① *n* (*title, Hist*) Ritter *m*; (*Chess*) Springer *m*. ② *vt* adeln.

knighthood ['naɪthʊd] *n to receive a* ~ in den Adelsstand erhoben werden.

knit [nɪt] *pret, ptp* ~**ted** *or* ~ ① *vt* ⓐ stricken. ⓑ *to* ~ *one's brow* die Stirn runzeln. ② *vi* ⓐ stricken. ⓑ (*bones: also* ~ *together*) verwachsen.

knitted ['nɪtɪd] *adj* gestrickt; cardigan etc Strick-.

knitting ['nɪtɪŋ] *n* Stricken *nt*; (*material being knitted*) Strickzeug *nt* ▶ *she was doing her* ~ sie strickte.

knitting: ~ *machine n* Strickmaschine *f*; ~ *needle n* Stricknadel *f*; ~ *pattern n* Strickmuster *m*.

knitwear ['nɪtweər] *n* Strickwaren *pl*.

knives [naɪvz] *pl of* **knife**.

knob [nɒb] *n* (*on walking stick*) Knauf *m*; (*on door also*) Griff *m*; (*on instrument etc*) Knopf *m*; (*of butter*) Stück *nt*.

knobbly ['nɒblɪ] *adj* (+*er*) wood knorrig ▶ ~ *knees* Knubbelknie *pl* (*col*).

knock [nɒk] ① *n* ⓐ (*blow*) Stoß *m*; (*esp with hand, tool etc*) Schlag *m* ▶ *I got a* ~ *on the head* ich habe einen Schlag auf den Kopf bekommen; *he gave himself a nasty* ~ er hat sich böse angeschlagen. ⓑ (*noise*) Klopfen *nt no pl* ▶ *there was a* ~ *at the door* es hat geklopft. ⓒ (*fig: setback*) (Tief)schlag *m* ▶ ~*s* (*col: criticism*) Kritik *f*; *to (have to) take a lot of* ~*s* viele Tiefschläge einstecken (müssen); (*be criticized*) unter starken Beschuß kommen; *to take a* ~ (*pride etc*) erschüttert werden. ② *vt* ⓐ (*strike*) stoßen; (*with hand, tool etc*) schlagen; (*jolt*) stoßen gegen; (*collide with: car, driver*) rammen ▶ *to* ~ *one's head etc* sich (*dat*) den Kopf etc anschlagen; *to* ~ *sb on the head* jdn an *or* auf den Kopf schlagen; *to* ~ *sb to the ground* jdn zu Boden werfen; *to* ~ *sb unconscious* jdn bewußtlos werden lassen; (*person*) jdn bewußtlos schlagen; *to* ~ *holes in an argument* ein Argument zerpflücken; *she* ~*ed the gun out of his hand* sie schlug ihm die Waffe aus der Hand; *she* ~*ed the glass to the ground* sie stieß gegen das Glas, und es fiel zu Boden; *to* ~ *some sense into sb* jdn zur Vernunft bringen. ⓑ (*col: criticize*) (he)runtermachen (*col*). ③ *vi* ⓐ klopfen ▶ *to* ~ *at the door/window* anklopfen/gegen das Fenster klopfen. ⓑ (*collide*) stoßen (*into, against* gegen). ⓒ *his knees were* ~*ing* ihm zitterten die Knie.

◆**knock about** *or* **around** ① *vi* (*col*) (*prep obj* in +*dat*) (*person*) herumhängen (*col*); (*object*) herumliegen. ② *vt sep* (*ill-treat*) verprügeln; (*damage*) ramponieren (*col*) ▶ *to* ~ *a ball* ~ (*Tennis etc*) ein paar Bälle schlagen.

◆**knock back** *vt sep* (*col*) ⓐ *he* ~*ed* ~ *his whisky* er kippte sich (*dat*) den Whisky hinter die Binde (*col*). ⓑ (*cost*) *this watch* ~*ed me* ~ *£20* ich habe für die Uhr

£20 hingelegt (*col*).

◆knock down *vt sep person, thing* umwerfen; *opponent* niederschlagen; (*car, driver*) anfahren; (*fatally*) überfahren; *building* abreißen; *door* einschlagen.

◆knock in *vt sep nail* einschlagen.

◆knock off **1** *vi* (*col*) aufhören, Schluß machen (*col*) ▶ *let's ~ ~ now* Schluß für heute (*col*). **2** *vt sep* **a** (*lit*) *vase, person etc* hinunterstoßen ▶ *the branch ~ed the rider ~ his horse* der Ast riß den Reiter vom Pferd. **b** *he ~ed £5 ~ the price* (*col*) er hat £5 vom Preis nachgelassen. **c** (*col: do quickly*) *essay* hinhauen (*col*). **d** (*Brit col: steal*) klauen (*col*). **e** (*col: stop*) aufhören mit ▶ *to ~ ~ (work)* Feierabend machen; *~ it ~!* nun hör schon auf!

◆knock out *vt sep* **a** *tooth* ausschlagen; *nail* herausschlagen (*of* aus); *pipe* ausklopfen; *contents* herausklopfen (*of* aus). **b** (*stun*) (*by hitting*) bewußtlos schlagen, k.o. schlagen (*also Boxing*); (*col: exhaust*) fertigmachen (*col*). **c** (*from contest*) besiegen (*of* in +*dat*) ▶ *to be ~ed ~* ausscheiden (*of* aus). **d** (*col: exhaust*) schaffen (*col*).

◆knock over *vt sep* umwerfen, umstoßen; (*car*) anfahren; (*fatally*) überfahren.

◆knock together *vt sep* **a** (*make hurriedly*) auf die Beine stellen (*col*). **b** (*lit*) aneinanderstoßen ▶ *I'd like to ~ their heads ~* man sollte die beiden zur Räson bringen.

◆knock up *vt sep* **a** (*Brit: wake*) (auf)wecken. **b** *meal* auf die Beine stellen (*col*). **c** (*col: make pregnant*) ein Kind anhängen (+*dat*) (*col*).

knockdown ['nɒkdaʊn] *adj ~ price* Schleuderpreis *m*; (*at auction*) Mindestpreis *m*.

knocker ['nɒkə^r] *n* (*door ~*) (Tür)klopfer *m*.

knock-for-knock ['nɒkfə'nɒk] *adj* (*Brit Insur*) *~ agreement* Vereinbarung, bei der jede Versicherungsgesellschaft den Schaden am von ihr versicherten Fahrzeug übernimmt.

knocking ['nɒkɪŋ] *n* Klopfen *nt*.

knocking-off time [nɒkɪŋ'ɒf,taɪm] *n* (*col*) Feierabend *m*.

knock: ~-kneed [nɒk'niːd] *adj* *to be ~-kneed* X-Beine haben; *~-on effect* *n* Folgewirkungen *pl* (*on* auf +*acc*); *~out* **1** *n* (*Boxing*) Knockout, K.o. *m*; (*col: person, thing*) Wucht *f* (*col*); **2** *attr ~out competition* Ausscheidungskampf *m*; *~-up* *n* (*Brit Sport*) *to have a ~-up* ein paar Bälle schlagen.

knot [nɒt] **1** *n* (*lit, fig, Naut*) Knoten *m*; (*in muscle*) Verspannung *f*; (*in wood*) Ast *m*, Verwachsung *f* ▶ *to tie/untie a ~* einen Knoten machen/aufmachen; *to tie oneself (up) in ~s* (*fig*) sich immer mehr verwickeln. **2** *vt* einen Knoten machen in (+*acc*); (*~ together*) verknoten ▶ *get ~ted!* (*col*) du kannst mich mal! (*col*).

knotty ['nɒtɪ] *adj* (+*er*) *problem* verwickelt, verzwickt (*col*).

▼ know [nəʊ] (*vb: pret* **knew**, *ptp* **known**) **1** *vti* **a** (*have knowledge about*) wissen; *answer, facts etc also* kennen; *French etc* können ▶ *to ~ how to do sth* (*in theory*) wissen, wie man etw macht; (*in practice*) etw tun können; *she ~s all the answers* sie kennt sich aus; (*pej*) sie weiß immer alles besser; *to let sb ~ sth* (*not keep back*) jdn etw wissen lassen; (*tell, inform*) jdm Bescheid geben; *as far as I ~* soviel ich weiß; *not that I ~* nicht daß ich wüßte; *who ~s?* wer weiß?; *there's no ~ing what he'll do* man weiß nie, was er noch tut; *I'd have you ~ that ...* ich möchte doch sehr betonen, daß ...; *to ~ what one is talking about* wissen, wovon man redet; *before you ~ where you are* ehe man sich's versieht; *he just didn't want to ~* er wollte einfach nicht hören; *I ~!* ich weiß!; (*having a good idea*) ich weiß was!; *I wouldn't ~* (*col*) weiß ich (doch) nicht (*col*); *I knew it* ich wußte es doch!; *how should I ~* wie soll ich das wissen?; *well, what do you ~!* (*col*) sieh mal einer

an!; *you never ~* man kann nie wissen; *you ~, we could ...* weißt du/wissen Sie, wir könnten ...; *he didn't come, you ~* er ist nämlich nicht gekommen; *I ~ better than that* ich bin ja nicht ganz dumm; *I ~ better than to say something like that* ich werde mich hüten, so etwas zu sagen; *he should have ~n better than to do that* es war dumm von ihm, das zu tun; *they don't ~ any better* sie kennen es nicht anders; *OK, you ~ best* okay, Sie müssen es wissen.

b (*be acquainted with*) *people, places, book* kennen ▶ *do you ~ him to speak to?* kennen Sie ihn näher?; *if I ~ John, he'll already be there* wie ich John kenne, ist er schon da; *to get to ~ sb/a place* jdn/einen Ort kennenlernen; *to get to ~ sth methods etc* etw lernen; *habits, shortcuts etc* etw herausfinden.

c (*recognize*) erkennen ▶ *to ~ sb by his voice etc* jdn an der Stimme *etc* erkennen; *he ~s a bargain when he sees one* er weiß, was ein guter Kauf ist; *you wouldn't ~ him from his brother* Sie könnten ihn nicht von seinem Bruder unterscheiden; *to ~ the difference between right and wrong* Gut und Böse unterscheiden können; *he wouldn't ~ the difference* das merkt er nicht.

d (*experience*) erleben ▶ *I've never ~n it to rain so heavily* so einen starken Regen habe ich noch nie erlebt; *I've never ~n him to smile* ich habe es noch nie erlebt, daß er lächelt; *have you ever ~n such a thing to happen before?* haben Sie je schon so etwas erlebt?

e (*in passive*) *to be ~n (to sb)* (jdm) bekannt sein; *it is (well) ~n that ...* es ist (allgemein) bekannt, daß ...; *he is ~n to have been here* man weiß, daß er hier war; *he is ~n as Mr X* man kennt ihn als Herrn X; *to make sb/sth ~n* jdn/etw bekanntmachen; *to make oneself ~n* sich melden (*to sb* bei jdm); *to become ~n* bekannt werden; (*famous*) berühmt werden. **2** *n* (*col*) *to be in the ~* Bescheid wissen (*col*).

◆know about *vi* +*prep obj maths, politics* sich auskennen in (+*dat*); *Africa* Bescheid wissen über (+*acc*); *women, cars* sich auskennen mit; (*be aware of*) wissen von ▶ *I didn't ~ ~ that* das wußte ich nicht; *I only knew ~ it yesterday* ich habe erst gestern davon gehört; *did you ~ ~ Maggie?* weißt du über Maggie Bescheid?; *I don't ~ ~ that* (*don't agree*) da bin ich aber nicht so sicher.

◆know of *vi* +*prep obj café, method* kennen; (*have heard of*) *sb* gehört haben von ▶ *not that I ~ ~* nicht, daß ich wüßte.

know: ~-all *n* Alleswisser *m*; *~-how* *n* Sachkenntnis *f*, Know-how *nt*.

knowing ['nəʊɪŋ] *adj look* wissend.

knowingly ['nəʊɪŋlɪ] *adv* **a** (*consciously*) bewußt, absichtlich. **b** *look* wissend.

know-it-all ['nəʊɪtɔːl] *n* (*US*) = **know-all**.

knowledge ['nɒlɪdʒ] *n* **a** Wissen *nt*, Kenntnis *f* ▶ *to have no ~ of* keine Kenntnis haben von; *to (the best of) my ~* meines Wissens; *not to my ~* nicht, daß ich wüßte; *without his ~* ohne sein Wissen; *it has come to my ~ that ...* es ist mir zu Ohren gekommen, daß ... **b** (*learning*) Kenntnisse *pl*, Wissen *nt* ▶ *my ~ of English* meine Englischkenntnisse *pl*.

knowledg(e)able ['nɒlɪdʒəbl] *adj person* bewandert (*about* in +*dat*); *report* fundiert.

known [nəʊn] **1** *ptp of* **know**. **2** *adj* bekannt; *expert* also anerkannt.

knuckle ['nʌkl] *n* (Finger)knöchel *m*; (*of meat*) Hachse, Haxe *f*.

◆knuckle down *vi* (*col*) sich dahinterklemmen (*col*).

◆knuckle under *vi* (*col*) spuren (*col*).

knuckle: ~duster *n* Schlagring *m*; *~ head* *n* (*US col*) Blödmann *m* (*col*).

KO *n* K.o.(-Schlag) *m*.

➤ SENTENCE BUILDER: **know: 1a** → 2.1, 8.1, 11, 14.1, 15.5

koala [kəʊˈɑːlə] n (also ~ **bear**) Koala(bär) m.
kooky [ˈkuːkɪ] adj (+er) (US col) verrückt (col).
Koran [kɒˈrɑːn] n Koran m.
Korea [kəˈrɪə] n Korea nt.
Korean [kəˈrɪən] [1] adj koreanisch.
  [2] n [a] Koreaner(in f) m. [b] (language) Koreanisch nt.
kosher [ˈkəʊʃəʳ] adj koscher.
kph = **kilometres per hour** km/h.
Kraut [kraʊt] n (esp pej) Deutsche(r) mf.
Kremlin [ˈkremlɪn] n: **the ~** der Kreml.

KS (US Post) = **Kansas.**
Kt (Brit) = **Knight.**
kudos [ˈkjuːdɒs] n Ansehen nt, Ehre f.
Kurd [kɜːd] n Kurde m, Kurdin f.
Kurdish [ˈkɜːdɪʃ] adj kurdisch.
Kuwait [kʊˈweɪt] n Kuwait nt.
Kuwaiti [kʊˈweɪtɪ] [1] adj kuwaitisch.
  [2] n Kuwaiter(in f) m.
kW = **kilowatt(s)** kW.
KY (US Post) = **Kentucky.**

L

L, l [el] *n* L, l *nt* ▶ *L for Lucy* (*Brit*), *L for love* (*US*) ≃ L wie Ludwig.
L = a (*Brit Mot*) **Learner**. b **Lake**.
l = a **litre(s)** l. b **left** l.
LA = a **Los Angeles**. b (*US Post*) **Louisiana**.
lab [læb] = **laboratory**.
label ['leɪbl] 1 *n* (*lit, fig*) Etikett *nt*; (*showing contents etc*) Aufschrift *f*; (*on cage*) Schild *nt*; (*tied*) Anhänger *m*; (*adhesive*) Aufkleber *m*; (*on parcel*) Paketadresse *f* ▶ *on the EMI ~* bei EMI erschienen.
2 *vt* a etikettieren, mit einem Anhänger/Aufkleber versehen; (*write on*) beschriften ▶ *the bottle was ~led "poison"* die Flasche trug die Aufschrift „Gift". b (*fig*) *ideas* bezeichnen; (*pej*) abstempeln.
laboratory [lə'bɒrətərɪ, (*US*) 'læbrə,tɔːrɪ] *n* Labor *nt* ▶ *~ assistant* Laborant(in *f*) *m*; *~ technician* Labortechniker(in *f*) *m*.
Labor Day *n* (*US*) der Tag der Arbeit.

| LABOR DAY |

ⓘ *Labor Day* ist in den USA and Kanada der Name für den Tag der Arbeit. Er wird dort als gesetzlicher Feiertag am ersten Montag im September begangen.
---

laborious [lə'bɔːrɪəs] *adj task* mühsam; *style* schwerfällig.
laboriously [lə'bɔːrɪəslɪ] *adv* mühsam; (*speak*) umständlich.
labour, (*US*) **labor** ['leɪbə'] 1 *n* a (*work in general*) Arbeit *f*; (*toil*) Mühe *f*; (*task*) Aufgabe *f*; (*cost*) Arbeitskosten *pl* ▶ *it was a ~ of love* ich/er *etc* tat es aus Liebe zur Sache. b (*persons*) Arbeitskräfte *pl* ▶ *to withdraw one's ~* die Arbeit verweigern; *organized ~* die organisierte Arbeiterschaft. c (*Brit Pol*) **L~** die Labour Party; *this district is L~* dies ist ein Labourbezirk. d (*Med*) Wehen *pl* ▶ *to be in ~* in den Wehen liegen, Wehen haben; *to go into ~* Wehen bekommen.
2 *vt subject* auswalzen, breittreten (*col*) ▶ *I won't ~ the point* ich will nicht darauf herumreiten; *his breathing became ~ed* er begann, schwer zu atmen.
3 *vi* (*in fields etc*) arbeiten; (*work hard*) sich abmühen (*at, with* mit) ▶ *to ~ under a delusion* sich einer Täuschung (*dat*) hingeben; *to ~ up a hill* sich einen Hügel hinaufquälen.
labour camp *n* Arbeitslager *nt*.
labour costs *npl* Lohnkosten *pl*.
labourer, (*US*) **laborer** ['leɪbərə'] *n* (Hilfs)arbeiter *m*; (*farm ~*) Landarbeiter *m*.
labour: L~ Exchange *n* (*Brit dated*) Arbeitsamt *nt*; *~ force* *n* Arbeiterschaft *f*; *~-intensive* *adj* arbeitsintensiv; *~-market* *n* Arbeitsmarkt *m*; *~ movement* *n* Arbeiterbewegung *f*; *~ pains* *npl* Wehen *pl*; *~ relations* *npl* die Beziehungen *pl* zwischen Unternehmern und Arbeitern; *~-saving* *adj* arbeitssparend; *~ union* *n* (*US*) Gewerkschaft *f*; *~ unrest* *n* Arbeitsunruhen *pl*.
laburnum [lə'bɜːnəm] *n* Goldregen *m*.
labyrinth ['læbɪrɪnθ] *n* (*lit, fig*) Labyrinth *nt*.
lace [leɪs] 1 *n* a (*fabric*) Spitze *f*; (*as trimming*) Spitzenbesatz *m*. b (*of shoe*) Schnürsenkel *m*.
2 *vt* a schnüren. b ▶ *to ~ a drink* einen Schuß

Alkohol in ein Getränk geben; *~d with brandy* mit einem Schuß Weinbrand.
◆**lace up** 1 *vt sep* (zu)schnüren.
2 *vi* geschnürt werden.
lacemaking ['leɪsmeɪkɪŋ] *n* Klöppelei *f*.
lacerate ['læsəreɪt] *vt* verletzen; (*by glass etc*) zerschneiden; *painting* aufschlitzen ▶ *her knee was badly ~d* sie hatte tiefe Wunden am Knie.
laceration [,læsə'reɪʃən] *n* Fleischwunde *f*.
lace-up (shoe) ['leɪsʌp(ʃuː)] *n* Schnürschuh *m*.
▼ **lack** [læk] 1 *n* Mangel *m* ▶ *through ~ of sth* aus Mangel an etw (*dat*); *they failed through ~ of support* sie scheiterten, weil es ihnen an Unterstützung fehlte; *~ of water* Wassermangel *m*; *there is no ~ of money in that family* in dieser Familie fehlt es nicht an Geld.
2 *vt* *they ~ the necessary talent* es fehlt ihnen am nötigen Talent; *we ~ time* uns fehlt die nötige Zeit.
3 *vi* *to be ~ing* fehlen; *to be found ~ing* zu wünschen übrig lassen; *he is ~ing in confidence* ihm fehlt es an Selbstvertrauen; *he ~ed for nothing* es fehlte ihm an nichts.
lackadaisical [,lækə'deɪzɪkəl] *adj* lustlos, desinteressiert; (*idle*) saumselig.
lackey ['lækɪ] *n* (*lit, fig*) Lakai *m*.
lacklustre, (*US*) **lackluster** ['læk,lʌstə'] *adj surface* glanzlos; *style* farblos.
laconic [lə'kɒnɪk] *adj* lakonisch; *prose, style* knapp.
lacquer ['lækə'] 1 *n* Lack *m*; (*Brit: hair ~*) Haarspray *nt*.
2 *vt* lackieren; (*Brit*) *hair* sprayen.
lacrosse [lə'krɒs] *n* Lacrosse *nt*.
lad [læd] *n* Junge *m*; (*in stable etc*) Bursche *m* ▶ *young ~* junger Mann; *listen, ~* hör mir mal zu, mein Junge!; *all together, ~s, push!* alle Mann anschieben!; *he's a bit of a ~* (*col*) er ist ein ziemlicher Draufgänger; *he likes a night out with the ~s* (*col*) er geht abends gern mal mit seinen Kumpels weg (*col*).
ladder ['lædə'] 1 *n* a (*lit, fig*) Leiter *f* ▶ *the climb up the social ~* der gesellschaftliche Aufstieg; *it's a first step up the ~* das ist ein Anfang. b (*Brit: in tights etc*) Laufmasche *f* ▶ *~proof* maschenfest.
2 *vt* (*Brit*) *tights etc* zerreißen.
3 *vi* (*Brit: tights etc*) Laufmaschen bekommen.
laden ['leɪdn] *adj* (*lit, fig*) beladen (*with* mit).
la-di-da ['lɑːdɪ'dɑː] *adj* (*col*) affektiert.
ladle ['leɪdl] 1 *n* (Schöpf)kelle *f*, Schöpflöffel *m*.
2 *vt* schöpfen.
lady ['leɪdɪ] *n* a Dame *f* ▶ *"Ladies"* (*lavatory*) „Damen"; *where is the ladies or the ladies' room?* wo ist die Damentoilette?; *ladies and gentlemen!* sehr geehrte Damen und Herren!; *the old ~* (*col*) (*mother, wife*) meine/seine *etc* Alte (*col*); *his young ~* seine Freundin; *ladies' man* Charmeur *m*; *ladies' bicycle* Damen(fahr)rad *nt*. b (*noble*) Adlige *f* ▶ *L~* (*title*) Lady *f*; *Our L~* die Jungfrau Maria.
lady: ~bird, (*US*) **~bug** *n* Marienkäfer *m*; *~ doctor* *n* Ärztin *f*; *~ friend* *n* Dame *f*; *~-in-waiting* *n* Ehrendame *f*; *~-killer* *n* (*col*) Herzensbrecher *m*; *~like* *adj* damenhaft; *~ship* *n*: *Your L~ship* Ihre Ladyschaft.
lag[1] [læg] 1 *n* (*time-~*) Zeitdifferenz *f*; (*delay*) Verzögerung *f*.
2 *vi* (*time*) langsam vergehen, dahinkriechen; (*also ~*

behind) zurückbleiben; (*pej*) hinterherhinken ▶ *we ~ behind in space exploration* in der Raumforschung liegen wir (weit) zurück.

lag² *vt pipe* isolieren.

lager ['lɑːgər] *n* helles Bier ▶ *~ lout* (*Brit col*) betrunkener Rowdy *or* (*causing damage*) Randalierer.

lagging ['lægɪŋ] *n* Isolierung *f*; (*material*) Isoliermaterial *nt.*

lagoon [lə'guːn] *n* Lagune *f.*

laid [leɪd] *pret, ptp of* **lay³**.

laid-back ['leɪd'bæk] *adj* (*col*) gelassen, cool (*col*).

lain [leɪn] *ptp of* **lie²**.

lair [leər] *n* Lager *nt*; (*cave*) Höhle *f*; (*den*) Bau *m.*

laird [leəd] *n* (*Scot*) Gutsherr *m.*

laissez-faire [ˌleɪseɪ'feər] *n* Laisser-faire *nt.*

laity ['leɪtɪ] *n* (*Eccl*) Laienstand *m.*

lake [leɪk] *n* See *m* ▶ *L~ District* Lake District *m* (*Seengebiet nt im NW Englands*).

lamb [læm] **1** *n* Lamm *nt*; (*meat*) Lamm(fleisch) *nt* ▶ *like a ~ to the slaughter* wie das Lamm zur Schlachtbank.
2 *vi* lammen ▶ *the ~ing season* die Lammungzeit.

lamb: *~ chop* *n* Lammkotelett *nt*; *~skin* *n* Lammfell *nt.*

lambswool ['læmzwʊl] *n* Lammwolle *f.*

lame [leɪm] **1** *adj* (+*er*) **a** lahm; (*as result of stroke etc*) gelähmt ▶ *the horse went ~* das Pferd fing an zu lahmen. **b** (*fig*) *excuse* faul; *argument* schwach ▶ *~ duck* Niete *f* (*col*); (*company*) unwirtschaftliche Firma.
2 *vt* lähmen; *horse* lahm machen.

lamely ['leɪmlɪ] *adv* lahm.

lameness ['leɪmnɪs] *n see adj* **a** Lähmung *f*; Gelähmtsein *nt*. **b** (*fig*) Lahmheit *f*; Schwäche *f.*

lament [lə'ment] **1** *n* **a** Klage(n *pl*), Wehklage. *f.* **b** (*Mus*) Klagelied *nt.*
2 *vt* beklagen; *misfortune etc* bejammern ▶ *to ~ sb* um jdn trauern.
3 *vi* (weh)klagen ▶ *to ~ for sb* um jdn trauern; *to ~ over sth* über etw (*acc*) jammern.

lamentable ['læməntəbl] *adj* beklagenswert; *work* erbärmlich.

lamentably ['læməntəblɪ] *adv* beklagenswert; *fail* kläglich.

lamentation [ˌlæmən'teɪʃən] *n* (Weh)klage *f*; (*act*) Klagen, Jammern *nt.*

laminate ['læmɪneɪt] **1** *vt* laminieren.
2 *n* Schichtstoff *m.*

laminated ['læmɪneɪtɪd] *adj* geschichtet; *windscreen* Verbundglas-; *book cover* laminiert ▶ *~ glass* Verbundglas *nt*; *~ plastic* Resopal ® *nt*; *~ wood* Sperrholz *nt.*

lamp [læmp] *n* Lampe *f*; (*in street*) Laterne *f*; (*on ship*) Licht *nt*; (*torch*) Taschenlampe *f.*

lamp light *n* Lampenlicht *nt*; (*in street*) Licht *nt* der Laterne(n) ▶ *by ~* bei Lampenlicht.

lampoon [læm'puːn] **1** *n* Schmähschrift *f.*
2 *vt* verspotten.

lamp: *~post* *n* Laternenpfahl *m*; *~shade* *n* Lampenschirm *m*; *~-standard* *n* = *~post*.

LAN = **local area network** LAN *nt.*

lance [lɑːns] **1** *n* Lanze *f* ▶ *~-corporal* Obergefreite(r) *m.*
2 *vt* (*Med*) aufstechen.

lancet ['lɑːnsɪt] *n* (*Med*) Lanzette *f.*

Lancs [læŋks] (*Brit*) = **Lancashire**.

land [lænd] **1** *n* **a** (*not sea*) Land *nt* ▶ *by ~* auf dem Landweg; *to see how the ~ lies* (*fig*) die Lage sondieren. **b** (*nation, region, fig*) Land *nt* ▶ *to be in the ~ of the living* unter den Lebenden sein. **c** (*as property*) Grund und Boden *m.* **d** (*Agr*) Land *nt*; (*soil*) Boden *m* ▶ *to work on the ~* das Land bebauen; *to live off the ~* (*grow own food*) sich von Selbstangebautem ernähren.

2 *vt* **a** *passengers* absetzen; *plane, troops* landen; *goods* abladen; *boat, fish on hook* an Land ziehen; *fish at port* anlanden. **b** (*col: obtain*) kriegen (*col*); *contract* sich (*dat*) verschaffen; *prize* sich (*dat*) holen (*col*). **c** (*col*) *he ~ed him a punch on the jaw* er versetzte ihm einen Kinnhaken; *it'll ~ you in jail* das wird dich noch ins Gefängnis bringen; *I've ~ed myself in a real mess* ich bin (ganz schön) in die Klemme geraten (*col*); *I got ~ed with the job* man hat mir die Arbeit aufgehalst (*col*); *I got ~ed with him for two hours* ich hatte ihn zwei Stunden lang auf dem Hals.
3 *vi* landen; (*from ship*) an Land gehen ▶ *we're coming in to ~* wir setzen zur Landung an; *to ~ on one's feet* (*lit*) auf den Füßen landen; (*fig*) auf die Füße fallen; *he ~ed awkwardly* er ist ungeschickt aufgekommen.

♦**land up** *vi* (*col*) landen (*col*).

land: *~ agent* *n* Gutsverwalter(in *f*) *m*; *~ breeze* *n* Landwind *m.*

landed ['lændɪd] *adj* *the ~ class* die Großgrundbesitzer *pl*; *~ gentry* Landadel *m.*

land: *~ fall* *n* Sichten *nt* von Land; *~ fill (site)* *n* Mülldeponie *f.*

landing ['lændɪŋ] *n* **a** (*of person, troops, plane*) Landung *f.* **b** (*on stairs*) (*inside house*) Flur *m*; (*outside flat door*) Treppenabsatz *m.*

landing: *~-card* *n* Einreisekarte *f*; *~-craft* *n* Landungsboot *nt*; *~ gear* *n* (*Aviat*) Fahrgestell *nt*; *~ pad* *n* Landeplatz *m* (für Hubschrauber); *~-stage* *n* (*Brit Naut*) Landesteg *m*; *~-strip* *n* Landepiste *f.*

land: *~lady* *n* Vermieterin *f*; (*in pub*) Wirtin *f*; *~locked* *adj* von Land eingeschlossen; *a ~locked country* ein Binnenland *m*; *~lord* *n* (*of land*) Grundbesitzer *m*; (*of flat etc*) Vermieter *m*; (*Brit: of pub*) Wirt *m*; *~lubber* ['lænd,lʌbər] *n* Landratte *f* (*col*); *~mark* *n* Wahrzeichen *nt*; (*fig*) Meilenstein *m*; *~mass* *n* Landmasse *f*; *~ mine* *n* Landmine *f*; *~-owner* *n* Grundbesitzer *m*; *~scape* ['lændskeɪp] **1** *n* Landschaft *f*; **2** *vt* *big area* landschaftlich gestalten; *garden* anlegen; *~scape gardening* *n* Landschafts-/Gartengestaltung *f*; *~scape painting* *n* Landschaftsmalerei *f*; *~slide* *n* (*lit, fig*) Erdrutsch *m*; *a ~slide victory* ein überwältigender Sieg; *~slip* *n* Erdrutsch *m.*

lane [leɪn] *n* (*in country*) (Feld)weg *m*; (*in town*) Gasse *f*; Weg *m*; (*Sport*) Bahn *f*; (*motorway*) Spur *f* ▶ *"get in ~"* „bitte einordnen".

language ['læŋgwɪdʒ] *n* Sprache *f* ▶ *bad ~* unanständige Ausdrücke *pl*; *strong ~* Kraftausdrücke *pl*; (*forceful*) harte Worte *pl*; *mind your ~!* so was sagt man nicht! (*col*); *to talk the same ~ (as sb)* die gleiche Sprache (wie jd) sprechen.

language: *~ course* *n* Sprachkurs(us) *m*; *~ lab(oratory)* *n* Sprachlabor *nt*; *~ teacher* *n* Sprachlehrer(in *f*) *m.*

languid ['læŋgwɪd] *adj* träge; *gesture* müde; *appearance, manner* gelangweilt.

languish ['læŋgwɪʃ] *vi* schmachten; (*pine*) sich sehnen (*for* nach).

languor ['læŋgər] *n* Trägheit *f*; (*weakness*) Mattigkeit *f.*

languorous ['læŋgərəs] *adj* träge; *feeling* wohlig; *tone, voice* schläfrig.

lank [læŋk] *adj* *person* hager; *hair* strähnig.

lanky ['læŋkɪ] **1** *adj* (+*er*) schlaksig.
2 *n* (*col*) Lange(r) *mf* (*col*).

lanolin(e) ['lænəʊlɪn] *n* Lanolin *nt.*

lantern ['læntən] *n* Laterne *f.*

Laos [laʊs] *n* Laos *nt.*

Laotian ['laʊʃən] **1** *adj* laotisch.
2 *n* Laote *m*, Laotin *f.*

lap¹ [læp] *n* Schoß *m* ▶ *it's in the ~ of the gods* es liegt im Schoß der Götter; *to live in the ~ of luxury* ein Luxusleben führen.

lap² (*Sport*) *n* (*round*) Runde *f* ▶ *we're on the last ~ now* (*fig*) wir haben es bald geschafft.
lap³ [1] *vt* (*lick*) lecken.
[2] *vi* (*water*) klatschen (*against* gegen).
◆**lap up** *vt sep liquid* auflecken; *praise* genießen; *non-sense* schlucken ▶ *she ~ped it ~* (*fig*) das ging ihr runter wie Honig (*col*).
lapdog ['læp,dɒg] *n* Schoßhund *m*.
lapel [lə'pel] *n* Revers *nt or m*.
Lapland ['læplænd] *n* Lappland *nt*.
Laplander ['læplændəʳ], **Lapp** [læp] *n* Lappländer(in *f*) *m*, Lappe *m*, Lappin *f*.
lapse [læps] [1] *n* [a] (*error*) Fehler *m*; (*moral*) Fehltritt *m*; (*decline*) Absinken *nt no pl* ▶ *he had a ~ of memory* es ist ihm entfallen; *~ in standards* Niveauabfall *m*. [b] (*expiry*) Ablauf *m*; (*of claim*) Erlöschen *nt*; (*of time*) Zeitraum *m* ▶ *there was a ~ in the conversation* es gab eine Gesprächspause.
[2] *vi* [a] (*morally*) einen Fehltritt begehen; (*decline*) abgleiten ▶ *to ~ into one's old ways* wieder in seine alten Gewohnheiten verfallen; *he ~d into silence* er verfiel in Schweigen; *his work is lapsing* seine Arbeit läßt nach. [b] (*expire*) ablaufen; (*claims*) erlöschen; (*correspondence*) einschlafen.
lapsed [læpst] *adj Catholic* abtrünnig; (*expired*) *insurance etc* abgelaufen.
laptop ['læp,tɒp] *n* (*Comp*) Laptop *m*.
larceny ['lɑːsənɪ] *n* (*Jur*) Diebstahl *m*.
larch [lɑːtʃ] *n* Lärche *f*.
lard [lɑːd] *n* Schweineschmalz *nt*.
larder ['lɑːdəʳ] *n* (*room*) Speisekammer *f*; (*cupboard*) Speiseschrank *m*.
large [lɑːdʒ] [1] *adj* (+*er*) [a] (*big*) groß; *person* korpulent ▶ *~ as life* in voller Lebensgröße. [b] (*extensive*) *interests* weitreichend.
[2] *adv* groß ▶ *guilt was writ ~ all over his face* die Schuld stand ihm deutlich im Gesicht geschrieben.
[3] *n at ~* (*in general*) im großen und ganzen; *people at ~* die Allgemeinheit; *to be at ~* (*free*) frei herumlaufen; (*prisoner*) auf freiem Fuß sein.
largely ['lɑːdʒlɪ] *adv* (*mainly*) zum größten Teil.
large scale ['lɑːdʒ,skeɪl] *adj* groß angelegt ▶ *~ changes* Veränderungen *pl* in großem Umfang; *a ~ producer* ein Großhersteller *m*; *~ rioting* Massenunruhen *pl*; *a ~ map* eine (Land)karte in großem Maßstab.
largesse [lɑː'ʒes] *n* Großzügigkeit *f*.
lark¹ [lɑːk] *n* (*Orn*) Lerche *f* ▶ *to get up with the ~* mit den Hühnern aufstehen.
lark² *n* (*col*) (*joke*) Jux (*col*), Spaß *m* ▶ *to do sth for a ~* etw (nur) aus Jux machen; *this whole agency ~* die ganze Geschichte mit der Agentur (*col*).
◆**lark about** *or* **around** *vi* (*col*) herumalbern ▶ *to ~ ~ with sth* mit etw herumspielen.
larva ['lɑːvə] *n, pl -e* ['lɑːviː] Larve *f*.
laryngitis [,lærɪn'dʒaɪtɪs] *n* Kehlkopfentzündung *f*.
larynx ['lærɪŋks] *n* Kehlkopf *m*.
lascivious [lə'sɪvɪəs] *adj person, behaviour* lüstern.
laser ['leɪzəʳ] *n* Laser *m* ▶ *~ beam* Laserstrahl *m*; *~ printer* Laserdrucker *m*.
lash¹ [læʃ] *n* (*eye~*) Wimper *f*.
lash² [1] *n* (*whip*) Peitsche *f*; (*thong*) Schnur *f*; (*stroke, as punishment*) (Peitschen)schlag *m*; (*~ing*) (*of tail*) Schlagen *nt*; (*of waves, rain also*) Peitschen *nt*.
[2] *vt* [a] (*beat*) peitschen; (*as punishment*) auspeitschen; (*rain*) peitschen gegen; (*tail*) schlagen mit ▶ *the wind ~ed the sea into a fury* wütend peitschte der Wind die See. [b] (*tie*) festbinden (*to* an +*dat*) ▶ *to ~ sth together* etw zusammenbinden.
◆**lash down** [1] *vt sep* (*tie down*) festbinden.
[2] *vi* (*rain etc*) niederprasseln.
◆**lash out** *vi* [a] (*physically*) (wild) um sich schlagen ▶

to ~ ~ at sb auf jdn losgehen. [b] (*in words*) vom Leder ziehen (*col*) ▶ *to ~ ~ against or at sb/sth* gegen jdn/ etw wettern. [c] (*col: with money*) sich in Unkosten stürzen ▶ *to ~ ~ on sth* sich (*dat*) etw was kosten lassen (*col*).
lashing ['læʃɪŋ] *n* [a] (*beating*) Prügel *pl*; (*punishment*) Auspeitschung *f*. [b] *~s pl* (*col*) eine Unmenge (*col*); *~s of money* massenhaft Geld (*col*).
lass [læs] *n* (junges) Mädchen.
lassitude ['læsɪtjuːd] *n* Mattigkeit, Trägheit *f*.
lasso [læ'suː] [1] *n, pl -*(e)**s** Lasso *m or nt*.
[2] *vt* mit dem Lasso einfangen.
last¹ [lɑːst] [1] *adj* letzte(r, s) ▶ *he was (the) ~ to arrive* er kam als letzter an; *the ~ person* der letzte; *the ~ but one, the second ~ (one)* der/die/das vorletzte; *~ Monday* letzten Montag; *~ year* letztes Jahr; *during the ~ 20 years* in den letzten 20 Jahren; *~ but not least* nicht zuletzt; *that's the ~ thing I worry about* das ist das Letzte, worüber ich mir Sorgen machen würde; *that was the ~ thing I expected* damit hatte ich am wenigsten gerechnet; *he's the ~ person I want to see* er ist der letzte, den ich sehen möchte; *the ~ word* (*in fashion*) der letzte Schrei; *the ~ word in ...* das letzte an ... (*dat*); *the L~ Supper* (*Rel*) das (Letzte) Abendmahl.
[2] *n* der/die/das letzte ▶ *he was the ~ to leave* er ging als letzter; *each one is better than the ~* eins ist besser als das andere; *this is the ~ of the cake* das ist der Rest des Kuchens; *that was the ~ we heard of him* seitdem haben wir nichts mehr von ihm gehört; *we shall never hear the ~ of it* das werden wir noch lange zu hören bekommen; *at ~* endlich; *to the ~* bis zum Schluß.
[3] *adv I ~ heard from him a month ago* vor einem Monat habe ich das letztemal von ihm gehört; *he spoke ~* er sprach als letzter; *~ thing (at night)* (abends) als letztes.
last² [1] *vt it will ~ me a lifetime* das hält ein Leben lang; *these cigarettes will ~ me a week* diese Zigaretten reichen mir eine Woche.
[2] *vi* (*continue*) dauern; (*remain intact: flowers, food, marriage*) halten; (*rain*) anhalten ▶ *it's too good to ~* das ist zu schön, um von Dauer zu sein; *the previous boss ~ed only a week* der letzte Chef blieb nur eine Woche.
last³ *n* Leisten *m*.
last-ditch ['lɑːst,dɪtʃ] *adj attr* in letzter Minute.
lasting ['lɑːstɪŋ] *adj relationship* dauerhaft; *shame etc* anhaltend.
lastly ['lɑːstlɪ] *adv* schließlich, zum Schluß.
last: *~-mentioned adj* letztgenannt; *~-minute adj* in letzter Minute; *it was a ~-minute decision* er/sie *etc* hat sich in letzter Minute dazu entschlossen; *~ number redial n* (*Telec*) Letztnummernspeicher *m*; *~ rites npl* (*Rel*) Letzte Ölung.
latch [lætʃ] *n* Riegel *m* ▶ *to leave the door on the ~* die Tür nur einklinken.
◆**latch on** *vi* (*col*) [a] (*get hold*) sich festhalten (*to sth* an etw *dat*) ▶ *he ~ed ~ to the idea of coming with us* er hat es sich (*dat*) in den Kopf gesetzt, mitzukommen. [b] (*attach oneself*) sich anschließen (*to dat*) ▶ *she ~ed ~ to me at the party* sie hängte sich auf der Party an mich (*col*). [c] (*understand*) kapieren (*col*).
latchkey ['lætʃ,kiː] *n* Haus-/Wohnungsschlüssel *m* ▶ *~ child* Schlüsselkind *nt*.
late [leɪt] [1] *adj* (+*er*) [a] spät ▶ *to be ~ (for sth)* (zu etw) zu spät kommen; *the train was ~* der Zug hatte Verspätung; *I was ~ (in) getting up this morning* ich bin heute morgen zu spät aufgestanden; *he is ~ with his rent* er hat seine Miete noch nicht bezahlt; *I don't want to make you ~* ich möchte Sie nicht aufhalten; *due to the ~ arrival of ...* wegen der verspäteten Ankunft ... (+*gen*). [b] *hour* spät; *opening hours* lang; *bus,*

train Spät- ▸ *it's ~* es ist spät; *it's getting ~* es ist schon spät; *at this ~ hour* zu so später Stunde; *he keeps very ~ hours* er geht sehr spät ins Bett; *to have a ~ night* lange aufbleiben; *we have ~ opening on Thursdays* donnerstags haben wir länger geöffnet; *it happened in the ~ eighties* es geschah Ende der achtziger Jahre; *in the ~ morning* am späten Vormittag; *he came in ~ June* er kam Ende Juni. **c** *attr (deceased)* verstorben. **d** *(former) the ~ Prime Minister* der frühere *or* vorige Premierminister.
2 spät ▸ *to come ~* zu spät kommen; *the train arrived eight minutes ~* der Zug hatte acht Minuten Verspätung; *better ~ than never* besser spät als gar nicht; *to stay up ~* lange aufbleiben; *to work ~ at the office* länger im Büro arbeiten; *~ at night* spät abends; *~ in the afternoon* am späten Nachmittag; *~ in the year* (gegen) Ende des Jahres; *rather ~ in life* ziemlich spät; *(in old age)* im Alter; *of ~* in letzter Zeit.

latecomer ['leɪtkʌmə'] *n* Nachzügler(in *f*) *m*.
lately ['leɪtlɪ] *adv* in letzter Zeit ▸ *till ~* bis vor kurzem.
lateness ['leɪtnɪs] *n (at work etc)* Zuspätkommen *nt*; *(of train, payments)* Verspätung *f*; *(of meal)* späte Zeit; *(of harvest, seasons)* spätes Eintreten ▸ *the ~ of the hour* die späte *or* vorgerückte Stunde.
latent ['leɪtənt] *adj* latent; *ability, defect, strength also* verborgen; *energy* ungenutzt.
later ['leɪtə'] **1** *adj* später ▸ *at a ~ date* zu einem späteren Termin; *a ~ edition* eine neuere Auflage; *in his ~ years* in seinem späteren Leben.
2 *adv* später ▸ *~ that night* später in der Nacht; *a moment ~* einen Augenblick später; *see you ~!* bis später!; *not ~ than 1995* spätestens 1995; *~ on* nachher; *~ on this month* noch in diesem Monat.
lateral ['lætərəl] *adj* seitlich ▸ *~ thinking* kreatives Denken.
laterally ['lætərəlɪ] *adv* seitlich.
latest ['leɪtɪst] **1** *adj* **a** späteste(r, s) ▸ *what is the ~ date you can come?* wann kannst du spätestens kommen? **b** *(most recent) fashion, version* neu(e)ste(r, s) ▸ *the ~ news* das Neu(e)ste.
2 *adv* am spätesten.
3 *n* **a** *what's the ~ (about John)?* was gibt's Neues (über John)?; *wait till you hear the ~!* warte, bis du das Neueste gehört hast! **b** *at the (very) ~* spätestens.
latex ['leɪteks] *n* Latex *(spec)*, Milchsaft *m*.
lath [læθ] *n* Latte *f* ▸ *~s pl (structure)* Lattenwerk *nt*.
lathe [leɪð] *n* Drehbank *f* ▸ *~ operator* Dreher *m*.
lather ['lɑːðə'] **1** *n* (Seifen)schaum *m*; *(sweat)* Schweiß *m* ▸ *the horse was in a ~* das Pferd war schweißnaß; *to get into a ~ (about sth) (col)* sich (über etw *acc*) aufregen.
2 *vt* einschäumen.
3 *vi* schäumen.
Latin ['lætɪn] **1** *adj (Roman) civilization* römisch; *poets also* lateinisch; *temperament* südländisch ▸ *~ language* lateinische Sprache.
2 *n (language)* Latein(isch) *nt*.
Latin America *n* Lateinamerika *nt*.
Latin-American ['lætɪnə'merɪkən] **1** *adj* lateinamerikanisch.
2 *n* Lateinamerikaner(in *f*) *m*.
latitude ['lætɪtjuːd] *n* Breite *f*; *(fig)* Freiheit *f*.
latrine [lə'triːn] *n* Latrine *f*.
latter ['lætə'] **1** *adj* **a** *(second of two)* letztere(r, s). **b** *(at the end) the ~ part of the book is better* gegen Ende wird das Buch besser; *the ~ part of the week* die zweite Hälfte der Woche; *in his ~ years* in den späteren Jahren seines Lebens.
2 *n the ~* der/die/das letztere; die letzteren.
latterly ['lætəlɪ] *adv* in letzter Zeit.
lattice ['lætɪs] *n* Gitter *nt* ▸ *~-work* Gitterwerk *nt*.

Latvia ['lætvɪə] *n* Lettland *nt*.
Latvian ['lætvɪən] **1** *adj* lettisch.
2 *n* **a** Lette *m*, Lettin *f*. **b** *(language)* Lettisch *nt*.
laudable ['lɔːdəbl] *adj* lobenswert.
laugh [lɑːf] **1** *n* Lachen *nt* ▸ *she gave a loud ~* sie lachte laut auf; *to have a good ~ about sth* sich köstlich über etw *(acc)* amüsieren; *it'll give us a ~ (col)* das wird lustig; *the ~ was on me* der Witz ging auf meine Kosten; *to have the last ~* derjenige sein, der zuletzt lacht; *to have the last ~ over or on sb* es jdm zeigen *(col)*; *what a ~* (das ist ja) zum Totlachen! *(col)*; *just for a ~* nur (so) aus Spaß; *it'll be a good ~* es wird bestimmt lustig; *he's a ~* er ist zum Schreien *(col)*.
2 *vi* lachen *(about, at, over* über *+acc)* ▸ *to ~ at sb* sich über jdn lustig machen; *to ~ up one's sleeve* sich *(dat)* ins Fäustchen lachen; *it's all very well for you to ~* du hast gut lachen; *you'll be ~ing on the other side of your face soon* dir wird das Lachen bald vergehen; *to ~ in sb's face* jdm ins Gesicht lachen; *he who ~s last ~s longest (Prov)* wer zuletzt lacht, lacht am besten *(Prov)*; *don't make me ~! (iro col)* daß ich nicht lache! *(col)*; *you've got your own house, you're ~ing (col)* du hast ein eigenes Haus, du hast es gut.
3 *vt to ~ oneself silly* sich tot- *or* kaputtlachen *(col)*; *he was ~ed out of court* er wurde ausgelacht.
◆**laugh off** *vt* **a** *always separate to ~ one's head ~* sich totlachen *(col)*. **b** *sep (dismiss)* mit einem Lachen abtun.
laughable ['lɑːfəbl] *adj* lächerlich.
laughing ['lɑːfɪŋ] **1** *adj* lachend ▸ *it's no ~ matter* das ist nicht zum Lachen; *~ gas* Lachgas *nt*.
2 *n* Lachen *nt*.
laughing stock *n* Witzfigur *f* ▸ *his ideas made him a ~* mit seinen Ideen machte er sich lächerlich.
laughter ['lɑːftə'] *n* Gelächter *nt* ▸ *~ broke out among the audience* das Publikum brach in Gelächter aus.
launch [lɔːntʃ] **1** *n* **a** *(vessel)* Barkasse *f*. **b** *(~ing) (of ship)* Stapellauf *m*; *(of lifeboat)* Aussetzen *nt*; *(of rocket)* Abschuß *m*. **c** *(~ing) (of company)* Gründung *f*; *(of new product)* Einführung *f*.
2 *vt* **a** *new vessel* vom Stapel lassen; *lifeboat* aussetzen; *rocket* abschießen ▸ *Lady X ~ed the new boat* Lady X taufte das neue Schiff. **b** *company* gründen; *new product* auf den Markt bringen ▸ *to ~ an offensive against the enemy* zum Angriff gegen den Feind übergehen.
◆**launch into** *vi +prep obj* **a** *(attack)* anprangern. **b** *(start)* in Angriff nehmen ▸ *the author ~es straight ~ his main theme* der Autor kommt gleich zum Hauptthema.
◆**launch out** *vi (diversify)* sich verlegen *(in* auf *+acc)* ▸ *the company ~ed ~ in several new directions* die Firma stieg in einige neue Branchen ein.
launching ['lɔːntʃɪŋ] *n* = **launch 1 (b)**.
launching pad *n* Abschußrampe *f*; *(fig)* Sprungbrett *nt*.
launder ['lɔːndə'] *vti* waschen und bügeln; *(fig) money* waschen.
laund(e)rette [,lɔːndə'ret] *n (Brit)* Waschsalon *m*.
Laundromat ® ['lɔːndrəʊmæt] *n (US)* Waschsalon *m*.
laundry ['lɔːndrɪ] *n (place)* Wäscherei *f*; *(clothes) (dirty)* schmutzige Wäsche; *(washed)* Wäsche *f* ▸ *to do the ~* (Wäsche) waschen; *~ service* Wäscherei *f*.
laurel ['lɔrəl] *n* Lorbeer *m* ▸ *to rest on one's ~s* sich auf seinen Lorbeeren ausruhen.
lava ['lɑːvə] *n* Lava *f*.
lavatory ['lævətrɪ] *n* Toilette *f* ▸ *~ attendant* Toilettenfrau *f*/-mann *m*; *~ paper* Toilettenpapier *nt*; *~ seat* Toilettensitz *m*.
lavender ['lævɪndə'] *n (flower)* Lavendel *m*.
lavish ['lævɪʃ] **1** *adj gifts* großzügig; *praise, affection* überschwenglich; *banquet, party* üppig; *(pej)* ver-

schwenderisch ▸ *to be ~ with sth* mit etw verschwenderisch umgehen; *to be ~ with one's money/ praise* das Geld mit vollen Händen ausgeben/nicht mit Lob geizen. 2 *vt to ~ sth on sb* jdn mit etw überhäufen.

lavishly ['lævɪʃlɪ] *adv give* großzügig; *praise* überschwenglich; *put paint on* reichlich; *entertain sb* üppig ▸ *they entertain ~* sie geben feudale Feste; *~ furnished* aufwendig eingerichtet.

law [lɔː] *n* Gesetz *nt*; (*system*) Recht *nt*; (*as study*) Jura *no art* ▸ *~ of nature* Naturgesetz *nt*; *it's the ~* das ist Gesetz; *his word is ~* sein Wort ist Gesetz; *is there a ~ against it?* ist das verboten?; *he is a ~ unto himself* er macht, was er will; *he is above the ~* er steht über dem Gesetz; *to keep within the ~* sich im Rahmen des Gesetzes bewegen; *in ~* vor dem Gesetz; *by ~* gesetzlich; *to take the ~ into one's own hands* das Recht selbst in die Hand nehmen; *~ and order* Recht und Ordnung; *I'll have the ~ on you* (*col*) ich rufe die Polizei.

law: ~-abiding *adj* gesetzestreu; **~breaker** *n* Rechtsbrecher *m*; **~ court** *n* Gericht *nt*.

lawful *adj*, **~ly** *adv* ['lɔːfʊl, 'lɔːfəlɪ] rechtmäßig.

lawless ['lɔːlɪs] *adj act* gesetzwidrig; *person* gesetzlos; *country* ohne Gesetzgebung.

lawlessness ['lɔːlɪsnɪs] *n* Gesetzwidrigkeit *f.*

lawn [lɔːn] *n* (*grass*) Rasen *m no pl.*

lawn: ~mower *n* Rasenmäher *m*; **~ tennis** *n* Rasentennis *nt.*

law: ~school *n* (*esp US*) juristische Fakultät; (*separate institution*) juristische Hochschule; **L~ Society** *n* (*Brit*) Anwaltsverein *m*; **~ student** *n* Jurastudent(in *f*) *m*; **~suit** *n* Prozeß *m*, Klage *f*; *he brought a ~suit for damages* er strengte eine Schadenersatzklage an.

lawyer ['lɔːjəʳ] *n* (Rechts)anwalt *m*, (Rechts)anwältin *f.*

lax [læks] *adj* (+*er*) lax; *discipline* lasch; *morals* locker ▸ *to be ~ about sth* etw vernachlässigen; *he's ~ about washing* er nimmt's mit dem Waschen nicht so genau.

laxative ['læksətɪv] *n* Abführmittel *nt.*

laxity ['læksɪtɪ], **laxness** ['læksnɪs] *n* Laxheit *f*; (*carelessness*) Nachlässigkeit *f.*

lay¹ [leɪ] *adj* Laien-.

lay² *pret of* **lie.**

lay³ (*vb: pret, ptp* **laid**) 1 *vt* a (*place, put*) legen (*sth on sth* etw auf etw *acc*) ▸ *to ~ (one's) hands on* (*get hold of*) erwischen; (*find*) finden; *I never laid a hand on him* ich habe ihn überhaupt nicht angefaßt.

b *bricks, foundations, track, mines, eggs* legen; *cable* verlegen; *carpet* (ver)legen; (*prepare*) *fire* herrichten; (*Brit*) *table* decken; *plans* schmieden ▸ *to ~ breakfast* den Frühstückstisch decken.

c (*non-material things*) *burden* auferlegen (*on sb* jdm) ▸ *to ~ the blame for sth on sb* jdm die Schuld an etw (*dat*) geben; *to ~ oneself open to criticism* sich der Kritik aussetzen; *the police laid a charge of murder against him* die Polizei erstattete Anzeige wegen Mordes gegen ihn; *he laid his case before them* er trug ihnen seinen Fall vor; *to ~ a bet on sth* auf etw (*acc*) wetten.

d *ghost* austreiben; *fear* zerstreuen.

e (*col: sexually*) aufs Kreuz legen (*col*).

2 *vi* (*hen*) legen.

◆**lay aside** *vt sep work etc* zur Seite legen; (*save*) beiseite legen; *plans etc* auf Eis legen.

◆**lay down** *vt sep* a *book, pen etc* hinlegen (*on* auf +*acc*). b (*give up*) *burden* ablegen; *office* niederlegen ▸ *to ~ ~ one's arms* die Waffen niederlegen; *to ~ ~ one's life* sein Leben opfern. c *policy* festsetzen; *rules* festlegen ▸ *to ~ ~ the law* (*col*) Vorschriften machen (*to sb* jdm).

◆**lay in** *vt sep food etc* einlagern; *supplies also* anlegen.

◆**lay into** *vi +prep obj* (*col*) *to ~ ~ sb* auf jdn losgehen; (*verbally*) jdn fertigmachen (*col*).

◆**lay off** 1 *vi* (*col: stop*) aufhören (*prep obj* mit) ▸ *~ ~ it!* hör auf damit!; *~ ~ my little brother, will you!* laß bloß meinen kleinen Bruder in Ruhe! 2 *vt sep workers* entlassen; (*temporarily*) Feierschichten machen lassen ▸ *to be laid ~* entlassen werden; Feierschichten einlegen müssen.

◆**lay on** *vt sep* a (*apply*) *paint* auftragen. b *hospitality* bieten (*for sb* jdm); *entertainment* sorgen für; *excursion* veranstalten; *extra buses* einsetzen; *water, electricity* anschließen.

◆**lay out** *vt sep* a *clothes* zurechtlegen; *corpse* aufbahren. b (*design, arrange*) anlegen; *room* aufteilen; *rooms in house* anordnen; *page* umbrechen; (*in magazines*) das Layout (+*gen*) machen. c *money* ausgeben. d (*knock out*) *to ~ sb* jdn erledigen (*col*).

◆**lay over** *vi* (*US*) Station machen.

◆**lay up** *vt sep* a (*store*) lagern; *supply* anlegen; (*amass*) anhäufen ▸ *he's ~ing ~ trouble for himself in the future* er wird später noch (viel) Ärger bekommen. b (*immobilize*) *ship* auflegen; *car* still(l)egen ▸ *to be laid ~ (in bed)* im Bett liegen.

lay: ~about *n* Nichtstuer, Gammler *m*; **~by** *n* (*Brit*) (*in town*) Parkbucht *f*; (*in country*) Parkplatz *m*; (*big*) Rastplatz *m.*

layer ['leɪəʳ] 1 *n* Schicht (*also Geol*), Lage *f* ▸ *~ cake* Schichttorte *f.* 2 *vt hair* abstufen ▸ *~ed cut* Stufenschnitt *m.*

layette [leɪ'et] *n* Babyausstattung *f.*

lay: ~man *n* Laie *m*; *to the ~man* für den Laien; **~-off** *n further ~-offs were unavoidable* weitere Arbeiter mußten entlassen werden *or* (*temporarily*) mußten Feierschichten einlegen; **~out** *n* Anordnung *f*; (*Typ*) Layout *nt*; *we have changed the ~out of this office* wir haben dieses Büro anders aufgeteilt; **~ person** *n* Laie *m.*

laze [leɪz] *vi* (*also: ~ about, ~ around*) faulenzen.

lazily ['leɪzɪlɪ] *adv* faul; (*languidly*) träge.

laziness ['leɪzɪnɪs] *n* Faulheit *f*; (*languor*) Trägheit *f.*

lazy ['leɪzɪ] *adj* (+*er*) faul; (*slow-moving*) langsam; (*lacking activity*) träge ▸ *we had a ~ holiday* wir haben im Urlaub nur gefaulenzt.

lazybones ['leɪzɪˌbəʊnz] *n sing* (*col*) Faulpelz *m.*

lb *n* (*weight*) ≃ Pfd.

lc (*Typ*) = **lower case.**

LCD = **liquid crystal display** LCD *nt.*

Ld = **Lord.**

L-driver (*Brit*) = **learner driver.**

LEA (*Brit*) = **Local Education Authority.**

lead¹ [led] *n* (*metal*) Blei *nt*; (*in pencil*) Graphit *nt.*

lead² [liːd] (*vb: pret, ptp* **led**) 1 *n* a (*front position*) Spitzenposition *f*; (*Sport*) Führung *f*; (*distance, time ahead*) Vorsprung *m* ▸ *to have two minutes' ~ over sb* zwei Minuten Vorsprung vor jdm haben; *to be in the ~* in Führung liegen; *he took the ~ from the German runner* er ging vor dem deutschen Läufer in Führung; *it's my ~* (*Cards*) ich fange an. b (*example*) Beispiel *nt* ▸ *to follow sb's ~* jds Beispiel folgen. c (*clue*) Anhaltspunkt *m*; (*in guessing etc*) Tip *m* ▸ *the police have a ~* die Polizei hat eine Spur. d (*Theat*) (*part*) Hauptrolle *f*; (*person*) Hauptdarsteller(in *f*) *m* ▸ *to sing the ~* die tragende Partie singen. e (*leash*) Leine *f* ▸ *on a ~* an der Leine. f (*Elec*) Leitung *f*, Kabel *nt.* 2 *vt* a (*conduct*) *person, animal* führen ▸ *that road will ~ you to the station* auf dieser Straße kommen Sie zum Bahnhof; *to ~ the way* (*lit, fig*) vorangehen; (*fig: be superior*) führend sein.

b (*be the leader of, direct*) (an)führen; *expedition, team* leiten; *movement, revolution* anführen; *orchestra* (*conductor*) leiten; (*first violin*) führen ▸ *to ~ a government* an der Spitze einer Regierung stehen; *to ~ a party* den Parteivorsitz führen.

[c] (*be first in*) anführen ▶ *they led us by 30 seconds* sie lagen 30 Sekunden vor uns (*dat*); *Britain led the world in textiles* Großbritannien war auf dem Gebiet der Textilproduktion führend in der Welt.

[d] *card* ausspielen.

[e] *life* führen ▶ *to ~ a life of luxury* in Luxus leben, ein Luxusleben führen.

[f] (*influence*) *to ~ sb to do sth* jdn dazu bringen, etw zu tun; *what led him to change his mind?* wie kam er dazu, seine Meinung zu ändern?; *he is easily led* er läßt sich leicht beeinflussen; *this led me to the conclusion that ...* daraus schloß ich, daß ...

[3] *vi* [a] (*go in front*) vorangehen; (*in race*) in Führung liegen ▶ *to ~ by 10 metres* 10 Meter Vorsprung haben. [b] (*be a leader*) führen. [c] (*Cards*) ausspielen (*with sth* etw). [d] (*street etc*) führen ▶ *it ~s into that room* es führt zu diesem Raum. [e] (*result in, cause*) führen (*to* zu) ▶ *remarks like that could ~ to trouble* solche Bemerkungen könnten unangenehme Folgen haben; *what will all these strikes ~ to?* wo sollen all diese Streiks hinführen?

◆**lead away** *vt sep* wegführen; *prisoner* abführen.

◆**lead off** [1] *vt sep* abführen ▶ *a policeman led the drunk ~ the pitch* ein Polizist führte den Betrunkenen vom Platz.

[2] *vi several streets ~ ~ the square* mehrere Straßen gehen vom Platz ab.

◆**lead on** [1] *vi usu imper ~ ~, sergeant!* führen Sie an, Feldwebel!

[2] *vt sep* (*deceive*) hinters Licht führen; (*tease*) aufziehen ▶ *he led us ~ to believe that we would get the money* er hat uns vorgemacht, wir würden das Geld bekommen (*col*); *she's just ~ing him ~* sie führt ihn nur an der Nase herum.

◆**lead up** *vi the events that led ~ to the war* die Ereignisse, die dem Krieg vorausgingen; *what are you ~ing ~ to?* worauf willst du hinaus?; *what's all this ~ing ~ to?* was soll das Ganze?

leaded ['lɛdɪd] *adj window* Bleiglas-; *petrol* verbleit.

leaden ['lɛdn] *adj* bleiern (*geh*); *heart, limbs* bleischwer.

leader ['liːdə*r*] *n* [a] Führer *m*; (*of union, party also*) Vorsitzende(r) *mf*; (*military also*) Befehlshaber *m*; (*of gang, rebels*) Anführer *m*; (*of expedition, project*) Leiter(in *f*) *m*; (*Sport*) (*in league*) Tabellenführer *m*; (*in race*) der/ die/das Erste; (*Mus*) (*Brit: of orchestra*) Konzertmeister *m*; (*of choir*) Leiter *m*; (*of pop group*) Leader *m* ▶ *to be the ~* (*in race, competition*) in Führung liegen; *the ~s* (*in race, competition*) die Spitzengruppe; *~ of the opposition* Oppositionsführer(in *f*) *m*; *the product is a ~ in its field* das Produkt ist auf diesem Gebiet führend. [b] (*Brit Press*) Leitartikel *m* ▶ *~ writer* Leitartikler *m*.

leadership ['liːdəʃɪp] *n* [a] Führung *f* ▶ *under the ~ of* unter (der) Führung von. [b] (*quality*) Führungsqualitäten *pl*.

lead-free ['lɛd'friː] *adj* bleifrei.

leading¹ ['lɛdɪŋ] *n* (*Typ*) Durchschuß *m*.

leading² ['liːdɪŋ] *adj* [a] (*first*) vorderste(r, s); *runner also* führend. [b] (*most important*) *person, company* führend; *sportsman, product* Spitzen-; *issue, (Theat) part* Haupt-.

leading ['liːdɪŋ-]: *~ lady* *n* Hauptdarstellerin *f*; *~ light* *n* (*person*) Leuchte *f*; *~ man* *n* Hauptdarsteller *m*; *~ question* *n* Suggestivfrage *f*; *~ role* *n* Hauptrolle *f*; (*fig*) führende Rolle.

lead ['lɛd-]: *~ pencil* *n* Bleistift *m*; *~-poisoning* *n* Bleivergiftung *f*.

lead ['liːd-]: *~ story* *n* Hauptartikel *m*; *~ time* *n* (*for production*) Produktionszeit *f*; (*for delivery*) Lieferzeit *f*.

leaf [liːf] [1] *n, pl* **leaves** [a] Blatt *nt* ▶ *to be in ~* grün sein. [b] (*of paper*) Blatt *nt* ▶ *to take a ~ out of sb's*

book sich (*dat*) von jdm eine Scheibe abschneiden; *to turn over a new ~* einen neuen Anfang machen. [c] (*of table*) Ausziehplatte *f*.

[2] *vi to ~ through a book* ein Buch durchblättern.

leaflet ['liːflɪt] *n* Prospekt *m*; (*with instructions*) Merkblatt *nt*; (*handout*) Flugblatt *nt*; (*brochure*) Broschüre *f*.

leafy ['liːfɪ] *adj* (+*er*) *tree* belaubt; *lane* grün.

league [liːg] *n* [a] (*treaty*) Bündnis *nt*, Bund *m*; (*organization*) Verband *m* ▶ *L~ of Nations* Völkerbund *m*; *to be in ~ with sb* mit jdm gemeinsame Sache machen. [b] (*Sport*) Liga *f* ▶ *he's not in the same ~* (*fig*) er hat nicht das gleiche Format.

league: *~ game* *n* Meisterschaftsspiel *nt*; *~ leaders* *npl* Tabellenführer *m*; *~ table* *n* Tabelle *f*.

leak [liːk] [1] *n* (*lit, fig*) undichte Stelle; (*Naut*) Leck *nt*; (*escape of liquid*) Leck *nt* ▶ *to have a ~* undicht sein; *a gas ~* eine undichte Stelle in der Gasleitung; *there's been a ~ to the press* der Presse sind Informationen zugespielt worden.

[2] *vt* durchlassen; (*fig*) *information* zuspielen (*to sb* jdm).

[3] *vi* [a] (*ship, receptacle*) lecken; (*roof, shoes*) nicht dicht sein; (*pen*) auslaufen. [b] (*gas*) ausströmen; (*liquid*) auslaufen ▶ *water is ~ing (in) through the roof* es regnet durch (das Dach durch).

leakage ['liːkɪdʒ] *n* (*act*) Auslaufen *nt* ▶ *the ground was polluted by a ~ of chemicals* der Boden war durch auslaufende Chemikalien verunreinigt.

leakproof ['liːkpruːf] *adj* dicht.

leaky ['liːkɪ] *adj* (+*er*) undicht; *boat also* leck.

lean¹ [liːn] *adj* (+*er*) [a] (*thin*) dünn; *face, person* schmal; (*through lack of food*) hager; *meat, (Aut) mixture* mager. [b] (*poor*) *year, harvest* mager.

lean² (*vb: pret, ptp ~ed* or **leant**) [1] *vt* (*put in sloping position*) lehnen (*against* gegen, an +*acc*); (*rest*) aufstützen (*on* auf +*dat or acc*) ▶ *to ~ one's head on sb's shoulder* seinen Kopf an jds Schulter (*acc*) lehnen; *to ~ one's elbow on sth* sich mit dem Ellbogen auf etw (*acc*) stützen.

[2] *vi* [a] (*be off vertical*) sich neigen (*to* nach); (*trees*) sich biegen ▶ *he ~t across the counter* er beugte sich über den Ladentisch. [b] (*rest*) sich lehnen (*against* gegen +*acc*) ▶ *he ~t on the edge of the table* er stützte sich auf die Tischkante. [c] (*tend in opinion etc*) *to ~ towards the left/socialism* nach links/zum Sozialismus tendieren.

◆**lean back** *vi* sich zurücklehnen.

◆**lean forward** *vi* sich vorbeugen.

◆**lean on** *vi* (*depend*) *to ~ ~ sb* sich auf jdn verlassen; (*col: put pressure on*) jdn bearbeiten (*col*) *or* beknien (*col*).

◆**lean out** *vi* sich hinauslehnen (*of* aus).

◆**lean over** *vi* (*be off vertical*) sich (vor)neigen; (*bend*) sich vorbeugen (*sth* über +*acc*).

lean-burn ['liːnbɜːn] *adj* ~ *engine* Magermotor *m*.

leaning ['liːnɪŋ] [1] *adj* schräg, schief.

[2] *n* Hang *m*.

leanness ['liːnnɪs] *n* Magerkeit *f*.

leant [lɛnt] *pret, ptp of* **lean**.

lean-to ['liːntuː] *n* Anbau *m*; (*shelter*) Wetterschutz *m*.

leap [liːp] (*vb: pret, ptp ~ed* or **leapt**) [1] *n* Sprung *m* ▶ *in one ~* mit einem Satz; *a great ~ forward* (*fig*) ein großer Sprung nach vorn; *a ~ in the dark* (*fig*) ein Sprung ins Ungewisse; *by ~s and bounds* (*fig*) sprunghaft.

[2] *vt* springen über (+*acc*).

[3] *vi* springen ▶ *to ~ to one's feet* aufspringen; *my heart leapt* mein Herz machte einen Sprung.

◆**leap at** *vi* +*prep obj offer, opportunity* sich stürzen auf (+*acc*).

◆**leap up** *vi* (*person*) aufspringen; (*flames*) hochschlagen; (*prices*) sprunghaft ansteigen.

leapfrog ['liːpfrɒg] **1** *n* Bockspringen *nt*.
2 *vi* **he ~ged over him** er machte einen Bocksprung über ihn.

leapt [lept] *pret, ptp of* **leap**.

leap year *n* Schaltjahr *nt*.

learn [lɜːn] *pret, ptp* **~ed** *or* **learnt 1** *vt* lernen; *language also* erlernen; (*be informed*) erfahren ▸ *I ~t (how) to swim* ich habe schwimmen gelernt; *we ~t (how) to write business letters* wir lernten Geschäftsbriefe schreiben.
2 *vi* lernen; (*find out*) erfahren (*about, of* von) ▸ *I can't, but I'm hoping to ~* ich kann es nicht, aber ich hoffe, es zu lernen; *he'll never ~!* er lernt es nie!; *to ~ from experience* durch Erfahrung lernen.

learned ['lɜːnɪd] *adj* gelehrt; *society also, profession* akademisch ▸ *a ~ man* ein Gelehrter *m*.

learner ['lɜːnəʳ] *n* Anfänger(in *f*) *m*; (*Brit: also* **~ driver**) Fahrschüler(in *f*) *m* ▸ *slow ~s* lernschwache Schüler.

learning ['lɜːnɪŋ] *n* (*act*) Lernen *nt*; (*erudition*) Gelehrsamkeit *f* ▸ *a man of ~* ein Gelehrter *m*.

learnt [lɜːnt] *pret, ptp of* **learn**.

lease [liːs] **1** *n* (*of land, business premises etc*) Pacht *f*; (*contract*) Pachtvertrag *m*; (*of house, office*) Miete *f*; (*contract*) Mietvertrag *m* ▸ *to take a ~ on a house* ein Haus mieten; *to let sth out on ~* etw verpachten/ vermieten; *to give sb a new ~ of life* jdm (neuen) Aufschwung geben.
2 *vt* (*take*) (*from* von) pachten; mieten; (*give: also ~ out*) (*to an +acc*) verpachten; vermieten.

lease: ~back *n* Rückvermietung *f*; **~hold 1** *n* (*property*) Pachtbesitz *m*; **2** *adj* gepachtet; *property* Pacht-; **~holder** *n* Pächter *m*.

leash [liːʃ] *n* Leine *f* ▸ *on a ~* an der Leine.

▼ **least** [liːst] **1** *adj* geringste(r, s).
2 *adv* am wenigsten ▸ *~ possible expenditure* möglichst geringe Kosten; *the ~ expensive car* das billigste Auto; *he's the ~ aggressive of men* er ist nicht im mindesten aggressiv; *not the ~ bit drunk* kein bißchen betrunken.
3 *n* **the ~** der/die/das Geringste; *it's the ~ one can do* es ist das wenigste, was man tun kann; *at ~ it's not raining* wenigstens regnet es nicht; *there were eight at ~* es waren mindestens acht da; *we need three at the very ~* allermindestens brauchen wir drei; *not in the ~ (upset)* nicht im geringsten (verärgert); *to say the ~* gelinde gesagt; *the ~ said, the better* (*Prov*) je weniger man darüber spricht, desto besser.

least-worst *adj* am wenigsten schlecht.

leather ['leðəʳ] **1** *n* Leder *nt*.
2 *adj* Leder-, ledern ▸ *~ goods* Lederwaren *pl*.

leathery ['leðərɪ] *adj* ledern; *meat* zäh.

leave [liːv] (*vb: pret, ptp* **left**) **1** *n* **a** (*permission*) Erlaubnis *f* ▸ *to ask sb's ~ to do sth* jdn um Erlaubnis bitten, etw zu tun. **b** (*permission to be absent, Mil*) Urlaub *m* ▸ *to be on ~* auf Urlaub sein; *to be on ~ of absence* beurlaubt sein. **c** *to take one's ~* sich verabschieden (*of sb* von jdm); *you must have taken ~ of your senses* Sie haben wohl den Verstand verloren.
2 *vt* **a** (*depart from, quit*) *place, person* verlassen ▸ *the train left the station* der Zug fuhr aus dem Bahnhof; *when he left Rome* als er von Rom wegging/wegfuhr *etc*; *to ~ home* von zu Hause weggehen; *to ~ one's job* seine Stelle aufgeben; *to ~ the road* (*accidentally*) von der Straße abkommen; *I'll ~ you at the station* (*in car*) ich setze dich am Bahnhof ab.
b (*allow or cause to remain*) lassen; *mark, message, scar* hinterlassen; *meal* stehenlassen ▸ *who left the window open?* wer hat das Fenster offengelassen?; *this ~s me free for the afternoon* dadurch habe ich den Nachmittag frei; *~ me alone!* laß mich (in Ruhe)!; *to ~*

well alone die Finger davonlassen (*col*); *to ~ sb to himself* jdn allein lassen; *to ~ go of* loslassen; *let's ~ it at that* lassen wir es dabei (bewenden); *I was left with the bill* ich saß mit der Rechnung da.
c (*forget*) liegenlassen, stehenlassen.
d *to be left* (*remain, be over*) übrigbleiben; *all I have left* alles, was ich noch habe; *3 from 10 ~s 7* 10 minus 3 (ist) gleich 7; *nothing was left for me but to sell it* mir blieb nichts anderes übrig, als es zu verkaufen.
e (*entrust*) überlassen (*up to sb* jdm) ▸ *~ it to me* laß mich nur machen!; *I ~ it to you* das überlasse ich Ihnen; *to ~ sth to chance* etw dem Zufall überlassen.
f (*after death*) *money, person* hinterlassen.
3 *vi* (weg)gehen, abfahren; (*plane*) abfliegen ▸ *we ~ for Sweden tomorrow* wir fahren morgen nach Schweden.

♦ **leave aside** *vt sep* beiseite lassen.

♦ **leave behind** *vt sep car, children* dalassen; (*outstrip*) hinter sich (*dat*) lassen; (*forget*) liegenlassen, stehenlassen ▸ *we've left all that ~ us* das alles liegt hinter uns.

♦ **leave in** *vt sep scene in play etc* nicht herausnehmen.

♦ **leave off 1** *vt sep clothes* nicht anziehen; *lid* nicht darauftun, ablassen (*col*); *lights* auslassen ▸ *you left her name ~ the list* Sie haben ihren Namen nicht in die Liste aufgenommen.
2 *vi +prep obj* (*col*) aufhören ▸ *we left ~ work after lunch* wir haben nach dem Mittagessen Feierabend gemacht; *~ ~ (doing that)!* hör auf (damit)!

♦ **leave on** *vt sep clothes, lights* anlassen.

♦ **leave out** *vt sep* **a** (*not bring in*) draußen lassen. **b** (*omit*) auslassen; (*exclude*) *people* ausschließen (*of* von) ▸ *you ~ my wife ~ of this* lassen Sie meine Frau aus dem Spiel! **c** (*leave available*) dalassen; (*not put away*) liegen lassen ▸ *I'll ~ the books ~ on my desk* ich lasse die Bücher auf meinem Schreibtisch.

♦ **leave over** *vt sep* (*leave surplus*) übriglassen ▸ *to be left ~* übrig(geblieben) sein.

leaves [liːvz] *pl of* **leaf**.

leave-taking ['liːvteɪkɪŋ] *n* Abschied *m*.

leaving ['liːvɪŋ]: **~ certificate** *n* Abgangszeugnis *nt*; **~ present** *n* Abschiedsgeschenk *nt*.

Lebanese [ˌlebə'niːz] **1** *adj* libanesisch.
2 *n* Libanese *m*, Libanesin *f*.

Lebanon ['lebənən] *n* **the ~** der Libanon.

lech [letʃ] *vi* (*col*) geilen (*pej*) ▸ *to ~ after sb* lüsterne Blicke nach jdm werfen; (*desire*) geil auf jdn sein.

lecherous ['letʃərəs] *adj* lüstern; geil (*pej*).

lechery ['letʃərɪ] *n* Lüsternheit *f*.

lectern ['lektɜːn] *n* Lesepult *nt*.

lecture ['lektʃəʳ] **1** *n* **a** Vortrag *m*; (*Univ*) Vorlesung *f* ▸ *to give a ~* einen Vortrag/eine Vorlesung halten (*to* für, *on sth* über etw *acc*). **b** (*scolding*) *to give sb a ~* jdm eine Strafpredigt halten (*about* wegen).
2 *vt* **a** *to ~ sb on sth* jdm einen Vortrag/eine Vorlesung über etw (*acc*) halten; *he ~s us in physics* wir hören bei ihm (Vorlesungen in) Physik. **b** (*scold*) abkanzeln.
3 *vi* einen Vortrag halten; (*Univ*) eine Vorlesung halten; (*give ~ course*) Vorlesungen halten (*on* über *+acc*) ▸ *he ~s in English* er ist Dozent für Anglistik.

lecture: ~ hall *n* (*Univ*) Hörsaal *m*; **~ notes** *npl* (*professor's*) Manuskript *nt*; (*student's*) Aufzeichnungen *pl*.

lecturer ['lektʃərəʳ] *n* (*Univ*) Dozent(in *f*) *m*; (*speaker*) Referent(in *f*) *m*.

lecture theatre *n* Hörsaal *m*.

LED (*Elec*) = **light-emitting diode** Leuchtdiode *f* ▸ **~ display** Leuchtdiodenanzeige *f*.

led [led] *pret, ptp of* **lead²**.

ledge [ledʒ] *n* Leiste, Kante *f*; (*of window*) (*inside*) Fen-

ledger   864

sterbrett *nt*; (*outside*) Sims *nt or m*; (*shelf*) Ablage *f*;
(*mountain ~*) (Fels)vorsprung *m*.
ledger ['ledʒəʳ] *n* Hauptbuch *nt*.
lee [liː] **1** *adj* Lee-.
  2 *n* **a** (*Naut*) Lee *f*. **b** (*shelter*) Windschatten *m*.
leech [liːtʃ] *n* Blutegel *m*; (*fig*) Blutsauger *m*.
leek [liːk] *n* Porree, Lauch *m*.
leer [lɪəʳ] **1** *n* (*knowing, sexual*) anzügliches Grinsen;
(*evil*) heimtückischer Blick.
  2 *vi* anzüglich grinsen; einen heimtückischen Blick
haben ▶ *he ~ed at her* er warf ihr lüsterne Blicke zu.
lees [liːz] *npl* Bodensatz *m*.
leeward ['liːwəd] **1** *adj* Lee-.
  2 *n* Lee(seite) *f* ▶ *to ~* leewärts.
leeway ['liːweɪ] *n* **a** (*Naut*) Leeweg *m*. **b** (*fig:
flexibility*) Spielraum *m* ▶ *to make up ~* den Zeitverlust
aufholen.
left¹ [left] *pret, ptp of* **leave**.
left² **1** *adj* (*also Pol*) linke(r, s).
  2 *adv* links (*of* von) ▶ *turn ~* (*Aut*) links abbiegen;
keep ~ sich links halten.
  3 *n* **a**.Linke(r, s) ▶ *on the ~* links (*of* von); *on my ~*
links von mir. **b** (*Pol*) Linke *f* ▶ *to be on the ~* links
stehen.
left: **~-hand** *adj* Links-; **~-hand drive** Linkssteuerung *f*;
~-hand side linke Seite; *on his ~-hand side* zu seiner
Linken; **~-handed** *adj* linkshändig; *tool* für
Linkshänder.
leftie ['leftɪ] *n* (*pej*) Rote(r) *mf* (*pej col*).
leftist ['leftɪst] **1** *adj* linke(r, s), linksgerichtet.
  2 *n* Linke(r) *mf*.
left: **~-luggage (office)** *n* (*Brit*) Gepäckaufbewahrung *f*;
~-luggage locker *n* Gepäckschließfach *nt*; **~-over** *adj*
übriggeblieben; **~-overs** *npl* (Über)reste *pl*; **~-wing** **1**
adj (*Pol*) linke(r, s); **2** *n* ~ *wing* linker Flügel (*also
Sport*); **~-winger** *n* (*Pol*) Linke(r) *mf*.
leg [leg] **1** *n* Bein *nt*; (*of bed also*) Fuß *m*; (*Cook*)
Keule, Hachse *f* ▶ *to pull sb's ~* jdn auf den Arm
nehmen; *to be on one's last ~s* in den letzten Zügen
liegen (*col*); (*person*) auf dem letzten Loch pfeifen (*col*);
he hasn't a ~ to stand on (*fig*) (*no excuse*) er kann sich
nicht herausreden; (*no proof*) das kann er nicht belegen.
  2 *vt*: *to ~ it* (*col*) laufen.
legacy ['legəsɪ] *n* (*lit, fig*) Vermächtnis *nt*; (*fig also*) Erbe
nt; (*fig pej*) Hinterlassenschaft *f*.
legal ['liːgl] *adj* **a** (*lawful*) legal; *claim* Rechts-; (*according to the law*) *tender, limit* gesetzlich; (*allowed by law*)
speed zulässig; *will, purchase* rechtsgültig ▶ *to become ~*
rechtskräftig werden; *the ~ age for marriage* das
gesetzliche Heiratsalter; *to have ~ status* rechtsfähig
sein; (*document*) Rechtskraft haben. **b** (*relating to the
law*) *matters* juristisch, Rechts-; *advice, mind* juristisch;
fees, decision Gerichts-; *act, adviser* Rechts-; *inquiry*
gerichtlich ▶ *to take ~ action against sb* gegen jdn
Klage erheben; *to take ~ advice* juristischen Rat einholen; *~ adviser* juristischer Berater; *~ aid* Rechtshilfe *f*;
~ department Rechtsabteilung *f*; *~ holiday* (*US*)
gesetzlicher Feiertag; *the ~ profession* die Juristen-
schaft.
legality [liː'gælɪtɪ] *n* Legalität *f*; (*of claim*) Rechtmäßigkeit *f*; (*of will, marriage, purchase*) Rechtsgültigkeit *f*.
legalize ['liːgəlaɪz] *vt* legalisieren.
legally ['liːgəlɪ] *adv* (*lawfully*) *transacted* legal; *married*
rechtmäßig; *guaranteed* gesetzlich; *indefensible* rechtlich
▶ *~ binding* rechtsverbindlich; *~ valid* rechtsgültig.
legation [lɪ'geɪʃən] *n* (*diplomats*) Gesandtschaft *f*;
(*building*) Gesandtschaftsgebäude *nt*.
legend ['ledʒənd] *n* **a** Legende *f*; (*fictitious*) Sage *f*. **b**
(*inscription, caption*) Legende *f*.
legendary ['ledʒəndərɪ] *adj* **a** legendär. **b** (*famous*)
berühmt.

-legged [-'legd, -'legɪd] *adj suf* -beinig ▶ *bare-~* ohne
Strümpfe.
leggings ['legɪnz] *npl* (*Fashion*) Leggin(g)s *pl*.
leggy ['legɪ] *adj* (+*er*) langbeinig; (*gawky*) staksig.
legibility [ledʒɪ'bɪlɪtɪ] *n* Lesbarkeit, Leserlichkeit *f*.
legible ['ledʒɪbl] *adj* lesbar; *writing also* leserlich.
legion ['liːdʒən] *n* Legion *f*.
legionnaire [ˌliːdʒə'neəʳ] *n* Legionär *m* ▶ *~'s disease*
Legionärskrankheit *f*.
legislate ['ledʒɪsleɪt] *vi* Gesetze/ein Gesetz erlassen ▶
to ~ for sth (*fig*) etw berücksichtigen.
legislation [ˌledʒɪs'leɪʃən] *n* (*making laws*) Gesetzgebung *f*; (*laws*) Gesetze *pl*.
legislative ['ledʒɪslətɪv] *adj* gesetzgebend ▶ *~ reforms*
Gesetzesreformen *pl*.
legislator ['ledʒɪsleɪtəʳ] *n* Gesetzgeber *m*.
legislature ['ledʒɪsleɪtʃəʳ] *n* Legislative *f*.
legit [lɪ'dʒɪt] *adj* (*col*) (*legitimate*) sauber (*col*); (*all right*)
okay (*col*).
legitimacy [lɪ'dʒɪtɪməsɪ] *n* Rechtmäßigkeit *f*.
legitimate [lɪ'dʒɪtɪmɪt] *adj* (*lawful*) rechtmäßig, legitim;
(*born in wedlock*) ehelich; (*reasonable*) berechtigt; *excuse*
begründet ▶ *the ~ theatre* das konventionelle Sprech-
theater.
legitimize [lɪ'dʒɪtɪmaɪz] *vt* legitimieren; *children* für ehelich erklären.
leg: **~less** *adj* ohne Beine; (*col: drunk*) sternhagelvoll
(*col*); **~-room** *n* Platz *m* für die Beine; **~ up** *n to give sb
a ~ up* jdm hochhelfen; **~warmer** *n* Legwarmer *m*.
Leics (*Brit*) = **Leicestershire**.
leisure ['leʒəʳ] *n* Freizeit *f* ▶ *to lead a life of ~* ein Leben
der Muße führen; *do it at your ~* (*in own time*) tun Sie
es, wenn Sie Zeit dazu haben; (*at own speed*) lassen Sie
sich (*dat*) Zeit damit.
leisure: **~ activities** *npl* Freizeitbeschäftigungen *pl*; **~
hours** Freizeit *f*.
leisurely ['leʒəlɪ] *adj* geruhsam ▶ *at a ~ pace* gemächlich.
leisure: **~ time** *n* Freizeit *f*; **~ wear** *n* Freizeitkleidung *f*.
lemon ['lemən] *n* **a** Zitrone *f*; (*colour*) Zitronengelb *nt*.
b (*col: fool*) Dussel *m* (*col*); (*bad product*) schlechte
Ware.
lemonade [ˌlemə'neɪd] *n* Limonade *f*.
lemon: **~ curd** *n* zähflüssiger *Brotaufstrich mit Zit-
ronengeschmack*; **~ juice** *n* Zitronensaft *m*; **~ tea** *n* Zit-
ronentee *m*.
lend [lend] *pret, ptp* **lent** **1** *vt* (*loan*) leihen (*to sb* jdm);
(*banks*) *money* verleihen (*to* an +*acc*) ▶ *to ~ a hand*
helfen; *it ~s it a certain credibility* das verleiht der Sache eine gewisse Glaubwürdigkeit.
  2 *vr to ~ itself to sth* (*be suitable*) sich für etw eignen.
lender ['lendəʳ] *n* Verleiher(in *f*) *m*.
lending ['lendɪŋ]: **~ library** *n* Leihbücherei *f*; **~ policy**
n (*of bank etc*) Kreditpolitik *f*; **~ rate** *n* (Dar-
lehens)zinssatz *m*.
length [leŋθ] *n* **a** Länge *f*; (*section*) (*of cloth, pipe*)
Stück *nt*; (*of pool, wallpaper*) Bahn *f* ▶ *to be 4 metres
in ~* 4 Meter lang sein; *what ~ is it?* wie lang ist es?; *of
some ~* ziemlich lang; *along the whole ~ of the river*
den ganzen Fluß entlang; *over all the ~ and breadth of
England* in ganz England; (*travelling*) kreuz und quer
durch ganz England; *at full ~* in voller Länge; *to win by
half a ~* mit einer halben Länge siegen. **b** (*of time*)
Dauer *f*; (*great ~*) lange Dauer ▶ *of some ~* ziemlich
lange; *at ~* (*finally*) schließlich; (*for a long time*) lange,
ausführlich. **c** *to go to great ~s* sich (*dat*) sehr viel
Mühe geben; *to go to the ~ of doing sth* so weit gehen,
etw zu tun.
lengthen ['leŋθən] **1** *vt* verlängern; *clothes* länger machen.
  2 *vi* länger werden.

lengthways ['leŋθweɪz], **lengthwise** ['leŋθwaɪz] *adv* der Länge nach.

lengthy ['leŋθɪ] *adj* (+*er*) lange; (*dragging on*) langwierig; *speech also* langatmig (*pej*).

lenience ['li:nɪəns], **leniency** ['li:nɪənsɪ] *n see adj* Nachsicht *f*; Milde *f*.

lenient ['li:nɪənt] *adj* nachsichtig (*towards* gegenüber); *judge* milde.

lens [lenz] *n* (*Opt*) Linse *f*; (*in spectacles*) Glas *nt*; (*camera part*) Objektiv *nt* ▸ ~ *cap* Schutzkappe *f*; ~ *hood* Sonnenblende *f*.

lent [lent] *pret, ptp of* **lend**.

Lent [lent] *n* Fastenzeit *f*.

lentil ['lentl] *n* Linse *f*.

Leo ['li:əʊ] *n* (*Astrol*) Löwe *m*.

leopard ['lepəd] *n* Leopard *m*.

leotard ['li:ətɑ:d] *n* Trikot *nt*; (*for gymnastics*) Gymnastikanzug *m*.

leper ['lepər] *n* Leprakranke(r) *mf* ▸ ~ *colony* Leprasiedlung *f*.

leprosy ['leprəsɪ] *n* Lepra *f*.

lesbian ['lezbɪən] 1 *adj* lesbisch.
2 *n* Lesbierin *f*.

lesion ['li:ʒən] *n* Verletzung *f*.

Lesotho [lɪ'səʊtəʊ] *n* Lesotho *nt*.

▼ **less** [les] 1 *adj, adv, n* weniger ▸ *the minister, no* ~ kein Geringerer als der Minister; ~ *and* ~ immer weniger; *she saw him* ~ *and* ~ (*often*) sie sah ihn immer seltener; *it's nothing* ~ *than disgraceful* es ist wirklich eine Schande; ~ *quickly* nicht so schnell; *even* ~ noch weniger; *none the* ~ trotzdem; *the* ~ *said the better* je weniger man darüber spricht, desto besser; *can't you let me have it for* ~? können Sie es mir nicht etwas billiger geben?
2 *prep* weniger; (*Comm*) abzüglich.

lessee [le'si:] *n* Pächter *m*; (*of house, flat*) Mieter *m*.

lessen ['lesn] 1 *vt* (*make less*) verringern; *cost* senken; *effect* abschwächen; (*make less important etc*) herabsetzen.
2 *vi* nachlassen; (*value of money*) abnehmen.

lessening ['lesnɪŋ] *n* Nachlassen *nt* (*in sth* +*gen*).

lesser ['lesər] *adj* geringer; (*in names*) klein ▸ *to a* ~ *extent* in geringerem Maße.

lesson ['lesn] *n* (*Sch etc*) Stunde *f*; (*unit of study*) Lektion *f*; (*fig*) Lehre *f* ▸ ~s Unterricht *m*; *a French* ~ eine Französischstunde; *to give a* ~ eine Stunde geben; *to be a* ~ *to sb* jdm eine Lehre sein; *to teach sb a* ~ jdm eine Lektion erteilen.

lessor [le'sɔ:r] *n* (*form*) Verpächter *m*; (*of flat etc*) Vermieter *m*.

lest [lest] *conj* (*form*) (*for fear that*) aus Furcht, daß; (*in order that ... not*) damit ... nicht; (*in case*) für den Fall, daß ▸ ~ *we forget* damit wir nicht vergessen; *I was frightened* ~ *he should fall* ich hatte Angst, daß er fallen könnte.

let [let] *pret, ptp* ~ *vt* a (*permit*) lassen ▸ *to* ~ *sb do sth* jdn etw tun lassen; ~ *me help you* darf ich Ihnen helfen?; ~ *me know what you think* sagen Sie mir, was Sie davon halten; *to* ~ *sb be* jdn in Ruhe lassen; *to* ~ *sb/sth go,* ~ *go of sb/sth* jdn/etw loslassen; *to* ~ *oneself go* (*neglect oneself*) sich gehenlassen; (*relax*) aus sich herausgehen; *we'll* ~ *it pass or go this once* (*disregard*) wir wollen es einmal durchgehen lassen; *to* ~ *sb/sth alone* jdn/etw in Ruhe lassen; *we'd better* ~ *well alone* wir lassen besser die Finger davon; ~ *alone* ... (*much less*) geschweige denn ...; *to* ~ *sb through* jdn durchlassen.
b ~'s *go!* gehen wir!; ~ *him try (it)!* das soll er nur versuchen!; ~ *me think or see, where did I put it?* warte mal, wo habe ich das nur hingetan?; ~ *X be 60* X sei 60.

c (*esp Brit: hire out*) vermieten (*to* an +*acc*) ▸ "*to* ~" „zu vermieten".

◆**let down** *vt sep* a (*lower*) *rope, person* hinunter-/herunterlassen; *seat* herunterklappen; *hair, window* herunterlassen; (*lengthen*) *dress* länger machen. b *to* ~ *sb* ~ (*fail to help*) jdn im Stich lassen (*over* mit); *to feel* ~ ~ (*by sb*) (von jdm) enttäuscht sein; *to* ~ *the school/oneself* ~ die Schule/sich blamieren.

◆**let in** *vt sep* a *water* durchlassen. b (*admit*) *air, visitor* hereinlassen ▸ *just* ~ *yourself* ~ geh einfach hinein; *I was just* ~*ting myself* ~ ich schloß gerade die Tür auf. c (*involve in*) *to* ~ *oneself* ~ *for sth* sich auf etw (*acc*) einlassen; *to* ~ *oneself/sb* ~ *for trouble* sich/jdm Ärger einhandeln. d (*allow to know*) *she* ~ *me* ~ *on the secret* sie hat es mir verraten.

◆**let off** 1 *vt sep* a *arrow* abschießen; *gun* abfeuern; *firework, bomb* hochgehen lassen; (*emit*) *vapour* von sich geben; *gases* absondern. b (*forgive*) *to* ~ *sb* ~ jdn laufenlassen; *to* ~ *sb* ~ *sth* jdm etw erlassen; *to* ~ *sb* ~ *with a warning* jdn mit einer Verwarnung davonkommen lassen; *to be* ~ ~ *lightly* glimpflich davonkommen. c (*allow to go*) gehen lassen.
2 *vi* (*col: fart*) einen fahren lassen (*col*).

◆**let on** 1 *vi* es verraten.
2 *vt* a *don't* ~ ~ *you know* (*col*) laß dir bloß nicht anmerken, daß du das weißt. b (*pretend*) *to* ~ ~ *that* ... vorgeben, daß ...

◆**let out** *vt sep* a (*allow to go out*) hinaus-/herauslassen; (*from car*) absetzen; (*divulge*) *news* bekanntlassen; *secret* verraten, ausplaudern (*col*); *fire* ausgehen lassen ▸ *I'll* ~ *myself* ~ ich finde alleine hinaus; *to* ~ ~ *a laugh/groan* auflachen/(auf)stöhnen. b (*make larger*) *dress* auslassen. c (*free from responsibility*) *that* ~s *me* ~ (*of it*) da komme ich (schon mal) nicht in Frage. d (*Brit: rent*) vermieten.

◆**let up** *vi* (*cease*) aufhören; (*ease up*) nachlassen ▸ *he never* ~s ~ *about money* er redet unaufhörlich von Geld.

let-down ['letdaʊn] *n* (*col: disappointment*) Enttäuschung *f*.

lethal ['li:θəl] *adj* tödlich.

lethargic [lɪ'θɑ:dʒɪk] *adj person* träge, lethargisch; (*uninterested*) teilnahmslos.

lethargy ['leθədʒɪ] *n* Lethargie *f*.

let's [lets] = **let us**.

▼ **letter** ['letər] *n* a (*of alphabet*) Buchstabe *m* ▸ *the* ~ *of the law* der Buchstabe des Gesetzes; *to the* ~ sehr genau; (*as given*) ganz nach Vorschrift. b (*written message*) Brief *m*; (*Comm etc*) Schreiben *nt* (*to* an +*acc*) ▸ *by* ~ schriftlich; ~ *of credit* Akkreditiv *nt*; ~ *of intent* Absichtserklärung *f*. c (*Liter*) ~s Literatur *f*; *man of* ~s Belletrist *m*; (*writer*) Literat *m*.

letter: ~ **bomb** *n* Briefbombe *f*; ~ **box** *n* Briefkasten *m*.

letterhead ['letəhed] *n* Briefkopf *m*; (*writing paper*) Geschäftspapier *nt*.

lettering ['letərɪŋ] *n* Beschriftung *f*.

letter: ~**opener** *n* Brieföffner *m*; ~ **press** *n* Hochdruck *m*; ~ **quality** *n* Korrespondenz- *or* Briefqualität *f*; ~ **quality printer** *n* Schönschreibdrucker *m*.

lettuce ['letɪs] *n* Kopfsalat *m*.

let-up ['letʌp] *n* (*col*) Pause *f*; (*easing up*) Nachlassen *nt* ▸ *if there is a* ~ *in the rain* wenn der Regen nachläßt; *there was no* ~ (*in work etc*) der Druck ließ nicht nach.

leukaemia, (*esp US*) **leukemia** [lu:'ki:mɪə] *n* Leukämie *f*.

level ['levl] 1 *adj* a (*flat*) *surface* eben; *spoonful* gestrichen; (*at the same height*) auf gleicher Höhe (*with* mit); (*fig*) gleich gut ▸ *the two runners are dead* ~ die beiden Läufer sind genau auf gleicher Höhe; *to create a* ~ *playing field* (*fig*) Chancengleichheit schaffen. b (*steady*) *tone of voice* ruhig; (*well-balanced*) ausgeglichen;

➤ SENTENCE BUILDER:　**less: 1** → 7.2　**letter: b** → 8.1

judgement abgewogen; *head* kühl. **c** *I'll do my ~ best* ich werde mein möglichstes tun.

2 *adv* ~ *with* in Höhe (+*gen*); *the pipe runs ~ with the ground* (*parallel*) das Rohr verläuft parallel zum Boden; *they're running absolutely* ~ sie laufen auf genau gleicher Höhe; *to draw ~ with sb* mit jdm gleichziehen.

3 *n* **a** (*instrument*) Wasserwaage *f*.

b (*altitude*) Höhe *f*; (*standard*) Niveau *nt* ▶ *on a ~ (with)* auf gleicher Höhe (mit); *at eye ~* in Augenhöhe; *to be on a ~ with* auf gleichem Niveau sein wie; *a high ~ of hydrogen* ein hoher Wasserstoffanteil; *the ~ of alcohol in the blood* der Alkoholgehalt im Blut; *a high ~ of intelligence* ein hoher Intelligenzgrad; *the very high ~ of production* das hohe Produktionsniveau; *a high ~ of civilization* eine hohe Kulturstufe; *the talks were held at the highest ~* die Gespräche fanden auf höchster Ebene statt; *at ministerial ~* auf Ministerebene; *a high-~ meeting* ein Spitzentreffen; *on the moral ~* moralisch gesehen; *on a purely personal ~* auf rein persönlicher Ebene.

c (*col: straightforward, honest*) *it's on the ~* (*business*) es ist reell; *to be on the ~ (with sb)* ehrlich (mit jdm) sein.

4 *vt* **a** *ground etc* einebnen; *building* abreißen; *town* dem Erdboden gleichmachen. **b** *blow* versetzen (*at sb* jdm); *weapon* richten (*at* auf +*acc*); *accusation* erheben (*at* gegen); *remark* richten (*at* gegen).

5 *vi* *to ~ with sb* (*col*) ehrlich mit jdm sein.

◆**level out** **1** *vi* (*also ~ off*) (*ground*) eben werden; (*fig*) sich ausgleichen.

2 *vt sep* *site* planieren, einebnen; (*fig*) *differences* ausgleichen.

level: ~ **crossing** *n* (*Brit*) (beschrankter) Bahnübergang; **~-headed** *adj* *person* ausgeglichen; *reply, decision* ausgewogen, überlegt.

lever ['li:və', (*US*) 'levə'] **1** *n* Hebel *m*; (*crowbar*) Brechstange *f*; (*fig*) Druckmittel *nt*.

2 *vt* (hoch)stemmen ▶ *he ~ed the box open* er stemmte die Kiste auf.

leverage ['li:vərɪdʒ] *n* Hebelkraft *f*; (*fig*) Einfluß *m* ▶ *to use sth as ~* (*fig*) etw als Druckmittel benutzen.

levity ['levɪtɪ] *n* Leichtfertigkeit *f*.

levy ['levɪ] **1** *n* (*act*) (Steuer)einziehung *f*; (*tax*) Abgaben *pl*.

2 *vt* *tax* einziehen; *fine* auferlegen (*on sb* jdm); *army* ausheben.

lewd [lu:d] *adj* (+*er*) unanständig; (*lustful*) lüstern; *remark* anzüglich; *imagination* schmutzig.

lexicographer [,leksɪ'kɒgrəfə'] *n* Lexikograph(in *f*) *m*.

lexicography [,leksɪ'kɒgrəfɪ] *n* Lexikographie *f*.

lhd (*Aut*) = **left-hand drive**.

LI (*US Post*) = **Long Island**.

liability [,laɪə'bɪlɪtɪ] *n* **a** (*burden*) Belastung *f*; (*proneness*) Anfälligkeit *f* (*to* für); (*responsibility*) Haftung *f* ▶ ~ *for* or *to tax* Steuerpflicht *f*; *we accept no ~ for ...* wir übernehmen keine Haftung für ... **b** (*Fin*) *liabilities* Verbindlichkeiten *pl*.

liable ['laɪəbl] *adj* **a** (*subject to*) *to be* ~ unterliegen (*for sth* einer Sache *dat*); *to be ~ for* or *to tax* (*things*) besteuert werden; (*person*) steuerpflichtig sein. **b** (*to illness*) anfällig (*to* für +*acc*). **c** (*responsible*) *to be* ~ haften (*for* für +*acc*). **d** (*likely to*) *we are ~ to get wet here* wir können hier leicht naß werden; *is he ~ to come?* ist es wahrscheinlich, daß er kommt?; *he's ~ to tell the police* es wäre ihm zuzutrauen, daß er es der Polizei meldet; *the computer is still ~ to make mistakes* der Computer kann durchaus noch Fehler machen.

liaise [li:'eɪz] *vi* (*be the contact person*) als Verbindungsperson fungieren; (*get in contact*) sich in Verbindung setzen (*with* mit).

liaison [li:'eɪzɒn] *n* (*coordination*) Zusammenarbeit *f*; (*person*) Verbindungsmann *m*; (*affair*) Liaison *f*.

liaison officer *n* Verbindungsperson *f*.

liar ['laɪə'] *n* Lügner(in *f*) *m*.

Lib Dem [,lɪb'dem] (*Brit Pol*) = **Liberal Democrat**.

libel ['laɪbəl] **1** *n* (schriftlich geäußerte) Verleumdung (*on gen*).

2 *vt* verleumden.

libellous, (*US*) **libelous** ['laɪbələs] *adj* verleumderisch.

liberal ['lɪbərəl] **1** *adj* **a** (*generous*) *offer* großzügig; *helping of food* reichlich. **b** (*broad-minded, also Pol*) liberal.

2 *n* (*Pol: L~*) Liberale(r) *mf* ▶ *L~ Democrat* (*Brit*) Liberaldemokrat(in *f*) *m*.

Liberal Democrat(ic) Party *n* (*Brit*) Liberaldemokratische Partei.

liberalism ['lɪbərəlɪzəm] *n* Liberalität *f*; (*Pol: L~*) der Liberalismus.

liberality [,lɪbə'rælɪtɪ] *n* (*generosity*) Großzügigkeit *f*.

liberalize ['lɪbərəlaɪz] *vt* liberalisieren.

liberally ['lɪbərəlɪ] *adv* liberal; (*generously*) großzügig ▶ *apply the paint* ~ die Farbe reichlich auftragen.

liberal-minded [,lɪbərəl'maɪndɪd] *adj* *person* liberal (eingestellt); *views* liberal.

liberate ['lɪbəreɪt] *vt* (*free*) *prisoner* befreien; *gas etc* freisetzen.

liberation [,lɪbə'reɪʃən] *n* Befreiung *f*; (*of gases*) Freisetzung *f*.

liberator ['lɪbəreɪtə'] *n* Befreier *m*.

Liberia [laɪ'bɪərɪə] *n* Liberia *nt*.

Liberian [laɪ'bɪərɪən] **1** *adj* liberianisch.

2 *n* Liberianer(in *f*) *m*.

liberty ['lɪbətɪ] *n* **a** Freiheit *f* ▶ *basic liberties* Grundrechte *pl*; *to be at* ~ (*criminal etc*) frei herumlaufen; *to be at ~ to do sth* (*be permitted*) etw tun dürfen; *I am not at ~ to comment* es ist mir nicht gestattet, darüber zu sprechen. **b** *I have taken the ~ of giving your name* ich habe mir erlaubt, Ihren Namen anzugeben; *to take liberties with sb* sich jdm gegenüber Freiheiten herausnehmen; *what a ~!* (*col*) so eine Frechheit!

libido [lɪ'bi:dəʊ] *n* Libido *f*.

Libra ['li:brə] *n* (*Astrol*) Waage *f*.

librarian [laɪ'brɛərɪən] *n* Bibliothekar(in *f*) *m*.

library ['laɪbrərɪ] *n* Bibliothek, Bücherei *f*.

library: ~ **book** *n* Buch *nt* aus der Bücherei; ~ **ticket** *n* Leserausweis *m*.

libretto [lɪ'bretəʊ] *n* Libretto *nt*.

Libya ['lɪbɪə] *n* Libyen *nt*.

Libyan ['lɪbɪən] **1** *adj* libysch.

2 *n* Libyer(in *f*) *m*.

lice [laɪs] *pl* of **louse**.

licence, (*US*) **license** ['laɪsəns] *n* **a** (*permit*) Genehmigung *f*; (*Comm*) Lizenz *f*; (*driving ~*) Führerschein *m*; (*gun ~*) Waffenschein *m*; (*marriage ~*) Eheerlaubnis *f*; (*to sell alcohol*) Schankerlaubnis *f* ▶ *you have to have a (television)* ~ ≃ man muß Fernsehgebühren bezahlen; *to manufacture sth under* ~ etw in Lizenz herstellen. **b** (*freedom*) Freiheit *f*; (*excessive freedom*) Zügellosigkeit *f*.

license ['laɪsəns] **1** *n* (*US*) = **licence**.

2 *vt* eine Lizenz/Konzession vergeben an (+*acc*) ▶ *a car must be ~d every year* die Kfz-Steuer muß jedes Jahr bezahlt werden.

licensed ['laɪsənst] *adj* ~ *premises* Lokal *nt* mit Schankerlaubnis.

licensee [,laɪsən'si:] *n* (*of bar*) Inhaber(in *f*) *m* einer Schankerlaubnis ▶ *postage paid by* ~ Gebühr bezahlt Empfänger.

license plate *n* (*US*) Nummernschild *nt*.

licensing ['laɪsənsɪŋ] *adj* ~ *agreement* Lizenz-

abkommen nt; **~ hours** Ausschankzeiten pl.
licentious [laɪ'senʃəs] adj life ausschweifend; behaviour unzüchtig; person, look lüstern.
lick [lɪk] ⟦1⟧ n ⟦a⟧ (with tongue) Lecken nt ▸ **to give sth a ~** an etw (dat) lecken. ⟦b⟧ (col: small quantity) **it's time we gave the kitchen a ~ of paint** die Küche könnte auch mal wieder etwas Farbe vertragen (col). ⟦c⟧ (col: pace) **at full ~** mit Volldampf (col).
⟦2⟧ vt ⟦a⟧ (with tongue) lecken; (flames) züngeln an (+dat) ▸ **he ~ed the stamp** er leckte an der Briefmarke; **to ~ one's lips** sich (dat) die Lippen lecken; (fig) sich (dat) die Finger lecken; **to ~ one's wounds** (fig) seine Wunden lecken; **to ~ sb's boots** (fig) vor jdm kriechen. ⟦b⟧ (col: defeat) in die Pfanne hauen (col) ▸ **I think we've got it ~ed** ich glaube, wir haben die Sache jetzt im Griff.
licorice n = liquorice.
lid [lɪd] n ⟦a⟧ Deckel m ▸ **that puts the ~ on it** (col) das schlägt dem Faß den Boden aus; **the press took the ~ off the whole plan** die Presse hat den ganzen Plan aufgedeckt. ⟦b⟧ (eye~) Lid nt.
lido ['liːdəʊ] n Freibad nt.
lie¹ [laɪ] ⟦1⟧ n Lüge f ▸ **to tell a ~** lügen; **to give the ~ to a report** die Unwahrheit eines Berichtes nachweisen; **~ detector** Lügendetektor m.
⟦2⟧ vi lügen ▸ **to ~ to sb** jdn anlügen.
⟦3⟧ vt **to ~ one's way out of sth** sich aus etw herauslügen.
lie² pret **lay**, ptp **lain** vi liegen; (~ down) sich legen ▸ **he lay where he had fallen** er blieb liegen, wo er hingefallen war; **~ on your back** leg dich auf den Rücken; **obstacles ~ in the way of our success** unser Weg zum Erfolg ist mit Hindernissen verstellt; **the snow didn't ~** der Schnee blieb nicht liegen; **the runner who is lying third** der Läufer, der auf dem dritten Platz liegt; **it ~s with you to solve the problem** es liegt bei dir, das Problem zu lösen; **that responsibility ~s with your department** dafür ist Ihre Abteilung verantwortlich; **to ~ asleep** schlafen; **to ~ helpless** hilflos daliegen; **to ~ dying** im Sterben liegen; **to ~ resting** ruhen; **the snow lay deep** es lag tiefer Schnee; **the book lay unopened** das Buch lag ungeöffnet da; **to ~ low** untertauchen; **how do things ~?** wie steht die Sache?
◆**lie about** or **around** vi herumliegen.
◆**lie back** vi (recline) sich zurücklehnen.
◆**lie down** vi sich hinlegen (on auf +acc) ▸ **~ ~** (to a dog) leg dich!; **he won't take that lying ~!** das läßt er sich nicht gefallen!
◆**lie in** vi (stay in bed) im Bett bleiben.
◆**lie up** vi (go into hiding) untertauchen ▸ **the robbers are lying ~** die Räuber sind untergetaucht.
Liechtenstein ['lɪktənstaɪn] ⟦1⟧ n Liechtenstein nt.
⟦2⟧ adj liechtensteinisch.
lie: **~ detector** n Lügendetektor m; **~-down** n (col) Nickerchen nt (col); **to have a ~-down** sich hinlegen.
Liège [lɪ'eɪʒ] n Lüttich nt.
lie-in ['laɪɪn] n (col) **to have a ~** (sich) ausschlafen.
lieu [luː] n **in ~ of X** anstelle von X.
Lieut. (Mil) = **Lieutenant** Lt.
lieutenant [lef'tenənt, (US) luː'tenənt] n (US) Leutnant m; (Brit) Oberleutnant m.
lieutenant: **~-colonel** n Oberstleutnant m; **~-general** n Generalleutnant m.
life [laɪf] n, pl **lives** ⟦a⟧ Leben nt ▸ **bird ~** die Vogelwelt; **drawn from ~** lebensnah; **the battle resulted in great loss of ~** bei der Schlacht kamen viele ums Leben; **this is a matter of ~ and death** hier geht es um Leben und Tod; **a ~ and death struggle** ein Kampf auf Leben und Tod; **to come to ~** (fig) lebendig werden; **after half an hour the discussion came to ~** nach einer halben Stunde kam Leben in die Diskussion; **to put new ~ into**

sb jdm wieder Auftrieb geben; **they swam for dear ~** sie schwammen um ihr Leben; **at my time of ~** in meinem Alter; **he's got a job for ~** er hat eine Stelle auf Lebenszeit; **to take one's ~ in one's hands** mit dem Leben spielen; **the murderer was imprisoned for ~** der Mörder wurde zu lebenslänglicher Freiheitsstrafe verurteilt; **he's doing ~** (col) er ist ein Lebenslänglicher (col); **to see ~** (fig) die Welt sehen; **there isn't much ~ here in the evenings** hier ist abends nicht viel los; **those children are full of ~** diese Kinder sind sehr lebhaft; **he is the ~ and soul of the party** er bringt Leben in die Party.
⟦b⟧ (individual life) **how many lives were lost?** wie viele (Menschen) sind ums Leben gekommen?; **to take sb's ~** jdn umbringen; **to take one's own ~** sich (dat) das Leben nehmen; **to save sb's ~** (lit) jdm das Leben retten; (fig) jdn retten; **early/later in ~** in frühen/späten Jahren; **his ~ won't be worth living!** er wird nichts mehr zu lachen haben!; **all his ~** sein ganzes Leben lang; **I've never been to London in my ~** ich war in meinem ganzen Leben noch nicht in London; **run for your lives!** rennt um euer Leben!; **I can't for the ~ of me ...** (col) ich kann beim besten Willen nicht ...; **not on your ~!** (col) ich bin doch nicht verrückt! (col).
⟦c⟧ (useful or active life of sth) Lebensdauer f ▸ **during the ~ of the present Parliament** während der Legislaturperiode des gegenwärtigen Parlaments; **there's not much ~ left in the battery** die Batterie macht's nicht mehr lange (col).
life: **~ annuity** n Leibrente f; **~ assurance** n (Brit) Lebensversicherung f; **~belt** n Rettungsgürtel m; **~blood** n (fig) Lebensnerv m; **~boat** n Rettungsboot nt; **~buoy** n Rettungsring m; **~ cycle** n Lebenszyklus m; **~ expectancy** n Lebenserwartung f; **~guard** n (on beach) Rettungsschwimmer m; **~ history** n Lebensgeschichte f; **~ imprisonment** n lebenslängliche Freiheitsstrafe; **~ insurance** n Lebensversicherung f; **~ jacket** n Schwimmweste f.
lifeless ['laɪflɪs] adj leblos; planet ohne Leben; (fig: dull) lahm (col), langweilig; hair schlaff.
life: **~-like** adj lebensecht; imitation also naturgetreu; **~line** n Rettungsleine f; (of diver) Signalleine f; (fig) Rettungsanker m; **~long** adj lebenslang; **they are ~long friends** sie sind schon seit ihrer Kindheit Freunde; **~ membership** n Mitgliedschaft f auf Lebenszeit; **~ preserver** n (US) Schwimmweste f; **~ raft** n Rettungsfloß nt; **~saver** n (person) Lebensretter(in f) m; **it was a real ~saver!** (fig) das hat mich gerettet; **~saving** ⟦1⟧ n Lebensrettung f; (from drowning) Rettungsschwimmen nt; ⟦2⟧ adj lebensrettend; techniques, apparatus Rettungs-; **~ sentence** n lebenslängliche Freiheitsstrafe; **~-size(d)** adj in Lebensgröße; **~ span** n Lebenserwartung f; (Bot, Zool) Lebensdauer f; **~ story** n Lebensgeschichte f; **~style** n Lebensstil m; **~ support system** n Lebenserhaltungssystem nt; **~time** n ⟦a⟧ Lebenszeit f; (of battery, machine, animal) Lebensdauer f; **once in a ~time** einmal im Leben; **during** or **in my ~time** während meines Lebens; **the chance of a ~time** eine einmalige Chance; **the work of a ~time** ein Lebenswerk nt; ⟦b⟧ Ewigkeit f.
lift [lɪft] ⟦1⟧ n ⟦a⟧ **give me a ~ with this trunk** hilf mir, den Koffer hochzuheben. ⟦b⟧ (fig: emotional uplift) **to give sb a ~** jdn aufmuntern. ⟦c⟧ (in car etc) Mitfahrgelegenheit f ▸ **to give sb a ~** (take along) jdn mitnehmen; (as special journey) jdn fahren; **to get a ~ from sb** von jdm mitgenommen/gefahren werden; **thanks for the ~** danke fürs Mitnehmen. ⟦d⟧ (Brit: elevator) Aufzug m. ⟦e⟧ (Aviat) Auftrieb m.
⟦2⟧ vt ⟦a⟧ (also ~ up) hochheben; window hochschieben; feet, head heben; eyes aufschlagen; hat ziehen ▸ **it's too heavy to ~** es ist zu schwer zum Hochheben. ⟦b⟧ (fig:

▸ SENTENCE BUILDER: **like¹: 2** → 2.2, 4.2, 7.1, 10.3

also ~ up) heben; *voice* erheben. **c** (*remove*) *restrictions etc* aufheben. **d** (*col: steal*) klauen (*col*).
3 *vi* **a** (*mist*) sich lichten. **b** = ~ *up 2*.
♦**lift down** *vt sep* herunterheben.
♦**lift off** *vti sep* abheben.
♦**lift out** *vt* herausheben.
♦**lift up** **1** *vt sep* = **lift 2 (a, b)** ▶ *to ~ one's head* (*fig*) den Kopf hochhalten. **2** *vi* hochgeklappt werden.
lift: ~ **attendant** *n* (*Brit*) Fahrstuhlführer *m*; ~-**off** *n* (*Space*) Start *m*; *we have* ~-*off* der Start ist erfolgt; ~**shaft** *n* Aufzugsschacht *m*.
ligament ['lɪɡəmənt] *n* (*Anat*) Band *nt* ▶ *he's torn a ~ in his shoulder* er hat einen Bänderriß in der Schulter.
light¹ [laɪt] (*vb: pret, ptp* **lit** *or* ~**ed**) **1** *n* **a** Licht *nt* ▶ *at first* ~ bei Tagesanbruch; *to shed or throw* ~ *on sth* (*fig*) Licht in etw (*acc*) bringen; *to cast fresh* ~ *on sth* neues Licht auf etw (*acc*) werfen; *to stand in sb's* ~ (*lit*) jdm im Licht stehen; *in the cold ~ of day* (*fig*) bei Licht besehen; *this story shows him in a bad* ~ diese Geschichte wirft ein schlechtes Licht auf ihn; *it revealed him in a different* ~ es ließ ihn in einem anderen Licht erscheinen; *to see sth in a new* ~ etw mit anderen Augen betrachten; *in the* ~ *of* angesichts (+*gen*); *to bring to* ~ ans Tageslicht bringen; *to come to* ~ ans Tageslicht kommen; *finally I saw the* ~ (*col*) endlich ging mir ein Licht auf (*col*); (*morally*) endlich wurden mir die Augen geöffnet; *according to his* ~*s* nach bestem Wissen und Gewissen.
 b (*single* ~) Licht *nt*; (*lamp*) Lampe *f*; (*fluorescent* ~) Neonröhre *f* ▶ *(traffic)* ~*s* Ampel *f*; *the* ~*s* (*of a car*) die Beleuchtung.
 c (*flame*) *have you a* ~? haben Sie Feuer?; *to set* ~ *to sth* etw anzünden.
 2 *adj* (+*er*) hell ▶ *a* ~ *green dress* ein hellgrünes Kleid; *it is* ~ *now* es ist jetzt hell *or* Tag.
 3 *vt* **a** (*illuminate*) beleuchten; *lamp, light* anmachen ▶ *to* ~ *the way for sb* jdm leuchten; (*fig*) jdm den Weg weisen. **b** (*set fire to*) anzünden; *fire also* anmachen.
 4 *vi* (*begin to burn*) brennen.
♦**light up** **1** *vi* **a** (*be lit*) aufleuchten. **b** (*face*) sich erhellen; (*eyes*) aufleuchten.
 2 *vt sep* **a** (*illuminate*) beleuchten; (*from inside*) erhellen (*with spotlights*) anstrahlen ▶ *the square was all lit* ~ der Platz war hell erleuchtet. **b** *cigarette etc* anzünden.
light² **1** *adj* (+*er*) leicht; *taxes* niedrig; *punishment* milde ▶ *to be a* ~ *eater* kein großer Esser sein; ~ *comedy* Lustspiel *nt*; ~ *music* Unterhaltungsmusik *f*; ~ *opera* Operette *f*; ~ *reading* Unterhaltungslektüre *f*; *as* ~ *as a feather* federleicht; *to be* ~ *on one's feet* sich leichtfüßig bewegen; *to make* ~ *of one's difficulties* seine Schwierigkeiten auf die leichte Schulter nehmen; *to make* ~ *work of* spielend fertigwerden mit.
 2 *adv to travel* ~ mit leichtem Gepäck reisen.
light: ~ **bulb** *n* Glühbirne *f*; ~-**coloured** (*Brit*) *or* ~-**colored** (*US*) *adj* hell.
lighten¹ ['laɪtn] **1** *vt* erhellen; *colour, hair* aufhellen; *gloom* aufheitern. **2** *vi* sich aufhellen.
lighten² **1** *vt load,* (*fig*) *heart* leichter machen ▶ *to* ~ *sb's burden* jdn entlasten. **2** *vi* (*load*) leichter werden ▶ *her heart* ~*ed* ihr wurde leichter ums Herz.
lighter ['laɪtəʳ] *n* (*cigarette* ~) Feuerzeug *nt*.
light: ~-**fingered** [ˌlaɪtˈfɪŋɡəd] *adj* langfingerig; ~ **fitting** *n* (~*bulb holder*) Fassung *f*; ~-**haired** *adj* hellhaarig; ~-**headed** *adj* benebelt (*col*); (*dizzy also*) benommen; (*frivolous*) leichtfertig; ~-**hearted** *adj* unbeschwert; *chat* zwanglos; *reply* scherzhaft; *book* vergnüglich; ~**house** *n* Leuchtturm *m*; ~**house keeper** *n* Leuchtturmwärter *m*.

lighting ['laɪtɪŋ] *n* Beleuchtung *f*.
lighting-up time [ˌlaɪtɪŋˈʌptaɪm] *n* (*Brit*) Zeitpunkt *m*, zu dem die Straßen- und Fahrzeugbeleuchtung eingeschaltet werden muß ▶ *when is* ~? wann wird die Beleuchtung angemacht?
lightly ['laɪtlɪ] *adv* **a** *touch, rain, wounded* leicht; *tread* leise ▶ *to sleep* ~ einen leichten Schlaf haben; *to get off* ~ glimpflich davonkommen. **b** (*casually*) *say* leichthin ▶ *he spoke* ~ *of his illness* er nahm seine Krankheit auf die leichte Schulter; *to treat sth too* ~ etw nicht ernst genug nehmen; *a responsibility not to be* ~ *undertaken* eine Verantwortung, die man nicht unüberlegt auf sich nehmen sollte.
light meter *n* Belichtungsmesser *m*.
lightness¹ ['laɪtnɪs] *n* Helligkeit *f*.
lightness² *n* **a** geringes Gewicht; (*of task, step*) Leichtigkeit *f*; (*of punishment*) Milde *f*; (*of soil, cake*) Lockerheit *f*. **b** (*lack of seriousness*) Leichtfertigkeit *f*.
lightning ['laɪtnɪŋ] **1** *n* Blitz *m* ▶ *as quick as* ~, *like (greased)* ~ wie der Blitz, wie ein geölter Blitz; ~ *conductor or* (*US*) *rod* Blitzableiter *m*. **2** *attr* blitzschnell, Blitz- ▶ ~ *attack* Blitzangriff *m*; ~ *strike* (*Brit*) spontaner Streik.
light: ~ **pen** *n* (*Comp*) Lichtstift *or* -griffel *m*; ~**ship** *n* Feuerschiff *nt*; ~**weight** **1** *adj* leicht; (*boxer*) Leichtgewichts-; (*fig*) schwach; **2** *n* Leichtgewicht *nt* (*also fig*); (*boxer*) Leichtgewichtler *m*; ~-**year** *n* Lichtjahr *nt*.
▼ **like¹** [laɪk] **1** *adj* **a** (*similar*) ähnlich. **b** (*same*) *of ~ origin* gleicher Herkunft.
 2 *prep* (*similar to*) ähnlich (+*dat*); (*in comparisons*) wie ▶ *to be* ~ *sb* jdm ähnlich sein; *they are very* ~ *each other* sie sind sich sehr ähnlich; *who(m) is he* ~? wem sieht er ähnlich?; *what's he* ~? wie ist er?; *what's your new coat* ~? wie sieht dein neuer Mantel aus?; *she was* ~ *a sister to me* sie war für mich wie eine Schwester; *that's just* ~ *him!* das sieht ihm ähnlich!; *it's not* ~ *him* es ist nicht seine Art; *I never saw anything* ~ *it* so (et)was habe ich noch nie gesehen; *that's more* ~ *it!* so ist es schon besser!; *there's nothing* ~ *a nice cup of tea!* es geht nichts über eine gute Tasse Tee!; *the Americans are* ~ *that* so sind die Amerikaner; *do it* ~ *this* mach es so; *people* ~ *that* solche Leute; *it will cost something* ~ *£10* es wird so ungefähr £10 kosten; *that sounds* ~ *a good idea* das hört sich gut an; ~ *mad* (*col*), ~ *anything* (*col*) wie verrückt (*col*); *he thinks* ~ *us* er denkt wie wir.
 3 *adv* (*col*) *it's nothing* ~ *it* das ist nicht zu vergleichen; *as* ~ *as not* höchstwahrscheinlich.
 4 *conj* (*strictly incorrect*) ~ *I said* wie gesagt.
 5 *n* (*equal etc*) *did you ever see the* ~? (*col*) hast du so was schon gesehen?; *and the* ~, *and such* ~ und dergleichen; *I've met the* ~*s of you before* (*col*) solche wie dich kenne ich schon (*col*); *the* ~*s of us* unsereins *sing*.
▼ **like²** **1** *n usu pl she tried to find out his* ~*s and dislikes* sie wollte herausbekommen, was er mochte und was nicht.
 2 *vt* **a** *person* mögen ▶ *how do you* ~ *him?* wie gefällt er dir?; *I don't* ~ *him* ich mag ihn nicht; *he is well* ~*d here* er ist hier sehr beliebt.
 b *I* ~ *black shoes* mir gefallen schwarze Schuhe; *I* ~ *it* das gefällt mir; *I* ~ *chocolate* ich mag Schokolade; *I* ~ *football* ich mag Fußball; (*playing*) ich spiele gerne Fußball; *I* ~ *this translation* ich finde diese Übersetzung gut; *how do you* ~ *your coffee?* wie trinken Sie Ihren Kaffee?; *how would you* ~ *a walk?* was hältst du von einem Spaziergang?; *well, I* ~ *that!* (*col*) das ist ein starkes Stück! (*col*); *to come or get to* ~ *sth* Gefallen an etw (*dat*) finden.
 c (*wish, wish for*) *what would you* ~? was hätten *or* möchten Sie gern?; *would you* ~ *a drink?* möchten Sie

etwas trinken?; *I should ~ more time* ich würde mir gerne noch etwas Zeit lassen; *they would have ~d to come* sie wären gern gekommen; *I should ~ to know why* ich wüßte gerne, warum; *I should ~ you to do it* ich möchte, daß du es tust; *I didn't ~ to disturb him* ich wollte ihn nicht stören.

⌐3⌐ *vi as you ~* wie Sie wollen; *if you ~* wenn Sie wollen.

lik(e)able ['laɪkəbl] *adj* sympathisch.

likelihood ['laɪklɪhʊd] *n* Wahrscheinlichkeit *f* ▸ *in all ~* aller Wahrscheinlichkeit nach; *there is no ~ of that* das ist nicht wahrscheinlich; *there is little ~ that ...* es ist kaum anzunehmen, daß ...

▼ **likely** ['laɪklɪ] ⌐1⌐ *adj* (+*er*) ⌐a⌐ (*probable*) wahrscheinlich ▸ *he is not ~ to come* es ist unwahrscheinlich, daß er kommt; *is it ~ that I would do that?* trauen Sie mir das zu?; *an incident ~ to cause trouble* ein Zwischenfall, der zu Schwierigkeiten führen kann; *a ~ explanation* eine wahrscheinliche Erklärung; (*iro*) wer's glaubt, wird selig! (*col*); *a ~ story!* (*iro*) das glaubst du doch (wohl) selber nicht! (*col*). ⌐b⌐ (*col: suitable*) *a ~ spot for a picnic* ein geeignetes Fleckchen für ein Picknick; *he is a ~ person for the job* er kommt für die Stelle in Frage.

⌐2⌐ *adv not ~!* (*col*) wohl kaum (*col*); *as ~ as not* höchstwahrscheinlich; *very ~ they've lost it* höchstwahrscheinlich haben sie es verloren.

like-minded ['laɪk'maɪndɪd] *adj* gleichgesinnt.

liken ['laɪkən] *vt* vergleichen (*to* mit).

likeness ['laɪknɪs] *n* (*resemblance*) Ähnlichkeit *f*; (*portrait*) Bild(nis) *nt* ▸ *in the ~ of* in der Gestalt (+*gen*).

likewise ['laɪkwaɪz] *adv* ebenso ▸ *he did ~* er machte es ebenso; *have a nice weekend — ~* schönes Wochenende! — danke gleichfalls!

liking ['laɪkɪŋ] *n* ⌐a⌐ (*for particular person*) Zuneigung *f*; (*for types*) Vorliebe *f* ▸ *to have a ~ for sb* Zuneigung für jdn empfinden; *she took an immediate ~ to him* er war ihr gleich sympathisch. ⌐b⌐ (*for thing*) Vorliebe *f* ▸ *to take a ~ to sth* Gefallen an etw (*dat*) finden; *to be to sb's ~* nach jds Geschmack *m* sein.

lilac ['laɪlək] ⌐1⌐ *n* ⌐a⌐ (*plant*) Flieder *m*. ⌐b⌐ (*colour*) Lila *nt*.

⌐2⌐ *adj* fliederfarben, lila.

lilt [lɪlt] *n* (*of song*) munterer Rhythmus; (*of voice*) singender Tonfall.

lilting ['lɪltɪŋ] *adj tune etc* beschwingt.

lily ['lɪlɪ] *n* Lilie *f*; (*water ~*) Seerose *f* ▸ *~ of the valley* Maiglöckchen *nt*.

limb [lɪm] *n* (*Anat*) Glied *nt* ▸ *~s pl* Gliedmaßen *pl*; *life and ~* Leib und Leben; *to be out on a ~* (*fig*) (ganz) allein (da)stehen.

limber up [ˌlɪmbər'ʌp] *vi* Lockerungsübungen machen; (*fig*) sich vorbereiten.

limbo ['lɪmbəʊ] *n* (*fig*) Übergangs- *or* Zwischenstadium *nt* ▸ *our plans are in ~* unsere Pläne sind auf Eis gelegt worden; *to disappear into ~* spurlos verschwinden.

lime¹ [laɪm] *n* (*Geol*) Kalk *m*.

lime² *n* (*Bot: linden, also ~ tree*) Linde(nbaum *m*) *f*.

lime³ ⌐1⌐ *n* (*Bot*) (*citrus fruit*) Limone *f*; (*tree*) Limonenbaum *m* ▸ *~ juice* Limonensaft *m*.

⌐2⌐ *adj* (*also ~ green*) hellgrün.

limelight ['laɪmlaɪt] *n* Rampenlicht *nt* ▸ *to be in the ~* im Rampenlicht stehen.

limerick ['lɪmərɪk] *n* Limerick *m*.

limestone ['laɪmstəʊn] *n* Kalkstein *m*.

limey ['laɪmɪ] *n* (*US col*) Engländer *m*.

limit ['lɪmɪt] ⌐1⌐ *n* ⌐a⌐ Grenze *f*; (*limitation*) Beschränkung *f*; (*speed ~*) Tempolimit *nt*; (*Comm*) Limit *nt* ▸ *to put a ~ on sth, to set a ~ to or on sth* etw beschränken; *there's a ~!* alles hat seine Grenzen!; *there is a ~ to what one person can do* ein Mensch kann nur so viel tun und nicht mehr; *there is no ~ to his stupidity* seine

Dummheit kennt keine Grenzen; *there's a ~ to the amount of money we can spend* unseren Ausgaben sind Grenzen gesetzt; *it is true within ~s* es ist bis zu einem gewissen Grade richtig; *without ~s* unbegrenzt; *to know no ~s* keine Grenzen kennen; *over the ~* zuviel; (*in time*) zu lange; *he was driving over the ~* er hat das Tempolimit überschritten; (*after drinking*) er hat sich mit zuviel Promille ans Steuer gesetzt.

⌐b⌐ (*col*) *that's the ~!* das ist die Höhe! (*col*); *that child is the ~!* dieses Kind ist eine Zumutung! (*col*).

⌐2⌐ *vt* beschränken; *freedom, spending* einschränken; *imagination* hemmen ▸ *to ~ sth to sth* etw auf etw (*acc*) beschränken; *are you ~ed for time?* ist Ihre Zeit begrenzt?

limitation [ˌlɪmɪ'teɪʃən] *n* Beschränkung *f*; (*of freedom, spending*) Einschränkung *f*; (*disadvantage*) Handikap *nt* ▸ *to have/know one's ~s* seine Grenzen haben/kennen.

limited ['lɪmɪtɪd] *adj* begrenzt ▸ *in a ~ sense* in gewissem Maße; *~ company* (*Brit*) Gesellschaft *f* mit beschränkter Haftung.

limitless ['lɪmɪtlɪs] *adj* grenzenlos.

limo ['lɪməʊ] (*col*), **limousine** ['lɪməziːn] *n* Limousine *f*.

limp¹ [lɪmp] ⌐1⌐ *n* Hinken *nt* ▸ *to walk with a ~* hinken, humpeln.

⌐2⌐ *vi* hinken ▸ *the ship ~ed into port* das Schiff kam mit Müh und Not in den Hafen.

limp² *adj* (+*er*) schlapp, schlaff; *flowers* welk; *material, cloth* weich ▸ *let your body go ~* entspannen Sie alle Muskeln.

limpet ['lɪmpɪt] *n* Napfschnecke *f* ▸ *to stick to sb like a ~* (*col*) wie eine Klette an jdm hängen.

limpid ['lɪmpɪd] *adj* klar; *liquid also* durchsichtig.

limply ['lɪmplɪ] *adv* schlapp, schlaff.

linchpin ['lɪntʃpɪn] *n* Achs(en)nagel *m*; (*fig*) Stütze *f* ▸ *she is the ~ of the project* mit ihr steht und fällt das Projekt.

Lincs (*Brit*) = **Lincolnshire**.

linden ['lɪndən] *n* (*also ~ tree*) Linde(nbaum *m*) *f*.

▼ **line¹** [laɪn] ⌐1⌐ *n* ⌐a⌐ (*rope etc, fishing*) Leine *f*; (*on tennis court etc, on paper*) Linie *f*; (*on face*) Falte *f* ▸ *the ~ between right and wrong* die Grenze zwischen Recht und Unrecht; *to have good ~s* formschön sein; *the ship's graceful ~s* die schnittigen Linien des Schiffes.

⌐b⌐ (*row*) Reihe *f*; (*of people, cars also*) Schlange *f*; (*of hills*) Kette *f*; (*US: queue*) Schlange *f* ▸ *in a ~* in einer Reihe; *in a straight ~* geradlinig; *John is next in ~ for promotion* John ist als nächster mit der Beförderung an der Reihe; *he was descended from a long ~ of farmers* er stammte aus einem alten Bauerngeschlecht; *who is fourth in ~ to the throne?* wer steht an vierter Stelle der Thronfolge?; *to be in/out of ~* (*buildings etc*) in einer Flucht/versetzt stehen; *to be out of ~ with sb/sth* (*fig*) mit jdm/etw nicht übereinstimmen; *to bring sth into ~ with sth* (*fig*) etw mit etw in Einklang bringen; *he refused to fall into ~ with the new proposals* er weigerte sich, mit den neuen Vorschlägen konform zu gehen; *to step out of ~* (*fig*) aus der Reihe tanzen; *to stand in ~* (*US*) Schlange stehen.

⌐c⌐ (*air~, shipping ~*) Linie *f*.

⌐d⌐ (*Rail*) Strecke *f* ▸ *~s pl* Gleise *pl*; *to reach the end of the ~* (*fig*) am Ende sein.

⌐e⌐ (*Telec: cable*) Leitung *f* ▸ *the firm has 52 ~s* die Firma hat 52 Anschlüsse; *this is a very bad ~* die Verbindung ist sehr schlecht; *the ~ went dead* die Leitung war auf einmal tot; *to be on the ~ to sb* mit jdm telefonieren; *hold the ~* bleiben Sie am Apparat!; *can I have an outside ~?* geben Sie mir bitte ein Amt.

⌐f⌐ (*Comp*) *on ~* on line, online.

⌐g⌐ (*written*) Zeile *f* ▸ *~s* (*Sch*) Strafarbeit *f*; *~s* (*Theat*)

Text *m*; **to drop sb a ~** jdm ein paar Zeilen schreiben; **to read between the ~s** zwischen den Zeilen lesen.

h (*direction, course*) **~ of argument** Argumentation *f*; **~ of attack** (*Mil*) Angriffslinie *f*; (*fig*) Taktik *f*; **enemy ~s** (*Mil*) feindliche Stellungen *pl*; **to be on the right ~s** (*fig*) auf dem richtigen Weg sein, richtig liegen (*col*); **we must take a firm** *or* **strong ~ with these people** wir müssen diesen Leuten gegenüber sehr bestimmt auftreten; **to lay it on the ~** (*col*) die Karten auf den Tisch legen (*col*); **to lay it on the ~ to sb** jdm reinen Wein einschenken (*col*); **to put one's life/job** *etc* **on the ~** (*col*) sein Leben/seine Stelle *etc* riskieren; **the ~ of least resistance** der Weg des geringsten Widerstandes; **he took the ~ that ...** er vertrat den Standpunkt, daß ...; **to be along the ~s of ...** ungefähr so etwas wie ... sein; **I was thinking along the same ~s** ich hatte etwas Ähnliches gedacht; **it's all in the ~ of duty** das gehört zu meinen/ seinen *etc* Pflichten.

i (*fig: business*) Branche *f* ▸ **what ~ is he in?, what's his ~?** was ist er von Beruf?; **that's not in my ~** das liegt mir nicht.

j (*Comm: stock article*) Artikel *m*; (*model*) Modell *nt* ▸ **we have a new ~ in torches** wir führen neuartige Taschenlampen.

2 *vt* **a** (*cross with ~s*) linieren ▸ **worry had ~d his face** sein Gesicht war von Sorgen gezeichnet. **b** *streets* säumen ▸ **a road ~d with trees** eine von Bäumen gesäumte Straße; **the streets were ~d with cheering crowds** eine jubelnde Menge säumte die Straßen.

◆**line up** **1** *vi* (*stand in line*) sich aufstellen; (*queue*) sich anstellen.

2 *vt sep* **a** *troops, prisoners* antreten lassen; *boxes, books etc* in einer Reihe aufstellen. **b** (*prepare, arrange*) *entertainment* sorgen für; *speakers* verpflichten; *support* mobilisieren ▸ **have you anything special ~d ~ for today?** haben Sie für heute etwas Besonderes auf dem Programm?; **have you anyone ~d ~ for the job?** haben Sie schon jemanden für die Stelle im Sinn?

line² *vt clothes* füttern; *box, walls, furnace etc* auskleiden ▸ **to ~ one's own pockets** (*fig*) in die eigene Tasche arbeiten.

lineage ['lɪnɪɪdʒ] *n* (*descent*) Abstammung *f*.
linear ['lɪnɪər] *adj motion* linear; *measure* Längen-.
line closure *n* (*Rail*) Streckenstillegung *f*.
lined [laɪnd] *adj face etc* (*of old people*) faltig; (*through worry etc*) gezeichnet; *paper* liniert.
line: **~ drawing** *n* Zeichnung *f*; **~ feed** *n* (*Comp*) Zeilenvorschub *m*; **~ judge** *n* (*Tennis*) Linienrichter(in *f*) *m*; **~ manager** *n* leitende(r) Angestellter *f*(*m*).
linen ['lɪnɪn] **1** *n* Leinen *nt*; (*table ~*) Tischwäsche *f*; (*sheets, garments etc*) Wäsche *f* ▸ **~ cupboard** Wäscheschrank *m*.
2 *adj* Leinen-.
line printer *n* Zeilendrucker *m*.
liner ['laɪnər] *n* (*ship*) Passagierschiff *nt*.
linesman ['laɪnzmən], (*US also*) **lineman** ['laɪnmən] *n, pl* **-men** [-mən] (*Sport*) Linienrichter *m*; (*Rail*) Streckenwärter *m*.
line-up ['laɪnʌp] *n* (*Sport*) Aufstellung *f*; (*cast*) Besetzung *f*; (*US: queue*) Schlange *f*; (*also* **police ~**) Gegenüberstellung *f*.
linger ['lɪŋgər] *vi* (*also* **~ on**) (zurück)bleiben; (*delay*) sich aufhalten; (*stand around*) herumstehen; (*in dying*) zwischen Leben und Tod schweben; (*custom*) sich halten; (*doubts*) zurückbleiben; (*feeling, pain*) anhalten; (*memory*) bleiben; (*chords*) nachklingen ▸ **to ~ on a subject** bei einem Thema verweilen; **to ~ over a meal** sich bei einer Mahlzeit lange aufhalten.
lingerie ['lænʒəriː] *n* (Damen)unterwäsche *f*.
lingering ['lɪŋgərɪŋ] *adj* lang; *death* langsam; *illness* langwierig; *doubt* verbleibend; *taste* anhaltend.

lingo ['lɪŋgəʊ] *n* (*col*) Sprache *f*.
linguist ['lɪŋgwɪst] *n* (*speaker of languages*) Sprachkundige(r) *mf*; (*specialist in linguistics*) Linguist(in *f*) *m* ▸ **I'm no ~** ich bin nicht sprachbegabt.
linguistic [lɪŋˈgwɪstɪk] *adj* **a** sprachlich; *competence* Sprach-. **b** (*of linguistics*) linguistisch, sprachwissenschaftlich.
linguistically [lɪŋˈgwɪstɪkəlɪ] *adv see adj* **a** sprachlich ▸ **~ gifted** sprachbegabt. **b** linguistisch.
linguistics [lɪŋˈgwɪstɪks] *n sing* Linguistik *f*.
lining ['laɪnɪŋ] *n* (*of clothes etc*) Futter *nt*; (*of walls, container, furnace etc*) Auskleidung *f*; (*of brake*) (Brems)belag *m*.
▼ **link** [lɪŋk] **1** *n* (*of chain, fig*) Glied *nt*; (*person*) Verbindungsperson *f* ▸ **he broke all his ~s with his family** er brach alle Beziehungen zu seiner Familie ab; **cultural ~s** kulturelle Beziehungen *pl*.
2 *vt* verbinden; *spaceships also* aneinanderkoppeln ▸ **to ~ arms** sich unterhaken (*with* bei); **do you think these two murders are ~ed?** glauben Sie, daß zwischen den beiden Morden eine Verbindung besteht?
3 *vi* **to ~ (together)** (*parts of story*) sich zusammenfügen lassen; (*railway lines*) zusammenlaufen.
◆**link up** *vi* zusammenkommen; (*people*) sich zusammentun; (*facts*) übereinstimmen; (*companies*) sich zusammenschließen; (*spaceships*) ein Kopplungsmanöver durchführen.
linkage ['lɪŋkɪdʒ] *n* (*system of rods*) Gestänge *nt*.
link man *n, pl* **~ men** [-men] Verbindungsmann *m*; (*Rad, TV*) Moderator *m*.
links [lɪŋks] *npl* (*golf course*) Golfplatz *m*.
link-up ['lɪŋkʌp] *n* (*Telec, general*) Verbindung *f*; (*of spaceships*) Kopplung(smanöver *nt*) *f*.
lino ['laɪnəʊ] *n* (*Brit*) Linoleum *nt*.
linocut ['laɪnəʊkʌt] *n* Linolschnitt *m*.
linoleum [lɪˈnəʊlɪəm] *n* Linoleum *nt*.
linseed ['lɪnsiːd] *n* Leinsamen *m* ▸ **~ oil** Leinöl *nt*.
lint [lɪnt] *n* Mull *m*.
lintel ['lɪntl] *n* (*Archit*) Sturz *m*.
lion ['laɪən] *n* Löwe *m* ▸ **the ~'s share** der Löwenanteil.
lioness ['laɪənɪs] *n* Löwin *f*.
lip [lɪp] *n* **a** (*Anat*) Lippe *f*; (*of jug*) Schnabel *m*; (*of cup*) Rand *m* ▸ **to keep a stiff upper ~** die Haltung bewahren. **b** (*col: cheek*) Frechheit(en *pl*) *f* ▸ **to give sb a lot of ~** jdm gegenüber eine (freche) Lippe riskieren (*col*).
liposuction ['lɪpəʊˌsʌkʃən] *n* Liposuktion *f*, Fettabsaugen *nt*.
lip: **~read** *vti* von den Lippen ablesen; **~ service** *n* **to pay ~ service to an idea** ein Lippenbekenntnis zu einer Idee ablegen; **~stick** *n* Lippenstift *m*.
liquefy ['lɪkwɪfaɪ] **1** *vt* verflüssigen.
2 *vi* sich verflüssigen.
liqueur [lɪˈkjʊər] *n* Likör *m*.
liquid ['lɪkwɪd] **1** *adj* flüssig (*also Comm*).
2 *n* Flüssigkeit *f*.
liquidate ['lɪkwɪdeɪt] *vt* **a** (*Comm*) liquidieren; *assets also* flüssig machen; *company also* auflösen. **b** *enemy etc* liquidieren.
liquidation [ˌlɪkwɪˈdeɪʃən] *n see vt* **a** Liquidation *f*; (*of company also*) Auflösung *f* ▸ **to go into ~** in Liquidation gehen. **b** Liquidierung *f*.
liquid crystal *n* Flüssigkristall *nt*.
liquidity [lɪˈkwɪdɪtɪ] *n* Liquidität *f*.
liquidize ['lɪkwɪdaɪz] *vt* (im Mixer) pürieren.
liquidizer ['lɪkwɪdaɪzər] *n* Mixer *m*.
liquor ['lɪkər] *n* (*whisky, brandy etc*) Spirituosen *pl*; (*alcohol*) Alkohol *m* ▸ **~ store** (*US*) ≈ Wein- und Spirituosengeschäft *nt*.
liquorice, licorice ['lɪkərɪs] *n* Lakritze *f*.
Lisbon ['lɪzbən] *n* Lissabon *nt*.

lisp [lɪsp] **1** n Lispeln nt ▶ **to speak with a ~** lispeln. **2** vti lispeln.
lissom ['lɪsəm] adj geschmeidig; person gelenkig.
list¹ [lɪst] **1** n Liste f; (shopping ~) Einkaufszettel m ▶ **it's not on the ~** es steht nicht auf der Liste; **it's on my ~ for tomorrow** es steht für morgen auf meinem Programm. **2** vt notieren; item in die Liste aufnehmen ▶ **it is not ~ed** es ist nicht aufgeführt; **~ed building** Gebäude nt unter Denkmalschutz; **~ed company** (Fin) börsennotierte Firma.
list² (Naut) **1** n Schlagseite f. **2** vi Schlagseite haben.
listen ['lɪsn] vi **a** hören (to sth etw acc) ▶ **to ~ to the radio** Radio hören; **to ~ for sth** auf etw (acc) horchen; **to ~ for sb** hören, ob jd kommt; **OK, I'm ~ing** ich höre zu. **b** (heed) zuhören ▶ **~ to me!** hör mir zu!; **~, I know what we'll do** hör mal, ich weiß, was wir machen; **don't ~ to him** hör nicht auf ihn; **he wouldn't ~** er wollte nicht hören.
◆**listen in** vi (Radio) hören; (secretly) mithören (on sth etw acc) ▶ **to ~ ~ to sth** etw im Radio hören.
listener ['lɪsnəʳ] n Zuhörer(in f) m; (Rad) Hörer(in f) m ▶ **to be a good ~** gut zuhören können.
▼ **listing** ['lɪstɪŋ] n Auflistung f.
listless ['lɪstlɪs] adj lustlos; patient teilnahmslos.
list price n Listenpreis m.
list renting n Vermietung f von Adressenlisten.
lists [lɪsts] npl (Hist) Schranken pl ▶ **to enter the ~** (fig) zum Kampf antreten.
lit [lɪt] pret, ptp of **light¹**.
litany ['lɪtənɪ] n Litanei f.
liter n (US) = **litre**.
literacy ['lɪtərəsɪ] n Fähigkeit f, lesen und schreiben zu können ▶ **~ campaign** Alphabetisierungskampagne f.
literal ['lɪtərəl] adj translation wörtlich; meaning also eigentlich ▶ **it was a ~ disaster** es war im wahrsten Sinne des Wortes eine Katastrophe.
literally ['lɪtərəlɪ] adv (word for word, exactly) (wort)wörtlich; (really) buchstäblich, wirklich ▶ **to take sth ~** etw wörtlich nehmen; **he was ~ a giant** er war im wahrsten Sinne des Wortes ein Riese.
literary ['lɪtərərɪ] adj literarisch; agent, critic, criticism, history Literatur- ▶ **a ~ man** ein Literaturkenner m; (author) ein Literat m.
literate ['lɪtərɪt] adj **to be ~** lesen und schreiben können; (well-educated) gebildet sein.
literature ['lɪtərɪtʃəʳ] n Literatur f; (col: brochures etc) Informationsmaterial nt.
lithe [laɪð] adj (+er) geschmeidig.
lithograph ['lɪθəʊɡrɑːf] n Lithographie f, Steindruck m.
lithography [lɪ'θɒɡrəfɪ] n Lithographie f.
Lithuania [ˌlɪθjʊ'eɪnɪə] n Litauen nt.
Lithuanian [ˌlɪθjʊ'eɪnɪən] **1** adj litauisch. **2** n **a** Litauer(in f) m. **b** (language) Litauisch nt.
litigation [ˌlɪtɪ'ɡeɪʃən] n Prozeß, Rechtsstreit m.
litmus ['lɪtməs] n **~ paper** Lackmuspapier nt.
litre, (US) liter ['liːtəʳ] n Liter m or nt.
litter ['lɪtəʳ] **1** n **a** Abfälle pl; (papers, wrappings) Papier. **b** (Zool) Wurf m; (bedding for animals) Streu f, Stroh nt; (cat ~) Katzenstreu f. **2** vt **to be ~ed with sth** (lit, fig) mit etw übersät sein.
litter: ~ basket n Abfallkorb m; **~ bin** n Abfalleimer m; **~ bug** (col), **~ lout** (col) n Schmutzfink m (col).
little ['lɪtl] **1** adj klein ▶ **a ~ house** ein Häuschen nt; **the ~ ones** die Kleinen pl; **a nice ~ profit** ein hübscher Gewinn; **a ~ while ago** vor kurzem; **it's only a ~ while till I ...** es ist nicht mehr lange, bis ich ...; **in a ~ while** bald. **2** adv, n **a** wenig ▶ **of ~ importance** von geringer Bedeutung; **~ better than** kaum besser als; **~ more than**

a month ago vor kaum einem Monat; **~ short of** fast schon, beinahe; **~ did I think that ...** ich hätte kaum gedacht, daß ...; **I walk as ~ as possible** ich laufe so wenig wie möglich; **every ~ helps** wir sind froh um jede Kleinigkeit; **I see very ~ of her nowadays** ich sehe sie in letzter Zeit sehr selten; **there was ~ we could do** wir konnten nicht viel tun; **she did what ~ she could** sie tat das Wenige, das sie tun konnte; **~ by ~** nach und nach; **to make ~ of sth** etw herunterspielen; **I could make ~ of this book** ich konnte mit diesem Buch nicht viel anfangen.
b **a ~** ein wenig, ein bißchen; **a ~ better** ein bißchen besser; **with a ~ effort** mit etwas Mühe; **a ~ after five** kurz nach fünf; **we walked on for a ~** wir liefen noch ein bißchen weiter; **after a ~** nach einer Weile.
liturgical [lɪ'tɜːdʒɪkəl] adj liturgisch.
liturgy ['lɪtədʒɪ] n Liturgie f.
live¹ [lɪv] **1** vt life führen ▶ **to ~ life to the full** sein Leben auskosten.
2 vi **a** leben ▶ **will he ~, doctor?** wird er (über)leben, Herr Doktor?; **don't worry, you'll ~, it's only a broken ankle** reg dich nicht auf, du stirbst schon nicht, du hast nur einen gebrochenen Knöchel; **long ~ Queen Anne!** lang lebe Königin Anne!; **we ~ and learn** man lernt nie aus; **to ~ and let ~** leben und leben lassen; **to ~ like a king** wie Gott in Frankreich leben; **to ~ to a ripe old age** ein hohes Alter erreichen; **his name will ~ for ever** sein Ruhm wird nie vergehen; **his poetry will ~ for ever** seine Dichtung ist unvergänglich; **he ~d through two wars** er hat zwei Kriege miterlebt; **to ~ beyond one's income** über seine Verhältnisse leben; **you'll ~ to regret it** das wirst du noch bereuen!; **you'll just have to ~ with it** du mußt eben damit leben; **the other athletes couldn't ~ with him** die anderen Läufer konnten mit ihm nicht mithalten.
b (reside) wohnen; (in town etc) leben ▶ **he ~s at 19 West Avenue** er wohnt in der West Avenue Nr.19; **he ~s with his parents** er wohnt bei seinen Eltern.
◆**live down** vt sep humiliation hinwegkommen über (+acc), verwinden; (actively) scandal Gras wachsen lassen über (+acc) ▶ **he'll never ~ it** das wird ihm ewig anhängen.
◆**live in** vi (student) im Wohnheim/College wohnen.
◆**live off** vi +prep obj **to ~ ~ one's interest** von seinen Zinsen leben; **to ~ ~ one's relations** auf Kosten seiner Verwandten leben.
◆**live on 1** vi (continue to live) weiterleben. **2** vi +prep obj leben von ▶ **to ~ ~ eggs** sich von Eiern ernähren; **he doesn't earn enough to ~ ~** er verdient nicht genug, um davon zu leben.
◆**live out 1** vi (student) außerhalb (des Wohnheims/Colleges) wohnen. **2** vt sep life verbringen; winter überleben ▶ **to ~ ~ one's days** seinen Lebensabend verbringen.
◆**live together** vi (cohabit) zusammenleben; (share a flat etc) zusammenwohnen.
◆**live up** vt always separate: **to ~ it ~** (col) sich ausleben; (extravagantly) in Saus und Braus leben (col).
◆**live up to** vi +prep obj **the holidays ~d ~ ~ our expectations** der Urlaub hielt, was wir uns (dat) davon versprochen hatten; **to ~ ~ ~ one's reputation** seinem Ruf gerecht werden; **it didn't ~ ~ ~ our hopes** es entsprach nicht dem, was wir uns (dat) erhofft hatten; **he's got a lot to ~ ~ ~** in ihn werden große Erwartungen gesetzt.
live² [laɪv] **1** adj **a** (alive) lebend; issue aktuell ▶ **a real ~ duke** ein echter Herzog. **b** (having power or energy) coal glühend; match ungebraucht; cartridge, shell scharf; (Elec) stromführend; fence geladen ▶ **"danger, ~ wires!"** „Vorsicht Hochspannung!"; **she's a real ~ wire** (fig) sie ist ein richtiges Energiebündel. **c** (Rad, TV)

➤ SENTENCE BUILDER: **listing** → 15.3

pred live ▶ *a ~ programme* eine Livesendung. **2** *adv* (*Rad, TV*) live.

livelihood ['laɪvlɪhʊd] *n* Lebensunterhalt *m* ▶ *to earn a ~* sich (*dat*) seinen Lebensunterhalt verdienen.

liveliness ['laɪvlɪnɪs] *n see adj* Lebhaftigkeit *f*; Lebendigkeit *f*; Dynamik *f*; Aufgewecktheit *f*.

lively ['laɪvlɪ] *adj* (+*er*) lebhaft; *scene, account* lebendig; *campaign* dynamisch; *pace* flott; *mind* aufgeweckt ▶ *things are getting ~* es geht hoch her (*col*); *look ~!* mach schnell!, ein bißchen dalli! (*col*).

liven up ['laɪvən'ʌp] **1** *vt sep* beleben, Leben bringen in (+*acc*) (*col*).
2 *vi* in Schwung kommen; (*person*) aufleben.

liver ['lɪvəʳ] *n* (*Anat, Cook*) Leber *f* ▶ *~ sausage* Leberwurst *f*.

liverish ['lɪvərɪʃ] *adj* (*bad-tempered*) mürrisch ▶ *to be ~* etwas mit der Leber haben; *I felt a bit ~ after the party* mir ging es nach der Party ziemlich mies (*col*).

livery ['lɪvərɪ] *n* Livree *f*; (*fig liter*) Kleid *nt*.

lives [laɪvz] *pl of* **life**.

livestock ['laɪvstɒk] *n* Vieh *nt*.

livid ['lɪvɪd] *adj* **a** (*col*) fuchsteufelswild (*col*) ▶ *he was ~ with us* er hatte eine Stinkwut auf uns (*col*). **b** (*of colour*) bleifarben.

living ['lɪvɪŋ] **1** *adj* lebend; *example, faith* lebendig ▶ *a ~ creature* ein Lebewesen *nt*; *(with)in ~ memory* seit Menschengedenken; *he is ~ proof of ...* er ist der lebende Beweis für ...
2 *n* **a** *the ~ pl* die Lebenden *pl*. **b** (*livelihood*) Lebensunterhalt *m* ▶ *to earn* or *make a ~* sich (*dat*) seinen Lebensunterhalt verdienen; *he sells brushes for a ~* er verkauft Bürsten, um sich (*dat*) seinen Lebensunterhalt zu verdienen; *what do you do for a ~?* was machen Sie beruflich?; *to work for one's ~* sich seinen Lebensunterhalt verdienen.

living: ~ conditions *npl* Wohnverhältnisse *pl*; **~ room** *n* Wohnzimmer *nt*; **~ wage** *n* ausreichender Lohn.

lizard ['lɪzəd] *n* Eidechse *f*.

LMT (*US*) = **Local Mean Time** Ortszeit *f*.

lo [ləʊ] *interj* ▶ *~ and behold!* siehe da!

load [ləʊd] **1** *n* **a** (*sth carried, burden*) Last *f*; (*cargo*) Ladung *f*; (*on axle etc, fig*) Belastung *f*; (*Elec*) Spannung *f* ▶ *a train~ of passengers* ein Zug voll Reisender; *(work) ~* (Arbeits)belastung *f*; *that's a ~ off my mind!* da fällt mir ein Stein vom Herzen!
b (*col usages*) *~s of, a ~ of* jede Menge (*col*); *it's a ~ of old rubbish* das ist alles Quatsch! (*col*); (*book*) das ist alles Mist! (*col*); *get a ~ of this!* (*listen*) hör dir das mal an! (*look*) guck dir das mal an! (*col*).
2 *vt* **a** *goods, software* laden; *lorry etc*, (*burden: also ~ down*) beladen ▶ *the ship was ~ed with bananas* das Schiff hatte Bananen geladen. **b** *gun* laden; *dice* präparieren ▶ *to ~ a camera* einen Film (in einen Fotoapparat) einlegen. **c** (*fig*) überhäufen ▶ *to ~ sb with honours* jdn mit Ehrungen überschütten; *we're ~ed (down) with debts* wir stecken bis zum Hals in Schulden; *the dice were ~ed against him* (*fig*) er hatte von vornherein wenig Chancen.
3 *vi* laden ▶ *~ing bay* Ladeplatz *m*; *~ing dock* Ladedock *nt*.

♦**load up 1** *vi* aufladen.
2 *vt sep lorry* beladen; *goods* aufladen.

loaded ['ləʊdɪd] *adj* beladen; *dice* präpariert; *camera* mit eingelegtem Film; *gun* geladen ▶ *a ~ question* eine Fangfrage; *he's ~* (*col: rich*) er ist steinreich (*col*).

loaf [ləʊf] *n, pl* **loaves** Brot *nt*; (*unsliced*) (Brot)laib *m* ▶ *a ~ of bread* ein (Laib) Brot; *half a ~ is better than none* (*Prov*) (wenig ist) besser als gar nichts; *use your ~!* (*col*) streng deinen Grips an! (*col*).

♦**loaf about** or **around** *vi* (*col*) gammeln (*col*); (*laze*) faulenzen.

loam [ləʊm] *n* Lehmerde *f*.

loan [ləʊn] **1** *n* (*thing lent*) Leihgabe *f*; (*from bank etc*) Kredit *m*, Darlehen *nt*; (*public ~*) Anleihe *f* ▶ *I asked for the ~ of the bicycle* ich bat darum, das Fahrrad ausleihen zu dürfen; *he gave me the ~ of his bicycle* er hat mir sein Fahrrad geliehen; *it's on ~* es ist geliehen; (*in museum*) es ist eine Leihgabe; (*out on ~*) es ist verliehen.
2 *vt* leihen (*to sb* jdm).

loan: ~ account *n* Darlehenskonto *nt*; **~ capital** *n* Anleihekapital *nt*.

loath [ləʊθ] *adj* ▶ *to be ~ to do sth* etw ungern tun.

▼**loathe** [ləʊð] *vt thing, person* verabscheuen; *jazz etc* nicht ausstehen können ▶ *I ~ doing it* (*in general*) ich mache das überhaupt nicht gern; (*on particular occasion*) es ist mir zuwider, das zu tun.

loathing ['ləʊðɪŋ] *n* Abscheu *m*.

loathsome ['ləʊðsəm] *adj thing, person* abscheulich, widerlich; *task* verhaßt.

loaves [ləʊvz] *pl of* **loaf**.

lob [lɒb] **1** *n* (*Tennis*) Lob *m*.
2 *vt ball* lobben ▶ *to ~ sth over to sb* jdm etw zuwerfen.

lobby ['lɒbɪ] **1** *n* (*entrance hall*) Eingangshalle *f*; (*place in Parliament*) Lobby *f*; (*Pol*) Interessenverband *m*.
2 *vt* ▶ *to ~ one's MP* seinen Abgeordneten zu beeinflussen suchen.
3 *vi they are ~ing for this reform* die Lobbyisten versuchen, diese Reform durchzubringen.

lobbyist ['lɒbɪɪst] *n* Lobbyist *m*.

lobe [ləʊb] *n* (*of ear*) Ohrläppchen *nt*.

lobster ['lɒbstəʳ] *n* Hummer *m* ▶ *~ pot* Hummerkorb *m*.

local ['ləʊkəl] **1** *adj* Orts-; (*in this area*) hiesig; (*in that area*) dortig; *radio station* Regional-; *newspaper* Lokal-; *train, bus* Nahverkehrs-; *politician, elections* Kommunal- ▶ *he's a ~ man* er ist von hier (*col*); *~ anaesthetic* örtliche Betäubung; *~ authorities* Kommunalbehörden *pl*; (*council*) Stadt-/Gemeinde-/Kreisverwaltung *f*; *~ branch* Zweigstelle *f*; *~ call* Ortsgespräch *nt*; *~ government* die Kommunalverwaltung; *the ~ shops* die Geschäfte am Ort.
2 *n* **a** (*Brit: pub*) *the ~* das Stammlokal; (*in village*) die Dorfkneipe (*col*). **b** (*born in*) Einheimische(r) *mf*; (*living in*) Einwohner(in *f*) *m* ▶ *the ~s* die Ortsansässigen *pl*.

locality [ləʊ'kælɪtɪ] *n* Gegend *f* ▶ *in your ~* bei dir in der Nähe.

localize ['ləʊkəlaɪz] *vt* **a** (*detect*) lokalisieren. **b** *~d* (*restricted*) örtlich begrenzt.

locally ['ləʊkəlɪ] *adv* am Ort ▶ *houses are dear ~* Häuser sind hier teuer; *do you live ~?* wohnen Sie hier in der Nähe?

locate [ləʊ'keɪt] *vt* **a** (*position*) legen ▶ *to be ~d at* or *in* sich befinden in (+*dat*); *the hotel is centrally ~d* das Hotel liegt zentral. **b** (*find*) ausfindig machen; *submarine* orten. **c** (*Tech: hold*) (fest)halten.

location [ləʊ'keɪʃən] *n* **a** (*position, site*) Lage *f*; (*of ship*) Position *f* ▶ *this would be an ideal ~ for the airport/company* das wäre ein ideales Gelände für den Flughafen/ein idealer Standort für die Firma. **b** (*finding*) Auffinden *nt*; (*of tumour*) Lokalisierung *f*; (*of star, ship*) Ortung *f*. **c** (*Film*) Drehort *m* ▶ *he's on ~ in Mexico* er ist bei Außenaufnahmen in Mexiko; *~ work* or *shots* Außenaufnahmen *pl*.

loch [lɒx] *n* (*Scot*) See *m*; (*sea ~*) Meeresarm *m*.

lock¹ [lɒk] *n* (*of hair*) Locke *f*.

lock² [lɒk] **1** *n* **a** (*on door, box, gun*) Schloß *nt* ▶ *to put sb/sth under ~ and key* jdn hinter Schloß und Riegel bringen/etw wegschließen; *he offered me the house ~, stock and barrel* er bot mir das Haus mit allem Drum und Dran an (*col*); *they rejected the idea ~, stock and barrel* sie lehnten die Idee in Bausch und Bogen ab. **b**

➤ SENTENCE BUILDER: **loathe** → 1.3

(*canal* ~) Schleuse *f.* [c] (*Aut*) Wendekreis *m* ▶ *the steering wheel was on full* ~ das Lenkrad war voll eingeschlagen.
[2] *vt door etc* abschließen; *steering wheel* sperren, arretieren; *wheel* blockieren ▶ *the armies were ~ed in combat* die Armeen waren in Kämpfe verwickelt; *they were ~ed in each other's arms* sie hielten sich fest umschlungen; *this bar ~s the wheel in position* diese Stange hält das Rad fest.
[3] *vi* schließen; (*wheel*) blockieren ▶ *a suitcase that ~s* ein verschließbarer Koffer.
◆**lock away** *vt sep* wegschließen; (*in safe*) einschließen; *person* einsperren.
◆**lock in** *vt sep* einschließen ▶ *to be ~ed* ~ eingesperrt sein.
◆**lock out** *vt sep* aussperren.
◆**lock up** [1] *vt sep* [a] *thing, house* abschließen; *person* einsperren ▶ *to* ~ *sth* ~ *in sth* etw in etw (*dat*) einschließen; *he ought to be ~ed* ~*!* den müßte man einsperren! [b] (*Comm*) *capital* fest anlegen.
[2] *vi* abschließen.
lockable ['lɒkəbl] *adj* verschließbar.
locker ['lɒkəʳ] *n* Schließfach *nt* ▶ ~ *room* (*Sport*) Umkleideraum *m*.
locket ['lɒkɪt] *n* Medaillon *nt.*
lock: ~ **gate** *n* Schleusentor *nt*; **~jaw** *n* Wundstarrkrampf *m*; **~out** *n* Aussperrung *f*; **~smith** *n* Schlosser *m*; **~-up** *n* [a] (*shop*) kleiner Laden; (*garage*) Garage *f*, [b] (*prison*) Gefängnis *nt.*
locomotion [ˌləʊkəˈməʊʃən] *n* Fortbewegung *f.*
locomotive [ˌləʊkəˈməʊtɪv] *n* Lokomotive *f.*
locum ['ləʊkəm] *n* Vertreter(in *f*) *m.*
locust ['ləʊkəst] *n* Heuschrecke *f.*
lodge [lɒdʒ] [1] *n* (*in grounds*) Pförtnerhaus *nt*; (*skiing ~ etc*) Hütte *f*; (*porter's ~*) Pförtnerloge *f.*
[2] *vt person* unterbringen; *complaint* einlegen (*with* bei); *charge* einreichen; (*insert*) *spear* stoßen; *jewellery, money* deponieren, hinterlegen ▶ *to be ~d* (fest)stecken.
[3] *vi* [a] (*live*) (zur *or* in Untermiete) wohnen (*with sb, at sb's* bei jdm); (*at boarding house*) wohnen (*in* in +*dat*). [b] (*object, bullet*) steckenbleiben.
lodger ['lɒdʒəʳ] *n* Untermieter(in *f*) *m* ▶ *she takes ~s* sie vermietet (Zimmer).
lodging ['lɒdʒɪŋ] *n* Unterkunft *f* ▶ *~s pl* ein möbliertes Zimmer; möblierte Zimmer *pl*; *we took ~s with Mrs B* wir mieteten uns bei Frau B ein; ~ *house* Pension *f.*
loft [lɒft] *n* Dachboden, Speicher *m*; (*hay~*) Heuboden *m* ▶ *in the* ~ auf dem Dachboden.
lofty ['lɒftɪ] *adj* (+*er*) [a] (*high*) hoch. [b] *ideals* hoch; *ambitions* hochfliegend; *sentiments* erhaben; *prose* gehoben. [c] (*haughty*) hochmütig.
log¹ [lɒg] *n* Baumstamm *m*; (*short*) Holzblock *m*; (*for a fire*) Scheit *nt* ▶ *to sleep like a* ~ wie ein Stein schlafen; ~ *cabin* Blockhütte *f*; ~ *fire* Holzfeuer *nt.*
log² [1] *n* (*record*) Aufzeichnungen *pl* ▶ *to make* or *keep a* ~ *of sth* über etw (*acc*) Buch führen; *see* **~book.**
[2] *vt* [a] Buch führen über (+*acc*); (*Naut*) (ins Logbuch) eintragen ▶ *to* ~ *off/on* (*Comp*) sich ab-/anmelden, ausloggen/einloggen. [b] (*travel*) zurücklegen.
log³ = **logarithm** log ▶ ~ *tables* Logarithmentafel *f.*
logarithm ['lɒgərɪθəm] *n* Logarithmus *m.*
log book *n* (*Naut*) Logbuch *nt*; (*Aviat*) Bordbuch *nt*; (*of trucks*) Fahrtenbuch *nt*; (*Aut: registration book*) Kraftfahrzeugbrief *m*; (*in hospitals etc*) Dienstbuch *nt.*
loggerheads ['lɒgəhedz] *npl: to be at* ~ (*with sb*) Streit (mit jdm) haben; *they were constantly at* ~ *with the authorities* sie standen mit den Behörden dauernd auf Kriegsfuß.
logic ['lɒdʒɪk] *n* Logik *f.*
logical ['lɒdʒɪkəl] *adj* logisch.

logically ['lɒdʒɪkəlɪ] *adv think, argue* logisch ▶ ~, *he may be right* logisch gesehen könnte er recht haben.
logistics [lɒˈdʒɪstɪks] *n sing* Logistik *f.*
log jam *n* (*fig*) Engpaß *m.*
logo ['lɒgəʊ] *n* Firmenzeichen *nt.*
loin [lɔɪn] *n* Lende *f* ▶ ~ *cloth* Lendenschurz *m.*
loiter ['lɔɪtəʳ] *vi* (*waste time*) trödeln; (*hang around suspiciously*) herumlungern ▶ *to* ~ *with intent* sich verdächtig machen.
loll [lɒl] *vi* lümmeln ▶ *to* ~ *against sth* sich (lässig) gegen *or* an etw (*acc*) lehnen.
◆**loll about** *or* **around** *vi* herumlümmeln.
lollipop ['lɒlɪpɒp] *n* Lutscher *m*; (*iced ~*) Eis *nt* am Stiel ▶ ~ *man/woman* (*Brit col*) ≈ Schülerlotse *m/* -lotsin *f.*

| LOLLIPOP MAN/LADY |

🛈 *Lollipop man/lady* heißen in Großbritannien die Männer bzw. Frauen, die mit Hilfe eines runden Stoppschildes den Verkehr anhalten, damit Schulkinder die Straße gefahrlos überqueren können. Der Name bezieht sich auf die Form des Schildes, die an einen Lutscher erinnert.

---

lollop ['lɒləp] *vi* (*also* ~ *along*) (*person*) zockeln; (*rabbit*) hoppeln.
lolly ['lɒlɪ] *n* [a] (*Brit col: lollipop*) Lutscher *m* ▶ *an ice* ~ ein Eis *nt* am Stiel. [b] (*col: money*) Mäuse *pl* (*col*).
London ['lʌndən] [1] *n* London *nt.*
[2] *adj* Londoner.
Londoner ['lʌndənəʳ] *n* Londoner(in *f*) *m.*
lone [ləʊn] *adj* einzeln, einsam; (*only*) einzig ▶ ~ *mother* alleinerziehende Mutter; ~ *wolf* (*fig*) Einzelgänger *m.*
loneliness ['ləʊnlɪnɪs] *n* Einsamkeit *f.*
lonely ['ləʊnlɪ] *adj* (+*er*) einsam ▶ ~ *hearts ad* Kontaktanzeige *f.*
lone parent family *n* Familie *f* mit nur einem Elternteil, Einelternfamilie *f.*
loner ['ləʊnəʳ] *n* Einzelgänger(in *f*) *m.*
lonesome ['ləʊnsəm] *adj* (*esp US*) einsam ▶ *(all) on one's* ~ ganz allein.
long¹ [lɒŋ] [1] *adj* (+*er*) [a] (*in size*) lang; *glass* hoch; *journey* weit ▶ *it is 6 metres* ~ es ist 6 Meter lang; *to pull a* ~ *face* ein langes Gesicht machen; *it's a* ~ *way to Hamburg* nach Hamburg ist es weit; *to have a* ~ *memory* ein gutes Gedächtnis haben; *to be* ~ *in the tooth* (*col*) nicht mehr der/die Jüngste sein. [b] (*in time*) lang; *job* langwierig ▶ *it's a* ~ *time since I saw her* ich habe sie schon seit längerer Zeit nicht mehr gesehen; *will you need it for a* ~ *time?* brauchen Sie es lange?; *he's been here (for) a* ~ *time* er ist schon lange hier; ~ *time no see* (*col*) sieht man dich auch mal wieder? (*col*); *to take a* ~ *look at sth* etw lange betrachten; *how* ~ *is the film?* wie lange dauert der Film?; *to take the* ~ *view (of sth)* etw auf lange Sicht betrachten; *a* ~ *drink* (*mixed*) ein Longdrink *m.*
[2] *adv* lang(e) ▶ *to be* ~ *in doing sth* lange zu etw brauchen; *don't be ~!* beeil dich!; *I shan't be* ~ (*in finishing*) ich bin gleich fertig; (*in returning*) ich bin gleich wieder da; *all night* ~ die ganze Nacht; *something he had* ~ *wished to happen* etwas, was er sich (*dat*) schon lange gewünscht hatte; ~ *ago* vor langer Zeit; *not* ~ *ago* vor kurzem; ~ *before* lange vorher; *not* ~ *before* that kurz davor; *as* ~ *as* so lange wie; *we waited as* ~ *as we could* wir haben gewartet, solange wir konnten; *as* ~ *as, so* ~ *as* (*provided that*) solange; *how much ~er can you stay?* wie lange können Sie noch bleiben?; *no ~er* (*not any more*) nicht mehr; *I'll wait no ~er* ich warte nicht länger; *so ~!* (*col*) tschüs (*col*).
[3] *n* *the* ~ *and the short of it is that ...* der langen Rede kurzer Sinn (ist, daß), ...; *before* ~ bald; *are you going for ~?* werden Sie länger weg sein?; *it won't take* ~ das

dauert nicht lange.

long² *vi* sich sehnen (*for* nach); (*less passionately*) kaum erwarten können (*for sth* etw *acc*) ► *I am ~ing to go abroad* ich brenne darauf, ins Ausland zu gehen; *I'm ~ing to see that film* ich will den Film unbedingt sehen.

long: **~-distance** ① *adj lorry, call* Fern-; *flight, race* Langstrecken-; ② *adv to call ~ distance* ein Ferngespräch führen; **~-drawn-out** *adj speech* langatmig; *meeting* in die Länge gezogen.

longevity [lɒn'dʒevɪtɪ] *n* Langlebigkeit *f.*

long: **~-haired** *adj person* langhaarig; *dog etc* Langhaar-; **~hand** *n in ~hand* handschriftlich.

longing ['lɒŋɪŋ] ① *adj look* sehnsüchtig; *eyes* sehnsuchtsvoll.
② *n* Sehnsucht *f* (*for* nach) ► *to have a ~ to do sth* sich danach sehnen, etw zu tun.

longingly ['lɒŋɪŋlɪ] *adv* sehnsüchtig.

longish ['lɒŋɪʃ] *adj* ziemlich lang.

longitude ['lɒŋgɪtjuːd] *n* Länge *f.*

longitudinal [lɒŋgɪ'tjuːdɪnl] *adj* Längen-; *section, axis, stripe* Längs-.

long: **~ jump** *n* Weitsprung *m*; **~-legged** *adj* langbeinig; **~-lost** *adj* (*and found*) (längst) verloren geglaubt; **~-playing record** *n* Langspielplatte *f*, **~-range** *adj gun* weittragend; *missile, aircraft* Langstrecken-; *forecast* langfristig; **~-running** *adj* lang; *play* lange laufend; **~shoreman** *n* (*US*) Hafenarbeiter *m*; **~ shot** *n it's a ~ shot* das ist weit hergeholt; *not by a ~ shot* bei weitem nicht; **~-sighted** *adj* (*lit, fig*) weitsichtig; **~-sleeved** *adj* langärmelig; **~-standing** *adj* alt; *friendship also* langjährig; *interest, invitation* schon lange bestehend; **~-suffering** *adj* schwer geprüft; **~-term** ① *adj* langfristig; *effect, memory* Langzeit-; **~-term unemployment** Dauerarbeitslosigkeit *f*, ② *n in the ~ term* langfristig gesehen; **~ vacation** *n* (*Univ*) (Sommer)semesterferien *pl*; (*Sch*) große Ferien *pl*; **~ wave** *n* (*Rad*) Langwelle *f*, **~ways** *adv* der Länge nach; **~-winded** *adj* umständlich; *story* langatmig.

loo [luː] *n* (*Brit col*) Klo *nt* (*col*) ► *to go to the ~* aufs Klo gehen (*col*); *in the ~* auf dem Klo (*col*).

loofah ['luːfə] *n* **~ (sponge)** Luffaschwamm *m.*

▼ **look** [lʊk] ① *n* ⓐ (*glance*) Blick *m* ► *she gave me a dirty ~* sie warf mir einen vernichtenden Blick zu; *she gave me a ~ of disbelief* sie sah mich ungläubig an; *to have or take a ~ at sth* sich (*dat*) etw ansehen; *can I have a ~?* darf ich mal sehen?; *have a ~ at this!* sieh dir das mal an!; *let's have a ~* laß mal sehen!; *to take a good ~ at sth* sich (*dat*) etw genau ansehen; *to have a ~ for sth* sich nach etw umsehen; *to have a ~ around* sich umsehen; *shall we have a ~ around the town?* sollen wir uns (*dat*) die Stadt ansehen?
ⓑ (*air, appearances*) Aussehen *nt* ► *there was a ~ of despair in his eyes* ein verzweifelter Blick war in seinen Augen; *I don't like the ~ of him/this wound* er/diese Wunde gefällt mir gar nicht; *by the ~ of him* so, wie er aussieht.
ⓒ **~s** *pl* Aussehen *nt*; *good ~s* gutes Aussehen; *she's lost her ~s* sie sieht nicht mehr so gut aus; *you can't go by ~s alone* man kann nicht nur nach dem Äußeren gehen.
② *vt he is ~ing his age* man sieht ihm sein Alter an; *he's not ~ing himself these days* er sieht in letzter Zeit ganz verändert aus; *to ~ one's best* besonders gut aussehen; *~ what you've done!* sieh dir mal an, was du da angestellt hast!; *to ~ where you're going!* paß auf, wo du hintrittst!
③ *vi* ⓐ (*see, glance*) gucken (*col*), schauen (*dial*); (*with prep etc also*) sehen; (*search*) suchen, nachsehen ► *to ~ carefully* genau hinsehen *etc*; **~ here!** hör (mal) zu!; ►, *I know you're tired, but ...* ich weiß ja, daß du müde bist, aber ...; *just ~!* guck mal! (*col*); *to ~ over one's*

shoulder über die Schulter sehen; *to ~ over sb's shoulder* jdm über die Schulter sehen; *~ before you leap* (*Prov*) erst wägen, dann wagen (*Prov*).
ⓑ (*seem*) aussehen ► *it ~s all right to me* es scheint mir in Ordnung zu sein; *it ~s suspicious to me* es kommt mir verdächtig vor; *the car ~s about 10 years old* das Auto sieht so aus, als ob es etwa 10 Jahre alt wäre; *it ~s well on you* es steht dir gut; *to ~ like* aussehen wie; *the picture doesn't ~ like him* das Bild sieht ihm nicht ähnlich; *it ~s like rain* es sieht nach Regen aus; *it ~s as if we'll be late* es sieht (so) aus, als würden wir zu spät kommen.
ⓒ (*face*) gehen nach ► *this window ~s north* dieses Fenster geht nach Norden.

◆**look after** *vi +prep obj* ⓐ (*take care of*) sich kümmern um ► *to ~ ~ oneself* (*cook etc*) für sich selbst sorgen; (*be capable, strong etc*) auf sich (*acc*) aufpassen. ⓑ *bags, children* aufpassen auf (+*acc*).

◆**look around** *vi* ⓐ sich umsehen. ⓑ (*in shop etc*) sich umsehen ► *let's ~ ~ the garden* sehen wir uns den Garten an.

◆**look at** *vi +prep obj* (*also examine*) ansehen, angucken (*col*); (*view*) betrachten, sehen; (*consider*) *possibilities* sich (*dat*) überlegen; *offer* in Betracht ziehen ► *he ~ed ~ his watch* er sah auf die Uhr; *he/it isn't much to ~ ~* (*not attractive*) er/es sieht nicht besonders (gut) aus; (*nothing special*) er/es sieht nach nichts aus.

◆**look away** *vi* wegsehen.

◆**look back** *vi* sich umsehen; (*fig*) zurückblicken (*on sth, to sth* auf etw *acc*) ► *he's never ~ed ~ since* (*col*) seitdem ist es ständig mit ihm bergauf gegangen.

◆**look down** *vi* hinunter-/heruntersehen *or* -gucken (*col*) ► *we ~ed ~ the hole* wir sahen ins Loch hinunter.

◆**look down on** *vi +prep obj* (*lit, fig*) herabsehen auf (+*acc*).

◆**look for** *vi +prep obj* (*seek*) suchen ► *he's ~ing ~ trouble* er wird sich (*dat*) Ärger einhandeln; (*actively*) er sucht Streit.

◆**look forward to** *vi +prep obj* sich freuen auf (+*acc*) ► *I'm so ~ing ~ seeing you again* ich freue mich so darauf, dich wiederzusehen; *I ~ ~ ~ hearing from you* ich hoffe, bald von Ihnen zu hören.

◆**look in** *vi* ⓐ hinein-/hereinsehen *or* -gucken (*col*). ⓑ (*visit*) vorbeikommen (*on sb* bei jdm).

◆**look into** *vi +prep obj* hereinsehen in (+*acc*); (*investigate*) untersuchen; *complaint etc* prüfen.

◆**look on** *vi* ⓐ (*watch*) zusehen, zugucken (*col*). ⓑ *to ~ ~to* (*window*) (hinaus)gehen auf (+*acc*); (*building*) liegen an (+*dat*). ⓒ *+prep obj* (*also* **look upon**) betrachten, ansehen ► *to ~ ~ sb as a friend* jdn als Freund betrachten.

◆**look out** ① *vi* ⓐ hinaus-/heraussehen *or* -gucken (*col*) ► *to ~ ~ (of) the window* zum Fenster hinaussehen, aus dem Fenster sehen; *to ~ ~ for sb/troublemakers* nach jdm Ausschau halten/auf Unruhestifter achten. ⓑ (*take care*) aufpassen ► *~ ~!* paß auf! ② *vt sep* heraussuchen.

◆**look over** *vt sep papers, notes etc* durchsehen; *house* sich (*dat*) ansehen.

◆**look round** *vi* = **look around.**

◆**look through** ① *vi* durchsehen *or* -gucken (*col*) (*prep obj* durch) ► *he ~ed ~ the window* er sah zum Fenster hinein/herein; *to ~ straight ~ sb* durch jdn hindurchsehen. ② *vt sep* (*examine*) durchsehen ► *to ~ straight ~ sb* durch jdn hindurchgucken.

◆**look to** *vi +prep obj* ⓐ (*look after*) sich kümmern um. ⓑ (*rely on*) sich verlassen auf (+*acc*) ► *they ~ed ~ him to solve the problem* sie verließen sich darauf, daß er das Problem lösen würde.

◆**look up** ① *vi* ⓐ aufsehen, aufblicken. ⓑ (*improve*)

➤ SENTENCE BUILDER: **look: 1a** → 12.1 **2c** → 15.1 **3b** → 7.1, 13.2 **3c** → 9.3

besser werden; (*shares, prices*) steigen ▸ *things are ~ing*
~ es geht bergauf.
[2] *vt sep* [a] *to ~ sb ~ and down* jdn von oben bis
unten ansehen. [b] (*visit*) *to ~ sb ~* bei jdm vorbeischauen. [c] (*seek*) *word* nachschlagen.
lookalike ['lʊkəˌlaɪk] *n* Doppelgänger(in *f*) *m.*
looker-on ['lʊkə'(r)ɒn] *n* Schaulustige(r) *mf* (*pej*).
look-in ['lʊkɪn] *n:* *he didn't get a ~* (*col*) er hatte keine
Chance.
looking glass ['lʊkɪŋglɑːs] *n* Spiegel *m.*
look-out ['lʊkˌaʊt] *n* [a] (*Mil*) (*tower etc*) Ausguck *m*;
(*person*) Wachtposten *m* ▸ *to keep a ~ for* Ausschau
halten nach; *~ post* Beobachtungsposten *m.* [b]
(*prospect*) Aussichten *pl* ▸ *it's a grim ~ for us* es sieht
schlecht aus für uns. [c] (*col: worry*) *that's his ~!* das ist
sein Problem!
loom[1] [luːm] *n* Webstuhl *m.*
loom[2] *vi* (*also ~ ahead or up*) (*lit, fig*) sich abzeichnen;
(*storm*) heraufziehen; (*disaster*) sich zusammenbrauen;
(*danger*) drohen; (*difficulties*) sich auftürmen; (*exams*)
bedrohlich näherrücken ▸ *the ship ~ed (up) out of the
mist* das Schiff tauchte aus dem Nebel (auf); *to ~ large*
eine große Rolle spielen.
loony ['luːnɪ] [1] *adj* (+*er*) bekloppt (*col*).
[2] *n* Verrückte(r) *mf* (*col*) ▸ *~ bin* Klapsmühle *f* (*col*).
loony left (*Brit, Pol, pej col*) [1] *n:* *the ~* die radikale
Linke.
[2] *adj attr* linksradikal
loop [luːp] [1] *n* [a] (*curved shape*) Schlaufe *f*; (*of wire*)
Schlinge *f*; (*of river, also Comp, Elec*) Schleife *f.* [b]
(*Aviat*) Looping *m* ▸ *to ~ the ~* einen Looping machen.
[2] *vt rope etc* schlingen (*around* um).
loophole ['luːpˌhəʊl] *n* (*fig*) Hintertürchen *nt* ▸ *a ~ in
the law* eine Lücke im Gesetz.
loose [luːs] [1] *adj* (+*er*) [a] *board, button* lose; *dress, collar* weit; *tooth, bandage, knot, screw, soil, weave* locker;
limbs beweglich ▸ *~ change* Kleingeld *nt*; *a ~ connection* (*Elec*) ein Wackelkontakt *m*; *to come or work ~*
(*screw, handle etc*) sich lockern; (*button*) abgehen; *~
chippings* (*on road*) Rollsplitt *m.*
[b] (*free*) *to break or get ~* (*person, animal*) sich
losreißen (*from* von); (*break out*) ausbrechen; *to run ~*
frei herumlaufen; (*of children*) unbeaufsichtigt herumlaufen; *to be at a ~ end* (*fig*) nichts mit sich anzufangen wissen; *to turn or set ~* frei herumlaufen
lassen; *prisoner* freilassen; *to tie up the ~ ends* (*fig*) ein
paar offene Probleme lösen.
[c] (*not exact, vague*) *translation* frei; *account* ungenau; *connection* lose; *thinking* unlogisch.
[d] (*too free, immoral*) *conduct* lose; *morals* locker; *person* unmoralisch.
[2] *n* (*col*) *to be on the ~* (*prisoners, dangerous animals*)
frei herumlaufen.
[3] *vt* [a] (*free*) befreien. [b] (*untie*) losmachen. [c]
(*slacken*) lockern.
loose: *~ covers* *npl* Überzüge *pl*; *~-fitting* *adj* weit; *~-
knit* *adj* lose zusammenhängend; *~-leaf binder* *n*
Ringbuch *nt*; *~-limbed* *adj* (*lithe*) gelenkig.
loosely ['luːslɪ] *adv* lose, locker; *behave* unmoralisch ▸ *~
speaking* grob gesagt; *I was using the word rather ~*
ich habe das Wort ziemlich frei gebraucht.
loosen ['luːsn] [1] *vt* [a] (*free*) befreien; *tongue* lösen.
[b] (*untie*) lösen. [c] (*slacken*) lockern; *collar* aufmachen.
[2] *vi* sich lockern.
◆**loosen up** [1] *vt sep muscles* lockern.
[2] *vi* (*muscles*) locker werden; (*athlete*) sich
(auf)lockern; (*relax*) auftauen.
loot [luːt] [1] *n* Beute *f*, (*col: money*) Zaster *m* (*col*).
[2] *vti* plündern.
looter ['luːtə'] *n* Plünderer *m.*
lop [lɒp] *vt tree* stutzen; (*also ~ off*) abhacken.

lope [ləʊp] *vi* in großen Sätzen springen; (*hare*) hoppeln.
lopsided [ˌlɒp'saɪdɪd] *adj* schief; (*fig*) einseitig.
loquacious [lə'kweɪʃəs] *adj* redselig.
lord [lɔːd] [1] *n* [a] (*master, ruler*) Herr *m* ▸ *~ and master* Herr und Meister *m.* [b] (*Brit*) Lord *m* ▸ *the (House
of) L~s* das Oberhaus; *my ~* (*to noble*) (*in English
contexts*) Mylord; (*to judge*) Euer Ehren; *L~ Chancellor*
Lordkanzler *m*; *L~ Mayor* ≃ Oberbürgermeister *m.* [c]
(*Rel*) *L~* Herr *m*; *the L~'s prayer* das Vaterunser;
(good) L~! (*col*) ach, du lieber Himmel! (*col*); *L~
knows* (*col*) wer weiß; *L~ knows I've tried often
enough* ich hab's weiß Gott oft genug versucht.
[2] *vt* *to ~ it* das Zepter schwingen; *to ~ it over sb* jdn
herumkommandieren.
lordship ['lɔːdʃɪp] *n* (*Brit: title*) Lordschaft *f* ▸ *Your L~*
Eure Lordschaft; (*to judge*) Euer Ehren.
lore [lɔːʳ] *n* Überlieferungen *pl*; (*knowledge*) Wissen *nt* ▸
plant ~ Pflanzenkunde *f.*
Lorraine [lɒ'reɪn] *n* Lothringen *nt.*
lorry ['lɒrɪ] *n* (*Brit*) Last(kraft)wagen, Lkw, Laster (*col*) *m*
▸ *~ driver* Last(kraft)wagenfahrer(in *f*) *m*; *~load*
Lastwagenladung *f.*
lose [luːz] *pret, ptp* **lost** [1] *vt* [a] verlieren; *pursuer* abschütteln; *one's French* verlernen; *prize* nicht bekommen
▸ *the shares have lost 15% in a month* die Aktien sind
in einem Monat um 15% gefallen; *you will ~ nothing
by helping them* es kann dir nicht schaden, wenn du
ihnen hilfst; *that mistake lost him the game* dieser
Fehler kostete ihn den Sieg; *to ~ no time in doing sth*
etw sofort tun; *my watch lost three hours in a week*
meine Uhr ist innerhalb einer Woche drei Stunden
nachgegangen; *to ~ weight* abnehmen.
[b] (*not catch*) *train, opportunity* verpassen; *words*
nicht mitbekommen ▸ *you've lost me now with all this
abstract argument* bei dieser abstrakten Argumentation
komme ich nicht mehr mit.
[c] *to be lost* (*things*) verschwunden sein; (*people*)
sich verlaufen haben; (*driver*) sich verfahren haben; (*fig*)
verloren sein; (*words*) untergehen; *I can't follow the
reasoning, I'm lost* ich kann der Argumentation nicht
folgen, ich verstehe nichts mehr; *to get lost* sich verlaufen; (*driver*) sich verfahren; *get lost!* (*col*) verschwinde! (*col*); *to give sb/sth up for lost* jdn verloren
geben/etw abschreiben; *I'm lost without my watch*
ohne meine Uhr bin ich verloren *or* aufgeschmissen
(*col*); *classical music is lost on him* er hat keinen Sinn
für klassische Musik; *the remark was lost on her* die
Bemerkung kam bei ihr nicht an.
[2] *vi* verlieren; (*watch*) nachgehen ▸ *you can't ~* du
kannst nur gewinnen.
◆**lose out** *vi* (*col*) den kürzeren ziehen (*on* bei) (*col*).
loser ['luːzəʳ] *n* Verlierer(in *f*) *m* ▸ *he's a born ~* er ist
der geborene Verlierer; *to be a bad ~* ein schlechter
Verlierer sein.
losing ['luːzɪŋ] *adj team* Verlierer- ▸ *a ~ battle* ein aus-
sichtsloser Kampf; *to fight a ~ battle* auf verlorenem Posten kämpfen.
loss [lɒs] *n* [a] Verlust *m* ▸ *there was a heavy ~ of life*
viele kamen ums Leben; *the army suffered heavy ~es*
die Armee erlitt schwere Verluste; *his business is running at a ~* er arbeitet mit Verlust; *to sell sth at a ~* etw
mit Verlust verkaufen; *a dead ~* (*col*) ein böser Reinfall
(*col*); (*person*) ein hoffnungsloser Fall (*col*). [b] *to be at
a ~* nicht mehr weiterwissen; *to be at a ~ to explain
sth* etw nicht erklären können; *to be at a ~ for words*
nicht wissen, was man sagen soll.
loss: *~ leader* *n* Lockvogelangebot *nt*; *~-making* *adj*
mit Verlust arbeitend.
lost [lɒst] [1] *pret, ptp* of **lose**.
[2] *adj* verloren; *child* verschwunden; *opportunity* verpaßt ▸ *~ cause* aussichtslose Sache; *~-and-found (de-*

partment) (US), **~ property office** (Brit) Fundbüro nt.

lot¹ [lɒt] n **a** (for deciding) Los nt ► **to cast** or **draw ~s for sth** etw verlosen. **b** (destiny) Los n ► **it falls to my ~ to tell him** mir fällt die Aufgabe zu, es ihm zu sagen; **to throw in one's ~ with sb** sich mit jdm zusammentun. **c** (plot) Parzelle f ► **parking ~** (US) Parkplatz m. **d** (number of articles) Posten m; (at auction) Los nt ► **where shall I put this ~?** (col) wo soll ich das hier hintun?; **divide the books up into three ~s** teile die Bücher in drei Stapel auf; **he's just given me another ~** er hat mir gerade einen neuen Stoß or noch eine Ladung gegeben (col). **e** (col: group) Haufen m ► **that ~ in the next office** die Typen vom Büro nebenan (col). **f** **the ~** alle; (quantity) alles; **that's the ~** das ist alles; **the whole ~ of them** sie alle; **he's eaten the ~** er hat alles aufgegessen.

lot² **1** n **a ~, ~s** viel; **a ~ of money** viel Geld; **a ~ of books, ~s of books** (col) viele Bücher; **such a ~** so viel; **quite a ~ of books** ziemlich viele Bücher; **he made ~s and ~s of mistakes** (col) er hat eine Unmenge Fehler gemacht; **we see a ~ of John these days** wir sehen John in letzter Zeit sehr oft; **I'd give a ~ to know ...** ich würde viel darum geben, wenn ich wüßte ...; **thanks a ~!** (also iro) vielen Dank! **2** adv **a ~, ~s** (col) viel; **things have changed a ~** es hat sich vieles geändert; **I feel ~s** (col) or **a ~ better** es geht mir sehr viel besser.

lotion ['ləʊʃən] n Lotion f.

lottery ['lɒtərɪ] n Lotterie f ► **~ prize** Lotteriegewinn m; **~ ticket** Lotterielos nt.

loud [laʊd] **1** adj (+er) **a** laut ► **~ and clear** laut und deutlich. **b** behaviour aufdringlich; colour schreiend; (in bad taste) auffällig. **2** adv laut ► **to say sth out ~** etw laut sagen.

loudhailer [ˌlaʊd'heɪləʳ] n Megaphon nt; (not handheld) Lautsprecher m.

loudly ['laʊdlɪ] adv laut ► **he was ~ dressed in blue** er war in ein grelles Blau gekleidet.

loud-mouthed ['laʊd,maʊðd] adj (col) großmäulig (col).

loudness ['laʊdnɪs] n Lautstärke f.

loudspeaker [ˌlaʊd'spiːkəʳ] n Lautsprecher m; (of hi-fi, in enclosure) Box f.

lounge [laʊndʒ] **1** n (in house) Wohnzimmer nt; (in hotel) Gesellschaftsraum m; (also **~ bar**) Salon m; (at airport) Warteraum m. **2** vi faulenzen ► **to ~ about** herumliegen/-sitzen/-stehen.

lounger ['laʊndʒəʳ] n (person) Faulenzer m; (chair) Liegestuhl m.

lounge suit n Straßenanzug m.

lour, lower ['laʊəʳ] vi (person) ein finsteres Gesicht machen; (clouds) sich türmen ► **to ~ at sb** jdn finster or drohend ansehen.

louse [laʊs] n, pl **lice** (Zool) Laus f.

lousy ['laʊzɪ] adj (col: very bad) saumäßig (col), beschissen (col!); trick etc fies (col) ► **I'm ~ at arithmetic** in Mathe bin ich miserabel (col); **a ~ $3** lausige 3 Dollar (col).

lout [laʊt] n Rüpel, Flegel m.

louvre, (US) louver ['luːvəʳ] n Lamelle f; (for ventilation) Luftschlitz m ► **~ door** Lamellentür f.

lovable ['lʌvəbl] adj liebenswert.

▼ **love** [lʌv] **1** n **a** (affection) Liebe f ► **~ of learning** Freude f am Lernen; **~ of books** Liebe f zu Büchern; **he studies history for the ~ of it** er studiert Geschichte aus Liebe zur Sache; **to be in ~ (with sb)** (in jdn) verliebt sein; **to fall in ~ (with sb)** sich (in jdn) verlieben; **there is no ~ lost between them** sie können sich nicht ausstehen; **to make ~** (sexually) miteinander schlafen; **to make ~ to sb** (sexually) mit jdm schlafen. **b** (greetings)

all my ~ mit herzlichen Grüßen; **give him my ~** grüß ihn von mir; **he sends his ~** er läßt grüßen; **yes, (my) ~** ja, Liebling. **c** (Tennis) null ► **fifteen ~** fünfzehn null. **2** vt lieben; (like) (really) gern mögen ► **I ~ tennis** ich mag Tennis gern; (to play) ich spiele sehr gern Tennis; **I'd ~ to come** ich würde sehr gerne kommen.

love: **~ affair** n Verhältnis nt; **~ game** n (Tennis) Zu-Null-Spiel nt; **~-hate relationship** n Haßliebe f; **~ letter** n Liebesbrief m; **~ life** n Liebesleben nt.

loveliness ['lʌvlɪnɪs] n Schönheit f.

lovely ['lʌvlɪ] adj (+er) (beautiful) schön; object also hübsch; baby niedlich; (delightful) herrlich; (likeable) nett ► **we had a ~ time** es war sehr schön; **it's ~ and warm in this room** es ist schön warm in diesem Zimmer; **it's been ~ to see you** es war schön, dich zu sehen.

love-making ['lʌv,meɪkɪŋ] n (sexual) Liebe f.

lover ['lʌvəʳ] n **a** Geliebte(r) mf ► **the ~s** das Liebespaar; **to be a good ~** gut in der Liebe sein. **b** **a ~ of good food** ein Freund m von gutem Essen; **music ~** Musikliebhaber m; **art ~** Kunstfreund m.

love: **~sick** adj liebeskrank (geh); **to be ~sick** Liebeskummer m haben; **~ song** n Liebeslied nt; **~ story** n Liebesgeschichte nt.

loving ['lʌvɪŋ] adj liebend; look, disposition liebevoll.

lovingly ['lʌvɪŋlɪ] adv liebevoll.

low¹ [ləʊ] **1** adj (+er) niedrig; form of life nieder; bow, note, punch tief; density, intelligence gering; food supplies knapp; quality minderwertig; light gedämpft; rank, position also untergeordnet; tastes, manners gewöhnlich, ordinär (pej); company schlecht; joke, song geschmacklos; trick gemein; resistance gering; morale schlecht ► **~ pressure** (Met) Tiefdruck m; **to speak in a ~ voice** leise sprechen; **the lamp was ~** die Lampe brannte schwach; **to feel ~** sich nicht wohl or gut fühlen; (emotionally) niedergeschlagen sein. **2** adv aim nach unten; speak, sing leise; fly, bow tief ► **I would never sink so ~ as to ...** so tief würde ich nie sinken, daß ich ...; **share prices went so ~ that ...** die Aktienkurse fielen so sehr, daß ...; **to run** or **get ~** knapp werden; **we are getting ~ on petrol** uns (dat) geht das Benzin aus. **3** **a** (Met) Tief nt; (fig also) Tiefpunkt m ► **to reach a new ~** einen neuen Tiefstand erreichen. **b** (Aut: ~ gear) niedriger Gang.

low² **1** n (of cow) Muh nt. **2** vi muhen.

low: **~-alcohol** adj alkoholarm; **~brow** adj (geistig) anspruchslos; **~-cal** [-'kæl], **~-calorie** adj kalorienarm; **~-cost** adj preiswert; **the L~ Countries** npl die Niederlande pl; **~-cut** adj dress tief ausgeschnitten; **~down** (col) **1** n Informationen pl; **he gave me the ~down on it** er hat mich darüber aufgeklärt; **2** adj (esp US) gemein, fies (col); **~-emission** adj abgasarm.

lower¹ ['ləʊəʳ] **1** adj see **low¹** niedriger; tiefer etc; jaw, arm Unter-; limbs, storeys untere(r, s) ► **the ~ school** die Unter- und Mittelstufe; **hemlines are ~ this year** die Röcke sind dieses Jahr länger; **the ~ classes** die untere(n) Schicht(en). **2** adv tiefer; leiser ► **~ down the mountain** weiter unten am Berg; **~ down the scale/the list** weiter unten auf der Skala/Liste. **3** vt load herunter-/hinunterlassen; eyes, gun senken; sail, flag einholen; bicycle saddle niedriger machen; pressure verringern; voice, price senken; morale, resistance schwächen; standard herabsetzen ► **~ your voice** sprich leiser!; **his behaviour ~ed him in my opinion** sein Benehmen ließ ihn in meiner Achtung sinken; **to ~ the tone of the conversation** das Gesprächsniveau senken; **to ~ oneself to do sth** sich soweit erniedrigen, daß man etw tut.

lower² ['laʊəʳ] vi = **lour.**

lower case ['ləʊəkeɪs] n Kleinbuchstaben pl.
low: ~-**fat** adj fettarm; ~-**flying** adj tieffliegend; ~-*flying aircraft* Tiefflieger m; ~-**grade** adj minderwertig; ~-**key** adj approach gelassen; handling besonnen; production einfach gehalten; reception reserviert; ~**land** n Flachland nt; ~-**level** adj radioactivity mit niedrigem Strahlungswert; (Comp) language nieder; ~-**loader** n Tieflader m.
lowly ['ləʊlɪ] adj (+er) bescheiden.
low-lying [,ləʊ'laɪɪŋ] adj tiefgelegen.
low: ~-**pitched** adj tief; ~-**powered** adj engine schwach; car etc schwach motorisiert; ~-**profile** adj wenig profiliert; ~-**rise** attr niedrig (gebaut); ~-**season** n Nebensaison f; ~-**spirited** adj niedergeschlagen; ~-**tech** adj technisch unkompliziert; ~-**tension** adj (Elec) Niederspannungs-; ~ **tide**, ~ **water** n Ebbe f, Niedrigwasser nt.
loyal ['lɔɪəl] adj treu ▶ he was ~ to his friends er hielt (treu) zu seinen Freunden.
loyalist ['lɔɪəlɪst] [1] n Loyalist m.
[2] adj loyal; troops regierungstreu.
loyally ['lɔɪəlɪ] adv treu.
loyalty ['lɔɪəltɪ] n Treue f; (esp Pol also) Loyalität f ▶ conflicting loyalties nicht zu vereinbarende Treuepflichten; his changing political loyalties seine wechselnden politischen Bekenntnisse.
lozenge ['lɒzɪndʒ] n [a] (Med) Pastille f. [b] (shape) Raute f.
LP = **long player, long playing record** LP f.
LPG = **liquefied petroleum gas** Mischung f von Butan- und Propangas.
L-plate ['elpleɪt] n Schild nt mit der Aufschrift „L" (für Fahrschüler).

| L-PLATES |

ⓘ Als L-Plates werden in Großbritannien die weißen Schilder mit einem roten 'L' bezeichnet, die vorne und hinten an jedem von einem Fahrschüler geführten Fahrzeug befestigt werden müssen. Fahrschüler müssen einen vorläufigen Führerschein beantragen und dürfen damit unter der Aufsicht eines erfahrenen Autofahrers auf allen Straßen außer Autobahnen fahren.

LPN (US) = **Licensed Practical Nurse** staatlich zugelassene Krankenschwester.
LSD = **lysergic acid diethylamide** LSD nt.
LSE (Brit) = **London School of Economics.**
LST (US) = **Local Standard Time** Ortszeit f.
LT (Elec) = **low tension.**
Lt = **Lieutenant** Lt.
Ltd = **Limited** GmbH.
lubricant ['luːbrɪkənt] n Schmiermittel nt.
lubricate ['luːbrɪkeɪt] vt (lit, fig) schmieren, ölen ▶ well-~d (hum) gut abgefüllt (col).
lubrication [,luːbrɪ'keɪʃən] n Schmieren, Ölen nt.
Lucerne [luː'sɜːn] n Luzern nt ▶ Lake ~ Vierwaldstätter See m.
lucid ['luːsɪd] adj (+er) (clear) klar; explanation anschaulich ▶ ~ intervals lichte Augenblicke.
lucidity [luː'sɪdɪtɪ] n Klarheit f; Anschaulichkeit f.
lucidly ['luːsɪdlɪ] adv klar; explain anschaulich.
luck [lʌk] n Glück nt ▶ bad ~ Unglück, Pech nt; bad ~! so ein Pech!; good ~ Glück nt; good ~! viel Glück!; good ~ to them! (iro), and the best of (British) ~! (iro) na dann viel Glück!; no such ~! schön wär's! (col); just my ~! Pech (gehabt), wie immer!; it's the ~ of the draw man muß es eben nehmen, wie's kommt; with any ~ mit etwas Glück; worse ~ leider; better ~ next time! vielleicht klappt es beim nächsten Mal!; to be in ~ Glück haben; to be out of ~ kein Glück haben; he was a bit down on his ~ er hatte eine Pechsträhne; to bring

sb bad ~ jdm Unglück bringen; as ~ would have it wie es der Zufall wollte; for ~ als Glücksbringer; to try one's ~ sein Glück versuchen.
luckily ['lʌkɪlɪ] adv glücklicherweise ▶ ~ for me zu meinem Glück.
lucky ['lʌkɪ] adj (+er) (having, bringing luck) person, number Glücks-; coincidence glücklich ▶ ~ charm Glücksbringer m; ~ dip ≃ Glückstopf m; it must be my ~ day ich habe wohl heute meinen Glückstag; you ~ thing!, you ~ beggar (col)! du Glückliche(r)!; to be ~ Glück haben; I was ~ enough to meet him ich hatte das Glück, ihn kennenzulernen; you are ~ to be alive du kannst von Glück sagen, daß du noch lebst; you were ~ to catch him du hast Glück gehabt, daß du ihn erwischt hast; you'll be ~ to make it in time wenn du das noch schaffst, hast du (aber) Glück; I want another £500 — you'll be ~! ich will nochmal £500 haben — viel Glück!; it was ~ I stopped him in time zum Glück habe ich ihn rechtzeitig aufgehalten; that was a ~ escape da habe ich/hast du etc nochmal Glück gehabt.
lucrative ['luːkrətɪv] adj einträglich, lukrativ.
ludicrous ['luːdɪkrəs] adj grotesk; sight, words also lächerlich.
luffa ['lʌfə] n (US) = **loofah.**
lug [lʌg] vt schleppen.
luggage ['lʌgɪdʒ] n (esp Brit) Gepäck nt.
luggage (Brit): ~ **label** n (stick-on) Gepäckaufkleber m; ~ **locker** n Gepäckschließfach nt; ~ **rack** n (Rail etc) Gepäckablage f, (Aut) Gepäckträger m; ~ **trolley** n Kofferkuli m; ~ **van** n (Rail) Gepäckwagen m.
lugubrious [luː'guːbrɪəs] adj person, song schwermütig; expression kummervoll.
Luke [luːk] n ≃ Lukas m.
lukewarm ['luːkwɔːm] adj (lit, fig) lauwarm; support also mäßig; friendship oberflächlich.
lull [lʌl] [1] n Pause f; (Comm) Flaute f ▶ a ~ in the wind eine Windstille; a ~ in the conversation eine Gesprächspause.
[2] vt baby beruhigen; (fig) einlullen ▶ to ~ a baby to sleep ein Baby in den Schlaf wiegen; he was ~ed into a sense of false security er wiegte sich in trügerischer Sicherheit.
lullaby ['lʌləbaɪ] n Wiegenlied nt.
lumbago [lʌm'beɪgəʊ] n Hexenschuß m.
lumber¹ ['lʌmbər] [1] n [a] (timber) (Bau)holz nt. [b] (junk) Gerümpel nt.
[2] vt (Brit col) to ~ sb with sth jdm etw aufhalsen (col); he got ~ed with the job man hat ihm die Arbeit aufgehalst (col); I got ~ed with her for the evening ich hatte sie den ganzen Abend auf dem Hals (col).
lumber² vi (cart) rumpeln; (elephant, person) trampeln.
lumber: ~**jack** n Holzfäller m; ~ **room** n Rumpelkammer f; ~**yard** n (US) Holzlager m.
luminous ['luːmɪnəs] adj leuchtend; paint, dial Leucht-.
lump [lʌmp] [1] n Klumpen m; (of sugar) Stück nt; (swelling) Beule f ▶ with a ~ in one's throat (fig) mit einem Kloß im Hals.
[2] vt (col) if he doesn't like it he can ~ it wenn's ihm nicht paßt, hat er eben Pech gehabt (col).
◆**lump together** vt sep [a] (put together) zusammentun; books zusammenstellen; expenses, money zusammenlegen. [b] (judge together) persons, topics über einen Kamm scheren ▶ he ~ed all the soldiers ~ as traitors er urteilte all die Soldaten pauschal als Verräter ab.
lump: ~ **sugar** n Würfelzucker m; ~ **sum** n Pauschalsumme f; to pay sth in a ~ sum etw pauschal bezahlen.
lumpy ['lʌmpɪ] adj (+er) klumpig.
lunacy ['luːnəsɪ] n Wahnsinn m ▶ it's sheer ~! das ist reiner Wahnsinn!

lunar ['lu:nə^r] *adj* Mond- ▸ ~ *eclipse* Mondfinsternis *f*; ~ *module* Mondfähre *f*.

lunatic ['lu:nətɪk] **1** *adj* verrückt, wahnsinnig ▸ ~ *fringe* radikale Randgruppe. **2** *n* Wahnsinnige(r), Irre(r) *mf* ▸ ~ *asylum* Irrenanstalt *f*.

lunch [lʌntʃ] *n* Mittagessen *nt* ▸ *to have* ~ (zu) Mittag essen; *he's at* ~ er ist beim Mittagessen.

lunch break *n* Mittagspause *f*.

luncheon ['lʌntʃən] *n* (*form*) Mittagessen *nt* ▸ ~ *meat* Frühstücksfleisch *nt*; ~ *voucher* Essensmarke *f*.

lunch: ~ *hour* *n* Mittagspause *f*; ~ *table* *n* Mittagstisch *m*; ~*time* *n* Mittagspause *f*.

lung [lʌŋ] *n* (*also pl*) Lunge *f* ▸ *to fill one's* ~*s* tief einatmen; ~ *cancer* Lungenkrebs *m*.

lunge [lʌndʒ] **1** *n* Satz *m* nach vorn; (*esp Fencing*) Ausfall *m* ▸ *he made a* ~ *at his opponent* er stürzte sich auf seinen Gegner. **2** *vi* (sich) stürzen ▸ *to* ~ *at sb* sich auf jdn stürzen.

lupin, (*US*) **lupine** ['lu:pɪn] *n* Lupine *f*.

lurch¹ [lɜ:tʃ] *n*: *to leave sb in the* ~ (*col*) jdn im Stich lassen, jdn hängenlassen (*col*).

lurch² **1** *n* Ruck *m*; (*of boat*) Schlingern *nt* ▸ *to give a* ~ einen Ruck machen; (*boat*) schlingern. **2** *vi* **a** *see to give a* ~. **b** (*move with* ~*es*) sich ruckartig bewegen; (*boat*) schlingern; (*person*) taumeln ▸ *the train* ~*ed to a standstill* der Zug kam mit einem Ruck zum Stehen; *to* ~ *about* hin und her schlingern/ hin und her taumeln.

lure [lʊə^r] **1** *n* (*bait*) Köder *m*; (*person, for hawk*) Lockvogel *m*; (*general*) Lockmittel *nt*; (*fig: of city, sea etc*) Verlockungen *pl*. **2** *vt* anlocken ▸ *to* ~ *sb/an animal into a trap* jdn/ein Tier in eine Falle locken; *to* ~ *sb/an animal out* jdn/ein Tier herauslocken.

lurid ['lʊərɪd] *adj* (+*er*) *colour, sky* grell; *dress* grellfarben, in grellen Farben; *posters also* schreiend; *language* reißerisch; *account* sensationslüstern; *detail* grausig; (*sordid*) widerlich.

lurk [lɜ:k] *vi* lauern ▸ *a doubt still* ~*ed in his mind* ein Zweifel plagte ihn noch.

luscious ['lʌʃəs] *adj* köstlich; *fruit also* saftig; *girl* zum Anbeißen (*col*).

lush [lʌʃ] *adj grass* saftig, satt; *vegetation* üppig.

lust [lʌst] **1** *n* (*inner sensation*) Wollust *f*; (*wanting to acquire*) Begierde *f* (*for* nach); (*greed*) Gier *f* (*for* nach) ▸ ~ *for power* Machtgier *f*. **2** *vi to* ~ *after, to* ~ *for* (*sexually*) begehren (+*acc*); (*greedily*) gieren nach.

lustful *adj*, ~**ly** *adv* ['lʌstfʊl, -fəlɪ] lüstern.

lustily ['lʌstɪlɪ] *adv* kräftig; *sing* aus voller Kehle.

lustre, (*US*) **luster** ['lʌstə^r] *n* Schimmer *m*; (*in eyes*) Glanz *m*.

lustrous ['lʌstrəs] *adj* schimmernd, glänzend.

lusty ['lʌstɪ] *adj* (+*er*) *person* gesund und munter; *man also* urwüchsig; *appetite* herzhaft; *cheer, cry* kräftig; *push, kick etc* kraftvoll.

lute [lu:t] *n* Laute *f*.

Lutheran ['lu:θərən] **1** *adj* lutherisch. **2** *n* Lutheraner(in *f*) *m*.

Luxembourg ['lʌksəmbɜ:g] **1** *n* Luxemburg *nt*. **2** *adj* luxemburgisch.

luxuriant [lʌg'zjʊərɪənt] *adj* üppig.

luxuriate [lʌg'zjʊərɪeɪt] *vi to* ~ *in sth* sich in etw (*dat*) aalen.

luxurious [lʌg'zjʊərɪəs] *adj* luxuriös, Luxus-; *carpet, hotel also* feudal; *food* üppig.

luxuriously [lʌg'zjʊərɪəslɪ] *adv* luxuriös.

luxury ['lʌkʃərɪ] **1** *n* Luxus *m*; (*of car, house etc*) luxuriöse Ausstattung ▸ *to live a life of* ~ ein Luxusleben führen; *the little luxuries* die kleinen Genüsse. **2** *adj* (*cruise, tax*) Luxus-.

LV (*Brit*) = **luncheon voucher.**

LW (*Rad*) = **long wave** LW.

Lycra ® ['laɪkrə] *n* Lycra ® *nt*.

lying ['laɪɪŋ] **1** *adj* verlogen. **2** *n* Lügen *nt* ▸ *that would be* ~ das wäre gelogen.

lynch [lɪntʃ] *vt* lynchen ▸ ~ *law* Lynchjustiz *f*.

lynx [lɪŋks] *n* Luchs *m*.

lyre ['laɪə^r] *n* Leier *f*.

lyric ['lɪrɪk] **1** *adj* lyrisch ▸ ~ *poetry* Lyrik *f*; ~ *poet* Lyriker(in *f*) *m*. **2** *n* (*poem*) lyrisches Gedicht; (*often pl: words of song*) Text *m*.

lyrical ['lɪrɪkəl] *adj* lyrisch; (*fig*) schwärmerisch ▸ *to get or wax* ~ *about sth* über etw (*acc*) ins Schwärmen geraten.

M

M, m [em] *n* M, m *nt* ▸ *M for Mary* (*Brit*), *M for Mike* (*US*) ≃ M wie Martha.
m = [a] **million(s)** Mio. [b] **metre(s)** m. [c] **mile(s)**. [d] **minute(s)** min. [e] **married** verh. [f] **masculine** m.
M (*Brit*) = **motorway**.
MA = [a] **Master of Arts**. [b] (*US Post*) = **Massachusetts**.
ma [mɑː] *n* (*col*) Mama (*col*), Mutti (*col*) *f.*
mac [mæk] *n* (*Brit col*) Regenmantel *m.*
macabre [mə'kɑːbrə] *adj* makaber.
macaroni [ˌmækə'rəʊnɪ] *n* Makkaroni *pl* ▸ **~ cheese** Käsenudeln *pl.*
macaroon [ˌmækə'ruːn] *n* Makrone *f.*
mace[1] [meɪs] *n* (*weapon*) Streitkolben *m*; (*mayor's*) Amtsstab *m.*
mace[2] *n* (*spice*) Muskatblüte *f.*
Macedonia [ˌmæsɪ'dəʊnɪə] *n* Mazedonien *nt.*
Macedonian [ˌmæsɪ'dəʊnɪən] [1] *n* Mazedonier(in *f*) *m.*
[2] *adj* mazedonisch.
machete [mə'ʃetɪ, mə'tʃeɪtɪ] *n* Machete *f.*
Machiavellian [ˌmækɪə'velɪən] *adj* machiavellistisch.
machinations [ˌmækɪ'neɪʃənz] *npl* Machenschaften *pl.*
machine [mə'ʃiːn] [1] *n* Maschine *f*, Apparat *m*; (*vending* ~) Automat *m.*
[2] *vt* (*Tech*) maschinell herstellen; (*treat with machine*) maschinell bearbeiten; (*Sew*) mit der Maschine nähen.
machine: ~ code *n* (*Comp*) Maschinencode *m*; **~ gun** *n* Maschinengewehr *nt*; **~ minder** *or* **operative** *n* Maschinenarbeiter *m*; (*skilled*) Maschinist *m*; **~-readable** *adj* maschinenlesbar, maschinell lesbar.
machinery [mə'ʃiːnərɪ] *n* (*lit, fig*) Maschinerie *f*; (*mechanism*) Mechanismus *m* ▸ *the ~ of government* der Regierungsapparat.
machine: ~ shop *n* Maschinensaal *m*; **~ tool** *n* Werkzeugmaschine *f*; **~ translation** *n* maschinelle Übersetzung; **~ washable** *adj* waschmaschinenfest.
machinist [mə'ʃiːnɪst] *n* (*Tech*) (*operator*) Maschinist *m*; (*Sew*) Näher(in *f*) *m.*
macho ['mætʃəʊ] *adj* macho *pred*, Macho- ▸ **~ type** Macho *m.*
mackerel ['mækrəl] *n* Makrele *f.*
mackintosh ['mækɪntɒʃ] *n* Regenmantel *m.*
macro- ['mækrəʊ-] *pref* makro-, Makro- ▸ **~economics** Makroökonomie *f.*
mad [mæd] [1] *adj* (+*er*) [a] wahnsinnig; *dog* tollwütig; *idea* verrückt ▸ *to go ~* wahnsinnig werden; *to drive sb ~* jdn wahnsinnig *or* verrückt machen; *he's as ~ as a hatter or a March hare* (*prov*) er ist total verrückt; *you must be ~!* du bist ja wahnsinnig!; *they made a ~ rush for the door* sie stürzten zur Tür; *you ~ fool!* du bist ja wahnsinnig! [b] (*col: angry*) sauer (*col*) ▸ *to be ~ at sb* auf jdn sauer (*col*) sein; *to be ~ about or at sth* über etw (*acc*) wütend *or* sauer (*col*) sein. [c] (*col: very keen*) *to be ~ about or on sth* auf etw (*acc*) verrückt sein.
[2] *adv* (*col*) *to be ~ keen on sb/sth* ganz scharf auf jdn/etw sein (*col*); *to be ~ keen to do sth* ganz versessen darauf sein, etw zu tun; *like ~* wie verrückt.
Madagascan [ˌmædə'gæskən] [1] *adj* madagassisch.
[2] *n* Madagasse *m*, Madagassin *f.*
Madagascar [ˌmædə'gæskəʳ] *n* Madagaskar *nt.*

madam ['mædəm] *n* [a] *yes, ~* sehr wohl, gnädige Frau (*old, form*); *can I help you, ~?* kann ich Ihnen behilflich sein?; *Dear Sir or M~* Sehr geehrte Damen und Herren; *M~ Chairman* Frau Vorsitzende. [b] (*col: girl*) kleine Madam. [c] (*of brothel*) Bordellwirtin *f.*
madcap ['mædkæp] *adj* versponnen.
madden ['mædn] *vt* (*make angry*) ärgern.
maddening ['mædnɪŋ] *adj* zum Verrücktwerden; *delay* also lästig; *habit* aufreizend ▸ *isn't it ~?* ist das nicht ärgerlich?
made [meɪd] *pret, ptp of* **make** ▸ **~ up** erfunden.
Madeira [mə'dɪərə] *n* Madeira *nt*; (*wine*) Madeira *m* ▸ **~ cake** Sandkuchen *m.*
made: ~-to-measure *adj* maßgeschneidert; **~-to-measure suit** Maßanzug *m*; **~-to-order** *adj* speziell angefertigt; *clothes* maßgeschneidert.
madhouse ['mædhaʊs] *n* (*lit, fig*) Irrenhaus *nt.*
madly ['mædlɪ] *adv* wie verrückt; (*col: extremely*) wahnsinnig ▸ *to be ~ in love (with sb)* total (in jdn) verschossen sein (*col*); *I'm not ~ keen* ich bin nicht wahnsinnig scharf darauf (*col*).
madman ['mædmən] *n, pl* **-men** [-mən] Verrückter *m.*
madness ['mædnɪs] *n* Wahnsinn *m* ▸ *it's sheer ~!* das ist heller *or* reiner Wahnsinn!
Madonna [mə'dɒnə] *n* Madonna *f.*
Madrid [mə'drɪd] *n* Madrid *nt.*
Mafia ['mæfɪə] *n* Mafia *f.*
mag [mæg] (*Brit col*) = **magazine**.
magazine [ˌmægə'ziːn] *n* [a] Zeitschrift *f*, Magazin *nt.* [b] (*in gun*) Magazin *nt.*
maggot ['mægət] *n* Made *f.*
magic ['mædʒɪk] [1] *n* Magie, Zauberei *f*; (*mysterious charm*) Zauber *m* ▸ *as if by ~* wie durch Zauberei; *it worked like ~* (*col*) es lief wie am Schnürchen (*col*).
[2] *adj* Zauber-; *powers* magisch; *moment* zauberhaft ▸ *~ carpet* fliegender Teppich; *the ~ word* (*having special effect*) das Stichwort; (*making sth possible*) das Zauberwort.
magical ['mædʒɪkəl] *adj* magisch.
magician [mə'dʒɪʃən] *n* Zauberer *m*; (*conjuror*) Zauberkünstler *m* ▸ *I'm not a ~!* ich kann doch nicht hexen!
magistrate ['mædʒɪstreɪt] *n* Friedensrichter *m* ▸ *~s' court* Schiedsgericht *nt.*
magnanimity [ˌmægnə'nɪmɪtɪ] *n* Großmut *f.*
magnanimous *adj*, **~ly** *adv* [mæg'nænɪməs, -lɪ] großmütig.
magnate ['mægneɪt] *n* Magnat *m.*
magnesia [mæg'niːʃə] *n* Magnesia *f.*
magnesium [mæg'niːzɪəm] *n* Magnesium *nt.*
magnet ['mægnɪt] *n* (*lit, fig*) Magnet *m.*
magnetic [mæg'netɪk] *adj* (*lit*) magnetisch; *compass, field, mine, pole, strip* Magnet-; *charms* unwiderstehlich ▸ *~ disk* (*Comp*) Magnetplatte *f.*
magnetism ['mægnɪtɪzəm] *n* Magnetismus *m*; (*fig: of person*) Anziehungskraft *f.*
magnetize ['mægnɪtaɪz] *vt* magnetisieren.
magnification [ˌmægnɪfɪ'keɪʃən] *n* Vergrößerung *f.*
magnificence [mæg'nɪfɪsəns] *n* (*excellence*) Größe *f*; (*splendid appearance*) Pracht *f*, Glanz *m.*
magnificent [mæg'nɪfɪsənt] *adj* (*wonderful, excellent*)

großartig; *food, meal* ausgezeichnet; (*of splendid appearance*) prachtvoll.

magnificently [mæg'nıfısǝntlı] *adv see adj* großartig; prachtvoll.

magnify ['mægnıfaı] *vt* vergrößern; (*exaggerate*) aufbauschen ▸ **~ing glass** Lupe *f.*

magnitude ['mægnıtjuːd] *n* Ausmaß *nt*; (*importance*) Bedeutung *f*; (*Astron*) Größenklasse *f* ▸ **operations of this** ~ Vorhaben dieser Größenordnung.

magnolia [mæg'nǝʊlıǝ] *n* Magnolie *f.*

magpie ['mægpaı] *n* Elster *f.*

maharajah [mɑːhǝ'rɑːdʒǝ] *n* Maharadscha *m.*

mahogany [mǝ'hɒgǝnı] **1** *n* Mahagoni *nt*; (*tree*) Mahagonibaum *m.* **2** *adj* Mahagoni-.

maid [meɪd] *n* (*servant*) (Dienst)mädchen *nt*; (*in hotel*) Zimmermädchen *nt*; (*lady's* ~) Zofe *f*; (*old, poet: young girl*) Maid *f* (*poet*).

maiden ['meɪdn] **1** *n* (*old, poet*) Mädchen *nt.* **2** *adj flight, voyage etc* Jungfern-.

maiden: ~ **aunt** *n* unverheiratete, ältere Tante; ~ **name** *n* Mädchenname *m*; ~ **speech** *n* Jungfernrede *f.*

maid: ~ **of honour** (*Brit*) *or* **honor** (*US*) *n* Brautjungfer *f*; **~servant** *n* Hausangestellte *f.*

mail [meɪl] **1** *n* Post *f* ▸ **to send sth by** ~ etw mit der Post schicken; **is there any** ~ **for me?** ist Post für mich da? **2** *vt* aufgeben; (*put in letterbox*) einwerfen; (*send by* ~) mit der Post schicken.

mail: **~bag** *n* Postsack *m*; **~box** *n* (*US, also electronic*) Briefkasten *m.*

mailing ['meɪlıŋ] *n* (*circular*) Rundschreiben *nt* ▸ ~ **list** Anschriftenliste *f.*

mail: **~man** *n* (*US*) Briefträger, Postbote *m*; ~ **order** *n*: **by** ~ **order** auf dem Versandweg; **~-order catalogue** *n* Versandhauskatalog *m*; **~-order firm** *n* Versandhaus *nt*; **~room** *n* Postabfertigungsraum *m*; **~shot** *n* Mailshot *m*; ~ **train** *n* Postzug *m*; ~ **van** (*on roads; also* (*US*) ~ **truck**) Postauto *nt*; (*Brit Rail*) Postwagen *m.*

maim [meɪm] *vt* (*mutilate*) verstümmeln; (*cripple*) zum Krüppel machen.

main [meɪn] **1** *adj attr* Haupt- ▸ **the** ~ **thing is that ...** die Hauptsache ist, daß ...; **the** ~ **thing is to ...** das Wichtigste ist, zu ...; **the** ~ **thing is you're still alive** Hauptsache, du lebst noch. **2** *n* **a** (*pipe*) Hauptleitung *f* ▸ **the ~s** (*of town*) das öffentliche Versorgungsnetz; (*electricity also*) das Stromnetz; **the electricity was switched off at the ~s** der Hauptschalter für den Strom wurde abgeschaltet. **b** **in the** ~ im großen und ganzen.

main: ~ **beam** *n* (*Aut*) Fernlicht *nt*; ~ **clause** *n* Hauptsatz *m*; ~ **course** *n* Hauptgericht *nt*; **~frame** (*computer*) *n* (*Comp*) Großrechner *m*; **~land** *n* Festland *nt*; **on the ~land of Europe** auf dem europäischen Festland; **~line** *vt* (*col: inject heroin etc*) fixen (*col*); ~ **line** *n* (*Rail*) Hauptstrecke *f.*

mainly ['meɪnlı] *adv* hauptsächlich; (*generally*) überwiegend ▸ **the meetings are held** ~ **on Tuesdays** die Besprechungen finden meistens dienstags statt.

main road *n* Hauptstraße *f.*

mains [meɪnz]: ~ **electricity** *n* Netzstrom *m*; ~ **gas** *n* Leitungsgas *nt*; **~-operated** *adj* für Netzbetrieb.

main: **~spring** *n* (*Mech*) Triebfeder *f*; (*fig*) treibende Kraft; **~stay** *n* (*fig*) (wichtigste) Stütze *f*; **~stream** *n* Hauptrichtung *f*; **to be in the ~stream (of)** der Hauptrichtung (+*gen*) angehören; ~ **street** *n* Hauptstraße *f.*

mains water *n* Leitungswasser *nt.*

maintain [meɪn'teɪn] *vt* **a** (*keep up*) aufrechterhalten; *law and order etc* wahren; *quality also, speed, attitude* beibehalten; *life* erhalten. **b** (*support*) *family* unterhalten. **c** (*in good condition*) *machine, car* warten;

roads, building instand halten; (*service*) warten ▸ **a well ~ed car** ein gut gepflegter Wagen. **d** (*claim*) behaupten.

maintenance ['meɪntɪnǝns] *n see vt* **a** Aufrechterhaltung *f*; Wahrung *f*; Beibehaltung *f*; Erhaltung *f.* **b** (*of family*) Unterhalt *m*; (*social security*) Unterstützung *f*; (*money paid*) Unterhaltsgeld *nt* ▸ **he has to pay** ~ er ist unterhaltspflichtig. **c** Wartung *f*; Instandhaltung *f*, Pflege *f.*

maintenance: ~ **contract** *n* Wartungsvertrag *m*; **costs** *npl* Unterhaltskosten *pl*; **~-free** *adj* wartungsfrei; ~ **order** *n* (*Jur*) Unterhaltsurteil *nt.*

maisonette [ˌmeɪzǝ'net] *n* (*small flat*) Appartement *nt*; (*small house*) Häuschen *nt.*

maize [meɪz] *n* (*Brit*) Mais *m.*

Maj = **Major.**

majestic [mǝ'dʒestɪk] *adj* majestätisch; *proportions* stattlich; *music* getragen.

majesty ['mædʒɪstı] *n* Majestät *f* ▸ **Her M~** Ihre Majestät; **Your M~** Eure Majestät.

major ['meɪdʒǝʳ] **1** *adj* **a** Haupt-; (*of greater importance*) bedeutend(er); (*of greater extent*) größer ▸ **a** ~ **road** eine Hauptverkehrsstraße; **of** ~ **importance** von großer Bedeutung; ~ **part** Großteil *m.* **b** (*Mus*) *key, scale* Dur- ▸ **A** ~ A-Dur *nt.* **2** *n* **a** (*Mil*) Major *m.* **b** (*Jur*) **to become a** ~ (*come of age*) mündig werden. **c** (*US*) (*subject*) Hauptfach *nt.* **3** *vi* (*US*) **to** ~ **in sth** etw als Hauptfach studieren.

Majorca [mǝ'dʒɔːkǝ] *n* Mallorca *nt.*

major general *n* Generalmajor *m.*

majority [mǝ'dʒɒrɪtı] *n* **a** Mehrheit *f* ▸ **the** ~ **of cases** die Mehrzahl der Fälle; **to be in a** ~ in der Mehrzahl sein; **to have a** ~ **of 10** eine Mehrheit von 10 Stimmen haben; **by a small** ~ mit knapper Mehrheit. **b** (*Jur*) Mündigkeit *f* ▸ **to attain one's** ~ mündig werden.

majority: ~ **decision** *n* Mehrheitsbeschluß *m*; ~ **holding** *n* (*Fin*) Mehrheitsbeteiligung *f*; ~ **rule** *n* Mehrheitsregierung *f*; ~ **verdict** *n* Mehrheitsentscheid *m.*

▼ **make** [meɪk] (*vb: pret, ptp* **made**) **1** *vt* **a** machen; *bread* backen; *cars* herstellen; *coffee* kochen; *the world* erschaffen; *speech* halten; *choice, arrangements, decision* treffen ▸ **she made it into a suit** sie machte einen Anzug daraus; **it's made of gold** es ist aus Gold; **made in Germany** in Deutschland hergestellt; **to show what one is made of** zeigen, was in einem steckt; **they're made for each other** sie sind wie füreinander geschaffen; **this car wasn't made to carry eight people** dieses Auto ist nicht dazu gedacht, acht Leute zu transportieren.

b (*cause to be*) machen; (*appoint*) machen zu; (*cause to do or happen*) lassen; (*compel*) zwingen ▸ **to** ~ **sb happy** *etc* jdn glücklich *etc* machen; **he was made a judge** man ernannte ihn zum Richter; **it ~s the room look smaller** es läßt den Raum kleiner wirken; **we decided to** ~ **a day of it** wir beschlossen, den ganzen Tag dafür zu nehmen; **let's** ~ **it Monday** sagen wir Montag; **it all ~s me think that ...** das alles läßt mich denken, daß ...; **to** ~ **sb laugh** jdn zum Lachen bringen; **what ~s you say that?** warum sagst du das?; **to** ~ **sb do sth** jdn dazu bringen, etw zu tun; (*force*) jdn zwingen, etw zu tun; **to** ~ **sth do, to** ~ **do with sth** mit etw auskommen; **you can't** ~ **things happen** man kann das nicht erzwingen; **how can I** ~ **you understand?** wie kann ich es Ihnen verständlich machen?; **that made the cloth shrink** dadurch lief der Stoff ein; **what ~s the car go?** wie wird der Wagen angetrieben?; **what ~s you think you can do it?** weshalb glauben Sie denn, daß Sie es schaffen können?; **the chemical ~s the plant grow faster** die Chemikalie bewirkt, daß die Pflanze schneller wächst; **what made you come to this town?** was hat Sie in diese Stadt geführt?; **to ~ oneself heard/understood** sich (*dat*) Gehör verschaffen/sich verständlich machen.

[c] (*earn*) money verdienen; *profit, loss, fortune* machen (*on* bei); *name, reputation* sich (*dat*) verschaffen.

[d] (*reach, achieve, also* Sport) schaffen (*col*), erreichen; *connection* schaffen; *summit etc* es schaffen zu (*col*) ▶ **we made good time** wir kamen schnell voran; *he just made it* er hat es gerade noch geschafft; *sorry I couldn't ~ your party last night* tut mir leid, ich habe es gestern abend einfach nicht zu deiner Party geschafft; *his first record didn't ~ the charts* seine erste Platte schaffte es nicht bis in die Hitparade; *we've made it!* wir haben es geschafft!; *we'll never ~ the airport in time* wir schaffen es garantiert nicht mehr rechtzeitig zum Flughafen; *the story made the front page* die Geschichte kam auf die Titelseite.

[e] (*cause to succeed*) *stars etc* berühmt machen ▶ *this film made her* dieser Film war für sie der Durchbruch; *you'll be made for life* Sie werden ausgesorgt haben; *he's got it made* (*col*) er hat ausgesorgt; *he's a made man* er ist ein gemachter Mann; *that ~s my day!* das freut mich unheimlich!; (*iro*) das hat mir gerade noch gefehlt!; *he can ~ or break you* er hat dich ganz in der Hand.

[f] (*equal*) sein, ergeben; (*constitute also*) machen ▶ *2 plus 2 ~s 4* 2 und 2 ist 4; *how much does that ~ altogether?* was macht das insgesamt?; *he made a good father* er gab einen guten Vater ab; *he'll never ~ a soldier* aus ihm wird nie ein Soldat.

[g] (*estimate*) *distance, total* schätzen auf ▶ *what time do you ~ it?* wie spät hast du es?; *I ~ it 3.15* auf meiner Uhr ist es 3¹⁵; *I ~ it 3 miles* ich schätze 3 Meilen; *how many do you ~ it?* wie viele sind es nach deiner Rechnung?

[2] *vi* [a] (*go*) *to ~ towards a place* auf einen Ort zuhalten; (*ship*) Kurs auf einen Ort nehmen. [b] *to ~ as if to do sth* Anstalten machen, etw zu tun; (*as deception*) so tun, als wolle man etw tun.

[3] *n* [a] (*brand*) Marke *f* ▶ *what ~ of car do you run?* welche (Auto)marke fahren Sie? [b] (*pej col*) *on the ~* (*for profit*) profitgierig (*col*), auf Profit aus; (*ambitious*) karrieresüchtig (*col*); (*sexually*) sexhungrig (*col*).

♦**make away** *vi* = **make off**.

♦**make for** *vi +prep obj* [a] (*head for*) zuhalten auf (*+acc*); (*vehicle*) losfahren auf (*+acc*); (*ship*) Kurs halten auf (*+acc*) ▶ *where are you making ~?* wo willst du hin? [b] (*promote*) führen zu; *happy marriage etc* den Grund legen für ▶ *the trade figures ~ ~ optimism* die Handelsziffern geben Anlaß zum Optimismus.

♦**make of** *vi +prep obj* halten von ▶ *I didn't ~ much ~ it* ich konnte nicht viel damit anfangen.

make off *vi* sich davonmachen (*with sth* mit etw).

make out [1] *vt sep* [a] (*write out*) *cheque* ausstellen (*to* auf *+acc*); *list, bill* aufstellen; (*fill out*) *form* ausfüllen ▶ *to ~ ~ a case for sth* für etw argumentieren. [b] (*see, discern*) ausmachen; (*decipher*) entziffern; (*understand*) verstehen; *person, actions* schlau werden aus ▶ *how do you ~ that ~?* wie kommst du darauf? [c] (*imply*) *to ~ ~ that ...* es so hinstellen, als ob ...; *he made ~ that he was hurt* er tat, als sei er verletzt; *to ~ sb ~ to be a genius* jdn als Genie hinstellen.

[2] *vi* (*col*) (*get on*) zurechtkommen; (*with people*) auskommen; (*succeed*) es schaffen.

♦**make over** *vt sep* (*assign*) überschreiben (*to sb jdm*); (*bequeath*) vermachen (*to sb jdm*).

♦**make up** [1] *vt sep* [a] (*prepare*) *food, medicine, bed* zurechtmachen; *parcel also* zusammenpacken; *list, accounts, team* zusammenstellen ▶ *to ~ material ~ into sth* Material zu etw verarbeiten. [b] (*constitute*) bilden ▶ *to be made ~ of* bestehen aus. [c] *quarrel* beilegen ▶ *to ~ it ~ (with sb)* sich (mit jdm) wieder vertragen. [d] *face*

schminken. [e] *to ~ ~ one's mind (to do sth)* sich entschließen(, etw zu tun); *to ~ ~ one's mind about sb/ sth* sich (*dat*) eine Meinung über jdn/etw bilden. [f] (*invent*) erfinden. [g] (*compensate for*) *loss* ausgleichen; *distance, time* aufholen; *sleep* nachholen ▶ *to ~ it ~ to sb for sth* (*compensate*) jdn für etw entschädigen; (*emotionally etc*) jdm etw wiedergutmachen.

[2] *vi* [a] (*after quarrelling*) sich wieder vertragen. [b] (*apply cosmetics*) sich schminken.

♦**make up for** *vi +prep obj* ausgleichen ▶ *to ~ ~ ~ lost time* verlorene Zeit aufholen; *to ~ ~ ~ the loss of sb/ lack of sth* jdn/etw ersetzen.

♦**make up to** *vi +prep obj* (*col*) sich heranmachen an (*+acc*).

make-believe ['meɪkbɪˌliːv] [1] *adj attr* Phantasie-; *world also* Schein-. [2] *n* Phantasie *f* ▶ *a world of ~* eine Phantasiewelt; *it's only ~* das ist doch nur erfunden. [3] *vt* sich (*dat*) vorstellen.

maker ['meɪkə'] *n* (*manufacturer*) Hersteller *m* ▶ *our M~* unser Schöpfer *m*.

make: *~shift adj* improvisiert; *repairs* behelfsmäßig; *~-up n* [a] Make-up *nt*; (*Theat also*) Maske *f*; [b] (*composition*) (*of team, party etc*) Zusammenstellung *f*; (*character*) Veranlagung *f*; *loyalty is part of his ~-up* er ist loyal veranlagt; [c] (*Print: page ~-up*) Umbruch *m*; *~-up artist n* Maskenbildner(in *f*) *m*; *~-up bag n* Kosmetiktasche *f*.

making ['meɪkɪŋ] *n* [a] (*production*) Herstellung *f*; (*of food*) Zubereitung *f* ▶ *in the ~* im Entstehen; *here we have history in the ~* hier wird Geschichte gemacht; *it was of him* (*made him successful*) das hat ihn zu dem gemacht, was er (heute) ist. [b] *he has the ~s of an actor etc* er hat das Zeug zu einem Schauspieler *etc*; *the situation has all the ~s of a strike* die Situation bietet alle Voraussetzungen für einen Streik.

maladjusted [ˌmælə'dʒʌstɪd] *adj* (*Psych, Sociol*) verhaltensgestört.

maladroit [ˌmælə'drɔɪt] *adj* ungeschickt.

malady ['mælədɪ] *n* Leiden *nt*.

malaise [mæ'leɪz] *n* Unwohlsein *nt*; (*fig*) Unbehagen *nt*.

malaria [mə'leərɪə] *n* Malaria *f*.

Malawi [mə'lɑːwɪ] *n* Malawi *nt*.

Malawian [mə'lɑːwɪən] [1] *adj* malawisch. [2] *n* Malawier(in *f*) *m*.

Malay [mə'leɪ] [1] *adj* malaiisch. [2] *n* [a] Malaie *m*, Malaiin *f*. [b] (*language*) Malaiisch *nt*.

Malaya [mə'leɪə] *n* Malaya *nt*.

Malayan [mə'leɪən] [1] *adj* malaiisch. [2] *n* Malaie *m*, Malaiin *f*.

Malaysia [mə'leɪzɪə] *n* Malaysia *nt*.

Malaysian [mə'leɪzɪən] [1] *adj* malaysisch. [2] *n* Malaysier(in *f*) *m*.

Maldive Islands ['mɔːldaɪv'aɪləndz] *npl* Malediven *pl*.

male [meɪl] [1] *adj* männlich ▶ *~ friend* Männerbekanntschaft *f*; *~ nurse* Krankenpfleger *m*; *~ crocodile* Krokodilmännchen *nt*; *~ chauvinist pig* (*col pej*) Chauvi *m* (*col*); *~ menopause* (*hum*) Wechseljahre *pl* (des Mannes). [2] *n* (*animal*) Männchen *nt*; (*col: man*) Mann *m*.

malevolence [mə'levələns] *n* Boshaftigkeit *f*; (*of action*) Böswilligkeit *f*.

malevolent [mə'levələnt] *adj* boshaft; *action* böswillig.

malformation [ˌmælfɔː'meɪʃən] *n* Mißbildung *f*.

malformed [mæl'fɔːmd] *adj* mißgebildet.

malfunction [ˌmæl'fʌŋkʃən] [1] *n* (*of liver etc*) Funktionsstörung *f*; (*of machine*) Defekt *m*. [2] *vi* (*liver etc*) nicht richtig arbeiten; (*machine etc*) defekt sein; (*system*) nicht richtig funktionieren.

malice ['mælɪs] *n* Bosheit *f*; (*of action*) Böswilligkeit *f* ▶ *I bear him no ~* ich bin ihm nicht böse; *with ~ afore-*

thought (*Jur*) in böswilliger Absicht.

malicious [mə'lɪʃəs] *adj person, words* boshaft; *slander* böswillig; (*Jur*) *damage* mutwillig.

maliciously [mə'lɪʃəslɪ] *adv see adj* boshaft; böswillig; mutwillig.

malign [mə'laɪn] [1] *adj* (*liter*) *intent* böse; *influence* unheilvoll.

[2] *vt* verleumden; (*run down*) schlecht machen ▸ *to ~ sb's character* jdm Übles nachsagen.

malignant [mə'lɪgnənt] *adj* bösartig ▸ *a ~ growth* (*Med, fig*) ein bösartiges Geschwür.

malinger [mə'lɪŋgə] *vi* simulieren.

malingerer [mə'lɪŋgərə'] *n* Simulant *m*.

mall [mɔːl, mæl] *n* (*US: also shopping ~*) Einkaufszentrum *nt*.

malleable ['mælɪəbl] *adj* formbar (*also fig*), weich.

mallet ['mælɪt] *n* Holzhammer *m*; (*croquet*) (Krocket)hammer *m*; (*polo*) (Polo)schläger *m*.

malnutrition [,mælnjʊ'trɪʃən] *n* Unterernährung *f*.

malpractice [,mæl'præktɪs] *n* Berufsvergehen, Amtsvergehen *nt*.

malt [mɔːlt] *n* Malz *nt* ▸ *~ loaf* ≃ Malzbrot *nt*; *~ whisky* Malt Whisky *m*.

Malta ['mɔːltə] *n* Malta *nt*.

Maltese [,mɔːl'tiːz] [1] *adj* maltesisch ▸ *~ cross* Malteserkreuz *nt*.

[2] *n* [a] Malteser(in *f*) *m*. [b] (*language*) Maltesisch *nt*.

maltreat [,mæl'triːt] *vt* schlecht behandeln; (*using violence*) mißhandeln.

maltreatment [,mæl'triːtmənt] *n see vt* schlechte Behandlung; Mißhandlung *f*.

mam(m)a [mə'mɑː] *n* (*col*) Mama (*col*).

mammal ['mæməl] *n* Säugetier *nt*.

mammoth ['mæməθ] [1] *n* Mammut *nt*.

[2] *adj* Mammut-; *cost, enterprise* kolossal.

man [mæn] [1] *n, pl* **men** Mann *m*; (*human race: also* **M~**) der Mensch; die Menschen; (*Chess*) Figur *f*; (*in draughts*) Stein *m* ▸ *to make a ~ out of sb* einen Mann aus jdm machen; *that's just like a ~* das ist typisch Mann; *they are ~ and wife* sie sind Mann und Frau; *the ~ in the street* der Mann auf der Straße; *~ of property* vermögender Mann; *he's a ~ about town* er kennt sich aus; *a ~ of the world* ein Mann von Welt; *no ~* keiner, niemand; *any ~* jeder; *men say that ...* die Leute sagen, daß ...; *that ~ Jones* dieser Jones!; *as one ~* geschlossen, wie ein Mann; *they are socialists to a ~* sie sind allesamt Sozialisten; *he's not the ~ for the job* er ist nicht der Richtige für diese Aufgabe; *he's not a ~ to ...* er ist nicht der Typ, der ...; *he's a family ~* (*homeloving*) er ist sehr häuslich; *it's got to be a local ~* es muß jemand aus dieser Gegend sein; *I'm not a drinking ~* ich bin kein großer Trinker; *you can't do that, ~* (*col*) Mensch *or* Mann, das kannst du doch nicht machen! (*col*).

[2] *vt ship* bemannen; *fortress* besetzen; *pump, gun* bedienen ▸ *the ship is ~ned by a crew of 30* das Schiff hat 30 Mann Besatzung; *there's someone ~ning the telephone all day* es ist den ganzen Tag über jemand da, der das Telefon bedient.

Man [mæn] *n*: *the Isle of ~* die Insel Man.

manacles ['mænəklz] *n pl* Handfesseln *pl*.

manage ['mænɪdʒ] [1] *vt* [a] *company, organization* leiten; *affairs* regeln; *football team, pop group* managen ▸ *the election was ~d* (*pej*) die Wahl war manipuliert.

[b] (*handle, control*) *person, animal, car* zurechtkommen mit ▸ *I can ~ him* mit ihm werde ich schon fertig.

[c] *task, another portion* bewältigen, schaffen (*col*) ▸ *£5 is the most I can ~* ich kann mir höchstens £5 leisten; *I'll ~ it* das werde ich schon schaffen; *can you ~ the cases?* kannst du die Koffer (allein) tragen?; *she*

can't ~ the stairs sie kommt die Treppe nicht hinauf/hinunter; *can you ~ 8 o'clock?* 8 Uhr, ginge das?; *I couldn't ~ another thing* ich könnte keinen Bissen mehr runterbringen; *to ~ to do sth* es schaffen, etw zu tun; *he ~d not to get his feet wet* es ist ihm gelungen, keine nassen Füße zu bekommen; *how did you ~ to miss that?* wie konnte Ihnen das nur entgehen?; *could you possibly ~ to close the door?* (*iro*) wäre es vielleicht möglich, die Tür zuzumachen?

[2] *vi* zurechtkommen, es schaffen (*col*) ▸ *can you ~?* geht es?; *how do you ~?* wie machen Sie das bloß?; *to ~ without sth/sb* ohne etw/jdn auskommen; *how do you ~ on only £20 a week?* wie kommen Sie mit nur £20 pro Woche aus?

manageable ['mænɪdʒəbl] *adj child, horse* fügsam; *amount, job* zu bewältigen; *hair* leicht frisierbar; *number* überschaubar; *car* leicht zu handhaben ▸ *pieces of a more ~ size* Stücke, die leichter zu handhaben sind.

management ['mænɪdʒmənt] *n* [a] (*act: of company*) Leitung, Führung *f* ▸ *~ accountant* Bilanzbuchhalter(in *f*) *m* (für besondere Bedürfnisse der Betriebsführung); *~ accounting* Kosten- und Leistungsrechnung *f*; *~ buyout* Management-Buyout *nt*; *~ consultant* Unternehmensberater(in *f*) *m*; *~ studies* Betriebswirtschaft *f*.

[b] (*persons*) Unternehmensleitung *f*; (*of single unit or smaller factory*) Betriebsleitung *f*; (*non-commercial*) Leitung *f* ▸ *~ and workers* Arbeitgeber und Arbeitnehmer *pl*; *"under new ~"* „neuer Inhaber"; (*shop*) „neu eröffnet".

manager ['mænɪdʒə'] *n* (*Comm etc*) Geschäftsführer *m*; (*of smaller firm or factory*) Betriebsleiter *m*; (*of bank, chain store*) Filialleiter *m*; (*of department*) Abteilungsleiter *m*; (*of pop group etc*) Manager *m*; (*of team*) Trainer *m* ▸ *sales/publicity ~* Verkaufsleiter/Werbeleiter *m*.

manageress [,mænɪdʒə'res] *n* Geschäftsführerin *f*; (*of department*) Abteilungsleiterin *f*; (*of chain store*) Filialleiterin *f*.

managerial [,mænə'dʒɪərɪəl] *adj* geschäftlich; (*executive*) Management-; *post* leitend ▸ *he has no ~ skills* er hat keine Führungsqualitäten.

managing director ['mænɪdʒɪŋdɪ'rektə'] *n* Geschäftsführer(in *f*) *m*.

Mancunian [mæn'kjuːnɪən] [1] *n* Bewohner(in *f*) *m* Manchesters.

[2] *adj person* aus Manchester; *institution* Manchesters.

mandarin ['mændərɪn] *n* [a] (*Chinese official*) Mandarin *m*. [b] (*language*) **M~** Hochchinesisch *nt*. [c] (*fruit*) Mandarine *f*.

mandate ['mændeɪt] *n* Auftrag *m*; (*Pol also*) Mandat *nt*; (*Hist: territory*) Mandatsgebiet *nt* ▸ *to give sb a ~ to do sth* jdm den Auftrag geben, etw zu tun.

mandatory ['mændətərɪ] *adj* obligatorisch; (*Pol*) mandatorisch ▸ *membership is ~* Mitgliedschaft ist Pflicht.

mandolin(e) ['mændəlɪn] *n* Mandoline *f*.

mane [meɪn] *n* (*lit, fig*) Mähne *f*.

maneuver *n, vti* (*US*) = **manoeuvre**.

manful *adj*, *~ly adv* ['mænfʊl, -ɪ] mannhaft, mutig.

manganese [,mæŋgə'niːz] *n* Mangan *nt*.

mangle[1] ['mæŋgl] *n* Mangel *f*.

mangle[2] *vt* (*also ~ up*) (übel) zurichten.

mango ['mæŋgəʊ] *n* (*fruit*) Mango *f*.

mangy ['meɪndʒɪ] *adj dog* räudig; (*fig*) *thing* schäbig.

man: *~handle vt* [a] grob behandeln; *he was ~handled into the van* er wurde recht unsanft in den Wagen verfrachtet; [b] *piano etc* hieven; *~hole n* Kanalschacht *m*.

manhood ['mænhʊd] *n* (*state*) Mannesalter *nt*.

man: *~-hour n* Arbeitsstunde *f*; *~hunt n* Fahndung *f*; (*for criminal also*) Verbrecherjagd *f*.

mania ['meɪnɪə] *n* (*madness*) Manie *f*; (*col: enthusiasm*)

Manie *f*, Tick (*col*) *m* ▶ *he has a ~ for punctuality* er hat einen Pünktlichkeitsfimmel (*col*).

maniac ['meɪnɪæk] **1** *adj* wahnsinnig. **2** *n* **a** Wahnsinnige(r), Irre(r) *mf*. **b** (*fig*) *these sports ~s* diese Sportfanatiker *pl*.

manic-depressive ['mænɪkdɪ'presɪv] **1** *adj* manisch-depressiv. **2** *n* Manisch-Depressive(r) *mf*.

manicure ['mænɪ,kjʊəʳ] **1** *n* Maniküre *f* ▶ *~ set* Nagelnecessaire *nt*. **2** *vt* maniküren.

manifest ['mænɪfest] **1** *adj* offenkundig; (*definite also*) eindeutig ▶ *he made it ~ that ...* er machte deutlich, daß ... **2** *vr to ~ itself* sich zeigen.

manifestation [,mænɪfe'steɪʃən] *n* (*act of showing*) Ausdruck *m*, Bekundung *f*; (*sign*) Anzeichen *nt*.

manifestly ['mænɪfestlɪ] *adv* offensichtlich ▶ *it's so ~ obvious* es ist so völlig offensichtlich.

manifesto [,mænɪ'festəʊ] *n*, *pl* -(e)s Manifest *nt*.

manifold ['mænɪfəʊld] **1** *adj* vielfältig ▶ *~ uses* vielseitige Anwendung. **2** *n* (*Aut*) *inlet* or *intake/exhaust ~* Ansaug-/Auspuffkrümmer *m*.

Manil(l)a [mə'nɪlə] *n* (*paper*) Hartpapier *nt* ▶ *~ envelope* brauner Umschlag.

manipulate [mə'nɪpjʊleɪt] *vt* **a** *machine etc* bedienen; *bones* einrenken; (*after fracture*) zurechtrücken. **b** *public opinion*, *prices* manipulieren; *accounts also* frisieren (*col*).

manipulation [mə,nɪpjʊ'leɪʃən] *n* Manipulation *f*.

mankind [mæn'kaɪnd] *n* die Menschheit.

manliness ['mænlɪnɪs] *n* Männlichkeit *f*.

manly ['mænlɪ] *adj* (+*er*) männlich.

man-made ['mæn'meɪd] *adj* künstlich, Kunst- ▶ *~ fibres* Kunstfasern *pl*.

man management *n* Personalführung *f*.

manna ['mænə] *n* Manna *nt*.

manned [mænd] *adj* *satellite etc* bemannt.

mannequin ['mænɪkɪn] *n* (*fashion*) Mannequin *nt*; (*Art*) Modell *nt*; (*dummy*) Schaufensterpuppe *f*.

manner ['mænəʳ] *n* **a** (*mode*) Art (und Weise) *f* ▶ *in this ~* auf diese Art und Weise; *in such a ~ that ...* so ..., daß ...; *in a ~ of speaking* sozusagen; *as to the ~ born* als sei er/sie dafür geschaffen. **b** (*behaviour etc*) Art *f* ▶ *he has a very kind ~* er hat ein sehr freundliches Wesen; *I don't like his ~* ich mag seine Art nicht. **c** *~s pl* (*good, bad etc*) Manieren *pl*; *that's bad ~s* das gehört sich nicht; *it's bad ~s to ...* es gehört sich nicht, zu ...; *he has no ~s* er hat keine Manieren; *to teach sb some ~s* jdm Manieren beibringen. **d** (*class, type*) Art *f* ▶ *we saw all ~ of interesting things* wir sahen allerlei Interessantes.

mannerism ['mænərɪzəm] *n* (*in behaviour*) Eigenheit *f*; (*of style*) Manieriertheit *f* ▶ *his ~s* seine Manierismen.

mannerly ['mænəlɪ] *adj* wohlerzogen.

manoeuvrable, (*US*) **maneuverable** [mə'nu:vrəbl] *adj* wendig ▶ *easily ~* leicht zu manövrieren.

manoeuvre, (*US*) **maneuver** [mə'nu:vəʳ] **1** *n* (*Mil*) Feldzug *m*; (*clever plan*) Manöver *nt*, Schachzug *m* ▶ *~s* Manöver *nt* or *pl*; *the troops were out on ~s* die Truppen befanden sich im Manöver. **2** *vt* manövrieren ▶ *to ~ a gun into position* ein Geschütz in Stellung bringen. **3** *vi* manövrieren; (*Mil*) (ein) Manöver durchführen ▶ *to ~ for position* (*lit*, *fig*) sich in eine günstige Position manövrieren; *room to ~* Manövrierfähigkeit *f*.

manor ['mænəʳ] *n* Gut(shof *m*) *nt* ▶ *lord of the ~* Gutsherr *m*; *~ house* Herrenhaus *nt*.

manpower ['mæn,paʊəʳ] *n* Arbeitskräfte *pl*; (*Mil*) Stärke *f* ▶ *M~ Services Commission* (*Brit*) Behörde *f* für Arbeitsbeschaffung, Arbeitsvermittlung und Berufsausbildung.

mansion ['mænʃən] *n* Villa *f*; (*of ancient family*) Herrenhaus *nt*.

man-size(d) ['mænsaɪz(d)] *adj* (*col: very big*) Riesen-.

manslaughter ['mæn,slɔ:təʳ] *n* Totschlag *m*.

mantelpiece ['mæntlpi:s] *n* Kaminsims *nt* or *m*.

mantle ['mæntl] *n* **a** Umhang *m*; (*fig*) Deckmantel *m* ▶ *a ~ of snow* eine Schneedecke. **b** (*gas ~*) Glühstrumpf *m*.

man-to-man [,mæntə'mæn] *adj*, *adv* von Mann zu Mann.

manual ['mænjʊəl] **1** *adj* manuell; *labour* körperlich ▶ *~ worker* (manueller) Arbeiter *m*; *~ gearbox* or *transmission* (*Brit*) Schaltgetriebe *nt*, Schaltung *f* von Hand. **2** *n* (*book*) Handbuch *nt*.

manufacture [,mænjʊ'fæktʃəʳ] **1** *n* (*act*) Herstellung *f*; (*pl: products*) Erzeugnisse *pl*. **2** *vt* herstellen ▶ *~d goods* Fertigware *f*.

manufacturer [,mænjʊ'fæktʃərəʳ] *n* Hersteller *m*.

manufacturing [,mænjʊ'fæktʃərɪŋ] **1** *adj* *techniques* Herstellungs-; *industry* verarbeitend ▶ *~ costs* Herstellungskosten *pl*; *~ fault* Fabrikationsfehler *m*. **2** *n* Herstellung *f*.

manure [mə'njʊəʳ] **1** *n* Dung *m*; (*esp artificial*) Dünger *m*. **2** *vt* *field* düngen.

manuscript ['mænjʊskrɪpt] *n* Manuskript *nt*; (*ancient also*) Handschrift *f*.

many ['menɪ] *adj*, *n* viele ▶ *~ people* viele (Menschen or Leute); *there were as ~ as 20* es waren sogar 20 da; *as ~ again* noch einmal so viele; *there's one too ~* einer ist zuviel; *he's had one too ~* er hat einen zuviel getrunken; *they were too ~ for us* sie waren zu viele für uns; *he made one mistake too ~* er hat einen Fehler zuviel gemacht; *~ a good soldier* so mancher gute Soldat; *~ a time* so manches Mal; *a good/great ~ houses* sehr viele Häuser.

many: *~-coloured* (*Brit*), *~-colored* (*US*) *adj* vielfarbig; *~-sided* *adj* vielseitig.

Manx [mæŋks] *adj* der Insel Man.

Manxman ['mæŋksmən] *n* Bewohner *m* der Insel Man.

Maori ['maʊrɪ] **1** *adj* maorisch. **2** *n* **a** Maori *mf*. **b** (*language*) Maori *nt*.

map [mæp] **1** *n* (Land)karte *f*; (*of streets, town*) Stadtplan *m*; (*showing specific item*) Karte *f* ▶ *this will put Cheam on the ~* (*fig*) das wird Cheam zu einem Namen verhelfen; *it's right off the ~* (*fig*) das liegt (ja) am Ende der Welt; *entire cities were wiped off the ~* ganze Städte wurden ausradiert. **2** *vt* (*measure*) vermessen; (*make a map of*) eine Karte anfertigen von.

◆**map out** *vt sep* **a** (*lit*) *see* **map 2**. **b** (*fig: plan*) entwerfen ▶ *our holiday schedule was all ~ped ~ in advance* der Zeitplan für unsere Ferien war schon im voraus genau festgelegt.

maple ['meɪpl] *n* (*wood, tree*) Ahorn *m* ▶ *~ leaf* Ahornblatt *nt*; *~ syrup* Ahornsirup *m*.

map: *~-maker* *n* Kartograph(in *f*) *m*; *~-reading* *n* Kartenlesen *nt*.

mar [mɑːʳ] *vt* verderben; *happiness* trüben; *beauty* mindern.

Mar = **March** Mrz.

marathon ['mærəθən] **1** *n* (*lit*) Marathon(lauf) *m*; (*fig*) Marathon *nt*. **2** *adj* Marathon-.

marauder [mə'rɔːdəʳ] *n* Plünderer *m*.

marauding [mə'rɔːdɪŋ] *adj* plündernd.

marble ['mɑːbl] **1** *n* Marmor *m*; (*glass ball*) Murmel *f*, Klicker *m* (*col*). **2** *adj* Marmor-. **3** *vt* marmorieren.

March [mɑːtʃ] *n* März *m*; see **September**.
march [mɑːtʃ] **1** *n* **a** (*Mil, Mus*) Marsch *m*; (*demonstration*) Demonstration *f*; (*fig: long walk*) Weg *m* ▸ *we had been five days on the* ~ wir waren fünf Tage lang marschiert; *it's two days'* ~ es ist ein Zwei-Tage-Marsch. **b** (*of time, history, events*) Lauf *m*. **c** *to steal a* ~ *on sb* jdm zuvorkommen.
2 *vt soldiers* marschieren lassen; *distance* marschieren ▸ *to* ~ *sb off* jdn abführen.
3 *vi* marschieren ▸ *forward* ~*!* vorwärts(, marsch)!; *quick* ~*!* im Laufschritt, marsch!; *time* ~*es on* die Zeit bleibt nicht stehen; *to* ~ *past sb* an jdm vorbeimarschieren; *she* ~*ed straight up to him* sie marschierte schnurstracks auf ihn zu.
marcher ['mɑːtʃər] *n* (*demonstrator*) Demonstrant(in *f*) *m*.
marching orders ['mɑːtʃɪŋ'ɔːdəz] *npl* (*Mil*) Marschbefehl *m*; (*col*) Entlassung *f* ▸ *she gave him his* ~ sie hat ihm den Laufpaß gegeben.
marchioness ['mɑːʃənɪs] *n* Marquise *f*.
march past *n* Aufmarsch *m*.
mare [mɛər] *n* (*horse*) Stute *f*; (*donkey*) Eselin *f*.
margarine [,mɑːdʒə'riːn], **marge** [mɑːdʒ] (*col*) *n* Margarine *f*.
margin ['mɑːdʒɪn] *n* **a** (*on page*) Rand *m*. **b** (*extra amount*) Spielraum *m* ▸ *to allow for a* ~ *of error* etwaige Fehler mit einkalkulieren; *by a narrow* ~ knapp; (*profit*) ~ Gewinnspanne *f*.
marginal ['mɑːdʒɪnl] *adj* **a** *note* Rand-. **b** *improvement, difference* geringfügig; *constituency, seat* mit knapper Mehrheit.
marginally ['mɑːdʒɪnəlɪ] *adv* geringfügig.
marigold ['mærɪɡəʊld] *n* Ringelblume *f*.
marijuana [,mærɪ'hwɑːnə] *n* Marihuana *nt*.
marina [mə'riːnə] *n* Jachthafen *m*.
marinade [,mærɪ'neɪd] *n* Marinade *f*.
marinate ['mærɪneɪt] *vt* marinieren.
marine [mə'riːn] **1** *adj* Meeres-, See- ▸ ~ *biologist* Meeresbiologe *m*/-biologin *f*; ~ *insurance* Seeversicherung *f*; ~ *life* Meeresfauna und -flora *f*.
2 *n* **a** (*fleet*) Marine *f* ▸ *merchant* ~ Handelsmarine *f*. **b** *the* ~*s* die Marinetruppen *pl*; *tell that to the* ~*s!* (*col*) das kannst du deiner Großmutter erzählen! (*col*).
mariner ['mærɪnər] *n* Seefahrer, Seemann *m*.
marionette [,mærɪə'net] *n* Marionette *f*.
marital ['mærɪtl] *adj* ehelich; *bed, row etc* Ehe- ▸ ~ *status* Familienstand *m*.
maritime ['mærɪtaɪm] *adj* See-; *region, province* Küsten- ▸ ~ *law* Seerecht *nt*.
marjoram ['mɑːdʒərəm] *n* Majoran *m*.
Mark [mɑːk] *n* ≈ Markus *m*.
mark¹ [mɑːk] *n* (*Fin*) Mark *f*.
mark² **1** *n* **a** (*stain, spot etc*) Fleck *m*; (*scratch*) Kratzer *m*; (*on person*) Mal *nt*; (*on plane, football pitch etc*) Markierung *f* ▸ *to make a* ~ *on sth* einen Fleck auf etw (*acc*) machen; (*damage sth*) etw beschädigen; *dirty* ~*s* Schmutzflecken *pl*; *with not a* ~ *on it* in makellosem Zustand; *he didn't have a* ~ *on him* er wies keine Verletzungen auf; *the* ~*s of violence* die Spuren der Gewalt.
b (*in exam*) Note *f* ▸ *high or good* ~*s* gute Noten *pl*; *the* ~*s are out of 100* insgesamt kann/konnte man 100 Punkte erreichen; *there are no* ~*s for guessing* (*fig*) das ist ja wohl nicht schwer zu erraten; *he gets full* ~*s for punctuality* (*fig*) in Pünktlichkeit verdient er eine Eins.
c (*sign, indication*) Zeichen *nt* ▸ *it bears the* ~*s of genius* das trägt geniale Züge; *it's the* ~ *of a gentleman* daran erkennt man den Gentleman.
d (*level*) *expenses have reached the £100* ~ die Ausgaben haben die 100-Pfund-Grenze erreicht.

e *M*~ *IX Jaguar* Jaguar IX.
f (*phrases*) *to be quick off the* ~ (*Sport*) einen guten Start haben; (*fig*) blitzschnell reagieren; *to be up to the* ~ den Anforderungen entsprechen; *to leave one's* ~ (*on sth*) einer Sache (*dat*) seinen Stempel aufdrücken; *to make one's* ~ (*instead of signature*) drei Kreuze (als Unterschrift) machen; (*fig*) sich (*dat*) einen Namen machen; *on your* ~*s!* auf die Plätze!; *to be wide of the* ~ (*shooting*) danebenschießen; (*fig: in guessing*) danebentippen; *to hit the* ~ (*lit, fig*) ins Schwarze treffen.
2 *vt* **a** (*adversely*) beschädigen; (*stain*) schmutzig machen; (*scratch*) verkratzen.
b (*for recognition, identity*) markieren; (*label*) beschriften; (*price*) auszeichnen ▸ *the bottle was* ~*ed "poison"* die Flasche trug die Aufschrift „Gift"; *the teacher* ~*ed him absent* der Lehrer trug ihn als fehlend ein; *it's not* ~*ed on the map* es ist nicht auf der Karte eingezeichnet.
c (*characterize*) kennzeichnen ▸ *the new bill* ~*s a change of policy* das neue Gesetz deutet auf einen politischen Kurswechsel hin.
d *exam, paper* korrigieren (und benoten) ▸ *to* ~ *sth wrong* etw anstreichen.
e (*heed*) hören auf (+*acc*) ▸ ~ *my words* eins kann ich Ihnen sagen; (*threatening, warning*) lassen Sie sich das gesagt sein!
f (*Sport*) *player, opponent* decken.
g *to* ~ *time* (*Mil, fig*) auf der Stelle treten.
3 *vi* (*get dirty*) schmutzig werden; (*get scratched*) Kratzer bekommen ▸ *she* ~*s easily* sie bekommt leicht blaue Flecken.
♦**mark down** *vt sep* (*note down*) (sich *dat*) notieren; (*reduce*) *prices* herabsetzen.
♦**mark off** *vt sep* kennzeichnen; *boundary* markieren; *danger area etc* absperren.
♦**mark out** *vt sep* **a** *tennis court etc* abstecken. **b** (*note*) bestimmen (*for* für) ▸ *he's been* ~*ed* ~ *for promotion* er ist zur Beförderung vorgesehen.
♦**mark up** *vt sep* (*write up*) notieren (*on* auf +*dat*); (*increase*) *price* heraufsetzen.
marked [mɑːkt] *adj* **a** *contrast, accent* deutlich; *improvement* spürbar. **b** *he's a* ~ *man* er steht auf der schwarzen Liste.
markedly ['mɑːkɪdlɪ] *adv* merklich ▸ *it is* ~ *better* es ist wesentlich besser.
marker ['mɑːkər] *n* **a** Marke *f*; (*to turn at*) Wendemarke *f*; (*on road*) Schild *nt*; (*in book*) Lesezeichen *nt* ▸ ~ *pen* Markierstift *m*. **b** (*for exams*) Korrektor(in *f*) *m*.
market ['mɑːkɪt] **1** *n* Markt *m* ▸ *at the* ~ auf dem Markt; *to go to* ~ auf den Markt gehen; *to be in the* ~ *for sth* an etw (*dat*) interessiert sein; *to be on the* ~ auf dem Markt sein; *to come on(to) the* ~ auf den Markt kommen; *to put on the* ~ auf den Markt bringen; *house* zum Verkauf anbieten; *to create a* ~ Nachfrage erzeugen; *to play the* ~ (an der Börse) spekulieren.
2 *vt* vertreiben ▸ *to* ~ *a (new) product* ein (neues) Produkt auf den Markt bringen.
marketable ['mɑːkɪtəbl] *adj* absetzbar, marktfähig.
market: ~ *analysis* *n* Marktanalyse *f*; ~ *day* *n* Markttag *m*; ~ *economy* *n* Marktwirtschaft *f*; ~ *forces* *npl* Marktkräfte *pl*; ~ *garden* *n* (*Brit*) Gemüseanbaubetrieb *m*.
marketing ['mɑːkɪtɪŋ] *n* Marketing *nt*.
market: ~ *leader* *n* Marktführer, Spitzenreiter *m*; ~*place* *n* Marktplatz *m*; (*world of trade*) Markt *m*; ~ *price* *n* Marktpreis *m*; ~ *research* *n* Marktforschung *f*; ~ *share* *n* Marktanteil *m*; ~ *survey* *n* Marktstudie *f*; ~ *town* *n* Marktort *m*.
marking ['mɑːkɪŋ] *n* **a** Markierung *f*; (*on animal*)

Zeichnung *f* ▸ ~ **ink** Wäschetinte *f.* **b** (*of exams*)
(*correcting*) Korrektur *f*; (*grading*) Benotung *f.*

marksman ['mɑːksmən] *n, pl* **-men** [-mən] Schütze *m*;
(*police etc*) Scharfschütze *m.*

marksmanship ['mɑːksmənʃɪp] *n* Treffsicherheit *f.*

mark-up ['mɑːkʌp] *n* Handelsspanne *f*; (*amount added*)
Preisaufschlag *m* ▸ ~ **price** Verkaufspreis *m.*

marmalade ['mɑːməleɪd] *n* Marmelade *f* aus Zitrus-
früchten ▸ *(orange)* ~ Orangenmarmelade *f.*

maroon [mə'ruːn] *adj* kastanienbraun.

marooned [mə'ruːnd] *adj* von der Außenwelt abgeschnitten ▸ ~ **by floods** vom Hochwasser eingeschlossen.

marque [mɑːk] *n* (*esp Aut*) Marke *f.*

marquee [mɑː'kiː] *n* Festzelt *nt.*

marquess ['mɑːkwɪs] *n* Marquis *m.*

marriage ['mærɪdʒ] *n* (*state*) die Ehe; (*wedding*)
Hochzeit, Heirat *f*; (~ *ceremony*) Trauung *f* ▸ **relations
by** ~ angeheiratete Verwandte.

marriageable ['mærɪdʒəbl] *adj* heiratsfähig ▸ **of** ~ **age**
im heiratsfähigen Alter.

marriage: ~ **bureau** *n* Ehevermittlung *f*; ~ **certificate**
n Heiratsurkunde *f*; ~ **counseling** (*US*), ~ **guidance**
(*Brit*) *n* Eheberatung *f*; ~ **licence** *n* Eheerlaubnis *f*; ~
vow *n* Ehegelübde *nt.*

married ['mærɪd] *adj* verheiratet; *life, state* Ehe- ▸ ~
couple Ehepaar *nt*; **she is a** ~ **woman** sie ist verheiratet.

marrow ['mærəʊ] *n* **a** (*Anat*) (Knochen)mark *nt* ▸ **to
be frozen to the** ~ völlig durchfroren sein. **b** (*Bot*)
Gartenkürbis *m.*

marry ['mærɪ] **1** *vt* heiraten; (*priest*) trauen.
2 *vi* (*also* **get married**) heiraten ▸ **to** ~ **into a rich
family** in eine reiche Familie einheiraten.

◆**marry off** *vt sep* verheiraten.

Mars [mɑːz] *n* Mars *m.*

marsh [mɑːʃ] *n* Sumpf *m.*

marshal ['mɑːʃəl] **1** *n* (*Mil etc*) Marschall *m*; (*at rally,
meeting etc*) Ordner *m*; (*US*) Bezirkspolizeichef *m.*
2 *vt arguments* ordnen; *soldiers* antreten lassen.

marshalling yard ['mɑːʃəlɪŋ'jɑːd] *n* Rangierbahnhof
m.

marsh: ~**land** *n* Marschland *nt*; ~**mallow** *n* (*sweet*)
Marshmallow *nt*; (*Bot*) Eibisch *m.*

marshy ['mɑːʃɪ] *adj* (+*er*) sumpfig.

marsupial [mɑː'suːpɪəl] *n* Beuteltier *nt.*

martial ['mɑːʃəl] *adj music* kriegerisch, Kampf-; *bearing*
soldatisch ▸ **the** ~ **arts** die Kampfkunst; ~ **law**
Kriegsrecht *nt.*

martin ['mɑːtɪn] *n* Schwalbe *f.*

martyr ['mɑːtər] **1** *n* Märtyrer(in *f*) *m* ▸ **to be a** ~ **to arthritis** entsetzlich unter Arthritis zu leiden haben.
2 *vt* martern.

martyrdom ['mɑːtədəm] *n* (*suffering*) Martyrium *nt*;
(*death*) Märtyrertod *m.*

marvel ['mɑːvəl] **1** *n* Wunder *nt* ▸ **it's a** ~ **to me how
he does it** (*col*) es wundert mich, wie er das schafft;
you're a ~**!** (*col*) (*kind*) du bist ein Engel!; (*clever*) du
bist ein Genie!
2 *vi* staunen (*at* über +*acc*) ▸ **to** ~ **at a sight** einen Anblick bestaunen.

marvellous, (*US*) **marvelous** ['mɑːvələs] *adj*
wunderbar, fabelhaft ▸ **isn't it** ~**?** ist das nicht herrlich?;
(*iro*) gut, nicht! (*iro*).

marvellously, (*US*) **marvelously** ['mɑːvələslɪ] *adv*
(*with adj*) herrlich; (*with vb*) großartig, fabelhaft.

Marxism ['mɑːksɪzəm] *n* der Marxismus.

Marxist ['mɑːksɪst] **1** *adj* marxistisch.
2 *n* Marxist(in *f*) *m.*

marzipan [ˌmɑːzɪ'pæn] *n* Marzipan *nt or m.*

mascara [mæ'skɑːrə] *n* Wimperntusche *f.*

mascot ['mæskət] *n* Maskottchen *nt.*

masculine ['mæskjʊlɪn] **1** *adj* männlich; *woman*
maskulin.
2 *n* (*Gram*) Maskulinum *nt.*

masculinity [ˌmæskjʊ'lɪnɪtɪ] *n* Männlichkeit *f.*

mash [mæʃ] **1** *n* Brei *m*; (*for animals*) Futterbrei *m.*
2 *vt* zerstampfen ▸ ~**ed potatoes** Kartoffelbrei *m or*
-püree *nt.*

mask [mɑːsk] **1** *n* (*lit, fig*) Maske *f.*
2 *vt* maskieren; (*clouds etc*) verdecken; *feelings* verbergen.

masochism ['mæsəʊkɪzəm] *n* Masochismus *m.*

masochist ['mæsəʊkɪst] *n* Masochist(in *f*) *m.*

masochistic [ˌmæsəʊ'kɪstɪk] *adj* masochistisch.

mason ['meɪsn] *n* **a** (*builder*) Steinmetz *m.* **b** (*free~*)
Freimaurer *m.*

masonic [mə'sɒnɪk] *adj* Freimaurer- ▸ ~ **lodge**
Freimaurerloge *f.*

masonry ['meɪsnrɪ] *n* **a** (*stonework*) Mauerwerk *nt.* **b**
(*free~*) Freimaurertum *nt.*

masquerade [ˌmæskə'reɪd] **1** *n* Maskerade *f.*
2 *vi* **to** ~ **as ...** sich ausgeben als ...

mass¹ [mæs] *n* (*Eccl*) Messe *f* ▸ **to go to** ~ zur Messe
gehen; **to say** ~ die Messe lesen.

mass² **1** *n* (*general, Phys*) Masse *f*; (*of people*) Menge *f*
▸ **a** ~ **of red hair** ein Wust roter Haare; **he's a** ~ **of
bruises** er ist voller blauer Flecken; **the ~es** die Masse(n
pl); **the great** ~ **of the population** die breite Masse der
Bevölkerung; ~**es (of)** massenhaft, eine Masse (*col*).
2 *vt troops* zusammenziehen.
3 *vi* (*Mil*) sich massieren; (*clouds*) sich
(zusammen)ballen ▸ **they're** ~**ing for an attack** sie
sammeln sich zum Angriff.

massacre ['mæsəkər] **1** *n* Massaker *nt.*
2 *vt* massakrieren.

massage ['mæsɑːʒ] **1** *n* Massage *f* ▸ ~ **parlour** (*euph*)
Massagesalon *m.*
2 *vt* massieren.

masseur [mæ'sɜːr] *n* Masseur *m.*

masseuse [mæ'sɜːz] *n* Masseurin *f*; (*euph*) Masseuse *f.*

massive ['mæsɪv] *adj* riesig, enorm; *wall, heart attack,
support* massiv; *task* gewaltig.

mass: ~-**market** *adj* für den Massenmarkt *m*, für die
Massen *pl*; ~ **media** *npl* Massenmedien *pl*; ~ **meeting**
n Massenveranstaltung *f*; (*demonstration*)
Massenkundgebung *f*; ~ **murderer** *n* Massenmörder(in
f) *m*; ~-**produce** *vt* in Massenproduktion herstellen; ~-
produced *adj* ~-**produced items** Massenartikel *pl*; ~
production *n* Massenproduktion *f*; ~ **unemployment**
n Massenarbeitslosigkeit *f.*

mast [mɑːst] *n* (*Naut*) Mast *m*; (*Rad etc*) Sendeturm *m*
▸ **10 years before the** ~ 10 Jahre auf See.

master ['mɑːstər] **1** *n* **a** (*of the house, dog, servants*)
Herr *m* ▸ **to be** ~ **in one's own house** (*also fig*) Herr im
Hause sein; **to be one's own** ~ sein eigener Herr sein;
to be ~ **of sth** etw beherrschen; **to be** ~ **of the situation**
Herr der Lage sein; ~ **of ceremonies** (*at function*)
Zeremonienmeister *m*; (*on stage*) Conférencier *m*; (*TV*)
Showmaster *m.* **b** (*Naut*) Kapitän *m.* **c** (*musician,
painter etc*) Meister *m.* **d** (*teacher*) Lehrer *m.* **e** (*boy's
title*) Master *m.* **f** (*Univ*) **M**~ **of Arts/Science** *n* Magister *m* der philosophischen/naturwissenschaftlichen
Fakultät. **g** (~ *copy*) Original *nt.*
2 *vt* meistern; *one's emotions* unter Kontrolle bringen;
technique beherrschen.

┌─ **MASTER'S DEGREE** ─┐

ⓘ **Master's Degree** ist ein höherer akademischer Grad,
den man in der Regel nach dem **bachelor's degree**
erwerben kann. Je nach Universität erhält man ein
master's degree nach einem entsprechenden Studium
und/oder einer Dissertation. Die am häufigsten

verliehenen Grade sind MA (Master of Arts) und MSc (Master of Science), die beide Studium und Dissertation erfordern, während für MLitt (Master of Letters) und MPhil (Master of Philosophy) meist nur eine Dissertation nötig ist. Siehe auch bachelor's degree, doctorate.

master: ~ **builder** *n* Baumeister *m*; ~ **copy** *n* Original *nt*; ~ **disk** *n* (*Comp*) Hauptplatte *f*; ~ **file** *n* (*Comp*) Stammdatei *f*.

masterful ['mɑːstəfʊl] *adj* meisterhaft; (*dominating*) *personality* gebieterisch.

master key *n* Haupt- *or* Generalschlüssel *m*.

masterly ['mɑːstəlɪ] *adj* meisterhaft.

master: ~**mind** [1] *n* (führender) Kopf; [2] *vt* **who** ~**minded the robbery?** wer steckt hinter dem Raubüberfall?; ~**piece** *n* Meisterwerk *nt*; ~ **plan** *n* Gesamtkonzept *nt*; ~ **stroke** *n* Glanzstück *nt*; ~ **switch** *n* Hauptschalter *m*; ~ **tape** *n* Originalband *nt*; (*Comp*) Stammband *nt*.

mastery ['mɑːstərɪ] *n* (*of instrument, language etc*) Beherrschung *f*; (*skill*) Können *nt*; (*over competitors etc*) Oberhand *f*.

masthead ['mɑːsthed] *n* (*Naut*) Masttopp *m*; (*esp US: in magazine etc*) Impressum *nt*.

masticate ['mæstɪkeɪt] *vti* kauen.

mastiff ['mæstɪf] *n* Dogge *f*.

masturbate ['mæstəbeɪt] *vi* masturbieren, onanieren.

masturbation [ˌmæstə'beɪʃən] *n* Masturbation, Onanie *f*.

mat [mæt] *n* Matte *f*; (*door~*) Fußabstreifer *m*; (*on table*) Untersetzer *m* ▶ *place* ~ Set *nt*.

match¹ [mætʃ] *n* Streichholz *nt*.

match² [1] *n* [a] (*sb/sth similar, suitable etc*) **to be** *or* **make a good** ~ gut zusammenpassen. [b] (*equal*) **to be a/no** ~ **for sb** (*be able to compete with*) sich mit jdm messen/nicht messen können; (*be able to handle*) jdm gewachsen/nicht gewachsen sein; **to meet one's** ~ seinen Meister finden. [c] (*marriage*) Heirat *f* ▶ **she made a good** ~ sie hat eine gute Partie gemacht. [d] (*Sport*) (*general*) Wettkampf *m*; (*team game*) Spiel *nt*; (*Tennis*) Match *nt*; (*Boxing*) Kampf *m*.

[2] *vt* [a] (*pair off*) **they're well** ~**ed** die beiden passen gut zusammen; **the teams are well** ~**ed** die Mannschaften sind gleichwertig; ~ **each diagram with its counterpart** ordnen Sie die Schaubilder einander (*dat*) zu; **to be** ~**ed against sb** gegen jdn antreten. [b] (*equal*) gleichkommen (+*dat*) (*in an* +*dat*) ▶ **I can't** ~ **him in chess** im Schach kann ich es mit ihm nicht aufnehmen; **the results did not** ~ **our hopes** die Ergebnisse entsprachen nicht unseren Hoffnungen. [c] (*clothes, colours*) passen zu; (*make* ~; *also Elec*) aufeinander abstimmen.

[3] *vi* zusammenpassen ▶ **with a skirt to** ~, **with a** ~**ing skirt** mit (dazu) passendem Rock; ~**ing outfit** Kombination *f*.

matchbox ['mætʃbɒks] *n* Streichholzschachtel *f*.

matchless ['mætʃlɪs] *adj* unvergleichlich.

match: ~**maker** *n* Ehestifter(in *f*), Kuppler(in *f*) (*pej*) *m*; ~ **point** *n* (*Tennis*) Matchball *m*; ~**stick** *n* Streichholz *nt*; ~**wood** *n* **smashed to** ~**wood** (*fig*) zu Kleinholz gemacht.

mate¹ [meɪt] (*Chess*) [1] *n* Matt *nt*.
[2] *vt* matt setzen.

mate² [1] *n* [a] (*fellow worker*) Kollege *m*; (*helper*) Gehilfe *m*. [b] (*Naut*) Maat *m*. [c] (*of animal*) (*male*) Männchen *nt*; (*female*) Weibchen *nt*; (*person*) Lebenspartner(in *f*) *m* ▶ **his** ~ das Weibchen. [d] (*col: friend*) Kamerad(in *f*) *m*, Kumpel *m* (*col*) ▶ **listen** ~! hör mal, Freundchen! (*col*); **got a light** ~? hast du Feuer, Kumpel? (*col*).
[2] *vt animals* paaren; *female* decken lassen.
[3] *vi* (*Zool*) sich paaren.

material [mə'tɪərɪəl] [1] *adj* [a] materiell ▶ ~ *damage* Sachschaden *m*. [b] (*esp Jur: important*) *difference* wesentlich.
[2] *n* [a] Material *nt*; (*for report etc*) Stoff *m* ▶ ~**s** Material *nt*; **he's good editorial** ~ er hat das Zeug zum Redakteur. [b] (*cloth*) Stoff *m*.

materialism [mə'tɪərɪəlɪzəm] *n* der Materialismus.

materialistic *adj*, ~**ally** *adv* [mə,tɪərɪə'lɪstɪk, -əlɪ] materialistisch.

materialize [mə'tɪərɪəlaɪz] *vi* (*idea, plan*) sich verwirklichen; (*promises, hopes etc*) wahr werden.

materially [mə'tɪərɪəlɪ] *adv* wesentlich.

maternal [mə'tɜːnl] *adj* mütterlich ▶ ~ *grandmother/ grandfather* Großmutter/Großvater mütterlicherseits.

maternity [mə'tɜːnɪtɪ] *n* Mutterschaft *f*.

maternity: ~ **benefit** *n* Mutterschaftsgeld *nt*; ~ **dress** *n* Umstandskleid *nt*; ~ **home**, ~ **hospital** *n* Entbindungsheim *nt*; ~ **leave** *n* Mutterschaftsurlaub *m*; ~ **ward** *n* Entbindungsstation *f*.

matey ['meɪtɪ] (*Brit col*) [1] *adj* kumpelhaft ▶ **to be** ~ **with sb** mit jdm auf du und du stehen.
[2] *n* Kumpel *m* (*col*).

math [mæθ] *n* (*US col*) Mathe *f* (*col*).

mathematical *adj*, ~**ly** *adv* [ˌmæθə'mætɪkəl,- i] mathematisch.

mathematician [ˌmæθəmə'tɪʃən] *n* Mathematiker(in *f*) *m*.

mathematics [ˌmæθə'mætɪks] *n sing* Mathematik *f*.

maths [mæθs] *n sing* (*Brit col*) Mathe *f* (*col*).

matinée ['mætɪneɪ] *n* Matinee *f*; (*in the afternoon also*) Nachmittagsvorstellung *f*.

mating ['meɪtɪŋ] *n* Paarung *f*.

mating: ~ **call** *n* Lockruf *m*; ~ **season** *n* Paarungszeit *f*.

matins ['mætɪnz] *n sing* (*Rel*) Morgenandacht *f*.

matriarch ['meɪtrɪɑːk] *n* Matriarchin *f*.

matrices ['meɪtrɪsiːz] *pl of* **matrix**.

matriculate [mə'trɪkjʊleɪt] *vi* sich immatrikulieren.

matrimonial [ˌmætrɪ'məʊnɪəl] *adj vows* Ehe-.

matrimony ['mætrɪmənɪ] *n* (*form*) Ehe *f*.

matrix ['meɪtrɪks] *n*, *pl* **matrices** *or* **-es** [a] (*mould*) Matrize *f*. [b] (*Geol, Math*) Matrix *f*.

matron ['meɪtrən] *n* (*in hospital*) Oberschwester *f*; (*in school*) Schwester *f*.

matronly ['meɪtrənlɪ] *adj* matronenhaft.

matt [mæt] *adj* mattiert ▶ ~ *paint* Mattlack *m*.

matted ['mætɪd] *adj* verfilzt.

matter ['mætə'] [1] *n* [a] (*Phys etc: substance*) die Materie; (*particular kind*) Stoff *m* ▶ *advertising* ~ Werbung *f*; *printed* ~ Drucksache(n *pl*) *f*; *colouring* ~ Farbstoff(e *pl*) *m*; *reading* ~ Lektüre *f*.
[b] (*Med: pus*) Eiter *m*.
[c] (*content*) Inhalt *m*.
[d] (*question, affair*) Sache, Angelegenheit *f*; (*topic*) Thema *nt* ▶ **in this** ~ in diesem Zusammenhang; **in the** ~ **of ...** was ... (+*acc*) anbelangt; **in the** ~ **of clothes** *etc* in puncto Kleidung *etc*; **there's the** ~ **of my expenses** da wären noch meine Auslagen; **that's quite another** ~ das ist etwas (ganz) anderes; **it will be no easy** ~ **(to) ...** es wird nicht einfach sein, zu ...; **it's a serious** ~ das ist eine ernste Angelegenheit; **the** ~ **in hand** die vorliegende Angelegenheit; **the** ~ **is closed** der Fall ist erledigt; **for that** ~ eigentlich; **business** ~**s** geschäftliche Dinge *pl*, Geschäftliche(s) *nt*; **money** ~**s** Geldfragen *pl*; **as** ~**s stand** wie die Dinge liegen; **to make** ~**s worse** zu allem Unglück (noch).
[e] **a** ~ **of** eine Sache von; **it's a** ~ **of time** das ist eine Frage der Zeit; **it's a** ~ **of opinion** das ist Ansichtssache; **it will be a** ~ **of a few weeks** es wird ein paar Wochen dauern; **it's a** ~ **of minutes** innerhalb von Minuten; **it's a** ~ **of great concern to us** die Sache ist für uns von großer Bedeutung; **it's a** ~ **of increasing the money**

supply es geht darum, die Geldzufuhr zu erhöhen; *as a ~ of course* selbstverständlich; *no ~!* macht nichts; *I've decided to leave, no ~ what* ich gehe, egal was passiert; *no ~ how/what/when* etc ... egal, wie/was/wann *etc* ...; *no ~ how hot it was* selbst bei der größten Hitze; *something is the ~ with sb/sth* etwas ist mit jdm/etw los; (*ill*) etwas fehlt jdm; *what's the ~ with you?* was ist denn mit dir los?; *what's the ~ with smoking?* was ist denn dabei, wenn man raucht?; *something's the ~ with the lights* mit der Beleuchtung ist irgend etwas nicht in Ordnung.

[2] *vi it doesn't ~* (es *or* das) macht nichts; *what does it ~?* was macht das schon?; *I forgot it, does it ~?* ich hab's vergessen, ist das schlimm?; *does it ~ to you if I go?* macht es dir etwas aus, wenn ich gehe?; *it doesn't ~ to me what you do* es ist mir (ganz) egal, was du machst.

matter-of-fact ['mætərəv'fækt] *adj* sachlich.
Matthew ['mæθju:] *n* ≈ Matthias *m*; (*Bibl*) Matthäus *m*.
matting ['mætɪŋ] *n* Matten *pl*.
mattress ['mætrɪs] *n* Matratze *f*.
mature [mə'tjʊəʳ] [1] *adj* (+*er*) *person, cheese* reif; *child* vernünftig; *wine* ausgereift.
[2] *vi* (*person*) reifer werden; (*wine, cheese*) reifen.
maturity [mə'tjʊərɪtɪ] *n* Reife *f* ▸ *to reach ~* (*person*) erwachsen werden; (*legally*) volljährig werden.
maudlin ['mɔːdlɪn] *adj story* rührselig; *person* gefühlsselig.
maul [mɔːl] *vt* übel zurichten.
Mauritius [mə'rɪʃəs] *n* Mauritius *nt*.
mausoleum [,mɔːsə'lɪəm] *n* Mausoleum *nt*.
mauve [məʊv] *adj* mauve.
maverick ['mævərɪk] *n* (*dissenter*) Abtrünnige(r) *m*; (*independent thinker*) Querdenker *m*.
mawkish ['mɔːkɪʃ] *adj* rührselig, kitschig.
max = maximum *max*.
maxi ['mæksɪ] [1] *n* (*skirt*) Maxirock *m*; (*dress*) Maxikleid *nt*.
[2] *adj* (*col*) Mega- ▸ *a ~ headache* Wahnsinnskopfschmerzen *pl*.
maxim ['mæksɪm] *n* Maxime *f*.
maximize ['mæksɪmaɪz] *vt* maximieren.
maximum ['mæksɪməm] [1] *adj attr* Höchst-; *size, costs* maximal ▸ *the ~ salary is ...* das höchste Gehalt ist ...; (*top grade*) das Endgehalt ist...; *~ security wing/prison* Hochsicherheitstrakt *m*/-gefängnis *nt*.
[2] *n, pl* **-s** *or* **maxima** ['mæksɪmə] Maximum *nt* ▸ *up to a ~ of £8* bis zu maximal £8; *temperatures reached a ~ of 34°* die Höchsttemperatur betrug 34°.
May [meɪ] *n* Mai *m*; *see* **September**.

▼ **may** [meɪ] *vi pret* **might** (*see also* **might¹**) [a] (*possibility: also* **might**) können ▸ *it ~ rain* vielleicht regnet es; *it ~ be that ...* vielleicht ..., es könnte sein, daß ...; *he ~ not be hungry* vielleicht hat er keinen Hunger; *I ~ have said so* ich kann *or* könnte sein, daß ich das gesagt habe; *you ~ be right* (*doubting*) Sie haben vielleicht recht; (*tentatively agreeing*) da könnten Sie recht haben; *yes, I ~* ja, das ist möglich; *you ~ well ask* das ist eine gute Frage!
[b] (*permission*) dürfen ▸ *~ I go now?* darf ich jetzt gehen?; *yes, you ~* ja, Sie dürfen.
[c] *I hope he ~ succeed* ich hoffe, daß es ihm gelingt; *I hoped he might succeed* ich hatte gehofft, es würde ihm gelingen; *you ~ or might as well go now* du kannst jetzt ruhig gehen; *if they don't have it we ~ or might as well go to another firm* wenn sie es nicht haben, gehen wir am besten zu einer anderen Firma.
[d] (*in wishes*) *~ you be successful!* (ich wünsche Ihnen) viel Erfolg!; *~ you be very happy together* ich wünsche euch, daß ihr sehr glücklich miteinander werdet.

maybe ['meɪbiː] *adv* vielleicht.
May: *~* **Day** *n* der 1. Mai; *~day* *n* (*distress call*) Maydaysignal *nt*, SOS-Ruf *m*.
mayhem ['meɪhem] *n* (*havoc*) Chaos *nt*.
mayonnaise [,meɪə'neɪz] *n* Mayonnaise *f*.
mayor [mɛəʳ] *n* Bürgermeister(in *f*) *m*.
mayoress ['mɛəres] *n* Frau *f* des Bürgermeisters; (*lady mayor*) Bürgermeisterin *f*.
maypole ['meɪpəʊl] *n* Maibaum *m*.
maze [meɪz] *n* Irrgarten *m*; (*fig*) Gewirr *nt*.
MBE = Member of the Order of the British Empire *britischer Verdienstorden.*
MC = [a] **Master of Ceremonies.** [b] (*US*) **Member of Congress.**
McCoy [mə'kɔɪ] *see* **real.**
MCP (*Brit col*) = **male chauvinist pig.**
MD = [a] **Doctor of Medicine** Dr. med. [b] = **managing director.** [c] (*US Post*) = **Maryland.**
me [miː] *pron* [a] (*dir obj, with prep +acc*) mich; (*indir obj, with prep +dat*) mir ▸ *he's older than ~* er ist älter als ich. [b] (*emph*) ich ▸ *who, ~?* wer, ich?; *it's ~* ich bin's.
ME = [a] (*US Post*) **Maine.** [b] (*Med*) **myalgic encephalomyelitis** *krankhafter Energiemangel (oft nach Viruserkrankungen).*
meadow ['medəʊ] *n* Wiese *f*.
meagre, (*US*) **meager** ['miːgəʳ] *adj* spärlich; *amount* kläglich; *meal* dürftig.
meal¹ [miːl] *n* (*flour etc*) Schrot(mehl *nt*) *m*.
meal² *n* Mahlzeit *f*, (*food*) Essen *nt* ▸ *come around for a ~* komm zum Essen (zu uns); *to go for a ~* essen gehen; *to have a (good) ~* (gut) essen; *hot ~s* warme Mahlzeiten *pl*; *to make a ~ of sth* (*col*) etw auf sehr umständliche Art machen.
meal: *~-ticket* *n* (*US: lit*) Essensmarke *f*; *she's just his ~-ticket* er ist nur des Geldes wegen mit ihr befreundet; *~time* *n* Essenszeit *f*.
mealy-mouthed [,miːlɪ'maʊðd] *adj politician* schönfärberisch ▸ *to be ~* viele Worte machen, schwafeln.
mean¹ [miːn] *adj* (+*er*) [a] (*miserly*) geizig ▸ *he's ~ with his money* er ist geizig mit seinem Geld. [b] (*unkind, spiteful*) gemein ▸ *you ~ thing!* du gemeines Stück!, du Miststück! (*col*); *a ~ trick* eine Gemeinheit. [c] (*vicious*) bösartig; *look* gehässig; *criminal* niederträchtig ▸ *~ machine* (*col*) (*car*) heißer Wagen; (*motorcycle*) Feuerstuhl *m* (*col*). [d] *he is no ~ player* er ist ein beachtlicher Spieler; *that's no ~ feat* diese Aufgabe ist nicht zu unterschätzen.
mean² [1] *n* Durchschnitt *m* ▸ *the golden* or *happy ~* der goldene Mittelweg.
[2] *adj* mittlere(r, s).

▼ **mean³** *pret, ptp* **meant** *vt* [a] bedeuten; (*person: have in mind*) meinen ▸ *what do you ~ by that?* was willst du damit sagen?; *I ~ it!* ich meine das ernst!; *I ~ what I say* es ist mir ernst damit; *the name ~s nothing to me* der Name sagt mir nichts; *it ~s starting all over again* das bedeutet, daß wir/sie wieder ganz von vorne anfangen müssen; *this will ~ great changes* dies wird bedeutende Veränderungen zur Folge haben; *he ~s a lot to me* er bedeutet mir viel.
[b] (*intend*) beabsichtigen ▸ *to ~ to do sth* etw tun wollen; (*do on purpose*) etw absichtlich tun; *to be ~t for sb/sth* für jdn/etw bestimmt sein; *to ~ sb to do sth* wollen, daß jd etw tut; *sth is ~t to be sth* etw soll etw sein; *I ~t it as a joke* das sollte ein Witz sein; *you are ~t to be on time* du solltest pünktlich sein; *he wasn't ~t to be a leader* er war nicht zum Führer bestimmt; *I ~ to be obeyed* ich verlange, daß man mir gehorcht; *this pad is ~t for drawing* dieser Block ist zum Zeichnen gedacht; *you weren't ~t to see it* du solltest das nicht

---

➤ SENTENCE BUILDER: **may: a →** 13.3 **b →** 9.2 **mean³: a →** 2.3, 11 zu sehen bekommen; *he ~s well/no harm* er meint es gut/nicht böse.

meander [mɪˈændə^r] *vi* (*river*) sich (dahin)schlängeln; (*go off subject*) (vom Thema) abschweifen; (*walking*) schlendern.

meaning [ˈmiːnɪŋ] *n* Bedeutung *f*; (*sense: of words, poem etc also*) Sinn *m* ▶ *a look full of ~* ein bedeutsamer Blick; *do you get my ~?* haben Sie mich (richtig) verstanden?; *you don't know the ~ of hunger* du weißt ja gar nicht, was Hunger bedeutet; *what's the ~ of this?* was soll denn das (heißen)?

meaningful [ˈmiːnɪŋfʊl] *adj* sinnvoll; *film* bedeutungsvoll; *relationship* tiefergehend.

meaningless [ˈmiːnɪŋlɪs] *adj sentence, statement* ohne Bedeutung; *life* sinnlos.

meanness [ˈmiːnnɪs] *n see adj* [a] Geiz *m*. [b] Gemeinheit *f*. [c] Bösartigkeit *f*; Gehässigkeit *f*; Niedertracht *f*.

means [miːnz] *n* [a] *sing* (*method*) Möglichkeit *f*; (*instrument*) Mittel *nt* ▶ *a ~ of transport* ein Beförderungsmittel *nt*; *a ~ to an end* ein Mittel *nt* zum Zweck; *there is no ~ of doing it* es ist unmöglich, das zu tun; *we've no ~ of knowing that* wir können das nicht wissen; *by ~ of sth* durch etw; *by ~ of doing sth* dadurch, daß man etw tut. [b] *sing by all ~!* (aber) selbstverständlich *or* natürlich!; *by no ~* keineswegs; (*under no circumstances*) auf keinen Fall. [c] *pl* (*wherewithal*) Mittel *pl*; (*financial ~ also*) Gelder *pl* ▶ *a man of ~* ein vermögender Mann; *private ~* private Mittel; *to live beyond/within one's ~* über seine Verhältnisse leben/seinen Verhältnissen entsprechend leben; *~ test* Überprüfung *f* der Einkommens- und Vermögensverhältnisse.

meant [ment] *pret, ptp of* **mean**³.

meantime [ˈmiːntaɪm] [1] *adv* inzwischen.
[2] *n in the ~* in der Zwischenzeit, inzwischen.

meanwhile [ˈmiːnwaɪl] *adv* inzwischen.

measles [ˈmiːzlz] *n sing* Masern *pl*.

measly [ˈmiːzlɪ] *adj* (+*er*) (*col*) mick(e)rig (*col*).

measure [ˈmeʒə^r] [1] *n* [a] (*unit of measurement*) Maß(einheit *f*) *nt*; (*amount ~d*) Menge *f*; (*fig: yardstick*) Maßstab *m* (*of* für) ▶ *her joy was beyond ~* ihre Freude kannte keine Grenzen; *to give sb full/short ~* (*barman*) richtig/zuwenig ausschenken; *in full ~* in höchstem Maße; *for good ~* sicherheitshalber; *it gave us some ~ of the difficulty* es gab uns einen Begriff von der Schwierigkeit; *in some ~* in gewisser Hinsicht; *some ~ of* ein gewisses Maß an; *to a or in large ~* in hohem Maße. [b] (*step*) Maßnahme *f* ▶ *to take ~s to do sth* Maßnahmen ergreifen, um etw zu tun.
[2] *vt* messen; *length* abmessen; *room* ausmessen; (*take sb's measurements*) Maß nehmen bei ▶ *to ~ one's length* (*fig: fall*) der Länge nach hinfallen.
[3] *vi* messen ▶ *what does it ~?* wieviel mißt es?

◆**measure off** *vt sep* abmessen.

◆**measure out** *vt sep* abmessen; *weights* abwiegen.

◆**measure up** *vi* (*be good enough, compare well*) *he didn't ~ ~* er hat enttäuscht; *to ~ ~ to sth* an etw (*acc*) herankommen.

measured [ˈmeʒəd] *adj tread* gemessen; *tone, way of talking* bedächtig; *words* wohlüberlegt.

measurement [ˈmeʒəmənt] *n* [a] (*act*) Messung *f*. [b] (*measure*) Maß *nt*; (*figure*) Meßwert *m*; (*fig*) Maßstab *m* ▶ *to take sb's ~s* bei jdm Maß nehmen.

measuring [ˈmeʒərɪŋ]: *~ jug n* Meßbecher *m*; *~ tape n* Bandmaß *nt*.

meat [miːt] *n* Fleisch *nt* ▶ *cold ~s* Aufschnitt *m*; *one man's ~ is another man's poison* (*Prov*) des einen Freud, des andern Leid (*Prov*).

meat *in cpds* Fleisch-; *~ball n* Fleischkloß *m*; *~ loaf n* ≃ Fleischkäse *m*; *~ pie n* Fleischpastete *f*.

meaty [ˈmiːtɪ] *adj* (+*er*) [a] *taste* Fleisch-. [b] (*fig*) *book*

aussagestark.

Mecca [ˈmekə] *n* (*Geog, fig*) Mekka *nt*.

mechanic [mɪˈkænɪk] *n* Mechaniker *m*.

mechanical [mɪˈkænɪkəl] *adj* (*lit, fig*) mechanisch ▶ *~ engineer/engineering* Maschinenbauingenieur *m*/ Maschinenbau *m*; *~ pencil* (*US*) Drehbleistift *m*.

mechanics [mɪˈkænɪks] *n* [a] *sing* (*subject*) (*engineering*) Maschinenbau *m*; (*Phys*) Mechanik *f*. [b] *pl* (*technical aspects*) Mechanik *f*; (*of writing etc*) Technik *f*; (*of procedure*) Mechanismus *m*.

mechanism [ˈmekənɪzəm] *n* Mechanismus *m*.

mechanization [ˌmekənaɪˈzeɪʃən] *n* Mechanisierung *f*; (*Mil*) Motorisierung *f*.

mechanize [ˈmekənaɪz] *vt* mechanisieren; (*Mil*) motorisieren.

medal [ˈmedl] *n* Medaille *f*; (*decoration*) Orden *m* ▶ *~ ceremony* (*Sport*) Siegerehrung *f*.

medallion [mɪˈdæljən] *n* Medaillon *nt*; (*medal*) Medaille *f*.

medallist, (*US*) **medalist** [ˈmedəlɪst] *n* Medaillengewinner(in *f*) *m*.

meddle [ˈmedl] *vi* (*interfere*) sich einmischen (*in* in +*acc*); (*tamper*) sich zu schaffen machen (*with* an +*dat*) ▶ *he's not a man to ~ with* mit ihm ist nicht gut Kirschen essen (*col*).

meddler [ˈmedlə^r] *n he's a terrible ~* er muß sich immer in alles einmischen.

meddlesome [ˈmedlsəm] *adj,* **meddling** [ˈmedlɪŋ] *adj attr she's a ~ old busybody* sie mischt sich dauernd in alles ein.

media [ˈmiːdɪə] *n, pl of* **medium** Medien *pl* ▶ *he works in the ~* er ist im Medienbereich tätig; *all the ~ were there* Presse, Funk und Fernsehen waren dort.

media: *~ buyer n* Streuplaner(in *f*) *m*; *~ circus n* Medienrummel *m*; *~ coverage n* Berichterstattung *f* in den Medien.

mediaeval *adj* = **medieval**.

median [ˈmiːdɪən] *adj* mittlere(r, s) ▶ *~ strip* (*US*) Mittelstreifen *m*.

media research *n* Medienforschung *f*.

mediate [ˈmiːdɪeɪt] [1] *vi* vermitteln.
[2] *vt settlement* aushandeln.

mediation [ˌmiːdɪˈeɪʃən] *n* Vermittlung *f*.

mediator [ˈmiːdɪeɪtə^r] *n* Vermittler *m*.

Medicaid ® [ˈmedɪˌkeɪd] *n* (*US*) *staatliche Krankenversicherung und Gesundheitsfürsorge für Einkommensschwache.*

medical [ˈmedɪkəl] [1] *adj* medizinisch; *examination, treatment* ärztlich; *board, inspector* Gesundheits- ▶ *~ card* (*Brit*) Krankenversicherungsschein *m*; *~ certificate* ärztliches Attest; *~ insurance* Krankenversicherung *f*; *~ practitioner* praktischer Arzt; *~ school* ≃ medizinische Fakultät; *~ student* Medizinstudent(in *f*) *m*.
[2] *n* (ärztliche) Untersuchung.

Medicare ® [ˈmedɪˌkeə^r] *n* (*US*) *staatliche Krankenversicherung und Gesundheitsfürsorge für ältere Bürger.*

medicated [ˈmedɪkeɪtɪd] *adj* medizinisch.

medication [ˌmedɪˈkeɪʃən] *n* (*act*) (medizinische) Behandlung; (*drugs etc*) Medikamente *pl*; (*medicine*) Medikament *nt*.

medicinal [meˈdɪsɪnl] *adj* Heil-, heilend.

medicine [ˈmedsɪn, ˈmedɪsɪn] *n* [a] Arznei *f*; (*particular preparation*) Medikament *nt* ▶ *to give sb a taste of his own ~* (*fig*) es jdm mit gleicher Münze heimzahlen. [b] (*science*) Medizin *f*.

medicine: *~ chest n* Hausapotheke *f*; *~-man n* Medizinmann *m*.

medieval [ˌmedɪˈiːvəl] *adj* mittelalterlich.

mediocre [ˌmiːdɪˈəʊkə^r] *adj* mittelmäßig.

mediocrity [ˌmiːdɪˈɒkrɪtɪ] *n* Mittelmäßigkeit *f*.

meditate ['medɪteɪt] *vi* nachdenken (*upon, on* über +*acc*); (*Rel, Philos*) meditieren.

meditation [ˌmedɪ'teɪʃən] *n* Nachdenken *nt*; (*Rel, Philos*) Meditation *f*.

Mediterranean [ˌmedɪtə'reɪnɪən] 1 *n* (*also* ~ *Sea*) Mittelmeer *nt*. 2 *adj* Mittelmeer-; *person* südländisch.

medium ['miːdɪəm] 1 *adj quality, size etc* mittlere(r, s); *steak* halbdurch; *brown, sized etc* mittel- ▶ *of* ~ *height* mittelgroß; *at* ~ *price* in der mittleren Preislage. 2 *n, pl* **media** *or* **-s** a (*means*) Mittel *nt* ▶ *through the* ~ *of the press* durch die Presse; *advertising* ~ Werbeträger *m*. b (*midpoint*) Mitte *f* ▶ *happy* ~ goldener Mittelweg. c (*spiritualist*) Medium *nt*.

medium *in cpds* mittel-; ~-**dry** *adj wine, sherry* halbtrocken; ~ **price range** *n* mittlere Preislage; ~-**range** *adj aircraft etc* Mittelstrecken-; ~-**sized** *adj* mittelgroß; *firm* mittelständisch; ~ **wave** *n* Mittelwelle *f*.

medley ['medlɪ] *n* Gemisch *nt*; (*Mus*) Medley *nt*.

meek [miːk] *adj* (+*er*) sanft(mütig); (*pej*) duckmäuserisch; (*uncomplaining*) duldsam.

meekly ['miːklɪ] *adv* sanft; (*pej*) duckmäuserisch.

meet [miːt] (*vb: pret, ptp* **met**) 1 *vt* a (*encounter*) *person* treffen; (*by arrangement*) sich treffen mit; *difficulty* stoßen auf (+*acc*) ▶ *he met his death in 1800* im Jahre 1800 fand er den Tod; *to arrange to* ~ *sb* sich mit jdm verabreden; *his eyes met mine* unsere Blicke trafen sich; *there's more to it than* ~*s the eye* da steckt mehr dahinter, als man auf den ersten Blick meint. b (*get to know*) kennenlernen ▶ *come and* ~ *my brother* komm, ich mache dich mit meinem Bruder bekannt; *pleased to* ~ *you!* angenehm! (*form*), guten Tag/Abend. c (*await arrival, collect*) abholen (*at* an +*dat*, von) ▶ *the car will* ~ *the train* der Wagen steht am Bahnhof bereit. d *expectations, target, deadline* erfüllen; *requirement* gerecht werden (+*dat*); *expenses, needs* decken; *charge, criticism* begegnen (+*dat*). 2 *vi* a (*encounter*) (*people*) sich begegnen; (*by arrangement*) sich treffen; (*society, committee etc*) tagen ▶ *haven't we met before somewhere?* sind wir uns nicht schon mal begegnet?; *until we* ~ *again!* bis zum nächsten Mal! b (*join etc*) sich treffen; (*converge*) sich vereinigen; (*rivers*) ineinanderfließen; (*intersect*) sich schneiden; (*fig: come together*) sich treffen ▶ *our eyes met* unsere Blicke trafen sich. 3 *n* (*Hunt*) Jagd *f*; (*US Sport*) Sportfest *nt*.

◆**meet up** *vi* sich treffen (*with sb* mit jdm).

◆**meet with** *vi* +*prep obj* a *hostility, problems* stoßen auf (+*acc*); *success, accident* haben; *disaster* erleiden; *approval, untimely death* finden. b *person* treffen; (*have a meeting*) (zu einer Unterredung) zusammenkommen mit.

meeting ['miːtɪŋ] *n* a Begegnung *f*; (*arranged*) Treffen *nt*; (*business* ~) Besprechung *f* ▶ *Mr Jones is in a* ~ Herr Jones ist (gerade) bei einer Besprechung; *the minister had a* ~ *with the ambassador* der Minister traf zu Gesprächen mit dem Botschafter zusammen; ~ *of minds* Zusammentreffen *nt* von Gleichgesinnten; (*reaching agreement*) Annäherung *f* der Standpunkte. b (*of committee*) Sitzung *f*; (*of members, citizens*) Versammlung *f* ▶ *at the last* ~ bei der letzten Sitzung. c (*Sport*) Veranstaltung *f*; (*between teams, opponents*) Begegnung *f*.

meeting: ~ **place** *n* Treffpunkt *m*; ~ **point** *n* Treffpunkt *m*; (*of rivers*) Zusammenfluß *m*; (*of lines*) Schnittpunkt *m*; ~ **room** *n* Besprechungszimmer *nt*.

mega- [megə-] *pref* Mega-. ~**bucks** *n* (*col*) ein Schweinegeld *nt* (*col*); ~**byte** *n* (*Comp*) Megabyte *nt*.

megalomaniac [ˌmegələʊ'meɪnɪæk] *n* Größen-

wahnsinnige(r) *mf*.

megaphone ['megəfəʊn] *n* Megaphon *nt*.

megastar ['megɑstɑːr] *n* Megastar *m*.

melancholy ['melənkəlɪ] 1 *adj* melancholisch; *duty, sight etc* traurig. 2 *n* Melancholie *f*.

mêlée ['meleɪ] *n* Gedränge, Gewühl *nt*; (*fighting*) Handgemenge *nt*.

mellow ['meləʊ] 1 *adj* (+*er*) *fruit, wine* ausgereift; *colour, light* warm; *sound, voice* weich; *person* gesetzt; (*fig: slightly drunk*) angeheitert. 2 *vi* (*wine, fruit*) reif werden, (*colours, sounds*) weicher werden; (*person*) gesetzter werden.

melodious *adj*, ~**ly** *adv* [mɪ'ləʊdɪəs, -lɪ] melodisch.

melodrama ['meləʊˌdrɑːmə] *n* Melodrama *nt*.

melodramatic [ˌmeləʊdrə'mætɪk] *adj* melodramatisch.

melody ['melədɪ] *n* Melodie *f*.

melon ['melən] *n* Melone *f*.

melt [melt] 1 *vt* schmelzen; *butter* zerlassen; (*fig*) *heart etc* erweichen ▶ *her tears* ~*ed my anger* beim Anblick ihrer Tränen verflog mein Zorn. 2 *vi* schmelzen; (*butter also*) zergehen; (*fig: anger*) verfliegen ▶ *it just* ~*s in the mouth* es zergeht einem nur so auf der Zunge; *he* ~*ed into the crowd* er verschwand in der Menge.

◆**melt away** *vi* (*lit*) (weg)schmelzen; (*fig*) sich auflösen; (*person*) dahinschmelzen; (*anger*) verfliegen; (*suspicion, money*) zerrinnen.

◆**melt down** *vt sep* einschmelzen.

meltdown ['meltdaʊn] *n* Kernschmelze *f*.

melting ['meltɪŋ-]: ~ **point** *n* Schmelzpunkt *m*; ~ **pot** *n* (*lit, fig*) Schmelztiegel *m*; *to be in the* ~ *pot* in der Schwebe sein.

member ['membər] *n* Mitglied *nt*; (*of tribe, species*) Angehörige(r) *mf*; (*Parl*) Abgeordnete(r) *mf* ▶ "~*s only*" „nur für Mitglieder"; ~ *of the family* Familienmitglied *nt*; *a* ~ *of the audience* ein Zuschauer/Zuhörer *m*; *the* ~*s of the expedition* die Expeditionsteilnehmer *pl*; *the* ~ *countries* die Mitgliedsstaaten *pl*; ~ *of parliament* Parlamentsmitglied *nt*.

membership ['membəʃɪp] *n* Mitgliedschaft *f* (*of* in +*dat*); (*number of members*) Mitgliederzahl *f* ▶ ~ *card* Mitgliedskarte *f*.

membrane ['membreɪn] *n* Membran(e) *f*.

memento [mə'mentəʊ] *n, pl* **-(e)s** Andenken *nt* (*of* an +*acc*).

memo ['meməʊ] *n* a = **memorandum**. b ~ *pad* Notizblock *m*.

memoir ['memwɑːr] *n* a Kurzbiographie *f*. b ~*s pl* Memoiren *pl*.

memorable ['memərəbl] *adj* unvergeßlich; (*important*) denkwürdig.

memorandum [ˌmemə'rændəm] *n, pl* **memoranda** [ˌmemə'rændə] (*in business*) Mitteilung *f*; (*personal reminder*) Notiz *f*.

memorial [mɪ'mɔːrɪəl] 1 *adj plaque, service* Gedenk-. 2 *n* Denkmal *nt* (*to* für).

ℹ️ **MEMORIAL DAY**

Memorial Day ist in den USA ein gesetzlicher Feiertag am letzten Montag im Mai zum Gedenken der in allen Kriegen gefallenen amerikanischen Soldaten. Siehe auch *Remembrance Sunday*.

memorize ['meməraɪz] *vt* sich (*dat*) einprägen.

memory ['memərɪ] *n* a Gedächtnis *nt*; (*faculty*) Erinnerungsvermögen *nt* ▶ *from* ~ aus dem Kopf; *I have a bad* ~ *for faces* ich habe ein schlechtes Personengedächtnis; *if my* ~ *serves me right* wenn ich mich recht entsinne. b (*that remembered*) Erinnerung *f* (*of* an +*acc*) ▶ *I have no* ~ *of it* ich kann mich nicht daran erinnern. [c] (*Comp*) Speicher *m* ▶ ~ *bank* Datenspeicher *m* ▶ [d] *in* ~ *of* zur Erinnerung *or* zum Gedenken (*form*) an (+*acc*).

men [men] *pl of* **man**.

menace ['menɪs] [1] *n* [a] Bedrohung *f* (*to gen*); (*imminent danger*) drohende Gefahr. [b] (*col: nuisance*) (Land)plage *f*. [2] *vt* bedrohen.

menacing *adj*, **~ly** *adv* ['menɪsɪŋ, -lɪ] drohend.

ménage [me'nɑːʒ] *n* Haushalt *m* ▶ ~ *à trois* Dreiecksverhältnis *nt*.

mend [mend] [1] *n* **to be on the** ~ auf dem Wege der Besserung sein. [2] *vt* (*repair*) reparieren; *roof, fence also* ausbessern; *hole, clothes* flicken ▶ *my shoes need* **~ing** ich muß meine Schuhe reparieren lassen; *to* ~ *one's ways* sich bessern. [3] *vi* (*bone*) (ver)heilen.

mendacious [men'deɪʃəs] *adj* (*form*) verlogen.

mendacity [men'dæsɪtɪ] *n* (*form*) Verlogenheit *f*.

menfolk ['menfəʊk] *npl* Männer *pl*.

menial ['miːnɪəl] *adj* niedrig.

meningitis [ˌmenɪn'dʒaɪtɪs] *n* Hirnhautentzündung *f*.

menopause ['menəʊpɔːz] *n* Wechseljahre *pl*.

men's room *n* (*esp US*) Herrentoilette *f*.

menstrual ['menstrʊəl] *adj* Menstruations- ▶ ~ *period* Monatsblutung *f*.

menstruate ['menstrʊeɪt] *vi* die Menstruation haben.

menstruation [ˌmenstrʊ'eɪʃən] *n* die Menstruation *or* Periode.

menswear ['menzweəʳ] *n* Herrenbekleidung *f*.

mental ['mentl] *adj* [a] geistig; *cruelty* seelisch ▶ *to make a* ~ *note of sth* sich (*dat*) etw merken; *he has a* ~ *age of ten* er ist auf dem geistigen Entwicklungsstand eines Zehnjährigen; ~ *arithmetic* Kopfrechnen *nt*; ~ *asylum or hospital* psychiatrische Klinik *f*; ~ *blackout* Bewußtseinsstörung *f*; ~ *health* Geisteszustand *m*; ~ *home* (Nerven)heilanstalt *f*; ~ *illness* Geisteskrankheit *f*; ~ *patient* Geisteskranke(r) *mf*; ~ *process* Denkprozeß *m*. [b] (*col: mad*) übergeschnappt (*col*).

mentality [men'tælɪtɪ] *n* Mentalität *f* ▶ *they have an aggressive* ~ sie haben eine aggressive Art.

mentally ['mentəlɪ] *adv* [a] geistig ▶ ~ *handicapped/deficient* geistig behindert/geistesschwach; *he is* ~ *ill* er ist geisteskrank. [b] (*in one's head*) im Kopf.

menthol ['menθɒl] *n* Menthol *nt*.

mention ['menʃən] [1] *n* Erwähnung *f* ▶ *to get or receive a* ~ erwähnt werden; *to give sth a* ~ etw erwähnen; *there is a/no* ~ *of it* es wird erwähnt/nicht erwähnt; *it's hardly worth a* ~ es ist kaum erwähnenswert. [2] *vt* erwähnen (*to sb* jdm gegenüber) ▶ *not to* ~ ... geschweige denn ...; *too numerous to* ~ zu zahlreich, um sie einzeln erwähnen zu können; *don't* ~ *it!* (bitte,) gern geschehen!; **~ing** *no names*, ohne irgendwelche Namen nennen zu wollen; ~ *me to your parents!* viele Grüße an Ihre Eltern!

mentor ['mentɔːʳ] *n* Mentor *m*.

menu ['menjuː] *n* [a] Speisekarte *f* ▶ *what's on the* ~? was gibt es heute (zu essen)? [b] (*Comp*) Menü *nt* ▶ **~-driven** menügesteuert.

MEP = **Member of the European Parliament** Mitglied *nt* des Europäischen Parlaments.

mercantile ['mɜːkəntaɪl] *adj* Handels- ▶ *the* ~ *marine* die Handelsmarine.

mercenary ['mɜːsɪnərɪ] [1] *adj* [a] *person* geldgierig. [b] (*Mil*) *troops* Söldner-. [2] *n* Söldner *m*.

merchandise [*n* 'mɜːtʃəndaɪs, -daɪz, *vb* -daɪz] [1] *n* Ware *f*. [2] *vt* kaufen und verkaufen.

merchandiser ['mɜːtʃəndaɪzəʳ] *n* Verkaufsförderungsexperte *m*, Verkaufsförderungsexpertin *f*.

merchant ['mɜːtʃənt] *n* Kaufmann *m* ▶ *diamond* ~ Diamantenhändler *m*.

merchant *in cpds* Handels-; ~ *bank* *n* (*Brit*) Handelsbank *f*; ~ *banker* *n* (*Brit*) Bankier *m* (bei einer Handelsbank); **~man** *n* Handelsschiff *nt*; ~ *marine* (*US*), ~ *navy* *n* Handelsmarine *f*; ~ *seaman* *n* Matrose *m* in der Handelsmarine; ~ *ship* *n* Handelsschiff *nt*.

merciful ['mɜːsɪfʊl] *adj* gnädig ▶ *his death was a* ~ *release* sein Tod war für ihn eine Erlösung.

mercifully ['mɜːsɪfəlɪ] *adv act* barmherzig; *treat sb* gnädig; (*fortunately*) glücklicherweise.

merciless ['mɜːsɪlɪs] *adj* erbarmungslos; *destruction* schonungslos.

mercilessly ['mɜːsɪlɪslɪ] *adv* erbarmungslos.

mercurial [mɜː'kjʊərɪəl] *adj* (*volatile*) sprunghaft, wechselhaft; (*lively*) quicklebendig.

Mercury ['mɜːkjʊrɪ] *n* Merkur *m*.

mercury ['mɜːkjʊrɪ] *n* Quecksilber *nt*.

mercy ['mɜːsɪ] *n no pl* (*feeling of compassion*) Erbarmen *nt*; (*in judgment*) Gnade *f*; (*God's* ~) Barmherzigkeit *f* ▶ *to have* ~ *on sb* mit jdm Erbarmen haben; *to show sb* **~/no** ~ Erbarmen/kein Erbarmen mit jdm haben; *to be at the* ~ *of sb/sth* jdm/einer Sache (*dat*) ausgeliefert sein; *it's a* ~ *nobody was hurt* (*col*) man kann von Glück sagen, daß niemand verletzt wurde.

mercy killing *n* Töten *nt* aus Mitleid.

mere [mɪəʳ] *adj* bloß; *formality also* rein ▶ *he's a* ~ *clerk* er ist bloß ein kleiner Angestellter; *but she's a* ~ *child* aber sie ist doch nur *or* doch noch ein Kind!

merely ['mɪəlɪ] *adv* lediglich, bloß.

merge [mɜːdʒ] [1] *vi* [a] zusammenkommen; (*colours*) ineinander übergehen; (*roads*) zusammenlaufen ▶ *to* ~ *with sth* mit etw verschmelzen; (*colour*) in etw (*acc*) übergehen; *to* ~ *into sth* in etw (*acc*) übergehen. [b] (*Comm*) fusionieren. [2] *vt* (*Comm*) fusionieren; (*Comp*) *files* mischen.

merger ['mɜːdʒəʳ] *n* (*Comm*) Fusion *f*.

meridian [mə'rɪdɪən] *n* (*Astron, Geog*) Meridian *m*.

meringue [mə'ræŋ] *n* Meringe *f*, Baiser *nt*.

merit ['merɪt] [1] *n* (*achievement*) Leistung *f*, Verdienst *nt*; (*advantage*) Vorzug *m* ▶ *to look or inquire into the* **~s** *of sth* etw auf seine Vorteile untersuchen; *to treat a case on its* **~s** einen Fall gesondert behandeln. [2] *vt* verdienen.

meritocracy [ˌmerɪ'tɒkrəsɪ] *n* Leistungsgesellschaft *f*.

mermaid ['mɜːmeɪd] *n* Nixe, Meerjungfrau *f*.

merrily ['merɪlɪ] *adv* vergnügt; *boil also* munter.

merriment ['merɪmənt] *n* Heiterkeit *f*; (*laughter*) Gelächter *nt*.

merry ['merɪ] *adj* (+*er*) [a] (*cheerful*) fröhlich, vergnügt ▶ *M~ Christmas!* Fröhliche *or* Frohe Weihnachten! [b] (*col: tipsy*) beschwipst (*col*).

merry: ~-go-round *n* Karussell *nt*; **~making** *n* Feiern *nt*.

mesh [meʃ] [1] *n* (*hole*) Masche *f*; (*size of hole*) Maschenweite *f*; (*wire* ~) Maschendraht *m* ▶ *out of/in* ~ (*Mech*) nicht im/im Eingriff. [2] *vi* eingreifen (*with* in +*acc*); (*gears*) ineinandergreifen.

mesmerize ['mezməraɪz] *vt* hypnotisieren; (*fig*) fesseln ▶ *the audience sat* **~d** die Zuschauer saßen wie gebannt.

mess¹ [mes] *n* Durcheinander *nt*; (*untidy also*) Unordnung *f*; (*dirty*) Schweinerei *f* ▶ *to be (in) a* ~ unordentlich sein; (*disorganized*) ein einziges Durcheinander sein; (*fig: one's life, marriage etc*) verkorkst sein (*col*); *to look a* ~ (*person*) unmöglich aussehen; (*untidy also, room*) unordentlich aussehen; *to make a* ~ (*untidy*) Unordnung machen; (*dirty*) eine Schweinerei machen; *to make a* ~

of sth (*untidy*) etw durcheinanderbringen; (*dirty*) etw verdrecken; (*bungle, botch*) etw verpfuschen; **the cat has made a ~ on the carpet** die Katze hat auf den Teppich gemacht.

◆**mess about** *or* **around** (*col*) ⓵ *vt sep person* an der Nase herumführen (*col*); (*boss etc*) herumschikanieren; (*by delaying*) hinhalten.
⓶ *vi* (*play the fool*) herumalbern *or* -blödeln (*col*); (*do nothing in particular*) herumgammeln (*col*); (*fiddle*) herumfummeln (*with an +dat*); (*as hobby etc*) herumbasteln (*with an +dat*) (*col*).

◆**mess up** *vt sep* durcheinanderbringen; (*make untidy also*) in Unordnung bringen; (*make dirty*) verdrecken; (*botch, bungle*) verpfuschen, verhunzen (*col*); *marriage* kaputtmachen (*col*), ruinieren; *life, person* verkorksen (*col*).

mess² (*Mil*) *n* Kasino *nt*; (*on ships*) Messe *f*.

▼ **message** ['mesɪdʒ] *n* Mitteilung, Nachricht, Botschaft (*form*) *f* ► **to take a ~ to sb** jdm eine Nachricht überbringen; **can I take a ~ (for him)?** (*on telephone*) kann ich (ihm) etwas ausrichten?; **to give sb a ~** (*verbal*) jdm eine Nachricht geben; (*written*) jdm eine Nachricht geben; **would you give John a ~ (for me)?** könnten Sie John etwas (von mir) ausrichten?; **to leave a ~ for sb** (*written*) jdm eine Nachricht hinterlassen; (*verbal*) jdm etwas ausrichten lassen; **to get the ~** (*fig col*) kapieren (*col*).

messenger ['mesɪndʒəʳ] *n* Bote (*form*), Überbringer(in *f*) *m*; (*Mil*) Kurier *m* ► **~ boy** Laufbursche *m*.

Messiah [mɪ'saɪə] *n* Messias *m*.

Messrs ['mesəz] *pl of* **Mr** (*on letters etc*) **to ~** ... an die Herren ...

mess-up ['mesʌp] *n* Kuddelmuddel *m or nt* (*col*).

messy ['mesɪ] *adj* (*+er*) (*dirty*) dreckig; (*untidy*) unordentlich; (*confused*) durcheinander *pred*; (*fig: unpleasant*) unschön.

met [met] *pret, ptp of* **meet**.

met (*Brit*) = **meteorological**.

Met (*US*) = **Metropolitan Opera** Met *f*.

metabolism [mə'tæbəlɪzəm] *n* Stoffwechsel *m*.

metal ['metl] *n* Metall *nt*; (*Brit: on road*) Asphalt *m*.

metallic [mɪ'tælɪk] *adj* metallisch.

metallurgy [me'tælədʒɪ] *n* Metallurgie *f*.

metal *in cpds* Metall-; **~ polish** *n* Metallpolitur *f*; **~work** *n* Metall *nt*; **we did ~work at school** wir haben in der Schule Metallarbeiten gemacht; **~ worker** *n* Metallarbeiter(in *f*) *m*.

metamorphosis [,metə'mɔ:fəsɪs] *n, pl* **metamorphoses** [,metə'mɔ:fəsi:z] Metamorphose *f*; (*fig*) Verwandlung *f*.

metaphor ['metəfəʳ] *n* Metapher *f*.

metaphorical [,metə'fɒrɪkəl] *adj* metaphorisch.

metaphysical [,metə'fɪzɪkəl] *adj* metaphysisch.

metaphysics [,metə'fɪzɪks] *n sing* Metaphysik *f*.

mete out ['mi:t'aʊt] *vt sep* zuteil werden lassen (*to sb* jdm); *praise* austeilen; *rewards* verteilen ► **to ~ ~ a punishment to sb** jdn bestrafen.

meteor ['mi:tɪəʳ] *n* Meteor *m*.

meteoric [,mi:tɪ'ɒrɪk] *adj* meteorisch; (*fig*) kometenhaft.

meteorite ['mi:tɪəraɪt] *n* Meteorit *m*.

meteorological [,mi:tɪərə'lɒdʒɪkəl] *adj* Wetter-, meteorologisch ► **the M~ Office** (*Brit*) das Wetteramt.

meteorologist [,mi:tɪə'rɒlədʒɪst] *n* Meteorologe *m*, Meteorologin *f*.

meteorology [,mi:tɪə'rɒlədʒɪ] *n* Meteorologie *f*.

meter¹ ['mi:təʳ] *n* Zähler *m*; (*parking ~*) Parkuhr *f* ► **~ maid** (*col*) Politesse *f*.

meter² *n* (*US*) = **metre**.

methane ['mi:θeɪn] *n* Methan *nt*.

method ['meθəd] *n* Methode *f*; (*process*) Verfahren *nt* ►

~ *of payment* Zahlungsweise *f*.

methodical [mɪ'θɒdɪkəl] *adj* methodisch.

methodically [mɪ'θɒdɪkəlɪ] *adv* methodisch.

Methodist ['meθədɪst] *n* Methodist(in *f*) *m*.

methodology [,meθə'dɒlədʒɪ] *n* Methodik *f*.

meths [meθs] *n sing* Spiritus *m*.

methylated spirits ['meθɪleɪtɪd'spɪrɪts] *n sing* (Brenn)spiritus *m*.

meticulous [mɪ'tɪkjʊləs] *adj* (peinlich) genau ► **to be ~ about sth** es mit etw sehr genau nehmen.

meticulously [mɪ'tɪkjʊləslɪ] *adv* mit äußerster Sorgfalt, (peinlich) genau ► **~ clean** makellos sauber.

metre, (*US*) **meter** ['mi:təʳ] *n* ⓐ (*Measure*) Meter *m or nt*. ⓑ (*Poet*) Metrum *nt*.

metric ['metrɪk] *adj* metrisch ► **the ~ system** das metrische Maßsystem; **~ ton** Metertonne *f*.

metrication [,metrɪ'keɪʃən] *n* Umstellung *f* auf das metrische Maßsystem.

metronome [metrə'nəʊm] *n* Metronom *nt*.

metropolis [mɪ'trɒpəlɪs] *n* Metropole, Weltstadt *f*; (*capital*) Hauptstadt *f*.

metropolitan [,metrə'pɒlɪtən] *adj see n* weltstädtisch; der Hauptstadt ► **M~ Police** (*Brit*) Londoner Polizei.

mettle ['metl] *n* (*spirit*) Stehvermögen *nt*; (*of horse*) Zähigkeit *f*; (*temperament*) Feuer *nt* ► **to show one's ~** zeigen, was in einem steckt; **to be on one's ~** auf dem Posten sein.

mew [mju:] ⓵ *n* Miau(en) *nt*.
⓶ *vi* miauen.

mews [mju:z] *n sing or pl* Gasse *f* mit ehemaligen Kutscherhäuschen.

Mexican ['meksɪkən] ⓵ *adj* mexikanisch.
⓶ *n* Mexikaner(in *f*) *m*.

Mexico ['meksɪkəʊ] *n* Mexiko *nt* ► **~ City** Mexiko City *nt*.

mezzanine ['mezəni:n] *n* Mezzanin *nt*.

mezzo-soprano [,metsəʊsə'prɑ:nəʊ] *n* Mezzosopran *m*.

mfg = **manufacturing**.

mfr = **manufacture(r)** Herst.

mg = **milligram** mg.

MHz = **megahertz** MHz.

MI (*US Post*) = **Michigan**.

MI5 (*Brit*) = **Military Intelligence, section 5** *Spionageabwehrdienst m*; ≈ MAD *m*.

MI6 (*Brit*) = **Military Intelligence, section 6** *Geheimdienst m*.

miaow [mi:'aʊ] ⓵ *n* Miau(en) *nt*.
⓶ *vi* miauen.

mica ['maɪkə] *n* Muskovit *m*.

mice [maɪs] *pl of* **mouse**.

mickey ['mɪkɪ] *n* (*col*): **to take the ~ (out of sb)** jdn auf den Arm *or* auf die Schippe nehmen (*col*).

micro- ['maɪkrəʊ-] *pref* mikro-, Mikro-.

microbe ['maɪkrəʊb] *n* Mikrobe *f*.

micro-: ~biology *n* Mikrobiologie *f*; **~chip** *n* Mikrochip *m*; **~-computer** *n* Mikrocomputer *m*; **~cosm** *n* Mikrokosmos *m*; **~ dot** *n* Mikrobild *nt*; **~economics** *n sing or pl* Mikroökonomie *f*; **~fiche** *n* Mikrofiche *m or nt*; **~film** *n* Mikrofilm *m*; **~light** *n* Ultraleichtflugzeug *nt*; **~meter** [maɪ'krɒmɪtəʳ] *n* Meßschraube *f*; **~organism** *n* Mikroorganismus *m*; **~phone** *n* Mikrofon *nt*; **~processor** *n* Mikroprozessor *m*; **~scope** *n* Mikroskop *nt*; **~scopic** [,maɪkrə'skɒpɪk] *adj details, print* mikroskopisch; *thing* mikroskopisch klein; **~surgical** *adj* mikrochirurgisch; **~wave** *n* Mikrowelle *f*; **~wave oven** *n* Mikrowellenherd *m*.

mid [mɪd] *adj* mittel-, Mittel- ► **in ~ January** Mitte Januar; **in the ~ 1950s** Mitte der fünfziger Jahre; **he's in his mid 30s** er ist Mitte dreißig; **temperatures in the ~ eighties** Temperaturen um 30°C; **in ~ morning** am Vor-

---

➤ SENTENCE BUILDER: message → 15.6

mittag; *in ~ ocean* mitten auf dem Meer; *in ~ air* in der Luft.

midday ['mɪd'deɪ] ⓵ *n* Mittag *m* ► *at ~* mittags, um die Mittagszeit.
⓶ *adj attr* mittäglich ► *~ meal* Mittagessen *nt*.

middle ['mɪdl] ⓵ *n* Mitte *f*; (*central section: of book, film etc*) mittlerer Teil; (*inside of fruit etc*) Innere(s) *nt*; (*waist*) Taille *f* ► *in the ~ of the table* mitten auf dem Tisch; (*in exact centre*) in der Mitte des Tisches; *in the ~ of the night* mitten in der Nacht; *in the ~ of the day* gegen Mittag; *in the ~ of nowhere* am Ende der Welt; *in or about the ~ of May* Mitte Mai; *we were in the ~ of lunch* wir waren mitten beim Essen; *to be in the ~ of doing sth* mitten dabei sein, etw zu tun; *I'm in the ~ of reading it* ich bin mittendrin.
⓶ *adj* mittlere(r, s); *part, point, finger* Mittel-.

middle *in cpds* Mittel-, mittel-; *~ age n* mittleres Lebensalter; *~-aged adj* mittleren Alters; **M~ Ages** *npl* Mittelalter *nt*; *~-brow adj* für den (geistigen) Normalverbraucher; *~-class adj* bürgerlich, spießig (*pej*); (*Sociol*) mittelständisch; *~ class(es) n(pl)* Mittelstand *m or* -schicht *f*; *~ distance n* mittlere Entfernung; *~-distance runner n* Mittelstreckenläufer(in *f*) *m*; *~ ear n* Mittelohr *nt*; **M~ East** *n* Naher Osten; **M~ Eastern** *adj* nahöstlich; *~man n* Mittelsmann *m*; (*Comm*) Zwischenhändler *m*; *~ name n* zweiter Vorname; *~-of-the-road adj* gemäßigt; *policy, politician* der gemäßigten Mitte; *~ school n* (*Brit*) Schule für 9- bis 13-jährige; *~ weight n* Mittelgewicht *nt*.

middling ['mɪdlɪŋ] *adj* mittelmäßig; (*as answer*) so lala (*col*).

Middx (*Brit*) = **Middlesex** *Grafschaft um London*.

midfield [,mɪd'fiːld] ⓵ *n* Mittelfeld *nt*.
⓶ *adj* Mittelfeld-.

midge [mɪdʒ] *n* Mücke *f*.

midget ['mɪdʒɪt] *n* Liliputaner *m*.

midi system ['mɪdɪ,sɪstəm] *n* (*Hifi*) Midi-Anlage *f*.

mid: the M~lands *npl* Mittelengland *nt*; *~night n* Mitternacht *f*; *at ~night* um Mitternacht; *~night mass* (*at Christmas*) Christmesse *f*.

midriff ['mɪdrɪf] *n* Taille *f*.

midst [mɪdst] *n in the ~ of* mitten in.

mid: ~stream *n in ~stream* (*lit*) in der Mitte des Flusses; (*fig*) auf halber Strecke, *~summer* ⓵ *n* Hochsommer *m*; **M~summer's Day** Sommersonnenwende *f*; ⓶ *adj days, nights* Hochsommer-; *~term adj ~-term elections* (*Pol*) Zwischenwahlen *pl*; *~way adv* auf halbem Weg; *~way through sth* mitten in etw (*dat*); *to have reached the ~way point* die Hälfte geschafft haben; *~week adv* mitten in der Woche; **M~west** *n* (*US*) Mittelwesten *m*.

midwife ['mɪdwaɪf] *n, pl* -**wives** Hebamme *f*.

midwifery [,mɪd'wɪfərɪ] *n* Geburtshilfe *f*.

midwinter [,mɪd'wɪntər] *n* Mitte *f* des Winters.

miffed [mɪft] *adj* (*col*) sauer (*col*) (*at* über +*acc*).

▼ **might**[1] [maɪt] *pret of* **may** ► *as you ~ expect* wie zu erwarten war; *you ~ try Smith's* Sie könnten es ja mal bei Smith versuchen; *he ~ at least have apologized* er hätte sich wenigstens entschuldigen können.

might[2] *n* Macht *f* ► *with all one's ~* mit aller Kraft.

mightily ['maɪtɪlɪ] *adv* mit aller Macht; (*col: extremely*) mächtig (*col*); *improved* stark.

mighty ['maɪtɪ] ⓵ *adj* (+*er*) gewaltig; (*wielding power*) mächtig; *warrior* stark.
⓶ *adv* (*col*) mächtig (*col*) ► *~ fine* (*esp US*) großartig.

migraine ['miːgreɪn] *n* Migräne *f*.

migrant ['maɪgrənt] ⓵ *adj* Wander- ► *~ bird* Zugvogel *m*; *~ worker* Gastarbeiter *m*.
⓶ *n* (*bird*) Zugvogel *m*; (*person*) Übersiedler(in *f*) *m*.

migrate [maɪ'greɪt] *vi* (*animals, workers*) (ab)wandern; (*birds*) nach Süden ziehen.

migration [maɪ'greɪʃən] *n* Wanderung *f*; (*of birds also*) (Vogel)zug *m*; (*seasonal*) Zug *m* ► *~ of peoples* (*Hist*) Völkerwanderung *f*.

migratory [maɪ'greɪtərɪ] *adj life, instinct, worker* Wander- ► *~ bird* Zugvogel *m*.

Milan [mɪ'læn] *n* Mailand *nt*.

mike [maɪk] *n* (*col*) Mikrofon, Mikro (*col*) *nt*.

mild [maɪld] ⓵ *adj* (+*er*) mild; *breeze, criticism* leicht; *character* sanft; (*slight*) leicht.
⓶ *n* (*Brit: beer*) (leichtes) dunkles Bier.

mildew ['mɪldjuː] *n* Schimmel *m*; (*on plants*) Mehltau *m*.

mildly ['maɪldlɪ] *adv* leicht; *say* sanft; *rebuke* milde ► *to put it ~* gelinde gesagt.

mile [maɪl] *n* Meile *f* ► *how many ~s per gallon does your car do?* ≃ wieviel (Benzin) verbraucht Ihr Auto?; *a fifty-~ journey* eine Fahrt von fünfzig Meilen; *~s (and ~s)* (*col*) meilenweit; *they live ~s away* sie wohnen meilenweit weg; *it sticks out a ~* das sieht ja ein Blinder (mit Krückstock) (*col*); *he's ~s better at tennis than she is* er spielt hundertmal besser Tennis als sie (*col*).

mileage ['maɪlɪdʒ] *n* Meilen *pl*; (*on odometer*) Meilenstand *m* ► *~ allowance* Kilometergeld *nt*; *unlimited ~* (*in hire car*) unbegrenzte Kilometer *pl*; *what ~ does your car do?* wieviel (Benzin) verbraucht Ihr Auto?; *we got a lot of ~ out of it* (*fig col*) das war uns (*dat*) sehr dienlich.

mileometer [maɪ'lɒmɪtər] *n* (*Brit*) ≃ Kilometerzähler *m*.

milestone ['maɪlstəʊn] *n* (*lit, fig*) Meilenstein *m*.

milieu ['miːljɜː] *n* Milieu *nt*.

militancy ['mɪlɪtənsɪ] *n* Militanz *f*.

militant ['mɪlɪtənt] ⓵ *adj* militant.
⓶ *n* militantes Mitglied/militanter Gewerkschaftler *etc*.

militarism ['mɪlɪtərɪzəm] *n* Militarismus *m*.

militaristic [,mɪlɪtə'rɪstɪk] *adj* militaristisch.

military ['mɪlɪtərɪ] ⓵ *adj* militärisch; *government, band* Militär- ► *~ service* Wehrdienst *m*.
⓶ *n: the ~* das Militär.

militate ['mɪlɪteɪt] *vi to ~ against sth* gegen etw sprechen.

militia [mɪ'lɪʃə] *n* Miliz, Bürgerwehr *f*.

milk [mɪlk] ⓵ *n* Milch *f* ► *~ of magnesia* Magnesiamilch *f*; *it's no use crying over spilt ~* (*prov*) was passiert ist, ist passiert.
⓶ *vt* (*lit, fig*) melken.

milk *in cpds* Milch-; *~ chocolate n* Vollmilchschokolade *f*; *~ churn n* Milchkanne *f*; *~ float n* (*Brit*) Milchwagen *m*.

milking ['mɪlkɪŋ] *n* Melken *nt* ► *~ machine* Melkmaschine *f*.

milk: ~ jug *n* Milchkrug *m*; *~man n* Milchmann *m*; *~ run n* (*Aviat col*) Routineflug *m*; *~ shake n* Milchmixgetränk *nt*, Milchshake *m*; *~ tooth n* Milchzahn *m*; *~ truck n* (*US*) Milchwagen *m*.

milky ['mɪlkɪ] *adj* (+*er*) milchig ► *~ coffee* Milchkaffee *m*.

Milky Way [,mɪlkɪ'weɪ] *n* Milchstraße *f*.

mill [mɪl] ⓵ *n* Mühle *f*; (*paper, steel ~ etc*) Fabrik *f*; (*cotton~*) (*for thread*) Spinnerei *f*; (*for cloth*) Weberei *f* ► *he really went through the ~* (*col*) er hat wirklich viel durchmachen müssen.
⓶ *vt flour, coffee etc* mahlen; *paper* walzen; *metal* fräsen; *coin* rändeln.
♦**mill about** *or* **around** *vi* umherlaufen.

millennium [mɪ'lenɪəm] *n, pl* -**s** *or* **millennia** [mɪ'lenɪə] (*1,000 years*) Jahrtausend *nt*; (*state of perfection*) Tausendjähriges Reich *nt*.

miller ['mɪlər] *n* Müller *m*.

millet ['mɪlɪt] *n* Hirse *f*.

milli: ~gram(me) *n* Milligramm *nt*; *~litre, (US) ~liter n* Milliliter *m or nt*; *~metre, (US) ~meter n* Millimeter *m* *or nt.*

milliner ['mɪlɪnər] *n* Hutmacher(in *f*) *m.*

millinery ['mɪlɪnərɪ] *n* (*trade*) Hutmacherhandwerk *nt.*

million ['mɪljən] *n* Million *f* ▸ *4 ~ people* 4 Millionen Menschen; *the starving ~s* die Millionen, die Hunger leiden; *she's one in a ~* (*col*) so jemanden wie sie findet man so bald nicht wieder; *to feel like a ~ dollars* (*col*) sich pudelwohl fühlen; *to look (like) a ~ dollars* (*col*) einfach fantastisch aussehen.

millionaire [ˌmɪljəˈnɛər] *n* Millionär *m.*

millionairess [ˌmɪljəˈnɛəres] *n* Millionärin *f.*

millipede ['mɪlɪpiːd] *n* Tausendfüßler *m.*

millisecond ['mɪlɪsekənd] *n* Millisekunde *f.*

mill: **~pond** *n* Mühlteich *m*; *as calm as a ~pond* spiegelglatt; **~stone** *n* Mühlstein *m*; *it's a ~stone around his neck* das ist für ihn ein Klotz am Bein; **~wheel** *n* Mühlrad *nt.*

mime [maɪm] **1** *n* (*acting*) Pantomime *f*; (*actor*) Pantomime *m*; (*ancient play, actor*) Mimus *m.* **2** *vt* pantomimisch darstellen.

mimic ['mɪmɪk] **1** *n* Imitator *m.* **2** *vt* nachahmen; (*ridicule*) nachäffen.

mimicry ['mɪmɪkrɪ] *n* Nachahmung *f.*

min = **a** **minute(s)** min. **b** **minimum** min.

minaret [ˌmɪnəˈret] *n* Minarett *nt.*

mince [mɪns] **1** *n* (*Brit*) (*also* **~d meat**) Hackfleisch, Gehackte(s) *nt.* **2** *vt* *meat* durch den Fleischwolf drehen ▸ *he doesn't ~ his words* er nimmt kein Blatt vor den Mund. **3** *vi* (*walk*) tänzeln, trippeln ▸ *mincing steps* tänzelnde Schritte.

mince: **~meat** *n* süße Gebäckfüllung aus Dörrobst und Sirup; *to make ~meat of sb* (*col*) (*physically*) Hackfleisch aus jdm machen (*col*); (*verbally*) jdn zur Schnecke machen (*col*); **~ pie** *n* mit Mincemeat gefülltes Gebäck.

mincer ['mɪnsər] *n* Fleischwolf *m.*

▼ **mind** [maɪnd] **1** *n* **a** (*intellect*) Geist (*also Philos, person*), Verstand *m*; (*type of ~ also*) Kopf *m*; (*thoughts*) Gedanken *pl*; (*memory*) Gedächtnis *nt* ▸ *it's a question of ~ over matter* es ist eine Willensfrage; *it's all in the ~* das ist alles Einbildung; *one of the finest ~s of our times* einer der großen Geister unserer Zeit; *to be clear in one's ~ about sth* sich (*dat*) über etw im klaren sein; *he had something on his ~* ihn beschäftigte etwas; *if you put your ~ to it* wenn du dich anstrengst; *she couldn't get him out of her ~* er ging ihr nicht aus dem Kopf; *to take sb's ~ off sth* jdn auf andere Gedanken bringen; *the idea never entered my ~* daran hatte ich überhaupt nicht gedacht; *to bear or keep sth in ~* etw nicht vergessen; *facts also, application* etw im Auge behalten; *to bear or keep sb in ~* an jdn denken; *it went right out of my ~* daran habe ich überhaupt nicht mehr gedacht; *to bring or call sth to ~* etw in Erinnerung rufen. **b** (*inclination*) Lust *f*; (*intention*) Absicht *f* ▸ *to have sb/sth in ~* an jdn/etw denken; *to have it in ~ to do sth* beabsichtigen, etw zu tun; *I've half a ~/a good ~ to ...* ich hätte Lust/gute Lust, zu ...; *nothing was further from my ~* nichts lag mir ferner; *his ~ is set on that* er hat sich (*dat*) das in den Kopf gesetzt. **c** (*opinion*) Meinung, Ansicht *f* ▸ *to change one's ~* es sich (*dat*) anders überlegen; *to be in two ~s about sth* sich (*dat*) über etw (*acc*) nicht im klaren sein; *to be of one or the same ~* gleicher Meinung sein; *to my ~* he's wrong meiner Ansicht nach irrt er sich; *to have a ~ of one's/its own* (*person: not conform*) seinen eigenen Kopf haben (*hum: machine etc*) seine Mucken haben (*col*). **d** (*sanity*) Verstand *m* ▸ *to go out of or lose one's ~* den Verstand verlieren; *to be out of one's ~* nicht bei Verstand sein; (*with worry etc*) vor Sorgen ganz krank

sein. **2** *vt* **a** (*look after*) aufpassen auf (+*acc*); *sb's chair, seat* freihalten ▸ *I'm ~ing the shop* (*fig*) ich sehe nach dem Rechten. **b** (*be careful of*) aufpassen (auf +*acc*); (*pay attention to*) achten auf (+*acc*); (*act in accordance with*) beachten ▸ *~ the step!* Vorsicht Stufe!; *~ your own business* kümmern Sie sich um Ihre eigenen Angelegenheiten. **c** (*care, worry about*) sich kümmern um; (*object to*) etwas haben gegen ▸ *she doesn't ~ it* es macht ihr nichts aus; (*is not bothered*) es stört sie nicht; (*is indifferent to*) es ist ihr egal; *would you ~ opening the door?* wären Sie so freundlich, die Tür aufzumachen?; *do you ~ my smoking?* macht es Ihnen etwas aus, wenn ich rauche?; *it's bad enough for the children, never ~ the parents* für die Kinder ist es schon schlimm genug, von den Eltern ganz zu schweigen; *never ~ the expense* (es ist) egal, was es kostet; *never ~ him* kümmere dich nicht um ihn!; *I wouldn't ~ a cup of tea* ich hätte nichts gegen eine Tasse Tee. **3** *vi* **a** (*be careful*) aufpassen ▸ *~ you get that done* sieh zu, daß du das fertigbekommst! **b** *~ you* allerdings; *~ you, he did try* er hat es immerhin versucht. **c** (*object*) etwas dagegen haben ▸ *do you ~?* macht es Ihnen etwas aus?; *do you ~!* (*iro*) ich möchte doch sehr bitten!; *may I? — I don't ~* darf ich? — meinetwegen; *which one do you want? — I don't ~* welches willst du? — das ist mir egal. **d** *never ~* macht nichts!; (*in exasperation*) ist ja auch egal!; *never ~, you'll find another* mach dir nichts draus, du findest bestimmt einen anderen; *never ~ about that now!* laß das doch jetzt!

◆**mind out** *vi* aufpassen (*for* auf +*acc*).

mind: **~-blowing** *adj* (*col*) irre (*col*); **~-boggling** *adj* (*col*) irrsinnig (*col*).

-minded *adj* *suf* *romantically/technically~* romantisch/technisch veranlagt; *evil~* übel gesinnt.

minder ['maɪndər] *n* (*caring for sb*) Betreuer(in *f*) *m*; (*col: aide*) Aufpasser(in *f*) *m.*

mindful ['maɪndfʊl] *adj* *to be ~ of sth* an etw (*acc*) denken.

mind: **~less** *adj* (*stupid*) ohne Verstand; (*senseless*) *destruction, crime* sinnlos; *occupation* geistlos; **~ reader** *n* Gedankenleser(in *f*) *m.*

mine[1] [maɪn] *poss pron* meine(r, s) ▸ *this car is ~* dieses Auto gehört mir; *is this ~?* gehört das mir?; *his friends and ~* seine und meine Freunde; *a friend of ~* ein Freund von mir; *a favourite expression of ~* einer meiner Lieblingsausdrücke.

mine[2] **1** *n* **a** (*Min*) Bergwerk *nt*; (*copper ~ etc also*) Mine *f*; (*coal~ also*) Zeche *f* ▸ *to work down the ~s* unter Tage arbeiten. **b** (*Mil, Naut etc*) Mine *f* ▸ *to lay ~s* Minen legen. **c** (*fig*) *the book is a ~ of information* das Buch ist eine wahre Fundgrube; *he is a ~ of information* er ist ein wandelndes Lexikon (*col*). **2** *vt* **a** *coal, metal* fördern, abbauen. **b** (*Mil, Naut*) verminen; *ship* eine Mine befestigen an (+*dat*); (*blow up*) (mit einer Mine) sprengen. **3** *vi* Bergbau betreiben ▸ *to ~ for sth* nach etw graben.

mine: **~detector** *n* Minensuchgerät *nt*; **~field** *n* Minenfeld *nt.*

miner ['maɪnər] *n* Bergarbeiter, Bergmann *m.*

mineral ['mɪnərəl] **1** *n* Mineral *nt.* **2** *adj* *deposit, resources, oil* Mineral-; *substance* mineralisch ▸ *~ water* Mineralwasser *nt.*

mine: **~sweeper** *n* Minensuchboot *nt*; **~worker** *n* Bergarbeiter *m.*

mingle ['mɪŋgl] *vi* sich vermischen; (*people, groups*) sich untereinander vermischen ▸ *to ~ with the crowd* sich unters Volk mischen; *you should ~ a bit* (*at party etc*) du solltest dich ein bißchen unter die Leute mischen.

mini- ['mɪnɪ-] *pref* Mini-.

miniature ['mɪnɪtʃəʳ] **1** *n* Miniaturausgabe *f*; (*Art*) Miniatur *f* ► *in* ~ im kleinen, in Kleinformat. **2** *adj attr* Miniatur- ► ~ *camera* Kleinbildkamera *f*; ~ *poodle* Zwergpudel *m*.

mini: **~bus** *n* Kleinbus *m*; **~cab** *n* Kleintaxi *nt*; **~car** *n* Kleinwagen *m*.

minim ['mɪnɪm] *n* (*Brit Mus*) halbe Note.

minimal *adj*, **~ly** *adv* ['mɪnɪml, -əlɪ] minimal.

minimize ['mɪnɪmaɪz] *vt expenditure etc* auf ein Minimum reduzieren.

minimum ['mɪnɪməm] **1** *n* Minimum *nt* ► *with a* ~ *of inconvenience* mit einem Minimum an Unannehmlichkeiten; *to reduce sth to a* ~ etw auf ein Mindestmaß reduzieren. **2** *adj attr* Mindest- ► ~ *lending rate* Diskontsatz, Eckzins *m*; ~ *temperature* Tiefsttemperatur *f*; ~ *wage* Mindestlohn *m*.

mining ['maɪnɪŋ] *n* **a** (*Min*) Bergbau *m*. **b** (*Mil*) (*of area*) Verminen *nt*; (*of ship*) Sprengung *f* (mit einer Mine).

mining: ~ *engineer* *n* Bergbauingenieur *m*; ~ *industry* *n* Bergbau *m*.

miniskirt ['mɪnɪskɜːt] *n* Minirock *m*.

minister ['mɪnɪstəʳ] **1** *n* **a** (*Pol*) Minister *m*. **b** (*Eccl*) Pastor *m*, protestantischer Geistlicher. **2** *vi to* ~ *to sb* sich um jdn kümmern.

ministerial [ˌmɪnɪ'stɪərɪəl] *adj* (*Pol*) ministeriell, Minister-.

ministry ['mɪnɪstrɪ] *n* **a** (*Pol*) Ministerium *nt* ► ~ *of agriculture* Landwirtschaftsministerium. **b** (*Eccl*) geistliches Amt ► *to join* or *go into the* ~ Geistlicher werden.

mink [mɪŋk] *n* Nerz *m* ► ~ *coat* Nerzmantel *m*.

minor ['maɪnəʳ] **1** *adj* **a** (*of lesser extent*) kleiner; (*of lesser importance*) unbedeutend; *offence, operation* leicht; *importance* geringer; *position, road* Neben- ► *a* ~ *role* eine Nebenrolle. **b** (*Mus*) Moll- ► *G* ~ g-Moll *nt*. **2** *n* **a** (*Jur*) Minderjährige(r) *mf*. **b** (*US Univ*) Nebenfach *nt*.

Minorca [mɪ'nɔːkə] *n* Menorca *nt*.

minority [maɪ'nɒrɪtɪ] **1** *n* Minderheit *f* ► *to be in a* ~ in der Minderheit sein. **2** *adj attr* Minderheits- ► ~ *group* Minderheit *f*.

minster ['mɪnstəʳ] *n* Münster *nt*.

minstrel ['mɪnstrəl] *n* Spielmann *m*.

mint¹ [mɪnt] **1** *n* Münzanstalt, Münze *f* ► *a* ~ *of money* (*col*) ein Vermögen *nt* (*col*). **2** *adj stamp* ungestempelt ► *in* ~ *condition* neuwertig. **3** *vt coin* prägen.

mint² *n* (*Bot*) Minze *f*; (*sweet*) Pfefferminz *nt* ► ~ *sauce* Minzsoße *f*.

minuet [ˌmɪnjʊ'et] *n* Menuett *nt*.

minus ['maɪnəs] **1** *prep* **a** minus, weniger ► *£100* ~ *taxes* £100 abzüglich (der) Steuern. **b** (*without, deprived of*) ohne. **2** *adj quantity, value* negativ; *sign* Minus-; *temperatures* unter Null ► ~ *three degrees* drei Grad minus.

minuscule ['mɪnəˌskjuːl] *adj* winzig.

▼ **minute¹** ['mɪnɪt] *n* **a** (*of time, degree*) Minute *f* ► *in a* ~ sofort; *this (very)* ~! auf der Stelle!; *I shan't be a* ~, *it won't take a* ~ es dauert nicht lang; *any* ~ jeden Augenblick; *tell me the* ~ *he comes* sag mir sofort Bescheid, wenn er kommt; *have you got a* ~? hast du mal einen Augenblick Zeit?; *at the last* ~ in letzter Minute. **b** (*official note*) Notiz *f* ► **~s** Protokoll *nt*; *to take the* **~s** das Protokoll führen.

minute² [maɪ'njuːt] *adj* (*small*) winzig; (*detailed, exact*) minuziös; *detail* kleinste(r, s).

minute hand *n* Minutenzeiger *m*.

minutely [maɪ'njuːtlɪ] *adv* (*by a small amount*) ganz geringfügig; (*in detail*) genauestens.

minx [mɪŋks] *n* Biest *nt* (*col*).

miracle ['mɪrəkəl] *n* Wunder *nt* ► ~ *play* Mirakelspiel *nt*; ~ *worker* Wundertäter(in *f*) *m*; *to work* or *perform* **~s** (*lit*) Wunder vollbringen; *I can't work* **~s** ich kann doch nicht hexen!; *it's a* ~ *he ...* es ist ein Wunder, daß er ....

miraculous [mɪ'rækjʊləs] *adj* wunderbar; *powers* Wunder-.

miraculously [mɪ'rækjʊləslɪ] *adv* auf wunderbare Weise; (*fig*) wie durch ein Wunder.

mirage ['mɪrɑːʒ] *n* Fata Morgana *f*; (*fig*) Trugbild *nt*.

mire ['maɪəʳ] *n* (*also fig*) Morast *m*.

mirror ['mɪrəʳ] **1** *n* Spiegel *m* ► ~ *image* (*lit, fig*) Spiegelbild *nt*. **2** *vt* widerspiegeln.

mirth [mɜːθ] *n* Frohsinn *m*; (*laughter*) Heiterkeit *f*.

misadventure [ˌmɪsəd'ventʃəʳ] *n* Mißgeschick *nt* ► *death by* ~ Tod *m* durch Unfall.

misanthropist [mɪ'zænθrəpɪst] *n* Misanthrop, Menschenfeind *m*.

misapply [ˌmɪsə'plaɪ] *vt* falsch anwenden.

misapprehension [ˌmɪsæprɪ'henʃən] *n* Mißverständnis *nt* ► *I think you are under a* ~ ich glaube, bei Ihnen liegt (da) ein Mißverständnis vor; *he was under the* ~ *that ...* er hatte irrtümlicherweise angenommen, daß ...

misappropriate [ˌmɪsə'prəʊprɪeɪt] *vt* entwenden; *money* veruntreuen.

misappropriation [ˌmɪsəˌprəʊprɪ'eɪʃən] *n see vt* Entwendung *f*; Veruntreuung *f*.

misbehave [ˌmɪsbɪ'heɪv] *vi* sich schlecht benehmen; (*child also*) ungezogen sein.

misbehaviour, (*US*) **misbehavior** [ˌmɪsbɪ'heɪvjəʳ] *n* schlechtes Benehmen.

misc = **miscellaneous**.

miscalculate [ˌmɪs'kælkjʊleɪt] **1** *vt* falsch berechnen; (*misjudge*) falsch einschätzen. **2** *vi* sich verrechnen; (*estimate wrongly*) sich verkalkulieren.

miscalculation [ˌmɪskælkjʊ'leɪʃən] *n* Rechenfehler *m*; (*wrong estimation*) Fehlkalkulation *f*; (*misjudgement*) Fehleinschätzung *f*.

miscarriage [ˌmɪskærɪdʒ] *n* **a** (*Med*) Fehlgeburt *f*. **b** ~ *of justice* Justizirrtum *m*.

miscarry [mɪs'kærɪ] *vi* **a** (*Med*) eine Fehlgeburt haben. **b** (*fail: plans*) fehlschlagen.

miscast [mɪs'kɑːst] *vt actor* die falsche Rolle geben +*dat* ► *he was* ~ *in this part* mit ihm war die Rolle fehlbesetzt.

miscellaneous [ˌmɪsə'leɪnɪəs] *adj* verschieden; *poems* verschiedenerlei; *collection, crowd* bunt ► "**~**" „Verschiedenes".

miscellany [mɪ'selənɪ] *n* (*collection*) (bunte) Sammlung; (*variety*) Vielfalt *f*.

mischance [mɪs'tʃɑːns] *n by some* ~ durch einen unglücklichen Zufall.

mischief ['mɪstʃɪf] *n* (*roguery*) Verschmitztheit *f*; (*naughty behaviour*) Unfug *m* ► **~-maker** Unruhestifter *m*; *he's always getting into* ~ er stellt dauernd etwas an; *to keep out of* ~ keine Dummheiten machen; *to make* ~ Unfrieden stiften; *to do sb a* ~ jdm etwas (an)tun.

mischievous ['mɪstʃɪvəs] *adj expression, smile* verschmitzt; *rumour* bösartig; *person* boshaft.

mischievously ['mɪstʃɪvəslɪ] *adv smile, say* verschmitzt; (*making trouble*) boshaft.

misconceived [ˌmɪskən'siːvd] *adj* schlecht konzipiert.

misconception ['mɪskən'sepʃən] *n* fälschliche Annahme; (*no pl: misunderstanding*) Verkennung *f* ► *to be*

► SENTENCE BUILDER: **minute¹:** a → 8.1

under a ~ about sth sich (*dat*) falsche Vorstellungen von etw machen.

misconduct [ˌmɪsˈkɒndʌkt] *n* (*improper behaviour*) schlechtes Benehmen; (*professional*) Berufsvergehen *nt*; (*sexual*) Fehltritt *m*.

misconstrue [ˌmɪskənˈstruː] *vt* mißverstehen.

miscount [ˌmɪsˈkaʊnt] **1** *n* falsche Zählung. **2** *vi* sich verzählen.

misdeed [ˌmɪsˈdiːd] *n* Missetat *f* (*col*).

misdemeanour, (*US*) **misdemeanor** [ˌmɪsdɪˈmiːnər] *n* schlechtes Benehmen; (*Jur*) Vergehen *nt*.

misdirect [ˌmɪsdɪˈrekt] *vt energies* falsch einsetzen; *person* in die falsche Richtung schicken; *operation* schlecht durchführen.

miser [ˈmaɪzər] *n* Geizhals, Geizkragen *m*.

miserable [ˈmɪzərəbl] *adj* **a** (*unhappy*) unglücklich ▸ *I feel ~ today* ich fühle mich heute elend *or* miserabel. **b** *headache, weather* fürchterlich; *existence, spectacle* erbärmlich, elend. **c** (*contemptible*) miserabel, jämmerlich; *person* gemein, erbärmlich; *failure* kläglich ▸ *a ~ £3* miese £3 (*col*).

miserably [ˈmɪzərəblɪ] *adv* **a** (*unhappily*) unglücklich. **b** (*wretchedly*) *live, die* jämmerlich; *poor* erbärmlich. **c** (*contemptibly*) *pay* miserabel; *fail* kläglich; *treat, behave* gemein.

miserly [ˈmaɪzəlɪ] *adj* geizig.

misery [ˈmɪzərɪ] *n* (*sadness*) Kummer *m*, Trauer *f*; (*suffering*) Qualen *pl*; (*wretchedness*) Elend *nt* ▸ *to put an animal out of its ~* ein Tier von seinen Qualen erlösen; *to put sb out of his ~* (*fig*) jdn nicht länger auf die Folter spannen.

misfire [ˌmɪsˈfaɪər] *vi* (*engine, rocket*) fehlzünden; (*plan*) fehlschlagen; (*trick*) danebengehen.

misfit [ˈmɪsfɪt] *n* (*person*) Außenseiter(in *f*) *m*.

misfortune [mɪsˈfɔːtʃuːn] *n* (*ill fortune, affliction*) (schweres) Schicksal *nt*; (*bad luck*) Pech *nt no pl*; (*unlucky incident*) Mißgeschick *nt* ▸ *I had the ~ to ...* ich hatte das Pech, zu ....

misgiving [mɪsˈgɪvɪŋ] *n* Bedenken *pl* ▸ *I had (certain) ~s about lending him the money* mir war bei dem Gedanken, ihm das Geld zu leihen, nicht ganz wohl.

misguided [mɪsˈgaɪdɪd] *adj* töricht; *decision also, opinions* irrig; (*misplaced*) *kindness, enthusiasm* unangebracht.

mishandle [mɪsˈhændl] *vt case* falsch handhaben.

mishap [ˈmɪshæp] *n* Mißgeschick *nt* ▸ *he's had a slight ~* ihm ist ein kleines Mißgeschick passiert; *without ~* ohne Zwischenfälle.

mishear [ˌmɪsˈhɪər] *pret, ptp* **misheard** [ˌmɪsˈhɜːd] **1** *vt* falsch hören. **2** *vi* sich verhören.

mishit [ˈmɪshɪt] *n* Fehlschlag *m*.

mishmash [ˈmɪʃˌmæʃ] *n* Mischmasch *m*.

misinform [ˌmɪsɪnˈfɔːm] *vt* falsch informieren ▸ *you've been ~ed* man hat Sie falsch informiert.

misinterpret [ˌmɪsɪnˈtɜːprɪt] *vt* falsch auslegen; *novel* fehlinterpretieren ▸ *he ~ed her silence as agreement* er deutete ihr Schweigen fälschlich als Zustimmung.

misinterpretation [ˌmɪsɪnˌtɜːprɪˈteɪʃən] *n* Fehldeutung *f*; (*Liter*) Fehlinterpretation *f*.

misjudge [ˌmɪsˈdʒʌdʒ] *vt* falsch einschätzen, sich verschätzen in (+*dat*); *person also* falsch beurteilen.

misjudgement [ˌmɪsˈdʒʌdʒmənt] *n* Fehleinschätzung *f*.

mislay [mɪsˈleɪ] *pret, ptp* **mislaid** [mɪsˈleɪd] *vt* verlegen.

mislead [mɪsˈliːd] *pret, ptp* **misled** *vt* (*give wrong idea*) irreführen ▸ *your description misled me into thinking that ...* aufgrund Ihrer Beschreibung nahm ich (irrtümlich) an, daß...

misleading [mɪsˈliːdɪŋ] *adj* irreführend ▸ *the ~ sim-*

plicity of his style die täuschende Einfachheit seines Stils.

misled [mɪsˈled] *pret, ptp of* **mislead**.

mismanage [ˌmɪsˈmænɪdʒ] *vt company, finances* schlecht verwalten; *affair* schlecht handhaben.

mismanagement [ˌmɪsˈmænɪdʒmənt] *n* Mißwirtschaft *f*; (*of an affair*) falsche Handhabung.

misnomer [mɪsˈnəʊmər] *n* unzutreffende Bezeichnung.

misogynist [mɪˈsɒdʒɪnɪst] *n* Frauenfeind *m*.

misplace [mɪsˈpleɪs] *vt* **a** *file etc* falsch einordnen; (*mislay*) verlegen. **b** *to be ~d* (*confidence etc*) unangebracht sein.

misprint [ˈmɪsprɪnt] *n* Druckfehler *m*.

mispronounce [ˌmɪsprəˈnaʊns] *vt* falsch aussprechen.

misquote [ˌmɪsˈkwəʊt] *vt* falsch zitieren.

misread [ˌmɪsˈriːd] *pret, ptp* **misread** [ˌmɪsˈred] *vt* falsch lesen; (*misinterpret*) falsch verstehen.

misrepresent [ˌmɪsreprɪˈzent] *vt* falsch darstellen; *ideas* verfälschen.

misrepresentation [ˌmɪsreprɪzenˈteɪʃən] *n* falsche Darstellung; (*of ideas*) Verfälschung *f*.

miss¹ [mɪs] **1** *n* (*shot*) Fehltreffer *m* ▸ *it was a near ~* das war sehr knapp; (*shot*) das war knapp daneben; *to give sth a ~* (*col*) sich (*dat*) etw schenken. **2** *vt* **a** (*fail to hit, catch, find etc*) verpassen; (*not hit, find*) *target, ball, vocation, place* verfehlen; (*not hear etc*) nicht mitbekommen ▸ *to ~ breakfast* nicht frühstücken; (*be too late for*) das Frühstück verpassen; *you haven't ~ed much!* da hast du nicht viel verpaßt!; *they ~ed each other in the crowd* sie verfehlten sich in der Menge; *to ~ the boat or bus* (*fig*) den Anschluß verpassen; *I wouldn't have ~ed it for anything* das hätte ich mir nicht entgehen lassen wollen. **b** (*avoid*) *obstacle* (noch) ausweichen können (+*dat*); (*escape*) entgehen (+*dat*); (*leave out*) auslassen; (*overlook*) übersehen ▸ *my heart ~ed a beat* mir stockte das Herz. **c** (*notice or regret absence of*) vermissen ▸ *I ~ my old car* mein altes Auto fehlt mir. **3** *vi* nicht treffen; (*shooting also*) danebenschießen; (*not catch*) nicht fangen; (*ball also*) danebengehen.

◆**miss out 1** *vt sep* auslassen, weglassen. **2** *vi* (*col*) zu kurz kommen ▸ *to ~ ~ on sth* etw verpassen; (*get less*) bei etw zu kurz kommen.

miss² *n* Fräulein *nt* ▸ *M~ Smith* (*woman*) Frau Smith; (*young girl*) Fräulein Smith; *M~ Germany 1994* (die) Miß Germany von 1994.

missal [ˈmɪsəl] *n* Meßbuch *nt*.

misshapen [ˌmɪsˈʃeɪpən] *adj* mißgebildet; *plant, tree* verwachsen.

missile [ˈmɪsaɪl] *n* **a** (*stone etc*) (Wurf)geschoß *nt*. **b** (*rocket*) Rakete *f* ▸ *~ base or site* Raketenbasis *f*; *~ launcher* Startrampe *f*; (*vehicle*) Raketenwerfer *m*.

missing [ˈmɪsɪŋ] *adj* (*not able to be found*) *person, boat* vermißt; *object* verschwunden; (*not there*) fehlend ▸ *to be ~/to have gone ~* fehlen; (*mountaineer, boat etc*) vermißt werden; *the coat has two buttons ~* an dem Mantel fehlen zwei Knöpfe; *~ person* Vermißte(r) *mf*; *~ link* fehlendes Glied; (*Biol*) Zwischenform *f*.

mission [ˈmɪʃən] *n* (*task*) Auftrag *m*; (*calling*) Berufung *f*; (*Mil*) Befehl *m*; (*operation*) Einsatz *m*; (*journey*) Mission *f* ▸ *~ accomplished* (*Mil, fig*) Befehl ausgeführt; (*fig*) Auftrag ausgeführt; *he's on a secret ~* er ist in geheimer Mission unterwegs; *the Foreign Secretary's ~ to the Middle East* die Nahostmission des Außenministers.

missionary [ˈmɪʃənrɪ] *n* Missionar(in *f*) *m*.

missis [ˈmɪsɪz] *n* (*Brit col*) *the/his ~* meine/seine bessere Hälfte (*hum col*), meine/seine Alte (*pej col*).

misspell [ˌmɪsˈspel] *pret, ptp* **~ed** *or* **misspelt** *vt* falsch schreiben.

misspent [ˌmɪsˈspent] *adj* vergeudet.

mist [mɪst] *n* Nebel *m*; (*haze*) Dunst *m*; (*on glass etc*) Beschlag *m* ▶ *through a ~ of tears* durch einen Tränenschleier; *it is lost in the ~s of time* das liegt im Dunkel der Vergangenheit.

♦**mist over** *vi* (*become cloudy*) sich trüben; (*glass, mirror: also **mist up***) (sich) beschlagen.

▼ **mistake** [mɪ'steɪk] ⓵ *n* Fehler *m* ▶ *to make a ~* (*in calculating etc*) einen Fehler machen; (*be mistaken*) sich irren; *to make the ~ of asking too much* den Fehler machen, zuviel zu verlangen; *by ~* aus Versehen, versehentlich; *there must be some ~* da muß ein Irrtum vorliegen; *there's no ~ about it, ...* (es besteht) kein Zweifel, ...; *make no ~, I mean what I say* damit wir uns nicht falsch verstehen: mir ist es Ernst; *it's freezing and no ~!* (*col*) (ich kann dir sagen,) das ist vielleicht ein Frost! (*col*).
⓶ *vt pret* **mistook**, *ptp* **mistaken** *remarks etc* falsch verstehen; *house, time* sich irren *or* vertun (*col*) in (+*dat*) ▶ *to ~ sb's meaning* jdn falsch verstehen; *there's no mistaking the urgency of the situation* die Dringlichkeit der Situation steht außer Frage; *to ~ A for B* A mit B verwechseln; *to be ~n* sich irren; *if I am not (very much) ~n ...* wenn ich mich nicht (sehr) irre ...

▼ **mistaken** [mɪ'steɪkən] *adj* (*wrong*) *idea* falsch; (*misplaced*) *loyalty, kindness* unangebracht ▶ *a case of ~ identity* eine Verwechslung.

mistakenly [mɪ'steɪkənlɪ] *adv* irrtümlicherweise; (*by accident*) versehentlich.

mister ['mɪstər] *n* (*col: form of address*) Meister *m*.

mistletoe ['mɪsltəʊ] *n* Mistel *f*; (*sprig*) Mistelzweig *m*.

mistook [mɪ'stʊk] *pret of* **mistake**.

mistranslate [ˌmɪstræns'leɪt] *vt* falsch übersetzen.

mistranslation [ˌmɪstræns'leɪʃən] *n* falsche Übersetzung.

mistreat [ˌmɪs'triːt] *vt* schlecht behandeln.

mistreatment [ˌmɪs'triːtmənt] *n* schlechte Behandlung.

mistress ['mɪstrɪs] *n* ⓐ (*of house, dog*) Herrin *f*. ⓑ (*lover*) Geliebte. ⓒ (*Brit: teacher*) Lehrerin *f*.

mistrust [ˌmɪs'trʌst] ⓵ *n* Mißtrauen *nt* (*of* gegenüber). ⓶ *vt* mißtrauen (+*dat*).

mistrustful [ˌmɪs'trʌstfʊl] *adj* mißtrauisch (*of sb/sth* jdm/einer Sache gegenüber).

misty ['mɪstɪ] *adj* (+*er*) *day* neblig; (*hazy*) dunstig; *glasses* (*misted up*) beschlagen ▶ *~-eyed* mit verschleiertem Blick.

misunderstand [ˌmɪsʌndə'stænd] *pret, ptp* **misunderstood** *vt* falsch verstehen, mißverstehen.

misunderstanding [ˌmɪsʌndə'stændɪŋ] *n* Mißverständnis *nt*; (*disagreement*) Meinungsverschiedenheit *f*.

misunderstood [ˌmɪsʌndə'stʊd] ⓵ *ptp of* **misunderstand**.
⓶ *adj* unverstanden; *artist* verkannt.

misuse [ˌmɪs'juːs] ⓵ *n* Mißbrauch *m*. ⓶ [ˌmɪs'juːz] *vt* mißbrauchen.

MIT = **Massachusetts Institute of Technology**.

mite [maɪt] *n* ⓐ (*small amount*) bißchen *nt*. ⓑ (*child*) *poor little ~!* armes Wurm! (*col*).

mitigate ['mɪtɪgeɪt] *vt punishment* mildern ▶ *mitigating circumstances* mildernde Umstände *pl*.

mitigation [ˌmɪtɪ'geɪʃən] *n* Milderung *f*.

mitre, (*US*) **miter** ['maɪtər] *n* ⓐ (*Eccl*) Mitra *f*. ⓑ (*Tech: also ~-joint*) Gehrung *f*.

mitt [mɪt] *n* ⓐ = **mitten**. (b) (*baseball glove*) Baseballhandschuh *m*.

mitten ['mɪtn] *n* Fausthandschuh *m*; (*with bare fingers*) Handschuh *m* mit halben Fingern.

mix [mɪks] ⓵ *n* Mischung *f* ▶ *a good social ~* ein bunt gemischtes Publikum; *cake ~* Backmischung *f*.
⓶ *vt* (ver)mischen; *drinks* mixen; (*Cook*) *ingredients* verrühren ▶ *you shouldn't ~ your drinks* man sollte nicht mehrere Sachen durcheinander trinken; *to ~ business with pleasure* das Angenehme mit dem Nützlichen verbinden.
⓷ *vi* ⓐ sich mischen lassen; (*chemical substances, races*) sich vermischen. ⓑ (*go together*) zusammenpassen. ⓒ (*people*) (*get on*) miteinander auskommen; (*associate*) miteinander verkehren ▶ *to ~ with sb* mit jdm verkehren; mit jdm auskommen; *to ~ well* kontaktfreudig sein.

♦**mix in** *vt sep egg, water* unterrühren.

♦**mix up** *vt sep* ⓐ vermischen; *ingredients* verrühren; *medicine* mischen. ⓑ (*get in a muddle*) durcheinanderbringen; (*confuse with sb/sth else*) verwechseln. ⓒ (*involve*) *to ~ sb ~ in sth* jdn in etw (*acc*) hineinziehen; *to be ~ed ~ in sth* in etw (*acc*) verwickelt sein.

mixed [mɪkst] *adj* gemischt; (*both good and bad*) unterschiedlich ▶ *in ~ company* wenn Damen dabei sind; *I have ~ feelings about it* ich betrachte die Sache mit gemischten Gefühlen.

mixed: ~ bag *n* bunte Mischung; **~ blessing** *n* *it's a ~ blessing* das ist ein zweischneidiges Schwert; **~ doubles** *npl* (*Sport*) gemischtes Doppel; **~ economy** *n* gemischte Wirtschaftsform; **~ grill** *n* Grillteller *m*; **~ metaphor** *n* gemischte Metapher *f*; **~-up** *adj* durcheinander *pred*; (*muddled*) *person also, ideas* konfus; *she's just a crazy ~-up kid* sie ist einfach total verdreht.

mixer ['mɪksər] *n* ⓐ (*food ~*) Mixer *m*; (*cement ~*) Mischmaschine *f*. ⓑ (*drink*) *Tonic etc zum Auffüllen von alkoholischen Mixgetränken*. ⓒ (*Film, Rad, TV*) Mixer *m*; (*device also*) Mischpult *nt*. ⓓ (*sociable person*) *to be a good ~* kontaktfreudig sein.

mixture ['mɪkstʃər] *n* Mischung *f*; (*Cook*) Gemisch *nt*; (*cake ~, dough*) Teig *m*.

mix-up ['mɪksʌp] *n* Durcheinander *nt*; (*confusion of two things*) Verwechslung *f* ▶ *there must have been a ~* da muß irgend etwas schiefgelaufen sein (*col*).

mk, Mk = **mark, Mark**.

ml = **millilitre** ml.

MLR (*Brit Econ*) = **minimum lending rate**.

mm = **millimetre** mm.

MN = ⓐ (*Brit*) **Merchant Navy** HM *f*. ⓑ (*US Post*) = **Minnesota**.

m.o., M.O. = **money order**.

MO = ⓐ **medical officer**. ⓑ (*US Post*) **Missouri**. ⓒ (*US col*) **modus operandi**.

moan [məʊn] ⓵ *n* (*groan*) Stöhnen *nt*; (*grumble*) Gejammer *nt no pl* (*col*).
⓶ *vi* (*groan*) stöhnen; (*grumble*) jammern, schimpfen (*about* über +*acc*).

moat [məʊt] *n* Wassergraben *m*; (*of castle also*) Burggraben *m*.

mob [mɒb] ⓵ *n* (*crowd*) Horde *f*; (*riotous, violent*) Mob *m no pl* ▶ *the ~* (*pej: the masses*) die Masse(n *pl*).
⓶ *vt* herfallen über (+*acc*).

mobile ['məʊbaɪl] *adj person* beweglich; (*having means of transport*) beweglich, motorisiert; (*Sociol*) mobil; *X-ray unit etc* fahrbar ▶ *~ home* Wohnwagen *m*; *~ library* Fahrbücherei *f*.

mobility [məʊ'bɪlɪtɪ] *n* (*of person*) Beweglichkeit *f*; (*of work force, Sociol*) Mobilität *f*.

mobilization [ˌməʊbɪlaɪ'zeɪʃən] *n* Mobilisierung *f*; (*Mil also*) Mobilmachung *f*.

mobilize ['məʊbɪlaɪz] ⓵ *vt* mobilisieren; (*Mil also*) mobil machen.
⓶ *vi* mobil machen.

moccasin ['mɒkəsɪn] *n* Mokassin *m*.

mock [mɒk] ⓵ *adj attr emotions* gespielt; *battle* Schein-; *examination* Probe-; *Tudor* Pseudo-.
⓶ *vt* (*ridicule*) sich lustig machen über (+*acc*); (*mimic*) nachäffen; (*defy*) trotzen (+*dat*).
⓷ *vi to ~ at sb/sth* sich über jdn/etw lustig machen.

mockery ['mɒkərɪ] n (derision) Spott m; (object of ridicule) Gespött nt ► **they made a ~ of him** sie machten ihn zum Gespött; **to make a ~ of sth** etw zur Farce machen; **it was a ~ of a trial** der Prozeß war eine einzige Farce.

mocking ['mɒkɪŋ] adj spöttisch.

mockingbird ['mɒkɪŋ,bɜːd] n Spottdrossel f.

mock: ~ turtle soup n Mockturtlesuppe f; **~-up** n Modell nt in Originalgröße.

MOD (Brit) = **Ministry of Defence** Verteidigungsministerium nt.

mod cons ['mɒd'kɒnz] = **modern conveniences** Komfort m.

mode [məʊd] n **a** (way) Art (und Weise) f; (form) Form f ► (operating) ~ Betriebsart f; (Comp) Modus m; **~ of transport** Transportmittel nt. **b** (Fashion) Mode f.

model ['mɒdl] **1** n Modell nt; (perfect example) Muster nt (of an +dat); (fashion ~) Mannequin nt; (male ~) Dressman m ► **to make sth on the ~ of sth** etw (acc) einer Sache (dat) nachbilden; **to hold sb up as a ~** jdn als Vorbild hinstellen.
2 adj railway Modell-; home Muster-; (perfect) vorbildlich, Muster-.
3 vt **a** X **is ~led on** Y Y dient als Vorlage or Muster für X; **the system was ~led on the American one** das System war nach amerikanischem Muster aufgebaut; **to ~ oneself on sb** sich (dat) jdn zum Vorbild nehmen. **b** (make a ~) modellieren, formen. **c** dress etc vorführen.
4 vi **a** (make ~s) modellieren. **b** (Art, Phot) als Modell arbeiten; (fashion) als Mannequin/Dressman arbeiten ► **to ~ for sb** jdm Modell stehen; (as a fashion ~) jds Kreationen vorführen.

modelling, (US) **modeling** ['mɒdlɪŋ] n **a** (Phot, Art) Arbeit f als Modell; (fashion) Auftreten nt als Mannequin/Dressman ► **to do ~** als Modell/Mannequin/Dressman arbeiten. **b** (model-making) Modellbau m.

modem ['məʊdem] n Modem nt.

moderate ['mɒdərɪt] **1** adj gemäßigt (also Pol); appetite, speed mäßig; price vernünftig; eater maßvoll; number, income, success bescheiden; punishment, winter mild ► **a ~ amount** eine kleinere Menge; (money) ein mäßig großer Betrag; **~-sized** mittelgroß.
2 n (Pol) Gemäßigte(r) mf.
3 ['mɒdəreɪt] vt mäßigen ► **to have a moderating influence on sb** mäßigend auf jdn wirken.
4 ['mɒdəreɪt] vi nachlassen.

moderately ['mɒdərɪtlɪ] adv einigermaßen ► **a ~ expensive suit** ein nicht allzu teurer Anzug; **the house was ~ large** das Haus war mäßig groß.

moderation [,mɒdə'reɪʃən] n Mäßigung f ► **in ~** mit Maß(en).

modern ['mɒdən] adj modern (also Art, Liter); times, world also heutig; history neuere ► **~ languages** neuere Sprachen pl; **M~ Greek** etc Neugriechisch etc nt.

modernism ['mɒdənɪzəm] n Modernismus m.

modernist ['mɒdənɪst] n Modernist m.

modernistic [,mɒdə'nɪstɪk] adj modernistisch.

modernity [mɒ'dɜːnɪtɪ] n Modernität f.

modernization [,mɒdənaɪ'zeɪʃən] n Modernisierung f.

modernize ['mɒdənaɪz] vt modernisieren.

modest ['mɒdɪst] adj bescheiden; requirements gering; price mäßig; (chaste) anständig ► **to be ~ about one's successes** nicht mit seinen Erfolgen prahlen.

modestly ['mɒdɪstlɪ] adv bescheiden; (chastely) anständig.

modesty ['mɒdɪstɪ] n Bescheidenheit f ► **in all ~** bei aller Bescheidenheit.

modicum ['mɒdɪkəm] n ein wenig or bißchen ► **a ~ of truth** ein Körnchen Wahrheit.

modification [,mɒdɪfɪ'keɪʃən] n (Ver)änderung f; (of

design) Abänderung f; (of contract, wording) Modifizierung f ► **to make ~s to sth** (Ver)änderungen an etw (dat) vornehmen; etw abändern; etw modifizieren.

modify ['mɒdɪfaɪ] vt **a** (change) (ver)ändern; design abändern; contract, wording modifizieren. **b** (moderate) mäßigen. **c** (Gram) näher bestimmen.

modular ['mɒdjʊləʳ] adj aus Bauelementen (zusammengesetzt); (Comp, Elec) modular ► **the ~ design of the furniture** die aus Bauelementen bestehenden Möbel.

modulate ['mɒdjʊleɪt] vti (Mus, Rad) modulieren.

modulation [,mɒdjʊ'leɪʃən] n (Mus, Rad) Modulation f.

module ['mɒdjuːl] n (Bau)element nt; (Comp, Elec) Modul nt; (Sch) Kurseinheit f; (Space) Raumkapsel f.

mohair ['məʊhɛəʳ] n Mohair m.

Mohammed [məʊ'hæmɪd] n Mohammed m.

Mohammedan [məʊ'hæmɪdən] **1** adj mohammedanisch.
2 n Mohammedaner(in f) m.

Mohican [məʊ'hiːkən] n **a** Mohikaner(in f) m; **b** m~ (haircut) Irokesenschnitt m.

moist [mɔɪst] adj (+er) feucht (from, with vor +dat).

moisten ['mɔɪsn] vt anfeuchten ► **to ~ sth with sth** etw mit etw befeuchten.

moisture ['mɔɪstʃəʳ] n Feuchtigkeit f.

moisturizer ['mɔɪstʃəraɪzəʳ], **moisturizing cream** ['mɔɪstʃəraɪzɪŋ'kriːm] n Feuchtigkeitscreme f.

molar (tooth) ['məʊləʳ(,tuːθ)] n Backenzahn m.

molasses [məʊ'læsɪz] n Melasse f.

mold etc (US) = **mould** etc.

mole¹ [məʊl] n (Anat) Leberfleck m.

mole² n (Zool) Maulwurf m; (col: secret agent) Agent m.

molecular [məʊ'lekjʊləʳ] adj molekular, Molekular-.

molecule ['mɒlɪkjuːl] n Molekül nt.

molehill ['məʊlhɪl] n Maulwurfshaufen m.

molest [məʊ'lest] vt belästigen.

moll [mɒl] n (col) Gangsterbraut f.

mollify ['mɒlɪfaɪ] vt besänftigen.

mollusc ['mɒləsk] n Weichtier nt.

mollycoddle ['mɒlɪ,kɒdl] vt verhätscheln.

molt [məʊlt] (US) = **moult**.

molten ['məʊltən] adj geschmolzen; glass, lava flüssig.

mom [mɒm] n (US col) = **mum²**.

moment ['məʊmənt] n **a** Augenblick, Moment m ► **at any ~** jeden Augenblick; **at the ~** im Augenblick, momentan; **not at the ~** im Augenblick or zur Zeit nicht; **at the last ~** im letzten Augenblick; **at this (particular) ~ in time** momentan; **for the ~** im Augenblick; **for a ~** (für) einen Moment; **not for a or one ~ ...** nie(mals)...; **I didn't hesitate for a ~** ich habe keinen Augenblick gezögert; **in a ~** gleich; **half a ~/one ~!** einen Moment!; **just a ~!, wait a ~!** Moment mal!; **I shan't be a ~** ich bin gleich wieder da; (nearly ready) ich bin gleich soweit; **I have just this ~ heard of it** ich habe es eben or gerade erst erfahren; **not a ~ too soon** keine Minute zu früh; **the ~ it happened** (in dem Augenblick,) als es passierte; **tell me the ~ he comes** sagen Sie mir sofort Bescheid, wenn er kommt; **the man of the ~** der Mann des Tages.
b (Phys) Moment nt.
c (importance) Bedeutung f.

momentarily ['məʊməntərɪlɪ] adv **a** (für) einen Augenblick. **b** (US) (very soon) jeden Augenblick; (from moment to moment) zusehends.

momentary ['məʊməntərɪ] adj kurz ► **there was a ~ silence** einen Augenblick lang herrschte Stille.

momentous [məʊ'mentəs] adj (memorable, important) bedeutsam; (of great consequence) von großer Tragweite.

momentum [məʊ'mentəm] n (of moving object) Schwung m; (at moment of impact) Wucht f; (Phys)

Impuls *m*; (*fig*) Schwung *m* ▶ **to gather** *or* **gain** ~ (*lit*) sich beschleunigen, in Fahrt kommen (*col*); (*fig: idea, movement, plan*) in Gang kommen.

Mon = **Monday** Mo.

Monaco ['mɒnəkəʊ] *n* Monaco *nt*.

monarch ['mɒnək] *n* Monarch(in *f*) *m*.

monarchist ['mɒnəkɪst] [1] *adj* monarchistisch. [2] *n* Monarchist(in *f*) *m*.

monarchy ['mɒnəkɪ] *n* Monarchie *f*.

monastery ['mɒnəstərɪ] *n* (Mönchs)kloster *nt*.

monastic [mə'næstɪk] *adj* mönchisch, klösterlich; *life* Ordens-.

Monday ['mʌndɪ] *n* Montag *m*; *see* **Tuesday**.

Monegasque [mɒnə'gæsk] [1] *n* Monegasse *m*, Monegassin *f*.
[2] *adj* monegassisch.

monetarism ['mʌnɪtərɪzəm] *n* Monetarismus *m*.

monetarist ['mʌnɪtərɪst] [1] *adj* monetaristisch. [2] *n* Monetarist(in *f*) *m*.

monetary ['mʌnɪtərɪ] *adj* **a** (*Pol*) währungspolitisch; *crisis, unit, union, policy, system* Währungs-; *reserves* Geld-. **b** (*pecuniary*) Geld-; *considerations* geldlich.

money ['mʌnɪ] *n* Geld *nt* ▶ **to make** ~ (*person*) (viel) Geld verdienen; (*business*) etwas einbringen; ~ **supply** Geldmenge *f*; **to lose** ~ (*person*) Geld verlieren; (*business*) Verluste machen; **there's** ~ **in it** das ist sehr lukrativ; **that's the one for my** ~**!** ich tippe auf ihn/sie *etc*; **it's** ~ **for jam** (*col*) *or* **old rope** (*col*) da wird einem das Geld ja nachgeworfen (*col*); **to be in the** ~ (*col*) Geld wie Heu haben; **to earn good** ~ gut verdienen; **to get one's** ~**'s worth** auf seine Kosten kommen; **do you think I'm made of** ~**?** (*col*) ich bin doch kein Krösus!; **that's throwing good** ~ **after bad** das ist rausgeschmissenes Geld (*col*); ~ **talks** (*col*) mit Geld geht alles; ~ **isn't everything** (*prov*) Geld allein macht nicht glücklich (*prov*).

money: ~**-back guarantee** *n* Geld-zurück-Garantie *f*; ~ **bag** *n* Geldsack *m*; ~ **box** *n* Sparbüchse *f*; ~**-changer** *n* Geldwechsler *m*.

moneyed ['mʌnɪd] *adj* begütert.

money: ~**grubbing** *adj* geldgierig; ~**lender** *n* Geld(ver)leiher *m*; ~**maker** *n* (*idea*) einträgliche Sache; (*product*) Verkaufserfolg *m*; ~**making** *adj idea, plan* einträglich; ~ **market** *n* Geldmarkt *m*; ~ **order** *n* (*from bank*) Zahlungsanweisung *f*; (*esp US Post*) Postanweisung *f*; ~**spinner** *n* (*col*) Verkaufsschlager *m* (*col*).

mongol ['mɒŋgəl] *n*: **he's a** ~ (*col: has Down's syndrome*) er ist mongoloid.

Mongol ['mɒŋgəl] *see* **Mongolian**.

Mongolia [mɒn'gəʊlɪə] *n* Mongolei *f*.

Mongolian [mɒn'gəʊlɪən] [1] *adj* mongolisch.
[2] *n* **a** Mongole *m*, Mongolin *f*. **b** (*language*) Mongolisch *nt*.

mongoose ['mɒŋguːs] *n*, *pl* **-s** Mungo *m*.

mongrel ['mʌŋgrəl] *n* (*also* ~ **dog**) Promenadenmischung *f*; (*pej*) Köter *m*.

monitor ['mɒnɪtəʳ] [1] *n* **a** (*Sch*) Schüler(in *f*) *m* mit besonderen Aufsichtspflichten ▶ **book** ~ Bücherwart *m*. **b** (*TV, Tech: screen*) Monitor *m*; (*control, observer*) Überwacher *m*; (*Rad*) Mitarbeiter(in *f*) *m* am Monitor-Dienst.
[2] *vt foreign station* abhören; *product, progress* überwachen.

monk [mʌŋk] *n* Mönch *m*.

monkey ['mʌŋkɪ] *n* Affe *m*; (*fig: child*) Schlingel *m*.

monkey: ~ **business** *n* (*col*) **no** ~ **business!** mach(t) mir keine Sachen! (*col*); **there's some** ~ **business going on here** da ist doch irgend etwas faul (*col*); ~**-nut** *n* Erdnuß *f*; ~**-tricks** *npl* Unfug *m*; ~**-wrench** *n* verstellbarer Schraubenschlüssel, Engländer *m*.

mono [mɒnəʊ] [1] *n* Mono *nt*.

[2] *adj* Mono-.

monochrome ['mɒnəkrəʊm] *adj* monochrom; *television* Schwarzweiß-.

monocle ['mɒnəkəl] *n* Monokel *nt*.

monogram ['mɒnəgræm] *n* Monogramm *nt*.

monolingual [mɒnə'lɪŋgwəl] *adj* einsprachig.

monolith ['mɒnəʊlɪθ] *n* Monolith *m*.

monolithic [mɒnəʊ'lɪθɪk] *adj* (*lit, fig*) monolithisch.

monologue ['mɒnəlɒg] *n* Monolog *m*.

monoplane ['mɒnəʊpleɪn] *n* Eindecker *m*.

Monopolies and Mergers Commission (*Brit*) *n* Kartellamt *nt*.

monopolize [mə'nɒpəlaɪz] *vt* (*lit*) *market* beherrschen; (*fig*) *place, sb's time etc* in Beschlag nehmen; *conversation* an sich (*acc*) reißen.

monopoly [mə'nɒpəlɪ] *n* (*lit*) Monopol *nt* ▶ **to have a** ~ **of sth** (*fig*) etw für sich gepachtet haben (*col*).

mono: ~**rail** *n* Einschienenbahn *f*; ~**syllabic** *adj* (*lit, fig*) einsilbig; ~**syllable** *n* einsilbiges Wort; **to speak/ answer in** ~**syllables** einsilbig sein/einsilbige Antworten geben.

monotone ['mɒnətəʊn] *n* monotoner Klang; (*voice*) monotone Stimme.

monotonous *adj*, ~**ly** *adv* [mə'nɒtənəs, -lɪ] (*lit, fig*) eintönig, monoton.

monotony [mə'nɒtənɪ] *n* (*lit, fig*) Eintönigkeit, Monotonie *f*.

monoxide [mɒ'nɒksaɪd] *n* Monoxyd *nt*.

monsoon [mɒn'suːn] *n* Monsun *m*.

monster ['mɒnstəʳ] [1] *n* (*big animal, thing*) Ungetüm, Monstrum *nt*; (*animal, person also*) Ungeheuer *nt*; (*cruel person*) Unmensch *m*.
[2] *attr* (*enormous*) Riesen-.

monstrosity [mɒn'strɒsɪtɪ] *n* (*quality*) Ungeheuerlichkeit *f*; (*thing*) Monstrum *nt*.

monstrous ['mɒnstrəs] *adj* (*huge*) ungeheuer (groß); (*shocking, horrible*) abscheulich; *suggestion* ungeheuerlich.

montage [mɒn'tɑːʒ] *n* Montage *f*.

month [mʌnθ] *n* Monat *m* ▶ **in the** ~ **of October** im Oktober; **six** ~**s** ein halbes Jahr, sechs Monate; **paid by the** ~ monatlich bezahlt.

monthly ['mʌnθlɪ] [1] *adj* monatlich; *magazine, ticket* Monats-.
[2] *adv* monatlich ▶ **twice** ~ zweimal im Monat.
[3] *n* Monats(zeit)schrift *f*.

monument ['mɒnjʊmənt] *n* Denkmal *nt*; (*big also*) Monument *nt*; (*small, on grave etc*) Gedenkstein *m*; (*fig*) Zeugnis *nt* (*to gen*).

monumental [mɒnjʊ'mentl] *adj* (*very great*) enorm, monumental; *proportions, achievement* gewaltig; *ignorance* ungeheuer.

moo [muː] [1] *n* Muhen *nt*.
[2] *vi* muhen.

mooch [muːtʃ] (*col*) [1] *vi* **to** ~ **about** *or* **around** herumgammeln (*col*).
[2] *vt* (*US*) abstauben (*col*).

mood[1] [muːd] *n* Stimmung *f*; (*of person also*) Laune *f*; (*bad*) ~ schlechte Laune ▶ **he was in a good/bad/foul** ~ er war gut/schlecht/fürchterlich gelaunt; **to be in a festive** ~ feierlich gestimmt sein; **to be in a generous** ~ in Geberlaune sein; **to be in the** ~ **for sth/to do sth** zu etw aufgelegt sein/dazu aufgelegt sein, etw zu tun; **I'm not in the** ~ **for work** ich habe keine Lust zum Arbeiten; **I'm not in the** ~ ich bin nicht in der richtigen Stimmung; **he's in a** ~ er hat schlechte Laune.

mood[2] *n* (*Gram*) Modus *m*.

moodily ['muːdɪlɪ] *adv see adj*.

moodiness ['muːdɪnɪs] *n see adj* Launenhaftigkeit *f*; schlechte Laune.

moody ['muːdɪ] *adj* (+*er*) launisch; (*bad-tempered*)

schlechtgelaunt *attr*, schlecht gelaunt *pred*; *look, answer* übellaunig.

moon [muːn] *n* Mond *m* ▶ *you're asking for the ~!* du verlangst Unmögliches!; *to be over the ~* (*col*) überglücklich sein.

moon *in cpds* Mond-; **~beam** *n* Mondstrahl *m*; **~ landing** *n* Mondlandung *f*; **~less** *adj* mondlos; **~light** [1] *n* Mondschein *m*; [2] *vi* (*col*) ≃ schwarzarbeiten; **~ lighting** *n* (*col*) ≃ Schwarzarbeit *f*; **~lit** *adj object* mondbeschienen; *night, lawn* mondhell; **~shine** *n* (~*light*) Mondschein *m*; **~shot** *n* Mondflug *m*.

moor¹ [muəʳ] *n* (Heide)moor *nt*; (*high-lying*) Hochmoor *nt*.

moor² [1] *vt* festmachen, vertäuen; (*at permanent moorings*) muren.
[2] *vi* festmachen, anlegen.

moorhen ['muəhen] *n* Teichhuhn *nt*.

mooring ['muərɪŋ] *n* (*place*) Anlegeplatz *m* ▶ **~s** (*ropes*) Verankerung *f*.

moorland ['muələnd] *n* Moor- *or* Heideland(schaft *f*) *nt*.

moose [muːs] *n* Elch *m*.

moot [muːt] [1] *adj*: *a ~ point or question* eine fragliche Sache.
[2] *vt it has been ~ed whether ...* es wurde zur Debatte gestellt, ob ...

mop [mɒp] [1] *n* (*floor ~*) Mop *m*; (*col: hair*) Mähne *f*.
[2] *vt floor* wischen ▶ *to ~ one's face* sich (*dat*) den Schweiß vom Gesicht wischen.

◆**mop up** *vt sep* [a] aufwischen. [b] (*Mil*) säubern (*col*).

mope [məup] *vi* Trübsal blasen (*col*).

◆**mope about** *or* **around** *vi* mit einer Jammermiene herumlaufen.

moped ['məuped] *n* Moped *nt*; (*very small*) Mofa *nt*.

moral ['mɒrəl] [1] *adj* moralisch; *principles, philosophy* Moral-; (*virtuous*) moralisch einwandfrei; (*sexually*) tugendhaft ▶ *~ standards* Moral *f*; *~ courage* Charakter *m*.
[2] *n* [a] (*lesson*) Moral *f*. [b] **~s** *pl* (*principles*) Moralvorstellungen *pl*.

morale [mɒ'rɑːl] *n* Moral *f* ▶ *to boost sb's ~* jdm (moralischen) Auftrieb geben.

morality [mə'rælɪtɪ] *n* Moralität *f*; (*moral system*) Moral, Ethik *f*.

moralize ['mɒrəlaɪz] *vi* moralisieren ▶ *to ~ about sth* sich über etw (*acc*) moralisch entrüsten.

morally ['mɒrəlɪ] *adv* [a] (*ethically*) moralisch. [b] (*virtuously*) moralisch einwandfrei; (*in sexual matters*) tugendhaft.

morass [mə'ræs] *n* Morast, Sumpf (*also fig*) *m*.

moratorium [,mɒrə'tɔːrɪəm] *n* Moratorium *nt* ▶ *a ~ on nuclear armament* ein Atomwaffenstopp *m*.

morbid ['mɔːbɪd] *adj* [a] *idea etc* krankhaft; *interest* unnatürlich; *imagination, humour etc* makaber; (*gloomy*) *outlook, thoughts, novel, film* düster; *person* trübsinnig; (*pessimistic*) schwarzseherisch. [b] (*Med*) morbid; *growth* krankhaft.

▼ **more** [mɔːʳ] [1] *n, pron* [a] (*greater amount*) mehr; (*additional amount, things*) noch mehr ▶ *~ and ~* immer mehr; *a lot ~* viel mehr; (*in addition*) noch viel mehr; *a few ~* noch ein paar; *a little ~* etwas mehr; (*in addition*) noch etwas mehr; *no ~* nichts mehr; (*countable*) keine mehr; *some ~* noch etwas; (*countable*) noch welche; *any ~?* noch mehr?; *there isn't/aren't any ~* mehr gibt es nicht; (*here, left over*) es ist nichts mehr da/es sind keine mehr da; *is/are there any ~?* gibt es noch mehr?; (*left over*) ist noch etwas da/sind noch welche da?; *even ~* noch mehr; *what ~ can I do?* was kann ich sonst noch tun?; *what ~ do you want?* was willst du mehr?; *there's ~ to it* da steckt noch (mehr) dahinter; *and what's ~, he ...* und obendrein hat er ... (noch) ...;

[b] *(all) the ~* um so mehr; *the ~ you give him, the ~ he wants* je mehr du ihm gibst, desto mehr verlangt er; *the ~ the merrier* je mehr, desto besser.

[2] *adj* mehr; (*in addition*) noch mehr ▶ *two ~ bottles* noch zwei Flaschen; *one ~ day* noch ein Tag; *~ and ~ money* immer mehr Geld; *a lot/a little ~ money* viel/ etwas mehr Geld; (*in addition*) noch viel/noch etwas mehr Geld; *a few ~ weeks* noch ein paar Wochen; *no ~ money* kein Geld mehr; *no ~ singing!* Schluß mit der Singerei; *do you want some ~ tea* möchten Sie noch etwas Tee?; *is there any ~ wine in the bottle?* ist noch (etwas) Wein in der Flasche?; *the ~ fool you for giving him the money* du bist vielleicht dumm, ihm das Geld zu geben.

[3] *adv* [a] mehr ▶ *~ and ~* immer mehr; *it will grow a bit ~* es wird noch etwas wachsen; *£5/2 hours ~ than I thought* £5 mehr/2 Stunden länger, als ich dachte; *he is ~ than satisfied* er ist mehr als zufrieden; *it will ~ than meet the demand* das wird die Nachfrage mehr als genügend befriedigen; *she's no ~ a duchess than I am* sie ist genausowenig eine Herzogin wie ich (eine bin); *once ~* noch einmal, nochmal (*col*); *never ~* nie mehr *or* wieder; *no ~, not any ~* nicht mehr; *if he comes here any ~ ...* wenn er noch weiter hierher kommt ...; *~ or less* mehr oder weniger. [b] (*to form comp of adj, adv*) -er (*than* als) ▶ *~ beautiful/beautifully* schöner; *~ and ~ beautiful* immer schöner; *no ~ stupid than I am* (auch) nicht dümmer als ich.

moreish ['mɔːrɪʃ] *adj* (*col*) *it's rather/very ~* es schmeckt nach mehr.

moreover [mɔː'rəuvəʳ] *adv* zudem, außerdem.

morgue [mɔːg] *n* Leichenschauhaus *nt*.

moribund ['mɒrɪbʌnd] *adj customs, way of life* zum Aussterben verurteilt.

Mormon ['mɔːmən] *n* Mormone *m*, Mormonin *f*.

morning ['mɔːnɪŋ] [1] *n* Morgen *m*; (*later part also*) Vormittag *m* ▶ *in the ~* am Morgen; am Vormittag; (*tomorrow*) morgen früh; *early in the ~* früh(morgens); (*tomorrow*) morgen früh; *(at) 7 in the ~* (um) 7 Uhr morgens; (*tomorrow*) morgen früh um 7; *this/ yesterday/tomorrow ~* heute morgen/gestern morgen/morgen früh; heute/gestern/morgen vormittag; *on the ~ of November 28th* am Morgen des 28. November.

[2] *attr* Morgen-; *train, service etc* Vormittags-; (*early ~*) *train, news* Früh-.

morning: *~ after* *n* (*state*) Katerstimmung *f* (am nächsten Morgen); **~-after pill** *n* Pille *f* (am Morgen) danach; *~ dress* *n no pl* Cut *m*; *~ service* *n* (*Eccl*) Morgenandacht *f*; *~ sickness* *n* (Schwangerschafts)übelkeit *f*.

Moroccan [mə'rɒkən] [1] *adj* marokkanisch.
[2] *n* Marokkaner(in *f*) *m*.

Morocco [mə'rɒkəu] *n* Marokko *nt*.

moron ['mɔːrɒn] *n* (*Med*) Geistesschwache(r) *mf*; (*col*) Dummkopf (*col*) *m*.

moronic [mə'rɒnɪk] *adj* (*Med*) geistesschwach; (*col*) schwachsinnig (*col*).

morose [mə'rəus] *adj* verdrießlich, mißmutig.

morphine ['mɔːfiːn] *n* Morphium *nt*.

morphing ['mɔːfɪŋ] *n* (*Comp*) Morphing *nt*.

morse [mɔːs] *n* (*also M~ code*) Morseschrift *f*.

morsel ['mɔːsl] *n* (*food*) Bissen *m*; (*fig*) bißchen *nt*.

mortal ['mɔːtl] [1] *adj* sterblich; *injury, combat* tödlich.
[2] *n* Sterbliche(r) *mf*.

mortality [mɔː'tælɪtɪ] *n* [a] Sterblichkeit *f*. [b] (*number of deaths*) Todesfälle *pl*; (*rate*) Sterblichkeit(sziffer) *f*.

mortally ['mɔːtəlɪ] *adv* (*fatally*) tödlich; (*fig: extremely*) *shocked* zu Tode; *offended* tödlich.

mortar¹ ['mɔːtəʳ] *n* [a] (*bowl*) Mörser *m*. [b] (*cannon*) Mörser, Minenwerfer *m*.

---

mortar² *n* (*cement*) Mörtel *m*.
mortarboard ['mɔːtə,bɔːd] *n* (*Univ*) *zu feierlichen Anlässen von Studenten und Dozenten getragene flache Kopfbedeckung.*
mortgage ['mɔːgɪdʒ] **1** *n* Hypothek *f* (*on* auf +*acc*/ *dat*) ▸ ~ **company** (*US*) ≃ Hypothekenbank *f*; ~ **rate** Hypothekenzinssatz *m*; ~ **repayment** Hypothekenzahlung *f*.
2 *vt house, land* mit einer Hypothek belasten.
mortgagee [,mɔːgə'dʒiː] *n* Hypothekar *m*.
mortgagor [,mɔːgə'dʒɔːʳ] *n* Hypothekenschuldner(in *f*) *m*.
mortice *n, vt* = **mortise**.
mortician [,mɔː'tɪʃən] *n* (*US*) Bestattungsunternehmer *m*.
mortification [,mɔːtɪfɪ'keɪʃən] *n* **a** Beschämung *f*; (*humiliation*) Demütigung *f*. **b** (*Rel*) Kasteiung *f*.
mortify ['mɔːtɪfaɪ] *vt usu pass* **a** beschämen ▸ *he was mortified* er empfand das als beschämend. **b** (*Rel*) kasteien.
mortise, mortice ['mɔːtɪs] *n* Zapfenloch *nt* ▸ ~ **lock** Einsteckschloß *nt*.
mortuary ['mɔːtjʊərɪ] *n* Leichenhalle *f*.
mosaic [məʊ'zeɪɪk] **1** *n* Mosaik *nt*.
2 *attr* Mosaik-.
Moscow ['mɒskəʊ] *n* Moskau *nt*.
Moslem ['mɒzlem] *adj, n* = **Muslim**.
mosque [mɒsk] *n* Moschee *f*.
mosquito [mɒ'skiːtəʊ] *n, pl* -es Stechmücke *f*; (*in tropics*) Moskito *m* ▸ ~ **net** Moskitonetz *nt*.
moss [mɒs] *n* Moos *nt* ▸ ~ **green** *adj* moosgrün.
mossy ['mɒsɪ] *adj* (+*er*) (*moss-covered*) bemoost; *lawn* vermoost; (*mosslike*) moosartig.
most [məʊst] **1** *adj superl* **a** meiste(r, s); (*greatest*) satisfaction, pleasure etc größte(r, s) ▸ *who has (the) ~ money?* wer hat am meisten *or* das meiste Geld?; *for the ~ part* größtenteils; (*by and large*) im großen und ganzen. **b** (*the majority of*) die meisten ▸ ~ *men/people* die meisten (Menschen/Leute).
2 *n, pron* ~ *of it/them* das meiste/die meisten; ~ *of the money/his friends* das meiste Geld/die meisten seiner Freunde; ~ *of the day* fast den ganzen Tag über; ~ *of the time* die meiste Zeit; (*usually*) meist(ens); *do the ~ you can* machen Sie soviel (wie) Sie können; *at (the) ~* höchstens; *to make the ~ of sth* (*make good use of*) etw voll ausnützen; (*enjoy*) etw in vollen Zügen genießen.
3 *adv* **a** *superl* (+*vbs*) am meisten; (+*adj*) -ste(r, s); (+*adv*) am -sten ▸ *the ~ beautiful* der/die/das schönste; *which one did it ~ easily?* wem ist es am leichtesten gefallen?; *what ~ displeased him was ...* am meisten mißfiel ihm ...; ~ *of all* am allermeisten; ~ *of all because ...* vor allem, weil ... **b** (*very*) äußerst, überaus ▸ ~ *likely* höchstwahrscheinlich.
mostly ['məʊstlɪ] *adv* (*principally*) hauptsächlich; (*most of the time*) meistens; (*by and large*) zum größten Teil.
MOT (*Brit*) = **a** **Ministry of Transport**. **b** ~ (*test*) ≃ TÜV *m* ▸ *it failed its* ~ ≃ es ist nicht durch den TÜV gekommen.
motel [məʊ'tel] *n* Motel *nt*.
motet [məʊ'tet] *n* Motette *f*.
moth [mɒθ] *n* Nachtfalter *m*; (*wool-eating*) Motte *f*.
moth: ~**ball** **1** *n* Mottenkugel *f*; *to put in* ~*balls* (*lit, fig*) einmotten; *ship* stillegen **2** *vt* einmotten; *ship* stillegen; ~**-eaten** *adj* (*fig*) ausgedient, vermottet (*col*).
mother ['mʌðəʳ] **1** *n* Mutter *f* ▸ *M~'s Day* Muttertag *m*; *to be (like) a ~ to sb* wie eine Mutter zu jdm sein.
2 *vt* (*care for*) *young* großziehen; (*cosset*) bemuttern.
mother: ~**board** *n* (*Comp*) Hauptplatine *f*; ~ **country** *n* (*native country*) Vaterland *nt*; (*head of empire*) Mutterland *nt*; ~**hood** *n* Mutterschaft *f*; ~**-in-law** *n, pl*

~**s-in-law** Schwiegermutter *f*; ~**land** *n* Vaterland *nt*; (*of ancestors*) Land *nt* der Väter.
motherly ['mʌðəlɪ] *adj* mütterlich.
mother: ~**-of-pearl** *n* Perlmutt *nt*; ~ **ship** *n* Mutterschiff *nt*; ~**-to-be** *n, pl* ~**s-to-be** werdende Mutter; ~ **tongue** *n* Muttersprache *f*.
mothproof ['mɒθpruːf] *adj* mottenfest.
motif [məʊ'tiːf] *n* (*Art, Mus*) Motiv *nt*.
motion ['məʊʃən] **1** *n* **a** Bewegung *f* ▸ *to be in* ~ sich bewegen; (*machine etc*) laufen; (*train etc*) fahren; *to set or put sth in* ~ etw in Gang bringen *or* setzen; *to go through the* ~*s of doing sth* etw der Form halber tun. **b** (*proposal*) Antrag *m* ▸ *to propose or make* (*US*) *a* ~ einen Antrag stellen.
2 *vti to* ~ (*to*) *sb to do sth* jdm ein Zeichen geben, daß er etw tun solle.
motion: ~**less** *adj* bewegungslos, reg(ungs)los; ~ **picture** *n* (*esp US*) Film *m*.
motivate ['məʊtɪveɪt] *vt* motivieren.
motivation [,məʊtɪ'veɪʃən] *n* Motivation *f*.
motive ['məʊtɪv] **1** *n* Motiv *nt* ▸ *the profit* ~ Gewinnstreben, *nt*; *I did it from the best of* ~*s* ich hatte die besten Absichten.
2 *adj force* Antriebs-.
motley ['mɒtlɪ] *adj* kunterbunt; (*varied also*) bunt(gemischt).
motor ['məʊtəʳ] **1** *n* **a** Motor *m*. **b** (*col: car*) Auto *nt*.
2 *vi* (mit dem Auto) fahren.
motor: ~**bike** *n* Motorrad *nt*; ~**boat** *n* Motorboot *nt*; ~**car** *n* (*form*) Personenkraftwagen (*form*) *m*; ~ **coach** *n* Reisebus *m*; ~**cycle** *n* Motorrad *nt*; ~**cyclist** *n* Motorradfahrer(in *f*) *m*; ~ **home** *n* Wohnmobil *nt*; ~ **industry** *n* Automobilindustrie *f*.
motoring ['məʊtərɪŋ] **1** *adj attr accident, offence* Verkehrs-; *correspondent* Auto- ▸ ~ **organization** Automobilklub *m*; *the* ~ **public** die Autofahrer *pl*.
2 *n* Autofahren *nt*.
motor insurance *n* Kraftfahrzeugversicherung *f*.
motorist ['məʊtərɪst] *n* Autofahrer(in *f*) *m*.
motorize ['məʊtəraɪz] *vt* motorisieren.
motor: ~ **mechanic** *n* Kfz-Mechaniker *m*; ~ **race** *n* Autorennen *nt*; ~ **racing** *n* Autorennsport *m*; ~ **scooter** *n* Motorroller *m*; ~ **show** *n* (*Brit*) Automobilausstellung *f*; ~ **vehicle** *n* Kraftfahrzeug *nt*; ~**way** *n* (*Brit*) Autobahn *f*; ~**way madness** Geschwindigkeitsrausch *m* (auf der Autobahn).
mottled ['mɒtld] *adj* gesprenkelt; *complexion* fleckig.
motto ['mɒtəʊ] *n, pl* -es Motto *nt*; (*personal also*) Devise *f*.
mould¹, (*US*) **mold** [məʊld] **1** *n* (*hollow form*) (Guß)form *f*; (*shape, Cook*) Form *f* ▸ *to be cast in the same* ~ (*people*) vom gleichen Schlag sein.
2 *vt* formen (*into* zu); (*cast*) gießen.
mould², (*US*) **mold** [məʊld] *n* (*fungus*) Schimmel *m*.
moulder, (*US*) **molder** ['məʊldəʳ] *vi* (*lit*) vermodern; (*food*) verderben; (*building*) zerfallen.
moulding, (*US*) **molding** ['məʊldɪŋ] *n* (*cast*) Abdruck *m*; (*strip of wood etc*) Zierleiste *f*; (*ceiling* ~) Deckenfries *m*.
mouldy, (*US*) **moldy** ['məʊldɪ] *adj* (+*er*) verschimmelt; (*musty*) mod(e)rig ▸ *to go* ~ verschimmeln.
moult, (*US*) **molt** [məʊlt] *vi* (*bird*) sich mausern; (*mammals*) sich haaren.
mound [maʊnd] *n* **a** (*hill, burial* ~) Hügel *m*; (*earthwork*) Wall *m*; (*Baseball*) Wurfmal *nt*. **b** (*pile*) Haufen *m*; (*of books*) Stapel *m*.
mount¹ [maʊnt] *n* (*poet: mountain, hill*) Berg *m* ▸ *M~ Everest* Mount Everest *m*.
mount² **1** *n* **a** (*horse etc*) Reittier *nt*. **b** (*support, base*) (*of machine*) Sockel *m*; (*of colour slide*) Rahmen *m*; (*of jewel*) Fassung *f*; (*of photo, picture*) Passepartout

nt; (*stamp* ~) Falz *m*.
2 *vt* **a** (*climb onto*) besteigen. **b** (*place in/on* ~) montieren; *picture* mit einem Passepartout versehen; (*on backing*) aufziehen; *colour slide* rahmen; *specimen* präparieren; *jewel* (ein)fassen; *stamp* aufkleben. **c** (*organize*) *play* inszenieren; *attack* organisieren. **d** *to* ~ *guard* Wache stehen (*on* vor +*dat*).
3 *vi* **a** (*get on*) aufsteigen; (*on horse also*) aufsitzen. **b** (*increase: also* ~ *up*) steigen.

mountain ['maʊntɪn] *n* (*lit, fig*) Berg *m* ► *in the* ~*s* im Gebirge; *to make a* ~ *out of a molehill* aus einer Mücke einen Elefanten machen (*col*); ~ *bike* Mountain-Bike *nt*; ~ *chain* Gebirgskette *f*.
mountaineer [ˌmaʊntɪ'nɪəʳ] *n* Bergsteiger(in *f*) *m*.
mountaineering [ˌmaʊntɪ'nɪərɪŋ] *n* Bergsteigen *nt*.
mountainous ['maʊntɪnəs] *adj* gebirgig.
mountain: ~ *pasture* *n* Bergwiese *f*; (*alpine*) Alm *f*; ~ **range** *n* Gebirgszug *m*; ~ **rescue service/team** *n* Bergwacht *f*; ~**side** *n* Berghang *m*; ~ **top** *n* Berggipfel *m*.
mounted ['maʊntɪd] *adj* (*on horseback*) beritten.
Mountie ['maʊntɪ] *n* (*col*) berittener kanadischer Polizist.
mounting ['maʊntɪŋ] *n* (*support*) *see* **mount²** 1(b); (*Tech: of engine etc*) Aufhängung *f*.
mourn [mɔːn] **1** *vt person* trauern um; *sb's death* beklagen, betrauern; (*fig*) nachtrauern (+*dat*).
2 *vi* trauern ► *to* ~ *for* or *over sb/sth* um jdn trauern/ einer Sache (*dat*) nachtrauern.
mourner ['mɔːnəʳ] *n* Trauernde(r) *mf*; (*non-relative at funeral*) Trauergast *m*.
mournful ['mɔːnfʊl] *adj person, occasion* trauervoll; *character, voice, look* weinerlich; *sigh, appearance* kläglich; *sound, cry* klagend.
mourning ['mɔːnɪŋ] *n* (*act*) Trauer *f*, Trauern *nt* (*of* um) ► *to be in* ~ *for sb* um jdn trauern; *to wear/put on* ~ Trauer tragen/anlegen.
mouse [maʊs] *n, pl* **mice** (*also Comp*) Maus *f*.
mouse: ~**hole** *n* Mauseloch *nt*; ~**trap** *n* Mausefalle *f*.
mousse [muːs] *n* Creme(speise) *f*; (*for hair styling*) Schaumfestiger *m*.
moustache, (*US*) **mustache** [mə'stɑːʃ] *n* Schnurrbart *m*.
mousy, mousey ['maʊsɪ] *adj* (+*er*) (*timid*) schüchtern; *hair* mausgrau.
mouth [maʊθ] **1** *n* (*of person*) Mund *m*; (*of animal*) Maul *nt*; (*of bottle, cave etc*) Öffnung *f*; (*of river*) Mündung *f*; (*of harbour*) Einfahrt *f* ► *to keep one's (big)* ~ *shut* (*col*) die Klappe halten (*col*); *shut your* ~*!* (*col!*) halt's Maul! (*col!*).
2 [maʊð] *vt* (*soundlessly*) mit Lippensprache sagen.
mouthful ['maʊθfʊl] *n* (*of drink*) Schluck *m*; (*of food*) Bissen *m*; (*fig*) (*difficult word*) Zungenbrecher *m*; (*long word*) Bandwurm *m*.
mouth *in cpds* Mund-; ~**organ** *n* Mundharmonika *f*; ~**piece** *n* Mundstück *nt*; (*of telephone*) Sprechmuschel *f*; (*fig: medium*) Sprachrohr *nt*; ~**-to-~ resuscitation** *n* Mund-zu-Mund-Beatmung *f*; ~**wash** *n* Mundwasser *nt*; ~**-watering** *adj* lecker; *it's really* ~**-watering** da läuft einem das Wasser im Mund zusammen.
movable ['muːvəbl] *adj* beweglich; (*transportable*) transportierbar.
move [muːv] **1** *n* **a** (*in game*) Zug *m*; (*fig*) (*step, action*) Schritt *m*; (*measure taken*) Maßnahme *f* ► *it's my etc* ~ (*lit, fig*) ich *etc* bin am Zug; *to make a/the first* ~ (*fig*) etwas unternehmen/den ersten Schritt tun; *that was a bad/good* ~ (*fig*) das war taktisch falsch/das war ein guter Schachzug.
b (*movement*) Bewegung *f* ► *to be on the* ~ (*fig: things, developments*) im Fluß sein; (*person: in different places*) unterwegs sein; *to get a* ~ *on (with sth)* (*col: hurry up*) sich (mit etw) beeilen; *get a* ~ *on!* nun mach schon! (*col*); *to make a* ~ *to do sth* (*fig*) Anstalten machen, etw zu tun; *it's time we made a* ~ es wird Zeit, daß wir uns auf den Weg machen.
c (*of house etc*) Umzug *m*; (*to different job*) Stellenwechsel *m*; (*to different department*) Wechsel *m*.
2 *vt* **a** bewegen; *wheel etc* (an)treiben; (*shift about*) umstellen, umräumen; (*transport*) befördern; *hand* wegziehen; (*chess piece etc*) ziehen mit; (*out of the way*) wegräumen ► *to be unable to* ~ *sth* (*lift*) etw nicht von der Stelle bringen; *screw* etw nicht losbekommen; *I can't* ~ *this handle* der Griff läßt sich nicht bewegen.
b (*change location of*) *offices, troops* verlegen; *patient* bewegen; (*transport*) transportieren; *employee* (*to new department*) versetzen ► *to* ~ *house* (*Brit*) umziehen.
c (*fig: sway*) *to* ~ *sb to do sth* jdn veranlassen, etw zu tun; *I shall not be* ~*d* ich bleibe dabei.
d (*cause emotion in*) bewegen; (*upset*) erschüttern, ergreifen ► *to* ~ *sb to tears* jdn zu Tränen rühren.
e (*form: propose*) beantragen ► *she* ~*d an amendment to the motion* sie stellte einen Abänderungsantrag.
3 *vi* **a** sich bewegen; (*vehicle*) fahren; (*traffic*) vorankommen ► *nobody* ~*d* niemand rührte sich; *the vehicle began to* ~ das Fahrzeug setzte sich in Bewegung; *don't* ~*!* stillhalten!; *to get moving* in Bewegung kommen; (*hurry*) sich beeilen; *to keep moving* nicht stehenbleiben; *he jumped from the moving train* er sprang aus dem fahrenden Zug; *to keep sb/sth moving* jdn/etw in Gang halten; *things are moving at last* endlich kommen die Dinge in Gang; *to* ~ *with the times* mit der Zeit gehen; *they must* ~ *first* sie müssen den ersten Schritt tun; *he has* ~*d to another department* er hat die Abteilung gewechselt; *it's time we were moving* es wird Zeit, daß wir gehen; *that's really moving!* (*col: fast*) das ist aber ein ganz schönes Tempo! (*col*).
b (~ *house*) umziehen.
c (*in games*) (*make a* ~) ziehen; (*have one's turn*) am Zug sein.
◆**move about** **1** *vt sep furniture etc* umstellen; *parts of body* (hin und her) bewegen; *employee* versetzen.
2 *vi* sich (hin und her) bewegen; (*fidget*) herumzappeln; (*travel*) unterwegs sein.
◆**move along** **1** *vt sep* weiterrücken; *bystanders etc* zum Weitergehen veranlassen.
2 *vi* (*along seat etc*) aufrücken; (*along bus etc*) weitergehen; (*cars*) weiterfahren.
◆**move away** **1** *vt sep* wegräumen; *person* wegschicken ► *to* ~ *sb* ~ *from sth* jdn von etw entfernen.
2 *vi* (*move aside*) aus dem Weg gehen; (*leave*) (*people*) weggehen; (*vehicle*) losfahren; (*move house*) wegziehen (*from* aus, von).
◆**move back** **1** *vt sep* (*to former place*) zurückstellen; *people* zurückbringen; (*to the rear*) *things* zurückschieben; *car* zurückfahren; *people* zurückdrängen; *troops* zurückziehen.
2 *vi* (*to former place*) zurückkommen; (*into one's house*) wieder einziehen (*into* in +*acc*). **b** (*to the rear*) zurückweichen; (*troops*) sich zurückziehen; (*car*) zurückfahren ► ~ ~*, please!* bitte zurücktreten!
◆**move down** **1** *vt sep* (*downwards*) (weiter) nach unten stellen; (*along*) (weiter) nach hinten stellen.
2 *vi* (*downwards*) nach unten rücken; (*along*) weiterrücken; (*in bus etc*) nach hinten aufrücken.
◆**move forward** **1** *vt sep person* vorgehen lassen; *table etc* vorrücken; *chess piece* vorziehen; *car* vorfahren; *troops* vorrücken lassen; *event, date* vorverlegen.
2 *vi* (*person*) vorrücken; (*crowd*) sich vorwärts bewegen; (*car*) vorwärtsfahren; (*troops*) vorrücken.
◆**move in** **1** *vt sep troops* einsetzen (*-to* in +*dat*); (*take inside*) herein-/hineinstellen (*-to* in +*acc*).
2 *vi* **a** (*into house*) einziehen (*-to* in +*acc*). **b** (*come*

closer) näher herankommen (*on* an +*acc*); (*police, troops*) anrücken; (*workers*) anfangen ▶ **to ~ ~ on sb** gegen jdn vorrücken.

◆**move off** 1 *vt sep people* wegschicken. 2 *vi* a (*go away*) weggehen. b (*start moving*) sich in Bewegung setzen; (*train, car also*) abfahren.

◆**move on** 1 *vt sep hands of clock* vorstellen ▶ **the policeman ~d them ~** der Polizist forderte sie auf, weiterzugehen/(*in vehicles*) weiterzufahren. 2 *vi* (*people*) weitergehen; (*vehicles*) weiterfahren ▶ *it's about time I was moving ~* (*fig*) es wird Zeit, daß ich (mal) etwas anderes mache; **let's ~ ~ to the next point** gehen wir zum nächsten Punkt über.

◆**move out** 1 *vt sep car* herausfahren (*of* aus); *troops* abziehen ▶ **~ the table ~ of the corner** rücken Sie den Tisch von der Ecke weg! 2 *vi* (*leave accommodation*) ausziehen; (*withdraw: troops*) abziehen.

◆**move over** 1 *vt sep* herüber-/hinüberschieben. 2 *vi* zur Seite rücken ▶ **~ ~!** rück mal ein Stück! (*col*).

◆**move up** 1 *vt sep* (*weiter*) nach oben stellen; (*promote*) befördern; (*Sch*) versetzen; (*Sport*) aufsteigen lassen. 2 *vi* (*fig*) aufsteigen; (*shares, rates etc*) steigen; (*be promoted*) befördert werden; (*Sch*) versetzt werden; (*move along*) aufrücken ▶ **to ~ ~ the social scale** die gesellschaftliche Leiter hinaufklettern.

movement ['muːvmənt] *n* a Bewegung *f*; (*fig: trend*) Trend *m* (*towards* zu); (*of events*) Entwicklung *f* ▶ **~ of the bowels** Stuhlgang *m*; **the police were investigating his ~s** die Polizei stellte Ermittlungen über ihn an. b (*political etc ~*) Bewegung *f*. c (*Mus*) Satz *m*. d (*of clock*) Uhrwerk *nt*.

mover ['muːvəʳ] *n* a (*of proposition*) Antragsteller *m*. b (*remover*) Möbelpacker *m*. c **she's a beautiful ~** ihre Bewegungen sind sehr schön.

movie ['muːvɪ] *n* (*esp US*) Film *m* ▶ **(the) ~s** der Film; **to go to the ~s** ins Kino gehen.

movie *in cpds* Film-; **~ camera** *n* Filmkamera *f*; **~goer** *n* Kinogänger(in *f*) *m*; **~ theater** *n* (*US*) Kino *nt*.

moving ['muːvɪŋ] *adj* beweglich ▶ **~ staircase** Rolltreppe *f*; **~ van** (*US*) Möbelwagen *m*. b (*fig: instigating*) *force* treibend. c (*causing emotion*) ergreifend; *tribute* rührend.

mow [məʊ] *pret* **~ed**, *ptp* **mown** *or* **~ed** *vti* mähen.

◆**mow down** *vt* (*fig*) niedermähen.

mower ['məʊəʳ] *n* (*person*) Mäher *m*; (*for lawn*) Rasenmäher *m*.

Mozambique [ˌməʊzəmˈbiːk] *n* Mosambik *nt*.

MP = **Member of Parliament**.

mpg = **miles per gallon**.

mph = **miles per hour**.

Mr ['mɪstəʳ] = **Mister** Herr *m*.

MRP = **manufacturer's recommended price** empf. Preis.

Mrs ['mɪsɪz] *n* Frau *f*.

MS = a **manuscript** Ms. b (*Med*) **multiple sclerosis** MS *f*. c (*US Post*) **Mississippi**.

Ms [mɪz] *n* Frau *f*.

MSc = **Master of Science**.

MSS = **manuscripts**.

Mt = **Mount**.

MT = a **machine translation**. b (*US Post*) **Montana**.

much [mʌtʃ] 1 *adj, n* a viel *inv* ▶ **how ~** wieviel *inv*; **that ~** so viel; **~ of this is true** vieles daran ist wahr; **we don't see ~ of each other** wir sehen uns nicht oft; **he/it isn't up to ~** (*col*) er/es ist nicht gerade berühmt (*col*); **she's not ~ of a cook** sie ist keine große Köchin; **that wasn't ~ of a party** die Party war nicht gerade besonders; **that's a bit ~!** das ist ja ein starkes Stück!

(*col*); **they are ~ of a muchness** (*things*) das ist eins wie das andere; (*people*) sie sind einer wie der andere.

b *too* ~ zuviel *inv*, (*ridiculous*) das Letzte (*col*); **to be too ~ for sb** (*in quantity*) zuviel für jdn sein; (*too expensive*) jdm zuviel sein; **that insult was too ~ for me** die Beleidigung ging mir zu weit.

c *(just) as* ~ genausoviel *inv*, **not as** ~ nicht soviel; **three times as** ~ dreimal soviel; **as ~ as you want/can** *etc* soviel du willst/kannst *etc*; **as ~ again** noch einmal soviel; **I feared/thought** *etc* **as ~** (*genau*) das habe ich befürchtet/mir gedacht *etc*; **it's as ~ as I can do to stand up** es fällt mir schwer genug aufzustehen.

d *so* ~ soviel *inv*, (*emph so, with following that*) so viel; **it's not so ~ a problem of modernization as ...** es ist nicht so sehr ein Problem der Modernisierung als ...

e **to make ~ of sb/sth** viel Wind um jdn/etw machen; **I couldn't make ~ of that chapter** mit dem Kapitel konnte ich nicht viel anfangen (*col*).

2 *adv* a (*with adj, adv*) viel; (*with vb*) sehr; (*with vb of physical action*) drive, sleep, talk *etc* viel; come, visit *etc* oft, viel (*col*) ▶ *so* ~/*too* ~ soviel/zuviel; so sehr/zu sehr; **I like it very/so ~** es gefällt mir sehr gut/so sehr; **I don't like him/it too ~** ich kann ihn/es nicht besonders leiden; **thank you very ~** vielen Dank; **however ~ he tries** wie sehr er sich auch bemüht; **~ to my astonishment** zu meinem großen Erstaunen; **~ as I should like to** so gern ich möchte; **~ as I like him** sosehr ich ihn mag.

b (*by far*) weitaus, bei weitem ▶ **~ the biggest** weitaus der/die/das größte; **I would ~ rather stay** ich würde viel lieber bleiben.

c (*almost*) beinahe ▶ **they are ~ the same** sie sind fast gleich.

muck [mʌk] *n* a (*dirt*) Dreck *m*; (*manure*) Dung *m*. b (*rubbish*) Mist *m*; (*food etc*) Zeug *nt* (*col*).

◆**muck about** *or* **around** 1 *vt sep* **to ~ sb ~** mit jdm machen, was man will; jdn verarschen (*col!*); (*by not committing oneself*) jdn hinhalten. 2 *vi* (*lark about*) herumblödeln (*col*); (*do nothing in particular*) herumgammeln (*col*); (*tinker with*) herumfummeln (*with* an +*dat*).

◆**muck in** *vi* (*col*) mit anpacken (*col*).

◆**muck out** *vti sep* ausmisten.

◆**muck up** *vt sep* (*col*) a (*dirty*) dreckig machen (*col*). b (*spoil*) vermasseln (*col*).

muck-raking ['mʌkˌreɪkɪŋ] *n* (*fig col*) Sensationsmache *f* (*col*).

mucky ['mʌkɪ] *adj* (+*er*) dreckig (*col*), schmutzig.

mucus ['mjuːkəs] *n* Schleim *m*.

mud [mʌd] *n* Schlamm *m* ▶ **his name is ~** (*col*) er ist unten durch (*col*); **to throw ~ at sb/sth** (*fig col*) jdn mit Schmutz bewerfen/etw in den Schmutz ziehen.

mud bath *n* Schlammbad *nt*; (*Med*) Moorbad *nt*.

muddle ['mʌdl] 1 *n* Durcheinander *nt* ▶ **to get in(to) a ~** (*things*) durcheinandergeraten; (*person*) konfus werden; **to be in a ~** völlig durcheinander sein; **to make a ~ of sth** etw völlig durcheinanderbringen. 2 *vt* (*also* **~ up**) durcheinanderbringen; (*make confused*) person *also* verwirren.

◆**muddle along** *or* **on** *vi* vor sich (*acc*) hinwursteln (*col*).

◆**muddle through** *vi* sich durchschlagen.

muddled ['mʌdld] *adj* konfus; *person also* durcheinander *pred*; *ideas also* verworren.

muddle-headed [ˌmʌdl'hedɪd] *adj* person zerstreut; *ideas* verworren.

muddy ['mʌdɪ] *adj* (+*er*) *floor*, *shoes etc* schlammbeschmiert; *ground, liquid* schlammig.

mud: **~ flap** *n* Schmutzfänger *m*; **~ flats** *npl* Watt(enmeer) *nt*; **~guard** *n* (*on cycles*) Schutzblech *nt*; (*on cars*) Kotflügel *m*; **~ pack** *n* Schlammpackung *f*; **~-**

slinging n Schlechtmacherei f.

muesli ['mju:zlɪ] n Müsli nt.

muff¹ [mʌf] n Muff m.

muff² (col) vt vermasseln (col); exam also verhauen (col); lines, text verpatzen (col).

muffin ['mʌfɪn] n (Brit) weiches, flaches Milchbrötchen, meist warm gegessen; (US) kleiner runder Rührkuchen.

muffle ['mʌfl] vt [a] (wrap warmly: also ~ **up**) person einmummen. [b] (deaden) shot etc dämpfen; noise abdämpfen; shouts ersticken.

muffled ['mʌfld] adj sound etc gedämpft; shouts erstickt.

muffler ['mʌflər] n [a] (scarf) (dicker) Schal. [b] (US Aut) Auspufftopf, Schalldämpfer m.

mufti ['mʌftɪ] n (col) **in** ~ in Zivil.

mug [mʌg] [1] n [a] (cup) Becher m; (for beer) Krug m. [b] (col: fool) Trottel m ▶ that's a ~'s game das ist doch schwachsinnig (col). [c] (col: face) Visage f (col!) ▶ ~ **shot** Verbrecherfoto nt (col). [2] vt (attack and rob) überfallen.

♦**mug up** vt sep (also ~ ~ **on**) pauken (col).

mugger ['mʌgər] n Straßenräuber m.

mugging ['mʌgɪŋ] n Straßenraub m no pl ▶ **a lot of ~s** viele Überfälle auf offener Straße.

muggins ['mʌgɪnz] n sing (Brit col) Blödmann m (col); (referring to oneself) ich Blödmann (col) ▶ ~ **did all the work** ich war wieder mal der/die Dumme und habe die ganze Arbeit allein gemacht.

muggy ['mʌgɪ] adj (+er) schwül; heat drückend.

mulatto [mju:'lætəʊ] n, pl -**es** Mulatte m, Mulattin f.

mulberry ['mʌlbərɪ] n (fruit) Maulbeere f; (tree) Maulbeerbaum m.

mule [mju:l] n Maultier nt ▶ (as) **stubborn as a ~** (so) störrisch wie ein Maulesel.

mull [mʌl] vt ~**ed wine** Glühwein m.

♦**mull over** vt sep sich (dat) durch den Kopf gehen lassen.

multi- ['mʌltɪ] pref mehr-, Mehr-; (with Latin stem in German) Multi-, multi-; ~-**access** adj (Comp) system etc Mehrplatz-; ~-**coloured**, (US) ~-**colored** adj mehrfarbig; lights, decorations bunt; bird buntgefiedert; ~-**faceted** adj vielseitig.

multifarious [ˌmʌltɪ'feərɪəs] adj vielfältig.

multi: ~**lateral** adj (Pol) multilateral; ~**level parking garage** n (US) Parkhaus nt; ~**lingual** adj mehrsprachig; ~**millionaire** n Multimillionär(in f) m; ~**national** [1] n multinationaler Konzern, Multi m (col); [2] adj multinational.

multiple ['mʌltɪpl] [1] adj [a] (with sing n: of several parts) mehrfach ▶ ~ **choice** Multiple Choice no art; ~ **crash** Massenkarambolage f. [b] (with pl n: many) mehrere. [2] n [a] (Math) Vielfache(s) nt. [b] (Brit: also ~ **store**) Ladenkette f.

multiple sclerosis n multiple Sklerose.

multiplex ['mʌltɪpleks] [1] adj (Comp) Multiplex-. [2] n (cinema) Multiplex nt.

multiplication [ˌmʌltɪplɪ'keɪʃən] n [a] (Math) Multiplikation f ▶ ~ **table** Multiplikationstabelle f. [b] (fig) Vervielfachung f.

multiplicity [ˌmʌltɪ'plɪsɪtɪ] n Vielzahl f ▶ **for a ~ of reasons** aus vielerlei Gründen.

multiply ['mʌltɪplaɪ] [1] vt (Math) multiplizieren, malnehmen ▶ **4 multiplied by 6 is 24** 4 mal 6 ist 24. [2] vi [a] (Math) multiplizieren. [b] (fig) sich vervielfachen. [c] (breed) sich vermehren.

multi: ~-**purpose** adj Mehrzweck-; ~**racial** adj gemischtrassig; ~**racial policy** Politik f der Rassenintegration; ~**racial school** Schule f ohne Rassentrennung; ~-**stor(e)y** adj mehrstöckig; ~-**stor(e)y car-park** (Brit) Parkhaus nt.

multitude ['mʌltɪtju:d] n Menge f ▶ **a ~ of ...** eine Vielzahl von ..., eine ganze Menge ....

mum¹ [mʌm] n, adj (col) ~'**s the word!** nichts verraten! (col); **to keep** ~ den Mund halten (about über +acc) (col).

mum² n (Brit col: mother) Mutter f; (as address) Mutti f (col).

mumble ['mʌmbl] [1] vt murmeln. [2] vi vor sich (acc) hin murmeln; (speak indistinctly) nuscheln.

mumbo-jumbo ['mʌmbəʊ'dʒʌmbəʊ] n (ritual) Hokuspokus m; (gibberish) Kauderwelsch nt.

mummify ['mʌmɪfaɪ] vt mumifizieren.

mummy¹ ['mʌmɪ] n (corpse) Mumie f.

mummy² n (Brit col: mother) Mami f (col).

mumps [mʌmps] n sing Mumps m or f (col) no art.

munch [mʌntʃ] vti mampfen (col).

mundane [ˌmʌn'deɪn] adj (worldly) weltlich; (pej: humdrum) banal.

Munich ['mju:nɪk] n München nt.

municipal [mju:'nɪsɪpəl] adj städtisch; council, elections etc Stadt-, Gemeinde-.

municipality [mju:ˌnɪsɪ'pælɪtɪ] n Gemeinde f.

munificence [mju:'nɪfɪsns] n (form) Großzügigkeit f.

munitions [mju:'nɪʃənz] npl Kriegsmaterial nt no pl ▶ ~ **dump** Munitionslager, -depot nt; ~ **factory** Munitionsfabrik f.

mural ['mjʊərəl] [1] n Wandgemälde nt. [2] adj Wand-.

murder ['mɜ:dər] [1] n [a] Mord m ▶ **to commit** ~ einen Mord begehen. [b] (fig col) **it was** ~ es war mörderisch; **to cry blue** ~ ein Mordstheater machen (col); **to get away with** ~ sich (dat) alles erlauben können. [2] vt ermorden, umbringen; (slaughter) morden; (col) opponents haushoch schlagen; (col: ruin) music etc verhunzen (col).

murderer ['mɜ:dərər] n Mörder m.

murderess ['mɜ:dərɪs] n Mörderin f.

murderous ['mɜ:dərəs] adj deed Mord-; (fig) mörderisch.

murk [mɜ:k] n Düsternis f (geh).

murky ['mɜ:kɪ] adj (+er) trübe; fog dicht; photo, outline etc unscharf; past dunkel.

murmur ['mɜ:mər] [1] n Murmeln nt; (of discontent) Murren nt; (of water, traffic) Rauschen nt ▶ **there was a** ~ **of approval/disagreement** ein beifälliges/abfälliges Murmeln erhob sich; **not a** ~ kein Laut; **without a** ~ ohne zu murren. [2] vt murmeln; (with discontent) murren. [3] vi murmeln; (with discontent) murren (about über +acc); (fig) rauschen.

muscle ['mʌsl] n Muskel m; (fig: power) Macht f ▶ **to have financial/industrial** ~ finanzkräftig/wirtschaftlich einflußreich sein; **he never moved a** ~ er rührte sich überhaupt nicht.

♦**muscle in** vi (col) **to** ~ ~ **(on sth)** (bei etw) mitmischen.

muscleman ['mʌslmæn] n Muskelmann, Muskelprotz m (col).

Muscovite ['mʌskəvaɪt] [1] adj Moskauer. [2] n Moskauer(in f) m.

muscular ['mʌskjʊlər] adj Muskel-; strong muskulös ▶ ~ **dystrophy** Muskeldystrophie f.

muse [mju:z] [1] vi nachgrübeln (about, on über +acc). [2] vt grüblerisch sagen.

museum [mju:'zɪəm] n Museum nt ▶ ~ **piece** (lit, hum) Museumsstück nt.

mush [mʌʃ] n Brei m.

mushroom ['mʌʃrʊm] [1] n (eßbarer) Pilz; (button ~) Champignon m ▶ ~ **cloud** Atompilz m. [2] vi (grow rapidly) wie die Pilze aus dem Boden schießen ▶ **his fame** ~**ed** er wurde schlagartig berühmt.

mushy ['mʌʃɪ] adj (+er) matschig; liquid, consistency breiig; (col) film etc schmalzig (col) ► ~ **peas** Erbsenmus nt.

music ['mjuːzɪk] n Musik f; (written score) Noten pl ► **to set sth to** ~ etw vertonen; **to face the** ~ (fig) dafür geradestehen.

musical ['mjuːzɪkəl] **1** adj musikalisch; instrument, evening Musik-; (tuneful) melodisch ► ~ **box** Spieluhr or -dose f; ~ **chairs** sing Reise f nach Jerusalem. **2** n Musical nt.

musically ['mjuːzɪkəlɪ] adv musikalisch.

music in cpds Musik-; ~ **cassette** n Musikkassette f; ~ **hall** n Varieté nt.

musician [mjuːˈzɪʃən] n Musiker(in f) m.

music lesson n Musikstunde f.

musicologist [ˌmjuːzɪˈkɒlədʒɪst] n Musikwissenschaftler(in f) m.

music-: ~ **stand** n Notenständer m; ~**-stool** n Klavierhocker m; ~ **teacher** n Musiklehrer(in f) m.

musk [mʌsk] n (secretion, smell) Moschus m.

musket ['mʌskɪt] n Muskete f.

musketeer [ˌmʌskɪˈtɪər] n Musketier m.

musk: ~**rat** n Bisamratte f; ~**-rose** n Moschusrose f.

musky ['mʌskɪ] adj (+er) smell Moschus-.

Muslim ['mʊzlɪm] **1** adj moslemisch. **2** n Moslem m, Moslime f.

muslin ['mʌzlɪn] n Musselin m.

musquash ['mʌskwɒʃ] n Bisamratte f.

muss [mʌs] vt (US col: also ~ **up**) durcheinanderbringen (col).

mussel ['mʌsl] n (Mies)muschel f.

▼ **must** [mʌst] **1** vb aux present tense only **a** müssen ► **if you** ~ wenn's sein muß. **b** (in neg sentences) dürfen ► **I** ~**n't forget that** ich darf das nicht vergessen. **c** (probability) **he** ~ **be there by now** jetzt müßte er schon dort sein; (more certain) er ist inzwischen bestimmt da; **I** ~ **have lost it** ich habe es wohl verloren; **you** ~ **have heard of him** Sie haben bestimmt schon von ihm gehört; **he** ~ **be older than that** er muß älter sein; **there** ~ **be a reason for it** es muß doch eine Erklärung dafür geben! **2** n (col) Muß nt ► **an umbrella is a** ~ man braucht unbedingt einen Schirm; **this programme is a** ~ **for everyone** dieses Programm muß man einfach gesehen haben.

mustache ['mʌstæʃ] n (US) = **moustache**.

mustang ['mʌstæŋ] n Mustang m.

mustard ['mʌstəd] n Senf m; (colour) Senfgelb nt ► ~ **gas** Senfgas nt; **to cut the** ~ (US col) es bringen (col).

muster ['mʌstər] **1** n (esp Mil: assembly) Appell m ► **to pass** ~ (fig) den Anforderungen genügen. **2** vt **a** (summon) zusammenrufen; (esp Mil) antreten lassen. **b** (manage to raise: also ~ **up**) zusammenbekommen; strength, courage aufbringen; all one's strength, courage zusammennehmen. **3** vi sich versammeln; (esp Mil) (zum Appell) antreten.

mustiness ['mʌstɪnɪs] n Muffigkeit f.

mustn't ['mʌsnt] = **must not**.

musty ['mʌstɪ] adj (+er) air muffig; books moderig.

mutate [mjuːˈteɪt] vi (Biol) mutieren (to zu).

mutation [mjuːˈteɪʃən] n (Biol) Mutation f.

mute [mjuːt] **1** adj stumm (also Ling); amazement, rage sprachlos. **2** n (dumb person) Stumme(r) mf.

muted ['mjuːtɪd] adj gedämpft; (fig) criticism etc verhalten.

mutilate ['mjuːtɪleɪt] vt person, animal, story verstümmeln; painting etc verschandeln (col).

mutilation [ˌmjuːtɪˈleɪʃən] n see vt Verstümmelung f; Verschandelung f (col).

mutineer [ˌmjuːtɪˈnɪər] n Meuterer m.

mutinous ['mjuːtɪnəs] adj (Naut) meuterisch; (fig) rebellisch.

mutiny ['mjuːtɪnɪ] (Naut, fig) **1** n Meuterei f. **2** vi meutern.

mutter ['mʌtər] **1** n Gemurmel nt; (of discontent) Murren nt. **2** vt murmeln, brummeln. **3** vi murmeln; (with discontent) murren.

mutton ['mʌtn] n Hammel(fleisch nt) m ► **leg of** ~ Hammelkeule f; **she's** ~ **dressed as lamb** (col) sie macht auf jung (col).

mutual ['mjuːtjʊəl] adj respect etc gegenseitig; satisfaction beiderseitig; friends, dislikes etc gemeinsam ► **it would be for our** ~ **benefit** es wäre für uns beide von Vorteil; **the feeling is** ~ das beruht (ganz) auf Gegenseitigkeit.

mutually ['mjuːtjʊəlɪ] adv beide; distrust gegenseitig; satisfactory, beneficial für beide Seiten; agreed von beiden Seiten.

muzzle ['mʌzl] **1** n **a** (snout, mouth) Maul nt. **b** (for dog etc) Maulkorb m. **c** (of gun) Mündung f; (barrel) Lauf m. **2** vt animal einen Maulkorb anlegen (+dat); (fig) critics, the press mundtot machen.

muzzy ['mʌzɪ] adj (+er) (dizzy, dazed) benommen; (blurred) view, memory etc verschwommen.

MVP (US Sport) = **most valuable player**.

MW (Rad) = **medium wave** MW.

my [maɪ] poss adj mein ► **I've hurt** ~ **leg** ich habe mir das Bein verletzt; ~ **father and mother** mein Vater und meine Mutter; **in** ~ **country** bei uns.

myopia [maɪˈəʊpɪə] n Kurzsichtigkeit f.

myopic [maɪˈɒpɪk] adj kurzsichtig.

myriad ['mɪrɪəd] adj unzählige.

myself [maɪˈself] pers pron **a** (dir obj, with prep +acc) mich; (indir obj, with prep +dat) mir ► **I said to** ~ ich sagte mir; **I wanted to see (it) for** ~ ich wollte es selbst sehen. **b** (emph) (ich) selbst ► **my wife and** ~ meine Frau und ich; **I did it** ~ ich habe es selbst gemacht; **(all) by** ~ (ganz) allein(e); **I'll go there** ~ ich gehe selbst hin. **c** (one's normal self) **I'm not (feeling)** ~ **today** ich bin heute nicht ganz auf der Höhe.

mysterious [mɪˈstɪərɪəs] adj geheimnisvoll; (puzzling) mysteriös.

mysteriously [mɪˈstɪərɪəslɪ] adv vanish, change auf mysteriöse Weise; missing unerklärlicherweise; (secretively) geheimnisvoll.

mystery ['mɪstərɪ] n (puzzle) Rätsel nt; (secret) Geheimnis nt ► ~ **play** Mysterienspiel nt; ~ **tour** Fahrt f ins Blaue; **it's a** ~ **to me** das ist mir ein Rätsel.

mystic ['mɪstɪk] **1** adj mystisch. **2** n Mystiker(in f) m.

mystical ['mɪstɪkəl] adj mystisch.

mysticism ['mɪstɪsɪzəm] n Mystizismus m; (of poetry etc) Mystik f.

mystification [ˌmɪstɪfɪˈkeɪʃən] n (state) Verwunderung, Verblüffung f; (act) Verwirrung f.

mystify ['mɪstɪfaɪ] vt vor ein Rätsel stellen ► **I was mystified by the whole business** die ganze Sache war mir ein Rätsel.

mystifying ['mɪstɪfaɪɪŋ] adj rätselhaft.

mystique [mɪˈstiːk] n geheimnisvoller Nimbus m.

myth [mɪθ] n Mythos m; (fig) Märchen nt.

mythical ['mɪθɪkəl] adj mythisch; (fig) erfunden ► ~ **figure/character** Sagengestalt f.

mythological [ˌmɪθəˈlɒdʒɪkəl] adj mythologisch.

mythology [mɪˈθɒlədʒɪ] n Mythologie f.

myxomatosis [ˌmɪksəʊməˈtəʊsɪs] n Myxomatose f.

► SENTENCE BUILDER: **must: 1a** → 11 **1b** → 12.3 **1c** → 5.1, 13.2, 15.7

N

N, n [en] *n* N, n *nt* ▶ *N for Nellie* (*Brit*), *N for Nan* (*US*) ≃ N wie Nordpol.
N = **north** N.
n = a **noun** Subst. b **neuter** nt.
n/a = **not applicable** entf.
NAAFI, Naafi ['næfɪ] = **Navy, Army and Air Force Institutes** (*shop/canteen*) Laden *m*/Kantine *f* der britischen Streitkräfte.
nab [næb] *vt* (*col*) a (*catch, speak to*) erwischen; (*police also*) schnappen (*col*). b (*take for oneself*) sich (*dat*) grapschen (*col*), klauen (*col*).
nadir ['neɪdɪəʳ] *n* a (*Astron*) Fußpunkt *m*. b (*fig*) Tiefstpunkt *m*.
naff [næf] *adj* (*Brit col*) (*not much use*) nutzlos; (*bad style*) ordinär ▶ *this car is pretty ~* dieses Auto bringt's nicht (*col*).
nag¹ [næg] 1 *vt* herumnörgeln an (+*dat*) ▶ *she ~ged me into buying it* sie ließ mir keine Ruhe, bis ich es gekauft hatte.
2 *vi* (*find fault*) herumnörgeln, meckern (*col*); (*be insistent*) keine Ruhe geben ▶ *to ~ at sb* an jdm herumnörgeln, jdm keine Ruhe lassen.
3 *n* (*fault-finder*) Nörgler(in *f*) *m*.
nag² *n* (*old horse*) Klepper *m*; (*col: horse*) Gaul *m*.
nagging ['nægɪŋ] 1 *adj wife* meckernd (*col*), nörglerisch; (*pestering*) ewig drängend; *pain* dumpf; *worry, doubt* quälend.
2 *n* (*fault-finding*) Meckern *nt* (*col*), Nörgelei *f*; (*pestering*) ewiges Drängen.
nail [neɪl] 1 *n* (*Anat, Tech*) Nagel *m* ▶ *as hard as ~s* knallhart (*col*); (*physically*) zäh wie Leder; *to pay on the ~* (*fig col*) auf der Stelle bezahlen; *to hit the ~ on the head* (*fig*) den Nagel auf den Kopf treffen; *to be a ~ in sb's coffin* (*fig*) ein Nagel zu jds Sarg sein.
2 *vt* a nageln ▶ *to ~ sth to the wall* etw an die Wand nageln. b (*fig col*) *to be ~ed to the spot or ground* wie auf der Stelle festgenagelt sein; *to ~ sb* sich (*dat*) jdn schnappen (*col*); (*charge also*) jdn drankriegen (*col*).
◆**nail down** *vt sep* a (*lit*) *box* zunageln; *carpet, lid* festnageln. b *person* festnageln (*to auf* +*acc*).
nail *in cpds* Nagel-; **~-biting** *adj* (*col*) *terror* atemberaubend; *suspense also* atemlos; **~-brush** *n* Nagelbürste *f*; **~-file** *n* Nagelfeile *f*; **~ polish** *n* Nagellack *m*; **~ polish remover** *n* Nagellackentferner *m*; **~ scissors** *npl* Nagelschere *f*; **~ varnish** *n* (*Brit*) Nagellack *m*; **~ varnish remover** *n* (*Brit*) Nagellackentferner *m*.
naïve [naɪ'iːv] *adj* (+*er*) naiv.
naïveté, naïvety [naɪ'iːvɪtɪ] *n* Naivität *f*.
naked ['neɪkɪd] *adj person* nackt; *branch, countryside* kahl; *flame, light* ungeschützt; *truth, facts* nackt ▶ *to/ with the ~ eye* für das bloße/mit dem bloßen Auge.
NALGO ['nælgəʊ] (*Brit*) = **National and Local Government Officers' Association** Gewerkschaft *f* der staatlichen und kommunalen Verwaltungsangestellten.
NAM (*US*) = **National Association of Manufacturers** *Herstellerverband m*.
name [neɪm] 1 *n* a Name *m* ▶ *what's your ~?* wie heißen Sie?, wie ist Ihr Name? (*form*); *my ~ is ...* ich heiße ..., mein Name ist ... (*form*); *a man by the ~ of Gunn* ein Mann namens Gunn; *I know him only by ~*

ich kenne ihn nur dem Namen nach; *to refer to sb/sth by ~* jdn/etw namentlich *or* mit Namen nennen; *in ~ alone or only* nur dem Namen nach; *I won't mention any ~s* ich möchte keine Namen nennen; *he writes under the ~ of X* er schreibt unter dem Namen X; *fill in your ~(s) and address(es)* Namen und Adresse eintragen; *in the ~ of* im Namen (+*gen*); *in the ~ of God* um Gottes willen; *all the big ~s were there* alle großen Namen waren da; *I'll put your ~ down* (*on list, in register etc*) ich trage dich ein; (*for school, excursion etc*) ich melde dich an (*for* zu); *to call sb ~s* jdn beschimpfen; *that's the ~ of the game* (*col*) darum geht es.
b (*reputation*) Name, Ruf *m* ▶ *to have a good/bad ~* einen guten/schlechten Ruf haben; *to get a bad ~* in Verruf kommen; *to give sb a bad ~* jdn in Verruf bringen; *to make a ~ for oneself* sich (*dat*) einen Namen machen als; *to have a ~ for sth* für etw bekannt sein.
2 *vt* a (*call by a ~, give a ~ to, specify*) nennen (*as* als); *new star etc* benennen; *ship* taufen ▶ *a person ~d Smith* jemand namens Smith; *to ~ a child after* (*or* (*US*) *for*) *sb* ein Kind nach jdm nennen; *~ your price* nennen Sie Ihren Preis; *to ~ the day* den Hochzeitstag festsetzen; *you ~ it, he's done it* es gibt nichts, was er noch nicht gemacht hat.
b (*appoint, nominate*) ernennen (*as* als, *for* für) ▶ *to ~ sb mayor* jdn zum Bürgermeister ernennen.
name: ~-drop *vi* (*col*) berühmte Bekannte in die Unterhaltung einfließen lassen; *she's always ~-dropping* sie muß dauernd erwähnen, wen sie alles kennt; **~less** *adj* (*unknown*) *person* unbekannt; (*undesignated*) namenlos; (*undefined*) *sensation, emotion* unbeschreiblich; (*shocking*) *vice, crime* unaussprechlich; *a certain person who shall remain ~less* jemand, der nicht genannt werden soll.
namely ['neɪmlɪ] *adv* nämlich.
name: ~-plate *n* Namensschild *nt*; (*on business premises*) Firmenschild *nt*; **~sake** *n* Namensvetter *m*/-schwester *f*.
Namibia [næ'mɪbɪə] *n* Namibia *nt*.
nanny ['nænɪ] *n* a Kindermädchen *nt*. b (*col: also nanna*) Oma, Omi *f* (*col*).
nanny goat *n* Geiß, Ziege *f*.
nano- ['nænəʊ-] *in cpds* Nano-; **~second** *n* Nanosekunde *f*.
nap¹ [næp] *n* Nickerchen *nt* ▶ *to have or take a ~* ein Nickerchen machen.
nap² *n* (*Tex*) Flor *m*.
napalm ['neɪpɑːm] *n* Napalm *nt*.
nape [neɪp] *n*. *~ of the neck* Nacken *m*, Genick *nt*.
napkin ['næpkɪn] *n* a (*table~*) Serviette *f* ▶ *~ ring* Serviettenring *m*. b (*for baby*) Windel *f*; (*US: sanitary ~*) (Damen)binde *f*.
Naples ['neɪplz] *n* Neapel *nt*.
nappy ['næpɪ] *n* (*Brit*) Windel *f* ▶ *~ liner* Windeleinlage *f*.
narc [nɑːk] *n* (*US col*) Rauschgiftfahnder(in *f*) *m*.
narcissus [nɑː'sɪsəs] *n*, *pl* **narcissi** (*Bot*) Narzisse *f*.
narcotic [nɑː'kɒtɪk] *n* Rauschgift *nt*.
nark [nɑːk] *n* (*Brit col*) Spitzel *m*.
narked [nɑːkt] *adj* (*Brit col*) *to be or feel ~* sauer sein

(col) (about über +acc).
narrate [nə'reɪt] vt erzählen; events etc schildern.
narration [nə'reɪʃən] n Erzählung f; (of events etc) Schilderung f.
narrative ['nærətɪv] **1** n Erzählung f ▶ **three pages of** ~ drei Seiten erzählender Text.
2 adj erzählend; ability etc erzählerisch.
narrator [nə'reɪtəʳ] n Erzähler(in f) m.
narrow ['nærəʊ] **1** adj (+er) **a** eng; road, valley also schmal. **b** (fig) person, attitudes engstirnig; sense eng; existence beschränkt; majority, victory knapp; scrutiny peinlich genau ▶ **to have a ~ mind** engstirnig sein; **to have a ~ escape** mit knapper Not davonkommen.
2 vt road etc enger machen ▶ **to ~ the choice** (fig) die Auswahl reduzieren.
3 vi enger werden, sich verengen.
♦**narrow down** (to auf +acc) **1** vi sich beschränken; (be concentrated) sich konzentrieren.
2 vt sep (limit) beschränken; (concentrate) konzentrieren ▶ **that ~s it ~ a bit** dadurch wird die Auswahl kleiner.
narrowly ['nærəʊlɪ] adv **a** beat knapp; escape mit knapper Not ▶ **he ~ escaped being knocked down** er wäre um ein Haar überfahren worden; **you ~ missed (seeing) him** du hast ihn gerade verpaßt. **b** interpret eng; examine peinlich genau.
narrow: ~ minded adj engstirnig; **~-mindedness** n Engstirnigkeit f.
NASA ['næsə] = **National Aeronautics and Space Administration** NASA f.
nasal ['neɪzəl] adj sound nasal, Nasal-; voice näselnd.
nastily ['nɑːstɪlɪ] adv (unpleasantly) scheußlich; speak, say gehässig; behave also gemein.
nastiness ['nɑːstɪnɪs] n no pl Scheußlichkeit f; (of person) Gemeinheit f; (behaviour) gemeines Benehmen (to gegenüber).
nasturtium [nəs'tɜːʃəm] n (Kapuziner)kresse f.
nasty ['nɑːstɪ] adj (+er) scheußlich, widerlich; cough, wound schlimm; (offensive) anstößig; (dirty) schmutzig; (dangerous) disease, corner, fog böse, gefährlich; person, behaviour gemein, fies (col); trick übel; (spiteful) remark gehässig ▶ **she had a ~ fall** sie ist böse hingefallen; **he had a ~ time of it** es ging ihm ganz übel; **to turn ~** unangenehm werden; **he has a ~ temper** mit ihm ist nicht gut Kirschen essen; **he's a ~ piece of work** (col) er ist ein übler Typ (col).
nation ['neɪʃən] n Volk nt; (people of one country) Nation f.
national ['næʃənəl] **1** adj national; interest, debt, income Staats-, öffentlich; strike, scandal landesweit; security Staats-; team, character National-; language Landes-; custom, monument Volks- ▶ **the ~ papers** or **press** die überregionale Presse.
2 n **a** (person) Staatsbürger(in f) m ▶ **foreign ~** Ausländer(in f) m. **b** (col: newspaper) überregionale Zeitung.
national: ~ anthem n Nationalhymne f; **~ costume, ~ dress** n Nationaltracht f; **N~ Front** n (Brit) rechtsradikale Partei; **N~ Guard** n (US) Nationalgarde f; **N~ Health** adj attr (Brit) ≃ Kassen-; **N~ Health (Service)** n (Brit) Staatlicher Gesundheitsdienst m; **I got it on the N~ Health** ≃ das hat die Krankenkasse bezahlt; **N~ Health patient** ≃ Kassenpatient(in f) m; **~ insurance** n (Brit) Sozialversicherung f.
nationalism ['næʃnəlɪzəm] n Nationalismus m.
nationalist ['næʃnəlɪst] **1** adj nationalistisch.
2 n Nationalist(in f) m.
nationality [ˌnæʃə'nælɪtɪ] n Staatsangehörigkeit, Nationalität f ▶ **what ~ is he?** welche Staatsangehörigkeit hat er?
nationalization [ˌnæʃnəlaɪ'zeɪʃən] n Verstaatlichung f.

nationalize ['næʃnəlaɪz] vt verstaatlichen.
National Lottery n (Brit) ≃ Lotto nt.
nationally ['næʃnəlɪ] adv (as a nation) als Nation; (nationwide) landesweit.
national: ~ park n Nationalpark m; **~ service** n (Brit) Wehrdienst m; **N~ Socialism** n der Nationalsozialismus; **N~ Trust** n (Brit) Verband m für Denkmalpflege und Naturschutz.

┌─────────────────────┐
│ **NATIONAL TRUST** │
└─────────────────────┘

ⓘ Der **National Trust** ist ein 1895 gegründeter Natur- und Denkmalschutzverband in Großbritannien, der Gebäude und Gelände von besonderem historischem oder ästhetischem Interesse erhält und der Öffentlichkeit zugänglich macht. Viele Gebäude im Besitz des National Trust sind (z.T. gegen ein Eintrittsgeld) zu besichtigen.

nation-wide ['neɪʃən,waɪd] adj, adv landesweit.
native ['neɪtɪv] **1** adj **a** product, costume, customs, plants einheimisch; (associated with natives) quarters, labour Eingeborenen- ▶ **a ~ German** ein gebürtiger Deutscher, eine gebürtige Deutsche. **b** (inborn) wit, quality angeboren.
2 n **a** (person) Einheimische(r) mf; (in colonial contexts) Eingeborene(r) mf; (original inhabitant) Ureinwohner(in f) m ▶ **a ~ of Germany** ein gebürtiger Deutscher, eine gebürtige Deutsche. **b** (plant, animal) **to be a ~ of ...** in ... beheimatet sein.
native: ~ country n Heimatland nt; **~ land** n Vaterland nt; **~ language** n Muttersprache f; **~ speaker** n Muttersprachler(in f) m; **I'm a ~ speaker of English** Englisch ist meine Muttersprache; **~ town** n Heimatstadt f.
nativity [nə'tɪvɪtɪ] n **the N~** Christi Geburt no art; **~ play** Krippenspiel nt.
NATO ['neɪtəʊ] = **North Atlantic Treaty Organization** NATO f.
natter ['nætəʳ] (Brit col) **1** vi schwatzen (col); (chatter also) quasseln (col).
2 n **to have a ~** einen Schwatz halten (col).
natural ['nætʃərəl] **1** adj **a** natürlich; rights naturgegeben, Natur-; laws, phenomena, silk Natur- ▶ **it is ~ for him to think ...** es ist nur natürlich, daß er denkt ...; **~ resources** Naturschätze pl; **the ~ world** die Natur; **in its ~ state** im Naturzustand; **to die a ~ death** or **of ~ causes** eines natürlichen Todes sterben; **death from ~ causes** (Jur) Tod durch natürliche Ursachen. **b** (inborn) gift, ability angeboren ▶ **to have a ~ talent for sth** eine natürliche Begabung für etw haben.
2 n **a** (Mus) (sign) Auflösungszeichen nt; (note) Note f ohne Vorzeichen ▶ **B ~** H, h nt; **D~** D, d nt. **b** (col: person) Naturtalent nt.
natural: ~ childbirth n natürliche Geburt; **~ fibre** n Naturfaser f; **~ gas** n Erdgas nt; **~ history** n Naturkunde f.
naturalism ['nætʃrəlɪzəm] n Naturalismus m.
naturalist ['nætʃrəlɪst] n Naturforscher(in f) m.
naturalistic [ˌnætʃrə'lɪstɪk] adj (Art, Liter) naturalistisch.
naturalization [ˌnætʃrəlaɪ'zeɪʃən] n Einbürgerung f.
naturalize ['nætʃrəlaɪz] vt person einbürgern; animal, plants heimisch machen ▶ **to become ~d** eingebürgert werden.
naturally ['nætʃrəlɪ] adv **a** **he is ~ lazy** er ist von Natur aus faul. **b** (not taught) natürlich, instinktiv ▶ **it comes ~ to him** das fällt ihm leicht. **c** (unaffectedly) natürlich, ungekünstelt. **d** (of course) natürlich.
natural wastage n natürliche Personalreduzierung.
nature ['neɪtʃəʳ] n **a** Natur f ▶ **N~** die Natur; laws of ~ Naturgesetze pl; **to paint from ~** nach der Natur malen. **b** (of person) Wesen(sart f) nt, Natur f ▶ **to have a jealous/happy ~** eine eifersüchtige/fröhliche Natur

haben; *it is not in my ~ to say things like that* es ent-spricht nicht meiner Art, so etwas zu sagen; *cruel by ~* von Natur aus grausam. **c** *(type, sort)* Art *f►* *things of this ~* derartiges; *something in the ~ of an apology* so etwas wie eine Entschuldigung; ... *or something of that ~* ... oder etwas in der Art.

nature: *~* **conservancy** *n* Naturschutz *m*; *~***-lover** *n* Naturfreund *m*; *~* **reserve** *n* Naturschutzgebiet *nt*; *~* **study** *n* Naturkunde *f*; *~* **trail** *n* Naturlehrpfad *m*.

naturism [ˈneɪtʃərɪzəm] *n* Freikörperkultur *f*, FKK *no art*.

naturist [ˈneɪtʃərɪst] *n* Anhänger(in *f*) *m* der Freikörper-kultur.

naughtily [ˈnɔːtɪlɪ] *adv* frech; *(esp of child) remark, be-have* ungezogen.

naughtiness [ˈnɔːtɪnɪs] *n see adj (a)* Frechheit *f*; Unartigkeit, Ungezogenheit *f*.

naughty [ˈnɔːtɪ] *adj (+er)* **a** frech; *child* unartig, unge-zogen; *dog* ungehorsam *► you ~ boy!* du böser Junge!; *it was ~ of him to break it* das war aber gar nicht lieb von ihm, daß er das kaputtgemacht hat. **b** *joke, word, story* unanständig.

nausea [ˈnɔːsɪə] *n (Med)* Übelkeit *f*; *(fig)* Ekel *m*.

nauseate [ˈnɔːsɪeɪt] *vt to ~ sb (fig)* jdn anwidern.

nauseating [ˈnɔːsɪeɪtɪŋ] *adj sight, violence, food* ekelerregend; *film, book* gräßlich; *person* widerlich.

nauseous [ˈnɔːsɪəs] *adj* **a** *(Med) that made me (feel) ~* dabei wurde mir übel. **b** *(fig)* widerlich.

nautical [ˈnɔːtɪkəl] *adj* nautisch; *tradition, appearance* seemännisch *► ~ mile* Seemeile *f*.

naval [ˈneɪvəl] *adj* Marine-; *base, parade* Flotten-; *battle, forces* See- *► ~ superiority* Überlegenheit *f* zur See.

naval: *~* **officer** *n* Marineoffizier *m*; *~* **power** *n* Seemacht *f*.

nave [neɪv] *n (of church)* Haupt- *or* Mittelschiff *nt*.

navel [ˈneɪvəl] *n (Anat)* Nabel *m*.

navel-gazing *n (pej)* Nabelschau *f*.

navigable [ˈnævɪgəbl] *adj waterway* schiffbar.

navigate [ˈnævɪgeɪt] **1** *vi (in plane, ship)* navigieren; *(in car)* den Fahrer dirigieren; *(in rally)* franzen. **2** *vt aircraft, ship* navigieren. **b** *(journey through)* durchfahren; *(journey along) (river etc)* befahren.

navigation [ˌnævɪˈgeɪʃən] **a** Navigation *f ► ~ light* Positionslicht *nt*. **b** *(shipping)* Schiffsverkehr *m*.

navigator [ˈnævɪgeɪtər] *n (Naut)* Navigationsoffizier *m*; *(Aviat)* Navigator *m*; *(Mot)* Beifahrer *m*.

navvy [ˈnævɪ] *n (Brit)* Bauarbeiter *m*.

navy [ˈneɪvɪ] **1** *n* **a** *(Kriegs)marine *f► N~ Department* *(US)* Marineministerium *nt*. **b** *(also ~ blue)* Marine-blau *nt*. **2** *adj* **a** *attr* Marine-. **b** *(also ~ blue)* marineblau.

Nazi [ˈnɑːtsɪ] **1** *n* Nazi *m*; *(fig pej)* Faschist *m*. **2** *adj* Nazi-.

Nazism [ˈnɑːtsɪzəm] *n* Nazismus *m*.

NB = nota bene NB.

NBC *(US)* = **National Broadcasting Company** NBC *f*.

NC *(US Post)* = **North Carolina.**

NCO = **non-commissioned officer.**

ND *(US Post)* = **North Dakota.**

NE = **a** north-east NO. **b** *(US Post)* **Nebraska.**

Neapolitan [nɪəˈpɒlɪtən] *n* **1** *adj* neapolitanisch. **2** *n* Neapolitaner(in *f*) *m*.

▼ **near** [nɪər] *(+er)* **1** *adv* **a** nahe *► to be ~ (person, object)* in der Nähe sein; *(event etc)* bevorstehen; *(dan-ger, end, help etc)* nahe sein; *to be very ~* ganz in der Nähe sein; *(in time)* unmittelbar bevorstehen; *(danger etc)* ganz nahe sein; *to be ~er/~est* näher/am nächsten liegen; *(event etc)* zeitlich näher liegen/zeitlich am näch-sten liegen; *to be ~ at hand* zur Hand sein; *(shops)* in der Nähe sein; *(help)* ganz nahe sein; *(event)* unmittelbar bevorstehen; *he lives quite ~* er wohnt

ganz in der Nähe; *that was the ~est I ever got to seeing him* da hätte ich ihn fast gesehen.

b *(exactly, accurately)* genau *► as ~ as I can judge* soweit ich es beurteilen kann; *(that's) ~ enough* so geht's ungefähr.

c *it's nowhere ~ enough/right* das ist bei weitem nicht genug/das ist weit gefehlt; *nowhere ~ as much* bei weitem nicht soviel; *he is nowhere ~ as clever as you* er ist bei weitem nicht so klug wie du.

2 *prep (also adv: ~ to)* **a** *(close to) (position)* nahe an *(+dat)*, nahe *(+dat)*; *(with motion)* nahe an *(+acc)*; *(in the vicinity of)* in der Nähe von *or (+gen)* ► *the hotel is very ~ (to) the station* das Hotel liegt ganz in der Nähe des Bahnhofs; *to come or get ~ (to) sth* nahe an etw herankommen; *to stand ~ (to) the table* neben dem *or* nahe am Tisch stehen; *she stood too ~ (to) the stove* sie stand zu nahe am Herd; *when we got ~ (to) the house* als wir an das Haus herankamen; *~ here/there* hier/dort in der Nähe; *take the chair ~est (to) you* nehmen Sie den Stuhl direkt neben Ihnen.

b *(close in time)* gegen *► come back ~er (to) 3 o'clock* kommen Sie gegen 3 Uhr wieder; *~ (to) the end of the play* gegen Ende des Stücks; *I'm ~ (to) the end of the book/my stay* ich habe das Buch fast zu Ende gelesen/mein Aufenthalt ist fast zu Ende.

c *(on the point of) to be ~ (to) doing sth* nahe daran sein, etw zu tun; *to be ~ (to) tears/despair etc* den Tränen/der Verzweiflung *etc* nahe sein; *the project is ~ (to) completion* das Projekt steht vor seinem Abschluß.

d *(similar to)* ähnlich *(+dat)* ► *German is ~er (to) Dutch than English is* Deutsch ist dem Holländischen ähnlicher als Englisch; *nobody comes anywhere ~ him at swimming* im Schwimmen kann es niemand mit ihm aufnehmen *(col)*.

3 *adj* **a** *(close in space)* nahe *► it looks very ~* es sieht so aus, als ob es ganz nah wäre; *our ~est neigh-bours are 5 miles away* unsere nächsten Nachbarn sind 5 Meilen entfernt. **b** *relation, friend* nah. **c** *escape* knapp *► a ~ disaster* beinahe ein Unglück *nt*; *that was a ~ miss or thing* das war knapp; *a ~ contest* ein Wettkampf *m* mit knappem Ausgang; *to be in a state of ~ collapse* einem Zusammenbruch nahe sein; **d** *(close in nature) resemblance* groß *► £50 or ~(est) offer* Ver-handlungsbasis £50; *this is the ~est equivalent* das kommt dem am nächsten.

4 *vt place* sich nähern *(+dat)* ► *to be ~ing sth (fig)* auf etw *(acc)* zugehen; *to ~ completion* kurz vor dem Ab-schluß stehen.

nearby [nɪəˈbaɪ] **1** *adv* in der Nähe. **2** *adj* nahe gelegen.

near: **N~East** *n* Naher Osten; *~* **letter quality** *n* *(Comp)* Schönschrift *f*.

nearly [ˈnɪəlɪ] *adv* beinahe, fast *► I ~ laughed* ich hätte fast gelacht; *she was ~ in tears* sie war den Tränen nahe; *not ~* bei weitem nicht, nicht annähernd.

near miss *n (Aviat)* Beinahezusammenstoß *m*.

nearness [ˈnɪənɪs] *n* Nähe *f*.

near: **~side** **1** *adj* auf der Beifahrerseite, linke(r, s)/rechte(r, s); **2** *n* Beifahrerseite *f*; *~***-sighted** *adj* kurzsichtig.

neat [niːt] *adj (+er)* **a** *(tidy) person, house, hair-style* ordentlich; *worker, work, handwriting also* sauber; *appear-ance also* gepflegt *► to make a ~ job of sth* etwas tadellos machen. **b** *(pleasing)* nett; *clothes also* adrett; *person, figure also* hübsch. **c** *(skilful) gadget* gelungen; *style* gewandt; *solution* elegant; *trick* schlau *► that's very ~* das ist sehr schlau. **d** *(undiluted) spirits* pur. **e** *(US col: excellent)* klasse *inv (col)*.

neatly [ˈniːtlɪ] *adv see adj (a-c)* **a** ordentlich; sauber. **b** nett; adrett; hübsch. **c** gelungen; gewandt; elegant; schlau *► ~ put* treffend ausgedrückt.

► SENTENCE BUILDER: **near:** 1c → 12.3 2a → 12.3

neatness ['niːtnɪs] n see adj (a-c) **a** Ordentlichkeit f; Sauberkeit f. **b** Nettheit f, nettes Aussehen; Adrettheit f; hübsches Aussehen. **c** Gelungenheit f; Gewandtheit f; Eleganz f; Schlauheit f.

nebulous ['nebjʊləs] adj (fig) unklar, nebulös.

necessarily ['nesɪsərɪlɪ] adv notwendigerweise, unbedingt ▶ not ~ nicht unbedingt.

necessary ['nesɪsərɪ] **1** adj **a** notwendig, nötig (to, for für) ▶ it is ~ to ... man muß ...; is it ~ for me to come too? muß ich auch kommen?; it's not ~ for you to come Sie brauchen nicht zu kommen; it is ~ for him to be there es ist nötig or notwendig, daß er da ist, er muß (unbedingt) da sein; all the ~ qualifications alle erforderlichen Qualifikationen; ~ condition Voraussetzung f; to make it ~ for sb to do sth es erforderlich machen, daß jd etw tut; if ~ wenn nötig, nötigenfalls; to make the ~ arrangements die erforderlichen Maßnahmen treffen; to do what is ~ alles Nötige tun; to do no more than is ~ nicht mehr tun, als unbedingt nötig ist. **b** (unavoidable) conclusion, result unausweichlich ▶ a ~ evil ein notwendiges Übel. **2** n **a** (col: what is needed) the ~ das Notwendige; will you do the ~? wirst du das Nötige erledigen? **b** (col: money) the ~ das nötige Kleingeld.

necessitate [nɪ'sesɪteɪt] vt notwendig machen, erfordern (form).

necessity [nɪ'sesɪtɪ] n **a** no pl Notwendigkeit f ▶ from or out of ~ aus Not; of ~ notgedrungen; it is a case of absolute ~ es ist unbedingt notwendig; in case of ~ im Notfall. **b** (necessary thing) Notwendigkeit f ▶ the bare necessities (of life) das Notwendigste (zum Leben).

neck [nek] **1** n Hals m; (of dress etc) Ausschnitt m; (size) Halsweite f ▶ to break one's ~ sich (dat) das Genick brechen; to risk one's ~ Kopf und Kragen riskieren; to save one's ~ seinen Hals aus der Schlinge ziehen; a stiff ~ ein steifer Hals or Nacken; to be up to one's ~ in work bis über den Hals in der Arbeit stecken; he's in it up to his ~ (col) er steckt bis über den Hals drin; to stick one's ~ out seinen Kopf riskieren; in this ~ of the woods (col) in diesen Breiten; it has a high ~ (dress etc) es ist hochgeschlossen. **2** vi (col) knutschen (col).

neck: ~ and neck (lit, fig) **1** adj attr Kopf-an-Kopf-; **2** adv Kopf an Kopf; **~band** n Besatz m; (for pullover) (Hals)bündchen nt.

necklace ['neklɪs] n (Hals)kette f.

neck: ~line n Ausschnitt m; **~ size** n Halsweite f; **~tie** n (esp US) Krawatte f, Schlips m.

nectar ['nektər] n (lit, fig) Nektar m.

nectarine ['nektərɪn] n (fruit) Nektarine f.

NEDC (Brit) = **National Economic Development Council** Rat m für Wirtschaftsentwicklung.

née [neɪ] adj **Mrs Smith, ~ Jones** Frau Smith, geborene Jones.

▼ **need** [niːd] **1** n **a** no pl (necessity) Notwendigkeit f (for gen) ▶ if ~ be nötigenfalls; in case of ~ notfalls, im Notfall; (there is) no ~ for sth etw ist nicht nötig; there is no ~ for sb to do sth jd braucht etw nicht zu tun; there's now ~ to get angry du brauchst nicht gleich wütend zu werden; to be (badly) in ~ of sth (person) etw (dringend) brauchen; to be in ~ of repair reparaturbedürftig sein; to have no ~ of sth etw nicht brauchen; to have no ~ to do sth etw nicht zu tun brauchen. **b** no pl (misfortune, poverty) Not f ▶ in time(s) of ~ in Zeiten der Not; those in ~ die Notleidenden pl. **c** (requirement) Bedürfnis nt ▶ the body's ~ for oxygen das Sauerstoffbedürfnis des Körpers; my ~s are few ich stelle nur geringe Ansprüche. **2** vt **a** brauchen ▶ to ~ no introduction keine besondere Einführung brauchen; much ~ed dringend

notwendig; just what I ~ed genau das richtige; that's all I ~ed (iro) das hat mir gerade noch gefehlt; it ~s a coat of paint es muß gestrichen werden; a visa is ~ed to enter the USA für die Einreise in die USA braucht man ein Visum; it ~ed an accident to make him drive carefully er mußte erst einen Unfall haben, bevor er vernünftig fuhr.
b sth ~s doing or to be done etw muß gemacht werden; the book ~s careful reading man muß das Buch genau lesen; to ~ to do sth (have to) etw tun müssen; not to ~ to do sth etw nicht zu tun brauchen; he doesn't ~ to be told man braucht es ihm nicht zu sagen; she ~s to have everything explained to her man muß ihr alles erklären.
3 aux **a** (positive) müssen ▶ ~ he go? muß er gehen?; ~ I say more? mehr brauche ich ja wohl nicht zu sagen; I ~ hardly say that ... ich brauche wohl kaum zu erwähnen, daß ...; you only ~ed (to) ask du hättest nur (zu) fragen brauchen; one ~ only look ein Blick genügt.
b (negative) brauchen ▶ you ~n't wait du brauchst nicht (zu) warten; we ~n't have come wir hätten gar nicht (zu) kommen brauchen; I/you ~n't have bothered das war nicht nötig.
c (logical necessity) that ~n't be the case das muß nicht unbedingt der Fall sein; it ~ not follow that ... daraus folgt nicht unbedingt, daß ...

needle ['niːdl] **1** n Nadel f ▶ it's like looking for a ~ in a haystack es ist, als ob man eine Stecknadel im Heuhaufen suchte; to give sb the ~ (col) jdn reizen. **2** vt (col: goad) ärgern, piesacken (col) ▶ what's needling him? was ist ihm über die Leber gelaufen? (col).

needle: ~craft n Handarbeit f; **~ match** n spannendes Spiel.

needless ['niːdlɪs] adj unnötig ▶ ~ to say natürlich; ~ to say, he didn't come er kam natürlich nicht.

needlessly ['niːdlɪslɪ] adv unnötig(erweise).

needlework ['niːdlwɜːk] n Handarbeit f.

needy ['niːdɪ] **1** adj (+er) ärmlich, bedürftig. **2** n the ~ die Bedürftigen pl.

negation [nɪ'geɪʃən] n Verneinung f.

negative ['negətɪv] **1** adj negativ; answer verneinend; (Gram) form verneint ▶ ~ cash flow (Fin) Überhang m der Zahlungsausgänge; ~ sign (Math) Minuszeichen nt. **2** n **a** (also Gram) Verneinung f ▶ to answer in the ~ eine verneinende Antwort geben; (refuse) einen abschlägigen Bescheid geben; his answer was a curt ~ er antwortete mit einem knappen Nein; put this sentence into the ~ verneinen Sie diesen Satz. **b** (Gram: word) Negation f; (Math) negative Zahl. **c** (Phot) Negativ nt. **d** (Elec) negativer Pol.

neglect [nɪ'glekt] **1** vt vernachlässigen; opportunity versäumen; advice nicht befolgen ▶ to ~ to do sth es versäumen, etw zu tun. **2** Vernachlässigung f; (negligence) Nachlässigkeit f ▶ ~ of one's duties Pflichtversäumnis nt; to be in a state of ~ verwahrlost sein, völlig vernachlässigt sein; the fire started through (his) ~ das Feuer ist durch seine Nachlässigkeit entstanden.

neglected [nɪ'glektɪd] adj vernachlässigt ▶ to feel ~ sich vernachlässigt fühlen.

neglectful [nɪ'glektfʊl] adj nachlässig; father, government etc pflichtvergessen ▶ to be ~ of sb/sth jdn/etw vernachlässigen.

négligé(e) ['neglɪʒeɪ] n Negligé nt.

negligence ['neglɪdʒəns] n (carelessness) Nachlässigkeit f; (causing danger, Jur) Fahrlässigkeit f.

negligent ['neglɪdʒənt] adj **a** nachlässig; (causing danger, damage) fahrlässig ▶ both drivers were ~ beide Fahrer haben sich fahrlässig verhalten. **b** (off-hand) lässig.

negligible ['neglɪdʒəbl] adj unwesentlich; quantity also geringfügig.

negotiable [nɪ'gəʊʃɪəbl] adj [a] (Comm) (can be sold) verkäuflich; (can be transferred) übertragbar ▶ these terms are ~ über diese Bedingungen kann verhandelt werden. [b] road befahrbar; river, mountain pass passierbar; obstacle, difficulty überwindbar.

negotiate [nɪ'gəʊʃɪeɪt] [1] vt [a] verhandeln über (+acc); (bring about) aushandeln. [b] bend, (horse) fence nehmen; river, mountain passieren; obstacle überwinden. [2] vi verhandeln (for über +acc).

negotiation [nɪˌgəʊʃɪ'eɪʃən] n [a] see vt (a) Verhandlung f; Aushandlung f ▶ the matter is still under ~ über diese Sache wird noch verhandelt. [b] usu pl (talks) Verhandlung f ▶ to enter into ~s with sb Verhandlungen mit jdm aufnehmen. [c] (of river, mountain) Passage f, Passieren nt; (of obstacle) Überwindung f.

negotiator [nɪ'gəʊʃɪeɪtəʳ] n Unterhändler(in f) m.

Negress ['niːgres] n Negerin f.

Negro ['niːgrəʊ] [1] adj Neger-. [2] n Neger m.

neigh [neɪ] [1] vi wiehern. [2] n Wiehern nt.

neighbour, (US) **neighbor** ['neɪbəʳ] [1] n Nachbar(in f) m; (at table) Tischnachbar(in f) m; (Bibl etc) Nächste(r) mf. [2] vi (US col) to ~ with sb gutnachbarliche Beziehungen zu jdm haben.

neighbourhood, (US) **neighborhood** ['neɪbəhʊd] n (district) Gegend f; (people) Nachbarschaft f ▶ in the ~ of sth in der Nähe von etw; ~ watch Vereinigung f von Bürgern, die durch erhöhte Wachsamkeit die Polizei bei der Verbrechensbekämpfung unterstützen.

neighbouring, (US) **neighboring** ['neɪbərɪŋ] adj house(s), village benachbart, Nachbar-; fields, community, country Nachbar-.

neighbourly, (US) **neighborly** ['neɪbəlɪ] adj action, relations gutnachbarlich ▶ they are ~ people sie sind gute Nachbarn.

neither ['naɪðəʳ] [1] adv ~ ... nor weder ... noch; he ~ knows nor cares er weiß es nicht und will es auch nicht wissen. [2] conj auch nicht ▶ if you don't go, ~ shall I wenn du nicht gehst, gehe ich auch nicht; I'm not going — ~ am I ich gehe nicht — ich auch nicht; he didn't do it (and) ~ did his sister weder er noch seine Schwester haben es getan. [3] adj keine(r, s) (der beiden) ▶ ~ one of them keiner von beiden. [4] pron keiner(r, s) ▶ ~ of them keiner von beiden; which one will you take? — ~ welches nehmen Sie? — keines (von beiden).

neo- ['niːəʊ-] pref neo-, Neo-; **~classical** adj klassizistisch; **~fascist** [1] adj neofaschistisch; [2] n Neofaschist(in f) m.

neolithic [ˌniːəʊ'lɪθɪk] adj jungsteinzeitlich, neolithisch.

neologism [nɪ'ɒlədʒɪzəm] n (Ling) (Wort)neubildung f, Neologismus m.

neon ['niːɒn] n (Chem) Neon nt ▶ ~ light Neonlicht nt; ~ sign (name) Neon- or Leuchtschild nt; (advertisement) Leuchtreklame f no pl.

Nepal [nɪ'pɔːl] n Nepal nt.

Nepalese [nepə'liːz] [1] adj nepalesisch. [2] n Nepalese m, Nepalesin f.

nephew ['nevjuː, 'nefjuː] n Neffe m.

nepotism ['nepətɪzəm] n Vetternwirtschaft f.

Neptune ['neptjuːn] n (Astron, Myth) Neptun m.

nerd [nɜːd] n (col!) Schwachkopf m (col).

nerve [nɜːv] [1] n [a] (Anat) Nerv m ▶ to suffer from ~s nervös sein; to have an attack of ~s in Panik geraten, durchdrehen (col); his ~s are bad er hat schlechte Nerven; to get on sb's ~s (col) jdm auf die Nerven

gehen; to have ~s of steel Nerven wie Drahtseile haben. [b] no pl (courage) Mut m ▶ to lose/keep one's ~ die Nerven verlieren/nicht verlieren; to have the ~ to do sth sich trauen, etw zu tun; a test of ~ eine Nervenprobe. [c] no pl (col: impudence) Frechheit, Unverschämtheit f ▶ to have the ~ to do sth die Frechheit besitzen, etw zu tun; he's got a ~! der hat Nerven! (col). [2] vtr to ~ oneself for sth/to do sth sich seelisch und moralisch auf etw (acc) vorbereiten/darauf vorbereiten, etw zu tun.

nerve: ~ **centre** (Brit), ~ **center** (US) n Nervenzentrum nt (Anat); Schaltzentrale f (fig); **~-racking** ['nɜːvrækɪŋ] adj nervenaufreibend.

nervous ['nɜːvəs] adj [a] (Anat) system etc Nerven-; exhaustion, reflex nervös ▶ ~ breakdown Nervenzusammenbruch m; ~ energy Vitalität f; ~ tension Nervenanspannung f. [b] (apprehensive) nervös; (overexcited, tense also) aufgeregt ▶ to feel ~ nervös sein; I am ~ about the exam/him mir ist bange vor dem Examen/um ihn; I am rather ~ about diving ich habe eine ziemliche Angst vor dem Tauchen (col).

nervously ['nɜːvəslɪ] adv nervös; (excitedly also) aufgeregt.

nervous: ~ **Nellie** n (US col) Flattermann m; ~ **wreck** n (col) to be/feel a ~ wreck mit den Nerven völlig am Ende sein.

nervy ['nɜːvɪ] adj (+er) [a] (Brit: tense) nervös. [b] (US col: cheeky) frech.

nest [nest] [1] n Nest nt ▶ to leave the ~ (lit, fig) das Nest verlassen; a ~ of tables ein Satz m Tische. [2] vi nisten.

nesting-box ['nestɪŋbɒks] n Nistkasten m.

nestle ['nesl] vi to ~ down in bed sich ins Bett kuscheln; to ~ up to sb sich an jdn kuscheln; the village nestling in the hills das Dorf, das zwischen den Bergen eingebettet liegt.

nestling ['neslɪŋ] n Nestling m.

net¹ [net] [1] n (lit, fig) Netz nt ▶ to be caught in the ~ (fig) in die Falle gehen. [2] vt fish, butterfly mit dem Netz fangen; (Sport) ball ins Netz schlagen; (fig) criminal fangen.

net² [1] adj [a] price, income, weight netto, Netto- ▶ ~ assets Nettovermögen nt; ~ profit Reingewinn m; it costs £15 ~ es kostet £15 netto. [b] (fig) ~ result Endergebnis nt. [2] vt netto einnehmen; (in wages, salary) netto verdienen; (deal etc) einbringen.

net: **~ball** n (Brit) Korbball m; ~ **curtain** n Tüllgardine f, Store m.

Netherlands ['neðələndz] npl the ~ die Niederlande pl.

netting ['netɪŋ] n Netz nt; (wire ~) Maschendraht m.

nettle ['netl] [1] n (Bot) Nessel f. [2] vt (fig col) person wurmen (col), fuchsen (col).

nettle rash n Nesselausschlag m.

network ['netwɜːk] [1] n [a] (lit, fig) Netz nt. [b] (Rad, TV) Sendenetz nt; (Elec, Comp) Netzwerk nt. [2] vt (Comp) vernetzen.

networking ['netwɜːkɪŋ] n (Comp) Rechnerverbund m.

neuralgia [njʊə'rældʒə] n Neuralgie f, Nervenschmerzen pl.

neuro- ['njʊərəʊ-] in cpds Neuro-, neuro- ▶ **~biology** Neurobiologie f.

neurosis [njʊə'rəʊsɪs] n, pl **neuroses** [njʊə'rəʊsiːz] Neurose f.

neurotic [njʊə'rɒtɪk] [1] adj neurotisch ▶ to be ~ about sth (col) in bezug auf etw (acc) neurotisch sein. [2] n Neurotiker(in f) m.

neuter ['njuːtəʳ] [1] adj [a] (Gram) sächlich. [b] animal, person geschlechtslos; (castrated) kastriert; plant unge-

schlechtlich.
2 *n* |a| (*Gram*) Neutrum *nt*. |b| (*animal*) geschlechtloses Wesen; (*castrated*) kastriertes Tier.
3 *vt* cat, dog kastrieren; *female* sterilisieren.
neutral ['nju:trəl] **1** *adj* neutral.
2 *n (Aut)* Leerlauf *m* ▶ *to be in* ~ im Leerlauf sein.
neutrality [nju:'trælɪtɪ] *n* Neutralität *f*.
neutralize ['nju:trəlaɪz] *vt* neutralisieren; (*fig*) ausgleichen.
neutron ['nju:trɒn] *n* Neutron *nt*.
neutron bomb *n* Neutronenbombe *f*.
▼ **never** ['nevər] *adv* |a| nie ▶ *I have ~ seen him* ich habe ihn (noch) nie gesehen; *~ again* nie wieder; *I'll ~ try that again* das werde ich nicht noch einmal versuchen; *~ before* noch nie; *I have ~ seen him before* ich habe ihn noch nie gesehen; *~ before have men climbed this peak* nie zuvor haben Menschen diesen Gipfel erklommen; *~ even* nicht einmal; *~ ever* gar nie; *I have ~ ever been so insulted* ich bin noch nie so beleidigt worden.
|b| (*emph: not*) *that will ~ do!* das geht ganz und gar nicht!; *he ~ so much as smiled* er hat nicht einmal gelächelt; *he said ~ a word* er hat kein einziges Wort gesagt; *you've ~ left it behind!* (*col*) du hast es doch wohl nicht etwa liegenlassen! (*col*); *would you do it again?* — ~! würdest du das noch einmal machen? — bestimmt nicht; *Spurs were beaten* — ~! (*col*) Spurs sind geschlagen worden — das ist doch nicht möglich!; *well I ~ (did)!* (*col*) nein, so was!
never: ~-**ending** *adj* endlos; ~-**never** *n* (*Brit col*): *on the ~-never* auf Pump (*col*).
nevertheless [ˌnevəðə'les] *adv* trotzdem, dennoch.
new [nju:] *adj* (+*er*) neu ▶ *that's nothing ~* das ist nichts Neues; *that's something ~!* das ist wirklich ganz was Neues!; *what's ~?* (*col*) was gibt's Neues? (*col*); *dressed in ~ clothes* neu eingekleidet; *to make sth (look) like* ~ etw wie neu machen; *as* ~ wie neu; *this system is* ~ *to me* dieses System ist mir neu; *he is a* ~ *man* (*fig*) er ist ein neuer Mensch; *that's a* ~ *one on me* (*col*) das ist mir ja ganz neu; *a* ~ *kind of engine* ein neuartiger Motor; *I'm quite* ~ *to this job* ich bin neu in dieser Stelle; *I am* ~ *to this place* ich bin erst seit kurzem hier.
new: ~-**born** *adj* neugeboren; ~**comer** *n* Neuankömmling *m*; (*in job, subject etc*) Neuling *m* (*to* in +*dat*); **N~ England** *n* Neuengland *nt*; ~-**fangled** ['nju:ˌfæŋgld] *adj* neumodisch; **N~foundland** ['nju:fəndlænd] *n* Neufundland *nt*; (*dog*) Neufundländer *m*; **N~ Guinea** *n* Neuguinea *nt*; ~-**laid** ['nju:leɪd] *adj* frisch.
newly ['nju:lɪ] *adv* frisch ▶ ~-**made** ganz neu; *bread, cake etc* frisch gebacken.
newlyweds ['nju:lɪwedz] *npl* (*col*) Frischvermählte *pl*.
new moon *n* Neumond *m* ▶ *there's a* ~ *tonight* heute nacht ist Neumond.
newness ['nju:nɪs] *n* Neuheit *f*.
New Orleans [ˌnju:ɔ:'li:nz] *n* New Orleans *nt*.
news [nju:z] *n no pl* |a| (*report, information*) Nachricht *f*; (*recent development*) Neuigkeit(en *pl*) *f* ▶ *a piece of* ~ eine Neuigkeit; *I have* ~/*no* ~ *of him* ich weiß Neues/nichts Neues von ihm; *there is no* ~ es gibt nichts Neues; *have you heard the* ~? haben Sie schon das Neueste gehört?; *is there any* ~? gibt es etwas Neues?; *I have* ~ *for you* (*iro*) ich habe eine Überraschung für dich; *bad/good* ~ schlechte/gute Nachricht(en); *he's bad* ~ (*col*) er bedeutet nichts als Ärger; *that is good* ~ das sind ja gute Nachrichten; *who will break the* ~ *to him?* wer wird es ihm beibringen?; *that is* ~ *to me!* das ist (mir) ganz neu!
|b| (*Press, Film, Rad, TV*) Nachrichten *pl* ▶ *it was on the* ~ das kam in den Nachrichten; *to be in the* ~ von sich reden machen.

news: ~ **agency** *n* Nachrichtenagentur *f*; ~ **agent** *n* (*Brit*) Zeitungshändler *m*; ~ **bulletin** *n*, ~**cast** *n* (*TV, Rad*) Nachrichtensendung *f*; ~**caster** *n* Nachrichtensprecher(in *f*) *m*; ~ **dealer** *n* (*US*) Zeitungshändler *m*; ~ **desk** *n* Nachrichtenredaktion *f*; ~ **editor** *n* Nachrichtenredakteur *m*; ~**flash** *n* Kurzmeldung *f*; ~**letter** *n* Mitteilungsblatt *nt*.
New South Wales *n* Neusüdwales *nt*.
newspaper ['nju:zˌpeɪpər] *n* Zeitung *f* ▶ *daily/weekly* ~ Tageszeitung/Wochenzeitung.
newspaper: ~ **advertisement** *n* Zeitungsinserat *nt*; ~ **article** *n* Zeitungsartikel *m*; ~ **boy** *n* Zeitungsausträger, Zeitungsjunge *m*; ~ **kiosk** *n* Zeitungskiosk *m*; ~ **man** *n* Zeitungsverkäufer *m*; (*journalist*) Journalist *m*; ~ **report** *n* Zeitungsbericht *m*.
news: ~**print** *n* Zeitungspapier *nt*; ~**reader** *n* Nachrichtensprecher(in *f*) *m*; ~**reel** *n* Wochenschau *f*; ~**room** *n* (*of newspaper*) Nachrichtenredaktion *f*; (*TV, Rad*) Nachrichtenstudio *nt*; ~**stand** *n* Zeitungsstand *m*; ~**worthy** *adj* *to be* ~**worthy** Neuigkeitswert haben.
newsy ['nju:zɪ] *adj* (+*er*) (*col*) voller Neuigkeiten.
newt [nju:t] *n* Wassermolch *m*.
new: **N~ Testament** **1** *n the N~ Testament* das Neue Testament; **2** *adj attr* des Neuen Testaments; **the N~ World** *n* die Neue Welt.
New Year *n* neues Jahr; (~*'s Day*) Neujahr *nt* ▶ *to see in the* ~ das neue Jahr begrüßen; *Happy* ~*!* (ein) frohes neues Jahr!; ~*'s Day*, (*US also*) ~*'s* Neujahr *nt*; ~*'s Eve* Silvester *nt*; ~ **resolution** (guter) Vorsatz für das neue Jahr.
New: ~ **York** [nju:'jɔ:k] *n* New York *nt*; ~ **Zealand** [nju:'zi:lənd] **1** *n* Neuseeland *nt*; **2** *adj attr* neuseeländisch; ~ **Zealander** *n* Neuseeländer(in *f*) *m*.
next [nekst] **1** *adj* nächste(r, s) ▶ *come back* ~ *week/ Tuesday* kommen Sie nächste Woche/nächsten Dienstag wieder; *he came back the* ~ *day/week* er kam am nächsten Tag/in der nächsten Woche wieder; *(the)* ~ *time I see him* wenn ich ihn das nächste Mal sehe; *the* ~ *time I saw him* als ich ihn das nächste Mal sah; *(the)* ~ *moment he was gone* im nächsten Moment war er weg; *from one moment to the* ~ von einem Augenblick auf den anderen; *this time* ~ *week* nächste Woche um diese Zeit; *the year/week after* ~ übernächstes Jahr/übernächste Woche; *the* ~ *day but one* der übernächste Tag; *who's* ~? wer ist der nächste?; *you're* ~ Sie sind dran (*col*) or an der Reihe; ~ *please!* der nächste bitte!; *the* ~ *but one* der/die/das übernächste.
2 *adv* |a| (*the* ~ *time*) das nächste Mal; (*afterwards*) danach ▶ *what shall we do* ~? was sollen wir als nächstes machen?; *whatever* ~? (*in surprise*) Sachen gibt's! (*col*); (*despairingly*) wo soll das nur hinführen? |b| ~ *to sb/sth* neben jdm/etw; (*with motion*) neben jdn/etw; *the* ~ *to last row* die vorletzte Reihe; *he was* ~ *to last* er war der vorletzte; *the* ~ *to bottom shelf* das zweite Brett von unten; ~ *to the skin* (direkt) auf der Haut; ~ *to nothing* so gut wie nichts; ~ *to impossible* nahezu unmöglich. |c| *the* ~ *best* der/die/das nächstbeste.
next-door ['neksˈdɔ:r] **1** *adv* nebenan ▶ *they live* ~ *to us* sie wohnen (direkt) neben uns; *the boy* ~ der Junge von nebenan.
2 *adj the* ~ *neighbour/house* der Nachbar/die Nachbarin von nebenan/das Nebenhaus; *we are* ~ *neighbours* wir wohnen Tür an Tür.
next of kin *n* nächster Verwandte *m*, nächste Verwandte *f*, *pl* nächste Verwandte.
NFL = **National Football League** *amerikanische Fußball-Nationalliga*.
NFU = **National Farmers' Union** *britische Bauerngewerkschaft*.
NH (*US Post*) = **New Hampshire**.
NHS (*Brit*) = **National Health Service**.

NI (*Brit*) = a **Northern Ireland.** b **National Insurance.**

Niagara Falls [naɪˈægrəˈfɔːlz] *npl* die Niagarafälle *pl*.

nib [nɪb] *n* Feder *f*.

nibble [ˈnɪbl] 1 *vti to ~ (at) sth* an etw (*dat*) knabbern. 2 *vi* (*fig*) sich interessiert zeigen.

NICAM *n System nt zur Umwandlung von Audio-Signalen in digitale Form*.

Nicaragua [ˌnɪkəˈrægjʊə] *n* Nicaragua *nt*.

Nicaraguan [ˌnɪkəˈrægjʊən] 1 *adj* nicaraguanisch. 2 *n* Nicaraguaner(in *f*) *m*.

Nice [niːs] *n* Nizza *nt*.

nice [naɪs] *adj* (+*er*) a nett; *voice also* sympathisch; (*~-looking*) *dress, looks etc also* hübsch; *taste, smell, meal* gut; *warmth, weather, feeling, car* schön; (*skilful*) *workmanship, work* gut, schön ▶ *be ~ to him* sei nett zu ihm; *that's not ~!* das ist aber nicht nett; *to have a ~ time* sich gut amüsieren; *I had a ~ rest* ich habe mich gut *or* schön ausgeruht; *how ~ of you to ...* wie nett von Ihnen, zu ...
    b (*intensifier*) schön ▶ *a ~ long holiday* schön lange Ferien; *~ and warm/near* schön warm/nahe; *~ and easy* ganz leicht.
    c (*respectable*) nett; *district* fein; *words* schön; *manners* gut.
    d (*iro*) schön, sauber ▶ *here's a ~ state of affairs!* das sind ja.schöne Zustände!; *you're in a ~ mess* du sitzt in einem schönen Schlamassel (*col*).
    e (*subtle*) *distinction* fein, genau ▶ *that was a ~ point* das war eine gute Bemerkung.

nice-looking [ˈnaɪsˈlʊkɪŋ] *adj* gutaussehend; *girl also* hübsch ▶ *to be ~* gut aussehen.

nicely [ˈnaɪslɪ] *adv* (*pleasantly*) nett; (*well*) *go, speak, behave, placed* gut ▶ *to go ~* wie geschmiert laufen (*col*); *that will do ~* das reicht vollauf; *how's it going? — ~, thank you* wie geht es so? — danke, ganz gut; *he's getting on ~* ihm geht's ganz gut.

nicety [ˈnaɪsɪtɪ] *n* a (*subtlety*) Feinheit *f*; (*of judgement also*) Schärfe *f*; (*precision*) (peinliche) Genauigkeit. b *niceties pl* Feinheiten *pl*.

niche [niːʃ] *n* (*Archit*) Nische *f*; (*fig*) Plätzchen *nt*.

nick[1] [nɪk] 1 *n* a Kerbe *f* ▶ *I got a little ~ on my chin* ich habe mich leicht am Kinn geschnitten. b *in the ~ of time* gerade noch (rechtzeitig). c (*Brit col: condition*) *in good/bad ~* gut/nicht gut in Schuß (*col*). 2 *vt* a *stick* einkerben ▶ *to ~ oneself* (*col*) sich schneiden. b (*bullet*) *person, wall* streifen.

nick[2] (*Brit*) 1 *vt* (*col*) a (*arrest*) einsperren (*col*); (*catch*) schnappen (*col*) ▶ *he got ~ed* den haben sie sich (*dat*) geschnappt (*col*). b (*steal*) klauen (*col*). 2 *n* (*prison*) Knast *m* (*col*); (*police station*) Wache *f*.

nickel [ˈnɪkl] *n* a (*metal*) Nickel *nt* ▶ *~ silver* Neusilber *nt*. b (*US: coin*) Fünfcentstück *nt*.

nickname [ˈnɪkneɪm] 1 *n* Spitzname *m*. 2 *vt to ~ sb ...* jdm den Spitznamen ... geben.

nicotine [ˈnɪkətiːn] *n* Nikotin *nt*.

niece [niːs] *n* Nichte *f*.

nifty [ˈnɪftɪ] *adj* (+*er*) (*col*) flott (*col*); *gadget, tool* schlau (*col*).

Nigeria [naɪˈdʒɪərɪə] *n* Nigeria *nt*.

Nigerian [naɪˈdʒɪərɪən] 1 *adj* nigerisch. 2 *n* Nigerianer(in *f*) *m*.

niggardly [ˈnɪgədlɪ] *adj person* knaus(e)rig; *amount, portion also* kümmerlich.

nigger [ˈnɪgər] *n* (*pej*) Nigger *m* (*pej col*).

niggle [ˈnɪgl] 1 *vi* (*complain*) herumkritisieren (*about* an +*dat*). 2 *vt* (*worry*) plagen, zu schaffen machen (+*dat*).

niggling [ˈnɪglɪŋ] *adj person* überkritisch; *doubt, pain* quälend; *detail* pingelig (*col*).

night [naɪt] *n* Nacht *f*; (*evening*) Abend *m* ▶ *I saw him last ~* ich habe ihn gestern abend gesehen; *I'll see him tomorrow ~* ich treffe ihn morgen abend; *on Friday ~* Freitag abend/nacht; *on the ~ of (Saturday) the 11th* am (Samstag, dem) 11. nachts/abends; *11/6 o'clock at ~* 11 Uhr nachts/6 Uhr abends; *to travel/see Paris by ~* nachts reisen/Paris bei Nacht sehen; *far into the ~* bis spät in die Nacht; *in/during the ~* in/während der Nacht; *the ~ before last they were ...* vorgestern abend/vorletzte Nacht waren sie ...; *to spend the ~ at a hotel* in einem Hotel übernachten; *I need a good ~'s sleep* ich muß mal wieder ordentlich schlafen; *~ after ~* jede Nacht; *all ~ (long)* die ganze Nacht; *to have a ~ out* (abends) ausgehen; *to have a late/an early ~* spät/früh ins Bett kommen, spät/früh schlafen gehen; *to work ~s* nachts arbeiten; *~ is falling* die Nacht bricht herein; *the last three ~s of Hamlet* die letzten drei Abende von „Hamlet".

night *in cpds* Nacht-; **~-bird** *n* Nachtvogel *m*; (*fig*) Nachteule *f* (*col*), Nachtschwärmer *m* (*col*); **~cap** *n* a (*garment*) Schlafmütze *f*; b (*drink*) Schlaftrunk *m*; **~club** *n* Nachtklub *m*; **~dress** *n* (*Brit*) Nachthemd *nt*; **~ duty** *n* Nachtdienst *m*; **~fall** *n* Einbruch *m* der Dunkelheit; **~gown** *n* Nachthemd *nt*.

nightie [ˈnaɪtɪ] *n* (*Brit: col*) Nachthemd *nt*.

nightingale [ˈnaɪtɪŋgeɪl] *n* Nachtigall *f*.

night life *n* Nachtleben *nt*.

nightly [ˈnaɪtlɪ] 1 *adj* (*every night*) (all)nächtlich, Nacht-; (*every evening*) (all)abendlich, Abend-. 2 *adv* jede Nacht/jeden Abend ▶ *twice ~* zweimal pro Abend.

night: **~mare** *n* (*lit, fig*) Alptraum *m*; **~owl** *n* (*col*) Nachteule *f* (*col*); **~ porter** *n* Nachtportier *m*; **~safe** *n* Nachtsafe *m*; **~school** *n* Abendschule *f*; **~ shift** *n* Nachtschicht *f*; *to be on ~ shift* Nachtschicht haben *or* arbeiten; **~-spot** *n* Nachtlokal *nt*; **~ stand** (*US*) Nachttisch *m*; **~stick** *n* (*US*) Schlagstock *m*; **~ storage heater** *n* Nachtspeicherofen *m*; **~ table** *n* (*US*) Nachttisch *m*; **~-time** *n* Nacht *f*, *at ~-time* nachts; **~watchman** *n* Nachtwächter *m*.

nihilism [ˈnaɪlɪzəm] *n* Nihilismus *m*.

Nikkei average *n*, **Nikkei index** [ˈnɪkeɪ-] *n* Nikkei-(Durchschnitts)index *m*.

nil [nɪl] *n* null (*also Sport*); (*nothing*) nichts ▶ *the score was one-~* es stand eins zu null.

Nile [naɪl] *n* Nil *m*.

nimble [ˈnɪmbl] *adj* (+*er*) *fingers* flink; (*agile*) gelenkig, beweglich; (*skilful*) geschickt; *mind* beweglich.

nimbly [ˈnɪmblɪ] *adv work* flink; *dance* leicht(füßig).

nimby [ˈnɪmbɪ] = **not in my back yard** ≃ ohne mich!

nincompoop [ˈnɪŋkəmpuːp] *n* (*col*) Trottel *m*.

nine [naɪn] 1 *adj* neun ▶ *~ times out of ten* so gut wie immer. 2 *n* Neun *f* ▶ *dressed up to the ~s* in Schale (*col*); *see* **six.**

ninepins [ˈnaɪnpɪnz] *n* (*game*) Kegeln *nt* ▶ *to go down like ~* (*fig*) wie die Fliegen umfallen.

nineteen [ˈnaɪnˈtiːn] *adj* neunzehn ▶ *she talks ~ to the dozen* sie redet wie ein Wasserfall (*col*).

nineteenth [ˈnaɪnˈtiːnθ] *adj* neunzehnte(r, s); *see* **sixteenth.**

nine-to-five [ˌnaɪntəˈfaɪv] *adj ~ job* regelmäßige Arbeit, ≃ Achtstundentag *m*.

ninety [ˈnaɪntɪ] 1 *adj* neunzig. 2 *n* Neunzig *f*; *see* **sixty.**

ninth [naɪnθ] 1 *adj* neunte(r, s). 2 *n* (*as fraction*) Neuntel *nt*; (*of series*) Neunte(r, s); *see* **sixth.**

nip[1] [nɪp] 1 *n* (*pinch*) Kniff *m*; (*bite from animal etc*) Biß *m* ▶ *there's a ~ in the air today* es ist heute ganz schön frisch. 2 *vt* a (*bite*) zwicken; (*pinch also*) kneifen; *bud, shoot* abknipsen ► *to ~ sth in the bud* (*fig*) etw im Keim ersticken. **b** (*cold, frost etc*) *plants* angreifen.

3 *vi* (*Brit col*) sausen (*col*), flitzen (*col*) ► *to ~ up(stairs)/down(stairs)* hoch-/runtersausen (*col*); *I'll just ~ down to the shops* ich gehe mal kurz einkaufen (*col*); *I'll just ~ out for a moment* ich gehe nur mal kurz raus.

nip² *n* (*col: drink*) Schlückchen *nt*.

nipple ['nɪpl] *n* (*Anat*) Brustwarze *f*; (*on baby's bottle*) Sauger *m*.

nippy ['nɪpɪ] *adj* (+er) **a** (*Brit col*) flink, flott; *car* spritzig. **b** *weather* frisch.

nit [nɪt] *n* **a** (*Zool*) Nisse *f*. **b** (*Brit col*) Dummkopf, Blödmann (*col*) *m*.

nit-picking ['nɪtpɪkɪŋ] *adj* (*col*) pingelig (*col*).

nitrogen ['naɪtrədʒən] *n* Stickstoff *m*.

nitroglycerin(e) ['naɪtrəʊ'glɪsəriːn] *n* Nitroglyzerin *nt*.

nitty-gritty ['nɪtɪ'grɪtɪ] *n* (*col*) *to get down to the ~* zur Sache kommen.

nitwit ['nɪtwɪt] *n* (*col*) Dummkopf *m*.

NJ (*US Post*) = **New Jersey**.

NLQ (*Comp*) = **near letter quality** NLQ.

NM (*US Post*) = **New Mexico**.

no = **number** Nr.

no [nəʊ] **1** *adv* **a** (*negative*) nein ► *oh ~!* o nein!; *to answer ~* (*to question*) mit Nein antworten; (*to request*) nein sagen; *she can't say ~* sie kann nicht nein sagen. **b** (*with comp*) nicht ► *I can bear it ~ longer* ich kann es nicht länger ertragen; *I have ~ more money* ich habe kein Geld mehr; *~ fewer than 100* bestimmt 100; *~ later than Monday* spätestens Montag.

2 *adj* kein ► *~ one person could do it* keiner könnte das allein tun; *~ two men are alike* zwei Menschen sind immer verschieden; *~ other man* kein anderer; *it's of ~ interest/importance* das ist belanglos/unwichtig; *it's ~ use or good* das hat keinen Zweck; *~ parking/ smoking* Parken/Rauchen verboten; *there's ~ telling what he'll do next* man kann nie wissen, was er als nächstes tut; *there's ~ denying it* es läßt sich nicht leugnen; *she's ~ beauty* sie ist nicht gerade eine Schönheit; *I'm ~ expert, but ...* ich bin zwar kein Fachmann, aber ...; *in ~ time* im Nu; *it's ~ small matter* das ist keine Kleinigkeit; *theirs is ~ easy task* sie haben keine leichte Aufgabe; *there is ~ such thing* so etwas gibt es nicht; *it was/we did ~ such thing!* das stimmt überhaupt nicht!

3 *n, pl* **-es** Nein *nt*; (*~ vote*) Neinstimme *f* ► *I won't take ~ for an answer* ich bestehe darauf.

no-account ['nəʊə,kaʊnt] *adj* (*US col*) nichtsnutzig.

nobble ['nɒbl] *vt* (*Brit col*) **a** *horse* lahmlegen (*col*). **b** (*catch*) sich (*dat*) schnappen (*col*). **c** (*obtain dishonestly*) *votes etc* sich (*dat*) kaufen; *money* einsacken (*col*).

Nobel prize ['nəʊbel'praɪz] *n* Nobelpreis *m*.

nobility [nəʊ'bɪlɪtɪ] *n no pl* (Hoch)adel *m* ► *she is one of the ~* sie ist eine Adlige.

noble ['nəʊbl] **1** *adj* (+er) **a** *person, rank* adlig ► *to be of ~ birth* adlig sein. **b** (*fine*) *person, deed etc* edel, nobel; *appearance* vornehm. **c** (*col: selfless*) edel, edelmütig.

2 *n* Adlige(r) *mf*.

nobleman ['nəʊblmən] *n, pl* **-men** [-mən] Adlige(r) *m*.

noblewoman ['nəʊblwʊmən] *n, pl* **-women** [-wɪmɪn] Adlige *f*.

nobly ['nəʊblɪ] *adv* (*aristocratically*) vornehm; (*finely*) edel; (*bravely*) wacker; (*col: selflessly*) nobel, edel(mütig).

nobody ['nəʊbədɪ] **1** *pron* niemand, keiner ► *~ knows better than I* niemand or keiner weiß besser als ich; *there was ~ else* da war sonst niemand; *~ else could have done it* es kann niemand anders gewesen sein; (*capable*) das hätte sonst niemand geschafft.

2 *n* Niemand *m no pl* ► *he's a ~* er ist ein Niemand.

no-claims bonus ['nəʊ,kleɪmz'bəʊnəs] *n* (*Insur*) Schadenfreiheitsrabatt *m*.

nocturnal [nɒk'tɜːnl] *adj* nächtlich ► *~ animal/bird* Nachttier *nt*/Nachtvogel *m*.

nocturne ['nɒktɜːn] *n* (*Mus*) Nokturne *f*.

nod [nɒd] **1** *n* Nicken *nt* ► *to give sb a ~* jdm zunicken; *to answer with a ~* (zustimmend) nicken. **2** *vi* nicken ► *to ~ to sb* jdm zunicken; *to ~ in agreement* zustimmend nicken. **3** *vt to ~ one's head* mit dem Kopf nicken.

◆**nod off** *vi* einnicken (*col*).

node [nəʊd] *n* (*all senses*) Knoten *m*.

no-go area ['nəʊ'gəʊ,eərɪə] *n* Sperrgebiet *nt*.

no-good *adj* (*col*) nichtsnutzig.

noise [nɔɪz] *n* Geräusch *nt*; (*loud, irritating sound*) Lärm, Krach *m*; (*Elec: interference*) Rauschen *nt* ► *what was that ~?* was war das für ein Geräusch?; *the ~ of the traffic/bells* der Straßenlärm/der Lärm der Glocken; *it made a lot of ~* es hat viel Krach gemacht; *don't make a ~!* sei leise!; *stop that ~* hör mit dem Lärm auf; *she made ~s about leaving early* (*col*) sie gab zu verstehen, daß sie früh gehen wollte; *a big ~* (*fig col*) ein großes Tier (*col*).

noise abatement *n* Lärmbekämpfung *f*.

noiseless ['nɔɪzlɪs] *adj* geräuschlos; *step also* lautlos.

noise: ~ level *n* Geräuschpegel *m*; *~ pollution* *n* Lärmbelästigung *f*; *~ reduction* *n* (*in recordings*) Rauschunterdrückung *f*.

noisily ['nɔɪzɪlɪ] *adv see adj*.

noisy ['nɔɪzɪ] *adj* (+er) laut; *protest, debate* lautstark ► *don't be so ~* sei nicht so laut, mach nicht so viel Lärm.

nomad ['nəʊmæd] *n* Nomade *m*, Nomadin *f*.

nomadic [nəʊ'mædɪk] *adj* nomadisch; *tribe* Nomaden-.

no-man's-land ['nəʊmænzlænd] *n* (*lit, fig*) Niemandsland *nt*.

nom de plume ['nɒmdə'pluːm] *n* Pseudonym *nt*.

nomenclature [nəʊ'menklətʃəʳ] *n* Nomenklatur *f*.

nominal ['nɒmɪnl] *adj* nominell.

nominate ['nɒmɪneɪt] *vt* (*appoint*) ernennen; (*propose*) nominieren, (als Kandidat) aufstellen ► *he was ~d chairman* er wurde zum Vorsitzenden ernannt.

nomination [,nɒmɪ'neɪʃən] *n* (*appointment*) Ernennung *f*; (*proposal*) Nominierung *f*.

nominative [,nɒmɪnətɪv] (*Gram*) **1** *n* Nominativ *m*. **2** *adj* *(the) ~ case* der Nominativ.

nominee [,nɒmɪ'niː] *n* Kandidat(in *f*) *m*.

non- [nɒn-] *in cpds* Nicht-, nicht-; *~-aggression* *n* Nichtangriff *m*; *~-aggression pact* or *treaty* *n* Nichtangriffspakt *m*; *~ alcoholic* *adj* alkoholfrei; *~-aligned* *adj* blockfrei; *~-believer* *n* Nichtgläubige(r) *mf*.

nonce word ['nɒnswɜːd] *n* Ad-hoc-Bildung *f*.

nonchalance ['nɒnʃələns] *n* Lässigkeit, Nonchalance *f*.

nonchalant ['nɒnʃələnt] *adj* lässig, nonchalant.

non: ~-combatant **1** *n* Nichtkämpfer *m*; **2** *adj* nicht am Kampf beteiligt; *~-commissioned officer* *n* Unteroffizier *m*; *~-committal* *adj* zurückhaltend; *answer also* unverbindlich; *to be ~-committal about whether ...* sich nicht festlegen, ob ...; *~conformist* **1** *n* Nonkonformist(in *f*) *m*; **2** *adj* nonkonformistisch; *~-contributory pension scheme* *n* Rentenversicherung *f* ohne Eigenbeteiligung. *~-co-operation* *n* unkooperative Haltung.

nondescript ['nɒndɪskrɪpt] *adj* *taste, colour* unbestimmbar; *person, appearance* unauffällig, unscheinbar (*pej*).

none [nʌn] **1** *pron* keine(r, s); *keine* (*on form*) keine ► *~ of them is coming* von ihnen kommt keiner; *~ of the boys/them* keiner der Jungen/von ihnen; *~ of this* nichts davon; *~ of this is any good* das ist alles nicht gut; *do you have any bread/apples? — ~ (at all)* haben Sie Brot/Äpfel?— nein, gar keines/keine; *there is ~*

left es ist nichts übrig; *their guest was ~ other than ...* ihr Gast war kein anderer als ...; *(we'll have) ~ of that!* jetzt reicht's aber!; *he would have ~ of it* er wollte davon nichts wissen.

[2] *adv to be ~ the wiser* auch nicht schlauer sein; *it's ~ too warm* es ist nicht zu warm; *he's ~ the worse for the experience* die Erfahrung hat ihm nichts geschadet; *and ~ too soon either* und auch keineswegs zu früh.

nonentity [nɒˈnentɪtɪ] *n* unbedeutende Figur.

non-essential [nɒnɪˈsenʃəl] [1] *adj* unnötig; *workers* nicht unbedingt nötig; *services* nicht lebenswichtig.

[2] *n ~s pl* nicht (lebens)notwendige Dinge *pl.*

nonetheless [ˌnʌnðəˈles] *adv* nichtsdestoweniger, trotzdem.

non: **~-event** *n (col)* Reinfall *m (col)*, Pleite *f (col)*; **~-executive director** *n* Aufsichtsratsmitglied *nt* ohne Entscheidungsbefugnis; **~-existence** *n* Nichtvorhandensein *nt*; **~-existent** *adj* nicht vorhanden; *his accent is practically ~-existent* er hat praktisch keinen Akzent; **~-fattening** *adj* nicht dickmachend *attr*, **~-fiction** *n* Sachbücher *pl*; **~-flammable** *adj* nichtentzündbar *attr*, nicht entzündbar; **~-intervention** *n (Pol etc)* Nichteinmischung *f (in* in +*acc)*; **~-iron** *adj* bügelfrei; **~-member** *n* Nichtmitglied *nt*; *open to ~-members* Gäste willkommen; **~-nuclear** *adj weapons* konventionell; **~-payment** *n* Nichtzahlung *f.*

nonplus [nɒnˈplʌs] *vt* verblüffen.

non: **~-productive** *adj meeting, discussion etc* unergiebig; **~-productive industries** Dienstleistungssektor *m*; **~-profit** *(US)*, **~-profit-making** *adj* keinen Gewinn anstrebend *attr, charity etc* also gemeinnützig; **~-proliferation** *n* Nichtverbreitung *f*; **~-reflecting** *adj* spiegelfrei; **~-resident** [1] *adj* nicht ansässig; *(in hotel)* nicht im Hause wohnend; [2] *n* Nicht(orts)ansässige(r) *mf*; *(in hotel)* nicht im Haus wohnender Gast; *open to ~-residents* auch für Nichthotelgäste; **~-returnable** *adj bottle* Einweg-.

nonsense [ˈnɒnsəns] *n no pl (also as interjection)* Unsinn, Quatsch *(col) m*; *(verbal also)* dummes Zeug; *(silly behaviour)* Dummheiten *pl* ▶ *a piece of ~* ein Unsinn *or* Quatsch *(col) m*; *that's a lot of ~!* das ist (ja) alles dummes Zeug!; *I've had enough of this ~* jetzt reicht's mir aber; *to make a ~ of sth* etw unsinnig *or* sinnlos machen; *no more of your ~!* Schluß mit dem Unsinn!; *he will stand no ~ from anybody* er läßt nicht mit sich spaßen.

nonsensical [nɒnˈsensɪkəl] *adj* unsinnig.

non: **~-shrink** *adj* nicht einlaufend; **~-skid** *adj* rutschsicher; **~-slip** *adj* rutschfest; **~-smoker** *n* [a] *(person)* Nichtraucher(in *f*) *m*; [b] *(Rail)* Nichtraucher(abteil *nt*) *m*; **~-smoking** *adj area* Nichtraucher-; **~-standard** *adj part* nicht serienmäßig; **~-standard size** Sondergröße *f*; **~-starter** *n (in race)* Nichtstartende(r) *mf*; *(fig: person, idea)* Blindgänger *m*; **~-stick** *adj pan, surface* kunststoffbeschichtet, Teflon- ®; **~-stop** [1] *adj train* durchgehend; *journey* ohne Unterbrechung; *flight, performances* Nonstop-; [2] *adv talk* ununterbrochen; *fly* nonstop; *travel* ohne Unterbrechung; **~-taxable** *adj* nichtsteuerpflichtig; **~-U** *adj (Brit)* nicht vornehm; **~-violent** *adj* gewaltlos; **~-volatile** *adj (Comp) memory* nichtflüchtig; **~-voting shares** *npl* stimmrechtslose Aktien *pl*; **~-white** [1] *n* Farbige(r) *mf*; [2] *adj* farbig; *area* für Farbige.

noodle [ˈnuːdl] *n (Cook)* Nudel *f.*

nook [nʊk] *n* Winkel *m* ▶ *in every ~ and cranny* in jedem Winkel.

noon [nuːn] *n* Mittag *m* ▶ *at ~* um 12 Uhr mittags.

no one [ˈnəʊwʌn] *pron* = **nobody** 1.

noose [nuːs] *n* Schlinge *f* ▶ *to put one's head in the ~ (fig)* den Kopf in die Schlinge stecken.

nor [nɔːʳ] *conj* [a] noch ▶ *neither ... ~* weder ... noch.

[b] *(and not)* und ... auch nicht ▶ *I don't like him — ~ do I* ich mag ihn nicht — ich auch nicht.

norm [nɔːm] *n* Norm *f.*

normal [ˈnɔːməl] [1] *adj person, situation* normal; *practice, routine* also, *(customary)* üblich ▶ *it's a perfectly ~ thing* das ist völlig normal; *he is not his ~ self today* er ist heute so anders.

[2] *n no pl (of temperature)* Normalwert ▶ *temperatures below ~* Temperaturen unter dem Durchschnitt; *her temperature is above/below ~* sie hat erhöhte Temperatur/sie hat Untertemperatur; *when things are back to ~* wenn sich alles wieder normalisiert hat.

normality [nɔːˈmælɪtɪ] *n* Normalität *f* ▶ *to return to ~* sich wieder normalisieren.

normalize [ˈnɔːməlaɪz] *vt* normalisieren; *relations* wiederherstellen.

normally [ˈnɔːməlɪ] *adv (usually)* normalerweise, gewöhnlich; *(in normal way)* normal.

Norman [ˈnɔːmən] [1] *adj* normannisch.

[2] *n* Normanne *m*, Normannin *f.*

Normandy [ˈnɔːməndɪ] *n* Normandie *f.*

north [nɔːθ] [1] *n* Norden *m* ▶ *in/from the ~* im/aus dem Norden; *to live in the ~* im Norden leben; *to the ~ of* nördlich von, im Norden von; *to veer/go to the ~* in nördliche Richtung *or* nach Norden drehen/gehen; *to face (the) ~* nach Norden liegen; *the N~ (of Scotland/ England)* Nordschottland/Nordengland *nt.*

[2] *adj attr* Nord-.

[3] *adv (towards N~)* nach Norden ▶ *~ of* nördlich *or* im Norden von.

north *in cpds* Nord-; **N~ Africa** *n* Nordafrika *nt*; **N~ African** [1] *adj* nordafrikanisch; [2] *n* Nordafrikaner(in *f*) *m*; **N~ America** *n* Nordamerika *nt*; **N~ American** [1] *adj* nordamerikanisch; [2] *n* Nordamerikaner(in *f*) *m.*

Northants [nɔːˈθænts] = **Northamptonshire.**

north: **N~ Atlantic Treaty** *n* Nordatlantikpakt *m*; **~-bound** *adj carriageway* nach Norden (führend); *traffic* in Richtung Norden; **~-east** [1] *adj* Nordost-, nordöstlich; [2] *adv* nach Nordosten; **~-east of** nordöstlich von; **~-easterly** *adj* nordöstlich; **~-eastern** *adj* nordöstlich.

northerly [ˈnɔːðəlɪ] *adj wind, direction, latitude* nördlich.

northern [ˈnɔːðən] *adj hemisphere, counties* nördlich; *Germany, Italy etc* Nord- ▶ *N~ Ireland* Nordirland *nt*; *the ~ states (US Hist)* die Nordstaaten; *with a ~ outlook* mit Blick nach Norden.

northerner [ˈnɔːðənəʳ] *n* [a] Bewohner(in *f*) *m* des Nordens; *(from north of England/Germany)* Nordengländer(in *f*) *m*/-deutsche(r) *mf* ▶ *he is a ~* er kommt aus dem Norden des Landes. [b] *(US)* Nordstaatler(in *f*) *m.*

northernmost [ˈnɔːðənməʊst] *adj* nördlichste(r, s).

north: **N~ German** *adj* norddeutsch; **N~ Korea** *n* Nordkorea *nt*; **N~ Pole** *n* Nordpol *m*; **N~ Sea** [1] *n* Nordsee *f*; [2] *adj* Nordsee-; **N~ Sea gas/oil** Nordseegas *nt*/-öl *nt*; **~-south divide** *n* Nord-Süd-Gefälle *nt*; **~-ward** *adj* nördlich; **~-wardly** *adj* nördlich; **~-west** [1] *adj* Nordwest-, nordwestlich; [2] *adv* nach Nordwest(en); **~-west of** nordwestlich von; **~-westerly** [1] *adj* nordwestlich; [2] *n* Nordwestwind *m*; **~-western** *adj* nordwestlich.

Norway [ˈnɔːweɪ] *n* Norwegen *nt.*

Norwegian [nɔːˈwiːdʒən] [1] *adj* norwegisch.

[2] *n* [a] Norweger(in *f*) *m*. [b] *(language)* Norwegisch *nt.*

nose [nəʊz] [1] *n* [a] Nase *f*; *(fig also)* Riecher *m (col)* ▶ *to speak through one's ~* durch die Nase sprechen; *my ~ is bleeding* ich habe Nasenbluten; *follow your ~* immer der Nase nach; *to do sth under sb's very ~* etw vor jds Augen tun; *it was right under his ~ all the time* er hatte es die ganze Zeit direkt vor der Nase; *to lead sb by the ~* jdn an der Nase herumführen; *to poke or stick one's ~ into sth (fig)* seine Nase in etw *(acc)* stecken;

you keep your ~ out of this (col) halt du dich da raus! (col); *to look down one's ~ at sb/sth* auf jdn/etw herabsehen; *to pay through the ~* (col) sich dumm und dämlich zahlen (col); *to have a ~ for sth* (fig) eine Nase or einen Riecher (col) für etw haben.

[b] (of plane) Nase f; (of car) Schnauze f; (of boat also) Bug m ▶ *~ to tail* (cars) Stoßstange an Stoßstange. [2] vti *the ship ~d (its way) through the fog* das Schiff tastete sich durch den Nebel.

♦**nose about** or **around** vi herumschnüffeln (col); (person also) herumspionieren (col).

♦**nose out** vt sep aufspüren; secret, scandal ausspionieren (col), ausschnüffeln (col).

nose: **~bag** n Futtersack m; **~bleed** n Nasenbluten nt; *to have a ~bleed* Nasenbluten haben; **~dive** [1] n (Aviat) Sturzflug m; *to go into a ~dive* zum Sturzflug ansetzen; *the company's affairs took a ~dive* mit der Firma ging es rapide bergab; [2] vi (plane) im Sturzflug herabgehen; *~ drops* npl Nasentropfen pl.

nosey adj = **nosy**.

nosh [nɒʃ] n (Brit col) (food) Futter nt (col); (meal) Schmaus m.

nosh-up ['nɒʃʌp] n (Brit col) Schmaus m, Freßgelage nt (col).

nostalgia [nɒ'stældʒɪə] n Nostalgie f (for nach).

nostalgic [nɒ'stældʒɪk] adj nostalgisch, wehmütig.

nostril ['nɒstrəl] n Nasenloch nt; (of horse etc) Nüster f.

nosy ['nəʊzɪ] adj (+er) (col) neugierig.

not [nɒt] adv [a] nicht ▶ *he told me ~ to come* er sagte, ich solle nicht kommen; *do ~ or don't come* kommen Sie nicht; *~ a sound/word etc* kein einziger Ton/ einziges Wort etc; *~ a bit* kein bißchen; *~ a sign of ...* keine Spur von ...; *~ one of them* kein einziger, nicht einer; *~ a thing* überhaupt nichts; *~ any more* nicht mehr; *~ yet* noch nicht.

[b] (in rhetorical questions) *it's hot, isn't it?* es ist heiß, nicht wahr or nicht?; *isn't it hot?* ist das vielleicht heiß!; *you are coming, aren't you* or *are you ~?* Sie kommen doch, oder?; *you are ~ angry — or are you?* Sie sind doch nicht etwa böse?

[c] *is he coming? — I hope/I believe ~* kommt er? — ich hoffe/glaube nicht; *it would appear ~* anscheinend nicht; *he's decided not to do it — I should think/hope ~* er hat sich entschlossen, es nicht zu tun — das möchte ich auch meinen/hoffen; *are you cold? — ~ at all* ist dir kalt? — überhaupt nicht; *thank you very much — ~ at all* vielen Dank — keine Ursache; *~ in the least* überhaupt or gar nicht; *~ that I know of* nicht, daß ich wüßte.

notable ['nəʊtəbl] adj person bedeutend; success, event also bemerkenswert, denkwürdig; difference, improvement beträchtlich, beachtlich.

notably ['nəʊtəblɪ] adv [a] (strikingly) auffallend; improved, different beträchtlich. [b] (in particular) hauptsächlich, vor allem.

notary (public) ['nəʊtərɪ('pʌblɪk)] n Notar(in f) m.

notation [nəʊ'teɪʃən] n (system) Zeichensystem nt; (symbols) Zeichen pl; (Mus) Notenschrift f.

notch [nɒtʃ] [1] n Kerbe f; (of handbrake etc) Raste f; (in belt) Loch nt; (on damaged blade etc) Scharte f. [2] vt einkerben, einschneiden.

♦**notch up** vt sep points erzielen, einheimsen (col); record verzeichnen; success verzeichnen können.

notchback ['nɒtʃbæk] n (Aut) Stufenheck nt.

note [nəʊt] [1] n [a] Notiz f; (foot~) Anmerkung, Fußnote f; (informal letter) Briefchen nt, paar Zeilen pl ▶ *~s* (summary) Aufzeichnungen pl; (plan, draft) Konzept nt; *lecture ~s* (professor's) Manuskript nt; (student's) Aufzeichnungen pl; *to speak without ~s* ohne Vorlage sprechen; *to take ~s* Notizen machen; (in lecture also, in interrogation) mitschreiben; *to take* or *make a ~ of sth*

sich (dat) etw notieren; *to compare ~s* (fig) Eindrücke or Erfahrungen austauschen.

[b] no pl (notice) *to take ~ of sth* von etw Notiz nehmen; (heed) einer Sache (dat) Beachtung schenken; *worthy of ~* beachtenswert, erwähnenswert.

[c] no pl (importance) *a man of ~* ein bedeutender Mann; *nothing of ~* nichts Erwähnenswertes.

[d] (Mus) (sign) Note f; (sound, on piano etc) Ton m ▶ *to play the right/wrong ~* richtig/falsch spielen; *to strike the right ~* (fig) den richtigen Ton treffen.

[e] (quality, tone) Ton, Klang m ▶ *a ~ of nostalgia* eine nostalgische Note; *there was a ~ of warning in his voice* seine Stimme hatte einen warnenden Unterton.

[f] (Brit Fin) Note f, Schein m ▶ *a £5 ~, a five-pound ~* ein Fünfpfundschein m.

[2] vt bemerken; (take note of) zur Kenntnis nehmen; (pay attention to) beachten.

note: **~book** n Notizbuch or -heft nt; **~case** n (Brit) Brieftasche f.

noted ['nəʊtɪd] adj bekannt (for für, wegen).

note: **~pad** n Notizblock m; **~paper** n Briefpapier nt.

noteworthy ['nəʊtwɜːðɪ] adj beachtenswert, erwähnenswert.

nothing ['nʌθɪŋ] [1] n, pron, adv nichts ▶ *to eat ~* nichts essen; *~ could be easier* nichts wäre einfacher; *it was reduced to ~* es blieb nichts davon übrig; *she is or means ~ to him* sie bedeutet ihm nichts; *that came to ~* da ist nichts draus geworden; *I can make ~ of it* das sagt mir nichts; *he thinks ~ of doing that* er findet nichts dabei(, das zu tun); *think ~ of it* denk dir nichts dabei; (after thanks) keine Ursache!; *to say ~ of ...* ganz zu schweigen von ...; *~ doing!* (col) da ist nichts drin! (col); *for ~* (free, in vain) umsonst; *there's ~ (else) for it but to leave* da bleibt einem nichts (anderes) übrig als zu gehen; *there's ~ in the rumour* das Gerücht ist aus der Luft gegriffen, an dem Gerücht ist nichts (Wahres); *there's ~ to it* (col) das ist kinderleicht (col); *~ but* nur; *he does ~ but eat* er ißt nur or ständig; *~ else* sonst nichts; *~ more* sonst nichts; *I'd like ~ more than that* ich möchte nichts lieber als das; *~ much* nicht viel; *~ if not polite* überaus höflich; *~ new* nichts Neues; *it was ~ like as big* es war lange nicht so groß; *he has ~ on her* (col) er kann ihr nicht das Wasser reichen (col); *in ~ flat* (US col) in Null Komma nichts (col).

[2] n [a] (Math) Null f. [b] (thing, person of no value) Nichts nt ▶ *it was a mere ~* das war doch nicht der Rede wert; *to whisper sweet ~s to sb* jdm Zärtlichkeiten ins Ohr flüstern.

nothingness ['nʌθɪŋnɪs] n Nichts nt.

notice ['nəʊtɪs] [1] n [a] (warning, communication) Bescheid m, Benachrichtigung f; (written notification) Mitteilung f; (of forthcoming event, film etc) Ankündigung f ▶ *to give sb ~ of sth* jdm etw mitteilen; *without ~* ohne Ankündigung; (of arrival also) unangemeldet; *he didn't give us much ~* er gave us rather short ~ er hat uns nicht viel Zeit gelassen or gegeben; *at short ~* kurzfristig; *at a moment's ~* jederzeit, sofort; *at three days' ~* innerhalb von drei Tagen; *until further ~* bis auf weiteres.

[b] (public announcement) Bekanntmachung f; (on ~board etc) Anschlag m; (poster also) Plakat nt; (sign) Schild nt; (in newspaper) Mitteilung f; (short) Notiz f; (of wedding, vacancy etc) Anzeige f ▶ *the ~ says ...* da steht ...

[c] (to end employment etc) Kündigung f ▶ *to quit* Kündigung f; *to give sb ~* jdm kündigen; *to give in one's ~* kündigen; *I am under ~ (to quit), I got my ~* mir ist gekündigt worden; *a month's ~* eine einmonatige Kündigungsfrist.

[d] (review) Kritik, Rezension f.

[e] (attention) *to take ~ of sth* von etw Notiz

nehmen; (*heed*) etw beachten, einer Sache (*dat*) Beachtung schenken; *to take no ~ of sb/sth* von jdm/etw keine Notiz nehmen; *take no ~!* kümmern Sie sich nicht darum!; *that has escaped his ~* das hat er nicht bemerkt; *to bring sth to sb's ~* jdn auf etw (*acc*) aufmerksam machen; (*in letter*) jdn von etw in Kenntnis setzen; *it came to his ~ that ...* er hat erfahren, daß ... 2 *vt* bemerken; (*perceive also*) wahrnehmen; (*recognize, acknowledge*) zur Kenntnis nehmen; *difference* feststellen; (*realize also*) merken ▶ *without my noticing it* ohne daß ich etwas gemerkt *or* bemerkt habe; *he pretended not to ~* er tat so, als ob er es nicht bemerkt hätte; *did he wave? — I never ~d* hat er gewinkt? — ich habe es nicht gesehen.

noticeable ['nəʊtɪsəbl] *adj* erkennbar, wahrnehmbar; (*visible*) sichtbar; (*obvious, considerable*) deutlich; (*relief, pleasure etc*) sichtlich, merklich ▶ *the stain is very ~* der Fleck fällt ziemlich auf; *it is hardly ~* man merkt es kaum.

notice-board ['nəʊtɪsbɔːd] *n* (*Brit*) Anschlagbrett *nt*; (*in school etc also*) Schwarzes Brett.

notification [ˌnəʊtɪfɪ'keɪʃən] *n* Benachrichtigung, Mitteilung *f*; (*of loss, damage etc*) Meldung *f* ▶ *to send written ~ of sth to sb* jdm etw schriftlich mitteilen.

notify ['nəʊtɪfaɪ] *vt person, candidate* benachrichtigen, unterrichten (*form*); *change of address, loss etc* melden ▶ *to ~ sb of sth* jdn von etw benachrichtigen; *authorities etc* jdm etw melden.

notion ['nəʊʃən] *n* a (*idea, thought*) Idee *f*; (*conception also*) Vorstellung *f*; (*vague knowledge also*) Ahnung *f*; (*opinion*) Meinung *f* ▶ *I have no ~ or not the slightest ~ of what he means* ich habe keine Ahnung *or* nicht die leiseste Ahnung, was er meint; *I have no ~ of time* ich habe überhaupt kein Zeitgefühl; *where did you get the ~ that I ...?* wie kommst du denn auf die Idee, daß ich ...?; *I have a ~ that ...* ich habe den Verdacht, daß .... b (*esp US col*) *~s pl* Kurzwaren *pl*.

notoriety [ˌnəʊtə'raɪətɪ] *n* traurige Berühmtheit.

notorious [nəʊ'tɔːrɪəs] *adj person, fact* berüchtigt; *place also* verrufen; (*well-known*) *criminal, liar* notorisch ▶ *to be ~ for sth* für etw berüchtigt sein.

notoriously [nəʊ'tɔːrɪəslɪ] *adv* notorisch ▶ *to be ~ violent* für seine Gewalttätigkeit berüchtigt sein.

Notts (*Brit*) = **Nottinghamshire**.

notwithstanding [ˌnɒtwɪθ'stændɪŋ] (*form*) 1 *prep* ungeachtet (+*gen*) (*form*). 2 *adv* nichtsdestotrotz (*form*). 3 *conj ~ that ...* obgleich ...

nougat ['nuːgɑː] *n* Nougat *m*.

nought [nɔːt] *n* Null *f* ▶ *~s and crosses* (*Brit*) Spiel, bei dem jeder Spieler drei Kreise bzw Kreuze in einer Reihe zu erzielen versucht.

noun [naʊn] *n* Substantiv(um), Hauptwort *nt*.

nourish ['nʌrɪʃ] *vt* nähren; *person* ernähren.

nourishing ['nʌrɪʃɪŋ] *adj* nahrhaft.

nourishment ['nʌrɪʃmənt] *n* Nahrung *f*.

nouveau riche [ˌnuːvəʊ'riːʃ] 1 *n, pl -x -s* [ˌnuːvəʊ'riːʃ] Neureiche(r) *mf*. 2 *adj* typisch neureich.

Nov = **November** Nov.

Nova Scotia ['nəʊvə'skəʊʃə] *n* Neuschottland *nt*.

novel[1] ['nɒvəl] *n* Roman *m*.

novel[2] *adj* neu(artig).

novelist ['nɒvəlɪst] *n* Romanschriftsteller(in *f*) *m*.

novelty ['nɒvəltɪ] *n* a (*newness*) Neuheit *f*. b (*innovation*) Neuheit *f*, Novum *nt* ▶ *it was quite a ~* das war etwas ganz Neues. c (*Comm: trinket*) Krimskrams *m*.

November [nəʊ'vembə(r)] *n* November *m*; *see* **September**.

novice ['nɒvɪs] *n* (*Eccl*) Novize *m*, Novizin *f*; (*fig*)

Neuling, Anfänger(in *f*) *m* (*at* bei, in +*dat*).

▼ **now** [naʊ] 1 *adv* a jetzt, nun; (*immediately*) sofort, gleich; (*at this very moment*) gerade, (so)eben; (*nowadays*) heute, heutzutage ▶ *she ~ realized why ...* da erkannte sie, warum ...; *just ~* gerade; *~ is the time to do it* jetzt ist der richtige Moment dafür; *I'll do it right ~* ich mache es jetzt gleich *or* sofort; *it's ~ or never* jetzt oder nie; *by ~* inzwischen; *for ~* (jetzt) erst einmal, vorläufig; *even ~* selbst jetzt noch; *from ~ on(wards)* von nun an; *in three days from ~* (heute) in drei Tagen; *up to ~, till ~, until ~* bis jetzt; *that's all for ~* das wär's für heute. b *~ ... ~* bald ... bald; *(every) ~ and then, ~ and again* ab und zu, gelegentlich.
2 *conj ~ (that) you've seen him* jetzt, wo Sie ihn gesehen haben.
3 *interj* also ▶ *~, ~!* na, na!; *well ~* also; *~ then* also (jetzt); *stop that ~!* Schluß jetzt!; *~, why didn't I think of that?* warum habe ich bloß nicht daran gedacht?

nowadays ['naʊədeɪz] *adv* heute, heutzutage.

noway ['nəʊˌweɪ], (*US also*) **noways** *adv see* **way 1(g)**.

▼ **nowhere** ['nəʊweə(r)] *adv* nirgends; (*with verbs of motion*) nirgendwohin ▶ *~ special* einfach irgendwo; (*with motion*) einfach irgendwohin; *to appear from ~* ganz plötzlich auftauchen; *we're getting ~ (fast)* wir kommen nicht weiter; *rudeness will get you ~* Grobheit bringt dir gar nichts ein.

noxious ['nɒkʃəs] *adj* schädlich; *habit* übel.

nozzle ['nɒzl] *n* Düse *f*.

nr = **near** bei, b.

NSPCC (*Brit*) = **National Society for the Prevention of Cruelty to Children** ≈ Kinderschutzbund *m*.

NSW = **New South Wales**.

NT = **New Testament** NT *nt*.

nth [enθ] *adj the ~ degree* die n-te Potenz; *for the ~ time* zum x-ten Mal (*col*).

nuance ['njuːɑːns] *n* Nuance *f*.

nubile ['njuːbaɪl] *adj* (*attractive*) *girl* gut entwickelt.

nuclear ['njuːklɪə(r)] *adj* Kern-, Atom- (*esp Mil*); *explosion, reaction, research* Kern-; *fuel, disarmament* nuklear, atomar; *attack, testing* Kernwaffen-, Atomwaffen-; *submarine, missile* atomgetrieben, Atom-.

nuclear: *~ accident n* Reaktorunglück *nt*; *~ deterrent n* nukleares Abschreckungsmittel; *~ family n* Kleinfamilie *f*; *~ fission n* Kernspaltung *f*; *~-free zone n* atomwaffenfreie Zone; *~ physics n* Kernphysik *f*; *~ power n* Atomkraft, Kernenergie *f*; *~-powered adj* atomgetrieben; *~ power station n* Kern- *or* Atomkraftwerk *nt*; *~ reactor n* Kern- *or* Atomreaktor *m*; *~ war n* Atomkrieg *m*; *~ waste n* Atommüll *m*; *~ weapon n* Kern- *or* Atomwaffe *f*.

nucleus ['njuːklɪəs] *n, pl* **nuclei** (*Phys, fig*) Kern *m*; (*Biol: of cell also*) Nukleus *m*.

nude [njuːd] 1 *adj* nackt; (*Art*) Akt- ▶ *~ figure/portrait* Akt *m*. 2 *n* (*person*) Nackte(r) *mf*; (*Art*) (*painting etc*) Akt *m*; (*model*) Aktmodell *nt* ▶ *in the ~* nackt.

nudge [nʌdʒ] 1 *vt* stupsen. 2 *n to give sb a ~* jdm einen Stups geben.

nudist ['njuːdɪst] *n* Anhänger(in *f*) *m* der Freikörperkultur, FKK-Anhänger(in *f*) *m* ▶ *~ colony* FKK-Kolonie *f*.

nudity ['njuːdɪtɪ] *n* Nacktheit *f*.

nugget ['nʌgɪt] *n* (*of gold etc*) Klumpen *m*.

nuisance ['njuːsns] *n* a (*person*) Plage *f*; (*esp pestering*) Nervensäge *f*; (*esp child*) Quälgeist *m* ▶ *to make a ~ of oneself* lästig werden. b (*thing, event*) *to be a ~* lästig sein; (*annoying*) ärgerlich sein; *what a ~, having to do it again* wie ärgerlich, das noch einmal machen zu müssen.

NUJ (*Brit*) = **National Union of Journalists**

Journalistengewerkschaft f.

nuke [njuːk] (*col*) ⟦1⟧ *n* Atombombe *f.*
⟦2⟧ *vt* mit Atomwaffen angreifen; (*destroy*) atomar vernichten.

null [nʌl] *adj*: ~ *and void* (*Jur*) (null und) nichtig, ungültig.

nullify ['nʌlɪfaɪ] *vt* annullieren, für (null und) nichtig erklären.

NUM (*Brit*) = **National Union of Mineworkers** *Bergarbeitergewerkschaft f.*

numb [nʌm] ⟦1⟧ *adj* (+er) taub, gefühllos; (*emotionally*) benommen, wie betäubt ▸ *hands* ~ *with cold* Hände, die vor Kälte taub *or* gefühllos sind; ~ *with grief* starr *or* wie betäubt vor Schmerz.
⟦2⟧ *vt* (*cold*) taub *or* gefühllos machen; (*injection, fig*) betäuben.

▼ **number** ['nʌmbəʳ] ⟦1⟧ *n* ⟦a⟧ (*Math*) Zahl *f;* (*numeral*) Ziffer *f;* (*amount*) Anzahl *f* ▸ *a* ~ *of applicants* eine Anzahl von Bewerbern; *large* ~*s of people/books* eine große Anzahl von Leuten/eine ganze Menge Bücher; *on a* ~ *of occasions* des öfteren; *in a small* ~ *of cases* in wenigen Fällen; *ten in* ~ zehn an der Zahl; *in small/ large* ~*s* in kleinen/großen Mengen; *any* ~ *of cards etc* (*many*) sehr viele Karten *etc.*
⟦b⟧ (*of house, phone*) Nummer *f;* (*of page*) Seitenzahl *f;* (*of car*) (Auto)nummer *f* ▸ *N*~ *Ten (Downing Street)* Nummer Zehn (Downing Street); *to take a car's* ~ die Nummer eines Autos aufschreiben; *I dialled the wrong* ~ ich habe mich verwählt; *it was a wrong* ~ ich/er *etc* war falsch verbunden; *the* ~ *one pop star* (*col*) der Popstar Nummer Eins (*col*); *to look after* ~ *one* (*col*) (vor allem) an sich (*acc*) selbst denken; *his* ~*'s up* (*col*) er ist dran (*col*); *to do sth by* ~*s or* (*US*) *the* ~*s etw* nach Schema F erledigen (*esp pej*).
⟦c⟧ (*song, act etc*) Nummer *f;* (*issue of magazine etc also*) Ausgabe *f,* Heft *nt;* (*dress*) Kreation *f.*
⟦2⟧ *vt* ⟦a⟧ (*give a number to*) numerieren; (*count*) zählen ▸ ~*ed account* Nummernkonto *nt; to be* ~*ed* (*limited*) begrenzt sein; *his days are* ~*ed* seine Tage sind gezählt. ⟦b⟧ (*include*) zählen (*among* zu) ▸ *we* ~ *them among our friends* wir zählen sie zu unseren Freunden. ⟦c⟧ (*amount to*) zählen ▸ *the group* ~*ed 50* es waren 50 (Leute in der Gruppe).

number: ~*less adj* zahllos, unzählig; ~*-plate n* (*Brit*) Nummernschild *nt.*

numbers game, numbers racket *n illegale Lotterie, bei der Geldbeträge auf das Vorkommen bestimmter Zahlenfolgen (z.B. Aktienkurse) in einer Zeitung gesetzt werden.*

numbness ['nʌmnɪs] *n* (*of limbs etc*) Taubheit *f;* (*fig: of mind, senses*) Benommenheit *f.*

numeracy ['njuːmərəsɪ] *n* Rechnen *nt* ▸ *his* ~ seine rechnerischen Fähigkeiten.

numeral ['njuːmərəl] *n* Ziffer *f.*

numerate ['njuːmərɪt] *adj* rechenkundig.

numeric [njuːˈmerɪk] *adj* ~ *keypad* (*Comp*) numerisches Tastenfeld.

numerical [njuːˈmerɪkəl] *adj symbols, equation* numerisch, Zahlen-; *value* Zahlen-; *superiority* zahlenmäßig ▸ *in* ~ *order* nach Zahlen geordnet.

numerically [njuːˈmerɪkəlɪ] *adv* zahlenmäßig.

numerous ['njuːmərəs] *adj* zahlreich; *family* kinderreich.

nun [nʌn] *n* Nonne *f.*

NUPE ['njuːpɪ] (*Brit*) **National Union of Public Employees** *Gewerkschaft f der Angestellten im öffentlichen Dienst.*

nuptial ['nʌpʃəl] (*liter, hum*) ⟦1⟧ *adj feast* Hochzeits- ▸ ~ *bliss* das Eheglück; ~ *vow* Eheversprechen *nt.*
⟦2⟧ *n* ~*s pl* Hochzeit *f.*

NUR (*Brit*) = **National Union of Railwaymen** *Eisenbahnergewerkschaft f.*

Nuremberg ['njʊərəm,bɜːg] *n* Nürnberg *nt.*

nurse [nɜːs] ⟦1⟧ *n* Schwester *f;* (*as professional title*) Krankenschwester *f;* (*nanny*) Kindermädchen *nt* ▸ *male* ~ Krankenpfleger *m.*
⟦2⟧ *vt* ⟦a⟧ pflegen; (*fig*) *plan* hegen; (*treat carefully*) schonen ▸ *to* ~ *sb back to health* jdn gesundpflegen; *he stood there nursing his bruised arm* er stand da und hielt behutsam seinen verletzten Arm. ⟦b⟧ (*suckle*) *child* stillen; (*cradle*) (in den Armen) wiegen.

nursemaid ['nɜːsmeɪd] *n* (*nanny, hum: servant*) Kindermädchen *nt.*

nursery ['nɜːsərɪ] *n* ⟦a⟧ (*room*) Kinderzimmer *nt;* (*in hospital*) Säuglingssaal *m.* ⟦b⟧ (*institution*) Kindergarten *m;* (*all-day*) Kindertagesstätte *f.* ⟦c⟧ (*Agr, Hort*) (*for plants*) Gärtnerei *f;* (*for trees*) Baumschule *f.*

nursery: ~ *rhyme n* Kinderreim *m;* ~ *school n* Kindergarten *m;* ~ *slope n* (*Brit*) Anfängerhügel *m.*

nursing ['nɜːsɪŋ] ⟦1⟧ *n* ⟦a⟧ (*care of invalids*) Pflege *f.* ⟦b⟧ (*profession*) Krankenpflege *f* ▸ *she's going in for* ~ sie will in die Krankenpflege arbeiten.
⟦2⟧ *adj attr staff* Pflege-; *abilities* pflegerisch ▸ *the* ~ *profession* die pflegerischen Berufe.

nursing: ~ *auxiliary n* (*Brit*) Schwesternhelferin *f;* ~ *bottle n* (*US*) Flasche *f;* ~ *home n* Privatklinik *f;* (*Brit: maternity hospital*) Entbindungsklinik *f;* (*convalescent home*) Pflegeheim *nt;* ~ *mother n* stillende Mutter; ~ *officer n* Oberschwester *f.*

NUS (*Brit*) = **National Union of Students** *Studentengewerkschaft f.*

NUT (*Brit*) = **National Union of Teachers** *Gewerkschaft f der Lehrer.*

nut [nʌt] *n* ⟦a⟧ (*Bot*) Nuß *f;* (*of coal*) kleines Stück ▸ *a hard* ~ *to crack* (*fig*) harte Nuß. ⟦b⟧ (*col: head*) Nuß (*col*), Birne (*col*) *f* ▸ *use your* ~*!* streng deinen Grips an! (*col*); *to do one's* ~ (*Brit col*) durchdrehen (*col*). ⟦c⟧ (*col: person*) Spinner(in *f*) *m* (*col*) ▸ *he's a tough* ~ (*col*) er ist ein harter Brocken (*col*). ⟦d⟧ (*Mech*) (Schrauben)mutter *f.*

nut: ~*-case n* (*col*) Spinner(in *f*) *m* (*col*); ~*cracker(s pl)* *n* Nußknacker *m;* ~*-house n* (*col*) (*lit, fig*) Irrenhaus *nt* (*col*); ~*meg n* Muskat(nuß *f*) *m.*

nutrient ['njuːtrɪənt] ⟦1⟧ *adj substance* nahrhaft; *properties* Nähr-.
⟦2⟧ *n* Nährstoff *m.*

nutrition [njuːˈtrɪʃən] *n* (*diet, science*) Ernährung *f.*

nutritious [njuːˈtrɪʃəs] *adj* nahrhaft.

nuts [nʌts] *adj pred* (*col*) *to be* ~ spinnen (*col*); *to go* ~ durchdrehen (*col*); *to be* ~ *about sb/sth* (*keen on*) ganz verrückt nach jdm/auf etw (*acc*) sein (*col*).

nutshell ['nʌtʃel] *n* Nußschale *f* ▸ *in a* ~ (*fig*) kurz gesagt.

nutty ['nʌtɪ] *adj* (+er) ⟦a⟧ *flavour* Nuß-. ⟦b⟧ (*col: crazy*) bekloppt (*col*).

nuzzle ['nʌzl] *vi to* ~ *(up) against sb, to* ~ *up to sb* sich an jdn schmiegen *or* drücken.

NV (*US Post*) = **Nevada.**

NVQ (*Brit*) = **National Vocational Qualification.**

NW = **north-west** NW.

NY (*US Post*) = **New York.**

NYC (*US Post*) = **New York City.**

nylon ['naɪlɒn] ⟦1⟧ *n* ⟦a⟧ (*Tex*) Nylon *nt.* ⟦b⟧ ~*s pl* Nylonstrümpfe *pl.*
⟦2⟧ *adj* Nylon-.

nymph [nɪmf] *n* (*Myth*) Nymphe *f.*

nymphomaniac [,nɪmfəʊˈmeɪnɪæk] *n* Nymphomanin *f.*

NZ = **New Zealand.**

➤ SENTENCE BUILDER: **number: 1b** → 5.1, 15.1, 15.2, 15.3, 15.4, 15.5, 15.7

O

O, o [əʊ] *n* **a** O, o *nt.* **b** [(*Brit*) əʊ, (*US*) 'zɪərəʊ] (*Telec*) Null *f* ▸ **O for Oliver** (*Brit*), **O for Oboe** (*US*) ≃ O wie Otto.

oaf [əʊf] *n*, *pl* **-s** *or* **oaves** (*fool*) Blödmann *m* (*col*); (*lout*) Flegel, Lümmel *m.*

oafish ['əʊfɪʃ] *adj* blöd; (*loutish*) flegelhaft, lümmelhaft.

oak [əʊk] *n* Eiche *f*; (*wood also*) Eichenholz *nt.*

oak *in cpds* Eichen-; **~ apple** *n* Gallapfel *m.*

OAP (*Brit*) = **old-age pensioner.**

oar [ɔːʳ] *n* Ruder *nt*, Riemen (*Rowing*) *m* ▸ **to put** *or* **stick one's ~ in** (*col*) sich einmischen.

oarsman ['ɔːzmən] *n* Ruderer *m.*

OAS = **Organization of American States** OAS *f.*

oasis [əʊ'eɪsɪs] *n*, *pl* **oases** [əʊ'eɪsiːz] (*lit, fig*) Oase *f.*

oast-house ['əʊsthaʊs] *n* als Hopfendarre dienendes Gebäude.

oat [əʊt] *n usu pl* Hafer *m* ▸ **~s** *pl* (*Cook*) Haferflocken *pl*; **to sow one's wild ~s** (*fig*) sich (*dat*) die Hörner abstoßen.

oath [əʊθ] *n* **a** Schwur *m*; (*Jur*) Eid *m* ▸ **to take** *or* **swear an ~** schwören; (*Jur*) einen Eid ablegen *or* leisten; **to be under ~** (*Jur*) unter Eid stehen; **to put sb on ~** (*Jur*) jdn vereidigen; **to take the ~** (*Jur*) vereidigt werden. **b** (*curse, profanity*) Fluch *m.*

oatmeal ['əʊtmiːl] *n no pl* Haferschrot *m.*

OAU = **Organization of African Unity** OAU *f.*

obdurate ['ɒbdjʊrɪt] *adj* (*stubborn*) hartnäckig; *sinner* verstockt; (*hardhearted*) unerbittlich.

OBE (*Brit*) = **Officer of the Order of the British Empire** *britischer Verdienstorden.*

obedience [ə'biːdɪəns] *n no pl* Gehorsam *m* ▸ **in ~ to the law** dem Gesetz entsprechend.

obedient [ə'biːdɪənt] *adj* gehorsam; *child, dog also* folgsam ▸ **to be ~** gehorchen (*to dat*).

obelisk ['ɒbɪlɪsk] *n* (*Archit*) Obelisk *m.*

obese [əʊ'biːs] *adj* fettleibig (*form, Med*).

obesity [əʊ'biːsɪti] *n* Fettleibigkeit *f* (*form, Med*).

obey [ə'beɪ] **1** *vt* gehorchen (+*dat*); *law, rules, order* befolgen; (*machine*) reagieren auf (+*acc*). **2** *vi* gehorchen; (*child, dog also*) folgen.

obituary [ə'bɪtjʊərɪ] *n* Nachruf *m* ▸ **~ notice** Todesanzeige *f*, **~ column** Sterberegister *nt.*

object¹ ['ɒbdʒɪkt] *n* **a** (*thing*) Gegenstand *m*; (*abstract etc*) Objekt, Ding *nt* ▸ **he was an ~ of scorn** er war die Zielscheibe der Verachtung. **b** (*aim*) Ziel *nt*, Absicht *f* ▸ **with this ~ in mind** mit diesem Ziel vor Augen; **with the sole ~ (of doing)** mit dem einzigen Ziel(, zu ...); **what's the ~ (of staying here)?** wozu (bleiben wir hier)?; **that defeats the ~** das verfehlt seinen Sinn *or* Zweck. **c** **money/distance (is) no ~** Geld/Entfernung spielt keine Rolle. **d** (*Gram*) Objekt *nt.*

object² [əb'dʒekt] **1** *vi* dagegen sein; (*protest*) protestieren; (*be against: in discussion etc*) Einwände haben (*to gegen*); (*raise objection*) Einwände erheben; (*disapprove*) etwas dagegen haben ▸ **to ~ to sth** (*disapprove*) etw mißbilligen; **if you don't ~** wenn Sie nichts dagegen haben; **do you ~ to my smoking?** stört es (Sie), wenn ich rauche?; **I ~ to your tone/to people smoking in my living room** ich verbitte mir diesen Ton/ich verbitte mir, daß in meinem Wohnzimmer geraucht wird. **2** *vt* einwenden.

objection [əb'dʒəkʃən] *n* (*reason against*) Einwand *m* (*to gegen*); (*dislike*) Abneigung *f*; (*disapproval*) Einspruch, Widerspruch *m* ▸ **to make** *or* **raise an ~** einen Einwand erheben; **I have no ~ to his going away** ich habe nichts dagegen (einzuwenden), daß er weggeht; **are there any ~s?** irgendwelche Einwände?; **I see no ~ to it** ich sehe nichts, was dagegen spricht; **I have no ~ to him** (*as a person*) ich habe nichts gegen ihn.

objectionable [əb'dʒekʃənəbl] *adj* störend; *conduct, remark, language* anstößig; *smell* übel ▸ **he's a most ~ person** er ist unausstehlich.

objective [əb'dʒektɪv] **1** *adj* objektiv. **2** *n* (*aim*) Ziel *nt*; (*esp Comm*) Zielvorstellung *f*; (*Mil*) Angriffsziel *nt.*

objectively [əb'dʒektɪvlɪ] *adv* objektiv.

objectivity [,ɒbdʒek'tɪvɪtɪ] *n* Objektivität *f.*

object lesson *n* (*fig*) Paradebeispiel *nt* (*in, on für, gen*).

objector [əb'dʒektəʳ] *n* Gegner(in *f*) *m* (*to gen*).

obligation [,ɒblɪ'geɪʃən] *n* Verpflichtung, Pflicht *f* ▸ **to be under an ~ to do sth** die Pflicht haben, etw zu tun; **without ~** (*Comm*) unverbindlich.

obligatory [ɒ'blɪgətərɪ] *adj* obligatorisch ▸ **biology is ~** Biologie ist Pflicht; **to make it ~ for sb to do sth** vorschreiben, daß jd etw tut.

oblige [ə'blaɪdʒ] *vt* **a** (*compel*) zwingen; (*because of duty*) verpflichten (*sb to do sth* jdn, etw zu tun) ▸ **to feel ~d to do sth** sich verpflichtet fühlen, etw zu tun; **I was ~d to go** ich sah mich gezwungen zu gehen; **you are not ~d to do it** Sie sind nicht dazu verpflichtet. **b** (*do a favour to*) einen Gefallen tun (+*dat*) ▸ **could you ~ me with a light?** wären Sie so gut, mir Feuer zu geben?; **anything to ~** stets zu Diensten; **much ~d!** herzlichen Dank!; **I am much ~d to you for this** ich bin Ihnen dafür sehr verbunden (*form*).

obliging [ə'blaɪdʒɪŋ] *adj* entgegenkommend, gefällig; *personality* zuvorkommend.

obligingly [ə'blaɪdʒɪŋlɪ] *adv* entgegenkommenderweise, freundlicherweise.

oblique [ə'bliːk] **1** *adj* *line, look* schief, schräg; *angle* schief; *style, reply, hint, reference* indirekt. **2** *n* Schrägstrich *m.*

obliquely [ə'bliːklɪ] *adv* schräg; (*fig*) indirekt.

obliterate [ə'blɪtəreɪt] *vt* (*erase*) auslöschen; *city also* vernichten; (*hide*) *sun, view* verdecken.

oblivion [ə'blɪvɪən] *n* Vergessenheit *f* ▸ **to sink** *or* **fall into ~** in Vergessenheit geraten.

oblivious [ə'blɪvɪəs] *adj* **to be ~ of sth** sich (*dat*) einer Sache (*gen*) nicht bewußt sein; **he was quite ~ of his surroundings** er nahm seine Umgebung gar nicht wahr.

oblong ['ɒblɒŋ] **1** *adj* rechteckig. **2** *n* Rechteck *nt.*

obnoxious [ɒb'nɒkʃəs] *adj* widerlich, widerwärtig; *person also, behaviour* unausstehlich ▸ **an ~ person** ein Ekel *nt* (*col*).

o.b.o. (*US*) = **or best offer** oder Angebot.

oboe ['əʊbəʊ] *n* Oboe *f.*

oboist ['əʊbəʊɪst] *n* Oboist(in *f*) *m.*

obscene [əb'siːn] *adj* obszön; (*non-sexually, repulsive*) ekelerregend, widerlich; *prices, demands* unverschämt.

obscenity [əb'senɪtɪ] *n* Obszönität *f*; (*remark also*) ordinärer Ausdruck ▸ *the ~ of these crimes* diese ekelerregenden Verbrechen.

obscure [əbˈskjʊəʳ] **1** *adj* (+er) **a** *style* unklar; *argument* verworren; *book* schwer verständlich. **b** (*indistinct*) *feeling, memory* dunkel ▸ *for some ~ reason* aus einem unerfindlichen Grund. **c** (*little known*) *poet, village* unbekannt; *beginnings* (*humble*) unbedeutend; *life* wenig beachtenswert.
2 *vt* **a** (*hide*) *sun, view* verdecken. **b** (*confuse*) *issue, argument* unklar machen.

obscurity [əbˈskjʊərɪtɪ] *n* (*of night, origins*) Dunkel *nt*; (*of style, argument*) Unklarheit *f* ▸ *to live in ~* zurückgezogen leben; *to sink into ~* in Vergessenheit geraten.

obsequious [əbˈsiːkwɪəs] *adj* unterwürfig (*to, towards* gegen, gegenüber).

observance [əbˈzɜːvəns] *n* **a** (*of law*) Befolgung, Beachtung *f*. **b** (*Eccl*) Einhaltung *f*.

observant [əbˈzɜːvənt] *adj* aufmerksam, wachsam ▸ *that's very ~ of you* das hast du aber gut bemerkt.

observation [ˌɒbzəˈveɪʃən] *n* **a** Beobachtung *f*; (*act also*) Beobachten *nt* ▸ *to keep sb/sth under ~* (*by police*) jdn/etw überwachen; *powers of ~* Beobachtungsgabe *f*; *he's in hospital for ~* er ist zur Beobachtung im Krankenhaus; *~ car* (*US Rail*) Panoramawagen *m*; *~ post* Beobachtungsposten *m*. **b** (*remark*) Bemerkung *f*.

observatory [əbˈzɜːvətrɪ] *n* Sternwarte *f*; (*Met*) Wetterwarte *f*.

▼ **observe** [əbˈzɜːv] *vt* **a** (*watch, notice*) beobachten; *difference also* wahrnehmen; (*by police*) überwachen. **b** (*obey*) achten auf (+*acc*); *rule, custom, ceasefire* einhalten.

observer [əbˈzɜːvəʳ] *n* (*watcher*) Zuschauer(in *f*) *m*; (*Mil, Pol*) Beobachter(in *f*) *m*.

obsess [əbˈses] *vt to be ~ed by or with sb/sth* von jdm/etw besessen sein.

obsession [əbˈseʃən] *n* (*fixed idea*) fixe Idee, Manie *f*; (*fear etc*) Zwangsvorstellung *f*; (*state*) Besessenheit *f* (*with* von) ▸ *it's an ~ with him* (*hobby etc*) er ist davon besessen; *this ~ with order* dieser Ordnungswahn; *because of his ~ with her* weil er ihr gänzlich verfallen ist/war.

obsessive [əbˈsesɪv] *adj* zwanghaft ▸ *to become ~* (*activity*) zum Zwang *or* zur Manie werden; *he is an ~ reader* er liest wie besessen.

obsolescence [ˌɒbsəˈlesns] *n* Veralten *nt*.

obsolescent [ˌɒbsəˈlesnt] *adj* veraltend ▸ *to be ~* anfangen zu veralten.

obsolete [ˈɒbsəliːt] *adj* veraltet, überholt ▸ *to become ~* veralten.

obstacle [ˈɒbstəkl] *n* (*lit, fig*) Hindernis *nt* ▸ *~ course* Hindernisstrecke *f*; *~ race* Hindernisrennen *nt*; *to be an ~ to sb/sth* jdm/einer Sache im Weg(e) stehen; *to put an ~ in sb's way* jdm ein Hindernis in den Weg stellen; *all the ~s to peace* alles, was dem Frieden im Weg steht.

obstetrician [ˌɒbstəˈtrɪʃən] *n* Geburtshelfer(in *f*) *m*.

obstetrics [ɒbˈstetrɪks] *n sing* Geburtshilfe *f*.

obstinacy [ˈɒbstɪnəsɪ] *n* Hartnäckigkeit *f*, Starrsinn *m* (*pej*).

obstinate [ˈɒbstɪnɪt] *adj* hartnäckig, starrsinnig (*pej*); *nail etc* widerspenstig ▸ *to remain ~* stur bleiben.

obstreperous [əbˈstrepərəs] *adj* aufmüpfig (*col*); *child* aufsässig.

obstruct [əbˈstrʌkt] *vt* **a** (*block*) blockieren; *road also, view* versperren; (*Med*) *artery, pipe also* verstopfen ▸ *you're ~ing my view* Sie versperren mir die Sicht. **b** (*hinder*) *(be)hindern; *traffic, progress also* aufhalten; (*Sport*) behindern.

obstruction [əbˈstrʌkʃən] *n see vt* **a** Blockierung *f*; (*of*

view) Versperren *nt*; Verstopfung *f*. **b** Behinderung *f* ▸ *to cause an ~* (*to traffic*) den Verkehr behindern. **c** (*obstacle*) Hindernis, Hemmnis (*esp fig*) *nt* ▸ *there is an ~ in the pipe* das Rohr ist verstopft.

obstructive [əbˈstrʌktɪv] *adj* obstruktiv (*esp Pol*), behindernd ▸ *to be ~* (*person*) Schwierigkeiten machen, sich querstellen (*col*).

obtain [əbˈteɪn] *vt* erhalten; *result, votes also* erzielen; *information, goods also* beziehen ▸ *to ~ sth by hard work* etw durch harte Arbeit erreichen; *to ~ sth for sb* jdm etw beschaffen.

obtainable [əbˈteɪnəbl] *adj* erhältlich.

obtrusive [əbˈtruːsɪv] *adj person* aufdringlich; *smell also* penetrant; *building, furniture* zu auffällig.

obtuse [əbˈtjuːs] *adj* **a** (*Geometry*) stumpf. **b** *person* begriffsstutzig, beschränkt.

obviate [ˈɒbvɪeɪt] *vt* vermeiden; *need* vorbeugen (+*dat*).

▼ **obvious** [ˈɒbvɪəs] *adj* offensichtlich; *difference, fact also* eindeutig; *statement* naheliegend; *reason* (leicht) ersichtlich; *reluctance, surprise* sichtlich; (*not subtle*) plump ▸ *an ~ truth* eine offenkundige Tatsache; *that's the ~ solution* das ist die naheliegendste Lösung; *he was the ~ choice* es lag nahe, ihn zu wählen; *it's quite ~ he doesn't understand* es ist doch klar, daß er es nicht versteht; *there's no need to make it so ~* man braucht das (doch) nicht so deutlich zu zeigen; *I would have thought that was perfectly ~* das liegt doch auf der Hand; *to state the ~* sagen/schreiben, was sich von selbst versteht.

obviously [ˈɒbvɪəslɪ] *adv* offensichtlich, offenbar; (*noticeably*) (offen)sichtlich ▸ *he's ~ French* er ist eindeutig ein Franzose; *he's not ~ French* man merkt ihm nicht an, daß er Franzose ist; *~!* selbstverständlich!

occasion [əˈkeɪʒən] **1** *n* **a** (*point in time*) Gelegenheit *f* ▸ *on that ~* damals, bei jener Gelegenheit; *on ~* gelegentlich; *to rise to the ~* sich der Lage gewachsen zeigen. **b** (*special time*) Ereignis *nt* ▸ *on the ~ of his birthday* anläßlich seines Geburtstages; *it's an ~* es ist ein besonderer Anlaß. **c** (*opportunity*) Gelegenheit *f*. **d** (*reason*) Grund *m* ▸ *if you have ~ to ...* sollten Sie Veranlassung haben, zu ...
2 *vt* (*form*) Anlaß geben zu.

occasional [əˈkeɪʒənl] *adj* **a** *he likes an ~ cigar* er raucht gelegentlich eine Zigarre. **b** *~ table* kleiner Wohnzimmertisch.

occasionally [əˈkeɪʒənəlɪ] *adv* gelegentlich, hin und wieder ▸ *very ~* sehr selten.

occult [ɒˈkʌlt] **1** *adj* okkult.
2 *n* Okkulte(s) *nt*.

occupant [ˈɒkjʊpənt] *n* (*of house*) Bewohner(in *f*) *m*; (*of post*) Inhaber(in *f*) *m*; (*of car*) Insasse *m*.

occupation [ˌɒkjʊˈpeɪʃən] *n* **a** (*employment*) Beruf *m*, Tätigkeit *f* ▸ *he is a joiner by ~* er ist Tischler von Beruf. **b** (*pastime*) Beschäftigung *f*. **c** (*Mil*) Okkupation *f*; (*act also*) Besetzung *f* (*of* von); (*state also*) Besatzung *f* (*of* in +*dat*) ▸ *army of ~* Besatzungsheer *nt*. **d** (*of house etc*) *ready for ~* bezugsfertig.

occupational [ˌɒkjʊˈpeɪʃənl] *adj* Berufs-, beruflich ▸ *~ accident* Arbeitsunfall *m*; *~ guidance* (*Brit*) Berufsberatung *f*; *~ pension scheme or* (*US*) *plan* betriebliche Altersversorgung; *~ hazard or risk* Berufsrisiko *nt*; *~ therapy* Beschäftigungstherapie *f*.

occupier [ˈɒkjʊpaɪəʳ] *n* (*of house*) Bewohner(in *f*) *m*; (*of post*) Inhaber(in *f*) *m*.

occupy [ˈɒkjʊpaɪ] *vt* **a** *house* bewohnen; *room* belegen ▸ *is this seat occupied?* ist dieser Platz besetzt? **b** (*Mil etc*) besetzen. **c** *post, position* innehaben, bekleiden (*geh*). **d** (*take up*) beanspruchen; *space also* einnehmen; *time also* in Anspruch nehmen ▸ *to ~ one's time* seine Zeit verbringen. **e** (*busy*) beschäftigen ▸ *to be occupied (with)* beschäftigt sein (mit); *to ~ oneself* sich beschäftigen; *to keep sb occupied* jdn beschäftigen; *he kept his mind occupied* er beschäftigte sich geistig; *the line is occupied* (*US*) die Nummer ist besetzt.

occur [ə'kɜːʳ] *vi* **a** (*event*) geschehen, vorkommen; (*difficulty*) sich ergeben; (*change*) stattfinden ▸ *that doesn't ~ very often* das kommt nicht oft vor. **b** (*be found: disease*) vorkommen. **c** *it ~s to me that ...* ich habe den Eindruck, daß ...; *the idea just ~red to me* es ist mir gerade eingefallen; *it never ~red to me* darauf bin ich noch nie gekommen.

occurrence [ə'kʌrəns] *n* (*event*) Ereignis *nt*, Begebenheit *f*; (*presence, taking place*) Auftreten *nt*; (*of minerals*) Vorkommen *nt* ▸ *an everyday ~* ein alltägliches Ereignis.

ocean ['əʊʃən] *n* Ozean *m*, Meer *nt* ▸ *~s of ...* (*col*) jede Menge ...

ocean: *~ bed* or *floor* *n* Meeresboden or -grund *m*; *~-going* *adj* hochseetauglich.

Oceania [,əʊʃɪ'ɑːnɪə] *n* Ozeanien *nt*.

ocean liner *n* Ozeandampfer *m*.

oceanography [,əʊʃə'nɒgrəfɪ] *n* Meereskunde *f*.

ochre, (*US*) **ocher** ['əʊkəʳ] *n* Ocker *m* or *nt*.

o'clock [ə'klɒk] *adv* *at 5 ~* um 5 Uhr; *it is 5 ~* es ist 5 Uhr.

OCR (*Comp*) = **optical character reader; optical character recognition** OCR *f*.

Oct = **October** Okt.

octagon ['ɒktəgən] *n* Achteck, Oktagon *nt*.

octagonal [ɒk'tægənl] *adj* achteckig.

octane ['ɒkteɪn] *n* Oktan *nt* ▸ *high-~ petrol* Benzin *nt* mit hoher Oktanzahl.

octave ['ɒktɪv] *n* (*Mus*) Oktave *f*.

October [ɒk'təʊbəʳ] *n* Oktober *m*; *see* **September**.

octogenarian [,ɒktəʊdʒɪ'neərɪən] **1** *n* Achtzigjährige(r) *mf*. **2** *adj* achtzigjährig.

octopus ['ɒktəpəs] *n* Tintenfisch *m*, (*larger*) Krake *f*.

oculist ['ɒkjʊlɪst] *n* Augenarzt *m*, -ärztin *f*.

odd [ɒd] *adj* (+*er*) **a** (*peculiar*) merkwürdig, sonderbar; *person, thing, idea also* eigenartig ▸ *how ~ that we should meet him* (wie) eigenartig *etc*, daß wir ihn trafen; *the ~ thing about it is that ...* das Merkwürdige *etc* daran ist, daß ...; *he's got some ~ ways* er hat eine verschrobene Art. **b** *number* ungerade. **c** (*one of a pair or a set*) shoe, glove einzeln ▸ *he is (the) ~ man* or *one out* er ist das fünfte Rad am Wagen; *underline the word which is the ~ one out* unterstreichen Sie das nicht dazugehörige Wort. **d** *600 ~ marks* so um die 600 Mark; *at ~ moments* ab und zu; *~ job* (gelegentlich) anfallende Arbeit; *~ job man* Mädchen *nt* für alles.

oddball ['ɒdbɔːl] *n* (*col*) Spinner *m* (*col*); (*harmless*) komischer Kauz.

oddity ['ɒdɪtɪ] *n* **a** (*of person*) Eigenartigkeit *f*; (*of thing*) Ausgefallenheit *f*. **b** (*odd person*) komischer Kauz; (*thing*) Kuriosität *f*.

oddly ['ɒdlɪ] *adv* *speak, behave* eigenartig, sonderbar ▸ *they are ~ similar* sie sind sich merkwürdig ähnlich; *~ enough she was at home* seltsamerweise war sie zu Hause.

oddment ['ɒdmənt] *n* *usu pl* Restposten *m*; (*of cloth*) Rest *m*; (*single piece*) Einzelstück *nt*.

oddness ['ɒdnɪs] *n* Merkwürdigkeit, Seltsamkeit *f*.

odd-numbered [,ɒd'nʌmbəd] *adj* ungerade.

odds [ɒdz] *npl* **a** (*Betting*) Gewinnquote *f*; (*of bookmaker also*) Kurse *pl* ▸ *the ~ are 6 to 1* die Chancen stehen 6:1; *long/short ~* geringe/hohe Gewinnchancen. **b** (*chances for or against*) Chance(n *pl*) *f* ▸ *the ~ were against us* alles sprach gegen uns; *the ~ were in our favour* alles sprach für uns; *against all the ~ he won* wider Erwarten gewann er; *what are the ~ on/against ...?* wie stehen die Chancen, daß .../daß ...

nicht?; *to struggle against impossible ~* so gut wie keine Aussicht auf Erfolg haben; *the ~ are that he will come* es sieht ganz so aus, als ob er kommet. **c** (*col*) *to pay over the ~* einen überhöhten Preis bezahlen. **d** (*difference*) *what's the ~?* was macht das schon (aus)?; *it makes no ~* es spielt keine Rolle. **e** (*variance*) *to be at ~ with sb over sth* mit jdm in etw (*dat*) nicht übereinstimmen.

odds and ends *npl* Krimskrams *m* (*col*) ▸ *there are some ~ still to do* es sind noch ein paar Kleinigkeiten zu erledigen.

odds-on ['ɒdzɒn] *adj* *the ~ favourite* der klare Favorit.

ode [əʊd] *n* Ode *f* (*to, on* an +*acc*).

odious ['əʊdɪəs] *adj* person abstoßend, ekelhaft; *action* abscheulich.

odometer [əʊ'dɒmətəʳ] *n* (*US*) Kilometerzähler *m*.

odour, (*US*) **odor** ['əʊdəʳ] *n* (*lit, fig*) Geruch *m*; (*sweet smell*) Duft *m*; (*bad smell*) Gestank *m* ▸ *to be in bad ~ with sb* schlecht bei jdm angeschrieben sein (*col*).

odourless, (*US*) **odorless** ['əʊdəlɪs] *adj* geruchlos.

Odyssey ['ɒdɪsɪ] *n* (*Myth, fig*) Odyssee *f*.

OECD = **Organization for Economic Cooperation and Development** OECD *f*.

Oedipus ['iːdɪpəs] *n* Ödipus *m* ▸ *~ complex* Ödipuskomplex *m*.

oesophagus, (*US*) **esophagus** [iː'sɒfəgəs] *n* Speiseröhre *f*.

of [ɒv,əv] *prep* **a** von (+*dat*), *use of gen* ▸ *the wife ~ the doctor* die Frau des Arztes; *a friend ~ ours* ein Freund von uns; *a painting ~ him* ein Gemälde von ihm; *a painting ~ his* (*belonging to him*) eines seiner Gemälde; *~ it* davon; *the first ~ May* der erste Mai; *it is very kind ~ you* es ist sehr freundlich von Ihnen; *south ~ Paris* südlich von Paris; *within a month ~ his death* (schon) einen Monat nach seinem Tod; *a quarter ~ four* (*US*) Viertel vor vier.

b (*cause*) *he died ~ poison/cancer* er starb an Gift/Krebs; *it tastes ~ garlic* es schmeckt nach Knoblauch.

c (*material*) aus ▸ *dress made ~ wool* Wollkleid *nt*, Kleid *nt* aus Wolle.

d (*quality, identity etc*) *a man ~ courage* ein mutiger Mensch; *a girl ~ ten* ein zehnjähriges Mädchen; *the city ~ Paris* die Stadt Paris.

e *he is a leader ~ men* er hat die Fähigkeit, Menschen zu führen; *writer ~ legal articles* Verfasser von juristischen Artikeln; *love ~ money* Liebe zum Geld; *how many ~ them do you want?* wie viele möchten Sie (davon)?; *there were six ~ us* wir waren zu sechst; *he is not one ~ us* er gehört nicht zu uns; *today ~ all days* ausgerechnet heute; *you ~ all people ought to know* gerade Sie sollten das wissen; *what do you think ~ him?* was halten Sie von ihm?; *what ~ it?* ja und?

f (*idiomatic phrases*) *he's become very quiet ~ late* er ist in letzter Zeit so ruhig; *they go out ~ an evening* sie gehen abends (schon mal) aus.

off [ɒf] **1** *adv* **a** (*distance*) *the house is 5km ~* das Haus ist 5 km entfernt; *it's a long way ~* das ist weit weg; (*time*) das liegt in weiter Ferne; *the exams aren't very far ~* es ist nicht mehr lang bis zu den Prüfungen.

b (*departure*) *to be/go ~* gehen; *he's ~ to school* er geht zur Schule; *(be) ~ with you!* fort mit dir!; *I must be ~* ich muß gehen; *where are you ~ to?* wohin gehen Sie denn?, wohin geht's denn (*col*)?; *~ we go!* los!, na denn man los! (*col*); *he's ~ playing tennis every evening* er geht jeden Abend Tennis spielen.

c (*removal*) *he had his coat ~* er hatte den Mantel nicht an; *~ with those wet clothes!* raus aus den nassen Sachen! (*col*); *the handle is ~* der Griff ist ab (*col*) or ist abgegangen; *there are two buttons ~* es fehlen zwei Knöpfe.

d (*discount*) **3% ~** (*Comm*) 3% Nachlaß; *to give sb £5 ~* jdm £5 Ermäßigung geben.

e (*not at work*) *to have time ~ to do sth* freihaben, um etw zu tun; *I've got a day ~* ich habe einen Tag frei(bekommen); *she's nearly always ~ on Tuesdays* dienstags hat sie fast immer frei.

f (*in phrases*) *~ and on, on and ~* ab und zu; *right or straight ~* gleich; *3 days straight ~* 3 Tage hintereinander.

2 *adj* **a** *attr* (*substandard*) schlecht ▸ *I'm having an ~ day today* ich bin heute nicht in Form. **b** *pred* (*Brit: not fresh*) verdorben, schlecht. **c** *pred* (*cancelled*) *party, talks* abgesagt; (*not available: in restaurant*) aus ▸ *the agreement is ~* die Abmachung gilt nicht (mehr); *their engagement is ~* ihre Verlobung ist gelöst; *the play is ~* das Stück wurde abgesagt; *chicken is ~* Hähnchen gibt es nicht mehr. **d** *TV, light, machine* aus(geschaltet); *tap* zu(gedreht) ▸ *the gas/electricity was ~* das Gas/der Strom war abgeschaltet; *the handbrake was ~* die Handbremse war gelöst.

e *they are badly/well ~* sie sind nicht gut/(ganz) gut gestellt; *how are we ~ for time?* wie sieht es mit der Zeit aus?; *that's a bit ~!* das ist ein dicker Hund! (*col*).

3 *prep* **a** (*indicating motion, removal etc*) von (+*dat*) ▸ *he jumped ~ the roof* er sprang vom Dach; *they dined ~ a chicken* sie verspeisten ein Hühnchen; *he got £2 ~ the shirt* er bekam das Hemd £2 billiger; *the coat has two buttons ~ it* am Mantel fehlen zwei Knöpfe.

b *a street ~ Piccadilly* eine Nebenstraße von Piccadilly; *he lives just ~ the square* er wohnt ganz in der Nähe des Platzes; *2 miles ~ the motorway* 2 Meilen von der Autobahn entfernt; *anchored ~ the coast* vor der Küste liegend.

c *~ the map* nicht mehr auf dieser Karte; *I'm ~ beer at the moment* Bier kann mich zur Zeit nicht reizen; *I'm right ~ sausages* ich kann keine Wurst mehr sehen.

d *to be ~ duty* (dienst)frei haben; *to be ~ school/ work* schulfrei/frei haben; (*due to illness etc*) in der Schule/bei der Arbeit fehlen.

offal ['ɒfəl] *n no pl* Innereien *pl.*

off: **~beat** *adj* (*unusual*) ausgefallen, ungewöhnlich; **~-centre,** (*US*) **~-center** *adj* (*lit*) nicht in der Mitte; **~-chance** *n I just did it on the ~-chance* ich habe es auf gut Glück getan; *he bought it on the ~-chance that it would come in useful* er kaufte es, weil es vielleicht irgendwann mal nützlich sein könnte; **~-colour,** (*US*) **~-color** *adj to be ~-colour* sich unwohl fühlen.

offence, (*US*) **offense** [ə'fens] *n* **a** (*Jur: crime*) Straftat *f*, Delikt *nt*; (*minor also*) Vergehen *nt* ▸ *to commit an ~* sich strafbar machen; *it is an ~ to ...* ... ist bei Strafe verboten; *an ~ against ...* ein Verstoß m gegen ... **b** *no pl* (*to sb's feelings*) Kränkung *f* ▸ *to cause* or *give ~ to sb* jdn kränken; *to take ~ at sth* wegen etw gekränkt sein; *I meant no ~* ich habe es nicht böse gemeint

offend [ə'fend] **1** *vt* **a** (*hurt feelings of*) kränken; (*be disagreeable to*) Anstoß erregen bei ▸ *don't be ~ed* nehmen Sie mir *etc* das nicht übel. **b** *ear, eye* beleidigen; *sense of justice* verletzen. **2** *vi* **a** (*give offence*) beleidigend sein. **b** (*do wrong*) Unrecht tun.

offender [ə'fendər] *n* (*law-breaker*) Täter(in *f*) *m*; (*against traffic laws*) Verkehrssünder(in *f*) *m* ▸ *young ~* jugendlicher Straffälliger.

offending [ə'fendɪŋ] *adj remark* kränkend, beleidigend ▸ *the ~ object* der Stein des Anstoßes.

offensive [ə'fensɪv] **1** *adj* **a** *weapon* (*Jur*) Angriffs-; (*Mil also*) Offensiv-. **b** (*unpleasant*) *smell, sight* übel, abstoßend; *language, film* anstößig; (*insulting*) *remark, be-*

haviour beleidigend ▸ *to find sb/sth ~* jdn/etw abstoßend finden; *behaviour, language* Anstoß an etw (*dat*) nehmen; *he was ~ to her* er beleidigte sie.

2 *n* (*Mil, Sport*) Angriff *m*, Offensive *f* ▸ *to take the ~* in die Offensive gehen; *on the ~* in der Offensive.

offensively [ə'fensɪvlɪ] *adv* (*unpleasantly*) übel, widerlich; (*in moral sense*) anstößig; (*abusively*) beleidigend.

▼ **offer** ['ɒfər] **1** *n* Angebot *nt* ▸ *to make an ~ of sth to sb* jdm etw anbieten; *an ~ I couldn't refuse* ein Angebot, zu dem ich nicht nein sagen konnte; *on ~* (*Comm*) im Angebot; *~ price* Angebotspreis *m.*

2 *vt* **a** anbieten; *reward, prize* aussetzen; *plan, suggestion* unterbreiten; *excuse* vorbringen ▸ *to ~ to do sth* anbieten, etw zu tun; *he ~ed to help* er bot seine Hilfe an; *to ~ one's services* sich anbieten. **b** *resistance* bieten.

offering ['ɒfərɪŋ] *n* Gabe *f*, (*Rel*) (*collection*) Opfergabe *f*; (*sacrifice*) Opfer *nt.*

offertory ['ɒfətərɪ] *n* (*Eccl*) (*part of service*) Opferung *f*; (*collection*) Kollekte *f.*

offhand [,ɒf'hænd] **1** *adj remark* lässig. **2** *adv* so ohne weiteres, aus dem Stand (*col*) ▸ *I couldn't tell you ~* das könnte ich Ihnen auf Anhieb nicht sagen.

offhandedly [,ɒf'hændɪdlɪ] *adv* lässig, leichthin.

office ['ɒfɪs] *n* **a** Büro *nt*; (*of lawyer*) Kanzlei *f*; (*part of organization*) Abteilung *f*; (*branch also*) Geschäftsstelle *f*; (*US: of doctor*) Praxis *f* ▸ *at the ~* im Büro; *O~ of Fair Trading* (*Brit*) britische Behörde *f* gegen unlauteren Wettbewerb. **b** (*public position*) Amt *nt* ▸ *to take ~* sein Amt antreten; (*political party*) die Regierung übernehmen; *to be in* or *hold ~* im Amt sein; (*party*) an der Regierung sein; *to be out of ~* nicht mehr an der Regierung sein; (*person*) nicht im Amt sein. **c** *usu pl through his good ~s* durch seine guten Dienste; *through the ~s of ...* durch Vermittlung von ... **d** (*Eccl*) Gottesdienst *m.*

office: ~ accommodation *n* Büroraum *m*; **~ automation** *n* Büroautomatisierung *f*, **~ bearer** *n* Amtsträger(in *f*) *m*; **~ block** *n* Bürogebäude *nt*; **~ holder** *n* (*US*) Amtsträger(in *f*) *m*; **~ hours** *npl* Dienstzeit *f*; (*on sign*) Geschäftszeiten *pl*; (*US: of doctor*) Sprechstunden *pl*; **~ job** *n* Stelle *f* im Büro, Bürojob *m* (*col*); **~ junior** Bürogehilfe *m*, -gehilfin *f*, **~ manager** *n* Büroleiter(in *f*) *m.*

officer ['ɒfɪsər] *n* **a** (*Mil, Naut, Aviat*) Offizier *m* ▸ **~s' mess** Offizierskasino *nt.* **b** (*official*) Beamte(r) *m*, Beamtin *f*; (*police ~*) Polizist *m* ▸ *no, ~* nein(, Herr Wachtmeister).

office: ~ space *n* Büroraum *m*; **~ staff** *n* Büroangestellte *pl*; **~ supplies** Büroartikel *pl*, Bürobedarf *m*; **~ worker** *n* Büroangestellte(r) *mf.*

official [ə'fɪʃəl] **1** *adj* offiziell; *report, duties, meeting also* amtlich; *robes, visit* Amts-; *ceremony, style* formell ▸ *is that ~?* ist das amtlich?; (*publicly announced*) ist das offiziell? *~ strike* gewerkschaftlich genehmigter Streik.

2 *n* Beamte(r) *m*, Beamtin *f*, (*of club*) Funktionär(in *f*) *m.*

officialdom [ə'fɪʃəldəm] *n* (*pej*) Beamtentum *nt.*

officialese [ə,fɪʃə'liːz] *n* Amtssprache *f.*

officially [ə'fɪʃəlɪ] *adv* offiziell.

officiate [ə'fɪʃɪeɪt] *vt* amtieren, fungieren (*at* bei) ▸ *to ~ at a marriage* eine Trauung vornehmen.

officious [ə'fɪʃəs] *adj* übereifrig.

offing ['ɒfɪŋ] *n: in the ~* in Sicht.

off: ~-key *adj* (*Mus*) falsch; **~-licence** *n* (*Brit*) Wein- und Spirituosenhandlung *f.*

┌─ **OFF-LICENCE** ─┐

ⓘ *Off-licence ist ein Geschäft (oder eine Theke in einer Gaststätte), wo man alkoholische Getränke kaufen kann, die aber anderswo konsumiert werden* müssen. *In solchen Geschäften, die oft von landesweiten Ketten betrieben werden, kann man auch andere Getränke, Süßigkeiten, Zigaretten und Knabbereien kaufen.*

off: **~-limits** *adj* verboten; **~-line** (*Comp*) [1] *adj* Off-Line-; [2] *adv* off-line; *to operate* **~-line** im Off-Line-Betrieb arbeiten; **~-load** *vt goods* ausladen, entladen; *passengers* aussteigen lassen; **~-peak** *adj* **~-peak rate** verbilligter Tarif; (*Elec*) ≈ Nachttarif *m*; **~-peak electricity** Nachtstrom *m*; **~-peak ticket** verbilligte Fahrkarte/ Flugkarte außerhalb der Stoßzeit; **~-putting** *adj* (*Brit*) *smell, be haviour* abstoßend; *thought, story* wenig ermutigend; (*daunting*) entmutigend; **~ ramp** *n* (*US*) Ausfahrt *f*; **~-season** *n* Nebensaison *f*.

offset ['ɒfset] (*vb: pret, ptp ~*) [1] *vt* [a] (*financially, statistically etc*) ausgleichen; (*make up for*) aufwiegen. [b] (*place non-centrally*) versetzen.
[2] *n* (*Typ*) Offsetdruck *m*.

off: **~-shoot** *n* [a] (*of plant*) Ausläufer *m*; [b] (*fig: of organization*) Nebenzweig *m*; **~-shore** *adj fisheries* Küsten-; *island* küstennah; *rig, installations etc* im Meer; *wind* ablandig (*Naut*); *investment* im Ausland; **~-side** [1] *adj* [a] (*Sport*) im Abseits; **~-side trap** Abseitsfalle *f*; [b] (*Aut*) Fahrerseite *f*; [2] *n* (*Aut*) Fahrerseite *f*; [3] *adv* (*Sport*) abseits, im Abseits; **~-spring** *n* Sprößling *m*; (*of animal*) Junge(s) *nt*; **~-stage** *adv* hinter den Kulissen; **~-the-cuff** *adj remark, speech* aus dem Stegreif; **~-the-peg** (*Brit*), **~-the-rack** (*US*) *adj suit* von der Stange; **~-the-shoulder** *adj* schulterfrei; **~-white** *adj* gebrochen weiß.

▼ **often** ['ɒfən] *adv* oft, häufig ▸ *as* **~** *as twice a week* sogar zweimal in der Woche; *more* **~** *than not, as* **~** *as not* meistens; *every so* **~** von Zeit zu Zeit; *how* **~?** wie oft?

ogle ['əʊgl] *vt* kein Auge lassen von, begaffen (*pej*); (*flirtatiously*) schöne Augen machen (*+dat*).

ogre ['əʊgər] *n* Menschenfresser *m*; (*fig*) Unmensch *m*.

OH (*US Post*) = **Ohio**.

oh [əʊ] *interj* ach; (*surprised, disappointed*) oh; (*questioning*) tatsächlich.

ohc = **overhead camshaft**.

ohm [əʊm] *n* (*Elec*) Ohm *nt*.

OHMS = **On His/Her Majesty's Service** *Aufdruck auf amtlichen Sendungen.*

ohv = **overhead valve(s)**.

oi(c)k [ɔɪk] *n* (*Brit pej col*) Prolet *m*.

oil [ɔɪl] *n* [a] Öl *nt* ▸ *to pour* **~** *on troubled waters* die Wogen glätten. [b] (*petroleum*) (Erd)öl *nt* ▸ *to strike* **~** (*lit*) auf Öl stoßen; (*fig: get rich*) das große Los ziehen.
[2] *vt* ölen, schmieren.

oil *in cpds* Öl-; **~can** *n* Ölkanne *f*, **~ change** *n* Ölwechsel *m*; **~cloth** *n* Wachstuch *nt*; **~ company** *n* Ölkonzern *m*; **~field** *nt* Ölfeld *nt*; **~-fired** *adj* Öl-, mit Ölfeuerung; **~ gauge** *n* (*for pressure*) Öldruckmesser *m*; (*for level*) Ölstandsanzeiger *m*; **~ industry** *n* Ölindustrie *f*, **~ lamp** *n* Öllampe *f*; **~ level** *n* Ölstand *m*; **~ painting** *n* Ölgemälde *nt*; **~ pan** *n* (*US Aut*) Ölwanne *f*; **~ pipeline** *n* Erdölleitung *f*; **~-producing** *adj* (erd)ölproduzierend; **~-rich** *adj* ölreich; **~ rig** *n* (Öl)bohrinsel *f*; **~skin** *n* (*cloth*) Öltuch *nt*; **~skins** *npl* (*clothing*) Ölzeug *nt*; **~slick** *n* Ölteppich *m*; **~ tanker** *n* (Öl)tanker *m*; (*lorry*) Tankwagen *m*; **~ well** *n* Ölquelle *f*.

oily ['ɔɪlɪ] *adj* (*+er*) ölig; *food* fettig; *clothes, fingers* voller Öl; (*fig*) aalglatt.

ointment ['ɔɪntmənt] *n* Salbe *f*.

o.i.r.o. = **offers in the region of** VB.

OK (*US Post*) = **Oklahoma**.

OK, okay ['əʊ'keɪ] (*col*) [1] *interj* okay (*col*); (*agreed also*) in Ordnung ▸ **~, ~!** ist ja gut! (*col*).
[2] *adj* in Ordnung, okay (*col*) ▸ *that's* **~** *with or by me*

von mir aus; (*that's convenient*) das ist mir recht, mir ist's recht; *is it* **~** *with you if ...?* hast du was dagegen, wenn ...?; *how's your mother? — she's* **~** wie geht's deiner Mutter? — gut *or* (*not too well*) so einigermaßen; *to be* **~** (*for time/money etc*) (noch) genug (Zeit/Geld *etc*) haben; *is that* **~?** geht das?, ist das okay? (*col*); *he's* **~** er ist in Ordnung (*col*).
[3] *adv* (*well*) gut; (*not too badly*) einigermaßen ▸ *can you mend/manage it* **~?** kannst du das reparieren/ kommst du damit klar?
[4] *vt plan, suggestion* gutheißen, billigen.
[5] *n* Zustimmung *f*, Okay *nt* (*col*).

old [əʊld] [1] *adj* (*+er*) [a] alt ▸ **~** *people or folk(s)* alte Leute *pl*; **~** *Mr Smith* der alte (Herr) Smith; *he is 40 years* **~** er ist 40 (Jahre alt); *two-year-* **~** Zweijährige(r) *mf*; *the* **~** *part of Ulm* die Ulmer Altstadt; *the* **~** *(part of) town* die Altstadt; *my* **~** *school* meine alte *or* ehemalige Schule; **~** *soldier* altgedienter Soldat; (*fig: experience person*) alter Kämpe (*hum*). [b] (*col: as intensifier*) *she dresses any* **~** *how* die ist vielleicht immer angezogen (*col*); **~** *Mike* der Mike (*col*); *the same* **~** *excuse* die gleiche alte Entschuldigung.
[2] *n the* **~** die alten Leute; *in days of* **~** in früheren Zeiten; *I know him of* **~** ich kenne ihn von früher.

old: **~ age** *n* das Alter; *in one's* **~** *age* auf seine alten Tage (*also hum*); **~-age pension** *n* Rente *f*, **~-age pensioner** *n* (*Brit*) Rentner(in *f*) *m*; **~ boy** *n* (*Brit Sch*) ehemaliger Schüler; *the* **~** *boy network* Beziehungen *pl* (von der Schule her).

olden ['əʊldən] *adj* (*liter*) *in* **~** *times or days* früher, vordem (*liter*).

old: **O~ English** [1] *n* Altenglisch *nt*; [2] *adj* altenglisch; **~-established** *adj family, firm* alteingesessen; *custom* seit langem bestehend, alt; **~-fashioned** *adj* altmodisch; **~ girl** *n* (*Brit Sch*) ehemalige Schülerin; **~ hat** *adj* (*col*) *it's* **~** *hat* das ist Schnee von gestern.

oldie ['əʊldɪ] *n* (*col*) (*song*) Oldie *m*; (*joke*) alter Witz ▸ *the* **~s** (*people*) die Alten.

old: **~ maid** *n* alte Jungfer; **~ master** *n* alter Meister; **~ people's home** *n* Altersheim *nt*; **~ school** *n* (*fig*) alte Schule; **~ school tie** *n* (*fig*) Einstellung *f* von Ehemaligen einer Public School; **O~ Testament** *n* Altes Testament; **~-timer** *n* Veteran *m*; **~ wives' tale** *n* Ammenmärchen *nt*; **O~ World** *n* alte Welt.

O Level ['əʊlevl] *n* (*Brit old*) ehemaliger Abschluß der Sekundarstufe 1.

olive ['ɒlɪv] [1] *n* [a] Olive *f*; (*also* **~** *tree*) Olivenbaum, Ölbaum *m*. [b] (*colour*) Olivgrün *nt*.
[2] *adj* olivgrün.

olive: **~ branch** *n* (*lit, fig*) Ölzweig *m*; *to hold out the* **~** *branch to sb* (*fig*) jdm seinen Willen zum Frieden bekunden; **~ oil** *n* Olivenöl *nt*.

Olympic [əʊ'lɪmpɪk] [1] *adj* olympisch ▸ **~** *champion* Olympiasieger(in *f*) *m*.
[2] *n the* **~s** *pl* die Olympiade *f*, die olympischen Spiele.

OM (*Brit*) = **Order of Merit** *Verdienstorden m.*

Oman [əʊ'mɑːn] *n* Oman *nt*.

Omani [əʊ'mɑːnɪ] [1] *adj* omanisch.
[2] *n* Omaner(in *f*) *m*.

ombudsman ['ɒmbʊdzmən] *n, pl* **-men** [-mən] Ombudsmann *m*.

omelette, (*US*) **omelet** ['ɒmlɪt] *n* Omelett(e) *nt*.

omen ['əʊmen] *n* Omen, Zeichen *nt*.

ominous ['ɒmɪnəs] *adj* bedrohlich; *sign also* verhängnisvoll ▸ *that sounds* **~** das verspricht nichts Gutes.

ominously ['ɒmɪnəslɪ] *adv* bedrohlich; *say* in einem unheilverkündenden Ton.

omission [əʊ'mɪʃən] *n* Auslassen *nt*; (*word etc left out*) Auslassung *f*; (*failure to do sth*) Unterlassung *f*.

omit [əʊ'mɪt] *vt* [a] (*leave out*) auslassen. [b] (*fail*) es

unterlassen (*to do sth* etw zu tun).
omnibus ['ɒmnɪbəs] *n* [a] (*form: bus*) Omnibus *m.* [b] ~ *edition* (*book*) Sammelband *m.*
omnipotent [ɒm'nɪpətənt] *adj* allmächtig.
omniscient [ɒm'nɪsɪənt] *adj* allwissend.
omnivorous [ɒm'nɪvərəs] *adj* allesfressend.
on [ɒn] [1] *prep* [a] (*indicating place, position*) auf (+*dat*); (*with vb of motion*) auf (+*acc*); (*on vertical surface, part of body*) an (+*dat/acc*) ▶ *the book is ~ the table* das Buch ist auf dem Tisch; *he put the book ~ the table* er legte das Buch auf den Tisch; *it was ~ the blackboard* es stand an der Tafel; *he hung it ~ the wall/nail* er hängte es an die Wand/den Nagel; *he hit his head ~ the table/~ the ground* er hat sich (*dat*) den Kopf am Tisch/auf dem *or* am Boden angeschlagen; *I have no money ~ me* ich habe kein Geld bei mir; *we had something to eat ~ the train* wir haben im Zug etwas gegessen; *a house ~ the main road* ein Haus an der Hauptstraße.
[b] (*means*) *we went ~ the train* wir fuhren mit dem Zug; *~ foot/horseback* zu Fuß/Pferd; *he lives ~ his income* er lebt von seinem Einkommen.
[c] (*about, concerning*) über (+*acc*) ▶ *a book ~ German grammar* ein Buch über deutsche Grammatik; *his views ~ that* seine Meinung darüber.
[d] (*time*) *~ Sunday* (am) Sonntag; *~ Sundays* sonntags; *~ December the first* am ersten Dezember; *~ the minute* auf die Minute genau; *~ my arrival* bei meiner Ankunft; *~ examination* bei näherer Untersuchung; *~ request* auf Wunsch; *~ hearing this he left* als er das hörte, ging er; *~ receiving my letter* nach Erhalt meines Briefes.
[e] *he is ~ the committee/the board* er gehört dem Ausschuß/Vorstand an; *I am working ~ a new project* ich arbeite gerade an einem neuen Projekt; *we were ~ page 72* wir waren auf Seite 72; *this round is ~ me* diese Runde geht auf meine Kosten; *prices are up ~ last year('s)* im Vergleich zum letzten Jahr sind sie Preise gestiegen; *he played (it) ~ the violin/trumpet* er spielte (es) auf der Geige/Trompete; *I'm ~ £15,000 a year* ich verdiene £15.000 im Jahr; *to be ~ a training course* an einem Lehrgang teilnehmen; *to be ~ drugs/pills* Drogen/Pillen nehmen.
[2] *adv see also vb* +*on* [a] *he put his hat ~* er setzte seinen Hut auf; *he put his coat ~* er zog seinen Mantel an; *she had nothing ~* sie hatte nichts an; *what did he have ~?* was hatte er an?
[b] (*continuation*) *move ~!* gehen Sie weiter!; *from that day ~* von diesem Tag an; *it was well ~ in the night* es war spät in der Nacht; *to keep ~ talking* in einem fort reden; *go ~ with your work* machen Sie Ihre Arbeit weiter; *life still goes ~* das Leben geht weiter; *they talked ~ and ~* sie redeten und redeten; *the film went ~ and ~* der Film wollte kein Ende nehmen; *to read ~* weiterlesen.
[c] (*in phrases*) *he's always (going) ~ at me to get my hair cut* er liegt mir dauernd in den Ohren, daß ich mir die Haare schneiden lassen soll; *what's he ~ about?* wovon redet er nun schon wieder?
[3] *adj* [a] *lights, TV, radio* an; *brake* angezogen; *electricity, gas* an(gestellt) ▶ *the ~ switch* der Einschalter; *to leave the light ~* das Licht brennen lassen *or* anlassen.
[b] *to be ~* (*being performed: film etc*) gezeigt werden; *what's ~ tonight?* was läuft heute abend?; *I have nothing ~ tonight* ich habe heute abend nichts vor; *what's ~ in London?* was läuft zur Zeit in London?
[c] (*valid*) *to be ~* (*bet, agreement*) gelten; *you're ~!* abgemacht!; *it's just not ~* (*not acceptable*) das geht einfach nicht.
once [wʌns] [1] *adv* [a] (*on one occasion*) einmal ▶ *~ a week* einmal in der Woche; *~ again or more* noch ein-

mal; *~ again we find that ...* wir stellen erneut fest, daß ...; *~ or twice* (*fig*) nur ein paarmal; *~ and for all* ein für allemal; *(every) ~ in a while* ab und zu mal; *you can come this ~* dieses eine Mal können Sie kommen; *for ~* ausnahmsweise einmal. [b] (*in past*) einmal ▶ *he was ~ famous* er war früher einmal berühmt; *~ upon a time there was ...* es war einmal ... [c] *at ~* (*immediately*) sofort, auf der Stelle; (*at the same time*) auf einmal, gleichzeitig; *all at ~* auf einmal; *they came all at ~* sie kamen alle gleichzeitig.
[2] *conj* wenn; (*with past tense*) als ▶ *~ you understand, it's easy* wenn Sie es einmal verstehen, ist es einfach.
once-over ['wʌnsəʊvər] *n* (*col*) *to give sb/sth the ~* (*appraisal*) jdn/etw mal kurz überprüfen; (*clean*) mal kurz über etw (*acc*) gehen (*col*).
oncoming ['ɒnkʌmɪŋ] *adj* *car, traffic* entgegenkommend ▶ *the ~ traffic* der Gegenverkehr.
OND (*Brit*) = **Ordinary National Diploma** *Diplom in technischen Fächern.*
one [wʌn] [1] *adj* [a] (*number*) ein/eine/ein; (*counting*) eins ▶ *~ man in a thousand* einer von tausend; *the baby is ~ (year old)* das Kind ist ein Jahr (alt); *it is ~ (o'clock)* es ist eins, es ist ein Uhr; *there is only ~ way of doing it* es gibt nur eine Möglichkeit, es zu tun.
[b] (*indefinite*) *~ morning/day he realized ...* eines Morgens/Tages bemerkte er ...; *you'll regret it ~ day* Sie werden das eines Tages bereuen; *~ morning next week* nächste Woche einmal morgens.
[c] (*sole, only*) *he is the ~ man to tell you* er ist der einzige, der es Ihnen sagen kann; *no ~ man could do it* niemand konnte es allein tun; *the ~ and only Brigitte Bardot* die unvergleichliche Brigitte Bardot.
[d] (*same*) *they all came in the ~ car* sie kamen alle in dem einen Auto; *they are ~ and the same person* das ist ein und dieselbe Person; *it is ~ and the same thing* das ist ein und dasselbe; *it's all ~ (to me)* das ist (mir) einerlei.
[2] *pron* [a] eine(r, s) ▶ *the ~ who ...* der(jenige), der .../die(jenige), die .../das(jenige), das ...; *do you have ~?* haben Sie einen/eine/ein(e)s?; *the red/big etc* der/die/das rote/große *etc*; *a bigger ~* ein größerer/eine größere/ein größeres; *not ~ of them* nicht eine(r, s) von ihnen; *every ~* jede(r, s); *this ~* diese(r, s); *that ~* der/die/das; *which ~?* welche(r, s)?; *I'm not ~ to go out often* ich bin nicht der Typ, der oft ausgeht; *he's never ~ to say no* er sagt nie nein; *he's a great ~ for discipline* er ist ganz groß, wenn's um Disziplin geht; *she is a teacher, and he/her sister wants to be ~ too* sie ist Lehrerin, und er möchte auch gern Lehrer werden/ihre Schwester möchte auch gern eine werden; *I, for ~, think otherwise* ich zum Beispiel denke anders; *~ by ~* einzeln; *he is ~ of the family* er gehört zur Familie; *he is ~ of us* er ist einer von uns; (*member of a group*) er gehört zu uns.
[b] (*impers*) (*nom*) man; (*acc*) einen; (*dat*) einem ▶ *~ must learn to keep quiet* man muß lernen, still zu sein; *to hurt ~'s foot* sich (*dat*) den Fuß verletzen.
[3] *n* (*written figure*) Eins *f* ▶ *in ~s and twos* in kleinen Gruppen; *it was bedroom and sitting-room (all) in ~* es war Schlaf- und Wohnzimmer in einem; *to be at ~ with oneself* mit sich selbst im Einklang sein; *to be ~ up on sb* (*col*) (*know more*) jdm eins voraus sein; (*have more*) jdm etwas voraushaben.
one another = **each other.**
one: *~-armed* *adj* einarmig; *~-armed bandit* *n* (*col*) einarmiger Bandit; *~-day excursion* *n* (*US*) Tagesrückfahrkarte *f*; *~-eyed* *adj* einäugig; *~-legged* *adj* einbeinig; *~-man* *adj* Einmann-; *~-man band* Einmannkapelle *f*; (*fig col*) Einmannbetrieb *m*; *~-night stand* *n* (*Theat*) einmalige Vorstellung; (*fig*) *he's just af-*

ter a **~-night stand** er sucht nur eine für eine Nacht; **~-off** (*Brit col*) [1] *adj* einmalig; [2] *n a ~-off* etwas Einmaliges; (*product*) ein Einzelstück; **~-piece** *adj* einteilig.

onerous ['ɒnərəs] *adj responsibility* schwer(wiegend); *task, duty* schwer.

oneself [wʌn'self] *pron* [a] (*dir and indir, with prep*) sich; (*~ personally*) sich selbst *or* selber. [b] (*emph*) (sich) selbst; *see* **myself.**

one: **~-shot** *adj* (*US*) einmalig; **~-sided** *adj* einseitig; *judgement, account* *also* parteiisch; **~-time** *adj* ehemalig; **~-to-one** *adj correlation* eins-zu-eins; **~-to-one tuition** *n* Einzelunterricht *m*; **~-track** *adj he's got a ~-track mind* er denkt sehr eingleisig; **~-upmanship** [ˌwʌn'ʌpmənʃɪp] *n that's just a form of ~-upmanship* damit will er *etc* den anderen nur um eine Nasenlänge voraus sein; **~-way** *adj traffic, street* Einbahn-; **~-way ticket** (*US Rail*) einfache Fahrkarte.

ongoing ['ɒngəʊɪŋ] *adj* (*in progress*) laufend; (*long-term*) *development, relationship, situation* andauernd.

onion ['ʌnjən] *n* Zwiebel *f.*

online [ɒn'laɪn] [1] *adj attr* On-line-.
[2] *adv* on-line ▸ **to operate ~** im On-line-Betrieb arbeiten.

onlooker ['ɒnlʊkəʳ] *n* Zuschauer(in *f*) *m.*

▼ **only** ['əʊnlɪ] [1] *adj attr* einzige(r, s) ▸ *he's an ~ child* er ist ein Einzelkind *nt*; *he was the ~ one to leave or who left* er ist als einziger gegangen; *that's the ~ thing for it/the ~ thing to do* das ist die einzige Möglichkeit; *my ~ wish/regret* das einzige, was ich mir wünsche/was ich bedaure.
[2] *adv* nur ▸ *it's ~ five o'clock* es ist erst fünf Uhr; *I ~ wanted to be with you* ich wollte nur mit dir zusammen sein; *~ too true etc* nur (all)zu wahr *etc*; *I'd be ~ too pleased to help* ich würde nur zu gerne helfen; *if ~ that hadn't happened* wenn das bloß nicht passiert wäre; *we ~ just caught the train* wir haben den Zug gerade noch gekriegt; *he has ~ just arrived* er ist gerade erst angekommen; *I've ~ just got enough* ich habe gerade genug; *not ~ ... but also ...* nicht nur ..., sondern auch ...
[3] *conj* bloß, nur ▸ *I would do it myself, ~ I haven't time* ich würde es selbst machen, ich habe nur keine Zeit.

o.n.o. = **or near(est) offer** oder Angebot.

on-off switch ['ɒn'ɒfswɪtʃ] *n* Ein- und Ausschalter *m.*

onomatopoeia [ˌɒnəʊmætəʊ'piːə] *n* Lautmalerei *f.*

onrush ['ɒnrʌʃ] *n* (*of people*) Ansturm *m*; (*of water*) Schwall *m.*

on-screen ['ɒnskriːn] [1] *adj attr* [a] (*Comput*) auf dem Bildschirm ▸ *read the ~ text* lesen Sie den Text auf dem Bildschirm; **~ display** Bildschirmanzeige *f.* [b] (*Film, TV*) *romance, kiss etc* Film-/Bildschirm- ▸ *an ~ adventure* ein Film-/Bildschirmabenteuer *nt.*
[2] *adv* (*Film*) auf der Leinwand; (*TV*) auf dem Bildschirm.

onset ['ɒnset] *n* Beginn *m*; (*of cold weather also*) Einbruch *m*; (*of illness*) Ausbruch *m.*

onshore ['ɒnʃɔʳ] *adj* Land-; *wind* See-, auflandig (*Naut*).

onside [ɒn'saɪd] *adv* (*Sport*) nicht im Abseits.

on-site [ɒn'saɪt] *in cpds* Vor-Ort-; **~ supervision** Vor-Ort-Kontrolle *f.*

onslaught ['ɒnslɔːt] *n* (*Mil*) (heftiger) Angriff (*on* auf +*acc*) ▸ *to make an ~ on sb/sth* (*fig*) (*verbally*) jdn/etw angreifen; (*on work*) einer Sache (*dat*) zu Leibe rücken.

on-the-job training ['ɒnðəˌdʒɒb'treɪnɪŋ] *n* Ausbildung *f* am Arbeitsplatz.

onto ['ɒntʊ] *prep* [a] (*upon, on top of*) auf (+*acc*); (*on sth vertical*) an (+*acc*). [b] (*in verbal expressions*) *to get/come ~ a subject* auf ein Thema zu sprechen kommen; *to be/get ~ or on to sb* (*find sb out*) jdm auf die Schliche gekommen sein/kommen (*col*); *I'll get ~ him*

about it ich werde ihn darauf ansprechen.

onus ['əʊnəs] *n no pl* Pflicht *f*; (*burden*) Last *f* ▸ *to shift the ~ for sth onto sb* jdm die Verantwortung für etw zuschieben; *the ~ to do it is on him* es liegt an ihm, das zu tun.

onward ['ɒnwəd] *adv* (*also ~s*) voran, vorwärts; *march weiter* ▸ *from today/this time ~* von heute/der Zeit an.

onyx ['ɒnɪks] [1] *n* Onyx *m.*
[2] *adj* Onyx-.

ooh [uː] *interj* oh.

oomph [ʊmf] *n* (*col*) (*energy*) Pep *m* (*col*); (*power*) Kraft *f.*

ooze [uːz] [1] *n* (*mud*) Schlamm *m.*
[2] *vi* triefen; (*wound*) nässen; (*resin, mud, glue*) (heraus)quellen.
[3] *vt* [a] (aus)schwitzen. [b] (*fig*) *charm* triefen von (*pej*), verströmen.

opacity [əʊ'pæsɪtɪ] *n* Undurchsichtigkeit *f.*

opal ['əʊpəl] *n* (*stone*) Opal *m.*

opaque [əʊ'peɪk] *adj* [a] opak; *glass also, liquid* trüb; *tights* blickdicht. [b] (*fig*) *prose* undurchsichtig, unklar.

OPEC ['əʊpek] = **Organization of Petroleum Exporting Countries** OPEC *f.*

open ['əʊpən] [1] *adj* offen; *door, bottle, eye, flower also* auf *pred*, geöffnet; *lines of communication, road* frei; (*public*) *meeting, trial* öffentlich ▸ *to keep/hold the door ~* die Tür offen- *or* auflassen/offen- *or* aufhalten; *I can't keep my eyes ~* ich kann die Augen nicht offenhalten; *the baker's shop is ~* der Bäckerladen hat geöffnet *or* hat auf (*col*); *to lay oneself ~ to criticism/ attack* sich der Kritik/Angriffen aussetzen; *in the ~ air* im Freien; *~ to traffic/shipping* für den Verkehr/die Schiffahrt freigegeben; *to be ~ to sb* (*admission*) jdm freistehen; (*place*) für jdn geöffnet sein; *he was ~ with us* er war ganz offen mit uns; *two possibilities were ~ to him* zwei Möglichkeiten standen ihm offen; *~ day* Tag *m* der offenen Tür; *~ to the public* der Öffentlichkeit zugänglich; *to be ~ to advice/suggestions* Ratschlägen/Vorschlägen gegenüber offen sein; *I'm ~ to offers* ich lasse gern mit mir reden; *they left the matter ~* sie ließen die Angelegenheit offen; *to keep an ~ mind* alles offen lassen; *to have an ~ mind on sth* einer Sache (*dat*) aufgeschlossen gegenüberstehen; *~ verdict* (*Jur*) Todesfeststellung *f* ohne Angabe des Grundes.
[2] *n in the ~* (*outside*) im Freien; (*on ~ ground*) auf freiem Feld; *to bring sth out into the ~* mit etw nicht länger hinterm Berg halten; *to come out into the ~* (*fig*) (*person*) Farbe bekennen; (*affair*) herauskommen.
[3] *vt* [a] *door, mouth, bottle, letter etc* öffnen, aufmachen (*col*); *book also, newspaper* aufschlagen; (*officially*) *exhibition* eröffnen; *building* einweihen; *road* dem Verkehr übergeben ▸ *to ~ one's heart to sb* sich jdm öffnen; *~ your mind to new possibilities* öffnen Sie sich (*dat*) den Blick für neue Möglichkeiten; *to ~ fire* (*Mil*) das Feuer eröffnen (*on* auf +*acc*). [b] *shop, trial, school, account* eröffnen.
[4] *vi* [a] aufgehen; (*door, flower, wound also*) sich öffnen. [b] (*shop, museum*) öffnen, aufmachen. [c] (*door*) führen (*into* in +*acc*). [d] (*start*) beginnen (*with* mit); (*Cards, Chess*) eröffnen ▸ *the play ~s next week* das Stück wird ab nächster Woche gegeben.

◆**open out** [1] *vi* (*river, street*) sich verbreitern (*into* zu); (*valley also, view*) sich weiten, sich öffnen; (*flower*) sich öffnen, aufgehen.
[2] *vt sep* (*unfold*) *map etc* auseinanderfalten.

◆**open up** [1] *vi* (*flower*) sich öffnen, aufgehen; (*fig*) (*prospects, field, new horizons*) sich erschließen; (*person: become expansive*) gesprächiger werden.
[2] *vt sep* [a] *territory, prospects* erschließen; *new horizons, field of research etc also* auftun; (*unblock*) *disused tunnel etc* freimachen. [b] (*unlock*) *house, shop, car etc*

aufschließen. [c] (*start*) business eröffnen; *shop also* aufmachen.

open: ~-air *adj* im Freien; ~-air swimming pool *n* Freibad *nt*; ~-and-shut *adj* it's an ~-and-shut case es ist ein glasklarer Fall; ~-cast *adj* coal-mine über Tage; ~-cast mining Tagebau *m*; ~ cheque *n* Barscheck *m*; ~-ended *adj* unbegrenzt; *discussion* alles offen lassend; *contract* unbefristet.

opener ['əupnə'] *n* Öffner *m*.

open: ~-handed *adj* freigebig; ~-hearted *adj* offenherzig; *welcome* herzlich; ~-heart surgery *n* Eingriff *m* am offenen Herzen; ~ house *n* to keep ~ house ein offenes Haus führen; ~ learning *n* Erwachsenenbildung *f* durch Teilzeit- und Fernkurse.

opening ['əupnɪŋ] [1] *n* [a] Öffnung *f*; (*in traffic*) Lücke *f*; (*forest clearing*) Lichtung *f*. [b] (*beginning*) Anfang *m*; (*of debate, speech, trial also, Chess, Cards*) Eröffnung *f*. [c] (*official ~*) (*of exhibition, stores*) Eröffnung *f* ► O~ of Parliament Parlamentseröffnung *f*. [d] (*opportunity*) Möglichkeit, Chance *f*; (*job vacancy*) (freie) Stelle. [2] *attr* (*initial, first*) erste(r, s); *speech also* Eröffnungs-; *remarks* einführend.

opening: ~ ceremony *n* Eröffnungsfeier *f*; ~ hours *npl* Öffnungszeiten *pl*; ~ price *n* (*St Ex*) Anfangskurs *m*; ~ time *n* Öffnungszeit *f*; what are the bank's ~ times? wann hat die Bank geöffnet?

openly ['əupənlɪ] *adv* offen; (*publicly*) öffentlich.

open: ~-minded *adj* aufgeschlossen; ~-mindedness *n* Aufgeschlossenheit *f*; ~-mouthed [,əupn'mauðd] *adj* (*in surprise or stupidity*) mit offenem Mund; ~-necked *adj* shirt mit offenem Kragen.

openness ['əupnnɪs] *n* (*frankness*) Offenheit *f*.

open: ~-plan *adj* office Großraum-; *flat etc* offen angelegt; ~ prison *n* offenes Gefängnis; ~ sandwich *n* belegtes Brot; ~ season *n* (*Hunt*) Jagdzeit *f*; O~ University *n* (*Brit*) Fernuniversität *f*.

┌─ OPEN UNIVERSITY ─┐

🛈 **Open University** ist eine 1969 in Großbritannien gegründete Fernuniversität für Spätstudierende. Der Unterricht findet durch Fernseh- und Radiosendungen statt, schriftliche Arbeiten werden mit der Post verschickt, und der Besuch von Sommerkursen ist Pflicht. Die Studenten müssen eine bestimmte Anzahl von Unterrichtseinheiten in einem bestimmten Zeitraum absolvieren und für die Verleihung eines akademischen Grades eine Mindestzahl von Scheinen machen.

opera ['ɒpərə] *n* Oper *f* ► to go to the ~ in die Oper gehen.

opera *in cpds* Opern-; ~ glasses *npl* Opernglas *nt*; ~ house *n* Opernhaus *nt*; ~ singer *n* Opernsänger(in *f*) *m*.

operate ['ɒpəreɪt] [1] *vi* operieren (*also Mil, Med*); (*machine*) funktionieren; (*be in operation*) in Betrieb sein; (*buses, planes*) verkehren; (*theory, plan, law*) sich auswirken; (*organization, system*) arbeiten ► I don't like the way he ~s ich mag seine Methoden nicht; to be ~d on (*Med*) operiert werden. [2] *vt* [a] machine bedienen; (*set in operation*) in Betrieb setzen; *brakes etc also* betätigen. [b] business führen.

operatic [,ɒpə'rætɪk] *adj* singer, music Opern-; *style* opernhaft.

operating ['ɒpəreɪtɪŋ] *adj attr* [a] (*Tech, Comm*) pressure, cost Betriebs- ► ~ system Betriebssystem *nt*. [b] (*Med*) Operations- ► ~ theatre (*Brit*) or room Operationssaal, OP *m*.

operation [,ɒpə'reɪʃən] *n* [a] (*of machine, system*) Funktionieren *nt*; (*act of operating*) Bedienung *f*; (*of small mechanism*) Betätigung *f* ► to be in ~ (*machine*) in Betrieb sein; (*law*) in Kraft sein; (*plan*) durchgeführt werden; to be out of ~ außer Betrieb sein; to come into ~ (*law*) in Kraft treten; (*plan*) zur Anwendung gelangen; to bring or put a law into ~ ein Gesetz in Kraft setzen. [b] (*Med*) Operation *f* (*on* an +*dat*) ► to have an ~ (*for a hernia etc*) (wegen eines Bruchs *etc*) operiert werden. [c] (*enterprise*) Unternehmen *nt*; (*task, stage in undertaking*) Arbeitsgang *m* ► (*business*) ~s Geschäfte *pl*; to cease ~s den Geschäftverkehr einstellen.

operational [,ɒpə'reɪʃənl] *adj* (*ready for use*) machine, vehicle betriebsfähig; *army unit, aeroplane etc* einsatzfähig; (*in use or action*) machine, vehicle *etc* in Betrieb; *army unit etc* im Einsatz.

operative ['ɒpərətɪv] [1] *adj* [a] measure, laws wirksam ► "if" being the ~ word wobei ich "wenn" betone. [b] (*Med*) treatment operativ. [2] *n* (*of machinery*) Maschinenarbeiter(in *f*) *m*; (*skilled*) Maschinist(in *f*) *m*.

operator ['ɒpəreɪtə'] *n* (*Telec*) ≃ Vermittlung *f*; (*person*) Dame *f*/Herr *m* von der Vermittlung; (*of machinery*) (Maschinen)arbeiter(in *f*) *m*; (*of computer etc*) Bediener(in *f*) *m* ► ~ smooth ~ (*col*) Schlawiner *m* (*col*).

operetta [ɒpə'retə] *n* Operette *f*.

ophthalmic [ɒf'θælmɪk] *adj* Augen-.

▼ **opinion** [ə'pɪnjən] *n* Meinung, Ansicht *f* (*about, on* zu); (*political, religious*) Anschauung *f*; (*professional advice*) Gutachten *nt*; (*esp Med*) Befund *m* ► in my ~ meiner Meinung nach; to be of the ~ that ... der Ansicht sein, daß ...; to ask sb's ~ jdn nach seiner Meinung fragen; it is a matter of ~ das ist Ansichtssache; to have a high/poor ~ of sb/sth eine hohe/schlechte Meinung von jdm/etw haben; to form an ~ of sb/sth sich (*dat*) eine Meinung über jdn/etw bilden; ~ poll Meinungsumfrage *f*; to seek or get a second ~ (*esp Med*) ein zweites Gutachten einholen.

opinionated [ə'pɪnjəneɪtɪd] *adj* rechthaberisch.

opium ['əupɪəm] *n* (*lit, fig*) Opium *nt*.

opponent [ə'pəunənt] *n* Gegner(in *f*) *m*.

opportune ['ɒpətjuːn] *adj* time günstig; *remark* an passender Stelle; *action, event* rechtzeitig.

opportunism [,ɒpə'tjuːnɪzəm] *n* Opportunismus *m*.

opportunist [,ɒpə'tjuːnɪst] *n* Opportunist(in *f*) *m*.

opportunity [,ɒpə'tjuːnɪtɪ] *n* Gelegenheit *f*; (*chance to better oneself*) Chance, Möglichkeit *f* ► at the first or earliest ~ bei der erstbesten Gelegenheit; to take the ~ to do sth or of doing sth die Gelegenheit nutzen, etw zu tun; as soon as I get the ~ sobald sich die Gelegenheit ergibt; opportunities for promotion Aufstiegsmöglichkeiten or -chancen *pl*.

oppose [ə'pəuz] *vt* ablehnen; (*fight against*) sich entgegenstellen (+*dat*); *leadership, orders* sich widersetzen (+*dat*); *government* sich stellen gegen ► he ~s our coming er ist dagegen, daß wir kommen.

▼ **opposed** [ə'pəuzd] *adj pred* ► to be ~ to sb/sth gegen jdn/etw sein; I am ~ to your going ich bin dagegen, daß Sie gehen; as ~ to im Gegensatz zu.

opposing [ə'pəuzɪŋ] *adj* team gegnerisch; *army* feindlich; *characters* gegensätzlich.

opposite ['ɒpəzɪt] [1] *adj* [a] (*facing*) gegenüberliegend *attr*, gegenüber *pred* ► to be ~ gegenüber liegen/stehen/sitzen *etc*; on the ~ page auf der Seite gegenüber, auf der gegenüberliegenden Seite. [b] (*other*) side, end, opinion entgegengesetzt (*to, from dat*, zu) ► the ~ sex das andere Geschlecht; ~ number Pendant *nt*; they've got quite ~ characters sie sind ganz gegensätzliche Charaktere. [2] *n* Gegenteil *nt*; (*contrasting: black/white etc*) Gegensatz *m* ► quite the ~! ganz im Gegenteil! [3] *adv* gegenüber, auf der gegenüberliegenden Seite ► they sat ~ sie saßen uns/ihnen/sich *etc* gegenüber. [4] *prep* gegenüber (+*dat*) ► ~ one another sich gegenüber; they live ~ us sie wohnen uns gegenüber.

opposition [ˌɒpəˈzɪʃən] n [a] (resistance) Widerstand m; (people resisting) Opposition f ▸ **to act in ~ to sth** einer Sache (dat) zuwiderhandeln. [b] (esp Brit Parl) O~ Opposition(spartei) f; **to be in ~** in der Opposition sein.
oppress [əˈpres] vt [a] (tyrannize) unterdrücken. [b] (weigh down) bedrücken.
oppression [əˈpreʃən] n (tyranny) Unterdrückung f.
oppressive [əˈpresɪv] adj [a] regime, laws repressiv; taxes (er)drückend. [b] (fig) heat drückend; thought bedrückend.
oppressor [əˈpresəʳ] n Unterdrücker m.
opt [ɒpt] vi **to ~ for sth/to do sth** sich für etw entscheiden/sich entscheiden, etw zu tun.
◆**opt out** vi sich anders entscheiden; (of awkward situation) abspringen (of bei); (of responsibility, invitation) ablehnen (of acc); (give up membership) austreten (of aus); (of pension/insurance scheme) kündigen (of acc); (of society) aussteigen; (school, hospital) sich für die Selbstverwaltung entscheiden.
opt-out [ˈɒptaʊt] [1] adj attr [a] (Brit) school, hospital aus der Kontrolle der Kommunalverwaltung ausgetreten. [b] (esp Brit): **~ clause** Rücktrittsklausel f. [2] n [a] (Brit, by school, hospital) Austritt m aus der Kontrolle der Kommunalverwaltung. [b] (from agreement, treaty) Rücktritt m.
optic [ˈɒptɪk] adj nerve, centre Seh-.
optical [ˈɒptɪkəl] adj optisch ▸ **~ illusion** optische Täuschung; **~ character reader** (Comp) optischer Klarschriftleser; **~ character recognition** (Comp) optische Zeichenerkennung; **~ fibre** Lichtleitfaser f, (cable) Lichtleiter m.
optician [ɒpˈtɪʃən] n Optiker(in f) m.
optics [ˈɒptɪks] n sing Optik f.
optima [ˈɒptɪmə] pl of **optimum**.
optimism [ˈɒptɪmɪzəm] n Optimismus m.
optimist [ˈɒptɪmɪst] n Optimist(in f) m.
optimistic [ˌɒptɪˈmɪstɪk] adj optimistisch (about sth in bezug auf +acc).
optimum [ˈɒptɪməm] adj optimal.
▼**option** [ˈɒpʃən] n [a] (choice) Wahl f no pl; (possible course of action also) Möglichkeit f ▸ **I have no ~** mir bleibt keine andere Wahl; **he had no ~ but to come** ihm blieb nichts anderes übrig, als zu kommen; **to leave one's ~s open** sich (dat) alle Möglichkeiten offenhalten. [b] (Comm) Option f (on auf +acc); (on house, goods etc also) Vorkaufsrecht nt (on an +dat); (on shares) Bezugsrecht nt (on für) ▸ **with an ~ to buy** mit einer Kaufoption. [c] (Univ, Sch) Wahlfach nt.
optional [ˈɒpʃənl] adj (not compulsory) freiwillig; (Sch, Univ) subject Wahl-; (fitted if required) auf Wunsch erhältlich ▸ **~ extras** Extras pl.
opulence [ˈɒpjʊləns] n no pl see adj Reichtum m; Prunk m; Feudalität f; Üppigkeit f.
opulent [ˈɒpjʊlənt] adj rich; clothes, decoration prunkvoll; chairs, carpets feudal; lifestyle üppig.
opus [ˈəʊpəs] n, pl **opera** [ˈɒpərə] n (Mus, fig) Opus nt; (fig also) Werk nt.
OR [a] (US Post) = **Oregon**. [b] = **operational research** Unternehmensforschung f.
▼**or** conj oder; (with neg) noch ▸ **he could not read ~ write** er konnte weder lesen noch schreiben; **you'd better go ~ (else) you'll be late** gehen Sie jetzt besser, sonst kommen Sie zu spät; **you'd better do it ~ else!** tu das lieber, sonst ...!; **in a day ~ two** in ein bis zwei Tagen; **the Congo, ~ rather, Zaire** der Kongo, beziehungsweise Zaire.
oracle [ˈɒrəkl] n Orakel nt; (person) Seher(in f) m; (fig) Alleswisser m.
oral [ˈɔːrəl] [1] adj [a] (Med) oral ▸ **~ vaccination** Schluckimpfung f. [b] (verbal) mündlich ▸ **to improve one's ~ skills in a language** eine Sprache besser spre-

chen lernen. [2] n Mündliche(s) nt.
orally [ˈɔːrəlɪ] adv [a] oral ▸ **not to be taken ~** nicht einnehmen. [b] (verbally) mündlich.
orange [ˈɒrɪndʒ] [1] n (fruit) Orange, Apfelsine f; (tree) Orangenbaum m. [2] adj (in colour) orange inv, orange(n)farben.
orangeade [ˌɒrɪndʒˈeɪd] n Orangenlimonade f.
orange: ~juice n Orangensaft m; **~ peel** n Orangenschale f.
orang-utan(g) [ɔːˌræŋuːˈtæn, -ˈtæŋ] n Orang-Utan m.
oration [ɒˈreɪʃən] n Ansprache f ▸ **funeral ~** Grabrede f.
orator [ˈɒrətəʳ] n Redner(in f) m.
oratorio [ˌɒrəˈtɔːrɪəʊ] n (Mus) Oratorium nt.
oratory [ˈɒrətərɪ] n (art) Redekunst f.
orbit [ˈɔːbɪt] [1] n (Astron, Space) Umlaufbahn f ▸ **to be in ~** in der Umlaufbahn sein; **to put a satellite into ~** einen Satelliten in die Umlaufbahn schießen; **to go into ~** in die Umlaufbahn eintreten. [2] vt umkreisen. [3] vi kreisen.
orbital road [ˈɔːbɪtlˈrəʊd] n Ringstraße f, Ring m.
orchard [ˈɔːtʃəd] n Obstgarten m; (commercial) Obstplantage f ▸ **apple ~** Obstgarten m mit Apfelbäumen.
orchestra [ˈɔːkɪstrə] n Orchester nt; (US Theat: seating) Parkett nt.
orchestral [ɔːˈkestrəl] adj Orchester-.
orchestra pit n Orchestergraben m.
orchestrate [ˈɔːkɪstreɪt] vt (Mus, fig) orchestrieren.
orchestration [ˌɔːkɪsˈtreɪʃən] n Orchestrierung f.
orchid [ˈɔːkɪd] n Orchidee f.
ordain [ɔːˈdeɪn] vt [a] sb ordinieren. [b] (destine: God, fate) wollen, bestimmen ▸ **it was ~ed** das Schicksal hat es so gefügt (geh).
ordeal [ɔːˈdiːl] n Tortur f; (stronger, long-lasting) Martyrium nt; (torment, emotional ~) Qual f.
▼**order** [ˈɔːdəʳ] [1] n [a] (sequence) (Reihen)folge f ▸ **word ~** Wortstellung f; **in ~ of preference etc** in der bevorzugten Reihenfolge; **to put sth in (the right) ~** etw ordnen; **to be in the wrong ~ or out of ~** durcheinander sein; (one item) nicht am richtigen Platz sein. [b] (system, discipline) Ordnung f, (in school also) Disziplin f ▸ **there's no ~ in his work** seiner Arbeit fehlt die Systematik; **it is in the ~ of things** es liegt in der Natur der Dinge; **his passport was in ~** sein Paß war in Ordnung; **to keep ~** die Ordnung wahren; **to keep the children in ~** die Kinder unter Kontrolle halten. [c] (working condition) Zustand m ▸ **to be in good/bad ~** in gutem/schlechtem Zustand sein; (work well/badly) in Ordnung/nicht in Ordnung sein; **to be out of/in ~** (car, radio, telephone) nicht funktionieren/funktionieren; (machine, lift) außer/in Betrieb sein. [d] (command) Befehl m ▸ **by ~ of the minister** auf Anordnung des Ministers; **to be under ~s to do sth** Instruktionen haben, etw zu tun. [e] (in restaurant etc, for supplies) Bestellung f; (for goods, services) Auftrag m ▸ **two ~s of French fries** (esp US) zwei Portionen Pommes frites; **made to ~** auf Bestellung (gemacht); **to place an ~ with sb** eine Bestellung bei jdm aufgeben or machen; jdm einen Auftrag geben; **pay to the ~ of** zahlbar an (+acc). [f] **in ~ to do sth** um etw zu tun; **in ~ that** damit. [g] (correct procedure at meeting, Parl etc) **a point of ~** eine Verfahrensfrage; **to be out of ~** (fig) aus dem Rahmen fallen; **to call the meeting to ~** die Versammlung zur Ordnung rufen; **a drink would seem to be in ~** ein Drink wäre angebracht; **is it in ~ for me to go to Paris?** ist es in Ordnung, wenn ich nach Paris fahre?; **to be the ~ of the day** auf dem Programm stehen (also fig); (Mil) der Tagesbefehl sein. [h] (Biol) Ordnung f; (fig: class, degree) Art f ▸ **intelli-**

gence of a high ~ hochgradige Intelligenz; *something in the* ~ *of ten per cent* in der Größenordnung von zehn Prozent.
[i] (*Eccl*) (*of monks etc*) Orden *m* ► *to take (holy)* ~*s* die Weihen empfangen.
[2] *vt* [a] (*command, decree*) *sth* befehlen, anordnen; (*prescribe: doctor*) verordnen (*for sb* jdm); ► *to* ~ *sb to do sth* jdm befehlen, etw zu tun; (*esp Mil*) jdn dazu beordern, etw zu tun; *the referee* ~*ed him off the pitch* der Schiedsrichter stellte ihn vom Platz. [b] (*direct, arrange*) *one's affairs, life* ordnen. [c] (*Comm etc*) *goods, dinner, taxi* bestellen; (*to be manufactured*) in Auftrag geben (*from sb* bei jdm).
[3] *vi* bestellen.
◆**order about** *or* **around** *vt sep* herumkommandieren.
order: ~ **book** *n* (*Comm*) Auftragsbuch *nt*; *to have a full* ~ *book* voll im Geschäft sein; ~ **form** *n* Bestellformular *nt*, Bestellschein *m*.
orderly ['ɔːdəlɪ] [1] *adj* [a] (*tidy, methodical*) ordentlich. [b] (*disciplined*) ruhig, friedlich.
[2] *n (medical)* ~ Pfleger(in *f*) *m*; (*Mil*) Sanitäter *m*.
order number *n* (*Comm*) Bestellnummer *f*.
ordinal ['ɔːdɪnl] (*Math*) [1] *adj* Ordnungs-, Ordinal-.
[2] *n* Ordnungs- *or* Ordinalzahl *f*.
ordinarily ['ɔːdnrɪlɪ] *adv* gewöhnlich; (+*adj*) normal.
ordinary ['ɔːdnrɪ] [1] *adj* [a] gewöhnlich, normal ► *in the* ~ *way I would ...* normalerweise *or* gewöhnlich würde ich ...; *my* ~ *doctor* der Arzt, zu dem ich normalerweise gehe; ~ *seaman* (*Brit*) Leichtmatrose *m*; ~ *share* (*Fin*) Stammaktie *f*. [b] (*average*) durchschnittlich.
[2] *n out of the* ~ außergewöhnlich, außerordentlich.

╔═══════════════════╗
║ **ORDINARY DEGREE** ║
╚═══════════════════╝

ⓘ *Ordinary degree ist ein Universitätsabschluß, der an Studenten vergeben wird, die entweder die für ein honours degree nötige Note nicht erreicht haben, aber trotzdem nicht durchgefallen sind, oder die sich nur für ein ordinary degree eingeschrieben haben, wobei das Studium meist kürzer ist.*

ordination [,ɔːdɪ'neɪʃən] *n* Ordination *f*.
ordnance ['ɔːdnəns] *n* (*Mil*) (*artillery*) Geschütze *pl*; (*supply*) Material *nt* ► ~ *factory* Munitionsfabrik *f*; *O~ Survey map* (*Brit*) ≈ Meßtischblatt *nt*.
ore [ɔːʳ] *n* Erz *nt*.
organ ['ɔːgən] *n* [a] (*Anat*) Organ *nt*. [b] (*Mus*) Orgel *f*. [c] (*mouthpiece of opinion*) Sprachrohr *nt*; (*newspaper*) Organ *nt*.
organ-grinder ['ɔːgən'graɪndəʳ] *n* Drehorgelspieler *m*.
organic [ɔː'gænɪk] *adj* (*lit, fig*) organisch; *vegetables etc* aus biologischem Anbau; *farming* biologisch-dynamisch.
organism ['ɔːgənɪzəm] *n* Organismus *m*.
organist ['ɔːgənɪst] *n* Organist(in *f*) *m*.
organization [,ɔːgənaɪ'zeɪʃən] *n* [a] (*act*) Organisation *f* (*also Pol*); (*of time*) Einteilung *f*. [b] (*arrangement*) *see vt* (a) Ordnung *f*, Einteilung *f*; Aufbau *m*; Planung *f*. [c] (*institution*) Organisation *f*; (*Comm*) Unternehmen *nt* ► ~ *chart* Organisationsplan *m*.
organize ['ɔːgənaɪz] *vt* [a] (*systematize*) ordnen; *time, work* einteilen; *essay* aufbauen; *one's/sb's life* planen ► *to get (oneself)* ~*d* (*get ready*) alles vorbereiten; (*sort things out*) seine Sachen in Ordnung bringen. [b] (*arrange*) *party, meeting etc* organisieren; *food for party etc* sorgen für ► *to* ~ *things so that ...* es so einrichten, daß ...
organized ['ɔːgənaɪzd] *adj* organisiert; *life* geregelt ► *he isn't very* ~ bei ihm geht alles drunter und drüber (*col*).
organizer ['ɔːgənaɪzəʳ] *n* Organisator(in *f*) *m*; (*of event also*) Veranstalter(in *f*) *m*.

orgasm ['ɔːgæzəm] *n* Orgasmus *m*.
orgy ['ɔːdʒɪ] *n* (*lit, fig*) Orgie *f* ► *drunken* ~ Sauforgie *f* (*col*).
orient ['ɔːrɪənt] [1] *n* (*also O~*) Orient *m*; (*poet also*) Morgenland *nt*.
[2] *vt see* **orientate**.
oriental [,ɔːrɪ'entl] [1] *adj* orientalisch.
[2] *n* (*person*) *O~* Orientale *m*, Orientalin *f*.
orientate ['ɔːrɪənteɪt] *vt* ausrichten (*towards* auf +*acc*); *thinking* orientieren (*towards* an +*dat*) ► *money-~d* materiell ausgerichtet.
orientation [,ɔːrɪən'teɪʃən] *n* Orientierung *f*; (*fig also*) Ausrichtung *f*.
orienteering [,ɔːrɪən'tɪərɪŋ] *n* Orientierungslauf *m*.
orifice ['ɒrɪfɪs] *n* Öffnung *f*.
origin ['ɒrɪdʒɪn] *n* Ursprung *m*; (*of person, family*) Herkunft *f* ► *to have its* ~ *in sth* auf etw (*acc*) zurückgehen; *country of* ~ Herkunftsland *nt*; *of humble* ~*s* aus bescheidenen Verhältnissen.
original [ə'rɪdʒɪnl] [1] *adj* (*first, earliest*) ursprünglich ► ~ *inhabitants of a country* Ureinwohner *pl* eines Landes; ~ *text/version* Urtext *m*/Urfassung *f*. [b] (*not imitative*) *painting* original; *idea* originell ► ~ *research* eigene Forschung.
[2] *n* Original *nt*; (*of model*) Vorlage *f* ► *he reads Kant in the* ~ er liest Kant im Original.
originality [ə,rɪdʒɪ'nælɪtɪ] *n* Originalität *f*.
originally [ə,rɪdʒənəlɪ] *adv* [a] ursprünglich. [b] (*in an original way*) originell.
originate [ə'rɪdʒɪneɪt] [1] *vt* hervorbringen; *policy, company* ins Leben rufen; *product* erfinden.
[2] *vi* [a] entstehen ► *to* ~ *from* or *with sb* von jdm stammen. [b] (*US: bus, train etc*) ausgehen (*in* von).
origination [ərɪdʒɪ'neɪʃən] *n* Entstehung *f*; (*of product*) Erfindung *f*.
originator [ə'rɪdʒɪneɪtəʳ] *n* (*of plan, idea*) Urheber(in *f*) *m*; (*of product*) Erfinder(in *f*) *m*.
Orkney Islands ['ɔːknɪaɪləndz] *npl* (*also* **Orkneys**) Orkneyinseln *pl*.
ornament ['ɔːnəmənt] [1] *n* (*object*) Ziergegenstand *m*.
[2] *vt* verzieren; *room* ausschmücken.
ornamental [,ɔːnə'mentl] *adj* dekorativ; *garden, plant etc* Zier-.
ornamentation [,ɔːnəmen'teɪʃən] *n* (*ornamental detail*) Verzierungen *pl*; (*ornaments*) Schmuck *m*.
ornate [ɔː'neɪt] *adj* kunstvoll; (*of larger objects*) prunkvoll; *language* überladen (*pej*), reich.
ornithologist [,ɔːnɪ'θɒlədʒɪst] *n* Ornithologe *m*, Ornithologin *f*.
ornithology [,ɔːnɪ'θɒlədʒɪ] *n* Ornithologie, Vogelkunde *f*.
orphan ['ɔːfən] [1] *n* Waise *f*.
[2] *vt to be* ~*ed* zur Waise werden.
orphanage ['ɔːfənɪdʒ] *n* Waisenhaus *nt*.
orthodontist [,ɔːθəʊ'dɒntɪst] *n* Kieferorthopäde *m*, -pädin *f*.
orthodox ['ɔːθədɒks] *adj* (*Rel, fig*) orthodox.
orthodoxy ['ɔːθədɒksɪ] *n* [a] Orthodoxie *f*. [b] (*fig*) Konventionalität *f*.
orthography [ɔː'θɒgrəfɪ] *n* Rechtschreibung, Orthographie *f*.
orthopaedic, (*US*) **orthopedic** [,ɔːθəʊ'piːdɪk] *adj* orthopädisch.
orthopaedics, (*US*) **orthopedics** [,ɔːθəʊ'piːdɪks] *n sing* Orthopädie *f*.
orthopaedist, (*US*) **orthopedist** [,ɔːθəʊ'piːdɪst] *n* Orthopäde *m*, Orthopädin *f*.
OS = [a] **ordinary seaman**. [b] (*Brit*) **Ordnance Survey**. [c] **outsize**.
Oscar ['ɒskəʳ] *n* (*Film*) Oscar *m*.
oscillate ['ɒsɪleɪt] *vi* (*lit, fig*) schwanken; (*Phys*)

oszillieren, schwingen.

oscillation [,ɒsɪ'leɪʃən] n Schwanken nt; (individual movement etc) Schwankung f; (Phys) Oszillation, Schwingung f.

Oslo ['ɒzləʊ] n Oslo nt.

osmosis [ɒz'məʊsɪs] n Osmose f.

osprey ['ɒspreɪ] n Fischadler m.

ossify ['ɒsɪfaɪ] vi (lit) verknöchern; (fig) erstarren; (mind) unbeweglich werden.

ostensible [ɒ'stensəbl] adj vorgeblich; (alleged) angeblich.

ostentation [,ɒsten'teɪʃən] n (display of wealth etc) Pomp m, Protzerei f (pej); (of skills etc) Angeberei f.

ostentatious [,ɒsten'teɪʃəs] adj **a** (pretentious) protzig (col). **b** (conspicuous) auffällig.

osteopath ['ɒstɪəpæθ] n Osteopath(in f) m.

ostracism ['ɒstrəsɪzəm] n Ächtung f.

ostracize ['ɒstrəsaɪz] vt ächten.

ostrich ['ɒstrɪtʃ] n Strauß m.

OT = **Old Testament** AT.

other ['ʌðəʳ] **1** adj **a** andere(r, s) ▶ ~ people andere (Leute); some ~ people will come later später kommen noch ein paar; do you have any ~ questions? haben Sie sonst noch Fragen?; the ~ day neulich; some ~ time (in future) ein andermal; (in past) ein anderes Mal; ~ people's property fremdes Eigentum. **b** every ~ (alternate) jede(r, s) zweite. **c** ~ than (except) außer (+dat); (different to) anders als. **d** some time or ~ irgendwann (einmal); some writer or ~ irgendein Schriftsteller m. **2** pron andere(r, s) ▶ he doesn't like hurting ~s er mag niemanden verletzen; there are 6 ~s da sind noch 6 (andere); are there any ~s there? sind noch andere da?; there were no ~s there es waren sonst keine da; something/someone or ~ irgend etwas/jemand; one or ~ of them will come einer (von ihnen) wird kommen. **3** adv somehow or ~ irgendwie; somewhere or ~ irgendwo; he was none ~ than the Minister es war niemand anders als der Minister.

otherwise ['ʌðəwaɪz] **1** adv **a** (in a different way) anders ▶ I am ~ engaged (form) ich bin anderweitig beschäftigt; except where ~ stated (form) sofern nicht anders angegeben; Richard I, ~ (known as) the Lionheart Richard I., auch als Löwenherz bekannt; you seem to think ~ Sie scheinen anderer Meinung zu sein. **b** (in other respects) sonst, im übrigen. **2** conj (or else) sonst, andernfalls.

other-worldly ['ʌðə'wɜːldlɪ] adj attitude weltfern; smile, expression entrückt.

otter ['ɒtəʳ] n Otter m.

OU (Brit) = **Open University**.

ouch [aʊtʃ] interj autsch.

▼ **ought** [ɔːt] aux **a** (moral obligation) I ~ to do it ich sollte or müßte es tun; he ~ to have come er hätte kommen sollen or müssen; he thought you ~ to know er meinte, Sie sollten das wissen. **b** (desirability) you ~ to see that film den Film sollten Sie sehen; she ~ to have been a teacher sie hätte Lehrerin werden sollen. **c** (probability) he ~ to win the race er müßte das Rennen gewinnen; that ~ to do das dürfte wohl or müßte reichen; ... and I ~ to know! ... und ich muß es doch wissen!

ounce [aʊns] n Unze f ▶ there's not an ~ of truth in it daran ist kein Fünkchen Wahrheit.

our ['aʊəʳ] poss adj unser; see **my**.

ours ['aʊəz] poss pron unsere(r, s); see **mine¹**.

ourselves [,aʊə'selvz] pers pron (dir, indir obj +prep) uns; (emph) selbst; see **myself**.

oust [aʊst] vt object herausbekommen; government absetzen; politician, colleague etc absägen (col); rivals ausschalten; (take place of) verdrängen.

out [aʊt] see also ~ **of 1** adv **a** (not in container, car etc) außen; (not in building, room) draußen; (indicating motion) (seen from inside) hinaus, raus (col); (seen from ~side) heraus, raus (col) ▶ to be ~ weg sein; (when visitors come) nicht da sein; they are ~ shopping sie sind (zum) Einkaufen (gegangen); he's ~ in his car er ist mit dem Auto unterwegs; it's cold ~ here/there es ist kalt hier/da draußen; he likes to be ~ and about er ist gern unterwegs; we had a day ~ in London wir hatten einen Tagesausflug nach London gemacht; the journey ~ die Hinreise; (seen from destination) die Herfahrt; the workers are ~ (on strike) die Arbeiter streiken; the tide is ~ es ist Ebbe.

b (indicating distance) to go ~ to China nach China fahren; ~ in the Far East im Fernen Osten; the boat was ten miles ~ das Schiff war zehn Meilen weit draußen; five days ~ from Liverpool (Naut) (leaving) fünf Tage nach dem Auslaufen von Liverpool; (approaching) fünf Tage vor Liverpool; ~ at sea draußen auf dem Meer.

c to be ~ (sun, stars, moon) scheinen; (flowers) blühen.

d (light, fire, ball, player) aus; (not in fashion) aus der Mode; (~ of the question) ausgeschlossen, nicht drin (col) ▶ to be ~ (unconscious) bewußtlos or weg (col) sein.

e the best car ~ das beste Auto, das es zur Zeit gibt; to be ~ (be published) herausgekommen sein; their secret was ~ ihr Geheimnis war bekannt geworden; the results are ~ die Ergebnisse sind (he)raus; ~ with it! heraus damit!; before the day was ~ noch am selben Tag; his calculations were ~ er hatte sich in seinen Berechnungen geirrt; you're not far ~ Sie haben es fast (getroffen); you're way ~! weit gefehlt! (geh), da hast du dich völlig vertan (col); we were £5/20% ~ wir hatten uns um £ 5/20% verrechnet or vertan (col); speak ~ loud sprechen Sie laut/lauter; to be ~ for a good time sich amüsieren wollen; he's ~ for all he can get er will haben, was er nur bekommen kann; he's ~ to get her er ist hinter ihr her; he's just ~ to make money er ist nur auf Geld aus; ~ and away weitaus, mit Abstand.

2 n **a** see **in**. **b** (esp US fig col: way ~) Hintertür f.

out-and-out ['aʊtən'aʊt] adj liar, fool ausgemacht; defeat total.

outback ['aʊtbæk] n: the ~ (in Australia) das Hinterland.

out: ~**bid** pret, ptp ~**bid** vt überbieten; ~**board** adj motor Außenbord-.

outbreak ['aʊtbreɪk] n (of war, hostility, disease) Ausbruch m ▶ a recent ~ of fire caused ... ein Brand verursachte kürzlich ...; at the ~ of war bei Kriegsausbruch.

outbuilding ['aʊtbɪldɪŋ] n Nebengebäude nt.

outburst ['aʊtbɜːst] n (of joy, anger) Ausbruch m.

outcast ['aʊtkɑːst] n Ausgestoßene(r) mf ▶ social ~ Außenseiter m der Gesellschaft.

outclass [,aʊt'klɑːs] vt in den Schatten stellen.

outcome ['aʊtkʌm] n Ergebnis nt ▶ what was the ~? was ist dabei herausgekommen?

outcrop ['aʊtkrɒp] n an ~ (of rock) eine Felsnase.

outcry ['aʊtkraɪ] n Aufschrei m (against über +acc); (public protest) Protestwelle f (against gegen) ▶ there was a general ~ about the increase in taxes eine Welle des Protests erhob sich wegen der Steuererhöhung.

out: ~**dated** adj idea, theory überholt; machine, word, custom veraltet; ~**distance** vt hinter sich (dat) lassen, abhängen (col).

outdo [,aʊt'duː] pret **outdid** [,aʊt'dɪd], ptp **outdone** [,aʊt'dʌn] vt übertreffen, überbieten (sb in sth jdn an etw dat).

outdoor ['aʊtdɔːʳ] adj life, games im Freien ▶ ~ shoes Straßenschuhe pl; ~ clothes wärmere Kleidung; ~ type sportlicher Typ; ~ swimming pool Freibad nt.

▶ SENTENCE BUILDER: ought: b → 9.2 c → 2.2

outdoors ['aʊt'dɔːz] **1** *adv* draußen, im Freien ► *to go* ~ ins Freie *or* nach draußen gehen.
2 *n the great* ~ (*hum*) die freie Natur.

outer ['aʊtəʳ] *adj attr* äußere(r, s); *door etc also* Außen- ► ~ *garments or clothing* Oberbekleidung *f*; ~ *space* der Weltraum.

outfit ['aʊtfɪt] *n* **a** (*clothes*) Kleidung *f*; (*Fashion*) Ensemble *nt*; (*uniform*) Uniform *f*; (*of scout*) Kluft *f*. **b** (*equipment*) Ausrüstung *f*. **c** (*col: organization*) Verein *m* (*col*). **d** (*Mil*) Einheit, Truppe *f*.

outfitter ['aʊtfɪtəʳ] *n* (*of ships*) Ausrüster *m* ► *gentlemen's* ~*'s* (*esp Brit*) Herrenausstatter *m*; *sports* ~*'s* (*esp Brit*) Sportartikelgeschäft *nt*.

outgoing ['aʊtˌgəʊɪŋ] **1** *adj* **a** *tenant* ausziehend; *office-holder* scheidend; *train, boat* hinausfahrend ► ~ *flight* Hinflug *m*. **b** *personality* kontaktfreudig.
2 *npl* ~*s* (*Brit*) Ausgaben *pl*.

outgrow [ˌaʊt'grəʊ] *pret* **outgrew** [ˌaʊt'gruː], *ptp* **outgrown** [ˌaʊt'grəʊn] *vt clothes* herauswachsen aus; *habit* entwachsen (+*dat*).

outhouse ['aʊthaʊs] *n* Nebengebäude *nt*.

outing ['aʊtɪŋ] *n* Ausflug *m* ► *to go on an* ~ einen Ausflug machen.

outlandish [ˌaʊt'lændɪʃ] *adj* absonderlich; *behaviour also* befremdend; *wallpaper etc* ausgefallen.

outlast [ˌaʊt'lɑːst] *vt* (*live longer*) überleben; (*endure longer*) länger durchhalten als; (*thing*) länger halten als; (*idea etc*) überdauern.

outlaw ['aʊtlɔː] **1** *n* Geächtete(r) *mf*; (*in western etc*) Bandit *m*.
2 *vt organization* ächten; *newspaper etc* verbieten.

outlay ['aʊtleɪ] *n* (Kosten)aufwand *m*; (*recurring, continuous*) Kosten *pl* ► *the initial* ~ die anfänglichen Aufwendungen; *capital* ~ Kapitalaufwand *m*.

outlet ['aʊtlet] **1** *n* **a** (*for water*) Abfluß *m*; (*for steam*) Abzug *m*; (*US Elec*) Steckdose *f*. **b** (*Comm*) Absatzmarkt *m*; (*merchant*) Abnehmer *m*; (*shop*) Verkaufsstelle *f*. **c** (*fig*) (*for talents*) Betätigungsmöglichkeit *f*; (*for emotion*) Ventil *nt*.
2 *attr pipe* Abfluß-; (*for steam*) Abzugs-; *valve* Auslaß-.

▼ **outline** ['aʊtlaɪn] **1** *n* **a** (*of objects*) Umriß *m*; (*silhouette*) Silhouette *f*; (*of face*) Züge *pl*. **b** (*fig: summary*) Abriß *m* ► *in (broad)* ~ in groben Zügen; *just give (me) the broad* ~*s* skizzieren Sie es mir grob.
2 *vt* **a** *the mountain was* ~*d against the sky* der Berg zeichnete sich gegen den Himmel ab. **b** (*give summary of*) umreißen, skizzieren.

outlive [ˌaʊt'lɪv] *vt person* überleben ► *to have* ~*d its usefulness* ausgedient haben; (*method, system*) sich überlebt haben.

outlook ['aʊtlʊk] *n* **a** (*view*) Aussicht *f* (*over* über +*acc*, *on* to auf +*acc*). **b** (*prospects, Met*) Aussichten *pl*. **c** (*mental attitude*) Einstellung *f* ► *his* ~ (*up*)*on life* seine Einstellung zum Leben.

out: ~**lying** *adj* (*distant*) entlegen, abgelegen; (*outside the town boundary*) umliegend; ~**lying district** (*of town*) Außenbezirk *nt*; ~**manoeuvre,** (*US*) ~**maneuver** *vt* (*Mil, fig*) ausmanövrieren; (*in rivalry*) ausstechen; ~**moded** *adj* unzeitgemäß; *ideas, technology etc also* überholt.

outnumber [ˌaʊt'nʌmbəʳ] *vt* in der Überzahl sein gegenüber ► *to be* ~*ed* zahlenmäßig unterlegen sein; *we were* ~*ed five to one* sie waren fünfmal so viele wie wir.

out of *prep* **a** (*outside, away from*) (*position*) nicht in (+*dat*), außerhalb (+*gen*); (*motion*) aus (+*dat*) ► *to go/ be* ~ *the country* außer Landes gehen/sein; *he walked* ~ *the room* er ging aus dem Zimmer (hinaus); *he went* ~ *the door* er ging zur Tür hinaus; *to look* ~ *the window* aus dem Fenster sehen; *I saw him* ~ *the window* ich sah ihn durchs Fenster; ~ *danger/sight* außer

Gefahr/Sicht; *he feels* ~ *it* (*col*) er kommt sich (*dat*) ausgeschlossen vor; *you're well* ~ *it* so ist es auch besser für dich.
b (*cause, motive*) aus (+*dat*) ► ~ *curiosity* aus Neugier.
c (*indicating origins or source*) aus (+*dat*) ► *to drink* ~ *a glass* aus einem Glas trinken; *made* ~ *silver* aus Silber (gemacht); *to copy sth* ~ *a book* etw aus einem Buch kopieren.
d (*from among*) von (+*dat*) ► *in seven cases* ~ *ten* in sieben von zehn Fällen; *one* ~ *every four smokers* einer von vier Rauchern.
e (*without*) ~ *breath* außer Atem; *we are* ~ *money/bread* wir haben kein Geld/Brot mehr.

out: ~**-of-court** *adj* außergerichtlich; ~**-of-date** *adj, pred* ~ *of date methods, ideas* überholt; *clothes, records* altmodisch; *customs* veraltet; ~**-of-the-way** *adj, pred* ~ *of the way spot* abgelegen; *theory* ungewöhnlich; ~**patient** *n* ambulanter Patient, ambulante Patientin; ~**patients' (department)** Ambulanz *f*; ~**play** *vt* besser spielen als; ~**post** *n* (*Mil, fig*) Vorposten *m*.

output ['aʊtpʊt] **1** *n* (*of machine, factory, person*) Produktion *f*; (*of engine, Elec*) Leistung *f*; (*capacity of amplifier*) Ausgangsleistung *f*; (*Comp*) Ausgabe *f*, Output *m or nt*.
2 *vt* (*Comp*) ausgeben.

outrage ['aʊtreɪdʒ] **1** *n* (*wicked, violent deed*) Schandtat *f*; (*cruel also*) Greueltat *f*; (*by police, demonstrators etc*) Ausschreitung *f*; (*indecency, injustice*) Skandal *m* ► *bomb* ~ verbrecherischer Bombenanschlag; *an* ~ *against humanity* ein Verbrechen *nt* gegen die Menschlichkeit; *it's a public* ~ es ist ein öffentlicher Skandal; *an* ~ *against good taste* eine unerhörte Geschmacklosigkeit.
2 [aʊt'reɪdʒ] *vt sense of decency* beleidigen; *person* empören, entrüsten.

outrageous [aʊt'reɪdʒəs] *adj* (*cruel, violent*) grauenhaft; (*unjust*) unerhört; *conduct, nonsense* haarsträubend; *language* entsetzlich; *charge etc* ungeheuerlich; *clothes, make-up* unmöglich; (*indecent*) geschmacklos.

outrageously [aʊt'reɪdʒəslɪ] *adv* fürchterlich; *exaggerate also* maßlos; *dressed* unmöglich.

out: ~**ran** *pret of* ~**run;** ~**rider** *n* (*on motorcycle*) Kradbegleiter *m*.

outright [aʊt'raɪt] **1** *adv* (*at once*) *kill* auf der Stelle; (*openly*) geradeheraus.
2 ['aʊtraɪt] *adj nonsense, disaster* total ► *that's* ~ *arrogance/deception* das ist die reine Arroganz/das ist glatter Betrug; *an* ~ *error* ganz einfach ein Fehler.

out: ~**run** *pret* ~**ran,** *ptp* ~**run** *vt* schneller laufen als; (*outdistance*) davonlaufen (+*dat*); ~**set** *n* Anfang *m*; *at the* ~**set** am Anfang; *from the* ~**set** von Anfang an; ~**shine** *pret, ptp* ~**shone** *vt* (*fig*) in den Schatten stellen.

outside [ˌaʊt'saɪd] **1** *n* (*of house, car, object*) Außenseite *f* ► *to open the door from the* ~ die Tür von außen öffnen; *to overtake on the* ~ außen überholen; *he sees it from the* ~ (*fig*) er sieht es als Außenstehender; *at the (very)* ~ im allerbesten Falle.
2 *adj* **a** (*external*) Außen-, äußere(r, s) ► *an* ~ *broadcast* eine nicht im Studio produzierte Sendung; ~ *capital* Fremdkapital *nt*; *the* ~ *lane* die äußere Spur; ~ *line* (*Telec*) Amtsanschluß *m*; ~ *seat* (*in a row*) Platz *m* am Gang. **b** *price* äußerste(r, s) ► *at an* ~ *estimate* maximal. **c** (*very unlikely*) *an* ~ *chance* eine geringe Chance; *my horse only has an* ~ *chance* mein Pferd hat nur Außenseiterchancen.
3 *adv* (*on the outer side*) außen; (*of house, vehicle*) draußen ► *to be/go* ~ draußen sein/nach draußen gehen.
4 *prep* (*also* ~ *of*) **a** außerhalb (+*gen*) ► *to be/go* ~

sth außerhalb einer Sache sein/aus etw gehen; *he is waiting ~ the door* er wartet vor der Tür; *it is ~ the terms of our agreement* es geht über unsere Vereinbarung hinaus. **b** (*apart from*) außer (*+dat*).

outsider [ˌaʊtˈsaɪdəʳ] *n* Außenseiter(in *f*) *m*.

out: **~size** *adj* übergroß; **~size clothes** Kleidung *f* in Übergröße; **~skirts** *npl* (*of town*) Außenbezirke *pl*, Stadtrand *m*; **~smart** *vt* (*col*) überlisten, austricksen (*col*).

outspoken [ˌaʊtˈspəʊkən] *adj person, criticism, book* freimütig; *remark* direkt ► *he is ~* er nimmt kein Blatt vor den Mund.

outspread [ˌaʊtˈspred] *adj* ausgebreitet.

outstanding [ˌaʊtˈstændɪŋ] *adj* **a** (*exceptional*) hervorragend; *talent, beauty* außerordentlich; *event* bemerkenswert; *detail* auffallend; *feature* hervorstechend. **b** (*Comm, Fin*) *business, work* unerledigt; *bill, interest* ausstehend.

outstandingly [ˌaʊtˈstændɪŋlɪ] *adv* außerordentlich ► *~ good/well* hervorragend.

out: **~stay** *vt I don't want to ~stay my welcome* ich will eure Gastfreundschaft nicht zu lange in Anspruch nehmen; **~stretched** *adj body* ausgestreckt; **~strip** *vt* **a** überholen; **b** (*fig*) übertreffen (*in* an *+dat*); **~take** *n* nicht verwendete Filmsequenz, Nichtkopierer *m* (*spec*); **~tray** *n* Ablage *f* für Ausgänge; **~vote** *vt* überstimmen.

outward [ˈaʊtwəd] **1** *adj* **a** *appearance, form* äußere(r, s) ► *it was purely ~ show* es war alles nur Theater *or* Mache (*col*). **b** *movement* nach außen gehend; *freight* ausgehend ► *~ journey/voyage* Hinfahrt/Hinreise *f*. **2** *adv* nach außen ► *the door opens ~* die Tür geht nach außen auf.

outwardly [ˈaʊtwədlɪ] *adv* nach außen hin.

outwards [ˈaʊtwədz] *adv* nach außen.

out: **~weigh** *vt disadvantages* mehr Gewicht haben als; **~wit** *vt* überlisten; (*in card games etc*) austricksen (*col*); **~worn** *adj idea* abgenutzt.

oval [ˈəʊvəl] **1** *adj* oval. **2** *n* Oval *nt*.

┌─── **OVAL OFFICE** ───────────────────────┐
ⓘ *Oval Office, ein großer ovaler Raum im Weißen Haus, ist das private Büro des amerikanischen Präsidenten. Im weiteren Sinne bezieht sich dieser Begriff oft auf die Präsidentschaft selbst.*
└──┘

ovary [ˈəʊvərɪ] *n* (*Anat*) Eierstock *m*; (*Bot*) Fruchtknoten *m*.

ovation [əʊˈveɪʃən] *n* Ovation *f*, stürmischer Beifall ► *to get an ~* stürmischen Beifall ernten.

oven [ˈʌvn] *n* (*Cook*) (Back)ofen *m*; (*cooker*) Herd *m*; (*Tech: for drying*) (Trocken)ofen *m* ► *it's like an ~ in here* hier ist es ja wie im Backofen.

oven: **~-glove** *n* (*Brit*) Topfhandschuh *m*; **~proof** *adj dish* feuerfest; **~-ready** *adj* bratfertig; **~ware** *n* feuerfeste Formen *pl*.

over [ˈəʊvəʳ] **1** *prep* **a** (*above, across*) über (*+dat*); (*direction*) über (*+acc*) ► *he spread the blanket ~ the bed* er breitete die Decke über das Bett; *he spilled coffee ~ it* er goß Kaffee darüber; *you've got ink all ~ your hands* Ihre Hände sind ganz voller Tinte; *to hit sb ~ the head* jdm auf den Kopf schlagen; *bent ~ one's books* über die Bücher gebeugt; *to look ~ the wall* über die Mauer schauen; *the noise came from ~ the wall* der Lärm kam von der anderen Seite der Mauer; *it's ~ the page* es ist auf der nächsten Seite; *it's just ~ the road from us* das ist von uns (aus) nur über die Straße; *the bridge ~ the river* die Brücke über den Fluß; *they came from all ~ England/all ~ the place* sie kamen aus ganz England/von überall her.

b (*more than, longer than*) über (*+acc*) ► *~ and*

above that darüber hinaus; *an increase of 15% ~ last year* ein Zuwachs von 15% im Vergleich zum letzten Jahr; *that was well ~ a year ago* das ist weit über ein Jahr her.

c (*during*) während (*+gen*), in (*+dat*) ► *~ the weekend* übers Wochenende; *~ the summer/Christmas* den Sommer über/über Weihnachten; *~ the years I've come to realize ...* im Laufe der Jahre ist mir klargeworden ...; *the visits were spread ~ several months* die Besuche verteilten sich über mehrere Monate.

d *they talked ~ a cup of coffee* sie unterhielten sich bei einer Tasse Kaffee; *they'll be a long time ~ it* sie werden dazu lange brauchen; *I've got an advantage ~ him* ich habe ihm gegenüber einen Vorteil; *he told me ~ the phone* er hat es mir am Telefon gesagt; *I heard it ~ the radio* ich habe es im Radio gehört; *it's not worth arguing ~* es lohnt (sich) nicht, darüber zu streiten.

2 *adv* **a** (*across*) (*away from speaker*) hinüber; (*towards speaker*) herüber; (*on the other side*) drüben ► *they swam ~ to us* sie schwammen zu uns herüber; *he took the fruit ~ to his mother* er brachte das Obst zu seiner Mutter hinüber; *he swam ~ to the other side* er schwamm auf die andere Seite (hinüber); *come ~ tonight* kommen Sie heute abend vorbei; *he is ~ here/there* er ist hier/dort drüben; *~ to you!* Sie sind daran; *and now ~ to our reporter in Belfast* und nun schalten wir zu unserem Reporter in Belfast um; *~ in America* drüben in Amerika.

b *famous the world ~* in der ganzen Welt berühmt; *I've been looking for it all ~* (*esp US*) ich habe überall danach gesucht; *I am aching all ~* mir tut alles weh; *he was shaking all ~* er zitterte am ganzen Leib; *that's him/Fred all ~* das ist typisch für ihn/Fred, typisch Fred.

c *to turn an object ~* einen Gegenstand herumdrehen; *he knocked the vase and ~ it went* er stieß an die Vase, und sie fiel um.

d (*ended: film, operation etc*) zu Ende ► *the rain is ~* der Regen hat aufgehört; *the danger was ~* die Gefahr war vorüber; *when all this is ~* wenn das alles vorbei ist; *it's all ~ between us* es ist aus zwischen uns.

e (*repetition*) *to start (all) ~ again* noch einmal (ganz) von vorn anfangen; *~ and ~ (again)* immer (und immer) wieder; *he did it five times ~* er hat es fünfmal wiederholt.

f (*excessively*) übermäßig, allzu.

g (*remaining*) übrig ► *there was no meat (left) ~* es war kein Fleisch mehr übrig.

h (*more*) *children of 8 and ~* Kinder über 8; *all results of 5.3 and ~* alle Ergebnisse von 5,3 und darüber.

i (*Telec*) over ► *~ and out* Ende der Durchsage; (*Aviat*) over and out.

over- *pref* über-.

over: **~abundant** *adj* überreichlich; **~act** *vi* (die Rolle) übertrieben spielen; **~active** *adj* zu aktiv.

overall¹ [ˌəʊvərˈɔːl] **1** *adj* **a** *width, total* gesamt, Gesamt- ► *~ dimensions* Außenmaße *pl*; *~ majority* absolute Mehrheit. **b** (*general*) allgemein ► *the ~ effect of this was to ...* dies hatte das Endergebnis, daß ... **2** *adv* **a** insgesamt. **b** (*in general*) im großen und ganzen.

overall² [ˈəʊvərɔːl] *n* (*Brit*) Kittel *m*.

overalls [ˈəʊvərɔːlz] *npl* Overall *m*.

over: **~anxious** *adj* übertrieben besorgt; (*on particular occasion*) übermäßig aufgeregt; *I'm not exactly ~anxious to go* ich bin nicht gerade scharf darauf zu gehen (*col*); **~ate** *pret of* **~eat**; **~awe** *vt* (*intimidate*) einschüchtern; (*impress*) überwältigen; **~balance** **1** *vi* aus dem Gleichgewicht kommen; **2** *vt* umwerfen; *boat* kippen.

overbearing [ˌəʊvəˈbɛərɪŋ] *adj* herrisch.
overboard [ˈəʊvəbɔːd] *adv* [a] (*Naut*) **to fall** ~ über Bord gehen; **man ~!** Mann über Bord! [b] (*fig: col*) **to go** ~ übers Ziel hinausschießen, zu weit gehen; **don't go ~ about it** übertreiben Sie es nicht.
over: ~**book** *vt* überbuchen; ~**burden** *vt* (*lit*) überladen; (*fig*) überlasten; ~**came** *pret of* ~**come**; ~**cast** *adj* bedeckt; *sky also* bewölkt; **it's getting rather ~cast** es zieht sich zu; ~**cautious** *adj* übervorsichtig.
overcharge [ˌəʊvəˈtʃɑːdʒ] *vt person* zuviel berechnen (+*dat*) (*for* für).
overcoat [ˈəʊvəkəʊt] *n* (Winter)mantel *m*.
overcome [ˌəʊvəˈkʌm] *pret* **overcame** [ˌəʊvəˈkeɪm], *ptp* ~ *vt enemy* überwältigen; *bad habit* sich (*dat*) abgewöhnen; *shyness etc* überwinden; *temptation* widerstehen (+*dat*); *difficulty, anger* überwinden; *disappointment* hinwegkommen über (+*acc*) ► **he was ~ by the fumes** die Dämpfe machten ihn bewußtlos; **he was quite ~ by grief/emotion** Schmerz/Rührung übermannte ihn; **I'm quite ~** ich bin ganz ergriffen.
over: ~**confidence** *n* übersteigertes Selbstvertrauen; (*over-optimism*) zu großer Optimismus; ~**confident** *adj* übertrieben selbstsicher; (*too optimistic*) zu optimistisch; ~**cook** *vt* verbraten; (*boil*) verkochen; ~ **critical** *adj* zu kritisch; ~**crowded** *adj* überfüllt; (*overpopulated*) überbevölkert; ~**crowding** *n* Überfüllung *f*, (*of town*) Überbevölkerung *f*.
overdo [ˌəʊvəˈduː] *pret* **overdid** [ˌəʊvəˈdɪd], *ptp* **overdone** [ˌəʊvəˈdʌn] *vt* (*exaggerate*) übertreiben ► **you are ~ing it** *or* **things** Sie übertreiben; (*tiring yourself*) Sie übernehmen sich.
over: ~**done** *adj* [a] (*exaggerated*) übertrieben; [b] (*Cook*) verkocht; *bacon etc* verbraten; ~**dose** [1] *n* Überdosis *f*; [2] *vi* eine Überdosis nehmen; ~**draft** *n* Konto-Überziehung *f*; **to have an ~draft of £10** sein Konto um £10 überzogen haben; ~**draft facility** *n* Dispositionskredit *m*; ~**draw** *pret* ~**drew**, *ptp* ~**drawn** *vt one's account* überziehen; ~**dressed** *adj* übertrieben gekleidet; (*too smart*) zu elegant angezogen; ~**drive** *n* (*Aut*) Schnellgang(getriebe *nt*) *m*; ~**due** *adj* überfällig; *long ~due* schon seit langem fällig; ~**eat** *pret* ~**ate**, *ptp* ~**eaten** *vi* zuviel essen; ~**emphasize** *vt* überbetonen; ~**enthusiastic** *adj* übertrieben begeistert; ~**estimate** *vt price* zu hoch einschätzen; *importance* überbewerten; *chances, danger* überschätzen; ~**excited** *adj person* zu aufgeregt; *children* aufgedreht; ~**exertion** *n* Überanstrengung *f*; ~**expose** *vt* (*Phot*) überbelichten; ~**feed** *pret, ptp* ~**fed** *vt* überfüttern; ~**fill** *vt* zu voll machen.
overflow [ˈəʊvəfləʊ] [1] *n* (*outlet*) Überlauf *m*; (*excess: of people, population*) Überschuß *m* (*of* an +*dat*). [2] [ˌəʊvəˈfləʊ] *vt area* überschwemmen ► **the river has ~ed its banks** der Fluß ist über die Ufer getreten. [3] [ˌəʊvəˈfləʊ] *vi* (*liquid, river etc*) überlaufen ► **full to ~ing** (*bowl, cup*) zum Überlaufen voll; (*room*) überfüllt; **the crowd at the meeting ~ed into the street** die Leute bei der Versammlung standen bis auf die Straße.
over: ~**fly** *pret* ~**flew**, *ptp* ~**flown** *vt* [a] (*fly over*) *town* überfliegen; [b] (*fly beyond*) *runway, airport* hinausfliegen über (+*acc*); ~**full** *adj* zu voll; ~**generous** *adj* zu großzügig; ~**grown** *adj* [a] überwachsen (*with* von); [b] **an ~grown schoolboy** ein großes Kind; ~**hang** (*vb: pret, ptp* ~**hung**) [1] *vt* hängen über (+*acc*); (*rocks, balcony*) hinausragen über (+*acc*), vorstehen über (+*acc*); [2] *n* Überhang *m*; ~**hanging** *adj* überhängend; ~**haul** [1] *n* Überholung *f*; [2] *vt machine, vehicle engine* überholen; *plans* überprüfen.
overhead [ˌəʊvəˈhed] [1] *adv* oben; (*in the sky*) am Himmel ► **a plane flew ~** ein Flugzeug flog über uns *etc* (*acc*) (hinweg). [2] [ˈəʊvəhed] *adj* ~ *cables* Freileitungen; ~ *projector* Overheadprojektor *m*; ~ *camshaft* obenliegende

Nockenwelle; ~ *valves* obengesteuerte Ventile. [3] [ˈəʊvəhed] *n* (*US*) = **overheads**.
overheads [ˈəʊvəhedz] *npl* (*Brit Comm*) allgemeine Unkosten *pl*.
overhear [ˌəʊvəˈhɪər] *pret, ptp* **overheard** [ˌəʊvəˈhɜːd] *vt* zufällig mit anhören ► **he was ~d to say that ...** jemand hat ihn sagen hören, daß ...
over: ~**heat** [1] *vi* (*engine etc*) heißlaufen; (*fig: economy*) sich überhitzen; [2] *vt* (*lit, fig*) überhitzen; ~**hung** *pret, ptp of* ~**hang**.
overindulge [ˌəʊvərɪnˈdʌldʒ] *vi* zuviel genießen.
overindulgence [ˌəʊvərɪnˈdʌldʒəns] *n* (*eating*) Völlerei *f* ► ~ *in wine* übermäßiger Weingenuß.
overjoyed [ˌəʊvəˈdʒɔɪd] *adj* überglücklich (*at, by* über +*acc*) ► **he wasn't exactly ~** er war nicht gerade erfreut.
over: ~**kill** *n* (*Mil*) Overkill *m*; (*fig*) Rundumschlag *m*; ~**land** *adv travel etc* über Land.
overlap [ˈəʊvəlæp] [1] *n* Überschneidung *f*, (*of concepts*) teilweise Deckung ► **3 inches' ~** 3 Zoll Überlappung; **there's quite a lot of ~ between their work** ihre Arbeitsbereiche überschneiden sich in vielen Punkten. [2] [ˌəʊvəˈlæp] *vi* [a] (*tiles, boards*) sich überlappen. [b] (*dates, responsibilities*) sich überschneiden; (*ideas, work*) sich teilweise decken.
over: ~**lay** (*pret, ptp* ~**laid**) [ˌəʊvəˈleɪ] *vt* überziehen; ~**leaf** *adv* **the illustration ~leaf** die umseitige Abbildung; ~**load** *vt* überladen; (*Elec, Mech*) überlasten.
overlook [ˌəʊvəˈlʊk] *vt* [a] (*have view onto*) überblicken ► **a room ~ing the park** ein Zimmer mit Blick auf den Park; **the garden is not ~ed** niemand kann in den Garten hineinsehen. [b] (*fail to notice*) übersehen. [c] (*ignore*) *mistake* hinwegsehen über (+*acc*), durchgehen lassen.
overly [ˈəʊvəlɪ] *adv* übermäßig.
over: ~**manning** *n* Überbesetzung *f* (mit Arbeitskräften); ~**much** *adv* übermäßig viel.
overnight [ˌəʊvəˈnaɪt] [1] *adv* [a] über Nacht ► **to stay ~ (with sb)** bei jdm übernachten. [b] (*fig*) von heute auf morgen ► **the place had changed ~** der Ort hatte sich über Nacht verändert. [2] [ˈəʊvəˌnaɪt] *adj* [a] *journey, train etc* Nacht- ► ~ *stay* Übernachtung *f*, ~ *bag* Reisetasche *f*. [b] (*fig: sudden*) ganz plötzlich ► **the play was an ~ success** das Stück wurde über Nacht ein Erfolg.
over: ~**paid** *pret, ptp of* ~**pay**; ~**particular** *adj* zu genau, pingelig (*col*); ~**pass** *n* Überführung *f*, ~**pay** *pret, ptp* ~**paid** *vt* überbezahlen; **to ~pay sb by £50** jdm £50 zuviel bezahlen; ~**populated** *adj* übervölkert; ~**population** *n* Übervölkerung *f*.
overpower [ˌəʊvəˈpaʊər] *vt* (*emotion, heat*) überwältigen.
overpowering [ˌəʊvəˈpaʊərɪŋ] *adj* überwältigend; *smell* penetrant; *heat* unerträglich ► **he's a bit ~ at times** seine Art kann einem manchmal zuviel werden.
over: ~**price** *vt* **these goods are ~priced** diese Waren sind zu teuer; **at £50 it's ~priced** £50 ist zuviel dafür; ~**print** *vt stamp, text* überdrucken; (*Phot*) überkopieren; ~**produce** *vi* überproduzieren; ~**production** *n* Überproduktion *f*; ~**protective** *adj parent* überängstlich; ~**rate** *vt* überschätzen; *book, system etc* überbewerten; ~**reach** *vr* sich übernehmen; ~**react** *vi* übertrieben reagieren (*to* auf +*acc*); ~**reaction** *n* übertriebene Reaktion (*to* auf +*acc*).
override [ˌəʊvəˈraɪd] *pret* **overrode** [ˌəʊvəˈrəʊd], *ptp* **overridden** [ˌəʊvəˈrɪdn] *vt decision, ruling* aufheben, außer Kraft setzen; *objection* ablehnen; *mechanism* abschalten.
overriding [ˌəʊvəˈraɪdɪŋ] *adj principle* vorrangig, wichtigste(r, s) ► **of ~ importance** von allergrößter Wichtigkeit.
overripe [ˌəʊvəˈraɪp] *adj* überreif.

overrule [ˌəʊvə'ruːl] vt ablehnen; *claim* nicht anerkennen; *verdict, decision* aufheben ▸ *he was ~d by the majority* er wurde überstimmt.

overrun [ˌəʊvə'rʌn] pret **overran** [ˌəʊvə'ræn], ptp ~ **1** vt **a** (*weeds*) überwuchern ▸ ~ *with tourists* von Touristen überlaufen. **b** (*troops etc: invade*) einfallen in (+*dat*). **2** vi (*in time*) überziehen ▸ *his speech overran by ten minutes* seine Rede dauerte zehn Minuten zu lang.

overseas ['əʊvə'siːz] **1** adj *market, state* ausländisch; (*far away*) Übersee- ▸ *our ~ office* unsere Zweigstelle im Ausland/in Übersee; ~ *aid* Entwicklungshilfe f; *an ~ visitor* ein Besucher aus dem Ausland/aus Übersee. **2** [ˌəʊvə'siːz] adv *to be ~* im Ausland/in Übersee sein; *to go ~* ins Ausland/nach Übersee gehen.

over: ~**see** pret ~**saw,** ptp ~**seen** vt beaufsichtigen; ~**seer** n Aufseher(in f) m; (*foreman*) Vorarbeiter(in f) m; ~**sensitive** adj überempfindlich; ~**shadow** vt (*lit, fig*) überschatten.

overshoot [ˌəʊvə'ʃuːt] pret, ptp **overshot** [ˌəʊvə'ʃɒt] vt *runway* hinausschießen über (+*acc*) ▸ *to ~ the mark* (*lit, fig*) übers Ziel hinausschießen.

oversight ['əʊvəsaɪt] n Versehen nt ▸ *by or through an ~* aus Versehen.

over: ~**simplification** n (zu) grobe Vereinfachung; ~**simplify** vt grob vereinfachen; ~**sleep** pret, ptp ~**slept** vi verschlafen; ~**spend** pret, ptp ~**spent** vi zuviel ausgeben; ~**spending** n zu hohe Ausgaben pl; ~**spill** n (*Brit*) Bevölkerungsüberschuß m; ~**spill town** Trabantenstadt f; ~**staffed** adj übersetzt; ~**state** vt *facts, case* übertreiben; ~**statement** n Übertreibung f; ~**step** vt *to ~step the mark* zu weit gehen; ~**strain** vt *person* überanstrengen; *metal, part, resources, strength* überbelasten; *to ~strain oneself* sich übernehmen; ~**strung** adj *person* überspannt; ~**subscribe** vt (*Fin*) überzeichnen.

overt [əʊ'vɜːt] adj offen; *hostility* unverhohlen.

overtake [ˌəʊvə'teɪk] pret **overtook** [ˌəʊvə'tʊk], ptp **overtaken** [ˌəʊvə'teɪkən] **1** vt einholen; (*pass*) *runner etc*, (*Brit*) *car* überholen ▸ *events have ~n us* wir waren auf die Entwicklung der Dinge nicht gefaßt. **2** vi (*Brit*) überholen.

overtaking [ˌəʊvə'teɪkɪŋ] n (*Brit*) Überholen nt ▸ *"No ~"* „Überholverbot".

over: ~**tax** vt **a** (*fig*) *person, heart* überlasten; *patience* überfordern; *to ~tax oneself or one's strength* sich übernehmen; **b** (*lit*) übermäßig besteuern; ~**throw** (*vb:* pret ~**threw**, ptp ~**thrown**) **1** ['əʊvəˌθrəʊ] n Sieg m (*of* über +*acc*); (*being ~thrown*) Niederlage f; (*of dictator etc*) Sturz m; (*of country*) Eroberung f; **2** [ˌəʊvə'θrəʊ] vt (*defeat*) *enemy* besiegen; *dictator* stürzen; *country* erobern.

overtime ['əʊvətaɪm] **1** n **a** Überstunden pl ▸ *I am on ~* ich mache Überstunden; *he did four hours' ~* er hat vier (Stunden) Überstunden gemacht. **b** (*US Sport*) Verlängerung f. **2** adv *to work ~* Überstunden machen; *my imagination was working ~* meine Phantasie lief auf Hochtouren (*col*).

overtime ban n Überstundenverbot nt.

over: ~**tired** adj übermüdet; ~**tiredness** n Übermüdung f.

overtone ['əʊvətəʊn] n (*fig*) Unterton m.

overture ['əʊvətjʊər] n (*Mus*) Ouvertüre f ▸ *to make ~s to sb* Annäherungsversuche bei jdm machen.

overturn [ˌəʊvə'tɜːn] **1** vt **a** umkippen, umwerfen. **b** *regime* stürzen. **2** vi (*chair*) umkippen; (*boat also*) kentern.

over: ~**use 1** [ˌəʊvə'juːz] vt zu häufig gebrauchen; **2** [ˌəʊvə'juːs] n zu häufiger Gebrauch; ~**value** vt *goods* zu hoch schätzen; ~**view** n Überblick m (*of* über +*acc*).

overweening [ˌəʊvə'wiːnɪŋ] adj überheblich, anmaßend; *ambition* maßlos.

overweight ['əʊvə'weɪt] adj *thing* zu schwer; *person* übergewichtig ▸ *this box is 5 kilos ~* diese Schachtel hat 5 Kilo Übergewicht; *you're ~* Sie haben Übergewicht.

overwhelm [ˌəʊvə'welm] vt **a** (*overpower: strong feelings*) überwältigen ▸ *he was ~ed when they gave him the present* er war zutiefst gerührt, als sie ihm das Geschenk gaben. **b** *enemy* überwältigen; *country* besiegen. **c** (*fig*) (*with favours, praise*) überschütten; (*with questions*) bestürmen; (*with work*) überhäufen.

overwhelming [ˌəʊvə'welmɪŋ] adj überwältigend; *desire* unwiderstehlich.

overwhelmingly [ˌəʊvə'welmɪŋlɪ] adv see adj *they voted ~ for it* sie haben mit überwältigender Mehrheit dafür gestimmt.

overwork [ˌəʊvə'wɜːk] **1** n Überarbeitung f. **2** vt *horse etc* schinden; *person* überanstrengen; *idea, theme* überstrapazieren ▸ *we're ~ed* wir sind überarbeitet. **3** vi sich überarbeiten.

overwrite [ˌəʊvə'raɪt] vti (*Comp*) überschreiben.

overwrought [ˌəʊvə'rɔːt] adj *person* überreizt.

overzealous [ˌəʊvə'zeləs] adj übereifrig.

ovulation [ˌɒvjʊ'leɪʃən] n Eisprung m.

ow [aʊ] interj autsch.

owe [əʊ] vt *money* schulden, schuldig sein (*sb sth, sth to sb* jdm etw) ▸ *I ~ him a meal* ich bin ihm noch ein Essen schuldig; *how much do I ~ you?* (*in shop etc*) was bin ich (Ihnen) schuldig?; *I ~ my life to him* ich verdanke ihm mein Leben; *to what do I ~ the honour of your visit?* (*iro*) was verschafft mir die Ehre Ihres Besuches?

▼ **owing** ['əʊɪŋ] **1** adj unbezahlt ▸ *how much is still ~?* wieviel steht noch aus? **2** prep ~ *to* wegen (+*gen or* (*col*) +*dat*), infolge (+*gen*); ~ *to the circumstances* umständehalber; ~ *to his being foreign* weil er Ausländer ist/war.

owl [aʊl] n Eule f.

own¹ [əʊn] vt **a** (*possess*) besitzen ▸ *who ~s that?* wem gehört das?; *he acts as if he ~s the place* er tut, als wäre er hier zu Hause. **b** (*admit*) zugeben; (*recognize*) anerkennen.

◆**own up** vi zugeben ▸ *to ~ ~ to sth* etw zugeben; *he ~ed ~ to stealing the money* er gab zu, das Geld gestohlen zu haben.

own² **1** adj attr eigen ▸ *his ~ car* sein eigenes Auto; *one's ~ car* ein eigenes Auto; *he's his ~ man* er geht seinen eigenen Weg; *he does (all) his ~ cooking* er kocht für sich selbst. **2** pron **a** *that's my ~* das ist mein eigenes; *those are my ~* die gehören mir; *my ~ is bigger* meine(r, s) ist größer; *my time is my ~* ich kann frei über meine Zeit verfügen; *a house of one's ~* ein eigenes Haus; *I have money of my ~* ich habe selbst Geld; *it has a beauty all its ~ or of its ~* es hat eine ganz eigene Schönheit. **b** (*in phrases*) *can I have it for my (very) ~?* darf ich das ganz für mich allein behalten?; *to get one's ~ back (on sb)* es jdm heimzahlen; *(all) on one's ~* (ganz) allein; *on its ~* (*alone*) allein; (*automatically*) von selbst, von allein.

own brand n Hausmarke f.

owner ['əʊnər] n Besitzer(in f), Eigentümer(in f) m; (*of shop, factory, firm etc*) Inhaber(in f) m ▸ *who's the ~ of this umbrella?* wem gehört dieser Schirm?; *at the ~'s risk* auf eigene Gefahr.

owner-occupier [ˌəʊnər'ɒkjʊpaɪər] n jd, der ein Haus/ eine Wohnung besitzt und darin wohnt, Eigennutzer m (*form*).

ownership ['əʊnəʃɪp] n Besitz m ▸ *under new ~* unter

neuer Leitung.
own goal n (lit, fig) Eigentor nt.
ox [ɒks] n, pl **-en** Ochse m ► *as strong as an* ~ bären-
stark.

┌─── ▢ *OXBRIDGE* ─────────────────────────────────┐

ⓘ *Oxbridge, eine Mischung aus Ox(ford) und*
(Cam)bridge, bezieht sich auf die uralten
Universitäten von Oxford und Cambridge. Dieser Begriff
ist oft wertend und bringt das Prestige und die Privilegien
zum Ausdruck, die traditionellerweise mit diesen
Universitäten in Verbindung gebracht werden.

└──┘

oxidation [ˌɒksɪ'deɪʃən] n (Chem) Oxydation f.
oxide ['ɒksaɪd] n (Chem) Oxyd nt.
oxidize ['ɒksɪdaɪz] vti oxydieren.

Oxon ['ɒksən] = ▢ **Oxfordshire**. ▢ **Oxoniensis** der
Universität Oxford.
oxtail ['ɒksteɪl] n: ~ *soup* Ochsenschwanzsuppe f.
oxyacetylene [ˌɒksɪə'setɪliːn] adj Azetylensauerstoff- ►
~ *burner* or *torch* Schweißbrenner m; ~ *welding*
Autogenschweißen nt.
oxygen ['ɒksɪdʒən] n Sauerstoff m.
oxygen: ~ **mask** n Sauerstoffmaske f; ~ **tank** n Sauer-
stoffbehälter m; ~ **tent** n Sauerstoffzelt nt.
oyster ['ɔɪstəʳ] n Auster f ► *the world's his* ~ die Welt
steht ihm offen.
oz = **ounce(s)**.
Oz [ɒz] n (col) Australien nt.
ozone ['əʊzəʊn] n Ozon nt ► ~-*friendly* ozonfreund-
lich; ~ *layer* Ozonschicht f; *hole in the* ~ *layer*
Ozonloch nt.

P

P, p [piː] *n* P, p *nt* ► *P for Peter* P wie Peter; *to mind one's P's and Q's* (*col*) sich anständig benehmen.

p = [a] **page** S. [b] **penny, pence.** [c] (*Mus*) **piano** p.

P = **Prince** Pr.

PA = [a] **personal assistant.** [b] **public address (system).** [c] (*US Post*) **Pennsylvania.**

p.a. = **per annum.**

pa [pɑː] *n* (*esp US col*) Papa *m* (*col*).

pace [peɪs] [1] *n* [a] (*step*) Schritt *m* ► *twelve ~s off* zwölf Schritt(e) entfernt; *to put sb/a new car through his/its ~s* (*fig*) jdn/ein neues Auto auf Herz und Nieren prüfen. [b] (*speed*) Tempo *nt* ► *at a good or smart ~* recht schnell; *at a slow ~* langsam; *how long will he keep this ~ up?* wie lange wird er das Tempo durchhalten?; *the present ~ of development* die momentane Entwicklungsrate; *to keep ~* Schritt halten; (*in discussing*) mitkommen; *I can't keep ~ with events* ich komme mit den Ereignissen nicht mehr mit; *to make or set the ~* das Tempo angeben; *I can't stand the ~ any more* (*col*) ich kann nicht mehr mithalten. [2] *vt* (*measure*) *floor, room* mit Schritten ausmessen. [3] *vi to ~ up and down* auf und ab gehen.

pace: **~maker** *n* (*Med, Sport, fig*) Schrittmacher *m*; **~setter** *n* (*Sport*) Schrittmacher *m*.

Pacific [pəˈsɪfɪk] [1] *n the ~ (Ocean)* der Pazifische Ozean, der Pazifik. [2] *adj time, islands* Pazifisch; *coast* Pazifik- ► *a ~ island* eine Insel im Pazifik.

pacifier [ˈpæsɪfaɪəʳ] *n* (*US: dummy*) Schnuller *m*.

pacifism [ˈpæsɪfɪzəm] *n* Pazifismus *m*.

pacifist [ˈpæsɪfɪst] [1] *adj* pazifistisch. [2] *n* Pazifist(in *f*) *m*.

pacify [ˈpæsɪfaɪ] *vt baby* beruhigen; *angry person* besänftigen; *area* befrieden ► *just to ~ the unions* nur damit die Gewerkschaften stillhalten.

pack [pæk] [1] *n* [a] (*bundle*) Bündel *nt*; (*on animal*) Last *f*; (*rucksack*) Rucksack *m*; (*Mil*) Gepäck *nt no pl*. [b] (*packet*) (*washing powder etc*) Paket *nt*; (*US: of cigarettes*) Schachtel *f* ► *in ~s of six* im Sechserpack. [c] (*Hunt*) Meute *f*. [d] (*of wolves*) Rudel *nt*. [e] (*pej: group*) Horde, Meute *f* ► *he told us a ~ of lies* er tischte uns einen Sack voll Lügen auf. [f] (*of cards*) (Karten)spiel *nt*. [g] (*Rugby*) Stürmer *pl*. [2] *vt* [a] *container etc* vollpacken; *meat in tin etc* abpacken ► *~ed in dozens* im Dutzend abgepackt. [b] *case* packen; *things in case* einpacken ► *~ed in polythene* in Cellophan verpackt. [d] (*crowd*) packen; *articles also* stopfen ► *the box was ~ed full of explosives* die Kiste war voll mit Sprengstoff; *the crowds that ~ed the stadium* die Menschenmassen, die sich im Stadium drängten; *to be ~ed (out)* (*full*) gerammelt voll sein (*col*); *all this information is ~ed into one chapter* all diese Informationen sind in einem Kapitel zusammengedrängt. [e] (*make firm*) *soil etc* festdrücken. [f] (*US col: carry*) *gun* tragen, dabei haben. [g] (*col*) *to ~ a (heavy) punch* kräftig zuschlagen. [3] *vi* [a] (*items*) passen; (*person*) packen ► *it ~s (in) nicely* es läßt sich gut verpacken; *I'm still ~ing* ich bin noch beim Packen. [b] (*crowd*) *the crowds ~ed into the stadium* die Menge drängte sich in das Stadion; *we can't all ~ into one Mini* wir können uns nicht alle in einen Mini zwängen. [c] (*col*) *to send sb ~ing* jdn kurz abfertigen.

◆**pack in** [1] *vt sep* [a] *clothes etc* einpacken. [b] *people* hineinpferchen in (*+acc*) ► *we can't ~ any more ~ here* (*people*) hier geht keiner mehr rein; (*things*) hier geht nichts mehr rein. [c] (*play, actor etc*) in Scharen anziehen. [d] (*Brit col: give up*) *job* hinschmeißen (*col*); *girlfriend etc* sausenlassen (*col*); *work, activity* Feierabend machen mit (*col*) ► *~ it ~!* hör auf!, laß es gut sein! [2] *vi* [a] (*crowd in*) sich hineindrängen. [b] (*Brit col: engine etc*) seinen Geist aufgeben (*hum*).

◆**pack off** *vt sep she ~ed them ~ to bed/school* sie schickte sie ins Bett/in die Schule.

◆**pack up** [1] *vt sep clothes etc* zusammenpacken. [2] *vi* [a] (*prepare luggage*) packen. [b] (*col: stop working*) (*engine*) seinen Geist aufgeben (*hum*); (*person*) Feierabend machen (*col*). [c] *the tent ~s ~ easily* das Zelt läßt sich gut verpacken.

package [ˈpækɪdʒ] [1] *n* [a] (*parcel, esp US: packet*) Paket *nt*; (*of cardboard*) Schachtel *f*. [b] (*esp Comm: group, set*) Paket, Bündel *nt* ► *software ~* Softwarepaket *nt*. [2] *vt* [a] verpacken. [b] (*to enhance sales*) präsentieren.

package: **~ bomb** *n* (*US*) Paketbombe *f*; **~ deal** *n* Pauschalangebot *nt*; **~ holiday** *or* **tour** *n* Pauschalreise *f*.

packaging [ˈpækɪdʒɪŋ] *n see vt* [a] Verpackung *f*. [b] Präsentation *f*.

packed lunch [pækt'lʌntʃ] *n* Lunchpaket *nt*.

packer [ˈpækəʳ] *n* Packer(in *f*) *m*.

packet [ˈpækɪt] *n* [a] Paket *nt*; (*of cigarettes*) Päckchen *nt*, Schachtel *f*; (*of potato crisps*) Tüte *f*; (*small box*) Schachtel *f*. [b] (*Brit col: lot of money*) *that must have cost a ~* das muß ein Heidengeld gekostet haben (*col*).

pack: **~horse** *n* Packpferd *nt*; (*fig*) Packesel *m*; **~ice** *n* Packeis *nt*.

packing [ˈpækɪŋ] *n* [a] (*act*) (*in suitcases*) Packen *nt*; (*in factories etc*) Verpackung *f* ► *to do one's ~* packen. [b] (*material*) Verpackung *f*.

packing case *n* Kiste *f*.

pact [pækt] *n* Pakt *m* ► *to make a ~ with sb* mit jdm einen Pakt schließen.

pad [pæd] [1] *n* [a] (*stuffing*) (*for comfort etc*) Polster *nt*; (*for protection*) Schützer *m*. [b] (*of paper*) Block *m*. [c] (*for inking*) Stempelkissen *nt*. [d] (*of animal's foot*) Ballen *m*. [e] (*launching ~*) (Abschuß)rampe *f*. [f] (*col: room, home*) Bude *f* (*col*). [2] *vt shoulders etc* polstern.

◆**pad about** *vi* umhertapsen.

◆**pad out** *vt sep* [a] *shoulders* polstern. [b] *essay etc* auswalzen; *speech* ausdehnen.

padded [ˈpædɪd] *adj* gepolstert; *envelope* wattiert.

padding [ˈpædɪŋ] *n* [a] (*material*) Polsterung *f*. [b] (*fig: in essay etc*) Füllwerk *nt*.

paddle [ˈpædl] [1] *n* [a] (*oar*) Paddel *nt*; (*blade of wheel*) Schaufel *f*; (*wheel*) Schaufelrad *nt*; (*US: for table tennis*) Schläger *m*. [b] *to go for a ~* durchs Wasser waten. [2] *vti* [a] paddeln. [b] (*walk in shallow water*) waten.

paddle: **~ boat** *n* Raddampfer *m*; (*small, on pond*) Paddelboot *nt*; **~ steamer** *n* Raddampfer *m*.

paddling pool [ˈpædlɪŋˌpuːl] *n* (*Brit*) Planschbecken *nt*.

paddock ['pædək] *n* (*field*) Koppel *f*; (*of racecourse*) Sattelplatz *m*; (*motor racing*) Fahrerlager *nt*.

paddy ['pædɪ] *n* (*also ~ field*) Reisfeld *nt*.

padlock ['pædlɒk] [1] *n* Vorhängeschloß *nt*. [2] *vt* (mit einem Vorhängeschloß) verschließen.

padre ['pɑːdrɪ] *n* (*Mil*) Feldkaplan *m*.

paediatric, (*US*) **pediatric** [ˌpiːdɪˈætrɪk] *adj* Kinder-.

paediatrician, (*US*) **pediatrician** [ˌpiːdɪəˈtrɪʃən] *n* Kinderarzt *m*, -ärztin *f*.

pagan ['peɪɡən] [1] *adj* heidnisch. [2] *n* Heide *m*, Heidin *f*.

page¹ [peɪdʒ] [1] *n* (*also ~-boy*) Page *m*. [2] *vt* to ~ sb jdn ausrufen lassen.

page² *n* Seite *f* ► on ~ 14 auf Seite 14; **write on both sides of the** ~ beschreiben Sie beide Seiten; **to turn over the ~/~s** umblättern.

pageant ['pædʒənt] *n* (*show*) Historienspiel *nt*.

pageantry ['pædʒəntrɪ] *n* Prunk *m*, Gepränge *nt*.

page: ~-boy *n* [a] Page *m*; [b] (*hairstyle*) Pagenkopf *m*; **~ number** *n* Seitenzahl *f*; **~ proofs** *npl* (*Print*) Umbruch *m*.

pager ['peɪdʒəʳ] *n* Piepser *m* (*col*).

paginate ['pædʒɪneɪt] *vt* paginieren.

pagination [ˌpædʒɪˈneɪʃən] *n* Paginierung *f*.

pagoda [pəˈɡəʊdə] *n* Pagode *f*.

paid [peɪd] [1] *pret, ptp of* **pay**. [2] *adj official, work* bezahlt ► **to put ~ to sth** etw zunichte machen; **that's put ~ to him** das war's dann wohl für ihn (*col*).

paid-up [ˌpeɪdˈʌp] *adj share* eingezahlt ► **a ~ membership of 500** 500 zahlende Mitglieder; **fully ~ member** Mitglied *nt* ohne Beitragsrückstände; (*fig*) überzeugtes Mitglied.

pail [peɪl] *n* Eimer *m*.

pain [peɪn] [1] *n* [a] (*physical*) Schmerz *m*; (*mental*) Qualen *pl* ► **this helps the ~** das ist gut gegen die Schmerzen; **to be in ~** Schmerzen haben; **he screamed in ~** er schrie vor Schmerzen; **I have a ~ in my leg** mein Bein tut mir weh. [b] **to be at (great) ~s to do sth** sich (*dat*) (große) Mühe geben, etw zu tun; **to take ~s over sth/to do sth** sich (*dat*) Mühe mit etw geben/sich (*dat*) Mühe geben, etw zu tun. [c] (*penalty*) **on ~ of death** bei Todesstrafe. [d] **to be a (real) ~** *or* **a ~ in the neck** einem auf den Wecker gehen (*col*). [2] *vt* (*mentally*) schmerzen ► **it ~s me to see their ignorance** ihre Unwissenheit tut schon weh.

pain barrier *n* Schmerzgrenze *f*.

pained [peɪnd] *adj expression* gequält.

painful ['peɪnfʊl] *adj* [a] (*physically*) schmerzhaft ► **is it ~?** tut es weh? [b] *experience, memory* unangenehm ► **it is my ~ duty to tell you that ...** ich habe die traurige Pflicht, Ihnen mitteilen zu müssen, daß ... [c] (*col: terrible*) peinlich; (*boring*) *party etc* zum Sterben langweilig.

painfully ['peɪnfəlɪ] *adv* [a] (*physically*) schmerzhaft. [b] (*col: very*) schrecklich ► **it was ~ obvious** es war nicht zu übersehen.

painkiller ['peɪnˌkɪləʳ] *n* Schmerzmittel *nt*.

painkilling ['peɪnˌkɪlɪŋ] *adj* schmerzstillend.

painless ['peɪnlɪs] *adj* schmerzlos ► **don't worry, it's quite ~** (*col*) keine Angst, es ist ganz einfach.

painstaking ['peɪnzˌteɪkɪŋ] *adj person, work* äußerst sorgfältig; *accuracy* peinlich.

painstakingly ['peɪnzˌteɪkɪŋlɪ] *adv* mit äußerster Sorgfalt; (*very accurately*) peinlich genau.

paint [peɪnt] [1] *n* [a] Farbe *f*; (*on car, furniture also*) Lack *m*; (*make-up*) Schminke *f*. [b] **~s** *pl* Farben *pl*. [2] *vt* [a] *wall etc* streichen; *car* lackieren ► **to ~ the town red** (*col*) die Stadt unsicher machen (*col*). [b] *picture, person* malen ► **he ~ed a very convincing picture** (*fig*) er zeichnete ein sehr überzeugendes Bild. [3] *vi* malen; (*decorate*) (an)streichen.

paint: ~box *n* Farbkasten *m*; **~brush** *n* Pinsel *m*.

painter ['peɪntəʳ] *n* Maler(in *f*) *m*.

pain threshold *n* Schmerzschwelle *f*.

painting ['peɪntɪŋ] *n* [a] (*picture*) Bild, Gemälde *nt*. [b] *no pl* (*Art*) Malerei *f*. [c] *no pl* (*of flat etc*) Anstreichen *nt*.

paint: ~ pot *n* Farbtopf *m*; **~ remover** *or* **stripper** *n* Abbeizmittel *nt*; **~ roller** *n* Rolle *f*; **~work** *n* (*on car etc*) Lack *m*; (*on wall, furniture*) Anstrich *m*.

pair [pɛəʳ] [1] *n* (*of shoes, people*) Paar *nt*; (*of animals, cards*) Pärchen *nt* ► **a ~ of trousers/scissors** eine Hose/Schere; **in ~s** paarweise; *arrive, go out* zu zweit; *seated* in Zweiergruppen. [2] *vt* in Paaren *or* paarweise anordnen.

◆pair off [1] *vt sep* in Zweiergruppen einteilen ► **to ~ sb ~ with sb** (*find boyfriend etc for*) jdn mit jdm zusammenbringen. [2] *vi* Paare bilden ► **to ~ ~ with sb** mit jdm gehen.

pajamas [pəˈdʒɑːməz] *npl* (*US*) = **pyjamas**.

Paki ['pækɪ] (*esp pej col*) [1] *n* (*person*) Pakistani *mf*. [2] *adj* pakistanisch.

Pakistan [pɑːkɪsˈtɑːn] *n* Pakistan *nt*.

Pakistani [ˌpɑːkɪsˈtɑːnɪ] [1] *adj* pakistanisch. [2] *n* Pakistani *mf*, Pakistaner(in *f*) *m*.

P & L = **profit and loss** GuV *f*.

pal [pæl] *n* (*col*) Kumpel *m* (*col*).

palace ['pælɪs] *n* (*lit, fig*) Palast *m*.

palatable ['pælətəbl] *adj* (*also iro*) genießbar; *food also* schmackhaft (*to* für); (*fig*) attraktiv.

palate ['pælɪt] *n* (*lit*) Gaumen *m*.

palatial [pəˈleɪʃəl] *adj* (*spacious*) palastartig; (*luxurious*) luxuriös, feudal (*hum col*).

palaver [pəˈlɑːvəʳ] *n* [a] (*Brit col: fuss*) Theater *nt* (*col*). [b] (*esp US: chatter*) Geschwätz *nt*.

pale¹ [peɪl] [1] *adj* (+*er*) blaß; *face* (*unhealthy*) bleich ► **~ green** *etc* blaß- *or* zartgrün *etc*; **to go** *or* **turn ~** bleich werden. [2] *vi* (*person*) erbleichen, blaß werden ► **to ~ into insignificance** zur Bedeutungslosigkeit herabsinken.

pale² *n* (*stake*) Pfahl *m* ► **to be beyond the ~** unmöglich sein; **those remarks were quite beyond the ~** diese Bemerkungen haben eindeutig die Grenzen überschritten.

paleness ['peɪlnɪs] *n* Blässe *f*.

Palestine ['pælɪstaɪn] *n* Palästina *nt*.

Palestinian [ˌpæləˈstɪnɪən] [1] *adj* palästinensisch. [2] *n* Palästinenser(in *f*) *m*.

palette ['pælɪt] *n* Palette *f*.

palisade [ˌpælɪˈseɪd] *n* [a] Palisade *f*. [b] **~s** *pl* (*US*) Steilufer *nt*.

pall¹ [pɔːl] *n* (*over coffin*) Sargtuch *nt* ► **a ~ of smoke** eine Dunstglocke; (*rising*) eine Rauchwolke.

pall² *vi* an Reiz verlieren.

pall-bearer ['pɔːlˌbɛərəʳ] *n* Sargträger *m*.

pallet ['pælɪt] *n* (*for storage*) Palette *f*.

palliative ['pælɪətɪv] *n* Linderungsmittel *nt*.

pallid ['pælɪd] *adj* blaß, fahl.

pallor ['pæləʳ] *n* Blässe, Fahlheit *f*.

pally ['pælɪ] *adj* (+*er*) (*col*) *manner, type* kumpelhaft ► **to be ~ with sb** mit jdm gut Freund sein; **to get ~ with sb** sich mit jdm anfreunden.

palm¹ [pɑːm] *n* (*Bot*) Palme *f*; (*Eccl*) Palmzweig *m*.

palm² *n* (*Anat*) Handfläche *f* ► **to grease sb's ~** jdn schmieren (*col*); **to read sb's ~** jdm aus der Hand lesen.

◆palm off *vt sep* (*col*) *rubbish, goods* andrehen (*on*(*to*) *sb* jdm) (*col*).

palmist ['pɑːmɪst] *n* Handliniendeuter(in *f*) *m*.

palmistry ['pɑːmɪstrɪ] *n* Handliniendeutung *f*.

palm: P~ Sunday *n* Palmsonntag *m*; **~ tree** *n* Palme *f*.

palmy ['pɑːmɪ] *adj* (+*er*) glücklich, unbeschwert.

palpable ['pælpəbl] *adj* greifbar; (*clear*) *lie, error* offensichtlich.

palpably ['pælpəblɪ] *adv* (*clearly*) eindeutig.

palpitate ['pælpɪteɪt] *vi* (*heart*) heftig klopfen; (*tremble*) zittern.

palpitation [,pælpɪ'teɪʃən] *n* (*of heart*) Herzklopfen *nt*; (*trembling*) Zittern *nt* ► **to have ~s** Herzklopfen haben.

paltry ['pɔːltrɪ] *adj* armselig, schäbig.

pampas ['pæmpəs] *npl* Pampas *pl* ► **~ grass** Pampasgras *nt*.

pamper ['pæmpəʳ] *vt* verwöhnen; *child also, dog* verhätscheln.

pamphlet ['pæmflɪt] *n* (*informative*) Broschüre *f*; (*literary*) Druckschrift *f*; (*political*) Flugblatt *nt*.

pan¹ [pæn] **1** *n* **a** (*Cook*) Pfanne *f*; (*sauce~*) Topf *m*. **b** (*of scales*) Waagschale *f*; (*of lavatory*) Becken *nt*. **2** *vt* **a** *gold* waschen. **b** (*US*) *fish* braten. **c** (*US col: slate*) *new play etc* verreißen. **3** *vi* **to ~ for gold** Gold waschen.

♦**pan out** *vi* (*col*) sich entwickeln ► **to ~ ~ well** klappen (*col*).

pan² *vi* (*camera*) schwenken ► **a ~ning shot** ein Schwenk *m*.

pan- *pref* pan-, Pan- ► **P~-African** panafrikanisch.

panacea [,pænə'sɪə] *n* Allheilmittel *nt*.

panache [pə'næʃ] *n* Schwung, Elan *m* ► **she dresses with ~** sie kleidet sich sehr extravagant.

Panama [,pænə'mɑː] *n* Panama *nt* ► **~ Canal** Panamakanal *m*.

panama (hat) *n* Panamahut *m*.

pancake ['pænkeɪk] *n* Pfannkuchen *m* ► **P~ Day** Fastnachtsdienstag *m*.

pancreas ['pæŋkrɪəs] *n* Bauchspeicheldrüse *f*.

panda ['pændə] *n* Panda *m*.

panda car *n* (*Brit*) (Funk)streifenwagen *m*.

pandemonium [,pændɪ'məʊnɪəm] *n* Chaos *nt*.

pander ['pændəʳ] *vi* nachgeben (*to dat*) ► **she ~ed to his every wish** sie erfüllte ihm jeden Wunsch; **to ~ to sb's ego** jdm um den Bart gehen.

p and h, p & h (*US*) = postage and handling.

p and p, p & p = postage and packing.

pane [peɪn] *n* Glasscheibe *f*.

panel ['pænl] **1** *n* **a** (*wood*) Platte, Tafel *f*; (*in ceiling, door*) Feld *nt*; (*Art*) Tafel *f*; (*of bodywork of a car*) Karosserieteil *nt*; (*of instruments, switches*) Schalttafel *f* ► **instrument ~** Armaturenbrett *nt*; (*on machine*) Kontrolltafel *f*. **b** (*of interviewers etc*) Gremium *nt*; (*in discussion*) Diskussionsrunde *f*; (*in quiz game*) Rateteam *nt* ► **a ~ of experts** ein Sachverständigengremium *nt*. **2** *vt* wall täfeln.

panel: **~ beater** *n* Autoschlosser *m*; **~ discussion** *n* Podiumsdiskussion *f*; **~ game** *n* Ratespiel *nt*.

panelling, (*US*) **paneling** ['pænəlɪŋ] *n* Täfelung *f*, Paneel *nt*; (*to conceal radiator etc*) Verschalung *f*.

panellist, (*US*) **panelist** ['pænəlɪst] *n* Diskussionsteilnehmer(in *f*) *m*.

pang [pæŋ] *n* **~ of conscience** Gewissensbisse *pl*; **~s of hunger** quälender Hunger.

panic ['pænɪk] **1** *n* Panik *f* ► **to flee in ~** panikartig die Flucht ergreifen; **a ~ reaction** eine panikartige Reaktion; **to hit the ~ button** (*fig col*) durchdrehen (*col*). **2** *vi* in Panik geraten ► **don't ~!** nur keine Panik!

panicky ['pænɪkɪ] *adj person* überängstlich; *act, measure etc* panikartig.

panic-stricken ['pænɪk,strɪkən] *adj* von Panik ergriffen; *look* panisch.

pannier ['pænɪəʳ] *n* Korb *m*; (*on motor-cycle etc*) Satteltasche *f*.

panorama [,pænə'rɑːmə] *n* Panorama *nt* (*of gen*); (*survey*) Übersicht *f* (*of* über +*acc*).

panoramic [,pænə'ræmɪk] *adj view* Panorama- ► **~ shot** (*Phot*) Panoramaaufnahme *f*; **a ~ view of the hills** ein

Blick *m* auf das Bergpanorama.

pansy ['pænzɪ] *n* **a** (*Bot*) Stiefmütterchen *nt*. **b** (*pej*) (*effeminate man*) Tunte *f* (*col*); (*homosexual*) Schwule(r) *m* (*col*).

pant [pænt] *vi* keuchen; (*dog*) hecheln ► **to be ~ing for a drink** nach etwas zu trinken lechzen.

pantechnicon [pæn'teknɪkən] *n* (*Brit*) Möbelwagen *m*.

panther ['pænθəʳ] *n* Panther *m*.

panties ['pæntɪz] *npl* Höschen *nt*; (*for women also*) Slip *m* ► **a pair of ~** ein Höschen *nt*/ein Slip *m*.

pantomime ['pæntəmaɪm] *n* (*in GB: Theat*) Weihnachtsmärchen *nt*; (*mime*) Pantomime *f*.

─┤ PANTOMIME ├─

ⓘ *Pantomime oder umgangssprachlich **panto** ist in Großbritannien ein zur Weihnachtszeit aufgeführtes Märchenspiel mit possenhaften Elementen, Musik, Standardrollen (ein als Frau verkleideter Mann, ein Junge, ein Bösewicht) und aktuellen Witzen. Publikumsbeteiligung wird gern gesehen (z.B. warnen die Kinder den Helden mit dem Ruf 'He's behind you' vor einer drohenden Gefahr), und viele der Witze sprechen vor allem Erwachsene an, so daß pantomimes Unterhaltung für die ganze Familie bieten.*

pantry ['pæntrɪ] *n* Speisekammer *f*.

pants [pænts] *npl* (*esp US: trousers*) Hose *f*; (*Brit: under~*) Unterhose *f* ► **a pair of ~** eine Hose/Unterhose; **to wear the ~** (*US fig*) die Hosen anhaben (*col*).

pantsuit ['pæntsuːt] *n* (*US*) Hosenanzug *m*.

pantyhose ['pæntɪhəʊz] *n* (*US*) Strumpfhose *f*.

papacy ['peɪpəsɪ] *n* Papsttum *nt*.

papal ['peɪpəl] *adj* päpstlich.

paparazzo [,pæpə'rætsəʊ] *pl* **paparazzi** [,pæpə'rætsɪ] *n* Fotojäger, Paparazzo *m*.

paper ['peɪpəʳ] **1** *n* **a** Papier *nt* ► **a piece of ~** ein Stück *nt* Papier; **a sheet of ~** ein Blatt *nt* Papier; **to put sth down on ~** etw schriftlich festhalten; **it looks good on ~ but ...** auf dem Papier sieht es gut aus, aber ...; **it's not worth the ~ it's written on** es ist schade um das Papier, auf dem es steht. **b** (*newspaper*) Zeitung *f* ► **to write to the ~s about sth** Leserbriefe/einen Leserbrief schreiben; **it was in the ~s** es stand in der Zeitung. **c** **~s** *pl* (*identity ~s, writings*) Papiere *pl*; **private ~s** private Unterlagen *pl*. **d** (*set of questions in exam*) Testbogen *m*; (*exam*) (*Univ*) Klausur *f*; (*Sch*) Arbeit *f*; (*academic*) Referat *nt* ► **to read a ~** ein Referat halten. **e** (*wall~*) Tapete *f*. **2** *vt* wall, room tapezieren.

paper *in cpds* Papier-; **~back** *n* Taschenbuch *nt*; **~ bag** *n* Tüte *f*; **~boy** *n* Zeitungsjunge *m*; **~ chase** *n* Schnitzeljagd *f*; **~-clip** *n* Büroklammer *f*; **~ cup** *n* Pappbecher *m*; **~ feed** *n* (*Comp*) Papiervorschub *m*; **~ girl** *n* Zeitungsausträgerin *f*; **~ handkerchief** *or* **hankie** (*col*) *n* Papiertaschentuch (*col*) *nt*; **~ knife** *n* Brieföffner *m*; **~ mill** *n* Papierfabrik *f*; **~ money** *n* Papiergeld *nt*; **~ napkin** *n* Papierserviette *f*; **~ plate** *n* Pappteller *m*; **~ round** *n* **to do a ~ round** Zeitungen austragen; **~ shop** *n* Zeitungsladen *m*; **~-thin** *adj walls* hauchdünn; **~weight** *n* Briefbeschwerer *m*; **~work** *n* Schreibarbeit *f*.

papier mâché [,pæpjer'mæʃeɪ] *n* Pappmaché *nt*.

papist ['peɪpɪst] *n* (*pej*) Papist(in *f*) *m*.

paprika ['pæprɪkə] *n* Paprika *m*.

Papua ['pæpjʊə] *n* Papua *nt*.

Papuan ['pæpjʊən] **1** *adj* papuanisch. **2** *n* (*person*) Papua *mf*.

par [pɑːʳ] *n* **to be on a ~ with sb/sth** sich mit jdm/etw messen können; **below ~** (*fig*) unter Niveau; **that's ~ for the course** (*fig*) das ist normal; **I'm feeling a bit below ~ today** ich bin heute nicht ganz auf dem Posten (*col*).

para ['pærə] = a **paragraph** Abs. b **paratrooper**.

parable ['pærəbl] *n* Parabel *f*, Gleichnis *nt*.

parachute ['pærəʃuːt] 1 *n* Fallschirm *m* ▸ *by ~* mit dem Fallschirm; *~ drop* (*of supplies*) Fallschirmabwurf *m*; *~ jump* Absprung *m* (mit dem Fallschirm). 2 *vt troops* mit dem Fallschirm absetzen; *supplies* abwerfen. 3 *vi* (*also ~ down*) (mit dem Fallschirm) abspringen ▸ *to ~ to safety* sich mit dem Fallschirm retten.

parachuting ['pærəʃuːtɪŋ] *n* Fallschirmspringen *nt*.

parachutist ['pærəʃuːtɪst] *n* Fallschirmspringer(in *f*) *m*.

parade [pə'reɪd] 1 *n* (*procession*) Umzug *m*; (*Mil*, *circus*, *display*) Parade *f*; (*political*) Demonstration *f*; (*fashion ~*) Modenschau *f*; (*of wealth etc*) Zurschaustellung *f*; (*Mil: review*) Truppeninspektion *f* ▸ *to be on ~* (*Mil*) eine Parade abhalten. 2 *vt* a *troops* vorbeimarschieren lassen; *military might* demonstrieren; *placards* vor sich her tragen. b (*show off*) zur Schau stellen. 3 *vi* ziehen (*through* durch); (*Mil*) vorbeimarschieren; (*political party*) eine Demonstration veranstalten.

parade ground *n* Exerzierplatz *m*.

paradigm ['pærədaɪm] *n* Musterbeispiel *nt*.

paradise ['pærədaɪs] *n* (*lit, fig*) Paradies *nt*.

paradox ['pærədɒks] *n* Paradox *nt* ▸ *life is full of ~es* das Leben steckt voller Widersprüche.

paradoxical [,pærə'dɒksɪkəl] *adj* paradox; *person* widersprüchlich.

paradoxically [,pærə'dɒksɪkəlɪ] *adv* paradoxerweise; *worded* paradox.

paraffin ['pærəfɪn] *n* (*Brit: oil*) Paraffin(öl) *nt*; (*US: wax*) Paraffin *nt*.

paraffin: *~ heater n* = *~ stove*; *~ lamp n* Paraffinlampe *f*; *~ stove n* (*Brit*) Paraffinofen *m*.

paragon ['pærəgən] *n* Muster *nt* ▸ *a ~ of virtue* ein Muster *nt* an Tugendhaftigkeit.

paragraph ['pærəgrɑːf] *n* Absatz *m*.

Paraguay ['pærəgwaɪ] *n* Paraguay *nt*.

Paraguayan [,pærə'gwaɪən] 1 *adj* paraguayisch. 2 *n* Paraguayer(in *f*) *m*.

parakeet ['pærəkiːt] *n* Sittich *m*.

parallel ['pærəlel] 1 *adj* a *lines*, *streets* parallel ▸ *the road is ~ to the river* die Straße verläuft parallel zum Fluß; *~ bars* Barren *m*. b (*fig*) *case*, *career*, *development* vergleichbar ▸ *a ~ case* ein Parallelfall *m*; *the two systems developed along ~ lines* die Entwicklung der beiden Systeme verlief parallel. 2 *adv* *to run ~* (*roads*, *careers*) parallel verlaufen. 3 *n* a (*Geometry*) Parallele *f*; (*Geog*) Breitenkreis *m* ▸ *the 49th ~* der 49. Breitengrad. b (*Elec*) *connected in ~* parallel geschaltet. c (*fig*) Parallele *f* ▸ *without ~* beispiellos; *to draw a ~ between X and Y* eine Parallele zwischen X und Y ziehen. 4 *vt* (*fig*) gleichen (+*dat*).

parallelogram [,pærə'leləʊgræm] *n* Parallelogramm *nt*.

paralyse ['pærəlaɪz] *vt* a lähmen ▸ *to be ~d (with fright)* vor Schreck wie gelähmt sein. b *industry* lahmlegen.

paralysis [pə'ræləsɪs] *n*, *pl* **paralyses** [pə'ræləsiːz] Lähmung *f*; (*of industry etc*) Lahmlegung *f*.

paralytic [,pærə'lɪtɪk] *adj* a paralytisch, Lähmungs-. b (*Brit col: drunk*) total blau (*col*).

paralyze (*US*) = **paralyse**.

paramedic [,pærə'medɪk] *n* medizinische Hilfskraft; (*for first aid etc*) Sanitäter(in *f*) *m*.

parameter [pə'ræmətər] *n* a (*Math*) Parameter *m*. b *~s pl* (*framework*, *limits*) Rahmen *m*.

paramilitary [,pærə'mɪlɪtərɪ] *adj* paramilitärisch.

paramount ['pærəmaʊnt] *adj* Haupt- ▸ *of ~ importance* von größter Wichtigkeit.

paranoia [,pærə'nɔɪə] *n* Paranoia *f*; (*col*) Verfolgungswahn *m*.

paranoid ['pærənɔɪd] *adj* paranoid ▸ *or am I just being ~ about it?* oder bilde ich mir das nur ein?

paranormal [,pærə'nɔːməl] *adj* paranormal.

parapet ['pærəpɪt] *n* Brüstung *f*.

paraphernalia [,pærəfə'neɪlɪə] *npl* Utensilien *pl* ▸ *all the ~* das ganze Drum und Dran (*col*).

paraphrase ['pærəfreɪz] 1 *n* Umschreibung *f*. 2 *vt* umschreiben.

paraplegia [,pærə'pliːdʒə] *n* doppelseitige Lähmung.

paraplegic [,pærə'pliːdʒɪk] 1 *adj* doppelseitig gelähmt. 2 *n* Paraplegiker(in *f*) *m* (*spec*).

parapsychology [,pærəsaɪ'kɒlədʒɪ] *n* Parapsychologie *f*.

parasite ['pærəsaɪt] *n* (*lit, fig*) Parasit *m*.

parasitic(al) [,pærə'sɪtɪk(əl)] *adj* *animal*, *plant* Schmarotzer-, parasitär (*also fig*).

parasol ['pærəsɒl] *n* Sonnenschirm *m*.

paratrooper ['pærətruːpər] *n* Fallschirmjäger *m*.

paratroops ['pærətruːps] *npl* Fallschirmjäger *pl*.

parcel ['pɑːsl] *n* Paket *nt* ▸ *to do sth up in a ~* etw als Paket verpacken.

◆**parcel up** *vt sep* als Paket verpacken.

parcel: *~ bomb n* (*Brit*) Paketbombe *f*; *~ post n* Paketpost *f*.

parched [pɑːtʃt] *adj* ausgetrocknet ▸ *to be ~ (with thirst)* (vor Durst) verschmachten.

parchment ['pɑːtʃmənt] *n* Pergament *nt*.

pardon ['pɑːdn] 1 *n* a (*Jur*) Begnadigung *f* ▸ *general ~* Amnestie *f*. b *I beg your ~, but could you ...?* verzeihen Sie bitte, könnten Sie ...?; *I beg your ~!* erlauben Sie mal!; *I beg your ~?* (*Brit*) bitte?, wie bitte?; *I beg your ~* (*apology*) Verzeihung. 2 *vt* a (*Jur*) begnadigen. b (*forgive*) verzeihen (*sb* jdm, *sth* etw) ▸ *to ~ sb sth* jdm etw verzeihen; *~ me?* (*US*) bitte?, wie bitte?

pardonable ['pɑːdnəbl] *adj* *offence* entschuldbar; *mistake also* verzeihlich.

pare [peər] *vt* *nails* schneiden; *fruit*, *stick* schälen.

◆**pare down** *vt sep* *costs etc* einschränken.

parent ['peərənt] 1 *n* Elternteil *m* ▸ *~s* Eltern *pl*. 2 *attr* *~ company* Muttergesellschaft *f*; *~-teacher association* Eltern-Lehrer-Ausschuß *m*.

parentage ['peərəntɪdʒ] *n* Herkunft *f*.

parental [pə'rentl] *adj* *care etc* elterlich *attr*.

parenthesis [pə'renθɪsɪs] *n*, *pl* **parentheses** [pə'renθɪsiːz] Klammer *f*.

parenthetic(al) [,pærən'θetɪk(əl)] *adj* beiläufig.

parenthood ['peərənthʊd] *n* Elternschaft *f*.

Paris ['pærɪs] *n* Paris *nt*.

parish ['pærɪʃ] *n* Gemeinde *f*; (*district*) Pfarrbezirk *m*, Pfarrei *f*.

parish: *~ church n* Pfarrkirche *f*; *~ council n* Gemeinderat *m*.

parishioner [pə'rɪʃənər] *n* Gemeindemitglied *nt*.

parish: *~ priest n* Pfarrer *m*; *~ register n* Kirchenbuch *nt*.

Parisian [pə'rɪzɪən] 1 *adj* Pariser *inv*. 2 *n* Pariser(in *f*) *m*.

parity ['pærɪtɪ] *n* (*equality*) Gleichstellung *f*; (*of opportunities*) Gleichheit *f*; (*Fin*, *Sci*, *Comp*) Parität *f* ▸ *the ~ of the dollar* die Dollarparität.

park [pɑːk] 1 *n* Park *m*; (*Brit col: football pitch*) Platz *m*. 2 *vt* a *car* parken; *bike* abstellen ▸ *a ~ed car* ein parkendes Auto. b (*col: put*) *luggage etc* abstellen ▸ *he ~ed himself right in front of the fire* er pflanzte sich direkt vor den Kamin (*col*). 3 *vi* parken ▸ *there was nowhere to ~* es gab nirgendwo einen Parkplatz.

parka ['pɑːkə] n Parka m.
park-and-ride [ˌpɑːkənˈraɪd] n Park-and-ride-System nt.
parking ['pɒːkɪŋ] n Parken nt.
parking: ~ **attendant** n Parkplatzwächter m; ~ **lights** npl Standlicht nt; ~ **lot** n (US) Parkplatz m; ~ **meter** n Parkuhr f; ~ **offence** n Verstoß m gegen das Parkverbot; ~ **place** n Parkplatz m; ~ **space** n Parklücke f; ~ **ticket** n Strafzettel m; ~ **violation** n (US) = ~ **offence**.
Parkinson's ['pɑːkɪnsənz] n (also ~ **disease**) Parkinsonsche Krankheit.
park: ~**keeper** n Parkwächter m; ~**land** n Parklandschaft f; ~**way** n (US) Allee f.
parky ['pɑːkɪ] adj (+er) (Brit col) kühl, frisch.
parlance ['pɑːləns] n **in common** ~ im allgemeinen Sprachgebrauch; **in technical** ~ in der Fachsprache.
parliament ['pɑːləmənt] n Parlament nt ▸ **to get into** ~ ins Parlament kommen.

┌─ PARLIAMENT ─┐

ⓘ **Parliament** ist die höchste gesetzgebende Versammlung in Großbritannien und tritt im Parlamentsgebäude in London zusammen. Die Legislaturperiode beträgt normalerweise 5 Jahre, von einer Wahl zur nächsten. Das Parlament besteht aus zwei Kammern, dem Oberhaus (siehe **House of Lords**) und dem Unterhaus (siehe **House of Commons**).

parliamentarian [ˌpɑːləmenˈtɛərɪən] n Parlamentarier m.
parliamentary [ˌpɑːləˈmentərɪ] adj parlamentarisch.
parlour, (US) **parlor** ['pɑːləʳ] n (in house, beauty ~ etc) Salon m ▸ **ice-cream** ~ Eisdiele f.
parlous ['pɑːləs] adj (old, hum) **in a** ~ **state** in einem prekären Zustand.
Parmesan ['pɑːmɪzæn] n (also ~**cheese**) Parmesan(käse) m.
parochial [pəˈrəʊkɪəl] adj ⓐ (Eccl) Pfarr-, Gemeinde-. ⓑ (fig) attitude, person engstirnig; mind, ideas beschränkt.
parody ['pærədɪ] ① n Parodie f (of auf +acc). ② vt parodieren.
parole [pəˈrəʊl] ① n (Jur) Bewährung f; (temporary release) Strafunterbrechung f ▸ **let sb out on** ~ jdn auf Bewährung entlassen; (temporarily) jdm Strafunterbrechung gewähren; **to be on** ~ unter Bewährung stehen; (temporarily) auf Kurzurlaub sein. ② vt prisoner auf Bewährung entlassen; (temporarily) Strafunterbrechung gewähren (+dat).
paroxysm ['pærəksɪzəm] n Anfall m ▸ ~**s of laughter** ein Lachkrampf m.
parquet ['pɑːkeɪ] n Parkett nt.
parrot ['pærət] n Papagei m ▸ **to repeat sth** ~-**fashion** etw wie ein Papagei nachplappern.
parry ['pærɪ] vti (Fencing, fig) parieren; (Boxing) abwehren.
parsimonious [ˌpɑːsɪˈməʊnɪəs] adj geizig.
parsley ['pɑːslɪ] n Petersilie f.
parsnip ['pɑːsnɪp] n Pastinake f.
parson ['pɑːsn] n Pfarrer, Pastor m.
parsonage ['pɑːsənɪdʒ] n Pfarrhaus nt.
part [pɑːt] ① n ⓐ Teil m ▸ **it is** ~ **and parcel of the job** das gehört zur Arbeit dazu; **in** ~ teilweise, zum Teil; **it is in large** ~ **true** das ist zum großen Teil wahr; **for the main** or **most** ~ in erster Linie; (generally speaking) im großen und ganzen; **in the latter** ~ **of the year** gegen Ende des Jahres; **5** ~**s of sand to 1 of cement** 5 Teile Sand auf ein(en) Teil Zement.
ⓑ (component, Mech) Teil nt ▸ **spare** ~ Ersatzteil nt; ~ **of speech** (Gram) Wortart f; **principal** ~**s of a verb** Stammformen pl.
ⓒ (of series) Folge f; (of serial) Fortsetzung f ▸ ~

one (TV, Rad etc) erster Teil.
ⓓ (share, role) (An)teil m, Rolle f; (Theat) Rolle f; (Mus) Stimme f ▸ **to play one's** ~ (fig) seinen Beitrag leisten; **to take** ~ **in sth** an etw (dat) teilnehmen; **he looks the** ~ (fig) so sieht er auch aus; **to play no** ~ **in sth** (person) nicht an etw (dat) beteiligt sein; (factor etc) bei etw keine Rolle spielen.
ⓔ ~**s** pl (region) Gegend f; **he's not from these** ~**s** er ist nicht aus dieser Gegend.
ⓕ (side) Seite f ▸ **to take sb's** ~ sich auf jds Seite (acc) stellen; **for my** ~ was mich betrifft; **on my** ~ etc meinerseits etc; **on the** ~ **of** von seiten (+gen), seitens (+gen); **to take sth in good/bad** ~ etw nicht übelnehmen/etw übelnehmen; **a man of** ~**s** ein vielseitiges Talent; **a man of many** ~**s** ein vielseitiger Mensch.
ⓖ (US: in hair) Scheitel m.
② adv teils, teilweise ▸ **it is** ~ **iron and** ~ **copper** es ist teils aus Eisen und teils aus Kupfer; ~ **eaten** halb aufgegessen; apple, sandwich angebissen.
③ vt ⓐ (divide) teilen; hair scheiteln; curtain zur Seite schieben. ⓑ (separate) trennen ▸ **to** ~ **sb from sb/sth** jdn von jdm/etw trennen; **to** ~ **company with sb/sth** sich von jdm/etw trennen; (in opinion) mit jdm nicht gleicher Meinung sein.
④ vi ⓐ (divide) sich teilen; (curtains) sich öffnen. ⓑ (separate) (person) sich trennen; (things) sich lösen, abgehen ▸ **to** ~ **with sth** sich von etw trennen.
partake [pɑːˈteɪk] pret **partook**, ptp **partaken** [pɑːˈteɪkn] vi (form) ⓐ **to** ~ **of** food, drink zu sich (dat) nehmen. ⓑ **to** ~ **in** (an activity) an etw (dat) teilnehmen.
part exchange n (Brit) **to offer/take sth in** ~ etw in Zahlung geben/nehmen.
partial ['pɑːʃəl] adj ⓐ (not complete) Teil-, teilweise; paralysis, eclipse teilweise, partiell. ⓑ (biased) voreingenommen. ⓒ **to be** ~ **to sth** eine Schwäche für etw haben.
partiality [ˌpɑːʃɪˈælɪtɪ] n ⓐ (bias) Voreingenommenheit f. ⓑ (liking) Vorliebe f (for für).
partially ['pɑːʃəlɪ] adv (partly) zum Teil, teilweise.
participant [pɑːˈtɪsɪpənt] n Teilnehmer(in f) m (in gen, an +dat).
participate [pɑːˈtɪsɪpeɪt] vi (take part) sich beteiligen, teilnehmen (in an +dat).
participation [pɑːˌtɪsɪˈpeɪʃən] n Beteiligung f; (in competition etc) Teilnahme f; (worker ~) Mitbestimmung f.
participle ['pɑːtɪsɪpl] n Partizip nt.
particle ['pɑːtɪkl] n ⓐ (of sand etc, Phys) Teilchen nt. ⓑ (Gram) Partikel f.
▾ **particular** [pəˈtɪkjʊləʳ] ① adj ⓐ (as against others) **this** ~ **house is very nice** dies (eine) Haus ist sehr hübsch; **in this** ~ **instance** in diesem besonderen Fall; **is there any one** ~ **colour you prefer?** bevorzugen Sie eine bestimmte Farbe? ⓑ (special) besondere(r, s) ▸ **in** ~ besonders, vor allem; **nothing in** ~ nichts Besonderes or Bestimmtes; **is there anything in** ~ **you'd like?** haben Sie einen besonderen Wunsch?; **he's a** ~ **friend of mine** er ist ein guter Freund von mir; **for no** ~ **reason** aus keinem besonderen Grund. ⓒ (fussy, fastidious) eigen; (choosy) wählerisch ▸ **he is very** ~ **about cleanliness** er nimmt es mit der Sauberkeit sehr genau; **you can't be too** ~ man kann gar nicht wählerisch genug sein; **I'm not too** ~ (**about it**) es kommt mir nicht so darauf an.
② n ~**s** pl Einzelheiten pl; (about person) Personalien pl; **for further** ~**s apply to the personnel manager** weitere Auskünfte erteilt der Personalchef; **to give** ~**s** Angaben machen.
particularly [pəˈtɪkjʊləlɪ] adv besonders, vor allem; specify, request ausdrücklich ▸ **he was not** ~ **pleased** er war nicht besonders erfreut; **it's important,** ~ **as time is**

▸ SENTENCE BUILDER: **particular: 1a → 1.5**

short es ist wichtig, zumal die Zeit knapp wird.
parting ['pɑːtɪŋ] **1** *n* **a** Abschied *m* ► *is this the ~ of the ways then?* das ist also das Ende (unserer Beziehung)? **b** (*Brit: in hair*) Scheitel *m*.
2 *adj* Abschieds-, abschließend ► *"He knows about it already", was her ~ shot* „Er weiß es schon", schleuderte sie ihm/ihr *etc* nach; *his ~ words* seine Abschiedsworte *pl*.
partisan [,pɑːtɪ'zæn] **1** *adj* **a** parteiisch (*esp pej*), parteilich ► *~ spirit* Parteigeist *m*. **b** (*Mil*) Partisanen-.
2 *n* (*Mil*) Partisan(in *f*) *m*.
partition [pɑː'tɪʃən] **1** *n* **a** Teilung *f*. **b** (*wall*) Trennwand *f*. **c** (*section*) Abteilung *f*.
2 *vt country* spalten; *room* aufteilen.
◆**partition off** *vt sep* abteilen, abtrennen.
partly ['pɑːtlɪ] *adv* zum Teil, teilweise ► *~ ..., ~ ...* teils ... teils ...
partner ['pɑːtnəʳ] **1** *n* Partner(in *f*) *m*; (*in limited company also*) Gesellschafter(in *f*) *m*; (*in crime*) Komplize *m*, Komplizin *f* ► *~s in crime* Komplizen.
2 *vt to ~ sb* jds Partner sein; *to be ~ed by sb* jdn zum Partner haben.
partnership ['pɑːtnəʃɪp] *n* **a** Partnerschaft *f*; (*in sport, dancing etc*) Paar *nt* ► *in ~ with sb* in Zusammenarbeit mit jdm. **b** (*Comm*) Personengesellschaft *f* ► *to enter into a ~* in eine Gesellschaft eintreten.
partook [pɑː'tʊk] *pret of* **partake**.
part: ~ owner *n* Mitbesitzer(in *f*) *m*; *~* **payment** *n* Teilzahlung *f*.
partridge ['pɑːtrɪdʒ] *n* Rebhuhn *nt*.
part: ~-time **1** *adj* Teilzeit-; *I'm just ~-time* ich arbeite nur Teilzeit; **2** *adv* *work* stundenweise; *teach* als Teilzeitlehrer(in); **~-timer** *n* Teilzeitkraft *f*; **~-time work** *n* (*Press*) Lieferungswerk *nt*.
party ['pɑːtɪ] *n* **a** (*Pol*) Partei *f*. **b** (*group*) Gruppe, Gesellschaft *f*; (*Mil*) Kommando *nt*, Trupp *m* ► *a ~ of tourists* eine Reisegesellschaft. **c** (*celebration*) Fest *nt*, Party, Fete (*col*) *f*; (*more formal*) Gesellschaft *f* ► *to have or give a ~* eine Party geben *or* machen; *at the ~* auf dem Fest *or* der Party; bei der Gesellschaft. **d** (*Jur, fig*) Partei *f* ► *a/the third ~* ein Dritter *m*/der Dritte; *the parties to a dispute* die streitenden Parteien; *to be a ~ to sth* an etw (*dat*) beteiligt sein.
party: ~ line *n* **a** (*Pol*) Parteilinie *f*; **b** (*Telec*) Gemeinschaftsanschluß *m*; *~* **political** *adj* parteipolitisch; *~* **politics** *npl* Parteipolitik *f*; *~* **pooper** *n* (*inf*) Partymuffel *m* (*inf*).
pass [pɑːs] **1** *n* **a** (*permit*) Ausweis *m*; (*Mil etc*) Passierschein *m*. **b** (*Brit Sch*) *to get a ~ in German* seine Deutschprüfung bestehen; (*lowest level*) seine Deutschprüfung mit „ausreichend" bestehen. **c** (*Geog, Sport*) Paß *m*; (*Ftbl: for shot at goal*) Vorlage *f*. **d** *things have come to a pretty ~ when ...* so weit ist es schon gekommen, daß ...; *things had come to such a ~ that ...* die Lage hatte sich so zugespitzt, daß ... **e** *to make a ~ at sb* bei jdm Annäherungsversuche machen.
2 *vt* **a** (*move past*) vorbeigehen an (+*dat*); vorbeifahren an (+*dat*); (*overtake*) *athlete, car* überholen. **b** (*cross*) *frontier etc* überschreiten, passieren ► *not a word ~ed her lips* kein Wort kam über ihre Lippen. **c** (*reach, hand*) reichen ► *they ~ed the photograph around* sie reichten das Foto herum; *~ (me) the salt, please* reich mir doch bitte das Salz!; *to ~ the ball to sb* (*Sport*) jdm den Ball zuspielen. **d** *it ~es my comprehension that ...* es geht über meinen Verstand, daß ... **e** (*Univ etc*) *exam* bestehen; *candidate* bestehen lassen. **f** (*approve*) *motion* annehmen; *plan* gutheißen; (*Parl*) verabschieden. **g** (*spend*) *time* verbringen ► *he did it just to ~ the time* er tat das nur, um sich (*dat*) die Zeit zu vertreiben; *to ~ the time of day with sb* mit jdm ein paar freundliche Worte wechseln. **h** *remark* von sich

geben; *opinion* abgeben; (*Jur*) *sentence* verhängen; *judgement* fällen.
3 *vi* **a** (*move past*) vorbeigehen; vorbeifahren ► *we ~ed in the corridor* wir gingen im Korridor aneinander vorbei.
b (*overtake*) überholen.
c (*move, go*) *~ along or down the bus please!* bitte weiter durchgehen!; *words ~ed between them* es gab einige Meinungsverschiedenheiten; *to ~ out of sight* außer Sichtweite geraten; *when we ~ed over the frontier* als wir die Grenze passierten; *shall we ~ to the second subject on the agenda?* wollen wir zum zweiten Punkt der Tagesordnung übergehen?; *he ~ed under the archway* er ging/fuhr durch das Tor.
d (*time*) (*also ~ by*) vergehen.
e (*disappear, end: anger, era etc*) vorübergehen; (*storm*) (*go over*) vorüberziehen; (*abate*) sich legen; (*rain*) vorbeigehen ► *it'll ~* das geht vorüber!
f (*be acceptable*) gehen ► *to let sth ~* etw durchgehen lassen; *let it ~!* vergessen wir's!; *it'll ~* das geht.
g (*be considered, be accepted*) angesehen werden (*for or as sth* als etw) ► *she could easily ~ for 25* sie könnte leicht für 25 durchgehen.
h (*in exam*) bestehen.
i (*Cards, in quiz etc*) passen ► (*I*) *~!* passe!
◆**pass away** *vi* **a** (*end*) zu Ende gehen. **b** (*euph: die*) entschlafen (*euph*).
◆**pass by** **1** *vi* (*go past*) vorbeigehen; (*car etc*) vorbeifahren; (*time, months etc*) vergehen.
2 *vi* +*prep obj we ~ed ~ a line of hotels* wir kamen an einer Reihe Hotels vorbei.
3 *vt sep* (*ignore*) *problems* übergehen ► *life has ~ed her ~* das Leben ist an ihr vorübergegangen.
◆**pass down** *vt sep traditions, characteristics* weitergeben (*to an* +*acc*).
◆**pass off** **1** *vi* **a** (*take place*) ablaufen. **b** (*end*) vorübergehen. **c** (*be taken as*) durchgehen (*as* als).
2 *vt sep to ~ oneself/sb ~ as sth* sich/jdn als *or* für etw ausgeben.
◆**pass on** **1** *vi* **a** (*euph: die*) entschlafen (*euph*). **b** (*proceed*) übergehen (*to* zu).
2 *vt sep news, information* weitergeben; *disease* übertragen.
◆**pass out** *vi* **a** (*become unconscious*) in Ohnmacht fallen, umkippen (*col*). **b** (*new officer*) ernannt werden.
◆**pass over** *vt sep* übergehen ► *he's been ~ed ~ again* er ist schon wieder übergangen worden.
◆**pass round** *vt sep* herumreichen.
◆**pass through** *vi I'm only ~ing ~* ich bin nur auf der Durchreise; *you have to ~ ~ Berlin* du mußt über Berlin fahren.
◆**pass up** *vt sep chance* vorübergehen lassen.
passable ['pɑːsəbl] *adj* **a** passierbar; *road etc also* befahrbar. **b** (*tolerable*) passabel.
passably ['pɑːsəblɪ] *adv* leidlich, passabel.
passage ['pæsɪdʒ] *n* **a** (*transition*) Übergang *m* ► *with the ~ of time* mit der Zeit. **b** (*through country*) Durchreise *f*. **c** (*voyage, fare*) Überfahrt *f*. **d** (*Parl: process*) parlamentarische Behandlung; (*final*) Verabschiedung *f*. **e** (*corridor*) Gang *m*. **f** (*in book*) Passage *f*; (*Mus also*) Stück *nt* ► *a ~ from the Bible* eine Bibelstelle.
passageway ['pæsɪdʒweɪ] *n* Durchgang *m*.
pass: ~ book *n* Sparbuch *nt*; *~* **degree** *n* niedrigster Grad an britischen Universitäten, ≈ „Ausreichend".
passenger ['pæsɪndʒəʳ] *n* (*on bus, in taxi*) Fahrgast *m*; (*on train*) Reisende(r) *mf*; (*on ship, plane*) Passagier *m*; (*in car*) Mitfahrer(in *f*) *m*; (*on motorcycle*) Beifahrer(in *f*) *m* ► *he's just a ~* (*fig pej: in team etc*) er wird von den anderen mit durchgezogen.
passenger *in cpds* Passagier-; *~* **liner** *n* Passagierschiff *nt*; *~* **train** *n* Personenzug *m*.

passer-by [ˌpɑːsəˈbaɪ] n, pl **passers-by** Passant(in f) m.
passing [ˈpɑːsɪŋ] **1** n **a** Vorübergehen nt; (overtaking) Überholen nt ▶ **with the ~ of time** im Lauf(e) der Zeit; **I would like to mention in ~ that …** ich möchte beiläufig erwähnen, daß …
2 adj car vorbeifahrend; clouds vorüberziehend; years vergehend; glance etc, thought flüchtig; comments, reference beiläufig; fancy vorübergehend. **b** (Sport) Zuspiel nt.
passing: **~ manoeuvre** n Überholmanöver nt; **~ place** n (on narrow road) Ausweichstelle f; **~ trade** n Laufkundschaft f.
passion [ˈpæʃən] n Leidenschaft f; (Rel, Mus) Passion f ▶ **to have a ~ for sth** eine Passion or Leidenschaft für etw haben; **music is a ~ with him** die Musik ist bei ihm eine Leidenschaft.
passionate adj, **~ly** adv [ˈpæʃənɪt, -lɪ] leidenschaftlich.
passion: **~ flower** n Passionsblume f; **~ fruit** n Passionsfrucht f; **P~ play** n Passionsspiel nt.
passive [ˈpæsɪv] **1** adj passiv; acceptance widerspruchslos ▶ **~ smoking** Mitrauchen, Passivrauchen nt.
2 n (Gram) Passiv nt ▶ **in the ~** im Passiv.
passively [ˈpæsɪvlɪ] adv passiv; accept widerspruchslos.
passiveness [ˈpæsɪvnɪs], passivity [pæˈsɪvɪtɪ] Passivität f.
pass: **~ key** n Hauptschlüssel m; **~mark** n Ausreichend nt.
Passover [ˈpɑːsəʊvəʳ] n Passah nt.
passport [ˈpɑːspɔːt] n (Reise)paß m; (fig) Schlüssel m (to für, zu) ▶ **~ control** Paßkontrolle f; **~ photo** Paßbild, Paßfoto nt.
password [ˈpɑːswɜːd] n Kennwort nt, Parole f; (Comp) Paßwort nt.
past [pɑːst] **1** adj **a** frühe(r, s) attr, vergangene(r, s) attr ▶ **for some time ~** seit einiger Zeit; **in times ~** in früheren Zeiten. **b** (Gram) **~ tense** Vergangenheit f; **~ participle** Partizip Perfekt nt.
2 n (also Gram) Vergangenheit f ▶ **in the ~** in der Vergangenheit (also Gram), früher; **to be a thing of the ~** der Vergangenheit (dat) angehören.
3 prep a (motion) an (+dat) … vorbei or vorüber; (position: beyond) hinter (+dat) ▶ **just ~ the library** kurz hinter der Bücherei; **to run ~ sb** an jdm vorbeilaufen. **b** (time) nach (+dat) ▶ **ten (minutes) ~ three** zehn (Minuten) nach drei; **half ~ four** halb fünf; **a quarter ~ nine** Viertel nach neun. **c** (beyond) ▶ **forty ~** über vierzig; **~ belief** unglaublich; **we're ~ caring** es kümmert uns nicht mehr; **to be ~ sth** für etw zu alt sein; **I wouldn't put it ~ him** (col) ich würde es ihm schon zutrauen.
4 adv vorbei, vorüber ▶ **to walk/run ~** vorbeigehen/vorbeirennen.
pasta [ˈpæstə] n Nudeln pl.
paste [peɪst] **1** n **a** (for sticking) Kleister m. **b** (spread) Brotaufstrich m. **c** (jewellery) Straß m. **d** mix **to a smooth/firm ~** (Cook) zu einem glatten/festen Teig anrühren.
2 vt (apply ~ to) wallpaper etc einkleistern; (affix) kleben (to an +acc, in in +acc).
pasteboard [ˈpeɪstbɔːd] n Karton m, Pappe f.
pastel [ˈpæstl] **1** n (crayon) Pastellstift m; (drawing) Pastellzeichnung f, Pastell nt; (colour) Pastellton m.
2 adj attr Pastell-.
pasteurize [ˈpæstəraɪz] vt pasteurisieren.
pastille [ˈpæstɪl] n Pastille f.
pastime [ˈpɑːstaɪm] n Zeitvertreib m.
past master n **to be a ~ at doing sth** ein Experte darin sein, etw zu tun.
pastor [ˈpɑːstəʳ] n Pfarrer m.
pastoral [ˈpɑːstərəl] adj pastoral; duties also seelsorgerisch ▶ **~ care** Seelsorge f.
pastry [ˈpeɪstrɪ] n Teig m; (cake etc) Stück, Teilchen

(dial) nt ▶ **pastries** pl Gebäck nt.
pastry: **~ brush** n Backpinsel m; **~ case** n Törtchenform f; **~ cook** n Konditor(in f) m.
pasture [ˈpɑːstʃəʳ] n **a** (field) Weide f ▶ **to put out to ~** auf die Weide treiben; **to move on to ~s new** (fig) sich (dat) etwas Neues suchen. **b** no pl (also ~ land) Weideland nt.
pasty¹ [ˈpeɪstɪ] adj consistency zähflüssig; material klebrig; complexion, face bläßlich; look also kränklich.
pasty² [ˈpæstɪ] n (esp Brit) Pastete f.
pasty-faced [ˈpeɪstɪˈfeɪst] adj blaß, bleichgesichtig.
pat¹ [pæt] n (of butter) Portion f.
pat² **1** adv **to know** or **have sth off ~** etw wie aus dem Effeff können (col).
2 adj answer, explanation glatt.
pat³ **1** n Klaps m ▶ **he gave him a ~ on the shoulder** er tippte ihm auf die Schulter; **to give the dog a ~** den Hund tätscheln; **to give sb/oneself a ~ on the back** (fig) jdm/sich selbst auf die Schulter klopfen.
2 vt (touch lightly) tätscheln; (hit gently) ball leicht schlagen; sand festklopfen; face abtupfen.
patch [pætʃ] **1** n **a** (for mending) Flicken m; (eye ~) Augenklappe f. **b** it's/he's not a ~ on … (col) das/er ist gar nichts gegen … **c** (small area, stain) Fleck m; (piece of land) Stück nt; (subdivision of garden) Beet nt; (part, section) Stelle f; (of time) Phase f ▶ **a ~ of blue sky** ein Stückchen nt blauer Himmel; **~es of colour** Farbtupfer pl; **the cabbage ~** das Kohlbeet; **he's going through a bad ~ at the moment** er hat's zur Zeit nicht leicht.
2 vt flicken.
♦**patch up** vt sep zusammenflicken; quarrel beilegen ▶ **to ~ things ~ temporarily** die Dinge notdürftig zusammenflicken; (in relationship) die Beziehung wieder ins Lot bringen; **they managed to ~ their relationship** sie haben sich schließlich wieder ausgesöhnt.
patchwork [ˈpætʃwɜːk] n **~ quilt** Flickendecke f; **a ~ of fields** ein buntes Mosaik von Feldern.
patchy [ˈpætʃɪ] adj (+er) work ungleichmäßig; knowledge, memory lückenhaft ▶ **~ fog** stellenweise auftretender Nebel.
pate [peɪt] n Rübe f (col) ▶ **bald ~** Glatze f.
pâté [ˈpæteɪ] n Pastete f.
patent¹ [ˈpeɪtənt] adj (obvious) offensichtlich.
patent² **1** n Patent nt ▶ **~ applied for** or **pending** Patent angemeldet; **to take out a ~ on sth** etw patentieren lassen.
2 vt patentieren lassen.
3 adj (~ed) invention patentiert.
patent agent (Brit), **patent attorney** (esp US) n Patentanwalt m, -anwältin f.
patentee [ˌpeɪtnˈtiː] n Patentinhaber(in f) m.
patent leather n Lackleder nt.
patently [ˈpeɪtəntlɪ] adv offensichtlich ▶ **that's ~ obvious** das liegt doch auf der Hand.
patent: **~ medicine** n patentrechtlich geschütztes Arzneimittel; **~ office** n Patentamt nt; **~ remedy** n Patentrezept nt; (medicine) Hausmittel nt; (fig) Patentlösung f; **~ specification** n Patentschrift f.
paternal [pəˈtɜːnl] adv väterlich ▶ **my ~ grandmother** meine Großmutter väterlicherseits.
paternalist(ic) [pəˈtɜːnəlɪst, pəˌtɜːnəˈlɪstɪk] adj patriarchalisch.
paternity [pəˈtɜːnɪtɪ] n Vaterschaft f ▶ **~ leave** Vaterschaftsurlaub m; **~ suit** Vaterschaftsprozeß m.
path [pɑːθ] n (lit, fig) Weg m; (smaller) Pfad m; (in field) Feldweg m; (trajectory) Bahn f ▶ **the ~ of virtue** der Pfad der Tugend.
pathetic [pəˈθetɪk] adj **a** (piteous) mitleiderregend ▶ **it was ~ to see** es war ein Bild des Jammers. **b** (bad) erbärmlich ▶ **it's ~** es ist zum Heulen (col).

pathetically

pathetically [pə'θetɪkəlɪ] *adv* **a** (*piteously*) mitleiderregend ▶ ~ **thin/weak** erschreckend dünn/schwach. **b** *slow, stupid, inefficient* erbärmlich ▶ **a ~ inadequate answer** eine äußerst dürftige Antwort.
path name *n* (*Comp*) Pfad *m*.
pathological [ˌpæθə'lɒdʒɪkəl] *adj* (*lit, fig*) krankhaft; *studies etc* pathologisch.
pathologist [pə'θɒlədʒɪst] *n* Pathologe *m*, Pathologin *f*.
pathology [pə'θɒlədʒɪ] *n* (*science*) Pathologie *f*.
pathos ['peɪθɒs] *n* Pathos *nt*.
pathway ['pɑːθweɪ] *n* Weg *m*; (*smaller*) Pfad *m*.
patience ['peɪʃəns] *n* **a** Geduld *f* ▶ **to have ~/no ~ (with sb/sth)** Geduld/keine Geduld (mit jdm/etw) haben; **to lose (one's) ~ (with sb/sth)** (mit jdm/etw) die Geduld verlieren. **b** (*Brit Cards*) Patience *f* ▶ **to play ~** eine Patience legen.
patient ['peɪʃənt] **1** *adj* geduldig ▶ **to be ~ with sb** Geduld mit jdm haben. **2** *n* Patient(in *f*) *m*.
patiently ['peɪʃəntlɪ] *adv* geduldig.
patina ['pætɪnə] *n* Patina *f*.
patio ['pætɪəʊ] *n* Veranda, Terrasse *f*.
patriarch ['peɪtrɪɑːk] *n* Patriarch *m*.
patriot ['peɪtrɪət] *n* Patriot(in *f*) *m*.
patriotic [ˌpætrɪ'ɒtɪk] *adj* patriotisch.
patriotism ['pætrɪətɪzəm] *n* Patriotismus *m*.
patrol [pə'trəʊl] **1** *n* (*police*) Streife *f*; (*aircraft, ship*) Patrouille *f* ▶ **on ~** (*Mil*) auf Patrouille; (*police*) auf Streife; (*guard dogs, squad car*) im Einsatz. **2** *vt* (*Mil*) patrouillieren; (*policeman*) seine Runden machen in (+*dat*); (*police car*) Streife fahren in (+*dat*). **3** *vi* patrouillieren; (*policemen*) eine Streife/Streifen machen ▶ **to ~ up and down** auf und ab gehen.
patrol: ~ **boat** *n* Patrouillenboot *nt*; ~ **car** *n* Streifenwagen *m*; ~**man** *n* Wächter *m*; (*US: policeman*) Polizist *m*; ~ **wagon** *n* (*US*) grüne Minna (*col*), Gefangenenwagen *m*.
patron ['peɪtrən] *n* (*of shop*) Kunde *m*, Kundin *f*; (*of restaurant, hotel*) Gast *m*; (*of society*) Schirmherr(in *f*) *m*; (*of artist*) Förderer, Gönner(in *f*) *m*; (~ *saint*) Schutzpatron(in *f*) *m* ▶ ~ **of the arts** Kunstmäzen *m*.
patronage ['pætrənɪdʒ] *n* **under the ~ of** unter der Schirmherrschaft des/der.
patronize ['pætrənaɪz] *vt* **a** *pub, cinema etc* besuchen ▶ **the shop is well ~d** das Geschäft hat viel Kundschaft. **b** (*treat condescendingly*) herablassend behandeln.
patronizing ['pætrənaɪzɪŋ] *adj* gönnerhaft, herablassend ▶ **to be ~ to** or **towards sb** jdn von oben herab behandeln.
patron saint *n* Schutzheilige(r) *mf*.
patter ['pætər] **1** *n* **a** (*of feet*) Getrippel *nt*; (*of rain*) Plätschern *nt*. **b** (*of salesman, comedian, conjurer, disc jockey*) Sprüche *pl* (*col*) ▶ **sales ~** Vertretersprüche *pl*. **2** *vi* (*person, feet*) trippeln; (*rain: also ~ down*) plätschern.
pattern ['pætən] **1** *n* **a** Muster *nt* ▶ **to make a ~** ein Muster bilden. **b** (*Sew*) Schnittmuster *nt*; (*Knitting*) Strickanleitung *f*. **c** (*fig: model*) Vorbild *nt* ▶ **on the Albanian ~** nach albanischem Muster; **to set a** or **the ~ for sth** ein Vorbild für etw sein. **d** (*fig: in events, behaviour etc*) Muster *nt*; (*recurrent*) Regelmäßigkeit *f* ▶ **the ~ of events** der Ablauf der Ereignisse; **to follow the usual ~** nach dem üblichen Schema verlaufen; **behaviour ~s** Verhaltensmuster *pl*. **2** *vt* (*model*) machen (*on* nach) ▶ **to be ~ed on sth** einer Sache (*dat*) nachgebildet sein; (*music, style etc*) einer Sache (*dat*) nachempfunden sein.
pattern book *n* Musterbuch *nt*.
patterned ['pætənd] *adj* gemustert.
paucity ['pɔːsɪtɪ] *n* (*form*) Mangel *m* (*of* an +*dat*).
Paul [pɔːl] *n* Paul *m*; (*Bibl*) Paulus *m*.

paunch [pɔːntʃ] *n* Bauch, Wanst *m*.
pauper ['pɔːpər] *n* Arme(r) *mf*.
pause [pɔːz] **1** *n* Pause *f* ▶ **there was a ~ while ...** es entstand eine Pause, während ...; **to have a ~** (eine) Pause machen; **without (a) ~** ununterbrochen; **a ~ for thought** eine Denkpause. **2** *vi* stehenbleiben; (*speaker*) innehalten ▶ **he ~d for breath** er machte eine Pause, um Luft zu holen; **let's ~ here** machen wir hier Pause; **it made him ~** das machte ihn nachdenklich.
pave [peɪv] *vt* pflastern ▶ **to ~ the way for sb/sth** (*fig*) jdm/einer Sache den Weg ebnen.
pavement ['peɪvmənt] *n* **a** (*Brit*) Bürgersteig *m*, Trottoir *nt* ▶ ~ **artist** Pflastermaler *m*. **b** (*US*) (*paved road*) Straße *f*; (*surfacing*) Straßendecke *f*.
pavilion [pə'vɪlɪən] *n* Pavillon *m*; (*Sport*) (*changing ~*) Umkleideräume *pl*; (*clubhouse*) Klubhaus *nt*.
paving ['peɪvɪŋ] *n* Belag *m*; (*US: of road*) Decke *f*; (*action*) Pflastern *nt* ▶ ~ **stone** Platte *f*.
paw [pɔː] **1** *n* (*of animal, col: hand*) Pfote *f*; (*of lion, bear*) Pranke *f*. **2** *vt* **a** tätscheln; (*lion etc*) mit der Tatze berühren ▶ **to ~ the ground** (*lit*) scharren; (*fig: be impatient*) ungeduldig werden. **b** (*pej col: handle*) betatschen (*col*).
pawn¹ [pɔːn] *n* (*Chess*) Bauer *m*; (*fig*) Schachfigur *f*.
pawn² [pɔːn] **1** *n* (*security*) Pfand *nt* ▶ **to put sth in ~** etw verpfänden. **2** *vt* verpfänden.
pawn: ~**broker** *n* Pfandleiher *m*; ~**shop** *n* Pfandhaus *nt*.
pay [peɪ] (*vb: pret, ptp* **paid**) **1** *n* Lohn *m*; (*of salaried employee, civil servant*) Gehalt *nt*; (*Mil*) Sold *m* ▶ **to be in sb's ~** für jdn arbeiten. **2** *vt* **a** zahlen; *person, bill, debt* bezahlen ▶ **to ~ sb £10** jdm £10 zahlen; **how much is there to ~?** was bin ich schuldig?; **to be** or **get paid** (*in regular job*) seinen Lohn/sein Gehalt bekommen; **savings accounts that ~ 5%** Sparkonten, die 5% Zinsen bringen. **b** (*lit, fig: be profitable to*) sich lohnen für ▶ **in future it would ~ you to ask** in Zukunft solltest du besser vorher fragen. **c** **to ~ (sb) a visit** or **call** jdn besuchen; (*more formal*) jdm einen Besuch abstatten. **3** *vi* **a** zahlen ▶ **they ~ well for this sort of work** diese Arbeit wird gut bezahlt; **no, no, I'm ~ing** nein, nein, ich (be)zahle; **to ~ for sth** etw bezahlen; **it's already paid for** es ist schon bezahlt. **b** (*be profitable*) sich lohnen ▶ **it's a business that ~s** es ist ein rentables Geschäft; **crime doesn't ~** (*prov*) Verbrechen lohnen sich nicht. **c** (*fig: to suffer*) **to ~ for sth (with sth)** für etw (mit etw) büßen; **you'll ~ for that!** dafür wirst du (mir) büßen.
◆**pay back** *vt sep money* zurückzahlen; *compliment, visit* erwidern; *insult, trick* sich revanchieren für ▶ **to ~ sb ~** es jdm heimzahlen.
◆**pay in** *vt sep* einzahlen ▶ **to ~ money ~to an account** Geld auf ein Konto einzahlen.
◆**pay off** *vt sep workmen* auszahlen; *debt* ab(be)zahlen; *instalments* ab(be)zahlen; *mortgage* ablösen; *creditor* befriedigen ▶ **to ~ sth ~ in instalments** etw in Raten ab(be)zahlen.
◆**pay out** *vt sep* **a** *money* (*spend*) ausgeben; (*count out*) auszahlen. **b** *rope* ablaufen lassen.
◆**pay up** **1** *vt sep what one owes* zurückzahlen; *subscription* bezahlen ▶ **his account/he is paid ~** er hat alles bezahlt. **2** *vi* zahlen ▶ **come on, ~ ~!** los, bezahl endlich!
payable ['peɪəbl] *adj* zahlbar; (*due*) fällig ▶ **to make a cheque ~ to sb** einen Scheck auf jdn ausstellen; ~ **on demand** zahlbar bei Sicht *f*.
pay: ~**-as-you-earn** *n* (*Brit*) Steuersystem *nt, bei dem die Lohnsteuer direkt einbehalten wird*; ~ **award** *n* Lohn-/

Gehaltserhöhung *f*; **~-claim** *n* Lohn-/Gehaltsforderung *f*; **~-day** *n* Zahltag *m*; **~ differential** *n* Lohngefälle *nt*; **~ dispute** *n* Tarifkonflikt *m*.
PAYE (*Brit*) = **pay-as-you-earn.**
payee [peɪ'iː] *n* Zahlungsempfänger *m*.
pay: **~ envelope** *n* (*US*) Lohntüte *f*; **~ freeze** *n* Lohnstopp *m*; **~ increase** *n* Lohn-/Gehaltserhöhung *f*.
paying ['peɪɪŋ] *adj* [a] (*profitable*) rentabel. [b] **~ guest** zahlender Gast.
payload ['peɪləʊd] *n* Nutzlast *f*.
payment ['peɪmənt] *n* Zahlung *f*; (*paying*) Bezahlung *f*; (*of debt, mortgage*) Abtragung, Rückzahlung *f* ▸ **three monthly ~s** drei Monatsraten; *as or in ~ for his services* als Bezahlung für seine Dienste; *on ~ of* bei Bezahlung von; *to make a ~* eine Zahlung leisten.
pay negotiations *pl* Tarifverhandlungen *pl*.
payoff ['peɪɒf] *n* (*col: bribe*) Bestechungsgeld *nt*; (*outcome*) Quittung *f*; (*of joke*) Pointe *f*.
pay: **~ packet** *n* (*Brit*) Lohntüte *f*; **~ phone** *n* Münztelefon *nt*; **~ policy** *n* Lohnpolitik *f*; **~ rise** *n* Lohn-/Gehaltserhöhung *f*; **~roll** *n* Lohnliste *f*; (*workers*) Belegschaft *f*; *to be on the (firm's) ~roll* bei der Firma fest angestellt sein; **~ round** *n* Tarifrunde *f*; **~slip** *n* Lohn-/Gehaltsstreifen *m*; **~ station** *n* (*US*) öffentlicher Fernsprecher; **~ talks** *npl* Lohnverhandlungen *pl*; (*for profession, area of industry*) Tarifverhandlungen *pl*.
PC = [a] **personal computer** PC *m*. [b] (*Brit*) **Police Constable.** [c] (*Brit*) **Privy Councillor.**
pc = [a] **per cent** Pr., v. H. [b] **post card.**
PCB = **printed circuit board.**
pd = **paid** bez.
PDQ (*col*) = **pretty damn quick** verdammt schnell (*col*).
PE = **physical education.**
pea [piː] *n* Erbse *f*.
peace [piːs] *n* Frieden *m*; (*tranquillity*) Ruhe *f* ▸ *to be at ~ with sb/sth* mit jdm/etw in Frieden leben; *he is at ~* (*euph: dead*) er ruht in Frieden; *to make (one's) ~ (with sb)* sich (mit jdm) versöhnen; *to make ~ between ...* Frieden stiften zwischen ... (+*dat*); *to keep the ~* (*Jur*) (*demonstrator, citizen*) die öffentliche Ordnung wahren; (*policeman*) die öffentliche Ordnung aufrechterhalten; (*fig*) Frieden bewahren; *~ of mind* innere Ruhe; *~ and quiet* Ruhe und Frieden; *to give sb some ~* jdn in Ruhe or Frieden lassen; *to give sb no ~* jdm keine Ruhe lassen; *she doesn't have a moment's ~* sie hat keine ruhige Minute.
peaceable *adj*, **~bly** *adv* ['piːsəbl, -ɪ] friedlich.
peace: **~ campaigner** *n* Friedenskämpfer(in *f*) *m*; **~ conference** *n* Friedenskonferenz *f*; **P~ Corps** *n* (*US*) ≃ Entwicklungsdienst *m*.
peaceful ['piːsfʊl] *adj* friedlich; *nation, person etc* friedfertig; *holiday, sleep etc* ruhig; *death* sanft.
peacefully ['piːsfəlɪ] *adv* friedlich ▸ *to die ~ (in one's sleep)* friedlich einschlafen.
peace: **~-keeping** [1] *n* Friedenssicherung *f*; [2] *adj* Friedens-; **~-keeping force** Friedenstruppe *f*; **~-keeping role** friedenssichernde Rolle; **~-loving** *adj* friedliebend; **~maker** *n* Friedensstifter(in *f*) *m*; **~ movement** *n* Friedensbewegung *f*; **~-offering** *n* (*lit, fig*) Friedensangebot *nt*; **~ talks** *npl* Friedensverhandlungen *pl*; **~time** *n* Friedenszeiten *pl*, Frieden *m*.
peach [piːtʃ] [1] *n* [a] (*fruit*) Pfirsich *m*; (*tree*) Pfirsichbaum *m*. [b] (*col*) *she's a ~* sie ist klasse (*col*). [2] *adj* pfirsichfarben.
peacock ['piːkɒk] *n* Pfau *m*.
pea-green ['piː‚griːn] *adj* erbsengrün.
peak [piːk] [1] *n* [a] (*of mountain*) Gipfel *m*; (*of roof*) First *m*. [b] (*of cap*) Schirm *m*. [c] (*maximum*) Höhepunkt *m*; (*on graph*) Scheitelpunkt *m* ▸ *he is at the ~ of fitness* er ist in Höchstform; *when demand is*

at its ~ wenn die Nachfrage am stärksten ist.
[2] *adj attr value, power* Spitzen-; *production* Höchst-.
[3] *vi* den Höchststand erreichen; (*engine*) seine Spitzenleistung erreichen.
peaked [piːkt] *adj* [a] *~ cap* Schirmmütze *f*. [b] (*US*) = **peaky.**
peak: **~ hours** *npl*, **~ period** *n* (*of traffic*) Hauptverkehrszeit *f*; (*Telec, Elec*) Hauptbelastungszeit *f*; **~ rate** *n* (*Telec*) Höchsttarif *m*; **~ viewing period** *n* (*TV*) Hauptsendezeit *f*.
peaky ['piːkɪ] *adj* (+*er*) (*Brit col*) *complexion* blaß ▸ *to look ~* angeschlagen aussehen (*col*).
peal [piːl] [1] *n* **~ of bells** (*sound*) Glockenläuten *nt*; **~s of laughter** schallendes Gelächter; **~ of thunder** Donnerrollen *nt*.
[2] *vi* (*bell*) läuten.
peanut ['piːnʌt] *n* Erdnuß *f* ▸ **~s** (*col*) (*not much money*) Kleingeld *nt* (*to sb* für jdn); (*not significant*) Kleinkram *m*; *the pay is ~s* die Bezahlung ist miserabel *or* lächerlich (*col*); **~ butter** Erdnußbutter *f*.
pear [peəʳ] *n* Birne *f*; (*tree*) Birnbaum *m*.
pearl [pɜːl] *n* (*lit, fig*) Perle *f*; (*mother-of-~, colour*) Perlmutt *nt* ▸ **string of ~s** Perlenkette *f*; **~ of wisdom** weiser Spruch.
pearl: **~ barley** *n* Perlgraupen *pl*; **~ fishing** *n* Perlenfischerei *f*; **~ grey** *adj* silbergrau; **~ oyster** *n* Perlenauster *f*.
pearly ['pɜːlɪ] *adj* (+*er*) (*in colour*) perlmuttfarben ▸ *~ white* perlweiß; *P~ Gates* Himmelstür *f*.
pear: **~-shaped** *adj* birnenförmig; **~ tree** *n* Birnbaum *m*.
peasant ['pezənt] [1] *n* (*lit*) (armer) Bauer; (*pej col*) (*ignoramus*) Banause *m*; (*pleb*) Prolet *m*.
[2] *adj attr* bäuerlich ▸ *~ farmer* (armer) Bauer.
peasantry ['pezəntrɪ] *n* Bauernschaft *f*; (*class*) Bauerntum *nt*.
pease-pudding ['piːz'pʊdɪŋ] *n* Erbs(en)püree *nt*.
pea: **~shooter** *n* Pusterohr *nt*; **~ soup** *n* Erbsensuppe *f*.
peat [piːt] *n* Torf *m* ▸ **~bog** Torfmoor *nt*.
pebble ['pebl] *n* Kieselstein *m* ▸ *he/she is not the only ~ on the beach* (*col*) es gibt noch andere.
pebbly ['peblɪ] *adj* steinig.
peck [pek] [1] *n* [a] (*col: kiss*) Küßchen *nt*. [b] *the hen gave him a ~* die Henne hackte nach ihm.
[2] *vt* (*bird*) picken.
[3] *vi* picken (*at* nach) ▸ *he just ~ed at his food* er stocherte nur in seinem Essen herum.
pecking order ['pekɪŋ‚ɔːdəʳ] *n* (*lit, fig*) Hackordnung *f*.
peckish ['pekɪʃ] *adj* (*Brit col: hungry*) *I'm (feeling) a bit ~* ich könnte was zwischen die Zähne gebrauchen (*col*).
pectin ['pektɪn] *n* Pektin *nt*.
peculiar [pɪ'kjuːlɪəʳ] *adj* [a] (*strange*) seltsam, eigenartig. [b] (*exclusive, special*) eigentümlich (*to* für +*acc*) ▸ *an animal ~ to Africa* ein Tier, das nur in Afrika vorkommt.
peculiarity [pɪ‚kjuːlɪ'ærɪtɪ] *n* [a] (*strangeness*) Eigenartigkeit *f*. [b] (*unusual feature*) Besonderheit *f*.
pecuniary [pɪ'kjuːnɪərɪ] *adj* (*form*) *penalties, affairs* Geld-; *gain, problem* finanziell.
pedagogic(al) [‚pedə'gɒdʒɪk(əl)] *adj* (*form*) pädagogisch.
pedal ['pedl] [1] *n* Pedal *nt*; (*on bin etc*) Trethebel *m* ▸ **~ bin** (*Brit*) Treteimer *m*.
[2] *vi* (*on bicycle*) treten ▸ *to ~ off* (mit dem Rad) wegfahren.
pedalo ['pedələʊ] *n* Tretboot *nt*.
pedant ['pedənt] *n* Pedant(in *f*) *m*.
pedantic [pɪ'dæntɪk] *adj* pedantisch.
pedantry ['pedəntrɪ] *n* Pedanterie *f*.
peddle ['pedl] *vt* hausieren mit (*pej*) ▸ *to ~ drugs* mit Drogen handeln.
peddler ['pedləʳ] *n* (*esp US*) = **pedlar.**

pederast ['pedəræst] n Päderast m.
pedestal ['pedɪstl] n Sockel m ▸ **to put sb on a ~** (fig) jdn in den Himmel heben.
pedestrian [pɪ'destrɪən] **1** n Fußgänger(in f) m. **2** adj **a** attr Fußgänger- ▸ **~ crossing** (Brit) Fußgängerüberweg m; **~ precinct** (Brit) Fußgängerzone f. **b** (prosaic) schwunglos.
pediatric, pediatrician (esp US) = **paediatric, paediatrician.**
pedicure ['pedɪkjʊəʳ] n Pediküre f.
pedigree ['pedɪgriː] **1** n (lit, fig) Stammbaum m; (document) Ahnentafel f. **2** attr reinrassig.
pedlar ['pedləʳ] n Hausierer(in f) m; (of drugs) Drogenhändler(in f) m.
pee [piː] (col) **1** n (urine) Urin m, Pipi nt (baby-talk) ▸ **to need/have a ~** pinkeln müssen/pinkeln (col). **2** vi pinkeln (col).
peek [piːk] **1** n kurzer Blick; (furtive) verstohlener Blick ▸ **to take** or **have a ~** kurz/verstohlen gucken (at nach). **2** vi gucken (at nach).
peel [piːl] **1** n Schale f. **2** vt schälen. **3** vi (wallpaper) sich lösen; (paint) abblättern; (skin, person) sich schälen or pellen (col).
◆**peel away** **1** vt sep wallpaper, paint abziehen (from von); wrapper abstreifen (from von). **2** vi (lit, fig) sich lösen (from von).
◆**peel back** vt sep cover, wrapping abziehen.
◆**peel off** **1** vt sep (+prep obj von) tape, wallpaper abziehen; wrapper, glove etc abstreifen. **2** vi sich lösen.
peeler ['piːləʳ] n (potato ~) Schälmesser nt.
peelings ['piːlɪŋz] npl Schalen pl.
peep¹ [piːp] **1** n (sound) (of bird etc) Piep m; (of horn, whistle, col: of person) Ton m ▸ **we haven't had** or **heard a ~ out of him** (col) wir haben keinen Pieps von ihm gehört (col). **2** vi (bird etc) piepen; (horn, car) tuten; (whistle) pfeifen.
peep² **1** n (look) kurzer Blick; (furtive) verstohlener Blick ▸ **to take** or **have a ~ (at sth)** kurz/verstohlen (nach etw) gucken. **2** vi gucken (at nach) ▸ **to ~ from behind sth** hinter etw (dat) hervorschauen; **to ~ over sth** über etw (acc) gucken.
peephole ['piːphəʊl] n Guckloch nt; (in door also) Spion m.
peeping Tom [ˌpiːpɪŋ'tɒm] n Spanner (col), Voyeur m.
peer¹ [pɪəʳ] n **a** **~ (of the realm)** Peer m. **b** (equal) Gleichrangige(r) mf ▸ **he was well-liked by his ~s** er war bei seinesgleichen beliebt.
peer² vi starren; (inquiringly) schielen ▸ **to ~ (hard) at sb/sth** jdn/etw anstarren.
peerage ['pɪərɪdʒ] n Adelsstand m, Peers pl ▸ **to give sb a ~** jdm einen Adelstitel verleihen; **to raise sb to the ~** jdn in den Adelsstand erheben.
peer group n (age group) Altersgruppe f; (ability group) Leistungsklasse f.
peerless ['pɪəlɪs] adj einzigartig.
peeved [piːvd] adj (col) eingeschnappt (col), verärgert.
peevish ['piːvɪʃ] adj gereizt; (irritable) reizbar.
peevishly ['piːvɪʃlɪ] adv gereizt.
peevishness ['piːvɪʃnɪs] n Gereiztheit f; (irritability) Reizbarkeit f.
peewit ['piːwɪt] n Kiebitz m.
peg [peg] **1** n (stake) Pflock m; (for wood joints, in games) Stift m; (Brit: clothes ~) (Wäsche)klammer f ▸ **off the ~** von der Stange; **to take sb down a ~** or **two** (col) jdm einen Dämpfer geben; **a ~ on which to hang**

one's prejudices etc ein guter Aufhänger für seine Vorurteile etc.
2 vt **a** (fasten) anpflocken; clothes anklammern; (tent) festpflocken. **b** prices, wages festsetzen.
◆**peg away** vi (col) nicht locker lassen (at mit).
◆**peg out** **1** vt sep washing aufhängen; (mark out) area abstecken. **2** vi (col: die) abkratzen (col).
pejorative [pɪ'dʒɒrɪtɪv] adj abwertend.
pekinese [ˌpiːkɪ'niːz] n, pl - (dog) Pekinese m.
Peking [piː'kɪŋ] n Peking nt.
pelican ['pelɪkən] n Pelikan m ▸ **~ crossing** Ampelüberweg m.
pellet ['pelɪt] n Kügelchen nt; (for gun) Schrotkugel f.
pell-mell ['pel'mel] adv wie Kraut und Rüben (col).
pelmet ['pelmɪt] n (board) Blende f; (drapery) Schabracke f.
pelt [pelt] **1** vt (throw) schleudern (at nach) ▸ **to ~ sb/ sth (with sth)** jdn/etw (mit etw) bewerfen. **2** vi (col) **a** (go fast) pesen (col). **b** **it ~ed (with rain)** es hat nur so geschüttet (col). **3** (col) **at full ~** volle Pulle (col).
pelvic ['pelvɪk] adj Becken- ▸ **~ fin** Bauchflosse f.
pelvis ['pelvɪs] n Becken nt.
pen¹ [pen] **1** n (dip ~) Feder f; (fountain ~) Füller m; (ball-point ~) Kugelschreiber, Kuli (col) m ▸ **to put ~ to paper** zur Feder greifen. **2** vt niederschreiben.
pen² n **a** (for cattle etc) Pferch m; (play~) Laufstall m. **b** (US col: prison) Knast (col) m.
penal ['piːnl] adj law, colony etc Straf- ▸ **~ code** Strafgesetzbuch nt; **~ institution** Strafanstalt f; **~ reform** Strafrechtsreform f, **~ system** Strafrecht nt.
penalize ['piːnəlaɪz] vt bestrafen; (fig) benachteiligen.
penalty ['penltɪ] n **a** (punishment) Strafe f; (fig: disadvantage) Nachteil m ▸ **on ~ of death/£5/ imprisonment** bei Todesstrafe/bei einer Geldstrafe von £5/bei Gefängnisstrafe; **to pay the ~** dafür büßen. **b** (Sport) Strafstoß m; (Soccer also) Elfmeter m.
penalty: ~ area n Strafraum m; **~ clause** n Strafklausel f; **~ kick** n Strafstoß m; (soccer also) Elfmeter m; **~ shootout** n Elfmeterschießen nt.
penance ['penəns] n (Rel) Buße f; (fig) Strafe f ▸ **to do ~** Buße tun; (fig) büßen.
pence [pens] n pl of **penny.**
penchant ['pãːnʃãːŋ] n Schwäche f (for für).
pencil ['pensl] **1** n Bleistift m; (eyebrow ~) Augenbrauenstift m. **2** vt mit Bleistift schreiben/zeichnen. **3** attr drawing Bleistift-.
◆**pencil in** vt sep (arrange provisionally) vorläufig vormerken.
pencil: ~ case n Federmäppchen nt; **~ sharpener** n (Bleistift)spitzer m.
pendant ['pendənt] n Anhänger m.
pending ['pendɪŋ] **1** adj anstehend; lawsuit anhängig ▸ **to be ~** (decision etc) noch anstehen; (trial) noch anhängig sein; **~ tray** Ablage f für noch Unerledigtes. **2** prep **~ his arrival/return** bis zu seiner Ankunft/ Rückkehr.
pendulum ['pendjʊləm] n Pendel nt ▸ **the ~ has swung back in the opposite direction** (fig) das Pendel ist in die entgegengesetzte Richtung ausgeschlagen.
penetrate ['penɪtreɪt] **1** vt eindringen in (+acc); walls etc durchdringen; (Mil) enemy lines durchbrechen; (Med) vein durchstechen. **2** vi eindringen; (go right through) durchdringen ▸ **the idea just didn't ~** (fig) das ist mir/ihm etc nicht klargeworden.
penetrating ['penɪtreɪtɪŋ] adj durchdringend; mind scharf; insight scharfsinnig; light grell; pain stechend.

penetration [ˌpenɪ'treɪʃən] n see vt Eindringen nt (into in +acc); Durchdringen nt (of gen); Durchbrechung f; Durchstechen nt.

penfriend ['penfrend] n (Brit) Brieffreund(in f) m.

penguin ['peŋgwɪn] n Pinguin m.

penicillin [ˌpenɪ'sɪlɪn] n Penizillin nt.

peninsula [pɪ'nɪnsjʊlə] n Halbinsel f.

penis ['piːnɪs] n Penis m.

penitence ['penɪtəns] n (also Eccl) Reue f.

penitent ['penɪtənt] 1 adj reuig (also Eccl), zerknirscht.
2 n (Eccl) Büßer(in f) m.

penitentiary [ˌpenɪ'tenʃərɪ] n (esp US: prison) Strafanstalt f.

pen: ~**knife** n Taschenmesser nt; ~ **name** n Pseudonym nt.

pennant ['penənt] n Wimpel m.

penniless ['penɪlɪs] adj mittellos.

Pennines ['penaɪnz] npl Pennines pl (Gebirgszug in Nordengland).

penny ['penɪ] n, pl (coins) **pennies** or (sum) **pence** Penny m; (US) Centstück nt ▶ **in for a** ~, **in for a pound** (prov) wennschon, dennschon (col); (morally) wer A sagt, muß auch B sagen (prov); **I'm not a** ~ **the wiser** ich bin genauso klug wie zuvor; **take care of the pennies and the pounds will take care of themselves** (Prov) spare im kleinen, dann hast du im großen; **a** ~ **for your thoughts** ich möchte deine Gedanken lesen können; **he keeps turning up like a bad** ~ (col) der taucht immer wieder auf (col); **the** ~ **dropped** (col) der Groschen ist gefallen (col).

penny: ~**-farthing** n Hochrad nt; ~**-pinching** adj knauserig (col); ~ **whistle** n Blechflöte f.

pen pal n (esp US) Brieffreund(in f) m.

pen-pusher ['pen,pʊʃəʳ] n (col) Schreiberling m.

pension ['penʃən] n (money) Rente f.

pension off vt sep (col) vorzeitig pensionieren.

pensionable ['penʃənəbl] adj (post) **to be** ~ zu einer Rente berechtigen; **of** ~ **age** im Rentenalter.

pensioner ['penʃənəʳ] n Rentner(in f) m.

pension: ~ **fund** n Rentenfonds m; ~ **scheme** n Rentenversicherung f; **contributory** ~ **scheme** beitragspflichtige Rentenversicherung f.

pensive ['pensɪv] adj nachdenklich; (sadly serious) schwermütig.

pentagon ['pentəgən] n Fünfeck nt ▶ **the P~** das Pentagon.

┌── **PENTAGON** ──────────────────────────────────┐

ℹ **Pentagon** heißt das fünfeckige Gebäude in Arlington, Virginia, in dem das amerikanische Verteidigungsministerium untergebracht ist. Im weiteren Sinne bezieht sich dieses Wort auf die amerikanische Militärführung.

└──┘

pentathlon [pen'tæθlən] n Fünfkampf m.

Pentecost ['pentɪkɒst] n (Jewish) Erntefest nt; (Christian) Pfingsten nt.

penthouse ['penthaʊs] n (apartment) Penthouse nt.

Pentium processor ® ['pentɪəm 'prəʊsesə] n Pentium-Prozessor m.

pent-up [ˌpent'ʌp] adj person (with frustration, anger) geladen pred; (nervous, excited) innerlich angespannt; emotions, excitement aufgestaut.

penultimate [pe'nʌltɪmɪt] adj vorletzte(r, s).

penury ['penjʊrɪ] n Armut, Not f.

peony ['piːənɪ] n Pfingstrose f.

people ['piːpl] 1 npl a Menschen pl; (not in formal context) Leute pl ▶ **French** ~ die Franzosen; **Edinburgh** ~ (die) Leute aus/in Edinburg; **all** ~ **with red hair** alle Rothaarigen; **why me of all** ~? warum ausgerechnet

ich/mich?; **what do you** ~ **think?** was haltet ihr denn davon?; **poor/blind/disabled** ~ Arme/Blinde/Behinderte; **country** ~ Menschen pl vom Land; **some** ~! Leute gibt's! b (inhabitants) Bevölkerung f ▶ **the** ~ **of Rome** die Bevölkerung von Rom. c (one, they) man; (~ in general) die Leute ▶ ~ **say that …** man sagt, daß … d (nation, masses) Volk nt ▶ **the common** ~ das einfache Volk; **a man of the** ~ ein Mann m des Volkes; ~ **power** Basisdemokratie f; **the P~'s Republic of China** die Volksrepublik China.
2 vt bevölkern.

PEP [pep] n = **Personal Equity Plan** steuerfreier privater Aktienanlageplan.

pep [pep] n (col) Schwung, Pep (col) m.

◆**pep up** vt sep (col) Schwung bringen in (+acc); food pikanter machen; person munter machen.

pepper ['pepəʳ] 1 n Pfeffer m; (green, red ~) Paprikaschote f.
2 vt pfeffern ▶ **to** ~ **an essay with quotations** eine Arbeit mit Zitaten spicken.

pepper: ~**corn** n Pfefferkorn nt; ~ **mill** n Pfeffermühle f; ~**mint** n Pfefferminz nt; (Bot) Pfefferminze f; ~ **pot** or **shaker** (US) n Pfefferstreuer m.

peppery ['pepərɪ] adj gepfeffert; (fig) old man etc hitzköpfig.

pep: ~ **pill** n Aufputschpille f; ~ **talk** n (col) aufmunternde Worte pl.

per [pɜːʳ] prep pro ▶ £20 ~ **annum** £20 pro Jahr; **40 miles** ~ **hour** ≈ 60 km pro Stunde or in der Stunde; **$2** ~ **dozen** das Dutzend für $2; **£5** ~ **copy** £5 pro or je Exemplar; **as** ~ gemäß (+dat).

per capita [pə'kæpɪtə] adj ▶ ~ **income** Pro-Kopf-Einkommen nt.

perceive [pə'siːv] vt wahrnehmen; (understand, recognize) erkennen.

per cent, (US) **percent** [pə'sent] n Prozent nt ▶ **20** ~ 20 Prozent; **a 10** ~ **discount** 10 Prozent Rabatt.

percentage [pə'sentɪdʒ] 1 n Prozentsatz m; (commission, payment) Anteil m; (proportion) Teil m ▶ **a small** ~ **of the population** ein geringer Teil der Bevölkerung; **what** ~? wieviel Prozent?; **to get a** ~ **on all sales** prozentual am Umsatz beteiligt sein.
2 attr prozentual ▶ **on a** ~ **basis** prozentual; ~ **sign** Prozentzeichen nt.

perceptible [pə'septəbl] adj wahrnehmbar; improvement, trend etc spürbar.

perceptibly [pə'septəblɪ] adv spürbar; (to the eye) sichtbar.

perception [pə'sepʃən] n a no pl Wahrnehmung f. b (mental image, conception) Auffassung f (of von) ▶ **one's** ~ **of the situation** die eigene Einschätzung der Lage. c (no pl: perceptiveness) Einsicht f; (perceptive remark, observation) Beobachtung f. d no pl (of difficulties, meaning etc) Erkennen nt.

perceptive [pə'septɪv] adj (sensitive) person einfühlsam; (penetrating) analysis, speech scharfsinnig; book aufschlußreich ▶ **very** ~ **of you!** (iro) du merkst auch alles.

perch¹ [pɜːtʃ] n (fish) Barsch m.

perch² 1 n (of bird) Stange f; (in tree) Ast m; (iro: for person etc) Hochsitz m.
2 vt **to** ~ **sth on sth** etw auf etw (acc) setzen or (upright) stellen; **to be** ~**ed on sth** auf etw (dat) sitzen.
3 vi (bird, fig: person) hocken; (alight) sich niederlassen.

percolate ['pɜːkəleɪt] 1 vt filtrieren; coffee (in einer Kaffeemaschine) zubereiten.
2 vi (lit, fig) durchsickern.

percolator ['pɜːkəleɪtəʳ] n Kaffeemaschine f.

percussion [pə'kʌʃən] n (Mus) Schlagzeug nt ▶ ~ **instrument** Schlaginstrument nt.

percussionist [pə'kʌʃənɪst] n Schlagzeuger(in f) m.

peregrine (falcon) ['perɪgrɪn('fɔːlkən)] *n* Wanderfalke *m.*

peremptory [pə'remptərɪ] *adj command* kategorisch; *voice* gebieterisch; *person* herrisch.

perennial [pə'renɪəl] **1** *adj plant* mehrjährig; (*perpetual*) ewig; (*recurring*) immer wiederkehrend. **2** *n* (*Bot*) mehrjährige Pflanze.

perestroika [perə'strɔɪkə] *n* Perestroika *f.*

perfect ['pɜːfɪkt] **1** *adj* **a** perfekt; *balance, symmetry also* vollkommen; *work of art also* vollendet; *weather, day also* ideal; (*Comm: not damaged*) einwandfrei ▶ **~ couple** Traumpaar *nt*; *it was the ~ moment* es war genau der richtige Augenblick. **b** (*absolute, utter*) völlig ▶ *he's a ~ stranger to me* er ist mir völlig fremd; *it's a ~ disgrace* es ist wirklich eine Schande. **c** (*Gram*) *~ tense* Perfekt *nt* ▶ **2** *n* (*Gram*) Perfekt *nt* ▶ *in the ~* im Perfekt. **3** [pə'fekt] *vt* vervollkommnen.

perfection [pə'fekʃən] *n* Vollkommenheit, Perfektion *f* ▶ *to do sth to ~* etw perfekt tun.

perfectionism [pə'fekʃənɪzəm] *n* Perfektionismus *m.*

perfectionist [pə'fekʃənɪst] *n* **1** Perfektionist *m.* **2** *adj* perfektionistisch.

perfectly ['pɜːfɪktlɪ] *adv* **a** perfekt ▶ *I understand you ~* ich weiß genau, was Sie meinen. **b** (*absolutely*) absolut, vollkommen ▶ *we're ~ happy about it* wir sind damit völlig zufrieden; *a ~ lovely day* ein wirklich herrlicher Tag; *you know ~ well that ...* du weißt ganz genau, daß ...

perforate ['pɜːfəreɪt] **1** *vt* (*also Med*) perforieren; (*pierce once*) durchstechen, lochen. **2** *vi* (*ulcer, appendix*) durchbrechen.

perforation [ˌpɜːfə'reɪʃən] *n* (*act*) Perforieren *nt*; (*row of holes, Med*) Perforation *f.*

perform [pə'fɔːm] **1** *vt play, concerto* aufführen; *solo* vortragen; *part* spielen; *trick* vorführen; *miracle* vollbringen; *task* verrichten; *duty, function* erfüllen; *operation* durchführen; *ceremony* vollziehen.
2 *vi* **a** (*orchestra etc*) auftreten ▶ *to ~ on the violin* Geige spielen. **b** *to ~ well/badly* (*car, football team etc*) eine gute/schlechte Leistung zeigen; (*examination candidate etc*) gut/schlecht abschneiden; *the 2 litre version ~s better* die Zweiliterversion leistet mehr; *how did he ~?* (*actor, musician*) wie war er?; *how did the car ~?* wie ist der Wagen gelaufen?

performance [pə'fɔːməns] *n* **a** (*of play, opera etc*) Aufführung *f*; (*cinema*) Vorstellung *f*; (*by actor*) Leistung *f*; (*of a part*) Darstellung *f* ▶ *he gave an excellent ~* er hat ausgezeichnet gespielt/gesungen *etc*; *we are going to hear a ~ of Beethoven's 5th* wir werden Beethovens Fünfte hören. **b** (*carrying out*) *see vt* Aufführung *f*; Vortrag *m*; (*of part*) Darstellung *f*; Vorführung *f*; Vollbringung *f*; Verrichtung, Erfüllung *f*; Durchführung *f*; Vollzug *m* ▶ *in the ~ of his duties* in Ausübung seiner Pflicht. **c** (*effectiveness*) (*of machine, sportsman etc*) Leistung *f*; (*of examination candidate etc*) Abschneiden *nt* ▶ *he put up a good ~* er hat sich gut geschlagen (*col*). **d** (*col: fuss*) *what a ~!* was für ein Umstand!

performance-related [pə'fɔːmənsrɪ'leɪtɪd] *adj* pay leistungsbezogen.

performer [pə'fɔːmər] *n* (*Theat, Mus*) Künstler(in *f*) *m.*

performing [pə'fɔːmɪŋ] *adj animal* dressiert ▶ *the ~ arts* die darstellenden Künste; *~ rights* Aufführungsrechte *pl.*

perfume ['pɜːfjuːm] **1** *n* (*substance*) Parfüm *nt*; (*smell*) Duft *m.* **2** [pə'fjuːm] *vt* parfümieren.

perfumery [pɜː'fjuːmərɪ] *n* (*perfume factory*) Parfümerie *f*; (*perfumes*) Parfüm *nt.*

perfunctory [pə'fʌŋktərɪ] *adj* flüchtig.

▼ **perhaps** [pə'hæps, præps] *adv* vielleicht ▶ *~ so* das mag

▶ SENTENCE BUILDER: **perhaps** → 9.2, 13.3

sein.

peril ['perɪl] *n* Gefahr *f.*

perilous ['perɪləs] *adj* gefährlich.

perilously ['perɪləslɪ] *adv* gefährlich ▶ *she came ~ close to falling* sie wäre um ein Haar heruntergefallen.

perimeter [pə'rɪmɪtər] *n* (*Math*) Umfang *m*; (*of grounds*) Grenze *f* ▶ *~ fence* Umzäunung *f.*

period ['pɪərɪəd] *n* **a** (*length of time*) Zeit *f*; (*age*) Zeitalter *nt*, Epoche *f*; (*Geol, Met*) Periode *f* ▶ *for a ~ of eight weeks* für einen Zeitraum von acht Wochen; *at that ~ (of my life)* zu diesem Zeitpunkt (in meinem Leben); *a writer of the ~* ein zeitgenössischer Schriftsteller. **b** (*Sch*) Stunde *f.* **c** (*esp US: full stop*) Punkt *m* ▶ *you're not going, ~* du gehst nicht, und damit hat sich's; *he just doesn't understand, ~* er versteht einfach überhaupt nichts. **d** (*menstruation*) Periode *f*, Tage *pl* (*col*).

period: *~ costume* *n* zeitgenössische Kostüme *pl*; *~ furniture* *n* antike Möbel *pl*; *~ house* *n* altes Haus (*vor etwa 1800*).

periodic [ˌpɪərɪ'ɒdɪk] *adj* periodisch ▶ *~ table* (*Chem*) Periodensystem *nt.*

periodical [ˌpɪərɪ'ɒdɪkəl] **1** *adj* = **periodic.** **2** *n* Zeitschrift *f.*

periodically [ˌpɪərɪ'ɒdɪkəlɪ] *adv* von Zeit zu Zeit.

period: *~ pains* *npl* Menstruationsschmerzen *pl*; *~ piece* *n* antikes Stück; (*painting, music etc*) Zeitdokument *nt.*

peripatetic [ˌperɪpə'tetɪk] *adj* umherreisend; *existence* rastlos; *teacher* an mehreren Schulen unterrichtend *attr.*

peripheral [pə'rɪfərəl] **1** *adj* Rand-; (*Comp*) Peripherie-; (*fig also*) nebensächlich. **2** *n* (*Comp*) Peripheriegerät *nt.*

periphery [pə'rɪfərɪ] *n* Peripherie *f.*

periscope ['perɪskəʊp] *n* Periskop *nt.*

perish ['perɪʃ] *vi* **a** (*die*) umkommen, sterben; (*cities, civilization*) untergehen. **b** (*rubber, leather etc*) verschleißen; (*food*) verderben. **c** (*col*) *~ the thought!* Gott bewahre!

perishable ['perɪʃəbl] **1** *adj food* verderblich. **2** *npl ~s* leicht verderbliche Ware(n).

perishing ['perɪʃɪŋ] *adj* (*col: very cold*) eisig kalt ▶ *I'm ~* ich geh' fast ein vor Kälte (*col*).

peritonitis [ˌperɪtəʊ'naɪtɪs] *n* Bauchfellentzündung *f.*

perjure ['pɜːdʒər] *vr to ~ oneself* einen Meineid leisten.

perjury ['pɜːdʒərɪ] *n* Meineid *m* ▶ *to commit ~* einen Meineid leisten.

perk [pɜːk] *n* (*esp Brit: benefit*) Vergünstigung *f.*

◆**perk up** **1** *vt sep to ~ sb* (*make lively*) jdn munter machen; (*make cheerful*) jdn aufheitern. **2** *vi* (*liven up: person, party*) munter werden; (*cheer up*) aufleben.

perky ['pɜːkɪ] *adj* (+*er*) (*cheerful, bright*) munter; (*cheeky, pert*) keß.

perm [pɜːm] **1** *n* Dauerwelle *f.* **2** *vt she had her hair ~ed* sie hat sich (*dat*) eine Dauerwelle machen lassen.

permanence ['pɜːmənəns], permanency ['pɜːmənənsɪ] *n* Dauerhaftigkeit *f.*

permanent ['pɜːmənənt] **1** *adj* ständig, permanent; *arrangement, position* fest; *job, relationship* dauerhaft; *agreement* unbefristet ▶ *a ~ employee* ein Festangestellter *m*; *I'm not ~ here* ich bin hier nicht fest angestellt; *~ address* ständiger Wohnsitz; *~ memory* (*Comp*) Festspeicher *m.* **2** *n* (*US*) = **perm 1.**

permanently ['pɜːmənəntlɪ] *adv* permanent, ständig; *fixed* fest ▶ *are you living ~ in Frankfurt?* ist Frankfurt Ihr ständiger Wohnsitz?

permeability [ˌpɜːmɪə'bɪlɪtɪ] *n* Durchlässigkeit *f.*

permeable ['pɜːmɪəbl] *adj* durchlässig.

permeate ['pɜːmɪeɪt] **1** vt (lit, fig) durchdringen. **2** vi dringen (into in +acc, through durch).

permissible [pə'mɪsɪbl] adj erlaubt (for sb jdm).

▼ **permission** [pə'mɪʃən] n Erlaubnis f ▶ with your ~ mit Ihrer Erlaubnis; to give sb ~ (to do sth) jdm erlauben(, etw zu tun); to ask sb's ~ jdn um Erlaubnis bitten.

permissive [pə'mɪsɪv] adj nachgiebig, permissiv (geh); (sexually) freizügig ▶ the ~ society die permissive Gesellschaft.

permit [pə'mɪt] **1** vt sth erlauben, gestatten ▶ to ~ sb to do sth jdm erlauben, etw zu tun; is it/am I ~ted to smoke? darf man/ich rauchen? **2** vi **a** if you (will) ~ wenn Sie gestatten; weather ~ting wenn es das Wetter zuläßt. **b** (form) to ~ of sth etw zulassen. **3** ['pɜːmɪt] n Genehmigung f ▶ ~ holder Inhaber(in f) m eines Berechtigungsscheins.

permutation [ˌpɜːmjʊ'teɪʃən] n Permutation f.

pernicious [pə'nɪʃəs] adj schädlich.

pernickety [pə'nɪkɪtɪ] adj (col) pingelig (col).

peroxide [pə'rɒksaɪd] n Peroxyd nt ▶ a ~ blonde (pej) eine Wasserstoffblonde.

perpendicular [ˌpɜːpən'dɪkjʊləʳ] **1** adj senkrecht (to zu). **2** n Senkrechte f.

perpetrate ['pɜːpɪtreɪt] vt begehen; crime also verüben.

perpetrator ['pɜːpɪtreɪtəʳ] n Täter m ▶ the ~ of this crime derjenige, der dieses Verbrechen begangen hat.

perpetual [pə'petjʊəl] adj ständig, immerwährend; joy stet; ice, snow ewig ▶ ~ motion Perpetuum mobile nt.

perpetually [pə'petjʊəlɪ] adv ständig.

perpetuate [pə'petjʊeɪt] vt aufrechterhalten; memory bewahren.

perpetuity [ˌpɜːpɪ'tjuːɪtɪ] n in ~ auf ewig.

perplex [pə'pleks] vt verblüffen.

perplexed [pə'plekst] adj verblüfft, perplex.

perplexing [pə'pleksɪŋ] adj verblüffend.

perplexity [pə'pleksɪtɪ] n Verblüffung f.

persecute ['pɜːsɪkjuːt] vt verfolgen.

persecution [ˌpɜːsɪ'kjuːʃən] n Verfolgung f (of von) ▶ ~ complex Verfolgungswahn m.

perseverance [ˌpɜːsɪ'vɪərəns] n Ausdauer (with mit), Beharrlichkeit (with bei) f.

persevere [ˌpɜːsɪ'vɪəʳ] vi durchhalten (with bei), nicht aufgeben (with bei) ▶ to ~ in one's studies mit seinem Studium weitermachen.

persevering [ˌpɜːsɪ'vɪərɪŋ] adj beharrlich.

Persia ['pɜːʃə] n Persien nt.

Persian ['pɜːʃən] **1** adj persisch ▶ ~ carpet Perser(teppich) m; ~ cat Perserkatze f; the P~ Gulf der Persische Golf. **2** n **a** Perser(in f) m. **b** (language) Persisch nt.

persist [pə'sɪst] vi (persevere) nicht lockerlassen (with mit); (in belief, demand etc) beharren (in auf +dat); (fog, pain) anhalten ▶ if you ~ in misbehaving wenn du dich weiterhin so schlecht benimmst.

persistence [pə'sɪstəns] n Hartnäckigkeit f; (perseverance) Ausdauer f, (of pain) Anhalten nt.

persistent [pə'sɪstənt] adj questions beharrlich; person hartnäckig; efforts ausdauernd; offender, drinking gewohnheitsmäßig; nagging, lateness, threats ständig; rain, illness anhaltend ▶ ~ offender Gewohnheitsverbrecher m.

persistently [pə'sɪstəntlɪ] adv see adj.

persnickety [pə'snɪkɪtɪ] adj (US col) see **pernickety**.

person ['pɜːsn] n **a** pl **people** or (form) **-s** (human being) Mensch m; (in official contexts) Person f ▶ I know no such ~ so jemanden kenne ich nicht; a certain ~ ein gewisser Jemand; ~ to ~ call (esp US) Gespräch nt mit Voranmeldung; per ~ pro Person. **b** pl **-s** (Gram) Person f ▶ first ~ singular/plural erste

Person Singular/Plural. **c** pl **-s** (body, physical presence) Körper m; (appearance) Äußere(s) nt ▶ in ~ persönlich; in the ~ of in Gestalt (+gen); on or about one's ~ bei sich.

personable ['pɜːsnəbl] adj (in appearance) von angenehmer Erscheinung; (in personality) sympathisch.

personage ['pɜːsənɪdʒ] n Persönlichkeit f.

personal ['pɜːsənl] adj persönlich ▶ it's nothing ~ but ... nicht, daß ich etwas gegen Sie persönlich hätte, aber ...; don't be ~ nun werden Sie mal nicht persönlich; "~" (on letter) „privat"; ~ allowance persönlicher Freibetrag; ~ assistant Privatsekretär(in f) m; ~ column Familienanzeigen pl; ~ property Privateigentum nt; ~ call Gespräch nt mit Voranmeldung; (private call) Privatgespräch nt; ~ computer Personalcomputer m; ~ effects persönliches Eigentum; P~ Equity Plan (Brit) steuerfreier privater Aktienanlageplan; ~ hygiene Körperpflege f; ~ identification number Geheimnummer f; ~ matter private Angelegenheit; ~ organizer Terminplaner m; ~ pronoun Personalpronomen nt; ~ stereo Walkman ® m.

personality [ˌpɜːsə'nælɪtɪ] n (character, person) Persönlichkeit f ▶ ~ cult Personenkult m.

personalize ['pɜːsənəlaɪz] vt persönlicher gestalten; (put initials etc on) eine persönliche Note geben (+dat).

▼ **personally** ['pɜːsənəlɪ] adv persönlich ▶ ~, I think that ... ich persönlich bin der Meinung, daß ...

personification [pɜːˌsɒnɪfɪ'keɪʃən] n Verkörperung f.

personify [pɜː'sɒnɪfaɪ] vt verkörpern ▶ he is greed personified er ist die Gier in Person.

personnel [ˌpɜːsə'nel] **1** n sing or pl **a** Personal nt; (on plane, ship) Besatzung f, (Mil) Leute pl. **b** (~ department) die Personalabteilung. **2** attr Personal- ▶ ~ management Personalführung f; ~ manager/officer Personalchef(in f) m/-sachbearbeiter(in f) m.

perspective [pə'spektɪv] n (lit, fig) Perspektive f ▶ try to get things in ~ versuchen Sie, das nüchtern und sachlich zu sehen.

Perspex ® ['pɜːspeks] n (Brit) ≈ Plexiglas ® nt.

perspicacious [ˌpɜːspɪ'keɪʃəs] adj person, remark etc scharfsinnig; decision weitsichtig.

perspicacity [ˌpɜːspɪ'kæsɪtɪ] n Scharfsinnn m.

perspiration [ˌpɜːspə'reɪʃən] n (perspiring) Schwitzen nt, Transpiration f (geh); (sweat) Schweiß m.

perspire [pə'spaɪəʳ] vi schwitzen.

persuadable [pə'sweɪdəbl] adj to be ~ sich überreden lassen.

persuade [pə'sweɪd] vt überreden; (convince) überzeugen ▶ to ~ sb to do sth jdn überreden, etw zu tun; to ~ sb into doing sth jdn dazu überreden, etw zu tun; to ~ sb of sth jdn von etw überzeugen; to ~ sb that ... jdn davon überzeugen, daß ...; he doesn't take much persuading ihn braucht man nicht lange zu überreden.

persuasion [pə'sweɪʒən] n **a** (persuading) Überredung f ▶ she tried every possible means of ~ sie setzte ihre ganze Überredungskunst ein. **b** (belief) Überzeugung f; (sect, denomination) Glaube(nsrichtung f) m.

persuasive [pə'sweɪsɪv] adj salesman, arguments etc überzeugend.

persuasively [pə'sweɪsɪvlɪ] adv überzeugend.

persuasiveness [pə'sweɪsɪvnɪs] n (of person) Überredungskunst f; (of argument) Überzeugungskraft f.

pert [pɜːt] adj (+er) keß; (impudent) keck.

pertain [pɜː'teɪn] vi to ~ to sth etw betreffen; (belong to) zu etw gehören; all documents ~ing to the case alle den Fall betreffenden Dokumente.

pertinent ['pɜːtɪnənt] adj relevant (to für); information sachdienlich.

perturb [pə'tɜːb] vt beunruhigen.

perturbing [pə'tɜːbɪŋ] adj beunruhigend.

➤ SENTENCE BUILDER: **permission** → 12.1, 12.2   **personally** → 2.2

Peru [pə'ru:] n Peru nt.
perusal [pə'ru:zəl] n Lektüre f.
peruse [pə'ru:z] vt (durch)lesen.
Peruvian [pə'ru:vɪən] [1] adj peruanisch.
[2] n Peruaner(in f) m.
pervade [pɜ:'veɪd] vt erfüllen.
pervasive [pɜ:'veɪsɪv] adj smell etc durchdringend; influence, ideas um sich greifend.
perverse [pə'vɜ:s] adj (contrary) idea abwegig; (person) verstockt; (perverted) pervers.
perversely [pə'vɜ:slɪ] adv see adj.
perverseness [pə'vɜ:snɪs] n = **perversity**.
perversion [pə'vɜ:ʃən] n (esp sexual, Psych) Perversion f; (no pl: act of perverting) Pervertierung f; (distortion: of truth etc) Verzerrung f.
perversity [pə'vɜ:sɪtɪ] n see adj Abwegigkeit f; Verstocktheit f; Perversität f.
pervert [pə'vɜ:t] [1] vt (deprave) person, mind verderben, pervertieren; (distort) truth etc verzerren ▸ **to ~ the course of justice** (Jur) die Rechtsfindung behindern; (by official) das Recht beugen.
[2] ['pɜ:vɜ:t] n Perverse(r) mf.
perverted [pə'vɜ:tɪd] adj (depraved) verdorben; mind pervertiert.
pesky ['peskɪ] adj (esp US col) nervtötend (col).
pessimism ['pesɪmɪzəm] n Pessimismus m.
pessimist ['pesɪmɪst] n Pessimist(in f) m.
pessimistic adj, **~ally** adv [,pesɪ'mɪstɪk, -əlɪ] pessimistisch.
pest [pest] n [a] (Zool) Schädling m ▸ **~ control** Schädlingsbekämpfung f. [b] (fig) (person) Nervensäge f; (thing) Plage f.
pester ['pestə^r] vt belästigen; (keep on at: with requests etc) plagen.
pesticide ['pestɪsaɪd] n Schädlingsbekämpfungsmittel, Pestizid (spec) nt.
pestilent ['pestɪlənt], **pestilential** [,pestɪ'lenʃəl] adj (fig: pernicious) schädlich; (col: loathsome) ekelhaft.
pestle ['pestl] n Stößel m.
pet [pet] [1] adj attr (favourite) pupil, idea etc Lieblings- ▸ **he has a ~ monkey** er hält einen Affen als Haustier; **a ~ name** ein Kosename m; **this is my ~ aversion** or **hate** das kann ich auf den Tod nicht ausstehen.
[2] n [a] (animal) Haustier nt ▸ **~ food** Tierfutter nt; **~ shop** Zoohandlung f. [b] (favourite) Liebling m ▸ **teacher's ~** Lehrers Liebling m; **yes, (my) ~** ja, (mein) Schatz.
[3] vt animal streicheln; child also liebkosen.
[4] vi (sexually) Petting machen.
petal ['petl] n Blütenblatt nt.
Peter ['pi:tə^r] n Peter m; (apostle) Petrus m ▸ **to rob ~ to pay Paul** ein Loch mit dem anderen zustopfen.
peter out [,pi:tə'raʊt] vi langsam zu Ende gehen; (mineral vein) versiegen; (river) versickern; (song, noise) verhallen; (interest) sich legen.
petit bourgeois ['petɪ'bʊəʒwa:] [1] n Kleinbürger(in f) m.
[2] adj kleinbürgerlich.
petite [pə'ti:t] adj woman, girl zierlich.
petition [pə'tɪʃən] [1] n [a] (list of signatures) Unterschriftenliste f ▸ **to get up a ~ against sth** Unterschriften gegen etw sammeln. [b] (request) Gesuch nt, Petition f ▸ **~ for divorce** Scheidungsantrag m.
[2] vt person, authorities (request, entreat) ersuchen (for um); (hand ~ to) eine Unterschriftenliste vorlegen (+dat).
[3] vi **to ~ for divorce** die Scheidung einreichen.
petrel ['petrəl] n Sturmvogel m.
petrify ['petrɪfaɪ] vt [a] (lit) versteinern. [b] **to be petrified with fear** starr vor Angst sein.
petrochemical [,petrəʊ'kemɪkəl] adj petrochemisch.
petrol ['petrəl] n (Brit) Benzin nt.

petrol (Brit): **~ can** n Benzinkanister m; **~ cap** n Tankverschluß m; **~ engine** n Benzinmotor m.
petroleum [pɪ'trəʊlɪəm] n Petroleum nt ▸ **~ jelly** Vaseline f.
petrol (Brit): **~ gauge** n Benzinuhr f; **~ pump** n (on engine) Benzinpumpe f; (at garage) Zapfsäule f; **~ station** n Tankstelle f; **~ tank** n Benzintank m; **~ tanker** n (Benzin)tankwagen m.
petticoat ['petɪkəʊt] n Unterrock m; (stiffened) Petticoat m.
pettifogging ['petɪfɒgɪŋ] adj kleinlich; details belanglos.
pettiness ['petɪnɪs] n (small-mindedness) Kleinlichkeit f; (triviality) Belanglosigkeit f.
petting ['petɪŋ] n Petting nt.
petty ['petɪ] adj (+er) [a] (trivial) unbedeutend, belanglos; excuse billig; crime geringfügig, Bagatell-. [b] (small-minded) kleinlich; (spiteful) remark spitz. [c] (minor) chieftain etc untergeordnet; (pej) official also unbedeutend.
petty: **~ cash** n ≃ Portokasse f; **~ larceny** n leichter Diebstahl; **~ thief** n (kleiner) Dieb(in f) m; **~ officer** n (Navy) Unteroffizier m.
petulance ['petjʊləns] n verdrießliche Art; (of child) bockige Art (col).
petulant ['petjʊlənt] adj verdrießlich; child bockig (col).
petunia [pɪ'tju:nɪə] n Petunie f.
pew [pju:] n (Eccl) (Kirchen)bank f ▸ **have** or **take a ~!** (hum) laß dich nieder! (hum).
pewter ['pju:tə^r] n (alloy) Zinn nt.
PG (Brit Film) = **Parental Guidance** bedingt jugendfrei.
PGA = **Professional Golfers' Association** Golfspielerverband m.
pH = **potential of hydrogen** pH ▸ **~ value** pH-Wert m.
phallic ['fælɪk] adj phallisch; symbol Phallus-.
phantom ['fæntəm] [1] n Phantom nt; (ghost: esp of particular person) Geist m.
[2] adj attr Geister-; (mysterious) Phantom-.
pharmaceutical [,fɑ:mə'sju:tɪkəl] [1] adj pharmazeutisch; industry Pharma-.
[2] n usu pl Arzneimittel nt ▸ **~ company/industry** etc Pharmaunternehmen nt/ -industrie f etc.
pharmacist ['fɑ:məsɪst] n Apotheker(in f) m; (in research) Pharmazeut(in f) m.
pharmacology [,fɑ:mə'kɒlədʒɪ] n Pharmakologie f.
pharmacy ['fɑ:məsɪ] n [a] (science) Pharmazie f. [b] (shop) Apotheke f.
phase [feɪz] [1] n Phase f; (of project, history also) Abschnitt m; (of illness) Stadium nt ▸ **out of/in ~** (Tech, Elec) phasenverschoben/phasengleich; (fig) unkoordiniert/koordiniert; **he's just going through a ~** das ist nur so eine Phase bei ihm.
[2] vt (introduce gradually) schrittweise durchführen; (coordinate, fit to one another) starting times etc aufeinander abstimmen; machines etc gleichschalten ▸ **a ~d withdrawal of troops** ein schrittweiser Truppenabzug.
◆**phase in** vt sep allmählich einführen.
◆**phase out** vt sep auslaufen lassen.
PhD n ≃ Dr. phil ▸ **~ thesis** Doktorarbeit f.
pheasant ['feznt] n Fasan m.
phenomenal [fɪ'nɒmɪnl] adj phänomenal, sagenhaft (col); boredom, heat unglaublich.
phenomenally [fɪ'nɒmɪnəlɪ] adv außerordentlich; bad, boring etc unglaublich.
phenomenon [fɪ'nɒmɪnən] n, pl **phenomena** Phänomen nt ▸ **a common ~** eine häufige Erscheinung.
phew [fju:] interj Mensch, puh.
phial ['faɪəl] n Fläschchen nt.
philanderer [fɪ'lændərə^r] n Schwerenöter m.
philanthropic [,fɪlən'θrɒpɪk] adj menschenfreundlich;

person also, organization philanthropisch (*geh*).

philanthropist [fɪ'lænθrəpɪst] *n* Menschenfreund, Philanthrop (*geh*) *m*.

philanthropy [fɪ'lænθrəpɪ] *n* Menschenfreundlichkeit *f*.

philatelist [fɪ'lætəlɪst] *n* Philatelist(in *f*) *m*.

philately [fɪ'lætəlɪ] *n* Philatelie, Briefmarkenkunde *f*.

philharmonic [ˌfɪlɑː'mɒnɪk] *adj* philharmonisch ► *the Berlin P~ (Orchestra)* die Berliner Philharmoniker *pl*.

Philippine ['fɪlɪpiːn] *adj* philippinisch.

Philippines ['fɪlɪpiːnz] *npl* Philippinen *pl*.

Phillips screw ® *n* ['fɪlɪps'skruː] Kreuzschlitzschraube *f*.

philistine ['fɪlɪstaɪn] *n* (Kultur)banause *m*.

philology [fɪ'lɒlədʒɪ] *n* Philologie *f*.

philosopher [fɪ'lɒsəfə'] *n* Philosoph(in *f*) *m*.

philosophic(al) [ˌfɪlə'sɒfɪk(ə)l] *adj* philosophisch; (*fig*) gelassen ► *she's very ~ about it* sie nimmt es ganz gelassen.

philosophically [ˌfɪlə'sɒfɪkəlɪ] *adv see adj*.

philosophize [fɪ'lɒsəfaɪz] *vi* philosophieren (*about, on* über +*acc*).

philosophy [fɪ'lɒsəfɪ] *n* Philosophie *f* ► *~ of life* Lebensphilosophie *f*.

phlegm [flem] *n* (*mucus*) Schleim *m*; (*fig*) (*coolness*) Gemütsruhe *f*; (*stolidness*) Trägheit *f*.

phlegmatic [fleg'mætɪk] *adj* (*cool*) seelenruhig; (*stolid*) träge, phlegmatisch.

phobia ['fəʊbɪə] *n* Phobie *f* ► *she has a ~ about it* sie hat krankhafte Angst davor.

phoenix, (*US*) **phenix** ['fiːnɪks] *n* (*Myth*) Phönix *m*.

▼ **phone** [fəʊn] **1** *n* Telefon *nt* ► *to pick up/put down the ~* (den Hörer) abnehmen/auflegen; *he's on the ~* er telefoniert gerade.
2 *vt* person anrufen.
3 *vi* anrufen, telefonieren.
♦**phone in** **1** *vi* anrufen.
2 *vt sep* telefonisch übermitteln.

phone: *~ book* *n* Telefonbuch *nt*; *~ box, ~ booth* *n* (*Brit*) Telefonzelle *f*; *~ call* *n* Anruf *m*; *in our ~ call* in unserem Telefongespräch; *~card* *n* Telefonkarte *f*; *~-in* ['fəʊnɪn] *n* Rundfunk-/Fernsehprogramm *nt*, an dem man sich per Telefon beteiligen kann, Phone-in *nt*; *~ number* *n* Telefonnummer *f*; *~-tapping* *n* Anzapfen *nt* von Telefonleitungen.

phonetic [fəʊ'netɪk] *adj* phonetisch.

phonetics [fəʊ'netɪks] *n sing* (*subject*) Phonetik *f*.

phon(e)y ['fəʊnɪ] (*col*) **1** *adj* unecht; *excuse, deal* faul (*col*); *name* falsch; *passport, money* gefälscht; *story* erfunden.
2 *n* (*bogus policeman etc*) Schwindler(in *f*) *m*; (*doctor*) Scharlatan *m*; (*pretentious person*) Angeber(in *f*) *m*.

phonograph ['fəʊnəgrɑːf] *n* (*old*) Phonograph *m*; (*US*) Plattenspieler *m*.

phonology [fəʊ'nɒlədʒɪ] *n* Phonologie *f*.

phony *adj, n =* **phon(e)y**.

phosphate ['fɒsfeɪt] *n* (*Chem*) Phosphat *nt*; (*Agr: fertilizer*) Phosphatdünger *m*.

phosphorescence [ˌfɒsfə'resns] *n* Phosphoreszenz *f*.

phosphorescent [ˌfɒsfə'resnt] *adj* phosphoreszierend.

phosphorous ['fɒsfərəs] *adj* phosphorsauer.

phosphorus ['fɒsfərəs] *n* Phosphor *m*.

photo ['fəʊtəʊ] *n* Foto *nt*, Aufnahme *f*.

photo: *~ album* *n* Fotoalbum *nt*; *~ call* *n* Fototermin *m*; *~copier* *n* (Foto)kopiergerät *nt*; *~copy* **1** *n* Fotokopie *f*; **2** *vt* fotokopieren; *~ corner* *n* Fotoecke *f*; *~electric cell* *n* Photozelle *f*; *~ finish* *n* Fotofinish *nt*; *P~fit* ® *(picture)* *n* Phantombild *nt*.

photogenic [ˌfəʊtəʊ'dʒenɪk] *adj* fotogen.

photograph ['fəʊtəgrɑːf] **1** *n* Fotografie, Aufnahme *f* ► *to take a ~ (of sb/sth)* (jdn/etw) fotografieren, ein Bild (von jdm/etw) machen; *~ album* Fotoalbum *nt*.

2 *vt* fotografieren.

photographer [fə'tɒɡrəfə'] *n* Fotograf(in *f*) *m*.

photographic [ˌfəʊtə'græfɪk] *adj* fotografisch; *equipment, club* Foto-.

photography [fə'tɒɡrəfɪ] *n* Fotografie *f*; (*in film, book etc*) Fotografien, Bilder *pl*.

photo: *~ journalist* *n* Fotojournalist(in *f*) *m*; *~ opportunity* *n* Fototermin *m*; (*fortuitous*) Fotogelegenheit *f*; *~sensitive* *adj* lichtempfindlich; *~stat* ® *n, vt =* *~copy*; *~synthesis* *n* Photosynthese *f*.

phrase [freɪz] **1** *n* (*Gram*) Satzteil *m*; (*Mus*) Phrase *f*; (*expression*) Ausdruck *m*; (*set expression*) Redewendung *f*.

2 *vt* formulieren.

phrasebook ['freɪzbʊk] *n* Sprachführer *m*.

phraseology [ˌfreɪzɪ'ɒlədʒɪ] *n* Ausdrucksweise *f*.

physical ['fɪzɪkəl] *adj* **a** (*of the body*) körperlich; (*not psychological also*) physisch; *check-up* ärztlich. **b** (*material*) physisch; *world* faßbar. **c** (*of physics*) *laws* physikalisch ► *it's a ~ impossibility* es ist ein Ding der Unmöglichkeit (*col*).

physical: *~ education* *n* (*abbr PE*) Sport *m*, Leibesübungen *pl* (*form*); *~ jerks* *npl* (*col*) Gymnastik *f*.

physically ['fɪzɪkəlɪ] *adv* körperlich, physisch; (*Sci*) physikalisch ► *it's ~ impossible* es ist ein Ding der Unmöglichkeit; *they removed him ~* sie haben ihn mit Gewalt entfernt.

physical training *n* (*abbr PT*) *see* **physical education**.

physician [fɪ'zɪʃən] *n* Arzt *m*, Ärztin *f*.

physicist ['fɪzɪsɪst] *n* Physiker(in *f*) *m*.

physics ['fɪzɪks] *n sing* (*subject*) Physik *f*.

physiological [ˌfɪzɪə'lɒdʒɪkəl] *adj* physiologisch.

physiology [ˌfɪzɪ'ɒlədʒɪ] *n* Physiologie *f*.

physiotherapist [ˌfɪzɪə'θerəpɪst] *n* Krankengymnast(in *f*) *m*.

physiotherapy [ˌfɪzɪə'θerəpɪ] *n* Krankengymnastik *f*.

physique [fɪ'ziːk] *n* Körperbau *m*, Statur *f*.

pianist ['pɪənɪst] *n* Klavierspieler(in *f*) *m*; (*concert ~*) Pianist(in *f*) *m*.

piano ['pjænəʊ] *n* (*upright*) Klavier *nt*; (*grand*) Flügel *m*.

piano: *~ accordion* *n* Pianoakkordeon *nt*; *~ lesson* *n* Klavierstunde *f*; *~ stool* *n* Klavierhocker *m*; *~ tuner* *n* Klavierstimmer(in *f*) *m*.

pic [pɪk] *n* (*col*) Bild *nt*; (*photo*) Foto *nt*.

piccolo ['pɪkələʊ] *n* Pikkoloflöte *f*.

pick [pɪk] **1** *n* **a** (*~axe*) Spitzhacke *f*, Pickel *m*; (*Mountaineering*) Eispickel *m*; (*tooth~*) Zahnstocher *m*. **b** (*choice*) *to have first ~* die erste Wahl haben; *take your ~!* such dir etwas/einen *etc* aus! **c** (*best*) Beste(s) *nt*.

2 *vt* **a** (*choose*) (aus)wählen ► *to ~ a team* eine Mannschaft aufstellen; *to ~ sides* wählen; *to ~ a winner* (*lit*) den Sieger erraten; (*fig*) das Große Los ziehen; *to ~ one's time* den richtigen Zeitpunkt wählen; *you do ~ 'em* (*iro*) du gerätst auch immer an die Falschen. **b** (*pull at*) *jumper, blanket etc* zupfen an (+*dat*); *spot, scab* kratzen an (+*dat*); *hole* bohren ► *to ~ one's nose* in der Nase bohren; *to ~ one's teeth* in den Zähnen herumstochern; *to ~ a lock* ein Schloß knacken; *to ~ holes in sth* (*fig*) etw bemäkeln; *in argument* etw in einigen Punkten widerlegen; *to ~ a fight or quarrel (with sb)* (mit jdm) einen Streit vom Zaun brechen; *to ~ sb's pocket* jdm die Geldbörse/Brieftasche stehlen; *to ~ sb's brains* sich bei jdm informieren. **c** (*pluck*) *flowers, fruit* pflücken.

3 *vi* *to ~ and choose* wählerisch sein; *to ~ at one's food* im Essen herumstochern.

♦**pick off** *vt sep* **a** (*remove*) *fluff etc* wegzupfen; *nail polish* abschälen. **b** (*shoot*) abschießen.

♦**pick on** *vi +prep obj* (*choose*) aussuchen; (*victimize*) herumhacken auf (+*dat*) ► *why ~ ~ me?* (*col*) warum gerade ich?; ~ ~ *somebody your own size!* (*col*) leg dich doch mit einem Gleichstarken an! (*col*).

◆**pick out** *vt sep* a (*choose*) aussuchen. b (*distinguish*) *person, face* entdecken. c (*Mus*) **to ~ ~ a tune** eine Melodie improvisieren.

◆**pick up** 1 *vt sep* a (*take up*) aufheben; *reference, trail* aufnehmen; (*lift momentarily*) hochheben ► **to ~ ~ a child in one's arms** ein Kind auf den Arm nehmen; **to ~ oneself ~** aufstehen; **as soon as he ~s ~ a book** sobald er ein Buch in die Hand nimmt; **to ~ ~ the phone** den Hörer abnehmen; **to ~ ~ the bill** (*fig: pay*) die Rechnung bezahlen; **to ~ ~ the pieces** (*lit, fig*) die Scherben aufsammeln.

b (*get*) holen; (*buy*) bekommen; (*acquire*) *habit* sich (*dat*) angewöhnen; *news, gossip* aufschnappen; *illness* sich (*dat*) holen *or* zuziehen; (*col*) *girl* aufgabeln (*col*), sich (*dat*) anlachen (*col*) ► **to ~ ~ speed** schneller werden.

c (*learn*) *skill etc* sich (*dat*) aneignen; *language also* lernen; *accent, word* aufschnappen; *information* herausbekommen ► **you'll soon ~ it ~** du wirst das schnell lernen. ·

d (*collect*) *person, goods* abholen; (*bus etc*) *passengers* aufnehmen; (*in car*) mitnehmen; (*rescue: helicopter, lifeboat*) bergen; (*arrest, catch*) *criminal* schnappen (*col*).

e (*Rad*) *station* hereinbekommen; *message* empfangen; (*on radar*) ausmachen.

f (*correct, put right*) korrigieren.

2 *vi* a (*improve*) besser werden; (*appetite also*) zunehmen; (*currency*) sich erholen; (*business*) florieren; (*after slump*) sich erholen. b (*continue*) **to ~ ~ where one left off** da weitermachen, wo man aufgehört hat.

pickaback ['pɪkəbæk] *n* = **piggyback**.

pickaxe, (*US*) **pickax** [pɪkæks] *n* Spitzhacke *f*, Pickel *m*.

picket ['pɪkɪt] 1 *n* a (*of strikers*) Streikposten *m*. b (*Mil*) Feldposten, Vorposten *m*.

2 *vt factory* Streikposten aufstellen vor (+*dat*).

3 *vi* Streikposten aufstellen ► **he is ~ing at the front entrance** er ist Streikposten am Vordereingang.

picket: **~ duty** *n* Streikpostendienst *m*; **to be on ~ duty** Streikposten sein; **~ line** *n* Streikpostenkette *f*; **to cross a ~ line** eine Streikpostenkette durchbrechen.

pickings ['pɪkɪŋz] *npl* Ausbeute *f*; (*stolen goods*) Beute *f* ► **the ~ are good** es fällt einiges dabei ab.

pickle ['pɪkl] 1 *n* a (*food*) Pickles *pl*. b (*solution*) (*brine*) Salzlake *f*; (*vinegar*) Essigsoße *f*. c (*col: predicament*) Klemme *f* (*col*) ► **he was in a ~** er saß in der Tinte (*col*).

2 *vt* einlegen.

pick: **~-me-up** *n* (*col*) Muntermacher *m*; **~pocket** *n* Taschendieb(in *f*) *m*.

pick-up ['pɪkʌp] *n* a (*of record deck*) Tonabnehmer *m* ► **~ arm** Tonarm *m*. b (*also* **~ truck**) Kleintransporter *m*.

picnic ['pɪknɪk] 1 *n* Picknick *nt* ► **to have a ~** picknicken; **it was no ~** (*fig col*) es war kein Honiglecken.

2 *vi* picknicken, ein Picknick machen.

picnic basket *or* **hamper** *n* Picknickkorb *m*.

pictogram ['pɪktəgræm] *n* Piktogramm *nt*.

pictorial [pɪk'tɔːrɪəl] *adj calendar* bebildert; *magazine also* illustriert; *description* bildhaft.

picture ['pɪktʃər] 1 *n* a Bild *nt*; (*mental image also*) Vorstellung *f*; (*painting also*) Gemälde *nt*; (*drawing also*) Zeichnung *f* ► **these figures give the general ~** diese Zahlen geben ein allgemeines Bild; **to be in the ~** im Bilde sein; **to put sb in the ~** jdn ins Bild setzen; **I get the ~** ich hab's begriffen *or* kapiert (*col*); **she looked a ~** sie war bildschön; **the garden is a ~** der Garten ist eine Pracht; **she looked** *or* **was the ~ of happiness** sie sah

wie das Glück in Person aus. b (*Film*) Film *m* ► **the ~s** (*Brit*) das Kino; **to go to the ~s** (*Brit*) ins Kino gehen.

2 *vt* (*imagine*) sich (*dat*) vorstellen.

picture: **~ book** *n* Bildband *m*; (*for children*) Bilderbuch *nt*; **~ frame** *n* Bilderrahmen *m*; **~ gallery** *n* Gemäldegalerie *f*; **~ hook** *n* Bilderhaken *m*; **~ library** *n* Bildarchiv *nt*; **~ postcard** *n* Ansichtskarte *f*; **~ rail** *n* Bilderleiste *f*.

picturesque [ˌpɪktʃə'resk] *adj* malerisch; (*fig*) *description* anschaulich.

picture window *n* Panoramafenster *nt*.

piddle ['pɪdl] *vi* (*col*) pinkeln (*col*); (*esp child*) Pipi machen (*col*).

piddling ['pɪdlɪŋ] *adj* (*col*) lächerlich; *amount also* lumpig (*col*).

pidgin ['pɪdʒɪn] *n* Mischsprache *f*.

pie [paɪ] *n* Pastete *f*; (*sweet*) Obstkuchen *m*; (*individual*) Törtelett *nt* ► **that's all ~ in the sky** (*col*) das sind doch alles nur verrückte Ideen; **as easy as ~** (*col*) kinderleicht.

piece [piːs] *n* a Stück *nt*; (*part, member of a set*) Teil *nt*; (*component part*) Einzelteil *nt*; (*fragment of glass etc also*) Scherbe *f*; (*in draughts etc*) Stein *m*; (*chess*) Figur *f*; (*Press: article*) Artikel *m*; (*col!: woman*) Weib *nt* ► **a 50p ~** ein 50-Pence-Stück; **a ~ of cake/land/paper** ein Stück *nt* Kuchen/Land/Papier; **a ~ of furniture/ luggage/clothing** ein Möbel-/Gepäck-/Kleidungsstück *nt*; **a ten-~ coffee set** ein zehnteiliges Kaffeeservice; **a ~ of news/information** eine Nachricht/eine Information; **a ~ of work** eine Arbeit; **~ by ~** Stück für Stück; **to take sth to ~s** etw in seine Einzelteile zerlegen; **to come to ~s** sich zerlegen lassen; (*break*) auseinanderfallen; **to fall to ~s** auseinanderfallen; (*glass*) zerbrechen; **to smash sth to ~s** etw kaputtschlagen; **he tore the letter (in)to ~s** er zerriß den Brief, er riß den Brief in Stücke.

b (*phrases*) **to go to ~s** (*crack up*) durchdrehen (*col*); **all in one ~** (*intact*) heil, unversehrt; **to give sb a ~ of one's mind** jdm gehörig die Meinung sagen; **to say one's ~** seine Meinung sagen.

◆**piece together** *vt sep* (*lit*) zusammenstückeln; (*fig*) sich (*dat*) zusammenreimen; *evidence* zusammenfügen.

piece: **~meal** 1 *adv* stückweise; (*haphazardly*) kunterbunt durcheinander; 2 *adj* stückweise; (*haphazard*) wenig systematisch; **~ rate** *n* Akkordlohn *m*; **~work** *n* Akkordarbeit *f*; **to be on ~work** im Akkord arbeiten.

pie: **~ chart** *n* Kreisdiagramm *nt*; **~ dish** *n* Pastetenform *f*.

pier [pɪər] *n* Pier *m or f*; (*landing-place also*) Anlegestelle *f*.

pierce [pɪəs] *vt* durchstechen; (*knife, spear, bullet*) durchbohren; (*fig: sound, coldness etc*) durchdringen ► **to ~ a hole in sth** etw durchstechen; **to have one's ears ~d** sich (*dat*) die Ohrläppchen durchstechen lassen.

piercing ['pɪəsɪŋ] *adj* durchdringend; *eyes also* stechend; *cold also, sarcasm* beißend; *wit* scharf.

piety ['paɪətɪ] *n* Pietät, Frömmigkeit *f*.

piffle ['pɪfl] *n* (*col*) Quatsch *m* (*col*).

piffling ['pɪflɪŋ] *adj* (*col*) lächerlich.

pig [pɪg] *n* (*lit, fig col*) Schwein *nt*; (*greedy*) Vielfraß *m* (*col*) ► **to buy a ~ in a poke** (*prov*) die Katze im Sack kaufen; **to make a ~ of oneself** sich (*dat*) den Bauch vollschlagen (*col*).

pigeon ['pɪdʒən] *n* a Taube *f*. b (*col*) **that's not my ~** das ist nicht mein Bier (*col*).

pigeon: **~hole** 1 *n* (*in desk etc*) Fach *nt*; 2 *vt* (*lit*) (in Fächer) einordnen; (*fig: categorize*) einordnen, aufteilen; **~ post** *n* Taubenpost *f*.

piggyback ['pɪɡɪbæk] *n* **to give sb a ~** jdn huckepack nehmen.

piggy bank ['pɪɡɪbæŋk] *n* Sparschwein *nt*.

pigheaded [ˌpɪɡ'hedɪd] *adj* stur.

piglet ['pɪglɪt] *n* Ferkel *nt*.
pigment ['pɪgmənt] *n* Pigment *nt*.
pigmentation [,pɪgmən'teɪʃən] *n* Pigmentierung *f*.
pigmy *n* = **pygmy**.
pig: **~'s ear** *n* **to make a ~'s ear of sth** (*Brit col*) etw vermasseln (*col*); **~skin** *n* Schweinsleder *nt*; **~sty** *n* Schweinestall *m*; (*fig also*) Saustall *m* (*col*); **~tail** *n* Zopf *m*.
pike [paɪk] *n* (*fish*) Hecht *m*.
pilchard ['pɪltʃəd] *n* Sardine *f*.
pile¹ [paɪl] **1** *n* **a** (*heap*) Stapel *m* ▶ **to put things in a ~** etw (auf)stapeln; **her things lay** or **were in a ~** ihre Sachen lagen auf einem Haufen. **b** (*col: large amount*) Haufen *m*, Menge *f* ▶ **~s of food** jede Menge Essen (*col*); **a ~ of things to do** massenhaft zu tun (*col*). **c** (*col: fortune*) Vermögen *nt* ▶ **to make a ~** einen Haufen Geld verdienen.
2 *vt* stapeln ▶ **a table ~d high with books** ein Tisch mit Stapeln von Büchern.
◆**pile in** *vi* (*col*) (*-to* in +*acc*) hereindrängen; (*get in*) einsteigen ▶ **~ ~!** immer herein!
◆**pile up** **1** *vi* **a** (*lit, fig*) sich anhäufen; (*traffic*) sich stauen; (*evidence*) sich verdichten. **b** (*crash*) aufeinander auffahren.
2 *vt sep* (auf)stapeln; *money* horten; (*fig*) *debts* anhäufen; *evidence* sammeln.
pile² *n* Pfahl *m*.
pile³ *n* (*of carpet, cloth*) Flor *m*.
pile-driver ['paɪl,draɪvər] *n* Ramme *f*.
piles [paɪlz] *npl* Hämorrhoiden *pl*.
pile-up ['paɪlʌp] *n* (*car crash*) (Massen)karambolage *f*.
pilfer ['pɪlfər] *vti* stehlen, klauen (*col*) ▶ **there's a lot of ~ing in the office** im Büro wird viel geklaut (*col*).
pilgrim ['pɪlgrɪm] *n* Pilger(in *f*) *m*.
pilgrimage ['pɪlgrɪmɪdʒ] *n* Wallfahrt *f* ▶ **to go on** or **make a ~** pilgern, eine Wallfahrt machen.
pill [pɪl] *n* Tablette *f* ▶ **the ~** die Pille; **to be/go on the ~** die Pille nehmen.
pillage ['pɪlɪdʒ] **1** *n* (*act*) Plünderung *f*; (*booty*) Beute *f*.
2 *vti* plündern.
pillar ['pɪlər] *n* Säule *f* ▶ **a ~ of society** eine Stütze der Gesellschaft; **from ~ to post** von Pontius zu Pilatus.
pillar-box ['pɪləbɒks] *n* (*Brit*) Briefkasten *m* ▶ **~ red** knallrot.
pillion ['pɪljən] **1** *n* (*on motorbike*) Beifahrersitz *m* ▶ **~ passenger** Beifahrer(in *f*) *m*.
2 *adv* **to ride ~** auf dem Beifahrersitz mitfahren.
pillory ['pɪlərɪ] *vt* (*fig*) anprangern.
pillow ['pɪləʊ] *n* (Kopf)kissen *nt*.
pillow: **~ case** or **slip** *n* (Kopf)kissenbezug *m*; **~ fight** *n* Kissenschlacht *f*; **~ talk** *n* Bettgeflüster *nt*.
pilot ['paɪlət] **1** *n* (*Aviat*) Pilot(in *f*) *m*; (*Naut*) Lotse *m*.
2 *vt* *plane* fliegen; *ship* lotsen; (*fig*) führen, leiten.
pilot: **~ boat** *n* Lotsenboot *nt*; **~ light** *n* Zündflamme *f*; **~ scheme** *n* Pilotprojekt *nt*, Modellversuch *m*.
pimento [pɪ'mentəʊ] *n* **a** Paprikaschote *f*. **b** (*allspice*) Piment *m or nt*.
pimp [pɪmp] *n* Zuhälter *m*.
pimple ['pɪmpl] *n* Pickel *m*.
pimply ['pɪmplɪ] *adj* (+*er*) pickelig.
PIN = **personal identification number**.
pin [pɪn] **1** *n* (*Sew*) Stecknadel *f*; (*tie ~, hair ~*) Nadel *f*; (*Mech*) Bolzen, Stift *m*; (*in grenade*) Sicherungsstift *m*; (*Elec: of plug*) Pol *m* ▶ **a two-~ plug** ein zweipoliger Stecker; **~s and needles** *sing or pl* ein Kribbeln *nt*; **I've got ~s and needles in my foot** es kribbelt in meinem Fuß, mein Fuß ist eingeschlafen; **as neat as a new ~** blitzsauber; **for two ~s I'd pack up and go** (*col*) es fehlt nicht mehr viel, dann gehe ich; **you could have heard a ~ drop** man hätte eine Stecknadel fallen hören können.
2 *vt* **a** *dress* stecken ▶ **to ~ sth to sth** etw an etw

(*acc*) heften. **b** (*fig*) **to ~ sb to the ground/against a wall** jdn an den Boden/an eine Wand drücken; **to ~ one's hopes on sb/sth** seine Hoffnungen auf jdn/etw setzen; **to ~ back one's ears** die Ohren spitzen (*col*). **c** (*col: accuse of*) **to ~ sth on sb** jdm etw anhängen.
◆**pin down** *vt sep* **a** (*with pins*) an- or festheften; (*hold, weight down*) niederhalten; (*person*) zu Boden drücken. **b** (*fig*) **to ~ sb ~** jdn festnageln (*col*) or festlegen; **he wouldn't be ~ned ~ to any particular date** er ließ sich nicht auf ein bestimmtes Datum festlegen; **I've seen him somewhere before but I can't ~ him ~** ich habe ihn schon mal irgendwo gesehen, kann ihn aber nicht einordnen; **we can't ~ ~ the source of the rumours** wir können die Quelle der Gerüchte nicht lokalisieren; **there's something odd here, but I can't ~ it ~** irgend etwas stimmt hier nicht, aber ich kann nicht genau sagen was.
◆**pin up** *vt sep notice* anheften; *hair* hochstecken; *dress etc* stecken.
pinafore ['pɪnəfɔːr] *n* (*for children*) Kinderkittel *m*; (*apron*) Schürze *f* ▶ **~ dress** (*Brit*) Trägerkleid *nt*.
pin: **~ball** *n* (*also* **~ball machine**) Flipper *m*; **~board** *n* Pinnwand *f*.
pincers ['pɪnsəz] *npl* **a** Kneifzange *f* ▶ **a pair of ~** eine Kneifzange. **b** (*Zool*) Schere, Zange *f*.
pinch [pɪntʃ] **1** *n* **a** (*with fingers*) Kneifen *nt no pl* ▶ **to give sb a ~ on the arm** jdn in den Arm kneifen. **b** (*Cook*) Prise *f*. **c** (*pressure*) **to feel the ~** (*financially*) die schlechte Lage zu spüren bekommen; **I'm rather feeling the ~ at the moment** (*short of money*) ich bin im Augenblick ziemlich knapp bei Kasse (*col*); **if it comes to the ~** wenn es zum Schlimmsten kommt; **at a ~** zur Not.
2 *vt* **a** (*with fingers*) kneifen; (*with tool*) *wire etc* zusammendrücken. **b** (*col: steal*) klauen (*col*) ▶ **don't let anyone ~ my seat** paß auf, daß mir niemand den Platz wegnimmt.
3 *vi* (*shoe, also fig*) drücken ▶ **to ~ and scrape** sich einschränken.
pinched [pɪntʃt] *adj* **a** verhärmt ▶ **~ with cold** verfroren. **b** (*col: short*) **to be ~ for money/time/space** knapp bei Kasse sein (*col*)/keine Zeit haben/ein wenig beengt sein.
pincushion ['pɪn,kʊʃn] *n* Nadelkissen *nt*.
pine¹ [paɪn] *n* Kiefer *f*.
pine² *vi* **to ~ for sb/sth** sich nach jdm/etw sehnen.
◆**pine away** *vi* sich vor Kummer verzehren.
pineapple ['paɪn,æpl] *n* Ananas *f*.
pine: **~ cone** *n* Kiefernzapfen *m*; **~ forest** *n* Tannenwald *m*; **~ kernel** (*Brit*), **~ nut** *n* Pinienkern *m*; **~ needle** *n* Kiefernnadel *f*; **~ tree** *n* Kiefer *f*.
ping [pɪŋ] **1** *n* (*of bell*) Klingeln *nt*; (*of bullet*) Peng *nt*.
2 *vi* (*bell*) klingeln; (*bullet*) peng machen.
Ping-Pong ® ['pɪŋpɒŋ] *n* Pingpong *nt* ▶ **~ table** Tischtennisplatte *f*.
pinion ['pɪnjən] *n* (*Mech*) Ritzel, Treibrad *nt*.
pink¹ [pɪŋk] **1** *n* **a** (*colour*) Rosa *nt*. **b** (*plant*) Gartennelke *f*. **c** **to be in the ~** vor Gesundheit strotzen.
2 *adj* (*colour*) rosa *inv*, rosafarben; *cheeks, face* rosig ▶ **to turn ~** erröten.
pink² *vt* (*Sew*) mit der Zickzackschere schneiden, zacken.
pink³ *vi* (*Aut*) klopfen.
pinkie ['pɪŋkɪ] *n* (*Scot col, US col*) kleiner Finger.
pinking ['pɪŋkɪŋ] *n* **a** (*Aut*) Klopfen *nt*. **b** (*Sew*) **~ shears** or **scissors** Zickzackschere *f*.
pin money *n* Taschengeld *nt*.
pinnacle ['pɪnəkl] *n* (*Archit*) Fiale *f*; (*of rock*) Gipfel *m*, Spitze *f*; (*fig*) Gipfel, Höhepunkt *m*.
pinny ['pɪnɪ] *n* (*col*) Schürze *f*.

pin: **~point** vt (locate) genau an- or aufzeigen; (define, identify) genau feststellen or -legen; **~prick** n Nadelstich m; **~stripe** n (~stripe suit) Nadelstreifenanzug m.

pint [paɪnt] n (Measure) Pint nt ▸ **to have a ~** (esp Brit) ein Bier nt trinken.

pinta ['paɪntə] n (Brit col) ≈ halber Liter Milch.

pin: **~-up** n (picture) Pin-up-Foto nt; (girl) Pin-up-Girl nt; (man) Idol nt; **~wheel** n (US: firework) Feuerrad nt.

pioneer [,paɪə'nɪər] [1] n (also Mil) Pionier m; (fig also) Wegbereiter m.
[2] vt way bahnen; (fig) Pionierarbeit f leisten für.

pious ['paɪəs] adj fromm; (pej also) frömmlerisch ▸ **a ~ hope** ein frommer Wunsch.

pip¹ [pɪp] n [a] (Bot) Kern m. [b] (on dice) Auge nt; (Brit Mil col) Stern m; (radar) Pip m, Echozeichen nt. [c] (Brit Rad, Telec) **the ~s** das Zeitzeichen; (in public telephone) das Tut-tut-tut; **he/she gives me the ~** (Brit col) ich kann ihn/sie nicht riechen (col).

pip² vt (Brit col) knapp besiegen or schlagen ▸ **to ~ sb at the post** (in race) jdn um Haaresbreite schlagen; (fig) jdm um Haaresbreite zuvorkommen.

pipe [paɪp] [1] n [a] (for water, gas etc) Rohr nt, Leitung f; (fuel ~) Leitung f. [b] (Mus) Flöte f; (fife, of organ) Pfeife f ▸ **~s** (bag~s) Dudelsack m. [c] (for smoking) Pfeife f ▸ **to smoke a ~** Pfeife rauchen; **put that in your ~ and smoke it!** (col) steck dir das hinter den Spiegel (col).
[2] vt [a] water, oil etc in Rohren leiten; music, broadcast ausstrahlen ▸ **~d music** (pej) Musikberieselung f (col). [b] (Mus) tune flöten, pfeifen; (sing in high voice) krähen; (speak in high voice) piepsen; (Naut) pfeifen ▸ **to ~ sb aboard** jdn mit Pfeifensignal an Bord empfangen. [c] (Cook) spritzen; cake mit Spritzguß verzieren.
[3] vi (Mus) (die) Flöte spielen; (young bird, anxiously) piep(s)en.

◆**pipe down** vi (col) die Luft anhalten (col).

◆**pipe up** vi (col: person) den Mund aufmachen, sich melden.

pipe: **~ cleaner** n Pfeifenreiniger m; **~ dream** n Hirngespinst nt; **that's just a ~ dream** das ist ja wohl nur ein frommer Wunsch; **~line** n (Rohr)leitung f; (for oil, gas also) Pipeline f; **to be in the ~line** (fig) in Vorbereitung sein.

piper ['paɪpər] n (bagpipes) Dudelsackpfeifer m.

piping ['paɪpɪŋ] [1] n [a] (pipework) Rohrleitungssystem nt; (pipe) Rohrleitung f. [b] (Sew) Paspelierung f.
[2] adv: **~ hot** kochendheiß.

piquancy ['piːkənsɪ] n Würze f; (fig) Pikanterie f.

piquant ['piːkənt] adj (lit, fig) pikant.

pique [piːk] [1] n Groll m ▸ **he resigned in a fit of ~** er kündigte voller Empörung.
[2] vt (offend) kränken, verletzen ▸ **~d** pikiert.

piracy ['paɪərəsɪ] n Piraterie f; (of book etc) Raubdruck m; (of record) Raubpressung f.

piranha [pɪ'rɑːnjə] n Piranha m.

pirate ['paɪərɪt] [1] n Seeräuber, Pirat m ▸ **~ radio** Piratensender m.
[2] vt book einen Raubdruck herstellen von; invention, idea stehlen ▸ **~(d) edition** Raubdruck m.

pirouette [,pɪrʊ'et] [1] n Pirouette f.
[2] vi Pirouetten drehen.

Pisces ['paɪsiːz] npl (Astrol) Fische pl ▸ **I'm (a) ~** ich bin (ein) Fisch.

piss [pɪs] (col!) [1] n Pisse f (col!) ▸ **to take the ~ out of sb** (col!) jdn verarschen (col!).
[2] vti pissen (col!).

◆**piss off** vi (esp Brit col!) abhauen (col) ▸ **to be ~ed ~ with sb/sth** von jdm/etw die Schnauze voll haben (col!).

pissed [pɪst] adj (col!) (Brit: drunk) voll (col), besoffen (col); (US: angry) stocksauer (col).

pistachio [pɪ'stɑːʃɪəʊ] n Pistazie f.

pistol ['pɪstl] n Pistole f ▸ **~ shot** Pistolenschuß m; **to hold a ~ to sb's head** (fig) jdm die Pistole auf die Brust setzen.

piston ['pɪstən] n Kolben m ▸ **~ engine** Kolbenmotor m; **~ rod** Kolbenstange f.

pit¹ [pɪt] [1] n [a] Grube f; (motorracing) Box f; (Sport: for jump) Sprunggrube f; (coalmine also) Zeche f; (trap) Fallgrube f; (of stomach) Magengrube f ▸ **in the ~ of one's stomach** in der Magengegend; **he works down the ~(s)** er arbeitet unter Tage. [b] (Theat) (usu pl Brit: for audience) Parkett nt; (orchestra ~) Orchesterraum m. [c] **the ~s** (col: very bad) das Allerletzte.
[2] vt [a] **to be ~ted with small craters** mit kleinen Kratern übersät sein; **the car was ~ted with rustholes** der Wagen war mit Rostlöchern übersät. [b] **to ~ one's strength/wits against sb/sth** seine Kraft/seinen Verstand an jdm/etw messen; **in the next round A is ~ted against B** in der nächsten Runde stehen sich A und B gegenüber.

pit² (esp US) [1] n (in fruit) Stein m.
[2] vt entsteinen.

pitapat [,pɪtə'pæt] adv (of heart) poch poch; (of feet) tapp tapp ▸ **to go ~** (heart) pochen, klopfen.

pitch¹ [pɪtʃ] n Pech nt ▸ **as black as ~** pechschwarz.

pitch² [1] n [a] (esp Brit Sport) Platz m, Feld nt; (Brit: place for business) Stand m ▸ **our usual ~** (on beach etc) unser Stammplatz m. [b] (angle, slope: of roof) Neigung f; (of propeller) Steigung f. [c] (of note) Tonhöhe f; (of instrument) Tonlage f; (of voice) Stimmlage f ▸ **to have perfect ~** das absolute Gehör haben. [d] (fig: degree) **we can't keep on working at this ~ much longer** wir können dieses Arbeitstempo nicht mehr lange durchhalten; **matters had reached such a ~ that ...** die Sache hatte sich derart zugespitzt, daß ... [e] (col: sales ~) (technique) Verkaufstaktik f; (long talk) Sermon m (col).
[2] vt [a] (throw) hay gabeln; ball werfen ▸ **he was ~ed from or off his horse** er wurde vom Pferd geworfen. [b] (Mus) **the soprano part is ~ed too high for me** die Sopranstimme ist zu hoch für mich. [c] (fig) **to ~ one's expectations too high** seine Erwartungen zu hoch spannen; **that's ~ing it rather strong** or **a bit high** das ist ein bißchen übertrieben. [d] (put up) camp aufschlagen; stand aufstellen.
[3] vi [a] (fall) fallen, stürzen ▸ **to ~ forward** vornüberfallen. [b] (Naut) stampfen; (Aviat) absacken ▸ **to ~ and toss** (ship) von den Wellen hin und her geworfen werden; (person) sich wälzen.

◆**pitch in** [1] vt sep hineinwerfen.
[2] vi (col) einspringen ▸ **so we all ~ed ~ together** also packten wir alle mit an.

◆**pitch into** vi +prep obj (attack) herfallen über (+acc); food also, work sich hermachen über (+acc).

pitch black or **dark** adj pechschwarz.

pitched [pɪtʃt] adj [a] **~ roof** Satteldach nt. [b] battle offen.

pitcher¹ ['pɪtʃər] n Krug m.

pitcher² n (Baseball) Werfer m.

pitchfork ['pɪtʃfɔːk] [1] n Heugabel f; (for manure) Mistgabel f.
[2] vt (fig) **to ~ sb into sth** jdn mitten in etw (acc) hineinwerfen.

piteous adj, **~ly** adv ['pɪtɪəs, -lɪ] mitleiderregend; cry kläglich.

pitfall ['pɪtfɔːl] n (fig) Falle f ▸ **"P~s of English"** „Hauptschwierigkeiten der englischen Sprache".

pith [pɪθ] n (Bot) Mark nt; (of orange etc) weiße Haut; (fig: core) Kern m.

pithead ['pɪthed] n Übertageanlagen pl ▸ **at the ~** über Tage; **~ ballot** Abstimmung f der Bergarbeiter.

pithy ['pɪθɪ] adj (+er) (fig) markig ▸ **~ remarks** Kraft-

sprüche pl.
pitiable ['pɪtɪəbl] adj bemitleidenswert.
pitiful ['pɪtɪfʊl] adj [a] sight, story mitleiderregend; person bedauernswert; cry also jämmerlich. [b] (poor, wretched) erbärmlich, jämmerlich.
pitifully ['pɪtɪfəlɪ] adv mitleiderregend; cry jämmerlich; (wretchedly) erbärmlich.
pitiless ['pɪtɪlɪs] adj mitleidlos; person also, heat unbarmherzig; cruelty also erbarmungslos.
pitilessly ['pɪtɪlɪslɪ] adv erbarmungslos.
pittance ['pɪtəns] n Hungerlohn m.
pitter-patter ['pɪtə'pætə'] [1] n (of rain) Klatschen nt; (of feet) Getrappel nt.
[2] adv run tapp tapp ▶ her heart went ~ ihr Herz klopfte.
▼ **pity** ['pɪtɪ] [1] n [a] Mitleid, Erbarmen nt ▶ for ~'s sake! Erbarmen!; (less seriously) um Himmels willen!; to have or take ~ on sb, to feel ~ for sb mit jdm Mitleid haben. [b] (what a) ~! (wie) schade!; more's the ~! leider; it is a ~ that ... es ist schade, daß ...
[2] vt bedauern.
pitying adj, ~ly adv ['pɪtɪɪŋ, -lɪ] mitleidig; (with contempt) verächtlich.
pivot ['pɪvət] (vb: pret, ptp ~ed) [1] n Drehzapfen m; (fig) Dreh- und Angelpunkt m.
[2] vt drehbar lagern.
[3] vi sich drehen.
pixel ['pɪksl] n (Comp) Pixel nt.
pixie, pixy ['pɪksɪ] n Kobold m.
pizazz [pə'zæz] n Flair nt, Pfiff m (col).
pizza ['pi:tsə] n Pizza f.
Pl = **Place** Pl.
placard ['plækɑ:d] n Plakat nt.
placate [plə'keɪt] vt beschwichtigen.
place [pleɪs] [1] n [a] (in general) Platz m, Stelle f ▶ this is just the ~ for a picnic das ist genau der richtige Platz für ein Picknick; this is the ~ where he was killed an dieser Stelle wurde er getötet; from ~ to ~ von einem Ort zum anderen; in another ~ woanders; some/any ~ irgendwo; this is no ~ for children das ist hier für Kinder nicht geeignet; all over the ~ überall; (untidy) ganz durcheinander; (wrong) völlig verkehrt; his work is all over the ~ auf seine Arbeit ist kein Verlaß; water is coming through in several ~s an mehreren Stellen kommt Wasser durch; do the spoons have a special ~? haben die Löffel einen bestimmten Platz?; make sure the screw is properly in ~ achten Sie darauf, daß die Schraube richtig sitzt; to be out of ~ nicht an der richtigen Stelle sein; (fig) deplaziert sein; (remark also) unangebracht sein; (person also) fehl am Platze sein; to feel out of ~ sich fehl am Platz fühlen; not a hair out of ~ tadellos frisiert; your ~ is by his side dein Platz ist an seiner Seite; everything was in ~ alles war an seiner Stelle; in the right/wrong ~ an der richtigen/falschen Stelle; to keep/lose one's ~ (in book etc) die richtige Stelle markieren/verlieren; it was the last ~ I expected to find him da hätte ich ihn am wenigsten vermutet; this isn't the ~ to discuss politics dies ist nicht der Ort, um über Politik zu sprechen; to go ~s (travel) herumreisen; he's going ~s (fig col) er bringt's zu was (col).
[b] (specific ~) Stätte f, Ort m ▶ ~ of birth/residence Geburtsort m/Wohnort m; ~ of business or work Arbeitsstelle f.
[c] (district etc) Gegend f; (country) Land nt; (building) Gebäude nt; (town) Ort m; (home) Haus nt; Wohnung f ▶ there's nothing to do in this ~ hier kann man nichts unternehmen; at Jimmy's ~ bei Jimmy; come round to my ~ some time besuch mich mal, komm doch mal vorbei; let's go back to my ~ laß uns zu mir gehen; where's your ~? wo wohnst du?

[d] (seat, in team, school etc) Platz m; (university ~) Studienplatz m; (job) Stelle f ▶ to take one's ~ (at table) Platz nehmen; ~s for 500 workers 500 Arbeitsplätze; to lose one's ~ (in a queue) sich wieder hinten anstellen müssen.
[e] (social position etc) Rang m, Stellung f ▶ people in high ~s Leute in hohen Positionen; I know my ~ ich weiß, was sich für mich gehört; it's not my ~ to comment es steht mir nicht zu, einen Kommentar abzugeben; to keep or put sb in his ~ jdn in seine Schranken weisen.
[f] (in exam, Sport etc) Platz m; (Math) Stelle f ▶ to three decimal ~s or ~s of decimals auf drei Dezimalstellen or Stellen nach dem Komma; in the first/second ~ erstens/zweitens; to win first ~ erste(r, s) sein.
[g] in ~ of statt (+gen); if I were in your ~ (wenn ich) an Ihrer Stelle (wäre); to take ~ stattfinden; to take the ~ of sb/sth den Platz von jdm/etw einnehmen.
[2] vt [a] (put) setzen, stellen; (lay down) legen; person at table etc setzen; guards aufstellen; (Ftbl, Tennis) plazieren; troops in Stellung bringen; announcement (in paper) inserieren (in in +dat); advertisement setzen (in in +acc) ▶ I shall ~ the matter in the hands of a lawyer ich werde die Angelegenheit einem Rechtsanwalt übergeben; to ~ too much emphasis on sth zu großen Wert auf etw (acc) legen; that should be ~d first das sollte an erster Stelle stehen; to ~ trust etc in sb/sth Vertrauen in jdn/etw setzen.
[b] to be ~d (shop, town, house etc) liegen; we are well ~d for the shops was Einkaufsmöglichkeiten angeht, wohnen wir günstig; how are you ~d for time/money? wie sieht es mit deiner Zeit/deinem Geld aus?; Liverpool are well ~d in the league Liverpool liegt gut in der Tabelle; we are better ~d now than we were last month wir stehen jetzt besser da als vor einem Monat.
[c] order erteilen (with sb jdm); contract abschließen (with sb mit jdm); money deponieren; (Comm) goods absetzen.
[d] (in race, competition etc) the German runner was ~d third der deutsche Läufer belegte den dritten Platz.
[e] (remember, identify) einordnen ▶ I can't quite ~ him/his accent ich kann ihn/seinen Akzent nicht einordnen.
placebo [plə'si:bəʊ] n (Med) Placebo nt.
place: ~ card n Tischkarte f; ~ mat n Set nt.
placement ['pleɪsmənt] n [a] (act) Plazierung f; (finding job) Vermittlung f. [b] (training period) Praktikum nt.
place-name ['pleɪs,neɪm] n Ortsname m.
placenta [plə'sentə] n Plazenta f.
placid ['plæsɪd] adj ruhig; disposition friedfertig.
placidity [plə'sɪdɪtɪ] n Ruhe f; (of disposition) Friedfertigkeit f.
placidly ['plæsɪdlɪ] adv ruhig, friedlich.
plagiarism ['pleɪdʒərɪzəm] n Plagiat nt.
plagiarist ['pleɪdʒərɪst] n Plagiator(in f) m.
plagiarize ['pleɪdʒəraɪz] vt book, idea plagiieren.
plague [pleɪg] [1] n (Med) Seuche f; (Bibl, fig) Plage f ▶ the ~ die Pest; to avoid sb/sth like the ~ (col) jdn/etw wie die Pest meiden (col).
[2] vt plagen ▶ to ~ sb with questions jdn ständig mit Fragen belästigen; to be ~d by doubts von Zweifeln geplagt werden.
plaice [pleɪs] n no pl Scholle f.
plaid [plæd] n Plaid nt ▶ ~ skirt karierter Rock.
plain [pleɪn] [1] adj (+er) [a] klar; (obvious also) offensichtlich; tracks, differences deutlich ▶ ~ to see offensichtlich; it's as ~ as a pikestaff or the nose on your face (col) das sieht doch ein Blinder (mit Krückstock) (col); to make sth ~ to sb jdm etw klar machen; I'd like to make it quite ~ that ... ich möchte gern klarstellen, daß ...

▶ **SENTENCE BUILDER:** pity: **1b** → 4.2

b (*frank, straightforward*) *question, answer* klar; *truth* schlicht ▶ **~ dealing** Redlichkeit *f*; **in ~ language** or *English* unmißverständlich, ≈ auf gut Deutsch; **it was ~ sailing** es ging glatt (über die Bühne) (*col*).

c (*simple, with nothing added*) einfach; *living also* schlicht, bescheiden; *cooking also* (gut)bürgerlich; *paper* unliniert; *colour* einheitlich; (*not patterned*) *material etc* uni *pred*, einfarbig ▶ **under ~ cover** in neutralem Umschlag.

d (*sheer*) rein; *greed also* nackt; *nonsense etc also* völlig, blank (*col*).

e (*not beautiful*) *person, face* wenig attraktiv; *building* unansehnlich.

2 *adv* **a** (*col: simply, completely*) (ganz) einfach. **b** *I can't put it ~er than that* deutlicher kann ich es nicht sagen.

3 *n* **a** (*Geog*) Ebene *f*. **b** (*Knitting*) rechte Masche.

plain: **~ chocolate** *n* Zartbitterschokolade *f*; **~ clothes** *npl* Zivil *nt*.

plainly ['pleɪnlɪ] *adv* **a** (*clearly*) eindeutig; *explain, visible* klar, deutlich. **b** (*frankly*) offen. **c** (*simply, unsophisticatedly*) einfach.

plainness ['pleɪnnɪs] *n* **a** (*frankness*) Offenheit *f*. **b** (*simplicity*) Einfachheit *f*. **c** (*lack of beauty*) Unansehnlichkeit *f*.

plain: **~ speaking** *n* Offenheit *f*; *some ~ speaking* ein paar offene Worte; **~-spoken** *adj* offen, direkt; *criticism also* unverhohlen; **to be ~-spoken** sagen, was man denkt.

plaintiff ['pleɪntɪf] *n* Kläger(in *f*) *m*.

plaintive ['pleɪntɪv] *adj* klagend; *voice etc also* wehleidig (*pej*).

plait [plæt] **1** *n* Zopf *m* ▶ *she wears her hair in ~s* sie trägt Zöpfe.
2 *vt* flechten.

▼ **plan** [plæn] **1** *n* **a** (*scheme*) Plan *m*; (*Pol, Econ also*) Programm *nt* ▶ **~ of action** (*Mil, fig*) Aktionsprogramm *nt*; **~ of campaign** (*Mil*) Strategie *f*; **the ~ is to meet at six** es ist geplant, sich um sechs zu treffen; **the best ~ is to tell him first** am besten sagt man es ihm zuerst; **to have great ~s for sb** große Pläne mit jdm haben; **have you any ~s for tonight?** hast du (für) heute abend (schon) etwas vor?; **according to ~** planmäßig, wie vorgesehen. **b** (*diagram*) Plan *m*; (*for essay, speech*) Konzept *nt*; (*town ~*) Stadtplan *m*.
2 *vt* planen; *programme etc* erstellen, ausarbeiten; (*intend*) vorhaben ▶ **we weren't ~ning to** wir hatten es nicht vor; **this development was not ~ned** diese Entwicklung war nicht eingeplant; **~ned obsolescence** geplanter Verschleiß.
3 *vi* planen ▶ **to ~ for sth** sich auf etw (*acc*) einstellen; **to ~ months ahead** (auf) Monate vorausplanen; **I'm not ~ning on staying** ich habe nicht vor zu bleiben.

plane¹ [pleɪn] *n* (*also ~ tree*) Platane *f*.

plane² **1** *adj* eben (*also Math*).
2 *n* **a** (*Math, fig*) Ebene *f*; (*intellectual also*) Niveau *nt*; (*social ~*) Schicht *f*. **b** (*tool*) Hobel *m*. **c** (*aeroplane*) Flugzeug *nt* ▶ **to go by ~** fliegen.
3 *vt* hobeln ▶ **to ~ sth down** etw glatt hobeln.

planet ['plænɪt] *n* Planet *m*.

planetarium [ˌplænɪ'teərɪəm] *n* Planetarium *nt*.

plank [plæŋk] *n* Brett *nt* ▶ **to be as thick as two (short) ~s** dumm wie Bohnenstroh sein (*col*).

plankton ['plæŋktən] *n* Plankton *nt*.

planned economy *n* Planwirtschaft *f*.

planner ['plænər] *n* Planer(in *f*) *m*; (*chart*) Jahresplaner *m*.

planning *in cpds* Planungs- ▶ **to be at the ~ stage** (*project*) in der Planung sein; (*team*) bei der Planung sein; **~ permission** Baugenehmigung *f*.

plant [plɑːnt] **1** *n* **a** (*Bot*) Pflanze *f* ▶ **rare/tropical ~s**

seltene/tropische Gewächse *pl*. **b** (*no pl: equipment*) Anlagen *pl*; (*equipment and buildings*) Produktionsanlage *f*, (*factory*) Werk *nt*.
2 *attr* Pflanzen- ▶ **~ life** Pflanzenwelt *f*.
3 *vt* **a** *plants, trees* (an)pflanzen; *field* bepflanzen ▶ **to ~ a field with wheat** auf einem Feld Weizen anbauen. **b** (*place in position*) setzen; *bomb* legen; *kiss* drücken; (*in the ground*) *stick* stecken; *flag* pflanzen ▶ **to ~ sth in sb's mind** jdm etw in den Kopf setzen; **he ~ed himself right in the doorway** er pflanzte sich genau in den Eingang (*col*). **c** (*col*) schmuggeln; *informer, spy etc* (ein)schleusen ▶ **to ~ sth on sb** jdm etw unterschieben.

plantain ['plæntɪn] *n* (*weed*) Wegerich *m*.

plantation [plæn'teɪʃən] *n* Plantage *f*; (*of trees*) Anpflanzung *f*.

plant cost *n* Betriebsunkosten *pl*.

planter ['plɑːntər] *n* (*person*) Pflanzer(in *f*) *m*; (*machine*) Pflanzmaschine *f*; (*outer pot*) Übertopf *m*; (*tub*) Pflanzgefäß *nt*.

plant: **~ hire** *n* Baumaschinenvermietung *f*; **~ pot** *n* Blumentopf *m*.

plaque [plæk] *n* **a** (*on building etc*) Tafel *f*. **b** (*Med: on teeth*) (Zahn)belag *m*.

plasma ['plæzmə] *n* Plasma *nt*.

plaster ['plɑːstər] **1** *n* **a** (*Build*) (Ver)putz *m*. **b** (*Art, Med: also ~ of Paris*) Gips *m*; (*Med: ~ cast*) Gipsverband *m* ▶ **to have one's leg in ~** das Bein in Gips haben; **to put a leg in ~** ein Bein eingipsen. **c** (*Brit: sticking ~*) Pflaster *nt*.
2 *vt* **a** (*Build*) *wall* verputzen. **b** (*col: cover*) vollkleistern ▶ **to ~ a wall with posters** eine Wand mit Plakaten bepflastern (*col*); **~ed with mud** schlammbedeckt.

plaster: **~board** *n* Gipskarton(platten *pl*) *m*; **~ cast** *n* (*model, statue*) Gipsform *f*; (*of footprint etc*) Gipsabdruck *m*; (*Med*) Gipsverband *m*.

plastered ['plɑːstəd] *adj pred* (*col: drunk*) voll (*col*) ▶ **to get ~** sich vollaufen lassen (*col*).

plasterer ['plɑːstərər] *n* Gipser, Stukkateur *m*.

plastic ['plæstɪk] **1** *n* Plastik *nt* ▶ **~s** Kunststoffe *pl*.
2 *adj* (*lit, fig*) Plastik-; *food also* synthetisch ▶ **the ~ arts** die bildenden Künste.

plastic: **~ bag** *n* Plastiktüte *f*; **~ bullet** *n* Plastikgeschoß *nt*; **~ explosive** *n* Plastiksprengstoff *m*.

plasticine ® ['plæstɪsiːn] *n* (*Brit*) Plastilin *nt*.

plastic: **~ money** *n* Kreditkarten *pl*, Plastikgeld *nt* (*col*); **~ surgeon** *n* plastischer Chirurg; **~ surgery** *n* plastische Chirurgie; (*cosmetic also*) Schönheitsoperation *f*; **he had to have ~ surgery** er mußte sich einer plastischen Operation unterziehen.

plate [pleɪt] **1** *n* **a** (*also ~ful*) Teller *m* ▶ **to have sth handed to one on a ~** (*fig col*) etw auf einem Tablett serviert bekommen (*col*); **to have a lot on one's ~** (*fig col*) viel am Hals haben (*col*). **b** (*gold, silver*) Tafelgold *nt*; Tafelsilber *nt*; (*~d metal*) vergoldetes/versilbertes Metall. **c** (*Tech, Phot, Typ*) Platte *f*; (*name~, number~*) Schild *nt*. **d** (*illustration*) Tafel *f*. **e** (*dental ~*) (Gaumen)platte *f*.
2 *vt* (*with armour-plating*) panzern ▶ **to ~ (with gold/silver/nickel/chrome)** vergolden/-silbern/-nickeln/-chromen.

plateau ['plætəʊ] *n, pl -s* or *-x* (*Geog*) Plateau *nt*, Hochebene *f* ▶ **prices have reached a ~** die Preise haben sich eingependelt.

plate: **~ful** *n* Teller *m* (voll); **~ glass** *n* Flachglas, Tafelglas *nt*.

platen ['plætən] *n* (*of typewriter, printer*) Walze *f*.

plate rack *n* (*Brit*) Geschirrständer *m*.

platform ['plætfɔːm] *n* **a** Plattform *f*; (*stage*) Podium *nt*, Bühne *f*. **b** (*Rail*) Bahnsteig *m* ▶ **from ~ 7** von Gleis 7. **c** (*Pol*) Plattform *f*.

➤ SENTENCE BUILDER: **plan: 1a** → 14.2 **1b** → 12.1 **2** → 10.1, 10.2 **3** → 10.1

platform: ~ shoe n Plateauschuh m; **~ ticket** n Bahnsteigkarte f.

plating ['pleɪtɪŋ] n (act) (with gold) Vergolden nt; (with silver) Versilbern nt; (with chrome) Verchromen nt; (material) Auflage f; (armour-~) Panzerung f.

platinum ['plætɪnəm] n Platin nt ▶ **a ~ blonde** eine Platinblonde.

platitude ['plætɪtjuːd] n Platitüde, Plattheit f.

platonic [plə'tɒnɪk] adj love, friendship platonisch.

platoon [plə'tuːn] n (Mil) Zug m.

platter ['plætər] n Teller m; (wooden ~ also) Brett nt; (serving dish) Platte f.

plaudits ['plɔːdɪts] npl (liter) Ovationen pl; (also fig) Beifall m.

plausibility [ˌplɔːzɪ'bɪlɪtɪ] n see adj Plausibilität f; Glaubwürdigkeit f.

plausible ['plɔːzəbl] adj plausibel; argument also einleuchtend; story, excuse also glaubwürdig.

play [pleɪ] **1** n **a** Spiel nt ▶ **to be at ~** beim Spielen sein; **to do/say sth in ~** etw aus Spaß tun/sagen; **~ on words** Wortspiel nt; **children at ~** spielende Kinder; **to abandon ~** das Spiel abbrechen; **there was some exciting ~ towards the end** gegen Ende gab es einige spannende (Spiel)szenen; **to be in/out of ~** (ball) im Spiel/im Aus sein. **b** (Tech, Mech) Spiel nt ▶ **1mm (of) ~** 1 mm Spiel. **c** (Theat) (Theater)stück nt; (Rad) Hörspiel nt; (TV) Fernsehspiel nt. **d** (fig phrases) **to come into ~** ins Spiel kommen; **to give full ~ to one's imagination** seiner Phantasie (dat) freien Lauf lassen; **to bring or call sth into ~** etw einsetzen; **to make great ~ of sth** viel Aufhebens von etw machen.

2 vt game, card, role, instrument, tune spielen; (direct) light, hose richten ▶ **to ~ sb (at a game)** gegen jdn (ein Spiel) spielen; **to ~ ball** (fig) mitmachen; **to ~ a joke on sb** jdm einen Streich spielen; **to ~ a mean trick on sb** jdn auf gemeine Art hereinlegen; **to ~ the piano** Klavier spielen.

3 vi spielen; (fountain) laufen ▶ **to go out to ~** rausgehen und spielen; **to ~ with the idea of doing sth** mit dem Gedanken spielen, etw zu tun; **we don't have much time/money to ~ with** wir haben zeitlich/finanziell nicht viel Spielraum; **he wouldn't ~** (fig col) er wollte nicht mitspielen (col); **he was ~ing at being angry** seine Wut war gespielt; **he's just ~ing at it** er tut nur so; **what are you ~ing at?** (col) was soll (denn) das? (col); **to ~ for money** um Geld spielen; **to ~ for time** (fig) Zeit gewinnen wollen; **to ~ into sb's hands** (fig) jdm in die Hände spielen; **to ~ to sb** jdm vorspielen; **the firemen's hoses ~ed on the flames** die Schläuche der Feuerwehrmänner waren auf die Flammen gerichtet; **the searchlights ~ed over the roofs** die Suchscheinwerfer strichen über die Dächer; **it's playing at the Old Vic next week** (Theat) es läuft nächste Woche im Old Vic.

◆**play about** or **around** vi spielen ▶ **to ~ ~ with sth/ an idea** mit etw/einer Idee spielen.

◆**play along** **1** vi mitspielen ▶ **he ~ed ~ with the system** er arrangierte sich mit dem System.
2 vt sep ein falsches Spiel spielen mit; (in order to gain time) hinhalten.

◆**play back** vt sep tape recording abspielen ▶ **the conversation was ~ed ~ to us** man spielte uns (dat) das Gespräch vor.

◆**play down** vt sep herunterspielen.

◆**play off** **1** vt sep **to ~ X ~ against Y** X gegen Y ausspielen; **he was ~ing them ~ against each other** er spielte sie gegeneinander aus.
2 vi (Sport) um die Entscheidung spielen.

◆**play on** **1** vi weiterspielen.
2 vi +prep obj sb's fears, good nature geschickt ausnutzen ▶ **the author is ~ing ~ words** der Autor spielt mit Worten.

◆**play out** vt sep **a** (Theat) scene darstellen. **b** **to be ~ed ~** (person) völlig erschöpft or geschafft sein (col); (joke etc) abgedroschen sein. **c** (Mus: accompany) mit Musik hinausgeleiten.

◆**play through** vi +prep obj durchspielen.

◆**play up** **1** vi **a** (Brit col: cause trouble: car, child) verrückt spielen (col). **b** (col: flatter) **to ~ ~ to sb** jdn umschmeicheln.
2 vt sep (col) **a** (cause trouble to) **to ~ sb ~** jdm Schwierigkeiten machen. **b** (exaggerate) hochspielen.

◆**play upon** see play on.

play: ~-act vi Theater spielen; **~-acting** n (fig) Theater(spiel) nt; **~back** n (switch, recording) Wiedergabe f; **~boy** n Playboy m.

player ['pleɪər] n (Sport, Mus) Spieler(in f) m; (Theat) Schauspieler(in f) m.

playful ['pleɪfʊl] adj neckisch; child, animal verspielt, munter.

play: ~goer n Theaterbesucher(in f) m; **~ground** n Spielplatz m; (Sch) (Schul)hof m; **~group** n Spielgruppe f; **~house** n **a** (US: doll's house) Puppenstube f; **b** (Theat) Schauspielhaus nt.

playing ['pleɪɪŋ]: **~ card** n Spielkarte f; **~ field** n Sportplatz m.

play: ~mate n Spielkamerad(in f) m; **~-off** n Entscheidungsspiel nt; **~pen** n Laufstall m; **~room** n Spielzimmer nt; **~ school** n Kindergarten m; **~ street** n Spielstraße f; **~thing** n (lit, fig) Spielzeug nt; **~time** n Zeit f zum Spielen; (Sch) große Pause.

playwright ['pleɪraɪt] n Dramatiker(in f) m; (contemporary also) Stückeschreiber(in f) m.

plc, PLC (Brit) = **public limited company** ≃ AG f.

plea [pliː] n **a** Bitte f; (general appeal) Appell m ▶ **to make a ~ for sth** zu etw aufrufen; **to make a ~ for leniency** um Milde bitten. **b** (Jur) Plädoyer nt ▶ **to enter a ~ of guilty/not guilty** ein Geständnis ablegen/seine Unschuld erklären; **~ bargaining** Verhandlungen pl zwischen Richter und Verteidigung über die Möglichkeit, bestimmte Anklagepunkte fallenzulassen, wenn der Angeklagte sich in anderen Punkten schuldig bekennt.

plead [pliːd] pret, ptp **~ed** or (Scot, US) **pled** **1** vt **a** (argue) vertreten ▶ **to ~ sb's case, to ~ the case for sb** (Jur) jdn vertreten; **to ~ the case for sth** (fig) sich für etw einsetzen; **to ~ sb's cause** (fig) für jds Sache eintreten. **b** (as excuse) ignorance sich berufen auf (+acc). **2** vi **a** (beg) bitten, nachsuchen (for um) ▶ **to ~ with sb to do sth** jdn bitten or ersuchen (geh), etw zu tun. **b** (Jur) (counsel) das Plädoyer halten ▶ **to ~ guilty/not guilty** sich schuldig/nicht schuldig bekennen; **to ~ for sth** (fig) für etw plädieren.

pleading ['pliːdɪŋ] **1** n Bitten nt; (Jur) Plädoyer nt.
2 adj look, voice flehend.

pleasant ['pleznt] adj angenehm; news erfreulich; person also, face nett; smile freundlich.

pleasantly ['plezntlɪ] adv angenehm; smile, greet etc freundlich.

pleasantness ['plezntnɪs] n Freundlichkeit f.

pleasantry ['plezntrɪ] n (joking remark) Scherz m; (polite remark) Nettigkeit f ▶ **to exchange pleasantries** Höflichkeiten austauschen.

▼ **please** [pliːz] **1** interj bitte ▶ **(yes,) ~** (acceptance) (ja,) bitte; (enthusiastic) ja, gerne; **pass the salt, ~** würden Sie mir bitte das Salz reichen?; **may I? — ~ do!** darf ich? — bitte sehr!; **~ don't!** bitte nicht!
2 vi **a** **if you ~** (form: in request) wenn ich darum bitten darf; **and then, if you ~, he tried ...** und dann, stell dir vor, versuchte er ...; **(just) as you ~** ganz wie Sie wollen; **to do as one ~** machen or tun, was einem gefällt. **b** (cause satisfaction) gefallen ▶ **anxious** or **eager to ~** darum bemüht, alles richtig zu machen.

➤ SENTENCE BUILDER: **please: 1** → 8.1, 12.1, 15.1, 15.3, 15.4, 15.5, 15.6 **2** → 12.2

3 *vt* (*give pleasure to*) eine Freude machen (+*dat*); (*satisfy*) zufriedenstellen; (*do as sb wants*) gefällig sein (+*dat*) ▶ *it* ~*s me to see him so happy* es freut mich, daß er so glücklich ist; *you can't* ~ *everybody* man kann es nicht allen recht machen; *there's no pleasing him* er ist nie zufrieden; *to be hard to* ~ schwer zufriedenzustellen sein; *I was only too* ~*d to help* es war mir wirklich eine Freude zu helfen.

4 *vr to* ~ *oneself* tun, was einem gefällt; ~ *yourself, then!* wie Sie wollen!; *you can* ~ *yourself where you sit* es ist Ihnen überlassen, wo Sie sitzen.

pleased [pliːzd] *adj* (*happy*) erfreut; (*satisfied*) zufrieden ▶ *to be* ~ *(about sth)* sich (über etw *acc*) freuen; *I'm* ~ *to hear that ...* es freut mich zu hören, daß ...; ~ *to meet you* angenehm (*form*), freut mich; *to be* ~ *with sb/sth* mit jdm/etw zufrieden sein.

pleasing *adj*, ~*ly adv* ['pliːzɪŋ, -lɪ] angenehm.

pleasurable *adj*, ~*bly adv* ['pleʒərəbl, -ɪ] angenehm.

pleasure ['pleʒəʳ] *n* **a** Freude *f* ▶ *it's a* ~, *(my)* ~ gern (geschehen)!; *with* ~ gern, mit Vergnügen (*form*); *it gives me great* ~ *to be here* (*form*) es ist mir eine große Freude, hier zu sein; *it would give me great* ~ *to ...* es wäre mir ein Vergnügen, zu ...; *to have the* ~ *of doing sth* das Vergnügen haben, etw zu tun; *Mrs X requests the* ~ *of Mr Y's company* (*form*) Frau X gibt sich die Ehre, Herrn Y einzuladen (*form*). **b** (*source of* ~) Vergnügen *nt* ▶ *he's a* ~ *to teach* es ist ein Vergnügen, ihn zu unterrichten; *the* ~*s of country life* die Freuden des Landlebens; *all the* ~*s of London* alle Vergnügungen Londons. **c** (*iro, form: will*) Wunsch *m* ▶ *at one's* ~ nach Belieben; *to await sb's* ~ abwarten, was jd zu tun geruht.

pleasure *in cpds* Vergnügungs-; ~ *boat* *n* (*steamer*) Vergnügungsdampfer *m*; ~ *cruise* *n* Kreuzfahrt *f*; ~**-loving** *adj* lebenslustig, leichtlebig (*pej*); ~**-seeking** *adj* vergnügungssüchtig.

pleat [pliːt] **1** *n* Falte *f*.
2 *vt* fälteln ▶ ~*ed skirt* Faltenrock *m*; ~ *trousers* Bundfaltenhose *f*.

pleb [pleb] *n* (*pej col*) Plebejer(in *f*) (*pej*), Prolet(in *f*) (*pej col*) *m*.

plebeian [plɪˈbiːən] **1** *adj* plebejisch.
2 *n* Plebejer(in *f*) *m*.

plebiscite ['plebɪsɪt] *n* Plebiszit *nt*.

plectrum ['plektrəm] *n* Plektron *nt*.

pled [pled] (*US, Scot*) *pret, ptp of* **plead.**

pledge [pledʒ] **1** *n* (*in pawnshop, of love*) Pfand *nt*; (*promise*) Versprechen *nt* ▶ *as a* ~ *of* als Zeichen (+*gen*); *under (the)* ~ *of secrecy* unter dem Siegel der Verschwiegenheit; *election* ~*s* Wahlversprechen *pl*; *to sign* or *take the* ~ (*hum col*) dem Alkohol abschwören (*usu hum*).
2 *vt* **a** (*give as security, pawn*) verpfänden. **b** (*promise*) versprechen, zusichern ▶ *to* ~ *one's word* sein Wort geben; *to* ~ *support for sb/sth* jdm/einer Sache seine Unterstützung zusichern; *I am* ~*d to secrecy* ich bin zum Schweigen verpflichtet.

plenary ['pliːnərɪ] *adj* ~ *session* Plenarsitzung *f*; ~ *powers* unbeschränkte Vollmachten *pl*.

plenipotentiary [ˌplenɪpəˈtenʃərɪ] *n* (General)bevollmächtigte(r) *mf*.

plentiful ['plentɪfʊl] *adj* reichlich; *commodities, gold etc* reichlich vorhanden; *hair* voll ▶ *to be in* ~ *supply* reichlich vorhanden sein.

plenty ['plentɪ] *n* **a** eine Menge ▶ *land of* ~ Land des Überflusses; *times of* ~ Zeiten des Überflusses; *in* ~ im Überfluß; *three kilos will be* ~ drei Kilo sind reichlich; *take* ~ nimm dir reichlich; *there are still* ~ *left* es sind immer noch eine ganze Menge da. **b** ~ *of* viel, eine Menge; ~ *of time/milk/eggs* viel *or* eine Menge Zeit/Milch/viele *or* eine Menge Eier; *a country with* ~ *of*

natural resources ein Land mit umfangreichen Bodenschätzen; *we arrived in* ~ *of time to get a good seat* wir kamen so rechtzeitig, daß wir einen guten Platz bekamen.

plethora ['pleθərə] *n* (*form*) Fülle *f* (*of* von).

pleurisy ['plʊərɪsɪ] *n* Brustfellentzündung *f*.

pliability [plaɪəˈbɪlɪtɪ] *n* *see adj* Biegsamkeit *f*; Geschmeidigkeit *f*; Formbarkeit *f*.

pliable ['plaɪəbl] *adj* biegsam; *leather* geschmeidig; *mind, person* formbar.

pliers ['plaɪəz] *npl* (*also pair of* ~) Zange *f*.

plight [plaɪt] *n* Not *f*, Elend *nt*; (*of economy etc*) Verfall *m* ▶ *to be in a sorry* ~ in einem traurigen Zustand sein.

plimsoll ['plɪmsəl] *n* (*Brit*) Turnschuh *m*.

plinth [plɪnθ] *n* Sockel *m*.

PLO = **Palestine Liberation Organization** PLO *f*.

plod [plɒd] *vi to* ~ *up a hill* einen Hügel hinaufstapfen; *to* ~ *along* or *on* weiterstapfen; *to* ~ *away at sth* sich mit etw herumquälen.

plodder ['plɒdəʳ] *n* zähe(r) Arbeiter(in *f*) *m*.

plonk[1] [plɒŋk] **1** *n* Bums *m* ▶ *it fell with a* ~ *to the floor* es fiel mit einem Bums auf den Boden.
2 *adv fall, land* bums.
3 *vt* (*col: also* ~ *down*) (*drop, put down*) hinschmeißen (*col*); (*bang down*) hinknallen (*col*) ▶ *to* ~ *oneself (down)* sich hinpflanzen (*col*).

plonk[2] *n* (*Brit col: wine*) (billiger) Wein, Gesöff *nt* (*hum, pej*).

plonker ['plɒŋkəʳ] *n* (*col*) Idiot *m*.

plop [plɒp] **1** *n* Plumps *m*; (*in water*) Platsch *m*.
2 *vi* (*make a plopping sound*) platschen.

plot [plɒt] **1** *n* **a** (*Agr*) Stück *nt* Land; (*bed: in garden*) Beet *nt*; (*building* ~) Grundstück *nt*; (*allotment*) Schrebergarten *m* ▶ *a* ~ *of land* ein Stück *nt* Land. **b** (*conspiracy*) Komplott *nt*. **c** (*Liter, Theat*) Handlung *f*.
2 *vt* **a** (*plan*) planen, aushecken (*col*) ▶ *they* ~*ted to kill him* sie planten gemeinsam, ihn zu töten. **b** (*position, course*) feststellen; (*draw on map*) einzeichnen; (*Math, Med*) *curve* aufzeichnen.
3 *vi* sich verschwören.

plotter[1] ['plɒtəʳ] *n* Verschwörer(in *f*) *m*.

plotter[2] *n* (*Comp*) Plotter *m*.

plotting ['plɒtɪŋ] *n* Intrigen *pl*.

plough, (*US*) **plow** [plaʊ] **1** *n* Pflug *m* ▶ *the P~* (*Astron*) der Wagen.
2 *vt* pflügen.
3 *vi* (*vehicle*) rasen (*into* in +*acc*).

◆**plough back** *vt sep* (*Agr*) unterpflügen; (*Comm*) *profits* wieder hineinstecken (*into* in +*acc*).

◆**plough through** *vt insep snow, mud etc* sich kämpfen durch; *book, work* sich durchackern durch (*col*).

◆**plough up** *vt sep field* umpflügen.

plough, (*US*) **plow**: ~**land** *n* Ackerland *nt*; ~**man** *n* Pflüger *m*; ~**man's lunch** *n* Brot *nt* und Käse mit Salat und Mixed Pickles.

ploy [plɔɪ] *n* (*stratagem*) Trick *m*.

pluck [plʌk] **1** *n* (*courage*) Mut *m*.
2 *vt fruit, flower* pflücken; *chicken* rupfen; *guitar, eyebrows* zupfen ▶ *to* ~ *(at) sb's sleeve* jdn am Ärmel zupfen; *to* ~ *up courage* all seinen Mut zusammennehmen.

pluckily ['plʌkɪlɪ] *adv* tapfer.

plucky ['plʌkɪ] *adj* (+*er*) *person, smile* tapfer; *action, person* mutig.

plug [plʌg] **1** *n* **a** (*in sink*) Stöpsel *m*; (*for stopping a leak, in barrel*) Propfen *m*. **b** (*Elec*) Stecker *m*; (*Aut: spark* ~) (Zünd)kerze *f*. **c** (*col: piece of publicity*) Schleichwerbung *f no pl* ▶ *to give sb/sth a* ~ für jdn/etw Schleichwerbung machen.
2 *vt* **a** (*stop*) *gap, leak* zustopfen. **b** (*insert*) stecken. **c** (*col: publicize*) Schleichwerbung machen für (*col*).

[d] (col: push, put forward) idea hausieren gehen mit.

◆**plug away** vi (col) ackern (col) ► **to ~ ~ at sth** sich mit etw abrackern (col); **he kept ~ging ~** er hat nicht lockergelassen.

◆**plug in** [1] vt sep TV, heater etc anschließen; telephone etc einstöpseln ► **to be ~ged ~** angeschlossen sein. [2] vi sich anschließen lassen ► **where does the TV ~ ~?** wo wird der Fernseher angeschlossen?

plughole ['plʌɡhəʊl] n Abfluß(loch nt) m.

plum [plʌm] [1] n [a] (fruit, tree) Pflaume f; (Victoria ~, dark blue) Zwetsch(g)e f. [b] (colour) Pflaumenblau nt. [c] (fig col) **a real ~ of a job** ein Bombenjob (col). [2] adj attr (col) job, position Bomben- (col), Mords-(col).

plumage ['pluːmɪdʒ] n Gefieder nt.

plumb [plʌm] [1] n (~-line) Lot nt ► **out of ~** nicht im Lot.
[2] adv (col) (completely) total (col); (exactly) genau ► **~ crazy** vollkommen or total (col) verrückt; **~ in the middle** (haar)genau in der Mitte.
[3] vt [a] ocean, depth (aus)loten. [b] (fig) mystery etc ergründen ► **to ~ the depths of despair** die tiefste Verzweiflung erleben.

◆**plumb in** vt washing machine etc fest anschließen.

plumb bob n Lot, Senkblei nt.

plumber ['plʌməʳ] n Installateur, Klempner m.

plumbing ['plʌmɪŋ] n [a] (work) Installieren nt. [b] (fittings) Rohre, Leitungen pl.

plumbline ['plʌmlaɪn] n Lot.

plume [pluːm] n Feder f; (on helmet) Federbusch m ► **~ of smoke** Rauchwolke f.

plummet ['plʌmɪt] vi (bird, plane etc) hinunter-/herunterstürzen; (sales) stark zurückgehen; (currency) fallen, absacken (to auf +acc).

plump [plʌmp] adj (+er) rundlich, pummelig (col); legs etc stämmig; face rundlich, voll.

◆**plump for** vi +prep obj sich entscheiden für.

◆**plump up** vt sep pillow aufschütteln; chicken mästen.

plumpness ['plʌmpnɪs] n Rundlichkeit f.

plunder ['plʌndəʳ] [1] n [a] (act) (of place) Plünderung f; (of things) Raub m. [b] (loot) Beute f.
[2] vti place plündern (also hum).

plunge [plʌndʒ] [1] vt [a] (thrust) stecken; (into water etc) tauchen ► **he ~d his knife into his victim's back** er jagte seinem Opfer das Messer in den Rücken. [b] (fig) **to ~ the country into debt** das Land in Schulden stürzen; **the room was/we were ~d into darkness** das Zimmer war in Dunkelheit getaucht/tiefe Dunkelheit umfing uns.
[2] vi [a] (dive) tauchen; (goalkeeper) hechten. [b] (rush, esp downward) stürzen ► **to ~ to one's death** zu Tode stürzen. [c] (share prices, currency etc) stark fallen. [d] (fig: into debate, studies etc) sich stürzen (into in +acc).
[3] vr (into studies, job etc) sich stürzen (into in +acc).
[4] n (lit, fig) Sturz m; (dive) (Kopf)sprung m ► **to take the ~** (fig col) den Sprung wagen.

plunger ['plʌndʒəʳ] n [a] (piston) Tauchkolben m. [b] (for clearing drain) Sauger m.

plunging ['plʌndʒɪŋ] adj neckline, back tief ausgeschnitten.

pluperfect [pluː'pɜːfɪkt] n Plusquamperfekt nt.

plural ['plʊərəl] [1] adj (Gram) Mehrzahl-, Plural-.
[2] n Mehrzahl f, Plural m ► **in the ~** im Plural, in der Mehrzahl.

plus [plʌs] [1] prep plus (+dat); (together with) und (außerdem).
[2] adj **~ sign** Pluszeichen nt; **a ~ factor** ein Pluspunkt m; **on the ~ side** auf der Habenseite; **50 hours ~ a week** mehr als 50 Stunden pro Woche.
[3] n (sign) Pluszeichen nt; (positive factor) Pluspunkt m; (extra) Plus nt.

plush [plʌʃ] [1] n Plüsch m.
[2] adj (+er) (col: luxurious) feudal (col); hotel also Nobel-; furnishing also elegant, vornehm.

Pluto ['pluːtəʊ] n (Astron) Pluto m.

plutocrat ['pluːtəʊkræt] n Plutokrat(in f) m.

plutonium [pluː'təʊnɪəm] n Plutonium nt.

ply¹ [plaɪ] n [a] **three-~** wood dreischichtig; wool dreifädig; tissues dreilagig. [b] = **plywood**.

ply² [1] vt [a] tool, brush etc gebrauchen; oars einsetzen. [b] trade ausüben, betreiben. [c] (ships) sea, river befahren. [d] **to ~ sb with questions** jdn mit Fragen überhäufen; **to ~ sb with drink(s)** jdm immer wieder etwas zum Trinken aufdrängen.
[2] vi (ship) **to ~ between** verkehren zwischen; **to ~ for hire** seine Dienste anbieten.

plywood ['plaɪwʊd] n Sperrholz nt.

PM = **Prime Minister**.

pm = **post meridiem** p.m.

PMT n abbr = **premenstrual tension** prämenstruelle Spannung.

pneumatic [njuː'mætɪk] adj Luft- ► **~ drill** Preßluftbohrer m.

pneumonia [njuː'məʊnɪə] n Lungenentzündung f.

PO = [a] **post office** PA. [b] **postal order** PA.

poach¹ [pəʊtʃ] vt egg pochieren; fish (blau) dünsten ► **~ed eggs** verlorene Eier.

poach² vti wildern (for auf +acc); ideas etc klauen (col) ► **to ~ (on sb's territory)** jdm ins Gehege kommen.

poacher ['pəʊtʃəʳ] n Wilderer m.

poaching ['pəʊtʃɪŋ] n Wildern nt, Wilderei f.

PO Box n Postfach nt.

pocket ['pɒkɪt] [1] n [a] (in garment) Tasche f ► **to have sb/sth in one's ~** (fig) jdn/etw in der Tasche haben (col); **they live in each other's ~s** (fig) sie hängen ständig zusammen (col). [b] (receptacle: in suitcase, file etc) Fach nt; (Billiards) Loch nt. [c] (resources) **to be a drain on one's ~** jds Geldbeutel strapazieren (col); **to be out of ~** einen Verlust machen; **to be in ~** auf sein Geld kommen (col); **I was £100 in ~ after the sale** nach dem Verkauf war ich um £100 reicher; **to put one's hand in one's ~** in die Tasche greifen. [d] (small area) Gebiet nt ► **~ of resistance** Widerstandsnest nt.
[2] adj comb, edition Taschen-.
[3] vt [a] (put in one's pocket) einstecken ► **to ~ one's pride** seinen Stolz überwinden. [b] (gain) kassieren; (misappropriate) einstecken (col).

pocket: ~book n [a] (notebook) Notizbuch nt; [b] (US) (wallet) Brieftasche f; (handbag) Handtasche f; **~ calculator** n Taschenrechner m; **~ful** n **a ~ful** eine Tasche voll; **~ handkerchief** n Taschentuch nt; **~knife** n Taschenmesser nt; **~money** n Taschengeld nt; **~-size(d)** adj book im Taschenformat; camera Miniatur-.

pock [pɒk] **~ mark** n Pockennarbe f; **~marked** adj face pockennarbig; surface narbig.

pod [pɒd] n (Bot) Hülse f; (of peas also) Schote f.

podgy ['pɒdʒɪ] adj (+er) pummelig; face schwammig.

podiatrist [pɒ'diːətrɪst] n (US) Fußpfleger(in f) m.

podium ['pəʊdɪəm] n Podest nt.

poem ['pəʊɪm] n Gedicht nt.

poet ['pəʊɪt] n Dichter(in f) m ► **~ laureate** Hofdichter m.

| POET LAUREATE |

i **Poet laureate** ist in Großbritannien ein Dichter, der ein Gehalt als Hofdichter bezieht und kraft seines Amtes ein lebenslanges Mitglied des britischen Königshofes ist. Der Poet Laureate schrieb traditionellerweise ausführliche Gedichte zu Staatsanlässen; ein Brauch, der heute kaum noch befolgt wird. Der erste Poet Laureate 1616 war Ben Jonson.

poetess ['pəʊɪtɛs] *n* Dichterin *f.*

poetic [pəʊ'etɪk] *adj* poetisch; *talent also* dichterisch; *place, scene* malerisch ► **~** *justice* poetische Gerechtigkeit; **~** *licence* (*Brit*) *or* **license** (*US*) dichterische Freiheit.

poetically [pəʊ'etɪkəlɪ] *adv* poetisch; *gifted* dichterisch.

poetry ['pəʊɪtrɪ] *n* Dichtung *f* ► *to write* **~** Gedichte schreiben; **~** *reading* Dichterlesung *f.*

po-faced ['pəʊfeɪst] *adj* (*col*) grimmig.

poignancy ['pɔɪnjənsɪ] *n see adj* Ergreifende(s) *nt*; Wehmut *f*; Schmerzlichkeit *f*; Schärfe *f* ► *he writes with great* **~** er schreibt sehr ergreifend.

poignant ['pɔɪnjənt] *adj* ergreifend; *memories, look* wehmütig; *distress, regret* schmerzlich; *wit* scharf.

poignantly ['pɔɪnjəntlɪ] *adv* ergreifend; (*wistfully*) wehmütig.

▼ **point** [pɔɪnt] **1** *n* **a** Punkt *m*; (*place also*) Stelle *f*; (*sharp end*) Spitze *f*; (*on thermometer*) Grad *m* ► **(nought)** **~** *seven (0.7)* null Komma sieben (0,7); *from all* **~s** *(of the compass)* aus allen (Himmels)richtungen; *up to a* **~** bis zu einem gewissen Grad *or* Punkt; *at the* **~** *of a gun* mit vorgehaltener Pistole; *not to put too fine a* **~** *on it* (*fig*) um ganz offen zu sein; *the train stops at Slough and all* **~s** *east* der Zug hält in Slough und allen Orten östlich davon; **~** *of departure* (*lit, fig*) Ausgangspunkt *m*; **~** *of view* Gesichtspunkt *m*; *from my* **~** *of view* aus meiner Sicht; *from the* **~** *of view of productivity* von der Produktivität her gesehen; *at this* **~** (*spatially*) an dieser Stelle; (*in time*) (*then*) in diesem Augenblick; (*now*) jetzt; *from that* **~** *on they were friends* von da an waren sie Freunde; *at no* **~** nie; *at no* **~** *in the book* an keiner Stelle des Buches; *to be (up)on the* **~** *of doing sth* im Begriff sein, etw zu tun; *to reach the* **~** *of no return* (*fig*) den Punkt erreichen, von dem an es kein Zurück gibt; *they provoked him to the* **~** *where he lost his temper* sie reizten ihn so lange, bis er die Geduld verlor; *severe to the* **~** *of cruelty* streng bis an die Grenze der Grausamkeit; *when it comes to the* **~** wenn es darauf ankommt; *to win on* **~s** nach Punkten gewinnen; *the* **~** *at issue* der strittige Punkt; *a 12-* **~** *plan* ein Zwölfpunkte-Plan *m*; *a* **~** *of interest* ein interessanter Punkt; *to come to the* **~** zur Sache kommen; *to keep to the* **~** beim Thema bleiben; *beside the* **~** irrelevant; *his remarks are very much to the* **~** seine Bemerkungen sind sehr sachbezogen; *my* **~** *was ...* was ich sagen wollte, war ...; *to make a* **~** ein Argument *nt* anbringen; *he made the* **~** *that ...* er betonte, daß ...; *you have a* **~** *there* darin mögen Sie recht haben, da ist etwas dran (*col*); *I take your* **~**, **~** *taken* ich akzeptiere, was Sie sagen; (*I understand*) ich habe schon begriffen; *to gain or carry one's* **~** sich durchsetzen; *to get or see the* **~** verstehen, worum es geht; *to miss the* **~** nicht verstehen, worum es geht; *he missed the* **~** *of what I was saying* er begriff nicht, worauf ich hinauswollte; *that's not the* **~** darum geht es nicht; *that's the whole* **~** das ist es ja gerade; *a case in* **~** ein einschlägiger Fall; *the case in* **~** der zur Debatte stehende Punkt; *to make a* **~** *of sth* auf etw (*acc*) Wert legen; *he made a special* **~** *of being early* er legte besonderen Wert darauf, früh dazusein; *a* **~** *of principle* eine grundsätzliche Frage; *a* **~** *of order* eine Frage der Geschäftsordnung; *good/bad* **~s** (*characteristics*) gute/schlechte Seiten *pl*; *he has his* **~s** er hat auch seine guten Seiten.

b (*purpose*) Zweck, Sinn *m* ► *there's no* **~** *in staying* es hat keinen Zweck *or* Sinn zu bleiben; *I don't see the* **~** *of carrying on* ich sehe keinen Sinn darin, weiterzumachen; *what's the* **~**? was soll's?; *the* **~** *is that ...* die Sache ist die, daß ...; *the* **~** *of the story* die Pointe (der Geschichte).

c **~s** *pl* (*Brit Rail*) Weichen *pl.*

d **~s** *pl* (*Aut*) Unterbrecherkontakte *pl.*

e (*Brit Elec: power* **~**) Steckdose *f.*

2 *vt* **a** (*aim, direct*) *gun, telescope etc* richten (*at* auf +*acc*) ► *he* **~ed** *his stick in the direction of the house* er zeigte mit dem Stock auf das Haus. **b** (*mark, show*) zeigen ► *to* **~** *the way* (*lit, fig*) den Weg weisen. **c** (*Build*) *wall, brickwork* verfugen.

3 *vi* **a** (*with finger etc*) zeigen, deuten (*at, to* auf +*acc*) ► *he* **~ed** *in the direction of the house/towards the house* er zeigte in die Richtung des Hauses/zum Haus; *the compass needle* **~s** *(to the) north* die Kompaßnadel zeigt nach Norden. **b** (*indicate, point out*) hinweisen; (*facts, events also*) hindeuten (*to* auf +*acc*) ► *everything* **~s** *that way* alles weist in diese Richtung. **c** (*face, be situated: building, valley etc*) liegen; (*be aimed: gun, vehicle etc*) gerichtet sein ► *in which direction is it* **~ing**? in welche Richtung zeigt es?

◆**point out** *vt sep* zeigen auf (+*acc*) ► *could you* **~** *him* **~** *to me*? kannst du mir zeigen, wer er ist?; *to* **~** *sth* **~** *(to sb)* (jdn) auf etw (*acc*) hinweisen; *she* **~ed** **~** *that ...* sie wies darauf hin, daß ...

◆**point up** *vt sep* (*emphasize*) betonen.

point-blank [,pɔɪnt'blæŋk] **1** *adj* direkt; *refusal* glatt ► *at* **~** *range* aus kürzester Entfernung. **2** *adv fire* aus kürzester Entfernung; *refuse* rundheraus.

point duty *n* Verkehrsdienst *m.*

pointed ['pɔɪntɪd] *adj* **a** (*sharp*) *stick, roof, nose* spitz ► **~** *arch* Spitzbogen *m.* **b** (*obvious in intention*) *remark, comment* scharf, spitz; *reference* unverblümt; *gesture, departure* ostentativ.

pointedly ['pɔɪntɪdlɪ] *adv refer* unverblümt; *leave* demonstrativ.

pointer ['pɔɪntə^r] *n* **a** (*indicator*) Zeiger *m*; (*stick*) Zeigestock *m.* **b** (*dog*) Pointer, Vorstehhund *m.* **c** (*fig: hint*) Hinweis *m*; (*indication also*) Anzeichen *nt* ► *a* **~** *to a possible solution* ein Hinweis auf eine mögliche Lösung.

pointless *adj*, **~ly** *adv* ['pɔɪntlɪs, -lɪ] sinnlos.

pointlessness ['pɔɪntlɪsnɪs] *n* Sinnlosigkeit *f.*

point of sale **1** *n* (*Comm*) Verkaufsstelle *f.* **2** *adj attr advertising* an der Verkaufsstelle.

poise [pɔɪz] **1** *n* **a** (*carriage of head, body*) Haltung *f*; (*grace*) Grazie *f.* **b** (*composure*) Gelassenheit *f*; (*self-possession*) Selbstsicherheit *f.* **2** *vt* (*balance, hold balanced*) balancieren ► *we sat* **~d** *on the edge of our chairs* wir balancierten auf den Stuhlkanten; *the enemy are* **~d** *to attack* der Feind steht bereit zum Angriff.

poised [pɔɪzd] *adj* selbstsicher.

poison ['pɔɪzn] **1** *n* (*lit, fig*) Gift *nt* ► *to hate sb like* **~** jdn wie die Pest hassen (*col*). **2** *vt* (*lit, fig*) vergiften; *air, rivers* verpesten; *marriage* zerrütten ► *it won't* **~** *you* (*col*) das wird dich nicht umbringen (*col*); *to* **~** *sb's mind against sb/sth* jdn gegen jdn/etw aufstacheln.

poison gas *n* Giftgas *nt.*

poisoning ['pɔɪznɪŋ] *n* (*lit, fig*) Vergiftung *f.*

poison ivy *n* Giftefeu *m.*

poisonous ['pɔɪzənəs] *adj* **a** giftig; *snake, plants etc also* Gift-. **b** (*fig*) *literature, doctrine* zersetzend; *remark, tongue etc* giftig; *propaganda also* Hetz-.

poke [pəʊk] **1** *n* (*jab*) Stoß, Schubs (*col*) *m.* **2** *vt* **a** (*jab with stick*) stoßen; (*with finger*) stupsen ► *to* **~** *the fire* das Feuer schüren; *he accidentally* **~d** *me in the eye* er hat mir aus Versehen ins Auge gestoßen. **b** (*US col: punch*) hauen (*col*). **c** (*thrust*) *to* **~** *one's head/a stick into sth* seinen Kopf/einen Stock in etw (*acc*) stecken; *he* **~d** *his head around the door* er steckte seinen Kopf durch die Tür. **d** (*make by poking*) *hole* bohren.

3 *vi his elbows were poking through his sleeves* an seinen Ärmeln kamen schon die Ellenbogen durch; *to* **~**

at sth (*testing*) etw prüfen; (*searching*) in etw (*dat*) stochern; **well, if you will go poking into things that don't concern you ...** na ja, wenn du deine Nase ständig in Dinge steckst, die dich nichts angehen ...
◆**poke about** *or* **around** *vi* a (*prod*) herumstochern. b (*col: nose about*) schnüffeln (*col*).
◆**poke out** 1 *vi* vorstehen.
 2 *vt sep to ~ sb's eye ~* jdm das Auge ausstechen.
poker¹ ['pəʊkəʳ] *n* (*for fire*) Schürhaken *m*.
poker² *n* (*Cards*) Poker *nt*.
poker-faced ['pəʊkə,feɪst] *adj* mit einem Pokergesicht; (*bored*) mit unbewegter Miene.
poky ['pəʊkɪ] *adj* (+*er*) (*pej*) *room, house* winzig ▶ *it's so ~ in here* es ist so eng hier.
Poland ['pəʊlənd] *n* Polen *nt*.
polar ['pəʊləʳ] *adj* Polar-, polar ▶ *~ bear* Polar- *or* Eisbär *m*.
polarity [pəʊ'lærɪtɪ] *n* (*Phys, fig*) Polarität *f*.
polarization [,pəʊləraɪzeɪʃən] *n* (*Phys*) Polarisation *f*; (*fig*) Polarisierung *f*.
polarize ['pəʊləraɪz] 1 *vt* polarisieren.
 2 *vi* sich polarisieren.
Polaroid ® ['pəʊlərɔɪd] *n* Polaroidkamera ®, Sofortbildkamera *f*.
Pole [pəʊl] *n* Pole *m*, Polin *f*.
pole¹ [pəʊl] *n* Stange *f*; (*flag~, telegraph ~ also*) Mast *m*; (*for vaulting*) Stab *m*.
pole² *n* (*Geog, Astron, Elec*) Pol *m* ▶ *they are ~s apart* sie (*acc*) trennen Welten.
pole: *~bean n* (*US*) Strangenbohne *f*; *~cat n* Iltis *m*; (*US*) Skunk *m*, Stinktier *nt*.
polemic [pɒ'lemɪk] 1 *adj* polemisch.
 2 *n* Polemik *f*.
pole: ~ position *n* (*Motor racing*) Pole-position *f*, bester Startplatz für dem Trainingsschnellsten; *~star n* Polarstern *m*; *~ vault* 1 *n* Stabhochsprung *m*; 2 *vi* stabhochspringen; *~ vaulter n* Stabhochspringer *m*.
police [pə'liːs] 1 *n* (+*sing vb: institution*, +*pl vb: policemen*) Polizei *f* ▶ *hundreds of ~* Hunderte von Polizisten; *extra ~ were called in* es wurden zusätzliche Polizeikräfte angefordert.
 2 *vt road, frontier* kontrollieren.
police: *~ car n* Polizeiwagen *m*; *~ constable n* (*Brit*) Polizist *m*; *~ department n* (*US*) Polizeibehörde *f*; *~ dog n* Polizeihund *m*; *~ escort n* Polizeieskorte *f*; *~ force n* Polizei *f*; *~man n* Polizist *m*; *~ officer n* Polizeibeamter *m*; *~ presence n* Polizeiaufgebot *nt*; *~ record n to have a ~ record* vorbestraft sein; *~ state n* Polizeistaat *m*; *~ station n* (Polizei)wache *f*; *~woman n* Polizistin *f*.
policy¹ ['pɒlɪsɪ] *n* Politik *f* no pl; (*of business also*) Geschäftspolitik *f* no pl; (*on* bei), Praktiken *pl* (*pej*) (*on* in bezug auf +*acc*); (*of government, newspaper also*) Linie *f*; (*of political party also*) Programm *nt*; (*principle*) Grundsatz *m* ▶ *our ~ on immigration/recruitment* unsere Einwanderungs-/Einstellungspolitik; *foreign ~* Außenpolitik; *my ~ is to wait and see* meine Devise heißt abwarten; *it was good/bad ~* das war (taktisch) klug/unklug.
policy² *n* (*also insurance ~*) (Versicherungs)police *f* ▶ *~ holder* Versicherungsnehmer *m*; *all-risks ~* Allgefahrenpolice *f*.
polio ['pəʊlɪəʊ] *n* Polio, Kinderlähmung *f*.
Polish ['pəʊlɪʃ] 1 *adj* polnisch.
 2 *n* (*language*) Polnisch *nt*.
polish ['pɒlɪʃ] 1 *n* a (*shoe ~*) Creme *f*; (*floor ~*) Bohnerwachs *nt*; (*furniture ~*) Politur *f*; (*metal ~*) Poliermittel *nt*; (*nail ~*) Lack *m* ▶ *to give sth a ~* etw polieren; *shoes, silver also* etw putzen; *floor* etw bohnern. b (*shine*) Glanz *m*; (*of furniture*) Politur *f* ▶ *high ~* Hochglanz *m*; *to put a ~ on sth* Glanz auf etw

(*acc*) bringen. c (*fig: refinement*) Schliff *m*; (*of performance*) Brillanz *f* ▶ *he lacks ~* ihm fehlt der Schliff/die Brillanz.
 2 *vt* a polieren; *silver, shoes also* putzen; *floor* bohnern. b (*fig*) *performance* den letzten Schliff geben (+*dat*); *manner, style also* verfeinern.
◆**polish off** *vt sep* (*col*) *food* verputzen (*col*); *drink* wegputzen (*col*); *work* erledigen.
◆**polish up** *vt sep* a *floor, silver etc* auf Hochglanz bringen. b (*fig: improve*) *style, one's French etc* aufpolieren (*col*); *work* überarbeiten.
polished ['pɒlɪʃt] *adj* a *surface, furniture* poliert; *floor* gebohnert; *stone, glass* geschliffen. b *style etc* verfeinert; *performance, performer* brillant. c *manners* geschliffen.
polite [pə'laɪt] *adj* (+*er*) höflich ▶ *it wouldn't be ~* es wäre unhöflich; *be ~ about her cooking* mach ein paar höfliche Bemerkungen über ihre Kochkunst; *I was just being ~* ich wollte nur höflich sein; *we sat around making ~ conversation* wir saßen zusammen und machten Konversation.
politely [pə'laɪtlɪ] *adv* höflich.
politeness [pə'laɪtnɪs] *n* Höflichkeit *f*.
politic ['pɒlɪtɪk] *adj* (*taktisch*) klug.
political [pə'lɪtɪkəl] *adj* politisch ▶ *~ asylum* politisches Asyl; *~ prisoner* politischer Gefangener.
politically [pə'lɪtɪkəlɪ] *adv* politisch.
politician [,pɒlɪ'tɪʃən] *n* Politiker(in *f*) *m*.
politics ['pɒlɪtɪks] *n* a (+*pl vb*) Politik *f* ▶ *what are his ~?* welche politischen Ansichten hat er? b (+ *sing or pl vb*) Politik *f* ▶ *to go into ~* in die Politik gehen; *to talk ~* über Politik reden.
polka ['pɒlkə] *n* Polka *f*.
polka dot 1 *n* Tupfen *m*.
 2 *adj* gepunktet.
poll [pəʊl] 1 *n* a (*Pol: voting*) Abstimmung *f*; (*election*) Wahl *f* ▶ *to take a ~* eine Abstimmung durchführen. b (*total of votes cast*) Wahlbeteiligung *f*; (*for candidate*) Stimmenanteil *m* ▶ *there was an 84% ~* die Wahlbeteiligung betrug 84%; *they got 34% of the ~* sie bekamen 34% der Stimmen. c *~s* (*voting place*) Wahllokale *pl*; (*election*) Wahl *f*; *to go to the ~s* zur Wahl gehen; *a defeat at the ~s* eine Wahlniederlage. d (*opinion ~*) Umfrage *f*.
 2 *vt votes* erhalten; (*in opinion ~*) befragen ▶ *40% of those ~ed supported the Government* 40% der Befragten waren für die Regierung.
pollen ['pɒlən] *n* Blütenstaub, Pollen *m* ▶ *~ count* Pollenflug *m*.
pollinate ['pɒlɪneɪt] *vt* bestäuben.
pollination [,pɒlɪ'neɪʃən] *n* Bestäubung *f*.
polling ['pəʊlɪŋ] *n* Stimmabgabe, Wahl *f* ▶ *~ has been heavy* die Wahlbeteiligung war hoch.
polling: ~ booth *n* Wahlkabine *f*; *~ day n* Wahltag *m*; *~ station n* Wahllokal *nt*.
pollster ['pəʊlstəʳ] *n* Meinungsforscher(in *f*) *m*.
polltax *n* Kopfsteuer *f*.
pollutant [pə'luːtənt] *n* Schadstoff *m*.
pollute [pə'luːt] *vt* verschmutzen, verunreinigen; (*fig*) *mind* verderben.
pollution [pə'luːʃən] *n* a Umweltverschmutzung *f*. b (*of rivers etc*) Verschmutzung, Verunreinigung *f*; (*fig*) Verpestung *f*.
pollution-free *adj product, process* umweltfreundlich.
polo ['pəʊləʊ] *n* Polo *nt*.
polo: ~ neck *n* Rollkragen *m*; (*sweater*) Rollkragenpullover *m*; *~ shirt n* Polohemd *nt*.
poltergeist ['pɒltəgaɪst] *n* Poltergeist *m*.
poly (*Brit*) = **polytechnic**.
polyester [,pɒlɪ'estəʳ] *n* Polyester *m*.
polyethylene [,pɒlɪ'eθiliːn] *n* (*esp US*) Polyäthylen *nt*.

polygamy [pɒˈlɪgəmɪ] *n* Polygamie, Vielehe *f.*
polyglot [ˈpɒlɪglɒt] **1** *adj* vielsprachig.
⟨**2**⟩ *n* (*person*) Polyglotte(r) *mf.*
polygon [ˈpɒlɪgən] *n* Polygon, Vieleck *nt.*
polymath [ˈpɒlɪmæθ] *n* vielseitig Gebildete(r) *mf.*
polymer [ˈpɒlɪməʳ] *n* Polymer *nt.*
Polynesia [ˌpɒlɪˈniːzɪə] *n* Polynesien *nt.*
Polynesian [ˌpɒlɪˈniːzɪən] **1** *adj* polynesisch.
⟨**2**⟩ *n* Polynesier(in *f*) *m.*
polyp [ˈpɒlɪp] *n* Polyp *m.*
polystyrene [ˌpɒlɪˈstaɪriːn] *n* Polystyrol *nt*; (*expanded also*) Styropor ® *nt.*
polytechnic [ˌpɒlɪˈteknɪk] *n* (*Brit*) ≃ Polytechnikum *nt*; (*degree-awarding*) Technische Hochschule, TH *f.*
polythene [ˈpɒlɪθiːn] *n* (*Brit*) Polyäthylen *nt*; (*in everyday language*) Plastik *nt* ▸ ~ **bag** Plastiktüte *f.*
polyunsaturated [ˌpɒlɪʌnˈsætʃəreɪtɪd] *adj* mehrfach ungesättigt.
polyunsaturates [ˌpɒlɪʌnˈsætʃəˈrɪts] *npl* mehrfach ungesättigte Fettsäuren *pl.*
polyurethane [ˌpɒlɪˈjʊərɪθeɪn] *n* Polyurethan *nt.*
pomegranate [ˈpɒməˌɡrænɪt] *n* Granatapfel *m.*
Pomerania [ˌpɒməˈreɪnɪə] *n* Pommern *nt.*
Pomeranian [ˌpɒməˈreɪnɪən] *n* (*dog*) Spitz *m.*
pommy [ˈpɒmɪ] *n* (*Austral col*) Engländer(in *f*) *m.*
pomp [pɒmp] *n* Pomp, Prunk *m* ▸ ~ **and circumstance** Pomp und Prunk.
pompom [ˈpɒmpɒm] *n* (*on hat etc*) Troddel, Bommel (*dial*) *f.*
pomposity [pɒmˈpɒsɪtɪ] *n see adj* Aufgeblasenheit, Wichtigtuerei *f*; Bombast *m.*
pompous [ˈpɒmpəs] *adj person* aufgeblasen, wichtigtuerisch; *language, remark* bombastisch.
ponce [pɒns] *n* (*Brit col: effeminate type*) Tunte *f* (*col*).
poncy [ˈpɒnsɪ] *adj* (*Brit col*) tuntenhaft (*col*).
pond [pɒnd] *n* Teich *m.*
ponder [ˈpɒndəʳ] **1** *vt* nachdenken über (+*acc*).
⟨**2**⟩ *vi* nachdenken (*on, over* über +*acc*).
ponderous [ˈpɒndərəs] *adj style etc* schwerfällig.
pong [pɒŋ] (*Brit col*) **1** *n* Gestank, Mief (*col*) *m* ▸ **there's a bit of a ~ in here** hier stinkt's.
⟨**2**⟩ *vi* stinken.
pontiff [ˈpɒntɪf] *n* Pontifex *m*; (*pope also*) Papst *m.*
pontificate [pɒnˈtɪfɪkɪt] **1** *n* Pontifikat *nt.*
⟨**2**⟩ [pɒnˈtɪfɪkeɪt] *vi* (*fig*) dozieren.
pontoon¹ [pɒnˈtuːn] *n* Ponton *m* ▸ ~ **bridge** Pontonbrücke *f.*
pontoon² *n* (*Brit Cards*) Siebzehnundvier *nt.*
pony [ˈpəʊnɪ] *n* Pony *nt.*
pony: ~ **tail** *n* Pferdeschwanz *m*; ~ **trekking** *n* Ponyreiten *nt.*
poodle [ˈpuːdl] *n* Pudel *m.*
poof [pʊf] *n* (*Brit col*) Schwule(r) *m* (*col*).
pooh [puː] *interj* (*bad smell*) pfui; (*disdain*) bah.
pooh-pooh [ˈpuːˈpuː] *vt* verächtlich abtun.
pool¹ [puːl] *n* ⟨**a**⟩ Teich *m*; (*underground*) See *m*; (*of rain*) Pfütze *f*; (*of spilt liquid*) Lache *f*; (*in river*) Loch *nt* ▸ ~ **of blood** eine Blutlache. ⟨**b**⟩ (*swimming ~*) (Schwimm)becken *nt*; (*in private garden, hotel also*) Swimming Pool *m*; (*swimming baths*) Schwimmbad *nt.*
pool² **1** *n* ⟨**a**⟩ (*common fund*) (gemeinsame) Kasse *f* ▸ **each player put £10 in the** ~ jeder Spieler gab £10 in die Kasse. ⟨**b**⟩ (*supply, source*) **typing** ~ Schreibzentrale *f*; ~ **of labour** Arbeitskraftreserve *f*; **there is a great** ~ **of untapped resources** es gibt große, noch ungenutzte Reserven. ⟨**c**⟩ **the ~s** *pl* (*football* ~) Toto *m or nt*; **to do the ~s** Toto spielen; **to win the ~s** im Toto gewinnen. ⟨**d**⟩ (*form of snooker*) Poolbillard *nt.* ⟨**e**⟩ (*Comm*) Interessengemeinschaft *f*; (*US: monopoly, trust*) Pool *m*, Kartell *nt.*
⟨**2**⟩ *vt resources, savings* zusammenlegen; *efforts* vereinen

(*geh*).
pooped [puːpt] *adj* (*US col*) geschafft (*col*).
poor [pʊəʳ] **1** *adj* (+*er*) ⟨**a**⟩ arm ▸ *a country ~ in natural resources* ein an Bodenschätzen armes Land; *it's the ~ man's Mercedes* es ist der Mercedes des kleinen Mannes; ~ *relation* (*fig*) Sorgenkind *nt*; *to be treated as the ~ relation* (*fig*) stiefmütterlich behandelt werden; *you ~ (old) chap* (*col*) du armer Kerl (*col*); ~ *you!* du Ärmste(r)! ⟨**b**⟩ (*not good*) schlecht; *performance also, leadership* schwach ▸ *a ~ chance of success* schlechte Erfolgsaussichten *pl*; *he is a ~ traveller* er verträgt Reisen nicht gut; *it's a ~ thing for Britain if ...* es steht schlecht um Großbritannien, wenn ...; *she was ~ at languages* sie war schlecht *or* schwach in Sprachen.
⟨**2**⟩ *npl* **the** ~ die Armen *pl.*
poor box *n* Almosenbüchse *f.*
poorly [ˈpʊəlɪ] **1** *adv* ⟨**a**⟩ arm; *dressed, furnished* ärmlich ▸ ~ *off* schlecht gestellt, arm dran (*col*). ⟨**b**⟩ (*badly*) schlecht ▸ ~ *lit/~ paid* schlecht beleuchtet/bezahlt; *to do ~ (at sth)* (*in etw dat*) schwach *or* schlecht abschneiden.
⟨**2**⟩ *adj pred* (*ill*) krank, elend ▸ *to be ~* sich schlecht fühlen.
pop¹ [pɒp] *n* (*esp US col*) (*father*) Papa *m* (*col*); (*elderly man*) Opa *m* (*hum col*).
pop² *n* (~ *music*) Popmusik *f*, Pop *m.*
pop³ **1** *n* ⟨**a**⟩ (*sound*) Knall *m.* ⟨**b**⟩ (*fizzy drink*) Brause, Limo (*col*) *f.*
⟨**2**⟩ *adv* **to go** ~ (*cork*) knallen; (*balloon*) platzen.
⟨**3**⟩ *vt* ⟨**a**⟩ *balloon, popcorn* zum Platzen bringen. ⟨**b**⟩ (*col: put*) stecken ▸ *to ~ a letter into the postbox* einen Brief einwerfen; *he ~ped his head around the door* er steckte den Kopf durch die Tür; *to ~ the question* einen (Heirats)antrag machen.
⟨**4**⟩ *vi* ⟨**a**⟩ (*col: go ~*) (*cork*) knallen; (*balloon*) platzen; (*buttons, popcorn*) aufplatzen; (*ears*) knacken ▸ *his eyes were ~ping out of his head* ihm fielen fast die Augen aus dem Kopf (*col*). ⟨**b**⟩ (*col: go quickly or suddenly*) *to ~ along/down to the baker's* schnell zum Bäcker gehen; *I'll just ~ upstairs* ich laufe mal eben nach oben.
◆**pop in** (*col*) *vi* schnell hereinkommen/hereingehen; (*visit*) auf einen Sprung vorbeikommen (*col*).
◆**pop off** *vi* (*col*) ⟨**a**⟩ (*die*) den Löffel abgeben (*col*). ⟨**b**⟩ (*go off*) verschwinden (*col*) (*to* nach).
◆**pop out** (*col*) *vi* (*go out*) (schnell) rausgehen (*col*)/rauskommen (*col*); (*spring, rabbit*) herausspringen (*of* aus) ▸ *he has just ~ped ~ to the shops* er ist eben einkaufen gegangen.
◆**pop up** (*col*) *vi* (*appear suddenly*) auftauchen; (*toast*) hochschießen (*col*).
pop: ~ **art** *n* Pop-art *f*; ~ **concert** *n* Popkonzert *nt*; ~**corn** *n* Popcorn *nt.*
Pope [pəʊp] *n* Papst *m.*
pop: ~**-eyed** *adj* glotzäugig; ~ **festival** *n* Popfestival *nt*; ~ **group** *n* Popgruppe *f*; ~ **gun** *n* Spielzeugpistole *f.*
poplar [ˈpɒpləʳ] *n* Pappel *f.*
poplin [ˈpɒplɪn] *n* Popeline *m or f.*
popmobility [ˈpɒpməʊˌbɪlɪtɪ] *n* Gymnastik *f* zu Popmusik.
pop music *n* Popmusik *f.*
popper [ˈpɒpəʳ] *n* (*Brit col: press-stud*) Druckknopf *m.*
poppet [ˈpɒpɪt] *n* (*col*) Schatz *m.*
poppy [ˈpɒpɪ] *n* Mohn *m.*
poppy: P~ Day *n* (*Brit*) ≃ Volkstrauertag *m* (*BRD*); ~**seed** *n* Mohn *m.*
popsicle ® [ˈpɒpsɪkl] *n* (*US*) Eis *nt* am Stiel.
pop: ~ **singer** *n* Popsänger(in *f*) *m*; ~ **song** *m* Popsong *m*; (*hit*) Schlager *m*; ~ **star** *n* Popstar *m.*
populace [ˈpɒpjʊlɪs] *n* Bevölkerung *f*; (*masses*) breite Öffentlichkeit *f.*
popular [ˈpɒpjʊləʳ] *adj* ⟨**a**⟩ beliebt (*with* bei); *decision,*

measure populär ▸ *he was a very ~ choice* seine Wahl fand großen Anklang. **b** (*for the general public*) populär; *music* leicht; *prices* erschwinglich; *science* Populär-; *edition* Volks-; *lectures, journal* populärwissenschaftlich. **c** (*widespread*) *belief, fallacy* weitverbreitet; (*of or for the people*) *government, approval, support* des Volkes ▸ *by ~ request* auf vielseitigen Wunsch.

popularity [ˌpɒpjʊ'lærɪtɪ] *n* Beliebtheit *f*; (*with the public also*) Popularität *f* (*with* bei).

popularize ['pɒpjʊləraɪz] *vt* populär machen; *science* popularisieren.

popularly ['pɒpjʊləlɪ] *adv* allgemein ▸ *he is ~ believed to be a rich man* nach allgemeiner Ansicht ist er ein reicher Mann.

populate ['pɒpjʊleɪt] *vt* (*inhabit*) bevölkern; (*colonize*) besiedeln ▸ *this area is ~d mainly by immigrants* in diesem Gebiet leben hauptsächlich Einwanderer; *densely ~d cities* dicht bevölkerte Städte *pl*.

population [ˌpɒpjʊ'leɪʃən] *n* (*of region, country*) Bevölkerung *f*; (*of town*) Einwohner *pl*; (*number of inhabitants*) Bevölkerungszahl *f* ▸ *the ~ explosion* die Bevölkerungsexplosion.

populism ['pɒpjʊlɪzəm] *n* Populismus *m*.

populist ['pɒpjʊlɪst] **1** *n* Populist(in *f*) *m*. **2** *adj* populistisch.

populous ['pɒpjʊləs] *adj* dicht besiedelt.

pop-up ['pɒpʌp] *adj* *toaster* automatisch; *book, picture* Hochklapp-.

porage *n* = **porridge.**

porcelain ['pɔːsəlɪn] **1** *n* Porzellan *nt*. **2** *adj* Porzellan-.

porch [pɔːtʃ] *n* (*of house*) Windfang *m*; (*US: veranda*) Veranda *f*; (*of church*) Portal *nt*.

porcupine ['pɔːkjʊpaɪn] *n* Stachelschwein *nt*.

pore [pɔːʳ] *n* Pore *f*.

◆**pore over** *vi* +*prep obj* (*scrutinize*) genau studieren; (*meditate*) nachgrübeln über (+*acc*) ▸ *to ~ ~ one's books* über seinen Büchern hocken.

pork [pɔːk] *n* Schweinefleisch *nt*.

pork: *~ chop* *n* Schweinekotelett *nt*; *~ pie* *n* Schweinefleischpastete *f*; *~ sausage* *n* Schweinswurst *f*.

porn [pɔːn], (*esp US*) **porno** ['pɔːnəʊ] *n* (*col*) Porno *m* (*col*) ▸ *hard/soft ~* harter/weicher Porno.

pornographic [ˌpɔːnə' græfɪk] *adj* pornographisch.

pornography [pɔː'nɒgrəfɪ] *n* Pornographie *f*.

porous ['pɔːrəs] *adj* *rock, substance* porös.

porpoise ['pɔːpəs] *n* Tümmler *m*.

porridge ['pɒrɪdʒ] *n* Haferbrei *m* ▸ *~ oats* Haferflocken *pl*.

port¹ [pɔːt] *n* Hafen *m*; (*town also*) Hafenstadt *f* ▸ *to come/put into ~* in den Hafen einlaufen; *~ authority* Hafenbehörde *f*; *~ of entry* Zoll(abfertigungs)hafen *m*; *any ~ in a storm* (*prov*) in der Not frißt der Teufel Fliegen (*Prov*).

port² *n* (*Tech*) Durchlaß(öffnung *f*) *m*; (*Comp*) Anschluß *m*, Port *m*.

port³ **1** *n* (*Naut, Aviat: left side*) Backbord *nt*. **2** *adj* *side* Backbord-.

port⁴ *n* (*also* ~ *wine*) Portwein *m*.

portability [ˌpɔːtə'bɪlɪtɪ] *n* Tragbarkeit *f*.

portable ['pɔːtəbl] *adj* tragbar; *telephone* Mobil-; *typewriter* Reise-; *radio* Koffer- ▸ *easily ~* leicht zu tragen; *a ~ television* ein Portable *m* *or* *nt*, ein tragbarer Fernseher.

portcullis [pɔːt'kʌlɪs] *n* Fallgitter *nt*.

portent ['pɔːtent] *n* Zeichen, Omen (*geh*) *nt* (*of* für).

porter ['pɔːtəʳ] *n* (*of office etc*) Pförtner *m*; (*hospital* ~) Assistent *m*; (*at hotel*) Portier *m*; (*Rail, at airport*) Gepäckträger *m*; (*US Rail: sleeper attendant*) Schlafwagenschaffner *m*.

portfolio [pɔːt'fəʊlɪəʊ] *n* (*Akten*)mappe *f*; (*Fin*)

Portefeuille *nt*; (*of artist, designer*) Kollektion *f* ▸ *minister without ~* (*Pol*) Minister ohne Geschäftsbereich.

porthole ['pɔːthəʊl] *n* Bullauge *nt*.

portion ['pɔːʃən] *n* (*piece, part*) Teil *m*; (*of ticket*) Abschnitt *m*; (*of food*) Portion *f*.

portly ['pɔːtlɪ] *adj* (+*er*) beleibt, korpulent.

portmanteau [pɔːt'mæntəʊ] *n*, *pl* -**s** *or* -**x** Handkoffer *m* ▸ *~ word* Kombinationsform *f*.

portrait ['pɔːtrɪt] *n* Porträt *nt* ▸ *to have one's ~ painted* sich malen lassen.

portrait: *~ format* *n* Hochformat *nt*; *~ painter* *n* Porträtmaler(in *f*) *m*.

portray [pɔː'treɪ] *vt* darstellen; (*paint also*) malen.

portrayal [pɔː'treɪəl] *n* Darstellung *f*.

Portugal ['pɔːtjʊgəl] *n* Portugal *nt*.

Portuguese [ˌpɔːtjʊ'giːz] **1** *adj* portugiesisch ▸ *~ man-of-war* Staatsqualle *f*. **2** *n* **a** Portugiese *m*, Portugiesin *f*. **b** (*language*) Portugiesisch *nt*.

pose [pəʊz] **1** *n* (*position, attitude*) Haltung *f*; (*of model, pej also*) Pose *f* ▸ *to strike a ~* sich in Positur werfen. **2** *vt* *question, problem* vortragen. **3** *vi* (*model*) posieren; (*sitting also*) Modell sitzen; (*standing also*) Modell stehen ▸ *to ~ as* (*fig*) sich ausgeben als.

poser ['pəʊzəʳ] *n* **a** (*col: person*) Angeber *m*. **b** (*problem*) harte Nuß (*col*).

posh [pɒʃ] (*col*) **1** *adj* (+*er*) piekfein (*col*), vornehm; *neighbourhood, hotel also* nobel. **2** *adv* (+*er*): *to talk ~* mit vornehmem Akzent sprechen.

position [pə'zɪʃən] **1** *n* **a** (*location*) (*of person*) Platz *m*; (*of object also*) Stelle *f*; (*of microphone, statue, wardrobe etc*) Standort *m*; (*of spotlight, table*) Anordnung *f*; (*of town, house etc*) Lage *f*; (*of plane, ship, Sport*) Position *f*; (*Mil*) Stellung *f* ▸ *to be in/out of ~* an der richtigen/falschen Stelle sein; *what ~ do you play?* auf *or* in welcher Position spielst du?; *to finish in third ~* Dritter werden.
b (*posture*) Haltung *f*; (*in love-making*) Stellung *f* ▸ *in a reclining ~* zurückgelehnt.
c (*social standing*) Stellung, Position *f*; (*job*) Stelle *f* ▸ *a man of ~* eine hochgestellte Persönlichkeit; *he has a high ~ in the Ministry* er bekleidet eine hohe Stellung im Ministerium; *a ~ of trust* eine Vertrauensstellung.
d (*fig: situation, circumstance*) Lage *f* ▸ *to be in a ~ to do sth* in der Lage sein, etw zu tun; *what is the ~ regarding ...?* wie sieht es mit ... aus?
e (*fig: point of view, attitude*) Standpunkt *m*, Haltung *f* ▸ *to take up a ~ on sth* eine Haltung bei einer Sache einnehmen.
2 *vt* *ladder, guards* aufstellen; *soldiers, policemen* postieren ▸ *he ~ed himself where he could see her* er plazierte sich so, daß er sie sehen konnte.

positive ['pɒzɪtɪv] *adj* **a** (*Math, Phot, Elec*) positiv; *pole* Plus-. **b** (*affirmative, constructive*) positiv; *criticism, suggestion* konstruktiv. **c** *person, tone of voice* bestimmt; *instructions* streng; *evidence, decision* eindeutig; *rule* fest ▸ *that is ~ proof* das ist der sichere Beweis; *to be ~ that ...* sicher sein, daß ...; *this is a ~ miracle/disgrace* das ist wirklich ein Wunder/eine Schande.

positively ['pɒzɪtɪvlɪ] *adv* **a** positiv. **b** (*decisively*) bestimmt; (*definitely*) *prove* eindeutig. **c** (*really, absolutely*) wirklich, echt (*col*).

posse ['pɒsɪ] *n* (*US: sheriff's* ~) Aufgebot *nt*; (*fig*) Gruppe, Schar *f*.

possess [pə'zes] *vt* besitzen ▸ *to be ~ed by an idea* von einer Idee besessen sein; *to fight like one ~ed* wie ein Besessener kämpfen; *whatever ~ed you to do that?* was ist bloß in dich gefahren, so etwas zu tun?

possession [pə'zeʃən] *n* **a** (*ownership*) Besitz *m*;

(*Sport: of ball*) Ballbesitz *m* ▸ **to have sth in one's** ~ etw in seinem Besitz haben; **to have/take** ~ **of sth** etw in Besitz haben/nehmen; **to be in** ~ **of sth** im Besitz von etw sein; **to come into** ~ **of sth** in den Besitz von etw gelangen; **to get/have** ~ **of the ball** in Ballbesitz gelangen/im Ballbesitz sein. [b] (*thing possessed*) Besitz *m no pl*; (*territory*) Besitzung *f*.

possessive [pə'zesɪv] *adj* [a] **to be** ~ **about sth** seine Besitzansprüche auf etw (*acc*) betonen; **to be** ~ **towards sb** an jdn Besitzansprüche stellen. [b] (*Gram*) ~ **pronoun/adjective** Possessivpronomen *nt*.

possessor [pə'zesə^r] *n* Besitzer(in *f*) *m* ▸ **to be the proud** ~ **of sth** der stolze Besitzer von etw sein.

▼ **possibility** [ˌpɒsə'bɪlɪtɪ] *n* Möglichkeit *f* ▸ **there's not much** ~ **of success/of his** or **him being successful** die Aussichten auf Erfolg/darauf, daß er Erfolg hat, sind nicht sehr groß; **within the bounds of** ~ im Bereich des Möglichen; **the** ~ **of doing sth** die Möglichkeit, etw zu tun; **it's a distinct** ~ **that ...** es besteht eindeutig die Möglichkeit, daß ...; **he is a** ~ **for the job** er kommt für die Stelle in Betracht; **there is some** or **a** ~ **that ...** es besteht die Möglichkeit, daß ...; **a job with real possibilities** eine Stelle mit echten Möglichkeiten.

▼ **possible** ['pɒsəbl] [1] *adj* möglich ▸ **to make sth** ~ etw möglich machen; **as soon/often as** ~ so bald/oft wie möglich; **the best/worst** ~ **...** der/die/das bestmögliche/schlechtestmögliche ...; **if (at all)** ~ falls (irgend) möglich; **it's just** ~ **that I'll see you before then** eventuell sehe ich dich vorher noch; **it will be** ~ **for you to return the same day** Sie haben die Möglichkeit, am selben Tag zurückzukommen. [2] *n* **a long list of** ~**s for the job** eine lange Liste möglicher Kandidaten für die Stelle.

possibly ['pɒsəblɪ] *adv* [a] **that can't** ~ **be true** das kann unmöglich wahr sein; **how could he** ~ **have known that?** wie konnte er das nur wissen?; **he did all he** ~ **could** er tat, was er nur konnte; **if I** ~ **can** wenn ich irgend kann. [b] (*perhaps*) vielleicht, möglicherweise.

post¹ [pəʊst] [1] *n* (*pole, door* ~ *etc*) Pfosten *m*; (*lamp*~) Pfahl *m*; (*telegraph* ~) Mast *m* ▸ **starting/winning** or **finishing** ~ Start-/Zielpfosten *m*; **he was left at the** ~ sie ließen ihn stehen. [2] *vt* [a] (*display: also* ~ *up*) anschlagen. [b] (*announce*) *concert etc* durch Anschlag bekanntmachen ▸ **to** ~ **(as) missing** als vermißt melden.

post² [1] *n* [a] (*job*) Stelle *f*, Posten *m* ▸ **to look for/ take up a** ~ eine Stelle suchen/antreten. [b] (*Mil*) Posten *m* ▸ **at one's** ~ auf seinem Posten; **a frontier** ~ ein Grenzposten *m*; **last** ~ (*bugle call*) Zapfenstreich *m*. [2] *vt* [a] (*position*) postieren. [b] (*send, assign*) versetzen.

post³ [1] *n* (*esp Brit: mail*) Post *f* ▸ **by** ~ mit der Post; **it's in the** ~ es ist unterwegs; **to put sth in the** ~ etw aufgeben; **to catch/miss the** ~ (*letter*) noch/nicht mehr mit der Post mitkommen; (*person*) rechtzeitig zur Leerung kommen/die Leerung verpassen; **has the** ~ **been?** war die Post schon da? [2] *vt* [a] (*put in the* ~) aufgeben; (*in letterbox*) einwerfen, einstecken; (*send by* ~ *also*) mit der Post schicken ▸ **I** ~**ed it to you on Monday** ich habe es am Montag an Sie abgeschickt. [b] (*inform*) **to keep sb** ~**ed** jdn auf dem laufenden halten.

post- [pəʊst-] *pref* nach-.

postage ['pəʊstɪdʒ] *n* Porto *nt* ▸ ~ **and packing** (*abbr p & p*) Porto und Verpackung; ~ **paid** or (*US*) **prepaid** portofrei.

postage stamp *n* Briefmarke *f*.

postal ['pəʊstəl] *adj* Post-; ~ **district** Zustellbezirk *m*; ~ **order** *n* (*Brit*) Geldgutschein, der bei der Post gekauft und eingelöst wird, ≃ Postanweisung *f*; ~ **vote** *n* **to use one's** ~ **vote** per Briefwahl wählen.

post: ~**-bag** *n* (*Brit*) Postsack *m*; ~**box** *n* (*Brit*) Briefkasten *m*; ~**card** *n* Postkarte *f*; **(picture)** ~**card** *n* Ansichtskarte *f*; ~ **code** *n* (*Brit*) Postleitzahl *f*; ~**date** *vt cheque* vordatieren.

poster ['pəʊstə^r] *n* (*advertising*) Plakat *nt*; (*for decoration also*) Poster *nt*.

poste restante ['pəʊstre'stɑ̃:nt] (*Brit*) [1] *n* Aufbewahrungsstelle *f* für postlagernde Sendungen. [2] *adv* postlagernd.

posterior [pɒ'stɪərɪə^r] *n* (*hum*) Hintern *m* (*col*), Allerwerteste(r) *m* (*hum*).

posterity [pɒ'sterɪtɪ] *n* die Nachwelt.

poster paint *n* Plakatfarbe *f*.

post: ~**-free** *adj, adv* (*Brit*) portofrei; ~**graduate** *n jd, der seine Studien nach dem ersten akademischen Grad weiterführt*, Graduierte(r) *mf*; ~**haste** *adv* schnellstens.

posthumous *adj*, ~**ly** *adv* ['pɒstjʊməs, -lɪ] postum, posthum.

posting ['pəʊstɪŋ] *n* (*transfer*) Versetzung *f*; (*Mil*) Abkommandierung *f*.

post: ~**man** *n* Briefträger *m*; ~**mark** [1] *n* Poststempel *m*; [2] *vt* (ab)stempeln; **the letter is** ~**marked "Birmingham"** der Brief ist in Birmingham abgestempelt; ~**master** *n* Postmeister *m*; ~**master general** *n* ≈ Postminister *m*; ~**mistress** *n* Postmeisterin *f*; ~**modern** *adj* postmodern; ~**modernism** *n* Postmodernismus *m*; ~**-mortem** [ˌpəʊst'mɔːtəm] *n* Obduktion, Leichenöffnung *f*; (*fig*) Manöverkritik *f* (*fig*); **to hold** or **have a** ~**-mortem on sth** etw hinterher erörtern; ~**-natal** *adj* nach der Geburt, postnatal (*spec*); ~ **office** *n* Postamt *nt*; **the P**~ **Office** (*institution*) die Post; ~ **office savings bank** Postsparkasse *f*; ~ **office savings book** Postsparbuch *nt*; ~**-paid** *adj* portofrei; *envelope* frankiert.

postpone [pəʊst'pəʊn] *vt* aufschieben; (*for specified period*) verschieben ▸ **it has been** ~**d till Tuesday** es ist auf Dienstag verschoben worden.

postponement [pəʊst'pəʊnmənt] *n* (*act*) Verschiebung *f*; (*result*) Aufschub *m*.

postpositive [pəʊst'pɒzɪtɪv] *adj* (*Gram*) nachgestellt.

postscript ['pəʊsˌskrɪpt] *n* (*abbr* **PS**: *to letter*) Postskriptum *nt*; (*to book, article etc*) Nachwort *nt*; (*fig: to affair*) Nachspiel *nt*.

postulate ['pɒstjʊlət] [1] *n* Postulat *nt*. [2] ['pɒstjʊleɪt] *vt* postulieren; *theory* aufstellen.

posture ['pɒstʃə^r] [1] *n* (*lit, fig*) Haltung *f*; (*pej*) Pose *f*. [2] *vi* sich in Positur werfen.

postwar ['pəʊst'wɔː^r] *adj* Nachkriegs- ▸ **the** ~ **period** or **years** die Nachkriegszeit; ~ **London** das London der Nachkriegszeit.

posy ['pəʊzɪ] *n* Sträußchen *nt*.

pot [pɒt] [1] *n* [a] Topf *m*; (*tea*~, *coffee*~) Kanne *f* ▸ ~**s and pans** Kochgeschirr *nt*; **to go to** ~ (*col: person, business*) auf den Hund kommen (*col*); **to have** ~**s of money** (*col*) jede Menge Geld haben (*col*). [b] (*col: marijuana*) Gras *nt* (*col*). [2] *vt meat* einmachen; *jam* einfüllen; *plant* eintopfen; (*shoot*) *game* schießen; (*Billiards*) *ball* einlochen.

potash ['pɒtæʃ] *n* Kali *nt*.

potassium [pə'tæsɪəm] *n* Kalium *nt*.

potato [pə'teɪtəʊ] *n, pl* -**es** Kartoffel *f* ▸ ~ **chip** (*US*) or **crisp** (*Brit*) *n* Kartoffelchip *m*; ~ **peeler** Kartoffelschäler *m*.

potbellied ['pɒtˌbelɪd] *adj person* spitzbäuchig; (*through hunger*) blähbäuchig.

potency ['pəʊtənsɪ] *n see adj* Stärke *f*; Durchschlagskraft *f*; Potenz *f*; Macht *f*.

potent ['pəʊtənt] *adj drink, motive etc* stark; *argument etc* durchschlagend; *man* potent; *ruler* mächtig.

potentate ['pəʊtənteɪt] *n* Potentat *m*.

potential [pəʊ'tentʃəl] [1] *adj* potentiell ▸ **he is a** ~ **vir-**

➤ SENTENCE BUILDER: **possibility** → 13.3   **possible: 1** → 2.2, 5.4, 13.2, 13.3, 14.3

tuoso er hat das Zeug zum Virtuosen.

[2] *n* Potential *nt* ▶ **the ~ for growth** das Wachstumspotential; **to have ~** ausbaufähig sein (*col*); **he shows quite a bit of ~** es steckt einiges in ihm.

potentially [pəʊ'tenʃəlɪ] *adv* potentiell.

pot: ~hole *n* [a] (*in road*) Schlagloch *nt*; [b] (*Geol*) Höhle *f*; **~holer** *n* Höhlenforscher(in *f*) *m*; **~holing** *n* Höhlenforschung *f*.

potion ['pəʊʃən] *n* Trank *m*.

pot: ~luck *n*: **to take ~luck** nehmen, was es gerade gibt; **we took ~luck and went to the nearest pub** wir gingen aufs Geratewohl in die nächste Kneipe; **~pourri** [,pəʊpʊ'riː] *n* [a] (*lit*) Duftmischung *f*; [b] (*fig: mixture, medley*) bunte Mischung; (*of music*) Potpourri *nt*; **~ roast** *n* Schmorbraten *m*; **~shot** *n* **to take a ~shot at sth** aufs Geratewohl auf etw (*acc*) schießen.

potted ['pɒtɪd] *adj* [a] *meat* eingemacht; *fish* eingelegt; *plant* Topf-. [b] (*shortened*) **a ~ history of** ein kurzer Abriß der Geschichte (+*gen*).

potter¹ ['pɒtə'] *n* Töpfer(in *f*) *m* ▶ **~'s wheel** Töpferscheibe *f*.

potter² *vi* (*do little jobs*) herumwerkeln; (*wander aimlessly*) herumschlendern ▶ **she ~s away in the kitchen for hours** sie hantiert stundenlang in der Küche herum; **to ~ around the house** im Haus herumwerkeln; **to ~ along** (*car, driver*) dahinzuckeln.

pottery ['pɒtərɪ] *n* (*workshop, craft*) Töpferei *f*; (*pots*) Töpferwaren *pl*; (*glazed*) Keramik *f*; (*archaeological remains*) Tonscherbe *f*.

potting compost *n* Blumenerde *f*.

potty¹ ['pɒtɪ] *n* (*esp Brit*) Töpfchen *nt* ▶ **~-trained** sauber.

potty² *adj* (+*er*) (*Brit col: mad*) verrückt.

pouch [paʊtʃ] *n* Beutel *m*; (*under eyes*) (Tränen)sack *m*; (*of hamster*) Tasche *f*; (*Mil*) (Patronen)tasche *f*.

pouffe [puːf] *n* [a] (*seat*) Puff *m*. [b] (*Brit col*) = **poof.**

poulterer ['pəʊltərə'] *n* (*Brit*) Geflügelhändler(in *f*) *m*.

poultice ['pəʊltɪs] *n* Umschlag, Wickel *m*; (*for boil*) Zugpflaster *nt*.

poultry ['pəʊltrɪ] *n* Geflügel *nt* ▶ **~ farm** Geflügelfarm *f*; **~ farmer** Geflügelzüchter *m*; **~ farming** Geflügelzucht *f*.

pounce [paʊns] [1] *n* Sprung, Satz *m*; (*swoop by bird*) Angriff *m*.

[2] *vi* (*cat, lion etc*) einen Satz machen; (*bird*) niederstoßen; (*fig*) zuschlagen ▶ **to ~ on sb/sth** (*lit, fig*) sich auf jdn/etw stürzen; (*bird*) auf etw (*acc*) niederstoßen; (*police*) sich (*dat*) jdn greifen/in etw (*dat*) eine Razzia machen.

pound¹ [paʊnd] *n* [a] (*weight*) ≈ Pfund *nt* ▶ **two ~s of apples** zwei Pfund Äpfel; **by the ~** pfundweise. [b] (*money*) Pfund *nt* ▶ **one ~ sterling** ein Pfund Sterling; **five ~s** fünf Pfund; **a five-~ note** ein Fünfpfundschein *m*.

pound² [1] *vt* (*hammer, strike*) hämmern; *earth* feststampfen; *meat* klopfen; *dough* kneten; *corn* etw (zer)stampfen; *piano* hämmern auf (+*dat*); *table* hämmern auf (+*acc*); *door, wall* hämmern gegen; (*waves*) *ship* schlagen gegen; (*guns, bombs*) ununterbrochen beschießen; (*artillery*) unter Beschuß haben ▶ **to ~ sth to pieces** etw kleinstampfen; (*guns*) *ship* etw zertrümmern; **to ~ sth to a pulp** etw zu Brei stampfen.

[2] *vi* [a] (*beat*) hämmern; (*heart*) (wild) pochen; (*waves, sea*) schlagen (*on, against* gegen); (*hooves*) stampfen ▶ **he ~ed on the door/on the table** er hämmerte gegen die Tür/auf den Tisch. [b] (*run heavily*) stampfen; (*walk heavily, stamp*) stapfen.

pound³ *n* (*for stray dogs*) städtischer Hundezwinger; (*for cars*) Abstellplatz *m* (*für amtlich abgeschleppte Fahrzeuge*).

pounding ['paʊndɪŋ] *n* Hämmern *nt*; (*of heart*) Pochen *nt*; (*of music, drums*) Dröhnen *nt*; (*of waves, sea*) Schlagen *nt*; (*of hooves, feet etc*) Stampfen *nt*; (*of guns,*

bombs) Bombardement *nt* ▶ **to take a ~** (*ship in storm*) stark mitgenommen werden; (*town in war*) schwer bombardiert werden; (*Sport*) scharf angegriffen werden; (*lose heavily*) eine Schlappe einstecken müssen (*col*).

pour [pɔː'] [1] *vt liquid* gießen; *sugar, rice etc* schütten; *drink* einschenken ▶ **can I ~ you another drink?** kann ich Ihnen nachschenken?; **to ~ money into a project** Geld in ein Projekt pumpen (*col*).

[2] *vi* [a] (*lit, fig*) strömen; (*smoke also*) hervorquellen ▶ **the sweat was ~ing off him** der Schweiß floß in Strömen an ihm herunter; **cars ~ed along the road** Autokolonnen rollten die Straße entlang. [b] **it's ~ing (down) (with rain)** es gießt (in Strömen), es schüttet (*col*).

◆**pour away** *vt sep* weggießen.

◆**pour forth** *vti* = **pour out 1, 2.**

◆**pour in** *vi* hinein-/hereinströmen; (*donations, protests*) in Strömen eintreffen.

◆**pour off** *vt sep* abgießen.

◆**pour out** [1] *vi* hinaus-/herausströmen (*of* aus); (*smoke also*) hervorquellen (*of* aus); (*words*) heraussprudeln (*of* aus).

[2] *vt sep liquid* ausgießen; *sugar etc* ausschütten; *drink* einschenken; (*fig*) *troubles* sich (*dat*) von der Seele reden ▶ **to ~ ~ one's heart to sb** jdm sein Herz ausschütten.

pouring ['pɔːrɪŋ] *adj* **~ rain** strömender Regen; **a ~ wet day** ein völlig verregneter Tag.

pout [paʊt] [1] *n* (*facial expression*) Schmollmund *m*.

[2] *vi* (*with lips*) einen Schmollmund machen; (*sulk*) schmollen.

poverty ['pɒvətɪ] *n* Armut *f* (*of* an +*dat*) ▶ **~ of imagination** Phantasielosigkeit *f*; **~ line** Armutsgrenze *f*; **~ trap** Armutsfalle *f*; **~-stricken** notleidend; *conditions* kümmerlich; **to be ~-stricken** Armut leiden.

POW = **prisoner of war.**

powder ['paʊdə'] [1] *n* Pulver *nt*; (*face, talcum ~ etc*) Puder *m*; (*dust*) Staub *m*.

[2] *vt* [a] *milk* pulverisieren ▶ **~ed milk** Milchpulver *nt*. [b] *face etc* pudern ▶ **to ~ one's nose** (*lit*) sich (*dat*) die Nase pudern; (*euph*) kurz verschwinden (*euph*).

powder: ~ compact *n* Puderdose *f*; **~ keg** *n* (*lit, fig*) Pulverfaß *nt*; **~ puff** *n* Puderquaste *f*; **~ room** *n* Damentoilette *f*.

powdery ['paʊdərɪ] *adj* (*like powder*) pulvrig; (*crumbly*) bröckelig; *bones* morsch; (*covered with powder*) gepudert.

power ['paʊə'] [1] *n* [a] *no pl* (*physical strength*) Kraft *f*; (*force of blow, explosion etc*) Stärke, Wucht *f*; (*fig: of argument etc*) Überzeugungskraft *f* ▶ **the ~ of love/ tradition** die Macht der Liebe/Tradition.

[b] **her ~s of persuasion** ihre Überredungskünste *pl*; **his ~s of hearing** sein Hörvermögen *nt*; **mental ~s** geistige Kräfte *pl*.

[c] (*capacity, authority*) Macht *f*; (*Jur, parental*) Gewalt *f*; (*usu pl: authority*) Befugnis *f* ▶ **he did all in his ~ to help them** er tat (alles), was in seiner Macht stand, um ihnen zu helfen; **to be in sb's ~** in jds Gewalt (*dat*) sein; **that is beyond or outside my ~(s)** das überschreitet meine Befugnisse; **~ of attorney** (*Jur*) (Handlungs)vollmacht *f*; **the party now in ~** die Partei, die im Augenblick an der Macht ist; **to come to ~** an die Macht kommen; **he has been given full ~(s) to make all decisions** man hat ihm volle Entscheidungsgewalt übertragen.

[d] (*person or institution having authority*) Autorität *f* ▶ **to be the ~ behind the throne** die graue Eminenz sein; **the ~s that be** (*col*) die da oben (*col*); **the ~s of darkness** die Mächte der Finsternis.

[e] (*nation*) Macht *f* ▶ **a naval ~** eine Seemacht.

[f] (*nuclear ~ etc*) Energie *f*; (*of water, steam also*)

Kraft *f*; (*of engine, transmitter*) Leistung *f*; (*of lens, drug*) Stärke *f* ▶ **they cut off the ~** (*electricity*) sie haben den Strom abgestellt.
g (*Math*) Potenz *f* ▶ **to the ~ (of) 2** hoch 2.
h (*col: a lot of*) **that did me a ~ of good** das hat mir unheimlich gutgetan (*col*).
2 *vt* (*engine*) antreiben; (*fuel*) betreiben.

power: ~ base *n* Machtbasis *f*; **~boat** *n* Motorboot *nt*; **~ cut** *n* (*Brit*) Stromsperre *f*; (*accidental*) Stromausfall *m*; **~-driven** *adj tool* Motor-; **~ failure** *n* Stromausfall *m*.

powerful ['pauəful] *adj government etc* mächtig; *boxer, engine, drug, emotions* stark; *punch, detergent* kraftvoll; *build* kräftig; (*fig*) *actor, music, film* mitreißend; *argument* durchschlagend.

powerfully ['pauəfəlɪ] *adv* kraftvoll ▶ **~ built** kräftig gebaut.

powerhouse ['pauəhaus] *n* (*fig*) treibende Kraft (*behind* hinter +*dat, of gen*).

power: ~less *adj committee, person* machtlos; **to be ~less to resist** nicht die Kraft haben, zu widerstehen; **the government is ~less to deal with inflation** die Regierung steht der Inflation machtlos gegenüber; **~ line** *n* (Haupt)stromleitung *f*; **~ outage** *n* (*US*) Stromausfall *m*; **~ point** *n* (*Brit Elec*) Steckdose *f*; **~ politics** *npl* Machtpolitik *f*; **~ saw** *n* Motorsäge *f*; (*electric*) Elektrosäge *f*; **~ station** *n* Kraftwerk *nt*; **~ steering** *n* (*Aut*) Servolenkung *f*; **~ tool** *n* Elektrowerkzeug *nt*.

pp = **a pages** S. **b on behalf of** i.A.

PPE (*Brit Univ*) = **Philosophy, Politics and Economics.**

PPS = **post-postscriptum** PPS.

PQ = **Province of Quebec.**

pr = **pair.**

PR [piː'ɑːr] = **a proportional representation. b public relations** PR *f* ▶ **~ work** Öffentlichkeitsarbeit *f.* **c** (*US Post*) **Puerto Rico.**

practicability [,præktɪkə'bɪlɪtɪ] *n* Durchführbarkeit *f.*

practicable ['præktɪkəbl] *adj* durchführbar, praktikabel; *road* geeignet.

practical ['præktɪkəl] *adj* praktisch; *person* praktisch (veranlagt) ▶ **to have a ~ mind** praktisch denken.

practicality [,præktɪ'kælɪtɪ] *n* (*of person*) praktische Veranlagung; (*of scheme*) Durchführbarkeit *f*; (*practical detail*) praktische Einzelheit.

practical: ~ joke *n* Streich *m*; **~ joker** *n* Witzbold *m* (*col*).

practically ['præktɪkəlɪ] *adv* (*all senses*) praktisch.

practice ['præktɪs] **1** *n* **a** (*habit, custom*) (*of individual*) Gewohnheit *f*; (*of group, in country*) Brauch *m*; (*in business*) Verfahrensweise *f* ▶ **as is my (usual) ~** wie es meine Gewohnheit ist; **that's common ~** das ist allgemein üblich. **b** (*exercise, training*) Übung *f*; (*rehearsal, trial run*) Probe *f*; (*Motor racing*) Training *nt* ▶ **~ lap** Trainingsrunde *f*; **~ makes perfect** (*Prov*) Übung macht den Meister (*Prov*); **to be out of/in ~** aus der/in Übung sein; **that was just a ~ run** das war nur mal zur Probe. **c** (*as opposed to theory*) Praxis *f* ▶ **in ~** in der Praxis; **that won't work in ~** das läßt sich praktisch nicht durchführen; **to put one's ideas into ~** seine Ideen in die Praxis umsetzen. **d** (*of doctor etc*) Praxis *f* ▶ **to set up in ~** eine Praxis eröffnen.
2 *vt* (*US*) = **practise.**

practise, (*US*) **practice** ['præktɪs] **1** *vt* **a** *thrift, patience etc* üben; *self-denial* praktizieren ▶ **to ~ what one preaches** (*prov*) seine Lehren in die Tat umsetzen. **b** (*in order to acquire skill*) üben; *song, chorus* proben ▶ **to ~ the violin** üben; **to ~ doing sth** etw üben; **I'm practising my German on him** ich probiere mein Deutsch an ihm aus. **c** (*follow, exercise*) *profession, religion* ausüben, praktizieren ▶ **to ~ law/medicine** als

Anwalt/Arzt praktizieren.
2 *vi* **a** (*in order to acquire skill*) üben; (*choir*) proben; (*Sport*) trainieren; (*Motor racing*) Trainingsrunden drehen. **b** (*lawyer, doctor etc*) praktizieren.

practised, (*US*) **practiced** ['præktɪst] *adj* geübt ▶ **with a ~ eye** mit geübtem Auge.

practising, (*US*) **practicing** ['præktɪsɪŋ] *adj doctor, Christian, homosexual* praktizierend; *socialist* aktiv.

practitioner [præk'tɪʃənər] *n* (*of method*) Benutzer *m*; (*medical ~*) praktischer Arzt, praktische Ärztin; (*dental ~*) Zahnarzt *m*/-ärztin *f*; (*legal ~*) Rechtsanwalt *m*/ -anwältin *f.*

pragmatic *adj*, **~ally** *adv* [præg'mætɪk, -əlɪ] pragmatisch.

pragmatism ['prægmətɪzəm] *n* Pragmatismus *m.*

pragmatist ['prægmətɪst] *n* Pragmatiker(in *f*) *m.*

Prague [prɑːg] *n* Prag *nt.*

prairie ['prɛərɪ] *n* Grassteppe *f*; (*in North America*) Prärie *f.*

praise [preɪz] **1** *vt* loben; (*to others, worshipfully also*) rühmen (*geh*) ▶ **to ~ sb for having done sth** jdn dafür loben, etw getan zu haben.
2 *n* Lob *nt no pl* ▶ **a hymn of ~** eine Lobeshymne; **he spoke in ~ of their efforts** er sprach lobend von ihren Bemühungen; **I have nothing but ~ for him** ich kann ihn nur loben; **~ be to God!** gelobt sei der Herr!

praiseworthy ['preɪz,wɜːðɪ] *adj* lobenswert.

pram [præm] *n* (*Brit*) Kinderwagen *m.*

prance [prɑːns] *vi* (*horse*) tänzeln; (*person*) (*jump around*) herumhüpfen; (*walk gaily, mince*) tänzeln ▶ **to ~ in/out** (*person*) herein-/hinausspazieren.

prank [præŋk] *n* Streich *m* ▶ **to play a ~ on sb** jdm einen Streich spielen.

prat [præt] *n* (*Brit col*) Knallkopf *m* (*col*).

prattle ['prætl] **1** *n* Geplapper *nt.*
2 *vi* plappern.

prawn [prɔːn] *n* Garnele *f* ▶ **~ cocktail** Krabbencocktail *m.*

pray [preɪ] *vi* (*say prayers*) beten ▶ **let us ~** lasset uns beten; **to ~ for sb/sth** für jdn/um etw beten.

prayer [prɛər] *n* Gebet *nt*; (*service, ~ meeting*) Andacht *f* ▶ **to say one's ~s** beten.

prayer: ~ book *n* Gebetbuch *nt*; **~ mat** *n* Gebetsteppich *m.*

pre- [priː-] *pref* vor-; (*esp with Latinate words in German*) prä- ▶ **at ~-1980 prices** zu Preisen von vor 1980.

preach [priːtʃ] **1** *vt* predigen; (*fig*) *advantages etc* propagieren ▶ **to ~ a sermon** (*lit, fig*) eine Predigt halten.
2 *vi* (*lit, fig*) predigen ▶ **to ~ to/at sb** jdm eine Predigt halten; **to ~ to the converted** (*fig*) offene Türen einrennen.

preacher ['priːtʃər] *n* Prediger *m*; (*fig: moralizer*) Moralprediger(in *f*) *m.*

preamble [priː'æmbl] *n* Einleitung *f*; (*of book*) Vorwort *nt*; (*Jur*) Präambel *f.*

prearrange ['priːə'reɪndʒ] *vt* vorher vereinbaren.

precarious [prɪ'kɛərɪəs] *adj* unsicher; *situation also, position, relationship* prekär; *steps also* gefährlich.

precariously [prɪ'kɛərɪəslɪ] *adv* unsicher ▶ **to be ~ balanced** (*lit, fig*) auf der Kippe stehen; **he lived rather ~** er lebte in ziemlich ungesicherten finanziellen Verhältnissen.

precaution [prɪ'kɔːʃən] *n* Vorsichtsmaßnahme *f* ▶ **to take ~s against sth** Vorsichtsmaßnahmen gegen etw treffen; **to take the ~ of doing sth** vorsichtshalber etw tun; **to take ~s** (*use contraceptives*) ein Verhütungsmittel *nt* gebrauchen.

precautionary [prɪ'kɔːʃənərɪ] *adj* Vorsichts-, vorbeugend.

precede [prɪ'siːd] *vt* (*in order, time*) vorangehen (+*dat*);

(*in importance*) gehen vor (+*dat*); (*in rank*) stehen über (+*dat*).

precedence ['presɪdəns] *n* (*of person*) vorrangige Stellung (*over* gegenüber); (*of problem etc*) Vorrang *m* (*over* vor +*dat*) ► *to take ~ over sb/sth* vor jdm/etw Vorrang haben.

precedent ['presɪdənt] *n* Präzedenzfall *m* ► *without ~* noch nie dagewesen; *to set a ~* einen Präzedenzfall schaffen.

preceding [prɪ'siːdɪŋ] *adj* vorhergehend.

precept ['priːsept] *n* Grundsatz *m*, Prinzip *nt*.

precinct ['priːsɪŋkt] *n* (*pedestrian ~*) Fußgängerzone *f*; (*shopping ~*) Geschäftsviertel *nt*; (*US: police ~*) Revier *nt* ► *~s pl* (*grounds, premises*) Gelände *nt*; (*environs*) Umgebung *f*.

precious ['prefəs] **1** *adj* (*costly*) wertvoll, kostbar; (*treasured*) wertvoll; (*iro*) heißgeliebt ► *~ stone/metal* Edelstein *m*/Edelmetall *nt*.

2 *adv* (*col*) *~ little/few* herzlich wenig/wenige (*col*).

precipice ['presɪpɪs] *n* (*lit, fig*) Abgrund *m*.

precipitate [prə'sɪpɪtɪt] **1** *adj* (*overhasty*) übereilt, überstürzt.

2 [prɪ'sɪpɪteɪt] *vt* **a** (*hurl*) schleudern; (*downwards*) hinunterschleudern; (*fig*) stürzen. **b** (*hasten*) beschleunigen. **c** (*Chem*) (aus)fällen; (*Met*) niederschlagen.

precipitation [prɪ,sɪpɪ'teɪʃən] *n* **a** (*haste*) Eile *f*; (*overhastiness*) Übereile *f*. **b** (*Met*) Niederschlag *m*.

precipitous [prɪ'sɪpɪtəs] *adj* steil; (*hasty*) überstürzt.

précis ['preɪsiː] *n* Zusammenfassung *f*; (*Sch*) Inhaltsangabe *f*.

precise [prɪ'saɪs] *adj* genau; *answer, description etc, worker also* präzis ► *at that ~ moment* genau in dem Augenblick; *this was the ~ amount I needed* das war genau der Betrag, den ich brauchte; *please be more ~* drücken Sie sich bitte etwas genauer aus; *or, to be more ~, ...* oder, um es genauer zu sagen, ...

precisely [prɪ'saɪslɪ] *adv* genau; *answer, describe, work also* präzis ► *at ~ 7 o'clock, at 7 o'clock ~* Punkt 7 Uhr; *what ~ do you mean?* was meinen Sie eigentlich genau?

precision [prɪ'sɪʒən] *n* Genauigkeit *f*; (*of work, movement also*) Präzision *f*.

precision: ~ instrument *n* Präzisionsgerät *nt*; **~-made** *adj* präzisionsgefertigt.

preclude [prɪ'kluːd] *vt* *possibility* ausschließen ► *to ~ sb from doing sth* jdn daran hindern, etw zu tun.

precocious [prɪ'kəʊʃəs] *adj* *teenager, behaviour* frühreif; *statement, way of speaking* altklug.

precociousness [prɪ'kəʊʃənɪs], **precocity** [prɪ'kɒsɪtɪ] *n* *see adj* Frühreife *f*; Altklugheit *f*.

preconceived [,priːkən'siːvd] *adj* *opinion, idea* vorgefaßt.

preconception [,priːkən'sepʃən] *n* vorgefaßte Meinung.

precondition [,priːkən'dɪʃən] *n* (Vor)bedingung *f*.

pre-cook [priː'kʊk] *vt* vorkochen.

precursor [priː'kɜːsər] *n* Vorläufer *m*; (*in office*) (Amts)vorgänger(in *f*) *m*.

predate [,priː'deɪt] *vt* (*precede*) zeitlich vorangehen (+*dat*); *cheque, letter* zurückdatieren.

predator ['predətər] *n* (*animal*) Raubtier *nt*; (*person*) Plünderer *m*.

predatory ['predətərɪ] *adj* *animal instincts* Raub-; *attack, tribe* räuberisch.

predecessor ['priːdɪsesər] *n* (*person*) Vorgänger(in *f*) *m*; (*thing*) Vorläufer *m* ► *our ~s* (*ancestors*) unsere Vorfahren *pl*.

predestine [priː'destɪn] *vt* vorherbestimmen; *person* prädestinieren.

predetermine [,priːdɪ'tɜːmɪn] *vt* *events, sb's future etc*

vorherbestimmen; *price, date etc* im voraus festlegen.

predicament [prɪ'dɪkəmənt] *n* Zwangslage *f*, Dilemma *nt* ► *to be in a ~* in einer Zwangslage sein.

predicate ['predɪkɪt] *n* (*Gram*) Prädikat *nt*.

predicative *adj*, **~ly** *adv* [prɪ'dɪkətɪv, -lɪ] prädikativ.

predict [prɪ'dɪkt] *vt* vorhersagen.

predictable [prɪ'dɪktəbl] *adj* vorhersagbar ► *you are so ~* man weiß doch genau, wie du reagierst.

predictably [prɪ'dɪktəblɪ] *adv* ~, *he was late* wie vorauszusehen war, kam es zu spät.

prediction [prɪ'dɪkʃən] *n* Voraussage *f*.

predilection [,priːdɪ'lekʃən] *n* Vorliebe *f* (*for* für).

predispose [,priːdɪ'spəʊz] *vt* geneigt machen ► *to ~ sb in favour of sb/sth* jdn für jdn/etw einnehmen; *I'm not ~d to help him* ich bin nicht geneigt, ihm zu helfen.

predisposition [,priːdɪspə'zɪʃən] *n* Neigung *f* (*to* zu); (*Med*) Anfälligkeit *f* (*to* für).

predominance [prɪ'dɒmɪnəns] *n* (*control*) Vorherrschaft *f*; (*prevalence*) Überwiegen *nt*.

predominant [prɪ'dɒmɪnənt] *adj* (*most prevalent*) *idea, theory* vorherrschend; (*dominating*) *person, animal* beherrschend.

predominantly [prɪ'dɒmɪnəntlɪ] *adv* überwiegend.

predominate [prɪ'dɒmɪneɪt] *vi* **a** vorherrschen. **b** (*in influence etc*) überwiegen ► *Good will always ~ over Evil* das Gute wird immer über das Böse siegen.

pre-eminence [priː'emɪnəns] *n* überragende Bedeutung.

pre-eminent [priː'emɪnənt] *adj* herausragend.

pre-eminently [priː'emɪnəntlɪ] *adv* hauptsächlich, vor allem; (*excellently*) hervorragend.

pre-empt [priː'empt] *vt* zuvorkommen (+*dat*).

pre-emptive [priː'emptɪv] *adj* präventiv, Präventiv-.

preen [priːn] **1** *vt* *feathers* putzen.

2 *vr to ~ oneself* (*bird*) sich putzen; (*person: dress up*) sich herausputzen, sich aufputzen.

prefab ['priːfæb] *n* Fertighaus *nt*.

prefabricated [,priː'fæbrɪkeɪtɪd] *adj* vorgefertigt, Fertig-; *building* Fertig-.

preface ['prefɪs] *n* **1** Vorwort *nt*.

2 *vt remarks* einleiten.

prefect ['priːfekt] *n* Präfekt *m*; (*Brit Sch*) Aufsichtsschüler(in *f*) *m* ► *form ~* (*Sch*) ≈ Klassensprecher(in *f*) *m*.

▼ **prefer** [prɪ'fɜːr] *vt* **a** (*like better*) vorziehen (*to dat*), lieber mögen (*to* als); *drink, food, music also* lieber trinken/essen/hören (*to* als); *applicant, solution* vorziehen, bevorzugen; (*be more fond of*) *person* lieber haben (*to* als) ► *he ~s coffee to tea* er trinkt lieber Kaffee als Tee; *I'd ~ something less ornate* ich hätte lieber etwas Schlichteres; *I ~ to resign rather than ...* eher kündige ich, als daß ...; *I ~ walking/flying* ich gehe lieber zu Fuß/fliege lieber; *I ~ not to say* ich sage es lieber nicht; *I would ~ you to do it today* mir wäre es lieber, wenn Sie es heute täten. **b** (*Jur*) *to ~ a charge/charges (against sb)* Klage (gegen jdn) erheben.

preferable ['prefərəbl] *adj* *X is ~ to Y* X ist Y (*dat*) vorzuziehen; *it would be ~ to do it that way* es wäre besser, es so zu machen.

preferably ['prefərəblɪ] *adv* am liebsten ► *tea or coffee? — coffee, ~ Tee oder Kaffee? — lieber Kaffee; but ~ not Tuesday* aber, wenn möglich, nicht Dienstag.

▼ **preference** ['prefərəns] *n* (*greater liking*) Vorliebe *f*; (*greater favour*) Vorzug *m* ► *for ~* lieber; *to have a ~ for sth* eine Vorliebe für etw haben, etw bevorzugen; *I drink coffee in ~ to tea* ich trinke lieber Kaffee als Tee; *what is your ~?* was wäre Ihnen am liebsten?; *I have no ~* mir ist das eigentlich gleich; *to show ~ to sb* jdn bevorzugen; *to give ~ to sb/sth* jdm/etw den Vorzug geben (*over* gegenüber); *~ shares or stock* (*Brit Fin*) Vorzugsaktien *pl*.

▶ SENTENCE BUILDER: **prefer: a → 1.1, 1.4, 2.3**   **preference → 1.5**

preferential [prefəˈrenʃəl] *adj treatment* bevorzugt; *terms* Sonder- ▸ *to give sb ~ treatment* jdn bevorzugt behandeln.
prefix [ˈpriːfɪks] *n* (*Gram*) Vorsilbe *f*, Präfix *nt*.
pregnancy [ˈpregnənsɪ] *n* Schwangerschaft *f*; (*of animal*) Trächtigkeit *f* ▸ *~ test* Schwangerschaftstest *m*.
pregnant [ˈpregnənt] *adj* [a] *woman* schwanger; *animal* trächtig, tragend ▸ *3 months ~* im dritten Monat (schwanger). [b] (*fig*) *remark, silence, pause* bedeutungsschwer ▸ *~ with meaning* bedeutungsgeladen.
preheat [priːˈhiːt] *vt* vorheizen.
prehistoric [ˌpriːhɪˈstɒrɪk] *adj* prähistorisch, vorgeschichtlich.
prehistory [ˌpriːˈhɪstərɪ] *n* Vorgeschichte *f*.
prejudge [priːˈdʒʌdʒ] *vt case, issue* im vorhinein beurteilen; *person* im voraus verurteilen.
prejudice [ˈpredʒʊdɪs] [1] *n* [a] (*biased opinion*) Vorurteil *nt* ▸ *his ~ against ...* seine Voreingenommenheit gegen ...; *that's pure ~* das ist reine Voreingenommenheit; *racial ~* Rassenvorurteile *pl*. [b] (*esp Jur: detriment, injury*) Schaden *m* ▸ *to the ~ of sb/sth* (*form*) zu jds Schaden/unter Beeinträchtigung +*gen*; *without ~* (*Jur*) ohne Verbindlichkeit.
[2] *vt* [a] (*bias*) beeinflussen. [b] (*injure*) *case etc* gefährden; *chances also* beeinträchtigen.
prejudiced [ˈpredʒʊdɪst] *adj person* voreingenommen (*against* gegen); *opinion* vorgefaßt; *judge* befangen.
prejudicial [ˌpredʒʊˈdɪʃəl] *adj* abträglich (*to sth* einer Sache *dat*) ▸ *to be ~ to sb's chances* jds Chancen gefährden.
preliminary [prɪˈlɪmɪnərɪ] [1] *adj talks, enquiry etc* Vor-; *remarks also, chapter* einleitend; *measures* vorbereitend ▸ *the ~ rounds* (*Sport*) die Ausscheidungsrunden.
[2] *n* Einleitung *f* (*to* zu); (*Sport*) Vorspiel *nt* ▸ *the preliminaries* (*preparatory measures*) die vorbereitenden Maßnahmen.
prelims [ˈpriːˌlɪmz] *npl* (*in book*) Titelei *f*.
prelude [ˈpreljuːd] *n* Vorspiel *nt*; (*fig*) Auftakt *m* (*to* zu +*dat*).
premarital [priːˈmærɪtl] *adj* vorehelich.
premature [ˈpremətʃʊəʳ] *adj birth, arrival* vorzeitig; *decision, action* verfrüht ▸ *you were a little ~* da waren Sie ein wenig voreilig; *the baby was three weeks ~* das Baby wurde drei Wochen zu früh geboren; *~ baby* Frühgeburt *f*.
prematurely [ˈpremətʃʊəlɪ] *adv* vorzeitig ▸ *to be born ~* eine Frühgeburt sein.
premeditate [priːˈmedɪteɪt] *vt* vorsätzlich planen.
premeditated [priːˈmedɪteɪtɪd] *adj* vorsätzlich.
premeditation [priːˌmedɪˈteɪʃən] *n* Vorsatz *m*.
premenstrual [priːˈmenstrʊəl] *adj* prämenstruell, vor der Menstruation auftretend.
premier [ˈpremɪəʳ] *n* Premier(minister) *m*.
première [ˈpremɪeəʳ] *n* Uraufführung *f*.
premise [ˈpremɪs] *n* [a] (*esp Logic*) Prämisse (*spec*), Voraussetzung *f*. [b] *~s pl* (*of school, factory*) Gelände *nt*; (*building*) Gebäude *nt*; (*shop*) Räumlichkeiten *pl*; *business ~s* Geschäftsräume *pl*; (*building*) Geschäftsgebäude *nt*.
premium [ˈpriːmɪəm] *n* (*bonus*) Bonus *m*, Prämie *f*; (*surcharge*) Zuschlag *m*; (*Insur*) Prämie *f*; (*St Ex*) Aufgeld, Agio *nt* ▸ *~ bond* (*Brit*) Lotterieaktie *f*; *~ (gasoline)* (*US*) Super *nt*; *to sell sth at a ~* etw über seinem Wert verkaufen; *to be at a ~* (*St Ex*) über Pari stehen; (*fig*) hoch im Kurs stehen; *to put a ~ on sth* (*fig*) großen Wert auf etw (*acc*) legen.

┌─ **PREMIUM BONDS** ─┐

ℹ️ *Premium Bonds, eigentlich Premium Savings Bonds, sind Lotterieaktien, die seit 1956 vom britischen Finanzministerium ausgegeben werden*

und keine Zinsen bringen, sondern statt dessen an einer monatlichen Auslosung teilnehmen. Die Gewinnnummern für die verschiedenen Geldpreise werden in Blackpool von einem Computer namens ERNIE (Electronic Random Number Indicator Equipment) ermittelt.

premonition [ˌpriːməˈnɪʃən] *n* (*presentiment*) (böse) Vorahnung; (*forewarning*) Vorwarnung *f*.
prenatal [priːˈneɪtl] *adj* (*esp US*) = **antenatal**.
preoccupation [priːˌɒkjʊˈpeɪʃən] *n her ~ with her appearance* ihre ständige Sorge um ihr Äußeres; *that was his main ~* das war sein Hauptanliegen.
preoccupied [priːˈɒkjʊpaɪd] *adj* gedankenverloren ▸ *to be ~ with sth* nur an etw (*acc*) denken.
preoccupy [priːˈɒkjʊpaɪ] *vt* (*stark*) beschäftigen.
prep [prep] *n* (*Brit Sch*) Hausaufgaben *pl*.
prepacked [ˌpriːˈpækt] *adj* abgepackt.
prepaid [ˌpriːˈpeɪd] *adj postage, goods* vorausbezahlt; *envelope* freigemacht ▸ *~ envelope* Freiumschlag *m*.
preparation [ˌprepəˈreɪʃən] *n* [a] Vorbereitung *f*; (*of meal, medicine etc*) Zubereitung *f* ▸ *in ~ for sth* als Vorbereitung für etw; *to be in ~* in Vorbereitung sein; *~s for war/a journey* Kriegs-/Reisevorbereitungen *pl*; *to make ~s* Vorbereitungen treffen. [b] (*Med, Sci*) Präparat *nt*.
preparatory [prɪˈpærətərɪ] *adj* [a] *step, measure* vorbereitend ▸ *~ to the conference* um die Konferenz vorzubereiten. [b] *~ school* (*Brit*) private Vorbereitungsschule für die Public School; (*US*) private Vorbereitungsschule für die Hochschule.
prepare [prɪˈpeəʳ] [1] *vt* vorbereiten (*sb for sth* jdn auf etw *acc, sth for sth* etw für etw *acc*); *meal, medicine* zubereiten; *guest-room* fertigmachen; (*Sci*) präparieren; *data* aufbereiten ▸ *~ yourself for a shock!* mach dich auf einen Schock gefaßt!
[2] *vi* ▸ *to ~ for sth* Vorbereitungen für etw treffen; *to ~ for an exam* sich auf eine Prüfung vorbereiten; *to ~ for war* Kriegsvorbereitungen treffen; *to ~ to do sth* Anstalten machen, etw zu tun.
prepared [prɪˈpeəd] *adj* [a] vorbereitet (*for* auf +*acc*) ▸ *you must be ~ for everything/the worst* du mußt dich auf alles/auf das Schlimmste gefaßt machen. [b] (*willing*) *to be ~ to do sth* bereit sein, etw zu tun.
preponderance [prɪˈpɒndərəns] *n* Übergewicht *nt*.
preponderant [prɪˈpɒndərənt] *adj* überwiegend.
preposition [ˌprepəˈzɪʃən] *n* Präposition *f*.
prepossessing [ˌpriːpəˈzesɪŋ] *adj* anziehend.
preposterous [prɪˈpɒstərəs] *adj* grotesk, absurd.
preprogrammed [ˌpriːˈprəʊgræmd] *adj* vorprogrammiert.
prep school *n* (*Brit*) see **preparatory (b)**.

┌─ **PREP SCHOOL** ─┐

ℹ️ *Prep(aratory) school ist in Großbritannien eine meist private Schule für Kinder im Alter von 7 bis 13 Jahren, die auf eine weiterführende Privatschule (public school) vorbereiten soll.*

prequel [ˈpriːkwəl] *n* Film *m*, der die Vorgeschichte eines bereits erfolgreich gelaufenen Films erzählt.
prerecord [ˌpriːrɪˈkɔːd] *vt* (vorher) aufzeichnen ▸ *~ed cassette* bespielte Kassette.
prerequisite [ˌpriːˈrekwɪzɪt] *n* Voraussetzung *f*.
prerogative [prɪˈrɒgətɪv] *n* Vorrecht *nt*.
Presbyterian [ˌprezbɪˈtɪərɪən] [1] *adj* presbyterianisch.
[2] *n* Presbyterianer(in *f*) *m*.
preschool [ˈpriːskuːl] *adj attr* vorschulisch, Vorschul- ▸ *a child of ~ age* ein Kind *nt* im Vorschulalter.
prescribe [prɪˈskraɪb] *vt* [a] (*order, lay down*) vor-

schreiben ► **~d** *reading or book* Pflichtlektüre *f.* **b**
(*Med, fig*) verschreiben (*sth for sb* jdm etw).
prescription [prɪ'skrɪpʃən] *n* (*Med*) Rezept *nt*; (*act of*
prescribing) Verschreiben *nt* ► **to make up** *or* **fill** (*US*) **a**
~ eine Medizin zubereiten; **~ charge** Rezeptgebühr *f*;
only available on ~ rezeptpflichtig.
prescriptive [prɪ'skrɪptɪv] *adj* normativ.
presence ['preznz] *n* Gegenwart, Anwesenheit *f* ► **in**
sb's ~, in the ~ of sb in jds Gegenwart (*dat*); **to make**
one's ~ felt sich bemerkbar machen; **military ~** Militär-
präsenz *f.*
presence of mind *n* Geistesgegenwart *f.*
present¹ ['preznt] **1** *adj* **a** (*in attendance*) anwesend;
(*existing*) vorhanden ► **to be ~** anwesend sein, da/hier
sein; **to be ~ at sth** bei etw anwesend sein; **~ company**
excepted Anwesende ausgenommen; **all those ~** alle
Anwesenden; **carbon is ~ in organic matter** Kohlenstoff
ist in organischen Stoffen vorhanden. **b** (*at the ~ time*)
moment, state of affairs etc gegenwärtig, derzeitig; *prob-*
lems, husband etc also jetzig; *season etc* laufend ► **at the**
~ moment zum jetzigen Zeitpunkt; **in the ~ circum-**
stances unter den gegenwärtigen Umständen; **in the ~**
case im vorliegenden Fall. **c** (*Gram*) **in the ~ tense** in
der Gegenwart, im Präsens; **~ participle** Partizip *nt*
Präsens.
2 *n* Gegenwart *f*, (*Gram also*) Präsens *nt* ► **at ~** zur
Zeit, im Moment; **up to the ~** bislang, bis jetzt.
present² **1** *n* (*gift*) Geschenk *nt* ► **to make sb a ~ of**
sth jdm etw schenken (*also fig*); **I was given it as a ~**
das habe ich geschenkt bekommen.
2 [prɪ'zent] *vt* **a** *medal, prize etc* überreichen; (*as gift*)
schenken; (*put forward*) vorlegen; *cheque* (*for payment*)
präsentieren; *proof* erbringen (*of sth* für etw); *proposal*
unterbreiten ► **to ~ sb with sth, to ~ sth to sb** jdm etw
überreichen; (*as a gift*) jdm etw schenken; **~ arms!** (*Mil*)
präsentiert das Gewehr! **b** (*offer, provide*) *target, oppor-*
tunity bieten ► **his action ~ed us with a problem** seine
Tat stellte uns vor ein Problem. **c** (*Rad, TV*)
präsentieren; (*Theat also*) aufführen; (*commentator*)
moderieren ► **~ing Sabine Citron as ...** (*Film*) und
erstmals Sabine Citron als ... **d** (*introduce*) vorstellen ►
to ~ Mr X to Miss Y Herrn X Fräulein Y (*dat*) vorstellen.
3 [prɪ'zent] *vr* (*opportunity, problem etc*) sich ergeben.
presentable [prɪ'zentəbl] *adj* **to be ~** sich sehen lassen
können; **to make oneself ~** sich zurechtmachen.
presentation [ˌprezən'teɪʃən] *n* **a** (*of gift etc*) Überreichung *f*; (*of prize, medal also, ceremony*) Verleihung *f*;
(*gift*) Geschenk *nt* ► **to make sb a ~** jdm ein Geschenk
überreichen. **b** (*act of presenting*) (*of report, voucher*
etc) Vorlage *f*; (*of petition*) Überreichung *f*; (*Jur: of case,*
evidence) Darlegung *f* ► **on ~ of a certificate** gegen Vorlage einer Bescheinigung. **c** (*Theat*) Inszenierung *f*, (*TV*
also, Rad) Produktion *f.* **d** (*style of ~*) Präsentation *f.*
present-day ['preznt'deɪ] *adj attr* heutig.
presenter [prɪ'zentə*r*] *n* (*TV, Rad*) Moderator(in *f*) *m.*
presentiment [prɪ'zentɪmənt] *n* (Vor)ahnung *f* ► **to**
have a ~ that ... das Gefühl haben, daß ...
presently ['prezntlɪ] *adv* **a** (*soon*) bald. **b** (*esp US: at*
present) zur Zeit, gegenwärtig.
preservation [ˌprezə'veɪʃən] *n see vt* **a** Erhaltung *f*;
Wahrung *f*; Aufrechterhaltung *f.* **b** Konservierung *f*
(*also of leather, wood*); Präservierung *f.* **c** Einmachen
nt; Einlegen *nt.* **d** Bewahrung *f.*
preservative [prɪ'zɜːvətɪv] *n* (*Cook*) Konservierungsmit-
tel *nt.*
preserve [prɪ'zɜːv] **1** *vt* **a** (*keep intact, maintain*) *cus-*
toms, building, position erhalten; *peace also, dignity, ap-*
pearances wahren; *memory* aufrechterhalten. **b** (*keep*
from decay) konservieren; *specimens etc* präservieren;
leather, wood schützen ► **well ~d** gut erhalten. **c**
(*Cook*) einmachen; (*pickle*) einlegen. **d** (*keep from*

harm, save) bewahren ► **to ~ sb from sth** jdn vor etw
(*dat*) bewahren.
2 *n* **a** (*Cook*) **~s** *pl* Eingemachtes *nt.* **b** (*special*
domain) Ressort *nt* ► **game ~** (*Hunt*) Jagdrevier *nt.*
preserving [prɪ'zɜːvɪŋ] *adj* (*Cook*) *jar, sugar* Einmach-.
preset [priː'set] *adj* voreingestellt.
pre-shrunk [priː'ʃrʌŋk] *adj* vorgewaschen.
preside [prɪ'zaɪd] *vi* (*at meeting etc*) den Vorsitz haben
(*at* bei) ► **to ~ over an organization** *etc* eine
Organisation *etc* leiten.
presidency ['prezɪdənsɪ] *n* Präsidentschaft *f*; (*esp US: of*
company) Aufsichtsvorsitz *m*; (*US Univ*) Rektorat *nt.*
president ['prezɪdənt] *n* Präsident(in *f*) *m*; (*esp US: of*
company) Aufsichtsratsvorsitzende(r) *mf*; (*US Univ*)
Rektor(in *f*) *m.*
presidential [ˌprezɪ'denʃəl] *adj* (*Pol*) Präsidenten-; *elec-*
tion also Präsidentschafts- ► **his ~ duties** seine Pflichten
als Präsident.
press [pres] **1** *n* **a** (*squeeze, push*) Druck *m* ► **to give**
sth a ~ etw drücken; *dress etc* etw bügeln. **b** (*trouser*
~, *flower ~) Presse *f.* **c** (*Typ*) (Drucker-)presse *f*; (*pub-*
lishing firm) Verlag *m*; (*newspapers*) Presse *f* ► **to go to**
~ in Druck gehen; **to be in the ~** im Druck sein; **the**
daily ~ die Tagespresse; **the weekly ~** die Wochenzeitungen *pl*; **to get a good/bad ~** eine gute/
schlechte Presse bekommen.
2 *vt* **a** (*push, squeeze*) drücken (*to* an +*acc*); *button,*
doorbell also, brake pedal drücken auf (+*acc*); *clutch, pi-*
ano pedal treten; *grapes* (aus)pressen; *flowers* pressen.
b (*iron*) *clothes* bügeln. **c** (*urge, persuade*) drängen;
(*harass*) bedrängen; (*insist on*) *claim, argument* bestehen
auf (+*dat*) ► **to ~ sb hard** jdm (hart) zusetzen; **to ~ the**
point darauf beharren *or* herumreiten (*col*); **to ~ one's**
views on sb jdm seine Ansichten aufdrängen; **to ~ sb**
for an answer auf jds Antwort drängen; **to be ~ed (for**
money/time) in Geldnot/Zeitnot sein; **to ~ sb/sth into**
service jdn/etw einspannen. **d** *machine part, record etc*
pressen ► **~ed steel** Preßstahl *m.*
3 *vi* **a** (*lit, fig: bear down, exert pressure*) drücken;
(*urge, agitate*) drängen; (*be insistent also*) drängeln (*col*)
► **to ~ for sth** auf etw (*acc*) drängen; **time ~es** die Zeit
drängt. **b** (*move, push*) sich drängen.
◆**press ahead, press on** *vi* weitermachen; (*with*
journey) weiterfahren ► **to ~ ~ with sth** (*fig*) mit etw
weitermachen; (*with plans*) etw weiterführen.
press: **~ agency** *n* Presseagentur *f*; **~ conference** *n*
Pressekonferenz *f*; **~ coverage** *n* Presseberichte *pl* (*of*
über +*acc*); **~ cutting** *n* (*Brit*) Zeitungsausschnitt *m*; **~**
gallery *n* (*esp Jur, Parl*) Pressetribüne *f*; **~-gang** *vt* (*col*)
to ~-gang sb into (doing) sth jdn drängen, etw zu tun.
pressing ['presɪŋ] *adj* (*urgent*) dringend; (*insistent*) *re-*
quests nachdrücklich.
press: **~ officer** *n* Pressesprecher(in *f*) *m*; **~ photogra-**
pher *n* Pressefotograf(in *f*) *m*; **~ release** *n* Pressemittei-
lung *f*; **~ report** *n* Pressebericht *m*; **~ stud** *n* (*Brit*)
Druckknopf *m*; **~-up** *n* Liegestütz *m.*
pressure ['preʃə*r*] **1** *n* **a** Druck *m* (*also Phys, Met*) ►
at high/full ~ (*lit, fig*) unter Hochdruck. **b** (*compul-*
sion, influence) Druck, Zwang *m* ► **parental ~** Druck
von seiten der Eltern; **social ~s** gesellschaftliche Zwänge
pl; **to do sth under ~** etw unter Druck tun; **to be under**
~ to do sth unter Druck stehen, etw zu tun; **to put ~**
on sb jdn unter Druck setzen; **to put the ~ on** (*col*)
Dampf machen (*col*); **~ of work prevents me**
Arbeitsüberlastung hindert mich daran; **he's under a lot**
of ~ er ist großen Belastungen ausgesetzt.
2 *vt* = **pressurize (b)**.
pressure: **~cooker** *n* Druckkochtopf, Schnellkochtopf
m; **~ gauge** *n* Druckmesser *m*; (*for tyres*) Reifendruckmesser *m*; **~ group** *n* Interessengruppe *f.*
pressurize ['preʃəraɪz] *vt* **a** *cabin, spacesuit* auf

Normaldruck halten. **b** unter Druck setzen ▸ *to ~ sb into doing sth* jdn so unter Druck setzen, daß er etw tut.

Prestel ® ['prestel] *n* ≃ Bildschirmtext *m.*

prestige [pre'sti:ʒ] *n* Prestige *nt.*

prestigious [pre'stɪdʒəs] *adj* Prestige- ▸ *to be (very) ~* (einen hohen) Prestigewert haben.

prestressed ['pri:strest] *adj* vorgespannt; *concrete* Spann-.

presumably [prɪ'zju:məblɪ] *adv* vermutlich ▸ *~ he is very rich, is he?* ich nehme an, er ist sehr reich, oder?

presume [prɪ'zju:m] **1** *vt* **a** *(suppose)* annehmen, vermuten. **b** *(venture) to ~ to do sth* sich *(dat)* erlauben, etw zu tun.
2 *vi* **a** *(suppose)* annehmen, vermuten. **b** *(take liberties) I didn't want to ~* ich wollte nicht aufdringlich sein; *to ~ on* or *upon sth* etw überbeanspruchen.

presumption [prɪ'zʌmpʃən] *n* **a** *(assumption)* Annahme, Vermutung *f.* **b** *(boldness)* Dreistigkeit *f; (arrogance)* Vermessenheit *f.*

presumptuous *adj,* **~ly** *adv* [prɪ'zʌmptjʊəs, -lɪ] unverschämt, vermessen.

presuppose [,pri:sə'pəʊz] *vt* voraussetzen.

pre-tax [pri:'tæks] *adj* unversteuert, vor Besteuerung.

pretence, *(US)* **pretense** [prɪ'tens] *n* **a** *(story)* erfundene Geschichte; *(insincerity)* Verstellung *f; (affectation)* Unnatürlichkeit *f; (pretext)* Vorwand *m* ▸ *he didn't really shoot me, it was just ~* er hat nicht auf mich geschossen, er hat nur so getan; *to make a ~ of being sth* so tun, als sei man etw; *it's all a ~* das ist alles nur gespielt *or* Mache *(col); his ~ of innocence/friendship* seine gespielte Unschuld/Freundschaft; *let's stop all this ~* hören wir auf, uns *(dat)* etwas vorzumachen; *on* or *under the ~ of doing sth* unter dem Vorwand, etw zu tun. **b** *to make no ~ to sth* keinen Anspruch auf etw *(acc)* erheben.

pretend [prɪ'tend] **1** *vt* **a** *(make believe, feign)* vortäuschen, vorgeben ▸ *to ~ to be interested* so tun, als ob man interessiert wäre; *to ~ to be sick* eine Krankheit vortäuschen; *to ~ to be asleep* sich schlafend stellen. **b** *(claim) I don't ~ to ...* ich behaupte nicht, daß ich ...
2 *vi* so tun, als ob; *(keep up facade)* sich verstellen ▸ *he is only ~ing* er tut nur so (als ob).

pretense *n (US)* = **pretence.**

pretension [prɪ'tenʃən] *n* **a** *(claim)* Anspruch *m; (social, cultural)* Ambition *f* ▸ *he makes no ~(s) to originality* er erhebt keineswegs den Anspruch, originell zu sein. **b** *(ostentation)* Prahlerei *f, (affectation)* Anmaßung *f.*

pretentious [prɪ'tenʃəs] *adj* anmaßend; *speech, book* hochtrabend; *(ostentatious)* angeberisch, protzig *(col); restaurant, décor* pompös.

preterite ['pretərɪt] *n* Imperfekt *nt.*

pretext ['pri:tekst] *n* Vorwand *m* ▸ *on* or *under the ~ of doing sth* unter dem Vorwand, etw zu tun.

prettily ['prɪtɪlɪ] *adv* hübsch.

prettiness ['prɪtɪnɪs] *n* hübsches Aussehen.

pretty ['prɪtɪ] **1** *adj (+er)* **a** hübsch, nett ▸ *to make oneself ~* sich hübsch machen; *I'm/she's not just a ~ face! (col)* ich bin gar nicht so dumm (, wie ich aussehe) *(col)*/sie hat auch Köpfchen; *it wasn't ~/a ~ sight* das war alles andere als schön/das war kein schöner Anblick. **b** *(col)* hübsch, schön *(col); price, sum also* stolz ▸ *it'll cost a ~ penny* das wird eine schöne Stange Geld kosten *(col).*
2 *adv (rather)* ziemlich; *good also* ganz; *(very also)* ganz schön *(col)* ▸ *~ nearly* or *well finished* so gut wie fertig *(col).*

pretzel ['pretsl] *n* Brezel *f.*

prevail [prɪ'veɪl] *vi* **a** *(gain mastery)* sich durchsetzen *(over, against* gegenüber*).* **b** *(conditions, wind etc)* vor-

herrschen; *(be widespread: customs)* weit verbreitet sein. **c** *(persuade) to ~ (up)on sb to do sth* jdn dazu bewegen, etw zu tun.

prevailing [prɪ'veɪlɪŋ] *adj conditions* derzeitig; *fashion* aktuell; *opinion* herrschend; *wind* vorherrschend.

prevalence ['prevələns] *n (widespread occurrence)* Vorherrschen *nt; (of crime, disease)* Häufigkeit *f.*

prevalent ['prevələnt] *adj (widespread)* weit verbreitet; *conditions* herrschend; *fashions, style* beliebt.

prevaricate [prɪ'værɪkeɪt] *vi* Ausflüchte machen.

prevarication [prɪ,værɪ'keɪʃən] *n* Ausflucht *f; (prevaricating)* Ausflüchte *pl.*

prevent [prɪ'vent] *vt sth* verhindern, verhüten; *(through preventive measures)* vorbeugen *(+dat)* ▸ *to ~ sb (from) doing sth* jdn daran hindern, etw zu tun; *to ~ sth (from) happening* verhindern, daß etw geschieht.

preventable [prɪ'ventəbl] *adj* vermeidbar.

prevention [prɪ'venʃən] *n* Verhütung *f; (through preventive measures)* Vorbeugung *f (of* gegen*).*

preventive [prɪ'ventɪv] *adj* vorbeugend, Präventiv- ▸ *~ medicine* Präventivmedizin *f.*

preview ['pri:vju:] *n* **a** *(of play, film)* Vorpremiere *f; (of exhibition)* Vernissage *f.* **b** *(Film, trailer, TV)* Vorschau *f (of* auf *+acc).*

previous ['pri:vɪəs] *adj* **a** vorherig; *page, day* vorhergehend; *year* vorangegangen; *(with indef art)* früher ▸ *the ~ page/day* die Seite/der Tag davor; *in ~ years* in früheren Jahren; *on a ~ occasion* bei einer früheren Gelegenheit; *I have a ~ engagement* ich habe schon einen Termin; *to have a ~ conviction* vorbestraft sein; *~ owner* Vorbesitzer(in *f*) *m.* **b** *~ to* vor *(+dat); ~ to going out ...* bevor ich/er *etc* ausging, ...

previously ['pri:vɪəslɪ] *adv* vorher, früher.

pre-war [,pri:'wɔ:ʳ] *adj* Vorkriegs-.

prey [preɪ] **1** *n (lit, fig)* Beute *f* ▸ *bird of ~* Raubvogel *m; to fall ~ to sb/sth (fig)* ein Opfer von jdm/etw werden.
2 *vi to ~ (up)on (animals)* Jagd machen auf *(+acc); (pirates, thieves)* (aus)plündern; *(doubts)* nagen an *(+dat); it ~ed on his mind* der Gedanke daran quälte ihn.

prezzie ['prezɪ] *n (col)* Geschenk *nt.*

price [praɪs] **1** *n (lit, fig)* Preis *m* ▸ *the ~ of cars* die Autopreise *pl; to go up/down in ~* teurer/billiger werden; *what is the ~ of that?* was kostet das?; *at a ~ of ...* zum Preis(e) von ...; *at a ~* zum entsprechenden Preis; *at a reduced ~* verbilligt, zu herabgesetztem Preis *(form); the ~ of fame* der Preis für den Ruhm; *at any ~* um jeden Preis; *not at any ~* um keinen Preis; *at the ~ of losing his health* um den Preis seiner Gesundheit; *it's too high a ~ to pay* das ist ein zu hoher Preis; *to put a ~ on sth* einen Preis für etw nennen; *to be beyond/without ~* nicht mit Geld zu bezahlen sein; *to put a ~ on sb's head* eine Belohnung auf jds Kopf *(acc)* aussetzen.
2 *vt (fix ~ of)* den Preis festsetzen von; *(label)* auszeichnen *(at* mit*)* ▸ *it was ~d at £5* es kostete £5; *reasonably ~d* angemessen im Preis; *~d too high/low* zu teuer/billig; *to ~ oneself out of the market* sich selbst durch zu hohe Preise konkurrenzunfähig machen.

price: ~ bracket *n* Preisklasse *f;* **~ control** *n* Preiskontrolle *f;* **~cut** *n* Preissenkung *f;* **~-cutting** *n* Preissenkungen *pl;* **~ fixing** *n (by group of producers)* Preisabsprache *f, (by producer)* Preisbindung *f;* **~ freeze** *n* Preisstopp *m;* **~ increase** *n* Preiserhöhung *f.*

priceless ['praɪslɪs] *adj* unschätzbar, von unschätzbarem Wert; *(col: amusing)* joke, film köstlich; *person* unbezahlbar.

price: ~ limit *n* Preisgrenze *f;* **~ list** *n* Preisliste *f;* **~ range** *n* Preisspanne *f; it's within my ~ range* es entspricht meinen Preisvorstellungen; **~ rise** *n* Preiserhöhung *f;* **~ sensitive** *adj* preisempfindlich; **~s policy** *n*

Preispolitik *f*; ~ **tag** *n* Preisschild *nt*.
pricey ['praɪsɪ] *adj* (*Brit col*) kostspielig.
pricing ['praɪsɪŋ] *n* Preisfestzetzung *f* ► ~ **policy** Preispolitik *f*.
prick [prɪk] [1] *n* [a] (*puncture, pricking sensation*) Stich *m* ► **~s of conscience** Gewissensbisse *pl*. [b] (*col!: penis*) Schwanz *m* (*col!*).
  [2] *vt* (*puncture*) *oneself, sb* stechen; *balloon* durchstechen ► **to ~ one's finger (with/on sth)** sich (*dat*) (mit etw) in den Finger stechen/sich (*dat*) (an etw *dat*) den Finger stechen.
  [3] *vi* (*thorn, injection etc*) stechen; (*eyes*) brennen.
◆**prick up** *vt sep* **to ~ ~ its/one's ears** (*lit, fig*) die Ohren spitzen.
prickle ['prɪkl] *n* [a] (*sharp point*) Stachel *m*; (*on plants also*) Dorn *m*. [b] (*sensation*) Stechen *nt*; (*from wool etc*) Kratzen *nt*; (*tingle*) Prickeln *nt*.
prickly ['prɪklɪ] *adj* (+*er*) [a] *plant, animal* stach(e)lig; *material* kratzig; *sensation* stechend; (*tingling*) prickelnd. [b] (*fig*) *person* bissig.
prickly: ~ **heat** *n* Hitzepocken *pl*; ~ **pear** *n* (*plant*) Feigenkaktus *m*; (*fruit*) Kaktusfeige *f*.
pride [praɪd] [1] *n* [a] Stolz *m*; (*arrogance*) Hochmut *m* ► **to take (a) ~ in sth/in one's appearance** auf etw (*acc*) stolz sein/Wert auf sein Äußeres legen; **her ~ and joy** ihr ganzer Stolz; **the ~ of the army** der Stolz der Armee; **to have** *or* **take ~ of place** den Ehrenplatz einnehmen. [b] (*of lions*) Rudel *nt*.
  [2] *vr* **to ~ oneself on sth** sich einer Sache (*gen*) rühmen können; *I* ~ **myself on being something of an expert in this field** ich darf wohl behaupten, mich auf diesem Gebiet auszukennen.
priest [priːst] *n* Priester, Geistliche(r) *m*.
priestess ['priːstɪs] *n* Priesterin *f*.
priesthood ['priːsthʊd] *n* Priestertum *nt*; (*priests collectively*) Priesterschaft *f* ► **to enter the ~** Priester werden.
priestly ['priːstlɪ] *adj* priesterlich; *robes, office also* Priester-.
prig [prɪg] *n* (*goody-goody*) Tugendlamm *nt* (*col*); (*snob*) Schnösel *m* (*col*).
prim [prɪm] *adj* (+*er*) (*also* ~ **and proper**) etepetete *inv* (*col*); (*demure*) *person, dress* sittsam, züchtig; (*prudish*) prüde.
prima donna ['priːmə'dɒnə] *n* (*lit, fig*) Primadonna *f*.
prima facie ['praɪmə'feɪʃɪ] [1] *adv* allem Anschein nach.
  [2] *adj* **a ~ case of ...** auf den ersten Blick ein Fall von ...; **the police have a ~ case** so wie es aussieht, hat die Polizei genügend Beweise.
primarily ['praɪmərɪlɪ] *adv* in erster Linie.
primary ['praɪmərɪ] [1] *adj* (*chief, main*) Haupt-, wesentlich ► **our ~ concern** unser Hauptanliegen; **of ~ importance** von größter Bedeutung.
  [2] *n* (*US: also* ~ **election**) Vorwahl *f*.

┌─ **PRIMARY** ──────────────────────────────
❶ Als *primary* wird im amerikanischen
Präsidentschaftswahlkampf eine Vorwahl bezeichnet,
die mitentscheidet, welche Präsidentschaftskandidaten
die beiden großen Parteien aufstellen. Vorwahlen werden
nach komplizierten Regeln von Februar (New Hampshire)
bis Juni in etwa 35 Staaten abgehalten. Der von den
Kandidaten in den primaries erzielte Stimmenanteil
bestimmt, wie viele Abgeordnete bei der endgültigen
Auswahl der demokratischen bzw. republikanischen
Kandidaten bei den nationalen Parteitagen im Juli/August
für sie stimmen.
└──

primary: ~ **colour** (*Brit*) *or* **color** (*US*) *n* Grundfarbe *f*; ~ **education** *n* Grundschul(aus)bildung *f*; ~ **product** *n* Grundstoff *m*; (*main product*) Hauptprodukt *m*; ~

school *n* Grundschule *f*.

┌─ **PRIMARY SCHOOL** ──────────────────────
❶ *Primary school* ist in Großbritannien eine
Grundschule für Kinder im Alter von 5 bis 11 Jahren.
Oft wird sie aufgeteilt in **infant school** *(5 bis 7 Jahre)*
und **junior school** *(7 bis 11 Jahre)*. Siehe auch
secondary school.
└──

primary: ~ **teacher** *n* Grundschullehrer(in *f*) *m*; ~ **winding** *n* (*Elec*) Primärwicklung *f*.
primate ['praɪmeɪt] *n* [a] (*Zool*) Primat *m*. [b] ['praɪmɪt] (*Eccl*) Primas *m*.
prime [praɪm] [1] *adj* [a] (*major, chief*) Haupt-, wesentlich ► ~ **time** (*TV*) Hauptsendezeit *f*; **of ~ importance** von größter Bedeutung. [b] (*excellent*) erstklassig ► ~ **example** Musterbeispiel *nt*; **in ~ condition** (*meat, fruit etc*) von hervorragender Qualität; (*athlete, car etc*) in erstklassiger Verfassung. [c] (*Math*) Prim-.
  [2] *n* **in the ~ of life** in der Blüte seiner Jahre; **he is in/past his ~** er ist in den besten Jahren/er ist über seine besten Jahre hinaus; (*singer, artist*) er ist an seinem Höhepunkt angelangt/er hat seine beste Zeit hinter sich.
  [3] *vt* [a] *bomb* scharf machen; *pump* vorpumpen; *surface for painting* grundieren. [b] (*with advice, information*) instruieren ► **to be well ~d for the interview/game** für das Interview/Spiel gut gerüstet sein.
prime: ~ **costs** *npl* (*Comm*) Selbstkosten *pl*; ~ **minister** *n* Premierminister(in *f*) *m*; ~ **number** *n* Primzahl *f*.
primer ['praɪməʳ] *n* [a] (*paint, coat*) Grundierung *f*. [b] (*book*) Fibel *f*. [c] (*explosive*) Zünder *m*.
primeval [praɪ'miːvəl] *adj* urzeitlich ► ~ **forest** Urwald *m*.
primitive ['prɪmɪtɪv] *adj* primitiv; *man* urzeitlich.
primly ['prɪmlɪ] *adv* (*demurely*) sittsam; (*prudishly*) prüde.
primness ['prɪmnɪs] *n* (*übertrieben*) sittsame Art; (*prudishness*) Prüderie *f*.
primrose ['prɪmrəʊz] [1] *n* (*Bot*) Primel *f*; (*colour*) Blaßgelb *nt*.
  [2] *adj* blaßgelb.
primula ['prɪmjʊlə] *n* Primel *f*.
primus (stove) ® ['praɪməs(ˌstəʊv)] *n* Primuskocher *m*.
prince [prɪns] *n* (*king's son*) Prinz *m*; (*ruler*) Fürst *m* ► **P~ Charming** (*fig*) Märchenprinz *m*; ~ **consort/regent** Prinzgemahl *m*/-regent *m*.
princely ['prɪnslɪ] *adj* (*lit, fig*) fürstlich.
princess [prɪn'ses] *n* Prinzessin *f*; (*wife of ruler*) Fürstin *f*.
principal ['prɪnsɪpəl] [1] *adj* Haupt-, hauptsächlich ► **the ~ cities of China** die wichtigsten Städte Chinas; **my ~ concern** mein Hauptanliegen *nt*; ~ **horn** erster Hornist, erste Hornistin; ~ **shareholder** Hauptaktionär *m*.
  [2] *n* [a] (*of school, college*) Rektor *m*; (*in play*) Hauptperson *f*. [b] (*Fin, of investment*) Kapital(summe *f*) *nt*.
principality [ˌprɪnsɪ'pælɪtɪ] *n* Fürstentum *nt* ► **the P~** (*Brit*) Wales *nt*.
principally ['prɪnsɪpəlɪ] *adv* vornehmlich, in erster Linie.
principle ['prɪnsɪpl] *n* (*moral precept*) Prinzip *nt*, Grundsatz *m* ► **in/on ~** im/aus Prinzip, prinzipiell; **a man of ~(s)** ein Mensch mit Prinzipien; **it's against my ~s** es geht gegen meine Prinzipien; **it's a matter of ~,** **it's the ~ of the thing** es geht dabei ums Prinzip.
print [prɪnt] [1] *n* [a] (*typeface*) Schrift *f*; (*~ed matter*) Gedruckte(s) *nt* ► **out of/in ~** vergriffen/gedruckt; **to see sth in cold ~** etw schwarz auf weiß sehen; **he'll never get into ~** er wird nie etwas veröffentlichen; **in big/small ~** groß/klein gedruckt. [b] (*picture*) Druck *m*;

(*Phot*) Abzug *m*, Kopie *f*; (*fabric*) bedruckter Stoff; (*cotton* ~) Kattun *m*. $\boxed{c}$ (*impression: of foot etc*) Abdruck *m*.
$\boxed{2}$ *vt* $\boxed{a}$ *book, design* drucken; *fabric* bedrucken. $\boxed{b}$ (*publish*) *story* veröffentlichen. $\boxed{c}$ (*write*) in Druckschrift schreiben.
◆**print out** *vt sep* (*Comp*) ausdrucken.
printable ['prɪntəbl] *adj* druckfähig.
printed ['prɪntɪd] *adj* Druck-, gedruckt; (*written in capitals*) in Großbuchstaben; *fabric* bedruckt ▶ ~ *matter/papers* Drucksache *f*; ~ *circuit* gedruckte Schaltung; ~ *circuit board* Leiterplatte *f*.
printer ['prɪntəʳ] *n* $\boxed{a}$ (*device*) Drucker *m*. $\boxed{b}$ (*person*) Drucker(in *f*) *m* ▶ ~*'s error* Druckfehler *m*; ~*'s ink* Druckerschwärze *f*.
printhead ['prɪnt,hed] *n* (*Comp*) Druckkopf *m*.
printing ['prɪntɪŋ] *n* $\boxed{a}$ (*process*) Drucken *nt*. $\boxed{b}$ (*unjoined writing*) Druckschrift *f*; (*characters, print*) Schrift *f*. $\boxed{c}$ (*quantity printed*) Auflage *f*.
printing: ~ *press* *n* Druckerpresse *f*; ~ *works* *n sing or pl* Druckerei *f*.
printout ['prɪntaʊt] *n* (*Comp*) Ausdruck *m*.
printrun ['prɪntrʌn] *n* Auflage *f*.
print wheel *n* (*Comp*) Typenrad *nt*.
prior¹ ['praɪəʳ] *adj* (*earlier*) vorherig; (*earlier*) früher ▶ ~ *claim* Vorrecht *nt* (*to* auf); *a* ~ *engagement* eine vorher getroffene Verabredung. $\boxed{b}$ ~ *to sth* vor etw (*dat*); ~ *to going out ...* bevor ich/ er *etc* ausging, ...
prior² *n* (*Eccl*) Prior *m*.
prioress ['praɪərɪs] *n* Priorin *f*.
priority [praɪ'ɒrɪtɪ] *n* Vorrang *m*, Priorität *f*; (*thing having precedence*) vorrangige Angelegenheit ▶ *a top* ~ eine Sache von äußerster Dringlichkeit; *to have* ~ Vorrang *or* Priorität haben; *to give* ~ *to sth* etw vorrangig behandeln, einer Sache (*dat*) Priorität geben; ~ *treatment* Vorzugsbehandlung *f*; *to get* ~ *treatment* bevorzugt behandelt werden; *in order of* ~ nach Dringlichkeit; *we must get our priorities right* wir müssen unsere Prioritäten richtig setzen.
priory ['praɪərɪ] *n* Priorat *nt*.
prise, (*US*) **prize** [praɪz] *vt to* ~ *sth open* etw aufbrechen; *to* ~ *the lid up/off* den Deckel auf-/ abbekommen.
prism ['prɪzəm] *n* Prisma *nt*.
prison ['prɪzn] $\boxed{1}$ (*lit, fig*) Gefängnis *nt* ▶ *to be in* ~ im Gefängnis sein; *to go to* ~ *for 5 years* für 5 Jahre ins Gefängnis gehen; *to send sb to* ~ jdn ins Gefängnis schicken. $\boxed{2}$ *attr* Gefängnis-; *system, facilities* Strafvollzugs- ▶ ~ *camp* Gefangenenlager *nt*; ~ *life* das Leben im Gefängnis.
prisoner ['prɪznəʳ] *n* Gefangene(r) *mf*; (*convicted also*) Häftling *m* ▶ ~ (*at the bar*) (*Jur*) Angeklagte(r) *mf*; *to hold or keep sb* ~ jdn gefangenhalten; *to take sb* ~ jdn gefangennehmen; ~ *of war* Kriegsgefangene(r) *m*.
prissy ['prɪsɪ] *adj* (*pej*) zimperlich.
pristine ['prɪstaɪn, -tiːn] *adj* *beauty* unberührt; *condition* tadellos, makellos.
privacy ['prɪvəsɪ, 'praɪvəsɪ] *n* Privatleben *nt* ▶ *there is* ▼ *no* ~ man kann kein Privatleben führen; *in the* ~ *of one's home* in den eigenen vier Wänden (*col*); *in the strictest* ~ (*meeting etc*) unter äußerster Geheimhaltung.
private ['praɪvɪt] $\boxed{1}$ *adj* $\boxed{a}$ privat; *letter, reasons* persönlich; *matter* Privat-, vertraulich; *place* abgelegen; *funeral* im engsten Kreis; *hearing etc* nichtöffentlich *attr* ▶ *they wanted to be* ~ sie wollten für sich sein; *to keep sth* ~ etw für sich behalten; *his* ~ *life* sein Privatleben *nt*; *with* ~ *bathroom* mit eigenem Bad; ~ *and confidential* streng vertraulich. $\boxed{b}$ ~ *car* Privatwagen *m*; ~ *citizen* Privatperson *f*; ~ *enterprise* Privatunternehmen *nt*;

(*free enterprise*) freies Unternehmertum; ~ *eye* (*col*) Privatdetektiv *m*; ~ *limited company* Gesellschaft *f* mit beschränkter Haftung; ~ *parts* (*genitals*) Geschlechtsteile *pl*; ~ *practice* Privatpraxis *f*; ~ *property* Privateigentum *nt*; ~ *school* Privatschule *f*; ~ *sector* Privatwirtschaft *f*; ~ *view* (*Art*) Vernissage *f*. $\boxed{2}$ *n* $\boxed{a}$ (*Mil*) Gefreite(r) *mf*. $\boxed{b}$ *in* ~ privat; *we must talk in* ~ wir müssen das unter uns besprechen.
privately ['praɪvɪtlɪ] *adv* $\boxed{a}$ (*not publicly*) privat ▶ ~ *owned* in Privatbesitz. $\boxed{b}$ (*secretly, personally*) persönlich; (*in confidence*) vertraulich ▶ *but* ~ *he was very upset* doch innerlich war er sehr aufgebracht.
privation [praɪ'veɪʃən] *n* $\boxed{a}$ (*state*) Armut, Not *f*. $\boxed{b}$ (*hardship*) Entbehrung *f*.
privatization [,praɪvətaɪ'zeɪʃən] *n* Privatisierung *f*.
privatize ['praɪvətaɪz] *vt* privatisieren.
privet ['prɪvɪt] *n* Liguster *m*.
privilege ['prɪvɪlɪdʒ] $\boxed{1}$ *n* Privileg, Sonderrecht *nt*; (*honour*) Ehre *f*; (*Parl*) Immunität *f*. $\boxed{2}$ *vt* privilegieren, bevorrechtigen ▶ *I was* ~*d to talk to him* ich hatte die Ehre, mich mit ihm zu unterhalten.
privileged ['prɪvɪlɪdʒd] *adj* *person, classes* privilegiert ▶ *for a* ~ *few* für eine kleine Gruppe von Privilegierten.
privy ['prɪvɪ] *adj* $\boxed{a}$ *to be* ~ *to sth* (*form*) in etw (*acc*) eingeweiht sein. $\boxed{b}$ *P~ Council, P~ Councillor* Geheimer Rat.

┌─────────────────┐
│ **PRIVY COUNCIL** │
└─────────────────┘

ⓘ *Privy Council ist eine Gruppe von königlichen Beratern, die ihren Ursprung im normannischen England hat. Heute hat dieser Rat eine rein formale Funktion. Kabinettsmitglieder und andere bedeutende politische, kirchliche oder juristische Persönlichkeiten sind automatisch Mitglieder.*

prize¹ [praɪz] $\boxed{1}$ *n* Preis *m*; (*in lottery also*) Gewinn *m* ▶ *to win first* ~ den ersten Preis gewinnen. $\boxed{2}$ *adj* $\boxed{a}$ (*awarded a* ~) *entry, essay* preisgekrönt ▶ ~ *idiot* (*col*) Vollidiot *m* (*col*). $\boxed{b}$ (*awarded as a* ~) *trophy* Sieges-. $\boxed{c}$ (*offering a* ~) *competition* Preis- ▶ ~ *draw* Lotterie *f*. $\boxed{3}$ *vt* (hoch)schätzen ▶ *his most* ~*d possession* sein wertvollster Besitz.
prize² *vt* (*US*) = **prise**.
prize: ~-*fight* *n* (*esp Hist*) Preisboxkampf *m*; ~-*fighter* *n* (*esp Hist*) Preisboxer *m*; ~-*giving* *n* (*Sch*) Preisverteilung *f*; ~ *money* *n* Geldpreis *m*; (*in competition*) Gewinn *m*; ~*winner* *n* (Preis)gewinner(in *f*) *m*; ~*winning* *adj* *entry, novel* preisgekrönt; *ticket* Gewinn-.
PRO = **public relations officer**.
pro¹ [prəʊ] *n* (*col: professional*) Profi *m*.
pro² $\boxed{1}$ *prep* (*in favour of*) für. $\boxed{2}$ *n the* ~*s and cons* das Für und Wider, das Pro und Kontra.
pro- *pref* (*in favour of*) pro- ▶ ~*-feminist/Arab* profeministisch/proarabisch.
probability [,prɒbə'bɪlɪtɪ] *n* Wahrscheinlichkeit *f* ▶ *in all* ~ höchstwahrscheinlich.
probable ['prɒbəbl] *adj* wahrscheinlich.
probably ['prɒbəblɪ] *adv* wahrscheinlich ▶ *more* ~ *than not* höchstwahrscheinlich.
probate ['prəʊbɪt] *n* (*examination*) gerichtliche Testamentsbestätigung; (*will*) beglaubigte Testamentsabschrift.
probation [prə'beɪʃən] *n* $\boxed{a}$ (*Jur*) Bewährung *f* ▶ *to put sb on* ~ (*for a year*) jdm (ein Jahr) Bewährung geben; *to be on* ~ Bewährung haben; *to be released on* ~ auf Bewährung freigelassen werden; ~ *officer* Bewährungshelfer(in *f*) *m*. $\boxed{b}$ (*of employee*) Probe *f*; (~ *period*) Probezeit *f*.
probationary [prə'beɪʃnərɪ] *adj* Probe- ▶ ~ *period*

Probezeit *f.*
probationer [prə'beɪʃnə^r] *n* (*Jur*) auf Bewährung Freigelassene(r) *mf.*
probe [prəʊb] **1** *n* **a** (*device*) Sonde *f.* **b** (*investigation*) Untersuchung *f* (*into gen*).
2 *vt* untersuchen; *space, sb's past, private life* erforschen; *mystery* ergründen.
3 *vi* suchen, forschen (*for* nach); (*Med*) untersuchen (*for* auf +*acc*) ► **to ~ into sb's private life** in jds Privatleben (*dat*) herumschnüffeln (*col*).
probing ['prəʊbɪŋ] **1** *n* Untersuchung *f.*
2 *adj question, study* prüfend.
probity ['prəʊbɪtɪ] *n* Redlichkeit *f.*
▼ **problem** ['prɒbləm] *n* Problem *nt*; (*Math: as school exercise*) Aufgabe *f* ► **what's the ~?** wo fehlt's?; **he's got a drinking ~** er trinkt (zuviel); **I had no ~ in getting the money** ich habe das Geld ohne Schwierigkeiten bekommen; **no ~!** (*col*) kein Problem!; **~ area** Problembereich *m.*
problematic(al) [ˌprɒblə'mætɪk(əl)] *adj* problematisch.
problem: ~ child *n* Problemkind *nt*; **~ page** *n* Problemseite *f.*
procedural [prə'siːdjʊrəl] *adj* verfahrenstechnisch.
procedure [prə'siːdʒə^r] *n* Verfahren *nt* ► **business ~** geschäftliche Verfahrensweise; **a lengthy ~** eine langwierige Prozedur; **what is the ~ in such cases?** wie geht man in solchen Fällen vor?
proceed [prə'siːd] **1** *vi* **a** (*form: go*) gehen; (*by vehicle*) fahren. **b** (*form: go on*) (*person*) weitergehen; (*vehicle, by vehicle*) weiterfahren ► **we then ~ed to London** wir fuhren dann nach London weiter. **c** (*set about sth*) vorgehen; (*carry on, continue*) fortfahren ► **can we now ~ to the next item on the agenda?** können wir jetzt zum nächsten Punkt der Tagesordnung übergehen?; **they ~ed with their plan** sie führten ihren Plan weiter; (*start*) sie gingen nach ihrem Plan vor; **negotiations are ~ing well** die Verhandlungen kommen gut voran; **to ~ on the assumption that ...** von der Voraussetzung ausgehen, daß ... **d** (*originate*) **to ~ from** kommen von; (*fig*) herrühren von. **e** (*Jur*) **to ~ against sb** gegen jdn gerichtlich vorgehen.
2 *vt* **now, he ~ed** nun, fuhr er fort; **to ~ to do sth** (dann) etw tun.
proceeding [prə'siːdɪŋ] *n* **a** (*course of action*) Vorgehen *nt.* **b** **~s** *pl* (*function*) Veranstaltung *f.* **c** **~s** *pl* (*esp Jur*) Verfahren *nt*; **to take/start ~s against sb** gegen jdn gerichtlich vorgehen; **to take legal ~s** einen Prozeß anstrengen. **d** **~s** *pl* (*written minutes etc*) Protokoll *nt*; (*published report*) Tätigkeitsbericht *m.*
proceeds ['prəʊsiːdz] *npl* (*yield*) Ertrag *m*; (*from sale etc*) Erlös *m*; (*takings*) Einnahmen *pl.*
process¹ ['prəʊses] **1** *n* **a** Prozeß *m* ► **in the ~ of time** im Laufe der Zeit; **in the ~** dabei; **in the ~ of learning** beim Lernen; **to be in the ~ of doing sth** dabei sein, etw zu tun; **in ~ of construction** im Bau. **b** (*method, technique*) Verfahren *nt.*
2 *vt* (*treat*) *raw materials, data* verarbeiten; *food* konservieren; *milk* sterilisieren; *application, loan* bearbeiten; *film* entwickeln ► **~ed cheese**, (*US*) **~ cheese** Schmelzkäse *m.*
process² [prə'ses] *vi* (*Brit: go in procession*) ziehen, schreiten.
processing ['prəʊsesɪŋ] *n see vt* Verarbeitung *f*; Konservierung *f*; Sterilisierung *f*; Bearbeitung *f*; Entwicklung *f.*
processing: ~ language *n* (*Comp*) Prozeßsprache *f*; **~ plant** *n* Aufbereitungsanlage *f.*
procession [prə'seʃən] *n* (*organized*) Umzug *m*; (*solemn*) Prozession *f*; (*line of people, cars etc*) Reihe, Schlange *f* ► **funeral ~** Trauerzug *m.*
processor ['prəʊsesə^r] *n* (*Comp*) Prozessor *m.*

proclaim [prə'kleɪm] *vt* **a** erklären; *revolution* ausrufen ► **to ~ sb king** jdn zum König ausrufen. **b** (*reveal*) verraten.
proclamation [ˌprɒklə'meɪʃən] *n* Erklärung *f*; (*of laws, measures*) Verkündung *f*; (*of state of emergency*) Ausrufung *f.*
proclivity [prə'klɪvɪtɪ] *n* Neigung *f* (*for* zu).
procrastinate [prəʊ'kræstɪneɪt] *vi* zögern, zaudern.
procrastination [prəʊˌkræstɪ'neɪʃən] *n* Zögern, Zaudern *nt.*
procreation [ˌprəʊkrɪ'eɪʃən] *n* Zeugung *f.*
procure [prə'kjʊə^r] *vt* **a** (*obtain*) beschaffen, sich (*dat*) verschaffen; (*bring about*) bewirken ► **to ~ sth for sb/oneself** jdm/sich etw beschaffen. **b** (*for prostitution*) beschaffen (*for sb* jdm).
procurement [prə'kjʊəmənt] *n* Beschaffung *f.*
prod [prɒd] **1** *n* Stupser, Knuff (*col*) *m* ► **to give sb a ~** jdn anstupsen; (*fig*) jdm einen Stoß geben.
2 *vt* **a** anstupsen, knuffen (*col*) ► **he ~ded the donkey (on) with his stick** er trieb den Esel mit seinem Stock vorwärts. **b** (*fig*) anspornen (*to do sth, into sth* zu etw) ► **to ~ sb into action** jdm einen Stoß geben.
3 *vi* **to ~ at sth** an etw (*acc*) stoßen.
prodigal ['prɒdɪgəl] *adj* verschwenderisch ► **the ~ son** (*Bibl, fig*) der verlorene Sohn.
prodigious [prə'dɪdʒəs] *adj* (*vast*) ungeheuer; (*marvellous*) erstaunlich, wunderbar.
prodigiously [prə'dɪdʒəslɪ] *adv* außerordentlich; *eat, drink* ungeheuer viel.
prodigy ['prɒdɪdʒɪ] *n* Wunder *nt* ► **child ~** Wunderkind *nt.*
produce ['prɒdjuːs] **1** *n no pl* (*Agr*) Produkt(e *pl*), Erzeugnis(se *pl*) *nt* ► **~ of Italy** italienisches Erzeugnis.
2 [prə'djuːs] *vt* **a** (*manufacture*) produzieren; *cars, steel, paper etc* also herstellen; *energy* erzeugen; *crop, return on capital* abwerfen; *coal* also fördern; (*create*) *book, article* schreiben; *painting* anfertigen; *ideas* also, *delinquents etc* hervorbringen. **b** (*bring forward, show*) *gift, wallet etc* hervorholen (*from, out of* aus); *pistol* ziehen (*from, out of* aus); *evidence* liefern; *witness* beibringen; *ticket, documents* vorzeigen ► **I can't ~ it out of thin air** ich kann es doch nicht aus dem Ärmel schütteln (*col*). **c** *play* inszenieren; *film* produzieren. **d** (*cause*) *bitterness, impression* hervorrufen; *interest* also, *spark* erzeugen.
producer [prə'djuːsə^r] *n* Hersteller *m*; (*Agr*) Produzent, Erzeuger *m*; (*Theat*) Regisseur *m*; (*Film, TV*) Produzent *m.*
product ['prɒdʌkt] *n* Produkt, Erzeugnis *nt*; (*fig: result, Math, Chem*) Produkt *nt* ► **food ~s** Nahrungsmittel *pl.*
product design *n* Produktdesign *nt.*
product development *n* Produktentwicklung *f.*
production [prə'dʌkʃən] *n* **a** (*act*) Produktion *f*; Herstellung *f*; Erzeugung *f*; Förderung *f*; Schreiben *nt*; Hervorbringung *f* ► **to go into ~** (*factory*) die Produktion aufnehmen; (*model*) in Produktion gehen; **to take sth out of ~** etw aus der Produktion nehmen. **b** (*output*) Produktion *f.* **c** *see vt* (*b*) Hervorholen *nt*; Lieferung *f*; Vorzeigen *nt* ► **on ~ of this ticket** gegen Vorlage dieser Eintrittskarte. **d** (*of play*) Inszenierung *f*; (*of film*) Produktion *f.*
production: ~ line *n* Fließband *nt*; **~ manager** *n* Produktionsleiter *m*; **~ model** *n* (*car*) Serienmodell *nt*; **~ platform** *n* (*for oil*) Förderplattform *f.*
productive [prə'dʌktɪv] *adj* produktiv; *land* fruchtbar; *mind* schöpferisch; *business* rentabel.
productivity [ˌprɒdʌk'tɪvɪtɪ] *n see adj* Produktivität *f*; Fruchtbarkeit *f*; schöpferische Kraft.
productivity: ~ agreement *n* Produktivitätsvereinbarung *f*; **~ bonus** *n* Leistungszulage *f.*
Prof = **Professor** Prof.

► SENTENCE BUILDER: **problem** → 4.1, 6.1, 9.1, 13.1

profane [prə'feɪn] **1** *adj* **a** (*secular*) weltlich, profan. **b** (*irreverent, sacrilegious*) (gottes)lästerlich. **2** *vt* entweihen.

profanity [prə'fænɪtɪ] *n* Gotteslästerlichkeit *f*; (*act, utterance*) (Gottes)lästerung *f*.

profess [prə'fes] *vt* **a** *faith, belief etc* sich bekennen zu. **b** (*claim to have*) *interest, enthusiasm* bekunden; *belief* kundtun; *ignorance* zugeben ▶ *I do not ~ to be an expert* ich behaupte nicht, ein Fachmann zu sein.

professed [prə'fest] *adj* erklärt; (*pej: purported*) angeblich ▶ *to be a ~ Christian* sich zum christlichen Glauben bekennen.

profession [prə'feʃən] *n* **a** (*occupation*) Beruf *m* ▶ *the medical/teaching ~* der Arzt-/Lehrerberuf; (*members of the ~*) die Ärzte-/Lehrerschaft; *by ~* von Beruf; *the ~s* die gehobenen Berufe. **b** (*declaration*) Bekenntnis *nt*; (*Eccl*) Gelübde *nt* ▶ *~ of faith* Glaubensbekenntnis *nt*.

professional [prə'feʃənl] **1** *adj* **a** Berufs-, beruflich; *army, soldier, tennis player* Berufs-; (*working*) *lady, couple etc* berufstätig; *opinion* fachmännisch, fachlich ▶ *~ footballer* Profifußballer *m*; *the ~ classes* die gehobenen Berufe; *to take ~ advice* fachmännischen Rat einholen; *to turn or go ~* Profi werden. **b** (*skilled, competent*) *piece of work etc* fachmännisch, fachgerecht; *company, approach* professionell ▶ *it's not up to ~ standards* es ist nicht fachmännisch gemacht worden; *it wouldn't be ~ of me to ...* es wäre nicht korrekt von mir, wenn ich ... **2** *n* Fachmann *m*, Fachfrau *f*; (*esp Sport*) Profi *m*; (*working person*) Berufstätige(r) *mf*.

professionalism [prə'feʃnəlɪzəm] *n* Professionalismus *m*; (*of job, piece of work*) Perfektion *f*.

professionally [prə'feʃnəlɪ] *adv* beruflich; (*in accomplished manner*) fachmännisch; *work* professionell ▶ *he plays ~* er ist Berufsspieler *or* Profi; *he is ~ recognized as the best ...* er ist in Fachkreisen als der beste ... bekannt.

professor [prə'fesər] *n* Professor(in *f*) *m*; (*US also: teacher*) Dozent(in *f*) *m*.

professorship [prə'fesəʃɪp] *n* Professur *f*, Lehrstuhl *m*.

proffer ['prɒfər] *vt* *gift, drink* anbieten; *apologies, thanks etc* aussprechen; *remark* machen.

proficiency [prə'fɪʃənsɪ] *n* *level or standard of ~* Leistungsstand *m*; *her ~ at teaching* ihre Tüchtigkeit als Lehrerin; *~ test* Leistungstest *m*.

proficient [prə'fɪʃənt] *adj* tüchtig, fähig ▶ *he is just about ~ in German* seine Deutschkenntnisse reichen gerade aus.

profile ['prəʊfaɪl] *n* Profil *nt*; (*picture, photograph*) Profilbild *nt*; (*biographical ~*) Porträt *nt* ▶ *in ~* (*person, head*) im Profil; *to keep a low ~* sich zurückhalten.

profit ['prɒfɪt] **1** *n* Gewinn, Profit (*also pej*) *m* ▶ *~ and loss account* Gewinn-und-Verlust-Rechnung *f*; *to make a ~ (out of or on sth)* (mit etw) einen Gewinn machen, (an etw *dat*) verdienen; *to sell sth at a ~* etw mit Gewinn verkaufen. **2** *vi* (*gain*) profitieren (*by, from* von), Nutzen ziehen (*by, from* aus).

profitability [ˌprɒfɪtə'bɪlɪtɪ] *n* Rentabilität *f*.

profitable ['prɒfɪtəbl] *adj* (*Comm*) gewinnbringend, rentabel; (*fig: beneficial*) nützlich.

profitably ['prɒfɪtəblɪ] *adv see adj.*

profiteer [ˌprɒfɪ'tɪər] **1** *n* Profitmacher *m*; (*practising extortion*) Wucherer *m*. **2** *vi* Wucher treiben.

profiteering [ˌprɒfɪ'tɪərɪŋ] *n* Wucher(ei *f*) *m*.

profit: *~-making adj organization* rentabel; (*~-orientated*) gewinnorientiert; *~ margin n* Gewinnspanne *f*; *~-sharing n* Gewinnbeteiligung *f*.

profligate ['prɒflɪgɪt] *adj* (*dissolute*) lasterhaft; (*extravagant*) verschwenderisch.

pro forma invoice [ˌprəʊ'fɔːmə'ɪnvɔɪs] *n* Pro-Forma-

Rechnung *f*.

profound [prə'faʊnd] *adj* tief; *thought, thinker* tiefgründig; *book* gehaltvoll; *knowledge* profund (*geh*); *indifference* völlig; *interest* stark; *changes* tiefgreifend *attr*.

profoundly [prə'faʊndlɪ] *adv* zutiefst ▶ *~ deaf* hochgradig schwerhörig; *~ significant* äußerst bedeutsam; *~ indifferent* vollkommen gleichgültig; *..., he said ~ ...,* sagte er tiefsinnig.

profundity [prə'fʌndɪtɪ] *n* **a** *no pl* Tiefe *f*; (*of thought, thinker, book etc*) Tiefgründigkeit *f*; (*of knowledge*) Gründlichkeit *f*. **b** (*profound remark*) Tiefsinnigkeit *f*.

profuse [prə'fjuːs] *adj vegetation* üppig; *thanks, praise* überschwenglich; *apologies* überreichlich.

profusely [prə'fjuːslɪ] *adv grow* üppig; *bleed, sweat* stark; *thank, praise* überschwenglich ▶ *he apologized ~* er entschuldigte sich vielmals.

profusion [prə'fjuːʒən] *n* Überfülle *f* ▶ *trees in ~* Bäume in Hülle und Fülle.

progeny ['prɒdʒɪnɪ] *n* Nachkommen *pl*.

prognosis [prɒg'nəʊsɪs] *n, pl* **prognoses** [prɒg'nəʊsiːz] Prognose, Voraussage *f*.

program ['prəʊgræm] **1** *n* **a** (*Comp*) Programm *nt*. **b** (*US*) = **programme 1**. **2** *vt* **a** *computer* programmieren. **b** (*US*) = **programme 2**.

programmable ['prəʊgræməbl] *adj* programmierbar.

programme, (*US*) **program** ['prəʊgræm] **1** *n* Programm *nt*; (*Rad, TV also*) Sendung *f* ▶ *~ of events* Veranstaltungsprogramm *nt*; *we've got a very heavy ~ of meetings* wir haben sehr viele Besprechungen auf unserem Programm; *what's the ~ for tomorrow?* was steht für morgen auf dem Programm? **2** *vt* programmieren.

programmer ['prəʊgræmər] *n* Programmierer(in *f*) *m*.

programming ['prəʊgræmɪŋ] *n* Programmieren *nt* ▶ *~ language* Programmiersprache *f*.

progress ['prəʊgres] **1** *n* **a** *no pl* (*movement forwards*) Vorwärtskommen *nt*; (*Mil*) Vorrücken *nt* ▶ *they made good ~ across the open country* sie kamen im offenen Gelände gut vorwärts. **b** *no pl* (*advance*) Fortschritt *m* ▶ *the ~ of events* der Gang der Ereignisse; *to make (good/slow) ~* (gute/langsame) Fortschritte machen; *~ report* Fortschrittsbericht *m*; (*of work*) Tätigkeitsbericht *m*; *in ~* im Gange; *the work still in ~* die noch zu erledigende Arbeit. **2** [prə'gres] *vi* **a** (*move, go forward*) sich vorwärts bewegen. **b** (*in time*) *as the work ~es* mit dem Fortschreiten der Arbeit; *as the game ~ed* im Laufe des Spiels. **c** (*improve, make progress*) Fortschritte machen ▶ *how far have you ~ed since our last meeting?* wie weit sind Sie seit unserer letzten Sitzung vorangekommen?; *investigations are ~ing well* die Untersuchungen machen gute Fortschritte.

progression [prə'greʃən] *n* Folge *f*; (*Math*) Reihe *f*; (*Mus*) Sequenz *f*; (*development*) Entwicklung *f* ▶ *sales have shown a continuous upwards ~* im Absatz wurde eine stete Aufwärtsentwicklung verzeichnet.

progressive [prə'gresɪv] *adj* **a** (*increasing*) zunehmend; *disease etc* fortschreitend; *paralysis, taxation* progressiv. **b** (*favouring progress*) progressiv, fortschrittlich.

progressively [prə'gresɪvlɪ] *adv* zunehmend.

▼ **prohibit** [prə'hɪbɪt] *vt* **a** verbieten, untersagen ▶ *to ~ sb from doing sth* jdm etw verbieten *or* untersagen ▶ *"smoking ~ed"* „Rauchen verboten". **b** (*prevent*) verhindern ▶ *to ~ sb from doing sth* jdn daran hindern, etw zu tun.

prohibition [ˌprəʊɪ'bɪʃən] *n* Verbot *nt* ▶ *(the) P~* (*Hist*) die Prohibition; *the ~ of smoking* das Rauchverbot.

prohibitive [prə'hɪbɪtɪv] *adj price, cost* unerschwinglich.

➤ SENTENCE BUILDER: **prohibit: a → 12.3**

prohibitively [prə'hɪbɪtɪvlɪ] *adv* ~ *expensive* unerschwinglich.
project¹ ['prɒdʒekt] *n* Projekt *nt*; *(scheme)* Vorhaben *nt*; *(Sch, Univ)* Referat *nt* ▸ ~ *leader* or *manager* Projektleiter(in *f*) *m*.
project² [prə'dʒekt] **1** *vt* **a** *film, map, figures* projizieren ▸ *to* ~ *oneself/one's personality* sich selbst/seine eigene Person zur Geltung bringen; *to* ~ *one's voice* seine Stimme zum Tragen bringen. **b** *(plan)* voraussagen; *costs* überschlagen.
2 *vi (jut out)* hervorragen *(from* aus) ▸ *the upper storey* ~*s over the road* das obere Stockwerk ragt über die Straße.
projectile [prə'dʒektaɪl] *n (also Mil)* Geschoß *nt*.
projection [prə'dʒekʃən] *n* **a** *(of films, map)* Projektion *f* ▸ ~ *room* Vorführraum *m*. **b** *(overhang etc)* Vorsprung *m*. **c** *(prediction)* Prognose *f*; *(of cost)* Überschlagung *f*.
projectionist [prə'dʒekʃnɪst] *n* Filmvorführer *m*.
projector [prə'dʒektər] *n (Film)* Projektor *m*.
proletarian [ˌprəʊlə'teərɪən] **1** *adj* proletarisch.
2 *n* Proletarier(in *f*) *m*.
proletariat [ˌprəʊlə'teərɪət] *n* Proletariat *nt*.
proliferate [prə'lɪfəreɪt] *vi (number)* sich stark erhöhen; *(ideas)* um sich greifen; *(animals)* sich stark vermehren; *(weeds, cells)* wuchern.
proliferation [prəˌlɪfə'reɪʃən] *n (in numbers)* starke Erhöhung; *(of animals)* zahlreiche Vermehrung; *(of nuclear weapons)* Weitergabe *f*; *(of ideas)* Ausbreitung *f*; *(of weeds)* Wuchern *nt*.
prolific [prə'lɪfɪk] *adj* fruchtbar; *writer* produktiv.
prologue ['prəʊlɒg] *n* Prolog *m*; *(of book)* Vorwort *nt*; *(fig)* Vorspiel *nt*.
prolong [prə'lɒŋ] *vt* verlängern; *(pej)* process, pain hinauszögern.
prolongation [ˌprəʊlɒŋ'geɪʃən] *n see vt* Verlängerung *f*; Hinauszögern *nt*.
prolonged [prə'lɒŋd] *adj* lang anhaltend.
prom [prɒm] *n (col)* = **promenade 1** ▸ *the P~s* die Promenadenkonzerte *(in der Londoner Royal Albert Hall)*.

┌─ PROM ─┐

i **Prom** *(promenade concert) ist in Großbritannien ein Konzert, bei dem ein Teil der Zuhörer steht (ursprünglich spazierenging). Die seit 1895 alljährlich stattfindenden Proms (seit 1941 immer in der Londoner Royal Albert Hall) zählen zu den bedeutendsten Musikereignissen in England. Der letzte Abend der Proms steht ganz im Zeichen des Patriotismus und gipfelt im Singen des Lieds 'Land of Hope and Glory'. In den USA und Kanada steht das Wort für **promenade**, ein Ball an einer **High School** oder einem **College**.*

promenade [ˌprɒmɪ'nɑːd] **1** *n (esp Brit: esplanade)* (Strand)promenade *f*; *(US: ball)* Studenten-/Schülerball *m* ▸ ~ *concert* zwangloses Konzert *(meist mit vielen Stehplätzen)*; ~ *deck* Promenadendeck *nt*.
2 *vi (stroll)* promenieren.
prominence ['prɒmɪnəns] *n* **a** *the* ~ *of his features* seine ausgeprägten Gesichtszüge. **b** *(of ideas, beliefs)* Beliebtheit *f*; *(of writer, politician etc)* Bekanntheit *f* ▸ *to come into* ~ in den Vordergrund rücken; *(person)* in Erscheinung treten; *to bring sb/sth into* ~ *(attract attention to)* jdn/etw herausstellen; *(make famous)* jdn/etw berühmt machen. **c** *(prominent part)* Vorsprung *m*.
prominent ['prɒmɪnənt] *adj* **a** *cheekbones, teeth* vorstehend *attr*; *crag* vorspringend *attr* ▸ *to be* ~ vorstehen; vorspringen. **b** *(conspicuous)* markings auffällig; *feature, characteristic* hervorstechend ▸ *the castle occupies a* ~ *position* das Schloß hat eine exponierte Lage. **c** *(leading)* role führend; *(significant)* wichtig. **d** *(well-*

known) personality, publisher prominent.
prominently ['prɒmɪnəntlɪ] *adv* display, place deutlich sichtbar ▸ *he figured* ~ er spielte eine bedeutende Rolle.
promiscuity [ˌprɒmɪ'skjuːɪtɪ] *n* Promiskuität *f*.
promiscuous [prə'mɪskjʊəs] *adj (sexually)* *to be* ~ häufig den Partner wechseln; ~ *behaviour* häufiger Partnerwechsel.
promise ['prɒmɪs] **1** *n* **a** Versprechen *nt* ▸ *their* ~ *of help* ihr Versprechen zu helfen; *to make sb a* ~ jdm ein Versprechen geben; *to hold* or *keep sb to his* ~ jdn an sein Versprechen binden. **b** *(hope, prospect)* Hoffnung, Aussicht *f* ▸ *a young man of* ~ ein vielversprechender junger Mann; *to show* ~ zu den besten Hoffnungen berechtigen.
2 *vt* versprechen; *(forecast)* hindeuten auf *(+acc)* ▸ *to* ~ *(sb) to do sth* (jdm) versprechen, etw zu tun; *to* ~ *sb sth, to* ~ *sth to sb* jdm etw versprechen; *to* ~ *sb the earth* jdm das Blaue vom Himmel herunter versprechen; *it* ~*s to be a hard day* es sieht nach einem harten Tag aus.
3 *vi* versprechen ▸ *(do you)* ~*?* versprichst du es?; *I'll try, but I'm not promising* ich werde es versuchen, aber ich kann nichts versprechen.
promising ['prɒmɪsɪŋ] *adj* vielversprechend.
promissory note ['prɒmɪsərɪ'nəʊt] *n* Schuldschein *m*.
promontory ['prɒməntrɪ] *n* Kap *nt*.
promote [prə'məʊt] *vt* **a** *(in rank)* befördern *(to* zu *+dat)* ▸ *our team was* ~*d (Ftbl)* unsere Mannschaft ist aufgestiegen. **b** *(foster)* fördern; *(organize)* conference *etc* veranstalten; *(advertise)* werben für; *(put on the market)* auf den Markt bringen.
promoter [prə'məʊtər] *n (Sport, of beauty contest etc)* Promoter, Veranstalter *m*; *(of company)* Mitbegründer *m*.
promotion [prə'məʊʃən] *n* **a** *(in rank)* Beförderung *f* ▸ *to get* or *win* ~ befördert werden; *(football team)* aufsteigen. **b** *(fostering)* Förderung *f*; *(organization: of conference etc)* Veranstaltung *f*; *(advertising)* Werbung, Promotion *f* *(of* für); *(advertising campaign)* Werbekampagne *f*; *(marketing)* Einführung *f* auf dem Markt.
promotional [prə'məʊʃənəl] *adj* literature *etc* Werbe-.
prompt [prɒmpt] **1** *adj (+er)* prompt; *action* unverzüglich ▸ *he is always very* ~ *(on time)* er ist immer sehr pünktlich.
2 *adv* at *6 o'clock* ~ Punkt 6 Uhr.
3 *vt* **a** *(motivate)* veranlassen *(to* zu) ▸ *to* ~ *sb to do sth* jdn (dazu) veranlassen, etw zu tun; *what* ~*ed you to do it?* was hat Sie dazu veranlaßt? *conclusion* nahelegen. **c** *(help with speech)* vorsagen *(sb* jdm); *(Theat)* soufflieren *(sb* jdm) ▸ *he didn't need any* ~*ing (fig)* das brauchte man ihm nicht zweimal zu sagen.
4 *n* **a** *to give sb a* ~ *(Theat)* jdm soufflieren; *(fig)* jdm weiterhelfen. **b** *(Comp)* Aufforderungsmeldung *f*, Prompt *m*.
prompter ['prɒmptər] *n* Souffleur *m*, Souffleuse *f*.
promptly ['prɒmptlɪ] *adv* prompt ▸ *they left* ~ *at 6* sie gingen Punkt 6 Uhr; *of course he* ~ *forgot it all* er hat natürlich prompt alles vergessen.
promptness ['prɒmptnɪs] *n* Promptheit *f*.
prone [prəʊn] *adj* **a** *(lying)* *to be* or *lie* ~ auf dem Bauch liegen. **b** *(liable)* *to be* ~ *to sth/to do sth* zu etw neigen/dazu neigen, etw zu tun.
prong [prɒŋ] *n* **a** *(of fork)* Zinke *f*. **b** *(fig) (of argument)* Punkt *m*; *(of attack)* (Angriffs)spitze *f*.
-pronged [-prɒŋd] *adj suf (of fork)* -zinkig ▸ *a three~ attack* ein Angriff mit drei Spitzen.
pronoun ['prəʊnaʊn] *n* Fürwort, Pronomen *nt*.
pronounce [prə'naʊns] **1** *vt* **a** *word etc* aussprechen. **b** *(declare)* erklären für ▸ *the doctors* ~*d him unfit for work* die Ärzte erklärten ihn für arbeitsunfähig; *to* ~

sentence das Urteil verkünden. ② *vi to* ~ *in favour of/against sth* sich für/gegen etw aussprechen; *to* ~ *on sth* zu etw Stellung nehmen.

pronounced [prə'naʊnst] *adj (marked)* ausgesprochen; *improvement* deutlich; *views* entschieden ▶ *he has a* ~ *limp* er hinkt sehr stark.

pronouncement [prə'naʊnsmənt] *n* Erklärung *f; (Jur: of sentence)* Verkündung *f* ▶ *to make a* ~ eine Erklärung abgeben.

pronto ['prɒntəʊ] *adv (col)* fix *(col)* ▶ *do it* ~ aber dalli! *(col)*.

pronunciation [prə,nʌnsɪ'eɪʃən] *n* Aussprache *f.*

proof [pruːf] ① *n* ⓐ Beweis *m (of* für*)* ▶ *as or in* ~ *of* als *or* zum Beweis für; *that is* ~ *that ...* das ist der Beweis dafür, daß ...; *to give or show* ~ *of sth* etw nachweisen; *can you give us any* ~ *of that?* können Sie (uns) dafür Beweise liefern? ⓑ *(test, trial)* Probe *f* ▶ *to put sth to the* ~ etw auf die Probe stellen; *(Tech)* etw erproben. ⓒ *(Typ)* (Korrektur)fahne *f; (Phot)* Probeabzug *m.* ⓓ *(of alcohol)* Alkoholgehalt *m* ▶ *40* ~ ≃ 40 Vol.-%. ② *adj to be* ~ *against fire* feuersicher sein; ~ *against inflation* inflationssicher.

proof: ~**reader** *n* Korrektor(in *f*) *m;* ~**reading** *n* Korrekturlesen *nt.*

Prop *(Comm)* = **proprietor** Inh.

prop [prɒp] ① *n* ⓐ *(lit)* Stütze *f; (fig also)* Halt *m.* ⓑ *(Theat)* Requisit *nt.* ② *vt to* ~ *the door open* die Tür offenhalten; *to* ~ *sth against sth* etw gegen etw lehnen.

◆**prop up** *vt sep* ⓐ *(rest, lean) to* ~ *oneself/sth* ~ *against sth* sich/etw gegen etw lehnen. ⓑ *(lit, fig: support)* stützen; *tunnel, wall* abstützen; *organization* unterstützen ▶ *to* ~ *oneself* ~ *on sth* sich auf etw *(acc)* stützen.

propaganda [,prɒpə'gændə] *n* Propaganda *f.*

propagate ['prɒpəgeɪt] *vt* fortpflanzen; *(disseminate)* verbreiten; *views also* propagieren; *(Hort) plants* vermehren.

propagation [,prɒpə'geɪʃən] *n* Fortpflanzung *f; (dissemination)* Verbreitung *f; (of views)* Propagierung *f; (Hort: of plants)* Vermehrung *f.*

propagator ['prɒpəgeɪtər] *n (Hort)* Saatkiste *f.*

propane ['prəʊpeɪn] *n (also* ~ *gas)* Propan(gas) *nt.*

propel [prə'pel] *vt* antreiben; *(fuel)* betreiben.

propellant [prə'pelənt] *n (in spray, can)* Treibgas *nt.*

propeller [prə'pelər] *n* Propeller *m* ▶ ~ *shaft (Aut)* Kardanwelle *f; (Naut)* Schraubenwelle *f.*

propelling pencil [prə,pelɪŋ'pensl] *n (Brit)* Drehbleistift *m.*

propensity [prə'pensɪtɪ] *n* Neigung *f (to* zu*)* ▶ *to have a* ~ *to do sth* dazu neigen, etw zu tun.

proper ['prɒpər] ① *adj* ⓐ *(fitting, suitable)* richtig; *(seemly)* anständig; *(prim and* ~*)* korrekt ▶ *the* ~ *time* die richtige Zeit; *in the* ~ *way* richtig; *as you think* ~ wie Sie es für richtig halten; *to do the* ~ *thing* das tun, was sich gehört; *the* ~ *thing to do would be to apologize* eigentlich müßte er *etc* sich entschuldigen; *we thought it only* ~ wir dachten, es gehört sich einfach. ⓑ *(actual)* eigentlich ▶ *in the* ~ *sense of the word* in der eigentlichen Bedeutung des Wortes; *he's not a* ~ *electrician* er ist kein richtiger Elektriker; *not in Berlin* ~ nicht in Berlin selbst. ⓒ *(col: real) fool etc* richtig; *(thorough) beating* gehörig, tüchtig *(col)* ▶ *we are in a* ~ *mess* wir sitzen ganz schön in der Patsche *(col)*. ② *adv* ⓐ *(dial) cruel, poorly* richtig *(col)*. ⓑ *(incorrect usage) talk* richtig.

properly ['prɒpəlɪ] *adv* ⓐ *(correctly)* richtig ▶ ~ *speaking* genaugenommen; *not* ~ *dressed for walking* nicht richtig angezogen zum Wandern. ⓑ *(in seemly fashion)* anständig. ⓒ *(justifiably)* zu Recht. ⓓ *(col: really,*

thoroughly) ganz schön *(col)*.

proper noun *n* Eigenname *m.*

property ['prɒpətɪ] *n* ⓐ *(thing owned)* Eigentum *nt* ▶ *that's my* ~ das gehört mir; *a man of* ~ ein begüterter Mann. ⓑ *(building)* Haus *nt;* Wohnung *f, (office)* Gebäude *nt; (land)* Besitztum *nt; (estate)* Besitz *m.* ⓒ *(characteristic)* Eigenschaft *f* ▶ *it has healing properties* es besitzt heilende Kräfte. ⓓ *(Theat)* Requisit *nt.*

property: ~ **developer** *n* Bauunternehmer *m;* ~ **manager** *n (Theat)* Requisiteur *m;* ~ **market** *n* Immobilienmarkt *m;* ~ **owner** *n* Haus- und Grundbesitzer *m;* ~ **tax** *n* Vermögenssteuer *f.*

prophecy ['prɒfɪsɪ] *n* Prophezeiung *f.*

prophesy ['prɒfɪsaɪ] *vt* prophezeien.

prophet ['prɒfɪt] *n* Prophet *m* ▶ ~ *of doom* Unheilsverkünder(in *f*) *m.*

prophetic [prə'fetɪk] *adj* prophetisch.

propitious [prə'pɪʃəs] *adj* günstig *(to, for* für*)*.

proportion [prə'pɔːʃən] ① *n* ⓐ *(in number)* Verhältnis *nt (of x to y* zwischen x und y*)* ▶ ~*s (size)* Ausmaß *nt; (of building)* Ausmaße *pl* ▶ *to be in/out of* ~ *to or with sth* im Verhältnis/in keinem Verhältnis zu etw stehen; *(in size, Art)* in den Proportionen zu etw passen/nicht zu etw passen; *to get sth in* ~ *(fig)* etw objektiv betrachten; *he has let it all get out of* ~ *(fig)* er hat den Blick für die Proportionen verloren; *it's out of all* ~! das geht über jedes Maß hinaus!; *he has no sense of* ~ *(fig)* ihm fehlt der Sinn für das richtige Maß. ⓑ *(part, amount)* Teil *m* ▶ *what* ~ *of industry is in private hands?* wie groß ist der Anteil der Industrie, der sich in privater Hand befindet? ② *vt a well* ~*ed woman/building* eine wohlproportionierte Frau/ein wohlausgewogenes Gebäude.

proportional [prə'pɔːʃənl] *adj* proportional *(to* zu*)* ▶ ~ *representation* Verhältniswahlrecht *nt;* ~ *spacing (Typ, Comp)* Proportionalschrift *f.*

proportionally [prə'pɔːʃnəlɪ] *adv* proportional; *more, less* entsprechend.

proportionate [prə'pɔːʃnɪt] *adj* proportional ▶ *to be/ not to be* ~ *to sth* im Verhältnis/in keinem Verhältnis zu etw stehen.

proportionately [prə'pɔːʃnɪtlɪ] *adv* proportional.

proposal [prə'pəʊzl] *n* Vorschlag *m (on, about* zu*); (of marriage)* (Heirats)antrag *m* ▶ *to make sb a* ~ jdm einen Vorschlag machen.

▼ **propose** [prə'pəʊz] ① *vt* ⓐ vorschlagen; *motion* stellen, einbringen; *toast* ausbringen *(to* auf +*acc)* ▶ *I* ~ *that we leave now* ich schlage vor, daß wir jetzt gehen. ⓑ *(have in mind)* beabsichtigen ▶ *but I don't* ~ *to* ich habe aber nicht die Absicht; *how do you* ~ *to pay for it?* wie wollen Sie das bezahlen? ② *vi* (~ *marriage)* einen (Heirats)antrag machen *(to sb* jdm*).*

proposer [prə'pəʊzər] *n (in debate)* Antragsteller(in *f*) *m.*

proposition [,prɒpə'zɪʃən] ① *n* ⓐ *(statement)* Aussage *f.* ⓑ *(proposal)* Vorschlag *m; (argument)* These *f.* ⓒ *(prospect)* Aussicht *f.* ⓓ *he/that is a tough* ~ er/das ist ein harter Brocken. ② *vt to* ~ *sb (sexually)* jdm einen unanständigen Antrag machen.

propound [prə'paʊnd] *vt* darlegen.

proprietary [prə'praɪətrɪ] *adj rights* Besitz-; *medicine, article* Marken- ▶ ~ *brand of ...* Marken...; ~ *goods* Markenware *f;* ~ *name* Markenname *m.*

proprietor [prə'praɪətər] *n (of pub, patent)* Inhaber(in *f*) *m; (of house, newspaper)* Besitzer(in *f*) *m.*

propriety [prə'praɪətɪ] *n (correctness)* Korrektheit *f; (decency)* Anstand *m* ▶ *breach of* ~ Verstoß *m* gegen die guten Sitten.

props [prɒps] *npl (Theat)* Requisiten *pl.*

propulsion [prə'pʌlʃən] *n* Antrieb *m.*

➤ SENTENCE BUILDER: **propose: 1a** → 9.1 **1b** → 10.1

pro rata ['prəʊ'rɑːtə] *adj, adv* anteilmäßig.
prosaic [prəʊ'zeɪk] *adj* prosaisch; *(down-to-earth)* nüchtern; *life, joke* alltäglich.
proscribe [prəʊ'skraɪb] *vt (forbid)* verbieten; *(exile)* verbannen.
prose [prəʊz] *n* Prosa *f; (writing, style)* Stil *m; (Sch: translation)* Übersetzung *f* in die Fremdsprache.
prosecute ['prɒsɪkjuːt] *vt* a *person* strafrechtlich verfolgen *(for* wegen). b *(form: carry on) campaign etc* durchführen; *claim* weiterverfolgen.
prosecution [,prɒsɪ'kjuːʃən] *n (Jur) (act of prosecuting)* strafrechtliche Verfolgung; *(in court: case, side)* Anklage *f (for* wegen) ▶ *(the) counsel for the ~* der Anklagevertreter.
prosecutor ['prɒsɪkjuːtəʳ] *n* Ankläger(in *f*) *m.*
prospect ['prɒspekt] 1 *n* a *(outlook)* Aussicht *f (of* auf *+acc)* ▶ *what a ~! (iro)* das sind ja schöne Aussichten!; *he has no ~s* er hat keine Zukunft; *a job with no ~s* eine Stelle ohne Zukunft; *to hold out the ~ of sth* etw in Aussicht stellen; *to have sth in ~* etw in Aussicht haben. b *(person, thing) Arsenal is a good ~ for the cup* Arsenal ist ein aussichtsreicher Kandidat für den Pokal.
2 [prə'spekt] *vi (Min)* nach Bodenschätzen suchen ▶ *to ~ for gold* nach Gold suchen.
prospecting [prə'spektɪŋ] *n (Min)* Suche *f* nach Bodenschätzen.
prospective [prə'spektɪv] *adj attr (likely to happen)* voraussichtlich; *(future) son-in-law* zukünftig; *buyer* interessiert ▶ *~ candidate* potentieller Kandidat.
prospector [prə'spektəʳ] *n* Gold-/Erz-/Ölsucher *m.*
prospectus [prə'spektəs] *n* Verzeichnis *nt; (for holidays etc)* Prospekt *m.*
prosper ['prɒspəʳ] *vi (country, crime)* blühen; *(financially also)* florieren.
prosperity [prɒs'perɪtɪ] *n* Wohlstand *m; (of business)* Prosperität *f.*
prosperous ['prɒspərəs] *adj* wohlhabend; *business* gutgehend; *economy* florierend, blühend.
prostate (gland) ['prɒsteɪt(,glænd)] *n* Prostata *f.*
prostitute ['prɒstɪtjuːt] 1 *n* Prostituierte *f* ▶ *male ~* Strichjunge *m (col).*
2 *vt one's talents* verkaufen ▶ *to ~ oneself* sich prostituieren.
prostitution [,prɒstɪ'tjuːʃən] *n (lit, fig)* Prostitution *f; (of talents, ideals)* Verkaufen *nt.*
prostrate ['prɒstreɪt] 1 *adj* ausgestreckt.
2 [prɒ'streɪt] *vt usu pass (lit)* zu Boden werfen; *(fig) (with fatigue)* ermatten; *(with shock)* niederschmettern ▶ *to be ~d by* or *with grief* vor Gram gebrochen sein.
3 [prɒ'streɪt] *vr* sich niederwerfen *(before* vor *+dat).*
protagonist [prəʊ'tægənɪst] *n (esp Liter)* Protagonist(in *f*) *m; (champion)* Verfechter(in *f*) *m.*
protect [prə'tekt] *vt (against* gegen, *from* vor *+dat)* schützen; *(person)* beschützen.
protection [prə'tekʃən] *n* a *Schutz m (against* gegen, *from* vor *+dat); (of rights)* Wahrung *f* ▶ *to be under sb's ~* unter jds Schutz *(dat)* stehen. b *(also ~ money)* Schutzgeld *nt* ▶ *~ racket* organisiertes Erpresserunwesen.
protectionism [prə'tekʃənɪzəm] *n* Protektionismus *m.*
protective [prə'tektɪv] *adj* Schutz-; *attitude* beschützend ▶ *~ clothing* Schutzkleidung *f; ~ custody* Schutzhaft *f; ~ instinct* Beschützerinstinkt *m; she is very ~ towards her children* sie ist sehr fürsorglich ihren Kindern gegenüber.
protector [prə'tektəʳ] *n (defender)* Beschützer *m.*
protégé, protégée ['prɒtəʒeɪ] *n* Schützling *m.*
protein ['prəʊtiːn] *n* Eiweiß, Protein *nt* ▶ *high-/low-~* eiweißreich/eiweißarm.
pro tem ['prəʊ'tem] = **pro tempore** zur Zeit, z. Z(t).

protest ['prəʊtest] 1 *n* Protest *m; (demonstration)* Protestdemonstration *f; (rally)* Protestkundgebung *f* ▶ *under ~* unter Protest; *in ~ against* aus Protest gegen; *to make a/one's ~* Widerspruch erheben.
2 [prə'test] *vi (against, about* gegen) protestieren; *(demonstrate)* demonstrieren.
3 [prə'test] *vt innocence* beteuern ▶ *it's mine, he ~ed* das gehört mir, protestierte er.
Protestant ['prɒtɪstənt] 1 *adj* protestantisch; *(esp in Germany)* evangelisch.
2 *n* Protestant(in *f*) *m.*
protestation [,prɒte'steɪʃən] *n* a *(of loyalty etc)* Beteuerung *f.* b *(protest)* Protest *m.*
protester [prə'testəʳ] *n* Protestierende(r) *mf; (in demonstration)* Demonstrant(in *f*) *m.*
protest: *~ march n* Protestmarsch *m; ~ song n* Protestsong *m; ~ vote n* Proteststimme *f.*
protocol ['prəʊtəkɒl] *n* Protokoll *nt.*
proton ['prəʊtɒn] *n* Proton *nt.*
prototype ['prəʊtəʊtaɪp] *n* Prototyp *m.*
protracted [prə'træktɪd] *adj illness, discussion* langwierig; *dispute* längere(r, s).
protractor [prə'træktəʳ] *n (Math)* Winkelmesser *m.*
protrude [prə'truːd] 1 *vi (out of, from* aus) vorstehen; *(eyes)* vortreten; *(ears)* abstehen.
2 *vt* strecken.
protruding [prə'truːdɪŋ] *adj* vorstehend; *eyes* vortretend; *ears* abstehend.
protuberance [prə'tjuːbərəns] *n* Wölbung *f; (on body, metal)* Beule *f.*
protuberant [prə'tjuːbərənt] *adj* vorstehend; *eyes* vortretend.
proud [praʊd] 1 *adj* stolz *(of* auf *+acc)* ▶ *to be ~ that ...* stolz (darauf) sein, daß ...; *I hope you're ~ of yourself (iro)* ich hoffe, du bist stolz auf dich; *that's nothing to be ~ of* das ist nichts, worauf man stolz sein kann.
2 *adv to do sb/oneself ~* jdn/sich verwöhnen.
proudly ['praʊdlɪ] *adv* stolz.
prove [pruːv] *pret ~d, ptp ~d* or **proven** 1 *vt* a *(verify)* beweisen ▶ *to ~ sb innocent* or *sb's innocence* jds Unschuld beweisen; *he was ~d right in the end* er hat schließlich doch recht behalten. b *(test) rifle etc* erproben; *one's worth, courage* beweisen. c *also vi (turn out) to ~ (to be) useful etc* sich als nützlich *etc* erweisen; *if it ~s otherwise* wenn sich das Gegenteil herausstellt.
2 *vr* a *(show one's value, courage etc)* sich bewähren. b *to ~ oneself innocent etc* sich als unschuldig *etc* erweisen.
proven ['pruːvən] *adj* bewährt; *innocence* erwiesen.
Provence [prɒ'vɑːs] *n* die Provence.
proverb ['prɒvɜːb] *n* Sprichwort *nt.*
proverbial *adj, ~ly adv* [prə'vɜːbɪəl, -ɪ] *(lit, fig)* sprichwörtlich.
provide [prə'vaɪd] 1 *vt* a *(make available)* zur Verfügung stellen; *money* bereitstellen; *(see to, bring along) food, records etc* sorgen für; *(produce) ideas, specialist knowledge, electricity* liefern; *shade* spenden; *privacy, topic of conversation* sorgen für ▶ *to ~ sth for sb* jdm etw zur Verfügung stellen; *(supply)* jdm etw besorgen; *to ~ sb with sth (with food etc)* jdn mit etw versorgen; *(equip)* jdn mit etw ausstatten; *(with excuse, idea)* jdm etw liefern; *(with opportunity, information)* jdm etw verschaffen or geben; *this job ~d him with enough money* diese Stelle verschaffte ihm genug Geld. b *(stipulate: clause, agreement)* vorsehen.
2 *vi the Lord will ~ (prov)* der Herr wird's schon geben.
◆**provide for** *vi +prep obj* a *family etc* versorgen ▶ *his family was well ~d ~* seine Familie war gut versorgt. b *as ~d ~ in the contract* wie in dem Vertrag vorgesehen;

we ~d ~ all emergencies wir haben für alle Notfälle vorgesorgt.

provided (that) [prə'vaɪdɪd('ðæt)] *conj* vorausgesetzt(, daß).

providence ['prɒvɪdəns] *n (fate)* die Vorsehung.

providential [‚prɒvɪ'denʃəl] *adj* glücklich ▶ *to be ~* (ein) Glück sein.

provider [prə'vaɪdəʳ] *n (of family)* Ernährer(in *f*) *m*.

providing (that) [prə'vaɪdɪŋ('ðæt)] *conj* vorausgesetzt(, daß).

province ['prɒvɪns] *n* a Provinz *f*. b *the ~s pl* die Provinz. c (*fig: area of knowledge, activity etc*) Gebiet *nt*, Bereich *m* ▶ *it's not within my ~* das fällt nicht in meinen Bereich; *that is outside my ~* das ist nicht mein Gebiet. d (*area of authority*) Kompetenzbereich *m* ▶ *that's not my ~* dafür bin ich nicht zuständig.

provincial [prə'vɪnʃəl] 1 *adj* Provinz-; *custom, accent* ländlich; (*pej*) provinziell.
2 *n* Provinzbewohner(in *f*) *m*; (*pej*) Provinzler(in *f*) *m*.

provision [prə'vɪʒən] *n* a (*act of supplying*) Beschaffung *f*; (*of food, water etc*) Versorgung *f* (*of* mit, *to sb* jds). b (*supply*) Vorrat *m* (*of an +dat*). c *~s (food)* Lebensmittel *pl*; (*for journey*) Proviant *m*. d (*allowance*) Berücksichtigung *f*; (*arrangement*) Vorkehrung *f*; (*stipulation*) Bestimmung *f* ▶ *with the ~ that ...* mit der Bedingung, daß...; *there's no ~ for later additions* spätere Erweiterungen sind nicht vorgesehen; *to make ~ for the future* für die Zukunft Vorsorge treffen; *to make ~ for sth* etw vorsehen; *for error etc* etw einkalkulieren; *to make ~ against sth* gegen etw Vorkehrungen treffen.

provisional [prə'vɪʒənl] 1 *adj* provisorisch; *measures also, offer, decision* vorläufig ▶ *~ driving licence* (*Brit*) vorläufige Fahrerlaubnis für Fahrschüler.
2 *n* (*Ir Pol*) *the P~s* die Provisorische Irisch-Republikanische Armee.

provisionally [prə'vɪʒnəlɪ] *adv* vorläufig.

proviso [prə'vaɪzəʊ] *n* (*condition*) Bedingung *f*, (*clause*) Vorbehaltsklausel *f*.

provocation [‚prɒvə'keɪʃən] *n* Provokation *f* ▶ *at the slightest ~* beim geringsten Anlaß.

provocative [prə'vɒkətɪv] *adj* provokatorisch; *remark, behaviour also* herausfordernd.

provoke [prə'vəʊk] *vt sb* provozieren, herausfordern; *animal* reizen; *anger, criticism, smile* hervorrufen; *discussion, revolt* auslösen ▶ *to ~ sb into doing sth or to do sth* jdn dazu bringen, daß er etw tut; (*taunt*) jdn dazu treiben, daß er etw tut.

provoking [prə'vəʊkɪŋ] *adj* provozierend; (*annoying*) ärgerlich.

provost ['prɒvəst] *n* (*Scot*) Bürgermeister *m*; (*Univ*) ≈ Dekan *m*.

prow [praʊ] *n* Bug *m*.

prowess ['praʊɪs] *n* (*skill*) Fähigkeiten *pl*, Können *nt*; (*courage*) Tapferkeit *f*.

prowl [praʊl] 1 *vi* (*also ~ about or around*) herumstreichen; (*boss, headmaster*) herumschleichen.
2 *n to be on the ~* herumstreichen.

prowl car *n* (*US*) Streifenwagen *m*.

prowler ['praʊləʳ] *n* Herumtreiber(in *f*) *m*; (*peeping Tom*) Spanner *m* (*col*).

proximity [prɒk'sɪmɪtɪ] *n* Nähe *f* ▶ *in close ~ to* in unmittelbarer Nähe (*+gen*).

proxy ['prɒksɪ] *n* (*power*) (Handlungs)vollmacht *f*; (*person*) Handlungsbevollmächtigte(r) *mf* ▶ *by ~* durch einen Stellvertreter.

Prozac ® [prə'zæk] *n* Prozac ® *nt*.

prude [pruːd] *n to be a ~* prüde sein.

prudence ['pruːdəns] *n see adj* Umsicht *f*; Klugheit *f*; Überlegtheit *f*.

prudent ['pruːdənt] *adj person* umsichtig; *measure, deci-*

sion klug; *answer* wohlüberlegt.

prudently ['pruːdəntlɪ] *adv* wohlweislich; *act* umsichtig.

prudish ['pruːdɪʃ] *adj* prüde.

prudishness ['pruːdɪʃnɪs] *n* Prüderie *f*.

prune¹ [pruːn] *n* Backpflaume *f*.

prune² *vt* (*also ~ down*) stutzen; (*fig*) *expenditure, essay* kürzen; *workforce* reduzieren.

pruning shears ['pruːnɪŋʃɪəz] *npl* Gartenschere *f*.

pry¹ [praɪ] *vi* neugierig sein; (*in drawers etc*) (herum)schnüffeln (*in* in *+dat*) ▶ *I don't mean to ~, but ...* es geht mich ja nichts an, aber ...; *to ~ into sb's affairs* seine Nase in jds Angelegenheiten (*acc*) stecken.

pry² *vt* (*US*) = **prise**.

PS = **postscript** PS.

psalm [sɑːm] *n* Psalm *m*.

PSBR (*Brit Fin*) = **Public Sector Borrowing Requirement**.

pseud [sjuːd] (*col*) *n* Möchtegern *m* (*col*).

pseudo ['sjuːdəʊ] *adj* (*col: pretended*) unecht; *intellectual etc* Möchtegern- (*col*), Pseudo-.

pseudo- *pref* Pseudo-, pseudo.

pseudonym ['sjuːdənɪm] *n* Pseudonym *nt*.

PST (*US*) = **Pacific Standard Time**.

PSV (*Brit*) = **Public Service Vehicle**.

psyche ['saɪkɪ] *n* Psyche *f*.

◆**psyche up** [‚saɪk'ʌp] *vt sep* (*col*) *to ~ oneself ~* sich hochputschen (*col*).

psychedelic [‚saɪkɪ'delɪk] *adj* psychedelisch.

psychiatric [‚saɪkɪ'ætrɪk] *adj* psychiatrisch; *illness* psychisch.

psychiatrist [saɪ'kaɪətrɪst] *n* Psychiater(in *f*) *m*.

psychiatry [saɪ'kaɪətrɪ] *n* Psychiatrie *f*.

psychic ['saɪkɪk] *adj* übersinnlich; *powers* übernatürlich ▶ *~ research* Parapsychologie *f*; *she is ~* sie besitzt übernatürliche Kräfte; *you must be ~!* du kannst wohl hellsehen!

psycho ['saɪkəʊ] *n* (*US col*) Verrückte(r) *mf*.

psychoanalyse, (*US*) **psychoanalyze** [‚saɪkəʊ'ænəlaɪz] *vt* psychoanalytisch behandeln.

psychoanalysis [‚saɪkəʊə'nælɪsɪs] *n* Psychoanalyse *f*.

psychoanalyst [‚saɪkəʊ'ænəlɪst] *n* Psychoanalytiker(in *f*) *m*.

psychobabble ['saɪkəʊ‚bæbl] *n* (*col*) Psychogeschwätz *nt*.

psychological [‚saɪkə'lɒdʒɪkəl] *adj* (*mental*) psychisch; (*concerning psychology*) psychologisch ▶ *~ thriller* Psychokrimi *m*; *~ warfare* psychologische Kriegführung; *he's not really ill, it's all ~* er ist nicht wirklich krank, das ist alles psychisch bedingt.

psychologically [‚saɪkə'lɒdʒɪkəlɪ] *adv see adj* ▶ *~ unstable* psychisch labil.

psychologist [saɪ'kɒlədʒɪst] *n* Psychologe *m*, Psychologin *f*.

psychology [saɪ'kɒlədʒɪ] *n* (*science*) Psychologie *f*; (*make-up*) Psyche *f*.

psychopath ['saɪkəʊpæθ] *n* Psychopath(in *f*) *m*.

psychosis [saɪ'kəʊsɪs] *n, pl* **psychoses** [saɪ'kəʊsiːz] Psychose *f*.

psychosomatic [‚saɪkəʊsəʊ'mætɪk] *adj* psychosomatisch ▶ *~ medicine* Psychosomatik *f*.

psychotherapy [‚saɪkəʊ'θerəpɪ] *n* Psychotherapie *f*.

psychotic [saɪ'kɒtɪk] 1 *adj* psychotisch ▶ *~ illness* Psychose *f*.
2 *n* Psychotiker(in *f*) *m*.

pt = a **point** Pkt. b **part** c **pint**.

Pt (*Geog*) = **Point**.

PT = **physical training**.

PTA = **parent-teacher association**.

Pte (*Brit Mil*) = **Private**.

pto = **please turn over** bitte wenden, b. w.

pub [pʌb] *n* (*Brit*) Kneipe (*col*), Wirtschaft *f*; (*in the coun-*

try also) Gasthaus *nt.*

PUB

ⓘ **Pub** ist ein Gasthaus mit einer Lizenz zum Ausschank von alkoholischen Getränken. Ein Pub besteht meist aus verschiedenen gemütlichen *(lounge, snug)* oder einfacheren Räumen *(public bar)*, in der oft auch Spiele wie Darts, Domino und Poolbillard zur Verfügung stehen. In Pubs werden vor allem Mittags oft auch Mahlzeiten angeboten. Pubs sind normalerweise von 11 bis 23 Uhr geöffnet, aber manchmal nachmittags geschlossen.

---

pub-crawl ['pʌbkrɔːl] *n (Brit col)* Kneipenbummel *m (col)* ► *to go on a ~* einen Zug durch die Gemeinde machen *(col)*.
puberty ['pjuːbətɪ] *n* die Pubertät.
pubic ['pjuːbɪk] *adj* Scham-.
public ['pʌblɪk] **1** *adj* öffentlich; *health, library also* Volks-; *spending, debts* der öffentlichen Hand, Staats- ► *to be ~ knowledge* allgemein bekannt sein; *in the ~ interest* im öffentlichen Interesse; *it's rather ~ here* es ist nicht gerade privat hier; *he is a ~ figure* er ist eine Persönlichkeit des öffentlichen Lebens; *in the ~ eye* im Blickpunkt der Öffentlichkeit; *to make sth ~* etw bekanntgeben; *(officially)* etw öffentlich bekannt machen; *to create ~ awareness* öffentliches Interesse wecken; *to go ~ (Comm)* in eine Aktiengesellschaft umgewandelt werden.
2 *n sing or pl* Öffentlichkeit *f* ► *in ~* in der Öffentlichkeit; *speak also* öffentlich; *the theatre-going ~* die theaterinteressierte Öffentlichkeit.
public address system *n* Lautsprecheranlage *f.*
publican ['pʌblɪkən] *n (Brit)* Gastwirt(in *f*) *m.*
publication [ˌpʌblɪˈkeɪʃən] *n* Veröffentlichung *f.*
public: ~ **bar** *n* ≃ Ausschank *m;* ~ **company** *n* Aktiengesellschaft *f;* ~ **convenience** *n (Brit)* öffentliche Toilette; ~ **enemy** *n* Staatsfeind *m;* ~ **health** *n* (öffentliches) Gesundheitswesen; ~ **holiday** *n* gesetzlicher Feiertag; ~ **house** *n (Brit)* Gaststätte *f.*
publicity [pʌbˈlɪsɪtɪ] *n* Publicity *f; (Comm: advertising, advertisements)* Werbung *f* ► ~ **agent** Publicitymanager *m;* ~ **campaign** Publicitykampagne *f; (Comm)* Werbekampagne *f;* ~ **material** Werbematerial *nt.*
publicize ['pʌblɪsaɪz] *vt* ⓐ *(make public)* bekanntmachen ► *I don't ~ the fact* ich will das nicht an die große Glocke hängen *(col)*. ⓑ *(get publicity for)* film, author Publicity machen für; *new product* Werbung machen für.
public library *n* öffentliche Bücherei.
publicly ['pʌblɪklɪ] *adv* öffentlich ► ~ *owned* staatseigen.
public: ~ **nuisance** *n* allgemeines Ärgernis; ~ **opinion** *n* die öffentliche Meinung; ~ **opinion poll** *n* Meinungsumfrage *f;* ~ **ownership** *n under ~ ownership* in öffentlichem Besitz; ~ **property** *n* Staatsbesitz *m;* ~ **prosecutor** *n* Staatsanwalt *m/*-anwältin *f;* ~ **purse** *n* Staatskasse *f;* ~ **relations** *npl* Public Relations *pl,* Öffentlichkeitsarbeit *f;* ~ **relations officer** *n* Pressesprecher(in *f*) *m;* ~ **school** *n (Brit)* Privatschule, Public School *f; (US)* staatliche Schule.

PUBLIC SCHOOL

ⓘ **Public school** bezeichnet vor allem in England eine weiterführende Privatschule, meist eine Internatsschule mit hohem Prestige, an die oft auch eine *preparatory school* angeschlossen ist. Public schools werden von einem Schulbeirat verwaltet und durch Stiftungen und Schulgelder, die an den bekanntesten Schulen wie Eton, Harrow und Westminster sehr hoch sein können, finanziert. Die meisten Schüler einer Public school gehen zur Universität, oft nach Oxford oder

Cambridge. Viele Industrielle, Abgeordnete und hohe Beamte haben eine Public school besucht. In Schottland und den USA bedeutet Public school eine öffentliche, vom Steuerzahler finanzierte Schule.

---

public: ~ **sector** *n* öffentlicher Sektor; ~ **sector borrowing requirement** *n* Kreditaufnahme *f* durch die öffentliche Hand; ~ **service** *n (Civil Service)* öffentlicher Dienst; *(facility: water, transport etc)* öffentlicher Dienstleistungsbetrieb; *(work)* Dienst *m* an der Allgemeinheit; ~ **service vehicle** *n* öffentliches Verkehrsmittel *nt;* ~ **speaking** *n I don't like ~ speaking* ich halte nicht gern Reden; ~**-spirited** *adj act* von Gemeinsinn zeugend; ~ **transport** *or (US)* **transportation** *n* öffentliche Verkehrsmittel *pl;* ~ **utility** *n* öffentlicher Versorgungsbetrieb; ~ **works** *npl* öffentliche Arbeiten.
publish ['pʌblɪʃ] *vt* ⓐ *(issue)* veröffentlichen; *book, magazine etc also* herausbringen ► ~*ed by Collins* bei Collins erschienen; *"~ed monthly"* „erscheint monatlich"; *who's that book ~ed by?* in welchem Verlag ist das Buch erschienen? ⓑ *(make public)* news, banns bekanntgeben; *decree* herausgeben; *will* eröffnen.
publisher ['pʌblɪʃəʳ] *n (person)* Verleger(in *f*) *m; (firm: also ~s)* Verlag *m.*
publishing ['pʌblɪʃɪŋ] *n (trade)* das Verlagswesen ► ~ *company* Verlagshaus *nt.*
puce [pjuːs] *adj* braunrot; *(with rage, shame)* rot.
pucker ['pʌkəʳ] *vt (also ~ up)* one's lips, mouth verziehen; *(for kissing)* spitzen; *one's brow* runzeln; *material* Falten machen in *(+acc)*.
pud [pʊd] *(col)* = **pudding**.
pudding ['pʊdɪŋ] *n (dessert)* Nachspeise *f* ► *what's for ~?* was gibt es als Nachtisch?
pudding basin *n* Puddingform *f.*
puddle ['pʌdl] *n* Pfütze *f.*
puerile ['pjʊəraɪl] *adj* infantil.
Puerto Rican ['pwɜːtəʊˈriːkən] **1** *adj* puertoricanisch.
2 *n* Puertoricaner(in *f*) *m.*
Puerto Rico ['pwɜːtəʊˈriːkəʊ] *n* Puerto Rico *nt.*
puff [pʌf] **1** *n* ⓐ *(on cigarette etc)* Zug *m (at, of* an *+dat)* ► *a ~ of wind* ein Windstoß *m; a ~ of smoke* eine Rauchwolke; *to be out of ~ (col)* außer Puste sein *(col)*. ⓑ *(powder ~)* Quaste *f* ► ~ *sleeve* Puffärmel *m.* ⓒ *(Cook)* cream ~ Windbeutel *m;* ~ *pastry, (US)* ~ *paste* Blätterteig *m.*
2 *vt smoke* ausstoßen; *(person)* blasen; *cigarette* paffen *(col)*.
3 *vi (person, train)* schnaufen; *(chimney, smoke)* qualmen ► *the train ~ed into the station* der Zug fuhr schnaufend in den Bahnhof ein; *to ~ at a cigar* an einer Zigarre paffen.
◆**puff out** *vt sep* ⓐ *(expand)* chest herausstrecken; *cheeks* aufblasen; *feathers* (auf)plustern; *sail* blähen. ⓑ *(emit)* air, smoke ausstoßen. ⓒ *(blow out)* auspusten.
◆**puff up** *vt sep feathers* (auf)plustern ► *to be all ~ed up (with pride) (fig)* ganz aufgeblasen sein.
puffed [pʌft] *adj (col)* außer Puste *(col)*.
puffin ['pʌfɪn] *n* Papageientaucher *m.*
puffy ['pʌfɪ] *adj (+er) (swollen)* geschwollen; *(from crying)* verquollen.
pug [pʌg] *n (also ~ dog)* Mops *m.*
pugnacious [pʌgˈneɪʃəs] *adj* kampfeslustig; *(verbally)* streitsüchtig.
pug-nosed ['pʌgnəʊzd] *adj* knollennasig.
puke [pjuːk] *vti (col!)* kotzen *(col)*.
pull [pʊl] **1** *n* ⓐ *(tug)* Ziehen *nt; (short)* Ruck *m; (lit, fig: attraction)* Anziehungskraft *f; (of current)* Sog *m* ► *he gave her/the rope a ~* er zog sie/am Seil; *I felt a ~ at my sleeve* ich spürte, wie mich jemand am Ärmel zog. ⓑ *(at pipe, beer)* Zug *m* ► *he took a ~ at his*

pipe/glass er zog an seiner Pfeife/nahm einen Schluck aus seinem Glas. ⟦c⟧ *bell* ~ Klingelzug *m*. ⟦d⟧ (*col: influence*) Beziehungen *pl*▶ *I've got no* ~ *with them* ich habe keinen Draht zu ihnen (*col*).

⟦2⟧ *vt* ⟦a⟧ (*draw, drag*) ziehen ▶ *to* ~ *a door shut* eine Tür zuziehen. ⟦b⟧ (*tug*) *rope, bell* ziehen an (*+dat*); *boat* rudern ▶ *he ~ed her hair* er zog sie an den Haaren; *to* ~ *sth to pieces* (*lit*) etw in Stücke reißen; (*fig: criticize*) etw verreißen; *to* ~ *sb's leg* jdn auf den Arm nehmen; ~ *the other one* (*col*) das glaubst du doch wohl selber nicht!; *she was the one ~ing the strings* sie war es, die alle Fäden in der Hand hielt; *to* ~ *one's punches* (*fig*) sich zurückhalten; *see also* **face**. ⟦c⟧ (*extract, draw out*) *tooth, gun, knife* ziehen; *weeds, lettuce, cork* herausziehen; *beer* zapfen ▶ *to* ~ *a gun on sb* jdn mit der Pistole bedrohen. ⟦d⟧ (*strain*) *muscle* sich (*dat*) zerren; (*tear*) *thread* ziehen. ⟦e⟧ (*attract*) *crowd* anziehen. ⟦f⟧ (*col*) *what are you trying to* ~*?* was heckst du wieder aus? (*col*).

⟦3⟧ *vi* ⟦a⟧ ziehen (*on, at* an *+dat*) ▶ *to* ~ *to the left* (*car*) nach links ziehen; *to* ~ *on* or *at one's cigarette* an seiner Zigarette ziehen. ⟦b⟧ (*move: train, car etc*) fahren ▶ *the car ~ed into the driveway* der Wagen fuhr in die Einfahrt; *he ~ed across to the left-hand lane* er wechselte auf die linke Spur über; *to* ~ *ahead (of sb)* (*car, runner*) (an jdm) vorbeiziehen; (*fig: rival etc*) jdn hinter sich (*dat*) lassen.

◆**pull apart** *vt sep* ⟦a⟧ (*separate*) auseinanderziehen; *sheets of paper also, fighting people* trennen; *radio etc* auseinandernehmen. ⟦b⟧ (*fig col*) (*search thoroughly*) auseinandernehmen (*col*); (*criticise also*) verreißen.

◆**pull away** ⟦1⟧ *vt sep* wegziehen ▶ *she ~ed it ~ from him* sie zog es von ihm weg; (*from his hands*) sie zog es ihm aus den Händen.

⟦2⟧ *vi* (*move off*) wegfahren; (*ship*) ablegen.

◆**pull back** ⟦1⟧ *vt sep* zurückziehen.

⟦2⟧ *vi* (*lit*) sich zurückziehen; (*catch up*) aufholen ▶ *to* ~ ~ *(from doing sth)* (*fig*) einen Rückzieher machen (und etw nicht tun) (*col*).

◆**pull down** *vt sep* ⟦a⟧ herunterziehen. ⟦b⟧ (*demolish*) *buildings* abreißen.

◆**pull in** ⟦1⟧ *vt sep* ⟦a⟧ *claws etc* einziehen; (*into swimming-pool etc*) hineinziehen. ⟦b⟧ (*rein in*) *horse* zügeln. ⟦c⟧ (*attract*) *crowds* anziehen. ⟦d⟧ (*col: take into custody*) einkassieren (*col*).

⟦2⟧ *vi* (*into station etc*) einfahren, einlaufen (*into* in *+acc*); (*into driveway*) hineinfahren (*into* in *+acc*); (*stop, park*) anhalten ▶ *he ~ed* ~ *to the side of the road* er fuhr an den Straßenrand.

◆**pull off** *vt sep* ⟦a⟧ *wrapping paper* abziehen; *cover also* abnehmen; (*violently*) abreißen; *clothes, shoes* ausziehen. ⟦b⟧ (*col: succeed in*) schaffen (*col*); *deal also* zuwege bringen (*col*); *burglary* drehen (*col*).

◆**pull on** *vt sep* *coat etc* sich (*dat*) überziehen; *hat* aufsetzen.

◆**pull out** ⟦1⟧ *vt sep* ⟦a⟧ (*extract*) (*of* aus) herausziehen; *tooth* ziehen; *page* heraustrennen. ⟦b⟧ (*withdraw*) zurückziehen; *troops* abziehen.

⟦2⟧ *vi* ⟦a⟧ (*withdraw*) aussteigen (*of* aus) (*col*); (*troops*) abziehen. ⟦b⟧ (*leave: train etc*) herausfahren (*of* aus). ⟦c⟧ (*driver*) herausfahren.

◆**pull over** ⟦1⟧ *vt sep* ⟦a⟧ hinüber-/herüberziehen (*prep obj* über *+acc*). ⟦b⟧ (*topple*) umreißen.

⟦2⟧ *vi* (*car, driver*) zur Seite fahren.

◆**pull through** *vi* (*fig: recover*) durchkommen.

◆**pull together** ⟦1⟧ *vi* (*lit*) gemeinsam ziehen; (*fig: cooperate*) am gleichen Strang ziehen.

⟦2⟧ *vr* sich zusammenreißen ▶ ~ *yourself* ~ reiß dich zusammen.

◆**pull up** ⟦1⟧ *vt sep* ⟦a⟧ (*raise by pulling*) hochziehen; (*up slope also*) nach oben ziehen. ⟦b⟧ (*uproot*) herausreißen.

⟦c⟧ (*stop*) anhalten. ⟦d⟧ (*reprimand*) (*for behaviour*) zurechtweisen; (*for grammar etc*) korrigieren.

⟦2⟧ *vi* (*stop*) anhalten.

pulley [ˈpʊlɪ] *n* Rolle *f*; (*block*) Flaschenzug *m*.

Pullman ® [ˈpʊlmən] *n* (~ *car*) Pullmanwagen ® *m*; (*US: sleeper*) Schlafwagen *m*.

pull: ~**-out** *n* (*withdrawal*) Abzug *m*; (*supplement*) heraustrennbarer Teil; ~**over** *n* Pullover *m*.

pulmonary [ˈpʌlmənərɪ] *adj embolism etc* Lungen-.

pulp [pʌlp] *n* ⟦a⟧ Brei *m*; (*of fruit*) Fruchtfleisch *nt* ▶ *to beat sb to a* ~ (*col*) jdn zu Brei schlagen (*col*).

⟦2⟧ *vt fruit* zerdrücken; *paper, book* einstampfen; *wood* zu Brei verarbeiten.

pulpit [ˈpʊlpɪt] *n* Kanzel *f*.

pulsate [pʌlˈseɪt] *vi* (*lit, fig*) pulsieren; (*head, heart*) klopfen; (*voice, building*) beben; (*machine*) stampfen; (*music*) rhythmisch klingen.

pulse¹ [pʌls] ⟦1⟧ *n* (*Anat*) Puls *m*; (*Phys*) Impuls *m*; (*fig: of music*) Rhythmus *m* ▶ *to feel* or *take sb's* ~ jdm den Puls fühlen.

⟦2⟧ *vi* pulsieren.

pulse² *n* (*Bot, Cook*) Hülsenfrucht *f*.

pulverize [ˈpʌlvəraɪz] *vt* pulverisieren.

puma [ˈpjuːmə] *n* Puma *m*.

pumice (stone) [ˈpʌmɪs(ˌstəʊn)] *n* Bimsstein *m*.

pummel [ˈpʌml] *vt* eintrommeln auf (*+acc*).

pump [pʌmp] ⟦1⟧ *n* Pumpe *f*.

⟦2⟧ *vt* pumpen; *brake pedal* mehrmals treten ▶ *to* ~ *sth dry* etw leerpumpen; *to* ~ *sb dry* (*fig*) jdn aussaugen; *to* ~ *bullets into sb* jdn mit Blei vollpumpen (*col*); *to* ~ *money into sth* Geld in etw (*acc*) hineinpumpen; *to* ~ *information out of sb* Informationen aus jdm herausholen.

◆**pump in** *vt sep* (*lit, fig*) hineinpumpen.

◆**pump out** *vt sep* *liquid, air* herauspumpen; *boat, cellar* leerpumpen; *stomach* auspumpen.

◆**pump up** *vt sep* *tyre etc* aufpumpen.

pumpkin [ˈpʌmpkɪn] *n* Kürbis *m*.

pun [pʌn] *n* Wortspiel *nt*.

Punch [pʌntʃ] *n* Kasper *m*, Kasperle *nt* ▶ ~**-and-Judy show** Kasper(le)theater *nt*; *to be (as) pleased as* ~ (*col*) sich wie ein Schneekönig freuen (*col*).

punch¹ [pʌntʃ] ⟦1⟧ *n* ⟦a⟧ (*blow*) Schlag *m*. ⟦b⟧ *no pl* (*fig: vigour*) Schwung *m*.

⟦2⟧ *vti* boxen.

punch² ⟦1⟧ *n* (*for ~ing holes*) Locher *m*; (*for tickets*) Lochzange *f*; (*for stamping metal etc*) Prägestempel *m*.

⟦2⟧ *vt* *ticket etc* lochen; *metal, holes* stanzen; (*stamp*) *metal, pattern* prägen.

◆**punch in** *vt sep* (*Comp*) *data* tasten, tippen (*col*).

punch³ *n* (*drink*) Bowle *f*; (*hot*) Punsch *m*.

punch: ~ *bag* *n* Sandsack *m*; ~ *ball* *n* Punchingball *m*; ~ *bowl* *n* Bowle *f*; ~ *card* *n* Lochkarte *f*; ~**-drunk** *adj* benommen; (*confused*) durcheinander *pred*; ~**-line** *n* Pointe *f*; ~ *tape* *n* Lochstreifen *m*; ~**-up** *n* (*Brit col*) Schlägerei *f*.

punching bag [ˈpʌntʃɪŋˌbæg] *n* (*esp US*) Sandsack *m*.

punctilious [pʌŋkˈtɪlɪəs] *adj* (*regarding etiquette*) korrekt; (*fastidious*) peinlich genau.

punctual [ˈpʌŋktjʊəl] *adj* pünktlich ▶ *to be* ~ pünktlich kommen.

punctuality [ˌpʌŋktjʊˈælɪtɪ] *n* Pünktlichkeit *f*.

punctually [ˈpʌŋktjʊəlɪ] *adv* pünktlich.

punctuate [ˈpʌŋktjʊeɪt] *vt* ⟦a⟧ (*Gram*) mit Satzzeichen versehen. ⟦b⟧ (*intersperse*) unterbrechen ▶ *he ~d his talk with jokes* er spickte seine Rede mit Witzen.

punctuation [ˌpʌŋktjʊˈeɪʃən] *n* Zeichensetzung, Interpunktion *f*▶ ~ *mark* Satzzeichen *nt*.

puncture [ˈpʌŋktʃər] ⟦1⟧ *n* (*in tyre, balloon etc*) Loch *nt*; (*in skin*) (Ein)stich *m*; (*flat tyre*) Reifenpanne *f*.

⟦2⟧ *vt* stechen in (*+acc*); *membrane* durchstechen; *tyre,* *balloon* Löcher/ein Loch machen in (+*acc*).

pundit ['pʌndɪt] *n* (*fig*) Experte *m*, Expertin *f*.

pungency ['pʌndʒənsɪ] *n* (*lit, fig*) Schärfe *f*.

pungent ['pʌndʒənt] *adj* (*lit, fig*) scharf; *smell also* stechend.

punish ['pʌnɪʃ] *vt* **a** *person, offence* bestrafen. **b** (*fig col: drive hard, treat roughly*) strapazieren; *horses, oneself* schinden; *opponent* zusetzen (+*dat*).

punishable ['pʌnɪʃəbl] *adj* strafbar ► *it is a ~ offence* es ist strafbar.

punishing ['pʌnɪʃɪŋ] **1** *adj blow* hart; *schedule, race* mörderisch. **2** *n* **to take a ~** (*col*) (*car, furniture etc*) strapaziert werden; (*team, boxer etc*) vorgeführt werden (*col*).

punishment ['pʌnɪʃmənt] *n* **a** (*penalty*) Strafe *f*; (*punishing*) Bestrafung *f*. **b** (*fig col*) **to take a lot of ~** (*car, furniture etc*) stark strapaziert werden; (*Sport*) vorgeführt werden (*col*).

punitive ['pjuːnɪtɪv] *adj* Straf-; *taxation* extrem hoch.

Punjab ['pʌndʒɑːb] *n* **the ~** das Pandschab.

punk [pʌŋk] *n* **a** (*person: also ~ rocker*) Punker *m*; (*music: also ~ rock*) Punk(-Rock) *m*; (*culture*) Punk *m*. **b** (*US col: hoodlum*) Ganove *m* (*col*).

punt [pʌnt] **1** *n* (*boat*) Stechkahn *m*. **2** *vti* staken ► *to go ~ing* Stechkahn fahren.

punter ['pʌntər] *n* **a** (*better*) Wetter *m*; (*gambler*) Spieler(in *f*) *m*. **b** (*col*) Typ *m* (*col*) ► *the average ~* Otto Normalverbraucher.

puny ['pjuːnɪ] *adj* (+*er*) (*weak*) *person* schwächlich; *effort* kläglich.

pup [pʌp] *n* Junge(s) *nt*.

pupil[1] ['pjuːpl] *n* (*Sch, fig*) Schüler(in *f*) *m*.

pupil[2] *n* (*Anat*) Pupille *f*.

puppet ['pʌpɪt] *n* Puppe *f*; (*glove ~*) Handpuppe *f*; (*string ~, fig*) Marionette *f*.

puppet: **~government** *n* Marionettenregierung *f*; **~show** *n* Puppenspiel *nt*; **~ state** *n* Marionettenstaat *m*; **~ theatre** *or* (*US*) **theater** *n* Marionettentheater *nt*.

puppy ['pʌpɪ] *n* junger Hund ► **~ fat** Babyspeck *m*; **~ love** Schwärmerei *f*.

purchase ['pɜːtʃɪs] **1** *n* **a** Kauf *m*; (*of furniture, flat, car also*) Anschaffung *f* ► *to make a ~* einen Kauf tätigen; eine Anschaffung machen. **b** (*grip*) Halt *m* ► *he couldn't get a ~ on the wet rope* er konnte an dem nassen Seil keinen Halt finden. **2** *vt* (*buy*) kaufen, erwerben (*form*) ► *purchasing power* Kaufkraft *f*; **~ order** Bestellung *f*; **~ price** Kaufpreis *m*; **~ tax** (*Brit*) Kaufsteuer *f*.

purchaser ['pɜːtʃɪsər] *n* Käufer(in *f*) *m*.

pure [pjʊər] *adj* (+*er*) rein; *motive* ehrlich, lauter (*geh*) ► *she stared at him in ~ disbelief* sie starrte ihn ganz ungläubig an; *malice ~ and simple* reine Bosheit; *a ~ wool dress* ein Kleid aus reiner Wolle.

purebred ['pjʊəbred] *adj* reinrassig.

purée ['pjʊəreɪ] *n* Püree *nt*, Brei *m* ► *tomato ~* Tomatenmark *nt*.

purely ['pjʊəlɪ] *adv* rein.

purgative ['pɜːgətɪv] *n* Abführmittel *nt*.

purgatory ['pɜːgətərɪ] *n* (*Rel*) das Fegefeuer; (*fig: state*) die Hölle.

purge [pɜːdʒ] **1** *n* **a** (*Med*) (starkes) Abführmittel. **b** (*Pol etc*) Säuberung(saktion) *f*. **2** *vt* reinigen; *body* entschlacken; *guilt, sin* büßen; (*Pol etc*) *party* säubern (*of* von); *traitor* eliminieren (*from* aus).

purification [,pjʊərɪfɪ'keɪʃən] *n* Reinigung *f*.

purify ['pjʊərɪfaɪ] *vt* reinigen.

purist ['pjʊərɪst] *n* Purist(in *f*) *m*.

puritan ['pjʊərɪtən] (*Rel: P~*) **1** *adj* puritanisch. **2** *n* Puritaner(in *f*) *m*.

puritanical [,pjʊərɪ'tænɪkəl] *adj* puritanisch.

purity ['pjʊərɪtɪ] *n* Reinheit *f*; (*of motives*) Lauterkeit (*geh*), Ehrlichkeit *f*.

purl [pɜːl] *n* linke Masche ► **~ two** zwei links.

purloin [pɜː'lɔɪn] *vt* (*form, hum*) entwenden (*form, hum*) (*from* +*dat*).

purple ['pɜːpl] **1** *adj* violett, lila; *face* hochrot; (*pej*) *passage* hochtrabend ► *to go ~ (in the face)* hochrot werden. **2** *n* (*colour*) Violett, Lila *nt*.

purport ['pɜːpət] **1** *n* Tenor *m*. **2** [pɜː'pɔːt] *vt* **to ~ to be/do sth** (*person*) vorgeben, etw zu sein/tun; (*thing*) etw sein/tun sollen.

purpose ['pɜːpəs] *n* **a** (*intention*) Absicht *f*; (*goal*) Zweck *m* ► *on ~* mit Absicht, absichtlich; *he did it for or with the ~ of improving his image* er tat es in der Absicht, sein Image zu verbessern; *to have a ~ in life* ein Lebensziel haben; *to answer or serve sb's ~(s)* jds Zweck(en) dienen; *for our ~s* für unsere Zwecke; *for the ~s of this meeting* zum Zweck dieser Konferenz; *for all practical ~s* in der Praxis; *to the ~* relevant; *to good ~* zu einem guten Zweck; *to no ~* umsonst. **b** *no pl* **strength of ~** Entschlußkraft *f*; *sense of ~* Zielbewußtsein *nt*.

purpose-built [,pɜːpəs'bɪlt] *adj* speziell angefertigt; *building* zu diesem Zweck erbaut.

purposeful ['pɜːpəsfʊl] *adj* entschlossen.

purposely ['pɜːpəslɪ] *adv* bewußt, absichtlich.

purr [pɜːr] **1** *vi* (*cat, fig: person*) schnurren; (*engine*) surren. **2** *n* Schnurren *nt no pl*; Surren *nt no pl*.

purse [pɜːs] **1** *n* **a** (*for money*) Portemonnaie *nt*, Geldbörse *f* (*form*) ► *to hold the ~ strings* (*fig*) über die Finanzen bestimmen. **b** (*US: handbag*) Handtasche *f* ► **~ snatcher** Taschendieb *m*. **c** (*Sport: prize*) Preisgeld *nt*. **2** *vt* **to ~ one's lips** einen Schmollmund machen.

purser ['pɜːsər] *n* Zahlmeister *m*.

pursue [pə'sjuː] *vt* **a** verfolgen; *pleasure, success* nachjagen (+*dat*), aussein auf (+*acc*); *happiness* streben nach. **b** (*carry on*) *course of action etc* verfolgen; *inquiry* durchführen; *profession, studies* nachgehen (+*dat*); *subject* weiterführen.

pursuer [pə'sjuːər] *n* Verfolger(in *f*) *m*.

pursuit [pə'sjuːt] *n* **a** (*of person*) Verfolgung (*of* gen), Jagd (*of* auf +*acc*) *f*; (*of knowledge, happiness*) Streben *nt* (*of* nach); (*of pleasure*) Jagd *f* (*of* nach) ► *in hot ~ of sb* hart auf jds Fersen (*acc*); *to go in ~ of sb/sth* sich auf die Jagd nach jdm/etw machen; *in (the) ~ of his goal* in Verfolgung seines Ziels. **b** (*occupation*) Beschäftigung *f*; (*hobby, pastime*) Zeitvertreib *m* ► *his literary ~s* seine Beschäftigung mit der Literatur.

purveyor [pɜː'veɪər] *n* (*form*) (*seller*) Händler *m*; (*supplier*) Lieferant *m*.

pus [pʌs] *n* Eiter *m*.

push [pʊʃ] **1** *n* **a** Schubs *m* (*col*); (*short*) Stoß *m* ► *to give sb/sth a ~* jdn/etw schieben; jdm/etw einen Stoß versetzen; *to give a car a ~* einen Wagen anschieben; *to give sb the ~* (*Brit col*) *employee* jdn rausschmeißen (*col*); *lover* jdm den Laufpaß geben (*col*). **b** (*effort*) Anstrengung *f*; (*sales ~*) Aktion *f*; (*Mil: offensive*) Offensive *f*. **c** (*drive, aggression*) Durchsetzungsvermögen *nt*. **d** (*col*) *at a ~* notfalls, im Notfall; *if/when it comes to the ~* wenn es darauf ankommt. **2** *vt* **a** schieben; (*quickly, violently*) stoßen, schubsen (*col*); (*press*) *button* drücken ► *to ~ a door open/shut* eine Tür auf-/zudrücken; *he ~ed the book into my hand* er drückte mir das Buch in die Hand.

b (*fig*) *claims, interests* durchzusetzen versuchen; *candidate* die Werbetrommel rühren für; *product* propagieren, pushen (*Comm sl*); *drugs* schieben, pushen (*Drugs sl*) ► *to ~ home one's advantage* seinen Vorteil ausnützen; **don't ~ your luck** treib's nicht zu weit!; **he must be ~ing 70** (*col*) er muß auf die 70 zugehen.

  c (*fig: put pressure on*) drängen, drängeln (*col*); *pupil, employee* antreiben ▶ **to ~ sb to do sth** jdn dazu drängen, etw zu tun; **they ~ed him to the limit** sie trieben ihn bis an seine Grenzen; **that's ~ing it a bit** (*col*) das ist ein bißchen übertrieben; **to be ~ed for time/money** (*col*) unter Zeitdruck stehen/knapp bei Kasse sein (*col*); **I'm a bit ~ed just now** (*col*) ich habe momentan wenig Zeit.

  3 *vi* (*shove*) schieben; (*quickly, violently*) stoßen; (*in a crowd, apply pressure*) drängen, drängeln (*col*); (*fig: be ambitious, assert oneself*) kämpfen ▶ **"~"** (*on door*) „drücken"; (*on bell*) „klingeln".

◆**push around** *vt sep* **a** herumstoßen. **b** (*fig col: bully*) herumschubsen.

◆**push aside** *vt sep* zur Seite *or* beiseite schieben; (*fig*) *problems etc* einfach abtun.

◆**push away** *vt sep* wegschieben; (*quickly*) wegstoßen.

◆**push back** *vt sep people* zurückdrängen; (*with one push*) zurückstoßen; *curtains, hair* zurückschieben.

◆**push down** *vt sep* nach unten drücken; (*knock over*) umstoßen; *fence* niederreißen.

◆**push down on** *vi +prep obj* drücken auf (+*acc*).

◆**push forward** **1** *vi* (*Mil*) vorwärts drängen. **2** *vt sep* (*lit*) nach vorn schieben; (*fig*) *claim* geltend machen; *ideas* hervorheben; *sb, oneself* in den Vordergrund schieben.

◆**push in** **1** *vt sep* **a** hineinschieben; (*quickly, violently*) hineinstoßen ▶ **to ~ one's way ~** sich hineindrängen. **b** (*break*) *window, sides of box* eindrücken. **2** *vi* (*lit: in queue etc*) sich hineindrängen *or* -drängeln (*col*).

◆**push off** **1** *vt sep* hinunterschieben; (*quickly, violently*) hinunterstoßen; *lid, cap* wegdrücken ▶ **to ~ sb/sth ~ sth** jdn/etw von etw schieben/stoßen. **2** *vi* **a** (*in boat*) abstoßen. **b** (*col: leave*) abhauen (*col*).

◆**push on** **1** *vi* (*with journey*) weiterfahren; (*walking*) weitergehen; (*with job*) weitermachen. **2** *vt sep top, lid* festdrücken.

◆**push out** *vt sep* hinausschieben; (*quickly, violently*) hinausstoßen ▶ **to ~ sb/sth ~ of sth** jdn/etw aus etw schieben/stoßen.

◆**push over** *vt sep* **a** (*pass over*) hinüber-/herüberschieben; (*quickly, violently*) hinüber-/herüberstoßen ▶ **to ~ sb/sth ~ sth** jdn/etw über etw (*acc*) schieben/stoßen. **b** (*knock over*) umwerfen.

◆**push through** **1** *vt sep* **a** (*shove through*) durchschieben; (*quickly, violently*) durchstoßen ▶ **to ~ sb/sth ~ sth** jdn/etw durch etw schieben/stoßen; **to ~ one's way ~ the crowd** sich durch die Menge drängen. **b** (*get done quickly*) *bill, decision* durchpeitschen (*col*); *business* durchziehen (*col*). **2** *vi* (*through crowd*) sich durchschieben; (*more violently*) sich durchdrängen; (*new shoots*) austreiben.

◆**push up** *vt sep* **a** (*lit*) hinaufschieben; (*quickly, violently*) hinaufstoßen; *window* hochschieben/ -stoßen. **b** (*fig: raise, increase*) hochtreiben.

push: **~-bike** *n* (*Brit*) Fahrrad *nt*; **~-button** *n* Drucktaste *f*, Knopf *m*; **~-button telephone** Tastentelefon *nt*; **~-button warfare** Krieg *m* auf Knopfdruck; **~chair** *n* (*Brit*) Sportwagen *m*.

pusher ['puʃə^r] *n* (*col*) **a** (*of drugs*) Pusher(in *f*) *m* (*col*). **b** (*ambitious person*) **he's a ~** er setzt sich durch.

push: **~-over** *n* (*col*) (*job etc*) Kinderspiel *nt*; (*person*) leichtes Opfer; **~rod** *n* (*Mech*) Stößelstange *f*; **~-start** *vt car* anschieben.

pushy ['puʃi] *adj* (+*er*) (*col*) penetrant (*pej*).

puss [pus], **pussy** ['pusi] *n* (*cat*) Mieze *f* (*col*).

pussy: **~-cat** *n* (*baby-talk*) Miezekatze *f* (*baby-talk*);

~foot *vi* (*col: act cautiously*) wie die Katze um den heißen Brei schleichen (*col*); **~ willow** *n* Salweide *f*.

put [put] *pret, ptp* **~** **1** *vt* **a** (*place*) tun (*esp col*); (*~ down, position*) stellen, setzen; (*lay down*) legen; (*push in*) stecken ▶ **to ~ sth in a drawer** etw in eine Schublade tun *or* legen; **he ~ his hand in his pocket** er steckte die Hand in die Tasche; **he ~ some more coal on the fire** er legte Kohle nach; **to ~ sugar in one's coffee** Zucker in den Kaffee tun; **to ~ the ball in the net** (*Ftbl*) den Ball ins Netz setzen; **he ~ his toe in the water** er steckte seinen Zeh ins Wasser; **he ~ his hand on my shoulder** er legte seine Hand auf meine Schulter.

  b (*thrust*) stecken ▶ **he ~ his head around the door** er steckte den Kopf zur Tür herein; **to ~ one's fist through a window** mit der Faust ein Fenster einschlagen.

  c **to stay ~** liegen-/stehen-/hängen- *etc* bleiben; (*hair*) halten; (*person*) (*not move*) hier-/dableiben; (*not stand up*) sitzenbleiben.

  d **to ~ a child in a home** ein Kind in ein Heim stecken; **to ~ money into sth** (sein) Geld in etw (*acc*) stecken; **he ~ £10/money on a horse** er setzte £10/ setzte auf ein Pferd; **to ~ a lot of time into sth** viel Zeit in etw (*acc*) stecken; **to ~ a lot of effort into one's work** viel Mühe in seine Arbeit stecken.

  e (*cause to be, do etc*) **to ~ sb in a good/bad mood** jdn fröhlich/mißmutig stimmen; **they ~ her to work on the new project** sie wurde für das neue Projekt eingesetzt; **to be ~ to a lot of inconvenience over sth** mit etw viele Unannehmlichkeiten haben.

  f *comma, line* machen; (*~ forward*) *proposal* vorbringen ▶ **to ~ one's signature to a document** seine Unterschrift unter ein Schriftstück setzen; **to ~ a matter before a committee** eine Angelegenheit vor einen Ausschuß bringen; **to ~ the arguments for and against sth** das Für und Wider von etw (*dat*) aufzählen; **to ~ sth on the agenda** etw auf die Tagesordnung setzen; **you might ~ it to him that ...** du könntest ihm nahelegen, daß ...; **to ~ a question/suggestion to sb** jdm eine Frage/einen Vorschlag unterbreiten; **I ~ it to you that ...** ich möchte Ihnen vorhalten, daß ...

  g (*express*) ausdrücken, sagen ▶ **that's one way of ~ting it** so kann man's auch sagen; **to ~ it bluntly** hart *or* grob ausgedrückt; **how shall I ~ it?** wie soll ich (es) sagen?; **to ~ sth into German** etw ins Deutsche übersetzen.

  h (*rate*) schätzen (*at* auf +*acc*) ▶ **he ~s money before his family's happiness** er stellt Geld über das Glück seiner Familie; **to ~ a value of £10 on sth** den Wert einer Sache (*gen*) auf £10 schätzen. **2** *vi* (*Naut*) **to ~ to sea** in See stechen.

◆**put about** *vt sep news, rumour* verbreiten, in Umlauf bringen ▶ **he ~ it ~ that ...** er verbreitete (das Gerücht), daß ...

◆**put across** *vt sep* **a** (*communicate*) *ideas* verständlich machen (*to sb* jdm), klar zum Ausdruck bringen; *knowledge* vermitteln (*to sb* jdm); (*promote*) an den Mann bringen (*col*) ▶ **to ~ oneself ~** den richtigen Eindruck von sich vermitteln. **b** (*col*) = **put over**.

◆**put aside** *vt sep* **a** *book etc* beiseite legen. **b** (*save for later use*) zurücklegen. **c** (*fig: forget*) ablegen, über Bord werfen (*col*); *anger* begraben; *thought* aufgeben; *differences* vergessen.

◆**put away** *vt sep* **a** (*in usual place*) einräumen; (*tidy away*) wegräumen ▶ **to ~ the car ~** das Auto in die Garage stellen. **b** (*col: consume*) schaffen (*col*); *food also* verputzen (*col*). **c** (*in prison etc*) einsperren.

◆**put back** *vt sep* **a** (*replace*) *see* **put 1** **a** zurücktun/-stellen *or* -setzen/-legen/-stecken. **b** (*postpone*) verschieben; (*set back*) zurückwerfen; (*readjust*) *watch etc* zurückstellen.

◆**put by** *vt sep* zurücklegen, auf die hohe Kante legen.

◆**put down** ⸢1⸣ *vt sep* ⸢a⸣ (*set down*) *object see* **put 1 (a)** wegtun/-setzen *or* -stellen/weglegen; *surface* verlegen ► *I simply couldn't ~ that book ~* ich konnte das Buch einfach nicht aus der Hand legen.

⸢b⸣ (*lower*) *umbrella* zumachen; *aerial* einschieben; *car roof* zurückklappen; *lid* zuklappen.

⸢c⸣ *rebellion* niederschlagen; *rebels* niederwerfen; *crime* besiegen; (*humiliate*) demütigen.

⸢d⸣ (*pay*) anzahlen; *deposit* machen.

⸢e⸣ *pets* einschläfern; *injured horse etc* den Gnadenschuß geben (+*dat*).

⸢f⸣ (*write down*) aufschreiben; (*on form*) angeben ► *~ me ~ for £50* für mich können Sie £50 eintragen.

⸢g⸣ (*attribute*) zurückführen (*to* auf +*acc*), zuschreiben (*to dat*).

⸢2⸣ *vi* (*Aviat*) landen.

◆**put forward** *vt sep* ⸢a⸣ *idea, suggestion* vorbringen; (*nominate*) vorschlagen. ⸢b⸣ (*advance*) *meeting* vorverlegen (*to* auf +*acc*); (*readjust*) *watch etc* vorstellen.

◆**put in** ⸢1⸣ *vt sep* ⸢a⸣ (*place in*) *see* **put 1 (a)** hineintun/-setzen *or* -stellen/-legen/-stecken; (*pack*) einpacken.

⸢b⸣ (*insert in book, speech etc*) einfügen; (*add*) hinzufügen.

⸢c⸣ (*enter*) *application* einreichen; *claim also* stellen ► *to ~ ~ a plea of not guilty* (*Jur*) auf „nicht schuldig" plädieren; *to ~ one's name ~ for sth* sich um etw bewerben; *for evening classes, exam* sich für etw anmelden; *to ~ sb ~ for an exam/an award* jdn für *or* zu einer Prüfung/für eine Ehrung vorschlagen.

⸢d⸣ (*install*) *central heating, car radio* einbauen.

⸢e⸣ (*Pol: elect*) an die Regierung bringen.

⸢f⸣ (*devote, expend*) *time* verbringen (*with* mit), verwenden (*with* auf) ► *could you ~ ~ an extra hour?* könnten Sie eine zusätzliche Stunde Arbeit einschieben?; *he ~ ~ a lot of hard work on the project* er hat eine Menge harter Arbeit in das Projekt gesteckt.

⸢2⸣ *vi* ⸢a⸣ *to ~ ~ for sth* *for job* sich um etw bewerben; *for leave, rise* etw beantragen. ⸢b⸣ (*Naut: enter port*) *to ~ ~ to Bremen/harbour* in Bremen/in den Hafen einlaufen.

◆**put off** *vt sep* ⸢a⸣ (*set down*) *passengers* aussteigen lassen (*prep obj* aus); (*forcibly*) hinauswerfen (*prep obj* aus). ⸢b⸣ (*postpone, delay*) verschieben; *visitors* (wieder) ausladen; *decision* hinausschieben; *sth unpleasant* hinauszögern ► *to ~ sth ~ till later* etw auf später verschieben.

⸢c⸣ (*prevent from coming*) *boyfriend, creditor* hinhalten ► *to ~ sb ~ doing sth* jdn davon abbringen, etw zu tun. ⸢d⸣ (*repel*) die Lust verderben (+*dat*) ► *to ~ sb ~ sth* jdm etw verleiden. ⸢e⸣ (*distract*) ablenken (*prep obj* von); (*disturb*) stören.

◆**put on** *vt sep* ⸢a⸣ *coat, shoes etc* anziehen; *hat* (*sich dat*) aufsetzen; *make-up* auftragen; *accent, manners* annehmen; *facade, front* aufsetzen ► *to ~ one's make-up* sich schminken; *to ~ ~ an air of innocence* eine unschuldige Miene aufsetzen; *his sorrow is all ~ ~* sein Kummer ist bloß Schau (*col*).

⸢b⸣ (*increase, add*) *to ~ ~ weight/a few pounds* zunehmen/ein paar Pfund zunehmen; *to ~ ~ speed* schneller fahren, beschleunigen; *10p was ~ ~ the price of petrol* der Benzinpreis wurde um 10 Pence erhöht.

⸢c⸣ *play* aufführen; *exhibition* veranstalten; *film* vorführen; *train, bus* einsetzen; (*fig*) *act, show* abziehen (*col*).

⸢d⸣ (*on telephone*) *to ~ sb ~ to sb* jdn mit jdm verbinden; *would you ~ him ~?* könnten Sie ihn mir geben?

⸢e⸣ (*switch on*) *light, TV* anmachen, einschalten ► *to ~ the kettle/dinner ~* das Wasser/das Essen aufsetzen.

⸢f⸣ (*readjust*) *watch etc* vorstellen.

⸢g⸣ *to ~ sb ~ to sth* (*inform about*) jdm etw ver-

mitteln; *to ~ sb ~ to a plumber/garage etc* jdm einen Installateur/eine Reparaturwerkstatt *etc* empfehlen; *what ~ you ~ to it?* was hat dich darauf gebracht?; *to ~ the police ~ to sb* die Polizei auf jds Spur bringen.

⸢h⸣ (*col: tease, trick*) auf den Arm nehmen (*col*).

◆**put out** ⸢1⸣ *vt sep* ⸢a⸣ *rubbish etc* hinausbringen; *cat* vor die Tür setzen ► *to ~ the washing ~ (to dry)* die Wäsche (zum Trocknen) raushängen; *this has ~ us ~ of business* deswegen haben wir Pleite gemacht; *she could not ~ him ~ of her thoughts* er ging ihr nicht aus dem Sinn.

⸢b⸣ (*stretch out*) *hand, foot* ausstrecken; *tongue, head* herausstrecken ► *to ~ one's head ~ of the window* den Kopf zum Fenster hinausstrecken.

⸢c⸣ *dishes, cutlery* auflegen; *chessmen etc* aufstellen.

⸢d⸣ (*circulate*) *pamphlet* herausbringen; *propaganda* machen; *rumour* verbreiten; *regulations* erlassen; *statement* abgeben; *message, appeal* durchgeben; *description* bekanntgeben; *TV programme* bringen, senden.

⸢e⸣ (*extinguish*) löschen.

⸢f⸣ (*vex*) *to be ~ ~ (by sth)* (über etw *acc*) verärgert sein.

⸢g⸣ (*inconvenience*) *to ~ oneself ~ (for sb)* sich (*dat*) (wegen jdm) Umstände machen.

⸢h⸣ (*dislocate*) *knee, shoulder* ausrenken; (*more severely*) auskugeln; *back* verrenken.

⸢2⸣ *vi* (*Naut: set sail*) auslaufen ► *to ~ ~ to sea* in See stechen; *to ~ ~ from Bremen* von Bremen auslaufen.

◆**put over** *vt sep to ~ one ~ on sb* (*col*) jdn anführen.

◆**put through** *vt sep* ⸢a⸣ *reform, proposal* durchbringen; (+*prep obj*) bringen durch; *claim* weiterleiten. ⸢b⸣ *person* verbinden (*to* mit); *call* durchstellen (*to* zu) ► *to ~ a call ~ to Beirut* ein Gespräch nach Beirut vermitteln *or* (*caller*) anmelden.

◆**put together** *vt sep* ⸢a⸣ (*in same room etc*) zusammentun; (*seat together*) zusammensetzen ► *he's better than all the others ~ ~* er ist besser als alle anderen zusammen. ⸢b⸣ (*assemble*) zusammensetzen; *furniture, machine also* zusammenbauen; *essay etc*, (*Jur*) *case* zusammenstellen; *collection, evidence* zusammentragen.

◆**put up** ⸢1⸣ *vt sep* ⸢a⸣ (*raise*) *hand* hochheben; *car window* zumachen; *sash window* hochschieben; *umbrella* aufklappen; *hair* hochstecken; *collar* hochschlagen. ⸢b⸣ *flag, sail* aufziehen. ⸢c⸣ *picture etc* aufhängen; *notice* anschlagen. ⸢d⸣ *building, fence* errichten; *ladder, scaffolding* aufstellen; *tent* aufschlagen; (*fig*) *facade* vortäuschen. ⸢e⸣ *missile, flare* hochschießen. ⸢f⸣ (*increase*) *sales, prices* erhöhen. ⸢g⸣ = **put forward (a)**. ⸢h⸣ (*offer*) *to ~ sth ~ for sale* etw zum Verkauf anbieten; *to ~ ~ resistance (to sb)* (jdm) Widerstand leisten. ⸢i⸣ (*give accommodation to*) unterbringen. ⸢j⸣ (*provide*) *capital* bereitstellen; *reward* aussetzen. ⸢k⸣ *to ~ sb ~ to sth* jdn zu etw anstiften.

⸢2⸣ *vi* ⸢a⸣ (*stay*) wohnen; (*for the night*) übernachten. ⸢b⸣ *to ~ ~ for election* sich zur Wahl stellen.

◆**put upon** *vi* +*prep obj* (*impose on*) ausnutzen ► *she felt ~ ~* sie fühlte sich ausgenutzt.

◆**put up with** *vi* +*prep obj* sich abfinden mit ► *I won't ~ ~ ~ that* das lasse ich mir nicht gefallen.

put: *~-down* *n* Abfuhr *f*; *~-on* *adj* vorgetäuscht; *smile* falsch.

putrefaction [ˌpjuːtrɪˈfækʃən] *n* Verwesung *f*.

putrefy [ˈpjuːtrɪfaɪ] *vi* verwesen.

putrid [ˈpjuːtrɪd] *adj* verfault; *smell* faul.

putt [pʌt] ⸢1⸣ *n* (*Golf*) Schlag *m* (mit dem man einlocht). ⸢2⸣ *vti* putten, einlochen.

putter [ˈpʌtəʳ] *n* (*club*) Putter *m*.

putting [ˈpʌtɪŋ] Putten *nt* ► *~ green* kleiner Rasenplatz zum Putten.

putty [ˈpʌtɪ] *n* Kitt *m* ► *he was ~ in her hands* er war Wachs in ihren Händen.

put-up ['pυtʌp] *adj* (*col*) *a ~ job* ein abgekartetes Spiel.
puzzle ['pʌzl] ① *n* ⓐ (*word game etc*) Rätsel *nt*; (*toy*) Geduldsspiel *nt*; (*jigsaw*) Puzzle(spiel) *nt*. ⓑ (*mystery*) Rätsel *nt*.
　② *vi* *to ~ over sth* sich (*dat*) über etw (*acc*) den Kopf zerbrechen.
　③ *vt* verblüffen ▶ *I'm ~d about it* es ist mir ein Rätsel; *the police are ~d* die Polizei steht vor einem Rätsel.
◆**puzzle out** *vt sep* austüfteln.
puzzled ['pʌzld] *adj* *look* verdutzt, verblüfft.
puzzlement ['pʌzlmənt] *n* Verblüffung *f.*
puzzling ['pʌzlɪŋ] *adj* rätselhaft; *story, mechanism* verwirrend.
PVC = **polyvinyl chloride** PVC *nt.*
PVS = ⓐ **persistent vegetative state.** ⓑ **postviral syndrome.**
Pvt (*US Mil*) = **Private.**
pw = **per week** wö.

PX (*US Mil*) = **Post Exchange** *Laden m/Kantine f für Armeeangehörige.*
pygmy ['pɪgmɪ] *n* ⓐ *P~* Pygmäe *m.* ⓑ (*small person, fig*) Zwerg *m.*
pyjamas, (*US*) **pajamas** [pə'dʒɑːməz] *npl* Schlafanzug, Pyjama *m.*
pylon ['paɪlən] *n* Mast *m.*
pyramid ['pɪrəmɪd] *n* Pyramide *f.*
pyre ['paɪər] *n* Scheiterhaufen *m* (*zum Verbrennen von Leichen*).
Pyrenean [pɪrə'niːən] *adj* pyrenäisch.
Pyrenees [pɪrə'niːz] *npl* Pyrenäen *pl.*
Pyrex Ⓡ ['paɪreks] *n* ≃ Jenaer Glas Ⓡ *nt.*
pyromaniac [ˌpaɪərəʊ'meɪnɪæk] *n* Pyromane *m,* Pyromanin *f.*
pyrotechnics [ˌpaɪrəʊ'teknɪks] *n* (*sing*) Pyrotechnik *f;* (*pl: display*) Feuerwerk *nt.*
python ['paɪθən] *n* Python(schlange *f*) *m.*

Q

Q, q [kjuː] n Q, q nt ► *Q for Queen* ≃ Q wie Quelle.
Q = a **question**. b **queen**.
Qatar [kæ'tɑːr] n Katar nt.
QC (*Brit*) = **Queen's Counsel**.

ⓘ *QC (kurz für Queen's Counsel, bzw. **KC** für King's Counsel) ist in Großbritannien ein hochgestellter **barrister**, der auf Empfehlung des Lordkanzlers ernannt wird und zum Zeichen seines Amtes einen seidenen Umhang trägt und daher auch als **silk** bezeichnet wird. Ein QC muß vor Gericht in Begleitung eines rangniedrigeren Anwaltes erscheinen.*

QED (*Math*) = **quod erat demonstrandum** q.e.d.
qr = **quarter**.
qt = **quart**.
qtr = **quarter**.
quack¹ [kwæk] 1 n Schnattern, Quaken nt no pl.
2 vi (*duck*) schnattern, quaken, quak machen (*col*).
quack² n Quacksalber, Kurpfuscher m; (*hum: doctor*) Doktor, Medizinmann (*hum*) m.
quad [kwɒd] n = a **quadrangle** Hof m. b **quadruplet** Vierling m. c **quadraphonic** quadro. d **quadraphony** Quadro nt.
quadrangle ['kwɒdræŋgl] n a (*Math*) Viereck nt. b (*Archit*) (viereckiger) (Innen)hof.
quadraphonic [ˌkwɒdrə'fɒnɪk] adj quadrophon ► ~ **sound** Quadrosound m.
quadraphony [kwɒd'rɒfənɪ] n Quadrophonie f.
quadratic [kwɒ'drætɪk] adj (*Math*) quadratisch.
quadrilateral [ˌkwɒdrɪ'lætərəl] 1 adj (*Math*) vierseitig. 2 n Viereck nt.
quadruped ['kwɒdruped] n Vierfüß(l)er m.
quadruple ['kwɒdrʊpl] 1 adj vierfach. 2 vt vervierfachen. 3 vi sich vervierfachen.
quadruplet [kwɒ'druːplɪt] n (*child*) Vierling m.
quaff [kwɒf] vt (*old, hum*) trinken, schlürfen (*hum*).
quagmire ['kwægmaɪər] n Sumpf, Morast m; (*fig*) (*of vice etc*) Morast m; (*difficult situation*) Schlamassel m (*col*).
quail¹ ['kweɪl] vi (vor Angst) zittern or beben (*before* vor +*dat*).
quail² n (*Orn*) Wachtel f.
quaint [kweɪnt] adj (+*er*) (*picturesque*) malerisch; (*charmingly old-fashioned*) urig; (*pleasantly odd*) idea kurios; old lady, way of speaking drollig.
quaintly ['kweɪntlɪ] adv see adj written schnurrig; dressed putzig; named originell.
quaintness ['kweɪntnɪs] n see adj malerische Art; Urigkeit f, Kuriosität f, Drolligkeit f.
quake [kweɪk] 1 vi beben (*with* vor +*dat*). 2 n (*col: earth~*) (Erd)beben nt.
Quaker ['kweɪkər] n Quäker(in f) m.
qualification [ˌkwɒlɪfɪ'keɪʃən] n a (*on paper*) Qualifikation f; (*document*) Zeugnis nt; (*requisite quality*) Voraussetzung f ► **what are your ~s?** welche Qualifikationen haben Sie?; **the only ~ needed is a knowledge of French** die einzige Voraussetzung sind Französischkenntnisse. b (*limitation*) Einschränkung f;

(*modification*) Modifikation f ► **to accept a plan with/without ~(s)** einen Plan unter Vorbehalt/vorbehaltlos billigen.
qualified ['kwɒlɪfaɪd] adj a (*having training*) ausgebildet; engineer graduiert; (*with university degree*) engineer Diplom- ► **highly ~** hochqualifiziert; **to be ~ to do sth** qualifiziert sein, etw zu tun; **he was not ~ for the job** ihm fehlte die Qualifikation für die Stelle. b (*limited*) praise, approval nicht uneingeschränkt ► **a ~ success** kein voller Erfolg; **~ acceptance** (*Comm*) bedingte Annahme; **in a ~ sense** mit Einschränkungen.
qualify ['kwɒlɪfaɪ] 1 vt a (*make competent*) qualifizieren; (*make legally entitled*) berechtigen ► **to ~ sb to do sth** (*entitle*) jdn berechtigen, etw zu tun; **he is not qualified to make these decisions** er ist nicht kompetent, diese Entscheidung zu treffen. b (*limit*) statement, criticism einschränken; (*change slightly*) opinion, remark modifizieren. c (*Gram*) näher bestimmen. 2 vi (*also Sport*) sich qualifizieren (*for* für); (*fulfil required conditions*) in Frage kommen (*for* für) ► **to ~ as a doctor/teacher** sein medizinisches Staatsexamen machen/die Lehrbefähigung erhalten; **he hardly qualifies as a poet** er kann kaum als Dichter angesehen werden.
qualifying ['kwɒlɪfaɪɪŋ] adj adjective erläuternd; round, heat Qualifikations- ► **~ examination** Auswahlprüfung f.
qualitative ['kwɒlɪtətɪv] adj qualitativ.
quality ['kwɒlɪtɪ] 1 n Qualität f; (*of justice, education etc*) (hoher) Stand; (*characteristic*) Eigenschaft f; (*nature*) Art f ► **of good/poor ~** von guter/schlechter Qualität; **~ matters more than quantity** Qualität geht vor Quantität; **they vary in ~** sie sind qualitativ unterschiedlich; **~ of life** Lebensqualität f. 2 $attr$ goods etc Qualitäts-; (*col: good*) erstklassig (*col*); newspaper angesehen ► **~ control** Qualitätskontrolle f; **~ time** intensiv genutzte Zeit.

ⓘ *Quality press bezeichnet die seriösen Tages- und Wochenzeitungen, im Gegensatz zu den Massenblättern. Diese Zeitungen sind fast alle großformatig und wenden sich an den anspruchsvolleren Leser, der informiert sein möchte und bereit ist, für die Zeitungslektüre viel Zeit aufzuwenden. Siehe auch **tabloid press**.*

qualm [kwɑːm] n Bedenken nt; (*scruple*) Skrupel m ► **without a ~** ohne jeden Skrupel; **~s of conscience** Gewissensbisse pl; **I had some ~s about his future** ich hatte einige Bedenken wegen seiner Zukunft.
quandary ['kwɒndərɪ] n Verlegenheit f, Dilemma nt ► **he was in a ~ about what to do** er wußte nicht, was er tun sollte.
quango ['kwæŋgəʊ] n regierungsunabhängiger Verwaltungsausschuß m.
quantify ['kwɒntɪfaɪ] vt quantifizieren (*form*).
quantitative ['kwɒntɪtətɪv] adj quantitativ.
quantity ['kwɒntɪtɪ] n Quantität f; (*amount*) Menge f; (*proportion*) Anteil m (*of* an +*dat*); (*Math, Phys, fig*) Größe f ► **in ~, in large quantities** in großen Mengen;

Q
S

in equal quantities zu gleichen Teilen; *quantities of books* Unmengen von Büchern.

quantity surveyor *n* Baukostenkalkulator *m.*

quantum ['kwɒntəm] *n, pl* **quanta** *(Phys)* Quant *nt* ▶ ~ **leap** *(Phys)* Quantensprung *m;* *(fig)* Riesenschritt *m;* ~ **physics** *sing* Quantenphysik *f;* ~ **theory** Quantentheorie *f.*

quarantine ['kwɒrəntiːn] *n* Quarantäne *f* ▶ *to be in* ~ in Quarantäne sein.

quarrel ['kwɒrəl] **1** *n* Streit *m;* *(dispute)* Auseinandersetzung *f* ▶ *they have had a* ~ sie haben Streit gehabt; *let's not have a* ~ *about it* wir wollen uns nicht darüber streiten; *to start* or *pick a* ~ einen Streit anfangen *(with* mit*);* *I have no* ~ *with him* ich habe nichts gegen ihn. **2** *vi* a *(have a dispute)* sich streiten *(with* mit, *about, over* über +*acc);* *(more trivially also)* sich zanken. **b** *(find fault)* etwas auszusetzen haben *(with* an +*dat)* ▶ *you can't* ~ *with that* daran kann man doch nichts aussetzen.

quarrelling, *(US)* **quarreling** ['kwɒrəlɪŋ] *n* Streiterei *f.*

quarrelsome ['kwɒrəlsəm] *adj* streitsüchtig; *woman also* zänkisch.

quarry¹ ['kwɒrɪ] **1** *n* a Steinbruch *m* ▶ *sandstone* ~ Sandsteinbruch *m.* **b** *(fig)* Fundgrube *f.* **2** *vt* brechen, hauen.

quarry² *n* a *(Hunt)* Beute *f.* **b** *(fig)* *(thing)* Ziel *nt;* *(person)* Opfer *nt.*

quart [kwɔːt] *n (Measure)* Quart *nt.*

quarter ['kwɔːtəʳ] **1** *n* a Viertel *nt;* *(fourth of a year)* Vierteljahr, Quartal *nt;* *(US: 25 cents)* Vierteldollar *m* ▶ *to divide sth into* ~*s* etw in vier Teile teilen; *the bottle was a* ~*/three-~s full* die Flasche war zu einem Viertel/dreiviertel voll; *a* ~ *(of a pound) of sausages* ein Viertel(pfund) Wurst; *a mile and a* ~ eineinviertel Meilen; *a* ~ *of a mile* eine Viertelmeile; *for a* ~ *of the price* zu einem Viertel des Preises; *a* ~ *of an hour* eine Viertelstunde; *a* ~ *to seven (Brit), a* ~ *of seven (US)* Viertel vor sieben; *a* ~ *past six (Brit), a* ~ *after six (esp US)* Viertel nach sechs; *an hour and a* ~ eineinviertel Stunden.
b *(district, area)* Viertel *nt* ▶ *they came from all* ~*s of the earth* sie kamen aus allen Teilen der Welt; *in these* ~*s* in dieser Gegend; *he won't get help from that* ~ von dieser Seite wird er keine Hilfe bekommen; *at close* ~*s* in der Nähe; *(from nearby)* aus der Nähe.
c *(direction)* (Himmels)richtung *f* ▶ *they came from all* ~*s* sie kamen aus allen Himmelsrichtungen.
d ~*s pl (lodgings)* Quartier *nt (also Mil),* Unterkunft *f; to be confined to* ~*s (Mil)* Stubenarrest haben.
e *to give sb no* ~ jdn nicht schonen.
2 *adj pound, mile etc* Viertel-. **3** *vt* a vierteln. **b** *(lodge)* einquartieren *(also Mil) (on* bei*).*

quarter: ~**deck** *n (Naut)* Achterdeck *nt;* ~**-final** *n* Viertelfinale *nt.*

quarterly ['kwɔːtəlɪ] **1** *adj* vierteljährlich. **2** *n* Vierteljahresschrift *f.* **3** *adv* vierteljährlich.

quarter: ~**master** *n (Mil)* Quartiermeister *m;* *(Navy)* Steuermannsmaat *m;* ~ **note** *n (US)* Viertelnote *f.*

quartet [kwɔː'tet] *n (Mus)* Quartett *nt.*

quarto ['kwɔːtəʊ] **1** *n (Typ)* Quart(format) *nt.* **2** *attr paper, volume* in Quart.

quartz ['kwɔːts] *n* Quarz *m* ▶ ~ *clock* Quarzuhr *f.*

quasar ['kweɪzɑʳ] *n* Quasar *nt.*

quash [kwɒʃ] *vt* a *(Jur)* *verdict* aufheben, annullieren. **b** *rebellion* unterdrücken; *suggestion, objection* ablehnen.

quasi- ['kwɑːzɪ] *pref* quasi-, quasi.

quaver ['kweɪvəʳ] **1** *n* a *(esp Brit Mus)* Achtel(note *f) nt.* **b** *(in voice)* Beben *nt.* **2** *vi (voice)* beben; *(Mus)* tremolieren.

quay [kiː] *n* Kai *m* ▶ *alongside the* ~ am Kai.

quayside ['kiːsaɪd] *n* Kai *m.*

queasiness ['kwiːzɪnɪs] *n* Übelkeit *f.*

queasy ['kwiːzɪ] *adj (+er) I feel* ~ mir ist übel.

Quebec [kwɪ'bek] *n* Quebec *nt.*

queen [kwiːn] *n* a *(also fig)* Königin *f* ▶ ~ *bee* Bienenkönigin *f;* ~ *mother* Königinmutter *f;* **Q~'s Counsel** Kronanwalt *m/*-anwältin *f;* ~*'s English* englische Hochsprache. **b** *(Cards, Chess)* Dame *f* ▶ ~ *of spades* Pik Dame. **c** *(col: homosexual)* Schwule(r) *m (col).*

| **QUEEN'S SPEECH** |
---

i **Queen's Speech** *(bzw* **King's Speech***)* ist eine vom britischen Monarchen bei der feierlichen alljährlichen Parlamentseröffnung im Oberhaus vor dem versammelten Ober- und Unterhaus verlesene Rede. Sie wird vom Premierminister in Zusammenarbeit mit dem Kabinett verfaßt und enthält die Regierungserklärung.

queer [kwɪəʳ] **1** *adj (+er)* a *(strange)* komisch. **b** *(col) (unwell)* unwohl; *(peculiar) feeling* komisch ▶ *I feel* ~ mir ist nicht gut/mir ist ganz komisch *(col).* **c** *(col: homosexual)* schwul *(col).* **2** *n (col: homosexual)* Schwule(r) *m (col).* **3** *vt to* ~ *sb's pitch (col)* jdm einen Strich durch die Rechnung machen.

quell [kwel] *vt fear* bezwingen; *passion* zügeln; *riot* niederschlagen; *anxieties* überwinden.

quench [kwentʃ] *vt fire* löschen; *thirst also* stillen; *enthusiasm* dämpfen.

querulous ['kwerʊləs] *adj* nörglerisch ▶ *a* ~ *person* ein Querulant *m.*

query ['kwɪərɪ] **1** *n (question)* Frage *f;* *(Comp)* Abfrage *f* ▶ *to raise a* ~ eine Frage aufwerfen. **2** *vt* a *(express doubt about)* bezweifeln; *statement, motives* in Frage stellen; *bill, item* reklamieren. **b** *(check) to* ~ *sth with sb* etw mit jdm abklären.

quest [kwest] *n (search)* Suche *f (for* nach*);* *(for knowledge, happiness etc)* Streben *nt (for* nach*).*

▼ question ['kwestʃən] **1** *n* Frage *f (to* an +*acc);* *(Parl also)* Anfrage *f (to* an +*acc);* *(no pl: doubt also)* Zweifel *m* ▶ *to ask sb a* ~ jdm eine Frage stellen, jdn etwas fragen; *beyond (all)* or *without* ~ ohne Frage, ohne (jeden) Zweifel; *without* ~ *he is ...* er ist zweifellos or ohne Zweifel ...; *his honesty is beyond* ~ seine Ehrlichkeit steht außer Frage; *your sincerity is not in* ~ niemand zweifelt an Ihrer Aufrichtigkeit; *to call sth into* ~ etw in Frage stellen; *that's another* ~ *altogether* das ist etwas völlig anderes; *that's not the* ~ darum geht es nicht; *it's not just a* ~ *of money* es ist nicht nur eine Frage des Geldes; *there's no* ~ *of that happening* es kann keine Rede davon sein, daß das passiert; *there's no* ~ *of a strike* von einem Streik kann keine Rede sein; *that's out of the* ~ das kommt nicht in Frage; *the matter in* ~ die in Frage stehende Angelegenheit. **2** *vt* a *(ask* ~*s of)* fragen *(about* nach*);* *(police etc)* vernehmen, befragen *(about* zu*);* *(examiner)* prüfen *(on* über +*acc)* ▶ *they were* ~*ed by the immigration authorities* ihnen wurden von der Einwanderungsbehörde viele Fragen gestellt. **b** *(express doubt about)* bezweifeln; *(dispute, challenge)* in Frage stellen ▶ *I* ~ *whether it's worth it* ich bezweifle, daß es der Mühe wert ist.

questionable ['kwestʃənəbl] *adj (suspect)* fragwürdig; *(open to doubt) statement, figures* fraglich; *value, advantage also* zweifelhaft.

questioner ['kwestʃənəʳ] *n* Fragesteller(in *f) m.*

questioning ['kwestʃənɪŋ] **1** adj look fragend.
2 n Verhör nt; (by police also) Vernehmung f.
question: ~**mark** n (lit, fig) Fragezeichen nt; ~ **master** n Quizmaster m.
questionnaire [ˌkwestʃə'nɛəʳ] n Fragebogen m.
queue [kjuː] **1** n (Brit: of people, cars) Schlange f ▸ **to form a** ~ eine Schlange bilden; **to stand in a** ~ Schlange stehen; **to join the** ~ sich (hinten) anstellen; **to jump the** ~ sich vordrängeln; **a** ~ **of cars** eine Autoschlange. **2** vi (Brit: also ~ **up**) Schlange stehen; (form a ~) eine Schlange bilden; (people) sich anstellen ▸ **they were queueing for bread** sie standen um Brot an.
queue-jumping ['kjuːˌdʒʌmpɪŋ] n (Brit) Vordrängeln nt.
quibble ['kwɪbl] **1** vi (be petty-minded) kleinlich sein (over, about wegen); (argue with sb) sich herumstreiten (over, about wegen) ▸ **to** ~ **over details** auf Einzelheiten herumreiten. **2** n **I've got a few** ~**s about the design** ich habe ein paar Kleinigkeiten am Design auszusetzen.
quiche [kiːʃ] n Quiche f.
quick [kwɪk] **1** adj (+er) **a** schnell; answer also prompt ▸ **be** ~! mach schnell!; (on telephone etc) faß dich kurz!; **and be** ~ **about it** aber ein bißchen dalli (col); **you were** ~ das ging ja schnell; **he was too** ~ **for me** (in speech) das ging mir zu schnell; (in escaping) er war zu schnell für mich; ~ **march!** (Mil) im Eilschritt, marsch!; **it's** ~**er by train** mit dem Zug geht es schneller; **he is** ~ **to criticize other people** er ist mit seiner Kritik schnell bei der Hand; **what's the** ~**est way to the station?** wie komme ich am schnellsten zum Bahnhof?
b (short) kiss flüchtig; speech kurz; rest klein, kurz ▸ **let me have a** ~ **look** laß mich mal schnell sehen; **could I have a** ~ **word?** könnte ich Sie mal kurz sprechen?; **I'll just write him a** ~ **note** ich schreibe ihm schnell mal; **a** ~ **one** (drink) einer/eins auf die Schnelle (col); (question) eine kurze Frage.
c (lively, ~ **to understand**) mind wach; person schnell von Begriff (col); child aufgeweckt; temper hitzig; eye, ear scharf ▸ **he is** ~ **at figures** er kann schnell rechnen.
2 n (Anat) empfindliches Fleisch (besonders unter den Fingernägeln) ▸ **to be cut to the** ~ (fig) tief getroffen sein.
3 adv (+er) schnell.
quicken ['kwɪkən] **1** vt (also ~ **up**) beschleunigen. **2** vi (also ~ **up**) schneller werden, sich beschleunigen ▸ **the pace** ~**ed** das Tempo nahm zu.
quick-fire ['kwɪkˌfaɪəʳ] adj ~ **questions** Fragen pl wie aus der Maschinenpistole.
quickie ['kwɪkɪ] n (col) (drink) einer/eins auf die Schnelle (col); (question) kurze Frage.
quicklime ['kwɪklaɪm] n ungelöschter Kalk.
quickly ['kwɪklɪ] adv schnell.
quickness ['kwɪknɪs] n **a** (speed) Schnelligkeit f. **b** (intelligence) schnelle Auffassungsgabe.
quick: ~**sand** n Treibsand m; ~**silver** n Quecksilber nt; ~**step** n Quickstep m; ~-**tempered** adj hitzig, leicht erregbar; ~-**witted** adj geistesgegenwärtig; answer schlagfertig.
quid [kwɪd] n, pl - (col) Pfund nt ▸ **20** ~ 20 Eier (col).
quiet ['kwaɪət] **1** adj (+er) **a** (silent) still; neighbours, person also, engine ruhig; music, car, voice leise ▸ **he's very** ~ er ist sehr still; **(be)** ~! Ruhe!; **to keep** ~ (not speak) still sein; (not make noise) leise sein; **keep** ~! sei/seid still!; **can't you keep your dog** ~! können Sie nicht zusehen, daß Ihr Hund still ist?; **to keep** ~ **about sth** über etw (acc) nichts sagen.
b (peaceful) ruhig; smile leise ▸ **things are very** ~ **at the moment** im Augenblick ist nicht viel los; **to lead a** ~ **life** ein ruhiges Leben führen; **everything was** ~ **on the Syrian border** an der syrischen Grenze herrschte Ruhe;

to have a ~ **drink** in aller Ruhe einen trinken (col).
c (gentle) character sanft; child ruhig; horse gutwillig; irony leise.
d (simple) style, elegance schlicht; wedding, dinner im kleinen Rahmen.
e (not overt) hatred, envy still; resentment heimlich ▸ **I'll have a** ~ **word with him** ich werde mal ein Wörtchen (im Vertrauen) mit ihm reden; **he kept the matter** ~ er behielt die Sache für sich.
2 n Ruhe f ▸ **the sudden** ~ **after the bombing** die plötzliche Stille nach dem Bombenangriff; **on the** ~ heimlich; **he left on the** ~ er ist still und heimlich weggegangen.
3 vt = **quieten**.
quieten ['kwaɪətn] vt sb zum Schweigen bringen; noisy class, dog zur Ruhe bringen; crying baby beruhigen; engine ruhiger machen; (calm) person, conscience beruhigen.
◆**quieten down** **1** vi (become silent) leiser werden; (become calm) sich beruhigen; (after wild youth) ruhiger werden. **2** vt sep beruhigen.
quietly ['kwaɪətlɪ] adv (making little noise) leise; (peacefully, making little fuss) ruhig; (secretly) still und heimlich; dressed dezent ▸ **he's very** ~ **spoken** er hat eine sehr leise Stimme; **to be** ~ **confident** insgeheim sehr sicher sein; **I was sitting here** ~ **sipping my wine** ich saß da und trank in aller Ruhe meinen Wein; **he slipped off** ~ er machte sich in aller Stille davon.
quietness ['kwaɪətnɪs] n **a** Stille f, (of engine, car) Geräuscharmut f; (of footsteps etc) Lautlosigkeit f; (of person) stille Art ▸ **the** ~ **of her voice** ihre leise Stimme. **b** (peacefulness) Ruhe f.
quill [kwɪl] n (feather, pen) Feder f, (feather stem) Federkiel m; (of porcupine) Stachel m.
quilt [kwɪlt] **1** n (continental ~) Steppdecke f, (unstitched) Federbett nt. **2** vt absteppen; (with padding) wattieren ▸ ~**ed jacket** Steppjacke f.
quilting ['kwɪltɪŋ] n (process) Absteppen nt; Wattieren nt.
quin [kwɪn] n (Brit) = **quintuplet** Fünfling m.
quince [kwɪns] n (fruit, tree) Quitte f ▸ ~ **jelly** Quittengelee nt.
quinine [kwɪ'niːn] n Chinin nt.
quintessence [kwɪn'tesns] n (fig) Quintessenz f, (embodiment) Inbegriff m.
quintet [kwɪn'tet] n (Mus) Quintett nt.
quintuplet [kwɪn'tjuːplɪt] n Fünfling m.
quip [kwɪp] **1** n witzige Bemerkung. **2** vti witzeln.
quire ['kwaɪəʳ] n (24 sheets) 24 Bogen Papier.
quirk [kwɜːk] n Marotte f, (of nature, fate) Laune f ▸ **by a strange** ~ **of fate** durch eine Laune des Schicksals.
quirky ['kwɜːkɪ] adj (+er) schrullig.
quit [kwɪt] (vb: pret, ptp ~**ted** or ~) **1** vt **a** (leave) town, army verlassen; (give up) job aufgeben. **b** (col: stop) aufhören mit ▸ **to** ~ **doing sth** aufhören, etw zu tun.
2 vi **a** (leave one's job) kündigen. **b** (go away) weg- or fortgehen ▸ **notice to** ~ Kündigung f; **they gave me notice to** ~ sie haben mir gekündigt. **c** (give up) aufgeben.
3 adj ~ **of** frei von, ledig (+gen) (geh) ▸ **we are** ~ **of him** wir sind ihn los.
quite [kwaɪt] adv **a** (entirely) ganz; (emph) völlig ▸ ~ **unnecessary/wrong** völlig unnötig/falsch; **I am** ~ **happy where I am** ich fühle mich hier ganz wohl; **I was** ~ **happy until you came along** bevor du kamst, war ich völlig zufrieden; **it's** ~ **impossible to do that** das ist völlig unmöglich; **are you** ~ **finished!** (iro) bist du endlich

fertig?; *he's ~ grown up now* er ist jetzt schon richtig erwachsen; *I ~ agree with you* ich stimme völlig mit Ihnen überein; *he ~ understands that he must go* er sieht durchaus ein, daß er gehen muß; *he has ~ recovered* er ist völlig wiederhergestellt; *that's ~ another matter* das ist doch etwas ganz anderes; *that's ~ enough for me* das reicht mir wirklich; *not ~* nicht ganz; *you weren't ~ early/tall enough* Sie waren ein bißchen zu spät dran/zu klein; *I don't ~ see what he means* ich verstehe nicht ganz, was er meint; *sorry! — that's ~ all right* Entschuldigung! — das macht doch nichts; *thank you — that's ~ all right* danke — bitte schön, gern geschehen; *~ (so)!* genau!; *~ the thing* (*col*) ganz große Mode.

b (*to some degree*) ziemlich ▶ *~ likely* sehr wahrscheinlich; *he's had ~ a lot to drink* er hat ganz schön viel getrunken (*col*); *~ a few people* ziemlich viele Leute; *he is ~ a good singer* er ist ein ziemlich guter Sänger; *I ~ like this painting* dieses Bild gefällt mir ganz gut.

c (*really, truly*) wirklich ▶ *she's ~ a girl/cook etc* sie ist ein tolles Mädchen/eine tolle Köchin *etc*; *it's ~ delightful* es ist einfach wunderbar; *it was ~ a shock* es war ein ziemlicher Schock; *that's ~ some bill* (*col*) das ist vielleicht eine Rechnung (*col*); *it was ~ an experience* das war schon ein Erlebnis; *he's ~ a hero now* jetzt ist er ein richtiger Held.

quits [kwɪts] *adj* quitt ▶ *to be ~ with sb* mit jdm quitt sein; *shall we call it ~?* sagen wir, wir sind quitt?

quiver¹ ['kwɪvəʳ] **1** *vi* zittern (*with* vor +*dat*); (*eyelids etc*) zucken. **2** *n* Zittern *nt*; Zucken *nt*.

quiver² *n* (*for arrows*) Köcher *m*.

quixotic [kwɪk'sɒtɪk] *adj* versponnen; *ideals* schwärmerisch ▶ *a ~ gesture* eine Donquichotterie.

quiz [kwɪz] **1** *n* **a** Quiz *nt*. **b** (*US Sch col*) Prüfung *f*. **2** *vt* **a** (*question closely*) ausfragen (*about* über +*acc*). **b** (*US Sch col*) prüfen.

quiz: **~game** *n* Ratespiel *nt*; **~master** *n* Quizmaster *m*; **~ show** *n* Quiz *nt*.

quizzical ['kwɪzɪkəl] *adj* **a** *air, look* fragend; *smile* zweifelnd. **b** (*odd*) eigenartig.

quoit [kwɔɪt] *n* Wurfring *m* ▶ *~s* (*game*) Wurfringspiel *nt*.

quorum ['kwɔːrəm] *n* Quorum *nt*.

quota ['kwəʊtə] *n* **a** (*of work*) Pensum *nt*. **b** (*of an +dat*) (*permitted amount*) Quantum *nt*; (*share allotted*) Anteil *m*; (*of goods*) Kontingent *nt* ▶ *the ~ of immigrants allowed into the country* die zugelassene Einwanderungsquote.

quotation [kwəʊ'teɪʃən] *n* **a** (*passage cited*) Zitat *nt*; (*act*) Zitieren *nt* ▶ *a ~ from Shakespeare* ein Shakespeare-Zitat. **b** (*St Ex*) Notierung *f*. **c** (*Comm*) Preisangebot *nt*; (*estimate*) Kostenvoranschlag *m*.

quotation marks *npl* Anführungszeichen *pl* ▶ *open/close ~* Anführungszeichen unten/oben.

quote [kwəʊt] **1** *vt* **a** *author, text* zitieren ▶ *you can ~ me (on that)* Sie können das ruhig wörtlich wiedergeben; *he was ~d as saying that ...* er soll gesagt haben, daß ...; *~... un~* Zitat Anfang ... Zitat Ende; *don't ~ me on this* (*I'm not sure*) ich kann mich nicht dafür verbürgen; (*don't repeat*) das sollte unter uns bleiben; *he said, and I ~ ...* er sagte, und zwar wörtlich, ... **b** (*cite*) anführen ▶ *to ~ sb/sth as an example* jdn/etw als Beispiel anführen. **c** (*Comm*) *price* nennen; *reference number* angeben ▶ *how much did they ~ you for that?* wieviel wollten sie dafür haben? **d** (*St Ex*) notieren ▶ *the shares are ~d at £2* die Aktien werden mit £2 notiert.

2 *vi* **a** zitieren ▶ *to ~ from an author* einen Schriftsteller zitieren. **b** (*Comm*) ein Preisangebot machen; (*builders etc*) einen Kostenvoranschlag machen.

3 *n* **a** (*from author, politician*) Zitat *nt*. **b** *~s pl* (*col*) Anführungszeichen *pl*; *in ~s* in Anführungszeichen. **c** (*Comm*) Preisangebot *nt*; (*estimate*) Kostenvoranschlag *m*.

quotient ['kwəʊʃənt] *n* (*Math*) Quotient *m*.

qv = **quod vide** s.d.

qwerty keyboard ['kwɜːˌtɪ'kiːbɔːd] *n* Qwerty-Tastatur *f*.

R

R, r [ɑːʳ] *n* R, r *nt* ▶ *R for Robert* (*Brit*), *R for Roger* (*US*) ≈ R wie Richard; *the three Rs* Lesen, Schreiben und Rechnen (*with sing or pl vb*).
R = [a] (*Brit*) **Rex; Regina.** [b] **river** Fl. [c] (*US Film*) **restricted** für Jugendliche nicht geeignet. [d] (*US Pol*) **Republican.**
r = **right** r.
RA (*Brit*) = **Royal Academy;** (*after name*) **Royal Academician.**

RAAF = **Royal Australian Air Force** australische Luftwaffe.
rabbi ['ræbaɪ] *n* Rabbiner *m*; (*as title*) Rabbi *m*.
rabbit ['ræbɪt] *n* Kaninchen *nt*.
rabbit *in cpds* Kaninchen-; **~ burrow** *or* **hole** *n* Kaninchenbau *m*; **~ hutch** *n* Kaninchenstall *m*; **~ warren** *n* (*fig: maze*) Labyrinth *nt*.
◆**rabbit on** *vi* (*Brit col*) schwafeln (*col*) ▶ *what's he ~ting ~ about?* was schwafelt er da? (*col*).
rabble ['ræbl] *n* (*disorderly crowd*) lärmender Haufen (*col*); (*pej: lower classes*) Pöbel *m*.
rabid ['ræbɪd] *adj* [a] (*Vet*) tollwütig. [b] (*fanatical*) fanatisch; *hatred* also wild.
rabies ['reɪbiːz] *n* Tollwut *f*.
RAC = **Royal Automobile Club** britischer Automobilclub ≈ ADAC *m*.
raccoon *n* = **racoon.**
race¹ [reɪs] [1] *n* Rennen *nt*; (*on foot also*) (Wett)lauf *m*; (*swimming*) Wettschwimmen *nt* ▶ *100 metres ~* 100-Meter-Lauf *m*; *to run a ~ with or against sb* mit jdm um die Wette laufen; *to go to the ~s* zum Pferderennen gehen; *a ~ against time* (*fig*) ein Wettlauf *m* gegen die Zeit.
[2] *vt* (*compete with*) um die Wette laufen/fahren/schwimmen *etc* mit; (*Sport*) laufen/fahren/schwimmen *etc* gegen ▶ *I'll ~ you to school* ich mache mit dir ein Wettrennen bis zur Schule.
[3] *vi* [a] (*compete*) laufen/fahren/schwimmen *etc* ▶ *to ~ with or against sb* mit jdm um die Wette laufen *etc*. [b] (*rush*) rasen, jagen; (*on foot also*) rennen; (*with work*) hetzen ▶ *to ~ after sb/sth* hinter jdm/etw herjagen; *to ~ ahead with sth* etw vorantreiben; *the project is racing ahead* die Arbeit am Projekt geht mit Riesenschritten voran. [c] (*engine*) durchdrehen; (*pulse*) jagen, fliegen.
race² *n* (*ethnic group, species*) Rasse *f* ▶ *of mixed ~* gemischtrassig.
race: **~ car** *n* (*US*) Rennwagen *m*; **~ car driver** *n* Rennfahrer *m*; **~course** *n* Rennbahn *f*; **~ hatred** *n* Rassenhaß *m*; **~horse** *n* Rennpferd *nt*; **~ meeting** *n* Rennveranstaltung *f*; **~ relations** *n* [a] *pl* Beziehungen *pl* zwischen den Rassen; [b] *sing* (*subject*) Rassenintegration *f*; **~track** *n* Rennbahn *f*.
racial ['reɪʃəl] *adj* rassisch; *conflict, disturbances etc* Rassen- ▶ *~ discrimination* Rassendiskriminierung *f*; *~ equality* Rassengleichheit *f*; *~ integration* Rassenintegration *f*.
racialism ['reɪʃəlɪzəm] *n* Rassismus *m*.
racialist ['reɪʃəlɪst] [1] *n* Rassist(in *f*) *m*. [2] *adj* rassistisch.
racially ['reɪʃəlɪ] *adv* in bezug auf die Rasse; *superior* rassenmäßig ▶ *~ mixed* gemischtrassig.
racial: ~ minority *n* rassische Minderheit; **~ prejudice** *n* Rassenvorurteil *nt*; **~ segregation** *n* Rassentrennung *f*.
racing ['reɪsɪŋ] *n* Rennsport *m*; (*races*) Rennen *pl*; (*horse-~*) Pferderennsport *m*; (*motor ~*) Motorrennen *nt*.
racing *in cpds* Renn-; **~ car** *n* (*Brit*) Rennwagen *m*; **~ driver** *n* (*Brit*) Rennfahrer *m*.
racism ['reɪsɪzəm] *n* = **racialism.**
racist ['reɪsɪst] *n*, *adj* = **racialist.**
rack¹ [ræk] [1] *n* [a] (*for hats, toast, pipes etc*) Ständer *m*; (*for bottles, plates also*) Gestell *nt*; (*shelves*) Regal *nt*; (*luggage ~*) Gepäcknetz *nt*; (*on car, bicycle*) Gepäckträger *m*; (*Tech*) Zahnstange *f*. [b] (*Hist*) Folter(bank) *f*. [2] *vt* [a] (*pain*) quälen ▶ *~ed with pain/remorse* von Schmerzen/Gewissensbissen geplagt. [b] *to ~ one's brains* sich (*dat*) den Kopf zerbrechen.
rack² *n*: *to go to ~ and ruin* (*country, economy*) herunterkommen, vor die Hunde gehen (*col*); (*building*) verfallen.
rack-and-pinion steering ['rækən'pɪnjən,stɪːrɪŋ] *n* (*Aut*) Zahnstangenlenkung *f*.
racket¹ ['rækɪt] *n* (*Sport*) Schläger *m*.
racket² *n* [a] (*uproar*) Krach, Lärm *m* ▶ *to make a ~* Krach machen. [b] (*col*) (*dishonest business*) Schwindelgeschäft *nt* (*col*); (*making excessive profit*) Wucher *m* ▶ *the drugs ~* das Drogengeschäft.
racketeer [,rækɪ'tɪəʳ] *n* Gauner *m* (*col*); (*making excessive profit*) Halsabschneider *m* (*col*).
raconteur [,rækɒn'tɜːʳ] *n* Erzähler(in *f*) *m* von Anekdoten.
racoon, raccoon [rə'kuːn] *n* Waschbär *m*.
racquet ['rækɪt] *n* = **racket¹.**
racy ['reɪsɪ] *adj* (*+er*) *speech, style* schwungvoll, feurig; (*risqué*) gewagt.
RADA ['rɑːdə] (*Brit*) = **Royal Academy of Dramatic Art** bekannteste britische Schauspielschule.
radar ['reɪdɑːʳ] *n* Radar *nt or m*.
radar *in cpds* Radar-; **~ operator** *n* Bediener(in *f*) *m* eines/des Radargerätes; **~ scanner** *n* Rundsuchradargerät *nt*; **~ screen** *n* Radarschirm *m*; **~ trap** *n* Radarfalle *f*.
radial ['reɪdɪəl] *adj* (*Tech*) radial ▶ *~(-ply) tyre* (*Brit*) *or* *tire* (*US*) Gürtelreifen *m*.
radiance ['reɪdɪəns] *n* Leuchten *nt*.
radiant ['reɪdɪənt] *adj* (*lit, fig*) strahlend (*with* vor +*dat*) ▶ *to be ~ with health/joy* vor Gesundheit strotzen/vor Freude strahlen.
radiate ['reɪdɪeɪt] [1] *vi* [a] Strahlen aussenden; (*emit*

heat) Wärme ausstrahlen; (*heat*) ausgestrahlt werden. **b** (*lines, roads*) strahlenförmig ausgehen (*from* von). **2** *vt* (*lit, fig*) ausstrahlen.

radiation [,reɪdɪ'eɪʃən] *n* (*of heat etc*) (Aus)strahlung *f*; (*rays*) radioaktive Strahlung; (*absorbed by body*) Strahlenbelastung *f* ▶ ~ **sickness** Strahlenkrankheit *f.*

radiator ['reɪdɪeɪtəʳ] *n* (*heating*) Heizkörper, Radiator *m*; (*Aut*) Kühler *m* ▶ ~ **grille** Kühlergrill *m*; ~ **mascot** Kühlerfigur *f.*

radical ['rædɪkəl] **1** *adj* (*basic*) fundamental; (*extreme*) *reform* radikal, grundlegend; *rethinking* total; (*Pol*) radikal.
2 *n* (*Pol*) Radikale(r) *mf.*

radically ['rædɪkəlɪ] *adv see adj* ▶ **there's something ~ wrong with this** hier stimmt etwas ganz und gar nicht.

radio ['reɪdɪəʊ] **1** *n* **a** Rundfunk *m*; (*also* ~ **set**) Radio(gerät) *nt* ▶ **to listen to the ~** Radio hören; **to hear sth on the ~** etw im Radio hören. **b** *no pl* (*telegraphy*) Funk *m* ▶ **over the** *or* **by ~** über *or* per Funk.
2 *vt person* über Funk verständigen; *message* funken, durchgeben.
3 *vi* **to ~ for help** per Funk einen Hilferuf durchgeben.

radio: ~**active** *adj* radioaktiv; ~**activity** *n* Radioaktivität *f*; ~ **announcer** *n* Rundfunksprecher(in *f*) *m*; ~ **beacon** *n* (*Aviat, Naut*) Funkfeuer *nt*; ~ **broadcast** *n* Rundfunkübertragung *f*; ~-**cassette recorder** *n* Radiorecorder *m*; ~ **contact** *n* Funkverbindung *f*; ~-**controlled** *adj* ferngesteuert; ~ **engineer** *n* Rundfunktechniker(in *f*) *m.*

radiographer [reɪdɪ'ɒgrəfəʳ] *n* Röntgenassistent(in *f*) *m.*
radiography [,reɪdɪ'ɒgrəfɪ] *n* Röntgenographie *f.*
radiology [,reɪdɪ'ɒlədʒɪ] *n* Radiologie *f*; (*X-ray also*) Röntgenologie *f.*

radio: ~ **pager** *n* Funkrufempfänger *m*; ~ **play** *n* Hörspiel *nt*; ~ **programme** *or* **program** (*US*) *n* Rundfunksendung *f*; ~ **station** *n* Radio- *or* Rundfunksender *m*; ~ **taxi** *n* Funktaxi *nt*; ~ **telephone** *n* Funksprechgerät *nt*; ~ **telescope** *n* Radioteleskop *nt*; ~**therapy** *n* Strahlentherapie *f.*

radish ['rædɪʃ] *n* Rettich *m*; (*small red*) Radieschen *nt.*

radium ['reɪdɪəm] *n* Radium *nt.*

radius ['reɪdɪəs] *n, pl* **radii** ['reɪdɪaɪ] (*Math*) Radius *m* ▶ **within a 5 mile ~ (of Hamburg)** im Umkreis von 8 km (um Hamburg).

radon ['reɪdɒn] *n* (*Chem*) Radon *nt.*

RAF = **Royal Air Force** königliche (britische) Luftwaffe.

raffia ['ræfɪə] *n* (*for handicraft*) Bast *m.*

raffle ['ræfl] **1** *n* Tombola, Verlosung *f* ▶ ~ **ticket** Los *nt.*
2 *vt* (*also* ~ **off**) verlosen.

raft [rɑːft] *n* Floß *nt.*

rafter ['rɑːftəʳ] *n* (Dach)sparren *m.*

rag[1] [ræg] *n* **a** Lumpen, Fetzen *m*; (*for cleaning*) Lappen *m* ▶ ~**s** Lumpen *pl*; (*col: clothes*) Klamotten *pl* (*col*); **in ~s** zerlumpt; **to go from ~s to riches** vom Tellerwäscher zum Millionär werden. **b** (*pej col: newspaper*) Käseblatt *nt.*

rag[2] **1** *n* (*Brit col: joke*) Jux *m* (*col*) ▶ ~ **week** (*Univ*) Woche, in der Studenten durch Aufführungen Geld für Wohltätigkeitszwecke sammeln.
2 *vt* (*tease*) aufziehen, foppen.

| **RAG DAY/WEEK** |

ⓘ *Rag Day/Week heißt der Tag bzw. die Woche, wenn Studenten Geld für wohltätige Zwecke sammeln. Diverse gesponserte Aktionen wie Volksläufe, Straßentheater und Kneipentouren werden zur Unterhaltung der Studenten und der Bevölkerung organisiert. Studentenzeitschriften mit schlüpfrigen Witzen werden auf der Straße verkauft, und fast alle Universitäten und Colleges halten einen Ball ab. Der Erlös aller Veranstaltungen fließt Wohltätigkeitsorganisationen zu.*

---

ragamuffin ['rægə,mʌfɪn] *n* Vogelscheuche *f* (*col*); (*child*) Gassenkind *nt.*

rag: ~-**and-bone man** *n* Lumpensammler *m*; ~**bag** *n* (*fig*) Sammelsurium *nt* (*col*); ~ **doll** *n* Flickenpuppe *f.*

rage [reɪdʒ] **1** *n* Wut *f*, Zorn *m* ▶ **to be in a ~** wütend sein; **to fly into a ~** einen Wutanfall bekommen; **to be (all) the ~** (*col*) der letzte Schrei sein (*col*).
2 *vi* toben.

ragged ['rægɪd] *adj person, clothes* zerlumpt; *beard* zottig; *coastline, rocks* zerklüftet; *edge, cuff* ausgefranst ▶ **to run sb ~** (*col: exhaust*) jdn fertigmachen (*col*).

raging ['reɪdʒɪŋ] *adj person* wütend; *fever* heftig; *thirst* brennend; *sea, wind* tobend ▶ **he was ~** er tobte.

rag trade *n* (*col*) Modebranche *f.*

raid [reɪd] **1** *n* Überfall *m*; (*Mil also*) Angriff *m*; (*air ~*) Luftangriff *m*; (*police ~*) Razzia *f*; (*by thieves also*) Einbruch *m.*
2 *vt* **a** überfallen; (*police*) eine Razzia durchführen in (+*dat*); (*thieves*) einbrechen in (+*acc*). **b** (*fig hum*) plündern.

raider ['reɪdəʳ] *n* (*bandit*) Gangster *m*; (*thief*) Einbrecher *m*; (*in bank*) Bankräuber *m*; (*looter*) Plünderer *m.*

rail[1] [reɪl] *n* **a** (*on bridge, stairs etc*) Geländer *nt*; (*Naut*) Reling *f*; (*curtain ~*) Schiene *f*; (*towel-~*) Handtuchhalter *m* ▶ ~**s** (*fence*) Umzäunung *f.* **b** (*for train, tram*) Schiene *f*, Gleis *nt* ▶ **to go off the ~s** (*lit*) entgleisen; (*fig: morally*) auf die schiefe Bahn geraten. **c** (~ *travel*, ~*way*) die (Eisen)bahn ▶ **to travel by ~** mit der Bahn fahren.

rail[2] *vi* **to ~ at/against sb** jdn beschimpfen/über jdn schimpfen.

railcar ['reɪlkɑːʳ] *n* Triebwagen *m.*

railing ['reɪlɪŋ] *n* (*rail*) Geländer *nt*; (*Naut*) Reling *f*; (*fence:* ~**s**) Zaun *m.*

railroad ['reɪlrəʊd] **1** *n* (*US*) (Eisen)bahn *f* ▶ ~ **station** Bahnhof *m*; ~ **tracks** Gleise *pl.*
2 *vt* **to ~ a bill** eine Gesetzesvorlage durchpeitschen; **to ~ sb into doing sth** jdn so unter Druck setzen, daß er etw tut.

railroader ['reɪlrəʊdəʳ] *n* (*US*) Eisenbahner *m.*

rail: ~ **strike** *n* Bahnstreik *m*; ~ **traffic** *n* Bahnverkehr *m.*

railway ['reɪlweɪ] *n* (*Brit*) (Eisen)bahn *f*; (*track*) Gleise *pl.*
railway (*Brit*): ~ **carriage** *n* Eisenbahnwagen *m*; ~ **compartment** *n* Zugabteil *nt*; ~ **crossing** *n* Bahnübergang *m*; ~ **engine** *n* Lokomotive *f*; ~ **line** *n* (Eisen)bahnlinie *f*; (*track*) Gleis *nt*; ~**man** *n* Eisenbahner *m*; ~ **station** *n* Bahnhof *m.*

railworker ['reɪlwɜːkəʳ] *n* Bahnarbeiter(in *f*) *m.*

rain [reɪn] **1** *n* Regen *m* ▶ **in the ~** im Regen; **come or shine** (*fig*) was auch geschieht; **the ~s** die Regenzeit.
2 *vti impers* (*lit, fig*) regnen ▶ **it is ~ing** es regnet; **it never ~s but it pours** (*prov*) ein Unglück kommt selten allein (*prov*); **it's ~ing cats and dogs** (*col*) es gießt wie aus Kübeln.

◆**rain down** *vi* (*blows etc*) niederprasseln (*upon auf* +*acc*).

◆**rain off,** (*US*) **rain out** *vt sep* **to be ~ed ~** wegen Regen nicht stattfinden.

rainbow ['reɪnbəʊ] *n* Regenbogen *m* ▶ **in all the colours of the ~** in allen Regenbogenfarben.

rain: ~-**check** *n* (*US*) **to take a ~-check on sth** (*col*) etw auf ein andermal verschieben; ~**coat** *n* Regenmantel *m*; ~**drop** *n* Regentropfen *m*; ~**fall** *n* Niederschlag *m*; ~**forest** *n* Regenwald *m*; ~**proof** *adj* regendicht; ~**storm** *n* schwere Regenfälle *pl*; ~**water** *n* Regenwasser *nt.*

rainy ['reɪnɪ] *adj* (+*er*) regnerisch, Regen-; *area*

regenreich ▶ **~ season** Regenzeit *f*; **to keep sth for a ~ day** (*fig*) etw für schlechte Zeiten aufheben.

raise [reɪz] **1** *vt* a (*lift*) object, arm heben; blinds, eyebrow, (*Theat*) curtain hochziehen; (*Naut*) anchor lichten; sunken ship heben ▶ **to ~ one's hat to sb** den Hut vor jdm ziehen; **to ~ sb from the dead** jdn von den Toten erwecken; **to ~ one's voice** lauter sprechen; (*get angry*) laut werden; **to ~ the roof** (*fig*) (*with anger*) fürchterlich toben; (*audience*) vor Begeisterung toben.

b (*increase*) (*to* auf +*acc*) salary, temperature erhöhen; price also, standard anheben ▶ **to ~ the tone** das Niveau heben; **to ~ to the power of 2** (*Math*) in die 2. Potenz erheben.

c (*promote*) (er)heben (*to* in +*acc*).

d (*build, erect*) errichten.

e (*create, evoke*) problem, question aufwerfen; objection erheben; suspicion, hope (er)wecken; spirits (herauf)beschwören ▶ **to ~ sb's/one's hopes** jdm/sich Hoffnung machen; **to ~ a laugh/smile** (*in others*) Gelächter/ein Lächeln hervorrufen; (*oneself*) lachen/lächeln; **to ~ a protest** protestieren; **to ~ hell** (*col*) einen Höllenspektakel machen (*col*).

f (*grow, breed*) children, animals aufziehen; crops anbauen ▶ **to ~ a family** Kinder großziehen.

g army aufstellen; taxes erheben; funds, money aufbringen; loan aufnehmen.

h (*end*) siege, embargo aufheben.

2 *n* (*in salary*) Gehaltserhöhung *f*; (*in wages*) Lohnerhöhung *f*.

raisin ['reɪzən] *n* Rosine *f*.

rajah ['rɑːdʒə] *n* Radscha *m*.

rake¹ [reɪk] **1** *n* Harke *f* (*esp N Ger*), Rechen *m* (*S Ger*). **2** *vt* a garden, leaves harken (*esp N Ger*), rechen (*S Ger*). b (*machine gun, searchlight*) bestreichen.

◆**rake in** *vt sep* (*col*) money kassieren (*col*) ▶ **he's raking it ~** er scheffelt das Geld nur so.

◆**rake up** *vt sep* memories, grievance aufwärmen ▶ **to ~ the past** in der Vergangenheit wühlen.

rake² *n* (*person*) Lebemann *m*.

rake-off ['reɪkɒf] *n* (*col*) (Gewinn)anteil *m*.

rakish ['reɪkɪʃ] *adj* person flott, verwegen ▶ **his hat was at a ~ angle** er hatte den Hut flott aufgesetzt.

rally ['rælɪ] **1** *n* a Versammlung *f*; (*with speaker*) Kundgebung *f*; (*Aut*) Rallye *f*. b (*Tennis*) Ballwechsel *m*.

2 *vt* troops, supporters (ver)sammeln ▶ **to ~ one's strength** all seine Kräfte sammeln.

3 a *vi* (*St Ex*) sich erholen. b (*troops, people*) sich versammeln ▶ **~ing point** Sammelplatz *m*; **to ~ to the support of sb** (*fig*) sich geschlossen hinter jdn stellen.

◆**rally around** *vi* +*prep obj* leader sich scharen um; person in distress sich annehmen (+*gen*).

ram [ræm] **1** *n* a (*animal*) Widder, Schafbock *m*. b (*Tech*) Ramme *f*, Rammbock *m*; (*hydraulic*) Stoßheber *m*.

2 *vt* a (*push*) stick, post, umbrella stoßen; (*with great force*) rammen; (*pack*) zwängen; (*Tech*) pile rammen ▶ **to ~ sth down sb's throat** (*col*) jdm etw unter die Nase reiben (*col*). b (*crash into*) ship, car rammen ▶ **the car ~med a lamppost** das Auto prallte gegen einen Laternenpfahl.

RAM (*Comp*) = **random access memory** RAM *m* or *nt*.

ramble ['ræmbl] **1** *n* Streifzug *m*; (*hike*) Wanderung *f* ▶ **to go for** or **on a ~** einen Streifzug/eine Wanderung machen.

2 *vi* a (*wander about*) Streifzüge/einen Streifzug machen; (*go on hike*) wandern. b (*in speech*) faseln (*col*); (*pej: also* **~ on**) sich schwafeln (*col*).

rambler ['ræmblər] *n* Wanderer *m*, Wanderin *f*; (*rose*) Kletterrose *f*.

rambling ['ræmblɪŋ] *adj* speech weitschweifig; person schwafelnd (*col*); building weitläufig ▶ **~ rose** Kletterrose *f*.

rambunctious [ræm'bʌŋkʃəs] *adj* (*US*) = **rumbustious**.

ramification [ˌræmɪfɪ'keɪʃən] *n* Verzweigung *f*; (*smaller, of arteries*) Verästelung *f* ▶ **the race question and its ~s** die Rassenfrage und die damit verbundenen Probleme.

ramify ['ræmɪfaɪ] *vi* (*lit, fig*) sich verzweigen.

ramp [ræmp] *n* Rampe *f*; (*hydraulic ~*) Hebebühne *f*; (*Aviat: also* **boarding ~**) Gangway *f*.

rampage ['ræmpeɪdʒ] **1** *n* **to be/go on the ~** randalieren.

2 [ræm'peɪdʒ] *vi* (*also* **~ about**) herumtoben.

rampant ['ræmpənt] *adj* plants, growth üppig; evil etc wild wuchernd *attr* ▶ **to be ~** (wild) wuchern.

rampart ['ræmpɑːt] *n* Wall *m*.

ram raid ['ræmreɪd] *n* Raubüberfall *m*, bei dem eine Geschäftsfront mit einem Fahrzeug gerammt wird.

ramrod ['ræmrɒd] *n*: **he's as stiff as a ~** er ist steif wie ein Besenstiel.

ramshackle ['ræmˌʃækl] *adj* building baufällig; car etc klapprig.

ran [ræn] *pret of* **run**.

ranch [rɑːntʃ] *n* Ranch, Viehfarm *f* ▶ **~ house** (*US*) Bungalow *m*.

rancher [rɑːntʃər] *n* Rancher, Viehzüchter *m*.

rancid ['rænsɪd] *adj* ranzig.

rancour, (*US*) **rancor** ['ræŋkər] (*of tone*) Verbitterung *f*; (*of attack*) Boshaftigkeit *f*.

R & B = **rhythm and blues** R & B *m*.

R & D = **research and development**.

random ['rændəm] **1** *n* **at ~** speak, walk, drive aufs Geratewohl; shoot, drop bombs ziellos; take wahllos; **a few examples taken at ~** ein paar willkürlich gewählte Beispiele; **I (just) chose one at ~** ich wählte einfach irgendeine (beliebige).

2 *adj* selection willkürlich, Zufalls- ▶ **a ~ bullet** eine verirrte Kugel; **a ~ shot** ein Schuß *m* ins Blaue; **he was killed by a ~ shot** er wurde von einer verirrten Kugel getötet; **to make a ~ guess** auf gut Glück raten; **~ sample** Stichprobe *f*; **~ access** (*Comp*) Direktzugriff *m*; **~ access memory** (*Comp*) Direktzugriffsspeicher *m*.

randy ['rændɪ] *adj* (+*er*) (*Brit*) scharf (*col*), geil.

rang [ræŋ] *pret of* **ring²**.

range [reɪndʒ] **1** *n* a (*scope, distance covered*) Aktionsradius *m*; (*of missile, gun, telescope also*) Reichweite *f*; (*of vehicle also*) Fahrbereich *m*; (*of plane also*) Flugbereich *m* ▶ **at a ~ of** auf eine Entfernung von; **at short/long ~** auf kurze/große Entfernung; **to be out of ~** außer Reichweite sein; **within (firing) ~** in Schußweite; **~ of vision** Gesichtsfeld *nt*. b (*spread, selection*) Reihe *f*; (*of goods also*) Sortiment *nt*; (*of colours also*) Skala *f*; (*of sizes, models*) Auswahl *f* (*of* an +*dat*) ▶ **a wide ~** eine große Auswahl; **in this price ~** in dieser Preisklasse; **out of/within my price ~** außerhalb/innerhalb meiner (finanziellen) Möglichkeiten. c (*also* **shooting ~**) (*Mil*) Schießplatz *m*; (*rifle ~*) Schießstand *m*. d (*row*) Reihe *f*; (*mountain ~*) Kette *f*. e (*US: grazing land*) Weideland *nt*.

2 *vt* (*place in a row*) aufstellen; objects also anordnen ▶ **~d right/left** (*Typ*) rechtsbündig/linksbündig.

3 *vi* a (*extend*) (*from ... to*) gehen (von ... bis); (*temperature, value*) liegen (*zwischen* ... *and*) ▶ **his interests ~ from skiing to chess** seine Interessen reichen vom Skifahren bis zum Schachspielen; **the conversation ~d over a number of subjects** die Unterhaltung kreiste um mehrere Themen. b (*roam*) streifen ▶ **to ~ over the area** im Gebiet umherstreifen.

range-finder ['reɪndʒˌfaɪndər] *n* Entfernungsmesser *m*.

ranger ['reɪndʒər] *n* a (*of forest etc*) Förster *m*. b (*US*:

mounted patrolman) Ranger *m*; (*commando*) Überfallkommando *nt*.

Rangoon [ræŋ'guːn] *n* Rangun *nt*.

rangy ['reɪndʒɪ] *adj* (+er) langglied(e)rig.

rank¹ [ræŋk] **1** *n* **a** (*Mil: grade*) Rang *m*. **b** (*class, status*) Stand *m*, Schicht *f* ▸ **people of all ~s** Leute *pl* aus allen (Gesellschafts)schichten. **c** (*row*) Reihe *f*; (*Brit: taxi* ~) Taxistand *m*. **d** (*Mil: formation*) Glied *nt* ▸ **to break ~(s)** aus dem Glied treten; **the ~s** (*Brit*) die Mannschaften und die Unteroffiziere; **the ~ and file of the party/union** die Basis der Partei/Gewerkschaft; **the ~ and file workers** die einfachen Arbeiter; **to rise from the ~s** aus dem Mannschaftsstand zum Offizier aufsteigen; (*fig*) sich hocharbeiten.

2 *vt* (*class, consider*) **to ~ sb among the best/great** etc jdn zu den Besten/Großen *etc* zählen.

3 *vi* **to ~ among** zählen zu; **to ~ above sb** bedeutender als jd sein; (*officer*) rangmäßig über jdm liegen; **to ~ 6th** den 6. Rang belegen; **he ~s as a great composer** er gilt als großer Komponist.

rank² *adj* (+er) **a** *plants* üppig; *grass* verwildert ▸ **to grow ~** wuchern. **b** *smell* übel; *fat* ranzig. **c** *attr injustice* schreiend; *nonsense* rein; *traitor, liar* übel; *stupidity* ausgesprochen.

rankings ['ræŋkɪŋz] *npl* (*Sport*) Rangliste *f*.

rankle ['ræŋkl] *vi* **to ~ (with sb)** (jdn) wurmen (*col*).

ransack ['rænsæk] *vt* (*search*) durchwühlen; (*pillage*) *house* plündern; *region* herfallen über (+acc).

ransom ['rænsəm] **1** *n* Lösegeld *nt* ▸ **to hold sb to ~** (*lit*) jdn als Geisel halten; (*fig*) jdn erpressen; **~ note** Erpresserbrief *m*.

2 *vt* (*buy free*) Lösegeld bezahlen für; (*set free*) gegen Lösegeld freilassen.

rant [rænt] *vi* (*angrily*) eine Schimpfkanonade loslassen; (*talk nonsense*) irres Zeug reden (*col*) ▸ **to ~ (and rave)** (*be angry*) herumschimpfen; **to ~ at sb** mit jdm schimpfen.

ranting ['ræntɪŋ] *n see vi* Geschimpfe *nt*; irres Zeug (*col*).

rap [ræp] **1** *n* (*noise, blow*) Klopfen *nt no pl* ▸ **there was a ~ at the door** es hat geklopft; **to take the ~** (*col*) den Kopf hinhalten müssen (*col*).

2 *vt table* klopfen auf (+acc); *window* klopfen an (+acc) ▸ **to ~ sb's knuckles** (*lit, fig*) jdm auf die Finger klopfen.

3 *vi* klopfen ▸ **to ~ at the door** kurz (an die Tür) klopfen.

rapacious [rə'peɪʃəs] *adj* habgierig.

rape¹ [reɪp] **1** *n* Vergewaltigung *f*.

2 *vt* vergewaltigen.

rape² *n* (*plant*) Raps *m* ▸ **~ (seed) oil** Rapsöl *nt*.

rapid ['ræpɪd] **1** *adj* schnell; *change also* rapide; *descent, decline, rise* steil.

2 **~s** *pl* Stromschnellen *pl*.

rapidity [rə'pɪdɪtɪ] *n see adj* Schnelligkeit *f*; Rapidheit *f*; Steilheit *f*.

rapidly ['ræpɪdlɪ] *adv see adj*.

rapier ['reɪpɪəʳ] *n* Rapier *nt*.

rapist ['reɪpɪst] *n* Vergewaltiger *m*.

rapport [ræ'pɔːʳ] *n* (*good*) ~ gutes Verhältnis; **the ~ I have with my father** das enge Verhältnis zwischen mir und meinem Vater; **in ~ with** in Harmonie mit.

rapprochement [ræ'prɒʃmɑːŋ] *n* Annäherung *f*.

rapt [ræpt] *adj* **a** *interest* gespannt; *attention* atemlos ▸ **~ in contemplation** in Betrachtungen versunken. **b** *look, smile* verzückt.

rapture ['ræptʃəʳ] *n* (*delight*) Entzücken *nt*; (*ecstasy*) Verzückung *f* ▸ **to be in ~s** entzückt sein (*over* über +acc, *about* von); **to go into ~s** ins Schwärmen geraten.

rapturous ['ræptʃərəs] *adj* '*applause, reception* stürmisch; *exclamation* entzückt; *look* verzückt.

rare [rɛəʳ] *adj* (+er) **a** selten ▸ **it's ~ for her to come** sie

kommt nur selten. **b** *atmosphere* dünn. **c** *meat* roh; *steak* blutig, englisch.

rarebit ['rɛəbɪt] *n* = **Welsh ~**.

rarefied ['rɛərɪfaɪd] *adj atmosphere, air* dünn; (*fig*) exklusiv.

rarely ['rɛəlɪ] *adv* selten.

raring ['rɛərɪŋ] *adj*: **to be ~ to go** (*col*) in den Startlöchern sein (*col*).

rarity ['rɛərɪtɪ] *n* Seltenheit *f*; (*rare occurrence also*) Rarität *f*.

rascal ['rɑːskəl] *n* Gauner *m*; (*child*) Schlingel *m*.

rash¹ [ræʃ] *n* (*Med*) Ausschlag *m* ▸ **to break out in a ~** einen Ausschlag bekommen.

rash² *adj* (+er) *person* unbesonnen; *act also* überstürzt; *words, decision* voreilig.

rasher ['ræʃəʳ] *n* **~ of bacon** Speckstreifen *m*.

rashly ['ræʃlɪ] *adv see adj*.

rashness ['ræʃnɪs] *n see adj* Unbesonnenheit *f*; Überstürztheit *f*; Voreiligkeit *f*.

rasp [rɑːsp] **1** *n* (*tool*) Raspel *f*; (*noise*) Kratzen *nt no pl*. **2** *vt* **a** (*Tech*) raspeln. **b** *... he rasped ...*, krächzte er.

raspberry ['rɑːzbərɪ] **1** *n* Himbeere *f* ▸ **to blow a ~** (*col*) verächtlich schnauben.

2 *adj jam* Himbeer-.

rasping ['rɑːspɪŋ] **1** *adj sound* kratzend; *voice* krächzend; *cough, breath* keuchend.

2 *n* (*sound*) Kratzen *nt*; (*of voice*) Krächzen *nt*.

rat [ræt] *n* Ratte *f*; (*pej col: person*) elender Verräter (*col*) ▸ **to smell a ~** den Braten riechen (*col*).

ratchet ['rætʃɪt] *n* Ratsche *f* ▸ **~ wheel** Sperrad *nt*.

rate [reɪt] **1** *n* **a** (*ratio, proportion, frequency*) Rate *f*; (*speed*) Tempo *nt* ▸ **at a ~ of 5 per hour** (in einem Tempo von) 5 pro Stunde; **~ of flow** (*of water etc*) Fluß *m*; **pulse ~** Puls *m*; **at a great** (*col*) **~, at a ~ of knots** (*col*) in irrsinnigem Tempo (*col*); **at this ~** (*fig*) wenn das so weitergeht; **if you continue at this ~** (*lit, fig*) wenn du in diesem Tempo weitermachst; **at any ~** auf jeden Fall. **b** (*Comm, Fin*) Satz *m*; (*St Ex*) Kurs *m* ▸ **~ of exchange** Wechselkurs *m*; **what's the ~ of pay?** wie hoch ist die Bezahlung?; **~ of interest** Zinssatz *m*; **postage ~s** Postgebühren *pl*; **there is a reduced ~ for children** Kinderermäßigung wird gewährt. **c** **~s** *pl* (*Brit old: municipal tax*) Kommunalabgaben *pl*.

2 *vt* **a** (*estimate value or worth of*) (ein)schätzen ▸ **to ~ sb/sth among ...** jdn/etw zu ... zählen; **how do you ~ these results?** was halten Sie von diesen Ergebnissen?; **to ~ sb/sth as sth** jdn/etw für etw halten; **he is generally ~d as ...** er gilt allgemein als ...; **to ~ sb/sth highly** jdn/etw hoch einschätzen. **b** (*Brit old*) **a house ~d at £500 per annum** ein Haus, dessen steuerbarer Wert £500 pro Jahr ist.

3 *vi* **to ~ as/among ...** gelten als .../zählen zu ...

ratepayer ['reɪtˌpeɪəʳ] *n* (*Brit old*) Steuerzahler *m* (*von Kommunalabgaben*).

▼ **rather** ['rɑːðəʳ] *adv* **a** (*for preference*) lieber ▸ **~ than wait, he went away** er ging lieber, als daß er wartete; **I would ~ have the blue dress** ich hätte lieber das blaue Kleid; **I would ~ be happy than rich** ich wäre lieber glücklich als reich; **I would ~ you came yourself** mir wäre es lieber, Sie kämen selbst; **I'd ~ not** lieber nicht; **he expects me to phone ~ than (to) write** er erwartet eher, daß ich anrufe, als daß ich schreibe.

b (*more accurately*) vielmehr ▸ **he is, or ~ was, a soldier** er ist, beziehungsweise *or* vielmehr war, Soldat; **a car, or ~ an old banger** ein Auto, genauer gesagt eine alte Kiste.

c (*to a considerable degree*) ziemlich; (*somewhat*) etwas ▸ **he felt ~ better** er fühlte sich bedeutend wohler; **it's ~ more difficult than you think** es ist um einiges schwieriger, als du denkst; **she's ~ an idiot/a**

killjoy sie ist reichlich doof (*col*)/ein richtiger Spielverderber; *I ~ think he's wrong* ich glaube fast, er hat unrecht; *~!* (*col*) und ob! (*col*), klar! (*col*).

ratification [rætɪfɪ'keɪʃən] *n* Ratifizierung *f.*

ratify ['rætɪfaɪ] *vt* ratifizieren.

rating ['reɪtɪŋ] *n* [a] (*assessment*) (Ein)schätzung *f.* [b] (*class*) (*Sport: of yacht, car*) Klasse *f;* (*Fin: also credit ~*) Kreditfähigkeit *f.* [c] (*Naut*) (*rank*) Rang *m;* (*sailor*) Matrose *m.* [d] (*TV*) *~s* Einschaltquote *f.*

ratio ['reɪʃɪəʊ] *n* Verhältnis *nt* ▶ *the ~ of men to women* das Verhältnis von Männern zu Frauen; *in the or a ~ of 100 to 1* (*written 100:1*) im Verhältnis 100 zu 1.

ration ['ræʃən] [1] *n* Ration *f;* (*fig*) Quantum *nt* ▶ *~s* (*food*) Rationen *pl; to put sb on short ~s* jdn auf halbe Ration setzen; *~ book* Bezugsscheinheft *nt;* (*for food*) ≃ Lebensmittelkarte *f.*
[2] *vt goods, food* rationieren ▶ *he was ~ed to 1 kg* ihm wurde nur 1 kg erlaubt.

rational ['ræʃənl] *adj* (*having reason*) vernunftbegabt, rational; (*reasonable*) vernünftig; *person, action also* rational; (*Med: lucid, sane*) *person* bei klarem Verstand.

rationale [ræʃə'nɑːl] *n* Gründe *pl.*

rationalization [ˌræʃnəlaɪ'zeɪʃən] *n* Rationalisierung *f.*

rationalize ['ræʃnəlaɪz] *vt* rationalisieren; *problem* vernünftig betrachten.

rationing ['ræʃənɪŋ] *n* Rationierung *f.*

rat: ~pack *n* (*Brit col: journalists*) Journalistenmeute *f* (*pej col*); *~ poison* *n* Rattengift *nt; ~-race* *n* ständiger Konkurrenzkampf.

rattle ['rætl] [1] *vi* klappern; (*chains*) rasseln; (*bottles*) klirren; (*gunfire*) knattern ▶ *there's something rattling* da klappert etwas.
[2] *vt* [a] *dice, keys* schütteln; *chains* rasseln mit; *windows* rütteln an (+*dat*). [b] (*col: alarm*) *person* durcheinanderbringen ▶ *don't get ~d!* reg dich nicht auf!
[3] *n* [a] (*sound*) *see vi* Klappern *nt no pl;* Rasseln *nt no pl;* Klirren *nt no pl;* Knattern *nt no pl.* [b] (*child's*) Rassel *f;* (*sports fan's*) Schnarre *f.*

♦**rattle off** *vt sep speech, list* herunterrasseln.

♦**rattle on** *vi* (*col*) (unentwegt) quasseln (*col*) (*about* über +*acc*).

rattle: ~snake *n* Klapperschlange *f; ~trap* *n* (*hum col*) Klapperkiste *f* (*hum col*).

ratty ['rætɪ] *adj* (+*er*) [a] (*Brit col: irritable*) gereizt ▶ *don't get ~* sei nicht so gereizt. [b] (*US col: shabby*) schäbig.

raucous *adj*, *~ly adv* ['rɔːkəs, -lɪ] rauh, heiser.

raunchy ['rɔːntʃɪ] *adj* (+*er*) (*col*) (*lecherous*) geil; (*vulgar*) vulgär; *novel* rasant.

ravage ['rævɪdʒ] [1] *n ~s* (*of war*) Verheerung *f* (*of* durch); *the ~s of time* die Spuren *pl* der Zeit.
[2] *vt* (*ruin*) verwüsten; (*plunder*) plündern.

rave [reɪv] [1] *vi* phantasieren; (*speak furiously*) toben; (*col: speak, write enthusiastically*) schwärmen (*about, over* von).
[2] *n* (*dance*) wilde Fete *or* Party *(bei der Drogen genommen werden).*
[3] *attr ~ review* (*col*) begeisterte Kritik.

raven ['reɪvn] *n* Rabe *m.*

ravenous ['rævənəs] *adj animal* ausgehungert; *person also* heißhungrig; *appetite* gewaltig ▶ *I'm ~* ich habe einen Bärenhunger (*col*).

ravine [rə'viːn] *n* Schlucht *f.*

raving ['reɪvɪŋ] [1] *adj* (*frenzied*) wahnsinnig, verrückt; (*delirious*) im Delirium ▶ *a ~ lunatic* (*col*) ein kompletter Idiot (*col*).
[2] *adv ~ mad* (*col*) total verrückt (*col*).
[3] *n ~(s)* Phantasien *pl.*

ravioli [rævɪ'əʊlɪ] *n* Ravioli *pl.*

ravishing *adj*, *~ly adv* ['rævɪʃɪŋ, -lɪ] atemberaubend.

raw [rɔː] [1] *adj* (+*er*) [a] (*uncooked*) roh; (*unprocessed*)

ore, sugar also Roh-; *spirit* rein; *cloth* ungewalkt; *leather* ungegerbt; (*fig*) *statistics* nackt ▶ *to give sb a ~ deal* (*col*) jdn unfair behandeln; *to get a ~ deal* (*col*) schlecht wegkommen (*col*); *~ material* Rohstoff *m.* [b] (*inexperienced*) *troops* neu, unerfahren ▶ *~ recruit* (*fig*) blutiger Anfänger (*col*). [c] (*sore*) *wound* offen; *skin* wund. [d] *wind, air* rauh. [e] (*esp US: coarse*) derb.
[2] *n* [a] *to touch sb on the ~* (*Brit*) bei jdm einen wunden Punkt berühren. [b] *nature in the ~* die rauhe Seite der Natur.

ray¹ [reɪ] *n* Strahl *m* ▶ *a ~ of hope* ein Hoffnungsschimmer *m.*

ray² *n* (*fish*) Rochen *m.*

rayon ['reɪɒn] [1] *n* Reyon *nt.*
[2] *adj* Reyon-.

raze [reɪz] *vt to ~ to the ground* dem Erdboden gleichmachen.

razor ['reɪzə'] *n* Rasierapparat *m;* (*cutthroat*) Rasiermesser *nt* ▶ *electric ~* (elektrischer) Rasierapparat; *to be on a ~'s edge* auf Messers Schneide stehen.

razor: ~ blade *n* Rasierklinge *f; ~-sharp* *adj knife* scharf (wie ein Rasiermesser); (*fig*) *person* sehr scharfsinnig; *mind, wit* messerscharf; *~ wire* *n* Bandstacheldraht, Nato-Draht (*col*) *m.*

razzmatazz ['ræzmə'tæz] *n* (*col*) Rummel *m,* Tamtam *nt* (*col*).

RC = **Roman Catholic** rk, r.-k.

Rd = **Road** Str.

RD (*US*) = **rural delivery** Landpostzustellung *f.*

RDC (*Brit*) = **rural district council.**

RE = **Religious Education.**

re [riː] *prep* (*Comm*) betreffs (+*gen*) ▶ *~ your letter of the 16th* Betr(eff): Ihr Brief vom 16.

re- [riː-] *pref* wieder-.

reach [riːtʃ] [1] *n* [a] *within/out of sb's ~* in/außer jds Reichweite (*dat*); *keep out of ~ of children* von Kindern fernhalten; *within easy ~ of the sea* in unmittelbarer Nähe des Meeres; *I keep it within easy ~* ich habe es in greifbarer Nähe. [b] (*of river*) Strecke *f* ▶ *the upper ~es* der Oberlauf.
[2] *vt* [a] (*arrive at*) erreichen; *town* ankommen in (+*dat*); *agreement* erzielen; *conclusion* kommen zu ▶ *when the news ~ed my ears* als mir die Nachricht zu Ohren kam; *to ~ page 50* bis Seite 50 kommen; *you can ~ me at my hotel* Sie erreichen mich in meinem Hotel. [b] (*stretch to get or touch*) *to be able to ~ sth* an etw (*acc*) (heran)reichen können; *can you ~ it?* kommen Sie dran? [c] (*come up to, go down to*) reichen bis zu ▶ *he ~es her shoulder* er geht ihr bis zur Schulter.
[3] *vi* [a] (*to, as far as* bis) reichen; (*territory etc also*) sich erstrecken. [b] (*stretch out hand or arm*) greifen ▶ *to ~ for sth* nach etw greifen *or* langen (*col*).

♦**reach out** [1] *vt sep he ~ed ~ his hand to take the book* er streckte die Hand aus, um das Buch zu nehmen.
[2] *vi* die Hand/Hände ausstrecken ▶ *to ~ ~ for sth* nach etw greifen *or* langen (*col*).

reachable ['riːtʃəbl] *adj* erreichbar.

react [riː'ækt] *vi* reagieren (*to* auf +*acc*) ▶ *to ~ against* negativ reagieren auf (+*acc*).

reaction [riː'ækʃən] *n* Reaktion *f* (*to* auf +*acc, against* gegen); (*Mil*) Gegenschlag *m* ▶ *what was his ~ to your suggestion?* wie hat er auf Ihren Vorschlag reagiert?

reactionary [riː'ækʃənrɪ] *adj* reaktionär.

reactor [riː'æktə'] *n* (*Phys*) Reaktor *m.*

read¹ [riːd] (*vb: pret, ptp* **read** [red]) [1] *vt* [a] lesen; (*to sb*) vorlesen (*to dat*) ▶ *can you ~ music?* können Sie Noten lesen?; *to take sth as read* (*fig*) (*as self-evident*) etw als selbstverständlich voraussetzen; (*as agreed*) etw für abgemacht halten. [b] (*interpret*) *thoughts, feelings* lesen; *dream* deuten; *words* verstehen ► *to ~ sb's thoughts/mind* jds Gedanken lesen; *to ~ sb's hand* jdm aus der Hand lesen; *these words can be read in several ways* diese Wörter können unterschiedlich verstanden werden; *to ~ something into a text* etwas in einen Text (hinein)lesen. [c] (*Univ: study*) studieren. [d] *thermometer etc* ablesen ► *to ~ a meter* einen Zähler(stand) ablesen; *to ~ the gas meter* das Gas ablesen.

[2] *vi* lesen; (*to sb*) vorlesen (*to dat*); (*have wording*) lauten ► *to ~ aloud* laut lesen; *to ~ to oneself* für sich lesen; *he likes being read to* er läßt sich (*dat*) gern vorlesen; *this book ~s well* das Buch liest sich gut; *the letter ~s as follows* der Brief besagt folgendes *or* hat folgenden Wortlaut (*form*).

[3] *n she enjoys a good ~* sie liest gern; *this book is quite a good ~* das Buch liest sich gut.

◆**read in** *vt sep* (*Comp*) einlesen.
◆**read off** *vt sep* ablesen; (*without pause*) herunterlesen.
◆**read on** *vi* weiterlesen.
◆**read out** *vt sep* vorlesen.
◆**read over** *or* **through** *vt sep* durchlesen.
◆**read up** [1] *vt sep* nachlesen über (+*acc*).
　[2] *vi* nachlesen (*on* über +*acc*).

read² [red] [1] *pret, ptp of* **read¹**.
　[2] *adj he is well ~* er ist sehr belesen.

readable ['riːdəbl] *adj* (*legible*) lesbar; (*worth reading*) lesenswert.

readdress [ˌriːə'dres] *vt* umadressieren.

reader ['riːdə'] *n* [a] Leser(in *f*) *m*. [b] (*Brit Univ*) ≃ Dozent(in *f*) *m*. [c] (*schoolbook*) Lesebuch *nt*; (*to teach reading*) Fibel *f*; (*foreign language text*) Text *m*; (*anthology*) Sammelband *m*.

readership ['riːdəʃɪp] *n* Leserschaft *f* ► *a wide ~* eine große Leserschaft.

readies ['redɪz] *npl* (*col: cash*) Bare(s) *nt* (*col*) ► *100 in ~* 100 bar auf die Hand (*col*).

readily ['redɪlɪ] *adv* bereitwillig; (*easily*) leicht.

readiness ['redɪnɪs] *n* Bereitschaft *f* ► *to be (kept) in ~ (for sth)* (für etw) bereitgehalten werden; *his ~ to help* seine Hilfsbereitschaft.

reading ['riːdɪŋ] *n* [a] (*action*) Lesen *nt*; (*by author*) Lesung *f*. [b] (*~ matter*) Lektüre *f* ► *this book makes very interesting ~* dieses Buch ist sehr interessant zu lesen. [c] (*interpretation*) Interpretation *f* ► *my ~ of this sentence* mein Verständnis des Satzes. [d] (*from thermometer/meter*) Thermometer-/Zählerstand *m*; (*from instruments*) Anzeige *f* ► *to take a ~* den Thermometerstand/Zählerstand/die Anzeige ablesen.

reading: *~ glasses npl* Lesebrille *f*; *~ knowledge n to have a ~ knowledge of a language* eine Sprache lesen können; *~ lamp n* Leselampe *f*; *~ list n* Lektüreliste *f*; *~ matter n* Lesestoff *m*; *~ room n* Lesesaal *m*.

readjust [ˌriːə'dʒʌst] [1] *vt instrument, mechanism* neu einstellen; (*correct*) nachstellen.
　[2] *vi* sich wieder anpassen (*to* an +*acc*).

read: *~only memory n* (*Comp*) Lesespeicher, Festwertspeicher *m*; *~out n* (*Comp*) Anzeige *f*.

ready ['redɪ] [1] *adj* [a] fertig; (*prepared also*) bereit ► *~ for use* gebrauchsfertig; *~ to serve* tischfertig; *~ for battle* kampfbereit; *~ for anything* zu allem bereit; *are you ~ to go?* sind Sie soweit?; *I'm ~ for him!* er soll nur kommen!; *everything is ~ for his visit* alles ist für seinen Besuch bereit; *to be ~ with an excuse* eine Entschuldigung bereit haben; *to get (oneself) ~* sich fertigmachen; *to get ~ to do sth* sich bereitmachen, etw zu tun; *to get ~ to go out* sich zum Ausgehen fertigmachen. [b] *~ to do sth* (*willing*) bereit, etw zu tun; (*quick*) schnell dabei, etw zu tun; *I'm ~ to believe it* ich möchte das fast glauben; *he was ~ to cry* er war den Tränen nahe. [c] (*available*) *~ money* jederzeit verfügbares Geld; *~ cash* Bargeld *nt*.

[2] *n at the ~* (*Mil*) mit dem Gewehr im Anschlag; (*fig*) marsch-/fahrbereit *etc*; *with his pen at the ~* mit gezücktem Federhalter.

ready *in cpds* fertig-; *~-made adj curtains* fertig; *clothes* Konfektions-; *solution* Patent-; *~ reckoner n* Rechentabelle *f*; *~-to-wear adj* Konfektions-, von der Stange (*col*).

reaffirm [ˌriːə'fɜːm] *vt* erneut versichern.

real ['rɪəl] [1] *adj* [a] wirklich; (*genuine*) *gold, flowers, joy* echt; (*as opposed to substitute*) richtig; (*true, actual*) *owner, reason, purpose also* eigentlich; (*not imaginary*) *creature, world also*, (*Econ*) real ► *~ ale* (*Brit*) nach altem Rezept gebrautes Bier; *~ coffee* Bohnenkaffee *m*; *in ~ life* im wirklichen Leben; *in ~ terms* effektiv; *it's the ~ thing or McCoy, this whisky!* dieser Whisky ist das einzig Wahre; *~ time* (*Comp*) Echtzeit *f*. [b] *~ estate* Immobilien *pl*.

[2] *adv* (*esp US col*) echt (*col*), wirklich.

[3] *n for ~* (*col*) wirklich, echt (*col*); *is that invitation for ~?* ist die Einladung ernst gemeint?; *this time it's for ~* diesmal ist es ernst.

realism ['rɪəlɪzəm] *n* Realismus *m*.

realist ['rɪəlɪst] *n* Realist *m*.

realistic [rɪə'lɪstɪk] *adj* realistisch.

reality [riː'ælɪtɪ] *n* [a] Wirklichkeit, Realität *f* ► *to become ~* sich verwirklichen; *(the) ~ is somewhat different* die Wirklichkeit sieht etwas anders aus; *in ~* (*in fact*) in Wirklichkeit; (*actually*) eigentlich. [b] (*trueness to life*) Naturtreue *f*.

realization [ˌrɪəlaɪ'zeɪʃən] *n* [a] (*of assets*) Realisation *f*; (*of hope, plan*) Realisierung, Verwirklichung *f*. [b] (*awareness*) Erkenntnis *f*.

realize ['rɪəlaɪz] *vt* [a] (*become aware of*) erkennen, sich (*dat*) bewußt werden (+*gen*); (*be aware of*) sich (*dat*) klar sein über (+*acc*); (*appreciate*) begreifen; (*notice*) bemerken; (*discover*) feststellen ► *does he ~ the problems?* sind ihm die Probleme bewußt?; *I ~d what he meant* ich begriff, was er meinte; *I ~d how he had done it* ich erkannte, wie er es gemacht hatte; *I'd ~d it was raining* ich hatte gemerkt, daß es regnete; *I ~d I didn't have any money on me* ich stellte fest, daß ich kein Geld dabei hatte; *you couldn't be expected to ~ that* das konnten Sie nicht wissen; *he came to ~ that ...* er kam zu der Erkenntnis, daß .... [b] *hope, plan* verwirklichen. [c] (*Fin*) *assets* realisieren; *price* erzielen; *interest* abwerfen; (*goods*) einbringen.

really ['rɪəlɪ] [1] *adv* [a] (*in reality*) wirklich, tatsächlich ► *I don't ~ think so* das glaube ich eigentlich nicht. [b] (*intensifier*) wirklich, echt (*col*) ► *you ~ must visit Paris* Sie müssen wirklich Paris besuchen.

[2] *interj* wirklich, ehrlich.

realm [relm] *n* (*liter: kingdom*) Königreich *nt*; (*fig*) Reich *nt* ► *within the ~s of possibility* im Bereich des Möglichen.

realtor ['rɪəltɔː'] *n* (*US*) Grundstücksmakler *m*.

ream [riːm] *n* (*of paper*) Ries *nt* ► *he always writes ~s* (*col*) er schreibt immer ganze Bände (*col*).

reap [riːp] *vt* [a] *corn* (*cut*) schneiden, mähen; (*harvest*) ernten. [b] (*fig*) *profit* ernten; *reward* bekommen.

reaper ['riːpə'] *n* Mähmaschine *f*.

reappear [ˌriːə'pɪə'] *vi* wiederauftauchen.

reappearance [ˌriːə'pɪərəns] *n* Wiederauftauchen *nt*.

reapply [riːə'plaɪ] *vi* (*for job*) sich erneut bewerben (*for* um).

reappraisal [ˌriːə'preɪzəl] *n* Neubeurteilung *f*.

rear¹ [rɪə'] [1] *n* (*back part*) hinterer Teil; (*col: buttocks*) Hintern *m* (*col*) ► *to be situated at the ~ of the plane* (*inside*) hinten im Flugzeug sein; (*outside*) am hinteren Ende des Flugzeugs sein; *at the ~ of the building* (*outside*) hinter dem Haus; (*inside*) hinten im Haus; *from the ~* von hinten; *to bring up the ~* (*Mil*) die

Nachhut bilden; (*fig*) das Schlußlicht bilden.
2 *adj* Hinter-, hintere(r, s); (*Aut*) *engine, window* Heck-
► ~ *door* (*of car*) hintere Tür; ~ *wheel/lights* (*Aut*)
Hinterrad *nt*/Rücklichter *pl*.
rear² 1 *vt* a *animals, family* großziehen, aufziehen. b
to ~ its head (*animal*) den Kopf zurückwerfen; *racialism ~ed its ugly head* der Rassismus kam zum Durchbruch.
2 *vi* (*also ~ up*) (*horse*) sich aufbäumen.
rear: ~-engined *adj* (*Aut*) mit Heckmotor; ~ **guard** *n*
(*Mil*) Nachhut *f*.
rearm [ˌriːˈɑːm] 1 *vt country* wiederbewaffnen; *forces*
neu ausrüsten.
2 *vi* wieder aufrüsten; sich neu ausrüsten.
rearmament [ˌriːˈɑːməmənt] *n see vb* Wiederaufrüs-
tung *f*; Neuausrüstung *f*.
rearrange [ˌriːəˈreɪndʒ] *vt furniture, system* umstellen;
plans also, order, ideas ändern; *meeting* verlegen.
rearrangement [ˌriːəˈreɪndʒmənt] *n see vt* Umstellung
f; Änderung *f*; Verlegung *f*.
rear-view mirror [ˈrɪəˌvjuːˈmɪrər] *n* Rückspiegel *m*.
▼ **reason** [ˈriːzn] 1 *n* a (*cause, justification*) Grund *m*
(*for* für) ► *to give sb ~ for complaint* jdm Anlaß *or*
Grund zur Klage geben; *you have no ~ to interfere* Sie
haben keinen Grund, sich einzumischen; *I want to
know the ~ why* ich möchte wissen, weshalb; *and
that's the ~ why ...* und deshalb ...; *I have (good) ~ to
believe that ...* ich habe (guten) Grund zu der Annahme, daß ...; *there is every ~ to believe (that) ...* es
spricht alles dafür, daß ...; *for that very ~* eben
deswegen; *for the very ~ that she was there* gerade
weil sie da war; *with (good) ~* mit gutem Grund; *for no
particular ~* ohne bestimmten Grund; *all the more ~
for doing it* um so mehr Grund, das zu tun; *by ~ of*
wegen (+*gen*).
b *no pl* (*faculty*) Verstand *m*; (*common sense*) Vernunft *f* ► *to lose one's ~* den Verstand verlieren; *he
won't listen to ~* er läßt sich (*dat*) nichts sagen; *that
stands to ~* das ist logisch; *you can have anything within ~* Sie können alles haben, solange es sich in Grenzen
hält.
2 *vi* a (*think logically*) vernünftig *or* logisch denken.
b (*argue*) diskutieren ► *to ~ with sb* vernünftig mit
jdm reden.
3 *vt* a *to ~ why/what ...* sich (*dat*) klarmachen,
warum/was ... b (*also ~ out*) (*deduce*) folgern; (*verbally*) argumentieren.
reasonable [ˈriːznəbl] *adj* a vernünftig; *chance* reell;
claim, doubt berechtigt; *amount* angemessen; (*acceptable*) *excuse, offer* akzeptabel ► *beyond (all) ~ doubt*
ohne (jeden) Zweifel. b (*quite good*) ordentlich, ganz
gut.
reasonably [ˈriːznəblɪ] *adv* a *behave, act, think* vernünftig ► *one could ~ think that ...* man könnte durchaus annehmen, daß ...; ~ *priced* preiswert. b (*quite*)
ziemlich, ganz.
reasoned [ˈriːznd] *adj* durchdacht.
reasoning [ˈriːznɪŋ] *n* Argumentation *f* ► ~ *is not his
strong point* logisches Denken ist nicht gerade seine
starke Seite.
reassemble [ˌriːəˈsembl] *vi* sich wieder versammeln.
reassert [ˌriːəˈsɜːt] *vt to ~ oneself or one's authority*
seine Autorität wieder geltend machen.
reassurance [ˌriːəˈʃʊərəns] *n* a (*feeling of security*)
Beruhigung *f* ► *to give sb ~* jdn beruhigen. b (*renewed
confirmation*) Bestätigung *f* ► *despite his ~(s)* trotz
seiner Versicherungen.
reassure [ˌriːəˈʃʊər] *vt* a (*relieve sb's mind*) beruhigen;
(*give feelings of security to*) das Gefühl der Sicherheit
geben (+*dat*). b (*verbally*) versichern (+*dat*) ► *to ~ sb
of sth* jdm etw versichern.

reassuring [ˌriːəˈʃʊərɪŋ] *adj* beruhigend.
reawakening [ˌriːəˈweɪknɪŋ] *n* Wiedererwachen *nt*.
rebate [ˈriːbeɪt] *n* (*money back*) Rückvergütung *f*.
rebel [ˈrebl] 1 *n* Rebell(in *f*) *m*.
2 *adj attr* rebellisch.
3 [rɪˈbel] *vi* rebellieren.
rebellion [rɪˈbeljən] *n* Rebellion *f*, Aufstand *m*.
rebellious [rɪˈbeljəs] *adj* rebellisch.
rebirth [ˌriːˈbɜːθ] *n* Wiedergeburt *f*.
reboot [ˌriːˈbuːt] *vti* (*Comp*) rebooten, neu laden.
reborn [ˌriːˈbɔːn] *adj to be ~* wiedergeboren werden; *to
be ~ in* (*fig*) weiterleben in (+*dat*).
rebound [rɪˈbaʊnd] 1 *vi* zurückprallen (*against, off*
von) ► *your violent methods will ~ on you* Ihre rauhen
Methoden werden auf Sie zurückfallen.
2 [ˈriːbaʊnd] *n* (*of ball, bullet*) Rückprall *m* ► *she married him on the ~* sie heiratete ihn, um sich über einen
anderen hinwegzutrösten.
rebuff [rɪˈbʌf] 1 *n* Abfuhr *f* ► *to meet with a ~*
abgewiesen werden, eine Abfuhr bekommen; (*from opposite sex*) einen Korb bekommen (*col*).
2 *vt* abweisen; einen Korb geben (+*dat*) (*col*).
rebuild [ˌriːˈbɪld] *vt house* wieder aufbauen; (*fig*) *country, relationship* wiederaufbauen.
rebuilding [ˌriːˈbɪldɪŋ] *n* Wiederaufbau *m*.
rebuke [rɪˈbjuːk] 1 *n* Zurechtweisung *f*.
2 *vt* zurechtweisen (*for* wegen), tadeln (*for* für).
rebut [rɪˈbʌt] *vt contention* widerlegen.
rebuttal [rɪˈbʌtl] *n* Widerlegung *f*.
recalcitrant [rɪˈkælsɪtrənt] *adj* aufsässig.
recall [rɪˈkɔːl] 1 *vt* a (*summon back, evoke*) zurückrufen; *ambassador* abberufen; *library book,* (*Fin*) *capital*
zurückfordern. b (*remember*) sich erinnern an (+*acc*) ►
I cannot ~ meeting him ich kann mich nicht daran
erinnern, daß ich ihn kennengelernt habe.
2 *n see vt* a Rückruf *m*; Abberufung *f*; Rückforde-
rung *f* ► *beyond ~* für immer vorbei.
recant [rɪˈkænt] 1 *vt religious belief* widerrufen; *statement also* zurücknehmen.
2 *vi* widerrufen.
recap [ˈriːkæp] (*col*) 1 *n* kurze Zusammenfassung *f*.
2 *vti* rekapitulieren, kurz zusammenfassen.
recapitulate [ˌriːkəˈpɪtjʊleɪt] *vti* rekapitulieren, kurz
zusammenfassen.
recapitulation [ˌriːkəˌpɪtjʊˈleɪʃən] *n* kurze Zusammenfassung *f*; (*Mus*) Reprise *f*.
recapture [ˌriːˈkæptʃər] *vt animal* wieder einfangen; *prisoner* wiederergreifen; *territory* wiedererobern; (*fig*) *atmosphere* wieder wachwerden lassen.
recd = **received** erh.
recede [rɪˈsiːd] *vi* (*tide, price*) zurückgehen; (*fig*) sich
entfernen; (*hope*) schwinden ► *to ~ into the distance*
in der Ferne verschwinden.
receding [rɪˈsiːdɪŋ] *adj chin, forehead* fliehend; *hairline*
zurückweichend.
receipt [rɪˈsiːt] *n* a *no pl* Empfang *m*; (*Comm also*)
Erhalt, Eingang *m* ► *to acknowledge ~ of sth* den
Empfang *etc* einer Sache (*gen*) bestätigen; *I am in ~ of
your letter* (*Comm*) ich habe Ihren Brief erhalten. b
(*paper*) Quittung *f*; (*from till*) Kassenbeleg *m*. c (*Comm,
Fin: money taken*) ~*s* Einnahmen *pl*.
receivable [rɪˈsiːvəbl] *adj* (*Comm*) *accounts/bills ~*
Außenstände *pl*/Wechselforderungen *pl*.
receive [rɪˈsiːv] *vt* a (*get*) bekommen, erhalten; *punch*
(ab)bekommen; *refusal, setback* erfahren; *impression*
gewinnen; *recognition* finden; (*Jur*) *stolen goods* Hehlerei
(be)treiben mit ► *"~d with thanks"* (*Comm*) „dankend
erhalten". b (*welcome*) *person* empfangen; (*into group*)
aufnehmen (*in in* +*acc*); *offer, news* aufnehmen ► *to ~ a
warm welcome* herzlich empfangen werden; *the play
has been well ~d* das Stück wurde gut aufgenommen.

► SENTENCE BUILDER: **reason: 1a → 6.1**

c (*Rad, TV*) empfangen.

▼ **receiver** [rɪˈsiːvəʳ] n **a** (*of letter, goods*) Empfänger(in *f*) m; (*Jur: of stolen goods*) Hehler(in *f*) m. **b** (*Fin, Jur*) (*official*) ~ Konkursverwalter m; **to call in the** ~ Konkurs anmelden. **c** (*Telec*) Hörer m. **d** (*Rad*) Empfänger m.

receivership [rɪˈsiːvəʃɪp] n: **to go into** ~ in Konkurs gehen.

recent [ˈriːsənt] adj kürzlich (*usu adv*); *event, development, news* neueste(r, s); *edition, addition* neu; *publication* Neu- ▶ **the** ~ **improvement** die vor kurzem eingetretene Verbesserung; *most* ~ neueste(r, s); *his* ~ *arrival* seine Ankunft vor kurzem; *in* ~ *years* in den letzten Jahren; ~ *developments* jüngste Entwicklungen.

recently [ˈriːsəntlɪ] adv (*a short while ago*) vor kurzem, kürzlich; (*during the last few days or weeks*) in letzter Zeit ▶ *he has been doing it differently* seit kurzem macht er das anders; *as* ~ *as* erst; *quite* ~ erst kürzlich; *until (quite)* ~ (noch) bis vor kurzem.

receptacle [rɪˈseptəkl] n Behälter m.

▼ **reception** [rɪˈsepʃən] n (*welcome, ceremony, in hotel, Rad, TV*) Empfang m; (*into group, of play etc*) Aufnahme *f* ▶ **to give sb a warm** ~ jdm einen herzlichen Empfang bereiten, jdn herzlich empfangen; ~ **camp**, ~ **centre** (*Brit*) *or* **center** (*US*) Aufnahmelager nt; ~ **desk** Empfang m; (*in hotel*) Rezeption *f*.

receptionist [rɪˈsepʃənɪst] n (*in hotel*) Empfangschef m, Empfangsdame *f*; (*with firm*) Herr *m*/Dame *f* am Empfang; (*at airport*) Bodenhostess *f*; (*at doctor's etc*) Sprechstundenhilfe *f*.

receptive [rɪˈseptɪv] adj *person, mind* aufnahmefähig; *audience* empfänglich ▶ ~ **to** empfänglich für.

recess [rɪˈses] n **a** (*of Parliament*) (Sitzungs)pause *f*, (*of lawcourts*) Ferien *pl*; (*US Law, Sch*) Pause *f*. **b** (*alcove*) Nische *f*.

recession [rɪˈseʃən] n **a** *no pl* Rückgang m. **b** (*Econ*) Rezession *f*.

recharge [ˌriːˈtʃɑːdʒ] vt *battery* (wieder)aufladen; *gun* nachladen.

rechargeable [ˌriːˈtʃɑːdʒəbl] adj *battery* (wieder) aufladbar.

recherché [rəˈʃɛəʃeɪ] adj gewählt; *book, subject* ausgefallen.

recipe [ˈresɪpɪ] n Rezept nt ▶ ~ **for success** Erfolgsrezept nt; *that's a* ~ *for disaster* das führt mit Sicherheit in die Katastrophe.

recipient [rɪˈsɪpɪənt] n Empfänger(in *f*) m.

reciprocal [rɪˈsɪprəkəl] adj (*mutual*) gegenseitig; (*Gram, Math*) reziprok.

reciprocate [rɪˈsɪprəkeɪt] **1** vt *smiles, wishes, help* erwidern. **2** vi sich revanchieren ▶ *but she didn't* ~ (*emotionally*) aber sie erwiderte seine/ihre Gefühle nicht.

recital [rɪˈsaɪtl] n (*of poetry*) Vortrag m; (*piano* ~ *etc*) Konzert nt; (*account*) Schilderung *f*.

recitation [ˌresɪˈteɪʃən] n Vortrag m.

recite [rɪˈsaɪt] **1** vt **a** *poetry* vortragen, rezitieren. **b** *facts* hersagen; *details* aufzählen. **2** vi vortragen, rezitieren.

reckless [ˈreklɪs] adj leichtsinnig; *driver, driving* rücksichtslos; *speed* gefährlich.

recklessly [ˈreklɪslɪ] adv see adj.

recklessness [ˈreklɪsnɪs] n see adj Leichtsinn m; Rücksichtslosigkeit *f*; Gefährlichkeit *f*.

reckon [ˈrekən] vt **a** (*calculate*) berechnen ▶ *he* ~*ed the cost to be £40.51* er berechnete die Kosten auf £40,51. **b** (*judge*) rechnen, zählen (*among* zu) ▶ *she is* ~*ed a beautiful woman* sie gilt als schöne Frau. **c** (*think, suppose*) glauben; (*estimate*) schätzen ▶ *what do you* ~*?* was meinen Sie?; *I* ~ *we can start* ich glaube, wir können anfangen; *I* ~ *he must be about forty* ich

schätze, er müßte so um die Vierzig sein.

◆**reckon on** vi +*prep obj* zählen auf (+*acc*) ▶ *you can* ~ ~ *30* Sie können mit 30 rechnen; *I wasn't* ~*ing* ~ *having to do that* ich habe nicht damit gerechnet, daß ich das tun muß.

◆**reckon up** vt sep zusammenrechnen.

◆**reckon with** vi +*prep obj* rechnen mit ▶ *he's a person to be* ~*ed* ~ er ist jemand, den man nicht unterschätzen sollte.

◆**reckon without** vt nicht rechnen mit.

reckoning [ˈrekənɪŋ] n (*calculation*) (Be)rechnung *f* ▶ *to be out in one's* ~ sich ziemlich verrechnet haben; *the day of* ~ der Tag der Abrechnung.

reclaim [rɪˈkleɪm] **1** vt **a** *land* gewinnen; (*by irrigation etc*) kultivieren. **b** *baggage etc* abholen. **2** n *past* — für immer verloren.

reclamation [ˌrekləˈmeɪʃən] n see vt (a) Gewinnung *f*; Kultivierung *f*.

recline [rɪˈklaɪn] **1** vt *arm* legen (*on* auf +*acc*); *head also* zurücklehnen (*on* an +*acc*); *seat* zurückstellen. **2** vi (*person*) liegen; (*seat*) sich verstellen lassen ▶ *reclining chair* Ruhesessel m; *reclining seat* (*in car, on boat*) Liegesitz m.

recluse [rɪˈkluːs] n Einsiedler(in *f*) m.

recognition [ˌrekəgˈnɪʃən] n **a** (*acknowledgement, Pol*) Anerkennung *f* ▶ *in* ~ *of* in Anerkennung (+*gen*); *by your own* ~ wie Sie selbst zugeben; *to gain* ~ Anerkennung finden. **b** (*identification*) Erkennen nt ▶ *he/it has changed beyond all or out of all* ~ er/es ist nicht wiederzuerkennen.

recognizable [ˈrekəgnaɪzəbl] adj erkennbar ▶ *you're scarcely* ~ *with that beard* Sie sind mit dem Bart kaum wiederzuerkennen.

recognize [ˈrekəgnaɪz] vt **a** (*know again*) wiedererkennen; (*identify*) erkennen (*by* an +*dat*). **b** (*acknowledge, Pol*) anerkennen (*as, to be* als). **c** (*be aware*) erkennen; (*be prepared to admit*) zugeben, eingestehen.

recognized [ˈrekəgnaɪzd] adj anerkannt.

recoil [rɪˈkɔɪl] vi **a** (*person*) (*from* vor +*dat*) zurückweichen; (*in fear*) zurückschrecken; (*in disgust*) zurückschaudern ▶ *he* ~*ed from doing it* ihm graute davor, das zu tun. **b** (*gun*) zurückstoßen; (*spring*) zurückschnellen.

recollect [ˌrekəˈlekt] vt sich erinnern an (+*acc*) ▶ *as far as I can* ~ soweit ich mich erinnern kann.

recollection [ˌrekəˈlekʃən] n (*memory*) Erinnerung *f* (*of* an +*acc*) ▶ *I have no* ~ *of it* ich kann mich daran nicht erinnern.

▼ **recommend** [ˌrekəˈmend] vt empfehlen (*as* als) ▶ *what do you* ~ *for a cough?* was empfehlen Sie gegen Husten?; *to* ~ *sth to sb* jdm etw empfehlen; *it is not to be* ~*ed* es ist nicht zu empfehlen; ~*ed (retail) price* unverbindlicher Richtpreis; *she has much to* ~ *her* es spricht sehr viel für sie.

recommendation [ˌrekəmenˈdeɪʃən] n Empfehlung *f* ▶ *on the* ~ *of* auf Empfehlung von; *can you make a* ~*?* können Sie jemanden/etwas empfehlen?

recompense [ˈrekəmpens] **1** n **a** (*reward*) Belohnung *f* ▶ *in* ~ *for* als Belohnung für. **b** (*Jur, fig*) Entschädigung *f*. **2** vt **a** (*reward*) belohnen. **b** (*Jur, fig: repay*) *person* entschädigen.

reconcilable [ˈrekən saɪləbl] adj *people* versöhnbar; *ideas* miteinander vereinbar.

reconcile [ˈrekənsaɪl] vt *people* aussöhnen; *differences* beilegen; *dispute* schlichten ▶ *they became* ~*d* sie versöhnten sich; *to* ~ *oneself to sth, to become* ~*d to sth* sich mit etw abfinden. **b** (*make compatible*) *facts, ideas* miteinander in Einklang bringen, miteinander vereinbaren ▶ *to* ~ *sth with sth* etw mit etw in Einklang bringen.

reconciliation [ˌrekənsɪlɪ'eɪʃən] n (of persons) Aussöhnung f; (of opinons, principles) Versöhnung f; (of differences) Beilegung f.
recondite [rɪ'kɒndaɪt] adj abstrus.
recondition [ˌriːkən'dɪʃən] vt generalüberholen ▶ a ~ed engine ein Austauschmotor m.
reconnaissance [rɪ'kɒnɪsəns] n (Aviat, Mil) Aufklärung f ▶ ~ plane Aufklärungsflugzeug nt; to be on ~ bei einem Aufklärungseinsatz sein.
reconnoitre, (US) **reconnoiter** [ˌrekə'nɔɪtər] ① vt (Aviat, Mil) region auskundschaften, aufklären. ② vi das Gelände erkunden.
reconsider [ˌriːkən'sɪdər] ① vt noch einmal überdenken; (change) revidieren; (Jur) case wiederaufnehmen. ② vi there's still time to ~ es ist noch nicht zu spät, es sich (dat) anders zu überlegen.
reconstruct [ˌriːkən'strʌkt] vt rekonstruieren; building wiederaufbauen.
reconstruction [ˌriːkən'strʌkʃən] n see vt Rekonstruktion f; Wiederaufbau m.
record [rɪ'kɔːd] ① vt and a (diarist etc) aufzeichnen; (documents, diary etc) dokumentieren; (in register) eintragen; (keep minutes of) protokollieren; one's thoughts, feelings etc niederschreiben; protest zum Ausdruck bringen.
b (on tape etc) aufnehmen ▶ a ~ed programme eine Aufzeichnung; ~ed music Musikaufnahmen pl.
② ['rekɔːd] n a (account) Aufzeichnung f, (of attendance) Liste f; (of meeting) Protokoll nt; (official document) Unterlage f; (Comp) Datensatz m; (lit, fig: of the past) Dokument nt ▶ to keep a ~ of sth über etw (acc) Buch führen; (official, registrar) etw registrieren; it is on ~ that ... es gibt Belege dafür, daß ...; (in files) es ist aktenkundig, daß ...; there is no similar example on ~ es ist kein ähnliches Beispiel bekannt; he's on ~ as saying ... es ist belegt, daß er gesagt hat, ...; to put sth on ~ etw schriftlich festhalten; there is no ~ of his having said it es ist nirgends belegt, daß er es gesagt hat; to set the ~ straight für klare Verhältnisse sorgen; for the ~ der Ordnung halber; (strictly) off the ~, he did come ganz im Vertrauen: er ist doch gekommen.
b (history) Vorgeschichte f; (achievements) Leistungen pl; (police ~) Vorstrafen pl ▶ to have an excellent ~ ausgezeichnete Leistungen vorweisen können; he's got a ~ er ist vorbestraft; she has a good ~ of service sie ist eine verdiente Mitarbeiterin; he has a bad attendance ~ er fehlt oft; her past ~ ihre bisherigen Leistungen; to have a good ~ at school ein guter Schüler sein; to have a good safety ~ in bezug auf Sicherheit einen guten Ruf haben.
c (Mus) (Schall)platte f; (compact disc) CD f; (~ing) Aufnahme f.
d (Sport, fig) Rekord m ▶ to beat or break the ~ den Rekord brechen; to hold the ~ den Rekord halten; long-jump ~ Rekord im Weitsprung; a ~ time eine Rekordzeit.
record-breaking ['rekɔːdˌbreɪkɪŋ] adj (Sport, fig) Rekord-.
recorded delivery [rɪ'kɔːdɪd dɪ'lɪvrɪ] n (Brit) eingeschriebene Sendung (ohne Versicherung) ▶ by ~ per Einschreiben.
recorder [rɪ'kɔːdər] n a (apparatus) Registriergerät nt ▶ cassette/tape ~ Kassettenrecorder m/Tonbandgerät nt. b (Mus) Blockflöte f.
record holder n (Sport) Rekordinhaber(in f) m.
recording [rɪ'kɔːdɪŋ] n (of sound) Aufnahme f; (programme) Aufzeichnung f ▶ ~ engineer Aufnahmetechniker m; ~ studio Aufnahmestudio nt.
record ['rekɔːd]: ~ library n Plattenverleih m; (collection) Plattensammlung f; ~-player n Plattenspieler m; ~ sleeve n Schallplattenhülle f; ~ to-

ken n Plattengutschein m.
recount [rɪ'kaʊnt] vt (relate) erzählen, wiedergeben.
re-count [ˌriː'kaʊnt] ① vt nachzählen.
② ['riːˌkaʊnt] n (of votes) Nachzählung f.
recoup [rɪ'kuːp] vt money, amount wieder hereinbekommen; losses wiedergutmachen, wettmachen.
recourse [rɪ'kɔːs] n Zuflucht f ▶ to have ~ to sb/sth sich an jdn wenden/Zuflucht zu etw nehmen; without ~ (Fin) ohne Regreß.
recover [rɪ'kʌvər] ① vt wiederfinden; goods, property zurückbekommen; health wiedererlangen; wreck bergen; (Ind etc) materials gewinnen; debt eintreiben; (Jur) damages Ersatz erhalten für; losses wiedergutmachen; expenses decken ▶ to ~ one's breath/strength wieder zu Atem/Kräften kommen; to ~ consciousness das Bewußtsein wiedererlangen; to ~ one's sight wieder sehen können; to be quite ~ed sich ganz erholt haben. ② vi (after accident etc, from illness, Fin) sich erholen; (regain consciousness) wieder zu sich kommen.
re-cover [ˌriː'kʌvər] vt chairs etc neu beziehen; book neu einbinden.
recovery [rɪ'kʌvərɪ] n a see vt Wiederfinden nt; Zurückbekommen nt; Wiedererlangung f; Bergung f; Gewinnung f; Eintreibung f; Ersatz m (of für); Wiedergutmachung f; Deckung f ▶ ~ vehicle/service Abschleppwagen m/-dienst m. b see vi Erholung f ▶ (economic) ~ Aufschwung m; he is making a good ~ er erholt sich gut; past ~ nicht mehr zu retten.
recreation [ˌrekrɪ'eɪʃən] n a (leisure) Erholung f; (pastime) Hobby nt ▶ for ~ I go fishing zur Erholung gehe ich angeln; ~ period Freistunde f; ~ ground Freizeitgelände nt. b (Sch) Pause f.
recreational [ˌrekrɪ'eɪʃənəl] adj Freizeit- ▶ ~ drug Freizeitdroge f.
recriminations [rɪˌkrɪmɪ'neɪʃənz] npl gegenseitige Beschuldigungen pl.
recruit [rɪ'kruːt] ① n (Mil) Rekrut m (to gen); (to party, club) neues Mitglied (to in +dat); (to staff) Neue(r) mf (to in +dat). ② vt soldier rekrutieren; member werben; staff einstellen ▶ he ~ed me to help er hat mich dazu herangezogen.
recruiting [rɪ'kruːtɪŋ] adj ~ office Rekrutierungsbüro nt.
recruitment [rɪ'kruːtmənt] n (of soldiers) Rekrutierung f; (of members) Werbung f; (of staff) Einstellung f.
rectangle ['rekˌtæŋgl] n Rechteck nt.
rectangular [rek'tæŋgjʊlər] adj rechteckig.
rectifier ['rektɪˌfaɪər] n (Elec) Gleichrichter m.
rectify ['rektɪfaɪ] vt korrigieren.
rector ['rektər] n a (Rel) Pfarrer m (der Anglikanischen Kirche). b (Scot) (Sch) Direktor(in f) m; (Univ) Rektor(in f) m.
rectory ['rektərɪ] n (house) Pfarrhaus nt.
rectum ['rektəm] n, pl -s or recta Mastdarm m.
recuperate [rɪ'kuːpəreɪt] ① vi sich erholen. ② vt losses wettmachen.
recuperation [rɪˌkuːpə'reɪʃən] n see vb Erholung f; Wiedergutmachung f.
recur [rɪ'kɜːr] vi wiederkehren; (error also, event) sich wiederholen; (opportunity) sich noch einmal bieten; (idea, theme also) wieder auftauchen.
recurrence [rɪ'kʌrəns] n see vi Wiederkehr f; Wiederholung f; Wiederauftauchen nt.
recurrent [rɪ'kʌrənt] adj idea, illness (ständig) wiederkehrend attr; error, problem also häufig (vorkommend).
recurring [rɪ'kɜːrɪŋ] adj attr a = recurrent. b (Math) four point nine three ~ vier Komma neun Periode drei.
recyclable [ˌriː'saɪkləbl] adj wiederverwertbar.
recycle [ˌriː'saɪkl] vt waste wiederaufbereiten, recyceln ▶ ~d paper Recyclingpapier nt.
recycling [ˌriː'saɪklɪŋ] n Wiederaufbereitung f, Recycling

nt ▸ ~ *plant* Wiederaufbereitungsanlage *f.*

red [red] **1** *adj* (+*er*) (*also Pol*) rot ▸ ~ *meat* Rind-/ Lammfleisch *nt*; ~ *as a beetroot* rot wie eine Tomate; *she turned* ~ *with embarrassment* sie wurde vor Verlegenheit rot; *it's like a* ~ *rag to a bull* das ist ein rotes Tuch für ihn/sie *etc*.
2 *n* Rot *nt*; (*Pol: person*) Rote(r) *mf* ▸ *to underline sth in* ~ etw rot unterstreichen; *to be (£100) in the* ~ (mit £100) in den roten Zahlen sein; *to see* ~ rot sehen.

red *in cpds* Rot-, rot; ~ *beet* *n* (*US*) rote Rübe; **~blooded** *adj* heißblütig; **~breast** *n* Rotkehlchen *nt*; **~brick university** *n* (*Brit*) verhältnismäßig moderne britische Universität.

┌─── **REDBRICK UNIVERSITY** ───┐

ⓘ *Als redbrick university werden die jüngeren britischen Universitäten bezeichnet, die im späten 19. und Anfang des 20. Jh. in Städten wie Manchester, Liverpool und Bristol gegründet wurden. Der Name steht im Gegensatz zu Oxford und Cambridge und bezieht sich auf die roten Backsteinmauern der Universitätsgebäude.*

red: ~ *carpet* *n* (*lit, fig*) roter Teppich; *a* ~*-carpet reception* ein Empfang *m* mit rotem Teppich; (*fig also*) ein großer Bahnhof; **R~ Cross** *n* Rotes Kreuz; **~currant** *n* rote Johannisbeere; ~ *deer* *n* Rothirsch *m*; *pl* Rotwild *nt.*

redden ['redn] **1** *vt* röten; *sky, foliage* rot färben.
2 *vi* (*face*) sich röten; (*person*) rot werden; (*sky, foliage*) sich rot färben.

reddish ['redɪʃ] *adj* rötlich.

redecorate [ˌriː'dekəreɪt] *vt* neu streichen; (*repaint and wallpaper*) neu streichen und tapezieren.

redecoration [ˌriːdekə'reɪʃən] *n see vb* Neuanstrich *m* (und -tapezieren *nt*).

redeem [rɪ'diːm] *vt* trading stamps, coupons etc einlösen (*for* gegen); (*Fin*) debt, mortgage abzahlen; shares verkaufen; (*US*) banknote wechseln (*for in* +*acc*); one's honour retten; (*Rel*) sinner erlösen; (*compensate for*) failing wettmachen ▸ *to* ~ *oneself* sich reinwaschen.

redeemable [rɪ'diːməbl] *adj* einlösbar ▸ ~ *for cash* gegen Bargeld einzulösen.

Redeemer [rɪ'diːməʳ] *n* (*Rel*) Erlöser *m.*

redeeming [rɪ'diːmɪŋ] *adj* quality ausgleichend ▸ ~ *feature* aussöhnendes Moment; *the only* ~ *feature of this novel is ...* das einzige, was einen mit diesem Roman aussöhnt, ist ...

redemption [rɪ'dempʃən] *n see vt* Einlösung *f*; Abzahlung *f*, Verkauf *m*; Wechsel *m*; Rettung *f*; (*Rel*) Erlösung *f* ▸ *beyond or past* ~ (*fig*) nicht mehr zu retten.

redeploy [ˌriːdɪ'plɔɪ] *vt* troops, weapons umstationieren; *staff* anderweitig einsetzen.

redevelop [ˌriːdɪ'veləp] *vt* building, area sanieren.

redevelopment [ˌriːdɪ'veləpmənt] *n* Sanierung *f.*

red: **~eye** *n* (*Phot*) Rotfärbung *f* der Augen auf Blitzlichtfotos; **~faced** *adj* mit rotem Kopf; **~haired** *adj* rothaarig; **~handed** *adv. to catch sb* ~*-handed* jdn auf frischer Tat ertappen; **~head** *n* Rothaarige(r) *mf*; ~ *herring* *n* (*fig*) Ablenkungsmanöver *nt*; (*in thrillers, research*) falsche Spur; **~hot** *adj* (*lit*) rotglühend; (*very hot*) glühend heiß; (*fig col*) (*enthusiastic*) Feuer und Flamme *pred* (*col*); *news* brandaktuell.

redial [riː'daɪəl] (*Telec*) **1** *vti* nochmals wählen.
2 *n automatic* ~ automatische Wahlwiederholung.

Red Indian *n* Indianer(in *f*) *m.*

redirect [ˌriːdaɪ'rekt] *vt* letter umadressieren; (*forward*) nachsenden; *traffic* umleiten.

rediscover [ˌriːdɪ'skʌvəʳ] *vt* wiederentdecken.

rediscovery [ˌriːdɪ'skʌvərɪ] *n* Wiederentdeckung *f.*

redistribute [ˌriːdɪ'strɪbjuːt] *vt* umverteilen.

red: **~letter day** *n* besonderer Tag; ~ *light* *n* (*lit*) (*warn-*

ing light) rotes Licht; (*traffic light*) Rotlicht *nt*; *to go through the* ~ *light* (*Mot*) bei Rot über die Ampel fahren; *the* ~*-light district* das Amüsierviertel, der Strich (*col*).

redness ['rednɪs] *n* Röte *f.*

redo [ˌriː'duː] *vt* noch einmal machen; (*redecorate*) neu machen.

redolent ['redəʊlənt] *adj* (*liter*) *to be* ~ *of sth* an etw (*acc*) erinnern.

redouble [ˌriː'dʌbl] *vt* efforts, zeal etc verdoppeln.

redoubtable [rɪ'daʊtəbl] *adj* (*formidable*) task gewaltig; *person* respektgebietend *attr.*

red pepper *n* rote Paprikaschote.

redraft [ˌriː'drɑːft] *vt* neu entwerfen.

redress [rɪ'dres] **1** *vt* errors etc wiedergutmachen; *situation* bereinigen; *grievance* beseitigen; *balance* wiederherstellen.
2 *n to seek* ~ *for* Wiedergutmachung verlangen für; *there is no* ~ das steht unumstößlich fest; *to have no* ~ *in law* keinen Rechtsanspruch haben.

red: **~rimmed** *adj* rotgerändert; **R~ Sea** *n* Rotes Meer; **~skin** *n* Rothaut *f*; ~ *tape* *n* (*fig*) Papierkrieg *m* (*col*); (*with authorities also*) Behördenkram *m* (*col*).

reduce [rɪ'djuːs] *vt* pressure, swelling verringern, reduzieren; *standards, goods, prices* herabsetzen; *taxes, temperature* senken; (*shorten*) verkürzen; *expenses, wages* kürzen; *width, staff, photo* verkleinern; *scale of operations* einschränken; *output* drosseln ▸ *to* ~ *one's weight* abnehmen; *to* ~ *speed* (*Mot*) langsamer fahren; *to* ~ *sth to a powder/to its parts* etw pulverisieren/in seine Einzelteile zerlegen; *it has been* ~*d to nothing* es ist zu nichts zusammengeschmolzen; *to* ~ *sb to silence/despair/tears* jdn zum Schweigen/zur Verzweiflung/zum Weinen bringen; *to* ~ *sb to begging* jdn zum Betteln zwingen; *are we* ~*d to this!* so weit ist es also gekommen!

reduced [rɪ'djuːst] *adj* price, fare ermäßigt; *goods* herabgesetzt; *scale, version* kleiner.

reduction [rɪ'dʌkʃən] *n* **ⓐ** *no pl* (*in sth gen*) Reduzierung, Verringerung *f*; (*in authority*) Schwächung *f*; (*in prices also, of goods, items*) Herabsetzung *f*; (*in expenses, wages*) Kürzung *f*; (*in size*) Verkleinerung *f*; (*shortening*) Verkürzung *f*; (*in output also*) Drosselung *f* ▸ *to make a* ~ *on an article* einen Artikel heruntersetzen; ~ *of taxes* Steuersenkung *f.* **ⓑ** (*amount reduced*) (*in sth gen*) Abnahme *f*, Rückgang *m*; (*in size*) Verkleinerung *f*; (*in length*) Verkürzung *f*; (*in taxes*) Nachlaß *m*; (*in prices*) Ermäßigung *f*; (*Jur: of sentence*) Kürzung *f*; (*of swelling*) Rückgang *m.*

redundancy [rɪ'dʌndənsɪ] *n* Überflüssigkeit *f*; (*Brit Ind*) Arbeitslosigkeit *f* ▸ *redundancies* Entlassungen *pl*; ~ *payment* Abfindung *f.*

redundant [rɪ'dʌndənt] *adj* überflüssig; (*Brit Ind: out of work*) arbeitslos ▸ *to be made* ~ (*Brit Ind*) den Arbeitsplatz verlieren.

red: ~ *wine* *n* Rotwein *m*; **~wood** *n* Redwood *nt.*

reed [riːd] *n* (*Bot*) Schilf(rohr), Ried *nt*; (*of wind instrument*) Rohrblatt *nt.*

reef[1] [riːf] *n* (*in sea*) Riff *nt.*

reef[2] *n* (*Naut*) Reff *nt* ▸ ~ *knot* Kreuzknoten *m.*

reek [riːk] **1** *n* Gestank *m.*
2 *vi* stinken (*of* nach).

reel [riːl] **1** *n* **ⓐ** Spule *f*; (*of thread etc also*) Rolle *f*; (*Fishing*) (Angel)rolle *f.* **ⓑ** (*dance*) Reel *m.*
2 *vi* (*person*) taumeln; (*drunk also*) torkeln ▸ *the blow sent him* ~*ing* er taumelte unter dem Schlag; *my head is* ~*ing* mir dreht sich der Kopf.

◆**reel in** *vt sep* (*Fishing*) einrollen; *fish* einholen.
◆**reel off** *vt sep* list herunterrasseln (*col*).

re-elect [ˌriːɪ'lekt] *vt* wiederwählen.

re-election [ˌriːɪ'lekʃən] *n* Wiederwahl *f.*

reel-to-reel ['riːltə'riːl] *adj*: ~ *tape recorder* Tonbandgerät *nt*.

re-enact [ˌriːɪ'nækt] *vt* **a** (*Jur*) wieder in Kraft setzen. **b** (*repeat*) *scene, crime* nachstellen.

re-enter [ˌriː'entə^r] *vti* wieder eintreten (in +*acc*).

re-entry [ˌriː'entrɪ] *n* (*also Space*) Wiedereintritt *m*.

re-examine [ˌriːɪg'zæmɪn] *vt* erneut prüfen.

ref¹ [ref] *n* (*Sport col*) = **referee** Schiedsrichter *m*, Schiri *m* (*Sport col*).

ref² = **reference (number)**.

refectory [rɪ'fektərɪ] *n* (*in college*) Mensa *f*.

refer [rɪ'fɜː^r] **1** *vt* (*pass*) *matter, problem* weiterleiten (*to* an +*acc*); *decision* übergeben (*to sb* jdm); *patient* überweisen (*to* an +*acc*) ► *I ~red him to the manager* ich verwies ihn an den Geschäftsführer; *to ~ sb to the article on ...* jdn auf den Artikel über (+*acc*) ... verweisen. **2** *vi* **a** *to ~ to* (*allude to*) sprechen von; (*mention also*) erwähnen; (*words*) sich beziehen auf (+*acc*); *I am not ~ring to you* ich meine nicht Sie; *~ring to your letter* (*Comm*) mit Bezug auf Ihren Brief. **b** (*apply*) *to ~ to* (*orders, rules*) gelten für; (*criticism, remark*) sich beziehen auf (+*acc*). **c** (*consult*) *to ~ to* notes, book nachschauen in (+*dat*); *to person* sich wenden an (+*acc*).

referee [ˌrefə'riː] **1** *n* **a** (*Ftbl, fig*) Schiedsrichter *m*; (*Boxing*) Ringrichter *m*; (*Judo, Wrestling*) Kampfrichter *m*. **b** (*Brit: person giving a reference*) Referenz *f*. **2** *vt* (*Sport, fig*) Schiedsrichter sein bei; (*Ftbl also*) pfeifen (*col*).

reference ['refrəns] *n* **a** (*act of mentioning*) Erwähnung *f* (*to sb/sth* jds/einer Sache); (*allusion*) (*direct*) Bemerkung *f* (*to über* +*acc*); (*indirect*) Anspielung *f* (*to* auf +*acc*); (*in book etc*) Verweis *m* ► *to make (a) ~ to sth* etw erwähnen; *in or with ~ to* was ... anbetrifft; (*Comm*) bezüglich (+*gen*). **b** (*connection*) *to have (no) ~ to* in (keiner) Beziehung stehen zu. **c** (*testimonial: also ~s*) Referenz(en *pl*) *f* ► *to give sb a good ~* jdm ein gutes Zeugnis ausstellen.

reference: *~ book* *n* Nachschlagewerk *nt*; *~ library* *n* Präsenzbibliothek *f*; *~ number* *n* Nummer *f*; (*file number*) Aktenzeichen *nt*; (*of machine*) Seriennummer *f*.

referendum [ˌrefə'rendəm] *n, pl* **referenda** [ˌrefə'rendə] Volksentscheid *m*, Referendum *nt* ► *to hold a ~* einen Volksentscheid durchführen.

referral [rɪ'fɜːrəl] *n* (*esp Med*) Überweisung *f* (*to* an +*acc*).

refill [ˌriː'fɪl] **1** *vt* nachfüllen. **2** ['riːfɪl] *n* (*for fountain pen, lighter*) Nachfüllpatrone *f*; (*for ballpoint*) Ersatzmine *f* ► *would you like a ~?* (*col: drink*) darf ich nachschenken?

refine [rɪ'faɪn] *vt* *oil, sugar* raffinieren; *techniques* verfeinern.

◆**refine upon** *vi* +*prep obj detail* näher ausführen; *method* verfeinern.

refined [rɪ'faɪnd] *adj* **a** *metal, oil* raffiniert, rein ► *~ sugar* (*Zucker*)raffinade *f*. **b** *taste* fein; *person, style* vornehm.

refinement [rɪ'faɪnmənt] *n* *no pl* (*of oil, sugar*) Raffination, Reinigung *f*; (*no pl: of person, language, style*) Vornehmheit, Feinheit *f*; (*improvement: in technique, machine etc*) Verfeinerung, Verbesserung *f* (*in sth gen*).

refinery [rɪ'faɪnərɪ] *n* (*oil, sugar ~*) Raffinerie *f*.

refit [ˌriː'fɪt] **1** *vt* *ship* neu ausrüsten; *factory* neu ausstatten. **2** ['riːfɪt] *n* (*Naut*) Neuausrüstung *f*.

reflate [ˌriː'fleɪt] *vt* (*Econ*) ankurbeln.

reflation [riː'fleɪʃən] *n* (*Econ*) Ankurbelung *f* der Konjunktur.

reflationary [riː'fleɪʃnərɪ] *adj* (*Econ*) reflationär.

reflect [rɪ'flekt] **1** *vt* **a** *light etc* reflektieren; (*surface, mirror also*) spiegeln; (*fig*) *views, reality etc* widerspiegeln

► *the moon was ~ed in the lake* der Mond spiegelte sich im See; *I saw him ~ed in the mirror* ich sah ihn im Spiegel; *the difficulties ~ed in his report* die Schwierigkeiten, die in seinem Bericht zum Ausdruck kommen. **b** (*think*) *do you ever ~ that ...?* denken Sie je darüber nach, daß ...? **2** *vi* (*meditate*) nachdenken, reflektieren (*geh*) (*on, about* über +*acc*).

reflection [rɪ'flekʃən] *n* **a** *no pl* (*reflecting*) Reflexion *f*; (*by mirror*) Spiegelung *f*; (*fig*) Widerspiegelung *f*. **b** (*image*) Spiegelbild *nt*; (*fig*) Widerspiegelung *f* ► *to see one's ~ in a mirror* sich im Spiegel sehen; *a pale ~ of ...* ein matter Abglanz (+*gen*). **c** *no pl* (*consideration*) Überlegung *f*; (*contemplation*) Reflexion, Betrachtung *f* ► *on ~* wenn ich *etc* mir das recht überlege; *this is no ~ on your motives* damit soll gar nichts über Ihre Motive gesagt sein.

reflective [rɪ'flektɪv] *adj person* nachdenklich.

reflectively [rɪ'flektɪvlɪ] *adv say, speak* überlegt.

reflector [rɪ'flektə^r] *n* (*on car*) Rückstrahler *m*; (*telescope*) Reflektor *m*.

reflex ['riːfleks] **1** *adj* Reflex- ► *~ action* Reflex *m*; *~ camera* (*Phot*) Spiegelreflexkamera *f*. **2** *n* (*Physiol, Psych, fig*) Reflex *m*.

reflexive [rɪ'fleksɪv] (*Gram*) *adj* reflexiv.

refloat [ˌriː'fləʊt] *vt ship, business* wieder flottmachen.

reform [rɪ'fɔːm] **1** *n* Reform *f* (*in sth gen*); (*of person*) Besserung *f*. **2** *vt* *institutions, society* reformieren; *person* bessern. **3** *vi* (*person*) sich bessern.

reformat [ˌriː'fɔːmæt] *vt* (*Comp*) umformatieren.

reformation [ˌrefə'meɪʃən] *n* (*of person*) Besserung *f* ► *the R~* die Reformation.

reformatory [rɪ'fɔːmətərɪ] *n* (*dated*) Besserungsanstalt *f* (*dated*).

reformed [rɪ'fɔːmd] *adj church, spelling* reformiert; *person* gewandelt ► *he's a ~ character* er hat sich gebessert.

reformer [rɪ'fɔːmə^r] *n* (*Pol*) Reformer *m*; (*Rel*) Reformator *m*.

refraction [rɪ'frækʃən] *n* Brechung *f* ► *angle of ~* Brechungswinkel *m*.

refractory [rɪ'fræktərɪ] *adj* **a** *person* störrisch. **b** (*Chem, Miner*) hitzebeständig.

refrain¹ [rɪ'freɪn] *vi please ~!* bitte unterlassen Sie das!; *he ~ed from comment* er enthielt sich eines Kommentars; *I couldn't ~ from laughing* ich konnte mir das Lachen nicht verkneifen; *please ~ from smoking* bitte nicht rauchen!

refrain² *n* (*Mus, Poet, fig*) Refrain *m*.

refresh [rɪ'freʃ] *vt* (*drink, rest*) erfrischen; (*meal*) stärken ► *to ~ oneself* (*with drink*) eine Erfrischung zu sich nehmen; (*with a bath*) sich erfrischen; (*with rest*) sich ausruhen; *to ~ one's memory* sein Gedächtnis auffrischen.

refresher [rɪ'freʃə^r] *n* (*col: drink*) Erfrischung *f* ► *~ course* (*Univ etc*) Auffrischungskurs *m*.

refreshing [rɪ'freʃɪŋ] *adj* (*lit, fig*) erfrischend.

refreshment [rɪ'freʃmənt] *n* **a** (*of mind, body*) Erfrischung *f*. **b** (*food, drink*) **(light)** *~s* (kleine) Erfrischungen *pl*; *~ bar or stall* Büfett *nt*; *~ room* Erfrischungsraum *m*.

refrigerate [rɪ'frɪdʒəreɪt] *vt* (*chill*) kühlen; (*freeze*) tiefkühlen.

refrigeration [rɪ,frɪdʒə'reɪʃən] *n see vt* Kühlung *f*; Tiefkühlung *f* ► *~ plant* Kühlanlage *f*.

refrigerator [rɪ'frɪdʒəreɪtə^r] *n* Kühlschrank *m*.

refuel [ˌriː'fjʊəl] *vti* auftanken.

refuelling [ˌriː'fjʊəlɪŋ] *n* Auftanken *nt*.

refuge ['refjuːdʒ] *n* **a** (*lit, fig*) Zuflucht *f* (*from* vor +*dat*) ► *place of ~* Zufluchtsort *m*; *to seek ~* Zuflucht suchen; **to take** ~ sich flüchten (*in* in +*acc*). **b** (*for climbers etc*) Unterstand *m*.

refugee [,refjʊˈdʒiː] *n* Flüchtling *m* ▶ ~ **camp** Flüchtlingslager *nt*.

refund [rɪˈfʌnd] **1** *vt money, postage* zurückerstatten; *expenses* erstatten.

2 [ˈriːfʌnd] *n see vt* Rückerstattung *f*; Erstattung *f* ▶ **they wouldn't give me a** ~ man wollte mir das Geld nicht zurückgeben.

refurbish [,riːˈfɜːbɪʃ] *vt* aufpolieren; *dress, furniture also* verschönern; *house* renovieren.

refurnish [,riːˈfɜːnɪʃ] *vt* neu möblieren.

refusal [rɪˈfjuːzəl] *n* Ablehnung *f*; (*of offer also*) Zurückweisung *f*; (*of permission, visa, also Show-jumping*) Verweigerung *f*; (*to do sth*) Weigerung *f* ▶ **to meet with** *or* **get a** ~ eine Absage erhalten; **to have (the) first** ~ **of sth** etw als erster angeboten bekommen.

refuse¹ [rɪˈfjuːz] **1** *vt invitation, candidate, proposal* ablehnen; (*stronger*) zurückweisen; *offer also* ausschlagen; *permit, permission* verweigern ▶ **to** ~ **to do sth** sich weigern, etw zu tun; **he was** ~**d a visa** ihm wurde das Visum verweigert; **to be** ~**d sth** etw nicht bekommen; **his request was** ~**d** seine Bitte wurde abgelehnt; **the car** ~**s to start** das Auto will einfach nicht anspringen.

2 *vi* ablehnen; (*to do sth*) sich weigern; (*horse*) verweigern.

refuse² [ˈrefjuːs] *n* Müll *m*; (*food waste*) Abfall *m*.

refuse [ˈrefjuːs] *in cpds* Müll-; ~ **bin** *n* Mülleimer *m*; ~ **collection** *n* Müllabfuhr *f*; ~ **collector** *n* Müllwerker *m*; ~ **disposal** *n* Müllbeseitigung *f*; ~ **disposal unit** *n* Müllschlucker *m*; ~ **dump** *n* Müllablageplatz *m*.

refusenik [rɪˈfjuːznɪk] *n* Verweigerer *m*.

refute [rɪˈfjuːt] *vt* widerlegen.

regain [rɪˈɡeɪn] *vt* wiedererlangen; *lost time* aufholen; *territory* zurückbekommen ▶ **to** ~ **possession of sth** wieder in den Besitz einer Sache (*gen*) gelangen.

regal [ˈriːɡəl] *adj* königlich; (*fig*) hoheitsvoll.

regale [rɪˈɡeɪl] *vt* (*with food, drink*) verwöhnen; (*with stories*) ergötzen (*geh*).

regalia [rɪˈɡeɪlɪə] *npl* Insignien *pl* ▶ **she was in full** ~ (*hum*) sie war in großer Aufmachung (*hum*).

regard [rɪˈɡɑːd] **1** *vt* **a** (*consider*) betrachten ▶ **to** ~ **sb/sth as sth** jdn/etw für etw halten; **to** ~ **sb/sth with favour** jdn/etw wohlwollend betrachten; **to** ~ **sth with horror** mit Schrecken an etw (*acc*) denken; **to be** ~**ed as ...** als ... gelten, als ... angesehen werden; **to** ~ **sb/sth highly** jdn/etw sehr schätzen; **he is highly** ~**ed** er ist hoch angesehen. **b** (*concern*) **as** ~**s your application** was Ihren Antrag betrifft. **c** (*heed*) berücksichtigen ▶ **without** ~**ing his wishes** ohne Rücksicht auf seine Wünsche.

2 *n* **a** (*attention, concern*) Rücksicht *f* (*for* auf +*acc*) ▶ **to show no** ~ **for sb/sth** keine Rücksichtnahme für jdn/etw zeigen; **with no** ~ **for his safety** ohne Rücksicht auf seine Sicherheit. **b** **in this** ~ diesbezüglich (*form*), in diesem Zusammenhang; **with** *or* **in** ~ **to** in bezug auf (+*acc*). **c** (*respect*) Achtung *f* ▶ **to hold sb in high** ~ jdn sehr schätzen. **d** ~**s** *pl* (*in message*) Gruß *m*; **to send sb one's** ~**s** jdn grüßen lassen; **give him my** ~**s** grüßen Sie ihn von mir; (*kindest*) ~**s, with kind** ~**s** mit freundlichen Grüßen.

regarding [rɪˈɡɑːdɪŋ] *prep* in bezug auf (+*acc*), bezüglich (+*gen*).

regardless [rɪˈɡɑːdlɪs] **1** *adj* ~ **of** ohne Rücksicht auf (+*acc*), ungeachtet (+*gen*); **to do sth** ~ **of the consequences** etw ohne Rücksicht auf die Folgen tun; ~ **of what it costs** egal, was es kostet; ~ **of the fact that ...** ungeachtet der Tatsache, daß ...

2 *adv* trotzdem ▶ **he did it** ~ er hat es trotzdem getan.

regatta [rɪˈɡætə] *n* Regatta *f*.

regenerate [rɪˈdʒenəreɪt] *vt* (*renew, re-create*) erneuern; *tissue also* neu bilden.

regeneration [rɪ,dʒenəˈreɪʃən] *n see vt* Erneuerung *f*; Neubildung *f*.

reggae [ˈreɡeɪ] *n* Reggae *m*.

regime [reɪˈʒiːm] *n* (*Pol*) Regime *nt*; (*fig: management, social system etc*) System *nt*.

regiment [ˈredʒɪmənt] **1** *n* (*Mil*) Regiment *nt*. **2** *vt* (*fig*) reglementieren.

regimental [,redʒɪˈmentl] *adj* (*Mil*) Regiments-.

regimentation [,redʒɪmenˈteɪʃən] *n* (*fig*) Reglementierung *f*.

region [ˈriːdʒən] *n* (*of country*) Region *f*; (*of body also*) Gegend *f*; (*of atmosphere, fig*) Bereich *m* ▶ **in the** ~ **of 5 pounds** um die 5 Pfund; **offers in the** ~ **of £150,000** Verhandlungsbasis £150 000.

regional [ˈriːdʒənl] *adj* regional ▶ ~ **development** Gebietserschließung *f*.

register [ˈredʒɪstəʳ] **1** *n* (*book*) Register *nt*; (*at school*) Namensliste *f*; (*in hotel*) Gästebuch *nt*; (*of members etc*) Mitgliedsbuch *nt* ▶ **electoral** ~ Wählerverzeichnis *nt*; ~ **of births, deaths and marriages** Personenstandsbuch *nt*.

2 *vt* **a** (*authorities: record formally*) registrieren; (*in book, files*) eintragen; *fact, figure also* erfassen ▶ **he is** ~**ed as disabled** er ist anerkannter Schwerbeschädigter. **b** (*individual: have recorded*) birth, (*Comm*) company, trademark, vehicle etc anmelden ▶ **to** ~ **a protest** Protest anmelden. **c** (*indicate*) speed anzeigen; (*expression*) happiness zum Ausdruck bringen ▶ **he** ~**ed surprise** er zeigte sich überrascht. **d** letter einschreiben lassen.

3 *vi* **a** (*on electoral list etc*) sich eintragen; (*in hotel*) sich anmelden; (*student*) sich einschreiben ▶ **to** ~ **with a doctor** sich bei einem Arzt auf die Patientenliste setzen lassen. **b** (*col: be understood*) **it hasn't** ~**ed (with him)** er hat es noch nicht registriert.

registered [ˈredʒɪstəd] *adj* **a** student eingeschrieben; voter, company eingetragen; design gesetzlich geschützt; vehicle amtlich zugelassen ▶ ~ **nurse** (*US*) staatlich geprüfte Krankenschwester; (*male*) staatlich geprüfter Pfleger; ~ **office** eingetragener Gesellschaftssitz *m*; ~ **trademark** eingetragenes Warenzeichen. **b** letter, parcel eingeschrieben ▶ **by** ~ **post** per Einschreiben.

registrar [,redʒɪˈstrɑːʳ] *n* (*Admin*) Standesbeamte(r) *m*; (*Univ*) Kanzler *m*; (*Med*) Krankenhausarzt *m*/-ärztin *f*.

registration [,redʒɪˈstreɪʃən] *n see vt* **a** Registrierung *f*; Eintragung *f*; Erfassung *f*. **b** Anmeldung *f* ▶ ~ **document** (Kraft)fahrzeugbrief *m*; ~ **number** (*Brit Aut*) polizeiliches Kennzeichen.

registry [ˈredʒɪstrɪ] *n* Sekretariat *nt*; (*in church*) Sakristei *f*; (*Brit: also* ~ **office**) Standesamt *nt* ▶ **to get married in a** ~ **office** standesamtlich heiraten.

▼ **regret** [rɪˈɡret] **1** *vt* bedauern; *lost opportunity* nachtrauern (+*dat*) ▶ **I** ~ **that we will not be coming** ich bedaure, daß wir nicht kommen können; **I** ~ **to say that ...** ich muß Ihnen leider mitteilen, daß ...

2 *n* Bedauern *nt no pl* ▶ **much to my** ~ sehr zu meinem Bedauern; **I have no** ~**s** ich bereue nichts.

regretful [rɪˈɡretfʊl] *adj* bedauernd.

regretfully [rɪˈɡretfəlɪ] *adv* (*sadly*) mit Bedauern; (*reluctantly*) widerstrebend.

▼ **regrettable** [rɪˈɡretəbl] *adj* bedauerlich.

▼ **regrettably** [rɪˈɡretəblɪ] *adv* bedauerlicherweise.

regroup [,riːˈɡruːp] **1** *vt* um- *or* neugruppieren. **2** *vi* sich umgruppieren, sich neu gruppieren.

regt = **regiment** Reg.

regular [ˈreɡjʊləʳ] **1** *adj* **a** regelmäßig; *features also* ebenmäßig; *surface* gleichmäßig; *employment* fest; *way of life* geregelt ▶ **to keep** ~ **hours** feste Zeiten haben; **she is as** ~ **as clockwork** bei ihr geht alles auf die Minute genau. **b** (*habitual*) size, price, time normal; *staff, customer, pub, seat* Stamm-; *listener* regelmäßig ▶ **our** ~

cleaning woman unsere normale Reinemachefrau; *my ~ doctor* mein Hausarzt *m*. [c] *(permissible, accepted) action, procedure* richtig ▶ *it is quite ~ to apply in person* es ist ganz in Ordnung, sich persönlich zu bewerben. [d] *(Mil) soldier, army* Berufs-. [e] *(col) disaster, clown etc* regelrecht.
[2] *n (Mil)* Berufssoldat *m*; *(customer etc)* Stammkunde *m*, Stammkundin *f*; *(in pub, hotel)* Stammgast *m*.

regularity [ˌregjʊˈlærɪtɪ] *n* [a] *see adj (a)* Regelmäßigkeit *f*; Ebenmäßigkeit *f*; Gleichmäßigkeit *f*; *(of procedure etc)* Festheit *f*; Geregeltheit *f*. [b] *(of action, procedure)* Richtigkeit *f*.

regularize [ˈregjʊləraɪz] *vt breathing, service* regulieren; *situation, relationship* normalisieren.

regularly [ˈregjʊləlɪ] *adv* regelmäßig; *breathe, beat also* gleichmäßig.

regulate [ˈregjʊleɪt] *vt* regulieren; *life-style* regeln; *clock* richtig stellen.

regulation [ˌregjʊˈleɪʃən] [1] *n* [a] *(of machine)* Regulierung *f*. [b] *(rule)* Vorschrift *f*.
[2] *attr boots, dress* vorgeschrieben.

regulator [ˈregjʊleɪtə^r] *n (instrument)* Regler *m*.

rehabilitate [ˌriːhəˈbɪlɪteɪt] *vt refugee, ex-soldier* (in die Gesellschaft) eingliedern; *the disabled also* rehabilitieren; *ex-prisoner* resozialisieren.

rehabilitation [ˈriːhəˌbɪlɪˈteɪʃən] *n see vt* Eingliederung *f* in die Gesellschaft; Rehabilitation *f*; Resozialisierung *f* ▶ *~ centre (Admin, Med)* Rehabilitationszentrum *nt*.

rehash [ˌriːˈhæʃ] [1] *vt literary material etc* aufbereiten.
[2] [ˈriːhæʃ] *n* Aufguß *m (pej)*.

rehearsal [rɪˈhɜːsəl] *n (Theat, Mus)* Probe *f*.

rehearse [rɪˈhɜːs] *vti (Theat, Mus)* proben ▶ *to ~ what one is going to say* einüben, was man sagen will.

reheat [ˌriːˈhiːt] *vt* aufwärmen.

rehouse [ˌriːˈhaʊz] *vt* unterbringen.

reign [reɪn] [1] *n (lit, fig)* Herrschaft *f* ▶ *in the ~ of* während der Herrschaft (+*gen*).
[2] *vi (lit, fig)* herrschen *(over* über +*acc)* ▶ *silence ~s* es herrscht Ruhe; *~ing champion* amtierender Meister.

reimburse [ˌriːɪmˈbɜːs] *vt person* entschädigen; *loss, costs* ersetzen; *expenses* erstatten.

reimbursement [ˌriːɪmˈbɜːsmənt] *n see vt* Entschädigung *f*; Ersatz *m*; Erstattung *f*.

rein [reɪn] *n (lit, fig)* Zügel *m* ▶ *~s (for child)* Laufgurt *m*; *to hold the ~s (lit, fig)* die Zügel in der Hand haben; *to keep a tight ~ on sb/sth (lit, fig)* bei jdm/etw die Zügel kurz halten; *to allow sb/sth free ~ (fig)* jdm/einer Sache freien Lauf lassen.

◆**rein in** *vt sep (lit, fig)* zügeln.

reincarnation [ˌriːɪnkɑːˈneɪʃən] *n* die Wiedergeburt.

reindeer [ˈreɪndɪə^r] *n, pl* – Ren(tier) *nt*.

reinforce [ˌriːɪnˈfɔːs] *vt (lit, fig, Psych)* verstärken; *sb's demands* stärken, stützen; *evidence, opinion* bestätigen ▶ *~d concrete* Stahlbeton *m*.

reinforcement [ˌriːɪnˈfɔːsmənt] *n* [a] *no pl (act) see vt* Verstärkung *f*; Stärkung, Stützung *f*; Bestätigung *f*. [b] *(thing)* Verstärkung *f* ▶ *~s (Mil, fig)* Verstärkung *f*.

reinstate [ˌriːɪnˈsteɪt] *vt person* wieder einstellen *(in* in +*acc)*; *law and order* wiederherstellen *(in* in +*dat)*.

reinsurance [ˌriːɪnˈʃʊərəns] *n* Rückversicherung *f*.

reinvest [ˌriːɪnˈvest] *vt* reinvestieren.

reissue [ˌriːˈɪʃjuː] [1] *vt book* neu auflegen; *stamps, recording, coins* neu herausgeben.
[2] *n see vt* Neuauflage *f*; Neuausgabe *f*.

reiterate [riːˈɪtəreɪt] *vt* wiederholen.

reject [rɪˈdʒekt] [1] *vt* [a] *damaged goods etc (customer)* zurückweisen; *(maker)* aussortieren. [b] *(turn down) application, request etc* ablehnen; *suitor, advances* zurückweisen; *offer also* ausschlagen; *possibility* verwerfen. [c] *(Med) transplant* abstoßen; *(stomach) food* verweigern.

[2] [ˈriːdʒekt] *n (Comm)* Ausschuß · *m no pl* ▶ *~ goods* Ausschußware *f*.

rejection [rɪˈdʒekʃən] *n see vt* [a] Zurückweisung *f*; Aussortierung *f*. [b] Ablehnung *f*; Zurückweisung *f*; Verwerfen *nt*. [c] *(Med)* Abstoßung *f*; Verweigerung *f*.

rejoice [rɪˈdʒɔɪs] *vi* sich freuen; *(jubilate)* jubeln; *(Rel)* jauchzen.

rejoicing [rɪˈdʒɔɪsɪŋ] *n* Jubel *m* ▶ *~s* Jubel *m*.

rejoin¹ [ˌriːˈdʒɔɪn] *vt person, regiment* sich wieder anschließen (+*dat*) ▶ *to ~ one's ship (Naut)* wieder aufs Schiff kommen; *then we ~ed the motorway* danach fuhren wir wieder auf die Autobahn.

rejoin² [rɪˈdʒɔɪn] *vt (reply)* erwidern.

rejoinder [rɪˈdʒɔɪndə^r] *n* Erwiderung *f*.

rejuvenate [rɪˈdʒuːvɪneɪt] *vt* verjüngen; *(fig)* erfrischen.

rekindle [ˌriːˈkɪndl] *vt (lit, fig) fire, passions* wieder anzünden; *hope* wiedererwecken.

relapse [rɪˈlæps] [1] *n (Med, into vice, crime)* Rückfall *m*; *(in economy)* Rückschlag *m*.
[2] *vi (Med)* einen Rückfall haben ▶ *to ~ (into crime)* rückfällig werden.

relate [rɪˈleɪt] [1] *vt* [a] *(recount) story* erzählen; *details* aufzählen. [b] *(associate)* in Verbindung bringen *(to, with* mit).
[2] *vi* [a] zusammenhängen *(to* mit). [b] *(form relationship)* eine Beziehung finden *(to* zu).

related [rɪˈleɪtɪd] *adj* [a] *(in family)* verwandt *(to* mit). [b] *(connected)* zusammenhängend; *theories, languages etc* verwandt ▶ *to be ~d to sth* mit etw zusammenhängen/verwandt sein.

relating [rɪˈleɪtɪŋ] *adj ~ to* in Zusammenhang mit.

relation [rɪˈleɪʃən] *n* [a] *(relative)* Verwandte(r) *mf* ▶ *he's a/no ~ (of mine)* er ist/ist nicht mit mir verwandt; *what ~ is she to you?* wie ist sie mit Ihnen verwandt? [b] *(relationship)* Beziehung *f* ▶ *to bear a ~* in Beziehung stehen zu; *in ~ to (as regards)* in bezug auf (+*acc*); *(compared with)* im Verhältnis zu. [c] *~s pl (dealings, ties, sexual ~s)* Beziehungen *pl*.

relationship [rɪˈleɪʃənʃɪp] *n (in family)* Verwandtschaft *f (to* mit); *(connection: between events etc)* Beziehung *f*; *(relations)* Verhältnis *nt*, Beziehungen *pl*; *(in business)* Verbindung *f* ▶ *to have a (sexual) ~ with* ein Verhältnis haben mit; *to have a good ~ with sb* ein gutes Verhältnis zu jdm haben.

relative [ˈrelətɪv] [1] *adj* [a] relativ; *(respective)* jeweilig ▶ *to live in ~ luxury* verhältnismäßig *or* relativ luxuriös leben; *the ~ merits of A and B* die jeweiligen Verdienste von A und B. [b] *(relevant) ~ to* sich beziehend auf (+*acc*). [c] *(Gram) clause, pronoun* Relativ-.
[2] *n (person)* = **relation (a)**.

relatively [ˈrelətɪvlɪ] *adv* relativ, verhältnismäßig ▶ *~ speaking* relativ gesehen.

relativity [ˌreləˈtɪvɪtɪ] *n (Phys, Philos)* Relativität *f* ▶ *the theory of ~* die Relativitätstheorie.

relax [rɪˈlæks] [1] *vt* lockern; *muscles also, person* entspannen; *attention, effort* nachlassen in (+*dat*).
[2] *vi* (sich) entspannen; *(rest)* (sich) ausruhen; *(calm down)* sich beruhigen.

relaxation [ˌriːlækˈseɪʃən] *n* [a] *see vt* Lockerung *f*; Entspannung *f*; Nachlassen *nt*. [b] *(rest)* Entspannung *f*; *(recreation also)* Erholung *f*.

relaxed [rɪˈlækst] *adj* locker; *person, smile, voice* ruhig; *atmosphere* gelockert ▶ *to feel ~ (physically)* entspannt sein; *(mentally)* sich wohl fühlen.

relaxing [rɪˈlæksɪŋ] *adj* entspannend; *climate* erholsam.

relay [ˈriːleɪ] [1] *n* [a] *(of workers)* Ablösung *f*; *(of horses)* frisches Gespann ▶ *to work in ~s* sich ablösen. [b] *(Sport: also ~ race)* Staffel(lauf *m*) *f*. [c] *(Rad, TV)* Relais *nt*.
[2] *vt* [a] *(Rad, TV)* (weiter)übertragen. [b] *message* ausrichten *(to sb* jdm).

release [rɪ'liːs] **1** *vt* **a** *animal, person* freilassen; (*from prison also*) entlassen; (*rescue*) befreien; (*from obligation*) entbinden, befreien. **b** (*let go of*) loslassen; *handbrake* losmachen; (*Phot*) *shutter* auslösen; *grip, clasp* lösen; *confiscated articles* freigeben ► *to ~ the clutch* die Kupplung kommen lassen. **c** *news, statement* veröffentlichen. **d** (*emit*) *gas, energy* freisetzen; *smell* ausströmen; *pressure, steam* ablassen.
2 *n* **a** *see vt* (a) Freilassung *f*; Entlassung *f*; Befreiung *f*; Entbindung *f*. **b** (*mechanism*) Auslöser *m*. **c** (*of statement etc*) Veröffentlichung *f*; (*statement*) Verlautbarung *f*. **d** (*of gas, energy*) Freisetzung *f*. **e** (*film*) Film *m*; (*record*) Platte *f* ► *this film is now on general ~* dieser Film ist nun überall zu sehen; *a new ~* (*record*) eine Neuerscheinung; (*film*) ein neu herausgekommener Film.

relegate ['relɪgeɪt] *vt* (*lit, fig: downgrade*) degradieren; (*Sport*) *team* absteigen lassen (*to* in +*acc*) ► *to be ~d* (*Sport*) absteigen.

relegation [,relɪ'geɪʃən] *n see vt* Degradierung *f*; (*Sport*) Abstieg *m*.

relent [rɪ'lent] *vi* (*person*) nachgeben; (*pace, pain*) nachlassen; (*weather*) sich bessern.

relentless [rɪ'lentlɪs] *adj* erbarmungslos; *person also* unerbittlich; *pain, cold* nicht nachlassend.

relentlessly [rɪ'lentlɪslɪ] *adv* unerbittlich, erbarmungslos; *oppose* unnachgiebig; *rain* unaufhörlich.

relevance ['relɪvəns] *n* Relevanz *f*.

relevant ['relɪvənt] *adj* relevant (*to* für); *knowledge, question* sachbezogen; *authority, person* zuständig.

reliability [rɪ,laɪə'bɪlɪtɪ] *n see adj* Zuverlässigkeit *f*; Seriosität *f*.

reliable [rɪ'laɪəbl] *adv* zuverlässig; *firm* seriös.

reliably [rɪ'laɪəblɪ] *adv* zuverlässig ► *I am ~ informed that ...* ich weiß aus zuverlässiger Quelle, daß ...

reliance [rɪ'laɪəns] *n* Vertrauen *nt* (*on* auf +*acc*).

reliant [rɪ'laɪənt] *adj* angewiesen (*on, upon* auf +*acc*).

relic ['relɪk] *n* Überbleibsel, Relikt *nt*; (*Rel*) Reliquie *f*.

relief [rɪ'liːf] **1** *n* **a** (*from anxiety, pain*) Erleichterung *f* ► *to bring ~* (*drug*) jdm Erleichterung verschaffen; *that's a ~!* mir fällt ein Stein vom Herzen; *it was a ~ to find it* ich/er *etc* war erleichtert, als ich/er *etc* es fand; *a little light ~* eine kleine Abwechslung. **b** (*assistance*) Hilfe *f* ► *to provide ~ for the poor* für die Armen sorgen. **c** (*esp Mil: act of relieving, advancing forces*) Entsatz *m*; (*substitute*) Ablösung *f*. **d** (*Art, Geog*) Relief *nt*; (*Typ also*) Hochdruck *m* ► *to throw sth into ~* (*fig*) etw hervorheben.
2 *attr* **a** *fund, organization* Hilfs- ► *~ supplies* Hilfsgüter *pl*. **b** *driver* Ablöse-; *troops* Entsatz-; (*Brit*) *bus, road* Entlastungs-. **c** *map* Relief-; *printing also* Hoch-.

relieve [rɪ'liːv] *vt* **a** *person* erleichtern ► *he was ~d to learn that* er war erleichtert, als er das hörte; *to ~ sb's mind* jdn beruhigen; *to ~ sb of sth* of *burden, pain* jdn von etw befreien; *of duty, command* jdn einer Sache (*gen*) entheben (*geh*); *of suitcase etc* jdm etw abnehmen; (*hum*) *of wallet* jdn um etw erleichtern. **b** (*mitigate*) *anxiety* mildern, schwächen; *pain* lindern; (*completely*) stillen; *tension* abbauen; *poverty* erleichtern; (*Med*) *congestion* abhelfen (+*dat*); (*completely*) beheben ► *to ~ oneself* (*euph*) sich erleichtern; *it ~s the monotony* das ist eine Abwechslung. **c** (*take over from, also Mil*) ablösen. **d** (*Mil*) *town* entsetzen.

religion [rɪ'lɪdʒən] *n* Religion *f*; (*creed*) Glaube(n) *m* ► *the Christian ~* der christliche Glaube.

religious [rɪ'lɪdʒəs] *adj* **a** religiös; *person also* gläubig; *order* geistlich; *freedom also, wars* Glaubens- ► *~ instruction* (*Sch*) Religionsunterricht *m*; *~ leader* Religionsführer *m*. **b** (*fig: conscientious*) gewissenhaft.

religiously [rɪ'lɪdʒəslɪ] *adv live* fromm; (*fig:*

conscientiously) gewissenhaft, treu und brav.

relinquish [rɪ'lɪŋkwɪʃ] *vt hope, plan* aufgeben; *right, possessions also* verzichten auf (+*acc*) ► *to ~ one's hold on sb/sth* (*lit, fig*) jdn/etw loslassen.

relish ['relɪʃ] **1** *n* **a** (*enjoyment*) Gefallen *m* (*for* an +*dat*) ► *to do sth with (great) ~* etw mit (großem) Genuß tun. **b** (*Cook*) Soße *f*.
2 *vt* genießen; *food, wine also* sich (*dat*) schmecken lassen ► *I don't ~ doing that* (*enjoy*) das ist gar nicht nach meinem Geschmack; (*look forward to*) darauf freue ich mich überhaupt nicht.

relive [,riː'lɪv] *vt youth etc* noch einmal erleben.

reload [,riː'ləʊd] *vt gun* nachladen.

relocate [,riːləʊ'keɪt] **1** *vt* verlegen.
2 *vi* den Standort wechseln.

relocation [,riːləʊ'keɪʃən] *n* Umzug *m*; (*of company*) Standortwechsel *m*; (*of refugees etc*) Umsiedlung *f* ► *~ expenses* Umzugskosten *pl*.

reluctance [rɪ'lʌktəns] *n* Widerwillen *m* ► *to do sth with ~* etw widerwillig *or* ungern tun.

reluctant [rɪ'lʌktənt] *adj* widerwillig ► *he is ~ to do it* es widerstrebt ihm, es zu tun; *he seems ~ to admit it* er scheint es nicht zugeben zu wollen.

reluctantly [rɪ'lʌktəntlɪ] *adv* widerwillig.

rely [rɪ'laɪ] *vi* ► *to ~ (up)on sb/sth* sich auf jdn/etw verlassen; (*be dependent on*) auf jdn/etw angewiesen sein; *she relied on the trains being on time* sie verließ sich darauf, daß die Züge pünktlich waren; *she is not to be relied upon* man kann sich nicht auf sie verlassen.

remain [rɪ'meɪn] *vi* bleiben; (*be left over*) übrigbleiben ► *much ~s to be done* es bleibt noch viel zu tun; *all that ~s is for me to wish you every success* ich möchte Ihnen nur noch viel Erfolg wünschen; *that ~s to be seen* das bleibt abzuwarten; *the fact ~s that ...* das ändert nichts an der Tatsache, daß ...; *to ~ silent* weiterhin schweigen; *to ~ behind* zurückbleiben; *"I ~ yours faithfully John Smith"* „ich verbleibe hochachtungsvoll Ihr John Smith".

remainder [rɪ'meɪndəʳ] *n* Rest *m* (*also Math*) ► *~s pl* (*Comm*) Restbestände *pl*.

remaining [rɪ'meɪnɪŋ] *adj* übrig, restlich ► *I have only two ~* ich habe nur noch zwei (übrig).

remains [rɪ'meɪnz] *npl* (*of meal*) Reste *pl*; (*of building*) Überreste *pl*; (*archaeological ~*) Ruinen *pl* ► *human ~* menschliche Überreste *pl*.

remake ['riːmeɪk] *n* (*Film*) Neuverfilmung *f*, Remake *nt* (*spec*).

remand [rɪ'mɑːnd] **1** *vt* (*Jur*) *to ~ sb (in custody/on bail)* jdn weiterhin in Untersuchungshaft behalten/unter Kaution halten.
2 *n to be on ~* in Untersuchungshaft sein; (*on bail*) auf Kaution freigelassen sein; *~ home* (*Brit Hist*) Untersuchungsgefängnis *nt* für Jugendliche.

remark [rɪ'mɑːk] **1** *n* Bemerkung *f* ► *worthy of ~* bemerkenswert.
2 *vt* (*say*) bemerken.
3 *vi to ~ (up)on sth* über etw (*acc*) eine Bemerkung machen.

remarkable [rɪ'mɑːkəbl] *adj* (*notable*) bemerkenswert; *intelligence, talent also* beachtlich; (*extraordinary*) außergewöhnlich ► *to be ~ for sth* sich durch etw auszeichnen.

remarkably [rɪ'mɑːkəblɪ] *adv* außergewöhnlich.

remarry [,riː'mærɪ] *vi* wieder heiraten.

remedial [rɪ'miːdɪəl] *adj attr action, measures* Hilfs-; (*Med*) Heil- ► *~ teaching* Förderunterricht *m*; *~ class* Förderklasse *f* (*für Lernschwache*).

remedy ['remɪdɪ] **1** *n* (*Med, fig*) Mittel *nt* (*for* gegen); (*medication*) Heilmittel *nt* (*for* gegen) ► *the situation is beyond ~* die Lage ist hoffnungslos.
2 *vt* (*Med*) heilen; (*fig*) *fault* beheben; *situation*

bessern.

▼ remember [rɪ'membə^r] **1** vt **a** (recall) sich erinnern an (+acc); (bear in mind) denken an (+acc); (learn) facts sich (dat) merken **►** I ~ that he was very tall ich erinnere mich, daß er sehr groß war; I ~ her as a beautiful girl ich habe sie als schönes Mädchen in Erinnerung; we must ~ that he's only a child wir sollten bedenken, daß er noch ein Kind ist; to ~ to do sth daran denken, etw zu tun; I can't ~ the word at the moment das Wort fällt mir im Moment nicht ein; here's something to ~ me by da hast du etwas, das dich (immer) an mich erinnern wird; I can never ~ phone numbers ich kann mir Telefonnummern einfach nicht merken; to ~ sb in one's will jdn in seinem Testament bedenken. **b** (commemorate) gedenken (+gen). **c** (give good wishes to) ~ me to your mother grüßen Sie Ihre Mutter von mir; he asks to be ~ed to you er läßt Sie grüßen.
2 vi sich erinnern **►** if I ~ right(ly) or aright wenn ich mich recht erinnere or entsinne.

remembrance [rɪ'membrəns] n Erinnerung f (of an +acc) **►** R~ Day (Brit) ≃ Volkstrauertag m; in ~ of zur Erinnerung an (+acc).

┌─── **REMEMBRANCE SUNDAY** ───┐

ⓘ Remembrance Sunday oder Remembrance Day ist der britische Gedenktag für die Gefallenen der beiden Weltkriege und anderer Konflikte. Er fällt auf einen Sonntag vor oder nach dem 11. November (am 11. November 1918 endete der erste Weltkrieg) und wird mit einer Schweigeminute, Kranzniederlegungen an Kriegerdenkmälern und dem Tragen von Anstecknadeln in Form einer Mohnblume begangen.

remind [rɪ'maɪnd] vt erinnern (of an +acc) **►** to ~ sb to do sth jdn daran erinnern, etw zu tun; that ~s me! da(bei) fällt mir etwas ein.

reminder [rɪ'maɪndə^r] n (note etc) Gedächtnisstütze f **►** (letter of) ~ (Comm) Mahnung f; to give sb a ~ to do sth jdn daran erinnern, etw zu tun.

reminisce [,remɪ'nɪs] vi sich in Erinnerungen ergehen (about über +acc).

reminiscence [,remɪ'nɪsəns] n Erinnerung f (of an +acc).

▼ reminiscent [,remɪ'nɪsənt] adj to be ~ of sth an etw (acc) erinnern.

remiss [rɪ'mɪs] adj nachlässig.

remission [rɪ'mɪʃən] n (Jur) (Straf)erlaß m; (Rel) Nachlaß m **►** he got 3 years' ~ ihm wurden 3 Jahre erlassen.

remit [rɪ'mɪt] vt **a** (cancel, pardon) debt, sentence, sins erlassen. **b** (send) money überweisen. **c** (Jur: transfer) case verweisen (to an +acc).

remittance [rɪ'mɪtəns] n Überweisung f (to an +acc).

remnant ['remnənt] n Rest m; (fig: of splendour, custom) Überrest m.

remold ['riːməʊld] n (US) = remould.

remonstrance [rɪ'mɒnstrəns] n Protest m (with bei, against gegen).

remonstrate ['remənstreɪt] vi protestieren (against gegen) **►** to ~ with sb (about sth) jdm Vorhaltungen (wegen etw) machen.

remorse [rɪ'mɔːs] n Reue f (at, over über +acc) **►** without ~ (merciless) erbarmungslos.

remorseful [rɪ'mɔːsfʊl] adj reumütig, reuig.

remorseless [rɪ'mɔːslɪs] adj reuelos; (fig: merciless) unbarmherzig.

remorselessly [rɪ'mɔːslɪslɪ] adv unbarmherzig.

remote [rɪ'məʊt] adj (+er) **a** entfernt; (isolated) abgelegen; (in time) fern; (person) unnahbar. **b** (slight) possibility, resemblance entfernt; chance gering.

remote: ~ control n Fernlenkung f; (Rad, TV) Fernbedienung f; ~-controlled adj ferngesteuert; (Rad, TV) mit Fernbedienung.

remotely [rɪ'məʊtlɪ] adv situated, related entfernt **►** it's just ~ possible es ist gerade eben noch möglich; they're not even ~ similar sie sind sich nicht im entferntesten ähnlich.

remould ['riːməʊld] n (Brit) runderneuerter Reifen.

remount [,riː'maʊnt] **1** vt horse, bicycle wieder steigen auf (+acc).
2 vi wieder aufsitzen.

removable [rɪ'muːvəbl] adj cover, attachment abnehmbar; lining abknöpfbar.

removal [rɪ'muːvəl] n see vt **a** Entfernung f; Abnahme f; Herausnehmen nt; Ausbau m. **b** Beseitigung f; Zerstreuung f. **c** Entfernung f. **d** (move from house) Umzug m.

removal: ~ expenses npl Umzugskosten pl; ~ firm n Spedition f; ~ man n Möbelpacker m; ~ van n (Brit) Möbelwagen m.

remove [rɪ'muːv] **1** vt **a** (take off/away, Med) entfernen (from aus); cover, attachments also, bandage, tie abnehmen; (take out) herausnehmen (from aus); (Tech) ausbauen (from aus) **►** to ~ sth from sb jdm etw wegnehmen; to ~ a child from school ein Kind von der Schule nehmen. **b** (eradicate) threat, obstacle, problem beseitigen; doubt, suspicion zerstreuen. **c** (form: dismiss) official entfernen. **d** to be far ~d from ... weit entfernt sein von ...; a cousin twice ~d ein Vetter zweiten Grades.
2 vi (form: move house) to ~ to London nach London (um-)ziehen.

remover [rɪ'muːvə^r] n **a** (for nail varnish, stains etc) Entferner m. **b** (removal man) Möbelpacker m **►** ~s (removal firm) Spedition f.

remunerate [rɪ'mjuːnəreɪt] vt bezahlen, vergüten.

remuneration [rɪ,mjuːnə'reɪʃən] n Bezahlung, Vergütung f.

renaissance [rɪ'neɪsɑːns] n the R~ (Hist) die Renaissance.

rename [,riː'neɪm] vt umbenennen **►** Leningrad was ~d St Petersburg Leningrad wurde in St Petersburg umbenannt.

render ['rendə^r] vt **a** (form: give) service leisten; judgement abgeben; homage erweisen. **b** (interpret, translate) wiedergeben; (in writing) übertragen; music, poem also vortragen. **c** (form: make) machen **►** to ~ a bomb harmless eine Bombe entschärfen. **d** (also ~ down) fat auslassen. **e** (Build) verputzen.

rendering ['rendərɪŋ] n Wiedergabe f; (in writing) Übertragung f; (of piece of music, poem) Vortrag m.

rendez-vous ['rɒndɪvuː] **1** n (place) Treffpunkt m; (agreement to meet) Rendezvous nt.
2 vi sich treffen (with mit); (spaceships) ein Rendezvousmanöver durchführen.

rendition [ren'dɪʃən] n (form) = rendering.

renegade ['renɪgeɪd] **1** n Abtrünnige(r) mf.
2 adj abtrünnig.

renew [rɪ'njuː] vt erneuern; contract, passport etc (authority) verlängern; (holder) verlängern lassen; discussions, attempts wiederaufnehmen; one's strength wiederherstellen; supplies auffrischen **►** to ~ a library book ein Buch verlängern lassen; to ~ one's acquaintance with sb seine Bekanntschaft mit jdm auffrischen.

renewable [rɪ'njuːəbl] **1** adj erneuerbar; contract, passport, library book verlängerbar.
2 npl ~s erneuerbare Energien pl.

renewal [rɪ'njuːəl] n see vt Erneuerung f; Verlängerung f; Wiederaufnahme f; Wiederherstellung f; Auffrischung f.

renounce [rɪ'naʊns] vt right, one's liberty aufgeben; reli-

► SENTENCE BUILDER: **remember: 1a → 6.2   reminiscent → 7.1**

gion, devil, opinions, cause abschwören (+dat); (Rel) world entsagen (+dat).

renovate ['renəuveɪt] vt building renovieren; painting, furniture restaurieren.

renovation [,renəu'veɪʃən] n see vt Renovierung f; Restaurierung f.

renown [rɪ'naun] n guter Ruf, Ansehen nt.

renowned [rɪ'naund] adj berühmt (for für).

rent [rent] **1** n (for house, room) Miete f; (for farm, factory) Pacht f ▶ **for** ~ zu vermieten/verpachten/verleihen.
2 vt **a** (also vi) house, room mieten; farm, factory pachten; TV, car etc leihen. **b** (also ~ **out**) vermieten; verpachten; verleihen.

rental ['rentl] n (amount paid) (for house) Miete f; (for TV, car, boat etc also) Leihgebühr f; (for land) Pacht f; (income from rents) Miet-/Pacht-/Leihgebühreinnahmen pl ▶ ~ **car** (US) Mietauto nt; ~ **library** (US) Leihbücherei f.

rent: ~ **boy** n Strichjunge m (col); ~ **collector** n Mietkassierer(in f) m; ~-**controlled** adj mit gebundener Miete; ~-**free** adj mietfrei; ~ **tribunal** n Mieterschiedsgericht nt.

renunciation [rɪ,nʌnsɪ'eɪʃən] n see **renounce** Aufgabe f; Abschwören nt; Entsagung f.

reopen [,riː'əupən] **1** vt wieder öffnen; shop, theatre, hostilities wiedereröffnen; debate, negotiations, (Jur) case wiederaufnehmen.
2 vi wieder aufgehen; (shop, theatre etc) wieder aufmachen; (negotiations) wiederbeginnen.

reorder [,riː'ɔːdəʳ] vti nachbestellen; (if first order is lost) neu bestellen.

reorganization [riː,ɔːgənaɪ'zeɪʃən] n see vt Umorganisation f; Umordnung f; Neueinteilung f; Neuaufbau m.

reorganize [,riː'ɔːgənaɪz] vt umorganisieren; furniture, books umordnen; work neu einteilen; essay neu aufbauen.

rep [rep] = **a** (Theat) repertory. **b** (Comm) representative.

Rep (US Pol) = **a** Republican. **b** Representative.

repaid [,riː'peɪd] pret, ptp of **repay**.

repaint [,riː'peɪnt] vt neu streichen.

repair [rɪ'pɛəʳ] **1** vt (lit, fig) reparieren; tyre also, clothes flicken; roof, wall also, road ausbessern; (fig) wrong, damage wiedergutmachen.
2 n see vt Reparatur f; Flicken nt; Ausbesserung f ▶ **to be under** ~ (car, machine) in Reparatur sein; **to put sth in for** ~ etw zur Reparatur bringen; **beyond** ~ nicht mehr zu reparieren; **closed for** ~s wegen Reparaturarbeiten geschlossen; **to be in good** ~ in gutem Zustand sein; **state of** ~ Zustand m.

repairable [rɪ'pɛərəbl] adj reparabel.

repair: ~ **kit** or **outfit** n Flickzeug nt; ~ **shop** n Reparaturwerkstatt f.

reparation [,repə'reɪʃən] n (for damage) Entschädigung f; (usu pl: after war) Reparationen pl; (for wrong) Wiedergutmachung f ▶ **to make** ~ **for sth** etw wiedergutmachen.

repartee [,repɑː'tiː] n Schlagabtausch m; (retort) schlagfertige Antwort.

repast [rɪ'pɑːst] n (liter, hum) Mahl nt (geh).

repatriate [,riː'pætrɪeɪt] vt in das Heimatland zurücksenden, repatriieren.

repatriation ['riː,pætrɪ'eɪʃən] n Repatriierung f.

repay [,riː'peɪ] pret, ptp **repaid** vt money zurückzahlen; expenses erstatten; debt abzahlen; kindness vergelten; visit erwidern ▶ **how can I ever** ~ **you?** wie kann ich das jemals wiedergutmachen?

repayable [,riː'peɪəbl] adj rückzahlbar.

repayment [,riː'peɪmənt] n (of money) Rückzahlung f;

(of effort, kindness) Lohn m.

repeal [rɪ'piːl] **1** vt law aufheben.
2 n Aufhebung f.

▼ **repeat** [rɪ'piːt] **1** vt wiederholen; (tell to sb else) weitersagen (to sb jdm) ▶ **to** ~ **oneself** sich wiederholen; **don't** ~ **it to anyone** sag es nicht weiter; **to** ~ **an order** (Comm) nachbestellen; **this offer will never be** ~**ed!** dies ist ein einmaliges Angebot!
2 n (Rad, TV) Wiederholung f.

repeated adj, ~**ly** adv [rɪ'piːtɪd, -lɪ] wiederholt.

repeat: ~ **offender** n Mehrfachtäter m; ~ **order** n (Comm) Nachbestellung f; ~ **performance** n (Theat) Wiederholungsvorstellung f.

repel [rɪ'pel] vt enemy zurückschlagen; sb's advance abwehren; water abstoßen; (disgust) abstoßen.

repellent [rɪ'pelənt] **1** adj **a** ~ **to water** wasserabstoßend. **b** (disgusting) abstoßend.
2 n insect ~ Insektenschutzmittel nt.

repent [rɪ'pent] vi Reue empfinden (of über +acc).

repentance [rɪ'pentəns] n Reue f.

repentant [rɪ'pentənt] adj look reuevoll ▶ **he was very** ~ es reute ihn sehr.

repercussion [,riːpə'kʌʃən] n (consequence) Auswirkung f (on auf +acc) ▶ ~**s** pl (of misbehaviour etc) Nachspiel nt; **that is bound to have** ~**s** das geht nicht ohne Nachspiel ab.

repertoire ['repətwɑːʳ] n Repertoire f.

repertory ['repətərɪ] n (also ~ **theatre**) Repertoire-Theater nt ▶ ~ **company** Repertoire-Ensemble nt.

repetition [,repɪ'tɪʃən] n Wiederholung f.

repetitious [,repɪ'tɪʃəs] adj sich wiederholend.

repetitive [rɪ'petɪtɪv] adj sich dauernd wiederholend; work also monoton ▶ **to be** ~ sich dauernd wiederholen.

rephrase [riː'freɪz] vt anders formulieren.

replace [rɪ'pleɪs] vt **a** zurückstellen; (put flat) zurücklegen ▶ **to** ~ **the receiver** (Telec) (den Hörer) auflegen. **b** (substitute, renew) ersetzen; (employee: temporarily) vertreten.

replacement [rɪ'pleɪsmənt] n **a** see vt (a) Zurückstellen nt; Zurücklegen nt. **b** (substituting) Ersatz m; (by deputy) Vertretung f ▶ ~ **cost** Wiederbeschaffungskosten pl; ~ **part** Ersatzteil nt; ~ **value** (Insur) Wiederbeschaffungswert m.

replay ['riːpleɪ] (Sport) **1** n (recording) Wiederholung f; (match) Wiederholungsspiel nt.
2 [,riː'pleɪ] vt match, game wiederholen.

replenish [rɪ'plenɪʃ] vt ergänzen; glass auffüllen.

replete [rɪ'pliːt] adj (form: supplied) reichlich versehen (with mit).

replica ['replɪkə] n Kopie f; (of ship, building etc) Nachbildung f.

▼ **reply** [rɪ'plaɪ] **1** n (letter) Antwort f; (spoken also) Erwiderung f ▶ **in** ~ (als Antwort) darauf; **in** ~ **to your letter** in Beantwortung Ihres Briefes (form).
2 vti antworten; (spoken also) erwidern.

reply: ~ **coupon** n Antwortschein m; ~-**paid** adj envelope freigemacht, frei-; ~-**paid postcard** Rückantwortkarte f.

report [rɪ'pɔːt] **1** n **a** (account, statement) Bericht m (on über +acc); (Press, Rad, TV also) Reportage f (on über +acc) ▶ **to give a** ~ **on sth** Bericht über etw (acc) erstatten/eine Reportage über etw (acc) machen; **(school)** ~ Zeugnis nt; **there is a** ~ **that ...** (rumour) es wird gesagt, daß ... **b** (of gun) Knall m.
2 vt **a** results, findings berichten über (+acc); (announce also) melden (to sb jdm) ▶ **he** ~**ed to me that ...** er meldete mir, daß ...; **the papers** ~**ed the crime as solved** laut Presseberichten ist das Verbrechen aufgeklärt; **he is** ~**ed as having said ...** er soll gesagt haben ...; ~**ed speech** (Gram) indirekte Rede. **b** (to sb jdm) (notify authorities of) accident, crime melden; (to police

also) anzeigen; *one's position* angeben ▶ *to ~ sb for sth* jdn wegen etw melden *or* (*to the police*) anzeigen. **3** *vi* **a** (*announce oneself*) sich melden ▶ *to ~ for duty* sich zum Dienst melden; *to ~ sick* sich krank melden. **b** (*give a ~*) berichten, Bericht erstatten (*on* über +*acc*). **c** (*be subordinate to*) *to ~ to sb* jdm unterstellt sein.

◆**report back** *vi* **a** (*announce one's return*) sich zurückmelden.·**b** (*give report*) Bericht erstatten (*to sb* jdm).

reportedly [rɪˈpɔːtɪdlɪ] *adv* wie verlautet.

reporter [rɪˈpɔːtəʳ] *n* (*Press, Rad, TV*) Reporter(in *f*); (*on the spot*) Korrespondent(in *f*) *m*.

repose [rɪˈpəʊz] **1** *n* (*liter*) (*rest, peace*) Ruhe *f*; (*composure*) Gelassenheit *f*. **2** *vi* (*form, liter: rest, be buried*) ruhen.

repossess [ˌriːpəˈzes] *vt* wieder in Besitz nehmen.

reprehensible [ˌreprɪˈhensɪbl] *adj* tadelnswert.

represent [ˌreprɪˈzent] *vt* darstellen; (*symbolize also*) symbolisieren; (*act or speak for, Parl, Jur*) vertreten.

representation [ˌreprɪzenˈteɪʃən] *n* **a** *no pl see vt* Darstellung *f*; Symbolisierung *f*; Vertretung *f*. **b** (*drawing, description, Theat*) Darstellung *f*. **c** *~s pl* (*esp Pol: remonstrations*) Vorhaltungen *pl*; *the ambassador made ~s to the government* der Botschafter wurde bei der Regierung vorstellig.

representative [ˌreprɪˈzentətɪv] **1** *adj* (*of* für) repräsentativ; *attitude also* typisch; (*symbolic*) symbolisch. **2** *n* (*Comm*) Vertreter(in *f*) *m*; (*Jur*) Bevollmächtigte(r) *mf*; (*US Pol*) Abgeordnete(r) *mf* des Repräsentantenhauses.

repress [rɪˈpres] *vt revolt, population, laugh* unterdrücken; *emotions, desires also* zurückdrängen; (*Psych*) verdrängen.

repressed [rɪˈprest] *adj* unterdrückt; (*Psych*) verdrängt.

repression [rɪˈpreʃən] *n* Unterdrückung *f*; (*Psych*) Verdrängung *f*.

repressive [rɪˈpresɪv] *adj* repressiv.

reprieve [rɪˈpriːv] **1** *n* (*Jur*) Begnadigung *f*; (*postponement*) Strafaufschub *m*; (*fig*) Gnadenfrist *f*. **2** *vt he was ~d* (*Jur*) er wurde begnadigt; (*sentence postponed*) seine Strafe wurde aufgeschoben; *the building/firm has been ~d for a while* das Gebäude/ die Firma ist vorerst noch einmal verschont geblieben.

reprimand [ˈreprɪmɑːnd] **1** *n* Tadel *m*; (*official also*) Verweis *m*. **2** *vt* tadeln.

reprint [ˌriːˈprɪnt] **1** *vt* neu auflegen, nachdrucken. **2** [ˈriːprɪnt] *n* Neuauflage *f*, Nachdruck *m*.

reprisal [rɪˈpraɪzəl] *n* (*for* gegen) Vergeltungsmaßnahme *f*, Repressalie *f* ▶ *to take ~s* zu Repressalien greifen; *as a ~ for* als Vergeltung für.

reproach [rɪˈprəʊtʃ] **1** *n* (*rebuke*) Vorwurf *m* ▶ *above or beyond ~* über jeden Vorwurf erhaben. **2** *vt* Vorwürfe machen (+*dat*) ▶ *to ~ sb for a mistake* jdm einen Fehler vorwerfen; *to ~ sb for having done sth* jdm Vorwürfe dafür machen, daß er etw getan hat.

reproachful [rɪˈprəʊtʃʊl] *adj* vorwurfsvoll.

reprobate [ˈreprəʊbeɪt] *n* verkommenes Subjekt.

reprocessing plant [rɪˈprəʊsesɪŋplɑːnt] *n* Wiederaufbereitungsanlage *f*.

reproduce [ˌriːprəˈdjuːs] **1** *vt* wiedergeben; (*Art, mechanically also*) reproduzieren. **2** *vi* (*Biol*) sich vermehren.

reproduction [ˌriːprəˈdʌkʃən] *n* **a** (*procreation*) Fortpflanzung *f*. **b** (*copy*) Reproduktion *f*; (*photo*) Kopie *f*; (*sound~*) Wiedergabe *f* ▶ *~ furniture* Stilmöbel *pl*.

reproof¹ [ˌriːˈpruːf] *vt garment* frisch imprägnieren.

reproof² [rɪˈpruːf] *n* Tadel *m*, Rüge *f*.

reprove [rɪˈpruːv] *vt person, action* tadeln.

reptile [ˈreptaɪl] *n* Reptil *nt*.

republic [rɪˈpʌblɪk] *n* Republik *f*.

republican, Republican (*US Pol*) [rɪˈpʌblɪkən] **1** *adj* republikanisch. **2** *n* Republikaner(in *f*) *m*.

repudiate [rɪˈpjuːdɪeɪt] *vt person* verstoßen; *authorship, debt, obligation* nicht anerkennen; *accusation* zurückweisen.

repudiation [rɪˌpjuːdɪˈeɪʃən] *n see vt* Verstoßung *f*; Nichtanerkennung *f*; Zurückweisung *f*.

repugnance [rɪˈpʌgnəns] *n* Widerwille *m* (*towards, for* gegen).

repugnant [rɪˈpʌgnənt] *adj* widerlich, abstoßend.

repulse [rɪˈpʌls] *vt* (*Mil*) *enemy* abwehren.

repulsion [rɪˈpʌlʃən] *n* (*distaste*) Widerwille *m* (*for* gegen).

repulsive [rɪˈpʌlsɪv] *adj* (*loathsome*) abstoßend.

repurchase [ˌriːˈpɜːtʃəs] *n* Rückkauf *m*.

reputable [ˈrepjʊtəbl] *adj* ehrenhaft; *occupation* ordentlich, anständig; *dealer, firm* seriös.

reputation [ˌrepjʊˈteɪʃən] *n* Ruf *m*; (*bad ~*) schlechter Ruf ▶ *what sort of ~ does she have?* wie ist ihr Ruf?; *to have a ~ for honesty* als ehrlich gelten.

repute [rɪˈpjuːt] **1** *n* Ruf *m*, Ansehen *nt* ▶ *to be of good ~* einen guten Ruf genießen; *to be held in high ~* in hohem Ansehen stehen. **2** *vt* (*pass only*) *he is ~d to be ...* man sagt, daß er ... ist.

reputedly [rɪˈpjuːtɪdlɪ] *adj* wie man annimmt ▶ *he is ~ the best player* er gilt als der beste Spieler.

▼ **request** [rɪˈkwest] **1** *n* Bitte *f*, Ersuchen *nt* (*geh*) ▶ *at sb's ~* auf jds Bitte; *by ~* auf Wunsch; *to make a ~ for sth* um etw bitten. **2** *vt* bitten um; (*Rad*) *record* sich (*dat*) wünschen ▶ *to ~ sth of sb* (*form*) jdn um etw bitten *or* ersuchen (*geh*); *to ~ sb to do sth* jdn darum bitten, etw zu tun; *"you are ~ed not to smoke"* "bitte nicht rauchen".

request stop *n* (*Brit*) Bedarfshaltestelle *f*.

requiem [ˈrekwɪem] *n* Requiem *nt*.

require [rɪˈkwaɪəʳ] *vt* **a** (*need*) brauchen, benötigen; *action, care* erfordern; (*desire*) wünschen ▶ *I have all I ~* ich habe alles, was ich brauche; *what qualifications are ~d?* welche Qualifikationen werden verlangt?; *it ~s attention or repairing* es müßte repariert werden; *to be ~d to do sth* etw machen müssen; *if ~d* falls erforderlich; *as and when ~d* nach Bedarf. **b** (*order*) *to ~ sb to do sth* von jdm verlangen, daß er/sie etw tut; *to ~ sth of sb* etw von jdm verlangen.

required [rɪˈkwaɪəd] *adj* erforderlich; *date* vorgeschrieben; (*desired*) gewünscht ▶ *the ~ amount* die benötigte Menge.

requirement [rɪˈkwaɪəmənt] *n* (*need*) Bedarf *m no pl*; (*desire*) Wunsch *m*; (*condition, thing required*) Erfordernis *nt* ▶ *to meet sb's ~s* jds Ansprüchen gerecht werden; *to fit the ~s* den Erfordernissen entsprechen.

requisite [ˈrekwɪzɪt] **1** *n* Erfordernis *nt* ▶ *toilet ~s* Toilettenartikel *pl*. **2** *adj* erforderlich.

requisition [ˌrekwɪˈzɪʃən] **1** *n* Anforderung *f*; (*Mil*) Requisition *f* ▶ *to make a ~ for sth* etw anfordern. **2** *vt* anfordern; (*Mil*) *supplies* requirieren.

reroute [ˌriːˈruːt] *vt train, bus* umleiten.

rerun [ˌriːˈrʌn] **1** *vt race* wiederholen. **2** [ˈriːrʌn] *n* Wiederholung *f*.

resale [ˈriːseɪl] *n* Weiterverkauf *m* ▶ *~ price maintenance* Preisbindung *f*.

reschedule [riːˈʃedjuːl] *vt* auf eine neue Zeit festlegen; *debt* umschulden ▶ *to be ~d for tomorrow morning* auf morgen früh verlegt werden.

rescind [rɪˈsɪnd] *vt* rückgängig machen; *law* aufheben.

rescue [ˈreskjuː] **1** *n* (*saving*) Rettung *f*; (*freeing*) Befreiung *f* ▶ *~ party* Rettungsmannschaft *f*; *to go/come to*

➤ SENTENCE BUILDER: **request: 2 → 5.4**

sb's ~ jdm zu Hilfe kommen.
2 *vt* (*save*) retten; (*free*) befreien ▶ *you ~d me from a difficult situation* du hast mich aus einer schwierigen Lage gerettet.
rescuer ['reskjʊəʳ] *n see vt* Retter(in *f*) *m*; Befreier(in *f*) *m*.
research [rɪ'sɜːtʃ] **1** *n* Forschung *f* (*into, on* über +*acc*) ▶ *a piece of* ~ eine Forschungsarbeit; *to do* ~ forschen, Forschung betreiben; ~ *and development* Forschung und Entwicklung.
2 *vi* forschen.
3 *vt* erforschen, untersuchen ▶ *a well-~ed book* ein Buch das auf solider Forschungsarbeit beruht.
research assistant *n* wissenschaftliche Hilfskraft.
researcher [rɪ'sɜːtʃəʳ] *n* Forscher(in *f*) *m*.
research: ~ **programme** *n* Forschungsprogramm *nt*; ~ **student** *n* (*Univ*) Student, der Forschungen für einen höheren akademischen Grad betreibt; ~ **worker** *n* Forscher *m*.
▼ **resemblance** [rɪ'zembləns] *n* Ähnlichkeit *f* ▶ *to bear a strong/no* ~ *to sb/sth* starke/keine Ähnlichkeit mit jdm/etw haben.
resemble [rɪ'zembl] *vt* gleichen (+*dat*), ähnlich sein (+*dat*).
resent [rɪ'zent] *vt remarks, behaviour* sich ärgern über (+*acc*); *person* eine Abneigung haben gegen ▶ *he ~ed the fact that ...* er ärgerte sich darüber, daß ...; *to* ~ *sb's success* jdm seinen Erfolg mißgönnen; *I* ~ *that* das gefällt mir nicht.
resentful [rɪ'zentfʊl] *adj* verärgert (*of* über +*acc*); (*jealous*) neidisch (*of* auf +*acc*) ▶ *he felt* ~ *about her promotion* er nahm es ihr übel, daß sie befördert worden war.
resentment [rɪ'zentmənt] (*of* über +*acc*) Verärgerung *f*; (*jealousy*) Neid *m*.
reservation [,rezə'veɪʃən] *n* **a** (*qualification of opinion*) Vorbehalt *m* ▶ *without* ~ ohne Vorbehalt; *with* ~*s* unter Vorbehalt(en); *to have* ~*s about sb/sth* Bedenken in bezug auf jdn/etw haben. **b** (*booking*) Reservierung *f* ▶ *to make a* ~ *at the hotel* ein Zimmer im Hotel reservieren lassen; *to have a* ~ (*for a room*) ein Zimmer reserviert haben; ~ *desk* Reservierungsschalter *m*; (*US: in hotel*) Rezeption *f*. **c** (*area of land*) Reservat *nt* ▶ (*central*) ~ (*Brit: on motorway*) Mittelstreifen *m*.
reserve [rɪ'zɜːv] **1** *vt* **a** (*keep*) aufsparen, aufheben ▶ *to* ~ *one's strength* seine Kräfte sparen; *to* ~ *judgement* mit einem Urteil zurückhalten; *to* ~ *the right to do sth* sich (*dat*) (das Recht) vorbehalten, etw zu tun. **b** (*book in advance*) reservieren lassen.
2 *n* **a** (*store*) (*of* an +*dat*) Reserve *f*, Vorrat *m*; (*Fin*) Reserve *f* ▶ *cash* ~ Barreserve *f*; *world* ~*s of copper* die Weltreserven *pl* an Kupfer; *to have/keep in* ~ in Reserve haben/halten. **b** *without* ~ ohne Vorbehalt. **c** (*piece of land*) Reservat *nt*. **d** (*coolness, reticence*) Reserve *f* ▶ *he treated me with some* ~ er behandelte mich etwas reserviert. **e** (*Mil: force*) Reserve *f* ▶ *the* ~*s* die Reserveeinheiten. **f** (*Sport*) Reservespieler(in *f*) *m* ▶ *the* ~*s* die Reserve(mannschaft).
reserved [rɪ'zɜːvd] *adj* **a** (*reticent*) zurückhaltend (*about* in bezug auf +*acc*). **b** *room, seat* reserviert. **c** *all rights* ~ alle Rechte vorbehalten.
reserve: ~ **price** *n* Mindest- *or* Ausrufpreis *m*; ~ **team** *n* Reserve(mannschaft) *f*.
reservist [rɪ'zɜːvɪst] *n* (*Mil*) Reservist *m*.
reservoir ['rezəvwɑːʳ] *n* (*lit*) (*for water*) Reservoir *nt*; (*fig: of talent etc*) Fundgrube *f* (*of* an +*dat*).
reset [,riː'set] *pret, ptp* ~ *vt* (*readjust*) neu einstellen; *watch etc* neu stellen (*to* auf +*acc*); (*put back*) *dial, mileometer* zurückstellen (*to* auf +*acc*); (*Comp*) rücksetzen.
resettle [,riː'setl] *vt refugees* umsiedeln.
reshape [,riː'ʃeɪp] *vt* umformen.

reshuffle [,riː'ʃʌfl] *n* *Cabinet* ~ (*Pol*) Kabinettsumbildung *f*.
reside [rɪ'zaɪd] *vi* **a** (*form: live*) seinen Wohnsitz haben; (*monarch etc*) residieren. **b** (*fig*) *the power* ~*s in the President* die Macht ruht beim Präsidenten.
residence ['rezɪdəns] *n* **a** (*house*) Wohnhaus *nt*; (*hostel: for students, nurses*) Wohnheim *nt*; (*of monarch, ambassador etc*) Residenz *f*. **b** *no pl country/place of* ~ Aufenthaltsland *nt*/Wohnort *m*; *after 5 years'* ~ *in Britain* nach 5 Jahren Aufenthalt in Großbritannien; *to take up* ~ *in the capital* sich in der Hauptstadt niederlassen; *to be in* ~ (*monarch, governor etc*) anwesend sein; ~ *permit* Aufenthaltsgenehmigung *f*.
resident ['rezɪdənt] **1** *n* Bewohner(in *f*) *m*; (*in town also*) Einwohner(in *f*) *m*; (*of institution also*) Insasse *m*, Insassin *f*; (*in hotel*) Gast *m*.
2 *adj* (*in country, town*) wohnhaft; *tutor* Haus-; *physician* Anstalts- ▶ *they are* ~ *in Germany* sie haben ihren Wohnsitz in Deutschland.
residential [,rezɪ'denʃəl] *adj area* Wohn-; *job* im Haus; *college* mit einem Wohnheim verbunden; *course* mit Wohnung im Heim.
residual [rɪ'zɪdjʊəl] *adj* restlich, Rest-.
residue ['rezɪdjuː] *n* Rest *m*; (*Chem*) Rückstand *m*.
resign [rɪ'zaɪn] **1** *vt* **a** (*give up*) *office, post* zurücktreten von; *claim, rights* verzichten auf (+*acc*) ▶ *to* ~ *power* abtreten. **b** *to* ~ *oneself to sth/to doing sth* sich mit etw abfinden/sich damit abfinden, etw zu tun.
2 *vi* (*from public appointment*) zurücktreten; (*employee*) kündigen ▶ *to* ~ *from office* sein Amt niederlegen.
resignation [,rezɪg'neɪʃən] *n* **a** *see vi* Rücktritt *m*; Kündigung *f* ▶ *to hand in or tender* (*form*) *one's* ~ seinen Rücktritt/seine Kündigung einreichen/sein Amt niederlegen. **b** (*mental state*) Resignation *f* (*to* gegenüber +*dat*).
resigned [rɪ'zaɪnd] *adj smile* resigniert ▶ *to become* ~ *to sth* sich mit etw abfinden; *to be* ~ *to one's fate* sich in sein Schicksal ergeben haben.
resilience [rɪ'zɪlɪəns] *n* *see adj* Federn *nt*; Unverwüstlichkeit *f*.
resilient [rɪ'zɪlɪənt] *adj* **a** *material* federnd *attr* ▶ *to be* ~ federn. **b** (*fig*) *person, nature* unverwüstlich.
resin ['rezɪn] *n* Harz *nt*.
resist [rɪ'zɪst] **1** *vt* **a** sich widersetzen (+*dat*); *arrest, advances, attack, proposal, change also* sich wehren gegen. **b** *temptation, sb* widerstehen (+*dat*) ▶ *I couldn't* ~ (*eating*) *another piece of cake* ich konnte der Versuchung nicht widerstehen, noch ein Stück Kuchen zu essen. **c** (*wall, door*) standhalten (+*dat*).
2 *vi see vt* **a** sich widersetzen; sich wehren. **b** widerstehen.
resistance [rɪ'zɪstəns] *n* (*to* gegen) Widerstand *m* (*also Elec, Phys, Mil*); (*Med*) Widerstandsfähigkeit *f* (*to* gegen) ▶ (*powers of*) ~ Widerstandskraft *f*; ~ *to water/heat* Wasser-/Hitzebeständigkeit *f*; *to meet with* ~ auf Widerstand stoßen; *to offer no* ~ (*to sb/sth*) (*to attacker, advances etc*) (jdm/gegen etw) keinen Widerstand leisten.
resistant [rɪ'zɪstənt] *adj material* strapazierfähig; (*Med*) immun (*to* gegen) ▶ *water-*~ wasserbeständig.
resit [,riː'sɪt] (*pret, ptp* **resat**) *vt exam* wiederholen.
resolute ['rezəluːt] *adj* energisch; *answer* entschieden, bestimmt.
resolution [,rezə'luːʃən] *n* **a** (*decision*) Beschluß *m*; (*Pol, Admin etc also*) Resolution *f*; (*governing one's behaviour*) Vorsatz *m* ▶ *good* ~*s* gute Vorsätze *pl*. **b** *no pl* (*resoluteness*) Entschlossenheit *f*. **c** *no pl* (*of problem*) Lösung *f*. **d** (*Phys, Mus*) Auflösung *f* (*into* in +*acc*); (*TV, Comp*) (Bild)auflösung *f*.
resolve [rɪ'zɒlv] **1** *vt* **a** *problem* lösen; *doubt* zer-

streuen. [b] (*decide*) **to ~ that ...** beschließen, daß ...; **to ~ to do sth** beschließen, etw zu tun. [2] *n* [a] (*decision*) Beschluß *m* ► **to make a ~ to do sth** den Beschluß fassen, etw zu tun. [b] (*resoluteness*) Entschlossenheit *f*.

resolved [rɪ'zɒlvd] *adj* (*fest*) entschlossen.

resonance ['rezənəns] *n* Resonanz *f*; (*of voice*) voller Klang.

resonant ['rezənənt] *adj sound* voll; *voice* klangvoll; *room* mit Resonanz.

resort [rɪ'zɔ:t] [1] *n* [a] (*recourse*) Ausweg *m*; (*thing, action resorted to also*) Rettung *f* ► **without ~ to violence** ohne Gewaltanwendung; **as a last ~** wenn es nicht anders geht; **in the last ~** im schlimmsten Fall. [b] (*place*) Urlaubsort *m* ► **seaside ~** Seebad *nt*; **ski ~** Wintersportort *m*.

[2] *vi* **to ~ to sth/sb** zu etw greifen/sich an jdn wenden; **to ~ to violence/theft** gewalttätig/zum Dieb werden; **to ~ to lying/swearing** sich aufs Lügen/Fluchen verlegen.

resound [rɪ'zaʊnd] *vi* (wider)hallen (*with* von).

resounding [rɪ'zaʊndɪŋ] *adj noise, shout* widerhallend; (*fig*) *victory* gewaltig; *success* durchschlagend; *defeat* haushoch ► **the response was a ~ "no"** die Antwort war ein überwältigendes „Nein".

resource [rɪ'sɔ:s] *n* [a] **~s** *pl* (*wealth, supplies, money etc*) Mittel, Ressourcen *pl*; **financial/mineral/natural ~s** Geldmittel *pl*/Bodenschätze *pl*/Naturschätze *pl*; **left to one's own ~s** sich (*dat*) selbst überlassen. [b] (*expedient*) Mittel *nt* ► **as a last ~** wenn es nicht anders geht; **a valuable (teaching) ~** ein nützliches Lehrmittel.

resourceful [rɪ'sɔ:sfʊl] *adv person* einfallsreich, findig; *scheme* genial.

resourcefulness [rɪ'sɔ:sfʊlnɪs] *n* Einfallsreichtum *m*, Findigkeit *f*.

respect [rɪ'spekt] [1] *n* [a] (*esteem*) Respekt *m*, Achtung *f* (*for* vor +*dat*) ► **to have/show ~ for** Respekt haben/zeigen vor (+*dat*); **I have the highest ~ for his ability** ich halte ihn für außerordentlich fähig; **to hold sb in great ~** ihn sehr achten. [b] (*consideration*) Rücksicht *f* (*for* auf +*acc*) ► **to treat with ~** *person* rücksichtsvoll behandeln; *dangerous person etc* sich in acht nehmen vor (+*dat*); **out of ~ for** aus Rücksicht auf (+*acc*); **with (due) ~, I still think that ...** bei allem Respekt meine ich dennoch, daß ... [c] (*reference*) **with ~ to ...** was ... anbetrifft, in bezug auf ... (+*acc*). [d] (*aspect*) Hinsicht, Beziehung *f* ► **in many ~s** in vielerlei Hinsicht. [e] **~s** *pl* (*regards*) Empfehlungen (*geh*), Grüße *pl*; **to pay one's last ~s to sb** jdm die letzte Ehre erwiesen.

[2] *vt* respektieren; *person, customs, privacy also* achten; *ability* anerkennen ► **a ~ed company** eine angesehene Firma.

respectability [rɪ,spektə'bɪlɪtɪ] *n see adj* (*a*) Ehrbarkeit *f*; Ehrenhaftigkeit *f*; Anständigkeit *f*; Korrektheit *f*.

respectable [rɪ'spektəbl] *adj* [a] *person* ehrbar; *motives also* ehrenhaft; *district* anständig; *clothes, behaviour* korrekt ► **in ~ society** in guter Gesellschaft. [b] (*large*) *income* ansehnlich. [c] (*fairly good*) *advantage* beträchtlich; *score* beachtlich.

respectably [rɪ'spektəblɪ] *adv dress, behave* anständig.

respectful *adj*, **~ly** *adv* [rɪ'spektfʊl, -əlɪ] respektvoll (*towards* gegenüber).

respecting [rɪ'spektɪŋ] *prep* bezüglich (+*gen*).

respective [rɪ'spektɪv] *adj* jeweilig.

respectively [rɪ'spektɪvlɪ] *adv* **they cost £50 and £60 ~** sie kosten £50 beziehungsweise £60.

respiration [,respɪ'reɪʃən] *n* (*Bot, Med*) Atmung *f*.

respirator ['respɪreɪtəʳ] *n* (*Med*) Beatmungsgerät *nt*; (*Mil*) Atemschutzgerät *nt*.

respiratory [rɪ'spaɪərətərɪ] *adj* Atem-; *organs, problem* Atmungs-.

respite ['respaɪt] *n* (*easing off*) Nachlassen *nt* ► **without ~** ohne Unterbrechung; **to give sb no ~** jdm keine Ruhe lassen.

resplendent [rɪ'splendənt] *adj* glänzend, strahlend; *clothes* prächtig.

respond [rɪ'spɒnd] *vi* [a] (*reply*) antworten ► **to ~ to a question** eine Frage beantworten. [b] (*show reaction*) reagieren (*to* auf +*acc*) ► **to ~ to an appeal** einen Appell beantworten; **to ~ to a call** einem Ruf folgen; **the patient did not ~ to the treatment** der Patient sprach auf die Behandlung nicht an.

response [rɪ'spɒns] *n* (*reply*) Antwort, Erwiderung *f*; (*reaction*) Reaktion *f*; (*Eccl*) Antwort *f* ► **in ~ (to)** in Erwiderung (+*gen*) (*geh*); **~ time** (*Comp*) Ansprechzeit *f*.

▼ **responsibility** [rɪ,spɒnsə'bɪlɪtɪ] *n* [a] *no pl* Verantwortung *f* ► **to take (full) ~ (for sth)** die (volle) Verantwortung (für etw) übernehmen; **that's his ~** dafür ist er verantwortlich. [b] (*duty, burden*) Verpflichtung *f* (*to* für).

responsible [rɪ'spɒnsəbl] *adj* [a] verantwortlich; (*to blame also*) schuld (*for* an +*dat*) ► **what's ~ for the hold-up?** woran liegt die Verzögerung?; **she is not ~ for her actions** (*esp Jur*) sie ist nicht zurechnungsfähig; **to hold sb ~ for sth** jdn für etw verantwortlich machen; **to be directly ~ to sb** jdm unmittelbar unterstellt sein. [b] (*trustworthy*) verantwortungsbewußt; (*involving responsibility*) *job* verantwortungsvoll.

responsibly [rɪ'spɒnsəblɪ] *adv act* verantwortungsbewußt.

responsive [rɪ'spɒnsɪv] *adj person, audience* interessiert; *steering* leicht ansprechend ► **to be ~ to sth** auf etw (*acc*) reagieren *or* ansprechen; **he wasn't very ~** (*to my complaint*) er ging kaum darauf ein.

rest¹ [rest] [1] *n* [a] (*relaxation*) Ruhe *f*; (*pause*) Pause *f*; (*on holiday etc*) Erholung *f* ► **a day of ~** ein Ruhetag *m*; **to need ~** Ruhe brauchen; **I need a ~** ich muß mich ausruhen; (*vacation*) ich brauche Urlaub; **to have a ~** (*relax*) (sich) ausruhen; (*pause*) (eine) Pause machen.

[b] **to be at ~** (*peaceful*) ruhig sein; (*immobile*) sich in Ruhelage/-stellung befinden; (*euph: dead*) ruhen; **to put or set sb's mind at ~** jdn beruhigen; **to come to ~** (*ball, car etc*) zum Stillstand kommen; (*bird, insect*) sich niederlassen; (*gaze, eyes*) hängenbleiben (*upon* an +*dat*).

[c] (*Mus*) Pause *f*.

[2] *vi* [a] sich ausruhen; (*pause*) Pause machen; (*euph: be buried*) ruhen ► **he will not ~ until he discovers the truth** er wird nicht (eher) ruhen, bis er die Wahrheit herausgefunden hat; **to let a matter ~** eine Sache auf sich beruhen lassen; **may he ~ in peace** er ruhe in Frieden.

[b] (*decision, responsibility etc*) liegen (*with* bei) ► **the matter must not ~ there** man kann die Sache so nicht belassen; **~ assured that ...** Sie können versichert sein, daß ...

[c] (*lean: person, head, ladder*) lehnen (*on* an +*dat*, *against* gegen); (*roof etc, eyes, gaze*) ruhen (*on* auf +*dat*); (*fig: be based*) (*argument, case*) sich stützen (*on* auf +*acc*); (*reputation*) beruhen (*on* auf +*dat*).

[3] *vt one's eyes* ausruhen; *voice* schonen; *horses* ausruhen lassen; *ladder* lehnen (*against* gegen, *on* an +*acc*); *elbow*, (*fig*) *theory, suspicions* stützen (*on* auf +*acc*) ► **God ~ his soul** Gott hab ihn selig!

rest² *n* (*remainder*) **the ~** der Rest, das übrige/die übrigen *pl*; **the ~ of the money/meal** das übrige Geld/Essen; **the ~ of us/them** die übrigen, die anderen; **all the ~ of the money** das ganze übrige Geld; **all the ~ of the books** alle übrigen Bücher; **and all the ~ of it** (*col*) und so weiter und so fort; **for the ~** im übrigen.

restart [,ri:'stɑ:t] [1] *vt activity* wieder aufnehmen; *engine* wieder anlassen; *machine* wieder anschalten.

[2] *vi* wieder anfangen; (*engine*) wieder anspringen.

➤ SENTENCE BUILDER: **responsibility: a → 5.2**

restaurant ['restərɔ̃ːŋ] *n* Restaurant *nt* ▸ ~ **car** (*Brit Rail*) Speisewagen *m*.
restaurateur [ˌrestərə'tɜːʳ] *n* Gastwirt, Gastronom *m*.
rest: ~ **cure** *n* Erholung *f*; (*in bed*) Liegekur *f*; ~ **day** *n* Ruhetag *m*.
restful ['restfʊl] *adj occupation, pastime etc* erholsam; *colour* ruhig; *place* friedlich.
rest-home ['rest,həʊm] *n* Pflegeheim *nt*.
resting place ['restɪŋ,pleɪs] *n* Rastplatz *m* ▸ **last** ~ letzte Ruhestätte *f*.
restive ['restɪv] *adj* unruhig; (*restless*) *person, manner* rastlos.
restless ['restlɪs] *adj person, sea* unruhig; (*not wanting to stay in one place*) rastlos.
restock [ˌriː'stɒk] *vt* **to** ~ **(a shop)** die Bestände (eines Geschäfts) wieder auffüllen.
restoration [ˌrestə'reɪʃən] *n* **a** (*return*) Rückgabe *f* (*to* an +*acc*); (*of property also*) Rückerstattung *f* (*to* an +*acc*); (*of confidence, order etc*) Wiederherstellung *f*; (*to office*) Wiedereinsetzung *f* (*to* in +*acc*). **b** **the R~** (*Hist*) die Restauration. **c** (*of monument, work of art etc*) Restaurierung, Restauration *f*.
restorative [rɪ'stɔːrətɪv] *adj* stärkend.
restore [rɪ'stɔːʳ] *vt* **a** (*give back*) zurückgeben; *confidence, order* wiederherstellen ▸ **to** ~ **sb to health** jds Gesundheit wiederherstellen; ~**d to health** wiederhergestellt; **to** ~ **sth to its former condition** etw wiederherstellen. **b** (*to former post*) wiedereinsetzen (*to* in +*acc*) ▸ **to** ~ **to power** wieder an die Macht bringen. **c** (*renovate*) restaurieren.
restorer [rɪ'stɔːrəʳ] *n* (*Art*) Restaurator(in *f*) *m*.
restrain [rɪ'streɪn] *vt person* zurückhalten; *prisoner* mit Gewalt festhalten; *animal, children* bändigen ▸ **to** ~ **sb from doing sth** jdn davon abhalten, etw zu tun; **to** ~ **oneself** sich beherrschen.
restrained [rɪ'streɪnd] *adj emotions* unterdrückt; *manner, words* beherrscht; *tone* verhalten; *criticism* maßvoll.
restraint [rɪ'streɪnt] *n* **a** (*restriction*) Einschränkung, Beschränkung *f* ▸ **without** ~ unbeschränkt; *develop* ungehemmt; **wage** ~ Zurückhaltung *f* bei Lohnforderungen. **b** (*moderation*) Beherrschung *f* ▸ **to show a lack of** ~ wenig Beherrschung zeigen. **c** (*head* ~) Kopfstütze *f*.
restrict [rɪ'strɪkt] *vt* beschränken (*to* auf +*acc*); *time, number also* begrenzen (*to* auf +*acc*).
restricted [rɪ'strɪktɪd] *adj view* beschränkt, begrenzt; (*Admin, Mil*) *information* geheim; *locality* nur bestimmten Gruppen zugänglich ▸ ~ **area** (*Brit Mot*) Strecke *f* mit Geschwindigkeitsbeschränkung; (*Mil etc*) Sperrgebiet *nt*.
restriction [rɪ'strɪkʃən] *n see vt* (*on gen*) Beschränkung *f*; Begrenzung *f* ▸ **without** ~**s** uneingeschränkt; **price** ~ Preisbeschränkung *f*.
restrictive [rɪ'strɪktɪv] *adv* restriktiv, einschränkend *attr*.
rest room ['rest,ruːm] *n* (*US*) Toilette *f*.
restructure [ˌriː'strʌktʃəʳ] *vt* umstrukturieren.
rest stop *n* (*US Mot*) Rastplatz *m*.
restyle [ˌriː'staɪl] *vt* neu stylen.
▼ **result** [rɪ'zʌlt] **1** *n* **a** Folge *f* ▸ **as a** ~ **he failed** folglich fiel er durch; **as a** ~ **of which he ...** was zur Folge hatte, daß er ...; **to be the** ~ **of** resultieren aus. **b** (*outcome*) Ergebnis, Resultat *nt* ▸ ~**s** (*of test, experiment*) Werte *pl*; **to get** ~**s** (*person*) Resultate erzielen; **as a** ~ **of my inquiry** auf meine Anfrage (hin); **what was the** ~**?** (*Sport*) wie ist es ausgegangen?; **without** ~ ergebnislos. **2** *vi* sich ergeben, resultieren (*from* aus).
◆**result in** *vi* +*prep obj* führen zu ▸ **this** ~**ed** ~ **his being late** das führte dazu, daß er zu spät kam.
resultant [rɪ'zʌltənt] *adj* resultierend.
resume [rɪ'zjuːm] **1** *vt* **a** (*restart*) *activity* wiederaufnehmen; *journey* fortsetzen ▸ **to** ~ **work** die Arbeit wiederaufnehmen. **b** *command, possession* wieder

übernehmen ▸ **to** ~ **one's seat** seinen Platz wieder einnehmen. **2** *vi* (*classes, work etc*) wieder beginnen.
résumé ['reɪzjuːmeɪ] *n* Zusammenfassung *f*; (*US: curriculum vitae*) Lebenslauf *m*.
resumption [rɪ'zʌmpʃən] *n* (*of activity*) Wiederaufnahme *f*; (*of command, possession*) erneute Übernahme; (*of journey*) Fortsetzung *f*; (*of classes*) Wiederbeginn *m*.
resurface [ˌriː'sɜːfɪs] *vt* **to** ~ **a road** den Belag einer Straße erneuern.
resurgence [rɪ'sɜːdʒəns] *n* Wiederaufleben *nt*.
resurrection [ˌrezə'rekʃən] *n* (*revival*) Wiederbelebung *f*; (*Rel*) Auferstehung *f*.
resuscitate [rɪ'sʌsɪteɪt] *vt* (*Med*) wiederbeleben; (*fig*) beleben.
resuscitation [rɪ,sʌsɪ'teɪʃən] *n* (*Med*) Wiederbelebung *f*; (*fig*) Belebung *f*.
retail ['riːteɪl] **1** *n* Einzelhandel *m*. **2** *vt* im Einzelhandel verkaufen. **3** *vi* (*goods*) **to** ~ **at ...** im Einzelhandel ... kosten. **4** *adv* im Einzelhandel.
retailer ['riːteɪləʳ] *n* Einzelhändler *m*.
retail: ~ **outlet** *n* Einzelhandelsverkaufsstelle *f*; ~ **park** *n* (*Brit*) großes Einkaufszentrum, Shopping-Center *nt*; ~ **price** *n* Einzelhandelspreis *m*; ~ **price index** *n* Einzelhandelspreisindex *m*.
retain [rɪ'teɪn] *vt* **a** (*keep*) behalten; *money, possession, person* zurück(be)halten; *custom* bewahren; (*dam*) *water* stauen ▸ **to** ~ **control (of sth)** etw weiterhin in der Gewalt haben. **b** (*remember*) sich (*dat*) merken; (*computer*) *information* speichern.
retainer [rɪ'teɪnəʳ] *n* (*fee*) Honorar *nt*; (*advance*) Vorschuß *m*.
retake [riː'teɪk] *pret* **retook**, *ptp* **retaken** *vt* (*Mil*) *town* zurückerobern; (*Film*) nochmals aufnehmen; (*Sch, Sport*) *exam, penalty* wiederholen.
retaliate [rɪ'tælɪeɪt] *vi* Vergeltung üben; (*for bad treatment, insults etc*) sich revanchieren (*against sb* an jdm); (*in battle*) zurückschlagen; (*Sport, in fight, in argument*) kontern.
retaliation [rɪ,tælɪ'eɪʃən] *n* Vergeltung *f*; (*in fight also*) Vergeltungsschlag *m*; (*in argument, diplomacy etc*) Konterschlag *m* ▸ **in** ~ zur Vergeltung; **that's my** ~ **for what you did** das ist meine Revanche für das, was du getan hast.
retarded [rɪ'tɑːdɪd] *adj* (*Med*) zurückgeblieben.
retch [retʃ] *vi* würgen.
retd = **retired** a.D.
retell [riː'tel] *vt pret, ptp* **retold** wiederholen; *old legend* nacherzählen.
retention [rɪ'tenʃən] *n* Beibehaltung *f*; (*of possession*) Zurückhaltung *f*; (*of water, Comp: information*) Speicherung *f*.
retentive [rɪ'tentɪv] *adj memory* aufnahmefähig.
rethink [ˌriː'θɪŋk] *vt pret, ptp* **rethought** [riː'θɔːt] überdenken.
reticence ['retɪsəns] *n* Zurückhaltung *f*.
reticent ['retɪsənt] *adj* zurückhaltend.
retina ['retɪnə] *n, pl* **-e** ['retɪniː] *or* **-s** Netzhaut *f*.
retinue ['retɪnjuː] *n* Gefolge *nt*.
retire [rɪ'taɪəʳ] **1** *vi* **a** (*give up work*) aufhören zu arbeiten; (*civil servant*) sich pensionieren lassen; (*self-employed*) sich zur Ruhe setzen; (*soldier*) aus der Armee ausscheiden; (*singer, player etc*) (zu singen/spielen etc) aufhören. **b** (*withdraw, Mil*) sich zurückziehen; (*Sport*) aufgeben; (*Ftbl etc*) vom Feld gehen ▸ **to** ~ **into oneself** sich in sich (*acc*) (selbst) zurückziehen. **2** *vt* aus Altersgründen entlassen; *civil servant, military officer* pensionieren, in den Ruhestand versetzen.
retired [rɪ'taɪəd] *adj* **a** pensioniert, im Ruhestand; *sol-*

dier aus der Armee ausgeschieden. **b** (*secluded*) *life* zurückgezogen.

retiree [ˌrɪtaɪˈriː] *n* (*US*) Rentner(in *f*) *m*.

retirement [rɪˈtaɪəmənt] *n* (*stopping work*) Ausscheiden *nt* aus dem Arbeitsleben (*form*); (*of civil servant, military officer*) Pensionierung *f*; (*state*) Ruhestand *m* ▸ ~ **at 65** Altersgrenze bei 65; **to announce one's** ~ sein Ausscheiden (aus seinem Beruf/seiner Stellung *etc*) ankündigen; **how will you spend your** ~? was tun Sie, wenn Sie pensioniert *or* im Ruhestand sind?

retirement: ~ **age** *n* Rentenalter *nt*; (*of civil servant*) Pensionsalter *nt*; ~ **pension** *n* Altersrente *f*; (*for civil servant*) Pension *f*.

retiring [rɪˈtaɪərɪŋ] *adj* **a** (*shy*) zurückhaltend. **b** ~ **age** = **retirement age**.

retort [rɪˈtɔːt] **1** *n* **a** (*answer*) scharfe Erwiderung *or* Antwort. **b** (*Chem*) Retorte *f*. **2** *vti* scharf erwidern.

retouch [ˌriːˈtʌtʃ] *vt* (*Art, Phot*) retuschieren.

retrace [rɪˈtreɪs] *vt past, development* zurückverfolgen ▸ **to** ~ **one's steps** denselben Weg zurückgehen.

retract [rɪˈtrækt] **1** *vt* (*withdraw*) *offer* zurückziehen; *statement* zurücknehmen; *claws, undercarriage* einziehen. **2** *vi* einen Rückzieher machen; (*claws*) eingezogen werden.

retractable [rɪˈtræktəbl] *adj* einziehbar; *headlamp* versenkbar.

retrain [ˌriːˈtreɪn] *vt* umschulen.

retraining [ˌriːˈtreɪnɪŋ] *n* Umschulung *f*.

retread [ˈriːtred] *n* (*tyre*) laufflächenerneuerter Reifen.

retreat [rɪˈtriːt] **1** *n* **a** (*Mil*) Rückzug *m* ▸ **to beat a** ~ (*Mil*) den Rückzug antreten; (*fig*) das Feld räumen. **b** (*place*) Zuflucht(sort *m*) *f* ▸ **he has gone to his country** ~ er hat sich aufs Land zurückgezogen. **2** *vi* (*Mil*) den Rückzug antreten; (*in fear*) zurückweichen; (*flood, glacier*) zurückgehen.

retrench [rɪˈtrentʃ] **1** *vt expenditure* einschränken; *personnel* einsparen. **2** *vi* sich einschränken.

retrial [ˌriːˈtraɪəl] *n* (*Jur*) Wiederaufnahmeverfahren *nt*.

retribution [ˌretrɪˈbjuːʃən] *n* Vergeltung *f* ▸ **in** ~ als Vergeltung.

retrieval [rɪˈtriːvəl] *n see vt* (*a*) Zurück-/Hervor-/Heraus-/Herunterholen *nt*; Rettung *f*, Bergung *f*; Rückgewinnung *f*; Abfragen *nt*; Wiedererlangen *nt*; Wiedergutmachung *f*.

retrieve [rɪˈtriːv] *vt* **a** (*recover*) zurück-/hervor-/heraus-/herunterholen; (*rescue*) retten; (*from wreckage etc*) bergen; *material from waste* zurückgewinnen; (*Comp*) *information* abfragen; *honour, position* wiedererlangen; *loss* wiedergutmachen. **b** (*dog*) apportieren.

retriever [rɪˈtriːvəʳ] *n* (*dog*) Retriever *m*.

retroactive [ˌretrəʊˈæktɪv] *adj* rückwirkend.

retrograde [ˈretrəʊgreɪd] *adj* rückläufig; *policy* rückschrittlich ▸ ~ **step** Rückschritt *m*.

retrorocket [ˈretrəʊˌrɒkɪt] *n* Bremsrakete *f*.

retrospect [ˈretrəʊspekt] *n* **in** ~ im Rückblick; **everything looks different in** ~ im nachhinein sieht alles anders aus.

retrospective [ˌretrəʊˈspektɪv] **1** *adj thought* rückblickend; (*Admin, Jur*) *pay rise* rückwirkend. **2** *n* (*also* ~ **exhibition**) Retrospektive *f*.

retrospectively [ˌretrəʊˈspektɪvlɪ] *adv* rückwirkend.

▼ **return** [rɪˈtɜːn] **1** *vi* (*come back: person, vehicle*) zurück- *or* wiederkommen; (*go back*) (*person*) zurückgehen; (*vehicle*) zurückfahren; (*symptoms, doubts, fears*) wieder auftreten ▸ **to** ~ **to a subject** auf ein Thema zurückkommen; **to** ~ **home** nach Hause kommen/gehen, heimkehren (*geh*). **2** *vt* **a** (*give back*) zurückgeben (*to sb* jdm); (*bring or*

take back) zurückbringen (*to sb* jdm); (*put back*) zurücksetzen/-stellen/-legen; (*send back*) (*to an +acc*) letter *etc* zurückschicken; (*refuse*) *cheque* zurückweisen; *ball* zurückschlagen/-werfen; *salute, visit, compliment* erwidern ▸ **to** ~ **goods to the shop** Waren in das Geschäft zurückbringen; **to** ~ **fire** (*Mil*) das Feuer erwidern.
b (*reply*) erwidern.
c (*declare*) *details of income* angeben ▸ **to** ~ **a verdict of guilty/not guilty (on sb)** (*Jur*) (jdn) schuldig sprechen/freisprechen.
d (*Fin*) *income* einbringen; *profit, interest* abwerfen.
e (*Brit Parl*) *candidate* wählen.
3 *n* **a** (*of person, vehicle, seasons*) Rückkehr *f*; (*of illness*) Wiederauftreten *nt* ▸ **on my** ~ bei meiner Rückkehr; **by** ~ (*of post*) postwendend; **many happy** ~**s (of the day)!** herzlichen Glückwunsch zum Geburtstag!
b (*giving/bringing/taking/sending back*) *see vt* (*a*) Rückgabe *f*; Zurückbringen *nt*; Zurücksetzen/-stellen/-legen *nt*; Zurückschicken *nt*; Zurückweisen *nt*; Zurückschlagen/-werfen *nt*; Erwiderung *f*.
c (*profit*) Einkommen *nt* (*on aus*); (*from land, mine etc*) Ertrag *m* ▸ ~**s** (*profits*) Gewinn *m*; (*receipts*) Einkünfte *pl*; ~ **on capital** (*Fin*) Kapitalertrag *m*; ~ **on investments** (*Fin*) Anlageverzinsung *f*.
d (*fig: recompense*) **in** ~ dafür; **in** ~ **for** für; **to do sb a kindness in** ~ sich bei jdm für einen Gefallen revanchieren.
e (*act of declaring: of verdict, election results*) Verkündung *f* ▸ **the (election)** ~**s** das Wahlergebnis; **tax** ~ Steuererklärung *f*.
f = ~ **ticket** ▸ **open** ~ (*Aviat*) offener Rückflug.
g (*Comm:* ~**ed item**) zurückgebrachte Ware; (*Theat*) zurückgebrachte Karte.

returnable [rɪˈtɜːnəbl] *adj bottle* Mehrweg-; (*with deposit*) Pfand-.

return: ~ **fare** *n* Preis *m* für eine Rückfahrkarte *or* (*Aviat*) einen Rückflugschein; ~ **flight** *n* Rückflug *m*; (*both ways*) Hin- und Rückflug *m*.

returning officer [rɪˈtɜːnɪŋˈɒfɪsəʳ] *n* (*Brit Parl*) Wahlleiter *m*.

return: ~ **journey** *n* Rückreise *f*; (*both ways*) Hin- und Rückreise *f*; ~ **key** *n* (*Comp*) Return-Taste *f*; ~ **match** *n* Rückspiel *nt*; ~ **ticket** *n* (*Brit*) Rückfahrkarte *f*; (*Aviat*) Rückflugschein *m*.

retype [ˌriːˈtaɪp] *vt* neu tippen.

reunification [ˌriːˌjuːnɪfɪˈkeɪʃən] *n* Wiedervereinigung *f*.

reunion [rɪˈjuːnjən] *n* **a** (*coming together*) Wiedervereinigung *f*. **b** (*gathering*) Zusammenkunft *f* ▸ **a family** ~ ein Familientreffen *nt*.

reunite [ˌriːjuːˈnaɪt] **1** *vt* wiedervereinigen ▸ **they were** ~**d at last** sie waren endlich wieder vereint. **2** *vi* (*countries, parties*) sich wiedervereinigen; (*people*) wieder zusammenkommen.

re-usable [ˌriːˈjuːzəbl] *adj* wiederverwendbar; *packaging etc* Mehrweg-.

Rev [rev] = **Reverend**.

rev [rev] **1** *n* = **revolution** (*Aut*) Umdrehung *f* ▸ ~**counter** Drehzahlmesser *m*. **2** *vti* **to** ~ (**up**) (*driver*) den Motor auf Touren bringen; (*noisily*) den Motor aufheulen lassen; (*engine*) auf Touren kommen.

revalue [ˌriːˈvæljuː] *vt* (*Fin*) aufwerten

revaluation [ˌriːˌvæljʊˈeɪʃən] *n* (*Fin*) Aufwertung *f*.

revamp [ˌriːˈvæmp] *vt* (*col*) *book, play* neu bearbeiten (*col*); *house, room* umgestalten.

reveal [rɪˈviːl] *vt* (*make visible*) zum Vorschein bringen; (*show*) zeigen; (*make known*) *truth, facts* enthüllen; *one's identity* zu erkennen geben; *ignorance, knowledge* erkennen lassen ▸ **I cannot** ~ **to you what he said** ich kann Ihnen nicht verraten, was er gesagt hat.

➤ SENTENCE BUILDER: **return: 3e** → 9.3

revealing [rɪ'viːlɪŋ] *adj* aufschlußreich; *dress, neckline* offenherzig (*hum*).

reveille [rɪ'vælɪ] *n* (*Mil*) Wecksignal *nt*.

revel ['revl] *vi* (*make merry*) feiern ▶ *to ~ in doing sth* seine wahre Freude daran haben, etw zu tun.

revelation [ˌrevə'leɪʃən] *n* Enthüllung *f*; (*Rel*) Offenbarung *f* ▶ *it was a ~ to me* das hat mir die Augen geöffnet.

reveller, (*US*) **reveler** ['revlə^r] *n* Feiernde(r) *mf*.

revelry ['revlrɪ] *n* Festlichkeiten *pl* ▶ *drunken ~* feuchtfröhliches Feiern.

revenge [rɪ'vendʒ] **1** *n* Rache *f*; (*Sport*) Revanche *f* ▶ *to take ~ on sb (for sth)* sich an jdm (für etw) rächen; *to get one's ~* sich rächen.
2 *vt insult, murder, sb* rächen ▶ *to ~ oneself on sb (for sth)* sich (für etw) an jdm rächen.

revengeful [rɪ'vendʒfʊl] *adj* rachsüchtig.

revenue ['revənjuː] *n* (*of state*) Staatseinkünfte *pl*; (*tax ~*) Steueraufkommen *nt*; (*of individual*) Einkünfte *pl*; (*department*) Finanzbehörde *f*.

reverberate [rɪ'vɜːbəreɪt] *vi* (*sound*) widerhallen.

reverberation [rɪˌvɜːbə'reɪʃən] *n* (*of sound*) Widerhall *m*.

revere [rɪ'vɪə^r] *vt* verehren.

reverence ['revərəns] *n* Ehrfurcht *f*.

Reverend ['revərənd] *adj the ~ Robert Martin* ≈ Pfarrer Robert Martin.

reverent ['revərənt] *adj* ehrfürchtig.

reverie ['revərɪ] *n* (*liter*) Träumereien *pl* ▶ *he fell into a ~* er kam ins Träumen.

reversal [rɪ'vɜːsəl] *n* Umkehrung *f*; (*of verdict also*) Umstoßung *f*.

reverse [rɪ'vɜːs] **1** *adj* (*opposite*) umgekehrt; *direction* entgegengesetzt; (*Opt*) *image* seitenverkehrt ▶ *in ~ order* in umgekehrter Reihenfolge; *~ gear* (*Aut*) Rückwärtsgang *m*.
2 *n* **a** (*opposite*) Gegenteil *nt* ▶ *quite the ~!* ganz im Gegenteil! **b** (*back*) Rückseite *f*; (*of cloth also*) linke Seite. **c** (*setback, loss*) Rückschlag *m*; (*defeat*) Niederlage *f*. **d** (*Aut*) Rückwärtsgang *m* ▶ *in ~* im Rückwärtsgang.
3 *vt* **a** (*turn about*) *order, situation* umkehren; *objects, sentences also* umstellen; *garment* wenden; *result also* umdrehen ▶ *to ~ the charges* (*Brit Telec*) ein R-Gespräch führen; *~d charge call* R-Gespräch *nt*. **b** *to ~ one's car into the garage/into a tree* rückwärts in die Garage/gegen einen Baum fahren. **c** *trend, policy* umkehren; *verdict also* umstoßen.
4 *vi* (*car, driver*) zurücksetzen ▶ *reversing lights* Rückfahrscheinwerfer *pl*.

reversible [rɪ'vɜːsəbl] *adj decision* umstoßbar; (*Phys, Chem*) umkehrbar; *garment* Wende- ▶ *~ cloth* Doubleface *m or nt*.

reversion [rɪ'vɜːʃən] *n* Umkehr *f* (*to* zu); (*to bad state*) Rückfall *m* (*to* in +*acc*) ▶ *~ to type* (*Biol*) (Arten)rückschlag *m*; *his ~ to type* das Durchbrechen seiner alten Natur.

revert [rɪ'vɜːt] *vi* (*to former state*) zurückkehren (*to* zu); (*to bad state*) zurückfallen (*to* in +*acc*); (*to topic*) zurückkommen (*to* auf +*acc*); (*Jur: property*) zurückfallen (*to* an +*acc*).

review [rɪ'vjuː] **1** *n* **a** (*looking back*) Rückblick *m* (*of* auf +*acc*); (*report*) Überblick *m* (*of* über +*acc*) ▶ *I shall keep your case under ~* ich werde Ihren Fall im Auge behalten. **b** (*re-examination*) nochmalige Prüfung ▶ *the agreement comes up for ~ next year* das Abkommen wird nächstes Jahr nochmals geprüft; *~ body* Untersuchungsausschuß *m*. **c** (*Mil: inspection*) Inspektion *f*. **d** (*of book, play etc*) Kritik, Rezension *f* ▶ *~ copy* Besprechungsexemplar *nt*. **e** (*magazine*) Zeitschrift *f*. **f** (*US Sch*) Wiederholung *f* (*des Stoffs*).
2 *vt* **a** (*look back at*) *one's life etc* zurückblicken auf (+*acc*). **b** (*re-examine*) *case* erneut (über)prüfen. **c** (*Mil*) *troops* inspizieren. **d** *book, play, film* besprechen, rezensieren. **e** (*US Sch: learn up*) wiederholen.

reviewer [rɪ'vjuːə^r] *n* Rezensent(in *f*) *m*.

revile [rɪ'vaɪl] *vt* schmähen, verunglimpfen.

revise [rɪ'vaɪz] **1** *vt* **a** *opinion, estimate* überholen, revidieren; *text* revidieren, überarbeiten ▶ *~d edition* überarbeitete Ausgabe. **b** (*Brit Sch: learn up*) wiederholen.
2 *vi* (*Brit*) (den Stoff) wiederholen.

revision [rɪ'vɪʒən] *n* **a** (*of opinion, estimate*) Revidieren *nt*. **b** (*of proofs*) Revision, Überarbeitung *f*. **c** (*Brit: for exam*) Wiederholung *f* (des Stoffs). **d** (*revised version*) überarbeitete Ausgabe.

revisit [ˌriː'vɪzɪt] *vt* wieder besuchen.

revitalize [ˌriː'vaɪtəlaɪz] *vt* neu beleben.

revival [rɪ'vaɪvəl] *n* (*from faint*) Wiederbelebung *f* ▶ *there has been a ~ of interest in ...* das Interesse an ... ist wieder wach geworden; *an economic ~* ein wirtschaftlicher Wiederaufschwung.

revive [rɪ'vaɪv] **1** *vt person* (*from fainting, fatigue*) (wieder *or* neu) beleben; (*from near death*) wiederbeleben; *custom, hatred* wiederaufleben lassen; *friendship, word, old play* wiederaufnehmen.
2 *vi* (*person*) (*from fainting*) wieder zu sich kommen; (*from fatigue*) wieder aufleben, wieder munter werden; (*hope, feelings*) wiederaufleben; (*business, trade*) wiederaufblühen.

revoke [rɪ'vəʊk] *vt law* aufheben; *order, promise* zurückziehen; *decision* rückgängig machen; *licence* entziehen.

revolt [rɪ'vəʊlt] **1** *n* Revolte *f*, Aufstand *m* ▶ *to be in ~ (against)* rebellieren (gegen).
2 *vi* (*rebel*) rebellieren (*against* gegen).
3 *vt* abstoßen, anekeln (*col*) ▶ *I was ~ed by it* es hat mich angeekelt.

revolting [rɪ'vəʊltɪŋ] *adj* (*repulsive*) abstoßend; *meal, story* ekelhaft; (*col: unpleasant*) *weather, colour* scheußlich; *person* widerlich.

revolution [ˌrevə'luːʃən] *n* **a** (*Pol, fig*) Revolution *f*. **b** (*turn*) Umdrehung *f* ▶ *4,000 ~s per minute* (eine Drehzahl von) 4.000 Umdrehungen pro Minute.

revolutionary [ˌrevə'luːʃnərɪ] **1** *adj* (*lit, fig*) revolutionär.
2 *n* Revolutionär *m*.

revolutionize [ˌrevə'luːʃənaɪz] *vt* revolutionieren.

revolve [rɪ'vɒlv] **1** *vt* drehen.
2 *vi* sich drehen ▶ *to ~ on an axis/around the sun* sich um eine Achse/um die Sonne drehen; *he thinks everything ~s around him* (*fig*) er glaubt, alles drehe sich nur um ihn.

revolver [rɪ'vɒlvə^r] *n* Revolver *m*.

revolving [rɪ'vɒlvɪŋ] *in cpds* Dreh-.

revue [rɪ'vjuː] *n* (*Theat*) Revue *f*; (*satirical*) Kabarett *nt*.

revulsion [rɪ'vʌlʃən] *n* (*disgust*) Abscheu, Ekel *m* (*at* vor +*dat*).

reward [rɪ'wɔːd] **1** *n* Belohnung *f* ▶ *one of the ~s of this job* einer der Vorzüge dieser Arbeit; *~ offered for the return of ...* Finderlohn für ...
2 *vt* belohnen.

rewarding [rɪ'wɔːdɪŋ] *adj* (*financially*) lohnend, einträglich; (*morally*) lohnend; *work* dankbar.

rewind [ˌriː'waɪnd] *pret, ptp* **rewound** *vt thread* wieder aufwickeln; *film, tape* zurückspulen ▶ *~ button* Rückspultaste *f*.

rewire [ˌriː'waɪə^r] *vt* neu verkabeln.

reword [ˌriː'wɜːd] *vt* umformulieren.

rewrite [ˌriː'raɪt] *vt pret* **rewrote** [ˌriː'rəʊt], *ptp* **rewritten** [ˌriː'rɪtn] (*write again*) neu schreiben; (*recast*) umschreiben.

rhapsody ['ræpsədɪ] n (Mus) Rhapsodie f; (fig) Schwärmerei f.

rhd = **right-hand drive.**

rhesus ['riːsəs] n ~ **monkey** Rhesusaffe m; ~ **factor** Rhesusfaktor m.

rhetoric ['retərɪk] n Rhetorik f; (pej) Phrasendrescherei f (pej).

rhetorical [rɪ'tɒrɪkəl] adj rhetorisch; (pej) phrasenhaft ▶ ~ **question** rhetorische Frage.

rheumatic [ruː'mætɪk] adj pains rheumatisch; joint rheumakrank.

rheumatism ['ruːmətɪzəm] n Rheuma(tismus m) nt.

rheumatoid ['ruːmətɔɪd] adj ~ **arthritis** Gelenkrheumatismus m.

Rhine [raɪn] n Rhein m.

rhino ['raɪnəʊ] n = **rhinoceros.**

rhinoceros [raɪ'nɒsərəs] n Nashorn, Rhinozeros nt.

Rhodes [rəʊdz] n Rhodos nt.

Rhodesia [rəʊ'diːʒə] n (Hist) Rhodesien nt.

Rhodesian [rəʊ'diːʒən] (Hist) [1] adj rhodesisch. [2] n Rhodesier(in f) m.

rhododendron [ˌrəʊdə'dendrən] n Rhododendron m or nt.

rhubarb ['ruːbɑːb] n Rhabarber m.

rhyme [raɪm] [1] n Reim m; (poem) Gedicht nt ▶ **without ~ or reason** ohne Sinn und Verstand; **in ~** in Versen.
[2] vi sich reimen.

rhythm ['rɪðm] n Rhythmus m.

rhythmic(al) adj, **~ally** adv ['rɪðmɪk(əl), -əlɪ] rhythmisch.

RI = [a] (Brit) **religious instruction.** [b] (US Post) **Rhode Island.**

rib [rɪb] [1] n [a] (Anat, Cook, of leaf) Rippe f ▶ **~cage** Brustkorb m. [b] (Knitting) Rippen pl.
[2] vt (tease) necken, foppen.

ribald ['rɪbəld, 'raɪbəld] adj joke, humour deftig; behaviour derb; company rüde.

ribbon ['rɪbən] n (for hair, dress) Band nt; (for typewriter) Farbband nt; (on medal) Ordensband nt; (fig: narrow strip) Streifen m.

rice [raɪs] n Reis m.

rice in cpds Reis-; ~ **field** or **paddy** n Reisfeld nt; ~ **paper** n Reispapier nt; ~ **pudding** n Milchreis m.

rich [rɪtʃ] [1] adj (+er) reich; decoration, clothes prächtig; food schwer; soil fett; land fruchtbar; colour satt; sound, voice voll; wine schwer ▶ ~ **in vitamins** vitaminreich; ~ **in minerals** reich an Bodenschätzen; ~ **in examples** mit vielen Beispielen; **that's ~!** (iro) das ist ja großartig!
[2] n [a] **the ~** pl die Reichen pl. [b] **~es** pl Reichtümer pl.

richly ['rɪtʃlɪ] adv dress, decorate prächtig ▶ **he was ~ rewarded** (lit) er wurde reich belohnt; (fig) er wurde reichlich belohnt; ~ **deserved** wohlverdient.

richness ['rɪtʃnɪs] n see adj Reichtum m; Pracht f; Schwere f; Fruchtbarkeit f; Sattheit f; Fülle f; Schwere f.

rickets ['rɪkɪts] n sing Rachitis f.

rickety ['rɪkɪtɪ] adj furniture etc wackelig.

rickshaw ['rɪkʃɔː] n Rikscha f.

ricochet ['rɪkəʃeɪ] [1] n Abprall m.
[2] vi abprallen (off von).

rid [rɪd] pret, ptp ~ or ~**ded** vt **to ~ oneself of sb/sth** jdn/etw loswerden; of pests also sich von etw befreien; of ideas, prejudice etc sich von etw lösen; **to get ~ of sb/sth** jdn/etw loswerden; **get ~ of it** sieh zu, daß du das loswirst; (throw it away) schmeiß es weg (col).

riddance ['rɪdəns] n **good ~!** (col) ein Glück, daß wir das/den etc los sind.

ridden ['rɪdn] [1] ptp of **ride.**
[2] adj **fear-~** angsterfüllt; **disease-~** von Krankheiten befallen; **doubt-~** von Zweifeln zernagt.

riddle¹ ['rɪdl] vt **to ~ sb/sth with bullets** jdn/etw mit Kugeln durchlöchern; **~d with holes** völlig durchlöchert.

riddle² n Rätsel nt ▶ **to speak in ~s** in Rätseln sprechen.

ride [raɪd] (vb: pret **rode**, ptp **ridden**) [1] n (in vehicle, on bicycle) Fahrt f; (on horse) Ritt m; (for pleasure) Ausritt m ▶ **to go for a ~** eine Fahrt machen; (on horse) reiten gehen; **to go for a ~ in the car** eine Fahrt (mit dem Auto) machen; **to take sb for a ~** (in car etc) mit jdm eine Fahrt machen; (col) jdn anschmieren (col); **he gave me a ~ into town in his car** er nahm mich im Auto in die Stadt mit; **thanks for the ~** danke fürs Mitnehmen.
[2] vi [a] (on a horse etc) reiten (on auf +dat); (go in vehicle, by cycle etc) fahren ▶ **to go riding** reiten gehen; **to ~ on a bus/in a car/in a train** in einem Bus/Wagen/Zug fahren. [b] **he's riding high** (fig) er schwimmt ganz oben; **to ~ at anchor** (ship) vor Anker liegen; **to let things ~** den Dingen ihren Lauf lassen.
[3] vt horse reiten ▶ **to ~ a bike** Fahrrad fahren; **they had ridden 10 km** sie waren 10 km geritten/gefahren; **we rode the bus into town** (esp US) wir fuhren mit dem Bus in die Stadt.

◆**ride out** vt sep überstehen ▶ **to ~ ~ the storm** (lit, fig) den Sturm überstehen.

◆**ride up** vi [a] (horseman) heranreiten; (motorcyclist etc) heranfahren. [b] (skirt etc) hochrutschen.

rider ['raɪdər] n [a] (on horse) Reiter(in f) m; (on bicycle, motorcycle) Fahrer(in f) m. [b] (addition) Zusatz m; (to document) Zusatzklausel f.

ridge [rɪdʒ] n (of hills, mountains) Rücken, Kamm m; (pointed, steep) Grat m; (of roof) First m; (of nose) Rücken m; (raised edge) Rand m ▶ **a ~ of hills** eine Hügelkette; **a ~ of high pressure** (Met) ein Hochdruckkeil m.

ridge pole n (of tent) Firststange f.

ridicule ['rɪdɪkjuːl] n Spott m ▶ **to hold sb/sth up to ~** sich über jdn/etw lustig machen.

ridiculous [rɪ'dɪkjʊləs] adj lächerlich ▶ **don't be ~** red keinen Unsinn.

ridiculously [rɪ'dɪkjʊləslɪ] adv lächerlich; expensive wahnsinnig (col).

riding ['raɪdɪŋ] n Reiten nt ▶ **I enjoy ~** ich reite gern.

riding in cpds Reit-; ~ **breeches** npl Reithose f; ~ **school** n Reitschule f.

rife [raɪf] adj disease, corruption weitverbreitet ▶ **to be ~** grassieren; (rumour) umgehen.

riffraff ['rɪfræf] n Pöbel m, Gesindel nt.

rifle¹ ['raɪfl] vt (also ~ **through**) sb's pockets, drawer, house durchwühlen.

rifle² n (gun) Gewehr nt; (for hunting) Büchse f.

rifle range n Schießstand m.

rift [rɪft] n [a] Spalt m. [b] (fig: in friendship) Riß m; (Pol also) Spalt m.

rig [rɪg] [1] n (oil ~) (Öl)förderturm m; (offshore) Ölbohrinsel f; (US col: truck and trailer) Sattelschlepper m.
[2] vt (fig) election, market etc manipulieren.

◆**rig out** vt sep (col: clothe) ausstaffieren (col).

◆**rig up** vt sep ship auftakeln; equipment aufbauen; (fig) (make) improvisieren; (arrange) arrangieren.

rigging ['rɪgɪŋ] n (Naut) Tauwerk nt.

right [raɪt] [1] adj [a] (just, fair) richtig ▶ **he thought it ~ to warn me** er hielt es für richtig, mich zu warnen; **it's only ~ (and proper)** es ist nur recht und billig. [b] (true, correct) answer, time richtig ▶ **to be ~** (person) recht haben; (answer, solution) richtig sein; (clock) richtig gehen; **you're quite ~** Sie haben ganz recht; **let's get it ~ this time** diesmal muß es klappen; **you were ~ to refuse** Sie hatten recht, als Sie ablehnten; **on the ~ track** (fig) auf dem rechten Weg; **to put ~** error korrigieren; clock richtig stellen; situation wieder in

Ordnung bringen; *to put sb* ~ jdn berichtigen.

c *(proper) clothes, document* richtig ▸ *what's the ~ thing to do in this case?* was tut man da am besten?; *to come at the ~ time* zur rechten Zeit kommen; *to do sth the ~ way* etw richtig machen; *the ~ word* das rechte *or* richtige Wort; *the ~ man for the job* der richtige Mann für die Aufgabe; *to know the ~ people* die richtigen Leute kennen.

d *(well) the medicine soon put him ~* die Medizin hat ihn schnell wieder auf die Beine gebracht; *I don't feel quite ~ today* ich fühle mich heute nicht ganz wohl; *to be as ~ as rain* (Brit) kerngesund sein; *to be in one's ~ mind* klar bei Verstand sein.

e *(phrases)* ~*! ~-oh!* (Brit col), ~ *you are!* (Brit col) gut, okay (col); *that's ~!* (correct, true) das stimmt!; ~ *enough!* (das) stimmt!; *it's a ~ mess in here* (col) das ist vielleicht ein Durcheinander hier (col); *he's a ~ fool!* (col) er ist wirklich doof (col); *you're a ~ one* (col) du bist mir der Richtige (col).

f *(opposite of left)* rechte(r, s) ▸ ~ *hand* rechte Hand; *I'd give my ~ hand to know the answer* ich würde was drum geben, wenn ich die Antwort wüßte (col).

2 *adv* **a** *(straight, directly)* direkt; *(exactly also)* genau ▸ ~ *in front of you* direkt vor Ihnen; ~ *away* (immediately) sofort; ~ *off* (at the first attempt) auf Anhieb (col); ~ *now* (at this very moment) in diesem Augenblick; (immediately) sofort; ~ *here* genau hier; ~ *in the middle* genau in der/die Mitte; ~ *at the beginning* gleich am Anfang.

b *(completely, all the way)* ganz ▸ *rotten ~ through* durch und durch verfault *or* (fig) verdorben; ~ *the way around the city* um die ganze Stadt.

c *(correctly)* richtig ▸ *to answer* ~ richtig antworten; *if I remember* ~ wenn ich mich recht erinnere; *if everything goes* ~ wenn alles klappt (col).

d *(Pol) the R~ Honourable John Jones MP* der Abgeordnete John Jones.

e *(opposite of left)* rechts ▸ *turn* ~ biegen Sie rechts ab; ~ *of centre* (Pol) rechts von der Mitte; ~, *left and centre* (everywhere) überall.

3 *n* **a** *no pl (moral, legal)* Recht *nt* ▸ *he doesn't know* ~ *from wrong* er kann Recht und Unrecht nicht auseinanderhalten; *to be in the* ~ im Recht sein.

b *(entitlement)* Recht *nt*; *(to sth also)* Anrecht *nt* ▸ *(to have) a* or *the* ~ *to do sth* ein *or* das Recht haben, etw zu tun; *what* ~ *have you to say that?* mit welchem Recht sagen Sie das?; *he is within his* ~*s* das ist sein gutes Recht; *by* ~*s* von Rechts wegen; *in one's own* ~ selber, selbst.

c *to put* or *set sth to* ~*s* etw (wieder) in Ordnung bringen.

d *(not left)* rechte Seite; *(punch)* Rechte *f* ▸ *to drive on the* ~ rechts fahren; *to keep to the* ~ sich rechts halten; *on my* ~ rechts (von mir); *the R~* (Pol) die Rechte.

4 *vt* **a** *(return to upright position)* aufrichten.

b *(make amends for) wrong* wiedergutmachen ▸ *the problem should ~ itself* (fig) das Problem müßte sich von selbst lösen.

right: ~ **angle** *n* rechter Winkel; *at* ~ *angles (to)* rechtwinklig (zu); ~-**angled** ['raɪt,æŋgld] *adj* rechtwinklig.

righteous ['raɪtʃəs] *adj* rechtschaffen; *(pej: self-*~*)* selbstgerecht (pej); *indignation* gerecht.

righteousness ['raɪtʃəsnɪs] *n* Rechtschaffenheit *f*.

rightful ['raɪtfʊl] *adj heir, owner* rechtmäßig; *punishment* gerecht.

rightfully ['raɪtfʊlɪ] *adv see adj* rechtmäßig; gerechterweise.

right: ~-**hand** *adj* rechte(r, s); *bend* Rechts-; *thread*

rechtsgängig; ~-**hand drive** *adj* rechtsgesteuert; ~-**handed** *adj person* rechtshändig; ~-**hand man** *n* rechte Hand (fig); ~-**hand side** *n* rechte Seite.

▼ **rightly** ['raɪtlɪ] *adv* **a** *(correctly) he said,* ~, *that ...* er sagte sehr richtig, daß ...; *I don't* ~ *know* ich weiß nicht genau. **b** *(justifiably)* mit *or* zu Recht ▸ ~ *or wrongly* ob das nun richtig ist/war oder nicht; *and* ~ *so* und zwar mit Recht.

right: ~-**minded** *adj* vernünftig; ~ *of way* *n* (across property) Durchgangsrecht *nt*; (Mot: priority) Vorfahrt *f*; *he has the* ~ *of way* (Mot) er hat Vorfahrt; ~ **wing** *n* (Sport, Pol) rechter Flügel; ~-**wing** *adj* (Pol) Rechts-; ~-**winger** *n* (Sport) Rechtsaußen *m*; (Pol) Rechte(r) *mf*.

rigid ['rɪdʒɪd] *adj (lit) material, frame* starr, steif; (fig) person streng, stur (pej); *discipline, principles* streng, strikt; *(inflexible)* unbeugsam; *specifications* genau festgelegt, strikt; *system* starr, unbeugsam.

rigidity [rɪ'dʒɪdɪtɪ] *n see adj* Starrheit, Steifheit *f*; Strenge, Striktheit *f*; Unbeugsamkeit *f*.

rigidly [rɪ'dʒɪdlɪ] *adv see adj*.

rigmarole ['rɪgmərəʊl] *n* Gelaber *nt*; (process) Theater (col), Gedöns (col) *nt* ▸ *to go through the whole* ~ *again* nochmal mit demselben Gelaber/Gedöns anfangen.

rigor mortis ['rɪgə'mɔːtɪs] *n* die Leichenstarre.

rigorous ['rɪgərəs] *adj character, discipline* streng, strikt; *measures* rigoros; *(accurate)* peinlich genau; *analysis, tests* gründlich; *climate* streng.

rigorously ['rɪgərəslɪ] *adv* streng, strikt; *(accurately)* peinlich genau.

rigour, *(US)* **rigor** ['rɪgə'] *n* **a** *no pl (strictness)* Strenge, Striktheit *f*. **b** ~*s pl (of climate, famine etc)* Unbilden *pl*.

rig-out ['rɪgaʊt] *n* (col) Aufmachung *f*.

rile [raɪl] *vt* ärgern.

rim [rɪm] *n* (of cup, bowl) Rand *m*; (of hat also) Krempe *f*; (of spectacles also) Fassung *f*; (of wheel) Felge *f*.

rimless ['rɪmlɪs] *adj spectacles* randlos.

rind [raɪnd] *n* (of cheese) Rinde *f*; (of bacon) Schwarte *f*; (of fruit) Schale *f*.

ring¹ [rɪŋ] **1** *n* **a** (sound) Klang *m*; (in tree trunk) Jahresring *m* ▸ *to stand in a* ~ im Kreis stehen; *to run* ~*s around sb* (col) jdn in die Tasche stecken (col). **b** (group) (Pol) Gruppe *f*; (of dealers, spies) Ring *m*. **c** (enclosure) (at circus) Manege *f*; (Sport, at exhibition) Ring *m*.

2 *vt* (surround) umringen; (put ~ on or round) item on list etc einkreisen; *bird* beringen.

ring² *(vb: pret* **rang**, *ptp* **rung) 1** *n* **a** (sound) Klang *m*; (~ing: of bell, alarm) Läuten *nt*; (of electric bell, alarm clock, phone) Klingeln *nt*; (metallic sound: of swords etc) Klirren *nt* ▸ *there was a* ~ *at the door* es hat geklingelt. **b** (esp Brit Telec col) Anruf *m* ▸ *to give sb a* ~ jdn anrufen. **c** (fig) Klang *m* ▸ *his voice had an angry* ~ (in or to it) seine Stimme klang etwas böse; *that has the* ~ *of truth (about it)* das klingt sehr wahrscheinlich.

2 *vi* **a** *see n* (a) klingen; läuten; klingen; klirren; (hammers) schallen ▸ *the (door)bell rang* es hat geklingelt; *to* ~ *for sb* (nach) jdm läuten; *please* ~ *for attention* bitte klingeln. **b** (esp Brit Telec) anrufen. **c** (sound, resound) (words, voice) tönen; (music, singing also) erklingen (geh) ▸ *to* ~ *false/true* falsch/wahr klingen; *my ears are* ~*ing* mir klingen die Ohren.

3 *vt* **a** *bell* läuten ▸ ~ *the doorbell* (an der Tür) klingeln; *his name* ~*s a bell* (fig col) sein Name kommt mir bekannt vor; *to* ~ *the changes (on sth)* (fig) bei etw für Abwechslung sorgen. **b** (esp Brit Telec: also ~ *up*) anrufen.

◆**ring back** *vti sep* (esp Brit) zurückrufen.

◆**ring off** *vi* (esp Brit Telec) auflegen.

◆**ring out** *vi* ertönen; (bell also) laut erklingen; (shot

also) krachen; (*sound above others*) herausklingen.
◆**ring up** *vt sep* (*esp Brit Telec*) anrufen.
ring binder *n* Ringbuch *nt*.
ringfinger ['rɪŋˌfɪŋgəʳ] *n* Ringfinger *m*.
ringing ['rɪŋɪŋ] **1** *adj voice, tone* schallend ▸ **~ tone** (*Brit Telec*) Rufzeichen *nt*. **2** *n* (*of bell*) Läuten *nt*; (*of electric bell also, of phone*) Klingeln *nt*; (*in ears*) Klingen *nt*.
ringleader ['rɪŋˌliːdəʳ] *n* Anführer(in *f*) *m*.
ringlet ['rɪŋlɪt] *n* Ringellocke *f*.
ring: ~master *n* Zirkusdirektor *m*; **~pull can** *n* Aufreißdose *f*; **~ road** *n* (*Brit*) Umgehung(sstraße) *f*.
rink [rɪŋk] *n* Eisbahn *f*; (*roller-skating ~*) Rollschuhbahn *f*.
rinse [rɪns] **1** *n* Spülung *f*; (*colorant*) Tönung *f*. **2** *vt* **a** *clothes, hair* spülen; *plates* abspülen; *cup, mouth, basin* ausspülen ▸ **to ~ one's hands** sich (*dat*) die Hände abspülen. **b** (*colour with a ~*) *hair* tönen.
◆**rinse out** *vt sep* ausspülen, auswaschen ▸ **to ~ ~ one's mouth** sich (*dat*) den Mund ausspülen.
Rio (de Janeiro) ['rɪəʊ(dədʒɛ'nɪərəʊ)] *n* Rio (de Janeiro) *nt*.
riot ['raɪət] **1** *n* (*Pol*) Aufstand, Aufruhr *m no pl*; (*by mob etc*) Krawall *m*; (*fig: wild occasion*) Orgie *f* ▸ **to run ~** (*people*) randalieren; (*vegetation*) wuchern; **his imagination runs ~** seine Phantasie geht mit ihm durch; **to read sb the ~ act** (*fig*) jdm die Leviten lesen; **the ~ police** die Bereitschaftspolizei; **~ shield** Schutzschild *nt*. **2** *vi* randalieren; (*revolt*) einen Aufruhr machen.
rioter ['raɪətəʳ] *n* Randalierer *m*; (*Pol*) Aufrührer *m*.
riotous ['raɪətəs] *adj* **a** *person, crowd* randalierend; *living, behaviour, child* wild. **b** (*col*) wild (*col*); (*hilarious*) urkomisch (*col*).
riotously ['raɪətəslɪ] *adv behave* wild ▸ **it was ~ funny** (*col*) es war zum Schreien (*col*).
RIP = **rest in peace** R.I.P.
rip [rɪp] **1** *n* Riß *m*; (*made by knife etc*) Schlitz *m*. **2** *vt material* einen Riß machen in (+*acc*); (*stronger*) zerreißen; (*vandalize*) *pictures etc* zerschlitzen ▸ **you've ~ped your jacket** du hast dir die Jacke zerrissen; **to ~ open** aufreißen; (*with knife*) aufschlitzen. **3** *vi* **a** (*cloth*) reißen. **b** (*col*) **he let ~ at me** er ist auf mich losgegangen (*col*).
◆**rip off** *vt sep* **a** (*lit*) abreißen (*prep obj* von); *clothing* herunterreißen. **b** (*col*) *person* ausnehmen (*col*).
◆**rip up** *vt sep* zerreißen; *road* aufreißen.
ripcord ['rɪpˌkɔːd] *n* Reißleine *f*.
ripe [raɪp] *adj* (+*er*) *fruit, cheese* reif ▸ **to live to a ~ old age** ein hohes Alter erreichen; **to be ~ for sth** (*fig*) für etw reif sein.
ripen ['raɪpən] **1** *vt* (*lit, fig*) reifen lassen. **2** *vi* reifen.
ripeness ['raɪpnɪs] *n* Reife *f*.
rip-off ['rɪpɒf] *n* (*col*) Wucher *m*; (*cheat*) Schwindel *m* ▸ **it's a ~** das ist Wucher/Schwindel.
riposte [rɪ'pɒst] *n* (*retort*) schlagfertige Antwort.
ripple ['rɪpl] **1** *n* kleine Welle; (*noise*) Plätschern *nt*; (*of waves*) Klatschen *nt*. **2** *vi* (*undulate: water*) sich kräuseln; (*murmur: water*) plätschern; (*waves*) klatschen. **3** *vt water* kräuseln.
rip-roaring ['rɪp'rɔːrɪŋ] *adj* (*col*) sagenhaft (*col*).
▼ **rise** [raɪz] (*vb: pret* rose, *ptp* risen) **1** *n* **a** (*increase*) (*in gen*) Anstieg *m*, Steigen *nt no pl*; (*in number*) Zunahme *f*; (*in prices, wages, bank rate also*) Steigerung *f*; (*St Ex*) Aufschwung *m* ▸ **a (pay) ~** (*Brit*) eine Gehaltserhöhung; **a ~ in the population** ein Bevölkerungszuwachs *m*; **to take a ~ out of sb** (*col*) jdn auf den Arm nehmen (*col*). **b** (*of theatre curtain*) Heben *nt*; (*of sun*) Aufgang *m*; (*to fame, power etc*) Aufstieg *m* (*to* zu). **c** (*small hill*) Erhebung *f*; (*slope*) Steigung *f*.

d (*origin*) (*of river*) Ursprung *m* ▸ **to give ~ to sth** etw verursachen; *to questions* etw aufwerfen; *to complaints* Anlaß zu etw geben. **2** *vi* **a** (*get up*) (*from sitting, lying*) aufstehen, sich erheben (*geh*); (*from the dead*) auferstehen ▸ **to ~ from the table** vom Tisch aufstehen. **b** (*go up*) steigen; (*smoke also*) aufsteigen; (*prices, temperature etc also*) ansteigen (*to* auf +*acc*); (*theatre curtain*) sich heben; (*sun, bread*) aufgehen; (*voice*) (*in volume*) sich erheben; (*in pitch*) höher werden; (*fig*) (*hopes*) steigen; (*anger*) wachsen ▸ **to ~ to the surface** an die Oberfläche kommen; **he won't ~ to any of your taunts** er läßt sich von dir nicht reizen; **to ~ in price** im Preis steigen; **her spirits rose** ihre Stimmung hob sich. **c** (*ground*) ansteigen; (*mountains*) sich erheben ▸ **the mountain ~s to 3,000 metres** der Berg ragt 3.000 Meter hoch auf. **d** (*fig: in society, rank*) **to ~ from nothing** sich aus dem Nichts hocharbeiten; **he rose to be President** er stieg zum Präsidenten auf. **e** (*adjourn*) (*assembly*) auseinandergehen; (*meeting*) beendet sein ▸ **the House rose at 2 a.m.** (*Parl*) das Haus beendete die Sitzung um 2 Uhr morgens. **f** (*originate: river*) entspringen. **g** (*also* **~ up**) (*revolt: people*) sich empören, sich erheben ▸ **to ~ (up) in protest/anger (at sth)** (*people*) sich protestierend (gegen etw) erheben/sich (gegen etw) empören; **to ~ (up) in revolt (against sb/sth)** (gegen jdn/etw) rebellieren.
risen ['rɪzn] *ptp of* **rise** ▸ **Christ is ~** (*Bibl*) Christ ist erstanden.
riser ['raɪzəʳ] *n* (*person*) **to be an early/late ~** Frühaufsteher(in *f*)/Langschläfer(in *f*) *m* sein.
rising ['raɪzɪŋ] **1** *n* **a** (*rebellion*) Aufstand *m*. **b** (*of sun*) Aufgang *m*; (*of barometer, prices*) (An)steigen *nt*; (*from dead*) Auferstehung *f*. **2** *adj* **a** *sun* aufgehend; *tide, barometer, prices, hopes* steigend; *anger, fury* wachsend ▸ **~ damp** Bodenfeuchtigkeit *f*. **b** (*fig*) **a ~ politician** ein kommender Politiker; **the ~ generation** die kommende Generation; **~ fives** Kinder, die bald fünf werden.
▼ **risk** [rɪsk] **1** *n* Risiko *nt* ▸ **to take** *or* **run ~s/a ~** Risiken/ein Risiko eingehen; **to take** *or* **run the ~ of doing sth** das Risiko eingehen, etw zu tun; **there is no ~ of his coming** *or* **that he will come** es ist nicht zu befürchten, daß er kommt; **at one's own ~** auf eigene Gefahr; **at the ~ of seeming stupid** auf die Gefahr hin, dumm zu erscheinen; **fire ~** Feuerrisiko *nt*; **to be a good/bad ~** (*Fin*) gute/schlechte Bonität haben. **2** *vt* riskieren, aufs Spiel setzen; *life also* wagen; *defeat, accident* riskieren ▸ **she won't ~ coming today** sie wird es heute nicht riskieren zu kommen; **I'll ~ it** das riskiere ich, ich lasse es darauf ankommen.
risky ['rɪskɪ] *adj* (+*er*) *enterprise, deed* riskant ▸ **it's a ~ business** das ist riskant.
risqué ['riːskeɪ] *adj joke, story* pikant, gewagt.
rissole ['rɪsəʊl] *n* ≃ Frikadelle *f*.
rite [raɪt] *n* Ritus *m*; *burial ~s* Bestattungsriten *pl*; **last ~s** (*Rel*) Letzte Ölung *f*.
ritual ['rɪtjʊəl] **1** *adj* rituell; *laws, objects, killing* Ritual-. **2** *n* Ritual *nt*.
rival ['raɪvəl] **1** *n* Rivale *m*, Rivalin *f* (*for* um, *to* für); (*Comm*) Konkurrent(in *f*) *m*. **2** *adj* (*to* für) *claims, attraction* konkurrierend; *firm* Konkurrenz-. **3** *vt* (*in love, for affections*) rivalisieren mit; (*Comm*) konkurrieren mit ▸ **I can't ~ that** da kann ich nicht mithalten.
rivalry ['raɪvəlrɪ] *n* Rivalität *f*; (*Comm*) Konkurrenzkampf *m*.

▶ SENTENCE BUILDER: **rise: 2b** → 6.2   **risk: 2** → 9.3

river ['rɪvəʳ] n Fluß m; (major) Strom m ▶ **down/up ~** flußabwärts/-aufwärts; **the ~ Rhine** (Brit), **the Rhine ~** (US) der Rhein.

river in cpds Fluß-; **~ bank** n Flußufer nt; **~bed** n Flußbett nt; **~side** 1 n Flußufer nt; **by the ~side** am Fluß; 2 adj am Ufer gelegen, Ufer-.

rivet ['rɪvɪt] 1 n Niete f.
2 vt (lit) nieten; two things vernieten; (fig) audience, attention fesseln ▶ **his eyes were ~ed to the screen** sein Blick war auf den Bildschirm geheftet; **~ed (to the spot) with fear** vor Angst wie festgenagelt.

rivet(t)ing ['rɪvɪtɪŋ] adj (fig) fesselnd.

Riviera [ˌrɪvɪ'ɛərə] n **the (French)/Italian ~** die französische/italienische Riviera.

rm = room Zi.

RN = a Royal Navy. b (US) registered nurse.

RNA = ribonucleic acid RNS f.

RNLI (Brit) = Royal National Lifeboat Institution.

road [rəʊd] n a Straße f ▶ **"~ up"** „Straßenarbeiten"; **by ~** (send sth) per Spedition; (travel) mit dem Bus/ Auto etc; **she lives across the ~** (from us) sie wohnt (bei uns) gegenüber; **my car is off the ~ just now** mein Auto ist momentan in der Werkstatt; **this vehicle shouldn't be on the ~** das Fahrzeug ist nicht verkehrstüchtig; **to be on the ~** (travelling) unterwegs sein; (theatre company) auf Tournee sein; (car) fahren; **is this the ~ to London?** geht es hier nach London?; **the London ~** die Straße nach London; **to have one for the ~** (col) zum Abschluß noch einen trinken. b (fig) Weg m ▶ **you're on the right ~** Sie sind auf dem richtigen Weg; **on the ~ to success** auf dem Weg zum Erfolg; **(get) out of the ~!** (dial col) weg da!; **any~** (dial col) = **anyhow**.

road in cpds Straßen-; **~ accident** n Verkehrsunfall m; **~ atlas** n Autoatlas m; **~block** n Straßensperre f; **~ haulage** n Spedition f; **~hog** n (col) Verkehrsrowdy m (col); **~holding** n Straßenlage f; **~ map** n Straßenkarte f; **~ marking** n Fahrbahnmarkierung f; **~ rage** n Aggressivität f im Straßenverkehr; **~roller** n Straßenwalze f; **~ safety** n Verkehrssicherheit f; **~ salt** n Streusalz nt; **~ sense** n Verkehrssinn m; **~side** n Straßenrand m; **by the ~side** am Straßenrand; 2 adj stall an der Straße; **~side inn** Rasthaus nt; **~sign** n Verkehrsschild nt; **~sweeper** n Straßenkehrer(in f) m; **~ test** n Fahrtest m; **~ transport** n Straßengüterverkehr m; **~ user** n Verkehrsteilnehmer m; **~way** n Fahrbahn f; **by the ~side** am Straßenrand; (on sign) Baustelle f, **~works** npl Straßenbauarbeiten pl; **~worthy** adj verkehrstüchtig.

roam [rəʊm] 1 vt streets, countryside wandern or ziehen durch.
2 vi (herum)wandern.

roar [rɔːʳ] 1 vi (person, crowd, lion) brüllen (with vor +dat); (fire) prasseln; (wind, engine) heulen; (sea) tosen; (thunder) toben ▶ **to ~ at sb** jdn anbrüllen; **the trucks ~ed past** die Lastwagen donnerten vorbei; **they ~ed with laughter** sie brüllten vor Lachen.
2 n no pl see vi Gebrüll nt; Prasseln; Heulen nt; Tosen nt; Toben nt ▶ **~s of laughter** brüllendes Gelächter.

roaring ['rɔːrɪŋ] adj see vi brüllend; prasselnd; heulend; tosend; tobend ▶ **the ~ Twenties** die wilden zwanziger Jahre; **a ~ success** ein Bombenerfolg m (col); **to do a ~ trade (in sth)** ein Bombengeschäft nt (mit etw) machen.

roast [rəʊst] 1 n Braten m ▶ **pork ~** Schweinebraten m.
2 adj pork, veal gebraten; chicken Brat-, gebraten; potatoes in Fett im Backofen gebraten ▶ **~ beef** Roastbeef nt.
3 vt meat (im Backofen) braten; coffee beans rösten ▶ **to be ~ed (alive)** (fig) sich totschwitzen (col).
4 vi (meat) braten; (col: person) irrsinnig braten (col); (in sun) in der Sonne braten.

rob [rɒb] vt person bestehlen; (more seriously) berauben;

shop, bank ausrauben ▶ **to ~ sb of sth** (lit, fig) jdm etw rauben; (lit also) jdm etw stehlen; **I've been ~bed!** ich bin bestohlen worden!; (had to pay too much) das war Nepp! (col).

robber ['rɒbəʳ] n Räuber m.

robbery ['rɒbərɪ] n Raub m no pl; (burglary) Einbruch m (of in +acc) ▶ **~ with violence** (Jur) Raubüberfall m.

robe [rəʊb] n (of office) Robe f; (esp US: for house wear) Morgenrock, Bademantel m.

robin ['rɒbɪn] n Rotkehlchen nt.

robot ['rəʊbɒt] n Roboter m; (fig also) Automat m.

robotics [rəʊ'bɒtɪks] n sing or pl Robotertechnik f.

robust [rəʊ'bʌst] adj robust; build also kräftig; structure stabil.

rock¹ [rɒk] 1 vt a (swing) schaukeln; (gently: lull) wiegen. b (shake) town erschüttern; ship hin und her werfen; (fig col) person erschüttern ▶ **to ~ the boat** (fig) für Unruhe sorgen.
2 vi schaukeln; (building, tree) schwanken; (ship) hin und her geworfen werden; (gently) sich wiegen; (ground) beben.
3 n (Mus) Rock m; (dance) Rock 'n' Roll m ▶ **~ and roll** Rock and Roll m.

rock² [rɒk] 1 a (substance) Stein m; (~ face) Fels(en) m; (Geol) Gestein nt. b (large mass) Fels(en) m; (boulder also) Felsbrocken m; (smaller) (großer) Stein ▶ **as solid as a ~** (structure) massiv wie ein Fels; (business) sehr stabil; (person) absolut zuverlässig; **on the ~s** (ship) aufgelaufen; (col) (with ice) mit Eis; (ruined: marriage etc) kaputt (col). c (col: diamond) Diamant m ▶ **~s** (jewels) Klunker pl (col). d (Brit: sweet) Zuckerstange f.

rock: **~-bottom** n der Tiefpunkt; **to touch/reach ~bottom** den Tiefpunkt erreichen; **~ cake** n (Brit) ≈ Rosinenhäufchen nt; **~-climber** n (Felsen)kletterer(in f) m; **~ climbing** n Klettern nt (im Fels).

rocker ['rɒkəʳ] n ▶ **to be/go off one's ~** (col) übergeschnappt sein (col)/überschnappen (col).

rockery ['rɒkərɪ] n Steingarten m.

rocket ['rɒkɪt] 1 n a Rakete f. b (Brit col: reprimand) **to give sb a ~** jdm eine Zigarre verpassen (col).
2 vi (prices) hochschießen ▶ **to ~ to fame** über Nacht berühmt werden.

rocket in cpds Raketen-; **~ engine** n Raketentriebwerk nt; **~ launcher** n Raketenabschußgerät nt; (on plane) Raketenwerfer m; (multiple) Stalinorgel f; **~-propelled** adj raketengetrieben.

rock: **~ face** n Felswand f; **~ fall** n Steinschlag m; **~-hard** adj steinhart.

Rockies ['rɒkɪz] npl = Rocky Mountains.

rocking ['rɒkɪŋ]: **~ chair** n Schaukelstuhl m; **~ horse** n Schaukelpferd nt.

rock: **~ plant** n Steinpflanze f; **~ salt** n Steinsalz nt.

rocky¹ ['rɒkɪ] adj (unsteady) wackelig.

rocky² adj (+er) hill felsig; road steinig ▶ **the R~ Mountains** die Rocky Mountains pl.

rococo [rəʊ'kəʊkəʊ] 1 n Rokoko nt.
2 adj Rokoko-.

rod [rɒd] n Stab m; (longer) Stange f; (in machinery) Stange f; (for punishment, fishing) Rute f.

rode [rəʊd] pret of **ride**.

rodent ['rəʊdənt] n Nagetier nt.

rodeo ['rəʊdɪəʊ] n Rodeo nt.

roe¹ [rəʊ] n, pl -(s) (species: also ~ deer) Reh nt ▶ **~ buck** Rehbock m.

roe² n, pl - (of fish) Rogen m ▶ **hard ~** Rogen m; **soft ~** Milch f.

roger ['rɒdʒəʳ] interj **"~"** „verstanden".

rogue [rəʊg] n Schurke m; (scamp) Schlingel m ▶ **~s' gallery** (Police col) Verbrecheralbum nt; **~ elephant** Einzelgängerelefant m.

roguish ['rəʊgɪʃ] adj spitzbübisch.

role [rəʊl] n (Theat, fig) Rolle f ▸ ~ **model** Identifikationsfigur f; **~-play(ing)** Rollenspiel nt; ~ **reversal** Rollentausch m.

roll [rəʊl] **1** n **a** (of paper, wire etc) Rolle f; (of fabric) Ballen m; (of banknotes) Bündel nt; (of butter, flesh, fat) Röllchen nt ▸ **a ~ of paper** eine Rolle Papier. **b** (Cook) (also **bread ~**) Brötchen nt ▸ **ham/cheese ~** Schinken-/Käsebrötchen nt. **c** (movement, of sea) Rollen nt; (of ship also) Schlingern nt; (of person's gait) Wiegen nt. **d** (sound) (of thunder) Rollen nt; (of drums) Wirbel m. **e** (list, register) Liste f, Register nt ▸ **we have 60 pupils on our ~(s)** bei uns sind 60 Schüler angemeldet; **to call the ~** die Namensliste verlesen, die Namen aufrufen; **~ of honour** (Brit) or **honor** (US) Ehrenliste f; (plaque) Ehrentafel f.
2 vi **a** rollen; (ship) schlingern; (presses) laufen; (Aviat) eine Rolle machen ▸ **the stones ~ed down the hill** die Steine rollten den Berg hinunter; **tears were ~ing down her cheeks** Tränen rollten ihr über die Wangen; **heads will ~!** (fig) da werden Köpfe rollen!; **he's ~ing in money** or **in it** (col) er schwimmt im Geld (col). **b** (thunder) grollen; (drum) wirbeln.
3 vt rollen; cigarette drehen; pastry ausrollen; metal, lawn walzen ▸ **to ~ one's eyes** die Augen rollen; **to ~ one's r's** das R rollen; **the hedgehog ~ed itself into a ball** der Igel rollte sich zu einer Kugel zusammen.
♦**roll about** vi (balls) herumrollen or -kugeln (col); (ship) schlingern; (person, dog) sich wälzen; (col: with laughter) sich kugeln (vor Lachen) (col).
♦**roll away 1** vi (ball, vehicle) wegrollen; (clouds) abziehen.
2 vt sep trolley wegrollen.
♦**roll back** vt sep zurückrollen.
♦**roll by** vi (vehicle, procession) vorbeirollen; (clouds) vorbeiziehen; (time, years) dahinziehen.
♦**roll in** vi herein-/hineinrollen; (letters, money) hereinströmen; (col: person) eintrudeln (col).
♦**roll on** vi weiterrollen; (time) verfliegen ▸ **~ ~ the holidays!** wenn doch nur schon Ferien wären!
♦**roll out** vt sep barrel hinaus-/herausrollen; pastry, dough ausrollen; metal auswalzen.
♦**roll over 1** vi (vehicle) sich überschlagen; (person) sich umdrehen ▸ **the dog ~ed ~ onto his back** der Hund rollte auf den Rücken.
2 vt sep person, animal, object umdrehen.
♦**roll up 1** vi **a** (animal) sich zusammenrollen (into zu). **b** (col: arrive) auftauchen.
2 vt sep auf- or zusammenrollen; sleeves hochkrempeln.
roll: ~bar n (Aut) Überrollbügel m; **~call** n (Sch) Namensaufruf m; (Mil) (Anwesenheits)appell m.
roller ['rəʊlə^r] n **a** Rolle f; (pastry ~) Teigrolle f; (for lawn, road) Walze f; (paint ~) Rolle f. **b** (hair ~) (Locken)wickler m ▸ **with her ~s in** mit Lockenwicklern (im Haar). **c** (wave) Brecher m.
roller: ~ blind n Rollo nt; **~ coaster** n Achterbahn f; **~ skate** n Rollschuh m; **~-skating** m Rollschuhlaufen nt; **~ towel** n Rollhandtuch nt.
roll film n Rollfilm m.
rollicking ['rɒlɪkɪŋ] **1** adj ausgelassen.
2 n (Brit col) **to give sb/get a ~** jdn herunterputzen/heruntergeputzt werden (col).
rolling ['rəʊlɪŋ] adj sea wogend; waves rollend; countryside wellig ▸ **a ~ stone gathers no moss** (Prov) nur mit Ausdauer bringt man es zu etwas.
rolling: ~ mill n (factory) Walzwerk nt; (machine) Walze f; **~ pin** n Teigrolle f; **~ stock** n (Rail) rollendes Material.
rollover ['rəʊləʊvə^r] **1** n (Fin: of loan etc) Laufzeitverlängerung f.
2 attr (Brit, Lottery) **~ week** Woche f mit Lotto-Jackpot, da

es in der vorhergehenden Woche keinen Hauptgewinner gab; **~ jackpot** Jackpot m.
ROM [rɒm] (Comp) = **read only memory** ROM m or nt.
romaine [ˌrəʊ'meɪn] n (US) Romagna-Salat m, römischer Salat.
Roman ['rəʊmən] **1** n (Hist) Römer(in f) m.
2 adj römisch; (~ Catholic) römisch-katholisch ▸ **~ numeral** römische Ziffer; **r~ type** Magerdruck m.
Roman Catholic 1 adj (römisch-)katholisch.
2 n Katholik(in f) m, (Römisch-)Katholische(r) mf.
romance [rəʊ'mæns] **1** n **a** (book) Roman m; (lovestory) Liebesroman m. **b** (Mus, love affair) Romanze f. **c** no pl (romanticism) Romantik f.
2 adj R~ language etc romanisch.
Romanesque [ˌrəʊmə'nesk] adj romanisch.
Romania [rəʊ'meɪnɪə] n Rumänien nt.
Romanian [rəʊ'meɪnɪən] **1** adj rumänisch.
2 n **a** Rumäne m, Rumänin f. **b** (language) Rumänisch nt.
romantic [rəʊ'mæntɪk] **1** adj (Art etc: also R~) romantisch; person also romantisch veranlagt ▸ **~ novel** Liebesroman m.
2 n (Art etc: also R~) Romantiker(in f) m.
romanticism [rəʊ'mæntɪsɪzəm] n (Art, Liter, Mus: also R~) Romantik f.
romanticize [rəʊ'mæntɪsaɪz] vt romantisieren.
Romany ['rəʊmənɪ] **1** n **a** Zigeuner(in f) m, Roma mf. **b** (language) die Zigeunersprache, Romani nt.
2 adj Zigeuner-.
Rome [rəʊm] n Rom nt ▸ **when in ~ do as the Romans do** (prov) ≃ andere Länder, andere Sitten (Prov); **~ wasn't built in a day** (Prov) Rom ist auch nicht an einem Tag erbaut worden (Prov).
romp [rɒmp] **1** n Tollerei f ▸ **to have a ~** herumtollen or -toben.
2 vi (children, puppies) herumtollen or -toben ▸ **to ~ home** (fig: win) spielend gewinnen; **to ~ through an exam** eine Prüfung spielend schaffen.
rompers ['rɒmpəz] npl Strampelhöschen nt.
roof [ruːf] **1** n Dach nt; (of car also) Verdeck nt; (of cave) Gewölbe nt ▸ **the ~ of the mouth** der Gaumen; **without a ~ over one's head** ohne ein Dach über dem Kopf; **a room in the ~** ein Zimmer unter dem Dach; **to go through the ~** (col) (person) an die Decke gehen (col); (prices etc) in die Höhe schießen.
2 vt house mit einem Dach decken ▸ **red-~ed** mit rotem Dach.
roofing ['ruːfɪŋ] n (work) Dachdeckerarbeiten pl; (material) Material nt zum Dachdecken ▸ **~ felt** Dachpappe f.
roof: ~-rack n Dachgepäckträger m; **~ tile** n Dachziegel m; **~top** n Dach nt; **to shout sth from the ~tops** (fig) etw überall herumposaunen (col); **~ truss** n Dachstuhl m.
rook [rʊk] **1** n (bird) Saatkrähe f; (Chess) Turm m.
2 vt (swindle) übers Ohr hauen (col), betrügen.
room [ruːm] **1** n **a** Zimmer nt, Raum m; (public hall, ball~ etc) Saal m; (office) Büro nt ▸ **the whole ~ laughed** der ganze Saal lachte; **to live in ~s** zur Untermiete wohnen. **b** no pl (space) Platz m; (fig) Spielraum m ▸ **is there (enough) ~?** ist da genügend Platz?; **there is no ~ (for you)** es ist nicht genug Platz (für dich); **to make ~ for sb/sth** für jdn/etw Platz machen; **there is no ~ for doubt** es kann keinen Zweifel geben; **there is ~ for improvement in your work** Ihre Arbeit könnte um einiges besser sein.
2 vi zur Untermiete wohnen.
roominess ['ruːmɪnɪs] n Geräumigkeit f.
rooming house ['ruːmɪŋ'haʊs] n (esp US) Mietshaus nt (mit möblierten Zimmern).

room: **~mate** *n* Zimmergenosse *m*, Zimmergenossin *f*; **~ rates** *npl* (*in hotel etc*) Zimmerpreis *m*; **~ service** *n* Zimmerservice *m*; **~ temperature** *n* Zimmertemperatur *f*; **wine at ~ temperature** Wein mit Zimmertemperatur.

roomy ['ruːmɪ] *adj* (+*er*) geräumig; *garment* weit.

roost [ruːst] **1** *n* (*pole*) Stange *f*; (*henhouse*) Hühnerstall *m* ▶ **to come home to ~** (*fig*) auf den Urheber zurückfallen.
2 *vi* (*bird*) sich niederlassen.

rooster ['ruːstəʳ] *n* Hahn *m*.

root [ruːt] **1** *n* Wurzel *f* ▶ **~s** (*fig: of person*) Wurzeln; **by the ~s** mit der Wurzel; **to take ~** (*lit, fig*) Wurzeln schlagen; **the ~ of the matter** der Kern der Sache; **to get to the ~(s) of the problem** dem Problem auf den Grund gehen.
2 *vt* **deeply ~ed** (*fig*) tief verwurzelt; **to be or stand ~ed to the spot** (*fig*) wie angewurzelt dastehen.
3 *vi* (*plants etc*) Wurzeln schlagen.

◆**root for** *vi* +*prep obj* anfeuern.

◆**root out** *vt sep* **a** (*lit*) *plant* herausreißen; (*dig up*) ausgraben. **b** (*fig*) *evil* mit der Wurzel ausreißen; (*find*) aufspüren, ausgraben (*col*).

root: **~ cause** *n* eigentlicher Grund; **~ crop** *or* **vegetable** *n* Wurzelgemüse *nt*.

rope [rəʊp] **1** *n* Seil *nt*; (*Naut*) Tau *nt*; (*of bell*) Glockenstrang *m* ▶ **to give sb more ~** (*fig*) jdm mehr Freiheit lassen; **to know the ~s** (*col*) sich auskennen; **to show sb the ~s** (*col*) jdn in alles einweihen.
2 *vt* box, case verschnüren.

◆**rope in** *vt sep* (*fig*) rankriegen (*col*) ▶ **how did you get ~d ~ to that?** wie bist du denn da reingeraten? (*col*).

◆**rope off** *vt sep area* mit einem Seil abgrenzen.

◆**rope up** *vi* (*climber*) sich anseilen.

rope *in cpds* Seil-; **~ ladder** *n* Strickleiter *f*.

ropy ['rəʊpɪ] *adj* (+*er*) (*col*) (*bad*) miserabel (*col*); (*worn*) mitgenommen.

rosary ['rəʊzərɪ] *n* (*Rel*) Rosenkranz *m*.

rose¹ [rəʊz] *pret of* **rise**.

rose² **1** *n* **a** Rose *f* ▶ **my life isn't a bed of ~s** *or* **all ~s** (*col*) ich bin auch nicht auf Rosen gebettet. **b** (*nozzle*) Brause *f*. **c** (*colour*) Rosarot *nt*.
2 *adj* rosarot.

rosé ['rəʊzeɪ] *n* Rosé *m*.

rose *in cpds* Rosen-; **~bed** *n* Rosenbeet *nt*; **~bud** *n* Rosenknospe *f*; **~bush** *n* Rosenstrauch *m*; **~coloured**, (*US*) **~-colored** *adj* rosarot; **to see life through ~coloured spectacles** das Leben durch eine rosarote Brille sehen; **~hip** *n* Hagebutte *f*.

rosemary ['rəʊzmərɪ] *n* Rosmarin *m*.

rose: **~-pink** *adj* rosarot; **~-red** *adj* rosenrot; **~-tinted** *adj* = **~-coloured**.

rosette [rəʊ'zet] *n* Rosette *f*.

roster ['rɒstəʳ] *n* Dienstplan *m*.

rostrum ['rɒstrəm] *n, pl* **rostra** ['rɒstrə] Rednerpult *nt*; (*for conductor*) Dirigentenpult *nt*.

rosy ['rəʊzɪ] *adj* (+*er*) (*pink*) rosarot; *cheeks, future* rosig ▶ **to paint a ~ picture of sth** etw in den rosigsten Farben ausmalen.

rot [rɒt] **1** *n* **a** Fäulnis *f no pl*; (*in wood also*) Moder *m no pl* ▶ **we must stop the ~** (*fig*) wir müssen energisch durchgreifen; **then the ~ set in** (*fig*) dann setzte der Verfall ein. **b** (*col: rubbish*) Blödsinn *m* (*col*).
2 *vi* (*wood, material, rope*) verrotten, faulen; (*teeth, plant*) verfaulen; (*fig*) verrotten.

rota ['rəʊtə] *n* Dienstplan *m*.

Rotarian [rəʊ'tɛərɪən] *n* Rotarier *m*.

rotary ['rəʊtərɪ] **1** *adj* **a** *motion* rotierend, Dreh-. **b** **R~ Club** Rotary Club *m*.
2 *n* (*US*) Kreisverkehr *m*.

rotate [rəʊ'teɪt] **1** *vt* **a** (*around axis*) drehen, rotieren lassen. **b** *crops* im Wechsel anbauen; *work* turnusmäßig erledigen.
2 *vi* **a** sich drehen; (*Math*) rotieren. **b** (*crops*) im Wechsel angebaut werden; (*gently*) sich wiegen; (*people: take turns*) sich abwechseln.

rotation [rəʊ'teɪʃən] *n* **a** *no pl* Drehung, Rotation *f*; (*of crops*) Wechsel *m*; (*taking turns*) turnusmäßiger Wechsel ▶ **in ~** abwechselnd im Turnus. **b** (*turn*) (Um)drehung *f*.

rote [rəʊt] *n*: **by ~** *learn* auswendig; *recite* mechanisch.

rotor ['rəʊtəʳ] *n* (*Aviat, Elec, Aut*) Rotor *m*.

rotten ['rɒtn] *adj* **a** faul; *wood also* morsch; *fruit also* verdorben; (*fig: corrupt*) korrupt, verdorben. **b** (*col*) (*bad*) scheußlich (*col*); *weather, book, film, piece of work also* mies (*col*); (*mean*) gemein; (*unwell*) elend, mies (*col*) ▶ **what ~ luck!** so ein Pech!; **it's a ~ business** das ist eine üble Sache.

rotund [rəʊ'tʌnd] *adj person* rund(lich).

rouble, (*US*) **ruble** ['ruːbl] *n* Rubel *m*.

rouge [ruːʒ] *n* Rouge *nt*.

rough [rʌf] **1** *adj* (+*er*) **a** (*uneven*) *ground* uneben; *surface, skin, hands* rauh.
b (*coarse, unrefined*) *person* ungehobelt; *manners also, speech* grob, roh; *taste* sauer.
c (*harsh, unpleasant*) *person* grob, roh; *treatment, words* grob, hart; *life* wüst; *sport, work, sound* hart; *neighbourhood, manners, voice, weather* rauh; *sea crossing* stürmisch ▶ **to be ~ with sb** grob mit jdm umgehen; **to feel ~** sich mies fühlen; **he had a ~ time (of it)** (*fig col*) es ging ihm ziemlich dreckig (*col*); **to make things ~ for sb** (*col*) jdm Schwierigkeiten machen; **it's ~ on him** (*Brit col*) das ist hart für ihn.
d (*approximate*) *plan, calculation, estimate* grob, ungefähr ▶ **~ copy** *or* **draft** Konzept *nt*; **~ sketch** Faustskizze *f*; **~ paper** Konzeptpapier *nt*; **this was ~ justice** das war ein willkürliches Urteil.
2 *adv live* wüst; *play* wild ▶ **to sleep ~** im Freien übernachten.
3 *n* **a** unwegsames Gelände; (*Golf*) Rauh *nt*. **b** (*unpleasant aspect*) **to take the ~ with the smooth** das Leben nehmen, wie es kommt.
4 *vt* **to ~ it** (*col*) primitiv leben.

◆**rough out** *vt sep plan, drawing* grob entwerfen.

roughage ['rʌfɪdʒ] *n* Ballaststoffe *pl*.

rough: **~-and-ready** *adj method, equipment* provisorisch; *work* zusammengehauen (*col*); *person* rauh(beinig); **~-and-tumble** *n* (*play*) Balgerei *f*; (*fighting*) Keilerei *f*; **~cast** *n* Rauhputz *m*; **~ diamond** *n* **he's a ~ diamond** er ist rauh aber herzlich.

roughen ['rʌfn] *vt skin, cloth* rauh machen; *surface* aufrauhen.

roughhouse ['rʌfhaʊs] *n* (*col*) Keilerei *f* (*col*).

roughly ['rʌflɪ] *adv* **a** grob; *play* rauh; *answer, order also* hart. **b** (*approximately*) ungefähr ▶ **~ (speaking)** grob gesagt.

roughness ['rʌfnɪs] *n see adj* **a** Unebenheit *f*; Rauheit *f*. **b** Ungehobeltheit *f*; Grobheit, Roheit *f*; saurer Geschmack. **c** Grobheit, Roheit *f*; Härte *f*; Rauheit *f*.

rough: **~ note book** *n* (*Sch*) Schmierheft *nt*; **~shod** *adv*. **to ride ~shod over sb** rücksichtslos über jdn hinweggehen; **~ stuff** *n* (*col*) Handgreiflichkeiten *pl*.

roulette [ruː'let] *n* Roulett(e) *nt*.

round [raʊnd] **1** *adj* (+*er*) rund ▶ **~ number** runde Zahl; **in ~ figures, that will cost 20 million** es kostet rund or runde 20 Millionen.
2 *adv* (*esp Brit*) **to go** *or* **take the long way ~** einen Umweg machen, den längeren Weg nehmen; **to be going ~ and ~ (in circles)** sich nur im Kreis bewegen (*fig*); **I asked him ~ for a drink** ich lud ihn auf ein Glas Wein/Bier etc bei mir ein; **I'll be ~ at 8 o'clock** ich werde um 8 Uhr da sein; **for the second time ~** zum zweitenmal; **all (the) year ~** das ganze Jahr über; **all ~**

(*lit*) ringsherum; (*fig: for everyone*) für alle; *drinks all ~!* eine Runde!

3 *prep* (*esp Brit*) **a** (*of place etc*) um (... herum) ▶ *~ the table* um den Tisch (herum); *all ~ the house* (*inside*) im ganzen Haus; (*outside*) um das ganze Haus herum; *to go ~ a corner* um eine Ecke gehen/fahren *etc*; *to look ~ a house* sich (*dat*) ein Haus ansehen; *to show sb ~ a town* jdn in einer Stadt herumführen. **b** (*approximately*) *~ (about) 7 o'clock* ungefähr um 7 Uhr; *~ (about) £800* um die £800.

4 *n* **a** (*slice: of bread, meat*) Scheibe *f* ▶ *a ~ of toast* eine Scheibe Toast. **b** (*delivery ~, Sport, of election, talks*) Runde *f* ▶ *~(s)* (*of policeman, doctor*) Runde *f*; *to do one's ~(s)* seine Runde machen; (*doctor also*) Hausbesuche machen; *he does a paper ~* er trägt Zeitungen aus; *the daily ~* (*fig*) die tägliche Arbeit, der tägliche Trott (*pej*); *to go the ~s* (*story etc*) reihum gehen; *a ~ (of drinks)* eine Runde; *a new ~ of negotiations* eine neue Verhandlungsrunde; *~ of ammunition* Ladung *f*; *a ~ of applause* Applaus *m*.

5 *vt* **a** (*make ~*) runden. **b** (*go ~*) bend gehen/fahren um; *obstacle* herumgehen/-fahren *etc* um.

◆**round off** *vt sep* **a** *edges etc* abrunden. **b** *list, series* voll machen; *speech, meal* abrunden; *debate, meeting* abschließen.

◆**round on** *vi* +*prep obj* (*verbally*) anfahren; (*in actions*) losgehen auf (+*acc*).

◆**round up** *vt sep* **a** *people* zusammentrommeln (*col*); *cattle* zusammentreiben; *criminals* hochnehmen (*col*). **b** *price, number* aufrunden.

roundabout ['raʊndəbaʊt] **1** *adj ~ route* Umweg *m*; *we came a ~ way* wir haben einen Umweg gemacht; *I found out in a ~ way* ich habe es auf Umwegen herausgefunden. **2** *n* (*Brit*) (*merry-go-round*) Karussell *nt*; (*Mot*) Kreisverkehr *m*.

rounders ['raʊndəz] *n sing* (*Brit*) ≃ Schlagball *m*.

round: ~-eyed *adj* großäugig; **~-faced** *adj* rundgesichtig.

roundly ['raʊndlɪ] *adv* (*bluntly*) ohne Umschweife.

roundnecked [,raʊnd'nekt] *adj* mit rundem Ausschnitt.

roundness ['raʊndnɪs] *n* Rundheit *f*.

round: ~-shouldered ['raʊnd'ʃəʊldəd] *adj* mit runden Schultern; **~-the-clock** *adj* rund um die Uhr *not attr*; **~ trip** *n* (*tour*) Rundreise *f*; (*return trip*) Hin- und Rückfahrt *f*; **~-trip ticket** *n* (*US*) Rückfahrkarte *f*; (*Aviat*) Hin- und Rückflug-Ticket *nt*; **~-up** *n* (*of cattle*) Zusammentreiben *nt*; (*of criminals*) Hochnehmen *nt* (*col*); *a ~-up of today's news* eine Zusammenfassung der Nachrichten vom Tage.

rouse [raʊz] *vt* **a** (*from sleep*) wecken. **b** (*stimulate*) *person* bewegen; *feeling* wachrufen; *hatred, suspicions* erregen ▶ *to ~ sb (to anger)* jdn reizen; *to ~ sb to action* jdn zum Handeln bewegen; *to ~ the masses* die Massen aufrütteln.

rousing ['raʊzɪŋ] *adj speech* zündend, mitreißend; *applause* stürmisch; *music* schwungvoll.

rout¹ [raʊt] **1** *n* (*defeating*) Sieg *m* (*of* über +*acc*); (*being defeated*) vernichtende Niederlage. **2** *vt* (*defeat*) in die Flucht schlagen.

rout² *vi* (*pig etc: also ~ about*) herumwühlen.

◆**rout out** *vt sep* (*find*) aufstöbern; (*force out*) (heraus)jagen (*of* aus).

route [ruːt], (*US*) [raʊt] **1** *n* Strecke, Route *f*; (*bus service*) Linie *f* ▶ *shipping/air ~s* Schiffahrtsstraßen *or* -wege/Fluglinien; *we live on a bus ~* wir wohnen an einer Buslinie; *the ~ to the coast* der Weg zur Küste. **2** *vt train, coach, bus* legen ▶ *my baggage was ~d through Amsterdam* mein Gepäck wurde über Amsterdam geschickt.

route: ~ map *n* Streckenkarte *f*; **~ march** *n* Übungsmarsch *m*.

routine [ruː'tiːn] **1** *n* **a** Routine *f*. **b** (*Dancing*) Figur *f*, (*Gymnastics*) Übung *f*. **2** *adj* Routine-, routinemäßig ▶ *~ duties* tägliche Pflichten *pl*; *to be ~ procedure* Routine(sache) sein.

rover ['rəʊvər] *n* (*wanderer*) Vagabund *m*.

roving ['rəʊvɪŋ] *adj he has a ~ eye* er riskiert gern ein Auge; *~ ambassador* Botschafter *m* für mehrere Vertretungen; *~ reporter* Reporter, der ständig unterwegs ist.

row¹ [rəʊ] *n* Reihe *f* ▶ *4 failures in a ~* 4 Mißerfolge hinter- *or* nacheinander; *arrange them in ~s* stell sie in Reihen auf; *~ house* (*US*) Reihenhaus *nt*.

row² [rəʊ] **1** *vti* (*in boat*) rudern ▶ *to ~ sb across* jdn hinüber-/herüberrudern. **2** *n to go for a ~* rudern gehen.

row³ [raʊ] **1** *n* **a** (*noise*) Lärm, Krach (*col*) *m* ▶ *to make a or kick up* (*col*) *a ~* Krach schlagen (*col*). **b** (*quarrel*) Streit, Krach (*col*) *m* ▶ *to have a ~ with sb* mit jdm Streit *or* Krach (*col*) haben. **2** *vi* (*quarrel*) (sich) streiten.

rowan ['raʊən] *n* (*tree*) Eberesche, Vogelbeere *f*.

rowboat ['rəʊˌbəʊt] *n* (*US*) Ruderboot *nt*.

rowdy ['raʊdɪ] **1** *adj* (+*er*) (*noisy*) laut; *football fans* randalierend. **2** *n* Krawallmacher *m* ▶ *football rowdies* Fußballrowdys *pl*.

rowdyism ['raʊdɪɪzəm] *n* Rowdytum *nt*.

rower ['rəʊər] *n* Ruderer *m*, Ruderin *f*.

rowing¹ ['rəʊɪŋ] *n* Rudern *nt* ▶ *~ boat* Ruderboot *nt*.

rowing² ['raʊɪŋ] *n* (*quarrelling*) Streiterei *f*.

rowlock ['rɒlək] *n* (*esp Brit*) Dolle *f*.

royal ['rɔɪəl] **1** *adj* königlich; *family, palace also* Königs-; (*fig also*) fürstlich. **2** *n* (*col*) Angehörige(r) *mf* der königlichen Familie.

royal: R~ Air Force *n* (*Brit*) Königliche Luftwaffe; **~ blue 1** *adj* königsblau; **2** *n* Königsblau *nt*.

royalist ['rɔɪəlɪst] **1** *adj* royalistisch. **2** *n* Royalist(in *f*) *m*.

Royal Navy (*Brit*) **1** *n* Königliche Marine. **2** *attr* der Königlichen Marine.

royalty ['rɔɪəltɪ] *n* **a** (*rank*) das Königtum; (*collectively*) das Königshaus. **b** *royalties pl* (*from book, records*) Tantiemen *pl* (*on* auf +*acc*).

RP = **received pronunciation** Standardaussprache *f* (des Englischen).

RECEIVED PRONUNCIATION

ⓘ *Received Pronunciation* oder *RP* ist die hochsprachliche Standardaussprache des britischen Englisch, die bis vor kurzem in der Ober- und Mittelschicht vorherrschte und auch heute noch großes Ansehen unter höheren Beamten genießt.

rpm = **revolutions per minute** U/min, UpM.

RR (*US*) = **railroad**.

RRP (*Brit Comm*) = **recommended retail price**.

RSI = **repetitive strain injury** RSI *f*, Verletzung *f* durch wiederholte Anstrengung.

RSPB (*Brit*) = **Royal Society for the Protection of Birds** Vogelschutzverein *m*.

RSPCA = **Royal Society for the Prevention of Cruelty to Animals** ≃ Tierschutzverein *m*.

RSVP = **répondez s'il vous plaît** u.A.w.g.

Rt Hon = **Right Honourable**.

Rt Rev = **Right Reverend**.

rub [rʌb] **1** *n* **a** *to give sth a ~* etw reiben; *furniture, shoes, silver* etw polieren. **b** (*fig*) *there's the ~!* (*old, hum*) da liegt der Hase im Pfeffer. **2** *vt* reiben; (*with towel also*) frottieren; (*polish*) polieren ▶ *to ~ one's hands (together)* sich (*dat*) die

Hände reiben; **to ~ sth dry** etw trockenreiben; **to ~ shoulders with all sorts of people** (*fig*) mit allen möglichen Leuten in Berührung kommen.
3 *vi* (*thing*) (*against* an +*dat*) reiben; (*shoes, collar*) scheuern ► **you must have ~bed against some wet paint** da mußt du an feuchte Farbe gekommen sein.

◆**rub down** *vt sep horse* (*dry*) abreiben; (*clean*) striegeln; *person* abrubbeln (*col*); *wall, paint* (*clean*) abwaschen; (*sandpaper*) abschmirgeln.

◆**rub in** *vt sep* **a** *lotion* einreiben (*to* in +*acc*). **b** (*fig*) herumreiten auf (+*dat*) ► **don't ~ it ~** mußt du auch noch Salz in die Wunde streuen?

◆**rub off** **1** *vt sep dirt etc* abreiben; *tape* löschen; (*from blackboard*) aus- *or* wegwischen.
2 *vi* (*lit, fig*) abgehen ► **to ~ ~ on sb** (*fig*) auf jdn abfärben.

◆**rub out** **1** *vt sep stain etc* herausreiben; (*with eraser*) ausradieren.
2 *vi* herausgehen; (*with eraser*) sich ausradieren lassen.

◆**rub up** *vt sep* **a** *table* blank reiben, (auf)polieren. **b** **to ~ sb ~ the wrong way** jdn aufreizen.

rubber¹ [ˈrʌbəʳ] **1** *n* (*material*) Gummi *m*; (*Brit: eraser*) (Radier)gummi *m*.
2 *adj* Gummi-.

rubber² *n* (*Cards*) Rubber, Robber *m*.

rubber: ~ **band** *n* Gummiband *nt*; ~ **bullet** *n* Gummi(wucht)geschoß *nt*; ~ **plant** *n* Gummibaum *m*; ~ **stamp** *n* Stempel *m*; ~**-stamp** *vt* (*lit*) stempeln; (*fig col*) absegnen (*fig col*).

rubbery [ˈrʌbərɪ] *adj material* gummiartig; *meat* zäh, wie Gummi *pred*.

rubbish [ˈrʌbɪʃ] *n* Abfall *m*, Abfälle *pl*; (*household ~, in factory also*) Müll *m*; (*on building site*) Schutt *m*; (*trashy goods, record etc*) Mist *m* (*col*); (*nonsense*) Quatsch (*col*), Blödsinn *m* ► **don't talk ~!** red keinen Quatsch! (*col*); **~!** (so ein) Quatsch!

rubbish *in cpds* (*esp Brit*) Müll-; ~ **bin** *n* Mülleimer *m*; ~ **cart** *n* Müllwagen *m*; ~ **chute** *n* Müllschlucker *m*; ~ **collection** *n* Müllabfuhr *f*; ~ **dump** *n* Müllkippe *f*; ~ **heap** *n* Abfallhaufen *m*; ~ **tip** *n* Müllkippe *f*.

rubbishy [ˈrʌbɪʃɪ] *adj* (*col*) *goods* wertlos ► ~ **novel** Schundroman *m*.

rubble [ˈrʌbl] *n* Trümmer *pl*; (*smaller pieces*) Schutt *m*.

ruble [ˈruːbl] *n* (*US*) Rubel *m*.

ruby [ˈruːbɪ] **1** *n* (*stone*) Rubin *m*; (*colour: also* ~ **red**) Rubinrot *nt*.
2 *adj* (~*-coloured*) rubinrot; (*made of rubies*) Rubin- ► ~ **wedding** vierzigster Hochzeitstag.

RUC = **Royal Ulster Constabulary** *nordirische Polizei*.

rucksack [ˈrʌksæk] *n* (*esp Brit*) Rucksack *m*.

ruction [ˈrʌkʃən] *n* (*col: usu pl*) Krach *m no pl* ► **that'll cause ~s** das gibt Zoff (*col*).

rudder [ˈrʌdəʳ] *n* (*Naut, Aviat*) Ruder *nt*.

ruddy [ˈrʌdɪ] *adj* (+*er*) **a** *complexion* gesund, rot; *glow* rötlich. **b** (*Brit col!*) verdammt (*col*).

rude [ruːd] *adj* (+*er*) **a** (*bad-mannered*) unhöflich; (*stronger*) unverschämt; (*uncouth*) grob ► **it's ~ to stare** es gehört sich nicht, Leute anzustarren; **don't be so ~!** so was sagt man/tut man nicht! **b** (*obscene*) unanständig. **c** (*harsh*) *shock* hart; *reminder* unsanft.

rudely [ˈruːdlɪ] *adv* **a** unhöflich. **b** **to be ~ awoken** unsanft aus dem Schlaf geholt werden.

rudeness [ˈruːdnɪs] *n see adj* **a** Unhöflichkeit *f*; Unverschämtheit *f*; Grobheit *f*. **b** Unanständigkeit *f*. **c** Härte *f*.

rudiment [ˈruːdɪmənt] *n* ~**s** *pl* Anfangsgründe *pl*.

rudimentary [ˌruːdɪˈmentərɪ] *adj knowledge* elementar; *system* rudimentär ► **a ~ sort of building** ein primitives Gebäude.

rueful *adj*, ~**ly** *adv* [ˈruːfʊl, -fəlɪ] reuevoll.

ruff [rʌf] *n* (*on dress etc, of bird*) Halskrause *f*.

ruffian [ˈrʌfɪən] *n* Rüpel *m*; (*violent*) Schläger *m*.

ruffle [ˈrʌfl] *vt* **a** *hair, feathers* zerzausen; *surface, water* kräuseln. **b** (*fig*) (*upset, disturb*) aus der Ruhe bringen; (*annoy also*) verärgern ► **to get ~d** aus der Ruhe kommen.

rug [rʌg] *n* **a** Teppich *m*; (*long also*) Läufer *m*; (*valuable also*) Brücke *f*; (*bedside*) (Bett)vorleger *m* ► **fireside ~** Kaminvorleger *m*. **b** (*blanket*) (Woll)decke *f*.

rugby [ˈrʌgbɪ] *n* Rugby *nt* ► ~ **footballer** *or* **player** Rugbyspieler *m*; ~ **tackle** Angriff *m*, bei dem der Gegner umklammert und zu Boden geworfen wird.

rugged [ˈrʌgɪd] *adj* rauh; *mountains* zerklüftet; *ground* felsig; *features* markig; *determination* wild; *individualism* unverwüstlich.

rugger [ˈrʌgəʳ] *n* (*Brit col*) = **rugby**.

ruin [ˈruːɪn] **1** *n* **a** *no pl* Untergang *m*; (*of event*) Ende *nt*; (*financial, social*) Ruin *m* ► **the palace was going to ~** der Palast verfiel (zur Ruine); **you'll be the ~ of me** du bist noch mein Ruin. **b** (*ruined building*) Ruine *f* ► ~**s** (*of building*) Ruinen *pl*; (*of reputation, beauty*) Reste *pl*; (*of hopes, career*) Trümmer *pl* ► **to be** *or* **lie in ~s** (*lit*) eine Ruine sein; (*fig*) zerstört sein; (*life: financially, socially*) ruiniert sein.
2 *vt* (*destroy*) *building, hopes* zerstören; *reputation, health also* ruinieren; (*financially, socially*) ruinieren, zugrunde richten; (*spoil*) *clothes, event, child* verderben.

ruination [ˌruːɪˈneɪʃən] *n see vt* Zerstörung *f*; Ruinierung *f*; Verderben *nt*.

ruinous [ˈruːɪnəs] *adj* (*financially*) ruinös; *price* extrem.

rule [ruːl] **1** *n* **a** Regel *f*; (*Admin also*) Bestimmung *f* ► **the ~s of the game** (*lit, fig*) die Spielregeln; **to play by the ~s** (*lit, fig*) die Spielregeln einhalten; **running is against the ~s** Rennen ist nicht erlaubt; **by ~ of thumb** über den Daumen gepeilt; ~ **book** Regelheft *nt*; **work to ~** Dienst *m* nach Vorschrift; **I make it a ~ to get up early** ich habe es mir zur Regel gemacht, früh aufzustehen; **as a ~** in der Regel. **b** (*authority, reign*) Herrschaft *f*; (*period also*) Regierungszeit *f* ► **the ~ of law** die Rechtsstaatlichkeit. **c** (*for measuring*) Metermaß *nt*, Maßstab *m*.
2 *vt* **a** beherrschen; (*individual also*) herrschen über; (*fig*) *emotion also* zügeln ► **to ~ the roost** (*fig*) Herr im Haus sein (*col*). **b** (*Jur, Sport, Admin: give decision*) entscheiden ► **his question was ~d out of order** seine Frage wurde als unzulässig abgewiesen. **c** (*draw lines on*) *paper* linieren; (*draw*) *line* ziehen.
3 *vi* **a** (*lit, fig: reign*) herrschen (*over* über +*acc*), regieren (*over* acc). **b** (*Jur*) entscheiden (*against* gegen, *in favour of* für, *on* über +*acc*).

◆**rule out** *vt sep* (*fig: exclude*) ausschließen.

ruled [ruːld] *adj paper* liniert.

ruler [ˈruːləʳ] *n* **a** (*for measuring*) Lineal *nt*. **b** (*sovereign*) Herrscher *m*.

ruling [ˈruːlɪŋ] **1** *adj principle* leitend, Leit- ► **the ~ class** die herrschende Klasse.
2 *n* (*Admin, Jur*) Entscheid *m* ► **to give a ~** einen Entscheid fällen.

rum [rʌm] *n* Rum *m*.

Rumania [ruːˈmeɪnɪə] *etc see* **Romania** *etc*.

rumble [ˈrʌmbl] **1** *n see vi* Grollen *nt*; Donnern *nt*; Knacken *nt*; Knurren *nt*; Rumpeln *nt* (*all no pl*).
2 *vi* (*thunder*) grollen; (*cannon*) donnern; (*pipes*) knacken; (*stomach*) knurren; (*train, truck*) rumpeln ► **to ~ past** vorbeirumpeln.
3 *vt* (*col: see through*) *trick, person* durchschauen.

rumbustious [rʌmˈbʌstɪəs] *adj* derb.

ruminate [ˈruːmɪneɪt] *vi* (*lit*) wiederkäuen; (*fig*) grübeln (*over, about* über +*acc*).

rummage [ˈrʌmɪdʒ] *vi* (*also* ~ **about,** ~ **around**) herumstöbern; (*in bag, pocket*) herumkramen (*among, in* in +*dat, for* nach).

rummage sale *n* (*US*) ≃ Flohmarkt *m*; (*for charity*) Wohltätigkeitsbasar *m.*

rumour, (*US*) **rumor** ['ru:mər] **1** *n* Gerücht *nt* ▶ **~ has it that ...** es geht das Gerücht, daß ...

2 *vt* **it is ~ed that ...** es geht das Gerücht, daß ...; (*through gossip*) man munkelt, daß ...; **he is ~ed to be rich** er soll angeblich reich sein.

rump [rʌmp] *n* (*of animal*) Hinterbacken *pl*; (*col: of person*) Hinterteil *nt* ▶ **~ (steak)** Rumpsteak *nt.*

rumple ['rʌmpl] (*also* **~ up**) *clothes, paper* zerknittern; *hair* zerzausen.

rumpus ['rʌmpəs] *n* (*col*) Krach *m* ▶ **to kick up a ~** (*make noise*) einen Heidenlärm machen (*col*); (*complain*) Krach schlagen (*col*); **~ room** (*US*) Spielzimmer *nt.*

run [rʌn] (*vb: pret* **ran,** *ptp* **~**) **1** *n* **a** (*act of running, Cricket, Baseball*) Lauf *m* ▶ **to go for a 2-km ~** einen 2 km-Lauf machen; **he came in at a ~** er kam hereingelaufen; **he took the fence at a ~** er nahm die Hürde im Lauf; **to break into a ~** zu rennen anfangen; **to make a ~ for it** weglaufen; **on the ~** (*from the police etc*) auf der Flucht; **he has had a good ~ for his money** (*col*) er ist auf seine Kosten gekommen; (*on death*) er hatte ein ausgefülltes Leben.

b (*in vehicle*) Fahrt *f*; (*outing also*) Ausflug *m* ▶ **to go for a ~ in the car** eine Fahrt/einen Ausflug im Auto machen; **on the outward/inward ~** auf der Hinfahrt/Rückfahrt; (*in plane*) auf dem Hinflug/Rückflug; **the ferries on the Dover-Calais ~** die Fähren der Linie Dover-Calais.

c **to have the ~ of a place** einen Ort zur freien Verfügung haben; **to give sb the ~ of one's house** jdm sein Haus überlassen.

d **in the short/long ~** fürs nächste/auf die Dauer; *plan etc* auf kurz/lange Sicht.

e (*series*) Folge, Reihe *f*; (*Cards*) Sequenz *f*; (*Theat*) Spielzeit *f*; (*of film*) Laufzeit *f* ▶ **the play had a long ~** das Stück lief sehr lange; **a ~ of bad luck** eine Pechsträhne; **a ~ of misfortunes** eine Serie von Mißgeschicken.

f (*great demand*) **~ on** Ansturm *m* auf (+*acc*); (*Comm, Fin also*) Run *m* auf (+*acc*).

g (*track for skiing etc*) Bahn *f* ▶ **ski ~** Abfahrt(sstrecke) *f.*

h (*animal enclosure*) Gehege *nt*; (*chicken* **~**) Hühnerhof *m.*

i (*in tights*) Laufmasche *f.*

2 *vi* **a** laufen, rennen; (*in race*) laufen ▶ **to ~ past/off** vorbei-/davonlaufen *or* -rennen; **she came ~ning out** sie kam herausgelaufen *or* -gerannt; **to ~ down a slope** einen Abhang hinunterlaufen *or* -rennen; **to ~ for the bus** zum Bus laufen *or* rennen; **she ran to meet him** sie lief ihm entgegen; **she ran to help him** sie kam ihm schnell zu Hilfe; **to ~ for one's life** um sein Leben rennen; **to ~ for President** *or* **for the Presidency** für die Präsidentschaft kandidieren; **a rumour ran through the school** ein Gerücht ging in der Schule um; **a shiver ran down her spine** ein Schauer lief ihr über den Rücken; **don't come ~ning to me if ...** du brauchst nicht bei mir anzukommen, wenn ...

b (*become*) **to ~ dry** (*river*) austrocknen; (*pen*) leer werden; (*resources*) ausgehen; **he ran short of ideas** ihm gingen die Ideen aus; **supplies are ~ning low** die Vorräte werden knapp.

c (*flow*) (*river, electric current*) fließen; (*eyes*) tränen; (*nose, tap*) laufen; (*paint*) zerfließen, ineinanderfließen; (*dye: in washing*) färben; (*ink*) fließen ▶ **where the river ~s into the sea** wo der Fluß ins Meer mündet; **the street ~s into the square** die Straße mündet auf den Platz; **inflation is ~ning at 20%** die Inflationsrate beträgt 20%; **your bath is ~ning** Ihr Badewasser läuft ein; **the floor was ~ning with water**

der Fußboden schwamm vor Wasser; **his blood ran cold** das Blut gefror ihm in den Adern.

d (*play, contract, Jur: sentence*) laufen; (*Fin: interest rate*) gelten ▶ **the contract has 10 months to ~** der Vertrag läuft noch 10 Monate; **the expenditure ~s into thousands of pounds** die Ausgaben gehen in die Tausende (von Pfund); **I can't ~ to a new car** ich kann mir kein neues Auto leisten.

e (*bus, train etc*) fahren ▶ **this train ~s between London and Manchester** dieser Zug verkehrt zwischen London und Manchester; **the buses ~ once an hour** die Busse fahren stündlich.

f (*function; also Comp*) laufen; (*factory*) arbeiten ▶ **when the central heating is ~ning** wenn die Zentralheizung angeschaltet ist; **the car is ~ning smoothly** der Wagen läuft ohne Schwierigkeiten; **if everything ~s smoothly** wenn alles glatt geht; **you mustn't leave the engine ~ning** Sie dürfen den Motor nicht laufen lassen; **this model ~s on diesel** dieses Auto fährt mit Diesel; **the radio ~s off the mains/off batteries** das Radio läuft auf Netz/Batterie; **all trains are ~ning late** alle Züge haben Verspätung; **the project is ~ning late** das Projekt hat sich verzögert; **this story will ~ and ~** diese Story ist ein Dauerbrenner (*col*).

g (*road*) gehen, führen; (*mountains*) sich erstrecken; (*river*) fließen; *line* sich ziehen ▶ **the main road ~s north and south** die Hauptstraße führt von Norden nach Süden; **the river ~s for 300 km** der Fluß ist 300 km lang; **this theme ~s through his work** dieses Thema zieht sich durch sein ganzes Werk.

h **to ~ in the family** in der Familie liegen.

i (*stocking*) eine Laufmasche bekommen.

j (*roll, slide*) (*drawer, curtains*) laufen, gleiten; (*vehicle*) rollen.

3 *vt* **a** *distance* laufen, rennen; *race* laufen ▶ **he ~s 3 km every day** er läuft jeden Tag 3 km; **to ~ errands** Botengänge machen; **to ~ a stoplight** (*US*) bei Rot über die Kreuzung fahren; **to ~ its course** (*event, disease*) seinen Lauf nehmen; **to ~ a temperature** Fieber haben; **to ~ sb off his feet** (*col*) jdn ständig in Trab halten (*col*); **to ~ sb into debt** jdn in Schulden stürzen.

b **I'll ~ you a bath** ich lasse Ihnen ein Bad einlaufen; **he ~s his words together** bei ihm fließen alle Wörter ineinander über.

c (*transport*) *person, thing* fahren, bringen; (*drive*) *vehicle* fahren ▶ **he ran her home** er brachte sie nach Hause; **this company ~s a bus service** diese Firma unterhält einen Busdienst; **they ~ trains to London every hour** es besteht stündlicher Zugverkehr nach London.

d (*operate*) *machine* betreiben (*on* mit); (*person*) bedienen ▶ **to ~ a radio off the mains** ein Radio auf Netz laufen lassen; **I can't afford to ~ a car** ich kann es mir nicht leisten, ein Auto zu unterhalten; **he ~s a Rolls** er fährt einen Rolls Royce; **this car is cheap to ~** dieses Auto ist billig im Unterhalt; **to ~ a program** (*Comp*) ein Programm laufen lassen.

e (*manage, be in charge of*) leiten; *shop* führen; (*organize*) *course of study, competition* durchführen ▶ **a well-~ hotel** ein gutgeführtes Hotel; **I want to ~ my own life** ich möchte mein eigenes Leben leben; **she's the one who really ~s everything** sie ist diejenige, die den Laden schmeißt (*col*).

f (*move, put*) **to ~ one's finger down a list** mit dem Finger eine Liste durchgehen; **to ~ a comb through one's hair** sich (*dat*) mit einem Kamm durch die Haare fahren; **to ~ one's eye over a page** eine Seite überfliegen.

g (*take, lead etc*) *rope, road* führen; *line, ditch* ziehen; *pipe, wires* (ver)legen; (*above ground*) führen.

h (*Press: publish*) *article, series* bringen.

◆**run about** or **around** vi (lit, fig) herumlaufen or -rennen.

◆**run across** [1] vi [a] (lit) hinüber-/herüberlaufen. [b] (go to see) kurz rüberlaufen (to zu). [2] vi +prep obj (meet) person zufällig treffen; (find) object, reference stoßen auf (+acc).

◆**run along** vi laufen, rennen; (go away) gehen ► ~ ~! (to children) nun geht mal schön!

◆**run away** vi [a] (person, animal) weglaufen; (horse) durchgehen ► **to ~ ~ from home** von zu Hause weglaufen. [b] (water) auslaufen.

◆**run away with** vi +prep obj (steal) money, object durchbrennen mit (col); (Sport etc: win easily) race, prize spielend gewinnen ► **don't ~ ~ ~ the idea that ...** (fig) kommen Sie nur nicht auf den Gedanken, daß ...; **he lets his imagination ~ ~ ~ him** seine Phantasie geht leicht mit ihm durch.

◆**run down** [1] vi [a] (lit: person) hinunter-/herunterlaufen. [b] (watch, clock) ablaufen; (battery) leer werden ► **to let stocks ~ ~** das Lager leer werden lassen; (deliberately) die Vorräte abbauen. [2] vt sep [a] (knock down) umfahren; (run over) überfahren. [b] factory, shop (allmählich) auflösen; department, stocks, staff abbauen; battery zu stark belasten. [c] (disparage) schlechtmachen (col).

◆**run in** vt sep [a] (Brit) car einfahren. [b] (col: arrest) schnappen (col).

◆**run into** vi +prep obj (meet) zufällig treffen; (collide with) rennen/fahren gegen ► **to ~ ~ trouble/problems** Ärger bekommen/auf Probleme stoßen; **to ~ ~ danger/debt** in Gefahr/Schulden geraten.

◆**run off** [1] vi = **run away** (a). [2] vt sep [a] water ablassen. [b] (reproduce) copy abziehen.

◆**run on** vi [a] (lit) weiterlaufen ► **you ~ ~, I'll catch up** geh schon mal voraus, ich komme nach. [b] **it ran ~ for four hours** das zog sich über vier Stunden hin.

◆**run out** vi [a] (person) hinaus-/herauslaufen; (rope, chain) ablaufen; (liquid) herauslaufen; (through leak) auslaufen. [b] (come to an end) contract, period of time ablaufen; (money, supplies) zu Ende gehen ► **my patience is ~ning ~** mir geht langsam die Geduld aus.

◆**run out of** vi +prep obj **he ran ~ ~ money/patience/time** ihm ging das Geld/die Geduld aus/er hatte keine Zeit mehr.

◆**run over** [1] vi [a] (to neighbour etc) kurz hinübergehen or rübergehen (col). [b] (overflow: liquid, container) überlaufen. [c] (Rad, TV etc) überziehen. [2] vi +prep obj story, part in play, details durchgehen; text, notes durchsehen. [3] vt sep (in vehicle) überfahren.

◆**run through** vi +prep obj [a] (use up) money durchbringen. [b] (rehearse) play durchspielen; ceremony also, part durchgehen. [c] = **run over** 2.

◆**run up** [1] vi [a] (lit) (upstairs etc) hinauf-/herauflaufen; (towards sb/sth) hin-/herlaufen (to zu) ► **to ~ ~ against difficulties** auf Schwierigkeiten stoßen. [2] vt sep machen ► **to ~ ~ a debt** Schulden machen.

run: **~about** n (car) Kleinwagen m, Autochen nt (col); **~around** n (col) **to give sb the ~around** jdn an der Nase herumführen (col); **~away** [1] n Ausreißer(in f) m; [2] adj slave entlaufen; person, horse ausgerissen; car etc der/die/das sich selbständig gemacht hat; inflation unkontrollierbar; **he had a ~away victory** er hatte einen sehr leichten Sieg; **~down** [1] n (col: summary) Zusammenfassung f; **to give sb a ~down on sth** jdm einen Überblick über etw (acc) geben; [2] adj (dilapidated) heruntergekommen; (tired) abgespannt; battery leer; **to be (feeling) ~down** abgespannt sein.

rune [ruːn] n Rune f.

rung[1] [rʌŋ] ptp of **ring**[2].

rung[2] n (of ladder) Sprosse f; (of chair) Querstab m.

runner ['rʌnər] n [a] (athlete) Läufer(in f) m. [b] (on sledge) Kufe f; (for curtain) Röllchen nt; (for drawer, machine part) Laufschiene f. [c] (Bot) ~ **bean** (Brit) Stangenbohne f.

runner-up ['rʌnər'ʌp] n Zweite(r) mf ► **the runners-up** die weiteren Plätze; (in competition) die weiteren Gewinner.

running ['rʌnɪŋ] [1] n [a] Laufen, Rennen nt ► **to make the ~** (lit, fig) das Rennen machen; **to be in the ~ (for sth)** im Rennen (für etw) liegen. [b] (functioning: of machine) Laufen nt ► **in ~ order** betriebsbereit. [c] (management) see **run** 3 (e) Leitung f; Führung f; Durchführung f. [2] adj [a] ~ **jump** Sprung m mit Anlauf; **go and take a ~ jump** (col) du kannst mich (mal) gern haben (col); ~ **commentary** (Rad, TV) fortlaufender Kommentar. [b] **4 days ~** 4 Tage hintereinander. [c] (flowing) water etc fließend; tap, nose laufend; eyes tränend ► ~ **sore** (Med) eiternde Wunde; (fig) Eiterbeule f.

running: ~ **battle** n (Mil) Gefecht nt; (fig) Kleinkrieg m; ~ **costs** npl Betriebskosten pl; (of car) Unterhaltskosten pl; ~ **head** n (Typ) Kolumnentitel m; ~ **mate** n (US Pol) Kandidat m für die Vizepräsidentschaft; ~ **shoe** n Rennschuh m; ~ **shorts** npl (kurze) Sporthose f.

runny ['rʌnɪ] adj (+er) flüssig; honey dünnflüssig; nose laufend; eyes wässerig.

run: **~off** n (Sport) Entscheidungslauf m, Stechen nt; **~of-the-mill** adj durchschnittlich; theme, novel Feld-Wald-und-Wiesen (col); ~ **time** n (Comp) Laufzeit f; **~up** n (Sport) Anlauf m; **in the final ~up to ...** in der letzten Phase vor (+dat) ...

runway ['rʌnweɪ] n (Aviat) Start- und Landebahn f, Runway f or m.

rupee [ruː'piː] n Rupie f.

rupture ['rʌptʃər] [1] n (lit, fig) Bruch m; (Pol: of relations) Abbruch m. [2] vt brechen ► **to ~ oneself** (col) sich (dat) einen Bruch heben (col).

rural ['ruərəl] adj ländlich; life also Land-.

ruse [ruːz] n List f.

rush[1] [rʌʃ] [1] n [a] (of crowd) Gedränge nt; (of air) Stoß m; (Mil: attack) Sturm m ► **they made a ~ for the door** sie drängten zur Tür; **to make a ~ at** losstürzen auf (+acc); **there's been a ~ on these goods** diese Waren sind rasend schnell weggegangen; **we have a ~ on in the office just now** bei uns im Büro herrscht zur Zeit Hochbetrieb; **the Christmas ~** der Weihnachtsbetrieb; **we've had a ~ of orders** wir hatten eine Flut von Aufträgen; **water streamed out in a ~** das Wasser schoß in einem Schwall heraus. [b] (hurry) Eile f; (stronger) Hetze f ► **to be in a ~** in Eile sein; **I did it in a ~** ich habe es sehr hastig gemacht; **what's the ~?** wozu die Eile/Hetzerei?; **is there any ~ for this?** eilt das?; **it all happened in such a ~** das ging alles so plötzlich. [2] vi (hurry) eilen; (stronger) hetzen; (run) stürzen; (wind) brausen; (water) schießen ► **they ~ed to help her** sie eilten ihr zu Hilfe; **I'm ~ing to finish it** ich beeile mich, es fertigzumachen; **don't ~, take your time** überstürzen Sie nichts, lassen Sie sich Zeit; **to ~ through** book hastig lesen; meal hastig essen; museum, town hetzen durch; work hastig erledigen; **to ~ past** (person) vorbeistürzen; (vehicle) vorbeischießen; **to ~ in/out** etc hinein-/hinausstürzen; **the ambulance ~ed to the scene** der Krankenwagen raste zur Unfallstelle. [3] vt [a] **to ~ sb to hospital** jdn schnellstens ins Krankenhaus bringen; **they ~ed more troops to the front** sie schickten eilends mehr Truppen an die Front; **they ~ed the bill through Parliament** sie peitschten die Gesetzesvorlage durch das Parlament.

[b] (*force to hurry*) hetzen, drängen ▸ *don't ~ me!* hetz mich nicht; *he won't be ~ed* er läßt sich nicht drängen; *to be ~ed off one's feet* dauernd auf Trab sein; *to ~ sb off his feet* jdn dauernd auf Trab halten; *to ~ sb into doing sth* jdn dazu drängen, etw zu tun.

[c] (*charge at*) stürmen; *fence* zustürmen auf (+*acc*) ▸ *the mob ~ed the line of policemen* der Mob stürmte auf die Polizeikette zu.

[d] (*do hurriedly*) *job, task* hastig machen; (*do badly*) schludern bei (*col*) ▸ *you can't ~ this sort of work* für solche Arbeit muß man sich (*dat*) Zeit lassen.

◆**rush about** *or* **around** *vi* herumhetzen.

◆**rush out** [1] *vi* hinaus-/herauseilen; (*very fast*) hinaus-/herausstürzen ▸ *he ~ed ~ and bought one* er kaufte sofort eines.

[2] *vt sep troops, supplies* eilends hintransportieren.

◆**rush through** *vt sep order* durchjagen; *goods, supplies* eilends durchschleusen.

◆**rush up** *vi* (*lit*) hinauf-/heraufeilen; (*very fast*) hinauf-/heraufstürzen.

rush² *n* (*Bot*) Binse *f.*

rush: **~-hour(s** *pl*) *n* Hauptverkehrszeit(en *pl*), Rush-hour *f;* **~-hour traffic** Stoßverkehr *m;* **~ job** *n* eiliger Auftrag; (*pej: bad work*) Schluderarbeit *f* (*col*); **~ matting** *n* Binsenmatte *f.*

rusk [rʌsk] *n* Zwieback *m.*

russet ['rʌsɪt] *adj* rostfarben.

Russia ['rʌʃə] *n* Rußland *nt.*

Russian ['rʌʃən] [1] *adj* russisch.

[2] *n* [a] Russe *m*, Russin *f.* [b] (*language*) Russisch *nt.*

rust [rʌst] [1] *n* Rost *m* ▸ **~-proof** rostfrei.

[2] *adj* (*also* **~-coloured**) rostfarben.

[3] *vi* rosten.

◆**rust through** *vi* durchrosten.

rustic ['rʌstɪk] [1] *n* Bauer *m.*

[2] *adj* bäuerlich; *furniture, style* rustikal; *manners* bäurisch (*pej*).

rustle ['rʌsl] [1] *n* Rascheln *nt;* (*of foliage*) Rauschen *nt.*

[2] *vi* (*leaves, silk, papers*) rascheln; (*foliage, skirts*) rauschen.

[3] *vt* [a] *paper, leaves on ground etc* rascheln mit; (*wind*) *leaves on tree* rauschen in (+*dat*). [b] (*US: steal*) *cattle* klauen (*col*).

◆**rustle up** *vt sep* (*col*) *meal* improvisieren (*col*).

rustler ['rʌslər] *n* (*US: cattle-thief*) Viehdieb *m.*

rust: **~proof** *adj* rostfrei; **~proofing** *n* Rostschutz *m;* (*substance*) Rostschutzmittel *nt.*

rusty ['rʌstɪ] *adj* (+*er*) (*lit*) rostig; (*fig*) *French, maths* eingerostet; *talent* verkümmert ▸ *I'm a bit ~* ich bin etwas aus der Übung.

rut¹ [rʌt] *n* (*in track, path*) Spur, Furche *f;* (*fig: routine*) Trott *m* (*col*) ▸ *to be in a ~* (*fig*) im Trott sein (*col*); *to get into a ~* (*person*) in einen Trott geraten (*col*).

rut² *n* (*Zool*) Brunst *f.*

rutabaga [ˌruːtəˈbeɪɡə] *n* (*US*) Steckrübe *f.*

ruthless ['ruːθlɪs] *adj* *person* rücksichtslos; *treatment, irony* schonungslos ▸ *you'll have to be ~* da müssen Sie ganz hart sein.

ruthlessly ['ruːθlɪslɪ] *adv see adj.*

ruthlessness ['ruːθlɪsnɪs] *n see adj* Rücksichtslosigkeit *f;* Schonungslosigkeit *f.*

rutted ['rʌtɪd] *adj* zerfurcht.

RV (*US*) = **recreational vehicle** Wohnmobil *nt;* (*trailer*) Wohnwagen *m.*

Rwanda [ruˈændə] *n* Ruanda *nt.*

rye [raɪ] *n* (*grain*) Roggen *m;* (*US col*) Rye(whisky) *m* ▸ **~(bread)** Roggenbrot *nt.*

S

S, s [es] *n* S, s *nt ▶ S for Sugar ≃* S wie Samuel.
S = [a] **south** S. [b] **Saint** St. [c] (*on clothes*) **small.** [d] (*US Sch*) **satisfactory** ≃ 3.
s = seconds Sek.
SA = [a] **South Africa.** [b] **South America.**
Sabbath ['sæbəθ] *n* Sabbat *m.*
sabbatical [sə'bætɪkəl] *n* Bildungsurlaub *m*; (*for research*) Forschungsurlaub *m* ▶ *to be on ~* Bildungsurlaub/Forschungsurlaub haben; *to take a ~* sich beurlauben lassen.
sable ['seɪbl] *n* Zobel *m*; (*fur*) Zobelpelz *m.*
sabotage ['sæbətɑːʒ] [1] *n* Sabotage *f.* [2] *vt* (*lit, fig*) sabotieren.
saboteur [ˌsæbə'tɜːr] *n* Saboteur *m.*
sabre, (*US*) **saber** ['seɪbər] *n* Säbel *m* ▶ *~-rattling* Säbelrasseln *nt.*
saccharin ['sækərɪn] *n* Saccharin *nt.*
sachet ['sæʃeɪ] *n* Beutel *m*; (*of powder*) Päckchen *nt*; (*of shampoo, cream*) Beutelchen *nt.*
sack [sæk] [1] *n* [a] Sack *m* ▶ *two ~s of coal* zwei Sack Kohlen. [b] (*col: dismissal*) Entlassung *f*, Rausschmiß *m* (*col*) ▶ *to get the ~* rausfliegen (*col*); *to give sb the ~* jdn rausschmeißen (*col*). [c] (*col: bed*) *to hit the ~* sich in die Falle hauen (*col*).
[2] *vt* (*col: dismiss*) rausschmeißen (*col*), entlassen.
sackful ['sækfʊl] *n* Sack *m* ▶ *two ~s of potatoes* zwei Sack Kartoffeln.
sacking ['sækɪŋ] *n* [a] (*material*) Sackleinen *nt.* [b] (*col: dismissal*) Entlassung *f.*
sacrament ['sækrəmənt] *n* Sakrament *nt.*
sacred ['seɪkrɪd] *adj* heilig; *music* geistlich; *building* sakral ▶ *is nothing ~?* (*col*) ist denn nichts mehr heilig?; ~ *cow* (*lit, fig*) heilige Kuh.
sacrifice ['sækrɪfaɪs] [1] *n* (*lit, fig*) Opfer *nt* ▶ *to make ~s* Opfer bringen. [2] *vt* opfern (*sth to sb* jdm etw).
sacrificial [ˌsækrɪ'fɪʃəl] *adj* Opfer-.
sacrilege ['sækrɪlɪdʒ] *n* Sakrileg *nt*; (*fig also*) Frevel *m* ▶ *that's ~* das ist ein Sakrileg.
sacrilegious [ˌsækrɪ'lɪdʒəs] *adj* (*lit*) gotteslästerlich; (*fig*) frevelhaft.
sacristy ['sækrɪstɪ] *n* Sakristei *f.*
sacrosanct ['sækrəʊˌsæŋkt] *adj* (*lit, fig*) sakrosankt.
SAD *abbr* = **seasonal affective disorder** jahreszeitlich bedingte Depression.
sad [sæd] *adj* (+*er*) traurig; *loss* schmerzlich; *colour* trist; *result also, mistake, lack* bedauerlich ▶ *to feel ~* traurig sein; *a ~ state of affairs* eine traurige Sache.
sadden ['sædn] *vt* betrüben.
saddle ['sædl] [1] *n* (*also of hill*) Sattel *m*; (*of meat*) Rücken *m* ▶ *to be in the ~* (*lit*) im Sattel sein; (*fig*) im Sattel sitzen.
[2] *vt* [a] *horse* satteln. [b] (*col*) *to ~ sb with sb/sth* jdn/etw aufhalsen (*col*).
saddlebag ['sædlbæg] *n* Satteltasche *f.*
sadism ['seɪdɪzəm] *n* Sadismus *m.*
sadist ['seɪdɪst] *n* Sadist(in *f*) *m.*
sadistic [sə'dɪstɪk] *adj* sadistisch.
sadly ['sædlɪ] *adv* [a] traurig; (*unfortunately*) traurigerweise. [b] (*regrettably*) bedauerlich ▶ *he is ~ lacking in any sense of humour* ihm fehlt leider jegli-

cher Humor; *she will be ~ missed* sie wird uns allen sehr fehlen.
sadness ['sædnɪs] *n* Traurigkeit *f* ▶ *our ~ at his death* unsere Trauer über seinen Tod.
sae = **stamped addressed envelope.**
safari [sə'fɑːrɪ] *n* Safari *f* ▶ *to be/go on ~* auf Safari sein/gehen; ~ *park* Safaripark *m.*
safe¹ [seɪf] *n* (*for valuables*) Safe *m or nt*, Tresor *m.*
safe² [1] *adj* (+*er*) sicher; *method also, player* zuverlässig; (*cautious*) *policy* vorsichtig; *estimate* realistisch; (*not dangerous*) ungefährlich; (*out of danger*) in Sicherheit; (*not injured*) unverletzt ▶ ~ *sex* geschützter Sex; *to be ~ from sb/sth* vor jdm/etw sicher sein; *to keep sth ~* etw sicher aufbewahren; *all the passengers are ~* alle Passagiere sind in Sicherheit *or* (*not injured*) unverletzt; ~ *journey!* gute Fahrt/Reise!; ~ *journey home!* komm gut nach Hause!; *thank God you're ~* Gott sei Dank ist dir nichts passiert; ~ *and sound* gesund und wohlbehalten; *the patient is ~ now* der Patient ist jetzt außer Gefahr; *the secret is ~ with me* bei mir ist das Geheimnis gut aufgehoben; *this car is not ~ to drive* das Auto ist nicht verkehrssicher; *she is not ~ on the roads* sie ist eine Gefahr im Straßenverkehr; *it's a ~ bet or assumption that ...* man kann mit ziemlicher Sicherheit annehmen, daß ...; *it's a ~ guess* es ist so gut wie sicher; *I think it's ~ to say ...* ich glaube, man kann wohl sagen ...; *better ~ than sorry* Vorsicht ist besser als Nachsicht (*Prov*); *just to be on the ~ side* um ganz sicher zu sein.
[2] *adv* *to play (it) ~* (*col*) auf Nummer Sicher gehen (*col*).
safe: ~-**breaker** *n* Safeknacker *m* (*col*); ~-**conduct** *n* freies Geleit; ~-**cracker** *n* (*US*) = ~-**breaker;** ~-**deposit** *n* Tresorraum *m*; ~-**deposit box** *n* Banksafe *m or nt*, Schließfach *nt*; ~-**guard** [1] *n* Schutz *m*; *as a ~guard against* zum Schutz gegen; [2] *vt* schützen (*against* vor +*dat*); *interests* wahrnehmen; [3] *vi to ~guard against sth* sich gegen etw absichern; ~ **house** *n* Zufluchtsort *m*; (*used by terrorists*) ≃ konspirative Wohnung; ~-**keeping** *n* sichere Verwahrung; *to give sb sth for ~-keeping* jdm etw zur (sicheren) Aufbewahrung geben.
safely ['seɪflɪ] *adv* (*unharmed*) *arrive* wohlbehalten; (*without problems also*) sicher, gut; (*without risk*) gefahrlos; *drive* vorsichtig; (*solidly, firmly*) sicher, fest; (*not dangerously*) ungefährlich ▶ *I think I can ~ say ...* ich glaube, ich kann wohl sagen ...; *I got ~ through the first interview* ich bin gut *or* heil durch das erste Gespräch gekommen; *to put sth away ~* etw an einem sicheren Ort verwahren.
safeness ['seɪfnɪs] *n* Sicherheit *f.*
safety ['seɪftɪ] *n* Sicherheit *f* ▶ *in a place of ~* an einem sicheren Ort; *for ~'s sake* aus Sicherheitsgründen; *with complete ~* vollkommen sicher; ~ *first!* Sicherheit geht vor!; *to play for ~* (*fig*) sichergehen; *(there's) ~ in numbers* zu mehreren ist man sicherer; *when we reached the ~ of the opposite bank* als wir sicher das andere Ufer erreicht hatten; *to leap to ~* sich in Sicherheit bringen.
safety: ~ **belt** *n* Sicherheitsgurt *m*; ~ **catch** *n* (*on gun*) (Abzugs)sicherung *f*; ~ **curtain** *n* (*Theat*) eiserner Vor-

hang; **~ factor** n Sicherheitsfaktor m; **~ glass** n Sicherheitsglas nt; **~ helmet** n Schutzhelm m; **~ margin** n Sicherheitsspielraum m; **~ match** n Sicherheitszündholz nt; **~ measure** n Sicherheitsmaßnahme f; **~ net** n Sprungnetz nt; **~ officer** n Sicherheitsbeamter m, Sicherheitsbeamtin f; **~ pin** n Sicherheitsnadel f; **~ standards** pl Sicherheitsbestimmungen pl; **~ valve** n Sicherheitsventil nt; (fig) Ventil nt.

saffron ['sæfrən] **1** n Safran m.
2 adj Safran-; (in colour) safrangelb.

sag [sæg] vi absacken; (in the middle) durchhängen; (shoulders) herabhängen; (production, rate) zurückgehen; (price, spirit) sinken; (conversation) stocken.

saga ['sɑːgə] n Saga f; (novel also) Generationsroman m; (fig) Geschichte f.

sagacious [sə'geɪʃəs] adj weise, klug.

sage¹ [seɪdʒ] n Weise(r) m.

sage² n (Bot) Salbei m.

Sagittarius [ˌsædʒɪ'tɛərɪəs] n Schütze m.

sago ['seɪgəʊ] n Sago m.

Sahara [sə'hɑːrə] n Sahara f.

said [sed] **1** pret, ptp of **say**.
2 adj (form) besagt.

sail [seɪl] **1** n Segel nt; (of windmill) Flügel m; (trip) Fahrt f ▸ **under ~** mit aufgezogenen Segeln; **in** or **under full ~** mit vollen Segeln; **to set ~ (for ...)** los- or abfahren (nach ...); (with yacht) absegeln (nach ...); **it's a 3 days' ~ from here** von hier aus fährt or (in yacht) segelt man 3 Tage dorthin; **to go for a ~** segeln gehen. **2** vt boat segeln mit; liner etc steuern ▸ **they ~ed the ship to Cadiz** sie segelten nach Cadiz; **to ~ the seas** die Meere befahren. **3** vi **a** (Naut) fahren; (with yacht) segeln ▸ **are you flying** or **~ing?** fliegen Sie, oder fahren Sie mit dem Schiff?; **I went ~ing for a week** ich ging eine Woche segeln; **to ~ around the world** um die Welt segeln. **b** (leave) (for nach) abfahren; (yacht, person in yacht) absegeln ▸ **passengers ~ing for New York** Passagiere nach New York. **c** (fig: glider, swan etc) gleiten; (moon, clouds) ziehen; (ball, object) fliegen ▸ **she ~ed past/out of the room** sie rauschte vorbei (col)/aus dem Zimmer (col); **she ~ed through all her exams** sie schaffte alle Prüfungen spielend; **the holidays just ~ed by** (col) die Ferien vergingen wie im Flug.

sail: ~board 1 n Windsurfbrett nt; **2** vi windsurfen; **~boarding** n Windsurfen nt; **~boat** n (US) Segelboot nt.

sailing ['seɪlɪŋ] n **a** Segeln nt; (as sport also) Segelsport m. **b** **when is the next ~ for Arran?** wann fährt das nächste Schiff nach Arran?

sailing: ~ boat n (Brit) Segelboot nt; **~ ship** n Segelschiff nt.

sailor ['seɪlər] n **a** Seemann m; (in navy) Matrose m; (sportsman) Segler(in f) m. **b** **to be a bad ~** (get seasick) nicht seefest sein.

saint [seɪnt] n (also fig) Heilige(r) mf; (before name abbr to St [snt]) Sankt ▸ **St John** der heilige Johannes, St. Johannes; **St. Mark's (Church)** die Markuskirche.

saintliness ['seɪntlɪnɪs] n Heiligmäßigkeit f.

saintly ['seɪntlɪ] adj (+er) heiligmäßig; (fig pej) smile lammfromm.

sake [seɪk] n **for the ~ of ...** um ... willen; **for your own ~** dir selbst zuliebe; **for your family's ~** um Ihrer Familie willen; **for heaven's ~!** (col) um Gottes willen!; **for heaven's** or **Christ's ~ shut up** (col) nun halt doch endlich die Klappe (col); **for old times' ~** in Erinnerung an alte Zeiten; **for the ~ of those who ...** für diejenigen, die ...; **and all for the ~ of a few pounds** und alles wegen ein paar Pfund.

salacious [sə'leɪʃəs] adj schlüpfrig.

salad ['sæləd] n Salat m.

salad: ~ bowl n Salatschüssel f; **~ cream** n (Brit) ≃ Mayonnaise f; **~ dressing** n Salatsoße f; **~ oil** n Salatöl nt; **~ servers** npl Salatbesteck nt; **~ spinner** n Salatschleuder f.

salami [sə'lɑːmɪ] n Salami f.

salaried ['sælərɪd] adj **~ post** Angestelltenposten m; **~ staff** Gehaltsempfänger pl.

salary ['sælərɪ] n Gehalt nt ▸ **~ earner** Gehaltsempfänger(in f) m; **~ increase** Gehaltserhöhung f; **~ scale** Gehaltsskala f.

sale [seɪl] n **a** (selling) Verkauf m; (instance) Geschäft nt; (of insurance, bulk order) Abschluß m ▸ **~s** pl (turnover) der Absatz; **for ~** zu verkaufen; **to put sth up for ~** etw zum Verkauf anbieten; **not for ~** nicht verkäuflich; **to be on ~** verkauft werden; **on ~ at all bookshops** in allen Buchhandlungen erhältlich; **on a ~ or return basis** auf Verkaufsbasis mit Rückgaberecht. **b** (at reduced prices) Ausverkauf m; (at end of season) Schlußverkauf m; (clearance ~) Räumungsverkauf m ▸ **to go to the ~** zum Ausverkauf gehen; **they've got a ~ on** da ist Ausverkauf etc; **to buy in the ~s** im Ausverkauf etc kaufen.

saleable, (US) **salable** ['seɪləbl] adj (marketable) absatzfähig; (in ~ condition) verkäuflich.

sale: ~ price n Ausverkaufspreis m; **~room** n (Brit) Auktionsraum m.

sales: ~ analysis n Absatzanalyse f; **~ assistant** (Brit), **~ clerk** n (US) Verkäufer(in f) m; **~ conference** n Vertreterversammlung f; **~ department** n Verkaufsabteilung f; **~ drive** n Verkaufskampagne f; **~ figures** npl Verkaufs- or Absatzziffern pl; **~ forecast** n Absatzprognose f; **~ force** n Vertreterstab m; **~man** n Verkäufer m; (representative) Vertreter m; **~ manager** n Verkaufsleiter m.

salesmanship ['seɪlzmənʃɪp] n Verkaufstechnik f.

sales: ~ patter n = **~ talk**; **~person** n Verkäufer(in f) m; **~ representative** n Vertreter(in f) m; **~room** n (US) Verkaufsraum m; **~ talk** n Verkaufsgespräch nt; **~ tax** n (US) Verkaufssteuer f; **~woman** n Verkäuferin f; (sales rep) Vertreterin f.

salient ['seɪlɪənt] adj (lit) hervorstehend; (fig) hervorstechend ▸ **the ~ points of his argument** die Hauptpunkte pl seiner Argumentation.

saline ['seɪlaɪn] adj salzig ▸ **~ solution** Salzlösung f.

saliva [sə'laɪvə] n Speichel m.

salivate ['sælɪveɪt] vi Speichel produzieren; (animal) geifern; (old people, baby) sabbern.

sallow ['sæləʊ] adj bleich; colour fahl.

sally ['sælɪ] vi: **sally forth** (old, hum: set out) sich aufmachen.

salmon ['sæmən] **1** n, pl - Lachs m.
2 adj (in colour) lachs(farben).

salmonella [ˌsælmə'nelə] n (also **~ poisoning**) Salmonellenvergiftung f.

salon ['sælɒn] n (all senses) Salon m.

saloon [sə'luːn] n Saal m; (Naut) Salon m; (US: bar) Wirtschaft f; (in Westerns) Saloon m.

saloon: ~ bar n (Brit) vornehmerer Teil eines Lokals; **~ car** n (Brit) Limousine f.

Salop ['sæləp] (Brit) = **Shropshire.**

salt [sɔːlt] **1** n (Cook, Chem) Salz nt ▸ **~ of the earth** (fig) Salz der Erde; **to take sth with a pinch of ~** (fig) etw nicht ganz so wörtlich nehmen; **to rub ~ into the wound** (fig) Salz in die Wunde streuen.
2 adj meat, water etc Salz-; butter gesalzen; taste salzig.
3 vt (cure) einsalzen; (flavour) salzen.

◆**salt away** vt sep money auf die hohe Kante legen (col).

SALT = **Strategic Arms Limitation Talks/Treaty** SALT(-Verhandlungen pl/-Vertrag m).

salt: ~ **cellar** n Salzfäßchen nt; (shaker) Salzstreuer m; ~ **lake** n Salzsee m; ~ **mine** n Salzbergwerk nt; ~ **shaker** n Salzstreuer m; ~ **water** n Salzwasser nt; ~-**water** adj fish Meeres-; lake Salz-.

salty ['sɔːltɪ] adj (+er) salzig.

salubrious [səˈluːbrɪəs] adj **a** (form) air, climate gesund. **b** (col) district, person angenehm ▶ not very ~ etwas zweifelhaft.

salutary ['sæljʊtərɪ] adj **a** (healthy) gesund. **b** (beneficial) advice nützlich; experience lehrreich; effect günstig.

salute [səˈluːt] **1** n Gruß m; (of guns) Salut m ▶ to take the ~ die Parade abnehmen.
2 vt (Mil) grüßen; person also salutieren vor (+dat); courage bewundern.

salvage ['sælvɪdʒ] **1** n (act) Bergung f; (objects) Bergungsgut nt.
2 vt (from wreck, building) bergen (from aus); (fig) retten (from von) ▶ to ~ sth from the fire etw aus den Flammen retten; ~ what you can (lit, fig) rettet, was ihr retten könnt.

salvage: ~ **operation** n Bergungsaktion f, (fig) Rettungsaktion f; ~ **vessel** n Bergungsschiff nt.

salvation [sælˈveɪʃən] n Rettung f.

Salvation Army **1** n Heilsarmee f.
2 attr hostel, band, meeting der Heilsarmee.

salvo ['sælvəʊ] n (of guns, fig) Salve f.

Samaritan [səˈmærɪtən] n Samariter m ▶ good ~ (lit, fig) barmherziger Samariter; the ~s ≃ die Telefonseelsorge.

▼ **same** [seɪm] **1** adj the ~ der/die/das gleiche; (one and the ~, identical) derselbe/dieselbe/dasselbe; they were both wearing the ~ dress sie hatten beide das gleiche Kleid an; they both live in the ~ house sie wohnen beide in demselben Haus; they are all the ~ sie sind alle gleich; she just wasn't the ~ person sie war ein anderer Mensch; it's the ~ thing das ist das gleiche; see you tomorrow, ~ time ~ place bis morgen, gleicher Ort, gleiche Zeit; we sat at the ~ table as usual wir saßen an unserem üblichen Tisch; he is the ~ age as his wife er ist (genau) so alt wie seine Frau; it happened the ~ day es ist am gleichen or selben Tag passiert; in the ~ way (genau) gleich; (by the ~ token) ebenso.
2 pron **a** the ~ der/die/das gleiche; derselbe/dieselbe/dasselbe; the ~ again, please (Brit) das gleiche noch mal bitte; and I would do the ~ again und ich würde es wieder tun; he left and I did the ~ er ist gegangen, und ich auch; they are one and the ~ das ist doch dasselbe; (people) das ist doch ein und derselbe/dieselbe; she's much the ~ sie hat sich kaum geändert; (in health) es geht ihr kaum besser; it's always the ~ es ist immer das gleiche.
b the ~ gleich; to pay/treat everybody the ~ alle gleich bezahlen/behandeln; things go on just the ~ (as always) es ändert sich nichts; it's not the ~ as before es ist nicht wie früher; if it's all the ~ to you wenn es Ihnen egal ist; it's all the ~ to me (what you do) es ist mir egal(, was du tust); it amounts to the ~ das kommt or läuft aufs gleiche hinaus; all or just the ~ (nevertheless) trotzdem; ~ here ich/wir auch; ~ to you (danke) gleichfalls.

sameness ['seɪmnɪs] n Gleichheit f; (monotony) Eintönigkeit f.

sample ['sɑːmpl] **1** n (example) Beispiel nt (of für); (for tasting, fig: of talent, behaviour) Kostprobe f; (Comm) (of cloth etc) Muster nt; (of commodities, blood etc) Probe f, (Statistics) Stichprobe f, Sample nt ▶ a representative ~ of the population eine repräsentative Auswahl aus der Bevölkerung.
2 vt wine, food probieren, kosten; pleasures kosten.

sanatorium [ˌsænəˈtɔːrɪəm] n, pl **sanatoria**

[ˌsænəˈtɔːrɪə] (Brit) Sanatorium nt; (in cpds) -heilanstalt f.

sanctify ['sæŋktɪfaɪ] vt (to make holy) heiligen; (fig) sanktionieren; (consecrate) weihen.

sanctimonious [ˌsæŋktɪˈməʊnɪəs] adj frömmlerisch ▶ don't be so ~ tu doch nicht so fromm.

sanctimoniously [ˌsæŋktɪˈməʊnɪəslɪ] adv frömmlerisch.

sanctimoniousness [ˌsæŋktɪˈməʊnɪəsnɪs] n Frömmelei f.

sanction ['sæŋkʃən] **1** n **a** (permission, approval) Zustimmung f. **b** (enforcing measure) Sanktion f ▶ to impose (economic) ~s on a country (wirtschaftliche) Sanktionen gegen ein Land verhängen.
2 vt sanktionieren.

sanctity ['sæŋktɪtɪ] n Heiligkeit f; (of rights) Unantastbarkeit f.

sanctuary ['sæŋktjʊərɪ] n **a** (holy place) Heiligtum nt; (altar ~) Altarraum m. **b** (refuge) Zuflucht f ▶ to seek ~ with Zuflucht suchen bei. **c** (for animals) Schutzgebiet nt.

sand [sænd] **1** n Sand m no pl ▶ ~s (of desert) Sand m; (beach) Sandstrand m.
2 vt (smooth) schmirgeln; (sprinkle with ~) streuen.

sandal ['sændl] n Sandale f.

sand: ~**bag** n Sandsack m; ~**bank** n Sandbank f; ~**blast** vt sandstrahlen; ~**box** n (US) = ~**pit**; ~**boy** n: as happy as a ~**boy** quietschvergnügt; ~**castle** n Sandburg f; ~ **dune** n Sanddüne f.

sander ['sændər] n (tool) Schwingschleifer m.

sand: ~**paper** **1** n Sand- or Schmirgelpapier nt; **2** vt schmirgeln; ~**pit** n (Brit) Sandkasten m; ~**shoe** n Stoffschuh m; (for beach) Strandschuh m; ~**stone** **1** n Sandstein m; **2** adj Sandstein-, aus Sandstein; ~**storm** n Sandsturm m.

sandwich ['sænwɪdʒ] **1** n belegtes Brot, Sandwich nt ▶ open ~ belegtes Brot.
2 vt (also ~ in) hineinzwängen ▶ to be ~ed between two things/people zwischen zwei Dingen/Menschen eingekeilt sein.

sandwich: ~**board** n Reklametafel f; ~ **course** n Ausbildungsgang m, bei dem sich Theorie und Praxis abwechseln.

sandy ['sændɪ] adj (+er) sandig; beach, soil Sand-, sandig pred; (in colour) rötlich; hair rotblond.

sane [seɪn] adj (+er) person normal; (Med, Psych etc) geistig gesund; (Jur) zurechnungsfähig; society etc gesund; (sensible) advice, person vernünftig.

sang [sæŋ] pret of **sing**.

sangfroid ['sãːŋˈfrwɑː] n Seelenruhe f.

sanguine ['sæŋgwɪn] adj (optimistic) optimistisch.

sanitarium [ˌsænɪˈtɛərɪəm] n (US) = **sanatorium**.

sanitary ['sænɪtərɪ] adj hygienisch; arrangements, installations sanitär attr; regulations, expert Gesundheits-; questions, principles der Hygiene.

sanitary napkin (US) or **towel** n Damenbinde f.

sanitation [ˌsænɪˈteɪʃən] n Hygiene f; (toilets etc) sanitäre Anlagen pl; (sewage disposal) Kanalisation f ▶ the ~ department (esp US) die Stadtreinigung.

sanity ['sænɪtɪ] n **a** (mental balance) geistige Gesundheit; (of individual also) gesunder Verstand; (Jur) Zurechnungsfähigkeit f ▶ to lose one's ~ den Verstand verlieren; to doubt sb's ~ an jds Verstand (dat) zweifeln. **b** (sensibleness) Vernünftigkeit f ▶ to return to ~ Vernunft annehmen.

sank [sæŋk] pret of **sink**[1].

Santa (Claus) ['sæntə('klɔːz)] n der Weihnachtsmann.

sap[1] [sæp] n (Bot) Saft m; (fig) Lebenskraft f.

sap[2] vt (weaken, Mil) untergraben; confidence also schwächen ▶ to ~ sb's strength jdn entkräften, jds Kräfte angreifen.

➤ SENTENCE BUILDER: **same:** 1 → 7.1, 11 **2b** → 1.5

sapling ['sæplɪŋ] *n* junger Baum.
sapper ['sæpə'] *n* (*Mil*) Pionier *m*.
sapphire ['sæfaɪə'] **1** *n* Saphir *m*; (*colour*) Saphirblau *nt*.
2 *adj ring* Saphir-.
sarcasm ['sɑːkæzəm] *n* Sarkasmus *m*.
sarcastic [sɑː'kæstɪk] *adj* sarkastisch ▶ **are you being ~?** das soll wohl ein Witz sein (*col*).
sarcophagus [sɑː'kɒfəgəs] *n*, *pl* **sarcophagi** [sɑː'kɒfəgaɪ] Sarkophag *m*.
sardine [sɑː'diːn] *n* Sardine *f* ▶ **packed in like ~s** wie die Ölsardinen.
Sardinia [sɑː'dɪnɪə] *n* Sardinien *nt*.
Sardinian [sɑː'dɪnɪən] **1** *adj* sardinisch.
2 *n* Sardinier(in *f*) *m*.
sardonic [sɑː'dɒnɪk] *adj* höhnisch; *smile* sardonisch.
sari ['sɑːrɪ] *n* Sari *m*.
SAS (*Brit Mil*) = **Special Air Service.**
SASE (*US Post*) = **self-addressed stamped envelope.**
sash¹ [sæʃ] *n* Schärpe *f*.
sash² *n* (*in window*) Gewichtsschnur *f*.
sash: ~-cord *n* Gewichtsschnur *f*; **~-window** *n* Schiebefenster *nt*.
sassy ['sæsɪ] *adj* (*US col*) frech.
sat [sæt] *pret*, *ptp of* **sit.**
Sat = **Saturday** Sa.
Satan ['seɪtən] *n* Satan *m*.
satanic [sə'tænɪk] *adj* satanisch.
satchel ['sætʃəl] *n* Schultasche *f*.
sated ['seɪtɪd] *adj* gesättigt; (*to excess*) übersättigt (*with* von).
satellite ['sætəlaɪt] *n* Satellit *m*.
satellite: ~ broadcasting *n* Satellitenfunk *m*; **~ dish** *n* Parabolantenne *f*, Satellitenschüssel *f* (*col*); **~ state** *n* Satellitenstaat *m*; **~ town** *n* Trabantenstadt *f*; **~ TV** *n* Satellitenfernsehen *nt*.
satiate ['seɪʃɪeɪt] *vt appetite, desires etc* stillen (*geh*); *person, animal* sättigen; (*to excess*) übersättigen.
satin ['sætɪn] **1** *n* Satin *m*.
2 *adj* Satin-; *skin* samtig ▶ **~ finish** Seidenglanz *m*.
satire ['sætaɪə'] *n* Satire *f* (*on* auf +*acc*).
satirical [sə'tɪrɪkəl] *adj literature, film etc* satirisch; (*mocking, joking*) ironisch.
satirically [sə'tɪrɪkəlɪ] *adv see adj*.
satirist ['sætərɪst] *n* Satiriker(in *f*) *m*.
satirize ['sætəraɪz] *vt* satirisch darstellen.
satisfaction [ˌsætɪs'fækʃən] *n* **a** (*act: of person, needs, curiosity etc*) Befriedigung *f*; (*of ambition*) Verwirklichung *f*; (*of conditions, contract*) Erfüllung *f*. **b** (*state*) Zufriedenheit *f* (*at* mit) ▶ **the ~ of having solved a difficult problem** das befriedigende Gefühl, ein schwieriges Problem gelöst zu haben; **to feel a sense of ~ at sth** Genugtuung über etw (*acc*) empfinden; **has it been done to your ~?** ist es zu Ihrer Zufriedenheit erledigt worden? (*form*); **to get ~ out of sth** Befriedigung in etw (*dat*) finden; (*find pleasure*) Freude an etw (*dat*) haben; **he proved to my ~ that ...** er hat (mir) überzeugend bewiesen, daß ...
satisfactorily [ˌsætɪs'fæktərɪlɪ] *adv* zufriedenstellend.
satisfactory [ˌsætɪs'fæktərɪ] *adj* (*good enough*) befriedigend; (*only just good enough*) ausreichend; *account, completion of contract* zufriedenstellend; *reason* triftig; *excuse* angemessen.
satisfy ['sætɪsfaɪ] **1** *vt* **a** (*make contented*) befriedigen; *employer, customers etc* zufriedenstellen; (*meal*) *person* sättigen ▶ **not satisfied with that he asked ...** damit noch immer nicht zufrieden, fragte er ...; **he's never satisfied** (*always wants more*) er ist mit nichts zufrieden. **b** *needs, demand, sb* (*sexually*) befriedigen; *hunger* stillen; *conditions* erfüllen; *requirements* genügen (+*dat*); *ambi-*

tions verwirklichen. **c** (*convince*) überzeugen ▶ **they were not satisfied with the answers** sie waren mit den Antworten nicht zufrieden.
2 *vr* **to ~ oneself about sth** sich von etw überzeugen; **to ~ oneself that ...** sich davon überzeugen, daß ...
satisfying ['sætɪsfaɪɪŋ] *adj* befriedigend; *food, meal* sättigend ▶ **a cool ~ lager** ein kühles, durststillendes Bier.
saturate ['sætʃəreɪt] *vt* (*durch*)tränken; (*rain*) durchnässen; (*Chem, fig*) *solution, market* sättigen.
saturation [ˌsætʃə'reɪʃən] *n* Sättigung *f* ▶ **to have reached ~ point** (*fig*) seinen Sättigungsgrad erreicht haben.
Saturday ['sætədɪ] *n* Samstag, Sonnabend (*esp N Ger*) *m*; *see* **Tuesday.**
Saturn ['sætən] *n* (*Astron*) Saturn *m*.
sauce [sɔːs] *n* **a** Soße, Sauce *f* ▶ **white ~** Mehlsoße *f*; **what's ~ for the goose is ~ for the gander** (*Prov*) was dem einen recht ist, ist dem anderen billig (*prov*). **b** *no pl* (*col: cheek*) Frechheit *f* ▶ **none of your ~!** werd bloß nicht frech! (*col*).
saucepan ['sɔːspən] *n* Kochtopf *m*.
saucer ['sɔːsə'] *n* Untertasse *f*.
saucily ['sɔːsɪlɪ] *adv* frech.
sauciness ['sɔːsɪnɪs] *n*, *no pl* Frechheit *f*.
saucy ['sɔːsɪ] *adj* (+*er*) frech.
Saudi Arabia ['saʊdɪə'reɪbɪə] *n* Saudi-Arabien *nt*.
Saudi (Arabian) ['saʊdɪ(ə'reɪbɪən)] **1** *n* Saudi(araber) *m*, Saudiaraberin *f*.
2 *adj* saudiarabisch.
sauna ['sɔːnə] *n* Sauna *f* ▶ **to have a ~** in die Sauna gehen.
saunter ['sɔːntə'] *vi* schlendern ▶ **he ~ed up to me** er schlenderte auf mich zu.
sausage ['sɒsɪdʒ] *n* Wurst *f*.
sausage: ~ dog *n* (*Brit hum*) Dackel *m*; **~meat** *n* Wurstmasse *f*, Wurstbrät *nt*; **~ roll** *n* ≃ Bratwurst *f* im Schlafrock.
sauté ['səʊteɪ] **1** *adj* **~ potatoes** Brat- *or* Röstkartoffeln *pl*.
2 *vt potatoes* rösten; (*sear*) (kurz) anbraten.
savage ['sævɪdʒ] **1** *adj* wild; *fighter, punch, revenge* brutal; *custom* grausam; *animal* gefährlich; *competition* scharf; (*drastic*) *cuts, measures, changes* drastisch; *criticism* schonungslos, brutal (*col*) ▶ **to make a ~ attack on sb** brutal über jdn herfallen; (*fig*) jdn scharf angreifen.
2 *n* Wilde(r) *mf*.
3 *vt* (*animal*) anfallen; (*fatally*) zerfleischen.
savagely ['sævɪdʒlɪ] *adv* brutal; (*drastically*) drastisch; *criticize* schonungslos.
savagery ['sævɪdʒərɪ] *n see adj* Wildheit *f*, Brutalität *f*; Grausamkeit *f*.
savanna(h) [sə'vænə] *n* Savanne *f*.
save [seɪv] **1** *n* (*Ftbl etc*) Ballabwehr *f*.
2 *vt* **a** (*rescue, Rel*) retten ▶ **to ~ sb from sth** jdn vor etw (*dat*) retten; **to ~ sb from disaster/ruin** jdn vor einer Katastrophe/dem Ruin bewahren; **he ~d me from falling/making that mistake** er hat mich davor bewahrt, hinzufallen/den Fehler zu machen; **to ~ sth from sth** etw aus etw retten; **to ~ the day (for sb)** jds Rettung sein; **God ~ the Queen** Gott schütze die Königin.
b (*put by*) aufheben, aufsparen; *money* sparen; (*collect*) *stamps etc* sammeln ▶ **~ some of the cake for me** laß mir etwas Kuchen übrig; **~ me a seat** halte mir einen Platz frei; **~ it!** (*col*) spar dir das! (*col*).
c (*avoid using up*) *time, money* sparen; (*spare*) *eyes, battery* schonen; (*~ up*) *strength, fuel etc* aufsparen ▶ **that will ~ you £2 a week** dadurch sparen Sie £2 pro Woche.
d (*prevent*) *bother, trouble* ersparen ▶ **it'll ~ a lot of**

work if we ... es erspart uns (*dat*) sehr viel Arbeit, wenn wir ...

e *goal* verhindern; *penalty* halten.
f (*Comp*) *data* (ab)speichern.
3 *vi* **a** (*with money*) sparen ▶ **to ~ for sth** für *or* auf etw (*acc*) sparen. **b** **to ~ on sth** etw sparen.

◆**save up** **1** *vi* sparen (*for* für, auf +*acc*).
2 *vt sep* (*not spend*) sparen; (*not use*) aufheben, aufbewahren ▶ **he's saving himself ~ for the big match** er schont sich für das große Spiel.

saveloy ['sævəlɔɪ] *n* Zervelatwurst *f*.
saver ['seɪvəᵊ] *n* (*of money*) Sparer(in *f*) *m*.
saving ['seɪvɪŋ] **1** *adj* (*redeeming*) **its/his ~ grace** was einen damit/mit ihm versöhnt.
2 *n* **a** *no pl* (*act: rescue, Rel*) Rettung *f*; (*of money*) Sparen *nt*. **b** (*of cost etc*) (*act*) Einsparung *f*; (*amount saved*) Ersparnis *f*. **c** **~s** *pl* Ersparnisse *pl*; (*in account*) Spareinlagen *pl* ▶ **post-office ~s** Postsparguthaben *nt*.
savings *in cpds* Spar-; **~ account** *n* Sparkonto *nt*; **~ and loan association** *n* (*US*) Bausparkasse *f*; **~ bank** *n* Sparkasse *f*; **~ book** *n* Sparkassenbuch *nt*; **~ certificate** *n* Sparbrief *m*; **~ deposit** *n* Spareinlage *f*.
saviour, (*US also*) **savior** ['seɪvjəᵊ] *n* Retter(in *f*) *m*; (*Rel also*) Erlöser *m*.
savour, (*US*) **savor** ['seɪvəᵊ] **1** *n* Geschmack *m*; (*slight trace*) Spur *f*; (*enjoyable quality*) Reiz *m*.
2 *vt* **a** (*form*) kosten (*geh*); *aroma* (*of food*) riechen. **b** (*fig liter*) genießen, auskosten.
savoury, (*US*) **savory** ['seɪvərɪ] **1** *adj* **a** (*appetizing*) lecker; *meal also* schmackhaft. **b** (*not sweet*) pikant ▶ **~ omelette** pikant gefülltes Omelett; ▶ **biscuits** Salzgebäck *nt*. **c** (*fig*) angenehm; *sight also* einladend.
2 *n* Häppchen *nt*.
saw¹ [sɔː] *pret of* **see¹**.
saw² [sɔː] **1** *n* Säge *f*.
2 *vt* sägen ▶ **to ~ sth through** etw durchsägen; **to ~ sth in two** etw entzweisägen.
◆**saw off** *vt sep* absägen ▶ **a ~n-~** *or* (*US*) **~ed-~ shotgun** ein Gewehr *nt* mit abgesägtem Lauf.
saw: **~dust** *n* Sägemehl *nt*; **~mill** *n* Sägewerk *nt*.
sawn [sɔːn] *ptp of* **saw²**.
Saxon ['sæksn] **1** *n* Sachse *m*, Sächsin *f*; (*Hist*) (An-gel)sachse *m*/-sächsin *f*.
2 *adj* sächsisch; (*Hist*) (angel)sächsisch.
Saxony ['sæksənɪ] *n* Sachsen *nt*.
saxophone ['sæksəfəʊn] *n* Saxophon *nt*.
saxophonist [sæk'sɒfənɪst] *n* Saxophonist(in *f*) *m*.
▼ **say** [seɪ] (*vb: pret, ptp* **said**) **1** *n* Mitspracherecht *nt* (*in* bei) ▶ **let him have his ~** laß ihn mal reden *or* seine Meinung äußern; **you've had your ~** Sie haben Ihre Meinung äußern können; **to have no/a ~ in sth** bei etw nichts/etwas zu sagen haben, bei etw kein/ein Mitspracherecht haben.
2 *vti* **a** sagen; *poem* aufsagen; *prayer, text* sprechen; (*pronounce*) aussprechen; (*dial, gauge*) anzeigen ▶ **~ after me ...** sprechen Sie mir nach ...; **what have you got to ~ for yourself?** was hast du zu deiner Verteidigung zu sagen?; **that's not for him to ~** es steht ihm nicht zu, sich darüber zu äußern; (*to decide*) das kann er nicht entscheiden; **he said to wait here** er hat gesagt, ich soll/wir sollen *etc* hier warten; **do it this way — if you ~ so** machen Sie es so — wenn Sie meinen; **why didn't you ~ so?** warum hast du das nicht (gleich) gesagt?; **you'd better do it — who ~s?** tun Sie es lieber — wer sagt das?; **what does it mean? — I wouldn't like to ~** was bedeutet das? — das kann ich auch nicht sagen; **so ~ing, he sat down** und mit diesen Worten setzte er sich; **it ~s in the papers that ...** in den Zeitungen steht, daß ...; **what does the paper/this book ~?** was steht in der Zeitung/diesem Buch?; **the rules ~ that ...** in den Regeln heißt es, daß ...; **what does the**

weather forecast ~? wie ist der Wetterbericht?; **what does your watch ~?** wie spät ist es auf deiner Uhr?; **that ~s a lot about his character** das läßt tief auf seinen Charakter schließen; **and that's ~ing a lot** und das will schon etwas heißen; **that doesn't ~ much for him** das spricht nicht für ihn.
b **what would you ~ to a whisky?** wie wär's mit einem Whisky?; **I wouldn't ~ no to a cup of tea** ich hätte nichts gegen eine Tasse Tee; **he never ~s no to a drink** einen Drink lehnt er nie ab; **what did he ~ to your plan?** was hat er zu Ihrem Plan gesagt?; **I'll offer £500, what do you ~?** ich biete £500, was meinen Sie dazu?; **what do you ~?** was meinen Sie?; **I ~!** (*to attract attention*) hallo!; **I should ~ (so)!** das möchte ich doch meinen!; **you don't ~!** (*also iro*) nein wirklich?, was du nicht sagst!; **well said!** (ganz) richtig!; **you('ve) said it!** Sie sagen es!; **you can ~ that again!** das kann man wohl sagen!; **~ no more!** ich weiß Bescheid!; **(it's) easier said than done** das ist leichter gesagt als getan; **when all is said and done** letzten Endes; **he is said to be very rich** er soll sehr reich sein; **it goes without ~ing that ...** es versteht sich von selbst, daß ...; **that is to ~** das heißt; (*correcting also*) beziehungsweise; **to ~ nothing of the costs** *etc* von den Kosten *etc* ganz zu schweigen; **that's not to ~ that ...** das soll nicht heißen, daß ...; **they ~ ..., it is said ...** es heißt ...
saying ['seɪɪŋ] *n* Redensart *f*; (*proverb*) Sprichwort *nt* ▶ **as the ~ goes** wie es so schön heißt.
say-so ['seɪsəʊ] *n* (*col*) (*assertion*) Wort *nt*; (*authority*) Genehmigung *f* ▶ **on whose ~?** wer sagt das?; (*permission*) wer hat das genehmigt?; (*order*) auf wessen Anweisung?
s/c = **self-contained**.
SC (*US Post*) = **South Carolina**.
scab [skæb] *n* **a** (*on cut*) Schorf, Grind *m*. **b** (*col: strikebreaker*) Streikbrecher(in *f*) *m*.
scaffold ['skæfəʊld] *n* (*on building*) Gerüst *nt*; (*for execution*) Schafott *nt*.
scaffolding ['skæfəldɪŋ] *n* Gerüst *nt* ▶ **to put up ~** ein Gerüst aufbauen.
scald [skɔːld] **1** *n* Verbrühung *f*.
2 *vt* **a** *oneself, skin etc* verbrühen. **b** *instruments, vegetables* abbrühen; *milk* abkochen.
scalding ['skɔːldɪŋ] *adj* siedend.
scale¹ [skeɪl] *n* (*of fish*) Schuppe *f*; (*of rust*) Flocke *f*; (*kettle ~*) Kesselstein *m no pl*.
scale² *n* **a** Skala *f*; (*on ruler*) (Maß)einteilung *f*; (*fig*) Leiter *f*; (*social ~*) Stufenleiter *f* ▶ **~ of charges** Gebührenordnung *f*, Tarife *pl*. **b** (*instrument*) Meßgerät *nt*. **c** (*Mus*) Tonleiter *f* ▶ **the ~ of G** die G(-Dur)-Tonleiter. **d** (*of map etc*) Maßstab *m* ▶ **on a ~ of 5 km to the cm** in einem Maßstab von 5 km zu 1 cm; **to draw sth to ~** etw im Maßstab *or* maßstabgerecht zeichnen. **e** (*fig: size, extent*) Umfang *m*, Ausmaß *nt* ▶ **to entertain on a large/small ~** Feste in größeren/kleineren Rahmen geben; **inflation on an unprecedented ~** Inflation von bisher nie gekanntem Ausmaß; **it's similar but on a smaller ~** es ist ähnlich, nur kleiner; **on a national ~** auf nationaler Ebene.
◆**scale down** *vt sep* (*lit*) verkleinern; (*fig*) verringern.
scale³ *vt mountain, wall* erklettern.
scale: **~ drawing** *n* maßstabgetreue Zeichnung; **~ model** *n* maßstabgetreues Modell.
scales [skeɪlz] *npl* **(pair of) ~s** Waage *f*; **to tip the ~ in favour of sb/sth** für jdn/etw den Ausschlag geben.
scallop ['skɒləp] *n* (*Zool*) Kammuschel *f*.
scalp [skælp] **1** *n* Kopfhaut *f*; (*as Indian trophy*) Skalp *m*.
2 *vt* skalpieren; (*hum: by barber*) kahlscheren (*hum*).
scalpel ['skælpəl] *n* Skalpell *nt*.
scaly ['skeɪlɪ] *adj* (+*er*) schuppig.

➤ LANGUAGE IN USE: **say: 2a** → 4.1, 11, 14.1, 15.5

scam [skæm] *n* (*col*) Betrug, Beschiß *m* (*col*).
scamp [skæmp] *n* Frechdachs *m* (*col*).
scamper ['skæmpə'] *vi* (*person, child, puppy*) trappeln; (*squirrel, rabbit*) hoppeln; (*mice*) huschen.
scan [skæn] **1** *vt* [a] (*search with sweeping movement*) schwenken über (+*acc*); (*person*) seine Augen wandern lassen über (+*acc*); *newspaper, book* überfliegen; (*examine closely*) *horizon* absuchen; (*by radar*) absuchen, abtasten. [b] (*TV*) abtasten. [c] *verse* in Versfüße zerlegen. **2** *vi* (*verse*) das richtige Versmaß haben. **3** *n* (*Med*) Scan *m*; (*in pregnancy*) Ultraschalluntersuchung *f*.
scandal ['skændl] *n* [a] Skandal *m* ▸ *to create a ~* einen Skandal verursachen; (*amongst neighbours etc*) allgemeines Aufsehen erregen; *it is a ~ that ...* es ist skandalös, daß ... [b] *no pl* (*gossip*) Skandalgeschichten *pl*; (*piece of gossip*) Skandalgeschichte *f* ▸ *the latest ~* der neueste Klatsch (*col*).
scandalize ['skændəlaɪz] *vt* schockieren ▸ *she was ~d* sie war empört (*by* über +*acc*).
scandalous ['skændələs] *adj* skandalös ▸ *a ~ report/tale* eine Skandalgeschichte.
Scandinavia [ˌskændɪ'neɪvɪə] *n* Skandinavien *nt*.
Scandinavian [ˌskændɪ'neɪvɪən] **1** *adj* skandinavisch. **2** *n* Skandinavier(in *f*) *m*.
scanner ['skænə'] *n* (*Rad*) Richtantenne *f*; (*Med, Comp*) Scanner *m*.
scant [skænt] *adj* (+*er*) wenig *inv*; *attention, respect also, chance* gering; *success* mager.
scantily ['skæntɪlɪ] *adv* spärlich.
scantiness ['skæntɪnɪs] *n see adj* Spärlichkeit *f*; Kärglichkeit *f*; Knappheit *f*.
scanty ['skæntɪ] *adj* (+*er*) *amount, clothing* spärlich; *vegetation, meal also* kärglich; *bikini etc* knapp.
scapegoat ['skeɪpgəʊt] *n* Sündenbock *m* ▸ *to make a ~ of sb* jdn zum Sündenbock machen.
scar [skɑː'] **1** *n* (*on skin, tree*) Narbe *f*; (*scratch*) Kratzer *m*; (*burn*) Brandfleck *m*; (*fig*) (*emotional*) Wunde *f*, (*on good name*) Makel *m*. **2** *vt skin, tree* Narben/eine Narbe hinterlassen auf (+*dat*); *furniture* zerkratzen; Brandflecken hinterlassen auf (+*dat*); (*fig*) *person* zeichnen ▸ *he was ~red for life* (*lit*) er behielt bleibende Narben zurück; (*fig*) er war fürs Leben gezeichnet; *her ~red face* ihr narbiges Gesicht. **3** *vi* Narben/eine Narbe hinterlassen.
scarce [skeəs] *adj* (+*er*) (*in short supply*) knapp; (*rare*) selten ▸ *to make oneself ~* (*col*) verschwinden (*col*).
scarcely ['skeəslɪ] *adv* kaum ▸ *~ anybody* kaum jemand; *~ anything* fast nichts; *~ ever* fast nie; *you can ~ expect him to believe that* Sie erwarten doch wohl kaum, daß er das glaubt.
scarceness ['skeəsnɪs], **scarcity** ['skeəsɪtɪ] *n* (*shortage*) Knappheit *f*; (*rarity*) Seltenheit *f* ▸ *~ value* Seltenheitswert *m*; *a ~ of qualified people* ein Mangel *m* an qualifizierten Kräften; *in times of ~* in schlechten Zeiten.
scare [skeə'] **1** *n* (*fright, shock*) Schreck(en) *m*; (*general alarm*) Hysterie *f* (*about wegen*) ▸ *to give sb a ~* jdm einen Schrecken einjagen; *to cause a ~* eine Panik auslösen ▸ *bomb ~* Bombenalarm *m*. **2** *vt* einen Schrecken einjagen (+*dat*); (*worry also*) Angst machen (+*dat*); (*frighten physically*) *person, animal* erschrecken; *birds* aufscheuchen.
◆**scare away** *vt sep* verscheuchen; *people* verjagen.
scarecrow ['skeəkrəʊ] *n* (*lit, fig*) Vogelscheuche *f*.
scared ['skeəd] *adj person* erschrocken; *face, voice* verängstigt ▸ *to be ~* Angst haben (*of* vor +*dat*); *to be easily ~* sehr schreckhaft sein; (*easily worried*) sich (*dat*) leicht Angst machen lassen; (*timid: deer etc*) sehr scheu sein; *to be ~ stiff or to death or out of one's wits* (all

col) Todesängste ausstehen; *he's ~ of telling her the truth* er traut sich nicht, ihr die Wahrheit zu sagen.
scare: *~monger* *n* Bangemacher *m* (*col*); *~ story* *n* Schauergeschichte *f*.
scarf [skɑːf] *n, pl* **scarves** Schal *m*; (*neck ~*) Halstuch *nt*; (*head~*) Kopftuch *nt*; (*round the shoulders*) Schultertuch *nt*.
scarlet ['skɑːlɪt] **1** *n* Scharlach(rot) *nt* ▸ *~ fever* Scharlach *m*. **2** *adj* (scharlach)rot ▸ *to turn ~* hochrot werden, rot anlaufen (*col*).
scarper ['skɑːpə'] *vi* (*Brit col*) abhauen (*col*).
scarves [skɑːvz] *pl of* **scarf**.
scary ['skeərɪ] *adj* (+*er*) (*col*) unheimlich; *film also* grus(e)lig (*col*) ▸ *it was pretty ~* da konnte man schon Angst kriegen (*col*).
scathing ['skeɪðɪŋ] *adj* bissig; *attack* scharf; *look, criticism* vernichtend ▸ *to be ~* bissige Bemerkungen *pl* machen (*about* über +*acc*).
scatter ['skætə'] **1** *vt* [a] verstreuen; *seeds, gravel,* (*Phys*) *light* streuen (*on, onto auf* +*acc*) ▸ *the books were ~ed (about) all over the room* die Bücher lagen im ganzen Zimmer verstreut; *his friends were ~ed all over the country* seine Freunde waren über das ganze Land verstreut. [b] (*disperse*) auseinandertreiben; *army etc also* zersprengen. **2** *vi* sich zerstreuen (*to* in +*acc*); (*in a hurry, in fear*) auseinanderlaufen.
scatter: *~brain* *n* (*col*) Schussel *m* (*col*), Chaot(in *f*) *m* (*col*); *~brained* ['skætə,breɪnd] *adj* (*col*) schusselig (*col*).
scattered ['skætəd] *adj population* weit verstreut; *villages* verstreut; *clouds, showers* vereinzelt.
scatty ['skætɪ] *adj* (+*er*) (*col*) [a] (*scatterbrained*) schusselig (*col*). [b] (*mad*) verrückt.
scavenge ['skævɪndʒ] **1** *vt* (*lit, fig*) ergattern. **2** *vi* (*lit*) Nahrung suchen ▸ *jackals live by scavenging* Schakale leben von Aas.
scavenger ['skævɪndʒə'] *n* (*animal*) Aasfresser *m*; (*fig: person*) Dreckwühler *m*.
scenario [sɪ'nɑːrɪəʊ] *n* Szenar(ium) *nt*; (*fig*) Szenario *nt*.
scene [siːn] *n* [a] (*place, setting*) Schauplatz *m*; (*of play, novel*) Ort *m* der Handlung ▸ *the ~ of the crime* der Tatort, der Schauplatz des Verbrechens; *the ~ of the battle was a small hill* die Schlacht fand auf einem kleinen Hügel statt; *the ~ was set for ...* die Voraussetzungen für ... waren gegeben; *the ~ is set in Padua* das Stück/der Roman *etc* spielt in Padua; *to appear on the ~* auftauchen, auf der Bildfläche erscheinen; *the police were first on the ~* die Polizei war als erste zur Stelle. [b] (*Theat*) Szene *f* ▸ *Act II, ~ i* Akt II, 1. Szene; *behind the ~s* (*lit, fig*) hinter den Kulissen. [c] (*sight*) Anblick *m*; (*landscape*) Landschaft *f*. [d] (*fuss, argument*) Szene *f* ▸ *to make a ~* eine Szene machen. [e] (*col*) *the drug etc* ~ die Drogenszene *etc* (*col*); *that's not my ~* da steh' ich nicht drauf (*col*).
scenery ['siːnərɪ] *n* (*landscape*) Landschaft *f*; (*Theat*) Kulissen *pl*; (*set*) Bühnenbild *nt*.
scenic ['siːnɪk] *adj route etc* landschaftlich schön; (*picturesque*) malerisch ▸ *~ railway* (*roller coaster*) Achterbahn *f*.
scent [sent] **1** *n* (*smell*) Duft, Geruch *m*; (*perfume*) Parfüm *nt*; (*of animal*) Fährte *f* ▸ *to be on the ~* (*lit, fig*) auf der Spur sein (*of sb/sth* jdm/einer Sache); *to lose the ~* (*lit, fig*) die Spur verlieren; *to put or throw sb off the ~* (*lit, fig*) jdn von der Spur abbringen. **2** *vt* [a] (*smell, suspect*) wittern. [b] (*perfume*) parfümieren ▸ *roses ~ed the air* der Duft von Rosen erfüllte die Luft.
sceptic, (*US*) **skeptic** ['skeptɪk] *n* Skeptiker(in *f*) *m*.
sceptical, (*US*) **skeptical** ['skeptɪkəl] *adj* skeptisch ▸

he was ~ about ... er war skeptisch, was ... angeht.
scepticism, *(US)* **skepticism** ['skeptısızəm] *n* Skepsis *f* (*about* gegenüber).
sceptre, *(US)* **scepter** ['septə^r] *n* Szepter *nt*.
schedule ['ʃedjuːl (*esp Brit*), 'skedʒʊəl] [1] *n* (*of events*) Programm *nt*; (*of work*) Zeitplan *m*; (*US: timetable*) Fahr-/Flugplan *m*; (*list*) Verzeichnis *nt* ▶ *what's on the ~ for today?* was steht für heute auf dem Programm?; *according to ~* planmäßig; (*work also*) nach Plan; *the train is behind ~* der Zug hat Verspätung; *the bus was on ~* der Bus war pünktlich; *ahead of ~* dem Zeitplan voraus; *behind ~* im Rückstand; *we are working to a very tight ~* wir arbeiten nach einem sehr knappen Zeitplan.
[2] *vt* planen; (*put on programme, timetable*) ansetzen; (*US: list*) aufführen ▶ *the work is ~d for completion in 3 months* die Arbeit soll (laut Zeitplan) in 3 Monaten fertig sein; *this stop was not ~d* dieser Aufenthalt war nicht eingeplant.
scheduled ['ʃedjuːld (*esp Brit*), 'skedʒʊəld] *adj* vorgesehen, geplant; *departure etc* planmäßig ▶ *~ flight* (*not charter*) Linienflug *m*; (*on timetable*) planmäßiger Flug.
schematic [skɪ'mætɪk] *adj* schematisch.
scheme [skiːm] [1] *n* [a] (*plan*) Plan *m*, Programm *nt*; (*project*) Projekt *nt*; (*housing ~*) Siedlung *f*; (*idea*) Idee *f* ▶ *savings ~* Sparprogramm *nt*; *pension ~* Rentenschema *nt*; *the ~ for the new ring road* das neue Umgehungsstraßenprojekt; *a ~ of work* ein Arbeitsprogramm *nt*. [b] (*plot*) (raffinierter) Plan; (*political also*) Komplott *nt*; (*at court, in firm etc*) Intrige *f*. [c] (*arrangement*) (*of town etc*) Anlage *f*; (*of room*) Einrichtung *f*; (*colour ~*) Farbzusammenstellung *f*.
[2] *vi* Pläne schmieden; (*at court, in firm etc*) intrigieren.
scheming ['skiːmɪŋ] [1] *n* Tricks *pl* (*col*); (*of politicians etc*) Machenschaften *pl*; (*in firm etc*) Intrigen *pl*.
[2] *adj methods, businessman* raffiniert; *politician* gewieft (*col*).
schism ['sɪzəm] *n* (*Eccl*) Schisma *nt*; (*general*) Spaltung *f*.
schizophrenia [ˌskɪtsəʊ'friːnɪə] *n* Schizophrenie *f*.
schizophrenic ['skɪtsəʊ'frenɪk] [1] *adj person, reaction* schizophren.
[2] *n* Schizophrene(r) *mf*.
schnap(p)s [ʃnæps] *n* Schnaps *m*.
scholar ['skɒlə^r] *n* (*learned person*) Gelehrte(r) *mf*; (*student*) Student(in *f*) *m*; Schüler(in *f*) *m* ▶ *the foremost ~s of our time* die führenden Wissenschaftler unserer Zeit; *a famous Shakespeare ~* ein berühmter Shakespeareexperte.
scholarly ['skɒləlɪ] *adj thesis etc* wissenschaftlich; (*learned*) gelehrt; *interests* hochgeistig.
scholarship ['skɒləʃɪp] *n* (*learning*) Gelehrsamkeit *f*; (*money award*) Stipendium *nt*.
scholastic [skə'læstɪk] *adj* (*relative to school*) schulisch, Schul-; (*Univ*) Studien-.
school¹ [skuːl] [1] *n* [a] Schule *f*; (*US: college, university*) College *nt*; Universität *f* ▶ *at ~* in der Schule/im College/an der Universität; *to go to ~* in die Schule/ins College/zur Universität gehen; *there's no ~ tomorrow* morgen ist schulfrei *or* keine Schule. [b] (*Univ: department*) Fachbereich *m*; (*of medicine, law*) Fakultät *f*. [c] (*group of artists etc*) Schule *f* ▶ *he's a diplomat of the old ~* er ist ein Diplomat der alten Schule.
[2] *vt* lehren; *animal* dressieren ▶ *to ~ sb in a technique* jdn in einer Technik unterrichten.
school² *n* (*of fish*) Schwarm *m*.
school *in cpds* Schul-; *~ age n* schulpflichtiges Alter, Schulalter *nt*; *~ book n* Schulbuch *nt*; *~ boy n* Schüler *m*; *~child n* Schulkind *nt*; *~days npl* Schulzeit *f*; *~ dinner n* Schulessen *nt*; *~ fees npl* Schulgeld *nt*; *~friend n* Schulfreund(in *f*) *m*; *~girl n* Schülerin *f*.

schooling ['skuːlɪŋ] *n* (*education*) Ausbildung *f* ▶ *compulsory ~* die Schulpflicht.
school: *~ inspector n* Schulrat *m*; *~-leaver n* Schulabgänger(in *f*) *m*; *~-leaving age n* Schulabgangsalter *nt*; *~ magazine n* Schülerzeitung *f*; *~master n* Lehrer *m*; *~ meals npl* Schulessen *nt*; *~mistress n* (*Brit*) Lehrerin *f*; *~room n* Klassenzimmer *nt*; *~teacher n* Lehrer(in *f*) *m*; *~work n* Schularbeiten *pl*; *~ year n* Schuljahr *nt*.
schooner ['skuːnə^r] *n* [a] (*boat*) Schoner *m*. [b] (*sherry glass*) großes Sherryglas; (*US, Austral: beer ~*) hohes Bierglas.
sciatica [saɪ'ætɪkə] *n* Ischias *m or nt*.
science ['saɪəns] *n* [a] Wissenschaft *f*; (*natural ~*) Naturwissenschaft *f* ▶ *to study ~* Naturwissenschaften studieren; *a man of ~* ein Wissenschaftler *m*. [b] (*systematic knowledge or skill*) Technik *f*.
science fiction *n* Science-fiction *f* ▶ *~ novel* Science-fiction-Roman *m*.
science park *n* Technologiepark *m*.
scientific [ˌsaɪən'tɪfɪk] *adj* wissenschaftlich; (*of natural sciences*) naturwissenschaftlich.
scientist ['saɪəntɪst] *n* Wissenschaftler(in *f*) *m*; (*natural ~*) Naturwissenschaftler(in *f*) *m*.
sci-fi ['saɪ'faɪ] *n* = **science fiction** Sci-Fi *f*.
Scillies ['sɪlɪz], **Scilly Isles** ['sɪlɪˌaɪlz] *npl* Scilly-Inseln *pl*.
scintillating ['sɪntɪleɪtɪŋ] *adj* funkelnd *attr*; (*fig*) (*witty, lively*) wit, *humour* sprühend *attr*.
scissors ['sɪzəz] *npl* Schere *f* ▶ *a pair of ~* eine Schere; *~ kick* (*Swimming, Ftbl*) Scherenschlag *m*.
sclerosis [sklɪ'rəʊsɪs] *n* Sklerose *f*.
scoff¹ [skɒf] *vi* spotten ▶ *to ~ at sb/sth* jdn/etw verachten; (*verbally*) sich verächtlich über jdn/etw äußern.
scoff² *vt* (*col*) futtern (*col*) ▶ *she ~ed the lot* sie hat alles verputzt (*col*).
scold [skəʊld] *vt* ausschimpfen (*for wegen*) ▶ *she ~ed him for coming home late* sie schimpfte ihn aus, weil er so spät heimkam.
scolding ['skəʊldɪŋ] *n* Schelte *f no pl*; (*act*) Schimpferei *f* ▶ *to give sb a ~* jdn ausschimpfen.
scollop *n* = **scallop**.
scone [skɒn] *n* ≈ Milchbrötchen *nt*; (*with sultanas*) ≈ Rosinenbrötchen *nt*.
scoop [skuːp] [1] *n* [a] (*instrument*) Schaufel *f*; (*for ice cream, potatoes etc*) Portionierer *m*. [b] (*col: lucky gain*) Fang *m* (*col*). [c] (*Press*) Knüller *m* (*col*).
[2] *vt* [a] schaufeln; *liquid* schöpfen. [b] *The Times ~ed the other papers* die Times ist den anderen Zeitungen zuvorgekommen.
◆**scoop out** *vt sep* [a] (*take out*) herausschaufeln; *liquid* herausschöpfen. [b] (*hollow out*) *marrow etc* aushöhlen; *hole* graben.
◆**scoop up** *vt sep* aufschaufeln; *liquid* aufschöpfen ▶ *she ~ed ~ the cards/money* sie raffte die Karten/das Geld an sich (*acc*).
scoot [skuːt] *vi* (*col*) (*scram*) abzischen (*col*); (*walk quickly*) rennen.
scooter ['skuːtə^r] *n* (Tret)roller *m*; (*motor ~*) Motorroller *m*.
scope [skəʊp] *n* [a] (*of topic, investigation, knowledge*) Umfang *m*; (*of law, measures*) Reichweite *f*; (*of sb's duties, tribunal*) Kompetenzbereich *m* ▶ *sth is within the ~ of sth* etw hält sich im Rahmen einer Sache (*gen*); *sth is beyond the ~ of sth* etw geht über etw (*acc*) hinaus; *that is beyond my ~* das übersteigt mein Fassungsvermögen. [b] (*opportunity*) Möglichkeit(en *pl*) *f*; (*to develop one's talents*) Entfaltungsmöglichkeit *f*; (*to use one's talents*) Spielraum *m* ▶ *there is ~ for improvement* es könnte noch verbessert werden; *to give sb ~ to do sth* jdm den nötigen Spielraum geben, etw zu tun.
scorch [skɔːtʃ] [1] *n* (*also ~ mark*) Brandfleck *m*.

2 *vt* versengen ▶ *the sun ~ed our faces* die Sonne brannte auf unsere Gesichter.

scorcher ['skɔːtʃəʳ] *n* (*col*) *yesterday/last summer was a real ~* gestern/im letzten Sommer war es wirklich heiß.

scorching ['skɔːtʃɪŋ] *adj* (*very hot*) *sun, iron* glühend heiß; *day, weather* brütend heiß; (*col: very fast*) *speed* rasend.

score [skɔːʳ] 1 *n* a (*number of points*) (Punkte)stand *m*; (*of game, Sport*) Spielstand *m*; (*final ~*) Spielergebnis *nt*▶ *the ~ was Motherwell 2, Rangers 1* es stand 2:1 *or* zwei zu eins für Motherwell (gegen Rangers); (*final ~*) Motherwell schlug Rangers (mit) 2:1; *to keep (the) ~* (mit)zählen; (*officially*) Punkte zählen; (*on scoreboard*) Punkte anschreiben; *what's the ~?* wie steht es?; (*fig also*) wie sieht es aus? (*on* mit) (*col*); *to make a ~ with sb* (*fig: impress*) jdn stark beeindrucken.

   b (*reckoning, grudge*) *to pay off old ~s* alteSchulden begleichen; *to have a ~ to settle with sb* mit jdm eine alte Rechnung zu begleichen haben.

   c (*Mus*) (*printed music*) Noten *pl*; (*of classical music also*) Partitur *f*; (*of film, musical*) Musik *f*.

   d (*line, cut*) Kerbe *f*; (*on body*) Kratzer *m*; (*weal*) Striemen *m*.

   e (*20*) *a ~* zwanzig; *~s of ...* (*many*) Hunderte von ..., jede Menge ... (*col*); *by the ~* massenweise (*col*).

   f (*reason, ground*) Grund *m* ▶ *on that ~* (*connection*) in diesem Zusammenhang.

2 *vt* a erzielen; *points also* bekommen; *goals also* schießen; *runs also* schaffen ▶ *he ~d an advantage over his opponent* er war gegenüber seinem Gegner im Vorteil; *each correct answer ~s five points* jede richtige Antwort zählt fünf Punkte; *to ~ a point off sb* (*fig*) jdn ausstechen; *to ~ a hit with sb* jdn stark beeindrucken. b (*groove*) einkerben, Kerben/eine Kerbe machen in (+*acc*); (*mark*) Kratzer/einen Kratzer machen in (+*acc*). 3 *vi* a einen Punkt erzielen; (*Ftbl etc*) ein Tor schießen ▶ *to ~ well/badly* gut/schlecht abschneiden; *that's where he ~s* (*fig*) das ist sein großes Plus. b (*keep ~*) (mit)zählen. c *to ~ with sb* (*col: have sex*) mit jdm bumsen (*col*).

◆**score off** 1 *vt sep* (*delete*) ausstreichen.

2 *vi* +*prep obj to ~ ~ sb* jdn als dumm hinstellen.

score: *~board* *n* Anzeigetafel *f*, *~ card* *n* Spielprotokoll *nt*; (*Golf*) Zählkarte *f*; (*official*) (*Sport*) Anschreiber *m*; (*in quiz etc*) Punktezähler *m*.

scorer ['skɔːrəʳ] *n* a (*Ftbl etc: player*) Torschütze *m* ▶ *Chelsea were the highest ~s* Chelsea schoß die meisten Tore; *the leading ~ in the quiz* der, der die meisten Punkte im Quiz erzielt hat. b = **scorekeeper**.

scorn [skɔːn] 1 *n* (*disdain*) Verachtung *f*; (*verbal also*) Hohn *m* ▶ *to pour ~ on sth* etw verächtlich abtun.

2 *vt* (*treat scornfully*) verachten; (*condescendingly*) verächtlich behandeln; (*turn down*) *gift, advice* verschmähen; *idea* mit Verachtung von sich weisen.

scornful ['skɔːnfʊl] *adj* verächtlich; *laughter also, person* spöttisch, höhnisch ▶ *to be ~ of sb/sth* jdn/etw verachten; (*verbally*) jdn/etw verhöhnen.

Scorpio ['skɔːpɪəʊ] *n* (*Astrol*) Skorpion *m*.

scorpion ['skɔːpɪən] *n* Skorpion *m*.

Scot [skɒt] *n* Schotte *m*, Schottin *f*.

Scotch [skɒtʃ] 1 *adj* schottisch ▶ *~ egg* hartgekochtes Ei in Wurstbrät, paniert und ausgebacken; *~ tape* ® Tesafilm ® *m*.

2 *n* a (*~ whisky*) Scotch *m*. b *the ~ pl* die Schotten *pl*.

scotch [skɒtʃ] *vt rumour* aus der Welt schaffen; *idea, plan* unterbinden.

scot-free ['skɒt'friː] *adv: to get off ~* ungeschoren davonkommen.

Scotland ['skɒtlənd] *n* Schottland *nt*.

Scots [skɒts] 1 *adj* schottisch. 2 *n* (*dialect*) Schottisch *nt*.

Scots: *~man* *n* Schotte *m*; *~woman* *n* Schottin *f*.

Scottish ['skɒtɪʃ] 1 *adj* schottisch. 2 *n* a (*dialect*) Schottisch *nt*. b *the ~ pl* die Schotten *pl*; *~ National Party* Schottische Nationalpartei.

scoundrel ['skaʊndrəl] *n* (*dated*) Schurke *m*; (*col*) Bengel *m*.

scour[1] ['skaʊəʳ] *vt pans* scheuern.

scour[2] *vt area* absuchen (*for* nach).

scourer ['skaʊərəʳ] *n* Topfkratzer *m*.

scourge [skɜːdʒ] 1 *n* (*lit, fig*) Geißel *f*. 2 *vt* a geißeln. b (*fig: punish*) (be)strafen.

Scouse [skaʊs] (*Brit col*) 1 *adj* Liverpooler. 2 *n* (*person*) Liverpooler(in *f*) *m*; (*dialect*) Liverpooler Dialekt *m*.

scout [skaʊt] 1 *n* a (*Mil*) Späher *m*. b Pfadfinder *m*; (*US: girl ~*) Pfadfinderin *f*. 2 *vi* erkunden ▶ *to ~ (around) for sth* nach etw Ausschau halten.

Scouter ['skaʊtəʳ] *n* Gruppenführer *m*.

scout: *~ master* *n* (*old*) Gruppenführer *m*; *~ troop* *n* Pfadfindergruppe *f*.

scowl [skaʊl] 1 *n* finsterer Blick, böses Gesicht ▶ *to give sb a ~* jdn böse ansehen. 2 *vi* ein finsteres Gesicht machen ▶ *to ~ at sb* jdn böse ansehen.

scrabble ['skræbl] *vi* (*also ~ about*) (herum)tasten; (*among movable objects*) (herum)wühlen.

scraggy ['skrægɪ] *adj* (+*er*) *meat* sehnig.

scram [skræm] *vi* (*col*) abhauen (*col*) ▶ *~!* hau ab!, verschwinde/verschwindet!

scramble ['skræmbl] 1 *vt* a *pieces, letters* (ver)mischen. b *eggs* verrühren ▶ *~d eggs* Rührei(er *pl*) *nt*. c (*Telec*) *message* verschlüsseln. 2 *vi* a (*climb*) klettern ▶ *he ~d to his feet* er rappelte sich auf (*col*); *to ~ through the hedge* durch die Hecke krabbeln (*col*); *to ~ up sth* auf etw (*acc*) hinaufklettern. b (*struggle*) *to ~ for sth/to get sth* sich um etw raufen/sich um, etw zu bekommen; *for ball etc* um etw kämpfen/darum kämpfen, etw zu bekommen; *for bargains, job, good site* sich um etw drängeln/sich drängeln, um etw zu bekommen. 3 *n* a (*rush*) Gedrängel *nt* (*for* nach). b (*motorcycle ~*) Querfeldeinrennen *nt*.

scrambler ['skræmbləʳ] *n* (*Telec*) Chiffriergerät *nt*.

scrap[1] [skræp] 1 *n* a (*small piece*) Stückchen *nt*; (*fig*) bißchen *nt no pl*; (*of papers also, of conversation, news*) Fetzen *m*; (*of truth*) Fünkchen *nt*, Spur *f* ▶ *there isn't a ~ of food in the house* es ist überhaupt nichts zu essen im Haus; *not a ~!* nicht die Spur!; *not a ~ of evidence* nicht der geringste Beweis. b (*usu pl: leftover*) Rest *m*. c (*waste material*) Altmaterial *nt*; (*metal*) Schrott *m*; (*paper*) Altpapier *nt* ▶ *are these notes ~?* können die Notizen weggeworfen werden?; *to sell a ship for ~* ein Schiff zum Verschrotten verkaufen. 2 *vt car, ship etc* verschrotten; *furniture, clothes* ausrangieren; *idea, plan etc* fallenlassen; *piece of work* wegwerfen.

scrap[2] (*col*) 1 *n* Balgerei *f*; (*verbal*) Streiterei *f*. 2 *vi* sich balgen; (*verbally*) sich streiten.

scrap: *~book* *n* Sammelalbum *nt*; *~ dealer* *n* (*in metal*) Schrotthändler *m*.

scrape [skreɪp] 1 *n* a (*act*) *to give sth a ~* see *vt* (a). b (*mark, graze*) Schramme *f*. c (*sound*) Kratzen *nt*. d (*difficulty*) Schwulitäten *pl* (*col*) ▶ *to get sb out of a ~* jdm aus der Klemme helfen (*col*). 2 *vt* a (*make clean or smooth*) *potatoes etc* schaben; *plate, wall* abkratzen; *saucepan* auskratzen ▶ *that's really scraping the barrel* (*fig*) das ist wirklich das Letzte vom Letzten. b *gatepost etc* streifen; *paintwork* an-

kratzen; *knee* aufschürfen. **c** (*grate against*) kratzen an (+*dat*). **d** (*make by scraping*) *hole* scharren ► *to ~ a living* gerade so sein Auskommen haben.
3 *vi he ~d at the paint for hours* er kratzte stundenlang an der Farbe herum.
◆**scrape along** *or* **by** *vi* sich schlecht und recht durchschlagen (*col*) (*on* mit).
◆**scrape off** *vt sep* abkratzen (*prep obj* von).
◆**scrape through 1** *vi* (*lit*) (*object*) gerade so durchgehen; (*person*) sich durchzwängen; (*in exam*) gerade noch durchkommen (*col*).
2 *vi* +*prep obj narrow gap* sich durchzwängen durch; *exam* gerade noch durchkommen durch (*col*).
◆**scrape together** *vt sep leaves* zusammenharken; *money* zusammenkratzen; *people* zusammenbringen; *support* (*mit einigen Schwierigkeiten*) organisieren.
scraper ['skreɪpəʳ] *n* (*tool*) Spachtel *m*; (*at door*) Kratzeisen *nt*.
scrapheap ['skræp,hiːp] *n* Schrotthaufen *m* ► *to be thrown on the ~* (*thing*) zum Schrott geworfen werden; (*person*) zum alten Eisen geworfen werden; (*idea*) über Bord geworfen werden.
scrap: ~ merchant *n* (*in metal*) Schrotthändler *m*; **~ metal** *n* Schrott *m*, Altmetall *nt*; **~ paper** *n* Schmierpapier *nt*.
scrappy ['skræpɪ] *adj* (+*er*) zusammengestoppelt (*col*); *knowledge* lückenhaft.
scrap yard *n* Schrottplatz *m*.
scratch [skrætʃ] **1** *n* **a** (*mark*) Kratzer *m*. **b** (*act*) *the dog enjoys a ~* der Hund kratzt sich gern. **c** *to start from ~* (*ganz*) von vorn(e) anfangen; *to start sth from ~* etw ganz von vorne anfangen; *business* etw aus dem Nichts aufbauen; *to learn a language/a new trade from ~* eine Sprache von Grund auf erlernen/einen neuen Beruf von der Pike auf erlernen; *to come up to ~* (*col*) den Anforderungen entsprechen.
2 *adj attr meal* improvisiert; *crew, team* zusammengewürfelt.
3 *vt* kratzen; *hole* scharren; (*leave ~es on*) zerkratzen ► *to ~ one's head* (*lit, fig*) sich (*dat*) den Kopf kratzen; *if you ~ my back, I'll ~ yours* (*fig*) eine Hand wäscht die andere; *to ~ the surface of sth* (*fig*) etw (*nur*) oberflächlich berühren.
4 *vi* **a** (*make ~ing movement/noise*) kratzen; (*in soil etc*) scharren; (*~ oneself*) sich kratzen. **b** (*become ~ed*) *the new paint ~es easily* der neue Lack bekommt leicht Kratzer.
◆**scratch out** *vt sep* auskratzen; (*cross out*) ausstreichen.
scratch: ~ card *n* (*for lottery etc*) Rubbelkarte *f*; **~ pad** *n* (*US Comp*) Notizblock *m*.
scratchy ['skrætʃɪ] *adj* (+*er*) *sound, pen* kratzend *attr*; *record* zerkratzt; *feel, sweater* kratzig.
scrawl [skrɔːl] **1** *n* Gekrakel *nt* (*col*); (*handwriting*) Klaue *f* (*col*); (*col: message*) gekritzelte Nachricht.
2 *vt* hinkritzeln.
scrawny ['skrɔːnɪ] *adj* (+*er*) dürr.
scream [skriːm] **1** *n* **a** Schrei *m*; (*screech*) Kreischen *nt*; (*of engine, siren*) Heulen *nt* ► *there were ~s of laughter from the audience* das Publikum kreischte vor Lachen; *to give a ~* einen Schrei ausstoßen. **b** (*fig col*) *to be a ~* zum Schreien sein (*col*).
2 *vt* scream; *command* brüllen; (*fig: headlines*) ausschreien ► *to ~ sth at sb* jdm etw zuschreien; *you idiot, she ~ed at me* du Idiot, schrie sie mich an.
3 *vi* schreien; kreischen; (*wind, engine, siren*) heulen ► *to ~ at sb* jdn anschreien; *to ~ with laughter* vor Lachen kreischen.
scree [skriː] *n* Geröll *nt*.
screech [skriːtʃ] **1** *n* Kreischen *nt no pl*; (*of tyres also, of brakes*) Quietschen *nt no pl*; (*of owl*) Schrei *m* ► *the*

car stopped with a ~ of brakes das Auto hielt mit quietschenden Bremsen.
2 *vi* kreischen; (*brakes, tyres also*) quietschen.
screen [skriːn] **1** *n* **a** (*protective*) Schirm *m*; (*for privacy etc*) Wandschirm *m*; (*as partition*) Trennwand *f*; (*against insects*) Fliegenfenster *nt*; (*fig*) (*for protection*) Schutz *m*; (*of trees*) Wand *f*; (*of mist, secrecy*) Schleier *m*. **b** (*Film*) Leinwand *f*; (*TV, radar ~, Comp*) (*Bild*)schirm *m* ► *the big/small ~* die Leinwand/der Fernsehschirm; *to edit on ~* (*Comp*) am Bildschirm editieren.
2 *vt* **a** (*hide*) verdecken; (*protect*) abschirmen (*from* gegen) ► *he ~ed his eyes from the sun* er schützte die Augen vor der Sonne. **b** *TV programme* senden; *film* vorführen. **c** (*sift*) sieben. **d** (*investigate*) *applicants, security risks* überprüfen.
screening ['skriːnɪŋ] *n* **a** (*of applicants, security risks*) Überprüfung *f*; (*Med*) Untersuchung *f*. **b** (*of film*) Vorführung *f*; (*TV*) Sendung *f*.
screen: ~ memory *n* (*Comp*) Bildschirmspeicher *m*; **~play** *n* Drehbuch *nt*; **~ printing** *n* Siebdruck(verfahren *nt*) *m*; **~ test** *n* Probeaufnahmen *pl*.
screw [skruː] **1** *n* **a** (*Mech, Naut, Aviat*) Schraube *f* ► *he's got a ~ loose* (*col*) bei dem ist eine Schraube locker (*col*); *to put the ~s on sb* (*col*) jdm die Daumenschrauben anlegen. **b** (*Brit col: prison officer*) Schließer *m* (*col*).
2 *vt* **a** schrauben (*to* an +*acc, onto* auf +*acc*). **b** (*col: put pressure on*) *to ~ sb for sth* etw aus jdm herausquetschen (*col*). **c** (*col!: have sex with*) bumsen (*col*), vögeln (*col!*).
◆**screw together** *vt sep* zusammenschrauben.
◆**screw up** *vt sep* **a** *paper, material* zerknüllen; *eyes* zusammenkneifen; *face* verziehen ► *to ~ ~ one's courage* seinen ganzen Mut zusammennehmen. **b** (*col*) (*spoil*) vermasseln (*col*); (*make uptight*) *sb* neurotisch machen ► *to get ~ed ~ about sth* sich wegen etw ganz verrückt machen.
screw: ~ball (*esp US col*) *n* Spinner(in *f*) *m* (*col*); **~ cap** *n* Schraubverschluß *m*; **~driver** *n* Schraubenzieher *m*; **~ top** *n* Schraubverschluß *m*.
screwy ['skruːɪ] *adj* (+*er*) (*col*) verrückt, bekloppt (*col*); (*weird*) *person, humour* komisch.
scribble ['skrɪbl] **1** *n* Gekritzel *nt no pl*; (*note*) schnell hingekritzelte Nachricht.
2 *vt* (*also ~ down*) hinkritzeln ► *to ~ sth on sth* etw auf etw (*acc*) kritzeln.
3 *vi* kritzeln.
scribbler ['skrɪbləʳ] *n* (*pej col*) Schreiberling *m* (*pej*).
scribe [skraɪb] *n* Schreiber *m*; (*Bibl*) Schriftgelehrte(r) *m*.
scrimmage ['skrɪmɪdʒ] *n* (*US Ftbl*) Gedränge *nt*; (*Rugby*) offenes Gedränge; (*col: struggle also*) Rangelei *f* (*col*).
scrimp [skrɪmp] *vi* sparen, knausern ► *to ~ and save* geizen und sparen.
script [skrɪpt] *n* **a** (*style of writing*) Schrift *f*; (*handwriting*) Handschrift *f*. **b** (*of play, documentary*) Text *m*; (*for film*) Drehbuch *nt*.
scripted ['skrɪptɪd] *adj discussion* vorbereitet.
scripture ['skrɪptʃəʳ] *n* **a** *S~, the S~s* die (*Heilige*) Schrift. **b** (*Sch*) Religion *f*.
scriptwriter ['skrɪpt,raɪtəʳ] *n* (*Film*) Drehbuchautor(in *f*) *m*.
scroll [skrəʊl] **1** *n* Schriftrolle *f*; (*decorative*) Schnörkel *m*.
2 *vi* (*Comp*) blättern.
scrotum ['skrəʊtəm] *n* (*Anat*) Hodensack *m*.
scrounge [skraʊndʒ] (*col*) **1** *vi* (*sponge*) schnorren (*col*) (*off, from* bei) ► *he ~d off his parents for years* er lag seinen Eltern jahrelang auf der Tasche (*col*).
2 *vt* schnorren (*col*), abstauben (*col*) (*from, off* bei).

3 *n* (*col*) **to be on the** ~ am Schnorren sein (*col*).
scrounger ['skraʊndʒə^r] *n* (*col*) Schnorrer(in *f*) *m* (*col*).
scrub[1] [skrʌb] *nt* (*Bot*) Gebüsch, Gestrüpp *nt*.
scrub[2] **1** *n* Schrubben *nt no pl* ▶ **to give sth a ~/a**
good ~ etw schrubben/gründlich abschrubben.
2 *vt* schrubben; *vegetables* putzen; (*col: cancel*) abblasen (*col*); *idea* abschreiben (*col*) ▶ **to ~ oneself down**
sich abschrubben.
scrub brush (*US*), **scrubbing brush** (*Brit*)
['skrʌbɪŋ,brʌʃ] *n* Scheuerbürste *f*.
scruff[1] [skrʌf] *n* **by the ~ of the neck** am Genick.
scruff[2] *n* (*col: scruffy person*) (*man*) abgerissener Typ;
(*woman*) Schlampe *f* (*pej col*).
scruffily ['skrʌfɪlɪ] *adv* (*col*) gammelig (*col*).
scruffiness ['skrʌfɪnɪs] *n* (*col*) vergammelter Zustand.
scruffy ['skrʌfɪ] *adj* (*+er*) (*col*) vergammelt (*col*); *house*
also verlottert (*col*), verwahrlost.
scrum [skrʌm] *n* (*Rugby*) Gedränge *nt*.
scrumptious ['skrʌmpʃəs] *adj* (*col*) *meal etc* lecker.
scruple ['skru:pl] *n* Skrupel *m usu pl* ▶ **~s** (*doubts*)
(moralische) Bedenken *pl*; **to have no ~s** keine Skrupel
haben.
scrupulous ['skru:pjʊləs] *adj* (*person*) gewissenhaft;
honesty, fairness unbedingt; *cleanliness* peinlich; *account*
(peinlich) genau.
scrupulously ['skru:pjʊləslɪ] *adv* (*honestly,*
conscientiously) gewissenhaft; (*meticulously*) *exact, clean*
peinlich; *fair, careful* äußerst.
scrutinize ['skru:tɪnaɪz] *vt* (*examine*) (genau) untersuchen; (*check*) genau prüfen; *votes* prüfen; (*stare at*) mustern ▶ **to ~ sth for sth** etw auf etw (*acc*) prüfen.
scrutiny ['skru:tɪnɪ] *n* **a** (*examination*) Untersuchung *f*;
(*checking*) (Über)prüfung *f*; (*of person*) Musterung *f*;
(*stare*) musternder Blick ▶ **it does not stand up to ~** es
hält keiner genauen Prüfung stand. **b** (*Pol*) Wahlprü-
fung *f*.
scuba ['sku:bə] *n* (Schwimm)tauchgerät *nt* ▶ **~ diver**
(Sport)taucher(in *f*) *m*; **~ diving** Sporttauchen *nt*.
scuff [skʌf] **1** *vt* abwetzen.
2 *n* (~ *mark*) abgewetzte Stelle.
scuffle ['skʌfl] **1** *n* (*skirmish*) Rauferei *f* (*col*).
2 *vi* (*have skirmish*) sich raufen ▶ **to ~ with the police**
ein Handgemenge *nt* mit der Polizei haben.
scullery ['skʌlərɪ] *n* Spülküche *f*.
sculpt [skʌlpt] **1** *vt* = **sculpture 2. 2** *vi* bildhauern
(*col*).
sculptor ['skʌlptə^r] *n* Bildhauer(in *f*) *m*.
sculptress ['skʌlptrɪs] *n* Bildhauerin *f*.
sculpture ['skʌlptʃə^r] **1** *n* (*art*) Bildhauerkunst *f*;
(*work*) Bildhauerei *f*; (*object*) Skulptur, Plastik *f*.
2 *vt formen*; (*in stone*) hauen, meißeln; (*in clay etc*)
modellieren ▶ **he ~d the tombstone out of marble** er
haute den Grabstein in Marmor.
scum [skʌm] *n* **a** (*on liquid*) Schaum *m*; (*residue*) Rand
m. **b** (*pej col*) (*collective*) Abschaum *m*; (*one individual*)
Dreckskerl *m* (*col*) ▶ **the ~ of the earth** der Abschaum
der Menschheit.
scupper ['skʌpə^r] *vt* (*Naut*) versenken; (*Brit col: ruin*)
zerschlagen ▶ **if he finds out, we'll be ~ed** wenn er das
erfährt, sind wir erledigt (*col*).
scurrilous ['skʌrɪləs] *adj* (*abusive*) verleumderisch;
(*indecent*) unflätig.
scurry ['skʌrɪ] *vi* (*person*) hasten; (*with small steps*)
trippeln; (*animals*) huschen ▶ **to ~ along**
entlanghasten/entlangtrippeln/entlanghuschen.
scurvy ['skɜ:vɪ] *n* Skorbut *m*.
scuttle[1] ['skʌtl] *n* Kohleneimer *m*.
scuttle[2] *vi* (*person*) trippeln; (*animals*) hoppeln; (*spiders,*
crabs etc) krabbeln ▶ **she ~d off in a hurry** sie flitzte
davon.
scuttle[3] (*Naut*) *vt* versenken.

scythe [saɪð] **1** *n* Sense *f*.
2 *vt* (mit der Sense) mähen.
SD (*US Post*) = **South Dakota**.
SDI = **strategic defence initiative** SDI *f*.
SDLP (*Brit Pol*) = **Social Democratic and Labour**
Party *sozialistische Partei Nordirlands*.
SDP (*Brit Pol Hist*) = **Social Democratic Party**.
sea [si:] *n* **a** Meer *nt*, See *f* ▶ **by** ~ auf dem Seeweg; **to**
travel by ~ mit dem Schiff fahren; **a town by the** ~ eine
Stadt am Meer; **(out) at** ~ auf See; **as I looked out to** ~
als ich aufs Meer hinausblickte; **to be all at** ~ (*fig*) nicht
durchblicken (*col*) (*with* bei); **to go to** ~ zur See gehen;
to put to ~ in See stechen; **heavy/strong ~s** schwere/
rauhe See; **a ~ of faces** ein Meer von Gesichtern; **a ~ of**
flame ein Flammenmeer.
sea: ~ **air** *n* Seeluft *f*; ~ **anemone** *n* Seeanemone *f*;
~**bed** *n* Meeresboden *m*; ~ **bird** *n* Seevogel *m*; ~**board**
n (*US*) Küste *f*; ~ **breeze** *n* Seewind *m*; ~ **change** *n*
totale Veränderung; ~**farer** *n* Seefahrer *m*; ~**faring** *adj*
nation, people seefahrend; ~**food** *n* Meeresfrüchte *pl*; ~
front *n* Strandpromenade *f*; ~**going** *adj* *boat etc*
hochseetüchtig; *nation, family* Seefahrer-; ~**green** *adj*
meergrün; ~**gull** *n* Möwe *f*; ~**horse** *n* Seepferdchen *nt*.
seal[1] [si:l] *n* (*Zool*) Seehund *m*; (~*skin*) Seal *m*.
seal[2] **1** *n* **a** (*impression in wax etc*) Siegel *nt*; (*against*
unauthorized opening) Versiegelung *f*; (*die*) Stempel *m*;
(*decorative label*) Aufkleber *m* ▶ **under the ~ of secrecy**
unter dem Siegel der Verschwiegenheit; ~ **of quality**
Gütesiegel *nt*; **to put one's ~ of approval on sth** einer
Sache (*dat*) seine offizielle Zustimmung geben. **b** (*air-*
tight closure) Verschluß *m*; (*washer*) Dichtung *f*.
2 *vt* versiegeln; *envelope, package* also zukleben; (*make*
air- or watertight) *joint etc* abdichten; (*fig: finalize*)
besiegeln ▶ **~ed envelope** verschlossener Briefumschlag;
my lips are ~ed meine Lippen sind versiegelt; **this ~ed**
his fate dadurch war sein Schicksal besiegelt.
◆**seal off** *vt sep* absperren, abriegeln.
◆**seal up** *vt sep* versiegeln; *parcel, letter* zukleben; *crack,*
windows abdichten.
sealant ['si:lənt] *n* Dichtungsmasse *f*.
sea: ~ **legs** *npl*: **to find one's ~ legs** (auf dem/einem
Schiff) standfest werden; ~ **level** *n* Meeresspiegel *m*;
above/below ~ level über/unter dem Meeresspiegel.
sealing wax ['si:lɪŋ,wæks] *n* Siegelwachs *nt*.
sea lion *n* Seelöwe *m*.
sealskin ['si:lskɪn] *n* Seehundfell *nt*, Seal *m*.
seam [si:m] *n* **a** Naht *f* ▶ **to come apart at the ~s** (*lit,*
fig) aus den Nähten gehen; **to be bursting at the ~s** (*lit,*
fig) aus allen Nähten platzen (*col*). **b** (*Geol*) Flöz *nt*.
seaman ['si:mən] *n, pl* -**men** [-mən] Seemann *m*.
seamanship ['si:mənʃɪp] *n* Seemannschaft *f*.
sea: ~ **mile** *n* Seemeile *f*; ~ **mist** *n* Küstennebel *m*.
seamless ['si:mlɪs] *adj* nahtlos.
seamstress ['semstrɪs] *n* Näherin *f*.
seamy ['si:mɪ] *adj* (*+er*) (*down-at-heel*) heruntergekommen; (*dubious*) zwielichtig ▶ **the ~ side of**
life die Schattenseite des Lebens.
séance ['seɪɑ:ns] *n* spiritistische Sitzung, Séance *f*.
sea: ~ **plane** *n* Wasserflugzeug *nt*; ~ **port** *n* Seehafen *m*;
~ **power** *n* Seemacht *f*.
search [sɜ:tʃ] **1** *n* (*hunt: for lost object, person etc*) Suche *f* (*for* nach); (*examination: of luggage etc*) Durchsuchung *f* (*of* gen); (*Comp, Rad*) Suchlauf *m* ▶ **to go in**
~ **of sb/sth** auf die Suche nach jdm/etw gehen.
2 *vt* (*for* nach) durchsuchen; *archives etc* suchen in
(+*dat*), durchforschen; *conscience* erforschen; *memory*
etc durchforschen ▶ **to ~ a place for sb/sth** einen Ort
nach jdm/etw absuchen; ~ **me!** (*col*) was weiß ich?
(*col*).
3 *vi* suchen (*for* nach).
◆**search through** *vi* +*prep obj* durchsuchen; *papers,*

books durchsehen.

searcher ['sɜːtʃə(r)] *n* Suchende(r) *mf* ▶ *the* ~*s* (*search party*) die Suchmannschaft.

searching ['sɜːtʃɪŋ] *adj look* forschend; *question* durchdringend.

search: ~**light** *n* Suchscheinwerfer *m*; ~ **party** *n* Suchmannschaft *f*; ~ **warrant** *n* Durchsuchungsbefehl *m*.

searing ['sɪərɪŋ] *adj heat* glühend; *pain also* scharf.

sea: ~ **salt** *n* Meersalz *nt*; ~**scape** *n* Seestück *nt*; ~ **shell** *n* Muschel *f*; ~**shore** *n* Strand *m*; *on the* ~**shore** am Strand; ~**sick** *adj* seekrank; ~**sickness** *n* Seekrankheit *f*; ~**side** [1] *n at the* ~**side** am Meer; *to go to the* ~**side** ans Meer fahren; [2] *attr town* Küsten-; *holiday* am Meer; ~**side resort** Badeort *m*.

season ['siːzn] [1] *n* [a] (*of the year*) Jahreszeit *f* ▶ *rainy/monsoon* ~ Regen-/Monsunzeit *f*. [b] (*sporting* ~ *etc*) Saison *f* ▶ *holiday* ~ Urlaubszeit *f*; *close* ~ (*Hunt*) Schonzeit *f*; *nesting/hunting* ~ Brut-/Jagdzeit *f*; *the football* ~ die Fußballsaison; *strawberries are in* ~*/out of* ~ *now* für Erdbeeren ist jetzt die richtige/nicht die richtige Zeit; *"S~'s greetings"* „fröhliche Weihnachten und ein glückliches neues Jahr". [2] *vt* [a] *food* würzen; (*fig: temper*) durchsetzen. [b] *wood* ablagern; (*fig: inure*) *troops* stählen.

seasonable ['siːzənəbl] *adj dress, weather etc* der Jahreszeit entsprechend *attr* ▶ *to be* ~ der Jahreszeit entsprechen.

seasonal ['siːzənl] *adj employment etc* Saison-.

seasonally ['siːzənlɪ] *adv.* ~ *adjusted* saisonbereinigt.

seasoned ['siːznd] *adj* [a] *food* gewürzt. [b] *timber* abgelagert. [c] (*fig: experienced*) erfahren.

seasoning ['siːznɪŋ] *n* (*Cook*) Gewürz *nt*.

season ticket *n* (*Rail*) Zeitkarte *f*; (*Theat*) Abonnement *nt*.

seat [siːt] [1] *n* [a] (*place to sit*) (Sitz)platz *m*; (*piece of furniture*) Sitz *m*; (*usu pl:* ~*ing*) Sitzgelegenheit *f* ▶ *driving* ~ Fahrersitz *m*; *we haven't enough* ~*s* wir haben nicht genügend Sitzgelegenheiten; *to lose one's* ~ seinen Platz verlieren; *will you keep my* ~ *for me?* würden Sie mir meinen Platz freihalten?; *I've booked two* ~*s* ich habe zwei Plätze reservieren lassen. [b] (*of chair etc*) Sitz *m*, Sitzfläche *f*; (*of trousers*) Hosenboden *m*; (*buttocks*) Gesäß *nt*. [c] (*on committee, of government, in parliament*) Sitz *m*; (*of fire, trouble*) Herd *m* ▶ *to win a* ~ ein Mandat gewinnen; *his* ~ *is in Devon* sein Wahlkreis *m* ist in Devon; ~ *of emotions* Sitz der Gefühle; ~ *of learning* Lehrstätte *f*. [2] *vt* [a] *person etc* setzen ▶ *to* ~ *oneself* sich setzen; *to be* ~*ed* sitzen; *please be* ~*ed* bitte, setzen Sie sich; *to remain* ~*ed* sitzen bleiben. [b] (*have sitting room for*) *the car/table* ~*s 4* im Auto/am Tisch ist Platz für 4 Personen; *the theatre* ~*s 900* das Theater hat 900 Sitzplätze.

seat belt *n* Sicherheitsgurt *m* ▶ *to fasten one's* ~ sich anschnallen.

-seater [-siːtə(r)] *suf* [1] *n* -sitzer *m*. [2] *attr car, plane* -sitzig.

seating ['siːtɪŋ] *n* Sitzplätze *pl* ▶ ~ *arrangements* Sitzordnung *f*; ~ *capacity* (Zahl *f* der) Sitzplätze.

sea: ~ **urchin** *n* Seeigel *m*; ~ **wall** *n* Deich *m*; ~ **water** *n* Meerwasser *nt*; ~**weed** *n* (See)tang *m*, Seegras *nt*; ~**worthy** *adj* seetüchtig.

sec [sek] = **second(s)** Sek.

Sec = **Secretary** Sekr.

secateurs [,sekə'tɜːz] *npl* (*Brit*) Gartenschere *f*.

secede [sɪ'siːd] *vi* sich abspalten.

secession [sɪ'seʃən] *n* Abspaltung *f*, (*US Hist*) Sezession *f*.

secluded [sɪ'kluːdɪd] *adj spot, house* abgelegen; *life* zurückgezogen.

seclusion [sɪ'kluːʒən] *n* (*of house, spot*) Abgelegenheit *f*.

second¹ ['sekənd] [1] *adj* zweite(r, s) ▶ *the* ~ *floor* (*Brit*) der zweite Stock; (*US*) der erste Stock; *a* ~ *Goethe* ein zweiter Goethe; *every* ~ *house* jedes zweite Haus; *to be* ~ Zweite(r, s) sein; *to be* ~ *to none* unübertroffen sein; *in* ~ *place* (*Sport etc*) an zweiter Stelle; *in the* ~ *place* (*secondly*) zweitens; *to be* ~ *in command* (*Mil*) stellvertretender Kommandeur sein; (*fig*) der zweite Mann sein; *will you have a* ~ *cup?* möchten Sie noch eine Tasse?

[2] *adv* (+*adj*) zweit-; (+*vb*) an zweiter Stelle ▶ *the* ~ *largest house* das zweitgrößte Haus; *to come/lie* ~ (*in race, competition*) Zweite(r) werden.

[3] *vt motion, proposal* unterstützen ▶ *I'll* ~ *that!* (*at meeting*) ich unterstütze das; (*in general*) (genau) meine Meinung.

[4] *n* [a] (*of time, Math, Sci*) Sekunde *f*; (*col: short time*) Augenblick *m* ▶ *just a* ~! (einen) Augenblick!; *it won't take a* ~ es dauert nicht lange; *I'll only be a* ~ (*or two*) ich komme gleich; (*back soon*) ich bin gleich wieder da; *at that very* ~ genau in dem Augenblick. [b] *the* ~ (*in order*) der/die/das zweite; (*in race, class etc*) der/die/das Zweite; *to come a poor/good* ~ einen schlechten/guten zweiten Platz belegen; *Elizabeth the S~* Elisabeth die Zweite. [c] (*Brit Univ: degree*) *she got a* ~ ≃ sie bestand (ihr Examen) mit „gut". [d] ~*s pl* (*col:* ~ *helping*) Nachschlag *m* (*col*); *can I have a* ~*s?* kann ich noch etwas nachbekommen? [e] (*Comm*) ~*s pl* Waren zweiter Wahl. [f] (*Boxing, duelling*) Sekundant *m*.

second² [sɪ'kɒnd] *vt* (*Brit*) abordnen.

secondary ['sekəndərɪ] *adj* [a] sekundär, Sekundär- (*also Sci*); *road, effect* Neben-; *industry* verarbeitend; *reason* weniger bedeutend ▶ *of* ~ *importance* von untergeordneter Bedeutung. [b] (*higher*) *education, school* höher ▶ ~ *modern (school)* (*Brit*) ≃ Realschule *f*.

┌─ **SECONDARY SCHOOL** ─────────────────┐

ⓘ *Secondary school ist in Großbritannien eine weiterführende Schule für Kinder von 11 bis 18 Jahren. Manche Schüler gehen schon mit 16 Jahren, wenn die allgemeine Schulpflicht endet, von der Schule ab. Die meisten secondary schools sind heute Gesamtschulen, obwohl es auch noch selektive Schulen gibt. Siehe auch* **comprehensive school, primary school.**

second: ~**best** [1] *n* Zweitbeste(r, s); *(the)* ~*best isn't good enough for him* das Beste ist gerade gut genug für ihn; [2] *adj* zweitbeste(r, s); [3] *adv to come off* ~*best* (*come off badly*) den kürzeren ziehen; ~ *class* *n* (*Rail etc, mail*) zweite Klasse; ~**class** *adj* [a] *also adv travel, mail, citizen* zweiter Klasse (*after noun*); [b] = ~**rate**; ~ **cousin** *n* Cousin *m*/Cousine *f* zweiten Grades.

seconder ['sekəndə(r)] *n* Befürworter(in *f*) *m*.

second: ~**guess** *vt to* ~**guess sb** vorhersagen, was jd machen/sagen wird; ~ **hand** *n* (*of watch*) Sekundenzeiger *m*; ~**hand** [1] *adj* gebraucht; *car also* Gebraucht-; *dealer* Gebrauchtwaren-; (*for cars*) Gebrauchtwagen-; *bookshop* Antiquariats-; *clothes* getragen, Secondhand- (*esp Comm*); (*fig*) *information, knowledge* aus zweiter Hand; [2] *adv* gebraucht, aus zweiter Hand; *I only heard it* ~*hand* ich habe es nur aus zweiter Hand; ~ *home* *n* Zweitwohnung *f*.

secondly ['sekəndlɪ] *adv* zweitens; (*secondarily*) an zweiter Stelle, in zweiter Linie.

secondment [sɪ'kɒndmənt] *n* (*Brit*) Abordnung *f* ▶ *to be on* ~ abgeordnet sein.

second: ~ **nature** *n* zweite Natur; *to become* ~ *nature (to sb)* in Fleisch und Blut übergehen; ~**rate** *adj* (*pej*) zweitklassig; ~ *sight* *n* das Zweite Gesicht; *you must have* ~ *sight* du mußt hellsehen können; ~

thoughts *npl* *to have* ~ *thoughts about sth* sich (*dat*) etw anders überlegen; *on* ~ *thoughts I decided not to* dann habe ich mich doch dagegen entschieden.

secrecy ['si:krəsɪ] *n* (*of person*) Verschwiegenheit *f*; (*secretiveness*) Heimlichtuerei *f*; (*of event, talks*) Heimlichkeit *f* ▶ *in* ~ im geheimen.

secret ['si:krɪt] **1** *adj* geheim; *weapon, negotiations, code* Geheim-; *drinker, admirer* heimlich ▶ *the* ~ *ingredient* die geheimnisvolle Zutat; (*fig: of success etc*) die Zauberformel; *to keep sth* ~ *(from sb)* etw (vor jdm) geheimhalten; *it's all highly* ~ es ist alles streng geheim. **2** *n* Geheimnis *nt* ▶ *in* ~ im geheimen; *I told you that in* ~ *or as a* ~ ich habe Ihnen das im Vertrauen erzählt; *they always met in* ~ sie trafen sich immer heimlich; (*society etc*) sie hatten immer geheime Versammlungen; *there's no* ~ *about it* das ist kein Geheimnis; *to keep a* ~ ein Geheimnis bewahren; *can you keep a* ~*?* kannst du schweigen?; *to make no* ~ *of sth* kein Geheimnis aus etw machen.

secret agent *n* Geheimagent(in *f*) *m.*

secretarial [ˌsekrə'tɛərɪəl] *adj* Sekretärinnen-; *job, qualifications* als Sekretärin.

secretariat [ˌsekrə'tɛərɪət] *n* Sekretariat *nt.*

secretary ['sekrətrɪ] *n* Sekretär(in *f*) *m*; (*of society*) Geschäftsführer(in *f*) *m*; (*keeping minutes etc*) Schriftführer(in *f*) *m*; (*esp US Pol: minister*) Minister(in *f*) *m.*

secretary: ~ **bird** *n* Sekretär *m*; **S~ General** *n, pl* **Secretaries General** *or* **S~ Generals** Generalsekretär *m*; **S~ of State** *n* (*Brit*) Minister(in *f*) *m*; (*US*) Außenminister(in *f*) *m*; ~ **pool** *n* (*US*) = **typing pool.**

secrete [sɪ'kri:t] *vt* **a** (*hide*) verbergen. **b** (*Med*) absondern.

secretion [sɪ'kri:ʃən] *n* **a** (*hiding*) Verbergen *nt.* **b** (*Med*) (*act*) Absonderung *f*; (*substance*) Sekret *nt.*

secretive ['si:krətɪv] *adj person* (*by nature*) verschlossen; (*in action*) geheimnistuerisch; *smile, behaviour* geheimnisvoll ▶ *to be* ~ *about sth* mit etw geheimnisvoll tun.

secretly ['si:krətlɪ] *adv* (*in secrecy*) im geheimen; *meet* heimlich; (*privately*) insgeheim ▶ *he was* ~ *concerned* insgeheim war er beunruhigt.

secret: ~ **police** *n* Geheimpolizei *f*; ~ **service** *n* Geheimdienst *m.*

sect [sekt] *n* Sekte *f.*

sectarian [sek'tɛərɪən] *adj policy, views* religiös beeinflußt; *school also* konfessionell; *war, differences* Konfessions-; *groups* sektiererisch ▶ ~ *violence* (gewalttätige) Konfessionsstreitigkeiten; *it was a* ~ *bombing* der Bombenanschlag hing mit den Konfessionsstreitigkeiten zusammen.

section ['sekʃən] *n* **a** (*part*) Teil *m*; (*of book, motorway*) Abschnitt *m*; (*of document, law*) Absatz *m*; (*of railway*) Streckenabschnitt *m* ▶ *the string* ~ *of the orchestra* die Streicher *pl* des Orchesters; *the sports* ~ (*Press*) der Sportteil; *the black* ~ *of the community* die Gruppe der Schwarzen in der Gesellschaft. **b** (*department, Mil*) Abteilung *f.* **c** (*diagram*) Schnitt *m* ▶ *vertical/longitudinal* ~ Quer-/Längsschnitt *m.*

sectional ['sekʃənl] *adj* **a** (*in sections*) *furniture, pipe* zerlegbar, zusammensetzbar ▶ ~ *drawing* Darstellung *f* im Schnitt. **b** *rivalries* zwischen den Gruppen; *interests* partikularistisch.

sector ['sektə'] *n* Sektor *m.*

secular ['sekjʊlə'] *adj* weltlich; *music, art* profan.

secure [sɪ'kjʊə'] **1** *adj* (+*er*) sicher; (*emotionally*) geborgen; *existence, income* gesichert; (*firm*) *grip, knot* fest ▶ ~ *in the knowledge that ...* ruhig in dem Bewußtsein, daß ...; *to be* ~ *against sth* vor etw (*dat*) sicher sein; *to feel* ~ sich sicher fühlen; (*emotionally*) sich geborgen fühlen; *is the window/lid* ~*?* ist das Fenster

---

fest zu/ist der Deckel fest drauf?

2 *vt* **a** festmachen; (*tie up also*) fest zumachen; *door* fest zumachen; (*with bolt etc*) sichern; *tile* befestigen; (*make safe*) sichern (*from, against* gegen), schützen (*from, against vor* +*dat*). **b** (*obtain*) sich (*dat*) sichern; *votes, order* erhalten; *profits* erzielen; *share, interest in business* erwerben; (*buy*) erstehen; *employee* verpflichten. **c** (*guarantee*) sichern; *loan* (ab)sichern.

securely [sɪ'kjʊəlɪ] *adv* (*firmly*) fest; (*safely*) sicher.

security [sɪ'kjʊərɪtɪ] *n* **a** Sicherheit *f*; (*emotional*) Geborgenheit *f*; (~ *measures*) Sicherheitsvorkehrungen *pl* ▶ *for* ~ zur Sicherheit. **b** (~ *department*) Sicherheitsdienst *m.* **c** (*Fin*) (*guarantee*) Sicherheit *f*; (*guarantor*) Bürge *m* ▶ *to lend money on* ~ Geld gegen Sicherheit leihen. **d** (*Fin*) *securities pl* (Wert)papiere *pl.*

security *in cpds* Sicherheits-; (*Fin*) Wertpapier-; ~ **check** *n* Sicherheitskontrolle *f*; **S~ Council** *n* Sicherheitsrat *m*; ~ **firm** *n* Wach- und Sicherheitsdienst *m*; ~ **forces** *npl* Sicherheitskräfte *pl*; ~ **guard** *n* Sicherheitsbeamte(r) *m*; ~ **risk** *n* Sicherheitsrisiko *nt.*

sedan [sɪ'dæn] *n* (*US*) Limousine *f.*

sedate [sɪ'deɪt] **1** *adj* (+*er*) gesetzt; *colour* ruhig; *life* geruhsam; *speed* gemächlich. **2** *vt* Beruhigungsmittel geben (+*dat*) ▶ *he was heavily* ~*d* er stand stark unter dem Einfluß von Beruhigungsmitteln.

sedation [sɪ'deɪʃən] *n* Beruhigungsmittel *pl* ▶ *to put sb under* ~ jdm Beruhigungsmittel geben.

sedative ['sedətɪv] **1** *n* Beruhigungsmittel *nt.* **2** *adj* beruhigend.

sedentary ['sedntərɪ] *adj job* sitzend *attr*, *worker* Sitz- ▶ *to lead a* ~ *life* sehr viel sitzen.

sediment ['sedɪmənt] *n* (Boden)satz *m*; (*in river*) Ablagerung *f*, (*in solution*) Sediment *nt.*

sedimentary [ˌsedɪ'mentərɪ] *adj* sedimentär ▶ ~ *rocks* Sedimentgestein *nt.*

sedition [sə'dɪʃən] *n* Aufwiegelung *f.*

seditious [sə'dɪʃəs] *adj* aufrührerisch.

seduce [sɪ'dju:s] *vt* verführen ▶ *to* ~ *sb into doing sth* jdn zu etw verleiten.

seducer [sɪ'dju:sə'] *n* Verführer *m.*

seduction [sɪ'dʌkʃən] *n* Verführung *f.*

seductive [sɪ'dʌktɪv] *adj* verführerisch; *offer* verlockend.

see¹ [si:] *pret* **saw**, *ptp* **seen 1** *vt* **a** sehen; (*in book etc also*) lesen; (*check also*) nachsehen, gucken (*col*); *film* sich (*dat*) ansehen ▶ *worth* ~*ing* sehenswert; *to* ~ *sb do sth* sehen, wie jd etw macht; *I've never* ~*n him swim* ich habe ihn nie schwimmen sehen; *he was* ~*n to enter the building* man hat ihn gesehen, wie er das Gebäude betrat; *I saw it happen* ich habe gesehen, wie es passiert ist; *I don't like to* ~ *people mistreated* ich kann es nicht sehen, wenn Menschen schlecht behandelt werden; *I'll go and* ~ *who it is* ich sehe mal nach(, wer das ist); ~ *page 8* siehe Seite 8; *there was nothing to be* ~*n* es war nichts zu sehen; *I don't know what she* ~*s in him* ich weiß nicht, was sie an ihm findet; *we don't* ~ *much of them nowadays* wir sehen sie zur Zeit nur selten; *I shall be* ~*ing them for dinner* ich treffe sie beim Abendessen; ~ *you (soon)!* bis bald!; *be* ~*ing you!*, ~ *you later!* bis später!; ~ *you on Sunday!* bis Sonntag!; *you must be* ~*ing things* du siehst wohl Gespenster!; *that remains to be* ~*n* das wird sich zeigen; *now let me* ~ *how we can solve this* lassen Sie mich mal überlegen, wie wir das lösen können; *let me* ~ *if I can't find a better way* mal sehen, ob ich nicht etwas Besseres finden kann; *as I* ~ *it* so, wie ich das sehe; *try to* ~ *it my way* versuchen Sie doch einmal, es aus meiner Sicht zu sehen; *I don't* ~ *it that way* ich sehe das anders.

b (*visit*) besuchen; (*on business*) aufsuchen ▶ *to go* *and ~ sb* jdn besuchen (gehen); *to ~ the doctor* zum Arzt gehen; *he is the man to ~ about this* Sie sollten sich damit an ihn wenden.

c (*meet with*) sehen; (*talk to*) sprechen; (*receive visit of*) empfangen ▸ *the boss will ~ you now* der Chef läßt jetzt bitten; *I'll have to ~ my wife about that* das muß ich mit meiner Frau besprechen; *have you ~n Personnel yet?* waren Sie schon bei der Personalabteilung?

d (*accompany*) begleiten, bringen ▸ *to ~ sb to the door* jdn zur Tür bringen; *to ~ sb home* jdn heimbegleiten.

e (*visualize*) sich (*dat*) vorstellen ▸ *I can't ~ that working* ich kann mir kaum vorstellen, daß das klappt; *I can't ~ myself in that job* ich glaube nicht, daß das eine Stelle für mich wäre.

f (*understand*) verstehen; (*understand the reason for*) einsehen; (*realize*) erkennen ▸ *I don't ~ the need for the change* ich sehe nicht ein, warum das geändert werden muß; *I can ~ that it might be a good thing* ich sehe ja ein, daß das eine gute Idee wäre; *I can ~ I'm going to be busy* ich sehe schon, ich werde viel zu tun haben; *I fail to* or *don't ~ how anyone could ...* ich begreife einfach nicht, wie jemand nur ... kann; *I don't ~ how it works* es ist mir nicht klar, wie das funktioniert; *I ~ from this report that ...* ich ersehe aus diesem Bericht, daß ...; *(do you) ~ what I mean?* verstehst du(, was ich meine)?; *(didn't I tell you!)* siehst du's jetzt!; *I ~ what you mean* ich verstehe, was du meinst; (*you're quite right*) ja, du hast recht; *to make sb ~ sth* jdm etw klarmachen.

g (*ensure*) *~ that it is done by tomorrow* sieh zu, daß es bis morgen fertig ist.

2 *vi* **a** sehen ▸ *let me ~, let's ~* laß mich mal sehen; *who was it? — I couldn't/didn't ~* wer war das? — ich konnte es nicht sehen; *can you ~ to read?* ist es Ihnen hell genug zum Lesen?; *as far as the eye can ~* so weit das Auge reicht; *~ for yourself!* sieh doch selbst!

b (*check, find out*) nachsehen, gucken (*col*) ▸ *is he there? — I'll ~* ist er da? — ich sehe mal nach; *let me ~* lassen Sie mich mal nachsehen.

c (*understand*) verstehen ▸ *as far as I can ~ ...* soweit ich sehen kann ...; *it's all over, ~?* es ist vorbei, verstehst du?; *as I ~ from your report* wie ich aus Ihrem Bericht ersehe; *(you) ~, it's like this* es ist nämlich so; *I ~!* aha!; (*after explanation*) ach so!

d (*consider*) *we'll ~* (wir werden *or* wollen) mal sehen; *I don't know, I'll have to ~* ich weiß nicht, ich muß mal sehen; *let me ~, let's ~* lassen Sie mich mal überlegen.

◆**see about** *vi +prep obj* **a** (*attend to*) sich kümmern um ▸ *he came to ~ ~ the TV* er kam, um sich (*dat*) den Fernseher anzusehen; *he came to ~ ~ the rent* er ist wegen der Miete gekommen. **b** (*consider*) *I'll ~ ~ it* ich will mal sehen; *we'll ~ ~ that!* (*iro*) das wollen wir mal sehen.

◆**see in** **1** *vi* herein-/hineinsehen.
2 *vt sep New Year* begrüßen.

◆**see off** *vt sep* **a** (*bid farewell to*) verabschieden ▸ *are you coming to ~ me ~ (at the airport)?* kommt ihr mit mir (zum Flughafen)? **b** (*chase off*) Beine machen (+*dat*) (*col*).

◆**see out** **1** *vi* (*look out*) heraus-/hinaussehen ▸ *I can't ~ ~ of the window* ich kann nicht zum Fenster hinaussehen.
2 *vt sep* **a** (*show out*) hinausbegleiten (*of* aus) ▸ *I'll ~ myself ~* ich finde (schon) alleine hinaus. **b** (*last to the end of*) (*coat, car*) *winter etc* überdauern; (*invalid*) *year etc* überleben.

◆**see over** *vi +prep obj house etc* sich (*dat*) ansehen.

◆**see through** **1** *vi* **a** (*lit*) (hin)durchsehen (*prep obj* durch). **b** +*prep obj* (*fig: not be deceived by*) durch-

schauen ▸ *I can ~ right ~ you* ich habe dich durchschaut.
2 *vt always separate* **a** (*help through difficult time*) beistehen (+*dat*) ▸ *I hope £10 will ~ you ~* die £10 reichen dir hoffentlich. **b** *job* zu Ende bringen; (*Parl*) *bill* durchbringen.

◆**see to** *vi +prep obj* sich kümmern um ▸ *these shoes need/that cough needs ~ing ~* die Schuhe müssen repariert werden/um den Husten muß man sich kümmern; *please ~ ~ it that ...* bitte sorgen Sie dafür, daß ...

see² *n* Bistum *nt* ▸ *Holy S~* Heiliger Stuhl.

seed [si:d] **1** *n* (*Bot*) (*one single*) Same(n) *m*; (*of grain, poppy etc*) Korn *nt*; (*within fruit*) (Samen)kern *m*; (*collective*) Samen *m*; (*for birds*) Körner *pl*; (*grain*) Saat *f*; (*fig: of unrest, idea etc*) Keim *m* (*of* zu) ▸ *to go to ~* (*vegetables*) schießen; (*fig: person*) herunterkommen. **2** *vt* **a** (*sow with ~*) besäen. **b** (*extract ~s from*) entkernen. **c** (*Sport*) setzen, plazieren ▸ *~ed number one* als Nummer eins gesetzt. **3** *vi* (*vegetables*) schießen; (*flowers*) Samen entwickeln.

seed: **~bed** *n* Saatbeet *nt*; **~ box** *n* Setzkasten *m*; **~ corn** *n* Saatkorn *nt*.

seediness ['si:dɪnɪs] *n see adj* (a) Zwielichtigkeit *f*; Schäbigkeit *f*.

seed: **~less** *adj* kernlos; **~ling** *n* Sämling *m*; **~ potato** *n* Saatkartoffel *f*.

seedy ['si:dɪ] *adj* (+*er*) **a** (*disreputable*) *person, area, place* zwielichtig; *clothes* schäbig, abgerissen. **b** (*dated col: unwell*) *I feel ~* mir ist flau.

seeing ['si:ɪŋ] *conj ~ (that)* da.

seek [si:k] *pret, ptp* **sought** *vt* suchen; *fame, wealth* streben nach ▸ *to ~ sb's advice* jdn um Rat fragen.

◆**seek for** *vi +prep obj* suchen nach; *reforms, changes* anstreben.

◆**seek out** *vt sep* ausfindig machen; *opinion* herausfinden.

▼ **seem** [si:m] *vi* scheinen ▸ *he ~s (to be) honest* er scheint ehrlich zu sein; *he ~s younger than he is* er wirkt jünger, als er ist; *that makes it ~ longer* dadurch wirkt es länger; *things aren't always what they ~* vieles ist anders, als es aussieht; *what ~s to be the trouble?* worum geht es denn?; (*doctor*) was fehlt Ihnen denn?; *he has left, it ~s* er ist anscheinend weggegangen; *so it ~s* es sieht (ganz) so aus; *it would ~ that he is coming after all* es sieht so aus, als ob er doch noch kommt; *how does it ~ to you?* was meinen Sie?; *it just doesn't ~ right somehow* das ist doch irgendwie nicht richtig; *it only ~s like it* das kommt einem nur so vor; *it all ~s so unreal to me* es kommt mir alles so unwirklich vor; *I ~ to have heard his name before* sein Name kommt mir bekannt vor.

seeming ['si:mɪŋ] *adj attr* scheinbar.

seemingly ['si:mɪŋlɪ] *adv* anscheinend.

seemly ['si:mlɪ] *adj* (+*er*) schicklich ▸ *it isn't ~ (for sb to do sth)* es schickt sich nicht (für jdn, etw zu tun).

seen [si:n] *ptp of* **see¹**.

seep [si:p] *vi* sickern ▸ *to ~ away* or *out* versickern; *to ~ through/into sth* durch etw durchsickern/in etw (*acc*) hineinsickern.

seer [sɪəʳ] *n* Seher(in *f*) *m*.

seersucker ['sɪə,sʌkəʳ] *n* Krepp, Seersucker *m*.

seesaw ['si:sɔ:] **1** *n* Wippe *f*.
2 *vi* wippen; (*fig*) (*emotional states*) auf und ab gehen; (*prices, public opinion*) schwanken.

seethe [si:ð] *vi* (*boil*) sieden; (*fig*) (*be crowded*) wimmeln (*with* von); (*be angry*) kochen (*col*) ▸ *to ~ with anger* vor Wut kochen.

see-through ['si:θru:] *adj* durchsichtig ▸ *~ pack*

Klarsichtpackung *f.*

segment ['segmənt] *n* Teil *m*; (*of worm*) Glied, Segment *nt*; (*of orange*) Stück *nt*; (*of circle*) Abschnitt *m*, Segment *nt.*

segregate ['segrɪgeɪt] *vt individuals* absondern; (*according to race/religion*) *groups of population* nach Rassen/ Konfessionen trennen ▸ *to be ~d from sb/sth* von jdm/etw abgesondert sein; *~d* (*racially*) *school, church* nur für Weiße/Schwarze; *schools* mit Rassentrennung; *society* nach Rassen getrennt.

segregation [ˌsegrɪ'geɪʃən] *n* Trennung *f*; (*racial*) Rassentrennung *f.*

seismograph ['saɪzməgrɑːf] *n* Seismograph *m.*

seize [siːz] **1** *vt* **a** (*grasp*) packen, ergreifen; (*as hostage*) nehmen; (*confiscate*) beschlagnahmen; *passport* einziehen; *ship* (*authorities*) beschlagnahmen; (*capture*) *town* einnehmen; *train, building* besetzen; *criminal* fassen ▸ *to ~ sb's arm* jdn am Arm packen. **b** (*fig*) (*panic, fear*) packen; *power* an sich (*acc*) reißen; (*leap upon*) *idea* aufgreifen; *opportunity* ergreifen.

2 *vi* (*also ~ up*) *engine, part* sich festfressen.

◆**seize on** *or* **upon** *vi +prep obj* **a** (*clutch at*) *idea, offer* sich stürzen auf (+*acc*). **b** (*pick out for criticism*) herausgreifen.

seizure ['siːʒər] *n* **a** Beschlagnahmung *f*; (*of passport*) Einzug *m*; (*capture*) Einnahme *f*; (*of train, building*) Besetzung *f.* **b** (*Med*) Anfall *m*; (*apoplexy*) Schlaganfall *m.*

seldom ['seldəm] *adv* selten ▸ *~ have I ...* ich habe selten ...

select [sɪ'lekt] **1** *vti* auswählen; (*in buying also*) aussuchen.

2 *adj* exklusiv; (*carefully chosen*) auserlesen ▸ *~ committee* Sonderausschuß *m.*

selection [sɪ'lekʃən] *n* **a** (*choosing*) (Aus)wahl *f*; (*Biol*) Auslese *f.* **b** (*person, thing selected*) Wahl *f*; (*likely winner*) Tip *m* ▸ *to make one's ~* seine Wahl treffen; *~ committee* Auswahlkomitee *nt.* **c** (*range, assortment*) Auswahl *f* (*of* an +*dat*).

selective [sɪ'lektɪv] *adj* wählerisch; *reader* kritisch, anspruchsvoll; *school* Elite- ▸ *~ service* (*US*) Wehrdienst *m.*

selectively [sɪ'lektɪvlɪ] *adv* wählerisch; *read, operate* selektiv ▸ *to buy ~* beim Einkaufen kritisch sein.

selector [sɪ'lektər] *n* **a** (*Tech*) Wählschalter *m*; (*knob*) Schaltknopf *m.* **b** (*Sport*) *jd, der die Mannschaftsaufstellung vornimmt.*

self [self] *n, pl* **selves** Ich, Selbst (*esp Psych*) *no pl nt*; (*side of character*) Seite *f* ▸ *one's other/better ~* sein anderes/besseres Ich; *he's quite his old ~ again* er ist wieder ganz der alte (*col*).

self: ~-addressed envelope *n* adressierter Rückumschlag; **~-adhesive** *adj* selbstklebend; **~-adjusting** *adj* selbstregulierend *attr, brakes* selbstnachstellend *attr*; **~-appointed** *adj* selbsternannt; **~-assertion** *n* Durchsetzungsvermögen *nt*; **~-assertive** *adj* selbstbewußt; (*pej*) von sich selbst eingenommen; **~-assessment** *n* (*for tax*) Selbstveranlagung *f*; **~-assurance** *n* Selbstsicherheit *f*; **~-assured** *adj* selbstsicher; **~-awareness** *n* Selbsterfahrung *f*; **~-catering** *adj* (*Brit*) für Selbstversorger; **~-centred,** (*US*) **~-centered** *adj* egozentrisch, ichbezogen; **~-cleaning** *adj* selbstreinigend; **~-coloured,** (*US*) **~-colored** *adj* einfarbig, uni; **~-confessed** *adj* erklärt *attr*, **~-confidence** *n* Selbstvertrauen *nt*; **~-confident** *adj* selbstbewußt; **~-conscious** *adj* befangen, gehemmt; *piece of writing, style etc* bewußt; **~-consciousness** *n* see *adj* Befangenheit, Gehemmtheit *f*; Bewußtheit *f*; **~-contained** *adj* (*esp Brit*) *flat* separat; **~-control** *n* Selbstbeherrschung *f*; **~-critical** *adj* selbstkritisch; **~-criticism** *n* Selbstkritik *f*; **~-defeating** *adj* unsinnig; *argument* sich selbst

widerlegend *attr*, **~-defence,** (*US*) **~-defense** *n* Selbstverteidigung *f*; (*Jur*) Notwehr *f*; *to act in ~-defence* in Notwehr handeln; **~-discipline** *n* Selbstdisziplin *f*; **~-effacing** *adj* zurückhaltend; **~-employed** *adj* selbständig; *artist* freischaffend; *journalist* freiberuflich; **~-esteem** *n* (*~-respect*) Selbstachtung *f*; **~-evident** *adj* offensichtlich; (*not needing proof*) selbstverständlich; **~-explanatory** *adj* unmittelbar verständlich; *this word is ~-explanatory* das Wort erklärt sich selbst; **~-expression** *n* Selbstdarstellung *f*; **~-financing** *adj* selbstfinanzierend; **~-governing** *adj* selbstverwaltet; *to become ~-governing* eine eigene Regierung bekommen; **~-government** *n* Selbstverwaltung *f*; **~-help** *n* Selbsthilfe *f*; **~-importance** *n* Aufgeblasenheit *f*; **~-important** *adj* aufgeblasen; **~-imposed** *adj* selbstauferlegt *attr*, **~-indulgent** *adj* genießerisch; (*in eating, drinking also*) maßlos; **~-inflicted** *adj wounds* sich (*dat*) selbst zugefügt *attr, task, punishment* sich (*dat*) freiwillig auferlegt; **~-interest** *n* (*selfishness*) Eigennutz *m*; (*personal advantage*) eigenes Interesse.

selfish ['selfɪʃ] *adj* selbstsüchtig; (*self-centred*) egoistisch.

selfishness ['selfɪʃnɪs] *n* see *adj* Selbstsucht *f*; Egoismus *m.*

self-justification *n* Rechtfertigung *f* ▸ *..., he said in ~ ...*, sagte er zu seiner eigenen Rechtfertigung.

selfless *adj*, **~ly** *adv* ['selflɪs, -lɪ] selbstlos.

self: ~-made *adj dress etc* selbstgemacht; *~-made man* Selfmademan *m*; **~-opinionated** *adj* rechthaberisch; *nonsense, drivel* selbstherrlich; **~-pity** *n* Selbstmitleid *nt*; **~-portrait** *n* Selbstporträt *nt*; **~-possessed** *adj* selbstbeherrscht; **~-preservation** *n* Selbsterhaltung *f*; **~-propelled** *adj* selbstangetrieben; **~-raising,** (*US*) **~-rising** *adj flour* selbsttreibend, mit bereits beigemischtem Backpulver; **~-reliance** *n* Selbständigkeit *f*; **~-reliant** *adj* selbständig; **~-respect** *n* Selbstachtung *f*; *have you no ~-respect?* schämen Sie sich gar nicht?; **~-respecting** *adj* anständig; *no ~-respecting person would ...* niemand, der etwas auf sich hält, würde ...; **~-restraint** *n* Selbstbeherrschung *f*; **~-righteous** *adj* selbstgerecht; **~-righteousness** *n* Selbstgerechtigkeit *f*; **~-sacrifice** *n* Selbstaufopferung *f*; **~-same** *adj the ~same* genau der-/die-/dasselbe; *on the ~same day* noch am selben Tag; **~-satisfied** *adj* (*smug*) selbstgefällig; **~-service** **1** *n* Selbstbedienung *f*; **2** *adj* Selbstbedienungs-; **~-styled** *adj* selbsternannt; **~-sufficiency** *n* (*of person*) Selbständigkeit *f*; (*emotional*) Selbstgenügsamkeit *f*; (*of country*) Autarkie *f*; **~-sufficient** *adj person* selbständig; (*emotionally*) selbstgenügsam; *country* autark; *they are ~-sufficient in oil* sie können ihren Ölbedarf selbst decken; **~-supporting** *adj person* finanziell unabhängig; *structure* freitragend; *chimney* freistehend; *the newspaper is ~-supporting* die Zeitung trägt sich selbst; **~-tapping screw** *n* selbstschneidende Schraube; **~-taught** *adj skills* selbsterlernt; *he is ~-taught* er hat sich (*dat*) das selbst beigebracht; (*intellectually*) er hat sich durch Selbstunterricht gebildet; **~-test** *n* Selbsttest *m*; **~-willed** *adj* eigenwillig.

sell [sel] (*vb: pret, ptp* **sold**) **1** *vt* **a** verkaufen (*sb sth, sth to sb* jdm etw, etw an jdn); *insurance policy* abschließen (*to* mit); (*business*) *goods also* absetzen ▸ *I was sold this in Valencia* man hat mir das in Valencia verkauft; *the book sold 3,000 copies* von dem Buch wurden 3.000 Exemplare verkauft; *to be sold on sb/ sth* (*col*) von jdm/etw begeistert sein. **b** (*stock*) führen, haben (*col*); (*deal in*) vertreiben ▸ *to ~ oneself* (*put oneself across*) sich profilieren (*to* bei), sich verkaufen (*to* an +*acc*). **c** (*fig: betray*) verraten ▸ *to ~ sb down the river* (*col*) jdn verschaukeln (*col*).

2 *vi* (*person*) verkaufen (*to sb* an jdn); (*article*) sich verkaufen (lassen) ▸ *his book is ~ing well/won't ~* sein

Buch verkauft sich gut/läßt sich nicht verkaufen; *the house sold for £130,000* das Haus wurde für £130.000 verkauft.

◆**sell off** *vt sep* verkaufen; (*get rid of quickly, cheaply*) abstoßen.

◆**sell out** [1] *vt sep* ausverkaufen ▶ *sorry, sold ~* wir sind leider ausverkauft; *we're sold ~ of ice-cream* das Eis ist ausverkauft.

[2] *vi* [a] (*sell entire stock*) alles verkaufen. [b] (*in business*) sein Geschäft/seine Firma/seinen Anteil *etc* verkaufen. [c] (*col: betray*) *he sold ~ to the enemy* er hat sich an den Feind verkauft.

◆**sell up** [1] *vt sep* zu Geld machen (*col*); (*Brit Fin*) zwangsverkaufen.

[2] *vi* seinen Besitz/seine Firma *etc* verkaufen.

sell-by date ['selbaɪˌdeɪt] *n* ≃ Haltbarkeitsdatum *nt*.

seller ['selər] *n* [a] Verkäufer(in *f*) *m* ▶ *it's a ~'s market in housing just now* zur Zeit bestimmen die Verkäufer die Hauspreise. [b] (*thing sold*) *big ~* Verkaufsschlager *m*; *bad ~* schlecht gehender Artikel; (*in shop also*) Ladenhüter *m*; *this book is a good/slow ~* das Buch verkauft sich gut/schlecht.

selling ['selɪŋ] *adj* Verkaufs- ▶ *~ point* Verkaufsanreiz *m*; *~ price* Verkaufspreis *m*.

sellotape ® ['seləʊteɪp] (*Brit*) [1] *n* Klebeband *nt*; ≃ Tesafilm ® *m*.

[2] *vt* mit Klebeband festkleben.

sellout ['selaʊt] *n* [a] (*col: betrayal*) fauler Handel (*to* mit); (*of one's ideals etc*) Ausverkauf *m* (*to* an +*acc*). [b] (*Theat, Sport*) ausverkauftes Haus ▶ *to be a ~* ausverkauft sein.

selvage, selvedge ['selvɪdʒ] *n* Webkante *f*.

selves [selvz] *pl of* **self**.

semantic [sɪ'mæntɪk] *adj* semantisch.

semantics [sɪ'mæntɪks] *n sing* Semantik *f*.

semaphore ['seməfɔːr] *n* Signalsprache *f*.

semblance ['semblans] *n* Anflug *m* (*of* von); (*of order*) Anschein *m*.

semen ['siːmən] *n* Sperma *nt*.

semester [sɪ'mestər] *n* Semester *nt*.

semi ['semɪ] *n* = [a] (*Brit col*) **semidetached (house)**. [b] (*US*) **semi-trailer**.

semi: **~-bold** *adj* (*Typ*) halbfett; **~breve** *n* (*esp Brit*) ganze Note; **~circle** *n* Halbkreis *m*; **~circular** *adj* halbkreisförmig; **~colon** *n* Semikolon *nt*; **~conductor** *n* Halbleiter *m*; **~conscious** *adj* halb bewußtlos; **~detached (house)** *n* Doppelhaus(hälfte *f*) *nt*; **~-detached houses** Doppelhäuser *pl*; **~final** *n* Halbfinale *nt*; **~finalist** *n* Teilnehmer(in *f*) *m* am Halbfinale; **~finals** *npl* Halbfinale *nt*.

seminal ['semɪnl] *adj* *to be present in a ~ state* im Keim vorhanden sein.

seminar ['semɪnɑːr] *n* Seminar *nt*.

seminary ['semɪnərɪ] *n* Priesterseminar *nt*.

semi: **~precious** *adj* **~precious stone** Halbedelstein *m*; **~quaver** *n* (*esp Brit*) Sechzehntel(note *f*) *nt*; **~skilled** *adj worker* angelernt; *job* Anlern-; **~skilled labour** (*workforce*) Angelernte *pl*; (*work*) Arbeit *f* für Angelernte; **~tone** *n* (*Mus*) Halbton *m*; **~trailer** *n* Sattelanhänger *m*.

semolina [ˌseməˈliːnə] *n* Grieß *m*.

Sen, sen = **senior**.

Sen (*US*) = **senator**.

SEN (*Brit old*) = **State Enrolled Nurse**.

senate ['senɪt] *n* Senat *m*.

| SENATE |

Senate ist das Oberhaus des amerikanischen Kongresses (*das Unterhaus ist das House of Representatives*). *Der Senat besteht aus 100 Senatoren, 2 für jeden Bundesstaat, die für 6 Jahre gewählt werden, wobei ein Drittel alle zwei Jahre neu gewählt wird. Die*

Senatoren werden in direkter Wahl vom Volk gewählt. Siehe auch **congress**.

senator ['senɪtər] *n* Senator *m*; (*as address*) Herr Senator.

send [send] *pret, ptp* **sent** *vt* [a] schicken; *letter, messenger also* senden; (*~ off*) *letter* abschicken; (*Rad*) *radio wave* ausstrahlen; *signal* senden; (*through wires*) übermitteln ▶ *to ~ sb to prison/to his death* jdn ins Gefängnis/in den Tod schicken; *to ~ sb to university* jdn studieren lassen; *to ~ sb for sth* jdn nach etw schicken; *she ~s her love/congratulations/apologies etc* sie läßt grüßen/Ihnen ihre Glückwünsche ausrichten/sich entschuldigen *etc*; *~ him my love/best wishes* grüßen Sie ihn von mir.

[b] (*propel, make go*) *ball* schießen; (*hurl*) schleudern; (*conveyor belt*) befördern ▶ *the blow sent him sprawling* der Schlag schleuderte ihn zu Boden; *the fire sent everyone running out of the building* das Feuer ließ alle das Gebäude fluchtartig verlassen; *his speech sent a wave of excitement through the audience* seine Rede ließ eine Woge der Aufregung durch die Zuschauer gehen; *this sent him into fits of laughter* das ließ ihn in einen Lachkrampf ausbrechen.

◆**send away** [1] *vt sep* wegschicken; *letter etc also* abschicken ▶ *I had to ~ him ~ without an explanation* ich mußte ihn ohne Erklärung weggehen lassen.

[2] *vi to ~ ~ for sth* etw (per Post) anfordern.

◆**send back** *vt sep* zurückschicken; *food in restaurant* zurückgehen lassen.

◆**send down** *vt sep* [a] *temperature, prices* fallen lassen; (*gradually*) senken. [b] (*Brit Univ: expel*) relegieren. [c] *prisoner* verurteilen (*for* zu).

◆**send for** *vi* +*prep obj* [a] kommen lassen; *doctor, police, priest also* rufen; *help* herbeirufen; (*person in authority*) *pupil, minister* zu sich bestellen. [b] *copy, catalogue* anfordern.

◆**send in** *vt sep* einsenden; *person* herein-/hineinschicken; *troops* einsetzen.

◆**send off** [1] *vt sep* [a] *letter* abschicken. [b] *children to school* wegschicken. [c] = **send away 1.** [d] (*Sport*) vom Platz weisen (*for* wegen).

[2] *vi* = **send away 2.**

◆**send on** *vt sep* [a] (*Brit: forward*) *letter* nachschicken; (*pass on*) *memo* weiterleiten. [b] (*in advance*) *troops, luggage* vorausschicken. [c] (*Sport*) *substitute* einsetzen; (*Theat*) *actor* auf die Bühne schicken.

◆**send out** *vt sep* [a] (*of house, room*) hinaus-/herausschicken (*of* aus) ▶ *he sent me ~ to buy a paper* er hat mich losgeschickt, um eine Zeitung zu kaufen. [b] (*emit*) *rays, radio signals* aussenden; *light, heat, smoke* abgeben. [c] *leaflets, invitations, application forms* verschicken.

◆**send up** *vt sep* [a] *rocket* hochschießen; *balloon* steigen lassen. [b] *prices* hochtreiben. [c] *to ~ sth ~ flames* etw in Flammen aufgehen lassen. [d] (*Brit col: satirize*) verulken (*col*).

sender ['sendər] *n* Absender(in *f*) *m* ▶ *return to ~* zurück an Absender.

send: **~-off** *n* Verabschiedung *f*; *to give sb a good ~-off* jdn ganz groß verabschieden (*col*); **~-up** *n* (*Brit col*) Verulkung *f* (*col*); *to do a ~-up of sb/sth* jdn/etw verulken (*col*).

Senegal [ˌsenɪˈɡɔːl] *n* Senegal *nt*.

Senegalese [ˌsenɪɡəˈliːz] [1] *adj* senegalesisch.

[2] *n* Senegalese *m*, Senegalesin *f*.

senile ['siːnaɪl] *adj person* senil; (*physically*) altersschwach.

senility [sɪ'nɪlɪtɪ] *n* Senilität *f*; (*physical*) Altersschwäche *f*.

senior ['siːnɪər] [1] *adj* (*in age*) älter; (*in rank*) vorgesetzt, übergeordnet; (*with longer service*) dienstälter; *rank, civil servant* höher; *officer* ranghöher; *position, editor, executive etc* leitend; *doctor, nurse etc* Ober- ► *he is ~ to me* (*in age*) er ist älter als ich; (*in rank*) er ist mir übergeordnet; (*in length of service*) er arbeitet schon länger hier als ich; *(the) ~ management* die Geschäftsleitung; *~ partner* Hauptgesellschafter *m*; *~ consultant* Chefarzt *m/*-ärztin *f*; *~ citizen* älterer Mitbürger, ältere Mitbürgerin; *~ citizens* Senioren *pl*; *~ school, ~ high school* (*US*) Oberstufe *f*; *~ executive* leitender Angestellter; *can I speak to somebody more ~?* könnte ich bitte Ihren Vorgesetzten sprechen?; *J. B. Schwartz, S~* J. B. Schwartz senior.

[2] *n* (*Sch*) Oberstufenschüler(in *f*) *m*; (*US Univ*) Student(in *f*) *m* im 4./letzten Studienjahr ► *he is my ~* (*in age*) er ist älter als ich; (*in rank*) er ist mir übergeordnet; (*in length of service*) er arbeitet schon länger hier als ich; *he is two years my ~* er ist zwei Jahre älter als ich.

seniority [ˌsiːnɪˈɒrɪtɪ] *n* (*in age*) (höheres) Alter; (*in rank*) (höhere) Position; (*Mil*) (höherer) Rang; (*in civil service etc*) (höherer) Dienstgrad; (*in service*) (längere) Betriebszugehörigkeit; (*in civil service etc*) (höheres) Dienstalter.

sensation [senˈseɪʃən] *n* [a] (*feeling*) Gefühl *nt*; (*of heat etc*) Empfindung *f* ► *a/the ~ of falling* das Gefühl zu fallen; *a ~ of fear* ein Angstgefühl *nt*. [b] (*great success*) Sensation *f* ► *to cause a ~* (großes) Aufsehen erregen.

sensational [senˈseɪʃənl] *adj* [a] sensationell; *news item* Sensations-; *style, film* reißerisch. [b] (*col: very good etc*) sagenhaft (*col*).

sensationally [senˈseɪʃnəlɪ] *adv* [a] *write* in einem reißerischen Stil. [b] (*col: amazingly*) sagenhaft (*col*).

sense [sens] [1] *n* [a] (*bodily*) Sinn *m* ► *~ of hearing* Gehör(sinn *m*) *nt*; *~ of sight* Sehvermögen *nt*; *~ of smell* Geruchssinn *m*; *~ of taste* Geschmackssinn *m*; *~ of touch* Tastsinn *m*; *~s pl* (*right mind*) Verstand *m* ► *to be out of one's ~s* nicht ganz bei Trost sein (*col*), von Sinnen sein (*geh*); *to bring sb to his ~s* jdn zur Besinnung bringen; *to come to one's ~s* zur Besinnung kommen, Vernunft annehmen.

[b] (*feeling*) Gefühl *nt* ► *~ of duty* Pflichtgefühl *nt*; *~ of pleasure etc* ein Gefühl der Freude *etc*; *~ of justice* Gerechtigkeitssinn *m*; *~ of humour* Sinn *m* für Humor; *these buildings create a ~ of space* diese Gebäude vermitteln den Eindruck von Weite.

[c] (*good ~*) (*common*) *~* gesunder Menschenverstand; *he had the (good) ~ to ...* er war so vernünftig und ...; *she didn't even have the ~ to take a key* sie war auch noch zu dumm dazu, einen Schlüssel mitzunehmen; *you should have had more ~ than to ...* du hättest vernünftiger sein sollen und nicht ...; *there is no ~ in that* das hat keinen Sinn; *what's the ~ of doing this?* welchen Sinn hat es denn, das zu tun?; *to talk ~* vernünftig sein; *to make sb see ~* jdn zur Vernunft bringen.

[d] *to make ~* (*sentence etc*) (einen) Sinn ergeben; (*be sensible, rational etc*) sinnvoll *or* vernünftig sein; *it doesn't make ~ to spend all that money* es ist doch Unsinn, soviel Geld auszugeben; *it makes good ~* das scheint sehr vernünftig; *it makes good financial ~ to ...* aus finanzieller Sicht gesehen ist es sehr vernünftig, zu ...; *it all makes ~ now* jetzt wird einem alles klar; *to make ~ of sth* etw verstehen, aus etw schlau werden (*col*).

[e] (*meaning*) Sinn *m* no pl ► *in the full ~ of the word* im wahrsten Sinne des Wortes; *it has three distinct ~s* es hat drei verschiedene Bedeutungen; *in every ~ of the word* im vollen Bedeutung des Wortes; *in a ~* in gewisser Hinsicht; *in every ~* in jeder Hinsicht; *in what ~?* inwiefern?

[2] *vt* fühlen, spüren ► *I could ~ someone there in the dark* ich fühlte *or* spürte, daß da jemand in der Dunkelheit war.

senseless [ˈsenslɪs] *adj* [a] (*unconscious*) besinnungslos, bewußtlos ► *to knock sb ~* jdn bewußtlos schlagen. [b] (*stupid*) unvernünftig, unsinnig; (*futile*) *waste, discussion* sinnlos.

senselessly [ˈsenslɪslɪ] *adv see adj* (*b*).

senselessness [ˈsenslɪsnɪs] *n see adj* (*b*) Unvernunft, Unsinnigkeit *f*; Sinnlosigkeit *f*.

sensibility [ˌsensɪˈbɪlɪtɪ] *n* (*to beauty etc*) Empfindsamkeit *f*; (*artistic ~ also*) Sensibilität *f*; (*emotional ~, susceptibility to insult*) Empfindlichkeit *f* ► *sensibilities* Zartgefühl *nt*.

sensible [ˈsensəbl] *adj* [a] vernünftig ► *be ~ about it* seien Sie vernünftig. [b] (*appreciable*) spürbar.

sensibly [ˈsensəblɪ] *adv* vernünftig; (*as sentence modifier*) vernünftigerweise.

sensitive [ˈsensɪtɪv] *adj* [a] (*emotionally*) *person* sensibel, empfindsam; (*easily hurt*) empfindlich; (*understanding*) einfühlsam ► *to be ~ about sth* in bezug auf etw (*acc*) empfindlich sein. [b] *instruments, plants, film* empfindlich; (*fig*) *topic, issue* heikel ► *~ to light* lichtempfindlich.

sensitively [ˈsensɪtɪvlɪ] *adv react* empfindlich; *treat, portray* einfühlsam.

sensitivity [ˌsensɪˈtɪvɪtɪ] *n see adj* Sensibilität, Empfindsamkeit *f*, Empfindlichkeit *f*, Einfühlsamkeit *f*; (*fig*) heikle Natur.

sensitize [ˈsensɪtaɪz] *vt* sensibilisieren.

sensual *adj*, **~ly** *adv* [ˈsensjʊəl, -ɪ] sinnlich.

sensuality [ˌsensjʊˈælɪtɪ] *n* Sinnlichkeit *f*.

sensuous *adj*, **~ly** *adv* [ˈsensjʊəs, -lɪ] sinnlich.

sent [sent] *pret, ptp of* **send**.

sentence [ˈsentəns] [1] *n* [a] (*Gram*) Satz *m* ► *~ structure* Satzbau *m*. [b] (*Jur*) Strafe *f* ► *to be under ~ of death* zum Tode verurteilt sein; *the judge gave him a 6-month ~* der Richter verurteilte ihn zu 6 Monaten Haft; *to pass ~ (on sb)* (über jdn) das Urteil verkünden; (*fig*) jdn verurteilen.

[2] *vt* (*Jur*) verurteilen (*to* zu).

sentiment [ˈsentɪmənt] *n* [a] (*feeling, emotion*) Gefühl *nt*. [b] (*sentimentality*) Sentimentalität *f*. [c] (*opinion*) Ansicht *f* ► *my ~s exactly!* genau meine Meinung!

sentimental [ˌsentɪˈmentl] *adj* sentimental; *person, mood also* gefühlvoll; *value* Gefühls- ► *for ~ reasons* aus Sentimentalität.

sentimentality [ˌsentɪmenˈtælɪtɪ] *n* Sentimentalität *f*.

sentimentally [ˌsentɪˈmentəlɪ] *adv* (*esp pej*) sentimental; *important, attached etc* gefühlsmäßig.

sentinel [ˈsentɪnl] *n* Wache *f*.

sentry [ˈsentrɪ] *n* Wachtposten *m* ► *to be on ~ duty* auf Wache sein; *~ box* Wachhäuschen *nt*.

Seoul [səʊl] *n* Seoul *nt*.

separable [ˈsepərəbl] *adj* trennbar.

separate [ˈseprət] [1] *adj* [a] gesondert (*from* von); *section, piece also* extra *attr inv*; *organization, unit also, existence* eigen *attr*; *provisions, regulations also* besondere(r, s) *attr*; *beds, accounts* getrennt; *entrance, detail* separat ► *that is a ~ issue* das ist eine Frage für sich; *on two occasions* bei zwei verschiedenen Gelegenheiten; *on a ~ occasion* bei einer anderen Gelegenheit; *they live ~ lives* sie gehen getrennte Wege; *to keep two things ~* zwei Dinge auseinanderhalten. [b] (*individual*) einzeln ► *all the ~ questions* alle einzelnen Fragen; *everybody has a ~ task* jeder hat seine eigene Aufgabe.

[2] *n ~s pl* (*Fashion*) kombinierbare Einzelteile.

[3] [ˈsepəreɪt] *vt* trennen; (*divide up*) aufteilen (*into* in +*acc*) ► *he is ~d from his wife* er lebt von seiner Frau getrennt.

[4] [ˈsepəreɪt] *vi* sich trennen.

separately [ˈseprətlɪ] *adv* getrennt, separat; *live* ge-

trennt; (*singly*) einzeln.
separation [ˌsepəˈreɪʃən] *n* Trennung *f*; (*of rocket etc*) Abtrennung *f* (*from* von).
separatist [ˈsepərətɪst] **1** *adj* separatistisch.
2 *n* Separatist(in *f*) *m*.
sepia [ˈsiːpjə] *n* Sepia *f*.
sepsis [ˈsepsɪs] *n* Vereiterung, Sepsis (*spec*) *f*.
Sept = **September** Sept.
September [sepˈtembər] **1** *n* September *m* ▸ *the first of* ~ der erste September; *on* ~ *19th* (*written*), *on 19th* ~ (*written*), *on the 19th of* ~ (*spoken*) am 19. September, am neunzehnten September; ~ *3rd, 1993, 3rd* ~ *1993* (*on letter*) 3. September 1993; *in* ~ im September; *at the beginning/end of* ~ Anfang/Ende September; *there are 30 days in* ~ der September hat 30 Tage.
2 *adj attr* September-; *mists etc also* septemberlich.
septic [ˈseptɪk] *adj* vereitert, septisch ▸ *the wound turned* ~ die Wunde eiterte; ~ *tank* Klärbehälter *m*.
septicaemia, (*US*) **septicemia** [ˌseptɪˈsiːmɪə] *n* Blutvergiftung *f*.
sepulchre, (*US*) **sepulcher** [ˈsepəlkər] *n* Grabstätte *f*.
sequel [ˈsiːkwəl] *n* Folge *f* (*to* von); (*of book, film*) Fortsetzung *f* (*to* von) ▸ *it had a tragic* ~ es hatte ein tragisches Nachspiel.
sequence [ˈsiːkwəns] *n* **a** (*order*) Folge, Reihenfolge *f* ▸ *in* ~ der Reihe nach; *to do sth in* ~ etw in der richtigen Reihenfolge tun. **b** (*things following*) Reihe, Folge *f*; (*Mus, Cards*) Sequenz *f*; (*Math*) Reihe *f*.
sequential [sɪˈkwenʃəl] *adj* (*form*) der Reihe nach; (*Comp*) sequentiell.
sequin [ˈsiːkwɪn] *n* Paillette *f*.
Serb [sɜːb] *n* Serbe *m*, Serbin *f*.
Serbia [ˈsɜːbɪə] *n* Serbien *nt*.
Serbian [ˈsɜːbɪən] *adj* serbisch.
Serbo-Croat [ˌsɜːbəʊˈkrəʊæt] *n* (*language*) Serbokroatisch *nt*.
serenade [ˌserəˈneɪd] **1** *n* Serenade *f*.
2 *vt* ein Ständchen *nt* bringen (+*dat*).
serene [səˈriːn] *adj* gelassen; *sea* ruhig; *sky* heiter.
serenely [səˈriːnlɪ] *adv* gelassen.
serenity [sɪˈrenɪtɪ] *n* Gelassenheit *f*.
serf [sɜːf] *n* Leibeigene(r) *mf*.
serge [sɜːdʒ] *n* Serge *f*.
sergeant [ˈsɑːdʒənt] *n* (*Mil*) Feldwebel *m*; (*police*) Polizeimeister *m* ▸ ~ *major* Oberfeldwebel *m*.
serial [ˈsɪərɪəl] **1** *n* (*novel*) Fortsetzungsroman *m*; (*Rad*) Sendereihe *f*; (*TV*) Serie *f*.
2 *adj* Serien-; *story, programme* in Fortsetzungen; (*Comp, Mus*) seriell ▸ ~ *killer* Serienmörder(in *f*) *m*; ~ *number* fortlaufende Nummer; (*on manufactured goods*) Fabrikationsnummer *f*.
serialize [ˈsɪərɪəlaɪz] *vt* in Fortsetzungen bringen; (*put into serial form*) in Fortsetzungen umarbeiten.
series [ˈsɪərɪz] *n, pl* - Serie *f*; (*Rad*) Sendereihe *f*; (*of books, lectures, films*) Reihe *f* ▸ *a* ~ *of articles* eine Artikelserie; *in* ~ der Reihe nach; ~ *production* Serienherstellung *f*.
serious [ˈsɪərɪəs] *adj* **a** ernst; *person, manner* (*not frivolous*) ernsthaft; *newspaper, interest* seriös; *offer, suggestion* ernstgemeint *attr*, ernst gemeint *pred*, seriös; *doubts also* ernsthaft ▸ *to be* ~ *about doing sth* etw im Ernst tun wollen; *I'm* ~ *(about it)* das ist mein Ernst; *he is* ~ *about her* er meint es ernst mit ihr; *you can't be* ~! das kann nicht dein Ernst sein! **b** (*critical*) ernst; *accident, mistake, injury damage, loss* schwer; *situation also* bedenklich ▸ *it's* ~ das ist schlimm; *it's getting* ~ es wird ernst; *inflation is getting* ~ die Inflation nimmt ernste Ausmaße an.
seriously [ˈsɪərɪəslɪ] *adv* **a** ernst; *talk, interested* ernsthaft; (*not jokingly*) im Ernst ▸ *to take sb/sth* ~ jdn/etw

ernst nehmen; *do you* ~ *want to do that?* wollen Sie das wirklich *or* im Ernst tun?; ~ *though ...* aber mal ganz im Ernst ...; *do you mean that* ~? meinen Sie das ernst?, ist das Ihr Ernst? **b** *wounded* schwer; *ill also* ernstlich; *deteriorate* bedenklich.
seriousness [ˈsɪərɪəsnɪs] *n see adj* **a** Ernst *m*; Ernsthaftigkeit *f*; Seriosität *f* ▸ *in all* ~ ganz im Ernst. **b** Ernst *m*; Schwere *f*; Bedenklichkeit *f*.
sermon [ˈsɜːmən] *n* (*Eccl*) Predigt *f*; (*moralizing*) Moralpredigt *f*; (*scolding*) Strafpredigt *f*.
serpent [ˈsɜːpənt] *n* Schlange *f* (*also fig*).
Serps [sɜːps] (*Brit*) = **state earnings-related pension scheme** staatliche Rentenversicherung.
serrated [seˈreɪtɪd] *adj* gezackt ▸ ~ *knife* Sägemesser *nt*.
serum [ˈsɪərəm] *n* Serum *nt*.
servant [ˈsɜːvənt] *n* (*lit, fig*) Diener(in *f*) *m*; (*also* ~ *girl*) Dienstmädchen *nt*; (*domestic*) Dienstbote *m*.
serve [sɜːv] **1** *vt* **a** dienen (+*dat*); (*be of use*) nützen (+*dat*) ▸ *he* ~*d his country well* er hat sich um sein Land verdient gemacht; *if my memory* ~*s me right* wenn ich mich recht erinnere; *to* ~ *its/sb's purpose* seinen Zweck erfüllen/jds Zwecken (*dat*) dienen; *it* ~*s no useful purpose* es hat keinen praktischen Wert; *to* ~ *sb as sth* jdm als etw dienen; *it has* ~*d us well* es hat uns gute Dienste geleistet.
b *years in army etc* ableisten; *term of office* durchlaufen; *apprenticeship* durchmachen; *sentence* verbüßen, absitzen (*col*).
c (*in shop*) bedienen; (*bus, gas etc*) versorgen ▸ *I'm being* ~*d, thank you* danke, ich werde schon bedient.
d (*esp in restaurant*) *food, drink* servieren; *guests* bedienen; (*waiter*) bedienen; (*pour drink for*) einschenken (+*dat*); *wine etc* einschenken ▸ *dinner is* ~*d* (*butler*) das Essen ist aufgetragen; (*hostess*) darf ich zu Tisch bitten?; *"*~*s three"* (*on packet etc*) „(ergibt) drei Portionen".
e (*Tennis etc*) *ball* aufschlagen.
f (*Jur*) zustellen (*on sb* jdm) ▸ *to* ~ *a summons on sb, to* ~ *sb with a summons* jdn vor Gericht laden; *the landlord* ~*d notice on his tenants* der Vermieter kündigte den Mietern.
g (*it*) ~*s you right!* (*col*) das geschieht dir (ganz) recht!; *it* ~*s him right for being so greedy* (*col*) das geschieht ihm ganz recht, was muß er auch so gierig sein!
2 *vi* **a** dienen ▸ *to* ~ *on the jury* Geschworene(r) *mf* sein; *to* ~ *on a committee* einem Ausschuß angehören; *to* ~ *as chairman* das Amt des Vorsitzenden innehaben.
b (*Mil*) dienen. **c** (*waiter, butler etc*) servieren (*at table* bei Tisch). **d** *to* ~ *as, to* ~ *for* dienen als; *it* ~*s to show/explain ...* das zeigt/erklärt ... **e** (*Tennis etc*) aufschlagen.
3 *n* (*Tennis etc*) Aufschlag *m* ▸ *whose* ~ *is it?* wer hat Aufschlag?
◆**serve up** *vt sep food* servieren; *rations* verteilen.
server [ˈsɜːvər] *n* **a** (*fork etc*) Servierlöffel *m*/ Vorlegegabel *f*; (*pie* ~) Tortenheber *m* ▸ *salad* ~*s* Salatbesteck *nt*. **b** (*Tennis*) Aufschläger(in *f*) *m*.
service [ˈsɜːvɪs] **1** *n* **a** Dienst *m* ▸ *his faithful* ~ seine treuen Dienste; *his* ~*s to industry/the country* seine Verdienste in der Industrie/um das Land; *he has ten years'* ~ *behind him* er hat zehn Jahre Dienstzeit hinter sich (*dat*); *to do sb a* ~ jdm einen Dienst erweisen; *to do good* ~ gute Dienste leisten; *to be of* ~ *to sb* jdm nützen; *to be at sb's* ~ jdm zur Verfügung stehen; *can I be of* ~ *to you?* kann ich Ihnen behilflich sein?; *out of* ~ außer Betrieb; *to need the* ~*s of a lawyer* einen Anwalt brauchen.
b (*Mil*) Militärdienst *m* ▸ *the (armed)* ~*s* die Streitkräfte; *when I was in the* ~*s* als ich beim Militär war.
c (*to customers*) Service *m*; (*in shop, restaurant etc*) Bedienung *f*.

[d] (*bus, train, plane etc*) Bus-/Zug-/Flugverbindung *f*
▶ **there's no ~ to X on Sundays** sonntags fährt kein
Bus/Zug *etc* nach X.
[e] (*Eccl*) Gottesdienst *m*.
[f] (*of machines*) Wartung *f*; (*Aut: major ~*) Inspektion
f ▶ **my car is in for a ~** mein Auto wird gewartet; mein
Auto ist bei der Inspektion.
[g] (*tea, coffee etc set*) Service *nt*.
[h] (*Tennis*) Aufschlag *m*.
[i] **~s** *pl* (*commercial*) Dienstleistungen *pl*; (*gas etc*)
Versorgungsnetz *nt*.
[2] *vt car, machine* warten ▶ **to have a car ~d** ein Auto
warten lassen; (*major ~*) ein Auto zur Inspektion geben.
serviceable ['sɜːvɪsəbl] *adj* (*practical*) zweckmäßig;
(*usable*) brauchbar.
service: ~ area *n* Raststätte *f*; **~ charge** *n* (*Brit*)
Bedienung(sgeld *nt*) *f*; (*of bank*) Bearbeitungsgebühr *f*; **~
department** *n* Kundendienstabteilung *f*; **~ industry** *n*
Dienstleistungsbranche *f*; **the ~ industries** das Dienstlei-
stungsgewerbe *nt*; **~man** *n* Militärangehörige(r) *m*; **~
station** *n* Tankstelle *f* (mit Reparaturwerkstatt).
servicing ['sɜːvɪsɪŋ] *n* Wartung *f*.
serviette [ˌsɜːvɪˈet] *n* Serviette *f*.
servile ['sɜːvaɪl] *adj* unterwürfig; *obedience* sklavisch.
servility [sɜːˈvɪlɪtɪ] *n* Unterwürfigkeit *f*.
serving ['sɜːvɪŋ] *n* (*of food*) Portion *f*.
serving: ~ cart *n* (*US*) Servierwagen *m*; **~ dish** *n*
(Servier)platte *f*; **~ hatch** *n* Durchreiche *f*; **~ spoon** *n*
Vorlegelöffel *m*.
servo ['sɜːvəʊ] *n* Servomechanismus *m*; (*brake ~*) Bremskraftverstärker *m*.
session ['seʃən] *n* [a] (*meeting*) Sitzung *f*; (*Jur, Parl:
period*) Sitzungsperiode *f*; (*Parl: term of office*)
Legislaturperiode *f* ▶ **to be in ~** eine Sitzung abhalten;
(*Jur, Pol*) tagen; **a ~ of talks/negotiations** Gespräche
pl/Verhandlungen *pl*; **recording ~**) Aufnahme *f*; **we're
in for a long ~** das wird lange dauern; **I had a long ~
with him** (*talk*) ich habe lange mit ihm gesprochen. [b]
(*academic year*) (*Univ*) Studienjahr *nt*; (*Sch*) Schuljahr
nt; (*term*) Semester/Trimester *nt*; (*division of course*)
Stunde, Sitzung (*esp Univ*) *f*.

▼ **set** [set] (*vb: pret, ptp ~*) [1] *n* [a] Satz *m*; (*of two*) Paar
nt; (*of cutlery, furniture etc*) Garnitur *f*; (*tea-~ etc*)
Service *nt*; (*of tablemats etc*) Set *nt*; (*chess or draughts ~
etc*) Spiel *nt*; (*painting ~*) Malkasten *m*; (*Meccano* ®,
chemistry ~) Baukasten *m*; (*gift or presentation ~*)
Kassette *f* ▶ **~ of rooms** Zimmerflucht *f*; **a ~ of tools**
Werkzeug *nt*; **a ~ of teeth** ein Gebiß *nt*.
[b] (*group of people*) Kreis *m*; (*pej*) Bande *f*; (*Brit Sch:
stream*) Kurs *m* ▶ **the literary ~** die Literaten *pl*; **the
golfing ~** die Golffreunde *pl*.
[c] (*Tennis*) Satz *m*; (*Table-tennis*) Spiel *nt* ▶ **~ point**
Satzpunkt *m*.
[d] (*Telec, Rad, TV*) Gerät *nt*, Apparat *m*.
[e] (*hair~*) Frisur, Form *f* ▶ **to have a (shampoo and)
~** sich (*dat*) die Haare (waschen und) legen lassen.
[f] (*Theat*) Bühnenbild *nt*; (*Film*) Szenenaufbau *m* ▶
to be on the ~ bei den Dreharbeiten sein.
[g] (*Math*) Menge *f*.
[2] *adj* [a] *pred* (*ready*) fertig, bereit ▶ **all ~?** alles klar?;
to be all ~ to do sth sich darauf eingerichtet haben, etw
zu tun. [b] (*rigid*) starr; *expression* feststehend; *forms
also, habit, custom* fest; (*prescribed*) festgesetzt; *essay topic* vorgegeben; (*prearranged*) *time, place* bestimmt, ausgemacht (*col*) ▶ **~ book(s)** Pflichtlektüre *f*; **~ lunch/
meal** Tagesgericht *nt*; **~ menu** Tageskarte *f*; **~ phrase**
feste Redewendung; **~ piece** Standardstück *nt*; (*Ftbl*)
Standardsituation *f*; **to be ~ in one's ways** in seinen
Gewohnheiten festgefahren sein. [c] (*resolved*) entschlossen ▶ **to be (dead) ~ on sth/doing sth** etw
unbedingt haben/tun wollen; **to be (dead) ~ against**

sth/doing sth (total) gegen etw sein/etw (absolut) nicht
tun wollen.
[3] *vt* [a] (*put, place*) stellen; (*on its side, flat*) legen; (*deliberately, carefully*) setzen.
   [b] (*regulate, adjust*) einstellen (*at* auf +*acc*); *clock*
stellen (*by* nach, *to* auf +*acc*); (*fix*) *trap, snare* aufstellen;
(*fig*) stellen (*for sb* jdm) ▶ **to ~ the alarm for a certain
time** den Wecker auf eine bestimmte Zeit stellen.
   [c] (*prescribe, impose*) *target, limit etc* festlegen; *task,
question* stellen (*sb* jdm); *homework* aufgeben; *exam*
zusammenstellen; (*arrange*) *time, date* festsetzen, ausmachen (*col*); (*establish*) *record* aufstellen; *fashion* bestimmen ▶ **to ~ the date (of the wedding)** das
Hochzeitsdatum festsetzen; **to ~ a value on sth** einen
Wert für etw festsetzen; **to ~ a high value on sth** einer
Sache (*dat*) großen Wert beimessen; **to ~ sb a problem**
(*lit*) jdm ein Problem aufgeben; (*fig*) jdn vor ein Problem stellen.
   [d] (*mount*) *gem* fassen (*in* in +*dat*); *piece of jewellery*
besetzen (*with* mit); *windowpane* einsetzen (*in* in +*acc*);
(*embed firmly*) einlegen (*in* in +*dat*); (*in ground*) einlassen (*in* in +*acc*).
   [e] (*Liter*) **the book etc is ~ in Rome** das Buch *etc*
spielt in Rom; **he ~ the book in Rome** er wählte Rom
als Schauplatz für sein Buch.
   [f] (*Med*) *bone* einrichten; *dislocated joint* einrenken.
   [g] (*lay with cutlery*) *table* decken ▶ **to ~ places for 14**
für 14 decken.
   [h] *hair* legen, eindrehen.
   [i] **to ~ the police/dogs on sb** die Polizei/Hunde auf
jdn hetzen.
   [j] (*Mus*) **to ~ sth to music** etw vertonen.
   [k] (*Typ*) setzen.
   [l] **to ~ sth going/in motion** etw in Gang/
Bewegung bringen; **to ~ sb doing sth** jdn dazu veranlassen, etw zu tun; **to ~ sb laughing** jdn zum Lachen
bringen; **that ~ me thinking** das gab mir zu denken;
that ~ me thinking that ... das ließ mich denken, daß
...; **to ~ people talking** Anlaß zu Gerede geben; **to ~
sb/oneself to do sth** jdn etw tun lassen/sich daranmachen, etw zu tun.
[4] *vi* [a] (*sun etc*) untergehen. [b] (*jelly, cement*) fest
werden; (*jam also*) gelieren; (*bone*) zusammenwachsen.
◆**set about** *vi* +*prep obj* [a] (*begin*) anfangen; (*tackle*)
anfassen, anpacken (*col*) ▶ **to ~ doing sth** (*begin*) sich
daranmachen, etw zu tun; **how do I ~ ~ getting a
loan?** wie fasse *or* packe (*col*) ich es an, ein Darlehen zu
bekommen? [b] (*attack*) herfallen über (+*acc*).
◆**set against** *vt sep* +*prep obj* [a] (*influence against*)
einnehmen gegen; (*cause trouble between*) Zwietracht
säen zwischen (+*dat*). [b] (*balance against*) *evidence etc*
gegenüberstellen (+*dat*).
◆**set aside** *vt sep* [a] *work, money* beiseite legen; *time*
einplanen; *plans* aufschieben; *differences* beiseite
schieben; *dislike* vergessen; *mistrust, bitterness* sich
freimachen von; *formality* verzichten auf (+*acc*); *rules,
protest* übergehen. [b] (*Jur*) aufheben; *will* für ungültig
erklären.
◆**set back** *vt sep* [a] (*place at a distance*) zurücksetzen
▶ **the house is ~ ~ from the road** das Haus liegt etwas
von der Straße ab. [b] (*retard*) verzögern, behindern ▶
the programme has been ~ ~ (by) 2 years das Programm ist um 2 Jahre zurückgeworfen worden. [c] (*col:
cost*) kosten ▶ **the dinner ~ me ~ £35** das Essen hat
mich 35 Pfund gekostet *or* ärmer gemacht (*col*).
◆**set down** *vt sep* [a] (*put down*) *suitcase* absetzen; *passenger also* aussteigen lassen. [b] (*in writing*) (schriftlich)
niederlegen.
◆**set in** *vi* (*start*) (*frost etc*) einsetzen; (*panic*) ausbrechen; (*night*) anbrechen; (*Med: gangrene, complications*)
sich einstellen ▶ **the rain has ~ ~** es hat sich eingereg-

net.

◆**set off** [1] *vt sep* [a] *bomb* losgehen lassen; *alarm, mechanism* auslösen. [b] (*offset*) **to ~ sth ~ against sth** etw einer Sache (*dat*) gegenüberstellen. [c] (*enhance*) hervorheben ▶ **to ~ sth ~ from sth** etw von etw abheben.
[2] *vi* (*depart*) aufbrechen; (*car, in car etc*) losfahren ▶ **to ~ ~ on a journey** eine Reise antreten; **to ~ ~ for Spain** nach Spanien abfahren *or* losfahren.

◆**set out** [1] *vt sep* (*display*) ausbreiten; (*arrange*) *chess pieces* aufstellen; *essay* anlegen.
[2] *vi* (*depart*) = **set off 2.** [b] (*intend*) beabsichtigen ▶ **I didn't ~ to do that** ich hatte nicht vor, das zu tun.

◆**set to** [1] *vi* (*start working etc*) loslegen (*col*) ▶ **they ~ ~ and repaired it** sie machten sich an die Arbeit und reparierten es.
[2] *vi +prep obj* **to ~ ~ work** sich an die Arbeit machen.

◆**set up** [1] *vi* (*establish oneself*) **to ~ ~ as a doctor** sich als Arzt niederlassen; **to ~ ~ in business** sein eigenes Geschäft aufmachen; **to ~ ~ on one's own** sich selbständig machen.
[2] *vt sep* [a] (*place in position*) *statue, post* aufstellen; (*assemble*) *tent, stall, apparatus* aufbauen; (*fig: arrange*) *meeting* vereinbaren; *robbery* planen ▶ **to ~ sth ~ for sb** etw für jdn vorbereiten. [b] (*establish*) gründen; *school, office* einrichten; *inquiry* anordnen ▶ **to ~ sb ~ in business** jdm zu einem Geschäft verhelfen; **to ~ sb ~ as sth** (es) jdm ermöglichen, etw zu werden; **to be ~ ~ for life** für sein ganzes Leben ausgesorgt haben. [c] (*col: frame*) **to ~ sb ~** jdm etwas anhängen; **I've been ~ ~** das will mir einer anhängen (*col*).

◆**set upon** *vi +prep obj* überfallen; (*animal*) anfallen.

set: **~back** *n* Rückschlag *m*; **~ square** *n* (*esp Brit*) Zeichendreieck *nt*; **~ theory** *n* Mengenlehre *f*.

settee [se'ti:] *n* Couch *f*, Sofa *nt*.

setter ['setər] *n* (*dog*) Setter *m*.

setting ['setɪŋ] *n* [a] (*of sun, moon*) Untergang *m*. [b] (*background, atmosphere*) Rahmen *m*; (*surroundings*) Umgebung *f*; (*of novel etc*) Schauplatz *m* ▶ **a film with a medieval ~** ein Film, der im Mittelalter spielt. [c] (*of jewel*) Fassung *f*. [d] (*at table*) Gedeck *nt*. [e] (*position on dial etc*) Einstellung *f*. [f] (*musical arrangement*) Vertonung *f*. [g] (*hair*) Legen *nt* ▶ **~ lotion** (Haar)festiger *m*.

▼ **settle** ['setl] [1] *vt* [a] (*decide*) entscheiden; (*sort out*) regeln; *problem* klären; *dispute, differences* beilegen; *doubts* ausräumen; *date, place* festlegen, ausmachen (*col*); *venue* festlegen; *deal* abschließen; *price, terms* aushandeln; (*insurance claim*) regulieren ▶ **when my future is ~d** wenn sich meine Zukunft entschieden hat; **to ~ one's affairs** seine Angelegenheiten in Ordnung bringen; **to ~ an estate** (*Jur*) die Verteilung des Nachlasses regeln; **to ~ a case out of court** einen Fall außergerichtlich klären; **that's ~d then** das ist also klar; **that ~s it** damit wäre der Fall (ja wohl) erledigt; (*angry*) jetzt reicht's.
[b] (*pay*) *bill* begleichen; *account* ausgleichen.
[c] (*place carefully*) legen; (*in upright position*) stellen; (*make comfortable*) *baby* schlafen legen; *invalid* bequem hinlegen; (*calm*) *nerves, stomach* beruhigen ▶ **to ~ oneself comfortably in an armchair** es sich (*dat*) in einem Sessel bequem machen.
[d] (*colonize*) *land* besiedeln.
[e] (*form*) **to ~ money/property on sb** jdm Geld/Besitz überschreiben; (*in will*) jdm Geld/Besitz vermachen.
[2] *vi* [a] (*in country, town, profession*) sich niederlassen; (*as settler*) sich ansiedeln; (*in house*) sich einrichten; (*feel at home in house, town*) sich einleben (*into* in +*dat*); (*in job, surroundings*) sich eingewöhnen (*into* in +*dat*); (*permanently in area*) seßhaft werden ▶ **to ~ into**

a habit sich (*dat*) etw angewöhnen.
[b] (*become less variable: weather*) beständig werden. **if the weather would only ~** wenn das Wetter nicht mehr so unbeständig wäre.
[c] (*become calm*) (*child, matters, stomach*) sich beruhigen; (*panic, excitement*) sich legen; (*become less excitable*) ruhiger werden ▶ **he couldn't ~ to anything** er konnte sich auf nichts konzentrieren.
[d] (*come to rest, sit down*) (*person, bird*) sich niederlassen *or* setzen; (*dust*) sich setzen *or* legen; (*sink slowly*) (*building*) sich senken; (*ground, sediment*) sich setzen.
[e] (*Jur*) **to ~ (out of court)** sich vergleichen.
[f] (*pay*) bezahlen ▶ **can I ~ with you later?** kann ich später mit Ihnen abrechnen?

◆**settle down** *vi* [a] = **settle 2 (a)** ▶ **it's time he ~d ~** es wird Zeit, daß er zur Ruhe kommt; (*got married*) es wird Zeit, daß er heiratet; **to ~ ~ at school/a job** sich an einer Schule/in einer Stellung eingewöhnen. [b] = **settle 2 (c).** [c] **to ~ ~ to work** sich an die Arbeit machen *or* setzen; **to ~ ~ for the night** sich schlafen legen.

◆**settle for** *vi +prep obj* sich zufriedengeben mit ▶ **she won't ~ ~ anything less** mit weniger gibt sie sich nicht zufrieden.

◆**settle in** *vi* (*in house, town*) sich einleben; (*in job, school*) sich eingewöhnen.

◆**settle on** *vi +prep obj* sich entscheiden für; (*agree on*) sich einigen auf (+*acc*).

◆**settle up** [1] *vi* (be)zahlen ▶ **to ~ ~ with sb** (*lit, fig*) mit jdm abrechnen.
[2] *vt sep bill* bezahlen.

settled ['setld] *adj way of life* geregelt; (*Brit*) *weather* beständig ▶ **to be ~** in geregelten Verhältnissen leben; (*established*) etabliert sein; (*in place*) seßhaft sein; (*have permanent job etc*) festen Fuß gefaßt haben; (*in a house*) sich häuslich niedergelassen haben; (*be less restless*) ruhiger sein.

settlement ['setlmənt] *n* [a] (*act*) (*deciding*) Entscheidung *f*; (*sorting out*) Regelung *f*; (*of problem etc*) Klärung *f*; (*of dispute etc*) Beilegung *f*; (*of estate*) Regelung *f*; (*of bill, claim*) Bezahlung *f*; (*of account*) Ausgleich *m* ▶ **a ~ out of court** *or* **an out-of-court ~** (*Jur*) ein außergerichtlicher Vergleich; **to reach a ~** sich einigen, einen Vergleich treffen; **in ~ of our account** zum Ausgleich unseres Kontos. [b] (*colony, village*) Siedlung, Niederlassung *f*; (*colonization*) Besiedlung *f*. [c] (*contract, agreement etc*) Übereinkunft *f*.

settler ['setlər] *n* Siedler(in *f*) *m*.

set: **~-to** *n* (*col*) Krach *m* (*col*); **to have a ~-to with sb** sich mit jdm in die Wolle kriegen (*col*); **~-up** *n* (*col: situation*) Zustände *pl*; **I don't like the whole ~-up** mir gefällt das ganze Drum und Dran nicht (*col*); [b] (*col: rigged contest*) abgekartete Sache.

seven ['sevn] *adj* sieben; *see* **six.**

seventeen ['sevn'ti:n] *adj* siebzehn.

seventeenth ['sevn'ti:nθ] *adj* siebzehnte(r, s); *see* **sixteenth.**

seventh ['sevnθ] [1] *adj* siebte(r, s).
[2] *n* (*fraction*) Siebtel *nt*; (*in series*) Siebte(r, s); (*Mus*) Septime *f*; (*chord*) Septimakkord *m*; *see* **sixth.**

seventieth ['sevntɪɪθ] *adj* siebzigste(r, s); *see* **sixtieth.**

seventy ['sevntɪ] *adj* siebzig; *see* **sixty.**

sever ['sevər] *vt* (*cut through*) durchtrennen; (*violently*) durchschlagen; (*cut off*) abtrennen; (*violently*) abschlagen; (*fig: break off*) *ties* lösen; *relations* abbrechen; *communications* unterbrechen.

several ['sevrəl] [1] *adj* (*some*) einige, mehrere; (*various*) verschiedene ▶ **I've seen him ~ times/~ times already** ich habe ihn einige Male gesehen/schon mehrere Male gesehen; **I'll need ~ more** ich brauche noch einige.
[2] *pron* einige ▶ **~ of the houses** einige (der) Häuser; **~**

of us einige von uns.

severance pay ['sevərəns‚peɪ] *n* eine Abfindung.

severe [sɪ'vɪəʳ] *adj* (*+er*) *person, appearance* streng; *punishment, competition, test* hart; *criticism, reprimand* scharf; *crime, warning* ernst; *illness, injury, blow, frost, loss* schwer, schlimm; *pain, storm* stark, heftig; *weather* rauh ▸ *to be ~ with sb* streng mit jdm sein.

severely [sɪ'vɪəlɪ] *adv see adj* ▸ *to be ~ critical of sth* sich äußerst kritisch über etw (*acc*) äußern; *~ handicapped* schwerbehindert.

severity [sɪ'verɪtɪ] *n see adj* Strenge *f*; Härte *f*; Schärfe *f*; Ernst *m*; Schwere *f*; Stärke, Heftigkeit *f*; Rauheit *f* ▸ *the ~ of the cold/drought/frost/loss* die schwere Kälte/Dürre/der starke Frost/der schwere Verlust.

sew [səʊ] *pret* ~**ed**, *ptp* ~**n** *vti* nähen ▸ *to ~ sth on/together* etw annähen/zusammennähen.

◆**sew up** *vt sep* [a] nähen (*also Med*); *opening* zunähen. [b] (*fig*) unter Dach und Fach bringen ▸ *it's all ~n ~* es ist unter Dach und Fach.

sewage ['sjuːɪdʒ] *n* Abwasser *nt* ▸ *~ farm/works* Kläranlage *f*.

sewerage ['sjʊərɪdʒ] *n* (*system*) Kanalisation *f*; (*service*) Abwasserbeseitigung *f*.

sewer ['sjʊəʳ] *n* (*pipe*) Abwasserleitung *f*; (*main ~*) Abwasserkanal *m*; (*fig: smelly place*) Kloake *f*.

sewing ['səʊɪŋ] *n* (*activity*) Nähen *nt*; (*piece of work*) Näharbeit *f* ▸ *~ basket* Nähkorb *m*; *~ cotton* Nähgarn *nt*; *~ machine* Nähmaschine *f*.

sewn [səʊn] *ptp of* sew.

sex [seks] [1] *n* [a] (*Biol*) Geschlecht *nt* ▸ *what ~ is the baby?* welches Geschlecht hat das Baby? [b] (*sexuality*) Sexualität *f*, Sex *m*; (*sexual intercourse*) Sex (*col*), Geschlechtsverkehr (*form*) *m* ▸ *to have ~* (Geschlechts)verkehr haben.
[2] *adj attr* Geschlechts-; *hygiene, crime* Sexual-; *film, scandal* Sex-.

sex: *~ act* *n* Geschlechtsakt *m*; *~ appeal* *n* Sex-Appeal *m*; *~ change* *n* Geschlechtsumwandlung *f*; *~ discrimination* *n* Diskriminierung *f* auf Grund des Geschlechts; *~ education* *n* Sexualerziehung *f*.

sexily ['seksɪlɪ] *adv* aufreizend, sexy (*col*).

sexism ['seksɪzm] *n* Sexismus *m*.

sexist ['seksɪst] [1] *n* Sexist(in *f*) *m*.
[2] *adj* sexistisch.

sex: ~**less** *adj* geschlechtslos; *~ life* *n* Geschlechtsleben *nt*; *~ maniac* *n* (*criminal*) Triebtäter *m*; (*hum col*) (*man*) Lustmolch *m* (*hum*); (*woman*) Nymphomanin *f*; *~ object* *n* Sexualobjekt *nt*; *~ offence* *n* Sexualverbrechen *nt*; *~ offender* *n* Sexualtäter *m*; *~ shop* *n* Sexshop *m*.

sextant ['sekstənt] *n* Sextant *m*.

sextet [seks'tet] *n* Sextett *nt*.

sexton ['sekstən] *n* Küster *m*.

sexual ['seksjʊəl] *adj* sexuell; *maturity* Geschlechts-; *partner* Sexual-; *crime* Sexual-, Trieb- ▸ *~ harassment* sexuelle Belästigung; *~ intercourse* Geschlechtsverkehr *m*.

sexuality [‚seksjʊ'ælɪtɪ] *n* Sexualität *f*.

sexy ['seksɪ] *adj* (*+er*) (*col*) sexy *pred*; *smile, pose also* aufreizend; *joke, film* erotisch; (*product etc*) geil (*col*).

Seychelles [seɪ'ʃelz] *npl* Seychellen *pl*.

SF = **science fiction**.

sgd = **signed** gez.

Sgt = **sergeant**.

shabbily ['ʃæbɪlɪ] *adv* (*lit, fig*) schäbig.

shabbiness ['ʃæbɪnɪs] *n* (*lit, fig*) Schäbigkeit *f*.

shabby ['ʃæbɪ] *adj* (*+er*) (*lit, fig*) schäbig.

shack [ʃæk] [1] *n* Hütte *f*.
[2] *vi* (*col*) *to ~ up with sb* mit jdm zusammenziehen.

shackle ['ʃækl] [1] *n usu pl* Kette, Fessel (*also fig*) *f*.
[2] *vt* in Ketten legen.

shade [ʃeɪd] [1] *n* [a] Schatten *m* ▸ *30° in the ~* 30

Grad im Schatten; *to give ~* Schatten spenden; *to put sb/sth in the ~* (*fig*) jdn/etw in den Schatten stellen. [b] (*lamp~*) (Lampen)schirm *m*; (*esp US: blind*) Jalousie *f*; (*roller blind*) Rollo *nt*; (*outside house*) Markise *f* ▸ *~s* (*col: sunglasses*) Sonnenbrille *f*. [c] (*of colour*) (Farb)ton *m*; (*fig*) (*of opinion*) Schattierung *f*; (*of meaning*) Nuance *f* ▸ *a bright ~ of red* ein leuchtender Rotton. [d] (*small quantity*) *it's a ~ long/too long* es ist eine Spur zu lang.
[2] *vt* [a] (*protect from light*) abschirmen; *lamp, window* abdunkeln ▸ *that part is ~d by a tree* der Teil liegt im Schatten eines Baumes. [b] (*Art*) schattieren; (*hatch*) schraffieren.

shading ['ʃeɪdɪŋ] *n* (*Art*) Schattierung *f*; (*hatching*) Schraffierung *f*.

shadow ['ʃædəʊ] [1] *n* (*lit, fig*) Schatten *m*; (*fig: threat*) (Be)drohung *f* ▸ *in the ~* im Schatten; *in the ~s* im Dunkel; *sb lives under the ~ of sth* etw lastet wie ein Schatten auf jdm; *to be just a ~ of one's former self* nur noch ein Schatten seiner selbst sein; *without a ~ of a doubt* ohne den geringsten Zweifel.
[2] *attr* (*Brit Pol*) Schatten- ▸ *the ~ Foreign Secretary* der Außenminister im Schattenkabinett.
[3] *vt* (*follow*) beschatten (*col*).

shadow: ~-**boxing** *n* (*lit, fig*) Schattenboxen *nt*; *~ cabinet* *n* (*Brit*) Schattenkabinett *nt*; *~ play* *n* Schattenspiel *nt*.

shadowy ['ʃædəʊɪ] *adj* schattig; (*blurred*) verschwommen ▸ *to lead a ~ existence* ein undurchsichtiges Dasein führen.

shady ['ʃeɪdɪ] *adj* (*+er*) [a] *place* schattig; *tree* schattenspendend. [b] (*col: dubious*) zwielichtig.

shaft [ʃɑːft] *n* [a] Schaft *m*; (*of tool, golf club etc*) Stiel *m*; (*of light*) Strahl *m*; (*Mech*) Welle *f*.

shaggy ['ʃægɪ] *adj* (*+er*) (*long-haired*) zottig; (*unkempt*) zottelig.

Shah [ʃɑː] *n* Schah *m*.

shake [ʃeɪk] (*vb: pret* **shook**, *ptp* **shaken**) [1] *n* (*act of shaking*) Schütteln *nt* ▸ *to give a rug a ~* einen Läufer ausschütteln; *to give the paint a ~* die Farbe (gut) durchschütteln; *to give sb/oneself a good ~* jdn/sich kräftig schütteln; *with a ~ of the head* mit einem Kopfschütteln; *to be no great ~s* (*col*) nicht umwerfend sein (*at in +dat*).
[2] *vt* [a] schütteln; *building* erschüttern; *cocktail* durchschütteln ▸ *"~ well before using"* „vor Gebrauch gut schütteln"; *to be ~n to pieces* total durchgeschüttelt werden; *to ~ one's fist at sb* jdm mit der Faust drohen; *to ~ one's head* den Kopf schütteln; *to ~ oneself/itself free* sich losmachen; *to ~ hands with sb* jdm die Hand schütteln. [b] (*weaken*) *faith etc* erschüttern; *evidence, reputation, resolve* ins Wanken bringen. [c] (*shock, amaze*) erschüttern ▸ *that shook him!* da war er platt (*col*); *it was a nasty accident, he's still rather badly ~n* es war ein schlimmer Unfall, der Schreck sitzt ihm noch in den Knochen.
[3] *vi* wackeln; (*hand*) zittern; (*earth, voice*) beben ▸ *the whole boat shook as the waves hit it* das ganze Boot wurde vom Aufprall der Wellen erschüttert; *to ~ like a leaf* zittern wie Espenlaub; *to ~ with fear* vor Angst zittern; *he was shaking all over* er zitterte am ganzen Körper.

◆**shake off** *vt sep* *dust, pursuer* abschütteln; *headache* loswerden.

◆**shake out** *vt sep* [a] herausschütteln; *rug* ausschütteln. [b] (*fig: out of complacency etc*) aufrütteln (*of aus*).

◆**shake up** *vt sep* [a] *bottle, liquid* schütteln; *pillow* aufschütteln. [b] (*upset*) erschüttern ▸ *she's still a bit ~n ~* sie ist immer noch ziemlich mitgenommen. [c] *management, recruits* auf Zack bringen (*col*); *ideas* revidieren.

shaken ['ʃeɪkən] *ptp of* **shake**.

shake-up ['ʃeɪkʌp] *n* (*col*) (*reorganization*) Umbesetzung *f* ▸ *to give a department a good* ~ eine Abteilung umkrempeln (*col*).

shakily ['ʃeɪkɪlɪ] *adv* wacklig; *talk* mit zittriger Stimme; *walk* mit wackligen Schritten.

shakiness ['ʃeɪkɪnɪs] *n see adj* Wackeligkeit *f*; Fragwürdigkeit *f*; Zittrigkeit *f*; Unsicherheit *f*.

shaky ['ʃeɪkɪ] *adj* (+*er*) *chair, position* wacklig; *evidence* fragwürdig; *voice, hands, writing* zittrig; *knowledge* unsicher ▸ *his Spanish is rather* ~ sein Spanisch ist ziemlich holprig; *to feel* ~ sich ganz schwach fühlen.

shale [ʃeɪl] *n* Schiefer *m*.

▾ **shall** [ʃæl] *pret* **should** *modal aux* [a] (*future*) *we* ~ *or we'll go to France this year* wir werden dieses Jahr nach Frankreich fahren, wir fahren dieses Jahr nach Frankreich; *no, I* ~ *not or I shan't* nein, das werde ich nicht tun *or* das tue ich nicht; *yes, I* ~ ja, das werde ich tun *or* das tue ich! [b] (*determination, obligation*) *you* ~ *pay for this!* dafür wirst du büßen!; *but I say you SHALL do it!* aber ich; sage dir, du wirst das machen!; *the directors* ~ *not be disturbed* (*form*) die Direktoren dürfen nicht gestört werden; *I want to go too — and so you* ~ ich will auch mitkommen — aber gewiß doch. [c] (*in questions, suggestions*) *what* ~ *we do?* was sollen wir machen?; *let's go in,* ~ *we?* komm, gehen wir hinein!; *I'll buy 3,* ~ *I?* soll ich 3 kaufen?, ich kaufe 3, oder?

shallot [ʃə'lɒt] *n* Schalotte *f*.

shallow ['ʃæləʊ] [1] *adj* flach; *water also* seicht; (*fig*) *talk, person* oberflächlich ▸ *in the* ~ *end of the pool* am flachen Ende des Beckens. [2] *n* ~*s pl* Untiefe *f*.

shalt [ʃælt] (*obs*) *2nd pers sing of* **shall**.

sham [ʃæm] [1] *n* [a] (*pretence*) Heuchelei *f* ▸ *their marriage had become a* ~ ihre Ehe war zur Farce geworden. [b] (*person*) Scharlatan *m*. [2] *adj diamonds etc* unecht, imitiert; *sympathy etc* vorgetäuscht, gespielt ▸ ~ *battle* Scheingefecht *nt*. [3] *vt* vortäuschen; *sympathy* heucheln. [4] *vi* so tun; (*esp with illness*) simulieren; (*with feelings*) heucheln ▸ *he's just* ~*ming* er tut nur so.

shamble ['ʃæmbl] *vi* schlurfen.

shambles ['ʃæmblz] *n sing* heilloses Durcheinander ▸ *the room was a* ~ im Zimmer herrschte ein heilloses Durcheinander; *the economy is in a* ~ die Wirtschaft befindet sich im Chaos.

shambolic [ʃæm'bɒlɪk] *adj* (*col*) chaotisch (*col*).

shame [ʃeɪm] [1] *n* [a] (*feeling of* ~) Scham *f*; (*cause of* ~) Schande *f* ▸ *to feel* ~ *at sth* sich für etw schämen; *he hung his head in* ~ er senkte beschämt den Kopf; (*fig*) er schämte sich; *to bring* ~ *upon sb/oneself* jdm/sich Schande machen; *to put sb/sth to* ~ (*fig*) jdn/etw in den Schatten stellen; ~ *on you!* du solltest dich/ihr solltet euch schämen! [b] (*pity*) *it's a* ~ *you couldn't come* schade, daß du nicht kommen konntest; *what a* ~*!* (das ist aber) schade!; *what a* ~ *he ...* schade, daß er ... [2] *vt* Schande machen (+*dat*); (*fig: by excelling*) in den Schatten stellen ▸ *he* ~*d us by working so hard* er hat uns alle durch sein hartes Arbeiten beschämt.

shamefaced ['ʃeɪm,feɪst] *adj* betreten.

shameful ['ʃeɪmfʊl] *adj* schändlich ▸ *how* ~*!* was für eine Schande!; *what* ~ *behaviour!* dieses Benehmen ist eine Schande.

shamefully ['ʃeɪmfəlɪ] *adv* schändlich ▸ *I am* ~ *ignorant* es ist eine Schande, wie wenig ich weiß.

shameless ['ʃeɪmlɪs] *adj* schamlos ▸ *he was quite* ~ *about it* er schämte sich überhaupt nicht.

shamelessly ['ʃeɪmlɪslɪ] *adv* schamlos.

shammy (leather) ['ʃæmɪ('leðə')] *n* Fenster-/Auto-leder *nt*.

shampoo [ʃæm'puː] [1] *n* (*liquid*) Shampoo, Schampon *nt*; (*act of washing*) Reinigung *f*; (*of hair*) Waschen *nt* ▸ *to have a* ~ sich (*dat*) die Haare waschen lassen. [2] *vt person* die Haare waschen (+*dat*); *hair* waschen; *carpet* reinigen.

shamrock ['ʃæmrɒk] *n* Klee *m*; (*leaf*) Kleeblatt *nt*.

shandy ['ʃændɪ] *n* Bier *nt* mit Limonade, Radler *m* (*S Ger*), Alsterwasser *nt* (*N Ger*).

shandygaff ['ʃændɪ,gæf] *n* (*US*) = **shandy**.

shank [ʃæŋk] *n* (*to go*) *on S*~*s's pony* auf Schusters Rappen (reiten).

shan't [ʃɑːnt] = **shall not**.

shanty¹ ['ʃæntɪ] *n* (*hut*) Baracke, Hütte *f* ▸ ~ *town* Slum(vor)stadt *f*.

shanty² *n* (*Mus*) Seemannslied, Shanty *nt*.

shape [ʃeɪp] [1] *n* [a] Form *f* ▸ *what* ~ *is it?* welche Form hat es?; *it's rectangular etc in* ~ es ist rechteckig *etc*; *she's the right* ~ *for a model* sie hat die richtige Figur für ein Mannequin; *to hammer metal into* ~ Metall zurechthämmern; *to knock sth out of* ~ etw zerbeulen; *to take* ~ (*lit, fig*) Gestalt annehmen; *of all* ~*s and sizes* jeder Art, in allen Variationen; *I don't accept gifts in any* ~ *or form* ich nehme überhaupt keine Geschenke an; *we do not know the* ~ *of things to come* wir wissen nicht, wie sich die Zukunft gestalten wird. [b] (*unidentified figure*) Gestalt *f*; (*object*) Form *f*. [c] (*fig: order, condition*) *in good/bad* ~ (*sportsman*) in Form/nicht in Form; (*mentally, healthwise*) in guter/schlechter Verfassung; (*things, business*) in gutem/schlechtem Zustand; *to get into* ~ (*sportsman etc*) in Form kommen; *to get a house into* ~ ein Haus in Ordnung bringen; *to get one's affairs into* ~ seine Angelegenheiten ordnen; *to knock sb/sth into* ~ jdn/etw auf Vordermann bringen. [2] *vt* (*lit*) *stone etc* bearbeiten; *clay etc* formen (*into* zu); (*fig*) *character, ideas* formen, prägen; *one's life* gestalten; *course of history* bestimmen. [3] *vi* (*also* ~ *up*) sich entwickeln ▸ *to* ~ *up well* sich gut entwickeln.

SHAPE = **Supreme Headquarters Allied Powers, Europe** *Hauptquartier nt der NATO in Europa*.

shaped [ʃeɪpt] *adj* geformt ▸ *an oddly* ~ *hat* ein Hut mit einer komischen Form.

-shaped [-ʃeɪpt] *adj suf* -förmig.

shapeless ['ʃeɪplɪs] *adj* formlos; (*ugly*) unförmig.

shapelessness ['ʃeɪplɪsnɪs] *n* Formlosigkeit *f*; (*ugly*) Unförmigkeit *f*.

shapeliness ['ʃeɪplɪnɪs] *n see adj* Wohlproportioniertheit *f*; Wohlgeformtheit *f*.

shapely ['ʃeɪplɪ] *adj* (+*er*) *figure, woman* wohlproportioniert; *legs, bust* wohlgeformt.

▾ **share** [ʃɛəʳ] [1] *n* [a] (*portion*) Anteil *m* (*in or of* an +*dat*) ▸ *I want my fair* ~ ich will meinen (An)teil; *he didn't get his fair* ~ er ist zu kurz gekommen; *I've had more than my fair* ~ *of bad luck* ich habe aber auch wirklich Pech gehabt; *I'll give you a* ~ *in the profit* ich beteilige Sie am Gewinn; *in equal* ~*s* zu gleichen Teilen; *to take one's* ~ *of the proceeds/blame* sich (*dat*) seinen Anteil am Gewinn nehmen/sich mitschuldig erklären; *to pay one's* ~ seinen (An)teil bezahlen; *to do one's* ~ sein(en) Teil beitragen; *to have a* ~ *in sth* an etw (*dat*) beteiligt sein; *I had no* ~ *in that* damit hatte ich nichts zu tun. [b] (*Fin*) (Geschäfts)anteil *m*; (*in a public limited company*) Aktie *f*. [2] *vt* (*divide*) teilen; (*have in common also*) gemeinsam haben; *responsibility* gemeinsam tragen ▸ *we* ~ *the same name/birthday* wir haben den gleichen Namen/am gleichen Tag Geburtstag; *they* ~ *a room* sie haben ein gemeinsames Zimmer; *I do not* ~ *that view* diese

Ansicht teile ich nicht. **3** *vi* a teilen ▶ *children have to learn to* ~ Kinder müssen lernen, mit anderen zu teilen; ~ *and* ~ *alike* (brüderlich) mit (den) anderen teilen. b *to* ~ *in sth* sich an etw (*dat*) beteiligen; (*in profit*) an etw (*dat*) beteiligt sein; (*in enthusiasm*) etw teilen; (*in success, sorrow*) an etw (*dat*) Anteil nehmen.

share: ~ **capital** *n* Aktienkapital *nt*; ~ **certificate** *n* Aktie(nurkunde) *f*; ~**holder** *n* Aktionär(in *f*) *m*; ~ **index** *n* Aktienindex *m*; ~**out** *n* Verteilung *f*; (*St Ex*) (Dividenden)ausschüttung *f*; ~ **price** *n* Aktienkurs *m*.

shark [ʃɑːk] *n* a Hai(fisch) *m*. b (*col: swindler*) Schlitzohr *nt* (*col*) ▶ *loan* ~ Kredithai *m* (*col*).

sharp [ʃɑːp] **1** *adj* (+*er*) a scharf; *needle, angle* spitz; *air, wind* schneidend; *apple* sauer; *wine* herb; *nose* empfindlich; (*intelligent*) *person* schlau, auf Draht (*col*); *child* aufgeweckt; *remark* scharfsinnig ▶ *that was pretty* ~ *of you* das war ganz schön schlau *or* clever (*col*) von dir; *to keep a* ~ *watch for mistakes* scharf auf Fehler aufpassen. b (*sudden, intense*) *whistle, cry* durchdringend, schrill; *drop in prices* steil; *frost* scharf; *shower, desire, pain* heftig ▶ *after a short,* ~ *struggle* nach kurzem, heftigem Kampf. c (*pej: cunning*) *person* gerissen, raffiniert; *trick etc* raffiniert ▶ ~ *practice(s)* unsaubere Geschäfte *pl*. d (*harsh, fierce*) *tongue, retort, tone of voice* scharf; *person* schroff ▶ *he has a* ~ *temper* er ist jähzornig. e (*Mus*) *note* (*too high*) zu hoch; (*raised a semitone*) (um einen Halbton) erhöht. **2** *adv* (+*er*) a (*Mus*) zu hoch. b *at 5 o'clock* ~ Punkt 5 Uhr; *to turn* ~ *right* scharf nach rechts abbiegen; *look* ~*!* dalli! (*col*), zack, zack! (*col*). **3** *n* (*Mus*) Kreuz *nt* ▶ *you played F natural instead of a* ~ du hast f statt fis gespielt.

sharpen [ʃɑːpən] *vt* a *knife* schleifen; *razor* wetzen; *pencil* spitzen; (*fig*) *appetite* anregen; *wits* schärfen. b (*Mus*) (*by a semitone*) (um einen Halbton) erhöhen; (*raise pitch*) höher singen/spielen/stimmen.

sharp end *n at the* ~ (*fig*) in vorderster Front.

sharpener [ʃɑːpnər] *n* Schleifgerät *nt*; (*in rod shape*) Wetzstahl *m*; (*pencil* ~) (Bleistift)spitzer *m*.

sharp: ~**eyed** *adj* scharfsichtig; *to be* ~**eyed** scharfe Augen haben; ~**featured** *adj* mit scharfen (Gesichts)zügen.

sharpish [ʃɑːpɪʃ] *adv* (*col: promptly*) schnellstens.

sharply [ʃɑːplɪ] *adv* scharf; *drop, rise* stark; (*harshly*) *speak, reply* schroff ▶ ~ *angled* spitzwinklig; *the road bends* ~ *to the left* die Straße macht eine scharfe Linkskurve.

sharpness [ʃɑːpnɪs] *n see adj* a Schärfe *f*; Spitzheit *f*; schneidende Kälte; Säure *f*; Herbheit *f*; (*intelligence*) Schläue *f*; Aufgewecktheit *f*; Scharfsinnigkeit *f*. b Schrillheit *f*; Schärfe *f*; Heftigkeit *f*. c (*pej*) Gerissenheit, Raffiniertheit *f*. d Schärfe *f*; Schroffheit *f*.

sharp: ~**shooter** *n* Scharfschütze *m*; ~**sighted** *adj* = ~**eyed**; ~**tempered** *adj* jähzornig; ~**tongued** *adj* scharfzüngig; ~**witted** *adj* scharfsinnig.

shatter [ʃætər] **1** *vt* a (*lit*) zertrümmern; *hopes, dreams* zunichte machen; *nerves* zerrütten ▶ *the blast* ~*ed all the windows* durch die Explosion zersplitterten alle Fensterscheiben; *his hopes were* ~*ed* seine Hoffnungen hatten sich zerschlagen. b (*fig col: exhaust*) fertigmachen (*col*); (*mentally*) mitnehmen. **2** *vi* zerbrechen, zerspringen; (*windscreen*) (zer)splittern.

shattered [ʃætəd] *adj* (*col*) (*exhausted*) fertig (*col*); (*amazed*) platt (*col*); (*emotionally exhausted*) mitgenommen.

shattering [ʃætərɪŋ] *adj* a *blow, explosion* gewaltig; *defeat* vernichtend. b (*fig col: exhausting*) anstrengend; (*psychologically*) niederschmetternd.

shatterproof [ʃætəpruːf] *adj* splitterfrei.

shave [ʃeɪv] (*vb: pret* ~**d**, *ptp* ~**d** *or* **shaven**) **1** *n* Rasur *f* ▶ *to have a* ~ sich rasieren; (*at a barber's*) sich rasieren lassen; *to have a close* ~ (*fig*) mit knapper Not davonkommen; *that was a close* ~ das war knapp. **2** *vt face, legs* rasieren; *wood* hobeln. **3** *vi* (*person*) sich rasieren; (*razor*) rasieren.

◆**shave off** *vt sep beard* sich (*dat*) abrasieren; *sb's beard* abrasieren; *wood* abhobeln.

shaven [ʃeɪvn] *adj head* (kahl)geschoren.

shaver [ʃeɪvər] *n* (*razor*) Rasierapparat *m* ▶ ~ *point* Steckdose *f* für Rasierapparate.

shaving [ʃeɪvɪŋ] *n* ~*s pl* Späne *pl*.

shaving *in cpds* Rasier-; ~ **brush** *n* Rasierpinsel *m*; ~ **foam** *n* Rasierschaum *m*; ~ **point** *n* (*Brit*) Steckdose *f* für Rasierapparate.

shawl [ʃɔːl] *n* (Umhänge)tuch *nt*; (*covering head*) (Kopf)tuch *nt*.

she [ʃiː] **1** *pron* sie; (*of boats, cars*) es ▶ ~ *who* ... (*liter*) diejenige, die ... **2** *n* Sie *f*.

she- *pref* weiblich ▶ ~**-bear** Bärin *f*.

sheaf [ʃiːf] *n, pl* **sheaves** (*of wheat, corn*) Garbe *f*; (*of arrows etc, papers, notes*) Bündel *nt*.

shear [ʃɪər] *pret* ~**ed**, *ptp* **shorn** *vt sheep* scheren; *wool* (ab)scheren.

shears [ʃɪəz] *npl* (große) Schere; (*for hedges etc*) Heckenschere *f*; (*for metal*) Metallschere *f*.

sheath [ʃiːθ] *n* (*for sword etc*) Scheide *f*; (*Bot*) (Blatt)scheide *f*; (*on cable*) Mantel *m*; (*Brit: contraceptive*) Kondom *m or nt*.

sheathe [ʃiːð] *vt sword* in die Scheide stecken; *cable* armieren ▶ ~**d in metal** mit Metall verkleidet.

sheath knife *n* Fahrtenmesser *nt*.

sheaves [ʃiːvz] *pl of* **sheaf**.

shed¹ [ʃed] *pret, ptp* ~ *vt* a *leaves, hair etc* verlieren; *horns* abwerfen; *clothes* ausziehen ▶ *to* ~ *its skin* sich häuten; *you should* ~ *a few pounds* Sie sollten ein paar Pfund abnehmen *or* loswerden. b *tears, blood* vergießen ▶ *I won't* ~ *any tears over him* ich weine ihm keine Träne nach. c *burden, leader* loswerden; *cares* ablegen; *friend* fallenlassen. d *light, perfume* verbreiten ▶ *to* ~ *light on sth* (*fig*) etw erhellen.

shed² *n* Schuppen *m*; (*industrial*) Halle *f*; (*cattle* ~) Stall *m*.

she'd [ʃiːd] = **she would**; **she had**.

sheen [ʃiːn] *n* Glanz *m*.

sheep [ʃiːp] *n, pl* - (*lit, fig*) Schaf *nt* ▶ *to separate the* ~ *from the goats* (*fig*) die Schafe von den Böcken trennen.

sheep: ~**dip** *n* Desinfektionsbad *nt* für Schafe; ~**dog** *nt* Hütehund *m*; ~ **farmer** *n* Schafzüchter *m*; ~**fold** *n* Schafstall *m*.

sheepish [ʃiːpɪʃ] *adj look* verlegen ▶ *I felt a bit* ~ *about it* das war mir ein bißchen peinlich.

sheep: ~**shearing** *n* Schafschur *f*; ~**skin** *n* a Schaffell *nt*; b (*US col: diploma*) Pergament *nt*.

sheer [ʃɪər] *adj* (+*er*) a (*absolute*) rein; *nonsense also* bar, glatt ▶ *by* ~ *chance* rein zufällig; *by* ~ *hard work* durch nichts als harte Arbeit. b (*steep*) *cliff, drop* steil, jäh (*geh*) ▶ *there is a* ~ *drop of 200 metres* es fällt 200 Meter steil ab. c (*of cloth etc*) (hauch)dünn ▶ ~ *tights* Feinstrumpfhose *f*.

sheet [ʃiːt] *n* a (*for bed*) (Bett)laken, Betttuch *nt*; (*for covering furniture*) Tuch *nt* ▶ *the furniture was covered with (dust)* ~*s* die Möbel waren verhängt. b (*of paper, col: a newspaper*) Blatt *nt*; (*big, as of wrapping paper, stamps etc, Typ*) Bogen *m* ▶ ~ *of music* Notenblatt *nt*. c (*of plywood*) Platte *f*; (*of glass also*) Scheibe *f*; (*of metal also*) Blech *nt*; (*baking* ~) (Back)blech *nt*; (*of water, ice etc*) Fläche *f* ▶ *a* ~ *of ice covered the lake* eine Eisschicht bedeckte den See; *a* ~ *of flame* eine riesige

Flamme.

sheet: ~ **feed** n (*for printer*) Papierzuführung f; ~ **lightning** n Wetterleuchten nt; ~ **metal** n Walzblech nt; ~ **music** n Notenblätter pl.

sheik(h) [ʃeɪk] n Scheich m.

shelf [ʃelf] n, pl **shelves** **a** Brett, Bord nt; (*for books*) Bücherbrett nt ▶ **shelves** (*unit of furniture*) Regal nt; *she was left on the* ~ (*col: single woman*) sie ist sitzengeblieben. **b** (*ledge of rock etc*) Gesims nt, (Fels)vorsprung m.

shelf: ~ **life** n Lagerfähigkeit f; ~ **mark** n Standortzeichen nt.

shell [ʃel] **1** n **a** (*of egg, nut, mollusc*) Schale f; (*on beach*) Muschel f; (*of snail*) (Schnecken)haus nt; (*of tortoise, insect*) Panzer m; (*pastry* ~) Form f ▶ *to come out of one's* ~ (*fig*) aus sich (*dat*) herausgehen; *to withdraw into one's* ~ (*fig*) sich in sein Schneckenhaus verkriechen. **b** (*frame*) (*of building*) Mauerwerk nt; (*unfinished*) Rohbau m; (*ruin*) Gemäuer nt; (*of car*) (*unfinished*) Karosserie f; (*gutted*) Wrack nt; (*of ship*) Gerippe nt; (*gutted*) Wrack nt. **c** (*Mil*) Granate f; (*esp US: cartridge*) Patrone f.

2 vt **a** peas etc enthülsen; eggs, nuts schälen. **b** (*Mil*) (mit Granaten) beschießen.

◆**shell out** (*col*) **1** vt sep blechen (*col*).

2 vi *to* ~ *for sth* für etw blechen (*col*).

she'll [ʃiːl] = **she will; she shall**.

shellfish [ʃelfɪʃ] n Schaltier(e pl) nt; (*Cook*) Meeresfrüchte pl.

shelling [ʃelɪŋ] n Granatfeuer nt (*of* auf +acc).

shell: ~**proof** adj bombensicher; ~ **shock** n Kriegsneurose f; ~ **suit** n Trilobal-Anzug m.

shelter [ʃeltəʳ] **1** n (*protection*) Schutz m; (*place*) Unterstand m; (*air-raid* ~) (Luftschutz)keller m; (*bus* ~) Wartehäuschen nt; (*for the night*) Unterkunft f ▶ *a night* ~ *for homeless people* ein Obdachlosenasyl nt; *in the* ~ *of one's home* in der Geborgenheit seines Heims; *under the* ~ *of the rock* im Schutze des Felsens; *to take* ~ sich in Sicherheit bringen; (*from rain, hail etc*) sich unterstellen; *to give sb* ~ jdn beherbergen.

2 vt schützen (*from* vor +dat); criminal verstecken ▶ *to* ~ *sb from blame* jdn gegen Vorwürfe in Schutz nehmen; *to* ~ *sb from harm* jdn vor Schaden bewahren.

3 vi *there was nowhere to* ~ man konnte nirgends Schutz finden; (*from rain etc*) man konnte sich nirgends unterstellen; *a good place to* ~ eine Stelle, wo man gut geschützt ist.

sheltered [ʃeltəd] adj place geschützt; life behütet ▶ ~ *from the wind* windgeschützt; ~ **housing** (*for old people*) Altenwohnungen pl; (*for handicapped people*) Behindertenwohnungen pl.

shelve [ʃelv] **1** vi (*slope*) abfallen.

2 vt problem aufschieben; plan ad acta legen.

shelves [ʃelvz] pl of **shelf**.

shelving [ʃelvɪŋ] n Regale pl.

shepherd [ʃepəd] **1** n Schäfer m ▶ ~*'s pie* Auflauf m aus Hackfleisch und Kartoffelbrei.

2 vt führen.

sherbet [ʃɜːbət] n (*powder*) Brausepulver nt; (*drink*) Brause f; (*US: water ice*) Fruchteis nt.

sheriff [ʃerɪf] n Sheriff m; (*Scot*) Friedensrichter m.

sherry [ʃerɪ] n Sherry m.

she's [ʃiːz] = **she is; she has**.

Shetland Islands [ʃetlənd'aɪləndz], **Shetlands** [ʃetləndz] npl Shetlandinseln pl.

Shetland pony [ʃetlənd'pəʊnɪ] n Shetlandpony nt.

shield [ʃiːld] **1** n (*Mil, Her*) Schild m; (*sporting trophy also*) Trophäe f; (*on machine*) Schutzschirm m; (*eye~, radiation* ~) Schirm m; (*fig*) Schutz m ▶ *riot* ~ Schutzschild m.

2 vt schützen (*sb from sth* jdn vor etw dat).

shift [ʃɪft] **1** n **a** (*change*) Änderung f; (*in policy, opinion also*) Wandel m; (*from one place to another*) Verlegung f ▶ *a* ~ *in direction* eine Richtungsänderung; *a* ~ *in public opinion* ein Meinungsumschwung m in der Bevölkerung; *a* ~ *of emphasis* eine Gewichtsverlagerung. **b** (*US Aut: gear~*) Schaltung f; (*on typewriter: also* ~ *key*) Umschalttaste f. **c** (*period at work, group of workers*) Schicht f ▶ *to work in* ~*s* in Schichten arbeiten; *to do* ~ *work* Schicht arbeiten. **d** (*stratagem*) List f; (*expedient*) Ausweg m ▶ *to make* ~ *with sth* sich mit etw behelfen.

2 vt **a** (*move*) bewegen; furniture also verrücken; head, arm wegnehmen; (*from one place to another*) verschieben; offices etc verlegen; rubble wegräumen; (*with difficulty*) von der Stelle bewegen; nail, cork rauskriegen; lid abkriegen (*col*) ▶ *to* ~ *scenery* Kulissen schieben; *to* ~ *one's ground* seinen Standpunkt ändern; *to* ~ *sb from an opinion* jdn von einer Meinung abbringen; *to* ~ *the blame onto somebody else* die Verantwortung auf jemand anders schieben. **b** (*col: get rid of*) loswerden. **c** (*US Aut*) *to* ~ *gears* schalten.

3 vi **a** (*move*) sich bewegen; (*cargo, scene*) sich verlagern; (*scene*) wechseln; (*wind*) umspringen; (*from one's opinion*) abgehen ▶ *he* ~*ed out of the way* er ging aus dem Weg; *he* ~*ed onto his back* er drehte sich auf den Rücken; ~*ing sands* (*Geol*) Flugsand m. **b** (*Aut*) schalten. **c** (*col: person: hurry*) sich beeilen; (*car, driver: go very fast*) einen Affenzahn draufhaben (*col*) ▶ *his Porsche can really* ~ sein Porsche geht ab wie eine Rakete (*col*).

shift: ~ **key** n Umschalttaste f; ~**less** adj träge, energielos; ~ **work** n Schichtarbeit f; ~ **worker** n Schichtarbeiter(in f) m.

shifty [ʃɪftɪ] adj (+er) (*not honest*) unehrlich; (*not reliable*) unzuverlässig; glance verstohlen; reply ausweichend.

Shiite [ʃiːaɪt] **1** n Schiit(in f) m.

2 adj schiitisch.

shilling [ʃɪlɪŋ] n (*Brit old*) Shilling m.

shilly-shally [ʃɪlɪˈʃælɪ] vi (*col*) hin und her überlegen.

shimmer [ʃɪməʳ] **1** n Schimmer m.

2 vi schimmern.

shin [ʃɪn] **1** n Schienbein nt; (*of meat*) Hachse f.

2 vi *to* ~ *up/down* (geschickt) hinauf-/hinunterklettern.

shinbone [ʃɪnbəʊn] n Schienbein nt.

shindig [ʃɪndɪg] n (*col*) Remmidemmi nt (*col*).

shindy [ʃɪndɪ] n (*col*) Radau m (*col*); (*noise also, dispute*) Krach m (*col*).

shine [ʃaɪn] (*vb: pret, ptp* **shone**) **1** n Glanz m ▶ *to give one's shoes a* ~ seine Schuhe polieren; *to take the* ~ *off sth* (*lit, fig*) einer Sache (*dat*) den Glanz nehmen; *she's taken a real* ~ *to my brother* (*col*) mein Bruder hat es ihr wirklich angetan.

2 vt **a** pret, ptp usu ~**d** (*polish: also* ~ *up*) blank putzen; shoes also polieren. **b** *to* ~ *a light on sth* etw beleuchten; ~ *the torch this way!* leuchte einmal hierher!; *don't* ~ *it in my eyes!* blende mich nicht!

3 vi **a** leuchten; (*stars, eyes also, paint*) glänzen; (*sun, lamp*) scheinen; (*glass*) blitzblank sein ▶ *her face shone with happiness* ihr Gesicht strahlte vor Glück. **b** (*fig: excel*) glänzen ▶ *to* ~ *at/in sth* bei/in etw (*dat*) glänzen.

shingle¹ [ʃɪŋgl] n (*tile*) Schindel f; (*US col: signboard*) Schild nt.

shingle² n no pl (*pebbles*) Kieselsteine pl.

shingles [ʃɪŋglz] n sing (*Med*) Gürtelrose f.

shin-guard [ʃɪngɑːd] n = **shin-pad**.

shininess [ʃaɪnɪnɪs] n Glanz m.

shining [ʃaɪnɪŋ] adj (*lit, fig*) leuchtend; light strahlend; eyes also, paint glänzend; car blitzblank.

shin-pad ['ʃɪnpæd] n Schienbeinschützer m.
shiny ['ʃaɪnɪ] adj (+er) glänzend.
ship [ʃɪp] **1** n **a** Schiff nt ▶ **on board** ~ an Bord; **~'s company** (Schiffs)besatzung f; **~'s papers** Schiffspapiere pl. **b** (US col: plane) Maschine f; (space~) Raumschiff nt.
  2 vt **a** (take on board) goods an Bord bringen, laden; crew, passengers an Bord nehmen ▶ **to ~ oars** die Riemen einlegen; **to ~ water** leck sein. **b** (transport) versenden; grain etc verfrachten; (by sea also) verschiffen.
◆**ship out** vt sep versenden; coal, grain etc verfrachten ▶ **to ~ supplies ~ to sb** jdn (per Schiff) mit Vorräten versorgen.
ship: **~builder** n Schiffbauer m; **~building** n Schiffbau m; **~ canal** n Seekanal m; **~load** n Schiffsladung f; **~mate** n Schiffskamerad m.
shipment ['ʃɪpmənt] n Sendung f; (act) Transport m; (transporting by sea) Verschiffung f.
shipowner ['ʃɪpəʊnər] n Schiffseigner m; (of many ships) Reeder m.
shipper ['ʃɪpər] n (company) Speditionsfirma f; (sender) Absender m.
shipping ['ʃɪpɪŋ] **1** n no pl **a** Schiffahrt f; (ships) Schiffe pl. **b** (transportation) Verschiffung f; (by rail etc) Versand m.
  2 adj attr **~ agent** Spediteur m; **~ company, ~ line** Schiffahrtslinie, Reederei f; **~ forecast** Seewetterbericht m; **~ lane** Schiffahrtsstraße f.
ship: **~shape** adj, adv tipptopp (col); **~wreck** **1** n (lit, fig) Schiffbruch m; (fig also) Scheitern nt; **2** vt **to be ~wrecked** schiffbrüchig sein; (fig) Schiffbruch erleiden, scheitern; **~yard** n (Schiffs)werft f.
shire ['ʃaɪər] n (Brit old) Grafschaft f ▶ **~ horse** Zugpferd nt.
shirk [ʃɜːk] **1** vt sich drücken vor (+dat), ausweichen (+dat).
  2 vi sich drücken.
shirker ['ʃɜːkər] n Drückeberger(in f) m.
shirt [ʃɜːt] n (men's) (Ober)hemd nt; (Ftbl) Hemd, Trikot nt; (woman's: also US **~waist**) Hemdbluse f ▶ **keep your ~ on** (col) reg dich nicht auf!
shirt-sleeves ['ʃɜːtsliːvz] npl Hemdsärmel pl ▶ **in his/ their ~** in Hemdsärmeln.
shirty ['ʃɜːtɪ] adj (+er) (esp Brit col) sauer (col), verärgert ▶ **don't get ~ with me** werd mir nicht frech.
shit [ʃɪt] (vb: pret, ptp ~ or (hum) **shat**) (col!) **1** n **a** Scheiße f (col!); (nonsense also) Scheiß m (col!). **b** (person) Arschloch nt (col!). **c** ~**s** pl (state of fear) **to have/get the ~s** Schiß haben/kriegen (col).
  2 vi scheißen (col!).
  3 interj Scheiße (col!).
shiver ['ʃɪvər] **1** n (of cold) Schauer m; (of horror also) Schauder m ▶ **the sight sent ~s down my spine** bei dem Anblick lief es mir kalt den Rücken hinunter; **it gives me the ~s** ich kriege davon eine Gänsehaut.
  2 vi zittern (with vor +dat); (with fear also) schaudern.
shivery ['ʃɪvərɪ] adj **to feel ~** frösteln.
shoal [ʃəʊl] n (of fish) Schwarm m.
shock [ʃɒk] **1** n **a** (of explosion, impact) Wucht f; (of earthquake) (Erd)stoß m. **b** (Elec) Schlag m; (Med) (Elektro)schock m ▶ **to get a ~** einen Schlag bekommen. **c** (emotional disturbance) Schock, Schlag m; (state) Schock(zustand) m ▶ **to be suffering from ~** einen Schock (erlitten) haben; **to be in (a state of) ~** unter Schock stehen; **the ~ killed him** den Schock hat er nicht überlebt; **to give sb a ~** jdn erschrecken; **it gave me a nasty ~** es hat mir einen bösen Schreck(en) eingejagt; **to get the ~ of one's life** den Schock seines Lebens kriegen; **he is in for a ~!** (col) der wird sich wundern! (col).

2 vt (affect emotionally) erschüttern; (make indignant) schockieren, schocken (col) ▶ **to be ~ed by sth** über etw (acc) bestürzt sein; (morally) über etw (acc) schockiert sein; **she is easily ~ed** sie ist leicht schockiert; **I was ~ed at the news** ich war bestürzt über die Nachricht.
  3 vi (film, writer etc) schockieren, schocken (col).
shock absorber ['ʃɒkəb,zɔːbər] n Stoßdämpfer m.
shocking ['ʃɒkɪŋ] adj **a** news erschütternd, schockierend. **b** (very bad) entsetzlich, furchtbar ▶ **isn't it ~!** es ist doch furchtbar!
shock: **~ jock** [-dʒɒk] n (esp US col) Radio-Diskjockey m, der seine kontroversen (meist rechtsradikalen) Ansichten provokativ vertritt; **~proof** adj stoßfest; **~ therapy** or **treatment** n Schocktherapie f; **~ wave** n (lit) Druckwelle f; (fig) Erschütterung f.
shod [ʃɒd] pret, ptp of **shoe.**
shoddiness ['ʃɒdɪnɪs] n see adj Schäbigkeit f; Schludrigkeit f; Minderwertigkeit f.
shoddy ['ʃɒdɪ] adj (+er) schäbig; work schludrig; goods also minderwertig.
shoe [ʃuː] (vb: pret, ptp shod) **1** n **a** Schuh m ▶ **I wouldn't like to be in his ~s** ich möchte nicht in seiner Haut stecken; **to put oneself in sb's ~s** sich in jds Lage (acc) versetzen. **b** (horse~) (Huf)eisen nt. **c** (brake ~) Bremsbacke f.
  2 vt horse beschlagen.
shoe: **~brush** n Schuhbürste f; **~horn** n Schuhanzieher, Schuhlöffel m; **~lace** n Schnürsenkel m; **~maker** n Schuhmacher, Schuster m; **~ polish** n Schuhcreme f; **~ repairer** n Schuster m; **~shine** n (US) **to have a ~shine** sich (dat) die Schuhe putzen lassen; **~shop** n Schuhgeschäft nt; **~ size** n Schuhgröße f; **~string** n **a** (US: ~lace) Schnürsenkel m; **b** (fig) **to live on a ~string** von der Hand in den Mund leben; **~string budget** n Minibudget nt (col); **~tree** n (Schuh)spanner m.
shone [ʃɒn] pret, ptp of **shine.**
shoo [ʃuː] **1** interj sch; (to dog etc) pfui; (to child) husch.
  2 vt **to ~ sb away** jdn verscheuchen.
shook [ʃʊk] pret of **shake.**
shoot [ʃuːt] (vb: pret, ptp shot) **1** n **a** (Bot) Trieb m; (from seed etc also) Keim m; (of bushes, trees) Schößling m; (young branch) Reis nt. **b** (hunting expedition) Jagd f; (~ing party) Jagdgesellschaft f; (competition) (Wett)schießen nt.
  2 vt **a** (Mil etc) schießen; bullet, gun abfeuern. **b** person, animal (hit) anschießen; (wound seriously) niederschießen; (kill) erschießen ▶ **to ~ sb dead** jdn erschießen; **he shot himself** er hat sich erschossen; **he shot himself in the foot** er schoß sich (dat) in den Fuß; (fig col) er hat ein Eigentor geschossen (col); **he was shot in the leg** er wurde ins Bein getroffen; **you'll get shot for doing that!** (fig col) das kann dich Kopf und Kragen kosten! (col). **c** (throw, propel) schleudern; (Sport) schießen ▶ **to ~ a question at sb** eine Frage auf jdn abfeuern; **to ~ a glance at sb** jdm einen (schnellen) Blick zuwerfen. **d** (Phot) film, scene drehen; snapshot schießen; subject aufnehmen.
  3 vi **a** schießen; (as hunter) jagen ▶ **to ~ to kill** gezielt schießen; (police) einen gezielten Todesschuß/ gezielte Todesschüsse abgeben; **don't ~!** nicht schießen!; **stop or I'll ~!** stehenbleiben oder ich schieße!; **to ~ at sb/sth** auf jdn/etw schießen; **to ~ at goal** aufs Tor schießen. **b** **to ~ into the lead** an die Spitze vorpreschen; **he shot down the stairs** er schoß or jagte die Treppe hinunter; **to ~ by** or **past** vorbeischießen or -jagen; **the pain shot up his leg** der Schmerz durchzuckte sein Bein.
◆**shoot down** vt sep plane abschießen; person erschießen; (fig col) person fertigmachen (col); suggestion

abschmettern (col); argument in der Luft zerreißen.

◆**shoot off** vi davonschießen (col).

◆**shoot out** [1] vi (emerge swiftly) herausschießen (of aus).
[2] vt sep [a] (put out swiftly) hand etc blitzschnell ausstrecken; tongue etc hervorschnellen (lassen). [b] to ~ it ~ sich (dat) ein (Feuer)gefecht liefern.

◆**shoot up** vi (hand, prices) in die Höhe schnellen; (grow rapidly) (children, plant) in die Höhe schießen; (new towns, buildings etc) aus dem Boden schießen.

shooting ['ʃuːtɪŋ] n [a] (shots) Schießen nt; (by artillery) Feuer nt ► there was some → es wurde geschossen; there was a ~ last night gestern nacht ist jemand erschossen worden. [b] (Sport: Ftbl etc, with guns) Schießen nt; (Hunt) Jagen nt, Jagd f. [c] (Film) Drehen nt.

shooting: ~ **brake** n (Aut old) Kombiwagen m; ~ **gallery** n Schießstand m; ~ **match** n: the whole ~ match (col) der ganze Laden (col); ~ **party** n Jagdgesellschaft f; ~ **range** n Schießstand m; ~ **star** n Sternschnuppe f; ~ **stick** n Jagdstuhl m.

shootout ['ʃuːtaut] n Schießerei f.

shop [ʃɒp] [1] n [a] Geschäft nt, Laden m; (esp Brit: large store) Kaufhaus nt ► I have to go to the ~s ich muß einkaufen gehen; to set up ~ ein Geschäft eröffnen; all over the ~ (col) überall; (wrong) völlig verkehrt; to talk ~ über die Arbeit reden; (professional people also) fachsimpeln. [b] (work~) Werkstatt f, (workers) Arbeiterschaft f.
[2] vi einkaufen, Einkäufe machen ► to go ~ping einkaufen gehen.
[3] vt (Brit col: betray) to ~ sb (to sb) jdn (bei jdm) verpfeifen (col).

◆**shop around** vi (lit, fig) sich umsehen (for nach).

shop: ~ **assistant** n (Brit) Verkäufer(in f) m; ~ **floor** n [a] (place) Produktionsstätte f; (for heavier work) Werkstatt f, he started off working on the ~ floor er hat (ganz unten) in der Fabrik or Produktion angefangen; on the ~ floor in der Werkstatt/Fabrik; unter den Arbeitern; [b] (Brit: workers) Arbeiter pl, Leute pl in der Produktion; ~**keeper** n Ladenbesitzer(in f), Geschäftsinhaber(in f) m; ~**lifter** n Ladendieb(in f) m; ~**lifting** n Ladendiebstahl m.

shopper ['ʃɒpər] n Käufer(in f) m.

shopping ['ʃɒpɪŋ] n (act) Einkaufen nt; (goods bought) Einkäufe pl ► to do one's ~ einkaufen, Einkäufe machen.

shopping: ~ **bag** n Einkaufstasche f; ~ **basket** n Einkaufskorb m; ~ **centre**, (US) ~ **center** n Einkaufszentrum nt; ~ **list** n Einkaufszettel m; ~ **mall** n (esp US) Einkaufszentrum nt; ~ **spree** n Einkaufsbummel m; ~ **street** n Geschäftsstraße f; ~ **trolley** n Einkaufswagen m.

shop: ~**-soiled** adj (Brit) clothes, furniture angeschmutzt; goods, material leicht beschädigt; ~ **steward** n (gewerkschaftlicher) Vertrauensmann (im Betrieb); ~ **window** n (lit, fig) Schaufenster nt; ~**worn** adj (US) = ~**-soiled**.

shore[1] [ʃɔːr] n (sea ~, lake ~) Ufer nt; (beach) Strand m; (coast) Küste f ► these ~s (fig) dieses Land; on the ~s of the lake am Seeufer; on ~ an Land.

shore[2] vt (also ~ up) (ab)stützen; (fig) stützen.

shore: ~ **leave** n (Naut) Landurlaub m; ~**line** n Uferlinie f.

shorn [ʃɔːn] ptp of **shear**.

short [ʃɔːt] [1] adj (+er) [a] kurz; steps also, person klein ► a ~ way off nicht weit entfernt; to be ~ in the leg (person) kurze Beine haben; (trousers) zu kurz sein; a ~ time ago vor kurzer Zeit, vor kurzem; in a ~ while in Kürze; time is getting/is ~ die Zeit wird/ist knapp; to take the ~ view of sth etw auf kurze Sicht betrachten; in ~ order (esp US col) sofort; ~ and sweet schön kurz;

the ~ answer is that he refused kurz gesagt, er lehnte ab; in ~ kurz gesagt; Pat is ~ for Patricia Pat ist die Kurzform von Patricia.
[b] (curt) reply knapp; (rude) barsch, schroff; manner, person schroff, kurz angebunden (col) ► to have a ~ temper unbeherrscht sein; to be ~ with sb jdn schroff behandeln, jdm gegenüber kurz angebunden sein (col).
[c] (insufficient) zuwenig inv; rations knapp ► to be in ~ supply knapp sein; (Comm) beschränkt lieferbar sein; to be ~ (in ~ supply) knapp sein; (shot, throw) nicht weit genug sein; we are (five/£3) ~ wir haben (fünf/ £3) zuwenig, uns (dat) fehlen fünf/£3; we are ~ of books wir haben zuwenig Bücher; to be ~ of time wenig Zeit haben; I'm a bit ~ (of cash) (col) ich bin etwas knapp bei Kasse (col); we are £2,000 ~ of our target wir liegen £2.000 unter unserem Ziel; not far ~ of £100 nicht viel weniger als £100, knapp unter £100; to be ~ on experience wenig Erfahrung haben.
[2] adv [a] to fall ~ (arrow, missile etc) vor dem Ziel landen; that's where the book falls ~ daran fehlt es dem Buch; to fall ~ of sth nicht hin erreichen; of expectations etw nicht erfüllen; it falls far ~ of what we require das bleibt weit hinter unseren Bedürfnissen zurück; to go ~ (of money/food etc) zuwenig (Geld/zu essen etc) haben; we are running ~ (of petrol/time) wir haben nicht mehr viel (Benzin/Zeit); I'm running ~ of ideas mir gehen die Ideen aus; my patience is running ~ meine Geduld ist bald zu Ende; to sell sb ~ (in shop) jdm zuwenig geben; (betray, cheat) jdn betrügen.
[b] (abruptly, suddenly) plötzlich, abrupt ► to stop ~ (while driving) plötzlich stehenbleiben; (while talking) plötzlich or unvermittelt innehalten; I'd stop ~ of or at murder vor Mord würde ich haltmachen.
[c] ~ of (except) außer (+dat); it is nothing ~ of robbery das ist glatter Diebstahl; nothing ~ of a revolution can ... nur eine Revolution kann ...; it's little ~ of madness das grenzt an Wahnsinn; I don't see what you can do ~ of asking him yourself ich sehe keine andere Möglichkeit, als daß Sie ihn selbst fragen; ~ of telling him a lie ... außer ihm zu belügen ...
[3] n (~ circuit) Kurzschluß, Kurze(r) (col) m; (col: ~ drink) Kurze(r) m (col).
[4] vt (Elec) kurzschließen.
[5] vi (Elec) einen Kurzschluß haben.

shortage ['ʃɔːtɪdʒ] n (of goods, objects) Knappheit f no pl (of an +dat); (of people) Mangel m no pl (of an +dat) ► the housing ~ die Wohnungsknappheit; a ~ of staff Personalmangel m.

short: ~**bread** n Mürb(e)teiggebäck nt; ~**cake** n (Brit: ~bread) Mürb(e)teiggebäck nt; (US: sponge) Biskuittörtchen nt; ~**-change** vt to ~-change sb jdm zuwenig herausgeben; (fig col) jdn übers Ohr hauen (col); ~**-circuit** [1] n Kurzschluß m; [2] vt kurzschließen; [3] vi einen Kurzschluß haben; ~**coming** n (esp pl) Mangel m; (of person) Fehler m; ~**crust** n (also ~**crust pastry**) (esp Brit) Mürbeteig m; ~ **cut** n Abkürzung f; (easy solution) Patentlösung f; ~ **drink** n hochprozentiges Getränk.

shorten ['ʃɔːtn] [1] vt verkürzen; dress, rope kürzer machen; book, syllabus etc kürzen.
[2] vi (days) kürzer werden.

short: ~**fall** n Defizit nt; ~**hand** n Kurzschrift, Stenographie f; in ~**hand** in Kurzschrift; to write ~**hand** stenographieren; to take sth down in ~**hand** etw stenographieren; ~**-handed** adj to be ~-handed zu wenig Personal haben; ~**hand notebook** n Stenoblock m; ~**hand typist** n (Brit) Stenotypist(in f) m; ~**-haul** adj aircraft, flight Kurzstrecken-; transport Nah-; ~**-haul routes** kurze Strecken; ~ **list** n (esp Brit) Auswahlliste f; to be on the ~ list in der engeren Wahl sein; ~**-list** vt (esp Brit) to ~-list sb jdn in die engere Wahl ziehen; ~**-lived** adj (lit, fig) kurzlebig; protests, attempts nicht lange andauernd; *to be ~-lived* (*success, happiness*) von kurzer Dauer sein.

shortly ['ʃɔːtlɪ] *adv* **a** (*soon*) bald, in Kürze; *after, before* kurz. **b** (*curtly*) barsch.

shortness ['ʃɔːtnɪs] *n* Kürze *f*; (*of person*) Kleinheit *f*; (*shortage*) Knappheit *f*; (*curtness*) Schroffheit *f*.

short: ~ **pastry** *n* Mürbeteig *m*; **~-range** *adj aircraft, missile etc* Kurzstrecken-; *gun* Nahkampf-; *planning, forecast* kurzfristig.

shorts [ʃɔːts] *npl* **a** Shorts *pl*, kurze Hose(n *pl*). **b** (*esp US: underpants*) Unterhose *f*.

short: **~-sighted** *adj*, **~-sightedly** *adv* (*lit, fig*) kurzsichtig; **~-sightedness** *n* (*lit, fig*) Kurzsichtigkeit *f*; **~-sleeved** *adj* kurzärmelig; **~-staffed** *adj to be ~-staffed* zuwenig Personal haben; **~-stay parking** *n* Kurzparken *nt*; **~ story** *n* Kurzgeschichte, Short story *f*; **~-tempered** *adj* (*in general*) unbeherrscht; (*in a bad temper*) gereizt; *to be ~-tempered with sb* mit jdm ungeduldig sein; **~ term** *n in the ~ term* auf kurze Sicht; **~-term** *adj* kurzfristig; **~ time (working)** *n* Kurzarbeit *f*; *to be on ~ time (working)* kurzarbeiten, Kurzarbeit haben; **~wave** **1** *n* (*also ~wave radio*) Kurzwelle *f*; **2** *adj transmission* auf Kurzwelle.

shot¹ [ʃɒt] **1** *pret, ptp of* **shoot**.
2 *n* **a** (*from gun, bow etc*) Schuß *m* ► *to fire or take a ~ at sb/sth* einen Schuß auf jdn/etw abfeuern *or* abgeben; *he's a good/bad ~* er ist ein guter/schlechter Schütze. **b** (*attempt*) Versuch *m* ► *at the first ~* (*col*) auf Anhieb (*col*); *to take a ~ (at it)* (*try*) es (mal) versuchen; (*guess*) (auf gut Glück) raten. **c** (*col: quickly*) *like a ~ run away wie der Blitz* (*col*); *do sth* sofort; *agree* sofort, ohne zu überlegen. **d** (*injection*) Spritze *f*; (*immunization*) Impfung *f* ► *to give a company a ~ in the arm* (*fig*) einer Firma eine Finanzspritze geben. **e** (*Sport*) (*Ftbl, Hockey etc*) Schuß *m*; (*throw*) Wurf *m*; (*Tennis, Golf*) Schlag *m* ► *to take a ~ at goal* aufs Tor schießen. **f** (*~-putting*) *the ~* (*discipline*) Kugelstoßen *nt*; (*weight*) die Kugel; *to put the ~* kugelstoßen. **g** (*Phot*) Aufnahme *f*.

shot² *adj* **a** (*variegated*) durchzogen (*with* mit); *silk* changierend. **b** (*col: rid*) *to be/get ~ of sb/sth* jdn/etw los sein/loswerden.

shot: **~gun** *n* Schrotflinte *f*; **~gun wedding** *n* Mußheirat *f*; **~-put** *n* (*event*) Kugelstoßen *nt*; **~-putter** *n* Kugelstoßer(in *f*) *m*.

▼ **should** [ʃʊd] *pret of* **shall** *modal aux vb* **a** (*expressing duty, advisability, command*) *you ~ do that* du solltest das tun; *you ~n't do that* Sie sollten das nicht tun; *I ~ have done it* ich hätte es tun sollen *or* müssen; *I ~n't have done it* ich hätte es nicht tun sollen *or* dürfen; *he ~ know that it's wrong to lie* er sollte *or* müßte wissen, daß man nicht lügen darf; *you really ~ see that film* den Film sollten *or* müssen Sie wirklich sehen; *~ I go too? — yes you ~* sollte ich auch gehen? — ja, das sollten Sie schon; *was it a good film? — I ~ think it was* war der Film gut? — und ob; *he's coming to apologize — I ~ think so* er will sich entschuldigen — das möchte ich auch hoffen; *... and I ~ know* ... und ich müßte es ja wissen; *how ~ I know?* woher soll ich das wissen?
b (*expressing probability*) *he ~ be there by now* er müßte eigentlich schon da sein; *why ~ he suspect me?* warum sollte er mich verdächtigen?; *this book ~ help you* dieses Buch wird Ihnen bestimmt helfen.
c (*in tentative statements*) *I ~n't like to say* ich möchte mich nicht festlegen; *I ~ hardly have called him an idiot* ich hätte ihn wohl kaum einen Idioten genannt; *I ~ think there were about 40* ich schätze, daß etwa 40 dort waren; *I ~ like to disagree* da möchte ich widersprechen; *I ~ like to know* ich wüßte gern; *I ~ like to apply for the job* ich würde mich gern um die Stelle bewerben; *thanks, I ~ like to* danke, gern.

d (*subjunc, conditional*) *I ~ go if ...* ich würde gehen, wenn ...; *we ~ have come if ...* wir wären gekommen, wenn ...; *I don't know why he ~ behave so strangely* ich weiß nicht, warum er sich so eigenartig benimmt; *if he ~ come, ~ he come* falls er kommen sollte, sollte er kommen; *I ~n't be surprised if he comes or were to come* ich wäre keineswegs überrascht, wenn er kommen würde; *I ~n't (do it) if I were you* ich würde das an Ihrer Stelle nicht tun; *I ~n't worry about it* ich würde mir darüber keine Gedanken machen; *it is necessary that he ~ be told* es ist nötig, daß man es ihm sagt.

shoulder ['ʃəʊldər] **1** *n* (*also of meat*) Schulter *f* ► *to shrug one's ~s* mit den Schultern *or* Achseln zucken; *to have broad ~s* (*lit*) breite Schultern haben; (*fig*) einen breiten Rücken haben; *to cry on sb's ~* sich an jds Brust (*dat*) ausweinen; *~ to ~* Schulter an Schulter; *he's head and ~s above the rest* er ist einen ganzen Kopf größer als die anderen; *to put one's ~ to the wheel* (*fig*) sich ins Zeug legen.
2 *vt* **a** schultern, auf die Schulter nehmen; (*fig*) *responsibilities* auf sich (*acc*) nehmen; *expense* tragen. **b** (*push*) (mit der Schulter) stoßen ► *to ~ sb aside* (*lit*) jdn zur Seite stoßen.

shoulder: **~ bag** *n* Umhängetasche *f*; **~ blade** *n* Schulterblatt *nt*; **~-length** *adj hair* schulterlang; **~ strap** *n* (*Mil*) Schulterklappe *f*; (*of dress*) Träger *m*; (*of bag etc*) (Schulter)riemen *m*.

shouldn't ['ʃʊdnt] = **should not**.

shout [ʃaʊt] **1** *n* Ruf, Schrei *m* ► *a ~ of protest/pain* ein Protestruf *m*/Schmerzensschrei *m*; *a ~ of excitement* ein aufgeregter Schrei; *~s of applause/laughter* Beifallsrufe *pl*/brüllendes Gelächter; *to give a ~* einen Schrei ausstoßen; *to give sb a ~* jdn rufen; *give me a ~ when you're ready* (*col*) sag mir Bescheid, wenn du fertig bist.
2 *vt* schreien; (*call*) rufen; *order* brüllen ► *to ~ abuse at sb* jdn (laut) beschimpfen; *to ~ a warning to sb* jdm eine Warnung zurufen.
3 *vi* (*call out*) rufen; (*very loudly*) schreien; (*angrily, commanding*) brüllen ► *to ~ for sb/sth* nach jdm/etw rufen *or* schreien; *to ~ at sb* jdn anschreien *or* anbrüllen; *to ~ for help* um Hilfe rufen.
4 *vr to ~ oneself hoarse* sich heiser schreien.
◆**shout down** *vt sep person* niederbrüllen.
◆**shout out** **1** *vi* einen Schrei ausstoßen; (*in pain, rage, protest*) aufschreien.
2 *vt sep* ausrufen; *order* brüllen.

shouting ['ʃaʊtɪŋ] *n* (*act*) Schreien *nt*; (*sound*) Geschrei *nt* ► *it's all over bar the ~* (*col*) es ist so gut wie gelaufen (*col*).

shove [ʃʌv] **1** *n* Schubs (*col*), Stoß *m* ► *to give sb a ~* jdn schubsen (*col*) *or* stoßen; *to give sth a ~* etw rücken; *door* gegen etw stoßen; *car* etw anschieben.
2 *vt* **a** (*push*) schieben; (*with one short push*) stoßen, schubsen (*col*); (*jostle*) drängen ► *to ~ one's way forward* sich nach vorn durchdrängen. **b** (*col: put*) *to ~ sth on(to) sth* etw auf etw (*acc*) werfen (*col*); *to ~ sth in(to) sth/between sth* etw in etw (*acc*)/zwischen etw (*acc*) stecken; *he ~d a book into my hand* er drückte mir ein Buch in die Hand.
3 *vi* stoßen; (*to move sth*) schieben; (*jostle*) drängeln ► *to ~ past sb* sich an jdm vorbeidrängen.
◆**shove off** *vi* (*col*) abschieben (*col*).
◆**shove over** (*col*) **1** *vt sep* rüberwerfen (*col*).
2 *vi* (*also shove up*) rutschen.

shovel ['ʃʌvl] **1** *n* Schaufel *f*; (*with long handle also*) Schippe *f*.
2 *vt* schaufeln; *coal, snow also* schippen ► *to ~ food into one's mouth* (*col*) Essen in sich (*acc*) hineinschaufeln (*col*).

➤ SENTENCE BUILDER: **should: a** → 2.1, 2.2, 4.2, 5.2, 9.1, 9.2, 11, 14.1 **b** → 13.2, 13.3, 15.1 **c** → 2.1 **d** → 8.1

shovelful [ˈʃʌvlfʊl] n Schaufel f ▸ a ~ of coal eine Schaufel Kohle.

▼ **show** [ʃəʊ] (vb: pret ~ed, ptp ~n) [1] n [a] (display) a fine ~ of roses eine Rosenpracht; ~ of force Machtdemonstration f; to have a ~ of hands eine Abstimmung per Handzeichen vornehmen.

[b] (outward appearance) Schau f ▸ to do sth for ~ etw tun, um Eindruck zu machen; to make a great ~ of being impressed/overworked sich (dat) ganz den Anschein geben, beeindruckt/überarbeitet zu sein; without any ~ of emotion ohne irgendwelche Gefühle zu zeigen; it was all ~ es war alles nur Schau (col).

[c] (exhibition) Ausstellung f ▸ flower/dog ~ Blumen-/Hundeschau f; to be on ~ ausgestellt sein.

[d] (Theat) Aufführung f; (TV, variety ~) Show f; (Rad) Sendung f; (Film) Vorstellung f ▸ to go to a ~ ins Theater gehen; the ~ must go on (fig) es muß trotz allem weitergehen.

[e] (col: organization) Laden m (col) ▸ he runs the ~ er schmeißt hier den Laden (col); to give the (whole) ~ away alles verraten.

[f] good ~! (dated col) bravo!; it's a poor ~ when ... (col) es ist ein schwaches Bild, wenn ...; to put up a good ~ eine gute Leistung zeigen.

[2] vt [a] zeigen; (at exhibition also) ausstellen; passport vorzeigen; profit verzeichnen; kindness, favour erweisen; courage also, loyalty, taste beweisen; proof erbringen ▸ to ~ sth to sb jdm etw zeigen; ~ me how to do it zeigen Sie mir, wie man das macht; to ~ one's face sich zeigen; he had nothing to ~ for it er hatte am Ende nichts vorzuweisen; I'll ~ him! (col) dem werd' ich's zeigen!; it ~s that ... es zeigt, daß ...; as ~n in the illustration wie in der Illustration dargestellt; the roads are ~n in red die Straßen sind rot (eingezeichnet); it just goes to ~ that ... das zeigt doch nur, daß ...; it was ~ing signs of rain es sah nach Regen aus; to ~ signs of wear Abnutzungserscheinungen aufweisen; she's beginning to ~ her age man sieht ihr allmählich das Alter an; the carpet ~s the dirt man sieht den Schmutz man den Schmutz; to ~ sb the way jdm den Weg zeigen; to ~ sb in/out jdn hereinbringen/hinausbegleiten; to ~ sb to his seat jdn an seinen Platz bringen; to ~ sb to the door jdn zur Tür bringen; (eject) jdm die Tür weisen; they were ~n over or around the factory sie wurden in der Fabrik herumgeführt.

[b] (prove) beweisen ▸ this ~s him to be a thief das beweist, daß er ein Dieb ist.

[3] vi [a] (be visible) zu sehen sein, sichtbar sein; (petticoat etc) vorsehen, rausgucken (col); (film) gezeigt werden, laufen; (exhibit: artist) ausstellen ▸ it doesn't ~ man sieht es nicht; the dirt doesn't ~ man sieht den Schmutz nicht; his anger ~ed in his eyes man konnte ihm seinen Ärger von den Augen ablesen; to ~ through durchscheinen. [b] (prove) it just goes to ~! da sieht man's mal wieder!

◆**show in** vt sep hereinbringen.

◆**show off** [1] vi angeben (to, in front of vor +dat). [2] vt sep [a] (highlight) knowledge, medal angeben mit; new car, baby etc vorführen (to sb jdm).

◆**show out** vt sep hinausbegleiten.

◆**show up** [1] vi [a] (be seen) zu sehen or zu erkennen sein; (stand out) hervorstechen ▸ the tower ~ed in clearly against the sky der Turm zeichnete sich deutlich gegen den Himmel ab; to ~ ~ well/badly (fig) eine gute/schlechte Figur machen. [b] (col: turn up) auftauchen, sich blicken lassen (col).

[2] vt sep [a] (highlight) (deutlich) erkennen lassen. [b] (reveal) zum Vorschein bringen; sb's character, intentions deutlich zeigen; impostor entlarven; fraud aufdecken; (humiliate) bloßstellen; (shame) blamieren.

show: ~biz [ˈʃəʊbɪz] (col), **~ business** n Showbusiness,

Showgeschäft nt; **~case** n Schaukasten m, Vitrine f; (fig) Schaufenster nt; **~down** n (col) Kraftprobe, Machtprobe f; to have a ~down with sb sich mit jdm auseinandersetzen.

shower [ˈʃaʊə^r] [1] n [a] (of rain etc) Schauer m; (of arrows, blows etc) Hagel m; (of questions) Schwall m. [b] (~ bath) Dusche f ▸ to take or have a ~ duschen. [c] (US col: party) Party, auf der jeder ein Geschenk für den Ehrengast mitbringt; (for bride-to-be) ≈ Polterabend m.

[2] vt to ~ sb with sth with curses, blows etw auf jdn niederprasseln lassen; with honours, presents, abuse jdn mit etw überschütten.

[3] vi (wash) duschen.

shower: ~ cap n Duschhaube f; **~ curtain** n Duschvorhang m; **~ gel** n Duschgel nt; **~proof** adj regenfest.

showery [ˈʃaʊərɪ] adj regnerisch.

show: ~girl n Revuegirl nt; **~ground** n Ausstellungsgelände nt; (for circus) Zirkusgelände nt; **~ house** n Musterhaus nt.

showily [ˈʃəʊɪlɪ] adv protzig; behave theatralisch ▸ ~ dressed aufgeputzt.

showing [ˈʃəʊɪŋ] n [a] (exhibition) Ausstellung f. [b] (performance) Aufführung f; (of film) Vorstellung f; (of programme) Ausstrahlung f. [c] (standard of performance) to make a good/poor ~ eine gute/ schwache Leistung zeigen.

show: ~-jumper n (rider) Springreiter(in f) m; (horse) Springpferd nt; **~-jumping** n Springreiten nt.

showman [ˈʃəʊmən] n, pl **-men** [-mən] Showman m; (fig) Schauspieler m.

showmanship [ˈʃəʊmənʃɪp] n (Talent nt für) effektvolle Darbietung.

shown [ʃəʊn] ptp of **show**.

show: ~-off n (col) Angeber(in f) m; **~piece** n Schaustück nt; (fine example) Paradestück nt; **~place** n (tourist attraction) Sehenswürdigkeit f; **~room** n Ausstellungsraum m; **~ trial** n Schauprozeß m.

showy [ˈʃəʊɪ] adj (+er) protzig; person, colour auffallend; manner theatralisch; production, decor bombastisch.

shrank [ʃræŋk] pret of **shrink**.

shrapnel [ˈʃræpnl] n Schrapnell nt.

shred [ʃred] [1] n (scrap) Fetzen m; (of vegetable, meat) Stückchen nt; (fig) Spur f; (of truth) Fünkchen nt ▸ not a ~ of evidence keinerlei Beweis; to be in ~s zerfetzt sein; to tear sth to ~s etw in Stücke reißen; (fig) etw verreißen; argument etw total zerpflücken; to tear sb to ~s keinen guten Faden an jdm lassen.

[2] vt food, paper schnitzeln; carrot raspeln; cabbage hobeln; (in shredder) paper in den Papierwolf geben. [b] (tear) in kleine Stücke reißen; (with claws) zerfetzen.

shredder [ˈʃredə^r] n (grater) Reibe f; (in food processor) Schnitzelwerk nt; (for waste paper) Reißwolf m; (for garden waste) Häcksler m.

shrew [ʃruː] n Spitzmaus f; (fig) Xanthippe f.

shrewd [ʃruːd] adj (+er) person gewitzt, clever (col); businessman also, plan clever (col), raffiniert; investment, argument taktisch geschickt; assessment, mind scharf ▸ that was a ~ guess das war gut geraten; I have a ~ idea that ... ich habe so das Gefühl, daß ...

shrewdly [ˈʃruːdlɪ] adv geschickt, clever (col).

shrewdness [ˈʃruːdnɪs] n see adj Gewitztheit f; Cleverness (col), Raffiniertheit f, Geschicktheit f; Schärfe f; (of guess) Treffsicherheit f.

shriek [ʃriːk] [1] n (schriller) Schrei; (of whistle) schriller Ton; (of brakes) Quietschen nt ▸ a ~ of pain/horror ein Schmerzens-/Schreckensschrei m; ~s of laughter kreischendes Lachen; to give a ~ einen schrillen Schrei ausstoßen.

[2] vi aufschreien ▸ to ~ at sb jdn ankreischen; to ~ with laughter vor Lachen quietschen.

➤ SENTENCE BUILDER: show: 2a → 8.1

shrift [ʃrɪft] *n* **to give sb/sth short ~** jdn/etw kurz abfertigen.

shrill [ʃrɪl] *adj* (+er) schrill.

shrimp [ʃrɪmp] *n* Garnele, Krevette *f.*

shrine [ʃraɪn] *n* Schrein *m*; (*tomb*) Grabstätte *f*; (*chapel*) Grabkapelle *f*; (*altar*) Grabaltar *m.*

shrink [ʃrɪŋk] (*vb: pret* **shrank,** *ptp* **shrunk**) **1** *vt* einlaufen lassen.
2 *vi* **a** schrumpfen; (*clothes etc*) einlaufen; (*wood*) schwinden; (*fig*) (*popularity*) abnehmen, schwinden; (*trade*) zurückgehen. **b** (*fig: recoil*) **to ~ from doing/ saying sth** davor zurückschrecken, etw zu tun/sich davor scheuen, etw zu sagen; **to ~ from the truth** vor der Wahrheit die Augen verschließen; **to ~ back** zurückweichen; **to ~ away from sb** vor jdm zurückweichen.

shrinkage [ʃrɪŋkɪdʒ] *n* (*of material, clothes*) Einlaufen *nt*; (*fig: of economic growth etc*) Rückgang *m*; (*Comm*) Einbußen *pl.*

shrink: **~proof, ~-resistant** *adj* nicht einlaufend; **~-wrap** *vt* einschweißen; **~-wrapping** *n* (*process*) Einschweißen *nt*; (*material*) Einschweißfolie *f.*

shrivel [ʃrɪvl] (*also ~ up*) **1** *vt* plants (*frost, dryness*) welk werden lassen; (*heat*) austrocknen; *skin, fruit* runzlig werden lassen; *nylon* zusammenschrumpfen lassen.
2 *vi* schrumpfen; (*balloon, nylon*) zusammenschrumpfen; (*plants*) welk werden; (*through heat*) austrocknen; (*fruit, skin*) runzlig werden.

shroud [ʃraʊd] **1** *n* **a** Leichentuch *nt.* **b** (*fig*) Schleier *m* **► a ~ of mist** ein Nebelschleier *m.*
2 *vt* (*fig*) hüllen **► the whole thing is ~ed in mystery** die ganze Angelegenheit ist von einem Geheimnis umgeben.

Shrove Tuesday [ˌʃrəʊvˈtjuːzdeɪ] *n* Faschingsdienstag (*S Ger*), Fastnachtsdienstag *m.*

shrub [ʃrʌb] *n* Busch, Strauch *m.*

shrubbery [ʃrʌbərɪ] *n* (*shrub bed*) Strauchrabatte *f*; (*shrubs*) Büsche, Sträucher *pl.*

shrug [ʃrʌg] **1** *n* Achselzucken *nt no pl* **► to give a ~** die *or* mit den Achseln zucken.
2 *vt shoulders* zucken (mit).
♦shrug off *vt sep* mit einem Achselzucken abtun; *illness* abschütteln.

shrunk [ʃrʌŋk] *ptp of* **shrink.**

shrunken [ʃrʌŋkən] *adj* (ein)geschrumpft. *old person* geschrumpft **► ~ head** Schrumpfkopf *m.*

shudder [ʃʌdəʳ] **1** *n* Schauer, Schauder *m* **► to give a ~** (*person*) sich schütteln, erschaudern (*geh*); (*ground*) beben.
2 *vi* (*person*) schaudern, schauern; (*house, ground*) beben, zittern; (*car, train*) rütteln **► the train ~ed to a halt** der Zug kam rüttelnd zum Stehen; **I ~ to think** mir graut, wenn ich nur daran denke.

shuffle [ʃʌfl] **1** *n* **a** **to walk with a ~** schlurfen. **b** (*Cards*) **to give the cards a ~** die Karten mischen.
2 *vt* **a** *he ~d his feet as he walked* er schlurfte beim Gehen. **b** *cards* mischen **► he ~d the papers on his desk together** er raffte die Papiere auf seinem Schreibtisch zusammen.
3 *vi* (*walk*) schlurfen.

shun [ʃʌn] *vt* meiden; *publicity, light* scheuen.

shunt [ʃʌnt] *vt* **a** (*Rail*) rangieren **► they ~ed the train off the main line** sie schoben den Zug auf ein Nebengleis. **b** (*col*) *person* schieben.

shunter [ʃʌntəʳ] *n* Rangierlokomotive *f.*

shunting [ʃʌntɪŋ] *n* Rangieren *nt* **► ~ engine** Rangierlokomotive *f*; **~ yard** Rangierbahnhof *m.*

shush [ʃʊʃ] **1** *interj* pst, sch.
2 *vt* zum Schweigen auffordern.

shut [ʃʌt] (*vb: pret, ptp ~*) **1** *vt* **a** zumachen; *door,*
book, shop also schließen **► they ~ the office at 6.00** das Büro wird um 18⁰⁰ geschlossen; **~ your eyes** mach die Augen zu; **~ your mouth** (*col!*) *or* face (*col!*) halt's Maul! (*col!*). **b** **to ~ sb/sth in(to) sth** jdn/etw in etw (*dat*) einschließen; **she was ~ in the cellar** sie wurde im Keller eingesperrt; **to ~ one's fingers in the door** sich (*dat*) die Finger in der Tür einklemmen.
2 *vi* (*door, window, box*) schließen, zugehen; (*shop, factory*) schließen, geschlossen werden **► it ~s very easily** es läßt sich ganz leicht schließen *or* zumachen (*col*); **when do the shops ~?** wann schließen die Geschäfte?, wann machen die Geschäfte zu? (*col*).
3 *adj* geschlossen, zu *pred* (*col*) **► sorry sir, we're ~** wir haben leider geschlossen; **the door swung ~** die Tür schlug zu; **to find the door ~** vor verschlossener Tür stehen.

♦shut away *vt sep* (*put away*) wegschließen; (*in sth*) einschließen (*in* in +*dat*); (*keep locked away*) *books, papers etc* aufbewahren; (*safely*) verwahren; *persons* verborgen halten.

♦shut down **1** *vt sep shop, factory* zumachen (*col*), schließen **► the airport is completely ~ ~** der Flughafen hat den gesamten Flugverkehr eingestellt.
2 *vi* (*shop, factory etc*) zumachen (*col*), schließen **► the television service ~s ~ at midnight** um Mitternacht ist Sendeschluß im Fernsehen.

♦shut in *vt sep* einschließen (*also fig*), einsperren (*col*) (*prep obj, to* in +*dat*).

♦shut off *vt sep* **a** *water, electricity* abstellen; *light, engine* ab- *or* ausschalten; *street* (ab)sperren **► the kettle ~s itself ~** der Wasserkessel schaltet von selbst ab. **b** (*isolate*) (ab)trennen **► I feel ~ ~ from civilization** ich komme mir von der Zivilisation abgeschnitten vor.

♦shut out *vt sep* **a** *person, oneself* aussperren (*of* aus); *view* versperren; *light* nicht hereinlassen (*of* in +*acc*) **► don't ~ the sun ~** laß doch die Sonne herein! **b** (*fig*) *foreign competition* ausschalten; *memory, foreign broadcasts* unterdrücken **► I can't ~ her ~ of my life** sie spielt immer noch eine Rolle in meinem Leben.

♦shut up **1** *vt sep* **a** *house* verschließen **► to ~ ~ shop** (*lit*) das Geschäft schließen; (*fig*) Feierabend machen (*col*). **b** (*imprison*) einsperren. **c** (*col: silence*) zum Schweigen bringen **► that'll soon ~ him ~** das wird ihm schon den Mund stopfen (*col*).
2 *vi* (*col*) den Mund halten (*col*) **► ~ ~!** halt die Klappe! (*col*), halt's Maul! (*col!*).

shut: **~down** *n* Stillegung *f*; (*TV, Rad*) Sendeschluß *m*; **~-eye** *n* (*col*) Schlaf *m*; **~-in** *adj* **a** (*US*) ans Haus/ans Bett gefesselt; **b** **a ~-in feeling** ein Gefühl des Eingeschlossenseins.

shutter [ʃʌtəʳ] **1** *n* (Fenster)laden *m*; (*Phot*) Verschluß *m* **► to put up the ~s** (*fig*) den Laden dichtmachen (*col*); **~ release** (*Phot*) Auslöser *m*; **~ speed** Verschlußzeit *f.*
2 *vt* **~ed windows** geschlossene (Fenster)läden.

shuttle [ʃʌtl] **1** *n* **a** (*of loom etc*) Schiffchen *nt.* **b** (*plane, train etc*) Pendelflugzeug *nt/-zug m etc*; (*bus to/ from airport*) Flughafenbus *m*; (*space ~*) Raumtransporter *m.*
2 *vt passengers, goods* hin- und hertransportieren.

shuttle: **~cock** *n* Federball *m*; **~ diplomacy** *n* Pendeldiplomatie *f*; **~ service** *n* Pendelverkehr *m.*

shy [ʃaɪ] **1** *adj* (+er) schüchtern; *animal* scheu **► don't be ~** nur keine Hemmungen! (*col*); **to be ~ of/ with sb** Hemmungen vor/gegenüber jdm haben; **to be ~ of doing sth** Hemmungen haben, etw zu tun; **to feel ~** schüchtern sein. **b** (*esp US col: short*) **we're $3 ~** wir haben 3 Dollar zuwenig.
2 *vi* (*horse*) scheuen (*at* vor +*dat*).

♦shy away *vi* (*horse*) zurückscheuen; (*person*) zurückweichen **► to ~ ~ from sb/sth** vor jdm

zurückweichen/vor etw (*dat*) zurückschrecken.
shyly ['ʃaɪlɪ] *adv see adj* schüchtern; scheu.
shyness ['ʃaɪnɪs] *n* Schüchternheit *f*; (*esp of animals*) Scheu *f*.
shyster ['ʃaɪstər] *n* (*US col*) Gauner *m*; (*lawyer*) Rechtsverdreher *m* (*col*).
Siamese [,saɪə'miːz] [1] *adj* siamesisch ► ~ *cat* Siamkatze *f*, siamesische Katze; ~ *twins* siamesische Zwillinge *pl*.
[2] *n* (*dated*) Siamese *m*, Siamesin *f*.
Siberia [saɪ'bɪərɪə] *n* Sibirien *nt*.
Siberian [saɪ'bɪərɪən] [1] *adj* sibirisch.
[2] *n* Sibirier(in *f*) *m*.
sibling ['sɪblɪŋ] *n* Bruder *m*/Schwester *f* ► ~s Geschwister *pl*.
Sicilian [sɪ'sɪlɪən] [1] *adj* sizilianisch.
[2] *n* Sizilianer(in *f*) *m*.
Sicily ['sɪsɪlɪ] *n* Sizilien *nt*.
sick [sɪk] *adj* (+*er*) [a] (*ill*) krank (*also fig*) ► *the* ~ die Kranken *pl*; *to be (off)* ~ (wegen Krankheit) fehlen; *to fall* or *take* ~ krank werden; *to go* ~ krank werden; *to make sb* ~ (*fig col*) jdn (ganz) krank machen (*col*); *it makes you* ~ *the way he's always right* (*col*) es ist zum Auswachsen, daß er immer recht hat (*col*); *to be* ~ *at* or *about sth* (*fig*) (*disgusted*) von etw angewidert sein; (*upset*) wegen etw geknickt sein. [b] (*Brit: vomiting*) *to be* ~ brechen, sich übergeben; (*esp cat, baby*) spucken; *I felt* ~ mir war schlecht *or* übel; *that food makes me* ~ von dem Essen wird mir übel *or* schlecht. [c] (*col: fed up*) *to be* ~ *of doing sth* es satt haben, etw zu tun; *I'm* ~ *and tired of it* ich habe davon die Nase voll (*col*), ich habe es gründlich satt. [d] (*col*) *joke etc* geschmacklos; *person* abartig, pervers.
◆**sick up** *vt sep* (*Brit*) erbrechen.
sick: ~**bay** *n* Krankenrevier *nt*; ~**bed** *n* Krankenbett *nt*.
sicken ['sɪkn] [1] *vt* (*turn sb's stomach*) anekeln, anwidern; (*upset greatly*) erschüttern, krank machen (*col*); (*disgust*) anwidern.
[2] *vi he's definitely* ~*ing for something* er wird bestimmt krank; *to* ~ *of sth* (*tire*) einer Sache (*gen*) müde sein (*geh*), etw satt haben.
sickening ['sɪknɪŋ] *adj* (*lit*) ekelerregend; *smell, sight also* widerlich, ekelhaft; (*upsetting*) entsetzlich, erschütternd; (*disgusting, annoying*) ekelhaft; *treatment* abscheulich; *delays* unerträglich.
sickle ['sɪkl] *n* Sichel *f*.
sick: ~ *leave n to be on* ~ *leave* krank geschrieben sein; ~ *list n to be on/off the* ~ *list* auf der/nicht mehr auf der Krankenliste stehen; (*with injury*) auf der/nicht mehr auf der Verletztenliste stehen.
sickly ['sɪklɪ] *adj* (+*er*) *person* kränklich; *complexion, light* blaß; *smell, taste, colour* widerlich, ekelhaft; *smile* matt; *grin* schwach; *climate* ungesund.
sickness ['sɪknɪs] *n* (*Med*) Krankheit *f* (*also fig*); (*nausea*) Übelkeit *f*; (*Brit: vomiting*) Erbrechen *nt*; (*of joke etc*) Geschmacklosigkeit *f* ► ~ *benefit* (*Brit*) Krankengeld *nt*.
sick: ~**pay** *n* Lohnfortzahlung *f* im Krankheitsfall; ~**room** *n* Krankenzimmer *nt*.
side [saɪd] [1] *n* [a] Seite *f*; (*of cave, trench, mining shaft, boat, caravan*) Wand *f*; (*of cliff, mountain*) Hang *m* ► *this* ~ *up!* (*on parcel etc*) oben!; *right/wrong* ~ (*of cloth*) rechte/linke Seite. [b] (*edge*) Rand *m* ► *at the* ~ *of the road* am Straßenrand; *at the* ~ *of the plate* auf dem Tellerrand. [c] (*not back or front*) Seite *f* ► *by/at the* ~ *of sth* seitlich von etw; *to drive on the left* ~ *of the road* auf der linken Straßenseite fahren; *the path goes down the* ~ *of the house* der Weg führt seitlich am Haus entlang; *it's this/the other* ~ *of London* (*out of town*) es ist auf dieser/auf der anderen Seite Londons; (*in town*) es ist in diesem Teil/am anderen Ende von London; *from all* ~*s*

von allen Seiten; *from* ~ *to* ~ von einer Seite zur anderen; *he moved to one* ~ er trat zur Seite; *to put sth on one* ~ etw beiseite legen; (*shopkeeper*) etw zurücklegen; *to take sb on one* ~ jdn beiseite nehmen; *just this* ~ *of the boundary* (noch) diesseits der Grenze; *on the other* ~ *of the boundary* jenseits der Grenze; *with one's head on one* ~ mit zur Seite geneigtem Kopf; *by sb's* ~ neben jdm; ~ *by* ~ nebeneinander, Seite an Seite; *to stand/sit* ~ *by* ~ *with sb* direkt neben jdm stehen/sitzen; *I'll be by your* ~ (*fig*) ich werde Ihnen zur Seite stehen; *to be on the safe* ~ sichergehen; *we'll take an extra £50 just to be on the safe* ~ wir nehmen vorsichtshalber 50 Pfund mehr mit; *to get on the wrong* ~/*stay on the right* ~ *of sb* es (sich *dat*) mit jdm verderben/nicht verderben; *on the right* ~ *of the law* auf dem Boden des Gesetzes; *on the right/wrong* ~ *of 40* diesseits/jenseits der 40, unter/über 40; *on his mother's* ~ mütterlicherseits; *to make a bit (of money) on the* ~ (*col*) sich (*dat*) etwas nebenbei verdienen; *to have a bit on the* ~ einen Seitensprung machen; *a problem with many* ~*s to it* ein vielschichtiges Problem; *there are always two* ~*s to every story* alles hat seine zwei Seiten; *let's hear your* ~ *of the story* erzählen Sie mal Ihre Version (der Geschichte); *to look on the bright* ~ (*be optimistic*) zuversichtlich sein; (*look on the positive* ~) etw von der positiven Seite betrachten.
[d] (*a bit*) *on the large/formal etc* ~ etwas groß/förmlich *etc*; (*for somebody*) etwas zu groß/förmlich *etc.*
[e] (*opposing team*) (*Sport, in quiz*) Mannschaft *f*; (*fig*) Seite *f* ► *there are two* ~*s in the dispute* in dem Streit stehen sich zwei Parteien gegenüber; *to change* ~*s* auf die andere Seite schlagen; (*Sport*) die Seiten wechseln; *to take* ~*s* parteiisch sein; *to take* ~*s with sb* für jdn Partei ergreifen; *he's on our* ~ er steht auf unserer Seite; *whose* ~ *are you on?* (*supporting team*) für wen sind Sie?; (*in argument*) zu wem halten Sie eigentlich?
[2] *adj attr* (*on one* ~) *entrance, door, road, street* Seiten-; (*not main*) *entrance, room, road, street, job* Neben-.
[3] *vi to* ~ *with/against sb* jds Partei (*acc*)/Partei gegen jdn ergreifen.
side: ~**board** *n* Anrichte *f*, Sideboard *nt*; ~**boards,** ~**burns** *npl* Koteletten *pl*; (*longer*) Backenbart *m*; ~**car** *n* Beiwagen *m*; (*esp Sport*) Seitenwagen *m*; ~**dish** *n* Beilage *f*; ~**door** *n* Seitentür *f*; ~**drum** *n* kleine Trommel; ~ *effect n* Nebenwirkung *f*; ~**kick** *n* (*esp US col*) Kumpel *m* (*col*); (*assistant*) Handlanger *m* (*pej*); ~**light** *n* (*Aut*) Begrenzungsleuchte *f*; (*incorporated in headlight*) Standlicht *nt*; ~**line** *n* (*job etc*) Nebenerwerb *m*; *to do sth as a* ~*line* etw nebenbei tun; ~**lines** *npl* Seitenlinien *pl*; *to be* or *stand on the* ~*lines* (*fig*) unbeteiligter Zuschauer sein; ~**long** *adj, adv glance* Seiten-; (*surreptitious*) verstohlen; *to give sb a* ~*long glance, to glance* ~*long at sb* jdn kurz aus den Augenwinkeln anblicken; ~ *plate n* kleiner Teller; ~**saddle** *adv to ride* ~*saddle* im Damensitz reiten; ~ *salad n* Salat *m* (als Beilage); ~ *show n* Nebenvorstellung *f*; (*fig: lesser event*) Nebenattraktion *f*; ~**splitting** *adj* urkomisch, zum Totlachen (*col*); ~**step** [1] *vt tackle, punch* (seitwärts) ausweichen (+*dat*); *person, question* ausweichen (+*dat*); [2] *vi* (*lit, fig*) ausweichen; ~ *street n* Seitenstraße *f*; (*not main*) Nebenstraße *f*; ~**track** [1] *n* (*esp US*) = siding; [2] *vt* ablenken; *I got* ~*tracked onto something else* ich wurde durch irgend etwas abgelenkt; (*from topic*) ich wurde irgendwie vom Thema abgebracht; ~**walk** *n* (*US*) Bürgersteig, Gehsteig *m*; ~**ways** [1] *adj movement* zur Seite; *glance* von der Seite; *to give sb a* ~*ways glance* jdn/etw von der Seite ansehen; [2] *adv move* zur Seite, seitwärts; *look at sb* von der Seite.
siding ['saɪdɪŋ] *n* (*Rail*) Rangiergleis *nt*.

sidle ['saɪdl] *vi* (sich) schleichen ► *to ~ away* (sich) wegschleichen; *to ~ up to sb* sich an jdn heranschleichen.

SIDS = **sudden infant death syndrome** Krippentod *m*, plötzlicher Kindstod.

siege [siːdʒ] *n* (*of town*) Belagerung *f*; (*by police*) Umstellung *f* ► *to lay ~ to a town/a house* eine Stadt/ein Haus belagern/umstellen; *~ economy* Belagerungswirtschaft *f*.

siesta [sɪˈestə] *n* Siesta *f* ► *to have a ~* Siesta halten.

sieve [sɪv] **1** *n* Sieb *nt* ► *to have a memory like a ~* (*col*) ein Gedächtnis wie ein Sieb haben (*col*).
2 *vt* = **sift 1 (a)**.

sift [sɪft] **1** *vt* **a** sieben; *coal* schütteln. **b** (*fig*) (*search*) sichten, durchgehen; (*separate*) trennen.
2 *vi* (*fig*) *to ~ through the evidence* das Beweismaterial durchgehen.

sigh [saɪ] **1** *n* (*of person*) Seufzer *m*; (*of wind*) Säuseln *nt no pl* ► *to heave a ~ of relief* einen Seufzer der Erleichterung ausstoßen.
2 *vti* seufzen; (*wind*) säuseln ► *to ~ with relief* erleichtert aufatmen.

sighing ['saɪɪŋ] *n see vti* Seufzen *nt*; Säuseln *nt*.

sight [saɪt] **1** *n* **a** (*faculty*) Sehvermögen *nt* ► *to have long/short ~* weit-/kurzsichtig sein; *to lose/regain one's ~* sein Augenlicht verlieren/wiedergewinnen; *he has very good ~* er sieht sehr gut.
b *to hate sb at first ~* jdn vom ersten Augenblick an nicht leiden können; *love at first ~* Liebe auf den ersten Blick; *at first ~ it seemed easy* auf den ersten Blick erschien es einfach; *to shoot on ~* sofort schießen; *he played the music at ~* er hat vom Blatt gespielt; *at the ~ of the police they ran away* als sie die Polizei sahen, rannten sie weg; *to know sb by ~* jdn vom Sehen kennen; *to catch ~ of sb/sth* jdn/etw sehen; *to have ~ of sth* (*form*) etw zu Gesicht bekommen; *to lose ~ of sb/sth* (*lit, fig*) jdn/etw aus den Augen verlieren; *don't lose ~ of the fact that ...* Sie dürfen nicht außer acht lassen, daß ...; *payable at ~* (*Comm*) zahlbar bei Sicht; *30 days' ~* (*Comm*) 30 Tage nach Sicht.
c (*sth seen*) Anblick *m* ► *the ~ of blood makes me sick* wenn ich Blut sehe, wird mir übel; *the most beautiful ~ I've ever seen* das Schönste, was ich je gesehen habe; *I can't bear the ~ of him* ich kann ihn (einfach) nicht ausstehen; *what a horrible ~!* das sieht ja furchtbar aus!; *to be or look a ~* (*funny*) zum Schreien aussehen (*col*); (*horrible*) fürchterlich aussehen.
d (*range of vision*) Sicht *f* ► *to be in or within ~* in Sicht *or* in Sichtweite sein; *our goal is in ~* unser Ziel ist in greifbarer Nähe; *we came in ~ of the coast* die Küste kam in Sicht; *to keep sb in ~* jdn im Auge behalten; *to keep out of ~* sich verborgen halten; *to keep sb/sth out of ~* jdn/etw versteckt halten; *keep out of my ~!* laß dich bloß bei mir nicht mehr blicken!; *to be out of ~* nicht mehr zu sehen sein; *don't let the children out of your ~* laß die Kinder nicht aus den Augen!; *out of ~, out of mind* (*Prov*) aus den Augen, aus dem Sinn (*Prov*).
e *usu pl* (*of city etc*) Sehenswürdigkeit *f* ► *to see the ~s of a town* eine Stadt besichtigen.
f (*on gun etc*) Visier *nt* ► *to set one's ~s too high* (*fig*) seine Ziele zu hoch stecken; *to set one's ~s on sth* (*fig*) ein Auge auf etw (*acc*) werfen.
g (*col*) *not by a long ~* bei weitem nicht; *we're not finished yet, not by a long ~* wir sind noch lange nicht fertig; *he's a damn ~ cleverer than you think* er ist verdammt (*col*) *or* um einiges klüger als du denkst.
2 *vt* (*see*) sichten (*also Mil*); *person* ausmachen.

sighted ['saɪtɪd] *adj* sehend ► *partially ~* sehbehindert.

sighting ['saɪtɪŋ] *n* Sichten *nt* ► *another ~ of the monster was reported* das Ungeheuer soll erneut gesichtet worden sein.

sight: *~-read vti* vom Blatt spielen/lesen/singen;

~seeing n Besichtigungen *pl*; *to go ~seeing* auf Besichtigungstour gehen; *~seer n* Tourist(in *f*) *m* (auf Besichtigungstour).

sign [saɪn] **1** *n* **a** (*with hand etc*) Zeichen *nt* ► *he nodded as a ~ of agreement/recognition* er nickte zum Zeichen der Zustimmung, daß er mich/ihn *etc* erkannt hatte; *to give sb a ~, to make a ~ to sb* jdm ein Zeichen geben.
b (*indication, Med*) Anzeichen *nt* (*of* für *or* gen); (*evidence*) Zeichen *nt* (*of* von *or* gen); (*trace*) Spur *f* ► *a sure/good ~* ein sicheres/gutes Zeichen; *it's a ~ of the true expert* daran erkennt man den wahren Experten; *at the first ~ of disagreement* beim ersten Anzeichen von Uneinigkeit; *there is no ~ of their agreeing* nichts deutet darauf hin, daß sie zustimmen werden; *to show ~s of sth* Anzeichen von etw erkennen lassen; *our guest showed no ~s of leaving* unser Gast machte keine Anstalten zu gehen; *the rain showed no ~s of stopping* nichts deutete darauf hin, daß der Regen aufhören würde; *there was no ~ of life in the village* das Dorf war wie ausgestorben; *there was no ~ of him anywhere* er war nirgends zu sehen.
c (*road~, shop~*) Schild *nt*.
d (*written symbol, Astrol*) Zeichen *nt*.
2 *vt* **a** *to ~ one's name* unterschreiben; *to ~ one's name in a book* sich in ein Buch eintragen; *he ~s himself J.G. Jones* er unterschreibt mit J.G. Jones. **b** *letter etc* unterschreiben, unterzeichnen (*form*); *picture, book* signieren ► *to ~ the register* sich eintragen.
3 *vi* **a** (*signal*) *to ~ to sb to do sth* jdm Zeichen/ein Zeichen geben, etw zu tun. **b** (*with signature*) unterschreiben.

♦**sign away** *vt sep* verzichten auf (+*acc*) ► *she felt she was ~ing ~ her life* sie hatte das Gefühl, ihr ganzes Leben zu überschreiben.

♦**sign for** *vi +prep obj* den Empfang (+*gen*) bestätigen.

♦**sign in** **1** *vt sep person* eintragen ► *to ~ sb ~ at a club* jdn als Gast in einen Klub mitnehmen.
2 *vi* sich eintragen.

♦**sign off** *vi* (*in letter*) Schluß machen; (*Rad, TV*) sich verabschieden.

♦**sign on** **1** *vt sep* = **sign up 1**.
2 *vi* **a** = **sign up 2**. **b** (*for unemployment benefit*) sich arbeitslos melden ► *to be ~ing ~* Arbeitslosenunterstützung beziehen.

♦**sign out** *vi* sich austragen ► *to ~ ~ of a hotel* sich aus dem Hotelgästebuch austragen.

♦**sign over** *vt sep* überschreiben (*to sb* jdm).

♦**sign up** **1** *vt sep* (*employ, enlist*) *actors* verpflichten; *workers, employees* anstellen; *sailors* anheuern.
2 *vi* sich verpflichten; (*employees, players also*) unterschreiben; (*sailors*) anheuern; (*for evening class etc*) sich einschreiben.

signal ['sɪgnl] **1** *n* **a** (*sign*) Zeichen *nt*; (*as part of code*) Signal *nt*; (*message*) Nachricht *f* ► *engaged* (*Brit*) *or busy ~* (*Telec*) Besetztzeichen *nt*; *to give the ~ for sth* das Zeichen/Signal zu etw geben; *the ~ is very weak* (*TV, Rad*) der Empfang ist sehr schlecht. **b** (*apparatus, Rail*) Signal *nt* ► *the ~ is at red* das Signal steht auf Rot.
2 *vt* **a** (*indicate*) anzeigen; *arrival,* (*fig*) *future event etc* ankündigen ► *to ~ sb to do sth* jdm ein/das Zeichen geben, etw zu tun. **b** *message* signalisieren.
3 *vi* Zeichen/ein Zeichen geben ► *he ~led for his bill* er winkte zum Zeichen, daß er zahlen wollte; *the driver didn't ~* der Fahrer hat kein Zeichen gegeben.

signal: *~box n* Stellwerk *nt*; *~man n* (*Rail*) Stellwerkswärter *m*; (*Mil*) Fernmelder, Funker *m*.

signatory ['sɪgnətərɪ] *n* Unterzeichnete(r) *mf* (*form*).

signature ['sɪgnətʃər] *n* **a** Unterschrift *f*; (*of artist*) Signatur *f*. **b** (*Mus*) Vorzeichen *f*. **c** (*Rad, TV*) *~ tune*

(*Brit*) Erkennungsmelodie *f.*
signboard ['saɪnbɔːd] *n* Schild *nt.*
signet ring ['sɪgnɪt,rɪŋ] *n* Siegelring *m.*
significance [sɪg'nɪfɪkəns] *n* Bedeutung *f;* (*of action also*) Tragweite *f ▶ of no ~* belanglos, bedeutungslos.
significant [sɪg'nɪfɪkənt] *adj* (*considerable, having consequence*) bedeutend; (*important*) wichtig; (*meaningful*) bedeutungsvoll; *look* vielsagend, bedeutsam. *it is ~ that ...* es ist bezeichnend, daß ...; *to be ~ to or for sth* eine bedeutende *or* wichtige Rolle in etw (*dat*) spielen; *~ other* Partner(in *f*) *m.*
significantly [sɪg'nɪfɪkəntlɪ] *adv* (*considerably*) bedeutend; (*meaningfully*) bedeutungsvoll; *look* vielsagend, bedeutsam ▶ *it is not ~ different* da besteht kein wesentlicher Unterschied; *~ enough, ...* bezeichnenderweise ...
signify ['sɪgnɪfaɪ] *vt* [a] (*mean*) bedeuten. [b] (*indicate*) andeuten, erkennen lassen; (*person also*) zu erkennen geben.
sign: ~ language *n* Zeichensprache *f;* **~post** [1] *n* Wegweiser *m;* [2] *vt way* beschildern; *diversion* ausschildern; **~writer** *n* Schildermaler(in *f*) *m.*
silage ['saɪlɪdʒ] *n* Silage *f,* Silofutter *nt.*
silence ['saɪləns] [1] *n* Stille *f;* (*quietness also*) Ruhe *f;* (*absence of talk also, of letters etc*) Schweigen *nt;* (*on a particular subject*) (Still)schweigen *nt ▶ ~!* Ruhe!; *in ~* still; (*not talking also*) schweigend; *there was ~* alles war still; *radio ~* (*Mil*) Funkstille *f.*
[2] *vt* (*lit, fig*) zum Schweigen bringen.
silencer ['saɪlənsər] *n* (*on gun, Brit: on car*) Schalldämpfer *m;* (*part of exhaust*) Auspufftopf *m.*
silent ['saɪlənt] *adj* still; (*not talking also*) schweigsam; *engine etc* ruhig; *agreement etc* (still)schweigend *attr ▶ ~ movie* Stummfilm *m;* *~ letter* stummer Buchstabe; *~ partner* (*US*) stiller Teilhaber; *the ~ majority* die schweigende Mehrheit; *to be ~ (about sth)* (über etw *acc*) schweigen; *to keep or remain ~* still sein *or* bleiben; (*about sth*) sich nicht äußern.
silently ['saɪləntlɪ] *adv* lautlos; (*without talking*) schweigend; (*with little noise*) leise.
Silesia [saɪ'liːzɪə] *n* Schlesien *nt.*
Silesian [saɪ'liːzɪən] [1] *adj* schlesisch.
[2] *n* Schlesier(in *f*) *m.*
silhouette [ˌsɪlu'et] [1] *n* Silhouette *f;* (*picture*) Scherenschnitt *m.*
[2] *vt to be ~d against sth* sich (als Silhouette) gegen etw abzeichnen.
silicon ['sɪlɪkən] *n* Silizium *nt ▶ ~ chip* Siliziumscheibe *f.*
silicone ['sɪlɪkəun] *n* Silikon *nt.*
silicosis [ˌsɪlɪ'kəusɪs] *n* Staublunge, Silikose *f.*
silk [sɪlk] [1] [a] *n* Seide *f;* (*~ dress*) Seidenkleid *nt.* [b] (*Brit Jur: barrister*) Kronanwalt *m.*
[2] *adj* Seiden-, seiden ▶ *the dress is ~* das Kleid ist aus Seide.
silkiness ['sɪlkɪnɪs] *n* (*gleam*) seidiger Glanz; (*softness*) seidige Weichheit; (*of voice*) Sanftheit *f.*
silk: ~ screen *n* Seidensieb *nt;* (*also ~-screen printing*) Seidensiebdruck *m;* **~worm** *n* Seidenraupe *f.*
silky ['sɪlkɪ] *adj* (+*er*) seidig; *voice* samtig.
sill [sɪl] *n* Sims *m or nt;* (*window~*) (Fenster)sims *m or nt;* (*esp of wood*) Fensterbrett *nt;* (*on car*) Türleiste *f.*
silliness ['sɪlɪnɪs] *n* Albernheit *f;* (*act also*) Dummheit *f ▶ ~ season* (*Press*) Sauregurkenzeit *f;* (*col*) Sommerloch *nt* (*col*); *don't be ~ (to do things)* mach keinen Quatsch (*col*); (*say ~ things*) red keinen Unsinn; (*ask ~ questions*) frag nicht so dumm; *that was a ~ thing to do* das war dumm (von dir); *to make sb look ~* jdn lächerlich machen.
silly ['sɪlɪ] *adj* (+*er*) dumm, doof (*col*).
silo ['saɪləu] *n* Silo *nt;* (*for missile*) unterirdische Startrampe, Raketensilo *nt.*

silt [sɪlt] [1] *n* Schwemmsand *m;* (*river mud*) Schlick *m.*
[2] *vi* (*also ~ up*) verschlammen.
silver ['sɪlvər] [1] *n* [a] (*metal, tableware*) Silber *nt.* [b] (*coins*) Silbergeld *nt.*
[2] *adj* Silber-, silbern.
silver: ~ birch *n* Weißbirke *f;* **~ foil** *n* (*kitchen foil*) Alufolie *f;* (*~ paper*) Silberpapier *nt;* **~ jubilee** *n* 25-jähriges Jubiläum; **~ medal** *n* Silbermedaille *f;* **~ paper** *n* (*Brit*) Silberpapier *nt;* **~ plate** *n* (*plating*) Silberauflage *f,* (*articles*) versilberte Sachen *pl;* **~-plated** *adj* versilbert; **~ screen** *n* Leinwand *f;* **~smith** *n* Silberschmied *m;* **~ware** *n* Silber *nt;* **~ wedding** *n* silberne Hochzeit, Silberhochzeit *f.*
silvery ['sɪlvərɪ] *adj* silbern; *voice* silberhell.
similar ['sɪmɪlər] *adj* ähnlich; *amount, size* ungefähr gleich ▶ *she and her sister are very ~* ihre Schwester und sie sind sich sehr ähnlich; *~ in size* ungefähr gleich groß.
similarity [ˌsɪmɪ'lærɪtɪ] *n* Ähnlichkeit *f* (*to* mit).
similarly ['sɪmɪləlɪ] *adv* ähnlich; (*equally*) genauso ▶ *~, you could maintain ...* genausogut könnten Sie behaupten ...
simile ['sɪmɪlɪ] *n* Gleichnis *nt.*
simmer ['sɪmər] [1] *vt* auf kleiner Flamme kochen lassen.
[2] *vi* auf kleiner Flamme kochen; (*fig*) (*with rage*) kochen (*col*); (*with excitement*) fiebern.
◆**simmer down** *vi* sich beruhigen, sich abregen (*col*).
simper ['sɪmpər] [1] *n ..., she said with a ~* ..., sagte sie affektiert.
[2] *vi* (*smile*) geziert lächeln; (*talk*) säuseln ▶ *~ing* geziert.
simple ['sɪmpl] *adj* (+*er*) [a] einfach; *decor, dress also* schlicht ▶ *the ~ fact is ...* es ist einfach so, daß ...; *it's as ~ as ABC* das ist kinderleicht. [b] (*foolish, mentally deficient*) einfältig.
simple-minded [ˌsɪmpl'maɪndɪd] *adj* einfältig.
simpleton ['sɪmpltən] *n* Einfaltspinsel *m.*
simplicity [sɪm'plɪsɪtɪ] *n* Einfachheit *f;* (*lack of sophistication, of decor etc also*) Schlichtheit *f ▶ it's ~ itself* das ist die einfachste Sache der Welt.
simplification [ˌsɪmplɪfɪ'keɪʃən] *n* Vereinfachung *f.*
simplify ['sɪmplɪfaɪ] *vt* vereinfachen.
simplistic [sɪm'plɪstɪk] *adj* simpel.
simply ['sɪmplɪ] *adv* einfach; (*merely*) nur, bloß.
simulate ['sɪmjʊleɪt] *vt emotions* vortäuschen; *enthusiasm also* spielen; *illness also, conditions, environment* simulieren ▶ *~d leather/sheepskin* Lederimitation *f/* falsches Schaffell.
simulation [ˌsɪmjʊ'leɪʃən] *n* Vortäuschung *f;* (*reproduction*) Simulation *f.*
simulator ['sɪmjʊleɪtər] *n* Simulator *m.*
simultaneous [ˌsɪməl'teɪnɪəs] *adj* gleichzeitig ▶ *~ equations* (*Math*) Simultangleichungen *pl;* *~ interpreting* Simultandolmetschen *nt.*
simultaneously [ˌsɪməl'teɪnɪəslɪ] *adv* gleichzeitig, simultan (*geh*).
sin [sɪn] [1] *n* (*Rel, fig*) Sünde *f ▶ to live in ~* (*col*) in wilder Ehe leben; (*Rel*) in Sünde leben; *to cover a multitude of ~s* (*hum*) viele Schandtaten verdecken.
[2] *vi* sündigen (*against* gegen, an +*dat*), sich versündigen (*against* an +*dat*); (*against principles etc*) verstoßen (*against* gegen).
▼ **since** [sɪns] [1] *adv* (*in the meantime*) inzwischen; (*up to now*) seitdem ▶ *ever ~* seither; *long ~* schon lange; *he died long ~* er ist schon lange tot; *not long ~* erst vor kurzem.
[2] *prep* seit ▶ *ever ~ 1900* (schon) seit 1900; *he had been living there ~ 1900* er lebte da schon seit 1900; *I've been coming here ~ 1972* ich komme schon seit 1972 hierher; *it's a long time ~ then* das ist schon

➤ SENTENCE BUILDER: **since: 3b → 6.1**

lange her.
3 *conj* **a** (*time*) seit(dem) ▶ *ever ~ I've known him* seit(dem) ich ihn kenne. **b** (*because*) da.
sincere [sɪn'sɪəʳ] *adj* aufrichtig; *person also* offen; *intention also* ernst, ehrlich.
sincerely [sɪn'sɪəlɪ] *adv see adj* aufrichtig; offen; ernsthaft ▶ *yours ~* (*esp Brit*) mit freundlichen Grüßen.
sincerity [sɪn'serɪtɪ] *n see adj* Aufrichtigkeit *f*; Offenheit *f*; Ernsthaftigkeit *f* ▶ *in all ~* in aller Offenheit.
sine [saɪn] *n* (*Math*) Sinus *m*.
sinecure ['sɪnɪkjʊəʳ] *n* Sinekure *f* (*geh*).
sinew ['sɪnjuː] *n* Sehne *f*.
sinewy ['sɪnjʊɪ] *adj* sehnig; (*fig*) *plant, tree* knorrig.
sinful ['sɪnfʊl] *adj* sündig; *person, act, thought also* sündhaft (*geh*).
sing [sɪŋ] *pret* **sang**, *ptp* **sung** **1** *vt* singen ▶ *to ~ the praises of sb/sth* ein Loblied auf jdn/etw singen.
2 *vi* singen; (*ears*) dröhnen; (*kettle*) summen.
◆**sing out** *vi* **a** (*sing loudly*) laut *or* aus voller Kehle singen. **b** (*col: shout*) schreien (*col*).
Singapore [,sɪŋə'pɔːʳ] *n* Singapur *nt*.
singe [sɪndʒ] *vt* sengen; *clothes* versengen; (*slightly*) ànsengen.
singer ['sɪŋəʳ] *n* Sänger(in *f*) *m*.
Singhalese [,sɪŋgə'liːz] **1** *adj* singhalesisch.
2 *n* **a** Singhalese *m*, Singhalesin *f*. **b** (*language*) Singhalesisch *nt*.
singing ['sɪŋɪŋ] *n* Singen *nt*; (*of person, bird also*) Gesang *m*; (*in the ears*) Dröhnen *nt*; (*of kettle*) Summen *nt* ▶ *he teaches ~* er gibt Gesangstunden; *do you like my ~?* gefällt dir mein Gesang?
single ['sɪŋgl] **1** *adj* **a** (*one only*) einzige(r, s) ▶ *not a ~ one spoke up* nicht ein einziger äußerte sich dazu; *every ~ day was precious* jeder (einzelne) Tag war kostbar; *not a ~ thing* überhaupt nichts. **b** (*not double etc*) einzeln; *bed, room* Einzel-; *carburettor, spacing,* (*Brit*) *ticket* einfach. **c** (*not married*) unverheiratet, ledig; *parent* alleinstehend, alleinerziehend ▶ *~ people* Unverheiratete *pl*; *I'm ~* ich bin nicht verheiratet.
2 *n* **a** (*Brit: ticket*) Einzelfahrkarte *f*; (*room*) Einzelzimmer *nt*; (*CD, record*) Single *f* ▶ *a ~/two ~s to Bonn* einmal/zweimal einfach nach Bonn. **b** (*unmarried person*) Single *m* ▶ *~s bar* Singles-Bar *f*.
◆**single out** *vt sep* (*choose*) auswählen; *victim, prey* sich (*dat*) herausgreifen; (*distinguish, set apart*) herausheben (*from* über +*acc*) ▶ *to ~ sb ~ for special attention* jdm besondere Aufmerksamkeit zuteil werden lassen.
single: ~-breasted *adj jacket* einreihig; **~-cell(ed)** *adj* (*Biol*) einzellig; **~ cream** *n* Sahne *f* (*mit geringem Fettgehalt*); **~-decker** *n* einstöckiger Omnibus; **~-density** *adj* (*Comp*) *disk* mit einfacher Dichte; **~-entry book-keeping** *n* einfache Buchführung; **~ European market** *n* europäischer Binnenmarkt; **~ file** *n in ~ file* im Gänsemarsch; **~-handed** **1** *adj* (*ganz*) allein (*after noun*); *achievement* ohne (fremde) Hilfe vollbracht; *struggle* einsam; **2** *adv* (*also* **~-handedly**) ohne Hilfe, im Alleingang; **~-lens-reflex (camera)** *n* Spiegelreflexkamera *f*; **~-line** *adj* eingleisig; *railway also, traffic* einspurig; **~-minded** *adj* zielstrebig; *devotion* unbeirrbar.
singleness ['sɪŋglnɪs] *n ~ of purpose* Zielstrebigkeit *f*.
single-parent [,sɪŋgl'peərənt] *adj ~ family* Familie *f* mit nur einem Elternteil, Einelternfamilie *f*.
singles ['sɪŋglz] *n sing or pl* (*Sport*) Einzel *nt* ▶ *the ~ finals* das Finale im Einzel; *men's ~* Herreneinzel *nt*.
single: ~-seater *n* Einsitzer *m*; **~-sex** *adj education* nach Geschlechtern getrennt; **~-sided** *adj* (*Comp etc*) einseitig; **~-storey** *adj* eingeschossig.
singlet ['sɪŋglɪt] *n* (*Brit*) (*Sport*) ärmelloses Trikot; (*underclothing*) (ärmelloses) Unterhemd, Trikothemd *nt*.
single-track ['sɪŋgl,træk] *adj* einspurig; (*Rail also*) eingleisig.

singly ['sɪŋglɪ] *adv* einzeln; (*solely*) allein.
singsong ['sɪŋsɒŋ] *n we often have a ~ at the pub* in der Kneipe singen wir oft zusammen.
singular ['sɪŋgjʊləʳ] **1** *adj* **a** (*Gram*) im Singular. **b** (*odd*) sonderbar, eigenartig. **c** (*outstanding*) einzigartig, einmalig.
2 *n* Singular *m* ▶ *in the ~* im Singular.
singularity [,sɪŋgjʊ'lærɪtɪ] *n* (*oddity*) Sonderbarkeit, Eigenartigkeit *f*.
singularly ['sɪŋgjʊləlɪ] *adv* außerordentlich.
Sinhalese [,sɪnhə'liːz] *see* **Singhalese**.
sinister ['sɪnɪstəʳ] *adj* unheimlich; *person, scheme also* finster; *music, look also* düster; *fate* böse.
sink[1] [sɪŋk] *pret* **sank**, *ptp* **sunk** **1** *vt* **a** *ship* versenken. **b** (*fig: ruin*) *theory* zerstören; *hopes also* zunichte machen ▶ *now we're sunk!* (*col*) jetzt sind wir geliefert (*col*). **c** *shaft* senken; *hole* ausheben; *foundations* absenken ▶ *to ~ a post in the ground* einen Pfosten in den Boden einlassen. **d** *teeth, claws* schlagen. **e** *differences* begraben. **f** *to ~ money in sth* Geld in etw (*acc*) stecken. **g** *to be sunk in thought* in Gedanken versunken sein.
2 *vi* sinken; (*ship also*) untergehen; (*sun also*) versinken; (*voice, building, land etc*) sich senken; (*shares, prices*) fallen ▶ *to ~ to the bottom* auf den Grund sinken; *he was left to ~ or swim* (*fig*) er war ganz auf sich allein angewiesen; *to ~ into a chair* in einen Sessel (nieder)sinken; *the sun sank beneath the horizon* die Sonne versank am Horizont; *to ~ to one's knees* auf die Knie sinken; *to ~ into a deep sleep* in tiefen Schlaf versinken; *my heart sank at the sight of the work* beim Anblick der Arbeit verließ mich der Mut; *with ~ing heart* mutlos; *she has sunk in my estimation* sie ist in meiner Achtung gesunken.
◆**sink in** *vi* **a** (*into mud etc*) einsinken (*prep obj, -to* in +*acc*). **b** (*col: be understood*) kapiert werden (*col*) ▶ *it's only just sunk ~ that it really did happen* ich kapiere erst jetzt, daß das tatsächlich passiert ist (*col*).
sink[2] *n* Ausguß *m*; (*in kitchen also*) Spülbecken *nt* ▶ *~ unit* Spüle *f*.
sinking ['sɪŋkɪŋ] **1** *n* (*of ship*) Untergang *m*; (*deliberate*) Versenkung *f*; (*of shaft*) Senken *nt*; (*of well*) Bohren *nt*.
2 *adj ~ feeling* flaues Gefühl (im Magen) (*col*); *~ fund* Tilgungsfonds *m*.
sinner ['sɪnəʳ] *n* Sünder(in *f*) *m*.
sinuous ['sɪnjʊəs] *adj* (*lit, fig*) gewunden; *motion of snake* schlängelnd *attr, dancing etc* geschmeidig.
sinus ['saɪnəs] *n* (*in head*) (Nasen)nebenhöhle *f*; (*frontal*) Stirnhöhle *f*.
sip [sɪp] **1** *n* Schluck *m*; (*very small*) Schlückchen *nt*.
2 *vt* in kleinen Schlucken trinken; (*suspiciously, daintily*) nippen an (+*dat*); (*savour*) schlürfen.
siphon ['saɪfən] **1** *n* Heber *m*; (*soda ~*) Siphon *m*.
2 *vt* absaugen; (*into tank*) umfüllen.
◆**siphon off** *vt sep* **a** (*lit*) absaugen; *petrol* abzapfen; (*into container*) umfüllen, abfüllen. **b** (*fig*) *staff* abziehen; *profits* abschöpfen.
sir [sɜːʳ] *n* **a** (*in direct address*) mein Herr (*form*), Herr X ▶ *Dear S~ (or Madam),* ... sehr geehrte (Damen und) Herren! **b** (*knight etc*) S~ Sir *m*. **c** (*Sch: teacher*) *please ~!* Herr X!; *I'll tell ~* ich sag's dem Lehrer.
sire ['saɪəʳ] **1** *n* (*Zool*) Vatertier *nt*.
2 *vt* zeugen.
siren ['saɪərən] *n* (*also Myth*) Sirene *f*.
sirloin ['sɜːlɔɪn] *n* Filet *nt*.
sis [sɪs] *n* (*col*) Schwesterherz *nt* (*col*).
sissy ['sɪsɪ] *n* (*col*) Waschlappen *m* (*col*), Memme *f*.
sister ['sɪstəʳ] *n* **a** Schwester *f*; (*in trade union*) Kollegin *f*. **b** (*nun*) (Ordens)schwester *f*; (*before name*) Schwester *f*. **c** (*Brit: senior nurse*) Oberschwester *f*.

sister *in cpds company, party, ship etc* Schwester-; **~-in-law** *n, pl* **~s-in-law** Schwägerin *f.*

sisterly ['sɪstəlɪ] *adj* schwesterlich.

sit [sɪt] (*vb: pret, ptp* **sat**) **1** *vi* **a** (*be ~ting*) sitzen (*in/ on* in/auf +*dat*); (*~ down*) sich setzen (*in/on* in/auf +*acc*) ► *a place to* ~ ein Sitzplatz *m*; ~ *by/with me* setz dich zu mir/neben mich; *to* ~ *for a painter* einem Maler Modell sitzen; *to* ~ *for an exam* eine Prüfung ablegen (*form*) *or* machen; *to be* ~*ting pretty* (*fig col*) gut dastehen (*col*). **b** (*assembly*) tagen; (*have a seat*) einen Sitz haben ► *to* ~ *on a committee* in einem Ausschuß sitzen. **c** (*bird: hatch*) sitzen, brüten. **d** (*fig: clothes*) sitzen (*on sb* bei jdm).
2 *vt* **a** setzen (*in* in +*acc*, *on* auf +*acc*); (*place*) *object also* stellen ► *to* ~ *a child on one's knees* sich (*dat*) ein Kind auf den Schoß setzen; *the table* ~*s 5 people* an dem Tisch haben 5 Leute Platz. **b** (*esp Brit*) *examination* ablegen (*form*), machen.

◆**sit about** *or* **around** *vi* herumsitzen.

◆**sit back** *vi* (*lit, fig*) sich zurücklehnen; (*fig: do nothing*) die Hände in den Schoß legen.

◆**sit down** *vi* sich (hin)setzen ► *to* ~ *in a chair* sich auf einen Stuhl setzen.

◆**sit in** *vi* **a** (*demonstrators*) ein Sit-in veranstalten. **b** (*attend as visitor*) dabeisein, dabeisitzen (*on sth* bei etw).

◆**sit on** *vt +prep obj* (*not deal with*) sitzen auf (+*dat*); (*col: suppress*) *idea, product* unterdrücken; *person* einen Dämpfer aufsetzen (+*dat*) (*col*).

◆**sit out** **1** *vi* draußen sitzen.
2 *vt sep* **a** (*stay to end*) *play* bis zum Ende (sitzen)bleiben bei, bis zum Ende durchhalten (*pej*); *storm* auf das Ende (+*gen*) warten. **b** *dance* auslassen ► *I'll* ~ *this one* ~ ich setze diesmal aus.

◆**sit through** *vi +prep obj* durchhalten, aushalten (*pej*).

◆**sit up** **1** *vi* **a** aufrecht sitzen; (*action*) sich aufrichten ► ~ *~!* setz dich gerade hin!; *to make sb* ~ ~ *(and take notice)* (*fig col*) jdn aufhorchen lassen. **b** (*not go to bed*) aufbleiben ► *she sat* ~ *with the sick child* sie wachte bei dem kranken Kind.
2 *vt sep* aufrichten; *doll also, baby* hinsetzen.

sitcom ['sɪtkɒm] *n* (*col*) Situationskomödie *f.*

sit-down ['sɪtdaʊn] *adj attr* **to have a** ~ **strike** einen Sitzstreik machen; *a* ~ *meal* eine richtige Mahlzeit.

site [saɪt] **1** *n* **a** Stelle *f*, Platz *m*. **b** (*Archeol*) Stätte *f*. **c** (*building* ~) Baustelle *f* ► ~ *hut* Baubude *f*; ~ *manager* Bauleiter(in *f*) *m*; *missile* ~ Raketenbasis *f*. **d** (*camping* ~) Campingplatz *m*.
2 *vt* legen, anlegen ► *to be* ~*d* liegen, (gelegen) sein.

sit-in ['sɪtɪn] *n* Sit-in *nt*, Sitzblockade *f* ► *to hold* *or* *stage a* ~ ein Sit-in veranstalten.

sitter ['sɪtə'] *n* (*Art*) Modell *nt*; (*baby-*~) Babysitter *m.*

sitting ['sɪtɪŋ] *n* (*of committee, for portrait*) Sitzung *f* ► *they have two* ~*s for lunch* sie servieren das Mittagessen in zwei Schüben.

sitting: ~ **duck** *n* (*fig*) leichte Beute; ~ **member** *n* (*Parl*) derzeitiger Abgeordneter, derzeitige Abgeordnete; ~ **room** *n* (*lounge*) Wohnzimmer *nt*; (*in guest house etc*) Aufenthaltsraum *m*; ~ **target** *n* (*lit, fig*) leichte Beute; ~ **tenant** *n* (derzeitiger) Mieter.

situate ['sɪtjʊeɪt] *vt* legen.

situated ['sɪtjʊeɪtɪd] *adj* gelegen; *person* (*financially*) gestellt, situiert (*geh*) ► *it is* ~ *in the High Street* es liegt an der Hauptstraße; *a pleasantly* ~ *house* ein schön gelegenes Haus; *how are you* ~ *(for money)?* wie ist Ihre finanzielle Lage?

situation [ˌsɪtjʊ'eɪʃən] *n* **a** (*state of affairs*) Lage, Situation *f*; (*financial, marital etc*) Lage *f*, Verhältnisse *pl*; (*in play, novel*) Situation *f* ► *to save the* ~ die Situation retten; ~ *comedy* Situationskomödie *f*. **b** (*of house etc*) Lage *f*. **c** (*job*) Stelle *f* ► *"~s vacant/wanted"* „Stellenangebote/Stellengesuche".

six [sɪks] **1** *adj* sechs ► *she is* ~ *(years old)* sie ist sechs (Jahre alt); *at (the age of)* ~ im Alter von sechs Jahren; *it's* ~ *(o'clock)* es ist sechs (Uhr); *there are* ~ *of us* wir sind sechs; ~ *and a half/quarter* sechseinhalb/ sechsviertel; *to be* ~ *feet under* (*hum*) sich (*dat*) die Radieschen von unten besehen (*hum*); *it's* ~ *of one and half a dozen of the other* (*col*) das ist Jacke wie Hose (*col*).
2 *n* Sechs *f* ► *to divide sth into* ~ etw in sechs Teile teilen; *they are sold in* ~*es* sie werden in Sechserpackungen verkauft; *to be at* ~*es and sevens* (*things*) wie Kraut und Rüben durcheinanderliegen (*col*); (*person*) völlig durcheinander sein; *to knock sb for* ~ (*col*) jdn umhauen.

six: ~**fold** **1** *adj* sechsfach; **2** *adv* um das Sechsfache; ~ **footer** *n* **to be a** ~ **footer** über 1,80 (*gesprochen:* einsachtzig) sein; ~ **hundred** **1** *adj* sechshundert; **2** *n* Sechshundert *f*; ~ **million** *adj, n* sechs Millionen; ~**pack** *n* Sechserpackung *f*; ~**-shooter** *n* (*col*) sechsschüssiger Revolver.

sixteen ['sɪks'tiːn] **1** *adj* sechzehn.
2 *n* Sechzehn *f.*

sixteenth ['sɪks'tiːnθ] **1** *adj* sechzehnte(r, s) ► *a* ~ *part* ein Sechzehntel *nt*; ~ *note* (*US Mus*) Sechzehntelnote *f.*
2 *n* **a** (*fraction*) Sechzehntel *nt*; (*in series*) Sechzehnte(r, s). **b** (*date*) **the** ~ der Sechzehnte.

sixth [sɪksθ] **1** *adj* sechste(r, s) ► *a* ~ *part* ein Sechstel *nt*; *he was* *or* *came* ~ er wurde Sechster; *she was* ~ *from the left* sie war die Sechste von links.
2 *n* **a** (*fraction*) Sechstel *nt*; (*in series*) Sechste(r, s). **b** (*date*) **the** ~ der Sechste; *on the* ~ am Sechsten; *the* ~ *of September* der sechste September.

sixth: ~ **form** *n* (*Brit*) Abschlußklasse *f*, ≈ 13. Klasse *f*; ~**-former** *n* (*Brit*) Schüler(in *f*) *m* der Abschlußklasse.

six thousand 1 *adj* sechstausend.
2 *n* Sechstausend *f.*

sixth sense *n* sechster Sinn.

sixtieth ['sɪkstɪɪθ] **1** *adj* sechzigste(r, s).
2 *n* (*fraction*) Sechzigstel *nt*; (*in series*) Sechzigste(r, s).

sixty ['sɪkstɪ] **1** *adj* sechzig.
2 *n* Sechzig *f* ► *the sixties* die sechziger Jahre; *to be in one's sixties* in den Sechzigern sein; *to be in one's late/early sixties* Ende/Anfang sechzig sein; ~*-four thousand dollar question* *n* (*hum*) große Frage, Zehntausendmarkfrage *f* (*hum*).

sixty-one ['sɪkstɪ'wʌn] *adj* einundsechzig.

six-year-old ['sɪksjɪər,əʊld] **1** *adj* sechsjährig *attr*, sechs Jahre alt *pred*.
2 *n* Sechsjährige(r) *mf.*

size [saɪz] **1** *n* **a** Größe *f*; (*of problem, operation also*) Ausmaß *nt* ► *collar/hip/waist* ~ Kragen-/Hüft-/ Taillenweite *f*; *it's the* ~ *of a brick* es ist so groß wie ein Ziegelstein; *he's about your* ~ er ist ungefähr so groß wie du; *what* ~ *is it?* wie groß ist es?; (*clothes, shoes, gloves etc*) welche Größe ist es?; *it's quite a* ~ es ist ziemlich groß; *it's two* ~*s too big* es ist zwei Nummern zu groß; *to cut sth to* ~ etw auf die richtige Größe zurechtschneiden; *that's about the* ~ *of it* (*col*) ja, so ungefähr kann man es sagen.
2 *vt* größenmäßig ordnen.

◆**size up** *vt sep* abschätzen.

sizeable ['saɪzəbl] *adj* ziemlich groß, größer; *car, estate, jewel also* ansehnlich.

sizzle ['sɪzl] *vi* brutzeln.

skate[1] [skeɪt] *n* (*fish*) Rochen *m.*

skate[2] **1** *n* (*shoe*) Schlittschuh *m*; (*blade*) Kufe *f* ► *put or get your* ~*s on* (*fig col*) mach/macht mal ein bißchen dalli! (*col*).
2 *vi* eislaufen, Schlittschuh laufen; (*figure-*~) eislaufen; (*roller-*~) Rollschuh laufen ► *it went skating across the*

room (*fig*) es rutschte durch das Zimmer.
◆**skate around** *or* **over** *vi +prep obj difficulty, problem* einfach übergehen.
skate: **~board** *n* Skateboard, Rollbrett *nt*; **~boarder** *n* Skateboardfahrer(in *f*) *m*; **~boarding** *n* Skateboardfahren *nt*.
skater ['skeɪtə'] *n* (*ice-~*) Schlittschuhläufer(in *f*) *m*; (*figure-~*) Eiskunstläufer(in *f*) *m*; (*roller-~*) Rollschuhläufer(in *f*) *m*.
skating ['skeɪtɪŋ] *n* (*ice-~*) Eislauf *m*; (*figure-~*) Eiskunstlauf *m*; (*roller-~*) Rollschuhlauf *m* ▶ **~ rink** Eisbahn/Rollschuhbahn *f*.
skein [skeɪn] *n* (*of wool etc*) Strang *m*.
skeleton ['skelɪtn] **[1]** *n* (*lit, fig*) Skelett *nt*; (*esp of ship*) Gerippe *nt* ▶ **a ~ in one's cupboard** (*of public figure*) eine Leiche im Keller.
  [2] *adj staff, service* Minimal-; (*emergency*) Not- ▶ **~ crew** Minimalbesatzung *f*; **~ key** Dietrich, Nachschlüssel *m*.
skeptic *etc* (*US*) = **sceptic**.
sketch [sketʃ] **[1]** *n* (*Art, Liter*) Skizze *f*; (*Theat*) Sketch *m*; (*design also*) Entwurf *m*.
  [2] *vt* (*lit, fig*) skizzieren.
◆**sketch in** *vt sep details* (*verbally*) umreißen.
sketch: **~book** *n* Skizzenbuch *nt*; **~ map** *n* Kartenskizze *f*; **~ pad** *n* Skizzenblock *m*.
sketchy ['sketʃɪ] *adj* (*+er*) (*inadequate*) flüchtig, oberflächlich; (*incomplete*) bruchstückhaft.
skewer ['skjʊə'] **[1]** *n* Spieß *m*.
  [2] *vt* aufspießen.
skew-whiff [,skju:'wɪf] *adj* (*Brit col*) (wind)schief.
ski [ski:] **[1]** *n* Ski, Schi *m*.
  [2] *vi* Ski laufen *or* fahren ▶ **they ~ed down the slope/ over the hill** sie fuhren (auf ihren Skiern) den Hang hinunter/sie liefen (mit ihren Skiern) über den Hügel.
ski boot *n* Skistiefel *m*.
skid [skɪd] **[1]** *n* (*Aut etc*) Schleudern *nt* ▶ **to go into a ~** ins Schleudern kommen; **to correct a ~** das Fahrzeug wieder in seine Gewalt bekommen.
  [2] *vi* (*car, objects*) schleudern; (*person*) ausrutschen ▶ **to ~ across the floor** über den Boden rutschen; **the car ~ded into a tree** der Wagen schleuderte gegen einen Baum.
skid: **~mark** *n* Reifenspur *f*; (*from braking*) Bremsspur *f*; **~ row** *n* (*esp US col*) Pennergegend *f* (*col*); **to be on ~ row** heruntergekommen sein.
skier ['ski:ə'] *n* Skifahrer(in *f*) *m*.
skiff [skɪf] *n* Skiff *nt*; (*Sport*) Einer *m*.
skiing ['ski:ɪŋ] *n* Skilaufen, Skifahren *nt* ▶ **to go ~** Skilaufen gehen; **~ goggles** Skibrille *f*; **~ holiday** Skiurlaub *m*; **~ instructor** Skilehrer(in *f*) *m*.
ski *in cpds* Ski-; **~-jump** *n* (*action*) Skisprung *m*; (*place*) Sprungschanze *f*; **~-jumping** *n* Skispringen *nt*.
skilful, (*US*) **skillful** ['skɪlfʊl] *adj* geschickt; *player etc also* gewandt; *painting etc* kunstvoll.
skilfully, (*US*) **skillfully** ['skɪlfəlɪ] *adv see adj*.
skilfulness, (*US*) **skillfulness** ['skɪlfəlnɪs] *n see* **skill (a)**.
ski-lift ['ski:lɪft] *n* Skilift *m*.
skill [skɪl] *n* **[a]** *no pl* (*skilfulness*) Geschick *nt*, Geschicklichkeit *f*; (*of sculptor etc*) Kunst(fertigkeit) *f* ▶ **his ~ at billiards/in persuading people** sein Geschick beim Billiard/seine Fähigkeit, andere zu überreden. **[b]** (*acquired technique*) Fertigkeit *f*; (*ability*) Fähigkeit *f*.
skilled [skɪld] *adj* (*skilful*) geschickt, gewandt (*at* in +*dat*); (*trained*) ausgebildet, Fach-; (*requiring skill*) fachmännisch.
skillet ['skɪlɪt] *n* Bratpfanne *f*.
skillful (*US*) = **skilful**.
skim [skɪm] **[1]** *vt* **[a]** (*remove floating matter*) abschöpfen; *milk* entrahmen ▶ **~med** *or* (*US*) **~ milk**

Magermilch *f*. **[b]** (*pass low over*) streifen über (+*acc*); (*fig: touch on*) berühren ▶ **the book merely ~s the surface of the problem** das Buch berührt das Problem nur an der Oberfläche. **[c]** (*read quickly*) (*also ~ through*) überfliegen.
  [2] *vi* (*across, over* über +*acc*) (move quickly) fliegen; (*aircraft also*) gleiten; (*stones*) springen.
skimp [skɪmp] **[1]** *vt food, material* sparen an (+*dat*); *work* nachlässig erledigen; *details* zu kurz kommen lassen.
  [2] *vi* sparen (*on an* +*dat*).
skimpy ['skɪmpɪ] *adj* (*+er*) dürftig; *meal, existence also* kärglich; *clothing* spärlich; *bikini etc* knapp ▶ **to be ~ with sth** mit etw sparsam sein.
skin [skɪn] **[1]** *n* **[a]** Haut *f* ▶ **to be soaked to the ~** bis auf die Haut naß sein; **he's nothing but ~ and bone(s) nowadays** er ist nur noch Haut und Knochen; **that's no ~ off my nose** (*col*) das juckt mich nicht (*col*); **to save one's own ~** die eigene Haut retten; **to jump out of one's ~** (*col*) erschreckt hochfahren; **to get under sb's ~** (*col*) (*irritate*) jdm auf die Nerven gehen (*col*); (*fascinate*) (*music*) jdm unter die Haut gehen; (*person*) jdn faszinieren; **I've got you under my ~** (*col*) du hast mir's angetan; **to have a thick ~** (*fig*) ein dickes Fell haben (*col*); **by the ~ of one's teeth** (*col*) mit knapper Not. **[b]** (*hide*) Haut *f*; (*fur*) Fell *nt*. **[c]** (*of fruit etc*) Schale *f*; (*on sausage, milk*) Haut *f*.
  [2] *vt animal* häuten; *fruit* schälen; *grapes, tomatoes* enthäuten ▶ **to ~ sb alive** (*col*) jdm den Kopf abreißen (*hum col*); **to keep one's eyes ~ned (for sth)** die Augen (nach etw) offenhalten.
skin: **~ cream** *n* Hautcreme *f*; **~-deep** *adj see* **beauty**; **~-diver** *n* Sporttaucher(in *f*) *m*; **~-diving** *n* Sporttauchen *nt*; **~flint** *n* (*col*) Geizkragen *m* (*col*).
skinful ['skɪnfʊl] *n* (*col*) **to have had a ~** einen über den Durst getrunken haben (*col*).
skin: **~ graft** *n* Hauttransplantation *f*; **~head** *n* (*Brit col*) Skinhead *m*.
skinny ['skɪnɪ] *adj* (*+er*) (*col*) *person, legs* dünn.
skint [skɪnt] *adj* (*Brit col*) **to be ~** pleite *or* blank sein (*col*).
skin-tight ['skɪn,taɪt] *adj* hauteng.
skip¹ [skɪp] **[1]** *n* (kleiner) Sprung *m*; (*in dancing*) Hüpfschritt *m*.
  [2] *vi* **[a]** hüpfen; (*jump, gambol*) springen; (*with rope*) seilspringen. **[b]** (*move from subject to subject*) springen.
  [3] *vt* **[a]** (*omit, miss*) *school etc* schwänzen (*col*); *chapter etc* auslassen, überspringen ▶ **to ~ lunch** das Mittagessen ausfallen lassen; **let's ~ it** lassen wir das. **[b]** (*US*) **to ~ rope** seilspringen.
◆**skip about** *vi* herumhüpfen.
◆**skip through** *vi +prep obj book* durchblättern.
skip² *n* (*esp Brit*) (*Build*) Container *m*; (*Min*) Förderkorb *m*.
ski: **~ pants** *npl* Skihose(n *pl*) *f*; **~ pole** *n* Skistock *m*.
skipper ['skɪpə'] **[1]** *n* Kapitän *m*.
  [2] *vt* führen.
skipping ['skɪpɪŋ] *n* Seilspringen *nt* ▶ **~ rope** (*Brit*) Sprungseil *nt*.
ski resort *n* Skiurlaubsort *m*.
skirmish ['skɜ:mɪʃ] *n* (*Mil*) Geplänkel *nt*; (*scrap, fig*) Zusammenstoß *m*.
skirt [skɜ:t] *n* Rock *m*; (*of jacket, coat*) Schoß *m*.
  [2] *vt* (*also ~ around*) umgehen.
skirting (board) ['skɜ:tɪŋ(,bɔ:d)] *n* (*Brit*) Fußleiste *f*.
ski: **~-run** *n* Skipiste *f*; **~ stick** *n* Skistock *m*; **~ suit** *n* Skianzug *m*.
skit [skɪt] *n* (satirischer) Sketch (*on* über +*acc*).
skittish ['skɪtɪʃ] *adj* (*playful*) übermütig; (*flirtatious*) *woman* neckisch, kokett.
skittle ['skɪtl] *n* (*Brit*) Kegel *m* ▶ **to play ~s** kegeln.

skive 1052

skive [skaɪv] (Brit col) vi blaumachen (col); (from school etc) schwänzen (col).
◆skive off vi (Brit col) sich drücken (col) (prep obj vor +dat).
skulk [skʌlk] vi (move) schleichen; (lurk) sich herumdrücken.
skull [skʌl] n Schädel m ▶ ~ and crossbones Totenkopf m; ~cap Scheitelkäppchen nt.
skunk [skʌŋk] n Skunk m, Stinktier nt.
sky [skaɪ] n Himmel m ▶ under the open ~ unter freiem Himmel; in the ~ am Himmel; the ~'s the limit! nach oben sind keine Grenzen gesetzt; to praise sb to the skies jdn über den grünen Klee loben (col).
sky: ~ blue n Himmelblau nt; ~-blue adj himmelblau; ~-diver n Fallschirmspringer(in f) m; ~-diving n Fallschirmspringen nt; ~-high [1] adj prices schwindelnd hoch; [2] adv zum Himmel; to blow a bridge ~-high (col) eine Brücke in die Luft sprengen; to blow a theory ~-high (col) eine Theorie zum Einsturz bringen; ~lark [1] n Feldlerche f; [2] vi (col) (frolic) tollen; (fool around) blödeln (col); ~light n Oberlicht nt; (in roof also) Dachfenster nt; ~line n (horizon) Horizont m; (of hills etc) Silhouette f; ~scraper n Wolkenkratzer m.
slab [slæb] n (of wood etc) Tafel f; (of stone etc) Platte f; (in mortuary) Tisch m; (of cake) großes Stück; (of chocolate) Tafel f.
slack [slæk] [1] adj (+er) [a] (not tight) locker. [b] (lazy) bequem, träge; (negligent) nachlässig, schlampig (col) ▶ to be ~ about one's work in bezug auf seine Arbeit nachlässig sein. [c] (Comm) market flau; season also ruhig ▶ business is ~ das Geschäft geht schlecht; ~ period tote Saison f.
[2] n [a] (of rope etc) to take up the ~ (on a rope/sail) ein Seil/Segel straffen or spannen; there is too much ~ das Seil/Segel hängt zu sehr durch; to take up the ~ in the economy die brachliegenden Kräfte der Wirtschaft nutzen. [b] (coal) Grus m.
[3] vi bummeln.
slacken ['slækn] [1] vt [a] (loosen) lockern. [b] (reduce) vermindern, verringern.
[2] vi [a] (become loose) sich lockern. [b] (also ~ off) (speed) sich verringern; (rate of development) sich verlangsamen; (wind, demand, market) abflauen.
slackness ['slæknɪs] n (of rope) Schlaffheit f; (of business, market etc) Flaute f; (laziness) Bummelei f; (negligence) Nachlässigkeit f.
slacks [slæks] npl Hose f.
slag [slæg] [1] n Schlacke f ▶ ~ heap Schlackenhalde f.
[2] vt (col: run down) (also ~ off) (he)runtermachen (col).
slain [sleɪn] ptp of slay.
slake [sleɪk] vt thirst stillen.
slalom ['slɑːləm] n Slalom m.
slam [slæm] [1] n [a] (of door etc) Zuschlagen nt no pl ▶ with a ~ mit voller Wucht. [b] (Cards) Schlemm m.
[2] vt [a] (close violently) zuknallen ▶ to ~ sth shut etw zuknallen; to ~ the door in sb's face jdm die Tür vor der Nase zumachen; he ~med his fist on the table er knallte mit der Faust auf den Tisch (col); to ~ the brakes on (col) auf die Bremse latschen (col). [b] (col: criticize harshly) verreißen; person herunterputzen (col).
[3] vi (door) zuschlagen.
slander ['slɑːndəʳ] [1] n Verleumdung f.
[2] vt verleumden.
slanderous ['slɑːndərəs] adj verleumderisch.
slang [slæŋ] [1] n Slang m; (army ~, schoolboy ~ etc) Jargon m.
[2] adj Slang-.
[3] vt (esp Brit col) to ~ sb/sth jdn beschimpfen/über etw (acc) schimpfen; they were having a ~ing match sie beschimpften sich um die Wette.

slangy ['slæŋɪ] adj (+er) salopp.
slant [slɑːnt] [1] n [a] Schräge f ▶ to be on the ~ sich neigen, schräg sein. [b] (fig) (bias, leaning) Tendenz, Neigung f; (point of view) Anstrich m ▶ a right-wing ~ ein Rechtsdrall m.
[2] vt (lit) verschieben; report färben ▶ the book is ~ed towards women das Buch ist auf Frauen ausgerichtet.
[3] vi sich neigen.
slanting ['slɑːntɪŋ] adj schräg.
slap [slæp] [1] n Schlag, Klaps m ▶ to give sb a ~ jdm einen Klaps geben; a ~ in the face (lit, fig) ein Schlag ins Gesicht; (lit also) eine Ohrfeige; to give sb a ~ on the back jdm (anerkennend) auf den Rücken klopfen; (fig) jdn loben; to give sb a ~ on the wrist (fig col) jdm einen Anpfiff geben (col).
[2] adv (col) direkt.
[3] vt [a] schlagen ▶ to ~ sb's face jdn ohrfeigen, jdm eine runterhauen (col). [b] (put noisily) knallen (on(to) auf +acc) ▶ he just ~ped the paint on er klatschte die Farbe einfach drauf (col).
◆slap down vt sep (col) hinknallen ▶ (fig) to ~ sb jdm eins aufs Dach geben (col).
slap: ~-bang adv (col) crash mit Karacho (col); it was ~-bang in the middle es war genau in der Mitte; ~dash adj flüchtig, schludrig (pej); ~-happy adj unbekümmert; ~stick n Klamauk m (col); ~stick comedy Slapstick m; ~-up adj (col) meal mit allem Drum und Dran (col).
slash [slæʃ] [1] n [a] (action) Streich m; (wound) Schnitt m. [b] (Typ: oblique stroke) Schrägstrich m.
[2] vt [a] (cut) zerfetzen; face also aufschlitzen; undergrowth abhauen; (with sword) hauen auf (+acc). [b] (col) price radikal herabsetzen.
slasher movie, slasher film ['slæʃəʳ] n (col) Horrorfilm m mit Szenen, in denen Menschen mit Messern, Rasierklingen etc verletzt werden.
slat [slæt] n Leiste f; (in grid etc) Stab m.
slate [sleɪt] [1] n [a] (rock) Schiefer m; (roof ~) Schieferplatte f ▶ put it on the ~ (col) schreiben Sie es an; to wipe the ~ clean (fig) reinen Tisch machen. [b] (US Pol) (Kandidaten)liste f.
[2] adj Schiefer-.
[3] vt [a] roof (mit Schiefer) decken. [b] (esp Brit col: criticize harshly) verreißen; person zusammenstauchen (col).
slate: ~-blue adj blaugrau; ~-coloured, (US) ~-colored adj schieferfarben; ~-grey, (US) ~-gray adj schiefergrau.
slaughter ['slɔːtəʳ] [1] n (of animals) Schlachten nt no pl; (of persons) Gemetzel nt ▶ the ~ on the roads das Massensterben auf den Straßen.
[2] vt schlachten; persons (lit) abschlachten; (fig) fertigmachen (col).
slaughterhouse ['slɔːtəhaʊs] n Schlachthof m.
Slav [slɑːv] [1] adj slawisch.
[2] n Slawe m, Slawin f.
slave [sleɪv] [1] n Sklave m, Sklavin f ▶ to be a ~ to sb/sth jds Sklave sein/Sklave von etw sein.
[2] vi sich abplagen, schuften (col) ▶ to ~ (away) at sth sich mit etw herumschlagen.
slave: ~ driver n (lit, fig) Sklaventreiber m; ~ labour (Brit) or labor (US) n (work) Sklavenarbeit f; he uses ~ labour sein Leute müssen wie die Sklaven arbeiten.
slavery ['sleɪvərɪ] n Sklaverei f; (condition) Sklavenleben nt; (fig: addiction) sklavische Abhängigkeit (to von).
slave trade n Sklavenhandel m.
slavish adj, ~ly adv ['sleɪvɪʃ, -lɪ] sklavisch.
Slavonic [slə'vɒnɪk] adj slawisch.
slay [sleɪ] pret slew, ptp slain vt erschlagen; (with gun etc) ermorden.
sleazy ['sliːzɪ] adj (+er) (col) schäbig; (disreputable) anrüchig.

sled [sled] (*Brit*), **sledge** [sledʒ] *n* Schlitten *m*.
sledge(hammer) ['sledʒ(,hæmə^r)] *n* Vorschlaghammer *m*.

sleek [sliːk] 1 *adj* (+*er*) *hair, fur, animal* geschmeidig; (*of general appearance*) gepflegt; *car also* schnittig, elegant.
2 *vt to ~ one's hair down* sich (*dat*) die Haare glätten.

sleep [sliːp] (*vb: pret, ptp* **slept**) 1 *n* Schlaf *m* ▶ *to go to ~* (*person, limb*) einschlafen; *to have a ~* (etwas) schlafen; *to have a good night's ~* sich richtig ausschlafen; *to put sb to ~* jdn zum Schlafen bringen; (*drug*) jdn einschläfern; *to put an animal to ~* (*euph*) ein Tier einschläfern; *that film sent me to ~* bei dem Film bin ich eingeschlafen.
2 *vt the house ~s 10* in dem Haus können 10 Leute schlafen *or* übernachten.
3 *vi* schlafen ▶ *to ~ late* lange schlafen.
◆**sleep around** *vi* (*col*) mit jeder/jedem schlafen (*col*).
◆**sleep in** *vi* ausschlafen; (*col: oversleep*) verschlafen.
◆**sleep off** *vt sep* hangover *etc* ausschlafen ▶ *to ~ it ~* seinen Rausch ausschlafen.
◆**sleep on** *vi* +*prep obj problem, decision* überschlafen ▶ *why don't you ~ ~ it* schlafen Sie doch erst einmal darüber.
◆**sleep with** *vi* +*prep obj* (*have sex*) schlafen mit.
sleeper ['sliːpə^r] *n* a *to be a heavy/light ~* einen festen/leichten Schlaf haben. b (*Brit Rail: on track*) Schwelle *f*. c (*Brit Rail*) (*train*) Schlafwagenzug *m*; (*coach*) Schlafwagen *m*; (*berth*) Platz *m* im Schlafwagen.
sleepily ['sliːpɪlɪ] *adv see adj* (*a*) verschlafen.
sleepiness ['sliːpɪnɪs] *n see adj* (*a*) Schläfrigkeit *f*; Verschlafenheit *f*.
sleeping ['sliːpɪŋ] *adj* schlafend ▶ *S~ Beauty* Dornröschen *nt*; *let ~ dogs lie* (*Prov*) schlafende Hunde soll man nicht wecken (*Prov*).
sleeping: *~ bag* *n* Schlafsack *m*; *~ car* *n* Schlafwagen *m*; *~ partner* *n* (*Brit*) stiller Teilhaber; *~ pill* *n* Schlaftablette *f*; *~ policeman* *n* (*traffic hump*) Bodenschwelle *f*; *~ quarters* *npl* Schlafräume *pl*.
sleepless ['sliːplɪs] *adj* schlaflos.
sleeplessness ['sliːplɪsnɪs] *n* Schlaflosigkeit *f*.
sleep: *~walk* *vi* schlafwandeln; *~walker* *n* Schlafwandler(in *f*) *m*.
sleepy ['sliːpɪ] *adj* (+*er*) a (*drowsy*) *person, voice etc* schläfrig; (*not yet awake*) verschlafen ▶ *to be/look ~* (*tired*) müde sein/aussehen. b (*inactive*) *person* lahm (*col*); *place, atmosphere* verschlafen; *climate* schläfrig machend; *afternoons* schläfrig.
sleet [sliːt] 1 *n* Schneeregen *m*.
2 *vi it was ~ing* es gab Schneeregen.
sleeve [sliːv] *n* a (*on garment*) Ärmel *m* ▶ *to roll up one's ~s* (*lit, fig*) die Ärmel aufkrempeln (*col*); *to have sth up one's ~* (*fig col*) etw in petto haben *or* auf Lager haben. b (*for record*) Hülle *f*.
sleeveless ['sliːvlɪs] *adj* ärmellos.
sleigh [sleɪ] *n* (Pferde)schlitten *m* ▶ *~ ride* Schlittenfahrt *f*.
sleight [slaɪt] *n: by ~ of hand* durch Taschenspielertricks.
slender ['slendə^r] *adj* schlank; *hand, waist also* schmal; *resources, majority* knapp; *hope* schwach, gering.
slenderness ['slendənɪs] *n see adj* Schlankheit *f*; Schmalheit *f*; Knappheit *f*.
slept [slept] *pret, ptp of* **sleep**.
sleuth [sluːθ] *n* (*col*) Spürhund *m* (*col*).
slew[1], (*US*) **slue** [sluː] *vti* (herum)schwenken.
slew[2] *pret of* **slay**.
slice [slaɪs] 1 *n* a Scheibe *f*; (*of bread also*) Schnitte *f*; (*fig: of population, profit*) Teil *m* ▶ *a ~ of life* ein Ausschnitt aus dem Leben. b (*esp Brit: food server*) Wender *m* ▶ *cake ~* Tortenheber *m*.

2 *vt* a *bread, meat etc* (in Scheiben) schneiden ▶ *to ~ sth in two* etw durchschneiden. b *ball* anschneiden.
3 *vi to ~ through sth* etw durchschneiden.
◆**slice off** *vt sep* abschneiden.
◆**slice up** *vt sep* (ganz) in Scheiben schneiden; (*divide*) aufteilen.
sliced [slaɪst] *adj* (in Scheiben) geschnitten; *bread* (auf)geschnitten.
slicer ['slaɪsə^r] *n* (*cheese-~ etc*) Hobel *m*; (*machine*) (*bread-~*) Brotschneider *m*; (*bacon-~*) ≃ Wurstschneidemaschine *f*.
slick [slɪk] 1 *adj* (+*er*) (*col*) a (*usu pej: clever, smart*) clever (*col*); *answer, solution, performance, style* glatt. b *hair* geschniegelt. c (*US: slippery*) glatt, schlüpfrig.
2 *n* a (*oil~*) Ölteppich *m*. b (*US col: glossy magazine*) Hochglanzmagazin *nt*.
slide [slaɪd] (*vb: pret, ptp* **slid** [slɪd]) 1 *n* a (*chute, in playground etc*) Rutschbahn *f*. b (*fig: fall, drop*) Abfall *m* ▶ *the ~ in share prices* der Preisrutsch bei den Aktien; *his gradual ~ into alcoholism* sein allmählicher Abstieg zum Alkoholiker. c (*esp Brit: for hair*) Spange *f*. d (*Phot*) Dia *nt*; (*microscope ~*) Objektträger *m* ▶ *a lecture with ~s* ein Diavortrag *m*.
2 *vt* (*push*) schieben; (*slip*) gleiten lassen.
3 *vi* a rutschen; (*deliberately also*) schlittern ▶ *to ~ down the banisters* das Treppengeländer hinunterrutschen. b (*move smoothly: machine part etc*) sich schieben lassen ▶ *it slid into place* es rutschte an die richtige Stelle. c (*person: move quietly etc*) schleichen. d (*fig*) *the days slid by or past* die Tage vergingen schnell; *to let things ~* die Dinge laufen lassen.
slide: *~ film* *n* Diafilm *m*; *~ projector* *n* Diaprojektor *m*; *~ rule* *n* Rechenschieber *m*; *~ show* *n* Diavortrag *m*.
sliding ['slaɪdɪŋ] *adj part, scale* gleitend; *door, roof etc* Schiebe- ▶ *~ seat* Schiebesitz *m*; (*in boat*) Rollsitz *m*.
slight [slaɪt] 1 *adj* (+*er*) a *person, build* zierlich. b (*small, trivial*) leicht; *improvement also, change, possibility* geringfügig; *importance, intelligence* gering; *error also* klein; *acquaintance* flüchtig ▶ *he showed some ~ optimism* er zeigte gewisse Ansätze von Optimismus; *he takes offence at the ~est thing* er ist wegen jeder (kleinsten) Kleinigkeit gleich beleidigt; *I haven't the ~est (idea)* ich habe nicht die geringste Ahnung; *not in the ~est* nicht im geringsten.
2 *n* (*affront*) Affront *m* (*on gegen*) ▶ *a ~ on one's/sb's character* eine persönliche Kränkung.
3 *vt* (*offend*) kränken; (*ignore*) ignorieren.
slighting ['slaɪtɪŋ] *adj* (*offensive*) kränkend; *remark* abfällig.
slightly ['slaɪtlɪ] *adv* a *~ built person* zierlich. b (*to a slight extent*) etwas, ein kleines bißchen; *know* flüchtig; *smell* leicht, etwas.
slim [slɪm] 1 *adj* (+*er*) a schlank; *waist etc* schmal. b *resources, profits* mager; *hope also* schwach; *chances* gering; *evidence* dürftig.
2 *vi* eine Schlankheitskur machen.
slime [slaɪm] *n* Schleim *m*.
slimline ['slɪm,laɪn] *adj dress* schlank geschnitten; *TV, PC etc* flach; (*low-calorie*) kalorienarm.
slimming ['slɪmɪŋ] *adj* schlankmachend *attr* ▶ *crispbread is ~* Knäckebrot macht schlank; *~ foods* kalorienarme Nahrungsmittel *pl*.
slimness ['slɪmnɪs] *n see adj* a Schlankheit *f*; Schmalheit *f*. b Magerkeit *f*; Dürftigkeit *f*.
slimy ['slaɪmɪ] *adj* (+*er*) (*lit, fig*) schleimig; *wall* glitschig; *hands* schmierig.
sling [slɪŋ] (*vb: pret, ptp* **slung**) 1 *n* Schlinge *f*; (*for rifle*) (Trag)riemen *m* ▶ *to have one's arm in a ~* den Arm in der Schlinge tragen.
2 *vt* (*throw*) schleudern, schmeißen (*col*) ▶ *he slung*

his coat over his arm er warf sich (*dat*) den Mantel über den Arm.

◆**sling out** *vt sep* (*col*) rausschmeißen (*col*).

sling: ~**back shoes,** ~**backs** *npl* Slingpumps *pl*; ~**shot** *n* (*US*) Schleuder *f*.

slink [slɪŋk] *pret, ptp* **slunk** *vi* schleichen ► *to* ~ *away or off* sich davonschleichen.

slinky ['slɪŋkɪ] *adj* (+*er*) (*col*) aufreizend; (*clothes*) hauteng.

slip [slɪp] **1** *n* **a** (*slide*) *he had a nasty* ~ er ist ausgerutscht und bös gefallen. **b** (*mistake*) Ausrutscher, Patzer *m* ► *to make a* (*bad*) ~ sich (übel) vertun (*col*); *a* ~ *of the pen/tongue* ein Flüchtigkeitsfehler *m*/ Versprecher *m*; *it was just a* ~ *of the pen* da habe ich mich nur verschrieben. **c** *to give sb the* ~ jdm entwischen. **d** (*pillow* ~) Kissenbezug *m*. **e** (*undergarment*) Unterrock *m*. **f** (*of paper*) Zettel *m* ► ~*s of paper* Zettel *pl*. **g** *a* (*mere*) ~ *of a girl* (*slightly built*) ein zierliches Persönchen.

2 *vt* **a** schieben; (*slide*) gleiten lassen; (*Aut*) *clutch* schleifen lassen ► *to* ~ *sth across to sb* jdm etw zuschieben; (*unobtrusively*) jdm etw zustecken; *to* ~ *sth into sb's pocket* jdm etw in die Tasche gleiten lassen; *she* ~*ped the dress over her head* sie streifte sich (*dat*) das Kleid über den Kopf; *to* ~ *a disc* (*Med*) sich (*dat*) einen Bandscheibenschaden zuziehen; *to* ~ *sb a fiver* jdm einen Fünfpfundschein zustecken. **b** (*escape from*) sich losreißen ► *the dog* ~*ped its chain* der Hund hat sich (von der Kette) losgerissen; *the boat had* ~*ped its moorings* das Boot hatte sich losgerissen; *it* ~*ped my mind* ich habe es vergessen; *it* ~*ped my notice* es ist mir entgangen.

3 *vi* **a** (*person*) (aus)rutschen; (*feet, tyres*) (weg)rutschen; (*become loose: knot, nut*) sich lösen; (*Aut: clutch*) schleifen ► *the knife* ~*ped* das Messer rutschte ab; *it* ~*ped from her hand* es rutschte ihr aus der Hand; *to* ~ *into a dress* in ein Kleid schlüpfen; *suddenly everything* ~*ped into place* plötzlich paßte alles zusammen. **b** (*move quickly*) schlüpfen; (*move smoothly*) rutschen ► *I'll* ~ *around to the shop* ich spring schnell zum Laden. **c** *to let* (*it*) ~ *that ...* fallenlassen, daß...; *the police let the thief* ~ *through their fingers* die Polizei ließ sich (*dat*) den Dieb durch die Finger schlüpfen. **d** (*decline: standards, morals etc*) fallen ► *you're* ~*ping!* (*col*) du läßt nach (*col*).

◆**slip away** *vi* sich wegschleichen; (*time*) verstreichen; (*chances*) (allmählich) schwinden; (*opportunity*) dahinschwinden.

◆**slip by** *vi* (*person*) sich vorbeischleichen (*prep obj* an +*dat*); (*years*) verfliegen, nur so dahinschwinden.

◆**slip in 1** *vi* (*person*) (sich) hineinschleichen. **2** *vt sep remark* einfließen lassen.

◆**slip off 1** *vi* (*person*) sich wegschleichen. **2** *vt sep clothes* ausziehen, abstreifen.

◆**slip on** *vt sep* schlüpfen in (+*acc*); *dress also* überstreifen; *ring* aufziehen; *lid* drauftun (*prep obj* auf +*acc*).

◆**slip out** *vi* **a** (*leave unobtrusively*) kurz weggehen. **b** (*be revealed*) herauskommen ► *the secret* ~*ped* ~ *before he realized* ehe er sich's versah, war ihm das Geheimnis herausgerutscht.

◆**slip up** *vi* (*col: err*) sich vertun (*col*) (*over, in* bei).

slip: ~ **case** *n* Schuber *m*; ~**cover** *n* (*esp US*) Schonbezug *m*; ~**knot** *n* Schlaufenknoten *m*; ~**ons** *npl* (*also* ~-*on shoes*) Slipper *pl*; ~**over** *n* Pullunder *m*.

slipped disc [slɪpt'dɪsk] *n* Bandscheibenschaden *m*.

slipper ['slɪpə'] *n* Pantoffel, Hausschuh *m*.

slippery ['slɪpərɪ] *adj* **a** schlüpfrig; *rope, road* glatt, rutschig; *fish* glitschig ► *he's on the* ~ *slope* (*col*) er ist auf der schiefen Bahn. **b** (*pej col*) *person* glatt, windig (*col*) ► *a* ~ *customer* ein aalglatter Typ (*col*).

slip-road ['slɪprəʊd] *n* (*Brit*) Zufahrtsstraße *f*; (*for enter-*

ing motorway) (Autobahn)auffahrt *f*; (*for leaving motorway*) (Autobahn)ausfahrt *f*.

slipshod ['slɪpʃɒd] *adj* schludrig.

slip: ~**stream** *n* (*Aviat*) Sog *m*; (*Aut*) Windschatten *m*; ~-**up** *n* Schnitzer *m*; (*less serious*) Patzer *m*; ~**way** *n* (*Naut*) Gleitbahn *f*; *to come off the* ~*way* vom Stapel laufen.

slit [slɪt] (*vb: pret, ptp* ~) **1** *n* Schlitz *m*.

2 *vt* (auf)schlitzen ► *to* ~ *a sack open* einen Sack aufschlitzen; *to* ~ *sb's throat* jdm die Kehle aufschlitzen.

slither ['slɪðə'] *vi* rutschen ► *to* ~ *about on the ice* auf dem Eis herumschlittern.

sliver ['slɪvə'] *n* (*of wood etc*) Splitter *m*; (*thin slice*) Scheibchen *nt*.

slob [slɒb] *n* (*col*) Drecksau *f* (*col!*).

slobber ['slɒbə'] *vi* sabbern, sabbeln (*also fig*); (*dog*) geifern.

sloe [sləʊ] *n* Schlehe *f*.

slog [slɒg] (*col*) **1** *n* (*effort*) Schinderei *f* (*col*) ► *it's a hard* ~ *to the top* man muß ganz schön schuften, um nach oben zu kommen.

2 *vt ball* dreschen (*col*); *opponent* hart treffen ► *to* ~ *it out* aufeinander eindreschen (*col*).

3 *vi to* ~ *away at sth* (*work*) an etw (*dat*) schuften (*col*); *we* ~*ged on for another 5 miles* wir kämpften uns noch 5 Meilen weiter.

slogan ['sləʊgən] *n* Slogan *m*; (*motto*) Motto *nt*; (*political also*) Parole *f*.

slogger ['slɒgə'] *n* (*col: worker*) Arbeitstier *nt*.

slop [slɒp] **1** *vi* (*spill*) (über)schwappen ► *to* ~ *over* (*into sth*) überschwappen (in etw *acc*).

2 *vt* (*spill*) verschütten; (*pour out*) schütten.

slope [sləʊp] **1** *n* **a** (*angle*) Neigung *f*; (*downwards also*) Gefälle *nt*; (*of roof also*) Schräge *f*. **b** (*sloping ground*) (Ab)hang *m* ► *on a* ~ am Hang; *halfway up the* ~ auf halber Höhe; *the* (*ski*) ~*s* die Pisten.

2 *vi* geneigt sein; (*road, floor*) sich neigen ► *the ground* ~*s down to the stream* das Land senkt sich zum Fluß hin ab.

◆**slope off** *vi* (*col: person*) abziehen (*col*).

sloping ['sləʊpɪŋ] *adj road* (*upwards*) ansteigend; (*downwards*) abfallend; *roof, floor* schräg; *garden etc* am Hang; (*not aligned*) schief.

sloppily ['slɒpɪlɪ] *adv see adj* (*a*).

sloppiness ['slɒpɪnɪs] *n see adj* **a** Schlampigkeit *f* (*col*). **b** Rührseligkeit *f*.

sloppy ['slɒpɪ] *adj* (+*er*) **a** (*col: careless*) schlampig (*col*); *work also* schlud(e)rig (*col*). **b** (*col: sentimental*) rührselig; *novel also* schmalzig.

slops [slɒps] *npl* (*dirty water*) Schmutzwasser *nt*; (*food waste*) Abfallbrühe *f*; (*in teapot*) Satz *m*.

slosh [slɒʃ] (*col*) **1** *vt* **a** *to* ~ *some water over sth* Wasser über etw (*acc*) schütten. **b** (*Brit: hit*) hauen.

2 *vi to* ~ *about in the water* im Wasser herumplanschen.

sloshed [slɒʃt] *adj pred* (*esp Brit col*) blau (*col*) ► *to get* ~ sich besaufen (*col*).

slot [slɒt] *n* (*opening*) Schlitz *m*; (*groove*) Rille *f*; (*col: place*) Plätzchen *nt* (*col*); (*TV col*) (gewohnte) Sendezeit ► ~ *machine* Münzautomat *m*; (*for gambling*) Spielautomat *m*; ~ *meter* Münzzähler *m*.

◆**slot in 1** *vt sep* hineinstecken ► *to* ~ *sth* ~*to sth* etw in etw (*acc*) stecken.

2 *vi* sich einfügen lassen ► *suddenly everything* ~*ted* ~*to place* plötzlich paßte alles zusammen.

sloth [sləʊθ] *n* **a** (*laziness*) Faulheit *f*. **b** (*Zool*) Faultier *nt*.

slothful ['sləʊθfʊl] *adj* faul; *person, life also* träge.

slouch [slaʊtʃ] **1** *n* krumme Haltung; (*of shoulders*) Hängen *nt* ► *to be no* ~ *at sth* (*col*) etw ganz schön gut können (*col*).

[2] vi (*stand, sit*) herumhängen (*col*); (*move*) latschen ►
to ~ off davonzockeln (*col*); **he was ~ed over his desk**
er hing über seinem Schreibtisch; **he sat ~ed on a chair**
er hing auf einem Stuhl.
Slovak ['sləʊvæk] [1] *adj* slowakisch.
[2] *n* [a] Slowake *m*, Slowakin *f.* [b] (*language*)
Slowakisch *nt.*
Slovakia [sləʊ'vækɪə] *n* die Slowakei.
Slovene ['sləʊviːn] [1] *adj* slowenisch.
[2] *n* Slowene *m*, Slowenin *f.*
Slovenia [sləʊ'viːnɪə] *n* Slowenien *nt.*
slovenly ['slʌvnlɪ] *adj* schlampig (*col*).
slow [sləʊ] [1] *adj* (+*er*) langsam; *trade* flau ► *it's ~ work*
das braucht seine Zeit; **he is a ~ worker/learner/**
reader er arbeitet/lernt/liest langsam; **to get off to a ~**
start (*race*) schlecht vom Start kommen; (*project*) nur
langsam in Gang kommen; **to be ~/not to be ~ to do**
sth sich (*dat*) mit etw Zeit lassen/etw prompt erledigen;
he is ~ to make up his mind/~ to anger er braucht
lange, um sich zu entscheiden/er wird nicht so leicht
wütend; **they were ~ to act** sie ließen sich (*dat*) Zeit;
they were ~ to react sie reagierten nur langsam; **to be**
(20 minutes) ~ (*clock*) (20 Minuten) nachgehen; **bake**
in a ~ oven bei schwacher Hitze backen.
[2] *adv* (+*er*) langsam ► **to go ~** (*driver*) langsam fahren;
(*workers*) einen Bummelstreik machen.
[3] *vi* **to ~ (to a stop/standstill)** langsam zum Stehen/
zum Stillstand kommen.
◆**slow down** *or* **up** [1] *vi* sich verlangsamen; (*drive/*
walk) langsamer fahren/gehen; (*worker*) langsamer
arbeiten.
[2] *vt sep* verlangsamen; *engine* drosseln; *machine* her-
unterschalten; *programme, project* verzögern.
slow: ~coach *n* (*Brit col*) Langweiler *m*; (*mentally*)
Transuse *f* (*col*); **~down** *n* (*US: go-slow*) Bummelstreik
m; **~ lane** *n* (*driving on right*) rechte Spur; (*driving on*
left) linke Spur; (*on hill*) Kriechspur *f.*
slowly ['sləʊlɪ] *adv* langsam.
slow: ~ motion *n* Zeitlupe *f*; **in ~ motion** in Zeitlupe;
~-moving *adj* sich (nur) langsam fortbewegend; *traffic*
zähflüssig.
slowness ['sləʊnɪs] *n* Langsamkeit *f* ► **their ~ to act** ihr
Zaudern; **~ of mind** Begriffsstutzigkeit *f.*
slow: ~poke *n* (*US*) *see* **~coach**; **~-witted** *adj* begriffsstutzig; **~worm** *n* Blindschleiche *f.*
SLR (*Phot*) = **single-lens reflex.**
sludge [slʌdʒ] *n* Schlamm *m.*
slue [sluː] (*US*) = **slew**[1].
slug[1] [slʌg] *n* Nacktschnecke *f* ► **~s and snails**
Schnecken *pl* (mit und ohne Gehäuse).
slug[2] [1] *n* (*bullet*) Kugel *f*; (*blow*) Schlag *m* ► **a ~ of**
whisky ein Schluck *m* Whisky.
[2] *vt* (*col: hit*) eine knallen (+*dat*) (*col*).
sluggish ['slʌgɪʃ] *adj* (*indolent, Med*) träge; *engine, car*
lahm, langsam; *business* flau; *market* lustlos.
sluggishly ['slʌgɪʃlɪ] *adv move, flow* träge; (*Comm*) flau,
lustlos.
sluggishness ['slʌgɪʃnɪs] *n see adj* Trägheit *f*; Lahmheit
f ► **the ~ of the market** die Flaute am Markt.
sluice [sluːs] [1] *n* Schleuse *f.*
[2] *vt* **to ~ sth (down)** etw abspritzen.
sluice gate *n* Schleusentor *nt.*
slum [slʌm] *n* (*usu pl: area*) Slum *m*, Elendsviertel *nt*;
(*house*) Elendsquartier *nt* ► **~ clearance** ≈
(Stadt)sanierung *f.*
slumber ['slʌmbə'] (*liter*) [1] *n* Schlummer (*geh*), Schlaf
m ► **~s** Träume *pl.*
[2] *vi* schlummern (*geh*).
slump [slʌmp] [1] *n* (*in gen*) (*in numbers, popularity etc*)
(plötzliche) Abnahme; (*in production*) Rückgang *m*;
(*state*) Tiefstand *m*; (*Fin*) Sturz *m*, Baisse *f* (*spec*) ► **~ in**

prices Preissturz *m* (*of* bei); **~ in sales** Absatzflaute *f*;
the 1929 S~ die Weltwirtschaftskrise von 1929.
[2] *vi* [a] (*Fin, Comm*) (*prices*) stürzen, fallen; (*sales,*
production) plötzlich zurückgehen; (*fig: morale etc*)
sinken. [b] (*sink*) fallen, sinken ► **to ~ into a chair** sich
in einen Sessel fallen lassen; **he was ~ed over the wheel**
er war über dem Steuer zusammengesackt.
slung [slʌŋ] *pret, ptp of* **sling.**
slunk [slʌŋk] *pret, ptp of* **slink.**
slur [slɜː'] [1] *n* [a] Makel *m*; (*insult*) Beleidigung *f* ► **to**
cast a ~ on sb/sth jdn/etw in einem schlechten Licht
erscheinen lassen; (*person*) jdn/etw verunglimpfen. [b]
(*Mus*) Bindung *f.* [c] **to speak with a ~** undeutlich sprechen.
[2] *vt* (*pronounce indistinctly*) undeutlich aussprechen,
lallen.
slurp [slɜːp] *vti* schlürfen.
slurred [slɜːd] *adj* undeutlich; (*Mus*) gebunden.
slush [slʌʃ] *n* (*watery snow*) (Schnee)matsch *m*; (*mud*)
Morast *m*; (*col: sentimental nonsense*) Kitsch *m* ► **~**
fund Schmiergeldfonds *m.*
slushy ['slʌʃɪ] *adj* (+*er*) *snow, mud, path* matschig; (*col:*
sentimental) kitschig.
slut [slʌt] *n* (liederliche) Schlampe.
sly [slaɪ] [1] *adj* (+*er*) schlau, gerissen; *look, wink* verschmitzt.
[2] *n* **on the ~** heimlich, still und leise (*hum*), ganz
heimlich.
slyly ['slaɪlɪ] *adv see adj.*
slyness ['slaɪnɪs] *n see adj* Schlauheit, Gerissenheit *f*;
Verschmitztheit *f.*
smack[1] [smæk] *vi* **to ~ of** (*taste*) leicht schmecken
nach; (*fig*) riechen nach.
smack[2] [1] *n* (klatschender) Schlag *m*; (*slap also*) fester
Klaps; (*sound*) Klatschen *nt* ► **to give a child/the ball a**
~ einem Kind eine knallen (*col*)/auf den Ball dreschen
(*col*); **you'll get a ~** du kriegst gleich eine (*col*); **a ~ in**
the eye (*fig*) ein Schlag ins Gesicht.
[2] *vt* (*slap*) knallen (*col*) ► **to ~ a child's bottom** einen
Kind den Hintern versohlen (*col*); **he ~ed his lips** er
leckte sich (*dat*) die Lippen.
[3] *adv* (*col*) direkt ► **she ran ~ into the door** sie rannte
voll gegen die Tür (*col*).
smacker ['smækə'] *n* (*col*) [a] (*kiss*) Schmatz *m* (*col*). [b]
(*money*) (*pound*) Pfund *nt*; (*dollar*) Dollar *m.*
small [smɔːl] [1] *adj* (+*er*) [a] klein; *supply also, impor-*
tance gering; *waist* schmal; *letter also* Klein-; *sum also* bescheiden ► **the ~est possible number of books** so
wenig Bücher wie möglich; **to have a ~ appetite/be a ~**
eater wenig Appetit haben/kein großer Esser sein; **no ~**
success ein beachtlicher Erfolg; **to feel/look ~** (*fig*) sich
(ganz) klein (und häßlich) vorkommen/schlecht da-
stehen; **a few ~ matters** ein paar Kleinigkeiten; **to help**
in a ~ way bescheidene Hilfe leisten; **to start in a ~ way**
klein anfangen. [b] (*fig: mean, petty*) *person* kleinlich.
[2] *n* [a] **the ~ of the back** das Kreuz. [b] **~s** *pl* (*Brit col*)
Unterwäsche *f.*
[3] *adv* **to chop sth up ~** etw kleinhacken.
small: ~ ad *n* (*Brit*) Kleinanzeige *f*; **~ arms** *npl*
Handfeuerwaffen *pl*; **~ change** *n* Kleingeld *nt*; **~holder**
n (*Brit*) Kleinbauer *m*; **~holding** *n* (*Brit*) kleiner
Landbesitz *m*; **~ hours** *npl* früher Morgen; **in the ~ hours**
in den frühen Morgenstunden.
smallish ['smɔːlɪʃ] *adj* eher klein, eher kleiner ► **he is ~**
er ist eher klein.
small-minded [ˌsmɔːl'maɪndɪd] *adj* engstirnig.
smallness ['smɔːlnɪs] *n* Kleinheit *f*; (*of waist*) Schmalheit *f*; (*of sum, present*) Bescheidenheit *f*; (*pettiness*)
Kleinlichkeit *f.*
small: ~pox *n* Pocken *pl*; **~ print** *n* das Kleingedruckte;
~-scale *adj map, model* in verkleinertem Maßstab; *pro-*

ject kleinangelegt; **~ screen** *n* (*TV*) **on the ~ screen** auf dem Bildschirm; **~ talk** *n* oberflächliche Konversation; **~-time** *adj* (*col*) armselig; *crook* klein; *politician* Schmalspur-; *actor* drittrangig; **~-town** *adj* Kleinstadt-, kleinstädtisch; *mentality also* kleinbürgerlich.

smarmy ['smɑːmɪ] *adj* (+*er*) (*Brit col*) schmierig; (*servile*) kriecherisch (*pej*); *voice* einschmeichelnd.

smart [smɑːt] **1** *adj* (+*er*) **a** schick; *person, clothes, car also* flott; *society* fein ► **a ~-looking girl/garden** ein flott aussehendes Mädchen/ein gepflegter Garten; **the ~ set** die Schickeria (*col*). **b** (*bright, clever*) clever (*col*), schlau; *thief, trick also* raffiniert; (*pej*) *person, answer* neunmalklug (*pej col*); (*Comp*) *card etc* intelligent ► **to get ~** (*col*) sich am Riemen reißen (*col*); (*get cheeky*) frech kommen (*with dat*). **c** (*quick*) (blitz)schnell; *pace* flott (*col*) ► **and look ~ (about it)!** und zwar ein bißchen fix *or* plötzlich! (*col*).
2 *vi* brennen ► **it will make your cut ~** es wird (dir) in der Wunde brennen; **to ~ from sth** (*from blow etc*) von etw brennen; (*fig*) unter etw (*dat*) leiden.

smart: ~-aleck ['smɑːt,ælɪk] (*col*) **1** *n* Schlauberger *m* (*col*); **2** *adj remarks* besserwisserisch; **~-arse**, (*US*) **~-ass** *n* (*col!*) Klugscheißer *m* (*col!*).

smarten ['smɑːtn] (*also* ~ *up*) **1** *vt house, room* herausputzen; *appearance* aufmöbeln (*col*) ► **to ~ oneself up** (*dress up*) sich in Schale werfen (*col*); (*generally improve appearance*) mehr Wert auf sein Äußeres legen; **you'd better ~ up your ideas** (*col*) du solltest dich am Riemen reißen (*col*).
2 *vi* = **~ oneself up.**

smartly ['smɑːtlɪ] *adv* **a** schick; *dress also* flott. **b** clever (*col*), schlau. **c** (blitz)schnell; *walk* rasch.

smartness ['smɑːtnɪs] *n* **a** Schick *m*. **b** (*cleverness*) Cleverness (*col*), Schlauheit *f*; (*of thief, trick*) Raffiniertheit *f*.

smash [smæʃ] **1** *vt* **a** zerschlagen; *window also* einschlagen ► **I ~ed my glasses** die Brille ist mir kaputtgegangen. **b** (*defeat or destroy*) zerschlagen; *rebellion also* niederschlagen; *opponent* zerschmettern; *record* haushoch schlagen. **c** (*strike, also Tennis*) schmettern.
2 *vi* **a** (*break*) zerbrechen ► **it ~ed into a thousand pieces** es (zer)sprang in tausend Stücke. **b** (*crash*) prallen ► **the car ~ed into the wall** das Auto krachte gegen die Mauer; **the plane ~ed into the houses** das Flugzeug raste in die Häusergruppe.
3 *n* **a** (*noise*) Krachen *nt*; (*of waves*) Klatschen *nt* ► **there was a ~** es hat gekracht. **b** (*collision*) Unfall *m*. **c** (*blow*) Schlag *m*; (*Tennis*) Schmetterball *m*. **4** *adv* (*col*) mit Karacho (*col*).

◆**smash down** *vt sep door* einschlagen.

◆**smash in** *vt sep* einschlagen ► **the firemen had to ~ their way** ~ die Feuerwehrleute mußten gewaltsam eindringen; **to ~ sb's face** ~ (*col*) jdm die Schnauze einschlagen (*col!*).

◆**smash up** *vt sep* zertrümmern; *car* kaputtfahren.

smash-and-grab (raid) [,smæʃən'græb(reɪd)] *n* Schaufenstereinbruch *m*.

smashed [smæʃt] *adj* (*col*) stockbesoffen (*col*).

smasher ['smæʃər] *n* (*esp Brit col*) toller Typ (*col*); (*woman*) Klassefrau *f* (*col*).

smash hit *n* (*col*) Superhit *m* (*col*).

smashing ['smæʃɪŋ] *adj* (*esp Brit col*) klasse *inv*, Klasse *pred*, dufte (*all col*).

smattering ['smætərɪŋ] *n* **a ~ of French** ein paar Brocken Französisch.

smear [smɪər] **1** *n* verschmierter Fleck; (*fig*) Beschmutzung *f*; (*defamation*) Verleumdung *f*; (*Med*) Abstrich *m* ► **this left a ~ on his name** das schadete seinem Namen; **~ campaign** Verleumdungskampagne *f*; **~ test** (*Med*) Abstrich *m*.

2 *vt* **a** *cream, ointment* schmieren; (*spread*) verschmieren; (*mark, make dirty*) beschmieren; *face* einschmieren. **b** (*fig*) *person* verunglimpfen; *sb's reputation* beschmutzen.
3 *vi* (*glass*) verschmieren; (*print*) verschmiert *or* verwischt werden; (*biro*) schmieren; (*paint, ink*) verlaufen.

smell [smel] (*vb: pret, ptp* ~**ed** *or* (*esp Brit*) **smelt**) **1** *n* (*sense of* ~, *odour*) Geruch *m*; (*unpleasant also*) Gestank *m*; (*fragrant also*) Duft *m* ► **it has a nice ~** es riecht gut *or* angenehm; **there's a ~ of gas** hier riecht es nach Gas.
2 *vt* **a** riechen ► **can you ~ burning?** riechst du, daß etwas brennt *or* (*Cook*) anbrennt? **b** (*fig*) *danger, treason* wittern ► **to ~ trouble** Ärger kommen sehen.
3 *vi* riechen; (*unpleasantly also*) stinken; (*fragrantly also*) duften ► **to ~ of sth** (*lit, fig*) nach etw riechen; **his breath ~s** er hat Mundgeruch.

◆**smell out** *vt sep* **a** *rabbit, traitor etc* aufspüren; *plot* aufdecken. **b** **these onions are ~ing the house ~!** die Zwiebeln verpesten das ganze Haus!

smelling salts ['smelɪŋ,sɒlts] *npl* Riechsalz *nt*.

smelly ['smelɪ] *adj* (+*er*) übelriechend, stinkend ► **it's ~ in here** hier drin stinkt es.

smelt¹ [smelt] *pret, ptp of* **smell.**

smelt² *vt ore* schmelzen; (*refine*) verhütten.

smidgen, smidgin ['smɪdʒən] *n* (*col*) **a ~** ein klitzekleines bißchen (*col*).

smile [smaɪl] **1** *n* Lächeln *nt* ► **to be all ~s** übers ganze Gesicht strahlen; **to give sb a ~** jdm zulächeln; **take that ~ off your face!** hör auf, so zu grinsen!; **that soon wiped the ~ off his face** dabei verging ihm bald das Lachen.
2 *vi* lächeln ► **come on, ~** lach mal!; **to ~ at sb** jdn anlächeln; (*cheerfully*) jdn anlachen; **to ~ at sth** über etw (*acc*) lächeln; **to ~ with joy/happiness** *etc* vor Freude/Glück *etc* strahlen; **fortune ~d on him** (*liter*) ihm lachte das Glück.

smiling ['smaɪlɪŋ] *adj* lächelnd.

smirk [smɜːk] **1** *n* Grinsen *nt.*
2 *vi* grinsen.

smite [smaɪt] *pret* **smote**, *ptp* **smitten** *vt* (*old, liter*) schlagen.

smith [smɪθ] *n* Schmied *m.*

smithereens [,smɪðə'riːnz] *npl* **to smash sth to ~** etw in tausend Stücke schlagen.

smithy ['smɪðɪ] *n* Schmiede *f.*

smitten ['smɪtn] **1** *ptp of* **smite.**
2 *adj* **to be ~ with the plague/remorse** von der Pest heimgesucht/von Reue geplagt werden; **he's really ~ with her** (*col*) er ist wirklich vernarrt in sie (*col*).

smock [smɒk] *n* Kittel *m.*

smog [smɒg] *n* Smog *m.*

smoke [sməʊk] **1** *n* **a** Rauch *m* ► **there's no ~ without fire** (*prov*) kein Rauch ohne Flamme (*prov*); **to go up in ~** in Rauch (und Flammen) aufgehen. **b** (*cigarette etc*) **have you got a ~?** hast du was zu rauchen? (*col*); (*act*) **to have a ~** eine rauchen.
2 *vt* **a** *cigarette* rauchen. **b** *fish etc* räuchern.
3 *vi* rauchen; (*oil-lamp etc*) qualmen ► **to ~ like a chimney** wie ein Schlot rauchen.

smoke-bomb ['sməʊkbɒm] *n* Rauchbombe *f.*

smoked [sməʊkt] *adj bacon, fish* geräuchert, Räucher- ► **~ glass** Rauchglas *nt.*

smoke detector *n* Rauchmelder *m.*

smokeless ['sməʊklɪs] *adj zone* rauchfrei; *fuel* rauchlos.

smoker ['sməʊkər] *n* **a** (*person*) Raucher(in *f*) *m* ► **to be a heavy ~** stark rauchen, ein starker Raucher sein. **b** (*Rail*) Raucher(abteil *nt*) *m.*

smoke: ~-ring *n* (Rauch)ring *m*; **~screen** *n* Rauchvorhang *m*; (*fig*) Deckmantel, Vorwand *m*; **~ shop** *n* (*US*) Tabakladen *m*; **~ signal** *n* Rauchzeichen

nt.

smoking ['sməʊkɪŋ] **1** *adj* rauchend.
2 *n* Rauchen *nt* ► *"no ~"* „Rauchen verboten".
smoking: ~ compartment, (*US*) **~ car** *n* Raucherabteil *nt*; **~ jacket** *n* Hausjacke *f.*
smoky ['sməʊkɪ] *adj* (+*er*) *chimney, fire* rauchend; *room, atmosphere* verraucht; *flavour* rauchig.
smolder *vi* (*US*) = **smoulder.**
smooch [smuːtʃ] (*col*) *vi* knutschen (*col*).
smooth [smuːð] **1** *adj* (+*er*) **a** (*in texture, surface etc*) glatt; *sea also* ruhig; *outline* sanft; *skin also, hair* weich ► *as ~ as glass* spiegelglatt; *worn ~ steps* glattgetreten; *knife* abgeschliffen; *tyre* abgefahren. **b** (*in consistency*) *paste* sämig; *sauce* glatt. **c** *motion, flight, crossing* ruhig; *gear-change* weich; *landing* glatt; *breathing* gleichmäßig; (*trouble-free*) *transition, functioning* reibungslos, glatt ► *the bill had a ~ passage through Parliament* der Gesetzentwurf kam glatt durchs Parlament. **d** (*polite, often pej*) *manners, salesman* glatt; *person also* schmierig (*pej*); (*unruffled*) kühl, cool (*col*) ► *to be a ~ talker* ein Schönredner sein; *a ~ operator* ein Schlawiner *m* (*col*).
2 *vt surface, dress, hair* glätten; *wood* glatthobeln; (*fig*) *feelings* beruhigen ► *to ~ the way for sb* jdm den Weg ebnen.
♦**smooth down** *vt sep* glatt machen; *hair, dress* glattstreichen; (*fig*) *person, feelings* beruhigen.
♦**smooth out** *vt sep* (*make smooth*) *crease, surface* glätten; (*fig*) *difficulty* aus dem Weg räumen.
♦**smooth over** *vt sep quarrel* in Ordnung bringen ► *to ~ things* die Sache geradebiegen (*col*).
smoothly ['smuːðlɪ] *adv land* weich; *change gear* leicht; *drive* ruhig; *fit* genau; *make transition* unmerklich; *talk* schön; *handle situation* kühl; *behave* aalglatt (*pej*) ► *to go ~* (*without problems*) glatt über die Bühne gehen; *to run ~* (*engine*) rund laufen.
smoothness ['smuːðnɪs] *n see adj* **a** Glätte *f*; Ruhe *f*; Sanftheit *f*; Weichheit *f.* **b** Sämigkeit *f*; Glätte *f.* **c** Ruhe *f*; Weichheit *f*; Glätte *f*; Gleichmäßigkeit *f*; Reibungslosigkeit *f*, (*of fit*) Genauigkeit *f.*
smote [sməʊt] *pret of* **smite.**
smother ['smʌðə^r] *vt* **a** (*stifle*) *person, fire* ersticken; (*fig*) *criticism also, yawn, sob etc* unterdrücken ► *to ~ sb with affection* jdn mit seiner Liebe erdrücken. **b** (*cover*) (ganz) bedecken (*in* mit).
smoulder, (*US*) **smolder** ['sməʊldə^r] *vi* (*lit, fig*) glimmen, schwelen ► *~ing hatred* schwelender Haß.
smudge [smʌdʒ] **1** *n* Fleck *m*; (*of ink*) Klecks *m.*
2 *vt* verwischen.
3 *vi* verschmieren.
smug [smʌg] *adj* (+*er*) selbstgefällig; *remark, expression also* süffisant.
smuggle ['smʌgl] *vti* (*lit, fig*) schmuggeln ► *to ~ sb/sth in* jdn/etw einschmuggeln; *to ~ sb/sth out* jdn/etw herausschmuggeln.
smuggler ['smʌglə^r] *n* Schmuggler(in *f*) *m.*
smuggling ['smʌglɪŋ] *n* Schmuggel *m.*
smugly ['smʌglɪ] *adv* selbstgefällig; *grin, say also* süffisant.
smugness ['smʌgnɪs] *n* Selbstgefälligkeit *f.*
smut [smʌt] *n* **a** (*piece of dirt*) Rußflocke *f.* **b** (*fig*) Schmutz *m.*
smutty ['smʌtɪ] *adj* (+*er*) (*lit, fig*) schmutzig.
snack [snæk] *n* Imbiß *m* ► *to have a ~* eine Kleinigkeit essen; *~ bar* Imbißstube *f.*
snafu [snæ'fuː] *n* (*US col*) Schlamassel *m* (*col*).
snag [snæg] *n* Haken *m*, Schwierigkeit *f* ► *there's a ~* die Sache hat einen Haken; *what's the ~?* was ist das Problem?; *to run into* or *hit a ~* in Schwierigkeiten (*acc*) kommen.
snail [sneɪl] *n* Schnecke *f* ► *at a ~'s pace* im Schneckentempo.

snail mail *n* (*hum*) Schneckenpost *f* (*col*) *im Gegensatz zur elektronischen Post.*
snake [sneɪk] *n* Schlange *f* ► *a ~ in the grass* (*fig*) (*woman*) eine listige Schlange; (*man*) ein heimtückischer Kerl.
snake: ~bite *n* Schlangenbiß *m*; **~ charmer** *n* Schlangenbeschwörer *m*; **~skin 1** *n* Schlangenhaut *f*; (*leather*) Schlangenleder *nt*; **2** *adj* Schlangenleder-, aus Schlangenleder.
snap [snæp] **1** *n* **a** (*sound*) Schnappen *nt*; (*with fingers*) Schnippen *nt*; (*of sth breaking*) Knacken *nt.* **b** (*Phot*) Schnappschuß *m.* **c** (*Cards*) ≈ Schnippschnapp *nt.*
2 *adj attr* plötzlich, spontan ► *~ decision* plötzlicher Entschluß.
3 *vt* **a** *fingers* schnipsen mit ► *to ~ a book shut* ein Buch zuklappen; *to ~ sth into place* etw einschnappen lassen. **b** (*break*) zerbrechen. **c** (*also ~ out*) *to ~ an order* bellend etwas befehlen; *she ~ped a few words at the children* sie pfiff die Kinder an. **d** (*Phot*) knipsen.
4 *vi* **a** (*click*) (zu)schnappen; (*crack, break*) zerbrechen ► *to ~ shut* zuschnappen; *my patience finally ~ped* dann ist mir aber der Geduldsfaden gerissen. **b** (*speak sharply*) bellen (*col*) ► *to ~ at sb* jdn anschnauzen (*col*). **c** (*of dog etc, fig*) schnappen (*at* nach).
♦**snap off** *vt sep* (*break off*) abbrechen; (*bite off*) abbeißen ► *to ~ sb's head ~* (*fig col*) jdm ins Gesicht springen (*col*).
♦**snap out 1** *vt sep order* brüllen.
2 *vi ~ ~ of it!* reiß dich zusammen!; (*cheer up*) Kopf hoch!
♦**snap up** *vt sep* (*lit, fig*) wegschnappen.
snapdragon ['snæp,drægən] *n* (*Bot*) Löwenmaul *nt.*
snappish ['snæpɪʃ] *adj* (*lit, fig*) bissig.
snappy ['snæpɪ] *adj* (+*er*) **a** (*col*) flott (*col*) ► *and make it ~!* und zwar ein bißchen flott! (*col*). **b** (*lit, fig*) *dog, person* bissig. **c** (*col*) *translation* kurz und treffend; *phrase* zündend.
snapshot ['snæpʃɒt] *n* Schnappschuß *m.*
snare [sneə^r] **1** *n* (*lit, fig: trap*) Falle *f*; (*fig also*) Fallstrick *m.*
2 *vt* (*lit, fig*) (ein)fangen.
snarl [snɑːl] **1** *n* Knurren *nt no pl.*
2 *vi* knurren ► *to ~ at sb* jdn anknurren.
♦**snarl up** *vt sep* (*col*) *I got ~ed ~ in a traffic jam* ich bin im Verkehr steckengeblieben.
snarl-up ['snɑːlʌp] *n* (*col*) (*in traffic*) Verkehrschaos *nt* ► *there's a ~ in the system* das System ist zum Erliegen gekommen.
snatch [snætʃ] **1** *n* **a** (*act*) Griff *m* ► *to make a ~ at sth* nach etw greifen; (*animal*) zuschnappen. **b** (*Brit col*) (*robbery*) Raub *m*; (*kidnapping*) Entführung *f.* **c** (*snippet*) Stück *nt*; (*of conversation*) Fetzen *m.*
2 *vt* **a** (*grab*) greifen ► *to ~ sth from sb* jdm etw entreißen; *to ~ hold of sth* etw greifen, etw schnappen (*col*); *to ~ sth out of sb's hand* jdm etw aus der Hand reißen. **b** *some sleep etc* ergattern ► *to ~ a quick meal* schnell etwas essen. **c** (*Brit col*) (*steal*) *money* klauen (*col*); *handbag* aus der Hand reißen; (*kidnap*) entführen.
3 *vi* greifen (*at* nach) ► *don't ~!* nicht grapschen! (*col*).
♦**snatch away** *vt sep* wegreißen (*sth from sb* jdm etw).
♦**snatch up** *vt sep* schnappen ► *he ~ed ~ his camera* er schnappte sich (*dat*) seine Kamera; *the mother ~ed ~ her child* die Mutter riß ihr Kind an sich (*acc*).
sneak [sniːk] **1** *n* Schleicher *m*; (*Sch col*) Petze(r) *mf* (*Sch col*) ► *~ preview* (*Film*) Vorschau *f*; (*of new car etc*) Vorbesichtigung *f*, *~ thief* Langfinger *m* (*col*).
2 *vt he ~ed a cake off the counter* er klaute (*col*) einen Kuchen vom Ladentisch; *to ~ sth into a room* etw in ein Zimmer schmuggeln; *to ~ a look at sb/sth* auf jdn/etw schielen (*col*).

3 *vi* **a** *to ~ away* or *off* sich wegschleichen; *to ~ in* sich einschleichen; *to ~ past sb* (sich) an jdm vorbeischleichen; *to ~ out of doing sth* (*US*) sich vor etw (*dat*) drücken. **b** (*Sch col: tell tales*) petzen (*col*) ► *to ~ on sb* jdn verpetzen (*col*).

sneakers ['sniːkəz] *npl* (*US*) Turnschuhe *pl*.

sneaking ['sniːkɪŋ] *adj attr* geheim *attr* ► *I have a ~ feeling that ...* ich habe das unbestimmte Gefühl, daß ...

sneaky ['sniːkɪ] *adj* (*+er*) (*col*) raffiniert, schlau.

sneer [snɪəʳ] **1** *n* (*expression*) spöttisches Lächeln; (*remark*) spöttische Bemerkung.
2 *vi* spotten; (*look sneering*) spöttisch grinsen ► *to ~ at sb* jdn verhöhnen; (*laugh at*) jdn auslachen.

sneeze [sniːz] **1** *n* Nieser *m* (*col*).
2 *vi* niesen ► *not to be ~d at* nicht zu verachten.

snide [snaɪd] *adj* (*col*) abfällig.

sniff [snɪf] **1** *n* Schniefen *nt no pl* (*col*); (*disdainful*) Naserümpfen *nt no pl*; (*of dog*) Schnüffeln *nt no pl* ► *we never got a ~ of the vodka* (*col*) wir durften noch nicht einmal an dem Wodka riechen; *have a ~ at this* riech mal hieran!
2 *vt* (*test by smelling*) riechen, schnuppern an (*+dat*) (*col*); *smelling salts* einziehen; *glue* einatmen, schnüffeln (*col*); (*fig: detect*) wittern, riechen.
3 *vi* (*person*) schniefen (*col*); (*dog*) schnuppern ► *to ~ at sth* (*lit*) an etw (*dat*) schnuppern; (*fig*) die Nase über etw (*acc*) rümpfen; *not to be ~ed at* nicht zu verachten.

◆**sniff out** *vt sep* (*lit, fig*) aufspüren; *crime, plot* aufdecken.

sniffer dog ['snɪfəˌdɒg] *n* Spürhund *m*.

sniffle ['snɪfl] *n, vi* = **snuffle**.

snigger ['snɪgəʳ] **1** *n* Kichern, Gekicher *nt*.
2 *vi* kichern (*at, about* wegen).

snip [snɪp] **1** *n* **a** (*cut, cutting action*) Schnitt *m*. **b** (*of cloth*) Stück *nt*; (*of paper*) Schnipsel *m* (*col*); (*from newspaper*) Ausschnitt *m* (*col*). **c** (*esp Brit col: bargain*) Geschäft, Schnäppchen *nt* (*col*) ► *it's a ~ at only £2* für nur £2 ist es unheimlich günstig. **d** (*US col: insignificant person*) Würstchen *nt* (*pej col*).
2 *vt* schnippeln (*col*) ► *to ~ sth off* etw abschnippeln (*col*).

snipe [snaɪp] **1** *n, pl -* (*Orn*) Schnepfe *f*.
2 *vi* *to ~ at sb* (*lit, fig*) aus dem Hinterhalt auf jdn schießen.

sniper ['snaɪpəʳ] *n* Heckenschütze *m* ► *~-fire* Heckenschützenfeuer *nt*.

snippet ['snɪpɪt] *n* Stückchen *nt*; (*of paper also*) Schnipsel *m* or *nt*; (*of information*) (Bruch)stück *nt* ► *~s of a conversation* Gesprächsfetzen *pl*.

snivel ['snɪvl] *vi* heulen, flennen (*col*).

snivelling, (*US*) **sniveling** ['snɪvlɪŋ] *adj* heulend.

snob [snɒb] *n* Snob *m* ► *~ value* Snobappeal *m*.

snobbery ['snɒbərɪ] *n* Snobismus *m*.

snobbish *adj*, **~ly** *adv* ['snɒbɪʃ, -lɪ] snobistisch, versnobt (*col*).

snobbishness ['snɒbɪʃnɪs] *n* Snobismus *m*, Versnobtheit *f* (*col*).

snog [snɒg] *vi* (*Brit col*) rumknutschen (*col*).

snooker ['snuːkəʳ] **1** *n* Snooker *nt*.
2 *vt* *to be ~ed* (*fig col*) festsitzen (*col*).

snoop [snuːp] **1** *n* **a** = **snooper**. **b** (*act*) *I'll have a ~ around* ich gucke mich mal (ein bißchen) um.
2 *vi* schnüffeln ► *to ~ around* herumschnüffeln.

snooper ['snuːpəʳ] *n* Schnüffler(in *f*) *m*.

snootily ['snuːtɪlɪ] *adv* (*col*) hochnäsig, von oben herab.

snooty ['snuːtɪ] *adj* (*+er*) (*col*) hochnäsig.

snooze [snuːz] **1** *n* Schläfchen, Nickerchen *nt* ► *to have a ~* ein Schläfchen machen; *~ button* (*on radio alarm*) Schlummertaste *f*.
2 *vi* ein Nickerchen machen.

snore [snɔːʳ] **1** *n* Schnarchen *nt no pl*.

2 *vi* schnarchen.

snoring ['snɔːrɪŋ] *n* Schnarchen *nt*.

snorkel ['snɔːkl] **1** *n* Schnorchel *m*.
2 *vi* *to go ~ling* (*Brit*) or *~ing* (*US*) schnorcheln gehen.

snort [snɔːt] **1** *n* Schnauben *nt no pl*; (*of boar*) Grunzen *nt no pl* ► *he gave a ~ of contempt* er schnaubte verächtlich.
2 *vti* schnauben; (*boar*) grunzen.

snot [snɒt] *n* (*col*) Rotz *m* (*col*).

snotty ['snɒtɪ] *adj* (*+er*) (*col*) **a** Rotz- (*col*); *child* rotznäsig (*col*). **b** (*fig: snooty*) hochnäsig; (*insolent*) rotzig (*col*).

snout [snaʊt] *n* (*of animal*) Schnauze *f*; (*col: of person*) Rüssel (*col*).

snow [snəʊ] **1** *n* **a** (*also col: cocaine or heroin*) Schnee *m*; (*~fall*) Schneefall *m* ► *the heavy ~s last winter* die heftigen Schneefälle im letzten Winter; *as white as ~* schneeweiß. **b** (*TV*) Geflimmer *nt*, Schnee *m*.
2 *vi* schneien.

◆**snow in** *vt sep* (*usu pass*) *to be* or *get ~ed ~* eingeschneit sein.

◆**snow under** *vt sep* (*col: usu pass*) *to be ~ed ~* (*with work*) reichlich eingedeckt sein; (*with requests*) überhäuft werden.

snow: *~ball* **1** *n* Schneeball *m*; (*drink*) Snowball *m*; **2** *vi* eskalieren; *~ blind* *adj* schneeblind; *~ blindness* *n* Schneeblindheit *f*; *~bound* *adj* eingeschneit; *~-capped* *adj* schneebedeckt; *~-covered* *adj* verschneit; *~drift* *n* Schneewehe *f*; *~drop* *n* (*Bot*) Schneeglöckchen *nt*; *~fall* *n* Schneefall *m*; *~flake* *n* Schneeflocke *f*; *~line* *n* Schneegrenze *f*; *~man* *n* Schneemann *m*; *~mobile* *n* Schneemobil *nt*; *~plough,* (*US*) *~plow* *n* (*also Ski*) Schneepflug *m*; *~shoe* *n* Schneeschuh *m*; *~storm* *n* Schneesturm *m*; *~-white* *adj* schneeweiß.

snowy ['snəʊɪ] *adj* (*+er*) **a** *weather, region* schneereich; *hills* verschneit ► *it was very ~ yesterday* gestern hat es viel geschneit. **b** (*white as snow*) schneeweiß.

SNP *n abbr of* **Scottish National Party.**

snub [snʌb] **1** *n* Brüskierung *f* ► *to give sb a ~* jdn brüskieren, jdn vor den Kopf stoßen; *subordinate, pupil etc* (*verbally*) jdm über den Mund fahren.
2 *vt* **a** *person* brüskieren, vor den Kopf stoßen; *subordinate, pupil etc* (*verbally*) über den Mund fahren (*+dat*); *proposal* kurz abtun. **b** (*ignore, not greet*) schneiden.

snub: *~nose* *n* Stupsnase *f*; *~nosed* *adj* stupsnasig.

snuff [snʌf] **1** *n* Schnupftabak *m* ► *to take ~* schnupfen.
2 *vt* *candle* (*extinguish: also ~ out*) auslöschen ► *to ~ it* (*Brit col: die*) abkratzen (*col!*).

snuff box *n* Schnupftabakdose *f*.

snuffle ['snʌfl] **1** *n* Schniefen *nt no pl* ► *to have the ~s* (*col*) einen leichten Schnupfen haben.
2 *vi* schnüffeln; (*with cold, from crying*) schniefen.

snug [snʌg] *adj* (*+er*) (*cosy*) behaglich, gemütlich; *bed, garment, room etc* mollig warm; (*sheltered*) *spot* geschützt; (*close-fitting*) gutsitzend *attr*, (*tight*) eng ► *to be ~ in bed* es im Bett mollig warm haben; *it is a good ~ fit* es paßt gut.

snuggle ['snʌgl] *vi* sich kuscheln ► *to ~ down in bed* sich ins Bett kuscheln; *to ~ up (to sb)* sich (an jdn) ankuscheln.

snugly ['snʌglɪ] *adv* gemütlich, behaglich; *fit* wie angegossen.

SO (*Fin*) = **standing order** DA.

▼ **so** [səʊ] **1** *adv* **a** *so* ► *~ much tea/~ many flies* so viel Tee/so viele Fliegen; *he was ~ stupid (that)* er war so dumm(, daß); *I am not ~ stupid as to believe that* so dumm bin ich nicht, daß ich das glaube(n würde); *would you be ~ kind as to open the door?* wären Sie bitte so freundlich, die Tür zu öffnen?; *~ great a writer as Shakespeare* ein so großer Dichter wie Shakespeare; *he's not been ~ well recently* in letzter Zeit geht es ihm nicht besonders gut; *how are things? — not ~ bad!* wie geht's? — nicht schlecht!

b (*emphatic*) *glad, sorry etc* so; *pleased, relieved, hope, wish* sehr; *love* so sehr; *hate* so sehr, derart ▶ *I'm ~ very tired* ich bin ja so müde; *it would be ~ much better/easier* es wäre so viel besser/einfacher; *~ much the better/worse (for sb)* um so besser/schlechter (für jdn); *that's ~ kind of you* das ist wirklich sehr nett von Ihnen.

c (*replacing longer sentence*) das, es ▶ *I hope ~* hoffentlich; (*emphatic*) das hoffe ich doch sehr; *I think ~* ich glaube schon; *I never said ~* das habe ich nie gesagt; *I told you ~* ich habe es dir doch gesagt; *why should I do it? — because I say ~* warum muß ich das tun? — weil ich es sage, darum; *I didn't say ~* das habe ich nicht gesagt; *~ I believe* ja, ich glaube schon; *~ I see* ja, das sehe ich; *please, do ~* bitte(, tun Sie es ruhig); *it may be ~* es kann schon sein; *~ be it* nun gut; *if ~* wenn ja; *or ~ they say* oder so heißt es jedenfalls; *that is ~* das stimmt; *if that's ~* wenn das stimmt; *he's coming by plane — is that ~?* er kommt mit dem Flugzeug — tatsächlich?; *I didn't say that — you did ~* (*esp US col*) das habe ich nicht gesagt — doch(, hast du wohl).

d (*thus, in this way*) so ▶ *perhaps it was better ~* vielleicht war es auch besser so; *~ it was that ...* so kam es, daß ...; *~ it was* und so war es auch; *by ~ doing he has ...* dadurch hat er ..., indem er das tat, hat er ...; *... and ~ saying he walked out ...* und damit ging er hinaus; *the article is ~ written as to ...* der Artikel ist so geschrieben, daß ...

e (*unspecified amount*) *how high is it? — oh, about ~ high* wie hoch ist das? — oh, ungefähr so; *~ much per head* soviel pro Kopf; *they behaved like ~ many children* sie benahmen sich wie die Kinder; *a week or ~ so* (etwa) eine Woche; *50 or ~* etwa 50.

f (*likewise*) auch ▶ *am/would/do/could etc I* ich auch; *he's wrong and ~ are you* ihr irrt euch beide.

g *he walked past and didn't ~ much as look at me* er ging vorbei, ohne mich auch nur anzusehen; *~ much for that!* (*col*) das wär's ja wohl gewesen! (*col*); *~ much for him* (*col*) das war ja wohl nichts mit ihm! (*col*); *~ much for his help* (*col*) er war eine schöne Hilfe! (*col*).

2 *conj* **a** (*expressing purpose*) damit ▶ *~ (that) you don't have to do it again* damit Sie es nicht noch einmal machen müssen; *we hurried ~ as not to be late* wir haben uns beeilt, um nicht zu spät zu kommen.

b (*expressing result, therefore*) also ▶ *it rained (and) ~ we couldn't go out* es regnete und deshalb konnten wir nicht weggehen; *he was standing in the doorway ~ (that) no one could get past* er stand in der Tür, so daß niemand vorbeikonnte; *I told him to leave and ~ he did* ich habe ihm gesagt, er solle gehen, und das hat er auch getan; *the roads are busy ~ be careful* es ist viel Verkehr, also sei vorsichtig; *~ you see ...* wie du siehst, ...

c (*in questions, exclamations*) also ▶ *~ that's his wife/the reason!* das ist also seine Frau/der Grund!; *~ you DID do it!* du hast es also doch gemacht!; *~ (what)?* (*col*) (na) und?; *I'm not going, ~ there!* (*col*) ich geh' nicht, fertig, aus!

soak [səʊk] **1** *vt* (*wet*) durchnässen ▶ *to be/get ~ed* völlig durchnäßt sein/werden; *to be ~ed to the skin, to be ~ed through* bis auf die Haut durchnäßt sein.

2 *vi* **a** (*steep*) *leave it to ~* weichen Sie es ein; (*in dye*) lassen Sie die Farbe einziehen; *to ~ in a bath* sich in der Badewanne aalen (*col*). **b** (*penetrate*) *rain has ~ed through the ceiling* der Regen ist durch die Decke gesickert; *the coffee was ~ing into the carpet* der Kaffee zog in den Teppich ein.

◆**soak in** *vi* (*stain, dye etc*) einziehen.

◆**soak up** *vt sep liquid* aufsaugen; *sunshine* genießen; *sound* schlucken; (*fig*) *information* aufsaugen, in sich (*acc*) aufnehmen.

soaking ['səʊkɪŋ] **1** *adj* klitschnaß (*col*), patschnaß (*col*).
2 *adv ~ wet* triefend naß, klitschnaß (*col*); *a ~ wet day* ein völlig verregneter Tag.
3 *n to get a ~* patschnaß werden (*col*).

so-and-so ['səʊənsəʊ] *n* (*col*) **a** (*unspecified*) *~ up at the shop* Herr/Frau Soundso im Laden. **b** (*pej*) *he's an old ~* das ist ein gemeiner Kerl.

soap [səʊp] **1** *n* Seife *f*.
2 *vt* einseifen, abseifen.

soap: *~box n* (*lit: packing case*) Seifenkiste *f*; (*fig: platform*) Apfelsinenkiste *f*; *~ bubble n* Seifenblase *f*; *~ dish n* Seifenschale *f*; *~ dispenser n* Seifenspender *m*; *~flakes npl* Seifenflocken *pl*; *~ opera n* (*TV, Rad*) Fernseh-/Hörspielserie, Seifenoper (*col*) *f*; *~ powder n* Seifenpulver *nt*; *~suds npl* (*foam*) Seifenschaum *m*.

soapy ['səʊpɪ] *adj* (+*er*) seifig ▶ *~ water* Seifenwasser *nt*.

soar [sɔːʳ] *vi* **a** (*rise: also ~ up*) aufsteigen; (*bird also*) sich in die Lüfte schwingen ▶ *to ~ (up) into the sky* zum Himmel steigen. **b** (*fig*) (*building*) hochragen; (*price*) hochschnellen; (*popularity, hopes*) einen Aufschwung nehmen.

soaring ['sɔːrɪŋ] *adj bird, plane* in die Luft steigend; *tower* hoch aufragend; *imagination* hochfliegend; *popularity* schnell zunehmend; *prices* in die Höhe schnellend; *inflation* unaufhaltsam; *hopes* wachsend.

s.o.b. (*US col!*) = **son of a bitch.**

sob [sɒb] **1** *n* Schluchzer *m*, Schluchzen *nt no pl* ▶ *to give a ~* (auf)schluchzen; *..., he said with a ~* ..., sagte er schluchzend.
2 *vi* schluchzen (*with* vor +*dat*).
3 *vt to ~ one's heart out* sich (*dat*) die Seele aus dem Leib weinen.

sober ['səʊbəʳ] *adj* **a** (*not drunk*) nüchtern ▶ *to be as ~ as a judge* stocknüchtern sein (*col*). **b** (*sedate, serious*) *life, mood, occasion* ernst; (*sensible, moderate*) *opinion, judgement* vernünftig; *assessment, facts* nüchtern. **c** (*not bright or showy*) schlicht; *colour* gedeckt.

◆**sober up 1** *vt sep* (*lit*) nüchtern machen; (*fig*) zur Vernunft bringen.
2 *vi* (*lit*) nüchtern werden; (*fig*) zur Vernunft kommen; (*after laughing etc*) sich beruhigen.

sobering ['səʊbərɪŋ] *adj* ernüchternd.

soberly ['səʊbəlɪ] *adv* nüchtern; *behave* vernünftig; *dress, furnish* schlicht.

sobriety [sə'braɪtɪ] *n* **a** (*not being drunk*) Nüchternheit *f*. **b** (*seriousness, sedateness*) Solidität *f*; (*of dress*) Schlichtheit *f*; (*of colour*) Gedecktheit *f*.

soc [sɒk] = **society** Ges.

so-called [,səʊ'kɔːld] *adj* sogenannt; (*supposed*) angeblich.

soccer ['sɒkəʳ] *n* Fußball *m* ▶ *~ player* Fußballer, Fußballspieler(in *f*) *m*.

sociability [,səʊʃə'bɪlɪtɪ] *n* Geselligkeit *f*.

sociable ['səʊʃəbl] *adj* (*gregarious*) gesellig; (*friendly*) freundlich ▶ *... just to be ~* ..., man möchte sich ja nicht ausschließen; *I'm not feeling very ~ today* mir ist heute nicht nach Gesellgkeit (zumute).

social ['səʊʃəl] **1** *adj* **a** (*relating to community, Admin, Pol*) sozial; *history, reform, legislation, policy* Sozial-; *system, realism, class* Gesellschafts-; *structure, conditions, evils also* gesellschaftlich ▶ *the ~ services* die Sozialeinrichtungen *pl*.

b *engagements, life, superior* gesellschaftlich; *behaviour* in Gesellschaft; *advancement, status also* sozial ▶ *~ climber* Emporkömmling *m* (*pej*), sozialer Aufsteiger; *there isn't much ~ life around here* hier kommen die Leute nicht viel zusammen; *a job which leaves no time*

▶ SENTENCE BUILDER: **so: 2a** → 6.2 **2b** → 6.2

for one's ~ life ein Beruf, bei dem man keine Zeit für andere Leute hat.
[c] (*gregarious*) *evening, person* gesellig; (*living in groups*) *animals* gesellig lebend.
[2] *n* geselliger Abend.

social: S~ Chapter *n* (*Pol*) Sozialcharta *f*; **~ club** *n* Klub *m* für geselliges Beisammen-sein; **~ democrat** *n* Sozialdemokrat(in *f*) *m*; **~ democratic** *adj* sozialdemokratisch; **~ insurance** *n* (*US*) Sozialversicherung *f*.

socialism ['səʊʃəlɪzəm] *n* Sozialismus *m*.

socialist ['səʊʃəlɪst] [1] *adj* sozialistisch.
[2] *n* Sozialist(in *f*) *m*.

socialite ['səʊʃəlaɪt] *n* (*col*) Angehörige(r) *mf* der Schickeria (*col*); (*man also*) Salonlöwe *m* (*col*).

socialize ['səʊʃəlaɪz] [1] *vt* sozialisieren; *means of production* vergesellschaften.
[2] *vi to ~ with sb* (*meet socially*) mit jdm gesellschaftlich verkehren; (*chat to*) sich mit jdm unterhalten; *she ~s a lot* sie hat ein reges gesellschaftliches Leben.

socially ['səʊʃəlɪ] *adv* gesellschaftlich; *deprived etc* sozial; *meet* privat.

social: ~ science *n* Sozialwissenschaft *f*; **~ security** *n* Sozialhilfe *f*; (*scheme*) Sozialversicherung *f*; *to be on ~ security* Sozialhilfeempfänger sein; **~ studies** *npl* Sozialkunde *f*; **~ work** *n* Sozialarbeit *f*; **~ worker** *n* Sozialarbeiter(in *f*) *m*.

society [sə'saɪətɪ] *n* [a] Gesellschaft *f*; (*also high ~*) High-Society *f* ▶ *modern industrial ~* die moderne Industriegesellschaft. [b] (*club, organization*) Verein *m*; (*learned, Comm*) Gesellschaft *f*.

society *in cpds* Gesellschafts-; **~ column** *n* Gesellschaftsspalte *f*.

socio- [ˌsəʊsɪəʊ-] *pref* sozio- ▶ *~economic* sozioökonomisch.

sociological [ˌsəʊsɪə'lɒdʒɪkəl] *adj* soziologisch.

sociologist [ˌsəʊsɪ'ɒlədʒɪst] *n* Soziologe *m*, Soziologin *f*.

sociology [ˌsəʊsɪ'ɒlədʒɪ] *n* Soziologie *f*.

sock¹ [sɒk] *n* Socke *f*, Socken *m* (*col*); (*knee-length*) Kniestrumpf *m* ▶ *to pull one's ~s up* (*col*) sich am Riemen reißen (*col*).

sock² [1] *n* (*col*) Schlag *m* (mit der Faust) ▶ *to give sb a ~ in the eye* jdm eine aufs Auge verpassen (*col*).
[2] *vt* (*col: hit*) hauen (*col*) ▶ *~ him one!* knall ihm eine! (*col*).

socket ['sɒkɪt] *n* [a] (*of eye*) Augenhöhle *f*; (*of joint*) Gelenkpfanne *f*; (*of tooth*) Zahnhöhle *f*. [b] (*Brit Elec*) Steckdose *f*; (*for lightbulb, Mech*) Fassung *f* ▶ *~ spanner* (*Brit*), *~ wrench* (*US*) Steckschlüssel *m*.

sod¹ [sɒd] *n* (*turf*) Grassode *f*.

sod² *n* (*Brit col!*) Sau *f* (*col!*) ▶ *the poor ~s* die armen Schweine (*col*).

soda ['səʊdə] *n* [a] (*Chem*) Soda *nt*; (*sodium oxide*) Natriumoxyd *nt*. [b] (*drink*) Soda(wasser) *nt*.

soda: ~-fountain *n* (*US: café*) Erfrischungshalle *f*; **~ siphon** *n* Siphon *m*; **~-water** *n* Sodawasser *nt*.

sodden ['sɒdn] *adj* durchnäßt.

sodium ['səʊdɪəm] *n* Natrium *nt* ▶ *~ chloride* Natriumchlorid, Kochsalz *nt*.

sodomy ['sɒdəmɪ] *n* Analverkehr *m*.

sofa ['səʊfə] *n* Sofa *nt*, Couch *f* ▶ *~ bed* Bettsofa, Sofabett *nt*.

Sofia ['səʊfɪə] *n* Sofia *nt*.

soft [sɒft] *adj* (*+er*) [a] weich; *meat* zart; (*pej: flabby*) *muscle* schlaff ▶ *~ currency* weiche Währung; *~ fruit* Beerenobst *nt*; *~ furnishings* Raumtextilien *pl*; *~ ice-cream* Softeis *nt*; *~ water* weiches Wasser. [b] (*smooth*) *skin* zart; *surface* glatt; *material* weich. [c] (*gentle, not harsh*) *sanft*; (*subdued*) *music* gedämpft; (*not loud*) *noise, rain, breeze, tap, steps* leicht. [d] *character, government* schwach; *treatment, teacher* nachsichtig; *punishment* mild(e) ▶ *to be ~ on sb* jdm gegenüber nachgiebig sein.

[e] (*not tough*) verweichlicht; (*easy*) *job, life* bequem ▶ *that's a ~ option* das ist der Weg des geringsten Widerstandes. [f] *drink* alkoholfrei; *drug* weich. [g] (*col: foolish*) doof (*col*) ▶ *you must be ~!* du spinnst wohl! (*col*). [h] (*col: feeling affection*) *to be ~ on sb* für jdn schwärmen; *to have a ~ spot for sb* eine Schwäche für jdn haben. [i] (*Typ, Comp*) *hyphen etc* weich.

soft: ~-boiled *adj egg* weich(gekocht); **~-centred** *adj* Praline mit Cremefüllung.

soften ['sɒfn] [1] *vt* weich machen; *light, sound, colour* dämpfen; *effect, sb's anger, reaction, impression* mildern; *outline* weicher machen; *resistance* schwächen; *person* verweichlichen ▶ *to ~ the blow* (*fig*) den Schock mildern.
[2] *vi* (*material, person, heart*) weich werden; (*voice, look*) sanft werden; (*anger, resistance*) nachlassen.

♦soften up *vt sep* weich machen; (*fig*) *person* mild stimmen; (*flatter*) schmeicheln (+*dat*); (*by bullying, in fight*) weichmachen; *enemy, resistance* zermürben.

softener ['sɒfnə^r] *n* (*for water*) Enthärtungsmittel *nt*; (*fabric*) Weichspüler *m*.

soft-hearted [ˌsɒft'hɑːtɪd] *adj* weichherzig.

softie ['sɒftɪ] *n* (*col*) Softy *m* (*col*); (*weakling*) Weichling *m*.

softly ['sɒftlɪ] *adv* (*gently, tenderly*) sanft; (*not loud*) leise; *rain, blow* leicht.

softness ['sɒftnɪs] *n see adj* [a] Weichheit *f*; Zartheit *f*; Schlaffheit *f*. [b] Zartheit *f*; Glätte *f*; Weichheit *f*. [c] Sanftheit *f*; Gedämpftheit *f*; leiser Klang; Leichtheit *f*. [d] Schwäche *f*; Nachsichtigkeit *f*; Milde *f*.

soft: ~-pedal *vi* zurückstecken; **~ porn** *n* Softpornographie *f*; **~ sell** *n* weiche Verkaufstaktik, Soft selling *nt*; **~-soap** (*fig col*) [1] *n* Schmeichelei *f*, Schmus *m* (*col*); [2] *vt* einseifen (*col*); **~-spoken** *adj person* leise sprechend *attr*; *to be ~-spoken* eine leise Stimme haben; **~ target** *n* leicht verwundbares Ziel; **~ touch** *n to be a ~ touch* nachgiebig sein; **~ toy** *n* Stofftier *nt*; **~ verge** *n* "*~ verges*" „Seitenstreifen nicht befahrbar"; **~ware** *n* Software *f*; **~ware engineer** *n* Software-Ingenieur(in *f*) *m*; **~ware package** *n* Softwarepaket *nt*; **~wood** *n* Weichholz *nt*.

softy ['sɒftɪ] *n* (*col*) = **softie**.

soggy ['sɒgɪ] *adj* (*+er*) durchnäßt, triefnaß; *soil* durchweicht; *food* matschig (*col*).

soil¹ [sɔɪl] *n* (*earth, ground*) Erde *f*, Erdreich *nt*, Boden *m* ▶ *cover it with ~* bedecken Sie es mit Erde; *native/foreign ~* heimatlicher/fremder Boden; *the ~* (*fig: farmland*) die Scholle.

soil² [1] *vt* (*lit, fig*) beschmutzen; *honour* beflecken; *oneself* besudeln; *minds* verderben.
[2] *vi* schmutzig werden.

soiled [sɔɪld] *adj* schmutzig, verschmutzt.

sojourn ['sɒdʒɜːn] *n* (*liter*) Aufenthalt *m*.

solace ['sɒlɪs] *n* Trost *m*.

solar ['səʊlə^r] *adj* Sonnen- ▶ *~ cell* Solarzelle *f*; *~ eclipse* Sonnenfinsternis *f*; *~ energy* Sonnenenergie *f*; *~ heating* Solarheizung *f*; *~ panel* Sonnenkollektor *m*; *~ plexus* Magengrube *f*; *~ system* Sonnensystem *nt*.

solarium [səʊ'leərɪəm] *n*, *pl* **solaria** [səʊ'leərɪə] Solarium *nt*.

sold [səʊld] *pret, ptp of* **sell**.

solder ['səʊldə^r] [1] *n* Lötmittel *nt*.
[2] *vt* löten; (*~ together*) verlöten.

soldering-iron ['səʊldərɪŋˌaɪən] *n* Lötkolben *m*.

soldier ['səʊldʒə^r] [1] *n* Soldat *m* ▶ *old ~* altgedienter Soldat; (*fig: experienced person*) alter Hase (*col*).
[2] *vi* Soldat sein.

♦soldier on *vi* unermüdlich weitermachen.

sole¹ [səʊl] [1] *n* Sohle *f*.
[2] *vt* besohlen.

sole² *n* (*fish*) Seezunge *f*.

sole³ adj einzig; *heir also, rights* Allein- ▸ ~ **agency** Alleinvertretung f; ~ **agent** Alleinvertreter(in f) m.

solely ['səʊllɪ] adv (einzig und) allein, nur ▸ *she is ~ responsible* sie allein trägt die Verantwortung.

solemn ['sɒləm] adj feierlich; *person, plea, warning, expression* ernst; *architecture* erhaben; *promise, oath* heilig; (*drab*) *colour* trist.

solemnity [sə'lemnɪtɪ] n *see adj* Feierlichkeit f; Ernst m; Erhabenheit f; heiliger Ernst; Tristheit f.

solemnize ['sɒləmnaɪz] vt *to ~ a marriage* eine Trauung feierlich vollziehen.

solemnly ['sɒləmlɪ] adv feierlich; *walk* gemessenen Schrittes; *warn, plead* ernst; *promise* hoch und heilig ▸ *I ~ swear that ...* ich schwöre bei allem, was mir heilig ist, daß ...

solenoid ['səʊlənɔɪd] n Magnetspule f.

solicit [sə'lɪsɪt] [1] vt *support etc* bitten um; *person* inständig bitten; *votes* werben; (*prostitute*) ansprechen. [2] vi (*prostitute*) Kunden anwerben.

solicitor [sə'lɪsɪtə^r] n (*Jur*) (*Brit*) Rechtsanwalt m/ -anwältin f (*der/die nicht vor Gericht plädiert*); (*US*) Justizbeamte(r) m/-beamtin f.

solicitous [sə'lɪsɪtəs] adj (*form*) (*concerned*) besorgt (*about* um); (*eager*) dienstbeflissen.

solid ['sɒlɪd] [1] adj [a] (*firm, not liquid*) *fuel, food, substance* fest ▸ ~ *body* Festkörper m; *to be frozen ~* hartgefroren sein.
[b] (*pure, not hollow, not broken*) *block, gold, silver, rock* massiv; *matter* fest; *crowd etc* dicht; *row* ununterbrochen; *line of people etc* geschlossen; *week* ganz ▸ *the square was packed ~ with cars* die Autos standen dicht an dicht auf dem Platz; *for two ~ days* or *for two days ~* zwei Tage ununterbrochen.
[c] (*stable, secure*) *bridge, house, car, relationship* stabil; *piece of work, character, education* solide; *foundations also*, (*lit, fig*) *ground* fest; *business* solide, reell ▸ *a good ~ meal* eine kräftige Mahlzeit.
[d] *reason, argument* handfest, stichhaltig; *grounds* fundiert.
[e] (*unanimous*) *vote* einstimmig; *support* geschlossen ▸ *Newtown is ~ for Labour* in Newtown wählt fast jeder Labour.
[2] n [a] fester Stoff ▸ ~*s and liquids* feste und flüssige Stoffe *pl*; (*Sci*) Festkörper und Flüssigkeiten *pl*. [b] (*usu pl: food*) feste Nahrung *no pl*.

solidarity [,sɒlɪ'dærɪtɪ] n Solidarität f.

solidify [sə'lɪdɪfaɪ] [1] vi fest werden; (*lava etc*) erstarren; (*fig: support*) sich festigen. [2] vt *see vi* fest werden lassen; erstarren lassen; festigen.

solidity [sə'lɪdɪtɪ] n Festigkeit f; (*of structure*) Stabilität f; (*fig*) (*of vote*) Einstimmigkeit f; (*of support*) Geschlossenheit f.

solidly ['sɒlɪdlɪ] adv [a] (*firmly*) *secured* fest ▸ ~ *built house* solide gebaut; *person* kräftig gebaut. [b] (*uninterruptedly*) *work* ununterbrochen. [c] *vote* einstimmig; *support* geschlossen ▸ *to be ~ behind sb* geschlossen hinter jdm stehen.

solid-state [,sɒlɪd'steɪt] adj (*Phys*) Festkörper-; (*Elec*) Halbleiter-.

soliloquy [sə'lɪləkwɪ] n Monolog m (*also Theat*).

solitaire [,sɒlɪ'teə^r] n (*game, gem*) Solitär m.

solitary ['sɒlɪtərɪ] adj [a] (*alone, secluded*) *life, person* einsam; *place also* abgeschieden ▸ *a few ~ houses* ein paar vereinzelte Häuser; *in ~ confinement* in Einzelhaft. [b] (*sole*) *case, example* einzig ▸ *not a ~ one* kein einziger.

solitude ['sɒlɪtjuːd] n Einsamkeit f; (*of place also*) Abgeschiedenheit f.

solo ['səʊləʊ] [1] n Solo nt. [2] adj *flight* Allein-; *violinist, violin, part, dance etc* Solo-.

[3] adv allein; (*Mus*) solo ▸ *to fly ~* einen Alleinflug machen.

soloist ['səʊləʊɪst] n Solist(in f) m.

Solomon ['sɒləmən] n (*Bibl*) Salomo(n) m ▸ *a judgement of ~* ein salomonisches Urteil.

solstice ['sɒlstɪs] n Sonnenwende f.

soluble ['sɒljʊbl] adj [a] löslich ▸ ~ *in water* wasserlöslich. [b] *problem* lösbar.

▼ **solution** [sə'luːʃən] n [a] Lösung f (*to gen*); (*of crime*) Aufklärung f. [b] (*Chem*) Lösung f.

solve [sɒlv] vt *problem, equation* lösen; *mystery* enträtseln; *crime* aufklären.

solvency ['sɒlvənsɪ] n (*Fin*) Zahlungsfähigkeit, Solvenz f.

solvent ['sɒlvənt] [1] adj [a] (*Chem*) lösend; *agent* Lösungs-. [b] (*Fin*) zahlungsfähig, solvent. [2] n (*Chem*) Lösungsmittel nt ▸ ~ *abuse* Lösungsmittelmißbrauch m, Schnüffeln nt (*col*).

Som (*Brit*) = **Somerset**.

Somali [səʊ'mɑːlɪ] [1] adj somalisch. [2] n Somali mf, Somalier(in f) m.

Somalia [səʊ'mɑːlɪə] n Somalia nt.

sombre, (*US*) **somber** ['sɒmbə^r] adj (*dark*) dunkel; (*gloomy*) düster.

some [sʌm] [1] adj [a] (*with plural nouns*) einige; (*a few, emphatic*) ein paar; (*any: in "if" clauses, questions*) usu not translated ▸ *if you have ~ questions* wenn Sie Fragen haben; *did you bring ~ records?* hast du Schallplatten mitgebracht?; ~ *records of mine* einige meiner Platten; *would you like ~ more biscuits?* möchten Sie noch (ein paar) Kekse?; ~ *few people* einige wenige Leute.
[b] (*with singular nouns*) etwas, *usu not translated*; (*a little, emph*) etwas, ein bißchen ▸ *there's ~ ink on your shirt* Sie haben Tinte auf dem Hemd; *would you like ~ cheese?* möchten Sie (etwas) Käse?; ~ *more tea?* möchten Sie noch Tee?; *leave ~ cake for me* laß mir ein Stück Kuchen übrig.
[c] (*certain, in contrast*) manche(r, s) ▸ ~ *people say ...* manche Leute sagen ...; *in ~ ways* in gewisser Weise; *to ~ extent* in gewissem Maße.
[d] (*vague, indeterminate*) irgendein ▸ ~ *book/man or other* irgendein Buch/Mann; ~ *woman rang up* da hat eine Frau angerufen; *in ~ way or another* irgendwie; *or ~ such* oder so etwas ähnliches; *or ~ such name* oder so ein ähnlicher Name; ~ *time before midnight* irgendwann vor Mitternacht; ~ *time or other* irgendwann einmal; ~ *other time* ein andermal; ~ *day* eines Tages; ~ *day next week* irgendwann nächste Woche.
[e] (*intensifier*) ziemlich; (*in exclamations*) vielleicht ein (*col*) ▸ (*that was*) ~ *party!* das war vielleicht eine Party! (*col*); *this might take ~ time* das könnte einige Zeit dauern; *quite ~ time* ziemlich lange; *to speak at ~ length* ziemlich lange sprechen; *it's ~ distance from the house* es ist ziemlich weit vom Haus entfernt.
[f] (*iro*) vielleicht ein (*col*) ▸ ~ *experts!* das sind vielleicht Experten! (*col*); ~ *help you are/this is* du bist/das ist mir vielleicht eine Hilfe (*col*); ~ *people!* Leute gibt's!
[2] pron [a] (~ *people*) einige; (*certain people*) manche; (*in "if" clauses, questions*) welche ▸ ~ *..., others ...* manche ..., andere ...; ~ *of my friends* einige meiner Freunde; *there are still ~ who will never understand* es gibt immer noch Leute, die das nie begreifen werden; *do you have ~?* haben Sie welche?
[b] (*referring to plural nouns*) (*a few*) einige; (*certain ones*) manche; (*in "if" clauses, questions*) welche ▸ ~ *of these books* einige dieser Bücher; *they're lovely, try ~* die schmecken gut, probieren Sie mal; *if I've still got ~* wenn ich noch welche habe.

▶ SENTENCE BUILDER: **solution**: a → 2.2, 4.2, 13.1, 14.3

c (referring to singular nouns) (a little) etwas; (a certain amount, in contrast) manches; (in "if" clauses, questions) welche(r, s) ▶ *I drank ~ of the milk* ich habe (etwas) von der Milch getrunken; *have ~!* nehmen Sie sich (dat), bedienen Sie sich; *it's good cake, would you like ~?* das ist ein guter Kuchen, möchten Sie welchen?; *would you like ~ tea? — no, I've got ~* möchten Sie Tee? — nein, ich habe noch; *~ of it had been eaten* einiges (davon) war gegessen worden; *this is ~ of the finest scenery in Scotland* dies ist eine der schönsten Landschaften Schottlands.
3 adv **a** ungefähr, etwa, zirka ▶ *~ 20 people* ungefähr 20 Leute. **b** (esp US col) (a little) etwas, ein bißchen; (a lot) viel ▶ *he's traveling ~* (US) er fährt aber ganz schön schnell (col); *that's going ~* das ist ganz schön schnell (col).
somebody ['sʌmbədɪ] **1** pron jemand; (dir obj) jemand(en); (indir obj) jemandem ▶ *~ else* jemand anders; *~ or other* irgend jemand; *~ knocked at the door* es klopfte jemand an die Tür; *we need ~ German* wir brauchen einen Deutschen; *everybody needs ~ to talk to* jeder braucht einen, mit dem er sprechen kann.
2 n *she's (really) ~* sie ist jemand, sie ist schon wer (col); *he thinks he's really ~* er denkt, er ist sonst wer.
somehow ['sʌmhaʊ] adv irgendwie ▶ *it must be done ~ or other* es muß irgendwie gemacht werden.
someone ['sʌmwʌn] pron = **somebody 1**.
someplace ['sʌmpleɪs] adv (US col) be irgendwo; go irgendwohin ▶ *~ else* irgendwo anders.
somersault ['sʌməsɔːlt] **1** n Purzelbaum m; (Sport, fig) Salto m ▶ *to do a ~* einen Purzelbaum schlagen/ einen Salto machen; (car) sich überschlagen.
2 vi (person) einen Purzelbaum schlagen; (Sport) einen Salto machen; (car) sich überschlagen.
something ['sʌmθɪŋ] **1** pron etwas ▶ *~ serious etc* etwas Ernstes; *~ or other* irgend etwas, irgendwas; *~ of the sort or kind* so (et)was Ähnliches; *she has a certain ~* sie hat ein gewisses Etwas; *a little ~* (gift) eine Kleinigkeit; *there's ~ in what you say* an dem, was du sagst, ist (schon) was dran; *well, that's ~* das ist immerhin etwas; *she's called Rachel ~* sie heißt Rachel Soundso; *it was ~ else or quite ~* das war schon toll (col); *or ~* (col) oder so (was); *are you drunk or ~?* (col) bist du betrunken oder was? (col).
2 adv **a** *~ over 200* etwas über 200; *~ like 200* ungefähr 200; *you look ~ like him* du siehst ihm irgendwie ähnlich; *this is ~ like the one I wanted* so (et)was Ähnliches wollte ich haben; *this is ~ like!* (col) das ist wirklich toll! (col). **b** *it's ~ of a problem* das ist schon ein Problem; *I feel ~ of a stranger here* ich fühle mich hier irgendwie fremd; *he's ~ of a musician* er ist ein recht guter Musiker; *~ of a surprise/drunkard* eine ziemliche Überraschung / ein ziemlicher Säufer. **c** (col) *the weather was ~ shocking* das Wetter war einfach schrecklich.
sometime ['sʌmtaɪm] **1** adv irgendwann ▶ *write to me ~ soon* schreib mir (doch) bald (ein)mal; *~ next year* irgendwann nächstes Jahr.
2 adj attr (form) früher, einstig.
sometimes ['sʌmtaɪmz] adv manchmal.
somewhat ['sʌmwɒt] adv ein wenig ▶ *~ of a surprise* eine ziemliche Überraschung.
somewhere ['sʌmweər] adv **a** be irgendwo; go irgendwohin ▶ *I left it ~ or other* ich habe es irgendwo liegen-/stehenlassen; *I know ~ where ...* ich weiß, wo ... **b** (fig) *~ about £50, ~ in the region of £50* um (die) £50 herum; *she is ~ in her fifties* sie muß in den Fünfzigern sein; *~ between midnight and one o'clock* irgendwann zwischen Mitternacht und ein Uhr.
somnambulist [sɒmˈnæmbjʊlɪst] n Schlafwandler(in f) m.

somnolent ['sɒmnələnt] adj **a** (sleepy) schläfrig. **b** (causing sleep) einschläfernd.
son [sʌn] n (lit, fig) Sohn m; (as address) mein Junge.
sonar ['səʊnɑːr] n Sonar(gerät), Echolot nt.
sonata [səˈnɑːtə] n Sonate f.
song [sɒŋ] n Lied nt; (folk~ also, blues-~) Song m; (singing) Gesang m ▶ *to burst into ~* ein Lied anstimmen; *to make a ~ and dance about sth* (col) eine Haupt- und Staatsaktion aus etw machen (col); *to buy sth for a ~* (col) etw für ein Butterbrot kaufen.
song: **~bird** n Singvogel m; **~book** n Liederbuch nt; **~ cycle** n Liederzyklus m; **~ recital** n (evening) Liederabend m.
songwriter ['sɒŋ,raɪtər] n Texter(in f) und Komponist(in f) m; (of modern ballads) Liedermacher(in f) m.
sonic ['sɒnɪk] adj Schall- ▶ *~ boom* Überschallknall m.
son-in-law ['sʌnɪnlɔː] n, pl **sons-in-law** Schwiegersohn m.
sonnet ['sɒnɪt] n Sonett nt.
sonny ['sʌnɪ] n (col) (mein) Junge m.
sonority [səˈnɒrɪtɪ] n Klangfülle f.
sonorous ['sɒnərəs] adj volltönend, sonor (geh); language, poem klangvoll.
soon [suːn] adv **a** (in a short time from now) bald; (early) früh; (quickly) schnell ▶ *it will ~ be Christmas* bald ist Weihnachten; *~ after his death* kurz nach seinem Tode; *~ afterwards* kurz or bald danach; *how can you be ready?* wann kannst du fertig sein?; *how ~ is the next performance?* wann fängt die nächste Vorstellung an?; *we got there too ~* wir waren zu früh dort; *he ~ changed his mind* er blieb nicht lange bei seiner Meinung; *all too ~* viel zu schnell; *we were none too ~* wir kamen gerade rechtzeitig; *as ~ as* sobald; *as ~ as possible* so schnell wie möglich. **b** *I would as ~ not go* (prefer not to) ich würde lieber nicht gehen; *I would as ~ you didn't tell him* es wäre mir lieber, wenn du es ihm nicht erzählen würdest.
sooner ['suːnər] adv **a** (time) früher ▶ *~ or later* früher oder später; *the ~ the better* je eher or früher, desto besser; *no ~ had we arrived than ...* wir waren kaum angekommen, da ...; *no ~ said than done* gesagt, getan. **b** (preference) lieber ▶ *I would ~ not do it* ich würde es lieber nicht tun.
soot [sʊt] n Ruß m ▶ *black as ~* rußschwarz.
soothe [suːð] vt beruhigen; pain lindern, mildern.
soothing ['suːðɪŋ] adj beruhigend; (pain-relieving) schmerzlindernd; massage wohltuend.
sooty ['sʊtɪ] adj (+er) rußig; deposit Ruß-.
sop [sɒp] n **a** (food) eingetunktes Brotstück. **b** (to pacify) as a ~ zur Beschwichtigung.
sophisticated [səˈfɪstɪkeɪtɪd] adj **a** (worldly, cultivated) kultiviert; person, restaurant also gepflegt, elegant; dress raffiniert, schick. **b** (complex, advanced) hochentwickelt; method also durchdacht; device also ausgeklügelt. **c** (subtle, refined) subtil; prose, style also, discussion anspruchsvoll; plan ausgeklügelt, raffiniert; system differenziert.
sophistication [sə,fɪstɪˈkeɪʃən] n see adj **a** Kultiviertheit f; Gepflegtheit, Eleganz f; Raffiniertheit f, Schick m. **b** hoher Entwicklungsstand; Durchdachtheit f; Ausgeklügeltheit f. **c** Subtilität f; hohe Ansprüche pl; Ausgeklügeltheit, Raffiniertheit f; Differenziertheit f.
sophomore ['sɒfəmɔːr] n (US) Student(in f) m im 2. Jahr.
soporific [,sɒpəˈrɪfɪk] adj einschläfernd.
sopping ['sɒpɪŋ] adj (also ~ wet) durchnäßt; person klitschnaß (col).
soppy ['sɒpɪ] adj (col) (sentimental) book, song schmalzig (col); person sentimental; look schmachtend; (effeminate) weibisch; (silly) doof (col).
soprano [səˈprɑːnəʊ] **1** n (also part) Sopran m; (person also) Sopranist(in f) m.

2 *adj* Sopran-.
3 *adv* im Sopran.
sorbet ['sɔːbeɪ] *n* Sorbet *nt or m*, Fruchteis *nt*.
sorcerer ['sɔːsərər] *n* Hexenmeister, Hexer *m*.
sorcery ['sɔːsərɪ] *n* Hexerei *f*.
sordid ['sɔːdɪd] *adj* eklig; *place also* verkommen; *motive* niedrig; *conditions, life, story* erbärmlich; *details* unerfreulich; *crime* gemein.
sore [sɔːr] **1** *adj* (+er) **a** (*inflamed*) wund, entzündet ▶ *to have a ~ throat* Halsschmerzen haben; *my eyes are ~ mir tun die Augen weh.* **b** (*fig*) *a ~ point* ein wunder Punkt. **c** (*col: angry, upset*) verärgert, sauer (*col*) (*about sth* über etw (*acc*), *at sb* über jdn) ▶ *now don't get ~ at me* werd doch nicht gleich sauer! (*col*). **2** *n* wunde Stelle.
sorely ['sɔːlɪ] *adv tempted* sehr, arg (*S Ger, Aus, Sw*); *needed* dringend; *missed* schmerzlich; (*liter*) *afflicted, offended* zutiefst; *wounded* schwer.
soreness ['sɔːnɪs] *n* (*pain*) Schmerz *m*; (*rawness*) Wundsein *nt*.
sorrel ['sɒrəl] *n* **a** (*Bot*) Sauerampfer *m*; (*wood-~*) Sauerklee *m*. **b** (*horse*) Fuchs *m*.
sorrow ['sɒrəʊ] *n* (*no pl: sadness*) Traurigkeit *f*; (*no pl: grief*) Kummer *m*; (*care*) Sorge, Kümmernis *f*; (*affliction*) Leiden *nt* ▶ *this was a great ~ to me* das hat mir großen Kummer bereitet; *her ~ at his death* ihre Trauer über seinen Tod; *to drown one's ~s* seine Sorgen ertränken.
sorrowful *adj*, **~ly** *adv* ['sɒrəʊfʊl, -fəlɪ] traurig.
▼ **sorry** ['sɒrɪ] *adj* (+er) **a** *pred* (*sad*) traurig ▶ *this work is no good, I'm ~ to say* diese Arbeit taugt nichts, das muß ich leider sagen; *to feel ~ for sb/oneself* jdn/sich selbst bemitleiden; *I feel ~ for the child* das Kind tut mir leid; *you'll be ~ for this!* das wird dir noch leid tun! **b** (*in apologizing*) *~!* Entschuldigung!, Verzeihung!; *I'm ~* es tut mir leid; *can you lend me £5? — ~* kannst du mir £5 leihen? — bedaure, leider nicht; *~?* (*pardon*) wie bitte?; *to say ~ (to sb for sth)* sich (bei jdm für etw) entschuldigen; *I'm ~ about that vase/your dog* es tut mir leid wegen der Vase/um Ihren Hund. **c** (*pitiful*) *condition, plight* traurig; *excuse* faul.
sort [sɔːt] **1** *n* **a** (*kind*) Art *f* ▶ *a ~ of ...* eine Art ..., so ein(e) ...; *this ~ of house* diese Art Haus; *what ~ of* was für ein; *he's not the ~ of man to do that* er ist nicht der Mensch, der das täte; *this ~ of thing* so etwas; *all ~s of things* alles mögliche; *people of all ~s* alle möglichen Leute; *he's a painter of a ~ or of ~s* er ist so eine Art Maler; *something of the ~* so (et)was Ähnliches; *nothing of the ~!* von wegen!; *you'll do nothing of the ~!* das wirst du schön bleiben lassen! **b** (*person*) *he's a good ~* er ist ein prima Kerl; *he's not my ~* er ist nicht mein Typ; *I don't trust his ~* solchen Leuten traue ich nicht; *I know your ~* euch Brüder kenn' ich! (*col*); *it takes all ~s (to make a world)* es gibt solche und solche. **c** *to be out of ~s* nicht ganz auf der Höhe sein. **d** (*esp Comp: sorting*) Sortieren *nt* ▶ *to do a ~* (*Comp*) sortieren. **2** *adv ~ of* (*col*) irgendwie; *it's ~ of heavy* es ist irgendwie schwer (*col*); *is this how he did it? — well, ~ of* hat er das so gemacht? — ja, so ungefähr. **3** *vt* (*also Comp*) sortieren.
♦ **sort out** *vt sep* **a** (*arrange*) sortieren; (*select*) aussortieren ▶ *to ~ sth ~ from sth* etw von etw trennen. **b** (*straighten out*) *muddle* in Ordnung bringen; *problem* lösen; *situation* klären ▶ *the problem will ~ itself ~* das Problem wird sich von selbst lösen; *to ~ oneself ~* mit sich ins reine kommen. **c** (*col*) *to ~ sb ~* sich (*dat*) jdn vorknöpfen (*col*).
sort code *n* (*Fin*) Bankleitzahl *f*.
sortie ['sɔːtɪ] *n* (*Mil*) Ausfall *m*; (*Aviat*) (Einzel)einsatz *m*.
sorting: *~ machine* *n* Sortiermaschine *f*; *~ office* *n* Postverteilstelle *f*.

so-so ['səʊ'səʊ] *adj pred, adv* (*col*) so la la.
soufflé ['suːfleɪ] *n* Soufflé *nt*.
sought [sɔːt] *pret, ptp of* **seek**.
sought-after ['sɔːtɑːftər] *adj* begehrt ▶ *much ~* vielbegehrt; *rare object* gesucht.
soul [səʊl] *n* **a** Seele *f* ▶ *All S~s' Day* Allerheiligen *nt*; *God rest his ~!* Gott hab ihn selig! **b** (*inner being*) Innerste(s), Wesen *nt*; (*finer feelings*) Herz, Gefühl *nt* ▶ *he loved her with all his ~* er liebte sie von ganzem Herzen. **c** (*person*) Seele *f* ▶ *you poor ~!* (*col*) du Ärmste(r)!; *not a ~* keine Menschenseele; *the ship was lost with all ~s* das Schiff ging mit allen Passagieren unter; *he's the ~ of discretion* er ist die Diskretion in Person. **d** (*music*) Soul *m*.
soul-destroying ['səʊldɪˌstrɔɪɪŋ] *adj* geisttötend; *factory work etc* nervtötend.
soulful ['səʊlfʊl] *adj look* seelenvoll; *person* gefühlvoll.
soul: *~mate* *n they are ~mates* sie sind verwandte Seelen; *~-searching* *n* Gewissensprüfung *f*.
sound¹ [saʊnd] **1** *adj* (+er) **a** (*in good condition*) *person, animal* gesund; *health* gut; *condition, building, appliance* einwandfrei ▶ *to be as ~ as a bell* kerngesund sein; *to be of ~ mind* (*esp Jur*) bei klarem Verstand sein, im Vollbesitz seiner geistigen Kräfte sein (*Jur*). **b** (*valid, dependable*) solide; *argument, analysis also* fundiert; *economy also* stabil; *person* verläßlich; *idea, move, advice* vernünftig ▶ *to be ~ on sth* (*have good knowledge*) gründliche Kenntnisse in etw (*dat*) haben. **c** (*thorough*) gründlich; *beating* gehörig; *defeat* vernichtend. **d** (*Jur*) *decision* rechtmäßig. **e** (*deep*) *sleep* tief, fest. **2** *adv* (+er) *to be ~ asleep* fest schlafen.
sound² **1** *n* (*noise*) Geräusch *nt*; (*Ling*) Laut *m*; (*Phys*) Schall *m*; (*Mus, of instruments*) Klang *m*; (*TV, Rad*) Ton *m* ▶ *don't make a ~* still!; *the speed of ~* (die) Schallgeschwindigkeit; *within ~ of* in Hörweite (+gen); *to the ~(s) of the national anthem* zu den Klängen der Nationalhymne; *not a ~ was to be heard* man hörte keinen Ton; *~s/the ~ of laughter* Gelächter *nt*; *we heard the ~ of voices on the terrace* wir hörten Stimmen auf der Terrasse; *I don't like the ~ of it* das klingt gar nicht gut. **2** *vt* **a** *~ your horn* hupen!; *to ~ the alarm* Alarm schlagen; (*mechanism*) die Alarmanlage auslösen; *to ~ the retreat* zum Rückzug blasen; *to ~ the "r" in "cover"* das „r" in „cover" aussprechen; *his speech ~ed a note of warning* in seiner Rede klang eine Warnung an. **b** (*test by tapping, Med*) abklopfen. **3** *vi* **a** (*emit ~*) erklingen, ertönen ▶ *feet ~ed in the corridor* im Flur waren Schritte zu hören. **b** (*give impression*) klingen, sich anhören ▶ *it ~s hollow* es klingt hohl; *the children ~ happy* es hört sich so an, als ob die Kinder ganz vergnügt sind; *he ~s French (to me)* er hört sich (für mich) wie ein Franzose an; *that ~s very odd* das hört sich sehr seltsam an; *he ~s like a nice man* nach dem, was man hört, ist er ein netter Mensch; *it ~s like a sensible idea* das klingt ganz vernünftig.
♦ **sound off** *vi* (*col*) sich auslassen (*about* über +*acc*).
♦ **sound³** *vt* (*Naut*) loten, ausloten.
♦ **sound out** *vt sep person* aushorchen; *opinions* herausfinden ▶ *to ~ sb ~ on sth* bei jdm in bezug auf etw (*acc*) vorfühlen.
sound⁴ *n* (*Geog*) Meerenge *f*, Sund *m*.
sound: *~ archives* *npl* Tonarchiv *nt*; *~ barrier* *n* Schallmauer *f*; *~bite* *n* (*Rad, TV*) prägnantes Zitat; *~ broadcasting* *n* Hörfunk *m*; *~ card* *n* (*Comput*) Soundkarte *f*; *~ effects* *npl* Toneffekte *pl*; *~ engineer* *n* Toningenieur(in *f*) *m*.
sounding ['saʊndɪŋ] *n* (*Naut*) Loten *nt*, Peilung *f* ▶ *to take ~s* (*lit*) Lotungen vornehmen; (*fig*) sondieren.
sounding board *n* (*on instrument, fig*) Resonanzboden *m*.

---

soundless *adj*, **~ly** *adv* ['saʊndlɪs, -lɪ] lautlos.

soundly ['saʊndlɪ] *adv* built, made solide; *argue, invest also* vernünftig; *thrash* tüchtig, gehörig ► *our team was* **~ beaten** unsere Mannschaft wurde eindeutig geschlagen; *to sleep* **~** tief und fest schlafen.

soundness ['saʊndnɪs] *n* [a] (*good condition*) guter Zustand; (*healthiness*) gesunder Zustand. [b] (*dependability*) Solidität *f*; (*of economy*) Stabilität *f*; (*of person*) Verläßlichkeit *f*; (*validity*) (*of argument*) Fundiertheit *f*; (*of idea, advice*) Vernünftigkeit *f*; (*Jur: of decision*) Rechtmäßigkeit *f*. [c] (*of sleep*) Tiefe *f*.

sound: **~-proof** [1] *adj* schalldicht; [2] *vt* schalldicht machen; **~ recording** *n* Tonaufnahme *f*; **~track** *n* Ton(spur *f*) *m*; (*music*) Filmmusik *f*, Soundtrack *m*; **~ wave** *n* Schallwelle *f*.

soup [suːp] *n* Suppe *f* ► *to be in the* **~** (*col*) in der Tinte sitzen (*col*).

◆**soup up** *vt sep* (*col*) *car* frisieren (*col*).

soupçon ['suːpsɔ̃ːŋ] *n* (*of spice etc*) Spur *f*; (*of irony etc*) Anflug *m*.

soup: **~-kitchen** *n* Volksküche *f*; (*for disaster area etc*) Feldküche *f*; **~-plate** *n* Suppenteller *m*; **~ spoon** *n* Suppenlöffel *m*.

sour ['saʊər] [1] *adj* (+*er*) [a] *fruit* sauer; *wine* säuerlich. [b] (*bad*) *milk* sauer; *smell* säuerlich ► *to go* **~** (*lit*) sauer werden; (*fig*) (*relationship, marriage*) sich radikal verschlechtern; (*project*) sich als Fehlschlag erweisen. [c] (*fig*) *person* verdrießlich, griesgrämig; *remark* bissig ► *he's feeling* **~** *about being demoted* er ist über seine Absetzung verbittert; *it's just* **~** *grapes* die Trauben hängen zu hoch. [2] *vt milk* sauer werden lassen; *person* griesgrämig machen; *relations* trüben.

source [sɔːs] *n* (*of river, light, information*) Quelle *f*; (*of troubles, problems etc*) Ursache *f* ► *a* **~** *of vitamin C* ein Vitamin-C-Spender *m*; *I have it from a good* **~** *that* ... ich habe es aus sicherer Quelle, daß ...; *at* **~** (*tax*) unmittelbar, direkt; *from reliable* **~***s* aus zuverlässiger Quelle.

sour(ed) cream ['saʊə(d)'kriːm] *n* saure Sahne.

sourness ['saʊənɪs] *n* saurer Geschmack; (*of wine, smell*) Säuerlichkeit *f*; (*fig*) (*of person*) Verdrießlichkeit, Griesgrämigkeit *f*; (*of remark*) Bissigkeit *f*.

souse [saʊs] *vt* übergießen ► *he* **~***d himself with water* er übergoß sich mit Wasser.

south [saʊθ] [1] *n* Süden *m* ► *in the* **~** *of* im Süden +*gen*; *to the* **~** *of* im Süden *or* südlich von; *from the* **~** aus dem Süden; (*wind*) von Süden; *to veer to the* **~** nach Süden drehen; *the S~ of France* Südfrankreich *nt*. [2] *adj* südlich, Süd-; (*in names*) Süd-. [3] *adv* im Süden; (*towards the* **~**) nach Süden ► *to be further* **~** weiter südlich sein; **~** *of* südlich von, im Süden von.

south *in cpds* Süd-; **S~ Africa** *n* Südafrika *nt*; **S~ African** [1] *adj* südafrikanisch; [2] *n* Südafrikaner(in *f*) *m*; **S~ America** *n* Südamerika *nt*; **S~ American** [1] *adj* südamerikanisch; [2] *n* Südamerikaner(in *f*) *m*; **~bound** *adj* (in) Richtung Süden; **~-east** [1] *n* Südosten *m*; [2] *adj* südöstlich; (*in names*) Süd-; [3] *adv* nach Südosten; **~-east** *of* südöstlich von; **~-easterly** *adj direction* südöstlich; **~-easterly wind** Südostwind *m*; **~-eastern** *adj* südöstlich, im Südosten.

southerly ['sʌðəlɪ] *adj* südlich; *wind* aus südlicher Richtung.

southern ['sʌðən] *adj* südlich; (*in names*) Süd-; (*Mediterranean*) südländisch ► *S~ Africa* das südliche Afrika; *S~ Europe* Südeuropa *nt*; *S~ Ireland* (Süd)irland *nt*; *S~ States* Südstaaten *pl*.

southerner ['sʌðənər] *n* Bewohner(in *f*) *m* des Südens; Südengländer(in *f*) *m*/-deutsche(r) *mf etc*; (*from the Mediterranean*) Südländer(in *f*) *m*; (*US*) Südstaatler(in *f*)

m.

southernmost ['sʌðənməʊst] *adj* südlichste(r, s).

south: **S~ German** *adj* süddeutsch; **S~ Korea** *n* Südkorea *nt*; **S~ Pole** *n* Südpol *m*; **S~ Seas** *npl* Südsee *f*; **~ward(s)** [1] *adj* südlich; [2] *adv* nach Süden, südwärts; **~-west** [1] *n* Südwesten *m*; [2] *adj* Südwest-, südwestlich; *wind* aus südwestlicher Richtung; [3] *adv* nach Südwest(en); **~-west of** südwestlich von; **S~-West Africa** *n* Südwestafrika *nt*; **~-westerly** *adj* südwestlich; *wind* Südwest-; **~-western** *adj* südwestlich.

souvenir [ˌsuːvəˈnɪər] *n* Andenken, Souvenir *nt* (*of an* +*acc*).

sou'wester [saʊˈwestər] *n* (*hat*) Südwester *m*.

sovereign ['sɒvrɪn] [1] *n* (*monarch*) Souverän *m*, Herrscher(in *f*) *m*; (*Brit old: coin*) 20-Shilling-Münze *f*. [2] *adj* (*supreme*) höchste(r, s), oberste(r,s); *state, power* souverän; *contempt* tiefste(r, s), äußerste(r, s).

sovereignty ['sɒvrɪntɪ] *n* Oberhoheit *f*; (*right of self-determination*) Souveränität *f*.

soviet ['səʊvɪət] (*Hist*) [1] *n* Sowjet *m* ► *the S~s* (*people*) die Sowjetbürger. [2] *adj attr* sowjetisch, Sowjet- ► *the S~ Union* *n* die Sowjetunion.

sow¹ [səʊ] *pret* **~ed**, *ptp* **~n** *or* **~ed** *vt* [a] *corn, plants* säen; *seed* aussäen. [b] (*fig*) *to* **~** *(the seeds of) hatred/discord/rebellion* Haß/Zwietracht säen/Aufruhr stiften.

sow² [saʊ] *n* Sau *f*.

sown [səʊn] *ptp of* **sow**¹.

soya ['sɔɪə], (*US*) **soy** [sɔɪ] *n* Soja *f* ► **~ bean** Sojabohne *f*; **~ sauce** Sojasoße *f*.

sozzled ['sɒzld] *adj* (*Brit col*) *to be* **~** einen sitzen haben (*col*); *to get* **~** beschwipst werden (*col*); (*deliberately*) sich besaufen (*col*).

spa [spɑː] *n* (*town*) Kurort *m*; (*spring*) (Mineral)quelle *f*.

space [speɪs] [1] *n* [a] Raum *m* (*also Phys*); (*outer* **~** *also*) der Weltraum, das Weltall ► *to stare into* **~** ins Leere starren. [b] *no pl* (*room*) Platz, Raum *m* ► *to take up a lot of* **~** viel Platz einnehmen; *to clear/leave some* **~** *for sb/sth* für jdn/etw Platz schaffen/lassen; *to buy* **~** (*Press*) Platz für Anzeigen kaufen; *parking* **~** Platz *m* zum Parken. [c] (*gap, empty area*) Platz *m no art*; (*between objects, words, lines*) Zwischenraum *m*; (*parking* **~**) Lücke *f* ► *please answer in the* **~** *provided* bitte an der dafür vorgesehenen Stelle beantworten. [d] (*of time*) Zeitraum *m* ► *in a short* **~** *of time* in kurzer Zeit; *in the* **~** *of one hour* innerhalb einer Stunde. [2] *vt* (*also* **~** *out*) in Abständen verteilen; *visits* verteilen; *words* Abstand lassen zwischen (+*dat*) ► **~***d out* (*col*) (*on drugs*) high (*col*); (*confused etc*) geistig weggetreten (*col*).

space *in cpds* (Welt)raum-; **~ age** *n* Weltraumzeitalter *nt*; **~-age** *adj attr* des Weltraumzeitalters; **~-bar** *n* (*Typ*) Leertaste *f*; **~craft** *n* Raumfahrzeug *nt*; (*unmanned*) Raumkörper *m*; **~ heater** *n* (*esp US*) Heizgerät *nt*; **~man** *n* (Welt)raumfahrer *m*; **~ rocket** *n* Weltraumrakete *f*; **~-saving** *adj equipment, gadget* platzsparend; **~ship** *n* Raumschiff *nt*; **~ shuttle** *n* Raumtransporter *m*; **~ station** *n* (Welt)raumstation *f*; **~ suit** *n* Raumanzug *m*; **~ travel** *n* die Raumfahrt; **~ walk** *n* Weltraumspaziergang *m*.

spacing ['speɪsɪŋ] *n* Abstände *pl*; (*between two objects*) Abstand *m*; (*also* **~** *out*) Verteilung *f*; (*of payments*) Verteilung *f* über längere Zeit.

spacious ['speɪʃəs] *adj* geräumig; *park* weitläufig.

spade [speɪd] *n* [a] (*tool*) Spaten *m*; (*children's* **~**) Schaufel *f* ► *to call a* **~** *a* **~** (*prov*) das Kind beim Namen nennen (*prov*). [b] (*Cards*) Pik *nt* ► *the Queen/two of* **~***s* die Pik-Dame/Pik-Zwei.

spadework ['speɪdwɜːk] *n* (*fig*) Vorarbeit *f*.

spaghetti [spəˈgetɪ] *n* Spaghetti *pl*; (*fig col: cables*)

Kabelsalat *m* (*col*) ▶ ~ *junction* (*col*) Autobahn-knoten(punkt) *m*.

Spain [speın] *n* Spanien *nt*.

span¹ [spæn] **1** *n* **a** (*of hand*) Spanne *f*; (*wing~, of bridge etc*) Spannweite *f* ▶ *a single-~ bridge* eine ein-gespannte Bogenbrücke. **b** (*time ~*) Zeitspanne *f*; (*of memory*) Gedächtnisspanne *f*; (*of attention*) Konzen-trationsspanne *f*; (*range*) Umfang *m*.

2 *vt* (*rope, rainbow*) sich spannen über (+*acc*); (*plank*) führen über (+*acc*); (*Mus*) *octave etc* greifen; (*encircle*) umfassen; (*in time*) sich erstrecken über (+*acc*).

span² (*old*) *pret of* **spin**.

Spaniard [ˈspænjəd] *n* Spanier(in *f*) *m*.

spaniel [ˈspænjəl] *n* Spaniel *m*.

Spanish [ˈspænıʃ] **1** *adj* spanisch ▶ *the ~* die Spanier *pl*.

2 *n* (*language*) Spanisch *nt*.

Spanish onion *n* Gemüsezwiebel *f*.

spank [spæŋk] **1** *n* Klaps *m* ▶ *to give sb a ~* jdm einen Klaps geben; (*spanking*) jdm den Hintern versohlen.

2 *vt* versohlen.

spanking [ˈspæŋkıŋ] **1** *n* Tracht *f* Prügel.

2 *adj pace* scharf.

3 *adv* (*col*) *~ new* funkelnagelneu (*col*).

spanner [ˈspænəʳ] *n* (*Brit*) Schraubenschlüssel *m* ▶ *to throw a ~ in the works* (*fig*) Sand ins Getriebe streuen (*col*); *that's a real ~ in the works* das ist wirklich ein Hemmschuh.

spar¹ [spɑːʳ] *n* (*Naut*) Rundholz *nt*.

spar² *vi* (*Boxing*) ein Sparring *nt* machen; (*fig*) sich kabbeln (*col*) (*about* um).

spare [speəʳ] **1** *adj* **a** den/die/das man nicht braucht, übrig *pred*; (*surplus*) überzählig, übrig *pred*; *bed, room* Gäste-; (*replacement*) *part etc* Ersatz- ▶ *have you any ~ string?* hast du (mal) einen Schnur?; *I can give you a racket, I have a ~ one* ich kann dir einen Schläger geben, ich habe noch einen; *take some ~ clothes* nehmen Sie Sachen zum Wechseln mit; *it's all the ~ cash I have* mehr Bargeld habe ich nicht übrig; *should you have any ~ time* sollten Sie noch Zeit haben; *we have two ~ seats* wir haben zwei Plätze übrig. **b** *to go ~* (*col*) durchdrehen (*col*).

2 *n* (*~ part*) Ersatzteil *nt*; (*~ wheel*) Reserverad *nt*; (*~ tyre*) Reservereifen *m* ▶ *I always carry a ~* ich habe immer eins als Reserve dabei.

3 *vt* **a** *usu neg* (*grudge*) *we must ~ no effort in trying to finish this job* wir dürfen keine Mühe scheuen, um diese Arbeit zu erledigen; *no expense was ~d* es wurden keine Kosten gescheut.

b *to ~ sb sth* (*give*) jdm etw überlassen *or* geben; *money* jdm etw geben; *can you ~ the time to do it?* haben Sie Zeit, das zu machen?; *I can ~ you five min-utes* ich habe fünf Minuten Zeit für Sie (übrig); *to have sth to ~* etw übrig haben; *there are three to ~* es sind drei übrig; *to have a few minutes to ~* ein paar Minuten Zeit haben; *I got to the station with two minutes to ~* ich war zwei Minuten vor der Abfahrt am Bahnhof.

c (*do without*) *person, object* entbehren, verzichten auf (+*acc*) ▶ *I can't ~ it* ich kann es nicht entbehren, ich kann darauf nicht verzichten; *can you ~ this for a moment?* kannst du mir das kurz geben?; *to ~ a thought for sb/sth* an jdn/etw denken.

d (*show mercy to*) verschonen; (*refrain from upsetting*) *sb, sb's feelings* schonen.

e (*save*) *to ~ sb/oneself sth* jdm/sich etw ersparen; *~ me the details* verschone mich mit den Einzelheiten; *to ~ him embarrassment* um ihn nicht in Verlegenheit zu bringen.

spare: *~ part n* Ersatzteil *nt*; *~ rib n* Rippchen *nt*; *~ room n* Gästezimmer *nt*; *~ time* **1** *n* (*leisure time*) Freizeit *f*; **2** *adj attr* Freizeit-; *~ tyre* (*Brit*) *or* **tire** (*US*)

n Reservereifen *m*; (*fig col*) Rettungsring *m* (*col*); *~ wheel n* Reserverad *nt*.

sparing [ˈspeərıŋ] *adj* sparsam ▶ *to be ~ of (one's) praise* mit Lob geizen.

sparingly [ˈspeərıŋlı] *adv* sparsam; *spend, drink, eat* in Maßen ▶ *to use sth ~* mit etw sparsam umgehen.

spark [spɑːk] **1** *n* (*from fire, Elec*) Funke *m*; (*fig: glimmer*) Fünkchen *nt*, Funke(n) *m* ▶ *not a ~ of life* kein Fünkchen Leben; *when the ~s start to fly* (*fig*) wenn die Funken anfangen zu fliegen; *a bright ~* (*iro*) ein Intelligenzbolzen *m* (*iro*).

2 *vt* (*also ~ off*) entzünden; *explosion* verursachen; (*fig*) auslösen; *interest, enthusiasm* wecken.

3 *vi* Funken sprühen; (*Elec*) zünden.

spark(ing) plug [ˈspɑːk(ıŋ)ˈplʌg] *n* Zündkerze *f*.

sparkle [ˈspɑːkl] **1** *n* Funkeln *nt* ▶ *he lacks ~* ihm fehlt der (rechte) Schwung.

2 *vi* funkeln (*with* vor +*dat*); (*fig: person*) vor Leben(sfreude) sprühen; (*with intelligence, wit etc*) brillieren.

sparkler [ˈspɑːkləʳ] *n* **a** (*firework*) Wunderkerze *f*. **b** (*col: diamond*) Klunker *m* (*col*).

sparkling [ˈspɑːklıŋ] *adj lights* glänzend, funkelnd; *eyes* funkelnd; *wit* sprühend; (*lively*) *person* vor Leben sprühend; (*witty*) *person, speech* vor Geist sprühend; (*bubbling*) *mineral water etc* mit Kohlensäure ▶ *~ wine (as type)* Schaumwein *m*; (*slightly ~*) Perlwein *m*; *~ white* blütenweiß; *to be ~ clean* vor Sauberkeit blitzen.

sparring partner [ˈspɑːrıŋˈpɑːtnəʳ] *n* Sparringpartner *m*; (*fig also*) Kontrahent(in *f*) *m*.

sparrow [ˈspærəʊ] *n* Sperling, Spatz *m*.

sparrowhawk [ˈspærəʊhɔːk] *n* (*European*) Sperber *m*.

sparse [spɑːs] *adj* (+*er*) spärlich; *covering, population* dünn; (*infrequent*) *references also* rar.

sparsely [ˈspɑːslı] *adv* spärlich; *wooded also, populated* dünn.

spartan [ˈspɑːtən] *adj* (*fig*) spartanisch.

spasm [ˈspæzəm] *n* (*Med*) Krampf *m*; (*of asthma, cough-ing, fig*) Anfall *m* ▶ *to work in ~s* sporadisch arbeiten.

spasmodic [spæzˈmɒdık] *adj* (*Med*) krampfartig; (*fig: occasional*) sporadisch; *growth* schubweise.

spastic [ˈspæstık] **1** *adj* spastisch.

2 *n* Spastiker(in *f*) *m*.

spat *pret, ptp of* **spit¹**.

spate [speıt] *n* (*of river*) Hochwasser *nt*; (*fig*) (*of letters, orders etc*) Flut *f*; (*of burglaries, accidents*) Serie *f*; (*of words, abuse*) Schwall *m* ▶ *the river is in (full) ~* der Fluß führt Hochwasser.

spatial [ˈspeıʃəl] *adj* räumlich.

spatter [ˈspætəʳ] *vt* bespritzen ▶ *to ~ water over sb, to ~ sb with water* jdn naß spritzen.

spatula [ˈspætjʊlə] *n* Spachtel *m*; (*Med*) Spatel *m*.

spawn [spɔːn] **1** *n* (*of fish, frogs*) Laich *m*.

2 *vi* laichen.

3 *vt* (*fig*) erzeugen.

spay [speı] *vt cat* sterilisieren.

SPCA (*US*) = **Society for the Prevention of Cruelty to Animals** Tierschutzverein *m*.

SPCC (*US*) = **Society for the Prevention of Cruelty to Children** Kinderschutzbund *m*.

▼ **speak** [spiːk] *pret* **spoke**, *ptp* **spoken** **1** *vt* **a** (*utter*) sagen; *one's thoughts* äußern; *one's lines* aufsagen ▶ *to ~ one's mind* seine Meinung sagen; *nobody spoke a word* niemand sagte ein Wort. **b** *language* sprechen ▶ *English spoken here* hier spricht man Englisch.

2 *vi* **a** (*talk, be on ~ing terms*) sprechen, reden (*about* über +*acc*, von; *on* zu); (*converse*) reden, sich unter-halten (*with* mit); (*give opinion*) sich äußern (*on, to* zu) ▶ *to ~ to or with sb* mit jdm sprechen; *did you ~?* haben Sie etwas gesagt?; *to ~ in a whisper* flüstern; *I'm not ~ing to you* mit dir rede ich nicht mehr; *I wasn't*

➤ SENTENCE BUILDER: **speak: 2a → 9.2**

~ing **to you** das war nicht für dich gemeint; *I'll ~ to him about it* (*euph: tell off*) ich werde ein Wörtchen mit ihm reden; *I don't know him to ~ to* ich kenne ihn nicht näher; ~ing **of dictionaries ...** da wir gerade von Wörterbüchern sprechen ...; *not to ~ of ...* ganz zu schweigen von ...; *it's nothing to ~ of* es ist nicht weiter erwähnenswert; *no money etc to ~ of* so gut wie kein Geld *etc*; *to ~ well of sb/sth* Gutes über jdn/etw sagen; *so to ~* sozusagen; *strictly ~ing* genau genommen; *legally ~ing* rechtlich gesehen; *generally ~ing* im allgemeinen; ~ing **personally ...** was mich betrifft ...

b *to ~ in public* in der Öffentlichkeit reden; *to ~ in the debate* in der Debatte das Wort ergreifen; *to ask sb to ~* jdm das Wort erteilen.

c (*Telec*) ~ing! am Apparat!; *Jones* ~ing! (hier) Jones!; *who is* ~ing? wer ist da, bitte?; (*on extension phone, in office*) wer ist am Apparat?

♦**speak against** *vi +prep obj* (*in debate*) sich aussprechen gegen; (*criticize*) kritisieren.

♦**speak for** *vi +prep obj* **a** (*in debate*) unterstützen. **b** *to ~ ~ sb* (*on behalf of*) in jds Namen (*dat*) sprechen; (*in favour of*) ein gutes Wort für jdn einlegen; ~ing ~ *myself ...* was mich angeht ...; *let her ~ ~ herself* laß sie selbst reden; ~ *~ yourself!* (*I don't agree*) das meinst auch nur du!; (*don't include me*) du vielleicht!; *to ~ well ~ sth* ein Beweis *m* für etw sein; *to ~ ~ itself* (*be obvious*) für sich sprechen; *that's already spoken ~* das ist schon vergeben.

♦**speak out** *vi* (*audibly*) deutlich sprechen; (*give opinion*) seine Meinung deutlich vertreten ► *to ~ ~ against sth* sich gegen etw aussprechen.

♦**speak up** *vi* **a** (*raise one's voice*) lauter sprechen; (*talk loudly*) laut (und verständlich) sprechen. **b** (*fig*) seine Meinung sagen *or* äußern ► *don't be afraid to ~* sagen Sie ruhig Ihre Meinung; *to ~ ~ for sb/sth* für jdn/etw eintreten.

speaker ['spiːkəʳ] *n* **a** (*of language*) Sprecher *m* ► *all* ~s *of German* alle Deutschsprechenden. **b** Sprecher(in *f*) *m*; (*in discussion also, in lecture*) Redner(in *f*) *m* ► *the last* or *previous* ~ der Vorredner; *our ~ today is ...* der heutige Referent ist ... **c** (*loud~, in record-player*) Lautsprecher *m*; (*separate enclosure*) Box *f*. **d** (*Parl*) *S*~ Sprecher(in *f*) *m*.

speaking ['spiːkɪŋ] *n* (*act of ~*) Sprechen *nt*; (*speeches*) Reden *pl*.

-speaking *adj suf* -sprechend; (*with native language also*) -sprachig.

speaking: ~ **clock** *n* (*Brit*) Zeitansage *f*; ~ **terms** *npl to be on ~ terms with sb* mit jdm reden.

spear [spɪəʳ] *n* Speer *m*.

spear: ~**head** **1** *n* (*of spear*) Speerspitze *f*; (*Mil*) Angriffsspitze *f*; (*fig: person, thing*) Bahnbrecher *m* (*of* für); **2** *vt* (*lit, fig*) anführen; ~**mint** *n* Grüne Minze.

spec [spek] *n* (*col*) **on ~** auf gut Glück.

special ['speʃəl] **1** *adj* **a** besondere(r, s); (*specific, exceptional*) *purpose, use, friend, favour, occasion also* speziell ► *I have no ~ person in mind* ich habe eigentlich an niemanden Bestimmtes gedacht; *take ~ care of it* passen Sie besonders gut darauf auf; *nothing ~* nichts Besonderes; *he expects ~ treatment* er will besonders behandelt werden; *what's so ~ about her?* was ist denn an ihr so besonders?; *what's so ~ about that?* na und? (*col*), das ist doch nichts Besonderes! **b** (*out of the ordinary*) *permission, edition, powers* Sonder-; *subject, dictionary* Spezial- ► ~ *feature* (*Press*) Sonderartikel *m*.

2 *n* (*constable*) Hilfspolizist(in *f*) *m*; (*train*) Sonderzug *m*; (*Cook*) Tagesgericht *nt*; (*edition*) Sonderausgabe *f*; (*product*) Sonderausführung *f*; (*unique*) Einzelanfertigung *f*.

special: ~ **agent** *n* (*spy*) Agent(in *f*) *m*; *S*~ **Branch** *n* (*Brit*) Sicherheitspolizei *f*; ~ **case** *n* (*also Jur*) Sonderfall *m*; ~ **correspondent** *n* (*Press*) Sonderberichterstatter(in *f*) *m*; ~ **delivery** *n* Eilzustellung *f*; *by ~ delivery* durch Eilboten; ~ **effects** *npl* Spezialeffekte, Tricks *pl*.

specialist ['speʃəlɪst] **1** *n* Spezialist(in *f*) *m*, Fachmann *m*/-frau *f* (*in* für); (*Med*) Facharzt *m*/-ärztin *f* (*in* für). **2** *adj attr knowledge, dictionary, training* Fach-.

speciality [ˌspeʃɪˈælɪtɪ], (*US*) **specialty** ['speʃəltɪ] *n* Spezialität *f*; (*subject also*) Spezialgebiet *nt* ► *to make a ~ of sth* sich auf etw (*acc*) spezialisieren.

specialization [ˌspeʃəlaɪˈzeɪʃən] *n* Spezialisierung *f* (*in* auf +*acc*).

specialize ['speʃəlaɪz] *vi* sich spezialisieren (*in* auf +*acc*) ► *we ~ in ...* wir haben uns auf ... spezialisiert.

specialized ['speʃəlaɪzd] *adj* spezialisiert ► *a ~ knowledge of biology* Fachkenntnisse *pl* in Biologie.

specially ['speʃəlɪ] *adv* besonders; (*specifically*) speziell, extra ► *a ~ difficult task* eine besonders schwierige Aufgabe; *I had it ~ made* ich habe es extra machen lassen.

special: ~ **needs** *npl*: *children with ~ needs, ~ needs children* behinderte Kinder, Kinder mit Behinderungen; ~ **needs teacher** Behindertenlehrer(in *f*) *m(f)*, Sonderschullehrer(in *f*) *m(f)*; ~ **offer** *n* Sonderangebot *nt*; *to be on ~ offer* im Sonderangebot sein; ~ **school** *n* Sonderschule *f*; (*for physically handicapped*) Behindertenschule *f*; ~ **subject** *n* (*Sch*) Leistungsfach *nt*.

specialty ['speʃəltɪ] (*US*) **1** *n* = **speciality**. **2** *adj store, tool* Spezial-.

species ['spiːʃiːz] *n, pl* - Art *f*; (*Biol also*) Spezies *f*.

specific [spəˈsɪfɪk] **1** *adj* **a** (*definite*) speziell; (*precise*) *statement, instructions* genau; *example* ganz bestimmt ► *9.3, to be ~* 9,3, um genau zu sein; *can you be a bit more ~?* können Sie sich etwas genauer äußern? **b** (*Sci*) spezifisch ► ~ *gravity* spezifisches Gewicht. **2** *n* ~**s** *pl* nähere Einzelheiten *pl*.

specifically [spəˈsɪfɪkəlɪ] *adv warn, order, state* ausdrücklich; (*specially*) *designed, request* speziell; (*precisely*) genau.

specification [ˌspesɪfɪˈkeɪʃən] *n* (*detail*) Angabe *f*; (*stipulation*) Bedingung *f*; (*of requirements*) genaue Angabe; (*technical description*) (genaue) Beschreibung *f*; (*design*) (*for car, machine*) (detaillierter) Entwurf *m*; (*for building*) Bauplan *m*; (*also* ~**s** *pl*) genaue Angaben *pl*; (*of car, machine*) technische Daten *pl*; (*of new building*) Baubeschreibung *f*.

specify ['spesɪfaɪ] **1** *vt* angeben; (*in detail*) detaillieren; (*list*) (einzeln) aufführen; (*stipulate*) vorschreiben; (*blueprint, contract etc*) vorsehen. **2** *vi* genaue Angaben machen ► *unless otherwise specified* wenn nicht anders angegeben.

specimen ['spesɪmɪn] **1** *n* Exemplar *nt*; (*of urine, blood etc*) Probe *f*; (*sample*) Muster *nt* ► *a beautiful* or *fine ~* ein Prachtexemplar *nt*; *he's a pretty poor ~* (*col*) er hat nicht viel zu bieten (*col*). **2** *adj attr page* Probe- ► *a ~ copy* ein Probeexemplar *nt*; *a ~ signature* eine Unterschriftenprobe.

specious ['spiːʃəs] *adj argument* vordergründig bestechend, Schein-; *claim* fadenscheinig.

speck [spek] *n* Fleck *m*; (*of blood, paint also*) Spritzer *m*; (*of soot*) Flocke *f*; (*of gold, colour etc*) Sprenkel *m* ► ~ *of dust* Stäubchen *nt*, Staubkorn *nt*; *a ~ on the horizon* ein Punkt *m* am Horizont.

speckle ['spekl] *vt* sprenkeln ► *to be ~d with sth* mit etw gesprenkelt sein.

specs [speks] *npl* (*col*) Brille *f*.

spectacle ['spektəkl] *n* **a** (*show*) Schauspiel *nt* ► *a sad ~* ein trauriger Anblick; *to make a ~ of oneself* unangenehm auffallen. **b** ~**s** *pl* (*also pair of ~s*) Brille *f*.

spectacle case *n* Brillenetui *nt*.

---

spectacular [spek'tækjʊlə^r] [1] *adj* sensationell; *improvement, success also* spektakulär.
[2] *n* (*Theat*) Show *f*.
spectator [spek'teɪtə^r] *n* Zuschauer(in *f*) *m* ▸ ~ **sport** Publikumssport *m*.
spectre, (*US*) **specter** ['spektə^r] *n* Gespenst *nt*; (*fig*) (Schreck)gespenst *nt*.
spectrum ['spektrəm] *n, pl* **spectra** Spektrum *nt*; (*fig: range also*) Skala *f*.
speculate ['spekjʊleɪt] *vi* [a] Überlegungen anstellen, spekulieren (*about, on* über +*acc*). [b] (*Fin*) spekulieren (*in* mit, *on* an +*dat*).
speculation [ˌspekjʊ'leɪʃən] *n* Spekulation *f* (*on* über +*acc*); (*guesswork also*) Vermutung *f* ▸ *it is the subject of much* ~ darüber sind viele Vermutungen angestellt worden.
speculative ['spekjʊlətɪv] *adj* [a] spekulativ; *ideas* rein theoretisch. [b] (*Fin*) Spekulations-.
speculator ['spekjʊleɪtə^r] *n* Spekulant(in *f*) *m*.
sped [sped] *pret, ptp of* **speed**.
speech [spiːtʃ] *n no pl* Sprache *f*; (*act of speaking*) Sprechen *nt*; (*manner of speaking*) Sprechweise *f*; (*oration, Theat*) Rede *f* (*on, about* über +*acc*); (*address*) Ansprache *f* ▸ *to lose/recover the power of* ~ die Sprache verlieren/zurückgewinnen; *freedom of* ~ Redefreiheit *f*; *to give or make a* ~ eine Rede etc halten; *direct/indirect or reported* ~ (*Brit Gram*) direkte/indirekte Rede.
speech: ~ **balloon** *n* Sprechblase *f*; ~ **day** *n* (*Brit*) Schulfeier *f*; ~ **defect**, ~ **impediment** *n* Sprachfehler *m*.
speechless ['spiːtʃlɪs] *adj* (*at a loss for words*) sprachlos (*with* vor +*dat*); *anger* stumm ▸ *his remark left me* ~ seine Bemerkung verschlug mir die Sprache.
speech: ~ **recognition** *n* (*Comp*) Spracherkennung *f*; ~ **synthesizer** *n* Sprachsynthesizer *m*; ~ **therapist** *n* Logopäde *m*, Logopädin *f*; ~ **therapy** *n* Sprachtherapie *f*; (*treatment*) logopädische Behandlung.
speed [spiːd] (*vb: pret, ptp* **sped** *or* ~**ed**) [1] *n* [a] Geschwindigkeit *f*; (*fast* ~ *also*) Schnelligkeit *f*; (*of moving object or person also*) Tempo *nt* ▸ *at* ~ bei hoher Geschwindigkeit; *at a high/low* ~ mit hoher/niedriger Geschwindigkeit; *at full or top* ~ mit Höchstgeschwindigkeit; *at a* ~ *of 50 mph* mit einem Tempo von 50 Meilen pro Stunde; *at the* ~ *of light* mit Lichtgeschwindigkeit; *to pick up or gather* ~ schneller werden; (*fig: development*) sich beschleunigen; *to lose* ~ (an) Geschwindigkeit verlieren; *what* ~ *were you doing?* wie schnell sind Sie gefahren?; *what is her shorthand/typing* ~? wieviele Silben/Anschläge pro Minute schreibt sie? [b] (*Aut, Tech: gear*) Gang *m* ▸ *a three-*~ *gear/gearbox* ein Dreiganggetriebe *nt*. [c] (*Phot*) (*film* ~) Lichtempfindlichkeit *f*; (*shutter* ~) Belichtungszeit *f*.
[2] *vt to* ~ *sb on his way* (*person*) jdn verabschieden; (*iro*) jdn hinauskomplimentieren; (*good wishes etc*) jdn auf seinem Weg begleiten.
[3] *vi* [a] *pret, ptp* **sped** (*move quickly*) jagen; (*arrow*) sausen ▸ *the years sped by* die Jahre vergingen wie im Fluge. [b] *pret, ptp* ~**ed** (*Aut: exceed* ~ *limit*) zu schnell fahren.
◆**speed up** *pret, ptp* ~**ed** ~ [1] *vi* (*car, driver etc*) beschleunigen; (*person*) Tempo zulegen; (*work, production etc*) schneller werden.
[2] *vt sep* beschleunigen; *person* antreiben; *research also* vorantreiben.
speed: ~**boat** *n* Rennboot *nt*; ~ **bump** *or* **hump** *n* Bodenschwelle *f*.
speedily ['spiːdɪlɪ] *adv* schnell; *reply, return* prompt.
speeding ['spiːdɪŋ] *n* Tempoüberschreitung *f*.
speed limit *n* Geschwindigkeitsbegrenzung *f*, Tempolimit *nt* ▸ *a 30 mph* ~ eine Geschwindigkeitsbegrenzung

von 50 km/h.
speedometer [spɪ'dɒmɪtə^r] *n* Tachometer *m*.
speed: ~ **skater** *n* Eisschnelläufer(in *f*) *m*; ~ **skating** *n* Eisschnellauf *m*; ~ **trap** *n* Radarfalle *f* (*col*); ~**way** *n* [a] (*Sport*) Speedwayrennen *nt*; (*track*) Speedwayrennbahn *f*; [b] (*US*) (*race-track*) Rennstrecke *f*; (*expressway*) Schnellstraße *f*.
speedy ['spiːdɪ] *adj* (+*er*) schnell; *answer, service also* prompt; *remedy* schnell wirkend.
spell[1] [spel] *n* (*lit, fig*) Zauber *m*; (*incantation*) Zauberspruch *m* ▸ *to be under a* ~ (*lit*) verzaubert *or* verhext sein; (*fig*) wie verzaubert sein; *to cast a* ~ *over sb* (*lit, fig*) jdn verzaubern; *to be under sb's* ~ (*fig*) in jds Bann (*dat*) stehen; *to break the* ~ (*lit, fig*) den Bann brechen.
spell[2] *n* (*period*) Weile *f* ▸ *for a* ~ eine Weile, eine Zeitlang; *cold/hot* ~ Kälte-/Hitzewelle *f*; *a short* ~ *of sunny weather* eine kurze Schönwetterperiode.
spell[3] *pret, ptp* ~**ed** *or* **spelt** [1] *vi* (*in writing*) richtig schreiben; (*aloud*) buchstabieren ▸ *she can't* ~ sie kann keine Rechtschreibung.
[2] *vt* [a] schreiben; (*aloud*) buchstabieren ▸ *how do you* ~ *"onyx"?* wie schreibt man „onyx"?; *how do you* ~ *your name?* wie schreibt sich Ihr Name?, wie schreiben Sie sich? [b] (*denote*) bedeuten ▸ *this* ~*s disaster (for us)* das bedeutet nichts Gutes (für uns).
◆**spell out** *vt sep* (*spell aloud*) buchstabieren; (*read slowly*) entziffern; (*explain*) verdeutlichen ▸ *do I have to* ~ *it* ~ *for you?* (*col*) muß ich noch deutlicher werden?
spell: ~**binding** *adj* fesselnd; ~**bound** *adj, adv* (*fig*) wie verzaubert, gebannt; *to hold sb* ~**bound** jdn fesseln; (*person also*) jdn in seinen Bann schlagen.
spell-check(er) ['speltʃek(ə^r)] *n* (*Comp*) Rechtschreibprüfung *f*.
spelling ['spelɪŋ] *n* Rechtschreibung *f*; (*of a word*) Schreibweise *f* ▸ ~ *check* Rechtschreibprüfung *f*; ~ *mistake* (*Recht*)schreibfehler *m*.
spelt [spelt] *pret, ptp of* **spell**[3].
spend [spend] *pret, ptp* **spent** *vt* [a] *money* ausgeben (*on* für); *energy, strength* verbrauchen; *time* brauchen ▸ *time well spent* sinnvoll genutzte Zeit. [b] (*pass*) *time, evening etc* verbringen ▸ *he* ~*s his time reading* er verbringt seine Zeit mit Lesen; *to* ~ *money/time on sth* (*devote to*) Geld/Zeit für etw aufbringen.
spending ['spendɪŋ] *n no pl* Ausgaben *pl* ▸ *government* ~ *cuts* Kürzungen im Etat; ~ *money* Taschengeld *nt*; ~ *power* Kaufkraft *f*; ~ *spree* Kauforgie *f*.
spendthrift ['spendθrɪft] [1] *adj* verschwenderisch.
[2] *n* Verschwender(in *f*) *m*.
spent [spent] [1] *pret, ptp of* **spend**.
[2] *adj ammunition, cartridge, match* verbraucht; *person* erschöpft ▸ *to be a* ~ *force* nichts mehr zu sagen haben; (*movement*) sich totgelaufen haben.
sperm [spɜːm] *n* Samenfaden *m*, Spermium *nt*; (*fluid*) Sperma *nt* ▸ ~ *bank* Samenbank *f*; ~ *donor* Samenspender *m*; ~ *duct* Samenleiter *m*; ~ *whale* *n* Pottwal *m*.
spew [spjuː] [1] *vi* (*col: vomit*) brechen, spucken.
[2] *vt* [a] (*also* ~ *up*) (*col: vomit*) erbrechen, ausspucken.
[b] (*fig: also* ~ *out*) *flames* speien; *smoke, lava also* ausstoßen.
sphere [sfɪə^r] *n* [a] Kugel *f*; (*heavenly* ~) Gestirn *nt* (*geh*). [b] (*fig*) Sphäre *f*; (*of person, experience*) Bereich *m*; (*of knowledge etc*) Gebiet, Feld *nt*; (*social etc circle*) Kreis *m* ▸ *in the* ~ *of politics* in der Welt der Politik; *his* ~ *of influence* sein Einflußbereich; ~ *of activity* (*job, specialism*) Wirkungskreis *m*; *that's outside my* ~ (*not my responsibility*) das ist nicht mein Gebiet.
spherical ['sferɪkəl] *adj* (*in shape*) kugelförmig.
sphinx [sfɪŋks] *n* Sphinx *f*.
spice [spaɪs] [1] *n* [a] Gewürz *nt* ▸ ~ *rack* Gewürzbord *nt*; *mixed* ~*(s)* Gewürzmischung *f*. [b] (*fig*) Würze *f* ▸

variety is the ~ of life (*prov*) öfter mal was Neues (*col*).
2 *vt* (*lit, fig*) würzen ► *a highly ~d account* (*fig*) ein reichlich ausgeschmückter Bericht.
spiciness ['spaɪsɪnɪs] *n* Würze *f*; (*fig*) Pikanterie *f*.
spick-and-span ['spɪkən'spæn] *adj house etc* blitzsauber, tipptopp in Ordnung *pred*; *person* wie aus dem Ei gepellt (*col*).
spicy ['spaɪsɪ] *adj* (+*er*) würzig; *sauce, food also* stark gewürzt; (*fig*) *story etc* pikant.
spider ['spaɪdə^r] *n* Spinne *f* ► *~'s web* Spinnwebe *f*, Spinnennetz *nt*.
spidery ['spaɪdərɪ] *adj writing* krakelig; *limbs etc* spinnenhaft.
spiel [ʃpiːl] *n* (*col*) Blabla *nt* (*col*); (*tall story, excuse*) Geschichte *f* (*col*).
spike [spaɪk] **1** *n* (*on railing, helmet etc*) Spitze *f*; (*nail*) Nagel *m*; (*on plant*) Stachel *m*; (*on shoe etc*) Spike *m*; (*for papers*) Dorn *m*.
2 *vt* **a** aufspießen. **b** (*fig: frustrate*) *rumours* den Boden entziehen (+*dat*) ► *to ~ sb's guns* jdm einen Strich durch die Rechnung machen (*col*). **c** (*US: lace*) *drink* einen Schuß zusetzen (+*dat*) ► *~d with rum* mit einem Schuß Rum.
spikes [spaɪks] *npl* (*Sport*) Spikes *pl*.
spiky ['spaɪkɪ] *adj* (+*er*) *railings* mit Metallspitzen; *bush, grass, animal* stach(e)lig; *branch* dornig; *flower* mit spitzen Blütenblättern; *leaf* spitz; *writing* steil.
spill [spɪl] *pret, ptp ~ed or spilt* **1** *vt* verschütten; *blood* vergießen ► *to ~ the beans (to sb)* (*col*) (jdm gegenüber) nicht dichthalten (*col*); *the lorry ~ed its load onto the road* die Ladung des Lastwagens fiel auf die Straße.
2 *vi* verschüttet werden; (*large quantity*) sich ergießen; (*fig: people*) strömen ► *the blood ~ed onto the floor* das Blut floß auf den Boden.
◆**spill out 1** *vi* (*of* aus) (*liquid*) herausschwappen; (*grain*) herausrieseln; (*money, jewels*) herausfallen; (*fig: people*) (heraus)strömen.
2 *vt sep* ausschütten; (*by accident*) verschütten.
◆**spill over** *vi* (*liquid*) überlaufen; (*grain etc, assembly*) überquellen; (*fig: population*) sich ausbreiten (*into* auf +*acc*).
spillage ['spɪlɪdʒ] *n* (*act*) Verschütten *nt*; (*of oil*) Auslaufen *nt*; (*quantity*) verschüttete Menge.
spilt [spɪlt] *pret, ptp of* **spill.**
spin [spɪn] (*vb: pret, ptp spun*) **1** *n* **a** (*revolution*) Drehung *f*; (*washing machine programme*) Schleudern *nt no pl* ► *to give sth a ~* etw (schnell) drehen; (*in washing machine*) etw schleudern; *to be in a (flat) ~* (*fig col*) rotieren (*col*) (*about* wegen). **b** (*on ball*) Drall *m*; (*Billiards*) Effet *m*. **c** (*Aviat*) Trudeln *nt no pl* ► *to go into a ~* zu trudeln anfangen. **d** (*trip*) Spritztour *f* ► *to go for a ~* (ein bißchen) spazierenfahren.
2 *vt* **a** spinnen. **b** (*turn*) *wheel* drehen; (*fast*) herumwirbeln; (*in washing machine*) schleudern; (*toss*) *coin* werfen; (*Sport*) *ball* einen Drall/Effet geben (+*dat*); (*with racket*) (an)schneiden.
3 *vi* **a** spinnen. **b** (*revolve*) sich drehen; (*fast*) (herum)wirbeln; (*plane etc*) trudeln; (*in washing machine*) schleudern ► *the car spun out of control* der Wagen geriet stark ins Schleudern; *my head is ~ning* mir dreht sich alles.
◆**spin out** *vt sep* (*col*) *money, food* strecken (*col*); *holiday, meeting* in die Länge ziehen; *story* ausspinnen.
spinach ['spɪnɪtʃ] *n* Spinat *m*.
spinal ['spaɪnl] *adj vertebrae* Rücken-; *injury, muscle* Rückgrat- ► *~ column* Wirbelsäule *f*; *~ cord* Rückenmark *nt*.
spindle ['spɪndl] *n* (*for spinning, Mech*) Spindel *f*.
spindly ['spɪndlɪ] *adj* (+*er*) *legs, arms, plant* spindeldürr; *chairs* zierlich.

spin: ~-drier, ~-dryer *n* (*Brit*) (Wäsche)schleuder *f*; *~-dry vti* schleudern.
spine [spaɪn] *n* **a** (*Anat*) Rückgrat *nt*; (*of book*) (Buch)rücken *m*. **b** (*spike*) Stachel *m*; (*of plant also*) Dorn *m*.
spine: ~-chiller *n* (*col*) Gruselgeschichte *f*; Gruselfilm *m*; **~-chilling** *adj* (*col*) gruselig; *noise* unheimlich.
spineless ['spaɪnlɪs] *adj* (*fig*) *person* ohne Rückgrat; *compromise, refusal* feige.
spinner ['spɪnə^r] *n* **a** (*of cloth*) Spinner(in *f*) *m*. **b** (*col*) = **spin-drier.**
spinney ['spɪnɪ] *n* (*esp Brit*) Dickicht *nt*.
spinning ['spɪnɪŋ] *in cpds* Spinn-; *~ top n* Kreisel *m*; *~ wheel n* Spinnrad *nt*.
spin-off ['spɪnɒf] *n* (*side-product*) Nebenprodukt *nt*.
spinster ['spɪnstə^r] *n* Unverheiratete *f*; (*pej*) alte Jungfer (*pej*) ► *to be a ~* unverheiratet *or* eine alte Jungfer (*pej*) sein.
spiral ['spaɪərəl] **1** *adj* spiralförmig; *shell also* gewunden; *spring* Spiral-; *movement* in Spiralen ► *~ staircase* Wendeltreppe *f*.
2 *n* (*lit, fig*) Spirale *f* ► *inflationary ~* Inflationsspirale *f*.
3 *vi* (*also ~ up*) sich hochwinden; (*smoke also*) spiralförmig aufsteigen; (*prices*) (nach oben) klettern.
spire [spaɪə^r] *n* (*of church*) Turmspitze *f*.
spirit ['spɪrɪt] *n* (*soul, ghost*) Geist *m* ► *I'll be with you in ~* im Geiste werde ich bei euch sein.
b *no pl* (*courage*) Mut *m*; (*vitality*) Elan *m* ► *a man of ~* (*courageous*) ein mutiger Mensch; *to break sb's ~* jds Mut brechen; *to sing with ~* mit Inbrunst singen.
c (*attitude: of country, group of people etc*) Geist *m*; (*mood*) Stimmung *f* ► *team/community ~* Mannschaftsgeist *m*/Gemeinschaftssinn *m*; *Christmas ~* (*mood*) weihnachtliche Stimmung; *party ~* Partystimmung *f*; *fighting ~* Kampfgeist *m*; *a ~ of optimism* eine optimistische Stimmung; *the ~ of the age* der Zeitgeist; *he has the right ~* er hat die richtige Einstellung; *to enter into the ~ of sth* bei etw mitmachen; *that's the ~!* (*col*) so ist's recht! (*col*); *the ~ of the law* der Geist des Gesetzes; *to take sth in the right ~* etw richtig auffassen.
d *~s pl* (*state of mind*) Stimmung *f*, *to be in good/ bad ~s* guter/schlechter Laune sein; *to keep up one's ~s* den Mut nicht verlieren; *to raise sb's ~s* jdn aufmuntern.
e *~s pl* (*alcohol*) Spirituosen *pl*.
spirited ['spɪrɪtɪd] *adj* temperamentvoll; *performance* lebendig; (*courageous*) *person, attempt* mutig; *defence, resistance* beherzt.
spirit: ~ lamp *n* Petroleumlampe *f*; *~ level n* Wasserwaage *f*.
spiritual ['spɪrɪtjʊəl] **1** *adj* geistig; (*Eccl*) geistlich.
2 *n* (*Mus*) Spiritual *nt*.
spiritualism ['spɪrɪtjʊəlɪzəm] *n* Spiritismus *m*.
spiritualist ['spɪrɪtjʊəlɪst] *n* Spiritist(in *f*) *m*.
spit¹ [spɪt] (*vb: pret, ptp spat*) **1** *n* (*saliva*) Spucke *f*.
2 *vt* spucken.
3 *vi* spucken; (*fat*) spritzen; (*fire*) zischen; (*person: verbally, cat*) fauchen ► *it is ~ting (with rain)* es tröpfelt.
◆**spit out** *vt sep* ausspucken; *words* ausstoßen ► *~ it ~!* (*fig col*) heraus mit der Sprache!
spit² *n* **a** (*Cook*) (Brat)spieß *m* ► *on the ~* am Spieß. **b** (*of land*) Landzunge *f*.
spite [spaɪt] **1** *n* **a** (*ill will*) Gehässigkeit *f* ► *to do sth out of or from ~* etw aus reiner Boshaftigkeit tun. **b** *in ~ of* (*despite*) trotz (+*gen*); *we went in ~ of everything* wir gingen dennoch; *he did it in ~ of himself* er konnte nicht anders; *in ~ of the fact that he ...* obwohl er ...
2 *vt* ärgern ► *she just does it to ~ me* sie tut es nur, um mich zu ärgern.
spiteful *adj*, **~ly** *adv* ['spaɪtfʊl, -fəlɪ] boshaft, gemein.

spitting image ['spɪtɪŋ'ɪmɪdʒ] n (col) Ebenbild nt ► **to be the ~ of sb** jdm wie aus dem Gesicht geschnitten sein.

spittle ['spɪtl] n Speichel m, Spucke f.

splash [splæʃ] **1** n **a** (spray) Spritzen nt no pl; (noise) Platschen nt no pl ► **to make a ~** (fig) Furore machen; (news) wie eine Bombe einschlagen; (book) einschlagen. **b** (small amount) Spritzer m; (in drink etc also) Schuß m; (of colour, light) Tupfen m ► **~es of paint** Farbspritzer pl.
2 vt water etc spritzen; (pour) gießen; person, object besprizen ► **to ~ water over sb** jdn mit Wasser besprizen; **the story was ~ed all over the papers** die Geschichte wurde in allen Zeitungen groß rausgebracht (col).
3 vi (liquid) spritzen; (rain, waves) klatschen; (tears) tropfen; (when diving, walking etc) platschen; (when playing) planschen.

◆**splash down** vi (Space) wassern.

◆**splash out** vi (col) tüchtig in die Tasche greifen (col); (giving presents etc) sich nicht lumpen lassen (col) ► **to ~ ~ on sth** sich (dat) etw spendieren (col).

splashdown ['splæʃdaʊn] n (Space) Wasserung f.

splatter ['splætə^r] vt besprizen; (with ink, paint etc) beklecksen.

splay [spleɪ] (also ~ **out**) vt (spread out) legs, fingers, toes spreizen; feet nach außen stellen.

splayfoot ['spleɪˌfʊt] n Spreizfuß m.

spleen [spliːn] n (Anat) Milz f; (fig) Zorn m ► **to vent one's ~** seinem Ärger Luft machen.

splendid ['splendɪd] adj **a** (magnificent) herrlich; occasion, scale großartig. **b** (excellent) hervorragend; rider etc, idea glänzend.

spendidly ['splendɪdlɪ] adv **a** (magnificently) herrlich. **b** (excellently) hervorragend, glänzend.

splendour, (US) **splendor** ['splendə^r] n Pracht f no pl; (of music, achievement) Großartigkeit f.

splice [splaɪs] vt ropes spleißen (spec); tapes, film (zusammen)kleben; pieces of wood etc verfugen.

splicer ['splaɪsə^r] n (for films) Klebepresse f.

splint [splɪnt] n Schiene f ► **to put a ~ on sth** etw schienen; **to be in ~s** geschient sein.

splinter ['splɪntə^r] **1** n Splitter m.
2 vt (zer)splittern; (with axe) wood zerhacken.
3 vi (zer)splittern.

splinter group n Splittergruppe f.

split [splɪt] (vb: pret, ptp ~) **1** n **a** Riß m (in in +dat); (in rock, wood also) Spalt m (in in +dat). **b** (fig: division) Bruch m (in in +dat); (Pol, Eccl) Spaltung f (in gen) ► **there is a ~ in the party over ...** die Partei ist in der Frage (+gen) ... gespalten. **c** (distinction: in meaning) Aufteilung f. **d** pl **the ~s** Spagat m; **to do the ~s** einen Spagat machen. **e** (col: sweet) (also banana ~) Bananen-Split m ► **jam/cream ~** mit Marmelade/ Sahne gefülltes Gebäckstück.
2 adj gespalten (on, over in +dat).
3 vt **a** (cleave) (zer)teilen; wood also, atom spalten; fabric zerreißen; seam aufplatzen lassen ► **to ~ hairs** (col) Haarspalterei treiben (col); **to ~ one's sides (laughing)** (col) vor Lachen fast platzen (col); **to ~ sth open** etw aufbrechen; **his head was ~ open when he fell** er hatte sich (dat) beim Fallen den Kopf aufgeschlagen. **b** (divide) spalten; (share) work, costs etc (sich dat) teilen ► **to ~ sth into three parts** etw in drei Teile aufteilen; **to ~ the vote** die Stimmen spalten; **a party ~ three ways** eine in drei Lager gespaltene Partei; **they ~ the profit three ways** sie haben den Gewinn in drei Teile geteilt; **to ~ the difference** (fig: in argument etc) sich auf halbem Wege einigen; (lit: with money etc) sich (dat) die Differenz teilen.
4 vi **a** (wood) sich spalten; (trousers, seam etc)

platzen; (fabric) zerreißen ► **to ~ open** aufplatzen; **my head is ~ting** (fig) mir platzt der Kopf. **b** (col: tell tales) **to ~ on sb** jdn verpfeifen (col).

◆**split off 1** vt sep abtrennen (prep obj von); (break) abbrechen (prep obj von).
2 vi abbrechen; (fig) sich trennen (from von).

◆**split up 1** vt sep money, work (auf)teilen; party, organization spalten; meeting ein Ende machen (+dat); two people trennen; crowd zerstreuen.
2 vi zerbrechen; (divide) sich teilen; (meeting, crowd) sich spalten; (partners) sich trennen.

split: **~ infinitive** n (Gram) getrennter Infinitiv; **~-level** adj (Archit) mit versetzten Geschossen; **~ peas** npl getrocknete (halbe) Erbsen pl; **~ personality** n gespaltene Persönlichkeit; **~ second 1** n **in a ~ second** in Sekundenschnelle; **2** adj **~-second timing** Abstimmung f auf die Sekunde; (of actor) Gefühl nt für den richtigen Moment; **~ time** n (Ski) Zwischenzeit f.

splitting ['splɪtɪŋ] **1** n Zerteilung f; (of wood) Spalten nt ► **the ~ of the atom** die Kernspaltung.
2 adj headache rasend.

splodge [splɒdʒ], **splotch** [splɒtʃ] n Klecks m; (of cream etc) Klacks m.

splutter ['splʌtə^r] vi (person) (spit) prusten; (stutter) stottern; (engine) stottern; (fire, fat) zischen.

spoil [spɔɪl] (vb: pret, ptp **~ed** or **spoilt**) **1** n usu pl Beute f no pl; (fig: profits also) Gewinn m ► **the ~s of war** die Kriegsbeute.
2 vt **a** (ruin, detract from) verderben; view also, town, looks etc verschandeln; peace of mind zerstören; life ruinieren; ballot papers ungültig machen ► **to ~ one's appetite** sich (dat) den Appetit verderben; **it ~ed our evening** das hat uns (dat) den Abend verdorben. **b** person verwöhnen; children also verziehen ► **to be ~t for choice** die Qual der Wahl haben.
3 vi (food) verderben ► **to be ~ing for a fight** Streit suchen.

spoiler ['spɔɪlə^r] n (Aut) Spoiler m.

spoilsport ['spɔɪlspɔːt] n (col) Spielverderber m (col).

spoilt [spɔɪlt] **1** pret, ptp of **spoil.**
2 adj child verwöhnt, verzogen.

spoke^1 [spəʊk] n Speiche f ► **to put a ~ in sb's wheel** (col) jdm Knüppel zwischen die Beine werfen (col).

spoke^2 pret of **speak.**

spoken ['spəʊkən] **1** ptp of **speak.**
2 adj language gesprochen.

spokesman ['spəʊksmən] n, pl **-men** [-mən] Sprecher m.

spokesperson ['spəʊkspɜːsn] n Sprecher(in f) m.

spokeswoman ['spəʊkswʊmən] n, pl **-women** [-wɪmɪn] Sprecherin f.

sponge [spʌndʒ] **1** n **a** Schwamm m. **b** (Cook) (also ~ **cake**) Rührkuchen m; (fatless) Biskuit-kuchen m.
2 vt **a** (clean) abwischen; (wound) abtupfen. **b** (col: scrounge) schnorren (col) (from bei).

◆**sponge down** vt sep person (mit dem Schwamm) waschen; walls also abwaschen.

sponge: **~ bag** n (Brit) Kulturbeutel m; **~ cake** n Rührkuchen m; (fatless) Biskuitkuchen m.

sponger ['spʌndʒə^r] n (col) Schnorrer m (col).

spongy ['spʌndʒɪ] adj (+er) weich; (light) pudding locker; skin etc schwammig.

sponsor ['spɒnsə^r] **1** n Förderer m, Förderin f; (for membership) Bürge m, Bürgin f; (for event) Schirmherr(in f) m; (Rad, TV, Sport etc) Sponsor(in f) m; (for fund raising) Spender(in f) m.
2 vt unterstützen; (financially also) fördern, sponsern; future member bürgen für; membership, bill befürworten; (Rad, TV, Sport etc) sponsern ► **he ~ed him at 5p a mile** er verpflichtete sich, ihm 5 Pence pro Meile zu geben.

sponsored ['spɒnsəd] adj (for charity etc) walk etc: zur

Geldbeschaffung abgehalten, wobei die Leistung vom Spender honoriert wird.

sponsorship ['spɒnsəʃɪp] _n see vt_ Unterstützung _f;_ Förderung _f;_ Schirmherrschaft _f;_ Bürgschaft _f;_ Befürwortung _f; (Rad, TV, Sport etc)_ Finanzierung _f._

spontaneity [,spɒntə'neɪətɪ] _n see adj_ Spontaneität _f;_ Ungezwungenheit _f._

spontaneous [spɒn'teɪnɪəs] _adj_ spontan; _style_ ungezwungen ▶ ~ _combustion_ Selbstentzündung _f._

spoof [spuːf] _(col)_ _n_ **a** _(parody)_ Parodie _f (of_ auf +_acc)._ **b** _(hoax)_ Scherz _m (col)._

spook [spuːk] _n (col)_ Gespenst _nt._

spooky ['spuːkɪ] _adj (+er) (col) castle etc_ gruselig _(col)._

spool [spuːl] **1** _n (Phot, on sewing machine)_ Spule _f, (on fishing line, for thread)_ Rolle _f._ **2** _vt (film, Comp etc)_ spulen.

spoon [spuːn] **1** _n_ Löffel _m_ ▶ _to be born with a silver ~ in one's mouth (fig)_ mit einem silbernen Löffel im Mund geboren sein _(col)._ **2** _vt_ löffeln.

spoonerism ['spuːnərɪzəm] _n_ lustiger Versprecher.

spoon-feed ['spuːnfiːd] _pret, ptp_ **spoon-fed** ['spuːnfed] _vt baby, invalid_ füttern; _(fig) (do thinking for)_ gängeln; _(supply with)_ füttern _(col)._

spoonful ['spuːnfʊl] _n_ Löffel _m_ ▶ _a ~ of soup_ ein Löffel Suppe.

sporadic [spə'rædɪk] _adj_ sporadisch.

spore [spɔːʳ] _n_ Spore _f._

sport [spɔːt] **1** _n_ **a** Sport _m no pl; (type of ~)_ Sportart _f_ ▶ _to be good a ~(s)_ sportlich sein; _outdoor/indoor ~s_ Sport _m_ im Freien/Hallensport _m._ **b** _(amusement)_ Spaß _m_ ▶ _to do sth for/in ~_ etw zum Spaß tun. **c** _(col: person)_ feiner Kerl _(col); (Austral)_ Junge _m_ ▶ _to be a (good) ~_ alles mitmachen; _be a ~!_ sei kein Spielverderber! **2** _vt tie, dress_ anhaben; _(show off) ring etc_ protzen mit. **3** _adj attr (US)_ = **sports.**

sporting ['spɔːtɪŋ] _adj_ **a** _person, interests_ sportlich; _gun_ Jagd- ▶ ~ _events_ Wettkämpfe _pl._ **b** _(sportsmanlike)_ sportlich; _spirit also_ Sports-; _(fig) offer, solution_ fair; _(decent)_ anständig ▶ _to give sb a ~ chance_ jdm eine faire Chance geben.

sportingly ['spɔːtɪŋlɪ] _adv_ fair; _(decently)_ anständig; _(as sporting gesture)_ fairerweise, anständigerweise.

sports, _(US also)_ **sport** _attr in cpds_ Sport-; ~ **car** _n_ Sportwagen _m;_ ~ **complex** _n_ Sportanlage _f;_ ~ **day** _n (Brit Sch)_ Sportfest _nt;_ ~ **field,** ~ **ground** _n_ Sportplatz _m;_ ~ **jacket** _n (Brit)_ Sakko _m;_ ~**man** [-mən] _n (player)_ Sportler _m;_ ~**manship** [-mənʃɪp] _n (skill)_ Sportlichkeit _f, (fairness also)_ Sportgeist _m;_ ~**woman** _n_ Sportlerin _f._

sporty ['spɔːtɪ] _adj (+er) (col) person, car, clothes_ sportlich. **b** _(jaunty)_ flott.

spot [spɒt] **1** _n_ **a** _(dot)_ Tupfen, Punkt _m; (on dice)_ Punkt _m; (on fruit)_ Fleck _m; (fig: on reputation)_ Makel _m (on_ an +_dat)_ ▶ _a dress with_ ~ ein getupftes _or_ gepunktetes Kleid; ~_s of blood/grease_ Blutflecken _pl/_ Fettflecken _pl;_ ~_s of ink_ Tintenkleckse _pl; to knock_ ~_s off sb/sth (fig col)_ jdn/etw in den Schatten stellen; _to have_ ~_s in front of one's eyes_ Sternchen sehen. **b** _(Med etc)_ Fleck _m; (pimple)_ Pickel _m_ ▶ _to break or come out in_ ~_s_ Flecken/Pickel bekommen. **c** _(place)_ Stelle _f; (point)_ Punkt _m_ ▶ _this is the ~ where Karl was murdered_ an dieser Stelle ist Karl ermordet worden; _a pleasant_ ~ ein schönes Fleckchen _(col); on the_ ~ _(at the scene)_ an Ort und Stelle; _(at once)_ auf der Stelle; _on-the-_~ _investigation_ Untersuchung _f_ an Ort und Stelle; _(immediate)_ sofortige Untersuchung; _an on-the-_~ _report_ ein Bericht _m_ vom Ort des Geschehens; _weak_ ~ schwache Stelle. **d** _(Brit col: small quantity) a_ ~ _of_ ein bißchen; _we had a_ ~ _of rain/a few_ ~_s of rain_ wir hatten ein paar

Tropfen Regen; _there was a_ ~ _of trouble/bother_ es gab etwas Ärger; _would you like to do a_ ~ _of driving?_ möchten Sie ein bißchen fahren? **e** _(difficulty)_ Klemme _f_ ▶ _to be in a (tight)_ ~, _to be on the_ ~ in der Klemme sitzen _(col); to put sb on the_ ~ jdn in Verlegenheit bringen. **f** _(in show)_ Nummer _f; (Rad, TV: for advertisement)_ Werbespot _m_ ▶ _a three-minute TV_ ~ drei Minuten Sendezeit im Fernsehen. **g** _(col:_ ~_light)_ Scheinwerfer _m; (in room)_ Strahler _m._ **2** _vt_ **a** _(notice, see)_ entdecken, sehen; _(pick out)_ erkennen; _(find) mistake, bargain_ finden. **b** _(stain)_ bespritzen ▶ _blue material_ ~_ted with white_ blauer Stoff mit weißen Tupfen. **3** _vi it's_ ~_ting (with rain)_ es tröpfelt.

spot: ~ _cash n: for_ ~ _cash_ gegen sofortige Bezahlung; ~ **check** _n_ Stichprobe _f._

spotless ['spɒtlɪs] _adj_ tadellos sauber, picobello _inv (col); (fig) reputation_ makellos.

spotlessly ['spɒtlɪslɪ] _adv:_ ~ _clean_ blitzsauber.

spot: ~**light** _n (lamp)_ Scheinwerfer _m; (in room)_ Strahler _m;_ _to be in the_ ~**light** _(fig)_ im Rampenlicht der Öffentlichkeit stehen; _to turn the_ ~**light** _on sb/sth (fig)_ die Aufmerksamkeit auf jdn/etw lenken; ~**on** _adj (Brit col) answer, analysis_ exakt, genau, richtig; ~ **price** _n_ Kassapreis _m,_ Lokopreis _m;_ ~ **remover** _n_ Fleckenentferner _m._

spotted ['spɒtɪd] _adj_ gefleckt; _(with dots)_ getüpfelt; _material_ getupft; _(marked, stained)_ fleckig.

spotty ['spɒtɪ] _adj (+er)_ fleckig; _(pimply)_ pick(e)lig, voller Pickel.

spouse [spaʊs] _n (form)_ Gatte _m (form),_ Gattin _f (form)._

spout [spaʊt] **1** _n_ **a** Ausguß _m; (on watering can)_ Rohr _nt; (of teapot etc)_ Tülle _f_ ▶ _up the_ ~ _(col: plans etc)_ im Eimer _(col)._ **b** _(jet of water etc)_ Fontäne _f._ **2** _vt_ **a** _water etc_ (heraus)spritzen; _(whale also)_ ausstoßen; _(volcano)_ speien. **b** _(col: declaim) poetry, speeches_ loslassen _(col) (at sb_ auf jdn); _words_ hervorsprudeln; _figures_ herunterrasseln _(col); nonsense_ von sich geben.

sprain [spreɪn] **1** _n_ Verstauchung _f._ **2** _vt_ verstauchen ▶ _to_ ~ _one's ankle_ sich _(dat)_ den Fuß verstauchen.

sprang [spræŋ] _pret of_ **spring.**

sprat [spræt] _n_ Sprotte _f_ ▶ _to set a_ ~ _to catch a mackerel (prov)_ mit der Wurst nach dem Schinken werfen _(prov)._

sprawl [sprɔːl] **1** _n (of town etc)_ Ausbreitung _f_ ▶ _urban_ ~ wild wuchernde Ausbreitung des Stadtgebietes. **2** _vi (person) (fall)_ der Länge nach hinfallen; _(lounge)_ sich hinflegeln; _(plant, town)_ (wild) wuchern ▶ _to send sb_ ~_ing_ jdn zu Boden werfen.

sprawling ['sprɔːlɪŋ] _adj city, suburbs_ wild wuchernd; _figure_ hingeflegelt.

spray[1] [spreɪ] _n (bouquet)_ Strauß _m; (buttonhole)_ Ansteckblume _f._

spray[2] **1** _n_ **a** Sprühregen _m; (of sea)_ Gischt _m_ ▶ _the_ ~ _from the lorries makes it difficult to see_ die Lastwagen spritzen so, daß man kaum etwas sehen kann. **b** _(implement) (also_ ~ _can)_ Sprühdose _f; (insecticide_ ~, _for irrigation)_ Spritze _f; (scent~)_ Zerstäuber _m._ **c** _(hair-~ etc)_ Spray _m or nt._ **d** _to give sth a_ ~ etw besprühen; _(with paint, insecticide)_ etw spritzen; _(with hair-~ etc)_ etw sprayen. **2** _vt plants, insects etc_ besprühen; _(with paint, insecticide)_ spritzen; _hair_ sprayen; _room_ aussprühen; _water, paint, foam_ sprühen; _perfume_ (ver)sprühen ▶ _to_ ~ _sth with water/bullets_ etw mit Wasser besprühen/mit Kugeln übersäen. **3** _vi_ sprühen; _(water, mud)_ spritzen.

sprayer ['spreɪə^r] *n* = **spray² 1(b)**.
spraygun ['spreɪgʌn] *n* Spritzpistole *f*.
spread [spred] (*vb: pret, ptp* ~) ① *n* a (*of wings*)
Spannweite *f*; (*range*) (*of marks*) Verteilung *f*; (*of prices*)
Spanne *f*; (*of ideas, interests*) Spektrum *nt* ▸ *middle-age*
~ Altersspeck *m* (*col*).

b (*growth*) Ausbreitung *f*; (*spatial*) Ausdehnung *f* ▸
the ~ of nuclear weapons die zunehmende Verbreitung
von Atomwaffen.

c (*col: of food etc*) Festessen *nt*; (*for bread*)
(Brot)aufstrich *m* ▸ *cheese* ~ Streichkäse *m*.

d (*Press, Typ: also* *double-page* ~) Doppelseite *f*;
(*report*) zweiseitiger Bericht; (*advertisement*) zweiseitige
Anzeige.

② *vt* a (*open or lay out: also* ~ *out*) ausbreiten; *fan*
öffnen; *hands, legs* spreizen ▸ *the peacock* ~ *its tail* der
Pfau schlug ein Rad; *the view which was* ~ *out before*
us die Sicht, die sich uns bot.

b *bread, surface* bestreichen; *butter, paint etc* streichen ▸ ~ *the paint evenly* verteilen Sie die Farbe
gleichmäßig; *to* ~ *a blanket on sth* eine Decke über etw
(*acc*) breiten; *the table was* ~ *with food* der Tisch war
reichlich gedeckt.

c (*distribute: also* ~ *out*) *forces, objects, payments*
verteilen; *sand, fertilizer also, muck* streuen ▸ *our re-*
sources are ~ *very thinly* unsere Mittel sind maximal
beansprucht.

d *news, panic, rumour* verbreiten.

③ *vi* a (*extend*) (*spatially*) sich erstrecken (*over, across*
über +*acc*); (*with movement*) (*weeds, fire, smile, industry*)
sich ausbreiten (*over, across* über +*acc*); (*towns*) sich
ausdehnen; (*knowledge, fear etc, smell, disease, trouble,*
fire) sich verbreiten ▸ *to* ~ *to sth* etw erreichen; (*disease*
etc) auf etw (*acc*) übergreifen. b (*butter etc*) sich streichen lassen.

◆**spread out** ① *vt sep* = **spread 2 (a, c)**.
② *vi* a (*countryside etc*) sich ausdehnen. b (*troops,*
runners) sich verteilen.

spread-eagle ['spred,iːgl] *vt* *to be* ~*d* mit ausge-
streckten Armen und Beinen daliegen.
spreader ['spredə^r] *n* Spachtel *m*.
spreadsheet ['spredʃiːt] *n* Arbeitsblatt *nt*; (*Comp*)
Tabellenkalkulation *f*.
spree [spriː] *n* *spending or shopping* ~ Großeinkauf *m*;
to be/go on a ~ (*drinking*) eine Zechtour machen;
(*spending*) groß einkaufen gehen.
sprig [sprɪg] *n* Zweig *m* ▸ ~ *of flowers* Blütenzweig.
sprightly ['spraɪtlɪ] *adj* (+*er*) *person, tune* munter; *old*
person rüstig; *walk* schwungvoll.
spring [sprɪŋ] (*vb: pret* **sprang** *or* (*US*) **sprung**, *ptp*
sprung) ① *n* a (*lit, fig liter: source*) Quelle *f*.

b (*season*) Frühling *m* ▸ ~ *is in the air* der Frühling
liegt in der Luft.

c (*leap*) Sprung *m* ▸ *in one* ~ mit einem Satz.

d (*Mech*) Feder *f* ▸ ~*s* (*Aut*) Federung *f*.

e *no pl* (*bounciness*) (*of chair*) Federung *f*; (*of wood*
etc) Elastizität *f* ▸ *to walk with a* ~ *in one's step* mit
federnden Schritten gehen.

② *vt* (*cause to operate*) auslösen; *mine also* explodieren
lassen; *lock, mousetrap etc* zuschnappen lassen ▸ *to* ~ *a*
leak (*pipe*) (plötzlich) undicht werden; (*ship*) (plötzlich)
ein Leck bekommen; *to* ~ *sth on sb* (*fig*) *idea, decision*
jdn mit etw konfrontieren; *to* ~ *a surprise on sb* jdn
völlig überraschen.

③ *vi* a (*leap*) springen; (*be activated*) ausgelöst
werden; (*mousetrap*) zuschnappen ▸ *to* ~ *at sb* jdn anspringen; *to* ~ *out at sb* auf jdn losspringen; *to* ~ *open*
aufspringen; *to* ~ *to one's feet* aufspringen; *to* ~ *into*
action aktiv werden; (*police, fire brigade etc*) in Aktion
treten; *to* ~ *into view* plötzlich in Sicht kommen; *to* ~
to mind einem einfallen; *to* ~ *to sb's aid/defence* jdm

zu Hilfe eilen; *he sprang to fame* er wurde plötzlich
berühmt; *to* ~ (*in*)*to life* (plötzlich) lebendig werden;
(*engine*) anspringen.

b (*issue: also* ~ *forth*) (*liter*) (*water, blood*) (hervor)quellen (*from* aus); (*fire, sparks*) sprühen (*from*
aus).

c (*fig*) (*idea*) entstehen (*from* aus); (*interest, irritabil-*
ity etc) herrühren (*from* von) ▸ *where did you* ~ *from?*
(*col*) wo kommst du denn her?; *to* ~ *into existence*
(plötzlich *or* rasch) entstehen.

◆**spring back** *vi* (*person*) zurückspringen; (*object*)
zurückschnellen.
◆**spring up** *vi* (*plant*) hervorsprießen; (*weeds, buildings*)
aus dem Boden schießen; (*person*) aufspringen; (*fig*)
(*friendship, firm*) (plötzlich) entstehen; (*problem,*
rumour) auftauchen.
spring: ~**binder** *n* Klemmhefter *m*; ~**board** *n* (*lit, fig*)
Sprungbrett *nt*; ~ **chicken** *n* *he's no* ~ *chicken* er ist
nicht mehr der Jüngste (*col*); ~**clean** *vt* Frühjahrsputz
machen in (+*dat*); ~**cleaning** *n* Frühjahrsputz *m*.
springiness ['sprɪŋɪnɪs] *n* Elastizität *f*.
springing ['sprɪŋɪŋ] *n* (*of car, bed etc*) Federung *f*.
spring: ~**loaded** *adj* mit einer Sprungfeder; ~ **onion** *n*
Frühlingszwiebel *f*; ~ **tide** *n* Springflut *f*; ~**time** *n*
Frühling *m*.
springy ['sprɪŋɪ] *adj* (+*er*) *step* federnd; *plank, turf, grass*
also nachgiebig, elastisch; *rubber, wood, plastic etc, hair*
elastisch; *bed* weich gefedert.
sprinkle ['sprɪŋkl] *vt* *water* sprenkeln; *lawn* sprengen;
plant besprengen; *salt, dust, sugar etc* streuen; *cake* bestreuen.
sprinkler ['sprɪŋklə^r] *n* (*Hort, Agr*) Berieselungsapparat
m; (*in garden also*) (Rasen)sprenger *m*; (*for fire-fighting*)
Sprinkler *m*; (*on watering can etc*) Sprenger *m*; (*sugar* ~)
Streuer *m*.
sprinkling ['sprɪŋklɪŋ] *n* (*of rain, dew etc*) ein paar
Tropfen; (*of sugar etc*) Prise *f*; (*fig: of humour etc*) Anflug
m ▸ *there was a* ~ *of young people* es waren ein paar
vereinzelte junge Leute da.
sprint [sprɪnt] ① *n* Lauf *m*; (*race*) Sprint *m*; (*burst of*
speed) Spurt *m* ▸ *the 100-metre(s)* ~ der 100-Meter-
Lauf.

② *vi* (*in race*) sprinten; (*dash*) rennen; (*for train etc*
also) spurten (*for* zu).
sprinter ['sprɪntə^r] *n* Sprinter(in *f*) *m*.
spritzer ['sprɪtsə^r] *n* (Wein)schorle *f*.
sprocket ['sprɒkɪt] *n* (*on bicycle etc*) Kettenrad *nt*; (*on*
projector) Greifer *m*; (*on printer*) Stachelrad *nt*.
sprout [spraʊt] ① *n* a (*of plant*) Trieb *m*; (*of tree also*)
Schößling, Sproß *m*; (*from seed*) Keim *m*. b (*Brussels*
~) (Rosenkohl)röschen *nt* ▸ ~*s pl* Rosenkohl *m*.

② *vt* *leaves, buds etc* treiben; *horns etc* entwickeln;
seeds etc keimen lassen; (*col*) *beard* sich (*dat*) wachsen
lassen.

③ *vi* a (*grow*) sprießen; (*seed, wheat etc*) keimen; (*po-*
tatoes, trees etc) Triebe bekommen. b (*lit, fig: also* ~
up) (*plants, weeds*) sprießen; (*new sects, new buildings*)
wie Pilze aus dem Boden schießen.
spruce¹ [spruːs] *n* (*also* ~ *fir*) Fichte *f*.
spruce² [spruːs] *adj* (+*er*) gepflegt; (*neat*) adrett.
◆**spruce up** *vt sep* *child* herausputzen; *house, garden*
auf Vordermann bringen (*col*) ▸ *to* ~ *oneself* ~ (*get*
dressed up) sich in Schale werfen; (*woman*) sich
zurechtmachen.
sprung [sprʌŋ] ① *ptp* of **spring**. ② *adj* gefedert.
spry [spraɪ] *adj* rüstig.
spud [spʌd] *n* (*col: potato*) Kartoffel *f*.
spun [spʌn] *pret, ptp* of **spin**.
spunk [spʌŋk] *n* (*col*) Courage *f*.
spur [spɜː^r] ① *n* Sporn *m*; (*fig*) Ansporn *m* (*to* für);
(*Geog*) Vorsprung *m* ▸ *to win or gain one's* ~*s* (*fig*) sich

(*dat*) die Sporen verdienen; **on the ~ of the moment** ganz spontan.
2 *vt* (*also* **~ on**) *horse* die Sporen geben (+*dat*); (*fig*) anspornen ▶ **~red (on) by greed** von Habgier getrieben.
spurious ['spjʊərɪəs] *adj claim* unberechtigt; *document, account* falsch; *emotion* nicht echt.
spurn [spɜːn] *vt* verschmähen.
spurt [spɜːt] **1** *n* **a** (*flow*) Strahl *m* ▶ **~s of flame** Stichflammen. **b** (*of speed*) Spurt *m* ▶ **to put a ~ on** (*lit, fig*) einen Spurt vorlegen; **there was a ~ of activity** es brach plötzlich Aktivität aus.
2 *vi* (*gush: also* **~ out**) (heraus)spritzen (*from* aus).
sputum ['spjuːtəm] *n* (*Med*) Auswurf *m*.
spy [spaɪ] **1** *n* Spion(in *f*) *m*; (*police* ~) Spitzel *m*.
2 *vt* sehen.
3 *vi* spionieren ▶ **to ~ on sb** jdn bespitzeln; **on neigh-bours** jdm nachspionieren.
◆**spy out** *vt sep* **to ~ ~ the land** (*Mil*) die Gegend auskundschaften; (*fig*) die Lage peilen.
spying ['spaɪɪŋ] *n* Spionage *f*.
spy: ~ **network** *n* Agentennetz *nt*; ~ **ring** *n* Spionagering *m*; ~ **satellite** *n* Spionagesatellit *m*; ~ **story** *n* Spionagegeschichte *f*.
Sq = **Square**.
sq = **square** ▶ ~ *m* qm, m².
squabble ['skwɒbl] **1** *n* Zank, Streit *m*.
2 *vi* (sich) zanken, (sich) streiten (*about, over* um).
squabbling ['skwɒblɪŋ] *n* Zankerei, Streiterei *f*.
squad [skwɒd] *n* (*Mil, police unit etc*) Kommando *nt*; (*drug/fraud* ~) Dezernat *nt*; (*of workmen*) Trupp *m*; (*Sport*) Spielerstamm *m*.
squad car *n* Streifenwagen *m*.
squadron ['skwɒdrən] *n* (*of cavalry*) Schwadron *f*; (*Aviat*) Staffel *f*; (*Naut*) Geschwader *nt*.
squalid ['skwɒlɪd] *adj room, house* schmutzig und verwahrlost; *existence, conditions* elend; *deed, idea etc* niederträchtig; *dispute, gossip* entwürdigend; *affair* schmutzig.
squall [skwɔːl] **1** *n* (*storm*) Bö(e) *f*, (*fig*) Gewitter *nt*.
2 *vi* schreien.
squalor ['skwɒləʳ] *n* Schmutz *m*; (*moral* ~) Verkommenheit *f*.
squander ['skwɒndəʳ] *vt* verschwenden (*on* an +*acc*); *opportunity* vertun.
square [skweəʳ] **1** *n* **a** Quadrat *nt*; (*piece of material, paper etc also*) Viereck *nt*; (*on chessboard etc*) Feld *nt*; (*on paper, in crossword*) Kästchen *nt*; (*on material etc*) Karo *nt* ▶ **cut it in ~s** schneiden Sie es quadratisch zu; **we're back to ~ one** jetzt sind wir wieder da, wo wir angefangen haben. **b** (*in town, Mil*) Platz *m*; (*US: of houses*) Block *m*. **c** (*Math*) Quadrat(zahl *f*) *nt* ▶ **the ~ of 3 is 9** 3 hoch 2 ist 9. **d** (*col: old-fashioned person*) Spießer *m* (*col*) ▶ **to be a ~** von (vor)gestern sein.
2 *adj* (+*er*) **a** (*in shape*) quadratisch; *picture, lawn etc also*, *nib* viereckig; *file* Vierkant-; *block of wood etc* vierkantig ▶ **to be a ~ peg in a round hole** am falschen Platz sein. **b** (*forming right angle*) *corner* rechtwinklig; *shoulder* eckig; *build* vierschrötig ▶ ~ **angle** rechter Winkel; ~ **brackets** eckige Klammern. **c** (*Math*) Quadrat-; **3 ~ kilometers** 3 Quadratkilometer; **3 metres** ~ 3 Meter im Quadrat; ~ **root** Quadratwurzel *f*. **d** *attr* (*complete*) *meal* ordentlich. **e** (*fair*) *deal* gerecht, fair; *game, person* ehrlich ▶ **to give sb a ~ deal** jdn fair behandeln; **I'll be ~ with you** ich will ehrlich mit dir sein. **f** (*fig: even*) **to be ~** (*accounts etc*) in Ordnung sein; **to get ~ with sb** mit jdm abrechnen. **g** (*col: old-fashioned*) überholt; *person, ideas* spießig (*col*) ▶ **he's ~** er ist von (vor)gestern.
3 *adv* (+*er*) **a** (*at right angles*) rechtwinklig ▶ ~ **with sth** senkrecht zu etw. **b** (*directly*) direkt, genau.
4 *vt* **a** (*make* ~) quadratisch machen ▶ **to ~ one's**

shoulders die Schultern straffen. **b** (*Math*) *number* quadrieren ▶ **3 ~d is 9** 3 hoch 2 ist 9. **c** (*adjust*) *debts* begleichen; *creditors* abrechnen mit; (*reconcile*) in Einklang bringen ▶ **to ~ one's accounts** abrechnen (*with* mit); **to ~ sth with one's conscience** etw mit seinem Gewissen vereinbaren; **I'll ~ it with the boss** (*col*) ich mache das mit dem Chef ab (*col*).
5 *vi* übereinstimmen (*with* mit).
◆**square off** *vt sep* (*make square*) *corner* rechtwinklig machen.
◆**square up** *vi* **a** Kampfstellung annehmen ▶ **to ~ ~ to sb** sich vor jdm aufpflanzen (*col*); (*boxer*) vor jdm in Kampfstellung gehen; (*fig*) jdm die Stirn bieten. **b** (*lit, fig: settle*) abrechnen.
squarely ['skweəlɪ] *adv* **a** (*directly*) direkt, genau; (*fig: firmly*) fest ▶ **we must face this ~** wir müssen dieser Sache (*dat*) (fest) ins Auge sehen. **b** (*honestly*) ehrlich; (*fairly*) gerecht, fair.
squash¹ [skwɒʃ] **1** *n* **a** (*Brit*) (*fruit concentrate*) Fruchtsaftkonzentrat *nt*; (*drink*) Fruchtsaftgetränk *nt*. **b** (*crowd*) Gedränge *nt* ▶ **it's a bit of a ~** es ist ziemlich eng.
2 *vt* **a** (*also* **~ up**) zerdrücken; *box etc* zusammendrücken. **b** (*fig col*) (*silence*) *person* über den Mund fahren (+*dat*); (*quash*) *protest, argument* vom Tisch fegen (*col*). **c** (*squeeze*) quetschen ▶ **to ~ sb/sth in** jdn/etw hineinquetschen; **to be ~ed together** eng zusammengequetscht sein.
3 *vi* **a** (*get* ~*ed*) zerdrückt werden. **b** (*squeeze*) sich quetschen ▶ **to ~ in** sich hinein-/ hereinquetschen; **could you ~ up?** könnt ihr etwas zusammenrücken?
squash² *n* (*Sport*) Squash *nt* ▶ ~ **court** Squashfeld *nt*.
squat [skwɒt] **1** *adj* (+*er*) *chair* niedrig; *figure, person* gedrungen.
2 *vi* **a** (*person*) (*animal*) hocken; (*also* **~ down**) sich (hin)hocken. **b** (*on land*) sich (illegal) ansiedeln ▶ **to ~ (in a house)** ein Haus besetzt haben.
squatter ['skwɒtəʳ] *n* (*on land*) illegaler Siedler; (*in house*) Hausbesetzer(in *f*) *m*.
squaw [skwɔː] *n* Squaw *f*.
squawk [skwɔːk] **1** *n* heiserer Schrei; (*of hens*) Gackern *nt*.
2 *vi* (*bird, person*) kreischen.
squeak [skwiːk] **1** *n* (*of hinge etc, shoe, pen*) Quietschen *nt no pl*; (*of person, small animal*) Quieken *nt no pl*; (*of bird*) Piepsen *nt no pl*; (*fig col: sound*) Pieps *m* (*col*) ▶ **the door opened with a ~** die Tür ging quietschend auf.
2 *vi* (*door, hinge, shoes etc*) quietschen; (*person, small animal*) quieken; (*mouse, bird*) piepsen.
squeaky ['skwiːkɪ] *adj* (+*er*) quietschend; *voice* piepsig.
squeaky-clean [,skwiːkɪ'kliːn] *adj* (*col*) blitzsauber (*col*).
squeal [skwiːl] **1** *n* (*of person, tyre, brakes*) Quietschen *nt no pl*; (*of protest*) (Auf)schrei *m*; (*of pig*) Quieken *nt no pl* ▶ **a ~ of pain** ein Schmerzensschrei *m*; **~s/a ~ of laughter** schrilles Gelächter.
2 *vi* **a** (*person, brakes, tyres*) quietschen; (*pig, puppy*) quieken; (*fig col*) jammern ▶ **to ~ with pain/pleasure** vor Schmerz kreischen/vor Vergnügen quietschen. **b** (*col: confess, inform*) (*criminal*) singen (*col*) (*to* bei); (*schoolboy etc*) petzen (*col*) (*to* bei).
squeamish ['skwiːmɪʃ] *adj person* (*easily nauseated or shocked*) empfindlich ▶ **I felt a bit ~** (*sick*) mir war leicht übel.
squeamishness ['skwiːmɪʃnɪs] *n* (*nausea*) Übelkeit *f*; (*disgust*) Ekel *m*; (*prudishness*) Zimperlichkeit *f*.
squeegee ['skwiːdʒiː] *n* (Gummi)wischer *m*; (*Phot*) Rollenquetscher *m*.
squeeze [skwiːz] **1** *n* **a** (*act of squeezing*) Drücken *nt no pl*; (*hug*) Umarmung *f*, (*of hand*) Händedruck *m*; (*in*

bus etc) Gedränge *nt* ▸ **to give sth a ~** etw drücken, etw pressen; *lemon, sponge* etw ausdrücken; **to give sb/sb's hand a ~** jdn an sich (*acc*) drücken/jdm die Hand drücken; **it was a tight ~** es war fürchterlich eng; **put a ~ of toothpaste on the brush** drücken Sie etwas Zahnpasta auf die Bürste; **to put the ~ on sb** (*col*) jdm die Daumenschrauben anlegen (*col*). **b** (*credit ~*) Kreditbeschränkung *f.*

2 *vt* drücken; *sponge, tube* ausdrücken; *orange* auspressen; (*squash*) *person, hand* einquetschen ▸ **to ~ clothes into a case** Kleider in einen Koffer zwängen; **to ~ out water/juice** Wasser/Saft herauspressen (*from* aus); **he ~d the trigger** er drückte ab; **to ~ money/information** *etc* **out of sb** Geld/Informationen *etc* aus jdm herausquetschen.

3 *vi* **to ~ in/out** sich hinein-/hinausdrängen; **to ~ past sb** sich an jdm vorbeidrücken; **to ~ through a crowd** sich durch eine Menge zwängen; **you'll have to ~ up a bit** Sie müssen ein bißchen zusammenrücken.

squelch [skweltʃ] *vi* platschen; (*shoes, mud*) quatschen.
squib [skwɪb] *n* Knallfrosch *m.*
squid [skwɪd] *n* Tintenfisch *m.*
squiggle [ˈskwɪgl] *n* (*also signature*) Schnörkel *m* ▸ (*messy*) **~s** Gekritzel *nt.*
squint [skwɪnt] **1** *n* (*Med*) Schielen *nt no pl* ▸ **to have a ~** leicht schielen; **to take a ~ at sb/sth** einen Blick auf jdn/etw werfen (*col*).
2 *vi* schielen; (*in strong light etc*) blinzeln ▸ **to ~ at sb/sth** nach jdm/etw schielen; (*quickly*) einen kurzen Blick auf jdn/etw werfen.
squire [ˈskwaɪəʳ] *n* (*esp Brit: landowner*) Gutsherr *m.*
squirm [skwɜːm] *vi* sich winden; (*in distaste*) schaudern; (*with embarrassment*) sich (drehen und) winden ▸ **spiders make me ~** vor Spinnen graust es mir.
squirrel [ˈskwɪrəl] *n* Eichhörnchen *nt.*
squirt [skwɜːt] **1** *n* **a** Spritzer *m.* **b** (*pej col: person*) Pimpf *m* (*col*).
2 *vt liquid* spritzen; *object, person* bespritzen ▸ **to ~ water at sb** jdn mit Wasser bespritzen.
3 *vi* spritzen.
Sr = senior sen.
Sri Lanka [ˌsriːˈlæŋkə] *n* Sri Lanka *nt.*
Sri Lankan [ˌsriːˈlæŋkən] **1** *adj* srilankisch.
2 *n* Srilanker(in *f*) *m.*
SRN (*Brit*) = **State Registered Nurse.**
SS = steamship.
ST (*US*) = **Standard Time.**
st (*Brit*) = **stone.**
St. = a Street Str. **b Saint** hl., St.
stab [stæb] **1** *n* **a** (*with knife etc, wound, of pain*) Stich *m* ▸ **~ wound** Stichwunde *f*; **to feel a ~ of pain** einen stechenden Schmerz empfinden; **a ~ in the back** (*fig*) ein Dolchstoß *m.* **b** (*col: try*) Versuch *m* ▸ **to have a ~ at sth** etw probieren.
2 *vt person* einen Stich versetzen (+*dat*); (*several times*) einstechen auf (+*acc*); (*wound seriously*) niederstechen ▸ **to ~ sb (to death)** jdn erstechen; **to ~ sb with a knife** jdn mit einem Messerstich/mit Messerstichen verletzen; **he was ~bed through the arm/heart** er hatte eine Stichwunde am Arm/der Stich traf ihn ins Herz; **to ~ sb in the back** (*lit*) jdm in den Rücken stechen; (*fig*) jdm in den Rücken fallen.
3 *vi* **to ~ at sb/sth** (*with knife etc*) nach jdm/etw stechen; (*with finger*) auf jdn/etw zeigen.
stabbing [ˈstæbɪŋ] **1** *n* Messerstecherei *f.*
2 *adj pain* stechend.
stability [stəˈbɪlɪtɪ] *n* Stabilität *f*; (*of relationship also, of job*) Beständigkeit *f* ▸ **(mental) ~** (seelische) Ausgeglichenheit.
stabilize [ˈsteɪbəlaɪz] **1** *vt* (*Fin, Naut, Aviat*) stabilisieren.

2 *vi* sich stabilisieren.
stabilizer [ˈsteɪbəlaɪzəʳ] *n* (*Naut*) Stabilisator *m*; (*Aviat*) Stabilisierungsfläche *f.*
stable¹ [ˈsteɪbl] *adj* (+*er*) stabil; *relationship also, job* beständig; *character* gefestigt ▸ **mentally ~** ausgeglichen.
stable² *n* (*building*) Stall *m*; (*group of racehorses*) (Renn)stall *m* ▸ **riding ~s** Reitstall *m.*
staccato [stəˈkɑːtəʊ] *adj, adv* (*Mus*) staccato; (*fig*) abgehackt.
stack [stæk] **1** *n* **a** (*pile*) Haufen *m*; (*neatly piled*) Stoß, Stapel *m* ▸ **to join the ~** (*Aviat*) kreisen. **b** (*col: lots*) Haufen *m* (*col*) ▸ **~s** jede Menge (*col*); **we have ~s of time** wir haben jede Menge Zeit.
2 *vt* **a** stapeln ▸ **to ~ up** aufstapeln. **b** (*US Cards*) präparieren ▸ **the odds are ~ed against us** (*fig*) wir haben keine großen Chancen.
3 *vi* sich stapeln lassen.
stadium [ˈsteɪdɪəm] *n* Stadion *nt.*
staff [stɑːf] **1** *n* **a** Personal *nt*; (*Sch, Univ*) Kollegium *nt*, Lehrkörper *m* (*form*); (*of department, on project*) Mitarbeiterstab *m* ▸ **a large ~** viel Personal/ein großes Kollegium/ein großer Mitarbeiterstab; **a member of ~** ein Mitarbeiter *m*; (*Sch*) ein Kollege *m*; **we have 30 typists on the ~** bei uns sind 30 Schreibkräfte angestellt; **to be on the ~** zum Personal/Kollegium/Mitarbeiterstab gehören. **b** (*stick, symbol of authority*) Stab *m.* **c** *pl* **staves** (*Mus*) Notenlinien *pl.*
2 *vt department* Mitarbeiter finden für; *hospital, shop* mit Personal besetzen; *school* mit Lehrpersonal besetzen ▸ **to be well ~ed** gut besetzt sein; **the kitchens are ~ed by foreigners** das Küchenpersonal besteht aus Ausländern.
staff: ~ canteen *n* Betriebskantine *f*; **~ meeting** *n* Lehrerkonferenz *f*; **~ nurse** *n* ausgebildete Krankenschwester; **~ officer** *n* Stabsoffizier *m*; **~room** *n* Lehrerzimmer *nt.*
Staffs (*Brit*) = **Staffordshire.**
stag [stæg] *n* (*deer*) Hirsch *m.*
stage [steɪdʒ] **1** *n* **a** (*Theat, fig*) Bühne *f*; (*platform in hall*) Podium *nt* ▸ **the ~** (*profession*) das Theater; **to be on/go on the ~** (*as career*) beim Theater sein/zum Theater gehen; **to go on ~** (*actor*) die Bühne betreten; **the ~ was set** (*fig*) alles war vorbereitet. **b** (*period*) Stadium *nt*; (*of disease, process also, of development*) Phase *f* ▸ **at this ~ in the negotiations** an diesem Punkt der Verhandlungen; **at this ~ in the game** (*fig*) zu diesem Zeitpunkt; **in the early/final ~(s)** im Anfangs-/Endstadium; **to go through a difficult ~** eine schwierige Phase durchmachen. **c** (*part of journey, race etc*) Abschnitt *m*, Etappe *f*; (*fare~*) Fahrzone *f* ▸ **in or by (easy) ~s** (*lit, fig*) etappenweise. **d** (*section of rocket*) Stufe *f.*
2 *vt play* aufführen; (*fig*) *accident, scene etc* inszenieren; *welcome* arrangieren; *demonstration, strike etc* veranstalten ▸ **to ~ a recovery/comeback** sich erholen/ein Comeback machen.
stage: ~coach *n* Postkutsche *f*; **~ door** *n* Bühneneingang *m*; **~ fright** *n* Lampenfieber *nt*; **~hand** *n* Bühnenarbeiter(in *f*) *m*; (*fig*) **~manage** *vt* (*lit*) Inspizient sein bei; (*fig*) *demonstration, argument* inszenieren; **~ manager** *n* Inspizient *m*; **~ name** *n* Künstlername *m*; **~-struck** *adj* theaterbesessen; **~ whisper** *n* **to say sth in a ~ whisper** etw hörbar flüstern.
stagger [ˈstægəʳ] **1** *vi* taumeln; (*because of illness, weakness*) wanken; (*drunkenly*) torkeln.
2 *vt* **a** (*fig: amaze*) den Atem verschlagen (+*dat*), umhauen (*col*). **b** *hours, holidays* staffeln; *seats etc* versetzt anordnen.
staggered [ˈstægəd] *adj* **a** (*amazed*) verblüfft. **b** *working hours etc* gestaffelt.
staggering [ˈstægərɪŋ] *adj* (*amazing*) umwerfend (*col*).
staging [ˈsteɪdʒɪŋ] *n* Inszenierung *f.*

stagnant ['stægnənt] *adj* (*still*) *air, water* stehend *attr*; (*foul, stale*) *water* abgestanden; *air* verbraucht; *trade* stagnierend; *mind* träge.

stagnate [stæg'neɪt] *vi* (*not circulate, business*) stagnieren; (*become foul*) (*water*) stagnieren; (*air*) verbraucht werden; (*person*) verdummen, versauern (*col*); (*mind*) einrosten.

stagnation [stæg'neɪʃən] *n* (*of water*) Stagnieren *nt*; (*of air*) Stau *m*; (*of trade also*) Stagnation *f*; (*of person*) Verdummung *f*; (*of mind*) Verlangsamung *f*.

stag night *n* Zechabend *m des Bräutigams mit seinen Freunden.*

┌─|STAG NIGHT|──────────────────────┐

i Als *stag night* bezeichnet man eine feucht-fröhliche *Männerparty*, die kurz vor einer Hochzeit vom Bräutigam und seinen Freunden meist in einem Gasthaus oder Nachtklub abgehalten wird. Diese Feiern sind oft sehr ausgelassen und können manchmal auch zu weit gehen (wenn dem betrunkenen Bräutigam ein Streich gespielt wird). Siehe auch **hen night**.

stag party *n* a Herrenabend *m*; b = ~ **night**.

staid [steɪd] *adj* (+*er*) gesetzt; *colour* gedeckt.

stain [steɪn] 1 *n* a (*lit*) Fleck *m*; (*fig also*) Makel *m* ▸ **a blood** ~ ein Blutfleck *m*; ~ **remover** Fleckenentferner *m*. b (*colorant*) (Ein)färbemittel *nt*; (*wood*~) Beize *f*. 2 *vt* beflecken; (*colour*) einfärben; (*with wood*~) beizen. 3 *vi* a (*leave a* ~) Flecken hinterlassen. b (*get* ~*ed*) Flecken bekommen.

stained [steɪnd] *adj dress, floor* fleckig; *glass* bemalt; *reputation* befleckt ▸ ~*-glass window* Buntglasfenster *nt*; ~ **with blood** blutbefleckt.

stainless ['steɪnlɪs] *adj* (*rust-resistant*) rostfrei ▸ ~ **steel** Edelstahl *m*; "~ **steel**" „rostfrei"; ~ **steel cutlery** rostfreies Besteck.

stair [steə^r] *n* a (*step*) Stufe *f*. b *usu pl* (~*way*) Treppe *f* ▸ **at the top of the** ~**s** oben an der Treppe.

stair: ~ **carpet** *n* Treppenläufer *m*; ~ **case** *n* Treppe *f*; ~**way** *n* Treppe *f*; ~**well** *n* Treppenhaus *nt*.

stake [steɪk] 1 *n* a (*post*) Pfahl *m*; (*for plant*) Stange *f*; (*for animal*) Pflock *m*. b (*place of execution*) Scheiterhaufen *m* ▸ **to be burnt at the** ~ auf dem Scheiterhaufen verbrannt werden. c (*bet*) Einsatz *m*; (*financial interest*) Anteil *m* ▸ **to be at** ~ auf dem Spiel stehen; **he has a lot at** ~ er hat viel zu verlieren; **to have a** ~ **in sth** *in business* einen Anteil an etw (*dat*) haben; **that's precisely the issue at** ~ genau darum geht es. 2 *vt* a *animal* anpflocken. b (*also* ~ **up**) *plant* hochbinden; *fence* abstützen. c (*bet, risk*) setzen (*on* auf +*acc*); (*US: back financially*) finanziell unterstützen ▸ **to** ~ **one's life/reputation on sth** seine Hand für etw ins Feuer legen/sich mit seinem guten Namen für etw verbürgen; **to** ~ **a/one's claim to sth** sich (*dat*) ein Anrecht auf etw (*acc*) sichern.

◆**stake off** *or* **out** *vt sep land* abstecken.

stalactite ['stæləktaɪt] *n* Stalaktit *m*.

stalagmite ['stæləgmaɪt] *n* Stalagmit *m*.

stale [steɪl] *adj* (+*er*) a (*old, musty*) alt; *cake also* trocken; (*in taste, smell also*) muffig; *water, beer* schal; *air* verbraucht. b (*fig*) *news* überholt; *joke* abgedroschen; *athlete, pianist* verbraucht.

stalemate ['steɪlmeɪt] *n* (*Chess, fig*) Patt *nt* ▸ **to reach** ~ (*lit*) ein Patt erreichen; (*fig*) in eine Sackgasse geraten.

stalk¹ [stɔːk] 1 *vt game* sich anpirschen an (+*acc*); *person* sich anschleichen an (+*acc*); (*animal*) sich heranschleichen an (+*acc*). 2 *vi* (*walk haughtily*) stolzieren.

stalk² *n* (*of plant, leaf*) Stiel *m*; (*cabbage* ~) Strunk *m* ▸

his eyes popped out on ~**s** (*col*) er bekam Stielaugen (*col*).

stalker ['stɔːkə^r] *n* jemand, der die ständige Nähe zu einer von ihm verehrten (prominenten) Person sucht oder sie mit Anrufen, Briefen etc belästigt.

stall [stɔːl] 1 *n* a (*in stable*) Box *f*. b (*at market etc*) Stand *m*. c ~**s** *pl* (*Brit Theat, Film*) Parkett *nt*; **in the** ~**s** im Parkett. 2 *vt* (*Aut*) abwürgen; (*Aviat*) überziehen. 3 *vi* a (*engine*) absterben; (*Aviat*) überziehen. b (*delay*) Zeit schinden (*col*) ▸ **to** ~ **on a decision** eine Entscheidung hinauszögern; **to** ~ **for time** versuchen, Zeit zu gewinnen; **stop** ~**ing** hören Sie auf auszuweichen; ~**ing tactics** Hinhaltetaktik *f*.

stallholder ['stɔːlhəʊldə^r] *n* Standinhaber(in *f*) *m*.

stallion ['stæljən] *n* Hengst *m*.

stalwart ['stɔːlwət] 1 *adj* a (*in spirit*) treu; *belief* unerschütterlich. b (*in build*) robust. 2 *n* (*supporter*) (getreuer) Anhänger.

stamen ['steɪmen] *n* Staubgefäß *nt*.

stamina ['stæmɪnə] *n* Ausdauer *f*.

stammer ['stæmə^r] 1 *n* Stottern *nt* ▸ **to speak with a** ~ stottern. 2 *vt* stammeln. 3 *vi* stottern.

stamp [stæmp] 1 *n* a (*postage* ~) (Brief)marke *f*; (*insurance* ~ *etc*) Marke *f*; (*trading* ~) (Rabatt)marke *f*; (*airmail* ~, *sticker*) Aufkleber *m*. b (*rubber* ~ *etc*) Stempel *m*. c (*fig*) **to bear the** ~ **of authenticity** authentischen Charakter haben. 2 *vt* a **to** ~ **one's foot** (mit dem Fuß) aufstampfen; **to** ~ **the ground** (mit dem Fuß/den Füßen) auf den Boden stampfen. b (*put postage* ~ *on*) freimachen ▸ **a** ~*ed addressed envelope* ein frankierter Rückumschlag. c *document etc* (*with rubber* ~) stempeln; (*with embossing machine*) prägen; *name, pattern* aufstempeln; aufprägen (*on* auf +*acc*); (*fig*) ausweisen (*as* als) ▸ **the new leader has** ~**ed his personality on the party** der neue Vorsitzende hat der Partei seine Persönlichkeit aufgeprägt. 3 *vi* (*walk*) sta(m)pfen; (*disapprovingly, in dancing*) (auf)stampfen; (*horse*) aufstampfen ▸ **you** ~**ed on my foot!** Sie haben mir auf den Fuß getreten!

◆**stamp out** 1 *vt sep* a *fire* austreten; (*fig: eradicate*) *epidemic, crime* ausrotten; *opposition* unterdrücken; *trouble* niederschlagen; *rebels* unschädlich machen. b (*cut out*) *pattern* ausstanzen. 2 *vi* herausta(m)pfen.

stamp: ~ **album** *n* Briefmarkenalbum *nt*; ~ **collection** *n* Briefmarkensammlung *f*; ~ **collector** *n* Briefmarkensammler(in *f*) *m*; ~ **duty** *n* (Stempel)gebühr *f*.

stampede [stæm'piːd] 1 *n* (*of cattle*) wilde Flucht; (*of people*) Massenansturm *m* (*on* auf +*acc*); (*to escape*) wilde Flucht. 2 *vt horses, crowd* in (wilde *or* helle) Panik versetzen ▸ **to** ~ **sb into doing sth** (*fig*) jdn dazu drängen, etw zu tun. 3 *vi* durchgehen; (*crowd*) losstürmen (*for* auf +*acc*).

stamp machine *n* Briefmarkenautomat *m*.

stance [stæns] *n* (*posture, Sport*) Haltung *f*; (*mental attitude also*) Einstellung *f*.

▼ **stand** [stænd] (*vb: pret, ptp* **stood**) 1 *n* a **to take a** ~ (**on a matter**) (zu einer Angelegenheit) eine Einstellung vertreten; **to take a firm** ~ einen festen Standpunkt vertreten (*on* zu). b (*Mil*) (*resistance*) Widerstand *m*; (*battle*) Gefecht *nt* ▸ **to make a** ~ (*lit, fig*) Widerstand leisten. c (*taxi* ~) Stand *m*. d (*furniture, music* ~) Ständer *m*. e (*market stall etc*) Stand *m*. f (*band*~) Podium *nt*. g (*Sport*) Tribüne *f*; (*US Jur*) Zeugenstand *m* ▸ (*we sat*) **in the** ~ (wir saßen) auf der Tribüne. 2 *vt* a (*place*) stellen. b (*withstand*) *pressure, close examination etc* (*object*) standhalten (+*dat*); (*person*) gewachsen sein (+dat); *test* bestehen; *climate* vertragen; *heat, noise* aushalten; *loss, cost* verkraften. **c** (*col: put up with*) *person, noise etc* aushalten ► *I can't ~ him/it* (*don't like*) ich kann ihn/es nicht ausstehen; *I can't ~ being kept waiting* ich kann es nicht leiden, wenn man mich warten läßt; *I can't ~ it any longer* ich halte das nicht mehr (länger) aus. **d** *to ~ sb a drink* (*col*) jdm einen Drink spendieren.

3 *vi* **a** (*be situated, be upright*) stehen; (*get up*) aufstehen ► *don't just ~ there!* stehen Sie nicht nur (dumm) rum! (*col*); *to ~ still* stillstehen; *we stood talking* wir standen da und unterhielten uns; *to be left ~ing* (*house etc*) stehenbleiben; (*fig*) weit zurückfallen (*by* hinter +*dat*).

b *he ~s over 6 feet* er ist über 1,80 m groß; *the tree ~s 70 feet high* der Baum ist 20 m hoch.

c *to ~ as a candidate* kandidieren.

d (*continue to be valid*) (*offer, argument, contract*) gelten; (*decision, record, account*) stehen ► *the theory ~s or falls by this* damit steht und fällt die Theorie.

e (*fig: be in a position*) *we ~ to lose/gain a lot* wir laufen Gefahr, eine Menge zu verlieren/wir können sehr viel gewinnen.

f (*fig: be placed*) *how do we ~?* wie stehen wir?; *I'd like to know where I ~ (with him)* ich möchte wissen, woran ich (bei ihm) bin; *to ~ accused of sth* einer Sache (*gen*) angeklagt sein; *as things ~* nach Lage der Dinge.

g (*fig: be, continue to be*) *to ~ firm or fast* festbleiben; *to ~ ready* sich bereithalten; *to ~ together* zusammenhalten; *to ~ (as) security for sb* für jdn bürgen; *nothing now ~s between us* es steht nichts mehr zwischen uns.

◆**stand about** *or* **around** *vi* herumstehen.

◆**stand aside** *vi* (*lit*) zur Seite treten; (*fig: withdraw*) zurücktreten.

◆**stand back** *vi* (*move back*) zurücktreten; (*be situated at a distance*) abliegen; (*fig: distance oneself*) Abstand nehmen ► *to ~ ~ and do nothing* tatenlos zusehen.

◆**stand by 1** *vi* **a** (*remain uninvolved*) (unbeteiligt) danebenstehen. **b** (*be on alert*) sich bereithalten.
2 *vi* +*prep obj* *to ~ ~ a promise/sb* ein Versprechen/zu jdm halten.

◆**stand down** *vi* (*retire, withdraw*) zurücktreten; (*before appointment*) verzichten; (*Jur*) den Zeugenstand verlassen.

◆**stand for** *vi* +*prep obj* **a** (*be candidate for*) kandidieren für ► *to ~ ~ election* sich zur Wahl stellen. **b** (*represent*) stehen für. **c** (*put up with*) hinnehmen.

◆**stand in** *vi* einspringen (*for* für).

◆**stand out** *vi* **a** (*project*) hervorstehen; (*land, balcony*) herausragen. **b** (*contrast, be noticeable*) auffallen ► *to ~ ~ against sth* sich von etw abheben; (*oppose*) gegen etw Widerstand leisten; *to ~ ~ for sth* auf etw (*acc*) bestehen.

◆**stand up 1** *vi* **a** (*get up*) aufstehen; (*be standing*) stehen. **b** (*argument*) überzeugen; (*Jur*) bestehen. **c** *to ~ ~ for sb/sth* für jdn/etw eintreten; *to ~ ~ to sth* to test, pressure (*object*) einer Sache (*dat*) standhalten; (*person*) einer Sache (*dat*) gewachsen sein; *to hard wear* etw (*acc*) aushalten; *to ~ ~ to sb* sich jdm gegenüber behaupten.
2 *vt sep* **a** (*put upright*) hinstellen. **b** (*col*) *boyfriend etc* versetzen.

stand-alone [ˌstændə'ləʊn] *adj* (*Comp*) eigenständig.

standard ['stændəd] **1** *n* **a** (*average, established norm*) Norm *f*; (*criterion*) Maßstab *m* ► *to set a good ~* Maßstäbe setzen; *to be above/below ~* über/unter der Norm sein; *to be up to ~* den Anforderungen genügen. **b** *usu pl* (*moral ~s*) (sittliche) Maßstäbe *pl* ► *he sets himself very high ~s* er stellt hohe Anforderungen an

sich (*acc*) selbst. **c** (*degree, level*) Niveau *nt* ► *~ of living* Lebensstandard *m*; *first-year university* ~ Wissensstand *m* des ersten Studienjahrs; *of high/low* ~ von hohem/niedrigem Niveau. **d** (*measurement*) (Maß)einheit *f*; (*monetary* ~) (Währungs)standard *m*. **e** (*flag*) Flagge *f*; (*on car*) Stander *m* ► *~-bearer* Fahnenträger *m*.
2 *adj* (*usual, customary*) üblich; *model, price, practice, reply, reference work* Standard-; *equipment* serienmäßig; *size* Normal-; (*established*) *weight, size* Norm- ► *~ letter* (*Comm*) Schemabrief *m*; *~ English* korrektes Englisch; *~ German* Hochdeutsch *nt*; *S~ Time* (*US*) Normalzeit *f*; *it's ~ practice/procedure* es ist allgemein üblich/das übliche Verfahren; *it's fitted as ~* es wird serienmäßig eingebaut.

standardization [ˌstændədaɪ'zeɪʃən] *n* Standardisierung *f*, Normung *f*.

standardize ['stændədaɪz] *vt education, style* vereinheitlichen; *format, sizes etc* normen.

standard: *~ lamp* *n* (*Brit*) Stehlampe *f*; *~ rose* *n* Rosenstock *m*.

stand-by ['stændbaɪ] **1** *n* **a** (*person*) Ersatz, Ersatzmann *m*; (*Sport also*) Auswechselspieler(in *f*) *m*; (*thing*) Reserve *f*, (*Aviat*) (*plane*) Entlastungsflugzeug *nt*; (*ticket*) Standby-Ticket *nt*. **b** (*state of readiness*) *on* ~ in Bereitschaft; (*ready for action*) in Einsatzbereitschaft; *to be on 24-hour* ~ 24 Stunden Bereitschaftsdienst haben.
2 *adj attr troops, player* Reserve-; (*Aviat*) *plane* Entlastungs-; *ticket, flight* Standby- ► *~ generator* Notstromaggregat *nt*.

stand-in ['stændɪn] *n* (*Film, Theat*) Ersatz *m*.

standing ['stændɪŋ] **1** *n* **a** (*social*) Rang *m*, (gesellschaftliche) Stellung; (*professional*) Position *f*; (*financial*) (finanzielle) Verhältnisse *pl*; (*repute*) Ruf *m* ► *of high* ~ von hohem Rang; (*repute*) von hohem Ansehen; *a man of some* ~ ein angesehener Mann; *what is his ~ locally?* was hält man in der Gegend von ihm? **b** (*duration*) Dauer *f* ► *a treaty of only six months'* ~ ein Vertrag, der erst seit sechs Monaten besteht; *of long* ~ alt, langjährig.
2 *adj attr* **a** (*established, permanent*) ständig; *rule, custom* bestehend; *army also* stehend ► *it's a ~ joke* das ist schon zu einem Witz geworden; *to pay sth by ~ order* etw per Dauerauftrag bezahlen. **b** (*from a standstill*) *start, jump* aus dem Stand; (*not sitting*) *ticket* Stehplatz-; (*erect*) *corn* auf dem Halm (stehend); *stone* (aufrecht) stehend ► *~ room only* nur Stehplätze; *to give sb a ~ ovation* jdm eine stehende Ovation darbringen.

stand: *~-offish* [ˌstænd'ɒfɪʃ] *adj* (*col*) distanziert; *~pat adj* (*US*) erzkonservativ; *~pipe* *n* Steigrohr *nt*; *~point* *n* Standpunkt *m*; *from the ~point of the teacher* von Standpunkt des Lehrers gesehen; *~still* *n* Stillstand *m*; *to be at a ~still* (*plane, train*) stehen; (*machines, traffic, factory*) stillstehen; (*trade*) ruhen; *to bring production to a ~still* die Produktion zum Erliegen bringen; *to come to a ~still* (*person, vehicle*) anhalten; (*traffic, machines*) zum Stillstand kommen; (*industry etc*) zum Erliegen kommen; *~-up adj attr buffet, collar* Steh-; *meal* im Stehen; *~-up fight* Schlägerei *f*; *~-up comic or comedian* Bühnenkomiker(in *f*) *m*.

stank [stæŋk] *pret of* **stink**.

stanza ['stænzə] *n* Strophe *f*.

staple[1] ['steɪpl] **1** *n* Heftklammer *f*; (*for wires, cables etc*) Krampe *f*.
2 *vt* heften; *wire* mit Krampen befestigen ► *to ~ sth together* etw zusammenheften.

staple[2] *adj diet, food* Grund-, Haupt-.

stapler ['steɪplər] *n* Heftmaschine *f*.

star [stɑːr] **1** *n* **a** Stern *m*; (*asterisk also, Sch*) Sternchen *nt* ► *the S~s and Stripes* das Sternenbanner; *you can thank your lucky ~s that ...* Sie können von Glück sagen, daß ...; *it's all in the ~s* es steht (alles) in den

Sternen; **to see ~s** Sterne sehen; **a four-~ hotel** ein Vier-Sterne-Hotel nt. **[b]** (person) Star m.
[2] adj attr attraction Haupt-; performer, pupil Star-.
[3] vt (Film etc) **to ~ sb** jdn in der Hauptrolle zeigen; **~ring ...** in der Hauptrollen/den Hauptrollen ...
[4] vi (Film etc) die Hauptrolle spielen.
starboard ['stɑːbəd] **[1]** n Steuerbord nt.
[2] adj Steuerbord-.
starch [stɑːtʃ] **[1]** n Stärke f ► **~-reduced** stärkearm.
[2] vt stärken.
starchy ['stɑːtʃɪ] adj (+er) stärkehaltig; (fig) steif.
stardom ['stɑːdəm] n Ruhm m ► **where he hoped to find ~** wo er hoffte, ein Star zu werden.
stare [stɛəʳ] **[1]** n (starrer) Blick ► **to give sb a ~** jdn anstarren.
[2] vt **the answer was staring us in the face** die Antwort lag klar auf der Hand.
[3] vi (vacantly etc) (vor sich hin) starren; (cow, madman) stieren; (in surprise) große Augen machen; (eyes) weit aufgerissen sein ► **he ~d in disbelief** er starrte ungläubig; **to ~ at sb/sth** jdn/etw anstarren.
star: ~fish n Seestern m; **~gazer** n (hum col) Sterngucker m (hum col).
stark [stɑːk] **[1]** adj (+er) realism, contrast kraß; reality, poverty also, truth, terror nackt; landscape, cliffs, branches kahl; colour kräftig; (glaring) grell.
[2] adv **~ raving** or **staring mad** (col) total verrückt (col); **~ naked** (also **starkers** col) splitternackt.
starkly ['stɑːklɪ] adv lit grell; contrasted scharf; described kraß.
starless ['stɑːlɪs] adj stern(en)los.
starlet ['stɑːlɪt] n (Film)sternchen nt.
starlight ['stɑːlaɪt] n Sternenlicht nt.
starling ['stɑːlɪŋ] n Star m.
starlit ['stɑːlɪt] adj sky, night stern(en)klar.
starry ['stɑːrɪ] adj (+er) night stern(en)klar.
starry-eyed [,stɑːrɪ'aɪd] adj idealist blauäugig ► **to go all ~** glänzende Augen kriegen.
star: S~-spangled Banner n Sternenbanner nt; **~-studded** adj **[a]** (liter) night stern(en)klar; **[b]** (fig) **~-studded cast** Starbesetzung f.
start¹ [stɑːt] **[1]** n (fright etc) **to give a ~** zusammenfahren; (start up) aufschrecken; (horse) scheuen; **to give sb a ~** jdn erschrecken; **to wake with a ~** aus dem Schlaf hochschrecken.
[2] vi zusammenfahren; (start up) aufschrecken ► **to ~ from one's chair/out of one's sleep** aus dem Stuhl hochfahren/aus dem Schlaf hochschrecken.
▼ **start²** **[1]** n **[a]** (beginning) Beginn, Anfang m; (departure) Aufbruch m; (of race) Start m; (of rumour, trouble, journey) Ausgangspunkt m ► **at the ~** am Anfang, zu Beginn; (Sport) am Start; **for a ~** (to begin with) fürs erste; (firstly) zunächst einmal; **from the ~** von Anfang an; **from ~ to finish** von Anfang bis Ende; **to make a ~ (on sth)** (mit etw) anfangen; **to make an early ~** frühzeitig aufbrechen; **to make a fresh ~ (in life)** (noch einmal) von vorn anfangen. **[b]** (advantage, Sport) Vorsprung m (over vor +dat).
[2] vt **[a]** (begin) anfangen mit; argument, career, new life, negotiations beginnen, anfangen; new job, journey antreten ► **to ~ work** anfangen zu arbeiten; **he ~ed life as a miner** er hat als Bergmann angefangen; **you ~ed it!** du hast angefangen!; **don't ~ that again!** fang nicht schon wieder (damit) an! **[b]** (cause to begin) runners, race starten; train abfahren lassen; rumour in Umlauf setzen; conversation anfangen, anknüpfen; fight anfangen; blaze, collapse, chain reaction auslösen; fire anzünden; (arsonist) legen; (found) enterprise gründen ► **to ~ sb thinking/on a subject** jdn nachdenklich machen/jdn auf ein Thema bringen; **to ~ sb on a career** jdm zu einer Karriere verhelfen. **[c]** car, machine starten;

engine also anlassen; clock in Gang setzen.
[3] vi **[a]** (begin) anfangen, beginnen; (car, engine) anspringen; (plane) starten; (move off) anfahren; (bus, train) abfahren; (rumour) in Umlauf kommen; (violins etc) einsetzen ► **~ing from Tuesday** ab Dienstag; **to ~ for home** sich auf den Heimweg machen; **to ~ (off) with** (firstly) erstens; (at the beginning) zunächst; **to ~ after sb** jdn verfolgen; **to get ~ed** anfangen; (on trip) aufbrechen; **to ~ on a task/the food** sich an eine Aufgabe/ ans Essen machen; **to ~ talking** zu sprechen anfangen; **he ~ed by saying ...** er sagte zunächst ...; **don't you ~!** fang du nicht auch noch an! **[b]** (give a ~) zusammenfahren.
◆ **start off** **[1]** vi (begin) anfangen; (begin moving: person) losgehen; (on journey) aufbrechen; (run) loslaufen; (drive) losfahren; (esp Sport) starten; (begin talking etc) anfangen (on mit).
[2] vt sep sth anfangen ► **to ~ sb ~ (talking)** jdm das Stichwort geben; **a few stamps to ~ you ~** ein paar Briefmarken für den Anfang.
◆ **start out** vi (begin) (zunächst) beginnen or anfangen; (begin a journey) aufbrechen (for nach) ► **we ~ed ~ on a long journey** wir machten uns auf eine lange Reise.
◆ **start over** vi (US) noch (ein)mal von vorn anfangen.
◆ **start up** **[1]** vi **[a]** (begin: music etc) anfangen; (machine) angehen (col), in Gang kommen; (motor) anspringen; (siren) losheulen. **[b]** (move suddenly) hochschrecken.
[2] vt sep **[a]** (cause to function) in Gang bringen; engine also anlassen. **[b]** (begin) eröffnen; business also, conversation anfangen.
starter ['stɑːtəʳ] n **[a]** (Sport) Starter(in f) m. **[b]** (Aut etc: self-~) Anlasser m. **[c]** (child) **to be a late** or **slow ~** Spätentwickler m sein. **[d]** (Brit col: first course) Vorspeise f. **[e]** **for ~s** (col) für den Anfang (col).
starter: ~ drug n Einstiegsdroge f; **~ home** n erstes (eigenes) Haus; (apartment) erste (eigene) Wohnung.
starting ['stɑːtɪŋ] in cpds (Sport) block, signal, line, post Start-; **~ grid** n Start(platz) m; **~ gun** n Startpistole f; **~ handle** n Anlasserkurbel f; **~ point** n (lit, fig) Ausgangspunkt m; **~ post** n Startpflock m.
startle ['stɑːtl] vt erschrecken ► **I was ~d to see how old he looked** ich stellte entsetzt fest, wie alt er aussah.
startling ['stɑːtlɪŋ] adj news überraschend; (bad) alarmierend, bestürzend; resemblance erstaunlich; originality, discovery aufregend.
start-up ['stɑːtʌp] n (Tech, Comp) Start m ► **~ costs** Startkosten pl.
star turn n Sensation, Hauptattraktion f.
starvation [stɑː'veɪʃən] n (act) Hungern nt; (of besieged people) Aushungern nt; (condition) Hunger m ► **to die of ~** verhungern; **to go on a ~ diet** (hum) eine Hungerkur machen.
starve [stɑːv] **[1]** vt **[a]** (deprive of food) hungern lassen; (also **~ out**) aushungern; (kill: also **~ to death**) verhungern lassen; **to ~ oneself** hungern. **[b]** (fig) **to ~ sb of sth** jdm etw vorenthalten or verweigern; **to be ~d of capital** an akutem Kapitalmangel leiden; **to be ~d of affection** keine Zuwendung erfahren.
[2] vi hungern; (die: also **~ to death**) verhungern ► **I'm simply starving!** (col) ich sterbe vor Hunger! (col); **to ~ for sth** (fig) nach etw hungern.
starving ['stɑːvɪŋ] adj (lit) hungernd attr; (fig) hungrig.
stash [stæʃ] vt (also **~ away**) (col) loot verschwinden lassen (col); money beiseite schaffen.
state [steɪt] **[1]** n **[a]** (condition) Zustand m ► **~ of health/mind** Gesundheits-/Geisteszustand m; **the ~ of the nation** die Lage der Nation; **the present ~ of the economy** die gegenwärtige Wirtschaftslage; **where animals live in their natural ~** wo Tiere im Naturzustand leben; **in a good/bad ~** in gutem/schlechtem Zustand;

---

he's in no (fit) ~ to do that er ist nicht in dem (richtigen) Zustand dafür; *look at the ~ of your hands!* guck dir bloß mal deine Hände an!; *the room was in a terrible ~* im Zimmer herrschte ein fürchterliches Durcheinander.

b (*col: anxiety*) *to get into a ~ (about sth)* (*col*) wegen etw durchdrehen (*col*).

c (*pomp*) Aufwand, Pomp *m* ► *to be received in great ~* mit großem Staat empfangen werden; *to travel in ~* pompös reisen; *to lie in ~* (feierlich) aufgebahrt sein.

d (*Pol*) Staat *m*; (*federal ~*) (Bundes)staat *m*; (*in BRD, Austria*) (Bundes)land *nt* ► *the S~s* die (Vereinigten) Staaten; *the S~ of Florida* der Staat Florida; *affairs of ~* Staatsangelegenheiten *pl.*

2 *vt* darlegen, vortragen; *name, price* nennen; *purpose* angeben ► *to ~ that ...* feststellen, daß ...; *to ~ one's case* seine Sache vortragen; *to ~ the case for the prosecution* (*Jur*) die Anklage vortragen; *unless otherwise ~d* wenn nicht anders angegeben; *as ~d in my letter, I ...* wie in meinem Brief erwähnt, ... ich ...

state *in cpds* Staats-; *control, industry* staatlich; (*US etc*) bundesstaatlich.

stated ['steɪtɪd] *adj* **a** (*declared*) *sum, date* genannt; *limits* bestimmt. **b** (*fixed, regular*) *times, amount* fest(ge)setzt).

state: **S~ Department** *n* (*US*) Außenministerium *nt*; **~ education** *n* staatliche Erziehung; (*system*) staatliches Erziehungswesen; **~house** *n* (*US*) Parlamentsgebäude, Kapitol *nt*; **~less** *adj* staatenlos; **~less person** Staatenlose(r) *mf.*

stateliness ['steɪtlɪnɪs] *n see adj* Würde *f*; Gemessenheit *f.*

stately ['steɪtlɪ] *adj* (+er) *person, bearing* würdevoll; *pace* gemessen ► *~ home* herrschaftliches Anwesen, Schloß *nt.*

statement ['steɪtmənt] *n* **a** (*of thesis etc*) Darstellung *f*; (*of problem also*) Darlegung *f.* **b** (*that said*) Feststellung *f*; (*claim*) Behauptung *f*; (*official ~*) Erklärung *f*; (*in court, to police*) Aussage *f*; (*written*) Protokoll *nt* ► *to make a ~ to the press* eine Presseerklärung abgeben. **c** (*Fin*) (*tradesman's*) Rechnung *f*; (*bank ~*) Kontoauszug *m.*

state: **~-of-the-art** *adj* neueste(r, s); *technology* Spitzen-; *to be ~-of-the-art* dem neuesten Stand der Technik entsprechen; **~-owned** *adj* staatseigen; **~room** *n* (*in palace*) Empfangssaal *m*; (*on ship*) Kabine *f*; **~ school** *n* öffentliche Schule; **~ secret** *n* Staatsgeheimnis *nt*; **S~'s evidence** *n* (*US*) Aussage *f* eines Kronzeugen; *to turn S~'s evidence* als Kronzeuge auftreten; **~side** (*US col*) **1** *adj* in den Staaten (*col*); **2** *adv* (*to the USA*) nach Hause (in die Staaten); (*in the USA*) zu Hause (in den Staaten).

statesman ['steɪtsmən] *n, pl* **-men** [-mən] Staatsmann *m.*

statesmanship ['steɪtsmənʃɪp] *n* Staatskunst *f.*

static ['stætɪk] **1** *adj* **a** (*Phys*) statisch. **b** (*not moving or changing*) konstant; (*stationary*) feststehend *attr, condition, society* statisch. **2** *n* (*Phys*) Reibungselektrizität *f*; (*Rad*) atmosphärische Störungen *pl.*

station ['steɪʃən] **1** *n* **a** (*railway ~, bus ~*) Bahnhof *m*; (*stop*) Station *f.* **b** (*police ~, fire ~*) Wache *f*; (*space ~*) (Raum)station *f*; (*US: gas ~*) Tankstelle *f.* **c** (*Mil: post*) Stellung *f*; Posten *m.* **d** (*Rad, TV*) Sender *m.* **e** (*rank*) Stand *m* ► *~ in life* Stellung *f* (im Leben), Rang *m*; *he has got ideas above his ~* er hat Ideen, die jemandem aus seinem Stand gar nicht zukommen. **2** *vt* (*Mil*) *troops* stationieren; *sentry* aufstellen.

stationary ['steɪʃənərɪ] *adj* (*not moving*) *car* haltend *attr*; (*not movable*) fest(stehend *attr*) ► *to be ~* (*vehicles*)

stehen; (*traffic, fig*) stillstehen; *to remain ~* sich nicht bewegen; (*traffic*) stillstehen.

stationer ['steɪʃənəʳ] *n* Schreibwarenhändler *m* ► *~'s (shop)* (*Brit*) Schreibwarenhandlung *f.*

stationery ['steɪʃənərɪ] *n* (*notepaper*) Briefpapier *nt*; (*writing materials*) Schreibwaren *pl.*

station: **~ house** *n* (*US: police*) (Polizei)wache *f*; **~ master** *n* Bahnhofsvorsteher *m*; **~ wagon** *n* (*US*) Kombi(wagen) *m.*

statistic [stə'tɪstɪk] *n* Statistik *f.*

statistical [stə'tɪstɪkəl] *adj* statistisch.

statistician [stætɪ'stɪʃən] *n* Statistiker(in *f*) *m.*

statistics [stə'tɪstɪks] *n* **a** *sing* Statistik *f.* **b** *pl* (*data*) Statistiken *pl.*

statuesque [stætjʊ'esk] *adj* standbildhaft; *person, figure* stattlich; *beauty* klassisch.

statuette [stætjʊ'et] *n* Statuette *f.*

stature ['stætʃəʳ] *n* **a** Wuchs *m*; (*esp of man*) Statur *f.* **b** (*fig*) Format *nt.*

status ['steɪtəs] *n* Stellung *f*; (*legal ~, social ~ also*) Status *m* ► *equal ~* Gleichstellung *f*; *marital ~* Familienstand *m.*

status line *n* (*Comp*) Statuszeile *f.*

status quo ['steɪtəs'kwəʊ] *n* Status quo *m.*

status: **~ report** *n* Zwischenbericht *m*; **~ symbol** *n* Statussymbol *nt.*

statute ['stætjuːt] *n* Gesetz *n*; (*of organization*) Satzung *f*, Statut *nt* ► *~ book* Gesetzbuch *nt*; *to put sth in the ~ book* etw zum Gesetz machen.

statutory ['stætjʊtərɪ] *adj* gesetzlich; (*in organization*) satzungsgemäß; *right also* verbrieft; *punishment* (vom Gesetz) vorgesehen ► *~ declaration* (*Jur*) eidesstattliche Erklärung.

staunch¹ [stɔːntʃ] *adj* (+er) *Catholic, loyalist* überzeugt; *member, supporter* getreu; *support* standhaft.

staunch² *vt flow* stauen; *bleeding* stillen.

stave [steɪv] *n* (*Mus: staff*) Notenlinien *pl.*

◆**stave in** *pret, ptp* **stove in** *vt sep* eindrücken.

◆**stave off** *pret, ptp* **~d off** *vt sep attack* zurückschlagen; *crisis, cold* abwehren; *hunger* lindern.

staves [steɪvz] *pl of* **staff 1** (c).

stay [steɪ] **1** *n* **a** Aufenthalt *m* ► *a short ~ in hospital* ein kurzer Krankenhausaufenthalt. **b** (*Jur*) Aussetzung *f* ► *~ of execution* Vollstreckungsaufschub *m.*

2 *vt* **a** (*delay*) *order, sentence* aussetzen. **b** *to ~ the course* (*lit, fig*) durchhalten.

3 *vi* **a** (*remain*) bleiben ► *to ~ for or to ~ supper* zum Abendessen bleiben; *unemployment has come to ~* die Arbeitslosigkeit ist zum Dauerzustand geworden; *if it ~s fine* wenn es schön bleibt; *~ with it!* nicht aufgeben! **b** (*reside*) wohnen; (*at youth hostel etc*) übernachten ► *to ~ at a hotel* im Hotel wohnen; *I ~ed in Italy for a few weeks* ich habe mich ein paar Wochen in Italien aufgehalten; *he is ~ing at Chequers for the weekend* er verbringt das Wochenende in Chequers; *to ~ with friends* bei Freunden wohnen; *my brother came to ~* mein Bruder ist zu Besuch gekommen.

◆**stay away** *vi* (*from* von) wegbleiben; (*from person*) sich fernhalten.

◆**stay behind** *vi* zurückbleiben; (*Sch: as punishment*) nachsitzen.

◆**stay in** *vi* (*at home*) zu Hause bleiben; (*in position etc*) drinbleiben; (*Sch*) nachsitzen.

◆**stay on** *vi* (*lid etc*) draufbleiben; (*light*) anbleiben; (*people*) (noch) bleiben ► *to ~ at school/as manager* (in der Schule) weitermachen/(weiterhin) Geschäftsführer bleiben.

◆**stay out** *vi* draußen bleiben; (*on strike*) weiterstreiken; (*not come home*) wegbleiben ► *to ~ ~ of sth* sich aus etw heraushalten; *he never managed to ~ ~ of trouble* er war dauernd in Schwierigkeiten.

◆**stay up** *vi* [a] (*person*) aufbleiben ▸ *don't ~ ~ for me!* bleib nicht meinetwegen auf! [b] (*tent, fence, pole*) stehen bleiben; (*picture, decorations*) hängen bleiben.

stay-at-home ['steɪət‚həʊm] *n* Stubenhocker *m*.

stayer ['steɪəʳ] *n* (*horse*) Steher *m* ▸ *to be a ~* (*person*) Stehvermögen *nt* haben.

staying power ['steɪŋ‚paʊəʳ] *n* Durchhaltevermögen *nt*, Ausdauer *f*.

St Bernard [sənt'bɜ:nəd] *n* (*dog*) Bernhardiner *m*.

STD (*Brit Telec*) = **subscriber trunk dialling** ▸ *~ code* Vorwahl(nummer) *f*.

stead [sted] *n in his ~* an seiner Stelle; *to stand sb in good ~* jdm zugute kommen.

steadfast ['stedfɑ:st] *adj* fest; *person, refusal also* standhaft; *belief* unerschütterlich.

steadfastness ['stedfɑ:stnɪs] *n see adj* Festigkeit *f*; Standhaftigkeit *f*; Unerschütterlichkeit *f*.

steadily ['stedɪlɪ] *adv* [a] (*firmly*) ruhig; *balanced* fest; *gaze* unverwandt. [b] (*constantly*) ständig; *rain* ununterbrochen. [c] (*reliably*) zuverlässig.

steadiness ['stedɪnɪs] *n* Festigkeit *f*, (*of hand, eye*) Ruhe *f*, (*regularity*) Stetigkeit *f*; (*of gaze*) Unverwandtheit *f*; (*of character*) Zuverlässigkeit *f*.

steady ['stedɪ] [1] *adj* (*+er*) [a] (*firm, not wobbling*) *hand, nerves, eye* ruhig; *gaze* unverwandt ▸ *with a ~ hand* mit ruhiger Hand; *to hold sth ~* etw ruhig halten; *ladder etw* festhalten; *the chair is not very ~* der Stuhl ist wacklig. [b] (*constant*) *wind, progress, demand etc* ständig, stet (*geh*); *drizzle* ununterbrochen; *temperature* beständig ▸ *to drive at a ~ pace/70 (mph)* in gleichmäßigem Tempo/ständig mit 110 (km/h) fahren. [c] (*reliable, regular*) *worker* zuverlässig. [d] *job, boyfriend* fest.

[2] *adv ~!* (*carefully, gently*) vorsichtig!; (*Naut*) Kurs halten!; *~ (on)!* sachte! (*col*); *to go ~ (with sb)* (*col*) mit jdm (fest) zusammen sein.

[3] *vt plane, boat* wieder ins Gleichgewicht bringen; (*stabilize*) *nerves, person* beruhigen; (*in character*) ausgleichen ▸ *to ~ oneself* festen Halt finden; *she had a ~ing influence on him* durch sie wurde er ausgeglichener.

steak [steɪk] *n* Steak *nt*; (*of fish*) Filet *nt* ▸ *~ and kidney pie* Fleischpastete *f* mit Nieren.

steal [sti:l] (*vb: pret* **stole**, *ptp* **stolen**) [1] *vt object, idea, heart* stehlen ▸ *to ~ sth from sb* jdm etw stehlen; *to ~ the show/sb's thunder* die Schau stehlen/jdm den Wind aus den Segeln nehmen; *the baby stole all the attention* das Baby zog die ganze Aufmerksamkeit auf sich.

[2] *vi* [a] (*thieve*) stehlen. [b] (*move quietly*) sich stehlen, (sich) schleichen ▸ *to ~ away* sich davonstehlen; *to ~ up on sb* sich an jdn heranschleichen.

[3] *n* (*US col: bargain*) Geschenk *nt* (*col*) ▸ *it's a ~!* das ist (ja) geschenkt! (*col*).

stealth [stelθ] *n* List *f* ▸ *by ~* durch List.

stealthy ['stelθɪ] *adj* (*+er*) verstohlen; *footsteps* verhalten.

steam [sti:m] [1] *n* Dampf *m* ▸ *the windows were covered with ~* die Fensterscheiben waren beschlagen; *full ~ ahead!* (*Naut*) volle Kraft voraus!; *to get up ~* (*fig*) in Schwung kommen; *to let off ~* (*lit, fig*) Dampf ablassen; *to run out of ~* (*fig*) den Schwung verlieren; *under one's own ~* (*fig*) allein, ohne Hilfe.

[2] *vt dämpfen; food* dünsten ▸ *to ~ open an envelope* einen Briefumschlag über Dampf öffnen; *~ed pudding* gedämpfter Pudding *m*.

[3] *vi* [a] (*give off ~*) dampfen. [b] (*move*) dampfen ▸ *the ship ~ed into the harbour* das Schiff lief in den Hafen ein.

◆**steam up** [1] *vt sep window* beschlagen lassen ▸ *to be/get ~ed ~* (*fig col*) hochgehen (*col*) (*about* wegen).

[2] *vi* (*window*) beschlagen.

steam: ~boat *n* Dampfschiff *nt*, Dampfer *m*; *~ engine* *n* Dampfmaschine *f*; (*Rail: locomotive*) Dampflok *f*.

steamer ['sti:məʳ] *n* (*ship*) Dampfer *m*; (*Cook*) Dampfkochtopf *m*.

steam: ~ iron *n* Dampfbügeleisen *nt*; *~roller* *n* Dampfwalze *f*; *~ship* *n* Dampfschiff *nt*; *~ train* *n* Dampfzug *m*.

steamy ['sti:mɪ] *adj* (*+er*) dunstig; *room, atmosphere* voll Dampf; *window* beschlagen.

steed [sti:d] *n* (*liter*) Roß *nt*.

steel [sti:l] [1] *n* Stahl *m*.

[2] *adj attr* Stahl-.

[3] *vt to ~ oneself* sich wappnen (*for* gegen); (*physically*) sich stählen (*for* für); *to ~ oneself to do sth* allen Mut zusammennehmen, um etw zu tun.

steel *in cpds* Stahl-, stahl-; *~ band* *n* Steelband *f*; *~ mill* *n* Stahlwalzwerk *nt*; *~works* *n sing or pl* Stahlwerk *nt*.

steely ['sti:lɪ] *adj* (*+er*) *grip* stahlhart; *gaze* hart; *determination* eisern; *blue* Stahl-.

steep¹ [sti:p] *adj* (*+er*) [a] steil ▸ *it's a ~ climb* es geht steil hinauf; *there's been a ~ drop in the value of the pound* das Pfund ist stark gefallen. [b] (*fig col*) *demand* unverschämt; *price also, bill* gesalzen (*col*) ▸ *it seems a bit ~ that ...* es ist ein starkes Stück, daß ...

steep² *vt* [a] (*in liquid*) eintauchen; (*in marinade, dye*) ziehen lassen; *dried food* einweichen. [b] (*fig*) *to be ~ed in sth* von etw durchdrungen sein; *~ed in history* geschichtsträchtig.

steeple ['sti:pl] *n* Kirchturm *m*.

steeple: ~chase *n* (*for horses*) Hindernisrennen *nt*; (*for runners*) Hindernislauf *m*; *~jack* *n* Turmarbeiter *m*.

steeply ['sti:plɪ] *adv* steil.

steepness ['sti:pnɪs] *n* Steilheit *f*.

steer¹ [stɪəʳ] [1] *vt* (*lit, fig*) lenken; *ship* steuern; *person also* lotsen.

[2] *vi* (*in car*) lenken; (*in ship*) steuern ▸ *to ~ due north* Kurs nach Norden halten; *to ~ for or towards sth* auf etw (*acc*) zuhalten; (*Naut*) etw ansteuern; (*fig*) auf etw (*acc*) zusteuern.

steer² *n* junger Ochse.

steering ['stɪərɪŋ] *n* (*in car etc*) Lenkung *f*; (*Naut*) Steuerung *f*.

steering: ~ column *n* Lenksäule *f*; *~ committee* *n* vorbereitender Ausschuß; *~ lock* *n* Lenkradschloß *nt*; *~ wheel* *n* Steuer(rad) *nt*; (*of car also*) Lenkrad *nt*.

stem [stem] [1] *n* (*of plant, glass*) Stiel *m*; (*of shrub, word*) Stamm *m*; (*of grain*) Halm *m*; (*of pipe*) Hals *m*.

[2] *vt* (*check, stop*) aufhalten; *flood, tide* eindämmen; *bleeding* zum Stillstand bringen.

[3] *vi to ~ from sth* (*result from*) von etw herrühren; (*have as origin*) auf etw (*acc*) zurückgehen.

stench [stentʃ] *n* Gestank *m*.

stencil ['stensl] *n* Schablone *f*; (*Printing: for duplicating*) Matrize *f*.

stenographer [ste'nɒɡrəfəʳ] *n* Stenograph(in *f*) *m*.

stenography [ste'nɒɡrəfɪ] *n* Stenographie *f*.

step [step] [1] [a] (*pace, in dancing*) Schritt *m* ▸ *to take a ~* einen Schritt machen; *~ by ~* (*lit, fig*) Schritt für Schritt; *to be in/out of ~* (*fig*) im/nicht im Gleichklang sein (*with* mit).

[b] (*move*) Schritt *m*; (*measure also*) Maßnahme *f* ▸ *it's a great ~ forward* es ist ein großer Schritt nach vorn; *that would be a ~ back/in the right direction for him* das wäre für ihn ein Rückschritt/ein Schritt in die richtige Richtung; *to take ~s to do sth* Maßnahmen ergreifen, (um) etw zu tun.

[c] (*in process, experiment, scale, hierarchy*) Stufe *f* ▸ *~s* (*outdoors*) Treppe *f*; (*indoors*) Vorsicht Stufe.

[d] *~s pl* (*~-ladder: also* **pair of ~s**) Stufenleiter *f*.

[2] *vt ~ two paces to the left* treten Sie zwei Schritte

nach links.
3 *vi* gehen ▶ *to ~ into/out of sth house, room, puddle* in etw (*acc*)/aus etw treten; *train, dress* in etw (*acc*)/aus etw steigen; *to ~ on(to) sth plane, train* in etw (*acc*) steigen; *platform, ladder* auf etw (*acc*) steigen; *to ~ on sth object, toy* auf etw (*acc*) treten; *to ~ over sb/sth* über jdn/etw steigen; *~ this way, please* hier entlang, bitte!; *to ~ inside* herein-/hineintreten; *to ~ outside* heraus-/hinaustreten; *~ on it!* mach mal ein bißchen schneller! (*col*); (*in car*) gib Gas!

◆**step aside** *vi* (*lit*) zur Seite treten; (*fig*) Platz machen.
◆**step back** *vi* (*lit*) zurücktreten ▶ *to ~ ~ from sth* (*fig*) von etw Abstand gewinnen.
◆**step down** *vi* (*fig*) *to ~ ~ in favour of sb* jdm Platz machen.
◆**step forward** *vi* vortreten; (*fig*) sich melden.
◆**step in** *vi* (*lit*) eintreten (*-to, +prep obj* in +*acc*); (*fig*) einschreiten.
◆**step off** *vi* +*prep obj* (*off bus, plane, boat*) aussteigen (*prep obj* aus) ▶ *to ~ ~ the pavement* vom Bürgersteig treten.
◆**step up** *vt sep* steigern; *efforts also, campaign* verstärken; *volume* erhöhen.

step- *pref brother, mother, daughter etc* Stief- ▶ *~child* Stiefkind *nt*.
step-ladder ['step,lædə^r] *n* Stufenleiter *f*.
steppe [step] *n* Steppe *f*.
stepping stone ['stepɪŋ,stəʊn] *n* (Tritt)stein *m*; (*fig*) Sprungbrett *nt* (*to* für).
stereo ['steriəʊ] **1** *n* Stereo *nt*; (*hi-fi system*) Stereoanlage *f* ▶ *in ~* in Stereo. **2** *adj* Stereo-.
stereophonic [,steriəʊ'fɒnɪk] *adj* stereophon.
stereoscopic [,steriəʊ'skɒpɪk] *adj* stereoskopisch.
stereotype ['steriə,taɪp] *n* (*fig*) Klischee(vorstellung *f*) *nt*; (*~ character*) stereotype Figur.
stereotyped ['steriə,taɪpt] *adj* stereotyp; *thinking* schablonenhaft.
sterile ['steraɪl] *adj* **a** (*lit, fig*) unfruchtbar. **b** (*germ-free*) steril, keimfrei; (*fig*) *décor etc* steril.
sterility [ste'rɪlɪtɪ] *n see adj* **a** Unfruchtbarkeit *f*; **b** Sterilität *f*.
sterilization [,sterɪlaɪ'zeɪʃən] *n* Sterilisation *f*.
sterilize ['sterɪlaɪz] *vt person, instruments* sterilisieren.
sterling ['stɜːlɪŋ] **1** *adj* **a** (*Fin*) Sterling- ▶ *in pounds ~* in Pfund Sterling. **b** (*fig*) gediegen; *character* lauter. **c** *~ silver* Sterlingsilber *nt*. **2** *n no art* (*money*) das Pfund Sterling ▶ *in ~* in Pfund Sterling. **3** *adj attr* aus (Sterling)silber.
stern¹ [stɜːn] *n* (*Naut*) Heck *nt*.
stern² *adj* (+*er*) (*strict*) streng; *words also, character, warning* ernst ▶ *made of ~er stuff* aus härterem Holz geschnitzt.
sternly ['stɜːnlɪ] *adv see adj*.
sternness ['stɜːnnɪs] *n see adj* Strenge *f*; Ernst *m*.
steroid ['stɪərɔɪd] *n* Steroid *nt*.
stet [stet] *interj* (*Typ*) stehenlassen.
stethoscope ['steθəskəʊp] *n* Stethoskop *nt*.
stevedore ['stiːvɪdɔː^r] *n* Stauer *m*.
stew [stjuː] **1** *n* **a** Eintopf(gericht *nt*) *m*. **b** (*col*) *to be in a ~ (about sth)* (über etw (*acc*) *or* wegen etw) ganz aufgeregt sein. **2** *vt meat* schmoren; *fruit* dünsten ▶ *~ed apples* Apfelkompott *nt*. **3** *vi* (*meat*) schmoren; (*fruit*) dünsten; (*col: tea*) bitter werden ▶ *to let sb ~ (in his/her own juice)* jdn (im eigenen Saft) schmoren lassen.
steward ['stjuːəd] *n* Steward *m*; (*on estate etc*) Verwalter *m*; (*at dance, meeting*) Ordner *m*.
stewardess ['stjuːədes] *n* Stewardeß *f*.

stewing steak ['stjuːɪŋ'steɪk], **stewmeat** (*US*) ['stjuːmiːt] *n* (Rinder)schmorfleisch *nt*.
stick¹ [stɪk] *n* **a** Stock *m*; (*twig*) Zweig *m*; (*hockey ~*) Schläger *m*; (*drum~*) Schlegel *m* ▶ *to give sb/sth (a lot of) ~* (*col: criticize*) jdn/etw heruntermachen (*col*); *just a few ~s of furniture* nur ein paar Möbelstücke; *to get hold of the wrong end of the ~* (*fig col*) es/das falsch verstehen; *to live (out) in the ~s* (*fig*) weit vom Schuß wohnen. **b** (*of sealing wax, celery, rhubarb, dynamite*) Stange *f*; (*of chalk, shaving soap*) Stück *nt*.
stick² *pret, ptp* **stuck** **1** *vt* **a** (*with glue etc*) kleben ▶ *to ~ an envelope down* einen Briefumschlag zukleben. **b** (*pin*) stecken ▶ *he stuck a badge on his lapel* er steckte sich (*dat*) ein Abzeichen ans Revers. **c** (*jab*) *knife, sword etc* stoßen. **d** (*col: place, put*) tun (*col*); (*in sth also*) stecken (*col*) ▶ *~ it on the shelf* tu's aufs Regal; *he stuck his head around the corner* er steckte seinen Kopf um die Ecke; *you know where you can ~ that* (*col!*) du kannst mich mal! (*col!*). **e** (*esp Brit col: tolerate*) aushalten; *pace, pressure of work* durchhalten ▶ *I can't ~ him/that* ich kann ihn/das nicht ausstehen (*col*). **2** *vi* **a** (*glue, object*) kleben (*to* an +*dat*) ▶ *the name seems to have stuck* der Name scheint an ihm/ihr *etc* hängengeblieben zu sein. **b** (*become caught, wedged etc*) steckenbleiben; (*drawer, window*) klemmen. **c** (*sth pointed*) stecken (*in* in +*dat*) ▶ *it stuck in my foot* ist mir im Fuß steckengeblieben. **d** (*project*) *his toes are ~ing through his socks* seine Zehen kommen durch die Socken. **e** (*stay*) bleiben; (*slander*) haftenbleiben ▶ *to ~ in sb's mind* jdm im Gedächtnis bleiben; *to make sth ~ (in one's mind)* sich (*dat*) etw einprägen.

◆**stick around** *vi* (*col*) hier/da bleiben.
◆**stick at** *vi* +*prep obj* **a** (*persist*) bleiben an (+*dat*) (*col*) ▶ *to ~ ~ it* dranbleiben (*col*). **b** *he will ~ ~ nothing* er macht vor nichts halt.
◆**stick by** *vi* +*prep obj sb* halten zu; *promise* stehen zu.
◆**stick on 1** *vt sep label, cover* aufkleben (*prep obj* auf +*acc*). **2** *vi* (*label etc*) kleben, haften (*prep obj* an +*dat*).
◆**stick out 1** *vi* (her)vorstehen (*of* aus); (*ears, hair*) abstehen; (*fig: be noticeable*) auffallen. **2** *vt sep* **a** *tongue etc* hinaus-/herausstrecken. **b** *to ~ it ~* durchhalten.
◆**stick out for** *vi* +*prep obj* sich stark machen für.
◆**stick to** *vi* +*prep obj* bleiben bei; (*remain faithful to*) *principles etc* treu bleiben (+*dat*).
◆**stick together** *vi* zusammenkleben; (*fig: partners etc*) zusammenhalten.
◆**stick up 1** *vt sep* **a** (*with tape etc*) zukleben. **b** (*col: raise*) *~ 'em ~!* Hände hoch! **c** (*col*) *notice etc* aufhängen, anbringen. **2** *vi* (*nail etc*) vorstehen; (*hair*) abstehen; (*collar*) hochstehen.
◆**stick up for** *vi* +*prep obj sb, one's principles* eintreten für ▶ *to ~ ~ ~ oneself* sich behaupten.
sticker ['stɪkə^r] *n* **a** (*label*) Aufkleber *m*. **b** (*col: determined person*) *he's a ~* er ist zäh.
stickiness ['stɪkɪnɪs] *n* (*lit*) Klebrigkeit *f*; (*of atmosphere, weather*) Schwüle *f*.
sticking plaster ['stɪkɪŋ,plɑːstə^r] *n* (*Brit*) Heftpflaster *nt*.
stick-in-the-mud ['stɪkɪnðə,mʌd] (*col*) *n* Muffel *m* (*col*).
stickleback ['stɪklbæk] *n* Stichling *m*.
stickler ['stɪklə^r] *n to be a ~ for sth* es mit etw peinlich genau nehmen.
stick: *~-on adj label* (Auf)klebe-; *~-up n* (*col*) bewaffneter Überfall.
sticky ['stɪkɪ] *adj* (+*er*) **a** klebrig; *label* Klebe-; *paint* feucht; *atmosphere* schwül; *air* stickig; (*sweaty*) *hands*

stiff

feucht ▸ **~ tape** Klebeband nt. **b** (fig col) problem, person schwierig; moment heikel ▸ **to come to a ~ end** ein böses Ende nehmen; **to be on a ~ wicket** in einer schwierigen Lage sein.

stiff [stɪf] **1** adj (+er) **a** steif; brush hart; dough, paste fest. **b** resistance, drink stark; competition hart; breeze steif; climb, test schwierig; examination, punishment schwer; price, demand hoch ▸ **that's a bit ~** das ist ganz schön happig (col). **2** n (col) Leiche f.

stiffen ['stɪfn] (also **~ up**) **1** vt steif machen; shirt etc stärken; (disease) limb steif werden lassen; resistance etc verstärken. **2** vi steif werden; (fig: resistance) sich verhärten; (breeze) auffrischen.

stiffly ['stɪflɪ] adv steif.

stiffness ['stɪfnɪs] n see adj **a** Steifheit f; Härte f; Festigkeit f. **b** Stärke f; Härte f; Schwierigkeit f; Schwere f; Höhe f.

stifle ['staɪfl] **1** vt (suffocate) ersticken; (fig) yawn, cough also, opposition unterdrücken. **2** vi ersticken.

stifling ['staɪflɪŋ] adj fumes erstickend; heat drückend ▸ **it's ~ in here** es ist ja zum Ersticken hier drin (col).

stigma ['stɪgmə] n Brandmal, Stigma nt.

stigmatize ['stɪgmətaɪz] vt brandmarken.

stile [staɪl] n (Zaun)übertritt m.

stiletto [stɪ'letəʊ] n **a** (knife) Stilett nt. **b** (esp Brit: also **~ heel**) Pfennigabsatz m.

still¹ [stɪl] **1** adj, adv (+er) **a** (motionless) bewegungslos; person also reglos; sea, waters ruhig ▸ **to keep ~** stillhalten; **to hold sth ~** etw ruhig halten; **to be ~** (vehicle, needle etc) stillstehen; **to lie ~** reglos daliegen; **to stand ~** still stehen; **my heart stood ~** mir stockte das Herz; **~ waters run deep** (Prov) stille Wasser sind tief (Prov). **b** (quiet, calm) still ▸ **be ~!** sei still! **2** adj wine nicht moussierend; drink ohne Kohlensäure ▸ **a ~ photograph** ein Standfoto nt. **3** n **a** **in the ~ of the night** in der Stille der Nacht. **b** (Film) Standfoto nt.

still² **1** adv **a** (temporal) noch; (for emphasis, in exasperation, used on its own) immer noch; (in negative sentences) noch immer, immer noch; (now as in the past) nach wie vor ▸ **there will ~ be objections** es wird nach wie vor Einwände geben. **b** (nevertheless, all the same) trotzdem ▸ **~, it was worth it** es hat sich trotzdem gelohnt; **~, he is my brother** er ist trotz allem mein Bruder; **rich but ~ not happy** reich und doch nicht glücklich; **~, at least we didn't lose anything** na ja, wir haben wenigstens nichts dabei verloren; **~, what can you expect?** was kann man auch anderes erwarten? **c** (with comp) noch ▸ **~ better** noch besser; **better ~, do it this way** oder noch besser, mach es so. **2** conj (old) dennoch.

still³ n (for alcohol) Destillierapparat m.

still: **~birth** n Totgeburt f; **~born** adj (lit, fig) totgeboren attr; **the child was ~born** das Kind kam tot zur Welt; **~ life** n, pl **~ lifes** Stilleben nt.

stillness ['stɪlnɪs] n **a** (motionlessness) Unbewegtheit f; (of person) Reglosigkeit f. **b** (quietness) Stille, Ruhe f.

stilt [stɪlt] n Stelze f; (Archit) Pfahl m.

stilted ['stɪltɪd] adj gestelzt, gespreizt.

stimulant ['stɪmjʊlənt] n Anregungsmittel nt; (fig) Ansporn m.

stimulate ['stɪmjʊleɪt] vt **a** (excite) circulation, mind anregen; (cold shower, coffee) beleben; (Med also) stimulieren; nerve reizen; (sexually) erregen; (fig) person anspornen; (intellectually) stimulieren; sb's interest erregen ▸ **to ~ sb to do sth** jdn anspornen, etw zu tun. **b** (increase) economy, sales etc ankurbeln; (incite) response hervorrufen; criticism anregen zu.

stimulating ['stɪmjʊleɪtɪŋ] adj anregend; walk belebend; prospect ermunternd; experience (physically) erfrischend; (mentally) stimulierend.

stimulation [ˌstɪmjʊ'leɪʃən] n **a** (act) (physical, mental) Anregung f; (from shower, walk etc) belebende Wirkung; (state) Angeregtheit f; (sexual) Erregung f; (fig: incentive) Anreiz m; (intellectual) Stimulation f. **b** (of economy, sales etc) Ankurbelung f (to gen).

stimulus ['stɪmjʊləs] n, pl **stimuli** ['stɪmjʊlaɪ] Anreiz m; (inspiration) Anregung f; (Physiol) Reiz m ▸ **it gave trade new ~** das hat dem Handel neuen Aufschwung gegeben.

sting [stɪŋ] (vb: pret, ptp **stung**) **1** n **a** (organ: of insect) Stachel m. **b** (wound) (of insect) Stich m; (of nettle, jellyfish) Quaddel f. **c** (pain) (from needle etc) Stechen nt; (of antiseptic, ointment, from nettle etc) Brennen nt; (of whip) brennender Schmerz. **d** (fig) (of remark, irony) Stachel m; (of attack, criticism etc) Schärfe f ▸ **to take the ~ out of sth** etw entschärfen; (out of remark, criticism also) einer Sache (dat) den Stachel nehmen. **2** vt **a** (insect) stechen; (jellyfish) verbrennen. **b** (comments etc) treffen; (remorse, conscience) quälen. **c** (col) **they really stung you for that** sie haben dich dabei ganz schön ausgenommen; **can I ~ you for a fiver?** kann ich dich um fünf Pfund erleichtern? **3** vi (insect) stechen; (nettle, jellyfish etc) brennen; (burn: eyes, cut, ointment etc) brennen; (comments etc) schmerzen ▸ **smoke makes your eyes ~** Rauch brennt in den Augen.

stinginess ['stɪndʒɪnɪs] n (col) Geiz m, Knickerigkeit f (col).

stinging nettle ['stɪŋɪŋˌnetl] n Brennessel f.

stingy ['stɪndʒɪ] adj (+er) (col) person geizig, knickerig (col); sum, portion, donation schäbig ▸ **to be ~ with sth** mit etw knausern.

stink [stɪŋk] (vb: pret **stank**, ptp **stunk**) **1** n Gestank m ▸ **to kick up a ~** (col) Stunk machen (col). **2** vi **a** stinken (of nach) ▸ **it ~s in here** hier (drin) stinkt's. **b** (fig col) (be disgusting) zum Kotzen sein (col); (be suspicious) stinken (col).

◆**stink out** vt sep (col) room verstänkern (col).

stink bomb n Stinkbombe f.

stinker ['stɪŋkəʳ] n (col) (problem) harte Nuß (col); (person) Ekel nt.

stinking ['stɪŋkɪŋ] **1** adj (col) beschissen (col!) ▸ **keep your ~ money!** du kannst dein Scheißgeld behalten! (col!) **2** adv (col) **~ rich** stinkreich (col).

stint [stɪnt] **1** n (period) Zeit f ▸ **to do one's ~** (work) seine Arbeit tun; (share) sein(en) Teil beitragen; **would you like to do a ~ at the wheel?** möchtest du auch mal das Steuer übernehmen? **2** vt knausern mit ▸ **to ~ sb of sth** of praise, reward jdm etw vorenthalten; **to ~ oneself (of sth)** sich (mit etw) einschränken.

stipulate ['stɪpjʊleɪt] vt **a** (make a condition) zur Auflage machen. **b** delivery date, amount, price festsetzen; size vorschreiben; conditions stellen.

stipulation [ˌstɪpjʊ'leɪʃən] n **a** (condition) Auflage f. **b** see vt (b) Festsetzung f; Vorschreiben nt; Stellen nt.

stir [stɜːʳ] **1** n **a** **to give sth a ~** etw rühren; tea etc etw umrühren. **b** (fig: excitement) Aufruhr m ▸ **to cause** or **create a ~** Aufsehen erregen. **2** vt **a** umrühren; cake mixture rühren ▸ **~ sugar into the mixture** den Zucker darunterrühren. **b** (move) bewegen; limbs rühren; water, waves kräuseln ▸ **come on, ~ yourself** (col) komm, beweg dich! (col). **c** (fig) emotions aufwühlen; passion wachrufen; imagination anregen; curiosity erregen; (incite) person anstacheln; (move) person, heart rühren ▸ **to ~ sb to do sth** jdn bewegen, etw zu tun; (*incite*) jdn dazu anstacheln, etw zu tun; *to ~ sb into action* jdn zum Handeln bewegen. ③ *vi* ⓐ sich regen; (*person also*) sich rühren; (*leaves, animal etc*) sich bewegen. ⓑ (*col: through gossip etc*) stänkern (*col*).

◆**stir up** *vt sep* (*fig*) *anger* erregen; *memories* wachrufen; *opposition, discord* erzeugen; *hatred* schüren; *revolution* anzetteln; *mob* aufstacheln ► *to ~ ~ trouble* Unruhe stiften; *that'll ~ things* ~ das kann heiter werden!

stir-fry ['stɜ:,fraɪ] *vt* (unter Rühren) kurz anbraten.

stirring ['stɜ:rɪŋ] *adj speech, music* bewegend; (*stronger*) aufwühlend.

stirrup ['stɪrəp] *n* Steigbügel *m*.

stitch [stɪtʃ] ① *n* ⓐ Stich *m*; (*in knitting etc*) Masche *f*; (*kind of ~*) (*in knitting etc*) Muster *nt*; (*in embroidery*) Stichart *f* ► *to put a few ~es in sth* etw mit ein paar Stichen nähen; *he needed ~es in his arm* sein Arm mußte genäht werden; *to have one's ~es out* die Fäden gezogen bekommen; *a ~ in time saves nine* (*Prov*) was du heute kannst besorgen, das verschiebe nicht auf morgen (*Prov*). ⓑ (*col: piece of clothing*) *she hadn't a ~ on* sie war splitter(faser)nackt (*col*). ⓒ (*pain*) Seitenstiche *pl.* ⓓ *to be in ~es* (*col: from laughing*) sich schieflachen (*col*).
② *vt* (*Sew, Med*) (*also ~ up*) nähen; *tear* zunähen ► *I've been ~ed up* (*col: framed*) man hat mich reingelegt (*col*).

stoat [stəʊt] *n* Wiesel *nt*.

stock [stɒk] ① *n* ⓐ (*supply*) Vorrat *m* (*of* an +*dat*); (*Comm*) Bestand *m* (*of* an +*dat*) ► *to have sth in ~* etw vorrätig haben; *to be in ~/out of ~* (*goods*) vorrätig/nicht vorrätig sein; *to take ~* (*Comm*) Inventur machen; *to take ~ of sb* jdn abschätzen; *to take ~ of the situation* sich (*dat*) über die Situation klarwerden. ⓑ (*live~*) Viehbestand *m*. ⓒ (*Cook*) Brühe *f*. ⓓ (*Fin*) (*capital*) Aktienkapital *nt*; (*shares held by investor*) Anteil *m*; (*government ~*) Staatsanleihe *f* ► *~s and shares* (Aktien und) Wertpapiere *pl*, Effekten *pl*. ⓔ *to be on the ~s* (*ship*) im Bau sein; (*book etc*) in Arbeit sein. ⓕ *~s pl* (*Hist: for punishment*) Stock *m*. ⓖ (*Rail*) *rolling ~* rollendes Material.
② *adj attr phrase etc* Standard-.
③ *vt* ⓐ (*shop etc*) *goods* führen. ⓑ *cupboard* füllen; *shop also, library* ausstatten; *pond, river* (mit Fischen) besetzen; *farm* mit einem Viehbestand versehen.

◆**stock up** *vi* sich eindecken (*on* mit).

stockade [stɒ'keɪd] *n* Palisade(nzaun *m*) *f*.

stock: ~**broker** *n* Börsenmakler *m*; ~**broking** *n* Effektenhandel *m*; ~ **car** *n* ⓐ (*for racing*) Stock Car *m* (*frisierter, verstärkter älterer Serienwagen*); ⓑ (*US Rail: cattle truck*) Viehwaggon *m*; ~ **company** *n* (*US*) ⓐ (*Fin*) Aktiengesellschaft *f*; ⓑ (*Theat*) Repertoiretheater *nt*; ~ **control** *n* Bestandsüberwachung *f*; ~ **controller** *n* Lagerhalter(in *f*) *m*; ~ **cube** *n* Brüh- *or* Suppenwürfel *m*; ~ **exchange** *n* Börse *f*; ~**holder** *n* Aktionär(in *f*) *m*.

Stockholm ['stɒkhəʊm] *n* Stockholm *nt*.

stocking ['stɒkɪŋ] ① *n* Strumpf *m*.
② *vt in one's ~ed feet* in Strümpfen.

stocking filler *n* kleines Geschenk (*für den Weihnachtsstrumpf*).

stock-in-trade [,stɒkɪn'treɪd] *n* (*tools, materials, fig*) Handwerkszeug *nt*.

stockist ['stɒkɪst] *n* (*Brit*) Händler *m*.

stock: ~ **level** *n* Höhe *f* des Lagerbestandes; ~**list** *n* Lagerliste *f*; ~ **management** *n* Lagerhaltung *f*; ~ **market** *n* Börse(nmarkt *m*) *f*; ~**pile** ① *n* Vorrat *m* (*of* an +*dat*); (*of weapons*) Lager *nt*; ② *vt* Vorräte an (+*dat*) ... anlegen; (*pej*) horten; ~**room** *n* Lager(raum *m*) *nt*; ~**taking** *n* (*Brit*) Inventur *f*, (*fig*) Bestandsaufnahme *f*; ~ **turnover** *n* Lagerumschlag *m*.

stocky ['stɒkɪ] *adj* (+*er*) stämmig.

stockyard ['stɒkjɑ:d] *n* Viehhof *m*; (*abattoir*) Schlachthof *m*.

stodge [stɒdʒ] *n* (*col*) Pampe *f* (*col*).

stodgy ['stɒdʒɪ] *adj* (+*er*) *food* pampig (*col*), schwer; *subject* trocken; *book* schwer verdaulich.

stoic ['stəʊɪk] ① *n* Stoiker *m*.
② *adj* stoisch.

stoical ['stəʊɪkəl] *adj* stoisch.

stoicism ['stəʊɪsɪzəm] *n* stoische Ruhe.

stoke [stəʊk] *vt furnace* (be)heizen; *fire* schüren.

stoker ['stəʊkə'] *n* Heizer *m*.

stole *pret of* **steal**.

stolen ['stəʊlən] ① *ptp of* **steal**.
② *adj* gestohlen ► ~ *goods* Diebesgut *nt*.

stolid ['stɒlɪd] *adj person* phlegmatisch, stur (*pej*).

stomach ['stʌmək] ① *n* (*abdomen*) Magen *m*; (*belly, paunch*) Bauch *m*; (*fig: appetite*) Lust *f* (*for* auf +*acc*) ► *to hit sb in the ~* jdn in die Bauchgegend schlagen; *on an empty ~ drink etc* auf leeren *or* nüchternen Magen; *on an empty/a full ~ swim, drive etc* mit leerem/vollem Magen; *I have no ~ for that* das ist mir zuwider; *he doesn't have the ~ for it* (*guts*) dazu hat er nicht den Mumm (*col*).
② *vt* (*col*) *behaviour, cruelty* vertragen; *person, film etc* ausstehen.

stomach *in cpds* Magen-; ~**-ache** *n* Magenschmerzen *pl*; ~ **trouble** *n* Magenbeschwerden *pl*; ~ **ulcer** *n* Magengeschwür *nt*; ~ **upset** *n* Magenverstimmung *f*.

stomp [stɒmp] *vi* stapfen.

stone [stəʊn] ① *n* ⓐ Stein *m* ► *a ~'s throw from the station* nur einen Steinwurf *or* Katzensprung vom Bahnhof entfernt; *to leave no ~ unturned* nichts unversucht lassen. ⓑ (*Brit: weight*) 6,35 kg.
② *adj* Stein-, aus Stein.
③ *vt* ⓐ (*throw ~s at*) mit Steinen bewerfen; (*kill*) steinigen. ⓑ *fruit* entsteinen. ⓒ (*col*) *to be ~d (out of one's mind*) total weg sein (*col*).

stone: S~ Age *n* Steinzeit *f*; ~**-cold** ① *adj* eiskalt; ② *adv* ~**-cold sober** stocknüchtern (*col*); ~**-dead** *adj* mausetot (*col*); ~**-deaf** *adj* stocktaub (*col*); ~**mason** *n* Steinmetz *m*; ~**wall** *vi* (*fig: esp Parl*) obstruieren; (*in answering questions*) ausweichen; (*Sport*) mauern (*Sport sl*); ~**ware** *n* Steingut *nt*; ~**work** *n* Mauerwerk *nt*.

stony ['stəʊnɪ] *adj* (+*er*) *ground* steinig; (*fig*) *glance, silence* steinern.

stony-broke ['stəʊnɪ'brəʊk] *adj* (*Brit col*) völlig abgebrannt.

stood [stʊd] *pret, ptp of* **stand**.

stooge [stu:dʒ] *n* (*col*) Handlanger *m*; (*comedian's*) Stichwortgeber *m*.

stool [stu:l] *n* (*seat*) Hocker *m*; (*foot ~, kitchen ~, milking ~ also*) Schemel *m*; (*folding*) Klappstuhl *m* ► *to fall between two ~s* sich zwischen zwei Stühle setzen; (*be neither one thing nor the other*) weder dem einen noch dem anderen gerecht werden.

stool pigeon *n* (*col*) (*decoy*) Lockvogel *m*; (*informer*) Spitzel *m*.

stoop [stu:p] ① *n* Gebeugtheit *f*, (*deformity*) krummer Rücken, Buckel *m* ► *to walk with a ~* gebeugt gehen.
② *vi* sich beugen (*over* über +*acc*); (*also ~ down*) sich bücken; (*have a ~*) gebeugt gehen ► *to ~ to sth/to doing sth* (*fig*) sich zu etw hergeben/sich dazu hergeben, etw zu tun.

stop [stɒp] ① *n* ⓐ (*act of ~ping*) Halt *m* ► *to bring sth to a ~* (*lit*) etw anhalten *or* stoppen; *traffic* etw zum Erliegen bringen; (*fig*) *meeting, development* einer Sache (*dat*) ein Ende machen; *conversation* etw verstummen lassen; *to come to a ~* (*car, machine*) anhalten; (*traffic*) stocken; (*meeting, rain*) aufhören; (*conversation*) verstummen; *to put a ~ to sth* einer Sache (*dat*) einen Riegel vorschieben.

b (*stay*) Aufenthalt *m*; (*break*) Pause *f*; (*Aviat*) Zwischenlandung *f* ▶ **to make a ~** (*bus, train, tram*) (an)halten; (*plane, ship*) (Zwischen)station machen; **to have a ~ for coffee** eine Kaffeepause machen; **to have a ~** haltmachen; **to work without a ~** ohne Unterbrechung arbeiten.

c (*~ping place*) Station *f*; (*for bus*) Haltestelle *f*.

d (*esp Brit: punctuation mark*) Punkt *m*.

e (*stopper*) (*for door etc*) Sperre *f*; (*on typewriter*) Feststelltaste *f*.

f (*on organ*) Registerzug *m* ▶ **to pull out all the ~s** (*fig*) alle Register ziehen.

2 *vt* a (*when moving*) *person* anhalten; *engine, machine etc* abstellen; *blow* auffangen; *traffic (hold up)* aufhalten; (*bring to standstill*) zum Erliegen bringen; (*policeman*) anhalten; (*keep out*) *noise, light* abfangen, auffangen ▶ **~ thief!** haltet den Dieb!

b (*from continuing*) *rumour, crime* ein Ende machen (+*dat*); *nonsense, noise* unterbinden; *match, conversation, work* beenden; *development, attack* aufhalten; (*temporarily*) unterbrechen; *flow of blood* stillen; *speaker, speech* unterbrechen; *production* zum Stillstand bringen; (*temporarily*) unterbrechen.

c (*cease*) aufhören mit ▶ **to ~ doing sth** aufhören, etw zu tun; **she never ~s talking** sie redet ununterbrochen; **to ~ smoking** mit dem Rauchen aufhören; (*put out cigarette etc*) das Rauchen einstellen; ▶ **~ it!** hör auf!

d (*suspend*) stoppen; *payments, production etc* einstellen; *cheque, electricity* sperren; *subsidy, grant etc* streichen; *proceedings* abbrechen; (*cancel*) *subscription* kündigen.

e (*prevent from happening*) *sth* verhindern; (*prevent from doing*) *sb* abhalten ▶ **to ~ oneself** sich zurückhalten, sich bremsen (*col*); **there's no ~ping him** (*col*) er ist nicht zu bremsen (*col*); **to ~ sb (from) doing sth** jdn davon abhalten *or* (*physically*) daran hindern, etw zu tun; (*put a ~ to*) dafür sorgen, daß jd etw nicht mehr tut; **to ~ sth (from) happening** (*prevent*) (es) verhindern, daß etw geschieht; **how can we ~ the baby (from) crying?** (*prevent*) was können wir tun, damit das Baby nicht schreit?; **to ~ the thief (from) escaping** den Dieb an der Flucht hindern.

f (*block*) verstopfen; (*fill*) *tooth* plombieren; (*fig*) *gap* füllen; *leak of information* stopfen.

3 *vi* a (*halt*) anhalten; (*train, car also*) halten; (*traveller*) haltmachen; (*pedestrian, clock*) stehenbleiben; (*engine, machine*) stillstehen ▶ **~!** halt!, stopp!; **we ~ped for a drink at the pub** wir machten in der Kneipe Station, um etwas zu trinken; **to ~ at nothing (to do sth)** (*fig*) vor nichts haltmachen(, um etw zu tun). b (*finish, cease*) aufhören; (*pain also*) weggehen; (*also fig: heart*) stillstehen; (*production, payments*) eingestellt werden; (*show, match, film*) zu Ende sein; (*music, speaker also*) verstummen ▶ **to ~ doing sth** aufhören, etw zu tun, mit etw aufhören; **he never knows when to ~** er weiß nie, wann er aufhören muß. c (*col: stay*) bleiben (*at* in +*dat*, *with* bei, *at home* zu Hause).

◆**stop away** *vi* (*col*) wegbleiben.

◆**stop by** *vi* kurz vorbeischauen ▶ **to ~ ~ (at) sb's house** bei jdm hereinschauen (*col*).

◆**stop down** *vi* (*Phot*) die Blende schließen.

◆**stop in** *vi* (*col*) zu Hause bleiben.

◆**stop off** *vi* (kurz) haltmachen (*at* sb's bei jdm).

◆**stop over** *vi* kurz haltmachen; (*on travels*) Zwischenstation machen (*in* in +*dat*); (*Aviat*) zwischenlanden.

◆**stop up** **1** *vt sep* verstopfen; *crack, hole also* zustopfen.
 2 *vi* (*col: stay up*) aufbleiben.

stop: **~cock** *n* Absperrhahn *m*; **~gap** *n* (*thing*) Notbehelf *m*; (*scheme*) Notlösung *f*; (*person*) Lückenbüßer *m*; **~light** *n* (*brake light*) Bremslicht *nt*;

(*US: traffic light*) rotes Licht; **~over** *n* Zwischenstation *f*; (*Aviat*) Zwischenlandung *f*.

stoppage [ˈstɒpɪdʒ] *n* a (*in work*) Unterbrechung *f*; (*in traffic*) Stockung *f*; (*because of strike etc*) Stopp *m*; (*strike*) Streik *m*. b (*of pay, cheque*) Sperrung *f*; (*deduction*) Abzug *m*. c (*blockage*) Verstopfung *f*, Stau *m*.

stopper [ˈstɒpəʳ] *n* (*plug*) Stöpsel *m*.

stopping train [ˈstɒpɪŋˌtreɪn] *n* Nahverkehrszug, Bummelzug (*col*) *m*.

stop: **~-press** *n* (*esp Brit*) (*news*) letzte Meldungen *pl*; **~ sign** *n* Stoppschild *nt*; **~watch** *n* Stoppuhr *f*.

storage [ˈstɔːrɪdʒ] *n* a (*of goods, food*) Lagerung *f*; (*of books, documents*) Aufbewahrung *f*; (*of electricity, data*) Speicherung *f*, Speichern *nt* ▶ **to put sth into ~** etw unterstellen, etw (ein)lagern. b = **~ space.**

storage: **~ battery** *n* Akkumulator *m*; **~ capacity** *n* (*of warehouse etc*) Lagerfläche *f*; (*of computer*) Speicherkapazität *f*; **~ heater** *n* (Nacht)speicherofen *m*; **~ space** *n* Lagerraum *m*; (*in house*) Stauraum *m*; **~ tank** *n* Sammelbehälter *m*.

store [stɔːʳ] **1** *n* a (*stock*) Vorrat *m* (*of* an +*dat*); (*fig*) Fülle *f*, Reichtum *m* (*of* an +*dat*) ▶ **~s** *pl* (*supplies*) Vorräte *pl*; **to lay** *or* **get in a ~ of food** einen Lebensmittelvorrat anlegen; **to be in ~ for sb** jdm bevorstehen; **to have a surprise in ~ for sb** für jdn eine Überraschung auf Lager haben; **what has the future in ~ for us?** was wird uns (*dat*) die Zukunft bringen?; **to set great/little ~ by sth** viel/wenig von etw halten. b (*esp US: shop*) Laden *m*, Geschäft *nt*; (*department ~*) Kaufhaus *nt*.

2 *vt* lagern; *documents* aufbewahren; *furniture* unterstellen; (*in depository*) einlagern; *information, heat* speichern; (*keep in reserve, collect: also* **~ up**) Vorräte an (+*dat*) ... anschaffen ▶ **to ~ sth away** etw verwahren; **to ~ up trouble for oneself** sich (*dat*) nur Schwierigkeiten einhandeln.

store: **~house** *n* Lager(haus) *nt*; (*fig*) Fundgrube *f*; **~keeper** *n* (*in ~house*) Lagerverwalter *m*; (*esp US: shopkeeper*) Ladenbesitzer(in *f*) *m*; **~room** *n* Lagerraum *m*; (*for food*) Vorratskammer *f*.

storey, (*US*) **story** [ˈstɔːrɪ] *n*, *pl* **-s** *or* (*US*) **stories** Stock(werk *nt*) *m*, Etage *f* ▶ **a nine-~ building** ein neunstöckiges Gebäude; **on the second ~** im zweiten Stock; (*US*) im ersten Stock.

stork [stɔːk] *n* Storch *m*.

storm [stɔːm] **1** *n* a Unwetter *nt*; (*thunder~*) Gewitter *nt*; (*strong wind*) Sturm *m* ▶ **there is a ~ blowing** es stürmt; **a ~ in a teacup** (*fig*) ein Sturm im Wasserglas. b (*fig*) (*of abuse*) Flut *f* (*of* von); (*of applause, criticism*) Sturm *m* (*of* gen); (*of blows, missiles*) Hagel *m* (*of* von); (*outcry*) Aufruhr *m* ▶ **~ of protest** Proteststurm *m*. c **to take sth/sb by ~** (*Mil, fig*) etw/jdn im Sturm erobern.

2 *vt* stürmen.

3 *vi* a (*talk angrily*) wüten (*at* gegen). b (*move violently*) stürmen.

storm: **~ cloud** *n* (*lit, fig*) Gewitterwolke *f*; **~ cone** *n* Sturmkegel *m*; **~ door** *n* äußere Windfangtür; **~ force** *n* Windstärke *f* 10; **~ force wind** *n* schwerer Sturm; **~ troops** *npl* Sturmtruppe *f*.

stormy [ˈstɔːmɪ] *adj* (+*er*) (*lit, fig*) stürmisch; *discussion also, temper* hitzig; *protests* heftig.

story[1] [ˈstɔːrɪ] *n* a (*tale, account*) Geschichte *f*; (*Liter also*) Erzählung *f*; (*joke*) Witz *m* ▶ **it's a long ~** es ist eine lange Geschichte; **the ~ of her life** ihre Lebensgeschichte; **that's the ~ of my life** (*fig*) das war schon immer mein Problem; **that's another ~** das ist eine andere Geschichte; **his ~ is that ...** er behauptet, daß ...; **that's not the whole ~** das ist nicht die ganze Wahrheit; **the marks tell their own ~** die Spuren sprechen für sich; *to cut a long ~ short* um es kurz zu machen, der langen Rede kurzer Sinn; *it's the (same) old ~* es ist (immer) das alte Lied; *but it's another ~ now* aber jetzt sieht die Sache anders aus. **b** (*Press*) (*event*) Geschichte *f*; (*newspaper ~*) Artikel *m*. **c** (*plot*) Handlung *f*. **d** (*col: lie*) Märchen *nt* ▸ *to tell stories* Märchen erzählen.

story² *n* (*US*) = **storey**.

story: **~board** *n* (*TV, Film*) Storyboard *nt*; **~book** **1** *n* Geschichtenbuch *nt*; **2** *adj attr castles, romance etc* märchenhaft; **~line** *n* Handlung *f*; **~teller** *n* (*narrator*) Geschichtenerzähler(in *f*) *m*.

stout [staʊt] **1** *adj* (+*er*) **a** (*corpulent*) korpulent. **b** (*strong*) *stick, horse etc* kräftig; *door, rope, gate* stark. **c** (*brave*) tapfer; *denial* entschieden. **2** *n* Starkbier *nt*; (*sweet ~*) ≈ Malzbier *nt*.

stout-hearted [ˌstaʊtˈhɑːtɪd] *adj* tapfer.

stoutly [ˈstaʊtlɪ] *adv* (*strongly*) *made* solide; (*resolutely*) *resist, defend* tapfer, beherzt; *refuse, deny* entschieden.

stoutness [ˈstaʊtnɪs] *n see adj* **a** Korpulenz *f*. **b** Kräftigkeit *f*, Stärke *f*. **c** Tapferkeit *f*; Entschiedenheit *f*.

stove [stəʊv] *n* Ofen *m*; (*for cooking*) Herd *m* ▸ *electric/gas ~* Elektro-/Gasherd *m*.

stove in *pret, ptp of* **stave in**.

stow [stəʊ] *vt* **a** (*Naut*) *cargo* verladen, (ver)stauen. **b** (*put away: also ~ away*) verstauen (*in* in +*dat*).

◆**stow away** *vi* als blinder Passagier fahren.

stowaway [ˈstəʊəweɪ] *n* blinder Passagier.

straddle [ˈstrædl] *vt* (*standing*) breitbeinig stehen über (+*dat*); (*sitting*) rittlings sitzen auf (+*dat*); (*jumping*) grätschen über (+*acc*); (*fig*) *differences* überbrücken; *two continents* überspannen ▸ *to ~ the border/river* sich über beide Seiten der Grenze/beide Ufer des Flusses erstrecken.

strafe [streɪf] *vt* unter Beschuß nehmen.

straggle [ˈstrægl] *vi* (*spread untidily*) (*houses, trees*) verstreut liegen; (*hair*) (unordentlich) hängen; (*plant*) in alle Richtungen wuchern ▸ *to ~ behind* zurückbleiben, hinterherzockeln (*col*).

straggler [ˈstræglər] *n* Nachzügler *m*.

straggling [ˈstræglɪŋ] *adj* **a** *children, cattle etc* weit verteilt; (*~ behind*) zurückgeblieben; *village* sich lang hinziehend; *houses* zerstreut liegend; *group, row* auseinandergezogen. **b** (*col: also* **straggly**) *hair* zottig; *plant* wuchernd.

straight [streɪt] **1** *adj* (+*er*) **a** gerade; *posture also* aufrecht; *hair* glatt; *skirt, trousers* gerade geschnitten ▸ *your tie isn't ~* deine Krawatte sitzt schief; *the picture isn't ~* das Bild hängt schief; *as ~ as a die* kerzengerade; *road* schnurgerade; *to keep a ~ face* keine Miene verziehen; *to be (all) ~* (*in order*) in Ordnung sein; (*fig: clarified also*) (völlig) geklärt sein; *to put things ~* (*tidy*) alles in Ordnung bringen; (*clarify*) alles klären; *to put sb ~ about sth* jdm etw klarmachen; *he soon put me ~!* er hat mich eines Besseren belehrt.
b (*frank*) *answer, talking* offen; *denial, refusal* direkt; (*honest*) *person, dealings, advice* ehrlich ▸ *to be ~ with sb* offen zu jdm sein.
c (*plain*) *drink* pur; (*Pol*) *fight* direkt; *choice* einfach; (*col*) (*heterosexual*) normal, hetero (*col*); (*conventional*) etabliert, spießig (*pej*) ▸ *to have a ~ choice between A and B* nur die Wahl zwischen A und B haben.
d (*continuous*) ununterbrochen ▸ *~ run* (*Cards*) Sequenz *f*; *our team had ten ~ wins* unsere Mannschaft gewann zehnmal hintereinander.
e (*Theat*) *production* konventionell; *actor* ernsthaft ▸ *a ~ play* ein reines Drama.
2 *adv* **a** *hold, walk, shoot* gerade; *stand up also* aufrecht; *aim at, aim for, above, across* direkt ▸ *~ through sth* glatt durch etw; *he came ~ at me* er kam direkt auf mich zu; *it went ~ up in the air* es flog senkrecht in die

Luft; *to look ~ ahead* geradeaus sehen; *the town lay ~ ahead of us* die Stadt lag direkt vor uns; *to drive ~ on* geradeaus weiterfahren; *to be going ~* (*criminal*) keine krummen Sachen (mehr) machen (*col*).
b (*directly*) direkt; (*immediately*) sofort ▸ *I went ~ home* ich ging direkt nach Hause; *to look sb ~ in the eye* jdm direkt in die Augen sehen; *~ after this* sofort danach; *~ away or off* sofort, auf der Stelle; *to come ~ to the point* gleich zur Sache kommen; *ten wins ~ off* zehn Siege hintereinander.
c (*clearly*) *think, see* klar; (*frankly*) offen, ohne Umschweife ▸ *~ out* (*col*) rundheraus.
d *drink* pur.
3 *n* (*~ part, on race track*) Gerade *f*; (*road, rail*) gerade Strecke ▸ *the final ~* die Zielgerade; *to keep on the ~ and narrow* dafür sorgen, daß man nicht auf die schiefe Bahn gerät; *to cut sth on the ~* etw gerade (ab)schneiden.

straighten [ˈstreɪtn] **1** *vt* **a** *hat* gerade aufsetzen; *tie* geradeziehen; *shoulders* straffen. **b** (*also ~ out: make straight*) gerademachen; *picture* gerade hinhängen; *road, river* begradigen; *tablecloth* geradeziehen; *wire* geradebiegen; *hair* glätten. **c** (*also ~ up: tidy*) in Ordnung bringen. **d** (*also ~ out: put right*) *problem, situation* klären.
2 *vi* (*also ~ out: road, plant etc*) gerade werden; (*hair*) glatt werden ▸ *to ~ up* (*person*) sich aufrichten.
3 *vr* *to ~ oneself (up)* sich aufrichten; *the problem will soon ~ itself out* das Problem wird sich bald von selbst erledigen.

straight: **~faced** [streɪtˈfeɪst] **1** *adv* ohne eine Miene zu verziehen; **2** *adj* *to be ~faced* keine Miene verziehen; **~forward** *adj* (*honest*) *person* aufrichtig; *explanation, look also* offen, freimütig; (*simple*) *question, problem* einfach.

strain¹ [streɪn] **1** *n* **a** (*Mech*) Belastung *f*; (*on beams, floor also*) Druck *m* ▸ *the ~ on a rope* die Seilspannung; *can you take some of the ~?* können Sie mal mit festhalten/mit ziehen?; *to put a (great) ~ on sth* etw (stark) belasten; *to show signs of ~* Zeichen von Überlastung zeigen.
b (*fig: mental, economic etc*) Belastung *f* (*on* für); (*effort*) Anstrengung *f*; (*pressure*) (*of job etc also*) Beanspruchung *f* (*of* durch); (*of responsibility*) Last *f*; (*muscle~*) (Muskel)zerrung *f*; (*on eyes, heart etc*) Überanstrengung *f* (*on gen*) ▸ *to be under a lot of ~* stark beansprucht sein; *I find her/that a bit of a ~* ich finde sie/das ziemlich anstrengend; *to put a (great) ~ on sb/ sth* jdn/etw stark belasten; *to show signs of ~* Zeichen von Überlastung zeigen; *to be under ~* großen Belastungen ausgesetzt sein; *the ~s of modern life* die Belastungen *or* der Streß des heutigen Lebens.
c *~s pl* (*of instrument, tune*) Klänge *pl*; *to the ~s of* zu den Klängen (+*gen*).
2 *vt* **a** (*stretch*) spannen. **b** (*put ~ on*) *rope, relationship, budget* belasten; *nerves, patience also* strapazieren; (*put too much ~ on*) überlasten; *meaning* dehnen ▸ *to ~ one's ears/eyes to ...* angestrengt lauschen/gucken, um zu ...; *to ~ every nerve* jeden Nerv anspannen; *to ~ oneself* sich anstrengen; (*excessively*) sich überanstrengen. **c** (*Med*) *muscle* zerren; *back, eyes, voice* strapazieren; (*excessively*) überanstrengen; *heart* belasten; (*excessively*) überlasten. **d** (*filter*) (durch)sieben; (*pour water off*) *vegetables* abgießen ▸ *to ~ off water* Wasser abgießen.
3 *vi* (*exert effort*) sich anstrengen; (*pull*) zerren, ziehen; (*fig: strive*) sich bemühen ▸ *to ~ to do sth* sich anstrengen, etw zu tun; *to ~ at sth* sich mit etw abmühen; (*pull*) an etw (*dat*) ziehen.

strain² *n* **a** (*streak*) Hang, Zug *m*; (*hereditary*) Veranlagung *f* ▸ *a ~ of madness* eine Veranlagung zum

Wahnsinn. **b** (*breed*) (*animals*) Rasse *f*; (*of plants*) Sorte *f*; (*of virus etc*) Art *f*.

strained [streɪnd] *adj* **a** *muscle* gezerrt; *back, eyes* überanstrengt. **b** *expression, style* unnatürlich; *smile, conversation* gezwungen; *meeting* steif; *voice, relations, atmosphere, nerves* (an)gespannt ▶ *he looked rather ~* er sah ziemlich abgespannt aus.

strainer [streɪnəʳ] *n* (*Cook*) Sieb *nt*.

strait [streɪt] *n* (*Geog*) Meerenge *f* ▶ *the ~s of Dover* die Straße von Dover; *to be in dire ~s* in großen Nöten sein.

straitened [ˈstreɪtnd] *adj in ~ circumstances* in eingeschränkten Verhältnissen.

strait: ~jacket *n* (*lit, fig*) Zwangsjacke *f*; **~-laced** [streɪtˈleɪst] *adj* prüde, spießig (*col*).

strand [strænd] *n* Strang *m*; (*of hair*) Strähne *f*; (*of thread*) Faden *m*; (*of wire*) Litze *f*; (*of beads*) Schnur *f*.

stranded [ˈstrændɪd] *adj to be ~* (*ship, fish, shipwrecked person*) gestrandet sein; *to be (left) ~* (*person*) festsitzen; (*without money also*) auf dem trockenen sitzen (*col*).

strange [streɪndʒ] *adj* (*+er*) **a** seltsam, merkwürdig. **b** (*unfamiliar*) *surroundings* fremd; (*unaccustomed*) *work* ungewohnt ▶ *I felt rather ~ at first* zuerst fühlte ich mich ziemlich fremd; *I feel ~ in a skirt* ich komme mir in einem Rock komisch vor (*col*).

strangely [ˈstreɪndʒlɪ] *adv* (*oddly*) seltsam, merkwürdig; *act, behave also* komisch (*col*) ▶ *~ enough* seltsamerweise, merkwürdigerweise.

strangeness [ˈstreɪndʒnɪs] *n see adj* **a** Seltsamkeit, Merkwürdigkeit *f*. **b** Fremdheit *f*; Ungewohntheit *f*.

stranger [ˈstreɪndʒəʳ] *n* Fremde(r) *mf* ▶ *he's a perfect ~ to me* ich kenne ihn überhaupt nicht; *I'm a ~ here myself* ich bin selbst fremd hier; *he is no ~ to London* er kennt sich in London aus; *he is no ~ to suffering* Leid ist ihm nicht fremd; *hullo, ~!* (*col*) hallo, lange nicht gesehen.

strangle [ˈstræŋgl] *vt* (*murder*) erwürgen; (*fig*) *cry* ersticken.

stranglehold [ˈstræŋglˌhəʊld] *n* (*fig*) absolute Machtposition (*on gegenüber*) ▶ *they have a ~ on us* (*fig*) sie haben uns in der Zange.

strangler [ˈstræŋgləʳ] *n* Würger(in *f*) *m*.

strangulation [ˌstræŋgjʊˈleɪʃən] *n* Erwürgen *nt* ▶ *death was due to ~* der Tod trat durch Ersticken ein.

strap [stræp] **1** *n* Riemen *m*; (*for safety also*) Gurt *m*; (*watch ~*) Band *nt*; (*shoulder ~*) Träger *m* ▶ *to give sb the ~* jdn verprügeln.
2 *vt to ~ sth onto sth* etw auf etw (*acc*) schnallen; *to ~ sth/sb down* jdn/etw festschnallen; *to ~ sb/oneself in* (*in car, plane*) jdn/sich anschnallen.

strap-hanging [ˈstræp,hæŋɪŋ] *n* Pendeln *nt* (*als stehender Fahrgast*).

strapless [ˈstræplɪs] *adj* trägerlos; *dress also* schulterfrei.

strapping [ˈstræpɪŋ] *adj* (*col*) stramm.

Strasbourg [ˈstræzbɜːg] *n* Straßburg *nt*.

strata [ˈstrɑːtə] *pl of* **stratum**.

stratagem [ˈstrætɪdʒəm] *n* (*Mil*) Kriegslist *f*; (*artifice*) List *f*.

strategic [strəˈtiːdʒɪk] *adj* strategisch; (*strategically important*) strategisch wichtig; (*fig also*) taktisch.

strategically [strəˈtiːdʒɪkəlɪ] *adv* strategisch; (*fig also*) taktisch ▶ *to be ~ placed* eine strategisch günstige Stellung haben.

strategist [ˈstrætɪdʒɪst] *n* Stratege *m*; (*fig also*) Taktiker(in *f*) *m*.

strategy [ˈstrætɪdʒɪ] *n* **a** (*Mil*) Strategie *f*; (*Sport, fig also*) Taktik *f*. **b** (*art of ~*) (*Mil*) Kriegskunst *f*; (*fig*) Taktieren *nt*.

stratosphere [ˈstrætəʊsfɪəʳ] *n* Stratosphäre *f*.

stratum [ˈstrɑːtəm] *n, pl* **strata** (*Geol, fig*) Schicht *f*.

straw [strɔː] **1** *n* **a** (*stalk*) Strohhalm *m*; (*collectively*) Stroh *nt no pl. it's the last ~!* (*col*) das ist der Gipfel! (*col*); *to clutch at ~s* sich an einen Strohhalm klammern. **b** (*drinking ~*) Strohhalm *m*.
2 *adj attr* Stroh-; *basket* aus Stroh.

strawberry [ˈstrɔːbərɪ] *n* Erdbeere *f*.

straw: ~-coloured, ~-colored (*US*) *adj* strohfarben; *hair* strohblond; **~ hat** *n* Strohhut *m*.

stray [streɪ] **1** *vi* (*also ~ away*) sich verirren; (*also ~ about*) (umher)streunen; (*fig: thoughts, speaker*) abschweifen ▶ *to ~ (away) from sth* (*lit, fig*) von etw abkommen.
2 *adj child, bullet, cattle* verirrt; *cat, dog etc* streunend *attr*; (*ownerless*) herrenlos; (*isolated*) *remarks, houses* vereinzelt; (*single*) *remark* einzeln; (*occasional*) gelegentlich; *thoughts* flüchtig.
3 *n* (*dog, cat*) streunendes Tier; (*ownerless*) herrenloses Tier.

streak [striːk] **1** *n* Streifen *m*; (*of light*) Strahl *m*; (*in hair*) Strähne *f*; (*of fat also*) Schicht *f*; (*fig*) (*trace*) Spur *f*; (*of jealousy, meanness etc*) Zug *m*; (*of madness, humour*) Anflug *m* ▶ *like a ~ of lightning* wie der Blitz; *a winning/losing ~* eine Glücks-/Pechsträhne.
2 *vt* streifen ▶ *the sky was ~ed with red* der Himmel hatte rote Streifen; *~ed with dirt/paint* schmutzverschmiert/mit Farbe beschmiert; *to have one's hair ~ed* sich (*dat*) Strähnen ins Haar färben lassen.
3 *vi* **a** (*lightning*) zucken; (*col: move quickly*) flitzen (*col*) ▶ *to ~ along/past* entlang-/vorbeiflitzen (*col*). **b** (*run naked*) blitzen.

streaker [ˈstriːkəʳ] *n* Blitzer(in *f*) *m*.

streaky [ˈstriːkɪ] *adj* (*+er*) *bacon* durchwachsen.

stream [striːm] **1** *n* **a** (*small river*) Bach *m*; (*current*) Strömung *f* ▶ *to go with/against the ~* (*lit, fig*) mit dem/gegen den Strom schwimmen. **b** (*of liquid, people*) Strom *m*; (*of light, tears*) Flut *f*; (*of words, abuse*) Schwall *m*. **c** (*Brit Sch*) Leistungsgruppe *f*.
2 *vt* **a** *the walls ~ed water* von den Wänden rann das Wasser; *his face ~ed blood* Blut strömte ihm übers Gesicht. **b** (*Brit Sch*) in (Leistungs)gruppen einteilen.
3 *vi* (*lit, fig*) strömen; (*eyes*) tränen ▶ *the walls were ~ing with water* die Wände trieften vor Nässe; *the rain was ~ing down* es regnete in Strömen; *tears ~ed down her face* Tränen rannen über ihr Gesicht.

◆**stream in** *vi* herein-/hineinströmen.

◆**stream out** *vi* heraus-/hinausströmen (*of* aus).

◆**stream past** *vi* vorbeiströmen (*prep obj* an +*dat*).

streamer [ˈstriːməʳ] *n* (*flag*) Banner *nt*; (*made of paper*) Luftschlange *f*.

stream feed *n* (*on photocopier*) automatischer Papiereinzug.

streamline [ˈstriːmlaɪn] *vt* (*lit*) Stromlinienform geben (+*dat*); (*fig*) rationalisieren.

streamlined [ˈstriːmlaɪnd] *adj wing* windschlüpfig; *car, plane* stromlinienförmig; (*fig*) rationalisiert.

street [striːt] **1** *n* Straße *f* ▶ *in or on the ~* auf der Straße; *it's right up my ~* (*fig col*) das ist genau mein Fall (*col*); *to be ~s ahead of or better than sb* (*fig col*) jdm haushoch überlegen sein (*col*); *to take to the ~s* (*demonstrators*) auf die Straße gehen; *to be on the ~s* (*prostitute*) auf den Strich gehen (*col*); (*homeless*) auf der Straße stehen.
2 *adj attr* Straßen-.

street: ~car *n* (*US*) Straßenbahn *f*; **~ cleaner** *n* (*esp US*) Straßenkehrer(in *f*) *m*; **~ cred** *n* (*col*) Image *nt*; **~ fighting** *n* Straßenkämpfe *pl*; **~ lamp** *n* Straßenlaterne *f*; **~ level** *n at ~ level* zu ebener Erde; **~ light** *n* Straßenlaterne *f*; **~ lighting** *n* Straßenbeleuchtung *f*; **~ map** *n* Stadtplan *m*; **~ market** *n* Straßenmarkt *m*; **~ plan** *n* = **~ map**; **~ sweeper** *n* Straßenkehrer(in *f*) *m*; **~ trader** *n* Straßenhändler(in *f*) *m*; **~ value** *n* Verkaufswert *m*; **~walker** *n* Prostituierte *f*; **~wise** *adj* **to be ~wise** wissen, wo's lang geht (*col*).

strength [streŋθ] *n* [a] (*lit, fig*) Stärke *f*; (*of person, feelings*) Kraft *f*; (*of table, wall*) Stabilität *f*; (*of conviction, views*) Festigkeit *f*; (*of argument, evidence*) Überzeugungskraft *f*; (*of mixture*) Konzentration *f* ▶ **~ of character/will** Charakter-/Willensstärke *f*; **on the ~ of sth** auf Grund einer Sache (*gen*); **his ~ failed him** ihn verließen die Kräfte; **to save one's ~** mit seinen Kräften haushalten; **when she has her ~ back** wenn sie wieder bei Kräften ist; **to go from ~ to ~** einen Erfolg nach dem anderen haben. [b] (*numbers*) (An)zahl *f*; (*Mil*) Stärke *f* ▶ **to be up to/below ~** (die) volle Stärke/nicht die volle Stärke haben; **the police were there in ~** ein starkes Polizeiaufgebot war anwesend; **they came in ~** sie kamen in großer Zahl.

strengthen ['streŋθən] [1] *vt* stärken; *building, protest* verstärken; *person* (*lit*) Kraft geben (+*dat*); (*fig: in opinion*) bestärken (*in* in +*dat*); *currency, market* festigen; *affection also, effect* vergrößern. [2] *vi* stärker werden.

strenuous ['strenjʊəs] *adj* [a] (*exhausting*) anstrengend; *march, game also* ermüdend. [b] (*energetic*) *supporter, support* unermüdlich; *effort, denial* hartnäckig; *conflict, protest* heftig.

strenuously ['strenjʊəslı] *adv see adj* (*b*).

stress [stres] [1] *n* [a] (*strain*) Belastung *f*, Streß *m*; (*Med*) Überlastung *f*, Streß *m* ▶ **the ~es and strains of modern life** die Belastungen des heutigen Lebens; **times of ~** Zeiten *pl* großer Belastung; **to be under ~** großen Belastungen ausgesetzt sein; (*as regards work*) unter Streß stehen, im Streß sein. [b] (*accent*) Betonung *f*; (*fig: emphasis*) Akzent *m* ▶ **to put** *or* **lay (great) ~ on sth** großen Wert auf etw (*acc*) legen; **on fact, detail** etw (besonders) betonen. [c] (*Mech*) Belastung *f*. [2] *vt* (*lit, fig: emphasize*) betonen; *good manners, subject* großen Wert legen auf (+*acc*).

stressed [strest] *adj person* gestreßt (*col*), überlastet.

stressful ['stresfʊl] *adj* anstrengend, stressig (*col*); *situation* angespannt.

stress mark *n* Akzent *m*, Betonungszeichen *nt*.

stretch [stretʃ] [1] *n* [a] (*elasticity*) **to be at full ~** (*lit: material*) bis zum äußersten gedehnt sein; (*fig*) (*person*) mit aller Kraft arbeiten; (*factory etc*) auf Hochtouren arbeiten (*col*); (*engine, production, work*) auf Hochtouren laufen; **by no ~ of the imagination** beim besten Willen nicht. [b] (*of road etc*) Strecke *f*; (*of river, countryside etc*) Stück *nt*; (*of journey*) Abschnitt *m* ▶ **a straight ~ of road** eine gerade Strecke; **in that ~ of the river** in dem Teil des Flusses; **for a long ~** über eine weite Strecke. [c] (*~ of time*) Zeit(raum *m*) *f* ▶ **for a long ~ of time** für (eine) lange Zeit; **for hours at a ~** stundenlang; **three days at a ~** drei Tage an einem Stück; **to do a ~** (*col: in prison*) im Knast sein (*col*). [2] *adj attr* dehnbar, Stretch-. [3] *vt* [a] (*extend*) strecken; (*widen*) *jumper also, elastic, shoes* dehnen; (*spread*) *wings etc* ausbreiten; (*tighten*) *rope* spannen ▶ **to ~ one's legs** (go for a walk) sich (*dat*) die Beine vertreten (*col*). [b] (*make go further*) *money* strecken; (*use fully*) *resources* voll (aus)nutzen; *credit* voll beanspruchen; *athlete, student etc* fordern; *one's abilities* bis zum äußersten fordern. [c] (*strain*) *meaning* äußerst weit fassen; *truth, rules* großzügig auslegen ▶ **to ~ a point** großzügig sein; **that's ~ing it a bit (far)** das geht fast zu weit. [4] *vi* (*after sleep etc*) sich strecken; (*be elastic*) sich dehnen, dehnbar sein; (*extend*) (*time, area, influence*) sich erstrecken (*to* bis, *over* über +*acc*); (*be enough: food, money*) reichen (*to* für); (*become looser*) weiter werden; (*become longer*) länger werden ▶ **to ~ to reach sth** sich recken, um etw zu erreichen; **the fields ~ed away into**

the distance die Felder dehnten sich bis in die Ferne aus; **I can't ~ to that** so viel kann ich mir nicht erlauben.

◆**stretch out** [1] *vt sep arms, wings* ausbreiten; *leg, hand* ausstrecken; *foot* vorstrecken; *rope* spannen; *meeting, essay* ausdehnen ▶ **to ~ oneself** ~ sich ausgestreckt hinlegen. [2] *vi* sich strecken; (*col: lie down*) sich hinlegen; (*countryside*) sich ausbreiten; (*in time*) sich erstrecken (*over* über +*acc*) ▶ **he lay ~ed ~ on the bed** er lag ausgestreckt auf dem Bett.

stretcher ['stretʃəʳ] *n* (*Med*) Trage *f*.

stretcher: ~-bearer *n* Krankenträger *m*; **~ case** *n* Kranke(r) *mf*/Verletzte(r) *mf*, der/die nicht gehen kann; (*Mil*) Schwerverwundete(r) *mf*.

stretch marks *npl* Schwangerschaftsstreifen *pl*.

strew [struː] *ptp* **strewn** [struːn] *vt* (*scatter*) verstreuen; *flowers, sand* streuen ▶ **the floor was ~n with ... ...** lag/lagen überall auf dem Boden verstreut.

stricken ['strɪkən] [1] (*old*) *ptp of* **strike**. [2] *adj* (*liter: wounded*) verwundet; (*afflicted*) leidgeprüft; (*ill*) leidend (*geh*); *ship, plane* in Not ▶ **~ with grief/fear** *etc* schmerzerfüllt/von Angst *etc* erfüllt.

strict [strɪkt] *adj* (+*er*) [a] *law, parent etc* streng; *order, discipline also, obedience* strikt; *Catholic* strenggläubig. [b] (*precise*) *meaning* genau ▶ **in the ~ sense of the word** genau genommen; **in ~ confidence** streng vertraulich.

strictly ['strɪktlɪ] *adv* [a] streng ▶ **smoking is ~ forbidden** Rauchen ist strengstens verboten. [b] (*precisely*) genau; (*absolutely*) absolut ▶ **~ confidential** streng vertraulich; **~ speaking** genau genommen; **not ~ true** nicht ganz richtig; **~ between you and me** ganz unter uns.

strictness ['strɪktnɪs] *n* [a] Strenge *f*. [b] (*preciseness*) Genauigkeit *f*.

stricture ['strɪktʃəʳ] *n usu pl* (*criticism*) (scharfe) Kritik *no pl*.

stride [straɪd] (*vb: pret* **strode**, *ptp* **stridden** ['strɪdn]) [1] *n* (*step*) Schritt *m*; (*gait also*) Gang *m* ▶ **to get into one's ~** (*fig*) in Schwung *or* in Fahrt kommen; **to take sth in one's ~** mit etw spielend fertigwerden; *exam, interview* etw spielend schaffen; **to make (great) ~s** (große) Fortschritte machen; **this is a giant ~ (forward)** das ist ein riesiger Fortschritt. [2] *vi* schreiten (*geh*), mit großen Schritten gehen ▶ **to ~ off** davonschreiten (*geh*); **to ~ up to sb** auf jdn zuschreiten (*geh*).

strident ['straɪdənt] *adj sound* schrill, durchdringend; *colour* grell; *criticism, tone* scharf; *demand, protest* lautstark.

strife [straɪf] *n* Unfriede *m*; (*in family, between friends*) Zwietracht *f* (*geh*) ▶ **armed ~** bewaffneter Konflikt; **internal ~** innere Kämpfe *pl*.

strike [straɪk] (*vb: pret* **struck**, *ptp* **struck** *or* (*old*) **stricken**) [1] *n* [a] Streik *m* ▶ **to be on ~** streiken; **to come out** *or* **go on ~** in den Streik treten. [b] (*discovery of oil, gold etc*) Fund *m* ▶ **to make a ~** fündig werden; **a lucky ~** ein Treffer, ein Glücksfall *m*. [c] (*Mil: attack*) Angriff *m*. [d] (*act of striking*) Schlag *m*. [2] *vt* [a] (*hit*) schlagen; *door* schlagen an (+*acc*); *nail, table* schlagen auf (+*acc*); *metal, hot iron etc* hämmern; (*bullet, lightning, misfortune*) treffen; (*disease*) befallen ▶ **to ~ sb/sth a blow** jdm/einer Sache einen Schlag versetzen; **who struck the first blow?** wer hat zuerst (zu)geschlagen?; **to ~ a blow for sth** (*fig*) eine Lanze für etw brechen.

[b] (*collide with, meet*) (*spade*) stoßen auf (+*acc*); (*car*) fahren gegen; *ground* aufschlagen auf (+*acc*); (*ship*) auflaufen auf (+*acc*); (*sound, light*) *ears, eyes* treffen ▶ **to ~ one's head against sth** sich (*dat*) den Kopf an etw (*acc*) stoßen; **to ~ difficulties/obstacles** (*fig*) in

Schwierigkeiten geraten/auf Hindernisse stoßen; *a terrible sight struck my eyes* plötzlich sah ich etwas Schreckliches.
[c] (*sound*) *string, chord, note* anschlagen; (*clock*) schlagen.
[d] (*occur to*) in den Sinn kommen (+*dat*) ▶ *to ~ sb as unlikely etc* jdm unwahrscheinlich *etc* vorkommen; *that ~s me as a good idea* das kommt mir sehr vernünftig vor; *has it ever struck you that ...?* (*occurred to you*) haben Sie je daran gedacht, daß ...?; (*have you noticed*) ist Ihnen je aufgefallen, daß ...?; *to be struck by sth* von etw beeindruckt sein; *how does it ~ you?* was halten Sie davon?; *how does she ~ you?* welchen Eindruck haben Sie von ihr?
[e] (*produce, make*) *coin* prägen; (*fig*) *agreement* aushandeln ▶ *to ~ a light/match* Feuer machen/ein Streichholz anzünden; *to be struck dumb* stumm werden; *to ~ fear into sb* jdn mit Angst erfüllen.
[f] (*find*) *oil* stoßen auf (+*acc*) ▶ *to ~ it rich* das große Geld machen.
[g] (*remove*) streichen ▶ *to be struck or* (*US*) *stricken from a list/the record* von einer Liste/aus dem Protokoll gestrichen werden.
[3] *vi* [a] (*hit*) treffen; (*lightning*) einschlagen; (*snake*) zubeißen; (*attack, Mil etc*) angreifen; (*criminal, disease*) zuschlagen; (*panic*) ausbrechen ▶ *to ~ against sth* gegen etw stoßen; *to ~ at sb/sth* (*lit*) nach jdm/etw schlagen; *to ~ at the roots of democracy* an den Wurzeln der Demokratie rütteln. [b] (*clock*) schlagen. [c] (*workers*) streiken (*for* für). [d] *to ~ lucky* Glück haben; *to ~ on a new idea* auf eine neue Idee kommen.
◆**strike back** *vi* zurückschlagen; (*fig also*) sich wehren ▶ *to ~ ~ at sb* jds Angriff (*acc*) erwidern; (*fig*) sich gegen jdn wehren.
◆**strike down** *vt sep* niederschlagen; (*God*) *enemies* vernichten; (*fig*) zu Fall bringen ▶ *to be struck ~* niedergeschlagen werden; (*by illness*) niedergeworfen werden.
◆**strike off** *vt sep* [a] (*cut off*) abschlagen. [b] (*from list*) (aus)streichen; *solicitor* die Lizenz entziehen (+*dat*); *doctor* die Zulassung entziehen (+*dat*).
◆**strike out** [1] *vi* [a] (*hit out*) schlagen ▶ *to ~ ~ at sb* (*lit, fig*) jdn angreifen. [b] (*change direction*) zuhalten (*for, towards* auf +*acc*); (*set out*) sich aufmachen (*for* zu) ▶ *to ~ ~ on one's own* (*lit*) allein losziehen; (*fig*) eigene Wege gehen; *to ~ ~ in a new direction* (*fig*) neue Wege gehen.
[2] *vt sep name, entry* (aus)streichen.
◆**strike up** [1] *vi* (*band etc*) anfangen (zu spielen).
[2] *vt insep* [a] (*band*) *tune* anstimmen. [b] *friendship* schließen; *conversation* anfangen.
strike: ~ **action** *n* Streikmaßnahmen *pl*; ~ **ballot** *n* Urabstimmung *f*; ~**bound** *adj* bestreikt, vom Streik betroffen; ~**breaker** *n* Streikbrecher *m*; ~ **force** *n* (*Mil*) Kampftruppe *f*; ~ **pay** *n* Streikgeld *nt*.
striker ['straɪkəʳ] *n* [a] (*worker*) Streikende(r) *mf*. [b] (*Ftbl*) Stürmer *m*.
striking ['straɪkɪŋ] *adj* [a] *colour etc* auffallend; *resemblance* frappierend; *difference* erstaunlich; *beauty* eindrucksvoll ▶ *a ~ example of sth* ein hervorragendes Beispiel für etw. [b] *within ~ distance* in greifbarer Nähe.
strikingly ['straɪkɪŋlɪ] *adv see adj* (*a*).
string [strɪŋ] (*vb: pret, ptp* **strung**) [1] *n* [a] (*cord*) Schnur *f*, Bindfaden *m*; (*on apron etc*) Band *nt*; (*on anorak*) Kordel *f*; (*of puppet*) Faden *m* ▶ *to pull ~s* (*fig col*) Fäden ziehen, Beziehungen spielen lassen; *with no ~s attached* ohne Bedingungen. [b] (*row*) (*of beads*) Schnur *f*; (*of onions*) Zopf *m*; (*of racehorses etc*) Reihe *f*; (*of people, vehicles*) Schlange *f*; (*fig: series*) Reihe *f*; (*of lies, curses*) Serie *f*. [c] (*of musical instrument, tennis*

racket etc) Saite *f*; (*of bow*) Sehne *f* ▶ *the ~s pl* (*instruments*) die Streichinstrumente *pl*; (*players*) die Streicher *pl*; *to have more than one ~ to one's bow* mehrere Eisen im Feuer haben. [d] (*Comp: of characters*) Zeichenfolge *f*.
[2] *vt* [a] (*put on ~*) aufreihen ▶ *to ~ objects/sentences etc together* Gegenstände zusammenbinden/Sätze *etc* aneinanderreihen; *she can't even ~ two sentences together* sie bringt keinen vernünftigen Satz zusammen. [b] *violin etc, tennis racket* (mit Saiten) bespannen. [c] (*space out*) aufreihen.
◆**string along** (*col*) [1] *vt sep to ~ sb ~* jdn hinhalten. [2] *vi* (*go along with*) sich anschließen (*with dat*).
string bag *n* Einkaufsnetz *m*.
stringed [strɪŋd] *adj instrument* Saiten-; (*played with bow also*) Streich-.
stringency ['strɪndʒənsɪ] *n see adj* Strenge *f*; Härte *f*; (*of measures*) Schärfe *f*.
stringent ['strɪndʒənt] *adj standards, laws* streng; *testing, training etc also* hart; *measures also* energisch ▶ ~ *economies* schärfste Sparmaßnahmen *pl*.
string: ~ **instrument** *n* Saiteninstrument *nt*; (*played with bow also*) Streichinstrument *nt*; ~**pulling** *n* Spielenlassen *nt* von Beziehungen; ~ **quartet** *n* Streichquartett *nt*; ~ **vest** *n* Netzhemd *nt*.
stringy ['strɪŋɪ] *adj* (+*er*) *meat* sehnig, faserig; *vegetable* faserig.
strip [strɪp] [1] *n* [a] (*narrow piece*) Streifen *m*; (*of land also*) (schmales) Stück; (*of metal*) Band *nt*. [b] (*Brit Sport*) Trikot *nt*.
[2] *vt* [a] (*remove clothes etc from*) *person* ausziehen; *bed* abziehen; *wall* (*remove paint from*) abkratzen; (*with chemical*) abbeizen; (*remove paper from*) die Tapeten abziehen von; *wallpaper* abziehen; (*remove contents from*) ausräumen ▶ *to ~ a house of its contents* ein Haus ausräumen; *to ~ sth from or off sth* etw von etw entfernen; ~*ped of sth* ganz ohne etw. [b] (*fig: deprive of*) berauben (*of gen*). [c] (*Tech: dismantle*) *engine, car, gun* auseinandernehmen.
[3] *vi* (*remove clothes*) sich ausziehen; (*at doctor's*) sich freimachen; (*perform ~tease*) strippen (*col*) ▶ *to ~ naked* sich ganz ausziehen; *to ~ to the waist* den Oberkörper freimachen.
◆**strip off** *vi* = **strip 3**.
strip cartoon *n* Comic *m*.
stripe [straɪp] *n* [a] Streifen *m*. [b] (*US: kind*) (*of politics*) Richtung *f*; (*of character, opinion*) Art *f*.
striped [straɪpt] *adj* gestreift.
strip: ~ **light** *n* (*esp Brit*) Neonröhre *f*; ~ **lighting** *n* (*esp Brit*) Neonbeleuchtung *f*.
stripper ['strɪpəʳ] *n* [a] (*performer*) Stripteasetänzer (in *f*) *m*. [b] (*paint~*) Abbeizmittel *nt*; (*wallpaper ~*) Tapetenlöser *m*.
strip: ~**search** [1] *n* Leibesvisitation *f*, zu der sich der/die Durchsuchte ausziehen muß; [2] *vt* ausziehen lassen und durchsuchen; *he was ~searched* er mußte sich ausziehen und einer Leibesvisitation unterziehen; ~**tease** *n* Striptease *m or nt*.
stripy ['straɪpɪ] *adj* (*col*) gestreift.
strive [straɪv] *pret* **strove**, *ptp* **striven** ['strɪvn] *vi* (*exert oneself*) sich bemühen; (*fight*) kämpfen ▶ *to ~ to do sth* bestrebt sein, etw zu tun; *to ~ for sth* nach etw streben; *to ~ against sth* gegen etw (an)kämpfen.
strobe [strəʊb] *n* [a] = **stroboscope**. [b] (*also* ~ *lighting*) stroboskopische Beleuchtung.
stroboscope ['strəʊbəskəʊp] *n* Stroboskop *nt*.
strode [strəʊd] *pret of* **stride**.
stroke [strəʊk] [1] *n* [a] (*blow*) Schlag, Hieb *m*. [b] (*Cricket, Golf, Rowing, Tennis*) Schlag *m*; (*Swimming*) (*movement*) Zug *m*; (*type of ~*) Stil *m* ▶ *to put sb off his ~* (*fig*) jdn aus dem Konzept bringen. [c] (*of pen etc*)

Strich *m* ▸ *he doesn't do a ~ (of work)* er tut keinen Schlag (*col*); *a ~ of genius* ein genialer Einfall; *a ~ of luck* ein Glücksfall *m*; *we had a ~ of luck* wir hatten Glück; *at a or one ~* mit einem Schlag. **d** (*of clock*) Schlag *m* ▸ *on the ~ of twelve* Punkt zwölf (Uhr). **e** (*of piston*) Hub *m* ▸ *two-~ engine* Zweitaktmotor *m*. **f** (*Med*) Schlag *m* ▸ *to have a ~* einen Schlaganfall bekommen. **g** (*caress*) Streicheln *nt no pl* ▸ *to give sb/sth a ~* jdn/etw streicheln.
2 *vt* streicheln ▸ *he ~d his chin* er strich sich (*dat*) übers Kinn.
stroll [strəʊl] **1** *n* Spaziergang *m* ▸ *to go for a ~, to take a ~* einen Bummel machen.
2 *vi* spazieren ▸ *to ~ along* bummeln; *to ~ along the road* die Straße entlangspazieren; *to ~ up to sb* auf jdn zuschlendern.
stroller ['strəʊləʳ] *n* (*person*) Bummler(in *f*) *m*; (*US: for babies*) Sportwagen *m*.
strong [strɒŋ] **1** *adj* (+*er*) **a** stark; *material, grip also, kick, voice* kräftig; *table, wall* stabil; *shoes* fest; (*Fin*) *economy* gesund; (*strongly marked*) *features* ausgeprägt ▸ *you need a ~ stomach to be a nurse* als Krankenschwester darf man nicht empfindlich sein.
b (*healthy*) kräftig; *constitution also* robust; *teeth also, eyes, eyesight, heart, nerves* gut.
c (*powerful, effective*) stark; *character, views* fest; *country* mächtig; *candidate, case* aussichtsreich; *argument, evidence* überzeugend; *protest* energisch; *measure* drastisch; *letter* geharnischt ▸ *to have ~ feelings/views about sth* in bezug auf etw (*acc*) stark engagiert sein; *to have ~ feelings for sth* eine starke Bindung an etw (*acc*) haben; *~ language* starke Worte; *to protest in ~ terms* energisch protestieren; *a group 20 ~* eine 20 Mann starke Gruppe; *he is ~ in/on sth* etw ist seine Stärke.
d *curry* scharf; *spice, smell, taste* kräftig; (*pungent*) *smell, taste* streng; *colour, light* kräftig; *acid* stark; *solution* konzentriert ▸ *a ~ drink/whisky* ein harter Drink/ ein starker Whisky.
2 *adv* (+*er*) (*col*) *to be going ~* (*old person, thing*) gut in Schuß sein (*col*); (*runner*) eine gute Kondition zeigen; (*party, rehearsals*) in Schwung sein (*col*).
strong: **~-arm** *adj* (*col*) *tactics etc* brutal, Gewalt-; **~-box** *n* (Geld)kassette *f*; **~hold** *n* (*castle, fortress*) Festung *f*; (*town etc*) Stützpunkt *m*; (*fig*) Hochburg *f*.
strongly ['strɒŋlɪ] *adv* **a** (*physically*) stark; *kick, grip* kräftig; *fight* energisch; *built* stabil; *built* (*person*) kräftig.
b *influence, suspect, tempt* stark; *interest also* brennend; *believe* fest ▸ *to feel very ~ about sth* in bezug auf etw (*acc*) stark engagiert sein; *I didn't know that you felt so ~ about it* ich habe nicht gewußt, daß Ihnen das so viel bedeutet; (*against it*) ich habe nicht gewußt, daß Sie so dagegen sind. **c** (*powerfully*) stark; *protest* heftig, energisch; *plead* inständig; *support* kräftig; *answer, worded* in starken Worten ▸ *I ~ advise you ...* ich möchte Ihnen dringend(st) raten ...
strong: **~man** *n, pl* **~men** [-men] (*lit, fig*) starker Mann; **~-minded** *adj* willensstark; **~ point** *n* Stärke *f*; **~room** *n* Stahlkammer *f*; **~-willed** ['strɒŋ'wɪld] *adj* willensstark; (*pej*) eigensinnig.
strontium ['strɒntɪəm] *n* Strontium *nt*.
stroppy ['strɒpɪ] *adj* (+*er*) (*Brit col*) fuchtig (*col*); *answer, child* pampig (*col*).
strove [strəʊv] *pret of* **strive.**
struck [strʌk] **1** *pret, ptp of* **strike.**
2 *adj* **a** *pred to be ~ with sb/sth* (*impressed*) von jdm/etw begeistert *or* angetan sein; *I wasn't very ~ with him* er hat keinen großen Eindruck auf mich gemacht; *to be ~ on sb/sth* (*keen*) auf jdn/etw stehen (*col*), auf jdn/etw versessen sein. **b** (*US attr*) (*striking*) *workers* streikend; *factory, employers* vom Streik betroffen.

structural ['strʌktʃərəl] *adj* **a** strukturell; (*of building*) *alterations, damage* baulich; *defect* Konstruktions-. **b** (*weight-bearing*) *wall, beam* tragend.
structurally ['strʌktʃərəlɪ] *adv* strukturell ▸ *~ sound* statisch einwandfrei.
structure ['strʌktʃəʳ] **1** *n* **a** Struktur *f*; (*Liter*) Aufbau *m*; (*Tech: of bridge, car etc*) Konstruktion *f*. **b** (*thing constructed*) Konstruktion *f*.
2 *vt* strukturieren; *essay, argument* gliedern; *layout, life* gestalten.
struggle ['strʌgl] **1** *n* (*lit, fig*) Kampf *m* (*for* um); (*fig: effort*) Anstrengung *f* ▸ *without a ~ surrender* kampflos; *to put up a ~* sich wehren; *the ~ for survival* der Überlebenskampf; *it was a ~* es war mühsam; *I had a ~ to persuade him* es war gar nicht einfach, ihn zu überreden.
2 *vi* **a** (*contend*) kämpfen; (*in self-defence*) sich wehren; (*financially*) in Schwierigkeiten sein; (*fig: strive*) sich sehr anstrengen ▸ *to ~ to do sth* sich sehr anstrengen, etw zu tun; *to ~ for sth* um etw kämpfen; *to ~ with sth* *with problem* sich mit etw herumschlagen; *with language, homework* sich mit etw abmühen; *with doubts, conscience* mit etw ringen. **b** (*move with difficulty*) sich quälen ▸ *to ~ to one's feet* mühsam aufstehen; *to ~ on* (*lit*) sich weiterkämpfen; (*fig*) weiterkämpfen.
strum [strʌm] *vt tune* klimpern; *guitar* klimpern auf (+*dat*).
strung [strʌŋ] *pret, ptp of* **string.**
strut¹ [strʌt] *vi* stolzieren ▸ *to ~ about (the yard)* (auf dem Hof) herumstolzieren; *to ~ past* vorbeistolzieren.
strut² *n* (*horizontal*) Strebe *f*; (*vertical*) Pfeiler *m*.
strychnine ['strɪkniːn] *n* Strychnin *nt*.
stub [stʌb] **1** *n* (*of candle, pencil, tail, cigarette*) Stummel *m*; (*of cheque, ticket*) Abschnitt *m*; (*of tree*) Stumpf *m*.
2 *vt to ~ one's toe* (*on or against sth*) sich (*dat*) den Zeh (an etw *dat*) stoßen; *to ~ out a cigarette* eine Zigarette ausdrücken.
stubble ['stʌbl] *n no pl* Stoppeln *pl*.
stubbly ['stʌblɪ] *adj* (+*er*) *field, beard* Stoppel-; *chin* stoppelig.
stubborn ['stʌbən] *adj* *person, insistence* starrsinnig, stur; *animal also, child* störrisch; *refusal, weeds, cough* hartnäckig; *lock* widerspenstig ▸ *to be ~ about sth* stur auf etw (*dat*) beharren.
stubbornly ['stʌbənlɪ] *adv* stur; *refuse* hartnäckig.
stubbornness ['stʌbənnɪs] *n see adj* Starrsinn *m*, Sturheit *f*; störrische Art; Hartnäckigkeit *f*; Widerspenstigkeit *f*.
stubby ['stʌbɪ] *adj* (+*er*) *revolver etc* kurz; *tail* stummelig; *pencil* kurz und dick; *person* gedrungen, untersetzt; *legs* kurz und stämmig.
stucco ['stʌkəʊ] *n, pl* **-(e)s** Stuck *m*.
stuck [stʌk] **1** *pret, ptp of* **stick².**
2 *adj* **a** (*baffled*) *to be ~* nicht klarkommen. **b** (*col*) *he/she is ~ for sth* es fehlt ihm/ihr an etw (*dat*); *I'm a bit ~ for cash* ich bin ein bißchen knapp bei Kasse. **c** (*col*) *to get ~ into sth* sich in etw (*acc*) richtig reinknien (*col*); *to be ~ with sb/sth* jdn/etw am Hals haben (*col*).
stuck-up ['stʌk'ʌp] *adj* (*col*) *person* hochnäsig.
stud¹ [stʌd] **1** *n* (*nail*) Beschlagnagel *m*; (*decorative*) Ziernagel *m*.
2 *vt ~ded with ...* mit ... übersät; *with jewels* mit ... besetzt.
stud² *n* (*group of horses*) (*for breeding*) Gestüt *nt*, Zucht *f*; (*for racing etc*) Stall *m*; (*stallion*) (Zucht)hengst *m*.
student ['stjuːdənt] **1** *n* (*Univ*) Student(in *f*) *m*; (*esp US: at school, night school*) Schüler(in *f*) *m* ▸ *he is a ~ of French or a French ~* (*Univ*) er studiert Französisch; *medical/law ~s* Medizin-/Jurastudenten *pl*.

2 *adj attr* Studenten-; *activities also, movement* studentisch ▶ ~ **driver** (*US*) Fahrschüler(in *f*) *m*.

student: ~ **nurse** *n* Schwesternschülerin *f*/Pflegeschüler *m*; ~ **teacher** *n* Referendar(in *f*) *m*; ~ **or** ~**s' union** *n* **a** (*organization*) Studentenvereinigung *f*; **b** (*building*) Gebäude *nt* der Studentenvereinigung.

stud: ~ **farm** *n* Gestüt *nt*; ~ **horse** *n* Zuchthengst *m*.

studied ['stʌdɪd] **1** *pret, ptp of* **study**.
2 *adj reply* wohlüberlegt; *prose* kunstvoll.

studio ['stjuːdɪəʊ] *n* Studio *nt*; (*of painter also*) Atelier *nt*; (*broadcasting* ~ *also*) Senderaum *m*.

studio: ~ **audience** *n* Publikum *nt* im Studio; ~ **flat** *or* **apartment** (*US*) *n* Appartementwohnung *f*.

studious ['stjuːdɪəs] *adj person* fleißig, eifrig; *attention, piece of work* gewissenhaft, sorgfältig.

studiously ['stjuːdɪəslɪ] *adv* fleißig, eifrig; (*painstakingly*) sorgfältig; *polite, cool* bewußt; *avoid* gezielt, sorgsam.

▼ **study** ['stʌdɪ] **1** *n* **a** (*studying*) (*esp Univ*) Studium *nt*; (*at school*) Lernen *nt*; (*of situation, evidence, case*) Untersuchung *f*; (*of nature*) Beobachtung *f* ▶ **the** ~ **of cancer** die Krebsforschung; **African studies** (*Univ*) afrikanische Sprache und Kultur, Afrikanistik *f*; **to make a** ~ **of sth** etw untersuchen; (*academic*) etw studieren; **during my studies** während meines Studiums. **b** (*piece of work*) Studie *f* (*of* über +*acc*); (*Art, Phot*) Studie *f* (*of gen*); (*Mus*) Etüde *f*. **c** (*room*) Arbeitszimmer *nt*.
2 *vt* studieren; (*Sch*) lernen; *nature also, stars* beobachten; *author, text etc* sich befassen mit; (*research into*) erforschen; (*examine also*) untersuchen; *evidence* prüfen.
3 *vi* studieren; (*esp Sch*) lernen ▶ **to** ~ **to be a teacher/doctor** ein Lehrer-/Medizinstudium machen; **to** ~ **under sb** bei jdm studieren.

study: ~ **group** *n* Arbeitsgemeinschaft *f*; ~ **leave** *n* Bildungsurlaub *m*.

stuff [stʌf] **1** *n* **a** Zeug *nt* ▶ **the** ~ **that heroes are made of** der Stoff, aus dem Helden gemacht sind; **it's poor/good** ~ das ist schlecht/gut; **books and** ~ (*col*) Bücher und so (*col*); **and** ~ **like that** und so was (*col*); **all that** ~ **about how he wants to help us** (*col*) all das Gerede, daß er uns helfen will; ~ **and nonsense** Quatsch (*col*). **b** (*col*) **that's the** ~ so ist's richtig!, weiter so!; **to do one's** ~ seine Nummer abziehen (*col*); **he did his** ~ **well** er hat seine Sache gut gemacht; **to know one's** ~ sich auskennen.
2 *vt* **a** (*fill*) vollstopfen; *hole* zustopfen; *object* (hinein)stopfen (*into* in +*acc*); (*into envelope*) stecken (*into* in +*acc*) ▶ **to** ~ **sth away** etw wegstecken; **he** ~**ed it away in his pocket** er stopfte es in seine Tasche; **to be** ~**ed up (with a cold)** verschnupft sein, eine verstopfte Nase haben. **b** (*Cook*) füllen. **c** *cushion etc* füllen; *toy also* (aus)stopfen; (*in taxidermy*) ausstopfen ▶ **a** ~**ed toy** ein Stofftier *nt*. **d** (*col!*) ~ **it** (*be quiet*) halt's Maul! (*col*); **get** ~**ed!** du kannst mich mal (*col!*).
3 *vr* **to** ~ **oneself (with cakes)** sich (mit Kuchen) vollstopfen (*col*).

stuffing ['stʌfɪŋ] *n* (*of pillow, Cook*) Füllung *f*; (*of furniture*) Polstermaterial *nt*; (*in taxidermy, toys*) Füllmaterial *nt*.

stuffy ['stʌfɪ] *adj* (+*er*) **a** *room, atmosphere* stickig, dumpf. **b** (*narrow-minded*) spießig; (*prudish*) prüde; (*stiff*) steif; (*dull*) langweilig, öde.

stultify ['stʌltɪfaɪ] *vt mind, person* verkümmern lassen ▶ **to become stultified** verkümmern.

stumble ['stʌmbl] *vi* (*lit, fig*) stolpern; (*in speech*) stocken ▶ **to** ~ **against sth** gegen etw stoßen; **to** ~ **on or across sth** (*fig*) auf etw (*acc*) stoßen.

stumbling-block ['stʌmblɪŋblɒk] *n* (*fig*) Hindernis *nt* ▶ **to be a** ~ **to sth** einer Sache (*dat*) im Weg stehen.

stump [stʌmp] **1** *n* **a** (*of tree, limb, tooth, candle*) Stumpf *m*; (*of pencil, tail*) Stummel *m*; (*Cricket*) Stab *m*.

b (*US Pol: platform*) Rednertribüne *f* ▶ ~ **speaker** Wahlredner(in *f*) *m*.
2 *vt* (*fig col*) **you've got me** ~**ed** da bin ich überfragt; **I'm** ~**ed** ich bin mit meinem Latein am Ende (*col*); **to be** ~**ed for an answer** um eine Antwort verlegen sein.
3 *vi* (*col*) stapfen ▶ **to** ~ **along/about** entlang-/herumstapfen.

stumpy ['stʌmpɪ] *adj* (+*er*) kurz; *person* stämmig, untersetzt; *tree* klein und gedrungen ▶ ~ **tail** Stummelschwanz *m*.

stun [stʌn] *vt* (*make unconscious*) betäuben; (*daze*) benommen machen; (*fig*) (*shock*) fassungslos machen; (*amaze*) verblüffen ▶ **he was** ~**ned by the news** (*bad news*) er war von der Nachricht wie betäubt; (*good news*) die Nachricht hat ihn überwältigt.

stung [stʌŋ] *pret, ptp of* **sting**.

stunk [stʌŋk] *ptp of* **stink**.

stunning ['stʌnɪŋ] *adj dress, girl etc* toll (*col*), atemberaubend.

stunt¹ [stʌnt] *n* (*in film*) Action-Szene *f*; (*publicity* ~, *trick*) Gag *m*; (*Aviat*) Kunststück *nt*.

stunt² [stʌnt] *vt* (*lit, fig*) *growth, development* hemmen; *trees, mind etc* verkümmern lassen.

stunted ['stʌntɪd] *adj plant, mind* verkümmert; *child* unterentwickelt.

stuntman ['stʌntmæn] *n, pl* -**men** [-,men] *n* Stuntman *m*.

stupefaction [,stjuːpɪ'fækʃən] *n* Verblüffung *f*.

stupefy ['stjuːpɪfaɪ] *vt* benommen machen; (*fig: amaze, surprise*) verblüffen.

stupefying ['stjuːpɪfaɪɪŋ] *adj* (*amazing*) verblüffend.

stupendous [stjuː'pendəs] *adj* phantastisch; *effort* enorm.

stupid ['stjuːpɪd] *adj* dumm ▶ **don't be** ~ sei nicht so blöd (*col*); **I've done a** ~ **thing** ich habe etwas ganz Dummes gemacht; **you** ~ **idiot!** du blöder Idiot!; **that was a** ~ **thing to do** das war dumm (von dir); **to drink oneself** ~ sich sinnlos betrinken.

stupidity [stjuː'pɪdɪtɪ] *n* Dummheit *f*.

stupidly ['stjuːpɪdlɪ] *adv* dumm ▶ ~ **I forgot** dummerweise habe ich es vergessen.

stupor ['stjuːpə^r] *n* Benommenheit *f* ▶ **to be in a drunken** ~ im Vollrausch sein.

sturdily ['stɜːdɪlɪ] *adv* stabil ▶ **he is** ~ **built** er ist kräftig gebaut.

sturdiness ['stɜːdɪnɪs] *n see adj* (*a*) Kräftigkeit *f*; Robustheit *f*; Stabilität *f*.

sturdy ['stɜːdɪ] *adj* (+*er*) **a** *person, plant* kräftig; *material* robust; *building, car* stabil. **b** (*fig*) *opposition* standhaft.

sturgeon ['stɜːdʒən] *n* Stör *m*.

stutter ['stʌtə^r] **1** *n* (*of person, engine*) Stottern *nt* no *pl* ▶ **he has a bad** ~ er stottert sehr.
2 *vti* stottern.

stutterer ['stʌtərə^r] *n* Stotterer *m*, Stotterin *f*.

sty [staɪ] *n* (*lit, fig*) Schweinestall *m*.

sty(e) [staɪ] *n* (*Med*) Gerstenkorn *nt*.

style [staɪl] *n* **a** Stil *m* ▶ ~ **of painting** Malstil *m*; **the** ~ **of his writing** sein Stil *m*; ~ **of life** Lebensstil *m*; **a poem in the Romantic** ~ ein Gedicht im Stil der Romantik; **he won in fine** ~ er gewann überlegen; **that house is not my** ~ so ein Haus ist nicht mein Stil; **hillwalking/flattering people is not his** ~ Bergwanderungen liegen ihm nicht/es ist nicht seine Art zu schmeicheln; **the man has** ~ der Mann hat Format; **in** ~ stilvoll; **to do things in** ~ alles im großen Stil tun; **to celebrate in** ~ groß feiern. **b** (*Fashion*) Stil *m* no *pl*, Mode *f*; (*cut*) Schnitt *m*; (*hair*~) Frisur *f* ▶ **all the latest** ~**s** die neueste Mode.

styli ['staɪlaɪ] *pl of* **stylus**.

styling ['staɪlɪŋ] *n* (*of car etc*) Design *nt*; (*of dress, hair*)

Schnitt *m.*

stylish ['staɪlɪʃ] *adj person, dress etc* elegant; *car, hotel, district also* edel; *furnishings* stilvoll; (*fashionable*) modisch; *way of life* großartig.

stylishly ['staɪlɪʃlɪ] *adv* elegant; *furnished* stilvoll; (*fashionably*) modisch; *live* im großen Stil.

stylishness ['staɪlɪʃnɪs] *n see adj* Eleganz *f;* Vornehmheit *f;* stilvolle Art; modische Finesse; großangelegter Stil.

stylist ['staɪlɪst] *n* (*Fashion*) Designer(in *f) m;* (*hair~*) Friseur *m,* Friseuse *f.*

stylistic [staɪ'lɪstɪk] *adj* stilistisch ► ~ *device* Stilmittel *nt.*

stylized ['staɪlaɪzd] *adj* stilisiert.

stylus ['staɪləs] *n, pl* **styli** (*on record-player*) Nadel *f.*

styptic ['stɪptɪk] *adj* ~ *pencil* Blutstillstift *m.*

suave [swɑːv] *adj* weltmännisch, aalglatt (*pej*).

sub [sʌb] = ⓐ **submarine.** ⓑ **subscription.** ⓒ **substitute.**

sub- *pref* Unter-, unter-; (*esp with foreign words*) Sub-, sub-.

subaltern ['sʌbltən] *n* (*Brit Mil*) Subalternoffizier *m.*

sub: **~committee** *n* Unterausschuß *m;* **~conscious** ①
adj unterbewußt; ② *n the ~conscious* das Unterbewußtsein; **~consciously** *adv* im Unterbewußtsein; **~continent** *n* Subkontinent *m;* **~contract** ①
['sʌbkəntrækt] *vt* (*vertraglich*) weitervergeben (*to* an +*acc*); ② [sʌb'kɒntrækt] *n* Nebenvertrag *m;* **~contractor** *n* Subunternehmer *m;* **~culture** *n* Subkultur *f,* Szene *f* (*col*); **~divide** *vt* unterteilen; **~division** *n* (*act*) Unterteilung *f* (*into* in +*acc*); (*~group*) Unterabteilung *f.*

subdue [səb'djuː] *vt rebels, country* unterwerfen; *rioters* überwältigen; (*fig*) *anger, desire* unterdrücken; *noise, light, high spirits* dämpfen; *animals, children* bändigen.

subdued [səb'djuːd] *adj colour, lighting, voice* gedämpft; *manner, person* ruhig; *mood, atmosphere* gedrückt; (*submissive*) *voice, manner, person* fügsam, gehorsam; (*repressed*) *feelings, excitement* unterdrückt.

sub: **~-editor** *n* (*esp Brit*) Redakteur(in *f) m;* **~frame** *n* (*Aut*) Hilfsrahmen *m;* **~group** *n* Unterabteilung *f;* **~heading** *n* Untertitel *m;* **~human** *adj* unmenschlich.

▼ **subject** ['sʌbdʒɪkt] ① *n* ⓐ (*Pol*) Staatsbürger(in *f) m;* (*of king etc*) Untertan *m,* Untertanin *f.* ⓑ (*Gram*) Subjekt *nt,* Satzgegenstand *m.* ⓒ (*topic, Mus*) Thema *nt;* (*Art*) Motiv *nt* ► *to change the ~* das Thema wechseln; *on the ~ of ...* zum Thema (+*gen*) ...; *while we're on the ~* da wir gerade beim Thema sind. ⓓ
(*discipline*) (*Sch, Univ*) Fach *nt;* (*specialist ~*) (*Spezial*)gebiet *nt.* ⓔ (*object*) Gegenstand *m* (*of gen*); (*in experiment*) (*person*) Versuchsperson *f;* (*animal*) Versuchstier *nt* ► *he is the ~ of much criticism* er wird stark kritisiert.

② *adj* ⓐ (*conquered*) unterworfen. ⓑ *to be ~ to sth to law, change, sb's will* einer Sache (*dat*) unterworfen sein; *to illness* für etw anfällig sein; *to consent, approval* von etw abhängig sein; *northbound trains are ~ to delays* bei Zügen in Richtung Norden muß mit Verspätung gerechnet werden; *prices are ~ to alteration without notice* Preisänderungen sind vorbehalten; *~ to confirmation in writing* vorausgesetzt, es wird schriftlich bestätigt.

③ [səb'dʒɛkt] *vt* ⓐ (*subjugate*) unterwerfen; *terrorists, guerillas* zerschlagen. ⓑ *to ~ sb to sth to questioning, analysis* jdn einer Sache (*dat*) unterziehen; *to torture, criticism* jdn einer Sache (*dat*) aussetzen; *to ~ sb/a book to criticism* jdn/ein Buch kritisieren.

subjection [səb'dʒekʃən] *n* ⓐ (*state*) Abhängigkeit *f* ► *to hold a people in ~* ein Volk unterdrücken. ⓑ (*act*) Unterwerfung *f,* (*of terrorists etc*) Zerschlagung *f.*

subjective *adj,* **~ly** *adv* [səb'dʒektɪv, -lɪ] subjektiv.

subjectivity [,sʌbdʒek'tɪvɪtɪ] *n* Subjektivität *f.*

subject-matter ['sʌbdʒɪkt'mætər] *n* (*theme*) Stoff *m;* (*content*) Inhalt *m.*

sub judice [,sʌb'dʒuːdɪsɪ] *adj to be ~* verhandelt werden.

subjugate ['sʌbdʒʊgeɪt] *vt* unterwerfen.

subjugation [,sʌbdʒʊ'geɪʃən] *n* Unterwerfung *f.*

subjunctive [səb'dʒʌŋktɪv] ① *adj* konjunktivisch ► *the ~ mood* der Konjunktiv.
② *n* (*mood, verb*) Konjunktiv *m.*

sub: **~let** *pret, ptp* **~let** *vti* untervermieten (*to* an +*acc*); **~lieutenant** *n* (*Brit Naut*) Leutnant *m* zur See.

sublimate ['sʌblɪmeɪt] *vt* sublimieren.

sublime [sə'blaɪm] *adj beauty, scenery, thoughts* erhaben; *achievement, genius also* überragend; *indifference, contempt* vollkommen.

sublimely [sə'blaɪmlɪ] *adv* erhaben; *unaware, indifferent etc* vollkommen.

subliminal [,sʌb'lɪmɪnl] *adj* (*Psych*) unterschwellig.

submachine gun [,sʌbmə'ʃiːn'gʌn] *n* Maschinenpistole *f.*

submarine ['sʌbməˌriːn] *n* Unterseeboot, U-Boot *nt.*

submerge [səb'mɜːdʒ] ① *vt* untertauchen; (*flood*) überschwemmen ► *the house was completely ~d* das Haus stand völlig unter Wasser.
② *vi* (*diver, submarine*) tauchen.

submersion [səb'mɜːʃən] *n* Untertauchen *nt;* (*of submarine*) Tauchen *nt;* (*by flood*) Überschwemmung *f.*

submission [səb'mɪʃən] *n* ⓐ (*yielding*) Unterwerfung *f* (*to* unter +*acc*); (*submissiveness*) Gehorsam *m;* (*Sport*) Aufgabe *f.* ⓑ (*presentation*) Eingabe *f;* (*documents*) Vorlage *f.*

submissive *adj,* **~ly** *adv* [səb'mɪsɪv, -lɪ] demütig, unterwürfig (*pej*) (*to* gegenüber).

submissiveness [səb'mɪsɪvnɪs] *n* Demut *f,* Unterwürfigkeit *f* (*pej*).

submit [səb'mɪt] ① *vt* ⓐ (*put forward*) vorlegen (*to dat*); *application etc* einreichen (*to* bei) ► *to ~ that ...* (*esp Jur*) behaupten, daß ... ⓑ *to ~ sth to scrutiny etc* etw einer Prüfung *etc* unterziehen; *to be ~ted to sth to sth unpleasant* einer Sache (*dat*) ausgesetzt sein.
② *vi* (*yield*) nachgeben; (*Mil*) sich ergeben (*to dat*); (*Sport*) aufgeben ► *to ~ to sth to sb's orders, judgement* sich einer Sache (*dat*) beugen; *to indignity* etw erdulden; *to demands, threats* einer Sache (*dat*) nachgeben; *to ~ to blackmail* sich erpressen lassen.

subnormal [,sʌb'nɔːməl] *adj intelligence, temperature* unterdurchschnittlich; *person* minderbegabt ► *mentally ~* geistig minderbemittelt.

subordinate [sə'bɔːdɪnɪt] ① *adj officer* rangniedriger; *position, importance* untergeordnet ► *~ clause* (*Gram*) Nebensatz *m; to be ~ to sb/sth* jdm/einer Sache untergeordnet sein.
② *n* Untergebene(r) *mf.*
③ [sə'bɔːdɪneɪt] *vt* unterordnen (*to dat*).

subpoena [səb'piːnə] (*Jur*) ① *n* Vorladung *f* ► *to serve a ~ on sb* jdn vorladen.
② *vt* vorladen.

sub: **~-post office** *n* (*Brit*) Poststelle *f;* **~routine** *n* (*Comp*) Unterprogramm *nt.*

subscribe [səb'skraɪb] ① *vt money* spenden (*to* für) ► *~d capital* (*Fin*) gezeichnetes Kapital.
② *vi to ~ to an appeal* sich an einer Spendenaktion beteiligen; *to ~ to a magazine etc* eine Zeitschrift *etc* abonnieren; *to ~ to sth to proposal* etw gutheißen, etw billigen; *to opinion, theory* etw vertreten.

subscriber [səb'skraɪbər] *n* (*to paper*) Abonnent(in *f) m;* (*to fund*) Spender(in *f) m;* (*Telec*) Teilnehmer(in *f) m;* (*of shares*) Zeichner *m* ► *~ trunk dialling* (*Brit*) der Selbstwählferndienst.

subscript ['sʌbskrɪpt] *adj* (*Typ*) tiefgestellt.

subscription [səb'skrɪpʃən] *n* (*money subscribed*) Beitrag *m*; (*to newspaper, concert etc*) Abonnement *nt* (*to gen*) ► **to take out a ~ to sth** etw abonnieren; **to pay one's ~ (to a club)** seinen (Vereins)beitrag bezahlen.

subsection ['sʌb‚sekʃən] *n* Unterabteilung *f*, (*Jur*) Paragraph *m*.

subsequent ['sʌbsɪkwənt] *adj* (nach)folgend ► **~ to** (*form*) im Anschluß an (+*acc*).

subsequently ['sʌbsɪkwəntlɪ] *adv* (*afterwards*) später; (*from that time also*) von da an.

subservient [səb'sɜːvɪənt] *adj* (*pej*) unterwürfig (*to* gegenüber).

subside [səb'saɪd] *vi* (*flood*) sinken; (*land, building*) sich senken, absacken (*col*); (*storm, wind, anger etc*) nachlassen, sich legen.

subsidence [səb'saɪdəns] *n* Senkung *f*.

subsidiarity [‚səbsɪdɪ'ærɪtɪ] *n* Subsidiarität *f*.

subsidiary [səb'sɪdɪərɪ] ① *adj role, subject etc* Neben-; *company* Tochter-.
② *n* Tochtergesellschaft *f*.

subsidize ['sʌbsɪdaɪz] *vt company etc* subventionieren; (*col*) *person* unterstützen.

subsidy ['sʌbsɪdɪ] *n* Subvention *f* ► **there is a ~ on butter** Butter wird subventioniert; **housing subsidies** Wohnungsbauförderung *f* (*durch öffentliche Mittel*).

subsist [səb'sɪst] *vi* sich ernähren, leben (*on* von).

subsistence [səb'sɪstəns] *n* (*living*) Leben *nt* (*on* von); (*means of ~*) (Lebens)unterhalt *m*.

subsistence: ~ allowance *n* Unterhaltszuschuß *m*; **~ farming** *n* Ackerbau *m* für den Eigenbedarf; **~ level** *n* Existenzminimum *nt*; **at ~ level** auf dem Existenzminimum; **~ wage** *n* Minimallohn *m*.

sub: ~soil *n* Untergrund *m*; **~sonic** *adj* Unterschall-; **~species** *n* Unterart *f*.

substance ['sʌbstəns] *n* Substanz *f* ► **in ~** im wesentlichen; **the argument lacks ~** das Argument hat keine Substanz; **there is some ~ in his claim** seine Behauptung ist nicht unfundiert; **a man of ~** ein vermögender Mann.

substandard [‚sʌb'stændəd] *adj work, goods, quality* minderwertig; *housing* unzulänglich.

substantial [səb'stænʃəl] *adj* ⓐ *meal, person, cloth* kräftig; *furniture, building, firm* solide; *book* umfangreich. ⓑ (*considerable*) *loss, part, improvement, amount* beträchtlich; *sum also* namhaft; (*rich*) *landowner* vermögend. ⓒ (*weighty*) bedeutend; *proof, argument* überzeugend; *difference* wesentlich.

substantially [səb'stænʃəlɪ] *adv* ⓐ (*solidly*) solide; (*considerably*) erheblich, beträchtlich ► **~ built** *house* solide gebaut; *person* kräftig gebaut. ⓑ (*essentially, basically*) im wesentlichen.

substantiate [səb'stænʃɪeɪt] *vt* erhärten.

substantive ['sʌbstəntɪv] *adj evidence, argument, reason* überzeugend, stichhaltig.

substation ['sʌb‚steɪʃən] *n* (*Elec*) Umspannwerk *nt*.

substitute ['sʌbstɪtjuːt] ① *n* Ersatz *m no pl*; (*representative also*) Vertretung *f*; (*Sport*) Ersatzspieler(in *f*) *m*.
② *adj attr* Ersatz- ► **~ teacher** (*US*) Vertretung *f*.
③ *vt* **to ~ A for B** B durch A ersetzen; (*Sport also*) B gegen A auswechseln.
④ *vi* **to ~ for sb/sth** für jdn einspringen/etw ersetzen.

substitution [‚sʌbstɪ'tjuːʃən] *n* Ersetzen *nt* (*of X for Y* von Y durch X); (*Sport*) Austausch *m* (*of X for Y* von Y gegen X) ► **to make a ~** (*Sport*) auswechseln.

subtenant [‚sʌb'tenənt] *n* (*of flat etc*) Untermieter(in *f*) *m*; (*of land*) Unterpächter(in *f*) *m*.

subterfuge ['sʌbtəfjuːdʒ] *n* (*trickery*) Täuschung *f*; (*trick*) Trick *m*.

subterranean [‚sʌbtə'reɪnɪən] *adj* unterirdisch.

subtitle ['sʌb‚taɪtl] ① *n* Untertitel *m*.
② *vt film* mit Untertiteln versehen; *book etc* einen Untertitel geben (+*dat*).

subtle ['sʌtl] *adj* fein; *hint* zart; *charm* unaufdringlich; (*not obvious*) *remark, point* scharfsinnig; *design, proof* raffiniert.

subtlety ['sʌtltɪ] *n see adj* Feinheit *f*; Zartheit *f*; Unaufdringlichkeit *f*; Scharfsinn(igkeit *f*) *m*; Raffiniertheit *f*.

subtly ['sʌtlɪ] *adv* fein; *flavoured also* delikat; *argue, analyse* scharfsinnig; *achieve one's ends* auf raffinierte Weise ► **~ different** auf subtile Weise verschieden.

subtotal ['sʌb‚təʊtl] *n* Zwischen- *or* Teilsumme *f*.

subtract [səb'trækt] *vti* abziehen, subtrahieren (*from* von).

subtraction [səb'trækʃən] *n* Subtraktion *f*.

subtropical [‚sʌb'trɒpɪkəl] *adj* subtropisch.

suburb ['sʌbɜːb] *n* Vorort *m*.

suburban [sə'bɜːbən] *adj* Vorort-; (*pej*) kleinbürgerlich ► **~ line** (*Rail*) Vorortbahn *f*.

suburbia [sə'bɜːbɪə] *n* (*usu pej*) die Vororte *pl* ► **to live in ~** in einem (typischen) Vorort wohnen.

subversion [səb'vɜːʃən] *n no pl* Subversion *f*; (*of rights, freedom etc*) Untergrabung *f*.

subversive [səb'vɜːsɪv] ① *adj* subversiv ► **~ elements** subversive Kräfte *pl*.
② *n* Umstürzler(in *f*) *m*.

subway ['sʌbweɪ] *n* Unterführung *f*; (*US Rail*) U-Bahn *f*.

subzero [sʌb'zɪərəʊ] *adj temperatures* unter Null.

succeed [sək'siːd] *vi* ① (*person*) erfolgreich sein, Erfolg haben; (*plan etc also*) gelingen ► **to ~ in business/in a plan** geschäftlich/mit einem Plan erfolgreich sein; **I ~ed in doing it** es gelang mir, es zu tun; **you'll only ~ in making things worse** damit erreichst du nur, daß alles noch schlimmer wird. ⓑ (*come next*) **to ~ to an office** in einem Amt nachfolgen; **he ~ed to his father's position** er trat die Nachfolge seines Vaters an (*geh*).
② *vt* (*come after, take the place of*) folgen (+*dat*); (*person also*) Nachfolger(in *f*) *m* werden (+*gen*) ► **to ~ sb in a post/in office** jds Stelle (*acc*) übernehmen/jdm im Amt nachfolgen.

succeeding [sək'siːdɪŋ] *adj* folgend ► **~ generations** nachfolgende Generationen *pl*.

▼ **success** [sək'ses] *n* Erfolg *m* ► **without ~** ohne Erfolg, erfolglos; **to make a ~ of sth** mit *or* bei etw erfolgreich sein; **to meet with ~** Erfolg haben, erfolgreich sein; **~ story** Erfolgsstory *f*; (*person, thing*) Erfolg *m*.

successful [sək'sesfʊl] *adj* erfolgreich ► **to be ~** erfolgreich sein, Erfolg haben (*in* mit, bei); **I was ~ in doing it** es gelang mir, es zu tun.

successfully [sək'sesfəlɪ] *adv* erfolgreich, mit Erfolg.

succession [sək'seʃən] *n* ⓐ Folge, Serie *f*; (*with no intervening period*) (Aufeinander)folge *f* ► **in ~** hintereinander; **in quick ~** schnell hintereinander. ⓑ (*to post*) Nachfolge *f* ► **fourth in ~ to the throne** an vierter Stelle in der Thronfolge.

successive [sək'sesɪv] *adj* **four ~ days** vier Tage hintereinander, vier aufeinanderfolgende Tage; **~ generations have ...** eine Generation nach der anderen hat ...

successively [sək'sesɪvlɪ] *adv* nacheinander.

successor [sək'sesər] *n* Nachfolger(in *f*) *m* (*to gen*); (*to throne*) Thronfolger(in *f*) *m* ► **~ organization** Nachfolgeorganisation *f*.

succinct [sək'sɪŋkt] *adj* knapp.

succinctly [sək'sɪŋktlɪ] *adv* kurz und bündig; *write* in knappen Worten ► **as he very ~ put it** wie er so treffend bemerkte.

succinctness [sək'sɪŋktnɪs] *n* Knappheit, Kürze *f*.

succulent ['sʌkjʊlənt] ① *adj peach, steak* saftig.
② *n* (*Bot*) Sukkulente *f* (*spec*).

succumb [sə'kʌm] *vi* erliegen (*to dat*); (*to threats*) sich beugen (*to dat*).

such [sʌtʃ] ① *adj* ⓐ (*of that kind*) solche(r, s) ► **~ a person** so ein Mensch, ein solcher Mensch; **~ people/books** solche Leute/Bücher; **many/all ~ people** viele/

---

all solche Leute; *do you have ~ a book?* haben Sie so ein Buch?; ~ *a thing (as)* so etwas (wie); *I said no ~ thing* das habe ich nie gesagt; *no ~ thing* nichts dergleichen; *you'll do no ~ thing* du wirst dich hüten; *there's no ~ thing as a unicorn* so etwas wie ein Einhorn gibt es nicht; *... or some ~ thing* ... oder so etwas, ... oder so ähnlich; *... or some ~ name/place* ... oder so (ähnlich); *in ~ a case* in einem solchen Fall; *books ~ as these, ~ books as these* Bücher wie diese, solche Bücher.

b *(so much, so great etc)* solche(r, s) ▶ *he's ~ a liar* er ist ein derartiger *or* so ein Lügner; *he's not ~ a fool as you think* er ist nicht so dumm, wie Sie denken; *he did it in ~ a way that ...* er machte es so, daß ...; *~ wealth/beauty!* was für ein Reichtum/welche Schönheit!; *he's always in ~ a hurry* er hat es immer so eilig.

c *pred his surprise was ~ that ...* er war so überrascht, daß ...; *his manner was ~ that ...* er benahm sich so, daß ...

2 *adv* so, solch *(geh)* ▶ *~ a big house* so ein großes Haus; *nobody else makes ~ a good cup of tea as you* niemand kocht so guten Tee wie du; *it's ~ a long time ago* es ist so lange her.

3 *pron rabbits and hares and ~* Kaninchen, Hasen und dergleichen; *~ being the case ...* in diesem Fall ...; *~ was not my intention* dies war nicht meine Absicht; *~ is not the case* dies ist nicht der Fall; *~ is life!* so ist das Leben!; *as ~* an sich; *~ as?* zum Beispiel?; *~ as it is* so, wie es nun mal ist.

such-and-such ['sʌtʃən'sʌtʃ] *(col)* **1** *adj ~ a time/town* die und die Zeit/Stadt.

2 *n Mr ~* Herr Soundso.

suchlike ['sʌtʃˌlaɪk] *(col)* **1** *adj* solche.

2 *pron* dergleichen.

suck [sʌk] **1** *vt* saugen; *sweet, pastille* lutschen; *lollipop, thumb* lutschen an (+*dat*) ▶ *to ~ sb dry (fig)* jdn bis aufs Blut aussaugen.

2 *vi (at* an +*dat)* saugen; *(at lollipop, thumb)* lutschen; *(at pipe, through straw)* ziehen.

◆**suck down** *vt sep (current etc)* hinunterziehen.

◆**suck in** *vt sep liquid, dust* aufsaugen; *air (ventilator)* ansaugen; *(person)* in tiefen Zügen einatmen; *cheeks* einziehen.

◆**suck up** **1** *vt sep liquid, dust* aufsaugen.

2 *vi (col) to ~ ~ to sb* vor jdm kriechen *(col)*.

sucker ['sʌkər] *n* **a** *(col: fool)* Trottel *m (col)* ▶ *to be a ~ for sth* (immer) auf etw (*acc*) hereinfallen; *(be partial to)* eine Schwäche für etw haben. **b** *(US col: lollipop)* Lutscher *m*.

suckle ['sʌkl] *vt child* stillen; *animal* säugen.

sucrose ['suːkrəʊz] *n* Saccharose *f*, pflanzlicher Zucker.

suction ['sʌkʃən] *n* Saugwirkung *f* ▶ *~-pump* Saugpumpe *f*.

Sudan [suˈdɑːn] *n (the) ~* der Sudan.

Sudanese [ˌsuːdəˈniːz] **1** *adj* sudanesisch.

2 *n* Sudanese *m*, Sudanesin *f*.

sudden ['sʌdn] **1** *adj* plötzlich; *movement also* jäh, abrupt; *(unexpected) bend, change of direction* unerwartet ▶ *~ death play-off* Entscheidungskampf *m*.

2 *n all of a ~* (ganz) plötzlich.

suddenly ['sʌdnlɪ] *adv* plötzlich; *move also* abrupt.

suddenness ['sʌdnnɪs] *n* Plötzlichkeit *f*.

suds [sʌdz] *npl* Seifenlauge *f*; *(lather)* (Seifen)schaum *m*.

sue [suː] **1** *vt to ~ sb for sth* jdn wegen etw verklagen; *to ~ sb for divorce* gegen jdn die Scheidung einreichen; *to ~ sb for damages* jdn auf Schadenersatz verklagen.

2 *vi (Jur)* klagen, Klage erheben ▶ *to ~ for divorce* die Scheidung einreichen.

suede [sweɪd] **1** *n* Wildleder *nt*.

2 *adj* Wildleder-.

suet ['sʊɪt] *n* Nierenfett *nt*.

Suez ['suːɪz] *n* Suez *nt* ▶ *~ Canal* Suezkanal *m*.

suffer ['sʌfər] **1** *vt* **a** *pain, setback* erleiden; *hardship also, hunger* leiden; *headache, effects etc* leiden unter (+*dat*); *shock* haben ▶ *the pound ~ed further losses* das Pfund mußte weitere Einbußen hinnehmen. **b** *(tolerate)* dulden, ertragen ▶ *he doesn't ~ fools gladly* Dummheit ist ihm ein Greuel.

2 *vi (physically, mentally, fig)* leiden *(from* unter +*dat, from illness* an +*dat)*; *(as punishment, in hell etc)* büßen ▶ *he was ~ing from shock* er hatte einen Schock (erlitten); *your health will ~* deine Gesundheit wird darunter leiden; *you'll ~ for this!* das wirst du büßen!

sufferance ['sʌfərəns] *n he's only here on ~* er wird hier nur geduldet.

sufferer ['sʌfərər] *n (Med)* Leidende(r) *mf (from* an +*dat)* ▶ *diabetes ~s, ~s from diabetes* Zuckerkranke *pl*.

suffering ['sʌfərɪŋ] *n* Leiden *nt*; *(hardship, deprivation)* Leid *nt no pl*.

suffice [səˈfaɪs] *(form)* **1** *vi* (aus)reichen.

2 *vt ~ it to say ...* es reicht wohl, wenn ich sage, ...

sufficiency [səˈfɪʃənsɪ] *n (adequacy)* Hinlänglichkeit *f* ▶ *to have a ~* genügend haben.

sufficient [səˈfɪʃənt] *adj* genügend; *reason, condition* hinreichend ▶ *to be ~* genügen, ausreichen; *thank you, that's ~* danke, das genügt.

sufficiently [səˈfɪʃəntlɪ] *adv* genug ▶ *~ good/warm etc* gut/warm *etc* genug *pred*; *a ~ large number* eine ausreichend große Anzahl.

suffix ['sʌfɪks] *n (Ling)* Suffix *nt*, Nachsilbe *f*; *(in code etc)* Zusatz *m*.

suffocate ['sʌfəkeɪt] *vti (lit, fig)* ersticken ▶ *he was ~d by the smoke* er erstickte am Rauch.

suffocating ['sʌfəkeɪtɪŋ] *adj (lit)* erstickend *attr*; *(fig also)* erdrückend *attr*; *heat* drückend *attr*.

suffocation [ˌsʌfəˈkeɪʃən] *n (lit, fig)* Ersticken *nt*.

suffrage ['sʌfrɪdʒ] *n* Wahlrecht *nt*.

suffragette [ˌsʌfrəˈdʒet] *n* Suffragette *f*.

suffuse [səˈfjuːz] *vt* erfüllen; *(light)* durchfluten ▶ *~d with light* in Licht getaucht.

sugar ['ʃʊɡər] **1** *n* **a** Zucker *m*. **b** *(col: term of affection)* Schätzchen *nt (col)*.

2 *vt* zuckern, süßen ▶ *to ~ the pill* die bittere Pille versüßen.

sugar: *in cpds* Zucker-; *~* **basin** *n* Zuckerdose *f*; *~* **beet** *n* Zuckerrübe *f*; *~* **bowl** *n* Zuckerdose *f*; *~* **candy** *n (US: sweet)* Bonbon *nt or m*; *~* **cane** *n* Zuckerrohr *nt*; *~-coated* *adj* mit Zucker überzogen.

sugared ['ʃʊɡəd] *adj* gezuckert; *almonds* Zucker-; *words* (honig)süß.

sugar: *~* **lump** *n* Stück *nt* Zucker; *~* **refinery** *n* Zuckerraffinerie *f*; *~* **sprinkler** *n* Zuckerstreuer *m*.

sugary ['ʃʊɡərɪ] *adj taste* süß; *(full of sugar)* zuckrig; *(fig) style etc* süßlich.

suggest [səˈdʒest] **1** *vt* **a** *(propose)* vorschlagen; *plan, idea also* anregen; *explanation, theory* vorbringen ▶ *I ~ that we go, I ~ going* ich schlage vor, (daß) wir gehen; *what do you ~ we do?* was schlagen Sie vor?; *are you ~ing I should tell a deliberate lie?* soll das heißen, daß ich bewußt lügen soll?; *I am ~ing nothing of the kind* ich habe nichts dergleichen gesagt. **b** *(indicate, hint at)* andeuten; *(unpleasantly)* unterstellen; *(evoke) (music, poem)* denken lassen an (+*acc*) ▶ *what are you trying to ~?* was wollen Sie damit sagen?; *the symptoms would ~ an operation* die Symptome lassen eine Operation angeraten erscheinen.

2 *vr to ~ itself (idea, thought)* sich anbieten, naheliegen.

suggestion [səˈdʒestʃən] *n* **a** *(proposal)* Vorschlag *m* ▶ *my ~ is that ...* mein Vorschlag lautet ..., ich schlage vor, daß ...; *following your ~* auf Ihren Vorschlag *or*

Ihre Anregung hin; *I'm open to ~s* Vorschläge sind willkommen. **[b]** (*insinuation*) Andeutung *f*; (*unpleasant*) Unterstellung *f* ► *I resent that ~* ich weise diese Unterstellung zurück; *there is no ~ that he was involved* es gibt keinen Anhaltspunkt dafür, daß er beteiligt war. **[c]** (*hint: of irony etc*) Anflug *m*. **[d]** (*also indecent ~*) unsittlicher Antrag.

suggestive [sə'dʒestɪv] *adj* **[a]** *to be ~ of sth* auf etw (*acc*) hindeuten; (*create impression of*) den Eindruck von etw vermitteln. **[b]** (*indecent*) *joke, remark etc* zweideutig.

suicidal [,suɪ'saɪdl] *adj* selbstmörderisch; *person* selbstmordgefährdet ► *to have ~ tendencies* zum Selbstmord neigen; *that would be ~* (*also fig*) das wäre glatter Selbstmord.

suicide ['suɪsaɪd] *n* Selbstmord *m*; (*person*) Selbstmörder(in *f*) *m* ► *to commit ~* Selbstmord begehen; *~ attempt* Selbstmordversuch *m*.

▼ **suit** [suːt] **[1]** *n* **[a]** Anzug *m*; (*woman's*) Kostüm *nt* ► *~ of clothes* Garnitur *f*. **[b]** (*Jur*) Verfahren *nt* ► *to bring a ~ (against sb for sth)* (wegen etw gegen jdn) einen Prozeß anstrengen. **[c]** (*Cards*) Farbe *f* ► *to follow ~* (*lit*) Farbe bedienen; (*fig*) jds Beispiel (*dat*) folgen. **[2]** *vt* **[a]** (*be convenient to*) (*arrangement, date, price*) passen (+*dat*); (*climate, food*) bekommen (+*dat*); (*occupation*) gefallen (+*dat*) ► *that ~s me fine!* (*col*) das ist mir recht; *that would ~ me nicely* (*time, arrangement*) das würde mir gut passen; (*house, job etc*) das wäre genau das richtige für mich; *when would it ~ you to come?* wann wäre es Ihnen recht? **[b]** (*be suitable, right for*) geeignet sein für ► *he is very well ~ed to the job* er eignet sich sehr gut für die Stelle; *they are well ~ed (to each other)* sie passen gut zusammen. **[c]** (*clothes, hairstyle*) (gut) stehen (+*dat*). **[d]** (*adapt*) anpassen (*to dat*). **[e]** (*please*) gefallen (+*dat*) ► *you can't ~ everybody* man kann es nicht jedem recht machen; *~ yourself!* wie du willst!

suitability [,suːtə'bɪlɪtɪ] *n* Angemessenheit *f*; (*of person for job*) Eignung *f*.

suitable ['suːtəbl] *adj* (*convenient, practical*) geeignet, passend; (*socially, culturally appropriate*) angemessen ► *to be ~ for sb* (*date, place*) jdm passen; (*film, job*) für jdn geeignet sein; *the most ~ man for the job* der für die Stelle am besten geeignete Mann; *would 8 o'clock be a ~ time (for you)?* wäre Ihnen 8 Uhr recht?; *Tuesday is the most ~ day* Dienstag ist der günstigste Tag; *she's not ~ for him* sie paßt nicht zu ihm.

suitably ['suːtəblɪ] *adv* angemessen; *behave also, apologize* wie es sich gehört ► *he was ~ impressed* er war gehörig beeindruckt.

suitcase ['suːtkeɪs] *n* Koffer *m* ► *to live out of a ~* aus dem Koffer leben.

suite [swiːt] *n* (*of furniture*) Garnitur *f*; (*of rooms*) Suite, Zimmerflucht *f*; (*Mus*) Suite *f* ► *bedroom ~* Schlafzimmergarnitur *f*; *3-piece ~* dreiteilige Sitzgarnitur.

suitor ['suːtə'] *n* **[a]** (*old: of woman*) Freier *m* (*old*). **[b]** (*Jur*) Kläger(in *f*) *m*.

sulfate *etc* (*US*) *see* **sulphate** *etc*.

sulk [sʌlk] **[1]** *vi* schmollen, beleidigt sein. **[2]** *n* Schmollen *nt* ► *to have the ~s* schmollen.

sulkily ['sʌlkɪlɪ] *adv* schmollend.

sulkiness ['sʌlkɪnɪs] *n* Schmollen *nt*.

sulky ['sʌlkɪ] *adj* (+*er*) schmollend.

sullen ['sʌlən] *adj* **[a]** (*morose*) mürrisch. **[b]** *sky etc* düster, finster.

sully ['sʌlɪ] *vt reputation* besudeln.

sulphate, (*US*) **sulfate** ['sʌlfeɪt] *n* Sulfat *nt*.

sulphide, (*US*) **sulfide** ['sʌlfaɪd] *n* Sulfid *nt*.

sulphur, (*US*) **sulfur** ['sʌlfə'] *n* Schwefel *m*.

sulphuric, (*US*) **sulfuric** [sʌl'fjʊərɪk] *adj* Schwefel- ► ~

acid Schwefelsäure *f*.

sultan ['sʌltən] *n* Sultan *m*.

sultana [sʌl'tɑːnə] *n* (*fruit*) Sultanine *f*.

sultry ['sʌltrɪ] *adj weather* schwül; *woman* temperamentvoll; *beauty, look* glutvoll.

sum [sʌm] *n* **[a]** (*total*) Summe *f*; (*of money also*) Betrag *m* ► *that was the ~ (total) of his achievements* das war alles, was er geschafft hatte. **[b]** (*esp Brit: calculation*) Rechenaufgabe *f* ► *to do ~s (in one's head)* (im Kopf) rechnen.

◆**sum up** **[1]** *vt sep* **[a]** (*summarize*) zusammenfassen. **[b]** (*evaluate rapidly*) ab- *or* einschätzen. **[2]** *vi* (*also Jur*) zusammenfassen ► *to ~ ~, we can say that ...* zusammenfassend können wir feststellen, daß ...

Sumatra [suː'mɑːtrə] *n* Sumatra *nt*.

summarize ['sʌməraɪz] *vt* zusammenfassen.

summary ['sʌmərɪ] **[1]** *n* Zusammenfassung *f* ► *he gave us a short ~ of the film* er gab uns eine kurze Inhaltsangabe des Films. **[2]** *adj* **[a]** (*brief*) *account* knapp, kurzgefaßt. **[b]** (*fast*) *treatment* kurz, knapp; *perusal* flüchtig; (*Jur*) *trial, punishment* summarisch; *dismissal* fristlos.

summer ['sʌmə'] **[1]** *n* Sommer *m* ► *in (the) ~* im Sommer; *two ~s ago* im Sommer vor zwei Jahren; *a ~'s day* ein Sommertag *m*. **[2]** *adj attr* Sommer-.

summer: *~ camp n* (*US*) Ferienlager *nt*; *~ house n* Gartenhaus *nt*; *~time n* Sommer *m*; (*daylight-saving time*) Sommerzeit *f*.

summery ['sʌmərɪ] *adj* sommerlich.

summing-up ['sʌmɪŋ'ʌp] *n* (*Jur*) Resümee *nt*.

summit ['sʌmɪt] **[1]** *n* Gipfel *m*; (*fig also*) Höhepunkt *m*; (*~ conference*) Gipfel(konferenz *f*) *m*. **[2]** *adj attr* Gipfel-.

summon ['sʌmən] *vt* **[a]** *servant, police etc* (herbei)rufen; *help* holen; *meeting, Parliament* einberufen. **[b]** (*Jur*) vorladen.

◆**summon up** *vt sep courage* zusammennehmen; *strength* aufbieten; *enthusiasm, energy* aufbringen.

summons ['sʌmənz] **[1]** *n* (*Jur*) Vorladung *f* ► *to take out a ~ against sb* jdn vorladen lassen. **[2]** *vt* (*Jur*) vorladen.

sump [sʌmp] *n* (*Brit Aut*) Ölwanne *f*.

sumptuous ['sʌmptjʊəs] *adj* (*splendid*) luxuriös; (*extravagant*) aufwendig; *food etc* üppig, verschwenderisch.

sumptuously ['sʌmptjʊəslɪ] *adv see adj*.

sumptuousness ['sʌmptjʊəsnɪs] *n see adj* Luxus *m*; Aufwendigkeit *f*, Üppigkeit *f*.

Sun = **Sunday** So.

sun [sʌn] **[1]** *n* Sonne *f* ► *I've got the ~ in my eyes* die Sonne blendet mich; *he was up with the ~* er stand in aller Frühe auf; *there is no reason under the ~ why ...* es gibt absolut keinen Grund, warum ...; *he's tried everything under the ~* er hat alles Menschenmögliche versucht; *there's nothing new under the ~* (*prov*) es ist alles schon mal dagewesen; *a place in the ~* (*fig*) ein Platz an der Sonne. **[2]** *vr to ~ oneself* sich sonnen.

sun: *~bathe vi* sonnenbaden; *~bather n* Sonnenanbeter(in *f*) *m* (*col*); *~bathing n* Sonnenbaden *nt*; *~beam n* Sonnenstrahl *m*; *~bed n* Sonnenbank *f*; *~blind n* (*awning*) Markise *f*; (*venetian blind*) Jalousie *f*; *~block n* Sonnencreme *f* mit hohem Lichtschutzfaktor; *~burn n* Bräune *f*; (*painful*) Sonnenbrand *m*; *~burnt adj* sonnengebräunt; (*painfully*) von der Sonne verbrannt; *to get ~burnt* braun werden; (einen) Sonnenbrand bekommen.

sundae ['sʌndeɪ] *n* Eisbecher *m*.

Sunday ['sʌndɪ] **[1]** *n* Sonntag *m* ► *a month of ~s* (*col*) eine Ewigkeit; *never in a month of ~s* (*col*) nie im Leben; *see* **Tuesday**.

2 *adj attr* Sonntags- ▶ **~ best** Sonntagsstaat *m*; **~ school** Sonntagsschule *f*; **~ (news)paper** Sonntagszeitung *f*.

    | **SUNDAY PAPERS** |
---

i Die **Sunday papers** umfassen sowohl Massenblätter als auch seriöse Zeitungen. The Observer ist die älteste überregionale Sonntagszeitung der Welt. Die Sonntagszeitungen sind alle sehr umfangreich mit vielen Farb- und Sonderbeilagen. Zu den meisten Tageszeitungen gibt es parallele Sonntagsblätter, die aber separate Redaktionen haben.

---

sun: **~ deck** *n* Sonnendeck *nt*; **~dial** *n* Sonnenuhr *f*; **~down** *n* (*esp US*) Sonnenuntergang *m*.

sundry ['sʌndrɪ] 1 *adj* verschiedene. 2 *pron* **all and ~** jedermann. 3 *n* **sundries** *pl* Verschiedenes (+*sing vb*).

sunflower ['sʌnˌflaʊəʳ] *n* Sonnenblume *f*.

sung [sʌŋ] *ptp of* **sing**.

sun: **~glasses** *npl* Sonnenbrille *f*; **~god** *n* Sonnengott *m*; **~ hat** *n* Sonnenhut *m*.

sunk [sʌŋk] *ptp of* **sink**[1].

sunken ['sʌŋkən] *adj ship, treasure* versunken; *garden* tiefliegend *attr*, *bath* eingelassen; *cheeks* hohl; *eyes* eingesunken.

sun: **~ lamp** *n* Höhensonne *f*; **~less** *adj garden* ohne Sonne; *room also* dunkel; *day also* trübe; **~light** *n* Sonnenlicht *nt*; **in the ~light** in der Sonne; **~lit** *adj* sonnig; **~ lounge** *n* Glasveranda *f*.

sunny ['sʌnɪ] *adj* (+*er*) *place, day etc* sonnig; (*fig*) *smile, disposition also* heiter ▶ **~ intervals** (*Met*) Aufheiterungen *pl*; **to look on the ~ side (of things)** die Dinge von der angenehmen Seite sehen.

sun: **~ ray** *n* Sonnenstrahl *m*; **~rise** 1 *n* Sonnenaufgang *m*; **at ~rise** bei Sonnenaufgang; 2 *adj attr industries* der Spitzentechnologie; **~roof** *n* (*of car*) Schiebedach *nt*; (*of hotel etc*) Sonnenterrasse *f*; **~set** *n* Sonnenuntergang *m*; **at ~set** bei Sonnenuntergang; **~shade** *n* Sonnenschirm *m*; (*awning*) Markise *f*; **~shine** *n* Sonnenschein *m*; **hours of ~shine** Sonnenstunden *pl*; **~spot** *n* a Sonnenfleck *m*; b (*col: for holiday*) Sonnenparadies *nt*; **~stroke** *n* Sonnenstich *m*; **to get ~stroke** einen Sonnenstich bekommen; **~tan** *n* Sonnenbräune *f*; **to get a ~tan** braun werden; **~tan lotion** *n* Sonnenmilch *f*; **~tanned** *adj* braungebrannt; **~tan oil** *n* Sonnenöl *nt*; **~trap** *n* sonniges Eckchen *nt*; **~up** *n* (*esp US*) Sonnenaufgang *m*; **at ~up** bei Sonnenaufgang; **~ visor** *n* (*Aut*) Sonnenblende *f*.

super ['su:pəʳ] *adj* (*col*) phantastisch, klasse *inv* (*col*) ▶ **~!** Klasse! (*col*); **we had a ~ time** es war große Klasse (*col*) *or* phantastisch.

superabundance [ˌsu:pərə'bʌndəns] *n* (*of* an +*dat*) großer Reichtum; (*excessive amount*) Überfluß *m*.

superannuation [ˌsu:pəˌrænjʊ'eɪʃən] *n* Rente *f*.

superb [su:'pɜːb] *adj* großartig; *design, painting also* meisterhaft.

superbly [su:'pɜːblɪ] *adv see adj* **~ fit** ungemein fit.

supercharger ['su:pəˌtʃɑːdʒəʳ] *n* Lader *m*.

supercilious [ˌsu:pə'sɪlɪəs] *adj* hochnäsig.

superficial [ˌsu:pə'fɪʃəl] *adj person, injury* oberflächlich; *characteristics, resemblance* äußerlich.

superficiality ['su:pəˌfɪʃɪ'ælɪtɪ] *n see adj* Oberflächlichkeit *f*; Äußerlichkeit *f*.

superficially [ˌsu:pə'fɪʃəlɪ] *adv see adj* oberflächlich; äußerlich ▶ **~ this may be true** oberflächlich gesehen mag das stimmen.

superfluous [su'pɜːfluəs] *adj* überflüssig.

super: **~glue** *n* Sekundenkleber *m*; **~grass** *n* Topinformant *m*; **~group** *n* (*Mus*) Supergruppe *f*; **~highway** *n* (*US*) ≃ Autobahn *f*; **~human** *adj* über-

menschlich.

superimpose [ˌsu:pərɪm'pəʊz] *vt* **to ~ sth on sth** etw auf etw (*acc*) legen; (*Phot*) etw über etw (*acc*) fotografieren; (*Film*) etw über etw (*acc*) filmen.

superintend [ˌsu:pərɪn'tend] *vt* überwachen.

superintendent [ˌsu:pərɪn'tendənt] *n* Aufsicht *f*; (*in swimming-pool*) Bademeister *m*; (*of police*) (*Brit*) ≃ Kommissar(in *f*) *m*; (*US*) ≃ Polizeipräsident *m*.

▼ **superior** [su'pɪərɪəʳ] 1 *adj* a (*better*) *quality, equipment* besser (*to* als); *intellect, skill* überlegen (*to* sb/sth jdm/einer Sache). b (*excellent*) *work*(*manship*), *technique* großartig, hervorragend ▶ **~ quality goods** Waren *pl* bester Qualität. c (*higher in rank etc*) höher ▶ **~ officer** Vorgesetzte(r) *mf*; **to be ~ to** sb/sth jdm/einer Sache übergeordnet sein. d (*greater*) überlegen (*to* sb/sth jdm/einer Sache); *forces also* stärker (*to* als); *strength also* größer (*to* als) ▶ **they were ~ to us in number(s)** sie waren uns zahlenmäßig überlegen. e (*snobbish*) *person* überheblich; *smile also* überlegen; (*smart*) *restaurant, clientele* fein, vornehm. 2 *n* a (*in rank*) Vorgesetzte(r) *mf* ▶ **to be sb's ~** (*in ability*) jdm überlegen sein. b (*Eccl*) **Mother S~** Mutter Oberin *f*.

superiority [su,pɪərɪ'ɒrɪtɪ] *n* a (*of cloth etc*) bessere Qualität; (*of technique, ability, in numbers*) Überlegenheit *f*. b (*in rank*) höhere Stellung. c (*conceitedness*) Überheblichkeit *f*.

superlative [su'pɜːlətɪv] 1 *adj* (*excellent*) überragend; (*Gram*) superlativisch. 2 *n* Superlativ *m*.

superman ['su:pəmæn] *n, pl* **-men** [-men] Übermensch *m* ▶ **S~** (*in comics*) Supermann *m*.

supermarket ['su:pəˌmɑːkɪt] *n* Supermarkt *m*.

supernatural [ˌsu:pə'nætʃərəl] *adj* übernatürlich ▶ **the ~** das Übernatürliche.

superpower ['su:pəˌpaʊəʳ] *n* (*Pol*) Supermacht *f*.

superscript ['su:pəˌskrɪpt] *adj* (*Typ*) hochgestellt.

supersede [ˌsu:pə'si:d] *vt* ablösen; *person, belief also* an die Stelle treten von ▶ **~d ideas** überholte Ideen.

supersonic [ˌsu:pə'sɒnɪk] *adj* Überschall-.

superstar ['su:pəˌstɑːʳ] *n* Superstar *m*.

superstition [ˌsu:pə'stɪʃən] *n* Aberglaube *m no pl*.

superstitious [ˌsu:pə'stɪʃəs] *adj* abergläubisch.

superstore ['su:pəˌstɔː] *n* Großmarkt *m*.

superstructure ['su:pəˌstrʌktʃəʳ] *n* Überbau *m*; (*of ship*) Aufbauten *pl*.

supertanker ['su:pəˌtæŋkəʳ] *n* Supertanker *m*.

supertax ['su:pəˌtæks] *n* Höchststeuer *f*.

supervise ['su:pəvaɪz] 1 *vt* beaufsichtigen. 2 *vi* Aufsicht führen, die Aufsicht haben.

supervision [ˌsu:pə'vɪʒən] *n* Aufsicht *f*; (*action*) Beaufsichtigung *f* ▶ **under the ~ of** unter der Aufsicht von.

supervisor ['su:pəvaɪzəʳ] *n* (*of work*) Aufseher(in *f*) *m*, Aufsicht *f*; (*of research*) Leiter(in *f*) *m*; (*Brit Univ*) ≃ Tutor(in *f*) *m*; (*for PhD*) Doktorvater *m*.

supervisory ['su:pəvaɪzərɪ] *adj role* beaufsichtigend ▶ **in a ~ post** in einer Aufsichtsposition.

supine ['su:paɪn] *adj* **to be ~** auf dem Rücken liegen.

supper ['sʌpəʳ] *n* (*evening meal*) Abendessen *nt*; (*late evening snack*) (später) Imbiß ▶ **at ~** beim Abendessen; **to have ~** zu Abend essen.

suppertime ['sʌpətaɪm] *n* Abendessenszeit *f*.

supplant [sə'plɑːnt] *vt* ablösen, ersetzen; (*forcibly*) verdrängen; (*by ruse*) *rival* ausstechen.

supple ['sʌpl] *adj* (+*er*) geschmeidig, elastisch; *shoes* weich; *mind* beweglich.

supplement ['sʌplɪmənt] 1 *n* a Ergänzung *f* (*to* gen); (*of book*) Ergänzungsband *m* (*to* zu); (*at end of book*) Anhang *m*; (*additional charge*) Zuschlag *m* ▶ **a ~ to his income** eine Aufbesserung seines Einkommens.

    ➤ SENTENCE BUILDER: **superior: 2a → 12.3**

boxed-b (*colour ~ etc*) Beilage *f.*

boxed-2 *vt* ergänzen; *income* aufbessern.

supplementary [ˌsʌplɪˈmentərɪ] *adj* zusätzlich, ergänzend; *volume, report also* Zusatz-, Ergänzungs- ▸ ~ *benefit* (*Brit Hist*) ≃ Sozialhilfe *f*; ~ *fare* Zuschlag *m.*

supplication [ˌsʌplɪˈkeɪʃən] *n* Flehen *nt no pl.*

supplier [səˈplaɪəʳ] *n* (*Comm*) Lieferant(in *f*) *m.*

supply [səˈplaɪ] boxed-1 *n* (*supplying*) Versorgung *f*; (*Comm: delivery*) Lieferung *f* (*to* an +*acc*); (*Econ*) Angebot *nt* ▸ *electricity* ~ Stromversorgung *f*; *the* ~ *of blood to the brain* die Versorgung des Gehirns mit Blut; ~ *and demand* Angebot und Nachfrage (+*pl vb*). boxed-b (*that supplied*) Lieferung *f* ▸ *to cut off the* ~ (*of gas, water etc*) das Gas/Wasser *etc* abstellen. boxed-c (*stock*) Vorrat *m* ▸ *supplies pl* (*food*) Vorräte *pl*; (*for expedition also, for journey*) Proviant *m*; *to get* or *lay in supplies* or *a* ~ *of* sich (*dat*) einen Vorrat an (+*dat*) anlegen; *a month's* ~ ein Monatsbedarf *m*; *to be in short* ~ knapp sein; *fresh supplies* (*Mil*) Nachschub *m*; *office supplies* Bürobedarf *m*; *medical supplies* medizinischer Bedarf.

boxed-2 *vt* boxed-a *material, food etc* sorgen für; (*deliver*) *goods* liefern; *evidence, gas* liefern; (*put at sb's disposal*) stellen. boxed-b (*with* mit) versorgen; (*Comm*) beliefern ▸ *this supplied me with the chance ...* das gab mir die Chance ...; *we have not been supplied with a radio* wir haben kein Radio bekommen. boxed-c (*satisfy, make good*) *need* befriedigen; *want* abhelfen (+*dat*); (*Comm*) *demand* decken.

supply: ~ *industry* *n* Zulieferungsindustrie *f*; ~ *lines*, ~ *routes* *npl* (*Mil, fig*) Versorgungslinien *pl*; ~ *ship* *n* Versorgungsschiff *nt*; ~ *teacher* *n* (*Brit*) Vertretung *f.*

support [səˈpɔːt] boxed-1 *n* boxed-a (*lit*) Stütze *f* ▸ *to give* ~ *to sb/sth* jdn/etw stützen; *to lean on sb for* ~ sich auf jdn stützen. boxed-b (*fig*) (*no pl: moral, financial backing*) Unterstützung *f*; (*person*) Stütze *f* ▸ *in* ~ *of* zur Unterstützung (+*gen*); *in* ~ *of an allegation* zur Untermauerung einer Behauptung; *to speak in* ~ *of a candidate* einen Kandidaten unterstützen; *there was a lot of* ~ *for his views* viele stimmten seiner Meinung bei. boxed-2 *attr* (*Mil*) *troops, vessel etc* Hilfs-. boxed-3 *vt* boxed-a (*lit*) stützen; (*Tech also*) abstützen; (*bear the weight of*) tragen. boxed-b (*fig*) unterstützen; *plan, motion, sb's application also* befürworten; *party, cause also* eintreten für; (*give moral* ~ *to also*) beistehen (+*dat*), Rückhalt geben (+*dat*); (*corroborate*) erhärten, untermauern; (*financially*) *family* unterhalten; *party, orchestra* finanziell unterstützen ▸ *he* ~*s Arsenal* er ist Arsenal-Anhänger *m*; *which team do you* ~*?* für welche Mannschaft bist du? boxed-4 *vr* *to* ~ *oneself* (*physically*) sich stützen (*on* auf +*acc*); (*financially*) seinen Unterhalt (selbst) bestreiten.

supporter [səˈpɔːtəʳ] *n* Anhänger(in *f*) *m*; (*of theory, cause also*) Befürworter(in *f*) *m*; (*Sport also*) Fan *m* ▸ ~*s' club* Fanclub *m.*

supporting [səˈpɔːtɪŋ] *adj* *film* Vor-; *role, programme etc* Neben- ▸ ~ *actor/actress* Nebendarsteller *m*/Nebendarstellerin *f*; *the* ~ *cast* die Nebendarsteller *pl.*

supportive [səˈpɔːtɪv] *adj* stützend *attr* ▸ *my parents were very* ~ meine Eltern waren mir eine große Stütze.

suppose [səˈpəʊz] *vt* boxed-a (*imagine*) sich (*dat*) vorstellen; (*assume, postulate also*) annehmen ▸ *let us* ~ *that X equals 3* angenommen, X sei gleich 3; *even supposing it were* or *was true* (sogar) angenommen, daß es wahr ist; *always supposing he comes* immer vorausgesetzt, (daß) er kommt.

boxed-b (*believe, think*) annehmen, denken ▸ *I* ~ *he'll come* ich nehme an, (daß) er kommt; *I don't* ~ *he'll come* ich glaube kaum, daß er kommt; *I* ~ *he won't come* ich denke, er wird nicht kommen, er wird wohl nicht kommen; *I* ~ *that's the best thing* das ist vermutlich das Beste; *I don't* ~ *you could lend me a pound?*

Sie könnten mir nicht zufällig ein Pfund leihen?; *will he be coming? — I* ~ *so* kommt er? — ich denke schon; *you ought to be leaving — I* ~ *so* du solltest jetzt gehen — stimmt wohl; *I don't* ~ *so* ich glaube kaum; *he is generally* ~*d to be rich* er gilt als reich; *he's* ~*d to be coming* er soll (angeblich) kommen.

boxed-c (*in passive: ought*) *to be* ~*d to do sth* etw tun sollen; *he's the one who's* ~*d to do it* er müßte es eigentlich tun; *you're* ~*d to be in bed* du solltest eigentlich im Bett sein; *he isn't* ~*d to find out* er darf es nicht erfahren; *you're not* ~*d to (do that)* das darfst du nicht tun.

boxed-d (*in imper: I suggest*) ~ *we have a go?* warum versuchen wir es nicht einmal?; ~ *we buy it?* wie wäre es, wenn wir es kauften?

boxed-e (*presuppose*) voraussetzen ▸ *that* ~*s unlimited resources* das setzt unbegrenzte Vorräte voraus.

supposed [səˈpəʊzd] *adj* vermutet; *date, site, author also* mutmaßlich.

supposedly [səˈpəʊzɪdlɪ] *adv* angeblich ▸ *the atom was* ~ *indivisible* das Atom galt als unteilbar.

supposing [səˈpəʊzɪŋ] *conj* angenommen ▸ *but* ~ ... aber wenn ...

supposition [ˌsʌpəˈzɪʃən] *n* (*no pl: hypothesizing*) Mutmaßung, Spekulation *f*; (*thing supposed*) Annahme *f* ▸ *acting on the* ~ *that you are right* vorausgesetzt, daß Sie Recht haben.

suppository [səˈpɒzɪtərɪ] *n* Zäpfchen *nt.*

suppress [səˈpres] *vt* unterdrücken.

suppression [səˈpreʃən] *n* Unterdrückung *f.*

suppressor [səˈpresəʳ] *n* (*Elec*) Entstörungselement *nt.*

supra- [ˈsuːprə-] *pref* über-; (*esp with foreign words*) supra- ▸ ~*national* überstaatlich.

supremacy [sʊˈpreməsɪ] *n* Vormachtstellung *f*; (*Pol, Eccl, fig*) Supremat *nt* or *m* ▸ *air/naval* ~ Luft-/Seeherrschaft *f.*

supreme [sʊˈpriːm] boxed-1 *adj* (*highest, ultimate*) höchste(r, s); (*very great*) *courage etc* äußerste(r, s), größte(r, s) ▸ *with* ~ *indifference* völlig unbeteiligt; *S~ Court* Oberster Gerichtshof. boxed-2 *adv* *to rule* or *reign* ~ (*monarch*) absolut herrschen; (*champion, justice*) unangefochten herrschen.

supremely [sʊˈpriːmlɪ] *adv* *beautiful* unvergleichlich; *gifted* außerordentlich; *confident* zutiefst.

Supt = **superintendent.**

surcharge [ˈsɜːtʃɑːdʒ] *n* Zuschlag *m*; (*postal*) Nachporto, Strafporto (*col*) *nt.*

▾ **sure** [ʃʊəʳ] boxed-1 *adj* (+*er*) sicher; *proof, facts also* eindeutig; *method also, remedy* zuverlässig, verläßlich ▸ *I'm perfectly* ~ ich bin (mir da) ganz sicher; *to be* ~ *about sth* sich (*dat*) einer Sache (*gen*) sicher sein; *I'm not so* ~ *about that* da bin ich nicht so sicher; *to be* ~ *of oneself* sich (*dat*) seiner Sache sicher sein; (*generally self-confident*) selbstsicher sein; *it is* ~ *that he will come* er kommt ganz bestimmt; *it's* ~ *to rain* es regnet ganz bestimmt; *be* ~ *to turn the gas off* vergiß nicht, das Gas abzudrehen; *you're* ~ *of success* der Erfolg ist Ihnen sicher; *I want to be* ~ *of seeing him* ich möchte ihn auf jeden Fall sehen; *to make* ~ (*check*) nachsehen; *make* ~ *you get the leads the right way round* achten Sie darauf, daß die Kabel richtig herum sind; *make* ~ *you take your keys* denk daran, deine Schlüssel mitzunehmen; *it's best to make* ~ sicher ist sicher; *to make* ~ *of one's facts* sicherstellen, daß die Angaben stimmen; *to make* ~ *of a seat* sich (*dat*) einen Platz sichern; ~ *thing!* (*esp US col*) klare Sache! (*col*); *he'll quit for* ~ er kündigt ganz bestimmt; *I'll find out for* ~ ich werde das genau herausfinden; *do you know for* ~*?* wissen Sie das ganz sicher?; *with a* ~ *hand* mit sicherer Hand.

boxed-2 *adv* (*esp US*) *will you do it? — ~!* machst du das?

— klar! (*col*); *that meat ~ was tough* das Fleisch war vielleicht zäh!; *and ~ enough he did come* und er ist tatsächlich gekommen; *he'll come ~ enough* er kommt ganz bestimmt.

sure: **~-fire** *adj* (*col*) todsicher (*col*); **~-footed** *adj* (tritt)sicher.

surely ['ʃʊəlɪ] *adv* a bestimmt, sicher ▶ *~ you don't mean it?* das meinen Sie doch bestimmt nicht (so)?; *~ not!* das kann doch nicht stimmen!; *~ someone must know the answer* irgend jemand muß doch die Antwort wissen. b (*esp US: gladly*) gern, mit Vergnügen.

sureness ['ʃʊənɪs] *n* a (*positiveness*) Überzeugung, Sicherheit *f.* b (*reliability, steadiness*) Sicherheit *f*; (*of method*) Verläßlichkeit *f*; (*of sb's judgement also*) Untrüglichkeit *f.*

surety ['ʃʊərətɪ] *n* (*sum*) Bürgschaft, Sicherheit *f*; (*person*) Bürge *m* ▶ *to go* or *stand ~ for sb* für jdn bürgen.

surf [sɜːf] 1 *n* Brandung *f.* 2 *vi* surfen.

surface ['sɜːfɪs] 1 *n* a (*lit, fig*) Oberfläche *f*; (*of road*) Decke *f*, Belag *m* ▶ *on the ~ it seems that ...* oberflächlich sieht es so aus, als ob ...; *on the ~ he is friendly enough* nach außen hin ist er ganz freundlich. b (*Math: of cube etc*) Fläche *f.* c (*Min*) *at/on/up to the ~* über Tage. 2 *adj attr* a oberflächlich; *measurements* Oberflächen-. b *travel* auf dem Land-/Seeweg. c (*Min*) *worker, job* über Tage. 3 *vt road* mit einem Belag versehen; *wall* verblenden. 4 *vi* (*lit, fig*) auftauchen.

surface: *~ area n* Fläche *f*; (*Math*) Flächeninhalt *m*; *~ mail n by ~ mail* auf dem Land-/Seeweg, nicht per Luftpost; **~-to-air** *adj attr missile* Boden-Luft-.

surfboard ['sɜːfbɔːd] *n* Surfbrett *nt.*

surfeit ['sɜːfɪt] *n* Übermaß, Zuviel *nt* (*of* an +*dat*).

surfer ['sɜːfər] *n* Wellenreiter(in *f*), Surfer(in *f*) *m.*

surfing ['sɜːfɪŋ] *n* Wellenreiten, Surfen *nt.*

surge [sɜːdʒ] 1 *n* (*of sea*) Wogen *nt*; (*of floodwater*) Schwall *m*; (*Elec*) Spannungsstoß *m* ▶ *a ~ of people* eine wogende Menschenmenge; *he felt a sudden ~ of rage* er fühlte, wie die Wut in ihm aufstieg. 2 *vi* (*sea*) branden; (*floods, river*) anschwellen ▶ *blood ~d into her face* ihr schoß das Blut ins Gesicht; *they ~d towards/round him* sie drängten auf ihn zu/sie umdrängten ihn; *people ~d in/out* eine Menschenmenge flutete herein/heraus.

surgeon ['sɜːdʒən] *n* Chirurg(in *f*) *m.*

surgery ['sɜːdʒərɪ] *n* a Chirurgie *f* ▶ *to have ~* operiert werden; *to need (heart) ~* (am Herzen) operiert werden müssen. b (*Brit*) (*room*) Sprechzimmer *nt*; (*consultation*) Sprechstunde *f* ▶ *~ hours* Sprechstunden *pl.*

surgical ['sɜːdʒɪkəl] *adj treatment* operativ; *technique, instrument* chirurgisch; *training, skill* Chirurgen-, eines Chirurgen ▶ *~ spirit* Wundbenzin *nt*; *~ ward* chirurgische Station, Chirurgie *f* (*col*).

surliness ['sɜːlɪnɪs] *n* Verdrießlichkeit, Mißmutigkeit *f.*

surly ['sɜːlɪ] *adj* (+*er*) verdrießlich, mißmutig.

surmise [sɜːˈmaɪz] *vt* vermuten, mutmaßen.

surmount [sɜːˈmaʊnt] *vt obstacle* überwinden.

surname ['sɜːneɪm] *n* Nachname *m* ▶ *what is his ~?* wie heißt er mit Nachnamen?

surpass [sɜːˈpɑːs] 1 *vt* a (*be better than*) übertreffen. b (*exceed*) *comprehension* hinausgehen über (+*acc*). 2 *vt* ~ *oneself* sich selbst übertreffen.

surplice ['sɜːplɪs] *n* Chorrock *m.*

surplus ['sɜːpləs] 1 *n* Überschuß *m* (*of* an +*dat*). 2 *adj* überschüssig; (*of countable objects*) überzählig ▶ *sale of ~ stock* Verkauf *m* von Lagerbeständen; *it is ~ to my requirements* das benötige ich nicht.

▼ **surprise** [səˈpraɪz] 1 *n* Überraschung *f* ▶ *in ~* über-

rascht; *much to my ~, to my great ~* zu meiner großen Überraschung; *with a look of ~* mit überraschtem Gesicht; *what a ~!* was für eine Überraschung!; *to give sb a ~* jdn überraschen; *to take sb by ~* jdn überraschen. 2 *attr attack, visit* Überraschungs-; *parcel etc* überraschend. 3 *vt* überraschen; (*catch unawares also*) überrumpeln ▶ *I wouldn't be ~d if ...* es würde mich nicht wundern, wenn ...; *don't be ~d if he refuses* wundern Sie sich nicht, wenn er ablehnt; *I'm ~ed at you!* du überraschst mich sehr!

surprising [səˈpraɪzɪŋ] *adj* überraschend, erstaunlich ▶ *it's hardly ~ he said no* es ist kaum verwunderlich, daß er nein gesagt hat.

surprisingly [səˈpraɪzɪŋlɪ] *adv ~ (enough), he was right* er hatte erstaunlicherweise recht; *and then ~ he left* und dann ist er zu unserer/ihrer *etc* Überraschung gegangen.

surreal [səˈrɪəl] *adj* unwirklich.

surrealism [səˈrɪəlɪzəm] *n* Surrealismus *m.*

surrealist [səˈrɪəlɪst] *n* Surrealist(in *f*) *m.*

surrealistic [sə,rɪəˈlɪstɪk] *adj* surrealistisch.

surrender [səˈrendər] 1 *vi* sich ergeben (*to dat*); (*to police*) sich stellen (*to dat*) ▶ *I ~!* ich ergebe mich! 2 *vt* (*Mil*) übergeben; *goods, firearms also* ausliefern; *insurance policy* einlösen; *lease* kündigen; *claim, right* aufgeben. 3 *vr to ~ oneself to sth* sich einer Sache (*dat*) hingeben; *to fate* sich in etw (*acc*) ergeben. 4 *n* a Kapitulation *f* (*to* vor +*dat*). b *see vt* Übergabe *f* (*to* an +*acc*); Auslieferung *f* (*to* an +*acc*); Einlösen *nt*; Kündigung *f*, Aufgabe *f* ▶ *~ value* (*Insur*) Rückkaufswert *m.*

surreptitious [,sʌrəpˈtɪʃəs] *adj*, **~ly** *adv* heimlich.

surrogate ['sʌrəgɪt] 1 *n* (*substitute*) Ersatz *m.* 2 *attr* Ersatz- ▶ *~ mother* Leihmutter *f.*

surround [səˈraʊnd] 1 *n* Umrandung *f.* 2 *vt* umgeben; (*Mil*) umstellen.

surrounding [səˈraʊndɪŋ] *adj* umliegend ▶ *in the ~ countryside* in der Umgebung.

surroundings [səˈraʊndɪŋz] *npl* Umgebung *f.*

surtax ['sɜːtæks] *n* Steuerzuschlag *m.*

surveillance [sɜːˈveɪləns] *n* Überwachung *f* ▶ *to be under ~* überwacht werden; *to keep sb under ~* jdn überwachen.

survey ['sɜːveɪ] 1 *n* a (*of land*) Vermessung *f*; (*report*) (Vermessungs)gutachten *nt*; (*of house*) Begutachtung *f*; (*report*) Gutachten *nt* ▶ *to have a ~ done on a house* ein Gutachten über ein Haus erstellen lassen. b (*review: of subject, development*) Überblick *m* (*of* über +*acc*). c (*inquiry*) Untersuchung *f* (*of, on* über +*acc*); (*by opinion poll etc*) Umfrage *f* (*of, on* über +*acc*). 2 [sɜːˈveɪ] *vt* a (*look at*) *scene, person, prospects* sich (*dat*) ansehen; (*appraisingly also*) begutachten; *person, goods* mustern. b (*study*) *prospects, plans* untersuchen; *events, trends* einen Überblick geben über (+*acc*). c (*Surv*) *site* vermessen; *building* inspizieren.

surveying [sɜːˈveɪɪŋ] *n* (*of land*) Vermessung *f*; (*Brit: of buildings*) Inspektion *f.*

surveyor [sɜːˈveɪər] *n* (*land ~*) Landvermesser(in *f*) *m*; (*Brit: building ~*) Bauinspektor(in *f*) *m.*

survival [səˈvaɪvəl] *n* Überleben *nt*; (*of species also*) Fortbestand *m*; (*of customs*) Weiterleben *nt* ▶ *the ~ of the fittest* das Überleben der Stärkeren; *~ course* Überlebenstraining *nt no pl*; *~ kit* Überlebensausrüstung *f.*

survive [səˈvaɪv] 1 *vi* (*person, animal etc*) überleben; (*in job*) sich halten (können); (*treasures, play*) erhalten bleiben; (*custom*) fortbestehen ▶ *you'll ~* (*iro*) das wirst du schon überleben! 2 *vt* überleben; (*house, objects*) *fire etc* überstehen;

➤ SENTENCE BUILDER: **surprise: 3** → 6.1, 13.2, 14.2, 1.2, 1.4, 7.2, 8.2, 9.2, 10.2

(*col*) *heat, boredom etc* aushalten.
survivor [sə'vaɪvər] *n* Überlebende(r) *mf* ▶ *to be a ~* (*fig: in politics etc*) nicht unterzukriegen sein.
susceptibility [sə,septə'bɪlɪtɪ] *n no pl see adj* Beeindruckbarkeit *f* ▶ *~ to sth* Empfänglichkeit *f* für etw; Ausgesetztsein *nt* gegenüber etw; Anfälligkeit *f* für etw.
susceptible [sə'septəbl] *adj* (*impressionable*) beeindruckbar ▶ *~ to sth* to charms etc für etw empfänglich; *to attack* einer Sache (*dat*) ausgesetzt; *to colds, influence* für etw anfällig.
suspect ['sʌspekt] 1 *adj* verdächtig.
2 *n* Verdächtige(r) *mf*.
3 [sə'spekt] *vt* a *person* verdächtigen (*of sth* einer Sache *gen*), in Verdacht haben ▶ *I ~ her of having stolen it* ich habe sie im Verdacht, es gestohlen zu haben; *the ~ed bank robber* der mutmaßliche Bankräuber; *he ~s nothing* er ahnt nichts. b (*doubt*) *truth* anzweifeln; *motive* argwöhnisch sein gegenüber. c (*think likely*) vermuten ▶ *I ~ed as much* das habe ich doch vermutet; *a ~ed case of measles* ein Fall, bei dem Verdacht auf Masern besteht.
suspend [sə'spend] *vt* a (*hang*) (auf)hängen (*from* an +*dat*) ▶ *to hang ~ed from sth/in sth* von/in etw (*dat*) hängen. b (*stop, defer*) *publication, payment* (zeitweilig) einstellen; *judgement* aufschieben; *sentence* zur Bewährung aussetzen ▶ *he was given a ~ed sentence* seine Strafe wurde zur Bewährung ausgesetzt. c *person* suspendieren; *member, pupil* zeitweilig ausschließen; (*Sport*) sperren; *licence* zeitweilig einziehen; *law, privileges* aussetzen ▶ *to ~ from duty* suspendieren.
suspender [sə'spendər] *n usu pl* a (*Brit*) (*for stockings*) Strumpfhalter, Straps *m*; (*for socks*) Sockenhalter *m* ▶ *belt* Strumpf(halter)gürtel *m*. b (*US*) *~s pl* Hosenträger *pl*.
suspense [sə'spens] *n* (*in book, film etc*) Spannung *f* ▶ *full of ~* spannungsgeladen; *the ~ is killing me* ich bin gespannt wie ein Regenschirm (*hum col*); *to keep sb in ~* jdn auf die Folter spannen (*col*).
suspension [sə'spenʃən] *n* a *see* **suspend (b)** zeitweilige Einstellung; Aufschub *m*; Aussetzung *f* (zur Bewährung). b *see* **suspend (c)** Suspendierung *f*; zeitweiliger Ausschluß; Sperrung *f*; zeitweiliger Einzug; Aussetzen *nt*. c (*Aut*) Federung *f* ▶ *independent ~* Einzelradaufhängung *f*.
suspension bridge *n* Hängebrücke *f*.
suspension file *n* Hängemappe *f*.
suspicion [sə'spɪʃən] *n* Verdacht, Argwohn (*geh*) *m no pl*; (*trace*) Hauch *m*, Spur *f* ▶ *to arouse sb's ~s* jds Verdacht erregen; *I have a ~ that ...* ich habe den Verdacht, daß ...; *to have one's ~s about sth* seine Zweifel bezüglich einer Sache (*gen*) haben; *to be above (all)/under ~* über jeden Verdacht erhaben sein/unter Verdacht stehen; *to arrest sb on ~/on ~ of murder* jdn wegen Tatverdachts/Mordverdachts festnehmen.
suspicious [sə'spɪʃəs] *adj* a (*feeling suspicion*) argwöhnisch, mißtrauisch (*of* gegenüber) ▶ *to be ~ about sth* etw mit Mißtrauen betrachten. b (*causing suspicion*) verdächtig.
suspiciously [sə'spɪʃəslɪ] *adv see adj* a argwöhnisch, mißtrauisch. b verdächtig ▶ *it looks ~ like measles to me* das sieht mir verdächtig nach Masern aus.
suspiciousness [sə'spɪʃəsnɪs] *n see adj* a Argwohn *m* (*geh*), Mißtrauen *nt*. b Verdächtigkeit *f*.
suss [sʌs] **suss out**: *vt sep* (*Brit col*) *to ~ sb ~* jdm auf den Zahn fühlen (*col*); *to ~ sth ~* etw herausbekommen; *to ~ things ~* die Lage peilen (*col*).
sustain [sə'steɪn] *vt* a (*support*) *load, weight* aushalten, tragen; *life* erhalten; *family* unterhalten; (*nourish*) *body* bei Kräften halten. b (*maintain*) *pretence, argument* aufrechterhalten; *effort also* nicht nachlassen in (+*dat*); (*Jur*) *objection* stattgeben (+*dat*). c (*receive*) *injury* erleiden.

sustained [sə'steɪnd] *adj effort etc* ausdauernd; *applause* anhaltend.
sustaining [sə'steɪnɪŋ] *adj food* nahrhaft ▶ *~ pedal* (*Mus*) Fortepedal *nt*.
sustenance ['sʌstɪnəns] *n* (*food and drink*) Nahrung *f*; (*nutritive quality*) Nährwert *m*.
suture ['su:tʃər] (*Med*) 1 *n* Naht *f*.
2 *vt* nähen.
SW = a **South-West** SW. b **short wave** KW.
swab [swɒb] 1 *n* (*Med*) Tupfer *m*; (*specimen*) Abstrich *m* ▶ *to take a ~* einen Abstrich machen.
2 *vt* a (*Med*) *wound etc* (ab)tupfen. b (*Naut: also ~ down*) wischen.
Swabia ['sweɪbɪə] *n* Schwaben *nt*.
swag [swæg] *n* (*col*) Beute *f*.
swagger ['swægər] *vi* a stolzieren. b (*boast, act boastfully*) angeben.
Swahili [swɑː'hi:lɪ] *n* (*language*) Swahili *nt*.
swallow¹ ['swɒləʊ] 1 *n* Schluck *m*.
2 *vt food, drink* (hinunter)schlucken; (*fig*) *story, evidence, insult* schlucken ▶ *to ~ sth whole* (*lit*) etw ganz schlucken; (*fig*) etw ohne weiteres schlucken; *to ~ one's words* (*retract*) seine Worte zurücknehmen.
3 *vi* schlucken ▶ *to ~ hard* (*fig*) kräftig schlucken.
◆**swallow up** *vt sep* (*fig*) verschlingen ▶ *the mist seemed to ~ them* ~ der Nebel schien sie zu verschlucken; *I wished the ground would open and ~ me* ~ ich wäre am liebsten in den Boden versunken.
swallow² *n* (*bird*) Schwalbe *f*.
swam [swæm] *pret of* **swim**.
swamp [swɒmp] 1 *n* Sumpf *m*.
2 *vt* unter Wasser setzen; (*fig*) überschwemmen.
swampy ['swɒmpɪ] *adj* (+*er*) sumpfig.
swan [swɒn] 1 *n* Schwan *m*.
2 *vi* (*col*) *to ~ off* abziehen (*col*); *to ~ around New York* in New York herumzieren (*col*).
swank [swæŋk] *vi* (*col*) angeben (*about* mit).
swanky ['swæŋkɪ] *adj* (+*er*) (*col*) *manner, words* großspurig; *car etc* protzig (*col*), Angeber-.
swansong ['swɒn,sɒŋ] *n* (*fig*) Schwanengesang *m*.
swap [swɒp] 1 *n* Tausch *m* ▶ *to do a ~ (with sb)* (mit jdm) tauschen.
2 *vt stamps, cars, houses etc* tauschen; *stories* austauschen ▶ *to ~ sth for sth* etw gegen etw eintauschen; *to ~ places with sb* mit jdm tauschen.
3 *vi* tauschen.
SWAPO ['swɑːpəʊ] = **South-West Africa People's Organization** SWAPO *f*.
swarm [swɔːm] 1 *n* (*of insects, birds*) Schwarm *m*; (*of people also*) Schar *f*.
2 *vi* (*bees, flies, people*) schwärmen ▶ *the place was ~ing with insects/people* es wimmelte von Insekten/Leuten.
swarthy ['swɔːðɪ] *adj* (+*er*) *skin* dunkel.
swashbuckling ['swɒʃbʌklɪŋ] *adj* verwegen.
swastika ['swɒstɪkə] *n* Hakenkreuz *nt*.
SWAT *n abbr* (= **Special Weapons and Tactics**) (*US*) Spezialeinheit *f* der amerikanischen Polizei.
swat [swɒt] *vt fly* totschlagen.
swathe [sweɪð] *vt* wickeln (*in* in +*acc*).
sway [sweɪ] 1 *n* (*influence, rule*) Macht *f* (*over* über +*acc*) ▶ *to hold ~ over sb* jdn beherrschen, jdn in seiner Macht haben.
2 *vi* (*trees*) sich wiegen; (*hanging object*) schwingen; (*building, bridge etc, person*) schwanken; (*train, boat*) schaukeln; (*hips*) wackeln.
3 *vt* a schwenken; (*wind*) hin und her bewegen. b (*influence*) beeinflussen; (*change sb's mind*) umstimmen.
Swaziland ['swɑːzɪlænd] *n* Swasiland *nt*.
swear [sweər] (*vb: pret* **swore**, *ptp* **sworn**) 1 *vt allegiance* schwören; *oath also* leisten, ablegen ▶ *I ~ it!* ich

kann das beschwören!; **to ~ sb to secrecy** jdn schwören lassen, daß er nichts verrät; **I could have sworn that was Louise** (am almost sure) ich könnte schwören, daß das Louise war; (but it wasn't) ich hätte schwören können, daß das Louise war.

2 vi **a** (use solemn oath) schwören ► **to ~ on the Bible** auf die Bibel schwören; **to ~ to sth** etw beschwören. **b** (use swearwords) fluchen (about über +acc) ► **to ~ at sb/sth** jdn/etw beschimpfen.

◆**swear by** vi +prep obj (col) schwören auf (+acc).

◆**swear in** vt sep witness etc vereidigen.

swearword ['sweə,wɜːd] n Fluch, Kraftausdruck m.

sweat [swet] **1** n Schweiß m no pl ► **by the ~ of one's brow** (fig) im Schweiße seines Angesichts (liter); **to get into a ~ about sth** (fig) wegen etw ins Schwitzen geraten or kommen; **no ~** (col) kein Problem; **it was a real ~** (col) wir haben wirklich geschuftet (col).

2 vi schwitzen (with vor +dat); (fig col) (work hard) sich abrackern (col) (over mit); (worry) zittern (with vor +dat) ► **to ~ like a pig** (col) wie ein Affe schwitzen (col).

3 vt **to ~ blood** (with worry) Blut und Wasser schwitzen; (with effort) sich abrackern (col); **to ~ it out** (fig col) durchhalten; (sit and wait) abwarten.

sweatband ['swet,bænd] n Schweißband nt.

sweated labour ['swetɪd'leɪbəʳ] n ausgebeutete Arbeitskräfte pl ► **that was ~!** (col) das war Ausbeutung!

sweater ['swetəʳ] n Pullover m.

sweat: **~ pants** npl Jogginghose f; **~shirt** n Sweatshirt nt; (Sport) Trainingspullover m; **~shop** n (pej, hum col) Ausbeuterbetrieb m (pej).

sweaty ['swetɪ] adj (+er) hands schweißig; feet, smell also Schweiß-; person, socks verschwitzt; weather, work zum Schwitzen.

swede [swiːd] n (Brit) Kohlrübe, Steckrübe f.

Swede [swiːd] n Schwede m, Schwedin f.

Sweden ['swiːdn] n Schweden nt.

Swedish ['swiːdɪʃ] **1** adj schwedisch. **2** n Schwedisch nt.

sweep [swiːp] (vb: pret, ptp **swept**) **1** n **a** **to give the floor a ~** den Boden kehren or fegen. **b** (chimney ~) Schornsteinfeger m. **c** (of arm, pendulum) Schwung m; (of sword also) Streich m; (of dress) Rauschen nt no pl; (of light, radar) Strahl m ► **this magnificent ~ of countryside** diese herrliche Landschaft; **a long ~ of motorway** eine weitgestreckte Autobahn; **at one ~** (fig) auf einen Schlag; **to make a clean ~** (fig) gründlich aufräumen (of sth bei etw).

2 vt **a** kehren, fegen; dust, snow wegfegen ► **to ~ sth under the carpet** (fig) etw unter den Teppich kehren. **b** (scan) absuchen (for nach); (lights also, bullets) streichen über (+acc); minefield durchkämmen; mines räumen. **c** (move quickly over) (wind, skirt) fegen über (+acc); (waves) deck etc überschwemmen; (glance) gleiten über (+acc); (fig) (violence, fashion) überrollen; (disease) um sich greifen in (+dat). **d** (remove with ~ing movement) (wave) spülen, schwemmen; (current) reißen; (wind) fegen; person reißen ► **to ~ sth off the table/into a bag** etw vom Tisch fegen/etw in eine Tasche raffen; **the crowd swept him into the square** er wurde von der Menge zum Platz hin mitgerissen; **he swept her off her feet** (fig) er eroberte sie im Sturm; **to ~ the board** (fig) alle Preise/Medaillen gewinnen, abräumen (col).

3 vi **a** (with broom) kehren, fegen. **b** (move) (person) rauschen; (vehicle, plane) (quickly) schießen; (majestically) gleiten; (skier) fegen; (road, river) in weitem Bogen führen ► **to ~ in/out/by** or **past** hinein-/hinaus-/vorbeirauschen; (majestically) hinein-/hinaus-/vorbeigleiten; **panic swept through Europe** eine Welle der Panik ging durch Europa.

◆**sweep aside** vt sep (lit, fig) beiseite fegen.

◆**sweep away** **1** vi davonrauschen; (car, plane) davonschießen; (majestically) davongleiten; (skier) davonfegen. **2** vt sep dust, leaves etc wegfegen; (avalanche) wegreißen; (flood etc) wegspülen; (fig) old laws aufräumen mit.

◆**sweep up** **1** vi (with broom) zusammenkehren or -fegen. **2** vt sep zusammenkehren or -fegen; (collect up) objects zusammenraffen; person hochreißen; hair hochbinden.

sweeper ['swiːpəʳ] n (road ~) Straßenkehrer(in f) m; (machine) Kehrmaschine f; (carpet ~) Teppichkehrer m.

sweeping ['swiːpɪŋ] adj **a** gesture weitausholend. **b** (fig) change radikal, drastisch; statement pauschal; victory überragend.

sweepstake ['swiːpsteɪk] n Rennen nt etc, bei dem die Preise aus den Einsätzen gebildet werden, Sweepstake nt.

sweet [swiːt] **1** adj (+er) **a** süß ► **to have a ~ tooth** gern Süßes essen. **b** (fresh) food, water frisch; (fragrant) smell süß. **c** (fig: pleasant etc) süß; (kind also) lieb ► **~ dreams!** träume süß!, träum was Schönes! (col); **that's very ~ of you** das ist sehr lieb von dir; **once he caught the ~ smell of success** als erst der Erfolg lockte; **the words were ~ to his ear** die Worte klangen lieblich in seinen Ohren; **in his own ~ way** (iro) auf seine unübertroffene Art.

2 n **a** (Brit: candy) Bonbon nt. **b** (Brit: dessert) Nachtisch m, Dessert nt ► **for ~** zum Nachtisch. **c** yes, **(my)** ~ ja, (mein) Schätzchen or Liebling.

sweet: **~ and sour** adj süß-sauer; **~bread** n Bries nt; **~ chestnut** n Eßkastanie f; **~ corn** n Mais m.

sweeten ['swiːtn] vt coffee, sauce süßen; (fig) temper bessern; task versüßen ► **to ~ sb** (col) jdn gnädig stimmen.

sweetener ['swiːtnəʳ] n (Cook) Süßungsmittel nt; (artificial) Süßstoff m; (col: bribe) Schmiergeld nt.

sweetheart ['swiːt,hɑːt] n Schatz m, Liebste(r) mf.

sweetie ['swiːtɪ] n **a** (col: person) Schatz m. **b** (baby talk, Scot: candy) Bonbon m.

sweetly ['swiːtlɪ] adv süß. (engine) **to run ~** prächtig laufen.

sweetness ['swiːtnɪs] n Süße f; (of smile, nature) Liebenswürdigkeit f; (of person) liebe Art ► **now all is ~ and light** (usu iro) nun herrscht eitel Freude und Sonnenschein.

sweet: **~ pea** n Gartenwicke f; **~ potato** n Süßkartoffel f, **~-shop** n (Brit) Süßwarenladen m or -geschäft nt; **~-smelling** adj süß duftend attr; **~-talk** vt (US) beschwatzen (into doing sth etw zu tun); **~-tempered** adj verträglich; **~ william** n Bartnelke f.

swell [swel] (vb: pret **~ed**, ptp **swollen** or **~ed**) **1** n (of sea) Wogen nt no pl ► **there was a heavy ~** es herrschte hoher Seegang. **2** adj (US col: excellent) klasse (col), prima (col). **3** vt river, sound etc anschwellen lassen; stomach (auf)blähen; wood (auf)quellen; sail blähen; numbers anwachsen lassen; sales steigern ► **to be swollen with pride** stolzgeschwellt sein. **4** vi **a** (ankle, arm, eye etc: also ~ up) (an)schwellen; (balloon etc) sich füllen. **b** (river, lake, sound etc) anschwellen; (sails: also ~ out) sich blähen; (wood) quellen; (in size, number) anwachsen.

swelling ['swelɪŋ] n (Med) Schwellung f.

swelter ['sweltəʳ] vi **to ~ (in the heat)** vor Hitze vergehen.

sweltering ['sweltərɪŋ] adj day, weather glühend heiß; heat glühend ► **it's ~ in here** (col) hier verschmachtet man ja! (col).

swept [swept] pret, ptp of **sweep**.

swerve [swɜːv] **1** *n* Bogen *m*; (*of car etc also*) Schlenker *m* (*col*).

2 *vi* einen Bogen machen (*around sth* um etw); (*car, driver*) ausschwenken; (*fig*) (*from truth*) abweichen; (*from chosen path*) abschwenken ▸ *the car was swerving all over the road* der Wagen schwenkte von einer Straßenseite zur anderen.

swift [swɪft] **1** *adj* (+*er*) schnell; *reaction also, revenge* prompt.

2 *n* (*bird*) Mauersegler *m*.

swiftly ['swɪftlɪ] *adv* schnell.

swiftness ['swɪftnɪs] *n see adj* Schnelligkeit *f*; Promptheit *f*.

swig [swɪɡ] (*col*) **1** *n* Schluck *m* ▸ *to have* or *take a* ~ *of beer* einen Schluck Bier trinken.

2 *vt* (*also* ~ *down*) *beer* herunterkippen (*col*).

swill [swɪl] **1** *n* (*animal food*) (Schweine)futter *nt*; (*garbage, slops*) (*solid*) Abfälle *pl*; (*liquid*) Schmutzwasser *nt*.

2 *vt* **a** (*also* ~ *out*) auswaschen; *cup, dish* ausschwenken. **b** (*col*) *beer etc* kippen (*col*).

swim [swɪm] (*vb: pret* **swam**, *ptp* **swum**) **1** *n* **a** *it's a long* ~ es ist weit (zu schwimmen); *to go for a* ~ schwimmen gehen; *to have a* ~ schwimmen. **b** (*col*) *to be in the* ~ up to date sein; (*socially active*) mitmischen (*col*).

2 *vt* schwimmen; *river, Channel* durchschwimmen.

3 *vi* schwimmen ▸ *she can't* ~ *a stroke* sie kann sich keinen Meter über Wasser halten; *my head is* ~*ming* mir dreht sich alles; *it was absolutely* ~*ming in oil* es schwamm in Öl.

swimmer ['swɪməʳ] *n* Schwimmer(in *f*) *m*.

swimming ['swɪmɪŋ] **1** *n* Schwimmen *nt*; (*as sport*) Schwimmsport *m* ▸ *do you like* ~? schwimmen Sie gern?

2 *adj* (*for* ~) Schwimm-; (*dizzy*) *feeling* Schwindel- (*col*).

swimming: ~ **bath** *n usu pl* (*Brit*) = ~ **pool**; ~ **cap** *n* Badekappe *f*; ~ **costume** *n* Badeanzug *m*; ~ **lesson** *n* Schwimmstunde *f*; ~ **lessons** Schwimmunterricht *m*.

swimmingly ['swɪmɪŋlɪ] *adv* (*col*) glänzend.

swimming: ~ **pool** *n* Schwimmbad *nt*; (*outdoor also*) Freibad *nt*; (*indoor also*) Hallenbad *nt*; ~ **trunks** *npl* Badehose *f*.

swimsuit ['swɪmsuːt] *n* Badeanzug *m*.

swindle ['swɪndl] **1** *n* Schwindel, Betrug *m* ▸ *it's a* ~! das ist (der reinste) Schwindel!

2 *vt person* beschwindeln ▸ *to* ~ *sb out of sth* (*take from*) jdm etw abgaunern (*col*); (*withhold from*) jdn um etw betrügen.

swindler ['swɪndləʳ] *n* Schwindler(in *f*) *m*.

swine [swaɪn] *n* **a** *pl* - (*old, form*) Schwein *nt*. **b** *pl* -**s** (*pej col*) Schwein *nt*; (*woman also*) Sau *f*.

swing [swɪŋ] (*vb: pret, ptp* **swung**) **1** *n* **a** (*movement*) Schwung *m*; (*to and fro*) Schwingen *nt*; (*of needle*) Ausschlag *m*; (*Boxing etc: blow*) Schwinger *m*; (*fig, Pol*) (Meinungs)umschwung *m* (*to* zugunsten +*gen, away from* zuungunsten +*gen*) ▸ *to take a* ~ *at sb* nach jdm schlagen; *a* ~ *in opinion* ein Meinungsumschwung. **b** (*rhythm*) Schwung *m*; (*kind of music, dance*) Swing *m* ▸ *to go with a* ~ (*fig*) ein voller Erfolg sein (*col*); *to be in full* ~ voll im Gang sein; *to get into the* ~ *of things* (*col*) reinkommen (*col*). **c** (*seat for* ~*ing*) Schaukel *f* ▸ *to have a* ~ schaukeln; *it's* ~*s and roundabouts* (*col*) es ist gehüpft wie gesprungen.

2 *vt* **a** schwingen; (*to and fro*) hin und her schwingen; (*on swing*) schaukeln; *arms and legs* (*vigorously*) schwingen (mit); (*dangle*) baumeln mit; *propeller* einen Schwung geben (+*dat*) ▸ *he swung his racket at the ball* er holte mit dem Schläger aus; *he swung the case (up) onto his shoulder* er schwang sich (*dat*) die Kiste auf die Schulter. **b** (*influence*) *election*

beeinflussen; *opinion* umschlagen lassen; *person* umstimmen, herumkriegen (*col*) ▸ *his speech swung the decision in our favour* seine Rede ließ die Entscheidung zu unseren Gunsten ausfallen; *he managed to* ~ *the deal* (*col*) er hat das Geschäft gemacht (*col*); *if you can* ~ *it so that ...* (*col*) wenn du es so hinkriegen kannst, daß ... **c** (*turn: also* ~ *around*) *plane, car* herumschwenken.

3 *vi* **a** schwingen; (*to and fro*) (hin und her) schwingen; (*hanging object also*) pendeln; (*pivot*) sich drehen; (*on swing*) schaukeln; (*arms, legs: dangle*) baumeln. **b** (*move: into saddle, along rope*) sich schwingen ▸ *to* ~ *open/shut* aufschwingen/ zuschlagen; *to* ~ *into action* in Aktion treten; *the car swung into the square* der Wagen schwenkte auf den Platz ein; *he swung around on his chair* er drehte sich auf seinem Stuhl herum; *the party has swung to the right* in der Partei hat es einen Rechtsruck gegeben; *he'll* ~ *for it* (*col: hang*) dafür wird er hängen or baumeln (*col*).

swing: ~ **bridge** *n* Drehbrücke *f*; ~-**door** *n* (*Brit*) Pendeltür *f*.

swingeing ['swɪndʒɪŋ] *adj* (*Brit*) *blow* hart; *attack* scharf; *defeat* vernichtend; *taxation, price increases* extrem hoch; *cuts* extrem.

swinging ['swɪŋɪŋ] *adj step, music* schwungvoll; *movement* schaukelnd ▸ *the* ~ *sixties* die „Swinging Sixties".

swipe [swaɪp] **1** *n* (*blow*) Schlag *m* ▸ *to take a* ~ *at sb/sth* nach jdm/etw schlagen.

2 *vt* **a** *person, ball etc* schlagen. **b** (*col: steal*) mopsen (*col*), klauen (*col*).

3 *vi to* ~ *at sb/sth* nach jdm/etw schlagen.

swirl [swɜːl] **1** *n* Wirbel *m*.

2 *vti* wirbeln ▸ *to* ~ *around* herumwirbeln.

swish [swɪʃ] **1** *n see vi* Zischen *nt*; Rascheln *nt*; Rauschen *nt*.

2 *adj* (*Brit col: plush*) edel (*col*).

3 *vt cane* zischen lassen; *tail* schlagen mit; *skirt* rauschen mit; *water* schwenken.

4 *vi* (*whip, cane, tyres*) zischen; (*grass, skirts*) rascheln; (*water*) rauschen.

Swiss [swɪs] **1** *adj* Schweizer, schweizerisch ▸ ~ *cheese* Schweizer Käse *m*; ~ *roll* Biskuitrolle *f*.

2 *n* Schweizer(in *f*) *m* ▸ *the* ~ *pl* die Schweizer *pl*; ~ **French/German** (*person*) Französisch-/Deutschschweizer(in *f*) *m*; (*language*) Schweizer Französisch *nt*/Schweizerdeutsch, Schwyzerdütsch *nt* (*Swiss*).

switch [swɪtʃ] **1** *n* **a** (*Elec etc*) Schalter *m*. **b** (*US Rail*) Weiche *f*. **c** (*change*) Wechsel *m*; (*in plans, policies*) Änderung *f* (*in gen*); (*exchange*) Tausch *m* ▸ *a rapid* ~ *of plan* eine schnelle Änderung der Pläne; *to make a* ~ tauschen. **d** (*stick, cane*) Rute, Gerte *f*.

2 *vt* **a** (*change*) wechseln; *direction, plans* ändern; *allegiance* übertragen (*to* auf +*acc*); *attention, conversation* lenken (*to* auf +*acc*). **b** (*move*) *production* verlegen; *object* umstellen. **c** (*exchange*) tauschen; (*transpose: also* ~ *over,* ~ *around*) *objects, figures in column* vertauschen ▸ *I* ~*ed hats with him* ich tauschte meinen Hut mit ihm; *to* ~ *A for B* A für or gegen B (ein)tauschen. **d** (*Elec*) (um)schalten ▸ ~ *the radio to another programme* schalten Sie auf ein anderes Radioprogramm um. **e** (*esp US Rail*) rangieren.

3 *vi* (*change: also* ~ *over*) (über)wechseln (*to* zu); (*Elec, TV, Rad*) umschalten (*to* auf +*acc*); (*exchange: also* ~ *around,* ~ *over*) tauschen ▸ *he* ~*ed to another line of attack* er wechselte seine Angriffstaktik.

◆**switch off** **1** *vt sep light* ausschalten; *radio, TV, machine also, engine* abschalten ▸ *the oven* ~*es itself* ~ der Backofen schaltet sich selbsttätig ab.

2 *vi* a *see vt* ausschalten; abschalten. b (*col: person*) abschalten.

◆**switch on** 1 *vt sep gas etc* anstellen; *machine, TV also, light* einschalten; *engine also* anlassen ► *please leave the TV ~ed ~* laß den Fernseher bitte an.
2 *vi see vt* anstellen; einschalten; anlassen; (*automatically*) sich einschalten, angehen (*col*).

switch: **~back** *n* Berg- und Talbahn *f*; (*Brit: roller-coaster also*) Achterbahn *f*; **~blade** *n* (*esp US*) Schnappmesser *nt*; **~board** *n* (*Telec*) (*exchange*) Vermittlung *f*; (*in office etc*) Zentrale *f*; (*actual panel, Elec*) Schalttafel *f*; **~board operator** *n* (*in office*) Telefonist(in *f*) *m*; **~yard** *n* (*US Rail*) Rangierbahnhof *m*.

Switzerland ['swɪtsələnd] *n* die Schweiz ► *to ~* in die Schweiz; *in ~* in der Schweiz.

swivel ['swɪvl] 1 *n* Drehgelenk *nt* ► *~ chair* Drehstuhl *m*.
2 (*also ~ around*) *vt* (herum)drehen.
3 *vi* sich drehen; (*person*) sich herumdrehen.

swivelling ['swɪvəlɪŋ] *adj* schwenkbar.

swollen ['swəʊlən] 1 *ptp of* **swell**.
2 *adj ankle, face, glands etc* geschwollen; *stomach* aufgedunsen; *wood* gequollen; *river* angeschwollen ► *her eyes were ~ with tears* ihre Augen waren verweint; *he has a ~ head or is ~-headed* (*fig*) er ist so aufgeblasen.

swoon [swuːn] 1 *n* (*old*) Ohnmacht *f*.
2 *vi* (*old: faint*) in Ohnmacht fallen; (*fig: over pop star etc*) beinahe ohnmächtig werden (*over sb* wegen jdm).

swoop [swuːp] 1 *vi* (*lit: also ~ down*) (*bird*) herabstoßen, niederstoßen (*on* auf +*acc*); (*plane*) einen Sturzflug machen; (*fig*) (*police*) einen Überraschungsangriff machen (*on* auf +*acc*) or landen (*col*) (*on* bei); (*person*) sich stürzen (*on* auf +*acc*) ► *the plane ~ed (down) low over the village* das Flugzeug flog im Tiefflug über das Dorf hinweg.
2 *n* (*of bird, plane*) Sturzflug *m* ► *at one (fell) ~* auf einen Schlag.

swop [swɒp] = **swap**.

sword [sɔːd] *n* Schwert *nt* ► *to cross ~s with sb* (*lit, fig*) mit jdm die Klinge(n) kreuzen.

swordfish ['sɔːdfɪʃ] *n* Schwertfisch *m*.

swordsman ['sɔːdzmən] *n*, *pl* **-men** [-mən] Schwertkämpfer *m*; (*fencer*) Fechter *m*.

swore [swɔːʳ] *pret of* **swear**.

sworn [swɔːn] 1 *ptp of* **swear**.
2 *adj enemy* eingeschworen; (*Jur*) *statement* eidlich, unter Eid.

swot [swɒt] (*Brit col*) 1 *vti* büffeln (*col*), pauken (*col*) ► *to ~ up (on) one's maths* Mathe pauken (*col*).
2 *n* (*pej: person*) Streber(in *f*) *m*.

swum [swʌm] *ptp of* **swim**.

swung [swʌŋ] *pret, ptp of* **swing**.

sycamore ['sɪkəmɔːʳ] *n* Bergahorn *m*; (*US: plane tree*) nordamerikanische Platane.

sycophant ['sɪkəfənt] *n* Kriecher *m*.

sycophantic [ˌsɪkəˈfæntɪk] *adj* kriecherisch.

Sydney ['sɪdnɪ] *n* Sydney *nt*.

syllable ['sɪləbl] *n* Silbe *f* ► *a two-~(d) word* ein zweisilbiges Wort; *in words of one ~* (*hum*) in einfachen Worten.

syllabus ['sɪləbəs] *n*, *pl* **-es** or **syllabi** ['sɪləbaɪ] (*Sch, Univ*) Lehrplan *m*; (*lecture timetable*) Vorlesungsverzeichnis *nt*.

symbiosis [ˌsɪmbɪˈəʊsɪs] *n* Symbiose *f*.

symbiotic [ˌsɪmbɪˈɒtɪk] *adj* symbiotisch.

symbol ['sɪmbəl] *n* Symbol, Zeichen *nt* (*of* für).

symbolic(al) [sɪmˈbɒlɪk(l)] *adj* symbolisch (*of* für) ► *to be ~ of sth* etw symbolisieren.

symbolism ['sɪmbəlɪzəm] *n* Symbolik *f*; (*Art, Liter: movement*) Symbolismus *m*.

symbolize ['sɪmbəlaɪz] *vt* symbolisieren.

symmetrical *adj*, **~ly** *adv* [sɪˈmetrɪkəl, -ɪ] symmetrisch.

symmetry ['sɪmɪtrɪ] *n* Symmetrie *f*.

sympathetic [ˌsɪmpəˈθetɪk] *adj* (*showing pity*) mitfühlend; (*understanding*) verständnisvoll; (*well-disposed*) wohlwollend; *look, smile* freundlich ► *to be* or *feel ~ to(wards) sb* mit jdm mitfühlen; für jdn Verständnis haben; (*Pol etc*) mit jdm sympathisieren; *a ~ ear* ein offenes Ohr.

sympathize ['sɪmpəθaɪz] *vi* (*feel compassion*) mitfühlen (*with* mit); (*understand*) Verständnis haben (*with* für); (*agree*) sympathisieren (*with* mit) (*esp Pol*); (*express sympathy*) sein Mitgefühl aussprechen; (*on bereavement*) sein Beileid aussprechen ► *to ~ with sb's views* jds Ansichten teilen; *I really do ~* (*have pity*) das tut mir wirklich leid; (*understand your feelings*) ich habe wirklich volles Verständnis.

sympathizer ['sɪmpəθaɪzəʳ] *n* Mitfühlende(r) *mf*; (*with cause*) Sympathisant(in *f*) *m*.

sympathy ['sɪmpəθɪ] *n* a (*pity, compassion*) Mitgefühl, Mitleid *nt* (*for* mit); (*at death*) Beileid *nt* ► *to feel* or *have ~ for sb* Mitleid mit jdm haben; *a letter of ~* ein mitfühlender Brief; (*of condolence*) ein Beileidsbrief *m*; *you have my ~!* (*hum*) herzliches Beileid (*hum*); *you won't get any ~ from me* erwarte kein Mitleid von mir.
b (*understanding*) Verständnis *nt*; (*fellow-feeling, agreement*) Sympathie *f* ► *to be in/out of ~ with sb/ sth* mit jdm/etw einhergehen/nicht einhergehen; *to come out in ~* (*Ind*) in Sympathiestreik treten; *~ strike* Sympathiestreik *m*.

symphonic [sɪmˈfɒnɪk] *adj* symphonisch, sinfonisch.

symphony ['sɪmfənɪ] *n* Symphonie, Sinfonie *f* ► *~ orchestra* Symphonie- or Sinfonieorchester *nt*.

symposium [sɪmˈpəʊzɪəm] *n*, *pl* **-s** or **symposia** [sɪmˈpəʊzɪə] Symposium, Symposion *nt*.

symptom ['sɪmptəm] *n* (*lit, fig*) Symptom *nt*.

symptomatic [ˌsɪmptəˈmætɪk] *adj* symptomatisch (*of* für).

synagogue ['sɪnəgɒg] *n* Synagoge *f*.

sync [sɪŋk] *n* (*Film, TV, Comp*) *in/out of ~* synchron/ nicht synchron.

synchromesh ['sɪŋkrəʊˌmeʃ] *n* Synchrongetriebe *nt*.

synchronize ['sɪŋkrənaɪz] *vt* abstimmen (*with* auf +*acc*); *two actions, movements* aufeinander abstimmen; *clocks* gleichstellen (*with* mit) ► *~d swimming* Synchronschwimmen *nt*; *to ~ a film* Bild und Ton eines Films aufeinander abstimmen.

syncopated ['sɪŋkəpeɪtɪd] *adj* (*Mus*) synkopiert.

syndicate ['sɪndɪkɪt] *n* Interessengemeinschaft *f*; (*for gambling*) Wettgemeinschaft *f*; (*Comm*) Syndikat *nt*, Verband *m*; (*Press*) (*Presse*)zentrale *f*; (*crime ~*) Ring *m*.

syndrome ['sɪndrəʊm] *n* (*Med*) Syndrom *nt*; (*fig, Sociol*) Phänomen *nt*.

synod ['sɪnəd] *n* Synode *f*.

synonym ['sɪnənɪm] *n* Synonym *nt*.

synonymous [sɪˈnɒnɪməs] *adj* synonym ► *to be ~ with sth* (*fig*) gleichbedeutend mit etw sein.

synopsis [sɪˈnɒpsɪs] *n*, *pl* **synopses** [sɪˈnɒpsiːz] Abriß *m* der Handlung; (*of article, book*) Zusammenfassung *f*.

syntax ['sɪntæks] *n* Syntax *f*.

synthesis ['sɪnθəsɪs] *n*, *pl* **syntheses** ['sɪnθəsiːz] Synthese *f*.

synthesize ['sɪnθəsaɪz] *vt* synthetisieren; *speech* synthetisch bilden; *theories etc* zusammenfassen.

synthesizer ['sɪnθəˌsaɪzəʳ] *n* (*Mus*) Synthesizer *m*.

synthetic [sɪnˈθetɪk] 1 *adj* synthetisch; *fibre, silk* Kunst-.
2 *n* Kunststoff *m*, Synthetik *f*.

syphilis ['sɪfɪlɪs] *n* Syphilis *f*.

syphon *n* = **siphon**.

Syria ['sɪrɪə] *n* Syrien *nt*.

Syrian ['sɪrɪən] 1 *adj* syrisch.

2 *n* Syrer(in *f*) *m*.
syringe [sɪˈrɪndʒ] 1 *n* (Med) Spritze *f*.
2 *vt* (Med) (aus)spülen.
syrup, (US also) **sirup** [ˈsɪrəp] *n* Sirup *m* ▶ **cough ~** (Med) Hustensaft *m*.
system [ˈsɪstəm] *n* System *nt* ▶ *new teaching ~s* neue Lehrmethoden *pl*; *it was a shock to his ~* er hatte schwer damit zu schaffen; *to get sth out of one's ~* (*fig col*) sich (*dat*) etw von der Seele schaffen (*col*); *you*

can't beat the ~ gegen das System kommst du einfach nicht an.
systematic [ˌsɪstəˈmætɪk] *adj* systematisch; *liar, cruelty* ständig ▶ *he works in a ~ way* er arbeitet mit System.
systematically [ˌsɪstəˈmætɪkəlɪ] *adv* systematisch.
systematize [ˈsɪstəmətaɪz] *vt* systematisieren.
systems: ~ analyst *n* (Comp) Systemanalytiker(in *f*) *m*; **~ disk** *n* (Comp) Systemdiskette *f*.

T

T, t [tiː] *n* T, t *nt* ▶ *T for Tommy* ≃ T wie Theodor; *that's him/it to a T* das ist er, wie er leibt und lebt/ genau so ist es.
ta [tɑː] *interj* (*Brit col*) danke.
TA (*Brit*) = **Territorial Army.**
tab¹ [tæb] *n* [a] (*loop on coat etc*) Aufhänger *m*; (*fastener on coat etc*) Riegel *m*; (*name ~*) (*of owner*) Namensschild *nt*; (*of maker*) Etikett *nt*; (*Mil*) Spiegel *m*; (*on filing cards*) Reiter *m* ▶ *to keep ~s on sb/sth* (*col*) jdn/ etw genau im Auge behalten. [b] (*US col: bill*) Rechnung *f*.
tab² (*Comp, on typewriter*) [1] *n* Tabulator *m* ▶ *~ key* Tabulatortaste *f*.
[2] *vt columns* tabulieren.
tabby ['tæbɪ] *n* (*also ~ cat*) getigerte Katze; (*female*) weibliche Katze.
table ['teɪbl] [1] *n* [a] Tisch *m*; (*banquet ~*) Tafel *f* ▶ *at the ~* am Tisch; *at ~* bei Tisch; *to sit down to or at ~* sich zu Tisch setzen; *to be under the ~* (*drunk*) unter dem Tisch liegen; *to turn the ~s (on sb)* (gegenüber jdm) den Spieß umdrehen; *the whole ~ laughed* die ganze Runde lachte. [b] (*of figures, prices etc, Sport*) Tabelle *f* ▶ *(multiplication) ~s* Einmaleins *nt*; *~ of contents* Inhaltsverzeichnis *nt*. [c] (*Geog*) *water ~* Grundwasserspiegel *m*.
[2] *vt* [a] *motion* einbringen. [b] (*US: postpone*) *bill* zurückstellen.
tableau ['tæbləʊ] *n, pl* **-s** *or* **-x** ['tæbləʊ(z)] (*Art, Theat*) Tableau *nt*; (*fig*) Bild *nt*, Szene *f*.
table: *~ cloth n* Tischdecke *f or* -tuch *nt*; *~ lamp n* Tischlampe *f*; *~land n* Tafelland *nt*, Hochebene *f*; *~ manners npl* Tischmanieren *pl*; *~ mat n* Untersetzer *m*; (*of cloth*) Set *nt*; *~ salt n* Tafelsalz *nt*; *~spoon n* Eßlöffel *m*; *~spoonful n* Eßlöffel *m* (voll).
tablet ['tæblɪt] *n* [a] (*Pharm*) Tablette *f*. [b] (*of wax, clay*) Täfelchen *nt*; (*of soap*) Stückchen *nt*. [c] (*on wall etc*) Tafel *f*.
table: *~ talk n* Tischgespräch *nt*; *~ tennis n* Tischtennis *nt*; *~ware n no pl* Tafelgeschirr *nt* und -besteck *nt*; *~ wine n* Tafelwein *m*.
tabloid ['tæblɔɪd] *n* (*also ~ newspaper*) kleinformatige Zeitung; (*pej*) Boulevardzeitung *f* ▶ *the ~ press, the ~s* die Boulevardpresse.

┌─── **TABLOID PRESS** ───┐

ⓘ Der Ausdruck *tabloid press* bezieht sich auf kleinformatige Zeitungen (ca 30×40cm); die sind in Großbritannien fast ausschließlich Massenblätter. Im Gegensatz zur **quality press** verwenden diese Massenblätter viele Fotos und einen knappen, oft reißerischen Stil. Sie kommen den Lesern entgegen, die mehr Wert auf Unterhaltung legen.

taboo [təˈbuː] [1] *n* Tabu *nt*.
[2] *adj* tabu *pred*.
tabulate ['tæbjʊleɪt] *vt* tabellarisch darstellen.
tabulation ['tæbjʊleɪʃən] *n* Tabulation *f*.
tabulator ['tæbjʊleɪtəʳ] *n* (*on typewriter*) Tabulator *m*.
tachograph ['tækəʊɡrɑːf] *n* Fahrtenschreiber *m*.
tachometer [tæˈkɒmɪtəʳ] *n* Drehzahlmesser *m*.
tacit *adj*, **~ly** *adv* ['tæsɪt, -lɪ] stillschweigend.

taciturn ['tæsɪtɜːn] *adj* schweigsam.
tack [tæk] [1] *n* [a] (*nail*) kleiner Nagel; (*with small head also*) Stift *m*; (*esp US: drawing pin*) Heftzwecke *f*. [b] (*Brit Sew*) Heftstich *m*. [c] (*Naut: course*) Schlag *m*; (*fig*) Richtung *f*, Weg *m* ▶ *to be on the port/starboard ~* auf Backbord-/Steuerbordbug segeln; *to be on the right/ wrong ~* (*fig*) auf der richtigen/falschen Spur sein; *to try another ~* (*fig*) es anders versuchen.
[2] *vt* [a] (*with nail*) annageln (*to* an +*dat or acc*); (*with clip, pin*) feststecken (*to* an +*dat*). [b] (*Brit Sew*) heften. [3] *vi* (*Naut*) aufkreuzen.
◆**tack on** *vt sep* (*fig*) anhängen (*-to dat*).
tackle ['tækl] [1] *n* [a] (*lifting gear*) Flaschenzug *m*; (*Naut*) Talje *f*, Takel *nt*. [b] (*equipment*) Ausrüstung *f* ▶ *fishing ~* Angelausrüstung *f*. [c] (*Sport*) Angriff *m*, Tackling *nt*.
[2] *vt* [a] (*physically, Sport*) angreifen; (*Rugby*) fassen; *thief also* sich stürzen auf (+*acc*); (*verbally*) zur Rede stellen (*about* wegen). [b] (*undertake*) *job* in Angriff nehmen; *new challenge* sich versuchen an (+*dat*); *problem* angehen; (*manage to cope with*) fertig werden mit.
[3] *vi* angreifen.
tacky¹ ['tækɪ] *adj* (+*er*) klebrig ▶ *the paint is still ~* die Farbe klebt noch.
tacky² *adj* (+*er*) (*col*) (*cheap*) billig; (*down-at-heel*) heruntergekommen; (*tasteless*) geschmacklos.
tact [tækt] *n no pl* Takt *m*.
tactful *adj*, **~ly** *adv* ['tæktfʊl, -fəlɪ] taktvoll.
tactfulness ['tæktfʊlnɪs] *n* Takt *m*; (*sensitivity*) Feingefühl *nt*.
tactic ['tæktɪk] *n* Taktik *f*.
tactical ['tæktɪkəl] *adj* (*Mil, fig*) taktisch ▶ *~ vote* Leihstimme *f*.
tactics ['tæktɪks] *n sing* (*Mil, fig*) Taktik *f*.
tactile ['tæktaɪl] *adj* Tast-; (*tangible*) fühlbar.
tactless *adj*, **~ly** *adv* ['tæktlɪs, -lɪ] taktlos.
tactlessness ['tæktlɪsnɪs] *n* Taktlosigkeit *f*.
tadpole ['tædpəʊl] *n* Kaulquappe *f*.
taffeta ['tæfɪtə] *n* Taft *m*.
taffy ['tæfɪ] *n* (*US*) Toffee *nt*.
tag [tæɡ] [1] *n* [a] (*label*) Schild(chen) *nt*; (*on clothes*) (*maker's name*) Etikett *nt*; (*owner's name*) Namensschild *nt*; (*loop*) Aufhänger *m*. [b] (*game*) Fangen *nt*.
[2] *vi to ~ behind or after sb* hinter jdm herzockeln (*col*).
◆**tag along** *vi* mitzockeln (*col*) ▶ *why don't you ~ ~?* (*col*) warum kommst du nicht mit?
tag question *n* Bestätigungsfrage *f*.
tail [teɪl] [1] *n* [a] (*of animal*) Schwanz *m* ▶ *with his ~ between his legs* (*fig*) mit eingezogenem Schwanz (*col*); *to turn ~* die Flucht ergreifen; *he was right on my ~* er saß mir direkt im Nacken; *to put a ~ on sb* jdn ⌐ schatten lassen. [b] (*of aeroplane, processi⌐ ⌐⌐z m*; (*of comet*) Schweif *m*; (*of shirt*) Zipfel *m*; ⌐oʳ *jacket, coat*) Schoß *m* ▶ *~s pl* (*jacket*) Frack *m*. [c] *~s* (*on coin*) Rückseite *f*; *~s I win!* bei Zahl gewinne ich.
[2] *vt suspect* beschatten (*col*); *car etc* folgen (+*dat*).
◆**tail away** *vi* = **tail off (a)**.
◆**tail back** *vi* (*Brit: traffic*) sich gestaut haben.
◆**tail off** *vi* [a] (*diminish*) abnehmen; (*interest also*) schwinden; (*sounds*) schwächer werden; (*sentence*) ab-

brechen. **b** (*deteriorate*) sich verschlechtern.

tail: **~back** *n* (*Brit*) Rückstau *m*; **a 5-mile ~back** ein Stau von 8 km; **~board** *n* Ladeklappe *f*; **~ coat** *n* Frack *m*; **~ end** *n* Ende *nt*; **~fin** *n* (*Aut*) Heckflosse *f*; **~gate** *n* (*of car*) Hecktür *f*; (*of lorry*) Ladeklappe *f*; **~-light** *n* (*Aut*) Rücklicht *nt*.

tailor ['teɪləʳ] **1** *n* Schneider *m* ► **~'s dummy** (*lit*) Schneiderpuppe *f*.
2 *vt* **a** *dress etc* schneidern. **b** (*fig*) *plans* zuschneiden (*to* auf +*acc*); *products etc* abstimmen (*to* auf +*acc*) ► **~ed to meet his needs** auf seine Bedürfnisse abgestimmt.

tailoring ['teɪlərɪŋ] *n* Schnitt *m*; (*profession*) Schneiderei *f*.

tailor-made [,teɪlə'meɪd] *adj* (*lit, fig*) maßgeschneidert; *role also* zugeschnitten (*for* auf +*acc*) ► **~ suit/costume** Maßanzug *m*/Schneiderkostüm *nt*; **the job was ~ for him** die Stelle war ihm wie auf den Leib geschnitten.

tail: **~piece** *n* Anhang *m*, Anhängsel *nt* (*col*); **~pipe** *n* (*Aut*) Endrohr *nt*; **~plane** *n* (*Aviat*) Höhenleitwerk *nt*; **~wind** *n* Rückenwind *m*.

taint [teɪnt] **1** *n* (*lit: of food etc*) Stich *m*; (*fig*) (*blemish*) Makel *m*; (*trace*) Spur *f*.
2 *vt food* verderben; *air, atmosphere* verpesten; (*fig*) *reputation* beschmutzen.

Taiwan [taɪ'wɑːn] *n* Taiwan *nt*.

Taiwanese [,taɪwɑː'niːz] **1** *adj* taiwanisch.
2 *n* Taiwaner(in *f*) *m*.

take [teɪk] (*vb: pret* **took**, *ptp* **taken**) **1** *vt* **a** nehmen; (*for oneself*) sich (*dat*) nehmen; (*~ away with one*) mitnehmen; (*remove from its place*) wegnehmen ► **to ~ sth from sb** jdm etw wegnehmen; (*steal*) jdm etw stehlen; **~ three eggs** (*Cook*) man nehme drei Eier; **~ a seat/chair!** nehmen Sie Platz!; **~ your seats!** nehmen Sie Ihre Plätze ein!; **this seat is ~n** dieser Platz ist besetzt; **I'll ~ a pound of apples** ich nehme ein Pfund Äpfel.
b (*transport, accompany*) bringen; (*~ along with one*) *person, things* mitnehmen ► **I'll ~ you to the station** ich bringe Sie zum Bahnhof; **I'll ~ you (with me) to the party** ich nehme dich zur Party mit; **let me ~ your case** komm, ich nehme or trage deinen Koffer; **to ~ sb/the dog for a walk** mit jdm spazierengehen/den Hund ausführen; **to ~ sb to the cinema** (*treat*) jdn ins Kino einladen; (*~ along with one*) mit jdm ins Kino gehen; **this bus will ~ you to the town hall** der Bus fährt zum Rathaus; **this road will ~ you to Bath** diese Straße führt nach Bath.
c (*capture*) *person* fassen; *animal* fangen; *town, country etc* einnehmen; (*Chess etc*) schlagen; (*Cards*) *trick* machen.
d (*accept, receive*) nehmen; *job, dye, perm* annehmen; *command, role* übernehmen; *prize* gewinnen ► **I won't ~ less than £200** ich verkaufe es nicht unter £200; **we ~ the Guardian** wir bekommen den „Guardian"; **to ~ things as they come** die Dinge nehmen, wie sie kommen; **~ it from me!** das können Sie mir glauben; **(you can) ~ it or leave it** die Entscheidung liegt bei Ihnen; **he took the blow on his left arm** der Schlag traf ihn am linken Arm; (*in defence*) er wehrte den Schlag mit dem linken Arm ab; **do you ~ my meaning?** verstehen Sie, was ich meine?
e *exam, driving test, course, French* machen; (*as optional subject*) wählen; *lessons, tuition* nehmen; (*teach*) *lesson, subject* geben; *class* unterrichten ► **he took his degree in 1965** er hat 1965 Examen gemacht or sein Examen abgelegt; **who ~s you for Latin?** wer unterrichtet bei euch Latein?
f (*consume*) *drink, food* zu sich (*dat*) nehmen; *drugs, medicine* nehmen; (*on directions for use*) einnehmen ► **to ~ sugar in one's tea** den Tee mit Zucker trinken; **do you ~ sugar?** nehmen Sie Zucker?; **will you ~ coffee or tea?** möchten Sie Kaffee oder Tee?; **not to be ~n (internally)** (*Med*) nur zur äußerlichen Anwendung.
g *photo* machen ► **he took the whole group** er nahm die ganze Gruppe auf.
h (*put up with*) sich (*dat*) gefallen lassen; (*endure*) *alcohol, climate* vertragen; *long journey* aushalten; *emotional experience, shock* verkraften; (*thing*) aushalten ► **I just can't ~ any more** das halte ich nicht mehr aus.
i (*respond to, regard*) *news, blow* aufnehmen; *person* nehmen; (*understand, interpret*) auffassen, verstehen ► **she knows how to ~ him** sie versteht es, ihn von der richtigen Seite zu nehmen; **she took his death very badly** sie hat seinen Tod schlecht verkraftet; **I would ~ that to mean that ...** ich würde das so auffassen or verstehen, daß...; **to ~ sb/sth for or to be ...** jdn/etw für ... halten; **what do you ~ me for?** wofür hältst du mich eigentlich?; **may I ~ it that ...?** darf ich annehmen, daß ...?
j (*require*) brauchen; *clothes size* haben ► **it ~s five hours/men ...** man braucht fünf Stunden/Leute ...; **it ~s me five hours ...** ich brauche fünf Stunden ...; **it took ten men to complete the job** zehn Leute waren nötig, um diese Arbeit zu erledigen; **the journey ~s 3 hours** die Fahrt dauert 3 Stunden; **the wound took five weeks to heal** es dauerte fünf Wochen, bis die Wunde verheilt war; **it took a lot of courage/intelligence** dazu gehörte viel Mut/Intelligenz; **it ~s time** es braucht (seine) Zeit, es dauert (eine Weile); **it took a long time** es hat lange gedauert; **it won't ~ long** das dauert nicht lange; **that'll ~ some explaining** das wird schwer zu erklären sein; **she's got what it ~s** (*col*) sie ist nicht ohne (*col*); (*is capable also*) sie kann was (*col*); (*for job*) sie hat das Zeug dazu.
k (*support*) *weight* aushalten; (*have capacity or room for*) **50 people, 200 books** Platz haben für.
l *walk* machen; *trip also* unternehmen; *taxi, train, motorway* nehmen ► **to ~ the plane/next plane** fliegen/das nächste Flugzeug nehmen.
m **to be ~n sick** or **ill** krank werden; **to be ~n with sb/sth** (*attracted by*) von jdm/etw angetan sein.
2 *vi* (*fire*) angehen; (*dye, graft*) angenommen werden; (*vaccination*) anschlagen; (*plant*) anwachsen; (*seeds*) kommen; (*fish: bite*) anbeißen.
3 *n* **a** (*Film*) Aufnahme *f*. **b** (*US col: takings*) Einnahmen *pl*.

♦**take after** *vi* +*prep obj* nachschlagen (+*dat*); (*in looks*) ähneln (+*dat*) ► **he ~s ~ his mother** er ist nach seiner Mutter geraten.

♦**take along** *vt sep* mitnehmen.

♦**take apart** *vt sep* (*also fig col*) auseinandernehmen.

♦**take aside** *vt sep* beiseite nehmen.

♦**take away** **1** *vi* **to ~ ~ from sth** etw schmälern; *from worth* etw mindern.
2 *vt sep* **a** (*subtract*) abziehen ► **6 ~ ~ 2** 6 weniger 2.
b (*remove*) *child, thing, privilege* wegnehmen (*from sb* jdm); (*lead, transport, carry away*) wegbringen (*from* von); *prisoner* abführen (*to* in +*acc*) ► **they took the child ~ from the school** sie haben das Kind aus der Schule genommen; **to ~ ~ sb's pleasure/freedom** *etc* jdm die Freude/Freiheit *etc* nehmen. **c** (*Brit*) *food* mitnehmen ► **pizza to ~ ~** Pizza zum Mitnehmen.

♦**take back** *vt sep* **a** (*reclaim, get back*) sich (*dat*) zurückgeben lassen; *toy etc* wieder haben; (*fig: retract*) *threat, statement* zurücknehmen. **b** (*return*) zurückbringen ► **he took us ~ (home)** er brachte uns (nach Hause) zurück. **c** (*agree to receive again*) *thing* zurücknehmen; *employee* wieder einstellen. **d** (*remind*) **to ~ sb ~ to his childhood** jdn an seine Kindheit erinnern.

♦**take down** *vt sep* **a** (*lit*) (*off shelf etc*) herunternehmen; *curtains, decorations* abnehmen; *picture* abhängen; *flag* einholen. **b** (*dismantle*) *scaffolding etc* abbauen; *tent also* abbrechen; *railing, gate* entfernen. c (*write down*) (sich *dat*) notieren; *notes* (sich *dat*) machen; *letter* aufnehmen; *lecture* mitschreiben.

◆**take home** *vt insep* mit nach Hause nehmen; (*earn*) *£100 per week* netto verdienen.

◆**take in** *vt sep* a (*bring in*) *thing, person* hinein-/ hereinbringen; *harvest* einbringen ▶ **when are you taking the car ~ (to the garage)?** wann bringen Sie das Auto in die Werkstatt? b (*receive in one's home*) *refugee* (bei sich) aufnehmen; *child* zu sich nehmen; (*for payment*) *student* vermieten an (+*acc*) ▶ **she ~s lodgers** sie vermietet (Zimmer). c (*make narrower*) *dress* enger machen. d (*usu insep: include, cover*) einschließen. e (*note*) wahrnehmen; *area, room* überblicken; (*grasp*) *meaning, lecture, sb's death* begreifen; *impressions, sights etc* aufnehmen; *situation* erfassen. f (*deceive*) hereinlegen ▶ **to be ~n ~** hereingelegt werden; **to be ~n ~ by sb/sth** auf jdn/etw hereinfallen; **to be ~n ~ by appearances** sich vom äußeren Schein täuschen lassen.

◆**take off** 1 *vi* (*plane, passengers*) starten, abfliegen; (*plane: leave the ground*) abheben; (*Sport*) abspringen; (*fig*) (*project, sales*) anlaufen; (*film, product*) ankommen. 2 *vt sep* a (*remove, cut off: person*) abmachen (*prep obj* von); *hat, lid* abnehmen (*prep obj* von); *tablecloth* herunternehmen (*prep obj* von); *coat, gloves etc* ausziehen; *leg* abnehmen; *play* absetzen; *food from menu, bus* streichen (*prep obj* von); *service, tax* abschaffen; (*remove from duty, job*) *detective etc* abziehen (*prep obj* von); *driver* ablösen ▶ **to ~ sth ~ sb** jdm etw abnehmen; **to ~ the receiver ~ (the hook)** den Hörer abnehmen; **he/she took her dress ~** er zog ihr das Kleid aus/sie zog ihr Kleid aus; **he took his/her clothes off** er zog sich/sie aus; **would you like to ~ your coat ~?** möchten Sie ablegen? b (*deduct*) abziehen (*prep obj* von); (*from price*) 5%, *50p* nachlassen. c (*lead away, go away with*) mitnehmen; (*under arrest etc*) abführen ▶ **he was ~n ~ to hospital** er wurde ins Krankenhaus gebracht; **to ~ oneself ~** (*col*) sich auf den Weg machen. d (*have free*) *week, Monday* frei nehmen ▶ **to ~ time ~ work** sich (*dat*) frei nehmen. e (*imitate*) nachmachen. f **to ~ sb's mind ~ sth** jdn von etw ablenken; **to ~ sb/sth ~ sb's hands** jdm jdn/etw abnehmen.

◆**take on** 1 *vi* a (*col: become upset*) sich aufregen. b (*become popular: song, fashion etc*) sich durchsetzen. 2 *vt sep* a (*undertake*) *job, work* übernehmen; *responsibility* auf sich (*acc*) nehmen; *bet* annehmen. b (*Sport etc: accept as opponent*) antreten gegen; *opponent, authorities* sich anlegen mit. c (*employ*) einstellen; *apprentice* annehmen. d (*take aboard*) (*coach, train etc*) *passengers* aufnehmen; (*plane, ship also*) an Bord nehmen; *cargo, stores* laden; *fuel* tanken. e (*assume*) *colour, expression* bekommen, annehmen ▶ **he took ~ an air of importance** er gab sich (*dat*) eine gewichtige Miene.

◆**take out** *vt sep* a (*bring or carry out*) (hinaus)bringen (*of* aus); (*out of garage*) *car* hinaus-/herausfahren (*of* aus); (*for drive etc*) *car, boat* wegfahren mit. b (*to theatre etc*) ausgehen mit ▶ **to ~ the dog ~ (for a walk)** den Hund ausführen; **to ~ sb ~ to or for dinner/to the cinema** jdn zum Essen/ins Kino einladen. c (*pull out, extract*) herausnehmen; *tooth also* ziehen; *nail* herausziehen (*of* aus +*dat*) ▶ **to ~ sth ~ of or from sth** etw aus etw (*dat*) (heraus)nehmen. d (*withdraw from bank etc*) abheben. e (*procure*) *insurance* abschließen ▶ **to ~ ~ a subscription for sth** etw abonnieren.

f **to ~ sb ~ of himself** jdn auf andere Gedanken bringen; **to ~ sth ~ on sb** (*col*) etw an jdm auslassen (*col*); **to ~ it ~ on sb** sich an jdm abreagieren; **to ~ it/a lot ~ of sb** (*tire*) jdn ziemlich/sehr schlauchen (*col*).

◆**take over** 1 *vi* (*assume government*) an die Macht kommen; (*military junta etc*) die Macht ergreifen; (*party*) an die Regierung kommen; (*new boss etc*) die Leitung übernehmen; (*in a place: tourists, guests etc*) sich breitmachen (*col*) ▶ **to ~ ~ (from sb)** jdn ablösen; **the next shift ~s ~ at 6 o'clock** die nächste Schicht übernimmt um 6 Uhr. 2 *vt sep* a (*take control or possession of*) übernehmen ▶ **tourists ~ ~ Edinburgh in the summer** im Sommer machen sich die Touristen in Edinburgh breit (*col*). b (*escort or carry across*) *person* hinüberbringen; (+*prep obj*) bringen über (+*acc*). c **to ~ sb ~ sth** (*show round*) jdm etw zeigen.

◆**take to** *vi* +*prep obj* a (*form liking for*) *person* mögen ▶ **the children soon took ~ their new surroundings** den Kindern gefiel es bald in der neuen Umgebung; **I don't know how she'll ~ ~ him/it** ich weiß nicht, wie sie auf ihn/darauf reagieren wird; **I don't ~ kindly ~ that** ich kann das nicht leiden. b (*form habit of*) **to ~ ~ doing sth** anfangen, etw zu tun; **to ~ ~ drink** zu trinken anfangen. c (*escape to*) *hills* sich zurückziehen in (+*acc*), Zuflucht suchen in (+*dat*).

◆**take up** *vt sep* a (*raise, lift*) aufnehmen; *carpet, floorboards* hochnehmen; *road* aufreißen; *dress* kürzer machen; *pen* greifen zu. b (*lead or carry upstairs etc*) *invalid, child* hinauf-/heraufbringen; *visitor* (mit) hinauf-/ heraufnehmen. c *time, attention* in Anspruch nehmen; *space* einnehmen. d (*absorb*) (in sich *acc*) aufnehmen. e *matter, point* (*raise*) zur Sprache bringen (*with sb* bei jdm); (*go into*) eingehen auf (+*acc*). f *photography, archaeology* zu seinem Hobby machen; *a hobby* sich (*dat*) zulegen; *a language* anfangen zu lernen ▶ **to ~ ~ painting/the guitar** anfangen zu malen/Gitarre zu spielen. g (*adopt*) *cause* sich einsetzen für; *idea* aufgreifen; *case* sich annehmen (+*gen*) ▶ **to ~ ~ a position** (*lit*) eine Stellung einnehmen; (*fig: attitude*) eine Haltung einnehmen. h (*accept*) *challenge, invitation, suggestion* annehmen. i (*start*) *job, employment* annehmen; *new job, post* antreten; *one's duties* übernehmen; *career* einschlagen. j (*continue*) *story* aufnehmen; *conversation* weiterführen; (*join in*) *chorus, chant* einstimmen in (+*acc*). k **I'll ~ you ~ on that** (*on invitation, offer*) ich werde davon Gebrauch machen; (*on promise etc*) ich nehme Sie beim Wort.

◆**take upon** *vt* +*prep obj* **he has ~n it ~ himself to ...** er hat die Verantwortung auf sich genommen, zu ...; **he took it ~ himself to answer for me** er meinte, er müsse für mich antworten.

◆**take up with** *vi* +*prep obj* *person* sich anfreunden mit.

take: ~-away *esp Brit* 1 *n* a (*meal*) Essen *nt* zum Mitnehmen; b (*restaurant*) Restaurant *nt* mit Außer-Haus-Verkauf; 2 *adj attr meal* zum Mitnehmen; **~-home pay** *n* Nettoverdienst *m*.

taken ['teɪkən] *ptp of* **take**.

take: ~-off *n* (*Aviat*) Start, Abflug *m*. **~-over** *n* (*Fin, Comm*) Übernahme *f*; **~-over bid** *n* Übernahmeangebot *nt*.

taker ['teɪkəʳ] *n* (*at auction, fig*) Interessent(in *f*) *m* ▶ **there were no ~s** (*esp fig*) niemand war interessiert.

taking ['teɪkɪŋ] 1 *n* a **it's yours for the ~** das können

Sie (umsonst) haben. **b** ~*s pl* (*Comm*) Einnahmen *pl*.
2 *adj person* anziehend.
talc [tælk], **talcum** powder ['tælkəm,paʊdə^r] *n*
Talkumpuder *m*; (*perfumed*) (Körper)puder *m*.
tale [teɪl] *n* **a** Geschichte *f*; (*Liter*) Erzählung *f*. **b** *to*
tell ~s petzen (*col*) (*to* bei); *to tell ~s about sb* jdn verpetzen (*col*) (*to* bei).
talent ['tælənt] *n* **a** Talent *nt* ▸ *to have a ~ for*
drawing/mathematics Begabung zum Zeichnen/für
Mathematik haben. **b** (*talented people*) Talente *pl* ▸ ~
scout Talentsucher *m*.
talented ['tæləntɪd] *adj* begabt, talentiert.
talk [tɔːk] **1** *n* **a** Gespräch *nt* (*also Pol*); (*conversation*
also) Unterhaltung *f* ▸ *to have a ~* ein Gespräch
führen/sich unterhalten (*with sb about sth* mit jdm über
etw *acc*); *could I have a ~ with you?* könnte ich Sie mal
sprechen?; *to hold* or *have ~s* Gespräche führen. **b** *no*
pl (*~ing*) Rederei *f*; (*rumour*) Gerede *nt* ▸ *there is some*
~ of his returning es heißt, er kommt zurück; *she's the*
~ of the town sie ist zum Stadtgespräch geworden; *he's*
all ~ er ist ein Schwätzer. **c** (*lecture*) Vortrag *m* ▸ *to*
give a ~ einen Vortrag halten (*on* über +*acc*).
2 *vi* sprechen, reden (*of* von, *about* über +*acc*); (*have*
conversation also) sich unterhalten (*of*, *about* über +*acc*)
▸ *to ~ to* or *with sb* mit jdm reden (*about* über +*acc*);
(*converse also*) sich mit jdm unterhalten (*about* über
+*acc*); *could I ~ to Mr Smith please?* kann ich bitte
Herrn Smith sprechen?; *it's easy for you to ~* (*col*) du
hast gut reden (*col*); *don't (you) ~ to me like that!* wie
redest du denn mit mir?; *he knows/doesn't know what*
he's ~ing about er weiß (schon)/weiß nicht, wovon er
spricht; *you can ~!* (*col*) du kannst gerade reden!; *to*
keep sb ~ing jdn (mit einem Gespräch) hinhalten; *to ~*
to oneself Selbstgespräche führen; *now you're ~ing!*
das läßt sich schon eher hören!; *he's been ~ing of go-*
ing abroad er hat davon geredet, daß er ins Ausland
fahren will; *~ing of films ...* da wir gerade von Filmen
sprechen ...; *stop ~ing!* sei/seid ruhig!; *everyone was*
~ing about them sie waren in aller Munde; (*because of*
scandal) alle haben über sie geredet; *you're ~ing about*
at least £100 Sie müssen mit wenigstens 100 Pfund
rechnen.
3 *vt* **a** *a language*, *slang* sprechen; *nonsense* reden;
(*discuss*) *politics* sich unterhalten über (+*acc*). **b**
(*persuade*) *to ~ sb into doing sth* jdn überreden or dazu
bringen, etw zu tun; (*against better judgement*) jdm einreden, etw zu tun; *to ~ sb out of sth/doing sth* jdm
etw ausreden/jdm ausreden, etw zu tun; *he ~ed him-*
self out of trouble er redete sich (geschickt) heraus.
◆**talk down 1** *vi to ~ ~ to sb* mit jdm herablassend
sprechen.
2 *vt sep pilot* zur Landung einweisen.
◆**talk over** *vt sep problem* besprechen.
◆**talk round** *vt always separate* umstimmen ▸ *I ~ed her*
~ to my way of thinking ich habe sie zu meiner Anschauung bekehrt.
talkative ['tɔːkətɪv] *adj person* gesprächig.
talked-of ['tɔːktɒv] *adj: much ~* berühmt.
talker ['tɔːkə^r] *n* Redner(in *f*) *m*; (*pej*) Schwätzer(in *f*) *m*.
talking ['tɔːkɪŋ] *n* Reden, Sprechen *nt* ▸ *I'll let you do*
the ~ ich überlasse das Reden Ihnen; *he did all the ~* er
übernahm das Reden.
talking: ~ **point** *n* Gesprächsthema *nt*; ~ **shop** *n* (*pej*)
Quasselbude *f*; **~-to** *n to give sb a good ~-to* jdm eine
Standpauke halten (*col*).
talk radio *n* Talk-Radio *nt*.
talk show *n* Talkshow *f*.
tall [tɔːl] *adj* (+*er*) **a** *person* groß; *building*, *tree* hoch ▸
how ~ are you? wie groß sind Sie?; *he is 6 foot ~* er ist
1,80 m groß. **b** (*col*) *that's a ~ order* das ist ganz
schön viel verlangt; *a ~ story* ein Märchen *nt* (*col*).

tallboy ['tɔːlbɔɪ] *n* (*Brit*) hohe Schlafzimmerkommode.
tallness ['tɔːlnɪs] *n see adj* Größe *f*; Höhe *f*.
tallow ['tæləʊ] *n* Talg *m*.
tally ['tælɪ] **1** *n* **a** *to keep a ~ of* Buch führen über
(+*acc*). **b** (*result of counting*) (An)zahl *f*.
2 *vi they don't ~* sie stimmen nicht überein.
talon ['tælən] *n* (*also fig: of person*) Kralle *f*.
tambourine [,tæmbə'riːn] *n* Tamburin *nt*.
tame [teɪm] **1** *adj* (+*er*) **a** *animal*, *person* zahm. **b**
(*dull*) *person*, *life*, *story*, *film etc* lahm (*col*).
2 *vt animal*, *person* zähmen, bändigen; *passion* zügeln.
tameness ['teɪmnɪs] *n* Zahmheit *f*; (*fig*) Lahmheit *f*.
tamer ['teɪmə^r] *n* (*of animals*) Dompteur *m*/Dompteuse
f.
tamper ['tæmpə^r] *vi* +*prep obj tamper with* sich (*dat*) zu
schaffen machen an (+*dat*); *the lock had been ~ed*
with jemand hatte sich an dem Schloß zu schaffen
gemacht.
tampon ['tæmpən] *n* Tampon *m*.
tan [tæn] **1** *n* **a** (*suntan*) Bräune *f* ▸ *to get a ~* braun
werden. **b** (*colour*) Hellbraun *nt*.
2 *adj* hellbraun.
3 *vt* **a** *skins* gerben ▸ *to ~ sb's hide* (*fig col*) jdm das
Fell gerben. **b** (*sun*) *face*, *body etc* bräunen.
4 *vi* braun werden ▸ *she ~s easily* sie wird schnell
braun.
tandem ['tændəm] **1** *n* (*cycle*) Tandem *nt*.
2 *adv in ~* *aligned* hintereinander; *work* zusammen.
tang [tæŋ] *n* (*smell*) scharfer Geruch; (*taste*) starker
Geschmack.
tangent ['tændʒənt] *n* (*Math*) Tangente *f* ▸ *to go* or *fly*
off at a ~ (*fig*) (plötzlich) vom Thema abschweifen.
tangerine [,tændʒə'riːn] *n* Mandarine *f*.
tangible ['tændʒəbl] *adj* (*lit*, *fig*) greifbar; *proof also*
handfest; *assets* real.
Tangier(s) [tæn'dʒɪə(z)] *n* Tanger *nt*.
tangle ['tæŋgl] **1** *n* (*lit*) Gewirr *nt*; (*fig: muddle*) Durcheinander *nt* ▸ *to get into a ~* (*lit*, *fig*) sich verheddern;
he got into a ~ with the police er hat Schwierigkeiten
mit der Polizei gehabt.
2 *vt* (*also ~ up*) (*lit*, *fig*) durcheinanderbringen; *wool*,
string also verheddern ▸ *to get ~d* (*lit*, *fig*) sich verheddern; (*ropes*) sich verknoten; *a ~d web* ein Gespinst
nt.
◆**tangle with** *vi* +*prep obj* (*col*) aneinandergeraten mit
▸ *I'm not tangling ~ him* mit ihm laß ich mich (doch)
nicht ein.
tango ['tæŋgəʊ] **1** *n* Tango *m*.
2 *vi* Tango tanzen ▸ *it takes two to ~* (*fig col*) es
gehören immer zwei dazu.
tangy ['tæŋɪ] *adj* (+*er*) *taste* scharf; (*sour*) sauer; *smell*
durchdringend.
tank [tæŋk] *n* **a** (*container*) Tank *m*; (*for water also*)
Wasserspeicher *m*; (*of boiler also*) Kessel *m*; (*for diver:*
oxygen ~) Flasche *f*. **b** (*Mil*) Panzer *m*.
◆**tank up 1** *vi* (*ship*, *plane*) auftanken.
2 *vt sep* (*Brit col*) *to get ~ed ~* sich vollaufen lassen
(*col*) (*on* mit); *to be ~ed ~* voll sein.
tankard ['tæŋkəd] *n* Krug *m*.
tanker ['tæŋkə^r] *n* **a** (*boat*) Tanker *m*. **b** (*vehicle*)
Tankwagen *m*.
tankful ['tæŋkfʊl] *n* Tank(voll) *m*.
tanned [tænd] *adj person* braun(gebrannt).
tanner ['tænə^r] *n* Gerber *m*.
tannery ['tænərɪ] *n* Gerberei *f*.
tannin ['tænɪn] *n* Tannin *nt*.
Tannoy ® ['tænɔɪ] *n* Lautsprecheranlage *f* ▸ *over* or *on*
the ~ über den Lautsprecher.
tantalize ['tæntəlaɪz] *vt* reizen; (*torment*) quälen.
tantalizing *adj*, **~ly** *adv* ['tæntəlaɪzɪŋ, -lɪ] verlockend,
verführerisch.

tantamount ['tæntəmaʊnt] *adj: to be ~ to sth* einer Sache (*dat*) gleichkommen.

tantrum ['tæntrəm] *n* Wutanfall, Koller (*col*) *m* ▶ *to have or throw a ~* einen Wutanfall bekommen.

Tanzania [tænzə'nɪə] *n* Tansania *nt.*

Tanzanian [tænzə'nɪən] **1** *adj* tansanisch.
2 *n* Tansanier(in *f*) *m.*

tap¹ [tæp] **1** *n* (*esp Brit*) Hahn *m* ▶ *on ~* (*lit: beer etc*) vom Faß; (*fig*) zur Hand.
2 *vt cask, barrel* anzapfen; *telephone lines* abhören, anzapfen (*col*); *resources* erschließen ▶ *the wires are ~ped here* die Leitung hier wird abgehört.

tap² **1** *n* (*light knock*) Klopfen *nt*; (*light touch*) Klaps *m.*
2 *vti* klopfen ▶ *he ~ped me on the shoulder* er klopfte mir auf die Schulter; *he ~ped his foot impatiently* er klopfte ungeduldig mit dem Fuß auf den Boden; *to ~ at the door* leise anklopfen.

tap: *~-dance vi* steppen; *~-dancing n* Steppen *nt.*

tape [teɪp] **1** *n* **a** Band *nt*; (*sticky paper*) Klebeband *nt*; (*Sellotape ® etc*) Kleb(e)streifen *m*; (*punch~*) Lochstreifen *m*; (*Sport*) Zielband *nt* ▶ *to break or breast the ~* (*Sport*) durchs Ziel gehen. **b** (*magnetic*) (Ton)band *nt* ▶ *on ~* auf Band; *to put or get sth on ~* etw auf Band aufnehmen.
2 *vt* **a** *parcel* (mit Kleb(e)streifen/-band) zukleben. **b** (*~-record*) *song, message* (auf Band) aufnehmen. **c** (*col*) *I've got the situation ~d* ich habe die Sache im Griff (*col*); *I've got him ~d* ich kenne mich mit ihm aus.

tape: *~ deck n* Tapedeck *nt*; *~ measure n* Bandmaß *nt.*

taper ['teɪpər] **1** *n* (*candle*) (dünne) Kerze.
2 *vt end of plank, stick etc* zuspitzen; *edge* abschrägen; *pair of trousers* (nach unten) verengen.
3 *vi* (*also ~ off*) sich zuspitzen; (*trousers*) nach unten enger werden.

tape: *~-record vt* auf Band aufnehmen; *~ recorder n* Tonbandgerät *nt*; *~ recording n* Bandaufnahme *f.*

tapering ['teɪpərɪŋ] *adj* spitz zulaufend.

tapestry ['tæpɪstrɪ] *n* Wandteppich, Gobelin *m.*

tapeworm ['teɪpwɜːm] *n* Bandwurm *m.*

tapioca [ˌtæpɪ'əʊkə] *n* Tapioka *f.*

tappet ['tæpɪt] *n* (*Aut*) Stößel *m.*

tap water *n* Leitungswasser *nt.*

tar [tɑːr] **1** *n* Teer *m.*
2 *vt fence* teeren ▶ *they are all ~red with the same brush* (*fig*) sie sind alle vom gleichen Schlag.

tarantula [tə'ræntjʊlə] *n* Tarantel *f.*

tardy ['tɑːdɪ] *adj* (*+er*) zu spät.

target ['tɑːgɪt] **1** *n* **a** (*person, object, Mil*) Ziel *nt*; (*Sport: board, fig: of joke, criticism etc*) Zielscheibe *f* ▶ *his shot was off/on ~* (*Mil*) sein Schuß ist daneben gegangen/hat getroffen; *she is on ~ for a world record* der Weltrekord liegt für sie in greifbarer Nähe. **b** (*objective, goal*) Ziel *nt*; (*in production*) (Plan)soll *nt* ▶ *production is above/on/below ~* das Produktionssoll ist überschritten/erfüllt/nicht erfüllt; *we set ourselves the ~ of £10,000* wir haben uns £ 10.000 zum Ziel gesetzt.
2 *vt group etc* abzielen auf (*+acc*).

target: *~ audience n* Zielgruppe *f*; *~ date n* angestrebter Termin; *~ figure n* (*amount*) angestrebte Summe; (*number*) angestrebte Zahl; *~ group n* Zielgruppe *f*; *~ language n* Zielsprache *f*; *~ practice n* Zielschießen *nt.*

targetted ['tɑːgɪtɪd] *adj publicity* gezielt.

targeting ['tɑːgɪtɪŋ] *n* Zielsetzung *f* ▶ *the ~ of teenagers as customers* das Abzielen auf Teenager als Kunden.

tariff ['tærɪf] *n* **a** Tarif *m*; (*in hotels*) Preisliste *f*. **b** (*Econ: tax*) Zoll *m*; (*table*) Zolltarif *m.*

tarmac ® ['tɑːmæk] *n* Asphalt *m*; (*esp Brit Aviat*) Rollfeld *nt.*

tarn [tɑːn] *n* kleiner Bergsee.

tarnish ['tɑːnɪʃ] **1** *vt* **a** *metal* stumpf werden lassen. **b** (*fig*) *reputation* beflecken; *ideals* trüben.
2 *vi* (*metal*) anlaufen.
3 *n* Beschlag *m.*

tarot card ['tærəʊkɑːd] *n* Tarockkarte *f.*

tarpaulin [tɑː'pɔːlɪn] *n* (*waterproof sheet*) Plane *f*; (*Naut*) Persenning *f.*

tarragon ['tærəgən] *n* Estragon *m.*

tart¹ [tɑːt] *adj* (*+er*) **a** *flavour, wine* herb, sauer (*pej*); *fruit* sauer. **b** (*fig*) *remark, manner* scharf.

tart² *n* (*Cook*) Obsttorte *f*; (*individual*) Obsttörtchen *nt* ▶ *apple/jam ~* Apfelkuchen *m*/Marmeladentörtchen *nt.*

tart³ *n* (*col*) (*prostitute*) Nutte *f* (*col!*); (*loose woman*) Flittchen *nt* (*pej*).

◆**tart up** *vt sep* (*esp Brit col*) aufmachen (*col*); *oneself* auftakeln (*col*) ▶ *there she was, all ~ed ~* da stand sie, aufgetakelt wie eine Fregatte (*col*).

tartan ['tɑːtən] **1** *n* (*pattern*) Schottenkaro *nt*; (*material*) Schottenstoff *m.*
2 *adj skirt* mit Schottenkaro *or* -muster.

tartar ['tɑːtər] *n* (*of wine*) Weinstein *m*; (*in kettle*) Kesselstein *m*; (*on teeth*) Zahnstein *m.*

Tartar ['tɑːtər] *n* Tatar *m* ▶ *t~* (*fig*) Tyrann *m.*

tartar sauce *n* ≈ Remouladensoße *f.*

tartly ['tɑːtlɪ] *adv remark* scharf.

tartness ['tɑːtnɪs] *n see adj* **a** Herbheit *f*; Säure *f.* **b** Schärfe *f.*

task [tɑːsk] *n* Aufgabe *f* ▶ *it is the ~ of the politician to ...* es ist Aufgabe des Politikers, zu ...; *to take sb to ~* sich (*dat*) jdn vornehmen (*col*) (*for, about* wegen).

task: *~ force n* Spezialeinheit *f*; *~master n* (strenger) Arbeitgeber; *he's a hard ~master* er ist ein strenger Meister.

Tasmania [tæz'meɪnɪə] *n* Tasmanien *nt.*

tassel ['tæsəl] *n* Quaste, Troddel *f.*

taste [teɪst] **1** *n* (*lit, fig*) Geschmack *m*; (*small amount, fig: as an example*) Kostprobe *f*; (*of sth in the future*) Vorgeschmack *m* ▶ *I don't like the ~ of it* das schmeckt mir nicht; *a ~ of onions* ein Zwiebelgeschmack *m*; *to have a ~ (of sth)* (*lit*) (etw) probieren; (*fig*) eine Kostprobe (von etw) bekommen; (*of sth to come*) einen Vorgeschmack (von etw) haben; *in good/bad ~* geschmackvoll/geschmacklos; *to have a ~ for sth* eine Vorliebe für etw haben; *it's an acquired ~* das ist etwas für Kenner; *she has expensive ~s* sie hat einen teuren Geschmack; *my ~ in music has changed* mein musikalischer Geschmack hat sich geändert; *to be to sb's ~* nach jds Geschmack sein; *it is a matter of ~* das ist Geschmack(s)sache; *sweeten to ~* (*Cook*) nach Geschmack süßen.
2 *vt* **a** (*perceive flavour of*) schmecken; (*fig*) *blood* lecken. **b** (*test*) *wine, food products* probieren; (*official*) prüfen. **c** (*fig*) *power, freedom* erleben.
3 *vi* schmecken ▶ *to ~ good* (gut) schmecken; *to ~ of sth* nach etw schmecken.

taste bud *n* Geschmacksknospe *f.*

tasteful *adj*, *~ly adv* ['teɪstfʊl, -fəlɪ] geschmackvoll.

tasteless ['teɪstlɪs] *adj* geschmacklos; *food also* fade.

tastelessly ['teɪstlɪslɪ] *adv* geschmacklos.

tastelessness ['teɪstlɪsnɪs] *n see adj* Geschmacklosigkeit *f*; Fadheit *f.*

tastily ['teɪstɪlɪ] *adv* schmackhaft.

tastiness ['teɪstɪnɪs] *n* Schmackhaftigkeit *f.*

tasty ['teɪstɪ] *adj* (*+er*) *dish* schmackhaft.

ta-ta ['tæ'tɑː] *interj* (*Brit col*) tschüs (*col*).

tattered ['tætəd] *adj clothes* zerlumpt; *book, sheet* zerfleddert; (*fig*) *reputation* angeschlagen.

tatters ['tætəz] *npl* Lumpen, Fetzen *pl* ▶ *to be in ~* in Fetzen sein; *his jacket hung in ~* sein Jackett war zerrissen.

tattoo¹ [tə'tuː] **1** *vt* tätowieren.

2 *n* Tätowierung *f.*

tattoo² *n* a (*military pageant*) Musikparade *f.* b (*Mil: on drum or bugle*) Zapfenstreich *m.*

tatty ['tætɪ] *adj* (+*er*) (*col*) schmuddelig; *clothes* schäbig.

taught [tɔːt] *pret, ptp of* **teach.**

taunt [tɔːnt] 1 *n* Spöttelei *f*, höhnische Bemerkung.

2 *vt person* verspotten (*about* wegen) ▶ *to ~ sb with cowardice* jdm höhnisch Feigheit vorwerfen.

Taurus ['tɔːrəs] *n* (*Astron, Astrol*) Stier *m.*

taut [tɔːt] *adj* (+*er*) *rope* straff (gespannt); *muscles* gestrafft; (*fig*) (*tense*) *nerves, situation* (an)gespannt; (*economical*) *prose* knapp.

tautological [ˌtɔːtəˈlɒdʒɪkəl] *adj* tautologisch, doppelt gemoppelt (*col*).

tautology [tɔːˈtɒlədʒɪ] *n* Tautologie *f.*

tavern ['tævən] *n* (*old*) Schenke *f* (*old*).

tawdry ['tɔːdrɪ] *adj* (+*er*) *clothes* billig und geschmacklos; *jewellery, decorations* ordinär; *person* aufgedonnert.

tawny ['tɔːnɪ] *adj* (+*er*) goldbraun.

tax [tæks] 1 *n* a (*Fin, Econ*) Steuer *f*; (*on a company's profit*) Abgabe *f* ▶ *before/after* ~ vor/nach Abzug der Steuern; *to put a ~ on sb/sth* jdn/etw besteuern. b (*fig*) Belastung *f* (*on sth gen, on sb* für jdn).

2 *vt* a (*Fin, Econ*) besteuern; *country* mit Steuern belegen. b (*fig*) *brain, imagination* strapazieren; *one's patience also* auf eine harte Probe stellen; *strength* stark beanspruchen; *resources* angreifen. c (*accuse*) *to ~ sb with sth* jdn einer Sache (*gen*) beschuldigen.

taxable ['tæksəbl] *adj person* steuerpflichtig; *income also* steuerbar (*form*); *goods* abgabenpflichtig.

tax *in cpds* Steuer-; ~ **allowance** *n* Steuerfreibetrag *m*; ~ **assessment** *n* Steuerbescheid *m.*

taxation [tækˈseɪʃən] *n* Besteuerung *f*; (*taxes also*) Steuern *pl* ▶ *exempt from* ~ steuerfrei; *subject to* ~ steuerpflichtig.

tax: ~ **avoidance** *n* Steuerumgehung *f*; ~ **bill** *n* (*assessment*) Steuerbescheid *m*; (*amount*) Steuerschuld *f*; ~ **bracket** *n* Steuerklasse *f*; ~ **collector** *n* Steuerbeamte(r) *m*; (*Bibl, Hist*) Zöllner *m*; ~ **consultant** *n* Steuerberater(in *f*) *m*; ~ **credit** *n* Steuergutschrift *f*; ~ **cut** *n* Steuersenkung *f*; ~**deductible** *adj* (von der Steuer) absetzbar; ~ **disc** *n* (*Brit Aut*) Steuermarke *f*; ~ **evasion** *n* Steuerhinterziehung *f*; (*by going abroad*) Steuerflucht *f*; ~ **exemption** *n* Steuerfreiheit *f*; ~ **exile** *n* Steuerexil *nt*; (*person*) Steuerflüchtling *m*; ~**-free** *adj*, *adv* steuerfrei; ~ **haven** *n* Steuerparadies *nt.*

taxi ['tæksɪ] 1 *n* Taxi *nt* ▶ *to go by* ~ mit dem Taxi fahren.

2 *vi* (*Aviat*) rollen ▶ *the plane ~ed to a halt* das Flugzeug rollte aus.

taxidermist ['tæksɪdɜːmɪst] *n* Präparator *m.*

taxi: ~**-driver** *n* Taxifahrer(in *f*) *m*; ~ **meter** *n* Fahrpreisanzeiger *m.*

tax increase *n* Steuererhöhung *f.*

taxing ['tæksɪŋ] *adj* anstrengend.

tax inspector *n* Steuerprüfer(in *f*) *m.*

taxi: ~**plane** *n* (*US*) Lufttaxi *nt*; ~ **rank** (*Brit*), ~ **stand** *n* Taxistand *m.*

tax: ~**man** *n* Steuer- *or* Finanzbeamte(r) *m*; *the ~man gets 35%* das Finanzamt bekommt 35%; ~ **office** *n* Finanzamt *nt*; ~**payer** *n* Steuerzahler *m*; ~ **rebate** *n* Steuervergütung *f*; ~ **relief** *n* Steuervergünstigung *f*; ~ **return** *n* Steuererklärung *f.*

TB = **tuberculosis** Tb, Tbc *f.*

tbsp = **tablespoon(ful)(s)** EßL.

T.D. (*US*) = **Treasury Department.**

T-bone steak ['tiːbəʊnˈsteɪk] *n* T-bone-Steak *nt.*

tea [tiː] *n* a Tee *m* ▶ *to make (the)* ~ (den) Tee machen; *a cup of* ~ eine Tasse Tee; *not for all the ~ in China* nicht um alles Gold der Welt. b (*afternoon* ~) Nachmittagstee *m*; (*meal*) Abendbrot *nt* ▶ *we have ~ at*

six wir essen um 6 Uhr zu Abend.

tea: ~ **bag** *n* Teebeutel *m*; ~ **break** *n* (*Brit*) Pause *f*; ~ **caddy** *n* Teedose *f*; ~**cake** *n* Rosinenbrötchen *nt* (*zum Toasten*); ~ **cart** *n* (*US*) Tee- *or* Servierwagen *m.*

teach [tiːtʃ] (*vb: pret, ptp* **taught**) 1 *vt subject, person* unterrichten; *animal* abrichten ▶ *to ~ sth to sb* jdm etw beibringen; (*teacher*) jdn in etw (*dat*) unterrichten; *to ~ sb to do sth* jdm beibringen, etw zu tun; *to ~ sb how to do sth* jdm etw beibringen; *he ~es French* er unterrichtet *or* gibt (*col*) Französisch; *to ~ oneself sth* sich (*dat*) etw beibringen; *let that ~ you not to ...* laß dir das eine Lehre sein, nicht zu ...; *that'll ~ you to break the speed limit* das hast du (nun) davon, daß du das Tempolimit überschritten hast.

2 *vi* unterrichten, Unterricht geben ▶ *he wants to ~* er möchte Lehrer werden.

teacher ['tiːtʃəʳ] *n* Lehrer(in *f*) *m* ▶ *she is a German ~* sie ist Deutschlehrerin.

teacher-training ['tiːtʃəˈtreɪnɪŋ] *n* Lehrerausbildung *f* ▶ ~ **college** (*primary*) pädagogische Hochschule; (*secondary*) Studienseminar *nt.*

tea-chest ['tiːtʃest] *n* Kiste *f.*

teaching ['tiːtʃɪŋ] *n* a das Unterrichten; (*as profession*) der Lehrberuf ▶ *to take up* ~ Lehrer werden; *she enjoys* ~ sie unterrichtet gern. b (*doctrine: also* ~**s**) Lehre *f.*

teaching: ~ **aid** *n* Lehrmittel *nt*; ~ **hospital** *n* Ausbildungskrankenhaus *nt*; ~ **qualification** *n* Lehrbefähigung *f*; ~ **staff** *n* Lehrerkollegium *nt*, Lehrkörper *m* (*form*).

tea: ~ **cloth** *n* (*Brit*) Geschirrtuch *nt*; ~ **cosy** *n* Teewärmer *m*; ~**cup** *n* a Teetasse *f*, b (*also* ~**cupful**) Tasse *f* (voll).

teak [tiːk] *n* Teak(holz) *nt*; (*tree*) Teakbaum *m.*

tea: ~ **lady** *n* Frau, die in Büros etc für die Angestellten Tee zubereitet; ~**-leaf** *n* Teeblatt *nt.*

team [tiːm] *n* a Team *nt*; (*Sport also*) Mannschaft *f* ▶ *football* ~ Fußballmannschaft *f.* b (*of horses, oxen etc*) Gespann *nt.*

◆**team up** *vi* sich zusammentun (*with* mit); (*join group*) sich anschließen (*with sb* jdm, an jdn).

tea-maker *n* Teemaschine *f.*

team: ~ **effort** *n* Teamarbeit *f*; ~ **game** *n* Mannschaftsspiel *nt*; ~**-mate** *n* Mannschaftskamerad *m*; ~ **member** *n* Teammitglied *nt*; (*Sport also*) Mannschaftsmitglied *nt*; ~ **spirit** *n* Gemeinschaftsgeist *m*; (*Sport*) Mannschaftsgeist *m*; ~**work** *n* Gemeinschaftsarbeit, Teamarbeit *f.*

tea: ~ **party** *n* Teegesellschaft *f*; ~**pot** *n* Teekanne *f.*

tear¹ [teəʳ] (*vb: pret* **tore**, *ptp* **torn**) 1 *vt* a *paper, dress* zerreißen; *flesh* aufreißen; *hole* reißen ▶ *I've torn a muscle* ich habe mir einen Muskel gezerrt; *to ~ sth to pieces* etw in Stücke reißen; *the critics tore him/the play to pieces* die Kritiker haben ihn in der Luft zerrissen (*col*)/das Stück total verrissen; *to ~ sth open* etw aufreißen; *that's torn it!* (*fig col*) das hat alles verdorben! b (*pull away*) reißen ▶ *her child was torn from her/her arms* das Kind wurde ihr entrissen/ihr aus den Armen gerissen; *he tore it out of my hand* er riß es mir aus der Hand. c (*fig: usu pass*) *a country torn by war* ein vom Krieg zerrissenes Land; *to be torn between two things/people* zwischen zwei Dingen/ Menschen hin- und hergerissen sein.

2 *vi* a (*material etc*) (zer)reißen ▶ *her coat tore on a nail* sie zerriß sich (*dat*) den Mantel an einem Nagel; ~ *along the dotted line* an der gestrichelten Linie abtrennen. b (*move quickly*) rasen ▶ *to ~ past* vorbeirasen.

3 *n* (*in material etc*) Riß *m.*

◆**tear along** *vi* entlanggrasen ▶ *he tore ~ the street* er raste die Straße entlang.

◆**tear apart** *vt sep house* (*thieves etc*) völlig durch-einanderbringen; (*bomb etc*) völlig zerstören; *meat, country* zerreißen.

◆**tear away** ⓵ *vi* davonrasen.
⓶ *vt sep wrapping* abreißen (*from* von) ▸ *if you can ~ yourself ~ from the paper* wenn du dich von der Zeitung losreißen kannst.

◆**tear down** *vt sep poster* herunterreißen; *house* abreißen.

◆**tear off** ⓵ *vi* ⓐ wegrasen ▸ *he tore ~ down the street* er raste die Straße hinunter. ⓑ *the carbon ~s ~* die Durchschrift läßt sich abtrennen.
⓶ *vt sep label, wrapping, cover* abreißen; *clothes* herunterreißen ▸ *he tore me ~ a strip* (*col*) er hat mich zur Schnecke gemacht (*col*).

◆**tear out** ⓵ *vi* heraus-/hinausrasen ▸ *he tore ~ through the front door* er raste zur Haustür hinaus.
⓶ *vt sep* (her)ausreißen (*of* aus).

◆**tear up** ⓵ *vi* angerast kommen ▸ *he tore ~ the hill/road* er raste den Berg hinauf/die Straße entlang.
⓶ *vt sep* ⓐ *paper*, (*fig*) *contract* zerreißen. ⓑ *stake, plant* (her)ausreißen.

tear² [tɪər] *n* Träne *f* ▸ *in ~s* in Tränen aufgelöst; *the news brought ~s to her eyes* als sie das hörte, stiegen ihr die Tränen in die Augen; *moved to ~s* zu Tränen gerührt; *you are bringing ~s to my eyes* (*iro*) mir kommen die Tränen (*iro*); *~ drop* Träne *f*.

tearaway ['tɛərəweɪ] *n* (*col*) Rabauke *m* (*col*).

tearful ['tɪəfʊl] *adj look* tränenfeucht; *face* tränenüberströmt ▸ *..., she said in a ~ voice* ..., sagte sie unter Tränen.

tearfully ['tɪəfəlɪ] *adv say etc* unter Tränen.

teargas ['tɪəgæs] *n* Tränengas *nt*.

tearing ['tɛərɪŋ] *adj* (*col*): *to be in a ~ hurry* es schrecklich eilig haben.

tear-jerker ['tɪə,dʒɜːkər] *n* (*col*) Schmachtfetzen *m* (*col*).

tear-off ['tɛərɒf] *adj* zum Abtrennen ▸ *~ calendar* Abreißkalender *m*.

tearoom ['tiːrʊm] *n* Teestube *f*, Café *nt*.

tease [tiːz] ⓵ *vt person* necken; *animal* reizen; (*torment*) quälen; (*make fun of*) aufziehen, hänseln (*about* wegen); (*have on*) auf den Arm nehmen (*col*).
⓶ *n* (*col: person*) Scherzbold *m* (*col*).

◆**tease out** *vt sep* (*fig*) *information* ablocken (*out of sb* jdm).

teaser ['tiːzər] *n* (*difficult question*) harte Nuß (*col*); (*riddle*) Denksportaufgabe *f*; (*TV, Rad*) Neugier weckende Werbung *f*.

tea: *~ service, ~ set n* Teeservice *nt*; *~ shop n* (*Brit*) Teestube *f*; *~spoon n* ⓐ Teelöffel *m*; (*also ~spoonful*) Teelöffel *m* (voll); *~ strainer n* Teesieb *nt*.

teat [tiːt] *n* (*of animal*) Zitze *f*; (*of woman*) Brustwarze *f*; (*Brit: on baby's bottle*) (Gummi)sauger *m*.

tea: *~time n* (*for afternoon ~*) Teestunde *f*; (*North Brit: evening mealtime*) Abendessenszeit *f*; *~ towel n* (*Brit*) Geschirrtuch *nt*; *~ tray n* Tablett *nt*; *~ trolley* (*Brit*), *~ wagon* (*US*) *n* Teewagen *m*.

tech [tek] (*Brit*) = **technical college**.

technical ['teknɪkəl] *adj* ⓐ (*concerning technology*) technisch ▸ *~ hitch* technisches Problem. ⓑ (*of particular branch*) fachlich, Fach-; *adviser, dictionary* Fach-; *problems, vocabulary* fachspezifisch; *details* formal ▸ *~ term* Fachausdruck *m*; *~ terminology* Fachsprache *f*; *~ question* (*Jur*) Verfahrensfrage *f*; *for ~ reasons* aus technischen *or* (*Jur*) aus verfahrenstechnischen Gründen.

technical: *~ college n* (*Brit*) Technische Fachschule; *~ drawing n* technisches Zeichnen.

technicality [,teknɪ'kælɪtɪ] *n* (*technical detail, difficulty*) technische Einzelheit; (*fig, Jur*) Formsache *f* ▸ *that's just a ~* das ist bloß ein Detail.

technically ['teknɪkəlɪ] *adv* ⓐ technisch. ⓑ (*strictly speaking*) *~ you're right* genaugenommen haben Sie recht.

technician [tek'nɪʃən] *n* Techniker(in *f*) *m*; (*skilled worker*) Facharbeiter(in *f*) *m*.

technique [tek'niːk] *n* Technik *f*; (*method*) Methode *f*.

technocrat ['teknəʊkræt] *n* Technokrat(in *f*) *m*.

technological [,teknə'lɒdʒɪkəl] *adj* technologisch; *details* technisch.

technologist [tek'nɒlədʒɪst] *n* Technologe *m*, Technologin *f*.

technology [tek'nɒlədʒɪ] *n* Technologie *f* ▸ *the ~ of printing* die Drucktechnik; *the age of ~* das technische Zeitalter.

technophobe ['teknəʊfəʊb] *n* Technikfeind *m*.

teddy (bear) ['tedɪ(,bɛər)] *n* Teddy(bär) *m*.

tedious ['tiːdɪəs] *adj* langweilig, öde.

tediousness ['tiːdɪəsnɪs] *n* Langeweile *f*.

tedium ['tiːdɪəm] *n* Langeweile *f*.

tee [tiː] (*Golf*) ⓵ *n* Tee *nt*.
⓶ *vt ball* auf das Tee legen.

◆**tee off** *vi* einen Ball vom (ersten) Abschlag spielen.

teem [tiːm] *vi* ⓐ (*with people, insects etc*) wimmeln (*with* von). ⓑ *it's ~ing (with rain)* es regnet *or* gießt (*col*) in Strömen.

teenage ['tiːneɪdʒ] *adj* Jugend-, Teenager-; *child, son* halbwüchsig.

teenager ['tiːneɪdʒər] *n* Teenager *m*.

teens [tiːnz] *npl* Teenageralter *nt* ▸ *to be in one's ~* im Teenageralter sein.

teenybopper ['tiːnɪ,bɒpər] *n* (*col*) Teeny *m* (*col*).

teeny(weeny) ['tiːnɪ('wiːnɪ)] *adj* (*col*) winzig (klein), klitzeklein (*col*).

tee-shirt *n* = **T-shirt**.

teeter ['tiːtər] *vi* ⓐ taumeln, schwanken ▸ *to ~ on the brink or edge of sth* (*lit*) am Rand von etw taumeln; (*fig*) am Rand von etw sein. ⓑ (*US: seesaw*) schaukeln.

teeth [tiːθ] *pl of* **tooth**.

teethe [tiːð] *vi* zahnen.

teething ['tiːðɪŋ] *n* Zahnen *nt* ▸ *~ ring* Beißring *m*; *~ troubles pl* (*fig*) Kinderkrankheiten *pl*.

teetotal [tiː'təʊtl] *adj person* abstinent; *party etc* ohne Alkohol ▸ *to be ~* keinen Alkohol trinken, Antialkoholiker(in *f*) *m* sein.

teetotaller, (*US*) **teetotaler** [tiː'təʊtlər] *n* Abstinenzler(in *f*), Antialkoholiker(in *f*) *m*.

TEFL = **Teaching (of) English as a Foreign Language.**

Teh(e)ran [tɛə'rɑːn] *n* Teheran *nt*.

tel = **telephone (number)** Tel.

telebanking ['telɪ,bæŋkɪŋ] *n* Homebanking *nt*, Telebanking *nt*.

telecast ['telɪkɑːst] *n* Fernsehsendung *f*.

telecommunications [,telɪkə,mjuːnɪ'keɪʃənz] *n* ⓐ *pl* Fernmeldewesen *nt*. ⓑ *sing* (*science*) Fernmeldetechnik *f*.

telecommute ['telɪkə,mjuːt] *vi* Teleheimarbeit machen.

telecommuting ['telɪkə,mjuːtɪŋ] *n* Teleheimarbeit *f*.

teleconferencing ['telɪkɒnfərənsɪŋ] *n* Telekonferenzschaltung *f*.

telegram ['telɪgræm] *n* Telegramm *nt*.

telegraph: *~ pole n* Telegrafenmast *m*; *~ wire n* Telegrafenleitung *f*.

telemarketing ['telɪ,mɒːkətɪŋ] *n* Telemarketing *nt*, Telefonverkauf *m*.

telepathic [,telɪ'pæθɪk] *adj* telepathisch ▸ *you must be ~!* du mußt Hellseher sein!

telepathy [tɪ'lepəθɪ] *n* Telepathie *f*.

telephone ['telɪfəʊn] ⓵ *n* Telefon *nt* ▸ *you're wanted on the ~* Sie werden am Telefon verlangt; *are you on* *the ~?* haben Sie Telefon?; (*can you be reached by* ~) sind Sie telefonisch zu erreichen?; *he's on the* ~ (*is using the* ~) er telefoniert gerade; (*wants to speak to you*) er ist am Telefon; *by* ~ telefonisch; *I've just been/I'll get on the* ~ *to him* ich habe eben mit ihm telefoniert/ ich werde ihn anrufen.

[2] *vt* anrufen; *message, reply* telefonisch übermitteln ▸ *would you* ~ *the office to say ...* würden Sie im Büro anrufen und sagen ...

[3] *vi* anrufen, telefonieren; (*make* ~ *call*) telefonieren ▸ *to* ~ *for a taxi* ein Taxi rufen.

telephone *in cpds* Telefon-, Fernsprech- (*form*); ~ **booth** *or* **box** (*Brit*) *n* Telefonzelle *f*; ~ **call** *n* Telefongespräch *nt*; ~ **directory** *n* Telefonbuch *nt*; ~ **exchange** *n* Vermittlungsstelle *f* (*form*); ~ **kiosk** *n* (*Brit*) Telefonzelle *f*; ~ **line** *n* Telefonleitung *f*; ~ **message** *n* telefonische Nachricht; ~ **number** *n* Telefonnummer, Rufnummer *f*; ~ **operator** *n* Telefonist(in *f*) *m*; ~ **subscriber** *n* Fernsprechteilnehmer(in *f*) *m*.

telephonist [tɪ'lefənɪst] *n* (*Brit*) Telefonist(in *f*) *m*.

telephoto (lens) ['telɪ,fəʊtəʊ('lenz)] *n* Teleobjektiv *nt*.

teleprinter ['telɪ,prɪntə'] *n* Fernschreiber *m*.

telesales ['telɪseɪlz] *n sing or pl* Telefonverkauf *m*.

telescope ['telɪskəʊp] [1] *n* Teleskop *nt*.

[2] *vi* sich ineinanderschieben lassen.

telescopic [,telɪ'skɒpɪk] *adj aerial etc* ausziehbar.

Teletext ® ['telɪtekst] *n* Videotext *m*.

televise ['telɪvaɪz] *vt* (im Fernsehen) übertragen ▸ *~d debate* Fernsehdebatte *f*.

television ['telɪ,vɪʒən] *n* Fernsehen *nt*; (*set*) Fernsehapparat, Fernseher (*col*) *m* ▸ *to watch* ~ fernsehen; *to be on* ~ im Fernsehen kommen; (*person*) im Fernsehen sein.

television *in cpds* Fernseh-; ~ **camera** *n* Fernsehkamera *f*; ~ **company** *n* Fernsehanstalt *f*; ~ **licence** *n* (*Brit*) Fernsehgenehmigung *f*; ~ **personality** *n* bekannte Fernsehpersönlichkeit; ~ **programme** *n* Fernsehsendung *f*; ~ **rights** *npl* Übertragungsrechte *pl*; ~ **screen** *n* Bildschirm *m*, Mattscheibe *f* (*col*); ~ **set** *n* Fernsehapparat, Fernseher (*col*) *m*; ~ **studio** *n* Fernsehstudio *nt*.

telex ['teleks] [1] *n* Fernschreiben, Telex *nt*; (*machine*) Fernschreiber *m*.

[2] *vt message* per Telex mitteilen; *person* ein Telex schicken (+*dat*).

tell [tel] *pret, ptp* **told** [1] *vt* [a] (*relate*) *story, experiences, adventures* erzählen (*sb sth, sth to sb* jdm etw); (*inform, say, announce*) sagen (*sb sth* jdm etw) ▸ *to* ~ *lies/ fortunes* lügen/wahrsagen; *to* ~ *sb about or of sth* jdm von etw erzählen; *I can't* ~ *you how pleased I am* ich kann Ihnen gar nicht sagen, wie sehr ich mich freue; *who told you that?* wer hat Ihnen denn das erzählt?; *to* ~ *sb the way* jdm den Weg sagen; *could you* ~ *me the way to the station, please?* könn(t)en Sie mir bitte sagen, wie ich zum Bahnhof komme?; *(I'll)* ~ *you what, let's go to the cinema* weißt du was, gehen wir doch ins Kino!; *don't* ~ *me you can't come!* sagen Sie bloß nicht, daß Sie nicht kommen können!; *I won't do it, I* ~ *you!* und ich sage dir, das mache ich nicht!; *let me* ~ *you ...* lassen Sie sich von mir sagen, daß ...; *it was cold, I can* ~ *you* ich kann dir sagen, das war vielleicht kalt!; *I told you so* ich habe es (dir) ja gesagt; ~ *me another!* wer's glaubt! (*col*); *don't* ~ *me, let me guess* sag's mir nicht, laß mich raten; *you're ~ing me!* wem sagen Sie das!

[b] (*distinguish, discern*) *to* ~ *the time* (*child*) die Uhr kennen; *I had no way of ~ing the time* ich konnte nicht wissen, wie spät es war; *to* ~ *the difference* den Unterschied erkennen; *you can* ~ *that he's a foreigner* man sieht *or* merkt, daß er Ausländer ist; *to* ~ *sb/sth by sth* jdn/etw an etw (*dat*) erkennen; *to* ~ *right from wrong*

Recht von Unrecht unterscheiden; *how can/could I* ~ *that?* wie soll ich das wissen?/wie hätte ich das wissen können?

[c] (*order*) sagen (*sb* jdm) ▸ *we were told to bring sandwiches with us* man hat uns gesagt, wir sollten belegte Brote mitbringen; ~ *him to stop singing* sagen Sie ihm, er soll aufhören zu singen; *do as or what you are told!* tu, was man dir sagt!; *I won't* ~ *you again* ich sage es dir nicht noch einmal.

[2] *vi* [a] (*discern, be sure*) wissen ▸ *who can* ~*?* wer weiß?; *how can I* ~*?* (*how should I know*) woher soll ich das wissen?; *you never can* ~ man kann nie wissen. [b] (*talk,* ~ *tales of*) sprechen ▸ *that would be ~ing!* das kann ich nicht verraten; *promise you won't* ~ du mußt versprechen, daß du nichts sagst; *it hurt me more than words can* ~ es hat mich mehr verletzt, als ich mit Worten ausdrücken kann. [c] (*have effect*) sich bemerkbar machen ▸ *his age told against him* (*in applying for job*) sein Alter sprach gegen ihn; (*in competition*) sein Alter machte sich bemerkbar.

◆**tell off** *vt sep* (*col: scold*) ausschimpfen (*for* wegen) ▸ *he told me* ~ *for being late* er schimpfte (mich aus), weil ich zu spät kam.

teller ['telə'] *n* [a] (*in bank*) Kassierer(in *f*) *m*. [b] (*vote counter*) Stimmenauszähler(in *f*) *m*. [c] (*of story*) Erzähler(in *f*) *m*.

telling ['telɪŋ] [1] *adj* (*effective*) wirkungsvoll; *argument also* schlagend; *blow* (*lit, fig*) empfindlich; (*revealing*) aufschlußreich.

[2] *n* [a] (*narration*) Erzählen *nt*. [b] *there is no* ~ *what he may do* man kann nicht wissen, was er tut.

telling-off ['telɪŋ'ɒf] *n* (*col*) Standpauke *f* (*col*) ▸ *to give sb a good* ~ jdn kräftig ausschimpfen.

telltale ['telteɪl] [1] *n* Petzer *m*, Petze *f*.

[2] *adj attr* verräterisch.

telly ['telɪ] *n* (*Brit col*) Fernseher *m* (*col*) ▸ *on (the)* ~ im Fernsehen; *to watch* ~ fernsehen.

temerity [tɪ'merɪtɪ] *n* Kühnheit *f*.

temp¹ = [a] **temporary.** [b] **temperature.**

temp² [temp] (*Brit*) [1] *n* Aushilfskraft *f*.

[2] *vi* als Aushilfskraft arbeiten.

temper ['tempə'] [1] *n* (*disposition*) Wesen, Naturell *nt*; (*angry mood*) Wut *f* ▸ *to be in a ~/good/bad* ~ wütend sein/guter/schlechter Laune sein; *she's got a quick/ vicious* ~ sie kann sehr jähzornig sein/tückisch werden; *to lose one's* ~ die Beherrschung verlieren (*with sb* bei jdm); *to keep one's* ~ sich beherrschen (*with sb* bei jdm); *to fly into a* ~ einen Wutanfall bekommen; *a fit of* ~ ein Wutanfall *m*.

[2] *vt* [a] *metal* tempern. [b] (*fig*) *action, passion* mäßigen; *criticism* mildern.

temperament ['tempərəmənt] *n* Temperament *nt*; (*disposition*) Veranlagung *f* ▸ *he has an artistic* ~ er hat eine Künstlernatur.

temperamental [,tempərə'mentl] *adj* temperamentvoll, launenhaft (*pej*); *car* launisch (*hum*).

temperance ['tempərəns] *n* [a] (*moderation*) Mäßigung *f*; (*in speech etc also*) Zurückhaltung *f*; (*in eating, drinking also*) Maßhalten *nt*. [b] (*teetotalism*) Enthaltsamkeit *f*.

temperate ['tempərɪt] *adj person, climate* gemäßigt; (*in eating, demands*) maßvoll.

temperature ['temprɪtʃə'] *n* Temperatur *f*; (*Med: above normal* ~ *also*) Fieber *nt* ▸ *to take sb's* ~ bei jdm Fieber messen; *he has a ~/a slight/high* ~ er hat Fieber/ erhöhte Temperatur/hohes Fieber; *he has a* ~ *of 39°C* er hat 39° Fieber.

tempered ['tempəd] *adj steel* gehärtet.

-tempered *adj suf* -gelaunt.

tempest ['tempɪst] *n* (*liter*) Sturm *m* (*also fig*).

tempestuous [,tem'pestjʊəs] *adj* (*lit liter, fig*) stürmisch; *speech* leidenschaftlich.

tempi ['tempiː] *pl of* **tempo**.
template ['templɪt] *n* Schablone *f*.
temple¹ ['templ] *n* (*Rel*) Tempel *m*.
temple² *n* (*Anat*) Schläfe *f*.
tempo ['tempəʊ] *n*, *pl* **-s** *or* **tempi** ['tempiː] (*Mus, fig*) Tempo *nt*.
temporal ['tempərəl] *adj* [a] zeitlich; (*Gram*) Zeit-, temporal. [b] (*Rel*) weltlich.
temporarily [ˌtempə'reərɪlɪ] *adv* vorübergehend.
temporary ['tempərərɪ] *adj* vorübergehend; *job also* befristet ▶ ~ *cover* (*Insur*) vorübergehende Deckung *f*; *arrangement also, road surface* provisorisch; *powers also* befristet; ~ *staff* Aushilfskräfte *pl*; ~ *solution* Übergangslösung *f*; *he's looking for ~ work* er sucht eine Stelle auf Zeit (*col*).
tempt [tempt] *vt* in Versuchung führen; (*successfully*) verführen; (*Rel also*) versuchen ▶ *to* ~ *sb to do or into doing sth* jdn dazu verleiten, etw zu tun; *don't* ~ *me* bring mich nicht in Versuchung!; *to* ~ *fate* (*fig*) sein Schicksal herausfordern; (*in words*) den Teufel an die Wand malen; *I'm* ~*ed* es reizt mich.
temptation [temp'teɪʃən] *n* Versuchung *f* (*also Rel*) ▶ *to yield to* ~ der Versuchung erliegen.
tempting ['temptɪŋ] *adj* verlockend.
ten [ten] [1] *adj* zehn ▶ ~ *to one he won't come* (ich wette) zehn zu eins, daß er nicht kommt; *nine out of* ~ *people would agree with you* neun von zehn Leuten würden Ihnen zustimmen.
[2] *n* Zehn *f* ▶ ~*s* (*Math*) Zehner *pl*; *see* **six**.
tenable ['tenəbl] *adj* (*Mil*) *position* haltbar; (*fig*) *opinion, theory also* vertretbar.
tenacious [tɪ'neɪʃəs] *adj* zäh; *character, person also* beharrlich.
tenacity [tɪ'næsɪtɪ] *n see adj* Zähigkeit *f*; Beharrlichkeit *f* ▶ *the* ~ *of his grip* sein eiserner Griff.
tenancy ['tenənsɪ] *n see* **tenant** Miet-/Pachtverhältnis *nt* ▶ *during his* ~ während er dort Mieter/Pächter ist/war.
tenant ['tenənt] *n* Mieter(in *f*) *m*; (*of farm*) Pächter(in *f*) *m* ▶ ~ *farmer* Pächter(in *f*) *m*.
tend¹ [tend] *vt* sich kümmern um; *sheep* hüten; *sick person* pflegen; *machine* bedienen.
tend² *vi to* ~ *to be/do sth* (*have habit*) gern etw sein/tun; (*person also*) dazu neigen *or* tendieren, etw zu sein/tun; *the lever* ~*s to stick* der Hebel bleibt oft hängen; *I* ~ *to believe him* ich neige dazu, ihm zu glauben; *to* ~ *towards* (*incline*) (*person, views etc*) neigen *or* tendieren zu.
tendency ['tendənsɪ] *n* Tendenz *f* (*geh*); (*physical predisposition*) Neigung *f* ▶ *to have a* ~ *to be/do sth* gern etw sein/tun; (*person, style of writing also*) dazu neigen *or* tendieren, etw zu sein/zu tun; *he had an annoying* ~ *to forget things* er hatte die ärgerliche Angewohnheit, alles zu vergessen.
tendentious [ten'denʃəs] *adj* tendenziös.
tender¹ ['tendər] *n* (*Naut, Rail*) Tender *m*.
tender² [1] *vt money, services* (an)bieten; *thanks* aussprechen; *resignation* einreichen ▶ *"please* ~ *exact fare"* „bitte Fahrgeld abgezählt bereithalten".
[2] *vi* (*Comm*) sich bewerben (*for* um).
[3] *n* [a] (*Comm*) Angebot *nt* ▶ *to invite* ~*s for a job* Angebote *pl* für eine Arbeit einholen; *to put in a* ~ *for sth* ein Angebot für etw einreichen. [b] *legal* ~ gesetzliches Zahlungsmittel.
tender³ *adj* [a] *spot, bruise* empfindlich; *skin, plant also* zart; (*fig*) *subject* heikel. [b] *meat* zart. [c] (*affectionate*) *person, look* zärtlich, liebevoll; *memories* lieb ▶ *to bid sb a* ~ *farewell* liebevoll(en) Abschied von jdm nehmen; *to be in need of* ~ *loving care* (*hum*) liebevolle Zuwendung brauchen.
tender-hearted [ˌtendə'hɑːtɪd] *adj* gutherzig.

tenderize ['tendəraɪz] *vt meat* zart *or* weich machen; (*by beating*) klopfen.
tenderly ['tendəlɪ] *adv* zärtlich, liebevoll.
tenderness ['tendənɪs] *n see adj* [a] Empfindlichkeit *f*; Zartheit *f*. [b] Zartheit *f*. [c] Zärtlichkeit *f*.
tendon ['tendən] *n* Sehne *f*.
tendril ['tendrɪl] *n* Ranke *f*.
tenement ['tenɪmənt] *n* Mietshaus *nt*.
Tenerife [ˌtenə'riːf] *n* Teneriffa *nt*.
tenet ['tenət] *n* Lehrsatz *m*; (*Rel*) Glaubenssatz *m*.
tenner ['tenər] *n* (*col*) Zehner *m* (*col*).
tennis ['tenɪs] *n* Tennis *nt*.
tennis *in cpds* Tennis-; ~ *club* *n* Tennisclub *m*; ~ *court* *n* Tennisplatz *m*; ~ *elbow* *n* (*Med*) Tennisarm *m*; ~ *player* *n* Tennisspieler(in *f*) *m*; ~ *racket* *n* Tennisschläger *m*.
tenor ['tenər] [1] *n* [a] (*voice*) Tenor(stimme *f*) *m*; (*person*) Tenor *m*. [b] (*purport*) Tenor *m*; (*of theory*) Tendenz *f*; (*general nature: of life*) Stil *m*.
[2] *adj* (*Mus*) Tenor-.
tenpin bowling [ˌtenpɪn'bəʊlɪŋ], (*US*) **tenpins** ['tenpɪnz] *n* Bowling *nt*.
tense¹ [tens] *n* (*Gram*) Zeit *f*, Tempus *nt*.
tense² [1] *adj* (+*er*) *rope, atmosphere, moment* gespannt; *muscles also, person, expression* (*through stress etc*) angespannt; (*through fear etc*) verkrampft; *voice* nervös; (*thrilling*) *scene* spannungsgeladen.
[2] *vt muscles* anspannen.
tensely ['tenslɪ] *adv listen* angespannt; *speak, wait* (*nervously*) nervös; (*excitedly*) gespannt.
tenseness ['tensnɪs] *n see adj* Gespanntheit *f*; Angespanntheit *f*; Verkrampftheit *f*; Nervosität *f*; Spannung *f*.
tension ['tenʃən] *n* [a] (*lit*) Spannung *f*; (*of muscle*) Anspannung *f*; (*Knitting*) Festigkeit *f*. [b] (*nervous strain*) Anspannung *f*. [c] (*strain: in relationship*) Spannungen *pl*.
tent [tent] *n* Zelt *nt* ▶ ~ *peg* (*Brit*) *or* **stake** (*US*) Zeltpflock, Hering *m*; ~ *pole* Zeltstange *f*.
tentacle ['tentəkl] *n* Fangarm *m*; (*fig*) Klaue *f*.
tentative ['tentətɪv] *adj* (*provisional*) vorläufig; *offer* unverbindlich; (*hesitant*) vorsichtig; *steps, questions* tastend.
tentatively ['tentətɪvlɪ] *adv see adj*.
tenterhooks ['tentəhʊks] *npl: to be on* ~ wie auf glühenden Kohlen sitzen (*col*); *to keep sb on* ~ jdn zappeln lassen.
tenth [tenθ] [1] *adj* (*in series*) zehnte(r, s).
[2] *n* (*fraction*) Zehntel *nt*; (*in series*) Zehnte(r, s); *see* **sixth**.
tenuous ['tenjʊəs] *adj* [a] (*lit*) *thread etc* dünn, fein. [b] (*fig*) *connection, argument* schwach.
tenuousness ['tenjʊəsnɪs] *n see adj* [a] Dünne, Feinheit *f*. [b] Schwäche *f*.
tenure ['tenjʊər] *n* (*period of office*) Amtszeit *f* ▶ *to have security of* ~ (*esp US*) fest angestellt sein.
tepid ['tepɪd] *adj* (*lit, fig*) lau(warm).
term [tɜːm] [1] *n* [a] (*period of time*) Zeitraum *m*; (*of contract*) Laufzeit *f*; (*limit*) Frist *f* ▶ ~ *of government/office* Regierungszeit *f*/Amtszeit *f*; *in the long/short* ~ auf lange/kurze Sicht; ~ (*life*) *insurance* Risikolebensversicherung *f*.
[b] (*Sch, Univ*) (*three in one year*) Trimester *nt*; (*two in one year*) Semester *nt* ▶ *in* ~(*-time*) während der Schulzeit/des Semesters; *out of* ~(*-time*) in den Ferien.
[c] (*expression*) Ausdruck *m* ▶ *in plain* ~*s* in einfachen Worten; *technical* ~*s* Fachausdrücke *pl*; *a contradiction in* ~*s* ein Widerspruch in sich.
[d] (*Math, Logic*) Term *m* ▶ *to express one thing in* ~*s of another* eine Sache mit einer anderen erklären; *in* ~*s of production we are doing well* was die Produktion betrifft, stehen wir gut da; *in* ~*s of money/time*

finanziell/zeitlich.

e ~s pl (conditions) Bedingungen pl; ~s of reference (of committee etc) Aufgabenbereich m; (of thesis etc) Themenbereich m; to buy sth on credit/easy ~s etw auf Kredit/auf Raten kaufen; the hotel offered reduced ~s in winter das Hotel bot ermäßigte Winterpreise an; on what ~s? zu welchen Bedingungen?; to come to ~s (with sb) sich (mit jdm) einigen; to come to ~s with sth sich mit etw abfinden.

f ~s pl (relations) to be on good/bad ~s with sb gut/nicht (gut) mit jdm auskommen; they are not on speaking ~s sie reden nicht miteinander.

2 vt nennen, bezeichnen.

terminal ['tɜːmɪnl] 1 adj syllable, station End-; cancer, patient unheilbar ▸ to have a ~ illness unheilbar krank sein.

2 n a (Rail) Endbahnhof m; (of buses) Endstation f; (airport ~, container ~) Terminal m or nt. b (Elec) Pol m. c (Comp) Terminal nt.

terminally ['tɜːmɪnəlɪ] adv ~ ill unheilbar krank.

terminate ['tɜːmɪneɪt] 1 vt beenden; contract, lease etc lösen; pregnancy abbrechen.

2 vi enden; (contract, lease) ablaufen.

termination [,tɜːmɪ'neɪʃən] n Ende nt; (bringing to an end) Beendigung f; (of a pregnancy) (Schwangerschafts)abbruch m; (expiry) Ablauf m; (of contract) Lösung f.

terminology [,tɜːmɪ'nɒlədʒɪ] n Terminologie f ▸ technical ~ Fachausdrücke pl.

terminus ['tɜːmɪnəs] n, pl terminuses or termini ['tɜːmɪnaɪ] (Rail, Bus) Endstation f.

termite ['tɜːmaɪt] n Termite f.

tern [tɜːn] n (Orn) Seeschwalbe f.

Terr = Terrace.

terrace ['terəs] n Terrasse f. a ~s pl (Sport) Ränge pl. b (Brit: row of houses) Häuserreihe f ▸ ~ house (Brit) Reihenhaus nt.

terraced ['terəst] adj a hillside etc terrassenförmig angelegt. b ~ house (Brit) Reihenhaus nt.

terracotta [,terə'kɒtə] n Terrakotta f.

terra firma [,terə'fɜːmə] n to be on ~ again wieder festen Boden unter den Füßen haben.

terrain [te'reɪn] n Terrain nt (esp Mil), Gelände nt; (fig) Boden m.

terrapin ['terəpɪn] n Sumpfschildkröte f.

terrestrial [tɪ'restrɪəl] adj a (of land) plants, animals Land-, auf dem Land lebend. b (of the planet Earth) irdisch.

terrible ['terəbl] adj schrecklich, furchtbar ▸ he is ~ at golf er spielt furchtbar schlecht Golf.

terribly ['terəblɪ] adv (badly, col: very) schrecklich, furchtbar.

terrier ['terɪər] n Terrier m.

terrific [tə'rɪfɪk] adj shame, shock unheimlich (col); person, success, idea also klasse inv (col); speed, strength unwahrscheinlich (col).

terrifically [tə'rɪfɪkəlɪ] adv (col) (very) unheimlich (col); (very well) unheimlich gut (col).

terrify ['terɪfaɪ] vt (person) in Angst versetzen ▸ to be terrified of sth vor etw (dat) schreckliche Angst haben.

terrifying ['terɪfaɪɪŋ] adj film grauenerregend; thought, sight entsetzlich; speed angsterregend.

territorial [,terɪ'tɔːrɪəl] 1 adj territorial, Gebiets- ▸ ~ waters Territorialgewässer pl; T~ Army (Brit) Territorialheer nt.

2 n the T~s (Brit) das Territorialheer; (soldiers) die Soldaten des Territorialheeres.

territory ['terɪtərɪ] n Territorium nt; (of animals also) Revier nt; (Comm: of agent etc) Bezirk m; (fig) Revier, Gebiet nt.

terror ['terər] n a no pl (great fear) panische Angst (of

vor +dat) ▸ in ~ in panischer Angst. b (col) (person) Teufel m; (child) Ungeheuer nt ▸ she's a ~ on the roads (hum) sie ist der Schrecken der Landstraße (hum).

terrorism ['terərɪzəm] n Terrorismus m; (acts of ~) Terror m ▸ an act of ~ ein Terrorakt m.

terrorist ['terərɪst] 1 n Terrorist(in f) m.

2 attr terroristisch.

terrorize ['terəraɪz] vt terrorisieren.

terror-stricken ['terə,strɪkən] adj starr vor Schreck(en).

terse [tɜːs] adj (+er) knapp.

tertiary ['tɜːʃərɪ] adj tertiär; colour Misch- ▸ ~ education Hochschulausbildung f.

Terylene ® ['terɪliːn] n ≃ Trevira ®, Diolen ® nt.

TESSA ['tesə] (Brit) = Tax Exempt Special Savings Account steuerfreies Sondersparprogramm.

test [test] 1 n a (Sch) Klassenarbeit f; (Univ) Klausur f; (short) Test m; (intelligence ~ etc) Test m; (driving ~) (Fahr)prüfung f ▸ he gave them a vocabulary ~ er ließ sie eine Vokabelarbeit schreiben; (orally) er hat sie Vokabeln abgefragt; to put sb/sth to the ~ jdn/etw auf die Probe stellen; to stand the ~ die Probe bestehen; to stand the ~ of time die Zeit überdauern. b (of vehicle, product etc, chemical ~) Test m; (check) Kontrolle f; (Aut: road ~) Testfahrt f.

2 vt a (examine, check) testen, prüfen; (Sch) pupil prüfen; (orally) abfragen; intelligence etc testen; (fig) auf die Probe stellen ▸ the teacher ~ed them on that chapter der Lehrer fragte sie das Kapitel ab; to ~ sth for accuracy etw auf Genauigkeit prüfen. b (chemically) gold, water, chemical etc untersuchen ▸ to ~ sth for sugar etw auf seinen Zuckergehalt untersuchen.

3 vi Tests/einen Test machen; (chemically also) untersuchen (for auf +acc).

testament ['testəmənt] n a (old) Testament nt. b (Bibl) Old/New T~ Altes/Neues Testament.

test: ~ ban n Teststopp m; ~ ban treaty n Teststoppabkommen nt; ~ bed n Prüfstand m; ~ card n (TV) Testbild nt; ~ case n Musterfall m; ~ drive n Probefahrt f; ~-drive vt probefahren; ~ flight n Testflug m.

testicle ['testɪkl] n Hoden m.

testify ['testɪfaɪ] 1 vt to ~ that ... (Jur) bezeugen, daß ...

2 vi (Jur) eine Zeugenaussage machen, aussagen ▸ to ~ against/in favour of sb gegen/für jdn aussagen; to ~ to sth (speak for) etw bezeugen (also Jur); (be sign of) sincerity etc von etw zeugen.

testimonial [,testɪ'məʊnɪəl] n (character recommendation) Referenz f.

testimony ['testɪmənɪ] n Aussage f.

testiness ['testɪnɪs] n Gereiztheit f.

testing ['testɪŋ] 1 n see vt a Testen nt; Prüfung f. b Untersuchung f.

2 adj hart ▸ I had a ~ time es war hart (für mich).

testing ground n Testgebiet nt; (fig) Versuchsfeld nt.

test: ~ match n (Brit) Testmatch nt; ~ paper n (Sch) Klassenarbeit f; (Chem) Reagenzpapier nt; ~ pattern n (US) = ~ card; ~ pilot n Testpilot m; ~ tube n Reagenzglas nt; ~-tube baby n Retortenbaby nt.

testy ['testɪ] adj (+er) gereizt.

tetanus ['tetənəs] n Wundstarrkrampf, Tetanus m.

tetchy ['tetʃɪ] adj (+er) (generally) reizbar; (on one occasion) gereizt.

tête-à-tête ['teɪtɑː'teɪt] n Tête-à-tête nt.

tether ['teðər] 1 n (lit) Strick m; (chain) Kette f ▸ to be at the end of one's ~ (fig col) mit seiner Geduld am Ende sein (col).

2 vt (also ~ up) animal an- or festbinden.

Teutonic [tjuː'tɒnɪk] adj (Hist, hum) teutonisch.

text [tekst] n Text m; (of document also) Wortlaut m.

textbook ['tekstbʊk] 1 n Lehrbuch nt.

2 *attr landing etc* Bilderbuch- ▸ ~ *case* Paradefall *m*.

text editor *n* (*Comp*) Texteditor *m*.

textile ['tekstaɪl] **1** *adj* Textil-, textil.

2 *n* Stoff *m* ▸ ~**s** Textilien *pl*.

text: (*Comp*) ~ **input** *n* Texteingabe *f*; ~ **processing** *n* Textverarbeitung *f*.

textual ['tekstjʊəl] *adj* Text-.

texture ['tekstʃəʳ] *n* Beschaffenheit *f*; (*of food*) Substanz, Textur *f*; (*of material, paper*) Textur *f*; (*of minerals also, fig: of music, poetry etc*) Gestalt *f*.

textured ['tekstʃəd] *adj* strukturiert, Struktur-.

TGWU (*Brit*) = **Transport and General Workers' Union** *Transportarbeitergewerkschaft f*.

Thai [taɪ] **1** *adj* thailändisch.

2 *n* **a** Thailänder(in *f*) *m*, Thai *mf*. **b** (*language*) Thai *nt*.

Thailand ['taɪlænd] *n* Thailand *nt*.

thalidomide [θə'lɪdəʊmaɪd] *n* Contergan *nt* ® ▸ ~ *baby* Contergankind *nt*.

Thames [temz] *n* Themse *f* ▸ *he'll never set the ~ on fire* (*prov*) er hat das Pulver auch nicht erfunden (*prov*).

▼ **than** [ðæn, *weak form* ðən] *conj* als ▸ *I'd rather do anything ~ that* das wäre das letzte, was ich tun wollte; *no sooner had I sat down ~ he began to talk* kaum hatte ich mich hingesetzt, als er auch schon anfing zu reden; *who better to help us ~ he?* wer könnte uns besser helfen als er?

thank [θæŋk] *vt* danken (+*dat*), sich bedanken bei ▸ *I don't know how to ~ you* ich weiß nicht, wie ich Ihnen danken soll; *I'll ~ you to mind your own business* ich wäre Ihnen dankbar, wenn Sie sich nicht einmischen würden; *he has his brother/he only has himself to ~ for this* das hat er seinem Bruder zu verdanken/sich selbst zuzuschreiben; ~ *you* danke (schön); ~ *you very much* vielen Dank; *no ~ you/yes, ~ you* nein, danke/ja, bitte *or* danke; ~ *you for the present* vielen Dank für Ihr Geschenk; ~ *you for nothing* (*iro*) danke bestens!; ~ *goodness or God* (*col*) Gott sei Dank! (*col*).

thankful ['θæŋkfʊl] *adj* dankbar (*to sb* jdm) ▸ *I'm only ~ that it didn't happen* ich bin bloß froh, daß es nicht passiert ist.

thankfully ['θæŋkfəlɪ] *adv* dankbar, voller Dankbarkeit ▸ ~, *no real harm has been done* zum Glück ist kein wirklicher Schaden entstanden.

thankfulness ['θæŋkfʊlnɪs] *n* Dankbarkeit *f*.

thankless ['θæŋklɪs] *adj* undankbar ▸ *a ~ task* eine undankbare Aufgabe.

▼ **thanks** [θæŋks] **1** *npl* **a** Dank *m* ▸ *to accept sth with ~* etw dankend annehmen; *and that's all the ~ I get* und das ist jetzt der Dank dafür. **b** ~ *to* wegen (+*gen*); (*with positive cause also*) dank (+*gen*); *it's all ~ to you that we're so late* bloß deinetwegen kommen wir so spät; *it was no ~ to him that ...* es war nicht ihm zu verdanken, daß ...

2 *interj* (*col*) danke (*for* für) ▸ *many ~* vielen Dank; ~ *a lot or a million* vielen *or* tausend Dank; (*iro*) (na), vielen Dank (*col*); ~, *but no ~* (*hum*) danke, lieber nicht.

thanksgiving ['θæŋks,gɪvɪŋ] *n* **a** Danksagung *f*. **b** (*US*) **T~ (Day)** Thanksgiving Day *m*.

┌─ **THANKSGIVING (DAY)** ─────────┐

ⓘ **Thanksgiving (Day)** ist ein Feiertag in den USA, der auf den vierten Donnerstag im November fällt. Er soll daran erinnern, wie die Pilgerväter die gute Ernte im Jahre 1621 feierten. In Kanada gibt es einen ähnlichen Erntedanktag (der aber nichts mit den Pilgervätern zu tun hat) am zweiten Montag im Oktober.

└────────────────────────────────┘

thank-you ['θæŋkjuː] *n* Dankeschön *nt* ▸ ~ *letter* Dankbrief *m*.

that¹ [ðæt, *weak form* ðət] **1** *dem pron, pl* **those** **a** das ▸ *what is ~?* was ist das?; *who is ~?* wer ist das?; *who is ~ speaking?* wer spricht da?; (*on phone*) wer ist am Apparat?; ~*'s what they've been told* das hat man ihnen gesagt; *she's not as stupid as all ~* so dumm ist sie nun auch (wieder) nicht; *I didn't think she'd get/be as angry as ~* ich hätte nicht gedacht, daß sie so böse wird; *... and all ~ ...* und so (*col*); *like ~* so; *with weather like ~ ...* bei so einem Wetter ...; ~ *is (to say)* das heißt; *oh well, ~'s ~* nun ja, damit ist der Fall erledigt; *you can't go and ~'s ~* du darfst nicht gehen, und damit hat sich's; ~*'s it!* das ist es!; (*the right way*) richtig!; (*finished*) so, das wär's!; (*the last straw*) jetzt reicht's; *after/below ~* danach/darunter; *you can get it in any supermarket and quite cheaply at ~* man kann es in jedem Supermarkt bekommen, und sogar ganz billig; *with ~ she got up and left* damit stand sie auf und ging.

b (*opposed to "this" and "these"*) das (da), jenes (*geh*) ▸ *I prefer this to ~* dies ist mir lieber als das (da); ~*'s the one I like, not this one* das (dort) mag ich, nicht dies (hier).

2 *dem adj, pl* **those** der/die/das, jene(r, s) (*old, liter*) ▸ *what was ~ noise?* was war das für ein Geräusch?; ~ *poor girl!* das arme Mädchen!; *I like ~ one* ich mag das da; *I'd like ~ one, not this one* ich möchte das da, nicht dies hier; *she was rushing this way and ~* sie rannte hierhin und dorthin; *what about ~ plan of yours now?* was ist denn nun mit Ihrem Plan?

3 *dem adv* (*col*) so ▸ *he was at least ~ much taller than me* er war mindestens soviel größer als ich; *it's not ~ cold* so kalt ist es auch wieder nicht; *he was ~ angry* er hat sich dermaßen geärgert.

that² *rel pron* **a** der/die/das; die ▸ *all/nothing/everything etc ~ ...* alles/nichts/alles *etc*, was ...; *the best etc ~ ...* das Beste *etc*, das *or* was ...; *fool ~ I am* ich Idiot; *the girl ~ I told you about* das Mädchen, von dem ich Ihnen erzählt habe. **b** (*with expressions of time*) *the minute ~ he came the phone rang* genau in dem Augenblick, als er kam, klingelte das Telefon; *the day ~ ...* am dem Tag, als ...

that³ *conj* daß ▸ ~ *he should behave like this is quite incredible* daß er sich so benehmen kann, ist kaum zu glauben; *he said ~ it was wrong* er sagte, es sei *or* wäre (*col*) falsch; er sagte, daß es falsch sei *or* wäre (*col*); *not ~ I want to do it* nicht (etwa), daß ich das tun wollte.

thatch [θætʃ] **1** *n* (*roof*) Strohdach *nt*.

2 *vt roof* mit Stroh decken.

thatched [θætʃt] *adj roof* Stroh-; *cottage* mit Strohdach.

thaw [θɔː] **1** *vt* auftauen (lassen); *ice, snow also* tauen lassen; (*make warm*) *person, hands* aufwärmen; (*fig*) *relations* entspannen.

2 *vi* (*lit, fig*) auftauen; (*ice, snow*) tauen ▸ *it is ~ing* es taut.

3 *n* (*lit, fig*) Tauwetter *nt* ▸ *before the ~* bevor das Tauwetter einsetzt.

◆**thaw out** **1** *vi* (*lit, fig*) auftauen.

2 *vt sep* (*lit*) *frozen food etc* auftauen (lassen); *person, hands* aufwärmen; (*fig*) *person* aus der Reserve locken.

the [ðə, *before vowels, stressed* ðiː] **1** *def art* **a** der/die/das ▸ *in ~ room* im *or* in dem Zimmer; *he went up on ~ stage* er ging aufs *or* auf das Podium; *to play ~ piano* Klavier spielen; *all ~ windows* alle Fenster; *have you invited ~ Browns?* haben Sie die Browns *or* die Familie Brown eingeladen?; *in ~ 20s* in den zwanziger Jahren; *Henry ~ Eighth* Heinrich der Achte.

b (*with adj used as n*) das; (*pl*) die; (*with comp or superl*) der/die/das ▸ ~ *Good* das Gute; ~ *poor* die Armen *pl*; *translated from ~ German* aus dem Deutschen übersetzt.

c (*distributive use*) *twenty pence ~ pound* zwanzig

Pence das *or* pro Pfund; *paid by ~ hour* stundenweise *or* pro Stunde bezahlt. ⓶ *adv ~ bigger ~ better* je größer, desto besser.

theatre, (*US*) **theater** ['θɪətə^r] *n* ⓐ Theater *nt*; (*esp in names, ~ company also*) Bühne *f* ▸ *to go to the ~* ins Theater gehen; *what's on at the ~?* was wird im Theater gespielt? ⓑ (*Brit: operating ~*) Operationssaal *m.* ⓒ (*scene of events*) Schauplatz *m* ▸ *~ of war* Kriegsschauplatz *m.*

theatre: *~ company* *n* Theaterensemble *nt*; (*touring*) Schauspieltruppe *f*; **~goer** *n* Theaterbesucher(in *f*) *m.*

theatrical [θɪ'ætrɪkəl] *adj* Theater-; *company also* Schauspiel-; *experience also* schauspielerisch; (*pej*) *behaviour etc* theatralisch.

thee [ðiː] *pron* (*old*) dich; dir.

theft [θeft] *n* Diebstahl *m.*

their [ðeə^r] *poss adj* ⓐ ihr. ⓑ (*his or her*) seine(r, s) ▸ *everyone knows ~ rights nowadays* jeder kennt heutzutage seine Rechte.

theirs [ðeəz] *poss pron* ihre(r, s).

them [ðem, *weak form* ðəm] *pers pron pl* (*dir obj, with prep +acc*) sie; (*indir obj, with prep +dat*) ihnen ▸ *both/neither of ~ saw me* beide haben/keiner von beiden hat mich gesehen; *give me a few of ~* geben Sie mir ein paar davon; *none of ~* keine(r, s) (von ihnen); *it's ~* sie sind's; *it's ~ who did it* sie haben es gemacht.

theme [θiːm] *n* ⓐ (*subject*) Thema *nt.* ⓑ (*US Sch: essay*) Aufsatz *m.* ⓒ (*Mus*) Thema *nt*; (*Film, TV also*) Musik *f* (*from* aus).

theme: *~ music* *n* (*Film*) Titelmusik *f*; (*TV*) Erkennungsmelodie *f*; *~ park* *n* (thematisch gestalteter) Freizeitpark; *~ song* *n* (*Film*) Titelsong *m*; (*TV*) Erkennungssong *m*; *~ tune* *n see ~ music.*

themselves [ðəm'selvz] *pers pron pl* ⓐ (*reflexive*) sich. ⓑ (*emph*) selbst ▸ *the figures ~* die Zahlen selbst *or* an sich; *see* **myself.**

then [ðen] ⓵ *adv* ⓐ (*next*) dann; (*at this particular time*) da; (*in those days also*) damals ▸ *and ~ what happened?* und was geschah dann?; *it was ~ 8 o'clock* da war es 8 Uhr; *I was/will be on holiday ~* ich war da (gerade) in Urlaub/werde da in Urlaub sein; *he did it there and ~* er hat es auf der Stelle getan.

ⓑ (*after prep*) *from ~ on(wards)* von da an; *before ~* vorher, zuvor; *but they had gone by ~* aber da waren sie schon weg; *we'll be ready by ~* bis dahin sind wir fertig; *since ~* seitdem; *between now and ~* bis dahin; *(up) until ~ I had never tried it* bis dahin hatte ich es nie versucht.

ⓒ (*in that case*) dann ▸ *what are you going to do, ~?* was wollen Sie dann tun?; *all right, ~* also *or* dann meinetwegen; *so it's true ~* dann ist es (also) wahr.

ⓓ (*furthermore, and also*) dann, außerdem ▸ *(and) there's my aunt* und dann ist da noch meine Tante; *but ~ ...* aber ... auch; *but ~ again he is my friend* aber andererseits ist er mein Freund. ⓶ *adj attr the ~ Prime Minister* der damalige Premierminister.

theologian [θɪə'ləʊdʒɪən] *n* Theologe *m*, Theologin *f*.

theological [θɪə'lɒdʒɪkəl] *adj* theologisch ▸ *~ college* Priesterseminar *nt.*

theology [θɪ'ɒlədʒɪ] *n* Theologie *f*.

theorem ['θɪərəm] *n* (*also Math*) Satz *m.*

theoretical *adj*, **~ly** *adv* [θɪə'retɪkəl, -ɪ] theoretisch.

theorist ['θɪərɪst] *n* Theoretiker(in *f*) *m.*

theorize ['θɪəraɪz] *vi* theoretisieren.

theory ['θɪərɪ] *n* Theorie *f* ▸ *in ~* theoretisch.

therapeutic(al) [ˌθerə'pjuːtɪk(əl)] *adj* therapeutisch ▸ *to be ~* therapeutisch wirken.

therapist ['θerəpɪst] *n* Therapeut(in *f*) *m.*

therapy ['θerəpɪ] *n* Therapie *f*.

there [ðeə^r] ⓵ *adv* ⓐ dort, da; (*with movement*) dort-

hin, dahin ▸ *it's over/in ~* es liegt da drüben/drin; *put it under/in ~* stellen Sie es da drunter/hinein; *~ and back* hin und zurück; *so ~ we were* da waren wir nun also.

ⓑ (*fig: on this point*) da ▸ *~ you are wrong* da irren Sie sich.

ⓒ (*in phrases*) *~ is/are* es *or* da ist/sind; (*~ exists/ exist also*) es gibt; *~ is a mouse in the room* es ist eine Maus im Zimmer; *~ was once a castle here* hier war *or* stand einmal eine Burg; *is ~ any wine left? — well, ~ was* ist noch Wein da? — gerade war noch welcher da; *how many mistakes were ~?* wie viele Fehler waren es?; *~ comes a time when ...* es kommt eine Zeit, wo ...; *~ being no alternative solution* da es keine andere Lösung gibt/gab; *~ we go again* (*col*) jetzt geht's schon wieder los; *~ you are* (*giving sb sth*) hier(, bitte)!; (*on finding sb*) da sind Sie ja!; *you press the switch and ~ you are!* Sie brauchen nur den Schalter zu drücken, das ist alles.

⓶ *interj ~! ~!* na, na!; *stop crying now, ~'s a good boy* hör auf zu weinen, na komm.

thereabouts [ˌðeərə'baʊts] *adv* ⓐ (*place*) dort in der Nähe, dort irgendwo. ⓑ *five pounds/fifteen or ~* so um die fünf Pfund/fünfzehn (herum).

thereafter [ˌðeər'ɑːftə^r] *adv* (*form*) danach, darauf (*geh*).

thereby [ˌðeə'baɪ] *adv* dadurch, damit.

therefore ['ðeəfɔː^r] *adv* deshalb, daher; (*as logical consequence*) also.

there's [ðeəz] = **there is; there has.**

thereupon [ˌðeərə'pɒn] *adv* ⓐ (*at that point*) darauf(hin). ⓑ (*form: on that subject*) darüber.

thermal ['θɜːməl] *adj* ⓐ (*Phys*) *capacity, unit* Wärme-; *reactor* thermisch ▸ *~ power station* Wärmekraftwerk *nt.* ⓑ *~ spring* Thermalquelle *f*; *~ underwear* Thermo-Unterwäsche *f*.

thermo [ˌθɜːməʊ-]: **~dynamic** *adj* thermodynamisch; **~dynamics** *npl* Thermodynamik *f*.

thermometer [θə'mɒmɪtə^r] *n* Thermometer *nt.*

thermos ® ['θɜːməs] *n* (*also ~ flask or bottle US*) Thermosflasche *f*.

thermostat ['θɜːməstæt] *n* Thermostat *m.*

thesaurus [θɪ'sɔːrəs] *n* Thesaurus *m.*

these [ðiːz] *adj, pron* diese; *see* **this.**

thesis ['θiːsɪs] *n, pl* **theses** ['θiːsiːz] ⓐ (*argument*) These *f.* ⓑ (*Univ*) (*for PhD*) Dissertation, Doktorarbeit (*col*) *f*, (*for diploma*) Diplomarbeit *f*.

they [ðeɪ] *pers pron pl* ⓐ sie ▸ *are very good people* es sind sehr gute Leute; *it is ~* (*form*) sie sind es; *~ who* diejenigen, die. ⓑ (*people in general*) *~ say that ...* man sagt, daß ...; *~ want to build a new road* man will *or* sie wollen eine neue Straße bauen. ⓒ (*he or she*) *if anyone reads this, ~ will notice ...* wenn jemand das liest, wird er bemerken ...

they'd [ðeɪd] = **they had; they would.**

they'll [ðeɪl] = **they will.**

they're [ðeə^r] = **they are.**

they've [ðeɪv] = **they have.**

thick [θɪk] ⓵ *adj* ⓐ (*+er*) dick; *wall, legs also* stark; *hair, fog, smoke also, forest, hedge, beard* dicht; *liquid, sauce etc* dick(flüssig); *darkness* tief; *crowd* dicht(gedrängt); *air* schlecht ▸ *a wall three feet ~* eine drei Fuß dicke *or* starke Wand; *the shelves were ~ with dust* auf den Regalen lag dick der Staub; *the hedgerows were ~ with flowers* die Hecken strotzten von wilden Blumen; *the air was ~ with fumes/smoke* die Luft war voller Abgase/Rauch. ⓑ (*col: stupid*) *person* dumm, doof (*col*). ⓒ (*col: intimate*) *they are very ~* sie sind dicke Freunde (*col*). ⓓ (*col: much*) *that's a bit ~!* das ist ein starkes Stück (*col*).

⓶ *n in the ~ of the crowd/it* mitten in der Menge/

mittendrin; **to stick together through ~ and thin**
zusammen durch dick und dünn gehen.
3 *adv* (*+er*) *spread, lie, cut* dick; *grow* dicht ► *the*
snow lay ~ es lag eine dichte Schneedecke; *offers of*
help poured in ~ and fast es kam eine Flut von
Hilfsangeboten; **to lay it on ~** (*col*) (zu) dick auftragen
(*col*).
thicken ['θɪkən] **1** *vt sauce etc* eindicken.
2 *vi* |a| dicker werden; (*fog, hair, crowd, forest*) dichter
werden; (*darkness*) sich verdichten; (*sauce*) dick
werden. |b| (*fig: plot, mystery*) immer undurchsichtiger
werden ► *aha, the plot ~s!* aha, jetzt wird's interessant!
thicket ['θɪkɪt] *n* Dickicht *nt*.
thick: **~head** *n* (*col*) Dummkopf *m*; **~-headed** *adj* (*col*)
dumm, doof (*col*).
thickie ['θɪkɪ] *n* (*col*) Dummkopf, Doofi (*col*) *m*.
thickly ['θɪklɪ] *adv spread, cut* dick; *wooded* dicht ►
snow was falling ~ dichter Schnee fiel.
thickness ['θɪknɪs] *n* |a| *see adj* (*a*) Dicke *f*; Stärke *f*;
Dichte *f*; Dickflüssigkeit *f*. |b| (*layer*) Lage, Schicht *f*.
thick: **~-set** *adj* gedrungen; **~-skinned** *adj* (*fig*)
dickfellig.
thief [θiːf] *n*, *pl* **thieves** [θiːvz] Dieb(in *f*) *m* ► *to be as*
thick as thieves dicke Freunde sein (*col*).
thieve [θiːv] *vti* stehlen.
thieving ['θiːvɪŋ] **1** *adj* diebisch ► *keep your ~ hands*
off my cigarettes laß die Finger weg von meinen
Zigaretten (*col*).
2 *n* Diebstähle *pl*.
thigh [θaɪ] *n* (Ober)schenkel *m* ► *~ bone* Oberschenkelknochen *m*.
thimble ['θɪmbl] *n* Fingerhut *m*.
thin [θɪn] **1** *adj* (*+er*) |a| dünn; *material, clothes also*
leicht; *vegetation* gering, spärlich; *population, crowd*
klein; *fog* leicht; *column* schmal ► *his hair is getting ~*
sein Haar lichtet sich; *to be ~ on the ground* (*fig*) dünn
gesät sein; *to vanish into ~ air* (*fig*) sich in Luft auf-
lösen. |b| (*fig: weak, poor*) *voice, smile, disguise, plot*
schwach; *excuse also* fadenscheinig.
2 *adv* (*+er*) *spread, cut, lie* dünn.
3 *vt paint, sauce* verdünnen; *trees* lichten; *blood*
dünner werden lassen.
4 *vi* (*fog, crowd*) sich lichten; (*hair also*) schütter
werden.
♦**thin out** **1** *vi* (*audience, crowd*) sich lichten ► *the*
houses started ~ning ~ die Häuser wurden immer
spärlicher.
2 *vt sep hair, seedlings* ausdünnen; *forest* lichten;
population verkleinern.
thine [ðaɪn] (*old*) **1** *poss pron* der/die/das deine.
2 *poss adj* dein/deine/dein.
thing [θɪŋ] *n* |a| Ding *nt* ► *a ~ of beauty/great value*
etwas Schönes/etwas sehr Wertvolles; *I don't have a ~*
to wear ich habe nichts zum Anziehen; *poor little ~* das
arme (kleine) Ding!; *you poor ~!* du Arme(r)!
|b| (*clothes, equipment, belongings*) **~s** *pl* Sachen *pl*;
have you got your swimming ~s? hast du dein
Badezeug dabei?; *they washed up the breakfast ~s* sie
spülten das Frühstücksgeschirr.
|c| (*non-material: affair, subject*) Sache *f* ► *the odd/*
best ~ about it is ... das Seltsame/Beste daran ist, ...;
it's a good ~ I came nur gut, daß ich gekommen bin;
he's on to a good ~ (*col*) er hat da was Gutes aufgetan
(*col*); *what a (silly) ~ to do* wie kann man nur so etwas
(Dummes) tun!; *there is one/another ~ I want to ask*
you eines/und noch etwas möchte ich Sie fragen; *the*
~s you do/say! was du so machst/sagst!; *I must be*
hearing/seeing ~s! ich glaube, ich höre/sehe nicht
richtig; *all the ~s I meant to do* alles, was ich tun
wollte; *to expect great ~s of sb/sth* Großes *or* große
Dinge von jdm/etw erwarten; *I must think ~s over* ich

muß mir die Sache überlegen; **~s are going from bad to**
worse es wird immer schlimmer; *as ~s stand at the*
moment so wie die Dinge im Moment liegen; *how are*
~s with you? wie geht's (bei) Ihnen?; *to talk of one ~*
and another von diesem und jenem reden; *for one ~ it*
doesn't make sense erst einmal ergibt das überhaupt
keinen Sinn; *to tell sb a ~ or two* jdm einiges erzählen;
he knows a ~ or two er hat etwas auf dem Kasten (*col*);
it's just one of those ~s so was kommt eben vor (*col*).
|d| (*what is suitable, best*) *that's just the ~ for me* das
ist genau das richtige für mich; *that's not the ~ to do* so
was tut man nicht; *the latest ~ in ties* der letzte Schrei
in der Krawattenmode; *that would be the honourable*
~ to do es wäre nur anständig, das zu tun; *I'll do that*
first ~ in the morning ich werde das gleich morgen
früh tun; *I'll do it first ~* ich werde das als erstes tun;
last ~ at night vor dem Schlafengehen; *the ~ is we*
haven't got enough money die Sache ist die, wir haben
nicht genug Geld; *to do one's own ~* (*col*) tun, was
man will; *she's got this ~ about Sartre* (*col*) (*can't*
stand) sie kann Sartre einfach nicht ausstehen; (*is fasci-*
nated by) sie hat einen richtigen Sartrefimmel (*col*);
she's got a ~ about spiders (*col*) bei Spinnen dreht sie
durch (*col*).
thingummybob ['θɪŋəmɪˌbɒb], **thingamajig**
['θɪŋəmɪˌdʒɪg], **thingummy** ['θɪŋəmɪ] *n* (*col*) Dings,
Dingsbums, Dingsda *nt or* (*for people*) *mf* (*all col*).
▼ **think** [θɪŋk] (*vb: pret, ptp* **thought**) **1** *vi* denken ► *to*
~ to oneself sich (*dat*) denken; *~ before you speak/act*
denk nach, bevor du sprichst/handelst; *to act without*
~ing unüberlegt handeln; *~ again!* denk noch mal nach;
well, you'd better ~ again! das hast du dir (wohl)
gedacht!; *it makes you ~* es macht einen nachdenklich;
I need time to ~ ich brauche Zeit zum Nachdenken;
now let me ~ laß mich mal überlegen; *it's a good idea,*
don't you ~? es ist eine gute Idee, findest du nicht
auch?; *just ~* stellen Sie sich (*dat*) bloß mal vor; *listen,*
I've been ~ing, ... hör mal, ich habe mir überlegt, ...
2 *vt* |a| denken; (*be of opinion also*) glauben, meinen ►
I ~ it's too late ich glaube, es ist zu spät; *I ~ I can do it*
ich denke, daß ich es schaffen kann; *well, I think* it was
there! nun, ich glaube zumindest, daß es da war!; *and*
what do you ~? asked the interviewer und was meinen
Sie?, fragte der Interviewer; *I ~ you'd better go/accept*
ich denke, Sie gehen jetzt besser/Sie stimmen lieber zu;
I ~ so ich denke *or* glaube (schon); *I don't ~* so ich
denke *or* glaube nicht; *I should ~ so/not!* das will ich
(aber) auch gemeint haben/das will ich auch nicht
hoffen; *I hardly ~ that/~ it likely that ...* ich glaube
kaum, daß .../ich halte es für unwahrscheinlich, daß ...;
I wouldn't have thought you would do such a thing ich
hätte nie geglaubt, daß Sie so etwas tun würden; *I ~ I'll*
go for a walk ich glaube, ich mache einen Spaziergang;
you must ~ me very rude Sie müssen mich für sehr
unhöflich halten; *he ~s he's intelligent, he ~s himself*
intelligent er hält sich für intelligent; *they are thought*
to be rich man hält sie für reich.
|b| (*imagine*) sich (*dat*) denken, sich (*dat*) vorstellen ►
I don't know what to ~ ich weiß nicht, was ich davon
halten soll; *that's what you ~!* denkste! (*col*); *that's*
what he ~s hat der eine Ahnung! (*col*); *who do you ~*
you are! wofür hältst du dich eigentlich?; *anyone*
would ~ he was dying man könnte beinahe glauben, er
läge im Sterben; *who would have thought it?* wer hätte
das gedacht?; *to ~ that she's only ten!* wenn man sich
(*dat*) vorstellt, daß sie erst zehn ist; *to ~ how to do sth*
sich (*dat*) überlegen, wie man etw macht; *I never*
thought to ask you ich habe gar nicht daran gedacht,
Sie zu fragen; *I thought as much/I thought so* das habe
ich mir schon gedacht.
3 *n* **to have a ~** es sich überlegen; *have a ~ about it*

► SENTENCE BUILDER: **think: 2a** → 2.1, 2.2, 3, 4.2

überlegen Sie es sich.

♦**think about** vi +prep obj **a** (reflect on) idea, suggestion nachdenken über (+acc) ► OK, I'll ~ ~ it okay, ich überlege es mir; **what are you ~ing ~?** woran denken Sie gerade?; **it's worth ~ing ~** das ist überlegenswert, das wäre zu überlegen; **to ~ twice ~ sth** sich (dat) etw zweimal überlegen; **that'll give him something to ~ ~** das wird ihm zu denken geben. **b** **we're ~ing ~ a holiday in Spain** wir denken daran, in Spanien Urlaub zu machen. **c** = **think of (a, f).**

♦**think ahead** vi vorausdenken; (anticipate: driver etc) Voraussicht walten lassen.

♦**think of** vi +prep obj **a** (consider) denken an (+acc) ► **he has his family to ~ ~** er muß an seine Familie denken; **to ~ ~ sb's feelings** auf jds Gefühle (acc) Rücksicht nehmen; **he ~s ~ nobody but himself** er denkt bloß an sich; **what can you be ~ing ~?** wo denkst du hin? (col).

b (remember) denken an (+acc) ► **will you ~ ~ me sometimes?** wirst du manchmal an mich denken?; **I can't ~ ~ her name** ich kann mich nicht an ihren Namen erinnern.

c (imagine) sich (dat) vorstellen, bedenken ► **~ ~ the cost of all that!** denk dir bloß, was das alles kostet.

d (entertain possibility of) **she'd never ~ ~ getting married** sie denkt gar nicht daran zu heiraten; **he'd never ~ ~ such a thing** so etwas würde ihm nicht im Traum einfallen.

e (devise, suggest) solution, idea, scheme sich (dat) ausdenken ► **who thought ~ that idea/plan?** wer ist auf diese Idee gekommen/wer hat sich diesen Plan ausgedacht?

f (have opinion of) halten von ► **what do you ~ ~ it/him?** was halten Sie davon/von ihm?; **to ~ highly ~ sb/sth** viel von jdm/etw halten; **I told him what I thought ~ him** ich habe ihm gründlich die or meine Meinung gesagt.

♦**think out** vt sep plan durchdenken; (come up with) solution sich (dat) ausdenken.

♦**think over** vt sep offer sich (dat) überlegen.

♦**think through** vt sep (gründlich) durchdenken.

♦**think up** vt sep sich (dat) ausdenken ► **who thought ~ that idea?** wer ist auf die Idee gekommen?

thinkable ['θɪŋkəbl] adj denkbar.

thinker ['θɪŋkəʳ] n Denker(in f) m.

thinking ['θɪŋkɪŋ] **1** adj denkend ► **all ~ men will agree with me** alle vernünftigen Menschen werden mit mir übereinstimmen; **to put one's ~ cap on** scharf nachdenken. **2** n **to my way of ~** meiner Meinung nach; **this calls for some quick ~** hier muß eine schnelle Lösung gefunden werden.

think tank ['θɪŋktæŋk] n Expertenkommission f.

thinly ['θɪnlɪ] adv dünn; wooded spärlich. **b** (fig) disguised kaum, dürftig; smile schwach.

thinner ['θɪnəʳ] n (also ~s) Verdünner m.

thinness ['θɪnnɪs] n Dünne f; (of dress, material) Leichtigkeit f; (of liquid) Dünnflüssigkeit f; (of line, thread) Feinheit f; (of person) Magerkeit f; (of vegetation) Spärlichkeit f.

thin-skinned [,θɪn'skɪnd] adj (fig) dünnhäutig.

third [θɜːd] **1** adj dritte(r, s) ► **she was** or **came ~ in her class/in the race** sie war die Drittbeste in der Klasse/sie belegte den dritten Platz bei dem Rennen; **~ time lucky** aller guten Dinge sind drei. **2** n **a** (of series) Dritte(r, s); (fraction) Drittel nt. **b** (Mus) Terz f. **c** (Aut: ~ gear) dritter Gang; see **sixth.**

third: ~-class 1 adv dritter Klasse; **2** adj (lit) dritter Klasse; (fig) drittklassig; **~-degree** n to give sb the **~-degree** (fig) jdn in die Zange nehmen; **~-degree burns** npl (Med) Verbrennungen pl dritten Grades.

thirdly ['θɜːdlɪ] adv drittens.

third: ~ party n Dritte(r) m, dritte Person; **~-party 1** adj attr Haftpflicht-; **2** adv **to be insured ~-party** haftpflichtversichert sein; **~-party fire and theft** n (Brit Insur) ≃ Teilkaskoversicherung f; **~ person** adj in der dritten Person; **~-rate** adj drittklassig; **T~ World 1** n Dritte Welt; **2** attr der Dritten Welt.

thirst [θɜːst] **1** n Durst m ► **~ for knowledge/ revenge/adventure/love** Wissensdurst m/Rachsucht f/ Abenteuerlust f/Liebeshunger m; **to die of ~** verdursten. **2** vi (fig) **to ~ for revenge** etc nach Rache etc dürsten.

thirsty ['θɜːstɪ] adj (+er) durstig ► **to be ~** Durst haben; **~ for praise/love** begierig auf Lob/nach Liebe; **it's ~ work** diese Arbeit macht durstig.

thirteen ['θɜː'tiːn] **1** adj dreizehn. **2** n Dreizehn f.

thirteenth ['θɜː'tiːnθ] adj dreizehnte(r, s); see **sixteenth.**

thirtieth ['θɜːtɪɪθ] adj dreißigste(r, s); see **sixtieth.**

thirty ['θɜːtɪ] **1** adj dreißig. **2** n Dreißig f; see **sixty.**

this [ðɪs] **1** dem pron, pl **these** dies, das ► **what is ~?** was ist das (hier)?; **who is ~?** wer ist das?; **these are my children** das sind meine Kinder; **~ is where I live** hier wohne ich; **do you like ~?** gefällt dir das?; **I prefer ~** ich mag dies(es) lieber; **~ is to certify that ...** hiermit wird bestätigt, daß ...; **under/in front of** etc **~** darunter/davor etc; **what's all ~?** was soll das?; **we were talking of ~ and that** wir haben über dies und das geredet; **~, that and the other** alles mögliche; **will you take ~ or that?** nehmen Sie dieses hier oder das da?; **it was like ~** es war so; **~ is Mary (speaking)** hier (ist) Mary.

2 dem adj, pl **these** diese(r, s) ► **he's coming ~ week/month/year** er kommt diese Woche/diesen Monat/dieses Jahr; **~ evening** heute abend; **~ time last week** letzte Woche um diese Zeit; **~ time** diesmal, dieses Mal; **these days** heutzutage.

3 dem adv so ► **it was ~ long** es war so lang; **~ far** (time) bis jetzt; (place) so weit; **~ much is certain** soviel ist sicher.

thistle ['θɪsl] n Distel f.

thong [θɒŋ] n (of whip) Peitschenschnur f; (fastening) Lederriemen m.

thorax ['θɔːræks] n Brustkorb m.

thorn [θɔːn] n Dorn m; (shrub) Dornenstrauch m ► **to be a ~ in sb's flesh** or **side** (fig) jdm ein Dorn im Auge sein.

thorny ['θɔːnɪ] adj (+er) (lit) dornig; (fig) haarig.

thorough ['θʌrə] adj gründlich; knowledge also solide; rascal ausgemacht.

thorough: ~bred 1 n reinrassiges Tier; (horse) Vollblüter m; **2** adj reinrassig; horse Vollblut-; dog Rasse-; **~fare** n Durchgangsstraße f; **"no ~fare"** „Durchfahrt verboten"; **~going** adj changes gründlich; revision grundlegend; reform durchgreifend.

thoroughly ['θʌrəlɪ] adv **a** gründlich. **b** (extremely) durch und durch, von Grund auf ► **~ boring** ausgesprochen langweilig; **I'm ~ ashamed** ich schäme mich zutiefst.

thoroughness ['θʌrənɪs] n Gründlichkeit f.

those [ðəʊz] pl of **that 1** dem pron **whose are ~?** wem gehören diese da?; **~ are the girls** das (da) or dies(es) sind die Mädchen; **above ~** darüber; **~ who want to go, may** wer möchte, kann gehen; **one of ~ who ...** einer/ eine von denjenigen, die ...; **two of ~ please** zwei davon bitte; **there are ~ who say ...** einige sagen ...

2 dem adj diese or die (da), jene (old, liter) ► **what are ~ men doing?** was machen diese Männer da?; **it was just one of ~ days/things** das war wieder so ein Tag/so

---

► SENTENCE BUILDER: **think of: b** → 7.1 **d** → 10.1, 10.2 **f** → 2.1

eine Sache.

thou [ðaʊ] *pers pron* (*old*) du.

though [ðəʊ] **1** *conj* **a** obwohl ▸ *even* ~ obwohl; ~ *poor she is generous* obwohl sie arm ist, ist sie großzügig; *strange* ~ *it may seem ...* so seltsam es auch scheinen mag ... **b** *as* ~ als ob.
2 *adv* **a** (*nevertheless*) doch ▸ *he didn't do it* ~ er hat es aber (doch) nicht gemacht; *nice day — rather windy* ~ schönes Wetter — aber ziemlich windig. **b** (*really*) *but will he* ~? aber wird er das auch machen?

thought [θɔːt] **1** *pret, ptp of* **think.**
2 *n* **a** *no pl* Denken *nt* ▸ *to spend hours in* ~ stundenlang in Gedanken (vertieft) sein; *to be lost in* ~ in Gedanken sein; *modern* ~ das moderne Denken.
b (*idea, opinion*) Gedanke *m*; (*sudden*) Einfall *m* ▸ *he didn't express any* ~*s on the matter* er hat keine Ansichten zu diesem Thema geäußert; *that's or there's a* ~! (*amazing*) man stelle sich das mal vor!; (*problem to be considered*) das ist wahr!; (*good idea*) das ist ein guter Gedanke; *what a* ~! was für eine Vorstellung!; *I've just had a* ~ (*col*) mir ist gerade etwas eingefallen; *on second* ~*s* wenn man sich das noch mal überlegt; *his one* ~ *was ...* sein einziger Gedanke war ...; *it's the* ~ *that counts, not how much you spend* es kommt nur auf die Idee an, nicht auf den Preis; *to collect one's* ~*s* sich sammeln; *the very* ~ *of it* der bloße Gedanke (daran).
c *no pl* (*care, consideration*) Nachdenken *nt* ▸ *to give some* ~ *to sth* sich (*dat*) Gedanken über etw (*acc*) machen; *after much* ~ nach langer Überlegung; *without* ~ *for sb/oneself* ohne an jdn/sich selbst zu denken; *I never gave it a* ~ ich habe mir nie Gedanken darüber gemacht.

thoughtful ['θɔːtfʊl] *adj* **a** (*full of thought*) *expression, person* nachdenklich; *remark, analysis, book* gut durchdacht; *present* gut ausgedacht. **b** (*considerate*) rücksichtsvoll; (*attentive, helpful*) aufmerksam ▸ *it was very* ~ *of you to ...* es war sehr aufmerksam von Ihnen, zu ...

thoughtfully ['θɔːtfəlɪ] *adv* **a** *say, look* nachdenklich.
b (*with much thought*) mit viel Überlegung ▸ *a* ~ *written book* ein wohldurchdachtes Buch. **c** (*considerately*) rücksichtsvoll; (*attentively, helpfully*) aufmerksam.

thoughtless ['θɔːtlɪs] *adj* **a** gedankenlos; (*inconsiderate also*) rücksichtslos. **b** ~ *of the danger, he leapt* ungeachtet der Gefahr sprang er.

thoughtlessly ['θɔːtlɪslɪ] *adv* gedankenlos; (*inconsiderately also*) rücksichtslos.

thought: ~**provoking** *adj* nachdenklich stimmend; ~**reader** Gedankenleser(in *f*) *m*.

thousand ['θaʊzənd] **1** *adj* tausend ▸ *a* ~/*two* (ein)tausend/zweitausend; *a* ~ *times* tausendmal; *a* ~ *and one/two* tausend(und)eins/tausend(und)zwei.
2 *n* Tausend *nt* ▸ *the* ~*s* (*Math*) die Tausender *pl*; *there were* ~*s of people* es waren Tausende (von Menschen) da; *people arrived in their* ~*s* die Menschen kamen zu Tausenden.

thousandth ['θaʊzəntθ] **1** *adj* tausendste(r, s).
2 *n* (*in series*) Tausendste(r, s); (*fraction*) Tausendstel *nt*; *see* **sixth.**

thrash [θræʃ] **1** *vt* **a** (*beat*) verprügeln; *donkey etc* einschlagen auf (+*acc*). **b** (*Sport col*) *opponent* vernichtend schlagen. **c** (*move wildly*) *arms* schlagen mit; *legs* strampeln mit.
2 *vi to* ~ *about or around* um sich schlagen; (*in bed*) sich herumwerfen; (*fish*) zappeln.
♦**thrash out** *vt sep problem* ausdiskutieren.

thrashing ['θræʃɪŋ] *n* **a** (*beating*) Prügel, Schläge *pl* ▸ *to give sb a good* ~ jdm eine ordentliche Tracht Prügel verpassen. **b** (*Sport col*) Schlappe *f* ▸ *to give sb a* ~ jdn vernichtend schlagen.

thread [θred] **1** *n* **a** (*Sew*) Garn *nt*; (~ *of cotton, wool etc*) Faden *m*; (*strong* ~) Zwirn *m* ▸ *to hang by a* ~ (*fig*) an einem (seidenen) Faden hängen. **b** (*fig: of story*) (roter) Faden ▸ *to follow the* ~ *of an argument/a story* dem Gedankengang einer Argumentation/dem roten Faden (in) einer Geschichte folgen; *he lost the* ~ *of what he was saying* er verlor den Faden; *to pick up the* ~*s of a conversation* den Gesprächsfaden wiederaufnehmen. **c** (*Tech: of screw*) Gewinde *nt.*
2 *vt* **a** *needle* einfädeln; *beads* aufreihen (*on* auf +*acc*); *necklace* aufziehen. **b** *to* ~ *one's way through the crowd/trees* sich durch die Menge/zwischen den Bäumen hindurchschlängeln.

threadbare ['θredbɛəʳ] *adj* abgewetzt; *clothes also* abgetragen; *carpet also* abgelaufen.

threat [θret] *n* Drohung *f*; (*danger*) Bedrohung (*to gen*), Gefahr (*to* für) *f* ▸ *is that a* ~? soll das eine Drohung sein?; *to make a* ~ drohen (*against sb* jdm); *under* ~ *of sth* unter Androhung von etw.

threaten ['θretn] *vt* **a** *person* bedrohen, drohen (+*dat*); *revenge androhen* ▸ *to* ~ *to do sth* (an)drohen, etw zu tun; *to* ~ *sb with sth* jdm mit etw drohen. **b** (*put in danger*) bedrohen, gefährden ▸ *the rain* ~*ed to spoil the harvest* der Regen drohte die Ernte zu verderben.

threatening ['θretnɪŋ] *adj* drohend; *weather, clouds also* bedrohlich ▸ *a* ~ *letter* ein Drohbrief *m*; ~ *behaviour* aggressives Verhalten.

three [θriː] **1** *adj* drei.
2 *n* Drei *f*; *see* **six.**

three: ~**-D** **1** *n to be in* ~**-D** dreidimensional sein; **2** *adj* (*also* ~**-dimensional**) dreidimensional; *film also* 3-D-*attr*, ~**fold** *adj, adv* dreifach; ~**-piece suit** *n* (*man's*) Anzug *m* mit Weste; (*lady's*) dreiteiliges Ensemble; ~**-piece suite** *n* dreiteilige Sitzgarnitur; ~**-pin plug** *n* Stecker *m* mit drei Kontakten; ~**-ply** *attr wool* dreifach, Dreifach-; *wood* dreischichtig; ~**-point turn** *n* (*Aut*) Wenden *nt* in drei Zügen; ~**-quarter** *attr* dreiviertel-; ~**-quarter length** dreiviertellang; ~ **quarters** **1** *n* Dreiviertel *nt*; ~ **quarters of an hour** eine Dreiviertelstunde; **2** *adv* dreiviertel; ~**some** *n* Trio *nt*, Dreiergruppe *f*; *in a* ~**some** zu dritt; ~**-storey** *adj* dreistöckig; ~**-way adaptor** *n* (*Elec*) Dreifachstecker *m*; ~**-wheeler** *n* (*Aut*) dreirädriges Auto; (*tricycle*) Dreirad *nt.*

thresh [θreʃ] *vti* dreschen.

threshing ['θreʃɪŋ] *n* Dreschen *nt* ▸ ~ *machine* Dreschmaschine *f.*

threshold ['θreʃhəʊld] *n* (*lit, fig, Psych*) Schwelle *f* ▸ *we are on the* ~ *of a great discovery* wir stehen unmittelbar an der Schwelle zu einer großen Entdeckung.

threw [θruː] *pret of* **throw.**

thrift [θrɪft] *n* Sparsamkeit *f* ▸ ~ *account* (*US*) Sparkonto *nt.*

thrifty ['θrɪftɪ] *adj* (+*er*) **a** (*careful, economical*) sparsam, wirtschaftlich. **b** (*US: thriving*) blühend.

thrill [θrɪl] **1** *n* Erregung *f* ▸ *the* ~ *of her touch* der erregende Reiz ihrer Berührung; *it was quite a* ~ *for me* es war ein richtiges Erlebnis.
2 *vt person* (*story, crimes*) mitreißen, fesseln; (*experience*) eine Sensation sein für; (*sb's touch, voice etc*) freudig erzittern lassen; (*sexually*) erregen ▸ *I was* ~*ed to get your letter* ich habe mich riesig über deinen Brief gefreut.

thriller ['θrɪləʳ] *n* Reißer *m* (*col*); (*whodunnit*) Krimi, Thriller *m.*

thrilling ['θrɪlɪŋ] *adj* aufregend; *book, film* spannend; *sensation* überwältigend; *music* mitreißend; (*sexually*) erregend.

thrive [θraɪv] *vi* (*be in good health: animal, plant*) (gut) gedeihen; (*child also*) sich gut entwickeln; (*do well*) (*business*) blühen, florieren; (*businessman*) erfolgreich sein.

◆**thrive on** vi +prep obj **the baby ~s ~ milk** mit Milch gedeiht das Baby prächtig; **this plant ~s ~ sun and light** bei Sonne und Licht gedeiht diese Pflanze prächtig; **he ~s ~ hard work** harte Arbeit ist sein Lebenselixier.

thriving ['θraɪvɪŋ] adj plant prächtig gedeihend; person, business blühend; child gut gedeihend; businessman erfolgreich.

throat [θrəʊt] n Kehle f ▶ **cancer of the ~, ~ cancer** Kehlkopfkrebs m; **to grab sb by the ~** jdn bei der Gurgel packen; **to cut sb's/one's ~** jdm/sich die Kehle durchschneiden; **to cut one's own ~** (fig) sich (dat) selbst das Wasser abgraben; **to clear one's ~** sich räuspern; **to ram or force one's ideas down sb's ~** (col) jdm seine eigenen Ideen aufzwingen.

throaty ['θrəʊtɪ] adj (+er) rauh; laugh kehlig.

throb [θrɒb] **1** vi (engine, heart, pulse) klopfen; (very strongly) hämmern; (drums, gunfire) dröhnen; (painfully: wound also) pochen; (fig: with life, activity) pulsieren (with vor +dat, mit) ▶ **my head is ~bing** ich habe rasende Kopfschmerzen. **2** n see vi Klopfen nt; Hämmern nt; Pochen nt.

throes [θrəʊz] npl **in the ~ of death** in Todesqualen pl; **to be in its final ~** (fig) in den letzten Zügen liegen; **we are in the ~ of moving** wir stecken mitten im Umzug.

thrombosis [θrɒm'bəʊsɪs] n Thrombose f.

throne [θrəʊn] n Thron m; (Eccl) Stuhl m ▶ **to come to the ~** den Thron besteigen.

throng [θrɒŋ] **1** n **a ~ of people** Scharen pl von Menschen. **2** vi sich drängen ▶ **to ~ around sb/sth** sich um jdn/etw scharen. **3** vt people **~ed the streets** die Menschen drängten sich in den Straßen; **to be ~ed with** wimmeln von.

throttle ['θrɒtl] **1** vt **a** erdrosseln, erwürgen. **b** (fig) opposition unterbinden. **2** n (on engine) Drossel f; (Aut etc) (pedal) Gaspedal nt; (twist grip) Gasgriff m; (lever) Geshebel m ▶ **at full ~** mit Vollgas; **to open the ~** Gas geben.

through [θruː] **1** prep **a** (place) durch ▶ **he went right ~ the red lights** er ist einfach bei Rot durchgefahren; **we're ~ that stage now** wir sind jetzt durch dieses Stadium hindurch; **to be halfway ~ a book** ein Buch zur Hälfte durchhaben (col); **that happens halfway ~ the book** das passiert in der Mitte des Buches. **b** (time) **all ~ his life** sein ganzes Leben lang; **he worked ~ the night** er hat die Nacht durchgearbeitet; **he slept ~ the film** er hat den ganzen Film hindurch geschlafen; **all ~ the autumn** den ganzen Herbst über. **c** (US) **Monday ~ Friday** von Montag bis (einschließlich) Freitag. **d** (means, agency) durch ▶ **~ the post** mit der Post; **absent ~ illness** abwesend wegen Krankheit; **~ neglect** durch Nachlässigkeit; **to act ~ fear** aus Angst handeln. **2** adv (time, place) durch ▶ **he's a liar ~ and ~** er ist durch und durch verlogen; **to sleep all night ~** die ganze Nacht durchschlafen; **did you stay right ~?** sind Sie bis zum Schluß geblieben?; **to let sb ~** jdn durchlassen; **to be wet ~** durch und durch naß sein; **to read sth ~** etw durchlesen; **~ in the other office** (drüben) im anderen Büro; **the train goes ~ to Berlin** der Zug fährt bis nach Berlin durch. **3** adj pred **a** (finished) **to be ~ with sb/sth** mit jdm/etw fertig sein (col); **we're ~** (have finished relationship) es ist aus zwischen uns; (have finished job) wir sind fertig; **I'm ~ with that kind of work** ich habe genug von dieser Arbeit; **are you ~?** sind Sie fertig? **b** (Brit Telec) **to be ~ (to sb/London)** mit jdm/London verbunden sein; **to get ~ (to sb/London)** zu jdm/nach London durchkommen; **you're ~!** Ihre Verbindung!

through: ~ coach n (Rail) Kurswagen m (for nach);

(bus) direkte Busverbindung; **~ flight** n Direktflug m.

throughout [θruː'aʊt] **1** prep **a** (place) überall in (+dat) ▶ **~ the country/world** im ganzen Land/in der ganzen Welt. **b** (time) **~ the war** den ganzen Krieg hindurch or über; **~ his life** sein ganzes Leben lang. **2** adv **a** (in every part) **the house is carpeted ~** das Haus ist ganz mit Teppichboden ausgelegt; **a house with double glazing ~** ein Haus, das in jedem Raum Doppelverglasung hat. **b** (time) die ganze Zeit hindurch or über.

through: ~put n (Ind) Durchsatz m; **~ ticket** n **can I get a ~ ticket to London?** kann ich bis London (durch)lösen?; **~ traffic** n Durchgangsverkehr m; **~ train** n durchgehender Zug; **~way** n (US) Schnellstraße f.

throw [θrəʊ] (vb: pret **threw**, ptp **thrown**) **1** n (of ball, dice) Wurf m ▶ **it's your ~** du bist dran; **have another ~** werfen Sie noch einmal; **a 30-metre ~** ein Wurf m von 30 Metern; **at 10 dollars a ~** zu 10 Dollar das Stück. **2** vt **a** ball, stone werfen; rider abwerfen; opponent zu Boden werfen ▶ **to ~ the dice/a six** würfeln/eine Sechs würfeln; **to ~ sth to sb** jdm etw zuwerfen; **to ~ sth at sb** etw nach jdm werfen; mud, paint etc jdn mit etw bewerfen; **he threw himself to the floor/out of the window** er warf sich zu Boden/er stürzte sich aus dem Fenster; **to be ~n from the saddle** aus dem Sattel geworfen werden; **to ~ a glance at sb/sth** einen Blick auf jdn/etw werfen; **to ~ sb off the scent** jdn abhängen. **b** switch, lever betätigen. **c** (fig col: disconcert) aus dem Konzept bringen ▶ **she was ~n by the question** die Frage brachte sie aus dem Konzept. **d** party geben; fit bekommen, kriegen (col). **e** pot etc formen.

◆**throw about** or **around** vt always separate **a** (scatter) verstreuen; (fig) money um sich werfen mit. **b** (toss) herumwerfen; one's arms fuchteln mit; one's legs strampeln mit.

◆**throw away** vt sep **a** (discard) rubbish wegwerfen. **b** (waste) verschenken; money verschwenden (on sth auf etw, on sb an jdn). **c** (say casually) remark beiläufig or nebenbei machen.

◆**throw back** vt sep ball, head, enemy zurückwerfen; curtains aufreißen ▶ **to be ~n upon sth** auf etw (acc) zurückgreifen müssen.

◆**throw in** vt sep **a** extra (gratis) dazugeben ▶ **with a tour of London ~n ~** mit einer Gratistour durch London. **b** (Sport) ball einwerfen. **c** (fig) **to ~ ~ one's hand** aufgeben; **to ~ ~ the sponge or towel** das Handtuch werfen (col). **d** (say casually) remark einwerfen (to in +acc).

◆**throw off** vt sep **a** (get rid of) clothes abwerfen; disguise, habits ablegen; pursuer abschütteln; cold loswerden.

◆**throw on** vt sep clothes sich (dat) überwerfen.

◆**throw out** vt sep **a** (discard) rubbish etc wegwerfen. **b** (reject) suggestion, (Parl) bill ablehnen. **c** person hinauswerfen, rauswerfen (col of aus). **d** (make wrong) calculations etc über den Haufen werfen (col), durcheinanderbringen ▶ **to ~ sb ~ in his calculations** jdn bei seinen Berechnungen durcheinanderbringen. **e** chest herausdrücken.

◆**throw together** vt sep **a** (put hastily together) ingredients zusammenwerfen; clothes zusammenpacken; (make quickly) hinhauen (col); essay runterschreiben (col). **b** (fate) people zusammenbringen.

◆**throw up 1** vi sich übergeben. **2** vt **a** ball, hands hochwerfen. **b** (abandon) job aufgeben; opportunity etc verschenken. **c** (produce) hervorbringen ▶ **the meeting threw ~ several good ideas** bei der Versammlung kamen ein paar gute Ideen zutage.

throw: ~away adj **a** (casual) remark nebenbei

gemacht; **b** *packet* Wegwerf-; *bottle* Einweg-; **~-away society** Wegwerfgesellschaft *f*; **c** (*cheap*) **~-away prices** Schleuderpreise *pl*; **~-back** *n* **a** *his selfishness is a ~-back to an earlier generation* in ihm schlägt die Selbstsucht seiner Vorfahren wieder durch; **b** (*fig*) Rückkehr *f* (*to* zu).

thrower ['θrəʊəʳ] *n* Werfer(in *f*) *m*.

throw-in ['θrəʊɪn] *n* (*Sport*) Einwurf *m*.

thrown [θrəʊn] *ptp of* **throw**.

thru *pref, adv, adj* (*US*) = **through**.

thrush[1] [θrʌʃ] *n* (*Orn*) Drossel *f*.

thrush[2] *n* (*Med*) Soor *m* (*spec*), Pilzkrankheit *f*.

thrust [θrʌst] (*vb: pret, ptp* ~) **1** *n* **a** Stoß *m*; (*of knife also*) Stich *m* ▶ **the main ~ of the argument was that ...** das Argument ging hauptsächlich dahin, daß ... **b** (*Tech*) Druckkraft *f*; (*in rocket, turbine*) Schub(kraft *f*) *m*. **c** (*Mil: also* **~ forward**) Vorstoß *m*. **d** (*fig: of speech etc*) Tenor *m*. **2** *vt* **a** (*push, drive*) stoßen ▶ **to ~ one's hands into one's pockets** die Hände in die Tasche stecken. **b** (*fig*) **to ~ oneself (up)on sb** sich jdm aufdrängen; **to ~ one's way to the front** sich nach vorne kämpfen. **3** *vi* stoßen (*at* nach); (*with knife*) stechen (*at* nach).

♦**thrust out** *vt sep leg, hand* ausstrecken; *head* vorstrecken; *chest* wölben ▶ **she ~ her head ~ (of the window)** sie streckte den Kopf (zum Fenster) hinaus.

thrusting ['θrʌstɪŋ] *adj* energisch, zielstrebig.

thruway ['θruːweɪ] *n* (*US*) Schnellstraße *f*.

thud [θʌd] **1** *n* dumpfes Geräusch ▶ **the ~ of his footsteps** seine dumpfen Schritte; **he fell to the ground with a ~** er fiel mit einem Plumps (*col*) *or* dumpfen Aufschlag zu Boden. **2** *vi* dumpf aufschlagen; (*move heavily*) stampfen ▶ **the heavy door ~ded into place** mit einem dumpfen Knall fiel die Tür zu.

thug [θʌg] *n* Schläger(typ) *m*.

thuggery ['θʌgərɪ] *n* Schlägertum *nt*.

thuggish ['θʌgɪʃ] *adj* gewalttätig ▶ **~ type** Schlägertyp *m*.

thumb [θʌm] **1** *n* Daumen *m* ▶ **to be under sb's ~** unter jds Fuchtel (*dat*) stehen; **he gave me the ~s up/down** er gab mir zu verstehen, daß alles in Ordnung war/daß es nicht in Ordnung war; **it sticks out like a sore ~** das springt einem direkt ins Auge. **2** *vt* **a** (*col*) **to ~ a lift** per Anhalter fahren. **b** **a well ~ed book** ein zerlesenes Buch.

thumb: **~ index** *n* Daumenregister *nt*; **~nail** *n* Daumennagel *m*; **~nail sketch** (*drawing*) kleine Skizze; (*description*) kurze Skizze; **~ print** *n* Daumenabdruck *m*; **~-tack** *n* (*US*) Reiß- *or* Heftzwecke *f*.

thump [θʌmp] **1** *n* (*blow*) Schlag *m*; (*noise*) (dumpfes) Krachen. **2** *vt table* schlagen auf (+*acc*); *door* klopfen *or* schlagen an (+*acc*); (*repeatedly*) trommeln auf/an (+*acc*); (*accidentally*) *one's head* sich (*dat*) anschlagen ▶ **he ~ed the box down on my desk** er knallte die Schachtel auf meinen Tisch; **I ~ed him (one)** on the nose (*col*) ich habe ihm eins auf die Nase verpaßt (*col*). **3** *vi* (*person*) schlagen (*on the door/table* an die Tür/auf den Tisch); (*heart*) heftig schlagen; (*move heavily*) stapfen (*object: fall loudly*) plumpsen (*col*).

♦**thump out** *vt sep tune* hämmern.

thumping ['θʌmpɪŋ] *adj* (*also* **~ great**) (*col*) kolossal.

thunder ['θʌndəʳ] **1** *n* **a** Donner *m* ▶ **there is ~ in the air** es liegt ein Gewitter *nt* in der Luft. **b** (*fig*) (*of applause*) Sturm *m*; (*of cannons*) Donnern *nt*; (*of waves*) Tosen *nt*. **2** *vi* (*lit, fig*) donnern; (*waves, sea*) tosen. **3** *vt* (*shout*) brüllen, donnern.

thunder: **~bolt** *n* (*lit*) Blitz *m*; **the news came as some-**

thing of a ~bolt (*fig*) die Nachricht schlug wie ein Blitz ein; **~clap** *n* Donnerschlag *m*; **~cloud** *n* Gewitterwolke *f*.

thunderous ['θʌndərəs] *adj* stürmisch; *voice* donnernd.

thunder: **~storm** *n* Gewitter *nt*; **~struck** *adj* (*fig*) wie vom Donner gerührt.

thundery ['θʌndərɪ] *adj weather* gewittrig.

Thuringia [θjʊˈrɪndʒɪə] *n* Thüringen *nt*.

Thurs = **Thursday** Do.

Thursday ['θɜːzdɪ] *n* Donnerstag *m*; *see* **Tuesday**.

thus [ðʌs] *adv* **a** (*in this way*) so, auf diese Art ▶ **~ it was that ...** so kam es, daß ... **b** (*consequently*) folglich. **c** (+*ptp or adj*) *reassured, encouraged etc* derart (*geh*) ▶ **~ far** so weit.

thwart [θwɔːt] *vt* vereiteln; *robbery, attack also* verhindern; *person* einen Strich durch die Rechnung machen (+*dat*) ▶ **to ~ sb in sth** jdm etw vereiteln.

thy [ðaɪ] *poss adj* (*old*) (*before vowel* **thine**) dein/deine/dein; (*to God*) Dein/Deine/Dein.

thyme [taɪm] *n* Thymian *m*.

thyroid ['θaɪrɔɪd] **1** *n* (*also* **~ gland**) Schilddrüse *f*. **2** *adj* Schilddrüsen-.

tiara [tɪˈɑːrə] *n* Diadem *nt*.

Tibet [tɪˈbet] *n* Tibet *nt*.

Tibetan [tɪˈbetən] **1** *adj* tibetanisch, tibetisch. **2** *n* **a** Tibetaner(in *f*) *m*. **b** (*language*) Tibetanisch *nt*.

tibia ['tɪbɪə] *n, pl* **-s** Schienbein *nt*.

tic [tɪk] *n* (*Med*) Tick *m*, nervöses Zucken.

tick[1] [tɪk] **1** *n* **a** (*of clock etc*) Ticken *nt*. **b** (*col: moment*) Augenblick *m*, Minütchen *nt* (*col*) ▶ **half a ~** eine Sekunde; **I'll be ready in a ~** *or* **two ~s** bin sofort fertig (*col*). **c** (*mark*) Haken *m* ▶ **to put a ~ against a name/an answer** einen Namen/eine Antwort abhaken. **2** *vi* **a** (*clock*) ticken ▶ **the minutes ~ed away** *or* **by** *or* **past** die Minuten verstrichen. **b** (*col*) **what makes him ~?** was geht in ihm vor? **3** *vt name, answer* abhaken.

♦**tick off** *vt sep* **a** *name etc* abhaken. **b** (*col: scold*) ausschimpfen (*col*).

♦**tick over** *vi* **a** (*idle: engine*) im Leerlauf sein ▶ **the engine is ~ing ~ nicely** der Motor läuft gut. **b** (*fig: business etc*) ganz ordentlich laufen; (*pej*) auf Sparflamme sein (*col*) ▶ **to keep things ~ing ~** alles in Gang halten.

tick[2] *n* (*Zool*) Zecke *f*.

tick[3] *n* (*Brit col*): **on ~** auf Pump (*col*).

ticker ['tɪkəʳ] *n* (*col: heart*) Pumpe *f* (*col*).

ticker tape *n* Lochstreifen *m*.

ticket ['tɪkɪt] *n* **a** (*rail, bus*) Fahrkarte *f*, Fahrschein *m*; (*plane* ~) Ticket *nt*, Flugschein *m*; (*Theat, for football match etc*) (Eintritts)karte *f*; (*cloakroom*) Garderobenmarke *f*; (*library*) ≈ Buchzettel *m*; (*for dry cleaners etc*) Zettel *m*; (*luggage office*) (Gepäck)schein *m*; (*raffle* ~) Los *nt*; (*price* ~) Preisschild *nt*; (*for car park*) Parkschein *m*. **b** (*US Pol*) Wahlliste *f* ▶ **he's running on the Democratic ~** er kandidiert für die Demokratische Partei. **c** (*Jur: parking* ~) Strafzettel *m* ▶ **to give sb a ~** jdm einen Strafzettel geben *or* verpassen (*col*).

ticket: **~ agency** *n* (*Theat*) Vorverkaufsstelle *f*; **~ barrier** *n* (*Brit Rail*) Fahrkartenschranke *f*; **~ collector** *n* (*Brit Rail*) Fahrkartenkontrolleur *m*; (*on train also*) Schaffner(in *f*) *m*; **~holder** *n holders only through this door* (*Theat etc*) Eingang nur für Besucher mit Eintrittskarten; **~ inspector** *n* (*Brit*) (Fahrkarten)kontrolleur *m*; **~ office** *n* (*Rail*) Fahrkartenschalter *m*; (*Theat*) Kasse *f*; **~ window** *n* (*Rail*) (Fahrkarten)schalter *m*; (*Theat*) Kasse *f*.

ticking-off ['tɪkɪŋˈɒf] *n* (*col*) Anpfiff (*col*) *m* ▶ **to give sb a ~** jdm den Marsch blasen (*col*).

tickle ['tɪkl] **1** *vti* **a** kitzeln; (*wool*) kratzen ▶ **this wool**

~s *my skin* diese Wolle kratzt (auf der Haut). **b** (*fig col*) *person* amüsieren ► *to be ~ed* sich gebauchpinselt fühlen (*col*); *to be ~d pink* sich wie ein Schneekönig freuen (*col*).
2 *vi* kitzeln.
3 *n* Kitzeln *nt* ► *to give sb a ~* jdn kitzeln; *to have a ~ in one's throat* einen Hustenreiz haben.

ticklish ['tɪklɪʃ] *adj* (*lit*) *person* kitz(e)lig; (*fig*) *situation* heikel.

tidal ['taɪdl] *adj river, harbour* Tide- (*Naut*); *energy, power station* Gezeiten- ► *~ wave* (*lit*) Flutwelle *f.*

tidbit ['tɪdbɪt] *n* (*US*) Leckerbissen *m.*

tiddler ['tɪdlər] *n* (*Brit*) **a** (*fish*) winziger Fisch. **b** (*col: child*) Knirps *m.*

tiddly ['tɪdlɪ] *adj* (+*er*) **a** (*tiny*) winzig, klitzeklein (*col*). **b** (*tipsy*) angesäuselt (*col*), beschwipst.

tiddlywinks ['tɪdlɪwɪŋks] *n* Floh(hüpf)spiel *nt* ► *to play ~* Flohhüpfen spielen.

tide [taɪd] *n* **a** (*lit*) Gezeiten *pl*, Tide (*N Ger*) *f* ► *(at) high/low ~* (bei) Hochwasser *nt or* Flut *f*/Niedrigwasser *nt or* Ebbe *f*; *the ~ is in/out* es ist Flut/Ebbe; *the ~ has turned* (*at high/low ~*) die Ebbe/die Flut hat eingesetzt; (*fig*) das Blatt hat sich gewendet. **b** (*fig: trend*) *the ~ of history* der Lauf der Geschichte; *the ~ of public opinion* der Trend der öffentlichen Meinung; *to go or swim against/with the ~* (*lit, fig*) gegen den/mit dem Strom schwimmen.

◆**tide over** *vt always separate that will ~ me ~ until tomorrow* damit werde ich bis morgen auskommen.

tidemark ['taɪdmɑːk] *n* Flutmarke *f*; (*man-made*) Pegelstand *m.*

tidily ['taɪdɪlɪ] *adv* ordentlich.

tidiness ['taɪdɪnɪs] *n see adj* Ordentlichkeit *f*; Sauberkeit *f*; Gepflegtheit *f.*

tidings ['taɪdɪŋz] *npl* (*old, liter*) Botschaft (*liter*).

tidy ['taɪdɪ] **1** *adj* (+*er*) **a** (*orderly*) ordentlich; (*of ~ habits also*) sauber; *appearance* gepflegt ► *to keep sth ~* etw in Ordnung halten; *to get a room ~* ein Zimmer aufräumen; *to make oneself ~* sich zurechtmachen. **b** (*col*) *a ~ sum* eine ordentliche Stange Geld (*col*).
2 *vt hair* in Ordnung bringen; *room also* aufräumen.

◆**tidy away** *vt sep* wegräumen, aufräumen.

◆**tidy out** *vt sep* aufräumen, ausmisten (*col*).

◆**tidy up** **1** *vi* **a** (*clear away*) aufräumen. **b** (*clean oneself*) sich zurechtmachen.
2 *vt sep books, room* aufräumen; *piece of work* in Ordnung bringen.

tie [taɪ] **1** *n* **a** (*also esp US: neck ~*) Krawatte *f*, Schlips *m* (*col*). **b** (*US Rail*) Schwelle *f.* **c** (*fig: bond*) Beziehung, Bindung *f*; (*hindrance*) Belastung *f* ► *~s of friendship* freundschaftliche Beziehungen *pl*; *business ~s* Geschäftsverbindungen *pl*; *family ~s* familiäre Bindungen *pl*; *I don't want any ~s* ich will keine Bindung; *pets can be a ~* Haustiere können eine Belastung sein. **d** (*Sport etc: result of match*) Unentschieden *nt*; (*match, competition ending in a draw*) unentschiedenes Spiel ► *the match ended in a ~* das Spiel endete unentschieden; *there was a ~ for second place* es gab zwei zweite Plätze. **e** (*esp Ftbl: match*) Spiel *nt.*
2 *vt* **a** binden (*to* an +*acc*); (*fasten also*) befestigen (*to* an +*dat*) ► *my hands are ~d* (*fig*) mir sind die Hände gebunden; *to ~ a knot in sth* einen Knoten in etw (*acc*) machen; *we're very ~d in the evenings* wir sind abends sehr gebunden. **b** (*fig: unite, link*) verbinden.
3 *vi* **a** (*ribbon etc*) *it won't ~ properly* es läßt sich nicht richtig binden; *it ~s at the back* es wird hinten (zu)gebunden. **b** (*Sport*) unentschieden spielen; (*in competition, vote*) gleich stehen ► *they ~d for the first place* (*Sport, competition*) sie belegten gemeinsam den ersten Platz.

◆**tie back** *vt sep hair, door* zurückbinden.

◆**tie down** *vt sep* **a** (*lit*) festbinden (*to* an +*dat*); *tents* verankern (*to* in +*dat*). **b** (*fig: restrict*) binden (*to* an +*acc*); *meaning* genau bestimmen.

◆**tie in** **1** *vi* dazu passen ► *to ~ ~ with sth* zu etw passen; *it all ~s ~* das paßt alles zusammen; *the new evidence didn't ~ ~* das neue Beweismaterial paßte nicht ins Bild.
2 *vt sep plans* in Einklang bringen.

◆**tie on** *vt sep* anbinden ► *to ~ sth ~(to) sth* etw an etw (*dat*) anbinden.

◆**tie up** **1** *vi* **a** *now it all ~s ~* jetzt paßt alles zusammen. **b** (*Naut*) festmachen.
2 *vt sep* **a** *parcel* verschnüren; *shoelaces* binden; *boat* festmachen; *animal* anbinden (*to* an +*dat*); *prisoner, hands etc* fesseln. **b** (*settle*) *deal etc* unter Dach und Fach bringen ► *to ~ ~ a few loose ends (of sth)* (bei einer Sache) ein paar offene Probleme lösen. **c** (*Fin*) *capital* (fest) anlegen. **d** (*link*) *to be ~d ~ with sth* mit etw zusammenhängen. **e** (*keep busy*) beschäftigen; *machines* auslasten ► *he's ~d ~ all tomorrow* er ist morgen den ganzen Tag beschäftigt.

tie: *~ break(er) n* (*Tennis*) Tiebreak *m or nt*; *~ clip n* Krawattennadel *f*; *~-on adj attr* Anhänge-, zum Anbinden; *~pin n* Krawattennadel *f.*

tier [tɪər] *n* (*of cake*) Etage, Stufe *f*; (*Theat, of stadium*) Rang *m*; (*fig: in hierarchy etc*) Stufe *f*, Rang *m* ► *a three-~ hierarchy* eine dreigestufte Hierarchie; *to arrange sth in ~s* etw stufenförmig aufbauen.

tie: *~ tack n* (*US*) Krawattennadel *f*; *~-up n* **a** (*connection*) Verbindung *f*, **b** (*US: stoppage*) Stillstand *m.*

tiff [tɪf] *n* (*col*) Krach *m* (*col*) ► *to have a ~ with sb* mit jdm Krach haben (*col*).

tiger ['taɪgər] *n* Tiger *m.*

tight [taɪt] **1** *adj* (+*er*) **a** *clothes* eng; *join* dicht.
b (*stiff, difficult to move*) *screw, bolt* festsitzend ► *the tap/cork is (too) ~* der Hahn ist zu fest zu/der Korken sitzt fest; *the drawer is a bit ~* die Schublade klemmt ein bißchen.
c (*firm*) *screw, knot* fest angezogen; *tap, window* dicht; *lid, embrace* fest; *control, discipline* streng; *organization* straff ► *to run a ~ ship* (*lit, fig*) ein strenges Regiment führen.
d (*taut*) *rope, skin* straff.
e (*leaving little space*) eng; *weave also* dicht.
f *timing, race, match, money* knapp; *schedule* knapp bemessen.
g (*difficult*) *situation* schwierig ► *in a ~ spot* (*fig*) in der Klemme (*col*).
h (*col: miserly*) knick(e)rig (*col*), geizig.
i (*col: drunk*) voll (*col*) ► *to get ~* blau sein (*col*); (*intentionally*) sich vollaufen lassen.
2 *adv* (+*er*) *hold, shut, screw* fest; *stretch* straff ► *to hold sb/sth ~* jdn/etw festhalten; *to do sth up ~* etw gut befestigen; *sleep ~!* schlaf(t) gut!; *hold ~!* festhalten!; *to sit ~* sich nicht rühren.
3 *adj suf water~/air~* wasser-/luftdicht.

tighten ['taɪtn] (*also ~ up*) **1** *vt* **a** *knot* fester machen; *screw* anziehen; (*re-tighten*) nachziehen; *rope* straffen; (*stretch tighter*) straffer spannen. **b** *restrictions* verschärfen.
2 *vi* (*rope*) sich spannen; (*knot*) sich zusammenziehen.

◆**tighten up** **1** *vi* **a** = tighten 2. **b** (*in discipline*) strenger werden, härter durchgreifen ► *they've ~ed ~ on security* sie haben die Sicherheitsvorkehrungen verschärft.
2 *vt sep* **a** = tighten 1a. **b** *organization, procedure* straffen; *discipline, controls* verschärfen.

tight: *~-fisted* [ˌtaɪt'fɪstɪd] *adj* knauserig (*col*); *~-fitting adj* eng anliegend; *~-knit adj community* eng miteinander verwachsen; *~-lipped adj* (*lit*) mit schmalen

Lippen; (*silent*) verschlossen.

tightly ['taɪtlɪ] *adv* fest; *stretched* straff ▶ *to fit ~* (*clothes*) eng anliegen; (*part in hole etc*) fest sitzen; *~ packed* vollgestopft.

tightness ['taɪtnɪs] *n see adj* [a] enges Anliegen; Dichtheit *f.* [b] Festsitzen *nt.* [c] fester Sitz; Dichtheit *f*; Strenge *f*; Straffheit *f.* [d] Straffheit *f.* [e] Enge *f*; Dichte *f.* [f] Knappheit *f.* [g] (*with money*) Knick(e)rigkeit *f* (*col*), Geiz *m.*

tightrope ['taɪtrəʊp] *n* Seil *nt* ▶ *to walk a ~* (*fig*) einen Balanceakt vollführen; *~ walker* Seiltänzer(in *f*) *m.*

tights [taɪts] *npl* (*esp Brit*) Strumpfhose *f* ▶ *a pair of ~* eine Strumpfhose.

tigress ['taɪgrɪs] *n* Tigerin *f.*

tilde ['tɪldə] *n* Tilde *f.*

tile [taɪl] [1] *n* (*on roof*) (Dach)ziegel *m*; (*ceramic ~*) Fliese *f*; (*on wall*) Kachel *f*; (*lino ~, polystyrene ~ etc*) Platte *f*; (*carpet ~*) (Teppich)fliese *f* ▶ *to have a night on the ~s* (*col*) einen draufmachen (*col*). [2] *vt roof* (mit Ziegeln) decken; *floor* mit Fliesen/Platten auslegen; *wall, bathroom* kacheln ▶ *~d roof* Ziegeldach *nt.*

tiler ['taɪlər] *n* Fliesenleger *m.*

till¹ [tɪl] *prep, conj* = **until**.

till² *n* (*cash register*) Kasse *f.*

till³ *vt* (*Agr*) bestellen.

tiller ['tɪlər] *n* (*Naut*) Ruderpinne *f.*

tilt [tɪlt] [1] *n* (*slope*) Neigung *f.* [2] *vt* kippen, schräg stellen; *head* (seitwärts) neigen. [3] *vi* (*slant*) sich neigen ▶ *this part ~s to the left* dieser Teil läßt sich nach links kippen; *he ~ed back/forward in his chair* er kippte mit seinem Stuhl nach hinten/vorne.

timber ['tɪmbər] *n* [a] Holz *nt*; (*for buildings also*) Bauholz *nt*; (*land planted with trees*) (Nutz)wald *m.* [b] (*beam*) Balken *m.*

timbered ['tɪmbəd] *adj house* Fachwerk-; *land* Wald-.

timbre ['tɪmbər] *n* Timbre *nt.*

time [taɪm] [1] *n* [a] Zeit *f* ▶ *how ~ flies!* wie die Zeit vergeht!; *only ~ will tell whether ...* es muß sich erst herausstellen, ob ...; *it takes ~ to do that* das braucht (seine) Zeit; *to take (one's) ~ (over sth)* sich (*dat*) (bei etw) Zeit lassen; *it took me all my ~ to finish* ich bin gerade noch fertig geworden; *in (the course of) ~* mit der Zeit; *in (next to) no ~* im Nu, im Handumdrehen; *to have a lot of/no ~ for sb/sth* viel/keine Zeit für jdn/etw haben; (*fig: be for/against*) viel/nichts für jdn/etw übrig haben; *to find/make ~ (for sb/sth)* Zeit finden/sich (*dat*) Zeit nehmen (für jdn/etw); *to have ~ on one's hands* viel freie Zeit haben; *he lost no ~ in telling her* er sagte es ihr unverzüglich; *to be in good ~* rechtzeitig dran sein; *don't rush, do it in your own ~* nur keine Hast, tun Sie es, wie Sie es können; *let me know in good ~* sagen Sie mir rechtzeitig Bescheid; *(for) a long/short ~* lange/kurz; *I'm going away for a long ~* ich fahre für längere Zeit weg; *it's a long ~ (since ...)* es ist schon lange her(, seit ...); *what a (long) ~ you have been!* du hast (aber) lange gebraucht!; *a short ~ later/ago* kurz darauf/vor kurzem; *in a short ~ they were all gone* nach kurzer Zeit waren alle gegangen; *for some ~ (past)* seit einiger Zeit; *all the ~* die ganze Zeit; *in two weeks' ~* in zwei Wochen; *for a ~* eine Zeitlang; *for the ~ being* (*provisionally*) vorläufig; (*temporarily*) vorübergehend; *to buy sth on ~* (*US*) etw auf Raten kaufen; *to do ~* (*col: in prison*) sitzen (*col*). [b] (*of clock, moment, season*) *what ~ is it?*, *what's the ~?* wie spät ist es?, wieviel Uhr ist es?; *my watch keeps good ~* meine Uhr geht genau; *it's ~ (for me/us etc) to go, it's ~ I was/we were etc going* es wird Zeit, daß ich gehe/wir gehen *etc*; *on ~/ahead of ~/behind ~* pünktlich/zu früh/zu spät; *the project is ahead of*

~/behind ~ das Projekt ist dem Zeitplan voraus/zeitlich im Rückstand; *to make good ~* gut vorankommen; *the trains are on ~* die Züge fahren pünktlich; *to be in ~ for sth* rechtzeitig zu etw kommen; *it's about ~ he was here* (*he has arrived*) es wird (aber) auch Zeit, daß er kommt; (*he has not arrived*) es wird langsam Zeit, daß er kommt; *(and) about ~ too!* das wird aber auch Zeit!; *at all ~s* jederzeit; *at any ~ during the day* zu jeder Tageszeit; *not at this ~ of night!* nicht zu dieser nachtschlafenden Zeit!; *there are ~s when ...* es gibt Augenblicke, wo ...; *at the* or *that ~* damals, zu der Zeit; *at the present ~* zur Zeit; *at one ~* früher, einmal; *at any/no ~* jederzeit/niemals; *at the same ~* (*lit*) gleichzeitig; *they arrived at the same ~ as us* sie kamen zur gleichen Zeit an wie wir; *but at the same ~, you must admit that ...* aber andererseits müssen Sie zugeben, daß ...; *at ~s* manchmal; *by the ~ it had finished* als es zu Ende war; *by the ~ we arrive, there's not going to be anything left* bis wir ankommen, ist nichts mehr übrig; *by this ~* inzwischen; *by this ~ next year/tomorrow* nächstes Jahr/morgen um diese Zeit; *from ~ to ~* von Zeit zu Zeit; *from that ~ on* von der Zeit an; *since that ~* seit der Zeit; *until such ~ as ...* so lange, bis ...; *this ~ of the day/year* diese Tages-/Jahreszeit; *this ~ last year/week* letztes Jahr/letzte Woche um diese Zeit; *to die before one's ~* zu früh sterben; *when the ~ comes* wenn es soweit ist; *the ~ has come (to do sth)* es ist an der Zeit (, etw zu tun); *the ~ has come for us to leave* es ist Zeit für uns zu gehen; *my ~ is (almost) up* meine or die Zeit ist (gleich) um; (*fig: life*) meine Zeit ist gekommen. [c] (*occasion*) *this ~* diesmal, dieses Mal; *(the) next ~* nächstes Mal; *(the) next ~ I see you* wenn ich dich das nächste Mal sehe; *(the) last ~* letztes Mal; *(the) last ~ he was here* das letzte Mal, als er hier war; *every* or *each ~ ...* jedesmal, wenn ...; *many a ~, many ~s* viele Male; *for the last ~* zum letzten Mal; *he's not very bright at the best of ~s* er ist sowieso nicht sehr intelligent; *~ and (~) again, ~ after ~* immer wieder; *they came in one/three at a ~* sie kamen einzeln/jeweils zu dritt herein; *four at a ~* vier auf einmal; *for weeks at a ~* wochenlang. [d] (*multiplication*) *2 ~s 3 is 6* 2 mal 3 ist 6; *it was ten ~s as big* es war zehnmal so groß. [e] (*rate*) *you're paid ~ and a half for overtime* Sie bekommen 50% Zuschlag für Überstunden. [f] (*era*) *in Victorian ~s* im Viktorianischen Zeitalter; *in olden ~s* in alten Zeiten; *in my ~* zu meiner Zeit; *he is ahead of his ~* er ist seiner Zeit (weit) voraus; *to be behind the ~s* rückständig sein; *to keep up with the ~s* mit der Zeit gehen; (*keep in touch*) auf dem laufenden bleiben; *~s are hard* die Zeiten sind schlecht; *~s are changing* es kommen andere Zeiten. [g] (*experience*) *we had a good ~* es hat uns (*dat*) gut gefallen; *have a good ~!* viel Spaß!; *to have the ~ of one's life* eine herrliche Zeit verbringen; *to have an easy/a hard ~* es leicht/schwer haben; *we had an easy/a hard ~ getting to the finals* es war leicht für uns/wir hatten Schwierigkeiten, in die Endrunde zu kommen; *to have a bad/rough ~ (of it)* viel mitmachen; *to give sb a hard* or *rough ~* jdm das Leben schwermachen. [h] (*rhythm*) Takt *m* ▶ *(to be) in ~ (with)* im Takt (sein) (mit); *(to be/get) out of ~* aus dem Takt (sein/kommen); *3/4 ~* Dreivierteltakt *m*; *to keep ~ (beat ~)* den Takt angeben; (*keep in ~*) (den) Takt halten. [2] *vt* [a] (*choose ~ of*) *to ~ sth perfectly* genau den richtigen Zeitpunkt für etw wählen; *he ~d his arrival to coincide with ...* er legte seine Ankunft so, daß sie mit ... zusammenfiel; *the bomb is ~d to explode at 5 o'clock* die Bombe ist so eingestellt, daß sie um 5 Uhr

explodiert; *you ~d that well* (*also iro*) du hast dir den richtigen Zeitpunkt ausgesucht. **b** (*with stop watch etc*) stoppen; *speed also* messen.

time: ~ and motion expert *n* Fachmann *m* für Zeitstudien, ≈ REFA-Fachmann *m*; **~ and motion study** *n* Zeitstudie, Bewegungsstudie *f*; **~ bomb** *n* (*lit, fig*) Zeitbombe *f*; **~card** *n* (*for workers*) Stechkarte *f*; (*US: ~table*) Fahrplan *m*; **~ clock** *n* Stechuhr *f*; **~consuming** *adj* zeitraubend; **~ exposure** *n* (*photo*) Zeitaufnahme *f*; **~ fault** *n* (*Showjumping*) Zeitfehler *m*; **~-honoured** *or* (*US*) **-honored** *adj* althergebracht; **~keeper** *n* (*Sport*) Zeitnehmer *m*; *this watch is a good/bad ~keeper* diese Uhr geht richtig/nicht richtig; **~keeping** *n* (*Sport*) Zeitnahme *f*; (*Ind: of worker*) Einhaltung *f* der Arbeitszeiten; **~-lag** *n* Zeitdifferenz *f*; (*delay*) Verzögerung *f*.

timeless ['taɪmlɪs] *adj* zeitlos; (*everlasting*) immerwährend.

time limit *n* zeitliche Begrenzung; (*for the completion of a job*) Frist *f* ▶ *to put a ~ on sth* etw befristen.

timely ['taɪmlɪ] *adj* rechtzeitig ▶ *a ~ piece of advice* ein Rat zur rechten Zeit; *that was very ~* das war genau zur rechten Zeit.

time: ~ off *n* freie Zeit; **~-out** *n* (*US*) **a** (*Sport*) Auszeit *f*; **b** (*break*) *to take ~-out* Pause machen; **~piece** *n* Uhr *f*.

timer ['taɪmə^r] *n* Zeitmesser *m*; (*switch*) Schaltuhr *f*; (*person*) Zeitnehmer *m*.

time: ~saving *adj* zeitsparend; **~scale** *n* zeitlicher Rahmen; (*perception of time*) Zeitbegriff *m*; **~sharing** *n* Timesharing *nt*; **~ signal** *n* Zeitzeichen *nt*; **~ signature** (*Mus*) *n* Taktvorzeichnung *f*; **~ slot** *n* Sendezeit *f*; **~ switch** *n* Schaltuhr *f*, Zeitschalter *m*; **~table** *n* (*transport*) Fahrplan *m*; (*Brit Sch*) Stundenplan *m*; *to have a busy ~table* ein volles Programm haben; *what's on the ~table?* was steht auf dem Programm? **~ trial** *n* (*Cycling*) Zeitfahren *nt*; **~ warp** *n we were in a ~ warp* wir hatten einen Zeitsprung gemacht; **~ zone** *n* Zeitzone *f*.

timid ['tɪmɪd] *adj* ängstlich; *animal* scheu; *person, behaviour, words also* schüchtern.

timidity [tɪ'mɪdɪtɪ] *n see adj* Ängstlichkeit *f*; Scheu *f*; Schüchternheit *f*.

timidly ['tɪmɪdlɪ] *adv* ängstlich; (*shyly*) schüchtern.

timing ['taɪmɪŋ] *n* **a** (*choice of time*) Wahl *f* des richtigen Zeitpunkts (*of* für); (*also Theat*) Timing *nt* ▶ *perfect ~, I'd just opened a bottle* ihr kommt gerade richtig, ich habe eben eine Flasche aufgemacht; *the ~ was unfortunate* der Zeitpunkt war schlecht gewählt. **b** (*Aut*) (*mechanism*) Steuerung *f*; (*adjustment*) Einstellung *f*. **c** (*measuring of time*) Zeitmessung *f* (*of* bei); (*of race etc*) Stoppen *nt*.

timorous ['tɪmərəs] *adj* furchtsam, scheu.

timpani ['tɪmpənɪ] *npl* (*Mus*) Kesselpauken *pl*.

tin [tɪn] *n* **a** Blech *nt*; (*Chem: metal*) Zinn *nt*. **b** (*esp Brit: can*) Dose, Büchse *f* ▶ *a ~ of beans/biscuits* eine Dose Bohnen/Kekse.

b *vt* (*esp Brit*) *fruit etc* in Dosen konservieren.

tinfoil ['tɪnfɔɪl] *n* (*wrapping*) Stanniolpapier *nt*; (*aluminium foil*) Alufolie *f*.

tinge [tɪndʒ] **a** *n* **a** (*of colour*) Hauch *m*, Spur *f*. **b** (*fig: hint, trace*) Spur *f*; (*of sadness also*) Anflug *m*.

b *vt* **a** (*colour*) (leicht) tönen. **b** (*fig*) *~d with ...* mit einer Spur von ...; *our happiness was ~d with sorrow* unser Glück war getrübt.

tingle ['tɪŋgl] **a** *vi* kribbeln (*col*) (*with* vor +*dat*); (*with blows*) leicht brennen (*with* von) ▶ *to ~ with excitement* vor Aufregung beben.

b *n see vi* Kribbeln (*col*) *nt*; leichtes Brennen ▶ *she felt a ~ of excitement* sie war ganz kribbelig (*col*).

tinker ['tɪŋkə^r] **a** *n* Kesselflicker *m*.

b *vi* (*also ~ about*) herumbasteln; (*making repair*) herumdoktern (*with, on* an +*dat*).

tinkle ['tɪŋkl] **a** *vi* (*bells etc*) klingen, bimmeln (*col*); (*on piano*) klimpern; (*breaking glass*) klirren.

b *n* Klingen, Bimmeln (*col*) *nt no pl*; (*of breaking glass*) Klirren *nt no pl* ▶ *to give sb a ~* (*Brit col: on telephone*) jdn anbimmeln (*col*).

tinkling ['tɪŋklɪŋ] **a** *n* (*of bells etc*) Klingen, Bimmeln (*col*) *nt*; (*of piano*) Klimpern *nt*; (*of broken glass*) Klirren *nt*.

b *adj see n* klingend, bimmelnd (*col*); klimpernd; klirrend.

tin mine *n* Zinnbergwerk *nt*.

tinned [tɪnd] *adj* (*esp Brit*) Dosen-, Büchsen-.

tinny ['tɪnɪ] *adj* (+*er*) *sound* blechern; *instrument* blechern klingend; *taste* nach Blech; (*pej*) *typewriter etc* schäbig.

tin: ~-opener *n* (*esp Brit*) Dosenöffner *m*; **~ plate** *n* Zinnblech *nt*; **~-pot** *adj* (*Brit col*) mickrig (*col*); **~-pot dictator** Westentaschen-Diktator *m* (*col*).

tinsel ['tɪnsəl] *n* (*foil*) Girlanden *pl* aus Lametta *etc*.

tin: ~smith *n* Blechschmied *m*; **~ soldier** *n* Zinnsoldat *m*.

tint [tɪnt] **a** *n* Ton *m*; (*product for hair*) Tönung(smittel *nt*) *f*.

b *vt* tönen.

tiny ['taɪnɪ] *adj* (+*er*) winzig, sehr klein; *baby, child* ganz klein ▶ *~ little* winzig klein; *a ~ mind* (*pej*) ein Zwergenverstand *m*.

tip¹ [tɪp] *n* Spitze *f*; (*of cigarette*) Filter *m*; (*col: cigarette*) Filter(zigarette) *f* ▶ *from ~ to toe* von Kopf bis Fuß; *it's on the ~ of my tongue* es liegt mir auf der Zunge; *it's just the ~ of the iceberg* (*fig*) das ist nur die Spitze des Eisbergs.

▼ **tip²** **1** *n* **a** (*gratuity*) Trinkgeld *nt*. **b** (*warning, advice, Racing*) Tip *m*.

2 *vt* **a** (*give gratuity to*) Trinkgeld geben (+*dat*) ▶ *to ~ sb £1* jdm £1 Trinkgeld geben. **b** (*Racing*) tippen *or* setzen auf (+*acc*) ▶ *they are ~ped to win the election* (*fig*) sie sind die Favoriten für die Wahl.

◆**tip off** *vt sep* einen Tip geben (+*dat*) (*about* über +*acc*) ▶ *he ~ped ~ the police as to her whereabouts* er verriet der Polizei, wo sie war.

tip³ **1** *vt* (*tilt, incline*) kippen; (*overturn*) umkippen; (*pour, empty*) *liquid, load, sand, rubbish* schütten ▶ *to ~ sth backwards/forwards* etw nach hinten/vorne kippen *or* neigen; *he ~s the scales at 11 stone* er bringt 70 Kilo auf die Waage; *it ~ped the scales in his favour* (*fig*) das hat für ihn den Ausschlag gegeben; *~ the case upside down* stell die Kiste auf den Kopf; *to ~ sb off his chair* jdn vom Stuhl kippen.

2 *vi* (*incline*) kippen; (*dump rubbish*) Schutt abladen.

3 *n* (*Brit*) (*for rubbish*) Müllkippe *f*; (*for coal*) Halde *f*; (*col: untidy place*) Saustall *m* (*col*).

◆**tip back** *vti sep* nach hinten kippen.

◆**tip over** *vti sep* (*overturn*) umkippen.

◆**tip up** *vti sep* (*tilt*) kippen; (*overturn*) umkippen; (*folding seat*) hochklappen.

tip-off ['tɪpɒf] *n* (*col*) Tip, Wink *m*.

tipped [tɪpt] *adj* (*Brit*) **~ cigarette** Filterzigarette *f*.

tipper ['tɪpə^r] *n* (*also ~ truck*) Kipplaster, Kipper *m*.

tipple ['tɪpl] (*col*) **1** *n he enjoys a ~* er trinkt ganz gerne mal einen.

2 *vi* picheln (*col*).

tippler ['tɪplə^r] *n* (*col*) Schluckspecht *m* (*col*).

tippy-toe ['tɪpɪtəʊ] *n* (*US col*) = **tiptoe**.

tipsy ['tɪpsɪ] *adj* (+*er*) beschwipst (*col*).

tip: ~toe **1** *n on ~toe* auf Zehenspitzen. **2** *vi* auf Zehenspitzen gehen; **~top** *adj* (*col: first-rate*) tipptopp *pred* (*col*), erstklassig.

tirade [taɪ'reɪd] *n* Tirade, Schimpfkanonade *f*.

tire¹ [taɪəʳ] **1** vt müde machen.
2 vi **a** müde werden. **b** (become bored) **to ~ of sb/sth** jdn/etw satt haben, jds/einer Sache (gen) überdrüssig werden (geh); **she never ~s of talking about her son** sie redet ständig über ihren Sohn.
tire² n (US) = tyre.
tired ['taɪəd] adj **a** (fatigued) müde; cliché abgegriffen ▸ **~ out** völlig erschöpft. **b** **to be ~ of sb/sth** jdn/etw leid sein; **to get ~ of sb/sth** jdn/etw satt bekommen; **I'm ~ of telling you** ich habe es satt, dir das zu sagen.
tiredness ['taɪədnɪs] n Müdigkeit f ▸ **the accident was a result of (his) ~** (seine) Übermüdung war die Unfallursache.
tireless adj, **~ly** adv ['taɪəlɪs, -lɪ] unermüdlich.
tiresome ['taɪəsəm] adj (irritating) lästig, leidig; (boring) langweilig.
tiring ['taɪərɪŋ] adj anstrengend, ermüdend.
tissue ['tɪʃuː] n **a** (Anat, Bot, fig) Gewebe nt ▸ **a ~ of lies** ein Lügengespinst nt. **b** (handkerchief) Papier(taschen)tuch nt. **c** (also **~ paper**) Seidenpapier nt.
tit¹ [tɪt] n (bird) Meise f.
tit² n: **~ for tat** wie du mir, so ich dir; **he was repaid ~ for tat** er bekam es mit gleicher Münze heimgezahlt.
tit³ n (col!: breast) Titte f (col!).
titbit ['tɪtbɪt] n (esp Brit) Leckerbissen m.
titchy ['tɪtʃɪ] adj (Brit col) person winzig; things klitzeklein (col).
titillate ['tɪtɪleɪt] vt person, senses anregen; interest erregen ▸ **it ~s the palate** es kitzelt den Gaumen.
titillation [tɪtɪ'leɪʃən] n see vt Anregung f; Erregen nt; (thrill) Kitzel m.
titivate ['tɪtɪveɪt] vt herausputzen, verschönern.
title ['taɪtl] n **a** Titel m (also Sport); (of chapter) Überschrift f; (form of address) Anrede f. **b** (Jur) (right) (Rechts)anspruch (to auf +acc), Titel (spec) m; (document) Eigentumsurkunde f.
titled ['taɪtld] adj person, classes mit (Adels)titel ▸ **is he ~?** hat er einen Titel?
title: ~ deed n Eigentumsurkunde f; **~ holder** n (Sport) Titelträger(in f) m; **~ page** n (Typ) Titelseite f; **~ role** n (Theat, Film) Titelrolle f.
titter ['tɪtəʳ] **1** vti kichern.
2 n Gekicher nt.
tittle-tattle ['tɪtl,tætl] n Geschwätz nt; (gossip also) Klatsch m.
titular ['tɪtjʊləʳ] adj (without real authority) nominell, Titular-.
tizz [tɪz], **tizzy** ['tɪzɪ], **tizwoz** ['tɪzwɒz] n (col) **to be in/get into a ~** höchst aufgeregt sein/sich schrecklich aufregen.
T-junction ['tiː,dʒʌŋkʃən] n Einmündung f in eine Vorfahrtsstraße.
TM = **trade mark** Wz.
TN (US Post) = **Tennessee.**
TNT = **trinitrotoluene** TNT nt.
to [tuː] **1** prep **a** (in direction of, towards) zu ▸ **to go ~ the station** zum Bahnhof gehen/fahren; **to go ~ the theatre/cinema** etc ins Theater/Kino etc gehen; **to go ~ France/London** nach Frankreich/London gehen/fahren; **to go ~ Switzerland** in die Schweiz gehen/fahren; **to go ~ school** zur Schule or in die Schule gehen; **to go ~ bed** ins or zu Bett gehen; **~ the left** nach links; **~ the west** nach Westen; **I have never been ~ Spain** ich war noch nie in Spanien; **hold it ~ the light** halte es gegen das Licht.
b (as far as, until) bis ▸ **to count (up) ~ 20** bis 20 zählen; **there were (from) 40 ~ 60 people** es waren 40 bis 60 Leute da; **it's 90 kms ~ Paris** nach Paris sind es 90 km.
c (+indir obj) **to give sth ~ sb** jdm etw geben; **a pre-** sent from me ~ you ein Geschenk für dich von mir; **who did you give it ~?**, **~ who(m) did you give it?** wem haben Sie es gegeben?; **what is it ~ you?** was geht dich das an?; **he is kind ~ everyone** er ist zu allen freundlich; **he has been a good friend ~ us** er war uns (dat) ein guter Freund; **to address sth ~ sb** etw an jdn adressieren; **"To ..."** (on envelope etc) „An ..." (+acc); **to pray ~ God** zu Gott beten; **~ Lorna** (toast) auf Lorna (acc).
d (next ~, with position) **bumper ~ bumper** Stoßstange an Stoßstange; **at right angles/parallel ~ the wall** im rechten Winkel/parallel zur Wand; **~ the west (of)/the left (of)** westlich/links (von).
e (with expressions of time) vor ▸ **20 (minutes) ~ 2** 20 (Minuten) vor 2; **at a quarter ~ 2** um Viertel vor 2; **25 ~ 3** 5 nach halb 3; **it was five ~** es war fünf vor.
f (in relation ~)
3 ~ **the 4th** (Math) 3 hoch 4; **by a majority of 10 ~ 7** mit einer Mehrheit von 10 zu 7; **they won by 4 goals ~ 2** sie haben mit 4:2 (spoken: vier zu zwei) gewonnen.
g (per) pro; (in recipes, when mixing) auf (+acc) ▸ **one person ~ a room** eine Person pro Zimmer.
h (in comparison ~) **that's nothing ~ what is to come** das ist gar nichts verglichen mit dem, was noch kommt.
i (concerning) **there's nothing ~ it** (it's very easy) es ist nichts dabei; **that's all there is ~ it** das ist alles.
j (accompanied by) **to sing ~ the guitar** zur Gitarre singen; **to sing sth ~ the tune of ...** etw nach der Melodie von ... singen.
2 (in infin) **a** **~ begin ~ do sth** anfangen, etw zu tun; **he decided ~ come** er beschloß zu kommen; **I want ~ do it** ich will es tun; **I want him ~ do it** ich will, daß er es tut.
b (in order ~) **I did it ~ help you** ich tat es, um dir zu helfen.
c (until) **he lived ~ be 100** er wurde 100 Jahre alt; **the firm grew ~ be the biggest in the world** die Firma wurde zur größten der Welt.
d (other uses) **~ see him now, one would never think ...** wenn man ihn jetzt sieht, würde man nicht glauben, ...; **~ be honest, ...** ehrlich gesagt, ...; **well, not ~ exaggerate ...** ohne zu übertreiben, ...; **he is not the sort ~ do that** er ist nicht der Typ dazu; **I have done nothing ~ deserve this** ich habe nichts getan, womit ich das verdient hätte; **who is he ~ order you around?** wer ist er denn, daß er dich so herumkommandiert?; **there's no-one ~ help us** es ist niemand da, der uns helfen könnte; **what is there ~ do here?** was gibt es hier zu tun?; **the book is still ~ be written** das Buch muß noch geschrieben werden; **he's a big boy ~ be still in short trousers** er ist so ein großer Junge und trägt noch kurze Hosen; **I arrived ~ find she had gone** als ich ankam, war sie weg; **are you ready ~ go at last?** bist du endlich fertig?; **you are foolish ~ try it** du bist dumm, daß du das versuchst; **is it good ~ eat?** schmeckt es gut?; **it's too heavy ~ lift** es ist zu schwer zum Heben; **I'll try ~** ich werde es versuchen; **you have ~** du mußt; **I should love ~** sehr gerne.
3 adj (slightly ajar) door angelehnt; (shut) zu.
4 adv **~ and fro** hin und her; walk auf und ab.
toad [təʊd] n Kröte f; (fig: repulsive person) Ekel nt.
toad-in-the-hole [,təʊdɪnðə'həʊl] n in Pfannkuchenteig eingebackene Würste.
toadstool ['təʊdstuːl] n Giftpilz m.
toady ['təʊdɪ] **1** n (pej) Kriecher m.
2 vi radfahren (pej col) ▸ **to ~ to sb** vor jdm kriechen.
toast¹ [təʊst] **1** n Toast m ▸ **a piece of ~** eine Scheibe Toast; **on ~** auf Toast; **as warm as ~** (fig) mollig warm; **~ rack** Toastständer m.
2 vt bread toasten; (on open fire) rösten.

toast² **1** n Toast, Trinkspruch m ► **to drink a ~ to sb** auf jdn trinken; **to propose a ~** einen Toast ausbringen (to auf +acc). **2** vt **to ~ sb/sth** auf jds Wohl or auf jdn/etw trinken.
toaster ['təustə'] n Toaster m.
toast: ~master n jd, der bei Diners Toasts ankündigt oder ausbringt und Tischreden ansagt; **~ rack** n Toastständer m.
tobacco [tə'bækəu] n Tabak m.
tobacconist [tə'bækənɪst] n (Brit) Tabak(waren)händler m; (shop) Tabakladen m.
to-be [tə'biː] adj pred zukünftig ► **the mother-/bride-/husband-~** die werdende Mutter/zukünftige Braut/der zukünftige Mann.
toboggan [tə'bɒgən] **1** n Rodel(schlitten) m. **2** vi Schlitten fahren, rodeln ► **to go ~ing** Schlitten fahren, rodeln.
today [tə'deɪ] adv, n **a** heute ► **a week/fortnight ~** heute in einer Woche/zwei Wochen; **a year ago ~** heute vor einem Jahr; **~ is Monday** heute ist Montag; **from ~** von heute an, ab heute; **~'s paper/news** die Zeitung/Nachrichten von heute. **b** (these days) heutzutage ► **the cinema/world ~** das Kino/die Welt von heute.
toddle ['tɒdl] vi **a** **the little boy ~d into the room** der kleine Junge kam ins Zimmer gewackelt. **b** (col) (walk) gehen; (leave: also ~ off) abzwitschern (col).
toddler ['tɒdlə'] n Kleinkind nt.
toddy ['tɒdɪ] n Grog m.
to-do [tə'duː] n (col) Theater (col), Gedöns (col) nt ► **to make a ~** ein Theater machen (col) (about um).
toe [təʊ] **1** n **a** Zehe f, Zeh m ► **to tread or step on sb's ~s** (lit) jdm auf die Zehen treten; (fig) jdm ins Handwerk pfuschen (col); **to keep sb on his ~s** (fig) jdn auf Zack halten (col). **b** (of sock, shoe) Spitze f. **2** vt (fig) **to ~ the line** spuren (col); **to ~ the party line** (Pol) sich nach der Parteilinie richten.
toe: ~cap n (Schuh)kappe f; **~hold** n Halt m für die Fußspitzen; (fig) Einstieg m; **~nail** n Zehennagel m.
toffee ['tɒfɪ] n (substance) Karamel m; (sweet) Toffee nt ► **he can't sing for ~** (col) er kann überhaupt nicht or nicht die Bohne (col) singen.
toffee: ~ apple n (Brit) kandierter Apfel; **~-nosed** adj (Brit col) hochnäsig.
toga ['təʊgə] n Toga f.
together [tə'geðə'] adv zusammen ► **to do sth ~** etw zusammen tun; (jointly) try, achieve sth etc also etw gemeinsam tun; **to sit/stand etc ~** zusammen or beieinander sitzen/stehen etc; **to tie/fit etc two things ~** zwei Dinge zusammenbinden/-setzen etc; **all ~ now!** jetzt alle zusammen!
togetherness [tə'geðənɪs] n (physical) Beisammensein nt; (mental, emotional) Zusammengehörigkeit f.
toggle ['tɒgl] **1** n Knebel m; (on clothes) Knebelknopf m ► **~ switch** Kippschalter m. **2** vt (Comp) hin- und herschalten.
togs [tɒgz] npl (col) Klamotten pl (col).
tog up vt sep (col) **to ~ oneself ~, to get ~ged ~** sich in Schale werfen (col).
toil [tɔɪl] **1** vi (liter: work) sich plagen (at, over mit). **2** n (liter: work) Mühe, Plage (geh) f.
toilet ['tɔɪlɪt] n (lavatory) Toilette f ► **to go to the ~** auf die Toilette gehen; **she's in the ~/~s** sie ist auf der Toilette.
toilet in cpds Toiletten-; **~ attendant** n Toilettenfrau f/-mann m; **~ bag** or **case** n Kulturbeutel m; **~ paper** n Toilettenpapier nt; **~ requisites** npl Toilettenartikel pl.
toiletries ['tɔɪlɪtrɪz] npl Toilettenartikel pl.
toilet: ~ roll n Rolle f Toilettenpapier; **~ seat** n Klosettbrille f (col); **~ soap** n Toilettenseife f; **~ tissue** n Toilettenpapier nt; **~ water** n Duftwasser, Eau de Toilette nt.

toing and froing ['tuːɪŋ'frəʊɪŋ] n Hin und Her nt.
token ['təʊkən] **1** n **a** (sign) Zeichen nt ► **as a ~ of/in ~ of** zum Zeichen (+gen); **by the same ~** ebenso; **then by the same ~ you can't object to ...** dann können Sie aber auch nichts gegen ... einwenden. **b** (counter) Spielmarke f. **c** (voucher, gift ~) Gutschein m. **2** attr Schein-, pro forma ► **it was just a ~ offer** das hat er/sie etc nur pro forma or so zum Schein angeboten; **~ gesture** leere Geste; **~ payment** symbolische Bezahlung; **~ resistance** Scheinwiderstand m; **~ strike** Warnstreik m; **~ rent/fine** nominelle or symbolische Miete/symbolische Strafe; **~ woman** Alibifrau f; (in quota system) Quotenfrau f.
Tokyo ['təʊkɪəʊ] n Tokio nt.
told [təʊld] pret, ptp of **tell** ► **there were 50 people there all ~** es waren alles in allem 50 Leute da.
tolerable ['tɒlərəbl] adj (lit) erträglich; (fig: not too bad also) annehmbar, passabel (col).
tolerably ['tɒlərəblɪ] adv ziemlich ► **~ well** ganz annehmbar, ziemlich gut.
tolerance ['tɒlərəns] n (also Tech) Toleranz f (of, for, towards gegenüber); (towards children) Nachsicht f (of mit).
tolerant ['tɒlərənt] adj (of, towards, with gegenüber) tolerant; (towards children) nachsichtig.
tolerantly ['tɒlərəntlɪ] adv see adj tolerant; nachsichtig.
tolerate ['tɒləreɪt] vt pain, noise, weather etc ertragen; person dulden; ideas tolerieren; behaviour, injustice etc also hinnehmen.
toleration [ˌtɒlə'reɪʃən] n Duldung f.
toll¹ [təʊl] **1** vti (bell) läuten. **2** n Läuten nt; (single stroke) Glockenschlag m.
toll² n **a** (bridge ~, road ~) Maut f (esp Aus), Benutzungsgebühr f; (US Telec) (Fernsprech)gebühr f. **b** (deaths, loss etc) **the death ~ on the roads** die Zahl der Verkehrsopfer; **the earthquake took a heavy ~ of human life** das Erdbeben forderte viele Menschenleben.
toll: ~ bridge n gebührenpflichtige Brücke; **~ call** n (US) Ferngespräch nt; **~-free call** n (US) gebührenfreier Anruf; **~gate** n Schlagbaum m; **~ road** n gebührenpflichtige Straße.
Tom [tɒm] n **any ~, Dick or Harry** (col) jeder x-beliebige.
tom [tɒm] n (cat) Kater m.
tomato [tə'mɑːtəʊ, (US) tə'meɪtəʊ] n, pl **-es** Tomate f.
tomato in cpds Tomaten-; **~ juice** n Tomatensaft m; **~ ketchup** n (Tomaten)ketchup m or nt; **~ puree** n Tomatenmark nt; **~ sauce** n Tomatensoße f; (ketchup) (Tomaten)ketchup m or nt.
tomb [tuːm] n Grab nt; (building) Grabmal nt.
tombola [tɒm'bəʊlə] n Tombola f.
tomboy ['tɒmbɔɪ] n Wildfang m.
tombstone ['tuːmstəʊn] n Grabstein m.
tomcat ['tɒmkæt] n Kater m.
tome [təʊm] n dickes Buch, Wälzer m (col).
tomfoolery [tɒm'fuːlərɪ] n Unsinn m.
tomorrow [tə'mɒrəʊ] adv, n morgen ► **the day after ~** übermorgen; **~ morning** morgen früh; **(as) from ~** ab morgen, von morgen an; **see you ~!** bis morgen!; **~'s paper** die Zeitung von morgen.
tomtom ['tɒmtɒm] n Tomtom m.
ton [tʌn] n **a** Tonne f. **b** **~s** pl (col: lots) jede Menge (col); **to have ~s of time/friends** jede Menge Zeit/Freunde haben (col); **it weighs a ~** (fig col) es ist ganz schön schwer (col).
tonal ['təʊnl] adj klanglich, Klang-; (Mus: regarding harmony) tonal; (Art: regarding colour) farblich, Farb-.
tone [təʊn] **1** n **a** (lit, fig) Ton m; (of colour also) Farbton m; (of neighbourhood) Ansehen nt. **don't speak to me in that ~ (of voice)** in diesem Ton kannst du mit mir nicht reden; **Trevor lowered the ~ (of the conver-**

sation) Trevor mußte natürlich wieder ausfallend werden. **b** (*Mus*) Ton *m*; (*US: note*) Note *f*. **2** *vt* (*Phot: tint*) einfärben, tonen (*spec*).
◆**tone down** *vt sep* (*lit, fig*) abmildern; *colour also* abschwächen; *criticism also, language* mäßigen.
◆**tone in** *vi* (im Farbton) harmonieren.
◆**tone up** *vt sep muscles* kräftigen; *person* in Form bringen ► *cycling keeps you* ~d ~ Radfahren hält einen in Form.
tone: ~ **control** *n* Klangregler *m*; ~**-deaf** *adj he's* ~-**deaf** er hat kein musikalisches Gehör; ~ **poem** *n* Tondichtung *f*.
toner ['təʊnə'] *n* (*for copier etc*) Toner *m*.
tongs [tɒŋz] *npl* Zange *f* ► *a pair of* ~ eine Zange.
tongue [tʌŋ] *n* **a** Zunge *f* ► *to put or stick one's* ~ *out at sb* jdm die Zunge herausstrecken; *to lose one's* ~ (*fig*) die Sprache verlieren; *to hold one's* ~ den Mund halten; *her remark was* ~ *in cheek* ihre Bemerkung war ironisch gemeint; *to have a sharp* ~ eine scharfe Zunge haben. **b** (*liter: language*) Sprache *f*; (*old, Bibl*) Zunge *f*. **c** (*of shoe*) Zunge, Lasche *f*; (*of land*) Landzunge *f*.
tongue: ~-**in-cheek** *adj attr remark* witzelnd; ~-**tied** *adj to be* ~-**tied** keinen Ton herausbringen; ~-**twister** *n* Zungenbrecher *m*.
tonic ['tɒnɪk] *n* **a** (*Med*) Tonikum *nt*; (*hair* ~) Haarwasser *nt*; (*skin* ~) Lotion *f* ► *it was a real* ~ *to see him again* (*fig*) es hat richtig gutgetan, ihn wiederzusehen. **b** ~ (*water*) Tonic(water) *nt*; *gin and* ~ Gin Tonic *m*.
tonight [tə'naɪt] *adv* (*this evening*) heute abend; (*during the coming night*) heute nacht ► *see you* ~*!* bis heute abend!
tonnage ['tʌnɪdʒ] *n* Tonnage *f*.
tonne [tʌn] *n* (*metric ton*) Tonne *f*.
tonsil ['tɒnsl] *n* Mandel *f* ► *to have one's* ~*s out* sich (*dat*) die Mandeln herausnehmen lassen.
tonsillectomy [,tɒnsɪ'lektəmɪ] *n* Mandeloperation *f*.
tonsillitis [,tɒnsɪ'laɪtɪs] *n* Mandelentzündung *f*.
too [tuː] *adv* **a** zu ► *that's* ~ *difficult a question to answer* diese Frage ist zu schwer zu beantworten; ~ *much/many* zuviel *inv*/zu viele; *it's* ~ *much for her* es ist zuviel für sie; *don't worry* ~ *much* mach dir nicht zuviel Sorgen; ~ *right!* (*col*) das kannst du laut sagen (*col*); *all* ~ ... allzu ...; *only* ~ ... nur zu ...; *none* ~ ... gar nicht ..., keineswegs ...; *not* ~/*not any* ~ ... nicht zu/nicht allzu ...; *he wasn't* ~ *interested* er war nicht allzu interessiert; *I'm not/none* ~ *sure* ich bin nicht ganz/gar nicht sicher; *you're* ~ *kind* (*iro*) (das ist) wirklich zu nett von Ihnen; *none* ~ *soon* keineswegs zu früh. **b** (*also*) auch ► *he can swim* ~, *he* ~ *can swim* er kann *auch* schwimmen; *he can swim* ~ schwimmen kann er auch. **c** (*moreover, into the bargain*) auch noch ► *it was really cheap, and it works* ~*!* es war wirklich billig, und es funktioniert sogar!
took [tʊk] *pret of* **take**.
tool [tuːl] *n* (*lit, fig*) Werkzeug *nt*; (*gardening* ~) (Garten)gerät *nt* ► ~*s* Werkzeuge *pl*; (*set*) Werkzeug *nt*; *that's one of the* ~*s of the trade* das gehört zum Handwerkszeug; *to have the* ~*s for the job* das nötige Werkzeug haben.
tool: ~**bag** *n* Werkzeugtasche *f*; ~**box** *n* Werkzeugkasten *m*; ~ **kit** *n* Werkzeug(ausrüstung *f*) *nt*; ~**shed** *n* Geräteschuppen *m*.
toot [tuːt] *vt to* ~ *one's horn* (*driver*) hupen.
tooth [tuːθ] *n, pl* **teeth** (*Anat, Tech*) Zahn *m* ► *to have a* ~ *out/filled* sich (*dat*) einen Zahn ziehen/plombieren lassen; *to get one's teeth into sth* (*lit*) etw zwischen die Zähne bekommen; (*fig*) sich in etw (*dat*) festbeißen; *to*

show one's teeth die Zähne zeigen (*also fig*); *to fight* ~ *and nail* bis aufs Blut kämpfen; *to kick sb in the teeth* (*fig*) jdn vor den Kopf stoßen; *armed to the teeth* bis an die Zähne bewaffnet; *in the teeth of great opposition* trotz großen Widerstandes.
tooth *in cpds* Zahn-; ~**ache** *n* Zahnschmerzen *pl*; ~**brush** *n* Zahnbürste *f*; ~ **decay** *n* Zahnfäule *f*.
toothed [tuːθt] *adj* gezahnt, mit Zähnen.
tooth: ~**less** *adj* zahnlos; ~ **mug** *n* Zahnputzbecher *m*; ~**paste** *n* Zahnpasta *or* -creme *f*; ~**pick** *n* Zahnstocher *m*; ~ **powder** *n* Zahnpulver *nt*.
toothy ['tuːθɪ] *adj* (+*er*) *to be* ~ ein Pferdegebiß haben (*col*).
top¹ [tɒp] **1** *n* **a** (*highest part*) oberer Teil; (*of spire, tree etc, fig: of league etc*) Spitze *f*; (*of mountain*) Gipfel *m*; (*of carrots*) Ende *nt*; (*of table, bed*) Kopfende *nt*; (*of road, beach*) oberes Ende ► *which is the* ~? wo ist oben?; *the* ~ *of the milk* die Rahmschicht (auf der Milch); *at the* ~ oben; *at the* ~ *of the page/league/pile/stairs etc* oben auf der Seite/in der Tabelle/auf dem Stapel/an der Treppe *etc*; *to be (at the)* ~ *of the class* der/die Beste in der Klasse sein; *near the* ~ (ziemlich) weit oben; *he's near the* ~ *in English* in Englisch gehört er zu den Besten; *he aims to reach the* ~ er will an die Spitze; *five lines from the* ~ in der fünften Zeile von oben; *from* ~ *to bottom* von oben bis unten; *to scream at the* ~ *of one's voice* aus Leibeskräften brüllen; *they were talking at the* ~(*s) of their voices* sie haben sich in voller Lautstärke unterhalten; *off the* ~ *of my head* (*fig*) grob gesagt; (*with figures also*) über den Daumen gepeilt (*col*); *to go over the* ~ (*exaggerate*) zu viel des Guten tun; *to be over the* ~ (*exaggerated*) übertrieben sein; (*past it: person*) auf dem absteigenden Ast sein.
b (*upper surface*) Oberfläche *f* ► *to be on* ~ oben liegen; (*fig*) obenauf sein; *it was on* ~ *of the cupboard* es war oben auf dem Schrank; *put it on* ~ *of the cupboard* leg es oben auf den Schrank; *on* ~ *of* (*in addition to*) zusätzlich zu; *things are getting on* ~ *of me* die Dinge wachsen mir über den Kopf; *and, on* ~ *of that ...* und zusätzlich ...; *it's just one thing on* ~ *of another* es kommt eines zum anderen; *he didn't see it until he was right on* ~ *of it* er sah es erst, als er ganz nah dran war; *to come out on* ~ sich durchsetzen; (*over rival*) die Oberhand gewinnen; *to talk off the* ~ *of one's head* (*col*) nur so daherreden; *to blow one's* ~ aus der Haut fahren (*col*).
c (*working surface*) Arbeitsfläche *f*.
d (*bikini* ~, *blouse*) Oberteil *nt*.
e (*of jar, suitcase*) Deckel *m*; (*of bottle*) Verschluß *m*; (*of pen*) Hülle *f*; (*of car*) Dach *nt*; (*of open car*) Verdeck *nt* ► *hard/soft* ~ Hardtop/Softtop *nt*.
f (*Brit Aut*: ~ *gear*) höchster Gang ► *in* ~ im höchsten Gang.
2 *adj* (*upper*) obere(r, s); (*highest*) oberste(r, s); *branches, note, honours, price* höchste(r, s); (*best*) *driver, athlete, job* Spitzen-; *pupil, marks* beste(r, s); *entertainer, management* Top- ► ~ *prices* Höchstpreise *pl*; *on the* ~ *floor* im obersten Stockwerk; *a* ~-*floor flat* eine Dachgeschoßwohnung; *the* ~-*right-hand corner* die obere rechte Ecke; *at* ~ *speed* mit Höchstgeschwindigkeit; *in* ~ *form* in Höchstform; *to be* (*Sch*) Beste(r) sein; *the* ~ *people* (*in a company*) die Leute an der Spitze; (*in society*) die oberen Zehntausend.
3 *adv to come* ~ (*Sch*) Beste(r) werden.
4 *vt* **a** (*cover, cap*) bedecken ► ~*ped by a dome* gekrönt von einer Kuppel.
b (*be higher than, fig: surpass*) übersteigen ► *that* ~*s the lot* (*col*) das übertrifft alles; *and to* ~ *it all ...* (*col*) und um das Maß vollzumachen ...
c *to* ~ *a tree* die Spitze eines Baumes abschneiden;

to ~ and tail gooseberries Stachelbeeren putzen.

◆**top up** *vt sep glass, battery, tank* auffüllen ► *to ~ ~ the oil* Öl nachfüllen; *can I ~ you ~?* (*col: at party etc*) darf ich Ihnen (noch) nachschenken?

top² *n* Kreisel *m* ► *to sleep like a ~* wie ein Murmeltier schlafen.

topaz ['təʊpæz] *n* Topas *m*.

top: *~* **brass** *n* hohe Tiere *pl* (*col*); **~coat** *n* [a] (*overcoat*) Mantel *m*; [b] (*coat of paint*) Deckanstrich *m*; *~* **copy** *n* Original *nt*; *~* **dog** *n* (*fig*) Boß *m* (*col*); **~- flight** *adj* Spitzen-, erstklassig; *~* **gear** *n* höchster Gang; *~* **hat** *n* Zylinder *m*; **~-heavy** *adj* (*lit, fig*) kopflastig.

topic ['tɒpɪk] *n* Thema *nt* ► *~ of conversation* Gesprächsthema *nt*.

topical ['tɒpɪkəl] *adj problem, speech, event* aktuell.

topicality [,tɒpɪ'kælɪtɪ] *n* Aktualität *f*.

top: **~less** *adj* (*mit*) oben ohne, Oben-ohne-; **~-level** *adj* Spitzen-; **~-level talks** Gespräche auf höchster Ebene; **~most** *adj* oberste(r, s); **~-notch** *adj* (*col*) erstklassig; *attr* Top- (*col*).

topographic(al) [,tɒpə'græfɪk(əl)] *adj* topographisch.

topography [tə'pɒgrəfɪ] *n* Topographie *f*.

topping ['tɒpɪŋ] *n* (*Cook*) *with a ~ of cream/nuts etc* mit Sahne/Nüssen *etc* obendrauf *or* darauf.

topple ['tɒpl] [1] *vi* (*fall*) (um)fallen.
[2] *vt* umwerfen; (*from a height*) hinunterkippen; (*fig*) *government* stürzen.

◆**topple over** *vi* fallen (*prep obj* über *+acc*).

top: **~-quality** *adj* erster Qualität; **~-ranking** *adj* von hohem Rang; *civil servant, officer also* hohe(r); *author, singer* Spitzen-; **~-secret** *adj* streng geheim; **~-security prison** *n* (*Brit*) Hochsicherheitsgefängnis *nt*; **~soil** *n* Mutterboden *m*; (*Agr*) Ackerkrume *f*.

topsy-turvy ['tɒpsɪ'tɜːvɪ] (*col*) [1] *adj* (*in disorder*) kunterbunt durcheinander *pred*; (*fig*) auf den Kopf gestellt ► *it's a ~ world* es ist eine verkehrte Welt.
[2] *adv* *to turn sth ~* (*lit, fig*) etw auf den Kopf stellen.

top-up ['tɒpʌp] *n* (*col*) *would you like a ~?* darf ich Ihnen (noch) nachschenken?; *~ loan* Zusatzdarlehen *nt*.

torch [tɔːtʃ] *n* (*lit, fig*) Fackel *f*, (*Brit: flashlight*) Taschenlampe *f*; (*blowlamp*) Schweißbrenner *m*.

tore [tɔːʳ] *pret of* **tear¹**.

torment ['tɔːment] [1] *n* Qual *f* ► *to be in ~* Qualen leiden.
[2] [tɔː'ment] *vt* quälen; (*annoy, tease*) plagen.

tormentor [tɔː'mentəʳ] *n* Peiniger(in *f*) *m*.

torn [tɔːn] *ptp of* **tear¹**.

tornado [tɔː'neɪdəʊ] *n, pl* **-es** Tornado *m*.

torpedo [tɔː'piːdəʊ] [1] *n, pl* **-es** Torpedo *m* ► *~ boat* Torpedoboot *nt*.
[2] *vt* torpedieren.

torpid ['tɔːpɪd] *adj* (*lethargic*) träge.

torpor ['tɔːpəʳ] *n* Trägheit *f*.

torque [tɔːk] *n* (*Mech*) Drehmoment *nt* ► *~ wrench* Drehmomentschlüssel *m*.

torrent ['tɒrənt] *n* (*river*) reißender Strom; (*mountain ~*) Gießbach *m* ► *the rain came down in ~s* der Regen kam in wahren Sturzbächen herunter; *a ~ of abuse* eine Flut von Beschimpfungen.

torrential [tɒ'renʃəl] *adj rain* sintflutartig.

torrid ['tɒrɪd] *adj* (*lit, fig*) heiß; *heat, air, sun* sengend.

torso ['tɔːsəʊ] *n* Rumpf *m*; (*Art*) Torso *m* ► *bare ~* nackter Oberkörper.

tortoise ['tɔːtəs] *n* Schildkröte *f*.

tortoiseshell ['tɔːtəʃel] *n* Schildpatt *nt*.

tortuous ['tɔːtjʊəs] *adj* (*lit*) *path* gewunden; (*fig*) verwickelt; *methods also, person* umständlich.

torture ['tɔːtʃəʳ] [1] *n* Folter *f*; (*fig*) Qual *f* ► *~ chamber* Folterkammer *f*.
[2] *vt* (*lit*) foltern; (*fig: torment*) quälen, peinigen (*geh*); (*fig: distort*) verzerren.

torturer ['tɔːtʃərəʳ] *n* (*lit*) Folterknecht *m*; (*fig: tormentor*) Peiniger(in *f*) *m*.

Tory ['tɔːrɪ] (*Brit Pol*) [1] *n* Konservative(r) *mf*, Tory *m*.
[2] *adj* konservativ, Tory- ► *the ~ party* die Konservativen *pl*.

toss [tɒs] [1] *n* Wurf *m* ► *with a proud ~ of her head* mit einer stolzen Kopfbewegung; *to win/lose the ~* (*Ftbl, Hockey etc*) die Seitenwahl gewinnen/verlieren; *there is no point in arguing the ~ (with me)* es hat keinen Sinn, (mit mir) darüber zu streiten; *I don't give a ~ about him/it* (*col*) er/es ist mir völlig schnuppe (*col*).
[2] *vt* [a] (*throw*) *ball* werfen; *salad* anmachen; (*Brit*) *pancake* wenden (*durch Hochwerfen*); *rinder* abwerfen ► *to ~ sth to sb* jdm etw zuwerfen. [b] (*move: wind*) schütteln, zerren an (*+dat*) ► *the boat, ~ed (about) by the waves* ... das Boot, von den Wellen hin und her geworfen, ...; *to ~ (back) one's head* den Kopf zurückwerfen. [c] *to ~ a coin* eine Münze (zum Losen) hochwerfen; *I'll ~ you for it* laß uns darum knobeln.
[3] *vi* [a] (*ship*) rollen ► *to ~ and turn (in bed)* sich (im Bett) hin und her werfen. [b] *to ~ for sth* um etw knobeln.

◆**toss up** [1] *vi* knobeln (*for* um).
[2] *vt sep* werfen ► *to ~ sth ~ (into the air)* etw hochwerfen.

toss-up ['tɒsʌp] *n it was a ~ whether ...* (*col*) es war völlig offen, ob ...

tot [tɒt] *n* [a] (*child: also tiny ~*) Knirps *m* (*col*). [b] (*esp Brit: of alcohol*) Schlückchen *nt*.

◆**tot up** *vt sep* (*esp Brit col*) zusammenzählen.

total ['təʊtl] [1] *adj* völlig, absolut; *sum, loss, number* Gesamt-; *war, eclipse, disaster* total ► *what is the ~ number of rooms you have?* wie viele Zimmer haben Sie (insgesamt)?; *to be in ~ ignorance (of sth)* (von etw) überhaupt nichts wissen; *to have ~ recall* ein absolutes Erinnerungsvermögen haben.
[2] *n* Gesamtmenge *f*; (*money, figures*) Endsumme *f* ► *a ~ of 50 people* insgesamt 50 Leute.
[3] *vt* [a] (*amount to*) sich belaufen auf (*+acc*). [b] (*add: also ~ up*) zusammenzählen *or* -rechnen.

totalitarian [,təʊtælɪ'teərɪən] *adj* totalitär.

totality [təʊ'tælɪtɪ] *n* Gesamtheit *f*.

totally ['təʊtəlɪ] *adv* völlig, total.

tote¹ [təʊt] *n* (*col*) *the ~* der Totalisator.

tote² *vt* (*col: carry*) *sth heavy* schleppen; *gun* bei sich haben.

tote bag *n* größere Stofftasche *f*.

totem pole ['təʊtəm,pəʊl] *n* Totempfahl *m*.

totter ['tɒtəʳ] *vi* (*wobble before falling*) wanken; (*stagger*) taumeln; (*old man, toddler*) tapsen; (*invalid, fig*) schwanken; (*economy*) kränkeln.

tottery ['tɒtərɪ] *adj* wack(e)lig; *person* tatterig ► *a ~ old man* ein Tattergreis *m* (*col*).

toucan ['tuːkən] *n* Tukan *m*.

touch [tʌtʃ] [1] *n* [a] (*sense of ~*) (Tast)gefühl *nt* ► *to be cold/soft to the ~* sich kalt/weich anfühlen.
[b] (*act of ~ing*) Berühren *nt*, Berührung *f*; (*of pianist, typist, piano, typewriter*) Anschlag *m* ► *I felt a ~ on my arm* ich spürte, daß jd/etw meinen Arm berührte; *it opens at a ~* es öffnet sich auf leichten Druck; *at the ~ of a button* auf Knopfdruck.
[c] (*skill*) Hand *f*; (*style also*) Stil *m* ► *the ~ of a master* die Hand eines Meisters; *it has the ~ of genius/the professional* es hat etwas Geniales/Professionelles; *he's losing his ~* er wird langsam alt; *a personal ~* eine persönliche Note.
[d] (*stroke*) (*Art*) Strich *m*; (*fig*) Einfall *m* ► *a book with humorous ~es* ein stellenweise humorvolles Buch; *a nice ~* eine hübsche Note; (*gesture*) eine nette Geste; *to put the finishing ~es to sth* einer Sache (*dat*) den letzten Schliff geben.

e (*small quantity*) Spur *f*; (*of irony, sadness etc also*) Anflug *m* ▶ *a ~ of flu* eine leichte Grippe.

f (*contact*) *to be in ~ with sb* mit jdm in Verbindung stehen; *they were* or *got in ~ with us yesterday* sie haben sich gestern mit uns in Verbindung gesetzt; *to be/keep in ~ with (political) developments* (politisch) auf dem laufenden sein/bleiben; *I'll be in ~!* ich lasse von mir hören!; *keep in ~!* laß/laßt wieder einmal von dir/euch hören!; *to be out of ~ with sb* keine Verbindung mehr zu jdm haben; *to be completely out of ~ (with sth)* (in bezug auf etw *acc*) überhaupt nicht auf dem laufenden sein; *to lose ~ with sb* den Kontakt zu jdm verlieren.

g (*Ftbl*) *to be in ~* im Aus sein.

2 *vt* **a** berühren; (*get hold of also*) anfassen; (*press lightly also*) *piano keys* anschlagen; *brakes* antippen; (*brush against*) streifen ▶ *to ~ glasses* anstoßen; *don't ~ that!* faß das nicht an!; *I was ~ing 100 most of the way* ich fuhr fast ständig 160. **b** (*lay hands on*) anrühren ▶ *the police/tax authorities can't ~ me* die Polizei/das Finanzamt kann mir nichts anhaben; *the paintings weren't ~ed by the fire* die Gemälde blieben vom Feuer verschont; *I never ~ whisky* ich rühre keinen Whisky an; *I don't want to ~ my savings* ich will meine Ersparnisse nicht anbrechen; *I wouldn't ~ those shares* ich würde meine Finger von diesen Aktien lassen. **c** (*concern*) berühren. **d** (*move emotionally*) rühren, bewegen; (*affect*) berühren; (*wound*) *pride* treffen ▶ *deeply ~ed* tief gerührt or bewegt. **e** (*equal*) *nobody can ~ him (for ...)* bei ... kommt keiner an ihn heran.

3 *vi* (*come into contact*) sich berühren; (*estates etc: be adjacent also*) aneinandergrenzen ▶ *"please do not ~"* „bitte nicht berühren".

♦**touch down** **1** *vi* **a** (*Aviat, Space*) aufsetzen. **b** (*Rugby, US Ftbl*) einen Versuch erzielen.

2 *vt sep ball* niederlegen.

♦**touch (up)on** *vi +prep obj subject* kurz berühren, antippen.

touch and go ['tʌtʃən'gəʊ] *adj to be ~* riskant sein; *it's ~ whether ...* es steht auf des Messers Schneide, ob ...

touchdown ['tʌtʃdaʊn] *n* **a** (*Aviat, Space*) Aufsetzen *nt*. **b** (*Rugby, US Ftbl*) Versuch *m* (*Niederlegen des Balles im Malfeld des Gegners*).

touched [tʌtʃt] *adj pred* (*moved*) gerührt, bewegt.

touchiness ['tʌtʃɪnɪs] *n* Empfindlichkeit *f* (*on* in bezug auf *+acc*); (*irritability also*) Reizbarkeit *f*; (*on one occasion*) Gereiztheit *f*.

touching ['tʌtʃɪŋ] **1** *adj* rührend.

2 *prep* (*form*) bezüglich (*+gen*) (*form*).

touch: ~**line** *n* (*Sport*) Seitenlinie *f*; ~**paper** *n* Zündpapier *nt*; ~**sensitive** *adj* berührungsempfindlich; ~**sensitive button** Sensortaste *f*; ~**sensitive screen** Kontaktbildschirm *m*; ~**stone** *n* (*fig*) Prüfstein *m*; ~**type** *vti* blindschreiben.

touchy ['tʌtʃɪ] *adj* empfindlich (*about* in bezug auf *+acc*); (*irritable also*) leicht reizbar; *subject* heikel.

touchy-feely ['tʌtʃɪ'fiːlɪ] *adj* (*pej*) sentimental.

tough [tʌf] *adj* (*+er*) **a** zäh; *resistant* widerstandsfähig; *cloth* strapazierfähig; (*towards others*) hart; *bargaining, opponent, struggle, district, policy, controls* hart ▶ *to get ~ (with sb)* hart durchgreifen (gegen jdn); *~ guy* (*col*) (knall)harter Bursche (*col*). **b** (*difficult*) *task, problem* hart; *journey* strapaziös, anstrengend ▶ *it was ~ going* (*lit, fig*) es war eine Strapaze; *to have a ~ time of it* nichts zu lachen haben; *it was ~ on the others* das war hart für die anderen; *~ (luck)!* Pech!

toughen ['tʌfn] *vt* **a** *glass, metal* härten. **b** (*fig*) *person* zäh machen; (*physically*) abhärten.

toughness ['tʌfnɪs] *n see adj* **a** Zähigkeit *f*; Widerstandsfähigkeit *f*; Strapazierfähigkeit *f*; Härte *f*. **b** (*difficulty*) Schwierigkeit *f*; (*of journey*) Strapazen *pl*.

toupee ['tuːpeɪ] *n* Toupet *nt*.

tour [tʊəʳ] **1** *n* (*journey, walking ~ etc*) Tour *f*; (*of town, building etc*) Rundgang *m* (*of* durch); (*also guided ~*) Führung *f* (*of* durch); (*by bus*) Rundfahrt *f* (*of* durch); (*Theat, Sport*) Tournee *f* ▶ *to go on a ~ of Scotland/the castle* eine Schottlandreise machen/an einer Schloßführung teilnehmen; *to go/be on ~* (*Theat*) auf Tournee gehen/sein.

2 *vt* **a** *country etc* fahren durch; (*on foot*) ziehen durch (*col*); (*visit*) *town, building* einen Rundgang machen durch; (*by bus etc*) eine Rundfahrt machen durch. **b** (*Theat*) eine Tournee machen durch.

3 *vi* **a** (*on holiday*) eine Reise or Tour machen ▶ *we're ~ing (around)* wir reisen herum; *to go ~ing* Touren/eine Tour machen. **b** (*Theat, Sport*) eine Tournee machen.

tour guide *n* Reiseleiter(in *f*) *m*.

touring ['tʊərɪŋ] *n*: ~ **car** *n* (*Motor racing*) Tourenwagen *m*; ~ **company** *n* (*Theat*) Gastspieltruppe *f*.

tourism ['tʊərɪzəm] *n* Fremdenverkehr, Tourismus *m*.

tourist ['tʊərɪst] **1** *n* (*person*) Tourist(in *f*) *m*; (*Sport*) Gast *m*.

2 *attr attraction, class, hotel, shop* Touristen-; *guide* Fremden- ▶ *~ bureau* or *office* Fremdenverkehrsbüro *nt*; *~ season* Reisezeit *f*; *~ industry* or *trade* Fremdenverkehrsgewerbe *nt*, Touristik *f*.

tournament ['tʊənəmənt] *n* (*Sport, Hist*) Turnier *nt*.

tourniquet ['tʊənɪkeɪ] *n* Aderpresse *f*.

tour operator *n* Reiseveranstalter *m*.

tousled ['taʊzld] *adj hair* zerzaust ▶ *~ head* Wuschelkopf *m* (*col*).

tout [taʊt] (*col*) **1** *n* (*esp Brit*) (*tipster*) Wettberater *m*; (*ticket ~*) Schwarzmarkthändler *m*; (*for business*) Kundenfänger *m*.

2 *vi to ~ for business/customers* (aufdringlich) Reklame machen/auf Kundenfang sein (*col*).

tow [təʊ] **1** *n to give sb/a car a ~* jdn/ein Auto abschleppen; *to give sb/a yacht a ~* jdn/eine Jacht ins Schlepptau nehmen; *to have sb in ~* (*fig*) jdn im Schlepptau haben; *"on ~"* „Fahrzeug wird abgeschleppt".

2 *vt boat, glider* schleppen; *car also* abschleppen; *trailer* ziehen.

♦**tow away** *vt sep* abschleppen.

toward(s) [tə'wɔːd(z)] *prep* **a** (*in direction of*) (*with verbs of motion*) auf (*+acc*) ... zu ▶ *they walked ~ the town* sie gingen auf die Stadt zu; *we sailed ~ China* wir segelten in Richtung China; *it's further north, ~ Dortmund* es liegt weiter nördlich, Richtung Dortmund; *~ the south* nach Süden; *he turned ~ her* er wandte sich ihr zu; *they are working ~ a solution* sie arbeiten auf eine Lösung hin. **b** (*in relation to*) ... (*dat*) gegenüber ▶ *what are your feelings ~ him?* was empfinden Sie ihm gegenüber? **c** *~ ten o'clock* gegen zehn Uhr; *~ the end of the year* gegen Ende des Jahres. **d** *the money will go ~ ...* das Geld wird für ... verwendet; *most of my salary goes ~ the rent* der größte Teil meines Gehalts geht für die Miete drauf (*col*).

tow: ~**bar** *n* Anhängerkupplung *f*, ~**car** *n* (*US*) Abschleppwagen *m*.

towel ['taʊəl] *n* Handtuch *nt* ▶ *~ rail* or *rack* (*US*) Handtuchhalter *m*.

towelette ['taʊəlet] *n* Erfrischungstuch *nt*.

towelling ['taʊəlɪŋ] *n* Frottee(stoff) *m*.

tower ['taʊəʳ] *n* **a** Turm *m*. **b** (*fig: person*) *a ~ of strength* ein starker (Rück)halt. **c** (*Comp*) Tower, Turm *m*.

♦**tower above** or **over** *vi +prep obj* **a** (*buildings etc*) emporragen über (*+acc*). **b** (*lit, fig: people*) überragen.

tower block *n* (*Brit*) Hochhaus *nt*.

towering ['taʊərɪŋ] *adj building* hochragend; *mountain* (steil) aufragend; *tree* hochgewachsen ▶ *one of the ~ gi-ants of literature* eine der einsamen Größen der Literatur.

town [taʊn] *n* Stadt *f* ▶ *the ~ of Brighton* (die Stadt) Brighton; *to go into ~* in die Stadt gehen; *to live in ~* in der Stadt wohnen; *he's out of ~* er ist nicht in der Stadt; *to have a night on the ~* (*col*) die Nacht durchmachen (*col*); *to go to ~ on sth* (*fig col*) sich bei etw ins Zeug legen.

town: **~ centre** (*Brit*) *or* **center** (*US*) *n* Stadtmitte *f*, (Stadt)zentrum *nt*; **~ clerk** *n* Stadtdirektor *m*; (*of bigger town*) Oberstadtdirektor *m*; **~ council** *n* Stadtrat *m*; **~-dweller** *n* Stadtbewohner(in *f*) *m*; **~ hall** *n* Rathaus *nt*; **~ house** *n* (*in town*) Stadthaus *nt*; (*terrace house*) Reihenhaus *nt*; **~ plan** *n* Stadtplan *m*; **~ planning** *n* Stadtplanung *f*; **~scape** *n* Stadtlandschaft *f*; (*Art*) Stadtansicht *f*.

townspeople ['taʊnzˌpiːpl] *npl* Städter, Stadtmenschen *pl*; (*citizens*) Bürger *pl*.

tow: **~path** *n* Treidelpfad *m*; **~rope** *n* Abschleppseil *nt*; **~-truck** *n* (*US*) Abschleppwagen *m*.

toxic ['tɒksɪk] *adj* giftig, Gift-, toxisch ▶ *~ waste* Giftmüll *m*.

toxicity [tɒk'sɪsɪtɪ] *n* Giftigkeit *f*.

toxin ['tɒksɪn] *n* Gift(stoff *m*), Toxin *nt*.

toy [tɔɪ] **1** *n* Spielzeug *nt* ▶ **~s** Spielsachen *pl*, Spielzeug *nt*.
2 *vi* *to ~ with an object/idea etc* mit einer Sache/Idee etc spielen; *to ~ with one's food* mit dem Essen (her-um)spielen.

toy *in cpds car, soldier* Spielzeug-; **~ boy** *n* (*col*) wesentlich jüngerer Liebhaber; **~ shop** (*Brit*) *or* **store** (*US*) *n* Spielwarenladen *m*; **~ train** *n* Spielzeugeisenbahn *f*.

trace [treɪs] **1** *n* (*sign, small amount*) Spur *f* ▶ *to vanish without ~* spurlos verschwinden; *to lose ~ of sb/sth* jdn/etw aus den Augen verlieren.
2 *vt* **a** (*draw*) zeichnen; (*copy*) nachziehen; (*with tracing paper*) durchpausen. **b** (*follow trail of*) verfolgen; *steps* folgen (+*dat*) ▶ *she was ~d to a house in Soho* ihre Spur führte zu einem Haus in Soho. **c** (*find*) ausfindig machen, auffinden.

◆**trace back** *vt sep descent* zurückverfolgen; *rumour* auf seinen Ursprung zurückverfolgen; *neurosis etc* zurückführen (*to* auf +*acc*).

traceable ['treɪsəbl] *adj* auffindbar ▶ *to be ~ to sth* sich auf etw (*acc*) zurückführen lassen.

trace element *n* Spurenelement *nt*.

tracer ['treɪsər] *n* (*Mil: also* **bullet**) Leuchtspurgeschoß *nt*.

trachea [trə'kɪə] *n* Luftröhre *f*.

tracing ['treɪsɪŋ] *n* (*drawing*) Durchpausen *nt*; (*result*) Pause *f* ▶ *~ paper* Pauspapier *nt*.

track [træk] **1** *n* **a** (*trail*) Fährte, Spur *f*; (*of tyres*) (Fahr)spur *f* ▶ *to be on sb's ~* jdm auf der Spur sein; *to keep ~ of sb/sth* jdn/etw im Auge behalten; *I can't keep ~ of your girlfriends* du hast so viele Freundinnen, da komme ich nicht mit (*col*); *no-one can keep ~ of the situation* niemand hat mehr einen Überblick über die Lage; *to lose ~ of sb/sth* (*lose sight of*) jdn/etw aus den Augen verlieren; (*lose count of, be confused about*) über Leute/etw den Überblick verlieren; *we must be making ~s* (*col*) wir müssen uns auf die Socken machen (*col*); *he stopped dead in his ~s* er blieb abrupt stehen; *to cover (up) one's ~s* seine Spuren verwischen.
b (*path*) Weg, Pfad *m* ▶ *off the ~* (*fig*) abwegig; *to be on the right/wrong ~* (*fig*) auf der richtigen/falschen Spur sein. **c** (*Rail*) Gleise *pl*; (*US: platform*) Bahnsteig *m* ▶ *to leave the ~(s)* entgleisen.
d (*Sport*) Rennbahn *f*; (*Athletics*) Bahn *f*;

(*Motorsport*) Piste *f*; (*circuit*) Rennstrecke *f*. **e** (*on tape*) Spur *f*; (*song etc*) Stück *nt*. **f** (*also* **caterpillar ~**) Raupenkette *f*.
2 *vt* (*follow*) *person, animal* verfolgen; (*Space*) *rocket* die Flugbahn (+*gen*) verfolgen.

◆**track down** *vt sep* aufspüren (*to* in +*dat*); *thing* aufstöbern, auftreiben (*col*); *reference, source* ausfindig machen.

tracker dog ['trækə(r)ˌdɒg] *n* Spürhund *m*.

track event *n* Laufwettbewerb *m*.

tracking ['trækɪŋ] *n* Verfolgung *nt* ▶ *~ station* Bodenstation *f*.

track: **~ record** *n* (*fig*) *she has a good ~ record* sie hat gute Leistungen vorzuweisen; *what's his ~ record?* was hat er vorzuweisen?; **~ shoe** *n* Rennschuh *m*; **~suit** *n* Trainingsanzug *m*.

tract¹ [trækt] *n* **a** (*of land*) Gebiet *nt* ▶ *narrow ~* Streifen *m*. **b** (*respiratory*) Wege *pl*; (*digestive*) Trakt *m*.

tract² *n* (*pamphlet*) Traktat *nt*, Schrift *f*.

traction ['trækʃən] *n* Zugkraft, Zugleistung *f*; (*of wheels*) Bodenhaftung *f*; (*Med*) Streckverband *m* ▶ *~ engine* Zugmaschine *f*.

tractor ['træktə(r)] *n* Traktor *m*.

tractor: **~ feed** *n* (*Comp*) Traktor *m*; **~ unit** *n* Sattelschlepper *m*.

trade [treɪd] **1** *n* **a** (*commerce*) Handel *m*, Gewerbe *nt*; (*turnover etc*) die Geschäfte *pl* ▶ *to do a good ~* gute Geschäfte machen; *to do a brisk ~ in sth* einen reißenden Absatz an etw (*dat*) haben. **b** (*line of business*) Branche *f*, Geschäftszweig *m*; (*job*) Handwerk *nt* ▶ *he's in the wool ~* er ist in der Wollbranche; *he's in the ~* er ist vom Fach; *as we call it in the ~* wie es in unserer Branche heißt; *he's a bricklayer by ~* er ist Maurer von Beruf; *he's a lawyer by ~* (*hum*) er ist Rechtsanwalt. **c** (*exchange*) Tausch(handel) *m*.
2 *vt* tauschen ▶ *to ~ sth for sth else* etw gegen etw anderes (ein)tauschen.
3 *vi* **a** (*Comm*) Handel treiben, handeln ▶ *to ~ in sth* mit etw handeln; *to ~ with sb* mit jdm Geschäfte machen. **b** (*US col*) einkaufen (*at* bei).

◆**trade in** *vt sep* in Zahlung geben (*for* für).

◆**trade on** *vi* +*prep obj* ausnutzen.

trade: **~ association** *n* Fachverband *m*; **~ barrier** *n* Handelsschranke *f*, **~ cycle** *n* Konjunkturzyklus *m*; **~ deficit** *n* Handelsdefizit *nt*; **T~ Descriptions Act** *n* (*Brit*) *Gesetz nt über die korrekte Beschreibung von Waren*; **~ directory** *n* Branchenverzeichnis *nt*; **~ discount** *n* Händlerrabatt *m*; **~ fair** *n* Handelsmesse *f*, **~ figures** *npl* Handelsziffern *pl*; **~ gap** *n* Außenhandelsdefizit *nt*; **~-in** *n* *to take/offer sth as a ~-in* etw in Zahlung nehmen/geben; **~ journal** *n* Fachzeitschrift *f*; **~mark** *n* (*lit*) Warenzeichen *nt*; *honesty was his ~mark* er war für seine Ehrlichkeit bekannt; **~ mission** *n* Handelsmission *f*, **~ name** *n* Handelsname *m*; **~ press** *n* Fachpresse *f*; **~ price** *n* Händlerpreis, Einkaufspreis *m*.

trader ['treɪdə(r)] *n* (*person*) Händler(in *f*) *m*.

trade: **~ route** *n* Handelsweg *m*, Handelsstraße *f*; **~ secret** *n* (*lit, fig*) Betriebsgeheimnis *nt*.

trades: **~man** *n* (*delivery man*) Lieferant *m*; (*shopkeeper*) Händler *m*; (*plumber, electrician etc*) Handwerker *m*; **~man's entrance** *n* Lieferanteneingang *m*; **~ union** *n* = **trade union**; **T~ Union Congress** *n* (britischer) Gewerkschaftsbund.

trade: **~ union** *n* Gewerkschaft *f*, **~ unionism** *n* Gewerkschaftsbewegung *f*; **~ unionist** *n* Gewerkschaft(l)er(in *f*) *m*; **~ wind** *n* Passat *m*.

trading ['treɪdɪŋ] **1** *adj* handeltreibend.
2 *n* Handel *m*, Handeln *nt* (*in* mit).

trading *in cpds* Handels-; **~ account** *n* Geschäftskonto *nt*; **~ estate** *n* Gewerbegebiet *nt*; **~ loss** *n* Betriebsverlust *m*; **~ results** *npl* Betriebsergebnis *nt*; **~**

stamp n Rabattmarke f.

tradition [trə'dɪʃən] Tradition f ▸ ~ **has it that he ...** es ist überliefert, daß er ...

traditional [trə'dɪʃənl] adj traditionell; virtues also überkommen; jazz Old-time-.

traditionally [trə'dɪʃnəlɪ] adv traditionell; (customarily) üblicherweise.

traffic ['træfɪk] **1** n **a** Verkehr m; (Aviat) Flugverkehr m ▸ **closed to heavy** ~ gesperrt für den Schwerlastverkehr. **b** (business: of port, airport) Umschlag m ▸ ~ **in steel** Stahlumschlag m. **c** (usu pej: trading) Handel m (in mit); (in pornography) Vertrieb m (in von).
2 vi (usu pej) handeln (in mit).

traffic in cpds Verkehrs-; ~ **calming** n Verkehrsberuhigung f; ~ **circle** n (US) Kreisverkehr m; ~ **cone** n Leitkegel m; ~ **cop** n (col) Verkehrspolizist m; ~ **island** n Verkehrsinsel f; ~ **jam** n Verkehrsstau m.

trafficker ['træfɪkər] n (usu pej) Händler m; (in drugs also) Dealer m.

traffic: ~ **lights** (Brit) npl, ~ **light** n (US) Verkehrsampel f; ~ **offence** (Brit) or **offense** (US) n Verkehrsdelikt nt; ~ **police** npl Verkehrspolizei f; ~ **policeman** n Verkehrspolizist m; ~ **sign** n Verkehrszeichen nt; ~ **violation** n (US) Verkehrsdelikt nt; ~ **warden** n (Brit) ≃ Verkehrspolizist m ohne amtliche Befugnisse; (woman issuing parking tickets) Politesse f.

tragedy ['trædʒɪdɪ] n Tragödie f ▸ **six killed in holiday crash** ~ tragischer Urlaubsunfall forderte sechs Todesopfer; **the** ~ **of it is that ...** das Tragische daran ist, daß ...

tragic ['trædʒɪk] adj tragisch.

tragically ['trædʒɪkəlɪ] adv ~, **he was killed before ...** tragischerweise kam er ums Leben, bevor ...

tragicomic [ˌtrædʒɪ'kɒmɪk] adj tragikomisch.

trail [treɪl] **1** n **a** Spur f ▸ ~ **of blood** Blutspur f; ~ **of smoke/dust** Rauchfahne f/Staubwolke f. **b** (track) Fährte, Spur f ▸ **hot on the** ~ dicht auf den Fersen; **to be on the** ~ **of an animal** die Spur eines Tieres verfolgen; **the police are on his** ~ die Polizei ist ihm auf der Spur. **c** (path) Weg, Pfad m; (nature ~ etc) (Wander)weg m.
2 vt **a** (follow) person folgen (+dat); animal verfolgen. **b** (drag) schleppen, schleifen ▸ **the bird ~ed its broken wing** der Vogel zog seinen gebrochenen Flügel nach. **c** (US: tow) ziehen, schleppen.
3 vi **a** (on floor) schleifen. **b** (plant) sich ranken. **c** (walk) trotten. **d** (be behind: in competition etc) weit zurückliegen; (Sport) weit zurückgefallen sein.

◆**trail away** or **off** vi (voice) sich verlieren (into in +dat).

trailer ['treɪlər] n **a** (Aut) Anhänger m; (semi-~) Sattelauflieger m. **b** (US) Wohnwagen, Caravan m ▸ ~ **park** Campingplatz m für Wohnwagen. **c** (Film, TV) Vorschau f.

train¹ [treɪn] n **a** (Rail) Zug m ▸ **to go/travel by** ~ mit dem Zug or der Bahn fahren/reisen; **a** ~ **journey** eine Bahn- or Zugfahrt; **to take** or **get the 11 o'clock** ~ den Elfuhrzug nehmen; **to change** ~**s** umsteigen; **on the** ~ im Zug. **b** (line) Kolonne f; (of people) Schlange f; (retinue) Gefolge nt ▸ **the war brought famine in its** ~ der Krieg brachte eine Hungersnot mit sich. **c** (of events) Folge, Kette f ▸ **he interrupted my** ~ **of thought** er unterbrach meinen Gedankengang. **d** (of dress) Schleppe f.

train² **1** vt **a** ausbilden; child erziehen; animal abrichten, dressieren; mind schulen; (Sport) trainieren ▸ **to** ~ **sb as sth** jdn als or zu etw ausbilden; **to** ~ **an animal to do sth** ein Tier dazu abrichten, etw zu tun; **this dog has been** ~**ed to kill** dieser Hund ist aufs Töten abgerichtet. **b** (aim) gun richten (on auf +acc). **c** plant

wachsen lassen (over über +acc).
2 vi **a** (esp Sport) trainieren (for für). **b** (study) ausgebildet werden ▸ **he** ~**ed as a teacher** er hat eine Lehrerausbildung gemacht.

train: ~ **attendant** n (US Rail) Schlafwagenschaffner m; ~ **driver** n Zug- or Lokführer(in f) m.

trained [treɪnd] adj worker gelernt, Fach-; nurse, teacher, voice ausgebildet; animal dressiert; mind, ear, eye geschult.

trainee [treɪ'niː] n Anlernling m; (gaining qualification) Auszubildende(r) mf; (academic, technical) Praktikant(in f) m; (nurse) Krankenpflegeschüler(in f) m, Schwesternschülerin f; (management) Trainee mf.

trainee: ~ **manager** n Management-Trainee mf; ~ **teacher** n (in primary school) ≃ Praktikant(in f) m; (in secondary school) ≃ Referendar(in f) m.

trainer ['treɪnər] n **a** (Sport, of racehorse) Trainer m; (of animals) Dresseur m. **b** (shoe) Turnschuh m. **c** (aircraft) Schulflugzeug nt.

train: ~ **fare** n Fahrpreis m; ~ **ferry** n Eisenbahnfähre f.

training ['treɪnɪŋ] n **a** Ausbildung f (also Mil); (of staff) Schulung f; (of animal) Dressur f; (Sport) Training nt ▸ **to be in** ~ im Training sein, trainieren; (be fit) gut in Form or durchtrainiert sein; **to be out of** ~ nicht in Form sein, aus dem Training sein.

training: ~ **college** n (for teachers) ≃ Pädagogische Hochschule; ~ **course** n Ausbildungskurs m; ~ **scheme** n Ausbildungsprogramm nt; ~ **shoes** npl Trainingsschuhe pl.

train: ~ **journey** n Bahnfahrt f, (long) Bahnreise f, ~**load** n (of goods) Zugladung f; ~**loads of holidaymakers** ganze Züge voller Urlauber; ~ **service** n Zugverkehr m; (between two places) (Eisen)bahnverbindung f, ~ **set** n (Spielzeug)eisenbahn f, ~**sick** adj **he gets** ~ **sick** ihm wird beim Zugfahren schlecht or übel; ~**spotter** n ≃ Eisenbahnfan m; ~**spotting** n Hobby nt, bei dem Züge beobachtet und deren Nummern notiert werden; ~ **station** n (US) Bahnhof m.

traipse [treɪps] (col) vi latschen (col) ▸ **to** ~ **around the shops** in den Geschäften rumlatschen (col).

trait [treɪt, treɪ] n Eigenschaft f.

traitor ['treɪtər] n Verräter m ▸ **to be a** ~ **to one's country** sein Vaterland verraten; **to turn** ~ zum Verräter werden.

trajectory [trə'dʒektərɪ] n Flugbahn f.

tram [træm] n (Brit) Straßenbahn f.

tram (Brit): ~ **car** n (single car) Straßenbahnwagen m; ~ **driver** n Straßenbahnfahrer(in f) m; ~**line** n (track) Straßenbahnschiene f; (route) Straßenbahnlinie f; ~**lines** npl (Tennis) Linien pl des Doppelspielfelds.

tramp [træmp] **1** vi **a** (walk heavily, trudge) stapfen, stampfen. **b** (hike) wandern; (as vagabond) umherziehen ▸ **he** ~**ed all over Europe** er zog durch ganz Europa.
2 vt **a** (spread by walking) herumtreten ▸ **don't** ~ **that mud into the carpet** tritt den Dreck nicht in den Teppich. **b** (walk) streets latschen durch (col).
3 n (vagabond) Landstreicher(in f), Tramp m; (in town) Stadtstreicher(in f) m.

trample ['træmpl] **1** vt niedertrampeln, zertrampeln ▸ **to** ~ **sth underfoot** auf etw (dat) herumtrampeln; ~**d to death** zu Tode getrampelt; **to** ~ **sth into the ground** etw in den Boden trampeln.
2 vi **he lets his wife** ~ **all over him** (fig) er läßt sich (dat) von seiner Frau auf dem Kopf herumtanzen.

◆**trample on** vi +prep obj herumtreten auf (+dat) ▸ **to** ~ ~ **sb** (fig) jdn herumschikanieren; **to** ~ ~ **sb's feelings** (fig) jds Gefühle mit Füßen treten.

trampoline ['træmpəlɪn] n Trampolin nt.

trance [trɑːns] n Trance f ▸ **to go into a** ~ in einen Trancezustand verfallen.

tranquil ['træŋkwɪl] *adj* ruhig.
tranquillity, (*US*) **tranquility** [træŋ'kwɪlɪtɪ] *n* Ruhe *f*.
tranquillize, (*US*) **tranquilize** ['træŋkwɪlaɪz] *vt* beruhigen.
tranquillizer, (*US*) **tranquilizer** ['træŋkwɪlaɪzə^r] *n* Beruhigungsmittel *nt*.
trans- [trænz-] *pref* trans-, Trans-.
transact [træn'zækt] *vt* abwickeln; *deal* abschließen.
transaction [træn'zækʃən] *n* [a] (*act*) *see vt* Abwicklung *f*; Abschluß *m* ▶ ~ **of business** Geschäftsbetrieb *m*. [b] (*piece of business*) Geschäft *nt*; (*Fin, St Ex*) Transaktion *f*. [c] ~s *pl* (*of society*) Sitzungsbericht *m*.
transatlantic ['trænzət'læntɪk] *adj* transatlantisch, Transatlantik-; *customs* auf der anderen Seite (des Atlantiks); *cousins, accent* amerikanisch; (*for Americans*) britisch.
transcend [træn'send] *vt* übersteigen, überschreiten.
transcendental [,trænsen'dentl] *adj* überirdisch; (*Philos*) transzendental.
transcontinental [,trænzkɒntɪ'nentl] *adj* transkontinental.
transcribe [træn'skraɪb] *vt manuscripts* abschreiben; (*from shorthand*) (in Langschrift) übertragen; *proceedings etc* niederschreiben; (*Mus*) transkribieren.
transcript ['trænskrɪpt] *n* (*of court proceedings*) Protokoll *nt*; (*of tapes*) Niederschrift *f*; (*copy*) Kopie, Abschrift *f*.
transcription [træn'skrɪpʃən] *n* (*Mus, Phon*) Transkription *f*; (*copy, of shorthand notes*) Abschrift *f*; (*act*) Abschreiben *nt*; (*of speech, proceedings*) Niederschrift *f*, Protokoll *nt*; (*Rad, TV: recording*) Aufnahme *f*.
transept ['trænsept] *n* Querschiff *nt*.
transfer [træns'fɜː^r] [1] *vt* übertragen (*to* auf +*acc*); *prisoner* überführen (*to* in +*acc*); *premises, troops, account* verlegen (*to* in +*acc, to town* nach); *soldier, employee* versetzen (*to* in +*acc, to town,* country nach); (*Sport*) *player* abgeben (*to* an +*acc*); (*Fin*) *funds, money* überweisen (*to* auf +*acc*); (*Jur*) *property* überschreiben (*to* auf +*acc*) ▶ *he ~red the money from the box to his pocket* er nahm das Geld aus der Schachtel und steckte es in die Tasche.
[2] *vi* [a] überwechseln (*to* zu); (*to new system, working conditions*) umstellen (*to* auf +*acc*). [b] (*in travelling*) umsteigen (*to* in +*acc*); (*Univ*) das Studienfach wechseln, umsatteln (*col*) (*from ... to* von ... auf +*acc*).
[3] ['trænsfɜː^r] *n see vt* Übertragung *f*; Überführung *f*; Verlegung *f*; Versetzung *f*; (*of footballer*) Transfer *m*; Überweisung *f*; Überschreibung *f* ▶ *he asked for a ~* (*soldier, employee*) er bat um Versetzung; (*footballer*) er bat, auf die Transferliste gesetzt zu werden. [b] (*picture*) Abziehbild *nt*. [c] (~ *ticket*) Umsteige(fahr)karte *f*.
transferable [træns'fɜːrəbl] *adj* übertragbar; *money, stocks* transferierbar.
transfer: ~ **charge call** *n* R-Gespräch *nt*; ~ **desk** *n* (*Aviat*) Transitschalter *m*; ~ **fee** *n* (*Ftbl*) Transfersumme *f*; ~ **list** *n* (*Ftbl*) Transferliste *f*; ~ **lounge** *n* (*Aviat*) Transitraum *m*.
transfigure [træns'fɪgə^r] *vt* verklären; (*transform*) verwandeln.
transfix [træns'fɪks] *vt* [a] (*fix*) annageln, feststecken (*to* an +*acc*). [b] (*fig*) *to be* or *stand ~ed with horror* starr vor Entsetzen sein; *he stood as though ~ed* er stand da wie angewurzelt.
transform [træns'fɔːm] *vt* umwandeln, umformen (*into* zu); *ideas, views* (von Grund auf) verändern; *person* verwandeln; (*Phys*) umwandeln (*into* in +*acc*); (*Elec*) (um)wandeln (*into* in +*acc*), transformieren (*into* in +*acc*) ▶ *the old house was ~ed into three flats* aus dem alten Haus wurden drei Wohnungen gemacht; *the caterpillar was ~ed into a butterfly* die Raupe verwandelte sich in einen Schmetterling.

transformation [,trænsfə'meɪʃən] *n* Umwandlung, Umformung *f*; (*of ideas, views etc*) (grundlegende) Veränderung; (*of person, caterpillar etc*) Verwandlung *f*; (*Phys*) Umwandlung *f*; (*Elec*) Umwandlung, Transformation *f*.
transformer [træns'fɔːmə^r] *n* (*Elec*) Transformator *m*.
transfusion [træns'fjuːʒən] *n* (*also* **blood** ~) Blutübertragung, Transfusion *f* ▶ *to give sb a* ~ jdm eine Blutübertragung geben.
transgress [træns'gres] [1] *vt standards* verstoßen gegen, verletzen.
[2] *vi* sündigen.
transgression [træns'greʃən] *n* [a] (*of law*) Verstoß *m*, Verletzung *f*. [b] (*sin*) Sünde *f*, Verstoß *m*.
transience ['trænzɪəns] *n* (*of life*) Vergänglichkeit *f*; (*of grief, joy*) Kurzlebigkeit *f*; (*of interest*) Flüchtigkeit *f*.
transient ['trænzɪənt] [1] *adj* [a] *life* vergänglich; *grief, joy* kurzlebig, vorübergehend; *interest* flüchtig. [b] (*US*) ~ *population* nichtsässiger Teil der Bevölkerung.
[2] *n* (*US*) Durchreisende(r) *mf*.
transistor [træn'zɪstə^r] *n* [a] (*Elec*) Transistor *m*. [b] (*also* ~ **radio**) Transistorradio *nt*, Transistor *m* (*col*).
transistorized [træn'zɪstəraɪzd] *adj circuit* transistorisiert.
transit ['trænzɪt] *n* Durchfahrt *f*, Transit *m*; (*of goods*) Transport *m* ▶ *the books were damaged in* ~ die Bücher wurden beim Transport beschädigt; ~ *camp* Durchgangslager *nt*.
transition [træn'zɪʃən] *n* Übergang *m* (*from ... to* von ... zu).
transitional [træn'zɪʃənl] *adj* Übergangs-.
transitive *adj*, ~**ly** *adv* ['trænzɪtɪv, -lɪ] transitiv.
transit lounge *n* Transitraum *m*.
transitory ['trænzɪtərɪ] *adj life* vergänglich; *grief, joy* kurzlebig, vorübergehend; *interest* flüchtig.
transit visa *n* Durchreisevisum *nt*.
translate [trænz'leɪt] *vti* [a] übersetzen; *work of literature also* übertragen ▶ *to* ~ *a text from German (in)to English* einen Text aus dem Deutschen ins Englische übersetzen; *it is ~d as ...* es wird mit ... übersetzt; *his novels* ~ *well (into English)* seine Romane lassen sich gut (ins Englische) übersetzen or übertragen. [b] *to* ~ *words into action* Worte in die Tat umsetzen.
translation [trænz'leɪʃən] *n* Übersetzung *f* (*from* aus); (*of work of literature also*) Übertragung *f* ▶ *it loses in* ~ es verliert bei der Übersetzung.
translator [trænz'leɪtə^r] *n* Übersetzer(in *f*) *m*.
translucent [trænz'luːsnt] *adj glass etc* lichtdurchlässig; *skin* durchsichtig.
transmission [trænz'mɪʃən] *n* [a] (*transmitting*) Übertragung *f*; (*through heredity*) Vererbung *f*; (*of news*) Übermittlung *f*; (*of heat*) Leitung *f*; (*programme also*) Sendung *f*. [b] (*Aut*) Getriebe *nt* ▶ ~ *shaft* Kardanwelle *f*.
transmit [trænz'mɪt] *vt* (*convey*) *message, information* übermitteln; *sound waves, programme, illness* übertragen; (*by heredity*) vererben; *heat etc* leiten.
transmitter [trænz'mɪtə^r] *n* (*Tech*) Sender *m*; (*in telephone*) Mikrofon *nt*.
transmute [trænz'mjuːt] *vt* umwandeln (*into* in +*acc*); *metal* verwandeln (*into* in +*acc*).
transom ['trænsəm] *n* (*crosspiece*) Querbalken *m*; (*US: fanlight*) Oberlicht *nt*.
transparency [træns'pærənsɪ] *n* [a] Transparenz, Durchsichtigkeit *f*. [b] (*of lies, excuses etc*) Durchschaubarkeit *f*. [c] (*Brit Phot*) Dia(positiv) *nt* ▶ *colour* ~ Farbdia *nt*.
transparent [træns'pærənt] *adj* [a] durchsichtig, transparent. [b] (*fig*) *lie, intentions, personality* durchschaubar; *meaning* klar, eindeutig.
transpire [træn'spaɪə^r] *vi* [a] (*become known*) *it now ~s that ...* jetzt hat sich herausgestellt, daß ... [b] (*happen*)

passieren (col).

transplant [træns'plɑːnt] **1** vt **a** (Hort) umpflanzen. **b** (Med) verpflanzen.
2 ['trænsplɑːnt] n (operation) Verpflanzung, Transplantation f; (organ) Transplantat nt, verpflanztes Organ ► **to have a ~** sich einer Organverpflanzung unterziehen.

transport ['trænspɔːt] **1** n **a** (of goods, of troops) Transport m ► **Ministry of T~** Verkehrsministerium nt; **have you got your own ~?** bist du motorisiert?; **public ~** öffentliche Verkehrsmittel pl. **b** (US: shipment) (Schiffs)fracht, Ladung f. **c** (liter) **it sent her into ~s of delight** es erfüllte sie mit freudigem Entzücken (liter).
2 [træns'pɔːt] vt **a** goods transportieren; people befördern; (Hist) convict deportieren. **b** (liter) **to be ~ed with joy** freudig entzückt sein (liter).

transportation [ˌtrænspɔː'teɪʃən] n **a** Transport m; (means) Beförderungsmittel nt; (public) Verkehrsmittel nt; (cost) Transportkosten pl ► **Department of T~** (US) Verkehrsministerium nt. **b** (Hist: of criminal) Deportation f.

transport café n (Brit) Fernfahrerlokal nt.

transpose [træns'pəʊz] vt umstellen; (Mus) transponieren.

transship [træns'ʃɪp] vt umschiffen.

transverse ['trænzvɜːs] adj beam, bar, section Quer-; position horizontal; engine querstehend.

transvestite [trænz'vestaɪt] n Transvestit m.

trap [træp] **1** n **a** (for animal, fig) Falle f ► **to set** or **lay a ~ for an animal** eine Falle für ein Tier (auf)stellen; **to set a ~ for sb** (fig) jdm eine Falle stellen; **he is caught in a ~** er sitzt in der Falle; **to fall into a ~** in die Falle gehen. **b** (vehicle) zweirädriger Pferdewagen. **c** (col: mouth) Klappe (col) ► **shut your ~!** halt die Klappe! (col).
2 vt **a** animal (mit einer Falle) fangen. **b** (fig) person in die Falle locken ► **he realized he was ~ped** er merkte, daß er in der Falle saß; **to ~ sb into saying sth** jdn dazu bringen, etw zu sagen. **c** (block off, leave no escape) in die Enge treiben ► **the miners are ~ped** die Bergleute sind eingeschlossen; **my arm was ~ped** mein Arm war eingeklemmt. **d** (catch) (Sport) ball stoppen ► **to ~ one's finger in the door** sich (dat) den Finger in der Tür einklemmen. **e** gas, liquid stauen.

trapdoor [ˌtræp'dɔːʳ] n Falltür f; (Theat) Versenkung f.

trapeze [trə'piːz] n (in circus) Trapez nt ► **~ artist** Trapezkünstler(in f) m.

trapper ['træpəʳ] n Fallensteller, Trapper m.

trappings ['træpɪŋz] npl (äußeres) Drum and Dran (col); (of power) Insignien pl ► **~ of office** Amtsinsignien pl.

trash [træʃ] n **a** (US: refuse) Abfall m. **b** (goods) Ramsch m; (book, play etc) Schund m; (pop group etc) Mist, Schrott m (col) ► **don't talk ~** red nicht so einen Quatsch (col).

trashcan ['træʃkæn] n (US) Mülltonne f ► **~ liner** Müllsack m.

trashy ['træʃɪ] adj (+er) goods minderwertig; play also Schund-.

trauma ['trɔːmə] n (Psych) Trauma nt.

traumatic [trɔː'mætɪk] adj traumatisch.

travel ['trævl] (vb: pret, ptp (Brit) **travelled**, (US) **traveled**) **1** vi **a** (make a journey) reisen ► **he ~s to work by car** er fährt mit dem Auto zur Arbeit; **she is ~ling to London tomorrow** sie fährt morgen nach London; **they ~led for 500 miles** sie fuhren 800 km; **to ~ around a country** ein Land bereisen. **b** (go, move) sich bewegen; (sound, light) sich fortpflanzen ► **light ~s at ...** die Lichtgeschwindigkeit beträgt ...; **we were ~ling at 50 mph** wir fuhren 80 km/h; **the electricity ~s along the wire** der Strom fließt durch den Draht; **that's**

~ling! (col) das ist aber schnell! **c** (Comm) Vertreter sein ► **he ~s in ladies' underwear** er reist in Damenunterwäsche. **d** (Tech) **as the piston ~s from A to B** während sich der Kolben von A nach B bewegt.
2 vt area bereisen; distance zurücklegen; route fahren.
3 n **a** Reisen nt ► **to be fond of ~** gerne reisen; **if you meet him on your ~s** wenn Sie mit einer Ihrer Reisen begegnen; **he's off on his ~s again** er verreist wieder. **b** (Tech: distance moved) Weg m; (of piston) Hub m.

travel: ~ agency n Reisebüro nt; **~ agent** n Reisebürokaufmann m; (of package tours) Reiseveranstalter m; **~ brochure** n Reiseprospekt m; **~ insurance** n Reiseversicherung f.

travelled, (US) **traveled** ['trævld] adj **well-~** person weitgereist attr, weit gereist pred; route vielbefahren attr, viel befahren pred.

traveller, (US) **traveler** ['trævləʳ] n **a** Reisende(r) mf. **I am a very poor** or **bad ~** ich vertrage das Reisen nicht. **b** (also **commercial ~**) Vertreter m.

traveller's cheque, (US) **traveler's check** n Reisescheck, Travellerscheck m.

travelling, (US) **traveling** ['trævlɪŋ] n Reisen nt ► **I hate ~** ich hasse das Reisen.

travelling: ~ bag n Reisetasche f; **~ circus** n Wanderzirkus m; **~ clock** n Reisewecker m; **~ exhibition** n Wanderausstellung f; **~ expenses** npl Reisekosten pl; (on business) Reisespesen pl; **~ salesman** n Vertreter, Handelsreisende(r) m.

travelogue, (US) **travelog** ['trævəlɒg] n Reisebericht m.

travel: ~-sick adj reisekrank; **~-sickness** n Reisekrankheit f.

traverse ['trævɜːs] vt (cross) land durchqueren; (bridge, person) water überqueren; (Mountaineering) ice, slope queren.

travesty ['trævɪstɪ] n (Liter) Travestie f ► **a ~ of justice** ein Hohn m auf die Gerechtigkeit; **the elections were a ~** die Wahlen waren ein Hohn m or eine Farce.

trawl [trɔːl] **1** n (net) Schleppnetz, Trawl nt; (US: ~ line) Grundleine f.
2 vi mit dem Schleppnetz fischen; (US) mit einer Grundleine fischen.

trawler ['trɔːləʳ] n Fischdampfer, Trawler m.

trawlerman ['trɔːləmən] n, pl **-men** [-mən] Trawlerfischer m.

tray [treɪ] n Tablett nt; (of cakes) (small) Platte f; (big) Brett nt; (for display) Auslagekästchen nt; (baking ~) (Back)blech nt; (for papers, mail) Ablage(korb m) f.

treacherous ['tretʃərəs] adj **a** person, action verräterisch. **b** (unreliable) trügerisch. **c** (dangerous) tückisch; ice, smile trügerisch.

treacherously ['tretʃərəslɪ] adv see adj.

treachery ['tretʃərɪ] n Verrat m.

treacle ['triːkl] n (Brit) Sirup m.

tread [tred] (vb: pret **trod**, ptp **trodden**) **1** n **a** Schritt m ► **to walk with a heavy ~** mit schweren Schritten gehen; **I could hear his ~ on the stairs** ich konnte seine Schritte auf der Treppe hören. **b** (of stair) Stufe f; (of shoe, tyre) Profil nt.
2 vi **a** (walk) gehen. **b** (bring foot down) treten (on auf +acc) ► **he trod on my foot** er trat mir auf den Fuß; **to ~ softly** leise auftreten; **to ~ carefully** (lit) vorsichtig gehen; (fig) vorsichtig vorgehen.
3 vt path (make) treten; (follow) gehen ► **it got trodden underfoot** es wurde zertreten; **to ~ grapes** Trauben stampfen; **to ~ water** Wasser treten; **don't ~ that earth into the carpet** treten Sie die Erde nicht in den Teppich.

treadle ['tredl] n (of sewing machine) Tretkurbel f.

treadmill ['tredmɪl] n (lit) Tretwerk nt; (fig) Tretmühle f.

treason ['tri:zn] *n* Verrat *m* (*to* an +*dat*) ► *an act of ~* Verrat *m.*

treasure ['treʒəʳ] **1** *n* (*lit, fig*) Schatz *m.* **2** *vt* (hoch)schätzen ► *I shall always ~ this memory* ich werde das immer in lieber Erinnerung behalten.

treasure: ~ house *n* a ~ *house of knowledge* eine Fundgrube des Wissens; **~ hunt** *n* Schatzsuche *f.*

treasurer ['treʒərəʳ] *n* (*of club*) Kassenwart *m*; (*city ~*) Stadtkämmerer *m*; (*of business*) Leiter *m* der Finanzabteilung.

treasure trove *n* Schatzfund *m*; (*place where treasures are found*) Fundgrube *f.*

treasury ['treʒərɪ] *n* **a** (*Pol*) T~, (*US also*) T~ Department Finanzministerium *nt*; **~ bill** (*Brit*) kurzfristiger Schatzwechsel. **b** (*anthology*) Schatzkästlein *nt.*

treat [tri:t] **1** *vi* **a** (*behave towards, handle, process, Med*) behandeln; *sewage* klären; *wastepaper* verarbeiten ► *he is being ~ed for thrombosis* er ist wegen einer Thrombose in Behandlung. **b** (*consider*) betrachten (*as* als) ► *you should ~ your work more seriously* Sie sollten Ihre Arbeit ernster nehmen. **c** (*pay for, give*) einladen ► *to ~ sb to sth* jdn zu etw einladen, jdm etw spendieren; *I'm ~ing you* ich lade Sie ein; *to ~ oneself to sth* sich (*dat*) etw gönnen. **2** *n* **a** besondere Freude ► *children's ~* Kinderfest *nt*; *it's my ~* das geht auf meine Kosten; *it's a ~ in store* das ist etwas, worauf wir uns noch freuen können; *it's a (real) ~ to see you again* was für eine Freude, Sie mal wiederzusehen! **b** (*col*) *it's coming on a ~* es macht sich prima (*col*).

treatise ['tri:tɪz] *n* Abhandlung *f* (*on* über +*acc*).

treatment ['tri:tmənt] *n* **a** (*of person, object*) Behandlung *f* ► *their ~ of foreigners* ihre Art, Ausländer zu behandeln; *to give sb the ~* (*col: violently, sexually*) es jdm ordentlich besorgen (*col*); *when the delegates visited the factory, they were given the full ~* (*col*) als die Delegierten die Fabrik besichtigten, wurde eine große Schau abgezogen (*col*). **b** (*Med*) Behandlung *f* ► *there are many ~s for rheumatism* es gibt viele Behandlungsarten für Rheumatismus; *to be having ~ for sth* wegen etw in Behandlung sein. **c** (*processing*) Behandlung *f*; (*of leather also*) Bearbeitung *f*; (*of sewage*) Klärung *f*; (*of wastepaper*) Verarbeitung *f.* **d** (*of subject*) Bearbeitung *f.*

treaty ['tri:tɪ] *n* Vertrag *m.*

treble¹ ['trebl] **1** *adj* dreifach ► *the country's inflation rate is in ~ figures* das Land hat eine dreistellige Inflationsrate. **2** *adv* *clothes are ~ the price here* Kleidung kostet hier dreimal soviel. **3** *vt* verdreifachen. **4** *vi* sich verdreifachen.

treble² **1** *n* (*Mus*) (*boy's voice*) Knabensopran *m* or -stimme *f*; (*part*) Oberstimme *f*; (*range: of voice, piano*) Diskant *m* ► *the ~* (*in recording etc*) die Höhen *pl.* **2** *adj* *voice* Knabensopran- ► *~ clef* Violinschlüssel *m*; *~ part* Oberstimme *f.*

tree [tri:] *n* **a** Baum *m* ► *an oak/a cherry ~* eine Eiche/ein Kirschbaum *m*; *money doesn't grow on ~s* das Geld fällt nicht vom Himmel. **b** (*family ~*) Stammbaum *m.*

tree *in cpds* Baum-; **~ house** *n* Baumhaus *nt*; **~ hugger** *n* (*esp US hum col*) Umweltapostel *m* (*hum col*), Umweltfreak *m* (*hum col*); **~less** *adj* baumlos; **~ line** *n* Baumgrenze *f*; **~-lined** *adj* baumbestanden; **~top** *n* Baumkrone *f*, Wipfel *m*; **~ trunk** *n* Baumstamm *m.*

trek [trek] **1** *vi* trecken; (*col: traipse*) latschen (*col*) ► *they ~ked across the desert* sie zogen durch die Wüste. **2** *n* Treck, Zug *m*; (*col*) anstrengender Marsch.

trellis ['trelɪs] *n* Gitter *nt*; (*for plants*) Spalier *m.*

tremble ['trembl] **1** *vi* (*person, hand etc*) zittern (*with*

vor); (*voice also*) beben (*with* vor); (*ground, building*) beben, zittern. **2** *n* Zittern, Beben *nt* ► *to be all of a ~* (*col*) am ganzen Körper zittern.

trembling ['tremblɪŋ] *see vi* **1** *adj* zitternd; bebend. **2** *n* Zittern; Beben *nt.*

tremendous [trə'mendəs] *adj* **a** gewaltig, enorm; *size, crowd also* riesig; *success* Riesen-. **b** (*very good*) klasse (*col*), toll (*col*) ► *we had a ~ time* wir haben uns ganz toll amüsiert.

tremendously [trə'mendəslɪ] *adv* sehr; *fat, tall etc also* enorm; *relieved, grateful, dangerous also* ungeheuer; *intelligent, difficult also* äußerst ► *they enjoyed themselves ~* sie haben sich prächtig amüsiert (*col*).

tremor ['tremə'] *n* Zittern, Beben *nt*; (*Med*) Tremor *m*; (*of emotion*) Zucken *nt*; (*earth ~*) Beben *nt.*

tremulous ['tremjʊləs] *adj* *voice* bebend; (*timid*) *smile, person* zaghaft.

trench [trentʃ] *n* Graben *m*; (*Mil*) Schützengraben *m* ► *in the ~es* (*Mil*) im Schützengraben.

trenchant ['trentʃənt] *adj* *language* treffsicher; *style* prägnant; *satire* beißend; *speech* pointiert; *wit, criticism* scharf.

trench: ~ coat *n* Trenchcoat *m*; **~ warfare** *n* Grabenkrieg *m.*

trend [trend] **1** *n* **a** (*tendency*) Tendenz *f*, Trend *m.* *the ~ towards violence* die Tendenz zur Gewalttätigkeit; *upward ~* steigende Tendenz, Aufwärtstrend *m*; *the downward ~ in the birth rate* die Rückläufigkeit der Geburtenrate; *to set a ~* richtungweisend sein. **b** (*fashion*) Mode *f*, Trend *m.* **2** *vi* verlaufen (*towards* nach).

trend: ~setter *n* Trendsetter *m*; **~setting** *adj* richtungweisend, tonangebend.

trendy ['trendɪ] **1** *adj* (+*er*) in *pred* (*col*); (*fashionable*) modisch ► *to be ~* als schick gelten; (*clothes etc also*) gerade modern sein. **2** *n* (*person*) Schicki(micki) *m* (*col*).

trepidation [ˌtrepɪ'deɪʃən] *n* Beklommenheit, Ängstlichkeit *f* ► *full of ~ he knocked on the door* voll ängstlicher Erwartung klopfte er an die Tür.

trespass ['trespəs] **1** *vi* (*on property*) unbefugt betreten (*on sth* etw *acc*) ► *to ~ (up)on sb's privacy* jds Privatsphäre verletzen; *to ~ (up)on sb's time* jds Zeit beanspruchen; *"no ~ing"* „Betreten verboten". **2** *n* (*Jur*) unbefugtes Betreten.

trespasser ['trespəsə'] *n* Unbefugte(r) *mf* ► *"~s will be prosecuted"* „Betreten durch Unbefugte wird strafrechtlich verfolgt".

trestle ['tresl] *n* Bock *m* ► *~ table* auf Böcken stehender Tisch; (*decorator's*) Tapeziertisch *m.*

trial ['traɪəl] *n* **a** (*Jur*) (*Gerichts*)verfahren *nt*, Prozeß *m*; (*actual hearing*) Verhandlung *f* ► *to be on ~* angeklagt sein; *to be on ~ for theft* des Diebstahls angeklagt sein; *at the ~* bei der Verhandlung; *to bring sb to ~* jdm den Prozeß machen; *~ by jury* Schwurgerichtsverfahren *nt.* **b** (*test*) Versuch *m*, Probe *f* ► *~s* (*of machine, aeroplane*) Test(s *pl*) *m*; (*Sport*) Qualifikationsspiel *nt*; *horse ~s* Querfeldeinrennen *nt*; *to give sth a ~* etw ausprobieren; *to give sb a ~* (*for job*) jdn auf Probe anstellen; *to take sth on ~* etw zur Probe or etw probeweise nehmen; *~ of strength* Kraftprobe *f*; *by ~ and error* durch Ausprobieren. **c** (*hardship*) Unannehmlichkeit *f*; (*nuisance*) Plage *f*, Problem *nt* (*to* für) ► *he's a ~ to his mother* er macht seiner Mutter sehr viel Kummer; *~s and tribulations* Schwierigkeiten *pl.*

trial: ~ basis *n* *on a ~ basis* auf Probe; **~ offer** *n* Einführungsangebot *nt*; **~ pack** *n* Probepackung *f*; **~ period** *n* Probezeit *f*; **~ run** *n* Generalprobe *f*; (*with car etc*) Probefahrt *f*; (*of machine*) Probelauf *m*; *give the new* *method a ~ run* probieren Sie die neue Methode einmal aus.

triangle ['traɪæŋgl] *n* Dreieck *nt*; *(set square)* (Zeichen)dreieck *nt*; *(Mus)* Triangel *m*; *(fig: relationship)* Dreiecksbeziehung *f*.

triangular [traɪˈæŋgjʊləʳ] *adj (Math)* dreieckig ▸ *~ relationship* Dreiecksverhältnis *nt*.

tribal ['traɪbəl] *adj customs, dance* Stammes-.

tribalism ['traɪbəlɪzəm] *n* Tribalismus *m*.

tribe [traɪb] *n* Stamm *m*.

tribesman ['traɪbzmən] *n*, *pl* **-men** [-mən] Stammesangehörige(r) *m*.

tribulation [ˌtrɪbjʊˈleɪʃən] *n* Kummer *m no pl* ▸ *~s* Sorgen *pl*; *(less serious)* Kümmernisse *pl*.

tribunal [traɪˈbjuːnl] *n* Gericht(shof *m*) *nt*; *(inquiry)* Untersuchungsausschuß *m*.

tributary ['trɪbjʊtərɪ] *n (river)* Nebenfluß *m*.

tribute ['trɪbjuːt] *n* Tribut *m* ▸ *to pay ~ to sb/sth* jdm/ einer Sache (den schuldigen) Tribut zollen; *in ~ to sb* jdm zu Ehren; *~s have been coming in from all over the world* aus der ganzen Welt kamen Zeichen der Anerkennung.

trice [traɪs] *n*: *in a ~* im Handumdrehen, im Nu.

trick [trɪk] **1** *n* **a** *(ruse)* Trick *m*. *be careful, it's a ~* paß auf, das ist eine Falle!; *he knows a ~ or two (col)* der kennt sich aus; *he knows all the ~s of the trade* er ist ein alter Hase; *(is crafty)* er ist mit allen Wassern gewaschen. **b** *(mischief)* Streich *m* ▸ *to play a ~ on sb* jdm einen Streich spielen; *the car's started playing ~s again* der Wagen fängt wieder an zu mucken *(col)*; *a dirty ~* ein ganz gemeiner Trick; *how's ~s? (col)* wie geht's? **c** *(skilful act)* Kunststück *nt* ▸ *to teach a dog to do ~s* einem Hund Kunststücke beibringen; *there's a special ~ to it* da ist ein Trick dabei; *that should do the ~ (col)* das müßte eigentlich hinhauen *(col)*; *he doesn't miss a ~ (col)* er läßt sich nichts entgehen. **d** *(habit)* Eigenart *f* ▸ *to have a ~ of doing sth* die Eigenart haben, etw zu tun. **e** *(Cards)* Stich *m* ▸ *to take a ~* einen Stich machen.

2 *attr cigar, spider* als Scherzartikel.

3 *vt* hereinlegen *(col)* ▸ *I've been ~ed!* ich bin hereingelegt *or* übers Ohr gehauen *(col)* worden!; *to ~ sb into doing sth* jdn (mit einem Trick) dazu bringen, etw zu tun.

trickery ['trɪkərɪ] *n* Tricks *pl (col)* ▸ *a piece of ~* ein Trick *m*; *that's just verbal ~* das ist bloß ein raffinierter Trick mit Worten.

trickle ['trɪkl] **1** *vi* **a** *(liquid)* tröpfeln, tropfen; *(sand)* rieseln; *(ball)* trudeln *(col)* ▸ *tears ~d down her cheeks* Tränen kullerten über die Wangen; *the rain ~d down his neck* der Regen tropfte ihm in den Kragen. *(fig)* *people began to ~ back in* die Leute begannen, vereinzelt wieder hereinzukommen; *reports are beginning to ~ in* langsam treffen die ersten Berichte ein.

3 *n* **a** *(of liquid)* Tröpfeln *nt*; *(stream)* Rinnsal *nt*. *(fig)* *a constant ~ of people gradually filled the lecture hall* der Hörsaal füllte sich langsam aber stetig mit Leuten; *profits have been reduced to a ~* die Gewinne sind spärlich geworden.

trick: *~ photography n* Trickfotografie *f*, *~ question n* Fangfrage *f*.

trickster ['trɪkstəʳ] *n* Schwindler(in *f*) *m*.

tricky ['trɪkɪ] *adj (+er)* **a** *(difficult)* schwierig; *(fiddly also)* knifflig. **b** *situation, problem* heikel, kitzlig. **c** *(sly, crafty) person, plan* durchtrieben, gerissen.

tricolour, *(US)* **tricolor** ['trɪkələʳ] *n* Trikolore *f*.

tricycle ['traɪsɪkl] *n* Dreirad *nt*.

tried [traɪd] *adj* erprobt, bewährt.

trier ['traɪəʳ] *n*: *to be a (hard) ~* sich *(dat)* (ernsthaft) Mühe geben.

trifle ['traɪfl] *n* **a** Kleinigkeit *f*, *(trivial matter also)*

Lappalie *(col)*, Nichtigkeit *f* ▸ *more cake? — just a ~, thank you* noch etwas Kuchen? — bloß ein ganz kleines Stückchen, bitte; *a ~ hot/small* ein bißchen heiß/klein; *a ~ too ...* ein wenig *or* eine Spur zu ... **b** *(Cook)* Trifle *nt*, kuchenartige Süßspeise.

◆**trifle with** *vi +prep obj affections* spielen mit ▸ *he is not to be ~d ~* mit ihm ist nicht zu spaßen.

trifling ['traɪflɪŋ] *adj* unbedeutend, geringfügig.

trigger ['trɪgəʳ] **1** *n (of gun)* Abzug *m*; *(of cine-camera, machine)* Auslöser *m*; *(Elec)* Trigger *m* ▸ *to pull the ~* abdrücken.

2 *vt (also ~ off)* auslösen.

trigger-happy ['trɪgəˌhæpɪ] *adj (col)* schießfreudig *(col)*, schießwütig *(pej)*.

trigonometry [ˌtrɪgəˈnɒmɪtrɪ] *n* Trigonometrie *f*.

trike [traɪk] *n (col)* Dreirad *nt*.

trilby ['trɪlbɪ] *n (also ~ hat)* weicher Filzhut.

trill [trɪl] **1** *n* **a** *(of bird)* Trillern *nt*; *(of voice)* Tremolo *nt*. **b** *(Mus)* Triller *m*.

2 *vti (birds, Mus)* trillern; *(person)* trällern.

trillion ['trɪljən] *n (Brit)* Trillion *f*; *(US)* Billion *f*.

trilogy ['trɪlədʒɪ] *n* Trilogie *f*.

trim [trɪm] **1** *adj (+er)* sauber; *appearance also* adrett; *haircut* gepflegt ▸ *he keeps his garden very ~* sein Garten ist immer sehr gepflegt.

2 *n* **a** *in good ~ (house, car etc)* in gutem Zustand; *(person)* gut in Form; *to get into ~* sich in Form bringen. **b** *(col) to give sth a ~* etw schneiden; *(tree, hedge, beard also)* etw stutzen; *your hair needs a ~* du mußt dir die Haare etwas nachschneiden lassen. **c** *(in car)* Innenausstattung *f*.

3 *vt* **a** *(cut) hair* nachschneiden; *beard, hedge* stutzen; *dog* trimmen; *wick, roses* beschneiden; *piece of wood* zurechtschneiden. **b** *(fig: cut down) budget, essay* kürzen. **c** *(decorate) dress* besetzen; *Christmas tree* schmücken. **d** *boat, plane* trimmen; *sails* richtig stellen. **e** *(US col) (defeat)* schlagen; *(cheat)* übers Ohr hauen *(col)*.

trimming ['trɪmɪŋ] *n* **a** *(on clothes)* Besatz *m* ▸ *~s* Verzierung(en *pl*) *f*. **b** *~s pl (cuttings)* Abfälle *pl*; *(of paper also)* Papierschnitzel *pl*. **c** *~s pl (accessories)* Zubehör *nt*; *roast beef with all the ~s* Roastbeef mit allem Drum und Dran *(col)*.

Trinidad ['trɪnɪdæd] *n* Trinidad *nt*.

Trinidadian [trɪnɪˈdædɪən] **1** *adj* trinidadisch.

2 Trinidader(in *f*) *m*.

Trinity ['trɪnɪtɪ] *n* Dreifaltigkeit *f* ▸ *~ Sunday* Trinitatis, Dreifaltigkeitsfest *nt*.

trinket ['trɪŋkɪt] *n* Schmuckstück *nt* ▸ *~ box* Schmuckkästchen *nt*.

trio ['triːəʊ] *n* Trio *nt*; *(for/of singers)* Terzett *nt*.

trip [trɪp] **1** *n* **a** *(journey)* Reise *f*; *(excursion)* Ausflug *m*, Tour *f*; *(shorter also)* Trip *m (col)* ▸ *when was your last ~ to the dentist's?* wann waren Sie zuletzt beim Zahnarzt?; *he is away on a ~/a ~ to Canada* er ist auf Reisen/macht zur Zeit eine Reise nach Kanada; *to take a ~* eine Reise machen, verreisen. **b** *(col: on drugs)* Trip *m (col)*.

2 *vi* **a** *(stumble)* stolpern *(on, over* über *+acc)*. **b** *(skip)* trippeln ▸ *to ~ in/out* hinein-/hinaustrippeln.

3 *vt* **a** *(make fall)* stolpern lassen; *(deliberately also)* ein Bein stellen *(+dat)*. **b** *(Mech) lever* betätigen; *mechanism* auslösen.

◆**trip over** *vi* stolpern *(+prej obj* über *+acc)*.

◆**trip up** **1** *vi* **a** stolpern. **b** *(fig)* sich vertun.

2 *vt sep* **a** *(make fall)* zum Stolpern bringen. **b** *(fig: cause to make mistake)* eine Falle stellen *(+dat)*.

tripartite [ˌtraɪˈpɑːtaɪt] *adj agreement, talks* dreiseitig; *division* Drei-.

tripe [traɪp] *n* **a** *(Cook)* Kaldaunen, Kutteln *(S Ger, Aus, Sw) pl*. **b** *(fig col)* Quatsch *m*.

triple ['trɪpl] **1** adj dreifach ► ~ **jump** Dreisprung m.
2 adv dreimal soviel ► it's ~ the distance es ist dreimal so weit.
3 n Dreifache(s) nt.
4 vt verdreifachen.
5 vi sich verdreifachen.
triplet ['trɪplɪt] n **a** (baby) Drilling m. **b** (Mus) Triole f.
triplicate ['trɪplɪkɪt] n: **in** ~ in dreifacher Ausfertigung.
tripod ['traɪpɒd] n (Phot) Stativ nt.
Tripoli ['trɪpəlɪ] n Tripolis nt.
tripper ['trɪpəʳ] n Ausflügler(in f) m.
trip: ~ **recorder** n (Aut) Tageszähler m; ~ **wire** n Stolperdraht m.
trite [traɪt] adj (+er) (trivial, banal) banal; (hackneyed) abgedroschen.
triumph ['traɪʌmf] **1** n Triumph m (over über +acc) ► **in** ~ triumphierend, im Triumph; **shouts of** ~ Triumphgeschrei nt.
2 vi den Sieg davontragen (over über +acc) ► **to** ~ **over sb/sth** über jdn/etw triumphieren.
triumphal [traɪˈʌmfəl] adj triumphal ► ~ **arch** Triumphbogen m.
triumphant [traɪˈʌmfənt] adj (victorious) siegreich; (rejoicing) triumphierend; moment, success triumphal ► **to be** ~ **(over sth)** (über etw acc) triumphieren.
triumphantly [traɪˈʌmfəntlɪ] adv triumphierend.
trivia ['trɪvɪə] npl Belanglosigkeiten pl.
trivial [trɪvɪəl] adj trivial; objection, loss, details also belanglos. **b** person oberflächlich.
triviality [ˌtrɪvɪˈælɪtɪ] n see adj **a** Trivialität f; Belanglosigkeit f.
trivialize ['trɪvɪəlaɪz] vt trivialisieren.
trod [trɒd] pret of **tread**.
trodden ['trɒdn] ptp of **tread**.
trolley ['trɒlɪ] n **a** (Brit: cart) (four wheels) Handwagen m; (in supermarket) Einkaufswagen m; (in station) Gepäckwagen m; (for passengers) Kofferkuli m; (two wheels) (for golf clubs) Caddy m; (in station, factory etc) Sackkarre f; (tea-~) Teewagen m. **b** (Rail) Lore f, Förderkarren m. **c** **to be off one's** ~ (col) nicht mehr alle Tassen im Schrank haben (col).
trolley: ~**bus** n Obus, Oberleitungsomnibus (form) m; ~**-car** n (US) Straßenbahn f.
trombone [trɒmˈbəʊn] n (Mus) Posaune f.
trombonist [trɒmˈbəʊnɪst] n Posaunist(in f) m.
troop [tru:p] **1** n **a** (Mil: of cavalry) Trupp m; (unit) Schwadron f. **b** (Mil) ~**s** pl Truppen pl; **200** ~**s** 200 Soldaten. **c** (of scouts) Stamm m. **d** (of people) Horde (pej), Schar f.
2 vi **to** ~ **out/in** hinaus-/hineinströmen; **to** ~ **past sth** an etw (dat) vorbeiziehen.
3 vi (Mil) **to** ~ **the colours** die Fahnenparade abhalten.
troop-carrier ['tru:p,kærɪəʳ] n (vehicle) Truppentransporter m.
trooper ['tru:pəʳ] n (Mil) Kavallerist m; (US: state ~) Polizist m ► **to swear like a** ~ wie ein Kutscher fluchen.
troop-ship ['tru:p,ʃɪp] n (Truppen)transportschiff nt.
trophy ['trəʊfɪ] n (Mil, Sport) Trophäe f.
tropic ['trɒpɪk] n **a** Wendekreis m ► **T~ of Cancer/ Capricorn** Wendekreis des Krebses/Steinbocks. **b** ~**s** pl Tropen pl.
tropical ['trɒpɪkəl] adj tropisch, Tropen-.
trot [trɒt] **1** n **a** (pace) Trab m ► **to go at a** ~ traben; **to go for a** ~ einen Ausritt machen; **I've been on the** ~ **all day** (fig col) ich bin schon den ganzen Tag auf Trab. **b** (Brit col) **for five days on the** ~ fünf Tage lang in einer Tour.
2 vi (horse, person) traben; (pony) zockeln; (small child) trippeln.
◆**trot out** vt sep excuses, list aufwarten mit.
trotter ['trɒtəʳ] n (of animal) Fuß m ► **pigs'** ~**s** (Cook)

Schweinsfüße pl.

trouble ['trʌbl] **1** n **a** Ärger m; (difficulties) Schwierigkeiten pl ► **did you have any** ~ **(in) getting it?** hatten Sie Schwierigkeiten, es zu bekommen?; **to be in** ~ in Schwierigkeiten sein; **to be in** ~ **with sb** mit jdm Schwierigkeiten or Ärger haben; **to get into** ~ in Schwierigkeiten geraten; (with authority) Ärger bekommen (with mit); **to get sb into** ~ jdn in Schwierigkeiten bringen (with mit); **to get a girl into** ~ (euph) ein Mädchen ins Unglück bringen; **to make** ~ (cause a row etc) Krach schlagen (col), Ärger machen; **that's/you're asking for** ~ das kann ja nicht gutgehen; **what's the** ~? was ist los?; (to sick person) wo fehlt's?; **the** ~ **is that** ... das Problem ist, daß ...; **that's the** ~ das ist das Problem; **family/money** ~**s** Familien-/ Geldsorgen pl; **heart/back** ~ ein Herz-/Rückenleiden nt; **engine** ~ (ein) Motorschaden m.
b (bother, effort) Mühe f ► **it's no** ~ **(at all)!** das mache ich doch gern; **thank you — (it was) no** ~ vielen Dank — (das ist) gern geschehen; **it's not worth the** ~ das ist nicht der Mühe wert; **nothing is too much** ~ **for her** nichts ist ihr zuviel; **to go to the** ~ **(of doing sth), to take the** ~ **(to do sth)** sich (dat) die Mühe machen (, etw zu tun); **to take a lot of** ~ **(over or with sth)** sich (dat) (mit etw) viel Mühe geben; **to put sb to a lot of** ~ jdm viel Mühe machen.
c (unrest, upheaval) Unruhe f ► **labour** ~**s** Arbeiterunruhen pl; **he made** ~ **between them** er hat Unruhe zwischen ihnen gestiftet.
2 vt **a** (worry) beunruhigen; (disturb, grieve) bekümmern ► **to be** ~**d by sth** wegen etw besorgt sein; **his eyes** ~ **him** seine Augen machen ihm zu schaffen.
b (bother) bemühen, belästigen ► **I'm sorry to** ~ **you, but could you tell me if** ... entschuldigen Sie die Störung, aber könnten Sie mir sagen, ob ...; **may I** ~ **you for a light?** darf ich Sie um Feuer bitten?; **I shan't** ~ **you with the details** ich werde Ihnen die Einzelheiten ersparen; **to** ~ **to do sth** sich bemühen, etw zu tun; **please don't** ~ **yourself** bitte bemühen Sie sich nicht.
troubled ['trʌbld] adj person, look unruhig, beunruhigt; (grieved) bekümmert; times unruhig ► **the** ~ **waters of race relations** die gestörten Beziehungen zwischen den Rassen.
trouble: ~**-free** adj period, process, car problemlos; relationship also reibungslos; area ruhig; machine störungsfrei; ~**maker** n Unruhestifter(in f) m; ~**shooter** n (Pol, Ind: mediator) Vermittler(in f) m; ~**some** adj (bothersome) lästig; person, problem schwierig; ~ **spot** n Unruheherd m; (in system) Störung f.
trough [trɒf] n **a** (container) Trog m ► **drinking** ~ Wassertrog m. **b** (depression) Rille f; (between waves, on graph) Tal nt; (Met) Tiefdruckkeil m.
troupe [tru:p] n (Theat) Truppe f.
trouser ['traʊzə] n: ~ **leg** n Hosenbein nt; ~ **pocket** n Hosentasche f; ~ **press** n Hosenpresse f.
trousers ['traʊzɪz] npl (esp Brit: also pair of ~) Hose f ► **she was wearing** ~ sie trug eine Hose; **to wear the** ~ (fig col) die Hosen anhaben (col).
trouser suit ['traʊzə,su:t] n (Brit) Hosenanzug m.
trousseau ['tru:səʊ] n Aussteuer f.
trout [traʊt] n Forelle f ► ~ **fishing** Forellenfang m.
trowel ['traʊəl] n Kelle f ► **to lay sth on with a** ~ (fig col) bei etw dick auftragen.
truancy ['trʊənsɪ] n (Schule)schwänzen nt (col).
truant ['trʊənt] n (Schul)schwänzer(in f) m (col) ► **to play** ~ unentschuldigt fehlen, schwänzen (col).
truce [tru:s] n (Mil, fig) Waffenstillstand m; (Mil: interrupting fighting) Waffenruhe f ► ~**!** Friede!
truck¹ [trʌk] **1** n **a** (Rail) Güterwagen m. **b** (barrow) Karren m. **c** (lorry) Last(kraft)wagen m; (van, pick-up) Lieferwagen m.

2 *vt* (*US*) transportieren.
3 *vi* (*US*) Lastwagen fahren.
truck² *n* a (*fig: dealings*) **to have no ~ with sb/sth** mit jdm/etw nichts zu tun haben. b (*US: garden produce*) (*für den Verkauf angebautes*) Gemüse.
truck driver *n* Lastwagenfahrer(in *f*) *m*.
trucker ['trʌkəʳ] *n* (*US*) a (*truck driver*) Lastwagenfahrer(in *f*) *m*; (*haulage contractor*) Spediteur *m*. b (*vegetable farmer*) Gemüsegärtner(in *f*) *m*.
truck (*US*): **~ farm** *n* Gemüsefarm *f*; **~ farmer** *n* Gemüsegärtner(in *f*) *m*.
trucking ['trʌkɪŋ] *n* (*US*) Spedition *f*, Transport *m* ► **~ company** Speditionsfirma *f*, Transportunternehmen *nt*.
truck: **~load** *n* Wagenladung *f*; **~stop** *n* (*US*) Fernfahrerlokal *nt*.
truculent ['trʌkjʊlənt] *adj* trotzig, aufsässig.
trudge [trʌdʒ] *vi* **to ~ in/out/along** *etc* hinein-/hinaus-/entlangtrotten *etc*.
▼ **true** [truː] **1** *adj* a wahr ► **to come ~** (*dream, wishes*) wahr werden; (*prophecy*) sich verwirklichen; (*fears*) sich bewahrheiten; **that's ~** das stimmt, das ist wahr; **the same is** *or* **holds ~ for ...** dasselbe gilt auch für ...; **~!** richtig!; **too ~!** (das ist nur) zu wahr!
  b (*accurate*) *description* wahrheitsgetreu; *likeness* (lebens)getreu; *copy* getreu.
  c (*real, genuine*) *feeling, friend, opinion* wahr, echt; *reason* wirklich; *antique* echt ► **~ love** die wahre Liebe; (*person*) Herzallerliebste(r) *mf* (*old*).
  d (*faithful*) *friend, follower* treu ► **to be ~ to sb** jdm treu sein/bleiben; **to be ~ to one's word** (treu) zu seinem Wort stehen, seinem Wort treu bleiben; **~ to life** lebensnah; (*Art*) lebensecht; **the horse ran ~ to form** das Pferd lief erwartungsgemäß.
  e *wall, surface* gerade; *join* genau; *circle* rund; (*Mus*) *note* rein.
  2 out of ~ *beam, wheels* schief.
true-blue *adj* waschecht.
truffle ['trʌfl] *n* Trüffel *f or m*.
truism ['truːɪzəm] *n* (*obvious truth*) Binsenwahrheit *f*; (*platitude*) Platitüde *f*, Gemeinplatz *m*.
truly ['truːlɪ] *adv* a (*genuinely*) wirklich, wahrhaftig ► **a ~ great writer** ein wahrhaft großer Schriftsteller. b (*faithfully*) *serve* treu; *reflect* wahrheitsgetreu.
trump [trʌmp] **1** *n* (*Cards, fig*) Trumpf *m* ► **spades are ~s** Pik ist Trumpf; **to hold all the ~s** (*fig*) alle Trümpfe in der Hand halten; **~ card** (*Cards*) Trumpf(karte *f*) *m*; (*fig*) Trumpf *m*; **to play one's ~ card** (*lit, fig*) seinen Trumpf ausspielen; **to turn up ~s** (*col*) die Lage retten.
  2 *vt* (*Cards*) stechen; (*fig*) übertrumpfen.
◆**trump up** *vt sep* erfinden.
trumpet ['trʌmpɪt] **1** *n* (*Mus*) Trompete *f* ► **to blow one's own ~** sich selbst loben.
  2 *vi* (*elephant*) trompeten.
trumpeter ['trʌmpɪtəʳ] *n* Trompeter(in *f*) *m*.
truncate [trʌŋ'keɪt] *vt* beschneiden.
truncheon ['trʌntʃən] *n* (*esp Brit*) Knüppel *m*; (*esp of riot police*) Schlagstock *m*.
trundle ['trʌndl] **1** *vt* (*push*) rollen; (*pull*) ziehen.
  2 *vi* **to ~ along/down** entlang-/hinunterzockeln; (*clatter*) entlang-/hinunterrumpeln.
trunk [trʌŋk] *n* a (*of tree*) Stamm *m*; (*of body*) Rumpf *m*. b (*of elephant*) Rüssel *m*. c (*case*) Schrankkoffer *m*; (*US Aut*) Kofferraum *m*. d **~s** *pl* (*for swimming*) Badehose *f*; (*for sport*) Shorts *pl*; **a pair of ~s** eine Badehose/(ein Paar) Shorts.
trunk: **~ call** *n* (*Brit Telec*) Ferngespräch *nt*; **~ line** *n* (*Rail*) Hauptstrecke *f*; (*Telec*) Fernleitung *f*; **~ road** *n* (*Brit*) Fernstraße *f*.
truss [trʌs] **1** *n* a (*Build*) Binder *m* ► **(roof) ~** Dachstuhl *m*. b (*Med*) Bruchband *nt*.
  2 *vt* a (*tie*) *hay* bündeln. b (*Cook*) *chicken etc*

dressieren.
◆**truss up** *vt sep person* fesseln.
trust [trʌst] **1** *n* a Vertrauen *nt* (*in* zu) ► **I have every ~ in him** ich habe volles Vertrauen zu ihm; **to put** *or* **place one's ~ in sb** Vertrauen in jdn setzen; **to take sth on ~** etw einfach glauben; **position of ~** Vertrauensstellung *f*. b (*charge*) Verantwortung *f* ► **to commit sth to** *or* **place sth in sb's ~** jdm etw anvertrauen. c (*Jur, Fin*) Treuhand(schaft) *f*; (*property*) Treuhandeigentum *nt*; (*charitable fund*) Fonds *m*, Stiftung *f* ► **to hold sth in ~ for sb** etw für jdn treuhänderisch verwalten. d (*Comm: also* **~ company**) Trust *m*.
  2 *vt* a (*have confidence in*) trauen (+*dat*); *person also* vertrauen (+*dat*); *words* glauben ► **to ~ sb to do sth** jdm vertrauen, daß er etw tut; **to ~ sb with sth, to ~ sth to sb** jdm etw anvertrauen; **can he be ~ed not to lose it?** kann man sich darauf verlassen, daß er es nicht verliert?; **can we ~ him to go shopping alone?** können wir ihn allein einkaufen gehen lassen?; **I wouldn't ~ him an inch** (*col*) ich traue ihm nicht über den Weg (*col*). b (*iro col*) **~ you/him!** typisch!; **~ him to break it!** er muß es natürlich kaputtmachen. c (*hope*) hoffen ► **I ~ not** ich hoffe nicht.
  3 *vi* **to ~ in sb** auf jdn vertrauen; **to ~ to luck** *or* **chance** sich auf sein Glück verlassen.
trusted ['trʌstɪd] *adj method* bewährt; *friend, servant* (ge)treu.
trustee [trʌs'tiː] *n* a (*of estate*) Treuhänder(in *f*) *m*. b (*of institution*) Verwalter *m* ► **~s** Vorstand *m*.
trustful ['trʌstfʊl], **trusting** ['trʌstɪŋ] *adj look* vertrauensvoll; *person also* gutgläubig, arglos.
trust: **~ fund** *n* Treuhandvermögen *nt*; (*of charity*) Stiftungsgelder *pl*; **~ territory** *n* Treuhandgebiet *nt*.
trustworthy ['trʌst,wɜːðɪ] *adj person* vertrauenswürdig; *statement, account* glaubwürdig.
trusty ['trʌstɪ] *adj* (+*er*) (*liter, hum*) getreu (*liter*).
truth [truːθ] *n, pl* **-s** [truːðz] *no pl* Wahrheit *f* ► **you must always tell the ~** du mußt immer die Wahrheit sagen; **to tell the ~ ...** um ehrlich zu sein ...; **the ~ of the matter is that ...** die Wahrheit ist, daß ...; **there's no ~ in what he says** es ist kein Wort von dem, was er sagt; **there's some ~ in that** da ist etwas Wahres dran (*col*); **the ~, the whole ~ and nothing but the ~** (*Jur*) die Wahrheit, die reine Wahrheit und nichts als die Wahrheit; **in ~** in Wahrheit, in Wirklichkeit.
truthful ['truːθfʊl] *adj person* ehrlich; *statement* wahrheitsgetreu ► **to be ~ about it** ehrlich sein.
truthfully ['truːθfəlɪ] *adv* ehrlich; *say also, explain* wahrheitsgemäß.
truthfulness ['truːθfʊlnɪs] *n see adj* Ehrlichkeit *f*; Wahrheit *f*.
▼ **try** [traɪ] **1** *n* a Versuch *m* ► **to have a ~** es versuchen; **let me have a ~** laß mich mal versuchen!; **to have a ~ at doing sth** versuchen *or* probieren, etw zu tun; **have another ~ (at it)** versuch's noch mal; **I'll give it a ~** (*will attempt it*) ich werde es mal versuchen; (*will test it out*) ich werde es ausprobieren; **it was a good ~** das war schon ganz gut; **it's worth a ~** es ist einen Versuch wert. b (*Rugby*) Versuch *m*. **to score a ~** einen Versuch erzielen.
  2 *vt* a (*attempt*) versuchen ► **to ~ one's hardest** *or* **one's best** sein Bestes tun *or* versuchen; **it's ~ing to rain** (*col*) es fängt an zu regnen; **to ~ one's hand at sth** etw probieren; **just you ~ it!** (*dare*) versuch's bloß!
  b (*~ out*) *new product etc* ausprobieren; *job applicant* eine Chance geben (+*dat*), es versuchen mit (*col*); (*~ using*) *glue, aspirin* es versuchen mit; (*~ to buy or get sth at*) *newsagent, next door* es versuchen bei; (*~ to open*) *door, window* ausprobieren ► **~ this for size** (*fig col*) wie wär's denn damit? (*col*).
  c (*sample, taste*) probieren.

► SENTENCE BUILDER: **true: 1a** → 3, 4.1, 13.1   **try: 2a** → 9.2, 15.3, 15.4

d (*test*) *courage, patience* auf die Probe stellen; (*strain*) *eyes* anstrengen ▶ *(just)* ~ *me!* (*col*) wetten?; *tried and tested* (*Comm*) erprobt, bewährt; *a sorely tried father* ein schwer geprüfter Vater.

e (*Jur*) *person* unter Anklage stellen; *case* verhandeln ▶ *he is being tried for theft* er steht wegen Diebstahls vor Gericht.

3 *vi* versuchen ▶ ~ *and arrive on time* versuche, pünktlich zu sein; *he wasn't even* ~*ing* er hat sich (*dat*) überhaupt keine Mühe gegeben; (*didn't attempt it*) er hat es überhaupt nicht versucht.

◆**try for** *vi* +*prep obj* sich bemühen um.

◆**try on** *vt sep* **a** *clothes* anprobieren; *hat* aufprobieren. **b** (*fig col*) *to* ~ *it* ~ *with sb* probieren, wie weit man bei jdm gehen kann.

◆**try out** *vt sep* ausprobieren (*on* bei, an +*dat*); *person* eine Chance geben (+*dat*).

trying ['traɪɪŋ] *adj* anstrengend; (*nerve-wracking*) aufreibend ▶ *they've had a* ~ *time of it recently* sie haben es in letzter Zeit sehr schwer gehabt.

tryout ['traɪaʊt] *n* Versuch *m*; (*of vehicle*) Probefahrt *f*; (*of player*) Probespiel *nt* ▶ *to give sth/sb a* ~ etw ausprobieren/es mit jdm versuchen.

tsar [zɑː^r] *n* Zar *m*.

tsarina [zɑːˈriːnə] *n* Zarin *f*.

tsetse (fly) ['tsetsɪ('flaɪ)] *n* Tsetsefliege *f*.

T-shirt ['tiːʃɜːt] *n* T-Shirt *nt*.

T-square ['tiːskwɛə^r] *n* Reißschiene *f*.

TT = **a** teetotal. **b** (*Mot*) **Tourist Trophy** *jährlich auf der Insel Man abgehaltenes Motorradrennen*. **c** (*Agr*) **tuberculin-tested.**

tub [tʌb] *n* Kübel *m*; (*for rainwater*) Tonne, Traufe *f*; (*for washing*) Zuber, Bottich *m*; (*of ice-cream, margarine*) Becher *m*.

tuba ['tjuːbə] *n* Tuba *f*.

tubby ['tʌbɪ] *adj* (+*er*) (*col*) dick, rundlich.

tube [tjuːb] *n* **a** (*pipe*) Rohr *nt*; (*of rubber, plastic*) Schlauch *m*. **b** (*of toothpaste etc*) Tube *f*; (*of sweets*) Rolle *f*. **c** (*London underground*) U-Bahn *f* ▶ *by* ~ mit der U-Bahn; ~ *station* U-Bahnstation *f*. **d** (*Elec, TV, US Rad*) Röhre *f* ▶ *the* ~ (*US col*) die Röhre (*col*).

tubeless ['tjuːblɪs] *adj tyre* schlauchlos.

tuber ['tjuːbə^r] *n* (*Bot*) Knolle *f*.

tuberculosis [tjʊ,bɜːkjʊˈləʊsɪs] *n* Tuberkulose *f*.

tubing ['tjuːbɪŋ] *n* Schlauch *m*.

tubular ['tjuːbjʊlə^r] *adj* röhrenförmig ▶ ~ *frame* Rohrrahmen *m*; ~ *bells* (*Mus*) Röhrenglocken *pl*.

TUC (*Brit*) = **Trades Union Congress.**

tuck [tʌk] **1** *n* (*Sew*) Saum *m*; (*ornamental*) Biese *f* ▶ *to put a* ~ *in sth* einen Saum in etw (*acc*) nähen. **2** *vt* (*put*) stecken ▶ *he* ~*ed his umbrella under his arm* er steckte *or* klemmte (*col*) sich (*dat*) den Regenschirm unter den Arm. **3** *vi your bag will* ~ *under the seat* Sie können Ihre Tasche unter dem Sitz verstauen.

◆**tuck away** *vt sep* (*hide*) wegstecken ▶ *he* ~*ed it* ~ *in his pocket* er steckte es in die Tasche; *she has a few thousand* ~*ed* ~ sie hat ein paar tausend auf der hohen Kante; *the hut is* ~*ed* ~ *among the trees* die Hütte liegt versteckt zwischen den Bäumen.

◆**tuck in 1** *vi* (*col*) zulangen, reinhauen (*col*) ▶ ~ ~*!* langt zu!, haut rein! (*col*); *to* ~ ~*to sth* sich (*dat*) etw schmecken lassen. **2** *vt sep flap etc* hineinstecken, reinstecken (*col*) ▶ *to* ~ *one's shirt* ~ das Hemd in die Hose stecken; *to* ~ *sb* ~*(to bed)* jdn zudecken.

◆**tuck up** *vt sep skirt, hair* hochnehmen; *sleeve* hochkrempeln; *legs* unterschlagen ▶ *to* ~ *sb* ~ *(in bed)* jdn zudecken.

Tue(s) = **Tuesday** Di.

Tuesday ['tjuːzdɪ] *n* Dienstag *m* ▶ *on* ~ (am) Dienstag; ~ *December 5th* (*in letter*) Dienstag, den 5. Dezember; *on* ~*s* dienstags; *I met her on a* ~ ich habe sie an einem Dienstag kennengelernt; *on* ~ *morning/evening* (am) Dienstag morgen/abend; *on* ~ *mornings/evenings* dienstags *or* Dienstag morgens/abends; *last/next/this* ~ letzten/nächsten/diesen Dienstag; *a year last/next* ~ letzten/nächsten Dienstag vor einem Jahr; *our* ~ *meeting* (*this week*) unser Treffen am Dienstag; (*every week*) unser Dienstagstreffen.

tuft [tʌft] *n* Büschel *nt* ▶ *a* ~ *of hair/feathers* ein Haarbüschel *nt*/Federbusch *m*.

tufted ['tʌftɪd] *adj*: ~ *carpet* Tuftingteppich *m*.

tug [tʌg] **1** *vt* zerren, ziehen ▶ *she* ~*ged his sleeve* sie zog an seinem Ärmel. **2** *vi* ziehen, zerren (*at an* +*dat*). **3** *n* **a** (*pull*) *to give sth a* ~ an etw (*dat*) ziehen; ~ *of war* (*Sport, fig*) Tauziehen *nt*. **b** (*also* ~*boat*) Schlepper *m*.

tuition [tjʊˈɪʃən] *n* **a** Unterricht *m* ▶ *extra* ~ Nachhilfeunterricht. **b** (*US: school fees*) Schulgeld *nt*.

tulip ['tjuːlɪp] *n* Tulpe *f*.

tumble ['tʌmbl] **1** *n* (*fall*) Sturz *m* ▶ *to take a* ~ stürzen, straucheln; (*fig*) fallen. **2** *vi* (*fall*) straucheln, (hin)fallen; (*move quickly*) stürzen; (*fig: prices*) fallen ▶ *he* ~*d off his bicycle* er stürzte vom Fahrrad; *to* ~ *out of/into bed* aus dem Bett/ins Bett fallen.

tumble: ~**down** *adj* verfallen, baufällig; ~-**drier** *n* Trockenautomat *m*.

tumbler ['tʌmblə^r] *n* **a** (*glass*) (Becher)glas *nt*. **b** (*tumble drier*) Trockenautomat *m*.

tummy ['tʌmɪ] *n* (*col*) Bauch *m*. **(a)** ~ *ache* Bauchschmerzen *pl*, Bauchweh *nt*.

tumour, (*US*) **tumor** ['tjuːmə^r] *n* Geschwulst *f*, Tumor *m*.

tumult ['tjuːmʌlt] *n* (*uproar*) Tumult *m* ▶ *the* ~ *of battle* das Schlachtgetümmel.

tumultuous [tjuːˈmʌltjʊəs] *adj* tumultartig; *applause* stürmisch ▶ *they gave him a* ~ *welcome* sie begrüßten ihn stürmisch.

tuna (fish) ['tjuːnə('fɪʃ)] *n* Thunfisch *m*.

tundra ['tʌndrə] *n* Tundra *f*.

tune [tjuːn] **1** *n* **a** (*melody*) Melodie *f* ▶ *sung to the* ~ *of ...* gesungen nach der Melodie (von) ...; *to change one's* ~ (*fig*) seine Meinung ändern; *to the* ~ *of £100* in Höhe von £100. **b** *to sing in* ~/*out of* ~ richtig/falsch singen; *the piano is out of* ~ das Klavier ist verstimmt; *to be in/out of* ~ *with sb/sth* (*fig*) mit jdm/etw harmonieren/nicht harmonieren; *the engine's out of* ~ der Motor müßte neu eingestellt werden; *he's in* ~ *with young people* er ist auf einer Wellenlänge mit der Jugend (*col*); *he felt out of* ~ *with his new environment* er fühlte sich in seiner neuen Umgebung fehl am Platze. **2** *vt* **a** (*Mus*) *instrument* stimmen. **b** (*Rad, Aut*) einstellen; (*Aut: for high performance*) frisieren.

◆**tune in 1** *vi* (*Rad*) einschalten ▶ *to* ~ ~ *to Radio London* Radio London einschalten *or* hören. **2** *vt sep radio* einschalten (*to acc*) ▶ *you are* ~*d* ~ *to Radio 2* Sie hören Radio 2.

◆**tune up 1** *vi* (*Mus*) (sein Instrument/die Instrumente) stimmen. **2** *vt sep engine* einstellen; (*for high performance*) frisieren.

tuneful ['tjuːnfʊl] *adj* melodisch.

tuneless ['tjuːnlɪs] *adj* unmelodisch.

tuner ['tjuːnə^r] *n* **a** (*Mus*) Stimmer *m*. **b** (*Rad etc*) Tuner *m*.

tungsten ['tʌŋstən] *n* Wolfram *nt*.

tunic ['tjuːnɪk] *n* Kasack *m*, Hemdbluse *f*; (*of uniform*) Uniformrock *m*.

tuning ['tjuːnɪŋ] n [a] (Mus) Stimmen nt ► ~-*fork* Stimmgabel f. [b] (Rad) Einstellen nt ► ~ *knob* Stationswahlknopf m. [c] (Aut) Einstellen nt; (for high performance) Frisieren, Tuning nt.
Tunisia [tjuːˈnɪzɪə] n Tunesien nt.
Tunisian [tjuːˈnɪzɪən] [1] n Tunesier(in f) m.
[2] adj tunesisch.
tunnel ['tʌnl] (vb: pret, ptp (Brit) **tunnelled,** (US) **tunneled**) [1] n Tunnel m; (Min) Stollen m ► ~ *vision* (röhrenförmige) Gesichtsfeldeinengung; (fig) Engstirnigkeit f, beschränkter Horizont.
[2] vi (into in +acc, through durch) einen Tunnel bauen; (rabbit) einen Bau graben; (mole) Gänge graben.
[3] vt they ~*led a passage under the prison wall* sie gruben sich unter der Gefängnismauer durch; *to ~ one's way through sth* sich durch etw hindurchgraben.
tunny (fish) ['tʌnɪ('fɪʃ)] n Thunfisch m.
tuppence ['tʌpəns] n zwei Pence ► *I don't care* ~ das interessiert mich nicht für fünf Pfennig (col).
turban ['tɜːbən] n Turban m.
turbid ['tɜːbɪd] adj liquid trübe.
turbine ['tɜːbaɪn] n Turbine f.
turbo ['tɜːbəʊ] n (Aut) Turbo m.
turbo: ~ **charger** n Turbolader m; ~**jet** n (engine) Turbotriebwerk nt; (aircraft) Turbojet m; ~**prop** n (engine) Turboprop(-Triebwerk) nt; (aircraft) Turboprop-Flugzeug nt.
turbot ['tɜːbət] n Steinbutt m.
turbulence ['tɜːbjʊləns] n (of emotions) Aufgewühltheit f; (of career, period) Turbulenz f ► *air* ~ Turbulenz f.
turbulent ['tɜːbjʊlənt] adj stürmisch; emotions also aufgewühlt; career, period also turbulent.
tureen [təˈriːn] n (Suppen)terrine f.
turf [tɜːf] [1] n, pl -s or **turves** [a] (no pl: lawn) Rasen m; (no pl: squares of grass) Soden pl; (square of grass) Sode f. [b] (Sport) *the T~* die (Pferde)rennbahn; ~ *accountant* Buchmacher m.
[2] vt [a] he ~*ed the garden* er verlegte (Gras)soden im Garten. [b] (col) *to ~ sb down the stairs* jdn die Treppe hinunterscheuchen (col); *to ~ sth into the corner* etw in die Ecke schmeißen (col).
♦**turf out** vt sep (col) person rauswerfen; plan umschmeißen (col), verwerfen; (throw away) wegschmeißen (col).
turgid ['tɜːdʒɪd] adj (swollen) (an)geschwollen; (fig) style schwülstig, überladen.
Turk [tɜːk] n Türke m, Türkin f.
Turkey ['tɜːkɪ] n die Türkei.
turkey ['tɜːkɪ] n Truthahn m/-henne f, Pute(r) mf (esp Cook).
Turkish ['tɜːkɪʃ] [1] adj türkisch ► ~ *bath* türkisches Bad; ~ *delight* Lokum nt.
[2] n (language) Türkisch nt.
turmeric ['tɜːmərɪk] n Kurkuma nt.
turmoil ['tɜːmɔɪl] n Aufruhr m; (confusion) Durcheinander nt ► *everything is in a* ~ alles ist in Aufruhr; *her mind was in a* ~ sie war völlig verwirrt.
turn [tɜːn] [1] n [a] (movement) Drehung f ► *to give sth a* ~ etw (einmal) drehen.
[b] (change of direction) (in road) Kurve f; (Sport) Wende f ► *to make a* ~ *to the left* nach links einbiegen; (driver, car also, road) nach links abbiegen; (road) eine Linkskurve machen; *take the left-hand* ~ biegen Sie links ab; *"no left* ~*"* „Linksabbiegen verboten"; *the* ~ *of the tide* (lit) der Gezeitenwechsel; *the tide is on the* ~ (lit) die Ebbe/Flut setzt ein; (fig) es tritt eine Wende ein; *at the* ~ *of the century* um die Jahrhundertwende; *at every* ~ (fig) auf Schritt und Tritt; *things took a* ~ *for the worse/the better* die Dinge wendeten sich zum Schlechten/zum Guten; *the patient took a* ~ *for the worse/the better* das Befinden des Patienten wendete

sich zum Schlechteren/zum Besseren; *things took a new* ~ die Dinge nahmen eine neue Wendung; ~ *of phrase* Ausdrucksweise f.
[c] (in game, queue, series) *in* ~ der Reihe nach; *out of* ~ außer der Reihe; *it's your* ~ du bist an der Reihe, du bist dran; *it's your* ~ *to do the dishes* du bist mit (dem) Abwaschen dran; *it's my* ~ *next* ich komme als nächste(r) an die Reihe; *wait your* ~ warten Sie, bis Sie an der Reihe sind; *your* ~ *will come* du kommst auch noch mal dran; *sorry, have I spoken out of* ~? Entschuldigung, habe ich etwas Falsches gesagt?; *in* ~, *by* ~*s* abwechselnd; *to take* ~*s at doing sth* etw abwechselnd tun; *to take* ~*s at the wheel* sich beim Fahren abwechseln; *to take a* ~ *at the wheel* (für eine Weile) das Steuer übernehmen.
[d] (service) *to do sb a good/bad* ~ jdm einen guten/schlechten Dienst erweisen; *one good* ~ *deserves another* (Prov) eine Hand wäscht die andere (prov).
[e] (tendency, talent) *to have a mathematical* ~ *of mind* mathematisch begabt sein; *an optimistic/a strange* ~ *of mind* eine optimistische/seltsame Einstellung; *a melancholy* ~ *of mind* ein Hang zur Melancholie.
[f] (Med col) *he had one of his* ~*s last night* er hatte letzte Nacht wieder einen Anfall; *you/it gave me quite a* ~ du hast/es hat mir einen schönen Schrecken eingejagt.
[g] (Theat) Nummer f ► *they got him to do a* ~ *at the party* sie brachten ihn dazu, auf der Party etwas zum besten zu geben.
[2] vt [a] (revolve) key, screw, steering wheel drehen ► *to* ~ *the key in the lock* den Schlüssel im Schloß herumdrehen; *what* ~*s the wheel?* wie wird das Rad angetrieben?; *he* ~*ed the wheel sharply* er riß das Steuer herum.
[b] (~ over, ~ round) mattress, car, soil wenden; page umblättern; record, chair, picture etc umdrehen.
[c] (transform, make become) verwandeln (in(to) in +acc) ► *the play was* ~*ed into a film* das Stück wurde verfilmt; *this hot weather has* ~*ed the milk (sour)* bei dieser Hitze ist die Milch sauer geworden.
[d] she ~*ed her head towards me* sie wandte mir den Kopf zu; *he* ~*ed his back to the wall* er kehrte den Rücken zur Wand; *success has* ~*ed her head* der Erfolg ist ihr zu Kopf gestiegen; *she seems to have* ~*ed his head* sie scheint ihm den Kopf verdreht zu haben; *she can still* ~ *a few heads* die Männer schauen sich immer noch nach ihr um; *as soon as his back is* ~*ed* sobald er den Rücken kehrt; *the sight of all that food quite* ~*ed my stomach* beim Anblick des vielen Essens drehte sich mir regelrecht der Magen um; *without* ~*ing a hair* ohne mit der Wimper zu zucken; *she can* ~ *her hand to anything* sie kann alles; *he* ~*ed his hand to cooking* er versuchte sich im Kochen; *to* ~ *one's thoughts/attention to sth* seine Gedanken/Aufmerksamkeit einer Sache (dat) zuwenden; *to* ~ *a gun on sb* ein Gewehr auf jdn richten; *she has* ~*ed forty* sie ist vierzig geworden; *it is or has* ~*ed 2 o'clock* es ist 2 Uhr vorbei; *the car* ~*ed the corner* das Auto bog um die Ecke; *to have* ~*ed the corner* (fig) über den Berg sein; *nothing will* ~ *him from his purpose* nichts wird ihn von seinem Vorhaben abbringen; *to* ~ *a dog on sb* einen Hund auf jdn hetzen.
[3] vi [a] (revolve, move round: key, wheel) sich drehen ► *she* ~*ed to me and smiled* sie wandte sich mir zu und lächelte; *to* ~ *upside down* umkippen; *my head is* ~*ing* in meinem Kopf dreht sich alles.
[b] (change direction) (to one side) (person, car) abbiegen; (plane, boat) abdrehen; (~ around) wenden; (person: on the spot) sich umdrehen; (wind) drehen ► *to* ~ *and go back* umkehren; *to* ~ *(to the) left* links

abbiegen; *our luck ~ed* unser Glück wendete sich.

[c] (*go*) *to ~ to sb/sth* sich an jdn wenden/sich einer Sache (*dat*) zuwenden; *after her death, he ~ed to his books for comfort* nach ihrem Tod suchte er Trost bei seinen Büchern; *this job would make anyone ~ to drink!* bei dieser Arbeit muß man ja zum Trinker werden!; *the conversation ~ed to the accident* das Gespräch kam auf den Unfall; *I don't know which way to ~* ich weiß nicht, was ich machen soll.

[d] (*leaves*) sich (ver)färben; (*milk*) sauer werden; (*meat*) schlecht werden; (*weather*) umschlagen ▶ *to ~ into sth* sich in etw (*acc*) verwandeln; (*develop into*) sich zu etw entwickeln; *their short holiday ~ed into a three-month visit* aus ihrem Kurzurlaub wurde ein Aufenthalt von drei Monaten; *to ~ to stone* zu Stein werden; *to ~ traitor* zum Verräter werden; *to ~ red* (*leaves etc*) sich rot färben; (*person: blush*) rot werden; (*traffic lights*) auf Rot umspringen; *his hair is ~ing grey* sein Haar wird grau.

◆**turn against** [1] *vi +prep obj* sich wenden gegen. [2] *vt sep +prep obj* *they ~ed him ~ his parents* sie brachten ihn gegen seine Eltern auf; *she ~ed his argument ~ him* sie verwendete sein Argument gegen ihn.

◆**turn around** [1] *vi* (*face other way*) sich umdrehen; (*go back*) umkehren ▶ *we ~ed ~ the corner* wir bogen um die Ecke. [2] *vt sep* *head* drehen; *box* umdrehen ▶ *~ the picture ~ the other way* dreh das Bild andersherum.

◆**turn aside** [1] *vi* sich abwenden (*from* von). [2] *vt sep* abwenden.

◆**turn away** [1] *vi* sich abwenden. [2] *vt sep* **a** (*move*) *head, eyes* abwenden. **b** (*send away*) *person* abweisen; *business* ablehnen.

◆**turn back** [1] *vi* **a** (*traveller, aeroplane*) umkehren; (*look back*) sich umdrehen ▶ *there can be no ~ing ~ now* (*fig*) jetzt gibt es kein Zurück mehr. **b** (*in book*) *to ~ to page 100* auf Seite 100 zurückblättern. [2] *vt sep* **a** (*fold*) *bedclothes* zurückschlagen; *corner* umknicken; *hem* umschlagen. **b** (*send back*) *person* zurückschicken ▶ *they were ~ed ~ at the frontier* sie wurden an der Grenze zurückgewiesen. **c** *clock* zurückstellen ▶ *to ~ the clock ~ fifty years* die Uhr um fünfzig Jahre zurückdrehen.

◆**turn down** [1] *vt sep* **a** (*fold down*) *bedclothes* zurückschlagen; *collar, brim* herunterklappen; *corner of a page* umknicken. **b** *gas, heat, lights* herunterdrehen; *volume* leiser stellen. **c** *candidate, novel etc* ablehnen; *offer also* zurückweisen; *suitor* abweisen. [2] *vi +prep obj* *I ~ed ~ a side street* ich bog in eine Seitenstraße ab.

◆**turn in** [1] *vi* **a** (*drive in*) *the car ~ed ~ at the top of the drive* das Auto bog in die Einfahrt ein. **b** (*col: go to bed*) sich hinhauen (*col*). [2] *vt sep* (*col: to police*) *to ~ sb ~* jdn anzeigen *or* verpfeifen (*col*).

◆**turn off** [1] *vi* abbiegen (*for* nach, *prep obj* von). [2] *vt sep* **a** *light, gas, radio* ausmachen; *tap* zudrehen; *TV* abschalten; *water, electricity, engine, machine* abstellen. **b** (*col*) *to ~ sb ~* (*disgust*) jdn anwidern; (*put off*) jdm die Lust verderben.

◆**turn on** [1] *vt sep* **a** *gas, heat, engine* anstellen, anmachen; *light, radio, television, the news also* einschalten; *tap, central heating* aufdrehen. **b** (*col: appeal to: music, novel etc*) *sth ~s sb* jd steht auf etw (*acc*) (*col*); *she/it doesn't ~ me* sie/das läßt mich kalt (*also sexually*); *that ~s me ~* (*sexually*) das macht mich ganz scharf (*col*). [2] *vi +prep obj* **a** (*attack*) angreifen. **b** (*depend on*) abhängen von.

◆**turn out** [1] *vi* **a** (*firemen*) ausrücken; (*doctor*) einen Krankenbesuch machen. **b** (*point*) *my toes ~ ~* ich

laufe nach außen. **c** *the car ~ed ~ of the drive* das Auto bog aus der Einfahrt. **d** (*transpire*) sich herausstellen ▶ *he ~ed ~ to be the murderer himself* es stellte sich heraus, daß er selbst der Mörder war; *as it ~ed ~* wie sich herausstellte. **e** (*develop, progress*) sich entwickeln ▶ *everything will ~ ~ all right* es wird sich schon alles ergeben; *it's ~ed ~ nice again* es ist wieder schön geworden. [2] *vt sep* **a** *light* ausmachen; *gas also* abstellen. **b** (*produce*) produzieren; *novel etc* schreiben; *good students* hervorbringen. **c** (*expel*) vertreiben (*of* aus), hinauswerfen (*col*) (*of* aus); *tenant* kündigen (+*dat*). **d** (*tip out*) *cake* stürzen; *pockets* (aus)leeren ▶ *she ~ed the photos ~ of the box* sie kippte die Fotos aus der Schachtel. **e** (*clean*) *room* gründlich saubermachen. **f** *guard* antreten lassen. **g** *well ~ed-~* gut gekleidet.

◆**turn over** [1] *vi* **a** (*person, stomach*) sich umdrehen; (*car, place etc*) sich überschlagen; (*boat*) kentern ▶ *I ~ed ~ on(to) my back* ich drehte mich auf den Rücken. **b** (*with pages*) *please ~ ~* bitte wenden. [2] *vt sep* **a** umdrehen; (*turn upside down*) umkippen; *page* umblättern; *soil* umgraben; *mattress, steak* wenden ▶ *the police ~ed the whole house ~* (*search*) die Polizei durchsuchte das ganze Haus; *to ~ an idea ~ in one's mind* sich (*dat*) eine Idee durch den Kopf gehen lassen. **b** (*hand over*) übergeben (*to dat*).

◆**turn round** *vti* = **turn around**.

◆**turn up** [1] *vi* **a** (*arrive*) erscheinen, auftauchen (*col*) ▶ *I was afraid you wouldn't ~ ~* ich hatte Angst, du würdest nicht kommen. **b** (*be found*) (wieder) auftauchen (*col*) ▶ *something is sure to ~ ~* irgend etwas findet sich schon. **c** (*point up*) *a ~ed-~ nose* eine Stupsnase; *to ~ ~ at the ends* sich an den Enden hochbiegen. [2] *vt sep* **a** (*fold*) *collar* hochklappen; *hem* umnähen ▶ *to ~ ~ one's nose at sth* (*fig*) die Nase über etw (*acc*) rümpfen. **b** *heat, gas* höher drehen; *radio* lauter drehen; *volume* aufdrehen; *light* heller machen.

turn: *~about, ~around n* **a** (*in position, fig: in opinion etc*) Kehrtwendung *f*; **b** (*also ~around time*) Bearbeitungszeit *f*; (*production time*) Produktionszeit *f*; **c** (*of situation, company*) Umschwung *m*, Wende *f*; **d** (*of ship, aircraft*) Abfertigung *f*; *~coat n* Überläufer *m*.

turning ['tɜːnɪŋ] *n* (*in road*) Abzweigung *f* ▶ *take the second ~ on the left* nimm die zweite Straße links.

turning: *~ circle n* (*Aut*) Wendekreis *m*; *~ lane n* (*Mot*) Abbiegerspur *f*; *~ point n* Wendepunkt *m*.

turnip ['tɜːnɪp] *n* Rübe *f*.

turn: *~-off n* **a** Abzweigung *f*; (*on motorway*) Abfahrt, Ausfahrt *f*; *the Birmingham ~-off* die Abfahrt *or* Ausfahrt Birmingham; **b** (*col: source of distaste*) *to be a ~-off* einem die Lust verderben (*col*); *~-on n* (*col*) *to be a ~-on* einen anmachen (*col*).

turnout ['tɜːnaʊt] *n* **a** (*attendance*) Teilnahme, Beteiligung *f*; (*for an election*) Wahlbeteiligung *f* ▶ *in spite of the rain there was a big ~ for the match* trotz des Regens war das Spiel gut besucht. **b** (*clean*) *to give sth a good ~* etw gründlich säubern. **c** (*dress*) Aufmachung *f*.

turnover ['tɜːn,əʊvər] *n* (*total business*) Umsatz *m*; (*Comm, Fin: of capital*) Umlauf *m*; (*Comm: of stock*) (Lager)umschlag *m*; (*of staff*) Fluktuation *f*.

turn: *~pike n* (*Brit Hist*) Mautschranke *f*; (*US*) gebührenpflichtige Autobahn; *~ signal n* (*US Aut*) Blinker *m*; *~stile n* Drehkreuz *nt*; *~table n* Drehscheibe *f*; (*on record player*) Plattenteller *m*; *~-up n* **a** (*Brit: on trousers*) Aufschlag *m*; **b** (*col: event*) *that was a ~-up for the book* das war eine (echte) Überraschung.

turpentine ['tɜːpəntaɪn], **turps** [tɜːps] (*col*) *n* Terpentin *nt*.

turquoise ['tɜːkwɔɪz] [1] *n* **a** (*gem*) Türkis *m*. **b**

(*colour*) Türkis *nt*.
[2] *adj* türkis(farben).

turret ['tʌrɪt] *n* (*Archit*) Mauerturm *m*; (*on tank*) Turm *m*; (*on ship*) Gefechtsturm *m*.

turtle ['tɜːtl] *n* (Wasser)schildkröte *f*; (*US also*) (Land)schildkröte *f* ► *to turn* ~ kentern.

turtle: ~**-dove** *n* (*lit, fig col*) Turteltaube *f*; ~**-neck (pullover)** *n* Stehkragenpullover *m*.

Tuscany ['tʌskənɪ] *n* die Toskana.

tusk [tʌsk] *n* (*of elephant*) Stoßzahn *m*; (*of walrus*) Eckzahn *m*; (*of boar*) Hauer *m*.

tussle ['tʌsl] [1] *n* (*lit, fig*) Gerangel *nt*.
[2] *vi* sich rangeln (*with sb for sth* mit jdm um etw).

tussock ['tʌsək] *n* (Gras)büschel *nt*.

tutor ['tjuːtəʳ] [1] *n* [a] Privatlehrer *m*. [b] (*Brit Univ*) Tutor *m*.
[2] *vt* (*as private teacher*) privat unterrichten; (*give extra lessons to*) Nachhilfe(unterricht) geben (+*dat*) ► *to* ~ *sb in Latin* jdm Privatunterricht/Nachhilfe in Latein geben.

tutorial [tjuː'tɔːrɪəl] *n* (*Brit Univ*) ≃ Kolloquium *nt*.

tut-tut ['tʌt'tʌt] *interj* (*in disapproval*) na, na.

tuxedo [tʌk'siːdəʊ] *n* (*US*) Smoking *m*.

TV *n* (*col*) = **television** ► ~ *guide* Fernsehzeitung *f*.

twaddle ['twɒdl] *n* (*col*) Gewäsch *nt* (*col*).

twang [twæŋ] [1] *n* (*of wire, guitar string*) Doing *nt*; (*of rubber band, bowstring*) scharfer Ton; (*of voice*) Näseln *nt*, näselnder Tonfall.
[2] *vt* zupfen; *guitar, banjo also* klimpern auf (+*dat*).
[3] *vi* einen scharfen Ton von sich geben; (*rubber band*) pitschen (*col*).

tweak [twiːk] [1] *vt* kneifen ► *to* ~ *sb's ear* jdn am Ohr ziehen.
[2] *n* *to give sb's ear/nose a* ~ jdn am Ohr/an der Nase ziehen.

twee [twiː] *adj* (+*er*) (*col*) niedlich; *manner* geziert; *expression* gekünstelt.

tweed [twiːd] [1] *n* [a] (*cloth*) Tweed *m*. [b] ~*s pl* (*clothes*) Tweedkleidung *f*.
[2] *adj* Tweed-.

tweet [twiːt] [1] *n* Piepsen *nt no pl*.
[2] *vi* piepsen.

tweeter ['twiːtəʳ] *n* Hochtöner *m*.

tweezers ['twiːzəz] *npl* (*also pair of* ~) Pinzette *f*.

twelfth [twelfθ] [1] *adj* zwölfte(r, s).
[2] *n* (*in series*) Zwölfte(r, s); (*fraction*) Zwölftel *nt*; *see* **sixth**.

twelve [twelv] *adj* zwölf ► ~ *noon* zwölf Uhr (mittags); *see* **six**.

twentieth ['twentɪθ] [1] *adj* zwanzigste(r, s).
[2] *n* (*in series*) Zwanzigste(r, s); (*fraction*) Zwanzigstel *nt*; *see* **sixtieth**.

twenty ['twentɪ] *adj* zwanzig; *see* **sixty**.

twenty-four ['twentɪ'fɔːʳ] *adj*: ~ *hour service* Tag- und Nachtdienst *m*; *open* ~ *hours a day* rund um die Uhr geöffnet.

twerp [twɜːp] *n* (*col*) Knallkopf *m* (*col*).

twice [twaɪs] *adv* zweimal ► ~ *as much/many* doppelt *or* zweimal soviel/so viele; ~ *as much bread* doppelt soviel Brot; ~ *as long as ...* zweimal so lange wie ...; *at* ~ *the speed of sound* mit doppelter Schallgeschwindigkeit; *she is* ~ *your age* sie ist doppelt so alt wie du; ~ *2 is 4* zweimal 2 ist 4; ~ *a week* zweimal wöchentlich, zweimal pro Woche; *I'd think* ~ *before trusting him with it* ihm würde ich das nicht so ohne weiteres anvertrauen.

twiddle ['twɪdl] [1] *vt* herumdrehen an (+*dat*) ► *she* ~*d the pencil in her fingers* ihre Finger spielten mit dem Bleistift; *to* ~ *one's thumbs* (*lit, fig*) Däumchen drehen.
[2] *vi* ~ *with a knob* an einem Knopf herumdrehen.

twig¹ [twɪg] *n* (*thin branch*) Zweig *m*.

twig² (*Brit col*) [1] *vt* (*realize*) mitkriegen (*col*), mit-

bekommen ► *he's* ~*ged it* er hat's kapiert (*col*).
[2] *vi* schalten (*col*), es mitkriegen (*col*).

twilight ['twaɪlaɪt] *n* Dämmerung *f* ► *at* ~ in der Dämmerung; *in the* ~ im Zwielicht.

twill [twɪl] *n* (*Tex*) Köper *m*.

twin [twɪn] [1] *n* Zwilling *m*; (*of vase, object*) Gegenstück, Pendant *nt* ► *her* ~ (*sister/brother*) ihre Zwillingsschwester/ihr Zwillingsbruder *m*.
[2] *vt* (*Brit*) *Oxford is* ~*ned with Bonn* Oxford ist die Partnerstadt von Bonn.

twin: ~**-bedded room** *n* Zweibettzimmer *nt*; ~ *beds npl* zwei (gleiche) Einzelbetten; ~ **brother** *n* Zwillingsbruder *m*; ~ **carburettors** (*Brit*) *or* **carburetors** (*US*) *npl* Doppelvergaser *m*.

twine [twaɪn] [1] *n* Schnur *f*, Bindfaden *m*.
[2] *vt* winden ► *to* ~ *one's arms around sb* seine Arme um jdn schlingen.
[3] *vi* *to* ~ *around sth* sich um etw winden.

twin-engined [,twɪn'endʒɪnd] *adj* zweimotorig.

twinge [twɪndʒ] *n* (*of pain*) Zucken *nt*, leichtes Stechen ► *a* ~ *of pain* ein zuckender Schmerz; *a* ~ *of conscience/remorse* Gewissensbisse *pl*.

twinkle ['twɪŋkl] [1] *vi* funkeln; (*stars also*) glitzern.
[2] *n* Funkeln, Glitzern *nt* ► *there was a* ~ *in her eye* man sah den Schalk in ihren Augen.

twinkling ['twɪŋklɪŋ] *n* *in the* ~ *of an eye* im Nu, im Handumdrehen.

twinning ['twɪnɪŋ] *n* (*of towns*) Städtepartnerschaft *f*.

twin: ~**set** *n* (*Brit*) Twinset *nt*; ~ **sister** *n* Zwillingsschwester *f*; ~ **town** *n* (*Brit*) Partnerstadt *f*; ~**-tub (washing-machine)** *n* Waschmaschine *f* mit getrennter Schleuder.

twirl [twɜːl] [1] *vt* (herum)wirbeln; *skirt* herumwirbeln; *moustache* zwirbeln.
[2] *vi* wirbeln.
[3] *n* Wirbel *m*; (*in dance*) Drehung *f*; (*of moustache*) hochgezwirbelte Spitze.

twist [twɪst] [1] *n* [a] (*action*) *to give sth a* ~ etw (herum)drehen; *with a quick* ~ *of the hand* mit einer schnellen Handbewegung. [b] (*bend*) Kurve, Biegung *f*; (*fig: in story etc*) Wendung *f*. [c] (*Brit col*) *to be/go round the* ~ verrückt sein/werden; *it's driving me round the* ~! das macht mich wahnsinnig! [d] (*dance*) Twist *m*.
[2] *vt* [a] (*wind, turn*) drehen; (*coil*) wickeln (*into* zu +*dat*) ► *to* ~ *threads etc together* Fäden *etc* zusammendrehen; *to* ~ *the top off a jar* den Deckel von einem Glas abdrehen. [b] (*bend, distort*) *key* verbiegen; *part of body*, (*fig*) *meaning, words* verdrehen ► *to* ~ *sth out of shape* etw verbiegen; *to* ~ *sb's arm* (*lit*) jdm den Arm verdrehen; (*fig*) jdn überreden; *I suppose you could* ~ *my arm* na ja, ehe ich mich schlagen lasse (*hum col*); *to* ~ *one's ankle* sich (*dat*) den Fuß vertreten; *his face was* ~*ed with pain* sein Gesicht war schmerzverzerrt.
[3] *vi* [a] sich drehen; (*smoke*) sich ringeln; (*plant*) sich ranken; (*road, river, person: wriggle*) sich schlängeln. [b] (*dance*) Twist tanzen.

♦**twist off** *vt sep* abdrehen; *lid* abschrauben; *flowerheads* abknipsen.

twisted ['twɪstɪd] *adj* [a] *wires, rope* (zusammen)gedreht; (*bent*) verbogen. [b] *ankle* verrenkt. [c] (*fig*) *mind, logic* verdreht.

twit [twɪt] (*Brit col: person*) Trottel *m* (*col*).

twitch [twɪtʃ] [1] *n* [a] (*tic*) Zucken *nt*; (*individual spasm*) Zuckung *f* ► *to give a* ~ zucken. [b] (*pull*) Ruck *m* (*of an* +*dat*) ► *to give sth a* ~ an etw (*dat*) rucken.
[2] *vi* (*face, muscles*) zucken ► *the cat's nose* ~*ed* die Katze zuckte.

twitter ['twɪtəʳ] [1] *vti* (*lit, fig*) zwitschern.
[2] *n* [a] (*of birds*) Gezwitscher *nt*. [b] (*col*) *to be all of a* ~ ganz aufgeregt sein.

two [tuː] [1] *adj* zwei ▸ *to cut sth in* ~ etw in zwei Teile schneiden; ~ *by* ~, *in* ~*s* zu zweit, zu zweien; *the* ~ *of them* die beiden; *to put* ~ *and* ~ *together* (*fig*) seine Schlüsse ziehen; ~ *can play (at) that game* (*col*) den Spieß kann man auch umdrehen; *see* **six**. [2] *n* Zwei *f* ▸ *just the* ~ *of us/them* nur wir beide/die beiden.

two: ~**-bit** *adj* (*US col*) mies (*col*); ~**-cylinder (engine)** *n* Zweizylinder(motor) *m*; ~**-dimensional** *adj* zweidimensional; ~**-door** *adj* zweitürig; ~**-edged** *adj* (*lit, fig*) zweischneidig; ~**-faced** *adj* (*lit*) doppelgesichtig; (*fig*) falsch; ~**fold** [1] *adj* zweifach, doppelt; *a* ~*fold increase* ein Anstieg um das Doppelte; [2] *adv to increase* ~*fold* sich um das Doppelte steigern; ~**-legged** *adj* zweibeinig; *a* ~*-legged animal* ein Zweibeiner *m*; ~**party system** *n* Zweiparteiensystem *nt*; ~**-piece** [1] *adj* zweiteilig; [2] *n* (*suit*) Zweiteiler *m*; (*swimming costume*) zweiteiliger Badeanzug; ~**-pin plug** *n* Stecker *m* mit zwei Kontakten; ~**-ply** *adj wool* zweifädig; *wood* aus zwei Lagen bestehend; *tissue* zweilagig; ~**-seater** *n* (*car, plane*) Zweisitzer *m*; ~**some** *n* [a] (*people*) Paar, Pärchen *nt*; [b] (*game*) *to have a* ~*some at golf* zu zweit Golf spielen; ~ *star petrol* *n* (*Brit old*) Normalbenzin *nt*; ~**-storey** *adj* zweistöckig; ~**-stroke** [1] *adj* Zweitakt-; [2] *n* Zweitakter *m*; ~**-time** *vt* (*col*) *boy-/girlfriend, accomplice* betrügen; ~**-tone** *adj* (*in colour*) zweifarbig; ~**-track decision** *n* (*Pol*) Doppelbeschluß *m*; ~**-up** ~**-down** *n* (*Brit col*) kleines Reihenhäuschen; ~**-way** *adj* ~*-way (radio)* Funksprechgerät *nt*; ~*-way mirror* Einwegspiegel *m*; ~*-way traffic* Verkehr *m* in beiden Richtungen; ~**-wheeler** *n* Zweirad, Fahrrad *nt*.

tycoon [taɪˈkuːn] *n* Magnat *m*.

TX (*US Post*) = **Texas.**

type¹ [taɪp] *n* [a] (*kind*) Art *f*; (*of produce, plant also*) Sorte *f*; (*esp of people*) Typ, Typus *m* ▸ *different* ~*s of cow/rose* verschiedene Arten von Rindern/verschiedene Rosensorten; *what* ~ *of car is it?* was für ein Auto(typ) ist das?; *they're totally different* ~*s of person* sie sind völlig verschiedene Typen; *I object to that* ~ *of behaviour* ich protestiere gegen ein solches Benehmen; *it's not my* ~ *of film* diese Art Film gefällt mir nicht; *he's not my* ~ er ist nicht mein Typ; *she's my* ~ *of girl* sie ist mein Typ; *he's not the* ~ *to hit a lady* er ist nicht der Mensch, der eine Frau schlägt. [b] (*col: man*) Typ *m*.

type² [1] *n* (*Typ*) Type *f* ▸ *small/large* ~ kleine/große Schrift.

[2] *vt* tippen (*col*), (mit der Maschine) schreiben ▸ *a*

badly ~*d letter* ein schlecht getippter Brief. [3] *vi* maschineschreiben, tippen (*col*).

◆**type out** *vt sep letter* (mit der Maschine) schreiben, tippen (*col*).

type: ~**-cast** *vt* (*Theat*) (auf eine bestimmte Rolle) festlegen; ~**face** *n* Schrift *f*; ~**script** *n* (mit Maschine geschriebenes) Manuskript, Typoskript *nt*; ~**set** *vt* setzen; ~**setter** *n* (*person*) Setzer(in *f*) *m*; (*firm*) Setzerei *f*; ~**setting** *n* Setzen *nt*, (Schrift)satz *m*; ~**setting machine** Setzmaschine *f*; ~**setting firm** Setzerei *f*.

typewriter [ˈtaɪpˌraɪtəʳ] *n* Schreibmaschine *f* ▸ ~ *ribbon* Farbband *nt*.

typewritten [ˈtaɪpˌrɪtn] *adj* maschinengeschrieben, getippt (*col*).

typhoid [ˈtaɪfɔɪd] *n* (*also* ~ *fever*) Typhus *m*.

typhoon [taɪˈfuːn] *n* Taifun *m*.

typhus [ˈtaɪfəs] *n* Fleckfieber *nt*, Flecktyphus *m*.

typical [ˈtɪpɪkəl] *adj* typisch (*of* für) ▸ *a* ~ *English town* eine typisch englische Stadt; *that's* ~ *of you* das ist typisch für dich.

typically [ˈtɪpɪkəlɪ] *adv see adj* ▸ ~, *he did nothing but complain* es war typisch für ihn, daß er sich ständig beschwerte.

typify [ˈtɪpɪfaɪ] *vt* bezeichnend sein für ▸ *he typifies the reserved Englishman* er verkörpert den Typ des zurückhaltenden Engländers.

typing [ˈtaɪpɪŋ] [1] *n* Maschineschreiben, Tippen (*col*) *nt* ▸ *her* ~ *isn't very good* sie kann nicht besonders gut maschineschreiben. [2] *attr* Schreibmaschinen- ▸ ~ *error* Tippfehler *m*; ~ *pool* Schreibzentrale *f*.

typist [ˈtaɪpɪst] *n* (*professional*) Schreibkraft *f*, Stenotypist(in *f*) *m*.

typo [ˈtaɪpəʊ] *n* (*Typ col*) Druckfehler *m*.

typographic(al) [ˌtaɪpəˈgræfɪk(əl)] *adj* typographisch ▸ ~ *error* Druckfehler *m*.

tyrannical [tɪˈrænɪkəl] *adj* tyrannisch.

tyrannize [ˈtɪrənaɪz] *vt* (*lit, fig*) tyrannisieren.

tyranny [ˈtɪrənɪ] *n* (*lit, fig*) Tyrannei *f*.

tyrant [ˈtaɪərənt] *n* (*lit, fig*) Tyrann(in *f*) *m*.

tyre, (*US*) **tire** [taɪəʳ] *n* Reifen *m* ▸ ~ *gauge* Reifendruckmesser *m*; ~ *pressure* Reifendruck *m*.

tyro [ˈtaɪərəʊ] *n* Anfänger(in *f*) *m*.

Tyrol [tɪˈrəʊl] *n the* ~ Tirol *nt*.

Tyrolean [ˈtɪrəlɪən], **Tyrolese** [tɪrəˈliːz] *adj* Tiroler.

tzar *n* = **tsar.**

U

U, u [juː] *n* U, u *nt* ▸ *U for Uncle* ≃ U wie Ulrich.
U (*Brit Cin*) = **universal** jugendfrei.
UAE = **United Arab Emirates** VAE.
UB40 [,juːbiː'fɔːtɪ] *n* Ausweis *m* für Arbeitslose.
U-bend ['juːbend] *n* (*in pipe*) U-Bogen *m*.
ubiquitous [juː'bɪkwɪtəs] *adj* allgegenwärtig.
U-boat ['juːbəʊt] *n* U-Boot *nt*.
UCCA ['ʌkə] (*Brit*) = **Universities Central Council on Admissions** ≃ ZVS *f*.
UDC (*Brit*) = **Urban District Council**.
udder ['ʌdəʳ] *n* Euter *nt*.
UDR (*Brit*) = **Ulster Defence Regiment** Verband *m* von Teilzeitsoldaten in Nordirland.
UEFA [juː'eɪfə] *n* = **Union of European Football Associations** die UEFA.
UFO ['juːfəʊ] = **unidentified flying object** Ufo, UFO *nt*.
Uganda [juː'gændə] *n* Uganda *nt*.
Ugandan [juː'gændən] 1 *adj* ugandisch.
2 *n* Ugander(in *f*) *m*.
UGC (*Brit*) = **University Grants Committee** Ausschuß *m* für die Verteilung von Geldern an die Universitäten.
ugh [ɜːh] *interj* i, igitt.
ugliness ['ʌglɪnɪs] *n* Häßlichkeit *f*.
ugly ['ʌglɪ] *adj* (+er) **a** (*not pretty*) häßlich ▸ *as ~ as sin* häßlich wie die Nacht. **b** (*unpleasant, nasty*) übel; *news, wound also* schlimm; *scenes, vice, clouds* häßlich; *crime also* gemein; *sky* bedrohlich ▸ *an ~ customer* ein übler Kunde.
UHF = **ultra-high frequency** UHF.
UHT = **ultra-heat treated** ultrahocherhitzt ▸ *~ milk* H-Milch *f*.
UK = **United Kingdom** Vereinigtes Königreich.
Ukraine [juː'kreɪn] *n the ~* die Ukraine.
Ukrainian [juː'kreɪnɪən] 1 *adj* ukrainisch.
2 *n* **a** Ukrainer(in *f*) *m*. **b** (*language*) Ukrainisch *nt*.
ulcer ['ʌlsəʳ] *n* (*Med*) Geschwür *nt*; (*stomach ~*) Magengeschwür *nt*; (*fig*) Übel *nt*.
Ulster ['ʌlstəʳ] *n* Ulster, Nordirland *nt* ▸ *U~man/woman* Einwohner(in *f*) *m* von Ulster.
ulterior [ʌl'tɪərɪəʳ] *adj* *~ motive* Hintergedanke *m*.
ultimate ['ʌltɪmɪt] 1 *adj* **a** (*final*) letzte(r, s); *destiny, solution, decision* endgültig; *result, outcome, aim* End-; *control* oberste(r, s); *authority* höchste(r, s) ▸ *what is your ~ ambition in life?* was streben Sie letzten Endes im Leben an?; *although they had no ~ hope of escape* obwohl im Endeffekt keine Hoffnung auf Flucht bestand.
b (*that cannot be improved on*) vollendet, perfekt ▸ *the ~ insult* der Gipfel der Beleidigung; *the ~ deterrent* (*Mil, fig*) das äußerste Abschreckungsmittel; *the ~ weapon* (*Mil*) die Superwaffe; (*fig*) das letzte und äußerste Mittel; *death is the ~ sacrifice* der Tod ist das allergrößte Opfer.
c (*basic*) Grund-; *cause* eigentlich; *explanation* grundsätzlich; *truth* letzte(r, s).
d (*furthest*) entfernteste(r, s); *ancestors* früheste(r, s) ▸ *the ~ origins of man* die frühesten Ursprünge des Menschen.
2 *n* Nonplusultra *nt* ▸ *the ~ in comfort* das Höchste an Komfort.

ultimately ['ʌltɪmɪtlɪ] *adv* (*in the end*) letztlich, letzten Endes; (*eventually*) schließlich; (*fundamentally*) im Grunde genommen ▸ *it's ~ your decision* letztlich müssen Sie das entscheiden.
ultimatum [,ʌltɪ'meɪtəm] *n, pl* **-s** *or* **ultimata** (*Mil, fig*) Ultimatum *nt* ▸ *to deliver an ~ to sb* jdm ein Ultimatum stellen.
ultra- ['ʌltrə] *pref* ultra; *~ modern adj* ultra- *or* hypermodern; **~sound** *n* Ultraschall *m*; **~violet** *adj* ultraviolett.
umbilical [ʌm'bɪlɪkəl] *adj* *~ cord* Nabelschnur *f*.
umbrage ['ʌmbrɪdʒ] *n: to take ~ at sth* an etw (*dat*) Anstoß nehmen.
umbrella [ʌm'brelə] *n* (Regen)schirm *m*; (*sun ~*) (Sonnen)schirm *m* ▸ *collapsible or telescopic ~* Taschenschirm *m*; *under the ~ of* (*fig*) unter der Schirmherrschaft von.
umbrella: *~ organization n* Dachorganisation *f*; *~ stand n* Schirmständer *m*.
umpire ['ʌmpaɪəʳ] 1 *n* (*lit, fig*) Schiedsrichter(in *f*) *m*.
2 *vt* (*Sport*) Schiedsrichter sein bei; (*fig*) schlichten.
3 *vi* Schiedsrichter sein (*in* bei).
umpteen [,ʌmp'tiːn] *adj* (*col*) zig (*col*), x (*col*) ▸ *I've told you ~ times* ich habe es dir x-mal gesagt (*col*).
umpteenth [,ʌmp'tiːnθ] *adj* (*col*) x-te(r, s) ▸ *for the ~ time* zum x-ten Mal.
UN = **United Nations** UNO *f* ▸ *~ troops* UNO-Truppen *pl*.
unabashed [,ʌnə'bæʃt] *adj* (*not ashamed*) dreist; (*not overawed*) unbeeindruckt.
unabated [,ʌnə'beɪtɪd] *adj* unvermindert ▸ *the rain continued ~* der Regen ließ nicht nach.
▼ **unable** [,ʌn'eɪbl] *adj pred to be ~ to do sth* etw nicht tun können; (*not be in a position to*) außerstande sein, etw zu tun.
unabridged [,ʌnə'brɪdʒd] *adj* ungekürzt.
unacceptable [,ʌnək'septəbl] *adj* *plans, terms* unannehmbar; *excuse, offer, behaviour* nicht akzeptabel; *standard, conditions* untragbar ▸ *it's quite ~ that we should be expected to ...* es kann doch nicht von uns verlangt werden, daß ...; *it's quite ~ for young children to ...* es kann nicht zugelassen werden, daß kleine Kinder ...; *the ~ face of capitalism* die Kehrseite des Kapitalismus.
unaccompanied [,ʌnə'kʌmpənɪd] *adj* *person, child, singing* ohne Begleitung; *instrument* Solo- ▸ *~ luggage* aufgegebenes Reisegepäck.
unaccountable [,ʌnə'kaʊntəbl] *adj* unerklärlich.
unaccountably [,ʌnə'kaʊntəblɪ] *adv* unerklärlicherweise; *disappear* auf unerklärliche Weise.
unaccounted for [,ʌnə'kaʊntɪd'fɔːʳ] *adj* ungeklärt ▸ *the £30 is still ~* es ist noch ungeklärt, wo die £30 geblieben sind; *three of the passengers are still ~* drei Passagiere werden noch vermißt.
unaccustomed [,ʌnə'kʌstəmd] *adj* **a** (*unusual*) ungewohnt. **b** (*of person: unused*) *to be ~ to sth* etw nicht gewohnt sein, an etw (*acc*) nicht gewöhnt sein; *to be ~ to doing sth* nicht daran gewöhnt sein, etw zu tun.
unacquainted [,ʌnə'kweɪntɪd] *adj pred to be ~ with poverty* die Armut nicht kennen; *to be ~ with the facts* mit den Tatsachen nicht vertraut sein.

unadulterated [ˌʌnəˈdʌltəreɪtɪd] *adj* **a** unverfälscht, rein; *wine* rein, ungepanscht; (*hum*) *whisky* unverdünnt. **b** (*fig*) *nonsense* absolut; *bliss* ungetrübt.

unadventurous [ˌʌnədˈventʃərəs] *adj time, life* ereignislos; *tastes* bieder; *style, performance* einfallslos; *person* wenig unternehmungslustig.

unaffected [ˌʌnəˈfektɪd] *adj* **a** (*sincere*) ungekünstelt, natürlich; *pleasure, gratitude* echt. **b** (*not damaged*) nicht angegriffen (*also Med*), nicht beeinträchtigt; (*not influenced*) unbeeinflußt; (*not involved*) nicht betroffen; (*unmoved*) ungerührt ► *she remained quite ~ by his tears* sie blieb beim Anblick seiner Tränen völlig ungerührt.

unafraid [ˌʌnəˈfreɪd] *adj* furchtlos ► *to be ~ of sb/sth* vor jdm/etw keine Angst haben.

unaided [ʌnˈeɪdɪd] **1** *adv* ohne fremde Hilfe. **2** *adj his own ~ work* seine eigene Arbeit.

unalike [ˌʌnəˈlaɪk] *adj pred* unähnlich.

unalterable [ʌnˈɒltərəbl] *adj intention, decision* unabänderlich; *laws* unveränderlich.

unaltered [ʌnˈɒltəd] *adj* unverändert.

unambiguous [ˌʌnæmˈbɪɡjʊəs] *adj* eindeutig, unzweideutig.

unambitious [ˌʌnæmˈbɪʃəs] *adj person, plan* nicht ehrgeizig (genug); *performance* anspruchslos.

un-American [ˌʌnəˈmerɪkən] *adj* unamerikanisch.

unanimity [juːnəˈnɪmɪtɪ] *n see adj* Einmütigkeit *f*; Einstimmigkeit *f*.

unanimous [juːˈnænɪməs] *adj* einmütig; *decision also*, (*Jur*) einstimmig ► *we were ~ in thinking ...* wir waren einmütig der Ansicht ...; *by a ~ vote* einstimmig.

unanimously [juːˈnænɪməslɪ] *adv* einstimmig.

unanswerable [ʌnˈɑːnsərəbl] *adj question* nicht zu beantworten(d *attr*) *pred*; *argument, case* unwiderlegbar.

unanswered [ʌnˈɑːnsəd] *adj* unbeantwortet.

unappealing [ˌʌnəˈpiːlɪŋ] nicht reizvoll; *person* unansehnlich; *prospect, sight* nicht verlockend.

unappetizing [ʌnˈæpɪtaɪzɪŋ] *adj* unappetitlich; *prospect, thought* wenig verlockend.

unappreciative [ˌʌnəˈpriːʃɪətɪv] *adj* undankbar; *audience* verständnislos ► *to be ~ of sth* etw nicht zu würdigen wissen.

unapproachable [ˌʌnəˈprəʊtʃəbl] *adj place* unzugänglich; *person also* unnahbar.

unarmed [ʌnˈɑːmd] *adj* unbewaffnet ► *~ combat* Nahkampf *m* ohne Waffe.

unashamed [ˌʌnəˈʃeɪmd] *adj* schamlos ► *his ~ curiosity* seine unverhohlene Neugier; *he was quite ~ about it* er schämte sich dessen überhaupt nicht.

unashamedly [ˌʌnəˈʃeɪmɪdlɪ] *adv* ungeniert; *say, admit* ohne Scham; *in favour of, partisan* unverhohlen.

unasked [ʌnˈɑːskt] *adj* (*unrequested*) unaufgefordert, ungefragt; (*uninvited*) ungebeten.

unassailable [ˌʌnəˈseɪləbl] *adj* unangreifbar; *fortress* uneinnehmbar; *position, reputation* unanfechtbar; *conviction* unerschütterlich; *argument* unwiderlegbar, zwingend.

unassisted [ˌʌnəˈsɪstɪd] *adj, adv* = **unaided**.

unassuming [ˌʌnəˈsjuːmɪŋ] *adj* bescheiden.

unattached [ˌʌnəˈtætʃt] *adj* **a** (*not fastened*) unbefestigt; (*Mil*) keinem Regiment/keiner Einheit *etc* zugeteilt. **b** (*with no partner*) ungebunden.

unattended [ˌʌnəˈtendɪd] *adj children* unbeaufsichtigt; *car, luggage* unbewacht; *wound, patient* unbehandelt; *shop* ohne Bedienung; *customer* nicht bedient; *business* unerledigt.

unattractive [ˌʌnəˈtræktɪv] *adj sight, place* unschön, wenig reizvoll; *offer, woman* unattraktiv; *trait, scar* unschön; *character* unsympathisch.

unauthorized [ʌnˈɔːθəraɪzd] *adj* unbefugt ► *no entry for ~ persons* Zutritt für Unbefugte verboten!

unavailable [ˌʌnəˈveɪləbl] *adj* nicht erhältlich; *person* nicht zu erreichen *pred*; *library book* nicht verfügbar.

unavailing [ˌʌnəˈveɪlɪŋ] *adj* vergeblich.

unavenged [ˌʌnəˈvendʒd] *adj* ungerächt.

unavoidable [ˌʌnəˈvɔɪdəbl] *adj* unvermeidlich; *conclusion* zwangsläufig.

unavoidably [ˌʌnəˈvɔɪdəblɪ] *adv* notgedrungen ► *to be ~ detained* verhindert sein.

unaware [ˌʌnəˈweəʳ] *adj pred* *to be ~ of sth* sich (*dat*) einer Sache (*gen*) nicht bewußt sein; *I was ~ of his presence* ich hatte nicht bemerkt, daß er da war; *I was ~ that he was interested* es war mir nicht bewußt, daß er (daran) interessiert war.

unawares [ˌʌnəˈweəz] *adv* (*by surprise*) unerwartet; (*accidentally*) unbeabsichtigt, versehentlich; (*without knowing*) unwissentlich ► *to catch or take sb ~* jdn überraschen.

unbalanced [ʌnˈbælənst] *adj* **a** unausgewogen; *diet, report also, view* einseitig; *ship etc* nicht im Gleichgewicht. **b** (*also mentally ~*) (*erratic*) unausgeglichen; (*slightly crazy*) nicht ganz normal. **c** *account* nicht ausgeglichen.

unbearable [ʌnˈbeərəbl] *adj* unerträglich.

unbearably [ʌnˈbeərəblɪ] *adv* unerträglich.

unbeatable [ʌnˈbiːtəbl] *adj* unschlagbar; *record also* nicht zu überbieten(d *attr*) *pred*.

unbeaten [ʌnˈbiːtn] *adj record* ungeschlagen; *record* ungebrochen.

unbecoming [ˌʌnbɪˈkʌmɪŋ] *adj behaviour, language etc* unschicklich; *clothes* unvorteilhaft; *beard* unschön.

unbeknown(st) [ˌʌnbɪˈnəʊn(st)] *adv* (*dated, hum*) *~ to me/his father* ohne mein Wissen/ohne Wissen seines Vaters.

unbelievable [ˌʌnbɪˈliːvəbl] *adj* unglaublich.

unbelievably [ˌʌnbɪˈliːvəblɪ] *adv* unglaublich.

unbeliever [ˌʌnbɪˈliːvəʳ] *n* Ungläubige(r) *mf*.

unbelieving [ˌʌnbɪˈliːvɪŋ] *adj* ungläubig.

unbend [ʌnˈbend] *pret, ptp* **unbent** **1** *vt* (*straighten*) *metal etc* geradebiegen; *arms* strecken. **2** *vi* (*person, relax*) aus sich herausgehen; (*straighten body*) sich aufrichten.

unbending [ʌnˈbendɪŋ] *adj person, attitude* unnachgiebig; *determination* unbeugsam.

unbent [ʌnˈbent] *pret, ptp of* **unbend**.

unbias(s)ed [ʌnˈbaɪəst] *adj* unvoreingenommen; *opinion, report also* unparteiisch.

unblemished [ʌnˈblemɪʃt] *adj* (*lit, fig*) makellos.

unblock [ʌnˈblɒk] *vt* frei machen; *sink, pipe* die Verstopfung in (+*dat*) ... beseitigen.

unbolt [ʌnˈbəʊlt] *vt* aufriegeln ► *he left the door ~ed* er verriegelte die Tür nicht.

unborn [ʌnˈbɔːn] *adj* ungeboren ► *generations yet ~* kommende Generationen.

unbound [ʌnˈbaʊnd] *adj book* ungebunden.

unbounded [ʌnˈbaʊndɪd] *adj* grenzenlos.

unbreakable [ʌnˈbreɪkəbl] *adj glass, toy* unzerbrechlich; *record* nicht zu brechen(d *attr*) *pred*; *rule* unumstößlich; *promise* unverbrüchlich.

unbridled [ʌnˈbraɪdld] *adj passion* ungezügelt; *anger* hemmungslos; *tongue* lose; *capitalism* ungehemmt.

un-British [ʌnˈbrɪtɪʃ] *adj* unbritisch.

unbroken [ʌnˈbrəʊkən] *adj* **a** (*intact*) unbeschädigt; *heart, promise* nicht gebrochen. **b** (*continuous*) ununterbrochen; (*Mil*) *ranks* geschlossen; *line of descent* direkt ► *an ~ night's sleep* eine ungestörte Nacht. **c** (*unbeaten*) *record* ungebrochen. **d** *horse* nicht zugeritten; *pride* ungebeugt ► *his spirit remained ~* er war ungebrochen.

unbuckle [ʌnˈbʌkl] *vt* aufschnallen.

unburden [ʌnˈbɜːdn] *vt to ~ oneself/one's heart to sb* jdm sein Herz ausschütten.

unbusinesslike [ʌn'bɪznɪslaɪk] *adj* wenig geschäftsmäßig ▸ *in spite of his ~ appearance ...* obwohl er gar nicht wie ein Geschäftsmann aussieht ...
unbutton [ʌn'bʌtn] *vt* aufknöpfen.
uncalled-for [ʌn'kɔːldfɔːʳ] *adj* (*unjustified*) *criticism* ungerechtfertigt; (*unnecessary*) unnötig; (*rude*) *remark* deplaziert ▸ *that was quite ~* das war nun wirklich nicht nötig.
uncanny [ʌn'kænɪ] *adj* unheimlich.
uncared-for [ʌn'keədfɔːʳ] *adj garden, hands* ungepflegt; *child* vernachlässigt.
uncaring [ʌn'keərɪŋ] *adj* gleichgültig; *parents* lieblos.
uncarpeted [ʌn'kɑːpɪtɪd] *adj* ohne Teppich, nicht ausgelegt.
unceasing [ʌn'siːsɪŋ] *adj* unaufhörlich.
uncensored [ʌn'sensəd] *adj film* unzensiert.
unceremonious [ˌʌnserɪ'məʊnɪəs] *adj* [a] (*abrupt, rude*) *dismissal* brüsk, barsch; *exit, departure* überstürzt; *haste* unfein. [b] (*informal, simple*) *greeting* zwanglos.
unceremoniously [ˌʌnserɪ'məʊnɪəslɪ] *adv* kurzerhand.
uncertain [ʌn'sɜːtn] *adj* [a] (*unsure*) unsicher; *light* undeutlich, schwach ▸ *to be ~ whether ...* sich (*dat*) nicht sicher sein, ob ...; *to be ~ of* or *about sth* sich (*dat*) einer Sache (*gen*) nicht sicher sein; *I was ~ as to what to do* ich war mir (*dat*) nicht sicher, was ich tun sollte. [b] (*unknown*) *date, result* ungewiß; *origins* unbestimmt ▸ *the cause of death remains ~* die Todesursache ist weiterhin ungeklärt. [c] (*unreliable*) *weather, prices* unbeständig; *temper* unberechenbar; *judgement* unzuverlässig. [d] (*unclear*) vage ▸ *in no ~ terms* klipp und klar.
uncertainly [ʌn'sɜːtnlɪ] *adv say* unbestimmt; *look, move* unsicher.
uncertainty [ʌn'sɜːtntɪ] *n* (*state*) Ungewißheit *f*; (*indefiniteness*) Unbestimmtheit *f*; (*doubt*) Unsicherheit *f* ▸ *there is still some ~ (as to) whether ...* es besteht noch Ungewißheit, ob ...
unchallenged [ʌn'tʃælɪndʒd] *adj* unbestritten; (*Jur*) *evidence* unangefochten ▸ *to go ~* (*Mil*) ohne Anruf passieren; *the record was* or *went ~ for several years* jahrelang versuchte niemand, den Rekord zu überbieten; *I cannot let that remark go ~* diese Bemerkung kann ich nicht unwidersprochen hinnehmen.
unchanged [ʌn'tʃeɪndʒd] *adj* unverändert.
unchanging [ʌn'tʃeɪndʒɪŋ] *adj* unveränderlich.
uncharacteristic [ˌʌnkærəktə'rɪstɪk] *adj* uncharakteristisch, untypisch (*of* für).
uncharitable [ʌn'tʃærɪtəbl] *adj* hartherzig; *remark* unfreundlich, lieblos; *view* herzlos; *criticism* unbarmherzig.
uncharitably [ʌn'tʃærɪtəblɪ] *adv* lieblos; (*as sentence-modifier*) liebloserweise.
uncharted [ʌn'tʃɑːtɪd] *adj* (*not explored*) unerforscht; (*not on map*) nicht eingezeichnet.
unchecked [ʌn'tʃekt] *adj* [a] (*unrestrained*) unkontrolliert; *advance* ungehindert, ungehemmt; *anger* ungezügelt ▸ *to go ~* (*abuse*) geduldet werden; (*advance*) nicht gehindert werden; (*inflation*) nicht eingedämmt werden; *if the epidemic goes ~* wenn der Epidemie nicht Einhalt geboten wird. [b] (*not verified*) ungeprüft.
unchristian [ʌn'krɪstjən] *adj* unchristlich.
uncivil [ʌn'sɪvɪl] *adj* unhöflich.
uncivilized [ʌn'sɪvɪlaɪzd] *adj country, tribe, behaviour* unzivilisiert; (*col*) *habit* barbarisch.
unclaimed [ʌn'kleɪmd] *adj prize* nicht abgeholt; *property also* herrenlos; *right* nicht geltend gemacht; *social security etc* nicht beansprucht.
unclassified [ʌn'klæsɪfaɪd] *adj* [a] (*not arranged*) nicht klassifiziert ▸ *~ road* (*Brit*) (nicht numerierte) Nebenstraße. [b] (*not secret*) nicht geheim.
uncle ['ʌŋkl] *n* Onkel *m* ▸ *U~ Sam* Onkel Sam; *to say* or *cry ~* (*US*) aufgeben.

unclean [ʌn'kliːn] *adj* unsauber (*also Bibl*); (*Rel*) *animal* unrein; *thoughts* unkeusch; (*fig: contaminated*) schmutzig.
unclear [ʌn'klɪəʳ] *adj* unklar; *essay etc* undurchsichtig ▸ *to be ~ about sth* sich (*dat*) über etw (*acc*) im unklaren sein.
unclothed [ʌn'kləʊðd] *adj* unbekleidet.
unclouded [ʌn'klaʊdɪd] *adj sky* unbewölkt; (*fig*) *happiness, vision* ungetrübt; *mind* klar.
uncluttered [ʌn'klʌtəd] *adj* (*tidy*) ordentlich.
uncoil [ʌn'kɔɪl] [1] *vt* abwickeln.
[2] *vir* (*snake*) sich strecken; (*person*) sich ausstrecken; (*wire etc*) sich abspulen.
uncollected [ˌʌnkə'lektɪd] *adj tax* nicht eingezogen; *fare* nicht kassiert.
uncombed [ʌn'kəʊmd] *adj* ungekämmt.
uncomfortable [ʌn'kʌmfətəbl] *adj* [a] unbequem; *chair, position also* ungemütlich ▸ *I feel ~ sitting like this* es ist unbequem, so zu sitzen; *I feel ~ in this jacket* in dieser Jacke fühle ich mich nicht wohl; *it feels ~* es ist unbequem. [b] (*uneasy*) *feeling* unangenehm, ungut; *silence* (*awkward*) peinlich ▸ *to feel ~* sich unbehaglich fühlen; *I felt ~ about it* mir war nicht wohl dabei. [c] (*unpleasant*) *time, position* unerfreulich ▸ *to make life ~ for sb* jdm das Leben schwer machen.
uncomfortably [ʌn'kʌmfətəblɪ] *adv* [a] unbequem. [b] (*uneasily*) unbehaglich. [c] (*unpleasantly*) unangenehm ▸ *it's getting ~ close* es rückt bedrohlich näher.
uncommitted [ˌʌnkə'mɪtɪd] *adj* nicht engagiert; *party, country* neutral ▸ *we want to remain ~* (*not decide*) wir wollen uns nicht festlegen.
uncommon [ʌn'kɒmən] *adj* [a] (*unusual*) ungewöhnlich ▸ *it is not ~ for her to be late* es ist nichts Ungewöhnliches, daß sie zu spät kommt; *a not ~ occurrence* eine häufige Erscheinung. [b] (*outstanding*) außergewöhnlich.
uncommunicative [ˌʌnkə'mjuːnɪkətɪv] *adj* (*by nature*) verschlossen; (*temporarily*) schweigsam.
uncompetitive [ˌʌnkɒm'petɪtɪv] *adj athlete, racing car etc* nicht konkurrenzfähig.
uncomplaining [ˌʌnkəm'pleɪnɪŋ] *adj* duldsam.
uncomplainingly [ˌʌnkəm'pleɪnɪŋlɪ] *adv* geduldig, klaglos.
uncompleted [ˌʌnkəm'pliːtɪd] *adj* unvollendet.
uncomplicated [ʌn'kɒmplɪkeɪtɪd] *adj* unkompliziert.
uncomplimentary [ˌʌnkɒmplɪ'mentərɪ] *adj* unschmeichelhaft ▸ *to be ~ about sb/sth* sich nicht sehr schmeichelhaft über jdn/etw äußern.
uncomprehending [ˌʌnkɒmprɪ'hendɪŋ] *adj* verständnislos.
uncompromising [ʌn'kɒmprəmaɪzɪŋ] *adj* kompromißlos; *dedication, honesty* rückhaltlos; *commitment* hundertprozentig.
unconcealed [ˌʌnkən'siːld] *adj joy* offen, unverhüllt; *hatred, distaste etc also* unverhohlen.
unconcerned [ˌʌnkən'sɜːnd] *adj* (*unworried*) unbekümmert; (*indifferent*) gleichgültig ▸ *to be ~ about sth* sich nicht um etw kümmern.
unconditional [ˌʌnkən'dɪʃənl] *adj* vorbehaltlos ▸ *~ surrender* bedingungslose Kapitulation.
unconditionally [ˌʌnkən'dɪʃnəlɪ] *adv* vorbehaltlos; *surrender* bedingungslos.
unconfirmed [ˌʌnkən'fɜːmd] *adj* unbestätigt.
uncongenial [ˌʌnkən'dʒiːnɪəl] *adj person* unliebenswürdig; *work, surroundings* unerfreulich.
unconnected [ˌʌnkə'nektɪd] *adj* [a] (*unrelated*) nicht miteinander in Beziehung stehend *attr* ▸ *the two events are ~* es besteht keine Beziehung zwischen den beiden Ereignissen. [b] (*incoherent*) unzusammenhängend.
unconscious [ʌn'kɒnʃəs] [1] *adj* [a] (*Med*) bewußtlos ▸ *the blow knocked him ~* durch den Schlag wurde er

bewußtlos. **b** *pred* (*unaware*) **to be ~ of sth** sich (*dat*) einer Sache (*gen*) nicht bewußt sein; **I was ~ of the fact that ...** es war mir nicht bewußt, daß ... **c** (*unintentional*) *insult, allusion etc* unbeabsichtigt; *blunder also* ungewollt; *humour* unfreiwillig. **d** (*Psych*) unbewußt. **2** *n* (*Psych*) **the ~** das Unbewußte.

unconsciously [ʌnˈkɒnʃəslɪ] *adv* unbewußt ▶ **an ~ funny remark** eine ungewollt lustige Bemerkung.

unconstitutional [ˌʌnkɒnstɪˈtjuːʃənl] *adj* verfassungswidrig.

uncontaminated [ˌʌnkənˈtæmɪneɪtɪd] *adj* nicht verseucht; (*fig*) unverdorben.

uncontested [ˌʌnkənˈtestɪd] *adj* unbestritten; *election, seat* ohne Gegenkandidat ▶ **the chairmanship was ~** in der Wahl für den Vorsitz gab es keinen Gegenkandidaten.

uncontrollable [ˌʌnkənˈtrəʊləbl] *adj* unkontrollierbar; *child* nicht zu bändigen(d *attr*) *pred*; *horse, dog* nicht unter Kontrolle zu bringen(d *attr*) *pred*; *desire, urge* unwiderstehlich; (*physical*) unkontrollierbar; *twitch* unkontrolliert; *laughter, mirth* unbezähmbar ▶ **to become ~** außer Kontrolle geraten.

uncontrolled [ˌʌnkənˈtrəʊld] *adj* ungehindert; *dogs, children* unbeaufsichtigt; *laughter* unkontrolliert; *weeping* haltlos ▶ **if inflation is allowed to go ~** wenn die Inflation nicht unter Kontrolle gebracht wird.

uncontroversial [ˌʌnkɒntrəˈvɜːʃəl] *adj* unverfänglich.

unconventional *adj*, **~ly** *adv* [ˌʌnkənˈvenʃənl, -əlɪ] unkonventionell.

unconvinced [ˌʌnkənˈvɪnst] *adj* **I remain ~** ich bin noch immer nicht überzeugt.

unconvincing *adj*, **~ly** *adv* [ˌʌnkənˈvɪnsɪŋ, -lɪ] nicht überzeugend ▶ **rather ~** wenig überzeugend.

uncooked [ʌnˈkʊkt] *adj* ungekocht, roh.

uncooperative [ˌʌnkəʊˈɒpərətɪv] *adj* *attitude* stur, wenig entgegenkommend; *witness, colleague* wenig hilfreich, nicht hilfsbereit ▶ **the government remained ~** die Regierung war auch weiterhin nicht zur Kooperation bereit.

uncork [ʌnˈkɔːk] *vt* *bottle* entkorken.

uncorroborated [ˌʌnkəˈrɒbəreɪtɪd] *adj* unbestätigt; *evidence* nicht bekräftigt.

uncountable [ʌnˈkaʊntəbl] *adj* (*Gram*) unzählbar.

uncouple [ʌnˈkʌpl] *vt* *train etc* abkoppeln.

uncouth [ʌnˈkuːθ] *adj* ungehobelt; *expression, word* unflätig, unfein.

uncover [ʌnˈkʌvəʳ] *vt* **a** (*remove cover from*) aufdecken; *head* entblößen (*liter*). **b** *scandal, plot* aufdecken; *ancient ruins* zum Vorschein bringen.

uncritical [ʌnˈkrɪtɪkəl] *adj* unkritisch (*of, about* in bezug auf +*acc*).

uncrossed [ʌnˈkrɒst] *adj* (*Brit*) *cheque* Bar-.

uncrowded [ʌnˈkraʊdɪd] *adj* nicht überlaufen.

unction [ˈʌŋkʃən] *n* **extreme ~** (*Rel*) Letzte Ölung.

uncultivated [ʌnˈkʌltɪveɪtɪd] *adj* *land* unbebaut; *person, behaviour* unkultiviert; *mind* nicht ausgebildet.

uncultured [ʌnˈkʌltʃəd] *adj* *person, mind* ungebildet; *behaviour* unkultiviert.

uncurl [ʌnˈkɜːl] **1** *vt* auseinanderrollen ▶ **to ~ oneself** sich strecken. **2** *vi* (*cat, snake*) sich langsam strecken; (*person*) sich ausstrecken.

uncut [ʌnˈkʌt] *adj* ungeschnitten; *diamond* ungeschliffen; *film, play etc* ungekürzt.

undamaged [ʌnˈdæmɪdʒd] *adj* unbeschädigt; (*fig*) *reputation* makellos.

undated [ʌnˈdeɪtɪd] *adj* undatiert.

undaunted [ʌnˈdɔːntɪd] *adj* (*not discouraged*) nicht entmutigt, unverzagt; (*fearless*) unerschrocken ▶ **he carried on ~** er machte unverzagt weiter.

undecided [ˌʌndɪˈsaɪdɪd] *adj* **a** *person* unentschlossen ▶ **he is ~ (as to) whether he should go or not** er ist (sich *dat*) noch unschlüssig, ob er gehen soll oder nicht. **b** *question* unentschieden.

undefeated [ˌʌndɪˈfiːtɪd] *adj* *army, team* unbesiegt; *spirit* ungebrochen.

undefined [ˌʌndɪˈfaɪnd] *adj* nicht definiert; (*vague*) undefinierbar.

undelivered [ˌʌndɪˈlɪvəd] *adj* *mail* nicht zugestellt ▶ **if ~ return to sender** falls unzustellbar, bitte an Absender zurück.

undemanding [ˌʌndɪˈmɑːndɪŋ] *adj* anspruchslos; *task* wenig fordernd, keine großen Anforderungen stellend *attr*.

undemocratic [ˌʌndeməˈkrætɪk] *adj* undemokratisch.

undemonstrative [ˌʌndɪˈmɒnstrətɪv] *adj* zurückhaltend.

undeniable [ˌʌndɪˈnaɪəbl] *adj* unbestreitbar ▶ **it is ~ that ...** es läßt sich nicht bestreiten, daß ...

▼ **undeniably** [ˌʌndɪˈnaɪəblɪ] *adv* zweifellos; *successful, proud* unbestreitbar.

under [ˈʌndəʳ] **1** *prep* **a** (*beneath*) (*place*) unter (+*dat*); (*direction*) unter (+*acc*) ▶ **~ it** darunter; **to come out from ~ the bed** unter dem Bett hervorkommen; **it's ~ there** es ist da drunter (*col*); **field ~ barley** mit Gerste bebautes Feld. **b** (*less than*) unter (+*dat*) ▶ **it took ~ an hour** es dauerte weniger als eine Stunde. **c** (*subordinate to, ~ influence of etc*) unter (+*dat*) ▶ **he had 50 men ~ him** er hatte 50 Männer unter sich; **he studied ~ Popper** er hat bei Popper studiert; **he was born ~ Virgo** (*Astrol*) er ist im Zeichen der Jungfrau geboren; **the matter ~ discussion** der Diskussionsgegenstand; **to be ~ the doctor** in (ärztlicher) Behandlung sein; **it's classified ~ history** es ist unter „Geschichte" eingeordnet. **d** (*according to*) nach, gemäß (+*dat*) ▶ **~ the terms of the contract** gemäß den Vertragsbedingungen. **2** *adv* **a** (*beneath*) unten; (*unconscious*) bewußtlos ▶ **he came to the fence and crawled ~** er kam zum Zaun und kroch darunter durch; **to go ~** untergehen. **b** (*less*) darunter.

under- *pref* (*in rank*) Unter- ▶ **for the ~-twelves/-eighteens/-forties** für Kinder unter zwölf/Jugendliche unter achtzehn/Leute unter vierzig.

under-: **~age** *adj attr* minderjährig; **~age drinking** Alkoholgenuß *m* Minderjähriger; **~arm** *adj* throw von unten; *hair* Achsel-; **~capitalized** *adj* (*Fin*) unterkapitalisiert; **~carriage** *n* (*Aviat*) Fahrwerk *nt*; **~charge** *vt* zuwenig berechnen (*sb* jdm); **he ~charged me by 10p** er berechnete mir 10 Pence zuwenig; **~clothes** *npl* Unterwäsche *f*; **~coat** *n* (*paint*) Grundierfarbe *f*; (*coat of paint*) Grundierung *f*; **~cooked** *adj* (noch) nicht gar; **~cover** *adj* *agent* Geheim-; **~cover operation** verdeckter Polizeieinsatz; **~current** *n* (*lit, fig*) Unterströmung *f*; (*fig:* in *sb's words*) Unterton *m*; **~cut** *vt* *competitor* unterbieten; **~developed** *adj* unterentwickelt; *resources* ungenutzt; **~development** *n* Unterentwicklung *f*; **~dog** *n* Benachteiligte(r) *m*; (*in game also*) Unterlegene(r) *m*; **~done** *adj* nicht gar; (*deliberately*) nicht durchgebraten; **~emphasize** *vt* nicht ausreichend betonen; (*intentionally*) herunterspielen; **~employed** *adj* unterbeschäftigt; **~employment** *n* Unterbeschäftigung *f*; **~estimate** **1** *vt* *cost, person* unterschätzen; **2** *n* Unterschätzung *f*; **~exposed** *adj* (*Phot*) unterbelichtet; **~exposure** *n* (*Phot*) Unterbelichtung *f*; **~fed** *adj* unterernährt; **~floor heating** *n* Fußbodenheizung *f*; **~foot** *adv* am Boden; **it is wet ~foot** der Boden ist naß; **to trample sb/sth ~foot** (*lit, fig*) auf jdm/etw herumtrampeln; **~funded** *adj* unterfinanziert; **~go** *pret* **~went**, *ptp* **~gone** *vt* *suffering* durchmachen; *change also* erleben; *test, treatment*, (*Med*) *operation* sich unterziehen (+*dat*); (*machine*) *test* unterzogen werden (+*dat*); ***to be ~going repairs*** in Reparatur sein; **~grad** (*col*), **~graduate** ☐ *n* Student(in *f*) *m*; ☐ *attr* Studenten-.

underground ['ʌndəɡraʊnd] ☐ *adj* ⓐ unterirdisch; (*Min*) Untertage-. ⓑ (*fig*) *press, movement* Untergrund-. ☐ *adv* ⓐ unterirdisch; (*Min*) unter Tage ▶ *10 feet* ~ 3 Meter unter der Erde. ⓑ (*fig*) ***to go*** ~ untertauchen. ☐ *n* ⓐ (*Brit Rail*) U-Bahn, Untergrundbahn *f*. ⓑ (*movement*) Untergrundbewegung *f*; (*subculture*) Underground *m*.

under: **~growth** *n* Gestrüpp *nt*; (*under trees*) Unterholz *nt*; **~hand** *adj* (*sly*) hinterhältig; **~insured** *adj* unterversichert; **~lay** *n* Unterlage *f*; **~lie** *pret* **~lay**, *ptp* **~lain** *vt* (*lit*) liegen unter (+*dat*); (*fig: be basis for or cause of*) zugrunde liegen (+*dat*); **~line** *vt* (*lit, fig*) unterstreichen.

underling ['ʌndəlɪŋ] *n* (*pej*) Untergebene(r) *mf*, Befehlsempfänger(in *f*) *m* (*pej*).

under: **~lying** *adj* ⓐ *soil, rocks* tieferliegend; ⓑ *cause* eigentlich; (*deeper also*) tiefer; *problem* zugrundeliegend; **~manned** *adj* unterbesetzt; **~manning** *n* Personalmangel *m*; (*deliberate*) Unterbesetzung *f*; **~mentioned** *adj* untengenannt; **~mine** *vt* ⓐ (*tunnel under*) unterhöhlen; (*Mil*) unterminieren; ⓑ (*fig: weaken*) *authority, confidence* untergraben; *health* angreifen; **~most** *adj* unterste(r, s).

underneath [ʌndə'niːθ] ☐ *prep* (*place*) unter (+*dat*); (*direction*) unter (+*acc*) ▶ ~ *it* darunter. ☐ *adv* darunter ▶ *the ones* ~ die darunter. ☐ *n* Unterseite *f*.

under: **~nourished** *adj* unterernährt; **~paid** *adj* unterbezahlt; **~pants** *npl* Unterhose(n *pl*) *f*; *a pair of ~pants* eine Unterhose, ein Paar Unterhosen; **~pass** *n* Unterführung *f*; **~pay** *pret, ptp* **~paid** *vt* unterbezahlen; **~payment** *n* Unterbezahlung *f*; *there was an ~payment of £10 in your salary* Sie bekamen £10 zuwenig Gehalt ausbezahlt; **~pin** *vt* *wall, argument* untermauern; *economy etc* stützen; **~play** *vt* (*Cards*) *hand* nicht voll ausspielen; *to ~play one's hand* (*fig*) nicht alle Trümpfe ausspielen; **~populated** *adj* unterbevölkert; **~price** *vt* zu billig anbieten, unter Preis anbieten; *to be ~priced* zu billig gehandelt werden; **~privileged** *adj* unterprivilegiert; *the ~privileged* die Unterprivilegierten *pl*; **~rate** *vt* (~*estimate*) *danger, chance, person* unterschätzen; (~*value*) *qualities* unterbewerten; **~score** *vt* unterstreichen; **~seal** *n* (*Aut*) Unterbodenschutz *m*; **~secretary** *n* (*also Parliamentary U~secretary*) (parlamentarischer) Staatssekretär; **~sell** *pret, ptp* **~sold** *vt* (*sell at lower price*) *competitor* unterbieten; *goods* unter Preis verkaufen; *he tends to ~sell himself/his ideas* er kann sich/seine Ideen nicht verkaufen; **~shirt** *n* (*US*) Unterhemd *nt*; **~shorts** *npl* (*US*) Unterhose(n *pl*) *f*; **~side** *n* Unterseite *f*; **~signed** *adj* (*form*) unterzeichnet; *we the ~signed* wir, die Unterzeichneten; **~sized** *adj* klein; (*less than proper size*) zu klein; (*pej*) *person also* zu kurz geraten (*hum*); **~skirt** *n* Unterrock *m*; **~sold** *pret, ptp of* **~sell**; **~staffed** *adj* *office* unterbesetzt; *we are ~staffed at the moment* wir haben momentan zu wenig Personal.

▼ **understand** [ʌndə'stænd] *pret, ptp* **understood** ☐ *vt* ⓐ verstehen; *action, event, person, difficulty also* begreifen ▶ *I don't* ~ *Russian* ich verstehe kein Russisch; *I can't* ~ *his agreeing to do it* es ist mir unbegreiflich, warum er sich dazu bereit erklärt hat; *what do you* ~ *by "pragmatism"?* was verstehen Sie unter „Pragmatismus"?; *to* ~ *one another* sich verstehen. ⓑ (*believe*) *we understood we were to be paid for it* wir hatten angenommen, daß wir dafür bezahlt werden; *I* ~ *that you are going to Australia* ich höre, Sie gehen nach Australien; *I* ~ *you've already met* wenn ich mich nicht irre, kennen Sie sich schon; *am I/are we to* ~ ...?

soll das etwa heißen, daß ...?; *to give sb to* ~ *that ...* jdm zu verstehen geben, daß ...; *I understood from his speech that ...* ich entnahm seiner Rede, daß ... ☐ *vi* ⓐ verstehen ▶ ~? verstanden?; *you don't* ~! du verstehst das nicht!; *I quite* ~ ich verstehe schon. ⓑ *so I* ~ es scheint so; *he was, I* ~, *a widower* wie ich hörte, war er Witwer.

understandable [ʌndə'stændəbl] *adj* verständlich.

understandably [ʌndə'stændəblɪ] *adv* verständlicherweise.

understanding [ʌndə'stændɪŋ] ☐ *adj* verständnisvoll ▶ *he asked me to be* ~ er bat mich um Verständnis. ☐ *n* ⓐ (*knowledge*) Kenntnisse *pl*; (*comprehension, sympathy*) Verständnis *nt* ▶ *her* ~ *of children* ihr Verständnis für Kinder; *my* ~ *of the situation is that ...* ich verstehe die Situation so, daß ...; *he has a good* ~ *of the problem* er kennt sich mit dem Problem gut aus; *in order to promote international* ~ um die internationale Verständigung zu fördern. ⓑ (*agreement*) Abmachung, Vereinbarung *f* ▶ *to come to* or *reach an* ~ *with sb* eine Vereinbarung mit jdm treffen. ⓒ (*assumption*) Voraussetzung *f* ▶ *on the* ~ *that ...* unter der Voraussetzung, daß ...

understate [ʌndə'steɪt] *vt* untertreiben, herunterspielen ▶ *to* ~ *one's case* untertreiben.

understated [ʌndə'steɪtɪd] *adj* *picture, music, colours* gedämpft; *film etc* subtil.

understatement [ʌndə'steɪtmənt] *n* Untertreibung *f*, Understatement *nt*.

understood [ʌndə'stʊd] ☐ *pret, ptp of* **understand**. ☐ *adj* ⓐ (*clear*) klar ▶ *to make oneself* ~ sich verständlich machen; *do I make myself* ~? ist das klar?; *I wish it to be* ~ *that ...* ich möchte klarstellen, daß ...; ~? klar?; ~! gut! ⓑ (*believed*) *he is* ~ *to have left* es heißt, daß er gegangen ist; *it is* ~ *that ...* es heißt or man hört, daß ...; *he let it be* ~ *that ...* er gab zu verstehen, daß ...

understudy ['ʌndəˌstʌdɪ] *n* (*Theat*) zweite Besetzung.

undertake [ʌndə'teɪk] *pret* **undertook** [ʌndə'tʊk], *ptp* **undertaken** [ʌndə'teɪkn] *vt* ⓐ *job, duty, responsibility* übernehmen; *risk* eingehen, auf sich (*acc*) nehmen ▶ *he undertook to be our guide* er übernahm es, unser Führer zu sein. ⓑ (*agree, promise*) sich verpflichten; (*guarantee*) garantieren.

undertaker ['ʌndəˌteɪkə'] *n* (*esp Brit*) Beerdigungsunternehmen *m*.

undertaking [ʌndə'teɪkɪŋ] *n* ⓐ (*enterprise*) Unternehmen *nt*; (*Comm: project also*) Projekt *nt*. ⓑ (*promise*) Zusicherung *f* ▶ *I give you my solemn* ~ *that I will never do it again* ich verpflichte mich feierlich, es nie wieder zu tun; *I have an* ~ *from him* er hat mir sein Wort gegeben; *I can give no such* ~ das kann ich nicht versprechen.

under: **~tone** *n* ⓐ (*of voice*) *in an ~tone* mit gedämpfter Stimme; ⓑ (*fig: of criticism, discontent*) Unterton *m*; *an ~tone of racialism* ein rassistischer Unterton; **~took** *pret of* **~take**; **~tow** *n* Unterströmung *f*; **~used** *adj* nicht voll genutzt; **~value** *vt* *artist* unterbewerten; (*price too low*) zu niedrig schätzen; *person* zu wenig schätzen; **~water** ☐ *adj* *diving, exploration* Unterwasser-; ☐ *adv* unter Wasser; **~wear** *n* Unterwäsche *f*; **~weight** *adj* untergewichtig; *to be ~weight* Untergewicht haben; **~went** *pret of* **~go**; **~world** *n* (*criminals, Myth*) Unterwelt *f*; **~write** *pret* **~wrote**, *ptp* **~written** *vt* (*finance*) *company, loss* tragen, garantieren; *insurance policy* bürgen für; (*insure*) *shipping* versichern; (*St Ex*) *shares* zeichnen; **~writer** *n* (*Insur*) Versicherer *m* (*Fin: bank*) Emissionsbank *f*.

undeserved [ʌndɪ'zɜːvd] *adj* unverdient.

undeserving [ʌndɪ'zɜːvɪŋ] *adj* *person, cause* unwürdig ▶ *to be* ~ *of sth* (*form*) einer Sache (*gen*) unwürdig sein

---

> ➤ SENTENCE BUILDER: **understand: 1a → 2.2, 5.4**

(*form*).

undesirability [ˌʌndɪzaɪərə'bɪlɪtɪ] *n* Unerwünschtheit *f*.

undesirable [ˌʌndɪ'zaɪərəbl] **1** *adj policy, effect* unerwünscht; *influence, characters, area* übel ► *it is ~ that ...* es wäre unerwünscht, wenn ... **2** *n* (*person*) unerwünschtes Element.

undetectable [ˌʌndɪ'tektəbl] *adj* nicht nachweisbar.

undetected [ˌʌndɪ'tektɪd] *adj* **to go ~** nicht entdeckt werden.

undeterred [ˌʌndɪ'tɜːd] *adj* keineswegs entmutigt ► *to carry on ~* unverzagt weitermachen.

undeveloped [ˌʌndɪ'veləpt] *adj* unentwickelt; *land, resources* ungenutzt.

undid [ʌn'dɪd] *pret of* undo.

undies ['ʌndɪz] *npl* (*col*) (Unter)wäsche *f*.

undignified [ʌn'dɪɡnɪfaɪd] *adj person, behaviour* würdelos; (*inelegant*) *way of sitting etc* unelegant.

undiluted [ˌʌndaɪ'luːtɪd] *adj* unverdünnt; (*fig*) *truth, version* unverfälscht; *pleasure* rein, voll.

undiminished [ˌʌndɪ'mɪnɪʃt] *adj* unvermindert.

undiplomatic [ˌʌndɪplə'mætɪk] *adj* undiplomatisch.

undipped [ʌn'dɪpt] *adj* (*Brit Aut*) **~ headlights** Fernlicht *nt*.

undiscerning [ˌʌndɪ'sɜːnɪŋ] *adj reader, palate* anspruchslos, unkritisch; *critic* unbedarft.

undischarged [ˌʌndɪs'tʃɑːdʒd] *adj debt* unbezahlt ► *~ bankrupt* nicht entlasteter Konkursschuldner.

undisciplined [ʌn'dɪsɪplɪnd] *adj* undiszipliniert.

undisclosed [ˌʌndɪs'kləʊzd] *adj secret* (bisher) unaufgedeckt; *details* geheimgehalten; *sum* ungenannt.

undiscovered [ˌʌndɪs'kʌvəd] *adj* unentdeckt.

undiscriminating [ˌʌndɪs'krɪmɪneɪtɪŋ] *adj* anspruchslos, unkritisch.

undisguised [ˌʌndɪs'ɡaɪzd] *adj* ungetarnt; (*fig*) *truth* unverhüllt; *dislike, affection* unverhohlen.

undisputed [ˌʌndɪs'pjuːtɪd] *adj* unbestritten.

undistinguished [ˌʌndɪs'stɪŋɡwɪʃt] *adj performance* (mittel)mäßig; *appearance* durchschnittlich.

undisturbed [ˌʌndɪs'stɜːbd] *adj* **a** (*untouched*) *papers, dust* unberührt; (*uninterrupted*) *person, sleep etc* ungestört. **b** (*unworried*) unberührt.

undivided [ˌʌndɪ'vaɪdɪd] *adj country*, (*fig*) *opinion, attention* ungeteilt; *support* voll; *loyalty* absolut.

undo [ʌn'duː] *pret* **undid**, *ptp* **undone** **1** *vt* **a** (*unfasten*) aufmachen; *button, dress, parcel also* öffnen; *knitting also* aufziehen; *sewing also* auftrennen. **b** *wrong* ungeschehen machen; *work* ruinieren. **2** *vi* (*dress etc*) aufgehen.

undoing [ʌn'duːɪŋ] *n* Ruin *m*, Verderben *nt*.

undone [ʌn'dʌn] **1** *ptp of* undo. **2** *adj* **a** (*unfastened*) offen ► *to come ~* aufgehen. **b** (*neglected*) *task, work* unerledigt.

undoubted [ʌn'daʊtɪd] *adj* unbestritten; *success also* unzweifelhaft.

▼ **undoubtedly** [ʌn'daʊtɪdlɪ] *adv* zweifellos.

undreamed-of [ʌn'driːmdɒv], **undreamt-of** [ʌn'dremtɒv] *adj* ungeahnt ► *in their time this was ~* zu ihrer Zeit hätte man sich (*dat*) das nie träumen lassen.

undress [ʌn'dres] **1** *vt* ausziehen ► *to get ~ed* sich ausziehen. **2** *vi* sich ausziehen.

undressed [ʌn'drest] *adj* **a** *person* unbekleidet; (*still*) (noch) nicht angezogen; (*already*) schon ausgezogen. **b** *wound* unverbunden.

undrinkable [ʌn'drɪŋkəbl] *adj* ungenießbar.

undue [ʌn'djuː] *adj* (*excessive*) übermäßig; (*improper*) ungebührlich.

undulating ['ʌndjʊleɪtɪŋ] *adj movement, line* Wellen-; *waves, sea* wogend; *countryside* hügelig; *hills* sanft.

undulation [ˌʌndjʊ'leɪʃən] *n* (*of waves, countryside*) Auf und Ab *nt*; (*curve*) Rundung *f*.

unduly [ʌn'djuːlɪ] *adv* übermäßig; *punished* übermäßig streng ► *you're worrying ~* Sie machen sich (*dat*) unnötige Sorgen.

undying [ʌn'daɪɪŋ] *adj* unsterblich.

unearned [ʌn'ɜːnd] *adj* (*Fin, fig*) unverdient ► *~ income* Kapitaleinkommen *nt*.

unearth [ʌn'ɜːθ] *vt* ausgraben; (*fig*) *book etc* aufstöbern; *evidence* ausfindig machen.

unearthly [ʌn'ɜːθlɪ] *adj* (*eerie*) *calm, scream* unheimlich; *beauty* überirdisch ► *at some ~ hour* (*col*) zu nachtschlafender Stunde; *an ~ din* (*col*) ein Riesenlärm *m*.

unease [ʌn'iːz] *n* Unbehagen *nt*, Beklommenheit *f*.

uneasily [ʌn'iːzɪlɪ] *adv sit* unbehaglich; *smile, speak etc also* unsicher; *sleep* unruhig ► *to be ~ balanced* sehr prekär sein.

uneasiness [ʌn'iːzɪnɪs] *n see adj* Unruhe *f*; Unbehaglichkeit *f*; Unsicherheit *f*; (*of person*) Beklommenheit *f*; Unruhe *f*.

uneasy [ʌn'iːzɪ] *adj sleep, night* unruhig; *conscience* schlecht; (*worried*) *laugh, look*, (*awkward*) *silence, atmosphere* unbehaglich; *peace, balance* unsicher; (*worrying*) *suspicion, feeling* beunruhigend ► *he was ~* (*ill at ease*) ihm war unbehaglich zumute; (*worried*) er war beunruhigt; *I am ~ about it* mir ist nicht wohl dabei; *to make sb ~* jdn beunruhigen; *I have an ~ feeling that ...* ich habe das ungute Gefühl, daß ...; *to become ~* unruhig werden.

uneaten [ʌn'iːtn] *adj* nicht gegessen ► *he left the frogs' legs ~* er ließ die Froschschenkel auf dem Teller; *the ~ food* das übriggebliebene Essen.

uneconomic [ˌʌn,iːkə'nɒmɪk] *adj* unwirtschaftlich.

uneconomical [ˌʌn,iːkə'nɒmɪkəl] *adj* unwirtschaftlich; *person* verschwenderisch.

uneducated [ʌn'edjʊkeɪtɪd] *adj person* ungebildet; *speech also* unkultiviert.

unemotional [ˌʌnɪ'məʊʃənl] *adj person, reaction, description* nüchtern; (*without passion*) leidenschaftslos, kühl (*pej*).

unemployable [ˌʌnɪm'plɔɪəbl] *adj* als Arbeitskraft nicht brauchbar.

unemployed [ˌʌnɪm'plɔɪd] *adj person* arbeitslos; (*unused*) *machinery* ungenutzt; (*Fin*) *capital* tot ► *the ~ pl* die Arbeitslosen *pl*.

unemployment [ˌʌnɪm'plɔɪmənt] **1** *n* Arbeitslosigkeit *f* ► *~ has risen this month* die Arbeitslosenziffer ist diesen Monat gestiegen. **2** *attr* **~ benefit** (*Brit*) *or* **compensation** (*US*) Arbeitslosenunterstützung *f*; **~ figures** Arbeitslosenziffer *f*; **~ rate** Arbeitslosenquote *f*.

unending [ʌn'endɪŋ] *adj* (*everlasting*) ewig; *stream* endlos; (*incessant*) unaufhörlich ► *it seems ~* es scheint nicht enden zu wollen.

unendurable [ˌʌnɪn'djʊərəbl] *adj* unerträglich.

unenterprising [ˌʌn'entəpraɪzɪŋ] *adj person, policy* ohne Unternehmungsgeist.

unenthusiastic [ˌʌnɪnθjuːzɪ'æstɪk] *adj* kühl, wenig begeistert.

unenviable [ʌn'envɪəbl] *adj position, task* wenig beneidenswert.

unequal [ʌn'iːkwəl] *adj* ungleich; *standard, quality* unterschiedlich ► *to be ~ to a task* einer Aufgabe (*dat*) nicht gewachsen sein.

unequalled, (*US*) **unequaled** [ʌn'iːkwəld] *adj* unübertroffen; *skill, record also* unerreicht; *ignorance* beispiellos ► *he is ~ by any other player* kein anderer Spieler kommt ihm gleich.

unequivocal [ˌʌnɪ'kwɪvəkəl] *adj* unmißverständlich, eindeutig ► *he was quite ~ about it* er sagte es ganz unmißverständlich *or* klar.

unerring [ʌn'ɜːrɪŋ] *adj judgement, accuracy* unfehlbar;

instinct untrüglich; *aim* treffsicher.

UNESCO [juːˈneskəʊ] = **United Nations Educational, Scientific and Cultural Organization** UNESCO *f*.

unethical [ʌnˈeθɪkəl] *adj* unmoralisch; (*in more serious matters*) unethisch.

uneven [ʌnˈiːvən] *adj* (*not level*) *surface* uneben; (*irregular*) *line* ungerade; *thickness* ungleich; *pulse* unregelmäßig; *voice* unsicher; *colour, distribution* ungleichmäßig; *quality* unterschiedlich; *temper* unausgeglichen.

unevenly [ʌnˈiːvənlɪ] *adv see adj* **the teams were ~ matched** die Mannschaften waren sehr ungleich.

uneventful [ˌʌnɪˈventfʊl] *adj day, meeting* ereignislos; *career* wenig bewegt; *life also* ruhig, eintönig (*pej*).

unexceptionable [ˌʌnɪkˈsepʃnəbl] *adj* einwandfrei; *person* solide.

unexceptional [ˌʌnɪkˈsepʃənl] *adj* durchschnittlich.

unexciting [ˌʌnɪkˈsaɪtɪŋ] *adj time* nicht besonders aufregend.

unexpected [ˌʌnɪkˈspektɪd] *adj* unerwartet ► **this is an ~ pleasure** (*also iro*) welch eine Überraschung!

unexpectedly [ˌʌnɪkˈspektɪdlɪ] *adv* unerwartet; *arrive, happen also* plötzlich.

unexplainable [ˌʌnɪkˈspleɪnəbl] *adj* unerklärlich.

unexplained [ˌʌnɪkˈspleɪnd] *adj phenomenon* ungeklärt; *mystery* unaufgeklärt; *lateness, absence* unentschuldigt.

unexploded [ˌʌnɪkˈspləʊdɪd] *adj* nicht explodiert.

unexposed [ˌʌnɪkˈspəʊzd] *adj* **a** *villain* nicht entlarvt; *crime* unaufgedeckt. **b** (*Phot*) unbelichtet.

unexpressed [ˌʌnɪkˈsprest] *adj sorrow, wish* unausgesprochen.

unexpressive [ˌʌnɪkˈspresɪv] *adj* ausdruckslos.

unfailing [ʌnˈfeɪlɪŋ] *adj source, interest* unerschöpflich; *remedy* unfehlbar; *friend* treu.

unfailingly [ʌnˈfeɪlɪŋlɪ] *adv* immer, stets.

unfair [ʌnˈfeər] *adj* unfair; *decision, method, remark also* ungerecht; *dismissal* ungerechtfertigt; (*Comm*) *competition also* unlauter ► **to be ~ to sb** jdm gegenüber unfair sein.

unfairly [ʌnˈfeəlɪ] *adv* unfair; *treat, criticize etc also* ungerecht; *accuse, dismiss* zu Unrecht.

unfairness [ʌnˈfeənɪs] *n* Ungerechtigkeit *f*.

unfaithful [ʌnˈfeɪθfʊl] *adj wife, lover* untreu; *friend* treulos ► **to be ~ to sb** jdm untreu sein.

unfamiliar [ˌʌnfəˈmɪljər] *adj* **a** *experience, sight* ungewohnt; *surroundings also, subject, person* unbekannt ► **it is ~ to me** es ist ungewohnt für mich; es ist mir unbekannt. **b** (*unacquainted*) **to be ~ with sth** mit etw nicht vertraut sein.

unfamiliarity [ˌʌnfəmɪlɪˈærɪtɪ] *n see adj* **a** Ungewohntheit *f*; Unbekanntheit *f*. **b** mangelnde Vertrautheit ► **his ~ with economics** sein Mangel *m* an ökonomischem Wissen.

unfashionable [ʌnˈfæʃnəbl] *adj* unmodern; *district* unbeliebt; *hotel, habit* nicht in Mode.

unfasten [ʌnˈfaːsn] **1** *vt* aufmachen; (*detach*) *tag, dog* losbinden; *bonds* lösen. **2** *vi* aufgehen ► **how does this dress ~?** wie macht man das Kleid auf?

unfathomable [ʌnˈfæðəməbl] *adj* unergründlich.

unfavourable, (*US*) **unfavorable** [ʌnˈfeɪvərəbl] *adj* ungünstig; *conditions also, wind* widrig; *opinion, reaction, reply* negativ; *trade balance* passiv.

unfavourably, (*US*) **unfavorably** [ʌnˈfeɪvərəblɪ] *adv* ungünstig; (*react*) negativ ► **to look ~ on sth** einer Sache (*dat*) ablehnend gegenüberstehen.

unfeeling [ʌnˈfiːlɪŋ] *adj* gefühllos.

unfinished [ʌnˈfɪnɪʃt] *adj* **a** (*incomplete*) unfertig; *work of art* unvollendet; *business* unerledigt. **b** (*Tech*) unbearbeitet; *cloth* Natur-.

unfit [ʌnˈfɪt] *adj* **a** (*unsuitable*) *person, thing* ungeeignet, untauglich; (*incompetent*) unfähig ► **~ to drive** fahruntüchtig; **~ to eat** ungenießbar. **b** (*esp Sport: injured*) nicht fit; (*in health also*) schlecht in Form, unfit ► **~ (for military service)** untauglich; **to be ~ for work** arbeitsunfähig sein.

unfitness [ʌnˈfɪtnɪs] *n see adj* **a** mangelnde Eignung, Untauglichkeit *f*; Unfähigkeit *f*. **b** mangelnde Fitneß; (*Mil*) Untauglichkeit *f*.

unflagging [ʌnˈflægɪŋ] *adj person, zeal* unermüdlich; *enthusiasm* unerschöpflich; *devotion, interest* unverändert stark.

unflappable [ʌnˈflæpəbl] *adj* (*col*) unerschütterlich ► **to be ~** die Ruhe selbst sein.

unflattering [ʌnˈflætərɪŋ] *adj portrait, comments* wenig schmeichelhaft; *dress, light also* unvorteilhaft.

unflinching [ʌnˈflɪntʃɪŋ] *adj* unerschrocken; *determination* unbeirrbar.

unfold [ʌnˈfəʊld] **1** *vt* **a** *paper, cloth* auseinanderfalten; (*spread out*) *map also, wings* ausbreiten; *arms* lösen; *chair* auseinanderklappen. **b** (*fig*) *story* entwickeln (*to* vor +*dat*); *plans, ideas also* darlegen (*to* dat); *secret* enthüllen. **2** *vi* (*story, plot*) sich abwickeln; (*truth*) an den Tag kommen; (*view, personality*) sich entfalten; (*countryside*) sich ausbreiten.

unforeseeable [ˌʌnfɔːˈsiːəbl] *adj* unvorhersehbar.

unforeseen [ˌʌnfɔːˈsiːn] *adj* unvorhergesehen.

unforgettable [ˌʌnfəˈgetəbl] *adj* unvergeßlich.

unforgivable [ˌʌnfəˈgɪvəbl] *adj* unverzeihlich.

unforgiving [ˌʌnfəˈgɪvɪŋ] *adj* unversöhnlich.

unformatted [ʌnˈfɔːmætɪd] *adj* (*Comp*) *disk* nicht formatiert, unformatiert.

unformed [ʌnˈfɔːmd] *adj clay, foetus* ungeformt; *character, idea* unfertig.

unfortunate [ʌnˈfɔːtʃənɪt] *adj* unglücklich; *person* glücklos; *day, event, error* unglückselig; *turn of phrase* ungeschickt; *time* ungünstig ► **to be ~** (*person*) Pech haben; **it is most ~ that ...** es ist höchst bedauerlich, daß ...; **the ~ Mr Brown** der bedauernswerte Herr Brown.

unfortunately [ʌnˈfɔːtʃənɪtlɪ] *adv* leider; *worded* ungeschickt ► **an ~ chosen expression** ein unglücklicher Ausdruck.

unfounded [ʌnˈfaʊndɪd] *adj* unbegründet; *allegations* aus der Luft gegriffen.

unfreeze [ʌnˈfriːz] *vt* **a** (*thaw*) auftauen. **b** (*Fin*) *wages, prices* freigeben.

unfriendliness [ʌnˈfrendlɪnɪs] *n see adj* Unfreundlichkeit *f*; Feindseligkeit *f*.

unfriendly [ʌnˈfrendlɪ] *adj* unfreundlich (*to sb* zu jdm); (*hostile also*) *natives, country, act* feindselig.

unfulfilled [ˌʌnfʊlˈfɪld] *adj* unerfüllt; *person* unausgefüllt.

unfurl [ʌnˈfɜːl] *vt flag* aufrollen; *sail* losmachen; (*peacock*) *tail* entfalten.

unfurnished [ʌnˈfɜːnɪʃt] *adj* unmöbliert.

ungainly [ʌnˈgeɪnlɪ] *adj* unbeholfen; *appearance* unelegant, unschön.

ungentlemanly [ʌnˈdʒentlmənlɪ] *adj* unfein; (*impolite*) unhöflich ► **it is ~ (to do so)** das gehört sich nicht für einen Gentleman.

un-get-at-able [ˌʌngetˈætəbl] *adj* (*col*) unerreichbar; *place, part* unzugänglich.

ungodly [ʌnˈgɒdlɪ] *adj* gottlos; (*col*) *hour* unchristlich (*col*); *noise* Heiden-.

ungracious [ʌnˈgreɪʃəs] *adj* unhöflich; *refusal* schroff; *answer* rüde.

ungraded [ʌnˈgreɪdɪd] *adj* (*Sch*) nicht zensiert.

ungrammatical [ˌʌngrəˈmætɪkəl] *adj* ungrammatisch.

ungrateful [ʌnˈgreɪtfʊl] *adj* undankbar (*to* gegenüber).

ungrudging [ʌnˈgrʌdʒɪŋ] *adj help* bereitwillig; *admira* *tion* neidlos; *contribution* großzügig; *praise* von ganzem Herzen kommend *attr.*

unguarded [ʌnˈgɑːdɪd] *adj* **[a]** (*undefended*) unbewacht. **[b]** (*fig: careless*) unvorsichtig, unachtsam ▸ *in an ~ moment he ...* als er einen Augenblick nicht aufpaßte, ... er ...

unhappily [ʌnˈhæpɪlɪ] *adv* (*unfortunately*) unglücklicherweise; (*miserably*) unglücklich.

unhappiness [ʌnˈhæpɪnɪs] *n* Traurigkeit *f*; (*discontent*) Unzufriedenheit *f* (*with* mit).

unhappy [ʌnˈhæpɪ] *adj* (+*er*) **[a]** (*sad*) unglücklich; *look, voice* also, *state of affairs* traurig. **[b]** (*not pleased*) unzufrieden (*about* mit); (*uneasy*) unwohl ▸ *if you feel ~ about it* wenn Sie darüber nicht glücklich sind; (*worried*) wenn Ihnen dabei nicht wohl ist. **[c]** (*unfortunate*) *coincidence, phrasing* unglücklich; *person* glücklos.

unharmed [ʌnˈhɑːmd] *adj person* unverletzt; *thing, reputation* unbeschädigt ▸ *to be ~ by sth* durch etw nicht gelitten haben.

UNHCR = **United Nations High Commission for Refugees** UNHCR *f*, hohe Flüchtlingskommission der Vereinten Nationen.

unhealthy [ʌnˈhelθɪ] *adj* **[a]** *person* nicht gesund; *climate, place, life, complexion* ungesund ▸ *the car sounds ~* (*hum*) das Auto macht ein komisches Geräusch. **[b]** *curiosity, interest* krankhaft; *influence* schädlich ▸ *it's an ~ relationship* das ist eine ungesunde Beziehung. **[c]** (*col: dangerous*) ungesund (*col*).

unheard-of [ʌnˈhɜːdɒv] *adj* (*unknown*) gänzlich unbekannt; (*unprecedented*) noch nie dagewesen; (*outrageous*) unerhört.

unheated [ʌnˈhiːtɪd] *adj* ungeheizt.

unheeded [ʌnˈhiːdɪd] *adj* unbeachtet ▸ *to go ~* keine Beachtung finden.

unhelpful [ʌnˈhelpfʊl] *adj person* nicht hilfreich; *advice, book* wenig hilfreich ▸ *that is very ~ of you, you are being very ~* du bist aber wirklich keine Hilfe.

unhesitating [ʌnˈhezɪteɪtɪŋ] *adj* (*immediate*) *answer, offer* prompt; *help* also, *generosity* bereitwillig; (*steady*) *steps* stet; (*undoubting*) *answer* fest.

unhesitatingly [ʌnˈhezɪteɪtɪŋlɪ] *adv* ohne zu zögern; (*undoubtingly* also) ohne zu zweifeln.

unhinge [ʌnˈhɪndʒ] *vt to ~ sb/sb's mind* jdn aus der Bahn werfen; *his mind was ~d* er hatte den Verstand verloren.

unholy [ʌnˈhəʊlɪ] *adj* (+*er*) (*col*) *mess* heillos; *din* Riesen-.

unhook [ʌnˈhʊk] *vt latch, gate* loshaken; *dress* aufhaken; (*take from hook*) *picture* abhaken.

unhoped-for [ʌnˈhəʊptfɔːr] *adj* unverhofft.

unhurried [ʌnˈhʌrɪd] *adj pace, person* gelassen; *steps, movement* gemächlich; *meal, journey, life* geruhsam.

unhurt [ʌnˈhɜːt] *adj* unverletzt.

unhygienic [ʌnhaɪˈdʒiːnɪk] *adj* unhygienisch.

UNICEF [ˈjuːnɪsef] = **United Nations International Children's Emergency Fund** UNICEF *f*.

unicorn [ˈjuːnɪˌkɔːn] *n* Einhorn *nt*.

unidentified [ˌʌnaɪˈdentɪfaɪd] *adj* unbekannt; *body* nicht identifiziert; *belongings* herrenlos ▸ *~ flying object* unbekanntes Flugobjekt.

unification [ˌjuːnɪfɪˈkeɪʃən] *n* (*of country*) Einigung *f*; (*of system*) Vereinheitlichung *f* ▸ *~ treaty* Einigungsvertrag *m*.

uniform [ˈjuːnɪfɔːm] **[1]** *adj* (*unvarying*) *length, colour* einheitlich; *treatment* also gleich; *temperature* also, *pace* gleichbleibend *attr*, (*lacking variation*) *life, thinking* gleichförmig. **[2]** *n* Uniform *f* ▸ *in/out of ~* in Uniform/in Zivil.

uniformed [ˈjuːnɪfɔːmd] *adj* uniformiert.

uniformity [ˌjuːnɪˈfɔːmɪtɪ] *n see adj* Einheitlichkeit *f*; Gleichheit *f*; Gleichmäßigkeit *f*; Gleichförmigkeit *f*.

uniformly [ˈjuːnɪfɔːmlɪ] *adv* einheitlich; *treat* gleich; *heat* gleichmäßig.

unify [ˈjuːnɪfaɪ] *vt* einigen, einen (*geh*); *systems* vereinheitlichen.

unilateral [ˌjuːnɪˈlætərəl] *adj* (*Jur, Pol*) einseitig; (*Pol* also) unilateral.

unimaginable [ˌʌnɪˈmædʒnəbl] *adj* unvorstellbar.

unimaginative *adj*, **~ly** *adv* [ˌʌnɪˈmædʒnətɪv, -lɪ] phantasielos.

unimpaired [ˌʌnɪmˈpɛəd] *adj quality, prestige* unbeeinträchtigt ▸ *to be ~* *self-confidence, health etc* nicht gelitten haben.

unimpeachable [ˌʌnɪmˈpiːtʃəbl] *adj reputation, conduct* untadelig; *proof, honesty* unanfechtbar; *source* absolut zuverlässig.

unimportant [ˌʌnɪmˈpɔːtənt] *adj* unwichtig.

unimpressed [ˌʌnɪmˈprest] *adj* unbeeindruckt, nicht beeindruckt ▸ *I remain ~* das beeindruckt mich überhaupt nicht.

unimpressive [ˌʌnɪmˈpresɪv] *adj* wenig beeindruckend; *person, building* also unscheinbar.

uninformed [ˌʌnɪnˈfɔːmd] *adj* nicht informiert *or* unterrichtet (*about* über +*acc*).

uninhabitable [ˌʌnɪnˈhæbɪtəbl] *adj* unbewohnbar.

uninhabited [ˌʌnɪnˈhæbɪtɪd] *adj* unbewohnt.

uninhibited [ˌʌnɪnˈhɪbɪtɪd] *adj person* ohne Hemmungen; *greed, laughter* hemmungslos ▸ *to be ~* keine Hemmungen haben.

uninitiated [ˌʌnɪˈnɪʃɪeɪtɪd] **[1]** *adj* nicht eingeweiht ▸ *~ members of a tribe* nicht initiierte Mitglieder eines Stammes. **[2]** *n the ~ pl* Nichteingeweihte *pl*.

uninjured [ʌnˈɪndʒəd] *adj person* unverletzt; *reputation* nicht beeinträchtigt.

uninspired [ˌʌnɪnˈspaɪəd] *adj* einfallslos ▸ *I was ~ by the subject* das Thema hat mich nicht inspiriert.

uninspiring [ˌʌnɪnˈspaɪərɪŋ] *adj* trocken; *idea* nicht gerade aufregend; *leader* langweilig.

unintelligent [ˌʌnɪnˈtelɪdʒənt] *adj person, remark* unintelligent; *approach* ungeschickt.

unintelligible [ˌʌnɪnˈtelɪdʒɪbl] *adj person* nicht zu verstehen; *speech, writing* unverständlich.

unintended [ˌʌnɪnˈtendɪd], **unintentional** [ˌʌnɪnˈtenʃənl] *adj* unbeabsichtigt; *joke* also unfreiwillig.

unintentionally [ˌʌnɪnˈtenʃnəlɪ] *adv* unabsichtlich; *funny* unfreiwillig.

uninterested [ʌnˈɪntrɪstɪd] *adj* interesselos ▸ *to be ~ in sth* an etw (*dat*) nicht interessiert sein.

uninteresting [ʌnˈɪntrɪstɪŋ] *adj* uninteressant.

uninterrupted [ˌʌnɪntəˈrʌptɪd] *adj* (*continuous*) *line* ununterbrochen, kontinuierlich; *noise, rain* also anhaltend; (*undisturbed*) *rest* ungestört.

uninvited [ˌʌnɪnˈvaɪtɪd] *adj guest* ungeladen, ungebeten; *criticism* ungebeten.

uninviting [ˌʌnɪnˈvaɪtɪŋ] *adj appearance, atmosphere* nicht (gerade) einladend; *prospect* nicht (gerade) verlockend; *food, sight* unappetitlich.

union [ˈjuːnjən] **[1]** *n* **[a]** Vereinigung *f*, (*uniting* also) Zusammenschluß *m*; (*Pol* also) Union *f* ▸ *the U~* (*US*) die Vereinigten Staaten, (*in Civil War*) die Unionsstaaten *pl*; *U~ of Soviet Socialist Republics* (*Hist*) Union *f* der Sozialistischen Sowjetrepubliken. **[b]** (*trade ~*) Gewerkschaft *f*. **[c]** (*association*) Vereinigung *f*, (*customs ~*) Union *f*; (*students' ~* also) Studentenvereinigung *f*; ≈ AStA *m*. **[d]** (*harmony*) Eintracht, Harmonie *f*. **[2]** *adj attr* (*trade ~*) Gewerkschafts- ▸ *~ card* Gewerkschaftsausweis *m*.

unionist [ˈjuːnjənɪst] *n* **[a]** (*trade ~*) Gewerkschaftler(in *f*) *m*. **[b]** (*Pol*) Unionsanhänger(in *f*) *m*.

unionize [ˈjuːnjənaɪz] *vt* gewerkschaftlich organisieren.

union: **U~ Jack** *n* Union Jack *m*; **~ shop** *n* gewerkschaftspflichtiger Betrieb.

unique [juː'niːk] *adj* einzig *attr*; (*outstanding*) einzigartig, einmalig ▸ *such cases are not ~ to Britain* solche Fälle sind nicht nur auf Großbritannien beschränkt.

uniquely [juː'niːklɪ] *adv* (*solely*) einzig und allein, nur; (*outstandingly*) einmalig.

unisex ['juːnɪseks] *adj* Unisex-, unisex.

unison ['juːnɪzn] *n* (*Mus*) Gleichklang, Einklang *m* (*also fig*), ▸ *in ~* einstimmig.

unit ['juːnɪt] *n* **a** (*section*, *Mil*) Einheit *f*; (*set of equipment also*) Anlage *f*; (*of furniture*, *machine*) Element *nt*; (*of organization also*) Abteilung *f* ▸ *X-ray ~* Röntgenabteilung *f*. **b** (*measure*) Einheit *f* ▸ *~ of length* Längeneinheit *f*; *monetary ~* Währungseinheit *f*. **c** (*Math*) Einer *m*.

unit cost *n* (*Fin*) Stückkosten *pl*.

unite [juː'naɪt] **1** *vt* verbinden; *party*, *country* (ver)einigen; (*emotions*, *ties*) (ver)einen. **2** *vi* sich zusammenschließen ▸ *to ~ in doing sth* gemeinsam etw tun; *to ~ in opposition to sth* sich gemeinsam gegen etw stellen.

united [juː'naɪtɪd] *adj* verbunden; *group*, *nation* geschlossen; (*unified*) *people*, *nation* einig; *efforts* vereint ▸ *to present a ~ front* eine geschlossene Front bieten.

United: *~* **Arab Emirates** *npl* Vereinigte Arabische Emirate *pl*; *~* **Kingdom** *n* Vereinigtes Königreich; *~* **Nations (Organization)** *n* Vereinte Nationen *pl*; *~* **States (of America)** *npl* Vereinigte Staaten *pl* (von Amerika).

unit: *~* **furniture** *n* Anbaumöbel *pl*; *~* **price** *n* Stückpreis *m*; *~* **trust** *n* (*Brit*) Investmentfonds *m*.

unity ['juːnɪtɪ] *n* Einheit *f*; (*harmony*) Einigkeit *f*; (*of a novel*, *painting etc*) Einheitlichkeit *f* ▸ *this ~ of purpose* diese gemeinsamen Ziele; *to live in ~ with* in Eintracht leben mit.

Univ = **University** Univ.

universal [ˌjuːnɪ'vɜːsəl] *adj* *phenomenon*, *applicability*, *remedy* universal, universell; *language* Universal-; *custom also* allgemein verbreitet; *truth*, *rule also* allgemein gültig; *approval*, *peace* allgemein ▸ *~ joint* (*Tech*) Kardangelenk *nt*; *~ remedy* Allheilmittel *nt*; *to be a ~ favourite* überall beliebt sein; *to become ~* sich allgemein verbreiten.

universally [ˌjuːnɪ'vɜːsəlɪ] *adv* allgemein ▸ *~ applicable* allgemeingültig.

universe ['juːnɪvɜːs] *n* (*cosmos*) (Welt)all, Universum *nt*; (*world*) Welt *f*.

university [ˌjuːnɪ'vɜːsɪtɪ] **1** *n* Universität *f* ▸ *to be at ~/to go to ~* studieren; *to go to London U~* an der Universität (in) London studieren. **2** *adj attr town*, *library* Universitäts-; *qualifications*, *education also* akademisch ▸ *~ entrance (examination)* Aufnahmeprüfung *f* zum Studium; *~ teacher* Hochschullehrer *m*.

unjust [ʌn'dʒʌst] *adj* ungerecht (*to* gegen).

unjustifiable [ʌn'dʒʌstɪfaɪəbl] *adj* nicht zu rechtfertige(n(d *attr*) *pred*, unvertretbar.

unjustifiably [ʌn'dʒʌstɪfaɪəblɪ] *adv* *expensive*, *severe*, *critical* ungerechtfertigt; *rude* unnötig; *criticize* zu Unrecht.

unjustified [ʌn'dʒʌstɪfaɪd] *adj* **a** ungerechtfertigt ▸ *to be ~ in thinking that …* zu Unrecht denken, daß … **b** (*Print*) nicht bündig ▸ *to set sth ~* etw im Flattersatz setzen.

unjustly [ʌn'dʒʌstlɪ] *adv* zu Unrecht; *judge*, *treat* ungerecht.

unjustness [ʌn'dʒʌstnɪs] *n* Ungerechtigkeit *f*.

unkempt [ʌn'kempt] *adj* *hair* ungekämmt; *appearance*, *garden etc* ungepflegt.

unkind [ʌn'kaɪnd] *adj* (*+er*) *person*, *remark*, *action* (*not nice*) unfreundlich; (*cruel*) lieblos, gemein; *remark also* spitz ▸ *~ to the skin* nicht hautfreundlich.

unkindly [ʌn'kaɪndlɪ] *adv* unfreundlich; (*cruelly*) lieblos, gemein ▸ *don't take it ~ if …* nimm es nicht übel, wenn …

unkindness [ʌn'kaɪndnɪs] *n* Unfreundlichkeit *f*; (*cruelty*) Lieblosigkeit, Gemeinheit *f*.

unknowing [ʌn'nəʊɪŋ] *adj* *agent* unbewußt.

unknowingly [ʌn'nəʊɪŋlɪ] *adv* unbewußt, ohne es zu wissen.

unknown [ʌn'nəʊn] **1** *adj* unbekannt ▸ *~ quantity* (*Math*, *fig*) unbekannte Größe; *~ territory* (*lit*, *fig*) Neuland *nt*; *to be ~ to sb* (*feeling*, *territory*) jdm fremd sein; *it's ~ for him to get up so early* man ist es von ihm gar nicht gewohnt, daß er so früh aufsteht. **2** *n* (*person*) Unbekannte(r) *mf*; (*factor*, *Math*) Unbekannte *f* ▸ *a voyage into the ~* (*lit*, *fig*) eine Reise ins Ungewisse. **3** *adv* *~ to me etc* ohne daß ich *etc* es wußte.

unlace [ʌn'leɪs] *vt* aufschnüren.

unladen [ʌn'leɪdn] *adj* *~ weight*, *weight ~* Leergewicht *nt*.

unladylike [ʌn'leɪdɪlaɪk] *adj* nicht damenhaft.

unlawful [ʌn'lɔːfʊl] *adj* gesetzwidrig; *means*, *assembly* illegal; *wedding* ungültig.

unleaded [ʌn'ledɪd] **1** *adj* bleifrei. **2** *n* bleifreies Benzin ▸ *I use ~* ich fahre bleifrei.

unleash [ʌn'liːʃ] *vt* *dog* von der Leine lassen; (*fig*) *outburst*, *tirade* entfesseln ▸ *to ~ one's fury on sb* seine Wut an jdm auslassen.

unleavened [ʌn'levnd] *adj* *bread* ungesäuert.

unless [ən'les] *conj* es sei denn; (*at beginning of sentence*) wenn … nicht ▸ *don't do it ~ I tell you to* mach das nur, wenn ich es dir sage; *~ I tell you to*, *don't do it* wenn ich es dir nicht sage, mach das nicht; *~ I am mistaken …* wenn ich mich nicht irre …; *~ otherwise stated* sofern nicht anders angegeben.

unlicensed [ʌn'laɪsənst] *adj* *car*, *dog*, *TV* nicht angemeldet; *premises* ohne (Schank)konzession; (*unauthorized*) unbefugt.

unlike [ʌn'laɪk] **1** *adj* unähnlich. **2** *prep* **a** im Gegensatz zu, anders als. **b** (*uncharacteristic of*, *photo etc*) *to be quite ~ sb* jdm (gar) nicht ähnlich sehen; (*behaviour also*) überhaupt nicht zu jdm passen.

unlikelihood [ʌn'laɪklɪhʊd], **unlikeliness** [ʌn'laɪklɪnɪs] *n* Unwahrscheinlichkeit *f*.

▾ **unlikely** [ʌn'laɪklɪ] *adj* (*+er*) *happening*, *outcome* unwahrscheinlich; *explanation also* unglaubwürdig; *clothes* komisch ▸ *it is (most) ~/not ~ that …* es ist (höchst) unwahrscheinlich/es kann durchaus sein, daß …; *she is ~ to come* sie kommt höchstwahrscheinlich nicht; *it looks an ~ place for mushrooms* es sieht mir nicht nach der geeigneten Stelle für Pilze aus; *in the ~ event that it does happen* in dem unwahrscheinlichen Fall, daß das geschieht.

unlimited [ʌn'lɪmɪtɪd] *adj* *wealth*, *time* unbegrenzt; *power also* schrankenlos; *patience* unendlich.

unlined [ʌn'laɪnd] *adj* *paper* unliniert; *face* faltenlos; (*without lining*) *dress* ungefüttert.

▾ **unlisted** [ʌn'lɪstɪd] *adj* nicht verzeichnet.

unlit [ʌn'lɪt] *adj* *road* unbeleuchtet; *lamp* nicht angezündet.

unload [ʌn'ləʊd] *vt* **a** *ship*, *gun* entladen; *car also*, *luggage* ausladen; *truck*, *luggage* abladen; *cargo* löschen ▸ *to be ~ed* *gun* nicht geladen sein; *truck etc* nicht beladen sein. **b** (*col*: *get rid of*) *children*, *problems* abladen (*on(to*) bei).

unlock [ʌn'lɒk] *vt* *door etc* aufschließen ▸ *the door is ~ed* die Tür ist nicht abgeschlossen; *to leave a door ~ed* eine Tür nicht abschließen.

unloose [ʌn'luːs] *vt* **a** (*also ~n*) *knot*, *grasp* lösen; *rope also* losmachen. **b** *prisoner*, *dog* losbinden.

▸ SENTENCE BUILDER: **unlikely** → 14.2 **unlisted** → 15.1

unlovable

unlovable [ʌn'lʌvəbl] *adj* wenig liebenswert, unsympathisch.

unloved [ʌn'lʌvd] *adj* ungeliebt.

unluckily [ʌn'lʌkɪlɪ] *adv* unglücklicherweise ▶ *~ for him* zu seinem Pech.

unlucky [ʌn'lʌkɪ] *adj* (*+er*) unglückselig; *choice* unglücklich ▶ *to be ~* (*person*) Pech haben; (*not succeed*) keinen Erfolg haben; *he was ~ enough to meet her* er hatte das Pech, sie zu treffen; *broken mirrors are ~* zerbrochene Spiegel bringen Unglück.

unmade [ʌn'meɪd] *adj bed* ungemacht; *road* unbefestigt.

unmanageable [ʌn'mænɪdʒəbl] *adj* (*unwieldy*) *vehicle* schwer zu handhaben; *parcel, size* unhandlich; (*uncontrollable*) *animal, person, hair* widerspenstig; *situation* unkontrollierbar.

unmanly [ʌn'mænlɪ] *adj behaviour* unmännlich; (*cowardly*) feige; (*effeminate*) weibisch.

unmanned [ʌn'mænd] *adj* (*not requiring crew*) *level crossing, space flight* unbemannt; (*lacking crew*) *telephone exchange, lighthouse* unbesetzt.

unmarked [ʌn'mɑːkt] *adj* **a** (*unstained*) ohne Flecken, fleckenlos; (*without marking*) *face* ungezeichnet (*also fig*); *suitcase etc* ohne Namen *or* Adresse; *police car* nicht gekennzeichnet. **b** (*Sport*) *player* ungedeckt. **c** (*Sch*) *work* unkorrigiert.

unmarried [ʌn'mærɪd] *adj* unverheiratet ▶ *~ mother* ledige Mutter.

unmask [ʌn'mɑːsk] **1** *vt* (*lit*) demaskieren; (*fig*) entlarven. **2** *vi* die Maske abnehmen.

unmatched [ʌn'mætʃt] *adj* einmalig, unübertroffen (*for* in bezug auf *+acc*).

unmentionable [ʌn'menʃənəbl] *adj* tabu *pred*; *word also* unaussprechlich ▶ *to be ~* tabu sein.

unmerciful [ʌn'mɜːsɪfʊl] *adj* erbarmungslos.

unmerited [ʌn'merɪtɪd] *adj* unverdient.

unmetalled [ʌn'metld] *adj* (*Brit*) *road* unbefestigt.

unmethodical [ˌʌnmɪ'θɒdɪkəl] *adj* unmethodisch.

unmindful [ʌn'maɪndfʊl] *adj* ▶ *to be ~ of sth* nicht auf etw (*acc*) achten, etw nicht beachten.

unmistak(e)able [ˌʌnmɪ'steɪkəbl] *adj* unverkennbar; (*visually*) nicht zu verwechseln.

unmitigated [ʌn'mɪtɪɡeɪtɪd] *adj wrath, severity* ungemildert; (*col: complete*) *disaster* total; *liar, rogue* Erz- (*col*).

unmotivated [ʌn'məʊtɪveɪtɪd] *adj* unmotiviert.

unmoved [ʌn'muːvd] *adj person* ungerührt ▶ *they were ~ by his playing* sein Spiel(en) ergriff sie nicht; *it leaves me ~* das (be)rührt mich nicht.

unmusical [ʌn'mjuːzɪkəl] *adj* unmusikalisch.

unnamed [ʌn'neɪmd] *adj* (*nameless*) namenlos; (*anonymous*) ungenannt.

unnatural [ʌn'nætʃərəl] *adj* unnatürlich; (*abnormal also*) *relationship, crime* nicht normal *pred*, widernatürlich.

unnaturally [ʌn'nætʃrəlɪ] *adv* unnatürlich ▶ *not ~, we were worried* es war nur natürlich, daß wir uns Sorgen machten.

unnecessarily [ʌn'nesɪserɪlɪ] *adv* unnötigerweise; *strict, serious* unnötig, übertrieben.

unnecessary [ʌn'nesɪsərɪ] *adj* unnötig; (*not requisite*) *visa* nicht notwendig; (*superfluous also*) überflüssig ▶ *really, that was quite ~ of you!* das hättest du dir aber sparen können.

unnerve [ʌn'nɜːv] *vt* entnerven; (*gradually*) zermürben; (*discourage*) entmutigen.

unnerving [ʌn'nɜːvɪŋ] *adj* (*worrying*) beängstigend; (*discouraging*) entmutigend.

unnoticed [ʌn'nəʊtɪst] *adj* unbemerkt ▶ *to go or pass ~* unbemerkt bleiben.

UNO = **United Nations Organization** UNO *f*.

unobjectionable [ˌʌnəb'dʒekʃənəbl] *adj* einwandfrei.

unobservant [ˌʌnəb'zɜːvənt] *adj* unaufmerksam ▶ *to be ~* ein schlechter Beobachter sein.

unobserved [ˌʌnəb'zɜːvd] *adj* (*not seen*) unbemerkt; (*not celebrated*) nicht (mehr) eingehalten.

unobstructed [ˌʌnəb'strʌktɪd] *adj view, passage* ungehindert; *pipe, road* frei.

▼ **unobtainable** [ˌʌnəb'teɪnəbl] *adj* nicht erhältlich ▶ *number ~* (*Telec*) kein Anschluß unter dieser Nummer.

unobtrusive [ˌʌnəb'truːsɪv] *adj* unauffällig.

unoccupied [ʌn'ɒkjʊpaɪd] *adj person* unbeschäftigt; *house* unbewohnt; *seat* frei; (*Mil*) *zone* unbesetzt.

unofficial [ˌʌnə'fɪʃəl] *adj* inoffiziell ▶ *to take ~ action* (*Ind*) inoffiziell streiken.

unofficially [ˌʌnə'fɪʃəlɪ] *adv* inoffiziell.

unopened [ʌn'əʊpənd] *adj* ungeöffnet.

unopposed [ˌʌnə'pəʊzd] *adj elected ~* ohne Gegenstimme gewählt; *they marched on ~* sie marschierten weiter, ohne auf Widerstand zu treffen; *~ by the committee* ohne Widerspruch seitens des Ausschusses.

unorganized [ʌn'ɔːɡənaɪzd] *adj* unsystematisch; *life* ungeregelt ▶ *he is so ~* er hat überhaupt kein System.

unoriginal [ˌʌnə'rɪdʒɪnəl] *adj* wenig originell.

unorthodox [ʌn'ɔːθədɒks] *adj* unkonventionell, unorthodox.

unpack [ʌn'pæk] *vti* auspacken.

unpaid [ʌn'peɪd] *adj* unbezahlt.

unpalatable [ʌn'pælɪtəbl] *adj food, drink* ungenießbar; (*fig*) *fact, truth, mixture* unverdaulich, schwer zu verdauen.

unparalleled [ʌn'pærəleld] *adj* einmalig, beispiellos ▶ *an ~ success* ein Erfolg ohnegleichen.

unpardonable [ʌn'pɑːdnəbl] *adj* unverzeihlich.

unpatriotic [ˌʌnpætrɪ'ɒtɪk] *adj* unpatriotisch.

unpaved [ʌn'peɪvd] *adj road* nicht gepflastert.

unperceptive [ˌʌnpə'septɪv] *adj* unaufmerksam.

unperturbed [ˌʌnpə'tɜːbd] *adj* nicht beunruhigt (*by* von, durch), gelassen.

unpick [ʌn'pɪk] *vt* auftrennen.

unpin [ʌn'pɪn] *vt dress, hair* die Nadeln entfernen aus; *notice* abnehmen.

unplaced [ʌn'pleɪst] *adj* (*Sport*) nicht plaziert ▶ *to be ~* sich nicht plaziert haben.

unplanned [ʌn'plænd] *adj* ungeplant.

unpleasant [ʌn'pleznt] *adj* unangenehm; *person, remark* unfreundlich (*to sb* jdm gegenüber).

unpleasantly [ʌn'plezntlɪ] *adv reply* unfreundlich; *warm, smell* unangenehm.

unpleasantness [ʌn'plezntnɪs] *n* **a** (*quality*) *see adj* Unangenehmheit *f*; Unfreundlichkeit *f*. **b** (*bad feeling, quarrel*) Verstimmung *f*.

unplug [ʌn'plʌɡ] *vt radio, lamp* den Stecker herausziehen von.

unpolished [ʌn'pɒlɪʃt] *adj* unpoliert; *stone*, (*fig*) *person, manners* ungeschliffen; *performance, style* unausgefeilt.

unpolluted [ˌʌnpə'luːtɪd] *adj* sauber, unverschmutzt.

unpopular [ʌn'pɒpjʊləʳ] *adj person* unbeliebt (*with sb* bei jdm); *decision, move* unpopulär.

unpopularity [ˌʌnpɒpjʊ'lærɪtɪ] *n see adj* Unbeliebtheit *f*; Unpopularität *f*.

unprecedented [ʌn'presɪdəntɪd] *adj* noch nie dagewesen; *profit, step* unerhört ▶ *this event is ~* dieses Ereignis ist bisher einmalig; *an ~ success* ein beispielloser Erfolg.

unpredictable [ˌʌnprɪ'dɪktəbl] *adj* unvorhersehbar; *result* nicht vorherzusagen(d *attr*) *pred*; *behaviour, person, weather* unberechenbar.

unprejudiced [ʌn'predʒʊdɪst] *adj* (*impartial*) objektiv, unparteiisch; (*not having prejudices*) vorurteilslos.

unpremeditated [ˌʌnprɪ'medɪteɪtɪd] *adj* unüberlegt; *crime* nicht vorsätzlich.

▶ SENTENCE BUILDER: **unobtainable** → 15.7

unprepared [ˌʌnprɪ'pɛəd] *adj* nicht vorbereitet; *person also* unvorbereitet ▸ *to be ~ for sth* für etw nicht vorbereitet sein; (*be surprised*) auf etw (*acc*) nicht vorbereitet *or* gefaßt sein.

unprepossessing [ˌʌnpriːpə'zesɪŋ] *adj* wenig einnehmend.

unpretentious [ˌʌnprɪ'tenʃəs] *adj* schlicht, bescheiden; *style, book* einfach.

unprincipled [ʌn'prɪnsɪpld] *adj* prinzipienlos.

unprintable [ʌn'prɪntəbl] *adj* nicht druckfähig; (*fig*) answer nicht druckreif.

unproductive [ˌʌnprə'dʌktɪv] *adj* capital nicht gewinnbringend; *soil* ertragsarm; *meeting* unergiebig.

unprofessional [ˌʌnprə'feʃənl] *adj* conduct berufswidrig; *work* unfachmännisch.

unprofitable [ʌn'prɒfɪtəbl] *adj* (*financially*) keinen Profit bringend; *mine etc* unrentabel; (*fig*) nutzlos.

unpromising [ʌn'prɒmɪsɪŋ] *adj* nicht sehr vielversprechend.

unpronounceable [ˌʌnprə'naʊnsɪbl] *adj* unaussprechbar.

unprotected [ˌʌnprə'tektɪd] *adj* ohne Schutz, schutzlos; *machine, sex* ungeschützt; (*by insurance*) ohne Versicherungsschutz.

unproved [ʌn'pruːvd] *adj* unbewiesen; (*untested*) noch nicht bewährt ▸ *he's still ~* er hat sich noch nicht bewährt.

unprovided for [ˌʌnprə'vaɪdɪd,fɔːʳ] *adj* children etc unversorgt.

unprovoked [ˌʌnprə'vəʊkt] *adj* grundlos.

unpublished [ʌn'pʌblɪʃt] *adj* unveröffentlicht.

unpunished [ʌn'pʌnɪʃt] *adj* unbestraft ▸ *to go ~* ohne Strafe bleiben.

unputdownable [ˌʌnpʊt'daʊnəbl] *adj* (*col*) *to be ~* (*book*) einen nicht loslassen.

unqualified [ʌn'kwɒlɪfaɪd] *adj* **a** (*person*) unqualifiziert ▸ *to be ~* nicht qualifiziert sein. **b** (*absolute*) *praise, acceptance* uneingeschränkt; *success* voll(ständig); (*col*) *idiot, liar* ausgesprochen.

unquestionable [ʌn'kwestʃənəbl] *adj* authority unbestritten, unangefochten; *evidence, fact* unbezweifelbar; *sincerity, honesty* fraglos ▸ *his honesty is ~* seine Ehrlichkeit steht außer Frage.

unquestionably [ʌn'kwestʃənəblɪ] *adv* fraglos, zweifellos.

unquestioned [ʌn'kwestʃənd] *adj* unbestritten, außer Frage *pred* ▸ *to let sth pass ~* etw fraglos hinnehmen.

unquestioning *adj*, **~ly** *adv* [ʌn'kwestʃənɪŋ, -lɪ] bedingungslos.

unravel [ʌn'rævəl] *vt* knitting aufziehen; (*lit, fig: untangle*) entwirren; *mystery* lösen.

unread [ʌn'red] *adj* ungelesen.

unreadable [ʌn'riːdəbl] *adj* writing unleserlich; *book, text* unverständlich.

unready [ʌn'redɪ] *adj* (noch) nicht fertig ▸ *~ to do sth* nicht bereit, etw zu tun; *~ for sth* auf etw (*acc*) nicht eingestellt *or* vorbereitet; (*not mature enough*) noch nicht reif genug für etw.

unreal [ʌn'rɪəl] *adj* unwirklich ▸ *this is just ~!* (*col: unbelievable*) das darf doch nicht wahr sein!

unrealistic [ˌʌnrɪə'lɪstɪk] *adj* unrealistisch.

unreality [ˌʌnrɪ'ælɪtɪ] *n* Unwirklichkeit *f*.

unreasonable [ʌn'riːznəbl] *adj* demand, price etc übertrieben; *person* uneinsichtig; (*showing lack of sense*) unvernünftig ▸ *to be ~ about sth* (*not be understanding*) kein Verständnis für etw zeigen; (*be overdemanding*) in bezug auf etw (*acc*) zuviel verlangen; *it is ~ to ...* es ist zuviel verlangt, zu ...; *am I being ~?* verlange ich zuviel?

unrecognizable [ʌn'rekəgnaɪzəbl] *adj* nicht wiederzuerkennen(d *attr*) *pred* ▸ *he was totally ~ in his dis-*

guise man konnte ihn in seiner Verkleidung überhaupt nicht erkennen.

unrecognized [ʌn'rekəgnaɪzd] *adj* (*not noticed*) person, danger, value unerkannt; (*not acknowledged*) government, record nicht anerkannt; *genius, talent* ungewürdigt, unerkannt.

unrecorded [ˌʌnrɪ'kɔːdɪd] *adj* nicht aufgenommen; (*Rad, TV*) nicht aufgezeichnet; (*in documents*) nicht schriftlich erfaßt.

unrefined [ˌʌnrɪ'faɪnd] *adj* **a** petroleum etc nicht raffiniert. **b** person unkultiviert.

unrehearsed [ˌʌnrɪ'hɜːst] *adj* (*Theat etc*) nicht geprobt; (*spontaneous*) incident spontan.

unrelated [ˌʌnrɪ'leɪtɪd] *adj* (*unconnected*) ohne Beziehung (*to* zu); (*by family*) nicht verwandt.

unrelenting [ˌʌnrɪ'lentɪŋ] *adj* pressure unablässig; opposition, struggle unerbittlich; determination hartnäckig; pace unvermindert; rain anhaltend *attr*, nicht nachlassend *attr*, (*not merciful*) person, heat unbarmherzig.

unreliable [ˌʌnrɪ'laɪəbl] *adj* unzuverlässig.

unrelieved [ˌʌnrɪ'liːvd] *adj* pain, gloom ungemindert; grey eintönig; monotony, boredom tödlich ▸ *a life of ~ drudgery* ein Leben, das eine einzige Schinderei ist; *to be ~ by* nicht aufgelockert sein durch *or* von.

unremitting [ˌʌnrɪ'mɪtɪŋ] *adj* efforts, toil unablässig; zeal unermüdlich; hatred unversöhnlich.

unrepeatable [ˌʌnrɪ'piːtəbl] *adj* words, views nicht wiederholbar; offer einmalig.

unrepentant [ˌʌnrɪ'pentənt] *adj* nicht reumütig, reu(e)los ▸ *he is ~ about it* er bereut es nicht.

unrepresentative [ˌʌnreprɪ'zentətɪv] *adj* (*Pol*) government nicht frei gewählt; (*untypical*) nicht repräsentativ (*of* für).

unrequited [ˌʌnrɪ'kwaɪtɪd] *adj* love unerwidert.

unreserved [ˌʌnrɪ'zɜːvd] *adj* **a** (*frank*) person nicht reserviert, offen. **b** (*complete*) approval uneingeschränkt. **c** (*not booked*) nicht reserviert.

unresolved [ˌʌnrɪ'zɒlvd] *adj* **a** problem etc ungelöst. **b** (*uncertain*) person unschlüssig.

unresponsive [ˌʌnrɪ'spɒnsɪv] *adj* (*physically*) nicht reagierend *attr*, (*emotionally, intellectually*) gleichgültig, unempfänglich. *to be ~* nicht reagieren (*to* auf +*acc*); (*engine*) nicht ansprechen; *an ~ audience* ein Publikum, das nicht mitgeht; *I suggested it but he was fairly ~* ich habe es vorgeschlagen, aber er zeigte sich nicht sehr interessiert.

unrest [ʌn'rest] *n* Unruhen *pl*; (*discontent*) Unzufriedenheit *f*.

unrestrained [ˌʌnrɪ'streɪnd] *adj* uneingeschränkt; feelings offen, ungehemmt; *enthusiasm, atmosphere* ungezügelt; *behaviour* unbeherrscht.

unrestricted [ˌʌnrɪ'strɪktɪd] *adj* power, use, growth unbeschränkt; *access* ungehindert.

unrewarded [ˌʌnrɪ'wɔːdɪd] *adj* unbelohnt ▸ *to go ~* unbelohnt bleiben; (*not gain recognition*) keine Anerkennung finden.

unrewarding [ˌʌnrɪ'wɔːdɪŋ] *adj* work undankbar; (*financially*) wenig einträglich.

unripe [ʌn'raɪp] *adj* unreif.

unrivalled, (*US*) **unrivaled** [ʌn'raɪvəld] *adj* unübertroffen ▸ *~ in* or *for quality* von unübertroffener Qualität.

unroadworthy [ʌn'rəʊd,wɜːðɪ] *adj* nicht verkehrssicher.

unroll [ʌn'rəʊl] **1** *vt* carpet, map aufrollen. **2** *vi* sich aufrollen; (*fig*) (*plot*) sich abwickeln; (*landscape*) sich ausbreiten.

unromantic [ˌʌnrə'mæntɪk] *adj* unromantisch.

unruffled [ʌn'rʌfld] *adj* person gelassen; sea ruhig, unbewegt; *hair* ordentlich; *calm* unerschütterlich ▸ *she*

was quite ~ sie blieb ruhig und gelassen.
unruled [ʌn'ruːld] *adj paper* unliniert.
unruly [ʌn'ruːlɪ] *adj* (+*er*) wild, ungebärdig.
unsafe [ʌn'seɪf] *adj ladder, machine, car, person* nicht sicher; (*dangerous*) *journey, toy, wiring* gefährlich ▶ *to feel* ~ sich nicht sicher fühlen.
unsaid [ʌn'sed] *adj* ungesagt, unausgesprochen ▶ *to leave sth* ~ etw unausgesprochen lassen; *it's best left* ~ das bleibt besser ungesagt.
unsaleable [ʌn'seɪləbl] *adj* unverkäuflich ▶ *to be* ~ sich nicht verkaufen lassen.
unsatisfactory [ˌʌnsætɪs'fæktərɪ] *adj* unbefriedigend; *profits etc* nicht ausreichend; *service, hotel* unzulänglich; (*Sch*) mangelhaft ▶ *this is most* ~ das läßt sehr zu wünschen übrig.
unsatisfied [ʌn'sætɪsfaɪd] *adj person* unzufrieden; (*not convinced*) nicht überzeugt; *appetite, desire, curiosity* unbefriedigt.
unsatisfying [ʌn'sætɪsfaɪɪŋ] *adj* unbefriedigend; *meal* unzureichend.
unsavoury, (*US*) **unsavory** [ʌn'seɪvərɪ] *adj smell, sight* widerlich; *appearance* (*repulsive*) abstoßend; (*dishonest, shady etc*) fragwürdig; *subject, details* unerfreulich; *joke* unfein; *district, characters* zwielichtig, übel; *reputation* zweifelhaft.
unscathed [ʌn'skeɪðd] *adj* (*lit*) unverletzt, unversehrt; (*fig*) unbeschadet; *relationship* heil ▶ *to escape* ~ (*fig*) ungeschoren davonkommen.
unscented [ʌn'sentɪd] *adj* nicht parfümiert.
unscheduled [ʌn'ʃedjuːld] *adj stop etc* außerfahrplanmäßig; *meeting* außerplanmäßig.
unscientific [ˌʌnsaɪən'tɪfɪk] *adj* unwissenschaftlich.
unscramble [ʌn'skræmbl] *vt* entwirren; (*decode*) *message* entschlüsseln.
unscrew [ʌn'skruː] **1** *vt* (*loosen*) losschrauben ▶ *to come ~ed* sich lösen.
2 *vi* sich los- *or* abschrauben lassen; (*become loose*) sich lösen.
unscrupulous [ʌn'skruːpjʊləs] *adj person, behaviour* skrupellos, gewissenlos.
unseal [ʌn'siːl] *vt* öffnen; (*remove wax seal*) entsiegeln.
unseasoned [ʌn'siːznd] *adj timber* nicht abgelagert; *food* ungewürzt; (*fig: inexperienced*) *troops* unerfahren.
unseaworthy [ʌn'siːˌwɜːðɪ] *adj* seeuntüchtig.
unsecured [ˌʌnsɪ'kjʊəd] *adj* (*Fin*) *loan* ohne Sicherheiten.
unseeded [ʌn'siːdɪd] *adj* (*Tennis*) nicht gesetzt.
unseemly [ʌn'siːmlɪ] *adj* unschicklich.
unseen [ʌn'siːn] **1** *adj* ungesehen; (*invisible*) unsichtbar; (*unobserved*) *escape* unbemerkt.
2 *n* (*esp Brit Sch*) unvorbereitete Übersetzung in die Muttersprache.
unselfconscious *adj*, **~ly** *adv* [ˌʌnself'kɒnʃəs, -lɪ] unbefangen.
unselfish [ʌn'selfɪʃ] *adj* uneigennützig, selbstlos.
unserviceable [ʌn'sɜːvɪsəbl] *adj* unbrauchbar.
unsettle [ʌn'setl] *vt* durcheinanderbringen; (*upset*) aufregen; (*disturb emotionally*) verstören; (*news*) beunruhigen; (*defeat, criticism*) verunsichern; *animal* beunruhigen.
unsettled [ʌn'setld] *adj* **a** (*unpaid*) unbeglichen; (*undecided*) *question* ungeklärt; *future* unbestimmt, ungewiß. **b** (*changeable*) *weather*, (*Fin*) *market* unbeständig; (*Pol*) *conditions also* unsicher; *life, character* unstet ▶ *to be* ~ durcheinander sein; (*thrown off balance*) aus dem Gleis geworfen sein; (*emotionally disturbed*) verstört sein. **c** (*unpopulated*) *territory* unbesiedelt.
unsettling [ʌn'setlɪŋ] *adj change, influence* destabilisierend; *defeat, knowledge* verunsichernd; *news* beunruhigend.
unshak(e)able [ʌn'ʃeɪkəbl] *adj* unerschütterlich.

unshaken [ʌn'ʃeɪkən] *adj* unerschüttert ▶ *his nerve was* ~ er behielt seine Kaltblütigkeit.
unshaven [ʌn'ʃeɪvn] *adj* unrasiert; (*bearded*) bärtig.
unsigned [ʌn'saɪnd] *adj painting* unsigniert; *letter* nicht unterschrieben.
unsightly [ʌn'saɪtlɪ] *adj* unansehnlich; (*stronger*) häßlich.
unskilled [ʌn'skɪld] *adj* **a** *work, worker* ungelernt. **b** (*inexperienced*) ungeübt, unerfahren.
unslept-in [ʌn'sleptɪn] *adj* unberührt.
unsociable [ʌn'səʊʃəbl] *adj* ungesellig.
unsocial [ʌn'səʊʃəl] *adj to work* ~ *hours* außerhalb der normalen Arbeitszeiten arbeiten; *visitors at this* ~ *hour* Besuch um diese Zeit!
unsold [ʌn'səʊld] *adj* unverkauft.
unsolicited [ˌʌnsə'lɪsɪtɪd] *adj* unerbeten; *manuscript* unverlangt eingesandt.
unsolved [ʌn'sɒlvd] *adj* ungelöst.
unsophisticated [ˌʌnsə'fɪstɪkeɪtɪd] *adj* (*simple*) einfach; (*naïve*) naiv, simpel; (*undiscriminating*) unkritisch.
unsound [ʌn'saʊnd] *adj heart, teeth* krank; *health* angegriffen; *timber* morsch; *construction, design* unsolide; *foundations, finances* unsicher; *argument* nicht stichhaltig, anfechtbar; *advice* unvernünftig; *judgement* unzuverlässig; *doctrine* unvertretbar; *policy, move* unklug ▶ *of* ~ *mind* (*Jur*) unzurechnungsfähig; *the book is* ~ *on some points* das Buch ist in einigen Punkten nicht korrekt.
unsparing [ʌn'speərɪŋ] *adj* **a** (*lavish*) großzügig, verschwenderisch ▶ *to be* ~ *with sth* mit etw nicht geizen. **b** *criticism* schonungslos.
unspeakable [ʌn'spiːkəbl] *adj* entsetzlich.
unspeakably [ʌn'spiːkəblɪ] *adv* unsagbar.
unspecified [ʌn'spesɪfaɪd] *adj time, amount* nicht (genau) genannt.
unspectacular [ˌʌnspek'tækjʊləʳ] *adj* wenig eindrucksvoll; *career* wenig aufsehenerregend.
unspoiled [ˌʌn'spɔɪld], **unspoilt** [ˌʌn'spɔɪlt] *adj countryside* unberührt; *child* nicht verwöhnt.
unspoken [ʌn'spəʊkən] *adj words, thought* unausgesprochen; *agreement, consent* stillschweigend.
unsporting [ʌn'spɔːtɪŋ] *adj* unsportlich, unfair.
unstable [ʌn'steɪbl] *adj structure* nicht stabil; *area, economy* unsicher; (*Chem, Phys*) instabil; (*mentally*) labil.
unstamped [ʌn'stæmpt] *adj letter* unfrankiert; *document, passport* ungestempelt.
unsteadily [ʌn'stedɪlɪ] *adv see adj.*
unsteadiness [ʌn'stedɪnɪs] *n see adj* Unsicherheit *f*; Wackeligkeit *f*; Schwanken *nt*; Unregelmäßigkeit *f*.
unsteady [ʌn'stedɪ] *adj hand* unsicher; *ladder* wack(e)lig; *voice, economy* schwankend; *growth* unregelmäßig ▶ *to be* ~ *on one's feet* unsicher auf den Beinen sein; *the £ is still* ~ das Pfund schwankt noch.
unstinting [ʌn'stɪntɪŋ] *adj person* großzügig; *kindness, generosity, support* uneingeschränkt ▶ *to be* ~ *in one's efforts* keine Kosten und Mühen scheuen; *he was* ~ *in his praise* er geizte nicht mit Lob; *to be* ~ *of one's time* unendlich viel Zeit opfern.
unstressed [ʌn'strest] *adj* (*Phon*) unbetont.
unstuck [ʌn'stʌk] **1** *pret, pp of* **unstick**.
2 *adj to come* ~ (*stamp, notice*) sich lösen; (*col*) (*plan*) schiefgehen (*col*); (*person*) baden gehen (*col*); (*speaker, actor*) steckenbleiben; (*in exam*) ins Schwimmen geraten.
unsubstantiated [ˌʌnsəb'stænʃɪeɪtɪd] *adj accusation, testimony, rumour* unbegründet.
unsubtle [ʌn'sʌtl] *adj* plump.
unsuccessful [ˌʌnsək'sesfʊl] *adj venture, meeting, person etc* erfolglos; *candidate* abgewiesen; *attempt* vergeblich; *marriage, outcome* unglücklich ▶ *to be* ~ *in doing sth* keinen Erfolg damit haben, etw zu tun; *he is* ~ *in*

everything he does nichts gelingt ihm; *he was ~ in his exam* er hat seine Prüfung nicht bestanden.

unsuccessfully [ˌʌnsək'sesfəlɪ] *adv* erfolglos; *try* vergeblich; *apply* vergebens.

unsuitability [ˌʌnsuːtə'bɪlɪtɪ] *n* Ungeeignetsein *nt* ▸ *his ~ for the job* seine mangelnde Eignung für die Stelle; *the ~ of her clothes* ihre unpassende Kleidung.

unsuitable [ʌn'suːtəbl] *adj* unpassend ▸ *it would be ~ at this moment to ...* es wäre im Augenblick unangebracht, ...; *this film is ~ for children* dieser Film ist für Kinder nicht geeignet; *we're ~ for each other* wir passen nicht zusammen; *he's ~ for the job* er ist für die Arbeit ungeeignet.

unsuitably [ʌn'suːtəblɪ] *adv* unpassend.

unsuited [ʌn'suːtɪd] *adj* to be ~ for *or* to sth für etw ungeeignet sein.

unsung [ʌn'sʌŋ] *adj hero, deed* unbesungen.

unsure [ʌn'ʃʊəʳ] *adj person* unsicher ▸ *to be ~ of oneself* unsicher sein; *to be ~ (of sth)* sich (*dat*) (einer Sache *gen*) nicht sicher sein; *I'm ~ of him* ich bin mir bei ihm nicht sicher.

unsurpassed [ˌʌnsə'pɑːst] *adj* unübertroffen ▸ *to be ~ by anybody* von niemandem übertroffen werden.

unsuspected [ˌʌnsə'spektɪd] *adj presence etc* unvermutet; *consequences, wealth* ungeahnt.

unsuspecting *adj*, **~ly** *adv* [ˌʌnsə'spektɪŋ, -lɪ] ahnungslos, nichtsahnend.

unsweetened [ˌʌn'swiːtnd] *adj* ungesüßt.

unswerving [ʌn'swɜːvɪŋ] *adj loyalty* unwandelbar.

unsympathetic [ˌʌnsɪmpə'θetɪk] *adj* **a** (*unfeeling*) wenig mitfühlend; *attitude, response* ablehnend, abweisend. **b** (*unlikeable*) unsympathisch.

unsystematic [ˌʌnsɪstɪ'mætɪk] *adj* unsystematisch.

untalented [ʌn'tælɪntɪd] *adj* unbegabt.

untamed [ʌn'teɪmd] *adj* (*lit, fig*) ungezähmt.

untangle [ʌn'tæŋgl] *vt* (*lit, fig*) entwirren.

untapped [ʌn'tæpt] *adj barrel* unangezapft; *resources, talent* ungenutzt.

untaxed [ʌn'tækst] *adj goods, income* steuerfrei; *car* unversteuert.

untenable [ʌn'tenəbl] *adj* (*lit, fig*) unhaltbar.

untended [ʌn'tendɪd] *adj patient* unbewacht; *garden* ungepflegt.

untested [ʌn'testɪd] *adj* unerprobt.

unthinkable [ʌn'θɪŋkəbl] *adj* undenkbar; (*too horrible*) unvorstellbar.

unthinking [ʌn'θɪŋkɪŋ] *adj* unbedacht, gedankenlos.

untidily [ʌn'taɪdɪlɪ] *adv* unordentlich.

untidiness [ʌn'taɪdɪnɪs] *n* (*of room*) Unordnung *f*; (*of person, dress*) Unordentlichkeit *f*.

untidy [ʌn'taɪdɪ] *adj* (+*er*) unordentlich.

untie [ʌn'taɪ] *vt knot* lösen; *parcel* aufknoten; *person, animal, hands* losbinden.

until [ən'tɪl] **1** *prep* **a** bis ▸ *from morning ~ night* von morgens bis abends; *~ now* bis jetzt; *~ then* bis dahin. **b** *not ~* (*in future*) nicht vor (+*dat*); (*in past*) erst; *I didn't leave him ~ the following day* ich habe ihn erst am folgenden Tag verlassen.
2 *conj* **a** bis ▸ *wait ~ I come* warten Sie, bis ich komme. **b** *not ~* (*in future*) nicht bevor, erst wenn; (*in past*) nicht bis, erst als; *he won't come ~ you invite him* er kommt erst, wenn Sie ihn einladen; *they did nothing ~ we came* bis wir kamen, taten sie nichts; *they didn't start ~ we came* sie fingen erst an, als wir da waren.

untimely [ʌn'taɪmlɪ] *adj death* vorzeitig; (*inopportune*) *moment* unpassend; *remark* zur falschen Zeit.

untiring [ʌn'taɪərɪŋ] *adj work, effort* unermüdlich ▸ *to be ~ in one's efforts* unermüdliche Anstrengungen machen.

untold [ʌn'təʊld] *adj story* nicht erzählt; *secret* unge-

lüftet; *wealth* unermeßlich; *agony, delights* unsäglich; *stars etc* unzählig ▸ *~ thousands* unzählig viele.

untouchable [ʌn'tʌtʃəbl] **1** *adj* unberührbar. **2** *n* Unberührbare(r) *mf*.

untouched [ʌn'tʌtʃt] *adj* **a** unberührt, unangetastet; *bottle etc also* nicht angebrochen; (*unmentioned*) nicht erwähnt ▸ *~ by human hand* nicht von Menschenhand berührt. **b** (*unharmed*) heil, unversehrt; (*unaffected*) unberührt; (*unmoved*) ungerührt. **c** (*unequalled*) *~ for quality* in der Qualität unerreicht.

untoward [ˌʌntə'wɔːd] *adj* (*unfortunate*) *event* unglücklich, bedauerlich; (*unseemly*) unpassend ▸ *nothing ~ had happened* es war nichts Schlimmes passiert.

untraceable [ʌn'treɪsɪbl] *adj* unauffindbar.

untrained [ʌn'treɪnd] *adj person, teacher* unausgebildet; *voice* ungeschult; *animal* undressiert ▸ *to the ~ eye* dem ungeschulten Auge.

untrammelled, (US also) **untrammeled** [ʌn'træməld] *adj* unbeschränkt.

untranslatable [ˌʌntrænz'leɪtəbl] *adj* unübersetzbar.

untried [ʌn'traɪd] *adj* **a** (*not tested*) unerprobt; (*not attempted*) unversucht. **b** (*Jur*) *case* nicht verhandelt; *person* nicht vor Gericht gestellt.

untroubled [ʌn'trʌbld] *adj period* friedlich, ruhig ▸ *the children seemed ~ by the heat* die Hitze schien den Kindern nichts auszumachen.

untrue [ʌn'truː] *adj* **a** (*false*) unwahr. **b** (*unfaithful*) *person* untreu ▸ *to be ~ to sb* jdm untreu sein.

untrustworthy [ʌn'trʌst,wɜːðɪ] *adj* (*not reliable*) *book, person* unzuverlässig; (*not worthy of confidence*) *person* nicht vertrauenswürdig.

untruth [ʌn'truːθ] *n* Unwahrheit *f*.

untruthful [ʌn'truːθfʊl] *adj statement* unwahr; *person* unaufrichtig ▸ *you're being ~* was du da sagst, ist nicht ganz wahr.

unusable [ʌn'juːzəbl] *adj* unbrauchbar.

unused¹ [ʌn'juːzd] *adj* (*new*) unbenutzt, ungebraucht; (*not made use of*) ungenutzt; (*no longer used*) nicht mehr benutzt.

unused² [ʌn'juːst] *adj to be ~ to sth* etw (*acc*) nicht gewohnt sein; *to be ~ to doing sth* nicht daran gewöhnt sein, etw zu tun.

unusual [ʌn'juːʒʊəl] *adj* (*uncommon*) ungewöhnlich; (*exceptional*) außergewöhnlich ▸ *it's ~ for him to be late* er kommt normalerweise nicht zu spät; *how ~!* das kommt selten vor; *that's ~ for him* das ist sonst nicht seine Art.

unusually [ʌn'juːʒʊəlɪ] *adv see adj most ~, he was late* ganz gegen seine Gewohnheit kam er zu spät.

unutterable *adj*, **~bly** *adv* [ʌn'ʌtərəbl, -ɪ] unsäglich.

unvaried [ʌn'veərɪd] *adj* unverändert; (*pej*) eintönig.

unvarnished [ʌn'vɑːnɪʃt] *adj wood* unlackiert; (*fig*) *truth* ungeschminkt.

unvarying [ʌn'veərɪŋ] *adj* gleichbleibend, unveränderlich.

unveil [ʌn'veɪl] *vt statue, plan* enthüllen; (*Comm*) *new product* vorstellen; *face* entschleiern.

unversed [ʌn'vɜːst] *adj* *~ in* nicht vertraut mit, unbewandert in (+*dat*).

unvoiced [ʌn'vɔɪst] *adj* unausgesprochen.

unwanted [ʌn'wɒntɪd] *adj furniture, clothing* unerwünscht ▸ *he feels ~* er kommt sich unerwünscht vor.

unwarranted [ʌn'wɒrəntɪd] *adj* ungerechtfertigt.

unwary [ʌn'weərɪ] *adj* unvorsichtig, unachtsam.

unwashed [ʌn'wɒʃt] *adj* ungewaschen; *dishes* ungespült.

unwavering [ʌn'weɪvərɪŋ] *adj faith, resolve* unerschütterlich; *course* beharrlich.

unwelcome [ʌn'welkəm] *adj visitor* unwillkommen; *news, memories* unerfreulich.

unwell [ʌn'wel] *adj pred* unwohl, nicht wohl ▸ *to be or feel (a little)* ~ sich nicht (ganz) wohl fühlen.

unwholesome [ʌn'həʊlsəm] *adj* ungesund; *influence* ungut; *appearance, character* schmierig.

unwieldy [ʌn'wiːldɪ] *adj tool* unhandlich; *object also* sperrig; (*clumsy*) *body* schwerfällig.

unwilling [ʌn'wɪlɪŋ] *adj helper, pupil* widerwillig; *accomplice* unfreiwillig ▸ *to be* ~ *to do sth* nicht bereit or gewillt sein, etw zu tun.

unwillingly [ʌn'wɪlɪŋlɪ] *adv* widerwillig.

unwillingness [ʌn'wɪlɪŋnɪs] *n* Widerwille *m* ▸ *their* ~ *to compromise* ihre mangelnde Kompromißbereitschaft.

unwind [ʌn'waɪnd] *pret, ptp* **unwound** ⬛1 *vt thread, tape* abwickeln; (*untangle*) entwirren. ⬛2 *vi* ⬛a sich abwickeln; (*fig: plot*) sich entwickeln. ⬛b (*col: relax*) abschalten (*col*).

unwise [ʌn'waɪz] *adj* unklug ▸ *they were* ~ *enough to believe him* sie waren so töricht, ihm zu glauben.

unwitting [ʌn'wɪtɪŋ] *adj accomplice* unwissentlich; *action also* unabsichtlich; *victim* ahnungslos.

unwittingly [ʌn'wɪtɪŋlɪ] *adv* (*innocently*) ahnungslos; (*unknowingly*) unbewußt.

unwonted [ʌn'wəʊntɪd] *adj* ungewohnt ▸ *he worked with* ~ *speed/enthusiasm* er arbeitete ungewöhnlich schnell/mit einer Begeisterung, die man sonst nicht an ihm kannte.

unworkable [ʌn'wɜːkəbl] *adj scheme* undurchführbar; *mine* nicht abbaubar.

unworldly [ʌn'wɜːldlɪ] *adj life* weltabgewandt; (*naïve*) weltfremd.

unworn [ʌn'wɔːn] *adj clothes* ungetragen; *carpet* nicht abgetreten; *tyres* nicht abgefahren.

unworried [ʌn'wʌrɪd] *adj* unbekümmert.

unworthy [ʌn'wɜːðɪ] *adj person* nicht wert (*of gen*); *conduct also* unwürdig (*of gen*) ▸ *this is* ~ *of you* das ist deiner unwürdig.

unwound [ʌn'waʊnd] *pret, ptp of* **unwind**.

unwrap [ʌn'ræp] *vt* auspacken, auswickeln.

unwritten [ʌn'rɪtn] *adj book, law* ungeschrieben; *agreement* stillschweigend.

unyielding [ʌn'jiːldɪŋ] *adj* unnachgiebig.

unzip [ʌn'zɪp] *vt zip* aufmachen; *dress, case* den Reißverschluß aufmachen an (+*dat*).

up [ʌp] ⬛1 *adv* ⬛a (*in high or higher position*) oben; (*to higher position*) nach oben ▸ ~ *there* dort oben; ~ *here on the roof* hier oben auf dem Dach; *on your way* ~ *(to see us/them)* auf dem Weg (zu uns/ihnen) herauf/hinauf; *he climbed all the way* ~ *(to us/them)* er ist den ganzen Weg (zu uns/ihnen) hochgeklettert; *to throw sth* ~ etw hochwerfen; *it's five floors* ~ es ist im fünften Stock; (*higher*) es ist fünf Stockwerke höher; *the road goes* ~ *and* ~ die Straße steigt immer weiter an; *we were 10,000 feet* ~ *when ...* wir waren 3.000 Meter hoch, als ...; *a little further* ~ ein bißchen weiter oben; *the sun/moon is* ~ die Sonne/der Mond ist aufgegangen; *with his collar* ~ mit hochgeschlagenem Kragen; *the road is* ~ die Straße ist aufgerissen; *to be* ~ *with the leaders* vorn bei den Führenden sein; *then* ~ *jumps Richard and says ...* und dann springt Richard auf und sagt ...; ~ *with the Liberals!* hoch die Liberalen; *from £10* ~ ab £ 10.

⬛b (*installed, built*) *to be* ~ (*building*) stehen; (*scaffolding*) aufgestellt sein; (*shutters*) zu sein; (*wallpaper, curtains, pictures*) hängen; *they're putting* ~ *a new cinema* sie bauen ein neues Kino; *stick the notice* ~ *here* häng den Anschlag hier hin.

⬛c (*not in bed*) auf ▸ *to get* ~ aufstehen; *to be* ~ *and about* auf sein; (*after illness also*) auf den Beinen sein; *to be* ~ *late* lange aufbleiben.

⬛d (*geographically*) oben ▸ ~ *in Inverness* oben in Inverness; *we are going* ~ *to Hamburg* wir fahren nach Hamburg (hinauf); *to be/go* ~ *north* im Norden sein/in den Norden fahren; *we're* ~ *for the day* wir sind (nur) für heute hier; *he was* ~ *at Susie's place* er war bei Susie (zu Hause).

⬛e (*in price, value*) gestiegen (*on* gegenüber) ▸ *potatoes are* ~ *again* die Kartoffelpreise sind wieder gestiegen.

⬛f (*in score*) *to be 3 goals* ~ mit 3 Toren führen or vorn liegen (*on* gegenüber); *to be one* ~ *on sb* jdm um einen Schritt voraus sein.

⬛g (*col: wrong*) *what's* ~? was ist los?; *there's something* ~ (*wrong*) da stimmt irgend etwas nicht; (*happening*) da ist irgend etwas im Gange.

⬛h (*knowledgeable*) *to be well* ~ *in sth* gut über etw (*acc*) informiert sein; *he's well* ~ *in* or *on foreign affairs* in Auslandsfragen kennt er sich aus.

⬛i (*finished*) *time's* ~ die Zeit ist um or abgelaufen; *the lease is* ~ *next month* das Mietverhältnis endet nächsten Monat; *to eat/use sth* ~ etw aufessen/aufbrauchen; *it's all* ~ *with him* (*col*) es ist aus mit ihm (*col*).

⬛j ~ *to* (*as far as*) bis; ~ *to now* bis jetzt; ~ *to then* bis dann or dahin.

⬛k ~ *to* (*col: doing*) *what's he* ~ *to?* (*actually doing*) was macht er da?; (*planning etc*) was hat er vor?; (*suspiciously*) was führt er im Schilde?; *he's* ~ *to no good* er führt nichts Gutes im Schilde.

⬛l ~ *to: I don't feel* ~ *to it* ich fühle mich dem nicht gewachsen; (*not well enough*) ich fühle mich nicht wohl genug dazu; *he's not/it isn't* ~ *to much* mit ihm/damit ist nicht viel los (*col*); *it isn't* ~ *to his usual standard* es entspricht nicht seinem sonstigen Niveau; *it's* ~ *to us to help him* wir sollten ihm helfen; *if it was* ~ *to me* wenn es nach mir ginge; *it's* ~ *to you whether you go or not* es liegt an or bei dir, ob du gehst oder nicht; *shall I take it? — that's entirely* ~ *to you* soll ich es nehmen? — das müssen Sie selbst wissen; *it's* ~ *to the government to put things right* es ist Sache der Regierung, das richtigzustellen.

⬛m ~ *and down* auf und ab; *he's been* ~ *and down for months* seit Monaten geht es ihm mal besser, mal schlechter.

⬛n *it was* ~ *against the wall* es war an die Wand gelehnt; *to be* ~ *against a difficulty/an opponent* einem Problem/Gegner gegenüberstehen; *I fully realize what I'm* ~ *against* mir ist völlig klar, womit ich es hier zu tun habe; *they were really* ~ *against it* sie hatten wirklich schwer zu schaffen.

⬛2 *prep further* ~ *the page* weiter oben auf der Seite; *to live/go* ~ *the hill* am Berg wohnen/den Berg hinaufgehen; *they live further* ~ *the hill/street* sie wohnen weiter oben am Berg/weiter die Straße entlang; ~ *the road from me* bei mir in der Nähe; *he went off* ~ *the road* er ging die Straße hinauf; *he hid it* ~ *the chimney* er versteckte es (oben) im Kamin; *the water goes* ~ *this pipe* das Wasser geht durch dieses Rohr; ~ *a tube* (*position*) in einer Röhre; (*motion*) in eine Röhre; *to go/march* ~ *to sb* auf jdn zugehen/zumarschieren.

⬛3 *n* ~*s and downs* gute und schlechte Zeiten *pl*; (*of life*) Höhen und Tiefen *pl*; *to be on the* ~ *and* ~ (*col: improving*) auf dem aufsteigenden Ast sein (*col*); *his career is on the* ~ *and* ~ (*col*) mit seiner Karriere geht es aufwärts.

⬛4 *adj* (*going up*) *escalator* nach oben; (*Rail*) *train, line* zur (nächsten größeren) Stadt.

⬛5 *vt* (*col*) *price, offer* hinaufsetzen; *production* ankurbeln; *bet* erhöhen (*to* auf +*acc*).

⬛6 *vi* (*col*) *she* ~*ped and hit him* sie knallte ihm ganz plötzlich eine (*col*); *he* ~*ped and ran* er rannte ganz plötzlich davon.

up-and-coming ['ʌpən'kʌmɪŋ] *adj* Nachwuchs-; *busi-*

ness aufstrebend.

upbeat ['ʌpbiːt] **1** *n* (*Mus*) Auftakt *m*.
2 *adj* (*col*) (*cheerful*) fröhlich; (*optimistic*) optimistisch.

upbraid [ʌp'breɪd] *vt* rügen.

upbringing ['ʌpbrɪŋɪŋ] *n* Erziehung *f* ▸ *to have a good* ~ eine gute Kinderstube haben.

upcoming [ʌp'kʌmɪŋ] *adj* (*esp US: coming soon*) kommend, bevorstehend.

up-country [,ʌp'kʌntrɪ] *adv* landeinwärts.

update [ʌp'deɪt] **1** *vt* aktualisieren; *person, file, book* auf den neuesten Stand bringen.
2 ['ʌpdeɪt] *n* Aktualisierung *f*; (*new version*) Neufassung *f* ▸ *to give sb an* ~ jdn auf den neuesten Stand bringen.

up-end [ʌp'end] *vt box, sofa* hochkant stellen.

up-front [,ʌp'frʌnt] *adv pay money* im voraus.

upgrade [ʌp'greɪd] *vt employee* befördern; *job* höher einstufen; *product* verbessern; (*Hi-fi, Phot, Comp*) *equipment* ausbauen, nachrüsten.

upheaval [ʌp'hiːvəl] *n* Aufruhr *m* ▸ *emotional* ~ Aufruhr der Gefühle; *social/political* ~*s* soziale/politische Umwälzungen *pl*.

upheld [ʌp'held] *pret, ptp of* **uphold**.

uphill ['ʌp'hɪl] **1** *adv* bergauf ▸ *to go* ~ bergauf gehen; (*car*) den Berg hinauffahren.
2 *adj road* bergauf (führend); (*fig*) *work, struggle* mühsam, mühselig ▸ *it's* ~ *all the way* (*lit*) es geht die ganze Strecke bergauf; (*fig*) es ist ein harter Kampf.

uphold [ʌp'həʊld] *pret, ptp* **upheld** *vt* (*sustain*) *tradition, honour* wahren; *the law* hüten; (*support*) *person, decision, objection* (unter)stützen; (*Jur*) *verdict* bestätigen.

upholster [ʌp'həʊlstər] *vt* polstern.

upholstery [ʌp'həʊlstərɪ] *n* (*interior*) Polsterung *f*; (*cover*) Bezug *m*; (*trade*) Polsterei *f*; (*skill*) das Polstern.

upkeep ['ʌpkiːp] *n* (*running*) Unterhalt *m*; (*cost*) Unterhaltskosten *pl*; (*maintenance*) Instandhaltung *f*; (*of garden etc*) Pflege *f*.

uplift ['ʌplɪft] *n* (*exaltation*) Erhebung *f*; (*moral inspiration*) Erbauung *f*.

uplifting [ʌp'lɪftɪŋ] *adj* erhebend.

up-market [,ʌp'maːkɪt] *adj* exklusiv.

upon [ə'pɒn] *prep see on* 1.

upper ['ʌpər] **1** *adj* obere(r, s); *lip, arm, jaw, deck* Ober- ▸ *temperatures in the* ~ *thirties* Temperaturen über 35 Grad; *U~ Egypt/the* ~ *Loire* Oberägypten *nt*/die obere Loire; ~ *storey* (*of house*) oberes Stockwerk; ~ *circle* (*Brit Theat*) zweiter Rang; *the* ~ *ranks of the Civil Service* das gehobene Beamtentum; ~ *school* Oberschule *f*; *U~ House* (*Parl*) Oberhaus *nt*.
2 *n* ~*s pl* (*of shoe*) Obermaterial *nt*; *to be on one's* ~*s* (*col*) auf den Hund gekommen sein (*col*).

upper: ~ *case n* (*Typ*) (*also* ~*-case letter*) Großbuchstabe *m*; ~ *class n the* ~ *classes* die Oberschicht; ~*-class adj accent, district, person* vornehm; *sport, expression, attitude* der Oberschicht; *to be* ~*-class* (*person*) zur Oberschicht gehören; ~*classman n* (*US*) Mitglied *nt* einer High School oder eines College; ~ *crust n* (*col*) *the* ~ *crust* die oberen Zehntausend *pl* (*col*); ~*-crust adj* (*col*) (*schrecklich*) vornehm (*col*); ~*most* **1** *adj* oberste(r, s); (*fig*) *ambition* größte(r, s), höchste(r, s); *safety should be* ~*most in your minds* Sicherheit sollte für Sie an erster Stelle stehen; **2** *adv the blue side* ~*most* mit der blauen Seite nach oben.

uppish ['ʌpɪʃ], **uppity** ['ʌpɪtɪ] *adj* (*col: arrogant*) hochnäsig (*col*) ▸ *to get* ~ *with sb* jdm gegenüber anmaßend werden.

upright ['ʌpraɪt] **1** *adj* **a** (*erect*) aufrecht; (*vertical*) *post* senkrecht ▸ ~ *piano* Klavier *nt*; ~ *chair* Stuhl *m*. **b** (*fig: honest*) *person* aufrecht.
2 *adv* (*erect*) aufrecht, gerade; (*vertical*) senkrecht ▸ *to hold oneself* ~ sich gerade halten.

3 *n* **a** (*post*) Pfosten *m*. **b** (*piano*) Klavier *nt*.

uprising ['ʌpraɪzɪŋ] *n* Aufstand *m*, Erhebung *f*.

upriver [ʌp'rɪvər] *adv* flußaufwärts (*from* von).

uproar ['ʌprɔːr] *n* Aufruhr *m* ▸ *in* ~ in Aufruhr.

uproarious [ʌp'rɔːrɪəs] *adj meeting* tumultartig; *laughter* brüllend; *success, welcome* überwältigend; *joke* zum Schreien *pred*.

uproot [ʌp'ruːt] *vt plant* entwurzeln; (*fig: eradicate*) *evil* ausmerzen ▸ ~*ed by the war* durch den Krieg entwurzelt; *to* ~ *sb from his familiar surroundings* jdn aus seiner gewohnten Umgebung herausreißen.

upset [ʌp'set] (*vb: pret, ptp* ~) **1** *vt* **a** (*knock over, spill*) umstoßen; *boat* umkippen ▸ *she* ~ *the milk all over the best carpet* sie stieß die Milch um, und alles lief auf den guten Teppich. **b** (*make sad: news, death*) bestürzen, erschüttern; (*question, insolence etc*) aus der Fassung bringen; (*experience, accident etc*) mitnehmen (*col*); (*distress, excite*) *patient, parent etc* aufregen; (*offend etc*) verletzen; (*annoy*) ärgern. **c** (*disorganize*) *calculations, balance etc* durcheinanderbringen. **d** (*make ill*) *the rich food* ~ *his stomach* das schwere Essen ist ihm auf den Magen geschlagen.
2 *adj* **a** (*about divorce, accident etc*) mitgenommen (*col*) (*about* von); (*about death, bad news etc*) bestürzt (*about* über +*acc*); (*sad*) betrübt, geknickt (*col*) (*about* über +*acc*); (*distressed*) aufgeregt (*about wegen*); *child* durcheinander *pred*; (*annoyed*) aufgebracht (*about* über +*acc*); (*hurt*) gekränkt, verletzt (*about* über +*acc*) ▸ *to get* ~ sich aufregen (*about* über +*acc*); (*hurt*) verletzt werden. **b** [ʌpset] *stomach* verdorben *attr* ▸ *to have an* ~ *stomach* sich (*dat*) den Magen verdorben haben.
3 ['ʌpset] *n* **a** (*disturbance*) Störung *f*; (*emotional*) Aufregung *f*; (*col: quarrel*) Verstimmung *f*, Ärger *m*; (*unexpected defeat etc*) böse Überraschung. **b** (*of stomach*) Magenverstimmung *f*, verdorbener Magen.

upset price *n* (*Comm*) Mindestpreis *m*.

upsetting [ʌp'setɪŋ] *adj* (*saddening*) traurig; (*stronger*) bestürzend; (*disturbing*) *changes* störend; *situation* unangenehm; (*offending*) beleidigend; (*annoying*) ärgerlich.

upshot ['ʌpʃɒt] *n* (*result*) Ergebnis *nt* ▸ *the* ~ *of it all was that ...* es lief darauf hinaus, daß ...

upside down ['ʌpsaɪd'daʊn] **1** *adv* verkehrt herum ▸ *to turn sth* ~ (*lit*) etw umdrehen; (*fig*) etw auf den Kopf stellen (*col*).
2 *adj in an* ~ *position* verkehrt herum; *to be* ~ (*picture*) verkehrt herum hängen; (*world*) kopfstehen.

upstage [ʌp'steɪdʒ] **1** *adv* (*Theat*) im Hintergrund der Bühne; (*with movement*) in den Hintergrund der Bühne.
2 *vt to* ~ *sb* (*Theat*) jdn zwingen, dem Publikum den Rücken zuzukehren; (*fig*) jdm die Schau stehlen.

upstairs [ʌp'steəz] **1** *adv* oben; (*with movement*) nach oben.
2 *adj window* im oberen Stock(werk); *room also* obere(r, s).
3 *n* Obergeschoß *nt*.

upstanding [ʌp'stændɪn] *adj* (*strong*) kräftig; (*honourable*) rechtschaffen.

upstart ['ʌpstaːt] *n* Emporkömmling *m*.

upstate ['ʌpsteɪt] (*US*) **1** *adj* im Norden (des Bundesstaates).
2 *adv* im Norden (des Bundesstaates); (*with movement*) in den Norden (des Bundesstaates).

upstream ['ʌpstriːm] *adv* flußaufwärts ▸ *3 miles* ~ *from Henley* 3 Meilen flußaufwärts von Henley.

upsurge ['ʌpsɜːdʒ] *n* Zunahme, Eskalation (*pej*) *f* ▸ *she felt an* ~ *of revulsion* sie fühlte Ekel in sich (*dat*) aufwallen.

uptake ['ʌpteɪk] *n* (*col*): *to be quick/slow on the* ~ schnell verstehen/schwer von Begriff sein (*col*).

uptight [,ʌp'taɪt] *adj* (*col*) (*nervous*) nervös; (*inhibited*)

up-to-date 1154

verklemmt (*col*); (*angry*) sauer (*col*).

up-to-date ['ʌptə'deɪt] *adj* auf dem neuesten Stand; *fashion also, book, news* aktuell; *person, method, technique also* up to date *pred* (*col*) ▶ *to keep ~ with sth* mit *or* bei etw auf dem laufenden bleiben.

up-to-the-minute ['ʌptəðə'mɪnɪt] *adj news* allerneueste(r, s), allerletzte(r, s); *report* hochaktuell ▶ *her clothes are ~* ihre Kleider sind immer der allerletzte Schrei.

uptown ['ʌp'taʊn] (*US*) *adj, adv* im Villenviertel.

upturn ['ʌptɜ:n] *n* (*fig: improvement*) Aufschwung *m*.

upturned ['ʌptɜ:nd] *adj box etc* umgedreht; *face* nach oben gewandt ▶ *~ nose* Stupsnase *f* (*col*).

upward ['ʌpwəd] **1** *adj* aufwärts-, nach oben; *glance* nach oben ▶ *~ movement* Aufwärtsbewegung *f*; *~ slope* Steigung *f*.
2 *adv* (*also ~s*) **a** *move* aufwärts, nach oben ▶ *to look ~* hochsehen, nach oben sehen; *face ~* mit dem Gesicht nach oben. **b** (*with numbers*) *prices from 50p ~* Preise von 50 Pence an, Preise ab 50 Pence; *and ~* und darüber; *~ of 3000* über 3000.

upwardly ['ʌpwədlɪ] *adv* aufwärts, nach oben ▶ *to be ~ mobile* ein Aufsteiger/eine Aufsteigerin sein.

Ural ['jʊərəl] *n the ~ Mountains, the ~s* das Uralgebirge, der Ural.

uranium [jʊə'reɪnɪəm] *n* Uran *nt*.

Uranus [jʊə'reɪnəs] *n* (*Astron*) Uranus *m*.

urban ['ɜ:bən] *adj* städtisch; *traffic, planning, district etc* Stadt- ▶ *~ renewal* Stadtsanierung *f*.

urbane [ɜ:'beɪn] *adj person, style* weltmännisch; (*civil*) höflich; *manner, words* verbindlich.

urbanization [ˌɜ:bənaɪ'zeɪʃən] *n* Urbanisierung, Verstädterung (*pej*) *f*.

urchin ['ɜ:tʃɪn] *n* Straßen- *or* Gassenkind *nt*; (*mischievous*) Range *f*.

Urdu ['ʊədu:] *n* Urdu *nt*.

urge [ɜ:dʒ] **1** *n* (*need*) Verlangen, Bedürfnis *nt*; (*drive*) Drang *m no pl*; (*physical, sexual*) Trieb *m* ▶ *to feel an ~ to do sth* das Bedürfnis verspüren, etw zu tun; *I resisted the ~ (to contradict him)* ich habe mich beherrscht (und ihm nicht widersprochen); *come and stay with us if you get the ~* (*col*) komm uns besuchen, wenn du Lust hast.
2 *vt* **a** *to ~ sb to do sth* (*plead with*) jdn eindringlich bitten, etw zu tun; (*earnestly recommend*) darauf dringen, daß jd etw tut; *to ~ sb to accept* jdn drängen, anzunehmen; *he needed no urging* er ließ sich nicht lange bitten. **b** (*advocate*) *caution, acceptance* drängen auf (+*acc*) ▶ *to ~ that sth should be done* darauf drängen, daß etw getan wird.
◆**urge on** *vt sep* antreiben.

urgency ['ɜ:dʒənsɪ] *n* Dringlichkeit *f*; (*of tone, pleas also*) Eindringlichkeit *f* ▶ *it's a matter of ~* es ist dringend; *there's no ~* es eilt nicht; *there was a note of ~ in his voice* es klang sehr dringend.

urgent ['ɜ:dʒənt] *adj* dringend; *letter, parcel* Eil- ▶ *to be in ~ need of medical attention* dringend ärztliche Hilfe benötigen.

urgently ['ɜ:dʒəntlɪ] *adv required* dringend; *requested also* dringlich; *talk* eindringlich ▶ *he is ~ in need of help* er braucht dringend Hilfe.

urinal [jʊ'raɪnl] *n* (*room*) Pissoir *nt*; (*vessel*) Becken *nt*.

urinate ['jʊərɪneɪt] *vi* Wasser lassen, urinieren.

urine ['jʊərɪn] *n* Urin, Harn *m*.

urn [ɜ:n] *n* **a** Urne *f*. **b** (*also tea ~, coffee ~*) Tee-/Kaffeekessel *m*.

Uruguay ['jʊərəgwaɪ] *n* Uruguay *nt*.

Uruguayan [ˌjʊərə'gwaɪən] **1** *n* (*person*) Uruguayer (in *f*) *m*.
2 *adj* uruguayisch.

US = **United States** USA *pl*.

us [ʌs] *pers pron* **a** (*dir and indir obj*) uns ▶ *give it (to) ~* gib es uns; *younger than ~* jünger als wir; *it's ~* wir sind's; *he is one of ~* er ist einer von uns; *this table shows ~ the tides* auf dieser Tafel sieht man die Gezeiten; *~ and them* wir und die. **b** (*col: me*) (*dir obj*) mich; (*indir obj*) mir; (*pl subj*) wir ▶ *give ~ a look* laß (mich) mal sehen; *~ English* wir Engländer.

USA = **a** United States of America USA *pl*. **b** United States Army.

usable ['ju:zəbl] *adj* verwendbar; *ideas* brauchbar ▶ *no longer ~* nicht mehr zu gebrauchen.

USAF = **United States Air Force**.

usage ['ju:sɪdʒ] *n* **a** (*treatment, handling*) Behandlung *f* ▶ *it's had some rough ~* es ist ziemlich unsanft behandelt worden. **b** (*custom, practice*) Brauch *m*, Sitte *f* ▶ *it's common ~* es ist allgemein üblich. **c** (*Ling: use, way of using*) Sprachgebrauch *m no pl*, Anwendung *f*. *words in common ~* allgemein gebräuchliche Wörter *pl*.

use¹ [ju:z] **1** *vt* **a** benutzen, gebrauchen; *means, materials also, personnel, idea* verwenden; *system, force, one's abilities, strength* anwenden; *tact, care* walten lassen; *drugs* einnehmen ▶ *~ only in emergencies* nur im Notfall gebrauchen; *what's this ~d for?* wofür wird das benutzt?; *to ~ sth for sth* etw zu etw verwenden.
b (*make use of, exploit*) *information, talents, resources, chances* (aus)nutzen; *advantage* nutzen; *waste products* verwerten ▶ *you can ~ the leftovers to make a soup* Sie können die Reste zu einer Suppe verwerten.
c (*~ up, consume*) *petrol, electricity etc* verbrauchen.
d (*pej: exploit*) ausnutzen ▶ *I feel (I've just been) ~d* ich fühle mich ausgenutzt.
2 [ju:s] *n* **a** Verwendung *f*; (*operation: of machines etc*) Benutzung *f*; (*of calculator etc, of word, arms, intelligence*) Gebrauch *m*; (*of method, force*) Anwendung *f*; (*of personnel, truncheons etc*) Einsatz *m*; (*of drugs*) Einnahme *f* ▶ *directions for ~* Gebrauchsanweisung *f*; *for the ~ of* für; *for ~ in case of emergency* für Notfälle; *for external ~* zur äußerlichen Anwendung; *ready for ~* gebrauchsfertig; (*machine*) einsatzbereit; *to make ~ of sth* von etw Gebrauch machen, etw benutzen; *in ~/out of ~* in/außer Gebrauch; (*machines*) in/außer Betrieb; *to be in daily ~/no longer in ~* täglich/nicht mehr benutzt werden.
b (*exploitation, making ~ of*) Nutzung *f*; (*way of using*) Verwendung *f*; (*of waste products, left-overs etc*) Verwertung *f* ▶ *to make ~ of sth* etw nutzen; *to make good/bad ~ of sth* etw gut/schlecht nutzen; *to have no ~ for* (*lit, fig*) keine Verwendung haben für; *to have no further ~ for sth* etw nicht mehr brauchen.
c (*usefulness*) Nutzen *m* ▶ *to be of ~ to sb/for doing sth* für jdn von Nutzen sein/nützlich sein, um etw zu tun; *this is no ~ any more* das ist zu nichts mehr zu gebrauchen; *is this (of) any ~ to you?* können Sie das brauchen?, können Sie damit etwas anfangen?; *can I be of any ~?* kann ich irgendwie behilflich sein?; *this is no ~, we must do something* so hat das keinen Sinn, wir müssen etwas tun; *it's no ~ you or your protesting* es hat keinen Sinn *or* es nützt nichts, daß du protestierst; *what's the ~ of telling him?* was nützt es, wenn man es ihm sagt?; *it's no ~* es hat keinen Zweck; *ah, what's the ~!* ach, was soll's!
d (*right*) Nutznießung *f* (*Jur*) ▶ *to have ~ of a car* einen Wagen benutzen können; *to give sb the ~ of sth* jdn etw benutzen lassen; (*of car also, of money*) jdm etw zur Verfügung stellen; *to have lost the ~ of one's left arm* seinen linken Arm nicht mehr gebrauchen können.
◆**use up** *vt sep food, objects, one's strength* verbrauchen; (*finish also*) aufbrauchen; *scraps, leftovers etc* verwerten ▶ *the butter is all ~d* die Butter ist alle (*col*) *or* aufgebraucht.

use² [juːs] *aux as in* **I didn't ~ to like it** *see* **used².**
used¹ [juːzd] *adj clothes etc* gebraucht; (*soiled*) *towel etc* benutzt ▶ **~ car** Gebrauchtwagen *m.*
used² [juːst] *aux only in past* **I ~ to swim every day** ich bin früher täglich geschwommen; **I ~ not to smoke, I didn't use to smoke** ich habe früher nicht geraucht; **I don't now but I ~ to** früher schon, jetzt nicht mehr; **as my mother ~ to say** wie meine Mutter zu sagen pflegte; **he ~ to be a good singer** er war einmal ein guter Sänger; **there ~ to be a field here** hier war (früher) einmal ein Feld; **things aren't what they ~ to be** es ist alles nicht mehr (so) wie früher.
used³ [juːst] *adj* **to be ~ to sth** an etw (*acc*) gewöhnt sein, etw gewohnt sein; **to be ~ to doing sth** es gewohnt sein, etw zu tun; **I'm not ~ to it** ich bin das nicht gewohnt; **to get ~ to sth/doing sth** sich an etw (*acc*) gewöhnen/sich daran gewöhnen, etw zu tun.
useful ['juːsfʊl] *adj* [a] nützlich; *person, contribution also* wertvoll; (*handy*) *tool also* praktisch; *size* zweckmäßig; *discussion* fruchtbar; *life, employment* nutzbringend ▶ **it is ~ for him to be able to** ... es ist günstig *or* praktisch, daß er ... kann; **to make oneself ~** sich nützlich machen; **to come in ~** sich als nützlich erweisen; **he's a ~ man to know** es ist sehr nützlich, ihn zu kennen; **it has a ~ life of 10 years** es hat eine Nutzdauer von 10 Jahren. [b] (*col: capable*) *player* brauchbar, fähig ▶ **he's quite ~ with a gun** er kann ziemlich gut mit der Pistole umgehen.
usefully ['juːsfəlɪ] *adv employed* nutzbringend ▶ **is there anything I can ~ do?** kann ich mich irgendwie nützlich machen?
usefulness ['juːsfʊlnɪs] *n see adj* Nützlichkeit *f;* Wert *m;* Zweckmäßigkeit *f;* Nutzen *m.*
useless ['juːslɪs] *adj* [a] nutzlos; (*unusable*) unbrauchbar; *person also* zu nichts nütze; *remedy also* wirkungslos ▶ **it's ~ without a handle** ohne Griff nützt es nichts; **I'm ~ at languages** Sprachen kann ich überhaupt nicht. [b] (*pointless*) zwecklos, sinnlos.
uselessly ['juːslɪslɪ] *adv* nutzlos.
uselessness ['juːslɪsnɪs] *n see adj* [a] Nutzlosigkeit *f;* Unbrauchbarkeit *f;* Unwirksamkeit *f.* [b] Zwecklosigkeit, Sinnlosigkeit *f.*
user ['juːzəʳ] *n* Benutzer(in *f*) *m.*
user: **~-friendliness** *n* Benutzerfreundlichkeit *f;* **~-friendly** *adj* benutzerfreundlich; **~ interface** *n* (*esp Comp*) Benutzeroberfläche *f;* **~ software** *n* Anwendersoftware *f.*
usher ['ʌʃəʳ] [1] *n* (*Theat etc*) Platzanweiser *m;* (*Jur*) Gerichtsdiener *m.*
[2] *vt* **to ~ sb into a room/to his seat** jdn in ein Zimmer/zu seinem Platz bringen; **to ~ sb out** jdn hinauskomplimentieren; **to ~ in a new era** ein neues Zeitalter einleiten.
usherette [ˌʌʃə'ret] *n* Platzanweiserin *f.*
USM = [a] **United States Mail** amerikanische Bundespost. [b] **United States Mint** Münzanstalt *f* der USA.
USN = **United States Navy.**
USP = **unique selling point** USP *m.*
USS = [a] **United States Ship.** [b] **United States Senate.**
USSR (*Hist*) = **Union of Soviet Socialist Republics** UdSSR *f.*

usual ['juːʒʊəl] [1] *adj* (*customary*) üblich; (*normal also*) gewöhnlich, normal ▶ **when shall I come?** — **oh, the ~ time** wann soll ich kommen? — oh, wie immer; **it's the ~ thing nowadays** das ist heute so üblich; **it's ~ to ask first** normalerweise fragt man erst; **as ~, as per ~** (*col*) wie üblich, wie gewöhnlich; **business as ~** normaler Betrieb; (*in shop*) Verkauf geht weiter; **later/less/more than ~** später/weniger/mehr als sonst; **it's not ~ for him to be late** er kommt normalerweise nicht zu spät.
[2] *n* (*col*) **the ~** der/die/das Übliche ▶ **the ~ please!** (*drink*) dasselbe wie immer, bitte!
usually ['juːʒʊəlɪ] *adv* gewöhnlich, normalerweise ▶ **do you fly to Spain?** — fliegen Sie nach Spanien? — meist(ens); **is he ~ so rude?** ist er immer so unhöflich?
usurer ['juːʒərəʳ] *n* Wucherer *m.*
usurp [juː'zɜːp] *vt* sich (*dat*) widerrechtlich aneignen; *power, title, inheritance also* an sich (*acc*) reißen; *throne* sich bemächtigen (+*gen*) (*geh*); *role* sich (*dat*) anmaßen; *person* verdrängen.
usurper [juː'zɜːpəʳ] *n* Usurpator *m* (*liter*).
usury ['juːʒʊrɪ] *n* Wucher *m.*
UT (*US Post*) = **Utah.**
utensil [juː'tensl] *n* Gerät, Utensil *nt.*
uterus ['juːtərəs] *n* Gebärmutter *f.*
utilitarian [ˌjuːtɪlɪ'teərɪən] *adj* auf Nützlichkeit ausgerichtet; *qualities* nützlich; (*Philos*) utilitaristisch.
utility [juː'tɪlɪtɪ] [1] *n* [a] (*usefulness*) Nützlichkeit *f,* Nutzen *m.* [b] **public ~** (*company*) Versorgungsbetrieb *m;* (*service*) Leistung *f* der Versorgungsbetriebe.
[2] *adj goods, vehicle* Gebrauchs- ▶ **~ (program)** (*Comp*) Dienstprogramm *nt;* **~ room** (*Haus*)wirtschaftsraum *m.*
utilization [ˌjuːtɪlaɪ'zeɪʃən] *n see vt* Verwendung *f;* Nutzung *f;* Verwertung *f.*
utilize ['juːtɪlaɪz] *vt* verwenden; *situation, time, opportunity, talent* nutzen; *waste paper etc* verwerten.
utmost ['ʌtməʊst] [1] *adj* [a] (*greatest*) *ease, danger* größte(r, s); *caution, candour also* äußerste(r, s) ▶ **they used their ~ skill** Sie taten ihr Äußerstes; **with the ~ speed/care** so schnell/sorgfältig wie nur möglich; **matters of the ~ importance** Angelegenheiten von äußerster Wichtigkeit. [b] (*furthest*) äußerste(r, s).
[2] *n* **to do/try one's ~** sein möglichstes *or* Bestes tun; **to the ~ of one's ability** so gut man nur kann; **one should enjoy life to the ~** man sollte das Leben in vollen Zügen genießen.
Utopia [juː'təʊpɪə] *n* Utopia *nt.*
Utopian [juː'təʊpɪən] *adj* utopisch, utopistisch (*pej*).
utter¹ ['ʌtəʳ] *adj* total (*col*), vollkommen; *rogue* Erz- ▶ **what ~ nonsense!** so ein totaler Blödsinn!
utter² *vt* von sich (*dat*) geben; *word* sagen; *cry, threat* ausstoßen.
utterance ['ʌtərəns] *n* Äußerung *f* ▶ **his last ~** seine letzten Worte.
utterly ['ʌtəlɪ] *adv* total (*col*), völlig; *depraved also, despise* zutiefst ▶ **~ beautiful** ausgesprochen schön.
uttermost ['ʌtəməʊst] *n, adj* = **utmost.**
U-turn ['juːtɜːn] *n* (*lit, fig*) Wende *f* ▶ **no ~s** Wenden verboten; **the government has done a ~ over pensions** die Rentenpolitik der Regierung hat sich um 180 Grad gedreht.
UV = **ultraviolet** UV.
Uzbekistan [ˌʌzbekɪ'stɔːn] *n* Usbekistan *nt.*

V

V, v [viː] *n* V, v *nt* ▶ *V for Victor* ≃ V wie Viktor.
V, v = **volt(s)** V.
v = ⓐ **verse(s)**. ⓑ **vide** s. ⓒ **versus**. ⓓ **very** s.
VA (*US Post*) = **Virginia**.
vac [væk] *n* (*Brit Univ col*) Semesterferien *pl*.
vacancy ['veɪkənsɪ] *n* ⓐ (*emptiness*) Leere *f*; (*of look also*) Ausdruckslosigkeit *f*. ⓑ (*in boarding house*) (freies) Zimmer ▶ *have you any vacancies for August?* haben Sie im August noch Zimmer frei?; *"vacancies"* „Zimmer frei"; *"no vacancies"* „belegt". ⓒ (*job*) offene *or* freie Stelle ▶ *to fill a ~* eine Stelle besetzen; *vacancies* Stellenangebote, offene Stellen.
vacant ['veɪkənt] *adj* ⓐ *post* frei, offen; *WC, seat, hotel room* frei; *chair* unbesetzt; *house* unbewohnt; *site, lot* unbebaut ▶ *to become or fall ~* frei werden; *~ possession* verlassener Grundbesitz. ⓑ *mind, stare* leer.
vacate [və'keɪt] *vt seat* frei machen; *post* aufgeben; *house* räumen.
vacation [və'keɪʃən] ① *n* ⓐ (*Univ*) Semesterferien *pl*. ⓑ (*US*) Ferien *pl*, Urlaub *m* ▶ *on ~* im *or* auf Urlaub; *to take a ~* Urlaub machen; *to go on ~* auf Urlaub *or* in die Ferien gehen; *~ course* Ferienkurs *m*. ② *vi* (*US*) Urlaub machen.
vacationist [və'keɪʃənɪst] *n* (*US*) Urlauber(in· *f*) *m*.
vacation: *~ pay* *n* (*US*) Urlaubsgeld *nt*; *~ resort* *n* (*US*) Ferienort *m*; *~ season* *n* Urlaubszeit *f*; *~ trip* *n* Urlaubsreise *f*.
vaccinate ['væksɪneɪt] *vt* impfen.
vaccination [ˌvæksɪ'neɪʃən] *n* (Schutz)impfung *f*.
vaccine ['væksiːn] *n* Impfstoff *m*.
vacillate ['væsɪleɪt] *vi* (*lit, fig*) schwanken.
vacuous ['vækjʊəs] *adj face, stare* ausdruckslos, leer; *remarks* nichtssagend.
vacuum ['vækjʊəm] *n* ① *n* (*Phys, fig*) (luft)leerer Raum, Vakuum *nt* ▶ *to live in a ~* im luftleeren Raum leben; *cultural ~* kulturelles Vakuum. ② *vt carpet* saugen.
vacuum: *~ bottle* *n* (*US*) = *~ flask*; *~ cleaner* *n* Staubsauger *m*; *~ flask* *n* (*Brit*) Thermosflasche *f*; *~-packed* *adj* vakuumverpackt.
vagabond ['vægəbɒnd] *n* Vagabund *m*.
vagary ['veɪgərɪ] *n usu pl* Laune *f*; (*strange idea*) verrückter Einfall.
vagina [və'dʒaɪnə] *n* Scheide, Vagina *f*.
vagrancy ['veɪgrənsɪ] *n* Landstreicherei *f*; (*in cities*) Stadtstreicherei *f*.
vagrant ['veɪgrənt] *n* Landstreicher(in *f*) *m*; (*in cities*) Stadtstreicher(in *f*) *m*.
vague [veɪg] *adj* (+*er*) ⓐ (*not clear*) vage, unbestimmt; *outline, shape, photograph* verschwommen; *report, question* ungenau; *murmur* undeutlich ▶ *I haven't the ~st idea* ich habe nicht die leiseste Ahnung; *there's a ~ resemblance* es besteht eine entfernte Ähnlichkeit; *I had a ~ idea she would come* ich hatte so eine (dunkle) Ahnung, daß sie kommen würde; *he was ~ about the time of his arrival* er äußerte sich nur unbestimmt über seine Ankunftszeit. ⓑ (*absent-minded*) geistesabwesend.
vaguely ['veɪglɪ] *adv* vage; *remember also* dunkel; *speak also* unbestimmt; *understand* ungefähr, in etwa ▶ *to look ~ at sb* jdn verständnislos ansehen; *they're ~ similar* sie haben eine entfernte Ähnlichkeit.

vagueness ['veɪgnɪs] *n see adj* ⓐ Unbestimmtheit, Vagheit *f*; Verschwommenheit *f*; Ungenauigkeit *f*. ⓑ Geistesabwesenheit *f*.
vain [veɪn] *adj* ⓐ (+*er*) (*about looks*) eitel; (*about qualities*) eingebildet ▶ *he's very ~ about his musical abilities* er bildet sich (*dat*) auf sein musikalisches Können viel ein. ⓑ (*useless, empty*) eitel (*liter*); *attempt also* vergeblich; *hope also* töricht ▶ *in ~* umsonst; *to take God's name in ~* Gott lästern.
vainly ['veɪnlɪ] *adv* ⓐ (*to no effect*) vergeblich, vergebens. ⓑ (*conceitedly*) (*about looks*) eitel; (*about qualities also*) eingebildet.
valance ['væləns] *n* (*for bed frame*) Volant *m*; (*on window*) Querbehang *m*; (*wooden*) Blende *f*.
valedictory [ˌvælɪ'dɪktərɪ] *adj* (*form*) Abschieds-.
valentine ['væləntaɪn] *n* (*person*) jd, dem man eine Valentinskarte schickt ▶ *St V~'s Day* Valentinstag *m*; *~ (card)* Valentinskarte *f*.
valet ['væleɪ] *n* Kammerdiener *m* ▶ *~ parking* (*esp US*) Einparkservice *m*; *~ service* Reinigungsdienst *m*.
valiant ['væljənt] *adj* ⓐ (*liter*) *soldier, deed* tapfer, kühn (*geh*). ⓑ *he made a ~ effort to save them* er unternahm einen kühnen Versuch, sie zu retten; *she made a ~ effort to smile* sie versuchte tapfer zu lächeln.
valiantly ['væljəntlɪ] *adv* tapfer.
valid ['vælɪd] *adj* ⓐ *ticket, passport* gültig; (*Jur*) *document, marriage* rechtsgültig; *contract* bindend; *claim* begründet. ⓑ *argument* stichhaltig; *excuse, reason* einleuchtend; *objection* begründet ▶ *that's a very ~ point* das ist ein sehr wertvoller Hinweis.
validate ['vælɪdeɪt] *vt document* (*check validity*) für gültig erklären; (*with stamp, sign*) (rechts)gültig machen; *claim* bestätigen; (*Jur*) Rechtskraft verleihen (+*dat*).
validity [və'lɪdɪtɪ] *n* ⓐ (*Jur etc: of document*) Rechtsgültigkeit *f*; (*of ticket etc*) Gültigkeit *f*; (*of claim*) Berechtigung *f*. ⓑ (*of argument*) Stichhaltigkeit *f*; (*of excuse etc*) Triftigkeit *f*.
valise [və'liːz] *n* Reisetasche *f*.
valley ['vælɪ] *n* Tal *nt* ▶ *up/down the ~* talaufwärts/talabwärts.
valour, (*US*) **valor** ['vælə'] *n* (*liter*) Tapferkeit *f*.
valuable ['væljʊəbl] ① *adj* ⓐ *jewel* wertvoll; *time, resource* kostbar. ⓑ (*useful*) wertvoll; *help, advice also* nützlich. ② *n ~s pl* Wertsachen *pl*.
valuation [ˌvæljʊ'eɪʃən] *n* Schätzung *f*; (*fig: of person's character*) Einschätzung *f*.
valuator ['væljʊeɪtə'] *n* Gutachter(in *f*), Schätzer(in *f*) *m*.
value ['væljuː] ① *n* ⓐ Wert *m*; (*usefulness*) Nutzen *m* ▶ *to be of ~* wertvoll/nützlich sein; *of little ~* nicht sehr wertvoll/nützlich; *of no ~* wertlos/nutzlos; *of great ~* sehr wertvoll; *to put a ~ on sth* etw schätzen; (*on leisure etc*) einer Sache (*dat*) (hohen) Wert beimessen; *he attaches no/great ~ to it* er legt keinen/großen Wert darauf; *what's the ~ of your house?* wieviel ist Ihr Haus wert?; *it's good ~* es ist preisgünstig; *in our shop you get ~ for money* in unserem Geschäft bekommen Sie etwas für Ihr Geld (*col*); *goods to the ~ of £100* Waren im Wert von £100; *they put a ~ of £50 on it* sie haben es auf £50 geschätzt. ⓑ *~s pl*

(*moral standards*) (sittliche) Werte *pl.*
2 *vt* **a** *house, jewels* schätzen (*at* auf +*acc*). **b** *friendship, person, opinion, advice* schätzen ▶ *I ~ it (highly)* ich weiß es zu schätzen; *if you ~ my opinion ...* wenn Sie Wert auf meine Meinung legen ...; *if you ~ your life* wenn Ihnen Ihr Leben lieb ist.

value-added tax ['vælju:ædɪd'tæks] *n* (*Brit*) Mehrwertsteuer *f.*

valued ['vælju:d] *adj friend* geschätzt, lieb.

value judgement *n* Werturteil *nt.*

valueless ['vælju:lɪs] *adj* wertlos.

valuer ['vælju:əʳ] *n* Schätzer(in *f*) *m.*

valve [vælv] *n* (*Anat*) Klappe *f*; (*Tech, on musical instrument*) Ventil *nt*; (*Brit: Rad, TV*) Röhre *f.*

vamoose [vəˈmuːs] *vi* (*US col*) abhauen (*col*).

vamp¹ [væmp] *n* (*woman*) Vamp *m.*

vamp² *vti* (*Mus*) improvisieren.

vampire ['væmpaɪəʳ] *n* (*lit, fig*) Vampir *m.*

van¹ [væn] *n* **a** (*Brit Aut*) Transporter *m*; (*delivery ~*) Lieferwagen *m.* **b** (*Rail*) Waggon, Wagen *m.*

van² *n* = **vanguard**.

V and A ['viːənˈeɪ] (*Brit*) = **Victoria and Albert Museum**.

vandal ['vændəl] *n* **a** (*fig*) Rowdy *m* ▶ *it was damaged by ~s* es ist mutwillig beschädigt worden. **b** (*Hist*) *V~* Wandale *m.*

vandalism ['vændəlɪzəm] *n* Vandalismus *m*; (*Jur*) mutwillige Beschädigung.

vandalize ['vændəlaɪz] *vt* mutwillig beschädigen; *building* verwüsten; (*wreck*) demolieren.

vane [veɪn] *n* (*also* **weather ~**) Wetterfahne *f.* **b** (*of windmill, propeller*) Flügel *m.*

vanguard ['vængɑːd] *n* (*Mil, Naut*) Vorhut *f* ▶ *in the ~ of progress* an der Spitze des Fortschritts.

vanilla [vəˈnɪlə] **1** *n* Vanille *f.*
2 *adj* Vanille-.

vanish ['vænɪʃ] *vi* verschwinden; (*traces also*) sich verlieren; (*fears*) sich legen; (*hopes*) schwinden; (*become extinct*) untergehen.

vanishing ['vænɪʃɪŋ]: **~ act** *n see* **~ trick**; **~ cream** *n* (Haut)pflegecreme *f*; **~ point** *n* (*fig*) Nullpunkt *m*; **~ trick** *n* *to do a ~ trick* (*col*) (*person*) sich verdrücken (*col*); (*thing*) Beine bekommen (*col*).

vanity ['vænɪtɪ] *n* (*concerning looks*) Eitelkeit *f*; (*concerning own value*) Eingebildetheit *f.*
~ case *n* Kosmetikkoffer *m*; **~ unit** *n* Waschbecken *nt* mit Unterschrank.

vanquish ['væŋkwɪʃ] *vt* (*liter*) bezwingen (*geh*).

vantage ['vɑːntɪdʒ] *n* (*Tennis*) Vorteil *m.*

vantage point *n* (*Mil*) (günstiger) Aussichtspunkt ▶ *our window is a good ~ for watching the procession* von unserem Fenster aus hat man einen guten Blick auf die Prozession; *from our modern ~* aus heutiger Sicht.

vapid ['væpɪd] *adj* (*liter*) *remark* nichtssagend, geistlos; *style* kraftlos; *taste* schal.

vaporize ['veɪpəraɪz] **1** *vt* (*by boiling etc*) verdampfen; (*naturally*) verdunsten lassen.
2 *vi see vt* verdampfen; verdunsten.

vapour, (*US*) **vapor** ['veɪpəʳ] *n* Dunst *m*; (*steamy*) Dampf *m* ▶ **~ trail** Kondensstreifen *m.*

variability [ˌvɛərɪəˈbɪlɪtɪ] *n see adj* **a** Veränderlichkeit *f*; Variabilität *f*; Wechselhaftigkeit *f.* **b** Regulierbarkeit *f.*

variable ['vɛərɪəbl] **1** *adj* **a** veränderlich; (*also Math, Biol*) variabel; *mood* wechselhaft ▶ **~ winds** wechselnde Winde *pl*; *his work is very ~* er arbeitet sehr unterschiedlich. **b** *speed* regulierbar; *salary level* flexibel.
2 *n* (*Math, Phys, fig*) Variable *f.*

variance ['vɛərɪəns] *n* **a** *to be at ~ with sb* anderer Meinung sein als jd (*about* hinsichtlich +*gen*); *this is at ~ with what he said earlier* dies stimmt nicht mit dem überein, was er vorher gesagt hat. **b** (*difference*) Unter-

variant ['vɛərɪənt] **1** *n* Variante *f.*
2 *adj* (*alternative*) andere(r, s) ▶ *there are two ~ spellings* es gibt zwei verschiedene Schreibweisen.

variation [ˌvɛərɪˈeɪʃən] *n* **a** (*varying*) Veränderung *f*; (*Sci*) Variation *f*; (*Met, of temperature, of prices*) Schwankung *f* ▶ **~ in opinions** unterschiedliche Auffassungen. **b** (*Mus*) Variation *f* ▶ **~s on a theme** Variationen über ein Thema. **c** (*different model, Biol*) Variante *f* (*on* von). **d** (*deviation*) Abweichung *f.*

varicose ['værɪkəus] *adj*: **~ veins** Krampfadern *pl.*

varied ['vɛərɪd] *adj* unterschiedlich; *career, life* bewegt; *selection* reichhaltig ▶ *a ~ group of people* eine gemischte Gruppe.

variegated ['vɛərɪgeɪtɪd] *adj* (*coloured*) buntscheckig; *leaves* panaschiert.

variety [vəˈraɪətɪ] *n* **a** (*diversity*) Abwechslung *f* ▶ *to give* or *add ~ to sth* Abwechslung in etw (*acc*) bringen; *a job with a lot of ~* eine sehr abwechslungsreiche Arbeit. **b** (*assortment*) Vielfalt *f*; (*Comm*) Auswahl *f* (*of* an +*dat*) ▶ *in a great ~ of ways* auf die verschiedensten Arten; *in a ~ of colours* in den verschiedensten Farben; *for a ~ of reasons* aus verschiedenen Gründen. **c** (*type*) Art *f*; (*of cigarette, plant*) Sorte *f* ▶ *a new ~ of tulip* eine neue Tulpensorte. **d** (*esp Brit Theat*) Varieté *nt.*

variety: **~ act** *n* Varieténummer *f*; **~ artist** *n* (*esp Brit*) Varietékünstler(in *f*) *m*; **~ show** *n* (*esp Brit*) Varietévorführung *f*; (*Rad, TV*) Unterhaltungssendung *f*; **~ theatre** *n* Varieté(theater) *nt.*

various ['vɛərɪəs] *adj* verschieden.

variously ['vɛərɪəslɪ] *adv* unterschiedlich.

varnish ['vɑːnɪʃ] **1** *n* Lack *m*; (*on furniture also, on painting*) Firnis *m.*
2 *vt* lackieren; *painting* firnissen.

vary ['vɛərɪ] **1** *vi* **a** (*diverge, differ*) sich unterscheiden, abweichen (*from* von) ▶ *they ~ in price from the others* sie unterscheiden sich im Preis von den anderen; *opinions ~ on this point* in diesem Punkt gehen die Meinungen auseinander. **b** (*be different*) unterschiedlich sein ▶ *the price varies from shop to shop* der Preis ist von Geschäft zu Geschäft verschieden. **c** (*change, fluctuate*) sich (ver)ändern; (*pressure, prices*) schwanken ▶ *to ~ with the weather* sich nach dem Wetter richten.
2 *vt* (*alter*) verändern, abwandeln; (*give variety*) variieren.

varying ['vɛərɪɪŋ] *adj* (*changing*) veränderlich; (*different*) unterschiedlich ▶ *with ~ degrees of success* mit unterschiedlichem Erfolg *m.*

vase [vɑːz, (*US*) veɪz] *n* Vase *f.*

vasectomy [væˈsektəmɪ] *n* Sterilisation *f* (*des Mannes*).

vaseline ® ['væsɪliːn] *n* Vaseline *f.*

vassal ['væsəl] *n* (*lit, fig*) Vasall *m.*

vast [vɑːst] *adj* (+*er*) gewaltig, riesig; *knowledge* enorm; *majority* überwältigend ▶ *a ~ expanse* eine weite Fläche.

vastly ['vɑːstlɪ] *adv* erheblich, bedeutend ▶ *it is ~ different* da besteht ein erheblicher Unterschied.

vastness ['vɑːstnɪs] *n* (*of size*) riesige Größe; (*of distance*) ungeheures Ausmaß; (*of ocean, plain*) unermeßliche Weite; (*of wealth*) gewaltiger Umfang.

vat [væt] *n* Faß *nt*; (*without lid*) Bottich *m.*

VAT ['viːeɪˈtiː, væt] (*Brit*) = **value-added tax** MwSt.

VAT-exempt *adj* von der Mehrwertsteuer befreit.

Vatican ['vætɪkən] *n* Vatikan *m.*

vaudeville ['vəudəvɪl] *n* (*esp US*) Varieté *nt.*

vault¹ [vɔːlt] *n* **a** (*cellar*) (Keller)gewölbe *nt*; (*tomb*) Gruft *f*; (*in bank*) Tresor(raum) *m* ▶ *in the ~s* im Gewölbe *etc.* **b** (*Archit*) Gewölbe *nt.*

vault² **1** *n* Sprung *m.*
2 *vi* springen.
3 *vt* überspringen.

vaulted ['vɔːltɪd] adj (Archit) gewölbt.

vaunt [vɔːnt] vt rühmen, preisen (geh) ► **much-~ed** vielgepriesen.

V-belt ['viːbelt] n Keilriemen m.

VC ⓐ = **Victoria Cross** Viktoriakreuz nt (höchste britische Tapferkeitsauszeichnung). ⓑ = **vice-chairman**.

VCR = **video cassette recorder**.

VD = **venereal disease**.

VDU = **visual display unit** ► ~ **operator** Bildschirmarbeiter(in f) m.

veal [viːl] n Kalbfleisch nt.

vector ['vektər] n (Math, Aviat) Vektor m.

veer [vɪər] vi (wind) (sich) drehen (to nach); (ship) abdrehen; (car) ausscheren; (road) scharf abbiegen ► **to ~ off course** vom Kurs abkommen; **public opinion has ~ed to the right** die öffentliche Meinung ist nach rechts geschwenkt.

veg [vedʒ] n, no pl = **vegetable** ► **meat and two ~** Fleisch nt mit Kartoffeln und Gemüse.

vegan ['viːgən] n Veganer(in f) m.

vegeburger ['vedʒɪˌbɜːgər] n vegetarische Frikadelle f.

vegetable ['vedʒtəbl] n ⓐ Gemüse nt ► **cabbage is a ~** Kohl ist eine Gemüsepflanze. ⓑ (generic term: plant) Pflanze f. ⓒ **he's just a ~** er vegetiert nur vor sich hin; **she's become a ~** sie ist zum körperlichen und geistigen Krüppel geworden.

vegetable: ~ dish n (bowl) Gemüseschüssel f; (to eat) Gemüsegericht nt; **~ garden** n Gemüsegarten m; **~ oil** n Pflanzenöl nt.

vegetarian [ˌvedʒɪ'tɛərɪən] ⓵ n Vegetarier(in f) m. ⓶ adj vegetarisch.

vegetarianism [ˌvedʒɪ'tɛərɪənɪzəm] n Vegetarismus m.

vegetate ['vedʒɪteɪt] vi (fig) dahinvegetieren.

vegetation [ˌvedʒɪ'teɪʃən] n Vegetation f.

veggieburger n = **vegeburger**.

vehemence ['viːɪməns] n Vehemenz f (geh); (of actions, feelings, protests also) Heftigkeit f; (of love, hatred) Leidenschaftlichkeit f.

vehement ['viːɪmənt] adj vehement (geh); feelings, speech leidenschaftlich; attack, desire, dislike, opposition heftig.

vehicle ['viːɪkl] n Fahrzeug nt; (fig) Mittel nt.

vehicular [vɪ'hɪkjʊlər] adj traffic etc Fahrzeug-.

veil [veɪl] ⓵ n Schleier m ► **to take the ~** ins Kloster gehen; **under a ~ of secrecy** unter dem Mantel der Verschwiegenheit. ⓶ vt (lit, fig) verschleiern; feelings verbergen ► **the town was ~ed by mist** die Stadt lag in Nebel gehüllt.

veiled [veɪld] adj reference versteckt; face verschleiert.

vein [veɪn] n (Anat, Bot, Min) Ader f; (fig: mood) Stimmung, Laune f ► **in a humorous ~** in lustiger Stimmung; **in the same ~** in derselben Art.

Velcro ® ['velkrəʊ] n Velcro ® nt; (fastener) Klettverschluß m.

vellum ['veləm] n Pergament nt.

velocity [və'lɒsɪtɪ] n Geschwindigkeit f.

velvet ['velvɪt] ⓵ n Samt m. ⓶ adj jacket Samt-; skin, feel samtweich, samten (geh).

velveteen ['velvɪtiːn] n Veloursamt m.

velvety ['velvɪtɪ] adj samtig.

venal ['viːnl] adj (liter) person käuflich; practices korrupt.

vendetta [ven'detə] n Fehde f; (in family) Blutrache f; (of gangsters) Vendetta f ► **to carry on a ~ against sb** mit jdm in Fehde liegen/an jdm Blutrache üben.

vending machine ['vendɪŋməˈʃiːn] n Automat m.

vendor ['vendɔːr] n (esp Jur) Verkäufer m.

veneer [və'nɪər] n (lit) Furnier nt; (fig) Politur f; (of civilization) (An)schein m ► **it's just a ~** es ist nur äußerer Schein.

venerable ['venərəbl] adj ehrwürdig.

venerate ['venəreɪt] vt verehren, hochachten; sb's memory ehren.

venereal disease [vɪ'nɪərɪəldɪ'ziːz] n Geschlechtskrankheit f.

Venetian blind [vɪ'niːʃən'blaɪnd] n Jalousie f.

Venezuela [ˌvene'zweɪlə] n Venezuela nt.

Venezuelan [ˌvene'zweɪlən] ⓵ adj venezolanisch. ⓶ n Venezolaner(in f) m.

vengeance ['vendʒəns] n ⓐ Vergeltung, Rache f ► **to take ~ (up)on sb** Vergeltung an jdm üben (geh), sich an jdm rächen. ⓑ (col) **with a ~** gewaltig (col); **to work with a ~** hart or mächtig (col) arbeiten.

vengeful ['vendʒfʊl] adj rachsüchtig.

venial ['viːnɪəl] adj verzeihlich, entschuldbar.

Venice ['venɪs] n Venedig nt.

venison ['venɪsən] n Reh(fleisch) nt.

venom ['venəm] n (lit) Gift nt; (fig) Bosheit, Gehässigkeit f ► **he spoke with real ~ in his voice** er sprach mit haßerfüllter Stimme.

venomous ['venəməs] adj (lit, fig) giftig; snake Gift-; tone also gehässig; sarcasm beißend.

vent [vent] ⓵ n (for gas, liquid) Öffnung f; (in chimney) Abzug m; (in coat) Schlitz m; (for feelings) Ventil nt ► **to give ~ to sth** (fig) einer Sache (dat) Ausdruck verleihen; **to give ~ to one's feelings** seinen Gefühlen freien Lauf lassen. ⓶ vt feelings, anger abreagieren (on an +dat).

ventilate ['ventɪleɪt] vt (control air flow) belüften; (let fresh air in) lüften.

ventilation [ˌventɪ'leɪʃən] n see vt Belüftung f; Lüften nt ► **~ shaft** Luftschacht m.

ventilator ['ventɪleɪtər] n Ventilator m.

ventriloquism [ven'trɪləkwɪzəm] n Bauchreden nt.

ventriloquist [ven'trɪləkwɪst] n Bauchredner(in f) m.

venture ['ventʃər] ⓵ n Unternehmen nt ► **a new ~ in publishing** ein neuer verlegerischer Vorstoß; **this was a disastrous ~ for the company** dieses Projekt war für die Firma ein Fiasko. ⓶ vt ⓐ life, reputation aufs Spiel setzen; money also riskieren (on bei) ► **nothing ~d nothing gained** (Prov) wer nicht wagt, der nicht gewinnt (Prov). ⓑ guess, explanation wagen; opinion zu äußern wagen ► **if I may ~ an opinion** wenn ich mir erlauben darf, meine Meinung zu sagen. ⓷ vi sich wagen ► **to ~ out of doors** sich vor die Tür wagen; **the company ~d into a new field** die Firma wagte sich in ein neues Gebiet vor.

venture capital n Risikokapital nt.

venue ['venjuː] n (for event) Schauplatz m; (Sport) Austragungsort m; (Jur) Verhandlungsort m.

Venus ['viːnəs] n Venus f.

veracity [və'ræsɪt] n (of report etc) Richtigkeit f.

veranda(h) [və'rændə] n Veranda f.

verb [vɜːb] n Verb, Zeitwort nt.

verbal ['vɜːbəl] adj mündlich; error, skills sprachlich ► **~ noun** Verbalsubstantiv nt.

verbally ['vɜːbəlɪ] adv (spoken) mündlich.

verbatim [vɜː'beɪtɪm] adj, adv (wort)wörtlich.

verbiage ['vɜːbɪɪdʒ] n Wortfülle f, Blabla nt (col).

verbose [vɜː'bəʊs] adj wortreich, weitschweifig.

verdict ['vɜːdɪkt] n Urteil nt; (of electors) Entscheidung f ► **~ of guilty/not guilty** Schuldspruch m/Freispruch m; **what's the ~?** wie lautet das Urteil?; **to give one's ~ about** or **on sth** sein Urteil über etw (acc) abgeben.

verge [vɜːdʒ] n (lit, fig) Rand m; (Brit: of road) Bankett nt ► **to be on the ~ of ruin/war** am Rande des Ruins/eines Krieges stehen; **to be on the ~ of a discovery** kurz vor einer Entdeckung stehen; **to be on the ~ of tears** den Tränen nahe sein; **to be on the ~ of doing sth** im Begriff sein, etw zu tun.

◆**verge on** vi +prep obj (ideas, actions) grenzen an (acc) ► **he's verging ~ bankruptcy** er steht kurz vor dem

Bankrott; *she is verging ~ fifty* sie geht auf die Fünfzig zu.

verger ['vɜːdʒəʳ] *n* (*Eccl*) Küster *m*.

verifiable ['verɪfaɪəbl] *adj* nachprüfbar.

verification [ˌverɪfɪ'keɪʃən] *n* (*check*) Überprüfung *f*; (*confirmation*) Bestätigung *f*; (*proof*) Nachweis *m*.

verify ['verɪfaɪ] *vt* (*check*) (über)prüfen; (*confirm*) bestätigen; *theory* beweisen.

veritable ['verɪtəbl] *adj genius* wahr ▶ *a ~ disaster* die reinste Katastrophe.

vermilion [vəˈmɪljən] *adj* zinnoberrot.

vermin ['vɜːmɪn] *n no pl* (*animal*) Schädling *m*; (*insects*) Ungeziefer *nt*; (*pej: people*) Pack *nt*.

vermouth ['vɜːməθ] *n* Wermut *m*.

vernacular [vəˈnækjʊləʳ] *n* (*dialect*) Mundart *f*; (*language of the country*) Landessprache *f*.

versatile ['vɜːsətaɪl] *adj* vielseitig ▶ *he has a very ~ mind* er ist geistig sehr flexibel.

versatility [ˌvɜːsəˈtɪlɪtɪ] *n see adj* Vielseitigkeit *f*; Flexibilität *f*.

verse [vɜːs] *n* [a] (*stanza*) Strophe *f*. [b] *no pl* (*poetry*) Dichtung *f* ▶ *in ~* in Versform. [c] (*of Bible, Koran*) Vers *m*.

versed [vɜːst] *adj* (*also well ~*) bewandert, beschlagen (*in* in +*dat*).

version ['vɜːʃən] *n* [a] (*account: of event, of facts*) Darstellung *f*. [b] (*variant*) Version *f*; (*of text also*) Fassung *f*; (*of car*) Modell *nt*.

versus ['vɜːsəs] *prep* gegen (+*acc*).

vertebra ['vɜːtɪbrə] *n, pl* -**e** [-briː] Rückenwirbel *m*.

vertebrate ['vɜːtɪbrət] [1] *n* Wirbeltier *nt*. [2] *adj* Wirbel-.

vertex ['vɜːteks] *n, pl* **vertices** Scheitel(punkt) *m*.

vertical ['vɜːtɪkəl] [1] *adj line* senkrecht, vertikal ▶ *~ cliffs* senkrecht abfallende Klippen; *~ take-off aircraft* Senkrechtstarter *m*. [2] *n* (*line*) Vertikale, Senkrechte *f*.

vertigo ['vɜːtɪɡəʊ] *n* Schwindel *m*; (*Med*) Gleichgewichtsstörung *f*.

verve [vɜːv] *n* Schwung *m*.

very ['verɪ] [1] *adv* [a] (*extremely*) sehr ▶ *that's not ~ funny* das ist überhaupt nicht lustig; *it's ~ possible* es ist gut möglich; *~ probably* höchstwahrscheinlich; *he is so ~ lazy* er ist so faul; *how ~ odd* wie eigenartig; *~ much* sehr; *I liked it ~ much* es hat mir sehr gut gefallen; *he doesn't work ~ much* er arbeitet nicht sehr viel; *~ much so* sehr (sogar).
[b] (*absolutely*) aller- ▶ *~ best quality* allerbeste Qualität; *~ last/first* allerletzte(r, s)/ allererste(r, s); *at the ~ latest* allerspätestens; *to do one's ~ best* sein Äußerstes tun; *at the ~ most/least* allerhöchstens/ allerwenigstens.
[c] (*for emphasis*) *he fell ill and died the ~ same day* er wurde krank und starb noch am selben Tag; *he died the ~ same day as Kennedy* er starb genau am selben Tag wie Kennedy; *the ~ same hat* genau der gleiche Hut; *we met again the ~ next day* wir trafen uns am nächsten Tag schon wieder; *the ~ next day he walked under a bus* schon einen Tag später kam er unter einen Bus; *it's my ~ own car* das Auto gehört mir höchstpersönlich.
[2] *adj* [a] (*precise*) genau ▶ *that ~ day* genau an diesem Tag; *in the ~ centre of the picture* genau in der Mitte des Bildes; *at the ~ heart of the organization* direkt im Zentrum der Organisation; *those were his ~ words* genau das waren seine Worte; *you are the ~ person I wanted to speak to* (genau) mit *Ihnen* wollte ich sprechen; *the ~ thing!* genau das richtige!
[b] (*extreme*) äußerste(r, s) ▶ *in the ~ beginning/at the ~ end* ganz am Anfang/Ende; *at the ~ back/front* ganz hinten/vorn(e).

[c] (*mere*) *the ~ thought of it* allein schon der Gedanke daran; *the ~ idea!* nein, so etwas!

vespers ['vespəz] *npl* Vesper *f*.

vessel ['vesl] *n* [a] (*Naut*) Schiff *nt*. [b] (*form: receptacle*) Gefäß *nt*.

vest[1] [vest] *n* [a] (*Brit*) Unterhemd *nt*. [b] (*US: waistcoat*) Weste *f* ▶ *~-pocket* (*US*) Taschen-.

vest[2] *vt* (*form*) *the powers ~ed in me* die mir verliehene Macht; *he has ~ed interests in the oil business* er ist (finanziell) am Ölgeschäft beteiligt; *she has a ~ed interest in the play* (*fig*) sie hat ein persönliches Interesse an dem Stück.

vestibule ['vestɪbjuːl] *n* Vorhalle *f*.

vestige ['vestɪdʒ] *n* Spur *f* ▶ *there is not a ~ of truth in what he says* es ist kein Körnchen Wahrheit an dem, was er sagt.

vestment ['vestmənt] *n* Ornat *m*.

vestry ['vestrɪ] *n* Sakristei *f*.

Vesuvius [vɪ'suːvɪəs] *n* der Vesuv.

vet [vet] [1] *n* = **veterinary surgeon** Tierarzt *m*/-ärztin *f*. [2] *vt* überprüfen.

veteran ['vetərən] *n* (*Mil, fig*) Veteran(in *f*) *m* ▶ *~ car* vor 1905 gebauter Oldtimer.

veterinarian [vetərɪˈnɛərɪən] *n* (*US*) Tierarzt *m*/-ärztin *f*.

veterinary ['vetərɪnərɪ] *adj medicine, science* Veterinär-; *training* tierärztlich ▶ *~ surgeon* Tierarzt *m*/-ärztin *f*.

veto ['viːtəʊ] [1] *n, pl* -**es** Veto *nt* ▶ *power of ~* Vetorecht *nt*; *to have a ~* das Vetorecht haben; *to use one's ~* von seinem Vetorecht Gebrauch machen. [2] *vt* sein Veto einlegen gegen.

vex [veks] *vt* (*annoy*) ärgern, irritieren; *animals* quälen ▶ *to be ~ed with sb* ärgerlich auf jdn sein; *to be ~ed about sth* sich über etw (*acc*) ärgern.

vexation [vek'seɪʃən] *n* Ärger *m*; (*act*) Ärgern *nt*; (*of animal*) Quälerei *f*.

vexatious [vek'seɪʃəs] *adj* ärgerlich; *regulations, headache* lästig.

vexed [vekst] *adj* [a] (*annoyed*) verärgert. [b] *question* umstritten.

vexing ['veksɪŋ] *adj* irritierend; *problem* verzwickt.

vg = **very good**.

VGA (*Comp*) = **video graphics array** VGA.

VHF (*Rad*) = **very high frequency** UKW.

VI (*US Post*) = **Virgin Islands**.

via ['vaɪə] *prep* über (+*acc*) ▶ *they got in ~ the window* sie kamen durchs Fenster herein.

viability [ˌvaɪəˈbɪlɪtɪ] *n* [a] (*of life forms*) Lebensfähigkeit *f*. [b] (*of plan*) Durchführbarkeit *f*; (*of firm*) Rentabilität *f* ▶ *the ~ of the EC* die Existenzfähigkeit der EG.

viable ['vaɪəbl] *adj* [a] *plant, foetus* lebensfähig. [b] *company* rentabel; *economy* lebensfähig; *suggestion* brauchbar; *plan* durchführbar ▶ *not economically ~* unrentabel.

viaduct ['vaɪədʌkt] *n* Viadukt *m*.

vibes [vaɪbz] *npl see* **vibration (b)**.

vibrant ['vaɪbrənt] *adj personality etc* dynamisch; *voice* volltönend, sonor ▶ *the ~ life of the city* das pulsierende Leben der Großstadt.

vibrate [vaɪ'breɪt] [1] *vi* (*lit, fig*) zittern, beben (*with* vor +*dat*); (*machine, string, air*) vibrieren; (*notes*) schwingen. [2] *vt* zum Vibrieren bringen; *string* zum Schwingen bringen.

vibration [vaɪ'breɪʃən] *n* [a] (*of string, sound waves*) Schwingung *f*; (*of machine*) Vibrieren *nt*; (*of voice, ground*) Beben *nt*. [b] (*col, usu pl*) *I get good/bad ~s from him* (*col*) er ist mir sympathisch/unsympathisch.

vibrato [vɪ'brɑːtəʊ] *n* Vibrato *nt*.

vicar ['vɪkəʳ] *n* Pfarrer *m*.

vicarage ['vɪkərɪdʒ] *n* Pfarrhaus *nt*.

vicarious [vɪ'kɛərɪəs] *adj pleasure* indirekt, nachempfunden; *experience* ersatzweise.

vice¹ [vaɪs] *n* Laster *nt* ▶ *his main ~ is laziness* sein größter Fehler ist die Faulheit; *~ squad* Sittenpolizei *f.*

vice², *(US)* **vise** *n* Schraubstock *m* ▶ *to hold sth in a ~-like grip* etw fest umklammern.

vice- *pref* **~-chairman** *n* stellvertretender Vorsitzender; **~-chancellor** *n* *(Univ)* ≃ Rektor *m*; **~-president** *n* Vizepräsident *m.*

vice versa ['vaɪsɪ'vɜːsə] *adv* umgekehrt.

vicinity [vɪ'sɪnɪtɪ] *n* Umgebung *f* ▶ *in the ~* in der Nähe *(of* von, *gen)*; *in the ~ of £500* um die £ 500.

vicious ['vɪʃəs] *adj* boshaft; *remark* gehässig; *habit* lasterhaft; *animal* bösartig; *dog* bissig; *blow, criminal, murder* brutal; *(col)* headache gemein *(col)* ▶ *~ circle* Teufelskreis *m.*

viciously ['vɪʃəslɪ] *adv see adj* boshaft; gehässig; bösartig; brutal.

viciousness ['vɪʃəsnɪs] *n see adj* Boshaftigkeit *f*; Gehässigkeit *f*; Bösartigkeit *f*; Brutalität *f.*

vicissitude [vɪ'sɪsɪtjuːd] *n usu pl* Wandel *m* ▶ *the ~s of life* die Wechselfälle des Lebens.

victim ['vɪktɪm] *n* Opfer *nt* ▶ *he was the ~ of a practical joke* ihm wurde ein Streich gespielt; *to fall ~ to sth* Opfer einer Sache *(gen)* werden.

victimization [ˌvɪktɪmaɪ'zeɪʃən] *n see vt* ungerechte Behandlung; Schikanierung *f.*

victimize ['vɪktɪmaɪz] *vt* ungerecht behandeln; *(pick on)* schikanieren ▶ *she feels ~d* sie fühlt sich ungerecht behandelt.

victor ['vɪktə] *n* Sieger(in *f*) *m.*

Victorian [vɪk'tɔːrɪən] [1] *n* Viktorianer(in *f*) *m.* [2] *adj* viktorianisch; *(fig)* (sitten)streng.

victorious [vɪk'tɔːrɪəs] *adj army* siegreich; *smile* siegesbewußt ▶ *to be ~ over sb/sth* jdn/etw besiegen; *~ power* *(Pol)* Siegermacht *f.*

victory ['vɪktərɪ] *n* Sieg *m* ▶ *to win a ~ over sb* einen Sieg über jdn erringen, jdn besiegen.

victuals ['vɪtlz] *npl* Lebensmittel *pl.*

video ['vɪdɪəʊ] [1] *n* [a] *(film)* Video *nt* ▶ *on ~* watch, release als Video; *record* auf Video. [b] *(recorder)* Videorekorder *m.* [c] *(US TV)* Fernsehen *nt* ▶ *on ~* im Fernsehen. [2] *vt* auf Video aufnehmen.

video- *in cpds camera, conference, tape etc* Video-; **~ cassette** *n* Videokassette *f*; **~ camera** *n* Videokamera *f*; **~ disc** *n* Bildplatte *f*; **~ game** *n* Telespiel *nt*; **~ nasty** *n* Horrorvideo *nt*; **~phone** *n* Fernsehtelefon *nt*; **~recorder** Videorekorder *m*; **~-recording** *n* Videoaufnahme *f*; **~tape** *n* Videoband *nt.*

vie [vaɪ] *vi* wetteifern; *(Comm)* konkurrieren ▶ *to ~ with sb for sth* mit jdm um etw wetteifern.

Vienna [vɪ'enə] *n* Wien *nt.*

Viennese [ˌvɪə'niːz] [1] *adj* Wiener, wienerisch. [2] *n* Wiener(in *f*) *m.*

Vietnam [ˌvjet'næm] *n* Vietnam *nt.*

Vietnamese [ˌvjetnə'miːz] [1] *adj* vietnamesisch. [2] *n* [a] Vietnamese *m*, Vietnamesin *f.* [b] *(language)* Vietnamesisch *nt.*

▼ **view** [vjuː] [1] *n* *(range of vision)* Sicht *f*; *(prospect, sight)* Aussicht *f* ▶ *in full ~ of thousands of people* vor den Augen von Tausenden von Menschen; *the ship came into ~* das Schiff kam in Sicht; *to keep sth in ~* etw im Auge behalten; *the house is within ~ of the sea* vom Haus aus ist das Meer zu sehen; *hidden from ~* verborgen, versteckt; *on ~* *(for purchasing)* zur Ansicht; *(of exhibits)* ausgestellt; *there is a splendid ~ from here* von hier hat man einen herrlichen Blick; *a good ~ of the sea* ein schöner Blick auf das Meer; *a room with a ~* ein Zimmer mit Aussicht; *an idealistic ~ of the world* eine idealistische Weltsicht; *a general ~ of a problem*

ein allgemeiner Überblick über ein Problem; *in ~ of* angesichts *(+gen).* [b] *(photograph etc)* Ansicht *f.* [c] *(opinion)* Ansicht, Meinung *f* ▶ *in my ~* meiner Ansicht nach; *what are his ~s on this problem?* was meint er zu diesem Problem?; *I have no ~s on that* ich habe keine Meinung dazu; *to take the ~ that ...* die Ansicht vertreten, daß ...; *to take a poor ~ of sth* etw mißbilligen. [d] *(intention, plan)* *to have sth in ~* etw beabsichtigen; *with a ~ to doing sth* mit der Absicht, etw zu tun. [2] *vt* *(see)* betrachten; *house* besichtigen; *(consider)* *problem etc* sehen ▶ *he ~s the prospect with dismay* er sieht dieser Sache mit Schrecken entgegen.

viewdata ® ['vjuːˌdeɪtə] *n* Bildschirmtext *m.*

viewer ['vjuːə] *n* [a] *(TV)* Zuschauer(in *f*) *m.* [b] *(for slides)* Diabetrachter *m.*

viewfinder ['vjuːˌfaɪndə] *n* Sucher *m.*

viewing ['vjuːɪŋ] *n* [a] *(of house, at auction)* Besichtigung *f.* [b] *(TV)* Fernsehen *nt* ▶ *I don't do much ~* ich sehe nicht viel fern; *peak ~ time* Hauptsendezeit *f*; *~ figures* Einschaltquoten *pl.*

viewpoint ['vjuːpɔɪnt] *n* Standpunkt *m* ▶ *from the ~ of economic growth* unter dem Gesichtspunkt des Wirtschaftswachstums; *to see sth from sb's ~* etw aus jds Sicht sehen.

vigil ['vɪdʒɪl] *n* (Nacht)wache *f* ▶ *to keep ~ over sb* bei jdm wachen.

vigilance ['vɪdʒɪləns] *n* Wachsamkeit *f* ▶ *~ committee* *(US)* Bürgerwehr *f.*

vigilant ['vɪdʒɪlənt] *adj* wachsam.

vigilante [ˌvɪdʒɪ'læntɪ] *n* Mitglied *nt* einer Bürgerwehr ▶ *~s* Bürgerwehr *f.*

vigilantly ['vɪdʒɪləntlɪ] *adv* wachsam.

vignette [vɪ'njet] *n* Vignette *f*; *(character sketch)* Skizze *f.*

vigorous ['vɪgərəs] *adj* kräftig; *prose, tune* kraftvoll; *protest, measures, exercises* energisch; *walk* forsch, flott.

vigorously ['vɪgərəslɪ] *adv see adj.*

vigour, *(US)* **vigor** ['vɪgə] *n* Kraft, Energie *f*; *(of protest)* Heftigkeit *f*; *(of prose)* Ausdruckskraft *f* ▶ *youthful ~* jugendliche Spannkraft; *to speak with ~* mit Nachdruck sprechen.

Viking ['vaɪkɪŋ] *n* Wikinger *m.*

vile [vaɪl] *adj* abscheulich; *language also* unflätig; *weather, food also* scheußlich ▶ *that was a ~ thing to say* es war gemein, so etwas zu sagen.

vilify ['vɪlɪfaɪ] *vt* diffamieren, verleumden.

villa ['vɪlə] *n* Villa *f*; *(holiday ~)* Ferienhaus *nt.*

village ['vɪlɪdʒ] *n* Dorf *nt.*

village *in cpds* Dorf-; **~ green** *n* Dorfwiese *f*; **~ idiot** *n* Dorftrottel *m (col).*

villager ['vɪlɪdʒə] *n* Dorfbewohner(in *f*) *m.*

villain ['vɪlən] *n* *(scoundrel)* Schurke *m*; *(col: criminal)* Verbrecher, Ganove *(col)* *m*; *(in drama, novel)* Bösewicht *m.*

villainous ['vɪlənəs] *adj* böse; *deed* gemein.

villainy ['vɪlənɪ] *n* Gemeinheit *f.*

Vilnius ['vɪlnɪʊs] *n* Wilna *nt.*

VIN *(US)* *n* = **vehicle identification number** Fahrgestellnummer *f.*

vindicate ['vɪndɪkeɪt] *vt* [a] *opinion, action* rechtfertigen. [b] *(from suspicion)* rehabilitieren.

vindication [ˌvɪndɪ'keɪʃən] *n see vt* [a] Rechtfertigung *f* ▶ *in ~ of* zur Rechtfertigung *(+gen).* [b] Rehabilitation *f.*

vindictive [vɪn'dɪktɪv] *adj speech, person* rachsüchtig; *mood* unversöhnlich ▶ *to feel ~ towards sb* Rachegefühle gegen jdn haben.

vindictively [vɪn'dɪktɪvlɪ] *adv* rachsüchtig.

vindictiveness [vɪn'dɪktɪvnɪs] *n* Rachsucht *f*; *(of*

➤ SENTENCE BUILDER: **view: 1c** → 2.1, 2.2, 3

mood) Unversöhnlichkeit *f*.
vine [vaɪn] *n* (*grapevine*) Rebe *f*.
vinegar ['vɪnɪgəʳ] *n* Essig *m*.
vine: ~ **grower** *n* Weinbauer *m*; ~ **harvest** *n* Weinlese *f*; ~**yard** ['vɪnjəd] *n* Weinberg *m*.
vintage ['vɪntɪdʒ] **1** *n* **a** (*of wine, fig*) Jahrgang *m* ► *the 1972* ~ der Jahrgang 1972. **b** (*harvesting, season*) Weinlese *f*.
2 *adj attr* (*old*) uralt; (*high quality*) glänzend.
vintage: ~ **car** *n* (zwischen 1918 und 1930 gebauter) Oldtimer *m*; ~ **wine** *n* edler Wein; ~ **year** *n*: *a* ~ *year for ...* ein besonders gutes Jahr für ...
vinyl ['vaɪnɪl] *n* Vinyl *nt*.
viola [vɪ'əʊlə] *n* (*Mus*) Bratsche *f*.
violate ['vaɪəleɪt] *vt* **a** *treaty, promise* brechen; (*partially*) verletzen; *law, rule* verstoßen gegen; *rights* verletzen. **b** *holy place* schänden; *peacefulness* stören ► *to* ~ *sb's privacy* in jds Privatsphäre eindringen.
violation [ˌvaɪə'leɪʃən] *n* **a** (*of law, rule*) Verstoß *m* (*of* gegen); (*of rights*) Verletzung *f* ► *a* ~ *of a treaty* ein Vertragsbruch *m*; *he did this in* ~ *of the conditions agreed* er verstieß damit gegen die Vereinbarungen. **b** (*of holy place*) Schändung *f*; (*of peacefulness*) Störung *f*.
violence ['vaɪələns] *n* **a** (*forcefulness, strength*) Heftigkeit *f*; (*of protest also*) Schärfe *f*. **b** (*brutality*) Gewalt *f*; (*of people*) Gewalttätigkeit *f*; (*of actions*) Brutalität *f* ► *act of* ~ Gewalttat *f*; *robbery with* ~ Raubüberfall *m*; *to use* ~ *against sb* Gewalt gegen jdn anwenden; *was there any* ~*?* kam es zu Gewalttätigkeiten?; *outbreak of* ~ Ausbruch von Gewalttätigkeiten; *to do* ~ *to sth* (*fig*) etw verletzen.
violent ['vaɪələnt] *adj person, action* brutal, gewalttätig; *feeling, speech* leidenschaftlich; *storm, dislike, attack, pain* heftig; *death* gewaltsam; *contrast* kraß ► *to have a* ~ *temper* jähzornig sein; *to get* ~ gewalttätig werden.
violently ['vaɪələntlɪ] *adv beat, attack etc* brutal; *react, speak, protest etc* heftig; (*passionately*) leidenschaftlich.
violet ['vaɪəlɪt] **1** *n* (*Bot*) Veilchen *nt*; (*colour*) Violett *nt*.
2 *adj* violett.
violin [ˌvaɪə'lɪn] *n* Geige, Violine *f*; (*player*) Geiger(in *f*) *m* ► ~ *case* Geigenkasten *m*.
violinist [ˌvaɪə'lɪnɪst] *n* Geiger(in *f*) *m*.
VIP [ˌviːaɪ'piː] *n* Prominente(r) *mf*, VIP *m* ► *to get* ~ *treatment* als Ehrengast behandelt werden.
viper ['vaɪpəʳ] *n* (*Zool*) Viper *f*; (*fig*) Schlange *f*.
viral ['vaɪərəl] *adj* Virus-.
virgin ['vɜːdʒɪn] **1** *n* Jungfrau *f* ► *the (Blessed) V~* (*Rel*) die (heilige) Jungfrau Maria; *he's still a* ~ er ist noch unschuldig.
2 *adj* (*fig*) *forest, snow* unberührt ► ~ *birth* unbefleckte Empfängnis; *the V~ Islands* die Jungferninseln.
virginity [vɜː'dʒɪnɪtɪ] *n* Unschuld *f*; (*of girls also*) Jungfräulichkeit *f*.
Virgo ['vɜːgəʊ] *n* (*Astrol*) Jungfrau *f*.
virile ['vɪraɪl] *adj* (*lit*) männlich; (*fig*) kraftvoll.
virility [vɪ'rɪlɪtɪ] *n* (*lit*) Männlichkeit *f*; (*sexual power*) Potenz *f*; (*fig*) Ausdruckskraft *f*.
virtual ['vɜːtjʊəl] *adj attr he is the* ~ *leader* er ist praktisch der Führer; *it was a* ~ *disaster* es war praktisch eine Katastrophe; ~ *reality* virtuelle Realität.
virtually ['vɜːtjʊəlɪ] *adv* praktisch ► *to be* ~ *certain* sich (*dat*) so gut wie sicher sein.
virtue ['vɜːtjuː] *n* **a** (*moral quality*) Tugend *f* ► *a life of* ~ ein tugendhaftes Leben; *a woman of easy* ~ (*euph*) ein leichtes Mädchen. **b** (*advantage, point*) Vorteil *m* ► *there is no* ~ *in doing that* es scheint nicht sehr zweckmäßig, das zu tun; *by* ~ *of* aufgrund (+*gen*).
virtuoso [ˌvɜːtjʊ'əʊzəʊ] *n* (*esp Mus*) **1** *n* Virtuose *m*.
2 *adj performance, playing* virtuos.

virtuous ['vɜːtjʊəs] *adj* tugendhaft.
virtuous circle *n* positiver Kreislauf *m*, Circulus virtuosus *m*.
virulence ['vɪrʊləns] *n* **a** (*Med*) Virulenz *f*; (*of poison*) Stärke *f*. **b** (*fig*) Schärfe *f*.
virulent ['vɪrʊlənt] *adj* **a** (*Med*) virulent; *poison* stark, tödlich. **b** (*fig*) geharnischt, scharf.
virus ['vaɪərəs] *n* (*Med, Comp*) Virus *m*.
visa ['viːzə] *n* Visum *nt*.
vis-à-vis ['viːzəviː] **1** *prep* in bezug auf (+*acc*).
2 *adv* gegenüber.
viscose ['vɪskəʊs] *n* Viskose *f*.
viscount ['vaɪkaʊnt] *n* Viscount *m*.
viscous ['vɪskəs] *adj* zähflüssig; (*Phys*) viskos.
vise [vaɪs] *n* (*US*) = **vice²**.
visibility [ˌvɪzɪ'bɪlɪtɪ] *n* **a** Sichtbarkeit *f*. **b** (*Met*) Sichtweite *f* ► *poor/good* ~ schlechte/gute Sichtverhältnisse *pl*; *low* ~ geringe Sichtweite.
visible ['vɪzəbl] *adj* sichtbar; (*obvious*) sichtlich ► ~ *to the naked eye* mit dem bloßen Auge zu erkennen.
visibly ['vɪzəblɪ] *adv* sichtlich; *deteriorate* zusehends.
vision ['vɪʒən] *n* **a** (*power of sight*) Sehvermögen *nt* ► *within the range of* ~ in Sichtweite. **b** (*foresight*) Weitblick *m* ► *a man of* ~ ein Mann mit Weitblick. **c** (*in dream, trance*) Vision *f*; (*image*) Vorstellung *f* ► *I had* ~*s of having to walk all the way home* (*col*) ich sah mich im Geiste schon den ganzen Weg nach Hause laufen.
visionary ['vɪʒənərɪ] **1** *adj* (*of visions*) vorhersehend; (*unreal*) eingebildet.
2 *n* Seher(in *f*) *m* (*geh*).
visit ['vɪzɪt] **1** *n* Besuch *m*; (*of doctor*) Hausbesuch *m*; (*of inspector*) Kontrolle *f*; (*stay also*) Aufenthalt *m* ► *to pay sb/sth a* ~ jdn/etw besuchen; *to have a* ~ *from sb* von jdm besucht werden; *to be on a* ~ *to London* zu einem Besuch in London sein.
2 *vt* **a** *person, museum* besuchen.
3 *vi* **a** einen Besuch machen. **b** (*US col: chat*) ein Schwätzchen halten.
◆**visit with** *vi* + *prep obj* (*US*) (*call on*) vorbeikommen bei; (*col: chat with*) schwatzen mit.
visiting: ~ **card** *n* (*Brit*) Visitenkarte *f*; ~ **hours** *npl* Besuchszeiten *pl*; ~ **professor** *n* Gastprofessor *m*; ~ **team** *n* Gastmannschaft *f*, Gäste *pl*.
visitor ['vɪzɪtəʳ] *n* Besucher(in *f*) *m*; (*in hotel*) Gast *m* ► *to have* ~*s or a* ~ Besuch haben; ~*s' book* Gästebuch *nt*.
visor ['vaɪzəʳ] *n* (*on helmet*) Visier *nt*; (*on cap*) Schirm *m*; (*Aut*) Blende *f*.
vista ['vɪstə] *n* Aussicht *f*, Blick *m*.
visual ['vɪzjʊəl] *adj field, nerve* Seh-; *memory, impression* visuell ► ~ *aids* Anschauungsmaterial *nt*; ~ *display unit* Bildschirmgerät *nt*.
visualize ['vɪzjʊəlaɪz] *vt* (*see in mind*) sich (*dat*) vorstellen; (*foresee*) erwarten.
visually ['vɪzjʊəlɪ] *adv* visuell ► ~ *handicapped* sehbehindert.
vital ['vaɪtl] *adj* **a** (*of life*) vital, Lebens-; (*necessary for life*) lebenswichtig ► ~ *force* Lebenskraft *f*; ~ *organs* lebenswichtige Organe *pl*; ~ *statistics* (*col: of woman*) Maße *pl*. **b** (*essential*) unerläßlich ► *of* ~ *importance* von größter Wichtigkeit; *this is* ~ das ist unbedingt notwendig; *your support is* ~ *to us* wir brauchen unbedingt Ihre Unterstützung. **c** (*critical*) *error* schwerwiegend; *problem* Kern- ► *at the* ~ *moment* im entscheidenden Moment. **d** (*lively*) *person* vital; *artistic style also* lebendig.
vitality [vaɪ'tælɪtɪ] *n* (*energy*) Energie, Vitalität *f*; (*of prose*) Lebendigkeit *f*; (*of company*) Dynamik *f*.
vitally ['vaɪtəlɪ] *adv important* äußerst, ungeheuer.
vitamin ['vɪtəmɪn] *n* Vitamin *nt*.

vitamin: ~ **deficiency** n Vitaminmangel m; ~ **pill** n Vitamintablette f.

vitiate ['vɪʃɪeɪt] vt (spoil) beeinträchtigen; (invalidate) ungültig machen.

vitreous ['vɪtrɪəs] adj Glas- ▸ ~ **china** Porzellanemail nt.

vitriolic [ˌvɪtrɪ'ɒlɪk] adj (fig) remark, criticism beißend; attack, speech haßerfüllt.

vituperate [vɪ'tjuːpəreɪt] vi wettern (against gegen).

viva ['vaɪvə] n (Univ) mündliche Prüfung.

vivacious [vɪ'veɪʃəs] adj lebhaft.

vivacity [vɪ'væsɪtɪ] n Lebhaftigkeit f.

vivid ['vɪvɪd] adj light hell; colour kräftig, lebhaft; (lively) imagination lebhaft; description anschaulich; emotions stark ▸ **the memory of that day is still** ~ der Tag ist mir/uns etc noch in lebhafter Erinnerung.

vividly ['vɪvɪdlɪ] adv lebhaft; shine hell, leuchtend; describe anschaulich.

vividness ['vɪvɪdnɪs] n (of colour, imagination etc) Lebhaftigkeit f; (of light) Helligkeit f; (of description) Lebendigkeit f.

vivisection [ˌvɪvɪ'sekʃən] n Vivisektion f.

vixen ['vɪksn] n (Zool) Füchsin f.

viz [vɪz] adv nämlich.

V-neck ['viːnek] n V-Ausschnitt m ▸ ~**(ed) pullover** Pullover m mit V-Ausschnitt.

vocabulary [vəʊ'kæbjʊlərɪ] n Wortschatz m, Vokabular nt (geh); (in textbook) Wörterverzeichnis nt ▸ **legal** ~ juristisches Vokabular.

vocal ['vəʊkəl] [1] adj [a] Stimm-; music, part Vokal- ▸ ~ **cords** Stimmbänder pl. [b] (voicing one's opinions) lautstark.
[2] n (of pop song) Vokalpartie f ▸ ~: **Van Morrison** Gesang: Van Morrison.

vocalist ['vəʊkəlɪst] n Sänger(in f) m.

vocation [vəʊ'keɪʃən] n (Rel etc) Berufung f; (form: profession) Beruf m ▸ **to have a** ~ **for teaching** zum Lehrer berufen sein.

vocational [vəʊ'keɪʃənl] adj Berufs- ▸ ~ **guidance** Berufsberatung f; ~ **school** (US) ≃ Berufsschule f; ~ **training** Berufsausbildung f.

vociferous adj, ~**ly** adv [vəʊ'sɪfərəs, -lɪ] laut; protest lautstark.

vodka ['vɒdkə] n Wodka m.

vogue [vəʊg] n Mode f ▸ **to be in** ~ Mode sein; ~ **word** Modewort nt.

voice [vɔɪs] [1] n [a] Stimme f ▸ **to lose one's** ~ die Stimme verlieren; **I've lost my** ~ ich habe keine Stimme mehr; **to be in (good)/poor** ~ gut/nicht gut bei Stimme sein; **in a deep** ~ mit tiefer Stimme; **with one** ~ einstimmig; **to give** ~ **to sth** einer Sache (dat) Ausdruck verleihen; **we have no** ~ **in the matter** wir haben in dieser Angelegenheit kein Mitspracherecht nt. [b] (Gram) **the active/passive** ~ das Aktiv/Passiv.
[2] vt opinion zum Ausdruck bringen.

voice: ~ **mail** n Voice-Mail f; ~**-over** n Begleitkommentar m; ~ **production** n Stimmbildung f.

void [vɔɪd] [1] n (lit, fig) Leere f.
[2] adj (empty) leer; (Jur) ungültig, nichtig ▸ ~ **of hope** hoffnungslos.

vol = **volume** Bd.

volatile ['vɒlətaɪl] adj [a] (Chem) flüchtig. [b] (Comp) ~ **memory** flüchtiger Speicher. [c] person impulsiv; political situation brisant.

vol-au-vent ['vɒləʊvɑ̃ː] n Königinpastete f.

volcanic [vɒl'kænɪk] adj dust vulkanisch; region, eruption Vulkan-.

volcano [vɒl'keɪnəʊ] n Vulkan m.

vole [vəʊl] n Wühlmaus f; (common ~) Feldmaus f.

Volga ['vɒlgə] n Wolga f.

volition [vɒ'lɪʃən] n Wille m ▸ **of one's own** ~ aus freiem Willen, aus freien Stücken.

volley ['vɒlɪ] n [a] (of shots) Salve f; (of arrows, stones) Hagel m; (fig: of insults) Flut f. [b] (Tennis) Volley, Flugball m.

volleyball ['vɒlɪˌbɔːl] n Volleyball m.

volt [vəʊlt] n Volt nt ▸ ~ **meter** Voltmeter nt.

voltage ['vəʊltɪdʒ] n Spannung f.

volte-face ['vɒlt'faːs] n (fig) Kehrtwendung f.

voluble ['vɒljʊbl] adj speaker redselig (esp pej); account, protest wortreich.

volume ['vɒljuːm] n [a] Band m ▸ **a six-~ dictionary** ein sechsbändiges Wörterbuch; **to write** ~**s** ganze Bände pl schreiben; **that speaks** ~**s** (fig) das spricht Bände (for über +acc). [b] (space occupied by sth) Volumen nt. [c] (size, amount) Ausmaß nt (of an +dat) ▸ **the** ~ **of traffic** das Verkehrsaufkommen; **trade has increased in** ~ das Handelsvolumen hat sich vergrößert; ~ **discount** Mengenrabatt m. [d] (sound) Lautstärke f ▸ **turn the** ~ **up/down** (Rad, TV) stell (das Radio/den Fernseher) lauter/leiser; ~ **control** (Rad, TV) Lautstärkeregler m.

voluminous [və'luːmɪnəs] adj figure üppig; writings umfangreich; dress wallend.

voluntarily ['vɒləntərɪlɪ] adv freiwillig.

voluntary ['vɒləntərɪ] adj freiwillig ▸ ~ **worker** freiwilliger Helfer, freiwillige Helferin; (overseas) Entwicklungshelfer(in f) m; **a** ~ **organization** ein freiwilliger Wohlfahrtsverband; ~ **redundancy** freiwilliger Verzicht auf den Arbeitsplatz.

volunteer [ˌvɒlən'tɪər] [1] n (also Mil) Freiwillige(r) mf ▸ **any** ~**s?** wer meldet sich freiwillig?
[2] vt help anbieten; suggestion machen; information geben.
[3] vi [a] sich (freiwillig) melden ▸ **to** ~ **for sth** sich freiwillig für etw zur Verfügung stellen; **to** ~ **to do sth** sich anbieten, etw zu tun. [b] (Mil) sich freiwillig melden (for zu, for places nach).

voluptuous [və'lʌptjʊəs] adj woman, movement sinnlich; curves üppig.

vomit ['vɒmɪt] [1] n Erbrochene(s) nt.
[2] vt erbrechen; (fig) spucken.
[3] vi sich übergeben.

voracious [və'reɪʃəs] adj person gefräßig ▸ **she is a** ~ **reader** sie verschlingt die Bücher geradezu; **to have a** ~ **appetite** einen Riesenappetit haben.

vortex ['vɔːteks] n, pl -**es** or **vortices** ['vɔːtɪsiːz] (lit) Wirbel, Strudel (also fig) m.

Vosges [vəʊʒ] npl Vogesen pl.

vote [vəʊt] [1] n Stimme f; (act of voting) Abstimmung f; (result) Abstimmungsergebnis nt ▸ **to put sth to the** ~ über etw (acc) abstimmen lassen; **the Labour** ~ die Labourstimmen pl; **to have the** ~ das Wahlrecht haben.
[2] vti (elect) wählen; (approve) bewilligen ▸ **he was** ~**d chairman** er wurde zum Vorsitzenden gewählt; **to** ~ **Labour** Labour wählen; **to** ~ **for/against sth** für/gegen etw stimmen; **I** ~ **we leave now** ich schlage vor, daß wir jetzt gehen; **to** ~ **with one's feet** abwandern.

◆**vote in** vt sep law beschließen; person wählen.

◆**vote on** vi +prep obj abstimmen über (+acc).

voter ['vəʊtər] n Wähler(in f) m.

voting ['vəʊtɪŋ] n Wahl f ▸ ~ **booth** Wahlkabine f; ~ **paper** Stimmzettel m; ~ **system** Wahlsystem nt.

vouch [vaʊtʃ] vi **to** ~ **for sb/sth** sich für jdn/etw verbürgen; (legally) für jdn/etw bürgen.

voucher ['vaʊtʃər] n [a] (for cash, petrol, meals) Gutschein m; (cigarette ~) Coupon m. [b] (receipt) Beleg m; (for debt) Schuldschein m.

vow [vaʊ] [1] n Versprechen nt; (Rel) Gelübde nt ▸ **to make a** ~ **to do sth** geloben, etw zu tun; **to take one's** ~**s** sein Gelübde ablegen.
[2] vt obedience geloben.

vowel ['vaʊəl] n Vokal, Selbstlaut m ▸ ~ **sound** Vokallaut m.

voyage ['vɔɪɪdʒ] *n* Reise, Fahrt *f*; (*by sea also*) Seereise *f*; (*Space also*) Flug *m* ► *to go on a* ~ auf eine Reise *etc* gehen; *the* ~ *out* die Hinreise/der Hinflug; *the* ~ *back* die Rückreise/der Rückflug; ~ *of discovery* (*fig*) Entdeckungsreise *f.*

voyager ['vɔɪədʒəʳ] *n* Passagier *m*; (*Space*) Raumfahrer *m.*

vs = **versus.**

V-: ~**-shaped** *adj* pfeilförmig, V-förmig; ~**-sign** *n to give sb the* ~**-sign** ≃ jdm den Vogel zeigen (*col*).

VSO (*Brit*) = **Voluntary Service Overseas** ≃ Entwicklungsdienst *m.*

VT (*US Post*) = **Vermont.**

VTOL ['viːtɒl] (*Aviat*) = **vertical take-off and landing** Senkrechtstart und -landung.

vulcanize ['vʌlkənaɪz] *vt* vulkanisieren.

vulgar ['vʌlgəʳ] *adj* (*pej*) ordinär; (*tasteless*) geschmacklos ► ~ *fraction* (*Math*) gemeiner Bruch.

vulgarity [vʌl'gærɪtɪ] *n* Vulgarität *f*; (*of gesture, joke also*) Anstößigkeit *f*; (*of colour etc*) Geschmacklosigkeit *f.*

vulnerability [ˌvʌlnərə'bɪlɪtɪ] *n see adj* Verwundbarkeit *f*; Verletzlichkeit *f*; Verletzbarkeit *f*; Ungeschütztheit *f.*

vulnerable ['vʌlnərəbl] *adj* verwundbar; (*exposed*) verletzlich; (*fig*) verletzbar; *troops, fortress* ungeschützt ► *to be* ~ *to temptation* für Versuchungen anfällig sein.

vulture ['vʌltʃəʳ] *n* (*lit, fig*) Geier *m.*

W

W, w ['dʌblju:] *n* W, w *nt* ▸ *W for William* ≃ W wie Wilhelm.

W = [a] **west** W. [b] **watt(s)** W.

WA (*US Post*) = **Washington**.

WAAF [wæf] (*Brit*) = **Women's Auxiliary Air Force** *weibliche Einheiten der Luftwaffe*.

WAC [wæk] (*US*) = **Women's Army Corps** *weibliches Armeekorps*.

wacky ['wækɪ] *adj* (+*er*) (*col*) verrückt (*col*).

wad [wɒd] *n* (*compact mass*) Knäuel *m* or *nt*; (*of cotton wool etc*) Bausch *m*; (*of papers, banknotes*) Bündel *nt*.

wadding ['wɒdɪŋ] *n* (*for packing*) Material *nt* zum Ausstopfen; (*Sew*) Wattierung *f*.

waddle ['wɒdl] *vi* watscheln.

wade [weɪd] [1] *vt* durchwaten.
[2] *vi* waten ▸ *to ~ into sb/sth* (*col: attack*) auf jdn losgehen/etw in Angriff nehmen; *they all ~d in and helped* sie haben sich alle in die Arbeit hineingekniet; *to ~ through a book* sich durch ein Buch kämpfen.

wader ['weɪdəʳ] *n* [a] (*Orn*) Watvogel *m*. [b] *~s pl* (*boots*) Watstiefel *pl*.

wading pool ['weɪdɪŋ'pu:l] *n* (*US*) Planschbecken *nt*.

wafer ['weɪfəʳ] *n* [a] (*biscuit*) Waffel *f* ▸ *a vanilla ~* eine Vanilleeiswaffel. [b] (*Eccl*) Hostie *f*. [c] (*silicone ~*) Wafer *f*.

wafer-thin ['weɪfə'θɪn] *adj* hauchdünn.

waffle¹ ['wɒfl] *n* (*Cook*) Waffel *f* ▸ *~ iron* Waffeleisen *nt*.

waffle² (*Brit col*) [1] *n* Geschwafel *nt* (*col*).
[2] *vi* (*also ~ on*) schwafeln (*col*).

waft [wɑːft] *vti* wehen ▸ *a delicious smell ~ed up from the kitchen* ein köstlicher Geruch zog aus der Küche herauf.

wag¹ [wæg] [1] *n* *with a ~ of its tail* mit einem Schwanzwedeln.
[2] *vt tail* wedeln mit; (*bird*) wippen mit ▸ *to ~ one's finger at sb* jdm mit dem Finger drohen.
[3] *vi* (*tail*) wedeln; (*of bird*) wippen ▸ *that'll set the tongues ~ging* dann geht das Gerede los.

wag² *n* (*joker*) Witzbold *m* (*col*) ▸ *a bit of a ~* ein alter Witzbold.

wage¹ [weɪdʒ] *n usu pl* Lohn *m*.

wage² *vt war, campaign* führen.

wage *in cpds* Lohn-; *~ claim* or **demand** *n* Lohnforderung *f*; *~ differential* *n* Lohngefälle *nt*; *~ earner* *n* Lohnempfänger *m*; *~ freeze* *n* Lohnstopp *m*; *~ increase* *n* Lohnerhöhung *f*; *~ packet* *n* (*Brit*) Lohntüte *f*.

wager ['weɪdʒəʳ] [1] *n* Wette *f* (*on* auf +*acc*) ▸ *to lay a ~* eine Wette abschließen.
[2] *vti* wetten (*on* auf +*acc*).

wage restraint *n* Niederhaltung *f* von Löhnen *mpl*.

wages ['weɪdʒɪz] *npl* Lohn *m* ▸ *~ bill* Lohnkosten *pl*; *~ clerk* Lohnbuchhalter(in *f*) *m*.

wage settlement *n* Tarifabschluß *m*.

waggle ['wægl] [1] *vt* wackeln mit; *tail* wedeln mit; (*bird*) wippen mit ▸ *he ~d his finger at me disapprovingly* er drohte mir mißbilligend mit dem Finger.
[2] *vi* wackeln; (*tail*) wedeln.
[3] *n with a ~ of its tail* mit einem Schwanzwedeln.

waggon (*Brit*), **wagon** ['wægən] *n* [a] (*horse-drawn*) Wagen *m*; (*covered ~*) Planwagen *m*; (*US: delivery*

truck) Lieferwagen *m*; (*US col: police car*) Streifenwagen *m*; (*US col: for transporting prisoners*) ≃ grüne Minna (*col*). [b] (*Brit Rail*) Waggon *m*. [c] (*col*) *I'm on the ~* ich trinke nichts.

wagtail ['wægteɪl] *n* (*Orn*) Bachstelze *f*.

waif [weɪf] *n* heimatloses Kind ▸ *~s and strays* heimatlose Kinder *pl*.

wail [weɪl] [1] *n* (*of baby*) Geschrei *nt*; (*of mourner, music*) Klagen *nt*; (*of sirens, wind*) Heulen *nt*; (*col: complaint*) Gejammer *nt* (*col*).
[2] *vi* (*baby, cat*) schreien; (*mourner, music*) klagen; (*sirens, wind*) heulen; (*col: complain*) jammern (*over* über +*acc*).

waist [weɪst] *n* Taille *f* ▸ *stripped to the ~* mit nacktem Oberkörper.

waist: *~band* *n* (*of trousers*) Hosenbund *m*; (*of dress*) Rockbund *m*; *~coat* *n* (*Brit*) Weste *f*; *~-deep* *adj* hüfthoch, bis zur Taille reichend; *we stood ~-deep in ...* wir standen bis zur Hüfte in ...; *~line* *n* Taille *f*; *~ measurement* *n* Taillenweite *f*.

wait [weɪt] [1] *vi* [a] warten (*for* auf +*acc*) ▸ *to ~ for sb to do sth* darauf warten, daß jd etw tut; *it was definitely worth ~ing for* es hat sich wirklich gelohnt, darauf zu warten; *well, what are you ~ing for?* worauf wartest du denn (noch)?; *let him ~!* laß ihn warten, soll er warten!; *this work will have to ~ till later* diese Arbeit muß bis später warten; *~ a minute* or *moment* (einen) Moment (mal); *(just) you ~!* warte nur ab!; (*threatening*) warte nur!; *I can't ~* ich kann's kaum erwarten; (*out of curiosity*) ich bin gespannt; *I can't ~ to see his face* da bin ich (aber) auf sein Gesicht gespannt. [b] *to ~ at table* servieren.
[2] *vt to ~ one's turn* (ab)warten, bis man an der Reihe ist; *to ~ one's chance* eine günstige Gelegenheit abwarten; *to ~ dinner for sb* mit dem Essen auf jdn warten.
[3] *n* [a] Wartezeit *f* ▸ *did you have a long ~?* mußten Sie lange warten? [b] *to lie in ~ for sb/sth* jdm/einer Sache auflauern.

◆**wait behind** *vi* zurückbleiben ▸ *to ~ for sb* zurückbleiben und auf jdn warten.

◆**wait in** *vi* zu Hause bleiben (*for* wegen).

◆**wait on** *vi* +*prep obj* [a] (*also ~ upon*) (*serve*) bedienen. [b] (*US*) *to ~ ~ table* servieren, bei Tisch bedienen.

◆**wait up** *vi* aufbleiben (*for* wegen, für).

waiter ['weɪtəʳ] *n* Kellner, Ober *m* ▸ *~!* (Herr) Ober!

waiting ['weɪtɪŋ] *n* Warten *nt* ▸ *"no ~"* „Halteverbot".

waiting: *~ game* *n*: *to play a ~ game* sich gedulden; *~ list* *n* Warteliste *f*; *~ room* *n* Warteraum *m*; (*at doctor's*) Wartezimmer *nt*; (*in station*) Wartesaal *m*.

waitress ['weɪtrɪs] *n* Kellnerin *f* ▸ *~!* Fräulein!

waive [weɪv] *vt* [a] *rights, claim* verzichten auf (+*acc*); *rule, age limit etc* außer acht lassen. [b] (*put aside, dismiss*) *question, objection* abtun.

waiver ['weɪvəʳ] *n* (*Jur*) Verzicht *m* (*of* auf +*acc*); (*document*) Verzichterklärung *f*; (*of law, contract*) Außerkraftsetzung *f*.

wake¹ [weɪk] *n* (*Naut*) Kielwasser *nt* ▸ *in the ~ of* (*fig*) nach; *to follow in sb's ~* in jds Kielwasser segeln; *X leaves Y in its ~* X hinterläßt Y; *to bring sth in its ~* etw mit sich bringen.

wake² *n* (*esp Ir: over corpse*) Totenwache *f*.

wake³ *pret* **woke**, *ptp* **woken** [1] *vt* wecken. [2] *vi* aufwachen ▸ *he woke to find himself in prison* als er aufwachte, fand er sich im Gefängnis wieder.

◆**wake up** [1] *vi* (*lit, fig*) aufwachen ▸ *to ~ ~ to sth* (*fig*) sich (*dat*) einer Sache (*gen*) bewußt werden. [2] *vt sep* (*lit*) aufwecken; (*fig: rouse from sloth*) aufrütteln ▸ *to ~ sb ~ to sth* (*fig*) jdm etw bewußt machen; *to ~ one's ideas ~* sich zusammenreißen.

wakeful ['weɪkfʊl] *adj* (*sleepless*) schlaflos; (*alert*) wachsam.

waken ['weɪkən] *vt* (auf)wecken.

waking ['weɪkɪŋ] *adj* *to spend (all) one's ~ hours doing sth* den (ganzen) Tag damit verbringen, etw zu tun.

Wales [weɪlz] *n* Wales *nt*.

walk [wɔːk] [1] *n* [a] (*stroll*) Spaziergang *m*; (*hike*) Wanderung *f*; (*charity ~*) Marsch *m* (*für Wohltätigkeitszwecke*); (*signposted route*) Wanderweg *m*; (*path in park etc*) Spazierweg *m* ▸ *it's only 2 minutes' ~* es sind nur 2 Minuten zu Fuß; *it's a long/short ~ to the shops* zu den Geschäften ist es weit/nicht weit zu Fuß; *to go for a ~* einen Spaziergang machen; *to take sb/the dog for a ~* mit jdm/dem Hund spazierengehen; *there are some good ~s in the hills* in den Bergen gibt es einige gute Wandermöglichkeiten. [b] (*gait*) Gang *m*; (*of horse also*) Gangart *f* ▸ *the horse went at a ~* das Pferd ging im Schritt. [c] *~ of life* Milieu *nt*; *people from all ~s of life* Leute aus allen Schichten und Berufen. [d] (*US: Baseball*) Walk *m*, Freibase *nt*. [2] *vt* [a] (*lead*) *person, horse* (spazieren)führen; *dog* ausführen; (*ride at a ~*) im Schritt gehen lassen ▸ *to ~ sb home/to the bus* jdn (zu Fuß) nach Hause/zum Bus bringen. [b] *distance* laufen, gehen ▸ *I've ~ed this road many times* ich bin diese Straße oft gegangen. [c] *to ~ the streets* (*prostitute*) auf den Strich gehen (*col*); (*in search of sth*) durch die Straßen irren; (*aimlessly*) durch die Straßen gehen; *let's ~ it* gehen wir doch zu Fuß. [3] *vi* [a] gehen, laufen ▸ *a little with me* gehen Sie ein Stück mit mir; *to ~ in one's sleep* schlafwandeln. [b] (*not ride*) zu Fuß gehen, laufen (*col*); (*stroll*) spazierengehen; (*hike*) wandern ▸ *you can ~ there in 5 minutes* da ist man in 5 Minuten zu Fuß; *to ~ home* zu Fuß nach Hause gehen.

◆**walk about** *or* **around** *vi* herumlaufen (*col*) ▸ *to ~ ~ sth* um etw herumlaufen; (*about room etc*) in etw (*dat*) herumgehen.

◆**walk away** *vi* weggehen, davongehen ▸ *he ~ed ~ from the crash unhurt* er ist bei dem Unfall ohne Verletzungen davongekommen; *to ~ ~ with a prize etc* einen Preis *etc* kassieren (*col*).

◆**walk in** *vi* herein-/hineinkommen; (*casually*) herein-/hineinspazieren (*col*).

◆**walk into** *vi* +*prep obj room* herein-/hineinkommen in (+*acc*); *person* anrempeln; *wall* laufen gegen ▸ *to ~ ~ sb* (*meet unexpectedly*) jdn zufällig treffen; *to ~ ~ a trap* in eine Falle gehen; *to ~ right ~ sth* (*lit*) mit voller Wucht gegen etw rennen; *you ~ed right ~ that one, didn't you?* da bist du aber ganz schön reingefallen (*col*).

◆**walk off** [1] *vt sep to ~ ~ one's hangover* einen Spaziergang machen, um seinen Kater loszuwerden. [2] *vi* weggehen ▸ *he ~ed ~ in the opposite direction* er ging in die andere Richtung davon.

◆**walk off with** *vi* +*prep obj* (*col*) (*take*) (*unintentionally*) abziehen mit (*col*); (*intentionally*) abhauen mit (*col*); (*win easily*) *prize* kassieren (*col*).

◆**walk on** *vi* [a] +*prep obj grass etc* betreten. [b] (*continue walking*) weitergehen.

◆**walk out** *vi* [a] (*quit*) gehen ▸ *to ~ ~ of a meeting/*

room eine Versammlung/einen Saal verlassen; *to ~ ~ on sb* jdn verlassen; (*let down*) jdn im Stich lassen; *on girlfriend etc* jdn sitzenlassen (*col*); *to ~ ~ on sth* aus etw aussteigen (*col*). [b] (*strike*) streiken, in Streik treten.

◆**walk over** *vi* +*prep obj* [a] (*defeat*) in die Tasche stecken (*col*). [b] *to ~ all ~ sb* (*col*) (*dominate*) jdn unterbuttern (*col*); (*in competition, match etc*) jdn fertigmachen (*col*).

◆**walk up** *vi* (*go up, ascend*) (zu Fuß) hinaufgehen; (*approach*) zugehen (*to* auf +*acc*) ▸ *a man ~ed ~ to me/her* ein Mann kam auf mich zu/ging auf sie zu; *~ ~!, ~ ~!* treten Sie näher!

walk: *~about n* Rundgang *m*; *the Queen went (on a) ~about* die Königin nahm ein Bad in der Menge; *to go ~about* (*col: get lost*) (*thing*) Beine bekommen (*col*); (*person*) sich auf- und davonmachen (*col*); *~away n* (*US*) = *~over*.

walker ['wɔːkəʳ] *n* (*stroller*) Spaziergänger(in *f*) *m*; (*hiker*) Wanderer *m*, Wanderin *f*; (*Sport*) Geher(in *f*) *m* ▸ *to be a fast ~* schnell gehen.

walkie-talkie ['wɔːkɪ'tɔːkɪ] *n* (Hand-)Funksprechgerät *nt*.

walking ['wɔːkɪŋ] [1] *n* Gehen *nt*; (*as recreation*) Spazierengehen *nt*; (*hiking*) Wandern *nt* ▸ *we did a lot of ~ on holiday* in den Ferien sind wir viel gewandert. [2] *adj attr* (*esp hum*) *encyclopaedia, miracle etc* wandelnd; *doll* Lauf- ▸ *at a ~ pace* im Schrittempo; *it's within ~ distance* dahin kann man zu Fuß gehen.

walking: *~ holiday n* Wanderferien *pl*; *~ shoes npl* Wanderschuhe *pl*; *~ stick n* Spazierstock *m*; *~ tour n* Wanderung *f*.

walk: **W~man** ® *n* Walkman ® *m*; *~-on adj part, role* Statisten-; *~out n* (*strike*) Streik *m*; *to stage a ~out* (*from conference*) demonstrativ den Saal verlassen; *~over n* (*easy victory*) Spaziergang *m* (*col*); (*fig*) Kinderspiel *nt*; *~way n* Fußweg *m*; *a pedestrian ~way* ein Fuß(gänger)weg *m*.

wall [wɔːl] *n* (*outside*) Mauer *f*; (*inside, of mountain*) Wand *f* ▸ *a ~ of fire* eine Feuerwand; *a ~ of policemen/troops* eine Mauer von Polizisten/Soldaten; *to go up the ~* (*col*) die Wände hochgehen (*col*); *he drives me up the ~* (*col*) er bringt mich auf die Palme (*col*); *to go to the ~* (*firm etc*) kaputtgehen (*col*).

◆**wall in** *vt sep* mit einer Mauer umgeben.

◆**wall off** *vt sep* (*cut off*) durch eine Mauer (ab)trennen.

◆**wall up** *vt sep* zumauern.

wallaby ['wɒləbɪ] *n* Wallaby *nt*.

wall: *~bars npl* Sprossenwand *f*; *~ chart n* Schautafel *f*; *~ covering n* Tapete *f*; (*tapestry*) Wandbehang *m*; *~ cupboard n* Wandschrank *m*; (*hanging*) Hängeschrank *m*.

walled [wɔːld] *adj* von Mauern umgeben.

wallet ['wɒlɪt] *n* Brieftasche *f*.

wall: *~flower n* (*Bot*) Goldlack *m*; (*fig col*) Mauerblümchen *nt* (*col*); *~ hanging n* Wandbehang *m*; *~ light n* Wandleuchte *f*; *~ map n* Wandkarte *f*.

wallop ['wɒləp] (*col*) [1] *n* (*blow*) Schlag *m* ▸ *to give sb/sth a ~* jdm/einer Sache einen Schlag versetzen. [2] *vt* (*hit*) schlagen; (*punish*) versohlen (*col*).

walloping ['wɒləpɪŋ] (*col*) *n* Prügel *pl* (*col*); (*defeat*) Schlappe *f* ▸ *to give sb a ~* jdm eine Tracht Prügel geben (*col*).

wallow ['wɒləʊ] *vi* [a] (*lit*) (*animal*) sich wälzen; (*boat*) rollen. [b] *to ~ in luxury/self-pity etc* im Luxus/Selbstmitleid *etc* schwelgen.

wall: *~ painting n* Wandgemälde *nt*; *~paper* [1] *n* Tapete *f*; [2] *vt* tapezieren; *~ socket n* Wandsteckdose *f*; *~-to-~ adj ~-to-~ carpeting* Teppichboden *m*; *~ unit n* (*covering whole wall*) Schrankwand *f*; (*hanging*) Hängeschrank *m*.

wally ['wɒlɪ] *n* (*Brit col*) Vollidiot *m* (*col*).
walnut ['wɔːlnʌt] *n* (*nut*) Walnuß *f*; (*tree, wood*) Nußbaum *m*.
walrus ['wɔːlrəs] *n* Walroß *nt*.
waltz [wɔːls] **1** *n* Walzer *m*.
2 *vi* **a** Walzer tanzen. **b** (*col: move, come etc*) tanzen (*col*) ► **he came ~ing up** er kam angetanzt (*col*).
WAN = wide area network WAN *nt*.
wan [wɒn] *adj* bleich; *light, smile, look* matt.
wand [wɒnd] *n* (*magic ~*) Zauberstab *m*; (*Comp: for bar codes*) Lesestift *m*.
wander ['wɒndər] **1** *n* Spaziergang *m*; (*through town, park also*) Bummel *m* ► **I'm going for a ~ around the shops** ich mache einen Ladenbummel.
2 *vt hills, world* durchstreifen (*geh*) ► **to ~ the streets** durch die Straßen wandern.
3 *vi* **a** herumlaufen; (*more aimlessly*) umherwandern (*through, about* in +*dat*); (*leisurely*) schlendern; (*to see the shops*) bummeln ► **he ~ed over to speak to me** er kam zu mir herüber, um mit mir zu reden. **b** (*go off, stray*) **to ~ from the path** vom Wege abkommen; **he ~ed too near the edge of the cliff** er geriet zu nahe an den Rand des Abhangs. **c** (*fig: thoughts, eye*) schweifen, wandern ► **to let one's mind ~** seine Gedanken schweifen lassen; **the old man's mind is beginning to ~ a bit** der alte Mann wird ein wenig wirr im Kopf; **to ~ from** *or* **off the point/subject** vom Punkt/Thema abschweifen *or* abkommen.
◆**wander off** *vi* weggehen; (*col: leave*) allmählich gehen.
wanderer ['wɒndərər] *n* Wandervogel *m*.
wandering ['wɒndərɪŋ] **1** *adj tribesman* umherziehend; *minstrel* fahrend; *thoughts* (ab)schweifend; *path* gewunden.
2 *n* **~s** *pl* Herumziehen *nt*; (*mental*) wirre Gedanken *pl*.
wanderlust ['wɒndəlʌst] *n* Fernweh *nt*.
wane [weɪn] **1** *n* **to be on the ~** (*fig*) im Schwinden sein.
2 *vi* (*moon*) abnehmen; (*fig*) (*influence, strength*) schwinden; (*reputation*) verblassen; (*daylight*) nachlassen.
wangle ['wæŋgl] (*col*) **1** *n* Schiebung *f* (*col*).
2 *vt job, ticket etc* organisieren (*col*), besorgen ► **to ~ oneself/sb in** sich hineinmogeln (*col*)/jdn einschleusen (*col*); **he'll ~ it for you** er wird das schon für dich drehen (*col*).
wangler ['wæŋglər] *n* (*col*) Schlawiner *m* (*col*).
wank [wæŋk] *vi* (*col!*) wichsen (*col!*).
wanly ['wɒnlɪ] *adv* matt.
▼ **want** [wɒnt] **1** *n* **a** (*lack*) Mangel *m* (*of* an +*dat*) ► **for ~ of** aus Mangel an (+*dat*); **for ~ of anything better to do, I went for a walk** weil es nichts Besseres zu tun gab, ging ich spazieren; **it wasn't for ~ of trying** es lag nicht daran, daß ich mich nicht bemüht hätte. **b** (*poverty*) Not *f* ► **to be/live in ~** Not leiden. **c** (*need*) Bedürfnis *nt*; (*wish*) Wunsch *m* ► **the farm supplied all their ~s** der Bauernhof versorgte sie mit allem Notwendigen; **to be in ~ of sth** etw benötigen.
2 *vt* **a** (*wish, desire*) wollen ► **to ~ to do sth** etw tun wollen; **I ~ you to come here** ich will *or* (*more polite*) möchte, daß du herkommst; **I ~ it done now** ich will/möchte das sofort erledigt haben; **I don't ~ you interfering** ich will nicht, daß Sie sich einmischen. **b** (*need, require*) brauchen ► **you ~ to see a doctor** Sie sollten zum Arzt gehen; **you ~ to be careful!** (*col*) du mußt aufpassen; **it ~s cutting** es müßte geschnitten werden; **that's all we ~ed!** (*iro col*) das hat uns gerade noch gefehlt; **it only ~ed the police to turn up ...** es hätte gerade noch gefehlt, daß auch noch die Polizei anrückt ...; **"~ed" "gesucht"; he's a ~ed man** er wird (polizei-

lich) gesucht; **you're ~ed on the phone** Sie werden am Telefon verlangt.
3 *vi* **a** (*wish, desire*) wollen ► **you can go if you ~ (to)** wenn du willst, kannst du gehen; **I don't ~ to** ich will *or* (*more polite*) möchte nicht. **b** (*dated*) **he does not ~ for friends** es fehlt *or* mangelt (*geh*) ihm nicht an Freunden; **they ~ for nothing** es fehlt ihnen an nichts.
want ad *n* (*esp US*) Kaufgesuch *nt*.
wanting ['wɒntɪŋ] *adj* fehlend ► **humour is ~ in the novel** diesem Roman fehlt es an Humor; **he is ~ in confidence** es fehlt *or* mangelt (*geh*) ihm an Selbstvertrauen; **his courage/the new engine was found ~** sein Mut war nicht groß genug/der neue Motor hat sich als unzulänglich erwiesen; **he was tried and found ~** er konnte sich nicht bewähren.
wanton ['wɒntən] *adj* **a** (*licentious*) *life* liederlich; *behaviour, woman, pleasures* schamlos; *looks, thoughts* lüstern. **b** (*wilful*) *cruelty* mutwillig; *disregard, waste* sträflich.
war [wɔːr] **1** *n* Krieg *m* ► **this is ~!** (*fig*) das bedeutet Krieg!; **the ~ against poverty** der Kampf gegen die Armut; **~ of nerves** Nervenkrieg *m*; **~ of words** Wortgefecht *nt*; **to be at ~** sich im Krieg(szustand) befinden; **to declare ~** den Krieg erklären (*on dat*); (*fig also*) den Kampf ansagen (*on dat*); **to make** *or* **wage ~** Krieg führen (*on, against* gegen); **he/this car has been in the ~s a bit** er/dieses Auto sieht ziemlich mitgenommen aus.
2 *vi* sich bekriegen.
warble ['wɔːbl] *vti* trällern.
warbler ['wɔːblər] *n* (*Orn*) Grasmücke *f*; (*wood~*) Waldsänger *m*.
war: **~ correspondent** *n* Kriegsberichterstatter(in *f*) *m*; **~ crime** *n* Kriegsverbrechen *nt*; **~ criminal** *n* Kriegsverbrecher *m*; **~ cry** *n* Kriegsruf *m*; (*fig*) Schlachtruf *m*.
ward [wɔːd] **1** *n* **a** (*part of hospital*) Station *f*; (*room*) (*small*) Krankenzimmer *nt*; (*large*) Krankensaal *m*. **b** (*Jur: person*) Mündel *nt* ► **~ of court** Mündel unter Amtsvormundschaft. **c** (*Admin*) Stadtbezirk *m*; (*election ~*) Wahlbezirk *m*.
◆**ward off** *vt sep attack, blow, person* abwehren; *danger also* abwenden; *depression* nicht aufkommen lassen.
war dance *n* Kriegstanz *m*.
warden ['wɔːdn] *n* (*of youth hostel*) Herbergsvater *m*, Herbergsmutter *f*; (*game ~*) Jagdaufseher *m*; (*traffic ~*) Verkehrspolizist *m*, ≈ Politesse *f*; (*of museum etc*) Aufseher *m*; (*Univ*) Heimleiter(in *f*) *m*; (*of Oxbridge college*) Rektor *m*; (*US: of prison*) Gefängnisdirektor *m*.
warder ['wɔːdər] *n* (*Brit*) Wärter, Aufseher *m*.
wardress ['wɔːdrɪs] *n* (*Brit*) Wärterin, Aufseherin *f*.
wardrobe ['wɔːdrəub] *n* **a** (*cupboard*) Kleiderschrank *m*. **b** (*clothes*) Garderobe *f*. **c** (*Theat*) (*clothes*) Kostüme *pl*; (*room*) Kleiderkammer *f* ► **~ mistress** Gewandmeisterin *f*.
wardroom ['wɔːdruːm] *n* (*Naut*) Offiziersmesse *f*.
-ward(s) [-wəd(z)] *adv suf* -wärts ► **town~** in Richtung Stadt.
warehouse ['wɛəhaus] *n* Lager(haus) *nt*.
wares [wɛəz] *npl* Waren *pl*.
warfare ['wɔːfɛər] *n* Krieg *m*; (*techniques*) Kriegskunst *f*.
war: **~ game** *n* Kriegsspiel *nt*; **~head** *n* Sprengkopf *m*; **~horse** *n* (*lit, fig*) Schlachtroß *nt*.
warily ['wɛərɪlɪ] *adv* vorsichtig; (*suspiciously*) mißtrauisch, argwöhnisch ► **to tread ~** (*lit, fig*) sich vorsehen.
wariness ['wɛərɪnɪs] *n* Vorsicht *f*; (*mistrust*) Mißtrauen *nt* (*of* gegenüber).
warlike ['wɔːlaɪk] *adj* kriegerisch; *tone* militant.
warm [wɔːm] **1** *adj* (+*er*) **a** warm ► **I am** *or* **feel ~** mir ist warm. **b** (*in games*) **am I ~?** ist es (hier) warm?; **you're getting ~** es wird schon wärmer. **c** (*hearty*) per-

son, welcome herzlich, warm. **d** (*heated*) *dispute, words* hitzig.
2 *n* **we were glad to get into the ~** wir waren froh, daß wir ins Warme kamen; **to give sth a ~** etw wärmen.
3 *vt* wärmen ▶ **it ~s my heart to ...** mir wird (es) ganz warm ums Herz, wenn ...
4 *vi* **the milk was ~ing on the stove** die Milch wurde auf dem Herd erwärmt; **I ~ed to him** er wurde mir sympathischer; **to ~ to one's work** sich mit seiner Arbeit anfreunden.
◆**warm up 1** *vi* (*lit, fig*) warm werden; (*engine*) warmlaufen; (*party, game, speaker*) in Schwung kommen; (*Sport*) sich aufwärmen ▶ **things are ~ing ~** es kommt Schwung in die Sache; (*becoming dangerous*) es wird allmählich brenzlig (*col*).
2 *vt sep engine* warmlaufen lassen; *food etc* aufwärmen; (*fig*) *party* in Schwung bringen; *audience* in Stimmung bringen.
warm-blooded [ˌwɔːmˈblʌdɪd] *adj* warmblütig; (*fig*) heißblütig ▶ **~ animal** Warmblüter *m*.
war memorial *n* Kriegerdenkmal *nt*.
warm front *n* (*Met*) Warm(luft)front *f*.
warm-hearted [ˌwɔːmˈhɑːtɪd] *adj person* warmherzig; *gesture* großzügig.
warmly [ˈwɔːmlɪ] *adv* warm; *welcome* herzlich; *recommend* wärmstens ▶ **we ~ welcome it** wir begrüßen es sehr.
warmonger [ˈwɔːˌmʌŋgəʳ] *n* Kriegshetzer *m*.
warmongering [ˈwɔːˌmʌŋgərɪŋ] **1** *adj* kriegshetzerisch;
2 *n* Kriegshetze *f*.
warmth [wɔːmθ] *n* (*lit, fig*) Wärme *f*; (*of welcome*) Herzlichkeit *f*.
warm-up [ˈwɔːmʌp] *n* (*Sport*) Aufwärmen *nt*; (*before motor race*) Aufwärmtraining *nt*.
▼**warn** [wɔːn] *vt* warnen (*of, about, against* vor +*dat*); (*police, judge etc*) verwarnen ▶ **to ~ sb not to do sth** jdn davor warnen, etw zu tun; **be ~ed** sei gewarnt!; **he had ~ed me off** er hatte mich davor gewarnt; **she ~ed us not to be late** sie ermahnte uns, nicht zu spät zu kommen; **to ~ sb that ...** (*inform*) jdn darauf hinweisen, daß ...
warning [ˈwɔːnɪŋ] **1** *n* Warnung *f*; (*from police, judge etc*) Verwarnung *f* ▶ **without ~** ohne Vorwarnung; (*unexpectedly*) unerwartet; **to give sb a ~** jdn warnen; (*police, judge etc*) jdn verwarnen; **let this be a ~ to you** lassen Sie sich (*dat*) das eine Warnung sein!; **to give sb due ~** (*inform*) jdm rechtzeitig Bescheid sagen.
2 *adj light, triangle etc* Warn-; *look, tone* warnend ▶ **a ~ sign** ein erstes Anzeichen; (*signboard etc*) ein Warnzeichen *nt*/-schild *nt*.
warp [wɔːp] **1** *n* (*in weaving*) Kette *f*; (*in wood etc*) Welle *f*.
2 *vt wood* wellen; *character* entstellen; *judgement* verzerren.
3 *vi* (*wood*) sich wellen, sich verziehen.
war: ~paint *n* (*lit, fig col*) Kriegsbemalung *f*; **~path** *n* Kriegspfad *m*; **on the ~path** auf dem Kriegspfad.
warped [wɔːpt] *adj* **a** (*lit*) wellig. **b** (*fig*) *sense of humour* abartig; *character also* verbogen; *judgement* verzerrt.
warplane [ˈwɔːpleɪn] *n* Kampfflugzeug *nt*.
warrant [ˈwɒrənt] **1** *n* (*Comm*) Garantie *f*; (*Mil*) Patent *nt*; (*search ~*) Durchsuchungsbefehl *m*; (*death ~*) Hinrichtungsbefehl *m* ▶ **there is a ~ out for his arrest** gegen ihn ist Haftbefehl erlassen worden.
2 *vt* **a** (*justify*) *action etc* rechtfertigen ▶ **to ~ sb doing sth** jdn dazu berechtigen, etw zu tun. **b** (*merit*) verdienen. **c** (*guarantee*) gewährleisten ▶ **it'll work, I ~ you that** es funktioniert, das garantiere ich Ihnen.
warranty [ˈwɒrəntɪ] *n* (*Comm*) Garantie *f* ▶ **it's still un-**

der ~ darauf ist noch Garantie.
warren [ˈwɒrən] *n* (*rabbit ~*) Kaninchenbau *m*; (*fig*) Labyrinth *nt*.
warring [ˈwɔːrɪŋ] *adj nations* kriegführend; *interests* gegensätzlich; *factions* sich bekriegend.
warrior [ˈwɒrɪəʳ] *n* Krieger *m*.
Warsaw [ˈwɔːsɔː] *n* Warschau *nt* ▶ **~ Pact** (*Hist*) Warschauer Pakt *m*.
warship [ˈwɔːʃɪp] *n* Kriegsschiff *nt*.
wart [wɔːt] *n* Warze *f* ▶ **~s and all** (*hum col*) mit allen Fehlern.
wart-hog [ˈwɔːthɒg] *n* Warzenschwein *nt*.
wartime [ˈwɔːtaɪm] **1** *n* Kriegszeit *f* ▶ **in ~** in Kriegszeiten.
2 *adj* Kriegs- ▶ **in ~ England** in England während des Krieges.
wary [ˈwɛərɪ] *adj* (+*er*) vorsichtig; (*looking and planning ahead*) umsichtig, klug; *look* mißtrauisch ▶ **to be ~ of sb/sth** vor jdm/einer Sache auf der Hut sein; **to be ~ about doing sth** seine Zweifel haben, ob man etw tun soll.
was [wɒz] *1st, 3rd pers sing pret of* **be**.
wash [wɒʃ] **1** *n* **a** (*act of ~ing*) **it needs a ~** es müßte gewaschen werden; **I need a ~** ich muß mich waschen; **to give sb/sth a (good) ~** jdn/etw (gründlich) waschen; **to have a ~** sich waschen. **b** (*laundry*) Wäsche *f* ▶ **to be in the ~** in der Wäsche sein; **it will all come out in the ~** (*fig col*) (*become known*) es wird schon alles rauskommen; (*work out*) es wird sich schon noch alles regeln. **c** (*of ship*) Kielwasser *nt*.
2 *vt* **a** waschen; *dishes* spülen; *floor* aufwischen; *hands etc* sich (*dat*) waschen ▶ **to ~ one's hands of sb/sth** mit jdm/etw nichts mehr zu tun haben wollen; **I ~ my hands of it** ich wasche meine Hände in Unschuld; **to ~ sth clean** etw reinwaschen. **b** (*sea etc*) umspülen; *cliffs etc* schlagen gegen; (*carry*) spülen ▶ **it was ~ed ashore** es wurde an Land gespült.
3 *vi* **a** (*have a ~*) sich waschen. **b** **a material that ~es well/won't ~** ein Stoff, der sich gut wäscht/den man nicht waschen kann; **that excuse won't ~** (*Brit fig col*) diese Entschuldigung kauft dir keiner ab! (*col*).
◆**wash away** *vt sep* (hin)wegspülen ▶ **to ~ ~ sb's sins** jdn von seinen Sünden reinwaschen.
◆**wash down** *vt sep* (*clean*) abwaschen; *meal* hinunterspülen.
◆**wash off 1** *vi* (*stain, dirt*) sich herauswaschen lassen ▶ **most of the pattern has ~ed ~** das Muster ist fast ganz verwaschen.
2 *vt sep* abwaschen.
◆**wash out 1** *vi* sich auswaschen lassen.
2 *vt sep* (*clean*) auswaschen; *mouth* ausspülen.
◆**wash over** *vi* +*prep obj* (*sea, waves*) überspülen ▶ **to ~ ~ sb** (*fig: criticism etc*) an jdm abprallen.
◆**wash up 1** *vi* **a** (*Brit: clean dishes*) abwaschen, spülen. **b** (*US: have a wash*) sich waschen.
2 *vt sep* **a** (*Brit*) *dishes* spülen. **b** (*sea etc*) anspülen.
washable [ˈwɒʃəbl] *adj* waschbar; *wallpaper* abwaschbar.
wash: ~bag *n* (*US*) Kulturbeutel *m*; **~basin** *n* Waschbecken *nt*; **~bowl** *n* Waschschüssel *f*; (*in unit*) Waschbecken *nt*; **~ cloth** *n* (*US*) Waschlappen *m*; **~day** *n* Waschtag *m*.
washed out [ˈwɒʃtˈaʊt] *adj* (*col*) erledigt (*col*) ▶ **to look ~** mitgenommen aussehen.
washer [ˈwɒʃəʳ] *n* **a** (*Tech*) Dichtu(n)g(sring *m*) *f*. **b** (*clothes ~*) Waschmaschine *f*; (*dish~*) (Geschirr)spülmaschine *f*.
washhand basin [ˈwɒʃˌhænd,beɪsn] *n* Handwaschbecken *nt*.
washing [ˈwɒʃɪŋ] *n* Waschen *nt*; (*clothes*) Wäsche *f* ▶ **to do the ~** Wäsche waschen.

▶ SENTENCE BUILDER: **warn** → 9.3

washing: ~ **line** n (Brit) Wäscheleine f; ~ **machine** n Waschmaschine f; ~ **powder** n (Brit) Waschpulver nt; **~-up** n (Brit) Abwasch m; **to do the ~-up** spülen, den Abwasch machen; **~-up bowl** n (Brit) Spülschüssel f; **~-up liquid** n (Brit) Spülmittel nt.

wash: ~ **leather** n Waschleder nt; **~out** n (col) Reinfall m (col); (person) Flasche (col), Niete (col) f; ~ **room** n Waschraum m.

wasn't ['wɒznt] = **was not.**

WASP, Wasp [wɒsp] (US) = **white Anglo-Saxon Protestant.**

wasp [wɒsp] n Wespe f.

waspish ['wɒspɪʃ] adj giftig.

wastage ['weɪstɪdʒ] n Schwund m; (action) Verschwendung f; (amount also) Materialverlust m; (from container also) Verlust m; (unusable products etc also) Abfall m.

waste [weɪst] **[1]** adj (superfluous) überschüssig, überflüssig; (left over) ungenutzt; land brachliegend ▸ **to lay** ~ verwüsten; **to lie** ~ brachliegen.
[2] n **[a]** Verschwendung f; (unusable materials) Abfall m ▸ **it's a** ~ **of time/money** es ist Zeit-/Geldverschwendung; **it's a** ~ **of effort** das ist nicht der Mühe wert; **to go to** ~ (food) umkommen; (money, land, talent) ungenutzt sein/bleiben, brachliegen. **[b]** (~ material) Abfallstoffe pl; (rubbish) Abfall m ▸ **radioactive** ~ Atommüll m. **[c]** (land, expanse) Wildnis no pl, Einöde f.
[3] vt verschwenden (on an +acc, für); life, time vergeuden; opportunity vertun ▸ **you're wasting your time** das ist reine Zeitverschwendung; **don't** ~ **my time** stiehl mir nicht meine Zeit; **you didn't** ~ **much time, did you?** (col) das ging aber schnell!; **Beethoven/she is ~d on him** Beethoven ist an ihn verschwendet/sie ist zu schade für ihn.
[4] vi (food) umkommen; (skills) verkümmern; (body) verfallen; (strength, assets) schwinden ▸ ~ **not, want not** (Prov) spare in der Zeit, so hast du in der Not (Prov).

◆**waste away** vi (physically) dahinschwinden (geh), immer weniger werden (col).

waste: **~bin** n (Brit) Abfalleimer m; ~ **disposal** n Müllbeseitigung f; ~ **disposal unit** n Müllschlucker m.

wasteful ['weɪstfʊl] adj verschwenderisch; method, process unwirtschaftlich ▸ **to be** ~ **with sth** verschwenderisch mit etw umgehen.

wastefully ['weɪstfəlɪ] adv verschwenderisch; organized unwirtschaftlich.

wastefulness ['weɪstfʊlnɪs] n see adj verschwenderische Art; Unwirtschaftlichkeit f ▸ **this is sheer** ~ das ist reine Verschwendung.

waste: **~ground** n verwahrlostes unbebautes Grundstück; ~ **heat** n (Tech) Abwärme f; **~land** n Ödland nt; (fig) Einöde f; ~ **management** n Abfallentsorgung f; **~paper** n Papierabfall m; (for recycling) Altpapier nt; **~paper basket** n (Brit) Papierkorb m; ~ **pipe** n Abflußrohr nt; ~ **product** n Abfallprodukt nt.

waster ['weɪstə^r] n **[a]** **it's a real time-/money-~** das ist wirklich Zeit-/Geldverschwendung. **[b]** (good-for-nothing) Taugenichts m.

watch¹ [wɒtʃ] n (Armband)uhr f.

watch² [wɒtʃ] **[1]** n **[a]** **to be on the** ~ **for sb/sth** nach jdm/etw Ausschau halten; **to keep** ~ Wache halten; **to keep a close** ~ **on sb/sth** jdn/etw scharf bewachen; **to keep** ~ **over sb/sth** bei jdm/etw Wache halten; **to set a** ~ **on sb/sth** jdn/etw überwachen lassen. **[b]** (period of duty, Naut, people) Wache f; (people also) Wachmannschaft f ▸ **to be on** ~ Wache haben; **officer of the** ~ wachhabender Offizier.
[2] vt **[a]** (guard) aufpassen auf (+acc); (police etc) überwachen.
[b] (observe) beobachten; match zusehen or zu-

schauen bei; film, play, TV programme sich (dat) ansehen ▸ **to** ~ **TV** fernsehen; **to** ~ **sb doing sth** jdm bei etw zuschauen; **I ~ed her coming down the street** ich habe sie beobachtet, wie sie die Straße entlang kam; **we are being ~ed** wir werden beobachtet; ~ **the road in front of you** achte auf die Straße!; ~ **this!** paß auf!; **a new actor to be ~ed** ein Nachwuchsschauspieler, den man im Auge behalten sollte.
[c] (be careful of) achten auf (+acc), aufpassen auf (+acc) ▸ **(you'd better)** ~ **it!** (col) paß (bloß) auf! (col); ~ **your manners/language!** bitte benimm dich!/drück dich bitte etwas gepflegter aus!; ~ **how you drive, the roads are icy** paß beim Fahren auf, die Straßen sind vereist!
[3] vi (observe) zusehen, zuschauen ▸ **to** ~ **for sb/sth** nach jdm/etw Ausschau halten.

◆**watch out** vi **[a]** (look carefully) Ausschau halten (for sb/sth nach jdm/etw). **[b]** (be careful) aufpassen, achtgeben (for auf +acc) ▸ ~ ~! Achtung!; ~ ~ **for him, he's crafty** nimm dich vor ihm in acht, er ist gerissen.

◆**watch over** vi +prep obj wachen über (+acc).

watchable ['wɒtʃəbl] adj sehenswert.

watch: **~band** n (US) Uhrarmband nt; ~ **chain** n Uhrkette f; **~dog** n (lit) Wachhund m; (fig) Aufpasser m (col).

watcher ['wɒtʃə^r] n Schaulustige(r) mf; (observer) Beobachter(in) m.

watchful ['wɒtʃfʊl] adj wachsam ▸ **to be** ~ **for** wachsam Ausschau halten nach.

watchfully ['wɒtʃfəlɪ] adv wachsam.

watchfulness ['wɒtʃfʊlnɪs] n Wachsamkeit f.

watching brief ['wɒtʃɪŋ'briːf] n **to hold a** ~ eine Kontrollfunktion ausüben.

watch: **~maker** n Uhrmacher m; **~man** n (night-~ man etc) (Nacht)wächter m; **~strap** n Uhrarmband nt; **~tower** n Wachtturm m; **~word** n Parole f.

water ['wɔːtə^r] **[1]** n Wasser nt ▸ **the field is under** ~ das Feld steht unter Wasser; **to make** ~ (ship) lecken; **in American ~s** in amerikanischen Hoheitsgewässern; **by** ~ auf dem Wasserweg; **to make or pass** ~ Wasser lassen; **to drink or take the ~s** eine Kur machen; **a lot of** ~ **has flowed under the bridge since then** (fig) seitdem ist viel Wasser den Bach hinuntergeflossen; **to stay above** ~ (fig) sich über Wasser halten; **to pour cold** ~ **on sb's idea** jds Vorschlag miesmachen (col); **to get into deep ~(s)** (fig) ins Schwimmen kommen; **to hold** ~ (lit) wasserdicht sein; **that argument won't hold** ~ (col) dieses Argument ist nicht hieb- und stichfest (col); **to be in/get into hot** ~ (fig col) in Teufels Küche sein/geraten (col) (over wegen +gen); **to spend money like** ~ (col) mit dem Geld nur so um sich werfen (col).
[2] vt **[a]** garden sprengen; field bewässern; plant (be)gießen. **[b]** horses, cattle tränken.
[3] vi (mouth) wässern; (eye) tränen ▸ **the smoke made his eyes** ~ ihm tränten die Augen vom Rauch; **my mouth ~ed** mir lief das Wasser im Mund zusammen; **to make sb's mouth** ~ jdm den Mund wässerig machen.

◆**water down** vt sep (lit, fig pej) verwässern; (fig also) abschwächen; liquids verdünnen.

water: **~bed** n Wasserbett nt; **~-bottle** n Wasserflasche f; (for troops etc) Feldflasche f; ~ **butt** n Regentonne f; ~ **cannon** n Wasserwerfer m; **~colour** (Brit), **~color** (US) **[1]** n Wasserfarbe, Aquarellfarbe f; (picture) Aquarell nt; **[2]** attr Aquarell-; **~-cooled** adj wassergekühlt; **~course** n (stream) Wasserlauf m; (bed) Flußbett nt; (artificial) Kanal m; **~cress** n (Brunnen)kresse f; **~fall** n Wasserfall m; **~front** **[1]** n Hafenviertel nt; **we drove along the ~front/down to the ~front** wir fuhren am Wasser entlang/hinunter zum Wasser; **[2]** attr am Wasser; ~ **heater** n Heißwasserbereiter m; ~ **hole** n Wasserloch nt.

watering ['wɔːtərɪŋ]: **~ can** n Gießkanne f; **~ hole** n (for animals) Wasserstelle f; (Brit hum: pub) Pinte (col), Kneipe (col) f.

water: **~ level** n Wasserstand m; (of river etc also) Pegelstand m; **~lily** n Seerose f; **~line** n Wasserlinie f; **~logged** adj the fields are ~logged die Felder stehen unter Wasser; the ship was completely ~logged das Schiff war voll Wasser gelaufen; **~ main** n Haupt(wasser)leitung f; **~mark** n [a] (on wall) Wasserstandsmarke f; [b] (on paper) Wasserzeichen nt; **~melon** n Wassermelone f; **~ meter** n Wasseruhr f; **~ pipe** n Wasserrohr nt; **~-pistol** n Wasserpistole f; **~-polo** n Wasserball nt; **~-power** n Wasserkraft f; **~proof** [1] adj wasserdicht; paint wasserfest; [2] n (esp Brit) Regenhaut ® f; [3] vt wasserundurchlässig machen; **~ rat** n Wasserratte f; **~-repellent** adj wasserabstoßend; **~shed** n (Geol) Wasserscheide f; (fig) Wendepunkt m; **~side** [1] n Ufer nt; (at sea) Strand m; [2] attr am Wasser wachsend/lebend etc; **~-ski** vi Wasserski laufen; **~-skiing** n Wasserskilaufen nt; **~ softener** n Wasserenthärter m; **~ supply** n Wasserversorgung f; **~table** n Grundwasserspiegel m; **~ tank** n Wassertank m; **~ tap** n Wasserhahn m; **~tight** adj (lit) wasserdicht; (fig) argument etc also hieb- und stichfest; **~-tower** n Wasserturm m; **~ vapour** (Brit) or **vapor** (US) n Wasserdampf m; **~way** n Wasserstraße f; (channel) Fahrrinne f; **~-wheel** n (Mech) Wasserrad nt; (Agr) Wasserschöpfrad nt; **~-wings** npl Schwimmflügel pl; **~works** npl or sing Wasserwerk nt; to turn on the ~works (fig col) zu heulen anfangen; to have trouble with one's ~works (fig col) was an der Blase haben (col).

watery ['wɔːtərɪ] adj soup, colour wäßrig; eye tränend; (pale) sky blaß.

watt [wɒt] n Watt nt.

wattage ['wɒtɪdʒ] n Wattzahl f.

wattle ['wɒtl] n Flechtwerk nt.

wave [weɪv] [1] n [a] (of water, Phys, Rad, in hair, fig) Welle f ▸ a ~ of strikes/enthusiasm eine Streikwelle/Welle der Begeisterung; the new ~ (Mus, Film) die Neue Welle; to make ~s (fig col) Staub aufwirbeln (fig); (cause trouble) Unruhe stiften. [b] (movement of hand) to give sb a ~ jdm (zu)winken; with a ~ of his hand mit einer Handbewegung.
[2] vt [a] (as a sign or greeting) winken mit (at, to sb jdm); (~ about) schwenken ▸ to ~ one's hand to sb jdm winken; to ~ goodbye to sb jdm zum Abschied winken; she ~d her umbrella threateningly at him sie drohte ihm mit ihrem Schirm; he ~d me over er winkte mich zu sich herüber. [b] hair wellen.
[3] vi [a] winken ▸ to ~ at or to sb jdm winken; (greeting) jdm zuwinken. [b] (flag) wehen; (branches) sich hin und her bewegen; (corn) wogen. [c] (hair) sich wellen.

◆**wave around** vt sep herumfuchteln mit.

◆**wave aside** vt sep (lit) person zur Seite winken; (fig) person, objection etc zurückweisen; help also ausschlagen.

◆**wave away** vt sep wegwinken.

◆**wave on** vt sep the policeman ~d us ~ der Polizist winkte uns weiter.

wave: **~band** n (Rad) Wellenbereich m; **~length** n (Rad, fig) Wellenlänge f; we're not on the same ~length (fig) wir haben nicht die gleiche Wellenlänge.

waver ['weɪvəʳ] vi [a] (light, flame, eyes) flackern; (voice) zittern. [b] (courage, self-assurance) ins Wanken geraten; (support) nachlassen. [c] (hesitate) schwanken (between zwischen +dat).

wavy ['weɪvɪ] adj (+er) hair, surface wellig, gewellt ▸ ~ line Schlangenlinie, Wellenlinie f.

wax¹ [wæks] [1] n Wachs nt; (ear~) Ohrenschmalz nt;

(sealing ~) Siegellack m. [2] adj Wachs-. [3] vt wachsen; floor also bohnern.

wax² vi [a] (moon) zunehmen ▸ to ~ and wane (lit) ab- und zunehmen; (fig) schwanken. [b] (liter: become) werden ▸ to ~ enthusiastic in Begeisterung geraten.

wax(ed) paper n Wachspapier nt.

waxen ['wæksən] adj (fig: pale) wachsbleich, wächsern.

wax: **~ work** n Wachsfigur f; **~ works** n sing or pl Wachsfigurenkabinett nt.

waxy ['wæksɪ] adj (+er) wächsern.

▼ **way** [weɪ] [1] n [a] (road) Weg m. across or over the ~ gegenüber, vis-à-vis; (motion) rüber (col); to fall by the ~ (fig) auf der Strecke bleiben.
[b] (route) Weg m ▸ the ~ to the station der Weg zum Bahnhof; by ~ of (via) über (+acc); which is the ~ to the town hall, please? wo geht es hier zum Rathaus, bitte?; ~ in/out (also on signs) Ein-/Ausgang m; can you find your own ~ out? finden Sie selbst hinaus?; on the ~ out/in beim Hinaus-/Hereingehen; to be on the ~ in (fig col) im Kommen sein; to be on the ~ out (fig col) am Verschwinden sein; there's no ~ out (fig) gibt keinen Ausweg; ~ up/down Weg nach oben/unten; (climbing) Aufstieg/Abstieg m; ~ there/back Hinweg/Rückweg m; prices are on the ~ up/down die Preise steigen/fallen; the shop is on the ~ der Laden liegt auf dem Weg; to stop on the ~ unterwegs anhalten; on the ~ to London auf dem Weg nach London; he's on the ~ to becoming an alcoholic er ist auf dem besten Weg, Alkoholiker zu werden; we had to go out of our ~ wir mußten einen Umweg machen; to go out of one's ~ to do sth (fig) sich (dat) besondere Mühe geben, etw zu tun; to feel one's ~ sich weiter-/vorwärts-/entlangtasten; I know my ~ about town ich finde mich in der Stadt zurecht; she knows her ~ about (fig col) sie kennt sich aus, sie weiß Bescheid (col); to lose one's ~ sich verlaufen; (driving) sich verfahren; to make one's ~ to somewhere sich an einen Ort begeben; can you make your own ~ to the theatre? kannst du allein zum Theater kommen?; to make one's ~ home nach Hause gehen; (start) sich auf den Heimweg begeben; to push one's ~ through the crowd sich durch die Menge drängen; to make one's ~ in the world seinen Weg machen; to go one's own ~ (fig) eigene Wege gehen; they went their separate ~s (lit, fig) ihre Wege trennten sich; to pay one's ~ für sich selbst bezahlen; (company, machine) sich rentieren; the ~ forward der Weg vorwärts; to go down the wrong ~ (food, drink) in die falsche Kehle kommen; to prepare the ~ (fig) den Weg bereiten (for sb/sth jdm/einer Sache); could you see your ~ to lending me a pound? wäre es Ihnen wohl möglich, mir ein Pfund zu leihen?; to get under ~ in Gang kommen; (Naut) Fahrt aufnehmen or machen; to be (well) under ~ im Gang/in vollem Gang sein; (Naut) in (voller) Fahrt sein; (with indication of place) unterwegs sein.
[c] (room for movement, path) Weg m ▸ to block the ~ den Weg versperren; to leave the ~ open (fig) einen Weg frei lassen (for sb für etw); to make ~ for sb/sth (lit, fig) für jdn/etw Platz machen; to be in sb's ~ jdm im Weg sein; to get in sb's ~ sich jdm in den Weg stellen; it's in the ~ there es ist dort im Weg; I don't want to get in your ~ when you're working ich will dich nicht beim Arbeiten stören; to get sth out of the ~ (move) etw aus dem Weg räumen; problem also, work etw hinter sich (acc) bringen; get out of the/my ~! weg da!; to keep out of sb's/the ~ (not get in the ~) (jdm) aus dem Weg bleiben; (avoid) (jdm) aus dem Weg gehen; to put difficulties in sb's ~ jdm Hindernisse in den Weg stellen; to stand in sb's ~ (lit, fig) jdm im Weg sein.

d (*direction*) Richtung *f* ▶ *this ~, please* hier entlang, bitte; *he went that ~* er ging in diese Richtung; *this ~ and that* hierhin und dorthin; *which ~ are you going?* in welche Richtung gehen Sie?; *she didn't know which ~ to look* (*fig*) sie wußte nicht, wo sie hinsehen sollte; *to look the other ~* (*fig*) wegsehen; *this one is better, there are no two ~s about it* (*col*) dieses hier ist besser, da gibt es gar keinen Zweifel; *it does not matter (to me) one ~ or the other* es ist mir gleich; *either ~, we're bound to lose* (so oder so,) wir verlieren auf jeden Fall; *it's the wrong ~ up* es steht verkehrt herum; *"this ~ up"* „hier oben"; *it's the other ~ around* es ist (genau) umgekehrt.

e (*distance*) Weg *m*, Strecke *f* ▶ *it rained all the ~* es hat auf der ganzen Strecke geregnet; *I'm behind you all the ~* (*fig*) ich stehe voll (und ganz) hinter Ihnen; *a little/long ~ off* nicht/sehr weit entfernt; *that's a long ~ back* (*in time*) das war schon vor einer ganzen Weile; *he'll go a long ~* (*fig*) er wird es weit bringen; *to have (still) a long ~ to go* (noch) weit vom Ziel entfernt sein; (*with practice*) (noch) viel vor sich haben; *it should go some/a long ~ towards solving the problem* das sollte bei dem Problem schon etwas/ein gutes Stück weiterhelfen; *a little kindness goes a long ~* ein bißchen Freundlichkeit hilft viel; *not by a long ~* bei weitem nicht.

f (*method, manners*) Art, Weise *f* ▶ *do it this ~* machen Sie es so; *it's not the right ~ to do it* so kann man das nicht machen; *what's the best ~ to do it?* wie macht man das am besten?; *you could tell by the ~ he was dressed* das merkte man schon an seiner Kleidung; *the ~ she walks/talks* (so) wie sie geht/spricht; *do you remember the ~ it was?* erinnerst du dich noch (daran), wie es war?; *to show sb the ~ to do sth* jdm zeigen, wie *or* auf welche Art und Weise etw gemacht wird; *to do sth the hard ~* etw auf die schwierige Art (und Weise) machen; *to learn the hard ~* aus den eigenen schlechten Erfahrungen lernen; *we'll find a ~* wir werden (schon) einen Weg finden; *I'd rather do it my ~* ich möchte es lieber auf meine (eigene) Art machen; *that's his ~ of saying thank you* das ist seine Art, sich zu bedanken; *~s and means* Mittel und Wege; *~ of life* Lebensstil *m*; (*of nation*) Lebensart *f*; *~ of thinking* Denk(ungs)art *f*; *to my ~ of thinking* meiner Meinung *or* Auffassung nach; *a funny ~ of talking* eine komische Art, sich auszudrücken; *there are many ~s of solving the problem* es gibt viele Wege, das Problem zu lösen; *that's one ~ of doing it!* (*iro*) das ist auch eine Methode!; *that's the ~ it goes!* so ist das eben, so ist das nun mal; *the ~ things are* so, wie die Dinge liegen; *in one ~ or another* so oder so, irgendwie; *to get or have one's (own) ~* seinen Willen durchsetzen; *have it your own ~!* wie du willst!; *you can't have it both ~s* beides zugleich geht nicht; *what a ~ to speak!* so spricht man doch nicht!; *the ~s of the Spaniards* die spanische Lebensweise; *the ~ of the world* der Lauf der Dinge; *he has a ~ with children* er versteht es, mit Kindern umzugehen; *to get out of/into the ~ of sth* sich (*dat*) etw ab-/angewöhnen.

g (*respect*) Hinsicht *f* ▶ *in a ~* in gewisser Hinsicht *or* Weise; *in no ~* in keiner Weise; *no ~!* ausgeschlossen!; *there's no ~ she's going to agree* sie wird auf keinen Fall zustimmen; *what have you got in the ~ of drink?* was haben Sie an Getränken?; *in every possible ~* auf jede mögliche *or* denkbare Art; *in many/some ~s* in vieler/gewisser Hinsicht; *in a big ~* (*not petty*) im großen Stil; (*on a large scale*) im großen; *in the ordinary ~* normalerweise.

h (*state*) Zustand *m* ▶ *he's in a bad ~* es geht ihm schlecht; *things are in a bad ~* die Dinge stehen schlecht.

i (*with by*) *by the ~* übrigens; *all this is by the ~* (*irrelevant*) das ist alles nebensächlich; (*extra*) das nur nebenbei; *by ~ of an answer/excuse* als Antwort/Entschuldigung; *by ~ of illustration* zur Illustration.

2 *adv* (*col*) *~ back/up* weit zurück/oben; *~ back when ...* vor langer Zeit, als ...; *since ~ back* seit Urzeiten; *that was ~ back* das ist schon lange her; *his guess was ~ out* seine Annahme war weit gefehlt.

way: **~bill** *n* Frachtbrief *m*; **~farer** ['weɪˌfeərə^r] *n* (*liter*) Wanderer *m*; **~lay** *pret, ptp* **~laid** *vt* (*ambush*) überfallen; (*col*) abfangen; **~-out** *adj* (*col*) irre (*col*); **~side**
1 *n* (*of path, track*) Wegrand *m*; (*of road*) Straßenrand *m*; *by the ~side* am Weges-/Straßenrand; *to fall by the ~side* auf der Strecke bleiben; **2** *adj* *café, inn* am Weg/an der Straße gelegen; *~ station n* (*US*) Zwischenstation *f*; **~ward** ['weɪwəd] *adj* (*self-willed*) eigenwillig; (*capricious*) abwegig.

WBA = **World Boxing Association.**

WBC = **World Boxing Council.**

WC [ˌdʌblju:ˈsi:] *n* WC *nt*.

we [wi:] *pron* wir.

weak [wi:k] *adj* (+*er*) schwach; *character* labil; *tea, solution etc* dünn; *stomach* empfindlich ▶ *the ~er sex* das schwache Geschlecht; *he must be a bit ~ in the head* (*col*) er ist wohl nicht ganz bei Trost (*col*).

weaken ['wi:kən] **1** *vt* (*lit, fig*) schwächen; *control etc* verringern; *foundations* angreifen; *hold* lockern.
2 *vi* (*lit, fig*) schwächer werden, nachlassen; (*person*) schwach werden; (*foundations*) nachgeben; (*defence, strength also*) erlahmen ▶ *his grip on my arm ~ed* er hielt meinen Arm nicht mehr ganz so fest.

weak-kneed [ˌwi:kˈni:d] *adj* (*fig col*) schwach, feige.

weakling ['wi:klɪŋ] *n* Schwächling *m*.

weakly ['wi:klɪ] **1** *adj* (*dated*) schwächlich.
2 *adv* schwach.

weak-minded [ˌwi:kˈmaɪndɪd] *adj* **a** (*feeble-minded*) schwachsinnig. **b** (*weak-willed*) willensschwach.

weakness ['wi:knɪs] *n* Schwäche *f*; (*weak point*) schwacher Punkt ▶ *to have a ~ for sth* eine Schwäche für etw haben.

weak-willed [ˌwi:kˈwɪld] *adj* willensschwach.

weal [wi:l] *n* Striemen *m*.

wealth [welθ] *n* **a** Reichtum *m* ▶ *~ tax* Vermögenssteuer *f*. **b** (*fig: abundance*) Fülle *f* (*of* von).

wealthy ['welθɪ] *adj* (+*er*) wohlhabend, reich ▶ *the ~ pl* die Reichen *pl*.

wean [wi:n] *vt* *baby* entwöhnen ▶ *to ~ sb from or off sth* jdm etw abgewöhnen.

weapon ['wepən] *n* (*lit, fig*) Waffe *f*.

weaponry ['wepənrɪ] *n* Waffen *pl*.

wear [weə^r] (*vb: pret* **wore**, *ptp* **worn**) **1** *n* **a** (*use*) *I've had a lot of ~ out of this jacket* ich habe diese Jacke viel getragen; *there isn't much ~ left in this carpet* dieser Teppich hält nicht mehr lange; *for casual/ evening/everyday ~* für die Freizeit/den Abend/jeden Tag. **b** (*clothing*) Kleidung *f*. **c** *~ and tear* Abnutzung *f*, Verschleiß *m*; *fair ~ and tear* normale Abnutzungserscheinungen; *to show signs of ~* (*lit*) anfangen, abgenutzt *or* (*clothes, curtains*) verschlissen auszusehen; (*fig*) angegriffen aussehen; *to look the worse for ~* (*lit*) (*clothes, curtains etc*) verschlissen aussehen; (*clothes*) abgetragen aussehen; (*furniture etc*) abgenutzt aussehen; (*fig*) verbraucht aussehen; *I felt a bit the worse for ~* ich fühlte mich etwas angegriffen.

2 *vt* **a** *clothing, jewellery etc* tragen ▶ *what shall I ~?* was soll ich anziehen?; *I haven't a thing to ~!* ich habe nichts anzuziehen. **b** (*~ down, ~ out*) abnutzen; *clothes* abtragen; *sleeve etc* durchwetzen; *steps* austreten; *tyres* abfahren; *engine* kaputtmachen ▶ *to ~ holes in sth* etw durchwetzen; (*in shoes*) etw durchlaufen; *to ~ smooth* (*by handling*) abgreifen; (*by walking*)

austreten; *rocks* glätten. **c** (*col: accept, tolerate*) hinnehmen.
3 *vi* **a** (*last*) halten; (*dress, shoes etc also*) sich tragen ▶ *she has worn well* (*col*) sie hat sich gut gehalten (*col*); *the theory has worn well* die Theorie hat sich bewährt. **b** (*become worn*) kaputtgehen; (*engine, material also*) sich abnutzen, verbraucht sein; (*tyres also*) abgefahren sein ▶ *to have worn smooth* (*by water*) glattgewaschen sein; (*by weather*) verwittert sein; (*pattern*) abgegriffen sein; *to ~ thin* (*lit*) dünn werden; *my patience is ~ing thin* meine Geduld geht langsam zu Ende.
◆**wear away** **1** *vt sep* (*erode*) *steps* austreten; *rock* abschleifen, abtragen; (*hollow out*) aushöhlen; *inscription* tilgen (*geh*), verwischen; (*fig*) *determination* untergraben.
2 *vi* (*rocks, rough edges etc*) sich abschleifen; (*inscription*) verwittern; (*pattern*) verwischen; (*fig: patience etc*) schwinden.
◆**wear down** **1** *vt sep* **a** (*reduce by friction*) abnutzen; *heel* ablaufen, abtreten; *tyre tread* abfahren. **b** (*fig*) *person, opposition etc* zermürben.
2 *vi* sich abnutzen; (*heels*) sich abtreten; (*tyre tread*) sich abfahren.
◆**wear off** *vi* **a** (*diminish*) nachlassen ▶ *the novelty has worn ~* der Reiz des Neuen ist vorbei; *don't worry, it'll ~ ~!* keine Sorge, das gibt sich. **b** (*paint*) abgehen; (*plating, gilt*) sich abwetzen.
◆**wear on** *vi* sich hinziehen; (*year*) voranschreiten ▶ *as the evening/year etc wore ~* im Laufe des Abends/Jahres *etc.*
◆**wear out** **1** *vt sep* **a** kaputtmachen; *carpet also* abtreten; *clothes* auftragen; *shoes* ablaufen; *record, machinery* abnutzen. **b** (*exhaust*) (*physically*) erschöpfen, erledigen (*col*); (*mentally*) fertigmachen (*col*) ▶ *to be worn ~* erschöpft *or* erledigt sein; (*mentally*) am Ende sein (*col*); *to ~ oneself ~* sich überanstrengen, sich kaputtmachen (*col*).
2 *vi* kaputtgehen; (*clothes, carpets also*) verschleißen ▶ *my patience is rapidly ~ing ~* ich bin mit meiner Geduld bald am Einde.
◆**wear through** **1** *vt sep* durchwetzen; *soles of shoes* durchlaufen.
2 *vi* sich durchwetzen; (*soles of shoes*) sich durchlaufen.
wearable ['wɛərəbl] *adj* tragbar.
wearer ['wɛərər] *n* Träger(in *f*) *m.*
wearily ['wɪərɪlɪ] *adv see adj* (*a*).
weariness ['wɪərɪnɪs] *n see adj* (*a*) Müdigkeit *f*, Lustlosigkeit *f*; Mattheit *f.*
wearing ['wɛərɪŋ] *adj* anstrengend.
wearisome ['wɪərɪsəm] *adj* ermüdend; (*bothersome*) *questions* lästig; (*tedious*) *discussion* langweilig.
weary ['wɪərɪ] **1** *adj* (*+er*) **a** (*tired*) müde; (*fed up*) lustlos; *smile, groan* matt ▶ *to feel ~* müde sein; *to be/grow ~ of sth* etw leid sein/werden. **b** (*tiring*) ermüdend ▶ *for three ~ hours* drei endlose Stunden (lang).
2 *vt* ermüden.
3 *vi to ~ of sth* einer Sache (*gen*) müde werden (*geh*).
weasel ['wi:zl] *n* Wiesel *nt.*
weather ['wɛðər] **1** *n* Wetter *nt* ▶ *in cold/this ~* bei kaltem/diesem Wetter; *what's the ~ like?* wie ist das Wetter?; *in all ~s* bei jedem Wetter; *to feel under the ~* (*col*) angeschlagen sein (*col*); *to make heavy ~ of sth* (*col*) sich mit etw fürchterlich anstellen (*col*).
2 *vt* **a** (*storms, winds etc*) angreifen. **b** (*survive: also ~ out*) *crisis etc* überstehen ▶ *to ~ the storm* (*fig*) den Sturm überstehen.
3 *vi* (*rock etc*) verwittern; (*paint etc*) verblassen ▶ *to ~ well* (*paint etc*) wetterfest sein.

weather *in cpds* Wetter-; **~-beaten** *adj face* vom Wetter gegerbt; *house* verwittert; *skin* wettergegerbt; **~ chart** *n* Wetterkarte *f*; **~cock** *n* Wetterhahn *m.*
weathered ['wɛðəd] *adj* verwittert; *skin* wettergegerbt.
weather: **~ forecast** *n* Wettervorhersage *f*; **~man** *n* Mann *m* vom Wetteramt; **~proof** *adj* wetterfest; **~ report** *n* Wetterbericht *m*; **~ satellite** *n* Wettersatellit *m*; **~vane** *n* Wetterfahne *f.*
weave [wi:v] (*vb: pret* **wove**, *ptp* **woven**) **1** *n* (*pattern of threads*) Webart *f*, (*fabric*) Gewebe *nt.*
2 *vt* **a** *cloth etc* weben (*into* zu); *cane, flowers* flechten (*into* zu); *web* spinnen. **b** (*fig*) *plot* ersinnen, erfinden; *details* einflechten (*into* in +*acc*). **c** (*pret also* **~d**) *to ~ one's way through the traffic* sich durch den Verkehr schlängeln.
3 *vi* **a** (*lit*) weben. **b** (*pret also* **~d**) (*twist and turn*) sich schlängeln ▶ *to ~ in and out through the traffic* sich durch den Verkehr schlängeln. **c** (*col*) *to get weaving* sich ranhalten (*col*).
weaver ['wi:vər] *n* Weber(in *f*) *m.*
weaving ['wi:vɪŋ] *n* Weberei *f*; (*as craft*) Webkunst *f.*
web [web] *n* (*lit, fig*) Netz *nt*; (*of lies also*) Gespinst, Gewebe *nt.*
webbed [webd] *adj foot* Schwimm-.
webbing ['webɪŋ] *n* Gurte *pl*; (*material*) Gurtband *nt.*
web: **~ foot** *n* Schwimmfuß *m*; **~ offset** *n* (*Print*) Rollenrotations-Offsetdruck *m.*
Wed = **Wednesday** Mi.
wed [wed] (*old, form*) *pret, ptp* **~** *or* **~ded** **1** *vi* sich vermählen (*form*), heiraten.
2 *vt* (*bride, bridegroom*) sich vermählen mit (*form*); (*priest*) vermählen (*form*), trauen ▶ *to be ~ded to one's job/an idea* mit seinem Beruf verheiratet sein/einer Idee verfallen sein.
we'd [wi:d] = **we would**; **we had.**
wedded ['wedɪd] *adj bliss, life* Ehe-.
wedding ['wedɪŋ] *n* (*ceremony*) Trauung *f*; (*ceremony and festivities*) Hochzeit *f* ▶ *to have a church ~* sich kirchlich trauen lassen.
wedding *in cpds* Hochzeits-; **~ anniversary** *n* Hochzeitstag *m*; **~ breakfast** *n* Hochzeitsessen *nt*; **~ cake** *n* Hochzeitskuchen *m*; **~ day** *n* Hochzeitstag *m*; **~ dress** *m* Brautkleid *nt*; **~ night** *n* Hochzeitsnacht *f*; **~ present** *n* Hochzeitsgeschenk *nt*; **~ reception** *n* Hochzeit(sfeier) *f*; **~ ring** *n* Trauring, Ehering *m.*
wedge [wedʒ] **1** *n* (*of wood etc, fig*) Keil *m*; (*of cake etc*) Stück *nt*; (*of cheese*) Ecke *f* ▶ *it's the thin end of the ~* das ist nur der Anfang.
2 *vt* **a** verkeilen, (mit einem Keil) festklemmen ▶ *to ~ a door/window open/shut* eine Tür/ein Fenster festklemmen, damit sie/es auf-/zubleibt. **b** (*pack tightly*) *to ~ oneself/sth* sich/etw zwängen (*in* in +*acc*); *to be ~d between two things/people* zwischen zwei Dingen/Personen eingekeilt sein.
wedge-shaped ['wedʒʃeɪpt] *adj* keilförmig.
wedlock ['wedlɒk] *n* (*form*) Ehe *f* ▶ *to be born in/out of ~* ehelich/unehelich geboren sein.
Wednesday ['wenzdɪ] *n* Mittwoch *m*; *see* **Tuesday.**
wee[1] [wi:] *adj* (*+er*) (*col*) winzig; (*Scot*) klein ▶ *a ~ bit* ein kleines bißchen.
wee[2] (*col*) **1** *n to have or do a ~* pinkeln (*col*).
2 *vi* pinkeln (*col*).
weed [wi:d] **1** *n* **a** Unkraut *nt no pl.* **b** (*col: person*) Schwächling *m.*
2 *vti* (*lit*) jäten.
◆**weed out** *vt sep* (*fig*) aussondern.
weeding ['wi:dɪŋ] *n to do the ~* Unkraut jäten.
weedkiller ['wi:dkɪlər] *n* Unkrautbekämpfungsmittel *nt.*
weedy ['wi:dɪ] *adj* (*+er*) (*col*) *person* (*in appearance*) schmächtig.
week [wi:k] *n* Woche *f* ▶ *it'll be ready in a ~* in einer

Woche ist es fertig; **~ in, ~ out** Woche für Woche; **twice/£15 a ~** zweimal/£15 in der Woche *or* pro Woche; **a ~ today** heute in einer Woche *or* in acht Tagen; **tomorrow ~, a ~ tomorrow** morgen in einer Woche; **for ~s** wochenlang; **a ~'s/a two ~ holiday** ein einwöchiger/zweiwöchiger Urlaub; **in the ~ ending May 15** in der Woche vom 11. Mai; **to knock sb into the middle of next ~** (*col*) jdn windelweich schlagen (*col*).

week: **~day** ① *n* Wochentag *m*; ② *attr* Wochentags-, Werktags-; **~end** *n* Wochenende *nt*; **to go/be away for the ~end** übers Wochenende verreisen/nicht da sein; **at** *or* (*esp US*) **on the ~end** am Wochenende; **~end case** *n* (Kurz)reisekoffer *m*.

weekly ['wiːklɪ] ① *adj* Wochen-; *visit* allwöchentlich. ② *adv* wöchentlich. ③ *n* (*also ~ newspaper*) Wochenzeitschrift *f*.

weeny ['wiːnɪ] *adj* (*+er*) (*col*) klitzeklein (*col*).

weep [wiːp] (*vb: pret, ptp* **wept**) ① *vi* ⓐ weinen (*over* über *+acc*) ▶ **to ~ for joy/rage** vor Freude/Wut weinen; **I could have wept!** ich hätte heulen mögen. ⓑ (*wound, cut etc*) nässen. ② *vt tears* weinen. ③ *n* **to have a good ~** sich ausweinen.

weepie ['wiːpɪ] *n see* **weepy (2)**.

weeping ['wiːpɪŋ] *n* Weinen *nt*.

weeping willow *n* Trauerweide *f*.

weepy ['wiːpɪ] (*col*) ① *adj* (*+er*) *person* weinerlich; *film etc* rührselig. ② (*film etc*) Schmachtfetzen *m* (*col*).

wee-wee ['wiːwiː] *n* (*baby-talk*) **to go for a ~** Pipi machen (*col*).

weft [weft] *n* Einschlagfaden, Schußfaden *m*.

weigh [weɪ] ① *vt* ⓐ wiegen ▶ **could you ~ these bananas for me?** könnten Sie mir diese Bananen auswiegen? ⓑ (*fig*) *problem, merits etc* abwägen ▶ **to ~ sth in one's mind** etw erwägen; **to ~ A against B** A und B gegeneinander abwägen. ② *vi* ⓐ wiegen. ⓑ (*fig: be a burden*) lasten (*on* auf *+dat*) ▶ **it's been ~ing on my mind** es liegt mir auf der Seele. ⓒ (*fig: be important*) gelten ▶ **to ~ with sb** Gewicht bei jdm haben; **his age ~ed against him** sein Alter sprach gegen ihn.

◆**weigh down** *vt sep* (*lit, fig*) niederbeugen ▶ **she was ~ed ~ with parcels** sie war mit Paketen überladen; **to be ~ed ~ with sorrows** mit Sorgen beladen sein.

◆**weigh in** ① *vi* (*Sport*) **he ~ed ~ at 70 kilos** er brachte 70 Kilo auf die Waage. ② *vt sep luggage* wiegen lassen.

◆**weigh out** *vt sep* abwiegen.

◆**weigh up** *vt sep alternatives, situation* abwägen; *person* einschätzen.

weigh: **~bridge** *n* Brückenwaage *f*; **~-in** *n* (*Sport*) Wiegen *nt*.

weighing machine ['weɪɪŋməˌʃiːn] *n* Waage *f*.

weight [weɪt] ① *n* ⓐ Gewicht *nt*; (*Sport, esp Boxing*) Gewichtsklasse *f*; (*of blow*) Wucht, Heftigkeit *f* ▶ **to be 3 kilos in ~** ein Gewicht von 3 Kilo haben; **to put on/lose ~** zunehmen/abnehmen; **I hope the chair takes my ~** ich hoffe, der Stuhl hält mein Gewicht aus; **she's quite a ~** sie ist ganz schön schwer. ⓑ (*fig*) (*burden*) Last *f*; (*importance*) Bedeutung *f*, Gewicht *nt* ▶ **the ~ of evidence** die Beweislast; **he/his opinion carries no ~** seine Stimme/Meinung fällt nicht ins Gewicht; **to add ~ to sth** einer Sache (*dat*) zusätzliches Gewicht geben; **to pull one's ~** seinen Beitrag leisten; **to throw one's ~ about** (*col*) sich wichtig machen. ② *vt* beschweren; (*fig*) *statistics* gewichten ▶ **to be ~ed in favour of/against sb** jdn bevorzugen/benachteiligen.

◆**weight down** *vt sep person* (*with parcels etc*) über-

laden; *corpse* beschweren.

weighting ['weɪtɪŋ] *n* (*Brit: supplement*) Zulage *f*.

weight: **~less** *adj* schwerelos; **~lessness** *n* Schwerelosigkeit *f*; **~lifter** *n* Gewichtheber *m*; **~lifting** *n* Gewichtheben *nt*; **~ limit** *n* Höchstgewicht *nt*; **~ training** *n* Krafttraining *nt*; **~-watcher** *n* Figurbewußte(r) *mf*.

weighty ['weɪtɪ] *adj* (*+er*) ⓐ (*lit*) schwer. ⓑ (*fig*) gewichtig; *responsibility* schwer.

weir [wɪə^r] *n* (*barrier*) Wehr *nt*.

weird [wɪəd] *adj* (*+er*) (*uncanny*) unheimlich; (*col: odd*) seltsam.

weirdo ['wɪədəʊ] *n* (*col*) verrückter Typ (*col*).

welcome ['welkəm] ① *n* Willkommen *nt* ▶ **to give sb a warm ~** jdm einen herzlichen Empfang bereiten; **to meet with a cold/warm ~** einen kühlen/herzlichen Empfang bekommen; **to bid sb ~** (*form*) jdn willkommen heißen; **what sort of a ~ will this product get from the public?** wie wird das Produkt von der Öffentlichkeit aufgenommen werden? ② *adj* willkommen; *visitor also* gerngesehen *attr*, *news also* angenehm ▶ **the money is very ~ just now** das Geld kommt gerade jetzt sehr gelegen; **to make sb ~** jdn sehr freundlich empfangen; **you're ~!** nichts zu danken!, aber gerne!; (*iro*) wenn's Ihnen Spaß macht!; **you're ~ to use my room** Sie können gerne mein Zimmer benutzen. ③ *vt* (*lit, fig*) begrüßen, willkommen heißen. ④ *interj* **~ home/to Scotland!** willkommen daheim/in Schottland!

welcoming ['welkəmɪŋ] *adj* zur Begrüßung; *smile, gesture* einladend.

weld [weld] ① *vt* ⓐ (*Tech*) schweißen ▶ **to ~ parts together** Teile zusammenschweißen *or* verschweißen; **to ~ sth on** etw anschweißen (*to* an *+acc*). ⓑ (*fig: also ~ together*) zusammenschmieden (*into* zu). ② *n* (*seam*) Schweißnaht *f*.

welder ['weldə^r] *n* (*person*) Schweißer(in *f*) *m*; (*machine*) Schweißgerät *nt*.

welding ['weldɪŋ] *n* Schweißen *nt* ▶ **~ torch** Schweißbrenner *m*.

welfare ['welfeə^r] *n* ⓐ (*well-being*) Wohl, Wohlergehen *nt*. ⓑ (*~ work*) Fürsorge *f* ▶ **child ~** Kinderfürsorge *f*. ⓒ (*US: social security*) Sozialhilfe *f*.

welfare: **~ state** *n* Wohlfahrtsstaat *m*; **~ work** *n* Fürsorgearbeit *f*; **~ worker** *n* Fürsorger(in *f*) *m*.

well¹ [wel] *n* (*water ~*) Brunnen *m*; (*oil ~*) Ölquelle *f*; (*fig: source*) Quelle *f*; (*for lift*) Schacht *m*; (*of stairs*) Treppenhaus *nt*.

◆**well up** *vi* (*water*) emporsteigen, emporquellen; (*fig*) aufsteigen ▶ **tears ~ed ~ in her eyes** Tränen stiegen ihr in die Augen.

▼ **well²** *comp* **better,** *superl* **best** ① *adv* ⓐ gut ▶ **he did it as ~ as he could** er machte es so gut er konnte; **he's doing ~ at school** er ist gut in der Schule; **he did ~ in the exam** er hat in der Prüfung gut abgeschnitten; **his business is doing ~** sein Geschäft geht gut; **the patient is doing ~** dem Patienten geht es gut; **if you do ~ you'll be promoted** wenn Sie sich bewähren, werden Sie befördert; **he has done ~ for himself** er hat es zu etwas gebracht; **you did ~ to help** es war gut, daß du geholfen hast; **he really did ~ there** das war wirklich eine Leistung von ihm; **~ done!** gut gemacht!, bravo!; **~ played!** gut gespielt!; **to do oneself ~** (*col*) es sich (*dat*) gut gehen lassen; **everything went ~** es ging alles gut; **to speak/think ~ of sb** über jdn Gutes sagen/viel von jdm halten; **to be ~ in with sb** (*col*) auf gutem Fuß mit jdm stehen; **to do ~ out of sth** von etw ganz schön *or* ordentlich profitieren; **we were ~ beaten** wir sind gründlich geschlagen worden; **all** *or* **only too ~** nur (all)zu gut; **~ and truly** (ganz) gründlich; *married, settled* *in* richtig; *he was ~ away* (*col*) er war in Fahrt (*col*); (*drunk*) er hatte einen sitzen (*col*); *it was ~ worth the trouble* das hat sich sehr gelohnt; *~ out of sight* weit außer Sichtweite; *~ within ...* durchaus in ... (+*dat*); *~ past midnight* weit nach Mitternacht; *he's ~ over fifty* er ist einiges *or* weit über fünfzig; *~ over a thousand* weit über tausend.

  b (*probably, reasonably*) ohne weiteres, gut, wohl ▶ *I may ~ not come* es kann durchaus sein, daß ich nicht komme; *it may ~ be that ...* es ist gut *or* durchaus möglich, daß ...; *you may ~ be right* Sie mögen wohl recht haben; *she cried, as ~ she might* sie weinte, wozu sie auch allen Grund hatte; *you may ~ ask!* (*iro*) das kann man wohl fragen; *you might as ~ have stayed at home* du hättest genausogut zu Hause bleiben können; *I couldn't very ~ stay* ich konnte schlecht bleiben; *you might as ~ go* du könntest eigentlich ebensogut gehen; *are you coming? — I might as ~* kommst du? — ach, warum nicht.

  c (*in addition*) *as ~* auch; *x as ~ as y* x sowohl als auch y.

2 *adj* **a** (*in good health*) gesund ▶ *get ~ soon!* gute Besserung; *I'm very ~, thanks* danke, es geht mir sehr gut; *she's not been ~ lately* ihr ging es in letzter Zeit (gesundheitlich) gar nicht gut; *I don't feel at all ~* ich fühle mich gar nicht gut *or* wohl.

  b (*satisfactory*) gut ▶ *all is not ~ with him* mit ihm steht es nicht zum besten; *that's all very ~, but ...* das ist ja alles schön und gut, aber ...; *it's all very ~ for you to say that* Sie haben gut reden; *it would be as ~ to ask first* es wäre wohl besser, sich erst mal zu erkundigen; *it's just as ~ he came* es ist (nur) gut, daß er gekommen ist; *you're ~ out of it* seien Sie froh, daß Sie nichts (mehr) damit zu tun haben; *all's ~ that ends ~* Ende gut, alles gut.

3 *interj* also; (*expectantly also*) na; (*doubtfully*) na ja ▶ *~ ~!, ~ I never* also so was!, na so was!; *~ now* also; *~ then* also (gut); (*in question*) na?, also?; *very ~ then!* na gut, also gut; (*indignantly*) also bitte.

4 *n* Gute(s) *nt* ▶ *to wish sb ~* (*in general*) jdm alles Gute wünschen; (*in an attempt, iro*) jdm Glück wünschen (*in* bei).

we'll [wi:l] = **we shall; we will.**

well *in cpds* gut; **~-advised** *adj you'd be ~-advised to ...* du tätest gut daran, zu ...; **~-aimed** *adj* gutgezielt *attr*; **~-balanced** *adj person* ausgeglichen; *scheme, diet* (gut) ausgewogen; **~-behaved** *adj child* artig, wohlerzogen; *animal* guterzogen *attr*; **~-being** *n* Wohl, Wohlergehen *nt*; **~-bred** *adj person* wohlerzogen; *accent* distinguiert; **~-built** *adj house* gut *or* solide gebaut; *person* stämmig, kräftig; **~-chosen** *adj words* gut gewählt; **~-connected** *adj to be ~-connected* Beziehungen zu höheren Kreisen haben; **~-deserved** *adj* wohlverdient; **~-developed** *adj muscle* gutentwickelt *attr*; *sense* (gut) ausgeprägt; **~-disposed** *adj to be ~-disposed towards sb/sth* jdm/einer Sache freundlich gesonnen sein; **~-done** *adj steak* durchgebraten; **~-dressed** *adj* gut angezogen *or* gekleidet; **~-earned** *adj* wohlverdient; **~-educated** *adj person* gebildet; **~-established** *adj* bewährt; **~-fed** *adj* wohlgenährt; **~-founded** *adj* wohlbegründet *attr*; **~-groomed** *adj* gepflegt; **~-heeled** *adj* (*col*) betucht.

wellies ['welɪz] *npl* (*Brit col*) Gummistiefel *pl*.

well-informed *adj* gutinformiert *attr*, *sources also* gutunterrichtet *attr* ▶ *to be ~ about sth* über etw gut informiert sein.

wellington (boot) ['welɪŋtən('buːt)] *n* (*Brit*) Gummistiefel *m*.

well: **~-intentioned** *adj see* **~-meaning; ~-judged** *adj shot, remark* gut gezielt; *response* angemessen; **~-kept** *adj garden, hair etc* gepflegt; *secret* streng gehütet; **~-known** *adj* bekannt; *it's ~-known that ...* es ist

allgemein bekannt, daß ...; **~ made** *adj* solide gearbeitet; **~-mannered** *adj* wohlerzogen; **~-meaning** *adj* wohlmeinend *attr*; **~-meant** *adj action* gutgemeint *attr*; **~-nigh** *adv* nahezu, beinahe; **~-off** *adj* (*affluent*) reich, gut daran (*col*); *you don't know when you're ~-off* (*col*) du weißt (ja) nicht, wann es dir gut geht; **~-preserved** *adj* guterhalten *attr*; **~-read** *adj* belesen; **~-spent** *adj time* gut genützt *or* verbracht; *money* sinnvoll ausgegeben; **~-spoken** *adj* mit gutem Deutsch/Englisch *etc*; *to be ~-spoken* gutes Deutsch/Englisch *etc* sprechen; **~-stocked** *adj* gutbestückt *attr*, (*Comm also*) mit gutem Sortiment; *larder, shelves also* reichlich gefüllt; **~-thumbed** *adj book* zerlesen; **~-timed** *adj* (zeitlich) gut abgepaßt; **~-to-do** *adj* wohlhabend, reich; **~-tried** *adj* erprobt; *method* bewährt; **~-wisher** *n our cause has many ~-wishers* unsere Sache hat viele Sympathisanten; *"from a ~-wisher"* „jemand, der es gut mit Ihnen meint"; **~-woman clinic** *n* Frauensprechstunde *f* (für Vorsorgeuntersuchungen); **~-worn** *adj garment* abgetragen; *carpet etc* abgetreten; *path* ausgetreten; *saying etc* abgedroschen.

welsh [welʃ] *vi to ~ on sb* (*col*) jdn (auf)sitzen lassen.

Welsh [welʃ] **1** *adj* walisisch. **2** *n* **a** (*language*) Walisisch *nt*. **b** *the ~ pl* die Waliser *pl*.

Welsh: **~man** *n* Waliser *m*; **~ rarebit** *n* überbackene Käseschnitte; **~woman** *n* Waliserin *f*.

welter ['weltər] *n* Unzahl *f*, (*of emotions*) Sturm, Tumult *m*; (*of words*) Flut *f*.

welterweight ['weltəweɪt] *n* Weltergewicht *nt*.

wend [wend] *vt to ~ one's way home* sich auf den Heimweg begeben.

Wendy house ['wendɪˌhaʊs] *n* Spielhaus *nt*.

went [went] *pret of* **go.**

wept [wept] *pret, ptp of* **weep.**

were [wɜː] *2nd pers sing, 1st, 2nd, 3rd pers pl pret of* **be.**

we're [wɪər] = **we are.**

weren't [wɜːnt] = **were not.**

werewolf ['wɪəwʊlf] *n* Werwolf *m*.

west [west] **1** *n* **a** Westen *m* ▶ *in/to the ~* im/nach Westen; *from the ~* von Westen; *to the ~ of* westlich von, im Westen von. **b** (*~ern world*) *the W~* der Westen. **2** *adv* nach Westen, westwärts ▶ *it faces ~* es geht nach Westen; *~ of* westlich von; *to go ~* (*fig col*) flöten gehen (*col*). **3** *adj* West-, westlich.

West *in cpds* West-; **~ Africa** *n* Westafrika *nt*; **~ Bank** *n* (*in Middle East*) Westjordanland *nt*.

westbound ['westbaʊnd] *adj traffic* in Richtung Westen.

westerly ['westəlɪ] *adj* westlich.

western ['westən] **1** *adj* westlich ▶ *W~ Europe* Westeuropa *nt*. **2** *n* (*film*) Western *m*.

westerners ['westənəz] *npl* Europäer und Nordamerikaner.

westernized ['westənaɪzd] *adj culture* vom Westen beeinflußt; (*pej*) verwestlicht.

West: **~ German 1** *adj* westdeutsch; **2** *n* Westdeutsche(r) *mf*; **~ Germany** *n* Westdeutschland *nt*; **~ Indian 1** *adj* westindisch; **2** *n* Westindier(in *f*) *m*; **~ Indies** *npl* Westindische Inseln *pl*.

Westphalia [west'feɪlɪə] *n* Westfalen *nt*.

Westphalian [west'feɪlɪən] **1** *adj* westfälisch. **2** *n* Westfale *m*, Westfälin *f*.

west: **~ward(s)** ['westwəd(z)], **~wardly** [-wədlɪ] **1** *adj* westlich; *in a ~wardly direction* (in) Richtung Westen; **2** *adv* westwärts, nach Westen.

wet [wet] (*vb: pret, ptp ~ or ~ted*) **1** *adj* (+*er*) **a** naß

► *to be ~ through* durch und durch naß sein, völlig durchnäßt sein; *"~ paint"* „frisch gestrichen"; *to get one's feet ~* sich (*dat*) nasse Füße holen (*col*). **b** (*rainy*) naß, feucht; *climate, country* feucht ► *the ~ season* die Regenzeit; *in ~ weather* bei nassem Wetter. **c** (*Brit col: weak, spiritless*) weichlich, lasch.

2 *n* **a** (*moisture*) Feuchtigkeit *f.* **b** (*rain*) Nässe *f* ► *it's out in the ~* es ist draußen im Nassen. **c** (*Brit col: person*) Waschlappen *m* (*col*).

3 *vt* naß machen; *lips, washing* befeuchten ► *to ~ the bed/one's pants/oneself* ins Bett/in die Hose(n) machen/sich naß machen.

wet: ~back *n* (*US col*) illegal eingewanderter Mexikaner; **~ blanket** *n* (*col*) Miesmacher(in *f*) *m* (*col*); **~ look** *n* Hochglanz *m.*

wetness ['wetnɪs] *n* Nässe *f*; (*of weather, climate*) Feuchtigkeit *f.*

wet: ~ nurse *n* Amme *f*; **~suit** *n* Taucheranzug *m.*

we've [wiːv] = **we have.**

whack [wæk] **1** *n* **a** (*blow*) (knallender) Schlag. **b** (*col: attempt*) Versuch *m* ► *to have a ~ at sth* etw probieren *or* versuchen. **c** (*col: share*) (An)teil *m* ► *the* **top ~** (*amount*) der Spitzenbetrag; (*salary*) das Spitzengehalt.

2 *vt* **a** (*hit*) schlagen, hauen (*col*). **b** (*col: defeat*) (haushoch) schlagen.

whacked [wækt] *adj* (*col: exhausted*) kaputt (*col*).

whacking ['wækɪŋ] *adv* (*Brit col*): *a ~ great ...* ein(e) Mords- ... (*col*).

whale [weɪl] *n* **a** Wal *m.* **b** (*col*) *to have a ~ of a time* sich prima amüsieren.

whaler ['weɪlə'] *n* (*person, ship*) Walfänger *m.*

wham [wæm] **1** *interj* wumm.

2 *n* (*blow*) heftiger Schlag; (*bang*) Knall *m.*

3 *vt* hauen ► *to ~ the door (shut)* die Tür zuknallen.

wharf [wɔːf] *n, pl* **-s** *or* **wharves** [wɔːvz] Kai *m.*

what [wɒt] **1** *pron* **a** (*interrog*) was ► *~'s the weather like?* wie ist das Wetter?; *~'s that to you?* was geht dich das an?; *~ for?* wozu?, wofür?; *~'s that tool for?* wofür ist das Werkzeug?; *~ did you do that for?* warum hast du das gemacht?; *~'s the German for ...?* wie heißt ... auf deutsch?; *~ did he agree to?* wozu hat er zugestimmt?; *~ about ...?* wie wär's mit ...?; *you know that pub? — ~ about it?* kennst du die Kneipe? — was ist damit?; *~ if ...?* was ist, wenn ...?; *so ~?* (*col*) na und?; *~ does it matter?* was macht das schon?; *~'s-his-/-her-/-its name* (*col*) der/die/das Dings(da) (*col*).

b (*rel*) was ► *that is not ~ I asked for* danach habe ich nicht gefragt; *he agrees with ~ I say* er stimmt mit dem überein, was ich sage; *that's exactly ~ I said* genau das habe ich gesagt; *do you know ~ you are looking for?* weißt du, wonach du suchst?; *come ~ may* komme was wolle; *and ~'s more* und außerdem, und noch dazu; *~ with one thing and another I didn't have time* wie es sich so ergab, hatte ich keine Zeit; *he knows ~'s ~* (*col*) er kennt sich aus, der weiß Bescheid (*col*); *and ~ have you* (*col*), *and ~ not* (*col*) und was sonst noch alles; *(I'll) tell you ~* (*col*) weißt du was?; *to give sb ~ for* (*col*) es jdm ordentlich geben (*col*).

2 *adj* **a** (*interrog*) welche(r, s), was für ein/eine (*col*) ► *~ age is he?* wie alt ist er?; *~ good would that be?* (*col*) wozu sollte das gut sein? **b** (*rel*) der/die/das ► *~ little I had* das wenige, das ich hatte; *eat ~ food you like* iß, was du möchtest. **c** (*in set constructions*) *~ sort of* was für ein/eine; *~ else* was sonst; *see also* **more. d** (*in interj*) *~ a man!* was für ein Mann!; *~ luck!* was für ein Glück, so ein Glück; *~ a fool I've been/I am!* ich Idiot!; *~ terrible weather* was für ein scheußliches Wetter.

3 *interj* was!

▼ **whatever** [wɒt'evə'] **1** *pron* **a** *~ you like* was

(immer) du (auch) möchtest; *~ you say* wie du willst; *... or ~ they're called* ... oder wie sie sonst heißen; *or ~* oder sonst (so) etwas; *do you want jam or honey?* — (*col*) möchtest du Marmelade oder Honig? — ist egal (*col*). **b** (*interrog*) *~ does he want?* was will er wohl?; (*impatiently*) was, zum Kuckuck, will er denn?; *~ do you mean?* was meinst du denn bloß?; *~ shall I do?* was soll ich bloß machen?

2 *adj* welche(r, s) (auch) ► *~ book you choose* welches Buch Sie auch wählen; *for ~ reasons* aus welchen Gründen auch immer. **b** (*with neg*) überhaupt, absolut ► *nothing/no man ~* überhaupt gar nichts/ niemand überhaupt; *it's of no use ~* es hat absolut keinen Sinn. **c** (*interrog*) *~ reason can he have?* was für einen Grund kann er bloß *or* wohl haben?; *~ else will he do?* was wird er wohl noch alles machen?

whatnot ['wɒtnɒt] *n* (*col*) Dingsbums *nt* (*col*) ► *... and ~ ...* und so.

what's [wɒts] = **what is; what has.**

whatsit ['wɒtsɪt] *n* (*col*) Dingsbums *nt* (*col*).

whatsoever [ˌwɒtsəʊ'evə'] *pron, adj see* **whatever 1 (a), 2 (a, b).**

wheat [wiːt] **1** *n* Weizen *m.*

2 *attr* **~germ** Weizenkeim *m*; **~ meal** (*Brit*) Weizenmehl *nt.*

wheedle ['wiːdl] *vt to ~ one's way into sth* into organization, sb's confidence sich in etw (*acc*) einschleichen; *into position* sich in etw (*acc*) hineinmanövrieren; *to ~ sth out of sb* jdm etw abschmeicheln.

wheel [wiːl] **1** *n* **a** Rad *nt*; (*steering ~*) Lenkrad *nt*; (*Naut*) Steuer(rad) *nt*; (*roulette ~*) Drehscheibe *f*; (*potter's ~*) (Töpfer)scheibe *f* ► *at the ~* (*lit*) am Steuer; (*fig also*) am Ruder; *to take the ~* das Steuer übernehmen; *~ of fortune* Glücksrad *nt.* **b** (*Mil*) Schwenkung *f.*

2 *vt* **a** (*push*) *bicycle, pram* schieben; (*pull*) ziehen; (*invalid*) *wheelchair* fahren. **b** (*cause to turn*) drehen.

3 *vi* **a** (*turn*) drehen; (*birds, planes*) kreisen; (*Mil*) schwenken ► *left ~!* links schwenkt!

◆**wheel around** *vi* sich (rasch) umdrehen; (*troops*) (ab)schwenken.

wheel: ~barrow *n* Schubkarre *f*, Schubkarren *m*; **~base** *n* Rad(ab)stand *m*; **~ brace** *n* Kreuzschlüssel *m*; **~chair** *n* Rollstuhl *m*; **~ clamp** *n* (*Brit*) (Park)kralle *f.*

wheeler-dealer ['wiːlə'diːlə'] *n* (*col*) Schlitzohr *nt* (*col*); (*in finance also*) Geschäftemacher *m.*

wheelie ['wiːlɪ] *n* Fahren *nt* auf dem Hinterrad.

wheeling and dealing ['wiːlɪŋən'diːlɪŋ] *n* Machenschaften *pl*; (*Comm*) Geschäftemacherei *f.*

wheeze [wiːz] *vi* pfeifend atmen; (*machines, asthmatic*) keuchen.

whelk [welk] *n* Wellhornschnecke *f.*

when [wen] **1** *adv* **a** wann ► *since ~ have you been here?* seit wann sind Sie hier?; *since ~ do you give the orders?* seit wann hast du hier zu sagen?; *say ~!* (*col*) sag' halt! **b** (*rel*) *on the day ~* an dem Tag, an dem *or* als; *at the time ~* zu der Zeit, als *or* wo (*col*); *during the time ~ he was in Germany* während der Zeit, als *or* wo (*col*) er in Deutschland war; *that's ~ it's important* genau dann ist es wichtig.

2 *conj* **a** wenn; (*with past reference*) als ► *you can go ~ I have finished* du kannst gehen, sobald *or* wenn ich fertig bin; *~ I was in London* als ich in London war; *each time ~ I was in London* jedesmal, wenn ich in London war. **b** *be careful ~ crossing the road* seien Sie vorsichtig, wenn Sie über die Straße gehen; *the Prime Minister is coming here in May, ~ he'll ...* der Premier kommt im Mai hierher und wird dann ... **c** (*although, whereas*) wo ... doch ► *why do you do it that way ~ it would be much easier like this?* warum machst du es denn auf die Art, wo es doch so viel einfacher wäre?

► SENTENCE BUILDER: **whatever: 1a → 9.3**

whence [wens] *adv* (*old*) woher.
whenever [wen'evə^r] *adv* **a** (*each time*) jedesmal
wenn. **b** (*at whatever time*) wann (auch) immer; (*as
soon as*) sobald ► **~ you like!** wann du willst! **c**
(*emph*) **~ can he have done it?** wann kann er das nur
or wohl getan haben?
where [wɛə^r] **1** *adv* wo ► **~ (to)** wohin, wo ... hin; **~
(from)** woher, wo ... her; **~ are you going (to)?** wohin
gehst du, wo gehst du hin?; **~ to, sir?** wohin (wollen
Sie) bitte?; **~ are you from?** wo kommen Sie her?; *from
~ I'm sitting I can see the church* von meinem Platz
aus kann ich die Kirche sehen; *from ~ I'm standing it
looks like cheating* von meiner Warte aus ist das
Mogelei; **~ should we be if ...?** was wäre nur, wenn ...?
2 *conj* wo; (*in the place where*) da, wo ..., an der
Stelle, wo ... ► **go ~ you like** geh, wohin du willst; *the
bag is ~ you left it* die Tasche ist da, wo du sie
liegengelassen hast; **this is ~ we got out** hier sind wir
ausgestiegen; **that's ~ Nelson fell/I used to live** hier *or*
an dieser Stelle fiel Nelson/hier *or* da habe ich (früher)
gewohnt; *I've read up to ~ the king ...* ich habe bis
dahin gelesen, wo der König ...; **we succeeded ~ we expected to fail** wir hatten da Erfolg, wo wir ihn nicht
erwartet hatten; **~ money is concerned** wo es ums
Geld geht.
whereabouts [ˌwɛərə'baʊts] **1** *adv* wo, in welcher
Gegend.
2 ['wɛərəbaʊts] *n sing or pl* Verbleib *m*; (*of people also*)
Aufenthaltsort *m*.
▼ **whereas** [wɛər'æz] *conj* (*whilst*) während; (*while on the
other hand*) wohingegen.
whereby [wɛə'baɪ] *adv* (*form*) **the sign ~ you will recognize him** das Zeichen, an dem *or* woran Sie ihn
erkennen; **the rule ~ it is not allowed** die Vorschrift,
wonach es verboten ist.
whereupon [wɛərə'pɒn] *adv* worauf.
wherever [wɛər'evə^r] **1** *conj* **~ it came from** egal,
woher es kommt; woher es auch kommt; **we'll go ~
you like** wir gehen, wohin Sie wollen; **~ you see this
sign** überall, wo Sie dieses Zeichen sehen.
2 *adv* **~ have I seen that before?** wo habe ich das nur
or bloß schon gesehen?; **in London or Liverpool or ~** in
London oder Liverpool oder sonstwo.
wherewithal ['wɛəwɪðɔːl] *n* (*implements*) Utensilien *pl*
► **the ~** (*money*) das nötige Kleingeld.
whet [wet] *vt knife* wetzen; *axe* schleifen, schärfen; *appetite, curiosity* anregen.
whether ['weðə^r] *conj* ob ► **I am not certain ~ or not
they're coming** ich bin nicht sicher, ob sie kommen
oder nicht; **~ they come or not, we'll ...** ob sie kommen
oder nicht, wir ...; **he's not sure ~ to go or stay** er weiß
nicht, ob er gehen oder bleiben soll.
whew [hwuː] *interj* puh, uff.
whey [weɪ] *n* Molke *f.*
which [wɪtʃ] **1** *adj* **a** (*interrog*) welche(r, s) ► **~ one?**
welche(r, s)?; (*of people also*) wer? **b** (*rel*) welche(r, s)
► **... by ~ time I was asleep** ... und zu dieser Zeit schlief
ich bereits; **look at it ~ way you will ...** man kann es
sehen, wie man will ...
2 *pron* **a** (*interrog*) welche(r, s); (*of people also*) wer
► **~ of the children/books?** wer von den Kindern/
welches Buch? **~ is ~?** (*of people*) wer ist wer? (*of
things*) welche(r, s) ist welche(r, s)? **b** (*rel*) der/die/
das, welche(r, s) (*geh*) ► **the bear ~ I saw** der Bär, den
ich sah; **at ~ he remarked ...** worauf er bemerkte, ...; **it
rained hard, ~ upset her** es regnete stark, was sie auf-
regte; *from ~ we deduce that ...* woraus wir ableiten,
daß ...; *after ~ we went to bed* worauf *or* wonach wir
zu Bett gingen; **the shelf on ~ I put it** das Brett, auf das
or worauf ich es gelegt habe.
whichever [wɪtʃ'evə^r] **1** *adj* welche(r, s) auch immer;

(*no matter which*) ganz gleich *or* egal welche(r, s).
2 *pron* welche(r, s) auch immer ► **~ (of you) has the
most money** wer immer (von euch) das meiste Geld
hat.
whiff [wɪf] *n* (*puff*) Zug *m*; (*wisp*) kleine Fahne, Wolke *f*;
(*smell*) Hauch *m*; (*fig: trace*) Spur *f* ► **to catch a ~ of
sth** den Geruch von etw wahrnehmen.
▼ **while** [waɪl] **1** *n* Weile *f*, Weilchen *nt* (*col*) ► **for a ~**
(für) eine Weile, eine Zeitlang; (*a short moment*) (für)
einen Moment; **a good** *or* **long ~** eine ganze Weile *or*
Zeitlang; **for/after quite a ~** ziemlich lange/nach einer
ziemlich langen Zeit; **a little** *or* **short ~** ein Weilchen
(*col*), kurze Zeit; **it'll be ready in a short ~** es wird bald
fertig sein; **a little/long ~ ago** vor kurzem/vor längerer
or langer Zeit; **some ~ ago** vor einiger Zeit; **all the ~** die
ganze Zeit (über); **to be worth (one's) ~ to ...** sich (für
jdn) lohnen, zu ...; **we'll make it worth your ~** es soll
Ihr Schaden nicht sein.
2 *conj* **a** während; (*as long as*) solange ► **she fell
asleep ~ reading** sie schlief beim Lesen ein. **b** (*although*) obwohl ► **~ there are difficulties, it is still
worth the effort** trotz aller Schwierigkeiten lohnt es sich
doch. **c** (*whereas*) während ► **I always drink tea ~ she
drinks coffee** ich bin Teetrinker, während sie Kaffee-
trinkerin ist.
◆ **while away** *vt sep time* sich (*dat*) vertreiben.
whilst [waɪlst] *conj* = **while 2**.
whim [wɪm] *n* Laune *f* ► **her every ~** jede ihrer Launen.
whimper ['wɪmpə^r] **1** *n* (*of dog*) Winseln *nt no pl*; (*of
person*) Wimmern *nt no pl* ► **without a ~** ohne einen
(Klage)laut.
2 *vti* (*dog*) winseln; (*person*) wimmern.
whimsical ['wɪmzɪkəl] *adj* wunderlich; *look, remark*
neckisch; *idea, tale* schnurrig.
whine [waɪn] **1** *n* (*of dog*) Jaulen, Heulen *nt no pl*;
(*complaining cry*) Jammern, Gejammer *nt no pl*; (*of
child*) Quengelei *f no pl*; (*of siren, jet engine*) Heulen *nt
no pl*; (*of bullet*) Pfeifen *nt no pl.*
2 *vi* (*dog*) jaulen; (*person: speak, complain*) jammern,
klagen; (*child*) quengeln; (*siren, jet engine*) heulen;
(*bullet*) pfeifen ► **don't come whining to me if ...** du
brauchst mir nichts vorzujammern, wenn ...
whinge [wɪndʒ] *vi* (*col*) meckern (*col*); (*baby*) plärren ►
whinging child knatschiges Kind.
whinny ['wɪnɪ] **1** *n* Wiehern *nt no pl.*
2 *vi* wiehern.
whip [wɪp] **1** *n* **a** Peitsche *f*; (*riding ~*) Reitgerte *f*. **b**
(*Parl*) (*person*) Fraktionsführer *m*; (*call*) Anordnung *f*
des Fraktionsführers ► **three-line ~** Fraktionszwang *m.*
c (*Cook*) Creme, Speise *f.*
2 *vt* **a** (*with whip*) *people* auspeitschen; *horse* peitschen; (*with stick etc*) schlagen. **b** (*Cook*) schlagen. **c**
(*fig: move quickly*) **he ~ped the book off the desk** er
schnappte sich (*dat*) das Buch vom Schreibtisch; **he
~ped his hand out of the way** er zog blitzschnell seine
Hand weg; **he ~ped a gun out of his pocket** er zog
rasch eine Pistole aus der Tasche. **d** (*col: steal*) mitgehen lassen (*col*).
3 *vi* **he ~ped around when he heard ...** er fuhr herum, als er hörte ...; **he's just ~ped out for a minute**
(*col*) er ist nur schnell mal rausgegangen (*col*).
◆ **whip up** *vt sep* **a** (*pick up*) schnappen. **b** (*set in
motion*) *horses* antreiben; (*Cook*) *cream* schlagen; *mixture* verrühren; (*col: prepare quickly*) *meal* hinzaubern;
(*fig: stir up*) *feeling* anheizen, entfachen; *support* finden;
audience, crowd mitreißen.

┌─── **WHIP** ───┐

i Der Ausdruck **whip** bezieht sich in der Politik auf
einen Abgeordneten, der für die Einhaltung der
Parteidisziplin zuständig ist, besonders für die

Anwesenheit und das Wahlverhalten der Abgeordneten im Unterhaus. Die whips fordern die Abgeordneten ihrer Partei schriftlich zur Anwesenheit auf und deuten die Wichtigkeit der Abstimmungen durch ein-, zwei-, oder dreimaliges Unterstreichen an, wobei dreimaliges Unterstreichen (3-line whip) strengsten Fraktionszwang bedeutet.

whip: ~cord *n (rope)* Peitschenschnur *f*; *(fabric)* Whipcord *m*; **~ hand** *n* **to have the ~ hand (over sb)** (über jdn) die Oberhand haben; **~lash** *n* (Peitschen)riemen *m*; *(Med)* Schleudertrauma *nt*.

whipped cream [ˌwɪptˈkriːm] *n* Schlagsahne *f*.

whippet [ˈwɪpɪt] *n* Whippet *m (eine Hundeart)*.

whipping [ˈwɪpɪŋ] *n (beating)* Tracht *f* Prügel; *(col: defeat)* Schlappe *f (col)*; *(fig: in debate etc)* Pleite *f (col)*.

whipping: ~ boy *n* Prügelknabe *m*; **~ cream** *n* Schlagsahne *f*.

whip-round [ˈwɪpraʊnd] *n (esp Brit col)* **to have a ~** den Hut herumgehen lassen.

whirl [wɜːl] **1** *n (spin)* Wirbeln *nt no pl*; *(of dust, water etc, also fig)* Wirbel *m*; *(of cream etc)* Tupfer *m* ▸ **to give sb/sth a ~** *(fig col: try out)* jdn/etw ausprobieren; **the social ~** das gesellschaftliche Leben; **my head is in a ~** mir schwirrt der Kopf. **2** *vt (make turn)* wirbeln ▸ **to ~ sb/sth around** jdn/etw herumwirbeln. **3** *vi (spin)* wirbeln; *(water)* strudeln ▸ **to ~ around** herumwirbeln; *(water)* strudeln; *(person: turn quickly)* herumfahren; **my head is ~ing** mir schwirrt der Kopf; **to ~ past** *(time)* verfliegen; *(countryside)* vorbeifliegen.

whirlpool [ˈwɜːlpuːl] *n* Strudel *m*.

whirlwind [ˈwɜːlwɪnd] *n* Wirbelwind *m* ▸ **like a ~** wie der Wirbelwind; **a ~ romance** eine stürmische Romanze.

whirr [wɜːʳ] **1** *n (of wings)* Schwirren *nt*; *(of wheels, machine)* *(quiet)* Surren *nt*; *(louder)* Dröhnen *nt*. **2** *vi see n* schwirren; surren; dröhnen.

whisk [wɪsk] **1** *n (Cook)* Schneebesen *m*; *(electric)* Rührgerät *nt* ▸ **give the eggs a good ~** schlagen Sie die Eier gut durch; **with a ~ of its tail** mit einem Schwanzschlag. **2** *vt (Brit Cook)* schlagen; *eggs* verquirlen ▸ **to ~ the eggs into the mixture** die Eier in die Masse einrühren.

◆**whisk away** *vt sep* **the magician ~ed ~ the table-cloth** der Zauberer zog das Tischtuch schnell weg; **the kidnappers ~ed him ~** die Entführer sausten mit ihm davon.

whisker [ˈwɪskəʳ] *n* Schnurrhaar *nt*; *(of person)* Barthaar *nt* ▸ **~s** *(moustache, Zool)* Schnurrbart *m*; *(side ~s)* Backenbart *m*; **to win/miss sth by a ~** etw fast gewinnen/etw um Haaresbreite verpassen.

whisky, *(US, Ir)* **whiskey** [ˈwɪskɪ] *n* Whisky *m* ▸ **two whiskies, please** zwei Whisky, bitte.

whisper [ˈwɪspəʳ] **1** *n* **a** *(sound)* Geflüster, Flüstern *nt no pl*; *(of wind)* Wispern *nt no pl*; *(mysterious)* Raunen *nt no pl* ▸ **to speak in a ~** im Flüsterton sprechen. **b** *(rumour)* Gerücht *nt* ▸ **there are ~s (going around) that ...** es geht das Gerücht, daß ... **2** *vt* **a** flüstern, wispern ▸ **to ~ sth to sb** jdm etw zuflüstern. **b** *(rumour)* **it's (being) ~ed that ...** es geht das Gerücht, daß ..., man munkelt, daß ... **3** *vi* flüstern, wispern *(also fig)*; *(wind)* säuseln; *(schoolchildren)* tuscheln ▸ **to ~ to sb** jdm zuflüstern; mit jdm tuscheln.

whispering [ˈwɪspərɪŋ]: **~ campaign** *n* Verleumdungskampagne *f*; **~ gallery** *n* Flüstergalerie *f*.

whist [wɪst] *n* Whist *nt*.

whistle [ˈwɪsl] **1** *n* **a** *(sound)* Pfiff *m*; *(of wind)* Pfeifen *nt*; *(of kettle)* Pfeifton *m* ▸ **to give a ~** pfeifen. **b** *(instrument)* Pfeife *f* ▸ **to blow a ~** pfeifen; **to blow the**

~ on sb/sth *(fig col)* jdn verpfeifen *(col)*/über etw *(acc)* auspacken *(col)*; **they searched him but he was as clean as a ~** *(col)* sie durchsuchten ihn, aber er war blitzsauber *(col)*; **it broke off as clean as a ~** *(col)* es ist ganz glatt abgebrochen. **2** *vti* pfeifen ▸ **the boys ~d at her** die Jungen pfiffen ihr nach; **the crowd ~d at the referee** die Menge pfiff den Schiedsrichter aus; **the referee ~d for a foul** der Schiedsrichter pfiff ein Foul; **he can ~ for it** *(col)* da kann er lange warten.

whistle-stop [ˈwɪslstɒp] *adj* **~ tour** *(US Pol)* Wahlkampfreise *f*; *(fig)* Reise *f* mit Kurzaufenthalten an allen Orten.

whistling kettle [ˈwɪslɪŋˈketl] *n* Pfeifkessel *m*.

whit [wɪt] *n* **not a ~** keine Spur; *(of truth, common sense)* kein Gramm *or* Körnchen.

Whit [wɪt] *n (Brit) see* **Whitsun**.

white [waɪt] **1** *adj* weiß; *(with fear, anger etc)* blaß, kreidebleich ▸ **to go** *or* **turn ~** *(thing)* weiß werden; *(person)* bleich *or* blaß werden. **2** *n (colour)* Weiß *nt*; *(person)* Weiße(r) *mf*; *(of egg)* Eiweiß *nt*; *(of eye)* Weiße(s) *nt* ▸ **~s** *(household)* Weißwäsche *f*; *(Sport)* weiße Kleidung.

white: ~bait *n, pl* **~bait** Breitling *m*; **~board** *n* weiße Tafel *f*; **~ bread** *n* Weißbrot *nt*; **~ coffee** *n (Brit)* Kaffee *m* mit Milch; **~-collar** *adj* **~-collar crime** Wirtschaftskriminalität *f*; **~-collar job** Angestelltenstelle *f*, Büroposten *m*; **~-collar worker** Angestellte(r) *mf*; **~ elephant** *n* nutzloser Gegenstand; *(waste of money)* Fehlinvestition *f*; **~ elephant stall** *n* Stand *m* mit allerlei Krimskrams; **~-faced** *adj* kreidebleich; **~ goods** *npl (Comm: linen)* Weißwaren *pl*; **~-haired** *adj* weißhaarig; **W~hall** *n (Brit)* die Ministerien *pl*; **~ horse** *n* Schimmel *m*; *(wave)* Welle *f* mit einer Schaumkrone; **~-hot** *adj* weißglühend; *(fig)* glühend; **the W~ House** *n* das Weiße Haus.

╔══════ **WHITE HOUSE** ══════╗

ⓘ **White House,** *eine weiß gestrichene Villa in Washington, ist der offizielle Wohnsitz des amerikanischen Präsidenten. Im weiteren Sinne bezieht sich dieser Begriff auf die Exekutive der amerikanischen Regierung.*

white: ~ knight *n Investor, der bei unerwünschter Übernahme ein einvernehmliches Übernahmeangebot bietet*; **~ lie** *n* kleine Unwahrheit, Notlüge *f*; **~ man** *n* Weiße(r) *m*; **~ meat** *n* helles Fleisch.

whiten [ˈwaɪtn] **1** *vt* weiß machen. **2** *vi* weiß werden.

whiteness [ˈwaɪtnɪs] *n* Weiße *f*; *(of skin)* Helligkeit *f*; *(due to illness etc)* Blässe *f*.

whitening [ˈwaɪtnɪŋ] *n* weiße Farbe, Schlämmkreide *f*.

white: ~ noise *n (Hifi, Rad)* weißes Rauschen; **~ paper** *n (Pol)* Weißbuch *nt*; **~ sauce** *n* Mehlsoße *f*, helle Soße; **~ slave trade** *n* Mädchenhandel *m*; **~ spirit** *n* Terpentinersatz *m*; **~ stick** *n* Blindenstock *m*; **~wash** **1** *n* Tünche *f*; *(fig)* Schönfärberei *f*; **2** *vt walls* tünchen; *(fig)* beschönigen; **~ water** *n* Wildwasser *nt*; **~ wedding** *n* Hochzeit *f* in Weiß; **~ wine** *n* Weißwein *m*; **~ woman** *n* Weiße *f*.

whither [ˈwɪðəʳ] **1** *adv* **a** *(old)* wohin. **b** *(journalese)* **~ socialism?** Sozialismus, was nun?

whiting [ˈwaɪtɪŋ] *n, pl* - Weißling, Weißfisch *m*.

whitish [ˈwaɪtɪʃ] *adj colour* weißlich.

Whit Monday [ˌwɪtˈmʌndɪ] *n* Pfingstmontag *m*.

Whitsun [ˈwɪtsən] **1** *n* Pfingsten *nt*. **2** *attr* Pfingst-.

Whit Sunday *n* Pfingstsonntag *m*.

whittle [ˈwɪtl] *vt* schnitzen.

◆**whittle away** *vt sep* **a** *bark etc* wegschneiden. **b** (*gradually reduce*) allmählich abbauen; *rights, power etc also* allmählich beschneiden.

◆**whittle down** *vt sep* [a] *piece of wood* herunterschneiden ► *to ~ to size* zurechtschneiden. [b] (*reduce*) kürzen, stutzen; *gap, difference* verringern ► *to ~ sth ~ to sth* etw auf etw (*acc*) reduzieren; *to ~ sb ~ to size* (*fig*) jdn zurechtstutzen.

whiz(z) [wɪz] [1] *n* [a] (*of arrow*) Schwirren *nt*. [b] (*col*) Kanone *f* (*col*). [2] *vi* (*arrow*) schwirren ► *the cars whizzed past* die Autos sausten vorbei.

whiz(z)-kid ['wɪz‚kɪd] *n* (*col: in career*) Senkrechtstarter *m* ► *financial* ~ Finanzgenie *nt*.

WHO = **World Health Organization** Weltgesundheitsorganisation *f*.

who [hu:] *pron* [a] (*interrog*) wer; (*acc*) wen; (*dat*) wem ► *~ do you think you are?* was glaubst du, wer du bist?, für wen hältst du dich eigentlich?; *~ are you looking for?* wen suchen Sie?; *~ did you stay with?* bei wem haben Sie gewohnt?; *you'll soon find out ~'s ~* Sie werden bald alle kennenlernen. [b] (*rel*) der/die/das, welche(r, s) ► *any man ~ ...* jeder (Mensch), der ...; *he ~ wishes/those ~ wish to go ...* wer gehen will ...

who'd [hu:d] = **who had; who would**.

whodun(n)it [hu:'dʌnɪt] *n* (*col*) Krimi *m*.

whoever [hu:'evər] *pron* wer (auch immer); (*acc*) wen (auch immer); (*dat*) wem (auch immer); (*no matter who*) ganz gleich wer/wen/wem ► *~ told you that?* wer hat dir das denn (bloß) gesagt?

whole [həʊl] [1] *adj* ganz; *truth* voll ► *but the ~ purpose was to ...* aber der ganze Sinn der Sache war, daß ...; *three ~ weeks* drei volle *or* ganze Wochen; *the ~ lot* das Ganze; (*of people*) alle, der ganze Verein (*col*); *a ~ lot of people* eine ganze Menge Leute; *a ~ lot better* (*col*) ein ganzes Stück besser; *not a cup was left ~* nicht eine Tasse blieb heil; *she swallowed it ~* sie schluckte es ganz (hinunter). [2] *n* Ganze(s) *nt* ► *the ~ of the month/London* der ganze Monat/ganz London; *nearly the ~ of our production* fast unsere gesamte Produktion; *as a ~* als Ganzes; *on the ~* im großen und ganzen, alles in allem.

whole: *~***foods** *npl* Vollwertkost *f*; *~***food shop** *n* Bioladen *m*; *~***hearted** *adj* völlig, uneingeschränkt; *~hearted thanks to X* X (*dat*) danken wir von ganzem Herzen; *~***heartedly** *adv* voll und ganz; *~* **hog** *n: to go the ~ hog* (*col*) aufs Ganze gehen; *~***meal** (*Brit*) [1] *adj* Vollkorn-; [2] *n* feiner Vollkornschrot; *~* **milk** *n* Vollmilch *f*; *~* **note** *n* (*esp US Mus*) ganze Note; *~* **number** *n* ganze Zahl.

wholesale ['həʊlseɪl] [1] *n* Großhandel *m*. [2] *adj attr* [a] (*Comm*) Großhandels-. [b] (*fig: widespread*) umfassend, massiv; *slaughter, redundancies* Massen-; (*indiscriminate*) wild, generell. [3] *adv* [a] im Großhandel. [b] (*fig*) in Bausch und Bogen; (*in great numbers*) massenhaft; (*without modification*) (so) ohne weiteres.

wholesaler ['həʊlseɪlər] *n* Großhändler *m*.

wholesome ['həʊlsəm] *adj* gesund.

wholewheat ['həʊlwi:t] *n, adj* (*US*) = **wholemeal**.

who'll [hu:l] = **who will; who shall**.

wholly ['həʊlɪ] *adv* völlig, gänzlich.

whom [hu:m] *pron* [a] (*interrog*) (*acc*) wen; (*dat*) wem. [b] (*rel*) (*acc*) den/die/das; (*dat*) dem/der/dem ► *..., all of ~ were drunk* ..., die alle betrunken waren; *none/all of ~ ...* von denen keine(r, s)/alle ...

whoop [wu:p] [1] *n* Ruf, Schrei *m*. [2] *vi* rufen, schreien; (*with whooping cough*) pfeifen; (*with joy*) jauchzen.

whoopee [wʊ'pi:] *interj* hurra, juchhe.

whooping cough ['hu:pɪŋ‚kɒf] *n* Keuchhusten *m*.

whoops [wu:ps] *interj* hoppla.

whoosh [wu:ʃ] [1] *n* (*of water*) Rauschen *nt*; (*of air*) Zischen *nt*. [2] *vi* rauschen; zischen.

whopper ['wɒpər] *n* (*col*) (*sth big*) Brocken *m* (*col*); (*lie*) faustdicke Lüge.

whopping ['wɒpɪŋ] *adj* (*col*) Mords- (*col*), Riesen-; *lie* faustdick.

whore [hɔ:r] *n* Hure *f*.

whorl [wɜ:l] *n* Kringel *m*; (*of shell*) (Spiral)windung *f*.

who's [hu:z] = **who has; who is**.

whose [hu:z] *poss pron* [a] (*interrog*) wessen ► *~ is this?* wem gehört das?; *~ car did you go in?* in wessen Auto sind Sie gefahren? [b] (*rel*) dessen; (*after f and pl*) deren ► *the man ~ wife ...* der Mann, dessen Frau ...

▼ **why** [waɪ] [1] *adv* warum, weshalb; (*asking for the purpose*) wozu; (*how come that ...*) wieso ► *~ not ask him?* warum fragst du/fragen wir *etc* ihn nicht?; *~ ever or on earth not?* warum denn bloß nicht?; *~ wait?* wozu (noch) warten?; *~ do it this way?* warum denn so?; *that's ~* darum, deswegen; *that's exactly ~ ...* genau deshalb *or* deswegen ... [2] *interj* *are you sure?* — *~ yes* sind Sie sicher? — (aber) ja; *~ that's easy!* na, das ist doch einfach!; *who did it? ~ it's obvious* wer das war? also, das ist doch klar. [3] *n: the ~s and (the) wherefores* das Warum und Weshalb.

WI = [a] **West Indies**. [b] (*US Post*) **Wisconsin**. [c] (*Brit*) **Women's Institute**.

wick [wɪk] *n* Docht *m* ► *to get on sb's ~* (*col*) jdm auf den Wecker gehen (*col*).

wicked ['wɪkɪd] *adj person etc* böse; (*immoral*) schlecht, gottlos; (*indulging in vices*) lasterhaft; (*col: scandalous*) *price etc* unverschämt; *smile, look, grin* frech, boshaft; *satire* boshaft; *blow, frost also* gemein (*col*) ► *that was a ~ thing to do* das war aber gemein (von dir/ihm *etc*); *he/the dog has a ~ temper* er ist unbeherrscht *or* aufbrausend/der Hund ist bösartig; *he has a ~ sense of humour* er hat einen boshaften Humor.

wickedly ['wɪkɪdlɪ] *adv see adj* böse; schlecht, gottlos; lasterhaft; unverschämt; boshaft.

wickedness ['wɪkɪdnɪs] *n* (*of person*) Schlechtigkeit *f*; (*immorality*) Verderbtheit *f*; (*indulgence in vices*) Lasterhaftigkeit *f*; (*of look etc*) Boshaftigkeit *f*; (*mischievousness*) Bosheit *f*.

wicker ['wɪkər] [1] *n* Korbgeflecht *nt*. [2] *adj attr* Korb-.

wicker: *~* **basket** *n* (Weiden)korb *m*; *~***work** *n* (*material*) Korbgeflecht *nt*; (*articles*) Korbwaren *pl*; *~***work furniture** *n* Korbmöbel *pl*.

wicket ['wɪkɪt] *n* (*Cricket*) (*stumps: also ~s*) Mal, Pfostentor *nt*; (*pitch*) Spielbahn *f*.

wicket-keeper ['wɪkɪt‚ki:pər] *n* (*Cricket*) Torwächter *m*.

wide [waɪd] [1] *adj* [a] *road, smile* breit; *skirt, plain* weit; *eyes* groß ► *it is three metres ~* es ist drei Meter breit; *the ~ screen* die Breitwand; *the big ~ world* die (große) weite Welt. [b] *variety* groß; *experience, choice* reich; *public, knowledge, range* breit; *interests* vielfältig; *coverage of report* umfassend; *network* weitverzweigt *etc*; *circulation* weit, groß; *question* weitreichend ► *~ reading is the best education* die beste Bildung bekommt man, indem man viel liest; *his ~ reading* seine große Belesenheit. [c] (*missing the target*) daneben *pred* ► *you're a bit ~ of the mark there* da liegst du etwas daneben; *~ of the truth* nicht ganz wahrheitsgetreu. [2] *adv* [a] (*extending far*) weit ► *they are set ~ apart* sie liegen weit auseinander. [b] (*fully*) weit ► *open ~!* bitte weit öffnen; *~ open* (*door*) weit offen; *the law is ~ open to criticism* das Gesetz bietet viele Ansatzpunkte für Kritik; *the game is still ~ open* der Spielausgang ist

► SENTENCE BUILDER: **why: 1** → 6.2, 9.2

noch völlig offen; **to be ~ awake** hellwach sein; (*alert*) wach sein. [c] (*far from the target*) daneben ▸ **to go ~ of sth** an etw (*dat*) vorbeigehen.

wide: **~-angle (lens)** *n* (*Phot*) Weitwinkel(objektiv *nt*) *m*; **~-awake** *adj* (*fully awake*) hellwach; (*alert*) wach; **~-eyed** *adj* mit großen Augen; **in ~-eyed amazement** mit großen, erstaunten Augen.

widely ['waɪdlɪ] *adv* weit; (*by or to many people*) weit und breit, allgemein; *differing* völlig ▸ **the opinion is ~ held ...** es herrscht in weiten Kreisen die Ansicht ...; **it is ~ believed that ...** es wird allgemein angenommen, daß ...; **he became ~ known as ...** er wurde überall *or* in weiten Kreisen bekannt als ...; **a ~ read student** ein sehr belesener Student.

widen ['waɪdn] [1] *vt road* verbreitern; *passage, knowledge* erweitern.

[2] *vi* breiter werden; (*interests etc*) sich ausweiten.

◆**widen out** *vi* (*valley etc*) sich erweitern (*into* zu).

wide: **~-open** *adj* weit offen; *beak* weit aufgerissen; **the ~-open spaces** die Weite *f*; **~-ranging** *adj* weitreichend; **~spread** *adj* weitverbreitet *attr*, **to become ~spread** weite Verbreitung erlangen.

widow ['wɪdəʊ] [1] *n* Witwe *f* ▸ **golf ~** (*hum*) Golfwitwe *f*.

[2] *vt* zur Witwe/zum Witwer machen ▸ **she was twice ~ed** sie ist zweimal verwitwet.

widower ['wɪdəʊər] *n* Witwer *m*.

width [wɪdθ] *n* Breite *f*, (*of trouser legs etc*) Weite *f*; (*of interests also*) Vielfalt *f* ▸ **six centimetres in ~** sechs Zentimeter breit.

widthways ['wɪdθweɪz] *adv* der Breite nach.

wield [wiːld] *vt pen, sword* führen; *axe* schwingen; *power* ausüben.

wiener ['wiːnər] *n* (*US*) Wiener Würstchen *nt*.

wife [waɪf] *n*, *pl* **wives** Frau, Gattin (*form*) *f*.

wifely ['waɪflɪ] *adj* ~ *duties* Pflichten *pl* als Ehefrau; ~ *devotion* Hingabe *f* einer Ehefrau.

wife-swapping ['waɪf‚swɒpɪŋ] *n* Partnertausch *m*.

wig [wɪg] *n* Perücke *f*.

wiggle ['wɪgl] [1] *n* Wackeln *nt no pl*; (*in line*) Welle *f* ▸ **give it a ~ and it might come free** wackeln Sie mal daran, dann löst es sich vielleicht.

[2] *vt* wackeln mit.

[3] *vi* wackeln.

wiggly ['wɪglɪ] *adj* (+*er*) wackelnd; *line* Schlangen-.

wigwam ['wɪgwæm] *n* Wigwam *m*.

wild [waɪld] [1] *adj* [a] (*not domesticated*) wild; *people* unzivilisiert; *garden, wood* verwildert; *flowers* wildwachsend *attr* ▸ **the W~ West** der Wilde Westen; **~ animals** Tiere *pl* in freier Wildbahn; **the plant in its ~ state** die Pflanze im Naturzustand. [b] (*stormy*) *weather, wind, sea* rauh, stürmisch. [c] (*excited, riotous*) wild (*with* vor +*dat*); (*disordered*) *hair also* wirr, unordentlich; *children also, desire* unbändig ▸ **I'm not ~ about the idea** (*col*) auf die Idee bin ich nicht gerade versessen (*col*); **to be ~ about sb** (*col*) verrückt nach jdm sein (*col*); **the audience went ~** das Publikum raste. [d] (*col: angry*) wütend (*with, at* mit, auf +*acc*), rasend ▸ **it drives me ~** das macht mich ganz wild *or* rasend; **to get ~** wild werden (*col*). [e] (*rash, extravagant*) verrückt; *exaggeration, allegation* maßlos, wild; *fluctuations* stark; *expectations* kühn; *shot* Fehl- ▸ **never in my ~est dreams** auch in meinen kühnsten Träumen nicht.

[2] *adv grow* wild; *run* frei ▸ **to let one's imagination run ~** seiner Phantasie (*dat*) freien Lauf lassen; **the roses/the children have run ~** die Rosen/die Kinder sind verwildert.

[3] *n* Wildnis *f* ▸ **in the ~** in der Wildnis, in freier Wildbahn; **out in the ~s of Berkshire** (*hum*) im hintersten Berkshire.

wild: ~ **boar** *n* Wildschwein *nt*; **~card** *n* (*Comp*)

Platzhalter *m*; ~ **cat** *n* (*Zool*) Wildkatze *f*; **~cat strike** *n* wilder Streik.

wilderness ['wɪldənɪs] *n* Wildnis *f*, (*fig*) Wüste *f*.

wild: **~fire** *n* **to spread like ~fire** sich wie ein Lauffeuer ausbreiten; **~fowl** *n no pl* Wildgeflügel *nt*; **~-goose chase** *n* fruchtloses Unterfangen; **to send sb out on a ~-goose chase** jdn für nichts und wieder nichts losschicken; **~ life** *n* die Tierwelt; **~life sanctuary** Wildreservat *nt*.

wildly ['waɪldlɪ] *adv* [a] wild. [b] (*in disorder*) wirr. [c] (*extravagantly*) *guess* drauflos, ins Blaue hinein; *talk* wirr; *exaggerated* stark, maßlos ▸ **not ~ enthusiastic** nicht allzu begeistert.

wildness ['waɪldnɪs] *n* Wildheit *f*, (*of storm etc also*) Heftigkeit *f*, (*of allegation*) Maßlosigkeit *f*.

wiles [waɪlz] *npl* Schliche *pl*.

wilful, (*US*) **willful** ['wɪlfʊl] *adj* [a] (*self-willed*) eigenwillig. [b] (*deliberate*) *neglect, damage* mutwillig; *murder* vorsätzlich; *disobedience* wissentlich.

▾ **will¹** [wɪl] *pret* **would** [1] *modal aux* [a] (*forming future*) werden ▸ **I'm sure that he ~ come** ich bin sicher, daß er kommt; **you ~ come to see us, won't you** Sie kommen uns doch besuchen, ja?; **I'll be right there** komme sofort!, bin gleich da!; **he'll be there — he won't** er wird dort sein — nein; **I ~ have finished by Tuesday** bis Dienstag bin ich fertig; **you won't lose it, ~ you?** du wirst es doch nicht verlieren, oder?

[b] (*emphatic*) **I ~ not have it!** das kommt nicht in Frage (*col*); **~ you be quiet!** bist du *or* sei jetzt endlich ruhig!; **well, if you won't take advice** wenn du (eben) keinen Rat annimmst, na bitte; **he ~ interrupt all the time** er muß ständig dazwischenreden.

[c] (*expressing willingness, capability etc*) wollen ▸ **he won't sign** er will nicht unterschreiben; **wait a moment, ~ you?** warten Sie bitte einen Moment; (*impatiently*) jetzt warte doch mal einen Moment!; **the car won't start** das Auto springt nicht an; **the cut won't heal** die Schnittwunde will nicht (ver)heilen; **the car ~ do up to 120 mph** das Auto fährt bis zu 190 km/h.

[d] (*in questions*) **~ you have some more tea?** möchten Sie noch Tee?; **~ you accept these conditions?** akzeptieren Sie diese Bedingungen?

[e] (*assumption*) **he'll be there by now** jetzt ist er schon da *or* dürfte er schon da sein; **this ~ be our bus** das wird *or* dürfte unser Bus sein.

[f] (*tendency*) **sometimes he ~ sit in his room for hours** manchmal sitzt er stundenlang in seinem Zimmer; **accidents ~ happen** Unfälle passieren nun (ein)mal.

[2] *vi* wollen ▸ **say what you ~** du kannst sagen, was du willst; **as you ~!** wie du willst!

will² [1] *n* [a] Wille *m* ▸ **to have a ~ of one's own** (s)einen eigenen Willen haben; (*hum*) so seine Mucken haben (*col*); **the ~ to win** der Wille, zu gewinnen; **(to go) against sb's ~** gegen jds Willen (handeln); **at ~** nach Belieben; **of one's own free ~** aus freien Stücken *or* freiem Willen; **with the best ~ in the world** beim (aller)besten Willen; **where there's a ~ there's a way** (*Prov*) wo ein Wille ist, ist auch ein Weg (*Prov*). [b] (*testament*) Letzter Wille, Testament *nt* ▸ **the last ~ and testament of ...** der Letzte Wille *or* das Testament des/ der ...; **to make one's ~** sein Testament machen.

[2] *vt* (*urge by willpower*) (durch Willenskraft) erzwingen ▸ **to ~ sb to do sth** jdn durch die eigene Willensanstrengung dazu bringen, daß er etw tut; **he ~ed himself to stay awake** er hat sich (dazu) gezwungen, wach zu bleiben; **he ~ed the ball into the net** er hat den Ball ins Netz hypnotisiert (*col*); **the crowd were ~ing him on** das Publikum feuerte ihn an.

willful (*US*) *see* **wilful**.

William ['wɪljəm] *n* ≈ Wilhelm.

willie ['wɪlɪ] n (hum: penis) Pimmel m (col).
willies ['wɪlɪz] npl (col) **it/he gives me the ~** da/bei ihm wird mir ganz anders (col).
willing ['wɪlɪŋ] adj **a** (prepared) **to be ~ to do sth** bereit or gewillt (geh) sein, etw zu tun; **God ~** so Gott will; **he was ~ for me to take it** es war ihm recht, daß ich es nahm; **she was not ~ for us to go** sie war nicht gewillt, uns gehen zu lassen (geh). **b** workers, assistance bereitwillig ▸ **there were plenty of ~ hands** es gab viele, die helfen wollten; **to show ~** Bereitschaft zeigen.
willingly ['wɪlɪŋlɪ] adv bereitwillig, gerne ▸ **will you help? — yes, ~** wollen Sie helfen? — (ja,) gerne.
willingness ['wɪlɪŋnɪs] n see adj **a** Bereitschaft f. **b** Bereitwilligkeit f.
will-o'-the-wisp [ˌwɪləðə'wɪsp] n Irrlicht nt; (fig) Trugbild nt.
willow ['wɪləʊ] n (also **~ tree**) Weide f; (wood) Weidenholz nt.
willow pattern n Weidenmotiv nt (auf Porzellan).
willowy ['wɪləʊɪ] adj gertenschlank.
willpower ['wɪlˌpaʊəʳ] n Willenskraft f.
willy-nilly ['wɪlɪ'nɪlɪ] adv wohl oder übel; (at random) aufs Geratewohl.
wilt [wɪlt] vi **a** (flowers) welken, verwelken. **b** (person: after exercise) schlapp werden; (enthusiasm, energy) abflauen.
Wilts [wɪlts] (Brit) = **Wiltshire**.
wily ['waɪlɪ] adj (+er) schlau, hinterlistig (pej).
wimp [wɪmp] n (col) Schlappschwanz m (col).
◆**wimp out** vi (inf) kneifen (inf) ▸ **to ~ ~ of sth** bei etw kneifen.
wimpish ['wɪmpɪʃ] adj (col) weichlich, schlapp (col).
win [wɪn] (vb: pret, ptp **won**) **1** n Sieg m ▸ **to have a ~** (money) einen Gewinn machen; (victory) einen Sieg erzielen.
2 vt gewinnen; reputation erwerben; scholarship, contract bekommen; victory erringen ▸ **land won from the sea** dem Meer abgewonnenes Land.
3 vi gewinnen, siegen ▸ **OK, you ~, I was wrong** okay, du hast recht, ich habe mich geirrt.
◆**win back** vt sep zurück- or wiedergewinnen.
◆**win over** or **round** vt sep für sich gewinnen ▸ **to ~ sb ~ to one's way of thinking** jdn überzeugen.
◆**win through** vi (patient) durchkommen ▸ **we'll ~ ~ in the end** wir werden es schon schaffen (col).
wince [wɪns] **1** n **to give a ~ (of pain)** (vor Schmerz) zusammenzucken.
2 vi zusammenzucken (at bei).
winch [wɪntʃ] **1** n Winde f.
2 vt winde ▸ **to ~ sth up** etw hochwinden.
wind¹ [wɪnd] **1** n **a** Wind m ▸ **the ~ is from the east** der Wind kommt von Osten; **(to run) like the ~** (rennen) wie der Wind; **a ~ of change** (fig) ein frischer Wind; **there's something in the ~** (irgend) etwas liegt in der Luft; **to see which way the ~ blows** (fig) sehen, woher der Wind weht; **to take the ~ out of sb's sails** (fig) jdm den Wind aus den Segeln nehmen; **to get ~ of sth** von etw Wind bekommen; **to throw caution to the ~s** Bedenken in den Wind schlagen; **to sail close to the ~** (fig) sich hart an der Grenze des Erlaubten bewegen.
b (Med) Blähungen pl ▸ **to break ~** einen Wind entweichen lassen; **to get/have the ~ up** (col) (nervous) Angst or Schiß (col) kriegen/haben; **to put the ~ up sb** (col) jdm Angst machen.
c (breath) Atem m, Luft f (col) ▸ **to be short of ~** außer Atem sein; **to get one's ~ back** wieder zu Atem kommen.
d (Mus: ~ instruments) Bläser pl.
2 vt (knock breathless) den Atem nehmen (+dat).
wind² [waɪnd] (vb: pret, ptp **wound**) **1** vt **a** wool, bandage wickeln; (once round) winden; (on to a reel)

spulen. **b** handle drehen; clock etc aufziehen. **c** **to ~ one's way** sich schlängeln.
2 vi (river etc) sich winden or schlängeln.
◆**wind down** vt sep **a** car windows etc herunterkurbeln. **b** operations reduzieren; production zurückschrauben.
◆**wind in** vt sep fish einholen; rope aufspulen.
◆**wind on** vt sep film, tape weiterspulen.
◆**wind up** **1** vt sep **a** bucket heraufholen; car window hinaufkurbeln. **b** clock aufziehen ▸ **to be wound ~ about sth** (fig) sich über etw (acc) aufregen. **c** meeting, speech beschließen, zu Ende bringen. **d** company auflösen; service, series auslaufen lassen.
2 vi **a** (col: end up) enden ▸ **to ~ ~ in hospital** im Krankenhaus landen. **b** **to ~ ~ for the government** die abschließende Rede für die Regierung halten. **c** (road) sich hinaufschlängeln.
wind ['wɪnd-]: **~bag** n (col) Schaumschläger m (col); **~blown** adj windzerzaust; **~break** n Windschutz m; **~breaker** ® (US), **~cheater** (Brit) n Windjacke f; **~chill factor** n Wind-Kälte-Faktor m.
winder ['waɪndəʳ] n (of watch) Rädchen nt; (of alarm clock, toy etc) Aufziehschraube f.
wind: ['wɪnd-] **~fall** n Stück nt Fallobst; (fig) unverhoffter Glücksfall; **~falls** Fallobst nt; **~ farm** n Windpark m.
winding ['waɪndɪŋ] **1** adj river gewunden; road also kurvenreich.
2 n (Elec) Wicklung f.
winding: **~ shaft** n Förderschacht m; **~ tower** n Förderturm m.
wind instrument ['wɪnd-] n Blasinstrument nt.
windlass ['wɪndləs] n (winch) Winde f; (Naut) Ankerwinde f.
wind ['wɪnd-]: **~less** adj windstill; **~mill** n Windmühle f.
window ['wɪndəʊ] n (also Comp) Fenster nt; (shop ~) (Schau)fenster nt; (of bank etc) Schalter m ▸ **a ~ on the world** (fig) ein Fenster zur Welt.
window: **~ box** n Blumenkasten m; **~-cleaner** n Fensterputzer m; **~-dressing** n Schaufensterdekoration f; (fig) Schau (col), Augenwischerei (pej) f; **~ envelope** n Fensterumschlag m; **~ frame** n Fensterrahmen m; **~ ledge** n = **~sill**; **~ pane** n Fensterscheibe f; **~ seat** n (in house) Fensterbank f or -sitz m; (Rail etc) Fensterplatz m; **~-shopping** n Schaufensterbummel m; **to go ~-shopping** einen Schaufensterbummel machen; **~sill** n Fensterbank f.
wind ['wɪnd-]: **~pipe** n Luftröhre f; **~screen,** (US) **~shield** n Windschutzscheibe f; **~screen** or (US) **~shield washer** n Scheibenwaschanlage f; **~screen** or (US) **~shield wiper** n Scheibenwischer m; **~sock** n Luft- or Windsack m; **~surfer** n Windsurfer(in f) m; **~surfing** n Windsurfen nt; **~swept** adj plains etc über den/die/das der Wind fegt; person, hair (vom Wind) zerzaust; **~tunnel** n Windkanal m.
windward ['wɪndwəd] **1** adj side Wind-; direction zum Wind.
2 n Windseite f ▸ **to ~ of the island** auf der Windseite der Insel.
windy ['wɪndɪ] adj (+er) windig.
wine [waɪn] **1** n Wein m.
2 vt **to ~ and dine sb** jdn in großem Stil zum Essen ausführen; (at home) jdn in großem Stil bewirten.
wine: **~ bar** n Weinstube f; **~ bottle** n Weinflasche f; **~ box** n Zapfpack m; **~ cellar** n Weinkeller m; **~glass** n Weinglas nt; **~-grower** n Winzer, Weinbauer m; **~-growing** n Weinanbau m; **~-growing area** n Weingegend f; **~ list** n Weinkarte f; **~-making** n Weinherstellung f; **~ merchant** n Weinhändler m; **~-taster** n Weinprüfer m; **~-tasting** n Weinprobe f; **~**

waiter *n* Weinkellner *m*.

wing [wɪŋ] *n* **a** (*of bird, plane, building, Mil, Pol, Sport*) Flügel *m*; (*Brit Aut*) Kotflügel *m* ▶ *on the ~* im Flug(e); *to take sb under one's ~* (*fig*) jdn unter seine Fittiche nehmen; *to spread one's ~s* (*fig: young people*) flügge werden. **b** *~s pl* (*Theat*) Kulisse *f*; *to wait in the ~s* (*lit, fig*) in den Kulissen warten.

wing: ~ chair *n* Ohrensessel *m*; **~-commander** *n* (*Brit*) Oberstleutnant *m* (der Luftwaffe).

winger ['wɪŋər] *n* (*Sport*) Flügelspieler(in *f*) *m*.

wing: ~mirror *n* Außenspiegel *m*; **~ nut** *n* Flügelmutter *f*; **~span, ~spread** *n* Flügelspannweite *f*.

wink [wɪŋk] **1** *n* (*with eye*) Zwinkern, Blinzeln *nt* ▶ *to give sb a ~* jdm zuzwinkern; *to tip sb the ~* (*col*) jdm einen Wink geben; *I didn't sleep a ~* ich habe kein Auge zugetan. **2** *vi* (*meaningfully*) zwinkern, blinzeln; (*light, star etc*) blinken, funkeln ▶ *to ~ at sb* jdm zuzwinkern.

winker ['wɪŋkər] *n* (*Brit Aut col*) Blinker *m*.

winkle ['wɪŋkl] **1** *n* Strandschnecke *f*. **2** *vt* *to ~ a secret out of sb* jdm ein Geheimnis entlocken.

winner ['wɪnər] *n* (*in race, competition*) Sieger(in *f*) *m*; (*of bet, pools etc*) Gewinner(in *f*) *m*; (*col: sth successful*) Renner (*col*), Erfolg *m* ▶ *to be onto a ~* (*col*) das große Los gezogen haben (*col*).

winning ['wɪnɪŋ] **1** *adj* **a** *person, entry* der/die gewinnt; *horse, team* siegreich; *goal* Sieges-; *point, stroke* entscheidend ▶ **~ number** Gewinnzahl *f*; **~ ticket** Gewinnlos *nt*; *the ~ time* die beste Zeit; **~ post** Zielpfosten *m*. **b** (*charming*) *smile, ways* gewinnend, einnehmend. **2** *n ~s pl* Gewinn *m*.

winsome ['wɪnsəm] *adj girl* reizend; *ways, smile* gewinnend, einnehmend.

winter ['wɪntər] **1** *n* (*lit, fig*) Winter *m*. **2** *adj attr* Winter- ▶ **~ coat** Wintermantel *m*; (*of animal*) Winterfell *nt*; **~ sports** Wintersport *m*; **~time** Winter *m*; (*for clocks*) Winterzeit *f*.

winterize ['wɪntəraɪz] *vt* (*esp US*) winterfest machen.

wint(e)ry ['wɪnt(ə)rɪ] *adj* winterlich; (*fig*) *look* eisig ▶ **~ showers** Schneeregen *m*.

wipe [waɪp] **1** *n* Wischen *nt* ▶ *to give sth a ~* etw abwischen. **2** *vt* wischen; *floor* aufwischen; *hands, feet* abwischen, abputzen; (*erase*) *tape, recording* löschen ▶ *to ~ sb/sth clean* jdn/etw abwischen; *to ~ sth with/on a cloth* etw mit/an einem Tuch abwischen; *to ~ one's brow/nose* sich (*dat*) die Stirn abwischen/die Nase putzen; *to ~ one's feet* sich (*dat*) die Füße abwischen; *to ~ the tears from one's eyes* sich (*dat*) die Tränen aus den Augen wischen; *to ~ the floor with sb* (*fig col*) jdn fertigmachen (*col*).

◆**wipe away** *vt sep* (*lit, fig*) wegwischen.

◆**wipe off** *vt sep mark* weg- *or* abwischen ▶ *to be ~d off the face of the earth* von der Erdoberfläche verschwinden.

◆**wipe out** *vt sep* **a** (*clean*) auswischen. **b** (*erase*) (aus)löschen; *guilt* verschwinden lassen. **c** (*cancel*) *debt* bereinigen; *gain* zunichte machen. **d** (*destroy*) *disease, village* ausrotten; *enemy* aufreiben.

◆**wipe up** **1** *vt sep liquid, mess* aufwischen; *dishes* abtrocknen. **2** *vi* abtrocknen.

wiper ['waɪpər] *n* (Scheiben)wischer *m* ▶ **~ blade** Wischerblatt *nt*.

wiping-up ['waɪpɪŋ'ʌp] *n to do the ~* abtrocknen.

wire [waɪər] **1** *n* **a** Draht *m*; (*cable, on appliance*) Leitung *f*; (*in circus: high ~*) (Hoch)seil *nt* ▶ *you've got your ~s crossed there* (*col*) Sie verwechseln da etwas; *to get in under the ~* (*US col*) etwas gerade (eben) noch

rechtzeitig schaffen. **b** (*Telec*) Telegramm *nt*. **2** *vt* **a** (*put in wiring*) *house* die (elektrischen) Leitungen verlegen in (+*dat*); (*connect to electricity*) (an das Stromnetz) anschließen. **b** (*Telec*) telegrafieren. **c** (*fix with ~*) mit Draht zusammenbinden.

◆**wire up** *vt sep lights, battery, speakers* anschließen; *house* elektrische Leitungen verlegen in (+*dat*).

wire: ~ brush *n* Drahtbürste *f*; **~-cutters** *npl* Drahtschere *f*; **~-haired** *adj terrier* Drahthaar-.

wireless ['waɪəlɪs] (*esp Brit dated*) *n* **a** (*also ~ set*) Radio, Rundfunkgerät *nt*. **b** (*radio*) Rundfunk *m*; (*also ~ telegraphy*) drahtlose Telegrafie.

wire: ~ mesh, ~ netting *n* Maschendraht *m*; **~-pulling** *n* (*col*) Drahtziehen *nt*; **~ rope** *n* Drahtseil *nt*; **~ stripper** *n* Abisolierzange *f*; **~-tapping** *n* Abhören *nt*, Anzapfen *nt* von Leitungen; **~ wheel** *n* (*Aut*) Drahtspeichenrad *nt*.

wiring ['waɪərɪŋ] *n* elektrische Leitungen *pl*.

wiring diagram *n* Schaltplan *m*.

wiry ['waɪərɪ] *adj* (+*er*) drahtig; *hair also* borstig.

wisdom ['wɪzdəm] *n* Weisheit *f*; (*prudence*) Einsicht *f*.

wisdom tooth *n* Weisheitszahn *m*.

wise [waɪz] *adj* (+*er*) weise; *move etc* klug, vernünftig; (*col: smart*) klug, schlau ▶ *a ~ choice* eine kluge *or* gute Wahl; *the Three W~ Men* die drei Weisen; *he's always ~ after the event* hinterher spielt er immer den Schlauen; *I'm none the ~r* (*col*) ich bin nicht klüger als zuvor; *nobody will be any the ~r* (*col*) niemand wird etwas (davon) merken; *to get ~ to sb/sth* (*col*) dahinterkommen, wie jd/etw ist; *to put sb ~ to sb/sth* (*col*) jdn über jdn/etw aufklären.

wise: ~crack (*esp US*) *n* Witzelei *f*; (*pej*) Stichelei *f*; **~guy** *n* (*esp US col*) Klugschwätzer (*col*), Klugscheißer (*col!*) *m*.

wisely ['waɪzlɪ] *adv* weise; (*sensibly*) klugerweise.

▼ **wish** [wɪʃ] **1** *n* **a** Wunsch *m* (*for nach*) ▶ *your ~ is my command* dein Wunsch ist mir Befehl; *I have no great ~ to see him* ich habe keine große Lust, ihn zu sehen; *to make a ~* sich (*dat*) etwas wünschen; *you shall have your ~* dein Wunsch soll in Erfüllung gehen. **b** *~es pl* (*in greetings*) *with best ~es* mit den besten Grüßen; *please give him my good ~es* bitte grüßen Sie ihn (vielmals) von mir.

2 *vt* wünschen ▶ *he ~es to be alone* er möchte allein sein; *I ~ you to be present* ich wünsche, daß Sie anwesend sind; *do you ~ more coffee, sir?* (*Scot, form*) hätten Sie gern noch Kaffee?; *~ you were here* ich wünschte, du wärest hier; *I ~ he'd be quiet* ich wollte *or* wünschte, er wäre still; *to ~ sb well/ill* jdm Glück *or* alles Gute/Schlechte wünschen; *to ~ sb a pleasant journey/a happy Christmas* jdm eine gute Reise/frohe Weihnachten wünschen; *he ~ed himself anywhere but there* er wünschte sich nur möglichst weit weg. **3** *vi* (*make a wish*) sich (*dat*) etwas wünschen.

◆**wish for** *vi* +*prep obj* *to ~ ~ sth* sich (*dat*) etw wünschen; *she had everything she could ~ ~* sie hatte alles, was man sich nur wünschen kann.

wishbone ['wɪʃbəʊn] *n* Gabelbein *nt*.

wishful ['wɪʃfʊl] *adj that's just ~ thinking* das ist reines Wunschdenken.

wishing well ['wɪʃɪŋ,wel] *n* Wunschbrunnen *m*.

wishy-washy ['wɪʃɪ,wɒʃɪ] *adj soup* labberig (*col*), wäßrig; *person* farblos, lasch; *colour* verwaschen; *argument* schwach (*col*); *story* ungenau, wischiwaschi *pred* (*col*).

wisp [wɪsp] *n* (*of straw, hair etc*) kleines Büschel; (*of cloud*) Fetzen *m*; (*of smoke*) Wölkchen *nt*.

wisteria [wɪs'tɪərɪə] *n* Glyzinie *f*.

wistful ['wɪstfʊl] *adj* wehmütig; *song also* schwermütig.

wit [wɪt] *n* **a** (*understanding*) Verstand *m* ▶ *a battle of ~s* ein geistiges Kräftemessen; *to be at one's ~s' end*

➤ SENTENCE BUILDER: **wish: 2** → 10.3, 15.3

am Ende seiner Weisheit sein, mit seinem Latein am Ende sein (hum col); **to scare sb out of his ~s** jdn zu Tode erschrecken; **to keep one's ~s about one** seine (fünf) Sinne beisammenhalten, einen klaren Kopf behalten; **to live by one's ~s** sich schlau durchs Leben schlagen. **b** (humour) Geist, Witz m ▸ **full of ~** geistreich; **there's a lot of ~ in the book** das Buch ist sehr geistreich. **c** (person) geistreicher Kopf.

witch [wɪtʃ] n (lit, fig) Hexe f.

witch: ~craft n Hexerei, Zauberei f; **~ doctor** n Medizinmann m.

witch-hunt ['wɪtʃ,hʌnt] n (lit, fig) Hexenjagd f.

with [wɪð, wɪθ] prep **a** mit ▸ **are you pleased ~ it?** bist du damit zufrieden?; **bring a book ~ you** bring ein Buch mit; **~ no ...** ohne ...; **put it ~ the rest** leg es zu den anderen; **how are things ~ you?** wie geht's?

b (at house of, in company of etc) bei ▸ **I'll be ~ you in a moment** einen Augenblick bitte, ich bin gleich da; **10 years ~ the company** 10 Jahre bei or in der Firma.

c (on person, in bag etc) bei ▸ **I haven't got my cheque book ~ me** ich habe mein Scheckbuch nicht dabei or bei mir.

d (cause) vor (+dat) ▸ **to shiver ~ cold** vor Kälte zittern; **the hills are white ~ snow** die Berge sind weiß vom Schnee; **to be ill ~ measles** die Masern haben.

e (in the case of) mit, bei ▸ **it's always the same ~ you** es ist (doch) immer dasselbe mit dir; **the trouble ~ him is that he ...** die Schwierigkeit bei or mit ihm ist (die), daß er ...; **I cannot concentrate ~ all this noise going on** bei diesem Lärm kann ich mich nicht konzentrieren; **~ the window open** bei offenem Fenster; **~ her being ill** (jetzt,) wo sie krank ist/war; **it varies ~ the temperature** es verändert sich je nach Temperatur; **wine improves ~ age** Wein wird mit zunehmendem Alter immer besser; **~ all his faults** bei allen seinen Fehlern, trotz aller seiner Fehler.

f (expressing agreement, comprehension) **I'm ~ you there** (col) da stimme ich dir zu; **are you ~ me?** verstehen Sie?, kapierst du? (col).

withdraw [wɪð'drɔː] pret **withdrew**, ptp **withdrawn**
1 vt object, motion, charge zurückziehen; troops, team also abziehen; ambassador zurückbeordern; coins einziehen, aus dem Verkehr ziehen; (from bank) money abheben; words, comment zurücknehmen, widerrufen; privileges entziehen ▸ **the workers withdrew their labour** die Arbeiter legten ihre Arbeit nieder.
2 vi sich zurückziehen; (Sport also) zurücktreten (from von), nicht antreten (from von/bei); (move away) zurücktreten or -gehen ▸ **to ~ in favour of sb else** zu Gunsten eines anderen zurücktreten; **to ~ into oneself** sich in sich (acc) zurückziehen.

withdrawal [wɪð'drɔːəl] n (of objects, charge) Zurückziehen nt; (of ambassador) Abziehen nt; (of coins) Einziehen nt; (of money) Abheben nt; (of words) Zurücknahme f; (of troops) Rückzug m; (from drugs) Entzug m ▸ **to make a ~ from the bank** Geld von der Bank abheben.

withdrawal: ~ slip n Auszahlungsschein m; **~ symptoms** npl Entzugserscheinungen pl.

withdrawn [wɪθ'drɔːn] **1** ptp of **withdraw 2** adj person verschlossen; manner also zurückhaltend.

withdrew [wɪθ'druː] pret of **withdraw.**

wither ['wɪðə'] vi verdorren, ausdorren; (limb) verkümmern. **b** (fig) welken; (religion) dahinschwinden.

withered ['wɪðəd] adj plant verdorrt, vertrocknet; skin, person verschrumpelt; limb verkümmert.

withering ['wɪðərɪŋ] adj look vernichtend.

withhold [wɪθ'həʊld] pret, ptp **withheld** vt vorenthalten; truth also verschweigen; (refuse) consent, help verweigern, versagen (geh) ▸ **to ~ sth from sb** jdm etw vorenthalten/verschweigen/verweigern; **~ing tax**

within [wɪð'ɪn] prep innerhalb (+gen); (temporal also) binnen (+dat) ▸ **a voice ~ him** seine innere Stimme; **we were/came ~ 100 metres of the summit** wir waren auf den letzten 100 Metern vor dem Gipfel/wir kamen bis auf 100 Meter an den Gipfel heran; **accurate to ~ 10 mm** auf 10 mm genau; **~ his power** in seiner Macht; **to keep ~ the law** sich im Rahmen des Gesetzes bewegen; **to live ~ one's income** im Rahmen seiner finanziellen Möglichkeiten leben.

with it ['wɪðɪt] adj (col) **a** (attr **with-it**) (trendy) person up to date; clothes etc in (col). **b** pred (awake, alert) **to be ~** da sein (col).

without [wɪð'aʊt] prep ohne ▸ **~ a tie** ohne Krawatte; **~ speaking** ohne zu sprechen, wortlos; **~ my noticing it** ohne daß ich es bemerke/bemerkte; **he left ~ telling us** er ging, ohne es uns zu sagen.

with-profits ['wɪð,prɒfɪts] adj policy etc mit Gewinnbeteiligung.

withstand [wɪð'stænd] pret, ptp **withstood** [wɪð'stʊd] vt cold standhalten (+dat); climate, attack also trotzen (+dat); persuasion etc widerstehen (+dat).

witless ['wɪtlɪs] adj schwachsinnig; (stupid) dumm ▸ **to be scared ~** zu Tode erschrocken sein.

witness ['wɪtnɪs] **1** n **a** (person: Jur, fig) Zeuge m, Zeugin f ▸ **~ for the defence/prosecution** Zeuge/ Zeugin der Verteidigung/Anklage; **to call sb as a ~** jdn als Zeugen vorladen. **b** (evidence) Zeugnis nt ▸ **to give ~ for/against sb** für/gegen jdn aussagen; **to bear ~ to sth** (lit, fig) Zeugnis über etw (acc) ablegen.
2 vt **a** (see) accident Zeuge sein bei or (+gen); scenes also (mit)erleben; changes erleben. **b** (testify) bezeugen; (attest by signature) bestätigen.
3 vi (testify) **to ~ to sth** etw bezeugen.

witness box or (US) **stand** n Zeugenstand m.

witter ['wɪtə'] vi (col: also **~ on**) labern (col).

witticism ['wɪtɪsɪzəm] n geistreiche Bemerkung.

wittily ['wɪtɪlɪ] adv witzig, geistreich.

wittiness ['wɪtɪnɪs] n Witzigkeit f.

wittingly ['wɪtɪŋlɪ] adv bewußt, wissentlich.

witty ['wɪtɪ] adj (+er) witzig, geistreich.

wives [waɪvz] pl of **wife.**

wizard ['wɪzəd] n Zauberer, Hexenmeister m; (col) Genie nt ▸ **a financial ~** ein Finanzgenie nt.

wizardry ['wɪzədrɪ] n Hexerei, Zauberei f; (great skill) Zauberkünste pl.

wizened ['wɪznd] adj verhutzelt, verschrumpelt.

wk = **week** Wo.

Wm = **William.**

WO = **Warrant Officer.**

w/o = **without.**

wobble ['wɒbl] **1** n Wackeln nt ▸ **the chair has a ~** der Stuhl wackelt.
2 vi wackeln; (cyclist) schwanken; (voice, hand, compass needle) zittern; (wheel) eiern (col); (chin, jelly etc) wabbeln.

wobbly ['wɒblɪ] **1** adj (+er) wackelig; voice also, hand zitterig, zitternd; jelly wabbelig; wheel eiernd (col) ▸ **to be ~** (col: after illness) wackelig auf den Beinen sein (col).
2 n (col: agitation or anger) **to throw a ~** ausrasten (col).

woe [wəʊ] n **a** (liter, hum: sorrow) Jammer m ▸ **~ betide him who ...!** wehe dem, der ...! **b** (esp pl: trouble) Kummer m ▸ **to tell sb one's ~s** jdm sein Leid klagen.

woebegone ['wəʊbɪ,gɒn] adj kläglich, jämmerlich.

woeful ['wəʊfʊl] adj (sad) traurig; neglect also, ignorance beklagenswert.

wog [wɒg] n (Brit pej col!) Kaffer m (pej col).

woke [wəʊk] pret of **wake.**

woken ['wəʊkn] ptp of **wake.**

wolf [wʊlf] **1** *n, pl* **wolves** Wolf *m*; (*col: womanizer*) Don Juan *m* ▶ *a ~ in sheep's clothing* ein Wolf im Schafspelz; *to cry ~* blinden Alarm schlagen; *to keep the ~ from the door* sich über Wasser halten.
2 *vt* (*also ~ down*) *food* hinunterschlingen.

wolf-whistle ['wʊlf,wɪsl] *n* they gave her a ~ sie pfiffen ihr nach.

wolves [wʊlvz] *pl of* **wolf**.

woman ['wʊmən] **1** *n, pl* **women** Frau *f*; (*domestic help*) (Haushalts)hilfe *f*; (*mistress*) Geliebte *f*.
2 *adj attr ~ doctor* Ärztin *f*; *~ driver* Frau *f* am Steuer; *~ friend* Freundin *f*.

womanhood ['wʊmənhʊd] *n* (*state, quality*) Weiblichkeit *f* ▶ *to reach ~* (zur) Frau werden.

womanize ['wʊmənaɪz] *vi* hinter den Frauen her sein.

womanizer ['wʊmənaɪzə'] *n* Schürzenjäger *m*.

womanly ['wʊmənlɪ] *adj figure, person* fraulich; *qualities* weiblich.

womb [wuːm] *n* Mutterleib *m*, Gebärmutter *f* (*Med*); (*fig*) Schoß *m*.

women ['wɪmɪn] *pl of* **woman**.

womenfolk ['wɪmɪnfəʊk] *npl* Frauen *pl*.

women's ['wɪmɪnz] *in cpds* Frauen-; *~ hurdles* *npl* Hürdenlauf *m* der Damen. **W~ Institute** *n britischer Frauenverband*; *~ lib* *n* (*col*) Frauenrechtsbewegung *f*; *~ libber* *n* (*col*) Frauenrechtlerin, Emanze (*esp pej col*) *f*; *~ magazine* *n* Frauenzeitschrift *f*; *~ page* *n* Frauenseite *f*; *~ refuge* *n* Frauenhaus *nt*; *~ rights* *npl* die Rechte *pl* der Frau; *~ toilet* *n* Damentoilette *f*.

won [wʌn] *pret, ptp of* **win**.

▼ **wonder** ['wʌndə'] **1** *n* **a** (*feeling*) Staunen *nt*, Verwunderung *f* ▶ *in ~* voller Staunen. **b** (*object or cause of ~*) Wunder *nt* ▶ *the ~ of electricity* das Wunder der Elektrizität; *the seven ~s of the world* die sieben Weltwunder; *it is a ~ that ...* es ist ein Wunder, daß ...; *it is no or little ~* (es ist) kein Wunder; *no ~ (he refused)!* kein Wunder(, daß er abgelehnt hat)!; *to work ~s* Wunder wirken.
2 *vt* I *~ what he'll do now* ich bin gespannt, was er jetzt tun wird (*col*); I *~ who first said that* ich wüßte (zu) gern, wer das zuerst aufgebracht hat; I *was ~ing if you'd like to come too* möchten Sie nicht vielleicht auch kommen?; I *was ~ing if I could come tomorrow* könnte ich vielleicht morgen kommen?
3 *vi* **a** (*ask oneself, speculate*) *why do you ask? — oh, I was just ~ing* warum fragst du? — ach, nur so; *what will happen next, I ~?* ich bin gespannt, was als nächstes kommt; I *was ~ing about that* ich habe mich das auch schon gefragt; *I've been ~ing about him* ich habe mir auch schon über ihn Gedanken gemacht; I *was ~ing about going to the cinema* ich habe mir überlegt, ob ich ins Kino gehen soll; *could you possibly help me, I ~* könnten Sie mir vielleicht helfen? **b** (*be surprised*) sich wundern ▶ I *~ (that) he didn't tell me* es wundert mich, daß er es mir nicht gesagt hat; *to ~ at sth* sich über etw (*acc*) wundern, über etw (*acc*) erstaunt sein; *she'll be married by now, I shouldn't ~* es würde mich nicht wundern, wenn sie inzwischen verheiratet wäre.

wonder *in cpds* Wunder-; *~ boy* *n* Wunderknabe *m*; *~ drug* *n* Wunderheilmittel *nt*.

wonderful *adj*, **~ly** *adv* ['wʌndəfʊl, -fəlɪ] wunderbar.

wondering ['wʌndərɪŋ] *adj* (*astonished*) *tone, look* verwundert, erstaunt; (*doubtful*) fragend.

wonderland ['wʌndə,lænd] *n* (*fairyland*) Wunderland *nt*; (*wonderful place*) Paradies *nt*.

wonderment ['wʌndəmənt] *n* Verwunderung *f*.

wonky ['wɒŋkɪ] *adj* (+*er*) (*Brit col*) *table, marriage, grammar* wackelig ▶ *your hat's a bit ~* dein Hut sitzt schief.

wont [wəʊnt] **1** *adj* *to be ~ to do sth* etw zu tun pflegen.
2 *n as is/was his ~* wie er zu tun pflegt/pflegte.

won't [wəʊnt] = **will not**.

woo [wuː] *vt* **a** (*dated: court*) *woman* den Hof machen (+*dat*), umwerben; (*fig*) *person* umwerben. **b** (*fig*) *stardom etc* suchen.

wood [wʊd] **1** *n* **a** (*material*) Holz *nt* ▶ *touch ~!* dreimal auf Holz geklopft!; *beer from the ~* Bier vom Faß. **b** (*small forest*) Wald *m* ▶ *~s* Wald *m*; *we're not out of the ~ yet* (*fig*) wir sind noch nicht über den Berg *or* aus dem Schneider (*col*); *he can't see the ~ for the trees* (*prov*) er sieht den Wald vor lauter Bäumen nicht (*prov*). **c** (*Bowls*) Kugel *f*; (*Golf*) Holz *nt*.
2 *adj attr* **a** (*made of ~*) Holz-. **b** (*living etc in a ~*) Wald-.

wood: *~ carving* *n* (Holz)schnitzerei *f*; *~cock* *n no pl* Waldschnepfe *f*; *~cut* *n* Holzschnitt *m*; *~cutter* *n* **a** Holzfäller *m*; (*of logs*) Holzhacker *m*; **b** (*Art*) Holzschnitzer *m*.

wooded ['wʊdɪd] *adj* bewaldet; *countryside* Wald-.

wooden ['wʊdn] *adj* **a** Holz- ▶ *~ leg* Holzbein *nt*; *~ spoon* (*lit*) Holzlöffel *m*; (*fig: consolation prize*) Trostpreis *m* für den Letztplazierten. **b** (*fig*) *expression, manner* hölzern; *personality* steif.

wood: *~land* *n* Waldland *nt*; *~ louse* *n* Kellerassel *f*; *~pecker* *n* Specht *m*; *~ pigeon* *n* Ringeltaube *f*; *~ pulp* *n* Holzschliff *m*; *~ screw* *n* Holzschraube *f*; *~shed* *n* Holzschuppen *m*.

woodsman ['wʊdzmən] *n, pl* **-men** [-mən] Waldarbeiter *m*.

wood: *~wind* *n* (*also ~wind instrument*) Holzblasinstrument *nt*; *the ~wind(s), the ~wind section* die Holzbläser *pl*; *~work* *n* **a** Holzarbeit *f*; (*craft*) Tischlerei *f*; **b** (*wooden parts*) Holzteile *pl*; *~worm* *n* Holzwurm *m*; *it's got ~worm* da ist der Holzwurm drin.

woof [wʊf] *interj ~, ~!* wau, wau!

woofer ['wʊfə'] *n* Tieftöner *m*.

wool [wʊl] **1** *n* **a** Wolle *f*; (*cloth also*) Wollstoff *m* ▶ *pure new ~* reine Schurwolle; *to pull the ~ over sb's eyes* (*col*) jdm Sand in die Augen streuen (*col*).
2 *adj* Woll-.

woollen, (*US*) **woolen** ['wʊlən] **1** *adj* Woll-, wollen.
2 *n ~s* *pl* (*garments*) Wollsachen *pl*; (*fabrics, blankets*) Wollwaren *pl*.

woolly, (*US*) **wooly** ['wʊlɪ] **1** *adj* (+*er*) wollig; (*soft also*) flauschig; (*fig*) *outline* verschwommen; *sound* undeutlich; (*pej*) *mind, thinking* verworren, wirr.
2 *n* (*col: sweater etc*) Pulli *m* (*col*) ▶ *winter woollies* (*esp Brit: sweaters etc*) dicke Wollsachen (*col*); (*esp US: underwear*) wollene Unterwäsche.

woozy ['wuːzɪ] *adj* (+*er*) (*col*) benommen.

wop [wɒp] *n* (*pej col*) Kanake *m* (*pej col*).

word [wɜːd] **1** *n* **a** Wort *nt* ▶ *~s* Wörter *pl*; (*meaningful sequence*) Worte *pl*; *foreign ~s* Fremdwörter *pl*; *the W~ of God* das Wort Gottes; *~ for ~* Wort für Wort; *cold isn't the ~ for it* kalt ist gar kein Ausdruck (dafür); *too funny for ~s* unbeschreiblich komisch; *to put one's thoughts into ~s* seine Gedanken in Worte fassen; *~s fail me* mir fehlen die Worte; *in a ~* mit einem Wort, kurz gesagt; *in so many ~s* direkt, ausdrücklich; *in other ~s* mit anderen Worten; *the last ~* (*fig*) der letzte Schrei (*in* an +*dat*); *he had the last ~* er hatte das letzte Wort; *in the ~s of Goethe* um mit Goethe zu sprechen; *a ~ of advice* ein Rat(schlag) *m*; *a ~ of warning* eine Warnung; *fine ~s* schöne Worte *pl*; *a man of few ~s* ein Mann, der nicht viele Worte macht; *by ~ of mouth* durch mündliche Überlieferung; *to take sb at his ~* jdn beim Wort nehmen; *to have a ~ with sb (about sth)* mit jdm (über etw) sprechen; (*reprimand, discipline*) jdn ins Gebet nehmen; *you took the ~s out of my mouth* du hast mir das Wort aus dem Mund genommen; *I wish you wouldn't put ~s into my mouth* ich wünschte, Sie würden mir nicht das Wort im Munde herumdrehen; *to*

▶ SENTENCE BUILDER: **wonder: 3a → 14.1**

put in a (good) ~ for sb ein gutes für jdn Wort einlegen; *without a ~* ohne ein Wort; *don't say or breathe a ~ about it* sag aber bitte keinen Ton davon; *to have ~s with sb* mit jdm eine Auseinandersetzung haben; *~ of honour* Ehrenwort *nt*; *to keep one's ~* sein Wort halten; *I give you my ~* ich gebe dir mein (Ehren)wort; *to go back on one's ~* sein Wort nicht halten; *to break one's ~* sein Wort brechen; *take my ~ for it* das kannst du mir glauben; *my ~!* meine Güte!; *to give the ~ (to do sth)* das Kommando geben(, etw zu tun); *just say the ~* sag nur ein Wort.

b *~s pl (text, lyrics)* Text *m*.

c *no pl (message, news)* Nachricht *f* ▶ *~ went around that ...* es ging die Nachricht um, daß ...; *(rumour)* es ging das Gerücht um, daß ...; *to leave ~ (with sb/for sb) that ...* (bei jdm/für jdn) (die Nachricht) hinterlassen, daß ...; *is there any ~ from John yet?* hat John schon von sich *(dat)* hören lassen?; *to send ~* Nachricht geben; *to send ~ to sb* jdn benachrichtigen; *to send sb ~ of sth* jdn von etw benachrichtigen.

2 *vt* formulieren, in Worte fassen; *letter* formulieren; *speech* abfassen.

word: ~-blind *adj* wortblind; *~ game* *n* Buchstabenspiel *nt*.

wording ['wɜːdɪŋ] *n* Formulierung *f*; *(text)* Text *m*; *(on label)* Aufschrift *f*.

word: ~ order *n* Wortstellung *f*, *~-perfect* *adj* sicher im Text; *~ processing* *n* Textverarbeitung *f*; *~ processor* *n* (*machine*) Textverarbeitungsanlage *f*; *~ wrap* *n* (*Comp*) (automatischer) Zeilenumbruch.

wordy ['wɜːdɪ] *adj* (*+er*) wortreich, langatmig (*pej*).

wore [wɔːʳ] *pret of* **wear**.

▼ **work** **1** *n* **a** [wɜːk] (*labour, task*) Arbeit *f* ▶ *he doesn't like ~* er arbeitet nicht gern; *that's a good piece of ~* das ist gute Arbeit; *is this all your own ~?* haben Sie das alles selbst gemacht?; *to be at ~ (on sth)* (an etw *dat*) arbeiten; *you need to do some more ~ on your pronunciation* Sie müssen noch an Ihrer Aussprache arbeiten; *to put a lot of ~ into sth* eine Menge Arbeit in etw (*acc*) stecken; *to get on with one's ~* sich (wieder) an die Arbeit machen; *to make short ~ of sth* mit etw kurzen Prozeß machen; *the medicine had done its ~* die Arznei hatte ihre Wirkung getan; *the forces at ~ here* die Kräfte, die hier am Werk sind; *it was hard ~ for the old car to get up the hill* das alte Auto hatte beim Anstieg schwer zu schaffen.

b (*employment, job*) Arbeit *f* ▶ *to be (out) at ~* bei der Arbeit sein, arbeiten sein (*col*); *to go out to ~* arbeiten gehen; *to be out of/in ~* arbeitslos sein/eine Stelle haben; *he travels to ~ by car* er fährt mit dem Auto zur Arbeit; *at ~* am Arbeitsplatz; *what is your ~?* was tun Sie beruflich?; *to put sb out of ~* jdn arbeitslos machen; *to be off ~* (am Arbeitsplatz) fehlen.

c (*product*) Arbeit *f*, (*Art, Liter*) Werk *nt* ▶ *~ of art/ reference* Kunstwerk *nt*/Nachschlagewerk *nt*; *a ~ of literature* ein literarisches Werk; *good ~s* gute Werke *pl*.

d *~s pl* (*Build*) Bauarbeiten *pl*; (*Mil*) Befestigungen *pl*; (*Mech*) Getriebe, Innere(s) *nt*; (*of watch, clock*) Uhrwerk *nt*.

e *~s sing or pl* (*factory*) Betrieb *m*, Fabrik *f*; *gas ~s/ steel ~s* Gas-/Stahlwerk *nt*.

f (*col*) *the ~s pl* alles Drum und Dran; *to give sb the ~s* (*treat harshly*) jdn gehörig in die Mangel nehmen (*col*); (*treat generously*) jdn gründlich verwöhnen (*col*).

2 *vi* **a** arbeiten (*at an +dat*) ▶ *to ~ towards/for sth* auf etw (*acc*) hin/für etw arbeiten; *to ~ for better conditions etc* sich für bessere Bedingungen *etc* einsetzen.

b (*function, operate*) funktionieren; (*marriage, plan also, be successful*) klappen (*col*); (*medicine, spell*) wirken ▶ *it won't ~* das klappt nicht; *to get sth ~ing* etw in Gang

bringen; *it ~s by electricity* es wird elektrisch angetrieben; *it ~s both ways* es trifft auch andersherum zu.

c (*mouth, face*) zucken; (*jaws*) mahlen. **d** (*move gradually*) *to ~ loose/along* sich lockern/sich entlangarbeiten.

3 *vt* **a** (*make ~*) *employees* arbeiten lassen, schinden (*pej*) ▶ *to ~ oneself to death* sich zu Tode arbeiten.

b (*operate*) *machine* bedienen; *lever, brake* betätigen ▶ *to ~ sth by hand* etw mit Hand betreiben.

c *change, cure* bewirken ▶ *to ~ mischief* Unheil anrichten; *to ~ it (so that ...)* (*col*) es so deichseln(, daß ...) (*col*); *to ~ one's passage* seine Überfahrt abarbeiten; *to ~ one's hands free* seine Hände freibekommen; *to ~ sth into the conversation* etw in das Gespräch einfließen lassen; *to ~ oneself into a rage* fürchterlich wütend werden; *to ~ one's way through a book* sich durch ein Buch arbeiten; *to ~ one's way to the top* sich nach oben arbeiten *or* kämpfen; *he ~ed his way across the rock face* er überquerte die Felswand; *he had to ~ his way through college* er mußte sich sein Studium durch eigene Arbeit finanzieren.

d (*shape*) *wood, metal* bearbeiten; *dough, clay also* kneten, durcharbeiten ▶ *he ~ed the clay into a human shape* er formte den Ton zu einer menschlichen Gestalt.

e (*exploit*) *mine* ausbeuten, abbauen; *land* bearbeiten; *smallholding* bewirtschaften; (*salesman*) *area* bereisen.

◆**work around to** *vi +prep obj what are you ~ing ~ ~?* worauf wollen Sie hinaus?

◆**work in** *vt sep* **a** (*rub in*) einarbeiten; *lotion* einmassieren. **b** (*in book, speech*) *reference* einbauen, einarbeiten. **c** (*in schedule etc*) einschieben.

◆**work off** *vt sep debts, fat* abarbeiten; *energy* loswerden; *feelings* abreagieren (*on* an *+dat*).

◆**work on** **1** *vi* weiterarbeiten.

2 *vi +prep obj car, accent* arbeiten an (*+dat*) ▶ *who's ~ing ~ this case?* wer bearbeitet diesen Fall?; *we haven't solved it yet but we're still ~ing ~ it* wir haben es noch nicht gelöst, aber wir sind dabei; *I'll work on him* (*try to persuade*) ich werde ihn bearbeiten. **b** *assumption, evidence* ausgehen von; *principle* (*person*) ausgehen von; (*machine*) arbeiten nach.

◆**work out** **1** *vi* **a** (*amount to*) *that ~s ~ at £105* das gibt *or* macht £105; *how much does that ~ ~ at?* was macht das? **b** (*succeed: plan, marriage*) funktionieren, klappen (*col*) ▶ *how's your new job ~ing ~?* was macht die neue Arbeit?; *I hope it all ~s ~ for you* ich hoffe, daß dir alles gelingt; *things didn't ~ ~ that way* es kam ganz anders. **c** (*in gym etc*) trainieren.

2 *vt sep* **a** (*solve, calculate*) herausbringen; *code* entschlüsseln; *mathematical problem* lösen; *problem* fertig werden mit (*+dat*); *sum* ausrechnen ▶ *you can ~ that ~ for yourself* das kannst du dir (doch) selbst denken; *things will always ~ themselves ~* Probleme lösen sich stets von selbst. **b** (*devise*) *scheme* (sich *dat*) ausdenken; (*in detail*) ausarbeiten. **c** (*understand*) *person* schlau werden aus (*+dat*) ▶ *I can't ~ ~ why it went wrong* ich kann nicht verstehen, wieso es nicht geklappt hat. **d** (*exhaust*) *mine* ausbeuten; *minerals* abbauen.

◆**work up** *vt sep* **a** (*develop*) *business* zu etwas bringen, entwickeln; *enthusiasm* (*in oneself*) aufbringen; *appetite* sich (*dat*) holen ▶ *to ~ one's way ~* (*in career*) sich hocharbeiten. **b** (*stimulate*) *audience* aufstacheln ▶ *to ~ ~ feelings against sb* gegen jdn Stimmung machen; *to get ~ed ~* sich aufregen.

◆**work up to** *vi +prep obj question etc* zusteuern auf (*+acc*) ▶ *I know what you're ~ing ~ ~* ich weiß, worauf Sie hinauswollen.

workable ['wɜːkəbl] *adj mine* abbaufähig; *land* bebaubar; *clay* formbar; *plan* durchführbar; *majority* tragfähig.

▶ SENTENCE BUILDER: **work: 1a** → 13.2 **2a** → 11, 13.1 **2b** → 14.1, 14.2

workaday ['wɜ:kədeɪ] *adj* Alltags-.

workaholic [,wɜ:kə'hɒlɪk] *n* (*col*) Arbeitswütige(r) *mf*.

work: ~ **basket** *n* Nähkorb *m*; **~bench** *n* Werkbank *f*; **~day** *n* (*esp US*) Arbeitstag *m*; (*day of week*) Werktag *m*.

worker ['wɜ:kəʳ] *n* **a** Arbeiter(in *f*) *m*. **b** (*also* ~ *ant/bee*) Arbeiterin *f*.

work: ~ **flow** *n* Arbeitsablauf *m*; ~ **force** *n* Arbeiterschaft *f*; **~house** *n* (*Brit Hist*) Armenhaus *nt*; **~-in** *n* (*Brit*) Work-in *nt*.

working ['wɜ:kɪŋ] **1** *adj* **a** *population* arbeitend, berufstätig; *mother* berufstätig ▶ ~ **man/woman** (*worker*) Arbeiter(in *f*) *m*; *I'm a* ~ *man!* ich gehöre zur arbeitenden Bevölkerung. **b** *day, conditions, clothes* Arbeits- ▶ ~ *capital* Betriebskapital *nt*; ~ *group* Arbeitsgruppe *f*; ~ *hours* Arbeitszeit *f*; ~ *life* Erwerbsleben *nt*; ~ *lunch* Arbeitsessen *nt*; ~ *party* (Arbeits)ausschuß *m*; ~ *week* (~ *hours*) Wochenarbeitszeit *f*. **c** (*functioning*) *hypothesis, model* Arbeits-; (*sufficient*) *majority* tragfähig ▶ *in* ~ *order* in betriebsfähigem Zustand; ~ *knowledge* Grundkenntnisse *pl*. **2** *n* **a** (*work*) Arbeiten *nt*, Arbeit *f*. **b** **~s** *pl* (*way sth works*) Arbeitsweise *f*; *the* **~s** *of his mind* seine Gedankengänge *pl*; **~s** *of fate* Wege *pl* des Schicksals. **c** **~s** *pl* (*Min*) Schächte *pl*; (*of quarry*) Grube *f*.

working class *n* (*also* **~es**) Arbeiterklasse *f*.

working-class ['wɜ:kɪŋ'klɑ:s] *adj* der Arbeiterklasse, Arbeiter-; (*pej*) ordinär, proletenhaft ▶ *to be* ~ zur Arbeiterklasse gehören.

work: ~ *in progress n* laufende Arbeiten *pl*; ~ *load n* Arbeit(slast) *f*; **~man** *n* Handwerker(in *f*) *m*; **~manlike** ['wɜ:kmən,laɪk] *adj attitude, job* fachmännisch; *product* fachmännisch gearbeitet; **~manship** ['wɜ:kmənʃɪp] *n* Arbeit(squalität) *f*; **~-mate** *n* (Arbeits)kollege *m*, (Arbeits)kollegin *f*; **~out** *n* (*Sport*) *to have a* **~out** trainieren; ~ *permit n* Arbeitserlaubnis *f*; **~place** *n* Arbeitsplatz *m*; ~ *placement n* Praktikum *nt*.

works [wɜ:ks]: ~ *committee or council n* Betriebsrat *m*.

work: ~ *sheet n* (*Sch*) Übungsblatt *nt*; **~shop** *n* Werkstatt *f*; *a music* **~shop** ein Musik-Workshop *m*; **~shy** *adj* arbeitsscheu.

works manager *n* Werksleiter *m*.

work: ~ *station n* Arbeitsplatz *m*; ~ *study n* Arbeitsstudie *f*; ~ *surface, ~ top n* Arbeitsfläche *f*; **~-to-rule** *n* (*Brit*) Dienst *m* nach Vorschrift; **~week** *n* (*esp US*) Arbeitswoche *f*.

world [wɜ:ld] *n* Welt *f* ▶ *in the* ~ auf der Welt; *all over the* ~ auf der ganzen Welt; *he sails all over the* ~ er segelt in der Weltgeschichte herum (*hum col*); *it's the same all the* ~ *over* es ist (doch) überall das Gleiche; *to go around the* ~ eine Weltreise machen; *to feel on top of the* ~ sich glänzend fühlen; *it's a small* ~ die Welt ist klein; *it's not the end of the* **~!** (*col*) davon geht die Welt nicht unter! (*col*); *to live in a* ~ *of one's own* in seiner eigenen (kleinen) Welt leben; *the New/Third* W~ die Neue/Dritte Welt; *the business/literary* ~ die Geschäftswelt/die literarische Welt; *man/woman of the* ~ Mann *m*/Frau *f* von Welt; *to come down in the* ~ herunterkommen; *to go up in the* ~ es (in der Welt) zu etwas bringen; *to lead the* ~ *in sth* in etw (*dat*) in der Welt führend sein; *to have the best of both* **~s** das eine tun und das andere nicht lassen; *out of this* ~ (*col*) phantastisch; *not for (all) the* ~ um nichts in der Welt; *what/who in the* ~ was/wer in aller Welt; *it did him a* ~ *of good* es hat ihm (unwahrscheinlich) gut getan; *a* ~ *of difference* ein himmelweiter Unterschied; *they're* ~*s apart* sie sind total verschieden; *for all the* ~ *like ...* beinahe wie ...; *to think the* ~ *of sb/sth* große Stücke auf jdn halten/etw über alles stellen; *she/it means the* ~ *to him* sie/es bedeutet ihm alles.

world *in cpds* Welt-; **W~ Bank** *n* Weltbank *f*; **~-beater** *n to be a* **~-beater** führend in der Welt sein; **~ champion** *n* Weltmeister(in *f*) *m*; **W~ Cup** *n* Fußballweltmeisterschaft *f*; (*cup*) Weltmeisterschaftspokal *m*; **~-famous** *adj* weltberühmt.

worldly ['wɜ:ldlɪ] *adj* (+*er*) weltlich; *person* weltlich gesinnt ▶ **~-wise** *adj* weltklug.

world: ~ *rankings npl* Weltrangliste *f*; ~ *record n* Weltrekord *m*; ~ *record holder n* Weltrekordinhaber(in *f*) *m*; ~ *war n* Weltkrieg *m*; **W~ War One/Two** der Erste/Zweite Weltkrieg; **~-wide** *adj, adv* weltweit.

World Wide Web *n* World Wide Web *nt*.

worm [wɜ:m] **1** *n* (*lit, fig col*) Wurm *m*; (*wood~*) Holzwurm *m* ▶ **~s** (*Med*) Würmer *pl*; *to get a* **~'s** *eye view of sth* etw aus der Froschperspektive sehen. **2** *vt* zwängen ▶ *to* ~ *one's way into sth* sich in etw (*acc*) hineinzwängen; *to* ~ *one's way into sb's confidence* sich in jds Vertrauen einschleichen; *to* ~ *sth out of sb* jdm etw entlocken.

worn [wɔ:n] **1** *ptp of* **wear** **2** *adj* (~-*out*) *coat* abgetragen; *book* zerlesen; *carpet* abgetreten; *tyre* abgefahren; *person* angegriffen ▶ *to look* ~ *(with care)* abgehärmt aussehen.

worn-out *adj attr*, **worn out** ['wɔ:n,aʊt] *adj pred coat* abgetragen; *carpet* abgetreten; *phrase* abgedroschen; (*exhausted*) *person* erschöpft.

worried ['wʌrɪd] *adj* besorgt (*about, by* wegen); (*anxious also*) beunruhigt ▶ *to be* ~ *sick* krank vor Sorge(n) sein.

worrier ['wʌrɪəʳ] *n to be a* ~ sich (*dat*) ständig Sorgen machen.

worrisome ['wʌrɪsəm] *adj* beunruhigend; (*annoying*) lästig.

worry ['wʌrɪ] **1** *n* Sorge *f* ▶ *what's your* **~?** was drückt dich?; *that's the least of my worries* das macht mir noch am wenigsten Sorgen. **2** *vt* **a** (*cause concern*) beunruhigen, Sorgen machen (+*dat*) ▶ *to* ~ *oneself sick (about sth)* vor Sorge (um *or* wegen etw) krank werden. **b** (*bother*) *to* ~ *sb with sth* jdn mit etw stören. **c** (*dog etc*) *sheep* nachstellen (+*dat*); (*bite*) reißen. **3** *vi* sich sorgen, sich (*dat*) Sorgen machen (*about, over* um, wegen) ▶ *don't* **~!**, *not to* **~!** keine Angst *or* Sorge!; *don't* ~, *I'll do it* laß mal, das mach ich schon.

worry beads *npl* Betperlen *pl*.

worrying ['wʌrɪɪŋ] *adj problem* beunruhigend ▶ *it's very* ~ es macht mir große Sorge.

▼ **worse** [wɜ:s] **1** *adj, comp of* **bad** schlechter; (*morally, with bad consequences*) schlimmer, ärger ▶ *it gets* ~ *and* ~ es wird immer schlimmer; *and to make matters* ~ und zu allem Übel; *it could have been* ~ es hätte schlimmer kommen können; ~ *luck!* (so ein) Pech!; *the patient is getting* ~ der Zustand des Patienten verschlechtert sich; *to be the* ~ *for drink* betrunken sein; *he's none the* ~ *for it* es ist ihm nichts dabei passiert; *you'll be none the* ~ *for it* das wird dir nicht schaden; *I don't think any the* ~ *of you for it* ich halte deswegen aber nicht weniger von dir. **2** *adv, comp of* **badly** schlechter; schlimmer ▶ *to be* ~ *off than ...* schlechter dran sein (*col*) *or* in einer schlechteren Lage sein als ...; *I could do a lot* ~ *than accept their offer* es wäre bestimmt kein Fehler, wenn ich das Angebot annähme. **3** *n* Schlechteres *nt*; Schlimmeres *nt* ▶ *there is* ~ *to come* es kommt noch schlimmer; *it's changed for the* ~ es hat sich zum Schlechteren gewendet.

worsen ['wɜ:sn] **1** *vt* verschlechtern. **2** *vi* sich verschlechtern, schlechter werden.

worship ['wɜ:ʃɪp] **1** *n* **a** Verehrung *f*; (*services*) Gottesdienste *pl* ▶ *place of* ~ Andachtsstätte *f*; (*non-Christian*) Kultstätte *f*. **b** (*Brit: in titles*) **Your W~** (*to* *judge*) Euer Ehren; (*to mayor*) (sehr geehrter) Herr Bürgermeister.

2 *vt* (*lit, fig*) anbeten.

3 *vi* (*Rel*) den Gottesdienst abhalten; (*RC*) die Messe feiern.

worshipper ['wɜːʃɪpəʳ] *n* (*churchgoer*) Gottesdienstbesucher(in *f*) *m*; (*of deity*) Anbeter(in *f*) *m*.

worst [wɜːst] **1** *adj, superl of* **bad** schlechteste(r, s); (*morally, in consequence*) schlimmste(r, s) ▶ *the ~ possible time* die ungünstigste Zeit.

2 *adv, superl of* **badly** am schlechtesten; am schlimmsten.

3 *n the ~ is over* das Schlimmste *or* Ärgste ist vorbei; *at ~* schlimmstenfalls; *the ~ of it is ...* das Schlimmste daran ist, ...; *if the ~ comes to the ~* wenn alle Stricke reißen (*col*); *to get the ~ of it* den kürzeren ziehen.

worsted ['wɜːstɪd] *n* Kammgarn *nt*.

worth [wɜːθ] **1** *adj* **a** wert ▶ *it's ~ £5* es ist £5 wert; *it's not ~ £5* es ist keine £5 wert; *what's this ~?* was *or* wieviel ist das wert?; *it's ~ a great deal to me* es ist mir viel wert; (*sentimentally*) es bedeutet mir sehr viel; *what's it ~ to me to do that?* was springt für mich dabei heraus? (*col*); *he was ~ a million* er besaß eine Million; *for all one is ~* so sehr man nur kann; *that's my opinion for what it's ~* das ist meine bescheidene Meinung; *it's more than my job is ~ to tell you* ich sage es dir nicht, dazu liegt mir zu viel an meiner Stelle.

b *to be (well) ~ it* sich (sehr) lohnen; *to be ~ sth* etw wert sein; *it's not ~ it* es lohnt sich nicht; *it's not ~ the trouble* es ist nicht der Mühe wert; *the book is ~ reading* das Buch ist lesenswert; *is there anything ~ seeing in this town?* gibt es in dieser Stadt etwas Sehenswertes?; *it's a film ~ seeing* es ist ein sehenswerter Film; *hardly ~ mentioning* kaum der Rede wert.

2 *n* Wert *m* ▶ *£10's ~ of books* Bücher im Werte von £10; *to show one's true ~* seinen wahren Wert zeigen; *to increase in ~* im Wert steigen.

worthless ['wɜːθlɪs] *adj* wertlos.

worthwhile ['wɜːθ'waɪl] *adj* lohnend *attr* ▶ *to be ~* sich lohnen; (*worth the trouble also*) der Mühe (*gen*) wert sein. **b** (*useful*) *contribution* wertvoll ▶ *to do sth ~ with one's life* etwas Nützliches mit seinem Leben anfangen.

worthy ['wɜːðɪ] *adj* (+*er*) **a** ehrenwert, achtbar; *opponent* würdig; *motive, cause* lobenswert. **b** *pred* wert, würdig ▶ *~ of mention* erwähnenswert; *to be ~ of sb/ sth* jds/einer Sache würdig sein (*geh*).

▼ **would** [wʊd] *pret of* **will**[1] *modal aux vb* **a** (*conditional*) *if you asked him he ~ do it* wenn du ihn fragtest, würde er es tun; *if you had asked him he ~ have done it* wenn du ihn gefragt hättest, hätte er es getan; *I thought you ~ want to know* ich dachte, du würdest es gerne wissen; *you ~ think ...* man sollte meinen ...

b (*in indirect speech*) *she said she ~ come* sie sagte, sie würde kommen *or* sie käme.

c (*emph*) *you ~ be the one to get hit* typisch, daß ausgerechnet du getroffen worden bist; *I ~n't know* keine Ahnung; *you ~!* das sieht dir ähnlich!; *he ~ have to come right now* ausgerechnet jetzt muß er kommen.

d (*insistence*) *I warned him, but he ~ do it* ich habe ihn gewarnt, aber er mußte es ja unbedingt tun; *he ~n't listen* er wollte absolut nicht zuhören.

e *it ~ seem so* es sieht wohl so aus; *it ~ have been about 8 o'clock* es war (wohl) so ungefähr 8 Uhr; *you ~n't have a cigarette, ~ you?* Sie hätten nicht zufällig eine Zigarette?; *what ~ you have me do?* was soll ich Ihrer Meinung nach tun?; *~ you mind closing the window?* würden *or* könnten Sie bitte das Fenster schließen?; *~ you care for some tea?* möchten Sie gerne etwas Tee?

f (*habit*) *he ~ paint it each year* er pflegte es jedes Jahr zu streichen.

would-be ['wʊdbiː] *adj attr* **a** (*pej*) *salesman, contract etc* angeblich ▶ *a ~ poet* ein Möchtegern-Dichter. **b** (*training as, wanting to be*) angehend.

wouldn't ['wʊdnt] = **would not**.

wound[1] [wuːnd] **1** *n* (*lit*) Wunde *f*; (*fig also*) Kränkung *f*.

2 *vt* (*lit, fig*) verletzen ▶ *the ~ed pl* die Verwundeten *pl*; *~ed pride/vanity* verletzter Stolz/gekränkte Eitelkeit.

wound[2] [waʊnd] *pret, ptp of* **wind**[2].

wove [wəʊv] *pret of* **weave**.

woven ['wəʊvən] *ptp of* **weave**.

wow [waʊ] **1** *interj* hui (*col*), Mann (*col*).

2 *vt* (*col*) umhauen (*col*).

WP = **a** **word processor**. **b** (*Brit col*) **weather permitting** bei gutem Wetter.

WPC (*Brit*) = **woman police constable** Polizistin *f*.

wpm = **words per minute** WpM.

WRAC (*Brit*) = **Women's Royal Army Corps** Frauenkorps *nt der Armee*.

WRAF (*Brit*) = **Women's Royal Air Force** Frauenkorps *nt der Luftwaffe*.

wrangle ['ræŋgl] *vi* streiten, rangeln (*about* um); (*in bargaining*) feilschen.

wrap [ræp] **1** *n* **a** (*garment*) Umhangtuch *nt*; (*for child*) Wickeltuch *nt*; (*cape*) Cape *nt*; (*coat*) Mantel *m*. **b** *to keep sth under ~s* etw geheimhalten.

2 *vt* einwickeln ▶ *shall I ~ it for you?* soll ich es Ihnen einpacken *or* einwickeln?; *to ~ sth around sth* etw um etw wickeln; *he ~ped his car around a lamppost* (*col*) er hat sein Auto an einen Laternenpfahl gesetzt (*col*); *~ped in mystery* geheimnisumwittert.

◆**wrap up 1** *vt sep* **a** (*lit, fig*) einwickeln, verpacken. **b** (*col: finalize*) *deal* unter Dach und Fach bringen ▶ *that just about ~s it ~ for today* das wäre alles für heute. **c** (*be involved*) *to be ~ped ~ in sb/sth* in jdm/ etw aufgehen.

2 *vi* **a** (*dress warmly*) sich warm einpacken (*col*). **b** (*col!: be quiet*) den Mund halten (*col*).

wrapper ['ræpəʳ] *n* Verpackung *f*; (*of sweets*) Papier(chen) *nt*; (*of cigar*) Deckblatt *nt*; (*of book*) (Schutz)umschlag *m*; (*postal*) Streifband *nt*.

wrapping ['ræpɪŋ] *n* Verpackung *f* ▶ *~ paper* Packpapier *nt*; (*decorative*) Geschenkpapier *nt*.

wrath [rɒθ] *n* Zorn *m*; (*liter: of storm*) Wut *f*.

wreak [riːk] *vt* (*liter*) *destruction* anrichten; *chaos also* stiften; *vengeance* üben (*on an* +*dat*).

wreath [riːθ] *n, pl* **-s** [riːðz] Kranz *m*; (*of smoke etc*) Kringel *m*.

wreathe [riːð] *vt* (*encircle*) (um)winden; (*clouds, mist*) umhüllen ▶ *his face was ~d in smiles* er strahlte über das ganze Gesicht.

wreck [rek] **1** *n* (*ship~*) Schiffbruch *m*; (*ship itself*) Wrack *nt*; (*US: car crash etc*) Zusammenstoß *m*; (*fig*) (*old bicycle etc*) Trümmerhaufen *m*; (*person*) Wrack *nt*; (*of hopes, life etc*) Trümmer, Ruinen *pl*.

2 *vt* **a** *ship, train* zum Wrack machen; *car* kaputtfahren (*col*), zu Schrott fahren (*col*); *machine, furniture* zerstören; (*person*) kurz und klein schlagen (*col*) ▶ *to be ~ed* (*Naut*) Schiffbruch erleiden; *~ed ship/car* wrackes Schiff/zu Schrott gefahrenes Auto. **b** (*fig*) *hopes, plans* zunichte machen; *marriage* zerrütten; *career, health* zerstören, ruinieren; *person* kaputtmachen (*col*); *holiday* verderben.

wreckage ['rekɪdʒ] *n* (*lit, fig: remains*) Trümmer *pl*; (*washed ashore*) Strandgut *nt*; (*of house, town also*) Ruinen *pl*.

wrecker ['rekəʳ] *n* **a** (*Naut: salvager*) Bergungsarbeiter *m*; (*vessel*) Bergungsschiff *nt*. **b** (*US: breaker, salvager*)

➤ SENTENCE BUILDER: **would: a** → 1.1, 1.4, 2.1, 4.1, 5.1, 8.1, 8.2, 9.1, 10.3 **e** → 8.1, 9.1, 9.2, 10.3, 13.2, 15.3

Schrotthändler *m*; (*for buildings*) Abbrucharbeiter *m*; (*breakdown truck*) Abschleppwagen *m*.

wren [ren] *n* Zaunkönig *m*.

Wren [ren] *n* (*Brit*) weibliches Mitglied der britischen Marine.

wrench [rentʃ] **1** *n* **a** (*tug*) Ruck *m*; (*Med*) Verrenkung *f*. **b** (*tool*) Schraubenschlüssel *m*. **c** (*fig*) **to be a ~** weh tun.

2 *vt* **a** reißen ► **to ~ sth (away) from sb** jdm etw entwinden *or* entreißen; **to ~ a door open** eine Tür aufzwingen. **b** (*Med*) **to ~ one's ankle** sich (*dat*) den Fuß verrenken.

wrest [rest] *vt* **to ~ sth from sb** jdm etw entreißen.

wrestle ['resl] **1** *n* Ringkampf *m* ► **to have a ~ with sb** mit jdm ringen.

2 *vt* ringen mit.

3 *vi* ringen.

wrestler ['reslə⟨r⟩] *n* Ringkämpfer *m*; (*modern*) Ringer(in *f*) *m*.

wrestling ['reslɪŋ] *n* Ringen *nt* ► **~ match** Ringkampf *m*.

wretch [retʃ] *n* **a** (*miserable*) armer Teufel. **b** (*contemptible*) Schuft *m*; (*child*) Schlingel *m*.

wretched ['retʃɪd] *adj* elend; *conditions, clothing etc also* erbärmlich; (*unhappy*) (tod)unglücklich; *housing, weather* erbärmlich, miserabel (*col*); (*col: damned*) verflixt (*col*), Mist- (*col*) ► **I feel ~** (*ill*) mir geht es miserabel (*col*).

wretchedly ['retʃɪdlɪ] *adv* erbärmlich; (*col: extremely*) verflixt (*col*).

wretchedness ['retʃɪdnɪs] *n* Erbärmlichkeit *f*; (*misery*) Elend *nt*.

wrick [rɪk] *vt* **to ~ one's neck/shoulder** sich (*dat*) den Hals/die Schulter ausrenken.

wriggle ['rɪgl] **1** *vt* toes, ears wackeln mit ► **to ~ one's way through sth** sich durch etw (hin)durchwinden.

2 *vi* (*also ~ about or around*) (*snake*) sich schlängeln; (*fish*) sich winden, zappeln; (*person*) (*restlessly*) zappeln; (*in embarrassment*) sich winden ► **to ~ along/down** sich vorwärts schlängeln/sich nach unten schlängeln; **she managed to ~ free** es gelang ihr, sich loszuwinden.

◆**wriggle out** *vi* (*lit*) sich herauswinden (*of* aus); (*fig also*) sich herausmanövrieren (*of* aus) ► **he's ~d (his way) ~ of it** er hat sich davor gedrückt.

wring [rɪŋ] (*vb: pret, ptp* **wrung**) *vt* **a** (*also ~ out*) *clothes etc* auswringen, auswinden ► **do not ~** (*on washing instructions*) nicht wringen. **b** *hands* (*in distress*) ringen ► **I could have wrung his neck** ich hätte ihm den Hals umdrehen können. **c** (*extract*) **to ~ sth out of sb** etw aus jdm herausquetschen (*col*), jdm etw abringen.

wringer ['rɪŋə⟨r⟩] *n* (Wäsche)mangel *f*.

wringing ['rɪŋɪŋ] *adj* (*also ~ wet*) tropfnaß.

wrinkle ['rɪŋkl] **1** *n* **a** (*in clothes, paper*) Knitter(falte *f*) *m*. **b** (*on face, skin, in stocking*) Falte *f*.

2 *vt* fabric, paper zerknittern; *skin* faltig machen ► **to ~ one's nose/brow** die Nase rümpfen/die Stirn runzeln.

3 *vi* (*material*) knittern; (*stockings*) Falten schlagen; (*skin etc*) Falten bekommen.

wrinkled ['rɪŋkld] *adj* sheet, paper zerknittert; *stockings* Ziehharmonika- (*col*); *skin* faltig; *brow* gerunzelt; *apple, old lady* verschrumpelt.

wrinkly ['rɪŋklɪ] *adj* (*+er*) schrumpelig; (*fabric*) zerknittert.

wrist [rɪst] *n* Handgelenk *nt*.

wristband ['rɪst,bænd] *n* Armband *nt*; (*Sport*) Schweißband *nt*.

wristwatch ['rɪst,wɒtʃ] *n* Armbanduhr *f*.

writ [rɪt] *n* (*Jur*) Verfügung *f* ► **to issue a ~ against sb** jdn vorladen (*for* wegen).

write [raɪt] *pret* **wrote**, *ptp* **written** **1** *vt* schreiben; *cheque also* ausstellen; *notes* sich (*dat*) machen ► **he wrote me a letter** er schrieb mir einen Brief; **he wrote**

five sheets of paper er schrieb fünf Seiten voll; **how is that written?** wie schreibt man das?; **to be writ(ten) large** (*fig*) klar zu erkennen sein; **it was written all over his face** es stand ihm im Gesicht geschrieben.

2 *vi* schreiben ► **to ~ to sb** jdm schreiben; **we ~ to each other** wir schreiben uns; **that's nothing to ~ home about** (*col*) das ist nichts Weltbewegendes; **I'll ~ for it at once** (*order*) ich bestelle es sofort.

◆**write away** *vi* **to ~ ~ for sth** etw (schriftlich) anfordern.

◆**write back** *vi* zurückschreiben, antworten.

◆**write down** *vt sep* (*make a note of*) aufschreiben; (*put in writing*) niederschreiben.

◆**write in** **1** *vt sep* word etc hineinschreiben, einfügen (*prep obj* in +*acc*).

2 *vi* schreiben (*to* an +*acc*) ► **to ~ ~ for sth** etw (schriftlich) anfordern.

◆**write off** **1** *vi* = **write away** **2** *vt sep* debt, losses, (*fig: regard as failure*) abschreiben; *car etc (driver)* zu Schrott fahren; (*insurance company*) als Totalschaden abschreiben.

◆**write out** *vt sep* notes ausarbeiten; *name etc* ausschreiben; *cheque* ausstellen.

◆**write up** *vt sep* notes ausarbeiten; *report, diary* schreiben; *event* schreiben über (+*acc*); (*review*) *play, film* eine Kritik schreiben über (+*acc*).

write-off ['raɪtɒf] *n* (*car etc*) Totalschaden *m*; (*Comm*) Abschreibung *f*.

writer ['raɪtə⟨r⟩] *n* Schriftsteller(in *f*) *m*; (*of report etc*) Autor(in *f*) *m*; (*of music*) Komponist(in *f*) *m* ► **he's a very poor ~** er schreibt sehr schlecht; (*correspondent*) er ist kein großer Briefschreiber; **~'s cramp** Schreibkrampf *m*.

write-up ['raɪtʌp] *n* Pressebericht *m*; (*of play etc*) Kritik *f*.

writhe [raɪð] *vi* sich krümmen, sich winden (*with, in* vor +*dat*).

writing ['raɪtɪŋ] *n* **a** Schrift *f*; (*act, profession*) Schreiben *nt*; (*inscription*) Inschrift *f* ► **in ~** schriftlich; **permission in ~** schriftliche Genehmigung; **in sb's own ~** (*not typewritten*) handgeschrieben; (*not written by sb else*) in jds eigener (Hand)schrift (*dat*); **the ~ is on the wall for them** ihre Stunde hat geschlagen; **he had seen the ~ on the wall** er hatte die Zeichen erkannt. **b** *pl* (*written works*) **his ~s** seine Werke *or* Schriften.

writing *in cpds* Schreib-; **~ case** *n* Schreibmappe *f*; **~ desk** *n* Schreibtisch *m*; **~ pad** *n* Notizblock *m*; **~ paper** *n* Schreibpapier *nt*.

written ['rɪtn] **1** *ptp of* **write** **2** *adj* examination, statement schriftlich; *language* Schrift-; *word* geschrieben ► **~ notice** schriftliche Kündigung; (*letter*) Kündigungsschreiben *nt*.

WRNS (*Brit*) = **Women's Royal Naval Service** Frauenkorps *nt* der Marine.

▼**wrong** [rɒŋ] **1** *adj* **a** falsch; (*when choice is given also*) verkehrt ► **to be ~** nicht stimmen; (*person*) unrecht haben; (*answer also*) falsch *or* verkehrt sein; (*watch*) falsch gehen; **it's all ~ that I should have to ...** das ist doch nicht richtig, daß ich ... muß; **I was ~ about him** ich habe mich in ihm geirrt; **you were ~ in thinking he did it** du hast unrecht gehabt, als du dachtest, er sei es gewesen; **I took a ~ turning** ich bin falsch abgebogen; **to say/do the ~ thing** das Falsche sagen/tun; **the ~ side of the fabric** die linke Seite des Stoffes; **to do sth the ~ way** etw falsch *or* verkehrt machen.

b (*morally*) schlecht, unrecht; (*unfair*) ungerecht, unfair ► **it's ~ to steal** Stehlen ist Unrecht; **you were ~ to do that** es war nicht richtig von dir, das zu tun; **what's ~ with a drink now and again?** was ist daran (Schlimmes) dabei, wenn man ab und zu einen trinkt?

c *pred* (*amiss*) **something is ~** (irgend) etwas

stimmt nicht or ist nicht in Ordnung; (*suspiciously*) irgend etwas stimmt da nicht or ist da faul (*col*); *is anything ~?* ist was? (*col*); *there's nothing ~* (es ist) alles in Ordnung; *what's ~?* was ist los?; *what's ~ with you?* was fehlt Ihnen?; *something's ~ with my watch* mit meiner Uhr stimmt etwas nicht.

2 *adv* falsch ► *you did ~ to do it* es war unrecht or nicht richtig von dir, das zu tun; *to get sth ~* sich mit etw vertun; *to get one's sums ~* sich verrechnen; *don't get me ~* verstehen Sie mich nicht falsch; *to go ~* (*on route*) falsch gehen/fahren; (*plan*) schiefgehen; (*affair etc*) schieflaufen; *my washing-machine has gone ~* meine Waschmaschine ist nicht in Ordnung; *you can't go ~* du kannst gar nichts verkehrt machen; (*in telling sb the way*) du kannst dich nicht verlaufen/verfahren.

3 *n* Unrecht *nt no pl* ► *(social) ~s* (soziale) Ungerechtigkeiten *pl*; *to be in the ~* im Unrecht sein; *to put sb in the ~* jdn ins Unrecht setzen; *two ~s don't make a right* ein zweites Unrecht hebt das erste nicht auf; *she, of course, can do no ~* sie macht natürlich nie einen Fehler.

4 *vt to ~ sb* jdm unrecht tun; *to be ~ed* ungerecht behandelt werden.

wrongdoer ['rɒŋˌduːəʳ] *n* Übeltäter(in *f*) *m*.

wrongdoing ['rɒŋˌduːɪŋ] *n* Missetaten *pl*; (*single act*) Missetat *f*.

wrong-foot [ˌrɒŋ'fʊt] *vt* (*Sport*) auf dem falschen Fuß erwischen; (*fig*) unvorbereitet treffen.

wrongful ['rɒŋfʊl] *adj* ungerechtfertigt.

wrongfully ['rɒŋfəlɪ] *adv* zu Unrecht.

wrong-headed [ˌrɒŋ'hedɪd] *adj* verbohrt.

wrongly ['rɒŋlɪ] *adv* a (*unjustly, improperly*) unrecht; *punished* zu Unrecht. b (*incorrectly*) falsch, verkehrt; *maintain* zu Unrecht; *believe* fälschlicherweise.

wrote [rəʊt] *pret of* **write**.

wrought [rɔːt] 1 *vt* a (*obs, liter*) pret, ptp of **work**. b *great changes have been ~* große Veränderungen wurden herbeigeführt; *the storm ~ great destruction* der Sturm richtete große Verheerungen an. 2 *adj iron* Schmiede-; *silver* gehämmert.

wrought: *~-iron adj* schmiedeeisern *attr*, aus Schmiedeeisen; *~-up adj to be ~-up* aufgeregt sein.

wrung [rʌŋ] *pret, ptp of* **wring**.

WRVS (*Brit*) = **Women's Royal Voluntary Service** *freiwilliger Frauendienst*.

wry [raɪ] *adj* (+*er*) (*ironical*) ironisch; *joke, humour etc* trocken.

wryly ['raɪlɪ] *adv* ironisch.

wt = **weight** Gew.

WV (*US Post*) = **West Virginia**.

WW1 = **World War 1**.

WW2 = **World War 2**.

WWW (*Comput*) = **World Wide Web** WWW.

WY (*US Post*) = **Wyoming**.

X

X, x [eks] *n* X, x *nt* ▶ *~ for Xmas* ≈ X wie Xanthippe; *~ pounds* x Pfund; *~ marks the spot* die Stelle ist mit einem Kreuz gekennzeichnet; *~-certificate film* für Jugendliche nicht geeigneter Film.

Xerox ⓡ ['zɪərɒks] ① *n* (*copy*) Xerokopie *f.*
② *vt* xerokopieren.

XL = **extra large** XL.

Xmas ['eksməs, 'krɪsməs] *n* = **Christmas** Weihnachten *nt.*

X-rated ['eks'reɪtɪd] *adj* (*US Film*) für Jugendliche nicht geeignet.

X-ray ['eks,reɪ] ① *n* Röntgenstrahl *m*; (*also ~* **photograph**) Röntgenaufnahme *f* ▶ *to have an ~* geröntgt werden.
② *vt person, organ* röntgen; *luggage, envelope* durchleuchten.

xylophone ['zaɪləfəʊn] *n* Xylophon *nt.*

Y

Y, y [waɪ] *n* Y, y *nt* ▸ *~ for Yellow, ~ for Yoke* (*US*) ≃ Y wie Ypsilon.

yacht [jɒt] *nt* Jacht, Yacht *f* ▸ *~ club* Jacht- *or* Segelklub *m*; *~ harbour* Jachthafen *m*; *~ race* (Segel)regatta *f*.

yachting [ˈjɒtɪŋ] *n* Segeln *nt* ▸ *to go ~* segeln gehen.

yachtsman [ˈjɒtsmən] *n, pl* **-men** [-mən] Segler *m*.

yachtswoman [ˈjɒtswʊmən] *n, pl* **-women** [-wɪmɪn] Seglerin *f*.

yak [jæk] *n* (*Zool*) Jak, Grunzochse *m*.

yam [jæm] *n* **a** (*plant*) Yamswurzel *f*. **b** (*US: sweet potato*) Süßkartoffel *f*.

yank [jæŋk] **1** *n* Ruck *m* ▸ *give it a good ~* zieh mal kräftig dran.
2 *vt to ~ sth* mit einem Ruck an etw (*dat*) ziehen.
♦**yank out** *vt sep* ausreißen; *tooth* ziehen.

Yank [jæŋk] **1** *n* Ami *m* (*col*).
2 *adj attr* Ami- (*col*).

Yankee [ˈjæŋkɪ] (*col*) **1** *n* Yankee *m* (*col*).
2 *adj attr* Yankee- (*col*).

yap [jæp] *vi* (*dog*) kläffen; (*talk noisily*) schnattern (*col*).

yard¹ [jɑːd] *n* (*Measure*) Yard *nt* ▸ *to buy cloth by the ~* ≃ Stoff meterweise kaufen.

yard² *n* **a** Hof *m* ▸ *back ~* Hinterhof *m*; *in the ~* auf dem Hof. **b** (*worksite*) Werksgelände *nt*; (*for storage*) Lagerplatz *m* ▸ *builder's ~* Bauhof *m*; *shipbuilding ~* Werft *f*, *naval* (*dock*)~, *navy ~* Marinewerft *f*. **c** (*US: garden*) Garten *m*.

yard: *~-arm* *n* (*Naut*) Nock *f*; *~stick* *n* (*measuring rod*) Elle *f*; (*fig*) Maßstab *m*.

yarn [jɑːn] *n* **a** (*Tex*) Garn *nt*. **b** (*tale*) Seemannsgarn *nt* ▸ *to spin a ~* Seemannsgarn spinnen; *to spin sb a ~ about sth* jdm eine Lügengeschichte über etw (*acc*) erzählen.

yawn [jɔːn] **1** *vi* (*lit, fig*) gähnen ▸ *to ~ one's head off* fürchterlich gähnen (*col*).
2 *n* Gähnen *nt* ▸ *to give a ~* gähnen; *to be a ~* (*col*) langweilig sein.

yawning [ˈjɔːnɪŋ] *adj chasm etc* gähnend.

yd = **yard(s)**.

yea [jeɪ] **1** *adv* (*obs: yes*) ja.
2 *n the ~s and the nays* die Jastimmen und die Neinstimmen.

yeah [jeə] *adv* (*col*) ja.

year [jɪəʳ] *n* **a** Jahr *nt* ▸ *last ~* letztes Jahr; *this ~* dieses Jahr; *every other ~* jedes zweite Jahr; *in the ~ 1969* im Jahr(e) 1969; *~ after ~* Jahr für Jahr; *~ by ~, from ~ to ~* von Jahr zu Jahr; *~ in, ~ out* jahrein, jahraus; *all (the) ~ round* das ganze Jahr über; *~s (and ~s) ago* vor (langen) Jahren; *I haven't seen her in ~s* ich habe sie jahrelang *or* seit Jahren nicht mehr gesehen; *a ~ last January* (im) Januar vor einem Jahr; *a ~ from now* nächstes Jahr um diese Zeit; *a hundred-~-old tree* ein hundertjähriger Baum; *he is six ~s old* er ist sechs Jahre (alt); *it costs £100 a ~* es kostet £100 pro *or* im Jahr; *it has put ~s on me* es hat mich (um) Jahre älter gemacht; *it takes ~s off you* es macht dich um Jahre jünger; *he looks old for his ~s* er sieht älter aus als er ist; *well on in ~s* im vorgerückten Alter; *to get on in ~s* in die Jahre kommen.
b (*Univ, Sch, of wine*) Jahrgang *m* ▸ *first-~ student* Student(in *f*) *m* im ersten Jahr; (*in first term*) ≃ Erstsemester *nt*.

yearbook [ˈjɪəbʊk] *n* Jahrbuch *nt*.

yearling [ˈjɪəlɪŋ] *n* (*animal*) Jährling *m*; (*racehorse also*) Einjährige(r) *mf*.

year-long [ˌjɪəˈlɒŋ] *adj* einjährig, ein Jahr dauernd.

yearly [ˈjɪəlɪ] **1** *adj* jährlich.
2 *adv* jährlich, einmal im Jahr ▸ *twice ~* zweimal im Jahr.

yearn [jɜːn] *vi* sich sehnen (*after, for* nach) ▸ *to ~ to do sth* sich danach sehnen, etw zu tun.

yearning [ˈjɜːnɪŋ] **1** *n* Sehnsucht *f*, Verlangen *nt* (*to do sth* etw zu tun, *for* nach).
2 *adj desire, look* sehnsüchtig.

year-round [ˌjɪəˈraʊnd] *adj* ganzjährig.

yeast [jiːst] *n no pl* Hefe *f*.

yell [jel] **1** *n* Schrei *m* ▸ *to let out a ~* einen Schrei ausstoßen, schreien.
2 *vt* (*also ~ out*) schreien, brüllen (*with* vor +*dat*) ▸ *he ~ed at her* er schrie *or* brüllte sie an; *he ~ed abuse at the teacher* er beschimpfte den Lehrer wüst.

yellow [ˈjeləʊ] **1** *adj* (+*er*) **a** gelb ▸ *to turn ~* gelb werden; (*paper*) vergilben; *~ fever* Gelbfieber *nt*; *~ light* (*US Aut*) Gelb *nt*; (*double*) *~ line* (*Brit*) (absolutes) Halteverbot; *Y~ Pages®* Branchenverzeichnis *nt*, Gelbe Seiten *pl*. **b** (*col: cowardly*) feige.
2 *n* (*colour*) Gelb *nt*; (*of egg*) Eigelb *nt*.
3 *vi* gelb werden; (*pages*) vergilben.

yellowish [ˈjeləʊɪʃ] *adj* gelblich.

yelp [jelp] **1** *n* (*of animal*) Jaulen *nt no pl*; (*of person*) Aufschrei *m*.
2 *vi* (*animal*) (auf)jaulen; (*person*) aufschreien.

Yemen [ˈjemən] *n (the) ~* (der) Jemen.

Yemeni [ˈjemənɪ] **1** *adj* jemenitisch.
2 *n* Jemenit(in *f*) *m*.

yen¹ [jen] *n* (*Fin*) Yen *m*.

yen² *n* (*col*) Lust *f* (*for* auf +*acc*) ▸ *to have a ~ to do sth* Lust haben, etw zu tun.

yeoman [ˈjəʊmən] *n, pl* **-men** [-mən] **a** (*Hist: small landowner*) Freibauer *m*. **b** *Y~ of the Guard* (*Brit*) königlicher Leibgardist.

yes [jes] **1** *adv* ja; (*answering neg question*) doch ▸ *to say ~ to a demand* einer Forderung (*dat*) zustimmen; *if management says ~ to an increase* wenn die Betriebsleitung eine Lohnerhöhung bewilligt; *~ sir!* jawohl, mein Herr; (*Mil*) jawohl, Herr General/Leutnant *etc*; *I didn't say that — oh ~, you did* das habe ich nicht gesagt — o doch, das hast du.
2 *n* Ja *nt*.

yes man [ˈjesmæn] *n, pl ~* **men** [-men] Jasager *m*.

yesterday [ˈjestədeɪ] **1** *n* Gestern *nt* ▸ *the fashions of ~* die Mode von gestern.
2 *adv* (*lit, fig*) gestern ▸ *~ morning/evening* gestern morgen/abend; *~ he was at home all (day) ~* er war gestern den ganzen Tag zu Hause; *the day before ~* vorgestern; *a week ago ~* gestern vor einer Woche; *~'s paper* die Zeitung von gestern.

▼ **yet** [jet] **1** *adv* **a** (*still*) noch; (*thus far*) bis jetzt, bisher ▸ *they haven't returned ~* sie sind noch nicht zurückgekommen; *this is his best book ~* das ist sein bisher bestes Buch; *as ~* (*with present tenses*) bis jetzt, bisher; (*with past*) bis dahin; *no, not ~* nein, noch nicht;

➤ SENTENCE BUILDER: **yet: 1a → 15.6**

not just ~ jetzt noch nicht; *they have a few days* ~ sie haben noch ein paar Tage; *I've* ~ *to learn how to do it* ich muß erst noch lernen, wie man es macht; *he may* ~ *come* er kann noch kommen; *I may* ~ *go to Italy* ich fahre vielleicht noch nach Italien; *I'll do it* ~ ich schaffe es schon noch.

b *(with interrog)* schon ▸ *has he arrived* ~? ist er schon angekommen?; *do you have to go just* ~? müssen Sie jetzt schon gehen?

c *(with comp)* noch ▸ *this is* ~ *more difficult* dies ist (sogar) noch schwieriger; *he wants* ~ *more money* er will noch mehr Geld.

d *(in addition)* (and) ~ *again* und wieder, und noch einmal; *another arrived and* ~ *another* es kam noch einer und noch einer.

2 *conj* doch, dennoch, trotzdem ▸ *and* ~ und doch *or* dennoch; *it's strange* ~ *true* es ist seltsam, aber wahr.

yeti ['jetɪ] *n* Yeti, Schneemensch *m*.

yew [juː] *n (also* ~ *tree)* Eibe *f*; *(wood)* Eibe(nholz *nt*) *f*.

YHA *(Brit)* = **Youth Hostels Association** Jugendherbergsverband *m*.

Yiddish ['jɪdɪʃ] **1** *adj* jiddisch.
2 *n (language)* Jiddisch *nt*.

yield [jiːld] **1** *vt* **a** *crop, result* hervorbringen; *(tree) fruit* tragen; *(mine)* bringen; *(shares) interest* (ein)bringen ▸ *the information* ~*ed by the poll* die Informationen, die die Meinungsumfrage ergeben hat. **b** *(surrender)* aufgeben ▸ *to* ~ *sth to sb* etw an jdn abtreten; *to* ~ *ground to the enemy* vor dem Feind zurückweichen.

2 *vi* **a** *(surrender, give way)* *they* ~*ed to us* sie haben nachgegeben; *(Mil)* sie haben sich uns *(dat)* ergeben; *to* ~ *to force* der Gewalt nachgeben; *to* ~ *to reason* sich der Vernunft beugen; *to* ~ *to sb's entreaties/threats* jds Bitten *(dat)* nachgeben/sich jds Drohungen *(dat)* beugen; *to* ~ *to temptation* der Versuchung erliegen. **b** *(give way: branch, ground)* nachgeben. **c** *(Mot)* *to* ~ *to oncoming traffic* den Gegenverkehr vorbeilassen; *"*~*" (US, Ir)* „Vorfahrt beachten!"

3 *n (of land, tree)* Ertrag *m*; *(of work also)* Ergebnis *nt*; *(of mine, well)* Ausbeute *f*; *(of industry: goods)* Produktion *f*; *(profit)* Gewinne, Erträge *pl*; *(Fin: of shares, business)* Ertrag, Gewinn *m*.

yippee [jɪ'piː] *interj* juchhe, hurra.

YMCA = **Young Men's Christian Association** CVJM *m*.

yob(bo) ['jɒb(əʊ)] *n (Brit col)* Halbstarke(r), Rowdy *m*.

yodel ['jəʊdl] *vti* jodeln.

yoga ['jəʊgə] *n* Joga, Yoga *m or nt*.

yog(h)urt ['jɒgət] *n* Joghurt *m or nt*.

yoke [jəʊk] **1** *n (for oxen etc, fig)* Joch ▸ *to throw off the* ~ *(fig)* das Joch abschütteln.
2 *vt (also* ~ *up)* oxen (ins Joch) einspannen.

yokel ['jəʊkəl] *n (pej)* Bauerntölpel *m*.

yolk [jəʊk] *n (of egg)* Eigelb *nt*.

yonder ['jɒndər] *adv (poet, dial)* *(over)* ~ dort drüben.

yonks [jɒŋks] *npl (col: ages)* eine (halbe) Ewigkeit *(col)*.

Yorks [jɔːks] *(Brit)* = **Yorkshire**.

you [juː] *pron* **a** *(German familiar form, in letter-writing usu with a capital)* *(sing)* *(nom)* du; *(acc)* dich; *(dat)* dir; *(pl)* *(nom)* ihr; *(acc, dat)* euch; *(German polite form: sing, pl)* *(nom, acc)* Sie; *(dat)* Ihnen ▸ *all of* ~ *(pl)* ihr alle/Sie alle; *if I were* ~ wenn ich du/Sie wäre; ~ *Germans* ihr Deutschen; *is that* ~? bist du's/seid ihr's/sind Sie's?; *it's* ~ du bist es/ihr seid's/Sie sind's; *that hat just isn't* ~ *(col)* der Hut paßt einfach nicht zu dir/zu Ihnen; *now there's a car for* ~! das ist mal ein tolles Auto. **b** *(indef)* *(nom)* man; *(acc)* einen; *(dat)* einem ▸ ~ *never know* man kann nie wissen, man weiß nie; *it's not good for* ~ es ist nicht gut.

you'd [juːd] = **you would; you had.**

you'd've ['juːdəv] = **you would have.**

you'll [juːl] = **you will; you shall.**

young [jʌŋ] **1** *adj (+er)* jung; *wine, grass also* neu ▸ ~ *people* junge Leute *pl*; ~ *people's fashions* Jugendmoden *pl*; ~ *lady/man* junge Dame/junger Mann; *(girl-/boyfriend)* Freundin *f*/Freund *m*; *they have a* ~ *family* sie haben kleine Kinder; *he is* ~ *at heart* ist innerlich jung geblieben; ~ *Mr Brown* der junge Herr Brown; *Pitt the Y~er* Pitt der Jüngere; *he's a very* ~ *-forty* er ist ein jugendlicher Vierziger; *in her* ~ *days* in ihrer Jugend; *I'm not getting any* ~*er* ich werde auch nicht jünger.

2 *npl* **a** *(people)* *the* ~ die Jugend, die jungen Leute; *books for the* ~ Jugendbücher *pl*. **b** *(animals)* Junge *pl*. *with* ~ trächtig.

youngish ['jʌŋɪʃ] *adj* ziemlich jung.

youngster ['jʌŋstər] *n (boy)* Junge *m*; *(child)* Kind *nt*.

your [jɔːr] *poss adj* **a** *(German familiar form, in letter-writing usu with a capital)* *(sing)* dein/deine/dein; *(pl)* euer/eure/euer; *(German polite form: sing, pl)* Ihr/Ihre/Ihr. **b** *the climate here is bad for* ~ *health* das Klima hier ist nicht gut für die Gesundheit; ~ *typical American* der typische Amerikaner.

you're [jʊər] = **you are.**

yours [jɔːz] *poss pron (German familiar form, in letter-writing usu with a capital)* *(sing)* deiner/deine/deins; *(pl)* eurer/eure/eures; *(German polite form: sing, pl)* Ihrer/Ihre/Ihr(e)s ▸ *this is my book and that is* ~ dies ist mein Buch und das (ist) deins/Ihres; *the idea was* ~ es war deine/Ihre Idee, die Idee stammt von dir/Ihnen; *she is a cousin of* ~ sie ist deine Kusine, sie ist eine Kusine von dir; *that is no business of* ~ das geht dich/Sie nichts an; *that dog of* ~! dein/Ihr blöder Hund!; ~ *(in letter-writing)* Ihr/Ihre; ~ *sincerely,* ~ *truly (esp US)* *(on letter)* mit freundlichen Grüßen; ~ *truly (col: I, me)* meine Wenigkeit; *what's* ~? *(to drink)* was trinkst du/was trinken Sie?

yourself [jə'self] *pron, pl* **yourselves** **a** *(reflexive)* *(German familiar form)* *(sing)* *(acc)* dich; *(dat)* dir; *(pl)* euch; *(German polite form: sing, pl)* sich ▸ *have you hurt* ~? hast du dir/haben Sie sich weh getan?; *you never speak about* ~ du redest nie über dich (selbst)/Sie reden nie über sich (selbst). **b** *(emph)* selbst ▸ *you told me* ~ du hast/Sie haben es mir selbst gesagt; *you will see for* ~ du wirst/Sie werden es selbst sehen; *did you do it by* ~? hast du/haben Sie das allein gemacht?

youth [juːθ] *n* **a** *no pl* Jugend *f* ▸ *in my* ~ in meiner Jugend(zeit); *she has kept her* ~ sie ist jung geblieben. **b** *pl* -**s** [juːðz] *(young man)* junger Mann, Jugendliche(r) *m*. **c** ~ *pl (young men and women)* die Jugend ▸ ~ *club* Jugendklub *m*; ~ *hostel* Jugendherberge *f*; ~ *movement* Jugendbewegung *f*.

youthful ['juːθfʊl] *adj* jugendlich ▸ ~ *memories* Jugenderinnerungen *pl*.

youthfulness ['juːθfʊlnɪs] *n* Jugendlichkeit *f*.

you've [juːv] = **you have.**

yowl [jaʊl] **1** *n (of person)* Heulen *nt no pl*; *(of dog)* Jaulen *nt no pl*; *(of cat)* klägliches Miauen *no pl*.
2 *vi (person)* heulen; *(dog)* jaulen; *(cat)* kläglich miauen.

yo-yo ['jəʊjəʊ] *n* Jojo *nt*.

yr(s) = **a** year(s). **b** your(s).

YTS *(Brit)* = **Youth Training Scheme.**

yucca ['jʌkə] *n* Yucca, Palmlilie *f*.

Yugoslav ['juːgəʊˌslɑːv] *(Hist)* **1** *adj* jugoslawisch.
2 *n* Jugoslawe *m*, Jugoslawin *f*.

Yugoslavia [ˌjuːgəʊ'slɑːvɪə] *n (Hist)* Jugoslawien *nt*.

Yugoslavian [ˌjuːgəʊ'slɑːvɪən] *adj (Hist)* jugoslawisch.

yuk [jʌk] *interj* i, igitt.

yukky ['jʌkɪ] *adj (+er)* eklig, fies *(col)*.

Yule [juːl] *n (old)* Weihnachten *nt* ▸ ~*tide* Weihnachts-

zeit *f.*
yummy ['jʌmɪ] **1** *adj* (*+er*) (*col*) *food* lecker; *man* toll.
2 *interj* ~*!,* ~ ~*!* lecker! (*col*).

yuppie ['jʌpɪ] *n* (*col*) Yuppie *m.*
YWCA = **Young Women's Christian Association**
CVJF *m.*

Z

Z, z [(Brit) zed, (US) ziː] n Z, z nt ▶ ~ **for Zebra** ≃ Z wie Zacharias.
Zaire [zɑːˈiːəʳ] n Zaire nt.
Zambia [ˈzæmbɪə] n Sambia nt.
Zambian [ˈzæmbɪən] [1] adj sambisch.
　[2] n Sambier(in f) m.
zany [ˈzeɪnɪ] adj (+er) humour verrückt; person also irrsinnig komisch.
zap [zæp] vt (col) (hit) schlagen; (kill) ausradieren (col); (erase) data löschen.
◆**zap up** vt sep (col) aufmotzen (col).
zappy [ˈzæpɪ] adj (+er) (col) pace, car fetzig (col); style spritzig.
zeal [ziːl] n no pl Eifer m ▶ **to work with great** ~ mit Feuereifer arbeiten.
zealot [ˈzelət] n Fanatiker(in f) m; (religious also) (Glaubens)eiferer(in f) m.
zealous [ˈzeləs] adj worker eifrig, emsig ▶ ~ **for sth** eifrig um etw bemüht; **to be ~ to begin** erpicht darauf sein, anzufangen.
zebra [ˈzebrə] n Zebra nt ▶ ~ **crossing** (Brit) Zebrastreifen m.
zenith [ˈzenɪθ] n (Astron, fig) Zenit m.
zeppelin [ˈzepəlɪn] n Zeppelin m.
zero [ˈzɪərəʊ] [1] n, pl -(e)s Null f; (point on scale) Nullpunkt m ▶ **15 degrees below** ~ 15 Grad unter Null. [2] adj ~ **degrees** null Grad; ~ **gravity** Schwerelosigkeit f; **at** ~ **gravity** unter Schwerelosigkeit; ~ **hour** (Mil, fig) die Stunde X; ~ **option** Nullösung f; ~-**rated** (Brit: for VAT) mehrwertsteuerfrei.
◆**zero in on** vi +prep obj main point etc herausgreifen.
zero-sum game n Nullsummenspiel nt.
zest [zest] n (enthusiasm) Begeisterung f; (in style, of food etc) Pfiff (col), Schwung m ▶ ~ **for life** Lebensfreude f; **a story full of** ~ eine Geschichte mit Schwung.
zigzag [ˈzɪgzæg] [1] n Zickzack m or nt ▶ **the river cuts a** ~ **through the rocks** der Fluß bahnt sich im Zickzack einen Weg durch die Felsen. [2] adj course, line Zickzack-; road, path zickzackförmig. [3] adv zickzackförmig, im Zickzack. [4] vi im Zickzack laufen/fahren etc.
zilch [zɪltʃ] n (col) Null Komma nichts (col).
zillion [ˈzɪljən] n (US col) ~**s of dollars** zig Milliarden Dollar (col).
Zimbabwe [zɪmˈbɑːbwɪ] n Simbabwe nt.
Zimbabwean [zɪmˈbɑːbwɪən] [1] adj simbabwisch. [2] n Simbabwer(in f) m.
Zimmer frame ® [ˈzɪməʳˌfreɪm] n Laufgestell nt.

zinc [zɪŋk] n Zink nt ▶ ~ **ointment** Zinksalbe f; ~ **oxide** Zinkoxyd nt.
Zionism [ˈzaɪənɪzəm] n Zionismus m.
Zionist [ˈzaɪənɪst] [1] adj zionistisch. [2] n Zionist(in f) m.
zip [zɪp] [1] n [a] (Brit: fastener) Reißverschluß m. [b] (col: energy) Schwung m. [2] vi (col: car, person) flitzen (col) ▶ **to** ~ **past/along** etc vorbei-/daherflitzen etc (col).
◆**zip up** [1] vt sep **to** ~ ~ **a dress** den Reißverschluß eines Kleides zumachen. [2] vi **the dress** ~**s** ~ das Kleid hat einen Reißverschluß.
zip: ~ **code** n (US) Postleitzahl f; ~ **fastener** n Reißverschluß m.
zipper [ˈzɪpəʳ] n Reißverschluß m.
zippy [ˈzɪpɪ] adj (+er) (col) flott.
zit [zɪt] n (esp US col) Pickel m.
zither [ˈzɪðəʳ] n Zither f.
zodiac [ˈzəʊdɪæk] n Tierkreis m ▶ **signs of the** ~ Tierkreiszeichen pl.
zombie [ˈzɒmbɪ] n [a] (lit: revived corpse) Zombie m. [b] (fig) Idiot (col), Schwachkopf (col) m ▶ **like a** ~/**like** ~**s** wie im Tran.
zone [zəʊn] [1] n [a] Zone f; (fig also) Gebiet nt ▶ **no-parking** ~ Parkverbot nt; **time** ~ Zeitzone f. [b] (US: postal ~) Postbezirk m. [2] vt [a] town in Zonen aufteilen. [b] **to** ~ **a district for industry** einen Bezirk zur Industriezone erklären.
zonked [zɒŋkt] adj (col) (drunk, high) total ausgeflippt (col); (tired) total geschafft (col).
zonk out vi (col) umkippen (col).
zoo [zuː] n Zoo, Tierpark m ▶ ~ **keeper** Tierpfleger(in f) m, Wärter(in f) m.
zoological [ˌzʊəˈlɒdʒɪkəl] adj zoologisch ▶ ~ **gardens** zoologischer Garten.
zoologist [zʊˈɒlədʒɪst] n Zoologe m, Zoologin f.
zoology [zʊˈɒlədʒɪ] n Zoologie f.
zoom [zuːm] [1] n (Phot: also ~ **lens**) Zoom(objektiv) nt, Gummilinse f (col). [2] vi (col) sausen (col) ▶ **the car** ~**ed past us** der Wagen sauste an uns vorbei (col); **to** ~ **off** davonrasen.
◆**zoom in** vi **to** ~ ~ **on sth** (Phot) etw heranholen.
zucchini [zuːˈkiːnɪ] n (US) Zucchini f.
Zulu [ˈzuːluː] [1] adj Zulu-. [2] n Zulu mf; (language) Zulu nt.
Zurich [ˈzjʊərɪk] [1] n Zürich nt. [2] adj attr Züricher.

Die deutsche Rechtschreibreform

Am 1. Juli 1996 wurde von allen deutschsprachigen Ländern eine Erklärung zur Neuregelung der deutschen Rechtschreibung unterzeichnet. Mit Beginn des Schuljahrs 1996/97 können Schulen die neue Rechtschreibung lehren. Ab 1. April 1998 wird in den Schulen nur noch nach den neuen Regeln unterrichtet. In einer Übergangszeit bis zum Ende des Schuljahrs 2004/05 wird die alte Schreibung nicht als falsch angesehen.

Die Rechtschreibreform betrifft sechs Großbereiche:

- Zuordnung von Laut und Buchstabe
- Getrennt- und Zusammenschreibung
- Schreibung mit Bindestrich
- Groß- und Kleinschreibung
- Zeichensetzung
- Worttrennung am Zeilenende

Zuordnung von Laut und Buchstabe

Die Änderungen betreffen hier sechs Unterbereiche:
- Anpassung der Schreibung an die Herkunft des Wortes
- Anpassung an die Schreibung analoger Laute oder Wörter
- Schreibung von Zusammensetzungen und Ableitungen wie das Grundwort
- Schreibung mit ß und ss entsprechend der Aussprache
- Eindeutschende Schreibung von Fremdwörtern
- Vereinheitlichung der Pluralform von Wörtern, die auf y enden

Bei Wörtern einer Wortfamilie wurde die Schreibung dem Wortstamm angepasst:

ALT/OLD	NEU/NEW	WORTSTAMM/STEM
aufwendig	aufwändig	der Aufwand
behende	behände	die Hand
belemmert	belämmert	das Lamm
Bendel	Bändel	das Band
Gemse	Gämse	die Gams
Greuel	Gräuel	das Grauen
numerieren	nummerieren	die Nummer
plazieren/placieren	platzieren	der Platz
Quentchen	Quäntchen	das Quantum
Schenke	Schenke oder: Schänke	ausschenken
	or	der Ausschank
Schlegel (Werkzeug)	Schlägel	schlagen
schneuzen	schnäuzen	die Schnauze
Stengel	Stängel	die Stange
Stukkateur	Stuckateur	der Stuck
überschwenglich	überschwänglich	der Überschwang
verbleuen	verbläuen	blau

In einzelnen Fällen wurde die Schreibung an bestehende Regeln oder ähnliche Fälle angepasst:

ALT/OLD	NEU/NEW	GRUND/REASON
der Mop	der Mopp	*Verdoppelung des Konsonanten nach kurzem Vokal/doubling of consonant after short vowel sound*
der Tip	der Tipp	*dito/ditto*
Step tanzen	Stepp tanzen	*dito/ditto*
der Tolpatsch	der Tollpatsch	*dito/ditto*
der Karamel	der Karamell	*wie/like: die Karamelle*
das Känguruh	das Känguru	*wie/like: das Gnu*
rauh	rau	*wie/like: grau, blau*
der Alptraum	der Albtraum	

Bei Zusammensetzungen und Ableitungen wird die Schreibung des Grundwortes beibehalten:

ALT/OLD	NEU/NEW
Kontrollampe	Kontrolllampe
Schiffahrt	Schifffahrt
hellicht	helllicht
Roheit	Rohheit
Zäheit	Zähheit
Zierat	Zierrat
selbständig	selbstständig

The German spelling reform

On 1 July 1996, a declaration concerning the reform of German spelling rules was signed by all German-speaking countries. The new spelling rules can be taught in schools from the beginning of the 1996/97 school year. From 1 April 1998, only the new spelling rules will be taught. For a transitional period lasting until the end of the 2004/05 school year, the old way of spelling will not be regarded as incorrect.

The reform of spelling rules affects six main areas:

- Sound/letter correlation
- Writing words separately or as one word
- Hyphenation
- Capitalization
- Punctuation
- End-of-line division

Sound/letter correlation

Here, the changes affect six sub-sections:
- Adapting spelling to the origin of a word
- Adapting to the way analogous sounds or words are spelt
- Spelling of compound nouns and derivatives in accordance with the stem
- Spelling with ß and ss in accordance with pronunciation
- Germanized spelling of foreign words
- Standardizing the plural form of words ending in y

With words belonging to the same family, spelling has been adapted to that of the stem:

In individual cases, spelling has been adapted to existing rules or similar cases:

In compound nouns and derivatives, the spelling of the stem has been retained:

Das ß wird zu ss nach kurzem Vokal:

after a short vowel sound, ß becomes ss:

der Kuss, die Küsse
der Fluss, die Flüsse
wässrig
er muss
dass

Das ß bleibt bestehen nach langem Vokal oder Doppellaut:

After a long vowel sound or diphthong, ß remains unchanged:

der Fuß, die Füße
das Maß, die Maße
er heißt
draußen

Bei Fremdwörtern wurde eine Angleichung an die deutsche Schreibung vorgenommen, wenn diese sich bereits anbahnte, vor allem bei der Schreibung von ph in Verbindungen mit **phon**, **phot** und **graph**, z.B.:

Foreign words have been brought into line with German spelling if this trend was already beginning to develop. This applies especially to the spelling of ph in compounds with **phon**, **phot** and **graph**. For example:

quadrofon, Fotograf, Paragraf

In allen Fällen der eindeutschenden Schreibweise ist auch die andere Schreibweise als Variante zugelassen:

In all cases of Germanized spelling, the alternative spelling is also permissible:

-tiell	or	-ziell	essentiell	or	essenziell,
			potentiell	or	potenziell
-tial	or	-zial	Differential	or	Differenzial
			Potential	or	Potenzial
ai	or	ä	Mayonnaise	or	Majonäse,
			Necessaire	or	Nessessär
é	or	ee	Pappmaché	or	Pappmaschee,
			Exposé	or	Exposee
gh	or	g	Joghurt	or	Jogurt,
			Spaghetti	or	Spagetti
c	or	ss	Facette	or	Fassette,
			Necessaire	or	Nessessär
ch	or	sch	Ketchup	or	Ketschup,
			Chicorée	or	Schikoree
th	or	t	Thunfisch	or	Tunfisch,
			Panther	or	Panter

Der Plural von Wörtern, die aus dem Englischen stammen und auf **y** enden, wird jetzt einheitlich mit **ys** geschrieben, z.B.:

The plural of all words deriving from English and ending in **y** will now be written **ys**. For example:

die Buggys, die Ladys, die Partys, die Hobbys

Getrennt- und Zusammenschreibung

One word or two?

Verbindungen von **Substantiv und Verb** werden getrennt geschrieben, z.B.:

Noun and verb combinations are written separately. For example:

Ski fahren, Eis laufen, Halt machen,
Blut saugend, Pflanzen fressend

Aber: Zusammengesetzte Verben, die fast nur im Infinitiv oder Partizip gebraucht werden, schreibt man zusammen:

But: compound verbs which are almost exclusively used in the infinitive or as participles are written as one word:

bauchreden, bergsteigen, brustschwimmen,
kopfrechnen, seiltanzen, sonnenbaden

Verbindungen von **Infinitiv und Verb** werden getrennt geschrieben:

Infinitive and verb combinations are written separately:

kennen lernen, sitzen bleiben, spazieren gehen

Verbindungen von **Partizip und Verb** werden getrennt geschrieben, z.B.:

Participle and verb combinations are written separately. For example:

gefangen nehmen, geschenkt bekommen

Verbindungen von **Adjektiv/Adverb und Verb** werden zusammengeschrieben, wenn der erste Bestandteil als Wort nicht vorkommt, z.B.:

Adjective/adverb and verb combinations are written as one word if the first component of the compound is not a word in its own right. For example:

fehlschlagen, kundgeben, weismachen

oder wenn der erste Bestandteil nicht erweiterbar oder steigerbar ist, z.B.:

or if the first component of the compound cannot be qualified or compared. For example:

bereithalten, fernsehen, hochrechnen,
schwarzarbeiten, totschlagen

Verbindungen von **Adjektiv und Verb** werden getrennt geschrieben, wenn das Adjektiv erweiterbar oder steigerbar ist, wobei die Verneinung als Erweiterung gilt, z.B.:

Adjective and verb combinations are written separately if the adjective can be qualified or compared (in this case, negation counts as a qualification). For example:

bekannt machen, genau nehmen,
kurz treten, nahe bringen

Verbindungen von **Adverb und Verb** werden getrennt geschrieben, wenn das Adverb zusammengesetzt ist, z.B.:

Adverb and verb combinations are written separately if the adverb is a compound word. For example:

abhanden kommen, beiseite legen,
überhand nehmen, zunichte machen

Verbverbindungen mit **-ander** werden getrennt geschrieben, z.B.:

Verb combinations with **-ander** are written separately. For example:

aneinander legen, aufeinander schichten, auseinander laufen,
beieinander bleiben, durcheinander reden, zueinander finden

Verbverbindungen mit **-seits** und **-wärts** werden getrennt geschrieben, z.B.:

Verb combinations with **-seits** and **-wärts** are written separately. For example:

abseits stehen, abwärts gehen,
aufwärts streben, vorwärts blicken

Verbverbindungen mit einer Ableitung, die auf **-ig**, **-isch** und **-lich** enden, werden getrennt geschrieben, z.B.:

Verb combinations with a derivative ending in **-ig**, **-isch** and **-lich** are written separately. For example:

lästig fallen, übrig bleiben,
kritisch denken, freundlich grüßen

Verbverbindungen mit **sein** werden getrennt geschrieben, z.B.:

Verb combinations with **sein** are written separately. For example:

beisammen sein, fertig sein, zusammen sein

Verbindungen mit **viel** werden getrennt geschrieben, z.B.:

Combinations with **viel** are written separately. For example:

so viel Geld; Wie viel kostet das?
Wie viel Uhr ist es?

Verbindungen mit **irgend** werden zusammengeschrieben, z.B.:

Combinations with irgend are written as one word. For example:

irgendetwas, irgendjemand

Schreibung mit Bindestrich

Hyphenation

Der Bindestrich kann verstärkt dazu verwendet werden, Zusammenschreibungen zu gliedern und leichter lesbar zu machen, besonders beim Zusammentreffen von drei gleichen Konsonanten, z.B.:

Hyphens may now be used more frequently in order to break up compound words and make them easier to read, especially when the same consonant is repeated three times. For example:

Essstäbchen *oder/or* Ess-Stäbchen

oder bei substantivischen Aneinanderreihungen, z.B.:

or where a number of words have been put together to form a noun. For example:

das Auf-die-lange-Bank-Schieben

Man setzt den Bindestrich immer in Zusammensetzungen mit Einzelbuchstaben, Abkürzungen oder Ziffern, z.B.:

Where compounds have single letters, abbreviations or figures as a component part, hyphens are always used. For example:

T-Träger, x-te, Kfz-Versicherung, VIP-Lounge, Lungen-Tbc,
100-prozentig, 2/3-Mehrheit, 18-jährig, 2-Pfünder

Der Bindestrich wird auch bei Zusammensetzungen mit Eigennamen verwendet, z.B.:

Hyphens are also used in compounds containing proper nouns. For example:

Foto-Bauer, rheinland-pfälzisch, Heinrich-Heine-Straße,
Schiller-Ausgabe, Moskau-freundlich

Groß- und Kleinschreibung

Capitalization

Substantive werden groß geschrieben. Der Gebrauch des Artikels ist das grundlegende formale Erkennungsmerkmal eines Substantivs, z.B.:

Nouns are written with a capital. The basic formal characteristic of a noun is that it is used with an article. For example:

> das Schwimmen, das Wenn und Aber, im Voraus,
> im Dunkeln tappen, heute Abend, morgen Mittag

In Verbindung mit **einer Präposition oder einem Verb** werden Substantive groß geschrieben, z.B.:

Nouns are written with a capital in combinations with **a preposition or a verb**. For example:

> in Bezug auf, auf Grund von, zu Grunde gehen,
> Maß halten, Maschine schreiben, Rad fahren

Nur in Verbindung mit **sein, bleiben** und **werden** schreibt man Angst, Bange, Leid, Pleite und Schuld klein. In Verbindung mit anderen Verben wird groß geschrieben, z.B.:

Only in combination with **sein, bleiben** and **werden** are Angst, Bange, Leid, Pleite and Schuld written with a small letter. They are written with a capital letter when combined with other verbs. For example:

Ich habe Angst.	Mir wurde angst und bange.
Du willst mir wohl Bange machen.	Mir ist bange ums Herz.
Er tut mir Leid.	Ich bin es leid.
Seine Firma ist Pleite gegangen.	Seine Firma ist pleite geblieben.
Er hat Schuld daran.	Er ist schuld daran.

Adjektive, die als Ordnungszahlen benutzt werden und unbestimmte Zahladjektive werden groß geschrieben, z.B.:

Adjectives used as ordinals and indefinite adjectives of number are written with a capital. For example:

> der Erste, das Letzte, der Nächste, der Einzelne,
> das Ganze, Verschiedenes, alles Mögliche

Adjektive in bestimmten festen Verbindungen werden groß geschrieben, z.B.:

In certain fixed idioms, **adjectives** are written with a capital. For example:

> im Großen und Ganzen, im Klaren, des Weiteren,
> das Beste, den Kürzeren ziehen

Farben und Sprachen in Verbindung mit Präpositionen werden groß geschrieben, z.B.:

When combined with prepositions, **colours** and **languages** are written with a capital. For example:

> in Weiß, bei Gelb, auf Russisch, in Deutsch

Adjektive, die in Paaren zur Bezeichnung von Menschen auftreten, werden groß geschrieben, z.B.:

Adjectives used in pairs to describe people are written with a capital. For example:

> Jung und Alt, Arm und Reich

Bei **Superlativen** mit aufs ist sowohl Groß- als auch Kleinschreibung möglich, z.B.:

Superlatives with "aufs" can be written with or without a capital. For example:

> aufs Schönste *oder/or* aufs schönste,
> aufs Freundlichste *oder/or* aufs freundlichste

Bei festen Verbindungen von **Adjektiv und Substantiv** wird das Adjektiv klein geschrieben, z.B.:

In idiomatic **adjective/noun** combinations, the adjective is written with a small letter. For example:

> das schwarze Brett, die erste Hilfe,
> der goldene Schnitt, das große Los

Groß geschrieben wird das **Adjektiv**, wenn es sich um einen Eigennamen, einen Titel, eine Benennung oder eine Bezeichnung aus der Biologie handelt, z.B.:

Adjectives are written with a capital if they are proper names, titles, designations or names from biology. For example:

> die Vereinten Nationen, der Regierende Bürgermeister,
> der Stille Ozean, der Große Bär, Rote Bete, der Schwarze Milan

Groß geschrieben werden auch bestimmte Kalendertage, religiöse Handlungen und Institutionen, historische Ereignisse, z.B.:

Certain days in the calendar, religious acts and institutions, historical events are written with a capital letter. For example:

> der Heilige Abend, die Letzte Ölung,
> der Heilige Stuhl, der Dreißigjährige Krieg

Klein geschrieben werden **Ableitungen** von Eigennamen auf -(i)sch, z.B.:

Derivatives from proper names ending in -(i)sch are written with a small letter. For example:

> die brechtschen Dramen, die goethische Farbenlehre,
> das ohmsche Gesetz

Die **Anredeformen** „du" und „ihr" und die dazugehörigen Formen werden auch in Briefen klein geschrieben, z.B.:

The **forms of address** "du" and "ihr", as well as all the forms belonging to them, are written with a small letter, even in correspondence. For example:

Liebe Grüße, deine Veronika.
Wenn ihr uns besuchen kommt, bringt eure Kinder mit.

Die Höflichkeitsform „Sie" und die dazugehörigen Formen werden weiterhin groß geschrieben, z.B.:

The polite form of address "Sie", as well as all the forms belonging to it, is still written with a capital letter. For example:

Wenn Sie uns besuchen, bringen Sie Ihre Kinder mit.

Zeichensetzung

Bei der Zeichensetzung wird dem Schreibenden größere Freiheit eingeräumt, Sätze durch Kommas zu gliedern. Die meisten der bisherigen Regeln entfallen. Bei Hauptsätzen, die mit „und" oder „oder" verbunden sind, muss kein Komma mehr stehen, z.B.:

Punctuation

As concerns punctuation, the writer has now been given greater freedom to break up sentences with commas. Most of the rules which applied formerly have now been abandoned. There is no longer any need for a comma where main clauses are joined by "und" or "oder". For example:

Die Party war zu Ende und alle sind gegangen.

Worttrennung am Zeilenende

Die bisherige Regel, dass man „**st**" nicht trennen darf, entfällt, z.B.:

End-of-line division

The rule whereby "**st**" must not be divided no longer applies. For example:

Kis-te, Bürs-te, Plas-tik

Das „**ck**" wird nicht mehr in „k-k" umgewandelt, sondern bei der Trennung zusammen auf die nächste Zeile genommen, z.B.:

"**ck**" has no longer to be changed into "k-k", but is left together and taken over to the next line. For example:

Bä-cker, le-cken, Bli-cke, Zu-cker

Zusammengesetzte Wörter und Wörter mit einer Vorsilbe werden nach ihren Bestandteilen getrennt, z.B.:

Compound words and words with a prefix are divided according to their component parts. For example:

Klebe-streifen, Donners-tag,
ab-ändern, ent-eignen, ver-öden

Das gilt auch für Fremdwörter und geografische Namen, z.B.:

This rule also applies to foreign words and geographical names. For example:

des-illusionieren, in-akzeptabel,
Pro-gramm, trans-alpin, Neu-strelitz, West-indien

Wird ein Wort nicht mehr als Zusammensetzung erkannt oder empfunden, so kann auch nach Sprechsilben getrennt werden, z.B.:

If a word is no longer felt to be, or can no longer be recognized as, a compound, then it can also be divided phonetically. For example:

da-rüber, he-runter, wa-rum, ei-nander

Das gilt auch für Fremdwörter, wenn die Herkunft nicht mehr empfunden wird, z.B.:

This also applies to foreign words if their origin is no longer obvious. For example:

Chi-rurg	*bisher/previously*	Chir-urg
Helikop-ter	*bisher/previously*	Heliko-pter
Hyd-rant	*bisher/previously*	Hy-drant
Inte-resse	*bisher/previously*	Inter-esse
mak-robiotisch	*bisher/previously*	ma-krobiotisch

Einzelne Buchstaben dürfen abgetrennt werden, z.B.:

Single letters can be divided off. For example:

a-ber, E-he, I-dee, O-fen, U-ni

Alphabetisches Wörterverzeichnis

Das folgende Verzeichnis enthält Stichwörter dieses Wörterbuchs in ihrer alten und neuen Schreibweise, wobei der Schwerpunkt auf den Hauptbereichen der Rechtschreibreform (Zuordnung von Laut und Buchstabe, Getrennt- und Zusammenschreibung) liegt.

Alphabetical wordlist

The following wordlist contains headwords found in the dictionary and shows both their old and new spellings, with the emphasis on the main areas affected by the spelling reform (word/letter correlation, one/two word spellings).

ALT/OLD	NEU/NEW
Abdroßlung	Abdrosslung
abend	Abend
Abfluß	Abfluss
Abflußgraben	Abflussgraben
Abflußhahn	Abflusshahn
Abflußrinne	Abflussrinne
Abflußrohr	Abflussrohr
abgrundhäßlich	abgrundhässlich
Abguß	Abguss
Ablaß	Ablass
Ablaßbrief	Ablassbrief
Ablaßhandel	Ablasshandel
Ablaßventil	Ablassventil
Abriß	Abriss
Abrißarbeiten	Abrissarbeiten
Abrißbirne	Abrissbirne
Abrißliste	Abrissliste
abrißreif	abrissreif
Abschiedskuß	Abschiedskuss
Abschluß	Abschluss
Abschlußball	Abschlussball
Abschlußfeier	Abschlussfeier
Abschlußklasse	Abschlussklasse
Abschlußkommuniqué	Abschlusskommuniqué or Abschlusskommunikee
Abschlußprüfung	Abschlussprüfung
Abschlußrechnung	Abschlussrechnung
Abschlußzeugnis	Abschlusszeugnis
Abschuß	Abschuss
Abschußbasis	Abschussbasis
Abschußliste	Abschussliste
Abschußrampe	Abschussrampe
absein	ab sein
Abszeß	Abszess
Abtreibungsparagraph	Abtreibungsparagraph or Abtreibungsparagraf
abwärtsgehen	abwärts gehen
achtunggebietend	Achtung gebietend
ackerbautreibend	Ackerbau treibend
Aderlaß	Aderlass
Adhäsionsverschluß	Adhäsionsverschluss
Adreßbuch	Adressbuch
Ahnenpaß	Ahnenpass
Aktionsausschuß	Aktionsausschuss
Alkoholeinfluß	Alkoholeinfluss
Alkoholgenuß	Alkoholgenuss
Alkoholmißbrauch	Alkoholmissbrauch
alleinerziehend	allein erziehend
Alleinerziehende(r)	Alleinerziehende(r) or allein Erziehende(r)
alleinseligmachend	allein selig machend
alleinstehend	allein stehend
Alleinstehende(r)	Alleinstehende(r) or allein Stehende(r)
allgemeinbildend	allgemein bildend
allgemeingültig	allgemein gültig
allgemeinverbindlich	allgemein verbindlich
allgemeinverständlich	allgemein verständlich
allzufrüh	allzu früh
allzugern	allzu gern
allzusehr	allzu sehr
allzuviel	allzu viel
Alp (2)	Alp or Alb
Alpdruck	Alpdruck or Albdruck
Alpenpaß	Alpenpass
alphanumerisch	alphanummerisch
Alptraum	Alptraum or Albtraum
alptraumartig	alptraumartig or albtraumartig
Altersprozeß	Altersprozess
Amboß	Amboss
Amtsmißbrauch	Amtsmissbrauch
Analogieschluß	Analogieschluss
andersdenkend	anders denkend
Andersdenkende(r)	Andersdenkende(r) or anders Denkende(r)
andersgeartet	anders geartet
andersgesinnt	anders gesinnt
andersgläubig	anders gläubig
anderslautend	anders lautend
aneinanderbauen	aneinander bauen
aneinanderfügen	aneinander fügen
aneinandergeraten	aneinander geraten
aneinandergrenzen	aneinander grenzen
aneinanderhalten	aneinander halten
aneinanderhängen	aneinander hängen
aneinanderkleben	aneinander kleben
aneinanderkoppeln	aneinander koppeln
aneinanderlehnen	aneinander lehnen
aneinanderliegen	aneinander liegen
aneinanderprallen	aneinander prallen
aneinanderreihen	aneinander reihen
aneinanderschmieden	aneinander schmieden
aneinanderschmiegen	aneinander schmiegen
aneinandersetzen	aneinander setzen
aneinanderstellen	aneinander stellen
aneinanderstoßen	aneinander stoßen
angepaßt	angepasst
Angepaßtheit	Angepasstheit
Anlaß	Anlass
anläßlich	anlässlich
Annahmeschluß	Annahmeschluss
anrauhen	anrauen
Anriß	Anriss
Anschiß	Anschiss
Anschluß	Anschluss
Anschlußdose	Anschlussdose
anschlußfertig	anschlussfertig
Anschlußfinanzierung	Anschlussfinanzierung
Anschlußflug	Anschlussflug
Anschlußnummer	Anschlussnummer
Anschlußrohr	Anschlussrohr
Anschlußschnur	Anschlussschnur or Anschluss-Schnur
Anschlußstelle	Anschlussstelle or Anschluss-Stelle
Anschlußzug	Anschlusszug
ansein	an sein
arbeitsaufwendig	arbeitsaufwändig
Arbeitsausschuß	Arbeitsausschuss
Arbeitsprozeß	Arbeitsprozess
Arbeitsschluß	Arbeitsschluss
arbeitsuchend	Arbeit suchend
Arbeitsuchende(r)	Arbeitsuchende(r) or Arbeit Suchende(r)
Arierparagraph	Arierparagraph or Arierparagraf
Armvoll	Arm voll
Artilleriebeschuß	Artilleriebeschuss
Arzneimittelmißbrauch	Arzneimittelmissbrauch
Aß	Ass
Aschantinuß	Aschantinuss
Asylsuchende(r)	Asylsuchende(r) or Asyl Suchende(r)
auf daß	auf dass
Aufbeßrung	Aufbessrung
aufeinanderbeißen	aufeinander beißen
aufeinanderdrücken	aufeinander drücken
aufeinanderfahren	aufeinander fahren
aufeinanderfolgen	aufeinander folgen
aufeinanderfolgend	aufeinander folgend
aufeinanderhängen	aufeinander hängen
aufeinanderhetzen	aufeinander hetzen
aufeinanderhocken	aufeinander hocken
aufeinanderknallen	aufeinander knallen
aufeinanderlegen	aufeinander legen
aufeinanderliegen	aufeinander liegen
aufeinanderpassen	aufeinander passen
aufeinanderprallen	aufeinander prallen
aufeinanderpressen	aufeinander pressen
aufeinanderrasen	aufeinander rasen
aufeinanderschichten	aufeinander schichten
aufeinanderschlagen	aufeinander schlagen

ALT/OLD	NEU/NEW	ALT/OLD	NEU/NEW
aufeinandersetzen	aufeinander setzen	baß	bass
aufeinandersitzen	aufeinander sitzen	Baß	Bass
aufeinanderstellen	aufeinander stellen	Baßbariton	Bassbariton
aufeinanderstoßen	aufeinander stoßen	Baßgeige	Bassgeige
aufeinandertreffen	aufeinander treffen	Baßklarinette	Bassklarinette
aufeinandertürmen	aufeinander türmen	Baßpartie	Basspartie
Aufguß	Aufguss	Baßsänger	Basssänger or Bass-Sänger
Aufgußbeutel	Aufgussbeutel	Baßschlüssel	Bassschlüssel or Bass-Schlüssel
aufrauhen	aufrauen	Baßstimme	Bassstimme or Bass-Stimme
Aufriß	Aufriss	Bauchschuß	Bauchschuss
Aufrißzeichnung	Aufrisszeichnung	Baukostenzuschuß	Baukostenzuschuss
Aufschluß	Aufschluss	beeinflußbar	beeinflussbar
Aufschlüßlung	Aufschlüsslung	befliß	befliss
aufschlußreich	aufschlussreich	Begrüßungskuß	Begrüssungskuss
aufsehenerregend	Aufsehen erregend	beieinanderhaben	beieinander haben
aufsein	auf sein	beieinanderhalten	beieinander halten
aufsichtführend	Aufsicht führend	beieinandersein	beieinander sein
Aufsichtführende(r)	Aufsichtführende(r) or	beifallheischend	Beifall heischend
	Aufsicht Führende(r)	beifallspendend	Beifall spendend
aufwärtsgehen	aufwärts gehen	beisammensein	beisammen sein
aufwendig	aufwendig or aufwändig	Beischluß	Beischluss
auseinanderbekommen	auseinander bekommen	bekanntgeben	bekannt geben
auseinanderbiegen	auseinander biegen	bekanntmachen	bekannt machen
auseinanderbrechen	auseinander brechen	bekanntwerden	bekannt werden
auseinanderbreiten	auseinander breiten	Beleidigungsprozeß	Beleidigungsprozess
auseinanderbringen	auseinander bringen	belemmert	belämmert
auseinanderdividieren	auseinander dividieren	Bendel	Bändel
auseinanderdriften	auseinander driften	bergeversetzend	Berge versetzend
auseinanderentwickeln	auseinander entwickeln	Berufungsausschuß	Berufungsausschuss
auseinanderfallen	auseinander fallen	Beschiß	Beschiss
auseinanderfalten	auseinander falten	Beschluß	Beschluss
auseinanderfliegen	auseinander fliegen	beschlußfähig	beschlussfähig
auseinanderfließen	auseinander fließen	Beschlußfähigkeit	Beschlussfähigkeit
auseinandergehen	auseinander gehen	Beschlußfassung	Beschlussfassung
auseinanderhalten	auseinander halten	Beschlußrecht	Beschlussrecht
auseinanderjagen	auseinander jagen	beschlußreif	beschlussreif
auseinanderkennen	auseinander kennen	beschlußunfähig	beschlussunfähig
auseinanderklaffen	auseinander klaffen	Beschuß	Beschuss
auseinanderklamüsern	auseinander klamüsern	bestehenbleiben	bestehen bleiben
auseinanderklauben	auseinander klauben	bestehenlassen	bestehen lassen
auseinanderkriegen	auseinander kriegen	Bestelliste	Bestellliste or Bestell-Liste
auseinanderlaufen	auseinander laufen	bestgehaßt	bestgehasst
auseinanderleben	auseinander leben	bestußt	bestusst
auseinandermachen	auseinander machen	Betelnuß	Betelnuss
auseinandernehmen	auseinander nehmen	betreßt	betresst
auseinanderpflücken	auseinander pflücken	Betriebsschluß	Betriebsschluss
auseinanderreißen	auseinander reißen	Bettuch	Betttuch or Bett-Tuch
auseinanderschlagen	auseinander schlagen	bewußt	bewusst
auseinanderschrauben	auseinander schrauben	Bewußtheit	Bewusstheit
auseinandersetzen	auseinander setzen	bewußtlos	bewusstlos
auseinanderspreizen	auseinander spreizen	Bewußtlose(r)	Bewusstlose(r)
auseinandersprengen	auseinander sprengen	Bewußtlosigkeit	Bewusstlosigkeit
auseinanderspringen	auseinander springen	bewußtmachen	bewusstmachen
auseinanderstieben	auseinander stieben	bewußtmachen	bewußt machen
auseinanderstreben	auseinander streben	Bewußtsein	Bewusstsein
auseinandertreiben	auseinander treiben	Bewußtseinsbildung	Bewusstseinsbildung
auseinanderziehen	auseinander ziehen	bewußtseinserweiternd	bewusstseinserweiternd
außerstande	außerstande or außer Stande	Bewußtseinserweiterung	Bewusstseinserweiterung
Ausfluß	Ausfluss	Bewußtseinsinhalt	Bewusstseinsinhalt
Ausfuhrüberschuß	Ausfuhrüberschuss	Bewußtseinskunst	Bewusstseinskunst
Ausguß	Ausguss	Bewußtseinslage	Bewusstseinslage
Ausleseprozeß	Ausleseprozess	Bewußtseinslenkung	Bewusstseinslenkung
Ausschluß	Ausschluss	Bewußtseinsschwelle	Bewusstseinsschwelle
Ausschuß	Ausschuss	Bewußtseinsspaltung	Bewusstseinsspaltung
Ausschußmitglied	Ausschussmitglied	Bewußtseinsstörung	Bewusstseinsstörung
Ausschußöffnung	Ausschussöffnung	Bewußtseinsstrom	Bewusstseinsstrom
Ausschußsitzung	Ausschusssitzung or Ausschuss-Sitzung	Bewußtseinstrübung	Bewusstseinstrübung
Ausschußware	Ausschussware	bewußtseinsverändernd	bewusstseinsverändernd
aussein	aus sein	Bewußtseinsveränderung	Bewusstseinsveränderung
Autobiograph	Autobiograph or Autobiograf	Bewußtwerdung	Bewusstwerdung
Autobiographie	Autobiographie or Autobiografie	bezug	Bezug
autobiographisch	autobiographisch or autobiografisch	Bibliograph	Bibliograph or Bibliograf
Autograph	Autograph or Autograf	Bibliographie	Bibliographie or Bibliografie
		bibliographieren	bibliographieren or bibliografieren
		bibliographisch	bibliographisch or bibliografisch
B		Bierbaß	Bierbass
Bahnanschluß	Bahnanschluss	Bierfaß	Bierfass
Bajonettverschluß	Bajonettverschluss	Biograph	Biograph or Biograf
Balletttänzer	Balletttänzer or Ballett-Tänzer	Biographie	Biographie or Biografie
Bänderriß	Bänderriss	biographisch	biographisch or biografisch
Baroneß	Baroness		

ALT/OLD	NEU/NEW	ALT/OLD	NEU/NEW
biß	biss	dahinterkommen	dahinter kommen
Biß	Biss	dahintersetzen	dahinter setzen
bißchen	bisschen	dahinterstecken	dahinter stecken
Bißchen	Bisschen	dahinterstehen	dahinter stehen
Bißwunde	Bisswunde	Daktylographie	Daktylographie or Daktylografie
blanchieren	blanchieren or blanschieren	Dammriß	Dammriss
blankgewetzt	blank gewetzt	danebensein	daneben sein
blankpoliert	blank poliert	darauffolgend	darauf folgend
blaß	blass	Darmkatarrh	Darmkatarrh or Darmkatarr
blaß-	blass-	Darmverschluß	Darmverschluss
Blasenkatarrh	Blasenkatarrh or Blasenkatarr	darüberfahren	darüber fahren
Bläßhuhn	Blässhuhn	darüberliegen	darüber liegen
bläßlich	blässlich	darübermachen	darüber machen
Blattschuß	Blattschuss	darüberschreiben	darüber schreiben
Blattstengel	Blattstängel	darüberstehen	darüber stehen
bleibenlassen	bleiben lassen	darunterbleiben	darunter bleiben
blendendweiß	blendend weiß	darunterfallen	darunter fallen
bleuen	bläuen	daruntergehen	darunter gehen
blindfliegen	blind fliegen	darunterliegen	darunter liegen
blindschreiben	blind schreiben	daruntermischen	darunter mischen
blindspielen	blind spielen	darunterschreiben	darunter schreiben
blondgefärbt	blond gefärbt	daruntersetzen	darunter setzen
blondgelockt	blond gelockt	daß	dass
blutbildend	Blut bildend	dasein	da sein
Blutguß	Bluterguss	Datenmißbrauch	Datenmissbrauch
Blutpaß	Blutpass	Dauerstreß	Dauerstress
Böllerschuß	Böllerschuss	davorhängen	davor hängen
Bombenschuß	Bombenschuss	davorlegen	davor legen
Bonbonniere	Bonbonniere or Bonboniere	davorliegen	davor liegen
Börsenschluß	Börsenschluss	davorstehen	davor stehen
Börsentip	Börsentipp	davorstellen	davor stellen
Boß	Boss	Décolleté	Décolleté or Dekolletee
Bouclé	Bouclé or Buklee	Dekolleté	Dekolleté or Dekolletee
Branchenadreßbuch	Branchenadressbuch	Delikateß-	Delikatess-
braungebrannt	braun gebrannt	Delphin	Delphin or Delfin
Bravour	Bravour or Bravur	Delphinarium	Delphinarium or Delfinarium
Bravourleistung	Bravourleistung or Bravurleistung	Delphinschwimmen	Delphinschwimmen or Delfinschwimmen
bravourös	bravourös or bravurös		
Bravourstück	Bravourstück or Bravurstück	Demograph	Demograph or Demograf
breitgefächert	breit gefächert	Demographie	Demographie or Demografie
breitmachen	breit machen	demographisch	demographisch or demografisch
Brennessel	Brennnessel or Brenn-Nessel	Denkprozeß	Denkprozess
Bronchialkatarrh	Bronchialkatarrh or Bronchialkatarr	deplaciert	deplatziert
Bruderhaß	Bruderhass	deplaziert	deplatziert
Bruderkuß	Bruderkuss	des(sen)ungeachtet	des(sen) ungeachtet
Brummbaß	Brumbass	desungeachtet	des ungeachtet
Brüßler	Brüssler	Deutschenhaß	Deutschenhass
Brüßler(in)	Brüssler(in)	deutschsprechend	deutsch sprechend
buntbemalt	bunt bemalt	Diarrhö(e)	Diarrhö
buntgefärbt	bunt gefärbt	diät	Diät
buntgemischt	bunt gemischt	dichtbehaart	dicht behaart
buntgestreift	bunt getstreift	dichtbelaubt	dicht belaubt
buntschillernd	bunt schillernd	dichtbevölkert	dicht bevölkert
Büroschluß	Büroschluss	dichtbewölkt	dicht bewölkt
Buschenschenke	Buschenschenke or Buschenschänke	dichtgedrängt	dicht gedrängt
Butterfaß	Butterfass	diensthabend	Dienst habend
		Dienstschluß	Dienstschluss
		diensttuend	Dienst tuend

C	
Cashewnuß	Cashewnuss
Chansonnier	Chansonnier or Chansonier
charakterbildend	Charakter bildend
Chicorée	Chicorée or Schikoree
Choreograph	Choreograph or Choreograf
Choreographie	Choreographie or Choreografie
choreographieren	choreographieren or choreografieren
choreographisch	choreographisch or choreografisch
Cleverneß	Cleverness
Colanuß	Colanuss
Communiqué	Communiqué or Kommunikee
Computertomograph	Computertomograph or Computertomograf
Computertomographie	Computertomographie or Computertomografie
Coupé	Coupé or Kupee

Differential	Differential or Differenzial
Differential-	Differential- or Differenzial-
Differentialrechnung	Differentialrechnung or Differenzialrechnung
Diktaphon	Diktaphon or Diktafon
Doppelbeschluß	Doppelbeschluss
Doppelpaß	Doppelpass
dortbehalten	dort behalten
dortbleiben	dort bleiben
dortzuland(e)	dort zu Land(e)
Doublé	Doublé or Dublee
Doublee	Doublee or Dublee
draufsein	drauf sein
dreiviertel	drei Viertel
Dreß	Dress
Drittkläßler	Drittklässler
Drogenmißbrauch	Drogenmissbrauch
Droßlung	Drosslung
drückendheiß	drückend heiß
Dumdumgeschoß	Dumdumgeschoss
dünnbehaart	dünn behaart
dünnbesiedelt	dünn besiedelt

D	
dabeisein	dabei sein
Dachgeschoß	Dachgeschoss
dafürkönnen	dafür können
dahinterklemmen	dahinter klemmen
dahinterknien	dahinter knien

ALT/OLD	NEU/NEW	ALT/OLD	NEU/NEW
dünnbevölkert	dünn bevölkert	erbgutverändernd	Erbgut verändernd
dünngesät	dünn gesät	Erdbebenmeßgerät	Erdbebenmessgerät
Dünnschiß	Dünnschiss	Erdgeschoß	Erdgeschoss
durchbleuen	durchbläuen	Erdnuß	Erdnuss
durcheinanderbringen	durcheinander bringen	erdölexportierend	Erdöl exportierend
durcheinandergehen	durcheinander gehen	Erdschluß	Erdschluss
durcheinandergeraten	durcheinander geraten	erfaßbar	erfassbar
durcheinanderkommen	durcheinander kommen	erfolgversprechend	Erfolg versprechend
durcheinanderlaufen	durcheinander laufen	Erguß	Erguss
durcheinanderliegen	durcheinander liegen	Erlaß	Erlass
durcheinandermengen	durcheinander mengen	Ermessensmißbrauch	Ermessensmissbrauch
durcheinandermischen	durcheinander mischen	Ermittlungsausschuß	Ermittlungsausschuss
durcheinanderreden	durcheinander reden	ernstgemeint	ernst gemeint
durcheinanderrennen	durcheinander rennen	erstemal	erste Mal
durcheinanderrufen	durcheinander rufen	erstenmal	ersten Mal
durcheinanderschreien	durcheinander schreien	Erstkläßler	Erstklässler
durcheinanderwerfen	durcheinander werfen	Eßapfel	Essapfel
durcheinanderwirbeln	durcheinander wirbeln	eßbar	essbar
Durchfluß	Durchfluss	Eßbesteck	Essbesteck
Durchlaß	Durchlass	Eßgeschirr	Essgeschirr
durchnumerieren	durchnummerieren	Eßgewohnheiten	Essgewohnheiten
Durchschuß	Durchschuss	Eßkastanie	Esskastanie
durchsein	durch sein	Eßkultur	Esskultur
dußlig	dusslig	Eßlöffel	Esslöffel
Dußligkeit	Dussligkeit	eßlöffelweise	esslöffelweise
		Eßlust	Esslust
		Essen(s)zuschuß	Essen(s)zuschuss

E

ALT/OLD	NEU/NEW
ebensogern	ebenso gern
ebensogut	ebenso gut
ebensohäufig	ebenso häufig
ebensolang(e)	ebenso lang(e)
ebensooft	ebenso oft
ebensosehr	ebenso sehr
ebensoviel	ebenso viel
ebensowenig	ebenso wenig
ehrfurchtgebietend	Ehrfurcht gebietend
ehrpußlig	ehrpusslig
einbleuen	einbläuen
Einfluß	Einfluss
Einflußbereich	Einflussbereich
Einflußgebiet	Einflussgebiet
einflußlos	einflusslos
Einflußlosigkeit	Einflusslosigkeit
Einflußmöglichkeit	Einflussmöglichkeit
Einflußnahme	Einflussnahme
einflußreich	einflussreich
Einflußsphäre	Einflusssphäre or Einfluss-Sphäre
Einlaß	Einlass
Einschluß	Einschluss
Einschuß	Einschuss
Einschußloch	Einschussloch
Einschußstelle	Einschussstelle or Einschuss-Stelle
Einsendeschluß	Einsendeschluss
einwärtsgebogen	einwärts gebogen
einzelnstehend	einzeln stehend
Eisenguß	Eisenguss
Eisensulphat	Eisensulphat or Eisensulfat
eisenverarbeitend	Eisen verarbeitend
eislaufen	Eis laufen
ekelerregend	Ekel erregend
Elfmeterschuß	Elfmeterschuss
elsaß-lothringisch	elsass-lothringisch
Elsaß	Elsass
Elsaß-Lothringen	Elsass-Lothringen
energiebewußt	energiebewusst
energiesparend	Energie sparend
enganliegend	eng anliegend
engbedruckt	eng bedruckt
engbefreundet	eng befreundet
engbegrenzt	eng begrenzt
engbeschrieben	eng beschrieben
Engpaß	Engpass
entschloß	entschloss
Entschluß	Entschluss
entschlußfreudig	entschlussfreudig
Entschlußkraft	Entschlusskraft
entschlußlos	entschlusslos
Epigraph	Epigraph or Epigraf
epochemachend	Epoche machend
erbgutschädigend	Erbgut schädigend

ALT/OLD	NEU/NEW
essentiell	essentiell or essenziell
Eßstäbchen	Essstäbchen or Ess-Stäbchen
eßt	esst
Eßtisch	Esstisch
Eßunlust	Essunlust
Eßwaren	Esswaren
Eßzimmer	Esszimmer
Eßzwang	Esszwang
Ethnograph	Ethnograph or Ethnograf
Ethnographie	Ethnographie or Ethnografie
Europapaß	Europapass
Eustachische Röhre	eustachische Röhre
Exekutivausschuß	Exekutivausschuss
Existentialismus	Existentialismus or Existenzialismus
Existentialist	Existentialist or Existenzialist
existentialistisch	existentialistisch or existenzialistisch
Existentialphilosophie	Existentialphilosophie or Existenzialphilosophie
existentiell	existentiell or existenziell
Exponentialfunktion	Exponentialfunktion or Exponenzialfunktion
Exponentialgleichung	Exponentialgleichung or Exponenzialgleichung
Exposé	Exposé or Exposee
expreß	express
Expreß	Express
Expreßbrief	Expressbrief
Expreßgut	Expressgut
Expreßreinigung	Expressreinigung
Expreßzug	Expresszug
Expreßzüge	Expresszüge
Exzeß	Exzess

F

ALT/OLD	NEU/NEW
Facette	Facette or Fassette
facettenartig	facettenartig or fassettenartig
Facettenauge	Facettenauge or Fassettenauge
Facettenschliff	Facettenschliff or Fassettenschliff
facettieren	facettieren or fassettieren
Fachausschuß	Fachausschuss
Fachhochschulabschluß	Fachhochschulabschluss
fahrenlassen	fahren lassen
Fairneß	Fairness
fallenlassen	fallen lassen
Familienanschluß	Familienanschluss
Familienpaß	Familienpass
Fangschuß	Fangschuss
farbentragend	Farben tragend
Faß	Fass
Faßband	Fassband
faßbar	fassbar
Faßbier	Fassbier
Faßbinder	Fassbinder

ALT/OLD	NEU/NEW	ALT/OLD	NEU/NEW
Fäßchen	Fässchen	Flußspat	Flussspat or Fluss-Spat
Faßdaube	Fassdaube	Flußstahl	Flussstahl or Fluss-Stahl
faßlich	fasslich	Flußufer	Flussufer
Faßlichkeit	Fasslichkeit	Fön®	Föhn or Fön®
Faßreif(en)	Fassreif(en)	fönen	föhnen
Faßwein	Fasswein	Frauenüberschuß	Frauenüberschuss
faßweise	fassweise	Freisaß	Freisass
fäulniserregend	Fäulnis erregend	Freischuß	Freischuss
Fehlpaß	Fehlpass	Fremdenhaß	Fremdenhass
fehlplaziert	fehlplatziert	Fremdenpaß	Fremdenpass
Fehlschluß	Fehlschluss	Freßbeutel	Fressbeutel
Fehlschuß	Fehlschuss	Freßgier	Fressgier
feind	Feind	Freßkorb	Fresskorb
feingemahlen	fein gemahlen	Freßnapf	Fressnapf
Feinmeßgerät	Feinmessgerät	Freßpaket	Fresspaket
Feldtelegraph	Feldtelegraph or Feldtelegraf	Freßsack	Fresssack or Fress-Sack
Fernexpreß	Fernexpress	Freßsucht	Fresssucht or Fress-Sucht
fernhalten	fern halten	freßt	fresst
fernliegen	fern liegen	Freßwelle	Fresswelle
Fernsprechanschluß	Fernsprechanschluss	Freßwerkzeuge	Fresswerkzeuge
fernstehen	fern stehen	Friedenskuß	Friedenskuss
fertigbekommen	fertig bekommen	Friedensprozeß	Friedensprozess
fertigbringen	fertig bringen	Friedensschluß	Friedensschluss
fertigkriegen	fertig kriegen	friß	friss
fertigmachen	fertig machen	frischgebacken	frisch gebacken
fertigstellen	fertig stellen	Friteuse	Fritteuse
festangestellt	fest angestellt	fritieren	frittieren
festbesoldet	fest besoldet	Fritüre	Frittüre
festverwurzelt	fest verwurzelt	Froschbiß	Froschbiss
feuerschnaubend	Feuer schnaubend	frühauf	früh auf
feuerspeiend	Feuer speiend	frühpensionieren	früh pensionieren
feuersprühend	Feuer sprühend	frühverrenten	früh verrenten
Fideikommiß	Fideikommiss	frühvollendet	früh vollendet
Fieberphantasien	Fieberphantasien or Fieberfantasien	frühzeitig	früh zeitig
fiebersenkend	Fieber senkend	funkensprühend	Funken sprühend
Filmographie	Filmographie or Filmografie	Funkmeßgerät	Funkmessgerät
Filmriß	Filmriss	fürbaß	fürbass
Finanzausschuß	Finanzausschuss	furchteinflößend	Furcht einflößend
fischverarbeitend	Fisch verarbeitend	furchterregend	Furcht erregend
Fitneß	Fitness		
Flachpaß	Flachpass	**G**	
Flachschuß	Flachschuss	Gamsbart	Gamsbart or Gämsbart
Flaschenverschluß	Flaschenverschluss	Gamsbock	Gamsbock or Gämsbock
fleischfressend	Fleisch fressend	Gamsleder	Gämsleder
Fleischgenuß	Fleischgenuss	Gangsterboß	Gangsterboss
fleischgeworden	Fleisch geworden	garkochen	gar kochen
fleischverarbeitend	Fleisch verarbeitend	Gärungsprozeß	Gärungsprozess
Fliegenschiß	Fliegenschiss	Gäßchen	Gässchen
Flohbiß	Flohbiss	Gebiß	Gebiss
floß	floss	Gebißabdruck	Gebissabdruck
flötengehen	flöten gehen	Gebißanomalie	Gebissanomalie
Flügelroß	Flügelross	Gebrauchsgraphik	Gebrauchsgraphik or Gebrauchsgrafik
Fluß	Fluss	Gebrauchsgraphiker	Gebrauchsgraphiker or
Fluß-	Fluss-		Gebrauchsgrafiker
Flußaal	Flussaal	Gebührenerlaß	Gebührenerlass
flußab(wärts)	flussab(wärts)	Geburtenüberschuß	Geburtenüberschuss
Flußarm	Flussarm	gefahrbringend	Gefahr bringend
flußaufwärts	flussaufwärts	gefangenhalten	gefangen halten
Flußbau	Flussbau	gefangennehmen	gefangen nehmen
Flußbett	Flussbett	gefangensetzen	gefangen setzen
Flüßchen	Flüsschen	gefaßt	gefasst
Flußdiagramm	Flussdiagramm	Gefaßtheit	Gefasstheit
Flußebene	Flussebene	Gefäßverschluß	Gefässverschluss
Flußgebiet	Flussgebiet	gegeneinanderhalten	gegeneinander halten
Flußgefälle	Flussgefälle	gegeneinanderprallen	gegeneinander prallen
Flußgeschiebe	Flussgeschiebe	gegeneinanderstehen	gegeneinander stehen
Flußhafen	Flusshafen	gegeneinanderstellen	gegeneinander stellen
Flußkrebs	Flusskrebs	gegeneinanderstoßen	gegeneinander stoßen
Flußlandschaft	Flusslandschaft	geheimhalten	geheim halten
Flußlauf	Flusslauf	Geheimschloß	Geheimschloss
Flußmündung	Flussmündung	Geheimtip	Geheimtipp
Flußniederung	Flussniederung	geheimtun	geheim tun
Flußnixe	Flussnixe	gehenlassen	gehen lassen
Flußpferd	Flusspferd	Gemeindebeschluß	Gemeindebeschluss
Flußregelung	Flussregelung	Gemeinschaftsanschluß	Gemeinschaftsanschluss
Flußregulierung	Flussregulierung	Gemse	Gämse
Flußsand	Flusssand or Fluss-Sand	gemußt	gemusst
Flußschiff	Flussschiff or Fluss-Schiff	genaugenommen	genau genommen
Flußschiffahrt	Flussschiffahrt or Fluss-Schiffahrt	genauso-	genauso
flüssigmachen	flüssig machen	Generalbaß	Generalbass

ALT/OLD	NEU/NEW	ALT/OLD	NEU/NEW
Genesungsprozeß	Genesungsprozess	goldgefaßt	goldgefasst
Genickschuß	Genickschuss	Gonorrhö(e)	Gonorrhö
genoß	genoss	goß	goss
Genuß	Genuss	Grammolekül	Grammmolekül or Gramm-Molekül
genußfreudig	genussfreudig	Grammophon	Grammophon or Grammofon
Genußgift	Genussgift	Graph	Graph or Graf
genüßlich	genüsslich	Graphem	Graphem or Grafem
Genußmensch	Genussmensch	Graphie	Graphie or Grafie
Genußmittel	Genussmittel	Graphik	Graphik or Grafik
genußreich	genussreich	graphisch	graphisch or grafisch
Genußschein	Genussschein or Genuss-Schein	Graphologe	Graphologe or Grafologe
Genußsucht	Genusssucht or Genuss-Sucht	Graphologie	Graphologie or Grafologie
genußsüchtig	genusssüchtig or genuss-süchtig	Graphologin	Graphologin or Grafologin
genußvoll	genussvoll	gräßlich	grässlich
Geograph	Geograph or Geograf	Gräßlichkeit	Grässlichkeit
Geographie	Geographie or Geografie	grauenerregend	Grauen erregend
geographisch	geographisch or geografisch	graugestreift	grau gestreift
geradehalten	gerade halten	Grauguß	Grauguss
geradelegen	gerade legen	graumeliert	grau meliert
gerademachen	gerade machen	Grenzfluß	Grenzfluss
geraderichten	gerade richten	Greuel	Gräuel
geradesitzen	gerade sitzen	Greuelgeschichte	Gräuelgeschichte
geradesogut	geradeso gut	Greuelmärchen	Gräuelmärchen
geradesoviel	geradeso viel	Greuelmeldung	Gräuelmeldung
Gerichtsbeschluß	Gerichtsbeschluss	Greuelnachricht	Gräuelnachricht
geringachten	gering achten	Greuelpropaganda	Gräuelpropaganda
geringschätzen	gering schätzen	Greueltat	Gräueltat
G(e)riß	G(e)riss	greulich	gräulich
Geruch(s)verschluß	Geruch(s)verschluss	Griß	Griss
Geschäftsabschluß	Geschäftsabschluss	grobgemahlen	grob gemahlen
Geschäftsschluß	Geschäftsschluss	großangelegt	groß angelegt
Geschichtsbewußtsein	Geschichtsbewusstsein	Großanlaß	Großanlass
Geschiß	Geschiss	großgemustert	groß gemustert
Geschoß	Geschoss	großgewachsen	groß gewachsen
Geschoßbahn	Geschossbahn	großkariert	groß kariert
Geschoßgarbe	Geschossgarbe	Großphoto	Großphoto or Großfoto
Geschoßhagel	Geschosshagel	grundhäßlich	grundhässlich
gewaltbejahend	Gewalt bejahend	Grundriß	Grundriss
Gewerkschaftsboß	Gewerkschaftsboss	Gummiparagraph	Gummiparagraph or
Gewerkschaftskongreß	Gewerkschaftskongress		Gummiparagraf
gewinnbringend	Gewinn bringend	Gummi(wucht)geschoß	Gummi(wucht)geschoss
Gewinnummer	Gewinnnummer or Gewinn-Nummer	Guß	Guss
gewiß	gewiss	Gußasphalt	Gussasphalt
Gewißheit	Gewissheit	Gußbeton	Gussbeton
gewißlich	gewisslich	Gußeisen	Gusseisen
gewußt	gewusst	gußeisern	gusseisern
Gipsabguß	Gipsabguss	Gußform	Gussform
glattbügeln	glatt bügeln	Gußnaht	Gussnaht
glattgehen	glatt gehen	Gußstahl	Gussstahl or Guss-Stahl
glatthobeln	glatt hobeln	gutaussehend	gut aussehend
glattkämmen	glatt kämmen	gutbetucht	gut betucht
glattlegen	glatt legen	gutbezahlt	gut bezahlt
glattmachen	glatt machen	gutdotiert	gut dotiert
glattpolieren	glatt polieren	Gutenachtkuß	Gutenachtkuss
glattrasieren	glatt rasieren	gutgehen	gut gehen
glattrasiert	glatt rasiert	gutgehend	gut gehend
glattrühren	glatt rühren	gutgelaunt	gut gelaunt
glattschleifen	glatt schleifen	gutgelungen	gut gelungen
glattschneiden	glatt schneiden	gutgemeint	gut gemeint
glattstreichen	glatt streichen	gutgesinnt	gut gesinnt
glattwalzen	glatt walzen	gutsituiert	gut situiert
Gläubigerausschuß	Gläubigerausschuss	gutsitzend	gut sitzend
gleichbleiben	gleich bleiben	guttun	gut tun
gleichbleibend	gleich bleibend	gutunterrichtet	gut unterrichtet
gleichdenkend	gleich denkend	gutverdienend	gut verdienend
gleichgeartet	gleich geartet		
gleichgesinnt	gleich gesinnt	**H**	
gleichgestellt	gleich gestellt	Haarriß	Haarriss
gleichgestimmt	gleich gestimmt	haftenbleiben	haften bleiben
gleichlautend	gleich lautend	Hagiograph	Hagiograph or Hagiograf
Gleisanschluß	Gleisanschluss	Hagiographen	Hagiographen or Hagiografen
Glimmstengel	Glimmstängel	Hagiographie	Hagiographie or Hagiografie
Glockenguß	Glockenguss	halbfertig	halb fertig
Glotzophon	Glotzophon or Glotzofon	halbgar	halb gar
glückbringend	Glück bringend	Halbgeschoß	Halbgeschoss
glückverheißend	Glück verheißend	halblinks	halb links
Gnadenerlaß	Gnadenerlass	halbnackt	halb nackt
Gnadenschuß	Gnadenschuss	halboffen	halb offen
goldbetreßt	goldbetresst	halbrechts	halb rechts
Golddoublé	Golddoublé or Golddublee	halbtot	halb tot

ALT/OLD	NEU/NEW	ALT/OLD	NEU/NEW
halbverdaut	halb verdaut	hintereinandergehen	hintereinander gehen
halbvoll	halb voll	hintereinanderschalten	hintereinander schalten
halbwach	halb wach	hintereinanderstehen	hintereinander stehen
haltmachen	Halt machen	hinterhersein	hinterher sein
Hämorrhoiden	Hämorrhoiden or Hämorriden	hinübersein	hinüber sein
Hämorrhoidenschaukel	Hämorrhoidenschaukel or Hämmoridenschaukel	Historiograph	Historiograph or Historiograf
händchenhaltend	Händchen haltend	hochachten	hoch achten
handeltreibend	Handel treibend	hochbegabt	hoch begabt
Handkuß	Handkuss	hochdotiert	hoch dotiert
Handvoll	Hand voll	hochempfindlich	hoch empfindlich
hängenbleiben	hängen bleiben	hochentwickelt	hoch entwickelt
hängenlassen	hängen lassen	hochgeehrt	hoch geehrt
Hängeschloß	Hängeschloss	Hochgenuß	Hochgenuss
Härteparagraph	Härteparagraph or Härteparagraf	hochgeschätzt	hoch geschätzt
hartgebrannt	hart gebrannt	hochgestellt	hoch gestellt
hartgefroren	hart gefroren	hochgewachsen	hoch gewachsen
hartgekocht	hart gekocht	hochindustrialisiert	hoch industrialisiert
Haß	Hass	hochqualifiziert	hoch qualifiziert
Haßausbruch	Hassausbruch	hochschätzen	hoch schätzen
Haselnuß	Haselnuss	hochschrauben	hoch schrauben
haßerfüllt	hasserfüllt	Hochschulabschluß	Hochschulabschluss
Haßgefühl	Hassgefühl	hockenbleiben	hocken bleiben
häßlich	hässlich	hofhalten	Hof halten
Häßlichkeit	Hässlichkeit	höhergestellt	höher gestellt
Haßliebe	Hassliebe	höherliegend	höher liegend
Haßtirade	Hasstirade	höherschrauben	höher schrauben
haßverzerrt	hassverzerrt	höherstehend	höher stehend
Hauptanschluß	Hauptanschluss	höherstufen	höher stufen
Hauptschulabschluß	Hauptschulabschluss	hohnlachen	hohnlachen or Hohn lachen
haushalten	haushalten or Haus halten	hohnsprechen	hohnsprechen or Hohn sprechen
heilighalten	heilig halten	Holographie	Holographie or Holografie
heiligsprechen	heilig sprechen	holzverarbeitend	Holz verarbeitend
Heilungsprozeß	Heilungsprozess	homophon	homophon or homofon
heißersehnt	heiß ersehnt	Hosteß	Hostess
heißgeliebt	heiß geliebt	Hundebiß	Hundebiss
heißumkämpft	heiß umkämpft	hustenstillend	Husten stillend
heißumstritten	heiß umstritten	Hydrographie	Hydrographie or Hydrografie
Hektographie	Hektographie or Hektografie	hydrographisch	hydrographisch or hydrografisch
hektographieren	hektographieren or hektografieren		

I	
Ichbewußtsein	Ichbewusstsein

ALT/OLD	NEU/NEW
helleuchtend	hell leuchtend
hellicht	helllicht
Ich-Roman	Ichroman
Imbiß	Imbiss
helloderd	hell lodernd
hellstrahlend	hell strahlend
Imbißhalle	Imbisshalle
Imbißstand	Imbissstand or Imbiss-Stand
heraussein	heraus sein
hersein	her sein
Imbißstube	Imbissstube or Imbiss-Stube
immerwährend	immer während
herumsein	herum sein
heruntersein	herunter sein
Impfpaß	Impfpass
imstande	imstande or im Stande
Herzenserguß	Herzenserguss
Hexenprozeß	Hexenprozess
ineinanderfließen	ineinander fließen
ineinanderfügen	ineinander fügen
Hexenschuß	Hexenschuss
hierbehalten	hier behalten
ineinandergreifen	ineinander greifen
ineinanderpassen	ineinander passen
hierbleiben	hier bleiben
hierherbemühen	hierher bemühen
ineinanderschieben	ineinander schieben
Informationsfluß	Informationsfluss
hierherbitten	hierher bitten
hierherblicken	hierher blicken
insektenfressend	Insekten fressend
instandbesetzen	instand besetzen or in Stand besetzen
hierherbringen	hierher bringen
hierherfahren	hierher fahren
I-Punkt	i-Punkt
iß	iss
hierherführen	hierher führen
hierhergehören	hierher gehören
Ist-Bestand	Istbestand
I-Tüpfelchen	i-Tüpfelchen
hierherholen	hierher holen
hierherkommen	hierher kommen

J	
Jackettasche	Jacketttasche or Jackett-Tasche

ALT/OLD	NEU/NEW
hierherlaufen	hierher laufen
hierherlegen	hierher legen
Jagdschloß	Jagdschloss
Jahresabschluß	Jahresabschluss
hierherlocken	hierher locken
hierherschaffen	hierher schaffen
Joghurt	Joghurt or Jogurt
Joghurtbereiter	Joghurtbereiter or Jogurtbereiter
hierherschicken	hierher schicken
hierhersetzen	hierher setzen
Judaskuß	Judaskuss
Judenhaß	Judenhass
hierherstellen	hierher stellen
hierhertragen	hierher tragen
Juniorpaß	Juniorpass
justitiabel	justitiabel or justiziabel
hierherwagen	hierher wagen
hierherziehen	hierher ziehen
Justitiar	Justitiar or Justiziar
hierlassen	hier lassen
hiersein	hier sein

K	
Kabelanschluß	Kabelanschluss

ALT/OLD	NEU/NEW
hierzulande	hier zu Lande
hilfesuchend	Hilfe suchend
Kabinettsbeschluß	Kabinettsbeschluss
Kaffee-Ersatz	Kaffee-Ersatz or Kafeeersatz
Hinausschmiß	Hinausschmiss
hinaussein	hinaus sein
Kaffee-Extrakt	Kaffee-Extrakt or Kaffeeextrakt
kahlfressen	kahl fressen
hinsein	hin sein
hintereinanderfahren	hintereinander fahren
kahlgeschoren	kahl geschoren

ALT/OLD	NEU/NEW	ALT/OLD	NEU/NEW
kahlscheren	kahl scheren	Kontrabaß	Kontrabass
kahlschlagen	kahl schlagen	Kontrollampe	Kontrolllampe or Kontroll-Lampe
Kakophonie	Kakophonie or Kakofonie	Kontrolliste	Kontrollliste or Kontroll-Liste
Kalligraphie	Kalligraphie or Kalligrafie	Kopfnuß	Kopfnuss
kaltbleiben	kalt bleiben	Kopfschuß	Kopfschuss
kaltgepreßt	kaltgepresst	kopfstehen	Kopf stehen
kaltlächelnd	kalt lächelnd	Koppelschloß	Koppelschloss
kaltlassen	kalt lassen	kostensparend	Kosten sparend
Kammuschel	Kammmuschel or Kamm-Muschel	Kostenvorschuß	Kostenvorschuss
Känguruh	Känguru	kraß	krass
Kann-Bestimmung	Kannbestimmung	krebsauslösend	Krebs auslösend
Kapitalabfluß	Kapitalabfluss	krebserregend	Krebs erregend
Karamel	Karamell	Kreiselkompaß	Kreiselkompass
Kartograph	Kartograph or Kartograf	Kreppapier	Krepppapier or Krepp-Papier
Kartographie	Kartographie or Kartografie	kriegführend	Krieg führend
kartographisch	kartographisch or kartografisch	Kriegsgreuel	Kriegsgräuel
Kassenabschluß	Kassenabschluss	Kristalleuchter	Kristallleuchter or Kristall-Leuchter
Katarrh	Katarrh or Katarr	Kristallüster	Kristalllüster or Kristall-Lüster
kegelscheiben	Kegel scheiben	kroß	kross
kegelschieben	Kegel schieben	krummlegen	krumm legen
Kehlkopfkatarrh	Kehlkopfkatarrh or Kehlkopfkatarr	krummnehmen	krumm nehmen
Kehlkopfmikrophon	Kehlkopfmikrophon or Kehlkopfmikrofon	Kulturgeographie	Kulturgeographie or Kulturgeografie
		Küraß	Kürass
Kehlverschlußlaut	Kehlverschlusslaut	kurzgefaßt	kurz gefasst
Kellergeschoß	Kellergeschoss	kurzgeschnitten	kurz geschnitten
Kernspin-Tomographie	Kernspin-Tomographie or Kernspin-Tomografie	kurzhalten	kurz halten
		Kurzschluß	Kurzschluss
Kernspin-Tomograph	Kernspin-Tomograph or Kernspin-Tomograf	Kurzschlußreaktion	Kurzschlussreaktion
		kurztreten	kurz treten
keß	kess	Kuß	Kuss
Keßheit	Kessheit	küß die Hand	küss die Hand
Ketchup	Ketchup or Ketschup	Küßchen	Küsschen
Kettenschluß	Kettenschluss	küßdiehand	küssdiehand
Kindesmißhandlung	Kindesmisshandlung	kußecht	kussecht
Kinematographie	Kinematographie or Kinematografie	kußfest	kussfest
klarblickend	klar blickend	Kußhand	Kusshand
klardenkend	klar denkend	Kußmund	Kussmund
klarsehen	klar sehen		
klarwerden	klar werden	**L**	
klaß	klass	Ladenschluß	Ladenschluss
Klassenbewußtsein	Klassenbewusstsein	Ladenschlußgesetz	Ladenschlussgesetz
Klassenhaß	Klassenhass	Ladenschlußzeit	Ladenschlusszeit
-kläßler	-klässler	langersehnt	lang ersehnt
klatschenaß	klatschenass	langgehegt	lang gehegt
klatschnaß	klatschnass	langgestreckt	lang gestreckt
kleingedruckt	klein gedruckt	langgezogen	lang gezogen
kleingemustert	klein gemustert	längsgestreift	längs gestreift
kleinhacken	klein hacken	langziehen	lang ziehen
kleinmachen	klein machen	Lärmmeßgerät	Lärmmessgerät
kleinschneiden	klein schneiden	laß	lass
Klemmappe	Klemmmappe or Klemm-Mappe	läßlich	lässlich
Klettverschluß	Klettverschluss	laßt	lasst
klitschnaß	klitschnass	Lattenschuß	Lattenschuss
klugreden	klug reden	laubtragend	Laub tragend
knapphalten	knapp halten	Laufpaß	Laufpass
kochendheiß	kochend heiß	lebendgebärend	lebend gebärend
Kokosnuß	Kokosnuss	Lebensgenuß	Lebensgenuss
Kolanuß	Kolanuss	Lebensüberdruß	Lebensüberdruss
Kölnisch Wasser	kölnisch Wasser	leerlaufen	leer laufen
Koloß	Koloss	leerstehend	leer stehend
Kombinationsschloß	Kombinationsschloss	leichenblaß	leichenblass
Kommiß	Kommiss	leichtbeschwingt	leicht beschwingt
Kommißbrot	Kommissbrot	leichtbewaffnet	leicht bewaffnet
Kommißstiefel	Kommissstiefel or Kommiss-Stiefel	leichtentzündlich	leicht entzündlich
Kommuniqué	Kommuniqué or Kommunikee	leichtfallen	leicht fallen
Kompaß	Kompass	leichtgeschürzt	leicht geschürzt
Kompaßhäuschen	Kompasshäuschen	leichtmachen	leicht machen
Kompaßnadel	Kompassnadel	leichtnehmen	leicht nehmen
kompreß	kompress	leichtverdaulich	leicht verdaulich
kompromißbereit	kompromissbereit	leichtverderblich	leicht verderblich
Kompromißbereitschaft	Kompromissbereitschaft	leichtverletzt	leicht verletzt
kompromißlos	kompromisslos	leichtverständlich	leicht verständlich
Kompromißlösung	Kompromisslösung	leichtverwundet	leicht verwundet
Komteß	Komtess	Lenkradschloß	Lenkradschloss
Kongreß	Kongress	Lernprozeß	Lernprozess
Kongreßmitglied	Kongressmitglied	Leuchtgeschoß	Leuchtgeschoss
Kongreßteilnehmer	Kongressteilnehmer	Leuchtspurgeschoß	Leuchtspurgeschoss
Kongreßzentrum	Kongresszentrum	Lexikograph	Lexikograph or Lexikograf
kontoführend	Konto führend	Lexikographie	Lexikographie or Lexikografie
		lexikographisch	lexikographisch or lexikografisch

ALT/OLD	NEU/NEW	ALT/OLD	NEU/NEW
Lichtmeß	Lichtmess	Mißbrauch	Missbrauch
Lichtmeßverfahren	Lichtmessverfahren	mißbrauchen	missbrauchen
liebenlernen	lieben lernen	mißbräuchlich	missbräuchlich
liebgewinnen	lieb gewonnen	mißdeuten	missdeuten
liebgeworden	lieb geworden	Mißdeutung	Missdeutung
liebhaben	lieb haben	Mißerfolg	Misserfolg
liegenbleiben	liegen bleiben	Mißernte	Missernte
liegenlassen	liegen lassen	mißfallen	missfallen
Litfaßsäule	Litfasssäule or Litfass-Säule	Mißfallen	Missfallen
Lithograph	Lithograph or Lithograf	Mißfallensäußerung	Missfallensäußerung
Lithographie	Lithographie or Lithografie	Mißfallensbekundung	Missfallensbekundung
lithographieren	lithographieren or lithografieren	Mißfallenskundgebung	Missfallenskundgebung
lithographisch	lithographisch or lithografisch	mißfällig	missfällig
Lorbaß	Lorbass	mißgebildet	missgebildet
Luftschloß	Luftschloss	Mißgeburt	Missgeburt
Lustschloß	Lustschloss	mißgelaunt	missgelaunt
		Mißgeschick	Missgeschick
		mißgestalt	missgestalt

M

ALT/OLD	NEU/NEW	ALT/OLD	NEU/NEW
Machtmißbrauch	Machtmissbrauch	Mißgestalt	Missgestalt
Ma(f)fia-Boß	Ma(f)fia-Boss	mißgestaltet	missgestaltet
Magen-Darm-Katarrh	Magen-Darm-Katarrh or Magen-Darm-Katarr	mißgestimmt	missgestimmt
		mißglücken	missglücken
Magnetkompaß	Magnetkompass	mißgönnen	missgönnen
Magnetophon	Magnetophon or Magnetofon	Mißgriff	Missgriff
Magnetophonband	Magnetophonband or Magnetofonband	Mißgunst	Missgunst
		mißgünstig	missgünstig
Majoritätsbeschluß	Majoritätsbeschluss	mißhandeln	misshandeln
Mammutprozeß	Mammutprozess	Mißhandlung	Misshandlung
Männerhaß	Männerhass	Mißhelligkeit	Misshelligkeit
Männerüberschuß	Männerüberschuss	Mißklang	Missklang
Mantelgeschoß	Mantelgeschoss	Mißkredit	Misskredit
Marschkompaß	Marschkompass	mißlang	misslang
maschine(n)schreiben	Maschine schreiben	mißlaunig	misslaunig
maßhalten	Maß halten	mißlich	misslich
Maulkorberlaß	Maulkorberlass	Mißlichkeit	Misslichkeit
Mechanisierungsprozeß	Mechanisierungsprozess	mißliebig	missliebig
Medikamentenmißbrauch	Medikamentenmissbrauch	mißlingen	misslingen
Megaphon	Megaphon or Megafon	Mißlingen	Misslingen
Mehrheitsbeschluß	Mehrheitsbeschluss	mißlungen	misslungen
Meisterschuß	Meisterschuss	Mißmanagement	Missmanagement
Meldeschluß	Meldeschluss	Mißmut	Missmut
Meniskusriß	Meniskusriss	mißmutig	missmutig
Menschenhaß	Menschenhass	mißraten	missraten
menschenverachtend	Menschen verachtend	Mißstand	Missstand or Miss-Stand
Meßband	Messband	Mißstimmung	Missstimmung or Miss-Stimmung
meßbar	messbar	Mißton	Misston
Meßbecher	Messbecher	mißtönend	misstönend
Meßbuch	Messbuch	mißtönig	misstönig
Meßdaten	Messdaten	mißtrauen	misstrauen
Meßdiener	Messdiener	Mißtrauen	Misstrauen
Meßfühler	Messfühler	Mißtrauensantrag	Misstrauensantrag
Meßgerät	Messgerät	Mißtrauensvotum	Misstrauensvotum
Meßgewand	Messgewand	mißtrauisch	misstrauisch
Meßglas	Messglas	Mißvergnügen	Missvergnügen
Meßinstrument	Messinstrument	mißvergnügt	missvergnügt
Meßopfer	Messopfer	Mißverhältnis	Missverhältnis
Meßordnung	Messordnung	mißverständlich	missverständlich
Meßplatte	Messplatte	Mißverständnis	Missverständnis
Meßstab	Messstab or Mess-Stab	mißverstehen	missverstehen
Meßtechnik	Messtechnik	Mißwahl	Misswahl
Meßtisch	Messtisch	Mißweisung	Missweisung
Meßtischblatt	Messtischblatt	Mißwirtschaft	Misswirtschaft
Meßwein	Messwein	Mißwuchs	Misswuchs
Meßwert	Messwert	mißzubehagen	misszubehagen
Meßzahl	Messzahl	mißzuverstehen	misszuverstehen
Meßzylinder	Messzylinder	mittag	Mittag
metallverarbeitend	Metall verarbeitend	modebewußt	modebewusst
Mikrophon	Mikrophon or Mikrofon	Moiré	Moiré or Moiree
Milchgebiß	Milchgebiss	Mokkatäßchen	Mokkatässchen
miß	miss	Monographie	Monographie or Monografie
Miß	Miss	Mop	Mopp
mißachten	missachten	Mordprozeß	Mordprozess
Mißachtung	Missachtung	mündigsprechen	mündig sprechen
mißbehagen	missbehagen	Muskatnuß	Muskatnuss
Mißbehagen	Missbehagen	Muskelfaserriß	Muskelfaserriss
mißbilden	missbilden	Muskelriß	Muskelriss
Mißbildung	Missbildung	Muß	Muss
mißbilligen	missbilligen	Mußbestimmung	Mussbestimmung
mißbilligend	missbilligend	Muß-Bestimmung	Mussbestimmung
Mißbilligung	Missbilligung	Mußehe	Mussehe

ALT/OLD	NEU/NEW
Mußheirat	Mussheirat
mußte	musste
Muß-Vorschrift	Muss-Vorschrift
Musterprozeß	Musterprozess
Musterungsausschuß	Musterungsausschuss
Mutterpaß	Mutterpass
Myrrhe	Myrrhe *or* Myrre
Myrrhenöl	Myrrhenöl *or* Myrrenöl

N

ALT/OLD	NEU/NEW
Nachfaßaktion	Nachfassaktion
nachhinein	Nachhinein
Nachlaß	Nachlass
Nachlaßgericht	Nachlassgericht
Nachlaßgläubiger	Nachlassgläubiger
Nachlaßpfleger	Nachlasspfleger
Nachlaßverwalter	Nachlassverwalter
Nachlaßverwaltung	Nachlassverwaltung
nachmittag	Nachmittag
Nachrüstungsbeschluß	Nachrüstungsbeschluss
Nachschuß	Nachschuss
nacht	Nacht
nahebringen	nahe bringen
nahegehen	nahe gehen
nahekommen	nahe kommen
nahelegen	nahe legen
naheliegen	nahe liegen
naheliegend	nahe liegend
näherbringen	näher bringen
näherkommen	näher kommen
näherliegen	näher liegen
näherstehen	näher stehen
nähertreten	näher treten
nahestehen	nahe stehen
Nahrungs- und Genußmittelindustrie	Nahrungs- und Genussmittelindustrie
Narziß	Narziss
Narzißmus	Narzissmus
Narzißt	Narzisst
narzißtisch	narzisstisch
naß	nass
Naß	Nass
naßforsch	nassforsch
naßkalt	nasskalt
Naßrasur	Nassrasur
Naßwäsche	Nasswäsche
Naßzelle	Nasszelle
nationalbewußt	nationalbewusst
Nationalbewußtsein	Nationalbewusstsein
Nato-Doppelbeschluß	Nato-Doppelbeschluss
Nebel(schluß)leuchte	Nebel(schluss)leuchte
Nebenanschluß	Nebenanschluss
nebeneinanderlegen	nebeneinander legen
nebeneinanderreihen	nebeneinander reihen
nebeneinanderschalten	nebeneinander schalten
nebeneinandersetzen	nebeneinander setzen
nebeneinandersitzen	nebeneinander sitzen
nebeneinanderstellen	nebeneinander stellen
Nebenfluß	Nebenfluss
Nebenschluß	Nebenschluss
Necessaire	Necessaire *or* Nessessär
Negerkuß	Negerkuss
Negligé	Negligé *or* Negligee
Netzanschluß	Netzanschluss
neubearbeitet	neu bearbeitet
neuentdeckt	neu entdeckt
neuentwickelt	neuentwickelt
neueröffnet	neu eröffnet
neugebacken	neu gebacken
neugeboren	neu geboren
neugeschaffen	neu geschaffen
neugestalten	neu gestalten
neugewählt	neu gewählt
neuvermählt	neu vermählt
nichtleitend	nicht leitend
nichtorganisiert	nicht organisiert
nichtrostend	nicht rostend
nichtsahnend	nichts ahnend
Nichtseßhafte(r)	Nichtsesshafte(r)
nichtssagend	nichts sagend

ALT/OLD	NEU/NEW
niedrigstehend	niedrig stehend
nonstop	nonstopp
Nonstop-	Nonstopp-
Nonstopbetrieb	Nonstoppbetrieb
Nonstopflug	Nonstoppflug
Nonstopkino	Nonstoppkino
not	Not
notleidend	Not leidend
Nulleiter	Nullleiter *or* Null-Leiter
Nullinie	Nulllinie *or* Null-Linie
Nullösung	Nulllösung *or* Null-Lösung
numerieren	nummerieren
Numerierung	Nummerierung
numerisch	nummerisch
Nuß	Nuss
Nußbaum	Nussbaum
nußbraun	nussbraun
Nußknacker	Nussknacker
Nußkohle	Nusskohle
Nußschale	Nussschale *or* Nuss-Schale

O

ALT/OLD	NEU/NEW
obenerwähnt	oben erwähnt
Obergeschoß	Obergeschoss
offenbleiben	offen bleiben
offenhalten	offen halten
offenlassen	offen lassen
offenstehen	offen stehen
Ölmeßstab	Ölmessstab *or* Ölmess-Stab
Ordonnanz	Ordonnanz *or* Ordonanz
Ordonnanzoffizier	Ordonnanzoffizier *or* Ordonanzoffizier
Orthographie	Orthographie *or* Orthografie
orthographisch	orthographisch *or* orthografisch
Oszillograph	Oszillograph *or* Oszillograf
Ozeanographie	Ozeanographie *or* Ozeanografie

P

ALT/OLD	NEU/NEW
Panther	Panther *or* Panter
Papiermaché	Papiermaché *or* Papiermaschee
papierverarbeitend	Papier verarbeitend
Pappmaché	Pappmaché *or* Pappmaschee
Paragraph	Paragraph *or* Paragraf
Paragraphenreiter	Paragraphenreiter *or* Paragrafenreiter
paragraphenweise	paragraphenweise *or* paragrafenweise
Paragraphenwerk	Paragraphenwerk *or* Paragrafenwerk
Paragraphenzeichen	Paragraphenzeichen *or* Paragrafenzeichen
Paranuß	Paranuss
Parlamentsausschuß	Parlamentsausschuss
Parlamentsbeschluß	Parlamentsbeschluss
Parnaß	Parnass
Parteiausschußverfahren	Parteiausschussverfahren
Parteikongreß	Parteikongress
partial-	partial- *or* parzial-
partiell	partiell *or* parziell
Paß	Pass
Paßamt	Passamt
Paßbild	Passbild
passé	passé *or* passee
Paßform	Passform
Paßfoto	Passfoto
Paßgang	Passgang
Paßgänger	Passgänger
Paßhöhe	Passhöhe
Paßkontrolle	Passkontrolle
Paßphoto	Passphoto *or* Passfoto
Paßstelle	Passstelle *or* Pass-Stelle
Paßstraße	Passstraße *or* Pass-Straße
Paßwort	Passwort
Paßzwang	Passzwang
Patentverschluß	Patentverschluss
patschnaß	patschnass
Paukenschlegel	Paukenschlägel
Pfeffernuß	Pfeffernuss
Pfeilschuß	Pfeilschuss
Pferdegebiß	Pferdegebiss
pflanzenfressend	Pflanzen fressend
pflichtbewußt	pflichtbewusst
Pflichtbewußtsein	Pflichtbewusstsein
Pfostenschuß	Pfostenschuss

ALT/OLD	NEU/NEW
Phantasie	Phantasie or Fantasie
phantasiearm	phantasiearm or fantasiearm
phantasiebegabt	phantasiebegabt or fantasiebegabt
Phantasiebild	Phantasiebild or Fantasiebild
Phantasiegebilde	Phantasiegebilde or Fantasiegebilde
phantasielos	phantasielos or fantasielos
Phantasielosigkeit	Phantasielosigkeit or Fantasielosigkeit
phantasiereich	phantasiereich or fantasiereich
phantasieren	phantasieren or fantasieren
phantasievoll	phantasievoll or fantasievoll
Phantasievorstellung	Phantasievorstellung or Fantasievorstellung
Phantast	Phantast or Fantast
Phantasterei	Phantasterei or Fantasterei
phantastisch	phantastisch or fantastisch
Phon	Phon or Fon
phonstark	phonstark or fonstark
Phonstärke	Phonstärke or Fonstärke
Phonzahl	Phonzahl or Fonzahl
Piß	Piss
Pißpott	Pisspott
Pistolenschuß	Pistolenschuss
pitsch(e)naß	pitsch(e)nass
pitsch(e)patsch(e)naß	pitsch(e)patsch(e)nass
placieren	platzieren
Placierung	Platzierung
Platitüde	Platitüde or Plattitüde
platschnaß	platschnass
platzraubend	Platz raubend
platzsparend	Platz sparend
plazieren	platzieren
Plazierung	Platzierung
plump-vertraulich	plumpvertraulich
Pornographie	Pornographie or Pornografie
pornographisch	pornographisch or pornografisch
Portemonnaie	Portemonnaie or Portmonee
Porträtphotographie	Porträtphotographie or Porträtfotografie
Postillon d'amour	Postillon d'Amour
Potemkinsch	potemkinsch
Potential	Potential or Potenzial
potentiell	potentiell or potenziell
potthäßlich	potthässlich
preisbewußt	preisbewusst
Preisnachlaß	Preisnachlass
Prellschuß	Prellschuss
Preßglas	Pressglas
Preßkohle	Presskohle
Preßluft	Pressluft
Preßluftbohrer	Pressluftbohrer
Preßlufthammer	Presslufthammer
probefahren	Probe fahren
Problembewußtsein	Problembewusstsein
profitbringend	Profit bringend
Programmusik	Programmusik or Programm-Musik
Progreß	Progress
Protegé	Protegé or Protegee
Prozeß	Prozess
Prozeßakten	Prozessakten
prozeßfähig	prozessfähig
Prozeßfähigkeit	Prozessfähigkeit
prozeßführend	prozessführend
Prozeßführung	Prozessführung
Prozeßhansel	Prozesshansel
Prozeßkosten	Prozesskosten
Prozeßlawine	Prozesslawine
Prozeßordnung	Prozessordnung
Prozeßrecht	Prozessrecht
Prozeßsprache	Prozesssprache or Prozess-Sprache
prozeßsüchtig	prozesssüchtig or prozess-süchtig
prozeßunfähig	prozessunfähig
Prozeßunfähigkeit	Prozessunfähigkeit
Prozeßverschleppung	Prozessverschleppung
Prozeßvollmacht	Prozessvollmacht
Prozeßwärme	Prozesswärme
Prüfungsausschuß	Prüfungsausschuss
pudelnaß	pudelnass
Pulverfaß	Pulverfass
Pußta	Pussta

ALT/OLD	NEU/NEW
Q	
Quadrophonie	Quadrophonie or Quadrofonie
quadrophonisch	quadrophonisch or quadrofonisch
Quartal(s)abschluß	Quartal(s)abschluss
quatschnaß	quatschnass
Quellfluß	Quellfluss
Quentchen	Quäntchen
quergehen	quer gehen
quergestreift	quer gestreift
querlegen	quer legen
Querpaß	Querpass
querschießen	quer schießen
querschreiben	quer schreiben
Querschuß	Querschuss
querstellen	quer stellen
R	
radfahren	Rad fahren
Radikalenerlaß	Radikalenerlass
Radiographie	Radiographie or Radiografie
Radiokompaß	Radiokompass
radschlagen	Rad schlagen
Raketen(abschuß)basis	Raketen(abschuss)basis
Raketenabschuß	Raketenabschuss
Raketengeschoß	Raketengeschoss
Rassenbewußtsein	Rassenbewusstsein
Rassenhaß	Rassenhass
Ratsbeschluß	Ratsbeschluss
Ratschluß	Ratschluss
ratsuchend	Rat suchend
Räucherfaß	Räucherfass
Rauchfaß	Rauchfass
rauh	rau
Rauhbein	Raubein
rauhbeinig	raubeinig
Rauheit	Rauheit
rauhen	rauen
Rauhfasertapete	Raufasertapete
Rauhfutter	Raufutter
Rauhhaardackel	Rauhaardackel
rauhhaarig	rauhaarig
Rauhputz	Rauputz
Rauhreif	Raureif
raumsparend	Raum sparend
Rausschmiß	Rausschmiss
Rechnungsabschluß	Rechnungsabschluss
Rechtsmißbrauch	Rechtsmissbrauch
rechtsstehend	rechts stehend
Redaktionsschluß	Redaktionsschluss
Redefluß	Redefluss
Regenfaß	Regenfass
Regenguß	Regenguss
Regreß	Regress
Regreßanspruch	Regressanspruch
Regreßpflicht	Regresspflicht
regreßpflichtig	regresspflichtig
reichbegütert	reich begütert
reichgeschmückt	reich geschmückt
reichverziert	reich verziert
Reifungsprozeß	Reifungsprozess
reinleinen	rein leinen
reinseiden	rein seiden
reinwaschen	rein waschen
Reisenecessaire	Reisenecessaire or Reisenessessär
Reisepaß	Reisepass
Reparationsausschuß	Reparationsausschuss
Reproduktionsprozeß	Reproduktionsprozess
Reprographie	Reprographie or Reprografie
respekteinflößend	Respekt einflößend
Rezeß	Rezess
richtigliegen	richtig liegen
richtigstellen	richtig stellen
Richtmikrophon	Richtmikrophon or Richtmikrofon
riß	riss
Riß	Riss
Rißwunde	Risswunde
Roheit	Rohheit
Rolladen	Rollladen or Roll-Laden
Rommé	Rommé or Rommee
Röntgenographie	Röntgenographie or Röntgenografie

ALT/OLD	NEU/NEW	ALT/OLD	NEU/NEW
Schußligkeit	Schussligkeit	Shakespearesch	shakespearesch
Schußlinie	Schusslinie	Shakespearisch	shakespearisch
Schußrichtung	Schussrichtung	Sicherheitsschloß	Sicherheitsschloss
schußsicher	schusssicher *or* schuss-sicher	Sicherheitsverschluß	Sicherheitsverschluss
Schußverletzung	Schussverletzung	siegesbewußt	siegesbewusst
Schußwaffe	Schusswaffe	siegesgewiß	siegesgewiss
Schußwaffengebrauch	Schusswaffengebrauch	Sinnengenuß	Sinnengenuss
Schußwechsel	Schusswechsel	sitzenbleiben	sitzen bleiben
Schußweite	Schussweite	sitzenlassen	sitzen lassen
Schußwinkel	Schusswinkel	Skandalprozeß	Skandalprozess
Schußwunde	Schusswunde	Skipaß	Skipass
Schußzahl	Schusszahl	sodaß	sodass
schutzsuchend	Schutz suchend	Sommerschlußverkauf	Sommerschlussverkauf
schwachbesiedelt	schwach besiedelt	sonstjemand	sonst jemand
schwachbetont	schwach betont	sonstwann	sonst wann
schwachbevölkert	schwach bevölkert	sonstwas	sonst was
schwachbewegt	schwach bewegt	sonstwer	sonst wer
schwachradioaktiv	schwach radioaktiv	sonstwie	sonst wie
schwarzgestreift	schwarz gestreift	sonstwo	sonst wo
schwarzweißmalen	schwarzweiß malen	sonstwohin	sonst wohin
schwerbehindert	schwer behindert	Soufflé	Soufflé *or* Soufflee
schwerbeladen	schwer beladen	Soziographie	Soziographie *or* Soziografie
schwerbepackt	schwer bepackt	Spaghetti	Spaghetti *or* Spagetti
schwerbeschädigt	schwer beschädigt	Spaghettifresser	Spaghettifresser *or* Spagettifresser
schwerbewaffnet	schwer bewaffnet	Spaghettiträger	Spaghettiträger *or* Spagettiträger
schwererziehbar	schwer erziehbar	spazierenfahren	spazieren fahren
schwerfallen	schwer fallen	spazierenführen	spazieren führen
schwerkrank	schwer krank	spazierengehen	spazieren gehen
schwerkriegsbeschädigt	schwer kriegsbeschädigt	Speichelfluß	Speichelfluss
schwerlöslich	schwer löslich	Sperrad	Sperrrad *or* Sperr-Rad
schwermachen	schwer machen	Sperrdifferential	Sperrdifferential *or* Sperrdifferenzial
schwernehmen	schwer nehmen	spliß	spliss
schwertun	schwer tun	Sprachmißbrauch	Sprachmissbrauch
schwerverdaulich	schwer verdaulich	Spritzguß	Spritzguss
schwerverdient	schwer verdient	sproß	spross
schwerverletzt	schwer verletzt	Sproß	Spross
schwerverständlich	schwer verständlich	SpRößling	Sprössling
schwerverträglich	schwer verträglich	Spukschloß	Spukschloss
schwerverwundet	schwer verwundet	Staatszuschuß	Staatszuschuss
schwindelerregend	Schwindel erregend	Stahlmantelgeschoß	Stahlmantelgeschoss
Seborrhöe	Seborrhö	Stahlroß	Stahlross
See-Elefant	See-Elefant *or* Seeelefant	Stallaterne	Stalllaterne *or* Stall-Laterne
segenbringend	Segen bringend	Stammesbewußtsein	Stammesbewusstsein
segenspendend	Segen spendend	Stammutter	Stammmutter *or* Stamm-Mutter
seinlassen	sein lassen	Standesbewußtsein	Standesbewusstsein
Seismograph	Seismograph *or* Seismograf	Startschuß	Startschuss
Seitenriß	Seitenriss	Statt	statt
selbständig	selbständig *or* selbstständig	steckenbleiben	stecken bleiben
Selbständige(r)	Selbständige(r) *or* Selbstständige(r)	steckenlassen	stecken lassen
Selbständigkeit	Selbständigkeit *or* Selbstständigkeit	Steckschloß	Steckschloss
Selbstanschluß	Selbstanschluss	Steckschuß	Steckschuss
selbstbewußt	selbstbewusst	stehenbleiben	stehen bleiben
Selbstbewußtsein	Selbstbewusstsein	stehenlassen	stehen lassen
selbsternannt	selbst ernannt	Stehimbiß	Stehimbiss
selbstgebacken	selbst gebacken	Steilpaß	Steilpass
selbstgebaut	selbst gebaut	Stengel	Stängel
selbstgebraut	selbst gebraut	stengellos	stängellos
selbstgemacht	selbst gemacht	Stenograph	Stenograph *or* Stenograf
selbstgesponnen	selbst gesponnen	Stenographie	Stenographie *or* Stenografie
selbstgestrickt	selbst gestrickt	stenographieren	stenographieren *or* stenografieren
selbstgezogen	selbst gezogen	stenographisch	stenographisch *or* stenografisch
Selbsthaß	Selbsthass	Step	Stepp
Selbstschuß	Selbstschuss	Stepeisen	Steppeisen
selbstverdient	selbst verdient	Steptanz	Stepptanz
selbstverfaßt	selbst verfaßt	Steptänzer	Stepptänzer
selbstverschuldet	selbst verschuldet	stereophon	stereophon *or* stereofon
selbstverständlich	selbst verständlich	Stereophonie	Stereophonie *or* Stereofonie
seligpreisen	selig preisen	stereophonisch	stereophonisch *or* stereofonisch
seligsprechen	selig sprechen	Steuererlaß	Steuererlass
Semesterschluß	Semesterschluss	Stewardeß	Stewardess
Senatsausschuß	Senatsausschuss	stiftengehen	stiften gehen
Sendeschluß	Sendeschluss	Stilleben	Stillleben *or* Still-Leben
Sendungsbewußtsein	Sendungsbewusstsein	stillegen	stilllegen *or* still-legen
Seniorenpaß	Seniorenpass	Stillegung	Stilllegung *or* Still-Legung
Sensationsprozeß	Sensationsprozess	stillhalten	still halten
Séparée	Séparée *or* Separee	stilliegen	stillliegen *or* still-liegen
sequentiell	sequentiell *or* sequenziell	stillsitzen	still sitzen
Serigraphie	Serigraphie *or* Serigrafie	Stirnhöhlenkatarrh	Stirnhöhlenkatarrh *or* Stirnhöhlenkatarr
seßhaft	sesshaft	Stoffetzen	Stofffetzen *or* Stoff-Fetzen
Seßhaftigkeit	Sesshaftigkeit	Stoffülle	Stofffülle *or* Stoff-Fülle

ALT/OLD	NEU/NEW	ALT/OLD	NEU/NEW
stop	stopp	Troß	Tross
Straferlaß	Straferlass	Trugschluß	Trugschluss
Strafnachlaß	Strafnachlass	tschüs	tschüs or tschüss
Strafprozeß	Strafprozess	Türschloß	Türschloss
Strafprozeßordnung	Strafprozessordnung	Typographie	Typographie or Typografie
Strafschuß	Strafschuss	typographisch	typographisch or
strammziehen	stramm ziehen		typografisch
Straß	Strass		
Streifschuß	Streifschuss		
Streitroß	Streitross	**U**	
strenggenommen	streng genommen	übelbeleumdet	übel beleumdet
strengnehmen	streng nehmen	übelberaten	übel beraten
Streß	Stress	übelgelaunt	übel gelaunt
streßfrei	stressfrei	übelgesinnt	übel gesinnt
streßgeplagt	stressgeplagt	übelnehmen	übel nehmen
Streßkrankheit	Stresskrankheit	übelriechend	übel riechend
Streßsituation	Stresssituation or Stress-Situation	übeltun	übel tun
Stromanschluß	Stromanschluss	übelwollen	übel wollen
stromführend	Strom führend	Überdruß	Überdruss
Stückfaß	Stückfass	übereinanderlegen	übereinander legen
Studienabschluß	Studienabschluss	übereinanderliegen	übereinander liegen
Stukkateur	Stuckateur	übereinanderschlagen	übereinander schlagen
Stukkatur	Stuckatur	Überfluß	Überfluss
Stuß	Stuss	Überflußgesellschaft	Überflussgesellschaft
substantiell	substantiell or substanziell	überhandnehmen	überhand nehmen
suchterzeugend	Sucht erzeugend	Überschuß	Überschuss
Suchtmittelmißbrauch	Suchtmittelmissbrauch	Überschußbeteiligung	Überschussbeteiligung
Synchronverschluß	Synchronverschluss	Überschußland	Überschussland
Szintigraph	Szintigraph or Szintigraf	Überschußproduktion	Überschussproduktion
Szintigraphie	Szintigraphie or Szintigrafie	überschwenglich	überschwänglich
		Überschwenglichkeit	Überschwänglichkeit
		übersein	über sein
T		übrigbehalten	übrig behalten
Tabakgenuß	Tabakgenuss	übrigbleiben	übrig bleiben
Tablettenmißbrauch	Tablettenmissbrauch	übriglassen	übrig lassen
Tankverschluß	Tankverschluss	U-förmig	u-förmig
Tarifabschluß	Tarifabschluss	Ultima ratio	Ultima Ratio
Täßchen	Tässchen	Umkehrschluß	Umkehrschluss
Tee-Ei	Tee-Ei or Teeei	umnumerieren	umnummerieren
Telefonhauptanschluß	Telefonhauptanschluss	Umriß	Umriss
Telegraph	Telegraph or Telegraf	umrißhaft	umrisshaft
Telegraphen-	Telegraphen- or Telegrafen-	Umrißzeichnung	Umrisszeichnung
Telegraphie	Telegraphie or Telegrafie	Umschluß	Umschluss
telegraphieren	telegraphieren or	umsein	um sein
	telegrafieren	umweltbewußt	umweltbewusst
telegraphisch	telegraphisch or telegrafisch	Umweltbewußtsein	Umweltbewusstsein
Telexanschluß	Telexanschluss	unangepaßt	unangepasst
Thunfisch	Thunfisch or Tunfisch	unbeeinflußbar	unbeeinflussbar
tiefbetrübt	tief betrübt	unbeeinflußt	unbeeinflusst
tiefbewegt	tief bewegt	unbewußt	unbewusst
tiefblickend	tief blickend	unerläßlich	unerlässlich
tiefempfunden	tief empfunden	unermeßlich	unermesslich
tieferschüttert	tief erschüttert	Unfairneß	Unfairness
tiefgehend	tief gehend	unfaßbar	unfassbar
tiefgreifend	tief greifend	unfaßlich	unfasslich
tiefliegend	tief liegend	ungewiß	ungewiss
tiefschürfend	tief schürfend	Ungewißheit	Ungewissheit
Tintenfaß	Tintenfass	unglückbringend	Unglück bringend
Tip	Tipp	unheilbringend	Unheil bringend
Todesschuß	Todesschuss	unheilverkündend	Unheil verkündend
Tolpatsch	Tollpatsch	unmeßbar	unmessbar
tolpatschig	tollpatschig	unmißverständlich	unmissverständlich
Tomograph	Tomograph or Tomograf	unpäßlich	unpässlich
Tomographie	Tomographie or Tomografie	Unpäßlichkeit	Unpässlichkeit
Topograph	Topograph or Topograf	Unrechtsbewußtsein	Unrechtsbewusstsein
Topographie	Topographie or Topografie	Unruhepotential	Unruhepotential or Unruhepotenzial
topographisch	topographisch or topografisch	unselbständig	unselbständig or unselbstständig
Toresschluß	Toresschluss	Unselbständige(r)	Unselbständige(r) or
Torschluß	Torschluss		Unselbstständige(r)
Torschlußpanik	Torschlusspanik	Unselbständigkeit	Unselbständigkeit or
Tortenguß	Tortenguss		Unselbstständigkeit
totenblaß	totenblass	untenerwähnt	unten erwähnt
totgeboren	tot geboren	untengenannt	unten genannt
traditionsbewußt	traditionsbewusst	untenliegend	unten liegend
Traditionsbewußtsein	Traditionsbewusstsein	untenstehend	unten stehend
Tränenfluß	Tränenfluss	Unterausschuß	Unterausschuss
treuergeben	treu ergeben	unterbewußt	unterbewusst
treusorgend	treu sorgend	Unterbewußtsein	Unterbewusstsein
trockensitzen	trocken sitzen	unterderhand	unter der Hand
Trommelschlegel	Trommelschlägel	untereinander-	untereinander
tropfnaß	tropfnass	Untergeschoß	Untergeschoss

ALT/OLD	NEU/NEW
Unterlaß	Unterlass
Untersuchungsausschuß	Untersuchungsausschuss
Unterwasserphotographie	Unterwasserphotographie or Unterwasserfotografie
unvergeßlich	unvergesslich
unverläßlich	unverlässlich

V	
Varieté	Varieté or Varietee
verantwortungsbewußt	verantwortungsbewusst
Verantwortungsbewußtsein	Verantwortungsbewusstsein
Verbiß	Verbiss
verbleuen	verbläuen
verdroß	verdross
Verdruß	Verdruss
vergeßlich	vergesslich
Vergeßlichkeit	Vergesslichkeit
vergiß	vergiss
Vergißmeinnicht	Vergissmeinnicht
verhaßt	verhasst
Verlaß	Verlass
verläßlich	verlässlich
Verläßlichkeit	Verlässlichkeit
verlorengehen	verloren gehen
verlustbringend	Verlust bringend
Vermißte(r)	Vermisste(r)
Vermißtenanzeige	Vermisstenanzeige
Vermittlungsausschuß	Vermittlungsausschuss
Verriß	Verriss
verschliß	verschliss
Verschluß	Verschluss
Verschlußlaut	Verschlusslaut
Verschlüßlung	Verschlüsslung
Verschlußsache	Verschlusssache or Verschluss-Sache
Verschlußsachen	Verschlusssachen or Verschluss-Sachen
verschüttgehen	verschütt gehen
verselbständigen	verselbständigen or verselbstständigen
Verselbständigung	Verselbständigung or Verselbstständigung
Versorgungsengpaß	Versorgungsengpass
vertrauenerweckend	Vertrauen erweckend
Vertrauensvorschuß	Vertrauensvorschuss
Vibraphon	Vibraphon or Vibrafon
vielbeschäftigt	viel beschäftigt
vieldiskutiert	viel diskutiert
vielgehaßt	viel gehaßt
vielgekauft	viel gekauft
vielgeliebt	viel geliebt
vielgenannt	viel genannt
vielgeprüft	viel geprüft
vielgereist	viel gereist
vielgeschmäht	viel geschmäht
vielsagend	viel sagend
vielumworben	viel umworben
vielverheißend	viel verheißend
vielversprechend	viel versprechend
Volksschulabschluß	Volksschulabschluss
volladen	voll laden
vollaufen	voll laufen
vollbekommen	voll bekommen
vollbringen(1)	voll bringen
vollessen	voll essen
vollfressen	voll fressen
vollfüllen	voll füllen
Vollgenuß	Vollgenuss
vollgießen	voll gießen
vollmachen	voll machen
vollpacken	voll packen
vollpfropfen	voll pfropfen
vollpumpen	voll pumpen
vollsaugen	voll saugen
vollschenken	voll schenken
vollschlagen	voll schlagen
vollschmieren	voll schmieren
vollschreiben	voll schreiben
vollstopfen	voll stopfen
volltanken	voll tanken
vorgefaßt	vorgefasst
Vorhängeschloß	Vorhängeschloss
vorhinein	Vorhinein

ALT/OLD	NEU/NEW
Vorlegeschloß	Vorlegeschloss
vorliebnehmen	vorlieb nehmen
vormittag	Vormittag
Vorschlußrunde	Vorschlussrunde
Vorschuß	Vorschuss
Vorschußlorbeeren	Vorschusslorbeeren
Vorschußzinsen	Vorschusszinsen
Vortagesschluß	Vortagesschluss
vorwärtsbringen	vorwärts bringen
vorwärtsgehen	vorwärts gehen
vorwärtskommen	vorwärts kommen
Vorwochenschluß	Vorwochenschluss

W	
wachhalten	wach halten
Waggon	Waggon or Wagon
waggonweise	waggonweise or wagonweise
Wahlausschuß	Wahlausschuss
Walnuß	Walnuss
Walnußbaum	Walnussbaum
Walroß	Walross
warmhalten	warm halten
warmlaufen	warm laufen
Warnschuß	Warnschuss
Waschfaß	Waschfass
wäßrig	wässrig
wasserabstoßend	Wasser abstoßend
wasserabweisend	Wasser abweisend
Wasseranschluß	Wasseranschluss
Wasserschloß	Wasserschloss
Wehrpaß	Wehrpass
Weiberhaß	Weiberhass
weichgeklopft	weich geklopft
weichgekocht	weich gekocht
weichklopfen	weich klopfen
weichkriegen	weich kriegen
weichmachen	weich machen
Weihrauchfaß	Weihrauchfass
Weinfaß	Weinfass
weißglühend	weiß glühend
weißhaarig	weiß haarig
weiterbestehen	weiter bestehen
weiterbewegen	weiter bewegen
weitgereist	weit gereist
weitgesteckt	weit gesteckt
weitgreifend	weit greifend
weithergeholt	weit hergeholt
weitreichend	weit reichend
weitschauend	weit schauend
weittragend	weit tragend
weitverbreitet	weit verbreitet
weitverzweigt	weit verzweigt
Wertebewußtsein	Wertebewusstsein
Wetteufel	Wettteufel or Wett-Teufel
Wetturnen	Wettturnen or Wett-Turnen
wiederaufarbeiten	wieder aufarbeiten
wiederaufbauen	wieder aufbauen
wiederauferstehen	wieder auferstehen
wiederaufforsten	wieder aufforsten
wiederaufführen	wieder aufführen
wiederaufladen	wieder aufladen
wiederaufleben	wieder aufleben
wiederauflegen	wieder auflegen
wiederaufnehmen	wieder aufnehmen
wiederaufrichten	wieder aufrichten
wiederaufrüsten	wieder aufrüsten
wiederausführen	wieder ausführen
wiederbeleben	wieder beleben
wiederbewaffnen	wieder bewaffnen
wiedereinbürgern	wieder einbürgern
wiedereinfinden	wieder einfinden
wiedereinführen	wieder einführen
wiedereingliedern	wieder eingliedern
wiedereinnehmen	wieder einnehmen
wiedereinsetzen	wieder einsetzen
wiedereinstellen	wieder einstellen
wiederentdecken	wieder entdecken
wiedererkennen	wieder erkennen
wiederernennen	wieder ernennen
wiedereröffnen	wieder eröffnen

ALT/OLD	NEU/NEW
stop	stopp
Straferlaß	Straferlass
Strafnachlaß	Strafnachlass
Strafprozeß	Strafprozess
Strafprozeßordnung	Strafprozessordnung
Strafschuß	Strafschuss
strammziehen	stramm ziehen
Straß	Strass
Streifschuß	Streifschuss
Streitroß	Streitross
strenggenommen	streng genommen
strengnehmen	streng nehmen
Streß	Stress
streßfrei	stressfrei
streßgeplagt	stressgeplagt
Streßkrankheit	Stresskrankheit
Streßsituation	Stresssituation or Stress-Situation
Stromanschluß	Stromanschluss
stromführend	Strom führend
Stückfaß	Stückfass
Studienabschluß	Studienabschluss
Stukkateur	Stuckateur
Stukkatur	Stuckatur
Stuß	Stuss
substantiell	substantiell or substanziell
suchterzeugend	Sucht erzeugend
Suchtmittelmißbrauch	Suchtmittelmissbrauch
Synchronverschluß	Synchronverschluss
Szintigraph	Szintigraph or Szintigraf
Szintigraphie	Szintigraphie or Szintigrafie

T	
Tabakgenuß	Tabakgenuss
Tablettenmißbrauch	Tablettenmissbrauch
Tankverschluß	Tankverschluss
Tarifabschluß	Tarifabschluss
Täßchen	Tässchen
Tee-Ei	Tee-Ei or Teeei
Telefonhauptanschluß	Telefonhauptanschluss
Telegraph	Telegraph or Telegraf
Telegraphen-	Telegraphen- or Telegrafen-
Telegraphie	Telegraphie or Telegrafie
telegraphieren	telegraphieren or telegrafieren
telegraphisch	telegraphisch or telegrafisch
Telexanschluß	Telexanschluss
Thunfisch	Thunfisch or Tunfisch
tiefbetrübt	tief betrübt
tiefbewegt	tief bewegt
tiefblickend	tief blickend
tiefempfunden	tief empfunden
tieferschüttert	tief erschüttert
tiefgehend	tief gehend
tiefgreifend	tief greifend
tiefliegend	tief liegend
tiefschürfend	tief schürfend
Tintenfaß	Tintenfass
Tip	Tipp
Todesschuß	Todesschuss
Tolpatsch	Tollpatsch
tolpatschig	tollpatschig
Tomograph	Tomograph or Tomograf
Tomographie	Tomographie or Tomografie
Topograph	Topograph or Topograf
Topographie	Topographie or Topografie
topographisch	topographisch or topografisch
Toresschluß	Toresschluss
Torschluß	Torschluss
Torschlußpanik	Torschlusspanik
Tortenguß	Tortenguss
totenblaß	totenblass
totgeboren	tot geboren
traditionsbewußt	traditionsbewusst
Traditionsbewußtsein	Traditionsbewusstsein
Tränenfluß	Tränenfluss
treuergeben	treu ergeben
treusorgend	treu sorgend
trockensitzen	trocken sitzen
Trommelschlegel	Trommelschlägel
tropfnaß	tropfnass

ALT/OLD	NEU/NEW
Troß	Tross
Trugschluß	Trugschluss
tschüs	tschüs or tschüss
Türschloß	Türschloss
Typographie	Typographie or Typografie
typographisch	typographisch or typografisch

U	
übelbeleumdet	übel beleumdet
übelberaten	übel beraten
übelgelaunt	übel gelaunt
übelgesinnt	übel gesinnt
übelnehmen	übel nehmen
übelriechend	übel riechend
übeltun	übel tun
übelwollen	übel wollen
Überdruß	Überdruss
übereinanderlegen	übereinander legen
übereinanderliegen	übereinander liegen
übereinanderschlagen	übereinander schlagen
Überfluß	Überfluss
Überflußgesellschaft	Überflussgesellschaft
überhandnehmen	überhand nehmen
Überschuß	Überschuss
Überschußbeteiligung	Überschussbeteiligung
Überschußland	Überschussland
Überschußproduktion	Überschussproduktion
überschwenglich	überschwänglich
Überschwenglichkeit	Überschwänglichkeit
übersein	über sein
übrigbehalten	übrig behalten
übrigbleiben	übrig bleiben
übriglassen	übrig lassen
U-förmig	u-förmig
Ultima ratio	Ultima Ratio
Umkehrschluß	Umkehrschluss
umnumerieren	umnummerieren
Umriß	Umriss
umrißhaft	umrisshaft
Umrißzeichnung	Umrisszeichnung
Umschluß	Umschluss
umsein	um sein
umweltbewußt	umweltbewusst
Umweltbewußtsein	Umweltbewusstsein
unangepaßt	unangepasst
unbeeinflußbar	unbeeinflussbar
unbeeinflußt	unbeeinflusst
unbewußt	unbewusst
unerläßlich	unerlässlich
unermeßlich	unermesslich
Unfairneß	Unfairness
unfaßbar	unfassbar
unfaßlich	unfasslich
ungewiß	ungewiss
Ungewißheit	Ungewissheit
unglückbringend	Unglück bringend
unheilbringend	Unheil bringend
unheilverkündend	Unheil verkündend
unmeßbar	unmessbar
unmißverständlich	unmissverständlich
unpäßlich	unpässlich
Unpäßlichkeit	Unpässlichkeit
Unrechtsbewußtsein	Unrechtsbewusstsein
Unruhepotential	Unruhepotential or Unruhepotenzial
unselbständig	unselbständig or unselbstständig
Unselbständige(r)	Unselbständige(r) or Unselbstständige(r)
Unselbständigkeit	Unselbständigkeit or Unselbstständigkeit
untenerwähnt	unten erwähnt
untengenannt	unten genannt
untenliegend	unten liegend
untenstehend	unten stehend
Unterausschuß	Unterausschuss
unterbewußt	unterbewusst
Unterbewußtsein	Unterbewusstsein
unterderhand	unter der Hand
untereinander-	untereinander
Untergeschoß	Untergeschoss

ALT/OLD	NEU/NEW
Unterlaß	Unterlass
Untersuchungsausschuß	Untersuchungsausschuss
Unterwasserphotographie	Unterwasserphotographie or Unterwasserfotografie
unvergeßlich	unvergesslich
unverläßlich	unverlässlich

V

ALT/OLD	NEU/NEW
Varieté	Varieté or Varietee
verantwortungsbewußt	verantwortungsbewusst
Verantwortungsbewußtsein	Verantwortungsbewusstsein
Verbiß	Verbiss
verbleuen	verbläuen
verdroß	verdross
Verdruß	Verdruss
vergeßlich	vergesslich
Vergeßlichkeit	Vergesslichkeit
vergiß	vergiss
Vergißmeinnicht	Vergissmeinnicht
verhaßt	verhasst
Verlaß	Verlass
verläßlich	verlässlich
Verläßlichkeit	Verlässlichkeit
verlorengehen	verloren gehen
verlustbringend	Verlust bringend
Vermißte(r)	Vermisste(r)
Vermißtenanzeige	Vermisstenanzeige
Vermittlungsausschuß	Vermittlungsausschuss
Verriß	Verriss .
verschliß	verschliss
Verschluß	Verschluss
Verschlußlaut	Verschlusslaut
Verschlüßlung	Verschlüsslung
Verschlußsache	Verschlusssache or Verschluss-Sache
Verschlußsachen	Verschlusssachen or Verschluss-Sachen
verschüttgehen	verschütt gehen
verselbständigen	verselbständigen or verselbstständigen
Verselbständigung	Verselbständigung or Verselbstständigung
Versorgungsengpaß	Versorgungsengpass
vertrauenerweckend	Vertrauen erweckend
Vertrauensvorschuß	Vertrauensvorschuss
Vibraphon	Vibraphon or Vibrafon
vielbeschäftigt	viel beschäftigt
vieldiskutiert	viel diskutiert
vielgehaßt	viel gehaßt
vielgekauft	viel gekauft
vielgeliebt	viel geliebt
vielgenannt	viel genannt
vielgeprüft	viel geprüft
vielgereist	viel gereist
vielgeschmäht	viel geschmäht
vielsagend	viel sagend
vielumworben	viel umworben
vielverheißend	viel verheißend
vielversprechend	viel versprechend
Volksschulabschluß	Volksschulabschluss
volladen	voll laden
vollaufen	voll laufen
vollbekommen	voll bekommen
vollbringen(1)	voll bringen
vollessen	voll essen
vollfressen	voll fressen
vollfüllen	voll füllen
Vollgenuß	Vollgenuss
vollgießen	voll gießen
vollmachen	voll machen
vollpacken	voll packen
vollpfropfen	voll pfropfen
vollpumpen	voll pumpen
vollsaugen	voll saugen
vollschenken	voll schenken
vollschlagen	voll schlagen
vollschmieren	voll schmieren
vollschreiben	voll schreiben
vollstopfen	voll stopfen
volltanken	voll tanken
vorgefaßt	vorgefasst
Vorhängeschloß	Vorhängeschloss
vorhinein	Vorhinein

ALT/OLD	NEU/NEW
Vorlegeschloß	Vorlegeschloss
vorliebnehmen	vorlieb nehmen
vormittag	Vormittag
Vorschlußrunde	Vorschlussrunde
Vorschuß	Vorschuss
Vorschußlorbeeren	Vorschusslorbeeren
Vorschußzinsen	Vorschusszinsen
Vortagesschluß	Vortagesschluss
vorwärtsbringen	vorwärts bringen
vorwärtsgehen	vorwärts gehen
vorwärtskommen	vorwärts kommen
Vorwochenschluß	Vorwochenschluss

W

ALT/OLD	NEU/NEW
wachhalten	wach halten
Waggon	Waggon or Wagon
waggonweise	waggonweise or wagonweise
Wahlausschuß	Wahlausschuss
Walnuß	Walnuss
Walnußbaum	Walnussbaum
Walroß	Walross
warmhalten	warm halten
warmlaufen	warm laufen
Warnschuß	Warnschuss
Waschfaß	Waschfass
wäßrig	wässrig
wasserabstoßend	Wasser abstoßend
wasserabweisend	Wasser abweisend
Wasseranschluß	Wasseranschluss
Wasserschloß	Wasserschloss
Wehrpaß	Wehrpass
Weiberhaß	Weiberhass
weichgeklopft	weich geklopft
weichgekocht	weich gekocht
weichklopfen	weich klopfen
weichkriegen	weich kriegen
weichmachen	weich machen
Weihrauchfaß	Weihrauchfass
Weinfaß	Weinfass
weißglühend	weiß glühend
weißhaarig	weiß haarig
weiterbestehen	weiter bestehen
weiterbewegen	weiter bewegen
weitgereist	weit gereist
weitgesteckt	weit gesteckt
weitgreifend	weit greifend
weithergeholt	weit hergeholt
weitreichend	weit reichend
weitschauend	weit schauend
weittragend	weit tragend
weitverbreitet	weit verbreitet
weitverzweigt	weit verzweigt
Wertebewußtsein	Wertebewusstsein
Wetteufel	Wettteufel or Wett-Teufel
Wetturnen	Wettturnen or Wett-Turnen
wiederaufarbeiten	wieder aufarbeiten
wiederaufbauen	wieder aufbauen
wiederauferstehen	wieder auferstehen
wiederaufforsten	wieder aufforsten
wiederaufführen	wieder aufführen
wiederaufladen	wieder aufladen
wiederaufleben	wieder aufleben
wiederauflegen	wieder auflegen
wiederaufnehmen	wieder aufnehmen
wiederaufrichten	wieder aufrichten
wiederaufrüsten	wieder aufrüsten
wiederausführen	wieder ausführen
wiederbeleben	wieder beleben
wiederbewaffnen	wieder bewaffnen
wiedereinbürgern	wieder einbürgern
wiedereinfinden	wieder einfinden
wiedereinführen	wieder einführen
wiedereingliedern	wieder eingliedern
wiedereinnehmen	wieder einnehmen
wiedereinsetzen	wieder einsetzen
wiedereinstellen	wieder einstellen
wiederentdecken	wieder entdecken
wiedererkennen	wieder erkennen
wiederernennen	wieder ernennen
wiedereröffnen	wieder eröffnen

ALT/OLD	NEU/NEW
wiedererscheinen	wieder erscheinen
wiedererstehen	wieder erstehen
wiedererwachen	wieder erwachen
wiedererwecken	wieder erwecken
wiederfinden	wieder finden
wiedergeboren	wieder geboren
wiedergutmachen	wieder gutmachen
wiederherrichten	wieder herrichten
wiederherstellen	wieder herstellen
wiederkennen	wieder kennen
wiederlieben	wieder lieben
wiedersehen	wieder sehen
wiedertun	wieder tun
wiedervereinigen	wieder vereinigen
wiederverheiraten	wieder verheiraten
wiederverkaufen	wieder verkaufen
wiederverpflichten	wieder verpflichten
wiederverwenden	wieder verwenden
wiederverwerten	wieder verwerten
wiederwählen	wieder wählen
wiederzulassen	wieder zulassen
wieviel	wie viel
wildlebend	wild lebend
wildwachsend	wild wachsend
Winterschlußverkauf	Winterschlussverkauf
Wirtschaftsausschuß	Wirtschaftsausschuss
Wirtschaftsgeographie	Wirtschaftsgeographie or Wirtschaftsgeografie
Wißbegier(de)	Wissbegier(de)
wißbegierig	wissbegierig
wißt	wisst
Wochenfluß	Wochenfluss
wohlausgewogen	wohl ausgewogen
wohlbedacht	wohl bedacht
wohlbegründet	wohl begründet
wohlbekannt	wohl bekannt
wohlberaten	wohl beraten
wohldurchdacht	wohl durchdacht
wohlerprobt	wohl erprobt
Wohlfahrtsausschuß	Wohlfahrtsausschuss
wohlgemeint	wohl gemeint
wohlgeordnet	wohl geordnet
wohltemperiert	wohl temperiert
wohltun	wohl tun
wohlüberlegt	wohl überlegt
wohlunterrichtet	wohl unterrichtet
wohlversorgt	wohl versorgt
wohlwollen	wohl wollen
Wortgeographie	Wortgeographie or Wortgeografie
Wuchtgeschoß	Wuchtgeschoss
wundgelegen	wund gelegen
wundliegen	wund liegen
Wurfgeschoß	Wurfgeschoss
wußte	wusste

X	
Xerographie	Xerographie or Xerografie
xerographieren	xerographieren or xerografieren
Xylophon	Xylophon or Xylofon

ALT/OLD	NEU/NEW
Y	
Yoghurt	Joghurt or Jogurt
Z	
Zäheit	Zähheit
Zahlenschloß	Zahlenschloss
zartbesaitet	zart besaitet
Zaubernuß	Zaubernuss
Zauberschloß	Zauberschloss
Zeitlang	Zeit lang
Zentralverschluß	Zentralverschluss
zerschliß	zerschliss
Zersetzungsprozeß	Zersetzungsprozess
zielbewußt	zielbewusst
Zielbewußtsein	Zielbewusstsein
Zierat	Zierrat
Zipp(verschluß)	Zipp(verschluss)
Zirkelschluß	Zirkelschluss
Zivilprozeß	Zivilprozess
Zivilprozeßordnung	Zivilprozessordnung
Zollager	Zolllager or Zoll-Lager
Zuckerguß	Zuckerguss
zueinanderfinden	zueinander finden
zueinandergesellen	zueinander gesellen
zueinanderstehen	zueinander stehen
Zufluß	Zufluss
zufriedengeben	zufrieden geben
zufriedenlassen	zufrieden lassen
zufriedenstellen	zufrieden stellen
zugrunde	zugrunde or zu Grunde
zugunsten	zugunsten or zu Gunsten
zulande	zu Lande
zuleide	zuleide or zu Leide
zumute	zumute or zu Mute
Zündanlaßschalter	Zündanlassschalter or Zündanlass-Schalter
Zündanlaßschloß	Zündanlassschloss or Zündanlass-Schloss
Zündschloß	Zündschloss
Zungenkuß	Zungenkuss
zunutze	zunutze or zu Nutze
zupaß	zupass
Zusammenfluß	Zusammenfluss
zusammenphantasieren	zusammenphantasieren or zusammenfantasieren
Zusammenschluß	Zusammenschluss
zusammensein	zusammen sein
zuschanden	zuschanden or zu Schanden
zuschulden	zuschulden or zu Schulden
Zuschuß	Zuschuss
Zuschußbetrieb	Zuschussbetrieb
Zuschußgeschäft	Zuschussgeschäft
zusein	zu sein
zustande	zustande or zu Stande
zutage	zutage or zu Tage
zuungunsten	zuungunsten or zu Ungunsten
zuviel	zu viel
zuwege	zuwege or zu Wege
zuwenig	zu wenig
Zwischengeschoß	Zwischengeschoss
Zylinderschloß	Zylinderschloss